Die beiden Blätter mit den Übersichten können entweder in den Buchblock oder in die Klarsichttaschen auf den Innenseiten des Ordners gesteckt werden.

Beck'sche Textausgaben
Arbeitsrecht – Schnellübersicht

– Auszug –

Januar 2026

Beck'sche Textausgaben
Arbeitsrecht – Schnellübersicht
– Auszug –
Januar 2026

(Fortsetzung nächstes Blatt)

Beck'sche Textausgaben
Arbeitsrecht – Schnellübersicht

– Auszug –

Januar 2026

Fortsetzung

Beck'sche Textausgaben
Arbeitsrecht – Schnellübersicht

– Auszug –

Januar 2026

Die beiden Blätter mit den Übersichten können entweder in den Buchblock oder in die Klarsichttaschen auf den Innenseiten des Ordners gesteckt werden.

Eingeordnete Lieferungen	Stand der Lieferung	eingeordnet am	von
151. Ergänzungslieferung	Juli 2025	29.09.2025	161
152. Ergänzungslieferung	Jan. 26	13.4.26	175
153 Ergänzungslieferung	Mai 2026	22.07.2026	214
____ Ergänzungslieferung			
____ Ergänzungslieferung			
____ Ergänzungslieferung			
____ Ergänzungslieferung			
____ Ergänzungslieferung			
____ Ergänzungslieferung			
____ Ergänzungslieferung			
____ Ergänzungslieferung			
____ Ergänzungslieferung			
____ Ergänzungslieferung			
____ Ergänzungslieferung			
____ Ergänzungslieferung			
____ Ergänzungslieferung			

Eingeordnete Lieferungen	Stand der Lieferung	eingeordnet am	von
____ Ergänzungslieferung			
____ Ergänzungslieferung			
____ Ergänzungslieferung			
____ Ergänzungslieferung			
____ Ergänzungslieferung			
____ Ergänzungslieferung			
____ Ergänzungslieferung			
____ Ergänzungslieferung			
____ Ergänzungslieferung			
____ Ergänzungslieferung			
____ Ergänzungslieferung			
____ Ergänzungslieferung			
____ Ergänzungslieferung			
____ Ergänzungslieferung			
____ Ergänzungslieferung			
____ Ergänzungslieferung			
____ Ergänzungslieferung			

Hinweise zur Einsortierung der Ergänzungslieferungen

1. Prüfen Sie bitte vor dem Einordnen einer Lieferung anhand des Titelblatts Ihres Grundwerks, ob die vorangehende Lieferung einsortiert wurde. Nur bei lückenlosem Einordnen aller Lieferungen haben die Blätter den jeweils richtigen Anschluss. Jede Lieferung enthält zur weiteren Kontrolle auf dem Deckblatt und dem neuen Titelblatt zudem einen Hinweis, an welche frühere sie anschließt.

2. Nehmen Sie den oberen Teil der Steckmechanik heraus und stellen Sie diesen nebenan auf.

3. Ordnen Sie danach die oberen Blätter des sich im Ordner befindlichen Buchblocks (im Folgenden Buchblock alt) bis zu dem Blatt, das nach der Einordnungsanweisung herauszunehmen ist, in die Steckmechanik ein (im Folgenden Buchblock neu).

4. Sortieren Sie dann die herauszunehmenden Blätter des Buchblocks alt zum späteren Entsorgen aus.

5. Ordnen Sie die stattdessen neu einzufügenden Blätter der Ergänzungslieferung auf die Blätter, die sich bereits in der Steckmechanik befinden (Buchblock neu).

6. Sortieren Sie die weiteren Blätter des Buchblocks alt in den Buchblock neu, wiederum bis zu dem Blatt, das nach der Einordnungsanweisung als nächstes herauszunehmen ist.

7. Das weitere Einsortieren gestaltet sich so, wie dies oben unter 3. bis 5. beschrieben ist.

8. Sind alle Blätter ein- bzw. aussortiert, nehmen Sie den gesamten Buchblock neu mit der Steckmechanik und stecken Sie diesen in die Röhren des Ordners zurück.

9. Zur Sicherheit vergewissern Sie sich bitte, dass keines der aussortierten Blätter unten in der Fußzeile das Kennzeichen der neuen Lieferung trägt.

10. Zur späteren Kontrolle tragen Sie auf der vorne eingehefteten Tabelle die soeben eingeordnete Lieferung ein.

11. Für den seltenen Fall des Fehlens einzelner Blätter wenden Sie sich bitte an unsere Loseblatt-Reklamation im Internet unter http://www.becksche.de/de/Loseblatt_Service.html.

Ihre Verlage C.H.BECK und Vahlen

Beck'sche Textausgaben

ARBEITSRECHT

Sammlung aller wichtigen in der Bundesrepublik
geltenden arbeitsrechtlichen Vorschriften

Mit einer Einführung

von

Prof. Dr. Ulrich Koch

Ehem. Vorsitzender Richter am Bundesarbeitsgericht
Honorarprofessor an der Georg-August-Universität Göttingen

Stand: Mai 2026 (153. Ergänzungslieferung)

C.H.BECK

Dieses Titelblatt entstammt der 153. Ergänzungslieferung
Mai 2026,
die an die Ergänzungslieferung Januar 2026 anschließt.
ISBN 978 3 406 83886 6

Redaktioneller Hinweis:
Die Angaben zum Stand der Sammlung auf dem Titelblatt beziehen sich auf das Verkündungssdatum der maßgeblichen Veröffentlichungsblätter.

Verlag C. H. Beck,
Wilhelmstraße 9, 80801 München

beck.de

Gesamtwerk 978 3 406 44330 5 ergänzt bis 978 3 406 83886 6

Wilhelmstraße 9, 80801 München
info@beck.de
Druck: Druckerei C.H.Beck Nördlingen
(Adresse wie Verlag)

chbeck.de/nachhaltig
produktsicherheit.beck.de

Gedruckt auf säurefreiem, alterungsbeständigem Papier
(hergestellt aus chlorfrei gebleichtem Zellstoff)

Beck'sche Textausgaben Arbeitsrecht aktuell 153. EL

Geleitwort zur Ergänzungslieferung

Die 153. Ergänzungslieferung bringt die Textsammlung auf Stand **Mai 2026** (bis einschließlich BGBl. 2026 I Nr. 120). Sie berücksichtigt u. a. folgende Gesetze:

- G zur Änderung des Zuständigkeitsstreitwerts der Amtsgerichte, zum Ausbau der Spezialisierung der Justiz in Zivilsachen sowie zur Änderung weiterer prozessualer Regelungen v. 8.12.2025 (BGBl. 2025 I Nr. 318)
- G zur Modernisierung und Digitalisierung der Schwarzarbeitsbekämpfung v. 22.12.2025 (BGBl. 2025 I Nr. 369)
- G zur Änderung des Verbrauchervertrags- und des Versicherungsvertragsrechts sowie zur Änderung des Behandlungsvertragsrechts v. 3.2.2026 (BGBl. 2026 I Nr. 28)
- G zur Förderung privater Investitionen und des Finanzstandorts (Standortfördergesetz – StoFöG) v. 4.2.2026 (BGBl. 2026 I Nr. 33)
- G zur Umsetzung der Richtlinie (EU) 2024/1619 des Europäischen Parlaments und des Rates vom 31. Mai 2024 zur Änderung der Richtlinie 2013/36/EU im Hinblick auf Aufsichtsbefugnisse, Sanktionen, Zweigstellen aus Drittländern sowie Umwelt-, Sozial- und Unternehmensführungsrisiken und zur Entlastung der Kreditinstitute von Bürokratie (Bankenrichtlinienumsetzungs- und Bürokratieentlastungsgesetz – BRUBEG) v. 25.3.2026 (BGBl. 2026 I Nr. 81)
- G zur Anpassung der Krankenhausreform (Krankenhausreformanpassungsgesetz – KHAG) v. 9.4.2026 (BGBl. 2026 I Nr. 98)
- Dreizehntes G zur Änderung des Zweiten Buches Sozialgesetzbuch und anderer Gesetze v. 16.4.2026 (BGBl. 2026 I Nr. 107)
- G zur Anpassung des nationalen Rechts an die Reform des Gemeinsamen Europäischen Asylsystems (GEAS-Anpassungsgesetz) v. 23.4.2026 (BGBl. 2026 I Nr. 111) v. 23.4.2026 (BGBl. 2026 I Nr. 112)
- G zur Änderung des AZR-Gesetzes und weiterer Gesetze infolge der Anpassung des nationalen Rechts an das Gemeinsame Europäische Asylsystem (GEAS-Anpassungsfolgegesetz)
- G zur Stärkung der Tarifautonomie durch die Sicherung von Tariftreue bei der Vergabe öffentlicher Aufträge des Bundes (Tariftreuegesetz) v. 27.4.2026 (BGBl. 2026 I Nr. 119)

Den kompletten Inhalt der Beck'schen Textausgaben Arbeitsrecht und mehr als 500 weitere arbeits- und sozialrechtlich relevante Vorschriften plus Ausbildungsvorschriften finden Sie in **beck-online, Module Arbeitsrecht:** Alle Texte sind hier im Volltext wiedergegeben und werden laufend aktualisiert.

Einführung

Von Prof. Dr. Ulrich Koch, ehem. Vorsitzender Richter am
Bundesarbeitsgericht
sowie Honorarprofessor an der Georg-August-Universität Göttingen

Die vorliegende 153. Ergänzungslieferung bringt die Textsammlung Arbeitsrecht auf den Stand von Mai 2026 (bis einschließlich BGBl. 2026 I Nr. 120).

Nur behutsam geht der Gesetzgeber der 21. Legislaturperiode Vorhaben auf dem Gebiet des Arbeitsrechts an. Nach den zuletzt beschlossenen Änderungen in den Vorschriften zur Beschäftigung von ausländischen Staatsangehörigen hat er in dem am 1.5.2026 in Kraft getretenen Gesetz zur Sicherung der Tariftreue bei der Vergabe und Ausführung öffentlicher Aufträge und Konzessionen des Bundes (Bundestariftreuegesetz – BTTG, Nr. 515) aber nicht nur vergaberechtliche, sondern auch arbeitsrechtliche Regelungen aufgenommen. Nach dessen § 4 Abs. 1 Satz 1 sind Arbeitgeber verpflichtet, ihren zur Leistungserbringung eingesetzten Beschäftigten für die dort bestimmte Dauer mindestens die in einer Rechtsverordnung (§ 5 BTTG) für die betroffene Branche festgesetzten Arbeitsbedingungen zu gewähren. Ein Verzicht auf diese Ansprüche ist nur in einem von den Tarifvertragsparteien gebilligten Vergleich zulässig, die Verwirkung ist gänzlich ausgeschlossen. Ausschlussfristen für deren Geltendmachung können ausschließlich in dem der Rechtsverordnung zugrunde liegenden Tarifvertrag geregelt werden (§ 4 Abs. 2 BTTG). Die vorstehenden Regelungen werden durch eine in § 4 Abs. 3 BTTG normierte besondere Nachweispflicht ergänzt.

Diese Ergänzungslieferung enthält daneben ua die für die Textsammlung relevanten Änderungen für rechtliche Vorgaben zur Behandlung von Risikoträgern in Finanzinstituten, im Bereich des Gesundheitsschutzes, bei der Bekämpfung der Schwarzarbeit, im Sozial- und Aufenthaltsrecht sowie im Verfahrensrecht.

Die wichtigsten Änderungen enthalten das Gesetz zur Modernisierung und Digitalisierung der Schwarzarbeitsbekämpfung vom 22.12.2025, das Gesetz zur Förderung privater Investitionen und des Finanzstandorts vom 4.2.2026, das Bankenrichtlinienumsetzungs- und Bürokratieentlastungsgesetz vom 25.3.2026, das Krankenhausreformanpassungsgesetz vom 9.4.2026, das Dreizehnte Gesetz zur Änderung des Zweiten Buches Sozialgesetzbuch vom 16.4.2026 sowie das GEAS-Anpassungsgesetz und das GEAS-Anpassungsfolgegesetz jeweils vom 23.4.2026. In diese Ergänzungslieferung sind auch eine Übersicht über die ab dem 1.7.2026 geltenden Pfändungsfreibeträge (Nr. 320) und die Siebte Verordnung über zwingende Arbeitsbedingungen für die Pflegebranche (Nr. 506j) aufgenommen.

Aktualisiert werden schließlich die Übersichten über die geltenden Regelungen im Bund und in den Ländern zum Sonderurlaub (Nr. 134a), dem Kündigungsschutz für besondere Beauftragte (Nr. 159), zum Datenschutz sowie der Sicherheitsüberprüfung (Nr. 491, 492), im Personalvertretungsrecht (Nr. 573, 574) und zum arbeitsgerichtlichen Verfahren (Nr. 661). Enthalten sind schließlich Übersichten zu den Ladenöffnungsgesetzen der Länder und deren Durchführungsbestimmungen über den Ladenschluss.

Einführung

Der komplette Inhalt der Beck'schen Textausgaben Arbeitsrecht und mehr als 500 weitere arbeits- und sozialrechtlich relevante Vorschriften plus Ausbildungsvorschriften sind im Volltext in den Modulen Arbeitsrecht enthalten. Alle Texte werden dort laufend aktualisiert.

Alphabetisches Inhaltsverzeichnis[1)]

Kursiv gesetzte Vorschriften befinden sich in beck-online, Module Arbeitsrecht im Volltext

Unter den Schlagwörtern Richtlinien (EU) und Verordnungen (EU) sind die in der Sammlung enthaltenen nach EU-Numerierung zu finden.

---

1) Systematisches Inhaltsverzeichnis siehe Seite 25; ein alphabetisches Sachregister für das Printwerk befindet sich am Ende der Sammlung.

Inhalt (alphabetisch)

Inhalt (alphabetisch)

(Fortsetzung nächstes Blatt)

Inhalt (alphabetisch)

Beck'sche Textausgaben Arbeitsrecht

Inhalt (alphabetisch)

Inhalt (alphabetisch)

Inhalt (alphabetisch)

Inhalt (alphabetisch)

Inhalt (alphabetisch)

Inhalt (alphabetisch)

(Fortsetzung nächstes Blatt)

Inhalt (alphabetisch)

Inhalt (alphabetisch)

(Fortsetzung nächstes Blatt)

Inhalt (alphabetisch)

Inhalt (alphabetisch)

(Fortsetzung nächstes Blatt)

Inhalt (alphabetisch)

Inhalt (alphabetisch)

Systematisches Inhaltsverzeichnis für Printwerk und Online-Fassung

Kursiv gesetzte Vorschriften befinden sich in beck-online, Module Arbeitsrecht im Volltext

I. Arbeitsrechtliche Bestimmungen aus den Deutschen Verfassungen

Inhalt (systematisch)

III. Das Arbeitsverhältnis

A. Allgemeine Bestimmungen

Inhalt (systematisch)

B. Urlaubsbestimmungen

(Fortsetzung nächstes Blatt)

Inhalt (systematisch)

C. Vorschriften über Kündigung

D. Recht am Arbeitsergebnis und betriebliche Altersversorgung

C. Schutz des Arbeitsentgelts

Inhalt (systematisch)

Inhalt (systematisch)

Inhalt (systematisch)

B. Technischer Arbeitsschutz

(Fortsetzung nächstes Blatt)

Inhalt (systematisch)

C. Mutterschutz und Elternzeit

D. Pflegezeit

E. Berufsbildung und Jugendarbeitsschutz

Inhalt (systematisch)

G. Heimarbeitsschutz

H. Datenschutz

Inhalt (systematisch)

Inhalt (systematisch)

B. Schlichtungsrecht

VII. Gewerkschaften und Arbeitgeberverbände, Wirtschaftskammern, Handwerksinnungen, Handwerkskammern, Arbeitnehmerkammern, Industrie- und Handelskammern

IX. Betriebsverfassungs- und Personalvertretungsrecht

A. Betriebsverfassungsrecht

B. Personalvertretungsrecht

Inhalt (systematisch)

C. Europäisches Recht

IX a. Umwandlungs- und Übernahmerecht

A. Allgemeine Vorschrift

B. Umwandlung staatlicher Einrichtungen

C. Finanzsektor

(Fortsetzung nächstes Blatt)

Inhalt (systematisch)

Inhalt (systematisch)

XI. Sozialgesetzbuch

XII. Arbeitsförderung und Arbeitnehmerüberlassung

XII a. Ausländerrecht

XIII. Europäisches Arbeitsrecht

A. Europäische Union

B. Freizügigkeit

Inhalt (systematisch)

E. Mitbestimmung

F. Arbeitsschutzrecht

B. Evangelische Kirche

Abkürzungsverzeichnis

AAG .... Gesetz über den Ausgleich der Arbeitgeberaufwendungen für Entgeltfortzahlung
aaO .... am angeführten Ort
AbfallArbbV .... Abfallarbeitsbedingungenverordnung
Abk .... Abkommen
ABl. .... Amtsblatt
ABM .... Allgemeine Maßnahme zur Arbeitsbeschaffung aus Mitteln der Bundesanstalt für Arbeit
ABM-AO .... Arbeitsbeschaffungsmaßnahmen-Anordnung
Abs. .... Absatz
AEntG .... Arbeitnehmer-Entsendegesetz
AETR .... Europäisches Übereinkommen über die Arbeit des im internationalen Straßenverkehr beschäftigten Fahrpersonals
AEUV .... Vertrag über die Arbeitsweise der Europäischen Union
aF .... alte Fassung
AFBG .... Aufstiegsfortbildungsförderungsgesetz
AFbW .... Anordnung über die Förderung der beruflichen Weiterbildung
AFKG .... Arbeitsförderungs-Konsolidierungsgesetz
AFRG .... Arbeitsförderungs-Reformgesetz
AG .... Ausführungsgesetz zum ...
AGG .... Allgemeines Gleichbehandlungsgesetz
AHK .... Alliierte Hohe Kommission
Aichberger .... Sozialgesetzbuch, Reichsversicherungsordnung (Loseblatt-Textsammlung, Verlag C. H. Beck)
aK .... außer Kraft
AktG .... Aktiengesetz
AltPflG .... Altenpflegegesetz (aK)
ANBA .... Amtliche Nachrichten der Bundesanstalt für Arbeit
ÄndG .... Änderungsgesetz
Anh. .... Anhang
Anm. .... Anmerkung
AO .... Abgabenordnung; Anordnung
AP .... Nachschlagewerk des Bundesarbeitsgerichts – Arbeitsrechtliche Praxis (Loseblatt-Entscheidungssammlung, Verlag C. H. Beck)
ArbGG .... Arbeitsgerichtsgesetz
ArbNErfG .... Arbeitnehmererfindungsgesetz
ArbPlSchG .... Arbeitsplatzschutzgesetz
ArbSchG .... Arbeitsschutzgesetz
ArbStättV .... Arbeitsstättenverordnung
ArbZG .... Arbeitszeitgesetz
ArGV .... Arbeitsgenehmigungsverordnung (aK)
Art. .... Artikel
ASiG .... Arbeitssicherheitsgesetz
ASistG .... Arbeitssicherstellungsgesetz

Abkürzungen

AsylbLG .... Asylbewerberleistungsgesetz
AsylG .... Asylgesetz
ATG .... Altersteilzeitgesetz
AufenthG .... Aufenthaltsgesetz
AufenthV .... Aufenthaltsverordnung
AÜG .... Arbeitnehmerüberlassungsgesetz
AusfVO .... Ausführungsverordnung
AV .... Ausführungsvorschriften; Ausgleichsabgabenverwendungsverordnung
AVAVG .... Gesetz über die Arbeitsvermittlung und Arbeitslosenversicherung
AViA .... Arbeitsvermittlung im Auftrag der Bundesanstalt für Arbeit
AVV .... Allgemeine Verwaltungsvorschrift
AWbG .... Arbeitnehmerweiterbildungsgesetz

BA .... Bundesanstalt für Arbeit
BAG .... Bundesarbeitsgericht
BAGE .... Entscheidung des Bundesarbeitsgerichts
BAnz. .... Bundesanzeiger
BAPostG .... Bundesanstalt Post-Gesetz
BArbBl. .... Bundesarbeitsblatt
BauArbbV .... Baugewerbearbeitsbedingungenverordnung
BaustellV .... Baustellenverordnung
BayBS .... Bereinigte Sammlung des bayerischen Landesrechts
BayDSG .... Bayerisches Datenschutzgesetz
BayLErzGG .... Bayerisches Landeserziehungsgeldgesetz
BayRS .... Bayerische Rechtssammlung
BayVerf .... Verfassung des Freistaates Bayern
BayVerfGH .... Bayerischer Verfassungsgerichtshof
BbgDSG .... Brandenburgisches Datenschutzgesetz
BbgVerf .... Verfassung des Landes Brandenburg
BbgWBG .... Brandenburgisches Weiterbildungsgesetz
BBiG .... Berufsbildungsgesetz
BDSG .... Bundesdatenschutzgesetz
BedGewV(O)/
BedGVO .... Bedarfsgewerbeverordnung
BedV .... Bedürfnisgewerbeverordnung
BEEG .... Bundeselterngeld- und Elternzeitgesetz
BeitrEinzVergV .... Beitrageinzugs- und Meldevergütungsverordnung
BerBiFG .... Berufsbildungsförderungsgesetz
BergbauArbbV ..... Bergbauspezialarbeitenarbeitsbedingungenverordnung
BergPDV .... Durchführungsverordnung zum Bergmannsprämiengesetz
BErzGG .... Bundeserziehungsgeldgesetz (s. jetzt BEEG)
BeschV .... Beschäftigungsverordnung
BetrAVG .... Gesetz über die Verbesserung der betrieblichen Altersversorgung
BetrSichV .... Betriebssicherheitsverordnung
BetrVG .... Betriebsverfassungsgesetz
BeVerf .... Verfassung von Berlin

BFDG	Bundesfreiwilligendienstgesetz
BFG	Bildungsfreistellungsgesetz
BFQG	Bildungsfreistellungs- und Qualifizierungsgesetz
BFV	Bildungsfreistellungsverordnung
BG	Berufsgenossenschaft
BGB	Bürgerliches Gesetzbuch
BGBl.	Bundesgesetzblatt
BGBl. III	Bereinigte Sammlung des Bundesrechts, abgeschlossen am 28. 12. 1968 (in Nachweisform fortgeführt durch FNA)
BGleiG	Bundesgleichstellungsgesetz
BGremBG	Bundesgremienbesetzungsgesetz
BiFVO	Bildungsfreistellungsverordnung
BildscharbV	Bildschirmarbeitsverordnung
BImSchG	Bundes-Immissionsschutzgesetz
BiostoffV	Biostoffverordnung
BPersVWO	Wahlordnung zum Bundespersonalvertretungsgesetz
BinSchG	Binnenschifffahrtsgesetz
BiUrlG	Bildungsurlaubsgesetz
BKGG	Bundeskindergeldgesetz
BInDSG	Berliner Datenschutzgesetz
BPersVG	Bundespersonalvertretungsgesetz
BrDSG	Bremisches Datenschutzgesetz
BremKJFFöG	Bremisches Kinder-, Jugend- und Familienförderungsgesetz
BremKJArbnKG	Gesetz über die Arbeitnehmerkammern im Lande Bremen
BRepD	Bundesrepublik Deutschland
BRModG	Betriebsrätemodernisierungsgesetz
BrVerf	Landesverfassung der Freien Hansestadt Bremen
BS	Bereinigte Sammlung
BUrlG	Bundesurlaubsgesetz
BVerfG	Bundesverfassungsgericht
BVerfGE	Bundesverfassungsgerichtsentscheidung
BVSG	Bergmannsversorgungsscheingesetz
BWVerf	Verfassung des Landes Baden-Württemberg
BZRG	Bundeszentralregistergesetz
CEEP	Centre Européen des Enterprises à Participation Publique et des Enterprises d'Interêt Economique Général (Europäischer Zentralverband der öffentlichen Wirtschaft)
COVID-19-ArbZV	COVID-19-Arbeitszeitverordnung (aK)
DBGrG	Deutsche Bahn Gründungsgesetz
DEVO	Datenerfassungsverordnung (aK)
d. h.	das heißt
DSG-LSA	Datenschutzgesetz Land Sachsen-Anhalt
DSG-MV	Datenschutzgesetz Mecklenburg-Vorpommern
DSG NW	Datenschutzgesetz Nordrhein-Westfalen
dtv	Deutscher Taschenbuch Verlag

Abkürzungen

DÜVO	Datenübermittlungsverordnung (aK)
DV	Datenverarbeitung
DVAuslG	Verordnung zur Durchführung des Ausländergesetzes
DVO	Durchführungsverordnung
EAG-V	Vertrag zur Gründung der Europäischen Atomgemeinschaft
EAO	Erreichbarkeits-Anordnung
EBR	Europäischer Betriebsrat
EBRG	Europäische Betriebsräte-Gesetz
EBV	Entgeltbescheinigungsverordnung
EFTA	European Free Trade Association
EG	Europäische Gemeinschaft, Einführungsgesetz
EGB	Europäischer Gewerkschaftsbund
EGBGB	Einführungesetz zum Bürgerlichen Gesetzbuche
EGInsO	Einführungsgesetz zur Insolvenzordnung
EGKS-V	Vertrag zur Gründung der Europäischen Gemeinschaft für Kohle und Stahl (aK)
EGStGB	Einführungsgesetz zum Strafgesetzbuch
EG-V	Vertrag zur Gründung der Europäischen Gemeinschaft
EhfG	Entwicklungshelfer-Gesetz
EignÜG	Eignungsübungsgesetz
ENeuOG	Eisenbahnneuordnungsgesetz
EntgeltfortzG	Entgeltfortzahlungsgesetz
EntgTranspG	Entgelttransparenzgesetz
EStG	Einkommensteuergesetz
EuAbgG	Europaabgeordnetengesetz
EU/EWR HwV	EU/EWR-Handwerk-Verordnung
EU-DSGVO	Datenschutz-Grundverordnung
EURATOM	Europäische Atomgemeinschaft
EUV	Vertrag über die Europäische Union (s. jetzt AEUV)
EVertr	Einigungsvertrag
EWG	Europäische Wirtschaftsgemeinschaft (s. auch EG)
EWR	Europäischer Wirtschaftsraum
FeiertG	Feiertagsgesetz
FernUSG	Fernunterrichtsschutzgesetz
FKPG	Gesetz zur Umsetzung des Föderalen Konsolidierungsprogramms
FNA	Bundesgesetzblatt Teil I, Fundstellennachweis A (Bundesrecht ohne völkerrechtliche Vereinbarungen)
FPersG	Fahrpersonalgesetz
FPersV	Fahrpersonalverordnung
FPfZG	Familienpflegezeitgesetz
FrbWV	Frauenbeauftragten-Wahlverordnung
FreizügG/EU	Gesetz über die allgemeine Freizügigkeit von Unionsbürgern
FreizügV	Freizügigkeitsverordnung
FriseurArbbV	Friseurarbeitsbedingungenverordnung
FSchVO	Feiertags-Schutz-Verordnung
FTG	Feiertagsgesetz

G	Gesetz
GBl.	Gesetzblatt
GebäudeArbbV	Gebäudereinigungsarbeitsbedingungenverordnung
GeldWertArbbV	Geld- und Wertdienstearbeitsbedingungenverordnung
GenDG	Gendiagnostikgesetz
GenTG	Gentechnikgesetz
GenTSV	Gentechnik-Sicherheitsverordnung
GeschGehG	Gesetz zum Schutz vor Geschäftsgeheimnissen
GewO	Gewerbeordnung
GG	Grundgesetz
GKG	Gerichtskostengesetz
GleiBG	Gleichberechtigungsgesetz
GO	Geschäftsordnung
GO BAG	Geschäftsordnung des Bundesarbeitsgerichts
GRG	Gesundheits-Reformgesetz
GSA Fleisch	Gesetz zur Sicherung von Arbeitnehmerrechten in der Fleischwirtschaft
GS NW	Gesetzessammlung Nordrhein-Westfalen
GStVO-ArbG	Verordnung über die Geschäftsstellen der Gerichte für Arbeitssachen
GV. NW	Gesetze und Verordnungen Nordrhein-Westfalen
GVBl. (GVOBl.)	Gesetz- und Verordnungsblatt
GVG	Gerichtsverfassungsgesetz
Habersack	Deutsche Gesetze (Loseblatt-Textsammlung Verlag C. H. Beck)
HAG	Heimarbeitsgesetz
HandwO	Handwerksordnung
HbgVerf	Verfassung der Freien und Hansestadt Hamburg
HDSG	Hessisches Datenschutzgesetz
HeVerf	Verfassung des Landes Hessen
HFeiertG	Hessisches Feiertagsgesetz
HGB	Handelsgesetzbuch
HGBÄndG	Gesetz zur Änderung des Handelsgesetzbuchs
HmbDSG	Hamburger Datenschutzgesetz
HRG	Hochschulrahmengesetz
HStruktG	Haushaltsstrukturgesetz
i. d. F.	in der Fassung
IfSG	Infektionsschutzgesetz
IHKG	Gesetz zur vorläufigen Regelung des Rechts der Industrie- und Handelskammern
ILO	Internationale Arbeitsorganisation
InsO	Insolvenzordnung
InstitutsVergV	Instituts-Vergütungsverordnung
i. S.	im Sinne
IT-ArGV	Verordnung über die Arbeitsgenehmigung für hoch qualifizierte ausländische Fachkräfte der Informations- und Kommunikationstechnologie (aK)

Abkürzungen

IT-AV	Verordnung über Aufenthaltserlaubnisse für hoch qualifizierte ausländische Fachkräfte der Informations- und Kommunikationstechnologie (aK)
i. V.	in Verbindung
JArbSchG	Jugendarbeitsschutzgesetz
JArbSchUV	Jugendarbeitsschutzuntersuchungsverordnung
JFDG	Jugendfreiwilligendienstegesetz
JuMiG	Justizmitteilungsgesetz und Gesetz zur Änderung kostenrechtlicher Vorschriften und anderer Gesetze
KfzHV	Kraftfahrzeughilfe-Verordnung
KindArbSchV	Kinderarbeitsschutzverordnung
KJfG M-V	Kinder- und Jugendförderungsgesetz Mecklenburg-Vorpommern
KnVNG	Knappschaftsrentenversicherungs-Neuregelungsgesetz
KO	Konkursordnung (aK)
KOV	Kriegsopferversorgung
KRG	Kontrollratsgesetz
KrPflG	Krankenpflegegesetz (aK)
KrWG	Kreislaufwirtschaftsgesetz
KSchG	Kündigungsschutzgesetz
KWG	Kreditwesengesetz
LAA	Landesarbeitsamt
LadschlG	Ladenschlussgesetz
LandwArbbV	Landwirtschaftsarbeitsbedingungenverordnung
LasthandhabV	Lastenhandhabungsverordnung
LDSG	Landesdatenschutzgesetz
LErzGG	Landeserziehungsgeldgesetz
LErzGG M-V	Gesetz über die Gewährung eines Landeserziehungsgeldes in Mecklenburg-Vorpommern
LFtG	Landesgesetz über den Schutz der Sonn- und Feiertage
LohnStatG	Gesetz über die Lohnstatistik (aK)
LSchlAV	Ladenschluss-Ausnahmeverordnung
LSchlV(O)	Ladenschlussverordnung
LVA	Landesversicherungsanstalt
MAVO	Mitarbeitervertretungsordnung
MecklVVerf	Verfassung des Landes Mecklenburg-Vorpommern
MgVG	Gesetz über die Mitbestimmung der Arbeitnehmer bei einer grenzüberschreitenden Verschmelzung
MiArbG	Mitarbeitsbedingungengesetz (aK)
MighEV	Migrationshintergrund-Erhebungsverordnung
MiLoAufzV	Mindestlohnaufzeichnungsverordnung
MiLoDokV	Mindestlohndokumentationspflichtenverordnung
MiLoG	Mindestlohngesetz
MiLoGMeldStellV	Verordnung zur Bestimmung der zuständigen Behörde nach § 16 Absatz 6 des Mindestlohngesetzes
MiLoMeldV	Mindestlohnmeldeverordnung
MiLoV	Mindestlohnanpassungsverordnung

MitbestBeiG	Mitbestimmungs-Beibehaltungsgesetz
MitbestErgG	Mitbestimmungs-Ergänzungsgesetz
MitbestG	Mitbestimmungsgesetz
MontanMitbestG	Montan-Mitbestimmungsgesetz
MuSchG	Mutterschutzgesetz
MuSchRiV	Mutterschutzrichtlinienverordnung
M-V	Mecklenburg-Vorpommern
MVG-EKD	Mitarbeitervertretungsgesetz der EKD
mWv	mit Wirkung vom
NachwG	Nachweisgesetz
NATO-ZusAbk.	Zusatzabkommen zu dem Abkommen zwischen den Parteien des Nordatlantikvertrages über die Rechtsstellung ihrer Truppen hinsichtlich der in der Bundesrepublik Deutschland stationierten ausländischen Truppen
NBildUG	Niedersächsisches Bildungsurlaubsgesetz
NDSG	Niedersächsisches Datenschutzgesetz
NdsVerf	Niedersächsische Verfassung
nF	neue Fassung
NiederlAbk	Niederlassungsabkommen
NJW	Neue Juristische Wochenschrift
NRWVerf	Verfassung für das Land Nordrhein-Westfalen
NZA	Neue Zeitschrift für Arbeitsrecht
OEEC	Organization for European Economic Cooperation (Europäischer Wirtschaftsrat)
OVG	Oberverwaltungsgericht
PflBG	Pflegeberufegesetz
PflegeArbbV	Pflegearbeitsbedingungenverordnung
PflegeZG	Pflegezeitgesetz
PostPersRG	Postpersonalrechtsgesetz
PostSVOrgG	Postsozialversicherungsorganisationsgesetz
PostUmwG	Postumwandlungsgesetz
ProstG	Prostitutionsgestz
PSA-BV	Persönliche Schutzausrüstungs-Benutzungsverordnung
PTNeuOG	Postneuordnungsgesetz
RdA	Zeitschrift „Recht der Arbeit"
RdErl.	Runderlass
RehaAnglG	Gesetz über die Angleichung der Leistungen zur Rehabilitation (aK)
RGBl.	Reichsgesetzblatt
RheinSchAbk	Abkommen über die Arbeitsbedingungen der Rheinschiffer
RL	Richtlinie
RPVerf	Verfassung für Rheinland-Pfalz
RStruktFG	Restrukturierungsfondsgesetz
RückHG	Rückkehrhilfegesetz
RVFinanzG	Rentenversicherungs-Finanzstärkungsgesetz

Abkürzungen

RVO	Reichsversicherungsordnung; Rechtsverordnung
RVG	Rechtsanwaltsvergütungsgesetz
RWMBl.	Ministerialblatt des Reichswirtschaftsministeriums
s.	siehe
S.	Seite
SaarlVerf	Verfassung des Saarlandes
SaBremR	(bereinigte) Sammlung des bremischen Rechts
SachsAnhVerf	Verfassung des Landes Sachsen-Anhalt
SächsDSG	Sächsisches Datenschutzgesetz
SächsLErzGG	Gesetz über die Gewährung von Landeserziehungsgeld im Freistaat Sachsen
SächsSFG	Gesetz über Sonn- und Feiertage im Freistaat Sachsen
SächsVerf	Verfassung des Freistaates Sachsen
SAG	Sanierungs- und Abwicklungsgesetz
Samml. b.h.LR	Sammlung des bereinigten hanseatischen Landesrechts
Sartorius I	Verfassungs- und Verwaltungsgesetze (Loseblatt-Textsammlung, Verlag C. H. Beck)
Sartorius II	Internationale Verträge, Europarecht (Loseblatt-Textsammlung, Verlag C. H. Beck)
SchBesV	Schiffsbesetzungsverordnung
SchlHVerf	Verfassung des Landes Schleswig-Holstein
SchOffzAusbV	Schiffsoffizier-Ausbildungsverordnung
SchwarzArbG	Gesetz zur Bekämpfung der Schwarzarbeit und illegalen Beschäftigung
SchwbAV	Schwerbehinderten-Ausgleichsabgabeverordnung
SchwbG	Schwerbehindertengesetz (aK)
SchwbVWO	Wahlordnung Schwerbehindertenvertretungen
SDSG	Saarländisches Datenschutzgesetz
SEAG	SE-Ausführungsgesetz
SEBG	SE-Beteiligungsgesetz
SeeArbG	Seearbeitsgesetz
SeeArbÜV	Seearbeitsüberprüfungs-Verordnung
SeeArbZNV	See-Arbeitszeitnachweisverordnung
SeeAZV	See-Arbeitszeitverordnung
See-BV	Seeleute-Befähigungsverordnung
SFG	Feiertagsgesetz des Saarlandes
SGB (I)	Sozialgesetzbuch (I. Buch)
SGG	Sozialgerichtsgesetz
SicherheitArbbV	Sicherheitsdienstleistungsarbeitsbedingungenverordnung
SokaSiG	Sozialkassenverfahrensicherungsgesetz
SozPlG	Gesetz über den Sozialplan im Konkurs- und Vergleichsverfahren
SprAuG	Sprecherausschussgesetz
StBerG	Steuerberatungsgesetz
SteinmetzArbbV	Steinmetzarbeitsbedingungenverordnung
StFG	Stabilisierungsfondsgesetz
StRÄndG	Strafrechtsänderungsgesetz
StRG	Gesetz zur Reform des Strafrechts

StVZO	Straßenverkehrszulassungsordnung
SVG	Soldatenversorgungsgesetz
SWBG	Saarländisches Weiterbildungs- und Bildungsfreistellungsgesetz
TextilArbbV	Textilarbeitsbedingungenverordnung
ThürFtG	Thüringer Feiertagsgesetz
ThürVerf	Verfassung des Freistaates Thüringen
THWG	Gesetz über das Technische Hilfswerk
TV	Tarifvertrag
TVG	Tarifvertragsgesetz
TzBfG	Teilzeit- und Befristungsgesetz
ÜG	Überweisungsgesetz
UmwBerG	Umwandlungsbereinigungsgesetz
UmwG	Umwandlungsgesetz
UNICE	Union of Industrial and Employers' Confederations of Europe (Europäische Vereinigung der Industrie- und Arbeitgeberverbände)
UNTS	United Nations Treaty Series
UVNG	Unfallversicherungs-Neuregelungsgesetz
UWG	Gesetz gegen den unlauteren Wettbewerb
VAG	Versicherungsaufsichtsgesetz
VerdStatG	Verdienststatistikgesetz
VerglO	Vergleichsordnung (aK)
vgl.	vergleiche
VermBDV	Vermögensbildungs-Durchführungsverordnung
VermBG	Vermögensbildungsgesetz
VersVergV	Versicherungs-Vergütungsverordnung
VFlugSiKArbbV	Verkehrsflughafen-Sicherheitskräftearbeitsbedingungenverordnung
VMBl.	Ministerialblatt des Bundesministers der Verteidigung
VO	Verordnung
VOBl.	Verordnungsblatt
Vorbem.	Vorbemerkung
VRG	Vorruhestandsgesetz
VwGO	Verwaltungsgerichtsordnung
WahlO Post	Verordnung zur Durchführung der Betriebsratswahlen bei den Postunternehmen
WbG (WBG)	Weiterbildungsgesetz
WHG	Wasserhaushaltsgesetz
WiBauAO	Winterbau-Anordnung
WiGBl.	Wirtschaftsgesetzblatt (Gesetzblatt des Wirtschaftsrates)
WiKG	Gesetz zur Bekämpfung der Wirtschaftskriminalität
WissZeitVG	Wissenschaftszeitvertragsgesetz
WMVO	Werkstätten-Mitwirkungsverordnung
WO	Wahlordnung

Abkürzungen

WOMitbestG	Wahlordnung zum Mitbestimmungsgesetz
WOS	Wahlordnung Seeschifffahrt
WOSprAuG	Wahlordnung zum Sprecherausschussgesetz
WPflG	Wehrpflichtgesetz
WPO	Wirtschaftsprüferverordnung
WpÜG	Wertpapiererwerbs- und Übernahmegesetz
WStBG	Wirtschaftsstabilisierungsbeschleunigungsgesetz
WVO	Werkstättenverordnung
zB	zum Beispiel
ZDG	Zivildienstgesetz
ZDVG	Zivildienstvertrauensmann-Gesetz
ZPO	Zivilprozessordnung
ZRHO	Rechtshilfeordnung für Zivilsachen
ZSKG	Zivilschutz- und Katastrophenhilfegesetz

I.
Arbeitsrechtliche Bestimmungen aus den Deutschen Verfassungen

10. Grundgesetz für die Bundesrepublik Deutschland

Vom 23. Mai 1949
(BGBl. S. 1)

BGBl. III/FNA 100-1

zuletzt geänd. durch Art. 1 G zur Änd. des GrundG v. 22.3.2025 (BGBl. 2025 I Nr. 94)

– Auszug –[1)]

Präambel[2)]

[1] Im Bewußtsein seiner Verantwortung vor Gott und den Menschen,

von dem Willen beseelt, als gleichberechtigtes Glied in einem vereinten Europa dem Frieden der Welt zu dienen, hat sich das Deutsche Volk kraft seiner verfassungsgebenden Gewalt dieses Grundgesetz gegeben.

[2] Die Deutschen in den Ländern Baden-Württemberg, Bayern, Berlin, Brandenburg, Bremen, Hamburg, Hessen, Mecklenburg-Vorpommern, Niedersachsen, Nordrhein-Westfalen, Rheinland-Pfalz, Saarland, Sachsen, Sachsen-Anhalt, Schleswig-Holstein und Thüringen haben in freier Selbstbestimmung die Einheit und Freiheit Deutschlands vollendet. [3] Damit gilt dieses Grundgesetz für das gesamte Deutsche Volk.

I.[3)] Die Grundrechte

Art. 1[4)] [Schutz der Menschenwürde, Menschenrechte, Grundrechtsbindung] (1) [1] Die Würde des Menschen ist unantastbar. [2] Sie zu achten und zu schützen ist Verpflichtung aller staatlichen Gewalt.

(2) Das Deutsche Volk bekennt sich darum zu unverletzlichen und unveräußerlichen Menschenrechten als Grundlage jeder menschlichen Gemeinschaft, des Friedens und der Gerechtigkeit in der Welt.

(3) Die nachfolgenden Grundrechte binden Gesetzgebung, vollziehende Gewalt und Rechtsprechung als unmittelbar geltendes Recht.

Art. 2 [Freie Entfaltung der Persönlichkeit, Recht auf Leben, körperliche Unversehrtheit, Freiheit der Person] (1) Jeder hat das Recht auf die freie Entfaltung seiner Persönlichkeit, soweit er nicht die Rechte anderer verletzt und nicht gegen die verfassungsmäßige Ordnung oder das Sittengesetz verstößt.

(2) [1] Jeder hat das Recht auf Leben und körperliche Unversehrtheit. [2] Die Freiheit der Person ist unverletzlich.[5)] [3] In diese Rechte darf nur auf Grund eines Gesetzes eingegriffen werden.

---

1) Vollständig wiedergegeben in **beck-online, Module Arbeitsrecht.**

2) Präambel neu gef. durch EVertr. v. 31.8.1990 (BGBl. II S. 885, 889).

3) Siehe hierzu auch die Konvention zum Schutz der Menschenrechte und Grundfreiheiten (Nr. **1150**).

4) Art. 1 Abs. 3 neu gef. mWv 22.3.1956 durch G v. 19.3.1956 (BGBl. I S. 111).

5) Zur Freiheitsentziehung siehe Art. 104.

Art. 3[1] **[Gleichheit vor dem Gesetz]** (1) Alle Menschen sind vor dem Gesetz gleich.

(2) [1] Männer und Frauen sind gleichberechtigt. [2] Der Staat fördert die tatsächliche Durchsetzung der Gleichberechtigung von Frauen und Männern und wirkt auf die Beseitigung bestehender Nachteile hin.

(3)[2] [1] Niemand darf wegen seines Geschlechtes, seiner Abstammung, seiner Rasse, seiner Sprache, seiner Heimat und Herkunft, seines Glaubens, seiner religiösen oder politischen Anschauungen benachteiligt oder bevorzugt werden. [2] Niemand darf wegen seiner Behinderung benachteiligt werden.

Art. 4 [Glaubens-, Gewissens- und Bekenntnisfreiheit, Kriegsdienstverweigerung] (1) Die Freiheit des Glaubens, des Gewissens und die Freiheit des religiösen und weltanschaulichen Bekenntnisses sind unverletzlich.

(2) Die ungestörte Religionsausübung wird gewährleistet.

(3) [1] Niemand darf gegen sein Gewissen zum Kriegsdienst mit der Waffe gezwungen werden. [2] Das Nähere regelt ein Bundesgesetz.[3]

Art. 5 [Recht der freien Meinungsäußerung, Medienfreiheit, Kunst- und Wissenschaftsfreiheit] (1) [1] Jeder hat das Recht, seine Meinung in Wort, Schrift und Bild frei zu äußern und zu verbreiten und sich aus allgemein zugänglichen Quellen ungehindert zu unterrichten. [2] Die Pressefreiheit und die Freiheit der Berichterstattung durch Rundfunk und Film werden gewährleistet. [3] Eine Zensur findet nicht statt.

(2) Diese Rechte finden ihre Schranken in den Vorschriften der allgemeinen Gesetze, den gesetzlichen Bestimmungen zum Schutze der Jugend und in dem Recht der persönlichen Ehre.

(3) [1] Kunst und Wissenschaft, Forschung und Lehre sind frei. [2] Die Freiheit der Lehre entbindet nicht von der Treue zur Verfassung.

Art. 6 [Ehe, Familie, nicht eheliche Kinder] (1) Ehe und Familie stehen unter dem besonderen Schutze der staatlichen Ordnung.

(2) [1] Pflege und Erziehung der Kinder sind das natürliche Recht der Eltern und die zuvörderst ihnen obliegende Pflicht. [2] Über ihre Betätigung wacht die staatliche Gemeinschaft.

(Fortsetzung nächstes Blatt)

---

[1] Art. 3 Abs. 2 Satz 2 und Abs. 3 Satz 2 angef. mWv 15.11.1994 durch G v. 27.10.1994 (BGBl. I S. 3146).

[2] *Siehe hierzu das* Allgemeine GleichbehandlungsG (Nr. **91**).

[3] Siehe das WehrpflichtG **(beck-online, Module Arbeitsrecht Nr. 156a)**, KriegsdienstverweigerungsG **(Sartorius Nr. 626)** und das ZivildienstG **(beck-online, Module Arbeitsrecht Nr. 156c)**.

(3) Gegen den Willen der Erziehungsberechtigten dürfen Kinder nur auf Grund eines Gesetzes von der Familie getrennt werden, wenn die Erziehungsberechtigten versagen oder wenn die Kinder aus anderen Gründen zu verwahrlosen drohen.

(4) Jede Mutter hat Anspruch auf den Schutz und die Fürsorge der Gemeinschaft.

(5) Den unehelichen Kindern sind durch die Gesetzgebung die gleichen Bedingungen für ihre leibliche und seelische Entwicklung und ihre Stellung in der Gesellschaft zu schaffen wie den ehelichen Kindern.

Art. 7 [Schulwesen] (1) Das gesamte Schulwesen steht unter der Aufsicht des Staates.

(2) Die Erziehungsberechtigten haben das Recht, über die Teilnahme des Kindes am Religionsunterricht zu bestimmen.

(3) [1]Der Religionsunterricht ist in den öffentlichen Schulen mit Ausnahme der bekenntnisfreien Schulen ordentliches Lehrfach. [2]Unbeschadet des staatlichen Aufsichtsrechtes wird der Religionsunterricht in Übereinstimmung mit den Grundsätzen der Religionsgemeinschaften erteilt. [3]Kein Lehrer darf gegen seinen Willen verpflichtet werden, Religionsunterricht zu erteilen.

(4) [1]Das Recht zur Errichtung von privaten Schulen wird gewährleistet. [2]Private Schulen als Ersatz für öffentliche Schulen bedürfen der Genehmigung des Staates und unterstehen den Landesgesetzen. [3]Die Genehmigung ist zu erteilen, wenn die privaten Schulen in ihren Lehrzielen und Einrichtungen sowie in der wissenschaftlichen Ausbildung ihrer Lehrkräfte nicht hinter den öffentlichen Schulen zurückstehen und eine Sonderung der Schüler nach den Besitzverhältnissen der Eltern nicht gefördert wird. [4]Die Genehmigung ist zu versagen, wenn die wirtschaftliche und rechtliche Stellung der Lehrkräfte nicht genügend gesichert ist.

(5) Eine private Volksschule ist nur zuzulassen, wenn die Unterrichtsverwaltung ein besonderes pädagogisches Interesse anerkennt oder, auf Antrag von Erziehungsberechtigten, wenn sie als Gemeinschaftsschule als Bekenntnis- oder Weltanschauungsschule errichtet werden soll und eine öffentliche Volksschule dieser Art in der gemeinde nicht besteht.

(6) Vorschulen bleiben aufgehoben.

Art. 8 [Versammlungsfreiheit] (1) Alle Deutschen haben das Recht, sich ohne Anmeldung oder Erlaubnis friedlich und ohne Waffen zu versammeln.

(2) Für Versammlungen unter freiem Himmel kann dieses Recht durch Gesetz oder auf Grund eines Gesetzes beschränkt werden.

Art. 9[1] **[Vereinsfreiheit]** (1) Alle Deutschen haben das Recht, Vereine und Gesellschaften zu bilden.

(2) Vereinigungen, deren Zwecke oder deren Tätigkeit den Strafgesetzen zuwiderlaufen, oder die sich gegen die verfassungsmäßige Ordnung oder gegen den Gedanken der Völkerverständigung richten, sind verboten.

(3) [1]Das Recht, zur Wahrung und Förderung der Arbeits- und Wirtschaftsbedingungen Vereinigungen zu bilden, ist für jedermann und für alle Berufe gewährleistet. [2]Abreden, die dieses Recht einschränken, oder zu behindern suchen, sind nichtig, hierauf gerichtete Maßnahmen sind rechtswidrig. [3]Maßnahmen nach den Artikeln 12a, 35 Abs. 2 und 3, Artikel 87a Abs. 4 und Artikel 91 dürfen sich nicht gegen Arbeitskämpfe richten, die zur Wahrung und Förderung der Arbeits- und Wirtschaftsbedingungen von Vereinigungen im Sinne des Satzes 1 geführt werden.

Art. 11 **[Freizügigkeit]** (1) Alle Deutschen genießen Freizügigkeit im ganzen Bundesgebiet.

(2)[2] Dieses Recht darf nur durch Gesetz oder auf Grund eines Gesetzes und nur für die Fälle eingeschränkt werden, in denen eine ausreichende Lebensgrundlage nicht vorhanden ist und der Allgemeinheit daraus besondere Lasten entstehen würden oder in denen es zur Abwehr einer drohenden Gefahr für den Bestand oder die freiheitliche demokratische Grundordnung des Bundes oder eines Landes, zur Bekämpfung von Seuchengefahr, Naturkatastrophen oder besonders schweren Unglücksfällen, zum Schutze der Jugend vor Verwahrlosung oder um strafbaren Handlungen vorzubeugen, erforderlich ist.

Art. 12[2] **[Berufsfreiheit]** (1) [1]Alle Deutschen haben das Recht, Beruf, Arbeitsplatz und Ausbildungsstätte frei zu wählen. [2]Die Berufsausübung kann durch Gesetz oder auf Grund eines Gesetzes geregelt werden.

(2) Niemand darf zu einer bestimmten Arbeit gezwungen werden, außer im Rahmen einer herkömmlichen allgemeinen, für alle gleichen öffentlichen Dienstleistungspflicht.

(3) Zwangsarbeit ist nur bei einer gerichtlich angeordneten Freiheitsentziehung zulässig.

---

[1] Art. 9 Abs. 3 idF des G v. 24. 6. 1968.
[2] Art. 11 Abs. 2, Art. 12 idF des G v. 24. 6. 1968.

Art. 12a[1)] **[Einschränkung der Berufsfreiheit]** (1) Männer können vom vollendeten achtzehnten Lebensjahr an zum Dienst in den Streitkräften, im Bundesgrenzschutz oder in einem Zivilschutzverband verpflichtet werden.

(2) [1]Wer aus Gewissensgründen den Kriegsdienst mit der Waffe verweigert, kann zu einem Ersatzdienst verpflichtet werden. [2]Die Dauer des Ersatzdienstes darf die Dauer des Wehrdienstes nicht übersteigen. [3]Das Nähere regelt ein Gesetz, das die Freiheit der Gewissensentscheidung nicht beeinträchtigen darf und auch eine Möglichkeit des Ersatzdienstes vorsehen muß, die in keinem Zusammenhang mit den Verbänden der Streitkräfte und des Bundesgrenzschutzes steht.

(3) [1]Wehrpflichtige, die nicht zu einem Dienst nach Absatz 1 oder 2 herangezogen sind, können im Verteidigungsfalle durch Gesetz oder auf Grund eines Gesetzes zu zivilen Dienstleistungen für Zwecke der Verteidigung einschließlich des Schutzes der Zivilbevölkerung in Arbeitsverhältnisse verpflichtet werden; Verpflichtungen in öffentlich-rechtliche Dienstverhältnisse sind nur zur Wahrnehmung polizeilicher Aufgaben oder solcher hoheitlichen Aufgaben der öffentlichen Verwaltung, die nur in einem öffentlich-rechtlichen Dienstverhältnis erfüllt werden können, zulässig. [2]Arbeitsverhältnisse nach Satz 1 können bei den Streitkräften, im Bereich ihrer Versorgung sowie bei der öffentlichen Verwaltung begründet werden; Verpflichtungen in Arbeitsverhältnisse im Bereiche der Versorgung der Zivilbevölkerung sind nur zulässig, um ihren lebensnotwendigen Bedarf zu decken oder ihren Schutz sicherzustellen.

(4) [1]Kann im Verteidigungsfalle der bedarf an zivilen Dienstleistungen im zivilen Sanitäts- und Heilwesen sowie in der ortsfesten militärischen Lazarettorganisation nicht auf freiwilliger Grundlage gedeckt werden, so können Frauen vom vollendeten achtzehnten bis zum vollendeten fünfundfünfzigsten Lebensjahr durch Gesetz oder auf Grund eines Gesetzes zu derartigen Dienstleistungen herangezogen werden. [2]Sie dürfen auf keinen Fall zum Dienst mit der Waffe verpflichtet werden.

(5) [1]Für die Zeit vor dem Verteidigungsfalle können Verpflichtungen nach Absatz 3 nur nach Maßgabe des Artikels 80a Abs. 1 begründet werden. [2]Zur Vorbereitung auf Dienstleistungen nach Absatz 3, für die besondere Kenntnisse oder Fertigkeiten erforderlich sind, kann durch Gesetz oder auf Grund eines Gesetzes die Teilnahme an Ausbildungsveranstaltungen zur Pflicht gemacht werden. [3]Satz 1 findet insoweit keine Anwendung.

---

1) Art. 12a eingef. durch G v. 24. 6. 1968; Abs. 4 Stz 2 geänd. durch G v. 19. 12. 2000 (BGBl. I S. 1755 .

(6) [1] Kann im Verteidigungsfalle der Bedarf an Arbeitskräften für die in Absatz 3 Satz 2 genannten Bereiche auf freiwilliger Grundlage nicht gedeckt werden, so kann zur Sicherung dieses Bedarfs die Freiheit der Deutschen, die Ausübung eines Berufs oder den Arbeitsplatz aufzugeben, durch Gesetz oder auf Grund eines Gesetzes eingeschränkt werden. [2] Vor Eintritt des Verteidigungsfalles gilt Absatz 5 Satz 1 entsprechend.

Art. 14 [Eigentum, Erbrecht und Enteignung] (1) [1] Das Eigentum und das Erbrecht werden gewährleistet. [2] Inhalt und Schranken werden durch die Gesetze bestimmt.

(2) [1] Eigentum verpflichtet. [2] Sein Gebrauch soll zugleich dem Wohle der Allgemeinheit dienen.

(3) [1] Eine Enteignung ist nur zum Wohle der Allgemeinheit zulässig. [2] Sie darf nur durch Gesetz oder auf Grund eines Gesetzes erfolgen, das Art und Ausmaß der Entschädigung regelt. [3] Die Entschädigung ist unter gerechter Abwägung der Interessen der Allgemeinheit und der Beteiligten zu bestimmen. [4] Wegen der Höhe der Entschädigung steht im Streitfalle der Rechtsweg vor den ordentlichen Gerichten offen.

Art. 15 [Sozialisierung] [1] Grund und Boden, Naturschätze und Produktionsmittel können zum Zwecke der Vergesellschaftung durch ein Gesetz, das Art und Ausmaß der Entschädigung regelt, in Gemeineigentum oder in andere Formen der Gemeinwirtschaft überführt werden. [2] Für die Entschädigung gilt Artikel 14 Absatz 3 Satz 3 und 4 entsprechend.

Art. 19[1)] [Einschränkung von Grundrechten] (1) [1] Soweit nach diesem Grundgesetz ein Grundrecht durch Gesetz oder auf Grund eines Gesetzes eingeschränkt werden kann, muß das Gesetz allgemein und nicht nur für den Einzelfall gelten. [2] Außerdem muß das Gesetz das Grundrecht unter Angabe des Artikels nennen.

(2) In keinem Fall darf ein Grundrecht in seinem Wesensgehalt angetastet werden.

(3) Die Grundrechte gelten auch für inländische juristische Personen, soweit sie ihrem Wesen nach auf diese anwendbar sind.

(4) [1] Wird jemand durch die öffentliche Gewalt in seinen Rechten verletzt, so steht ihm der Rechtsweg offen. [2] Soweit eine andere Zuständigkeit nicht begründet ist, ist der ordentliche Rechtsweg gegeben. [3] Artikel 10 Abs. 2 Satz 2 bleibt unberührt.

---

1) Art. 19 Abs. 4 neugef. durch G v. 24. 6. 1968.

II. Der Bund und die Länder

Art. 20[1] **[Bundesstaatliche Verfassung; Widerstandsrecht]** (1) Die Bundesrepublik Deutschland ist ein demokratischer und sozialer Bundesstaat.

(2) [1] Alle Staatsgewalt geht vom Volke aus. [2] Sie wird vom Volke in Wahlen und Abstimmungen und durch besondere Organe der Gesetzgebung, der vollziehenden Gewalt und der Rechtsprechung ausgeübt.

(3) Die Gesetzgebung ist an die verfassungsmäßige Ordnung, die vollziehende Gewalt und die Rechtsprechung sind an Gesetz und Recht gebunden.

(4) Gegen jeden, der es unternimmt, diese Ordnung zu beseitigen, haben alle Deutschen das Recht zum Widerstand, wenn andere Abhilfe nicht möglich ist.

Art. 31 **[Vorrang des Bundesrechts]** Bundesrecht bricht Landesrecht.

Art. 33[2] **[Staatsbürgerliche Rechte]** (1) Jeder Deutsche hat in jedem Lande die gleichen staatsbürgerlichen Rechte und Pflichten.

(2) Jeder Deutsche hat nach seiner Eignung, Befähigung und fachlichen Leistung gleichen Zugang zu jedem öffentlichen Amte.

(3) [1] Der Genuß bürgerlicher und staatsbürgerlicher Rechte, die Zulassung zu öffentlichen Ämtern sowie die im öffentlichen Dienste erworbenen Rechte sind unabhängig von dem religiösen Bekenntnis. [2] Niemandem darf aus seiner Zugehörigkeit oder Nichtzugehörigkeit zu einem Bekenntnisse oder einer Weltanschauung ein Nachteil erwachsen.

(4) Die Ausübung hoheitsrechtlicher Befugnisse ist als ständige Aufgabe in der Regel Angehörigen des öffentlichen Dienstes zu übertragen, die in einem öffentlich-rechtlichen Dienst- und Treueverhältnis stehen.

(5) Das Recht des öffentlichen Dienstes ist unter Berücksichtigung der hergebrachten Grundsätze des Berufsbeamtentums zu regeln und fortzuentwickeln.

III. Der Bundestag

Art. 38[3] **[Wahl]** (1) [1] Die Abgeordneten des Deutschen Bundestages werden in allgemeiner, unmittelbarer, freier, gleicher und geheimer Wahl gewählt. [2] Sie sind Vertreter des ganzen Volkes, an Aufträge und Weisungen nicht gebunden und nur ihrem Gewissen unterworfen.

(2) Wahlberechtigt ist, wer das achtzehnte Lebensjahr vollendet hat; wählbar ist, wer das Alter erreicht hat, mit dem die Volljährigkeit eintritt.

(3) Das Nähere bestimmt ein Bundesgesetz.

Art. 42 **[Öffentlichkeit der Sitzungen; Mehrheitsprinzip]** (1) [1] Der Bundestag verhandelt öffentlich. [2] Auf Antrag eines Zehntels seiner Mitglieder oder auf Antrag der Bundesregierung kann mit Zweidrittelmehrheit die Öffentlichkeit ausgeschlossen werden. [3] Über den Antrag wird in nichtöffentlicher Sitzung entschieden.

---

[1] Art. 20 Abs. 4 angef. durch G v. 24.6.1968 (BGBl. I S. 709).
[2] Art. 33 Abs. 5 geänd. mWv 1.9.2006 durch G v. 28.8.2006 (BGBl. I S. 2034).
[3] Art. 38 Abs. 2 neu gef. durch G v. 31.7.1970 (BGBl. I S. 1161).

(2) [1] Zu einem Beschlusse des Bundestages ist die Mehrheit der abgegebenen Stimmen erforderlich, soweit dieses Grundgesetz nichts anderes bestimmt. [2] Für die vom Bundestage vorzunehmenden Wahlen kann die Geschäftsordnung Ausnahmen zulassen.

(3) Wahrheitsgetreue Berichte über die öffentlichen Sitzungen des Bundestages und seiner Ausschüsse bleiben von jeder Verantwortlichkeit frei.

Art. 48 [Ansprüche der Abgeordneten] (1) Wer sich um einen Sitz im Bundestage bewirbt, hat Anspruch auf den zur Vorbereitung seiner Wahl erforderlichen Urlaub.

(2) [1] Niemand darf gehindert werden, das Amt eines Abgeordneten zu übernehmen und auszuüben. [2] Eine Kündigung oder Entlassung aus diesem Grunde ist unzulässig.

(3) [1] Die Abgeordneten haben Anspruch auf eine angemessene, ihre Unabhängigkeit sichernde Entschädigung. [2] Sie haben das Recht der freien Benutzung aller staatlichen Verkehrsmittel. [3] Das Nähere regelt ein Bundesgesetz[1)].

VII. Die Gesetzgebung des Bundes

Art. 70 [Gesetzgebung des Bundes und der Länder] (1) Die Länder haben das Recht der Gesetzgebung, soweit dieses Grundgesetz nicht dem Bunde Gesetzgebungsbefugnisse verleiht.

(2) Die Abgrenzung der Zuständigkeit zwischen Bund und Ländern bemißt sich nach den Vorschriften dieses Grundgesetzes über die ausschließliche und die konkurrierende Gesetzgebung.

Art. 71 [Ausschließliche Gesetzgebung] Im Bereiche der ausschließlichen Gesetzgebung des Bundes haben die Länder die Befugnis zur Gesetzgebung nur, wenn und soweit sie hierzu in einem Bundesgesetze ausdrücklich ermächtigt werden.

Art. 72[2)] [Konkurrierende Gesetzgebung] (1) Im Bereich der konkurrierenden Gesetzgebung haben die Länder die Befugnis zur Gesetzgebung, solange und soweit der Bund von seiner Gesetzgebungszuständigkeit nicht durch Gesetz Gebrauch gemacht hat.

(2) Auf den Gebieten des Artikels 74 Abs. 1 Nr. 4, 7, 11, 13, 15, 19a, 20, 22, 25 und 26 hat der Bund das Gesetzgebungsrecht, wenn und soweit die Herstellung gleichwertiger Lebensverhältnisse im Bundesgebiet oder die Wahrung der Rechts- oder Wirtschaftseinheit im gesamtstaatlichen Interesse eine bundesgesetzliche Regelung erforderlich macht.

(3) [1] Hat der Bund von seiner Gesetzgebungszuständigkeit Gebrauch gemacht, können die Länder durch Gesetz hiervon abweichende Regelungen treffen über:

1. das Jagdwesen (ohne das Recht der Jagdscheine);

[1)] Siehe das AbgeordnetenG **(beck-online, Module Arbeitsrecht Nr. 28)**.

[2)] Art. 72 neu gef. durch G v. 27.10.1994 (BGBl. I S. 3146); Abs. 2 geänd. und Abs. 3 eingef., bish. Abs. 3 wird Abs. 4 mWv 1.9.2006 durch G v. 28.8.2006 (BGBl. I S. 2034); Abs. 3 Satz 1 Nr. 6 geänd., Nr. 7 angef. mWv 21.11.2019 durch G v. 15.11.2019 (BGBl. I S. 1546).

2. den Naturschutz und die Landschaftspflege (ohne die allgemeinen Grundsätze des Naturschutzes, das Recht des Artenschutzes oder des Meeresnaturschutzes);
3. die Bodenverteilung;
4. die Raumordnung;
5. den Wasserhaushalt (ohne stoff- oder anlagenbezogene Regelungen);
6. die Hochschulzulassung und die Hochschulabschlüsse;
7. die Grundsteuer.

[2] Bundesgesetze auf diesen Gebieten treten frühestens sechs Monate nach ihrer Verkündung in Kraft, soweit nicht mit Zustimmung des Bundesrates anderes bestimmt ist. [3] Auf den Gebieten des Satzes 1 geht im Verhältnis von Bundes- und Landesrecht das jeweils spätere Gesetz vor.

(4) Durch Bundesgesetz kann bestimmt werden, daß eine bundesgesetzliche Regelung, für die eine Erforderlichkeit im Sinne des Absatzes 2 nicht mehr besteht, durch Landesrecht ersetzt werden kann.

Art. 73[1)] [Gegenstände der ausschließlichen Gesetzgebung] (1) Der Bund hat die ausschließliche Gesetzgebung über:

1. die auswärtigen Angelegenheiten sowie die Verteidigung einschließlich des Schutzes der Zivilbevölkerung;
2. die Staatsangehörigkeit im Bunde;
3. die Freizügigkeit, das Paßwesen, das Melde- und Ausweiswesen, die Ein- und Auswanderung und die Auslieferung;
4. das Währungs-, Geld- und Münzwesen, Maße und Gewichte sowie die Zeitbestimmung;
5. die Einheit des Zoll- und Handelsgebietes, die Handels- und Schiffahrtsverträge, die Freizügigkeit des Warenverkehrs und den Waren- und Zahlungsverkehr mit dem Auslande einschließlich des Zoll- und Grenzschutzes;

5a. den Schutz deutschen Kulturgutes gegen Abwanderung ins Ausland;

6. den Luftverkehr;

6a. den Verkehr von Eisenbahnen, die ganz oder mehrheitlich im Eigentum des Bundes stehen (Eisenbahnen des Bundes), den Bau, die Unterhaltung und das Betreiben von Schienenwegen der Eisenbahnen des Bundes sowie die Erhebung von Entgelten für die Benutzung dieser Schienenwege;

7. das Postwesen und die Telekommunikation;
8. die Rechtsverhältnisse der im Dienste des Bundes und der bundesunmittelbaren Körperschaften des öffentlichen Rechtes stehenden Personen;
9. den gewerblichen Rechtsschutz, das Urheberrecht und das Verlagsrecht;

9a. die Abwehr von Gefahren des internationalen Terrorismus durch das Bundeskriminalpolizeiamt in Fällen, in denen eine länderübergreifende Gefahr vor-

---

1) Art. 73 Nr. 1 neu gef. durch G v. 26.3.1954 (BGBl. I S. 45) und geänd. durch G v. 24.6.1968 (BGBl. I S. 709); Nr. 10 neu gef. durch G v. 28.7.1972 (BGBl. I S. 1305); Nr. 6 geänd. und Nr. 6a eingef. durch G v. 20.12.1993 (BGBl. I S. 2089); Nr. 7 neu gef. durch G v. 30.8.1994 (BGBl. I S. 2245); Abs. 2 angef., bish. Wortlaut wird Abs. 1 und Nr. 3 und 11 geänd., Nr. 5a und 9a eingef. sowie Nr. 12–14 angef. mWv 1.9.2006 durch G v. 28.8.2006 (BGBl. I S. 2034).

liegt, die Zuständigkeit einer Landespolizeibehörde nicht erkennbar ist oder die oberste Landesbehörde um eine Übernahme ersucht;

10. die Zusammenarbeit des Bundes und der Länder
    a) in der Kriminalpolizei,
    b) zum Schutze der freiheitlichen demokratischen Grundordnung, des Bestandes und der Sicherheit des Bundes oder eines Landes (Verfassungsschutz) und
    c) zum Schutze gegen Bestrebungen im Bundesgebiet, die durch Anwendung von Gewalt oder darauf gerichtete Vorbereitungshandlungen auswärtige Belange der Bundesrepublik Deutschland gefährden,

    sowie die Einrichtung eines Bundeskriminalpolizeiamtes und die internationale Verbrechensbekämpfung;
11. die Statistik für Bundeszwecke;
12. das Waffen- und das Sprengstoffrecht;
13. die Versorgung der Kriegsbeschädigten und Kriegshinterbliebenen und die Fürsorge für die ehemaligen Kriegsgefangenen;
14. die Erzeugung und Nutzung der Kernenergie zu friedlichen Zwecken, die Errichtung und den Betrieb von Anlagen, die diesen Zwecken dienen, den Schutz gegen Gefahren, die bei Freiwerden von Kernenergie oder durch ionisierende Strahlen entstehen, und die Beseitigung radioaktiver Stoffe.

(2) Gesetze nach Absatz 1 Nr. 9a bedürfen der Zustimmung des Bundesrates.

Art. 74[1)] [Gegenstände der konkurrierenden Gesetzgebung] (1) Die konkurrierende Gesetzgebung erstreckt sich auf folgende Gebiete:

1. das bürgerliche Recht, das Strafrecht, die Gerichtsverfassung, das gerichtliche Verfahren (ohne das Recht des Untersuchungshaftvollzugs), die Rechtsanwaltschaft, das Notariat und die Rechtsberatung;
2. das Personenstandswesen;
3. das Vereinsrecht;
4. das Aufenthalts- und Niederlassungsrecht der Ausländer;

4a. *(aufgehoben)*

5. *(aufgehoben)*
6. die Angelegenheiten der Flüchtlinge und Vertriebenen;
7. die öffentliche Fürsorge (ohne das Heimrecht);
8. *(aufgehoben)*

(Fortsetzung nächstes Blatt)

[1)] Art. 74 Nr. 11a eingef. durch G v. 23.12.1959 (BGBl. I S. 813); Nr. 10 geänd. und Nr. 10a eingef. durch G v. 16.6.1965 (BGBl. I S. 513); Nr. 13 geänd., Nr. 19a eingef. und Nr. 22 neu gef. durch G v. 12.5. 1969 (BGBl. I S. 363); Nr. 24 angef. durch G v. 12.4.1972 (BGBl. I S. 593); Nr. 4a eingef. durch G v. 28.7.1972 (BGBl. I S. 1305); Nr. 4a neu gef. durch G v. 23.8.1976 (BGBl. I S. 2383); Nr. 23 neu gef. durch G v. 20.12.1993 (BGBl. I S. 2089); Abs. 2 angef., bish. Wortlaut wird Abs. 1 und Nr. 5 und 8 aufgeh., Nr. 18 und 24 geänd. sowie Nr. 25 und 26 angef. durch G v. 27.10.1994 (BGBl. I S. 3146); Abs. 1 *Nr. 1, 11, 17, 22 und 26 und* Abs. 2 geänd. sowie Abs. 1 Nr. 3, 7, 18, 19, 20 und 24 neu gef., Nr. 4a, 10 und 11a aufgeh., bish. Nr. 10a wird Nr. 10 und Nr. 27–33 angef. mWv 1.9.2006 durch G v. 28.8.2006 (BGBl. I S. 2034).

9. die Kriegsschäden und die Wiedergutmachung;
10. die Kriegsgräber und Gräber anderer Opfer des Krieges und Opfer von Gewaltherrschaft;
11. das Recht der Wirtschaft (Bergbau, Industrie, Energiewirtschaft, Handwerk, Gewerbe, Handel, Bank- und Börsenwesen, privatrechtliches Versicherungswesen) ohne das Recht des Ladenschlusses, der Gaststätten, der Spielhallen, der Schaustellung von Personen, der Messen, der Ausstellungen und der Märkte;
11 a. *(aufgehoben)*
12. das Arbeitsrecht einschließlich der Betriebsverfassung, des Arbeitsschutzes und der Arbeitsvermittlung sowie die Sozialversicherung einschließlich der Arbeitslosenversicherung;
13. die Regelung der Ausbildungsbeihilfen und die Förderung der wissenschaftlichen Forschung;
14. das Recht der Enteignung, soweit sie auf den Sachgebieten der Artikel 73 und 74 in Betracht kommt;
15. die Überführung von Grund und Boden, von Naturschätzen und Produktionsmitteln in Gemeineigentum oder in andere Formen der Gemeinwirtschaft;
16. die Verhütung des Mißbrauchs wirtschaftlicher Machtstellung;
17. die Förderung der land- und forstwirtschaftlichen Erzeugung (ohne das Recht der Flurbereinigung), die Sicherung der Ernährung, die Ein- und Ausfuhr land- und forstwirtschaftlicher Erzeugnisse, die Hochsee- und Küstenfischerei und den Küstenschutz;
18. den städtebaulichen Grundstücksverkehr, das Bodenrecht (ohne das Recht der Erschließungsbeiträge) und das Wohngeldrecht, das Altschuldenhilferecht, das Wohnungsbauprämienrecht, das Bergarbeiterwohnungsbaurecht und das Bergmannssiedlungsrecht;
19. Maßnahmen gegen gemeingefährliche oder übertragbare Krankheiten bei Menschen und Tieren, Zulassung zu ärztlichen und anderen Heilberufen und zum Heilgewerbe, sowie das Recht des Apothekenwesens, der Arzneien, der Medizinprodukte, der Heilmittel, der Betäubungsmittel und der Gifte;
19 a. die wirtschaftliche Sicherung der Krankenhäuser und die Regelung der Krankenhauspflegesätze;
20. das Recht der Lebensmittel einschließlich der ihrer Gewinnung dienenden Tiere, das Recht der Genussmittel, Bedarfsgegenstände und Futtermittel sowie den Schutz beim Verkehr mit land- und forstwirtschaftlichem Saat- und Pflanzgut, den Schutz der Pflanzen gegen Krankheiten und Schädlinge sowie den Tierschutz;
21. die Hochsee- und Küstenschiffahrt sowie die Seezeichen, die Binnenschiffahrt, den Wetterdienst, die Seewasserstraßen und die dem allgemeinen Verkehr dienenden Binnenwasserstraßen;
22. den Straßenverkehr, das Kraftfahrwesen, den Bau und die Unterhaltung von Landstraßen für den Fernverkehr sowie die Erhebung und Verteilung von Gebühren oder Entgelten für die Benutzung öffentlicher Straßen mit Fahrzeugen;
23. die Schienenbahnen, die nicht Eisenbahnen des Bundes sind, mit Ausnahme der Bergbahnen;

24. die Abfallwirtschaft, die Luftreinhaltung und die Lärmbekämpfung (ohne Schutz vor verhaltensbezogenem Lärm);
25. die Staatshaftung;
26. die medizinisch unterstützte Erzeugung menschlichen Lebens, die Untersuchung und die künstliche Veränderung von Erbinformationen sowie Regelungen zur Transplantation von Organen, Geweben und Zellen;
27. die Statusrechte und -pflichten der Beamten der Länder, Gemeinden und anderen Körperschaften des öffentlichen Rechts sowie der Richter in den Ländern mit Ausnahme der Laufbahnen, Besoldung und Versorgung;
28. das Jagdwesen;
29. den Naturschutz und die Landschaftspflege;
30. die Bodenverteilung;
31. die Raumordnung;
32. den Wasserhaushalt;
33. die Hochschulzulassung und die Hochschulabschlüsse.

(2) Gesetze nach Absatz 1 Nr. 25 und 27 bedürfen der Zustimmung des Bundesrates.

Art. 74a, 75[1] *(aufgehoben)*

Art. 76[2] **[Gesetzesvorlagen]** (1) Gesetzesvorlagen werden beim Bundestage durch die Bundesregierung, aus der Mitte des Bundestages oder durch den Bundesrat eingebracht.

(2) [1]Vorlagen der Bundesregierung sind zunächst dem Bundesrat zuzuleiten. [2]Der Bundesrat ist berechtigt, innerhalb von sechs Wochen zu diesen Vorlagen Stellung zu nehmen. [3]Verlangt er aus wichtigem Grunde, insbesondere mit Rücksicht auf den Umfang einer Vorlage, eine Fristverlängerung, so beträgt die Frist neun Wochen. [4]Die Bundesregierung kann eine Vorlage, die sie bei der Zuleitung an den Bundesrat ausnahmsweise als besonders eilbedürftig bezeichnet hat, nach drei Wochen oder, wenn der Bundesrat ein Verlangen nach Satz 3 geäußert hat, nach sechs Wochen dem Bundestag zuleiten, auch wenn die Stellungnahme des Bundesrates noch nicht bei ihr eingegangen ist; sie hat die Stellungnahme des Bundesrates unverzüglich nach Eingang dem Bundestag nachzureichen. [5]Bei Vorlagen zur Änderung dieses Grundgesetzes und zur Übertragung von Hoheitsrechten nach Artikel 23 oder Artikel 24 beträgt die Frist zur Stellungnahme neun Wochen; Satz 4 findet keine Anwendung.

(3) [1]Vorlagen des Bundesrates sind dem Bundestag durch die Bundesregierung innerhalb von sechs Wochen zuzuleiten. [2]Sie soll hierbei ihre Auffassung darlegen. [3]Verlangt sie aus wichtigem Grunde, insbesondere mit Rücksicht auf den Umfang einer Vorlage, eine Fristverlän-

(Fortsetzung nächste Seite)

---

[1] Art. 74a und 75 aufgeh. mWv 1. 9. 2006 durch G v. 28. 8. 2006 (BGBl. I S. 2034).
[2] Art. 76 Abs. 2 und 3 neu gef. durch G v. 27. 10. 1994 (BGBl. I S. 3146).

gerung, so beträgt die Frist neun Wochen. [4] Wenn der Bundesrat eine Vorlage ausnahmsweise als besonders eilbedürftig bezeichnet hat, beträgt die Frist drei Wochen oder, wenn die Bundesregierung ein Verlangen nach Satz 3 geäußert hat, sechs Wochen. [5] Bei Vorlagen zur Änderung dieses Grundgesetzes und zur Übertragung von Hoheitsrechten nach Artikel 23 oder Artikel 24 beträgt die Frist neun Wochen; Satz 4 findet keine Anwendung. [6] Der Bundestag hat über die Vorlagen in angemessener Frist zu beraten und Beschluß zu fassen.

Art. 77[1)] [Verfahren bei Gesetzesbeschlüssen] (1) [1] Die Bundesgesetze werden vom Bundestage beschlossen. [2] Sie sind nach ihrer Annahme durch den Präsidenten des Bundestages unverzüglich dem Bundesrate zuzuleiten.

(2) [1] Der Bundesrat kann binnen drei Wochen nach Eingang des Gesetzesbeschlusses verlangen, daß ein aus Mitgliedern des Bundestages und des Bundesrates für die gemeinsame Beratung von Vorlagen gebildeter Ausschuß einberufen wird. [2] Die Zusammensetzung und das Verfahren dieses Ausschusses regelt eine Geschäftsordnung, die vom Bundestag beschlossen wird und der Zustimmung des Bundesrates bedarf. [3] Die in diesen Ausschuß entsandten Mitglieder des Bundesrates sind nicht an Weisungen gebunden. [4] Ist zu einem Gesetze die Zustimmung des Bundesrates erforderlich, so können auch der Bundestag und die Bundesregierung die Einberufung verlangen. [5] Schlägt der Ausschuß eine Änderung des Gesetzesbeschlusses vor, so hat der Bundestag erneut Beschluß zu fassen.

(2 a) Soweit zu einem Gesetz die Zustimmung des Bundesrates erforderlich ist, hat der Bundesrat, wenn ein Verlangen nach Absatz 2 Satz 1 nicht gestellt oder das Vermittlungsverfahren ohne einen Vorschlag zur Änderung des Gesetzesbeschlusses beendet ist, in angemessener Frist über die Zustimmung Beschluß zu fassen.

(3) [1] Soweit zu einem Gesetze die Zustimmung des Bundesrates nicht erforderlich ist, kann der Bundesrat, wenn das Verfahren nach Absatz 2 beendigt ist, gegen ein vom Bundestage beschlossenes Gesetz binnen zwei Wochen Einspruch einlegen. [2] Die Einspruchsfrist beginnt im Falle des Absatzes 2 letzter Satz mit dem Eingange des vom Bundestage erneut gefaßten Beschlusses, in allen anderen Fällen mit dem Eingange der Mitteilung des Vorsitzenden des in Absatz 2 vorgesehenen Ausschusses, daß das Verfahren vor dem Ausschusse abgeschlossen ist.

(4) [1] Wird der Einspruch mit der Mehrheit der Stimmen des Bundesrates beschlossen, so kann er durch Beschluß der Mehrheit der Mitglieder des Bundestages zurückgewiesen werden. [2] Hat der Bundesrat den Einspruch mit einer Mehrheit von mindestens zwei Dritteln seiner Stimmen beschlossen, so bedarf die Zurückweisung durch den Bundestag einer Mehrheit von zwei Dritteln, mindestens der Mehrheit der Mitglieder des Bundestages.

Art. 78 [Zustandekommen von Bundesgesetzen] Ein vom Bundestage beschlossenes Gesetz kommt zustande, wenn der Bundesrat zustimmt, den Antrag gemäß Artikel 77 Abs. 2 nicht stellt, innerhalb der Frist des Artikels 77 Abs. 3 keinen Einspruch einlegt oder ihn zurücknimmt oder wenn der Einspruch vom Bundestage überstimmt wird.

[1)] Art. 77 Abs. 2 Satz 1 und Abs. 3 Satz 1 geänd., Abs. 3 Satz 2 neu gef. durch G v. 15. 11. 1968 (BGBl. I S. 1177), Abs. 2 a eingef. durch G v. 27. 10. 1994 (BGBl. I S. 3146).

Art. 79[1)] **[Änderungen des Grundgesetzes]** (1) [1] Das Grundgesetz kann nur durch ein Gesetz geändert werden, das den Wortlaut des Grundgesetzes ausdrücklich ändert oder ergänzt. [2] Bei völkerrechtlichen Verträgen, die eine Friedensregelung, die Vorbereitung einer Friedensregelung oder den Abbau einer besatzungsrechtlichen Ordnung zum Gegenstand haben oder der Verteidigung der Bundesrepublik zu dienen bestimmt sind, genügt zur Klarstellung, daß die Bestimmungen des Grundgesetzes dem Abschluß und dem Inkraftsetzen der Verträge nicht entgegenstehen, eine Ergänzung des Wortlautes des Grundgesetzes, die sich auf diese Klarstellung beschränkt.

(2) Ein solches Gesetz bedarf der Zustimmung von zwei Dritteln der Mitglieder des Bundestages und zwei Dritteln der Stimmen des Bundesrates.

(3) Eine Änderung dieses Grundgesetzes, durch welche die Gliederung des Bundes in Länder, die grundsätzliche Mitwirkung der Länder bei der Gesetzgebung oder die in den Artikeln 1 und 20 niedergelegten Grundsätze berührt werden, ist unzulässig.

Art. 80[2)] **[Erlass von Rechtsverordnungen]** (1) [1] Durch Gesetz[3)] können die Bundesregierung, ein Bundesminister oder die Landesregierungen ermächtigt werden, Rechtsverordnungen zu erlassen.[4)] [2] Dabei müssen Inhalt, Zweck und Ausmaß der erteilten Ermächtigung im Gesetze bestimmt werden. [3] Die Rechtsgrundlage ist in der Verordnung anzugeben. [4] Ist durch Gesetz vorgesehen, daß eine Ermächtigung weiter übertragen werden kann, so bedarf es zur Übertragung der Ermächtigung einer Rechtsverordnung.

(2) Der Zustimmung des Bundesrates bedürfen, vorbehaltlich anderweitiger bundesgesetzlicher Regelung, Rechtsverordnungen der Bundesregierung oder eines Bundesministers über Grundsätze und Gebühren für die Benutzung der Einrichtungen des Postwesens und der Telekommunikation, über die Grundsätze der Erhebung des Entgelts für die Benutzung der Einrichtungen der Eisenbahnen des Bundes, über den Bau und Betrieb der Eisenbahnen, sowie Rechtsverordnungen auf Grund von Bundesgesetzen, die der Zustimmung des Bundesrates bedürfen oder die von den Ländern im Auftrage des Bundes oder als eigene Angelegenheit ausgeführt werden.

(3) Der Bundesrat kann der Bundesregierung Vorlagen für den Erlaß von Rechtsverordnungen zuleiten, die seiner Zustimmung bedürfen.

(4) Soweit durch Bundesgesetz oder auf Grund von Bundesgesetzen Landesregierungen ermächtigt werden, Rechtsverordnungen zu erlassen, sind die Länder zu einer Regelung auch durch Gesetz befugt.

Art. 80 a[5)] **[Spannungsfall]** (1) [1] Ist in diesem Grundgesetz oder in einem Bundesgesetz über die Verteidigung einschließlich des Schutzes der Zivilbevölkerung bestimmt, daß Rechtsvorschriften nur nach Maßgabe dieses Artikels angewandt werden dürfen, so ist die Anwendung außer im Verteidigungs-

---

1) Art. 79 Abs. 1 Satz 2 angef., bish. Wortlaut wird Satz 1 durch G v. 26. 3. 1954 (BGBl. I S. 45).

2) Art. 80 Abs. 2 geänd. durch G v. 20. 12. 1993 (BGBl. I S. 2089); Abs. 2 geänd. durch G v. 30. 8. 1994 (BGBl. I S. 2245); Abs. 3 und 4 angef. durch G v. 27. 10. 1994 (BGBl. I S. 3146).

3) Siehe das G über Ermächtigungen zum Erlass von Rechtsverordnungen **(Sartorius Nr. 8)**, **aufgeh. mWv. *1. 12. 2010*** durch G v. 23. 11. 2007 (BGBl. I S. 2614).

4) Zur Fortgeltung bestehender Ermächtigungen siehe Art. 129.

5) Art. 80 a eingef. durch G v. 24. 6. 1968 (BGBl. I S. 709).

falle nur zulässig, wenn der Bundestag den Eintritt des Spannungsfalles festgestellt oder wenn er der Anwendung besonders zugestimmt hat. [2]Die Feststellung des Spannungsfalles und die besondere Zustimmung in den Fällen des Artikels 12a Abs. 5 Satz 1 und Abs. 6 Satz 2 bedürfen einer Mehrheit von zwei Dritteln der abgegebenen Stimmen.

(2) Maßnahmen auf Grund von Rechtsvorschriften nach Absatz 1 sind aufzuheben, wenn der Bundestag es verlangt.

(3) [1]Abweichend von Absatz 1 ist die Anwendung solcher Rechtsvorschriften auch auf der Grundlage und nach Maßgabe eines Beschlusses zulässig, der von einem internationalen Organ im Rahmen eines Bündnisvertrages mit Zustimmung der Bundesregierung gefaßt wird. [2]Maßnahmen nach diesem Absatz sind aufzuheben, wenn der Bundestag es mit der Mehrheit seiner Mitglieder verlangt.

Art. 81 [Gesetzgebungsnotstand] (1) [1]Wird im Falle des Artikels 68 der Bundestag nicht aufgelöst, so kann der Bundespräsident auf Antrag der Bundesregierung mit Zustimmung des Bundesrates für eine Gesetzesvorlage den Gesetzgebungsnotstand erklären, wenn der Bundestag sie ablehnt, obwohl die Bundesregierung sie als dringlich bezeichnet hat. [2]Das gleiche gilt, wenn eine Gesetzesvorlage abgelehnt worden ist, obwohl der Bundeskanzler mit ihr den Antrag des Artikels 68 verbunden hatte.

(2) [1]Lehnt der Bundestag die Gesetzesvorlage nach Erklärung des Gesetzgebungsnotstandes erneut ab oder nimmt er sie in einer für die Bundesregierung als unannehmbar bezeichneten Fassung an, so gilt das Gesetz als zustande gekommen, soweit der Bundesrat ihm zustimmt. [2]Das gleiche gilt, wenn die Vorlage vom Bundestage nicht innerhalb von vier Wochen nach der erneuten Einbringung verabschiedet wird.

(3) [1]Während der Amtszeit eines Bundeskanzlers kann auch jede andere vom Bundestage abgelehnte Gesetzesvorlage innerhalb einer Frist von sechs Monaten nach der ersten Erklärung des Gesetzgebungsnotstandes gemäß Absatz 1 und 2 verabschiedet werden. [2]Nach Ablauf der Frist ist während der Amtszeit des gleichen Bundeskanzlers eine weitere Erklärung des Gesetzgebungsnotstandes unzulässig.

(4) Das Grundgesetz darf durch ein Gesetz, das nach Absatz 2 zustande kommt, weder geändert, noch ganz oder teilweise außer Kraft oder außer Anwendung gesetzt werden.

Art. 82[1)] [Verkündung und Inkrafttreten der Gesetze] (1) [1]Die nach den Vorschriften dieses Grundgesetzes zustande gekommenen Gesetze werden vom Bundespräsidenten nach Gegenzeichnung ausgefertigt und im Bundesgesetzblatt verkündet. [2]Das Bundesgesetzblatt kann in elektronischer Form geführt werden. [3]Rechtsverordnungen werden von der Stelle, die sie erlässt, ausgefertigt. [4]Das Nähere zur Verkündung und zur Form von Gegenzeichnung und Ausfertigung von Gesetzen und Rechtsverordnungen regelt ein Bundesgesetz.

(2) [1]Jedes Gesetz und jede Rechtsverordnung soll den Tag des Inkrafttretens bestimmen. [2]Fehlt eine solche Bestimmung, so treten sie mit dem vierzehnten Tage nach Ablauf des Tages in Kraft, an dem das Bundesgesetzblatt ausgegeben worden ist.

[1)] Art. 82 Abs. 1 neu gef. mWv 24.12.2022 durch G v. 19.12.2022 (BGBl. I S. 2478).

VIIIa.[1] Gemeinschaftsaufgaben, Verwaltungszusammenarbeit

Art. 91e[2] [Zusammenwirken hinsichtlich der Grundsicherung für Arbeitsuchende] (1) Bei der Ausführung von Bundesgesetzen auf dem Gebiet der Grundsicherung für Arbeitsuchende wirken Bund und Länder oder die nach Landesrecht zuständigen Gemeinden und Gemeindeverbände in der Regel in gemeinsamen Einrichtungen zusammen.

(2) [1]Der Bund kann zulassen, dass eine begrenzte Anzahl von Gemeinden und Gemeindeverbänden auf ihren Antrag und mit Zustimmung der obersten Landesbehörde die Aufgaben nach Absatz 1 allein wahrnimmt. [2]Die notwendigen Ausgaben einschließlich der Verwaltungsausgaben trägt der Bund, soweit die Aufgaben bei einer Ausführung von Gesetzen nach Absatz 1 vom Bund wahrzunehmen sind.

(3) Das Nähere regelt ein Bundesgesetz, das der Zustimmung des Bundesrates bedarf.

IX. Die Rechtsprechung

Art. 92[3] [Gerichtsorganisation] Die rechtsprechende Gewalt ist den Richtern anvertraut; sie wird durch das Bundesverfassungsgericht, durch die in diesem Grundgesetze vorgesehenen Bundesgerichte und durch die Gerichte der Länder ausgeübt.

Art. 93[4] [Zusammensetzung des Bundesverfassungsgerichts] (1) Das Bundesverfassungsgericht ist ein allen übrigen Verfassungsorganen gegenüber selbständiger und unabhängiger Gerichtshof des Bundes.

(2) [1]Das Bundesverfassungsgericht besteht aus Bundesrichtern und anderen Mitgliedern; es gliedert sich in zwei Senate. [2]In jeden Senat werden je zur Hälfte vom Bundestag und vom Bundesrat acht Richter gewählt; sie dürfen weder dem Bundestag, dem Bundesrat, der Bundesregierung noch entsprechenden Organen eines Landes angehören. [3]Durch Bundesgesetz nach Absatz 5 kann vorgesehen werden, dass das Wahlrecht vom anderen Wahlorgan ausgeübt werden kann, wenn innerhalb einer zu bestimmenden Frist nach dem Ende der Amtszeit oder dem vorzeitigen Ausscheiden eines Richters eine Wahl seines Nachfolgers nicht zustande kommt.

(3) [1]Die Amtszeit der Mitglieder des Bundesverfassungsgerichts dauert zwölf Jahre, längstens bis zum Ende des Monats, in dem das Mitglied das 68. Lebensjahr vollendet. [2]Nach Ablauf der Amtszeit führen die Richter ihre Amtsgeschäfte bis zur Ernennung des Nachfolgers fort. [3]Eine anschließende oder spätere Wiederwahl ist ausgeschlossen.

---

[1] Abschnitt VIIIa (Art. 91a und 91b) eingef. mWv 1.1.1970 durch G v. 12.5.1969 (BGBl. I S. 359); Überschrift neu gef. mWv 1.8.2009 durch G v. 29.7.2009 (BGBl. I S. 2248).

[2] Art. 91e eingef. mWv 27.7.2010 durch G v. 21.7.2010 (BGBl. I S. 944).

[3] Art. 92 geänd. mWv 23.6.1968 durch G v. 18.6.1968 (BGBl. I S. 657).

[4] Art. 93 Abs. 1 Nr. 4a und 4b eingef. mWv 2.2.1969 durch G v. 29.1.1969 (BGBl. I S. 97); Abs. 1 Nr. 2a eingef. mWv 15.11.1994 durch G v. 27.10.1994 (BGBl. I S. 3146); Abs. 2 eingef., bish. Abs. 2 wird Abs. 3 mWv 1.9.2006 durch G v. 28.8.2006 (BGBl. I S. 2034); Abs. 1 Nr. 2 geänd. mWv 1.12.2009 durch G v. 8.10.2008 (BGBl. I S. 1926); Abs. 1 Nr. 4c eingef. mWv 17.7.2012 durch G v. 11.7.2012 (BGBl. I S. 1478); Art. 93 neu gef. mWv 28.12.2024 durch G v. 20.12.2024 (BGBl. 2024 I Nr. 439).

(4) Das Bundesverfassungsgericht gibt sich eine Geschäftsordnung, die das Plenum beschließt.

(5) [1]Ein Bundesgesetz regelt die Verfassung und das Verfahren des Bundesverfassungsgerichts. [2]Es kann für Verfassungsbeschwerden die vorherige Erschöpfung des Rechtsweges zur Voraussetzung machen und ein besonderes Annahmeverfahren vorsehen.

Art. 94[1)] [Zuständigkeit des Bundesverfassungsgerichts] (1) Das Bundesverfassungsgericht entscheidet:

1. über die Auslegung dieses Grundgesetzes aus Anlass von Streitigkeiten über den Umfang der Rechte und Pflichten eines obersten Bundesorgans oder anderer Beteiligter, die durch dieses Grundgesetz oder in der Geschäftsordnung eines obersten Bundesorgans mit eigenen Rechten ausgestattet sind;
2. bei Meinungsverschiedenheiten oder Zweifeln über die förmliche und sachliche Vereinbarkeit von Bundesrecht oder Landesrecht mit diesem Grundgesetz oder die Vereinbarkeit von Landesrecht mit sonstigem Bundesrecht auf Antrag der Bundesregierung, einer Landesregierung oder eines Viertels der Mitglieder des Bundestages;

2a. bei Meinungsverschiedenheiten, ob ein Gesetz den Voraussetzungen des Artikels 72 Absatz 2 entspricht, auf Antrag des Bundesrates, einer Landesregierung oder der Volksvertretung eines Landes;

3. bei Meinungsverschiedenheiten über Rechte und Pflichten des Bundes und der Länder, insbesondere bei der Ausführung von Bundesrecht durch die Länder und bei der Ausübung der Bundesaufsicht;
4. in anderen öffentlich-rechtlichen Streitigkeiten zwischen dem Bund und den Ländern, zwischen verschiedenen Ländern oder innerhalb eines Landes, soweit nicht ein anderer Rechtsweg gegeben ist;

4a. über Verfassungsbeschwerden, die von jedermann mit der Behauptung erhoben werden können, durch die öffentliche Gewalt in einem seiner Grundrechte oder in einem seiner in Artikel 20 Absatz 4, 33, 38, 101, 103 und 104 enthaltenen Rechte verletzt zu sein;

4b. über Verfassungsbeschwerden von Gemeinden und Gemeindeverbänden wegen Verletzung des Rechts auf Selbstverwaltung nach Artikel 28 durch ein Gesetz, bei Landesgesetzen jedoch nur, soweit nicht Beschwerde beim Landesverfassungsgericht erhoben werden kann;

4c. über Beschwerden von Vereinigungen gegen ihre Nichtanerkennung als Partei für die Wahl zum Bundestag;

5. in den übrigen in diesem Grundgesetz vorgesehenen Fällen.

(2) [1]Das Bundesverfassungsgericht entscheidet außerdem auf Antrag des Bundesrates, einer Landesregierung oder der Volksvertretung eines Landes, ob im Falle des Artikels 72 Absatz 4 die Erforderlichkeit für eine bundesgesetzliche Regelung nach Artikel 72 Absatz 2 nicht mehr besteht oder Bundesrecht in den Fällen des Artikels 125a Absatz 2Satz 1 nicht mehr erlassen werden könnte. [2]Die Feststellung, dass die Erforderlichkeit entfallen ist oder Bundesrecht nicht mehr erlassen werden könnte, ersetzt ein Bundesgesetz nach Artikel 72 Absatz 4 oder nach Artikel 125a Absatz 2 Satz 2. [3]Der Antrag nach Satz 1 ist nur zulässig, wenn

---

[1)] Art. 94 Abs. 2 Satz 2 angef. durch G v. 29.1.1969 (BGBl. I S. 97); Art. 94 neu gef. mWv 28.12. 2024 durch G v. 20.12.2024 (BGBl. 2024 I Nr. 439).

eine Gesetzesvorlage nach Artikel 72 Absatz 4 oder nach Artikel 125a Absatz 2 Satz 2 im Bundestag abgelehnt oder über sie nicht innerhalb eines Jahres beraten und Beschluss gefasst oder wenn eine entsprechende Gesetzesvorlage im Bundesrat abgelehnt worden ist.

(3) Das Bundesverfassungsgericht wird ferner in den ihm sonst durch Bundesgesetz zugewiesenen Fällen tätig.

(4) [1] Die Entscheidungen des Bundesverfassungsgerichts binden die Verfassungsorgane des Bundes und der Länder sowie alle Gerichte und Behörden. [2] Ein Bundesgesetz bestimmt, in welchen Fällen seine Entscheidungen Gesetzeskraft haben.

Art. 95[1)] [Oberste Gerichtshöfe des Bundes] (1) Für die Gebiete der ordentlichen, der Verwaltungs-, der Finanz-, der Arbeits- und der Sozialgerichtsbarkeit errichtet der Bund als oberste Gerichtshöfe den Bundesgerichtshof, das Bundesverwaltungsgericht, den Bundesfinanzhof, das Bundesarbeitsgericht und das Bundessozialgericht.

(2) Über die Berufung der Richter dieser Gerichte entscheidet der für das jeweilige Sachgebiet zuständige Bundesminister gemeinsam mit einem Richterwahlausschuß, der aus den für das jeweilige Sachgebiet zuständigen Ministern der Länder und einer gleichen Anzahl von Mitgliedern besteht, die vom Bundestage gewählt werden.

(3) [1] Zur Wahrung der Einheitlichkeit der Rechtsprechung ist ein Gemeinsamer Senat der in Absatz 1 genannten Gerichte zu bilden. [2] Das Nähere regelt ein Bundesgesetz.

Art. 96[2)] [Weitere Bundesgerichte] (1) Der Bund kann für Angelegenheiten des gewerblichen Rechtsschutzes ein Bundesgericht errichten.

(2) [1] Der Bund kann Wehrstrafgerichte für die Streitkräfte als Bundesgerichte errichten. [2] Sie können die Strafgerichtsbarkeit nur im Verteidigungsfalle sowie über Angehörige der Streitkräfte ausüben, die in das Ausland entsandt oder an Bord von Kriegsschiffen eingeschifft sind. [3] Das Nähere regelt ein Bundesgesetz. [4] Diese Gerichte gehören zum Geschäftsbereich des Bundesjustizministers. [5] Ihre hauptamtlichen Richter müssen die Befähigung zum Richteramt haben.

(3) Oberster Gerichtshof für die in Absatz 1 und 2 genannten Gerichte ist der Bundesgerichtshof.

(4) Der Bund kann für Personen, die zu ihm in einem öffentlich-rechtlichen Dienstverhältnis stehen, Bundesgerichte zur Entscheidung in Disziplinarverfahren und Beschwerdeverfahren errichten.

(5) Für Strafverfahren auf den folgenden Gebieten kann ein Bundesgesetz mit Zustimmung des Bundesrates vorsehen, dass Gerichte der Länder Gerichtsbarkeit des Bundes ausüben:

(Fortsetzung nächstes Blatt)

[1)] Art. 95 neu gef. mWv 23.6.1968 durch G v. 18.6.1968 (BGBl. I S. 657).

[2)] Früherer Art. 96a eingef. mWv 22.3.1956 durch G v. 19.3.1956 (BGBl. I S. 111); neu gef. mWv 12.3.1961 durch G v. 6.3.1961 (BGBl. I S. 141); Art. 96 aufgeh., bish. Art 96a wird Art. 96 und Abs. 3 geänd. mWv 23.6.1968 durch G v. 18.6.1968 (BGBl. I S. 657); Abs. 4 neu gef. mWv 15.5.1969 durch G v. 12.5.1969 (BGBl. I S. 363); Abs. 5 angef. mWv 30.8.1969 durch G v. 26.8.1969 (BGBl. I S. 1357); Abs. 5 neu gef. mWv 1.8.2002 durch G v. 26.7.2002 (BGBl. I S. 2863).

1. Völkermord;
2. völkerstrafrechtliche Verbrechen gegen die Menschlichkeit;
3. Kriegsverbrechen;
4. andere Handlungen, die geeignet sind und in der Absicht vorgenommen werden, das friedliche Zusammenleben der Völker zu stören (Artikel 26 Abs. 1);
5. Staatsschutz.

Art. 97 [Unabhängigkeit der Richter] (1) Die Richter sind unabhängig und nur dem Gesetze unterworfen.

(2) [1]Die hauptamtlich und planmäßig endgültig angestellten Richter können wider ihren Willen nur kraft richterlicher Entscheidung und nur aus Gründen und unter den Formen, welche die Gesetze bestimmen, vor Ablauf ihrer Amtszeit entlassen oder dauernd oder zeitweise ihres Amtes enthoben oder an eine andere Stelle oder in den Ruhestand versetzt werden. [2]Die Gesetzgebung kann Altersgrenzen festsetzen, bei deren Erreichung auf Lebenszeit angestellte Richter in den Ruhestand treten. [3]Bei Veränderung der Einrichtung der Gerichte oder ihrer Bezirke können Richter an ein anderes Gericht versetzt oder aus dem Amte entfernt werden, jedoch nur unter Belassung des vollen Gehaltes.

Art. 98[1)] [Rechtsstellung der Richter] (1) Die Rechtsstellung der Bundesrichter ist durch besonderes Bundesgesetz zu regeln.

(2) [1]Wenn ein Bundesrichter im Amte oder außerhalb des Amtes gegen die Grundsätze des Grundgesetzes oder gegen die verfassungsmäßige Ordnung eines Landes verstößt, so kann das Bundesverfassungsgericht mit Zweidrittelmehrheit auf Antrag des Bundestages anordnen, daß der Richter in ein anderes Amt oder in den Ruhestand zu versetzen ist. [2]Im Falle eines vorsätzlichen Verstoßes kann auf Entlassung erkannt werden.

(3) Die Rechtsstellung der Richter in den Ländern ist durch besondere Landesgesetze zu regeln, soweit Artikel 74 Abs. 1 Nr. 27 nichts anderes bestimmt.

(4) Die Länder können bestimmen, daß über die Anstellung der Richter in den Ländern der Landesjustizminister gemeinsam mit einem Richterwahlausschuß entscheidet.

(5) [1]Die Länder können für Landesrichter eine Absatz 2 entsprechende Regelung treffen. [2]Geltendes Landesverfassungsrecht bleibt unberührt. [3]Die Entscheidung über eine Richteranklage steht dem Bundesverfassungsgericht zu.

Art. 100[2)] [Verfassungswidrigkeit von Gesetzen] (1) [1]Hält ein Gericht ein Gesetz, auf dessen Gültigkeit es bei der Entscheidung ankommt, für verfassungswidrig, so ist das Verfahren auszusetzen und, wenn es sich um die Verletzung der Verfassung eines Landes handelt, die Entscheidung des für Verfassungsstreitigkeiten zuständigen Gerichtes des Landes, wenn es sich um die Verletzung dieses Grundgesetzes handelt, die Entscheidung des Bundes-

---

[1)] Art. 98 Abs. 3 neu gef. durch G v. 18. 3. 1971 (BGBl. I S. 206); Abs. 3 neu gef. mWv 1. 9. 2006 durch G v. 28. 8. 2006 (BGBl. I S. 2034).

[2)] Art. 100 Abs. 3 früherer zweiter Halbsatz aufgeh. durch G v. 18. 6. 1968 (BGBl. I S. 657).

verfassungsgerichtes einzuholen. [2]Dies gilt auch, wenn es sich um die Verletzung dieses Grundgesetzes durch Landesrecht oder um die Unvereinbarkeit eines Landesgesetzes mit einem Bundesgesetze handelt.

(2) Ist in einem Rechtsstreite zweifelhaft, ob eine Regel des Völkerrechtes Bestandteil des Bundesrechtes ist und ob sie unmittelbar Rechte und Pflichten für den Einzelnen erzeugt (Artikel 25), so hat das Gericht die Entscheidung des Bundesverfassungsgerichtes einzuholen.

(3) Will das Verfassungsgericht eines Landes bei der Auslegung des Grundgesetzes von einer Entscheidung des Bundesverfassungsgerichtes oder des Verfassungsgerichtes eines anderen Landes abweichen, so hat das Verfassungsgericht die Entscheidung des Bundesverfassungsgerichtes einzuholen.

Art. 103 [Grundrechte vor Gericht] (1) Vor Gericht hat jedermann Anspruch auf rechtliches Gehör.

(2) Eine Tat kann nur bestraft werden, wenn die Strafbarkeit gesetzlich bestimmt war, bevor die Tat begangen wurde.

(3) Niemand darf wegen derselben Tat auf Grund der allgemeinen Strafgesetze mehrmals bestraft werden.

XI. Übergangs- und Schlußbestimmungen

Art. 116 [Deutsche Staatsangehörigkeit] (1) Deutscher im Sinne dieses Grundgesetzes ist vorbehaltlich anderweitiger gesetzlicher Regelung, wer die deutsche Staatsangehörigkeit besitzt oder als Flüchtling oder Vertriebener deutscher Volkszugehörigkeit oder als dessen Ehegatte oder Abkömmling in dem Gebiete des Deutschen Reiches nach dem Stande vom 31. Dezember 1937 Aufnahme gefunden hat.

(2) [1]Frühere deutsche Staatsangehörige, denen zwischen dem 30. Januar 1933 und dem 8. Mai 1945 die Staatsangehörigkeit aus politischen, rassischen oder religiösen Gründen entzogen worden ist, und ihre Abkömmlinge sind auf Antrag wieder einzubürgern. [2]Sie gelten als nicht ausgebürgert, sofern sie nach dem 8. Mai 1945 ihren Wohnsitz in Deutschland genommen haben und nicht einen entgegengesetzten Willen zum Ausdruck gebracht haben.

Art. 122 [Bisherige Gesetzgebungskompetenzen] (1) Vom Zusammentritt des Bundestages an werden die Gesetze ausschließlich von den in diesem Grundgesetze anerkannten gesetzgebenden Gewalten beschlossen.

(2) Gesetzgebende und bei der Gesetzgebung beratend mitwirkende Körperschaften, deren Zuständigkeit nach Absatz 1 endet, sind mit diesem Zeitpunkt aufgelöst.

Art. 123 [Fortgeltung des alten Rechts] (1) Recht aus der Zeit vor dem Zusammentritt des Bundestages gilt fort, soweit es dem Grundgesetze nicht widerspricht.

(2) Die vom Deutschen Reich abgeschlossenen Staatsverträge, die sich auf Gegenstände beziehen, für die nach diesem Grundgesetze die Landesgesetzgebung zuständig ist, bleiben, wenn sie nach allgemeinen Rechtsgrundsätzen gültig sind und fortgelten, unter Vorbehalt aller Rechte und Einwendungen

der Beteiligten in Kraft, bis neue Staatsverträge durch die nach diesem Grundgesetze zuständigen Stellen abgeschlossen werden oder ihre Beendigung auf Grund der in ihnen enthaltenen Bestimmungen anderweitig erfolgt.

Art. 124 [Altes Recht auf dem Gebiet der ausschließlichen Gesetzgebung] Recht, das Gegenstände der ausschließlichen Gesetzgebung des Bundes betrifft, wird innerhalb seines Geltungsbereiches Bundesrecht.

Art. 125 [Altes Recht auf dem Gebiet der konkurrierenden Gesetzgebung] Recht, das Gegenstände der konkurrierenden Gesetzgebung des Bundes betrifft, wird innerhalb seines Geltungsbereiches Bundesrecht,

1. soweit es innerhalb einer oder mehrerer Besatzungszonen einheitlich gilt,
2. soweit es sich um Recht handelt, durch das nach dem 8. Mai 1945 früheres Reichsrecht abgeändert worden ist.

Art. 125a[1] [Fortgeltung von Bundesrecht; Ersetzung durch Landesrecht] (1) [1] Recht, das als Bundesrecht erlassen worden ist, aber wegen der Änderung des Artikels 74 Abs. 1, der Einfügung des Artikels 84 Abs. 1 Satz 7, des Artikels 85 Abs. 1 Satz 2 oder des Artikels 105 Abs. 2a Satz 2 oder wegen der Aufhebung der Artikel 74a, 75 oder 98 Abs. 3 Satz 2 nicht mehr als Bundesrecht erlassen werden könnte, gilt als Bundesrecht fort. [2] Es kann durch Landesrecht ersetzt werden.

(2) [1] Recht, das auf Grund des Artikels 72 Abs. 2 in der bis zum 15. November 1994 geltenden Fassung erlassen worden ist, aber wegen Änderung des Artikels 72 Abs. 2 nicht mehr als Bundesrecht erlassen werden könnte, gilt als Bundesrecht fort. [2] Durch Bundesgesetz kann bestimmt werden, dass es durch Landesrecht ersetzt werden kann.

(3) [1] Recht, das als Landesrecht erlassen worden ist, aber wegen Änderung des Artikels 73 nicht mehr als Landesrecht erlassen werden könnte, gilt als Landesrecht fort. [2] Es kann durch Bundesrecht ersetzt werden.

Art. 125b[2] [Fortgeltung von Bundesrecht; abweichende Regelungen durch die Länder] (1) [1] Recht, das auf Grund des Artikels 75 in der bis zum 1. September 2006 geltenden Fassung erlassen worden ist und das auch nach diesem Zeitpunkt als Bundesrecht erlassen werden könnte, gilt als Bundesrecht fort. [2] Befugnisse und Verpflichtungen der Länder zur Gesetzgebung bleiben insoweit bestehen. [3] Auf den in Artikel 72 Abs. 3 Satz 1 genannten Gebieten können die Länder von diesem Recht abweichende Regelungen treffen, auf den Gebieten des Artikels 72 Abs. 3 Satz 1 Nr. 2, 5 und 6 jedoch erst, wenn und soweit der Bund ab dem 1. September 2006 von seiner Gesetzgebungszuständigkeit Gebrauch gemacht hat, in den Fällen der Nummern 2 und 5 spätestens ab dem 1. Januar 2010, im Falle der Nummer 6 spätestens ab dem 1. August 2008.

(2) Von bundesgesetzlichen Regelungen, die auf Grund des Artikels 84 Abs. 1 in der vor dem 1. September 2006 geltenden Fassung erlassen worden

---

[1] Art. 125a eingef. durch G v. 27.10.1994 (BGBl I S. 3146); neu gef. mWv 1.9.2006 durch G v. 28.8.2006 (BGBl. I S. 2034).

[2] Art. 125b eingef. mWv 1.9.2006 durch G v. 28.8.2006 (BGBl. I S. 2034); Abs. 3 angef. mWv 21.11.2019 durch G v. 15.11.2019 (BGBl. I S. 1546).

sind, können die Länder abweichende Regelungen treffen, von Regelungen des Verwaltungsverfahrens bis zum 31. Dezember 2008 aber nur dann, wenn ab dem 1. September 2006 in dem jeweiligen Bundesgesetz Regelungen des Verwaltungsverfahrens geändert worden sind.

(3) Auf dem Gebiet des Artikels 72 Absatz 3 Satz 1 Nummer 7 darf abweichendes Landesrecht der Erhebung der Grundsteuer frühestens für Zeiträume ab dem 1. Januar 2025 zugrunde gelegt werden.

Art. 125c *(hier nicht wiedergegeben)*

Art. 126 [Streit über das Fortgelten des alten Rechts] Meinungsverschiedenheiten über das Fortgelten von Recht als Bundesrecht entscheidet das Bundesverfassungsgericht.

(Fortsetzung nächstes Blatt)

Art. 129 [Fortgeltung von Ermächtigungen zu Rechtsverordnungen] (1) [1]Soweit in Rechtsvorschriften, die als Bundesrecht fortgelten, eine Ermächtigung zum Erlaß von Rechtsverordnungen oder allgemeinen Verwaltungsvorschriften sowie zur Vornahme von Verwaltungsakten enthalten ist, geht sie auf die nunmehr sachlich zuständigen Stellen über. [2]In Zweifelsfällen entscheidet die Bundesregierung im Einvernehmen mit dem Bundesrat; die Entscheidung ist zu veröffentlichen.

(2) Soweit in Rechtsvorschriften, die als Landesrecht fortgelten, eine solche Ermächtigung enthalten ist, wird sie von den nach Landesrecht zuständigen Stellen ausgeübt.

(3) Soweit Rechtsvorschriften im Sinne der Absätze 1 und 2 zu ihrer Änderung oder Ergänzung oder zum Erlaß von Rechtsvorschriften an Stelle von Gesetzen ermächtigen, sind diese Ermächtigungen erloschen.

(4) Die Vorschriften der Absätze 1 und 2 gelten entsprechend, soweit in Rechtsvorschriften auf nicht mehr geltende Vorschriften oder nicht mehr bestehende Einrichtungen verwiesen ist.

Art. 140 [Geltung von Artikeln der Weimarer Verfassung] Die Bestimmungen der Artikel 136, 137[1)], 138, 139[1)] und 141 der deutschen Verfassung vom 11. August 1919 sind Bestandteil dieses Grundgesetzes.

[1)] Artt. 137 und 139 der Weimarer Verfassung v. 11. 8. 1919 (RGBl. S. 1383) lauten wie folgt:

Art. 137. [Religionsgesellschaften] (1) Es besteht keine Staatskirche.

(2) [1]Die Freiheit der Vereinigung zu Religionsgesellschaften wird gewährleistet. [2]Der Zusammenschluß von Religionsgesellschaften innerhalb des Reichsgebiets unterliegt keinen Beschränkungen.

(3) [1]Jede Religionsgesellschaft ordnet und verwaltet ihre Angelegenheiten selbständig innerhalb der Schranken des für alle geltenden Gesetzes. [2]Sie verleiht ihre Ämter ohne Mitwirkung des Staates oder der bürgerlichen Gemeinde.

(4) Religionsgesellschaften erwerben die Rechtsfähigkeit nach den allgemeinen Vorschriften des bürgerlichen Rechtes.

(5) [1]Die Religionsgesellschaften bleiben Körperschaften des öffentlichen Rechtes, soweit sie solche bisher waren. [2]Anderen Religionsgesellschaften sind auf ihren Antrag gleiche Rechte zu gewähren, wenn sie durch ihre Verfassung und die Zahl ihrer Mitglieder die Gewähr der Dauer bieten. [3]Schließen sich mehrere derartige öffentlich-rechtliche Religionsgesellschaften zu einem Verbande zusammen, so ist auch dieser Verband eine öffentlich-rechtliche Körperschaft.

(6) Die Religionsgesellschaften, welche Körperschaften des öffentlichen Rechtes sind, sind berechtigt, auf Grund der bürgerlichen Steuerlisten nach Maßgabe der landesrechtlichen Bestimmungen Steuern zu erheben.

(7) Den Religionsgesellschaften werden die Vereinigungen gleichgestellt, die sich die gemeinschaftliche Pflege einer Weltanschauung zur Aufgabe machen.

(8) Soweit die Durchführung dieser Bestimmungen eine weitere Regelung erfordert, liegt diese der Landesgesetzgebung ob.

Art. 139. [Sonn- und Feiertagsruhe] Der Sonntag und die staatlich anerkannten Feiertage bleiben als Tage der Arbeitsruhe und der seelischen Erhebung gesetzlich geschützt.

Art. 143[1] **[Abweichungen vom Grundgesetz]** (1) [1]Recht in dem in Artikel 3 des Einigungsvertrags genannten Gebiet kann längstens bis zum 31. Dezember 1992 von Bestimmungen dieses Grundgesetzes abweichen, soweit und solange infolge der unterschiedlichen Verhältnisse die völlige Anpassung an die grundgesetzliche Ordnung noch nicht erreicht werden kann. [2]Abweichungen dürfen nicht gegen Artikel 19 Abs. 2 verstoßen und müssen mit den in Artikel 79 Abs. 3 genannten Grundsätzen vereinbar sein.

(2) Abweichungen von den Abschnitten II, VIII, VIII a, IX, X und XI sind längstens bis zum 31. Dezember 1995 zulässig.

(3) Unabhängig von Absatz 1 und 2 haben Artikel 41 des Einigungsvertrags und Regelungen zu seiner Durchführung auch insoweit Bestand, als sie vorsehen, daß Eingriffe in das Eigentum auf dem in Artikel 3 dieses Vertrags genannten Gebiet nicht mehr rückgängig gemacht werden.

Art. 146[2] **[Geltungsdauer]** Dieses Grundgesetz, das nach Vollendung der Einheit und Freiheit Deutschlands für das gesamte deutsche Volk gilt, verliert seine Gültigkeit an dem Tage, an dem eine Verfassung in Kraft tritt, die von dem deutschen Volke in freier Entscheidung beschlossen worden ist.

---

[1] Art. 143 eingef. durch Art. 4 EVertr. v. 31. 8. 1990 (BGBl. II S. 889).
[2] Art. 146 geänd. durch Art. 4 EVertr. v. 31. 8. 1990 (BGBl. II S. 889).

10 a. Vertrag zwischen der Bundesrepublik Deutschland und der Deutschen Demokratischen Republik über die Herstellung der Einheit Deutschlands – Einigungsvertrag –

Vom 31. August 1990
(BGBl. II S. 885, 889)

zuletzt geänd. durch Art. 122 Zweites G über die weitere Bereinigung von Bundesrecht v. 8. 7. 2016 (BGBl. I S. 1594)

– Auszug –[1)]

Art. 8 Überleitung von Bundesrecht. Mit dem Wirksamwerden des Beitritts tritt in dem in Artikel 3 genannten Gebiet Bundesrecht in Kraft, soweit es nicht in seinem Geltungsbereich auf bestimmte Länder oder Landesteile der Bundesrepublik Deutschland beschränkt ist und soweit durch diesen Vertrag, insbesondere dessen Anlage I[2)], nichts anderes bestimmt wird.

Art. 9 Fortgeltendes Recht der Deutschen Demokratischen Republik. (1) [1] Das im Zeitpunkt der Unterzeichnung dieses Vertrags geltende Recht der Deutschen Demokratischen Republik, das nach der Kompetenzordnung des Grundgesetzes[3)] Landesrecht ist, bleibt in Kraft, soweit es mit dem Grundgesetz[3)] ohne Berücksichtigung des Artikels 143, mit in dem in Artikel 3 genannten Gebiet in Kraft gesetztem Bundesrecht sowie mit dem unmittelbar geltenden Recht der Europäischen Gemeinschaften vereinbar ist und soweit in diesem Vertrag nichts anderes bestimmt wird. [2] Recht der Deutschen Demokratischen Republik, das nach der Kompetenzordnung des Grundgesetzes[3)] Bundesrecht ist und das nicht bundeseinheitlich geregelte Gegenstände betrifft, gilt unter den Voraussetzungen des Satzes 1 bis zu einer Regelung durch den Bundesgesetzgeber als Landesrecht fort.

(2) Das in Anlage II[2)] aufgeführte Recht der Deutschen Demokratischen Republik bleibt mit den dort genannten Maßgaben in Kraft, soweit es mit dem Grundgesetz[3)] unter Berücksichtigung dieses Vertrags sowie mit dem unmittelbar geltenden Recht der Europäischen Gemeinschaften vereinbar ist.

(3) [1] Nach Unterzeichnung dieses Vertrags erlassenes Recht der Deutschen Demokratischen Republik bleibt in Kraft, sofern es zwischen den Vertragsparteien vereinbart wird. [2] Absatz 2 bleibt unberührt.

(4) [1] Soweit nach den Absätzen 2 und 3 fortgeltendes Recht Gegenstände der ausschließlichen Gesetzgebung des Bundes betrifft, gilt es als Bundesrecht fort. [2] Soweit es Gegenstände der konkurrierenden Gesetzgebung oder der Rahmengesetzgebung betrifft, gilt es als Bundesrecht fort, wenn und soweit es sich auf Sachgebiete bezieht, die im übrigen Geltungsbereich des Grundgesetzes[3)] bundesrechtlich geregelt sind.

---

1) Vollständig wiedergegeben in **NipperdeyDirekt (online)**.
2) Hier nicht wiedergegeben.
3) Auszugsweise abgedruckt unter Nr. **10**.

(5) Das gemäß Anlage II[1] von der Deutschen Demokratischen Republik erlassene Kirchensteuerrecht gilt in den in Artikel 1 Abs. 1 genannten Ländern als Landesrecht fort.

Art. 30 Arbeit und Soziales. (1) Es ist Aufgabe des gesamtdeutschen Gesetzgebers,

1. das Arbeitsvertragsrecht sowie das öffentlich-rechtliche Arbeitszeitrecht einschließlich der Zulässigkeit von Sonn- und Feiertagsarbeit und den besonderen Frauenarbeitsschutz möglichst bald einheitlich neu zu kodifizieren,
2. den öffentlich-rechtlichen Arbeitsschutz in Übereinstimmung mit dem Recht der Europäischen Gemeinschaften und dem damit konformen Teil des Arbeitsschutzrechts der Deutschen Demokratischen Republik zeitgemäß neu zu regeln.

(2)–(6) ...

[1] Hier nicht wiedergegeben.

11. Verfassung des Landes Baden-Württemberg

Vom 11. November 1953
(GBl. S. 173)

BWGültV Sachgebiet 100

zuletzt geänd. durch Art. 1 G zur Änd. der Verfassung des Landes Baden-Württemberg und des G über die Landtagswahlen v. 26.4.2022 (GBl. S. 237)

– Auszug –[1)]

Erster Hauptteil. Vom Menschen und seinen Ordnungen

I. Mensch und Staat

Art. 1 [Personenwert und Gemeinschaft] (1) Der Mensch ist berufen, in der ihn umgebenden Gemeinschaft seine Gaben in Freiheit und in der Erfüllung des christlichen Sittengesetzes zu seinem und der anderen Wohl zu entfalten.

(2) [1]Der Staat hat die Aufgabe, den Menschen hierbei zu dienen. [2]Er faßt die in seinem Gebiet lebenden Menschen zu einem geordneten Gemeinwesen zusammen, gewährt ihnen Schutz und Förderung und bewirkt durch Gesetz und Gebot einen Ausgleich der wechselseitigen Rechte und Pflichten.

Art. 2[2)] [Grundrechte, Recht auf Heimat] (1) Die im Grundgesetz für die Bundesrepublik Deutschland[3)] festgelegten Grundrechte und staatsbürgerlichen Rechte sind Bestandteil dieser Verfassung und unmittelbar geltendes Recht.

(2) Das Volk von Baden-Württemberg bekennt sich darüber hinaus zu dem unveräußerlichen Menschenrecht auf die Heimat.

Art. 3 [Sonn- und Feiertage] (1) [1]Die Sonntage und die staatlich anerkannten Feiertage stehen als Tage der Arbeitsruhe und der Erhebung unter Rechtsschutz. [2]Die staatlich anerkannten Feiertage werden durch Gesetz[4)] bestimmt. [3]Hierbei ist die christliche Überlieferung zu wahren.

(2) [1]Der 1. Mai ist gesetzlicher Feiertag. [2]Er gilt dem Bekenntnis zu sozialer Gerechtigkeit, Frieden, Freiheit und Völkerverständigung.

Zweiter Hauptteil. Vom Staat und seinen Ordnungen

II. Der Landtag

Art. 29 [Kandidatur] (1) Wer sich um einen Sitz im Landtag bewirbt, hat Anspruch auf den zur Vorbereitung seiner Wahl erforderlichen Urlaub.[5)]

(2) [1]Niemand darf gehindert werden, das Amt eines Abgeordneten zu übernehmen und auszuüben. [2]Eine Kündigung oder Entlassung aus einem Dienst- oder Arbeitsverhältnis aus diesem Grunde ist unzulässig.[6)]

[1)] Vollständig wiedergegeben in **beck-online, Module Arbeitsrecht.**
[2)] Art. 2 Abs. 1 geänd. durch G v. 15.2.1995 (GBl. S. 269).
[3)] Auszugsweise abgedruckt unter Nr. **10**.
[4)] Vgl. das FeiertagsG **(beck-online, Module Arbeitsrecht Nr. 253)**.
[5)] Vgl. § 3 AbgeordnetenG **(beck-online, Module Arbeitsrecht Nr. 29)**.
[6)] Vgl. § 2 AbgeordnetenG **(beck-online, Module Arbeitsrecht Nr. 29)**.

Schlußbestimmungen

Art. 94 [Inkrafttreten, Rechtswirkungen] (1) Die von der Verfassunggebenden Landesversammlung beschlossene Verfassung ist von ihrem Präsidenten auszufertigen und von der vorläufigen Regierung im Gesetzblatt des Landes zu verkünden.

(2) [1] Die Verfassung tritt am Tage ihrer Verkündung[1)] in Kraft. [2] Zum gleichen Zeitpunkt treten die Verfassungen der bisherigen Länder Baden, Württemberg-Baden und Württemberg-Hohenzollern außer Kraft.

(3) [1] Sonstiges Recht der bisherigen Länder bleibt, soweit es dieser Verfassung nicht widerspricht, in seinem Geltungsbereich bestehen. [2] Soweit in Gesetzen oder Verordnungen Organe der bisherigen Länder genannt sind, treten an ihre Stelle die entsprechenden Organe des Landes Baden-Württemberg.

---

1) Verkündet am 19.11.1953.

12. Verfassung des Freistaates Bayern

In der Fassung der Bekanntmachung vom 15. Dezember 1998
(GVBl S. 991)

BayRS 100-1-S

zuletzt geänd. durch § 1 ÄndG v. 11. 11. 2013 (GVBl S. 642)

– Auszug –[1)]

Erster Hauptteil. Aufbau und Aufgaben des Staates

2. Abschnitt. Der Landtag

Art. 30 [Mandat und Arbeitsverhältnis] Abgeordnete bedürfen zur Ausübung ihres Amtes als Mitglied des Landtags keines Urlaubs von ihrem Arbeitgeber[2)].

Zweiter Hauptteil. Grundrechte und Grundpflichten

Art. 110 [Recht der freien Meinungsäußerung] (1) [1] Jeder Bewohner Bayerns hat das Recht, seine Meinung durch Wort, Schrift, Druck, Bild oder in sonstiger Weise frei zu äußern. [2] An diesem Recht darf ihn kein Arbeits- und Anstellungsvertrag hindern und niemand darf ihn benachteiligen, wenn er von diesem Recht Gebrauch macht.

(2) Die Bekämpfung von Schmutz und Schund ist Aufgabe des Staates und der Gemeinden.

Dritter Hauptteil. Das Gemeinschaftsleben

3. Abschnitt. Religion und Religionsgemeinschaften

Art. 147 [Schutz der Sonn- und Feiertage] Die Sonntage und staatlich anerkannten Feiertage bleiben als Tage der seelischen Erhebung und der Arbeitsruhe gesetzlich geschützt[3)].

---

1) Vollständig wiedergegeben in **NipperdeyDirekt (online)**.

2) Siehe hierzu auch das Art. 2 bis 4 Bayerische AbgeordnetenG **(NipperdeyDirekt (online) Nr. 30)**.

3) Siehe hierzu auch das Gesetz über den Schutz der Sonn- und Feiertage (Feiertagsgesetz - FTG) **(NipperdeyDirekt (online) Nr. 254)**.

Vierter Hauptteil. Wirtschaft und Arbeit

4. Abschnitt. Die Arbeit

Art. 166 [Recht auf Arbeit] (1) Arbeit ist die Quelle des Volkswohlstandes und steht unter dem besonderen Schutz des Staates.

(2) Jedermann hat das Recht, sich durch Arbeit eine auskömmliche Existenz zu schaffen.

(3) Er hat das Recht und die Pflicht, eine seinen Anlagen und seiner Ausbildung entsprechende Arbeit im Dienste der Allgemeinheit nach näherer Bestimmung der Gesetze zu wählen.

Art. 167 [Schutz der Arbeitskraft] (1) Die menschliche Arbeitskraft ist als wertvollstes wirtschaftliches Gut eines Volkes gegen Ausbeutung, Betriebsgefahren und sonstige gesundheitliche Schädigungen geschützt.

(2) Ausbeutung, die gesundheitliche Schäden nach sich zieht, ist als Körperverletzung strafbar.

(3) Die Verletzung von Bestimmungen zum Schutz gegen Gefahren und gesundheitliche Schädigungen in Betrieben wird bestraft.

Art. 168 [Arbeitsentgelt; Fürsorge] (1) [1] Jede ehrliche Arbeit hat den gleichen sittlichen Wert und Anspruch auf angemessenes Entgelt. [2] Männer und Frauen erhalten für gleiche Arbeit den gleichen Lohn.

(2) Arbeitsloses Einkommen arbeitsfähiger Personen wird nach Maßgabe der Gesetze mit Sondersteuern belegt.

(3) Jeder Bewohner Bayerns, der arbeitsunfähig ist oder dem keine Arbeit vermittelt werden kann, hat ein Recht auf Fürsorge.

Art. 169 [Mindestlöhne; Tarifverträge] (1) Für jeden Berufszweig können Mindestlöhne festgesetzt werden, die dem Arbeitnehmer eine den jeweiligen kulturellen Verhältnissen entsprechende Mindestlebenshaltung für sich und seine Familie ermöglichen.

(2) Die Gesamtvereinbarungen zwischen Arbeitgeber- und Arbeitnehmerverbänden über das Arbeitsverhältnis sind für die Verbandsangehörigen verpflichtend und können, wenn es das Gesamtinteresse erfordert, für allgemein verbindlich erklärt werden.

Art. 170 [Vereinigungsfreiheit] (1) Die Vereinigungsfreiheit zur Wahrung und Förderung der Arbeits- und Wirtschaftsbedingungen ist für jedermann und für alle Berufe gewährleistet.

(2) Alle Abreden und Maßnahmen, welche die Vereinigungsfreiheit einschränken oder zu behindern suchen, sind rechtswidrig und nichtig.

Art. 171 [Sozialversicherung] Jedermann hat Anspruch auf Sicherung gegen die Wechselfälle des Lebens durch eine ausreichende Sozialversicherung im Rahmen der Gesetze.

(Fortsetzung nächste Seite)

Art. 172 [Rechte und Pflichten der Arbeitnehmer und Arbeitgeber] Die Rechte und Pflichten der Arbeitnehmer und Arbeitgeber werden in einem besonderen Gesetz geregelt.

Art. 173 [Höchstarbeitszeiten] Über die tägliche und wöchentliche Höchstarbeitszeit werden durch Gesetz besondere Bestimmungen erlassen.

Art. 174 [Urlaubsrecht] (1) [1] Jeder Arbeitnehmer hat ein Recht auf Erholung. [2] Es wird grundsätzlich gewährleistet durch ein freies Wochenende und durch einen Jahresurlaub unter Fortbezug des Arbeitsentgelts. [3] Die besonderen Verhältnisse in einzelnen Berufen werden durch Gesetz[1)] geregelt. [4] Der Lohnausfall an gesetzlichen Feiertagen ist zu vergüten.

(2) Der 1. Mai ist gesetzlicher Feiertag.

Art. 175 [Mitbestimmungsrecht] [1] Die Arbeitnehmer haben bei allen wirtschaftlichen Unternehmungen ein Mitbestimmungsrecht in den sie berührenden Angelegenheiten sowie in Unternehmungen von erheblicher Bedeutung einen unmittelbaren Einfluß auf die Leitung und die Verwaltung der Betriebe. [2] Zu diesem Zweck bilden sie Betriebsräte nach Maßgabe eines besonderen Gesetzes. [3] Dieses enthält auch Bestimmungen über die Mitwirkung der Betriebsräte bei Einstellung und Entlassung von Arbeitnehmern.

Art. 176 [Mitwirkung der Arbeitnehmer im Wirtschaftsleben] Die Arbeitnehmer als gleichberechtigte Glieder der Wirtschaft nehmen zusammen mit den übrigen in der Wirtschaft Tätigen an den wirtschaftlichen Gestaltungsaufgaben teil.

Art. 177 [Arbeitsstreitigkeiten] (1) Arbeitsstreitigkeiten werden durch Arbeitsgerichte entschieden, die aus einer gleichen Anzahl von Arbeitnehmern und Arbeitgebern und einem unabhängigen Vorsitzenden zusammengesetzt sind.

(2) Schiedssprüche in Arbeitsstreitigkeiten können gemäß den bestehenden Gesetzen für allgemeinverbindlich erklärt werden.

[1)] Siehe hierzu das BUrlG (Nr. **134**), das G zur Freistellung von Arbeitnehmern für Zwecke der Jugendarbeit **(DVD Nipperdey plus Nr. 136)**, die Urlaubsverordnung **(DVD Nipperdey plus Nr. 136 a)**.

13. Verfassung von Berlin

Vom 23. November 1995[1)]

(GVBl. S. 779)

BRV 100-1

zuletzt geänd. durch Art. 1 18. ÄndG v. 10.7.2025 (GVBl. S. 269)

– Auszug –[2)]

Abschnitt I. Die Grundlagen

Art. 1[3)] **[Status]** (1) Berlin ist ein deutsches Land und zugleich eine Stadt.

(2) [1] Berlin ist ein Land der Bundesrepublik Deutschland und als solches Teil der Europäischen Union. [2] Berlin bekennt sich zu einem geeinten Europa, das demokratischen, rechtsstaatlichen, sozialen und föderativen Grundsätzen sowie dem Grundsatz der Subsidiarität verpflichtet ist, die Eigenständigkeit der Städte und Regionen wahrt und deren Mitwirkung an europäischen Entscheidungen sichert. [3] Berlin arbeitet mit anderen europäischen Städten und Regionen zusammen.

(3) Grundgesetz[4)] und Gesetze der Bundesrepublik Deutschland sind für Berlin bindend.

Abschnitt II. Grundrechte, Staatsziele

Art. 10 [Gleichheit] (1) Alle Menschen sind vor dem Gesetz gleich.

(2) Niemand darf wegen seines Geschlechts, seiner Abstammung, seiner Rasse, seiner Sprache, seiner Heimat und Herkunft, seines Glaubens, seiner religiösen oder politischen Anschauungen oder seiner sexuellen Identität benachteiligt oder bevorzugt werden.

(3) [1] Frauen und Männer sind gleichberechtigt. [2] Das Land ist verpflichtet, die Gleichstellung und die gleichberechtigte Teilhabe von Frauen und Männern auf allen Gebieten des gesellschaftlichen Lebens herzustellen und zu sichern. [3] Zum Ausgleich bestehender Ungleichheiten sind Maßnahmen zur Förderung zulässig.

Art. 11 [Gleichstellung der Menschen mit Behinderung] [1] Menschen mit Behinderungen dürfen nicht benachteiligt werden. [2] Das Land ist verpflichtet, für die gleichwertigen Lebensbedingungen von Menschen mit und ohne Behinderung zu sorgen.

Art. 12 [Lebensgemeinschaften, Familie, Kinder] (1) Ehe und Familie stehen unter dem besonderen Schutz der staatlichen Ordnung.

(2) Andere auf Dauer angelegte Lebensgemeinschaften haben Anspruch auf Schutz vor Diskriminierung.

---

1) Die Verfassung ist in ihrer ursprünglichen Fassung am 1.9.1950 (VOBl. I S. 933) auf Grundlage der Vorläufigen Verfassung von Groß-Berlin vom 13.8.1946 (VOBl. I S. 295) verkündet worden.

2) Vollständig wiedergegeben in **beck-online, Module Arbeitsrecht.**

3) Art. 1 Abs. 2 neu gef. mWv 27.5.2021 durch G v. 17.5.2021 (GVBl. S. 502).

4) Auszugsweise abgedruckt unter Nr. **10**.

(3) Pflege und Erziehung der Kinder sind das natürliche Recht der Eltern und die zuvörderst ihnen obliegende Pflicht.

(4) Gegen den Willen der Erziehungsberechtigten dürfen Kinder nur auf Grund eines Gesetzes von der Familie getrennt werden, wenn die Erziehungsberechtigten ihrem Erziehungsauftrag nicht nachkommen.

(5) Wer in häuslicher Gemeinschaft Kinder erzieht oder für andere sorgt, verdient Förderung.

(6) Jede Mutter hat Anspruch auf den Schutz und die Fürsorge der Gemeinschaft.

(7) [1] Frauen und Männern ist es zu ermöglichen, Kindererziehung und häusliche Pflegetätigkeit mit der Erwerbstätigkeit und der Teilnahme am öffentlichen Leben zu vereinbaren. [2] Alleinerziehende Frauen und Männer, Frauen während der Schwangerschaft und nach der Geburt haben Anspruch auf besonderen Schutz im Arbeitsverhältnis.

Art. 17 [Freizügigkeit] Das Recht der Freizügigkeit, insbesondere die freie Wahl des Wohnsitzes, des Berufes und des Arbeitsplatzes, ist gewährleistet, findet aber seine Grenze in der Verpflichtung, bei Überwindung öffentlicher Notstände mitzuhelfen.

Art. 18 [Recht auf Arbeit] [1] Alle haben das Recht auf Arbeit. [2] Dieses Recht zu schützen und zu fördern ist Aufgabe des Landes. [3] Das Land trägt zur Schaffung und Erhaltung von Arbeitsplätzen bei und sichert im Rahmen des gesamtwirtschaftlichen Gleichgewichts einen hohen Beschäftigungsstand. [4] Wenn Arbeit nicht nachgewiesen werden kann, besteht Anspruch auf Unterhalt aus öffentlichen Mitteln.

Art. 22 [Soziale Sicherung] (1) [1] Das Land ist verpflichtet, im Rahmen seiner Kräfte die soziale Sicherung zu verwirklichen. [2] Soziale Sicherung soll eine menschenwürdige und eigenverantwortliche Lebensgestaltung ermöglichen.

(2) Die Errichtung und Unterhaltung von Einrichtungen für die Beratung, Betreuung und Pflege im Alter, bei Krankheit, Behinderung, Invalidität und Pflegebedürftigkeit sowie für andere soziale und karitative Zwecke sind staatlich zu fördern, unabhängig von ihrer Trägerschaft.

Art. 23 [Eigentum; Enteignung] (1) [1] Das Eigentum wird gewährleistet. [2] Sein Inhalt und seine Schranken ergeben sich aus den Gesetzen.

(2) Eine Enteignung kann nur zum Wohle der Allgemeinheit auf gesetzlicher Grundlage vorgenommen werden.

Art. 24 [Verbot des Mißbrauchs wirtschaftlicher Macht] [1] Jeder Mißbrauch wirtschaftlicher Macht ist widerrechtlich. [2] Insbesondere stellen alle auf Produktions- und Marktbeherrschung gerichteten privaten Monopolorganisationen einen Mißbrauch wirtschaftlicher Macht dar und sind verboten.

Art. 25 [Mitbestimmung] Das Mitbestimmungsrecht der Arbeiter und Angestellten in Wirtschaft und Verwaltung ist durch Gesetz zu gewährleisten.

Art. 26 [Versammlungsfreiheit] [1]Alle Männer und Frauen haben das Recht, sich zu gesetzlich zulässigen Zwecken friedlich und unbewaffnet zu versammeln. [2]Für Versammlungen unter freiem Himmel kann dieses Recht durch Gesetz oder auf Grund eines Gesetzes beschränkt werden.

Art. 27 [Vereinigungsfreiheit; Streikrecht] (1) [1]Alle Männer und Frauen haben das Recht, Vereinigungen und Gesellschaften zu bilden. [2]Vereinigungen dürfen keine Zwecke verfolgen und Maßnahmen treffen, durch welche die Erfüllung von Aufgaben verfassungsmäßiger Organe und öffentlich-rechtlicher Verwaltungskörper gefährdet wird.

(2) Das Streikrecht wird gewährleistet.

Art. 29 [Glaubens- u. Religionsfreiheit] (1) [1]Die Freiheit des Glaubens, des Gewissens und die Freiheit des religiösen und weltanschaulichen Bekenntnisses sind unverletzlich. [2]Die ungestörte Religionsausübung wird gewährleistet.

(2) Rassenhetze und Bekundung nationalen oder religiösen Hasses widersprechen dem Geist der Verfassung und sind unter Strafe zu stellen.

Art. 33 [Datenschutz] [1]Das Recht des einzelnen, grundsätzlich selbst über die Preisgabe und Verwendung seiner persönlichen Daten zu bestimmen, wird gewährleistet. [2]Einschränkungen dieses Rechts bedürfen eines Gesetzes[1]. [3]Sie sind nur im überwiegenden Allgemeininteresse zulässig.

Art. 35 [Gesetzliche Feiertage] (1) Der Sonntag und die gesetzlichen Feiertage sind als Tage der Arbeitsruhe geschützt[2].

(2) Der 1. Mai ist gesetzlicher Feiertag.

---

[1] Siehe hierzu auch das Berliner Datenschutzgesetz - BlnDSG **(CD Nipperdey plus Nr. 491 c)**.

[2] Siehe hierzu auch das Gesetz über die Sonn- und Feiertage **(CD Nipperdey plus Nr. 255 a)**.

14. Verfassung des Landes Brandenburg

Vom 20. August 1992
(GVBl. I S. 298)
Sa BbgLR 100-4
zuletzt geänd. durch Art. 1 Achtes ÄndG v. 5.7.2022 (GVBl. I Nr. 19)

– Auszug –[1)]

2. Hauptteil: Grundrechte und Staatsziele

2. Abschnitt: Freiheit, Gleichheit und Würde

Art. 7[2)] (Schutz der Menschenwürde) (1) [1] Die Würde des Menschen ist unantastbar. [2] Sie zu achten und zu schützen ist Verpflichtung aller staatlichen Gewalt und Grundlage jeder solidarischen Gemeinschaft.

(2) Alle Menschen schulden einander die Anerkennung ihrer Würde.

Art. 7a[3)] (Schutz des friedlichen Zusammenlebens) (1) Das Land schützt das friedliche Zusammenleben der Menschen und tritt Antisemitismus, Antiziganismus sowie der Verbreitung rassistischen und fremdenfeindlichen Gedankenguts entgegen.

(2) Das Land fördert das jüdische Leben und die jüdische Kultur.

Art. 8, 9 *(hier nicht wiedergegeben)*

Art. 10[4)] (Freie Entfaltung der Persönlichkeit) Jede Person hat das Recht auf die freie Entfaltung ihrer Persönlichkeit, soweit sie nicht die Rechte anderer verletzt und nicht gegen die Verfassung und die ihr entsprechenden Gesetze verstößt.

Art. 11[5)] (Datenschutz) (1) [1] Jede Person hat das Recht, über die Preisgabe und Verwendung ihrer persönlichen Daten selbst zu bestimmen, auf Auskunft über die Speicherung ihrer persönlichen Daten und auf Einsicht in Akten und sonstige amtliche Unterlagen, soweit sie die eigene Person betreffen und Rechte Dritter nicht entgegenstehen. [2] Personenbezogene Daten dürfen nur mit freiwilliger und ausdrücklicher Zustimmung der Berechtigten erhoben, gespeichert, verarbeitet, weitergegeben oder sonst verwendet werden.

(2) [1] Einschränkungen sind nur im überwiegenden Allgemeininteresse durch Gesetz oder aufgrund eines Gesetzes im Rahmen der darin festgelegten Zwecke zulässig. [2] Jede Erhebung personenbezogener Daten ist den Berechtigten zur Kenntnis zu geben, sobald der Zweck der Erhebung dies zulässt.

(3) [1] Der aufgrund bundesrechtlicher Vorschriften einzurichtende Verfassungsschutz des Landes unterliegt einer besonderen parlamentarischen Kontrol-

---

1) Vollständig wiedergegeben in **beck-online, Module Arbeitsrecht.**
2) Art. 7 Abs. 2 neu gef. mWv 7.7.2022 durch G v. 5.7.2022 (GVBl. I Nr. 19).
3) Art. 7a neu gef. mWv 7.7.2022 durch G v. 5.7.2022 (GVBl. I Nr. 19).
4) Art. 10 neu gef. mWv 7.7.2022 durch G v. 5.7.2022 (GVBl. I Nr. 19).
5) Art. 11 Abs. 1 neu gef., Abs. 2 Satz 2 geänd. mWv 7.7.2022 durch G v. 5.7.2022 (GVBl. I Nr. 19).

le. [2]Ihm stehen keine polizeilichen Befugnisse zu. [3]Er darf die Polizei auch nicht im Wege der Amtshilfe um Maßnahmen ersuchen, zu denen er selbst nicht befugt ist.

Art. 12[1)] (Gleichheit) (1) [1]Alle Menschen sind vor dem Gesetz gleich. [2]Jede Willkür und jede sachwidrige Ungleichbehandlung ist der öffentlichen Gewalt untersagt.

(2) Niemand darf wegen der Abstammung, Nationalität, Sprache, des Geschlechts, der sexuellen Identität, sozialen Herkunft oder Stellung, einer Behinderung, der religiösen, weltanschaulichen oder politischen Überzeugung oder aus rassistischen Gründen bevorzugt oder benachteiligt werden.

(3) [1]Frauen und Männer sind gleichberechtigt. [2]Das Land ist verpflichtet, für die Gleichstellung von Frau und Mann in Beruf, öffentlichem Leben, Bildung und Ausbildung, Familie sowie im Bereich der sozialen Sicherung durch wirksame Maßnahmen zu sorgen.

(4) Das Land, die Gemeinden und Gemeindeverbände sind verpflichtet, für die Gleichwertigkeit der Lebensbedingungen von Menschen mit und ohne Behinderungen zu sorgen.

Art. 13[2)] (Gewissens-, Glaubens- und Bekenntnisfreiheit) (1) Die Freiheit des Gewissens, des Glaubens und die Freiheit des religiösen und weltanschaulichen Bekenntnisses sind unverletzlich; ihre ungestörte Ausübung wird gewährleistet.

(2) [1]Niemand ist verpflichtet, religiöse oder weltanschauliche Überzeugungen zu offenbaren. [2]Die Behörden haben nur so weit das Recht, nach der Zugehörigkeit zu einer Religionsgemeinschaft zu fragen, wie davon Rechte und Pflichten abhängen.

(3) Niemand darf zur Teilnahme an einer religiösen oder weltanschaulichen Handlung oder zur Benutzung einer religiösen Eidesform gezwungen werden.

(4) [1]Kann eine Bürgerin oder ein Bürger staatsbürgerliche Pflichten aus Gewissensgründen nicht erfüllen, soll das Land im Rahmen des Möglichen andere, gleichbelastende Pflichten eröffnen. [2]Dies gilt nicht für Abgaben.

Art. 14 (Sonn- und Feiertage) (1) Das Land schützt die Sonntage und staatlich anerkannten Feiertage als Tage der Arbeitsruhe.

(2) Die mit Sonn- und Feiertagen verbundenen Traditionen sind zu achten.

(3) Das Nähere regelt ein Gesetz.

Art. 15–18 *(hier nicht wiedergegeben)*

Art. 19[3)] (Meinungs- und Medienfreiheit) (1) [1]Jede Person hat das Recht, Informationen und Meinungen in jeder Form frei zu verbreiten und sich aus allgemein zugänglichen oder anderen, rechtmäßig erschließbaren Quellen zu unterrichten. [2]Die Geltung dieser Rechte in Dienst- und Arbeitsverhältnissen darf nur aufgrund eines Gesetzes eingeschränkt werden.

[1)] Art. 12 Abs. 2 neu gef. mWv 10.12.2013 durch G v. 5.12.2013 (GVBl. I Nr. 42).

[2)] Art. 13 Abs. 2 Satz 1 geänd., Abs. 4 neu gef. mWv 7.7.2022 durch G v. 5.7.2022 (GVBl. I Nr. 19).

[3)] Art. 19 Abs. 1 Satz 1, Abs. 2 Satz 2 geänd. mWv 7.7.2022 durch G v. 5.7.2022 (GVBl. I Nr. 19).

(2) [1] Die Freiheit der Presse, des Rundfunks, des Films und anderer Massenmedien ist gewährleistet. [2] Das Gesetz hat durch Verfahrensregelungen sicherzustellen, dass die Vielfalt der in der Gesellschaft vorhandenen Meinungen in Presse und Rundfunk zum Ausdruck kommt.

(3) [1] Gesetzliche Einschränkungen zum Schutze der Kinder und Jugendlichen sowie der Ehre und anderer wichtiger Rechtsgüter sind zulässig. [2] Kriegspropaganda und öffentliche, die Menschenwürde verletzende Diskriminierungen sind verboten.

(4) [1] Hörfunk und Fernsehen haben die Aufgabe, durch das Angebot einer Vielfalt von Programmen zur öffentlichen Meinungsbildung beizutragen. [2] Neben den öffentlich-rechtlichen Anstalten sind private Sender aufgrund eines Gesetzes zuzulassen. [3] Dabei ist ein Höchstmaß an Meinungsvielfalt zu gewährleisten.

(5) Rechtmäßige journalistische Tätigkeit darf durch Zeugnispflicht, Beschlagnahme und Durchsuchung nicht behindert werden.

(6) Eine Zensur findet nicht statt.

Art. 20 (Vereinigungsfreiheit) (1) [1] Alle Menschen haben das Recht, Parteien, Verbände, Vereine, Gesellschaften und andere Vereinigungen zu gründen und ihnen beizutreten. [2] Alle Vereinigungen haben das Recht, ihre innere Ordnung frei und selbständig zu bestimmen.

(2) Vereinigungen, die nach ihrem Zweck oder ihrer Tätigkeit gegen die Verfassung, die Strafgesetze oder die Völkerverständigung verstoßen, sollen aufgrund eines Gesetzes Beschränkungen unterworfen oder verboten werden.

(3) [1] Parteien und Bürgerbewegungen, die sich öffentlichen Aufgaben widmen und auf die öffentliche Meinungsbildung einwirken, müssen in ihrer inneren Ordnung demokratischen Grundsätzen entsprechen. [2] Die Freiheit ihrer Mitwirkung an der politischen Willensbildung ist zu gewährleisten.

3. Abschnitt: Politische Gestaltungsrechte

Art. 23 (Versammlungsfreiheit) (1) Alle Menschen haben das Recht, sich ohne Anmeldung oder Erlaubnis friedlich und unbewaffnet zu versammeln.

(2) Versammlungen und Demonstrationen unter freiem Himmel können anmeldepflichtig gemacht und bei unmittelbarer Gefahr für die öffentliche Sicherheit unter strikter Wahrung des Grundsatzes der Verhältnismäßigkeit eingeschränkt, aufgelöst oder verboten werden.

5. Abschnitt: Ehe, Familie, Lebensgemeinschaften und Kinder

Art. 26 (Ehe, Familie und Lebensgemeinschaften) (1) [1] Ehe und Familie sind durch das Gemeinwesen zu schützen und zu fördern. [2] Besondere Fürsorge wird Müttern, Alleinerziehenden und kinderreichen Familien sowie Familien mit behinderten Angehörigen zuteil.

(2) Die Schutzbedürftigkeit anderer auf Dauer angelegter Lebensgemeinschaften wird anerkannt.

(3) Wer in Ehe, Familie oder einer anderen Lebensgemeinschaft psychische oder physische Gewalt erleidet, hat Anspruch auf Hilfe und Schutz des Gemeinwesens.

(4) Die Hausarbeit, die Erziehung der Kinder, die häusliche Pflege Bedürftiger und die Berufsarbeit werden gleichgeachtet.

6. Abschnitt: Bildung, Wissenschaft, Kunst und Sport

Art. 29[1)] (Recht auf Bildung) (1) Jeder Mensch hat das Recht auf Bildung.

(2) Das Land ist verpflichtet, öffentliche Bildungseinrichtungen zu schaffen und berufliche Ausbildungssysteme zu fördern.

(3) [1] Jeder Mensch hat das Recht auf gleichen Zugang zu den öffentlichen Bildungseinrichtungen, unabhängig von seiner wirtschaftlichen und sozialen Lage und seiner politischen Überzeugung. [2] Begabte, sozial Benachteiligte und Menschen mit Behinderungen sind besonders zu fördern.

Art. 30[2)] (Schulwesen) (1) Es besteht allgemeine Schulpflicht.

(2) [1] Das Schulwesen steht unter der Aufsicht des Landes. [2] Bei der Gestaltung wirken Eltern, Lehrkräfte, Schülerinnen und Schüler sowie ihre Vertretungen und Verbände mit.

(3) Das Schulwesen muss Offenheit, Durchlässigkeit und Vielfalt der Bildungsgänge gewährleisten.

(4) Für die Aufnahme in weiterführende Schulen sind neben dem Wunsch der Erziehungsberechtigten Fähigkeiten, Leistungen und Neigungen der Schülerin oder des Schülers maßgebend.

(5) [1] Das Land und die Träger kommunaler Selbstverwaltung haben die Pflicht, Schulen einzurichten und zu fördern. [2] Für diese Schulen besteht Schulgeldfreiheit. [3] Lern- und Lehrmittelfreiheit sind durch Gesetz zu regeln.

(6) [1] Das Recht zur Errichtung von Schulen in freier Trägerschaft wird nach Maßgabe von Artikel 7 Absatz 4 des Grundgesetzes[3)] gewährleistet. [2] Die Träger haben Anspruch auf einen öffentlichen Finanzierungszuschuss.

Art. 31 (Wissenschaftsfreiheit) (1) Wissenschaft, Forschung und Lehre sind frei.

(2) Forschungen unterliegen gesetzlichen Beschränkungen, wenn sie geeignet sind, die Menschenwürde zu verletzen oder die natürlichen Lebensgrundlagen zu zerstören.

(3) Die Freiheit der Lehre entbindet nicht von der Treue zur Verfassung.

Art. 32[4)] (Hochschulen) (1) Hochschulen haben im Rahmen der Gesetze das Recht auf Selbstverwaltung, an der Lehrende, andere Beschäftigte und Studierende beteiligt sind.

(2) Das Recht der Errichtung von Hochschulen in freier Trägerschaft wird gewährleistet.

(3) [1] Der Zugang zum Hochschulstudium steht allen offen, die die Hochschulreife besitzen. [2] Der Erwerb der Hochschulreife durch Berufstätige und der Zugang zum Hochschulstudium ohne Hochschulreife sind zu erleichtern.

[1)] Art. 29 Abs. 1 und 3 Satz 1geänd. mWv 7.7.2022 durch G v. 5.7.2022 (GVBl. I Nr. 19).

[2)] Art. 30 Abs. 2 Satz 2, Abs. 3, 4 und 6 Satz 2 geänd. mWv 7.7.2022 durch G v. 5.7.2022 (GVBl. I Nr. 19).

[3)] Nr. **10**.

[4)] Art. 32 Abs. 3 Satz 1 neu gef. mWv 7.7.2022 durch G v. 5.7.2022 (GVBl. I Nr. 19).

(4) [1]Zur Ausbildung ihrer Geistlichen haben die Kirchen das Recht, eigene Anstalten mit Hochschulcharakter zu errichten und zu unterhalten. [2]Entsprechendes gilt für Religionsgemeinschaften. [3]Die Besetzung der Lehrstühle an den staatlichen theologischen Fakultäten erfolgt im Benehmen mit den Kirchen.

(5) Das Nähere regelt ein Gesetz.

Art. 33[1)] (Weiterbildung) (1) [1]Die Weiterbildung von Erwachsenen ist durch das Land, die Gemeinden und Gemeindeverbände zu fördern. [2]Das Recht auf Errichtung von Weiterbildungseinrichtungen in freier Trägerschaft ist gewährleistet.

(2) [1]Jede Person hat das Recht auf Freistellung zur beruflichen, kulturellen oder politischen Weiterbildung. [2]Das Nähere regelt ein Gesetz.

9. Abschnitt: Eigentum, Wirtschaft, Arbeit und soziale Sicherung

Art. 42[2)] (Wirtschaft) (1) [1]Jede Person hat das Recht auf freie Entfaltung wirtschaftlicher Eigeninitiative, soweit sie nicht die Rechte anderer verletzt und nicht gegen die Verfassung und die ihr entsprechenden Gesetze verstößt. [2]Das Land strebt Wettbewerb und Chancengerechtigkeit an.

(2) [1]Das Wirtschaftsleben gestaltet sich nach den Grundsätzen einer sozial gerechten und dem Schutz der natürlichen Umwelt verpflichteten marktwirtschaftlichen Ordnung. [2]Der Missbrauch wirtschaftlicher Macht ist unzulässig und zu verhindern.

Art. 43 *(hier nicht wiedergegeben)*

Art. 44 (Strukturförderung) Das Land gewährleistet eine Strukturförderung der Regionen mit dem Ziel, in allen Landesteilen gleichwertige Lebens- und Arbeitsbedingungen zu schaffen und zu erhalten.

Art. 45[3)] (Soziale Sicherung) (1) [1]Das Land ist verpflichtet, im Rahmen seiner Kräfte für die Verwirklichung des Rechts auf soziale Sicherung bei Krankheit, Unfall, Invalidität, Behinderung, Pflegebedürftigkeit und im Alter zu sorgen. [2]Soziale Sicherung soll eine menschenwürdige und eigenverantwortliche Lebensgestaltung ermöglichen.

(2) In Notlagen, die ein menschenwürdiges Leben nicht ermöglichen und die durch eigene Kräfte und Mittel nicht behoben werden können, besteht ein Anspruch auf Sozialhilfe.

(3) [1]Errichtung und Unterhaltung von Einrichtungen für die Beratung, Betreuung und Pflege im Alter, bei Krankheit, Behinderung, Invalidität und Pflegebedürftigkeit sowie für andere soziale und karitative Zwecke sind staatlich zu fördern, unabhängig von ihrer Trägerschaft. [2]In Heimen stehen den Bewohnerinnen und Bewohnern Mitentscheidungsrechte zu.

Art. 46, 47 *(hier nicht wiedergegeben)*

[1)] Art. 33 Abs. 2 Satz 1 geänd. mWv 7.7.2022 durch G v. 5.7.2022 (GVBl. I Nr. 19).
[2)] Art. 42 Abs. 1 Satz 1, Abs. 2 Satz 2 geänd. mWv 7.7.2022 durch G v. 5.7.2022 (GVBl. I Nr. 19).
[3)] Art. 45 Abs. 3 Satz 2 geänd. mWv 7.7.2022 durch G v. 5.7.2022 (GVBl. I Nr. 19).

Art. 48[1] **(Arbeit)** (1) Das Land ist verpflichtet, im Rahmen seiner Kräfte durch eine Politik der Vollbeschäftigung und Arbeitsförderung für die Verwirklichung des Rechts auf Arbeit zu sorgen, welche das Recht jeder einzelnen Person umfasst, den eigenen Lebensunterhalt durch freigewählte Arbeit zu verdienen.

(2) [1] Unentgeltliche Berufsberatung und Arbeitsvermittlung werden gewährleistet. [2] Soweit eine angemessene Arbeitsgelegenheit nicht nachgewiesen werden kann, besteht Anspruch auf Umschulung, berufliche Weiterbildung und Unterhalt.

(3) [1] Die Arbeitnehmerinnen und Arbeitnehmer haben ein Recht auf sichere, gesunde und menschenwürdige Arbeitsbedingungen. [2] Männer und Frauen haben Anspruch auf gleiche Vergütung bei gleichwertiger Arbeit.

(4) Auszubildenden, Schwangeren, Alleinerziehenden, Kranken, Menschen mit Behinderungen und älteren Arbeitnehmerinnen und Arbeitnehmern gebührt besonderer Kündigungsschutz.

Art. 49[2] **(Berufsfreiheit)** (1) [1] Jede Person hat das Recht, ihren Beruf frei zu wählen und auszuüben. [2] In diese Freiheit darf nur durch Gesetz oder aufgrund eines Gesetzes eingegriffen werden.

(2) Öffentliche, für alle gleiche Arbeits- und Dienstpflichten sind nur für besondere, durch Gesetz festgelegte Zwecke zulässig.

Art. 50 (Mitbestimmung) Die Beschäftigten und ihre Gewerkschaften haben nach Maßgabe der Gesetze das Recht zur Mitbestimmung in Angelegenheiten der Betriebe, Unternehmen und Dienststellen.

Art. 51[3] **(Koalitionsfreiheit und Streikrecht)** (1) [1] Das Recht, zur Wahrung und Förderung der Arbeits- und Wirtschaftsbedingungen Vereinigungen (Koalitionen) zu bilden, ist für alle Personen und Berufe gewährleistet. [2] Abreden, die dieses Recht einschränken oder zu behindern suchen, sind nichtig, hierauf gerichtete Maßnahmen sind rechtswidrig.

(2) [1] Das Recht der Koalitionen umfasst insbesondere den Abschluss von Tarifverträgen, die für allgemein verbindlich erklärt werden können. [2] Gewerkschaften haben nach Maßgabe der Gesetze das Recht auf Zutritt zu allen Betrieben, Unternehmen und Dienststellen. [3] Das Streikrecht wird gewährleistet.

---

[1] Art. 48 Abs. 1, 3 Satz 1, Abs. 4 geänd. mWv 7.7.2022 durch G v. 5.7.2022 (GVBl. I Nr. 19).
[2] Art. 49 Abs. 1 Satz 1 geänd. mWv 7.7.2022 durch G v. 5.7.2022 (GVBl. I Nr. 19).
[3] Art. 51 Abs. 1 Satz 1, Abs. 2 Satz 1 geänd. mWv 7.7.2022 durch G v. 5.7.2022 (GVBl. I Nr. 19).

15. Landesverfassung der Freien Hansestadt Bremen[1)]

In der Fassung der Bekanntmachung vom 12.8.2019[2)]
(Brem.GBl. S. 524; 2024 S. 1013)

SaBremR 100–a–1

zuletzt geänd. durch Art. 1 ÄndG v. 19.6.2024 (Brem.GBl. S. 374)

– Auszug –[3)]

Erster Hauptteil. Grundrechte und Grundpflichten

Art. 2 [Gleichheit] (1)–(3) …

(4) [1] Frauen und Männer sind gleichberechtigt. [2] Das Land, die Stadtgemeinden und die anderen Träger der öffentlichen Verwaltung sind verpflichtet, für die gleichberechtigte Teilhabe der Geschlechter in Staat und Gesellschaft durch wirksame Maßnahmen zu sorgen. [3] Es ist darauf hinzuwirken, dass Frauen und Männer in Gremien des öffentlichen Rechts zu gleichen Teilen vertreten sind.

Art. 8 [Recht auf Arbeit, freie Berufswahl] (1) Jeder hat die sittliche Pflicht zu arbeiten und ein Recht auf Arbeit.

(2) Jeder hat das Recht, seinen Beruf frei zu wählen.

Art. 15 [Freie Meinungsäußerung, Zensurverbot, Postgeheimnis, Informationsfreiheit] (1) [1] Jeder hat das Recht, im Rahmen der verfassungsmäßigen Grundrechte seine Meinung frei und öffentlich durch Wort, Schrift, Druck, Bild oder in sonstiger Weise zu äußern. [2] Diese Freiheit darf auch durch ein Dienstverhältnis nicht beschränkt werden. [3] Niemandem darf ein Nachteil widerfahren, wenn er von diesem Recht Gebrauch macht.

(2) …

(3) Wer gesetzliche Bestimmungen zum Schutze der Jugend verletzt, kann sich nicht auf das Recht der freien Meinungsäußerung berufen.

(4), (5) …

Zweiter Hauptteil. Ordnung des sozialen Lebens

1. Abschnitt. Die Familie

Art. 22 [Gleichberechtigung der Ehepartner] (1) Mann und Frau haben in der Ehe die gleichen bürgerlichen Rechte und Pflichten.

(2) Die häusliche Arbeit und die Kindererziehung werden der Erwerbstätigkeit gleichgesetzt.

3. Abschnitt. Arbeit und Wirtschaft

Art. 37 [Schutz der Arbeit] (1) Die Arbeit steht unter dem besonderen Schutz des Staates.

---

1) Präambel geänd. mWv 21.3.2023 durch G v. 28.2.2023 (Brem.GBl. S. 204).

2) Neubekanntmachung der Landesverfassung v. 21.10.1947 (Brem.GBl. S. 251) in der ab 8.6.2019 geltenden Fassung.

3) Vollständig wiedergegeben in **beck-online, Module Arbeitsrecht.**

(2) Jede Arbeit hat den gleichen sittlichen Wert.

Art. 47 [Betriebsvertretungen] (1) Alle Personen in Betrieben und Behörden erhalten gemeinsame Betriebsvertretungen, die in allgemeiner, gleicher, geheimer und unmittelbarer Wahl von den Arbeitnehmern zu wählen sind.

(2) Die Betriebsvertretungen sind dazu berufen, im Benehmen mit den Gewerkschaften gleichberechtigt mit den Unternehmern in wirtschaftlichen, sozialen und personellen Fragen des Betriebes mitzubestimmen.

(3) [1] Das hierfür geltende Recht wird das Gesetz über die Betriebsvertretungen unter Beachtung des Grundsatzes schaffen, dass zentrales Recht Landesrecht bricht. [2] In dem Gesetz sind die öffentlich-rechtlichen Befugnisse der zuständigen Stellen des Landes und der Gemeinden sowie die parlamentarische Verantwortlichkeit bei den Behörden und bei den Betrieben, die in öffentlicher Hand sind, zu wahren.

Art. 48 [Koalitionsfreiheit] [1] Arbeitnehmer und Unternehmer haben die Freiheit, sich zu vereinigen, um die Arbeits- und Wirtschaftsbedingungen zu gestalten. [2] Niemand darf gehindert oder gezwungen werden, Mitglied einer solchen Vereinigung zu werden.

Art. 49 [Schutz der Arbeitskraft] (1) Die menschliche Arbeitskraft genießt den besonderen Schutz des Staates.

(2) Der Staat ist verpflichtet, geeignete Maßnahmen zu treffen, dass jeder, der auf Arbeit angewiesen ist, durch Arbeit seinen Lebensunterhalt erwerben kann.

(3) Wer ohne Schuld arbeitslos ist, hat Anspruch auf Unterhalt für sich und seine unterhaltsberechtigten Angehörigen.

Art. 50 [Soziales Arbeitsrecht] (1) Für alle Personen in Betrieben und Behörden ist ein neues soziales Arbeitsrecht zu schaffen.

(2) [1] Im Rahmen dieses Arbeitsrechts können Gesamtvereinbarungen nur zwischen den Vereinigungen der Arbeitnehmer und Unternehmer oder ihren Vertretungen abgeschlossen werden. [2] Sie schaffen verbindliches Recht, das grundsätzlich nur zugunsten der Arbeitnehmer abbedungen werden kann.

Art. 51 [Schlichtungswesen, Streikrecht] (1) [1] Das Schlichtungswesen wird gesetzlich geregelt. [2] Die zuständigen staatlichen Schlichtungsstellen haben die Aufgabe, eine Verständigung zwischen den Beteiligten zu fördern und auf Antrag einer oder beider Parteien oder auf Antrag des Senats Schiedssprüche zu fällen.

(2) Die Schiedssprüche können aus Gründen des Gemeinwohls für verbindlich oder allgemein verbindlich erklärt werden.

(3) Das Streikrecht der wirtschaftlichen Vereinigungen wird anerkannt.

(Fortsetzung nächstes Blatt)

Art. 52 [Arbeitsbedingungen, Verbot der Kinderarbeit] (1) [1]Die Arbeitsbedingungen müssen die Gesundheit, die Menschenwürde, das Familienleben und die wirtschaftlichen und kulturellen Bedürfnisse des Arbeitnehmers sichern. [2]Sie haben insbesondere die leibliche, geistige und sittliche Entwicklung der Jugendlichen zu fördern.

(2) Kinderarbeit ist verboten.

Art. 53 [Lohngleichheit für Jugendliche und Frauen] (1) Bei gleicher Arbeit haben Jugendliche und Frauen Anspruch auf den gleichen Lohn, wie ihn die Männer erhalten.

(2) Der Frau steht bei gleicher Eignung ein gleichwertiger Arbeitsplatz zu.[1)]

Art. 54 [Schutz der Mütter und Kinder] Durch Gesetz sind Einrichtungen zum Schutz der Mütter und Kinder zu schaffen und die Gewähr, dass die Frau ihre Aufgabe im Beruf und als Bürgerin mit ihren Pflichten als Frau und Mutter vereinen kann.

Art. 55 [Sonn- und Feiertage, Achtstundentag] (1) Der 1. Mai ist gesetzlicher Feiertag als Bekenntnis zu sozialer Gerechtigkeit und Freiheit, zu Frieden und Völkerverständigung.

(2) Der Achtstundentag ist der gesetzliche Arbeitstag.

(3) Alle Sonn- und gesetzlichen Feiertage sind arbeitsfrei.

(4) Ausnahmen können durch Gesetz oder Gesamtvereinbarungen zugelassen werden, wenn die Art der Arbeit oder das Gemeinwohl es erfordern.

(5) Das Arbeitsentgelt für die in die Arbeitszeit fallenden gesetzlichen Feiertage wird weitergezahlt.

Art. 56 [Urlaubsanspruch] (1) [1]Jeder Arbeitende hat Anspruch auf einen bezahlten, zusammenhängenden Urlaub von mindestens 12 Arbeitstagen im Jahr. [2]Dieser Anspruch ist unabdingbar und kann auch nicht abgegolten werden.

(2) Näheres wird durch Gesetz[2)] oder Vereinbarungen der beteiligten Stellen geregelt.

Art. 57 [Sozialversicherung] (1) Es ist eine das gesamte Volk verbindende Sozialversicherung zu schaffen.

(2) Die Sozialversicherung hat die Aufgabe, den Gesundheitszustand des Volkes, auch durch vorbeugende Maßnahmen, zu heben, Kranken, Schwangeren und Wöchnerinnen jede erforderliche Hilfe zu leisten und eine ausreichende Versorgung für Erwerbsbeschränkte, Erwerbsunfähige und Hinterbliebene sowie im Alter zu sichern.

[1)] Siehe hierzu das AGG (Nr. **91**)

[2)] Siehe hierzu das BUrlG (Nr. **134**), das Bremisches Bildungsurlaubsgesetz (BremBUG) **(beck-online, Module Arbeitsrecht Nr. 139a)**, die VO über die Anerkennung von Bildungsveranstaltungen nach dem Bremischen Bildungszeitgesetz **(beck-online, Module Arbeitsrecht Nr. 139b)**, das Bremisches Kinder-, Jugend- und Familienförderungsgesetz (BremKJFFöG) **(beck-online, Module Arbeitsrecht Nr. 139c)**, die Bremische Urlaubsverordnung - BremUrlVO **(beck-online, Module Arbeitsrecht Nr. 139d)**.

(3) Leistungen sind in einer Höhe zu gewähren, die den notwendigen Lebensunterhalt sichern.

(4) [1] Die Sozialversicherung ist sinnvoll aufzubauen. [2] Die Selbstverwaltung der Versicherten wird anerkannt. [3] Ihre Organe werden in allgemeiner, gleicher und geheimer Wahl gewählt.

(5) Das Nähere bestimmt das Gesetz.

Art. 58 [Lebensunterhalt aus öffentlichen Mitteln] (1) Wer nicht in der Lage ist, für sich und seine unterhaltsberechtigten Angehörigen den notwendigen Lebensunterhalt zu erwerben, erhält ihn aus öffentlichen Mitteln, wenn er ihn nicht aus vorhandenem Vermögen bestreiten kann oder einen gesetzlichen oder anderweitigen Anspruch auf Lebensunterhalt hat.

(2) Durch den Bezug von Unterstützung aus öffentlichen Mitteln dürfen staatsbürgerliche Rechte nicht beeinträchtigt werden.

Dritter Hauptteil. Aufbau und Aufgaben des Staates

2. Abschnitt. Volksentscheid, Landtag und Landesregierung

II. Der Landtag (Bürgerschaft)

Art. 82 [Schutz und Entgeltanspruch] (1) [1] Niemand darf bei der Übernahme oder Ausübung eines Mandats behindert oder benachteiligt werden. [2] Kündigung oder Entlassung aus einem Arbeits- oder Dienstverhältnis und Benachteiligungen am Arbeitsplatz aus diesen Gründen sind unzulässig.

(2) [1] Die Mitglieder der Bürgerschaft haben Anspruch auf ein angemessenes Entgelt. [2] Die Höhe des Entgelts wird jährlich nach Maßgabe der Veränderung der Einkommens- und Kostenentwicklung in der Freien Hansestadt Bremen angepasst.

(3) Das Nähere regelt ein Gesetz.

Art. 94 [Indemnität] Kein Mitglied der Bürgerschaft darf zu irgendeiner Zeit wegen seiner Abstimmung oder wegen der in Ausübung seiner Abgeordnetentätigkeit getanen Äußerungen gerichtlich oder dienstlich verfolgt oder sonst außerhalb der Bürgerschaft zur Verantwortung gezogen werden.

Art. 97 [Vereinbarkeit der Abgeordnetentätigkeit mit einer Berufstätigkeit] (1) Die Vereinbarkeit der Mitgliedschaft in der Bürgerschaft mit einer Berufstätigkeit ist gewährleistet, sofern nicht eine Unvereinbarkeit von Amt und Mandat besteht.

(2) [1] Die Mitglieder der Bürgerschaft üben ihre Abgeordnetentätigkeit mindestens mit der Hälfte der üblichen wöchentlichen Arbeitszeit aus. [2] Die dafür erforderliche Arbeits- oder Dienstbefreiung ist zu gewähren.

(3) Die Mitglieder der Bürgerschaft haben die ihnen obliegenden Aufgaben und Pflichten gewissenhaft zu erfüllen.

(4) Das Nähere regelt ein Gesetz.

16. Verfassung der Freien und Hansestadt Hamburg

Vom 6. Juni 1952
(HmbGVBl. S. 117)

BS Hbg 100–a

zuletzt geänd. durch Fünfundzwanzigstes ÄndG zur Hamburgischen Verfassung v. 23.7.2025 (HmbGVBl. S. 488)

– Auszug –[1)]

Der Senat verkündet das nachstehende, von der Bürgerschaft beschlossene Gesetz:[2)]

Die Freie und Hansestadt Hamburg hat als Welthafenstadt eine ihr durch Geschichte und Lage zugewiesene besondere Aufgabe gegenüber dem deutschen Volke zu erfüllen. Sie fördert ein geeintes Europa und leistet ihren Beitrag zu einer Europäischen Union, die demokratischen, rechtsstaatlichen, sozialen und föderativen Grundsätzen sowie dem Grundsatz der Subsidiarität verpflichtet ist. Sie will im Geiste des Friedens eine Mittlerin zwischen allen Erdteilen und Völkern der Welt sein.

Durch Förderung und Lenkung befähigt sie ihre Wirtschaft zur Erfüllung dieser Aufgaben und zur Deckung des wirtschaftlichen Bedarfs aller. Auch Freiheit des Wettbewerbs und genossenschaftliche Selbsthilfe sollen diesem Ziele dienen.

Jedermann hat die sittliche Pflicht, für das Wohl des Ganzen zu wirken. Die Allgemeinheit hilft in Fällen der Not den wirtschaftlich Schwachen und ist bestrebt, den Aufstieg der Tüchtigen zu fördern. Die Arbeitskraft steht unter dem Schutz des Staates. Die Freie und Hansestadt Hamburg achtet, schützt und fördert die Rechte der Kinder.

Um die politische, soziale und wirtschaftliche Gleichberechtigung zu verwirklichen, verbindet sich die politische Demokratie mit den Ideen der wirtschaftlichen Demokratie.

Vielfalt und Weltoffenheit sind identitätsstiftend für die hanseatische Stadtgesellschaft. In diesem Sinne und mit festem Willen schützt die Freie und Hansestadt Hamburg die Würde und Freiheit aller Menschen. Sie setzt sich gegen Rassismus und Antisemitismus sowie jede andere Form gruppenbezogener Menschenfeindlichkeit ein. Sie stellt sich der Erneuerung und Verbreitung totalitärer Ideologien sowie der Verherrlichung und Verklärung des Nationalsozialismus entgegen.

Die natürlichen Lebensgrundlagen stehen unter dem besonderen Schutz des Staates. Insbesondere nimmt die Freie und Hansestadt Hamburg ihre Verantwortung für die Begrenzung der Erderwärmung wahr.

In diesem Geiste gibt sich die Freie und Hansestadt Hamburg durch ihre Bürgerschaft diese Verfassung.

[1)] Vollständig wiedergegeben in **beck-online, Module Arbeitsrecht.**

[2)] Präambel Abs. 5 angef. mWv 3.7.1986 durch G v. 27.6.1986 (HmbGVBl. S. 167); Satz 10 angef. mWv 29.2.2020 durch G v. 20.2.2020 (HmbGVBl. S. 145); Satz 3 und 8 eingef., Satz 7 neu gef., Abs. 5 eingef. mWv 18.3.2023 durch G v. 7.3.2023 (HmbGVBl. S. 93).

VI. Die Rechtsprechung

Art. 63[1)] **[Richterernennung, Richteranklage]** (1) [1]Die Berufsrichterinnen und Berufsrichter werden vom Senat auf Vorschlag eines Richterwahlausschusses ernannt. [2]Artikel 45 findet Anwendung. [3]Der Richterwahlausschuss besteht aus drei Mitgliedern des Senats oder Senatssyndici, sechs bürgerlichen Mitgliedern, drei Richterinnen oder Richtern und zwei Rechtsanwältinnen oder Rechtsanwälten. [4]Die sechs bürgerlichen Mitglieder und die zwei Rechtsanwältinnen oder Rechtsanwälte werden von der Bürgerschaft gewählt. [5]Die richterlichen Mitglieder des Richterwahlausschusses werden vom Senat auf Vorschlag der Richterinnen und Richter der Gerichte berufen. [6]Für jedes Mitglied des Richterwahlausschusses sind eine Vertreterin oder ein Vertreter und für die richterlichen Mitglieder sowie die Mitglieder des Senats oder Senatssyndici jeweils eine weitere Vertreterin oder ein weiterer Vertreter zu berufen. [7]Für die übrigen Mitglieder kann eine weitere Vertreterin oder ein weiterer Vertreter berufen werden. [8]Die Bildung eines Richterwahlausschusses setzt voraus, dass mindestens zwei Drittel der von der Bürgerschaft zu wählenden Mitglieder gewählt wurden. [9]Der Richterwahlausschuss wird jeweils für die Dauer von drei Jahren gebildet, er führt seine Geschäfte nach Ablauf der Amtszeit weiter, bis der neue Richterwahlausschuss gebildet ist, längstens jedoch bis zum Ende der auf die Bildung des amtierenden Richterwahlausschusses folgenden Wahlperiode der Bürgerschaft. [10]Das Nähere bestimmt das Gesetz. [11]Es kann vorsehen, dass für eine bestimmte Gerichtsbarkeit die Rechtsanwältinnen und Rechtsanwälte durch Personen ersetzt werden, die mit dieser Gerichtsbarkeit in besonderem Maße vertraut sind. [12]Wird von dieser Möglichkeit Gebrauch gemacht, sind die Personen von der Bürgerschaft zu wählen.

(2) [1]Die Berufsrichterinnen und Berufsrichter werden auf Lebenszeit ernannt. [2]Sie müssen nach ihrer Persönlichkeit und nach ihren Fähigkeiten die Gewähr dafür bieten, daß sie den Aufgaben ihres Amtes gewachsen sind und insbesondere im Amte und außerhalb des Amtes nicht gegen die Grundsätze des Grundgesetzes für die Bundesrepublik Deutschland[2)] und dieser Verfassung verstoßen werden. [3]Sie können vor ihrer Ernennung zur Überprüfung der Persönlichkeit und der fachlichen Eignung vom Senat auf Zeit oder Widerruf bestellt werden, es sei denn, daß der Richterwahlausschuß sie als Bewerberinnen oder Bewerber für ein Richteramt ablehnt.

(3) [1]Wenn eine Richterin oder ein Richter im Amt oder außerhalb des Amtes gegen die Grundsätze des Grundgesetzes für die Bundesrepublik Deutschland[2)] oder dieser Verfassung verstößt, so kann die Bürgerschaft gegen sie oder ihn mit der Mehrheit ihrer gesetzlichen Mitgliederzahl nach Stellungnahme des Richterwahlausschusses beim Bundesverfassungsgericht eine Entscheidung gemäß Artikel 98 Absatz 2 des Grundgesetzes für die Bundesrepublik

(Fortsetzung nächstes Blatt)

[1)] Art. 63 Abs. 1 Satz 2 geänd. mWv 1.9.1996 durch G v. 20.6.1996 (HmbGVBl. S. 129); Abs. 1 Satz 1 geänd., Satz 3 neu gef. und Satz 5 geänd., Abs. 2 Satz 1 und 3, Abs. 3 Satz 1 und 2, Abs. 4 geänd. mWv 22.5.2001 durch G v. 16.5.2001 (HmbGVBl. S. 106); Abs. 1 neu gef. mWv 15.3.2025 durch G v. 5.3.2025 (HmbGVBl. S. 264).

[2)] Auszugsweise abgedruckt unter Nr. **10**.

Deutschland[1)] beantragen. [2] Das gilt auch für ehrenamtlich angestellte Richterinnen und Richter.

(4) Absatz 3 findet auch auf die bereits ernannten Richterinnen und Richter Anwendung.

VIII. Schluß- und Übergangsbestimmungen

Art. 73[2)] [Schutz öffentlicher Ehrenämter] [1] Die Wahrnehmung staatsbürgerlicher Rechte und Pflichten in öffentlichen Ehrenämtern darf nicht behindert werden, insbesondere nicht durch ein Arbeits- oder Dienstverhältnis. [2] Den Arbeitnehmerinnen und Arbeitnehmern ist die dafür nötige freie Zeit zu gewähren. [3] Wieweit der Anspruch auf Vergütung erhalten bleibt, bestimmt das Gesetz. [4] Das freiwillige Engagement, wie insbesondere der ehrenamtliche Einsatz für das Gemeinwohl, genießt den Schutz und die Förderung des Staates.

[1)] Nr. **10**.

[2)] Art. 73 Satz 2 geänd. mWv 22.5.2001 durch G v. 16.5.2001 (HmbGVBl. S. 106); Satz 4 angef. mWv 18.3.2023 durch G v. 7.3.2023 (HmbGVBl. S. 93).

17. Verfassung des Landes Hessen

Vom 1. Dezember 1946
(GVBl. I S. 229, ber. GVBl. 1947 S. 106 u. GVBl. 1948 S. 68)

FFN 10-1

zuletzt geänd. durch ErgänzungsG v. 12.12.2018 (GVBl. S. 752)

– Auszug –[1]

Erster Hauptteil. Die Rechte des Menschen

I. Gleichheit und Freiheit

Art. 11 [Meinungsäußerungsfreiheit; Zensurverbot] (1) [1] Jedermann hat das Recht, seine Meinung frei und öffentlich zu äußern. [2] Dieses Recht darf auch durch ein Dienstverhältnis nicht beschränkt werden, und niemand darf ein Nachteil widerfahren, wenn er es ausübt. [3] Nur wenn die vereinbarte Tätigkeit einer bestimmten politischen, religiösen oder weltanschaulichen Richtung dienen soll, kann, falls ein Beteiligter davon abweicht, das Dienstverhältnis gelöst werden.

(2) Pressezensur ist unstatthaft.

II. Grenzen und Sicherung der Menschenrechte

Art. 25 [Pflicht zur Übernahme von Ehrenämtern] [1] Jedermann hat nach Maßgabe der Gesetze die Pflicht, ehrenamtliche Tätigkeiten zu übernehmen und persönliche Dienste für den Staat und die Gemeinde zu leisten. [2] Steht er in einem Dienstverhältnis, so ist ihm die erforderliche freie Zeit zu gewähren. [3] Näheres bestimmt das Gesetz.

III. Soziale und wirtschaftliche Rechte und Pflichten

Art. 27 [Anerkennung der Menschenwürde] Die Sozial- und Wirtschaftsordnung beruht auf der Anerkennung der Würde und der Persönlichkeit des Menschen.

Art. 28 [Recht auf Arbeit und Fürsorge] (1) Die menschliche Arbeitskraft steht unter dem besonderen Schutze des Staates.

(2) Jeder hat nach seinen Fähigkeiten ein Recht auf Arbeit und, unbeschadet seiner persönlichen Freiheit, die sittliche Pflicht zur Arbeit.

(3) [1] Wer ohne Schuld arbeitslos ist, hat Anspruch auf den notwendigen Unterhalt für sich und seine unterhaltsberechtigten Angehörigen. [2] Ein Gesetz regelt die Arbeitslosenversicherung.

[1] Vollständig wiedergegeben in **beck-online, Module Arbeitsrecht**.

Art. 29 [Einheitliches Arbeitsrecht, Tarifsystem, Schlichtungswesen, Arbeitskampf] (1) Für alle Angestellten, Arbeiter und Beamten ist ein einheitliches Arbeitsrecht zu schaffen.

(2) [1] Im Rahmen dieses Arbeitsrechts können Gesamtvereinbarungen nur zwischen den Gewerkschaften und den Unternehmungen oder ihren Vertretungen abgeschlossen werden. [2] Sie schaffen verbindliches Recht, das grundsätzlich nur zugunsten der Arbeitnehmer abbedungen werden kann.

(3) Das Schlichtungswesen wird gesetzlich geregelt.

(4) Das Streikrecht wird anerkannt, wenn die Gewerkschaften den Streik erklären.

(5) Die Aussperrung ist rechtswidrig.

Art. 30 [Arbeitsbedingungen; Mutterschutz; Verbot der Kinderarbeit] (1) Die Arbeitsbedingungen müssen so beschaffen sein, daß sie die Gesundheit, die Würde, das Familienleben und die kulturellen Ansprüche des Arbeitnehmers sichern; insbesondere dürfen sie die leibliche, geistige und sittliche Entwicklung der Jugendlichen nicht gefährden.

(2) Das Gesetz schafft Einrichtungen zum Schutze der Mütter und Kinder, und es schafft die Gewähr, daß die Frau ihre Aufgaben als Bürgerin und Schaffende mit ihren Pflichten als Frau und Mutter vereinbaren kann.

(3) Kinderarbeit ist verboten.

Art. 31 [Arbeitszeit] [1] Der Achtstundentag ist die gesetzliche Regel. [2] Sonntag und gesetzliche Feiertage sind arbeitsfrei. [3] Ausnahmen können durch Gesetz oder Gesamtvereinbarung zugelassen werden, wenn sie der Allgemeinheit dienen.

Art. 32 [Tag der Arbeit] [1] Der 1. Mai ist gesetzlicher Feiertag aller arbeitenden Menschen. [2] Er versinnbildlicht das Bekenntnis zur sozialen Gerechtigkeit, zu Fortschritt, Frieden, Freiheit und Völkerverständigung.

Art. 33 [Arbeitsentgelt] [1] Das Arbeitsentgelt muß der Leistung entsprechen und zum Lebensbedarf für den Arbeitenden und seine Unterhaltsberechtigten ausreichen. [2] Die Frau und der Jugendliche haben für gleiche Tätigkeit und gleiche Leistung Anspruch auf gleichen Lohn. [3] Das Arbeitsentgelt für die in die Arbeitszeit fallenden Feiertage wird weiter gezahlt.

Art. 34 [Bezahlter Urlaub] [1] Jeder Arbeitnehmer hat Anspruch auf einen bezahlten Urlaub von mindestens zwölf Arbeitstagen im Jahr. [2] Näheres bestimmt das Gesetz.[1)]

Art. 35 [Sozialversicherung; Gesundheitswesen] (1) [1] Es ist eine das gesamte Volk verbindende Sozialversicherung zu schaffen. [2] Sie ist sinnvoll aufzubauen. [3] Die Selbstverwaltung der Versicherten wird anerkannt. [4] Ihre Organe werden in allgemeiner, gleicher, freier und geheimer Wahl gewählt. [5] Das Nähere bestimmt das Gesetz.

[1)] Siehe hierzu auch Bundesurlaubsgesetz (Nr. **134**), Hessisches Gesetz über den Anspruch auf Bildungsurlaub **(beck-online, Module Arbeitsrecht Nr. 141a)**.

(2) Die Sozialversicherung hat die Aufgabe, den Gesundheitszustand des Volkes, auch durch vorbeugende Maßnahmen, zu heben, Kranken, Schwangeren und Wöchnerinnen jede erforderliche Hilfe zu leisten und eine ausreichende Versorgung für Erwerbsbeschränkte, Erwerbsunfähige und Hinterbliebene sowie im Alter zu sichern.

(3) [1] Die Ordnung des Gesundheitswesens ist Sache des Staates. [2] Das Nähere bestimmt das Gesetz.

Art. 36 [Koalitionsfreiheit] (1) Die Freiheit, sich in Gewerkschaften oder Unternehmervertretungen zu vereinigen, um die Arbeits- und Wirtschaftsbedingungen zu gestalten und zu verbessern, ist für alle gewährleistet.

(2) Niemand darf gezwungen oder gehindert werden, Mitglied einer solchen Vereinigung zu werden.

Art. 37 [Betriebsvertretungen] (1) Angestellte, Arbeiter und Beamte in allen Betrieben und Behörden erhalten unter Mitwirkung der Gewerkschaften gemeinsame Betriebsvertretungen, die in allgemeiner, gleicher, freier, geheimer und unmittelbarer Wahl von den Arbeitnehmern zu wählen sind.

(2) Die Betriebsvertretungen sind dazu berufen, im Benehmen mit den Gewerkschaften gleichberechtigt mit den Unternehmern in sozialen, personellen und wirtschaftlichen Fragen des Betriebes mitzubestimmen.

(3) Das Nähere regelt das Gesetz.

Art. 38 [Wirtschaftordnung] (1) [1] Die Wirtschaft des Landes hat die Aufgabe, dem Wohle des ganzen Volkes und der Befriedigung seines Bedarfs zu dienen. [2] Zu diesem Zweck hat das Gesetz die Maßnahmen anzuordnen, die erforderlich sind, um die Erzeugung, Herstellung und Verteilung sinnvoll zu lenken und jedermann einen gerechten Anteil an dem wirtschaftlichen Ergebnis aller Arbeit zu sichern und ihn vor Ausbeutung zu schützen.

(2) Im Rahmen der hierdurch gezogenen Grenzen ist die wirtschaftliche Betätigung frei.

(3) Die Gewerkschaften und die Vertreter der Unternehmen haben gleiches Mitbestimmungsrecht in den vom Staat mit der Durchführung seiner Lenkungsmaßnahmen beauftragten Organen.

IV. Staat, Kirchen, Religions- und Weltanschauungsgemeinschaften

Art. 53 [Sonn- und Feiertage] Der Sonntag und die staatlich anerkannten Feiertage bleiben als Tage der Arbeitsruhe und der seelischen Erhebung gesetzlich geschützt.[1)]

[1)] Siehe das Hess. FeiertagsG **(beck-online, Module Arbeitsrecht Nr. 259)**.

Zweiter Hauptteil. Aufbau des Landes

IV. Der Landtag

Art. 76 [Freie Mandatsausübung] (1) Jedermann ist die Möglichkeit zu sichern, in den Landtag gewählt zu werden und sein Mandat ungehindert und ohne Nachteil auszuüben.

(2) Das Nähere regelt das Gesetz.[1)]

[1)] Siehe das Hess. AbgeordnetenG **(beck-online, Module Arbeitsrecht Nr. 35)**.

18. Verfassung des Landes Mecklenburg-Vorpommern

Vom 23. Mai 1993
(GVOBl. M-V S. 372)

GS Meckl.-Vorp. Gl. Nr.100-4
zuletzt geänd. durch Art. 1 Sechstes ÄndG v. 20.2.2025 (GVOBl. M-V S. 58)

– Auszug –[1)]

1. Abschnitt: Grundlagen

II. Grundrechte

Art. 6 (Datenschutz, Informationsrechte) (1) [1]Jeder hat das Recht auf Schutz seiner personenbezogenen Daten. [2]Dieses Recht findet seine Grenzen in den Rechten Dritter und in den überwiegenden Interessen der Allgemeinheit.

(2) Jeder hat das Recht auf Auskunft über ihn betreffende Daten, soweit nicht Bundesrecht, rechtlich geschützte Interessen Dritter oder überwiegende Interessen der Allgemeinheit entgegenstehen.

(3) Jeder hat das Recht auf Zugang zu Informationen über die Umwelt, die bei der öffentlichen Verwaltung vorhanden sind.

(4) Das Nähere regelt das Gesetz.[2)]

Art. 7 (Freiheit von Kunst und Wissenschaft) (1) [1]Kunst, Wissenschaft, Forschung und Lehre sind frei. [2]Die Freiheit der Lehre entbindet nicht von der Treue zur Verfassung.

(2) Forschung unterliegt gesetzlichen Beschränkungen, wenn sie die Menschenwürde zu verletzen oder die natürlichen Lebensgrundlagen nachhaltig zu gefährden droht.

(3) [1]Hochschulen sind in der Regel Körperschaften des öffentlichen Rechts. [2]Sie verfügen im Rahmen der Gesetze über das Recht zur Selbstverwaltung. [3]In akademischen Angelegenheiten sind sie weisungsfrei.

(4) Auch andere wissenschaftliche Einrichtungen haben das Recht der Selbstverwaltung im Rahmen der Gesetze.

Art. 8 (Chancengleichheit im Bildungswesen) [1]Jeder hat nach seiner Begabung das Recht auf freien Zugang zu allen öffentlichen Bildungseinrichtungen, unabhängig von seiner wirtschaftlichen und sozialen Lage sowie seiner weltanschaulichen oder politischen Überzeugung. [2]Das Nähere regelt das Gesetz.

III. Staatsziele

Art. 13 (Förderung der Gleichstellung von Frauen und Männern)

[1]Die Förderung der tatsächlichen Gleichstellung von Frauen und Männern ist Aufgabe des Landes, der Gemeinden und Kreise sowie der anderen Träger

---

1) Vollständig wiedergegeben in **beck-online, Module Arbeitsrecht.**

2) Vgl. das LandesdatenschutzG **(beck-online, Module Arbeitsrecht Nr. 491h)**.

der öffentlichen Verwaltung. [2] Dies gilt insbesondere für die Besetzung von öffentlich-rechtlichen Beratungs- und Beschlußorganen.

Art. 15 (Schulwesen) (1) Das gesamte Schulwesen steht unter der Aufsicht des Landes.

(2) [1] Land, Gemeinden und Kreise sorgen für ein ausreichendes und vielfältiges öffentliches Schulwesen. [2] Es besteht allgemeine Schulpflicht.

(3) [1] Die Durchlässigkeit der Bildungsgänge wird gewährleistet. [2] Für die Aufnahme an weiterführenden Schulen sind außer dem Willen der Eltern nur Begabung und Leistung des Schülers maßgebend.

(4) Das Ziel der schulischen Erziehung ist die Entwicklung zur freien Persönlichkeit, die aus Ehrfurcht vor dem Leben und im Geiste der Toleranz bereit ist, Verantwortung für die Gemeinschaft mit anderen Menschen und Völkern sowie gegenüber künftigen Generationen zu tragen.

(5) Die Schulen achten die religiösen und weltanschaulichen Überzeugungen der Schüler, Eltern und Lehrer.

(6) Das Nähere regelt das Gesetz.

Art. 17[1] (Arbeit, Wirtschaft und Soziales) (1) [1] Das Land trägt zur Erhaltung und Schaffung von Arbeitsplätzen bei. [2] Es sichert im Rahmen des gesamtwirtschaftlichen Gleichgewichts einen hohen Beschäftigungsstand.

(2) [1] Land, Gemeinden und Kreise wirken im Rahmen ihrer Zuständigkeit darauf hin, daß jedem angemessener Wohnraum zu sozial tragbaren Bedingungen zur Verfügung steht. [2] Sie unterstützen insbesondere den Wohnungsbau und die Erhaltung vorhandenen Wohnraums. [3] Sie sichern jedem im Notfall ein Obdach.

2. Abschnitt: Staatsorganisation

I. Landtag

Art. 23 (Kandidatur) (1) Wer sich um einen Sitz im Landtag bewirbt, hat Anspruch auf den zur Vorbereitung seiner Wahl erforderlichen Urlaub.

(Fortsetzung nächstes Blatt)

---

[1] Art. 17 Abs. 2 aufgeh., bish. Abs. 3 wird Abs. 2 mWv 29.7.2006 durch G v. 14.7.2006 (GVOBl. M-V S. 572).

(2) [1]Niemand darf gehindert werden, das Amt eines Abgeordneten zu übernehmen und auszuüben. [2]Eine Kündigung oder Entlassung aus diesem Grunde ist unzulässig.

Art. 37 (Datenschutzbeauftragter). (1) [1]Zur Wahrung des Rechts der Bürger auf Schutz ihrer persönlichen Daten wählt der Landtag auf die Dauer von sechs Jahren den Datenschutzbeauftragten; einmalige Wiederwahl ist zulässig. [2]Er kann ihn mit einer Mehrheit von zwei Dritteln seiner Mitglieder vorzeitig abberufen. [3]Auf eigenen Antrag ist er von seinem Amt zu entbinden.

(2) [1]Der Datenschutzbeauftragte ist in der Ausübung seines Amtes unabhängig und nur dem Gesetz unterworfen. [2]Er wird auf Antrag von Bürgern, auf Anforderung des Landtages, des Petitionsausschusses, der Landesregierung oder von Amts wegen tätig.

(3) Jeder kann sich an den Datenschutzbeauftragten wenden mit der Behauptung, bei der Bearbeitung seiner personenbezogenen Daten durch die öffentliche Verwaltung in seinem Recht auf Schutz seiner persönlichen Daten verletzt zu sein.

(4) Das Nähere regelt das Gesetz.[1)]

[1)] Siehe hierzu das LandesdatenschutzG **(CD Nipperdey plus Nr. 491 h)**.

19. Niedersächsische Verfassung[1)]

Vom 19. Mai 1993
(Nds. GVBl. S. 107)

GVBl Sb 100-1

zuletzt geänd. durch Art. 1 Nds. Verfassung-ErgänzungsG v. 3.3.2026 (Nds. GVBl. Nr. 15)

– Auszug –[2)]

Erster Abschnitt. Grundlagen der Staatsgewalt, Grundrechte und Staatsziele

Art. 3 Grundrechte. (1) Das Volk von Niedersachsen bekennt sich zu den Menschenrechten als Grundlage der staatlichen Gemeinschaft, des Friedens und der Gerechtigkeit.

(2) [1] Die im Grundgesetz[3)] für die Bundesrepublik Deutschland festgelegten Grundrechte und staatsbürgerlichen Rechte sind Bestandteil dieser Verfassung. [2] Sie binden Gesetzgebung, vollziehende Gewalt und Rechtsprechung als unmittelbar geltendes Landesrecht. [3] Die Achtung der Grundrechte, insbesondere die Verwirklichung der Gleichberechtigung von Frauen und Männern, ist eine ständige Aufgabe des Landes, der Gemeinden und Landkreise.

(3) [1] Niemand darf wegen seines Geschlechts, seiner Abstammung, seiner Rasse, seiner Sprache, seiner Heimat und Herkunft, seines Glaubens, seiner religiösen oder politischen Anschauungen benachteiligt oder bevorzugt werden. [2] Niemand darf wegen seiner Behinderung benachteiligt werden.

Art. 6a Arbeit, Wohnen. Das Land wirkt darauf hin, daß jeder Mensch Arbeit finden und dadurch seinen Lebensunterhalt bestreiten kann und daß die Bevölkerung mit angemessenem Wohnraum versorgt ist.

Zweiter Abschnitt. Der Landtag

Art. 13 Bewerbung, Mandatsausübung, Entschädigung. (1) Wer sich um ein Mandat im Landtag bewirbt, hat Anspruch auf den zur Vorbereitung seiner Wahl erforderlichen Urlaub.

(2) [1] Niemand darf gehindert werden, ein Landtagsmandat zu übernehmen und auszuüben. [2] Die Kündigung eines Beschäftigungsverhältnisses aus diesem Grunde ist unzulässig.

(3) [1] Die Mitglieder des Landtages haben Anspruch auf eine angemessene, ihre Unabhängigkeit sichernde Entschädigung. [2] Das Nähere bestimmt ein Gesetz.[4)]

---

1) Änderungen vor dem 1.1.1999 sind nicht in Fußnoten nachgewiesen.
2) Vollständig wiedergegeben in **beck-online, Module Arbeitsrecht.**
3) Auszugsweise abgedruckt unter Nr. **10**.
4) Siehe das Nds. AbgeordnetenG **(beck-online, Module Arbeitsrecht Nr. 37)**.

Siebenter Abschnitt. Die Verwaltung

Art. 62[1)] Landesbeauftragte oder Landesbeauftragter für den Datenschutz. (1) [1]Die Landesbeauftrage oder der Landesbeauftragte für den Datenschutz kontrolliert, daß die öffentliche Verwaltung bei dem Umgang mit personenbezogenen Daten Gesetz und Recht einhält. [2]Sie oder er berichtet über ihre oder seine Tätigkeit und deren Ergebnisse dem Landtag.

(2) Der Landtag wählt auf Vorschlag der Landesregierung die Landesbeauftragte oder den Landesbeauftragten für den Datenschutz mit einer Mehrheit von zwei Dritteln der anwesenden Mitglieder des Landtages, mindestens jedoch der Mehrheit seiner Mitglieder.

(3) [1]Die Landesbeauftragte oder der Landesbeauftragte für den Datenschutz ist unabhängig und nur an Gesetz und Recht gebunden. [2]Artikel 38 Abs. 1 und Artikel 56 Abs. 1 finden auf sie oder ihn keine Anwendung.

(4) [1]Das Nähere bestimmt ein Gesetz.[2)] [2]Dieses Gesetz kann personalrechtliche Entscheidungen, welche Bedienstete der Landesbeauftragten oder des Landesbeauftragten für den Datenschutz betreffen, von deren oder dessen Mitwirkung abhängig machen. [3]Der Landesbeauftragten oder dem Landesbeauftragten für den Datenschutz kann durch Gesetz die Aufgabe übertragen werden, die Durchführung des Datenschutzes bei der Datenverarbeitung nicht öffentlicher Stellen und öffentlich-rechtlicher Wettbewerbsunternehmen zu kontrollieren.

[1)] Art. 62 Abs. 3 Satz 2 angef., Abs. 4 Satz 2 geänd. und Satz 3 neu gef. mWv 8.7.2011 durch G v. 30.6.2011 (Nds. GVBl. S. 210).

[2)] Siehe das NDSG **(beck-online, Module Arbeitsrecht Nr. 491i)**.

20. Verfassung für das Land Nordrhein-Westfalen

Vom 28. Juni 1950
(GV. NRW. S. 127)
SGV. NRW. 100
zuletzt geänd. durch Art. 1 ÄndG v. 18.12.2025 (GV. NRW. 2026 S. 5)

– Auszug –[1)]

Zweiter Teil. Von den Grundrechten und der Ordnung des Gemeinschaftslebens

Erster Abschnitt. Von den Grundrechten

Art. 4 [Grundrechte des Grundgesetzes] (1) Die im Grundgesetz[2)] für die Bundesrepublik Deutschland in der Fassung vom 23. Mai 1949 festgelegten Grundrechte und staatsbürgerlichen Rechte sind Bestandteil dieser Verfassung und unmittelbar geltendes Landesrecht.

(2) [1] Jeder hat Anspruch auf Schutz seiner personenbezogenen Daten[3)]. [2] Eingriffe sind nur in überwiegendem Interesse der Allgemeinheit auf Grund eines Gesetzes zulässig.

Zweiter Abschnitt. Die Familie

Art. 5[4)] [Ehe und Familie] (1) [1] Ehe und Familie werden als die Grundlagen der menschlichen Gesellschaft anerkannt. [2] Sie stehen unter dem besonderen Schutz des Landes. [3] Die Mutterschaft und die kinderreiche Familie haben Anspruch auf besondere Fürsorge.

(2) [1] Familien- und Erwerbsarbeit sind gleichwertig. [2] Frauen und Männer sind entsprechend ihrer Entscheidung an Familien- und Erwerbsarbeit gleichberechtigt beteiligt.

Art. 6[5)] [Kinder- und Jugendschutz] (1) Jedes Kind hat ein Recht auf Achtung seiner Würde als eigenständige Persönlichkeit und auf besonderen Schutz von Staat und Gesellschaft.

(2) [1] Kinder und Jugendliche haben ein Recht auf Entwicklung und Entfaltung ihrer Persönlichkeit, auf gewaltfreie Erziehung und den Schutz vor Gewalt, Vernachlässigung und Ausbeutung. [2] Staat und Gesellschaft schützen sie vor Gefahren für ihr körperliches, geistiges und seelisches Wohl. [3] Sie achten und sichern ihre Rechte, tragen für altersgerechte Lebensbedingungen Sorge und fördern sie nach ihren Anlagen und Fähigkeiten.

(3) Allen Jugendlichen ist die umfassende Möglichkeit zur Berufsausbildung und Berufsausübung zu sichern.

(4) Das Mitwirkungsrecht der Kirchen und Religionsgemeinschaften sowie der Verbände der freien Wohlfahrtspflege in den Angelegenheiten der Famili-

---

[1)] Vollständig wiedergegeben in **beck-online, Module Arbeitsrecht.**
[2)] Auszugsweise abgedruckt unter Nr. **10**.
[3)] Siehe hierzu das Datenschutzgesetz NRW **(beck-online, Module Arbeitsrecht Nr. 491j)**.
[4)] Art. 5 Abs. 2 neu. gef. durch G v. 20.6.1989 (GV. NW. S. 428).
[5)] Art. 6 neu gef. mWv 20.2.2002 durch G v. 29.1.2002 (GV. NW. S. 52).

enförderung, der Kinder- und Jugendhilfe bleibt gewährleistet und ist zu fördern.

Dritter Abschnitt. Schule, Kunst und Wissenschaft, Sport, Religion und Religionsgemeinschaften

Art. 7 *(hier nicht wiedergegeben)*

Art. 8[1] **[Recht der Eltern; Schulpflicht]** (1) [1]Jedes Kind hat Anspruch auf Erziehung und Bildung. [2]Das natürliche Recht der Eltern, die Erziehung und Bildung ihrer Kinder zu bestimmen, bildet die Grundlage des Erziehungs- und Schulwesens. [3]Die staatliche Gemeinschaft hat Sorge zu tragen, daß das Schulwesen den kulturellen und sozialen Bedürfnissen des Landes entspricht.

(2) [1]Es besteht allgemeine Schulpflicht. [2]Das Nähere regelt ein Gesetz.

(3) [1]Land und Gemeinden haben die Pflicht, Schulen zu errichten und zu fördern. [2]Das gesamte Schulwesen steht unter der Aufsicht des Landes. [3]Die Schulaufsicht wird durch hauptamtlich tätige, fachlich vorgebildete Beamte ausgeübt.

(4) [1]Für die Privatschulen gelten die Bestimmungen des Artikels 7 Abs. 4 und 5 des Grundgesetzes der Bundesrepublik Deutschland[2] vom 23. Mai 1949 zugleich als Bestandteil dieser Verfassung. [2]Die hiernach genehmigten Privatschulen haben die gleichen Berechtigungen wie die entsprechenden öffentlichen Schulen. [3]Sie haben Anspruch auf die zur Durchführung ihrer Aufgaben und zur Erfüllung ihrer Pflichten erforderlichen öffentlichen Zuschüsse.

Art. 9[3] **[Schulgeld]** (1) Schulgeld wird nicht erhoben.

(2) [1]Einführung und Durchführung der Lehr- und Lernmittelfreiheit für alle Schulen sind gesetzlich zu regeln. [2]Zum Zwecke des Studiums sind im Bedarfsfalle besondere Unterhaltsbeihilfen zu gewähren. [3]Soweit der Staat für die öffentlichen Schulen Schulgeldfreiheit gewährt, sind

(Fortsetzung nächstes Blatt)

[1] Art. 8 Abs. 2 neu gef. mWv 29.10.2011 durch G v. 25.10.2011 (GV. NRW. S. 499).
[2] *Nr.* ***10***.
[3] Art. 9 Abs. 1 neu gef. u. Abs. 2 Satz 1 geänd. mWv 29.10.2011 durch G v. 25.10.2011 (GV. NRW. S. 499).

auch die in Artikel 8 Abs. 4 genannten Privatschulen berechtigt, zu Lasten des Staates auf die Erhebung von Schulgeld zu verzichten; soweit er Lehr- und Lernmittelfreiheit gewährt, sind Lehr- und Lernmittel in gleicher Weise für diese Privatschulen zur Verfügung zu stellen wie für die öffentlichen Schulen.

Vierter Abschnitt. Arbeit, Wirtschaft, Umwelt

Art. 24 [Arbeit, Lohn, Urlaub] (1) [1]Im Mittelpunkt des Wirtschaftslebens steht das Wohl des Menschen. [2]Der Schutz seiner Arbeitskraft hat den Vorrang vor dem Schutz materiellen Besitzes. [3]Jedermann hat ein Recht auf Arbeit.

(2) [1]Der Lohn muß der Leistung entsprechen und den angemessenen Lebensbedarf des Arbeitenden und seiner Familie decken. [2]Für gleiche Tätigkeit und gleiche Leistung besteht Anspruch auf gleichen Lohn. [3]Das gilt auch für Frauen und Jugendliche.

(3) Das Recht auf einen ausreichenden, bezahlten Urlaub ist gesetzlich festzulegen.

Art. 25 [Sonn- und Feiertage] (1) Der Sonntag und die staatlich anerkannten Feiertage werden als Tage der Gottesverehrung, der seelischen Erhebung, der körperlichen Erholung und der Arbeitsruhe anerkannt und gesetzlich geschützt[1)].

(2) Der 1. Mai als Tag des Bekenntnisses zu Freiheit und Frieden, sozialer Gerechtigkeit, Völkerversöhnung und Menschenwürde ist gesetzlicher Feiertag.

Art. 26 [Mitbestimmungsrecht] Entsprechend der gemeinsamen Verantwortung und Leistung der Unternehmer und Arbeitnehmer für die Wirtschaft wird das Recht der Arbeitnehmer auf gleichberechtigte Mitbestimmung bei der Gestaltung der wirtschaftlichen und sozialen Ordnung anerkannt und gewährleistet.

Art. 27 [Monopolbetriebe und Kartelle] (1) Großbetriebe der Grundstoffindustrie und Unternehmen, die wegen ihrer monopolartigen Stellung besondere Bedeutung haben, sollen in Gemeineigentum überführt werden.

(2) Zusammenschlüsse, die ihre wirtschaftliche Macht mißbrauchen, sind zu verbieten.

Art. 28 [Förderung des Mittelstandes] [1]Die Klein- und Mittelbetriebe in Landwirtschaft, Handwerk, Handel und Gewerbe und die freien Berufe sind zu fördern. [2]Die genossenschaftliche Selbsthilfe ist zu unterstützen.

[1)] Siehe hierzu das Gesetz über die Sonn- und Feiertage **(CD Nipperdey plus Nr. 261)**.

Dritter Teil. Von den Organen und Aufgaben des Landes

Erster Abschnitt. Der Landtag

Art. 39 [Landtagsverwaltung] (1) [1]In Rechtsgeschäften und Rechtsstreitigkeiten der Landtagsverwaltung vertritt der Präsident das Land. [2]Er verfügt über die Einnahmen und Ausgaben der Landtagsverwaltung nach Maßgabe des Haushalts.

(2) [1]Dem Präsidenten steht die Annahme und Entlassung der Angestellten und Arbeiter sowie im Benehmen mit dem Präsidium die Ernennung der Beamten des Landtags zu. [2]Er hat die Dienstaufsicht und Dienststrafgewalt über die Beamten, Angestellten und Arbeiter des Landtags. [3]Er übt das Hausrecht und die Polizeigewalt im Landtagsgebäude aus.

(3) Im übrigen werden die Rechte und Pflichten des Präsidenten durch die Geschäftsordnung bestimmt.

Art. 46[1)] **[Rechtsstellung der Abgeordneten]** (1) [1]Abgeordnete dürfen an der Übernahme und Ausübung ihres Mandats nicht gehindert oder hierdurch in ihrem Amt oder Arbeitsverhältnis benachteiligt werden. [2]Insbesondere ist unzulässig, sie aus diesem Grunde zu entlassen oder ihnen zu kündigen[2)].

(2) [1]Beamte, Angestellte und Arbeiter bedürfen zu der mit den Obliegenheiten ihres Mandats als Mitglieder des Landtags verbundenen Tätigkeit keines Urlaubs. [2]Bewerben sie sich um einen Sitz im Landtag, so ist ihnen der zur Vorbereitung ihrer Wahl erforderliche Urlaub zu gewähren.

(3) Die Wählbarkeit von Beamten, Angestellten des öffentlichen Dienstes und Richtern im Lande Nordrhein-Westfalen kann gesetzlich beschränkt werden[3)].

[1)] Art. 46 Abs. 3 eingef. durch G v. 11. 5. 1954 (GV. NW. S. 131); neu gef. durch G v. 21. 3. 1972 (GV. NW. S. 68).

[2)] Siehe hierzu §§ 2 bis 4 Abgeordnetengesetz **(CD Nipperdey plus Nr. 38)**.

[3)] Siehe hierzu §§ 31 bis 37 Abgeordnetengesetz **(CD Nipperdey plus Nr. 38)**.

21. Verfassung für Rheinland-Pfalz[1)]

Vom 18. Mai 1947
(VOBl. S. 209)

BS Rh-Pf 100–1

zuletzt geänd. durch Art. 1 40. ÄndG v. 19.6.2024 (GVBl. S. 253)

– Auszug –[2)]

Grundrechte und Grundpflichten

I. Abschnitt. Die Einzelperson

2. Gleichheitsrechte

Art. 17[3)] **[Gleichheit]** (1) Alle sind vor dem Gesetz gleich.

(2) Willkürliche Begünstigung oder Benachteiligung von Einzelpersonen oder Personengruppen sind den Organen der Gesetzgebung, Rechtsprechung und Verwaltung untersagt.

(3) [1] Frauen und Männer sind gleichberechtigt. [2] Der Staat ergreift Maßnahmen zur Gleichstellung von Frauen und Männern in Staat und Gesellschaft, insbesondere im Beruf, in Bildung und Ausbildung, in der Familie sowie im Bereich der sozialen Sicherung. [3] Zum Ausgleich bestehender Ungleichheiten sind Maßnahmen, die der Gleichstellung dienen, zulässig.

(4) Der Staat achtet ethnische und sprachliche Minderheiten.

IV. Abschnitt. Kirchen und Religionsgemeinschaften

Art. 47 [Sonn- und Feiertage] Der Sonntag und die staatlich anerkannten Feiertage sind als Tag der religiösen Erbauung, seelischen Erhebung und Arbeitsruhe gesetzlich geschützt.[4)]

VI. Abschnitt. Die Wirtschafts- und Sozialordnung

Art. 53[5)] **[Schutz der Arbeitskraft, Sozialversicherung]** (1) Die menschliche Arbeitskraft ist als persönliche Leistung und grundlegender Wirtschaftsfaktor gegen Ausbeutung, Betriebsgefahren und sonstige Schädigungen zu schützen.

(2) Das Land, die Gemeinden und Gemeindeverbände wirken darauf hin, dass jeder seinen Lebensunterhalt durch frei gewählte Arbeit verdienen kann.

(3) Der Erhaltung der Gesundheit und Arbeitsfähigkeit, dem Schutze der Mutterschaft, der Vorsorge gegen die wirtschaftlichen Folgen von Alter, Schwächen, Wechselfällen des Lebens und dem Schutze gegen die Folgen unverschuldeter Arbeitslosigkeit dient eine dem ganzen Volk zugängliche Sozial- und Arbeitslosenversicherung.

[1)] Änderungen vor dem 1.1.1999 sind nicht in Fußnoten nachgewiesen.
[2)] Vollständig wiedergegeben in **beck-online, Module Arbeitsrecht.**
[3)] Art. 17 Abs. 3 neu gef., Abs. 4 angef. mWv 18.5.2000 durch G v. 8.3.2000 (GVBl. S. 65).
[4)] Siehe hierzu das Feiertagsgesetz – LFtG **(beck-online, Module Arbeitsrecht Nr. 262)**.
[5)] Art. 53 Abs. 1 geänd., Abs. 2 neu gef. mWv 18.5.2000 durch G v. 8.3.2000 (GVBl. S. 65).

(4) [1]Sozial- und Arbeitslosenversicherung unterstehen der Selbstverwaltung der Arbeitgeber und Arbeitnehmer. [2]Die Aufgaben des Staates sind auf die Führung der Aufsicht und die Förderung ihrer Tätigkeit und Einrichtungen zu beschränken.

(5) Das Nähere regelt das Gesetz.

Art. 54 [Arbeitsrecht, Tarif- und Schlichtungswesen] (1) [1]Für alle Arbeitnehmer ist ein einheitliches Arbeitsrecht zu schaffen. [2]Im Rahmen dieses Arbeitsrechts können Gesamtvereinbarungen nur zwischen den Gewerkschaften und den Arbeitgebervertretungen abgeschlossen oder durch verbindlich erklärte Schiedssprüche ersetzt werden. [3]Schiedssprüche schaffen verbindliches Recht, das durch private Vereinbarungen zuungunsten der Arbeitnehmer nicht abgedungen werden kann.

(2) Das Schlichtungswesen wird gesetzlich geregelt.

Art. 55 [Arbeitsschutz] (1) Die Arbeitsbedingungen sind so zu gestalten, daß sie die Gesundheit, die Würde, das Familienleben und die kulturellen Ansprüche der Arbeitnehmer sichern.

(2) Frauen und Jugendlichen ist ein besonderer Schutz zu gewähren, und die leibliche, sittliche und geistige Entwicklung der Jugend ist zu fördern.

(3) [1]Gewerbsmäßige Kinderarbeit ist verboten. [2]Ausnahmen regelt das Gesetz.

Art. 56[1)] [Arbeitsentgelt] (1) [1]Das Arbeitsentgelt muß der Leistung entsprechen, zum Lebensbedarf für den Arbeitenden und seine Familie ausreichen und ihnen die Teilnahme an den allgemeinen Kulturgütern ermöglichen. [2]Darüber hinaus soll dem Arbeitnehmer in geeigneter Weise ein gerechter Anteil am Reinertrag je nach Art und Leistungsfähigkeit der Unternehmungen durch Vereinbarung gesichert werden.

(2) Männer, Frauen und Jugendliche haben grundsätzlich für gleiche Tätigkeit und Leistung Anspruch auf den gleichen Lohn.

Art. 57 [Achtstundentag, Sonn- und Feiertage, Urlaub] (1) [1]Der 8-Stunden-Tag ist die gesetzliche Regel. [2]Sonntage und gesetzliche Feiertage sind arbeitsfrei. [3]Ausnahmen sind zuzulassen, wenn es das Gemeinwohl erfordert.

(2) Der 1. Mai ist gesetzlicher Feiertag für alle arbeitenden Menschen.

(Fortsetzung nächstes Blatt)

---

1) Art. 56 Abs. 1 Satz 1 geänd. mWv 18.5.2000 durch G v. 8.3.2000 (GVBl. S. 65).

(3) Das Arbeitsentgelt für die in die Arbeitszeit fallenden gesetzlichen Feiertage ist zu zahlen.

(4) Jeder Arbeitnehmer hat Anspruch auf einen bezahlten Urlaub nach Maßgabe des Gesetzes.

Art. 59 [Freizeit zur Wahrnehmung staatsbürgerlicher Rechte] (1) Wer in einem Dienst- oder Arbeitsverhältnis steht, hat das Recht auf die Wahrnehmung staatsbürgerlicher Rechte und auf die zur Ausübung ihm übertragener öffentlicher Ehrenämter benötigte Freizeit.

(2) [1] Er hat Anspruch auf angemessenen Ersatz seines Verdienstausfalls. [2] Das Nähere regelt das Gesetz.

Art. 64[1)] [Behinderte] Das Land, die Gemeinden und Gemeindeverbände schützen behinderte Menschen vor Benachteiligung und wirken auf ihre Integration und die Gleichwertigkeit ihrer Lebensbedingungen hin.

Art. 66 [Koalitionsfreiheit, Streikrecht] (1) [1] Die Vereinigungsfreiheit zur Wahrung und Förderung der Arbeits- und Wirtschaftsbedingungen ist für jedermann und für alle Berufe gewährleistet. [2] Abreden oder Maßnahmen, welche diese Freiheit ohne gesetzliche Grundlage einzuschränken oder zu behindern suchen, sind unzulässig.

(2) Das Streikrecht der Gewerkschaften im Rahmen der Gesetze wird anerkannt.

Art. 67 [Betriebsräte] (1) Alle in der Wirtschaft tätigen Menschen sollen in gemeinschaftlicher Verantwortung an der Lösung der wirtschafts- und sozialpolitischen Aufgaben mitwirken, um damit die wirtschaftlichen und gesellschaftlichen Gegensätze zu überbrücken.

(2) Zum Zwecke dieser Mitwirkung und Wahrung ihrer wirtschaftlichen und sozialen Interessen erhalten die Arbeitnehmer Vertretungen in Betriebsräten.

(3) Die Betriebsvertretungen sind insbesondere berechtigt, zu den Versammlungen der Gesellschaften, ihrer Aufsichtsräte usw. eine angemessene Zahl Vertreter mit Sitz und Stimme zu entsenden.

(4) Bei Beschlüssen des Unternehmers, welche die Belange der Belegschaft ernsthaft beeinträchtigen könnten, hat die Betriebsvertretung mitzuwirken.

(5) Das Nähere regelt das Gesetz.

Art. 68 [Aufgaben und Rechte der Koalitionen] [1] Den Vereinigungen von Arbeitnehmern und Arbeitgebern obliegt auf der Grundlage ihrer Gleichberechtigung die Wahrnehmung ihrer Interessen bei der Gestaltung der Arbeits- und Wirtschaftsbedingungen. [2] Sie sind zu Gesetzentwürfen wirtschafts- und sozialpolitischen Inhalts und bei allen wirtschaftlichen und sozialen Maßnahmen der Landesregierung von grundsätzlicher Bedeutung zu hören.

---

1) Art. 64 eingef. mWv 18. 5. 2000 durch G v. 8. 3. 2000 (GVBl. S. 65).

Aufbau und Aufgaben des Staates

II. Abschnitt. Organe des Volkswillens

1. Der Landtag

Art. 96 [Wahlurlaub].[1] (1) [1]Wer sich um einen Sitz im Landtag bewirbt, hat Anspruch auf den zur Vorbereitung seiner Wahl erforderlichen Urlaub. [2]Niemand darf gehindert werden, das Amt eines Abgeordneten zu übernehmen und auszuüben. [3]Eine Kündigung oder Entlassung aus diesem Grunde ist unzulässig.

(2) Auf Geistliche und Ordensleute finden diese Bestimmungen keine Anwendung.

---

[1] Siehe hierzu auch das Abgeordnetengesetz Rheinland-Pfalz - AbgG RhPf - **(CD Nipperdey plus Nr. 39)**.

22. Verfassung des Saarlandes[1)]

Vom 15. Dezember 1947

(Amtsbl. S. 1077)

BS Saar Nr. 100-1

zuletzt geänd. durch Art. 1 ÄndG Nr. 2130 v. 7.2.2024 (Amtsbl. I S. 147)

– Auszug –[2)]

I. Hauptteil. Grundrechte und Grundpflichten

4. Abschnitt. Kirchen und Religionsgemeinschaften

Art. 41 [Sonn- und Feiertage] Der Sonntag und die staatlich anerkannten kirchlichen Feiertage sind als Tage der religiösen Erbauung, seelischen Erhebung und Arbeitsruhe gesetzlich geschützt.[3)]

Art. 42 *(hier nicht wiedergegeben)*

5. Abschnitt. Wirtschafts- und Sozialordnung

Art. 43 [Aufgabe der Wirtschaft] (1) Die Wirtschaft hat die Aufgabe, dem Wohle des Volkes und der Befriedigung seines Bedarfes zu dienen.

(2) Durch Gesetz sind die erforderlichen Maßnahmen zu treffen, um die Erzeugung, Herstellung und Verteilung der Wirtschaftsgüter sinnvoll zu beeinflussen, um jedermann einen gerechten Anteil am Wirtschaftsertrag zu sichern und ihn vor Ausbeutung zu schützen.

Art. 44 [Vertrags- und Gewerbefreiheit, Missbrauch wirtschaftlicher Machtstellung] [1] Vertragsfreiheit und Gewerbefreiheit sind nach Maßgabe der Gesetze gewährleistet. [2] Jeder Mißbrauch wirtschaftlicher Machtstellung ist unzulässig.

Art. 45 [Schutz der Arbeitskraft, Recht auf Arbeit] [1] Die menschliche Arbeitskraft genießt den Schutz des Staates. [2] Jeder hat nach seinen Fähigkeiten ein Recht auf Arbeit.

Art. 46 [Sozial- und Arbeitslosenversicherung] [1] Der Erhaltung und Wiederherstellung der Gesundheit und Arbeitsfähigkeit, dem Schutze der Mutterschaft, der Vorsorge gegen die wirtschaftlichen Folgen von Geburt, Krankheit, Unfall, Berufsunfähigkeit, Alter, Invalidität und Tod, sowie dem Schutze gegen die Folgen unverschuldeter Arbeitslosigkeit, dient dem ganzen Volke die unter Aufsicht des Staates stehende Sozial- und Arbeitslosenversicherung. [2] Sozial- und Arbeitslosenversicherung unterstehen der Selbstverwaltung der Versicherten unter Mitwirkung der Arbeitgeber und haben besondere Gerichtsbarkeit. [3] Das Nähere bestimmt das Gesetz.

[1)] Änderungen vor dem 1.1.2005 sind nicht in Fußnoten nachgewiesen.

[2)] Vollständig wiedergegeben in **beck-online, Module Arbeitsrecht.**

[3)] Siehe hierzu auch das Gesetz über die Sonn- und Feiertage (Feiertagsgesetz – SFG) **(beck-online, Module Arbeitsrecht Nr. 263).**

Art. 47 [Arbeitsrecht] [1] Für alle Arbeitnehmer ist ein einheitliches Arbeitsrecht mit besonderer Gerichtsbarkeit zu schaffen, welches das Recht der Tarifvereinbarung sowie die unabdingbaren Kollektivvereinbarungen zwischen den Berufsorganisationen der Arbeitgeber und Arbeitnehmer regelt. [2] Die Arbeitsbedingungen sind so zu gestalten, daß sie die Existenz, die Würde, das Familienleben und die kulturellen Ansprüche des Arbeitnehmers sichern. [3] Frauen und Jugendlichen ist ein besonderer gesetzlicher Schutz zu gewähren. [4] Männer und Frauen erhalten für gleiche Tätigkeit und Leistung das gleiche Entgelt.

Art. 48[1)] **[Arbeitszeit, Urlaub]** (1) [1] Die Arbeitszeit ist gesetzlich zu regeln. [2] Das Arbeitsentgelt ist für die Feiertage zu zahlen, die durch das Gesetz bestimmt werden.

(2) Jeder Arbeitnehmer hat Anspruch auf bezahlten Urlaub.

Art. 49[2)] **[Freizeit für die Wahrnehmung von Rechten und Ehrenämtern]** [1] Wer in einem Dienst- oder Arbeitsverhältnis steht, hat das Recht auf die zur Wahrnehmung staatsbürgerlicher Rechte und auf die für die Ausübung ihm übertragener öffentlicher Ehrenämter benötigte Freizeit und hat Anspruch auf Bezahlung seines entgangenen Verdienstes. [2] Das Nähere regelt das Gesetz.

Art. 50 [Wirtschaftlicher und sozialer Aufbau] (1) Dem Staat obliegen Planung und Durchführung des wirtschaftlichen und sozialen Aufbaues des Landes nach Maßgabe der Gesetze.

(2) Als Gebot sozialer Gerechtigkeit hat der Staat durch Gesetz die entschädigungslose Einziehung aller Kriegsgewinne sicherzustellen.

Art. 51 [Eigentum, Enteignung] (1) [1] Eigentum verpflichtet gegenüber dem Volk. [2] Sein Gebrauch darf nicht dem Gemeinwohl zuwiderlaufen.

(2) [1] Einschränkung oder Entziehung des Eigentums sind nur auf gesetzlicher Grundlage zulässig, wenn es das Gemeinwohl verlangt. [2] Dies gilt auch für Urheber- und Erfinderrechte. [3] Enteignung darf nur gegen angemessene Entschädigung erfolgen. [4] Angemessen ist jede Entschädigung, die ihrer Art und Höhe nach die Belange der einzelnen Beteiligten sowie die Forderungen des Gemeinwohls berücksichtigt. [5] Im Streitfalle steht den Beteiligten der ordentliche Rechtsweg offen.

Art. 52 [Sozialisierung] (1) Schlüsselunternehmungen der Wirtschaft (Kohlen-, Kali- und Erzbergbau, andere Bodenschätze, Energiewirtschaft, Verkehrs- und Transportwesen) dürfen wegen ihrer überragenden Bedeutung

(Fortsetzung nächstes Blatt)

---

1) *Siehe hierzu auch das Bundesurlaubsgesetz* (Nr. **134**).

2) *Siehe hierzu auch das Gesetz über Sonderurlaub für ehrenamtliche Mitarbeiterinnen und Mitarbeiter in der Jugendarbeit* **(beck-online, Module Arbeitsrecht Nr. 146)**.

für die Wirtschaft des Landes oder ihres Monopolcharakters nicht Gegenstand privaten Eigentums sein und müssen im Interesse der Volksgemeinschaft geführt werden.

(2) [1]Alle wirtschaftlichen Großunternehmen können durch Gesetz aus dem Privateigentum in das Gemeinschaftseigentum übergeführt werden, wenn sie in ihrer Wirtschaftspolitik, ihrer Wirtschaftsführung und ihren Wirtschaftsmethoden das Gemeinwohl gefährden. [2]Solche Unternehmen können, wenn begründete Veranlassung hierzu gegeben ist, nach Maßgabe eines Gesetzes von Fall zu Fall der öffentlichen Aufsicht unterstellt werden. [3]In Gemeineigentum stehende Unternehmen sollen, wenn es ihrem wirtschaftlichen Zweck entspricht, in einer privatwirtschaftlichen oder gemeinwirtschaftlichen Unternehmensform geführt werden. [4]Bei Überführung von Unternehmen in Gemeineigentum ist durch Beteiligung der im Betrieb tätigen Arbeitnehmer, von Gemeinden oder Gemeindeverbänden oder sonstigen kommunalen Zweckvereinigungen eine übermäßige Zusammenballung wirtschaftlicher Macht zu verhindern.

Art. 56 [Koalitionsfreiheit, Streikrecht] (1) Die Vereinigungsfreiheit zur Wahrung und Förderung der Arbeits- und Wirtschaftsbedingungen ist für jedermann und für alle Berufe gewährleistet.

(2) [1]Das Streikrecht der Gewerkschaften ist im Rahmen der Gesetze anerkannt. [2]Streiks dürfen erst dann durchgeführt werden, wenn alle Schlichtungs- und Verhandlungsmöglichkeiten erschöpft sind.

Art. 57 [Berufsorganisationen der Arbeitgeber und Arbeitnehmer] (1) Zur Wahrung der allgemeinen wirtschaftlichen und sozialen Interessen wirken die Berufsorganisationen der Arbeitgeber und Arbeitnehmer auf der Grundlage der Gleichberechtigung zusammen.

(2) [1]Die Berufsorganisationen der Arbeitgeber und Arbeitnehmer sind ausschließlich zur Wahrnehmung beruflicher, wirtschaftlicher und sozialer Interessen berufen. [2]Das Nähere regelt das Gesetz.

Art. 58 [Betriebsräte] (1) [1]Die Vereinigungen der Arbeitgeber und Arbeitnehmer wirken auf der Grundlage der Gleichberechtigung in Wirtschaftsgemeinschaften zusammen. [2]Sie haben die gemeinsamen Angelegenheiten ihres Bereiches zu behandeln, sind mit der Wahrnehmung der Interessen ihres Wirtschaftszweiges in der Gesamtwirtschaft betraut und von der Regierung zu allen wirtschaftlichen und sozialen Maßnahmen von grundsätzlicher Bedeutung zu hören.

(2) [1]Eine staatliche Wirtschaftslenkung kann nur über die Wirtschaftsgemeinschaften durchgeführt werden. [2]Das Nähere bestimmt ein Gesetz.

(3) [1]Zur Vertretung im Betrieb und zum Zwecke der Wahrung ihrer wirtschaftlichen und sozialen Interessen wählen die Arbeitnehmer einen Betriebsrat. [2]Das Nähere regelt das Betriebsrätegesetz.

Art. 59 [Selbstverwaltungsorgane der Wirtschaft] (1) Die Wirtschaft des Saarlandes findet ihre öffentlich-rechtliche Vertretung jeweils in der Industrie- und Handelskammer, in der Handwerkskammer, in der Landwirtschaftskammer und in der Arbeitskammer, denen die Wirtschaftsgemeinschaften angeschlossen werden.

(2) Dies gilt auch für die Genossenschaften und die Wirtschaftsunternehmungen der öffentlichen Hand.

II. Hauptteil. Aufgaben und Aufbau des Staates

3. Abschnitt. Organe des Volkswillens

1. Kapitel. Der Landtag

Art. 81 [Indemnität] (1) [1]Kein Abgeordneter darf zu irgendeiner Zeit wegen seiner Abstimmung oder wegen der in Ausübung seines Mandats getanen Äußerungen strafgerichtlich oder dienstlich verfolgt oder zivilrechtlich in Anspruch genommen oder sonst außerhalb der Versammlung zur Verantwortung gezogen werden (berufliche Immunität). [2]Dies gilt nicht für verleumderische Beleidigungen.

(2) Als Äußerungen in Ausübung des Mandats sind insbesondere die von Abgeordneten in Ausschußsitzungen des Landtages, in Sitzungen der Fraktionen, in Verhandlungen mit der Landesregierung oder für die Landesregierung, als Mitglied einer Abordnung des Landtages sowie die in schriftlichen Anträgen an den Landtag abgegebenen Erklärungen anzusehen.

Art. 82 [Immunität] (1) Kein Abgeordneter kann ohne Genehmigung des Landtages wegen einer mit Strafe bedrohten Handlung zur Untersuchung gezogen oder verhaftet werden, es sei denn, daß er bei Ausübung der Tat oder im Laufe des folgenden Tages festgenommen wird (außerberufliche Immunität).

(2) Die gleiche Genehmigung ist bei jeder anderen Beschränkung der persönlichen Freiheit erforderlich, die die Ausübung des Mandats beeinträchtigt.

(3) Jedes Strafverfahren gegen einen Abgeordneten, jede Haft oder sonstige Beschränkung seiner persönlichen Freiheit wird auf Verlangen des Landtages längstens für die Dauer der Wahlperiode ausgesetzt.

(4) Ist für die Ausübung einer beruflichen Tätigkeit durch Gesetz die unbeschränkte gerichtliche Verfolgbarkeit für Handlungen vorgeschrieben, die in Ausübung dieses Berufs begangen werden, so finden vorstehende Bestimmungen keine Anwendung.

Art. 84 [Urlaub].[1)] [1]Abgeordnete bedürfen zur Ausübung ihres Mandats keines Urlaubs. [2]Bewirbt sich jemand um einen Sitz im Landtag, so ist ihm der zur Vorbereitung der Wahl erforderliche Urlaub zu gewähren.

[1)] Siehe hierzu auch das Gesetz über die Rechtsverhältnisse der Mitglieder des Landtages des Saarlandes (Abgeordnetengesetz - AbgG SL) **(CD Nipperdey plus Nr. 40)**.

23. Verfassung des Freistaates Sachsen

Vom 27. Mai 1992

(SächsGVBl. S. 243)

BS Sachsen 100-1

geänd. durch Art. 1 Verfassungsänderungsgesetz v. 11. 7. 2013 (SächsGVBl. S. 502)

– Auszug –[1]

1. Abschnitt: Die Grundlagen des Staates

Art. 7 [Menschenwürde] (1) Das Land erkennt das Recht eines jeden Menschen auf ein menschenwürdiges Dasein, insbesondere auf Arbeit, auf angemessenen Wohnraum, auf angemessenen Lebensunterhalt, auf soziale Sicherung und auf Bildung, als Staatsziel an.

(2) Das Land bekennt sich zur Verpflichtung der Gemeinschaft, alte und behinderte Menschen zu unterstützen und auf die Gleichwertigkeit ihrer Lebensbedingungen hinzuwirken.

Art. 8 [Gleichstellung von Frauen und Männern] Die Förderung der rechtlichen und tatsächlichen Gleichstellung von Frauen und Männern ist Aufgabe des Landes.

2. Abschnitt: Die Grundrechte

Art. 14 [Schutz der Menschenwürde] (1) [1] Die Würde des Menschen ist unantastbar. [2] Sie zu achten und zu schützen ist Verpflichtung aller staatlichen Gewalt.

(2) Die Unantastbarkeit der Würde des Menschen ist Quelle aller Grundrechte.

Art. 18 [Gleichheit] (1) Alle Menschen sind vor dem Gesetz gleich.

(2) Frauen und Männer sind gleichberechtigt.

(3) Niemand darf wegen seines Geschlechtes, seiner Abstammung, seiner Rasse, seiner Sprache, seiner Heimat und Herkunft, seines Glaubens, seiner religiösen oder politischen Anschauungen benachteiligt oder bevorzugt werden.

Art. 19 [Glaubens-, Gewissens- und Bekenntnisfreiheit] (1) Die Freiheit des Glaubens, des Gewissens und die Freiheit des religiösen und weltanschaulichen Bekenntnisses sind unverletzlich.

(2) Die ungestörte Religionsausübung wird gewährleistet.

Art. 20 [Meinungs- und Medienfreiheit] (1) [1] Jede Person hat das Recht, ihre Meinung in Wort, Schrift und Bild frei zu äußern und zu verbreiten und

[1] Vollständig wiedergegeben in **NipperdeyDirekt (online)**.

sich aus allgemein zugänglichen Quellen ungehindert zu unterrichten. [2] Die Pressefreiheit und die Freiheit der Berichterstattung durch Rundfunk und Film werden gewährleistet. [3] Eine Zensur findet nicht statt.

(2) Unbeschadet des Rechtes, Rundfunk in privater Trägerschaft zu betreiben, werden Bestand und Entwicklung des öffentlich-rechtlichen Rundfunks gewährleistet.

(3) Diese Rechte finden ihre Schranken in den Vorschriften der allgemeinen Gesetze, den gesetzlichen Bestimmungen zum Schutz der Jugend und in dem Recht der persönlichen Ehre.

Art. 25 [Arbeits- und Wirtschaftsvereinigungen] [1] Das Recht, zur Wahrung und Förderung der Arbeits- und Wirtschaftsbedingungen Vereinigungen zu bilden, ist für jede Person und für alle Berufe gewährleistet. [2] Abreden, die dieses Recht einschränken oder zu behindern suchen, sind nichtig; hierauf gerichtete Maßnahmen sind rechtswidrig.

Art. 26 [Personalvertretungsrecht] [1] In Betrieben, Dienststellen und Einrichtungen des Landes sind Vertretungsorgane der Beschäftigten zu bilden. [2] Diese haben nach Maßgabe der Gesetze das Recht auf Mitbestimmung.

Art. 28 [Berufsfreiheit] (1) [1] Beruf und Arbeitsplatz können frei gewählt werden, soweit Bundesrecht nicht entgegensteht. [2] Die Berufsausübung kann durch Gesetz oder auf Grund eines Gesetzes geregelt werden.

(2) Erwerbsmäßige Kinderarbeit ist grundsätzlich verboten.

(3) Niemand darf zu einer bestimmten Arbeit gezwungen werden, außer im Rahmen einer herkömmlichen allgemeinen, für alle gleichen öffentlichen Dienstleistungspflicht.

Art. 29 [Ausbildungs- und Bildungsfreiheit] (1) Alle Bürger haben das Recht, die Ausbildungsstätte frei zu wählen.

(2) Alle Bürger haben das Recht auf gleichen Zugang zu den öffentlichen Bildungseinrichtungen.

Art. 33 [Datenschutz] [1] Jeder Mensch hat das Recht, über die Erhebung, Verwendung und Weitergabe seiner personenbezogenen Daten selbst zu bestimmen. [2] Sie dürfen ohne freiwillige und ausdrückliche Zustimmung der berechtigten Person nicht erhoben, gespeichert, verwendet oder weitergegeben werden. [3] In dieses Recht darf nur durch Gesetz[1)] oder auf Grund eines Gesetzes eingegriffen werden.

3. Abschnitt: Der Landtag

Art. 42 [Rechte der Abgeordneten] (1) Wer sich um einen Sitz im Landtag bewirbt, hat Anspruch auf den zur Vorbereitung seiner Wahl erforderlichen Urlaub.

[1)] Siehe hierzu auch das Sächsische Datenschutzgesetz - SächsDSG **(NipperdeyDirekt (online) Nr. 491 m)**.

(2) [1]Niemand darf gehindert werden, das Amt eines Abgeordneten zu übernehmen und auszuüben. [2]Eine Kündigung oder Entlassung aus einem Dienst- oder Arbeitsverhältnis aus diesem Grund ist unzulässig.

(3) [1]Die Abgeordneten haben Anspruch auf eine angemessene, ihre Unabhängigkeit sichernde Entschädigung. [2]Sie haben innerhalb des Landes das Recht der kostenfreien Benutzung aller staatlichen Verkehrsmittel.

(4) Das Nähere bestimmt ein Gesetz[1].

9. Abschnitt: Das Bildungswesen

Art. 106 [Berufsbildung] [1]Die Berufsbildung findet in den praktischen Ausbildungsstätten und in den beruflichen Schulen statt. [2]Das Land fördert das Berufsschulwesen.

10. Abschnitt: Die Kirchen und Religionsgemeinschaften

Art. 109 [Kirchen und Religionsgemeinschaften] (1) Die Bedeutung der Kirchen und Religionsgemeinschaften für die Bewahrung und Festigung der religiösen und sittlichen Grundlagen des menschlichen Lebens wird anerkannt.

(2) [1]Die Kirchen und Religionsgemeinschaften sind vom Staat getrennt. [2]Sie entfalten sich bei der Erfüllung ihrer Aufgaben im Rahmen des für alle geltenden Gesetzes frei von staatlichen Eingriffen. [3]Die Beziehungen des Landes zu den Kirchen und Religionsgemeinschaften werden im übrigen durch Vertrag geregelt.

(3) Die diakonische und karitative Arbeit der Kirchen und Religionsgemeinschaften wird gewährleistet.

(4) Die Bestimmungen der Artikel 136, 137, 138, 139 und 141 der Verfassung des Deutschen Reiches vom 11. August 1919 sind Bestandteil dieser Verfassung.

---

[1] Siehe hierzu auch das AbgeordnetenG **(CD Nipperdey plus Nr. 41)**.

24. Verfassung des Landes Sachsen-Anhalt[1)]

Vom 16. Juli 1992
(GVBl. LSA S. 600)

BS LSA 100.3

zuletzt geänd. durch Art. 1 G zur Parlamentsreform 2020 v. 20.3.2020 (GVBl. LSA S. 64)

– Auszug –[2)]

2. Hauptteil. Bürger und Staat

Erster Abschnitt: Grundrechte

Art. 6 Datenschutz, Umweltdaten. (1) [1]Jeder hat das Recht auf Schutz seiner personenbezogenen Daten. [2]In dieses Recht darf nur durch oder auf Grund eines Gesetzes eingegriffen werden. [3]Dabei sind insbesondere Inhalt, Zweck und Ausmaß der Erhebung, Verarbeitung und Nutzung der personenbezogenen Daten zu bestimmen und das Recht auf Auskunft, Löschung und Berichtigung näher zu regeln.

(2) [1]Jeder hat das Recht auf Auskunft über die Vorhaben und Daten im Verfügungsbereich der öffentlichen Gewalt, welche die natürliche Umwelt in seinem Lebensraum betreffen, soweit nicht Bundesrecht, rechtlich geschützte Interessen Dritter oder das Wohl der Allgemeinheit entgegenstehen. [2]Das Nähere regeln die Gesetze.

Art. 7[3)] Gleichheit vor dem Gesetz. (1) Alle Menschen sind vor dem Gesetz gleich.

(2) Frauen und Männer sind gleichberechtigt.

(3) Niemand darf aus Gründen des Geschlechts, der sexuellen Identität, der Abstammung oder wegen seiner Sprache, seiner Heimat und Herkunft, seines Glaubens oder seiner religiösen oder politischen Anschauungen oder aus rassistischen Gründen benachteiligt oder bevorzugt werden.[4)]

Art. 10 Meinungsfreiheit. (1) [1]Jeder hat das Recht, seine Meinung in Wort, Schrift und Bild frei zu äußern und zu verbreiten und sich aus allgemein zugänglichen Quellen ungehindert zu unterrichten. [2]Die Pressefreiheit und die Freiheit der Berichterstattung durch Rundfunk und Film werden gewährleistet. [3]Eine Zensur findet nicht statt.

(2) Diese Rechte finden ihre Schranken in den Vorschriften der allgemeinen Gesetze, den gesetzlichen Bestimmungen zum Schutze der Jugend und in dem Recht der persönlichen Ehre.

(3) [1]Kunst und Wissenschaft, Forschung und Lehre sind frei. [2]Die Freiheit der Lehre entbindet nicht von der Treue zur Verfassung, die Freiheit der Forschung nicht von der Achtung der Menschenwürde und der Wahrung der natürlichen Lebensgrundlagen.

[1)] Die Änderungen vor dem 1.1.2005 sind nicht in Fußnoten nachgewiesen.
[2)] Vollständig wiedergegeben in **beck-online, Module Arbeitsrecht.**
[3)] Art. 7 Abs. 3 neu gef. mWv 27.3.2020 durch G v. 20.3.2020 (GVBl. LSA S. 64).
[4)] Siehe hierzu das Allgemeine Gleichbehandlungsgesetz (Nr. **91**).

Art. 13 Vereinigungsfreiheit. (1) Alle Deutschen haben das Recht, Vereine und Gesellschaften zu bilden sowie sich an Bürgerbewegungen zu beteiligen.

(2) Vereinigungen, deren Zwecke oder deren Tätigkeit den Strafgesetzen zuwiderlaufen oder die sich gegen die verfassungsmäßige Ordnung oder gegen den Gedanken der Völkerverständigung richten, sind verboten.

(3) [1] Das Recht, zur Wahrung und Förderung der Arbeits- und Wirtschaftsbedingungen Vereinigungen zu bilden, ist für jedermann und für alle Berufe gewährleistet. [2] Abreden, die dieses Recht einschränken oder zu behindern suchen, sind nichtig, hierauf gerichtete Maßnahmen sind rechtswidrig.

Art. 16 Berufsfreiheit, Verbot der Zwangsarbeit. (1) [1] Alle Deutschen haben das Recht, Beruf, Arbeitsplatz und Ausbildungsstätte frei zu wählen. [2] Die Berufsausübung kann durch Gesetz oder auf Grund eines Gesetzes geregelt werden.

(2) Niemand darf zu einer bestimmten Arbeit gezwungen werden, außer im Rahmen einer herkömmlichen allgemeinen, für alle gleichen öffentlichen Dienstleistungspflicht.

(3) Zwangsarbeit ist nur bei einer gerichtlich angeordneten Freiheitsentziehung zulässig.

Zweiter Abschnitt: Einrichtungsgarantien

Art. 30 Berufsausbildung, Erwachsenenbildung. (1) Träger von Einrichtungen der Berufsausbildung und der Erwachsenenbildung sind neben dem Land und den Kommunen auch freie Träger.

(2) [1] Das Land sorgt dafür, daß jeder einen Beruf erlernen kann. [2] Die Erwachsenenbildung ist vom Land zu fördern.

Art. 32 Kirchen, Religions- und Weltanschauungsgemeinschaften.

(1) [1] Kirchen, Religions- und Weltanschauungsgemeinschaften sind vom Staat getrennt. [2] Das Recht, zu öffentlichen Angelegenheiten Stellung zu nehmen, wird gewährleistet.

(2) Sie ordnen und verwalten ihre Angelegenheiten selbständig innerhalb der Schranken des für alle geltenden Gesetzes.

(3) Die von den Kirchen und Religionsgemeinschaften unterhaltenen sozialen und karitativen Einrichtungen werden nach Maßgabe der Gesetze als gemeinnützig anerkannt, geschützt und gefördert.

(Fortsetzung nächstes Blatt)

(4) Das Land und die Kirchen sowie ihnen gleichgestellte Religions- und Weltanschauungsgemeinschaften können Fragen von gemeinsamen Belangen durch Vertrag regeln.

(5) Das Verhältnis des Staates zu den Kirchen, Religions- und Weltanschauungsgemeinschaften wird im übrigen durch die Artikel 136, 137, 138, 139 und 141 der Verfassung des Deutschen Reiches vom 11. August 1919 geregelt.

Dritter Abschnitt: Staatsziele

Art. 34 Gleichstellung von Frauen und Männern. Das Land und die Kommunen sind verpflichtet, die tatsächliche Gleichstellung von Frauen und Männern in allen Bereichen der Gesellschaft durch geeignete Maßnahmen zu fördern.

Art. 39 Arbeit. (1) Allen die Möglichkeit zu geben, ihren Lebensunterhalt durch eine frei gewählte Arbeit zu verdienen, ist dauernde Aufgabe des Landes und der Kommunen.

(2) Das Land wirkt im Rahmen seiner Zuständigkeit darauf hin, daß sinnvolle und dauerhafte Arbeit für alle geschaffen wird und dabei Belastungen für die natürlichen Lebensgrundlagen vermieden oder vermindert, humanere Arbeitsbedingungen geschaffen und die Selbstentfaltung des Einzelnen gefördert werden.

3. Hauptteil. Staatsorganisation

Erster Abschnitt. Landtag

Art. 56[1] Erwerb und Sicherung des Mandats.[2] (1) Wer sich um ein Landtagsmandat bewirbt, hat Anspruch auf den zur Vorbereitung seiner Wahl erforderlichen Urlaub.

(2) [1] Niemand darf gehindert werden, ein Landtagsmandat zu übernehmen und auszuüben. [2] Niemand darf deswegen aus seinem Dienst- oder Arbeitsverhältnis entlassen werden.

(3)–(6) *(hier nicht wiedergegeben)*

Fünfter Abschnitt. Rechtspflege

Art. 83 Richter und Rechtsprechung. (1) Die Rechtsprechung wird im Namen des Volkes durch Berufsrichter und in den durch Gesetz bestimmten Fällen durch ehrenamtliche Richter an den gesetzlich festgelegten Gerichten ausgeübt.

(2) Die Richter sind unabhängig und nur dem Gesetz unterworfen.

---

[1] Art. 56 Abs. 5 Satz 2 neu gef. mit noch nicht bestimmtem Inkrafttreten durch G v. 5. 12. 2014 (GVBl. LSA S. 494).

[2] Siehe hierzu auch das Abgeordnetengesetz Sachsen-Anhalt - AbgG LSA **(NipperdeyDirekt (online) Nr. 42)**.

(3) Für die Gebiete der ordentlichen, der Verwaltungs-, der Finanz-, der Arbeits- und der Sozialgerichtsbarkeit werden Gerichte des Landes errichtet.

(4) [1] Das Landesrichtergesetz kann bestimmen, daß über die Anstellung der Richter der Justizminister gemeinsam mit einem Richterwahlausschuß entscheidet. [2] Die Mitglieder werden vom Landtag mit der Mehrheit von zwei Dritteln der anwesenden Abgeordneten, mindestens mit der Mehrheit der Mitglieder des Landtages gewählt. [3] Der Richterwahlausschuß entscheidet mit der Mehrheit von zwei Dritteln seiner Mitglieder.

25. Verfassung des Landes Schleswig-Holstein

in der Fassung vom 2. Dezember 2014[1)]
(GVOBl. Schl.-H. S. 344, ber. 2015 S. 41)

GS Schl.-H. II, Gl.Nr. 100-1

zuletzt geänd. durch Art. 1 ÄndG zur Verfassung v. 22.10.2024 (GVOBl. Schl.-H. S. 749)

– Auszug –[2)]

Abschnitt I. Land und Volk

Art. 5 Kandidatur. [1] Wer sich um einen Sitz in einer Volksvertretung bewirbt, hat Anspruch auf den zur Vorbereitung seiner Wahl erforderlichen Urlaub. [2] Niemand darf gehindert werden, das Abgeordnetenamt zu übernehmen und auszuüben. [3] Eine Kündigung oder Entlassung aus diesem Grunde ist unzulässig.[3)]

Art. 12 Schulwesen. (1) Es besteht allgemeine Schulpflicht.

(2) Für die Aufnahme in die weiterführenden Schulen sind außer dem Wunsch der Erziehungsberechtigten nur Begabung und Leistung maßgebend.

(3) Die öffentlichen Schulen fassen die Schülerinnen und Schüler ohne Unterschied des Bekenntnisses und der Weltanschauung zusammen.

(4) Die Erziehungsberechtigten entscheiden, ob ihre Kinder die Schule einer nationalen Minderheit besuchen sollen.

(5) [1] Schulen der nationalen dänischen Minderheit gewährleisten für deren Angehörige Schulunterricht im Rahmen der Gesetze. [2] Ihre Finanzierung durch das Land erfolgt in einer der Finanzierung der öffentlichen Schulen entsprechenden Höhe.

(6) Das Land schützt und fördert die Erteilung von Friesischunterricht und Niederdeutschunterricht in öffentlichen Schulen.

(7) Das Nähere regelt ein Gesetz.[4)]

[1)] Neubekanntmachung der Verfassung idF v. 13.5.2008 (GVOBl. Schl.-H. S. 223) in der ab 11.12. 2014 geltenden Fassung.

[2)] Vollständig wiedergegeben in **beck-online, Module Arbeitsrecht.**

[3)] Siehe hierzu §§ 2–5 Schleswig- Holsteinisches Abgeordnetengesetz **(beck-online, Module Arbeitsrecht Nr. 43)**.

[4)] Siehe das SchulG v. 24.1.2007 (GVOBl. Schl.-H. S. 39, 276), zuletzt geänd. durch G v. 19.7.2024 (GVOBl. Schl.-H. S. 669).

– Auszug –

2) [illegible]

3) Siehe [illegible] Schulgesetz [illegible]

4) [illegible] (GVOBl. Schl.-H. S. [illegible])

26. Verfassung des Freistaats Thüringen

Vom 25. Oktober 1993
(GVBl. S. 625)

BS Thür 100-1

zuletzt geänd. durch Art. 1 Fünftes G zur Änd. der Verfassung des Freistaats Thüringen v. 21.5.2024 (GVBl. S. 89)

– Auszug –[1)]

Erster Teil. Grundrechte, Staatsziele und Ordnung des Gemeinschaftslebens

Erster Abschnitt. Menschenwürde, Gleichheit und Freiheit

Art. 1 [Schutz der Menschenwürde] (1) [1]Die Würde des Menschen ist unantastbar. [2]Sie auch im Sterben zu achten und zu schützen, ist Verpflichtung aller staatlichen Gewalt.

(2) Thüringen bekennt sich zu den unverletzlichen und unveräußerlichen Menschenrechten als Grundlage jeder staatlichen Gemeinschaft, zum Frieden und zur Gerechtigkeit.

Art. 2[2)] [Gleichheit] (1) Alle Menschen sind vor dem Gesetz gleich.

(2) [1]Frauen und Männer sind gleichberechtigt. [2]Das Land, seine Gebietskörperschaften und andere Träger der öffentlichen Verwaltung sind verpflichtet, die tatsächliche Gleichstellung von Frauen und Männern in allen Bereichen des öffentlichen Lebens durch geeignete Maßnahmen zu fördern und zu sichern.

(3) Niemand darf wegen seiner Herkunft, seiner Abstammung, seiner ethnischen Zugehörigkeit, seines Alters, seiner sozialen Stellung, seiner Sprache, seiner politischen, weltanschaulichen oder religiösen Überzeugung, seines Geschlechts oder seiner sexuellen Orientierung bevorzugt oder benachteiligt werden.

(4) [1]Menschen mit Behinderung stehen unter dem besonderen Schutz des Freistaats. [2]Das Land und seine Gebietskörperschaften fördern ihre gleichwertige Teilnahme am Leben in der Gemeinschaft.

Art. 6 [Persönlichkeitsrecht; Datenschutz] (1) Jeder hat das Recht auf Achtung und Schutz seiner Persönlichkeit und seines privaten Lebensbereiches.

(2) [1]Jeder hat Anspruch auf Schutz seiner personenbezogenen Daten. [2]Er ist berechtigt, über die Preisgabe und Verwendung solcher Daten selbst zu bestimmen.

(3) [1]Diese Rechte dürfen nur auf Grund eines Gesetzes[3)] eingeschränkt werden. [2]Den Belangen historischer Forschung und geschichtlicher Aufarbeitung ist angemessen Rechnung zu tragen.

[1)] Vollständig wiedergegeben in **beck-online, Module Arbeitsrecht.**

[2)] Artikel 2 Abs. 3 neu gef. mWv 8.6.2024 durch G v. 21.5.2024 (GVBl. S. 89).

[3)] Siehe hierzu auch das Thüringer DatenschutzG **(beck-online, Module Arbeitsrecht Nr. 491p)**.

(4) Jeder hat nach Maßgabe der Gesetze ein Recht auf Auskunft darüber, welche Informationen über ihn in Akten und Dateien gespeichert sind und auf Einsicht in ihn betreffende Akten und Dateien.

Art. 11 [Meinungs- und Medienfreiheit] (1) Jeder hat das Recht, seine Meinung frei zu äußern und zu verbreiten sowie sich aus allgemein zugänglichen Quellen ungehindert zu unterrichten.

(2) [1]Die Freiheit der Presse, des Rundfunks, des Fernsehens, des Films und der anderen Medien wird gewährleistet. [2]Zensur ist nicht zulässig.

(3) Diese Rechte finden ihre Schranken in den Vorschriften der allgemeinen Gesetze, den gesetzlichen Bestimmungen zum Schutz der Kinder und Jugendlichen und in dem Recht der persönlichen Ehre.

Dritter Abschnitt. Bildung und Kultur

Art. 20[1)] [Recht auf Bildung] [1]Jeder Mensch hat das Recht auf Bildung. [2]Der freie und gleiche Zugang zu den öffentlichen Bildungseinrichtungen wird nach Maßgabe der Gesetze gewährleistet. [3]Begabte, Menschen mit Behinderungen und sozial Benachteiligte sind besonders zu fördern.

Fünfter Abschnitt. Eigentum, Wirtschaft und Arbeit

Art. 35 [Berufsfreiheit] (1) [1]Jeder Bürger hat das Recht, Beruf, Arbeitsplatz und Ausbildungsstätte frei zu wählen. [2]Die Berufswahl, die Berufsausübung sowie die Berufsausbildung können auf Grund eines Gesetzes geregelt werden.

(2) Niemand darf zu einer bestimmten Arbeit gezwungen werden, außer im Rahmen einer herkömmlichen allgemeinen, für alle gleichen öffentlichen Dienstleistungspflicht.

Art. 36 [Recht auf Arbeit] [1]Es ist ständige Aufgabe des Freistaats, jedem die Möglichkeit zu schaffen, seinen Lebensunterhalt durch frei gewählte und dauerhafte Arbeit zu verdienen. [2]Zur Verwirklichung dieses Staatsziels ergreifen das Land und seine Gebietskörperschaften insbesondere Maßnahmen der Wirtschafts- und Arbeitsförderung, der beruflichen Weiterbildung und der Umschulung.

Art. 37 [Koalitionsfreiheit und Streikrecht] (1) [1]Das Recht, zur Wahrung und Förderung der Arbeits- und Wirtschaftsbedingungen Vereinigungen zu bilden, ist für jeden und für alle Berufe gewährleistet. [2]Abreden, die dieses Recht einschränken oder zu behindern suchen, sind nichtig, hierauf gerichtete Maßnahmen sind rechtswidrig.

(2) Das Recht, Arbeitskämpfe zu führen, insbesondere das Streikrecht, ist gewährleistet.

(3) Die Beschäftigten und ihre Verbände haben nach Maßgabe der Gesetze das Recht auf Mitbestimmung in Angelegenheiten ihrer Betriebe, Unternehmen oder Dienststellen.

Art. 38 [Soziale und ökologische Marktwirtschaft] Die Ordnung des Wirtschaftslebens hat den Grundsätzen einer sozialen und der Ökologie verpflichteten Marktwirtschaft zu entsprechen.

[1)] Artikel 20 Satz 3 geänd. mWv 8.6.2024 durch G v. 21.5.2024 (GVBl. S. 89).

Achter Abschnitt.[1)] Gemeinsame Bestimmungen für alle Grundrechte und Staatsziele

Art. 42 [Geltung und Beschränkung der Grundrechte; Rechtsweggarantie] (1) Die in dieser Verfassung niedergelegten Grundrechte binden Gesetzgebung, vollziehende Gewalt und Rechtsprechung als unmittelbar geltendes Recht.

(2) Die Grundrechte gelten auch für inländische juristische Personen, soweit sie ihrem Wesen nach auf diese anwendbar sind.

(3) [1] Soweit nach dieser Verfassung ein Grundrecht auf Grund eines Gesetzes eingeschränkt werden kann, muß das Gesetz allgemein und nicht nur für den Einzelfall gelten. [2] Außerdem muß das Gesetz das Grundrecht unter Angabe des Artikels nennen.

(4) [1] Das Gesetz muß den Grundsatz der Verhältnismäßigkeit wahren. [2] In keinem Fall darf ein Grundrecht in seinem Wesensgehalt angetastet werden.

(5) [1] Wird jemand durch die öffentliche Gewalt in seinen Rechten verletzt, so steht ihm der Rechtsweg offen. [2] Soweit eine andere Zuständigkeit nicht begründet ist, ist der ordentliche Rechtsweg gegeben.

[1)] Bish. 7. Abschnitt wird 8. Abschnitt mWv 8.6.2024 durch G v. 21.5.2024 (GVBl. S. 89).

II.
Abgeordnetengesetze des Bundes und der Länder

vor 27

27. Übersicht über Abgeordnetengesetze des Bundes und der Länder[1)]

Die Abgeordnetengesetze enthalten – soweit nicht schon in den jeweiligen Verfassungen geregelt – Schutzvorschriften für Abgeordnete. Regelungen für Arbeitnehmer der Fraktionen finden sich zum Teil auch in besonderen Gesetzen, die in dieser Übersicht nicht wiedergegeben sind.

Bund

Gesetz über die Rechtsverhältnisse der Mitglieder des Deutschen Bundestages (Abgeordnetengesetz - AbgG) idF der Bek. vom 21. Februar 1996 (BGBl. I S. 326), zuletzt geänd. durch G v. 28.10.2025 (BGBl. 2025 I Nr. 258).

– Benachteiligungsverbot, Kündigungsschutz: § 2
– Wahlvorbereitungsurlaub: § 3
– Anrechnung von Berufs- und Betriebszeiten: § 4
– Regeln für Angehörige des öffentlichen Dienstes: §§ 5 bis 10
– Arbeitsrechtliche Regelungen für Mitarbeiter der Abgeordneten: § 12
– Rechtsstellung von Arbeitnehmern der Fraktionen: § 49

Europa

Gesetz über die Rechtsverhältnisse der Mitglieder des Europäischen Parlaments aus der Bundesrepublik Deutschland (Europaabgeordnetengesetz - EuAbgG) vom 6. April 1979 (BGBl. I S. 413), zuletzt geänd. durch G v. 11.7.2014 (BGBl. I S. 906).

– Benachteiligungsverbot, Kündigungsschutz: § 3
– Wahlvorbereitungsurlaub: § 4
– Anrechnung von Berufs- und Betriebszeiten: § 4
– Regeln für Angehörige des öffentlichen Dienstes: § 8

Baden-Württemberg

Gesetz über die Rechtsverhältnisse der Mitglieder des Landtags (Abgeordnetengesetz) vom 12. September 1978 (GBl. S. 473), zuletzt geänd. durch G v. 29.7. 2025 (GBl. Nr. 79).

– Benachteiligungsverbot, Kündigungsschutz: § 2
– Wahlvorbereitungsurlaub: § 3
– Anrechnung von Berufs- und Betriebszeiten: § 4
– Regeln für Angehörige des öffentlichen Dienstes: §§ 26 bis 37

Bayern

Gesetz über die Rechtsverhältnisse der Mitglieder des Bayerischen Landtags (Bayerisches Abgeordnetengesetz) vom 6. März 1996 (GVBl S. 82), zuletzt geänd. durch G v. 14.5.2024 (GVBl. S. 78).

– Benachteiligungsverbot, Kündigungsschutz: Art. 2

[1)] Die Übersicht ist nichtamtlich. Die Vorschriften sind vollständig wiedergegeben in **beck-online, Module Arbeitsrecht.**

– Anspruch auf Freistellung von der Arbeit: Art. 30 BayVerf[1]
– Wahlvorbereitungsurlaub: Art. 3, 28
– Anrechnung von Berufs- und Betriebszeiten: Art. 4
– Regeln für Angehörige des öffentlichen Dienstes: Art. 28 bis 36

Berlin

Gesetz über die Rechtsverhältnisse der Mitglieder des Abgeordnetenhauses von Berlin (Landesabgeordnetengesetz - LAbgG) vom 9. Oktober 2019 (GVBl. S. 674).

– Benachteiligungsverbot, Kündigungsschutz: § 2
– Wahlvorbereitungsurlaub: § 3
– Anrechnung von Berufs- und Betriebszeiten: § 4
– Rechtsstellung von Arbeitnehmern der Abgeordneten: § 7
– Regeln für Angehörige des öffentlichen Dienstes: §§ 27 bis 34b

Brandenburg

Gesetz über die Rechtsverhältnisse der Mitglieder des Landtages Brandenburg (Abgeordnetengesetz - AbgG) idF der Bek. vom 2. Dezember 2019 (GVBl. I Nr. 55), zuletzt geänd. durch G v. 24.7.2025 (GVBl. I Nr. 18).

– Benachteiligungsverbot, Kündigungsschutz: § 2
– Wahlvorbereitungsurlaub: § 3
– Anrechnung von Berufs- und Betriebszeiten: § 4
– Regeln für Angehörige des öffentlichen Dienstes: §§ 23, 24

Bremen

Gesetz über die Rechtsverhältnisse der Mitglieder der Bremischen Bürgerschaft (Bremisches Abgeordnetengesetz) vom 16. Oktober 1978 (Brem.GBl. S. 209), zuletzt geänd. durch G v. 24.6.2025 (Brem.GBl. S. 617).

– Benachteiligungsverbot, Kündigungsschutz: § 2
– Wahlvorbereitungsurlaub: §§ 3, 27
– Anrechnung von Berufs- und Betriebszeiten: § 4
– Regeln für Angehörige des öffentlichen Dienstes: §§ 27 bis 35

Hamburg

Hamburgisches Abgeordnetengesetz vom 21. Juni 1996 (HmbGVBl. S. 141), zuletzt geänd. durch G v. 23.5.2025 (HmbGVBl. S. 350).

– Benachteiligungsverbot, Kündigungsschutz: Art. 13 HbgVerf[2], § 8
– Anspruch auf Freistellung von der Arbeit, Teilzeit: Art. 13 HbgVerf, § 8
– Anrechnung von Berufs- und Betriebszeiten: § 8
– Regeln für Angehörige des öffentlichen Dienstes: Art. 13 HbgVerf, §§ 8, 18 bis 20

---

[1] Nr. 12.
[2] **beck-online, Module Arbeitsrecht Nr. 16.**

Hessen

Gesetz über die Rechtsverhältnisse der Abgeordneten des Hessischen Landtags (Hessisches Abgeordnetengesetz - HessAbgG) vom 18. Oktober 1989 (GVBl. I S. 261), zuletzt geänd. durch G v. 16.12.2025 (GVBl. Nr. 108).

– Benachteiligungsverbot, Kündigungsschutz: § 2
– Wahlvorbereitungsurlaub: §§ 3, 27
– Anrechnung von Berufs- und Betriebszeiten: § 4
– Regeln für Angehörige des öffentlichen Dienstes:[1] §§ 28 bis 37

Mecklenburg-Vorpommern

Gesetz über die Rechtsverhältnisse der Mitglieder des Landtags von Mecklenburg-Vorpommern – Abgeordnetengesetz – vom 20. Dezember 1990 (GVOBl. M-V 1991 S. 3, ber. 1994 S. 859), zuletzt geänd. durch G v. 17.1. 2022 (GVOBl. M-V S. 26).

– Benachteiligungsverbot, Kündigungsschutz: Art. 23 MVVerf[2], § 2
– Wahlvorbereitungsurlaub: Art. 23 MVVerf[2] [2], §§ 3, 33
– Anrechnung von Berufs- und Betriebszeiten: § 4
– Regeln für Angehörige des öffentlichen Dienstes: §§ 33 bis 41
– Rechtsstellung von Arbeitnehmern der Fraktionen: § 53

Niedersachsen

Gesetz über die Rechtsverhältnisse der Abgeordneten des Niedersächsischen Landtages (Niedersächsisches Abgeordnetengesetz) idF der Bek. vom 20. Juni 2000 (Nds. GVBl. S. 130), zuletzt geänd. durch G v. 11.9.2025 (Nds. GVBl. Nr. 67).

– Benachteiligungsverbot, Kündigungsschutz: Art. 13 NdsVerf[3], § 2
– Wahlvorbereitungsurlaub: Art. 13 NdsVerf, § 3
– Anrechnung von Berufs- und Betriebszeiten: § 4
– Regeln für Angehörige des öffentlichen Dienstes: §§ 5, 28, 29
– Rechtsstellung von Arbeitnehmern der Abgeordneten: § 7

Nordrhein-Westfalen

Abgeordnetengesetz des Landes Nordrhein-Westfalen - AbgG NRW vom 5. April 2005 (GV. NRW. S. 252), zuletzt geänd. durch G v. 18.12.2025 (GV. NRW. S. 1178).

– Benachteiligungsverbot, Kündigungsschutz: Art. 46 NRWVerf, § 2
– Wahlvorbereitungsurlaub: Art. 46 NRWVerf, § 3
– Anspruch auf Freistellung von der Arbeit: Art. 46 NRWVerf
– Anrechnung von Berufs- und Betriebszeiten: § 4
– Rechtsstellung von Arbeitnehmern der Abgeordneten: § 6
– Ausbildungsplätze bei Abgeordneten: § 6
– Regeln für Angehörige des öffentlichen Dienstes: §§ 21 bis 26

---

[1] Siehe hierzu auch das G über die Rechtsstellung der in den Hessischen Landtag gewählten Angehörigen des öffentlichen Dienstes in **beck-online, Module Arbeitsrecht Nr. 35a**.
[2] Nr. **18**.
[3] **beck-online, Module Arbeitsrecht Nr. 19**.

Rheinland-Pfalz

Landesgesetz über die Rechtsverhältnisse der Mitglieder des Landtags Rheinland-Pfalz (Abgeordnetengesetz Rheinland-Pfalz - AbgG RhPf -) vom 21. Juli 1978 (GVBl. S. 587), zuletzt geänd. durch G v. 9.7.2025 (GVBl. S. 302).

– Benachteiligungsverbot, Kündigungsschutz: Art. 86 RpfVerf[1], § 2
– Wahlvorbereitungsurlaub: Art. 86 RpfVerf, § 3
– Anrechnung von Berufs- und Betriebszeiten: § 4
– Rechtsstellung von Arbeitnehmern der Abgeordneten: § 6
– Regeln für Angehörige des öffentlichen Dienstes: §§ 29 bis 36

Saarland

Gesetz über die Rechtsverhältnisse der Mitglieder des Landtages des Saarlandes (Abgeordnetengesetz - AbgG SL) vom 4. Juli 1979 (Amtsbl. S. 656), zuletzt geänd. durch G v. 24.4.2024 (Amtsbl. I S. 392).

– Benachteiligungsverbot, Kündigungsschutz: § 2
– Wahlvorbereitungsurlaub: Art. 84 SaarVerf[2] [2], §§ 3, 30
– Anrechnung von Berufs- und Betriebszeiten: § 4
– Regeln für Angehörige des öffentlichen Dienstes: §§ 30 bis 37

Sachsen

Gesetz über die Rechtsverhältnisse der Mitglieder des Sächsischen Landtages (Abgeordnetengesetz) idF der Bek. vom 4. Juli 2000 (SächsGVBl. S. 326), zuletzt geänd. durch G v. 6.7.2023 (SächsGVBl. S. 467).

– Benachteiligungsverbot, Kündigungsschutz: Art. 42 SaVerf[3] [3], § 2
– Wahlvorbereitungsurlaub: Art. 42 SaVerf[3], § 3
– Anrechnung von Berufs- und Betriebszeiten: § 4
– Anspruch auf Freistellung von der Arbeit, Teilzeit: §§ 2, 37
– Rechtsstellung von Arbeitnehmern der Abgeordneten: § 6
– Regeln für Angehörige des öffentlichen Dienstes: §§ 28 bis 39

Sachsen-Anhalt

Gesetz über die Rechtsverhältnisse der Mitglieder des Landtages von Sachsen-Anhalt (Abgeordnetengesetz Sachsen-Anhalt - AbgG LSA) idF der Bek. vom 14. Juni 2002 (GVBl. LSA S. 270), zuletzt geänd. durch G v. 21.4.2023 (GVBl. LSA S. 208).

– Benachteiligungsverbot, Kündigungsschutz: Art. 56 LSAVerf[4], § 2
– Wahlvorbereitungsurlaub: Art. 56 LSAVerf[4], §§ 3, 33
– Anrechnung von Berufs- und Betriebszeiten: § 4
– Rechtsstellung von Arbeitnehmern der Abgeordneten: § 8
– Regeln für Angehörige des öffentlichen Dienstes: §§ 33 bis 41

---

[1] **beck-online, Module Arbeitsrecht Nr. 21.**
[2] *Nr.* **22.**
[3] Nr. **23.**
[4] Nr. **24.**

Schleswig-Holstein

Gesetz über die Rechtsverhältnisse der Mitglieder des Schleswig-Holsteinischen Landtages (Schleswig-Holsteinisches Abgeordnetengesetz – SH AbgG –) idF der Bek. vom 13. Februar 1991 (GVOBl. Schl.-H. S. 100, 1992 S. 225), zuletzt geänd. durch G v. 8.8.2022 (GVOBl. Schl.-H. S. 790).

– Benachteiligungsverbot, Kündigungsschutz: Art. 4 SHVerf[1], § 2

– Wahlvorbereitungsurlaub: Art. 4 SHVerf[1], §§ 3, 33

– Anrechnung von Berufs- und Betriebszeiten: § 4

– Rechtsstellung von Arbeitnehmern der Abgeordneten: § 9

– Regeln für Angehörige des öffentlichen Dienstes: §§ 33 bis 41

Thüringen

Gesetz über die Rechtsverhältnisse der Abgeordneten des Thüringer Landtags (Thüringer Abgeordnetengesetz – ThürAbgG –) idF der Bek. vom 9. März 1995 (GVBl. S. 121), zuletzt geänd. durch G v. 15.12.2025 (GVBl. S. 287).

– Benachteiligungsverbot, Kündigungsschutz: Art. 51 THVerf[2] [3], § 2

– Wahlvorbereitungsurlaub: Art. 51 THVerf[2], §§ 3, 31

– Anrechnung von Berufs- und Betriebszeiten: § 4

– Rechtsstellung von Arbeitnehmern der Abgeordneten: § 7

– Regeln für Angehörige des öffentlichen Dienstes: §§ 31 bis 41

– Rechtsstellung von Arbeitnehmern der Fraktionen: § 48

---

[1] **beck-online, Module Arbeitsrecht Nr. 25.**
[2] **beck-online, Module Arbeitsrecht Nr. 26.**
[3] Nr. **26**.

III.
Das Arbeitsverhältnis

50. Bürgerliches Gesetzbuch (BGB)[1)]

In der Fassung der Bekanntmachung vom 2. Januar 2002[2)]
(BGBl. I S. 42, 2909; 2003 I S. 738)

FNA 400-2

zuletzt geänd. durch Art. 1 G zur Umsetzung des Urteils des Bundesverfassungsgerichts zur Vaterschaftsanfechtung v. 29.3.2026 (BGBl. 2026 I Nr. 83)

– Auszug –[3)]

[1)] **Amtl. Anm.:** Dieses Gesetz dient der Umsetzung folgender Richtlinien:

1. Richtlinie 76/207/EWG ***[beck-online, Module Arbeitsrecht Nr. 897]*** des Rates vom 9. Februar 1976 zur Verwirklichung des Grundsatzes der Gleichbehandlung von Männern und Frauen hinsichtlich des Zugangs zur Beschäftigung, zur Berufsbildung und zum beruflichen Aufstieg sowie in Bezug auf die Arbeitsbedingungen (ABl. EG Nr. L 39 S. 40),
2. Richtlinie 77/187/EWG des Rates vom 14. Februar 1977 zur Angleichung der Rechtsvorschriften der Mitgliedstaaten über die Wahrung von Ansprüchen der Arbeitnehmer beim Übergang von Unternehmen, Betrieben oder Betriebsteilen (ABl. EG Nr. L 61 S. 26),
3. Richtlinie 85/577/EWG des Rates vom 20. Dezember 1985 betreffend den Verbraucherschutz im Falle von außerhalb von Geschäftsräumen geschlossenen Verträgen (ABl. EG Nr. L 372 S. 31),
4. Richtlinie 87/102/EWG des Rates zur Angleichung der Rechts- und Verwaltungsvorschriften der Mitgliedstaaten über den Verbraucherkredit (ABl. EG Nr. L 42 S. 48), zuletzt geändert durch die Richtlinie 98/7/EG des Europäischen Parlaments und des Rates vom 16. Februar 1998 zur Änderung der Richtlinie 87/102/EWG zur Angleichung der Rechts- und Verwaltungsvorschriften der Mitgliedstaaten über den Verbraucherkredit (ABl. EG Nr. L 101 S. 17),
5. Richtlinie 90/314/EWG des Europäischen Parlaments und des Rates vom 13. Juni 1990 über Pauschalreisen (ABl. EG Nr. L 158 S. 59),
6. Richtlinie 93/13/EWG des Rates vom 5. April 1993 über missbräuchliche Klauseln in Verbraucherverträgen (ABl. EG Nr. L 95 S. 29),
7. Richtlinie 94/47/EG des Europäischen Parlaments und des Rates vom 26. Oktober 1994 zum Schutz der Erwerber im Hinblick auf bestimmte Aspekte von Verträgen über den Erwerb von Teilzeitnutzungsrechten an Immobilien (ABl. EG Nr. L 280 S. 82),
8. der Richtlinie 97/5/EG des Europäischen Parlaments und des Rates vom 27. Januar 1997 über grenzüberschreitende Überweisungen (ABl. EG Nr. L 43 S. 25),
9. Richtlinie 97/7/EG des Europäischen Parlaments und des Rates vom 20. Mai 1997 über den Verbraucherschutz bei Vertragsabschlüssen im Fernabsatz (ABl. EG Nr. L 144 S. 19),
10. Artikel 3 bis 5 der Richtlinie 98/26/EG des Europäischen Parlaments und des Rates über die Wirksamkeit von Abrechnungen in Zahlungs- und Wertpapierliefer- und -abrechnungssystemen vom 19. Mai 1998 (ABl. EG Nr. L 166 S. 45),
11. Richtlinie 1999/44/EG des Europäischen Parlaments und des Rates vom 25. Mai 1999 zu bestimmten Aspekten des Verbrauchsgüterkaufs und der Garantien für Verbrauchsgüter (ABl. EG Nr. L 171 S. 12),
12. Artikel 10, 11 und 18 der Richtlinie 2000/31/EG des Europäischen Parlaments und des Rates vom 8. Juni 2000 über bestimmte rechtliche Aspekte der Dienste der Informationsgesellschaft, insbesondere des elektronischen Geschäftsverkehrs, im Binnenmarkt („Richtlinie über den elektronischen Geschäftsverkehr", ABl. EG Nr. L 178 S. 1),
13. Richtlinie 2000/35/EG des Europäischen Parlaments und des Rates vom 29. Juni 2000 zur Bekämpfung von Zahlungsverzug im Geschäftsverkehr (ABl. EG Nr. L 200 S. 35).

[2)] Neubekanntmachung des BGB v. 18.8.1896 (RGBl. S. 195) in der ab 1.1.2002 geltenden Fassung.

[3)] Vollständig wiedergegeben in **beck-online, Module Arbeitsrecht.**

Buch 1. Allgemeiner Teil

Abschnitt 1. Personen

Titel 1. Natürliche Personen, Verbraucher, Unternehmer

§ 1 Beginn der Rechtsfähigkeit. Die Rechtsfähigkeit des Menschen beginnt mit der Vollendung der Geburt.

§ 2 Eintritt der Volljährigkeit. Die Volljährigkeit tritt mit der Vollendung des 18. Lebensjahres ein.

§ 13[1] Verbraucher. Verbraucher ist jede natürliche Person, die ein Rechtsgeschäft zu Zwecken abschließt, die überwiegend weder ihrer gewerblichen noch ihrer selbständigen beruflichen Tätigkeit zugerechnet werden können.

§ 14[2] Unternehmer. (1) Unternehmer ist eine natürliche oder juristische Person oder eine rechtsfähige Personengesellschaft, die bei Abschluss eines Rechtsgeschäfts in Ausübung ihrer gewerblichen oder selbständigen beruflichen Tätigkeit handelt.

(2) Eine rechtsfähige Personengesellschaft ist eine Personengesellschaft, die mit der Fähigkeit ausgestattet ist, Rechte zu erwerben und Verbindlichkeiten einzugehen.

Titel 2. Juristische Personen

Untertitel 1. Vereine

Kapitel 1. Allgemeine Vorschriften

§ 31 Haftung des Vereins für Organe. Der Verein ist für den Schaden verantwortlich, den der Vorstand, ein Mitglied des Vorstands oder ein anderer verfassungsmäßig berufener Vertreter durch eine in Ausführung der ihm zustehenden Verrichtungen begangene, zum Schadensersatz verpflichtende Handlung einem Dritten zufügt.

§ 54[3] Vereine ohne Rechtspersönlichkeit. (1) [1] Für Vereine, deren Zweck nicht auf einen wirtschaftlichen Geschäftsbetrieb gerichtet ist und die nicht durch Eintragung in das Vereinsregister Rechtspersönlichkeit erlangt haben, sind die Vorschriften der §§ 24 bis 53 entsprechend anzuwenden. [2] Für Vereine, deren Zweck auf einen wirtschaftlichen Geschäftsbetrieb gerichtet ist und die nicht durch staatliche Verleihung Rechtspersönlichkeit erlangt haben, sind die Vorschriften über die Gesellschaft entsprechend anzuwenden.

(2) Aus einem Rechtsgeschäft, das im Namen eines Vereins ohne Rechtspersönlichkeit einem Dritten gegenüber vorgenommen wird, haftet der Handelnde persönlich; handeln mehrere, haften sie als Gesamtschuldner.

---

[1] § 13 neu gef. mWv 13.6.2014 durch G v. 20.9.2013 (BGBl. I S. 3642).

[2] **Amtl. Anm.:** Diese Vorschriften dienen der Umsetzung der eingangs zu den Nummern 3, 4, 6, 7, 9 und 11 genannten Richtlinien.

[3] § 54 neu gef. mWv 1.1.2024 durch G v. 10.8.2021 (BGBl. I S. 3436).

Abschnitt 3. Rechtsgeschäfte

Titel 1. Geschäftsfähigkeit

§ 104 Geschäftsunfähigkeit. Geschäftsunfähig ist:

1. wer nicht das siebente Lebensjahr vollendet hat,
2. wer sich in einem die freie Willensbestimmung ausschließenden Zustand krankhafter Störung der Geistestätigkeit befindet, sofern nicht der Zustand seiner Natur nach ein vorübergehender ist.

§ 105 Nichtigkeit der Willenserklärung. (1) Die Willenserklärung eines Geschäftsunfähigen ist nichtig.

(2) Nichtig ist auch eine Willenserklärung, die im Zustand der Bewusstlosigkeit oder vorübergehender Störung der Geistestätigkeit abgegeben wird.

§§ 105a *(hier nicht wiedergegeben)*

§ 106 Beschränkte Geschäftsfähigkeit Minderjähriger. Ein Minderjähriger, der das siebente Lebensjahr vollendet hat, ist nach Maßgabe der §§ 107 bis 113 in der Geschäftsfähigkeit beschränkt.

§ 107 Einwilligung des gesetzlichen Vertreters. Der Minderjährige bedarf zu einer Willenserklärung, durch die er nicht lediglich einen rechtlichen Vorteil erlangt, der Einwilligung seines gesetzlichen Vertreters.

§ 108 Vertragsschluss ohne Einwilligung. (1) Schließt der Minderjährige einen Vertrag ohne die erforderliche Einwilligung des gesetzlichen Vertreters, so hängt die Wirksamkeit des Vertrags von der Genehmigung des Vertreters ab.

(2) [1] Fordert der andere Teil den Vertreter zur Erklärung über die Genehmigung auf, so kann die Erklärung nur ihm gegenüber erfolgen; eine vor der Aufforderung dem Minderjährigen gegenüber erklärte Genehmigung oder Verweigerung der Genehmigung wird unwirksam. [2] Die Genehmigung kann nur bis zum Ablauf von zwei Wochen nach dem Empfang der Aufforderung erklärt werden; wird sie nicht erklärt, so gilt sie als verweigert.

(3) Ist der Minderjährige unbeschränkt geschäftsfähig geworden, so tritt seine Genehmigung an die Stelle der Genehmigung des Vertreters.

§ 109 Widerrufsrecht des anderen Teils. (1) [1] Bis zur Genehmigung des Vertrags ist der andere Teil zum Widerruf berechtigt. [2] Der Widerruf kann auch dem Minderjährigen gegenüber erklärt werden.

(2) Hat der andere Teil die Minderjährigkeit gekannt, so kann er nur widerrufen, wenn der Minderjährige der Wahrheit zuwider die Einwilligung des Vertreters behauptet hat; er kann auch in diesem Falle nicht widerrufen, wenn ihm das Fehlen der Einwilligung bei dem Abschluss des Vertrags bekannt war.

§ 110 Bewirken der Leistung mit eigenen Mitteln. Ein von dem Minderjährigen ohne Zustimmung des gesetzlichen Vertreters geschlossener Vertrag gilt als von Anfang an wirksam, wenn der Minderjährige die vertragsmäßige Leistung mit Mitteln bewirkt, die ihm zu diesem Zweck oder zu freier Verfügung von dem Vertreter oder mit dessen Zustimmung von einem Dritten überlassen worden sind.

§ 111 Einseitige Rechtsgeschäfte. [1] Ein einseitiges Rechtsgeschäft, das der Minderjährige ohne die erforderliche Einwilligung des gesetzlichen Vertreters vornimmt, ist unwirksam. [2] Nimmt der Minderjährige mit dieser Einwilligung ein solches Rechtsgeschäft einem anderen gegenüber vor, so ist das Rechtsgeschäft unwirksam, wenn der Minderjährige die Einwilligung nicht in schriftlicher Form vorlegt und der andere das Rechtsgeschäft aus diesem Grunde unverzüglich zurückweist. [3] Die Zurückweisung ist ausgeschlossen, wenn der Vertreter den anderen von der Einwilligung in Kenntnis gesetzt hatte.

§ 112[1)] Selbständiger Betrieb eines Erwerbsgeschäfts. (1) [1] Ermächtigt der gesetzliche Vertreter mit Genehmigung des Familiengerichts den Minderjährigen zum selbständigen Betrieb eines Erwerbsgeschäfts, so ist der Minderjährige für solche Rechtsgeschäfte unbeschränkt geschäftsfähig, welche der Geschäftsbetrieb mit sich bringt. [2] Ausgenommen sind Rechtsgeschäfte, zu denen der Vertreter der Genehmigung des Familiengerichts bedarf.

(2) Die Ermächtigung kann von dem Vertreter nur mit Genehmigung des Familiengerichts zurückgenommen werden.

§ 113[2)] Dienst- oder Arbeitsverhältnis. (1) [1] Ermächtigt der gesetzliche Vertreter den Minderjährigen, in Dienst oder in Arbeit zu treten, so ist der Minderjährige für solche Rechtsgeschäfte unbeschränkt geschäftsfähig, welche die Eingehung oder Aufhebung eines Dienst- oder Arbeitsverhältnisses der gestatteten Art oder die Erfüllung der sich aus einem solchen Verhältnis ergebenden Verpflichtungen betreffen. [2] Ausgenommen sind Verträge, zu denen der Vertreter der Genehmigung des Familiengerichts bedarf.

(2) Die Ermächtigung kann von dem Vertreter zurückgenommen oder eingeschränkt werden.

(3) [1] Ist der gesetzliche Vertreter ein Vormund, so kann die Ermächtigung, wenn sie von ihm verweigert wird, auf Antrag des Minderjährigen durch das Familiengericht ersetzt werden. [2] Das Familiengericht hat die Ermächtigung zu ersetzen, wenn sie im Interesse des Mündels liegt.

(4) Die für einen einzelnen Fall erteilte Ermächtigung gilt im Zweifel als allgemeine Ermächtigung zur Eingehung von Verhältnissen derselben Art.

Titel 2. Willenserklärung

§ 119 Anfechtbarkeit wegen Irrtums. (1) Wer bei der Abgabe einer Willenserklärung über deren Inhalt im Irrtum war oder eine Erklärung dieses Inhalts überhaupt nicht abgeben wollte, kann die Erklärung anfechten, wenn anzunehmen ist, dass er sie bei Kenntnis der Sachlage und bei verständiger Würdigung des Falles nicht abgegeben haben würde.

(2) Als Irrtum über den Inhalt der Erklärung gilt auch der Irrtum über solche Eigenschaften der Person oder der Sache, die im Verkehr als wesentlich angesehen werden.

§ 120 Anfechtbarkeit wegen falscher Übermittlung. Eine Willenserklärung, welche durch die zur Übermittlung verwendete Person oder Einrichtung

---

1) § 112 Abs. 1 Sätze 1 und 2, Abs. 2 geänd. mWv 1.9.2009 durch G v. 17.12.2008 (BGBl. I S. 2586).

2) § 113 Abs. 1 Satz 2, Abs. 3 Sätze 1 und 2 geänd. mWv 1.9.2009 durch G v. 17.12.2008 (BGBl. I S. 2586).

unrichtig übermittelt worden ist, kann unter der gleichen Voraussetzung angefochten werden wie nach § 119 eine irrtümlich abgegebene Willenserklärung.

§ 121 Anfechtungsfrist. (1) [1]Die Anfechtung muss in den Fällen der §§ 119, 120 ohne schuldhaftes Zögern (unverzüglich) erfolgen, nachdem der Anfechtungsberechtigte von dem Anfechtungsgrund Kenntnis erlangt hat. [2]Die einem Abwesenden gegenüber erfolgte Anfechtung gilt als rechtzeitig erfolgt, wenn die Anfechtungserklärung unverzüglich abgesendet worden ist.

(2) Die Anfechtung ist ausgeschlossen, wenn seit der Abgabe der Willenserklärung zehn Jahre verstrichen sind.

§ 122 Schadensersatzpflicht des Anfechtenden. (1) Ist eine Willenserklärung nach § 118 nichtig oder auf Grund der §§ 119, 120 angefochten, so hat der Erklärende, wenn die Erklärung einem anderen gegenüber abzugeben war, diesem, andernfalls jedem Dritten den Schaden zu ersetzen, den der andere oder der Dritte dadurch erleidet, dass er auf die Gültigkeit der Erklärung vertraut, jedoch nicht über den Betrag des Interesses hinaus, welches der andere oder der Dritte an der Gültigkeit der Erklärung hat.

(2) Die Schadensersatzpflicht tritt nicht ein, wenn der Beschädigte den Grund der Nichtigkeit oder der Anfechtbarkeit kannte oder infolge von Fahrlässigkeit nicht kannte (kennen musste).

§ 123 Anfechtbarkeit wegen Täuschung oder Drohung. (1) Wer zur Abgabe einer Willenserklärung durch arglistige Täuschung oder widerrechtlich durch Drohung bestimmt worden ist, kann die Erklärung anfechten.

(2) [1]Hat ein Dritter die Täuschung verübt, so ist eine Erklärung, die einem anderen gegenüber abzugeben war, nur dann anfechtbar, wenn dieser die Täuschung kannte oder kennen musste. [2]Soweit ein anderer als derjenige, welchem gegenüber die Erklärung abzugeben war, aus der Erklärung unmittelbar ein Recht erworben hat, ist die Erklärung ihm gegenüber anfechtbar, wenn er die Täuschung kannte oder kennen musste.

§ 124 Anfechtungsfrist. (1) Die Anfechtung einer nach § 123 anfechtbaren Willenserklärung kann nur binnen Jahresfrist erfolgen.

(2) [1]Die Frist beginnt im Falle der arglistigen Täuschung mit dem Zeitpunkt, in welchem der Anfechtungsberechtigte die Täuschung entdeckt, im Falle der Drohung mit dem Zeitpunkt, in welchem die Zwangslage aufhört. [2]Auf den Lauf der Frist finden die für die Verjährung geltenden Vorschriften der §§ 206, 210 und 211 entsprechende Anwendung.

(3) Die Anfechtung ist ausgeschlossen, wenn seit der Abgabe der Willenserklärung zehn Jahre verstrichen sind.

§ 125 Nichtigkeit wegen Formmangels. [1]Ein Rechtsgeschäft, welches der durch Gesetz vorgeschriebenen Form ermangelt, ist nichtig. [2]Der Mangel der durch Rechtsgeschäft bestimmten Form hat im Zweifel gleichfalls Nichtigkeit zur Folge.

§ 126[1] **Schriftform.** (1) Ist durch Gesetz schriftliche Form vorgeschrieben, so muss die Urkunde von dem Aussteller eigenhändig durch Namensunterschrift oder mittels notariell beglaubigten Handzeichens unterzeichnet werden.

(2) [1] Bei einem Vertrag muss die Unterzeichnung der Parteien auf derselben Urkunde erfolgen. [2] Werden über den Vertrag mehrere gleichlautende Urkunden aufgenommen, so genügt es, wenn jede Partei die für die andere Partei bestimmte Urkunde unterzeichnet.

(3) Die schriftliche Form kann durch die elektronische Form ersetzt werden, wenn sich nicht aus dem Gesetz ein anderes ergibt.

(4) Als Erklärung in schriftlicher Form gilt auch eine öffentlich beglaubigte Erklärung nach § 129 Absatz 1 Satz 1 Nummer 2 oder eine Erklärung nach § 129 Absatz 3.

(5) Die schriftliche Form wird durch die notarielle Beurkundung[2] ersetzt.

§ 126a[3] **Elektronische Form.** (1) Soll die gesetzlich vorgeschriebene schriftliche Form durch die elektronische Form ersetzt werden, so muss der Aussteller der Erklärung dieser seinen Namen hinzufügen und das elektronische Dokument mit seiner qualifizierten elektronischen Signatur versehen.

(2) Bei einem Vertrag müssen die Parteien jeweils ein gleichlautendes Dokument in der in Absatz 1 bezeichneten Weise elektronisch signieren.

§ 126b[4] **Textform.** [1] Ist durch Gesetz Textform vorgeschrieben, so muss eine lesbare Erklärung, in der die Person des Erklärenden genannt ist, auf einem dauerhaften Datenträger abgegeben werden. [2] Ein dauerhafter Datenträger ist jedes Medium, das

1. es dem Empfänger ermöglicht, eine auf dem Datenträger befindliche, an ihn persönlich gerichtete Erklärung so aufzubewahren oder zu speichern, dass sie ihm während eines für ihren Zweck angemessenen Zeitraums zugänglich ist, und
2. geeignet ist, die Erklärung unverändert wiederzugeben.

§ 127 Vereinbarte Form. (1) Die Vorschriften des § 126, des § 126a oder des § 126b gelten im Zweifel auch für die durch Rechtsgeschäft bestimmte Form.

(2) [1] Zur Wahrung der durch Rechtsgeschäft bestimmten schriftlichen Form genügt, soweit nicht ein anderer Wille anzunehmen ist, die telekommunikative Übermittlung und bei einem Vertrag der Briefwechsel. [2] Wird eine solche Form gewählt, so kann nachträglich eine dem § 126 entsprechende Beurkundung verlangt werden.

(3) [1] Zur Wahrung der durch Rechtsgeschäft bestimmten elektronischen Form genügt, soweit nicht ein anderer Wille anzunehmen ist, auch eine andere als die in § 126a bestimmte elektronische Signatur und bei einem Vertrag der Austausch von Angebots- und Annahmeerklärung, die jeweils mit einer elek-

---

[1] § 126 Abs. 4 eingef., bish. Abs. 4 wird Abs. 5 mWv 29.12.2025 durch G v. 10.12.2025 (BGBl. 2025 I Nr. 320).

[2] Beachte das Beurkundungsgesetz **(Habersack Nr. 23)**.

[3] *§ 126a Abs. 1 geänd.* mWv 29.7.2017 durch G v. 18.7.2017 (BGBl. I S. 2745); Abs. 1 geänd. mWv 1.8.2022 durch G v. 5.7.2021 (BGBl. I S. 3338).

[4] § 126b neu gef. mWv 13.6.2014 durch G v. 20.9.2013 (BGBl. I S. 3642).

tronischen Signatur versehen sind. ²Wird eine solche Form gewählt, so kann nachträglich eine dem § 126a entsprechende elektronische Signierung oder, wenn diese einer der Parteien nicht möglich ist, eine dem § 126 entsprechende Beurkundung verlangt werden.

§ 127a Gerichtlicher Vergleich. Die notarielle Beurkundung wird bei einem gerichtlichen Vergleich durch die Aufnahme der Erklärungen in ein nach den Vorschriften der Zivilprozessordnung[1] errichtetes Protokoll ersetzt.

§ 128 Notarielle Beurkundung. Ist durch Gesetz notarielle Beurkundung[2] eines Vertrags vorgeschrieben, so genügt es, wenn zunächst der Antrag und sodann die Annahme des Antrags von einem Notar beurkundet wird.

§ 129[3] Öffentliche Beglaubigung. (1) ¹Ist für eine Erklärung durch Gesetz öffentliche Beglaubigung vorgeschrieben, so muss die Erklärung

1. in schriftlicher Form abgefasst und die Unterschrift des Erklärenden von einem Notar beglaubigt werden oder
2. in elektronischer Form abgefasst und die qualifizierte elektronische Signatur des Erklärenden von einem Notar beglaubigt werden.

²In dem Gesetz kann vorgesehen werden, dass eine Erklärung nur nach Satz 1 Nummer 1 oder nach Satz 1 Nummer 2 öffentlich beglaubigt werden kann.

(2) Wurde eine Erklärung in schriftlicher Form von dem Erklärenden mittels notariell beglaubigten Handzeichens unterzeichnet, so erfüllt die Erklärung auch die Anforderungen nach Absatz 1 Satz 1 Nummer 1.

(3) Wurde eine Erklärung in einem elektronischen Dokument von dem Erklärenden mit einer notariell beglaubigten eigenhändigen elektronischen Namensunterschrift oder einem notariell beglaubigten eigenhändigen elektronischen Handzeichen versehen, so gilt sie als öffentlich beglaubigte Erklärung.

(4) Die öffentliche Beglaubigung wird durch die notarielle Beurkundung ersetzt.

§ 130[4] Wirksamwerden der Willenserklärung gegenüber Abwesenden. (1) ¹Eine Willenserklärung, die einem anderen gegenüber abzugeben ist, wird, wenn sie in dessen Abwesenheit abgegeben wird, in dem Zeitpunkt wirksam, in welchem sie ihm zugeht. ²Sie wird nicht wirksam, wenn dem anderen vorher oder gleichzeitig ein Widerruf zugeht.

(2) Eine Willenserklärung, die notariell beurkundet oder öffentlich beglaubigt wurde, wird auch wirksam, wenn dem Erklärungsempfänger eine öffentlich beglaubigte Abschrift der Urschrift zugeht.

(3) Auf die Wirksamkeit der Willenserklärung ist es ohne Einfluss, wenn der Erklärende nach der Abgabe stirbt oder geschäftsunfähig wird.

(4) Diese Vorschriften finden auch dann Anwendung, wenn die Willenserklärung einer Behörde gegenüber abzugeben ist.

---

[1] Auszugsweise abgedruckt unter Nr. **320**.

[2] Beachte das Beurkundungsgesetz **(Habersack Nr. 23)**.

[3] § 129 neu gef. mWv 1.8.2022 durch G v. 5.7.2021 (BGBl. I S. 3338); Abs. 3 eingef., bish. Abs. 3 wird Abs. 4 mWv 29.12.2025 durch G v. 10.12.2025 (BGBl. 2025 I Nr. 320).

[4] § 130 Abs. 2 eingef., bish. Abs. 2 und 3 werden Abs. 3 und 4 mWv 29.12.2025 durch G v. 10.12. 2025 (BGBl. 2025 I Nr. 320).

§ 131 Wirksamwerden gegenüber nicht voll Geschäftsfähigen.

(1) Wird die Willenserklärung einem Geschäftsunfähigen gegenüber abgegeben, so wird sie nicht wirksam, bevor sie dem gesetzlichen Vertreter zugeht.

(2) [1] Das Gleiche gilt, wenn die Willenserklärung einer in der Geschäftsfähigkeit beschränkten Person gegenüber abgegeben wird. [2] Bringt die Erklärung jedoch der in der Geschäftsfähigkeit beschränkten Person lediglich einen rechtlichen Vorteil oder hat der gesetzliche Vertreter seine Einwilligung erteilt, so wird die Erklärung in dem Zeitpunkt wirksam, in welchem sie ihr zugeht.

§ 132[1)] Ersatz des Zugehens durch Zustellung. (1) [1] Eine Willenserklärung gilt auch dann als zugegangen, wenn sie durch Vermittlung eines Gerichtsvollziehers zugestellt worden ist. [2] Die Zustellung erfolgt nach den Vorschriften der Zivilprozessordnung[2)].

(2) [1] Befindet sich der Erklärende über die Person desjenigen, welchem gegenüber die Erklärung abzugeben ist, in einer nicht auf Fahrlässigkeit beruhenden Unkenntnis oder ist der Aufenthalt dieser Person unbekannt, so kann die Zustellung nach den für die öffentliche Zustellung geltenden Vorschriften der Zivilprozessordnung[2)] erfolgen. [2] Zuständig für die Bewilligung ist im ersteren Falle das Amtsgericht, in dessen Bezirk der Erklärende

(Fortsetzung nächstes Blatt)

[1)] *§ 132 Abs. 2 Satz 1 geänd.* mWv 1.7.2002 durch G v. 25.6.2001 (BGBl. I S. 1206); diese Änderung wurde in der Neufassung (Stand 1.1.2002) nicht berücksichtigt.

[2)] Auszugsweise abgedruckt unter Nr. **320**.

seinen Wohnsitz oder in Ermangelung eines inländischen Wohnsitzes seinen Aufenthalt hat, im letzteren Falle das Amtsgericht, in dessen Bezirk die Person, welcher zuzustellen ist, den letzten Wohnsitz oder in Ermangelung eines inländischen Wohnsitzes den letzten Aufenthalt hatte.

§ 133 Auslegung einer Willenserklärung. Bei der Auslegung einer Willenserklärung ist der wirkliche Wille zu erforschen und nicht an dem buchstäblichen Sinne des Ausdrucks zu haften.

§ 134 Gesetzliches Verbot. Ein Rechtsgeschäft, das gegen ein gesetzliches Verbot verstößt, ist nichtig, wenn sich nicht aus dem Gesetz ein anderes ergibt.

§ 138 Sittenwidriges Rechtsgeschäft; Wucher. (1) Ein Rechtsgeschäft, das gegen die guten Sitten verstößt, ist nichtig.

(2) Nichtig ist insbesondere ein Rechtsgeschäft, durch das jemand unter Ausbeutung der Zwangslage, der Unerfahrenheit, des Mangels an Urteilsvermögen oder der erheblichen Willensschwäche eines anderen sich oder einem Dritten für eine Leistung Vermögensvorteile versprechen oder gewähren lässt, die in einem auffälligen Missverhältnis zu der Leistung stehen.

§ 139 Teilnichtigkeit. Ist ein Teil eines Rechtsgeschäfts nichtig, so ist das ganze Rechtsgeschäft nichtig, wenn nicht anzunehmen ist, dass es auch ohne den nichtigen Teil vorgenommen sein würde.

§ 140 Umdeutung. Entspricht ein nichtiges Rechtsgeschäft den Erfordernissen eines anderen Rechtsgeschäfts, so gilt das letztere, wenn anzunehmen ist, dass dessen Geltung bei Kenntnis der Nichtigkeit gewollt sein würde.

§ 141 Bestätigung des nichtigen Rechtsgeschäfts. (1) Wird ein nichtiges Rechtsgeschäft von demjenigen, welcher es vorgenommen hat, bestätigt, so ist die Bestätigung als erneute Vornahme zu beurteilen.

(2) Wird ein nichtiger Vertrag von den Parteien bestätigt, so sind diese im Zweifel verpflichtet, einander zu gewähren, was sie haben würden, wenn der Vertrag von Anfang an gültig gewesen wäre.

§ 142 Wirkung der Anfechtung. (1) Wird ein anfechtbares Rechtsgeschäft angefochten, so ist es als von Anfang an nichtig anzusehen.

(2) Wer die Anfechtbarkeit kannte oder kennen musste, wird, wenn die Anfechtung erfolgt, so behandelt, wie wenn er die Nichtigkeit des Rechtsgeschäfts gekannt hätte oder hätte kennen müssen.

§ 143 Anfechtungserklärung. (1) Die Anfechtung erfolgt durch Erklärung gegenüber dem Anfechtungsgegner.

(2) Anfechtungsgegner ist bei einem Vertrag der andere Teil, im Falle des § 123 Abs. 2 Satz 2 derjenige, welcher aus dem Vertrag unmittelbar ein Recht erworben hat.

(3) [1] Bei einem einseitigen Rechtsgeschäft, das einem anderen gegenüber vorzunehmen war, ist der andere der Anfechtungsgegner. [2] Das Gleiche gilt

bei einem Rechtsgeschäft, das einem anderen oder einer Behörde gegenüber vorzunehmen war, auch dann, wenn das Rechtsgeschäft der Behörde gegenüber vorgenommen worden ist.

(4) [1] Bei einem einseitigen Rechtsgeschäft anderer Art ist Anfechtungsgegner jeder, der auf Grund des Rechtsgeschäfts unmittelbar einen rechtlichen Vorteil erlangt hat. [2] Die Anfechtung kann jedoch, wenn die Willenserklärung einer Behörde gegenüber abzugeben war, durch Erklärung gegenüber der Behörde erfolgen; die Behörde soll die Anfechtung demjenigen mitteilen, welcher durch das Rechtsgeschäft unmittelbar betroffen worden ist.

§ 144 Bestätigung des anfechtbaren Rechtsgeschäfts. (1) Die Anfechtung ist ausgeschlossen, wenn das anfechtbare Rechtsgeschäft von dem Anfechtungsberechtigten bestätigt wird.

(2) Die Bestätigung bedarf nicht der für das Rechtsgeschäft bestimmten Form.

Titel 3. Vertrag

§ 145 Bindung an den Antrag. Wer einem anderen die Schließung eines Vertrags anträgt, ist an den Antrag gebunden, es sei denn, dass er die Gebundenheit ausgeschlossen hat.

§ 146 Erlöschen des Antrags. Der Antrag erlischt, wenn er dem Antragenden gegenüber abgelehnt oder wenn er nicht diesem gegenüber nach den §§ 147 bis 149 rechtzeitig angenommen wird.

§ 147 Annahmefrist. (1) [1] Der einem Anwesenden gemachte Antrag kann nur sofort angenommen werden. [2] Dies gilt auch von einem

(Fortsetzung nächste Seite)

mittels Fernsprechers oder einer sonstigen technischen Einrichtung von Person zu Person gemachten Antrag.

(2) Der einem Abwesenden gemachte Antrag kann nur bis zu dem Zeitpunkt angenommen werden, in welchem der Antragende den Eingang der Antwort unter regelmäßigen Umständen erwarten darf.

§ 148 Bestimmung einer Annahmefrist. Hat der Antragende für die Annahme des Antrags eine Frist bestimmt, so kann die Annahme nur innerhalb der Frist erfolgen.

§ 149 Verspätet zugegangene Annahmeerklärung. [1] Ist eine dem Antragenden verspätet zugegangene Annahmeerklärung dergestalt abgesendet worden, dass sie bei regelmäßiger Beförderung ihm rechtzeitig zugegangen sein würde, und musste der Antragende dies erkennen, so hat er die Verspätung dem Annehmenden unverzüglich nach dem Empfang der Erklärung anzuzeigen, sofern es nicht schon vorher geschehen ist. [2] Verzögert er die Absendung der Anzeige, so gilt die Annahme als nicht verspätet.

§ 150 Verspätete und abändernde Annahme. (1) Die verspätete Annahme eines Antrags gilt als neuer Antrag.

(2) Eine Annahme unter Erweiterungen, Einschränkungen oder sonstigen Änderungen gilt als Ablehnung verbunden mit einem neuen Antrag.

§ 151 Annahme ohne Erklärung gegenüber dem Antragenden. [1] Der Vertrag kommt durch die Annahme des Antrags zustande, ohne dass die Annahme dem Antragenden gegenüber erklärt zu werden braucht, wenn eine solche Erklärung nach der Verkehrssitte nicht zu erwarten ist oder der Antragende auf sie verzichtet hat. [2] Der Zeitpunkt, in welchem der Antrag erlischt, bestimmt sich nach dem aus dem Antrag oder den Umständen zu entnehmenden Willen des Antragenden.

§ 152 Annahme bei notarieller Beurkundung. [1] Wird ein Vertrag notariell beurkundet, ohne dass beide Teile gleichzeitig anwesend sind, so kommt der Vertrag mit der nach § 128 erfolgten Beurkundung der Annahme zustande, wenn nicht ein anderes bestimmt ist. [2] Die Vorschrift des § 151 Satz 2 findet Anwendung.

§ 153 Tod oder Geschäftsunfähigkeit des Antragenden. Das Zustandekommen des Vertrags wird nicht dadurch gehindert, dass der Antragende vor der Annahme stirbt oder geschäftsunfähig wird, es sei denn, dass ein anderer Wille des Antragenden anzunehmen ist.

§ 154 Offener Einigungsmangel; fehlende Beurkundung.

(1) [1]Solange nicht die Parteien sich über alle Punkte eines Vertrags geeinigt haben, über die nach der Erklärung auch nur einer Partei eine Vereinbarung getroffen werden soll, ist im Zweifel der Vertrag nicht geschlossen. [2]Die Verständigung über einzelne Punkte ist auch dann nicht bindend, wenn eine Aufzeichnung stattgefunden hat.

(2) Ist eine Beurkundung des beabsichtigten Vertrags verabredet worden, so ist im Zweifel der Vertrag nicht geschlossen, bis die Beurkundung erfolgt ist.

§ 155 Versteckter Einigungsmangel. Haben sich die Parteien bei einem Vertrag, den sie als geschlossen ansehen, über einen Punkt, über den eine Vereinbarung getroffen werden sollte, in Wirklichkeit nicht geeinigt, so gilt das Vereinbarte, sofern anzunehmen ist, dass der Vertrag auch ohne eine Bestimmung über diesen Punkt geschlossen sein würde.

§ 156 Vertragsschluss bei Versteigerung. [1]Bei einer Versteigerung kommt der Vertrag erst durch den Zuschlag zustande. [2]Ein Gebot erlischt, wenn ein Übergebot abgegeben oder die Versteigerung ohne Erteilung des Zuschlags geschlossen wird.

§ 157 Auslegung von Verträgen. Verträge sind so auszulegen, wie Treu und Glauben mit Rücksicht auf die Verkehrssitte es erfordern.

Titel 4. Bedingung und Zeitbestimmung

§ 158 Aufschiebende und auflösende Bedingung. (1) Wird ein Rechtsgeschäft unter einer aufschiebenden Bedingung vorgenommen, so tritt die von der Bedingung abhängig gemachte Wirkung mit dem Eintritt der Bedingung ein.

(2) Wird ein Rechtsgeschäft unter einer auflösenden Bedingung vorgenommen, so endigt mit dem Eintritt der Bedingung die Wirkung des Rechtsgeschäfts; mit diesem Zeitpunkt tritt der frühere Rechtszustand wieder ein.

§ 159 Rückbeziehung. Sollen nach dem Inhalt des Rechtsgeschäfts die an den Eintritt der Bedingung geknüpften Folgen auf einen früheren Zeitpunkt zurückbezogen werden, so sind im Falle des Eintritts der Bedingung die Beteiligten verpflichtet, einander zu gewähren, was sie *haben würden, wenn* die Folgen in dem früheren Zeitpunkt eingetreten wären.

§ 160 Haftung während der Schwebezeit. (1) Wer unter einer aufschiebenden Bedingung berechtigt ist, kann im Falle des Eintritts der Bedingung Schadensersatz von dem anderen Teil verlangen, wenn dieser während der Schwebezeit das von der Bedingung abhängige Recht durch sein Verschulden vereitelt oder beeinträchtigt.

(2) Den gleichen Anspruch hat unter denselben Voraussetzungen bei einem unter einer auflösenden Bedingung vorgenommenen Rechtsgeschäft derjenige, zu dessen Gunsten der frühere Rechtszustand wieder eintritt.

§ 161 Unwirksamkeit von Verfügungen während der Schwebezeit. (1) [1] Hat jemand unter einer aufschiebenden Bedingung über einen Gegenstand verfügt, so ist jede weitere Verfügung, die er während der Schwebezeit über den Gegenstand trifft, im Falle des Eintritts der Bedingung insoweit unwirksam, als sie die von der Bedingung abhängige Wirkung vereiteln oder beeinträchtigen würde. [2] Einer solchen Verfügung steht eine Verfügung gleich, die während der Schwebezeit im Wege der Zwangsvollstreckung oder der Arrestvollziehung oder durch den Insolvenzverwalter erfolgt.

(2) Dasselbe gilt bei einer auflösenden Bedingung von den Verfügungen desjenigen, dessen Recht mit dem Eintritt der Bedingung endigt.

(3) Die Vorschriften zugunsten derjenigen, welche Rechte von einem Nichtberechtigten herleiten, finden entsprechende Anwendung.

§ 162 Verhinderung oder Herbeiführung des Bedingungseintritts. (1) Wird der Eintritt der Bedingung von der Partei, zu deren Nachteil er gereichen würde, wider Treu und Glauben verhindert, so gilt die Bedingung als eingetreten.

(2) Wird der Eintritt der Bedingung von der Partei, zu deren Vorteil er gereicht, wider Treu und Glauben herbeigeführt, so gilt der Eintritt als nicht erfolgt.

§ 163 Zeitbestimmung. Ist für die Wirkung eines Rechtsgeschäfts bei dessen Vornahme ein Anfangs- oder ein Endtermin bestimmt worden, so finden im ersteren Falle die für die aufschiebende, im letzteren Falle die für die auflösende Bedingung geltenden Vorschriften der §§ 158, 160, 161 entsprechende Anwendung.

Titel 5. Vertretung und Vollmacht

§ 164 Wirkung der Erklärung des Vertreters. (1) [1] Eine Willenserklärung, die jemand innerhalb der ihm zustehenden Vertretungsmacht im Namen des Vertretenen abgibt, wirkt unmittelbar für und gegen den Vertretenen. 2 Es macht keinen Unterschied, ob die Erklärung ausdrücklich im Namen des Vertretenen erfolgt oder ob die Umstände ergeben, dass sie in dessen Namen erfolgen soll.

(2) Tritt der Wille, in fremdem Namen zu handeln, nicht erkennbar hervor, so kommt der Mangel des Willens, im eigenen Namen zu handeln, nicht in Betracht.

(3) Die Vorschriften des Absatzes 1 finden entsprechende Anwendung, wenn eine gegenüber einem anderen abzugebende Willenserklärung dessen Vertreter gegenüber erfolgt.

§ 165 Beschränkt geschäftsfähiger Vertreter. Die Wirksamkeit einer von oder gegenüber einem Vertreter abgegebenen Willenserklärung wird nicht dadurch beeinträchtigt, dass der Vertreter in der Geschäftsfähigkeit beschränkt ist.

§ 166 Willensmängel; Wissenszurechnung. (1) Soweit die rechtlichen Folgen einer Willenserklärung durch Willensmängel oder durch die Kenntnis oder das Kennenmüssen gewisser Umstände beeinflusst werden, kommt nicht die Person des Vertretenen, sondern die des Vertreters in Betracht.

(2) 1 Hat im Falle einer durch Rechtsgeschäft erteilten Vertretungsmacht (Vollmacht) der Vertreter nach bestimmten Weisungen des Vollmachtgebers gehandelt, so kann sich dieser in Ansehung solcher Umstände, die er selbst kannte, nicht auf die Unkenntnis des Vertreters berufen. 2 Dasselbe gilt von Umständen, die der Vollmachtgeber kennen musste, sofern das Kennenmüssen der Kenntnis gleichsteht.

§ 167 Erteilung der Vollmacht. (1) Die Erteilung der Vollmacht erfolgt durch Erklärung gegenüber dem zu Bevollmächtigenden oder dem Dritten, dem gegenüber die Vertretung stattfinden soll.

(2) Die Erklärung bedarf nicht der Form, welche für das Rechtsgeschäft bestimmt ist, auf das sich die Vollmacht bezieht.

§ 168 Erlöschen der Vollmacht. 1 Das Erlöschen der Vollmacht bestimmt sich nach dem ihrer Erteilung zugrunde liegenden Rechtsverhältnis. 2 Die Vollmacht ist auch bei dem Fortbestehen des Rechtsverhältnisses widerruflich, sofern sich nicht aus diesem ein anderes ergibt. 3 Auf die Erklärung des Widerrufs findet die Vorschrift des § 167 Abs. 1 entsprechende Anwendung.

§ 169 Vollmacht des Beauftragten und des geschäftsführenden Gesellschafters. Soweit nach den §§ 674, 729 die erloschene Vollmacht eines Beauftragten oder eines geschäftsführenden Gesellschafters als fortbestehend gilt, wirkt sie nicht zugunsten eines Dritten, der bei der Vornahme eines Rechtsgeschäfts das Erlöschen kennt oder kennen muss.

§ 170 Wirkungsdauer der Vollmacht. Wird die Vollmacht durch Erklärung gegenüber einem Dritten erteilt, so bleibt sie diesem gegenüber in Kraft, bis ihm das Erlöschen von dem Vollmachtgeber angezeigt wird.

§ 171 Wirkungsdauer bei Kundgebung. (1) Hat jemand durch besondere Mitteilung an einen Dritten oder durch öffentliche Bekanntmachung kundgegeben, dass er einen anderen bevollmächtigt habe, so ist dieser auf Grund der Kundgebung im ersteren Falle dem Dritten gegenüber, im letzteren Falle jedem Dritten gegenüber zur Vertretung befugt.

(2) Die Vertretungsmacht bleibt bestehen, bis die Kundgebung in derselben Weise, wie sie erfolgt ist, widerrufen wird.

§ 172 Vollmachtsurkunde. (1) Der besonderen Mitteilung einer Bevollmächtigung durch den Vollmachtgeber steht es gleich, wenn dieser dem Vertreter eine Vollmachtsurkunde ausgehändigt hat und der Vertreter sie dem Dritten vorlegt.

(2) Die Vertretungsmacht bleibt bestehen, bis die Vollmachtsurkunde dem Vollmachtgeber zurückgegeben oder für kraftlos erklärt wird.

§ 173 Wirkungsdauer bei Kenntnis und fahrlässiger Unkenntnis. Die Vorschriften des § 170, des § 171 Abs. 2 und des § 172 Abs. 2 finden keine Anwendung, wenn der Dritte das Erlöschen der Vertretungsmacht bei der Vornahme des Rechtsgeschäfts kennt oder kennen muss.

§ 174 Einseitiges Rechtsgeschäft eines Bevollmächtigten. [1] Ein einseitiges Rechtsgeschäft, das ein Bevollmächtigter einem anderen gegenüber vornimmt, ist unwirksam, wenn der Bevollmächtigte eine Vollmachtsurkunde nicht vorlegt und der andere das Rechtsgeschäft aus diesem Grunde unverzüglich zurückweist. [2] Die Zurückweisung ist ausgeschlossen, wenn der Vollmachtgeber den anderen von der Bevollmächtigung in Kenntnis gesetzt hatte.

§ 175 Rückgabe der Vollmachtsurkunde. Nach dem Erlöschen der Vollmacht hat der Bevollmächtigte die Vollmachtsurkunde dem Vollmachtgeber zurückzugeben; ein Zurückbehaltungsrecht steht ihm nicht zu.

§ 176 Kraftloserklärung der Vollmachtsurkunde. (1) [1]Der Vollmachtgeber kann die Vollmachtsurkunde durch eine öffentliche Bekanntmachung für kraftlos erklären; die Kraftloserklärung muss nach den für die öffentliche Zustellung einer Ladung geltenden Vorschriften der Zivilprozessordnung veröffentlicht werden. [2]Mit dem Ablauf eines Monats nach der letzten Einrückung in die öffentlichen Blätter wird die Kraftloserklärung wirksam.

(2) Zuständig für die Bewilligung der Veröffentlichung ist sowohl das Amtsgericht, in dessen Bezirk der Vollmachtgeber seinen allgemeinen Gerichtsstand hat, als das Amtsgericht, welches für die Klage auf Rückgabe der Urkunde, abgesehen von dem Wert des Streitgegenstands, zuständig sein würde.

(3) Die Kraftloserklärung ist unwirksam, wenn der Vollmachtgeber die Vollmacht nicht widerrufen kann.

§ 177 Vertragsschluss durch Vertreter ohne Vertretungsmacht. (1) Schließt jemand ohne Vertretungsmacht im Namen eines anderen einen Vertrag, so hängt die Wirksamkeit des Vertrags für und gegen den Vertretenen von dessen Genehmigung ab.

(2) [1]Fordert der andere Teil den Vertretenen zur Erklärung über die Genehmigung auf, so kann die Erklärung nur ihm gegenüber erfolgen; eine vor der Aufforderung dem Vertreter gegenüber erklärte Genehmigung oder Verweigerung der Genehmigung wird unwirksam. [2]Die Genehmigung kann nur bis zum Ablauf von zwei Wochen nach dem Empfang der Aufforderung erklärt werden; wird sie nicht erklärt, so gilt sie als verweigert.

§ 178 Widerrufsrecht des anderen Teils. [1]Bis zur Genehmigung des Vertrags ist der andere Teil zum Widerruf berechtigt, es sei denn, dass er den Mangel der Vertretungsmacht bei dem Abschluss des Vertrags gekannt hat. [2]Der Widerruf kann auch dem Vertreter gegenüber erklärt werden.

§ 179 Haftung des Vertreters ohne Vertretungsmacht. (1) Wer als Vertreter einen Vertrag geschlossen hat, ist, sofern er nicht seine Vertretungsmacht nachweist, dem anderen Teil nach dessen Wahl zur Erfüllung oder zum Schadensersatz verpflichtet, wenn der Vertretene die Genehmigung des Vertrags verweigert.

(2) Hat der Vertreter den Mangel der Vertretungsmacht nicht gekannt, so ist er nur zum Ersatz desjenigen Schadens verpflichtet, welchen der andere Teil dadurch erleidet, dass er auf die Vertretungsmacht *vertraut, jedoch nicht* über den Betrag des Interesses hinaus, welches der andere Teil an der Wirksamkeit des Vertrags hat.

(3) [1]Der Vertreter haftet nicht, wenn der andere Teil den Mangel der Vertretungsmacht kannte oder kennen musste. [2]Der Vertreter haftet auch dann nicht, wenn er in der Geschäftsfähigkeit beschränkt war, es sei denn, dass er mit Zustimmung seines gesetzlichen Vertreters gehandelt hat.

§ 180 Einseitiges Rechtsgeschäft. [1]Bei einem einseitigen Rechtsgeschäft ist Vertretung ohne Vertretungsmacht unzulässig. [2]Hat jedoch derjenige, welchem gegenüber ein solches Rechtsgeschäft vorzunehmen war, die von dem Vertreter behauptete Vertretungsmacht bei der Vornahme des Rechtsgeschäfts nicht beanstandet oder ist er damit einverstanden gewesen, dass der Vertreter ohne Vertretungsmacht handele, so finden die Vorschriften über Verträge entsprechende Anwendung. [3]Das Gleiche gilt, wenn ein einseitiges Rechtsgeschäft gegenüber einem Vertreter ohne Vertretungsmacht mit dessen Einverständnis vorgenommen wird.

§ 181 Insichgeschäft. Ein Vertreter kann, soweit nicht ein anderes ihm gestattet ist, im Namen des Vertretenen mit sich im eigenen Namen oder als Vertreter eines Dritten ein Rechtsgeschäft nicht vornehmen, es sei denn, dass das Rechtsgeschäft ausschließlich in der Erfüllung einer Verbindlichkeit besteht.

Titel 6. Einwilligung und Genehmigung

Abschnitt 4. Fristen, Termine

§ 186 Geltungsbereich. Für die in Gesetzen, gerichtlichen Verfügungen und Rechtsgeschäften enthaltenen Frist- und Terminsbestimmungen gelten die Auslegungsvorschriften der §§ 187 bis 193.

§ 187 Fristbeginn. (1) Ist für den Anfang einer Frist ein Ereignis oder ein in den Lauf eines Tages fallender Zeitpunkt maßgebend, so wird bei der Berechnung der Frist der Tag nicht mitgerechnet, in welchen das Ereignis oder der Zeitpunkt fällt.

(2) [1]Ist der Beginn eines Tages der für den Anfang einer Frist maßgebende Zeitpunkt, so wird dieser Tag bei der Berechnung der Frist mitgerechnet. [2]Das Gleiche gilt von dem Tage der Geburt bei der Berechnung des Lebensalters.

§ 188 Fristende. (1) Eine nach Tagen bestimmte Frist endigt mit dem Ablauf des letzten Tages der Frist.

(2) Eine Frist, die nach Wochen, nach Monaten oder nach einem mehrere Monate umfassenden Zeitraum – Jahr, halbes Jahr, Vierteljahr – bestimmt ist, endigt im Falle des § 187 Abs. 1 mit dem Ablauf desjenigen Tages der letzten Woche oder des letzten Monats, welcher durch seine Benennung oder seine Zahl dem Tage entspricht, in den das Ereignis oder der Zeitpunkt fällt, im Falle des § 187 Abs. 2 mit dem Ablauf desjenigen Tages der letzten Woche oder des letzten Monats, welcher dem Tage vorhergeht, der durch seine Benennung oder seine Zahl dem Anfangstag der Frist entspricht.

(3) Fehlt bei einer nach Monaten bestimmten Frist in dem letzten Monat der für ihren Ablauf maßgebende Tag, so endigt die Frist mit dem Ablauf des letzten Tages dieses Monats.

§ 189 Berechnung einzelner Fristen. (1) Unter einem halben Jahr wird eine Frist von sechs Monaten, unter einem Vierteljahr eine Frist von drei Monaten, unter einem halben Monat eine Frist von 15 Tagen verstanden.

(2) Ist eine Frist auf einen oder mehrere ganze Monate und einen halben Monat gestellt, so sind die 15 Tage zuletzt zu zählen.

§ 190 Fristverlängerung. Im Falle der Verlängerung einer Frist wird die neue Frist von dem Ablauf der vorigen Frist an berechnet.

§ 191 Berechnung von Zeiträumen. Ist ein Zeitraum nach Monaten oder nach Jahren in dem Sinne bestimmt, dass er nicht zusammenhängend zu verlaufen braucht, so wird der Monat zu 30, das Jahr zu 365 Tagen gerechnet.

§ 192 Anfang, Mitte, Ende des Monats. Unter Anfang des Monats wird der erste, unter Mitte des Monats der 15., unter Ende des Monats der letzte Tag des Monats verstanden.

§ 193 Sonn- und Feiertag; Sonnabend. Ist an einem bestimmten Tage oder innerhalb einer Frist eine Willenserklärung abzugeben oder eine Leistung zu bewirken und fällt der bestimmte Tag oder der letzte Tag der Frist auf einen Sonntag, einen am Erklärungs- oder Leistungsort staatlich anerkannten allgemeinen Feiertag oder einen Sonnabend, so tritt an die Stelle eines solchen Tages der nächste Werktag.

Abschnitt 5. Verjährung

Titel 1. Gegenstand und Dauer der Verjährung

§ 194[1] Gegenstand der Verjährung. (1) Das Recht, von einem anderen ein Tun oder Unterlassen zu verlangen (Anspruch), unterliegt der Verjährung.

(2) Der Verjährung unterliegen nicht

1. Ansprüche, die aus einem nicht verjährbaren Verbrechen erwachsen sind,
2. Ansprüche aus einem familienrechtlichen Verhältnis, soweit sie auf die Herstellung des dem Verhältnis entsprechenden Zustands für die Zukunft oder auf die Einwilligung in die genetische Untersuchung zur Klärung der leiblichen Abstammung gerichtet sind.

§ 195 Regelmäßige Verjährungsfrist. Die regelmäßige Verjährungsfrist beträgt drei Jahre.

§ 196 Verjährungsfrist bei Rechten an einem Grundstück. Ansprüche auf Übertragung des Eigentums an einem Grundstück sowie auf Begründung, Übertragung oder Aufhebung eines Rechts an einem Grundstück oder auf Änderung des Inhalts eines solchen Rechts sowie die Ansprüche auf die Gegenleistung verjähren in zehn Jahren.

---

[1] § 194 Abs. 2 geänd. mWv 1.4.2008 durch G v. 26.3.2008 (BGBl. I S. 441); Abs. 2 neu gef. mWv 30.12.2021 durch G v. 21.12.2021 (BGBl. I S. 5252).

§ 197[1)] Dreißigjährige Verjährungsfrist. (1) In 30 Jahren verjähren, soweit nicht ein anderes bestimmt ist,

1. Schadensersatzansprüche, die auf der vorsätzlichen Verletzung des Lebens, des Körpers, der Gesundheit, der Freiheit oder der sexuellen Selbstbestimmung beruhen,
2. Herausgabeansprüche aus Eigentum, anderen dinglichen Rechten, den §§ 2018, 2130 und 2362 sowie die Ansprüche, die der Geltendmachung der Herausgabeansprüche dienen,
3. rechtskräftig festgestellte Ansprüche,
4. Ansprüche aus vollstreckbaren Vergleichen oder vollstreckbaren Urkunden,
5. Ansprüche, die durch die im Insolvenzverfahren erfolgte Feststellung vollstreckbar geworden sind, und
6. Ansprüche auf Erstattung der Kosten der Zwangsvollstreckung.

(2) Soweit Ansprüche nach Absatz 1 Nr. 3 bis 5 künftig fällig werdende regelmäßig wiederkehrende Leistungen zum Inhalt haben, tritt an die Stelle der Verjährungsfrist von 30 Jahren die regelmäßige Verjährungsfrist.

§ 198 Verjährung bei Rechtsnachfolge. Gelangt eine Sache, hinsichtlich derer ein dinglicher Anspruch besteht, durch Rechtsnachfolge in den Besitz eines Dritten, so kommt die während des Besitzes des Rechtsvorgängers verstrichene Verjährungszeit dem Rechtsnachfolger zugute.

§ 199[2)] Beginn der regelmäßigen Verjährungsfrist und Verjährungshöchstfristen. (1) Die regelmäßige Verjährungsfrist beginnt, soweit nicht ein anderer Verjährungsbeginn bestimmt ist, mit dem Schluss des Jahres, in dem

1. der Anspruch entstanden ist und
2. der Gläubiger von den den Anspruch begründenden Umständen und der Person des Schuldners Kenntnis erlangt oder ohne grobe Fahrlässigkeit erlangen müsste.

(2) Schadensersatzansprüche, die auf der Verletzung des Lebens, des Körpers, der Gesundheit oder der Freiheit beruhen, verjähren ohne Rücksicht auf ihre Entstehung und die Kenntnis oder grob fahrlässige Unkenntnis in 30 Jahren von der Begehung der Handlung, der Pflichtverletzung oder dem sonstigen, den Schaden auslösenden Ereignis an.

(3) [1] Sonstige Schadensersatzansprüche verjähren

1. ohne Rücksicht auf die Kenntnis oder grob fahrlässige Unkenntnis in zehn Jahren von ihrer Entstehung an und
2. ohne Rücksicht auf ihre Entstehung und die Kenntnis oder grob fahrlässige Unkenntnis in 30 Jahren von der Begehung der Handlung, der Pflichtverletzung oder dem sonstigen, den Schaden auslösenden Ereignis an.

[2] Maßgeblich ist die früher endende Frist.

[1)] § 197 Abs. 1 Nr. 4 und 5 geänd., Nr. 6 angef. mWv 15.12.2004 durch G v. 9.12.2004 (BGBl. I S. 3214); Abs. 1 Nr. 1 neu gef., Nr. 2 aufgeh., Abs. 2 geänd. mWv 1.1.2010 durch G v. 24.9.2009 (BGBl. I S. 3142); Abs. 1 Nr. 1 eingef., bish. Nr. 1 wird Nr. 2 mWv 30.6.2013 durch G v. 26.6.2013 (BGBl. I S. 1805).

[2)] § 199 Überschrift und Abs. 1 einl. Satzteil geänd., Abs. 3a eingef., Abs. 4 neu gef. mWv 1.1.2010 durch G v. 24.9.2009 (BGBl. I S. 3142).

(3a) Ansprüche, die auf einem Erbfall beruhen oder deren Geltendmachung die Kenntnis einer Verfügung von Todes wegen voraussetzt, verjähren ohne Rücksicht auf die Kenntnis oder grob fahrlässige Unkenntnis in 30 Jahren von der Entstehung des Anspruchs an.

(4) Andere Ansprüche als die nach den Absätzen 2 bis 3a verjähren ohne Rücksicht auf die Kenntnis oder grob fahrlässige Unkenntnis in zehn Jahren von ihrer Entstehung an.

(5) Geht der Anspruch auf ein Unterlassen, so tritt an die Stelle der Entstehung die Zuwiderhandlung.

§ 200 Beginn anderer Verjährungsfristen. [1] Die Verjährungsfrist von Ansprüchen, die nicht der regelmäßigen Verjährungsfrist unterliegen, beginnt mit der Entstehung des Anspruchs, soweit nicht ein anderer Verjährungsbeginn bestimmt ist. [2] § 199 Abs. 5 findet entsprechende Anwendung.

§ 201[1)] Beginn der Verjährungsfrist von festgestellten Ansprüchen.

[1] Die Verjährung von Ansprüchen der in § 197 Abs. 1 Nr. 3 bis 6 bezeichneten Art beginnt mit der Rechtskraft der Entscheidung, der Errichtung des vollstreckbaren Titels oder der Feststellung im Insolvenzverfahren, nicht jedoch vor der Entstehung des Anspruchs. [2] § 199 Abs. 5 findet entsprechende Anwendung.

§ 202 Unzulässigkeit von Vereinbarungen über die Verjährung.

(1) Die Verjährung kann bei Haftung wegen Vorsatzes nicht im Voraus durch Rechtsgeschäft erleichtert werden.

(2) Die Verjährung kann durch Rechtsgeschäft nicht über eine Verjährungsfrist von 30 Jahren ab dem gesetzlichen Verjährungsbeginn hinaus erschwert werden.

Titel 2. Hemmung, Ablaufhemmung und Neubeginn der Verjährung

§ 203 Hemmung der Verjährung bei Verhandlungen. [1] Schweben zwischen dem Schuldner und dem Gläubiger Verhandlungen über den Anspruch oder die den Anspruch begründenden Umstände, so ist die Verjährung gehemmt, bis der eine oder der andere Teil die Fortsetzung der Verhandlungen verweigert. [2] Die Verjährung tritt frühestens drei Monate nach dem Ende der Hemmung ein.

§ 204[2)] Hemmung der Verjährung durch Rechtsverfolgung. (1) Die Verjährung wird gehemmt durch

---

1) § 201 Satz 1 geänd. mWv 15.12.2004 durch G v. 9.12.2004 (BGBl. I S. 3214).

2) § 204 Abs. 1 Nr. 8 geänd. mWv 1.1.2009 durch G v. 23.10.2008 (BGBl. I S. 2022); Abs. 1 Nr. 3 neu gef. mWv 12.12.2008 durch G v. 30.10.2008 (BGBl. I S. 2122); Abs. 1 Nr. 14 geänd. mWv 1.9. 2009 durch G v. 17.12.2008 (BGBl. I S. 2586); Abs. 1 Nr. 6a eingef, Abs. 3 geänd. mWv 1.11.2012 durch G v. 19.10.2012 (BGBl. I S. 2182); Abs. 1 Nr. 4 neu gef., Nr. 12 geänd. mWv 26.2.2016 durch G v. 19.2.2016 (BGBl. I S. 254); Abs. 1 Nr. 1a, Abs. 2 Satz 2 eingef., Sätze 2 und 3 werden Sätze 3 und 4 mWv 1.11.2018 durch G v. 12.7.2018 (BGBl. I S. 1151); Abs. 1 Nr. 10a eingef. mWv 1.1.2021 durch G v. *22.12.2020 (BGBl.* I S. 3256); Abs. 1 Nr. 1a aufgeh., Abs. 2 Satz 2 aufgeh., bish. Sätze 3 und 4 werden Sätze 2 und 3 mWv 13.10.2023 durch G v. 8.10.2023 (BGBl. 2023 I Nr. 272); Abs. 1 Nr. 6a neu gef. mWv 20.7.2024 durch G v. 16.7.2024 (BGBl. 2024 I Nr. 240).

1. die Erhebung der Klage auf Leistung oder auf Feststellung des Anspruchs, auf Erteilung der Vollstreckungsklausel oder auf Erlass des Vollstreckungsurteils,
2. die Zustellung des Antrags im vereinfachten Verfahren über den Unterhalt Minderjähriger,
3. die Zustellung des Mahnbescheids im Mahnverfahren oder des Europäischen Zahlungsbefehls im Europäischen Mahnverfahren nach der Verordnung (EG) Nr. 1896/2006[1] des Europäischen Parlaments und des Rates vom 12. Dezember 2006 zur Einführung eines Europäischen Mahnverfahrens (ABl. EU Nr. L 399 S. 1),
4. die Veranlassung der Bekanntgabe eines Antrags, mit dem der Anspruch geltend gemacht wird, bei einer
   a) staatlichen oder staatlich anerkannten Streitbeilegungsstelle oder
   b) anderen Streitbeilegungsstelle, wenn das Verfahren im Einvernehmen mit dem Antragsgegner betrieben wird;

   die Verjährung wird schon durch den Eingang des Antrags bei der Streitbeilegungsstelle gehemmt, wenn der Antrag demnächst bekannt gegeben wird,
5. die Geltendmachung der Aufrechnung des Anspruchs im Prozess,
6. die Zustellung der Streitverkündung,

6a. die öffentliche Bekanntmachung des Vorlagebeschlusses in einem Musterverfahren für Ansprüche, denen derselbe Lebenssachverhalt zugrunde liegt wie den Feststellungszielen des Musterverfahrens, wenn die Ansprüche zum Musterverfahren angemeldet werden,

7. die Zustellung des Antrags auf Durchführung eines selbständigen Beweisverfahrens,
8. den Beginn eines vereinbarten Begutachtungsverfahrens,
9. die Zustellung des Antrags auf Erlass eines Arrests, einer einstweiligen Verfügung oder einer einstweiligen Anordnung, oder, wenn der Antrag nicht zugestellt wird, dessen Einreichung, wenn der Arrestbefehl, die einstweilige Verfügung oder die einstweilige Anordnung innerhalb eines Monats seit Verkündung oder Zustellung an den Gläubiger dem Schuldner zugestellt wird,
10. die Anmeldung des Anspruchs im Insolvenzverfahren oder im Schifffahrtsrechtlichen Verteilungsverfahren,

10a. die Anordnung einer Vollstreckungssperre nach dem Unternehmensstabilisierungs- und -restrukturierungsgesetz[2], durch die der Gläubiger an der Einleitung der Zwangsvollstreckung wegen des Anspruchs gehindert ist,

11. den Beginn des schiedsrichterlichen Verfahrens,
12. die Einreichung des Antrags bei einer Behörde, wenn die Zulässigkeit der Klage von der Vorentscheidung dieser Behörde abhängt und innerhalb von drei Monaten nach Erledigung des Gesuchs die Klage erhoben wird; dies gilt entsprechend für bei einem Gericht oder bei einer in Nummer 4 bezeichneten Streitbeilegungsstelle zu stellende Anträge, deren Zulässigkeit von der Vorentscheidung einer Behörde abhängt,

---

[1] **Habersack ErgBd. Nr. 103g.**
[2] **Habersack ErgBd. Nr. 110e.**

13. die Einreichung des Antrags bei dem höheren Gericht, wenn dieses das zuständige Gericht zu bestimmen hat und innerhalb von drei Monaten nach Erledigung des Gesuchs die Klage erhoben oder der Antrag, für den die Gerichtsstandsbestimmung zu erfolgen hat, gestellt wird, und
14. die Veranlassung der Bekanntgabe des erstmaligen Antrags auf Gewährung von Prozesskostenhilfe oder Verfahrenskostenhilfe; wird die Bekanntgabe demnächst nach der Einreichung des Antrags veranlasst, so tritt die Hemmung der Verjährung bereits mit der Einreichung ein.

(2) [1] Die Hemmung nach Absatz 1 endet sechs Monate nach der rechtskräftigen Entscheidung oder anderweitigen Beendigung des eingeleiteten Verfahrens. [2] Gerät das Verfahren dadurch in Stillstand, dass die Parteien es nicht betreiben, so tritt an die Stelle der Beendigung des Verfahrens die letzte Verfahrenshandlung der Parteien, des Gerichts oder der sonst mit dem Verfahren befassten Stelle. [3] Die Hemmung beginnt erneut, wenn eine der Parteien das Verfahren weiter betreibt.

(3) Auf die Frist nach Absatz 1 Nr. 6a, 9, 12 und 13 finden die §§ 206, 210 und 211 entsprechende Anwendung.

§ 204a[1)] Hemmung der Verjährung von Ansprüchen von Verbrauchern durch Klagen von qualifizierten Verbraucherverbänden oder qualifizierten Einrichtungen. (1) [1] Die Verjährung von Ansprüchen von Verbrauchern gegen Unternehmer wird auch gehemmt durch:

1. die Zustellung des Antrags auf Erlass einer einstweiligen Verfügung in Bezug auf einen Unterlassungsanspruch gegen den Unternehmer nach den §§ 1, 2 oder 2a des Unterlassungsklagengesetzes[2)] oder nach § 8 Absatz 1 des Gesetzes gegen den unlauteren Wettbewerb[3)] an den Antragsgegner, wenn
   a) der Antrag durch eine Stelle nach § 3 Absatz 1 Satz 1 des Unterlassungsklagengesetzes gestellt wurde und
   b) die Ansprüche der Verbraucher gegen den Unternehmer aufgrund der Zuwiderhandlung entstanden sind, gegen die sich der Unterlassungsanspruch richtet,
2. die Erhebung einer Klage zur Durchsetzung von Unterlassungsansprüchen nach Nummer 1 gegen den Unternehmer, wenn
   a) die Klage durch eine Stelle nach § 3 Absatz 1 Satz 1 des Unterlassungsklagengesetzes erhoben wurde und
   b) die Ansprüche der Verbraucher gegen den Unternehmer aufgrund der Zuwiderhandlung entstanden sind, gegen die sich der Unterlassungsanspruch richtet,
3. die Erhebung einer Musterfeststellungsklage nach dem Verbraucherrechtedurchsetzungsgesetz[4)] für die Ansprüche von Verbrauchern, denen derselbe Lebenssachverhalt zugrunde liegt wie den Feststellungszielen der Musterfeststellungsklage, wenn die Verbraucher ihren Anspruch zum Verbandsklageregister anmelden,

---

[1)] § 204a eingef. mWv 13.10.2023 durch G v. 8.10.2023 (BGBl. 2023 I Nr. 272).
[2)] **Habersack Nr. 105.**
[3)] Nr. **120**.
[4)] **Habersack Nr. 105a.**

4. die Erhebung einer Abhilfeklage nach dem Verbraucherrechtedurchsetzungsgesetz für Ansprüche, die Gegenstand der Abhilfeklage sind, wenn die Verbraucher ihren Anspruch zum Verbandsklageregister anmelden.

[2] Wurde dem Antragsgegner der Antrag auf Erlass einer einstweiligen Verfügung nicht zugestellt, so tritt in Satz 1 Nummer 1 an die Stelle der Zustellung des Antrags die Einreichung des Antrags beim Gericht, sofern dem Antragsgegner die einstweilige Verfügung innerhalb eines Monats nach ihrer Verkündung oder nach ihrer Zustellung an den Antragsteller zugestellt wurde.

(2) Die Verjährung von Ansprüchen von Verbrauchern gegen Unternehmer wird auch gehemmt durch eine anhängige Verbandsklage im Sinne der Richtlinie (EU) 2020/1828 des Europäischen Parlaments und des Rates vom 25. November 2020 über Verbandsklagen zum Schutz der Kollektivinteressen der Verbraucher und zur Aufhebung der Richtlinie 2009/22/EG (ABl. L 409 vom 4.12.2020, S. 1) bei einem Gericht oder einer Behörde in einem anderen Mitgliedstaat der Europäischen Union, die

1. auf eine Unterlassungsentscheidung gerichtet ist, wenn
   a) die Klage von einer qualifizierten Einrichtung eingereicht wurde,
   b) Gegenstand der Klage eine Zuwiderhandlung des Unternehmers gegen solche Verbraucherschutzgesetze ist, die in den Anwendungsbereich der Richtlinie (EU) 2020/1828 fallen, und
   c) die Ansprüche der Verbraucher aufgrund derjenigen Zuwiderhandlung des Unternehmers entstanden sind, gegen die sich die Klage richtet,
2. auf eine Abhilfeentscheidung gerichtet ist, wenn
   a) die Klage von einer qualifizierten Einrichtung eingereicht wurde,
   b) die Ansprüche der Verbraucher Gegenstand der Klage sind und diese Ansprüche aufgrund einer Zuwiderhandlung des Unternehmers gegen solche Verbraucherschutzgesetze entstanden sind, die in den Anwendungsbereich der Richtlinie (EU) 2020/1828 fallen, und
   c) die Verbraucher an der Klage teilnehmen.

(3) [1] § 204 Absatz 2 Satz 1 ist entsprechend anzuwenden. [2] Die Hemmung der Verjährung eines Anspruchs eines Verbrauchers nach Absatz 1 Satz 1 Nummer 3 und 4 sowie nach Absatz 2 Nummer 2 endet auch sechs Monate nach dem Zeitpunkt, zu dem der Verbraucher nicht mehr an der Klage teilnimmt, insbesondere durch die Rücknahme der Anmeldung zum Verbandsklageregister.

(4) Absatz 1 Satz 1 Nummer 3 und 4 sowie Absatz 3 sind auch auf solche Unternehmer anzuwenden, die nach § 1 Absatz 2 des Verbraucherrechtedurchsetzungsgesetzes Verbrauchern gleichgestellt werden.

§ 205 Hemmung der Verjährung bei Leistungsverweigerungsrecht.
Die Verjährung ist gehemmt, solange der Schuldner auf Grund einer Vereinbarung mit dem Gläubiger vorübergehend zur Verweigerung der Leistung berechtigt ist.

§ 206 Hemmung der Verjährung bei höherer Gewalt. Die Verjährung ist gehemmt, solange der Gläubiger innerhalb der letzten sechs Monate der Verjährungsfrist durch höhere Gewalt an der Rechtsverfolgung gehindert ist.

§ 207[1)] Hemmung der Verjährung aus familiären und ähnlichen Gründen. (1) [1] Die Verjährung von Ansprüchen zwischen Ehegatten ist gehemmt, solange die Ehe besteht. [2] Das Gleiche gilt für Ansprüche zwischen

1. Lebenspartnern, solange die Lebenspartnerschaft besteht,
2. dem Kind und
   a) seinen Eltern oder
   b) dem Ehegatten oder Lebenspartner eines Elternteils

   bis zur Vollendung des 21. Lebensjahres des Kindes,
3. dem Vormund und dem Mündel während der Dauer des Vormundschaftsverhältnisses,
4. dem Betreuten und dem Betreuer während der Dauer des Betreuungsverhältnisses und
5. dem Pflegling und dem Pfleger während der Dauer der Pflegschaft.

[3] Die Verjährung von Ansprüchen des Kindes gegen den Beistand ist während der Dauer der Beistandschaft gehemmt.

(2) § 208 bleibt unberührt.

§ 208 Hemmung der Verjährung bei Ansprüchen wegen Verletzung der sexuellen Selbstbestimmung. [1] Die Verjährung von Ansprüchen wegen Verletzung der sexuellen Selbstbestimmung ist bis zur Vollendung des 21. Lebensjahrs des Gläubigers gehemmt. [2] Lebt der Gläubiger von Ansprüchen wegen Verletzung der sexuellen Selbstbestimmung bei Beginn der Verjährung mit dem Schuldner in häuslicher Gemeinschaft, so ist die Verjährung auch bis zur Beendigung der häuslichen Gemeinschaft gehemmt.

§ 209 Wirkung der Hemmung. Der Zeitraum, während dessen die Verjährung gehemmt ist, wird in die Verjährungsfrist nicht eingerechnet.

§ 210 Ablaufhemmung bei nicht voll Geschäftsfähigen. (1) [1] Ist eine geschäftsunfähige oder in der Geschäftsfähigkeit beschränkte Person ohne gesetzlichen Vertreter, so tritt eine für oder gegen sie laufende Verjährung nicht vor dem Ablauf von sechs Monaten nach dem Zeitpunkt ein, in dem die Person unbeschränkt geschäftsfähig oder der Mangel der Vertretung behoben wird. [2] Ist die Verjährungsfrist kürzer als sechs Monate, so tritt der für die Verjährung bestimmte Zeitraum an die Stelle der sechs Monate.

(2) Absatz 1 findet keine Anwendung, soweit eine in der Geschäftsfähigkeit beschränkte Person prozessfähig ist.

§ 211 Ablaufhemmung in Nachlassfällen. [1] Die Verjährung eines Anspruchs, der zu einem Nachlass gehört oder sich gegen einen Nachlass richtet, tritt nicht vor dem Ablauf von sechs Monaten nach dem Zeitpunkt ein, in dem die Erbschaft von dem Erben angenommen oder das Insolvenzverfahren über den Nachlass eröffnet wird oder von dem an der Anspruch von einem oder gegen einen Vertreter geltend gemacht werden kann. [2] Ist die Verjährungsfrist kürzer als sechs Monate, so tritt der für die Verjährung bestimmte Zeitraum an die Stelle der sechs Monate.

[1)] § 207 Abs. 1 Satz 2 Nr. 2 neu gef. mWv 1.1.2010 durch G v. 24.9.2009 (BGBl. I S. 3142).

§ 212 Neubeginn der Verjährung. (1) Die Verjährung beginnt erneut, wenn

1. der Schuldner dem Gläubiger gegenüber den Anspruch durch Abschlagszahlung, Zinszahlung, Sicherheitsleistung oder in anderer Weise anerkennt oder
2. eine gerichtliche oder behördliche Vollstreckungshandlung vorgenommen oder beantragt wird.

(2) Der erneute Beginn der Verjährung infolge einer Vollstreckungshandlung gilt als nicht eingetreten, wenn die Vollstreckungshandlung auf Antrag des Gläubigers oder wegen Mangels der gesetzlichen Voraussetzungen aufgehoben wird.

(3) Der erneute Beginn der Verjährung durch den Antrag auf Vornahme einer Vollstreckungshandlung gilt als nicht eingetreten, wenn dem Antrag nicht stattgegeben oder der Antrag vor der Vollstreckungshandlung zurückgenommen oder die erwirkte Vollstreckungshandlung nach Absatz 2 aufgehoben wird.

§ 213 Hemmung, Ablaufhemmung und erneuter Beginn der Verjährung bei anderen Ansprüchen. Die Hemmung, die Ablaufhemmung und der erneute Beginn der Verjährung gelten auch für Ansprüche, die aus demselben Grunde wahlweise neben dem Anspruch oder an seiner Stelle gegeben sind.

Titel 3. Rechtsfolgen der Verjährung

§ 214 Wirkung der Verjährung. (1) Nach Eintritt der Verjährung ist der Schuldner berechtigt, die Leistung zu verweigern.

(2) [1] Das zur Befriedigung eines verjährten Anspruchs Geleistete kann nicht zurückgefordert werden, auch wenn in Unkenntnis der Verjährung geleistet worden ist. [2] Das Gleiche gilt von einem vertragsmäßigen Anerkenntnis sowie einer Sicherheitsleistung des Schuldners.

§ 215 Aufrechnung und Zurückbehaltungsrecht nach Eintritt der Verjährung. Die Verjährung schließt die Aufrechnung und die Geltendmachung eines Zurückbehaltungsrechts nicht aus, wenn der Anspruch in dem Zeitpunkt noch nicht verjährt war, in dem erstmals aufgerechnet oder die Leistung verweigert werden konnte.

§ 216 Wirkung der Verjährung bei gesicherten Ansprüchen. (1) Die Verjährung eines Anspruchs, für den eine Hypothek, eine Schiffshypothek oder ein Pfandrecht besteht, hindert den Gläubiger nicht, seine Befriedigung aus dem belasteten Gegenstand zu suchen.

(2) [1] Ist zur Sicherung eines Anspruchs ein Recht verschafft worden, so kann die Rückübertragung nicht auf Grund der Verjährung des Anspruchs gefordert werden. [2] Ist das Eigentum vorbehalten, so kann der Rücktritt vom Vertrag auch erfolgen, wenn der gesicherte Anspruch verjährt ist.

(3) Die Absätze 1 und 2 finden keine Anwendung auf die Verjährung von Ansprüchen auf Zinsen und andere wiederkehrende Leistungen.

§ 217 Verjährung von Nebenleistungen. Mit dem Hauptanspruch verjährt der Anspruch auf die von ihm abhängenden Nebenleistungen, auch wenn die für diesen Anspruch geltende besondere Verjährung noch nicht eingetreten ist.

§ 218[1] Unwirksamkeit des Rücktritts. (1) [1]Der Rücktritt wegen nicht oder nicht vertragsgemäß erbrachter Leistung ist unwirksam, wenn der Anspruch auf die Leistung oder der Nacherfüllungsanspruch verjährt ist und der Schuldner sich hierauf beruft. [2]Dies gilt auch, wenn der Schuldner nach § 275 Absatz 1 bis 3, § 439 Absatz 4 oder § 635 Absatz 3 nicht zu leisten braucht und der Anspruch auf die Leistung oder der Nacherfüllungsanspruch verjährt wäre. [3]§ 216 Abs. 2 Satz 2 bleibt unberührt.

(2) § 214 Abs. 2 findet entsprechende Anwendung.

§§ 219 bis 225 (weggefallen)

Buch 2. Recht der Schuldverhältnisse

Abschnitt 1. Inhalt der Schuldverhältnisse

Titel 1. Verpflichtung zur Leistung

§ 241 Pflichten aus dem Schuldverhältnis. (1) [1]Kraft des Schuldverhältnisses ist der Gläubiger berechtigt, von dem Schuldner eine Leistung zu fordern. [2]Die Leistung kann auch in einem Unterlassen bestehen.

(2) Das Schuldverhältnis kann nach seinem Inhalt jeden Teil zur Rücksicht auf die Rechte, Rechtsgüter und Interessen des anderen Teils verpflichten.

§ 241a *(hier nicht wiedergegeben)*

§ 242 Leistung nach Treu und Glauben. Der Schuldner ist verpflichtet, die Leistung so zu bewirken, wie Treu und Glauben mit Rücksicht auf die Verkehrssitte es erfordern.

§ 243 Gattungsschuld. (1) Wer eine nur der Gattung nach bestimmte Sache schuldet, hat eine Sache von mittlerer Art und Güte zu leisten.

(2) Hat der Schuldner das zur Leistung einer solchen Sache seinerseits Erforderliche getan, so beschränkt sich das Schuldverhältnis auf diese Sache.

§ 244 Fremdwährungsschuld. (1) Ist eine in einer anderen Währung als Euro ausgedrückte Geldschuld im Inland zu zahlen, so kann die Zahlung in Euro erfolgen, es sei denn, dass Zahlung in der anderen Währung ausdrücklich vereinbart ist.

(2) Die Umrechnung erfolgt nach dem Kurswert, der zur Zeit der Zahlung für den Zahlungsort maßgebend ist.

§ 245 Geldsortenschuld. Ist eine Geldschuld in einer bestimmten Münzsorte zu zahlen, die sich zur Zeit der Zahlung nicht mehr im Umlauf befindet, so ist die Zahlung so zu leisten, wie wenn die Münzsorte nicht bestimmt wäre.

§ 246 Gesetzlicher Zinssatz. Ist eine Schuld nach Gesetz oder Rechtsgeschäft zu verzinsen, so sind vier vom Hundert für das Jahr zu entrichten, sofern nicht ein anderes bestimmt ist.

---

[1] § 218 Abs. 1 Satz 2 geänd. mWv 1.1.2018 durch G v. 28.4.2017 (BGBl. I S. 969).

§ 247[1)] **Basiszinssatz.** (1) [1] Der Basiszinssatz beträgt *3,62 Prozent*[2)]. [2] Er verändert sich zum 1. Januar und 1. Juli eines jeden Jahres um die Prozentpunkte, um welche die Bezugsgröße seit der letzten Veränderung des Basiszinssatzes gestiegen oder gefallen ist. [3] Bezugsgröße ist der Zinssatz für die jüngste Hauptrefinanzierungsoperation der Europäischen Zentralbank vor dem ersten Kalendertag des betreffenden Halbjahrs.

(2) Die Deutsche Bundesbank gibt den geltenden Basiszinssatz unverzüglich nach den in Absatz 1 Satz 2 genannten Zeitpunkten im Bundesanzeiger bekannt.

§ 248 Zinseszinsen. (1) Eine im Voraus getroffene Vereinbarung, dass fällige Zinsen wieder Zinsen tragen sollen, ist nichtig.

(2) [1] Sparkassen, Kreditanstalten und Inhaber von Bankgeschäften können im Voraus vereinbaren, dass nicht erhobene Zinsen von Einlagen als neue verzins-

---

[1)] **Amtl. Anm.:** Diese Vorschrift dient der Umsetzung von Artikel 3 der Richtlinie 2000/35/EG des Europäischen Parlaments und des Rates vom 29. Juni 2000 zur Bekämpfung von Zahlungsverzug im Geschäftsverkehr (ABl. EG Nr. L 200 S. 35).

[2)] Laut Bek. der Dt. Bundesbank gem. § 247 Abs. 2 iVm Abs. 1 Satz 2 beträgt der Basiszinssatz
– ab 1.1.2002 **2,57 %** (Bek. v. 28.12.2001, BAnz. 2002 Nr. 3 S. 98);
– ab 1.7.2002 **2,47 %** (Bek. v. 25.6.2002, BAnz. Nr. 118 S. 14 538);
– ab 1.1.2003 **1,97 %** (Bek. v. 30.12.2002, BAnz. 2003 Nr. 2 S. 76);
– ab 1.7.2003 **1,22 %** (Bek. v. 24.6.2003, BAnz. Nr. 117 S. 13 744);
– ab 1.1.2004 **1,14 %** (Bek. v. 30.12.2003, BAnz. Nr. 2 S. 69);
– ab 1.7.2004 **1,13 %** (Bek. v. 29.6.2004, BAnz. Nr. 122 S. 14 246);
– ab 1.1.2005 **1,21 %** (Bek. v. 30.12.2004, BAnz. Nr. 1 S. 6);
– ab 1.7.2005 **1,17 %** (Bek. v. 28.6.2005, BAnz. Nr. 122 S. 10 041);
– ab 1.1.2006 **1,37 %** (Bek. v. 29.12.2005, BAnz. Nr. 1 S. 2);
– ab 1.7.2006 **1,95 %** (Bek. v. 27.6.2006, BAnz. Nr. 191 S. 4754);
– ab 1.1.2007 **2,70 %** (Bek. v. 28.12.2006, BAnz. Nr. 245 S. 7463);
– ab 1.7.2007 **3,19 %** (Bek. v. 28.6.2007, BAnz. Nr. 117 S. 6530);
– ab 1.1.2008 **3,32 %** (Bek. v. 28.12.2007, BAnz. Nr. 242 S. 8415);
– ab 1.7.2008 **3,19 %** (Bek. v. 24.6.2008, BAnz. Nr. 94 S. 2232);
– ab 1.1.2009 **1,62 %** (Bek. v. 30.12.2008, BAnz. 2009 Nr. 1 S. 6);
– ab 1.7.2009 **0,12 %** (Bek. v. 30.6.2009, BAnz. Nr. 95 S. 2302, Bek. v. 29.12.2009, BAnz. Nr. 198 S. 4582, Bek. v. 29.6.2010, BAnz. Nr. 96 S. 2264, und Bek. v. 28.12.2010, BAnz. Nr. 199 S. 4388);
– ab 1.7.2011 **0,37 %** (Bek. v. 30.6.2011, BAnz. Nr. 96 S. 2314);
– ab 1.1.2012 **0,12 %** (Bek. v. 27.12.2011, BAnz. Nr. 197 S. 4659, und Bek. v. 26.6.2012, BAnz AT 28.06.2012 B3);
– ab 1.1.2013 **−0,13 %** (Bek. v. 28.12.2012, BAnz AT 31.12.2012 B8);
– ab 1.7.2013 **−0,38 %** (Bek. v. 25.6.2013, BAnz AT 27.06.2013 B4);
– ab 1.1.2014 **−0,63 %** (Bek. v. 30.12.2013, BAnz AT 31.12.2013 B7);
– ab 1.7.2014 **−0,73 %** (Bek. v. 24.6.2014, BAnz AT 26.06.2014 B5);
– ab 1.1.2015 **−0,83 %** (Bek. v. 30.12.2014, BAnz AT 31.12.2014 B12, Bek. v. 30.6.2015, BAnz AT 01.07.2015 B6, und Bek. v. 29.12.2015, BAnz AT 30.12.2015 B8);
– ab 1.7.2016 **−0,88 %** (Bek. v. 28.6.2016, BAnz AT 29.06.2016 B4, Bek. v. 27.12.2016, BAnz AT 29.12.2016 B11, Bek. v. 27.6.2017, BAnz AT 29.06.2017 B10, Bek. v. 19.12.2017, BAnz AT 21.12.2017 B6, Bek. v. 26.6.2018, BAnz AT 28.06.2018 B6, Bek. v. 18.12.2018, BAnz AT 20.12.2018 B10, Bek. v. 25.6.2019, BAnz AT 27.06.2019 B9, Bek. v. 31.12.2019, BAnz AT 06.01.2020 B5, Bek. v. 30.6.2020, BAnz AT 02.07.2020 B5, Bek. v. 29.12.2020, BAnz AT 30.12.2020 B8, Bek. v. 29.6.2021, BAnz AT 30.06.2021 B6, Bek. v. 28.12.2021, BAnz AT 29.12.2021 B6 und Bek. v. 28.6.2022, BAnz AT 29.06.2022 B8);
– ab 1.1.2023 **1,62 %** (Bek. v. 27.12.2022, BAnz AT 28.12.2022 B5);
– ab 1.7.2023 **3,12 %** (Bek. v. 27.6.2023, BAnz AT 28.06.2023 B7);
– ab 1.1.2024 **3,62 %** (Bek. v. 27.12.2023, BAnz AT 28.12.2023 B7);
– ab 1.7.2024 **3,37 %** (Bek. v. 25.6.2024, BAnz AT 26.06.2024 B6);
– ab 1.1.2025 **2,27 %** (Bek. v. 30.12.2024, BAnz AT 31.12.2024 B10).
– ab 1.7.2025 **1,27 %** (Bek. v. 25.6.2025, BAnz AT 26.06.2025 B7 und Bek. v. 23.12.2025, BAnz AT 24.12.2025 B3).

liche Einlagen gelten sollen. [2]Kreditanstalten, die berechtigt sind, für den Betrag der von ihnen gewährten Darlehen verzinsliche Schuldverschreibungen auf den Inhaber auszugeben, können sich bei solchen Darlehen die Verzinsung rückständiger Zinsen im Voraus versprechen lassen.

§ 249[1)] Art und Umfang des Schadensersatzes. (1) Wer zum Schadensersatz verpflichtet ist, hat den Zustand herzustellen, der bestehen würde, wenn der zum Ersatz verpflichtende Umstand nicht eingetreten wäre.

(Fortsetzung nächstes Blatt)

[1)] § 249 bish. Satz 1 wird Abs. 1, bish. Satz 2 wird Abs. 2 Satz 1, Abs. 2 Satz 2 angef. mWv 1.8.2002 durch G v. 19.7.2002 (BGBl. I S. 2674).

(2) [1] Ist wegen Verletzung einer Person oder wegen Beschädigung einer Sache Schadensersatz zu leisten, so kann der Gläubiger statt der Herstellung den dazu erforderlichen Geldbetrag verlangen. [2] Bei der Beschädigung einer Sache schließt der nach Satz 1 erforderliche Geldbetrag die Umsatzsteuer nur mit ein, wenn und soweit sie tatsächlich angefallen ist.

§ 250 Schadensersatz in Geld nach Fristsetzung. [1] Der Gläubiger kann dem Ersatzpflichtigen zur Herstellung eine angemessene Frist mit der Erklärung bestimmen, dass er die Herstellung nach dem Ablauf der Frist ablehne. [2] Nach dem Ablauf der Frist kann der Gläubiger den Ersatz in Geld verlangen, wenn nicht die Herstellung rechtzeitig erfolgt; der Anspruch auf die Herstellung ist ausgeschlossen.

§ 251 Schadensersatz in Geld ohne Fristsetzung. (1) Soweit die Herstellung nicht möglich oder zur Entschädigung des Gläubigers nicht genügend ist, hat der Ersatzpflichtige den Gläubiger in Geld zu entschädigen.

(2) [1] Der Ersatzpflichtige kann den Gläubiger in Geld entschädigen, wenn die Herstellung nur mit unverhältnismäßigen Aufwendungen möglich ist. [2] Die aus der Heilbehandlung eines verletzten Tieres entstandenen Aufwendungen sind nicht bereits dann unverhältnismäßig, wenn sie dessen Wert erheblich übersteigen.

§ 252 Entgangener Gewinn. [1] Der zu ersetzende Schaden umfasst auch den entgangenen Gewinn. [2] Als entgangen gilt der Gewinn, welcher nach dem gewöhnlichen Lauf der Dinge oder nach den besonderen Umständen, insbesondere nach den getroffenen Anstalten und Vorkehrungen, mit Wahrscheinlichkeit erwartet werden konnte.

§ 253[1)] Immaterieller Schaden. (1) Wegen eines Schadens, der nicht Vermögensschaden ist, kann Entschädigung in Geld nur in den durch das Gesetz bestimmten Fällen gefordert werden.

(2) Ist wegen einer Verletzung des Körpers, der Gesundheit, der Freiheit oder der sexuellen Selbstbestimmung Schadensersatz zu leisten, kann auch wegen des Schadens, der nicht Vermögensschaden ist, eine billige Entschädigung in Geld gefordert werden.

§ 254 Mitverschulden. (1) Hat bei der Entstehung des Schadens ein Verschulden des Beschädigten mitgewirkt, so hängt die Verpflichtung zum Ersatz sowie der Umfang des zu leistenden Ersatzes von den Umständen, insbesondere davon ab, inwieweit der Schaden vorwiegend von dem einen oder dem anderen Teil verursacht worden ist.

(2) [1] Dies gilt auch dann, wenn sich das Verschulden des Beschädigten darauf beschränkt, dass er unterlassen hat, den Schuldner auf die Gefahr eines ungewöhnlich hohen Schadens aufmerksam zu machen, die der Schuldner weder kannte noch kennen musste, oder dass er unterlassen hat, den Schaden abzuwenden oder zu mindern. [2] Die Vorschrift des § 278 findet entsprechende Anwendung.

---

1) § 253 Abs. 2 angef. mWv 1.8.2002 durch G v. 19.7.2002 (BGBl. I S. 2674).

§ 255 Abtretung der Ersatzansprüche. Wer für den Verlust einer Sache oder eines Rechts Schadensersatz zu leisten hat, ist zum Ersatz nur gegen Abtretung der Ansprüche verpflichtet, die dem Ersatzberechtigten auf Grund des Eigentums an der Sache oder auf Grund des Rechts gegen Dritte zustehen.

§ 256 Verzinsung von Aufwendungen. [1] Wer zum Ersatz von Aufwendungen verpflichtet ist, hat den aufgewendeten Betrag oder, wenn andere Gegenstände als Geld aufgewendet worden sind, den als Ersatz ihres Wertes zu zahlenden Betrag von der Zeit der Aufwendung an zu verzinsen. [2] Sind Aufwendungen auf einen Gegenstand gemacht worden, der dem Ersatzpflichtigen herauszugeben ist, so sind Zinsen für die Zeit, für welche dem Ersatzberechtigten die Nutzungen oder die Früchte des Gegenstands ohne Vergütung verbleiben, nicht zu entrichten.

§ 257 Befreiungsanspruch. [1] Wer berechtigt ist, Ersatz für Aufwendungen zu verlangen, die er für einen bestimmten Zweck macht, kann, wenn er für diesen Zweck eine Verbindlichkeit eingeht, Befreiung von der Verbindlichkeit verlangen. [2] Ist die Verbindlichkeit noch nicht fällig, so kann ihm der Ersatzpflichtige, statt ihn zu befreien, Sicherheit leisten.

§ 258 Wegnahmerecht. [1] Wer berechtigt ist, von einer Sache, die er einem anderen herauszugeben hat, eine Einrichtung wegzunehmen, hat im Falle der Wegnahme die Sache auf seine Kosten in den vorigen Stand zu setzen. [2] Erlangt der andere den Besitz der Sache, so ist er verpflichtet, die Wegnahme der Einrichtung zu gestatten; er kann die Gestattung verweigern, bis ihm für den mit der Wegnahme verbundenen Schaden Sicherheit geleistet wird.

§ 259 Umfang der Rechenschaftspflicht. (1) Wer verpflichtet ist, über eine mit Einnahmen oder Ausgaben verbundene Verwaltung Rechenschaft abzulegen, hat dem Berechtigten eine die geordnete Zusammenstellung der Einnahmen oder der Ausgaben enthaltende Rechnung mitzuteilen und, soweit Belege erteilt zu werden pflegen, Belege vorzulegen.

(2) Besteht Grund zu der Annahme, dass die in der Rechnung enthaltenen Angaben über die Einnahmen nicht mit der erforderlichen Sorgfalt gemacht worden sind, so hat der Verpflichtete auf Verlangen zu Protokoll an Eides statt zu versichern, dass er nach bestem Wissen die Einnahmen so vollständig angegeben habe, als er dazu imstande sei.

(3) In Angelegenheiten von geringer Bedeutung besteht eine Verpflichtung zur Abgabe der eidesstattlichen Versicherung nicht.

§ 260 Pflichten bei Herausgabe oder Auskunft über Inbegriff von Gegenständen. (1) Wer verpflichtet ist, einen Inbegriff von Gegenständen herauszugeben oder über den Bestand eines solchen Inbegriffs Auskunft zu erteilen, hat dem Berechtigten ein Verzeichnis des Bestands vorzulegen.

(2) Besteht Grund zu der Annahme, dass das Verzeichnis nicht mit der erforderlichen Sorgfalt aufgestellt worden ist, so hat der Verpflichtete auf Verlangen zu Protokoll an Eides statt zu versichern, dass er nach bestem Wissen den Bestand so vollständig angegeben habe, als er dazu imstande sei.

(3) Die Vorschrift des § 259 Abs. 3 findet Anwendung.

§ 261[1)] Änderung der eidesstattlichen Versicherung; Kosten. (1) Das Gericht kann eine den Umständen entsprechende Änderung der eidesstattlichen Versicherung beschließen.

(2) Die Kosten der Abnahme der eidesstattlichen Versicherung hat derjenige zu tragen, welcher die Abgabe der Versicherung verlangt.

§ 262 Wahlschuld; Wahlrecht. Werden mehrere Leistungen in der Weise geschuldet, dass nur die eine oder die andere zu bewirken ist, so steht das Wahlrecht im Zweifel dem Schuldner zu.

§ 263 Ausübung des Wahlrechts; Wirkung. (1) Die Wahl erfolgt durch Erklärung gegenüber dem anderen Teil.

(2) Die gewählte Leistung gilt als die von Anfang an allein geschuldete.

§ 264 Verzug des Wahlberechtigten. (1) Nimmt der wahlberechtigte Schuldner die Wahl nicht vor dem Beginn der Zwangsvollstreckung vor, so kann der Gläubiger die Zwangsvollstreckung nach seiner Wahl auf die eine oder auf die andere Leistung richten; der Schuldner kann sich jedoch, solange nicht der Gläubiger die gewählte Leistung ganz oder zum Teil empfangen hat, durch eine der übrigen Leistungen von seiner Verbindlichkeit befreien.

(2) [1] Ist der wahlberechtigte Gläubiger im Verzug, so kann der Schuldner ihn unter Bestimmung einer angemessenen Frist zur Vornahme der Wahl auffordern. [2] Mit dem Ablauf der Frist geht das Wahlrecht auf den Schuldner über, wenn nicht der Gläubiger rechtzeitig die Wahl vornimmt.

§ 265 Unmöglichkeit bei Wahlschuld. [1] Ist eine der Leistungen von Anfang an unmöglich oder wird sie später unmöglich, so beschränkt sich das Schuldverhältnis auf die übrigen Leistungen. [2] Die Beschränkung tritt nicht ein, wenn die Leistung infolge eines Umstands unmöglich wird, den der nicht wahlberechtigte Teil zu vertreten hat.

§ 266 Teilleistungen. Der Schuldner ist zu Teilleistungen nicht berechtigt.

§ 267 Leistung durch Dritte. (1) [1] Hat der Schuldner nicht in Person zu leisten, so kann auch ein Dritter die Leistung bewirken. [2] Die Einwilligung des Schuldners ist nicht erforderlich.

(2) Der Gläubiger kann die Leistung ablehnen, wenn der Schuldner widerspricht.

§ 268 Ablösungsrecht des Dritten. (1) [1] Betreibt der Gläubiger die Zwangsvollstreckung in einen dem Schuldner gehörenden Gegenstand, so ist jeder, der Gefahr läuft, durch die Zwangsvollstreckung ein Recht an dem Gegenstand zu verlieren, berechtigt, den Gläubiger zu befriedigen. [2] Das gleiche Recht steht dem Besitzer einer Sache zu, wenn er Gefahr läuft, durch die Zwangsvollstreckung den Besitz zu verlieren.

(2) Die Befriedigung kann auch durch Hinterlegung oder durch Aufrechnung erfolgen.

[1)] § 261 neu gef. mWv 1.9.2009 durch G v. 17.12.2008 (BGBl. I S. 2586).

(3) [1] Soweit der Dritte den Gläubiger befriedigt, geht die Forderung auf ihn über. [2] Der Übergang kann nicht zum Nachteil des Gläubigers geltend gemacht werden.

§ 269 Leistungsort. (1) Ist ein Ort für die Leistung weder bestimmt noch aus den Umständen, insbesondere aus der Natur des Schuldverhältnisses, zu entnehmen, so hat die Leistung an dem Orte zu erfolgen, an welchem der Schuldner zur Zeit der Entstehung des Schuldverhältnisses seinen Wohnsitz hatte.

(2) Ist die Verbindlichkeit im Gewerbebetrieb des Schuldners entstanden, so tritt, wenn der Schuldner seine gewerbliche Niederlassung an einem anderen Orte hatte, der Ort der Niederlassung an die Stelle des Wohnsitzes.

(3) Aus dem Umstand allein, dass der Schuldner die Kosten der Versendung übernommen hat, ist nicht zu entnehmen, dass der Ort, nach welchem die Versendung zu erfolgen hat, der Leistungsort sein soll.

§ 270 Zahlungsort. (1) Geld hat der Schuldner im Zweifel auf seine Gefahr und seine Kosten dem Gläubiger an dessen Wohnsitz zu übermitteln.

(2) Ist die Forderung im Gewerbebetrieb des Gläubigers entstanden, so tritt, wenn der Gläubiger seine gewerbliche Niederlassung an einem anderen Orte hat, der Ort der Niederlassung an die Stelle des Wohnsitzes.

(3) Erhöhen sich infolge einer nach der Entstehung des Schuldverhältnisses eintretenden Änderung des Wohnsitzes oder der gewerblichen Niederlassung des Gläubigers die Kosten oder die Gefahr der Übermittlung, so hat der Gläubiger im ersteren Falle die Mehrkosten, im letzteren Falle die Gefahr zu tragen.

(4) Die Vorschriften über den Leistungsort bleiben unberührt.

§ 270a *(hier nicht wiedergegeben)*

§ 271 Leistungszeit. (1) Ist eine Zeit für die Leistung weder bestimmt noch aus den Umständen zu entnehmen, so kann der Gläubiger die Leistung sofort verlangen, der Schuldner sie sofort bewirken.

(2) Ist eine Zeit bestimmt, so ist im Zweifel anzunehmen, dass der Gläubiger die Leistung nicht vor dieser Zeit verlangen, der Schuldner aber sie vorher bewirken kann.

(Fortsetzung nächstes Blatt)

§ 271 a[1] **Vereinbarungen über Zahlungs-, Überprüfungs- oder Abnahmefristen.** (1) [1] Eine Vereinbarung, nach der der Gläubiger die Erfüllung einer Entgeltforderung erst nach mehr als 60 Tagen nach Empfang der Gegenleistung verlangen kann, ist nur wirksam, wenn sie ausdrücklich getroffen und im Hinblick auf die Belange des Gläubigers nicht grob unbillig ist. [2] Geht dem Schuldner nach Empfang der Gegenleistung eine Rechnung oder gleichwertige Zahlungsaufstellung zu, tritt der Zeitpunkt des Zugangs dieser Rechnung oder Zahlungsaufstellung an die Stelle des in Satz 1 genannten Zeitpunkts des Empfangs der Gegenleistung. [3] Es wird bis zum Beweis eines anderen Zeitpunkts vermutet, dass der Zeitpunkt des Zugangs der Rechnung oder Zahlungsaufstellung auf den Zeitpunkt des Empfangs der Gegenleistung fällt; hat der Gläubiger einen späteren Zeitpunkt benannt, so tritt dieser an die Stelle des Zeitpunkts des Empfangs der Gegenleistung.

(2) [1] Ist der Schuldner ein öffentlicher Auftraggeber im Sinne von § 99 Nummer 1 bis 3 des Gesetzes gegen Wettbewerbsbeschränkungen[2], so ist abweichend von Absatz 1

1. eine Vereinbarung, nach der der Gläubiger die Erfüllung einer Entgeltforderung erst nach mehr als 30 Tagen nach Empfang der Gegenleistung verlangen kann, nur wirksam, wenn die Vereinbarung ausdrücklich getroffen und aufgrund der besonderen Natur oder der Merkmale des Schuldverhältnisses sachlich gerechtfertigt ist;
2. eine Vereinbarung, nach der der Gläubiger die Erfüllung einer Entgeltforderung erst nach mehr als 60 Tagen nach Empfang der Gegenleistung verlangen kann, unwirksam.

[2] Absatz 1 Satz 2 und 3 ist entsprechend anzuwenden.

(3) Ist eine Entgeltforderung erst nach Überprüfung oder Abnahme der Gegenleistung zu erfüllen, so ist eine Vereinbarung, nach der die Zeit für die Überprüfung oder Abnahme der Gegenleistung mehr als 30 Tage nach Empfang der Gegenleistung beträgt, nur wirksam, wenn sie ausdrücklich getroffen und im Hinblick auf die Belange des Gläubigers nicht grob unbillig ist.

(4) Ist eine Vereinbarung nach den Absätzen 1 bis 3 unwirksam, bleibt der Vertrag im Übrigen wirksam.

(5) Die Absätze 1 bis 3 sind nicht anzuwenden auf

1. die Vereinbarung von Abschlagszahlungen und sonstigen Ratenzahlungen sowie
2. ein Schuldverhältnis, aus dem ein Verbraucher die Erfüllung der Entgeltforderung schuldet.

(6) Die Absätze 1 bis 3 lassen sonstige Vorschriften, aus denen sich Beschränkungen für Vereinbarungen über Zahlungs-, Überprüfungs- oder Abnahmefristen ergeben, unberührt.

§ 272 Zwischenzinsen. Bezahlt der Schuldner eine unverzinsliche Schuld vor der Fälligkeit, so ist er zu einem Abzug wegen der Zwischenzinsen nicht berechtigt.

---

[1] § 271 a eingef. mWv 29. 7. 2014 durch G v. 22. 7. 2014 (BGBl. I S. 1218); Abs 2 geänd. mWv 18. 4. 2016 durch G v. 17. 2. 2016 (BGBl. I S. 203).

[2] **Schönfelder Nr. 74.**

§ 273 Zurückbehaltungsrecht. (1) Hat der Schuldner aus demselben rechtlichen Verhältnis, auf dem seine Verpflichtung beruht, einen fälligen Anspruch gegen den Gläubiger, so kann er, sofern nicht aus dem Schuldverhältnis sich ein anderes ergibt, die geschuldete Leistung verweigern, bis die ihm gebührende Leistung bewirkt wird (Zurückbehaltungsrecht).

(2) Wer zur Herausgabe eines Gegenstands verpflichtet ist, hat das gleiche Recht, wenn ihm ein fälliger Anspruch wegen Verwendungen auf den Gegenstand oder wegen eines ihm durch diesen verursachten Schadens zusteht, es sei denn, dass er den Gegenstand durch eine vorsätzlich begangene unerlaubte Handlung erlangt hat.

(3) [1] Der Gläubiger kann die Ausübung des Zurückbehaltungsrechts durch Sicherheitsleistung abwenden. [2] Die Sicherheitsleistung durch Bürgen ist ausgeschlossen.

§ 274 Wirkungen des Zurückbehaltungsrechts. (1) Gegenüber der Klage des Gläubigers hat die Geltendmachung des Zurückbehaltungsrechts nur die Wirkung, dass der Schuldner zur Leistung gegen Empfang der ihm gebührenden Leistung (Erfüllung Zug um Zug) zu verurteilen ist.

(2) Auf Grund einer solchen Verurteilung kann der Gläubiger seinen Anspruch ohne Bewirkung der ihm obliegenden Leistung im Wege der Zwangsvollstreckung verfolgen, wenn der Schuldner im Verzug der Annahme ist.

§ 275[1)] Ausschluss der Leistungspflicht. (1) Der Anspruch auf Leistung ist ausgeschlossen, soweit diese für den Schuldner oder für jedermann unmöglich ist.

(2) [1] Der Schuldner kann die Leistung verweigern, soweit diese einen Aufwand erfordert, der unter Beachtung des Inhalts des Schuldverhältnisses und der Gebote von Treu und Glauben in einem groben Missverhältnis zu dem Leistungsinteresse des Gläubigers steht. [2] Bei der Bestimmung der dem Schuldner zuzumutenden Anstrengungen ist auch zu berücksichtigen, ob der Schuldner das Leistungshindernis zu vertreten hat.

(3) Der Schuldner kann die Leistung ferner verweigern, wenn er die Leistung persönlich zu erbringen hat und sie ihm unter Abwägung des seiner Leistung entgegenstehenden Hindernisses mit dem Leistungsinteresse des Gläubigers nicht zugemutet werden kann.

(4) Die Rechte des Gläubigers bestimmen sich nach den §§ 280, 283 bis 285, 311 a und 326.

§ 276 Verantwortlichkeit des Schuldners. (1) [1] Der Schuldner hat Vorsatz und Fahrlässigkeit zu vertreten, wenn eine strengere oder mildere Haftung weder bestimmt noch aus dem sonstigen Inhalt des Schuldverhältnisses, insbesondere aus der Übernahme einer Garantie oder eines Beschaffungsrisikos, zu entnehmen ist. [2] Die Vorschriften der §§ 827 und 828 finden entsprechende Anwendung.

[1)] **Amtl. Anm.:** *Diese Vorschrift* dient auch der Umsetzung der Richtlinie 1999/44/EG des Europäischen Parlaments und des Rates vom 25. Mai 1999 zu bestimmten Aspekten des Verbrauchsgüterkaufs und der Garantien für Verbrauchsgüter (ABl. EG Nr. L 171 S. 12).

(2) Fahrlässig handelt, wer die im Verkehr erforderliche Sorgfalt außer Acht lässt.

(3) Die Haftung wegen Vorsatzes kann dem Schuldner nicht im Voraus erlassen werden.

§ 277 Sorgfalt in eigenen Angelegenheiten. Wer nur für diejenige Sorgfalt einzustehen hat, welche er in eigenen Angelegenheiten anzuwenden pflegt, ist von der Haftung wegen grober Fahrlässigkeit nicht befreit.

§ 278 Verantwortlichkeit des Schuldners für Dritte. [1] Der Schuldner hat ein Verschulden seines gesetzlichen Vertreters und der Personen, deren er sich zur Erfüllung seiner Verbindlichkeit bedient, in gleichem Umfang zu vertreten wie eigenes Verschulden. [2] Die Vorschrift des § 276 Abs. 3 findet keine Anwendung.

§ 279 (weggefallen)

§ 280 Schadensersatz wegen Pflichtverletzung. (1) [1] Verletzt der Schuldner eine Pflicht aus dem Schuldverhältnis, so kann der Gläubiger Ersatz des hierdurch entstehenden Schadens verlangen. [2] Dies gilt nicht, wenn der Schuldner die Pflichtverletzung nicht zu vertreten hat.

(2) Schadensersatz wegen Verzögerung der Leistung kann der Gläubiger nur unter der zusätzlichen Voraussetzung des § 286 verlangen.

(3) Schadensersatz statt der Leistung kann der Gläubiger nur unter den zusätzlichen Voraussetzungen des § 281, des § 282 oder des § 283 verlangen.

§ 281 Schadensersatz statt der Leistung wegen nicht oder nicht wie geschuldet erbrachter Leistung. (1) [1] Soweit der Schuldner die fällige Leistung nicht oder nicht wie geschuldet erbringt, kann der Gläubiger unter den Voraussetzungen des § 280 Abs. 1 Schadensersatz statt der Leistung verlangen, wenn er dem Schuldner erfolglos eine angemessene Frist zur Leistung oder Nacherfüllung bestimmt hat. [2] Hat der Schuldner eine Teilleistung bewirkt, so kann der Gläubiger Schadensersatz statt der ganzen Leistung nur verlangen, wenn er an der Teilleistung kein Interesse hat. [3] Hat der Schuldner die Leistung nicht wie geschuldet bewirkt, so kann der Gläubiger Schadensersatz statt der ganzen Leistung nicht verlangen, wenn die Pflichtverletzung unerheblich ist.

(2) Die Fristsetzung ist entbehrlich, wenn der Schuldner die Leistung ernsthaft und endgültig verweigert oder wenn besondere Umstände vorliegen, die unter Abwägung der beiderseitigen Interessen die sofortige Geltendmachung des Schadensersatzanspruchs rechtfertigen.

(3) Kommt nach der Art der Pflichtverletzung eine Fristsetzung nicht in Betracht, so tritt an deren Stelle eine Abmahnung.

(4) Der Anspruch auf die Leistung ist ausgeschlossen, sobald der Gläubiger statt der Leistung Schadensersatz verlangt hat.

(5) Verlangt der Gläubiger Schadensersatz statt der ganzen Leistung, so ist der Schuldner zur Rückforderung des Geleisteten nach den §§ 346 bis 348 berechtigt.

§ 282 Schadensersatz statt der Leistung wegen Verletzung einer Pflicht nach § 241 Abs. 2. Verletzt der Schuldner eine Pflicht nach § 241 Abs. 2, kann der Gläubiger unter den Voraussetzungen des § 280 Abs. 1 Schadensersatz statt der Leistung verlangen, wenn ihm die Leistung durch den Schuldner nicht mehr zuzumuten ist.

§ 283 Schadensersatz statt der Leistung bei Ausschluss der Leistungspflicht. [1] Braucht der Schuldner nach § 275 Abs. 1 bis 3 nicht zu leisten, kann der Gläubiger unter den Voraussetzungen des § 280 Abs. 1 Schadensersatz statt der Leistung verlangen. [2] § 281 Abs. 1 Satz 2 und 3 und Abs. 5 findet entsprechende Anwendung.

§ 284 Ersatz vergeblicher Aufwendungen. Anstelle des Schadensersatzes statt der Leistung kann der Gläubiger Ersatz der Aufwendungen verlangen, die er im Vertrauen auf den Erhalt der Leistung gemacht hat und billigerweise machen durfte, es sei denn, deren Zweck wäre auch ohne die Pflichtverletzung des Schuldners nicht erreicht worden.

§ 285 Herausgabe des Ersatzes. (1) Erlangt der Schuldner infolge des Umstands, auf Grund dessen er die Leistung nach § 275 Abs. 1 bis 3 nicht zu erbringen braucht, für den geschuldeten Gegenstand einen Ersatz oder einen Ersatzanspruch, so kann der Gläubiger Herausgabe des als Ersatz Empfangenen oder Abtretung des Ersatzanspruchs verlangen.

(2) Kann der Gläubiger statt der Leistung Schadensersatz verlangen, so mindert sich dieser, wenn er von dem in Absatz 1 bestimmten Recht Gebrauch macht, um den Wert des erlangten Ersatzes oder Ersatzanspruchs.

§ 286[1) 2)] Verzug des Schuldners. (1) [1] Leistet der Schuldner auf eine Mahnung des Gläubigers nicht, die nach dem Eintritt der Fälligkeit erfolgt, so kommt er durch die Mahnung in Verzug. [2] Der Mahnung stehen die Erhebung der Klage auf die Leistung sowie die Zustellung eines Mahnbescheids im Mahnverfahren gleich.

(2) Der Mahnung bedarf es nicht, wenn

1. für die Leistung eine Zeit nach dem Kalender bestimmt ist,
2. der Leistung ein Ereignis vorauszugehen hat und eine angemessene Zeit für die Leistung in der Weise bestimmt ist, dass sie sich von dem Ereignis an nach dem Kalender berechnen lässt,
3. der Schuldner die Leistung ernsthaft und endgültig verweigert,
4. aus besonderen Gründen unter Abwägung der beiderseitigen Interessen der sofortige Eintritt des Verzugs gerechtfertigt ist.

(3) [1] Der Schuldner einer Entgeltforderung kommt spätestens in Verzug, wenn er nicht innerhalb von 30 Tagen nach Fälligkeit und Zugang einer Rechnung oder gleichwertigen Zahlungsaufstellung leistet; dies gilt gegenüber einem Schuldner, der Verbraucher ist, nur, wenn auf diese Folgen in der

---

1) **Amtl. Anm.:** Diese Vorschrift dient zum Teil auch der Umsetzung der Richtlinie 2000/35/EG des *Europäischen Parlaments* und des Rates vom 29. Juni 2000 zur Bekämpfung von Zahlungsverzug im Geschäftsverkehr (ABl. EG Nr. L 200 S. 35).

2) § 286 Abs. 5 angef. mWv 29. 7. 2014 durch G v. 22. 7. 2014 (BGBl. I S. 1218).

Rechnung oder Zahlungsaufstellung besonders hingewiesen worden ist. [2] Wenn der Zeitpunkt des Zugangs der Rechnung oder Zahlungsaufstellung unsicher ist, kommt der Schuldner, der nicht Verbraucher ist, spätestens 30 Tage nach Fälligkeit und Empfang der Gegenleistung in Verzug.

(4) Der Schuldner kommt nicht in Verzug, solange die Leistung infolge eines Umstands unterbleibt, den er nicht zu vertreten hat.

(5) Für eine von den Absätzen 1 bis 3 abweichende Vereinbarung über den Eintritt des Verzugs gilt § 271 a Absatz 1 bis 5 entsprechend.

§ 287 Verantwortlichkeit während des Verzugs. [1] Der Schuldner hat während des Verzugs jede Fahrlässigkeit zu vertreten. [2] Er haftet wegen der Leistung auch für Zufall, es sei denn, dass der Schaden auch bei rechtzeitiger Leistung eingetreten sein würde.

§ 288[1) 2)] Verzugszinsen und sonstiger Verzugsschaden. (1) [1] Eine Geldschuld ist während des Verzugs zu verzinsen. [2] Der Verzugszinssatz beträgt für das Jahr fünf Prozentpunkte über dem Basiszinssatz.

(2) Bei Rechtsgeschäften, an denen ein Verbraucher nicht beteiligt ist, beträgt der Zinssatz für Entgeltforderungen neun Prozentpunkte über dem Basiszinssatz.

(3) Der Gläubiger kann aus einem anderen Rechtsgrund höhere Zinsen verlangen.

(4) Die Geltendmachung eines weiteren Schadens ist nicht ausgeschlossen.

(5) [1] Der Gläubiger einer Entgeltforderung hat bei Verzug des Schuldners, wenn dieser kein Verbraucher ist, außerdem einen Anspruch auf Zahlung einer Pauschale in Höhe von 40 Euro. [2] Dies gilt auch, wenn es sich bei der Entgeltforderung um eine Abschlagszahlung oder sonstige Ratenzahlung handelt. [3] Die Pauschale nach Satz 1 ist auf einen geschuldeten Schadensersatz anzurechnen, soweit der Schaden in Kosten der Rechtsverfolgung begründet ist.

(6) [1] Eine im Voraus getroffene Vereinbarung, die den Anspruch des Gläubigers einer Entgeltforderung auf Verzugszinsen ausschließt, ist unwirksam. [2] Gleiches gilt für eine Vereinbarung, die diesen Anspruch beschränkt oder den Anspruch des Gläubigers einer Entgeltforderung auf die Pauschale nach Absatz 5 oder auf Ersatz des Schadens, der in Kosten der Rechtsverfolgung begründet ist, ausschließt oder beschränkt, wenn sie im Hinblick auf die Belange des Gläubigers grob unbillig ist. [3] Eine Vereinbarung über den Ausschluss der Pauschale nach Absatz 5 oder des Ersatzes des Schadens, der in Kosten der Rechtsverfolgung begründet ist, ist im Zweifel als grob unbillig anzusehen. [4] Die Sätze 1 bis 3 sind nicht anzuwenden, wenn sich der Anspruch gegen einen Verbraucher richtet.

[1)] **Amtl. Anm.:** Diese Vorschrift dient zum Teil auch der Umsetzung der Richtlinie 2000/35/EG des Europäischen Parlaments und des Rates vom 29. Juni 2000 zur Bekämpfung von Zahlungsverzug im Geschäftsverkehr (ABl. EG Nr. L 200 S. 35).

[2)] § 288 Überschrift neu gef., Abs. 2 geänd., Abs. 5 und 6 angef. mWv 29. 7. 2014 durch G v. 22. 7. 2014 (BGBl. I S. 1218).

§ 289 Zinseszinsverbot. [1] Von Zinsen sind Verzugszinsen nicht zu entrichten. [2] Das Recht des Gläubigers auf Ersatz des durch den Verzug entstehenden Schadens bleibt unberührt.

§ 290 Verzinsung des Wertersatzes. [1] Ist der Schuldner zum Ersatz des Wertes eines Gegenstands verpflichtet, der während des Verzugs untergegangen ist oder aus einem während des Verzugs eingetretenen Grund nicht herausgegeben werden kann, so kann der Gläubiger Zinsen des zu ersetzenden Betrags von dem Zeitpunkt an verlangen, welcher der Bestimmung des Wertes zugrunde gelegt wird. [2] Das Gleiche gilt, wenn der Schuldner zum Ersatz der Minderung des Wertes eines während des Verzugs verschlechterten Gegenstands verpflichtet ist.

§ 291 Prozesszinsen. [1] Eine Geldschuld hat der Schuldner von dem Eintritt der Rechtshängigkeit an zu verzinsen, auch wenn er nicht im Verzug ist; wird die Schuld erst später fällig, so ist sie von der Fälligkeit an zu verzinsen. [2] Die Vorschriften des § 288 Abs. 1 Satz 2, Abs. 2, Abs. 3 und des § 289 Satz 1 finden entsprechende Anwendung.

§ 292 Haftung bei Herausgabepflicht. (1) Hat der Schuldner einen bestimmten Gegenstand herauszugeben, so bestimmt sich von dem Eintritt der Rechtshängigkeit an der Anspruch des Gläubigers auf Schadensersatz wegen Verschlechterung, Untergangs oder einer aus einem anderen Grunde eintretenden Unmöglichkeit der Herausgabe nach den Vorschriften, welche für das Verhältnis zwischen dem Eigentümer und dem Besitzer von dem Eintritt der Rechtshängigkeit des Eigentumsanspruchs an gelten, soweit nicht aus dem Schuldverhältnis oder dem Verzug des Schuldners sich zugunsten des Gläubigers ein anderes ergibt.

(2) Das Gleiche gilt von dem Anspruch des Gläubigers auf Herausgabe oder Vergütung von Nutzungen und von dem Anspruch des Schuldners auf Ersatz von Verwendungen.

Titel 2. Verzug des Gläubigers

§ 293 Annahmeverzug. Der Gläubiger kommt in Verzug, wenn er die ihm angebotene Leistung nicht annimmt.

§ 294 Tatsächliches Angebot. Die Leistung muss dem Gläubiger so, wie sie zu bewirken ist, tatsächlich angeboten werden.

§ 295 Wörtliches Angebot. [1] Ein wörtliches Angebot des Schuldners genügt, wenn der Gläubiger ihm erklärt hat, dass er die Leistung nicht annehmen werde, oder wenn zur Bewirkung der Leistung eine Handlung des Gläubigers erforderlich ist, insbesondere wenn der Gläubiger die geschuldete Sache abzuholen hat. [2] Dem Angebot der Leistung steht die Aufforderung an den Gläubiger gleich, die erforderliche Handlung vorzunehmen.

§ 296 Entbehrlichkeit des Angebots. [1] Ist für die von dem Gläubiger vorzunehmende Handlung eine Zeit nach dem Kalender bestimmt, so bedarf es des Angebots nur, wenn der Gläubiger die Handlung rechtzeitig vornimmt. [2] Das Gleiche gilt, wenn der Handlung ein Ereignis vorauszugehen hat und eine angemessene Zeit für die Handlung in der Weise bestimmt ist, dass sie sich von dem Ereignis an nach dem Kalender berechnen lässt.

§ 297 Unvermögen des Schuldners. Der Gläubiger kommt nicht in Verzug, wenn der Schuldner zur Zeit des Angebots oder im Falle des § 296 zu der für die Handlung des Gläubigers bestimmten Zeit außerstande ist, die Leistung zu bewirken.

§ 298 Zug-um-Zug-Leistungen. Ist der Schuldner nur gegen eine Leistung des Gläubigers zu leisten verpflichtet, so kommt der Gläubiger in Verzug, wenn er zwar die angebotene Leistung anzunehmen bereit ist, die verlangte Gegenleistung aber nicht anbietet.

§ 299 Vorübergehende Annahmeverhinderung. Ist die Leistungszeit nicht bestimmt oder ist der Schuldner berechtigt, vor der bestimmten Zeit zu leisten, so kommt der Gläubiger nicht dadurch in Verzug, dass er vorübergehend an der Annahme der angebotenen Leistung verhindert ist, es sei denn, dass der Schuldner ihm die Leistung eine angemessene Zeit vorher angekündigt hat.

§ 300 Wirkungen des Gläubigerverzugs. (1) Der Schuldner hat während des Verzugs des Gläubigers nur Vorsatz und grobe Fahrlässigkeit zu vertreten.

(2) Wird eine nur der Gattung nach bestimmte Sache geschuldet, so geht die Gefahr mit dem Zeitpunkt auf den Gläubiger über, in welchem er dadurch in Verzug kommt, dass er die angebotene Sache nicht annimmt.

§ 301 Wegfall der Verzinsung. Von einer verzinslichen Geldschuld hat der Schuldner während des Verzugs des Gläubigers Zinsen nicht zu entrichten.

§ 302 Nutzungen. Hat der Schuldner die Nutzungen eines Gegenstands herauszugeben oder zu ersetzen, so beschränkt sich seine Verpflichtung während des Verzugs des Gläubigers auf die Nutzungen, welche er zieht.

§ 303 Recht zur Besitzaufgabe. [1] Ist der Schuldner zur Herausgabe eines Grundstücks oder eines eingetragenen Schiffs oder Schiffsbauwerks verpflichtet, so kann er nach dem Eintritt des Verzugs des Gläubigers den Besitz aufgeben. [2] Das Aufgeben muss dem Gläubiger vorher angedroht werden, es sei denn, dass die Androhung untunlich ist.

§ 304 Ersatz von Mehraufwendungen. Der Schuldner kann im Falle des Verzugs des Gläubigers Ersatz der Mehraufwendungen verlangen, die er für das erfolglose Angebot sowie für die Aufbewahrung und Erhaltung des geschuldeten Gegenstands machen musste.

Abschnitt 2.[1)] Gestaltung rechtsgeschäftlicher Schuldverhältnisse durch Allgemeine Geschäftsbedingungen

§ 305 Einbeziehung Allgemeiner Geschäftsbedingungen in den Vertrag. (1) [1] Allgemeine Geschäftsbedingungen sind alle für eine Vielzahl von Verträgen vorformulierten Vertragsbedingungen, die eine Vertragspartei (Ver-

---

[1)] **Amtl. Anm.:** Dieser Abschnitt dient auch der Umsetzung der Richtlinie 93/13/EWG des Rates vom 5. April 1993 über missbräuchliche Klauseln in Verbraucherverträgen (ABl. EG Nr. L 95 S. 29).

wender) der anderen Vertragspartei bei Abschluss eines Vertrags stellt. [2] Gleichgültig ist, ob die Bestimmungen einen äußerlich gesonderten Bestandteil des Vertrags bilden oder in die Vertragsurkunde selbst aufgenommen werden, welchen Umfang sie haben, in welcher Schriftart sie verfasst sind und welche Form der Vertrag hat. [3] Allgemeine Geschäftsbedingungen liegen nicht vor, soweit die Vertragsbedingungen zwischen den Vertragsparteien im Einzelnen ausgehandelt sind.

(2) Allgemeine Geschäftsbedingungen werden nur dann Bestandteil eines Vertrags, wenn der Verwender bei Vertragsschluss

1. die andere Vertragspartei ausdrücklich oder, wenn ein ausdrücklicher Hinweis wegen der Art des Vertragsschlusses nur unter unverhältnismäßigen Schwierigkeiten möglich ist, durch deutlich sichtbaren Aushang am Orte des Vertragsschlusses auf sie hinweist und
2. der anderen Vertragspartei die Möglichkeit verschafft, in zumutbarer Weise, die auch eine für den Verwender erkennbare körperliche Behinderung der anderen Vertragspartei angemessen berücksichtigt, von ihrem Inhalt Kenntnis zu nehmen,

und wenn die andere Vertragspartei mit ihrer Geltung einverstanden ist.

(3) Die Vertragsparteien können für eine bestimmte Art von Rechtsgeschäften die Geltung bestimmter Allgemeiner Geschäftsbedingungen unter Beachtung der in Absatz 2 bezeichneten Erfordernisse im Voraus vereinbaren.

§ 305a[1] **Einbeziehung in besonderen Fällen.** Auch ohne Einhaltung der in § 305 Abs. 2 Nr. 1 und 2 bezeichneten Erfordernisse werden einbezogen, wenn die andere Vertragspartei mit ihrer Geltung einverstanden ist,

1. die mit Genehmigung der zuständigen Verkehrsbehörde oder auf Grund von internationalen Übereinkommen erlassenen Tarife und Ausführungsbestimmungen der Eisenbahnen und die nach Maßgabe des Personenbeförderungsgesetzes[2] genehmigten Beförderungsbedingungen der Straßenbahnen, Obusse und Kraftfahrzeuge im Linienverkehr in den Beförderungsvertrag,
2. die im Amtsblatt der Bundesnetzagentur für Elektrizität, Gas, Telekommunikation, Post und Eisenbahnen veröffentlichten und in den Geschäftsstellen des Verwenders bereitgehaltenen Allgemeinen Geschäftsbedingungen
   a) in Beförderungsverträge, die außerhalb von Geschäftsräumen durch den Einwurf von Postsendungen in Briefkästen abgeschlossen werden,
   b) in Verträge über Telekommunikations-, Informations- und andere Dienstleistungen, die unmittelbar durch Einsatz von Fernkommunikationsmitteln und während der Erbringung einer Telekommunikationsdienstleistung in einem Mal erbracht werden, wenn die Allgemeinen Geschäftsbedingungen der anderen Vertragspartei nur unter unverhältnismäßigen Schwierigkeiten vor dem Vertragsschluss zugänglich gemacht werden können,
3. die genehmigten Anlagebedingungen von Kapitalverwaltungsgesellschaften.

---

[1] § 305a Nr. 2 geänd. mWv 13.7.2005 durch G v. 7.7.2005 (BGBl. I S. 1970); Nr. 2 Buchst. b geänd., Nr. 3 angef. mWv 10.2.2026 durch G v. 4.2.2026 (BGBl. 2026 I Nr. 33).

[2] **Sartorius Nr. 950.**

§ 305b Vorrang der Individualabrede. Individuelle Vertragsabreden haben Vorrang vor Allgemeinen Geschäftsbedingungen.

§ 305c Überraschende und mehrdeutige Klauseln. (1) Bestimmungen in Allgemeinen Geschäftsbedingungen, die nach den Umständen, insbesondere nach dem äußeren Erscheinungsbild des Vertrags, so ungewöhnlich sind, dass der Vertragspartner des Verwenders mit ihnen nicht zu rechnen braucht, werden nicht Vertragsbestandteil.

(2) Zweifel bei der Auslegung Allgemeiner Geschäftsbedingungen gehen zu Lasten des Verwenders.

§ 306 Rechtsfolgen bei Nichteinbeziehung und Unwirksamkeit.

(1) Sind Allgemeine Geschäftsbedingungen ganz oder teilweise nicht Vertragsbestandteil geworden oder unwirksam, so bleibt der Vertrag im Übrigen wirksam.

(2) Soweit die Bestimmungen nicht Vertragsbestandteil geworden oder unwirksam sind, richtet sich der Inhalt des Vertrags nach den gesetzlichen Vorschriften.

(3) Der Vertrag ist unwirksam, wenn das Festhalten an ihm auch unter Berücksichtigung der nach Absatz 2 vorgesehenen Änderung eine unzumutbare Härte für eine Vertragspartei darstellen würde.

§ 306a Umgehungsverbot. Die Vorschriften dieses Abschnitts finden auch Anwendung, wenn sie durch anderweitige Gestaltungen umgangen werden.

§ 307 Inhaltskontrolle. (1) [1] Bestimmungen in Allgemeinen Geschäftsbedingungen sind unwirksam, wenn sie den Vertragspartner des Verwenders entgegen den Geboten von Treu und Glauben unangemessen benachteiligen. [2] Eine unangemessene Benachteiligung kann sich auch daraus ergeben, dass die Bestimmung nicht klar und verständlich ist.

(2) Eine unangemessene Benachteiligung ist im Zweifel anzunehmen, wenn eine Bestimmung

1. mit wesentlichen Grundgedanken der gesetzlichen Regelung, von der abgewichen wird, nicht zu vereinbaren ist oder
2. wesentliche Rechte oder Pflichten, die sich aus der Natur des Vertrags ergeben, so einschränkt, dass die Erreichung des Vertragszwecks gefährdet ist.

(3) [1] Die Absätze 1 und 2 sowie die §§ 308 und 309 gelten nur für Bestimmungen in Allgemeinen Geschäftsbedingungen, durch die von Rechtsvorschriften abweichende oder diese ergänzende Regelungen vereinbart werden. [2] Andere Bestimmungen können nach Absatz 1 Satz 2 in Verbindung mit Absatz 1 Satz 1 unwirksam sein.

§ 308[1] Klauselverbote mit Wertungsmöglichkeit. In Allgemeinen Geschäftsbedingungen ist insbesondere unwirksam

1. (Annahme- und Leistungsfrist)

---

[1] § 308 Nr. 5 geänd. mWv 1.1.2009 durch G v. 23.10.2008 (BGBl. I S. 2022); Nr. 1 geänd. mWv 11.6.2010 durch G v. 29.7.2009 (BGBl. I S. 2355); Nr. 1 geänd. mWv 13.6.2014 durch G v. 20.9. 2013 (BGBl. I S. 3642); Nr. 1a und 1b eingef. mWv 29.7.2014 durch G v. 22.7.2014 (BGBl. I S. 1218); Nr. 8 geänd., Nr. 9 angef. mWv 1.10.2021 durch G v. 10.8.2021 (BGBl. I S. 3433).

eine Bestimmung, durch die sich der Verwender unangemessen lange oder nicht hinreichend bestimmte Fristen für die Annahme oder Ablehnung eines Angebots oder die Erbringung einer Leistung vorbehält; ausgenommen hiervon ist der Vorbehalt, erst nach Ablauf der Widerrufsfrist nach § 355 Absatz 1 und 2 zu leisten;

1a. (Zahlungsfrist)
eine Bestimmung, durch die sich der Verwender eine unangemessen lange Zeit für die Erfüllung einer Entgeltforderung des Vertragspartners vorbehält; ist der Verwender kein Verbraucher, ist im Zweifel anzunehmen, dass eine Zeit von mehr als 30 Tagen nach Empfang der Gegenleistung oder, wenn dem Schuldner nach Empfang der Gegenleistung eine Rechnung oder gleichwertige Zahlungsaufstellung zugeht, von mehr als 30 Tagen nach Zugang dieser Rechnung oder Zahlungsaufstellung unangemessen lang ist;

1b. (Überprüfungs- und Abnahmefrist)
eine Bestimmung, durch die sich der Verwender vorbehält, eine Entgeltforderung des Vertragspartners erst nach unangemessen langer Zeit für die Überprüfung oder Abnahme der Gegenleistung zu erfüllen; ist der Verwender kein Verbraucher, ist im Zweifel anzunehmen, dass eine Zeit von mehr als 15 Tagen nach Empfang der Gegenleistung unangemessen lang ist;

2. (Nachfrist)
eine Bestimmung, durch die sich der Verwender für die von ihm zu bewirkende Leistung abweichend von Rechtsvorschriften eine unangemessen lange oder nicht hinreichend bestimmte Nachfrist vorbehält;

3. (Rücktrittsvorbehalt)
die Vereinbarung eines Rechts des Verwenders, sich ohne sachlich gerechtfertigten und im Vertrag angegebenen Grund von seiner Leistungspflicht zu lösen; dies gilt nicht für Dauerschuldverhältnisse;

4. (Änderungsvorbehalt)
die Vereinbarung eines Rechts des Verwenders, die versprochene Leistung zu ändern oder von ihr abzuweichen, wenn nicht die Vereinbarung der Änderung oder Abweichung unter Berücksichtigung der Interessen des Verwenders für den anderen Vertragsteil zumutbar ist;

5. (Fingierte Erklärungen)
eine Bestimmung, wonach eine Erklärung des Vertragspartners des Verwenders bei Vornahme oder Unterlassung einer bestimmten Handlung als von ihm abgegeben oder nicht abgegeben gilt, es sei denn, dass
   a) dem Vertragspartner eine angemessene Frist zur Abgabe einer ausdrücklichen Erklärung eingeräumt ist und
   b) der Verwender sich verpflichtet, den Vertragspartner bei Beginn der Frist auf die vorgesehene Bedeutung seines Verhaltens besonders hinzuweisen;

6. (Fiktion des Zugangs)

(Fortsetzung nächstes Blatt)

eine Bestimmung, die vorsieht, dass eine Erklärung des Verwenders von besonderer Bedeutung dem anderen Vertragsteil als zugegangen gilt;

7. (Abwicklung von Verträgen)
   eine Bestimmung, nach der der Verwender für den Fall, dass eine Vertragspartei vom Vertrag zurücktritt oder den Vertrag kündigt,
   a) eine unangemessen hohe Vergütung für die Nutzung oder den Gebrauch einer Sache oder eines Rechts oder für erbrachte Leistungen oder
   b) einen unangemessen hohen Ersatz von Aufwendungen verlangen kann;
8. (Nichtverfügbarkeit der Leistung)
   die nach Nummer 3 zulässige Vereinbarung eines Vorbehalts des Verwenders, sich von der Verpflichtung zur Erfüllung des Vertrags bei Nichtverfügbarkeit der Leistung zu lösen, wenn sich der Verwender nicht verpflichtet,
   a) den Vertragspartner unverzüglich über die Nichtverfügbarkeit zu informieren und
   b) Gegenleistungen des Vertragspartners unverzüglich zu erstatten;
9. (Abtretungsausschluss)
   eine Bestimmung, durch die die Abtretbarkeit ausgeschlossen wird
   a) für einen auf Geld gerichteten Anspruch des Vertragspartners gegen den Verwender oder
   b) für ein anderes Recht, das der Vertragspartner gegen den Verwender hat, wenn
      aa) beim Verwender ein schützenswertes Interesse an dem Abtretungsausschluss nicht besteht oder
      bb) berechtigte Belange des Vertragspartners an der Abtretbarkeit des Rechts das schützenswerte Interesse des Verwenders an dem Abtretungsausschluss überwiegen;

   Buchstabe a gilt nicht für Ansprüche aus Zahlungsdiensterahmenverträgen und die Buchstaben a und b gelten nicht für Ansprüche auf Versorgungsleistungen im Sinne des Betriebsrentengesetzes[1].

§ 309[2] **Klauselverbote ohne Wertungsmöglichkeit.** Auch soweit eine Abweichung von den gesetzlichen Vorschriften zulässig ist, ist in Allgemeinen Geschäftsbedingungen unwirksam

1. (Kurzfristige Preiserhöhungen)
   eine Bestimmung, welche die Erhöhung des Entgelts für Waren oder Leistungen vorsieht, die innerhalb von vier Monaten nach Vertragsschluss geliefert oder erbracht werden sollen; dies gilt nicht bei Waren oder Leistungen, die im Rahmen von Dauerschuldverhältnissen geliefert oder erbracht werden;
2. (Leistungsverweigerungsrechte)
   eine Bestimmung, durch die

---

[1] Nr. **180**.

[2] § 309 Nr. 10 geänd. mWv 19.8.2008 durch G v. 12.8.2008 (BGBl. I S. 1666); Nr. 8 Buchst. b Doppelbuchst. ff geänd. mWv 1.1.2009 durch G v. 23.10.2008 (BGBl. I S. 2022); Nr. 13 neu gef. mWv 1.10.2016 durch G v. 17.2.2016 (BGBl. I S. 233); Nr. 13 geänd., Nr. 14 angef. mWv 26.2.2016 durch G v. 19.2.2016 (BGBl. I S. 254); Nr. 9 geänd. mWv 1.6.2016 durch G v. 24.5.2016 (BGBl. I S. 1190); Nr. 8 Buchst. b Doppelbuchst. cc neu gef., Nr. 14 geänd., Nr. 15 angef. mWv 1.1.2018 durch G v. 28.4.2017 (BGBl. I S. 969); Nr. 9 neu gef. mWv 1.3.2022 durch G v. 10.8.2021 (BGBl. I S. 3433).

a) das Leistungsverweigerungsrecht, das dem Vertragspartner des Verwenders nach § 320 zusteht, ausgeschlossen oder eingeschränkt wird oder

b) ein dem Vertragspartner des Verwenders zustehendes Zurückbehaltungsrecht, soweit es auf demselben Vertragsverhältnis beruht, ausgeschlossen oder eingeschränkt, insbesondere von der Anerkennung von Mängeln durch den Verwender abhängig gemacht wird;

3. (Aufrechnungsverbot)
eine Bestimmung, durch die dem Vertragspartner des Verwenders die Befugnis genommen wird, mit einer unbestrittenen oder rechtskräftig festgestellten Forderung aufzurechnen;

4. (Mahnung, Fristsetzung)
eine Bestimmung, durch die der Verwender von der gesetzlichen Obliegenheit freigestellt wird, den anderen Vertragsteil zu mahnen oder ihm eine Frist für die Leistung oder Nacherfüllung zu setzen;

5. (Pauschalierung von Schadensersatzansprüchen)
die Vereinbarung eines pauschalierten Anspruchs des Verwenders auf Schadensersatz oder Ersatz einer Wertminderung, wenn

a) die Pauschale den in den geregelten Fällen nach dem gewöhnlichen Lauf der Dinge zu erwartenden Schaden oder die gewöhnlich eintretende Wertminderung übersteigt oder

b) dem anderen Vertragsteil nicht ausdrücklich der Nachweis gestattet wird, ein Schaden oder eine Wertminderung sei überhaupt nicht entstanden oder wesentlich niedriger als die Pauschale;

6. (Vertragsstrafe)
eine Bestimmung, durch die dem Verwender für den Fall der Nichtabnahme oder verspäteten Abnahme der Leistung, des Zahlungsverzugs oder für den Fall, dass der andere Vertragsteil sich vom Vertrag löst, Zahlung einer Vertragsstrafe versprochen wird;

7. (Haftungsausschluss bei Verletzung von Leben, Körper, Gesundheit und bei grobem Verschulden)

a) (Verletzung von Leben, Körper, Gesundheit)
ein Ausschluss oder eine Begrenzung der Haftung für Schäden aus der Verletzung des Lebens, des Körpers oder der Gesundheit, die auf einer fahrlässigen Pflichtverletzung des Verwenders oder einer vorsätzlichen oder fahrlässigen Pflichtverletzung eines gesetzlichen Vertreters oder Erfüllungsgehilfen des Verwenders beruhen;

b) (Grobes Verschulden)
ein Ausschluss oder eine Begrenzung der Haftung für sonstige Schäden, die auf einer grob fahrlässigen Pflichtverletzung des Verwenders oder auf einer vorsätzlichen oder grob fahrlässigen Pflichtverletzung eines gesetzlichen Vertreters oder Erfüllungsgehilfen des Verwenders beruhen;

die Buchstaben a und b gelten nicht für Haftungsbeschränkungen in den nach Maßgabe des Personenbeförderungsgesetzes[1] genehmigten Beförderungsbedingungen und Tarifvorschriften der Straßenbahnen, Obusse und Kraftfahrzeuge im Linienverkehr, soweit sie nicht zum Nachteil des Fahrgasts von der Verordnung über die Allgemeinen Beförderungsbedingungen für den Straßenbahn- und Obusverkehr sowie den Linienverkehr mit Kraft-

---

[1] **Sartorius Nr. 950.**

fahrzeugen vom 27. Februar 1970 abweichen; Buchstabe b gilt nicht für Haftungsbeschränkungen für staatlich genehmigte Lotterie- oder Ausspielverträge;

8. (Sonstige Haftungsausschlüsse bei Pflichtverletzung)

   a) (Ausschluss des Rechts, sich vom Vertrag zu lösen)
   eine Bestimmung, die bei einer vom Verwender zu vertretenden, nicht in einem Mangel der Kaufsache oder des Werkes bestehenden Pflichtverletzung das Recht des anderen Vertragsteils, sich vom Vertrag zu lösen, ausschließt oder einschränkt; dies gilt nicht für die in der Nummer 7 bezeichneten Beförderungsbedingungen und Tarifvorschriften unter den dort genannten Voraussetzungen;

   b) (Mängel)
   eine Bestimmung, durch die bei Verträgen über Lieferungen neu hergestellter Sachen und über Werkleistungen

      aa) (Ausschluss und Verweisung auf Dritte)
      die Ansprüche gegen den Verwender wegen eines Mangels insgesamt oder bezüglich einzelner Teile ausgeschlossen, auf die Einräumung von Ansprüchen gegen Dritte beschränkt oder von der vorherigen gerichtlichen Inanspruchnahme Dritter abhängig gemacht werden;

      bb) (Beschränkung auf Nacherfüllung)
      die Ansprüche gegen den Verwender insgesamt oder bezüglich einzelner Teile auf ein Recht auf Nacherfüllung beschränkt werden, sofern dem anderen Vertragsteil nicht ausdrücklich das Recht vorbehalten wird, bei Fehlschlagen der Nacherfüllung zu mindern oder, wenn nicht eine Bauleistung Gegenstand der Mängelhaftung ist, nach seiner Wahl vom Vertrag zurückzutreten;

      cc) (Aufwendungen bei Nacherfüllung)
      die Verpflichtung des Verwenders ausgeschlossen oder beschränkt wird, die zum Zweck der Nacherfüllung erforderlichen Aufwendungen nach § 439 Absatz 2 und 3 oder § 635 Absatz 2 zu tragen oder zu ersetzen;

      dd) (Vorenthalten der Nacherfüllung)
      der Verwender die Nacherfüllung von der vorherigen Zahlung des vollständigen Entgelts oder eines unter Berücksichtigung des Mangels unverhältnismäßig hohen Teils des Entgelts abhängig macht;

      ee) (Ausschlussfrist für Mängelanzeige)
      der Verwender dem anderen Vertragsteil für die Anzeige nicht offensichtlicher Mängel eine Ausschlussfrist setzt, die kürzer ist als die nach dem Doppelbuchstaben ff zulässige Frist;

      ff) (Erleichterung der Verjährung)
      die Verjährung von Ansprüchen gegen den Verwender wegen eines Mangels in den Fällen des § 438 Abs. 1 Nr. 2 und des § 634a Abs. 1 Nr. 2 erleichtert oder in den sonstigen Fällen eine weniger als ein Jahr betragende Verjährungsfrist ab dem gesetzlichen Verjährungsbeginn erreicht wird;

9. bei einem Vertragsverhältnis, das die regelmäßige Lieferung von Waren oder die regelmäßige Erbringung von Dienst- oder Werkleistungen durch den Verwender zum Gegenstand hat,

a) eine den anderen Vertragsteil länger als zwei Jahre bindende Laufzeit des Vertrags,

b) eine den anderen Vertragsteil bindende stillschweigende Verlängerung des Vertragsverhältnisses, es sei denn das Vertragsverhältnis wird nur auf unbestimmte Zeit verlängert und dem anderen Vertragsteil wird das Recht eingeräumt, das verlängerte Vertragsverhältnis jederzeit mit einer Frist von höchstens einem Monat zu kündigen, oder

c) eine zu Lasten des anderen Vertragsteils längere Kündigungsfrist als einen Monat vor Ablauf der zunächst vorgesehenen Vertragsdauer;

dies gilt nicht für Verträge über die Lieferung zusammengehörig verkaufter Sachen sowie für Versicherungsverträge;

10. (Wechsel des Vertragspartners)
eine Bestimmung, wonach bei Kauf-, Darlehens-, Dienst- oder Werkverträgen ein Dritter anstelle des Verwenders in die sich aus dem Vertrag ergebenden Rechte und Pflichten eintritt oder eintreten kann, es sei denn, in der Bestimmung wird

a) der Dritte namentlich bezeichnet oder

b) dem anderen Vertragsteil das Recht eingeräumt, sich vom Vertrag zu lösen;

11. (Haftung des Abschlussvertreters)
eine Bestimmung, durch die der Verwender einem Vertreter, der den Vertrag für den anderen Vertragsteil abschließt,

a) ohne hierauf gerichtete ausdrückliche und gesonderte Erklärung eine eigene Haftung oder Einstandspflicht oder

b) im Falle vollmachtsloser Vertretung eine über § 179 hinausgehende Haftung

auferlegt;

12. (Beweislast)
eine Bestimmung, durch die der Verwender die Beweislast zum Nachteil des anderen Vertragsteils ändert, insbesondere indem er

a) diesem die Beweislast für Umstände auferlegt, die im Verantwortungsbereich des Verwenders liegen, oder

b) den anderen Vertragsteil bestimmte Tatsachen bestätigen lässt;

Buchstabe b gilt nicht für Empfangsbekenntnisse, die gesondert unterschrieben oder mit einer gesonderten qualifizierten elektronischen Signatur versehen sind;

13. (Form von Anzeigen und Erklärungen)
eine Bestimmung, durch die Anzeigen oder Erklärungen, die dem Verwender oder einem Dritten gegenüber abzugeben sind, gebunden werden

a) an eine strengere Form als die schriftliche Form in einem Vertrag, für den durch Gesetz notarielle Beurkundung vorgeschrieben ist oder

b) an eine strengere Form als die Textform in anderen als den in Buchstabe a genannten Verträgen oder

c) an besondere Zugangserfordernisse;

14. (Klageverzicht)
eine Bestimmung, wonach der andere Vertragsteil seine Ansprüche gegen den Verwender gerichtlich nur geltend machen darf, nachdem er eine

gütliche Einigung in einem Verfahren zur außergerichtlichen Streitbeilegung versucht hat;

15. (Abschlagszahlungen und Sicherheitsleistung)
eine Bestimmung, nach der der Verwender bei einem Werkvertrag
a) für Teilleistungen Abschlagszahlungen vom anderen Vertragsteil verlangen kann, die wesentlich höher sind als die nach § 632a Absatz 1 und § 650m Absatz 1 zu leistenden Abschlagszahlungen, oder
b) die Sicherheitsleistung nach § 650m Absatz 2 nicht oder nur in geringerer Höhe leisten muss.

§ 310[1)] Anwendungsbereich. (1) [1] § 305 Absatz 2 und 3, § 308 Nummer 1, 2 bis 9 und § 309 finden keine Anwendung auf Allgemeine Geschäftsbedingungen, die gegenüber einem Unternehmer, einer juristischen Person des öffentlichen Rechts oder einem öffentlich-rechtlichen Sondervermögen verwendet werden. [2] § 307 Abs. 1 und 2 findet in den Fällen des Satzes 1 auch insoweit Anwendung, als dies zur Unwirksamkeit von in § 308 Nummer 1, 2 bis 9 und § 309 genannten Vertragsbestimmungen führt; auf die im Handelsverkehr geltenden Gewohnheiten und Gebräuche ist angemessen Rücksicht zu nehmen. [3] In den Fällen des Satzes 1 finden § 307 Absatz 1 und 2 sowie § 308 Nummer 1a und 1b auf Verträge, in die die Vergabe- und Vertragsordnung für Bauleistungen Teil B (VOB/B)[2)] in der jeweils zum Zeitpunkt des Vertragsschlusses geltenden Fassung ohne inhaltliche Abweichungen insgesamt einbezogen ist, in Bezug auf eine Inhaltskontrolle einzelner Bestimmungen keine Anwendung.

(1a) [1] Die §§ 307 und 308 Nummer 1a und 1b sind nicht anzuwenden auf Verträge über Geschäfte nach Satz 2, wenn ein Unternehmer das Geschäft, das Gegenstand des Vertrages ist, rechtmäßig gewerbsmäßig tätigt und den Vertrag geschlossen hat mit

1. einem Unternehmer, der solche Geschäfte am Ort seines Sitzes oder einer Niederlassung auch als Erbringer der vertragstypischen Leistung rechtmäßig gewerbsmäßig tätigen kann,
2. einem großen Unternehmer im Sinne des Satzes 3, der Geschäfte nach Satz 2 am Ort seines Sitzes oder einer Niederlassung auch als Erbringer der vertragstypischen Leistung rechtmäßig gewerbsmäßig tätigen kann.

[2] Geschäfte nach Satz 1 sind

1. Bankgeschäfte im Sinne des § 1 Absatz 1 Satz 2 des Kreditwesengesetzes[3)],
2. Finanzdienstleistungen im Sinne des § 1 Absatz 1a Satz 2 des Kreditwesengesetzes[3)],
3. Wertpapierdienstleistungen im Sinne des § 2 Absatz 2 des Wertpapierinstitutsgesetzes und Wertpapiernebendienstleistungen im Sinne des § 2 Absatz 3 des Wertpapierinstitutsgesetzes,

---

[1)] § 310 Abs. 1 Satz 3 angef. mWv 1.1.2009 durch G v. 23.10.2008 (BGBl. I S. 2022); Abs. 3 Nr. 2 geänd. mWv 17.12.2009 durch G v. 25.6.2009 (BGBl. I S. 1574); Abs. 1 Sätze 1–3 geänd. mWv 29.7.2014 durch G v. 22.7.2014 (BGBl. I S. 1218); Abs. 1 Sätze 1 und 2 geänd. mWv 1.10.2021 durch G v. 10.8.2021 (BGBl. I S. 3433); Abs. 1a eingef. mWv 15.12.2023 durch G v. 11.12.2023 (BGBl. 2023 I Nr. 354).

[2)] **Habersack ErgBd. Nr. 32c.**

[3)] **beck-online, Module Arbeitsrecht Nr. 205.**

4. Zahlungsdienste im Sinne des § 1 Absatz 1 Satz 2 des Zahlungsdiensteaufsichtsgesetzes,
5. Geschäfte von Kapitalverwaltungsgesellschaften nach § 20 Absatz 2 und 3 des Kapitalanlagegesetzbuchs[1] und
6. Geschäfte von Börsen und ihren Trägern nach § 2 Absatz 1 des Börsengesetzes.

[3] Ein Unternehmer ist als großer Unternehmer nach Satz 1 Nummer 2 anzusehen, wenn er in jedem der beiden Kalenderjahre vor dem Vertragsschluss zwei der drei folgenden Merkmale erfüllt hat:

1. er hat im Jahresdurchschnitt nach § 267 Absatz 5 des Handelsgesetzbuchs[2] jeweils mindestens 250 Arbeitnehmer beschäftigt,
2. er hat jeweils Umsatzerlöse von mehr als 50 Millionen Euro erzielt oder
3. seine Bilanzsumme nach § 267 Absatz 4a des Handelsgesetzbuchs[2] hat sich jeweils auf mehr als 43 Millionen Euro belaufen.

[4] Satz 1 ist auch anzuwenden, wenn die folgenden Stellen eine der beiden Vertragsparteien sind:

1. die Deutsche Bundesbank,
2. die Kreditanstalt für Wiederaufbau,
3. eine Stelle der öffentlichen Schuldenverwaltung nach § 2 Absatz 1 Nummer 3a des Kreditwesengesetzes[3],
4. eine auf der Grundlage der §§ 8a und 8b des Stabilisierungsfondsgesetzes[4] errichtete Abwicklungsanstalt,
5. die Weltbank, der Internationale Währungsfonds, die Europäische Zentralbank, die nationalen Zentralbanken der Mitgliedstaaten des Europäischen Wirtschaftsraums und des Vereinigten Königreichs Großbritannien und Nordirland, die Europäische Investitionsbank oder eine vergleichbare internationale Finanzorganisation.

(2) [1] Die §§ 308 und 309 finden keine Anwendung auf Verträge der Elektrizitäts-, Gas-, Fernwärme- und Wasserversorgungsunternehmen über die Versorgung von Sonderabnehmern mit elektrischer Energie, Gas, Fernwärme und Wasser aus dem Versorgungsnetz, soweit die Versorgungsbedingungen nicht zum Nachteil der Abnehmer von Verordnungen über Allgemeine Bedingungen für die Versorgung von Tarifkunden mit elektrischer Energie, Gas, Fernwärme und Wasser abweichen. [2] Satz 1 gilt entsprechend für Verträge über die Entsorgung von Abwasser.

(3) Bei Verträgen zwischen einem Unternehmer und einem Verbraucher (Verbraucherverträge) finden die Vorschriften dieses Abschnitts mit folgenden Maßgaben Anwendung:

1. Allgemeine Geschäftsbedingungen gelten als vom Unternehmer gestellt, es sei denn, dass sie durch den Verbraucher in den Vertrag eingeführt wurden;
2. § 305c Abs. 2 und die §§ 306 und 307 bis 309 dieses Gesetzes sowie Artikel 46b des Einführungsgesetzes zum Bürgerlichen Gesetzbuche[5] finden

---

[1] **beck-online, Module Arbeitsrecht Nr. 129.**
[2] **beck-online, Module Arbeitsrecht Nr. 105.**
[3] **beck-online, Module Arbeitsrecht Nr. 205.**
[4] **beck-online, Module Arbeitsrecht Nr. 651.**
[5] **beck-online, Module Arbeitsrecht Nr. 51.**

auf vorformulierte Vertragsbedingungen auch dann Anwendung, wenn diese nur zur einmaligen Verwendung bestimmt sind und soweit der Verbraucher auf Grund der Vorformulierung auf ihren Inhalt keinen Einfluss nehmen konnte;

3. bei der Beurteilung der unangemessenen Benachteiligung nach § 307 Abs. 1 und 2 sind auch die den Vertragsschluss begleitenden Umstände zu berücksichtigen.

(4) [1] Dieser Abschnitt findet keine Anwendung bei Verträgen auf dem Gebiet des Erb-, Familien- und Gesellschaftsrechts sowie auf Tarifverträge, Betriebs- und Dienstvereinbarungen. [2] Bei der Anwendung auf Arbeitsverträge sind die im Arbeitsrecht geltenden Besonderheiten angemessen zu berücksichtigen; § 305 Abs. 2 und 3 ist nicht anzuwenden. [3] Tarifverträge, Betriebs- und Dienstvereinbarungen stehen Rechtsvorschriften im Sinne von § 307 Abs. 3 gleich.

Abschnitt 3. Schuldverhältnisse aus Verträgen

Titel 1. Begründung, Inhalt und Beendigung

Untertitel 1. Begründung

§ 311 Rechtsgeschäftliche und rechtsgeschäftsähnliche Schuldverhältnisse. (1) Zur Begründung eines Schuldverhältnisses durch Rechtsgeschäft sowie zur Änderung des Inhalts eines Schuldverhältnisses ist ein Vertrag zwischen den Beteiligten erforderlich, soweit nicht das Gesetz ein anderes vorschreibt.

(2) Ein Schuldverhältnis mit Pflichten nach § 241 Abs. 2 entsteht auch durch

1. die Aufnahme von Vertragsverhandlungen,
2. die Anbahnung eines Vertrags, bei welcher der eine Teil im Hinblick auf eine etwaige rechtsgeschäftliche Beziehung dem anderen Teil die Möglichkeit zur Einwirkung auf seine Rechte, Rechtsgüter und Interessen gewährt oder ihm diese anvertraut, oder
3. ähnliche geschäftliche Kontakte.

(3) [1] Ein Schuldverhältnis mit Pflichten nach § 241 Abs. 2 kann auch zu Personen entstehen, die nicht selbst Vertragspartei werden sollen. [2] Ein solches Schuldverhältnis entsteht insbesondere, wenn der Dritte in besonderem Maße

(Fortsetzung nächstes Blatt)

Vertrauen für sich in Anspruch nimmt und dadurch die Vertragsverhandlungen oder den Vertragsschluss erheblich beeinflusst.

§ 311a Leistungshindernis bei Vertragsschluss. (1) Der Wirksamkeit eines Vertrags steht es nicht entgegen, dass der Schuldner nach § 275 Abs. 1 bis 3 nicht zu leisten braucht und das Leistungshindernis schon bei Vertragsschluss vorliegt.

(2) [1] Der Gläubiger kann nach seiner Wahl Schadensersatz statt der Leistung oder Ersatz seiner Aufwendungen in dem in § 284 bestimmten Umfang verlangen. [2] Dies gilt nicht, wenn der Schuldner das Leistungshindernis bei Vertragsschluss nicht kannte und seine Unkenntnis auch nicht zu vertreten hat. [3] § 281 Abs. 1 Satz 2 und 3 und Abs. 5 findet entsprechende Anwendung.

§§ 311b, 311c *(hier nicht wiedergegeben)*

Untertitel 2.[1] Grundsätze bei Verbraucherverträgen und besondere Vertriebsformen

Kapitel 1.[1] Anwendungsbereich und Grundsätze bei Verbraucherverträgen

§ 312[2] Anwendungsbereich. (1) Die Vorschriften der Kapitel 1 und 2 dieses Untertitels sind auf Verbraucherverträge anzuwenden, bei denen sich der Verbraucher zu der Zahlung eines Preises verpflichtet.

(1a) [1] Die Vorschriften der Kapitel 1 und 2 dieses Untertitels sind auch auf Verbraucherverträge anzuwenden, bei denen der Verbraucher dem Unternehmer personenbezogene Daten bereitstellt oder sich hierzu verpflichtet. [2] Dies gilt nicht, wenn der Unternehmer die vom Verbraucher bereitgestellten personenbezogenen Daten ausschließlich verarbeitet, um seine Leistungspflicht oder an ihn gestellte rechtliche Anforderungen zu erfüllen, und sie zu keinem anderen Zweck verarbeitet.

(2), (3) …

(4) Auf Verträge über Versicherungen sowie auf Verträge über deren Vermittlung ist von den Vorschriften der Kapitel 1 und 2 dieses Untertitels nur § 312a Absatz 3 bis 6 anzuwenden.

(5), (6) …

§ 312a[3] Allgemeine Pflichten und Grundsätze bei Verbraucherverträgen; Grenzen der Vereinbarung von Entgelten. (1) [1] Ruft der Unternehmer oder eine Person, die in seinem Namen oder Auftrag handelt, den Verbraucher an, um mit diesem einen Vertrag zu schließen, hat der Anrufer zu Beginn des Gesprächs seine Identität und gegebenenfalls die Identität der Person, für die er anruft, sowie den geschäftlichen Zweck des Anrufs offen-

---

[1] UTitel 2 (§§ 312–312k) neu gef. mWv 13.6.2014 durch G v. 20.9.2013 (BGBl. I S. 3642).

[2] § 312 neu gef. mWv 13.6.2014 durch G v. 20.9.2013 (BGBl. I S. 3642); Abs. 2 Nr. 3 neu gef. mWv 1.1.2018 durch G v. 28.4.2017 (BGBl. I S. 969); Abs. 2 Nr. 4 aufgeh., Abs. 7 angef. mWv 1.7.2018 durch G v. 17.7.2017 (BGBl. I S. 2394); Abs. 1 neu gef., Abs. 1a eingef. mWv 1.1.2022 durch G v. 25.6.2021 (BGBl. I S. 2123); Abs. 7 Satz 1 geänd. mWv 1.7.2022 durch G v. 10.8.2021 (BGBl. I S. 3433); Abs. 2 Nr. 5 aufgeh., Abs. 7 Satz 1 geänd., Abs. 8 angef. mWv 28.5.2022 durch G v. 10.8.2021 (BGBl. I S. 3483); Abs. 2 Nr. 1, 4, 5, 12 und 13 neu gef., Nr. 14 angef., Abs. 3 und 4 neu gef., Abs. 5 Satz 1 geänd., Satz 2 neu gef., Abs. 6 und 8 aufgeh., bish. Abs. 7 wird Abs. 6 mWv 19.6.2026 durch G v. 3.2.2026 (BGBl. 2026 I Nr. 28).

[3] § 312a neu gef. mWv 13.6.2014 durch G v. 20.9.2013 (BGBl. I S. 3642); Abs. 1 neu gef. mWv 19.6.2026 durch G v. 3.2.2026 (BGBl. 2026 I Nr. 28).

zulegen. [2] Bei Fernabsatzverträgen über Finanzdienstleistungen ist der Verbraucher vom Unternehmer in Kenntnis zu setzen, wenn der Anruf aufgezeichnet wird oder aufgezeichnet werden könnte.

(2) [1] Der Unternehmer ist verpflichtet, den Verbraucher nach Maßgabe des Artikels 246 des Einführungsgesetzes zum Bürgerlichen Gesetzbuche[1)] zu informieren. [2] Der Unternehmer kann von dem Verbraucher Fracht-, Liefer- oder Versandkosten und sonstige Kosten nur verlangen, soweit er den Verbraucher über diese Kosten entsprechend den Anforderungen aus Artikel 246 Absatz 1 Nummer 3 des Einführungsgesetzes zum Bürgerlichen Gesetzbuche[1)] informiert hat. [3] Die Sätze 1 und 2 sind weder auf außerhalb von Geschäftsräumen geschlossene Verträge noch auf Fernabsatzverträge noch auf Verträge über Finanzdienstleistungen anzuwenden.

(3) [1] Eine Vereinbarung, die auf eine über das vereinbarte Entgelt für die Hauptleistung hinausgehende Zahlung des Verbrauchers gerichtet ist, kann ein Unternehmer mit einem Verbraucher nur ausdrücklich treffen. [2] Schließen der Unternehmer und der Verbraucher einen Vertrag im elektronischen Geschäftsverkehr, wird eine solche Vereinbarung nur Vertragsbestandteil, wenn der Unternehmer die Vereinbarung nicht durch eine Voreinstellung herbeiführt.

(4) Eine Vereinbarung, durch die ein Verbraucher verpflichtet wird, ein Entgelt dafür zu zahlen, dass er für die Erfüllung seiner vertraglichen Pflichten ein bestimmtes Zahlungsmittel nutzt, ist unwirksam, wenn

1. für den Verbraucher keine gängige und zumutbare unentgeltliche Zahlungsmöglichkeit besteht oder
2. das vereinbarte Entgelt über die Kosten hinausgeht, die dem Unternehmer durch die Nutzung des Zahlungsmittels entstehen.

(5) [1] Eine Vereinbarung, durch die ein Verbraucher verpflichtet wird, ein Entgelt dafür zu zahlen, dass der Verbraucher den Unternehmer wegen Fragen oder Erklärungen zu einem zwischen ihnen geschlossenen Vertrag über eine Rufnummer anruft, die der Unternehmer für solche Zwecke bereithält, ist unwirksam, wenn das vereinbarte Entgelt das Entgelt für die bloße Nutzung des Telekommunikationsdienstes übersteigt. [2] Ist eine Vereinbarung nach Satz 1 unwirksam, ist der Verbraucher auch gegenüber dem Anbieter des Telekommunikationsdienstes nicht verpflichtet, ein Entgelt für den Anruf zu zahlen. [3] Der Anbieter des Telekommunikationsdienstes ist berechtigt, das Entgelt für die bloße Nutzung des Telekommunikationsdienstes von dem Unternehmer zu verlangen, der die unwirksame Vereinbarung mit dem Verbraucher geschlossen hat.

(6) Ist eine Vereinbarung nach den Absätzen 3 bis 5 nicht Vertragsbestandteil geworden oder ist sie unwirksam, bleibt der Vertrag im Übrigen wirksam.

Kapitel 2.[2)] Außerhalb von Geschäftsräumen geschlossene Verträge und Fernabsatzverträge

§ 312b[2)] Außerhalb von Geschäftsräumen geschlossene Verträge.

(1) [1] Außerhalb von Geschäftsräumen geschlossene Verträge sind Verträge,

---

[1)] **beck-online, Module Arbeitsrecht Nr. 51.**
[2)] UTitel 2 (§§ 312–312k) neu gef. mWv 13.6.2014 durch G v. 20.9.2013 (BGBl. I S. 3642).

1. die bei gleichzeitiger körperlicher Anwesenheit des Verbrauchers und des Unternehmers an einem Ort geschlossen werden, der kein Geschäftsraum des Unternehmers ist,
2. für die der Verbraucher unter den in Nummer 1 genannten Umständen ein Angebot abgegeben hat,
3. die in den Geschäftsräumen des Unternehmers oder durch Fernkommunikationsmittel geschlossen werden, bei denen der Verbraucher jedoch unmittelbar zuvor außerhalb der Geschäftsräume des Unternehmers bei gleichzeitiger körperlicher Anwesenheit des Verbrauchers und des Unternehmers persönlich und individuell angesprochen wurde, oder
4. die auf einem Ausflug geschlossen werden, der von dem Unternehmer oder mit seiner Hilfe organisiert wurde, um beim Verbraucher für den Verkauf von Waren oder die Erbringung von Dienstleistungen zu werben und mit ihm entsprechende Verträge abzuschließen.

[2] Dem Unternehmer stehen Personen gleich, die in seinem Namen oder Auftrag handeln.

(2) [1] Geschäftsräume im Sinne des Absatzes 1 sind unbewegliche Gewerberäume, in denen der Unternehmer seine Tätigkeit dauerhaft ausübt, und bewegliche Gewerberäume, in denen der Unternehmer seine Tätigkeit für gewöhnlich ausübt. [2] Gewerberäume, in denen die Person, die im Namen oder Auftrag des Unternehmers handelt, ihre Tätigkeit dauerhaft oder für gewöhnlich ausübt, stehen Räumen des Unternehmers gleich.

§ 312c[1)] Fernabsatzverträge. (1) Fernabsatzverträge sind Verträge, bei denen der Unternehmer oder eine in seinem Namen oder Auftrag handelnde Person und der Verbraucher für die Vertragsverhandlungen und den Vertragsschluss ausschließlich Fernkommunikationsmittel verwenden, es sei denn, dass der Vertragsschluss nicht im Rahmen eines für den Fernabsatz organisierten Vertriebs- oder Dienstleistungssystems erfolgt.

(2) Fernkommunikationsmittel im Sinne dieses Gesetzes sind alle Kommunikationsmittel, die zur Anbahnung oder zum Abschluss eines Vertrags eingesetzt werden können, ohne dass die Vertragsparteien gleichzeitig körperlich anwesend sind, wie Briefe, Kataloge, Telefonanrufe, Telekopien, E-Mails, über den Mobilfunkdienst versendete Nachrichten (SMS) sowie Rundfunk und digitale Dienste nach § 1 Absatz 4 Nummer 1 des Digitale-Dienste-Gesetzes[2)].

§§ 312d–312f *(hier nicht wiedergegeben)*

§ 312g[3)] Widerrufsrecht. (1) Dem Verbraucher steht bei außerhalb von Geschäftsräumen geschlossenen Verträgen und bei Fernabsatzverträgen ein Widerrufsrecht gemäß § 355 zu.

(2) Das Widerrufsrecht besteht, soweit die Parteien nichts anderes vereinbart haben, nicht bei folgenden Verträgen:

[1)] § 312c neu gef. mWv 13.6.2014 durch G v. 20.9.2013 (BGBl. I S. 3642); Abs. 2 geänd. mWv 14.5.2024 durch G v. 6.5.2024 (BGBl. 2024 I Nr. 149).

[2)] **Sartorius ErgBd. Nr. 922.**

[3)] § 312g neu gef. mWv 13.6.2014 durch G v. 20.9.2013 (BGBl. I S. 3642); Abs. 3 geänd. mWv 21.3.2016 durch G v. 11.3.2016 (BGBl. I S. 396); Abs. 2 Nr. 9 geänd., Satz 2 aufgeh. mWv 1.7.2018 durch G v. 17.7.2017 (BGBl. I S. 2394); Abs. 3 neu gef. mWv 19.6.2026 durch G v. 3.2.2026 (BGBl. 2026 I Nr. 28).

1. Verträge zur Lieferung von Waren, die nicht vorgefertigt sind und für deren Herstellung eine individuelle Auswahl oder Bestimmung durch den Verbraucher maßgeblich ist oder die eindeutig auf die persönlichen Bedürfnisse des Verbrauchers zugeschnitten sind,
2. Verträge zur Lieferung von Waren, die schnell verderben können oder deren Verfallsdatum schnell überschritten würde,
3. Verträge zur Lieferung versiegelter Waren, die aus Gründen des Gesundheitsschutzes oder der Hygiene nicht zur Rückgabe geeignet sind, wenn ihre Versiegelung nach der Lieferung entfernt wurde,
4. Verträge zur Lieferung von Waren, wenn diese nach der Lieferung auf Grund ihrer Beschaffenheit untrennbar mit anderen Gütern vermischt wurden,
5. Verträge zur Lieferung alkoholischer Getränke, deren Preis bei Vertragsschluss vereinbart wurde, die aber frühestens 30 Tage nach Vertragsschluss geliefert werden können und deren aktueller Wert von Schwankungen auf dem Markt abhängt, auf die der Unternehmer keinen Einfluss hat,
6. Verträge zur Lieferung von Ton- oder Videoaufnahmen oder Computersoftware in einer versiegelten Packung, wenn die Versiegelung nach der Lieferung entfernt wurde,
7. Verträge zur Lieferung von Zeitungen, Zeitschriften oder Illustrierten mit Ausnahme von Abonnement-Verträgen,
8. Verträge zur Lieferung von Waren oder zur Erbringung von Dienstleistungen, einschließlich Finanzdienstleistungen, deren Preis von Schwankungen auf dem Finanzmarkt abhängt, auf die der Unternehmer keinen Einfluss hat und die innerhalb der Widerrufsfrist auftreten können, insbesondere Dienstleistungen im Zusammenhang mit Aktien, mit Anteilen an offenen Investmentvermögen im Sinne von § 1 Absatz 4 des Kapitalanlagegesetzbuchs[1] und mit anderen handelbaren Wertpapieren, Devisen, Derivaten oder Geldmarktinstrumenten,
9. Verträge zur Erbringung von Dienstleistungen in den Bereichen Beherbergung zu anderen Zwecken als zu Wohnzwecken, Beförderung von Waren, Kraftfahrzeugvermietung, Lieferung von Speisen und Getränken sowie zur Erbringung weiterer Dienstleistungen im Zusammenhang mit Freizeitbetätigungen, wenn der Vertrag für die Erbringung einen spezifischen Termin oder Zeitraum vorsieht,
10. Verträge, die im Rahmen einer Vermarktungsform geschlossen werden, bei der der Unternehmer Verbrauchern, die persönlich anwesend sind oder denen diese Möglichkeit gewährt wird, Waren oder Dienstleistungen anbietet, und zwar in einem vom Versteigerer durchgeführten, auf konkurrierenden Geboten basierenden transparenten Verfahren, bei dem der Bieter, der den Zuschlag erhalten hat, zum Erwerb der Waren oder Dienstleistungen verpflichtet ist (öffentlich zugängliche Versteigerung),
11. Verträge, bei denen der Verbraucher den Unternehmer ausdrücklich aufgefordert hat, ihn aufzusuchen, um dringende Reparatur- oder Instandhaltungsarbeiten vorzunehmen; dies gilt nicht hinsichtlich weiterer bei dem Besuch erbrachter Dienstleistungen, die der Verbraucher nicht ausdrücklich verlangt hat, oder hinsichtlich solcher bei dem Besuch gelieferter Waren,

[1] **beck-online, Module Arbeitsrecht Nr. 129.**

die bei der Instandhaltung oder Reparatur nicht unbedingt als Ersatzteile benötigt werden,

12. Verträge zur Erbringung von Wett- und Lotteriedienstleistungen, es sei denn, dass der Verbraucher seine Vertragserklärung telefonisch abgegeben hat oder der Vertrag außerhalb von Geschäftsräumen geschlossen wurde, und

13. notariell beurkundete Verträge; dies gilt für Fernabsatzverträge über Finanzdienstleistungen nur, wenn der Notar bestätigt, dass die Rechte des Verbrauchers aus § 312d Absatz 2 gewahrt sind.

(3) Das Widerrufsrecht besteht ferner nicht

1. bei Verträgen, bei denen dem Verbraucher bereits aufgrund der §§ 495, 506 bis 513 ein Widerrufsrecht nach § 355 zusteht,

2. bei außerhalb von Geschäftsräumen geschlossenen Verträgen, bei denen dem Verbraucher bereits nach § 305 Absatz 1 bis 6 des Kapitalanlagegesetzbuchs oder § 2d Absatz 1 bis 5 des Vermögensanlagengesetzes ein Widerrufsrecht zusteht.

(Fortsetzung nächstes Blatt)

§§ 312h–312k *(hier nicht wiedergegeben)*

Untertitel 3. Anpassung und Beendigung von Verträgen

§ 313 Störung der Geschäftsgrundlage. (1) Haben sich Umstände, die zur Grundlage des Vertrags geworden sind, nach Vertragsschluss schwerwiegend verändert und hätten die Parteien den Vertrag nicht oder mit anderem Inhalt geschlossen, wenn sie diese Veränderung vorausgesehen hätten, so kann Anpassung des Vertrags verlangt werden, soweit einem Teil unter Berücksichtigung aller Umstände des Einzelfalls, insbesondere der vertraglichen oder gesetzlichen Risikoverteilung, das Festhalten am unveränderten Vertrag nicht zugemutet werden kann.

(2) Einer Veränderung der Umstände steht es gleich, wenn wesentliche Vorstellungen, die zur Grundlage des Vertrags geworden sind, sich als falsch herausstellen.

(3) [1] Ist eine Anpassung des Vertrags nicht möglich oder einem Teil nicht zumutbar, so kann der benachteiligte Teil vom Vertrag zurücktreten. [2] An die Stelle des Rücktrittsrechts tritt für Dauerschuldverhältnisse das Recht zur Kündigung.

§ 314[1)] Kündigung von Dauerschuldverhältnissen aus wichtigem Grund. (1) [1] Dauerschuldverhältnisse kann jeder Vertragsteil aus wichtigem Grund ohne Einhaltung einer Kündigungsfrist kündigen. [2] Ein wichtiger Grund liegt vor, wenn dem kündigenden Teil unter Berücksichtigung aller Umstände des Einzelfalls und unter Abwägung der beiderseitigen Interessen die Fortsetzung des Vertragsverhältnisses bis zur vereinbarten Beendigung oder bis zum Ablauf einer Kündigungsfrist nicht zugemutet werden kann.

(2) [1] Besteht der wichtige Grund in der Verletzung einer Pflicht aus dem Vertrag, ist die Kündigung erst nach erfolglosem Ablauf einer zur Abhilfe bestimmten Frist oder nach erfolgloser Abmahnung zulässig. [2] Für die Entbehrlichkeit der Bestimmung einer Frist zur Abhilfe und für die Entbehrlichkeit einer Abmahnung findet § 323 Absatz 2 Nummer 1 und 2 entsprechende Anwendung. [3] Die Bestimmung einer Frist zur Abhilfe und eine Abmahnung sind auch entbehrlich, wenn besondere Umstände vorliegen, die unter Abwägung der beiderseitigen Interessen die sofortige Kündigung rechtfertigen.

(3) Der Berechtigte kann nur innerhalb einer angemessenen Frist kündigen, nachdem er vom Kündigungsgrund Kenntnis erlangt hat.

(4) Die Berechtigung, Schadensersatz zu verlangen, wird durch die Kündigung nicht ausgeschlossen.

Untertitel 4. Einseitige Leistungsbestimmungsrechte

§ 315 Bestimmung der Leistung durch eine Partei. (1) Soll die Leistung durch einen der Vertragschließenden bestimmt werden, so ist im Zweifel anzunehmen, dass die Bestimmung nach billigem Ermessen zu treffen ist.

(2) Die Bestimmung erfolgt durch Erklärung gegenüber dem anderen Teil.

(3) [1] Soll die Bestimmung nach billigem Ermessen erfolgen, so ist die getroffene Bestimmung für den anderen Teil nur verbindlich, wenn sie der Billigkeit

---

[1)] § 314 Abs. 2 Satz 2 neu gef., Satz 3 angef. mWv 13.6.2014 durch G v. 20.9.2013 (BGBl. I S. 3642).

entspricht. [2]Entspricht sie nicht der Billigkeit, so wird die Bestimmung durch Urteil getroffen; das Gleiche gilt, wenn die Bestimmung verzögert wird.

§ 316 Bestimmung der Gegenleistung. Ist der Umfang der für eine Leistung versprochenen Gegenleistung nicht bestimmt, so steht die Bestimmung im Zweifel demjenigen Teil zu, welcher die Gegenleistung zu fordern hat.

§ 317 Bestimmung der Leistung durch einen Dritten. (1) Ist die Bestimmung der Leistung einem Dritten überlassen, so ist im Zweifel anzunehmen, dass sie nach billigem Ermessen zu treffen ist.

(2) Soll die Bestimmung durch mehrere Dritte erfolgen, so ist im Zweifel Übereinstimmung aller erforderlich; soll eine Summe bestimmt werden, so ist, wenn verschiedene Summen bestimmt werden, im Zweifel die Durchschnittssumme maßgebend.

§ 318 Anfechtung der Bestimmung. (1) Die einem Dritten überlassene Bestimmung der Leistung erfolgt durch Erklärung gegenüber einem der Vertragschließenden.

(2) [1]Die Anfechtung der getroffenen Bestimmung wegen Irrtums, Drohung oder arglistiger Täuschung steht nur den Vertragschließenden zu; Anfechtungsgegner ist der andere Teil. [2]Die Anfechtung muss unverzüglich erfolgen, nachdem der Anfechtungsberechtigte von dem Anfechtungsgrund Kenntnis erlangt hat. [3]Sie ist ausgeschlossen, wenn 30 Jahre verstrichen sind, nachdem die Bestimmung getroffen worden ist.

§ 319 Unwirksamkeit der Bestimmung; Ersetzung. (1) [1]Soll der Dritte die Leistung nach billigem Ermessen bestimmen, so ist die getroffene Bestimmung für die Vertragschließenden nicht verbindlich, wenn sie offenbar unbillig ist. [2]Die Bestimmung erfolgt in diesem Falle durch Urteil; das Gleiche gilt, wenn der Dritte die Bestimmung nicht treffen kann oder will oder wenn er sie verzögert.

(2) Soll der Dritte die Bestimmung nach freiem Belieben treffen, so ist der Vertrag unwirksam, wenn der Dritte die Bestimmung nicht treffen kann oder will oder wenn er sie verzögert.

Titel 2. Gegenseitiger Vertrag

§ 320 Einrede des nicht erfüllten Vertrags. (1) [1]Wer aus einem gegenseitigen Vertrag verpflichtet ist, kann die ihm obliegende Leistung bis zur Bewirkung der Gegenleistung verweigern, es sei denn, dass er vorzuleisten verpflichtet ist. [2]Hat die Leistung an mehrere zu erfolgen, so kann dem einzelnen der ihm gebührende Teil bis zur Bewirkung der ganzen Gegenleistung verweigert werden. [3]Die Vorschrift des § 273 Abs. 3 findet keine Anwendung.

(2) Ist von der einen Seite teilweise geleistet worden, so kann die Gegenleistung insoweit nicht verweigert werden, als die Verweigerung nach den Umständen, insbesondere wegen verhältnismäßiger Geringfügigkeit des rückständigen Teils, gegen Treu und Glauben verstoßen würde.

§ 321 Unsicherheitseinrede. (1) [1]Wer aus einem gegenseitigen Vertrag vorzuleisten verpflichtet ist, kann die ihm obliegende Leistung verweigern, wenn nach Abschluss des Vertrags erkennbar wird, dass sein Anspruch auf die

Gegenleistung durch mangelnde Leistungsfähigkeit des anderen Teils gefährdet wird. [2]Das Leistungsverweigerungsrecht entfällt, wenn die Gegenleistung bewirkt oder Sicherheit für sie geleistet wird.

(2) [1]Der Vorleistungspflichtige kann eine angemessene Frist bestimmen, in welcher der andere Teil Zug um Zug gegen die Leistung nach seiner Wahl die Gegenleistung zu bewirken oder Sicherheit zu leisten hat. [2]Nach erfolglosem Ablauf der Frist kann der Vorleistungspflichtige vom Vertrag zurücktreten. [3]§ 323 findet entsprechende Anwendung.

§ 322 Verurteilung zur Leistung Zug-um-Zug. (1) Erhebt aus einem gegenseitigen Vertrag der eine Teil Klage auf die ihm geschuldete Leistung, so hat die Geltendmachung des dem anderen Teil zustehenden Rechts, die Leistung bis zur Bewirkung der Gegenleistung zu verweigern, nur die Wirkung, dass der andere Teil zur Erfüllung Zug um Zug zu verurteilen ist.

(2) Hat der klagende Teil vorzuleisten, so kann er, wenn der andere Teil im Verzug der Annahme ist, auf Leistung nach Empfang der Gegenleistung klagen.

(3) Auf die Zwangsvollstreckung findet die Vorschrift des § 274 Abs. 2 Anwendung.

§ 323[1) 2)] Rücktritt wegen nicht oder nicht vertragsgemäß erbrachter Leistung. (1) Erbringt bei einem gegenseitigen Vertrag der Schuldner eine fällige Leistung nicht oder nicht vertragsgemäß, so kann der Gläubiger, wenn er dem Schuldner erfolglos eine angemessene Frist zur Leistung oder Nacherfüllung bestimmt hat, vom Vertrag zurücktreten.

(2) Die Fristsetzung ist entbehrlich, wenn

1. der Schuldner die Leistung ernsthaft und endgültig verweigert,
2. der Schuldner die Leistung bis zu einem im Vertrag bestimmten Termin oder innerhalb einer im Vertrag bestimmten Frist nicht bewirkt, obwohl die termin- oder fristgerechte Leistung nach einer Mitteilung des Gläubigers an den Schuldner vor Vertragsschluss oder auf Grund anderer den Vertragsabschluss begleitenden Umstände für den Gläubiger wesentlich ist, oder
3. im Falle einer nicht vertragsgemäß erbrachten Leistung besondere Umstände vorliegen, die unter Abwägung der beiderseitigen Interessen den sofortigen Rücktritt rechtfertigen.

(3) Kommt nach der Art der Pflichtverletzung eine Fristsetzung nicht in Betracht, so tritt an deren Stelle eine Abmahnung.

(4) Der Gläubiger kann bereits vor dem Eintritt der Fälligkeit der Leistung zurücktreten, wenn offensichtlich ist, dass die Voraussetzungen des Rücktritts eintreten werden.

(5) [1]Hat der Schuldner eine Teilleistung bewirkt, so kann der Gläubiger vom ganzen Vertrag nur zurücktreten, wenn er an der Teilleistung kein Interesse hat. [2]Hat der Schuldner die Leistung nicht vertragsgemäß bewirkt, so kann der Gläubiger vom Vertrag nicht zurücktreten, wenn die Pflichtverletzung unerheblich ist.

[1)] **Amtl. Anm.:** Diese Vorschrift dient auch der Umsetzung der Richtlinie 1999/44/EG des Europäischen Parlaments und des Rates vom 25. Mai 1999 zu bestimmten Aspekten des Verbrauchsgüterkaufs und der Garantien für Verbrauchsgüter (ABl. EG Nr. L 171 S. 12).

[2)] § 323 Abs. 2 Nr. 2 neu gef., Nr. 3 geänd. mWv 13.6.2014 durch G v. 20.9.2013 (BGBl. I S. 3642).

(6) Der Rücktritt ist ausgeschlossen, wenn der Gläubiger für den Umstand, der ihn zum Rücktritt berechtigen würde, allein oder weit überwiegend verantwortlich ist oder wenn der vom Schuldner nicht zu vertretende Umstand zu einer Zeit eintritt, zu welcher der Gläubiger im Verzug der Annahme ist.

§ 324 Rücktritt wegen Verletzung einer Pflicht nach § 241 Abs. 2.

Verletzt der Schuldner bei einem gegenseitigen Vertrag eine Pflicht nach § 241 Abs. 2, so kann der Gläubiger zurücktreten, wenn ihm ein Festhalten am Vertrag nicht mehr zuzumuten ist.

§ 325 Schadensersatz und Rücktritt. Das Recht, bei einem gegenseitigen Vertrag Schadensersatz zu verlangen, wird durch den Rücktritt nicht ausgeschlossen.

§ 326[1)] Befreiung von der Gegenleistung und Rücktritt beim Ausschluss der Leistungspflicht. (1) [1] Braucht der Schuldner nach § 275 Abs. 1 bis 3 nicht zu leisten, entfällt der Anspruch auf die Gegenleistung; bei einer Teilleistung findet § 441 Abs. 3 entsprechende Anwendung. [2] Satz 1 gilt nicht, wenn der Schuldner im Falle der nicht vertragsgemäßen Leistung die Nacherfüllung nach § 275 Abs. 1 bis 3 nicht zu erbringen braucht.

(2) [1] Ist der Gläubiger für den Umstand, auf Grund dessen der Schuldner nach § 275 Abs. 1 bis 3 nicht zu leisten braucht, allein oder weit überwiegend verantwortlich oder tritt dieser vom Schuldner nicht zu vertretende Umstand zu einer Zeit ein, zu welcher der Gläubiger im Verzug der Annahme ist, so behält der Schuldner den Anspruch auf die Gegenleistung. [2] Er muss sich jedoch dasjenige anrechnen lassen, was er infolge der Befreiung von der Leistung erspart oder durch anderweitige Verwendung seiner Arbeitskraft erwirbt oder zu erwerben böswillig unterlässt.

(3) [1] Verlangt der Gläubiger nach § 285 Herausgabe des für den geschuldeten Gegenstand erlangten Ersatzes oder Abtretung des Ersatzanspruchs, so bleibt er zur Gegenleistung verpflichtet. [2] Diese mindert sich jedoch nach Maßgabe des § 441 Abs. 3 insoweit, als der Wert des Ersatzes oder des Ersatzanspruchs hinter dem Wert der geschuldeten Leistung zurückbleibt.

(4) Soweit die nach dieser Vorschrift nicht geschuldete Gegenleistung bewirkt ist, kann das Geleistete nach den §§ 346 bis 348 zurückgefordert werden.

(5) Braucht der Schuldner nach § 275 Abs. 1 bis 3 nicht zu leisten, kann der Gläubiger zurücktreten; auf den Rücktritt findet § 323 mit der Maßgabe entsprechende Anwendung, dass die Fristsetzung entbehrlich ist.

[§ 327 bis 31.12.2021:]
§ 327 (weggefallen)

[1)] **Amtl. Anm.:** *Diese Vorschrift* dient auch der Umsetzung der Richtlinie 1999/44/EG des Europäischen Parlaments und des Rates vom 25. Mai 1999 zu bestimmten Aspekten des Verbrauchsgüterkaufs und der Garantien für Verbrauchsgüter (ABl. EG Nr. L 171 S. 12).

[Titel 2a ab 1.1.2022:]

Titel 2a.[1] Verträge über digitale Produkte

Untertitel 1 und 2

§§ 327–327u *(hier nicht wiedergegeben)*

Titel 3. Versprechen der Leistung an einen Dritten

§ 328 Vertrag zugunsten Dritter. (1) Durch Vertrag kann eine Leistung an einen Dritten mit der Wirkung bedungen werden, dass der Dritte unmittelbar das Recht erwirbt, die Leistung zu fordern.

(2) In Ermangelung einer besonderen Bestimmung ist aus den Umständen, insbesondere aus dem Zwecke des Vertrags, zu entnehmen, ob der Dritte das Recht erwerben, ob das Recht des Dritten sofort oder nur unter gewissen Voraussetzungen entstehen und ob den Vertragschließenden die Befugnis vorbehalten sein soll, das Recht des Dritten ohne dessen Zustimmung aufzuheben oder zu ändern.

§ 329 Auslegungsregel bei Erfüllungsübernahme. Verpflichtet sich in einem Vertrag der eine Teil zur Befriedigung eines Gläubigers des anderen Teils, ohne die Schuld zu übernehmen, so ist im Zweifel nicht anzunehmen, dass der Gläubiger unmittelbar das Recht erwerben soll, die Befriedigung von ihm zu fordern.

§ 330[2] Auslegungsregel bei Leibrentenvertrag. [1] Wird in einem Leibrentenvertrag die Zahlung der Leibrente an einen Dritten vereinbart, ist im Zweifel anzunehmen, dass der Dritte unmittelbar das Recht erwerben soll, die Leistung zu fordern. [2] Das Gleiche gilt, wenn bei einer unentgeltlichen Zuwendung dem Bedachten eine Leistung an einen Dritten auferlegt oder bei einer Vermögens- oder Gutsübernahme von dem Übernehmer eine Leistung an einen Dritten zum Zwecke der Abfindung versprochen wird.

§ 331 Leistung nach Todesfall. (1) Soll die Leistung an den Dritten nach dem Tode desjenigen erfolgen, welchem sie versprochen wird, so erwirbt der Dritte das Recht auf die Leistung im Zweifel mit dem Tode des Versprechensempfängers.

(2) Stirbt der Versprechensempfänger vor der Geburt des Dritten, so kann das Versprechen, an den Dritten zu leisten, nur dann noch aufgehoben oder geändert werden, wenn die Befugnis dazu vorbehalten worden ist.

§ 332 Änderung durch Verfügung von Todes wegen bei Vorbehalt.

Hat sich der Versprechensempfänger die Befugnis vorbehalten, ohne Zustimmung des Versprechenden an die Stelle des in dem Vertrag bezeichneten Dritten einen anderen zu setzen, so kann dies im Zweifel auch in einer Verfügung von Todes wegen geschehen.

§ 333 Zurückweisung des Rechts durch den Dritten. Weist der Dritte das aus dem Vertrag erworbene Recht dem Versprechenden gegenüber zurück, so gilt das Recht als nicht erworben.

---

[1] Titel 2a (§§ 327–327u) eingef. mWv 1.1.2022 durch G v. 25.6.2021 (BGBl. I S. 2123).
[2] § 330 Überschrift und Satz 1 neu gef. mWv 1.1.2008 durch G v. 23.11.2007 (BGBl. I S. 2631).

§ 334 Einwendungen des Schuldners gegenüber dem Dritten. Einwendungen aus dem Vertrag stehen dem Versprechenden auch gegenüber dem Dritten zu.

§ 335 Forderungsrecht des Versprechensempfängers. Der Versprechensempfänger kann, sofern nicht ein anderer Wille der Vertragschließenden anzunehmen ist, die Leistung an den Dritten auch dann fordern, wenn diesem das Recht auf die Leistung zusteht.

(Fortsetzung nächstes Blatt)

Titel 4. Draufgabe, Vertragsstrafe

§ 336 Auslegung der Draufgabe. (1) Wird bei der Eingehung eines Vertrags etwas als Draufgabe gegeben, so gilt dies als Zeichen des Abschlusses des Vertrags.

(2) Die Draufgabe gilt im Zweifel nicht als Reugeld.

§ 337 Anrechnung oder Rückgabe der Draufgabe. (1) Die Draufgabe ist im Zweifel auf die von dem Geber geschuldete Leistung anzurechnen oder, wenn dies nicht geschehen kann, bei der Erfüllung des Vertrags zurückzugeben.

(2) Wird der Vertrag wieder aufgehoben, so ist die Draufgabe zurückzugeben.

§ 338 Draufgabe bei zu vertretender Unmöglichkeit der Leistung. [1] Wird die von dem Geber geschuldete Leistung infolge eines Umstands, den er zu vertreten hat, unmöglich oder verschuldet der Geber die Wiederaufhebung des Vertrags, so ist der Empfänger berechtigt, die Draufgabe zu behalten. [2] Verlangt der Empfänger Schadensersatz wegen Nichterfüllung, so ist die Draufgabe im Zweifel anzurechnen oder, wenn dies nicht geschehen kann, bei der Leistung des Schadensersatzes zurückzugeben.

§ 339 Verwirkung der Vertragsstrafe. [1] Verspricht der Schuldner dem Gläubiger für den Fall, dass er seine Verbindlichkeit nicht oder nicht in gehöriger Weise erfüllt, die Zahlung einer Geldsumme als Strafe, so ist die Strafe verwirkt, wenn er in Verzug kommt. [2] Besteht die geschuldete Leistung in einem Unterlassen, so tritt die Verwirkung mit der Zuwiderhandlung ein.

§ 340 Strafversprechen für Nichterfüllung. (1) [1] Hat der Schuldner die Strafe für den Fall versprochen, dass er seine Verbindlichkeit nicht erfüllt, so kann der Gläubiger die verwirkte Strafe statt der Erfüllung verlangen. [2] Erklärt der Gläubiger dem Schuldner, dass er die Strafe verlange, so ist der Anspruch auf Erfüllung ausgeschlossen.

(2) [1] Steht dem Gläubiger ein Anspruch auf Schadensersatz wegen Nichterfüllung zu, so kann er die verwirkte Strafe als Mindestbetrag des Schadens verlangen. [2] Die Geltendmachung eines weiteren Schadens ist nicht ausgeschlossen.

§ 341 Strafversprechen für nicht gehörige Erfüllung. (1) Hat der Schuldner die Strafe für den Fall versprochen, dass er seine Verbindlichkeit nicht in gehöriger Weise, insbesondere nicht zu der bestimmten Zeit, erfüllt, so kann der Gläubiger die verwirkte Strafe neben der Erfüllung verlangen.

(2) Steht dem Gläubiger ein Anspruch auf Schadensersatz wegen der nicht gehörigen Erfüllung zu, so findet die Vorschrift des § 340 Abs. 2 Anwendung.

(3) Nimmt der Gläubiger die Erfüllung an, so kann er die Strafe nur verlangen, wenn er sich das Recht dazu bei der Annahme vorbehält.

§ 342 Andere als Geldstrafe. Wird als Strafe eine andere Leistung als die Zahlung einer Geldsumme versprochen, so finden die Vorschriften der

§§ 339 bis 341 Anwendung; der Anspruch auf Schadensersatz ist ausgeschlossen, wenn der Gläubiger die Strafe verlangt.

§ 343 Herabsetzung der Strafe. (1) [1] Ist eine verwirkte Strafe unverhältnismäßig hoch, so kann sie auf Antrag des Schuldners durch Urteil auf den angemessenen Betrag herabgesetzt werden. [2] Bei der Beurteilung der Angemessenheit ist jedes berechtigte Interesse des Gläubigers, nicht bloß das Vermögensinteresse, in Betracht zu ziehen. [3] Nach der Entrichtung der Strafe ist die Herabsetzung ausgeschlossen.

(2) Das Gleiche gilt auch außer in den Fällen der §§ 339, 342, wenn jemand eine Strafe für den Fall verspricht, dass er eine Handlung vornimmt oder unterlässt.

§ 344 Unwirksames Strafversprechen. Erklärt das Gesetz das Versprechen einer Leistung für unwirksam, so ist auch die für den Fall der Nichterfüllung des Versprechens getroffene Vereinbarung einer Strafe unwirksam, selbst wenn die Parteien die Unwirksamkeit des Versprechens gekannt haben.

§ 345 Beweislast. Bestreitet der Schuldner die Verwirkung der Strafe, weil er seine Verbindlichkeit erfüllt habe, so hat er die Erfüllung zu beweisen, sofern nicht die geschuldete Leistung in einem Unterlassen besteht.

Titel 5.[1] Rücktritt; Widerrufsrecht bei Verbraucherverträgen

Untertitel 1. Rücktritt[2]

§ 346[3] Wirkungen des Rücktritts. (1) Hat sich eine Vertragspartei vertraglich den Rücktritt vorbehalten oder steht ihr ein gesetzliches Rücktrittsrecht zu, so sind im Falle des Rücktritts die empfangenen Leistungen zurückzugewähren und die gezogenen Nutzungen herauszugeben.

(2) [1] Statt der Rückgewähr oder Herausgabe hat der Schuldner Wertersatz zu leisten, soweit

1. die Rückgewähr oder die Herausgabe nach der Natur des Erlangten ausgeschlossen ist,
2. er den empfangenen Gegenstand verbraucht, veräußert, belastet, verarbeitet oder umgestaltet hat,
3. der empfangene Gegenstand sich verschlechtert hat oder untergegangen ist; jedoch bleibt die durch die bestimmungsgemäße Ingebrauchnahme entstandene Verschlechterung außer Betracht.

[2] Ist im Vertrag eine Gegenleistung bestimmt, ist sie bei der Berechnung des Wertersatzes zugrunde zu legen; ist Wertersatz für den Gebrauchsvorteil eines

---

[1] Buch 2 Abschnitt 3 Titel 5 Überschrift neu gef. mWv 13.6.2014 durch G v. 20.9.2013 (BGBl. I S. 3642).

[2] **Amtl. Anm.:** Dieser Untertitel dient auch der Umsetzung der Richtlinie 1999/44/EG des Europäischen Parlaments und des Rates vom 25. Mai 1999 zu bestimmten Aspekten des Verbrauchsgüterkaufs und der Garantien für Verbrauchsgüter (ABl. EG Nr. L 171 S. 12).

[3] § 346 Abs. 2 Satz 1 einl. Satzteil geänd., Satz 2 2. Halbs. angef. mWv 1.8.2002 durch G v. 23.7.2002 (BGBl. I S. 2850).

Darlehens zu leisten, kann nachgewiesen werden, dass der Wert des Gebrauchsvorteils niedriger war.

(3) [1] Die Pflicht zum Wertersatz entfällt,

1. wenn sich der zum Rücktritt berechtigende Mangel erst während der Verarbeitung oder Umgestaltung des Gegenstandes gezeigt hat,
2. soweit der Gläubiger die Verschlechterung oder den Untergang zu vertreten hat oder der Schaden bei ihm gleichfalls eingetreten wäre,
3. wenn im Falle eines gesetzlichen Rücktrittsrechts die Verschlechterung oder der Untergang beim Berechtigten eingetreten ist, obwohl dieser diejenige Sorgfalt beobachtet hat, die er in eigenen Angelegenheiten anzuwenden pflegt.

[2] Eine verbleibende Bereicherung ist herauszugeben.

(4) Der Gläubiger kann wegen Verletzung einer Pflicht aus Absatz 1 nach Maßgabe der §§ 280 bis 283 Schadensersatz verlangen.

§ 347 Nutzungen und Verwendungen nach Rücktritt. (1) [1] Zieht der Schuldner Nutzungen entgegen den Regeln einer ordnungsmäßigen Wirtschaft nicht, obwohl ihm das möglich gewesen

(Fortsetzung nächstes Blatt)

wäre, so ist er dem Gläubiger zum Wertersatz verpflichtet. [2]Im Falle eines gesetzlichen Rücktrittsrechts hat der Berechtigte hinsichtlich der Nutzungen nur für diejenige Sorgfalt einzustehen, die er in eigenen Angelegenheiten anzuwenden pflegt.

(2) [1]Gibt der Schuldner den Gegenstand zurück, leistet er Wertersatz oder ist seine Wertersatzpflicht gemäß § 346 Abs. 3 Nr. 1 oder 2 ausgeschlossen, so sind ihm notwendige Verwendungen zu ersetzen. [2]Andere Aufwendungen sind zu ersetzen, soweit der Gläubiger durch diese bereichert wird.

§ 348 Erfüllung Zug-um-Zug. Die sich aus dem Rücktritt ergebenden Verpflichtungen der Parteien sind Zug um Zug zu erfüllen. Die Vorschriften der §§ 320, 322 finden entsprechende Anwendung.

§ 349 Erklärung des Rücktritts. Der Rücktritt erfolgt durch Erklärung gegenüber dem anderen Teil.

§ 350 Erlöschen des Rücktrittsrechts nach Fristsetzung. [1]Ist für die Ausübung des vertraglichen Rücktrittsrechts eine Frist nicht vereinbart, so kann dem Berechtigten von dem anderen Teil für die Ausübung eine angemessene Frist bestimmt werden. [2]Das Rücktrittsrecht erlischt, wenn nicht der Rücktritt vor dem Ablauf der Frist erklärt wird.

§ 351 Unteilbarkeit des Rücktrittsrechts. [1]Sind bei einem Vertrag auf der einen oder der anderen Seite mehrere beteiligt, so kann das Rücktrittsrecht nur von allen und gegen alle ausgeübt werden. [2]Erlischt das Rücktrittsrecht für einen der Berechtigten, so erlischt es auch für die übrigen.

§ 352 Aufrechnung nach Nichterfüllung. Der Rücktritt wegen Nichterfüllung einer Verbindlichkeit wird unwirksam, wenn der Schuldner sich von der Verbindlichkeit durch Aufrechnung befreien konnte und unverzüglich nach dem Rücktritt die Aufrechnung erklärt.

§ 353 Rücktritt gegen Reugeld. [1]Ist der Rücktritt gegen Zahlung eines Reugelds vorbehalten, so ist der Rücktritt unwirksam, wenn das Reugeld nicht vor oder bei der Erklärung entrichtet wird und der andere Teil aus diesem Grunde die Erklärung unverzüglich zurückweist. [2]Die Erklärung ist jedoch wirksam, wenn das Reugeld unverzüglich nach der Zurückweisung entrichtet wird.

§ 354 Verwirkungsklausel. Ist ein Vertrag mit dem Vorbehalt geschlossen, dass der Schuldner seiner Rechte aus dem Vertrag verlustig sein soll, wenn er seine Verbindlichkeit nicht erfüllt, so ist der Gläubiger bei dem Eintritt dieses Falles zum Rücktritt von dem Vertrag berechtigt.

Abschnitt 4. Erlöschen der Schuldverhältnisse

Titel 3. Aufrechnung

§ 394 Keine Aufrechnung gegen unpfändbare Forderung. [1]Soweit eine Forderung der Pfändung nicht unterworfen ist, findet die Aufrechnung gegen die Forderung nicht statt. [2]Gegen die aus Kranken-, Hilfs- oder Sterbekassen, insbesondere aus Knappschaftskassen und Kassen der Knappschaftsvereine, zu beziehenden Hebungen können jedoch geschuldete Beiträge aufgerechnet werden.

Abschnitt 8. Einzelne Schuldverhältnisse

Titel 5. Mietvertrag, Pachtvertrag

Untertitel 2. Mietverhältnisse über Wohnraum

Kapitel 5. Beendigung des Mietverhältnisses

Unterkapitel 4. Werkwohnungen

§ 576 Fristen der ordentlichen Kündigung bei Werkmietwohnungen. (1) Ist Wohnraum mit Rücksicht auf das Bestehen eines Dienstverhältnisses vermietet, so kann der Vermieter nach Beendigung des Dienstverhältnisses abweichend von § 573c Abs. 1 Satz 2 mit folgenden Fristen kündigen:

1. bei Wohnraum, der dem Mieter weniger als zehn Jahre überlassen war, spätestens am dritten Werktag eines Kalendermonats zum Ablauf des übernächsten Monats, wenn der Wohnraum für einen anderen zur Dienstleistung Verpflichteten benötigt wird;
2. spätestens am dritten Werktag eines Kalendermonats zum Ablauf dieses Monats, wenn das Dienstverhältnis seiner Art nach die Überlassung von Wohnraum erfordert hat, der in unmittelbarer Beziehung oder Nähe zur Arbeitsstätte steht, und der Wohnraum aus dem gleichen Grund für einen anderen zur Dienstleistung Verpflichteten benötigt wird.

(2) Eine zum Nachteil des Mieters abweichende Vereinbarung ist unwirksam.

§ 576 a Besonderheiten des Widerspruchsrechts bei Werkmietwohnungen. (1) Bei der Anwendung der §§ 574 bis 574 c auf Werkmietwohnungen sind auch die Belange des Dienstberechtigten zu berücksichtigen.

(2) Die §§ 574 bis 574 c gelten nicht, wenn

1. der Vermieter nach § 576 Abs. 1 Nr. 2 gekündigt hat;
2. der Mieter das Dienstverhältnis gelöst hat, ohne dass ihm von dem Dienstberechtigten gesetzlich begründeter Anlass dazu gegeben war, oder der Mieter durch sein Verhalten dem Dienstberechtigten gesetzlich begründeten Anlass zur Auflösung des Dienstverhältnisses gegeben hat.

(3) Eine zum Nachteil des Mieters abweichende Vereinbarung ist unwirksam.

§ 576 b Entsprechende Geltung des Mietrechts bei Werkdienstwohnungen. (1) Ist Wohnraum im Rahmen eines Dienstverhältnisses überlassen, so gelten für die Beendigung des Rechtsverhältnisses hinsichtlich des Wohnraums die Vorschriften über Mietverhältnisse entsprechend, wenn der zur Dienstleistung Verpflichtete den Wohnraum überwiegend mit Einrichtungsgegenständen ausgestattet hat oder in dem Wohnraum mit seiner Familie oder Personen lebt, mit denen er einen auf Dauer angelegten gemeinsamen Haushalt führt.

(2) Eine zum Nachteil des Mieters abweichende Vereinbarung ist unwirksam.

Titel 8.[1] Dienstvertrag und ähnliche Verträge[2]

Untertitel 1.[3] Dienstvertrag

§ 611 Vertragstypische Pflichten beim Dienstvertrag. (1) Durch den Dienstvertrag wird derjenige, welcher Dienste zusagt, zur Leistung der versprochenen Dienste, der andere Teil zur Gewährung der vereinbarten Vergütung verpflichtet.

(2) Gegenstand des Dienstvertrags können Dienste jeder Art sein.

§ 611 a[4] Arbeitsvertrag. (1) [1] Durch den Arbeitsvertrag wird der Arbeitnehmer im Dienste eines anderen zur Leistung weisungsgebundener, fremdbestimmter Arbeit in persönlicher Abhängigkeit verpflichtet. [2] Das Weisungsrecht kann Inhalt, Durchführung, Zeit und Ort der Tätigkeit betreffen. [3] Weisungsgebunden ist, wer nicht im Wesentlichen frei seine Tätigkeit gestalten und seine Arbeitszeit bestimmen kann. [4] Der Grad der persönlichen Abhängigkeit hängt dabei auch von der Eigenart der jeweiligen Tätigkeit ab.

---

[1] Titel 8 Überschrift neu gef. mWv 26. 2. 2013 durch G v. 20. 2. 2013 (BGBl. I S. 277).

[2] **Amtl. Anm.:** Dieser Titel dient der Umsetzung

1. der Richtlinie 76/207/EWG **[beck-online, Module Arbeitsrecht Nr. 897]** des Rates vom 9. Februar 1976 zur Verwirklichung des Grundsatzes der Gleichbehandlung von Männern und Frauen hinsichtlich des Zugangs zur Beschäftigung, zur Berufsbildung und zum beruflichen Aufstieg sowie in Bezug auf die Arbeitsbedingungen (ABl. EG Nr. L 39 S. 40) und
2. der Richtlinie 77/187/EWG des Rates vom 14. Februar 1977 zur Angleichung der Rechtsvorschriften der Mitgliedstaaten über die Wahrung von Ansprüchen der Arbeitnehmer beim Übergang von Unternehmen, Betrieben oder Betriebsteilen (ABl. EG Nr. L 61 S. 26).

[3] Überschrift Untertitel 1 eingef. mWv 26. 2. 2013 durch G v. 20. 2. 2013 (BGBl. I S. 277).

[4] § 611 a neu eingef. mWv 1. 4. 2017 durch G v. 21. 2. 2017 (BGBl. I S. 258).

[5] Für die Feststellung, ob ein Arbeitsvertrag vorliegt, ist eine Gesamtbetrachtung aller Umstände vorzunehmen. [6] Zeigt die tatsächliche Durchführung des Vertragsverhältnisses, dass es sich um ein Arbeitsverhältnis handelt, kommt es auf die Bezeichnung im Vertrag nicht an.

(2) Der Arbeitgeber ist zur Zahlung der vereinbarten Vergütung verpflichtet.

§ 611 b[1)] *(aufgehoben)*

§ 612[2)] **Vergütung.** (1) Eine Vergütung gilt als stillschweigend vereinbart, wenn die Dienstleistung den Umständen nach nur gegen eine Vergütung zu erwarten ist.

(2) Ist die Höhe der Vergütung nicht bestimmt, so ist bei dem Bestehen einer Taxe die taxmäßige Vergütung, in Ermangelung einer Taxe die übliche Vergütung als vereinbart anzusehen.

§ 612 a Maßregelungsverbot. Der Arbeitgeber darf einen Arbeitnehmer bei einer Vereinbarung oder einer Maßnahme nicht benachteiligen, weil der Arbeitnehmer in zulässiger Weise seine Rechte ausübt.

§ 613 Unübertragbarkeit. [1] Der zur Dienstleistung Verpflichtete hat die Dienste im Zweifel in Person zu leisten. [2] Der Anspruch auf die Dienste ist im Zweifel nicht übertragbar.

§ 613 a[3)] **Rechte und Pflichten bei Betriebsübergang.** (1) [1] Geht ein Betrieb oder Betriebsteil durch Rechtsgeschäft auf einen anderen Inhaber über, so tritt dieser in die Rechte und Pflichten aus den im Zeitpunkt des Übergangs bestehenden Arbeitsverhältnissen ein. [2] Sind diese Rechte und Pflichten durch Rechtsnormen eines Tarifvertrags oder durch eine Betriebsvereinbarung geregelt, so werden sie Inhalt des Arbeitsverhältnisses zwischen dem neuen Inhaber und dem Arbeitnehmer und dürfen nicht vor Ablauf eines Jahres nach dem Zeitpunkt des Übergangs zum Nachteil des Arbeitnehmers geändert werden. [3] Satz 2 gilt nicht, wenn die Rechte und Pflichten bei dem neuen Inhaber durch Rechtsnormen eines anderen Tarifvertrags oder durch eine andere Betriebsvereinbarung geregelt werden. [4] Vor Ablauf der Frist nach Satz 2 können die Rechte und Pflichten geändert werden, wenn der Tarifvertrag oder die Betriebsvereinbarung nicht mehr gilt oder bei fehlender beiderseitiger Tarifgebundenheit im Geltungsbereich eines anderen Tarifvertrags dessen Anwendung zwischen dem neuen Inhaber und dem Arbeitnehmer vereinbart wird.

(2) [1] Der bisherige Arbeitgeber haftet neben dem neuen Inhaber für Verpflichtungen nach Absatz 1, soweit sie vor dem Zeitpunkt des Übergangs entstanden sind und vor Ablauf von einem Jahr nach diesem Zeitpunkt fällig werden, als Gesamtschuldner. [2] Werden solche Verpflichtungen nach dem Zeitpunkt des Übergangs fällig, so haftet der bisherige Arbeitgeber für sie

---

[1)] § 611 b aufgeh. mWv 18. 8. 2006 durch G v. 14. 8. 2006 (BGBl. I S. 1897).
[2)] § 612 Abs. 3 aufgeh. mWv 18. 8. 2006 durch G v. 14. 8. 2006 (BGBl. I S. 1897).
[3)] § 613 a Abs. 5 und 6 angef. mWv 1. 4. 2002 durch G v. 23. 3. 2002 (BGBl. I S. 1163).

jedoch nur in dem Umfang, der dem im Zeitpunkt des Übergangs abgelaufenen Teil ihres Bemessungszeitraums entspricht.

(3) Absatz 2 gilt nicht, wenn eine juristische Person oder eine Personenhandelsgesellschaft durch Umwandlung erlischt.

(4) [1] Die Kündigung des Arbeitsverhältnisses eines Arbeitnehmers durch den bisherigen Arbeitgeber oder durch den neuen Inhaber wegen des Übergangs eines Betriebs oder eines Betriebsteils ist unwirksam. [2] Das Recht zur Kündigung des Arbeitsverhältnisses aus anderen Gründen bleibt unberührt.

(5) Der bisherige Arbeitgeber oder der neue Inhaber hat die von einem Übergang betroffenen Arbeitnehmer vor dem Übergang in Textform zu unterrichten über:

1. den Zeitpunkt oder den geplanten Zeitpunkt des Übergangs,
2. den Grund für den Übergang,
3. die rechtlichen, wirtschaftlichen und sozialen Folgen des Übergangs für die Arbeitnehmer und
4. die hinsichtlich der Arbeitnehmer in Aussicht genommenen Maßnahmen.

(6) [1] Der Arbeitnehmer kann dem Übergang des Arbeitsverhältnisses innerhalb eines Monats nach Zugang der Unterrichtung nach Absatz 5 schriftlich widersprechen. [2] Der Widerspruch kann gegenüber dem bisherigen Arbeitgeber oder dem neuen Inhaber erklärt werden.

§ 614 Fälligkeit der Vergütung. [1] Die Vergütung ist nach der Leistung der Dienste zu entrichten. [2] Ist die Vergütung nach Zeitabschnitten bemessen, so ist sie nach dem Ablauf der einzelnen Zeitabschnitte zu entrichten.

§ 615 Vergütung bei Annahmeverzug und bei Betriebsrisiko. [1] Kommt der Dienstberechtigte mit der Annahme der Dienste in Verzug, so kann der Verpflichtete für die infolge des Verzugs nicht geleisteten Dienste die vereinbarte Vergütung verlangen, ohne zur Nachleistung verpflichtet zu sein. [2] Er muss sich jedoch den Wert desjenigen anrechnen lassen, was er infolge des Unterbleibens der Dienstleistung erspart oder durch anderweitige Verwendung seiner Dienste erwirbt oder zu erwerben böswillig unterlässt. [3] Die Sätze 1 und 2 gelten entsprechend in den Fällen, in denen der Arbeitgeber das Risiko des Arbeitsausfalls trägt.

§ 616 Vorübergehende Verhinderung. [1] Der zur Dienstleistung Verpflichtete wird des Anspruchs auf die Vergütung nicht dadurch verlustig, dass er für eine verhältnismäßig nicht erhebliche Zeit durch einen in seiner Person liegenden Grund ohne sein Verschulden an der Dienstleistung verhindert wird. [2] Er muss sich jedoch den Betrag anrechnen lassen, welcher ihm für die Zeit der Verhinderung aus einer auf Grund gesetzlicher Verpflichtung bestehenden Kranken- oder Unfallversicherung zukommt.

§ 617 Pflicht zur Krankenfürsorge. (1) [1] Ist bei einem dauernden Dienstverhältnis, welches die Erwerbstätigkeit des Verpflichteten vollständig oder hauptsächlich in Anspruch nimmt, der Verpflichtete in die häusliche Gemeinschaft aufgenommen, so hat der Dienstberechtigte ihm im Falle der Erkrankung die erforderliche Verpflegung und ärztliche Behandlung bis zur Dauer von sechs Wochen, jedoch nicht über die Beendigung des Dienstverhältnisses hinaus, zu gewähren, sofern nicht die Erkrankung von dem Verpflichteten vorsätzlich oder durch grobe Fahrlässigkeit herbeigeführt worden ist. [2]Die Verpflegung und ärztliche Behandlung kann durch Aufnahme des Verpflichteten in eine Krankenanstalt gewährt werden. [3]Die Kosten können auf die für die Zeit der Erkrankung geschuldete Vergütung angerechnet werden. [4]Wird das Dienstverhältnis wegen der Erkrankung von dem Dienstberechtigten nach § 626 gekündigt, so bleibt die dadurch herbeigeführte Beendigung des Dienstverhältnisses außer Betracht.

(2) Die Verpflichtung des Dienstberechtigten tritt nicht ein, wenn für die Verpflegung und ärztliche Behandlung durch eine Versicherung oder durch eine Einrichtung der öffentlichen Krankenpflege Vorsorge getroffen ist.

§ 618 Pflicht zu Schutzmaßnahmen. (1) Der Dienstberechtigte hat Räume, Vorrichtungen oder Gerätschaften, die er zur Verrichtung der Dienste zu beschaffen hat, so einzurichten und zu unterhalten und Dienstleistungen, die unter seiner Anordnung oder seiner Leitung vorzunehmen sind, so zu regeln, dass der Verpflichtete gegen Gefahr für Leben und Gesundheit soweit geschützt ist, als die Natur der Dienstleistung es gestattet.

(2) Ist der Verpflichtete in die häusliche Gemeinschaft aufgenommen, so hat der Dienstberechtigte in Ansehung des Wohn- und Schlafraums, der Verpflegung sowie der Arbeits- und Erholungszeit diejenigen Einrichtungen und Anordnungen zu treffen, welche mit Rücksicht auf die Gesundheit, die Sittlichkeit und die Religion des Verpflichteten erforderlich sind.

(3) Erfüllt der Dienstberechtigte die ihm in Ansehung des Lebens und der Gesundheit des Verpflichteten obliegenden Verpflichtungen nicht, so finden auf seine Verpflichtung zum Schadensersatz die für unerlaubte Handlungen geltenden Vorschriften der §§ 842 bis 846 entsprechende Anwendung.[1)]

§ 619 Unabdingbarkeit der Fürsorgepflichten. Die dem Dienstberechtigten nach den §§ 617, 618 obliegenden Verpflichtungen können nicht im Voraus durch Vertrag aufgehoben oder beschränkt werden.

§ 619a Beweislast bei Haftung des Arbeitnehmers. Abweichend von § 280 Abs. 1 hat der Arbeitnehmer dem Arbeitgeber Ersatz für den aus der Verletzung einer Pflicht aus dem Arbeitsverhältnis entstehenden Schaden nur zu leisten, wenn er die Pflichtverletzung zu vertreten hat.

§ 620[2)] Beendigung des Dienstverhältnisses. (1) Das Dienstverhältnis endigt mit dem Ablauf der Zeit, für die es eingegangen ist.

(2) Ist die Dauer des Dienstverhältnisses weder bestimmt noch aus der Beschaffenheit oder dem Zwecke der Dienste zu entnehmen, so kann jeder Teil das Dienstverhältnis nach Maßgabe der §§ 621 bis 623 kündigen.

(3) Für Arbeitsverträge, die auf bestimmte Zeit abgeschlossen werden, gilt das Teilzeit- und Befristungsgesetz[3)].

[Abs. 4 ab 1.1.2022:]

(4) Ein Verbrauchervertrag über eine digitale Dienstleistung kann auch nach Maßgabe der §§ 327c, 327m und 327r Absatz 3 und 4 beendet werden.

[1)] Beachte ferner die Bestimmungen in den §§ 104–113 SGB VII – Gesetzliche Unfallversicherung (Nr. **697**).

[2)] § 620 Abs. 4 angef. mWv 1.1.2022 durch G v. 25.6.2021 (BGBl. I S. 2123).

[3)] Nr. **80**.

§ 621 Kündigungsfristen bei Dienstverhältnissen. Bei einem Dienstverhältnis, das kein Arbeitsverhältnis im Sinne des § 622 ist, ist die Kündigung zulässig,

1. wenn die Vergütung nach Tagen bemessen ist, an jedem Tag für den Ablauf des folgenden Tages;
2. wenn die Vergütung nach Wochen bemessen ist, spätestens am ersten Werktag einer Woche für den Ablauf des folgenden Sonnabends;
3. wenn die Vergütung nach Monaten bemessen ist, spätestens am 15. eines Monats für den Schluss des Kalendermonats;
4. wenn die Vergütung nach Vierteljahren oder längeren Zeitabschnitten bemessen ist, unter Einhaltung einer Kündigungsfrist von sechs Wochen für den Schluss eines Kalendervierteljahrs;
5. wenn die Vergütung nicht nach Zeitabschnitten bemessen ist, jederzeit; bei einem die Erwerbstätigkeit des Verpflichteten vollständig oder hauptsächlich in Anspruch nehmenden Dienstverhältnis ist jedoch eine Kündigungsfrist von zwei Wochen einzuhalten.

§ 622[1)] Kündigungsfristen bei Arbeitsverhältnissen. (1) Das Arbeitsverhältnis eines Arbeiters oder eines Angestellten (Arbeitnehmers) kann mit einer Frist von vier Wochen zum Fünfzehnten oder zum Ende eines Kalendermonats gekündigt werden.

(2) Für eine Kündigung durch den Arbeitgeber beträgt die Kündigungsfrist, wenn das Arbeitsverhältnis in dem Betrieb oder Unternehmen

1. zwei Jahre bestanden hat, einen Monat zum Ende eines Kalendermonats,
2. fünf Jahre bestanden hat, zwei Monate zum Ende eines Kalendermonats,
3. acht Jahre bestanden hat, drei Monate zum Ende eines Kalendermonats,
4. zehn Jahre bestanden hat, vier Monate zum Ende eines Kalendermonats,
5. zwölf Jahre bestanden hat, fünf Monate zum Ende eines Kalendermonats,
6. 15 Jahre bestanden hat, sechs Monate zum Ende eines Kalendermonats,
7. 20 Jahre bestanden hat, sieben Monate zum Ende eines Kalendermonats.

(3) Während einer vereinbarten Probezeit, längstens für die Dauer von sechs Monaten, kann das Arbeitsverhältnis mit einer Frist von zwei Wochen gekündigt werden.

(4) [1] Von den Absätzen 1 bis 3 abweichende Regelungen können durch Tarifvertrag vereinbart werden. [2] Im Geltungsbereich eines solchen Tarifvertrags gelten die abweichenden tarifvertraglichen Bestimmungen zwischen nicht tarifgebundenen Arbeitgebern und Arbeitnehmern, wenn ihre Anwendung zwischen ihnen vereinbart ist.

(5) [1] Einzelvertraglich kann eine kürzere als die in Absatz 1 genannte Kündigungsfrist nur vereinbart werden,

1. wenn ein Arbeitnehmer zur vorübergehenden Aushilfe eingestellt ist; dies gilt nicht, wenn das Arbeitsverhältnis über die Zeit von drei Monaten hinaus fortgesetzt wird;

[1)] § 622 Abs. 2 Satz 2 aufgeh. mWv 1.1.2019 durch G v. 18.12.2018 (BGBl. I S. 2651).

2. wenn der Arbeitgeber in der Regel nicht mehr als 20 Arbeitnehmer ausschließlich der zu ihrer Berufsbildung Beschäftigten beschäftigt und die Kündigungsfrist vier Wochen nicht unterschreitet.

[2] Bei der Feststellung der Zahl der beschäftigten Arbeitnehmer sind teilzeitbeschäftigte Arbeitnehmer mit einer regelmäßigen wöchentlichen Arbeitszeit von nicht mehr als 20 Stunden mit 0,5 und nicht mehr als 30 Stunden mit 0,75 zu berücksichtigen. [3] Die einzelvertragliche Vereinbarung längerer als der in den Absätzen 1 bis 3 genannten Kündigungsfristen bleibt hiervon unberührt.

(6) Für die Kündigung des Arbeitsverhältnisses durch den Arbeitnehmer darf keine längere Frist vereinbart werden als für die Kündigung durch den Arbeitgeber.

§ 623 Schriftform der Kündigung. Die Beendigung von Arbeitsverhältnissen durch Kündigung oder Auflösungsvertrag bedürfen zu ihrer Wirksamkeit der Schriftform; die elektronische Form ist ausgeschlossen.

§ 624 Kündigungsfrist bei Verträgen über mehr als fünf Jahre. [1] Ist das Dienstverhältnis für die Lebenszeit einer Person oder für längere Zeit als fünf Jahre eingegangen, so kann es von dem Verpflichteten nach dem Ablauf von fünf Jahren gekündigt werden. [2] Die Kündigungsfrist beträgt sechs Monate.

§ 625 Stillschweigende Verlängerung. Wird das Dienstverhältnis nach dem Ablauf der Dienstzeit von dem Verpflichteten mit Wissen des anderen Teiles fortgesetzt, so gilt es als auf unbestimmte Zeit verlängert, sofern nicht der andere Teil unverzüglich widerspricht.

§ 626 Fristlose Kündigung aus wichtigem Grund. (1) Das Dienstverhältnis kann von jedem Vertragsteil aus wichtigem Grund ohne Einhaltung einer Kündigungsfrist gekündigt werden, wenn Tatsachen vorliegen, auf Grund derer dem Kündigenden unter Berücksichtigung aller Umstände des Einzelfalles und unter Abwägung der Interessen beider Vertragsteile die Fortsetzung des Dienstverhältnisses bis zum Ablauf der Kündigungsfrist oder bis zu der vereinbarten Beendigung des Dienstverhältnisses nicht zugemutet werden kann.

(2) [1] Die Kündigung kann nur innerhalb von zwei Wochen erfolgen. [2] Die Frist beginnt mit dem Zeitpunkt, in dem der Kündigungsberechtigte von den für die Kündigung maßgebenden Tatsachen Kenntnis erlangt. [3] Der Kündigende muss dem anderen Teil auf Verlangen den Kündigungsgrund unverzüglich schriftlich mitteilen.

§ 627 Fristlose Kündigung bei Vertrauensstellung. (1) Bei einem Dienstverhältnis, das kein Arbeitsverhältnis im Sinne des § 622 ist, ist die Kündigung auch ohne die in § 626 bezeichnete Voraussetzung zulässig, wenn der zur Dienstleistung Verpflichtete, ohne in einem dauernden Dienstverhältnis mit festen Bezügen zu stehen, Dienste höherer Art zu leisten hat, die auf Grund besonderen Vertrauens übertragen zu werden pflegen.

(2) [1] Der Verpflichtete darf nur in der Art kündigen, dass sich der Dienstberechtigte die Dienste anderweit beschaffen kann, es sei denn, dass ein

wichtiger Grund für die unzeitige Kündigung vorliegt. [2] Kündigt er ohne solchen Grund zur Unzeit, so hat er dem Dienstberechtigten den daraus entstehenden Schaden zu ersetzen.

§ 628[1)] Teilvergütung und Schadensersatz bei fristloser Kündigung.

(1) [1] Wird nach dem Beginn der Dienstleistung das Dienstverhältnis auf Grund des § 626 oder des § 627 gekündigt, so kann der Verpflichtete einen seinen bisherigen Leistungen entsprechenden Teil der Vergütung verlangen. [2] Kündigt er, ohne durch vertragswidriges Verhalten des anderen Teiles dazu veranlasst zu sein, oder veranlasst er durch sein vertragswidriges Verhalten die Kündigung des anderen Teiles, so steht ihm ein Anspruch auf die Vergütung insoweit nicht zu, als seine bisherigen Leistungen infolge der Kündigung für den anderen Teil kein Interesse haben. [3] Ist die Vergütung für eine spätere Zeit im Voraus entrichtet, so hat der Verpflichtete sie nach Maßgabe des § 346 oder, wenn die Kündigung wegen eines Umstands erfolgt, den er nicht zu vertreten hat, nach den Vorschriften über die Herausgabe einer ungerechtfertigten Bereicherung zurückzuerstatten.

(2) Wird die Kündigung durch vertragswidriges Verhalten des anderen Teiles veranlasst, so ist dieser zum Ersatz des durch die Aufhebung des Dienstverhältnisses entstehenden Schadens verpflichtet.

§ 629 Freizeit zur Stellungssuche. Nach der Kündigung eines dauernden Dienstverhältnisses hat der Dienstberechtigte dem Verpflichteten auf Verlangen angemessene Zeit zum Aufsuchen eines anderen Dienstverhältnisses zu gewähren.

§ 630[2)] Pflicht zur Zeugniserteilung. [1] Bei der Beendigung eines dauernden Dienstverhältnisses kann der Verpflichtete von dem anderen Teil ein schriftliches Zeugnis über das Dienstverhältnis und dessen Dauer fordern. [2] Das Zeugnis ist auf Verlangen auf die Leistungen und die Führung im Dienst zu erstrecken. [3] Das Zeugnis kann mit Einwilligung des Verpflichteten in elektronischer Form erteilt werden. [4] Wenn der Verpflichtete ein Arbeitnehmer ist, findet § 109 der Gewerbeordnung[3)] Anwendung.

§§ 630a–630h *(hier nicht wiedergegeben)*

Titel 9. Werkvertrag und ähnliche Verträge[4)]

Untertitel 1. Werkvertrag

Kapitel 1.[5)] Allgemeine Vorschriften

§ 631 Vertragstypische Pflichten beim Werkvertrag. (1) Durch den Werkvertrag wird der Unternehmer zur Herstellung des versprochenen Werkes, der Besteller zur Entrichtung der vereinbarten Vergütung verpflichtet.

[1)] § 628 Abs. 1 Satz 3 geänd. mWv 1.8.2002 durch G v. 23.7.2002 (BGBl. I S. 2850).

[2)] § 630 Satz 4 angef. mWv 1.1.2003 durch G v. 24.8.2002 (BGBl. I S. 3412); Satz 3 neu gef. mWv 1.1.2025 durch G v. 23.10.2024 (BGBl. 2024 I Nr. 323).

[3)] Nr. **106**.

[4)] Beachte hierzu Übergangsvorschrift in Art. 229 § 39 EGBGB (Nr. **51**).

[5)] Überschrift Kapitel 1 eingef. mWv 1.1.2018 durch G v. 28.4.2017 (BGBl. I S. 969).

(2) Gegenstand des Werkvertrags kann sowohl die Herstellung oder Veränderung einer Sache als auch ein anderer durch Arbeit oder Dienstleistung herbeizuführender Erfolg sein.

Titel 12.[1] Auftrag, Geschäftsbesorgungsvertrag und Zahlungsdienste

Untertitel 1. Auftrag

§ 662 Vertragstypische Pflichten beim Auftrag. Durch die Annahme eines Auftrags verpflichtet sich der Beauftragte, ein ihm von dem Auftraggeber übertragenes Geschäft für diesen unentgeltlich zu besorgen.

§ 663 Anzeigepflicht bei Ablehnung. [1] Wer zur Besorgung gewisser Geschäfte öffentlich bestellt ist oder sich öffentlich erboten hat, ist, wenn er einen auf solche Geschäfte gerichteten Auftrag nicht annimmt, verpflichtet, die Ablehnung dem Auftraggeber unverzüglich anzuzeigen. [2] Das Gleiche gilt, wenn sich jemand dem Auftraggeber gegenüber zur Besorgung gewisser Geschäfte erboten hat.

§ 664 Unübertragbarkeit; Haftung für Gehilfen. (1) [1] Der Beauftragte darf im Zweifel die Ausführung des Auftrags nicht einem Dritten übertragen. [2] Ist die Übertragung gestattet, so hat er nur ein ihm bei der Übertragung zur Last fallendes Verschulden zu vertreten. [3] Für das Verschulden eines Gehilfen ist er nach § 278 verantwortlich.

(2) Der Anspruch auf Ausführung des Auftrags ist im Zweifel nicht übertragbar.

§ 665 Abweichung von Weisungen. [1] Der Beauftragte ist berechtigt, von den Weisungen des Auftraggebers abzuweichen, wenn er den Umständen nach annehmen darf, dass der Auftraggeber bei Kenntnis der Sachlage die Abweichung billigen würde. [2] Der Beauftragte hat vor der Abweichung dem Auftraggeber Anzeige zu machen und dessen Entschließung abzuwarten, wenn nicht mit dem Aufschub Gefahr verbunden ist.

§ 666 Auskunfts- und Rechenschaftspflicht. Der Beauftragte ist verpflichtet, dem Auftraggeber die erforderlichen Nachrichten zu geben, auf Verlangen über den Stand des Geschäfts Auskunft zu erteilen und nach der Ausführung des Auftrags Rechenschaft abzulegen.

(Fortsetzung nächstes Blatt)

[1] Titel 12 Überschrift geänd., Kapitelüberschrift vor § 675 aufgeh. mWv 31.10.2009 durch G v. 29.7.2009 (BGBl. I S. 2355).

§ 667 Herausgabepflicht. Der Beauftragte ist verpflichtet, dem Auftraggeber alles, was er zur Ausführung des Auftrags erhält und was er aus der Geschäftsbesorgung erlangt, herauszugeben.

§ 668 Verzinsung des verwendeten Geldes. Verwendet der Beauftragte Geld für sich, das er dem Auftraggeber herauszugeben oder für ihn zu verwenden hat, so ist er verpflichtet, es von der Zeit der Verwendung an zu verzinsen.

§ 669 Vorschusspflicht. Für die zur Ausführung des Auftrags erforderlichen Aufwendungen hat der Auftraggeber dem Beauftragten auf Verlangen Vorschuss zu leisten.

§ 670 Ersatz von Aufwendungen. Macht der Beauftragte zum Zwecke der Ausführung des Auftrags Aufwendungen, die er den Umständen nach für erforderlich halten darf, so ist der Auftraggeber zum Ersatz verpflichtet.

§ 671 Widerruf; Kündigung. (1) Der Auftrag kann von dem Auftraggeber jederzeit widerrufen, von dem Beauftragten jederzeit gekündigt werden.

(2) [1] Der Beauftragte darf nur in der Art kündigen, dass der Auftraggeber für die Besorgung des Geschäfts anderweit Fürsorge treffen kann, es sei denn, dass ein wichtiger Grund für die unzeitige Kündigung vorliegt. [2] Kündigt er ohne solchen Grund zur Unzeit, so hat er dem Auftraggeber den daraus entstehenden Schaden zu ersetzen.

(3) Liegt ein wichtiger Grund vor, so ist der Beauftragte zur Kündigung auch dann berechtigt, wenn er auf das Kündigungsrecht verzichtet hat.

§ 672 Tod oder Geschäftsunfähigkeit des Auftraggebers. [1] Der Auftrag erlischt im Zweifel nicht durch den Tod oder den Eintritt der Geschäftsunfähigkeit des Auftraggebers. [2] Erlischt der Auftrag, so hat der Beauftragte, wenn mit dem Aufschub Gefahr verbunden ist, die Besorgung des übertragenen Geschäfts fortzusetzen, bis der Erbe oder der gesetzliche Vertreter des Auftraggebers anderweit Fürsorge treffen kann; der Auftrag gilt insoweit als fortbestehend.

§ 673 Tod des Beauftragten. [1] Der Auftrag erlischt im Zweifel durch den Tod des Beauftragten. [2] Erlischt der Auftrag, so hat der Erbe des Beauftragten den Tod dem Auftraggeber unverzüglich anzuzeigen und, wenn mit dem Aufschub Gefahr verbunden ist, die Besorgung des übertragenen Geschäfts fortzusetzen, bis der Auftraggeber anderweit Fürsorge treffen kann; der Auftrag gilt insoweit als fortbestehend.

§ 674 Fiktion des Fortbestehens. Erlischt der Auftrag in anderer Weise als durch Widerruf, so gilt er zugunsten des Beauftragten gleichwohl als fortbestehend, bis der Beauftragte von dem Erlöschen Kenntnis erlangt oder das Erlöschen kennen muss.

Untertitel 2. Geschäftsbesorgungsvertrag[1)]

§ 675[2)] Entgeltliche Geschäftsbesorgung. (1) Auf einen Dienstvertrag oder einen Werkvertrag, der eine Geschäftsbesorgung zum Gegenstand hat, finden, soweit in diesem Untertitel nichts Abweichendes bestimmt wird, die Vorschriften der §§ 663, 665 bis 670, 672 bis 674 und, wenn dem Verpflichteten das Recht zusteht, ohne Einhaltung einer Kündigungsfrist zu kündigen, auch die Vorschrift des § 671 Abs. 2 entsprechende Anwendung.

(2) Wer einem anderen einen Rat oder eine Empfehlung erteilt, ist, unbeschadet der sich aus einem Vertragsverhältnis, einer unerlaubten Handlung oder einer sonstigen gesetzlichen Bestimmung ergebenden Verantwortlichkeit, zum Ersatz des aus der Befolgung des Rates oder der Empfehlung entstehenden Schadens nicht verpflichtet.

(3) Ein Vertrag, durch den sich der eine Teil verpflichtet, die Anmeldung oder Registrierung des anderen Teils zur Teilnahme an Gewinnspielen zu bewirken, die von einem Dritten durchgeführt werden, bedarf der Textform.

Titel 27. Unerlaubte Handlungen

§ 823 Schadensersatzpflicht. (1) Wer vorsätzlich oder fahrlässig das Leben, den Körper, die Gesundheit, die Freiheit, das Eigentum oder ein sonstiges Recht eines anderen widerrechtlich verletzt, ist dem anderen zum Ersatz des daraus entstehenden Schadens verpflichtet.

(2) [1] Die gleiche Verpflichtung trifft denjenigen, welcher gegen ein den Schutz eines anderen bezweckendes Gesetz verstößt. [2] Ist nach dem Inhalt des Gesetzes ein Verstoß gegen dieses auch ohne Verschulden möglich, so tritt die Ersatzpflicht nur im Falle des Verschuldens ein.

§ 826 Sittenwidrige vorsätzliche Schädigung. Wer in einer gegen die guten Sitten verstoßenden Weise einem anderen vorsätzlich Schaden zufügt, ist dem anderen zum Ersatz des Schadens verpflichtet.

§ 827 Ausschluss und Minderung der Verantwortlichkeit. [1] Wer im Zustand der Bewusstlosigkeit oder in einem die freie Willensbestimmung ausschließenden Zustand krankhafter Störung der Geistestätigkeit einem anderen Schaden zufügt, ist für den Schaden nicht verantwortlich. [2] Hat er sich durch geistige Getränke oder ähnliche Mittel in einen vorübergehenden Zustand dieser Art versetzt, so ist er für einen Schaden, den er in diesem Zustand widerrechtlich verursacht, in gleicher Weise verantwortlich, wie

---

1) **Amtl. Anm.:** Dieser Untertitel dient der Umsetzung
1. der Richtlinie 97/5/EG des Europäischen Parlaments und des Rates vom 27. Januar 1997 über grenzüberschreitende Überweisungen (ABl. EG Nr. L 43 S. 25) und
2. Artikel 3 bis 5 der Richtlinie 98/26/EG des Europäischen Parlaments und des Rates über die Wirksamkeit von Abrechnungen in Zahlungs- und Wertpapierliefer- und -abrechnungssystemen vom 19. Mai 1998 (ABl. EG Nr. L 166 S. 45).

2) § 675 Abs. 3 angef. mWv 9.10.2013 durch G v. 1.10.2013 (BGBl. I S. 3714).

wenn ihm Fahrlässigkeit zur Last fiele; die Verantwortlichkeit tritt nicht ein, wenn er ohne Verschulden in den Zustand geraten ist.

§ 828[1) 2)] **Minderjährige.** (1) Wer nicht das siebente Lebensjahr vollendet hat, ist für einen Schaden, den er einem anderen zufügt, nicht verantwortlich.

(2) [1] Wer das siebente, aber nicht das zehnte Lebensjahr vollendet hat, ist für den Schaden, den er bei einem Unfall mit einem Kraftfahrzeug, einer Schienenbahn oder einer Schwebebahn einem anderen zufügt, nicht verantwortlich. [2] Dies gilt nicht, wenn er die Verletzung vorsätzlich herbeigeführt hat.

(3) Wer das 18. Lebensjahr noch nicht vollendet hat, ist, sofern seine Verantwortlichkeit nicht nach Absatz 1 oder 2 ausgeschlossen ist, für den Schaden, den er einem anderen zufügt, nicht verantwortlich, wenn er bei der Begehung der schädigenden Handlung nicht die zur Erkenntnis der Verantwortlichkeit erforderliche Einsicht hat.

§ 829 Ersatzpflicht aus Billigkeitsgründen. Wer in einem der in den §§ 823 bis 826 bezeichneten Fälle für einen von ihm verursachten Schaden auf Grund der §§ 827, 828 nicht verantwortlich ist, hat gleichwohl, sofern der Ersatz des Schadens nicht von einem aufsichtspflichtigen Dritten erlangt werden kann, den Schaden insoweit zu ersetzen, als die Billigkeit nach den Umständen, insbesondere nach den Verhältnissen der Beteiligten, eine Schadloshaltung erfordert und ihm nicht die Mittel entzogen werden, deren er zum angemessenen Unterhalt sowie zur Erfüllung seiner gesetzlichen Unterhaltspflichten bedarf.

§ 830 Mittäter und Beteiligte. (1) [1] Haben mehrere durch eine gemeinschaftlich begangene unerlaubte Handlung einen Schaden verursacht, so ist jeder für den Schaden verantwortlich. [2] Das Gleiche gilt, wenn sich nicht ermitteln lässt, wer von mehreren Beteiligten den Schaden durch seine Handlung verursacht hat.

(2) Anstifter und Gehilfen stehen Mittätern gleich.

§ 831 Haftung für den Verrichtungsgehilfen. (1) [1] Wer einen anderen zu einer Verrichtung bestellt, ist zum Ersatz des Schadens verpflichtet, den der andere in Ausführung der Verrichtung einem Dritten widerrechtlich zufügt. [2] Die Ersatzpflicht tritt nicht ein, wenn der Geschäftsherr bei der Auswahl der bestellten Person und, sofern er Vorrichtungen oder Gerätschaften zu beschaffen oder die Ausführung der Verrichtung zu leiten hat, bei der Beschaffung oder der Leitung die im Verkehr erforderliche Sorgfalt beobachtet oder wenn der Schaden auch bei Anwendung dieser Sorgfalt entstanden sein würde.

(2) Die gleiche Verantwortlichkeit trifft denjenigen, welcher für den Geschäftsherrn die Besorgung eines der im Absatz 1 Satz 2 bezeichneten Geschäfte durch Vertrag übernimmt.

---

1) § 828 Abs. 2 neu gef., Abs. 3 angef. mWv 1.8.2002 durch G v. 19.7.2002 (BGBl. I S. 2674); Überschrift neu gef. mWv 16.4.2004 durch G v. 6.4.2004 (BGBl. I S. 550).

2) Beachte hierzu Übergangsvorschrift in Art. 229 § 8 EGBGB (Nr. **51**).

§ 839 Haftung bei Amtspflichtverletzung. (1) [1] Verletzt ein Beamter vorsätzlich oder fahrlässig die ihm einem Dritten gegenüber obliegende Amtspflicht, so hat er dem Dritten den daraus entstehenden Schaden zu ersetzen. [2] Fällt dem Beamten nur Fahrlässigkeit zur Last, so kann er nur dann in Anspruch genommen werden, wenn der Verletzte nicht auf andere Weise Ersatz zu erlangen vermag.

(2) [1] Verletzt ein Beamter bei dem Urteil in einer Rechtssache seine Amtspflicht, so ist er für den daraus entstehenden Schaden nur dann verantwortlich, wenn die Pflichtverletzung in einer Straftat besteht. [2] Auf eine pflichtwidrige Verweigerung oder Verzögerung der Ausübung des Amts findet diese Vorschrift keine Anwendung.

(3) Die Ersatzpflicht tritt nicht ein, wenn der Verletzte vorsätzlich oder fahrlässig unterlassen hat, den Schaden durch Gebrauch eines Rechtsmittels abzuwenden.

§ 839a[1)] Haftung des gerichtlichen Sachverständigen. (1) Erstattet ein vom Gericht ernannter Sachverständiger vorsätzlich oder grob fahrlässig ein unrichtiges Gutachten, so ist er zum Ersatz des Schadens verpflichtet, der einem Verfahrensbeteiligten durch eine gerichtliche Entscheidung entsteht, die auf diesem Gutachten beruht.

(2) § 839 Abs. 3 ist entsprechend anzuwenden.

§ 840 Haftung mehrerer. (1) Sind für den aus einer unerlaubten Handlung entstehenden Schaden mehrere nebeneinander verantwortlich, so haften sie als Gesamtschuldner.

(2) Ist neben demjenigen, welcher nach den §§ 831, 832 zum Ersatz des von einem anderen verursachten Schadens verpflichtet ist, auch der andere für den Schaden verantwortlich, so ist in ihrem Verhältnis zueinander der andere allein, im Falle des § 829 der Aufsichtspflichtige allein verpflichtet.

(3) Ist neben demjenigen, welcher nach den §§ 833 bis 838 zum Ersatz des Schadens verpflichtet ist, ein Dritter für den Schaden verantwortlich, so ist in ihrem Verhältnis zueinander der Dritte allein verpflichtet.

§ 841 Ausgleichung bei Beamtenhaftung. Ist ein Beamter, der vermöge seiner Amtspflicht einen anderen zur Geschäftsführung für einen Dritten zu bestellen oder eine solche Geschäftsführung zu beaufsichtigen oder durch Genehmigung von Rechtsgeschäften bei ihr mitzuwirken hat, wegen Verletzung dieser Pflichten neben dem anderen für den von diesem verursachten Schaden verantwortlich, so ist in ihrem Verhältnis zueinander der andere allein verpflichtet.

§ 842 Umfang der Ersatzpflicht bei Verletzung einer Person. Die Verpflichtung zum Schadensersatz wegen einer gegen die Person gerichteten unerlaubten Handlung erstreckt sich auf die Nachteile, welche die Handlung für den Erwerb oder das Fortkommen des Verletzten herbeiführt.

[1)] § 839a eingef. mWv 1.8.2002 durch G v. 19.7.2002 (BGBl. I S. 2674).

§ 843 Geldrente oder Kapitalabfindung. (1) Wird infolge einer Verletzung des Körpers oder der Gesundheit die Erwerbsfähigkeit des Verletzten aufgehoben oder gemindert oder tritt eine Vermehrung seiner Bedürfnisse ein, so ist dem Verletzten durch Entrichtung einer Geldrente Schadensersatz zu leisten.

(2) [1] Auf die Rente findet die Vorschrift des § 760 Anwendung. [2] Ob, in welcher Art und für welchen Betrag der Ersatzpflichtige Sicherheit zu leisten hat, bestimmt sich nach den Umständen.

(3) Statt der Rente kann der Verletzte eine Abfindung in Kapital verlangen, wenn ein wichtiger Grund vorliegt.

(4) Der Anspruch wird nicht dadurch ausgeschlossen, dass ein anderer dem Verletzten Unterhalt zu gewähren hat.

§ 844[1)] Ersatzansprüche Dritter bei Tötung. (1) Im Falle der Tötung hat der Ersatzpflichtige die Kosten der Beerdigung demjenigen zu ersetzen, welchem die Verpflichtung obliegt, diese Kosten zu tragen.

(2) [1] Stand der Getötete zur Zeit der Verletzung zu einem Dritten in einem Verhältnis, vermöge dessen er diesem gegenüber kraft Gesetzes unterhaltspflichtig war oder unterhaltspflichtig werden konnte, und ist dem Dritten infolge der Tötung das Recht auf den Unterhalt entzogen, so hat der Ersatzpflichtige dem Dritten durch Entrichtung einer Geldrente insoweit Schadensersatz zu leisten, als der Getötete während der mutmaßlichen Dauer seines Lebens zur Gewährung des Unterhalts verpflichtet gewesen sein würde; die Vorschrift des § 843 Abs. 2 bis 4 findet entsprechende Anwendung. [2] Die Ersatzpflicht tritt auch dann ein, wenn der Dritte zur Zeit der Verletzung gezeugt, aber noch nicht geboren war.

(3) [1] Der Ersatzpflichtige hat dem Hinterbliebenen, der zur Zeit der Verletzung zu dem Getöteten in einem besonderen persönlichen Näheverhältnis stand, für das dem Hinterbliebenen zugefügte seelische Leid eine angemessene Entschädigung in Geld zu leisten. [2] Ein besonderes persönliches Näheverhältnis wird vermutet, wenn der Hinterbliebene der Ehegatte, der Lebenspartner, ein Elternteil oder ein Kind des Getöteten war.

(Fortsetzung nächstes Blatt)

[1)] § 844 Abs. 2 Satz 2 geänd. mWv 1.8.2002 durch G v. 19.7.2002 (BGBl. I S. 2674); Abs. 3 angef. mWv 22.7.2017 durch G v. 17.7.2017 (BGBl. I S. 2421).

§ 845 Ersatzansprüche wegen entgangener Dienste. [1] Im Falle der Tötung, der Verletzung des Körpers oder der Gesundheit sowie im Falle der Freiheitsentziehung hat der Ersatzpflichtige, wenn der Verletzte kraft Gesetzes einem Dritten zur Leistung von Diensten in dessen Hauswesen oder Gewerbe verpflichtet war, dem Dritten für die entgehenden Dienste durch Entrichtung einer Geldrente Ersatz zu leisten. [2] Die Vorschrift des § 843 Abs. 2 bis 4 findet entsprechende Anwendung.

§ 846 Mitverschulden des Verletzten. Hat in den Fällen der §§ 844, 845 bei der Entstehung des Schadens, den der Dritte erleidet, ein Verschulden des Verletzten mitgewirkt, so findet auf den Anspruch des Dritten die Vorschrift des § 254 Anwendung.

§ 847[1)] *(aufgehoben)*

§ 848 Haftung für Zufall bei Entziehung einer Sache. Wer zur Rückgabe einer Sache verpflichtet ist, die er einem anderen durch eine unerlaubte Handlung entzogen hat, ist auch für den zufälligen Untergang, eine aus einem anderen Grunde eintretende zufällige Unmöglichkeit der Herausgabe oder eine zufällige Verschlechterung der Sache verantwortlich, es sei denn, dass der Untergang, die anderweitige Unmöglichkeit der Herausgabe oder die Verschlechterung auch ohne die Entziehung eingetreten sein würde.

§ 849 Verzinsung der Ersatzsumme. Ist wegen der Entziehung einer Sache der Wert oder wegen der Beschädigung einer Sache die Wertminderung zu ersetzen, so kann der Verletzte Zinsen des zu ersetzenden Betrags von dem Zeitpunkt an verlangen, welcher der Bestimmung des Wertes zugrunde gelegt wird.

§ 850 Ersatz von Verwendungen. Macht der zur Herausgabe einer entzogenen Sache Verpflichtete Verwendungen auf die Sache, so stehen ihm dem Verletzten gegenüber die Rechte zu, die der Besitzer dem Eigentümer gegenüber wegen Verwendungen hat.

§ 851 Ersatzleistung an Nichtberechtigten. Leistet der wegen der Entziehung oder Beschädigung einer beweglichen Sache zum Schadensersatz Verpflichtete den Ersatz an denjenigen, in dessen Besitz sich die Sache zur Zeit der Entziehung oder der Beschädigung befunden hat, so wird er durch die Leistung auch dann befreit, wenn ein Dritter Eigentümer der Sache war oder ein sonstiges Recht an der Sache hatte, es sei denn, dass ihm das Recht des Dritten bekannt oder infolge grober Fahrlässigkeit unbekannt ist.

§ 852 Herausgabeanspruch nach Eintritt der Verjährung. [1] Hat der Ersatzpflichtige durch eine unerlaubte Handlung auf Kosten des Verletzten etwas erlangt, so ist er auch nach Eintritt der Verjährung des Anspruchs auf Ersatz des aus einer unerlaubten Handlung entstandenen Schadens zur Herausgabe nach den Vorschriften über die Herausgabe einer ungerechtfertigten Bereicherung verpflichtet. [2] Dieser Anspruch verjährt in zehn Jahren von seiner Entstehung an, ohne Rücksicht auf die Entstehung in 30 Jahren von der Begehung der

---

[1)] § 847 aufgeh. mWv 1.8.2002 durch G v. 19.7.2002 (BGBl. I S. 2674).

Verletzungshandlung oder dem sonstigen, den Schaden auslösenden Ereignis an.

§ 853 Arglisteinrede. Erlangt jemand durch eine von ihm begangene unerlaubte Handlung eine Forderung gegen den Verletzten, so kann der Verletzte die Erfüllung auch dann verweigern, wenn der Anspruch auf Aufhebung der Forderung verjährt ist.

Buch 4. Familienrecht

Abschnitt 3.[1] Vormundschaft, Pflegschaft für Minderjährige, rechtliche Betreuung, sonstige Pflegschaft

Titel 1.[1] Vormundschaft

Untertitel 2.[1] Führung der Vormundschaft

Kapitel 2.[1] Personensorge

§ 1795[2] Gegenstand der Personensorge; Genehmigungspflichten.

(1) …

(2) Der Vormund bedarf der Genehmigung des Familiengerichts

1. zu einem Ausbildungsvertrag, der für längere Zeit als ein Jahr geschlossen wird,
2. zu einem auf die Eingehung eines Dienst- oder Arbeitsverhältnisses gerichteten Vertrag, wenn der Mündel zu persönlichen Leistungen für längere Zeit als ein Jahr verpflichtet werden soll, und
3. …

(3), (4) …

[1] Buch 4 Abschnitt 3 (§§ 1773–1888) neu gef. mWv 1.1.2023 durch G v. 4.5.2021 (BGBl. I S. 882).

[2] *§ 1795* neu gef. mWv 1.1.2023 durch G v. 4.5.2021 (BGBl. I S. 882); Abs. 1 Satz 3 geänd. mWv 1.1.2023 durch G v. 3.6.2021 (BGBl. I S. 1444); Abs. 2 Nr. 2 geänd. mWv 1.1.2023 durch G v. 24.6.2022 (BGBl. I S. 959).

51. Einführungsgesetz zum Bürgerlichen Gesetzbuche

In der Fassung der Bekanntmachung vom 21. September 1994[1)]
(BGBl. I S. 2494; 1997 I S. 1061)

FNA 400-1

zuletzt geänd. durch Art. 2 und 3 G zur Änd. des Verbrauchervertrags- und des Versicherungsvertragsrechts sowie zur Änd. des Behandlungsvertragsrechts v. 3.2.2026 (BGBl. 2026 I Nr. 28)

– Auszug –[2)]

Fünfter Teil. Übergangsvorschriften aus Anlaß jüngerer Änderungen des Bürgerlichen Gesetzbuchs und dieses Einführungsgesetzes

Art. 229[3)] Weitere Überleitungsvorschriften

§ 5[4)] Allgemeine Überleitungsvorschrift zum Gesetz zur Modernisierung des Schuldrechts vom 26. November 2001. [1] Auf Schuldverhältnisse, die vor dem 1. Januar 2002 entstanden sind, sind das Bürgerliche Gesetzbuch, das AGB-Gesetz, das Handelsgesetzbuch, das Verbraucherkreditgesetz, das Fernabsatzgesetz, das Fernunterrichtsschutzgesetz, das Gesetz über den Widerruf von Haustürgeschäften und ähnlichen Geschäften, das Teilzeit-Wohnrechtegesetz, die Verordnung über Kundeninformationspflichten, die Verordnung über Informationspflichten von Reiseveranstaltern und die Verordnung betreffend die Hauptmängel und Gewährfristen beim Viehhandel, soweit nicht ein anderes bestimmt ist, in der bis zu diesem Tag geltenden Fassung anzuwenden. [2] Satz 1 gilt für Dauerschuldverhältnisse mit der Maßgabe, dass anstelle der in Satz 1 bezeichneten Gesetze vom 1. Januar 2003 an nur das Bürgerliche Gesetzbuch, das Handelsgesetzbuch[5)], das Fernunterrichtsschutzgesetz[6)] und die Verordnung über Informationspflichten nach bürgerlichem Recht in der dann geltenden Fassung anzuwenden sind.

§ 6[7)] Überleitungsvorschrift zum Verjährungsrecht nach dem Gesetz zur Modernisierung des Schuldrechts vom 26. November 2001. (1) [1] Die Vorschriften des Bürgerlichen Gesetzbuchs über die Verjährung in der seit dem 1. Januar 2002 geltenden Fassung finden auf die an diesem Tag bestehenden und noch nicht verjährten Ansprüche Anwendung. [2] Der Beginn, die Hemmung, die Ablaufhemmung und der Neubeginn der Verjährung bestimmen sich jedoch für den Zeitraum vor dem 1. Januar 2002 nach dem Bürgerlichen Gesetzbuch in der bis zu diesem Tag geltenden Fassung. [3] Wenn nach Ablauf des 31. Dezember 2001 ein Umstand eintritt, bei dessen Vorliegen nach dem Bürgerlichen Gesetzbuch in der vor dem 1. Januar 2002 geltenden Fassung eine vor dem 1. Januar 2002 eintretende Unterbrechung der Verjährung als nicht erfolgt oder als erfolgt

---

[1)] Neubekanntmachung des EGBGB v. 18.8.1896 (RGBl. S. 604) in der ab 1.10.1994 geltenden Fassung.

[2)] Vollständig wiedergegeben in **beck-online, Module Arbeitsrecht.**

[3)] Art. 229 eingef. mWv 1.5.2000 durch G v. 30.3.2000 (BGBl. I S. 330).

[4)] Art. 229 § 5 angef. mWv 1.1.2002 durch G v. 26.11.2001 (BGBl. I S. 3138).

[5)] Auszugsweise abgedruckt unter Nr. **105**.

[6)] Auszugsweise abgedruckt unter Nr. **419**.

[7)] Art. 229 § 6 angef. mWv 1.1.2002 durch G v. 26.11.2001 (BGBl. I S. 3138).

gilt, so ist auch insoweit das Bürgerliche Gesetzbuch in der vor dem 1. Januar 2002 geltenden Fassung anzuwenden.

(2) Soweit die Vorschriften des Bürgerlichen Gesetzbuchs in der seit dem 1. Januar 2002 geltenden Fassung anstelle der Unterbrechung der Verjährung deren Hemmung vorsehen, so gilt eine Unterbrechung der Verjährung, die nach den anzuwendenden Vorschriften des Bürgerlichen Gesetzbuchs in der vor dem 1. Januar 2002 geltenden Fassung vor dem 1. Januar 2002 eintritt und mit Ablauf des 31. Dezember 2001 noch nicht beendigt ist, als mit dem Ablauf des 31. Dezember 2001 beendigt, und die neue Verjährung ist mit Beginn des 1. Januar 2002 gehemmt.

(3) Ist die Verjährungsfrist nach dem Bürgerlichen Gesetzbuch in der seit dem 1. Januar 2002 geltenden Fassung länger als nach dem Bürgerlichen Gesetzbuch in der bis zu diesem Tag geltenden Fassung, so ist die Verjährung mit dem Ablauf der im Bürgerlichen Gesetzbuch in der bis zu diesem Tag geltenden Fassung bestimmten Frist vollendet.

(4) [1] Ist die Verjährungsfrist nach dem Bürgerlichen Gesetzbuch in der seit dem 1. Januar 2002 geltenden Fassung kürzer als nach dem Bürgerlichen Gesetzbuch in der bis zu diesem Tag geltenden Fassung, so wird die kürzere Frist von dem 1. Januar 2002 an berechnet. [2] Läuft jedoch die im Bürgerlichen Gesetzbuch in der bis zu diesem Tag geltenden Fassung bestimmte längere Frist früher als die im Bürgerlichen Gesetzbuch in der seit diesem Tag geltenden Fassung bestimmten Frist ab, so ist die Verjährung mit dem Ablauf der im Bürgerlichen Gesetzbuch in der bis zu diesem Tag geltenden Fassung bestimmten Frist vollendet.

(5) Die vorstehenden Absätze sind entsprechend auf Fristen anzuwenden, die für die Geltendmachung, den Erwerb oder den Verlust eines Rechts maßgebend sind.

(6) Die vorstehenden Absätze gelten für die Fristen nach dem Handelsgesetzbuch[1)] und dem Umwandlungsgesetz[2)] entsprechend.

§ 34[3)] Überleitungsvorschrift zum Gesetz zur Bekämpfung von Zahlungsverzug im Geschäftsverkehr. [1] Die §§ 271a, 286, 288, 308 und 310 des Bürgerlichen Gesetzbuchs[4)] in der seit dem 29. Juli 2014 geltenden Fassung sind nur auf ein Schuldverhältnis anzuwenden, das nach dem 28. Juli 2014 entstanden ist. [2] Abweichend von Satz 1 sind die dort genannten Vorschriften auch auf ein vorher entstandenes Dauerschuldverhältnis anzuwenden, soweit die Gegenleistung nach dem 30. Juni 2016 erbracht wird.

§ 37[5)] Überleitungsvorschrift zum Gesetz zur Verbesserung der zivilrechtlichen Durchsetzung von verbraucherschützenden Vorschriften des Datenschutzrechts. § 309 Nummer 13 des Bürgerlichen Gesetzbuchs[4)] in der seit dem 1. Oktober 2016 geltenden Fassung ist nur auf ein Schuldverhältnis anzuwenden, das nach dem 30. September 2016 entstanden ist.

§ 38 *(hier nicht wiedergegeben)*

[1)] Auszugsweise abgedruckt unter Nr. **105**.
[2)] Auszugsweise abgedruckt unter Nr. **630**.
[3)] Art. 229 § 34 angef. mWv 29.7.2014 durch G v. 22.7.2014 (BGBl. I S. 1218).
[4)] Nr. **50**.
[5)] Art. 229 § 37 angef. mWv 1.10.2016 durch G v. 17.2.2016 (BGBl. I S. 233).

§ 39[1] Übergangsvorschrift zum Gesetz zur Reform des Bauvertragsrechts, zur Änderung der kaufrechtlichen Mängelhaftung, zur Stärkung des zivilprozessualen Rechtsschutzes und zum maschinellen Siegel im Grundbuch- und Schiffsregisterverfahren. Auf ein Schuldverhältnis, das vor dem 1. Januar 2018 entstanden ist, finden die Vorschriften dieses Gesetzes, des Bürgerlichen Gesetzbuchs[2] und der Verordnung über Abschlagszahlungen bei Bauträgerverträgen in der bis zu diesem Tag geltenden Fassung Anwendung.

§ 40[3] Übergangsvorschrift zum Finanzaufsichtsrechtergänzungsgesetz. (1) Das Bürgerliche Gesetzbuch[2] ist in der bis zum 9. Juni 2017 geltenden Fassung auf folgende Verträge anzuwenden, wenn sie vor dem 10. Juni 2017 abgeschlossen wurden:

1. Darlehensverträge, Verträge über entgeltliche und unentgeltliche Finanzierungshilfen sowie Immobilienverzehrkreditverträge,
2. Verträge über die Vermittlung von Verträgen nach Nummer 1.

(2) Dieses Gesetz ist in der bis zum 30. Juni 2018 geltenden Fassung auf folgende Verträge anzuwenden, wenn sie vor dem 1. Juli 2018 abgeschlossen wurden:

1. Darlehensverträge und Verträge über entgeltliche Finanzierungshilfen,
2. Verträge über die Vermittlung von Verträgen nach Nummer 1.

§ 41[4] Übergangsvorschrift zum Gesetz zur Änderung von Vorschriften im Bereich des Internationalen Privat- und Zivilverfahrensrechts vom 11. Juni 2017. Ist vor Inkrafttreten von Artikel 8 am 17. Juni 2017 eine Vollmacht erteilt oder eine Erklärung im Namen einer anderen Person gegenüber einem Dritten abgegeben oder für einen anderen entgegengenommen worden, bleibt das bisherige Internationale Privatrecht anwendbar.

§§ 42–70 *(hier nicht wiedergegeben)*

Sechster Teil. Inkrafttreten und Übergangsrecht aus Anlaß der Einführung des Bürgerlichen Gesetzbuchs und dieses Einführungsgesetzes in dem in Artikel 3 des Einigungsvertrages[5] genannten Gebiet

Art. 230[6] Inkrafttreten. Das Bürgerliche Gesetzbuch[2] und dieses Einführungsgesetz treten für das in Artikel 3 des Einigungsvertrages[5] genannte Gebiet am Tage des Wirksamwerdens des Beitritts nach Maßgabe der folgenden Übergangsvorschriften in Kraft.

Art. 231 *(hier nicht wiedergegeben)*

---

[1] Art. 229 § 39 angef. mWv 1.1.2018 durch G v. 28.4.2017 (BGBl. I S. 969).
[2] Auszugsweise abgedruckt unter Nr. **50**.
[3] Art. 229 § 40 angef. mWv 10.6.2017 durch G v. 6.6.2017 (BGBl. I S. 1495).
[4] Art. 229 § 41 angef. mWv 17.6.2017 durch G v. 11.6.2017 (BGBl. I S. 1607).
[5] **beck-online, Module Arbeitsrecht Nr. 10a.**
[6] Art. 230 neu gef. durch G v. 4.12.1997 (BGBl. I S. 2846).

Art. 232 Zweites Buch. Recht der Schuldverhältnisse

§ 1 Allgemeine Bestimmungen für Schuldverhältnisse. Für ein Schuldverhältnis, das vor dem Wirksamwerden des Beitritts entstanden ist, bleibt das bisherige für das in Artikel 3 des Einigungsvertrages[1] genannte Gebiet geltende Recht maßgebend.

§ 5[2] Arbeitsverhältnisse. (1) Für am Tag des Wirksamwerdens des Beitritts bestehende Arbeitsverhältnisse gelten unbeschadet des Artikels 230 von dieser Zeit an die Vorschriften des Bürgerlichen Gesetzbuchs.

(2) § 613a des Bürgerlichen Gesetzbuchs[3] ist in dem in Artikel 3 des Einigungsvertrages[1] vom 31. August 1990 (BGBl. 1990 II S. 885) genannten Gebiet vom Tage des Inkrafttretens dieses Gesetzes bis zum 31. Dezember 1998 mit folgenden Maßgaben anzuwenden:

1. Innerhalb des bezeichneten Zeitraums ist auf eine Betriebsübertragung im Gesamtvollstreckungsverfahren § 613a des Bürgerlichen Gesetzbuchs[3] nicht anzuwenden.
2. Anstelle des Absatzes 4 Satz 2 gilt folgende Vorschrift:
„Satz 1 läßt das Recht zur Kündigung aus wirtschaftlichen, technischen oder organisatorischen Gründen, die Änderungen im Bereich der Beschäftigung mit sich bringen, unberührt."

Siebter Teil.[4] Durchführung des Bürgerlichen Gesetzbuchs, Verordnungsermächtigungen, Länderöffnungsklauseln, Informationspflichten

Art. 240[5] *(aufgehoben)*

---

[1] **beck-online, Module Arbeitsrecht Nr. 10a.**

[2] Art. 232 § 5 Abs. 2 geänd. durch G v. 5.10.1994 (BGBl. I S. 2911).

[3] Nr. **50**.

[4] 7. Teil (Art. 238–245) angef. mWv 1.9.2001 durch G v. 23.7.2001 (BGBl. I S. 1658); Überschrift geänd. mWv *31.10.2009 durch G v. 29.7.2009* (BGBl. I S. 2355); Überschrift geänd. mWv 1.9.2013 durch G v. 26.6.2013 (BGBl. I S. 1800).

[5] Art. 240 (§§ 1–7) aufgeh. mWv 1.10.2022 durch G v. 27.3.2020 (BGBl. I S. 569).

53. Zusatzabkommen zu dem Abkommen zwischen den Parteien des Nordatlantikvertrages über die Rechtsstellung ihrer Truppen hinsichtlich der in der Bundesrepublik Deutschland stationierten ausländischen Truppen

Vom 3. August 1959 (BGBl. 1961 II S. 1218)[1]

In der Fassung des Änderungsabkommens vom 21. Oktober 1971 (BGBl. 1973 II S. 1022[2]). Geändert durch Änderungsabkommen vom 18. Mai 1981 BGBl. II 1982 S. 530, 838) und vom 18. März 1993 (BGBl. II 1994 S. 2598)

– Auszug –

Art. 56.[3] (1) a) Die für die zivilen Bediensteten bei der Bundeswehr maßgebenden arbeitsrechtlichen – einschließlich arbeitsschutzrechtlichen – Vorschriften, mit Ausnahme der Dienstordnungen, der Dienstvereinbarungen und der tariflichen Bestimmungen, gelten auch für die Beschäftigungsverhältnisse der zivilen Arbeitskräfte bei einer Truppe und einem zivilen Gefolge, soweit nicht in diesem Artikel und in dem auf diesen Artikel Bezug nehmenden Abschnitt des Unterzeichnungsprotokolls etwas anderes bestimmt ist.

b) Bewirbt sich jemand um Beschäftigung bei einer Behörde einer Truppe oder eines zivilen Gefolges, so obliegt es ausschließlich dem Bewerber, sofern es von ihm verlangt wird, den Nachweis zu erbringen, daß er wegen einer strafbaren Handlung nicht verurteilt worden ist. Kann der Bewerber ein polizeiliches Führungszeugnis nicht erlangen, so stellen ihm die deutschen Behörden nach den Vorschriften des deutschen Rechts einen Auszug aus dem Strafregi-

[1] In Kraft getreten am 1. 7. 1963 (s. oben S. 1 Anm. 1).

[2] In Kraft getreten gem. Bek. vom 29. 1. 1974 am 18. 1. 1974 (BGBl. II S. 143).

[3] Vgl. Entsch. des Bundesverfassungsgerichts (BGBl. I 1997 S. 154):

Aus dem Beschluß des Bundesverfassungsgerichts vom 8. Oktober 1996 – 1 BvL 15/91 – wird die Entscheidungsformel veröffentlicht:

Artikel 1 des Gesetzes zu dem Abkommen vom 21. Oktober 1971 zur Änderung des Zusatzabkommens vom 3. August 1959 zu dem Abkommen zwischen den Parteien des Nordatlantikvertrags über die Rechtsstellung ihrer Truppen hinsichtlich der in der Bundesrepublik Deutschland stationierten ausländischen Truppen vom 3. August 1973 (Bundesgesetzblatt II Seite 1021) verstößt nicht gegen das Grundgesetz, soweit darin dem Artikel 2 Absatz 7 des bezeichneten Abkommens zugestimmt worden ist, durch den Absatz 6 des Unterzeichnungsprotokolls zu Artikel 56 Absatz 9 des Zusatzabkommens zum NATO-Truppenstatut vom 3. August 1959 mit der Folge neu gefaßt wurde, daß den Betriebsvertretungen der Zivilbediensteten bei den NATO-Streitkräften bei der Einstellung von zivilen Arbeitnehmern weiterhin nur ein Mitwirkungsrecht zusteht.

Die vorstehende Entscheidungsformel hat gemäß § 31 Abs. 2 des Gesetzes über das Bundesverfassungsgericht Gesetzeskraft.

ster aus, falls er eine Bescheinigung der Truppe oder des zivilen Gefolges darüber vorlegt, daß er sich um Beschäftigung beworben hat und sofern durch die Erteilung dieses Auszuges nicht wesentliche deutsche Interessen gefährdet werden.

c) *(aufgehoben)*

d) Versetzungen aus dienstlichen Gründen innerhalb der Bundesrepublik bedürfen des schriftlichen Einverständnisses der zivilen Arbeitskräfte; diese Einverständniserklärung kann jederzeit abgegeben werden.

e) *(aufgehoben)*

f) Die Tätigkeit der zivilen Arbeitskräfte bei einer Truppe und einem zivilen Gefolge gilt nicht als Tätigkeit im deutschen öffentlichen Dienst.

(2) a) § 9 Absatz (1) Satz 2 des Kündigungsschutzgesetzes gilt mit der Maßgabe, daß der Antrag des Arbeitgebers auch darauf gestützt werden kann, daß der Fortsetzung des Arbeitsverhältnisses besonders schutzwürdige militärische Interessen entgegenstehen. Die oberste Dienstbehörde kann die besonders schutzwürdigen militärischen Interessen glaubhaft machen; in diesem Falle ist die Verhandlung vor dem erkennenden Gericht nicht öffentlich. Sofern die Offenlegung der Gründe die Gefahr eines schweren Schadens für die Sicherheit des Entsendestaates oder seiner Truppe verursachen könnte, kann die oberste Dienstbehörde der Truppe im Einvernehmen mit dem Chef des Bundeskanzleramts die Glaubhaftmachung durch eine förmliche Erklärung bewirken.

b) Oberste Dienstbehörde im Sinne dieses Absatzes ist die in der Bundesrepublik Deutschland gelegene höchste, für die Beschäftigungsdienststelle des gekündigten Arbeitnehmers verwaltungsmäßig zuständige Dienststelle.

c) Dieser Absatz gilt nicht für die Mitglieder der Betriebsvertretungen.

(3) Auf die bei einer Truppe und einem zivilen Gefolge beschäftigten Arbeitskräfte finden die Vorschriften des deutschen Rechts über die Sozialversicherung einschließlich der Unfallversicherung, über die Arbeitslosenversicherung und über das Kindergeld Anwendung. Träger der Unfallversicherung ist die Bundesrepublik.

(4) Die bei einer Truppe und einem zivilen Gefolge beschäftigten deutschen zivilen Arbeitskräfte werden nur zu Diensten nichtsoldatischer Art, einschließlich ziviler Wachdienste, verwendet.

(5) Den deutschen Behörden obliegt es, im Einvernehmen mit den Behörden einer Truppe oder eines zivilen Gefolges

a) die als Grundlage für die einzelnen Arbeitsverträge dienenden Arbeitsbedingungen, einschließlich der Löhne, der Gehälter und der

Einreihung der einzelnen Tätigkeitsarten in Lohn- und Gehaltsgruppen, festzusetzen und Tarifverträge abzuschließen und

b) das Entlohnungsverfahren zu regeln.

(6) Die Behörden einer Truppe und eines zivilen Gefolges haben gegenüber den Arbeitskräften, einschließlich der Mitglieder der zivilen Dienstgruppen, die Befugnis zur Einstellung, Zuweisung des Arbeitsplatzes, Ausbildung, Versetzung, Kündigung und Entgegennahme von Kündigungen.

(7) a) Die Behörden einer Truppe und eines zivilen Gefolges bestimmen die Zahl und Art der benötigten Arbeitsplätze gemäß der Einreihung der Tätigkeitsarten im Sinne des Absatzes (5) Buchstabe a). Der einzelne Arbeitnehmer wird durch die Behörden der Truppe oder des zivilen Gefolges in die entsprechende Lohn- oder Gehaltsgruppe eingestuft.

b) *(aufgehoben)*

(8) Streitigkeiten aus dem Arbeitsverhältnis und aus dem Sozialversicherungsverhältnis unterliegen der deutschen Gerichtsbarkeit. Klagen gegen den Arbeitgeber sind gegen die Bundesrepublik zu richten. Klagen für den Arbeitgeber werden von der Bundesrepublik erhoben.

(9) Die für die zivilen Bediensteten bei der Bundeswehr maßgebenden Vorschriften des deutschen Rechts über die Personalvertretung gelten für die Betriebsvertretung der zivilen Arbeitskräfte bei einer Truppe und einem zivilen Gefolge, soweit in dem auf diesen Artikel Bezug nehmenden Abschnitt des Unterzeichnungsprotokolls nicht etwas anderes bestimmt ist.

(10) Soweit die deutschen Behörden Verwaltungsarbeiten ausführen, die mit der Beschäftigung von Arbeitskräften bei einer Truppe und einem zivilen Gefolge und mit deren Entlohnung zusammenhängen, vergütet die Truppe die tatsächlichen Kosten dieser Verwaltungsarbeit. Das Verfahren hierfür wird durch Einzelvereinbarung zwischen den deutschen Behörden und den Behörden jeder Truppe geregelt. Bei der Durchführung der Verwaltungsarbeiten werden im Benehmen mit den zuständigen Behörden der Truppe die Grundsätze der Wirtschaftlichkeit beachtet.

80. Gesetz über Teilzeitarbeit und befristete Arbeitsverträge (Teilzeit- und Befristungsgesetz – TzBfG)[1] [2]

Vom 21. Dezember 2000

(BGBl. I S. 1966)

FNA 800-26

zuletzt geänd. durch Art. 7 G zur Umsetzung der RL (EU) 2019/1152 v. 20.7.2022 (BGBl. I S. 1174)

Erster Abschnitt. Allgemeine Vorschriften

§ 1 Zielsetzung. Ziel des Gesetzes ist, Teilzeitarbeit zu fördern, die Voraussetzungen für die Zulässigkeit befristeter Arbeitsverträge festzulegen und die Diskriminierung von teilzeitbeschäftigten und befristet beschäftigten Arbeitnehmern zu verhindern.

§ 2 Begriff des teilzeitbeschäftigten Arbeitnehmers. (1) [1] Teilzeitbeschäftigt ist ein Arbeitnehmer, dessen regelmäßige Wochenarbeitszeit kürzer ist als die eines vergleichbaren vollzeitbeschäftigten Arbeitnehmers. [2] Ist eine regelmäßige Wochenarbeitszeit nicht vereinbart, so ist ein Arbeitnehmer teilzeitbeschäftigt, wenn seine regelmäßige Arbeitszeit im Durchschnitt eines bis zu einem Jahr reichenden Beschäftigungszeitraums unter der eines vergleichbaren vollzeitbeschäftigten Arbeitnehmers liegt. [3] Vergleichbar ist ein vollzeitbeschäftigter Arbeitnehmer des Betriebes mit derselben Art des Arbeitsverhältnisses und der gleichen oder einer ähnlichen Tätigkeit. [4] Gibt es im Betrieb keinen vergleichbaren vollzeitbeschäftigten Arbeitnehmer, so ist der vergleichbare vollzeitbeschäftigte Arbeitnehmer auf Grund des anwendbaren Tarifvertrages zu bestimmen; in allen anderen Fällen ist darauf abzustellen, wer im jeweiligen Wirtschaftszweig üblicherweise als vergleichbarer vollzeitbeschäftigter Arbeitnehmer anzusehen ist.

(2) Teilzeitbeschäftigt ist auch ein Arbeitnehmer, der eine geringfügige Beschäftigung nach § 8 Abs. 1 Nr. 1 des Vierten Buches Sozialgesetzbuch[3] ausübt.

§ 3 Begriff des befristet beschäftigten Arbeitnehmers. (1) [1] Befristet beschäftigt ist ein Arbeitnehmer mit einem auf bestimmte Zeit geschlossenen Arbeitsvertrag. [2] Ein auf bestimmte Zeit geschlossener Arbeitsvertrag (befristeter Arbeitsvertrag) liegt vor, wenn seine Dauer kalendermäßig bestimmt ist (kalen-

---

[1] **Amtl. Anm.:** Dieses Gesetz dient der Umsetzung
- der Richtlinie 97/81/EG des Rates vom 15. Dezember 1997 zu der von UNICE, CEEP und EGB geschlossenen Rahmenvereinbarung über Teilzeitarbeit (ABl. EG 1998 Nr. L 14 S. 9)

und
- der Richtlinie 1999/70/EG des Rates vom 28. Juni 1999 zu der EGB-UNICE-CEEP-Rahmenvereinbarung über befristete Arbeitsverträge (ABl. EG 1999 Nr. L 175 S. 43).

[2] Verkündet als Art. 1 G über Teilzeitarbeit und befristete Arbeitsverträge und zur Änd. und Aufhebung arbeitsrechtlicher Bestimmungen v. 21.12.2000 (BGBl. I S. 1966); Inkrafttreten gem. Art. 4 dieses G am 1.1.2001.

[3] Nr. **694**.

dermäßig befristeter Arbeitsvertrag) oder sich aus Art, Zweck oder Beschaffenheit der Arbeitsleistung ergibt (zweckbefristeter Arbeitsvertrag).

(2) [1] Vergleichbar ist ein unbefristet beschäftigter Arbeitnehmer des Betriebes mit der gleichen oder einer ähnlichen Tätigkeit. [2] Gibt es im Betrieb keinen vergleichbaren unbefristet beschäftigten Arbeitnehmer, so ist der vergleichbare unbefristet beschäftigte Arbeitnehmer auf Grund des anwendbaren Tarifvertrages zu bestimmen; in allen anderen Fällen ist darauf abzustellen, wer im jeweiligen Wirtschaftszweig üblicherweise als vergleichbarer unbefristet beschäftigter Arbeitnehmer anzusehen ist.

§ 4 Verbot der Diskriminierung. (1) [1] Ein teilzeitbeschäftigter Arbeitnehmer darf wegen der Teilzeitarbeit nicht schlechter behandelt werden als ein vergleichbarer vollzeitbeschäftigter Arbeitnehmer, es sei denn, dass sachliche Gründe eine unterschiedliche Behandlung rechtfertigen. [2] Einem teilzeitbeschäftigten Arbeitnehmer ist Arbeitsentgelt oder eine andere teilbare geldwerte Leistung mindestens in dem Umfang zu gewähren, der dem Anteil seiner Arbeitszeit an der Arbeitszeit eines vergleichbaren vollzeitbeschäftigten Arbeitnehmers entspricht.

(2) [1] Ein befristet beschäftigter Arbeitnehmer darf wegen der Befristung des Arbeitsvertrages nicht schlechter behandelt werden als ein vergleichbarer unbefristet beschäftigter Arbeitnehmer, es sei denn, dass sachliche Gründe eine unterschiedliche Behandlung rechtfertigen. [2] Einem befristet beschäftigten Arbeitnehmer ist Arbeitsentgelt oder eine andere teilbare geldwerte Leistung, die für einen bestimmten Bemessungszeitraum gewährt wird, mindestens in dem Umfang zu gewähren, der dem Anteil seiner Beschäftigungsdauer am Bemessungszeitraum entspricht. [3] Sind bestimmte Beschäftigungsbedingungen von der Dauer des Bestehens des Arbeitsverhältnisses in demselben Betrieb oder Unternehmen abhängig, so sind für befristet beschäftigte Arbeitnehmer dieselben Zeiten zu berücksichtigen wie für unbefristet beschäftigte Arbeitnehmer, es sei denn, dass eine unterschiedliche Berücksichtigung aus sachlichen Gründen gerechtfertigt ist.

§ 5 Benachteiligungsverbot. Der Arbeitgeber darf einen Arbeitnehmer nicht wegen der Inanspruchnahme von Rechten nach diesem Gesetz benachteiligen.

Zweiter Abschnitt. Teilzeitarbeit

§ 6 Förderung von Teilzeitarbeit. Der Arbeitgeber hat den Arbeitnehmern, auch in leitenden Positionen, Teilzeitarbeit nach Maßgabe dieses Gesetzes zu ermöglichen.

§ 7[1] Ausschreibung; Erörterung; Information über freie Arbeitsplätze. (1) Der Arbeitgeber hat einen Arbeitsplatz, den er öffentlich oder innerhalb des Betriebes ausschreibt, auch als Teilzeitarbeitsplatz auszuschreiben, wenn sich der Arbeitsplatz hierfür eignet.

[1] § 7 Überschrift geänd., Abs. 2 eingef., bish. Abs. 2 und 3 werden Abs. 3 und 4, neue Abs. 3 und 4 geänd. mWv 1.1.2019 durch G v. 11.12.2018 (BGBl. I S. 2384); Abs. 2 Satz 1 geänd., Abs. 3 neu gef. mWv 1.8.2022 durch G v. 20.7.2022 (BGBl. I S. 1174).

(2) [1]Der Arbeitgeber hat mit dem Arbeitnehmer dessen Wunsch nach Veränderung von Dauer oder Lage oder von Dauer und Lage seiner vertraglich vereinbarten Arbeitszeit zu erörtern und den Arbeitnehmer über entsprechende Arbeitsplätze zu informieren, die im Betrieb oder Unternehmen besetzt werden sollen. [2]Dies gilt unabhängig vom Umfang der Arbeitszeit. [3]Der Arbeitnehmer kann ein Mitglied der Arbeitnehmervertretung zur Unterstützung oder Vermittlung hinzuziehen.

(3) [1]Der Arbeitgeber hat einem Arbeitnehmer, dessen Arbeitsverhältnis länger als sechs Monate bestanden und der ihm in Textform den Wunsch nach Absatz 2 Satz 1 angezeigt hat, innerhalb eines Monats nach Zugang der Anzeige eine begründete Antwort in Textform mitzuteilen. [2]Hat der Arbeitgeber in den letzten zwölf Monaten vor Zugang der Anzeige bereits einmal einen in Textform geäußerten Wunsch nach Absatz 2 Satz 1 in Textform begründet beantwortet, ist eine mündliche Erörterung nach Absatz 2 ausreichend.

(4) [1]Der Arbeitgeber hat die Arbeitnehmervertretung über angezeigte Arbeitszeitwünsche nach Absatz 2 sowie über Teilzeitarbeit im Betrieb und Unternehmen zu informieren, insbesondere über vorhandene oder geplante Teilzeitarbeitsplätze und über die Umwandlung von Teilzeitarbeitsplätzen in Vollzeitarbeitsplätze oder umgekehrt. [2]Der Arbeitnehmervertretung sind auf Verlangen die erforderlichen Unterlagen zur Verfügung zu stellen; § 92 des Betriebsverfassungsgesetzes[1)] bleibt unberührt.

§ 8[2)] Zeitlich nicht begrenzte Verringerung der Arbeitszeit. (1) Ein Arbeitnehmer, dessen Arbeitsverhältnis länger als sechs Monate bestanden hat, kann verlangen, dass seine vertraglich vereinbarte Arbeitszeit verringert wird.

(2) [1]Der Arbeitnehmer muss die Verringerung seiner Arbeitszeit und den Umfang der Verringerung spätestens drei Monate vor deren Beginn in Textform geltend machen. [2]Er soll dabei die gewünschte Verteilung der Arbeitszeit angeben.

(3) [1]Der Arbeitgeber hat mit dem Arbeitnehmer die gewünschte Verringerung der Arbeitszeit mit dem Ziel zu erörtern, zu einer Vereinbarung zu gelangen. [2]Er hat mit dem Arbeitnehmer Einvernehmen über die von ihm festzulegende Verteilung der Arbeitszeit zu erzielen.

(4) [1]Der Arbeitgeber hat der Verringerung der Arbeitszeit zuzustimmen und ihre Verteilung entsprechend den Wünschen des Arbeitnehmers festzulegen, soweit betriebliche Gründe nicht entgegenstehen. [2]Ein betrieblicher Grund liegt insbesondere vor, wenn die Verringerung der Arbeitszeit die Organisation, den Arbeitsablauf oder die Sicherheit im Betrieb wesentlich beeinträchtigt oder unverhältnismäßige Kosten verursacht. [3]Die Ablehnungsgründe können durch Tarifvertrag festgelegt werden. [4]Im Geltungsbereich eines solchen Tarifvertrages können nicht tarifgebundene Arbeitgeber und Arbeitnehmer die Anwendung der tariflichen Regelungen über die Ablehnungsgründe vereinbaren.

(5) [1]Die Entscheidung über die Verringerung der Arbeitszeit und ihre Verteilung hat der Arbeitgeber dem Arbeitnehmer spätestens einen Monat vor dem gewünschten Beginn der Verringerung in Textform mitzuteilen. [2]Haben sich Arbeitgeber und Arbeitnehmer nicht nach Absatz 3 Satz 1 über die Ver-

---

1) Nr. **570**.

2) § 8 Überschrift neu gef., Abs. 2 Satz 1 geänd. mWv 1.1.2019 durch G v. 11.12.2018 (BGBl. I S. 2384); Abs. 5 Sätze 1–3 geänd. mWv 1.1.2020 durch G v. 22.11.2019 (BGBl. I S. 1746).

ringerung der Arbeitszeit geeinigt und hat der Arbeitgeber die Arbeitszeitverringerung nicht spätestens einen Monat vor deren gewünschtem Beginn in Textform abgelehnt, verringert sich die Arbeitszeit in dem vom Arbeitnehmer gewünschten Umfang. [3]Haben Arbeitgeber und Arbeitnehmer über die Verteilung der Arbeitszeit kein Einvernehmen nach Absatz 3 Satz 2 erzielt und hat der Arbeitgeber nicht spätestens einen Monat vor dem gewünschten Beginn der Arbeitszeitverringerung die gewünschte Verteilung der Arbeitszeit in Textform abgelehnt, gilt die Verteilung der Arbeitszeit entsprechend den Wünschen des Arbeitnehmers als festgelegt. [4]Der Arbeitgeber kann die nach Satz 3 oder Absatz 3 Satz 2 festgelegte Verteilung der Arbeitszeit wieder ändern, wenn das betriebliche Interesse daran das Interesse des Arbeitnehmers an der Beibehaltung erheblich überwiegt und der Arbeitgeber die Änderung spätestens einen Monat vorher angekündigt hat.

(6) Der Arbeitnehmer kann eine erneute Verringerung der Arbeitszeit frühestens nach Ablauf von zwei Jahren verlangen, nachdem der Arbeitgeber einer Verringerung zugestimmt oder sie berechtigt abgelehnt hat.

(7) Für den Anspruch auf Verringerung der Arbeitszeit gilt die Voraussetzung, dass der Arbeitgeber, unabhängig von der Anzahl der Personen in Berufsbildung, in der Regel mehr als 15 Arbeitnehmer beschäftigt.

§ 9[1)] Verlängerung der Arbeitszeit. [1]Der Arbeitgeber hat einen teilzeitbeschäftigten Arbeitnehmer, der ihm in Textform den Wunsch nach einer Verlängerung seiner vertraglich vereinbarten Arbeitszeit angezeigt hat, bei der Besetzung eines Arbeitsplatzes bevorzugt zu berücksichtigen, es sei denn, dass

1. es sich dabei nicht um einen entsprechenden freien Arbeitsplatz handelt oder
2. der teilzeitbeschäftigte Arbeitnehmer nicht mindestens gleich geeignet ist wie ein anderer vom Arbeitgeber bevorzugter Bewerber oder
3. Arbeitszeitwünsche anderer teilzeitbeschäftigter Arbeitnehmer oder
4. dringende betriebliche Gründe entgegenstehen.

[2]Ein freier zu besetzender Arbeitsplatz liegt vor, wenn der Arbeitgeber die Organisationsentscheidung getroffen hat, diesen zu schaffen oder einen unbesetzten Arbeitsplatz neu zu besetzen.

§ 9a[2)] Zeitlich begrenzte Verringerung der Arbeitszeit. (1) [1]Ein Arbeitnehmer, dessen Arbeitsverhältnis länger als sechs Monate bestanden hat, kann verlangen, dass seine vertraglich vereinbarte Arbeitszeit für einen im Voraus zu bestimmenden Zeitraum verringert wird. [2]Der begehrte Zeitraum muss mindestens ein Jahr und darf höchstens fünf Jahre betragen. [3]Der Arbeitnehmer hat nur dann einen Anspruch auf zeitlich begrenzte Verringerung der Arbeitszeit, wenn der Arbeitgeber in der Regel mehr als 45 Arbeitnehmer beschäftigt.

(2) [1]Der Arbeitgeber kann das Verlangen des Arbeitnehmers nach Verringerung der Arbeitszeit ablehnen, soweit betriebliche Gründe entgegenstehen; § 8 Absatz 4 gilt entsprechend. [2]Ein Arbeitgeber, der in der Regel mehr als 45, aber nicht mehr als 200 Arbeitnehmer beschäftigt, kann das Verlangen eines Arbeitnehmers auch ablehnen, wenn zum Zeitpunkt des begehrten Beginns der verringerten Arbeitszeit bei einer Arbeitnehmerzahl von in der Regel

---

[1)] § 9 neu gef. mWv 1.1.2019 durch G v. 11.12.2018 (BGBl. I S. 2384).
[2)] § 9a eingef. mWv 1.1.2019 durch G v. 11.12.2018 (BGBl. I S. 2384).

1. mehr als 45 bis 60 bereits mindestens vier,
2. mehr als 60 bis 75 bereits mindestens fünf,
3. mehr als 75 bis 90 bereits mindestens sechs,
4. mehr als 90 bis 105 bereits mindestens sieben,
5. mehr als 105 bis 120 bereits mindestens acht,
6. mehr als 120 bis 135 bereits mindestens neun,
7. mehr als 135 bis 150 bereits mindestens zehn,
8. mehr als 150 bis 165 bereits mindestens elf,
9. mehr als 165 bis 180 bereits mindestens zwölf,
10. mehr als 180 bis 195 bereits mindestens 13,
11. mehr als 195 bis 200 bereits mindestens 14

andere Arbeitnehmer ihre Arbeitszeit nach Absatz 1 verringert haben.

(3) [1] Im Übrigen gilt für den Umfang der Verringerung der Arbeitszeit und für die gewünschte Verteilung der Arbeitszeit § 8 Absatz 2 bis 5. [2] Für den begehrten Zeitraum der Verringerung der Arbeitszeit sind § 8 Absatz 2 Satz 1, Absatz 3 Satz 1, Absatz 4 sowie Absatz 5 Satz 1 und 2 entsprechend anzuwenden.

(4) Während der Dauer der zeitlich begrenzten Verringerung der Arbeitszeit kann der Arbeitnehmer keine weitere Verringerung und keine Verlängerung seiner Arbeitszeit nach diesem Gesetz verlangen; § 9 findet keine Anwendung.

(5) [1] Ein Arbeitnehmer, der nach einer zeitlich begrenzten Verringerung der Arbeitszeit nach Absatz 1 zu seiner ursprünglichen vertraglich vereinbarten Arbeitszeit zurückgekehrt ist, kann eine erneute Verringerung der Arbeitszeit nach diesem Gesetz frühestens ein Jahr nach der Rückkehr zur ursprünglichen Arbeitszeit verlangen. [2] Für einen erneuten Antrag auf Verringerung der Arbeitszeit nach berechtigter Ablehnung auf Grund entgegenstehender betrieblicher Gründe nach Absatz 2 Satz 1 gilt § 8 Absatz 6 entsprechend. [3] Nach berechtigter Ablehnung auf Grund der Zumutbarkeitsregelung nach Absatz 2 Satz 2 kann der Arbeitnehmer frühestens nach Ablauf von einem Jahr nach der Ablehnung erneut eine Verringerung der Arbeitszeit verlangen.

(6) Durch Tarifvertrag kann der Rahmen für den Zeitraum der Arbeitszeitverringerung abweichend von Absatz 1 Satz 2 auch zuungunsten des Arbeitnehmers festgelegt werden.

(7) Bei der Anzahl der Arbeitnehmer nach Absatz 1 Satz 3 und Absatz 2 sind Personen in Berufsbildung nicht zu berücksichtigen.

§ 10 Aus- und Weiterbildung. Der Arbeitgeber hat Sorge zu tragen, dass auch teilzeitbeschäftigte Arbeitnehmer an Aus- und Weiterbildungsmaßnahmen zur Förderung der beruflichen Entwicklung und Mobilität teilnehmen können, es sei denn, dass dringende betriebliche Gründe oder Aus- und Weiterbildungswünsche anderer teilzeit- oder vollzeitbeschäftigter Arbeitnehmer entgegenstehen.

§ 11 Kündigungsverbot. [1] Die Kündigung eines Arbeitsverhältnisses wegen der Weigerung eines Arbeitnehmers, von einem Vollzeit- in ein Teilzeitarbeitsverhältnis oder umgekehrt zu wechseln, ist unwirksam. [2] Das Recht zur Kündigung des Arbeitsverhältnisses aus anderen Gründen bleibt unberührt.

§ 12[1)] Arbeit auf Abruf. (1) [1] Arbeitgeber und Arbeitnehmer können vereinbaren, dass der Arbeitnehmer seine Arbeitsleistung entsprechend dem Arbeitsanfall zu erbringen hat (Arbeit auf Abruf). [2] Die Vereinbarung muss eine bestimmte Dauer der wöchentlichen und täglichen Arbeitszeit festlegen. [3] Wenn die Dauer der wöchentlichen Arbeitszeit nicht festgelegt ist, gilt eine Arbeitszeit von 20 Stunden als vereinbart. [4] Wenn die Dauer der täglichen Arbeitszeit nicht festgelegt ist, hat der Arbeitgeber die Arbeitsleistung des Arbeitnehmers jeweils für mindestens drei aufeinander folgende Stunden in Anspruch zu nehmen.

(2) [1] Ist für die Dauer der wöchentlichen Arbeitszeit nach Absatz 1 Satz 2 eine Mindestarbeitszeit vereinbart, darf der Arbeitgeber nur bis zu 25 Prozent der wöchentlichen Arbeitszeit zusätzlich abrufen. [2] Ist für die Dauer der wöchentlichen Arbeitszeit nach Absatz 1 Satz 2 eine Höchstarbeitszeit vereinbart, darf der Arbeitgeber nur bis zu 20 Prozent der wöchentlichen Arbeitszeit weniger abrufen.

(3) [1] Der Arbeitgeber ist verpflichtet, den Zeitrahmen, bestimmt durch Referenzstunden und Referenztage, festzulegen, in dem auf seine Aufforderung hin Arbeit stattfinden kann. [2] Der Arbeitnehmer ist nur zur Arbeitsleistung verpflichtet, wenn der Arbeitgeber ihm die Lage seiner Arbeitszeit jeweils mindestens vier Tage im Voraus mitteilt und die Arbeitsleistung im Zeitrahmen nach Satz 1 zu erfolgen hat.

(4) [1] Zur Berechnung der Entgeltfortzahlung im Krankheitsfall ist die maßgebende regelmäßige Arbeitszeit im Sinne von § 4 Absatz 1 des Entgeltfortzahlungsgesetzes die durchschnittliche Arbeitszeit der letzten drei Monate vor Beginn der Arbeitsunfähigkeit (Referenzzeitraum). [2] Hat das Arbeitsverhältnis bei Beginn der Arbeitsunfähigkeit keine drei Monate bestanden, ist der Berechnung des Entgeltfortzahlungsanspruchs die durchschnittliche Arbeitszeit dieses kürzeren Zeitraums zugrunde zu legen. [3] Zeiten von Kurzarbeit, unverschuldeter Arbeitsversäumnis, Arbeitsausfällen und Urlaub im Referenzzeitraum bleiben außer Betracht. [4] Für den Arbeitnehmer günstigere Regelungen zur Berechnung der Entgeltfortzahlung im Krankheitsfall finden Anwendung.

(5) Für die Berechnung der Entgeltzahlung an Feiertagen nach § 2 Absatz 1 des Entgeltfortzahlungsgesetzes gilt Absatz 4 entsprechend.

(6) [1] Durch Tarifvertrag kann von Absatz 1 und von der Vorankündigungsfrist nach Absatz 3 Satz 2 auch zuungunsten des Arbeitnehmers abgewichen werden, wenn der Tarifvertrag Regelungen über die tägliche und wöchentliche Arbeitszeit und die Vorankündigungsfrist vorsieht. [2] Im Geltungsbereich eines solchen Tarifvertrages können nicht tarifgebundene Arbeitgeber und Arbeitnehmer die Anwendung der tariflichen Regelungen über die Arbeit auf Abruf vereinbaren.

§ 13 Arbeitsplatzteilung. (1) [1] Arbeitgeber und Arbeitnehmer können vereinbaren, dass mehrere Arbeitnehmer sich die Arbeitszeit an einem Arbeitsplatz teilen (Arbeitsplatzteilung). [2] Ist einer dieser Arbeitnehmer an der Arbeitsleistung verhindert, sind die anderen Arbeitnehmer zur Vertretung verpflichtet, wenn sie der Vertretung im Einzelfall zugestimmt haben. [3] Eine Pflicht zur

---

[1)] § 12 Abs. 1 Satz 3 geänd., Abs. 2, 4 und 5 eingef., bish. Abs. 2 und 3 werden Abs. 3 und 6, neuer Abs. 6 Satz 1 geänd. mWv 1.1.2019 durch G v. 11.12.2018 (BGBl. I S. 2384); Abs. 3 neu gef., Abs. 6 Satz 1 geänd. mWv 1.8.2022 durch G v. 20.7.2022 (BGBl. I S. 1174).

Vertretung besteht auch, wenn der Arbeitsvertrag bei Vorliegen dringender betrieblicher Gründe eine Vertretung vorsieht und diese im Einzelfall zumutbar ist.

(2) [1] Scheidet ein Arbeitnehmer aus der Arbeitsplatzteilung aus, so ist die darauf gestützte Kündigung des Arbeitsverhältnisses eines anderen in die Arbeitsplatzteilung einbezogenen Arbeitnehmers durch den Arbeitgeber unwirksam. [2] Das Recht zur Änderungskündigung aus diesem Anlass und zur Kündigung des Arbeitsverhältnisses aus anderen Gründen bleibt unberührt.

(3) Die Absätze 1 und 2 sind entsprechend anzuwenden, wenn sich Gruppen von Arbeitnehmern auf bestimmten Arbeitsplätzen in festgelegten Zeitabschnitten abwechseln, ohne dass eine Arbeitsplatzteilung im Sinne des Absatzes 1 vorliegt.

(4) [1] Durch Tarifvertrag kann von den Absätzen 1 und 3 auch zuungunsten des Arbeitnehmers abgewichen werden, wenn der Tarifvertrag Regelungen über die Vertretung der Arbeitnehmer enthält. [2] Im Geltungsbereich eines solchen Tarifvertrages können nicht tarifgebundene Arbeitgeber und Arbeitnehmer die Anwendung der tariflichen Regelungen über die Arbeitsplatzteilung vereinbaren.

Dritter Abschnitt. Befristete Arbeitsverträge

§ 14[1)] Zulässigkeit der Befristung. (1) [1] Die Befristung eines Arbeitsvertrages ist zulässig, wenn sie durch einen sachlichen Grund gerechtfertigt ist. [2] Ein sachlicher Grund liegt insbesondere vor, wenn

1. der betriebliche Bedarf an der Arbeitsleistung nur vorübergehend besteht,
2. die Befristung im Anschluss an eine Ausbildung oder ein Studium erfolgt, um den Übergang des Arbeitnehmers in eine Anschlussbeschäftigung zu erleichtern,
3. der Arbeitnehmer zur Vertretung eines anderen Arbeitnehmers beschäftigt wird,
4. die Eigenart der Arbeitsleistung die Befristung rechtfertigt,
5. die Befristung zur Erprobung erfolgt,
6. in der Person des Arbeitnehmers liegende Gründe die Befristung rechtfertigen,
7. der Arbeitnehmer aus Haushaltsmitteln vergütet wird, die haushaltsrechtlich für eine befristete Beschäftigung bestimmt sind, und er entsprechend beschäftigt wird oder
8. die Befristung auf einem gerichtlichen Vergleich beruht.

(2) [1] Die kalendermäßige Befristung eines Arbeitsvertrages ohne Vorliegen eines sachlichen Grundes ist bis zur Dauer von zwei Jahren zulässig; bis zu dieser Gesamtdauer von zwei Jahren ist auch die höchstens dreimalige Verlängerung eines kalendermäßig befristeten Arbeitsvertrages zulässig. [2] [2)] Eine

---

[1)] § 14 Abs. 3 Satz 4 angef. mWv 1.1.2003 durch G v. 23.12.2002 (BGBl. I S. 4607); Abs. 2a eingef. mWv 1.1.2004 durch G v. 24.12.2003 (BGBl. I S 3002) ; Abs. 3 neu gef. mWv 1.5.2007 durch G v. 19.4.2007 (BGBl. I S. 538); Abs. 3 Satz 1 geänd. mWv 1.4.2012 durch G v. 20.12.2011 (BGBl. I S. 2854).

[2)] § 14 Abs. 2 Satz 2 ist nach Maßgabe der Gründe mit dem GG vereinbar, vgl. Beschl. des BVerfG – 1 BvL 7/14, 1 BvR 1375/14 – v. 6.6.2018 (BGBl. I S. 882).

Befristung nach Satz 1 ist nicht zulässig, wenn mit demselben Arbeitgeber bereits zuvor ein befristetes oder unbefristetes Arbeitsverhältnis bestanden hat. [3] Durch Tarifvertrag kann die Anzahl der Verlängerungen oder die Höchstdauer der Befristung abweichend von Satz 1 festgelegt werden. [4] Im Geltungsbereich eines solchen Tarifvertrages können nicht tarifgebundene Arbeitgeber und Arbeitnehmer die Anwendung der tariflichen Regelungen vereinbaren.

(2a) [1] In den ersten vier Jahren nach der Gründung eines Unternehmens ist die kalendermäßige Befristung eines Arbeitsvertrages ohne Vorliegen eines sachlichen Grundes bis zur Dauer von vier Jahren zulässig; bis zu dieser Gesamtdauer von vier Jahren ist auch die mehrfache Verlängerung eines kalendermäßig befristeten Arbeitsvertrages zulässig. [2] Dies gilt nicht für Neugründungen im Zusammenhang mit der rechtlichen Umstrukturierung von Unternehmen und Konzernen. [3] Maßgebend für den Zeitpunkt der Gründung des Unternehmens ist die Aufnahme einer Erwerbstätigkeit, die nach § 138 der Abgabenordnung[1)] der Gemeinde oder dem Finanzamt mitzuteilen ist. [4] Auf die Befristung eines Arbeitsvertrages nach Satz 1 findet Absatz 2 Satz 2 bis 4 entsprechende Anwendung.

(3) [1] Die kalendermäßige Befristung eines Arbeitsvertrages ohne Vorliegen eines sachlichen Grundes ist bis zu einer Dauer von fünf Jahren zulässig, wenn der Arbeitnehmer bei Beginn des befristeten Arbeitsverhältnisses das 52. Lebensjahr vollendet hat und unmittelbar vor Beginn des befristeten Arbeitsverhältnisses mindestens vier Monate beschäftigungslos im Sinne des § 138 Absatz 1 Nummer 1 des Dritten Buches Sozialgesetzbuch[2)] gewesen ist, Transferkurzarbeitergeld bezogen oder an einer öffentlich geförderten Beschäftigungsmaßnahme nach dem Zweiten[3)] oder Dritten Buch Sozialgesetzbuch teilgenommen hat. [2] Bis zu der Gesamtdauer von fünf Jahren ist auch die mehrfache Verlängerung des Arbeitsvertrages zulässig.

(4) Die Befristung eines Arbeitsvertrages bedarf zu ihrer Wirksamkeit der Schriftform.

§ 15[4)] Ende des befristeten Arbeitsvertrages. (1) Ein kalendermäßig befristeter Arbeitsvertrag endet mit Ablauf der vereinbarten Zeit.

(2) Ein zweckbefristeter Arbeitsvertrag endet mit Erreichen des Zwecks, frühestens jedoch zwei Wochen nach Zugang der schriftlichen Unterrichtung des Arbeitnehmers durch den Arbeitgeber über den Zeitpunkt der Zweckerreichung.

(3) Wird für ein befristetes Arbeitsverhältnis eine Probezeit vereinbart, so muss diese im Verhältnis zu der erwarteten Dauer der Befristung und der Art der Tätigkeit stehen.

(4) Ein befristetes Arbeitsverhältnis unterliegt nur dann der ordentlichen Kündigung, wenn dies einzelvertraglich oder im anwendbaren Tarifvertrag vereinbart ist.

---

1) **Steuergesetze Nr. 800.**
2) Nr. **700**.
3) Nr. **692**.
4) § 15 Abs. 3 eingef., bish. Abs. 3–5 werden Abs. 4–6 mWv 1.8.2022 durch G v. 20.7.2022 (BGBl. I S. 1174).

(5) [1] Ist das Arbeitsverhältnis für die Lebenszeit einer Person oder für längere Zeit als fünf Jahre eingegangen, so kann es von dem Arbeitnehmer nach Ablauf von fünf Jahren gekündigt werden. [2] Die Kündigungsfrist beträgt sechs Monate.

(6) Wird das Arbeitsverhältnis nach Ablauf der Zeit, für die es eingegangen ist, oder nach Zweckerreichung mit Wissen des Arbeitgebers fortgesetzt, so gilt es als auf unbestimmte Zeit verlängert, wenn der Arbeitgeber nicht unverzüglich widerspricht oder dem Arbeitnehmer die Zweckerreichung nicht unverzüglich mitteilt.

§ 16[1)] Folgen unwirksamer Befristung. [1] Ist die Befristung rechtsunwirksam, so gilt der befristete Arbeitsvertrag als auf unbestimmte Zeit geschlossen; er kann vom Arbeitgeber frühestens zum vereinbarten Ende ordentlich gekündigt werden, sofern nicht nach § 15 Absatz 4 die ordentliche Kündigung zu einem früheren Zeitpunkt möglich ist. [2] Ist die Befristung nur wegen des Mangels der Schriftform unwirksam, kann der Arbeitsvertrag auch vor dem vereinbarten Ende ordentlich gekündigt werden.

§ 17 Anrufung des Arbeitsgerichts. [1] Will der Arbeitnehmer geltend machen, dass die Befristung eines Arbeitsvertrages rechtsunwirksam ist, so muss er innerhalb von drei Wochen nach dem vereinbarten Ende des befristeten Arbeitsvertrages Klage beim Arbeitsgericht auf Feststellung erheben, dass das Arbeitsverhältnis auf Grund der Befristung nicht beendet ist. [2] Die §§ 5 bis 7 des Kündigungsschutzgesetzes[2)] gelten entsprechend. [3] Wird das Arbeitsverhältnis nach dem vereinbarten Ende fortgesetzt, so beginnt die Frist nach Satz 1 mit dem Zugang der schriftlichen Erklärung des Arbeitgebers, dass das Arbeitsverhältnis auf Grund der Befristung beendet sei.

§ 18[3)] Information über unbefristete Arbeitsplätze. (1) [1] Der Arbeitgeber hat die befristet beschäftigten Arbeitnehmer über entsprechende unbefristete Arbeitsplätze zu informieren, die besetzt werden sollen. [2] Die Information kann durch allgemeine Bekanntgabe an geeigneter, den Arbeitnehmern zugänglicher Stelle im Betrieb und Unternehmen erfolgen.

(2) [1] Der Arbeitgeber hat einem Arbeitnehmer, dessen Arbeitsverhältnis länger als sechs Monate bestanden und der ihm in Textform den Wunsch nach einem auf unbestimmte Zeit geschlossenen Arbeitsvertrag angezeigt hat, innerhalb eines Monats nach Zugang der Anzeige eine begründete Antwort in Textform mitzuteilen. [2] Satz 1 gilt nicht, sofern der Arbeitnehmer dem Arbeitgeber diesen Wunsch in den letzten zwölf Monaten vor Zugang der Anzeige bereits einmal angezeigt hat.

§ 19 Aus- und Weiterbildung. Der Arbeitgeber hat Sorge zu tragen, dass auch befristet beschäftigte Arbeitnehmer an angemessenen Aus- und Weiterbildungsmaßnahmen zur Förderung der beruflichen Entwicklung und Mobilität teilnehmen können, es sei denn, dass dringende betriebliche Gründe oder Aus- und Weiterbildungswünsche anderer Arbeitnehmer entgegenstehen.

§ 20 Information der Arbeitnehmervertretung. Der Arbeitgeber hat die Arbeitnehmervertretung über die Anzahl der befristet beschäftigten Arbeitneh-

---

1) § 16 Satz 1 geänd. mWv 1.8.2022 durch G v. 20.7.2022 (BGBl. I S. 1174).
2) Nr. **152**.
3) § 18 Abs. 2 angef. mWv 1.8.2022 durch G v. 20.7.2022 (BGBl. I S. 1174).

mer und ihren Anteil an der Gesamtbelegschaft des Betriebes und des Unternehmens zu informieren.

§ 21[1] Auflösend bedingte Arbeitsverträge. Wird der Arbeitsvertrag unter einer auflösenden Bedingung geschlossen, gelten § 4 Absatz 2, § 5, § 14 Absatz 1 und 4, § 15 Absatz 2, 4 und 6 sowie die §§ 16 bis 20 entsprechend.

Vierter Abschnitt. Gemeinsame Vorschriften

§ 22[2] Abweichende Vereinbarungen. (1) Außer in den Fällen des § 9a Absatz 6, § 12 Absatz 6, § 13 Absatz 4 und § 14 Absatz 2 Satz 3 und 4 kann von den Vorschriften dieses Gesetzes nicht zuungunsten des Arbeitnehmers abgewichen werden.

(2) Enthält ein Tarifvertrag für den öffentlichen Dienst Bestimmungen im Sinne des § 8 Absatz 4 Satz 3 und 4, auch in Verbindung mit § 9a Absatz 2, des § 9a Absatz 6, § 12 Absatz 6, § 13 Absatz 4, § 14 Absatz 2 Satz 3 und 4 oder § 15 Absatz 4, so gelten diese Bestimmungen auch zwischen nicht tarifgebundenen Arbeitgebern und Arbeitnehmern außerhalb des öffentlichen Dienstes, wenn die Anwendung der für den öffentlichen Dienst geltenden tarifvertraglichen Bestimmungen zwischen ihnen vereinbart ist und die Arbeitgeber die Kosten des Betriebes überwiegend mit Zuwendungen im Sinne des Haushaltsrechts decken.

§ 23 Besondere gesetzliche Regelungen. Besondere Regelungen über Teilzeitarbeit und über die Befristung von Arbeitsverträgen nach anderen gesetzlichen Vorschriften bleiben unberührt.

---

[1] § 21 geänd. mWv 1.8.2022 durch G v. 20.7.2022 (BGBl. I S. 1174).

[2] § 22 neu gef. mWv 1.1.2019 durch G v. 11.12.2018 (BGBl. I S. 2384); Abs. 2 geänd. mWv 1.8.2022 durch G v. 20.7.2022 (BGBl. I S. 1174).

81. Gesetz über befristete Arbeitsverträge in der Wissenschaft (Wissenschaftszeitvertragsgesetz – WissZeitVG)[1)]

Vom 12. April 2007
(BGBl. I S. 506)

FNA 800-28

zuletzt geänd. durch Art. 1 Wissenschafts- und Studierendenunterstützungsgesetz v. 25.5.2020 (BGBl. I S. 1073)

§ 1[2)] Befristung von Arbeitsverträgen. (1) [1]Für den Abschluss von Arbeitsverträgen für eine bestimmte Zeit (befristete Arbeitsverträge) mit wissenschaftlichem und künstlerischem Personal mit Ausnahme der Hochschullehrerinnen und Hochschullehrer an Einrichtungen des Bildungswesens, die nach Landesrecht staatliche Hochschulen sind, gelten die §§ 2, 3 und 6. [2]Von diesen Vorschriften kann durch Vereinbarung nicht abgewichen werden. [3]Durch Tarifvertrag kann für bestimmte Fachrichtungen und Forschungsbereiche von den in § 2 Abs. 1 vorgesehenen Fristen abgewichen und die Anzahl der zulässigen Verlängerungen befristeter Arbeitsverträge festgelegt werden. [4]Im Geltungsbereich eines solchen Tarifvertrages können nicht tarifgebundene Vertragsparteien die Anwendung der tariflichen Regelungen vereinbaren. [5]Die arbeitsrechtlichen Vorschriften und Grundsätze über befristete Arbeitsverträge und deren Kündigung sind anzuwenden, soweit sie den Vorschriften der §§ 2 bis 6 nicht widersprechen.

(2) Unberührt bleibt das Recht der Hochschulen, das in Absatz 1 Satz 1 bezeichnete Personal auch in unbefristeten oder nach Maßgabe des Teilzeit- und Befristungsgesetzes befristeten Arbeitsverhältnissen zu beschäftigen.

§ 2[3)] Befristungsdauer; Befristung wegen Drittmittelfinanzierung. (1) [1]Die Befristung von Arbeitsverträgen des in § 1 Absatz 1 Satz 1 genannten Personals, das nicht promoviert ist, ist bis zu einer Dauer von sechs Jahren zulässig, wenn die befristete Beschäftigung zur Förderung der eigenen wissenschaftlichen oder künstlerischen Qualifizierung erfolgt. [2]Nach abgeschlossener Promotion ist eine Befristung bis zu einer Dauer von sechs Jahren, im Bereich der Medizin bis zu einer Dauer von neun Jahren, zulässig, wenn die befristete Beschäftigung zur Förderung der eigenen wissenschaftlichen oder künstlerischen Qualifizierung erfolgt; die zulässige Befristungsdauer verlängert sich in dem Umfang, in dem Zeiten einer befristeten Beschäftigung nach Satz 1 und Promotionszeiten ohne Beschäftigung nach Satz 1 zusammen weniger als sechs Jahre betragen haben. [3]Die vereinbarte Befristungsdauer ist jeweils so zu bemessen, dass sie der angestrebten Qualifizierung angemessen ist. [4]Die nach den Sätzen 1 und 2 insgesamt zulässige Befristungsdauer verlängert sich bei Betreuung eines oder mehrerer Kinder unter 18 Jahren um zwei Jahre je Kind. [5]Satz 4

[1)] Verkündet als Art. 1 G zur Änderung arbeitsrechtlicher Vorschriften in der Wissenschaft v. 12.4. 2007 (BGBl. I S. 506); Inkrafttreten gem. Art. 5 am 18.4.2007.

[2)] § 1 Abs. 1 Satz 1 geänd. mWv 17.3.2016 durch G v. 11.3.2016 (BGBl. I S. 442).

[3)] § 2 Abs. 1 neu gef., Abs. 2 Satz 1 geänd., Satz 2 aufgeh., Abs. 3 Satz 3 neu gef., Abs. 5 Satz 1 Nr. 1, 4 und 5 geänd., Nr. 6 angef., Sätze 2 und 3 neu gef. mWv 17.3.2016 durch G v. 11.3.2016 (BGBl. I S. 442); Abs. 5 Satz 1 Nr. 3 geänd. mWv 1.1.2018 durch G v. 23.5.2017 (BGBl. I S. 1228).

gilt auch, wenn hinsichtlich des Kindes die Voraussetzungen des § 15 Absatz 1 Satz 1 des Bundeselterngeld- und Elternzeitgesetzes[1)] vorliegen. [6] Die nach den Sätzen 1 und 2 insgesamt zulässige Befristungsdauer verlängert sich bei Vorliegen einer Behinderung nach § 2 Absatz 1 des Neunten Buches Sozialgesetzbuch[2)] oder einer schwerwiegenden chronischen Erkrankung um zwei Jahre. [7] Innerhalb der jeweils zulässigen Befristungsdauer sind auch Verlängerungen eines befristeten Arbeitsvertrages möglich.

(2) Die Befristung von Arbeitsverträgen des in § 1 Abs. 1 Satz 1 genannten Personals ist auch zulässig, wenn die Beschäftigung überwiegend aus Mitteln Dritter finanziert wird, die Finanzierung für eine bestimmte Aufgabe und Zeitdauer bewilligt ist und die Mitarbeiterin oder der Mitarbeiter überwiegend der Zweckbestimmung dieser Mittel entsprechend beschäftigt wird; die vereinbarte Befristungsdauer soll dem bewilligten Projektzeitraum entsprechen.

(3) [1] Auf die in Absatz 1 geregelte zulässige Befristungsdauer sind alle befristeten Arbeitsverhältnisse mit mehr als einem Viertel der regelmäßigen Arbeitszeit, die mit einer deutschen Hochschule oder einer Forschungseinrichtung im Sinne des § 5 abgeschlossen wurden, sowie entsprechende Beamtenverhältnisse auf Zeit und Privatdienstverträge nach § 3 anzurechnen. [2] Angerechnet werden auch befristete Arbeitsverhältnisse, die nach anderen Rechtsvorschriften abgeschlossen wurden. [3] Die Sätze 1 und 2 gelten nicht für Arbeitsverhältnisse nach § 6 sowie vergleichbare studienbegleitende Beschäftigungen, die auf anderen Rechtsvorschriften beruhen.

(4) [1] Im Arbeitsvertrag ist anzugeben, ob die Befristung auf den Vorschriften dieses Gesetzes beruht. [2] Fehlt diese Angabe, kann die Befristung nicht auf Vorschriften dieses Gesetzes gestützt werden. [3] Die Dauer der Befristung muss bei Arbeitsverträgen nach Absatz 1 kalendermäßig bestimmt oder bestimmbar sein.

(5) [1] Die jeweilige Dauer eines befristeten Arbeitsvertrages nach Absatz 1 verlängert sich im Einverständnis mit der Mitarbeiterin oder dem Mitarbeiter um

1. Zeiten einer Beurlaubung oder einer Ermäßigung der Arbeitszeit um mindestens ein Fünftel der regelmäßigen Arbeitszeit, die für die Betreuung oder Pflege eines oder mehrerer Kinder unter 18 Jahren, auch wenn hinsichtlich des Kindes die Voraussetzungen des § 15 Absatz 1 Satz 1 des Bundeselterngeld- und Elternzeitgesetzes[1)] vorliegen, oder pflegebedürftiger sonstiger Angehöriger gewährt worden sind,
2. Zeiten einer Beurlaubung für eine wissenschaftliche oder künstlerische Tätigkeit oder eine außerhalb des Hochschulbereichs oder im Ausland durchgeführte wissenschaftliche, künstlerische oder berufliche Aus-, Fort- oder Weiterbildung,
3. Zeiten einer Inanspruchnahme von Elternzeit nach dem Bundeselterngeld- und Elternzeitgesetz[3)] und Zeiten eines Beschäftigungsverbots nach den §§ 3 bis 6, 10 Absatz 3, § 13 Absatz 1 Nummer 3 und § 16 des Mutterschutzgesetzes[4)] in dem Umfang, in dem eine Erwerbstätigkeit nicht erfolgt ist,
4. Zeiten des Grundwehr- und Zivildienstes,

[1)] Nr. **401**.
[2)] Nr. **440**.
[3)] Auszugsweise abgedruckt unter Nr. **401**.
[4)] Nr. **400**.

5. Zeiten einer Freistellung im Umfang von mindestens einem Fünftel der regelmäßigen Arbeitszeit zur Wahrnehmung von Aufgaben in einer Personal- oder Schwerbehindertenvertretung, von Aufgaben eines oder einer Frauen- oder Gleichstellungsbeauftragten oder zur Ausübung eines mit dem Arbeitsverhältnis zu vereinbarenden Mandats und
6. Zeiten einer krankheitsbedingten Arbeitsunfähigkeit, in denen ein gesetzlicher oder tarifvertraglicher Anspruch auf Entgeltfortzahlung nicht besteht.

[2] In den Fällen des Satzes 1 Nummer 1, 2 und 5 soll die Verlängerung die Dauer von jeweils zwei Jahren nicht überschreiten. [3] Zeiten nach Satz 1 Nummer 1 bis 6 werden in dem Umfang, in dem sie zu einer Verlängerung eines befristeten Arbeitsvertrages führen können, nicht auf die nach Absatz 1 zulässige Befristungsdauer angerechnet.

§ 3[1)] **Privatdienstvertrag.** Für einen befristeten Arbeitsvertrag, den ein Mitglied einer Hochschule, das Aufgaben seiner Hochschule selbständig wahrnimmt, zur Unterstützung bei der Erfüllung dieser Aufgaben mit überwiegend aus Mitteln Dritter vergütetem Personal im Sinne von § 1 Abs. 1 Satz 1 abschließt, gelten die Vorschriften der §§ 1, 2 und 6 entsprechend.

§ 4[2)] **Wissenschaftliches Personal an staatlich anerkannten Hochschulen.** Für den Abschluss befristeter Arbeitsverträge mit wissenschaftlichem und künstlerischem Personal an nach Landesrecht staatlich anerkannten Hochschulen gelten die Vorschriften der §§ 1 bis 3 und 6 entsprechend.

§ 5[3)] **Wissenschaftliches Personal an Forschungseinrichtungen.** Für den Abschluss befristeter Arbeitsverträge mit wissenschaftlichem Personal an staatlichen Forschungseinrichtungen sowie an überwiegend staatlich, an institutionell überwiegend staatlich oder auf der Grundlage von Artikel 91b des Grundgesetzes finanzierten Forschungseinrichtungen gelten die Vorschriften der §§ 1 bis 3 und 6 entsprechend.

§ 6[4)] **Wissenschaftliche und künstlerische Hilfstätigkeiten.** [1] Befristete Arbeitsverträge zur Erbringung wissenschaftlicher oder künstlerischer Hilfstätigkeiten mit Studierenden, die an einer deutschen Hochschule für ein Studium, das zu einem ersten oder einem weiteren berufsqualifizierenden Abschluss führt, eingeschrieben sind, sind bis zur Dauer von insgesamt sechs Jahren zulässig. [2] Innerhalb der zulässigen Befristungsdauer sind auch Verlängerungen eines befristeten Arbeitsvertrages möglich.

§ 7[5)] **Rechtsgrundlage für bereits abgeschlossene Verträge; Übergangsregelung; Verordnungsermächtigung.** (1) [1] Für die seit dem 23. Februar 2002 bis zum 17. April 2007 an staatlichen und staatlich anerkannten Hochschulen sowie an Forschungseinrichtungen im Sinne des § 5 abgeschlossenen Arbeitsverträge gelten die §§ 57a bis 57f des Hochschulrahmengesetzes in der ab 31. Dezember 2004 geltenden Fassung fort. [2] Für vor dem 23. Februar 2002

[1)] § 3 Satz 2 aufgeh. mWv 17.3.2016 durch G v. 11.3.2016 (BGBl. I S. 442).
[2)] § 4 Satz 2 aufgeh. mWv 17.3.2016 durch G v. 11.3.2016 (BGBl. I S. 442).
[3)] § 5 Satz 2 aufgeh. mWv 17.3.2016 durch G v. 11.3.2016 (BGBl. I S. 442).
[4)] § 6 eingef, bish. § 6 wird § 7 mWv 17.3.2016 durch G v. 11.3.2016 (BGBl. I S. 442).
[5)] Bish. § 6 wird § 7 mWv 17.3.2016 durch G v. 11.3.2016 (BGBl. I S. 442); Überschrift geänd. und Abs. 3 angef. mWv 1.3.2020 durch G v. 25.5.2020 (BGBl. I S. 1073).

an staatlichen und staatlich anerkannten Hochschulen sowie an Forschungseinrichtungen im Sinne des § 5 abgeschlossene Arbeitsverträge gelten die §§ 57a bis 57e des Hochschulrahmengesetzes in der vor dem 23. Februar 2002 geltenden Fassung fort. [3] Satz 2 gilt entsprechend für Arbeitsverträge, die zwischen dem 27. Juli 2004 und dem 31. Dezember 2004 abgeschlossen wurden.

(2) [1] Der Abschluss befristeter Arbeitsverträge nach § 2 Abs. 1 Satz 1 und 2 mit Personen, die bereits vor dem 23. Februar 2002 in einem befristeten Arbeitsverhältnis zu einer Hochschule, einem Hochschulmitglied im Sinne von § 3 oder einer Forschungseinrichtung im Sinne von § 5 standen, ist auch nach Ablauf der in § 2 Abs. 1 Satz 1 und 2 geregelten jeweils zulässigen Befristungsdauer mit einer Laufzeit bis zum 29. Februar 2008 zulässig. [2] Satz 1 gilt entsprechend für Personen, die vor dem 23. Februar 2002 in einem Dienstverhältnis als wissenschaftlicher oder künstlerischer Assistent standen. [3] § 2 Abs. 5 gilt entsprechend.

(3) [1] Die nach § 2 Absatz 1 Satz 1 und 2 insgesamt zulässige Befristungsdauer verlängert sich um sechs Monate, wenn ein Arbeitsverhältnis nach § 2 Absatz 1 zwischen dem 1. März 2020 und dem 30. September 2020 besteht. [2] Das Bundesministerium für Bildung und Forschung wird ermächtigt, durch Rechtsverordnung mit Zustimmung des Bundesrates die zulässige Befristungsdauer höchstens um weitere sechs Monate zu verlängern, soweit dies aufgrund fortbestehender Auswirkungen der COVID-19-Pandemie in der Bundesrepublik Deutschland geboten erscheint; die Verlängerung ist auch auf Arbeitsverhältnisse zu erstrecken, die nach dem 30. September 2020 und vor Ablauf des in der Rechtsverordnung genannten Verlängerungszeitraums begründet werden.

§ 8[1] Evaluation. Die Auswirkungen dieses Gesetzes werden im Jahr 2020 evaluiert.

---

[1] § 8 angef. mWv 17.3.2016 durch G v. 11.3.2016 (BGBl. I S. 442).

83. Gesetz über befristete Arbeitsverträge mit Ärzten in der Weiterbildung

Vom 15. Mai 1986
(BGBl. I S. 742)

FNA 800-24

zuletzt geänd. durch Art. 3 G zur Reform der Psychotherapeutenausbildung v. 15.11.2019 (BGBl. I S. 1604)

§ 1[1] Befristung von Arbeitsverträgen. (1) Ein die Befristung eines Arbeitsvertrages mit einem Arzt rechtfertigender sachlicher Grund liegt vor, wenn die Beschäftigung des Arztes seiner zeitlich und inhaltlich strukturierten Weiterbildung zum Facharzt oder dem Erwerb einer Anerkennung für einen Schwerpunkt oder dem Erwerb einer Zusatzbezeichnung, eines Fachkundenachweises oder einer Bescheinigung über eine fakultative Weiterbildung dient.

(2) Die Dauer der Befristung des Arbeitsvertrages bestimmt sich im Rahmen der Absätze 3 und 4 ausschließlich nach der vertraglichen Vereinbarung; sie muß kalendermäßig bestimmt oder bestimmbar sein.

(3) [1] Ein befristeter Arbeitsvertrag nach Absatz 1 kann auf die notwendige Zeit für den Erwerb der Anerkennung als Facharzt oder den Erwerb einer Zusatzbezeichnung, höchstens bis zur Dauer von acht Jahren, abgeschlossen werden. [2] Zum Zweck des Erwerbs einer Anerkennung für einen Schwerpunkt oder des an die Weiterbildung zum Facharzt anschließenden Erwerbs einer Zusatzbezeichnung, eines Fachkundenachweises oder einer Bescheinigung über eine fakultative Weiterbildung kann ein weiterer befristeter Arbeitsvertrag für den Zeitraum, der für den Erwerb vorgeschrieben ist, vereinbart werden. [3] Wird die Weiterbildung im Rahmen einer Teilzeitbeschäftigung abgeleistet und verlängert sich der Weiterbildungszeitraum hierdurch über die zeitlichen Grenzen der Sätze 1 und 2 hinaus, so können diese um die Zeit dieser Verlängerung überschritten werden. [4] Erfolgt die Weiterbildung nach Absatz 1 im Rahmen mehrerer befristeter Arbeitsverträge, so dürfen sie insgesamt die zeitlichen Grenzen nach den Sätzen 1, 2 und 3 nicht überschreiten. [5] Die Befristung darf den Zeitraum nicht unterschreiten, für den der weiterbildende Arzt die Weiterbildungsbefugnis besitzt. [6] Beendet der weiterzubildende Arzt bereits zu einem früheren Zeitpunkt den von ihm nachgefragten Weiterbildungsabschnitt oder liegen bereits zu einem früheren Zeitpunkt die Voraussetzungen für die Anerkennung im Gebiet, Schwerpunkt, Bereich sowie für den Erwerb eines Fachkundenachweises oder einer Bescheinigung über eine fakultative Weiterbildung vor, darf auf diesen Zeitpunkt befristet werden.

---

[1] § 1 Abs. 4 Nr. 1 neu gef., Nrn. 3 und 4 geänd. und Nr. 5 angef. durch G v. 15.12.1990 (BGBl. I S. 2806), Abs. 1 und 3 Satz 1 geänd., Abs. 3 Satz 2 neu gef., Sätze 5 und 6 angef. durch G v. 16.12. 1997 (BGBl. I S. 2994), Abs. 4 Nr. 3 geänd. mWv 2.1.2001 durch G v. 30.11.2000 (BGBl. I S. 1638); Abs. 6 neu gef. mWv 31.12.2004 durch G v. 27.12.2004 (BGBl. I S. 3835); Abs. 4 Nr. 3 geänd. mWv 1.1.2007 durch G v. 5.12.2006 (BGBl. I S. 2748); Abs. 6 neu gef. mWv 18.4.2007 durch G v. 12.4. 2007 (BGBl. I S. 506); Abs. 4 Nr. 3 geänd. mWv 1.1.2018 durch G v. 23.5.2017 (BGBl. I S. 1228); Abs. 7 angef. mWv 1.9.2020 durch G v. 15.11.2019 (BGBl. I S. 1604).

(4) Auf die jeweilige Dauer eines befristeten Arbeitsvertrages nach Absatz 3 sind im Einvernehmen mit dem zur Weiterbildung beschäftigten Arzt nicht anzurechnen:

1. Zeiten einer Beurlaubung oder einer Ermäßigung der Arbeitszeit um mindestens ein Fünftel der regelmäßigen Arbeitszeit, die für die Betreuung oder Pflege eines Kindes unter 18 Jahren oder eines pflegebedürftigen sonstigen Angehörigen gewährt worden sind, soweit die Beurlaubung oder die Ermäßigung der Arbeitszeit die Dauer von zwei Jahren nicht überschreitet,
2. Zeiten einer Beurlaubung für eine wissenschaftliche Tätigkeit oder eine wissenschaftliche oder berufliche Aus-, Fort- oder Weiterbildung im Ausland, soweit die Beurlaubung die Dauer von zwei Jahren nicht überschreitet,
3. die Elternzeit nach § 15 Abs. 1 des Bundeselterngeld- und Elternzeitgesetzes[1] und Zeiten eines Beschäftigungsverbots nach den §§ 3 bis 6, 10 Absatz 3, § 13 Absatz 1 Nummer 3 und § 16 des Mutterschutzgesetzes[2], soweit eine Beschäftigung nicht erfolgt ist,
4. Zeiten des Grundwehr- und Zivildienstes und
5. Zeiten einer Freistellung zur Wahrnehmung von Aufgaben in einer Personal- oder Schwerbehindertenvertretung, soweit die Freistellung von der regelmäßigen Arbeitszeit mindestens ein Fünftel beträgt und die Dauer von zwei Jahren nicht überschreitet.

(5) Die arbeitsrechtlichen Vorschriften und Grundsätze über befristete Arbeitsverträge sind nur insoweit anzuwenden, als sie den Vorschriften der Absätze 1 bis 4 nicht widersprechen.

(6) Die Absätze 1 bis 5 gelten nicht, wenn der Arbeitsvertrag unter den Anwendungsbereich des Wissenschaftszeitvertragsgesetzes[3] fällt.

[Abs. 7 ab 1.9.2020:]

(7) Die Absätze 1 bis 6 gelten auch für die Beschäftigung eines Psychotherapeuten im Rahmen einer zeitlich und inhaltlich strukturierten Weiterbildung zum Fachpsychotherapeuten.

§ 2 Berlin-Klausel. (gegenstandslos)

§ 3[4] **Inkrafttreten.** Dieses Gesetz tritt am Tage nach der Verkündung[5] in Kraft.

---

[1] Auszugsweise abgedruckt unter Nr. **401**.
[2] Nr. **400**.
[3] Nr. **81**.
[4] § 3 geänd durch G v. 16.12.1997 (BGBl. I S. 2994).
[5] Verkündet am 23. Mai 1986.

90. Gesetz über den Nachweis der für ein Arbeitsverhältnis geltenden wesentlichen Bedingungen (Nachweisgesetz – NachwG)[1)]

Vom 20. Juli 1995
(BGBl. I S. 946)

FNA 800-25

zuletzt geänd. durch Art. 50 Viertes BürokratieentlastungsG v. 23.10.2024 (BGBl. 2024 I Nr. 323)

§ 1[2)] Anwendungsbereich. [1] Dieses Gesetz gilt für alle Arbeitnehmer. [2] Praktikanten, die gemäß § 22 Absatz 1 des Mindestlohngesetzes[3)] als Arbeitnehmer gelten, sind Arbeitnehmer im Sinne dieses Gesetzes.

§ 2[4)] Nachweispflicht. (1) [1] Der Arbeitgeber hat die wesentlichen Vertragsbedingungen des Arbeitsverhältnisses innerhalb der Fristen des Satzes 9 schriftlich niederzulegen, die Niederschrift zu unterzeichnen und dem Arbeitnehmer auszuhändigen. [2] Die Niederschrift nach Satz 1 kann in Textform (§ 126b des Bürgerlichen Gesetzbuchs[5)]) abgefasst und elektronisch übermittelt werden, sofern das Dokument für den Arbeitnehmer zugänglich ist, gespeichert und ausgedruckt werden kann und der Arbeitgeber den Arbeitnehmer mit der Übermittlung auffordert, einen Empfangsnachweis zu erteilen. [3] Im Fall des Satzes 2 hat der Arbeitgeber auf Verlangen des Arbeitnehmers die Niederschrift unter Hinweis auf den Geltungsbeginn der wesentlichen Vertragsbedingungen unverzüglich in der Form der Sätze 1 und 8 zu erteilen. [4] Satz 3 gilt entsprechend, wenn die wesentlichen Vertragsbedingungen nicht nachgewiesen wurden. [5] Die Verjährung des Anspruchs nach den Sätzen 3 und 4 beginnt mit dem Schluss des Jahres, in dem das Arbeitsverhältnis endet. [6] Die Sätze 2 bis 5 finden keine Anwendung auf Arbeitnehmer, die in einem Wirtschaftsbereich oder Wirtschaftszweig nach § 2a Absatz 1 des Schwarzarbeitsbekämpfungsgesetzes[6)] tätig sind. [7] In die Niederschrift sind mindestens aufzunehmen:

1. der Name und die Anschrift der Vertragsparteien,
2. der Zeitpunkt des Beginns des Arbeitsverhältnisses,

[1)] Verkündet als Art. 1 G zur Anpassung arbeitsrechtlicher Bestimmungen an das EG-Recht v. 20.7.1995 (BGBl. I S. 946); Inkrafttreten gem. Art. 6 dieses G am 28.7.1995.

[2)] § 1 neu gef. durch G v. 24.3.1999 (BGBl. I S. 388); Satz 2 angef. mWv 16.8.2014 durch G v. 11.8.2014 (BGBl. I S. 1348); Satz 1 geänd. mWv 1.8.2022 durch G v. 20.7.2022 (BGBl. I S. 1174).

[3)] Nr. **505**.

[4)] § 2 Abs. 1 Satz 2 Nr. 5 geänd. durch G v. 29.6.1998 (BGBl. I S. 1694); Abs. 1 Satz 3 angef. durch G v. 24.3.1999 (BGBl. I S. 388); Abs. 1 Satz 3 eingef., bish. Satz 3 wird Satz 4 mWv 1.8.2001 durch G v. 13.7.2001 (BGBl. I S. 1542); Abs. 1 Satz 4 aufgeh. mWv 1.1.2013 durch G v. 5.12.2012 (BGBl. I S. 2474); Abs. 1a eingef. mWv 16.8.2014 durch G v. 11.8.2014 (BGBl. I S. 1348); Abs. 1 Satz 1 neu gef., Satz 2 Nr. 3 und 4 geänd., Nr. 6 eingef., bish. Nr. 6 und 7 werden Nr. 7 und 8 und neu gef., Nr. 9 und 10 eingef., bish. Nr. 8 wird Nr. 11, Nr. 12 und 13 eingef., bish. Nr. 9 und 10 werden Nr. 14 und 15 und neu gef., Satz 4 angef., Abs. 2 neu gef., Abs. 3 eingef., bish. Abs. 3 wird Abs. 4 und neu gef., bish. Abs. 4 wird Abs. 5 und geänd. mWv 1.8.2022 durch G v. 20.7.2022 (BGBl. I S. 1174); Abs. 1 geänd., Sätze 2–6 eingef., bish. Sätze 2–4 werden Sätze 7–9, neue Sätze 8 und 9, Abs. 1a Satz 3 und Abs. 2 Satz 1 einl. Satzteil geänd., Satz 2 und Abs. 3 Satz 2 angef., Abs. 4 Sätze 1–3 geänd., Abs. 5 Sätze 2 und 3 angef. mWv 1.1.2025 durch G v. 23.10.2024 (BGBl. 2024 I Nr. 323).

[5)] Nr. **50**.

[6)] Nr. **110**.

3. bei befristeten Arbeitsverhältnissen: das Enddatum oder die vorhersehbare Dauer des Arbeitsverhältnisses,
4. der Arbeitsort oder, falls der Arbeitnehmer nicht nur an einem bestimmten Arbeitsort tätig sein soll, ein Hinweis darauf, daß der Arbeitnehmer an verschiedenen Orten beschäftigt werden oder seinen Arbeitsort frei wählen kann,
5. eine kurze Charakterisierung oder Beschreibung der vom Arbeitnehmer zu leistenden Tätigkeit,
6. sofern vereinbart, die Dauer der Probezeit,
7. die Zusammensetzung und die Höhe des Arbeitsentgelts einschließlich der Vergütung von Überstunden, der Zuschläge, der Zulagen, Prämien und Sonderzahlungen sowie anderer Bestandteile des Arbeitsentgelts, die jeweils getrennt anzugeben sind, und deren Fälligkeit sowie die Art der Auszahlung,
8. die vereinbarte Arbeitszeit, vereinbarte Ruhepausen und Ruhezeiten sowie bei vereinbarter Schichtarbeit das Schichtsystem, der Schichtrhythmus und Voraussetzungen für Schichtänderungen,
9. bei Arbeit auf Abruf nach § 12 des Teilzeit- und Befristungsgesetzes[1]:
   a) die Vereinbarung, dass der Arbeitnehmer seine Arbeitsleistung entsprechend dem Arbeitsanfall zu erbringen hat,
   b) die Zahl der mindestens zu vergütenden Stunden,
   c) der Zeitrahmen, bestimmt durch Referenztage und Referenzstunden, der für die Erbringung der Arbeitsleistung festgelegt ist, und
   d) die Frist, innerhalb derer der Arbeitgeber die Lage der Arbeitszeit im Voraus mitzuteilen hat,
10. sofern vereinbart, die Möglichkeit der Anordnung von Überstunden und deren Voraussetzungen,
11. die Dauer des jährlichen Erholungsurlaubs,
12. ein etwaiger Anspruch auf vom Arbeitgeber bereitgestellte Fortbildung,
13. wenn der Arbeitgeber dem Arbeitnehmer eine betriebliche Altersversorgung über einen Versorgungsträger zusagt, der Name und die Anschrift dieses Versorgungsträgers; die Nachweispflicht entfällt, wenn der Versorgungsträger zu dieser Information verpflichtet ist,
14. das bei der Kündigung des Arbeitsverhältnisses von Arbeitgeber und Arbeitnehmer einzuhaltende Verfahren, mindestens das Schriftformerfordernis und die Fristen für die Kündigung des Arbeitsverhältnisses, sowie die Frist zur Erhebung einer Kündigungsschutzklage; § 7 des Kündigungsschutzgesetzes[2] ist auch bei einem nicht ordnungsgemäßen Nachweis der Frist zur Erhebung einer Kündigungsschutzklage anzuwenden,
15. ein in allgemeiner Form gehaltener Hinweis auf die auf das Arbeitsverhältnis anwendbaren Tarifverträge, Betriebs- oder Dienstvereinbarungen sowie Regelungen paritätisch besetzter Kommissionen, die auf der Grundlage kirchlichen Rechts Arbeitsbedingungen für den Bereich kirchlicher Arbeitgeber festlegen.

---

[1] Nr. **80**.
[2] Nr. **152**.

[8] Der Nachweis der wesentlichen Vertragsbedingungen nach Satz 1 in elektronischer Form ist ausgeschlossen. [9] Dem Arbeitnehmer ist die Niederschrift mit den Angaben nach Satz 7 Nummer 1, 7 und 8 spätestens am ersten Tag der Arbeitsleistung, die Niederschrift mit den Angaben nach Satz 7 Nummer 2 bis 6, 9 und 10 spätestens am siebten Kalendertag nach dem vereinbarten Beginn des Arbeitsverhältnisses und die Niederschrift mit den übrigen Angaben nach Satz 7 spätestens einen Monat nach dem vereinbarten Beginn des Arbeitsverhältnisses auszuhändigen.

(1a) [1] Wer einen Praktikanten einstellt, hat unverzüglich nach Abschluss des Praktikumsvertrages, spätestens vor Aufnahme der Praktikantentätigkeit, die wesentlichen Vertragsbedingungen schriftlich niederzulegen, die Niederschrift zu unterzeichnen und dem Praktikanten auszuhändigen. [2] In die Niederschrift sind mindestens aufzunehmen:

1. der Name und die Anschrift der Vertragsparteien,
2. die mit dem Praktikum verfolgten Lern- und Ausbildungsziele,
3. Beginn und Dauer des Praktikums,
4. Dauer der regelmäßigen täglichen Praktikumszeit,
5. Zahlung und Höhe der Vergütung,
6. Dauer des Urlaubs,
7. ein in allgemeiner Form gehaltener Hinweis auf die Tarifverträge, Betriebs- oder Dienstvereinbarungen, die auf das Praktikumsverhältnis anzuwenden sind.

[3] Absatz 1 Satz 8 gilt entsprechend.

(2) [1] Hat der Arbeitnehmer seine Arbeitsleistung länger als vier aufeinanderfolgende Wochen außerhalb der Bundesrepublik Deutschland zu erbringen, so hat der Arbeitgeber dem Arbeitnehmer vor dessen Abreise die Niederschrift nach Absatz 1 Satz 1 mit allen wesentlichen Angaben nach Absatz 1 Satz 7 und folgenden zusätzlichen Angaben auszuhändigen:

1. das Land oder die Länder, in dem oder in denen die Arbeit im Ausland geleistet werden soll, und die geplante Dauer der Arbeit,
2. die Währung, in der die Entlohnung erfolgt,
3. sofern vereinbart, mit dem Auslandsaufenthalt verbundene Geld- oder Sachleistungen, insbesondere Entsendezulagen und zu erstattende Reise-, Verpflegungs- und Unterbringungskosten,
4. die Angabe, ob eine Rückkehr des Arbeitnehmers vorgesehen ist, und gegebenenfalls die Bedingungen der Rückkehr.

[2] Auf die Verpflichtung nach Satz 1 finden folgende Regelungen entsprechende Anwendung:

1. Absatz 1 Satz 2, 5 und 6 sowie
2. Absatz 1 Satz 3 und 4.

(3) [1] Fällt ein Auslandsaufenthalt nach Absatz 2 in den Anwendungsbereich der Richtlinie 96/71/EG[1] des Europäischen Parlaments und des Rates vom 16. Dezember 1996 über die Entsendung von Arbeitnehmern im Rahmen der Erbringung von Dienstleistungen (ABl. L 18 vom 21.1.1997, S. 1), die durch die Richtlinie (EU) 2018/957 (ABl. L 173 vom 9.7.2018, S. 16) geändert

[1] Nr. **890**.

worden ist, muss die Niederschrift nach Absatz 1 Satz 1 neben den Angaben nach Absatz 2 auch folgende zusätzliche Angaben enthalten:

1. die Entlohnung, auf die der Arbeitnehmer nach dem Recht des Mitgliedstaats oder der Mitgliedstaaten, in dem oder in denen der Arbeitnehmer seine Arbeit leisten soll, Anspruch hat,
2. den Link zu der einzigen offiziellen nationalen Website, die der Mitgliedstaat, in dem der Arbeitnehmer seine Arbeit leisten soll, betreibt nach Artikel 5 Absatz 2 Buchstabe a der Richtlinie 2014/67/EU des Europäischen Parlaments und des Rates vom 15. Mai 2014 zur Durchsetzung der Richtlinie 96/71/EG über die Entsendung von Arbeitnehmern im Rahmen der Erbringung von Dienstleistungen und zur Änderung der Verordnung (EU) Nr. 1024/2012 über die Verwaltungszusammenarbeit mit Hilfe des Binnenmarkt-Informationssystems – („IMI-Verordnung") (ABl. L 159 vom 28.5. 2014, S. 11).

[2] Auf die Verpflichtung nach Satz 1 finden folgende Regelungen entsprechende Anwendung:

1. Absatz 1 Satz 2, 5 und 6 sowie
2. Absatz 1 Satz 3 und 4.

(4) [1] Die Angaben nach Absatz 1 Satz 7 Nummer 6 bis 8 und 10 bis 14 können ersetzt werden durch einen Hinweis auf die auf das Arbeitsverhältnis anwendbaren Tarifverträge, Betriebs- oder Dienstvereinbarungen sowie Regelungen paritätisch besetzter Kommissionen, die auf der Grundlage kirchlichen Rechts Arbeitsbedingungen für den Bereich kirchlicher Arbeitgeber festlegen. [2] Ist in den Fällen des Absatzes 1 Satz 7 Nummer 11 und 14 die jeweilige gesetzliche Regelung maßgebend, so kann hierauf verwiesen werden. [3] Die Angaben nach Absatz 2 Satz 1 Nummer 2 und Absatz 3 Satz 1 Nummer 1 können ersetzt werden durch einen Hinweis auf konkrete Bestimmungen der einschlägigen Rechts- und Verwaltungsvorschriften und Satzungen oder Tarifverträge, Betriebs- oder Dienstvereinbarungen sowie Regelungen paritätisch besetzter Kommissionen, die auf der Grundlage kirchlichen Rechts Arbeitsbedingungen für den Bereich kirchlicher Arbeitgeber festlegen.

(5) [1] Wenn dem Arbeitnehmer ein schriftlicher Arbeitsvertrag ausgehändigt worden ist, entfällt die Verpflichtung nach den Absätzen 1, 2 und 3, soweit der Vertrag die in den Absätzen 1 bis 4 geforderten Angaben enthält. [2] Ist dem Arbeitnehmer ein Arbeitsvertrag in Textform nach Maßgabe des Absatzes 1 Satz 2 übermittelt worden, entfällt die Verpflichtung nach Absatz 1 Satz 1 und 2 und den Absätzen 2 und 3, soweit der Vertrag die in den Absätzen 1 bis 4 geforderten Angaben enthält; unberührt bleibt der Anspruch nach Absatz 1 Satz 3, auch in Verbindung mit Absatz 2 Satz 2 Nummer 2 oder Absatz 3 Satz 2 Nummer 2. [3] Satz 2 gilt nicht in den Fällen des Absatzes 1 Satz 6.

§ 3[1)] Änderung der Angaben. (1) [1] Eine Änderung der wesentlichen Vertragsbedingungen oder der in § 2 Absatz 2 und 3 genannten Angaben ist dem Arbeitnehmer spätestens an dem Tag, an dem sie wirksam wird, schriftlich

---

[1)] § 3 Satz 1 geänd., Satz 2 neu gef. mWv 1.8.2022 durch G v. 20.7.2022 (BGBl. I S. 1174); Abs. 1 Satz 1 geänd., Satz 2 eingef., bish. Satz 2 wird Satz 3, Abs. 2 angef. mWv 1.1.2025 durch G v. 23.10. 2024 (BGBl. 2024 I Nr. 323).

mitzuteilen. [2] Auf die Verpflichtung nach Satz 1 finden folgende Regelungen entsprechende Anwendung:

1. § 2 Absatz 1 Satz 2, 5 und 6 sowie
2. § 2 Absatz 1 Satz 3 und 4.

[3] Satz 1 gilt nicht bei einer Änderung der auf das Arbeitsverhältnis anwendbaren gesetzlichen Vorschriften, Tarifverträge, Betriebs- oder Dienstvereinbarungen sowie Regelungen paritätisch besetzter Kommissionen, die auf der Grundlage kirchlichen Rechts Arbeitsbedingungen für den Bereich kirchlicher Arbeitgeber festlegen.

(2) [1] Die Verpflichtung nach Absatz 1 Satz 1 entfällt, sofern dem Arbeitnehmer hinsichtlich der Änderung ein schriftlicher Änderungsvertrag ausgehändigt worden ist. [2] Das Gleiche gilt, wenn dem Arbeitnehmer hinsichtlich der Änderung ein Änderungsvertrag in Textform nach Maßgabe des § 2 Absatz 1 Satz 2 übermittelt worden ist; unberührt bleibt der Anspruch nach § 2 Absatz 1 Satz 3. [3] Satz 2 gilt nicht in den Fällen des § 2 Absatz 1 Satz 6.

§ 4[1)] Bußgeldvorschriften. (1) Ordnungswidrig handelt, wer

1. entgegen § 2 Absatz 1 Satz 1 eine in § 2 Absatz 1 Satz 7 genannte wesentliche Vertragsbedingung nicht, nicht richtig, nicht vollständig, nicht in der vorgeschriebenen Weise oder nicht rechtzeitig aushändigt,
2. entgegen § 2 Absatz 1 Satz 3, auch in Verbindung mit Satz 4, jeweils auch in Verbindung mit § 2 Absatz 2 Satz 2 Nummer 2, Absatz 3 Satz 2 Nummer 2 oder § 3 Absatz 1 Satz 2 Nummer 2, eine dort genannte Niederschrift nicht, nicht richtig, nicht vollständig oder nicht rechtzeitig erteilt,
3. entgegen § 2 Absatz 2 Satz 1, auch in Verbindung mit Absatz 3 Satz 1, eine dort genannte Niederschrift nicht, nicht richtig, nicht vollständig oder nicht rechtzeitig aushändigt oder
4. entgegen § 3 Absatz 1 Satz 1 eine Mitteilung nicht, nicht richtig, nicht vollständig, nicht in der vorgeschriebenen Weise oder nicht rechtzeitig macht.

(2) Die Ordnungswidrigkeit kann mit einer Geldbuße bis zu zweitausend Euro geahndet werden.

§ 5[2)] Übergangsvorschrift. [1] Hat das Arbeitsverhältnis bereits vor dem 1. August 2022 bestanden, so ist dem Arbeitnehmer auf sein Verlangen spätestens am siebten Tag nach Zugang der Aufforderung beim Arbeitgeber die Niederschrift mit den Angaben nach § 2 Absatz 1 Satz 7 Nummer 1 bis 10 auszuhändigen; die Niederschrift mit den übrigen Angaben nach § 2 Absatz 1 Satz 7 ist spätestens einen Monat nach Zugang der Aufforderung auszuhändigen. [2] Soweit eine früher ausgestellte Niederschrift oder ein schriftlicher Arbeitsvertrag die nach diesem Gesetz erforderlichen Angaben enthält, entfällt diese Verpflichtung.

[1)] § 4 eingef. mWv 1.8.2022 durch G v. 20.7.2022 (BGBl. I S. 1174); Abs. 1 Nr. 1 geänd., Nr. 2 eingef., bish. Nr. 2 und 3 werden Nr. 3 und 4 und geänd. mWv 1.1.2025 durch G v. 23.10.2024 (BGBl. 2024 I Nr. 323).

[2)] Bish. § 4 wird § 5 und Satz 1 neu gef. mWv 1.8.2022 durch G v. 20.7.2022 (BGBl. I S. 1174); Satz 1 geänd. mWv 1.1.2025 durch G v. 23.10.2024 (BGBl. 2024 I Nr. 323).

§ 6[1] Unabdingbarkeit. Von den Vorschriften dieses Gesetzes kann nicht zuungunsten des Arbeitnehmers abgewichen werden.

---

[1] Bish. § 5 wird § 6 mWv 1.8.2022 durch G v. 20.7.2022 (BGBl. I S. 1174).

91. Allgemeines Gleichbehandlungsgesetz (AGG)[1) 2)]

Vom 14. August 2006
(BGBl. I S. 1897)

FNA 402-40

zuletzt geänd. durch Art. 14, 15 G zur Anpassung der Bundesbesoldung und -versorgung für die Jahre 2023 und 2024 sowie zur Änd. weiterer dienstrechtlicher Vorschriften v. 22.12.2023 (BGBl. 2023 I Nr. 414)

Abschnitt 1. Allgemeiner Teil

§ 1 Ziel des Gesetzes. Ziel des Gesetzes ist, Benachteiligungen aus Gründen der Rasse oder wegen der ethnischen Herkunft, des Geschlechts, der Religion oder Weltanschauung, einer Behinderung, des Alters oder der sexuellen Identität zu verhindern oder zu beseitigen.

§ 2 Anwendungsbereich. (1) Benachteiligungen aus einem in § 1 genannten Grund sind nach Maßgabe dieses Gesetzes unzulässig in Bezug auf:

1. die Bedingungen, einschließlich Auswahlkriterien und Einstellungsbedingungen, für den Zugang zu unselbstständiger und selbstständiger Erwerbstätigkeit, unabhängig von Tätigkeitsfeld und beruflicher Position, sowie für den beruflichen Aufstieg,
2. die Beschäftigungs- und Arbeitsbedingungen einschließlich Arbeitsentgelt und Entlassungsbedingungen, insbesondere in individual- und kollektivrechtlichen Vereinbarungen und Maßnahmen bei der Durchführung und Beendigung eines Beschäftigungsverhältnisses sowie beim beruflichen Aufstieg,
3. den Zugang zu allen Formen und allen Ebenen der Berufsberatung, der Berufsbildung einschließlich der Berufsausbildung, der beruflichen Weiterbildung und der Umschulung sowie der praktischen Berufserfahrung,
4. die Mitgliedschaft und Mitwirkung in einer Beschäftigten- oder Arbeitgebervereinigung oder einer Vereinigung, deren Mitglieder einer bestimmten Berufsgruppe angehören, einschließlich der Inanspruchnahme der Leistungen solcher Vereinigungen,

---

[1)] **Amtl. Anm.:** Dieses Gesetz dient der Umsetzung der Richtlinien:
- 2000/43/EG **[Nr. 900]** des Rates vom 29. Juni 2000 zur Anwendung des Gleichbehandlungsgrundsatzes ohne Unterschied der Rasse oder der ethnischen Herkunft (ABl. EG Nr. L 180 S. 22),
- 2000/78/EG **[Nr. 901]** des Rates vom 27. November 2000 zur Festlegung eines allgemeinen Rahmens für die Verwirklichung der Gleichbehandlung in Beschäftigung und Beruf (ABl. EG Nr. L 303 S. 16),
- 2002/73/EG des Europäischen Parlaments und des Rates vom 23. September 2002 zur Änderung der Richtlinie 76/207/EWG des Rates zur Verwirklichung des Grundsatzes der Gleichbehandlung von Männern und Frauen hinsichtlich des Zugangs zur Beschäftigung, zur Berufsbildung und zum beruflichen Aufstieg sowie in Bezug auf die Arbeitsbedingungen (ABl. EG Nr. L 269 S. 15) und
- 2004/113/EG des Rates vom 13. Dezember 2004 zur Verwirklichung des Grundsatzes der Gleichbehandlung von Männern und Frauen beim Zugang zu und bei der Versorgung mit Gütern und Dienstleistungen (ABl. EU Nr. L 373 S. 37).

[2)] Verkündet als Art. 1 G zur Umsetzung europ. RL zur Verwirklichung des Grundsatzes der Gleichbehandlung v. 14.8.2006 (BGBl. I S. 1897); Inkrafttreten gem. Art. 4 Satz 1 dieses G am 18.8.2006.

5. den Sozialschutz, einschließlich der sozialen Sicherheit und der Gesundheitsdienste,
6. die sozialen Vergünstigungen,
7. die Bildung,
8. den Zugang zu und die Versorgung mit Gütern und Dienstleistungen, die der Öffentlichkeit zur Verfügung stehen, einschließlich von Wohnraum.

(2) [1] Für Leistungen nach dem Sozialgesetzbuch gelten § 33c des Ersten Buches Sozialgesetzbuch[1)] und § 19a des Vierten Buches Sozialgesetzbuch[2)]. [2] Für die betriebliche Altersvorsorge gilt das Betriebsrentengesetz[3)].

(3) [1] Die Geltung sonstiger Benachteiligungsverbote oder Gebote der Gleichbehandlung wird durch dieses Gesetz nicht berührt. [2] Dies gilt auch für öffentlich-rechtliche Vorschriften, die dem Schutz bestimmter Personengruppen dienen.

(4) Für Kündigungen gelten ausschließlich die Bestimmungen zum allgemeinen und besonderen Kündigungsschutz.

§ 3 Begriffsbestimmungen. (1) [1] Eine unmittelbare Benachteiligung liegt vor, wenn eine Person wegen eines in § 1 genannten Grundes eine weniger günstige Behandlung erfährt, als eine andere Person in einer vergleichbaren Situation erfährt, erfahren hat oder erfahren würde. [2] Eine unmittelbare Benachteiligung wegen des Geschlechts liegt in Bezug auf § 2 Abs. 1 Nr. 1 bis 4 auch im Falle einer ungünstigeren Behandlung einer Frau wegen Schwangerschaft oder Mutterschaft vor.

(2) Eine mittelbare Benachteiligung liegt vor, wenn dem Anschein nach neutrale Vorschriften, Kriterien oder Verfahren Personen wegen eines in § 1 genannten Grundes gegenüber anderen Personen in besonderer Weise benachteiligen können, es sei denn, die betreffenden Vorschriften, Kriterien oder Verfahren sind durch ein rechtmäßiges Ziel sachlich gerechtfertigt und die Mittel sind zur Erreichung dieses Ziels angemessen und erforderlich.

(3) Eine Belästigung ist eine Benachteiligung, wenn unerwünschte Verhaltensweisen, die mit einem in § 1 genannten Grund in Zusammenhang stehen, bezwecken oder bewirken, dass die Würde der betreffenden Person verletzt und ein von Einschüchterungen, Anfeindungen, Erniedrigungen, Entwürdigungen oder Beleidigungen gekennzeichnetes Umfeld geschaffen wird.

(4) Eine sexuelle Belästigung ist eine Benachteiligung in Bezug auf § 2 Abs. 1 Nr. 1 bis 4, wenn ein unerwünschtes, sexuell bestimmtes Verhalten, wozu auch unerwünschte sexuelle Handlungen und Aufforderungen zu diesen, sexuell bestimmte körperliche Berührungen, Bemerkungen sexuellen Inhalts sowie unerwünschtes Zeigen und sichtbares Anbringen von pornographischen Darstellungen gehören, bezweckt oder bewirkt, dass die Würde der betreffenden Person verletzt wird, insbesondere wenn ein von Einschüchte-

(Fortsetzung nächstes Blatt)

[1)] Nr. **691**.
[2)] Nr. **694**.
[3)] Nr. **180**.

rungen, Anfeindungen, Erniedrigungen, Entwürdigungen oder Beleidigungen gekennzeichnetes Umfeld geschaffen wird.

(5) [1]Die Anweisung zur Benachteiligung einer Person aus einem in § 1 genannten Grund gilt als Benachteiligung. [2]Eine solche Anweisung liegt in Bezug auf § 2 Abs. 1 Nr. 1 bis 4 insbesondere vor, wenn jemand eine Person zu einem Verhalten bestimmt, das einen Beschäftigten oder eine Beschäftigte wegen eines in § 1 genannten Grundes benachteiligt oder benachteiligen kann.

§ 4 Unterschiedliche Behandlung wegen mehrerer Gründe. Erfolgt eine unterschiedliche Behandlung wegen mehrerer der in § 1 genannten Gründe, so kann diese unterschiedliche Behandlung nach den §§ 8 bis 10 und 20 nur gerechtfertigt werden, wenn sich die Rechtfertigung auf alle diese Gründe erstreckt, derentwegen die unterschiedliche Behandlung erfolgt.

§ 5 Positive Maßnahmen. Ungeachtet der in den §§ 8 bis 10 sowie in § 20 benannten Gründe ist eine unterschiedliche Behandlung auch zulässig, wenn durch geeignete und angemessene Maßnahmen bestehende Nachteile wegen eines in § 1 genannten Grundes verhindert oder ausgeglichen werden sollen.

Abschnitt 2. Schutz der Beschäftigten vor Benachteiligung

Unterabschnitt 1. Verbot der Benachteiligung

§ 6 Persönlicher Anwendungsbereich. (1) [1]Beschäftigte im Sinne dieses Gesetzes sind

1. Arbeitnehmerinnen und Arbeitnehmer,
2. die zu ihrer Berufsbildung Beschäftigten,
3. Personen, die wegen ihrer wirtschaftlichen Unselbstständigkeit als arbeitnehmerähnliche Personen anzusehen sind; zu diesen gehören auch die in Heimarbeit Beschäftigten und die ihnen Gleichgestellten.

[2]Als Beschäftigte gelten auch die Bewerberinnen und Bewerber für ein Beschäftigungsverhältnis sowie die Personen, deren Beschäftigungsverhältnis beendet ist.

(2) [1]Arbeitgeber (Arbeitgeber und Arbeitgeberinnen) im Sinne dieses Abschnitts sind natürliche und juristische Personen sowie rechtsfähige Personengesellschaften, die Personen nach Absatz 1 beschäftigen. [2]Werden Beschäftigte einem Dritten zur Arbeitsleistung überlassen, so gilt auch dieser als Arbeitgeber im Sinne dieses Abschnitts. [3]Für die in Heimarbeit Beschäftigten und die ihnen Gleichgestellten tritt an die Stelle des Arbeitgebers der Auftraggeber oder Zwischenmeister.

(3) Soweit es die Bedingungen für den Zugang zur Erwerbstätigkeit sowie den beruflichen Aufstieg betrifft, gelten die Vorschriften dieses Abschnitts für Selbstständige und Organmitglieder, insbesondere Geschäftsführer oder Geschäftsführerinnen und Vorstände, entsprechend.

§ 7 Benachteiligungsverbot. (1) Beschäftigte dürfen nicht wegen eines in § 1 genannten Grundes benachteiligt werden; dies gilt auch, wenn die Person, die die Benachteiligung begeht, das Vorliegen eines in § 1 genannten Grundes bei der Benachteiligung nur annimmt.

(2) Bestimmungen in Vereinbarungen, die gegen das Benachteiligungsverbot des Absatzes 1 verstoßen, sind unwirksam.

(3) Eine Benachteiligung nach Absatz 1 durch Arbeitgeber oder Beschäftigte ist eine Verletzung vertraglicher Pflichten.

§ 8 Zulässige unterschiedliche Behandlung wegen beruflicher Anforderungen. (1) Eine unterschiedliche Behandlung wegen eines in § 1 genannten Grundes ist zulässig, wenn dieser Grund wegen der Art der auszuübenden Tätigkeit oder der Bedingungen ihrer Ausübung eine wesentliche und entscheidende berufliche Anforderung darstellt, sofern der Zweck rechtmäßig und die Anforderung angemessen ist.

(2) Die Vereinbarung einer geringeren Vergütung für gleiche oder gleichwertige Arbeit wegen eines in § 1 genannten Grundes wird nicht dadurch gerechtfertigt, dass wegen eines in § 1 genannten Grundes besondere Schutzvorschriften gelten.

§ 9 Zulässige unterschiedliche Behandlung wegen der Religion oder Weltanschauung. (1) Ungeachtet des § 8 ist eine unterschiedliche Behandlung wegen der Religion oder der Weltanschauung bei der Beschäftigung durch Religionsgemeinschaften, die ihnen zugeordneten Einrichtungen ohne Rücksicht auf ihre Rechtsform oder durch Vereinigungen, die sich die gemeinschaftliche Pflege einer Religion oder Weltanschauung zur Aufgabe machen, auch zulässig, wenn eine bestimmte Religion oder Weltanschauung unter Beachtung des Selbstverständnisses der jeweiligen Religionsgemeinschaft oder Vereinigung im Hinblick auf ihr Selbstbestimmungsrecht oder nach der Art der Tätigkeit eine gerechtfertigte berufliche Anforderung darstellt.

(2) Das Verbot unterschiedlicher Behandlung wegen der Religion oder der Weltanschauung berührt nicht das Recht der in Absatz 1 genannten Religionsgemeinschaften, der ihnen zugeordneten Einrichtungen ohne Rücksicht auf ihre Rechtsform oder der Vereinigungen, die sich die gemeinschaftliche Pflege einer Religion oder Weltanschauung zur Aufgabe machen, von ihren Beschäftigten ein loyales und aufrichtiges Verhalten im Sinne ihres jeweiligen Selbstverständnisses verlangen zu können.

§ 10[1] **Zulässige unterschiedliche Behandlung wegen des Alters.** [1]Ungeachtet des § 8 ist eine unterschiedliche Behandlung wegen des Alters auch zulässig, wenn sie objektiv und angemessen und durch ein legitimes Ziel gerechtfertigt ist. [2]Die Mittel zur Erreichung dieses Ziels müssen angemessen und erforderlich sein. [3]Derartige unterschiedliche Behandlungen können insbesondere Folgendes einschließen:

1. die Festlegung besonderer Bedingungen für den Zugang zur Beschäftigung und zur beruflichen Bildung sowie besonderer Beschäftigungs- und Arbeitsbedingungen, einschließlich der Bedingungen für Entlohnung und Beendi-

---

[1] § 10 Nr. 6 und 7 aufgeh., bish. Nr. 8 wird Nr. 6 mWv 12. 12. 2006 durch G v. 2. 12. 2006 (BGBl. I S. 2742).

gung des Beschäftigungsverhältnisses, um die berufliche Eingliederung von Jugendlichen, älteren Beschäftigten und Personen mit Fürsorgepflichten zu fördern oder ihren Schutz sicherzustellen,

2. die Festlegung von Mindestanforderungen an das Alter, die Berufserfahrung oder das Dienstalter für den Zugang zur Beschäftigung oder für bestimmte mit der Beschäftigung verbundene Vorteile,
3. die Festsetzung eines Höchstalters für die Einstellung auf Grund der spezifischen Ausbildungsanforderungen eines bestimmten Arbeitsplatzes oder auf Grund der Notwendigkeit einer angemessenen Beschäftigungszeit vor dem Eintritt in den Ruhestand,
4. die Festsetzung von Altersgrenzen bei den betrieblichen Systemen der sozialen Sicherheit als Voraussetzung für die Mitgliedschaft oder den Bezug von Altersrente oder von Leistungen bei Invalidität einschließlich der Festsetzung unterschiedlicher Altersgrenzen im Rahmen dieser Systeme für bestimmte Beschäftigte oder Gruppen von Beschäftigten und die Verwendung von Alterskriterien im Rahmen dieser Systeme für versicherungsmathematische Berechnungen,
5. eine Vereinbarung, die die Beendigung des Beschäftigungsverhältnisses ohne Kündigung zu einem Zeitpunkt vorsieht, zu dem der oder die Beschäftigte eine Rente wegen Alters beantragen kann; § 41 des Sechsten Buches Sozialgesetzbuch[1] bleibt unberührt,
6. Differenzierungen von Leistungen in Sozialplänen im Sinne des Betriebsverfassungsgesetzes[2], wenn die Parteien eine nach Alter oder Betriebszugehörigkeit gestaffelte Abfindungsregelung geschaffen haben, in der die wesentlich vom Alter abhängenden Chancen auf dem Arbeitsmarkt durch eine verhältnismäßig starke Betonung des Lebensalters erkennbar berücksichtigt worden sind, oder Beschäftigte von den Leistungen des Sozialplans ausgeschlossen haben, die wirtschaftlich abgesichert sind, weil sie, gegebenenfalls nach Bezug von Arbeitslosengeld, rentenberechtigt sind.

Unterabschnitt 2. Organisationspflichten des Arbeitgebers

§ 11 Ausschreibung. Ein Arbeitsplatz darf nicht unter Verstoß gegen § 7 Abs. 1 ausgeschrieben werden.

§ 12 Maßnahmen und Pflichten des Arbeitgebers. (1) [1]Der Arbeitgeber ist verpflichtet, die erforderlichen Maßnahmen zum Schutz vor Benachteiligungen wegen eines in § 1 genannten Grundes zu treffen. [2]Dieser Schutz umfasst auch vorbeugende Maßnahmen.

(2) [1]Der Arbeitgeber soll in geeigneter Art und Weise, insbesondere im Rahmen der beruflichen Aus- und Fortbildung, auf die Unzulässigkeit solcher Benachteiligungen hinweisen und darauf hinwirken, dass diese unterbleiben. [2]Hat der Arbeitgeber seine Beschäftigten in geeigneter Weise zum Zwecke der Verhinderung von Benachteiligung geschult, gilt dies als Erfüllung seiner Pflichten nach Absatz 1.

---

[1] Nr. **696**.
[2] Nr. **570**.

(3) Verstoßen Beschäftigte gegen das Benachteiligungsverbot des § 7 Abs. 1, so hat der Arbeitgeber die im Einzelfall geeigneten, erforderlichen und angemessenen Maßnahmen zur Unterbindung der Benachteiligung wie Abmahnung, Umsetzung, Versetzung oder Kündigung zu ergreifen.

(4) Werden Beschäftigte bei der Ausübung ihrer Tätigkeit durch Dritte nach § 7 Abs. 1 benachteiligt, so hat der Arbeitgeber die im Einzelfall geeigneten, erforderlichen und angemessenen Maßnahmen zum Schutz der Beschäftigten zu ergreifen.

(5) [1]Dieses Gesetz und § 61 b des Arbeitsgerichtsgesetzes[1)] sowie Informationen über die für die Behandlung von Beschwerden nach § 13 zuständigen Stellen sind im Betrieb oder in der Dienststelle bekannt zu machen. [2]Die Bekanntmachung kann durch Aushang oder Auslegung an geeigneter Stelle oder den Einsatz der im Betrieb oder der Dienststelle üblichen Informations- und Kommunikationstechnik erfolgen.

Unterabschnitt 3. Rechte der Beschäftigten

§ 13 Beschwerderecht. (1) [1]Die Beschäftigten haben das Recht, sich bei den zuständigen Stellen des Betriebs, des Unternehmens oder der Dienststelle zu beschweren, wenn sie sich im Zusammenhang mit ihrem Beschäftigungsverhältnis vom Arbeitgeber, von Vorgesetzten, anderen Beschäftigten oder Dritten wegen eines in § 1 genannten Grundes benachteiligt fühlen. [2]Die Beschwerde ist zu prüfen und das Ergebnis der oder dem beschwerdeführenden Beschäftigten mitzuteilen.

(2) Die Rechte der Arbeitnehmervertretungen bleiben unberührt.

§ 14 Leistungsverweigerungsrecht. [1]Ergreift der Arbeitgeber keine oder offensichtlich ungeeignete Maßnahmen zur Unterbindung einer Belästigung oder sexuellen Belästigung am Arbeitsplatz, sind die betroffenen Beschäftigten berechtigt, ihre Tätigkeit ohne Verlust des Arbeitsentgelts einzustellen, soweit dies zu ihrem Schutz erforderlich ist. [2]§ 273 des Bürgerlichen Gesetzbuchs[2)] bleibt unberührt.

§ 15 Entschädigung und Schadensersatz. (1) [1]Bei einem Verstoß gegen das Benachteiligungsverbot ist der Arbeitgeber verpflichtet, den hierdurch entstandenen Schaden zu ersetzen. [2]Dies gilt nicht, wenn der Arbeitgeber die Pflichtverletzung nicht zu vertreten hat.

(Fortsetzung nächste Seite)

[1)] Nr. **660**.
[2)] Nr. **50**.

(2) [1]Wegen eines Schadens, der nicht Vermögensschaden ist, kann der oder die Beschäftigte eine angemessene Entschädigung in Geld verlangen. [2]Die Entschädigung darf bei einer Nichteinstellung drei Monatsgehälter nicht übersteigen, wenn der oder die Beschäftigte auch bei benachteiligungsfreier Auswahl nicht eingestellt worden wäre.

(3) Der Arbeitgeber ist bei der Anwendung kollektivrechtlicher Vereinbarungen nur dann zur Entschädigung verpflichtet, wenn er vorsätzlich oder grob fahrlässig handelt.

(4) [1]Ein Anspruch nach Absatz 1 oder 2 muss innerhalb einer Frist von zwei Monaten schriftlich geltend gemacht werden, es sei denn, die Tarifvertragsparteien haben etwas anderes vereinbart. [2]Die Frist beginnt im Falle einer Bewerbung oder eines beruflichen Aufstiegs mit dem Zugang der Ablehnung und in den sonstigen Fällen einer Benachteiligung zu dem Zeitpunkt, in dem der oder die Beschäftigte von der Benachteiligung Kenntnis erlangt.

(5) Im Übrigen bleiben Ansprüche gegen den Arbeitgeber, die sich aus anderen Rechtsvorschriften ergeben, unberührt.

(6) Ein Verstoß des Arbeitgebers gegen das Benachteiligungsverbot des § 7 Abs. 1 begründet keinen Anspruch auf Begründung eines Beschäftigungsverhältnisses, Berufsausbildungsverhältnisses oder einen beruflichen Aufstieg, es sei denn, ein solcher ergibt sich aus einem anderen Rechtsgrund.

§ 16 Maßregelungsverbot. (1) [1]Der Arbeitgeber darf Beschäftigte nicht wegen der Inanspruchnahme von Rechten nach diesem Abschnitt oder wegen der Weigerung, eine gegen diesen Abschnitt verstoßende Anweisung auszuführen, benachteiligen. [2]Gleiches gilt für Personen, die den Beschäftigten hierbei unterstützen oder als Zeuginnen oder Zeugen aussagen.

(2) [1]Die Zurückweisung oder Duldung benachteiligender Verhaltensweisen durch betroffene Beschäftigte darf nicht als Grundlage für eine Entscheidung herangezogen werden, die diese Beschäftigten berührt. [2]Absatz 1 Satz 2 gilt entsprechend.

(3) § 22 gilt entsprechend.

Unterabschnitt 4. Ergänzende Vorschriften

§ 17 Soziale Verantwortung der Beteiligten. (1) Tarifvertragsparteien, Arbeitgeber, Beschäftigte und deren Vertretungen sind aufgefordert, im Rahmen ihrer Aufgaben und Handlungsmöglichkeiten an der Verwirklichung des in § 1 genannten Ziels mitzuwirken.

(2) [1]In Betrieben, in denen die Voraussetzungen des § 1 Abs. 1 Satz 1 des Betriebsverfassungsgesetzes[1)] vorliegen, können bei einem groben Verstoß des Arbeitgebers gegen Vorschriften aus diesem Abschnitt der Betriebsrat oder eine im Betrieb vertretene Gewerkschaft unter der Voraussetzung des § 23 Abs. 3 Satz 1 des Betriebsverfassungsgesetzes[1)] die dort genannten Rechte gerichtlich geltend machen; § 23 Abs. 3 Satz 2 bis 5 des Betriebsverfassungsgesetzes[1)] gilt entsprechend. [2]Mit dem Antrag dürfen nicht Ansprüche des Benachteiligten geltend gemacht werden.

[1)] Nr. **570**.

§ 18 Mitgliedschaft in Vereinigungen. (1) Die Vorschriften dieses Abschnitts gelten entsprechend für die Mitgliedschaft oder die Mitwirkung in einer

1. Tarifvertragspartei,
2. Vereinigung, deren Mitglieder einer bestimmten Berufsgruppe angehören oder die eine überragende Machtstellung im wirtschaftlichen oder sozialen Bereich innehat, wenn ein grundlegendes Interesse am Erwerb der Mitgliedschaft besteht,

sowie deren jeweiligen Zusammenschlüssen.

(2) Wenn die Ablehnung einen Verstoß gegen das Benachteiligungsverbot des § 7 Abs. 1 darstellt, besteht ein Anspruch auf Mitgliedschaft oder Mitwirkung in den in Absatz 1 genannten Vereinigungen.

Abschnitt 3. Schutz vor Benachteiligung im Zivilrechtsverkehr

§ 19 Zivilrechtliches Benachteiligungsverbot. (1) Eine Benachteiligung aus Gründen der Rasse oder wegen der ethnischen Herkunft, wegen des Geschlechts, der Religion, einer Behinderung, des Alters oder der sexuellen Identität bei der Begründung, Durchführung und Beendigung zivilrechtlicher Schuldverhältnisse, die

1. typischerweise ohne Ansehen der Person zu vergleichbaren Bedingungen in einer Vielzahl von Fällen zustande kommen (Massengeschäfte) oder bei denen das Ansehen der Person nach der Art des Schuldverhältnisses eine nachrangige Bedeutung hat und die zu vergleichbaren Bedingungen in einer Vielzahl von Fällen zustande kommen oder
2. eine privatrechtliche Versicherung zum Gegenstand haben,

ist unzulässig.

(2) Eine Benachteiligung aus Gründen der Rasse oder wegen der ethnischen Herkunft ist darüber hinaus auch bei der Begründung, Durchführung und Beendigung sonstiger zivilrechtlicher Schuldverhältnisse im Sinne des § 2 Abs. 1 Nr. 5 bis 8 unzulässig.

(3) Bei der Vermietung von Wohnraum ist eine unterschiedliche Behandlung im Hinblick auf die Schaffung und Erhaltung sozial stabiler Bewohnerstrukturen und ausgewogener Siedlungsstrukturen sowie ausgeglichener wirtschaftlicher, sozialer und kultureller Verhältnisse zulässig.

(4) Die Vorschriften dieses Abschnitts finden keine Anwendung auf familien- und erbrechtliche Schuldverhältnisse.

(5) [1]Die Vorschriften dieses Abschnitts finden keine Anwendung auf zivilrechtliche Schuldverhältnisse, bei denen ein besonderes Nähe- oder Vertrauensverhältnis der Parteien oder ihrer Angehörigen begründet wird. [2]Bei Mietverhältnissen kann dies insbesondere der Fall sein, wenn die Parteien oder ihre Angehörigen Wohnraum auf demselben Grundstück nutzen. [3]Die Vermietung von Wohnraum zum nicht nur vorübergehenden Gebrauch ist in der Regel kein Geschäft im Sinne des Absatzes 1 Nr. 1, wenn der Vermieter insgesamt nicht mehr als 50 Wohnungen vermietet.

§ 20[1)] Zulässige unterschiedliche Behandlung. (1) [1]Eine Verletzung des Benachteiligungsverbots ist nicht gegeben, wenn für eine unterschiedliche Behandlung wegen der Religion, einer Behinderung, des Alters, der sexuellen Identität oder des Geschlechts ein sachlicher Grund vorliegt. [2]Das kann insbesondere der Fall sein, wenn die unterschiedliche Behandlung

1. der Vermeidung von Gefahren, der Verhütung von Schäden oder anderen Zwecken vergleichbarer Art dient,
2. dem Bedürfnis nach Schutz der Intimsphäre oder der persönlichen Sicherheit Rechnung trägt,
3. besondere Vorteile gewährt und ein Interesse an der Durchsetzung der Gleichbehandlung fehlt,
4. an die Religion eines Menschen anknüpft und im Hinblick auf die Ausübung der Religionsfreiheit oder auf das Selbstbestimmungsrecht der Religionsgemeinschaften, der ihnen zugeordneten Einrichtungen ohne Rücksicht auf ihre Rechtsform sowie der Vereinigungen, die sich die gemeinschaftliche Pflege einer Religion zur Aufgabe machen, unter Beachtung des jeweiligen Selbstverständnisses gerechtfertigt ist.

(2) [1]Kosten im Zusammenhang mit Schwangerschaft und Mutterschaft dürfen auf keinen Fall zu unterschiedlichen Prämien oder Leistungen führen. [2]Eine unterschiedliche Behandlung wegen der Religion, einer Behinderung, des Alters oder der sexuellen Identität ist im Falle des § 19 Abs. 1 Nr. 2 nur zulässig, wenn diese auf anerkannten Prinzipien risikoadäquater Kalkulation beruht, insbesondere auf einer versicherungsmathematisch ermittelten Risikobewertung unter Heranziehung statistischer Erhebungen.

§ 21 Ansprüche. (1) [1]Der Benachteiligte kann bei einem Verstoß gegen das Benachteiligungsverbot unbeschadet weiterer Ansprüche die Beseitigung der Beeinträchtigung verlangen. [2]Sind weitere Beeinträchtigungen zu besorgen, so kann er auf Unterlassung klagen.

(2) [1]Bei einer Verletzung des Benachteiligungsverbots ist der Benachteiligende verpflichtet, den hierdurch entstandenen Schaden zu ersetzen. [2]Dies gilt nicht, wenn der Benachteiligende die Pflichtverletzung nicht zu vertreten hat. [3]Wegen eines Schadens, der nicht Vermögensschaden ist, kann der Benachteiligte eine angemessene Entschädigung in Geld verlangen.

(3) Ansprüche aus unerlaubter Handlung bleiben unberührt.

(4) Auf eine Vereinbarung, die von dem Benachteiligungsverbot abweicht, kann sich der Benachteiligende nicht berufen.

(5) [1]Ein Anspruch nach den Absätzen 1 und 2 muss innerhalb einer Frist von zwei Monaten geltend gemacht werden. [2]Nach Ablauf der Frist kann der Anspruch nur geltend gemacht werden, wenn der Benachteiligte ohne Verschulden an der Einhaltung der Frist verhindert war.

[1)] § 20 Abs. 1 Satz 1 und Abs. 2 Satz 3 geänd. mWv 12.12.2006 durch G v. 2.12.2006 (BGBl. I S. 2742); Abs. 2 Satz 1 aufgeh., bish. Sätze 2 und 3 werden Sätze 1 und 2 mWv 21.12.2012 durch G v. 3.4.2013 (BGBl. I S. 610).

Abschnitt 4. Rechtsschutz

§ 22 Beweislast. Wenn im Streitfall die eine Partei Indizien beweist, die eine Benachteiligung wegen eines in § 1 genannten Grundes vermuten lassen, trägt die andere Partei die Beweislast dafür, dass kein Verstoß gegen die Bestimmungen zum Schutz vor Benachteiligung vorgelegen hat.

§ 23[1] Unterstützung durch Antidiskriminierungsverbände. (1) [1] Antidiskriminierungsverbände sind Personenzusammenschlüsse, die nicht gewerbsmäßig und nicht nur vorübergehend entsprechend ihrer Satzung die besonderen Interessen von benachteiligten Personen oder Personengruppen nach Maßgabe von § 1 wahrnehmen. [2] Die Befugnisse nach den Absätzen 2 bis 4 stehen ihnen zu, wenn sie mindestens 75 Mitglieder haben oder einen Zusammenschluss aus mindestens sieben Verbänden bilden.

(2) [1] Antidiskriminierungsverbände sind befugt, im Rahmen ihres Satzungszwecks in gerichtlichen Verfahren als Beistände Benachteiligter in der Verhandlung aufzutreten. [2] Im Übrigen bleiben die Vorschriften der Verfahrensordnungen, insbesondere diejenigen, nach denen Beiständen weiterer Vortrag untersagt werden kann, unberührt.

(3) Antidiskriminierungsverbänden ist im Rahmen ihres Satzungszwecks die Besorgung von Rechtsangelegenheiten Benachteiligter gestattet.

(4) Besondere Klagerechte und Vertretungsbefugnisse von Verbänden zu Gunsten von behinderten Menschen bleiben unberührt.

Abschnitt 5. Sonderregelungen für öffentlich-rechtliche Dienstverhältnisse

§ 24 Sonderregelung für öffentlich-rechtliche Dienstverhältnisse. Die Vorschriften dieses Gesetzes gelten unter Berücksichtigung ihrer besonderen Rechtsstellung entsprechend für

1. Beamtinnen und Beamte des Bundes, der Länder, der Gemeinden, der Gemeindeverbände sowie der sonstigen der Aufsicht des Bundes oder eines Landes unterstehenden Körperschaften, Anstalten und Stiftungen des öffentlichen Rechts,
2. Richterinnen und Richter des Bundes und der Länder,
3. Zivildienstleistende sowie anerkannte Kriegsdienstverweigerer, soweit ihre Heranziehung zum Zivildienst betroffen ist.

Abschnitt 6.[2] Antidiskriminierungsstelle des Bundes und Unabhängige Bundesbeauftragte oder Unabhängiger Bundesbeauftragter für Antidiskriminierung

§ 25[3] Antidiskriminierungsstelle des Bundes. (1) Beim Bundesministerium für Familie, Senioren, Frauen und Jugend wird unbeschadet der Zuständigkeit der Beauftragten des Deutschen Bundestages oder der Bundesregierung die

[1] § 23 Abs. 2 Satz 2 geänd. mWv 1.7.2008 durch G v. 12.12.2007 (BGBl. I S. 2840).
[2] Abschnitt 6 Überschrift neu gef. mWv 28.5.2022 durch G v. 23.5.2022 (BGBl. I S. 768).
[3] § 25 Abs. 3 angef. mWv 28.5.2022 durch G v. 23.5.2022 (BGBl. I S. 768).

Stelle des Bundes zum Schutz vor Benachteiligungen wegen eines in § 1 genannten Grundes (Antidiskriminierungsstelle des Bundes) errichtet.

(2) [1]Der Antidiskriminierungsstelle des Bundes ist die für die Erfüllung ihrer Aufgaben notwendige Personal- und Sachausstattung zur Verfügung zu stellen. [2]Sie ist im Einzelplan des Bundesministeriums für Familie, Senioren, Frauen und Jugend in einem eigenen Kapitel auszuweisen.

(3) Die Antidiskriminierungsstelle des Bundes wird von der oder dem Unabhängigen Bundesbeauftragten für Antidiskriminierung geleitet.

§ 26[1)] Wahl der oder des Unabhängigen Bundesbeauftragten für Antidiskriminierung; Anforderungen. (1) Die oder der Unabhängige Bundesbeauftragte für Antidiskriminierung wird auf Vorschlag der Bundesregierung vom Deutschen Bundestag gewählt.

(2) Über den Vorschlag stimmt der Deutsche Bundestag ohne Aussprache ab.

(3) Die vorgeschlagene Person ist gewählt, wenn für sie mehr als die Hälfte der gesetzlichen Zahl der Mitglieder des Deutschen Bundestages gestimmt hat.

(4) [1]Die oder der Unabhängige Bundesbeauftragte für Antidiskriminierung muss zur Erfüllung ihrer oder seiner Aufgaben und zur Ausübung ihrer oder seiner Befugnisse über die erforderliche Qualifikation, Erfahrung und Sachkunde insbesondere im Bereich der Antidiskriminierung verfügen. [2]Insbesondere muss sie oder er über durch einschlägige Berufserfahrung erworbene Kenntnisse des Antidiskriminierungsrechts verfügen und die Befähigung für die Laufbahn des höheren nichttechnischen Verwaltungsdienstes des Bundes haben.

§ 26a[2)] Rechtsstellung der oder des Unabhängigen Bundesbeauftragten für Antidiskriminierung. (1) [1]Die oder der Unabhängige Bundesbeauftragte für Antidiskriminierung steht nach Maßgabe dieses Gesetzes in einem öffentlich-rechtlichen Amtsverhältnis zum Bund. [2]Sie oder er ist bei der Ausübung ihres oder seines Amtes unabhängig und nur dem Gesetz unterworfen.

(2) Die oder der Unabhängige Bundesbeauftragte für Antidiskriminierung untersteht der Rechtsaufsicht der Bundesregierung.

§ 26b[3)] Amtszeit der oder des Unabhängigen Bundesbeauftragten für Antidiskriminierung. (1) Die Amtszeit der oder des Unabhängigen Bundesbeauftragten für Antidiskriminierung beträgt fünf Jahre.

(2) Eine einmalige Wiederwahl ist zulässig.

(3) Kommt vor Ende des Amtsverhältnisses eine Neuwahl nicht zustande, so führt die oder der bisherige Unabhängige Bundesbeauftragte für Antidiskriminierung auf Ersuchen der Bundespräsidentin oder des Bundespräsidenten die Geschäfte bis zur Neuwahl fort.

§ 26c[4)] Beginn und Ende des Amtsverhältnisses der oder des Unabhängigen Bundesbeauftragten für Antidiskriminierung; Amtseid.

(1) [1]Die oder der nach § 26 Gewählte ist von der Bundespräsidentin oder dem Bundespräsidenten zu ernennen. [2]Das Amtsverhältnis der oder des Un-

---

[1)] § 26 neu gef. mWv 28.5.2022 durch G v. 23.5.2022 (BGBl. I S. 768).
[2)] § 26a eingef. mWv 28.5.2022 durch G v. 23.5.2022 (BGBl. I S. 768).
[3)] § 26b eingef. mWv 28.5.2022 durch G v. 23.5.2022 (BGBl. I S. 768).
[4)] § 26c eingef. mWv 28.5.2022 durch G v. 23.5.2022 (BGBl. I S. 768).

abhängigen Bundesbeauftragten für Antidiskriminierung beginnt mit der Aushändigung der Ernennungsurkunde.

(2) [1] Die oder der Unabhängige Bundesbeauftragte für Antidiskriminierung leistet vor der Bundespräsidentin oder dem Bundespräsidenten folgenden Eid: „Ich schwöre, dass ich meine Kraft dem Wohl des deutschen Volkes widmen, seinen Nutzen mehren, Schaden von ihm wenden, das Grundgesetz[1)] und die Gesetze des Bundes wahren und verteidigen, meine Pflichten gewissenhaft erfüllen und Gerechtigkeit gegen jedermann üben werde. So wahr mir Gott helfe." [2] Der Eid kann auch ohne religiöse Beteuerung geleistet werden.

(3) Das Amtsverhältnis endet

1. regulär mit dem Ablauf der Amtszeit oder
2. wenn die oder der Unabhängige Bundesbeauftragte für Antidiskriminierung vorzeitig aus dem Amt entlassen wird.

(4) [1] Entlassen wird die oder der Unabhängige Bundesbeauftragte für Antidiskriminierung

1. auf eigenes Verlangen oder
2. auf Vorschlag der Bundesregierung, wenn die oder der Unabhängige Bundesbeauftragte für Antidiskriminierung eine schwere Verfehlung begangen hat oder die Voraussetzungen für die Wahrnehmung ihrer oder seiner Aufgaben nicht mehr erfüllt.

[2] Die Entlassung erfolgt durch die Bundespräsidentin oder den Bundespräsidenten.

(5) [1] Im Fall der Beendigung des Amtsverhältnisses vollzieht die Bundespräsidentin oder der Bundespräsident eine Urkunde. [2] Die Entlassung wird mit der Aushändigung der Urkunde wirksam.

§ 26d[2)] Unerlaubte Handlungen und Tätigkeiten der oder des Unabhängigen Bundesbeauftragten für Antidiskriminierung. (1) Die oder der Unabhängige Bundesbeauftragte für Antidiskriminierung darf keine Handlungen vornehmen, die mit den Aufgaben des Amtes nicht zu vereinbaren sind.

(2) [1] Die oder der Unabhängige Bundesbeauftragte für Antidiskriminierung darf während der Amtszeit und während einer anschließenden Geschäftsführung keine anderen Tätigkeiten ausüben, die mit dem Amt nicht zu vereinbaren sind, unabhängig davon, ob es entgeltliche oder unentgeltliche Tätigkeiten sind. [2] Insbesondere darf sie oder er

1. kein besoldetes Amt, kein Gewerbe und keinen Beruf ausüben,
2. nicht dem Vorstand, Aufsichtsrat oder Verwaltungsrat eines auf Erwerb gerichteten Unternehmens, nicht einer Regierung oder einer gesetzgebenden Körperschaft des Bundes oder eines Landes angehören und
3. nicht gegen Entgelt außergerichtliche Gutachten abgeben.

§ 26e[3)] Verschwiegenheitspflicht der oder des Unabhängigen Bundesbeauftragten für Antidiskriminierung. (1) [1] Die oder der Unabhängige Bundesbeauftragte für Antidiskriminierung ist verpflichtet, über die Angele-

---

[1)] Auszugsweise abgedruckt unter Nr. **10**.
[2)] § 26d eingef. mWv 28.5.2022 durch G v. 23.5.2022 (BGBl. I S. 768).
[3)] § 26e eingef. mWv 28.5.2022 durch G v. 23.5.2022 (BGBl. I S. 768).

genheiten, die ihr oder ihm im Amt oder während einer anschließenden Geschäftsführung bekannt werden, Verschwiegenheit zu bewahren. [2]Dies gilt nicht für Mitteilungen im dienstlichen Verkehr oder für Tatsachen, die offenkundig sind oder ihrer Bedeutung nach keiner Geheimhaltung bedürfen. [3]Die oder der Unabhängige Bundesbeauftragte für Antidiskriminierung entscheidet nach pflichtgemäßem Ermessen, ob und inwieweit sie oder er über solche Angelegenheiten vor Gericht oder außergerichtlich aussagt oder Erklärungen abgibt.

(2) [1]Die Pflicht zur Verschwiegenheit gilt auch nach Beendigung des Amtsverhältnisses oder nach Beendigung einer anschließenden Geschäftsführung. [2]In Angelegenheiten, für die die Pflicht zur Verschwiegenheit gilt, darf vor Gericht oder außergerichtlich nur ausgesagt werden und dürfen Erklärungen nur abgegeben werden, wenn dies die oder der amtierende Unabhängige Bundesbeauftragte für Antidiskriminierung genehmigt hat.

(3) Unberührt bleibt die Pflicht, bei einer Gefährdung der freiheitlichen demokratischen Grundordnung für deren Erhaltung einzutreten und die gesetzlich begründete Pflicht, Straftaten anzuzeigen.

§ 26f[1)] Zeugnisverweigerungsrecht der oder des Unabhängigen Bundesbeauftragten für Antidiskriminierung. (1) [1]Die oder der Unabhängige Bundesbeauftragte für Antidiskriminierung ist berechtigt, über Personen, die ihr oder ihm in ihrer oder seiner Eigenschaft als Leitung der Antidiskriminierungsstelle des Bundes Tatsachen anvertraut haben, sowie über diese Tatsachen selbst das Zeugnis zu verweigern. [2]Soweit das Zeugnisverweigerungsrecht der oder des Unabhängigen Bundesbeauftragten für Antidiskriminierung reicht, darf von ihr oder ihm nicht gefordert werden, Akten oder andere Dokumente vorzulegen oder herauszugeben.

(2) Das Zeugnisverweigerungsrecht gilt auch für die der oder dem Unabhängigen Bundesbeauftragten für Antidiskriminierung zugewiesenen Beschäftigten mit der Maßgabe, dass über die Ausübung dieses Rechts die oder der Unabhängige Bundesbeauftragte für Antidiskriminierung entscheidet.

§ 26g[2)] Anspruch der oder des Unabhängigen Bundesbeauftragten für Antidiskriminierung auf Amtsbezüge, Versorgung und auf andere Leistungen. (1) Die oder der Unabhängige Bundesbeauftragte für Antidiskriminierung erhält Amtsbezüge entsprechend dem Grundgehalt der Besoldungsgruppe B 6 und den Familienzuschlag entsprechend den §§ 39 bis 41 des Bundesbesoldungsgesetzes[3)].

(2) [1]Der Anspruch auf die Amtsbezüge besteht für die Zeit vom ersten Tag des Monats, in dem das Amtsverhältnis beginnt, bis zum letzten Tag des Monats, in dem das Amtsverhältnis endet. [2]Werden die Geschäfte über das Ende des Amtsverhältnisses hinaus noch bis zur Neuwahl weitergeführt, so besteht der Anspruch für die Zeit bis zum letzten Tag des Monats, in dem die Geschäftsführung endet. [3]Bezieht die oder der Unabhängige Bundesbeauftragte für Antidiskriminierung für einen Zeitraum, für den sie oder er Amtsbezüge erhält, ein Einkommen aus einer Verwendung im öffentlichen Dienst, so ruht

---

[1)] § 26f eingef. mWv 28.5.2022 durch G v. 23.5.2022 (BGBl. I S. 768).

[2)] § 26g eingef. mWv 28.5.2022 durch G v. 23.5.2022 (BGBl. I S. 768); Abs. 5 angef. mWv 1.6. 2023, Abs. 5 aufgeh. mWv 1.1.2025 durch G v. 22.12.2023 (BGBl. 2023 I Nr. 414).

[3)] **Sartorius Nr. 230.**

der Anspruch auf dieses Einkommen bis zur Höhe der Amtsbezüge. [4]Die Amtsbezüge werden monatlich im Voraus gezahlt.

(3) [1]Für Ansprüche auf Beihilfe und Versorgung gelten § 12 Absatz 6, die §§ 13 bis 18 und 20 des Bundesministergesetzes[1)] entsprechend mit der Maßgabe, dass an die Stelle der vierjährigen Amtszeit in § 15 Absatz 1 des Bundesministergesetzes eine Amtszeit als Unabhängige Bundesbeauftragte oder Unabhängiger Bundesbeauftragter für Antidiskriminierung von fünf Jahren tritt. [2]Ein Anspruch auf Übergangsgeld besteht längstens bis zum Ablauf des Monats, in dem die für Bundesbeamtinnen und Bundesbeamte geltende Regelaltersgrenze nach § 51 Absatz 1 und 2 des Bundesbeamtengesetzes[2)] vollendet wird. [3]Ist § 18 Absatz 2 des Bundesministergesetzes nicht anzuwenden, weil das Beamtenverhältnis einer Bundesbeamtin oder eines Bundesbeamten nach Beendigung des Amtsverhältnisses als Unabhängige Bundesbeauftragte oder Unabhängiger Bundesbeauftragter für Antidiskriminierung fortgesetzt wird, dann ist die Amtszeit als Unabhängige Bundesbeauftragte oder Unabhängiger Bundesbeauftragter für Antidiskriminierung bei der wegen Eintritt oder Versetzung der Bundesbeamtin oder des Bundesbeamten in den Ruhestand durchzuführenden Festsetzung des Ruhegehalts als ruhegehaltfähige Dienstzeit zu berücksichtigen.

(4) Die oder der Unabhängige Bundesbeauftragte für Antidiskriminierung erhält Reisekostenvergütung und Umzugskostenvergütung entsprechend den für Bundesbeamtinnen und Bundesbeamte geltenden Vorschriften.

[Abs. 5 bis 31.12.2024:]

(5) Zur Abmilderung der Folgen der gestiegenen Verbraucherpreise werden der oder dem Unabhängigen Bundesbeauftragten für Antidiskriminierung in entsprechender Anwendung des § 14 Absatz 4 bis 8 des Bundesbesoldungsgesetzes die folgenden Sonderzahlungen gewährt:

1. für den Monat Juni 2023 eine einmalige Sonderzahlung in Höhe von 1240 Euro sowie
2. für die Monate Juli 2023 bis Februar 2024 eine monatliche Sonderzahlung in Höhe von jeweils 220 Euro.

§ 26h[3)] Verwendung der Geschenke an die Unabhängige Bundesbeauftragte oder den Unabhängigen Bundesbeauftragten für Antidiskriminierung. (1) Erhält die oder der Unabhängige Bundesbeauftragte für Antidiskriminierung ein Geschenk in Bezug auf das Amt, so muss sie oder er dies der Präsidentin oder dem Präsidenten des Deutschen Bundestages mitteilen.

(2) [1]Die Präsidentin oder der Präsident des Deutschen Bundestages entscheidet über die Verwendung des Geschenks. [2]Sie oder er kann Verfahrensvorschriften erlassen.

§ 26i[4)] Berufsbeschränkung. [1]Die oder der Unabhängige Bundesbeauftragte für Antidiskriminierung ist verpflichtet, eine beabsichtigte Erwerbstätigkeit oder sonstige entgeltliche Beschäftigung außerhalb des öffentlichen Dienstes,

---

[1)] **Sartorius Nr. 45.**
[2)] ***Sartorius Nr. 160.***
[3)] § 26h eingef. mWv 28.5.2022 durch G v. 23.5.2022 (BGBl. I S. 768).
[4)] § 26i eingef. mWv 28.5.2022 durch G v. 23.5.2022 (BGBl. I S. 768).

die innerhalb der ersten 18 Monate nach dem Ende der Amtszeit oder einer anschließenden Geschäftsführung aufgenommen werden soll, schriftlich oder elektronisch gegenüber der Präsidentin oder dem Präsidenten des Deutschen Bundestages anzuzeigen. [2] Die Präsidentin oder der Präsident des Deutschen Bundestages kann der oder dem Unabhängigen Bundesbeauftragten für Antidiskriminierung die beabsichtigte Erwerbstätigkeit oder sonstige entgeltliche Beschäftigung untersagen, soweit zu besorgen ist, dass öffentliche Interessen beeinträchtigt werden. [3] Von einer Beeinträchtigung ist insbesondere dann auszugehen, wenn die beabsichtigte Erwerbstätigkeit oder sonstige entgeltliche Beschäftigung in Angelegenheiten oder Bereichen ausgeführt werden soll, in denen die oder der Unabhängige Bundesbeauftragte für Antidiskriminierung während der Amtszeit oder einer anschließenden Geschäftsführung tätig war. [4] Eine Untersagung soll in der Regel die Dauer von einem Jahr nach dem Ende der Amtszeit oder einer anschließenden Geschäftsführung nicht überschreiten. [5] In Fällen der schweren Beeinträchtigung öffentlicher Interessen kann eine Untersagung auch für die Dauer von bis zu 18 Monaten ausgesprochen werden.

§ 27[1)] Aufgaben der Antidiskriminierungsstelle des Bundes. (1) [1] Wer der Ansicht ist, wegen eines in § 1 genannten Grundes benachteiligt worden zu sein, kann sich an die Antidiskriminierungsstelle des Bundes wenden. [2] An die Antidiskriminierungsstelle des Bundes können sich auch Beschäftigte wenden, die der Ansicht sind, benachteiligt worden zu sein auf Grund

1. der Beantragung oder Inanspruchnahme einer Freistellung von der Arbeitsleistung oder der Anpassung der Arbeitszeit als Eltern oder pflegende Angehörige nach dem Bundeselterngeld- und Elternzeitgesetz[2)], dem Pflegezeitgesetz[3)] oder dem Familienpflegezeitgesetz[4)],
2. des Fernbleibens von der Arbeit nach § 2 des Pflegezeitgesetzes oder
3. der Verweigerung ihrer persönlich zu erbringenden Arbeitsleistung aus dringenden familiären Gründen nach § 275 Absatz 3 des Bürgerlichen Gesetzbuchs[5)], wenn eine Erkrankung oder ein Unfall ihre unmittelbare Anwesenheit erforderten.

(2) [1] Die Antidiskriminierungsstelle des Bundes unterstützt auf unabhängige Weise Personen, die sich nach Absatz 1 an sie wenden, bei der Durchsetzung ihrer Rechte zum Schutz vor Benachteiligungen. [2] Hierbei kann sie insbesondere

1. über Ansprüche und die Möglichkeiten des rechtlichen Vorgehens im Rahmen gesetzlicher Regelungen zum Schutz vor Benachteiligungen informieren,
2. Beratung durch andere Stellen vermitteln,
3. eine gütliche Beilegung zwischen den Beteiligten anstreben.

[3] Soweit Beauftragte des Deutschen Bundestages oder der Bundesregierung zuständig sind, leitet die Antidiskriminierungsstelle des Bundes die Anliegen

---

[1)] § 27 Überschrift neu gef. mWv 28.5.2022 durch G v. 23.5.2022 (BGBl. I S. 768); Abs. 1 Satz 2 angef., Abs. 3 Nr. 2, Abs. 4 Satz 1 geänd. mWv 24.12.2022 durch G v. 19.12.2022 (BGBl. I S. 2510).

[2)] Auszugsweise abgedruckt unter Nr. **401**.

[3)] Nr. **409**.

[4)] Nr. **410**.

[5)] Nr. **50**.

der in Absatz 1 genannten Personen mit deren Einverständnis unverzüglich an diese weiter.

(3) Die Antidiskriminierungsstelle des Bundes nimmt auf unabhängige Weise folgende Aufgaben wahr, soweit nicht die Zuständigkeit der Beauftragten der Bundesregierung oder des Deutschen Bundestages berührt ist:

1. Öffentlichkeitsarbeit,
2. Maßnahmen zur Verhinderung von Benachteiligungen aus den in § 1 genannten Gründen sowie von Benachteiligungen von Beschäftigten gemäß Absatz 1 Satz 2,
3. Durchführung wissenschaftlicher Untersuchungen zu diesen Benachteiligungen.

(4) [1] Die Antidiskriminierungsstelle des Bundes und die in ihrem Zuständigkeitsbereich betroffenen Beauftragten der Bundesregierung und des Deutschen Bundestages legen gemeinsam dem Deutschen Bundestag alle vier Jahre Berichte über Benachteiligungen aus den in § 1 genannten Gründen sowie über Benachteiligungen von Beschäftigten gemäß Absatz 1 Satz 2 vor und geben Empfehlungen zur Beseitigung und Vermeidung dieser Benachteiligungen. [2] Sie können gemeinsam wissenschaftliche Untersuchungen zu Benachteiligungen durchführen.

(5) Die Antidiskriminierungsstelle des Bundes und die in ihrem Zuständigkeitsbereich betroffenen Beauftragten der Bundesregierung und des Deutschen Bundestages sollen bei Benachteiligungen aus mehreren der in § 1 genannten Gründe zusammenarbeiten.

§ 28[1)] Amtsbefugnisse der oder des Unabhängigen Bundesbeauftragten für Antidiskriminierung und Pflicht zur Unterstützung durch Bundesbehörden und öffentliche Stellen des Bundes. (1) [1] Die oder der Unabhängige Bundesbeauftragte für Antidiskriminierung ist bei allen Vorhaben, die ihre oder seine Aufgaben berühren, zu beteiligen. [2] Die Beteiligung soll möglichst frühzeitig erfolgen. [3] Sie oder er kann der Bundesregierung Vorschläge machen und Stellungnahmen zuleiten.

(2) Die oder der Unabhängige Bundesbeauftragte für Antidiskriminierung informiert die Bundesministerien – vorbehaltlich anderweitiger gesetzlicher Bestimmungen – frühzeitig in Angelegenheiten von grundsätzlicher politischer Bedeutung, soweit Aufgaben der Bundesministerien betroffen sind.

(3) In den Fällen, in denen sich eine Person wegen einer Benachteiligung an die Antidiskriminierungsstelle des Bundes gewandt hat und die Antidiskriminierungsstelle des Bundes die gütliche Beilegung zwischen den Beteiligten anstrebt, kann die oder der Unabhängige Bundesbeauftragte für Antidiskriminierung Beteiligte um Stellungnahmen ersuchen, soweit die Person, die sich an die Antidiskriminierungsstelle des Bundes gewandt hat, hierzu ihr Einverständnis erklärt.

(4) Alle Bundesministerien, sonstigen Bundesbehörden und öffentlichen Stellen im Bereich des Bundes sind verpflichtet, die Unabhängige Bundesbeauftragte oder den Unabhängigen Bundesbeauftragten für Antidiskriminierung bei der Erfüllung der Aufgaben zu unterstützen, insbesondere die erforderlichen Auskünfte zu erteilen.

[1)] § 28 neu gef. mWv 28.5.2022 durch G v. 23.5.2022 (BGBl. I S. 768).

§ 29[1] **Zusammenarbeit der Antidiskriminierungsstelle des Bundes mit Nichtregierungsorganisationen und anderen Einrichtungen.** Die Antidiskriminierungsstelle des Bundes soll bei ihrer Tätigkeit Nichtregierungsorganisationen sowie Einrichtungen, die auf europäischer, Bundes-, Landes- oder regionaler Ebene zum Schutz vor Benachteiligungen wegen eines in § 1 genannten Grundes tätig sind, in geeigneter Form einbeziehen.

§ 30[2] **Beirat der Antidiskriminierungsstelle des Bundes.** (1) [1] Zur Förderung des Dialogs mit gesellschaftlichen Gruppen und Organisationen, die sich den Schutz vor Benachteiligungen wegen eines in § 1 genannten Grundes zum Ziel gesetzt haben, wird der Antidiskriminierungsstelle des Bundes ein Beirat beigeordnet. [2] Der Beirat berät die Antidiskriminierungsstelle des Bundes bei der Vorlage von Berichten und Empfehlungen an den Deutschen Bundestag nach § 27 Abs. 4 und kann hierzu sowie zu wissenschaftlichen Untersuchungen nach § 27 Abs. 3 Nr. 3 eigene Vorschläge unterbreiten.

(2) [1] Das Bundesministerium für Familie, Senioren, Frauen und Jugend beruft im Einvernehmen mit der oder dem Unabhängigen Bundesbeauftragten für Antidiskriminierung sowie den entsprechend zuständigen Beauftragten der Bundesregierung oder des Deutschen Bundestages die Mitglieder dieses Beirats und für jedes Mitglied eine Stellvertretung. [2] In den Beirat sollen Vertreterinnen und Vertreter gesellschaftlicher Gruppen und Organisationen sowie Expertinnen und Experten in Benachteiligungsfragen berufen werden. [3] Die Gesamtzahl der Mitglieder des Beirats soll 16 Personen nicht überschreiten. [4] Der Beirat soll zu gleichen Teilen mit Frauen und Männern besetzt sein.

(3) Der Beirat gibt sich eine Geschäftsordnung, die der Zustimmung des Bundesministeriums für Familie, Senioren, Frauen und Jugend bedarf.

(4) [1] Die Mitglieder des Beirats üben die Tätigkeit nach diesem Gesetz ehrenamtlich aus. [2] Sie haben Anspruch auf Aufwandsentschädigung sowie Reisekostenvergütung, Tagegelder und Übernachtungsgelder. [3] Näheres regelt die Geschäftsordnung.

Abschnitt 7. Schlussvorschriften

§ 31 Unabdingbarkeit. Von den Vorschriften dieses Gesetzes kann nicht zu Ungunsten der geschützten Personen abgewichen werden.

§ 32 Schlussbestimmung. Soweit in diesem Gesetz nicht Abweichendes bestimmt ist, gelten die allgemeinen Bestimmungen.

§ 33[3] **Übergangsbestimmungen.** (1) Bei Benachteiligungen nach den §§ 611a, 611b und 612 Abs. 3 des Bürgerlichen Gesetzbuchs[4] oder sexuellen Belästigungen nach dem Beschäftigtenschutzgesetz ist das vor dem 18. August 2006 maßgebliche Recht anzuwenden.

(2) [1] Bei Benachteiligungen aus Gründen der Rasse oder wegen der ethnischen Herkunft sind die §§ 19 bis 21 nicht auf Schuldverhältnisse anzuwen-

---

[1] § 29 Überschrift neu gef. mWv 28.5.2022 durch G v. 23.5.2022 (BGBl. I S. 768).

[2] § 30 Überschrift neu gef., Abs. 2 Satz 1 geänd. mWv 28.5.2022 durch G v. 23.5.2022 (BGBl. I S. 768).

[3] § 33 Abs. 5 angef. mWv 21.12.2012 durch G v. 3.4.2013 (BGBl. I S. 610).

[4] Nr. **50**.

den, die vor dem 18. August 2006 begründet worden sind. [2] Satz 1 gilt nicht für spätere Änderungen von Dauerschuldverhältnissen.

(3) [1] Bei Benachteiligungen wegen des Geschlechts, der Religion, einer Behinderung, des Alters oder der sexuellen Identität sind die §§ 19 bis 21 nicht auf Schuldverhältnisse anzuwenden, die vor dem 1. Dezember 2006 begründet worden sind. [2] Satz 1 gilt nicht für spätere Änderungen von Dauerschuldverhältnissen.

(4) [1] Auf Schuldverhältnisse, die eine privatrechtliche Versicherung zum Gegenstand haben, ist § 19 Abs. 1 nicht anzuwenden, wenn diese vor dem 22. Dezember 2007 begründet worden sind. [2] Satz 1 gilt nicht für spätere Änderungen solcher Schuldverhältnisse.

(5) [1] Bei Versicherungsverhältnissen, die vor dem 21. Dezember 2012 begründet werden, ist eine unterschiedliche Behandlung wegen des Geschlechts im Falle des § 19 Absatz 1 Nummer 2 bei den Prämien oder Leistungen nur zulässig, wenn dessen Berücksichtigung bei einer auf relevanten und genauen versicherungsmathematischen und statistischen Daten beruhenden Risikobewertung ein bestimmender Faktor ist. [2] Kosten im Zusammenhang mit Schwangerschaft und Mutterschaft dürfen auf keinen Fall zu unterschiedlichen Prämien oder Leistungen führen.

92. Gesetz für die Gleichstellung von Frauen und Männern in der Bundesverwaltung und in den Gerichten des Bundes (Bundesgleichstellungsgesetz – BGleiG)[1) 2)]

Vom 24. April 2015
(BGBl. I S. 642, 643)

FNA 205-3

zuletzt geänd. durch Art. 4 G zur weiteren Stärkung der personellen Einsatzbereitschaft und zur Änd. von Vorschriften für die Bundeswehr v. 27.2.2025 (BGBl. 2025 I Nr. 72)

Inhaltsübersicht[3)]

---

1) Verkündet als Art. 2 des G für die gleichberechtigte Teilhabe von Frauen und Männern an Führungspositionen in der Privatwirtschaft und im öffentlichen Dienst v. 24.4.2015 (BGBl. I S. 642); Inkrafttreten gem. Art. 24 Abs. 2 Satz 1 dieses G am 1.5.2015.

2) Titel geänd. mWv 12.8.2021 durch G v. 7.8.2021 (BGBl. I S. 3311).

3) Inhaltsübersicht geänd. mWv 12.8.2021 durch G v. 7.8.2021 (BGBl. I S. 3311); geänd. mWv 6.3. 2025 durch G v. 27.2.2025 (BGBl. 2025 I Nr. 72).

Abschnitt 1. Allgemeine Bestimmungen

§ 1[1] **Ziele des Gesetzes.** (1) Ziel des Gesetzes ist es,

1. die Gleichstellung von Frauen und Männern zu verwirklichen,
2. bestehende Benachteiligungen auf Grund des Geschlechts, insbesondere Benachteiligungen von Frauen, zu beseitigen und künftige Benachteiligungen zu verhindern sowie
3. die Familienfreundlichkeit sowie die Vereinbarkeit von Familie, Pflege und Berufstätigkeit für die Beschäftigten zu verbessern.

(2) [1] Nach Maßgabe dieses Gesetzes wird die tatsächliche Durchsetzung der Gleichberechtigung von Frauen und Männern gefördert. [2] Strukturelle Benachteiligungen von Frauen sind durch deren gezielte Förderung zu beheben. [3] Ziel ist es, die gleichberechtigte Teilhabe von Frauen und Männern an Führungspositionen nach Maßgabe dieses Gesetzes bis zum 31. Dezember 2025 zu erreichen.

(3) [1] Bei der Erreichung der Ziele sind die besonderen Belange von Frauen mit Behinderungen und von Behinderung bedrohter Frauen im Sinne von § 2 Absatz 1 des Neunten Buches Sozialgesetzbuch[2] zu berücksichtigen. [2] Im Übrigen gilt § 2 Absatz 1 Satz 2 des Behindertengleichstellungsgesetzes[3].

§ 2[4] **Geltungsbereich.** (1) Dieses Gesetz gilt für die Dienststellen nach § 3 Nummer 5.

(2) [1] Juristische Personen, an denen der Bund mittelbar oder unmittelbar beteiligt ist, können dieses Gesetz in der Satzung ganz oder teilweise für sich verbindlich erklären. [2] Ein entsprechender Beschluss zur Satzungsänderung muss einstimmig gefasst werden.

§ 3[5] **Begriffsbestimmungen.** Im Sinne dieses Gesetzes sind:

---

[1] § 1 Abs. 1 Nr. 3 geänd., Abs. 2 Satz 3 angef., Abs. 3 Satz 1 geänd., Satz 2 neu gef. mWv 12.8. 2021 durch G v. 7.8.2021 (BGBl. I S. 3311).

[2] Nr. **440**.

[3] **Aichberger, SGB Nr. 9/10.**

[4] § 2 neu gef. mWv 12.8.2021 durch G v. 7.8.2021 (BGBl. I S. 3311).

[5] *§ 3 Nr. 7 geänd. mWv 1.1.2017 durch G v. 23.12.2016* (BGBl. I S. 3191); Nr. 5 abschl. Teil geänd. mWv 15.6.2021 durch G v. 9.6.2021 (BGBl. I S. 1614); Nr. 2 geänd., Nr. 9 und 10 neu gef. mWv 12.8.2021 durch G v. 7.8.2021 (BGBl. I S. 3311).

1. Arbeitsplätze: Ausbildungsplätze, Stellen, Planstellen sowie Dienstposten, die mit Beschäftigten im Sinne dieses Gesetzes besetzbar sind und für deren personelle Ausführung lediglich finanzielle Mittel benötigt werden, unabhängig davon, ob die Beschäftigung aus für Stellen und Planstellen bereitgestellten oder sonstigen Haushaltsmitteln finanziert wird;
2. Bereiche: Besoldungs- und Entgeltgruppen oder Laufbahngruppen, Laufbahnen und Fachrichtungen, Berufsausbildungen einschließlich des Vorbereitungsdienstes sowie Ebenen mit Führungspositionen einschließlich der Stellen und Planstellen Vorsitzender Richterinnen und Vorsitzender Richter;
3. beruflicher Aufstieg: Beförderungen, Höhergruppierungen, Höherreihungen sowie Übertragungen höher bewerteter Dienstposten und Arbeitsplätze;
4. Beschäftigte: Beamtinnen und Beamte, Arbeitnehmerinnen und Arbeitnehmer einschließlich Auszubildender, Richterinnen und Richter sowie Inhaberinnen und Inhaber öffentlich-rechtlicher Ämter;
5. Dienststellen:
   a) Bundesgerichte,
   b) Behörden und Verwaltungsstellen der unmittelbaren Bundesverwaltung einschließlich solcher im Bereich der Streitkräfte sowie
   c) Körperschaften, Anstalten und Stiftungen des öffentlichen Rechts des Bundes;

   maßgebend sind § 4 Absatz 1 Nummer 4 und 6 sowie § 6 des Bundespersonalvertretungsgesetzes[1];
6. Familienaufgaben: die tatsächliche Betreuung von mindestens einem Kind unter 18 Jahren durch Beschäftigte; dies schließt auch die Inanspruchnahme einer Elternzeit nach dem Bundeselterngeld- und Elternzeitgesetz[2] ein;
7. Pflegeaufgaben: die tatsächliche, nicht erwerbsmäßige häusliche Pflege oder Betreuung einer im Sinne des Siebten Kapitels des Zwölften Buches Sozialgesetzbuch[3] pflegebedürftigen Person durch Beschäftigte; dies schließt auch die Inanspruchnahme einer Pflegezeit nach dem Pflegezeitgesetz[4] sowie die Inanspruchnahme einer Familienpflegezeit nach dem Familienpflegezeitgesetz[5] ein;
8. Qualifikation: Eignung, Befähigung und fachliche Leistung;
9. unterrepräsentiert: Status von Frauen, wenn ihr jeweiliger Anteil an der Gesamtzahl der weiblichen und männlichen Beschäftigten in einem einzelnen Bereich unter 50 Prozent liegt; bei einer ungeraden Gesamtzahl der weiblichen und männlichen Beschäftigten sind Frauen unterrepräsentiert, wenn das Ungleichgewicht mindestens zwei Personen beträgt;
10. Führungspositionen: alle Arbeitsplätze mit Vorgesetzten- oder Leitungsaufgaben.

---

[1] Nr. **572**.
[2] Auszugsweise abgedruckt unter Nr. **401**.
[3] **Aichberger, SGB Nr. 12.**
[4] Nr. **409**.
[5] Nr. **410**.

§ 4[1)] Allgemeine Pflichten. (1) [1]Die Beschäftigten, insbesondere solche in den Führungspositionen, sowie die Leitung und Personalverwaltung der Dienststelle haben die Erreichung der Ziele dieses Gesetzes zu fördern. [2]Diese Verpflichtung ist als durchgängiges Leitprinzip bei allen Aufgabenbereichen und Entscheidungen der Dienststellen sowie bei der Zusammenarbeit von Dienststellen zu berücksichtigen. [3]Auch bei grundlegenden Änderungen von Verfahrensabläufen in personellen, organisatorischen oder sozialen Angelegenheiten, insbesondere durch Automatisierung oder Auslagerung, ist die Durchsetzung dieses Gesetzes sicherzustellen.

(2) [1]Gewähren Dienststellen Zuwendungen nach § 23 der Bundeshaushaltsordnung[2)] als institutionelle Förderungen, so sollen sie durch Nebenbestimmung zum Zuwendungsbescheid oder vertragliche Vereinbarung sicherstellen, dass die institutionellen Zuwendungsempfängerinnen und -empfänger die Grundzüge dieses Gesetzes anwenden. [2]Aus der Nebenbestimmung zum Zuwendungsbescheid oder der vertraglichen Vereinbarung muss hervorgehen, welche Vorschriften anzuwenden sind. [3]Die Sätze 1 und 2 gelten auch für den Fall, dass Stellen außerhalb der Bundesverwaltung mit Bundesmitteln im Wege der Zuweisung institutionell gefördert werden.

(3) [1]Die Rechts- und Verwaltungsvorschriften des Bundes, die Dienstvereinbarungen der Dienststellen sowie die Satzungen, Verträge und Vertragsformulare der Körperschaften, Anstalten und Stiftungen sollen die Gleichstellung von Frauen und Männern auch sprachlich zum Ausdruck bringen. [2]Dies gilt auch für den Schriftverkehr.

Abschnitt 2. Maßnahmen zur Gleichstellung von Frauen und Männern

§ 5[3)] Ausnahmen von der Anwendung. (1) Die Vorschriften dieses Abschnitts sind nur dann nicht anzuwenden, wenn die Zugehörigkeit zu einem bestimmten Geschlecht unverzichtbare Voraussetzung für die auszuübende Tätigkeit ist.

(2) Die Beteiligungsrechte der Personalvertretung und die der Schwerbehindertenvertretung bleiben unberührt.

§ 6[4)] Arbeitsplatzausschreibung. (1) [1]Ausschreibungen von Arbeitsplätzen müssen geschlechtsneutral erfolgen. [2]Es ist insbesondere unzulässig, Arbeitsplätze nur für Männer oder nur für Frauen auszuschreiben. [3]Der Ausschreibungstext muss so formuliert sein, dass er alle Geschlechter in gleicher Weise anspricht. [4]Sind Frauen in dem jeweiligen Bereich unterrepräsentiert, so sind sie verstärkt zur Bewerbung aufzufordern. [5]Jede Ausschreibung, insbesondere die Ausschreibungen für die Besetzung von Führungspositionen ungeachtet der Hierarchieebene, hat den Hinweis zu enthalten, dass der ausgeschriebene Arbeitsplatz in Teilzeit besetzt werden kann. [6]Der Hinweis darf entfallen, sofern einer Besetzung in Teilzeit zwingende dienstliche Belange entgegenstehen.

[1)] § 4 Abs. 1 Satz 1 neu gef., Satz 3 angef., Abs. 3 neu gef. mWv 12.8.2021 durch G v. 7.8.2021 (BGBl. I S. 3311).

[2)] ***Sartorius Nr. 700.***

[3)] § 5 Überschrift neu gef. mWv 12.8.2021 durch G v. 7.8.2021 (BGBl. I S. 3311).

[4)] § 6 Abs. 1 neu gef., Abs. 2 Satz 1 geänd. mWv 12.8.2021 durch G v. 7.8.2021 (BGBl. I S. 3311).

(2) [1]Wenn in einem Bereich Frauen unterrepräsentiert sind, soll ein freier Arbeitsplatz ausgeschrieben werden, um die Zahl der Bewerberinnen zu erhöhen. [2]Der Arbeitsplatz soll öffentlich ausgeschrieben werden, wenn dieses Ziel weder mit einer hausinternen noch mit einer dienststellenübergreifenden Ausschreibung erreicht werden kann. [3]Ausnahmen nach § 8 Absatz 1 Satz 3 des Bundesbeamtengesetzes[1)] bleiben unberührt.

(3) Arbeitsplatzausschreibungen müssen die Anforderungen des zu besetzenden Arbeitsplatzes festlegen und im Hinblick auf mögliche künftige Funktionen der Bewerberinnen und Bewerber auch das vorausgesetzte Anforderungs- und Qualifikationsprofil der Laufbahn oder des Funktionsbereichs enthalten.

§ 7[2)] Bewerbungsgespräche. (1) [1]Liegen in ausreichender Zahl Bewerbungen von Frauen vor, die das in der Ausschreibung vorgegebene Anforderungs- und Qualifikationsprofil aufweisen, müssen bei der Besetzung von Arbeitsplätzen in einem Bereich, in dem Frauen unterrepräsentiert sind, mindestens ebenso viele Frauen wie Männer zu Vorstellungsgesprächen oder besonderen Auswahlverfahren eingeladen werden. [2]§ 165 des Neunten Buches Sozialgesetzbuch[3)] bleibt unberührt.

(2) In Vorstellungsgesprächen und besonderen Auswahlverfahren sind insbesondere Fragen nach dem Familienstand, einer bestehenden oder geplanten Schwangerschaft sowie nach bestehenden oder geplanten Familien- oder Pflegeaufgaben unzulässig.

(3) [1]Auswahlkommissionen sollen geschlechterparitätisch besetzt sein. [2]Ist eine paritätische Besetzung aus triftigen Gründen nicht möglich, sind die jeweiligen Gründe aktenkundig zu machen.

§ 8[4)] Auswahlentscheidungen bei Einstellung, beruflichem Aufstieg und der Vergabe von Ausbildungsplätzen. (1) [1]Sind Frauen in einem Bereich unterrepräsentiert, so hat die Dienststelle sie bei gleicher Qualifikation wie ihre Mitbewerber bevorzugt zu berücksichtigen

1. bei der Besetzung von Ausbildungsplätzen,
2. bei der Einstellung,
3. beim beruflichen Aufstieg,
4. bei der Versetzung, wenn ihr ein Ausschreibungsverfahren vorausgeht, sowie
5. bei der Abordnung und Umsetzung für jeweils mehr als drei Monate, wenn ihr ein Ausschreibungsverfahren vorausgeht.

[2]Die bevorzugte Berücksichtigung ist ausgeschlossen, wenn rechtlich schutzwürdige Interessen überwiegen, die in der Person eines Mitbewerbers liegen.

(2) [1]Absatz 1 gilt insbesondere für

1. die Besetzung von Stellen von Beamtinnen und Beamten, von Arbeitnehmerinnen und Arbeitnehmern, von Auszubildenden sowie von Richterinnen und Richtern, es sei denn, für die Berufung von Richterinnen und Richtern ist eine Wahl oder die Mitwirkung eines Wahlausschusses vorgeschrieben;

[1)] **Sartorius Nr. 160.**
[2)] § 7 Abs. 1 Satz 2 geänd., Satz 3 aufgeh. mWv 12.8.2021 durch G v. 7.8.2021 (BGBl. I S. 3311).
[3)] Nr. **440**.
[4)] § 8 Abs. 1 neu gef., Abs. 2 Satz 2 geänd. mWv 12.8.2021 durch G v. 7.8.2021 (BGBl. I S. 3311).

2. den beruflichen Aufstieg, es sei denn, die Entscheidung über diesen Aufstieg erfolgt durch eine Wahl oder unter Mitwirkung eines Wahlausschusses.

[2] Satz 1 schließt auch Führungspositionen ungeachtet der Hierarchieebene ein.

(3) Die Ausnahmeregelung in Absatz 2 Satz 1 Nummer 1 gilt entsprechend für die Stellen von Mitgliedern des Bundesrechnungshofes, für deren Ernennung nach § 5 Absatz 2 Satz 2 des Bundesrechnungshofgesetzes[1)] vom 11. Juli 1985 (BGBl. I S. 1445), das zuletzt durch Artikel 15 Absatz 82 des Gesetzes vom 5. Februar 2009 (BGBl. I S. 160) geändert worden ist, der Ständige Ausschuss des Großen Senats des Bundesrechnungshofes zu hören ist.

§ 9[2)] Qualifikation von Bewerberinnen und Bewerbern. (1) [1] Die Qualifikation einer Bewerberin oder eines Bewerbers wird anhand der Anforderungen des zu besetzenden Arbeitsplatzes ermittelt, insbesondere aus der hierfür erforderlichen Ausbildung, dem Qualifikationsprofil der Laufbahn oder des Funktionsbereichs sowie aus den beruflichen Erfahrungen. [2] Das Dienstalter, die Beschäftigungsdauer und der Zeitpunkt der letzten Beförderung von Bewerberinnen und Bewerbern dürfen nur insoweit berücksichtigt werden, wie sie für die Qualifikation für den betreffenden Arbeitsplatz von Bedeutung sind. [3] Spezifische, durch Familien- oder Pflegeaufgaben erworbene Erfahrungen und Fähigkeiten sind zu berücksichtigen, soweit sie für die Ausübung der jeweiligen Tätigkeit von Bedeutung sind.

(2) Folgende Umstände dürfen nicht Teil der vergleichenden Bewertung sein:

1. durch die Wahrnehmung von Familien- oder Pflegeaufgaben bedingte
   a) Unterbrechungen der Berufstätigkeit,
   b) geringere Anzahl aktiver Dienst- oder Beschäftigungsjahre,
   c) Reduzierungen der Arbeitszeit oder Verzögerungen beim Abschluss einzelner Ausbildungsgänge,
   d) zeitliche Belastungen,
2. die Einkommenssituation des Ehegatten, der Lebenspartnerin oder des Lebenspartners, der Lebensgefährtin oder des Lebensgefährten,
3. die Absicht, von der Möglichkeit der Arbeitszeitreduzierung oder einer Beurlaubung zur Wahrnehmung von Familien- oder Pflegeaufgaben Gebrauch zu machen,
4. organisatorische und personalwirtschaftliche Erwägungen.

§ 10[3)] Fortbildung, Dienstreisen. (1) [1] Die Dienststelle hat die Teilnahme der Beschäftigten an Fortbildungen zu unterstützen. [2] Bei der Einführungs-, Förderungs- und Anpassungsfortbildung sind Frauen mindestens entsprechend ihrem Anteil an der jeweiligen Zielgruppe der Fortbildung zu berücksichtigen.

(2) [1] Die Dienststelle muss Beschäftigten mit Familien- oder Pflegeaufgaben im Rahmen der dienstlichen Möglichkeiten die Teilnahme an dienstlichen Fortbildungen sowie an Dienstreisen ermöglichen. [2] Soweit erforderlich, sind im Rahmen der dienstlichen Möglichkeiten zusätzliche Veranstaltungen oder

---

1) **Sartorius Nr. 705.**

2) § 9 Abs. 1 Satz 2 geänd. mWv 12.8.2021 durch G v. 7.8.2021 (BGBl. I S. 3311).

3) § 10 Abs. 1 Satz 3 aufgeh., Abs. 4 Satz 1 geänd., Abs. 5 neu gef. mWv 12.8.2021 durch G v. 7.8. 2021 (BGBl. I S. 3311).

alternative Dienstreisezeiträume anzubieten, die den räumlichen und zeitlichen Bedürfnissen von Beschäftigten mit Familien- oder Pflegeaufgaben entsprechen. [3] Darüber hinaus kann die Dienststelle Beschäftigten mit Familien- oder Pflegeaufgaben im Rahmen der dienstlichen Möglichkeiten die Teilnahme an dienstlichen Ausbildungen anbieten. [4] Für die Dauer der Teilnahme an

1. Maßnahmen nach Satz 1 kann im Bedarfsfall die Betreuung von Kindern oder pflegebedürftigen Personen angeboten werden,
2. Maßnahmen nach den Sätzen 1 und 3 können auf Antrag zusätzlich anfallende, unabwendbare Betreuungskosten für Kinder oder pflegebedürftige Personen erstattet werden.

(3) [1] Die Dienststelle soll in ausreichendem Maße Fortbildungen anbieten, die den beruflichen Aufstieg und den beruflichen Wiedereinstieg nach einer Unterbrechung der Berufstätigkeit zur Wahrnehmung von Familien- oder Pflegeaufgaben erleichtern. [2] Absatz 2 gilt entsprechend.

(4) [1] Die Beschäftigten der Personalverwaltung und die Beschäftigten in Führungspositionen sind verpflichtet, sich über Maßnahmen zur Gleichstellung von Frauen und Männern sowie zur Vereinbarkeit von Familie, Pflege und Berufstätigkeit zu informieren. [2] Sie sollen entsprechende Fortbildungen besuchen.

(5) Der Gleichstellungsbeauftragten und ihren Stellvertreterinnen ist zu Beginn und während ihrer Amtszeit Gelegenheit zur Fortbildung, insbesondere auf den Gebieten des Gleichstellungsrechts und des Rechts des öffentlichen Dienstes, des Arbeitsrechts sowie des Personalvertretungs-, Organisations- und des Haushaltsrechts, zu geben.

Abschnitt 3. Gleichstellungsplan

§ 11[1)] Zweck. [1] Der Gleichstellungsplan dient der Erreichung der Ziele dieses Gesetzes und ist ein wesentliches Instrument der Personalplanung, insbesondere der Personalentwicklung. [2] Seine Umsetzung ist besondere Verpflichtung der Personalverwaltung, der Beschäftigten in Führungspositionen sowie der Dienststellenleitung.

§ 12 Erstellung. (1) [1] Jede Dienststelle hat einen Gleichstellungplan für jeweils vier Jahre zu erstellen, der nach zwei Jahren den aktuellen Gegebenheiten angepasst werden kann. [2] Die Rechte der Personalvertretung und die der Schwerbehindertenvertretung bleiben unberührt.

(2) [1] Der Gleichstellungsplan ist bis zum 31. Dezember zu erstellen und tritt am 1. Januar des Folgejahres in Kraft. [2] Für Dienststellen mit einem großen Geschäftsbereich sowie im Falle umfassender organisatorischer Änderungen in der Dienststelle können abweichend von Satz 1 im Einvernehmen mit der Gleichstellungsbeauftragten andere Stichtage festgelegt werden.

§ 13[2)] Inhalt. (1) [1] Der Gleichstellungsplan muss eine Bestandsaufnahme vornehmen, indem er die bestehende Situation der Frauen und Männer in der Dienststelle zum 30. Juni des Jahres seiner Erstellung beschreibt und die

---

[1)] § 11 Satz 2 neu gef. mWv 12.8.2021 durch G v. 7.8.2021 (BGBl. I S. 3311).

[2)] § 13 Abs. 1 Satz 1 geänd., Abs. 2 neu gef., Abs. 4 geänd. mWv 12.8.2021 durch G v. 7.8.2021 (BGBl. I S. 3311).

bisherige Förderung der Beschäftigten in den einzelnen Bereichen für die vergangenen vier Jahre auswertet. [2] Zur Bestandsaufnahme gehört auch eine Darstellung, die zeigt, wie Frauen und Männer die Maßnahmen zur besseren Vereinbarkeit von Familie, Pflege und Berufstätigkeit in Anspruch genommen haben und wie sich ihr beruflicher Aufstieg darstellt im Vergleich zu Frauen und Männern, die solche Maßnahmen nicht in Anspruch genommen haben. [3] Sind die Zielvorgaben des vorherigen Gleichstellungsplans nicht umgesetzt worden, so sind im aktuellen Gleichstellungsplan die Gründe für die Zielverfehlung darzulegen.

(2) [1] Der Gleichstellungsplan legt fest, wie und bis wann

1. erreicht werden soll, dass die Führungspositionen, in denen Frauen bisher unterrepräsentiert waren, mit annähernd numerischer Gleichheit mit Frauen und Männern besetzt werden, um das Ziel des § 1 Absatz 2 Satz 2 zu erreichen,
2. die Unterrepräsentanz von Frauen in anderen Bereichen abgebaut werden soll und
3. die Vereinbarkeit von Familie oder Pflege mit der Berufstätigkeit verbessert werden soll und wie insbesondere Männer motiviert werden sollen, Angebote, die eine solche Vereinbarkeit ermöglichen, stärker in Anspruch zu nehmen.

[2] Im Gleichstellungsplan sind konkrete Zielvorgaben insbesondere zum Frauen- und Männeranteil für jede einzelne Führungsebene festzulegen. [3] Sofern Zielvorgaben zur Besetzung von Arbeitsplätzen zu entwickeln sind, über deren Besetzung die Dienststelle nicht entscheidet, sind die Vorgaben in Absprache mit der für die Arbeitsplatzbesetzung zuständigen Stelle zu entwickeln.

(3) [1] Der Gleichstellungsplan hat für jede Zielvorgabe konkrete Maßnahmen personeller, sozialer oder organisatorischer Art zur Erreichung der jeweiligen Zielvorgabe zu benennen. [2] Er enthält insbesondere auch Maßnahmen zur Förderung der Vereinbarkeit von Familie, Pflege und Berufstätigkeit.

(4) Sofern personalwirtschaftliche Maßnahmen vorgesehen sind, durch die Stellen oder Planstellen gesperrt werden oder wegfallen, ist im Gleichstellungsplan vorzusehen, dass der Anteil des unterrepräsentierten Geschlechts in den betreffenden Bereichen zumindest nicht sinkt.

(5) Der Gleichstellungsplan darf keine personenbezogenen Daten enthalten.

§ 14[1] Veröffentlichung und Kenntnisgabe. Die Dienststelle hat den Gleichstellungsplan innerhalb eines Monats nach Beginn seiner Geltungsdauer im Intranet zu veröffentlichen und jeder einzelnen und jedem einzelnen Beschäftigten in Textform zur Kenntnis zu geben.

---

[1] § 14 neu gef. mWv 12.8.2021 durch G v. 7.8.2021 (BGBl. I S. 3311).

Abschnitt 4.[1] Vereinbarkeit von Familie oder Pflege mit der Berufstätigkeit

§ 15[2] Arbeitszeiten, sonstige Rahmenbedingungen und Erstattung von Betreuungskosten in besonderen Fällen. (1) [1]Die Dienststellen haben Arbeitszeiten und sonstige Rahmenbedingungen anzubieten, die allen Beschäftigten die Vereinbarkeit von Familie oder Pflege mit der Berufstätigkeit erleichtern, soweit zwingende dienstliche Belange oder zwingende betriebliche Belange dem nicht entgegenstehen. [2]Zu den sonstigen Rahmenbedingungen können Möglichkeiten zur Betreuung von Kindern oder pflegebedürftigen Personen einschließlich entsprechender Beratungs- und Vermittlungsleistungen gehören.

(2) Kosten für die Betreuung von Kindern oder von pflegebedürftigen Personen können auf Antrag im Einzelfall nach den Absätzen 3 und 4 erstattet werden, wenn

1. sie zusätzlich anfallen,
2. sie unabwendbar sind und
3. eine Erstattung nach anderen Rechtsgrundlagen nicht möglich ist.

(3) Die Kostenerstattung nach Absatz 2 ist für die Dauer folgender Maßnahmen möglich:

1. bei dienstlich bedingter Abwesenheit vom regelmäßigen Dienstort sowie,
2. soweit der Dienst oder die Arbeitsleistung am regelmäßigen Dienstort zur Unterstützung der Streitkräfte bei der Bewältigung von Krisenlagen anfällt und nicht innerhalb der vereinbarten regelmäßigen Arbeitszeit liegt, bei
   a) Ableistung von angeordneter oder genehmigter Mehrarbeit gemäß § 88 des Bundesbeamtengesetzes[3],
   b) über die regelmäßige wöchentliche Arbeitszeit hinausgehender angeordneter oder genehmigter Arbeitsleistung sowie
   c) Ableistung von Schichtdienst.

(4) Krisenlagen nach Absatz 3 Nummer 2 sind in der Regel

1. Amtshilfemaßnahmen einschließlich der Unterstützungsleistungen in Katastrophenfällen,
2. Maßnahmen zur Erhöhung der Einsatzbereitschaft der Bundeswehr,
3. Maßnahmen zur Gefahrenabwehr,
4. Maßnahmen zum Schutz von Einrichtungen und von Infrastruktur,
5. vorbereitende Maßnahmen der Bundeswehr für verbündete Streitkräfte im Rahmen der Landes- und Bündnisverteidigung sowie
6. Unterstützungsleistungen für verbündete Streitkräfte im Rahmen der Landes- und Bündnisverteidigung.

---

[1] Abschnitt 4 Überschrift neu gef. mWv 12.8.2021 durch G v. 7.8.2021 (BGBl. I S. 3311).

[2] § 15 neu gef. mWv 12.8.2021 durch G v. 7.8.2021 (BGBl. I S. 3311); Überschrift neu gef., Abs. 2 bis 4 angef. mWv 6.3.2025 durch G v. 27.2.2025 (BGBl. 2025 I Nr. 72).

[3] **Sartorius Nr. 160.**

§ 16[1] Teilzeitbeschäftigung, Telearbeit, mobiles Arbeiten und Beurlaubung zur Wahrnehmung von Familien- oder Pflegeaufgaben.

(1) [1] Die Dienststellen haben den Anträgen von Beschäftigten mit Familien- oder Pflegeaufgaben auf familien- oder pflegebedingte Teilzeitbeschäftigung oder auf Beurlaubung zu entsprechen, soweit zwingende dienstliche Belange dem nicht entgegenstehen. [2] Dies gilt auch für Anträge von Beschäftigten in Führungspositionen ungeachtet der Hierarchieebene.

(2) Im Rahmen der dienstlichen Möglichkeiten haben die Dienststellen den Beschäftigten mit Familien- oder Pflegeaufgaben auch Telearbeitsplätze, mobile Arbeit oder familien- oder pflegefreundliche Arbeitszeit- und Präsenzzeitmodelle anzubieten.

(3) Die Ablehnung von Anträgen nach Absatz 1 oder 2 muss in Textform begründet werden.

(4) Die Dienststellen müssen Beschäftigte, die einen Antrag auf Teilzeitbeschäftigung, familien- oder pflegefreundliche Arbeitszeitmodelle oder Beurlaubung zur Wahrnehmung von Familien- oder Pflegeaufgaben stellen, frühzeitig in Textform hinweisen auf:

1. die Folgen einer Bewilligung, insbesondere in beamten-, arbeits-, versorgungs- und rentenrechtlicher Hinsicht, sowie
2. die Möglichkeit einer Befristung mit Verlängerungsoption und deren Folgen.

(5) Die Dienststellen haben darauf zu achten, dass

1. Beschäftigte, deren Antrag auf Teilzeitbeschäftigung, familien- oder pflegefreundliche Arbeitszeitmodelle oder Beurlaubung zur Wahrnehmung von Familien- oder Pflegeaufgaben positiv entschieden wurde, eine ihrer ermäßigten Arbeitszeit entsprechende Entlastung von ihren dienstlichen Aufgaben erhalten und
2. sich aus der ermäßigten Arbeitszeit keine dienstlichen Mehrbelastungen für andere Beschäftigte der Dienststelle ergeben.

(6) Die Vorschriften des Teilzeit- und Befristungsgesetzes[2] zur Teilzeitbeschäftigung sowie sonstige gesetzliche Regelungen zur Teilzeitbeschäftigung oder zur Beurlaubung bleiben von den Absätzen 1 bis 5 unberührt.

§ 17 Wechsel zur Vollzeitbeschäftigung, beruflicher Wiedereinstieg.

(1) Bei Vorliegen der gleichen Qualifikation müssen im Rahmen der Besetzung von Arbeitsplätzen vorrangig berücksichtigt werden:

1. Teilzeitbeschäftigte mit Familien- oder Pflegeaufgaben, die eine Vollzeitbeschäftigung oder eine Erhöhung ihrer wöchentlichen Arbeitszeit beantragen, sowie
2. beurlaubte Beschäftigte, die während der Beurlaubung Familien- oder Pflegeaufgaben wahrgenommen haben und eine vorzeitige Rückkehr aus der Beurlaubung beantragen.

(2) [1] Die Dienststellen haben den auf Grund von Familien- oder Pflegeaufgaben beurlaubten Beschäftigten die Verbindung zum Beruf und den berufli-

---

[1] § *16 Abs. 1 neu gef.*, Abs. 2 und 3 eingef., bish. Abs. 2 und 3 werden Abs. 4 und 5, bish. Abs. 4 wird Abs. 6 und geänd. mWv 12.8.2021 durch G v. 7.8.2021 (BGBl. I S. 3311).

[2] Nr. **80**.

chen Wiedereinstieg zu erleichtern. [2] Als Maßnahmen hierfür kommen insbesondere in Betracht:

1. die Möglichkeit der Teilzeitbeschäftigung nach dem Bundeselterngeld- und Elternzeitgesetz[1)],
2. die Möglichkeit der Teilzeitbeschäftigung nach dem Teilzeit- und Befristungsgesetz[2)], soweit die Art der Tätigkeit eine Teilzeitbeschäftigung nicht ausschließt,
3. die rechtzeitige Unterrichtung über Fortbildungsangebote,
4. das Angebot zur Teilnahme an Fortbildungen während oder nach der Beurlaubung sowie
5. das Angebot von Urlaubs- und Krankheitsvertretungen.

(3) [1] Die Teilnahme an einer Fortbildung während der Beurlaubung zur Wahrnehmung von Familien- oder Pflegeaufgaben begründet einen Anspruch auf bezahlte Dienst- oder Arbeitsbefreiung nach dem Ende der Beurlaubung. [2] Die Dauer der bezahlten Dienst- oder Arbeitsbefreiung richtet sich nach der Dauer der Fortbildung.

(4) Die Dienststelle hat rechtzeitig vor Ablauf einer Beurlaubung zur Wahrnehmung von Familien- oder Pflegeaufgaben Personalgespräche mit den betroffenen Beschäftigten zu führen, in denen deren weitere berufliche Entwicklung zu erörtern ist.

§ 18[3)] Verbot von Benachteiligungen. (1) [1] Folgende Umstände dürfen die Einstellung sowie die berufliche Entwicklung einschließlich des beruflichen Aufstiegs nicht beeinträchtigen und sich, sofern die dienstliche Leistung beurteilt wird, nicht nachteilig auf diese Beurteilung auswirken:

1. Teilzeitbeschäftigung,
2. Telearbeit, mobiles Arbeiten sowie die Teilnahme an flexiblen Arbeits- oder Präsenzzeiten,
3. eine bestehende Schwangerschaft,
4. schwangerschafts- oder mutterschaftsbedingte Abwesenheiten auf Grund mutterschutzrechtlicher Beschäftigungsverbote,
5. Beurlaubungen auf Grund von Familien- oder Pflegeaufgaben.

[2] Dies schließt nicht aus, dass Zeiten nach Satz 1 Nummer 1 anders behandelt werden als Zeiten nach Satz 1 Nummer 4 und 5.

(2) [1] Eine unterschiedliche Behandlung von Teilzeitbeschäftigung im Verhältnis zu Vollzeitbeschäftigung ist nur zulässig, wenn zwingende sachliche Gründe dies rechtfertigen. [2] Dies gilt für Telearbeit, mobiles Arbeiten und Beurlaubungen auf Grund von Familien- oder Pflegeaufgaben mit Ausnahme der Elternzeit entsprechend.

(Fortsetzung nächstes Blatt)

---

1) Auszugsweise abgedruckt unter Nr. **401**.
2) Nr. **80**.
3) § 18 Abs. 1 Satz 1 einl. Satzteil geänd. mWv 12.8.2021 durch G v. 7.8.2021 (BGBl. I S. 3311).

(3) Schwangerschafts- und mutterschaftsbedingte Abwesenheiten auf Grund mutterschutzrechtlicher Beschäftigungsverbote sowie Beurlaubungen auf Grund von Familien- oder Pflegeaufgaben sind bei der Anrechnung von Wartezeiten für eine Beförderung nach § 22 Absatz 4 des Bundesbeamtengesetzes[1)] zu berücksichtigen.

Abschnitt 5. Gleichstellungsbeauftragte, Stellvertreterin und Vertrauensfrau

§ 19[2)] Wahl, Verordnungsermächtigung. (1) [1] In jeder Dienststelle mit in der Regel mindestens 100 Beschäftigten wird eine Gleichstellungsbeauftragte gewählt. [2] Dies gilt auch für oberste Bundesbehörden mit in der Regel weniger als 100 Beschäftigten.

(2) Die Verwaltungen mit einem großen Geschäftsbereich können abweichend von Absatz 1 Satz 1 weniger Gleichstellungsbeauftragte wählen lassen, sofern sichergestellt ist, dass die Beschäftigten des gesamten Geschäftsbereichs angemessen durch eine Gleichstellungsbeauftragte vertreten werden.

(3) Gewählt werden

1. in den Dienststellen mit mindestens 100 und höchstens 1 499 Beschäftigten sowie in Dienststellen mit weniger als 100 Beschäftigten, die eine eigene Gleichstellungsbeauftragte wählen, eine Stellvertreterin,
2. in den Dienststellen mit mindestens 1 500 und höchstens 1 999 Beschäftigten zwei Stellvertreterinnen,
3. in den Dienststellen mit höchstens 1 999 Beschäftigten und einem großen Zuständigkeits- oder komplexen Aufgabenbereich zwei oder drei Stellvertreterinnen,
4. in den Verwaltungen mit einem großen Geschäftsbereich, die von der Ausnahmeregelung nach Absatz 2 Gebrauch machen, sowie in Verwaltungen, zu denen Dienststellen mit weniger als 100 Beschäftigten gehören, die keine eigene Gleichstellungsbeauftragte wählen,
   a) bei insgesamt höchstens 1 499 Beschäftigten in allen Dienststellen, die durch eine Gleichstellungsbeauftragte vertreten werden, eine Stellvertreterin,
   b) bei insgesamt mindestens 1 500 und höchstens 1 999 Beschäftigten in allen Dienststellen, die durch eine Gleichstellungsbeauftragte vertreten werden, zwei Stellvertreterinnen,
   c) bei insgesamt mindestens 2 000 Beschäftigten in allen Dienststellen, die durch eine Gleichstellungsbeauftragte vertreten werden, drei Stellvertreterinnen und
5. in den Dienststellen mit mindestens 2 000 Beschäftigten drei Stellvertreterinnen.

(4) [1] Die Wahl der Gleichstellungsbeauftragten und der jeweiligen Zahl an Stellvertreterinnen findet in getrennten Wahlgängen nach Maßgabe der allgemeinen Wahlrechtsgrundsätze statt. [2] Wahlberechtigt und wählbar sind die weiblichen Beschäftigten der Dienststelle. [3] Die Wiederwahl ist zulässig. [4] Die

---

1) **Sartorius Nr. 160.**
2) § 19 neu gef. mWv 12.8.2021 durch G v. 7.8.2021 (BGBl. I S. 3311).

weiblichen Beschäftigten einer Dienststelle ohne eigene Gleichstellungsbeauftragte sind bei der nächsthöheren Dienststelle wahlberechtigt.

(5) Die Bundesregierung regelt durch Rechtsverordnung ohne Zustimmung des Bundesrates das Verfahren der Wahl nach den Absätzen 1 bis 4.

§ 20[1)] Bestellung. (1) [1] Die Dienststelle bestellt die gewählten Beschäftigten für jeweils vier Jahre zur Gleichstellungsbeauftragten oder zur Stellvertreterin. [2] Die Bestellung setzt voraus, dass die gewählten Beschäftigten ab dem Zeitpunkt der Bestellung weder dem Personalrat noch der Schwerbehindertenvertretung angehören.

(2) [1] Findet sich für die Wahl der Gleichstellungsbeauftragten keine Kandidatin oder ist nach der Wahl keine Kandidatin gewählt, so bestellt die Dienststellenleitung die Gleichstellungsbeauftragte aus dem Kreis der weiblichen Beschäftigten von Amts wegen ohne weitere Wahl. [2] Hierzu bedarf es der Zustimmung der zu bestellenden Beschäftigten.

(3) [1] Finden sich für die Wahl der Stellvertreterinnen nicht genügend Kandidatinnen oder sind nach der Wahl nicht genügend Kandidatinnen gewählt, so bestellt die Dienststellenleitung die Stellvertreterinnen auf Vorschlag der Gleichstellungsbeauftragten von Amts wegen ohne weitere Wahl. [2] Hierzu bedarf es der Zustimmung der zu bestellenden Beschäftigten.

(4) [1] Für Dienststellen, in denen nach § 19 Absatz 2 keine eigene Gleichstellungsbeauftragte gewählt wird, und Dienststellen mit weniger als 100 Beschäftigten, die keine eigene Gleichstellungsbeauftragte wählen, sowie für Nebenstellen und Teile einer Dienststelle, die räumlich weit von dem Dienst- oder Arbeitsort der Gleichstellungsbeauftragten entfernt im Inland liegen, muss auf Vorschlag der zuständigen Gleichstellungsbeauftragten eine Vertrauensfrau bestellt werden. [2] Für Nebenstellen und Teile einer Dienststelle, die nicht räumlich weit entfernt liegen, kann die Dienststelle nach pflichtgemäßem Ermessen im Einvernehmen mit der Gleichstellungsbeauftragten eine Vertrauensfrau bestellen. [3] Die Vertrauensfrau muss Beschäftigte der jeweiligen Dienststelle, der Nebenstelle der Dienststelle oder des jeweiligen Dienststellenteils sein. [4] Die Bestellung der Vertrauensfrauen bedarf der Zustimmung der zu bestellenden weiblichen Beschäftigten.

(5) [1] Ist nach Absatz 1 oder 3 nur eine Stellvertreterin bestellt worden, so soll die Gleichstellungsbeauftragte für den Fall, dass sie und ihre Stellvertreterin gleichzeitig abwesend sind, eine Beschäftigte als zweite Stellvertreterin vorschlagen. [2] Die Dienststelle bestellt die von der Gleichstellungsbeauftragten vorgeschlagene Beschäftigte zur zweiten Stellvertreterin. [3] Die Bestellung bedarf der Zustimmung der zu bestellenden Beschäftigten.

§ 21 Anfechtung der Wahl. (1) [1] Die Wahl kann angefochten werden, wenn gegen wesentliche Vorschriften zur Wahl verstoßen worden und der Verstoß nicht berichtigt worden ist. [2] Eine Anfechtung der Wahl scheidet aus, wenn das Wahlergebnis durch einen Verstoß gegen wesentliche Vorschriften zur Wahl nicht geändert oder beeinflusst werden konnte.

(2) Anfechtungsberechtigt sind eine Gruppe von mindestens drei Wahlberechtigten und die Dienststellenleitung.

---

1) § 20 neu gef. mWv 12.8.2021 durch G v. 7.8.2021 (BGBl. I S. 3311).

(3) Die Anfechtung muss vor dem Verwaltungsgericht innerhalb von zwölf Arbeitstagen nach Bekanntgabe des Wahlergebnisses erfolgen.

§ 22 Vorzeitiges Ausscheiden. (1) [1] Scheidet die Gleichstellungsbeauftragte vorzeitig aus ihrem Amt aus oder ist sie nicht nur vorübergehend verhindert, ihr Amt auszuüben, hat die Dienststelle für die restliche Amtszeit unverzüglich eine neue Gleichstellungsbeauftragte zu bestellen. [2] § 19 findet keine Anwendung, wenn die Dauer der restlichen Amtszeit zwei Jahre oder weniger beträgt.

(2) [1] Scheidet eine Stellvertreterin oder eine Vertrauensfrau vorzeitig aus ihrem Amt aus oder ist sie nicht nur vorübergehend verhindert, ihr Amt auszuüben, hat die Dienststelle auf Vorschlag der Gleichstellungsbeauftragten für die restliche Amtszeit eine neue Stellvertreterin oder eine neue Vertrauensfrau zu bestellen. [2] Absatz 1 Satz 2 gilt entsprechend.

(3) Scheiden sowohl die Gleichstellungsbeauftragte als auch all ihre Stellvertreterinnen vorzeitig aus ihrem Amt aus oder sind sie nicht nur vorübergehend verhindert, ihr Amt auszuüben, finden Neuwahlen nach § 19 statt.

(4) Eine Verhinderung ist nicht nur vorübergehend, wenn das Amt auf Grund krankheitsbedingter Arbeits- oder Dienstunfähigkeit für mehr als sechs Monate ununterbrochen nicht ausgeübt werden konnte.

§ 23[1)] Zusammenlegung, Aufspaltung und Eingliederung. (1) [1] Bei der Zusammenlegung von Dienststellen zu einer neuen Dienststelle endet die Amtszeit der Gleichstellungsbeauftragten und die der Stellvertreterinnen spätestens ein Jahr nach der Zusammenlegung. [2] Bis zu diesem Zeitpunkt erfolgt die Aufgabenaufteilung und -wahrnehmung in gegenseitigem Einvernehmen zwischen den Gleichstellungsbeauftragten und Stellvertreterinnen. [3] Neuwahlen nach § 19 müssen rechtzeitig vor Ablauf eines Jahres nach Zusammenlegung der Dienststellen abgeschlossen sein.

(2) [1] Im Falle der Teilung oder Aufspaltung einer Dienststelle in zwei oder mehrere Dienststellen endet die Amtszeit der Gleichstellungsbeauftragten und die der Stellvertreterinnen spätestens ein Jahr nach dem Vollzug des Organisationsaktes. [2] Absatz 1 Satz 3 gilt entsprechend.

(3) Wird eine Dienststelle in eine andere Dienststelle eingegliedert, endet die Amtszeit der Gleichstellungsbeauftragten und die der Stellvertreterinnen der eingegliederten Dienststelle mit Vollzug des Organisationsaktes der Eingliederung.

§ 24[2)] Rechtsstellung. (1) [1] Die Gleichstellungsbeauftragte gehört der Personalverwaltung an. [2] In Dienststellen ist sie unmittelbar der Dienststellenleitung zugeordnet. [3] In den obersten Bundesbehörden, in denen die Personalangelegenheiten, die organisatorischen Angelegenheiten und die sozialen Angelegenheiten in einer Abteilung zusammengefasst sind, ist auch eine Zuordnung zur Leitung dieser Abteilung möglich.

(2) [1] Die Gleichstellungsbeauftragte ist in der Ausübung ihrer Tätigkeit weisungsfrei. [2] Sie darf nur in ihrer Eigenschaft als Gleichstellungsbeauftragte mit Personalangelegenheiten befasst sein. [3] Von Satz 2 unberührt bleibt ihre Befug-

---

[1)] § 23 Abs. 1 Satz 1 geänd. mWv 12.8.2021 durch G v. 7.8.2021 (BGBl. I S. 3311).

[2)] § 24 Abs. 1 und Abs. 2 Satz 3 neu gef. mWv 12.8.2021 durch G v. 7.8.2021 (BGBl. I S. 3311).

nis, sich mit den Personalangelegenheiten der ihr zugeordneten Mitarbeiterinnen und Mitarbeiter zu befassen.

(3) Die Rechte und Pflichten der Gleichstellungsbeauftragten nach den Absätzen 1 und 2 sowie nach den §§ 28 bis 35 gelten auch für die Stellvertreterinnen, soweit dieses Gesetz nichts anderes bestimmt.

§ 25[1] Aufgaben, Rechte und Pflichten der Gleichstellungsbeauftragten. (1) [1] Die Gleichstellungsbeauftragte hat die Aufgabe, den Vollzug dieses Gesetzes sowie des Allgemeinen Gleichbehandlungsgesetzes[2] im Hinblick auf den Schutz der Beschäftigten vor Benachteiligungen wegen ihres Geschlechts, insbesondere bei Benachteiligungen von Frauen, zu fördern und zu überwachen. [2] Dies umfasst auch den Schutz von Frauen mit einer Behinderung oder von Frauen, die von einer Behinderung bedroht sind, sowie den Schutz vor sexueller Belästigung am Arbeitsplatz.

(2) Zu den Aufgaben der Gleichstellungsbeauftragten zählen insbesondere:

1. die Dienststelle dabei zu unterstützen, die Ziele dieses Gesetzes zu erreichen und die Erfüllung der allgemeinen Pflichten nach § 4 zu fördern,
2. bei allen personellen, organisatorischen und sozialen Maßnahmen der Dienststelle mitzuwirken, die die Gleichstellung von Frauen und Männern, die Beseitigung von Unterrepräsentanzen, die Vereinbarkeit von Familie, Pflege und Berufstätigkeit sowie den Schutz vor sexueller Belästigung am Arbeitsplatz betreffen,
3. einzelne Beschäftigte bei Bedarf zu beraten und zu unterstützen, insbesondere in den Bereichen der beruflichen Entwicklung und Förderung sowie der Vereinbarkeit von Familie, Pflege und Berufstätigkeit sowie in Bezug auf den Schutz vor Benachteiligungen, und
4. die Fortbildungsangebote nach § 10 Absatz 5 wahrzunehmen.

(3) [1] Die Gleichstellungsbeauftragte kann Sprechstunden durchführen und jährliche Versammlungen der weiblichen Beschäftigten einberufen. [2] Sie unterrichtet die Dienststellenleitung im Vorfeld über die Einberufung einer Versammlung nach Satz 1. [3] Die Gleichstellungsbeauftragte kann an Personalversammlungen teilnehmen und hat dort ein Rederecht.

(4) [1] Im Falle des § 19 Absatz 4 Satz 4 nimmt die Gleichstellungsbeauftragte der nächsthöheren Dienststelle die ihr nach den Absätzen 1 und 2 zugewiesenen Aufgaben auch für nachgeordnete Dienststellen wahr. [2] Absatz 3 gilt entsprechend.

(5) Die Gleichstellungsbeauftragte der obersten Bundesbehörde ist für den Informations- und Erfahrungsaustausch der Gleichstellungsbeauftragten, Stellvertreterinnen und Vertrauensfrauen in ihrem Geschäftsbereich verantwortlich.

(6) Die Gleichstellungsbeauftragte eines Bundesgerichts hat das Recht, an den Sitzungen des Präsidialrates und dessen Ausschüssen teilzunehmen.

(7) Die Aufgabenwahrnehmung als Gleichstellungsbeauftragte hat Vorrang vor der Wahrnehmung anderer Aufgaben.

---

[1] *§ 25 Abs. 1 Satz 2, Abs. 4 Satz 1 und Abs. 6 geänd. mWv 12.8.2021 durch G v. 7.8.2021 (BGBl. I S. 3311).*

[2] Nr. **91**.

§ 26[1)] Aufgaben der Stellvertreterin und der Vertrauensfrau. (1) Die Stellvertreterin wird grundsätzlich im Vertretungsfall tätig.

(2) [1] Abweichend von Absatz 1 kann die Gleichstellungsbeauftragte der Stellvertreterin mit deren Einverständnis einen Teil der Aufgaben nach § 25 zur eigenständigen Erledigung übertragen. [2] In Dienststellen mit mehr als einer nach § 20 Absatz 1 oder 3 bestellten Stellvertreterin erfolgt die Aufgabenaufteilung zwischen der Gleichstellungsbeauftragten und den Stellvertreterinnen in gegenseitigem Einvernehmen. [3] Eine Änderung oder Aufhebung der Delegationsentscheidung nach den Sätzen 1 und 2 kann die Gleichstellungsbeauftragte jederzeit ohne Zustimmung der Stellvertreterin oder der Stellvertreterinnen vornehmen. [4] § 24 Absatz 2 Satz 2 gilt entsprechend.

(3) [1] Die Absätze 1 und 2 finden keine Anwendung auf die nach § 20 Absatz 5 bestellte zweite Stellvertreterin. [2] Diese darf nur tätig werden, wenn die Gleichstellungsbeauftragte und die nach § 20 Absatz 1 oder 3 bestellte Stellvertreterin gleichzeitig abwesend sind und sie diese beiden vertritt.

(4) [1] Die Stellvertreterin hat die von der Gleichstellungsbeauftragten vorgegebenen Leitlinien der Gleichstellungsarbeit zu beachten. [2] Die Gesamtverantwortung für die Aufgabenerledigung verbleibt bei der Gleichstellungsbeauftragten.

(5) [1] Die Vertrauensfrau ist Ansprechpartnerin für die Beschäftigten der jeweiligen Dienststelle, Nebenstelle oder des jeweiligen Dienststellenteils sowie für die zuständige Gleichstellungsbeauftragte. [2] Ihr obliegt die Vermittlung von Informationen zwischen den Beschäftigten und der Gleichstellungsbeauftragten. [3] Sind sowohl die Gleichstellungsbeauftragte als auch ihre Stellvertreterinnen verhindert, kann die Vertrauensfrau im Auftrag der Gleichstellungsbeauftragten an Vorstellungsgesprächen, besonderen Auswahlverfahren, an Sitzungen von Auswahlkommissionen oder an Personalgesprächen teilnehmen; die Ausübung des Mitwirkungsrechts nach § 32 bleibt in diesem Fall weiterhin der Gleichstellungsbeauftragten vorbehalten. [4] Macht die Dienststelle von der Möglichkeit in § 19 Absatz 2 Gebrauch, kann die Gleichstellungsbeauftragte der Vertrauensfrau mit deren Einverständnis auch Aufgaben zur eigenständigen Erledigung bei der örtlichen Dienststelle übertragen.

§ 27[2)] Beteiligung und Unterstützung der Gleichstellungsbeauftragten. (1) Die Dienststelle beteiligt die Gleichstellungsbeauftragten frühzeitig, insbesondere bei

1. personellen Angelegenheiten; dies betrifft die Vorbereitung und Entscheidung über
   a) die Vergabe von Ausbildungsplätzen,
   b) die Einstellung und die Versetzung sowie die Abordnung und Umsetzung von Beschäftigten für jeweils mehr als drei Monate,
   c) die Fortbildung und den beruflichen Aufstieg von Beschäftigten,
   d) die Abmahnung, die Einleitung und den Abschluss eines Disziplinarverfahrens einschließlich der vorläufigen Dienstenthebung,

---

[1)] § 26 Abs. 2 Satz 2 geänd., Abs. 3 eingef., bish. Abs. 3 und 4 werden Abs. 4 und 5, neuer Abs. 5 Sätze 3 und 4 geänd. mWv 12.8.2021 durch G v. 7.8.2021 (BGBl. I S. 3311).

[2)] § 27 Abs. 1 Nr. 1 Buchst b neu gef. mWv 12.8.2021 durch G v. 7.8.2021 (BGBl. I S. 3311).

e) Kündigung sowie Aufhebungsvertrag, Entlassung, Versetzung in den Ruhestand und vergleichbare Entscheidungen,

2. organisatorischen und sozialen Angelegenheiten,
3. der Abfassung von Beurteilungsrichtlinien sowie bei Besprechungen, die die einheitliche Anwendung dieser Richtlinien in der Dienststelle sicherstellen sollen,
4. Verfahren zur Besetzung von Gremien nach Maßgabe des Bundesgremienbesetzungsgesetzes[1], sofern keine Organisationseinheit zur Gleichstellung von Frauen und Männern in der Dienststelle eingerichtet ist, sowie
5. der Erstellung des Gleichstellungsplans.

(2) Eine frühzeitige Beteiligung nach Absatz 1 liegt vor, wenn die Gleichstellungsbeauftragte mit Beginn des Entscheidungsprozesses auf Seiten der Dienststelle beteiligt wird und die jeweilige Entscheidung oder Maßnahme noch gestaltungsfähig ist.

(3) [1]Die Beteiligung der Gleichstellungsbeauftragten geht einem Beteiligungsverfahren nach dem Bundespersonalvertretungsgesetz[2] und dem Neunten Buch Sozialgesetzbuch[3] voraus; das Verfahren nach § 32 Absatz 3 muss abgeschlossen sein. [2]Erfolgt entgegen Satz 1 eine parallele Beteiligung von Personal- oder Schwerbehindertenvertretung, ist die Gleichstellungsbeauftragte über die Gründe zu informieren.

§ 28[4] Schutzrechte. (1) [1]Die Gleichstellungsbeauftragte darf bei der Erfüllung ihrer Pflichten nicht behindert und wegen ihrer Tätigkeit als Gleichstellungsbeauftragte in ihrer beruflichen Entwicklung nicht benachteiligt oder begünstigt werden. [2]Insbesondere übt sie ihr Amt ohne Minderung ihrer bisherigen Bezüge oder ihres bisherigen Arbeitsentgelts aus und nimmt am beruflichen Aufstieg so teil, wie dieser ohne die Übernahme des Amtes erfolgt wäre.

(2) [1]Die Gleichstellungsbeauftragte wird von anderweitigen Tätigkeiten in dem Ausmaß entlastet, wie dies zur ordnungsgemäßen Wahrnehmung ihrer Aufgaben als Gleichstellungsbeauftragte erforderlich ist. [2]In Dienststellen mit in der Regel weniger als 600 Beschäftigten beträgt die Entlastung mindestens die Hälfte der regelmäßigen Arbeitszeit einer Vollzeitkraft. [3]Bei einer Beschäftigtenzahl von in der Regel mindestens 600 Beschäftigten wird die Gleichstellungsbeauftragte im Umfang der Regelarbeitszeit einer Vollzeitkraft entlastet. [4]Übt die Gleichstellungsbeauftragte eine Teilzeitbeschäftigung aus, ist der Entlastungsumfang der Stellvertreterin oder der Stellvertreterinnen entsprechend zu erhöhen; dies gilt unabhängig von den Vorgaben zur Entlastung der Stellvertreterin in Absatz 5. [5]Ist die Gleichstellungsbeauftragte gemäß § 19 Absatz 4 Satz 4 für mehr als eine Dienststelle zuständig, ist für die Höhe der Entlastung die Gesamtzahl der Beschäftigten aller Dienststellen maßgebend.

(3) [1]Die Dienststellen haben die berufliche Entwicklung der Gleichstellungsbeauftragten von Amts wegen fiktiv nachzuzeichnen. [2]Diese Pflicht gilt ungeachtet des Entlastungsumfangs der Gleichstellungsbeauftragten. [3]Die fikti-

---

[1] Nr. **92a**.
[2] Nr. **572**.
[3] Auszugsweise abgedruckt unter Nr. **440**.
[4] § 28 Abs. 2 Satz 5 geänd., Abs. 5 neu gef. mWv 12.8.2021 durch G v. 7.8.2021 (BGBl. I S. 3311).

ve Nachzeichnung dient als Grundlage für Personalauswahlentscheidungen. [4]Der Anspruch auf fiktive Nachzeichnung der dienstlichen Beurteilung nach § 33 Absatz 3 der Bundeslaufbahnverordnung[1)] bleibt unberührt. [5]Die Dienststellen haben der Gleichstellungsbeauftragten auf deren Antrag hin eine Aufgabenbeschreibung als Nachweis über ihre Tätigkeit als Gleichstellungsbeauftragte zu erteilen.

(4) Vor Kündigung, Versetzung und Abordnung ist die Gleichstellungsbeauftragte wie ein Mitglied der Personalvertretung geschützt.

(5) [1]Wird eine Stellvertreterin im Vertretungsfall tätig, so ist sie mit Beginn der Vertretungstätigkeit in dem Ausmaß ihrer Tätigkeit als Stellvertreterin von anderweitigen Tätigkeiten zu entlasten. [2]Üben Stellvertreterinnen Aufgaben zur eigenständigen Erledigung aus, so werden sie von ihren anderweitigen Tätigkeiten wie folgt entlastet:

1. in Dienststellen mit höchstens 1 499 Beschäftigten und nur einer nach § 20 Absatz 1 oder 3 bestellten Stellvertreterin im Umfang von bis zu einem Viertel der regelmäßigen Arbeitszeit einer Vollzeitkraft,
2. in Dienststellen mit mindestens 1 500 und höchstens 1 999 Beschäftigten für eine der beiden Stellvertreterinnen im Umfang von bis zur Hälfte der regelmäßigen Arbeitszeit einer Vollzeitkraft,
3. in Dienststellen mit mindestens 2 000 und höchstens 2 499 Beschäftigten
   a) für zwei Stellvertreterinnen jeweils im Umfang der Hälfte der regelmäßigen Arbeitszeit einer Vollzeitkraft oder
   b) für eine Stellvertreterin im Umfang der Regelarbeitszeit einer Vollzeitkraft,
4. in Dienststellen mit mindestens 2 500 Beschäftigten
   a) für alle drei Stellvertreterinnen jeweils im Umfang der Hälfte der regelmäßigen Arbeitszeit einer Vollzeitkraft oder
   b) für eine Stellvertreterin im Umfang der regelmäßigen Arbeitszeit einer Vollzeitkraft und für eine weitere Stellvertreterin im Umfang der Hälfte der regelmäßigen Arbeitszeit einer Vollzeitkraft,
5. in denjenigen Dienststellen mit höchstens 1 999 Beschäftigten, die einen großen Zuständigkeitsbereich oder einen komplexen Aufgabenbereich haben,
   a) bei zwei Stellvertreterinnen
      aa) für beide Stellvertreterinnen jeweils im Umfang der Hälfte der regelmäßigen Arbeitszeit einer Vollzeitkraft oder
      bb) für eine der beiden Stellvertreterinnen im Umfang der Regelarbeitszeit einer Vollzeitkraft,
   b) bei drei Stellvertreterinnen
      aa) für alle drei Stellvertreterinnen jeweils im Umfang der Hälfte der regelmäßigen Arbeitszeit einer Vollzeitkraft oder
      bb) für eine Stellvertreterin im Umfang der regelmäßigen Arbeitszeit einer Vollzeitkraft und für eine weitere Stellvertreterin im Umfang der Hälfte der regelmäßigen Arbeitszeit einer Vollzeitkraft,

---

[1)] **Sartorius Nr. 180.**

6. in denjenigen Dienststellen mit mindestens 2 000 und höchstens 2 499 Beschäftigten, die einen großen Zuständigkeitsbereich oder einen komplexen Aufgabenbereich haben,
   a) für alle drei Stellvertreterinnen jeweils im Umfang der Hälfte der regelmäßigen Arbeitszeit einer Vollzeitkraft oder
   b) für eine Stellvertreterin im Umfang der regelmäßigen Arbeitszeit einer Vollzeitkraft und für eine weitere Stellvertreterin im Umfang der Hälfte der regelmäßigen Arbeitszeit einer Vollzeitkraft.

[3] Satz 2 Nummer 1 bis 4 gilt in den Verwaltungen mit einem großen Geschäftsbereich, die von der Ausnahmeregelung nach § 19 Absatz 2 Gebrauch machen, sowie in Verwaltungen, zu denen Dienststellen mit weniger als 100 Beschäftigten gehören, die keine eigene Gleichstellungsbeauftragte wählen, hinsichtlich der Gesamtzahl der im Zuständigkeitsbereich der Gleichstellungsbeauftragten tätigen Beschäftigten entsprechend. [4] Der Umfang der Entlastung der einzelnen Stellvertreterinnen nach den Sätzen 2 und 3 darf nicht auf die Entlastung der Gleichstellungsbeauftragten angerechnet werden.

(6) [1] Vertrauensfrauen werden von anderweitigen Tätigkeiten in dem Ausmaß entlastet, wie dies zur ordnungsgemäßen Wahrnehmung ihrer Aufgaben als Informationsvermittlerin erforderlich ist. [2] Die Entlastung beträgt mindestens ein Zehntel und bis zu einem Viertel der regelmäßigen Arbeitszeit einer Vollzeitkraft.

§ 29[1)] Ausstattung. (1) Der Gleichstellungsbeauftragten ist mit Beginn und bis zum Ende ihrer Amtszeit die notwendige personelle, räumliche und sachliche Ausstattung zur Verfügung zu stellen.

(2) [1] Bei einer Beschäftigtenzahl von in der Regel weniger als 1 000 kann der Gleichstellungsbeauftragten eine Mitarbeiterin oder ein Mitarbeiter zugeordnet werden. [2] In einer Dienststelle mit in der Regel mindestens 1 000 Beschäftigten ist der Gleichstellungsbeauftragten mindestens eine Mitarbeiterin oder ein Mitarbeiter zuzuordnen.

(3) [1] Die Aufgabe der Mitarbeiterinnen und Mitarbeiter beschränkt sich auf die Unterstützung der Gleichstellungsbeauftragten. [2] § 26 Absatz 5 Satz 3 gilt entsprechend.

(4) [1] Die Gleichstellungsbeauftragte erhält einen monatlichen Verfügungsfonds. [2] Die Höhe des Verfügungsfonds der vollständig von anderweitigen Aufgaben entlasteten Gleichstellungsbeauftragten entspricht der Höhe der Aufwandsentschädigung für ganz von ihrer dienstlichen Tätigkeit freigestellte Mitglieder von Personalräten, Gesamtpersonalräten, Bezirkspersonalräten und Hauptpersonalräten. [3] Die teilweise von anderweitigen Aufgaben entlastete Gleichstellungsbeauftragte erhält einen Verfügungsfonds, der dem Anteil ihrer Entlastung entspricht. [4] Die Verordnung über die Höhe der Aufwandsentschädigung für vom Dienst freigestellte Personalvertretungsmitglieder gilt entsprechend.

§ 30 Zusammenarbeit und Information. (1) Die Dienststellenleitung und die Gleichstellungsbeauftragte arbeiten zum Wohle der Beschäftigten und zur Erfüllung der in § 1 genannten Ziele eng zusammen.

---

1) § 29 Abs. 3 Satz 2, Abs. 4 Satz 4 geänd. mWv 12.8.2021 durch G v. 7.8.2021 (BGBl. I S. 3311).

(2) [1]Die Dienststellenleitung unterstützt die Gleichstellungsbeauftragte bei der Wahrnehmung ihrer Aufgaben und der Ausübung ihrer Mitwirkungsrechte, indem sie die Gleichstellungsbeauftragte insbesondere unverzüglich und umfassend informiert. [2]Die zur Wahrnehmung ihrer Aufgaben erforderlichen Unterlagen, insbesondere Bewerbungsunterlagen, vergleichende Übersichten und Auswahlvermerke, sind ihr frühestmöglich vorzulegen und die erbetenen Auskünfte zu erteilen. [3]Die Dienststellenleitung soll der Gleichstellungsbeauftragten Gelegenheit zur aktiven Teilnahme an allen Entscheidungsprozessen zu personellen, organisatorischen und sozialen Angelegenheiten geben und den Informations- und Erfahrungsaustausch der Gleichstellungsbeauftragten mit anderen Gleichstellungsbeauftragten unterstützen.

(3) Die Gleichstellungsbeauftragte hat das Recht, Einsicht in die entscheidungsrelevanten Teile von Personalakten zu nehmen, soweit die Kenntnis des Akteninhalts zur Erfüllung ihrer Aufgaben erforderlich ist.

§ 31 Verschwiegenheitspflicht. Die Gleichstellungsbeauftragte und ihre Stellvertreterinnen, die Mitarbeiterinnen und Mitarbeiter sowie die Vertrauensfrauen sind hinsichtlich persönlicher Verhältnisse der Beschäftigten und anderer vertraulicher Angelegenheiten in der Dienststelle ab dem Zeitpunkt ihrer Bestellung sowie über die Zeit ihrer Bestellung hinaus zum Stillschweigen verpflichtet.

§ 32[1] Form der Mitwirkung und Stufenbeteiligung. (1) [1]Die Gleichstellungsbeauftragte hat das Recht und die Pflicht, unmittelbar bei der Dienststellenleitung vorzutragen. [2]Sie hat in allen Angelegenheiten, die nach § 25 Absatz 1 und § 27 Absatz 1 ihrer Mitwirkung unterliegen, ein Initiativrecht. [3]Die Dienststelle hat über einen Initiativantrag innerhalb angemessener Zeit, spätestens nach einem Monat, zu entscheiden. [4]In Ausnahmefällen ist die endgültige Entscheidung nach drei Monaten vorzunehmen. [5]Die Entscheidung ist der Gleichstellungsbeauftragten in Textform mitzuteilen.

(2) [1]Die Mitwirkung der Gleichstellungsbeauftragten erfolgt regelmäßig durch Votum, das zu den Akten zu nehmen ist. [2]Das Votum ist innerhalb von zehn Arbeitstagen ab Zugang der Mitteilung über die beabsichtigte Maßnahme oder Entscheidung in Textform abzugeben; von dieser Frist kann im Einvernehmen mit der Gleichstellungsbeauftragten abgewichen werden. [3]Nur in besonders dringenden Fällen darf die Frist zur Abgabe des Votums ausnahmsweise auf drei Arbeitstage verkürzt werden. [4]Hat die Gleichstellungsbeauftragte innerhalb von zehn Arbeitstagen oder im Falle des Satzes 3 innerhalb von drei Arbeitstagen kein Votum abgegeben, so gilt die beabsichtigte Maßnahme oder Entscheidung als gebilligt.

(3) [1]Folgt die Dienststelle dem Votum der Gleichstellungsbeauftragten nicht, so hat sie die Gleichstellungsbeauftragte hierüber unverzüglich formlos in Kenntnis zu setzen. [2]Die Gleichstellungsbeauftragte kann bei der Abgabe des Votums oder spätestens bis zum Ablauf des auf das Inkenntnissetzen folgenden Arbeitstages eine Mitteilung der Gründe für die Nichtbefolgung des Votums verlangen. [3]Die Dienststelle hat der Gleichstellungsbeauftragten innerhalb von 15 Arbeitstagen ab Zugang des Verlangens die Gründe für die Nichtbefolgung in Textform mitzuteilen.

---

[1] § 32 Abs. 3 neu gef. mWv 12.8.2021 durch G v. 7.8.2021 (BGBl. I S. 3311).

(4) [1] Soweit in Dienststellen Entscheidungen für nachgeordnete Dienststellen getroffen werden, hat jede beteiligte Dienststelle die für sie zuständige Gleichstellungsbeauftragte nach Maßgabe der §§ 25, 27 und 30 sowie nach den Absätzen 1 und 2 an dem bei ihr anhängigen Teilverfahren zu beteiligen. [2] Das in Textform verfasste Votum der Gleichstellungsbeauftragten der nachgeordneten Dienststelle ist zusammen mit den weiteren entscheidungsrelevanten Unterlagen der nächsthöheren Dienststelle und von dieser der bei ihr bestellten Gleichstellungsbeauftragten vorzulegen. [3] Bei personellen Angelegenheiten gelten die Sätze 1 bis 3 für den Fall, dass personalbearbeitende Dienststelle und Beschäftigungsdienststelle nicht identisch sind, entsprechend. [4] Satz 1 gilt auch, wenn Vorgänge, die Aufgaben der Gleichstellungsbeauftragten nach Absatz 1 betreffen, mit Wirkung für eine andere Dienststelle bearbeitet werden, die nicht nachgeordnete Dienststelle nach § 25 Absatz 4 ist.

§ 33[1)] Einspruchsrecht und Einspruchsverfahren. (1) Die Gleichstellungsbeauftragte hat ein Einspruchsrecht gegenüber der Dienststellenleitung, wenn sie geltend macht, die Dienststelle habe

1. entgegen § 12 Absatz 1 einen Gleichstellungsplan nicht erstellt oder die Frist nach § 12 Absatz 2 erheblich verletzt,
2. einen Gleichstellungsplan erstellt, der nicht den Vorgaben des § 13 entspricht,
3. entgegen § 27 Absatz 1 Nummer 5 die Gleichstellungsbeauftragte bei der Erstellung des Gleichstellungsplans nicht beteiligt,
4. entgegen § 14 den Gleichstellungsplan nicht bekannt gegeben,
5. Rechte der Gleichstellungsbeauftragten verletzt oder
6. gegen weitere Vorschriften dieses Gesetzes oder gegen andere Vorschriften über die Gleichstellung von Frauen und Männern verstoßen.

(2) [1] Der Einspruch ist innerhalb einer Woche ab Zugang der Begründung gemäß § 32 Absatz 3 Satz 3 in Textform bei der Dienststellenleitung einzulegen. [2] Er hat aufschiebende Wirkung. [3] § 80 Absatz 2 Satz 1 Nummer 4 und Absatz 3 der Verwaltungsgerichtsordnung[2)] gilt entsprechend. [4] Im Falle der sofortigen Vollziehung unterrichtet die Dienststellenleitung die Gleichstellungsbeauftragte unverzüglich.

(3) [1] Die Dienststellenleitung soll über den Einspruch innerhalb eines Monats nach Zugang des Einspruchs entscheiden. [2] Hält sie den Einspruch für begründet, sind die betreffenden Maßnahmen und ihre Folgen zu berichtigen sowie die Ergebnisse des Einspruchs bei weiteren vergleichbaren Fällen zu berücksichtigen.

(4) [1] Hält die Dienststellenleitung den Einspruch für unbegründet, legt sie diesen der nächsthöheren Dienststellenleitung unverzüglich vor. [2] Bei selbständigen bundesunmittelbaren Körperschaften, Anstalten und Stiftungen ohne mehrstufigen Verwaltungsaufbau wird der Einspruch entsprechend deren Vorstand oder Geschäftsführung vorgelegt. [3] Die Entscheidung der nächsthöheren Dienststellenleitung, des Vorstandes oder der Geschäftsführung erfolgt entsprechend Absatz 3.

[1)] § 33 Abs. 2 Satz 1, Abs. 5 geänd. mWv 12.8.2021 durch G v. 7.8.2021 (BGBl. I S. 3311).
[2)] **beck-online, Module Arbeitsrecht Nr. 663.**

(5) Die Entscheidung über den Einspruch ist in Textform zu begründen und der Gleichstellungsbeauftragten unverzüglich zu übermitteln.

§ 34[1)] **Gerichtliches Verfahren.** (1) [1] Bleibt der Einspruch nach § 33 erfolglos, so kann die Gleichstellungsbeauftragte oder die Dienststelle einen außergerichtlichen Einigungsversuch unternehmen. [2] Haben die Gleichstellungsbeauftragte und die Dienststelle in Textform den Verzicht auf einen außergerichtlichen Einigungsversuch erklärt oder hat die Gleichstellungsbeauftragte oder die Dienststelle das Scheitern des außergerichtlichen Einigungsversuchs in Textform festgestellt, so kann die Gleichstellungsbeauftragte innerhalb eines Monats das Verwaltungsgericht anrufen. [3] Die Anrufung hat keine aufschiebende Wirkung.

(2) Die Anrufung des Gerichts kann nur darauf gestützt werden, dass die Dienststelle
1. Rechte der Gleichstellungsbeauftragten verletzt hat oder
2. einen Gleichstellungsplan erstellt hat, der nicht den Vorgaben der §§ 12 bis 14 entspricht.

(3) [1] Abweichend von Absatz 1 Satz 3 ist die Anrufung des Gerichts auch zulässig, wenn über den Einspruch ohne zureichenden Grund in angemessener Frist sachlich nicht entschieden worden ist. [2] § 75 Satz 2 bis 4 der Verwaltungsgerichtsordnung[2)] gilt entsprechend.

(4) Die Dienststelle trägt die Kosten, die der Gleichstellungsbeauftragten auf Grund von Rechtsbehelfen nach den Absätzen 1 oder 2 entstehen.

§ 35 Fragerecht. (1) [1] Zur Klärung von Fragen grundsätzlicher Bedeutung, insbesondere zur Auslegung dieses Gesetzes, können sich die Gleichstellungsbeauftragte und die Stellvertreterinnen unmittelbar an das Bundesministerium für Familie, Senioren, Frauen und Jugend wenden. [2] Personenbezogene Daten von Beschäftigten dürfen dem Bundesministerium für Familie, Senioren, Frauen und Jugend nur mit Einwilligung der betroffenen Beschäftigten übermittelt werden.

(2) [1] Anfragen nach Absatz 1 sollen innerhalb eines Monats beantwortet werden. [2] Das Bundesministerium für Familie, Senioren, Frauen und Jugend leitet seine Antwort der jeweils zuständigen obersten Bundesbehörde nachrichtlich zu.

§ 36 Interministerieller Arbeitskreis der Gleichstellungsbeauftragten. [1] Die Gleichstellungsbeauftragten der obersten Bundesbehörden bilden zusammen den Interministeriellen Arbeitskreis der Gleichstellungsbeauftragten der obersten Bundesbehörden. [2] Der Arbeitskreis informiert die Gleichstellungsbeauftragten aus den Geschäftsbereichen regelmäßig über seine Tätigkeit. [3] Die Möglichkeit, im Geltungsbereich dieses Gesetzes weitere Arbeitskreise zur Koordinierung der Arbeit von Gleichstellungsbeauftragten einzurichten, bleibt von den Sätzen 1 und 2 unberührt.

[1)] § 34 Abs. 1 neu gef. mWv 12.8.2021 durch G v. 7.8.2021 (BGBl. I S. 3311).
[2)] **beck-online, Module Arbeitsrecht Nr. 663.**

Abschnitt 6. Sonderregelungen, Statistik, Bericht und Übergangsbestimmungen

§ 37[1)] Sonderregelungen für den Bundesnachrichtendienst. Für den Bundesnachrichtendienst gilt dieses Gesetz mit folgenden Abweichungen:

1. der Bundesnachrichtendienst gilt als einheitliche Dienststelle, in der keine Vertrauensfrauen bestellt werden,
2. § 6 Absatz 2 Satz 2 ist nicht anzuwenden,
3. § 14 gilt nicht; die Beschäftigten des Bundesnachrichtendienstes sind berechtigt, den Gleichstellungsplan bei den von der Personalverwaltung bezeichneten Stellen einzusehen,
4. beim Bundesnachrichtendienst beschäftigte Soldatinnen sind gemäß § 19 Absatz 4 Satz 2 wahlberechtigt und wählbar,
5. beim Bundesnachrichtendienst tätiges militärisches Personal gilt hinsichtlich der Zuständigkeit der dort bestellten Gleichstellungsbeauftragten als beim Bundesnachrichtendienst beschäftigt, soweit dessen Leitung oder das Bundeskanzleramt für die Entscheidung in personellen, sozialen oder organisatorischen Angelegenheiten dieses Personenkreises zuständig ist,
6. beim Informations- und Erfahrungsaustausch der Gleichstellungsbeauftragten gemäß § 25 Absatz 5 sind die für den Bundesnachrichtendienst geltenden Sicherheitsbestimmungen zu beachten,
7. ein Votum der Gleichstellungsbeauftragten des Bundesnachrichtendienstes, das diese gemäß den §§ 25, 27 und 32 abgegeben hat, ist dem Bundeskanzleramt vorzulegen, soweit im Bundeskanzleramt Entscheidungen für den Bundesnachrichtendienst getroffen werden und die Gleichstellungsbeauftragte des Bundeskanzleramtes insoweit nicht zu beteiligen ist,
8. § 32 Absatz 4 und § 38 Absatz 1 Satz 5 sind nicht anzuwenden,
9. die Gleichstellungsbeauftragte bedarf des Einvernehmens der Dienststelle, soweit im Falle des § 35 eine Angelegenheit behandelt werden soll, die als Verschlusssache eingestuft ist,
10. bei Vorliegen besonderer Sicherheitsvorfälle oder einer besonderen Einsatzsituation, von der der Bundesnachrichtendienst ganz oder teilweise betroffen ist, ruhen die Rechte und Pflichten der Gleichstellungsbeauftragten; Beginn und Ende des Ruhens werden jeweils von der Leitung des Bundesnachrichtendienstes im Einvernehmen mit der Chefin oder dem Chef des Bundeskanzleramtes festgestellt.

§ 38[2)] Statistik, Verordnungsermächtigung. (1) [1]Jede Dienststelle erfasst alle zwei Jahre die Zahl aller in der Dienststelle beschäftigten Frauen und Männer sowie die Zahl der Frauen und Männer nach den folgenden weiteren Kriterien:

1. einzelne Bereiche, dabei Ebenen mit Führungspositionen ab Ebene der Referatsleitung,

---

[1)] § 37 Nr. 3, 4 und 8 geänd. mWv 12.8.2021 durch G v. 7.8.2021 (BGBl. I S. 3311); Nr. 4 neu gef., Nr. 5 geänd. mWv 25.1.2024 durch G v. 22.1.2024 (BGBl. 2024 I Nr. 17).

[2)] § 38 Abs. 1 neu gef., Abs. 2 Satz 1 Nr. 2 und 3 geänd., Satz 2 eingef., bish. Satz 2 und 3 werden Satz 3 und 4, Abs. 3 Nr. 1 und 2 neu gef., Abs. 4 Satz 2 aufgeh., bish. Satz 3 und 4 werden Satz 2 und 3 mWv 12.8.2021 durch G v. 7.8.2021 (BGBl. I S. 3311).

2. Voll- und Teilzeitbeschäftigung,
3. Inanspruchnahme einer Beurlaubung auf Grund von Familien- oder Pflegeaufgaben,
4. Bewerbung, Einstellung sowie beruflicher Aufstieg,
5. beruflicher Aufstieg von
   a) Beschäftigten, die eine Beurlaubung auf Grund von Familien- oder Pflegeaufgaben in Anspruch genommen haben, und
   b) Beschäftigten, die eine solche Beurlaubung nicht in Anspruch genommen haben,
6. die Zahl von Beschäftigten in Führungspositionen ab Ebene der Referatsleitung in Voll- und Teilzeitbeschäftigung sowie
7. Beurteilungsergebnisse von Regelbeurteilungen im höheren Dienst in den in § 3 Nummer 5 Buchstabe a und b genannten Dienststellen.

[2] Die Daten nach Satz 1 Nummer 1 bis 3 und 6 sind zum 30. Juni des Berichtsjahres zu erfassen. [3] Die Daten nach Satz 1 Nummer 4, 5 und 7 sind für den Zeitraum vom 1. Juli des vorletzten Jahres bis zum 30. Juni des Berichtsjahres zu erfassen. [4] Die Sätze 1 bis 3 finden unter Beachtung der datenschutzrechtlichen Vorgaben auf Beschäftigte mit dem Geschlechtseintrag „divers" oder „keine Angabe" entsprechende Anwendung, soweit Informationen dazu vorliegen. [5] Die Daten der nachgeordneten Bundesbehörden sowie des mittelbaren Bundesdienstes sind bis zum 30. September der obersten Bundesbehörde oder der obersten Aufsichtsbehörde zu melden. [6] Die obersten Bundesbehörden melden dem Statistischen Bundesamt bis zum 31. Dezember ihre eigenen Daten, die zusammengefassten Daten des jeweiligen Geschäftsbereichs sowie die zusammengefassten Daten der ihrer Rechtsaufsicht unterstehenden mittelbaren Bundesverwaltung. [7] Bei der Zusammenfassung sind die Gruppen Körperschaften, Anstalten und Stiftungen, bei Körperschaften der Sozialversicherung die Zweige der Sozialversicherung voneinander zu trennen.

(2) [1] Jede oberste Bundesbehörde erfasst jährlich die Zahl aller in der obersten Bundesbehörde beschäftigten Frauen und Männer sowie die Zahl der Frauen und Männer nach folgenden weiteren Kriterien:
1. Laufbahngruppe des höheren Dienstes,
2. einzelne Ebenen mit Führungspositionen ab Ebene der Referatsleitung einschließlich der politischen Leitungsämter,
3. Voll- und Teilzeitbeschäftigung, auch für Beschäftigte in Führungspositionen ab Ebene der Referatsleitung,
4. Inanspruchnahme einer Beurlaubung auf Grund von Familien- oder Pflegeaufgaben,
5. beruflicher Aufstieg.

[2] Soweit hierüber Informationen vorliegen, wird unter Beachtung der datenschutzrechtlichen Vorgaben auch die jeweilige Zahl der Beschäftigten mit dem Geschlechtseintrag „divers" oder „keine Angabe" erfasst. [3] Die Daten nach Satz 1 Nummer 1 bis 4 sind zum 30. Juni des Berichtsjahres zu erfassen, die Daten nach Satz 1 Nummer 5 für den Zeitraum vom 1. Juli des Vorjahres bis zum 30. Juni des Berichtsjahres. [4] Die Meldung an das Statistische Bundesamt hat bis zum 30. September zu erfolgen.

(3) Das Statistische Bundesamt erstellt im Auftrag des Bundesministeriums für Familie, Senioren, Frauen und Jugend

1. alle zwei Jahre eine Gleichstellungsstatistik zu den nach Absatz 1 erhobenen Daten der Dienststellen und leitet die Gleichstellungsstatistik den obersten Bundesbehörden zu und
2. jährlich einen Gleichstellungsindex aus den nach Absatz 2 erhobenen Daten der obersten Bundesbehörden und veröffentlicht den Gleichstellungsindex jeweils bis zum 31. Dezember.

(4) [1] Die Bundesregierung regelt durch Rechtsverordnung ohne Zustimmung des Bundesrates die einzelnen Vorgaben für die Erfassung und Mitteilung der statistischen Daten. [2] Die Rechtsverordnung nach Satz 1 beschränkt den Kreis der mitteilungspflichtigen Dienststellen auf das Notwendige. [3] In der Rechtsverordnung können auch Bestimmungen zu Inhalt, Ausarbeitung und zur jährlichen Aktualisierung der Anlagen zur Rechtsverordnung getroffen werden.

§ 39[1)] Bericht. (1) [1] Die Bundesregierung legt dem Deutschen Bundestag alle vier Jahre einen Bericht vor. [2] Der Bericht legt dar,

1. wie sich in den letzten vier Jahren die Situation für Personen der einzelnen Geschlechter in den Dienststellen entwickelt hat,
2. inwieweit die Ziele dieses Gesetzes erreicht sind und
3. wie dieses Gesetz angewendet worden ist.

[3] Zudem weist er vorbildhafte Gleichstellungsmaßnahmen einzelner Dienststellen aus.

(2) [1] Grundlage des Gleichstellungsberichts sind die nach § 38 Absatz 1 und 2 erfassten Daten. [2] Die obersten Bundesbehörden haben durch die Bereitstellung der erforderlichen Angaben bei der Erstellung des Gleichstellungsberichts mitzuwirken.

(3) An der Erstellung des Gleichstellungsberichts ist der Interministerielle Arbeitskreis der Gleichstellungsbeauftragten der obersten Bundesbehörden zu beteiligen.

(4) Der Gleichstellungsbericht darf keine personenbezogenen Daten enthalten.

§ 40[2)] Übergangsbestimmung. Gleichstellungspläne, die am 12. August 2021 bestehen, gelten auch nach dem Inkrafttreten des Gesetzes zur Ergänzung und Änderung der Regelungen für die gleichberechtigte Teilhabe von Frauen an Führungspositionen in der Privatwirtschaft und im öffentlichen Dienst[3)] weiter.

[1)] § 39 neu gef. mWv *12.8.2021* durch G v. 7.8.2021 (BGBl. I S. 3311).
[2)] § 40 neu gef. mWv 12.8.2021 durch G v. 7.8.2021 (BGBl. I S. 3311).
[3)] In Kraft ab 12.8.2021.

92a. Gesetz über die Mitwirkung des Bundes an der Besetzung von Gremien (Bundesgremienbesetzungsgesetz – BGremBG)[1)]

Vom 24. April 2015
(BGBl. I S. 642)

FNA 116-3

geänd. durch Art. 1 G zur Ergänzung und Änd. der Regelungen für die gleichberechtigte Teilhabe von Frauen an Führungspositionen in der Privatwirtschaft und im öffentlichen Dienst v. 7.8.2021 (BGBl. I S. 3311)

§ 1 Ziel des Gesetzes. Ziel des Gesetzes ist die paritätische Vertretung von Frauen und Männern in Gremien, soweit der Bund Mitglieder für diese bestimmen kann.

§ 2[2)] Geltungsbereich. [1] Dieses Gesetz gilt für Aufsichtsgremien und wesentliche Gremien, für die der Bund Mitglieder bestimmen kann. [2] Es gilt nicht für die Ernennung der Mitglieder der Bundesregierung, nicht für die Gerichtsbarkeit und nicht für Gremienmitglieder, die in Ausübung gesetzlich verbürgter Unabhängigkeit bestimmt werden.

§ 3[3)] Begriffsbestimmungen. Im Sinne dieses Gesetzes sind:

1. Aufsichtsgremien: Aufsichts- und Verwaltungsräte sowie vergleichbare Aufsicht führende Organe ungeachtet ihrer Bezeichnung und Rechtsgrundlage, auch wenn deren Mitglieder durch Wahl bestimmt werden;
2. wesentliche Gremien:
   a) Gremien, bei denen die Bundesregierung als Gesamtheit die Mitgliedschaft mindestens eines Mitglieds zu beschließen oder zur Kenntnis zu nehmen hat,
   b) Gremien, die wegen ihrer besonderen tatsächlichen, wissenschaftlichen oder zukunftsrelevanten Bedeutung von den Institutionen des Bundes nach Nummer 3 als wesentliche Gremien bestimmt worden sind;
3. Institutionen des Bundes:
   a) die Bundesregierung als Gesamtheit,
   b) das Bundeskanzleramt,
   c) die Bundesministerien sowie die oder der Beauftragte der Bundesregierung für Kultur und Medien einschließlich der Behörden des jeweiligen Geschäftsbereichs,
   d) die weiteren Beauftragten der Bundesregierung und die Bundesbeauftragten sowie
   e) die bundesunmittelbaren juristischen Personen des öffentlichen Rechts ohne Recht auf Selbstverwaltung;

---

1) Verkündet als Art. 1 des G für die gleichberechtigte Teilhabe von Frauen und Männern an Führungspositionen in der Privatwirtschaft und im öffentlichen Dienst v. 24.4.2015 (BGBl. I S. 642); Inkrafttreten gem. Art. 24 Abs. 2 Satz 1 dieses G am 1.5.2015.

2) § 2 Satz 1 neu gef. mWv 12.8.2021 durch G v. 7.8.2021 (BGBl. I S. 3311).

3) § 3 Nr. 2 und 4 neu gef., Nr. 3 einl. Satzteil geänd. mWv 12.8.2021 durch G v. 7.8.2021 (BGBl. I S. 3311).

4. vom Bund zu bestimmende Mitglieder: Mitglieder, die die Institutionen des Bundes einzeln oder gemeinsam in ein Aufsichtsgremium oder in ein wesentliches Gremium unmittelbar und rechtsverbindlich wählen, berufen, entsenden oder für ein solches Gremium vorschlagen können; ein Mitglied ist nicht vom Bund bestimmt, wenn ein Dritter gegenüber dem Bund ein Vorschlagsrecht für die Mitgliedschaft hat und von diesem Recht Gebrauch macht.

§ 4[1)] Besetzung der Aufsichtsgremien und der wesentlichen Gremien.

(1) [1] In jedem Aufsichtsgremium mit mindestens zwei vom Bund zu bestimmenden Mitgliedern sollen unter den vom Bund zu bestimmenden Mitgliedern Frauen und Männer zu gleichen Teilen vertreten sein. [2] Steht dem Bund eine ungerade Anzahl an Sitzen zu, so darf das Ungleichgewicht zwischen Frauen und Männern nur einen Sitz betragen. [3] Bei jedem wesentlichen Gremium haben die Institutionen des Bundes darauf hinzuwirken, dass eine paritätische Vertretung von Frauen und Männern nach den Sätzen 1 und 2 geschaffen oder erhalten wird.

(2) [1] Absatz 1 gilt für Neuwahlen, Berufungen und Entsendungen. [2] Bestehende Mandate können bis zu ihrem vorgesehenen Ende wahrgenommen werden.

(3) [1] Sind mehrere Institutionen des Bundes an der Besetzung eines Aufsichtsgremiums oder eines wesentlichen Gremiums beteiligt, so erfüllen sie die Vorgaben des Absatzes 1 gemeinsam unter besonderer Verantwortung der für das jeweilige Gremium federführenden Institution des Bundes. [2] Droht bei einem Aufsichtsgremium oder einem wesentlichen Gremium, dessen Besetzung dem Bundeskabinett vorgelegt wird, eine Unterschreitung der Vorgaben des Absatzes 1, so hat die für dieses Gremium federführende Institution des Bundes unverzüglich das Bundesministerium für Familie, Senioren, Frauen und Jugend davon zu unterrichten. [3] Die Gründe für die drohende Unterschreitung sind darzulegen.

§ 5[2)] Statistik, Verordnungsermächtigung. (1) Die Institutionen des Bundes erfassen jährlich zum 31. Dezember

1. die Aufsichtsgremien und die wesentlichen Gremien, für die sie federführend zuständig sind,
2. die Zahl der vom Bund für die jeweiligen in Nummer 1 genannten Gremien zu bestimmenden Mitglieder,
3. die Anzahl der Frauen und Männer, die der Bund in den jeweiligen in Nummer 1 genannten Gremien bestimmt hat, und
4. die Veränderungen nach den Nummern 1 bis 3 im Vergleich zum Vorjahr.

(2) [1] Bis zum 31. März des Folgejahres haben die Institutionen des Bundes die Daten nach Absatz 1 dem Statistischen Bundesamt zu melden. [2] Gleichzeitig haben sie diese Daten in übersichtlicher Form unter Beachtung des Datenschutzes auf ihrer Internetseite zu veröffentlichen.

[1)] § 4 neu gef. mWv *12.8.2021* durch G v. 7.8.2021 (BGBl. I S. 3311).

[2)] § 5 aufgeh., bish. § 6 wird § 5 und Abs. 1–3 neu gef., Abs. 4 geänd. mWv 12.8.2021 durch G v. 7.8.2021 (BGBl. I S. 3311).

(3) Das Statistische Bundesamt erstellt im Auftrag des Bundesministeriums für Familie, Senioren, Frauen und Jugend jährlich eine Statistik zu den ihm nach Absatz 2 Satz 1 gemeldeten Daten.

(4) Die Bundesregierung regelt durch Rechtsverordnung ohne Zustimmung des Bundesrates die einzelnen Vorgaben für die Mitteilung der statistischen Daten nach Absatz 2 Satz 1.

§ 6[1] Bericht. (1) Die Bundesregierung legt dem Deutschen Bundestag alle vier Jahre eine Zusammenstellung und Auswertung der vom Bund vorgenommenen Gremienbesetzungen vor.

(2) [1] Grundlage der Zusammenstellung und Auswertung sind die nach § 5 Absatz 2 Satz 1 gemeldeten Daten. [2] Die obersten Bundesbehörden haben die für die Erstellung des Berichts erforderlichen Angaben zu machen.

---

[1] Bish. § 7 wird § 6 und Abs. 1 und Abs. 2 Satz 1 geänd. mWv 12.8.2021 durch G v. 7.8.2021 (BGBl. I S. 3311).

93. Gesetz zur Förderung der Entgelttransparenz zwischen Frauen und Männern (Entgelttransparenzgesetz – EntgTranspG)[1)]

Vom 30. Juni 2017
(BGBl. I S. 2152)

FNA 800-30

geänd. durch Art. 25 G zur Umsetzung der DigitalisierungsRL v. 5.7.2021 (BGBl. I S. 3338)

Inhaltsübersicht

Abschnitt 1. Allgemeine Bestimmungen

§ 1 Ziel des Gesetzes. Ziel des Gesetzes ist es, das Gebot des gleichen Entgelts für Frauen und Männer bei gleicher oder gleichwertiger Arbeit durchzusetzen.

---

1) Verkündet als Art. 1 G zur Förderung der Transparenz von Entgeltstrukturen v. 30.6.2017 (BGBl. I S. 2152); Inkrafttreten gem. Art. 3 dieses G am 6.7.2017.

§ 2 Anwendungsbereich. (1) Dieses Gesetz gilt für das Entgelt von Beschäftigten nach § 5 Absatz 2, die bei Arbeitgebern nach § 5 Absatz 3 beschäftigt sind, soweit durch dieses Gesetz nichts anderes bestimmt wird.

(2) [1] Das Allgemeine Gleichbehandlungsgesetz bleibt unberührt. [2] Ebenfalls unberührt bleiben sonstige Benachteiligungsverbote und Gebote der Gleichbehandlung sowie öffentlich-rechtliche Vorschriften, die dem Schutz oder der Förderung bestimmter Personengruppen dienen.

§ 3 Verbot der unmittelbaren und mittelbaren Entgeltbenachteiligung wegen des Geschlechts. (1) Bei gleicher oder gleichwertiger Arbeit ist eine unmittelbare oder mittelbare Benachteiligung wegen des Geschlechts im Hinblick auf sämtliche Entgeltbestandteile und Entgeltbedingungen verboten.

(2) [1] Eine unmittelbare Entgeltbenachteiligung liegt vor, wenn eine Beschäftigte oder ein Beschäftigter wegen des Geschlechts bei gleicher oder gleichwertiger Arbeit ein geringeres Entgelt erhält, als eine Beschäftigte oder ein Beschäftigter des jeweils anderen Geschlechts erhält, erhalten hat oder erhalten würde. [2] Eine unmittelbare Benachteiligung liegt auch im Falle eines geringeren Entgelts einer Frau wegen Schwangerschaft oder Mutterschaft vor.

(3) [1] Eine mittelbare Entgeltbenachteiligung liegt vor, wenn dem Anschein nach neutrale Vorschriften, Kriterien oder Verfahren Beschäftigte wegen des Geschlechts gegenüber Beschäftigten des jeweils anderen Geschlechts in Bezug auf das Entgelt in besonderer Weise benachteiligen können, es sei denn, die betreffenden Vorschriften, Kriterien oder Verfahren sind durch ein rechtmäßiges Ziel sachlich gerechtfertigt und die Mittel sind zur Erreichung dieses Ziels angemessen und erforderlich. [2] Insbesondere arbeitsmarkt-, leistungs- und arbeitsergebnisbezogene Kriterien können ein unterschiedliches Entgelt rechtfertigen, sofern der Grundsatz der Verhältnismäßigkeit beachtet wurde.

(4) Die §§ 5 und 8 des Allgemeinen Gleichbehandlungsgesetzes[1] bleiben unberührt.

§ 4 Feststellung von gleicher oder gleichwertiger Arbeit, benachteiligungsfreie Entgeltsysteme. (1) Weibliche und männliche Beschäftigte üben eine gleiche Arbeit aus, wenn sie an verschiedenen Arbeitsplätzen oder nacheinander an demselben Arbeitsplatz eine identische oder gleichartige Tätigkeit ausführen.

(2) [1] Weibliche und männliche Beschäftigte üben eine gleichwertige Arbeit im Sinne dieses Gesetzes aus, wenn sie unter Zugrundelegung einer Gesamtheit von Faktoren als in einer vergleichbaren Situation befindlich angesehen werden können. [2] Zu den zu berücksichtigenden Faktoren gehören unter anderem die Art der Arbeit, die Ausbildungsanforderungen und die Arbeitsbedingungen. [3] Es ist von den tatsächlichen, für die jeweilige Tätigkeit wesentlichen Anforderungen auszugehen, die von den ausübenden Beschäftigten und deren Leistungen unabhängig sind.

(3) Beschäftigte in unterschiedlichen Rechtsverhältnissen nach § 5 Absatz 2 können untereinander nicht als vergleichbar nach Absatz 1 oder als in einer vergleichbaren Situation nach Absatz 2 befindlich angesehen werden.

---

[1] Nr. **91**.

(4) [1] Verwendet der Arbeitgeber für das Entgelt, das den Beschäftigten zusteht, ein Entgeltsystem, müssen dieses Entgeltsystem als Ganzes und auch die einzelnen Entgeltbestandteile so ausgestaltet sein, dass eine Benachteiligung wegen des Geschlechts ausgeschlossen ist. [2] Dazu muss es insbesondere

1. die Art der zu verrichtenden Tätigkeit objektiv berücksichtigen,
2. auf für weibliche und männliche Beschäftigte gemeinsamen Kriterien beruhen,
3. die einzelnen Differenzierungskriterien diskriminierungsfrei gewichten sowie
4. insgesamt durchschaubar sein.

(5) [1] Für tarifvertragliche Entgeltregelungen sowie für Entgeltregelungen, die auf einer bindenden Festsetzung nach § 19 Absatz 3 des Heimarbeitsgesetzes[1)] beruhen, gilt eine Angemessenheitsvermutung. [2] Tätigkeiten, die aufgrund dieser Regelungen unterschiedlichen Entgeltgruppen zugewiesen werden, werden als nicht gleichwertig angesehen, sofern die Regelungen nicht gegen höherrangiges Recht verstoßen.

(6) Absatz 5 ist sinngemäß auch auf gesetzliche Entgeltregelungen anzuwenden.

§ 5 Allgemeine Begriffsbestimmungen. (1) Entgelt im Sinne dieses Gesetzes sind alle Grund- oder Mindestarbeitsentgelte sowie alle sonstigen Vergütungen, die unmittelbar oder mittelbar in bar oder in Sachleistungen aufgrund eines Beschäftigungsverhältnisses gewährt werden.

(2) Beschäftigte im Sinne dieses Gesetzes sind

1. Arbeitnehmerinnen und Arbeitnehmer,
2. Beamtinnen und Beamte des Bundes sowie der sonstigen der Aufsicht des Bundes unterstehenden Körperschaften, Anstalten und Stiftungen des öffentlichen Rechts,
3. Richterinnen und Richter des Bundes,
4. Soldatinnen und Soldaten,
5. die zu ihrer Berufsbildung Beschäftigten sowie
6. die in Heimarbeit Beschäftigten sowie die ihnen Gleichgestellten.

(3) [1] Arbeitgeber im Sinne dieses Gesetzes sind natürliche und juristische Personen sowie rechtsfähige Personengesellschaften, die Personen nach Absatz 2 beschäftigen, soweit durch dieses Gesetz nichts anderes bestimmt wird. [2] Für die in Heimarbeit Beschäftigten und die ihnen Gleichgestellten tritt an die Stelle des Arbeitgebers der Auftraggeber oder Zwischenmeister.

(4) [1] Tarifgebundene Arbeitgeber im Sinne dieses Gesetzes sind Arbeitgeber, die einen Entgelttarifvertrag oder Entgeltrahmentarifvertrag aufgrund von § 3 Absatz 1 des Tarifvertragsgesetzes[2)] anwenden. [2] Von Satz 1 erfasst werden auch Arbeitgeber, die einen Entgelttarifvertrag aufgrund der Tarifgeltung einer Allgemeinverbindlichkeitserklärung nach § 5 des Tarifvertragsgesetzes oder Entgeltregelungen aufgrund einer bindenden Festsetzung nach § 19 Absatz 3 des Heimarbeitsgesetzes[1)] anwenden.

(5) Tarifanwendende Arbeitgeber im Sinne dieses Gesetzes sind Arbeitgeber, die im Geltungsbereich eines Entgelttarifvertrages oder Entgeltrahmentarifvertra-

---

[1)] Nr. **450**.
[2)] Nr. **504**.

ges die tariflichen Regelungen zum Entgelt durch schriftliche Vereinbarung zwischen Arbeitgeber und Beschäftigten verbindlich und inhaltsgleich für alle Tätigkeiten und Beschäftigten übernommen haben, für die diese tariflichen Regelungen zum Entgelt angewendet werden.

§ 6 Aufgaben von Arbeitgebern, Tarifvertragsparteien und betrieblichen Interessenvertretungen. (1) [1] Arbeitgeber, Tarifvertragsparteien und die betrieblichen Interessenvertretungen sind aufgefordert, im Rahmen ihrer Aufgaben und Handlungsmöglichkeiten an der Verwirklichung der Entgeltgleichheit zwischen Frauen und Männern mitzuwirken. [2] Die zuständigen Tarifvertragsparteien benennen Vertreterinnen und Vertreter zur Einhaltung des Entgeltgleichheitsgebots im Sinne dieses Gesetzes und zur Wahrnehmung der Aufgaben nach § 14 Absatz 3.

(2) [1] Arbeitgeber sind verpflichtet, die erforderlichen Maßnahmen zu treffen, um die Beschäftigten vor Benachteiligungen wegen des Geschlechts in Bezug auf das Entgelt zu schützen. [2] Dieser Schutz umfasst auch vorbeugende Maßnahmen.

§ 7 Entgeltgleichheitsgebot. Bei Beschäftigungsverhältnissen darf für gleiche oder für gleichwertige Arbeit nicht wegen des Geschlechts der oder des Beschäftigten ein geringeres Entgelt vereinbart oder gezahlt werden als bei einer oder einem Beschäftigten des anderen Geschlechts.

§ 8 Unwirksamkeit von Vereinbarungen. (1) Bestimmungen in Vereinbarungen, die gegen § 3 oder § 7 verstoßen, sind unwirksam.

(2) [1] Die Nutzung der in einem Auskunftsverlangen erlangten Informationen ist auf die Geltendmachung von Rechten im Sinne dieses Gesetzes beschränkt. [2] Die Veröffentlichung personenbezogener Gehaltsangaben und die Weitergabe an Dritte sind von dem Nutzungsrecht nicht umfasst.

§ 9 Maßregelungsverbot. [1] Der Arbeitgeber darf Beschäftigte nicht wegen der Inanspruchnahme von Rechten nach diesem Gesetz benachteiligen. [2] Gleiches gilt für Personen, welche die Beschäftigten hierbei unterstützen oder als Zeuginnen oder Zeugen aussagen. [3] § 16 des Allgemeinen Gleichbehandlungsgesetzes[1)] bleibt unberührt.

Abschnitt 2. Individuelle Verfahren zur Überprüfung von Entgeltgleichheit

§ 10 Individueller Auskunftsanspruch. (1) [1] Zur Überprüfung der Einhaltung des Entgeltgleichheitsgebots im Sinne dieses Gesetzes haben Beschäftigte einen Auskunftsanspruch nach Maßgabe der §§ 11 bis 16. [2] Dazu haben die Beschäftigten in zumutbarer Weise eine gleiche oder gleichwertige Tätigkeit (Vergleichstätigkeit) zu benennen. [3] Sie können Auskunft zu dem durchschnittlichen monatlichen Bruttoentgelt nach § 5 Absatz 1 und zu bis zu zwei einzelnen Entgeltbestandteilen verlangen.

[1)] Nr. **91**.

(2) [1]Das Auskunftsverlangen hat in Textform zu erfolgen. [2]Vor Ablauf von zwei Jahren nach Einreichen des letzten Auskunftsverlangens können Beschäftigte nur dann erneut Auskunft verlangen, wenn sie darlegen, dass sich die Voraussetzungen wesentlich verändert haben.

(3) Das Auskunftsverlangen ist mit der Antwort nach Maßgabe der §§ 11 bis 16 erfüllt.

(4) Sonstige Auskunftsansprüche bleiben von diesem Gesetz unberührt.

§ 11 Angabe zu Vergleichstätigkeit und Vergleichsentgelt. (1) Die Auskunftsverpflichtung erstreckt sich auf die Angabe zu den Kriterien und Verfahren der Entgeltfindung nach Absatz 2 und auf die Angabe zum Vergleichsentgelt nach Absatz 3.

(2) [1]Die Auskunftsverpflichtung zu den Kriterien und Verfahren der Entgeltfindung erstreckt sich auf die Information über die Festlegung des eigenen Entgelts sowie des Entgelts für die Vergleichstätigkeit. [2]Soweit die Kriterien und Verfahren der Entgeltfindung auf gesetzlichen Regelungen, auf tarifvertraglichen Entgeltregelungen oder auf einer bindenden Festsetzung nach § 19 Absatz 3 des Heimarbeitsgesetzes[1)] beruhen, sind als Antwort auf das Auskunftsverlangen die Nennung dieser Regelungen und die Angabe, wo die Regelungen einzusehen sind, ausreichend.

(3) [1]Die Auskunftsverpflichtung in Bezug auf das Vergleichsentgelt erstreckt sich auf die Angabe des Entgelts für die Vergleichstätigkeit (Vergleichsentgelt). [2]Das Vergleichsentgelt ist anzugeben als auf Vollzeitäquivalente hochgerechneter statistischer Median des durchschnittlichen monatlichen Bruttoentgelts sowie der benannten Entgeltbestandteile, jeweils bezogen auf ein Kalenderjahr, nach folgenden Vorgaben:

1. in den Fällen des § 14 sowie in den Fällen einer gesetzlichen Entgeltregelung ist das Vergleichsentgelt der Beschäftigten des jeweils anderen Geschlechts anzugeben, die in die gleiche Entgelt- oder Besoldungsgruppe eingruppiert sind wie der oder die auskunftverlangende Beschäftigte;
2. in den Fällen des § 15 ist das Vergleichsentgelt aller Beschäftigten des jeweils anderen Geschlechts anzugeben, die die erfragte Vergleichstätigkeit oder die nach § 15 Absatz 4 ermittelte Vergleichstätigkeit ausüben.

(4) Auf kollektiv-rechtliche Entgeltregelungen der Kirchen oder der öffentlich-rechtlichen Religionsgesellschaften ist Absatz 2 Satz 2 und Absatz 3 Nummer 1 entsprechend anzuwenden.

§ 12 Reichweite. (1) Der Anspruch nach § 10 besteht für Beschäftigte nach § 5 Absatz 2 in Betrieben mit in der Regel mehr als 200 Beschäftigten bei demselben Arbeitgeber.

(2) Die Auskunftspflicht nach § 10 umfasst

1. nur Entgeltregelungen, die in demselben Betrieb und bei demselben Arbeitgeber angewendet werden,
2. keine regional unterschiedlichen Entgeltregelungen bei demselben Arbeitgeber und
3. keinen Vergleich der Beschäftigtengruppen nach § 5 Absatz 2 untereinander.

[1)] Nr. **450**.

(3) [1] Bei der Beantwortung eines Auskunftsverlangens ist der Schutz personenbezogener Daten der auskunftverlangenden Beschäftigten sowie der vom Auskunftsverlangen betroffenen Beschäftigten zu wahren. [2] Insbesondere ist das Vergleichsentgelt nicht anzugeben, wenn die Vergleichstätigkeit von weniger als sechs Beschäftigten des jeweils anderen Geschlechts ausgeübt wird. [3] Es ist sicherzustellen, dass nur die mit der Beantwortung betrauten Personen Kenntnis von den hierfür notwendigen Daten erlangen.

§ 13 Aufgaben und Rechte des Betriebsrates. (1) [1] Im Rahmen seiner Aufgabe nach § 80 Absatz 1 Nummer 2a des Betriebsverfassungsgesetzes[1)] fördert der Betriebsrat die Durchsetzung der Entgeltgleichheit von Frauen und Männern im Betrieb. [2] Dabei nimmt der Betriebsrat insbesondere die Aufgaben nach § 14 Absatz 1 und § 15 Absatz 2 wahr. [3] Betriebsverfassungsrechtliche, tarifrechtliche oder betrieblich geregelte Verfahren bleiben unberührt.

(2) [1] Der Betriebsausschuss nach § 27 des Betriebsverfassungsgesetzes oder ein nach § 28 Absatz 1 Satz 3 des Betriebsverfassungsgesetzes beauftragter Ausschuss hat für die Erfüllung seiner Aufgaben nach Absatz 1 das Recht, die Listen über die Bruttolöhne und -gehälter im Sinne des § 80 Absatz 2 Satz 2 des Betriebsverfassungsgesetzes einzusehen und auszuwerten. [2] Er kann mehrere Auskunftsverlangen bündeln und gemeinsam behandeln.

(3) [1] Der Arbeitgeber hat dem Betriebsausschuss Einblick in die Listen über die Bruttolöhne und -gehälter der Beschäftigten zu gewähren und diese aufzuschlüsseln. [2] Die Entgeltlisten müssen nach Geschlecht aufgeschlüsselt alle Entgeltbestandteile enthalten einschließlich übertariflicher Zulagen und solcher Zahlungen, die individuell ausgehandelt und gezahlt werden. [3] Die Entgeltlisten sind so aufzubereiten, dass der Betriebsausschuss im Rahmen seines Einblicksrechts die Auskunft ordnungsgemäß erfüllen kann.

(4) Leitende Angestellte wenden sich für ihr Auskunftsverlangen nach § 10, abweichend von den §§ 14 und 15, an den Arbeitgeber.

(5) [1] Der Arbeitgeber erklärt schriftlich oder in Textform gegenüber dem Betriebsrat für dessen Beantwortung des Auskunftsverlangens, ob eine § 5 Absatz 5 entsprechende Anwendung der tariflichen Regelungen zum Entgelt erfolgt. [2] Der Betriebsrat bestätigt gegenüber den Beschäftigten schriftlich oder in Textform die Abgabe dieser Erklärung. [3] Die Sätze 1 und 2 gelten in den Fällen des § 14 Absatz 3 Satz 3 entsprechend.

(6) Gesetzliche und sonstige kollektiv-rechtlich geregelte Beteiligungsrechte des Betriebsrates bleiben von diesem Gesetz unberührt.

§ 14 Verfahren bei tarifgebundenen und tarifanwendenden Arbeitgebern. (1) [1] Beschäftigte tarifgebundener und tarifanwendender Arbeitgeber wenden sich für ihr Auskunftsverlangen nach § 10 an den Betriebsrat. [2] Die Vorgaben bestimmen sich nach § 13. [3] Der Betriebsrat hat den Arbeitgeber über eingehende Auskunftsverlangen in anonymisierter Form umfassend zu informieren. [4] Abweichend von Satz 1 kann der Betriebsrat verlangen, dass der Arbeitgeber die Auskunftsverpflichtung übernimmt.

(2) [1] Abweichend von Absatz 1 Satz 1 kann der Arbeitgeber die Erfüllung der Auskunftsverpflichtung generell oder in bestimmten Fällen übernehmen, wenn er

---

1) Nr. **570**.

dies zuvor gegenüber dem Betriebsrat erläutert hat. [2] Die Übernahme kann jeweils längstens für die Dauer der Amtszeit des jeweils amtierenden Betriebsrates erfolgen. [3] Übernimmt der Arbeitgeber die Erfüllung der Auskunftsverpflichtung, hat er den Betriebsrat umfassend und rechtzeitig über eingehende Auskunftsverlangen sowie über seine Antwort zu informieren. [4] Die Beschäftigten sind jeweils darüber zu informieren, wer die Auskunft erteilt.

(3) [1] Besteht kein Betriebsrat, wenden sich die Beschäftigten an den Arbeitgeber. [2] Der Arbeitgeber informiert die Vertreterinnen und Vertreter der zuständigen Tarifvertragsparteien nach § 6 Absatz 1 Satz 2 über seine Antwort zu eingegangenen Auskunftsverlangen. [3] Der Arbeitgeber sowie die Vertreterinnen und Vertreter der zuständigen Tarifvertragsparteien können vereinbaren, dass die Vertreterinnen und Vertreter der zuständigen Tarifvertragsparteien die Beantwortung von Auskunftsverlangen übernehmen. [4] In diesem Fall informiert der Arbeitgeber diese umfassend und rechtzeitig über eingehende Auskunftsverlangen. [5] Die Beschäftigten sind jeweils darüber zu informieren, wer die Auskunft erteilt.

(4) [1] Soweit die Vertreterinnen und Vertreter der zuständigen Tarifvertragsparteien nach Absatz 3 Satz 3 das Auskunftsverlangen beantworten, hat der Arbeitgeber diesen auf Verlangen die zur Erfüllung ihrer Aufgaben erforderlichen Informationen bereitzustellen. [2] Diese unterliegen im Rahmen ihrer Aufgaben der Verschwiegenheitspflicht.

§ 15 Verfahren bei nicht tarifgebundenen und nicht tarifanwendenden Arbeitgebern. (1) Beschäftigte nicht tarifgebundener und nicht tarifanwendender Arbeitgeber wenden sich für ihr Auskunftsverlangen nach § 10 an den Arbeitgeber.

(2) Besteht ein Betriebsrat, gilt § 14 Absatz 1 und 2 entsprechend.

(3) [1] Der Arbeitgeber oder der Betriebsrat ist verpflichtet, die nach § 10 verlangten Auskünfte innerhalb von drei Monaten nach Zugang des Auskunftsverlangens in Textform zu erteilen. [2] Droht Fristversäumnis, hat der Arbeitgeber oder der Betriebsrat die auskunftverlangende Beschäftigte oder den auskunftverlangenden Beschäftigten darüber zu informieren und die Antwort ohne weiteres Verzögern zu erteilen.

(4) [1] Der Arbeitgeber oder der Betriebsrat gibt an, inwiefern die benannte Vergleichstätigkeit überwiegend von Beschäftigten des jeweils anderen Geschlechts ausgeübt wird. [2] Hält der Arbeitgeber oder der Betriebsrat die erfragte Vergleichstätigkeit nach den im Betrieb angewendeten Maßstäben für nicht gleich oder nicht gleichwertig, hat er dies anhand dieser Maßstäbe nachvollziehbar zu begründen. [3] Dabei sind die in § 4 genannten Kriterien zu berücksichtigen. [4] Der Arbeitgeber oder der Betriebsrat hat in diesem Fall seine Auskunft auf eine seines Erachtens nach gleiche oder gleichwertige Tätigkeit zu beziehen. [5] Soweit der Betriebsrat für die Beantwortung des Auskunftsverlangens zuständig ist, hat der Arbeitgeber dem Betriebsrat auf Verlangen die zur Erfüllung seiner Aufgaben erforderlichen Informationen bereitzustellen.

(5) [1] Unterlässt der Arbeitgeber die Erfüllung seiner Auskunftspflicht, trägt er im Streitfall die Beweislast dafür, dass kein Verstoß gegen das Entgeltgleichheitsgebot im Sinne dieses Gesetzes vorliegt. [2] Dies gilt auch, wenn der Betriebsrat aus Gründen, die der Arbeitgeber zu vertreten hat, die Auskunft nicht erteilen konnte.

§ 16 Öffentlicher Dienst. [1] Der Anspruch nach § 10 besteht auch für Beschäftigte des öffentlichen Dienstes nach § 5 Absatz 2 Nummer 1 bis 5 in Dienststellen mit in der Regel mehr als 200 Beschäftigten. [2] Die §§ 11 bis 14 sind sinngemäß anzuwenden.

Abschnitt 3. Betriebliche Verfahren zur Überprüfung und Herstellung von Entgeltgleichheit

§ 17 Betriebliche Prüfverfahren. (1) [1] Private Arbeitgeber mit in der Regel mehr als 500 Beschäftigten sind aufgefordert, mithilfe betrieblicher Prüfverfahren ihre Entgeltregelungen und die verschiedenen gezahlten Entgeltbestandteile sowie deren Anwendung regelmäßig auf die Einhaltung des Entgeltgleichheitsgebots im Sinne dieses Gesetzes zu überprüfen. [2] Nimmt in einem Konzern das herrschende Unternehmen auf die Entgeltbedingungen mindestens eines Konzernunternehmens entscheidenden Einfluss, kann das herrschende Unternehmen das betriebliche Prüfverfahren nach Satz 1 für alle Konzernunternehmen durchführen.

(2) Wird ein betriebliches Prüfverfahren durchgeführt, hat dies in eigener Verantwortung der Arbeitgeber mithilfe der Verfahren nach § 18 und unter Beteiligung der betrieblichen Interessenvertretungen zu erfolgen.

§ 18 Durchführung betrieblicher Prüfverfahren. (1) In das betriebliche Prüfverfahren sind die Tätigkeiten einzubeziehen, die demselben Entgeltsystem unterliegen, unabhängig davon, welche individualrechtlichen, tarifvertraglichen und betrieblichen Rechtsgrundlagen zusammenwirken.

(2) [1] Betriebliche Prüfverfahren haben aus Bestandsaufnahme, Analyse und Ergebnisbericht zu bestehen. [2] Der Arbeitgeber ist unter Berücksichtigung betrieblicher Mitwirkungsrechte frei in der Wahl von Analysemethoden und Arbeitsbewertungsverfahren. [3] Es sind valide statistische Methoden zu verwenden. [4] Die Daten sind nach Geschlecht aufzuschlüsseln. [5] Dabei ist der Schutz personenbezogener Daten zu wahren.

(3) [1] Bestandsaufnahme und Analyse haben die aktuellen Entgeltregelungen, Entgeltbestandteile und Arbeitsbewertungsverfahren zu erfassen und diese und deren Anwendung im Hinblick auf die Einhaltung des Entgeltgleichheitsgebots im Sinne dieses Gesetzes auszuwerten. [2] Dabei ist § 4 zu beachten. [3] § 12 Absatz 1 und 2 ist sinngemäß anzuwenden. [4] Bei gesetzlichen, bei tarifvertraglichen Entgeltregelungen und bei Entgeltregelungen, die auf einer bindenden Festsetzung nach § 19 Absatz 3 des Heimarbeitsgesetzes[1)] beruhen, besteht keine Verpflichtung zur Überprüfung der Gleichwertigkeit von Tätigkeiten. [5] Auf kollektivrechtliche Entgeltregelungen der Kirchen oder der öffentlich-rechtlichen Religionsgesellschaften ist Satz 4 entsprechend anzuwenden.

(4) Die Ergebnisse von Bestandsaufnahme und Analyse werden zusammengefasst und können betriebsintern veröffentlicht werden.

§ 19 Beseitigung von Entgeltbenachteiligungen. Ergeben sich aus einem betrieblichen Prüfverfahren Benachteiligungen wegen des Geschlechts in Bezug

---

1) Nr. **450**.

auf das Entgelt, ergreift der Arbeitgeber die geeigneten Maßnahmen zur Beseitigung der Benachteiligung.

§ 20 Mitwirkung und Information. (1) Der Arbeitgeber hat den Betriebsrat über die Planung des betrieblichen Prüfverfahrens rechtzeitig unter Vorlage der erforderlichen Unterlagen zu unterrichten.

(2) [1] Die Beschäftigten sind über die Ergebnisse des betrieblichen Prüfverfahrens zu informieren. [2] § 43 Absatz 2 und § 53 Absatz 2 des Betriebsverfassungsgesetzes[1)] sind zu beachten.

Abschnitt 4. Berichtspflichten für Arbeitgeber

§ 21 Bericht zur Gleichstellung und Entgeltgleichheit. (1) [1] Arbeitgeber mit in der Regel mehr als 500 Beschäftigten, die zur Erstellung eines Lageberichts nach den §§ 264 und 289 des Handelsgesetzbuches[2)] verpflichtet sind, erstellen einen Bericht zur Gleichstellung und Entgeltgleichheit, in dem sie Folgendes darstellen:

1. ihre Maßnahmen zur Förderung der Gleichstellung von Frauen und Männern und deren Wirkungen sowie
2. ihre Maßnahmen zur Herstellung von Entgeltgleichheit für Frauen und Männer.

[2] Arbeitgeber, die keine Maßnahmen im Sinne des Satzes 1 Nummer 1 oder 2 durchführen, haben dies in ihrem Bericht zu begründen.

(2) Der Bericht enthält außerdem nach Geschlecht aufgeschlüsselte Angaben

1. zu der durchschnittlichen Gesamtzahl der Beschäftigten sowie
2. zu der durchschnittlichen Zahl der Vollzeit- und Teilzeitbeschäftigten.

§ 22[3)] Berichtszeitraum und Veröffentlichung. (1) [1] Arbeitgeber nach § 21 Absatz 1, die tarifgebunden nach § 5 Absatz 4 sind oder die tarifanwendend nach § 5 Absatz 5 sind und die gemäß § 13 Absatz 5 erklärt haben, tarifliche Regelungen zum Entgelt nach § 5 Absatz 5 anzuwenden, erstellen den Bericht alle fünf Jahre. [2] Der Berichtszeitraum umfasst die vergangenen fünf Jahre.

(2) [1] Alle anderen Arbeitgeber nach § 21 Absatz 1 erstellen den Bericht alle drei Jahre. [2] Der Berichtszeitraum umfasst die vergangenen drei Jahre.

(3) [1] Die Angaben nach § 21 Absatz 2 beziehen sich nur auf das jeweils letzte Kalenderjahr im Berichtszeitraum. [2] Ab dem zweiten Bericht sind für die genannten Angaben die Veränderungen im Vergleich zum letzten Bericht anzugeben.

(4)[4)] Der Bericht nach § 21 ist dem nächsten Lagebericht nach § 289 des Handelsgesetzbuches[2)], der dem jeweiligen Berichtszeitraum folgt, als Anlage beizufügen und ***[bis 31.7.2022:*** im Bundesanzeiger zu veröffentlichen***][ab 1.8. 2022:*** *im Unternehmensregister offenzulegen****]***.

[1)] Nr. **570**.
[2)] **beck-online, Module Arbeitsrecht Nr. 105.**
[3)] § 22 Abs. 4 geänd. mWv 1.8.2022 durch G v. 5.7.2021 (BGBl. I S. 3338).
[4)] Beachte auch die Übergangsbestimmungen in § 25 Abs. 4.

Abschnitt 5. Evaluation, Aufgabe der Gleichstellungsbeauftragten, Übergangsbestimmungen

§ 23 Evaluation und Berichterstattung. (1) [1]Die Bundesregierung evaluiert nach Inkrafttreten dieses Gesetzes laufend die Wirksamkeit dieses Gesetzes und informiert alle vier Jahre, erstmals zwei Jahre nach Inkrafttreten, über die Ergebnisse. [2]Die Evaluation hat die Umsetzung des Gebots des gleichen Entgelts für Frauen und Männer bei gleicher oder gleichwertiger Arbeit in allen Betriebs- und Unternehmensformen und -größen darzustellen, die unter den Anwendungsbereich des Abschnittes 2 dieses Gesetzes unterfallen.

(2) Über die Entwicklung des Gebots des gleichen Entgelts für Frauen und Männer bei gleicher oder gleichwertiger Arbeit in Betrieben mit in der Regel weniger als 200 Beschäftigten berichtet die Bundesregierung alle vier Jahre, erstmals zwei Jahre nach Inkrafttreten dieses Gesetzes.

(3) Die Bundesregierung hat in die Evaluation nach Absatz 1 und in die Berichterstattung nach Absatz 2 die Stellungnahme der Sozialpartner miteinzubeziehen.

§ 24 Aufgabe der Gleichstellungsbeauftragten. Die Gleichstellungsbeauftragten in der Bundesverwaltung und in den Unternehmen und den Gerichten des Bundes sowie die Beauftragten, die in Unternehmen für die Gleichstellung von Frauen und Männern zuständig sind, haben die Aufgabe, den Vollzug dieses Gesetzes in Bezug auf die Durchsetzung des Gebots des gleichen Entgelts bei gleicher oder gleichwertiger Arbeit für Frauen und Männer zu fördern.

§ 25[1] Übergangsbestimmungen. (1) [1]Der Auskunftsanspruch nach § 10 kann erstmals sechs Kalendermonate nach dem 6. Juli 2017 geltend gemacht werden. [2]Soweit der Auskunftsanspruch nach Satz 1 dann innerhalb von drei Kalenderjahren erstmals geltend gemacht wird, können Beschäftigte abweichend von § 10 Absatz 2 Satz 2 erst nach Ablauf von drei Kalenderjahren erneut Auskunft verlangen. [3]Satz 2 gilt nicht, soweit die Beschäftigten darlegen, dass sich die Voraussetzungen wesentlich verändert haben.

(2) Der Bericht nach § 21 ist erstmals im Jahr 2018 zu erstellen.

(3) Abweichend von § 22 Absatz 1 Satz 2 und Absatz 2 Satz 2 umfasst der Berichtszeitraum für den ersten Bericht nur das letzte abgeschlossene Kalenderjahr, das dem Jahr 2017 vorausgeht.

[Abs. 4 ab 1.8.2022:]

(4) § 22 Absatz 4 in der ab dem 1. August 2022 geltenden Fassung ist erstmals anzuwenden auf Berichte zur Gleichstellung und Entgeltgleichheit, die Lageberichten beizufügen sind, welche für das nach dem 31. Dezember 2021 beginnende Geschäftsjahr aufgestellt werden.

---

[1] § 25 Abs. 4 angef. mWv 1.8.2022 durch G v. 5.7.2021 (BGBl. I S. 3338).

101. Gesetz zur Sicherstellung von Arbeitsleistungen für Zwecke der Verteidigung einschließlich des Schutzes der Zivilbevölkerung (Arbeitssicherstellungsgesetz)

Vom 9. Juli 1968
(BGBl. I S. 787)

FNA 800–18

zuletzt geänd. durch Art. 13 Wehrdienst-Modernisierungsgesetz v. 22.12.2025 (BGBl. 2025 I Nr. 370)

Inhaltsübersicht[1]

---

[1] Inhaltsübersicht geänd. mWv 1.1.1997 durch G v. 7.8.1996 (BGBl. I S. 1254); geänd. mWv 9.8.2019 durch G v. 4.8.2019 (BGBl. I S. 1147); geänd. mWv 1.1.2026 durch G v. 22.12.2025 (BGBl. 2025 I Nr. 370).

Erster Abschnitt. Grundsätzliche Vorschriften

§ 1 Vorrang des freien Arbeitsvertrages. [1] Das Grundrecht der freien Wahl des Arbeitsplatzes (Artikel 12 des Grundgesetzes[1)]) gilt auch in Spannungszeiten und im Verteidigungsfall. [2] Von den in § 2 geregelten Verpflichtungsbefugnissen darf nur Gebrauch gemacht werden, wenn und soweit die in der genannten Vorschrift aufgeführten Arbeitsleistungen nicht auf der Grundlage der Freiwilligkeit sichergestellt werden können.

§ 2[2)] Maßnahmen der Sicherstellung von Arbeitsleistungen. Für Zwecke der Verteidigung einschließlich des Schutzes der Zivilbevölkerung kann nach den Vorschriften dieses Gesetzes

1. das Recht zur Beendigung des Arbeitsverhältnisses vom vollendeten 18. Lebensjahr bis zum Erreichen der Regelaltersgrenze nach dem Sechsten Buch Sozialgesetzbuch[3)] beschränkt werden,
2. ein Wehrpflichtiger in ein Arbeitsverhältnis verpflichtet werden,
3. eine Frau vom vollendeten achtzehnten bis zum vollendeten fünfundfünfzigsten Lebensjahr im zivilen Sanitäts- oder Heilwesen sowie in der ortsfesten militärischen Lazarettorganisation in ein Arbeitsverhältnis verpflichtet werden.

§ 3 Voraussetzungen für die Sicherstellung von Arbeitsleistungen.

[1] Beschränkungen und Verpflichtungen nach § 2 sind im Verteidigungsfall zulässig. [2] Beschränkungen und Verpflichtungen nach § 2 Nr. 1 und 2 sind

---

[1)] *Nr.* **10**.
[2)] § 2 Nr. 1 neu gef. mWv 1.1.2008 durch G v. 20.4.2007 (BGBl. I S. 554).
[3)] Auszugsweise abgedruckt unter Nr. **696**.

außerdem nach Maßgabe des Artikels 12a Abs. 5 Satz 1 und Abs. 6 Satz 2 des Grundgesetzes[1)] zulässig. [3] Die Verpflichtung zu Ausbildungsveranstaltungen (§ 29) ist auch zulässig, wenn die Voraussetzungen der Sätze 1 und 2 nicht gegeben sind.

§ 4[2)] Anwendungsbereich. (1) [1] Verpflichtungen und Beschränkungen nach § 2 sind zulässig zur Sicherstellung von Arbeitsleistungen

1. bei der Bundeswehr und bei den verbündeten Streitkräften,

1a. bei mehrheitlich im Eigentum des Bundes befindlichen Gesellschaften, soweit sie zur Versorgung der Bundeswehr und der verbündeten Streitkräfte dienen,

1b. bei sonstigen Unternehmen, soweit deren Leistungserbringung im Rahmen von Vertragsverhältnissen zur Versorgung der Bundeswehr und der verbündeten Streitkräfte erforderlich ist,

1c. bei Betrieben, soweit sie Militärausrüstung, einschließlich dazugehöriger Teile, Bauteile oder Bausätze liefern, erzeugen oder Dienstleistungen in unmittelbarem Zusammenhang dazu erbringen, sowie

1d. bei Forschungseinrichtungen, soweit sie militärisch forschen,

2. bei Dienststellen des Bundes, der Länder, der Gemeindeverbände, der Gemeinden und der sonstigen juristischen Personen des öffentlichen Rechts,
3. bei Verbänden und Einrichtungen des Zivilschutzes,
4. in Betrieben der Wasser- und Energieversorgung sowie der Abwasser- und Abfallbeseitigung,

4a. in Ernährungsunternehmen nach § 2 Nummer 6 des Ernährungssicherstellungs- und -vorsorgegesetzes,

5. in Krankenanstalten und anderen Einrichtungen, in denen pflegebedürftige Personen betreut werden,
6. in Betrieben der Mineralöl-, Gas-, Kohle- und Wasserstoffversorgung,
7. in Verkehrsunternehmen einschließlich Unternehmen des Personen- und Güterbeförderungsgewerbes in der See- und Binnenschifffahrt,
8. bei der Deutschen Telekom AG sowie bei Unternehmen, die nach Kapitel 12 des Postgesetzes[3)] oder Teil 10 Abschnitt 2 des Telekommunikationsgesetzes verpflichtet sind,
9. bei der nach § 31b Abs. 1 des Luftverkehrsgesetzes[4)] beauftragten Flugsicherungsorganisation und, soweit die Flugsicherungsorganisationen hoheitliche Aufgaben betreffend den Luftraum über dem Hoheitsgebiet der Bundes-

---

[1)] Nr. **10**.

[2)] § 4 Abs. 1 Nr. 2 geänd. durch G v. 27.12.1993 (BGBl. I S. 2378); Abs. 1 Nr. 2 geänd. und Nr. 8 angef. durch G v. 14.9.1994 (BGBl. I S. 2325); Abs. 1 Nr. 8 geänd. durch G v. 17.12.1997 (BGBl. I S. 3108); Abs. 1 Nr. 7 neu gef. mWv 1.1.2004 durch G v. 23.12.2003 (BGBl. I S. 2848); Abs. 1 Nr. 8 geänd., Nr. 9 angef. mWv 4.8.2009 durch G v. 29.7.2009 (BGBl. I S. 2424); Abs. 1 Nr. 4a eingef. mWv 11.4.2017 durch G v. 4.4.2017 (BGBl. I S. 772); Abs. 1 Nr. 8 geänd. mWv 1.12.2021 durch G v. 23.6.2021 (BGBl. I S. 1858); Abs. 1 Nr. 8 geänd. mWv 19.7.2024 durch G v. 15.7.2024 (BGBl. 2024 I Nr. 236); Abs. 1 Satz 1 Nr. 1a–1d eingef., Nr. 6, 8, 9 geänd., Nr. 10, Satz 2 und Abs. 3 angef. mWv 6.3.2025 durch G v. 27.2.2025 (BGBl. 2025 I Nr. 72); Abs. 1 Satz 1 Nr. 8 geänd. mWv 23.12.2025 durch G v. 22.12.2025 (BGBl. 2025 I Nr. 345); Abs. 3 Nr. 1 neu gef. mWv 1.1.2026 durch G v. 22.12.2025 (BGBl. 2025 I Nr. 370).

[3)] **Sartorius ErgBd. Nr. 910.**

[4)] **Sartorius ErgBd. Nr. 975.**

republik Deutschland wahrnehmen, bei den nach § 31f Absatz 1, auch in Verbindung mit Absatz 2 Satz 2, des Luftverkehrsgesetzes oder durch internationale Vereinbarung beauftragten Flugsicherungsorganisationen,

10. bei Betrieben, soweit sie Leistungen zur Sicherstellung der Funktionsfähigkeit oder der Sicherheit der Informationstechnik gegenüber Betrieben oder Dienststellen im Sinne der Nummern 1a bis 9 erbringen.

[2] Militärausrüstung im Sinne des Satzes 1 Nummer 1c ist jede Ausrüstung, die eigens zu militärischen Zwecken konzipiert oder für militärische Zwecke angepasst wird und zum Einsatz als Waffe, Munition oder Kriegsmaterial bestimmt ist.

(2) [1] Über Absatz 1 hinaus kann die Bundesregierung nach Eintritt der Voraussetzungen für die Sicherstellung von Arbeitsleistungen (§ 3) durch Rechtsverordnung bestimmen, daß Verpflichtungen und Beschränkungen auch in anderen Bereichen innerhalb des Anwendungsbereiches nach Artikel 12a Abs. 3, 4 und 6 des Grundgesetzes[1)] zulässig sind. [2] Die Rechtsverordnung kann den Anwendungsbereich auch einschränken oder abgrenzen. [3] Die Bundesregierung hat die Rechtsverordnung aufzuheben, wenn der Bundestag es verlangt.

(3) Verpflichtungen und Beschränkungen nach § 2 sind gegenüber deutschen Staatsangehörigen bei einem Beschäftigungsort außerhalb des Hoheitsgebietes der Bundesrepublik Deutschland auch zulässig zur Sicherstellung von Arbeitsleistungen

1. nach Absatz 1 Satz 1 Nummer 1 sowie, wenn der versorgende Betrieb der Gesellschaft oder des Unternehmens seinen Sitz im Gebiet der Bundesrepublik Deutschland hat, nach Absatz 1 Satz 1 Nummer 1a und 1b und
2. nach Absatz 1 Satz 1 Nummer 9.

§ 5[2)] Befreiungen. (1) § 2 gilt nicht für

1. schwerbehinderte Menschen im Sinne des § 2 Abs. 2 des Neunten Buches Sozialgesetzbuch[3)],
2. sonstige Personen, deren Minderung der Erwerbsfähigkeit oder deren Grad der Schädigungsfolgen nicht nur vorübergehend mindestens 50 beträgt.[4)]
3. Personen, die hilfsbedürftige Angehörige oder andere hilfsbedürftige Personen aus rechtlicher oder sittlicher Verpflichtung zu pflegen haben, es sei denn, daß die erforderliche Pflege gewährleistet ist,
4. Mitglieder oberster Verfassungsorgane des Bundes und der Länder,
5. Richter auf Lebenszeit oder auf Zeit,
6. ordinierte Geistliche evangelischen Bekenntnisses,
7. Geistliche römisch-katholischen Bekenntnisses, die die Subdiakonatsweihe empfangen haben,

---

[1)] Nr. **10**.

[2)] § 5 Abs. 1 Nr. 1 geänd. mWv 1.7.2001 durch G v. 19.6.2001 (BGBl. I S. 1046); Abs. 5 geänd. mWv 28.11.2003 durch VO v. 25.11.2003 (BGBl. I S. 2304); Abs. 5 geänd. mWv 8.11.2006 durch VO v. 31.10.2006 (BGBl. I S. 2407); Abs. 1 Nr. 2 neu gef. mWv 21.12.2007 durch G v. 13.12.2007 *(BGBl. I S. 2904)*.

[3)] Nr. **440**.

[4)] Zeichensetzung amtlich.

8. hauptamtlich tätige Geistliche anderer Bekenntnisse, deren Amt dem eines ordinierten Geistlichen evangelischen oder eines Geistlichen römisch-katholischen Bekenntnisses, der die Subdiakonatsweihe empfangen hat, entspricht.

(2) § 2 Nr. 2 und 3 gilt nicht für Mitglieder der Betriebs- und Personalräte.

(3) § 2 Nr. 2 und 3 gilt nicht für Personen, deren Verpflichtung einen bereits weitgehend geförderten Ausbildungsabschnitt unterbrechen würde, wenn dies für sie eine unzumutbare Härte bedeutet.

(4) § 2 Nr. 1 und 3 gilt nicht für Frauen vom Beginn der Schwangerschaft an bis vier Monate nach der Niederkunft sowie Frauen mit einem Kind unter 15 Jahren, das mit ihnen in häuslicher Gemeinschaft lebt.

(5) Das Bundesministerium für Arbeit und Soziales kann durch Rechtsverordnung weitere Personengruppen von der Anwendung des § 2 Nr. 2 und 3 befreien, wenn die Fortführung ihrer Tätigkeit oder Berufsausbildung im öffentlichen Interesse liegt und mit der Verpflichtung nach dieser Vorschrift unvereinbar ist.

§ 6[1] Abgrenzung zum Wehrdienst und anderen Dienstleistungen.

[1] Die Verpflichtung zum Dienst in den Streitkräften, in der Bundespolizei, in einem Zivilschutzverband und im Zivildienst geht einer Maßnahme zur Sicherstellung von Arbeitsleistungen nach § 2 vor. [2] Die §§ 13 und 13a des Wehrpflichtgesetzes[2] und die §§ 14 und 16 des Zivildienstgesetzes[3] bleiben unberührt.

(Fortsetzung nächstes Blatt)

---

[1] § 6 Satz 1 geänd., Satz 2 neu gef. durch G v. 25.3.1997 (BGBl. I S. 726); geänd. mWv 1.1.2026 durch G v. 22.12.2025 (BGBl. 2025 I Nr. 370).

[2] **beck-online, Module Arbeitsrecht Nr. 156a.**

[3] **beck-online, Module Arbeitsrecht Nr. 156c.**

Zweiter Abschnitt. Beschränkung der Beendigung eines Arbeitsverhältnisses im Verteidigungsfall und in Spannungszeiten

§ 7[1)] Zustimmungsbedürftigkeit der Beendigung eines Arbeitsverhältnisses. (1) [1]Arbeitnehmer und private Arbeitgeber im Anwendungsbereich des Gesetzes (§ 4) bedürfen nach Eintritt der Voraussetzungen für die Sicherstellung von Arbeitsleistungen (§ 3) für die Beendigung eines Arbeitsverhältnisses der Zustimmung der Agentur für Arbeit. [2]Die Agentur für Arbeit hat der Beendigung zuzustimmen, sofern durch sie die Sicherstellung von Arbeitsleistungen nicht beeinträchtigt wird oder die Fortsetzung des Arbeitsverhältnisses unzumutbar ist. [3]§ 1 ist zu beachten.

(2) Durch die Zustimmung wird nicht über die arbeitsrechtliche Berechtigung der Beendigung des Arbeitsverhältnisses entschieden.

§ 8[2)] Ausnahmen von der Zustimmungsbedürftigkeit. (1) Eine Zustimmung nach § 7 ist nicht erforderlich

1. bei Arbeitsverhältnissen auf bestimmte Zeit, wenn die Zeit abgelaufen ist,
2. bei gelegentlichen Dienstleistungen oder Beschäftigungen gegen geringfügiges Entgelt, die der Krankenversicherungspflicht nicht unterliegen.

(2) [1]Die Bundesagentur für Arbeit kann Arbeitnehmer und Arbeitgeber bestimmter Betriebe und Bereiche von der Verpflichtung befreien, vor Lösung eines Arbeitsverhältnisses die Zustimmung der Agentur für Arbeit einzuholen. [2]Die Befreiung ist dem Arbeitgeber und dem Betriebsrat (Personalrat) schriftlich mitzuteilen. [3]Der Arbeitgeber hat sie den Arbeitnehmern auf betriebsübliche Weise bekanntzumachen. [4]Die Befreiung kann befristet und für bestimmte Betriebsabteilungen erteilt werden; sie ist jederzeit widerruflich.

§ 9[3)] Zustimmungsverfahren. (1) Die Zustimmung zu der Beendigung eines Arbeitsverhältnisses ist von dem Vertragsteil, der die Beendigung beansichtigt, bei der Agentur für Arbeit schriftlich zu beantragen, in deren Bezirk seine Dienststelle oder sein Betrieb liegt; für das fahrende Personal der See- und Binnenschiffahrt ist in dringenden Fällen auch die Agentur für Arbeit zuständig, in deren Bezirk das Schiff liegt.

(2) [1]Die Zustimmung soll beiden Teilen schriftlich mitgeteilt werden. [2]Sie gilt als erteilt, wenn die Ablehnung des Antrags nicht binnen zwei Wochen, im Falle der außerordentlichen Kündigung binnen einer Woche nach seinem Eingang bei der Agentur für Arbeit dem Antragsteller zugegangen ist.

(3) [1]Wird der Antrag abgelehnt, so ist die Entscheidung dem Antragsteller zuzustellen.

---

1) § 7 Abs. 1 Sätze 1 und 2 geänd. mWv 1.1.2004 durch G v. 23.12.2003 (BGBl. I S. 2848).
2) § 8 Abs. 2 Satz 1 geänd. mWv 1.1.2004 durch G v. 23.12.2003 (BGBl. I S. 2848).
3) § 9 Abs. 1, Abs. 2 Satz 2 geänd., Abs. 3 Sätze 2 und 3 aufgeh. mWv 1.1.2004 durch G v. 23.12.2003 (BGBl. I S. 2848).

Dritter Abschnitt. Verpflichtung in ein Arbeitsverhältnis im Verteidigungsfall und in Spannungszeiten

1. Unterabschnitt. Verpflichtungsvorschriften

§ 10 Inhalt der Verpflichtung. Durch den Verpflichtungsbescheid (§ 13) wird ein Arbeitsverhältnis begründet.

§ 11[1] Verpflichtungsbehörden. (1) [1] Verpflichtungsbehörde ist die Agentur für Arbeit. [2] Örtlich zuständig ist die Agentur für Arbeit, in deren Bezirk der Betrieb oder die Dienststelle liegt, in dem der zu Verpflichtende beschäftigt ist. [3] Für das fahrende Personal der See- und Binnenschiffahrt ist in dringenden Fällen auch die Agentur für Arbeit zuständig, in deren Bezirk das Schiff liegt. [4] Für Grenzarbeitnehmer und für Nichtbeschäftigte ist die Agentur für Arbeit zuständig, in deren Bezirk sie ihren ständigen Aufenthalt oder mangels eines solchen ihren jeweiligen Aufenthalt haben.

(2) [1] Bei Gefahr im Verzug können auch die Gemeinden, in den Ländern Berlin, Bremen und Hamburg die von den Senaten bestimmten Stellen, sowie die Behörden der allgemeinen Verwaltung auf der Kreisstufe Verpflichtungen bis zu einer Dauer von drei Tagen vornehmen. [2] In diesem Fall haben sie die der Agentur für Arbeit als Verpflichtungsbehörde zustehenden Aufgaben.

§ 12[2] Grundsätze für die Verpflichtung. (1) [1] Die Verpflichtungsbehörde darf Personen nur in zumutbare Arbeitsverhältnisse verpflichten. [2] Dabei sind Ausbildung, berufliche Tätigkeit, körperliche und geistige Fähigkeiten und die sozialen und wirtschaftlichen Verhältnisse der zu verpflichtenden Person sowie die besonderen Verhältnisse des Arbeitsplatzes zu berücksichtigen. [3] § 1 ist zu beachten. [4] Den Belangen des bisherigen Arbeitgebers ist nach Möglichkeit Rechnung zu tragen. [5] Das Bundesministerium für Arbeit und Soziales kann hierzu allgemeine Verwaltungsvorschriften erlassen; für die in § 11 Abs. 2 genannten Verpflichtungsbehörden bedürfen sie der Zustimmung des Bundesrates.

(2) [1] Bei Personen, die in einem Dienst- oder Arbeitsverhältnis mit dem Bund, einem Land, einer Gemeinde oder einem Gemeindeverband stehen, bedarf die Verpflichtung der vorherigen Zustimmung der für Personalangelegenheiten zuständigen Behörde. [2] Die Zustimmung kann nur verweigert werden, wenn die Person lebens- und verteidigungswichtige Aufgaben der Behörde wahrzunehmen hat.

§ 13[3] Verpflichtungsbescheid. (1) [1] Der Verpflichtungsbescheid hat zu bezeichnen

1. die gesetzliche Grundlage der Verpflichtung,
2. die Verpflichtungsbehörde,

---

[1] § 11 Abs. 1 und Abs. 2 Sätze 1 und 2 geänd. mWv 1.1.2004 durch G v. 23.12.2003 (BGBl. I S. 2848).

[2] § 12 Abs. 1 Satz 5 erster Halbs. geänd. mWv 28.11.2003 durch VO v. 25.11.2003 (BGBl. I S. 2304); Abs. 1 Satz 5 geänd. mWv 8.11.2006 durch VO v. 31.10.2006 (BGBl. I S. 2407).

[3] § 13 Abs. 3 Satz 2 aufgeh. mWv 1.1.2004 durch G v. 23.12.2003 (BGBl. I S. 2848).

3. den Verpflichteten,
4. den Arbeitgeber,
5. die Art der Beschäftigung,
6. die für das Arbeitsverhältnis wesentlichen Bedingungen,
7. Ort und Zeit des Arbeitsantritts,
8. die voraussichtliche Dauer der Verpflichtung.

[2]Der Verpflichtungsbescheid muß außerdem einen Hinweis auf die Vorschriften zur wirtschaftlichen und sozialen Sicherung des Verpflichteten, eine Rechtsmittelbelehrung und eine Unterrichtung darüber enthalten, daß eine Zuwiderhandlung gegen die Verpflichtung als Ordnungswidrigkeit oder als Straftat geahndet werden kann.

(2) Der Verpflichtungsbescheid kann Auflagen für den Arbeitgeber, insbesondere zum Schutz des Verpflichteten enthalten.

(3) Der Verpflichtungsbescheid ist schriftlich zu erteilen und Arbeitnehmer und Arbeitgeber sowie dem bisherigen Arbeitgeber oder Dienstherrn und, bei in Heimarbeit Beschäftigten, dem bisherigen Auftraggeber (Zwischenmeister) zuzustellen, der sie mindestens ein Jahr ausschließlich oder überwiegend beschäftigt hat.

(4) [1]Bei Gefahr im Verzug kann die Verpflichtung auch mündlich oder fernmündlich ausgesprochen werden. [2]Sie ist unverzüglich schriftlich zu bestätigen.

2. Unterabschnitt. Rechtsstellung der verpflichteten Person

§ 14[1)] Inhalt des durch Verpflichtung begründeten Arbeitsverhältnisses. (1) [1]Die gegenseitigen Rechte und Pflichten aus dem Arbeitsverhältnis richten sich nach den Bedingungen, die im Betrieb, in der Dienststelle oder in entsprechenden Betrieben oder Dienststellen für Arbeitsleistungen vergleichbarer Art üblich sind; bei dem Arbeitgeber bestehende Regelungen über eine zusätzliche Alters- und Hinterbliebenenversorgung werden nicht angewendet. [2]Der Arbeitgeber hat dem Arbeitnehmer die aus der An- und Abreise entstehenden notwendigen Aufwendungen einschließlich der Umzugskosten zu erstatten und ihm eine Trennungsentschädigung zu zahlen.

(2) Das Bundesministerium für Arbeit und Soziales wird ermächtigt, durch Rechtsverordnung nähere Bestimmungen über Voraussetzungen, Höhe und Umfang der Trennungsentschädigung und den Ersatz von Umzugskosten zu erlassen.

§ 15[2)] Einfluß der Verpflichtung auf ein Arbeits- oder Vertragsverhältnis in der privaten Wirtschaft. (1) [1]Wird ein Arbeitnehmer in ein Arbeitsverhältnis verpflichtet, so ruht sein bisheriges Arbeitsverhältnis während der Dauer der Verpflichtung. [2]§ 1 Absatz 4 und 5, die §§ 2, 3 und 4 Absatz 1 Satz 1,

---

[1)] § 14 Abs. 2 geänd. mWv 28.11.2003 durch VO v. 25.11.2003 (BGBl. I S. 2304); Abs. 2 geänd. mWv 8.11.2006 durch VO v. 31.10.2006 (BGBl. I S. 2407).

[2)] § 15 Abs. 1 Satz 2 neu gef. durch G v. 18.12.1989 (BGBl. I S. 2261); Abs. 1 Satz 2 geänd. mWv 30.4.2005 durch G v. 22.4.2005 (BGBl. I S. 1106); Abs. 1 Satz 2 neu gef. mWv 1.1.2020 durch G v. 4.8.2019 (BGBl. I S. 1147).

Absatz 2 bis 4, die §§ 5, 6, 12 Absatz 1 und § 13 des Arbeitsplatzschutzgesetzes[1] gelten entsprechend; § 14a Absatz 3 und § 14b Absatz 1 des Arbeitsplatzschutzgesetzes gelten mit der Maßgabe entsprechend, dass der neue Arbeitgeber erstattungspflichtig ist. [3] Dieser darf etwaige Arbeitnehmeranteile von dem Arbeitsentgelt der verpflichteten Personen einbehalten.

(2) Für in Heimarbeit Beschäftigte und für Handelsvertreter gelten die §§ 7 und 8 des Arbeitsplatzschutzgesetzes entsprechend.

§ 16[2] Einfluß der Verpflichtung auf ein Dienst- oder Arbeitsverhältnis im öffentlichen Dienst. (1) [1] Wird ein Beamter oder ein Richter auf Probe in ein Arbeitsverhältnis verpflichtet, so ist er für die Dauer der Verpflichtung mit Dienstbezügen oder Unterhaltszuschuß beurlaubt; § 9 Abs. 3 bis 11 des Arbeitsplatzschutzgesetzes gilt entsprechend, Absatz 8 nur, soweit er die Einberufung zu Wehrübungen betrifft, und Absatz 9, soweit er auf § 4 Abs. 1, 2 und 4 verweist. [2] Für einen Lehrer an einer privaten genehmigten Ersatzschule, der nach § 6 Abs. 1 Nr. 5 des Fünften Buches Sozialgesetzbuch[3] versicherungsfrei ist, gilt Satz 1 entsprechend.

(2) [1] Wird ein Arbeitnehmer des öffentlichen Dienstes in ein Arbeitsverhältnis verpflichtet, so hat der Arbeitgeber des fortbestehenden Arbeitsverhältnisses für die Dauer der Verpflichtung das Arbeitsentgelt weiterzuzahlen. [2] Nach dem Ende der Verpflichtung ist das Arbeitsentgelt weiterzuzahlen, solange Krankengeld aus der gesetzlichen Krankenversicherung oder entsprechende Leistungen aus der gesetzlichen Unfallversicherung gewährt werden; insgesamt darf der Arbeitnehmer bei Arbeitsunfähigkeit nicht mehr erhalten, als er erhalten würde, wenn er nicht in ein Arbeitsverhältnis verpflichtet worden wäre. [3] Für das fortbestehende Arbeitsverhältnis gelten § 1 Abs. 1, 4 und 5, die §§ 2, 3, 4 Abs. 1 bis 4, die §§ 5, 6, 12, 13 und 14a Absatz 1 des Arbeitsplatzschutzgesetzes entsprechend.

(3) [1] Auf die nach den Absätzen 1 und 2 weiter zu gewährenden Dienstbezüge, Unterhaltszuschüsse, Vergütungen oder Arbeitsentgelte werden die dem verpflichteten Arbeitnehmer gewährten laufenden Geldbezüge aus dem Arbeitsverhältnis angerechnet. [2] Diesen Geldbezügen stehen gleich das Krankengeld aus der gesetzlichen Krankenversicherung, entsprechende Leistungen aus der gesetzlichen Unfallversicherung, das Kurzarbeitergeld und das Schlechtwettergeld.

§ 17[4] Zahlung von Unterschiedsbeträgen und Ersatz für Vertreterkosten und laufende Betriebsausgaben. (1) [1] Ein in ein Arbeitsverhältnis Verpflichteter, der nicht unter § 16 fällt, erhält, soweit sich sein Arbeitsentgelt,

---

[1] Nr. **156**.

[2] § 16 Abs. 3 Satz 2, Abs. 1 Satz 2 neu gef., Abs. 2 Satz 2 und Abs. 3 Satz 2 geänd. durch G v. 20.12.1988 (BGBl. I S. 2477), Abs. 2 Satz 3 geänd. durch G v. 18.12.1989 (BGBl. I S. 2261), § 16 Abs. 1 Satz 1 2. Halbsatz neu gef. durch G v. 17.12.1997 (BGBl. I S. 3108); Abs. 2 Satz 3 geänd. mWv 1.1.2020 durch G v. 4.8.2019 (BGBl. I S. 1147).

[3] Nr. **695**.

[4] § 17 Abs. 1 Satz 1 geänd. durch G v. 20.12.1988 (BGBl. I S. 2477), Abs. 1 Satz 2 geänd. durch G v. 15.12.1995 (BGBl. I S. 1726); Abs. 5 geänd. mWv 28.11.2003 durch VO v. 25.11.2003 (BGBl. I S. 2304); Abs. 5 geänd. mWv 8.11.2006 durch VO v. 31.10.2006 (BGBl. I S. 2407); Abs. 1 Satz 1 geänd., Satz 2 neu gef., Abs. 4 Satz 2 geänd., Abs. 5 neu gef. mWv 1.11.2015 durch G v. 29.6.2015 (BGBl. I S. 1061); Abs. 1 Satz 2 geänd., Abs. 2–4 neu gef., Abs. 5 aufgeh. mWv 1.1.2020 durch G v. 4.8.2019 (BGBl. I S. 1147).

gemindert um die hierauf zu entrichtende Einkommensteuer, den Solidaritätszuschlag, die Arbeitnehmeranteile zur gesetzlichen Sozialversicherung und die Kirchensteuer durch die Verpflichtung vermindert, den Unterschiedsbetrag von der zuständigen Unterhaltssicherungsbehörde zu Lasten des Bundes; dieser ist auch nach dem Ende der Verpflichtung weiterzuzahlen, solange Krankengeld aus der gesetzlichen Krankenversicherung oder entsprechende Leistungen aus der gesetzlichen Unfallversicherung gewährt werden; § 16 Abs. 2 Satz 2 zweiter Halbsatz gilt entsprechend. [2]Der Unterschiedsbetrag darf zusammen mit den laufenden Nettogeldbezügen aus dem neuen Arbeitsverhältnis je Kalendertag der Verpflichtung den in § 5 Absatz 3 des Unterhaltssicherungsgesetzes bestimmten Höchstbetrag jeweils nicht mehr als um 135 Prozent übersteigen. [3]Der Unterschiedsbetrag unterliegt nicht den Steuern vom Einkommen und Ertrag.

(2) [1]Ein in ein Arbeitsverhältnis Verpflichteter, der Inhaber eines Betriebs der Land- und Forstwirtschaft oder eines Gewerbebetriebs ist oder eine selbständige Arbeit ausübt, erhält Leistungen entsprechend § 6 des Unterhaltssicherungsgesetzes. [2]Die laufenden Nettogeldbezüge aus dem neuen Arbeitsverhältnis sind anzurechnen.

(3) Für das Verfahren nach den Absätzen 1 und 2 gilt Kapitel 3 des Unterhaltssicherungsgesetzes.

(4) § 3 des Unterhaltssicherungsgesetzes gilt entsprechend.

3. Unterabschnitt. Sozialversicherung, Arbeitslosenversicherung, Pflegeversicherung

§ 18[1)] Allgemeines. Personen, die in ein Arbeitsverhältnis verpflichtet werden, unterliegen der Versicherungspflicht in der gesetzlichen Kranken-, Unfall- und Rentenversicherung sowie in der Arbeitslosenversicherung und sozialen Pflegeversicherung nach Maßgabe der allgemeinen Vorschriften, soweit die nachfolgenden Vorschriften nichts Abweichendes bestimmen.

§ 19[2)] Krankenversicherung. (1) Beamte, Lehrer an privaten genehmigten Ersatzschulen, Richter auf Probe und Arbeitnehmer im öffentlichen Dienst, die auf Grund des § 6 Abs. 1 Nr. 2, 5 oder 6 des Fünften Buches Sozialgesetzbuch[3)] in der gesetzlichen Krankenversicherung versicherungsfrei sind, bleiben auch während ihrer Verpflichtung in ein Arbeitsverhältnis versicherungsfrei, solange sie nach § 16 mit Dienstbezügen oder Unterhaltszuschuß beurlaubt sind oder ihr Arbeitsentgelt weiter erhalten.

(2) [1]Personen, die nicht unselbständig beschäftigt und aus anderen Gründen als wegen Überschreitens der Jahresarbeitsentgeltgrenze in der gesetzlichen Krankenversicherung versicherungsfrei sind, werden während ihrer Verpflichtung in ein Arbeitsverhältnis auf ihren Antrag von der Versicherungspflicht in der gesetzlichen Krankenversicherung befreit. [2]Die Befreiung wirkt vom Beginn der Verpflichtung an, wenn der Antrag innerhalb eines Monats nach diesem Zeitpunkt gestellt wird, andernfalls vom Eingang des Antrags an. [3]Über

---

[1)] § 18 geänd. durch G v. 26.5.1994 (BGBl. I S. 1014).
[2)] § 19 neu gef. durch G v. 20.12.1988 (BGBl. I S. 2477); Abs. 3 geänd. mWv 1.1.2004 durch G v. 14.11.2003 (BGBl. I S. 2190).
[3)] Nr. **695**.

den Antrag entscheidet die zuständige Krankenkasse. [4] Sie hat dem Antragsteller eine Bescheinigung über die Befreiung auszustellen, die dem neuen Arbeitgeber vorgelegt werden muß.

(3) Die Leistungen nach § 16, welche die laufenden Geldbezüge aus dem Arbeitsverhältnis übersteigen, und die Unterschiedsbeträge nach § 17 Abs. 1 werden als Entgelt nur bei der Berechnung der Jahresarbeitsentgeltgrenze (§ 6 Abs. 6 oder 7 des Fünften Buches Sozialgesetzbuch) berücksichtigt.

(4) Absatz 1 gilt nicht im Land Berlin.

§ 20[1)] **Unfallversicherung.** (1) In der gesetzlichen Unfallversicherung gilt während der Verpflichtung in ein Arbeitsverhältnis als Jahresarbeitsverdienst eines Versicherten, der im Zeitpunkt seiner Verpflichtung bereits versichert war, der in der Versicherung zuletzt vor der Verpflichtung maßgebende Jahresarbeitsverdienst, wenn es für den Berechtigten günstiger ist.

(2) Erleidet jemand, dem sonst Unfallfürsorge nach beamtenrechtlichen Vorschriften oder Grundsätzen gewährleistet ist, während seiner Verpflichtung in ein Arbeitsverhältnis einen Versicherungsfall, gelten § 61 Abs. 1 und § 82 Abs. 4 des Siebten Buches Sozialgesetzbuch[2)] mit der Maßgabe, daß sich der Jahresarbeitsverdienst nach § 82 Abs. 1 und 2 des Siebten Buches Sozialgesetzbuch errechnet, wenn es für den Berechtigten günstiger ist.

§ 21[3)] **Rentenversicherung, Versicherungsfreiheit und Zuständigkeit.**

(1) In der gesetzlichen Rentenversicherung sind während der Verpflichtung in ein Arbeitsverhältnis auch versicherungsfrei

1. Personen, die im Zeitpunkt ihrer Verpflichtung unselbständig beschäftigt und nach § 5 Abs. 1 des Sechsten Buches Sozialgesetzbuch[4)] versicherungsfrei oder auf Antrag von der Versicherungspflicht in der Rentenversicherung nach § 6 des Sechsten Buches Sozialgesetzbuch befreit sind,
2. Personen, die im Zeitpunkt ihrer Verpflichtung als selbständig Tätige aufgrund einer durch Gesetz angeordneten oder auf Gesetz beruhenden Verpflichtung Mitglied einer öffentlich-rechtlichen Versicherungseinrichtung oder Versorgungseinrichtung ihrer Berufsgruppe sind,
3. Personen, die vor der Verpflichtung nur versicherungspflichtig nach dem Gesetz über die Alterssicherung der Landwirte waren und dies weiterhin sind.

(2) Für Personen, die im Zeitpunkt ihrer Verpflichtung in ein Arbeitsverhältnis in der gesetzlichen Rentenversicherung pflichtversichert sind, ändert sich während der Verpflichtung die Zugehörigkeit zu dem Zweig der gesetzlichen Rentenversicherung nicht, es sei denn, daß sie auf Grund der Verpflichtung eine Beschäftigung ausüben, die anders als bisher in der knappschaftlichen Rentenversicherung zu versichern ist.

[1)] § 20 Abs. 2 geänd. durch G v. 7.8.1996 (BGBl. I S. 1254).

[2)] Nr. **697**.

[3)] § 21 Abs. 1 neu gef. und Abs. 2 geänd. durch G v. 18.2.1989 (BGBl. I S. 2261); Abs. 1 Nr. 3 geänd. durch G v. 29.7.1994 (BGBl. I S. 1890) sowie durch G v. 7.8.1996 (BGBl. I S. 1254).

[4)] Nr. **696**.

§ 22[1] Rentenversicherung, Entgelt und Beiträge. (1) [1]Bei Personen, die während ihrer Verpflichtung in ein Arbeitsverhältnis in der gesetzlichen Rentenversicherung pflichtversichert sind, gelten auch die Leistungen nach § 16, welche die laufenden Geldbezüge aus dem Arbeitsverhältnis übersteigen, und die Unterschiedsbeträge nach § 17 Abs. 1 als Entgelt, wenn diese Personen bereits im Zeitpunkt ihrer Verpflichtung in der gesetzlichen Rentenversicherung pflichtversichert waren. [2]Für Handwerker, die in die Handwerksrolle eingetragen sind, gilt Satz 1 nicht.

(2) [1]Der bisherige Dienstherr oder Arbeitgeber und der Versicherte tragen für die Leistungen nach § 16, welche die laufenden Geldbezüge aus dem Arbeitsverhältnis übersteigen, die Pflichtbeiträge zur allgemeinen Rentenversicherung je zur Hälfte und die Pflichtbeiträge zur knappschaftlichen Rentenversicherung nach dem im Sechsten Buch Sozialgesetzbuch[2] hierfür bestimmten Verhältnis. [2]Die auf die Unterschiedsbeträge nach § 17 Abs. 1 entfallenden Pflichtbeiträge trägt der Bund.

§ 23[3] Arbeitslosenversicherung. (1) Personen, die unmittelbar vor der Verpflichtung in ein Arbeitsverhältnis nicht als Arbeitnehmer oder nicht zu ihrer Berufsausbildung beschäftigt waren, bleiben auch während ihrer Verpflichtung in ein Arbeitsverhältnis versicherungsfrei.

(2) Bei der Bemessung des Beitrages zur Bundesagentur für Arbeit werden die Leistungen nach den §§ 16 und 17 nicht berücksichtigt.

(3) [1]Wird ein Arbeitnehmer in ein Arbeitsverhältnis verpflichtet, so darf ihm daraus im Falle der Arbeitslosigkeit hinsichtlich der Höhe des Arbeitslosengeldes kein Nachteil entstehen. [2]Das Nähere bestimmt die Bundesagentur für Arbeit mit Zustimmung des Bundesministeriums für Arbeit und Soziales. [3]Mehraufwendungen, die der Bundesagentur in Auswirkung des Satzes 1 entstehen, trägt der Bund.

(4) Besteht während der Verpflichtung in ein Arbeitsverhältnis außerhalb eines knappschaftlichen Betriebes die Zugehörigkeit zur knappschaftlichen Rentenversicherung nach § 21 Abs. 2 fort, so ist § 16 Abs. 2 der Verordnung über die Neuregelung der Rentenversicherung im Bergbau vom 4. Oktober 1942 (Reichsgesetzbl. I S. 569) nicht anzuwenden.

§ 23a[4] Pflegeversicherung. § 61 des Elften Buches Sozialgesetzbuch[5] ist mit der Maßgabe anzuwenden, daß der Dienstherr oder Arbeitgeber des öffentlichen Dienstes, der nach § 16 Dienstbezüge, Unterhaltszuschuß oder Arbeitsentgelt weiter zu zahlen hat, und der neue Arbeitgeber den Beitragszuschuß anteilig nach der Höhe der jeweils zu gewährenden Dienstbezüge, Unterhaltszuschüsse und Arbeitsentgelte zu zahlen haben.

---

[1] § 22 Abs. 2 Satz 1 geänd., Abs. 3 und 4 aufgeh. durch G v. 18.12.1989 (BGBl. I S. 2261); Abs. 2 Satz 1 geänd. mWv 1.1.2005 durch G v. 9.12.2004 (BGBl. I S. 3242).

[2] Auszugsweise abgedruckt unter Nr. **696**.

[3] § 23 Abs. 3 geänd. mWv 28.11.2003 durch VO v. 25.11.2003 (BGBl. I S. 2304); Abs. 2, Abs. 3 Sätze 2 und 3 geänd. mWv 1.1.2004 durch G v. 23.12.2003 (BGBl. I S. 2848); Abs. 3 geänd. mWv 1.1.2005 durch G v. 24.12.2003 (BGBl. I S. 2954); Abs. 3 Satz 2 geänd. mWv 8.11.2006 durch VO v. 31.10.2006 (BGBl. I S. 2407); Abs. 2 und 3 Satz 2 geänd. mWv 9.8.2019 durch G v. 4.8.2019 (BGBl. I S. 1147).

[4] § 23a eingef. durch G v. 26.5.1994 (BGBl. I S. 1014).

[5] **Aichberger, SGB Nr. 11.**

Vierter Abschnitt. Ergänzende Vorschriften

§ 24[1)] Auskunftspflicht. (1) [1] Wehrpflichtige und Frauen, die in ein Arbeitsverhältnis verpflichtet werden können, haben der Agentur für Arbeit auf Verlangen die Auskünfte zu erteilen und zu belegen, die zur Durchführung des Gesetzes erforderlich sind. [2] Die gleiche Verpflichtung haben Dienstherren des öffentlichen Rechts und Arbeitgeber; sie haben den Betriebs- oder Personalrat vor Erteilung der Auskunft zu unterrichten.

(2) Der zur Erteilung einer Auskunft Verpflichtete kann die Auskunft auf solche Fragen verweigern, deren Beantwortung ihn selbst oder einen der in § 383 Abs. 1 Nr. 1 bis 3 der Zivilprozeßordnung[2)] bezeichneten Angehörigen der Gefahr strafgerichtlicher Verfolgung oder eines Verfahrens nach dem Gesetz über Ordnungswidrigkeiten aussetzen würde.

(3) [1] Die nach Absatz 1 erlangten Kenntnisse und Unterlagen dürfen nicht für ein Besteuerungsverfahren, ein Strafverfahren wegen einer Steuerstraftat oder ein Bußgeldverfahren wegen einer Steuerordnungswidrigkeit verwendet werden. [2] Die Vorschriften der §§ 93, 97, 105 Abs. 1, § 111 Abs. 5 in Verbindung mit § 105 Abs. 1 sowie § 116 Abs. 1 der Abgabenordnung[3)] gelten insoweit nicht.

§ 25[4)] Persönliche Vorstellung. (1) [1] Nach Eintritt der Voraussetzungen für die Sicherstellung von Arbeitsleistungen (§ 3) müssen Wehrpflichtige, die in ein Arbeitsverhältnis verpflichtet werden können, sich auf Aufforderung der Agentur für Arbeit melden oder vorstellen. [2] Die Aufforderung ergeht schriftlich; sie kann bei Gefahr im Verzug auch mündlich, fernmündlich oder durch öffentlichen Aufruf in der Presse, im Rundfunk oder in anderer Art ergehen.

(2) Nach Eintritt der Voraussetzungen für die Sicherstellung von Arbeitsleistungen (§ 3) sind die in Absatz 1 genannten Personen verpflichtet, sich auf Anordnung der Agentur für Arbeit zur Feststellung ihrer körperlichen Tauglichkeit und geistigen Leistungsfähigkeit ärztlich und fachpsychologisch untersuchen zu lassen und hierbei auch ärztliche Untersuchungsmaßnahmen zu dulden, soweit diese Untersuchungen und Maßnahmen zur Feststellung der Vermittlungsfähigkeit eines Arbeitnehmers erforderlich und üblich sind.

(3) Die Agentur für Arbeit kann die Vorführung einer Person anordnen, die einer Aufforderung, sich vorzustellen oder ärztlich untersuchen zu lassen, ohne hinreichenden Grund nicht folgt.

(4) [1] Für die durch die Verpflichtungen nach den Absätzen 1 und 2 ausfallende Arbeitszeit hat der Dienstherr oder Arbeitgeber die Dienstbezüge oder das Arbeitsentgelt weiter zu zahlen. [2] Das gleiche gilt bei in Heimarbeit Beschäftigten für den Auftraggeber oder, falls sie von einem Zwischenmeister beschäftigt werden, für den Zwischenmeister, der sie mindestens ein Jahr ausschließlich oder überwiegend beschäftigt hat. [3] Die von der Agentur für Arbeit geladene

---

[1)] § 24 Abs. 3 neu gef. durch G v. 14.12.1976 (BGBl. I S. 3341); Abs. 1 Satz 1 geänd. mWv 1.1. 2004 durch G v. 23.12.2003 (BGBl. I S. 2848).

[2)] Auszugsweise abgedruckt unter Nr. **320**.

[3)] ***Steuergesetze Nr. 800.***

[4)] § 25 Abs. 1 Satz 1, Abs. 2, 3 und 4 Satz 3 geänd. mWv 1.1.2004 durch G v. 23.12.2003 (BGBl. I S. 2848).

Person hat die schriftliche Ladung ihrem Dienstherrn, ihrem Arbeitgeber oder ihrem Auftraggeber (Zwischenmeister) unverzüglich vorzulegen, im Falle einer Aufforderung nach Absatz 1 Satz 2 zweiter Halbsatz diese Person unverzüglich zu unterrichten.

§ 26[1)] Kosten des Verpflichtungs- und Zustimmungsverfahrens. [1]Das Verfahren vor der Agentur für Arbeit ist kostenfrei. [2]Notwendige Auslagen, die einer Person durch das Verfahren entstanden sind, werden ihr von der Agentur für Arbeit erstattet. [3]Die Kosten der Untersuchungen nach § 25 Abs. 2 übernimmt die Agentur für Arbeit. [4]Die Agentur für Arbeit ersetzt im Auftrag des Bundes Grenzarbeitnehmern, in Heimarbeit Beschäftigten, soweit sie nicht durch § 25 Abs. 4 erfaßt werden, sowie Selbständigen den Verdienstausfall; die Vorschriften des Justizvergütungs- und -entschädigungsgesetzes[2)] finden sinngemäß Anwendung. [5]Diese Aufwendungen werden der Bundesagentur für Arbeit vom Bund erstattet.

§ 27 Rechtsweg. (1) Für Rechtsstreitigkeiten über Maßnahmen nach diesem Gesetz oder einer auf diesem Gesetz beruhenden Rechtsverordnung ist der Verwaltungsrechtsweg gegeben.

(2) Widerspruch und Anfechtungsklage haben keine aufschiebende Wirkung.

(3) Absatz 2 gilt nicht für Rechtsstreitigkeiten über Leistungen nach § 17 dieses Gesetzes.

Fünfter Abschnitt. Besondere Vorschriften

1. Unterabschnitt. Freiwillig begründete Arbeitsverhältnisse

§ 28[3)] Anwendung der §§ 14 bis 23. [1]Wird nach Eintritt der Voraussetzungen für die Sicherstellung von Arbeitsleistungen (§ 3) im Anwendungsbereich des Gesetzes (§ 4) freiwillig ein Arbeitsverhältnis begründet, in das ein Wehrpflichtiger verpflichtet werden könnte, so kann die Agentur für Arbeit auf Antrag des Arbeitnehmers anordnen, daß die §§ 14 bis 23a anzuwenden sind. [2]Dem Antrag soll, solange das bisherige Arbeitsverhältnis besteht, nicht entsprochen werden, wenn der bisherige Arbeitgeber widerspricht und die Anordnung für ihn eine unzumutbare Belastung zur Folge hätte. [3]Für die Anordnung gelten die §§ 11 und 13 Abs. 3 und 4 sinngemäß.

---

1) § 26 Sätze 1–5 geänd. mWv 1.1.2004 durch G v. 23.12.2003 (BGBl. I S. 2848); Satz 4 geänd. mWv 1.7.2004 durch G v. 5.5.2004 (BGBl. I S. 718); Satz 5 geänd. mWv 9.8.2019 durch G v. 4.8. 2019 (BGBl. I S. 1147).

2) Auszugsweise abgedruckt unter Nr. **669**.

3) § 28 Satz 1 geänd. mWv 1.1.2004 durch G v. 23.12.2003 (BGBl. I S. 2848).

2. Unterabschnitt. Ausbildungsveranstaltungen, Bereithaltungsbescheid

§ 29[1)] Ausbildungsveranstaltungen. (1) [1] Wehrpflichtige, die nach Eintritt der Voraussetzungen für die Sicherstellung von Arbeitsleistungen (§ 3) im Anwendungsbereich des Gesetzes (§ 4) für eine Aufgabe verwandt werden sollen, die besondere Kenntnisse und Fertigkeiten erfordert, können zu Ausbildungsveranstaltungen verpflichtet werden. [2] Der Vorrang der Freiwilligkeit (§ 1) gilt entsprechend. [3] Die Erstausbildung darf 28 Tage, Wiederholungsveranstaltungen dürfen 14 Tage jährlich nicht überschreiten.

(2) Die Bundesregierung kann durch Rechtsverordnung

1. bestimmen, für welche der in Absatz 1 genannten Aufgaben Ausbildungsveranstaltungen durchgeführt werden können,
2. die Träger der Ausbildung bestimmen und die Kostentragung regeln,
3. das Verfahren bei der Verpflichtung zur Teilnahme an Ausbildungsveranstaltungen regeln und
4. die Rechte und Pflichten der Teilnehmer nach folgenden Grundsätzen regeln:
   a) dem Teilnehmer dürfen in seinem Dienst- oder Arbeitsverhältnis keine Nachteile entstehen,
   b) die Heranziehung von Versicherten der gesetzlichen Kranken- und Rentenversicherung sowie der Arbeitslosenversicherung und der sozialen Pflegeversicherung berührt das Versicherungsverhältnis nicht,
   c) dem Teilnehmer ist ein Anspruch auf Weiterzahlung des Arbeitsentgelts zu gewähren, wobei dem privaten Arbeitgeber das weitergezahlte Arbeitsentgelt einschließlich der vom Arbeitgeber zu tragenden Beiträge zur Sozial- und Arbeitslosenversicherung sowie zur sozialen Pflegeversicherung für einen Ausfall von mehr als zwei Stunden erstattet wird,
   d) dem Teilnehmer ist ein Ersatz des Verdienstausfalls zu gewähren, wobei ein Höchstbetrag festgesetzt werden kann,
   e) dem Teilnehmer sind die notwendigen Auslagen und Schäden an mitgebrachten Sachen zu ersetzen,
   f) während der Ausbildung ist der Schutz der gesetzlichen Unfallversicherung sicherzustellen.

§ 30 Bereithaltungsbescheid. (1) [1] Soll ein Wehrpflichtiger, auf den die in § 29 Abs. 2 genannte Rechtsverordnung angewandt werden kann und der für Zwecke der Verteidigung einschließlich des Schutzes der Zivilbevölkerung ausgebildet ist, zu einem bestimmten Zeitpunkt nach Eintritt der Voraussetzungen für die Sicherstellung von Arbeitsleistungen (§ 3) im Anwendungsbereich des Gesetzes (§ 4) in ein Arbeitsverhältnis verpflichtet werden, so kann der Verpflichtungsbescheid nach Abschluß der Ausbildung zugestellt werden (Bereithaltungsbescheid). [2] Die Bestimmung des Zeitpunkts kann einem öffentlichen Aufruf in der Presse, im Rundfunk oder in anderer Art vorbehalten werden.

---

1) § 29 Abs. 2 Nr. 4 Buchst. b neu gef., Buchst. c geänd. mWv 1.1.2004 durch G v. 23.12.2003 (BGBl. I S. 2848).

(2) Ein Bereithaltungsbescheid kann auch Wehrpflichtigen zugestellt werden, die sich freiwillig zu Arbeitsleistungen gemeldet haben, zu deren Sicherstellung Verpflichtungen vorgenommen werden können.

(3) Aus der Zustellung eines Bereithaltungsbescheides dürfen dem Empfänger keine Nachteile innerhalb eines bestehenden Dienst- oder Arbeitsverhältnisses, Heimarbeitsverhältnisses oder Handelsvertreterverhältnisses erwachsen.

3. Unterabschnitt. Sonderregelungen

§ 31 Zumutung von Gefahren. Nach Eintritt der Voraussetzungen für die Sicherstellung von Arbeitsleistungen (§ 3) ist ein Arbeitnehmer im Anwendungsbereich des Gesetzes (§ 4) verpflichtet, bei der Erfüllung von Aufgaben, die Zwecken des Gesetzes dienen, soweit nach den Umständen und seinen persönlichen Verhältnissen zumutbar, Gefahren und Erschwernisse auf sich zu nehmen.

Sechster Abschnitt.[1] Datenverarbeitung

§ 31a[1] Datenübermittlung von den Meldebehörden. (1) Die Bundesagentur für Arbeit ist berechtigt, im Verteidigungsfall und nach Maßgabe von Artikel 80a Absatz 1 des Grundgesetzes die folgenden Daten aller männlichen Personen vom vollendeten 18. Lebensjahr bis zum Ablauf des Jahres, in dem die Person das 60. Lebensjahr vollendet, bei den Meldebehörden abzurufen:

1. Familienname,
2. Vornamen,
3. Geburtsdatum und Geburtsort,
4. derzeitige Staatsangehörigkeiten,
5. derzeitige Anschriften, gekennzeichnet nach Haupt- und Nebenwohnung.

(2) Die Bundesagentur für Arbeit ist berechtigt, im Verteidigungsfall die in Absatz 1 Satz 1 genannten Daten aller weiblichen Personen vom vollendeten 18. Lebensjahr bis zum vollendeten 55. Lebensjahr bei den Meldebehörden abzurufen.

(3) Ist der Datenabruf nicht möglich, so erfolgt die Datenübermittlung durch elektronische Datenübertragung nach § 34 Absatz 2 Satz 1 Nummer 2 des Bundesmeldegesetzes.

§ 31b[1] Datenübermittlung durch die Jobcenter; Verordnungsermächtigung. [1]Die Jobcenter sind verpflichtet, im Verteidigungsfall oder nach Maßgabe von Artikel 80a Absatz 1 des Grundgesetzes die zur Durchführung dieses Gesetzes erforderlichen Daten an die Bundesagentur für Arbeit zu übermitteln. [2]Das Bundesministerium für Arbeit und Soziales legt durch Rechtsverordnung mit Zustimmung des Bundestages und des Bundesrates die erforderlichen Daten fest.

§ 31c[1] Zweck der Verarbeitung und Löschung der Daten. (1) Die nach § 15d des Wehrpflichtgesetzes und den §§ 31a und 31b dieses Gesetzes erhobenen Daten dürfen durch die Bundesagentur für Arbeit ausschließlich zur Erfüllung der Aufgaben nach diesem Gesetz verarbeitet werden.

---

[1] 6. Abschn. §§ 31a-31c eingef. mWv 1.1.2026 durch G v. 22.12.2025 (BGBl. 2025 I Nr. 370).

(2) Die nach § 15d des Wehrpflichtgesetzes und den §§ 31a und 31b dieses Gesetzes erhobenen Daten einer Person sind zu löschen, wenn die jeweilige Person das in § 31a Absatz 1 oder 2 genannte Lebensjahr vollendet hat.

(3) Die nach § 15d des Wehrpflichtgesetzes und den §§ 31a und 31b dieses Gesetzes erhobenen Daten einer Person sind nach Beendigung des Verteidigungsfalls oder eines Falls nach Maßgabe von Artikel 80a Absatz 1 des Grundgesetzes zu löschen, soweit diese nicht für aufgrund dieses Gesetzes begründete individuelle Rechtsverhältnisse weiter erforderlich sind.

Siebter Abschnitt.[1] Schlussvorschriften

§ 32[2] Verletzung von Sicherstellungsvorschriften. (1) Ordnungswidrig handelt, wer

1. als Arbeitnehmer, der in ein Arbeitsverhältnis verpflichtet ist oder zur Beendigung seines Arbeitsverhältnisses der Zustimmung der Agentur für Arbeit bedarf, ohne anerkennenswerten Grund
   a) seine Arbeitsstelle verläßt oder ihr fernbleibt und vorsätzlich oder fahrlässig länger als drei volle Kalendertage abwesend ist oder
   b) sich beharrlich weigert, eine ihm aufgetragene und zumutbare Arbeit zu verrichten, die Zwecken der Verteidigung einschließlich des Schutzes der Zivilbevölkerung dient,
2. als Arbeitgeber, der zur Beendigung eines Arbeitsverhältnisses der Zustimmung der Agentur für Arbeit bedarf, einen Arbeitnehmer zu einer Handlung nach Nummer 1 anleitet oder ihn dabei fördert.

(2) Ordnungswidrig handelt auch, wer vorsätzlich oder fahrlässig

1. einer Auflage nach § 13 Abs. 2 zuwiderhandelt,
2. entgegen § 24 Abs. 1 eine Auskunft nicht, unrichtig, nicht vollständig oder nicht rechtzeitig erteilt oder Unterlagen nicht, nicht vollständig oder nicht rechtzeitig vorlegt,
3. eine Meldung nach § 25 Abs. 1 unterläßt oder
4. eine Ausbildungsveranstaltung nach § 29, zu der er verpflichtet worden ist, verläßt oder ihr fernbleibt und vorsätzlich oder fahrlässig länger als drei volle Kalendertage abwesend ist.

(3) Die Ordnungswidrigkeit kann mit einer Geldbuße geahndet werden.

(4) Verwaltungsbehörde im Sinne des § 36 Abs. 1 Nr. 1 des Gesetzes über Ordnungswidrigkeiten ist die Agentur für Arbeit.

(5) Wer eine der in Absatz 1 bezeichneten Handlungen begeht, wird mit Gefängnis bis zu einem Jahr oder mit Geldstrafe bestraft, wenn die Tat geeignet ist, die Verwirklichung der Ziele, denen die Sicherstellung von Arbeitsleistungen im allgemeinen oder im Einzelfall zu dienen bestimmt ist, merkbar zu beeinträchtigen.

§ 33[3] *(aufgehoben)*

---

[1] *Bish. 6. Abschn. wird* 7. Abschn. mWv 1.1.2026 durch G v. 22.12.2025 (BGBl. 2025 I Nr. 370).
[2] § 32 Abs. 1 Nr. 1 und 2, Abs. 4 geänd. mWv 1.1.2004 durch G v. 23.12.2003 (BGBl. I S. 2848).
[3] § 33 aufgeh. durch G v. 2.3.1974 (BGBl. I S. 469).

§ 34[1)] Koordinierung und Bedarfsdeckung. [1] Die Bundesregierung erläßt durch Rechtsverordnung[2)] Vorschriften über die Zusammenarbeit der Bundesagentur für Arbeit mit den fachlich zuständigen Bundes- und Landesbehörden bei der Feststellung und Deckung des Arbeitskräftebedarfs. [2] Sie regelt hierbei, wie die zur Verfügung stehenden Arbeitskräfte zu verteilen sind, wenn diese nicht ausreichen, den Bedarf zu decken.

§ 35[3)] Weisungsrecht gegenüber der Bundesagentur für Arbeit.

(1) [1] Das Bundesministerium für Arbeit und Soziales kann zur Durchführung des Gesetzes der Bundesagentur für Arbeit Weisungen erteilen. [2] Es führt insoweit auch die Dienstaufsicht.

(2) [1] Die Bundesagentur für Arbeit übernimmt die ihr aus der Durchführung dieses Gesetzes entstehenden Kosten. [2] Sie werden ihr vom Bund erstattet.

§ 36 Begriffsbestimmung. Arbeitnehmer im Sinne dieses Gesetzes sind Arbeiter und Angestellte einschließlich der zu ihrer Berufsausbildung Beschäftigten.

§ 37 Öffentlich-rechtliche Dienstverhältnisse. Soweit nach Artikel 12a Abs. 3 des Grundgesetzes[4)] öffentlich-rechtliche Dienstverhältnisse begründet werden können, werden diese nach den Vorschriften geregelt, die für die Dienstverhältnisse im jeweiligen Bereich gelten.

§ 38[5)] Rechtsverordnung[6)]. (1) Für Arbeitnehmer bei der Bundeswehr und den verbündeten Streitkräften sowie bei Gesellschaften im Sinne von § 4 Absatz 1 Satz 1 Nummer 1a[7)] und bei sonstigen Unternehmen im Sinne von § 4 Absatz 1 Satz 1 Nummer 1b, deren Leistungserbringung im Rahmen von Vertragsverhältnissen zur Versorgung der Bundeswehr und der verbündeten Streitkräfte erforderlich ist, gelten § 7 Absatz 1, § 9 Absatz 1 und 2 sowie § 32 Absatz 1 Nummer 1 und Absatz 4 mit der Maßgabe, dass an die Stelle der Agentur für Arbeit die vom Bundesministerium der Verteidigung durch Rechtsverordnung bestimmte Stelle tritt.

(2) Die Rechtsverordnung bedarf nicht der Zustimmung des Bundesrates.

§ 39 Einschränkung von Grundrechten. Die Grundrechte der körperlichen Unversehrtheit (Artikel 2 Abs. 2 Satz 1 des Grundgesetzes[4)]), der Freiheit

---

[1)] § 34 Satz 1 geänd. mWv 1.1.2004 durch G v. 23.12.2003 (BGBl. I S. 2848); Satz 1 geänd. mWv 9.8.2019 durch G v. 4.8.2019 (BGBl. I S. 1147).

[2)] VO über die Feststellung und Deckung des Arbeitskräftebedarfs nach dem Arbeitssicherstellungsgesetz **(beck-online, Module Arbeitsrecht Nr. 102)**.

[3)] § 35 Abs. 1 Satz 1 geänd. mWv 28.11.2003 durch VO v. 25.11.2003 (BGBl. I S. 2304); Überschrift, Abs. 1 Satz 1 und Abs. 2 Satz 1 geänd. mWv 1.1.2004 durch G v. 23.12.2003 (BGBl. I S. 2848); Abs. 1 Satz 1 geänd. mWv 8.11.2006 durch VO v. 31.10.2006 (BGBl. I S. 2407); Überschrift, Abs. 1 Sätze 1 und 2, Abs. 2 Satz 1 geänd. mWv 9.8.2019 durch G v. 4.8.2019 (BGBl. I S. 1147).

[4)] Nr. **10**.

[5)] § 38 Abs. 1 geänd. mWv 28.11.2003 durch VO v. 25.11.2003 (BGBl. I S. 2304); Abs. 1 geänd. mWv 1.1.2004 durch G v. 23.12.2003 (BGBl. I S. 2848); Abs. 1 neu gef. mWv 1.1.2026 durch G v. 22.12.2025 (BGBl. 2025 I Nr. 370).

[6)] VO zur Übertragung von Zuständigkeiten nach dem Arbeitssicherstellungsgesetz auf Dienststellen im Geschäftsbereich des Bundesministers der Verteidigung **(beck-online, Module Arbeitsrecht Nr. 103)**.

[7)] Nr. **101**.

der Person (Artikel 2 Abs. 2 Satz 2 des Grundgesetzes[1]), der Freizügigkeit (Artikel 11 Abs. 1 des Grundgesetzes[1]) und der freien Wahl des Arbeitsplatzes (Artikel 12 Abs. 1 des Grundgesetzes[1]) werden nach Maßgabe dieses Gesetzes eingeschränkt.

§ 40 Inkrafttreten. Dieses Gesetz tritt am Tage nach seiner Verkündung[2] in Kraft.

[1] Nr. **10**.
[2] Verkündet am 12.7.1968.

105. Handelsgesetzbuch

Vom 10. Mai 1897*

Reichsgesetzbl. S. 219[1)]

BGBl. III/FNA 4100-1

zuletzt geänd. durch Art. 3, 4 StandortförderG v. 4.2.2026 (BGBl. 2026 I Nr. 33)

– Auszug –[2)]

Erstes Buch. Handelsstand

Fünfter Abschnitt. Prokura und Handlungsvollmacht[3)]

§ 54 [Handlungsvollmacht] (1) Ist jemand ohne Erteilung der Prokura zum Betrieb eines Handelsgewerbes oder zur Vornahme einer bestimmten zu einem Handelsgewerbe gehörigen Art von Geschäften oder zur Vornahme einzelner zu einem Handelsgewerbe gehöriger Geschäfte ermächtigt, so erstreckt sich die Vollmacht (Handlungsvollmacht) auf alle Geschäfte und Rechtshandlungen, die der Betrieb eines derartigen Handelsgewerbes oder die Vornahme derartiger Geschäfte gewöhnlich mit sich bringt.

(2) Zur Veräußerung oder Belastung von Grundstücken, zur Eingehung von Wechselverbindlichkeiten, zur Aufnahme von Darlehen und zur Prozeßführung ist der Handlungsbevollmächtigte nur ermächtigt, wenn ihm eine solche Befugnis besonders erteilt ist.

(3) Sonstige Beschränkungen der Handlungsvollmacht braucht ein Dritter nur dann gegen sich gelten zu lassen, wenn er sie kannte oder kennen mußte.

§ 55 [Abschlussvertreter] (1) Die Vorschriften des § 54 finden auch Anwendung auf Handlungsbevollmächtigte, die Handelsvertreter sind oder die als Handlungsgehilfen damit betraut sind, außerhalb des Betriebes des Prinzipals Geschäfte in dessen Namen abzuschließen.

(2) Die ihnen erteilte Vollmacht zum Abschluß von Geschäften bevollmächtigt sie nicht, abgeschlossene Verträge zu ändern, insbesondere Zahlungsfristen zu gewähren.

(3) Zur Annahme von Zahlungen sind sie nur berechtigt, wenn sie dazu bevollmächtigt sind.

(4) Sie gelten als ermächtigt, die Anzeige von Mängeln einer Ware, die Erklärung, daß eine Ware zur Verfügung gestellt werde, sowie ähnliche Erklärungen, durch die ein Dritter seine Rechte aus mangelhafter Leistung geltend macht oder sie vorbehält, entgegenzunehmen; sie können die dem Unterneh-

---

* **[Amtl. Anm. im BGBl. III:]** Datum: In Kraft getreten am 1.1.1900 gem. Art. 1 Abs. 1 EGHGB ***[Habersack Nr. 50a]*** 4101-1 u. Art. 1 EGBGB [auszugsweise abgedruckt unter Nr. **51**] 400-1; §§ 59 bis 64 u. 66 bis 83 in Kraft getreten am 1.1.1898 gem. Art. 1 Abs. 2 EGHGB ***[Habersack Nr. 50a]*** 4101-1

[1)] Maßgebliche amtliche Quelle ist das BGBl. III.
Die im BGBl. III abgedruckten amtlichen Änderungsnachweise und Verweise auf die Gliederungsnummern anderer Vorschriften sind nur in der online-Version wiedergegeben.

[2)] Vollständig wiedergegeben in **beck-online, Module Arbeitsrecht.**

[3)] Beachte hierzu auch §§ 164 ff. BGB (Nr. **50**).

mer (Prinzipal) zustehenden Rechte auf Sicherung des Beweises geltend machen.

§§ 56–58 *(hier nicht wiedergegeben)*

Sechster Abschnitt. Handlungsgehilfen und Handlungslehrlinge

§ 59 [Handlungsgehilfe] [1] Wer in einem Handelsgewerbe zur Leistung kaufmännischer Dienste gegen Entgelt angestellt ist (Handlungsgehilfe), hat, soweit nicht besondere Vereinbarungen über die Art und den Umfang seiner Dienstleistungen oder über die ihm zukommende Vergütung getroffen sind, die dem Ortsgebrauch entsprechenden Dienste zu leisten sowie die dem Ortsgebrauch entsprechende Vergütung zu beanspruchen. [2] In Ermangelung eines Ortsgebrauchs gelten die den Umständen nach angemessenen Leistungen als vereinbart.

§ 60 [Gesetzliches Wettbewerbsverbot] (1) Der Handlungsgehilfe darf ohne Einwilligung des Prinzipals weder ein Handelsgewerbe betreiben noch in dem Handelszweige des Prinzipals für eigene oder fremde Rechnung Geschäfte machen.

(2) Die Einwilligung zum Betrieb eines Handelsgewerbes gilt als erteilt, wenn dem Prinzipal bei der Anstellung des Gehilfen bekannt ist, daß er das Gewerbe betreibt, und der Prinzipal die Aufgabe des Betriebs nicht ausdrücklich vereinbart.

§ 61[1)] [Verletzung des Wettbewerbsverbots] (1) Verletzt der Handlungsgehilfe die ihm nach § 60 obliegende Verpflichtung, so kann der Prinzipal Schadensersatz fordern; er kann statt dessen verlangen, daß der Handlungsgehilfe die für eigene Rechnung gemachten Geschäfte als für Rechnung des Prinzipals eingegangen gelten lasse und die aus Geschäften für fremde Rechnung bezogene Vergütung herausgebe oder seinen Anspruch auf die Vergütung abtrete.

(2) Die Ansprüche verjähren in drei Monaten von dem Zeitpunkt an, in welchem der Prinzipal Kenntnis von dem Abschluss des Geschäfts erlangt oder ohne grobe Fahrlässigkeit erlangen müsste; sie verjähren ohne Rücksicht auf diese Kenntnis oder grob fahrlässige Unkenntnis in fünf Jahren von dem Abschluss des Geschäfts an.

§ 62 [Fürsorgepflicht des Arbeitgebers] (1) Der Prinzipal ist verpflichtet, die Geschäftsräume und die für den Geschäftsbetrieb bestimmten Vorrichtungen und Gerätschaften so einzurichten und zu unterhalten, auch den Geschäftsbetrieb und die Arbeitszeit so zu regeln, daß der Handlungsgehilfe gegen eine Gefährdung seiner Gesundheit, soweit die Natur des Betriebs es gestattet, geschützt und die Aufrechterhaltung der guten Sitten und des Anstandes gesichert ist.

(2) Ist der Handlungsgehilfe in die häusliche Gemeinschaft aufgenommen, so hat der Prinzipal in Ansehung des Wohn- und Schlafraums, der Verpflegung sowie der Arbeits- und Erholungszeit diejenigen Einrichtungen und Anord-

---

[1)] § 61 Abs. 2 neu gef. mWv 15.12.2004 durch G v. 9.12.2004 (BGBl. I S. 3214).

nungen zu treffen, welche mit Rücksicht auf die Gesundheit, die Sittlichkeit und die Religion des Handlungsgehilfen erforderlich sind.

(3) Erfüllt der Prinzipal die ihm in Ansehung des Lebens und der Gesundheit des Handlungsgehilfen obliegenden Verpflichtungen nicht, so finden auf seine Verpflichtung zum Schadensersatze die für unerlaubte Handlungen geltenden Vorschriften der §§ 842 bis 846 des Bürgerlichen Gesetzbuchs[1] entsprechende Anwendung.

(4) Die dem Prinzipal hiernach obliegenden Verpflichtungen können nicht im voraus durch Vertrag aufgehoben oder beschränkt werden.

§ 63[2] *(aufgehoben)*

§ 64 [Gehaltszahlung] [1] Die Zahlung des dem Handlungsgehilfen zukommenden Gehalts hat am Schlusse jedes Monats zu erfolgen. [2] Eine Vereinbarung, nach der die Zahlung des Gehalts später erfolgen soll, ist nichtig.

§ 65 [Provision] Ist bedungen, daß der Handlungsgehilfe für Geschäfte, die von ihm geschlossen oder vermittelt werden, Provision erhalten solle, so sind die für die Handelsvertreter geltenden Vorschriften des § 87 Abs. 1 und 3 sowie der §§ 87a bis 87c anzuwenden.

§§ 66–73[3] *(aufgehoben)*

§ 74 [Vertragliches Wettbewerbsverbot[4]; bezahlte Karenz] (1) Eine Vereinbarung zwischen dem Prinzipal und dem Handlungsgehilfen, die den Gehilfen für die Zeit nach Beendigung des Dienstverhältnisses in seiner gewerblichen Tätigkeit beschränkt (Wettbewerbverbot), bedarf der Schriftform und der Aushändigung einer vom Prinzipal unterzeichneten, die vereinbarten Bestimmungen enthaltenden Urkunde an den Gehilfen.

(2) Das Wettbewerbverbot ist nur verbindlich, wenn sich der Prinzipal verpflichtet, für die Dauer des Verbots eine Entschädigung zu zahlen, die für jedes Jahr des Verbots mindestens die Hälfte der von dem Handlungsgehilfen zuletzt bezogenen vertragsmäßigen Leistungen erreicht.

§ 74a[5] **[Unverbindliches oder nichtiges Verbot]** (1) [1] Das Wettbewerbverbot ist insoweit unverbindlich, als es nicht zum Schutze eines berechtigten geschäftlichen Interesses des Prinzipals dient. [2] Es ist ferner unverbindlich, soweit es unter Berücksichtigung der gewährten Entschädigung nach Ort, Zeit oder Gegenstand eine unbillige Erschwerung des Fortkommens des Gehilfen enthält. [3] Das Verbot kann nicht auf einen Zeitraum von mehr als zwei Jahren von der Beendigung des Dienstverhältnisses an erstreckt werden.

(2) [1] Das Verbot ist nichtig, wenn der Gehilfe zur Zeit des Abschlusses minderjährig ist oder wenn sich der Prinzipal die Erfüllung auf Ehrenwort oder unter ähnlichen Versicherungen versprechen läßt. [2] Nichtig ist auch die Ver-

---

[1] Nr. **50**.

[2] § 63 aufgeh. durch G v. 26.5.1994 (BGBl. I S. 1014).

[3] §§ 66–72 aufgeh. durch G v. 14.8.1969 (BGBl. I S. 1106), § 73 aufgeh. mWv 1.1.2003 durch G v. 24.8.2002 (BGBl. I S. 3412).

[4] Im BGBl. III wird amtlich die Bezeichnung „Wettbewerbverbot" verwendet.

[5] § 74a Abs. 2 Satz 1 aufgeh., bish. Satz 2 wird Satz 1 und geänd., bish. Satz 3 wird Satz 2 mWv 1.1.2002 durch G v. 21.12.2000 (BGBl. I S. 1983).

einbarung, durch die ein Dritter an Stelle des Gehilfen die Verpflichtung übernimmt, daß sich der Gehilfe nach der Beendigung des Dienstverhältnisses in seiner gewerblichen Tätigkeit beschränken werde.

(3) Unberührt bleiben die Vorschriften des § 138 des Bürgerlichen Gesetzbuchs[1)] über die Nichtigkeit von Rechtsgeschäften, die gegen die guten Sitten verstoßen.

§ 74b [Zahlung und Berechnung der Entschädigung] (1) Die nach § 74 Abs. 2 dem Handlungsgehilfen zu gewährende Entschädigung ist am Schlusse jedes Monats zu zahlen.

(2) [1] Soweit die dem Gehilfen zustehenden vertragsmäßigen Leistungen in einer Provision oder in anderen wechselnden Bezügen bestehen, sind sie bei der Berechnung der Entschädigung nach dem Durchschnitt der letzten drei Jahre in Ansatz zu bringen. [2] Hat die für die Bezüge bei der Beendigung des Dienstverhältnisses maßgebende Vertragsbestimmung noch nicht drei Jahre bestanden, so erfolgt der Ansatz nach dem Durchschnitt des Zeitraums, für den die Bestimmung in Kraft war.

(3) Soweit Bezüge zum Ersatze besonderer Auslagen dienen sollen, die infolge der Dienstleistung entstehen, bleiben sie außer Ansatz.

§ 74c [Anrechnung anderweitigen Erwerbs] (1) [1] Der Handlungsgehilfe muß sich auf die fällige Entschädigung anrechnen lassen, was er während des Zeitraums, für den die Entschädigung gezahlt wird, durch anderweite Verwertung seiner Arbeitskraft erwirbt oder zu erwerben böswillig unterläßt, soweit die Entschädigung unter Hinzurechnung dieses Betrags den Betrag der zuletzt von ihm bezogenen vertragsmäßigen Leistungen um mehr als ein Zehntel übersteigen würde. [2] Ist der Gehilfe durch das Wettbewerbverbot gezwungen worden, seinen Wohnsitz zu verlegen, so tritt an die Stelle des Betrags von einem Zehntel der Betrag von einem Viertel. [3] Für die Dauer der Verbüßung einer Freiheitsstrafe kann der Gehilfe eine Entschädigung nicht verlangen.

(2) Der Gehilfe ist verpflichtet, dem Prinzipal auf Erfordern über die Höhe seines Erwerbes Auskunft zu erteilen.

§ 75[2)] [Unwirksamwerden des Wettbewerbsverbots] (1) Löst der Gehilfe das Dienstverhältnis gemäß § 626 des Bürgerlichen Gesetzbuchs[1)] wegen vertragswidrigen Verhaltens des Prinzipals auf, so wird das Wettbewerbverbot unwirksam, wenn der Gehilfe vor Ablauf eines Monats nach der Kündigung schriftlich erklärt, daß er sich an die Vereinbarung nicht gebunden erachte.

(2) [1] In gleicher Weise wird das Wettbewerbverbot unwirksam, wenn der Prinzipal das Dienstverhältnis kündigt, es sei denn, daß für die Kündigung ein erheblicher Anlaß in der Person des Gehilfen vorliegt oder daß sich der Prinzipal bei der Kündigung bereit erklärt, während der Dauer der Beschränkung dem Gehilfen die vollen zuletzt von ihm bezogenen vertragsmäßigen Leistungen zu gewähren. [2] Im letzteren Falle finden die Vorschriften des § 74b entsprechende Anwendung.

---

1) Nr. 50.

2) § 75 Abs. 1 geänd., Abs. 3 neu gef. mWv 1.1.2025 durch G v. 23.10.2024 (BGBl. 2024 I Nr. 323).

(3) Löst der Prinzipal das Dienstverhältnis gemäß § 626 des Bürgerlichen Gesetzbuchs[1)] wegen vertragswidrigen Verhaltens des Gehilfen auf, so gilt Absatz 1 entsprechend.

§ 75a [Verzicht des Prinzipals auf Wettbewerbsverbot] Der Prinzipal kann vor der Beendigung des Dienstverhältnisses durch schriftliche Erklärung auf das Wettbewerbverbot mit der Wirkung verzichten, daß er mit dem Ablauf eines Jahres seit der Erklärung von der Verpflichtung zur Zahlung der Entschädigung frei wird.

§ 75b[2)] *(aufgehoben)*

§ 75c [Vertragsstrafe] (1) [1] Hat der Handlungsgehilfe für den Fall, daß er die in der Vereinbarung übernommene Verpflichtung nicht erfüllt, eine Strafe versprochen, so kann der Prinzipal Ansprüche nur

(Fortsetzung nächstes Blatt)

[1)] Nr. **50**.
[2)] § 75b aufgeh. mWv 1.1.2002 durch G v. 21.12.2000 (BGBl. I S. 1983).

nach Maßgabe der Vorschriften des § 340 des Bürgerlichen Gesetzbuchs geltend machen. Die Vorschriften des Bürgerlichen Gesetzbuchs über die Herabsetzung einer unverhältnismäßig hohen Vertragsstrafe bleiben unberührt.

(2) Ist die Verbindlichkeit der Vereinbarung nicht davon abhängig, daß sich der Prinzipal zur Zahlung einer Entschädigung an den Gehilfen verpflichtet, so kann der Prinzipal, wenn sich der Gehilfe einer Vertragsstrafe der in Absatz 1 bezeichneten Art unterworfen hat, nur die verwirkte Strafe verlangen; der Anspruch auf Erfüllung oder auf Ersatz eines weiteren Schadens ist ausgeschlossen.

§ 75d[1)] [Abweichende Vereinbarungen] [1]Auf eine Vereinbarung, durch die von den Vorschriften der §§ 74 bis 75c zum Nachteil des Handlungsgehilfen abgewichen wird, kann sich der Prinzipal nicht berufen. [2]Das gilt auch von Vereinbarungen, die bezwecken, die gesetzlichen Vorschriften über das Mindestmaß der Entschädigung durch Verrechnungen oder auf sonstige Weise zu umgehen.

§ 75e[1)] *(aufgehoben)*

§ 75f[1)] [Sperrabrede unter Arbeitgebern] [1]Im Falle einer Vereinbarung, durch die sich ein Prinzipal einem anderen Prinzipal gegenüber verpflichtet, einen Handlungsgehilfen, der bei diesem im Dienst ist oder gewesen ist, nicht oder nur unter bestimmten Voraussetzungen anzustellen, steht beiden Teilen der Rücktritt frei. [2]Aus der Vereinbarung findet weder Klage noch Einrede statt.

§ 75g[1)] [Vermittlungsgehilfe] [1]§ 55 Abs. 4 gilt auch für einen Handlungsgehilfen, der damit betraut ist, außerhalb des Betriebes des Prinzipals für diesen Geschäfte zu vermitteln. [2]Eine Beschränkung dieser Rechte braucht ein Dritter gegen sich nur gelten zu lassen, wenn er sie kannte oder kennen mußte.

§ 75h[1)] [Unkenntnis des Mangels der Vertretungsmacht]

(1) Hat ein Handlungsgehilfe, der nur mit der Vermittlung von Geschäften außerhalb des Betriebes des Prinzipals betraut ist, ein Geschäft im Namen des Prinzipals abgeschlossen, und war dem Dritten der Mangel der Vertretungsmacht nicht bekannt, so gilt das Geschäft als von dem Prinzipal genehmigt, wenn dieser dem Dritten gegenüber nicht unverzüglich das Geschäft ablehnt, nachdem er von dem Hand-

---

[1)] § 75d eingef. durch G v. 10. 6. 1914 (RGBl. S. 209).
§ 75e aufgeh. durch G v. 17. 7. 1974 (BGBl. I S. 1481).
§ 75f eingef. durch G v. 10. 6. 1914 (RGBl. S. 209) und neugef. durch G v. 20. 1. 1934 (RGBl. I S. 45).

lungsgehilfen oder dem Dritten über Abschluß und wesentlichen Inhalt benachrichtigt worden ist.

(2) Das gleiche gilt, wenn ein Handlungsgehilfe, der mit dem Abschluß von Geschäften betraut ist, ein Geschäft im Namen des Prinzipals abgeschlossen hat, zu dessen Abschluß er nicht bevollmächtigt ist.

§§ 76–82[1] *(aufgehoben)*

§ 82 a[1), 2)] **[Wettbewerbsverbot der Volontäre]** *Auf Wettbewerbsverbote gegenüber Personen, die, ohne als Lehrlinge angenommen zu sein, zum Zwecke ihrer Ausbildung unentgeltlich mit kaufmännischen Diensten beschäftigt werden (Volontäre), finden die für Handlungsgehilfen geltenden Vorschriften insoweit Anwendung, als sie nicht auf das dem Gehilfen zustehende Entgelt Bezug nehmen.*

§ 83[2] **[Andere Arbeitnehmer]** Hinsichtlich der Personen, welche in dem Betrieb eines Handelsgewerbes andere als kaufmännische Dienste leisten, bewendet es bei den für das Arbeitsverhältnis dieser Personen geltenden Vorschriften.

1. Buch. Siebenter Abschnitt. Handelsvertreter[3]

§ 84[3] **[Begriff des Handelsvertreters]** (1) [1] Handelsvertreter ist, wer als selbständiger Gewerbetreibender ständig damit betraut ist, für einen anderen Unternehmer (Unternehmer) Geschäfte zu vermitteln oder in dessen Namen abzuschließen. [2] Selbständig ist, wer im wesentlichen frei seine Tätigkeit gestalten und seine Arbeitszeit bestimmen kann.

(2) Wer, ohne selbständig im Sinne des Absatzes 1 zu sein, ständig damit betraut ist, für einen Unternehmer Geschäfte zu vermitteln oder in dessen Namen abzuschließen, gilt als Angestellter.

(3) Der Unternehmer kann auch ein Handelsvertreter sein.

(4) Die Vorschriften dieses Abschnittes finden auch Anwendung, wenn das Unternehmen des Handelsvertreters nach Art oder Umfang einen in kaufmännischer Weise eingerichteten Geschäftsbetrieb nicht erfordert.

§ 85 [Vertragsurkunde] [1] Jeder Teil kann verlangen, daß der Inhalt des Vertrages sowie spätere Vereinbarungen zu dem Vertrag in eine vom anderen Teil unterzeichnete Urkunde aufgenommen werden. [2] Dieser Anspruch kann nicht ausgeschlossen werden.

---

1) §§ 76–82 aufgeh. durch G v. 14. 8. 1969 (BGBl. I S. 1112).

§ 82 a gegenstandslos durch § 19 i. V. m. § 5 Abs. 1 Satz 1 BerufsbildungsG v. 14. 8. 1969 (BGBl. I S. 1112).

2) Im Gebiet der ehem. DDR sind §§ 82 a, 83 nicht anzuwenden aufgrund Einigungsvertrag v. 31. 8. 1990 (BGBl. II S. 889, 1020).

3) § 84 Abs. 4 angef. durch G v. 22. 6. 1998 (BGBl. I S. 1474).

§ 86[1)] **[Pflichten des Handelsvertreters]** (1) Der Handelsvertreter hat sich um die Vermittlung oder den Abschluß von Geschäften zu bemühen; er hat hierbei das Interesse des Unternehmers wahrzunehmen.

(2) Er hat dem Unternehmer die erforderlichen Nachrichten zu geben, namentlich ihm von jeder Geschäftsvermittlung und von jedem Geschäftsabschluß unverzüglich Mitteilung zu machen.

(3) Er hat seine Pflichten mit der Sorgfalt eines ordentlichen Kaufmanns wahrzunehmen.

(4) Von den Absätzen 1 und 2 abweichende Vereinbarungen sind unwirksam.

§ 86 a[1)] **[Pflichten des Unternehmers]** (1) Der Unternehmer hat dem Handelsvertreter die zur Ausübung seiner Tätigkeit erforderlichen Unterlagen, wie Muster, Zeichnungen, Preislisten, Werbedrucksachen, Geschäftsbedingungen, zur Verfügung zu stellen.

(2) [1] Der Unternehmer hat dem Handelsvertreter die erforderlichen Nachrichten zu geben. [2] Er hat ihm unverzüglich die Annahme oder Ablehnung eines vom Handelsvertreter vermittelten oder ohne Vertretungsmacht abgeschlossenen Geschäfts und die Nichtausführung eines von ihm vermittelten oder abgeschlossenen Geschäfts mitzuteilen. [3] Er hat ihn unverzüglich zu unterrichten, wenn er Geschäfte voraussichtlich nur in erheblich geringerem Umfange abschließen kann oder will, als der Handelsvertreter unter gewöhnlichen Umständen erwarten konnte.

(3) Von den Absätzen 1 und 2 abweichende Vereinbarungen sind unwirksam.

§ 86 b[2)] **[Delkredereprovision]** (1) [1] Verpflichtet sich ein Handelsvertreter, für die Erfüllung der Verbindlichkeit aus einem Geschäft einzustehen, so kann er eine besondere Vergütung (Delkredereprovision) beanspruchen; der Anspruch kann im voraus nicht ausgeschlossen werden. [2] Die Verpflichtung kann nur für ein bestimmtes Geschäft oder für solche Geschäfte mit bestimmten Dritten übernommen werden, die der Handelsvertreter vermittelt oder abschließt. [3] Die Übernahme bedarf der Schriftform.

[1)] § 86 Abs. 4 angef. m. W. v. 1. 1. 1990 durch G v. 23. 10. 1989 (BGBl. I S. 1910). § 86 a Abs. 2 Sätze 2 und 3 neugef., Abs. 3 angef. m. W. v. 1. 1. 1990 durch G v. 23. 10. 1989 (BGBl. I S. 1910).

[2)] In der Fassung des Art. 1 des G zur Änderung des HGB (Recht der Handelsvertreter) vom 6. 8. 1953 (vgl. Nr. 105 a). Die Änderungen sind am 1. 12. 1953 in Kraft getreten.

(2) Der Anspruch auf die Delkredereprovision entsteht mit dem Abschluß des Geschäfts.

(3) [1] Absatz 1 gilt nicht, wenn der Unternehmer oder der Dritte seine Niederlassung oder beim Fehlen einer solchen seinen Wohnsitz im Ausland hat. [2] Er gilt ferner nicht für Geschäfte, zu deren Abschluß und Ausführung der Handelsvertreter unbeschränkt bevollmächtigt ist.

§ 87[1)] [Provisionspflichtige Geschäfte] (1) [1] Der Handelsvertreter hat Anspruch auf Provision für alle während des Vertragsverhältnisses abgeschlossenen Geschäfte, die auf seine Tätigkeit zurückzuführen sind oder mit Dritten abgeschlossen werden, die er als Kunden für Geschäfte der gleichen Art geworben hat. [2] Ein Anspruch auf Provision besteht für ihn nicht, wenn und soweit die Provision nach Absatz 3 dem ausgeschiedenen Handelsvertreter zusteht.

(2) Ist dem Handelsvertreter ein bestimmter Bezirk oder ein bestimmter Kundenkreis zugewiesen, so hat er Anspruch auf Provision auch für die Geschäfte, die ohne seine Mitwirkung mit Personen seines Bezirkes oder seines Kundenkreises während des Vertragsverhältnisses

---

1) § 87 Abs. 1 Satz 2 und Abs. 2 Satz 2 geänd., Abs. 3 neugef. m. W. v. 1. 1. 1990 durch G v. 23. 10. 1989 (BGBl. I S. 1910).

abgeschlossen sind. [3]Dies gilt nicht, wenn und soweit die Provision nach Absatz 3 dem ausgeschiedenen Handelsvertreter zusteht.

(3) [1]Für ein Geschäft, das erst nach Beendigung des Vertragsverhältnisses abgeschlossen ist, hat der Handelsvertreter Anspruch auf Provision nur, wenn

1. er das Geschäft vermittelt hat oder es eingeleitet und so vorbereitet hat, daß der Abschluß überwiegend auf seine Tätigkeit zurückzuführen ist, und das Geschäft innerhalb einer angemessenen Frist nach Beendigung des Vertragsverhältnisses abgeschlossen worden ist oder
2. vor Beendigung des Vertragsverhältnisses das Angebot des Dritten zum Abschluß eines Geschäfts, für das der Handelsvertreter nach Absatz 1 Satz 1 oder Absatz 2 Satz 1 Anspruch auf Provision hat, dem Handelsvertreter oder dem Unternehmer zugegangen ist.

[2]Der Anspruch auf Provision nach Satz 1 steht dem nachfolgenden Handelsvertreter anteilig zu, wenn wegen besonderer Umstände eine Teilung der Provision der Billigkeit entspricht.

(4) Neben dem Anspruch auf Provision für abgeschlossene Geschäfte hat der Handelsvertreter Anspruch auf Inkassoprovision für die von ihm auftragsgemäß eingezogenen Beträge.

§ 87a[1)] [Fälligkeit der Provision] (1) [1]Der Handelsvertreter hat Anspruch auf Provision, sobald und soweit der Unternehmer das Geschäft ausgeführt hat. [2]Eine abweichende Vereinbarung kann getroffen werden, jedoch hat der Handelsvertreter mit der Ausführung des Geschäfts durch den Unternehmer Anspruch auf einen angemessenen Vorschuß, der spätestens am letzten Tag des folgenden Monats fällig ist. [3]Unabhängig von einer Vereinbarung hat jedoch der Handelsvertreter Anspruch auf Provision, sobald und soweit der Dritte das Geschäft ausgeführt hat.

(2) Steht fest, daß der Dritte nicht leistet, so entfällt der Anspruch auf Provision; bereits empfangene Beträge sind zurückzugewähren.

(3) [1]Der Handelsvertreter hat auch dann einen Anspruch auf Provision, wenn feststeht, daß der Unternehmer das Geschäft ganz oder teilweise nicht oder nicht so ausführt, wie es abgeschlossen worden ist. [2]Der Anspruch entfällt im Falle der Nichtausführung, wenn und soweit diese auf Umständen beruht, die vom Unternehmer nicht zu vertreten sind.

(4) Der Anspruch auf Provision wird am letzten Tag des Monats fällig, in dem nach § 87c Abs. 1 über den Anspruch abzurechnen ist.

(5) Von Absatz 2 erster Halbsatz, Absätzen 3 und 4 abweichende, für den Handelsvertreter nachteilige Vereinbarungen sind unwirksam.

[1)] § 87a Abs. 1 Satz 4 aufgeh., Abs. 3 Satz 2 und Abs. 5 neugef. mWv 1. 1. 1990 durch G v. 23. 10. 1989 (BGBl. I S. 1910).

§ 87b[1)] [Höhe der Provision] (1) Ist die Höhe der Provision nicht bestimmt, so ist der übliche Satz als vereinbart anzusehen.

(2) [1]Die Provision ist von dem Entgelt zu berechnen, das der Dritte oder der Unternehmer zu leisten hat. [2]Nachlässe bei Barzahlung sind nicht abzuziehen; dasselbe gilt für Nebenkosten, namentlich für Fracht, Verpackung, Zoll, Steuern, es sei denn, daß die Nebenkosten dem Dritten besonders in Rechnung gestellt sind. [3]Die Umsatzsteuer, die lediglich auf Grund der steuerrechtlichen Vorschriften in der Rechnung gesondert ausgewiesen ist, gilt nicht als besonders in Rechnung gestellt.

(3) [1]Bei Gebrauchsüberlassungs- und Nutzungsverträgen von bestimmter Dauer ist die Provision vom Entgelt für die Vertragsdauer zu berechnen. [2]Bei unbestimmter Dauer ist die Provision vom Entgelt bis zu dem Zeitpunkt zu berechnen, zu dem erstmals von dem Dritten gekündigt werden kann; der Handelsvertreter hat Anspruch auf weitere entsprechend berechnete Provisionen, wenn der Vertrag fortbesteht.

§ 87c[1)] [Abrechnung über die Provisionen] (1) [1]Der Unternehmer hat über die Provision, auf die der Handelsvertreter Anspruch hat, monatlich abzurechnen; der Abrechnungszeitraum kann auf höchstens drei Monate erstreckt werden. [2]Die Abrechnung hat unverzüglich, spätestens bis zum Ende des nächsten Monats, zu erfolgen.

(2) Der Handelsvertreter kann bei der Abrechnung einen Buchauszug über alle Geschäfte verlangen, für die ihm nach § 87 Provision gebührt.

(3) Der Handelsvertreter kann außerdem Mitteilung über alle Umstände verlangen, die für den Provisionsanspruch, seine Fälligkeit und seine Berechnung wesentlich sind.

(4) Wird der Buchauszug verweigert oder bestehen begründete Zweifel an der Richtigkeit oder Vollständigkeit der Abrechnung oder des Buchauszuges, so kann der Handelsvertreter verlangen, daß nach Wahl des Unternehmers entweder ihm oder einem von ihm zu bestimmenden Wirtschaftsprüfer oder vereidigten Buchsachverständigen Einsicht in die Geschäftsbücher oder die sonstigen Urkunden soweit gewährt wird, wie dies zur Feststellung der Richtigkeit oder Vollständigkeit der Abrechnung oder des Buchauszuges erforderlich ist.

(5) Diese Rechte des Handelsvertreters können nicht ausgeschlossen oder beschränkt werden.

§ 87d [Ersatz von Aufwendungen] Der Handelsvertreter kann den Ersatz seiner im regelmäßigen Geschäftsbetrieb entstandenen Aufwendungen nur verlangen, wenn dies handelsüblich ist.

[1)] § 87b Abs. 2 Satz 3 angef. durch G vom 29. 5. 1967 (BGBl. I S. 545).

§ 88[1] *(aufgehoben)*

§ 88 a[2] **[Zurückbehaltungsrecht]** (1) Der Handelsvertreter kann nicht im voraus auf gesetzliche Zurückbehaltungsrechte verzichten.

(2) Nach Beendigung des Vertragsverhältnisses hat der Handelsvertreter ein nach allgemeinen Vorschriften bestehendes Zurückbehaltungsrecht an ihm zur Verfügung gestellten Unterlagen (§ 86 a Abs. 1) nur wegen seiner fälligen Ansprüche auf Provision und Ersatz von Aufwendungen.

§ 89[3] **[Kündigung des Vertrages]** (1) [1] Ist das Vertragsverhältnis auf unbestimmte Zeit eingegangen, so kann es im ersten Jahr der Vertragsdauer mit einer Frist von einem Monat, im zweiten Jahr mit einer Frist von zwei Monaten und im dritten bis fünften Jahr mit einer Frist von drei Monaten gekündigt werden. [2] Nach einer Vertragsdauer von fünf Jahren kann das Vertragsverhältnis mit einer Frist von sechs Monaten gekündigt werden. [3] Die Kündigung ist nur für den Schluß eines Kalendermonats zulässig, sofern keine abweichende Vereinbarung getroffen ist.

(2) [1] Die Kündigungsfristen nach Absatz 1 Satz 1 und 2 können durch Vereinbarung verlängert werden; die Frist darf für den Unternehmer nicht kürzer sein als für den Handelsvertreter. [2] Bei Vereinbarung einer kürzeren Frist für den Unternehmer gilt die für den Handelsvertreter vereinbarte Frist.

(3) [1] Ein für eine bestimmte Zeit eingegangenes Vertragsverhältnis, das nach Ablauf der vereinbarten Laufzeit von beiden Teilen fortgesetzt wird, gilt als auf unbestimmte Zeit verlängert. [2] Für die Bestimmung der Kündigungsfristen nach Absatz 1 Satz 1 und 2 ist die Gesamtdauer des Vertragsverhältnisses maßgeblich.

§ 89 a[4] **[Fristlose Kündigung]** (1) [1] Das Vertragsverhältnis kann von jedem Teil aus wichtigem Grunde ohne Einhaltung einer Kündigungsfrist gekündigt werden. [2] Dieses Recht kann nicht ausgeschlossen oder beschränkt werden.

(2) Wird die Kündigung durch ein Verhalten veranlaßt, das der andere Teil zu vertreten hat, so ist dieser zum Ersatz des durch die Aufhebung des Vertragsverhältnisses entstehenden Schadens verpflichtet.

§ 89 b[5] **[Ausgleichsanspruch]** (1) [1] Der Handelsvertreter kann von dem Unternehmer nach Beendigung des Vertragsverhältnisses einen angemessenen Ausgleich verlangen, wenn und soweit

1. der Unternehmer aus der Geschäftsverbindung mit neuen Kunden, die der Handelsvertreter geworben hat, auch nach Beendigung des Vertragsverhältnisses erhebliche Vorteile hat und

---

[1] § 88 aufgeh. mWv 15. 12. 2004 durch G v. 9. 12. 2004 (BGBl. I S. 3214).

[2] § 88 a eingef. durch G v. 6. 8. 1953 (BGBl. I S. 771).

[3] § 89 neu gef. durch G v. 23. 10. 1989 (BGBl. I S. 1910).

[4] § 89 a eingef. durch G v. 6. 8. 1953 (BGBl. I S. 771).

[5] § 89 b eingef. durch G v. 6. 8. 1953 (BGBl. I S. 771); Abs. 3, Abs. 4 Satz 2 und Abs. 5 neu gef. durch G v. 23. 10. 1989 (BGBl. I S. 1910); Abs. 1 Satz 1 Nr. 1 geänd., Nr. 2 aufgeh., bish. Nr. 3 wird Nr. 2 und geänd. mWv 5. 8. 2009 durch G v. 31. 7. 2009 (BGBl. I S. 2512).

2. die Zahlung eines Ausgleichs unter Berücksichtigung aller Umstände, insbesondere der dem Handelsvertreter aus Geschäften mit diesen Kunden entgehenden Provisionen, der Billigkeit entspricht.

[2] Der Werbung eines neuen Kunden steht es gleich, wenn der Handelsvertreter die Geschäftsverbindung mit einem Kunden so wesentlich erweitert hat, daß dies wirtschaftlich der Werbung eines neuen Kunden entspricht.

(2) Der Ausgleich beträgt höchstens eine nach dem Durchschnitt der letzten fünf Jahre der Tätigkeit des Handelsvertreters berechnete Jahresprovision oder sonstige Jahresvergütung; bei kürzerer Dauer des Vertragsverhältnisses ist der Durchschnitt während der Dauer der Tätigkeit maßgebend.

(3) Der Anspruch besteht nicht, wenn

1. der Handelsvertreter das Vertragsverhältnis gekündigt hat, es sei denn, daß ein Verhalten des Unternehmers hierzu begründeten Anlaß gegeben hat oder dem Handelsvertreter eine Fortsetzung seiner Tätigkeit wegen seines Alters oder wegen Krankheit nicht zugemutet werden kann, oder
2. der Unternehmer das Vertragsverhältnis gekündigt hat und für die Kündigung ein wichtiger Grund wegen schuldhaften Verhaltens des Handelsvertreters vorlag oder
3. auf Grund einer Vereinbarung zwischen dem Unternehmer und dem Handelsvertreter ein Dritter anstelle des Handelsvertreters in das Vertragsverhältnis eintritt; die Vereinbarung kann nicht vor Beendigung des Vertragsverhältnisses getroffen werden.

(4) [1] Der Anspruch kann im voraus nicht ausgeschlossen werden. [2] Er ist innerhalb eines Jahres nach Beendigung des Vertragsverhältnisses geltend zu machen.

(Fortsetzung nächste Seite)

(5) [1]Die Absätze 1, 3 und 4 gelten für Versicherungsvertreter mit der Maßgabe, daß an die Stelle der Geschäftsverbindung mit neuen Kunden, die der Handelsvertreter geworben hat, die Vermittlung neuer Versicherungsverträge durch den Versicherungsvertreter tritt und der Vermittlung eines Versicherungsvertrages es gleichsteht, wenn der Versicherungsvertreter einen bestehenden Versicherungsvertrag so wesentlich erweitert hat, daß dies wirtschaftlich der Vermittlung eines neuen Versicherungsvertrages entspricht. [2]Der Ausgleich des Versicherungsvertreters beträgt abweichend von Absatz 2 höchstens drei Jahresprovisionen oder Jahresvergütungen. [3]Die Vorschriften der Sätze 1 und 2 gelten sinngemäß für Bausparkassenvertreter.

§ 90 Der Handelsvertreter darf Geschäfts- und Betriebsgeheimnisse, die ihm anvertraut oder als solche durch seine Tätigkeit für den Unternehmer bekanntgeworden sind, auch nach Beendigung des Vertragsverhältnisses nicht verwerten oder anderen mitteilen, soweit dies nach den gesamten Umständen der Berufsauffassung eines ordentlichen Kaufmannes widersprechen würde.

§ 90 a[1)] (1) [1]Eine Vereinbarung, die den Handelsvertreter nach Beendigung des Vertragsverhältnisses in seiner gewerblichen Tätigkeit beschränkt (Wettbewerbsabrede), bedarf der Schriftform und der Aushändigung einer vom Unternehmer unterzeichneten, die vereinbarten Bestimmungen enthaltenden Urkunde an den Handelsvertreter. [2]Die Abrede kann nur für längstens zwei Jahre von der Beendigung des Vertragsverhältnisses an getroffen werden; sie darf sich nur auf den dem Handelsvertreter zugewiesenen Bezirk oder Kundenkreis und nur auf die Gegenstände erstrecken, hinsichtlich deren sich der Handelsvertreter um die Vermittlung oder den Abschluß von Geschäften für den Unternehmer zu bemühen hat. [3]Der Unternehmer ist verpflichtet, dem Handelsvertreter für die Dauer der Wettbewerbsbeschränkung eine angemessene Entschädigung zu zahlen.

(2) Der Unternehmer kann bis zum Ende des Vertragsverhältnisses schriftlich auf die Wettbewerbsbeschränkung mit der Wirkung verzichten, daß er mit dem Ablauf von sechs Monaten seit der Erklärung von der Verpflichtung zur Zahlung der Entschädigung frei wird.

(3) Kündigt ein Teil das Vertragsverhältnis aus wichtigem Grund wegen schuldhaften Verhaltens des anderen Teils, kann er sich durch schriftliche Erklärung binnen einem Monat nach der Kündigung von der Wettbewerbsabrede lossagen.

[1)] § 90 a Abs. 1 Satz 2 Halbsatz 2 angef. durch G v. 23. 10. 1989 (BGBl. I S. 1910); Abs. 2 Satz 2 aufgeh., Abs. 3 neugef. durch G v. 22. 6. 1998 (BGBl. I S. 1474).

(4) Abweichende für den Handelsvertreter nachteilige Vereinbarungen können nicht getroffen werden.

§ 91 (1) § 55 gilt auch für einen Handelsvertreter, der zum Abschluß von Geschäften von einem Unternehmer bevollmächtigt ist, der nicht Kaufmann ist.

(2) [1] Ein Handelsvertreter gilt, auch wenn ihm keine Vollmacht zum Abschluß von Geschäften erteilt ist, als ermächtigt, die Anzeige von Mängeln einer Ware, die Erklärung, daß eine Ware zur Verfügung gestellt werde, sowie ähnliche Erklärungen, durch die ein Dritter seine Rechte aus mangelhafter Leistung geltend macht oder sich vorbehält, entgegenzunehmen; er kann die dem Unternehmer zustehenden Rechte auf Sicherung des Beweises geltend machen. [2] Eine Beschränkung dieser Rechte braucht ein Dritter gegen sich nur gelten zu lassen, wenn er sie kannte oder kennen mußte.

§ 91 a (1) Hat ein Handelsvertreter, der nur mit der Vermittlung von Geschäften betraut ist, ein Geschäft im Namen des Unternehmers abgeschlossen, und war dem Dritten der Mangel an Vertretungsmacht nicht bekannt, so gilt das Geschäft als von dem Unternehmer genehmigt, wenn dieser nicht unverzüglich, nachdem er von dem Handelsvertreter oder dem Dritten über Abschluß und wesentlichen Inhalt benachrichtigt worden ist, dem Dritten gegenüber das Geschäft ablehnt.

(2) Das gleiche gilt, wenn ein Handelsvertreter, der mit dem Abschluß von Geschäften betraut ist, ein Geschäft im Namen des Unternehmers abgeschlossen hat, zu dessen Abschluß er nicht bevollmächtigt ist.

§ 92 (1) Versicherungsvertreter ist, wer als Handelsvertreter damit betraut ist, Versicherungsverträge zu vermitteln oder abzuschließen.

(2) Für das Vertragsverhältnis zwischen dem Versicherungsvertreter und dem Versicherer gelten die Vorschriften für das Vertragsverhältnis zwischen dem Handelsvertreter und dem Unternehmer vorbehaltlich der Absätze 3 und 4.

(3) [1] In Abweichung von § 87 Abs. 1 Satz 1 hat ein Versicherungsvertreter Anspruch auf Provision nur für Geschäfte, die auf seine Tätigkeit zurückzuführen sind. [2] § 87 Abs. 2 gilt nicht für Versicherungsvertreter.

(4) Der Versicherungsvertreter hat Anspruch auf Provision (§ 87 a Abs. 1), sobald der Versicherungsnehmer die Prämie gezahlt hat, aus der sich die Provision nach dem Vertragsverhältnis berechnet.

(5) Die Vorschriften der Absätze 1 bis 4 gelten sinngemäß für Bausparkassenvertreter.

§ 92a[1] **[Mindestarbeitsbedingungen]** (1) [1] Für das Vertragsverhältnis eines Handelsvertreters, der vertraglich nicht für weitere Unternehmer tätig werden darf oder dem dies nach Art und Umfang der von ihm verlangten Tätigkeit nicht möglich ist, kann das Bundesministerium der Justiz im Einvernehmen mit dem Bundesministerium für Wirtschaft und Klimaschutz nach Anhörung von Verbänden der Handelsvertreter und der Unternehmer durch Rechtsverordnung, die nicht der Zustimmung des Bundesrates bedarf, die untere Grenze der vertraglichen Leistungen des Unternehmers festsetzen, um die notwendigen sozialen und wirtschaftlichen Bedürfnisse dieser Handelsvertreter oder einer bestimmten Gruppe von ihnen sicherzustellen. [2] Die festgesetzten Leistungen können vertraglich nicht ausgeschlossen oder beschränkt werden.

(2) [1] Absatz 1 gilt auch für das Vertragsverhältnis eines Versicherungsvertreters, der auf Grund eines Vertrages oder mehrerer Verträge damit betraut ist, Geschäfte für mehrere Versicherer zu vermitteln oder abzuschließen, die zu einem Versicherungskonzern oder zu einer zwischen ihnen bestehenden Organisationsgemeinschaft gehören, sofern die Beendigung des Vertragsverhältnisses mit einem dieser Versicherer im Zweifel auch die Beendigung des Vertragsverhältnisses mit den anderen Versicherern zur Folge haben würde. [2] In diesem Falle kann durch Rechtsverordnung, die nicht der Zustimmung des Bundesrates bedarf, außerdem bestimmt werden, ob die festgesetzten Leistungen von allen Versicherern als Gesamtschuldnern oder anteilig oder nur von einem der Versicherer geschuldet werden und wie der Ausgleich unter ihnen zu erfolgen hat.

§ 92b[2] **[Handelsvertreter im Nebenberuf]** (1) [1] Auf einen Handelsvertreter im Nebenberuf sind §§ 89 und 89b nicht anzuwenden. [2] Ist das Vertragsverhältnis auf unbestimmte Zeit eingegangen, so kann es mit einer Frist von einem Monat für den Schluß eines Kalendermonats gekündigt werden; wird eine andere Kündigungsfrist vereinbart, so muß sie für beide Teile gleich sein. [3] Der Anspruch auf einen angemessenen Vorschuß nach § 87a Abs. 1 Satz 2 kann ausgeschlossen werden.

(2) Auf Absatz 1 kann sich nur der Unternehmer berufen, der den Handelsvertreter ausdrücklich als Handelsvertreter im Nebenberuf mit der Vermittlung oder dem Abschluß von Geschäften betraut hat.

(3) Ob ein Handelsvertreter nur als Handelsvertreter im Nebenberuf tätig ist, bestimmt sich nach der Verkehrsauffassung.

(4) Die Vorschriften der Absätze 1 bis 3 gelten sinngemäß für Versicherungsvertreter und für Bausparkassenvertreter.

---

[1] § 92a eingef. durch G v. 6.8.1953 (BGBl. I S. 771); Abs. 1 Satz 1 geänd. mWv 7.11.2001 durch VO v. 29.10.2001 (BGBl. I S. 2785); Abs. 1 Satz 1 geänd. mWv 28.11.2003 durch VO v. 25.11.2003 (BGBl. I S. 2304); Abs. 1 Satz 1 geänd. mWv 8.11.2006 durch VO v. 31.10.2006 (BGBl. I S. 2407); Abs. 1 Satz 1 geänd. mWv 8.9.2015 durch VO v. 31.8.2015 (BGBl. I S. 1474); Abs. 1 Satz 1 geänd. mWv 22.6.2023 durch G v. 19.6.2023 (BGBl. 2023 I Nr. 154).

[2] § 92b eingef. durch G v. 6.8.1953 (BGBl. I S. 771).

§ 92c[1)] [Handelsvertreter außerhalb der EG; Schifffahrtsvertreter]

(1) Hat der Handelsvertreter seine Tätigkeit für den Unternehmer nach dem Vertrag nicht innerhalb des Gebietes der Europäischen Gemeinschaft oder der anderen Vertragsstaaten des Abkommens über den Europäischen Wirtschaftsraum auszuüben, so kann hinsichtlich aller Vorschriften dieses Abschnittes etwas anderes vereinbart werden.

(2) Das gleiche gilt, wenn der Handelsvertreter mit der Vermittlung oder dem Abschluß von Geschäften betraut wird, die die Befrachtung, Abfertigung oder Ausrüstung von Schiffen oder die Buchung von Passagen auf Schiffen zum Gegenstand haben.

[1)] *§ 92c eingef. durch G v. 6.8.1953* (BGBl. I S. 771); Abs. 1 neu gef. durch G v. 23.10.1989 (BGBl. I S. 1910); Abs. 1 geänd. durch G v. 27.4.1993 (BGBl. I S. 512) iVm Bek. v. 16.12.1993 (BGBl. I S. 2436).

106. Gewerbeordnung

In der Fassung der Bekanntmachung vom 22. Februar 1999[1)]
(BGBl. I S. 202)

FNA 7100-1

zuletzt geänd. durch Art. 34 StandortförderG v. 4.2.2026 (BGBl. 2026 I Nr. 33)

– Auszug –[2)]

Titel I. Allgemeine Bestimmungen

§ 6[3)] **Anwendungsbereich.** (1) [1] Dieses Gesetz ist nicht anzuwenden auf die Fischerei, die Errichtung und Verlegung von Apotheken, die Erziehung von Kindern gegen Entgelt, das Unterrichtswesen, auf die Tätigkeit der Rechtsanwälte und Berufsausübungsgesellschaften nach der Bundesrechtsanwaltsordnung[4)], der Patentanwälte und Berufsausübungsgesellschaften nach der Patentanwaltsordnung, der Notare, der in § 10 Absatz 1 des Rechtsdienstleistungsgesetzes[5)] und § 1 Absatz 2 und 3 des Einführungsgesetzes zum Rechtsdienstleistungsgesetz[6)] genannten Personen, der Wirtschaftsprüfer und Wirtschaftsprüfungsgesellschaften, der vereidigten Buchprüfer und Buchprüfungsgesellschaften, der Steuerberater und Berufsausübungsgesellschaften nach dem Steuerberatungsgesetz[7)] sowie der Steuerbevollmächtigten, auf den Gewerbebetrieb der Auswandererberater, das Seelotswesen und die Tätigkeit der Prostituierten. [2] Auf das Bergwesen findet dieses Gesetz nur insoweit Anwendung, als es ausdrückliche Bestimmungen enthält; das gleiche gilt für die Ausübung der ärztlichen und anderen Heilberufe, den Verkauf von Arzneimitteln, den Vertrieb von Lotterielosen und die Viehzucht. [3] Ferner findet dieses Gesetz mit Ausnahme des Titels XI auf den Gewerbebetrieb der Versicherungsunternehmen sowie auf Beförderungen mit Krankenkraftwagen im Sinne des § 1 Abs. 2 Nr. 2 in Verbindung mit Abs. 1 des Personenbeförderungsgesetzes[8)] keine Anwendung.

(1a) § 6c findet auf alle Gewerbetreibenden und sonstigen Dienstleistungserbringer im Sinne des Artikels 4 Nummer 2 der Richtlinie 2006/123/EG[9)] Anwendung, deren Dienstleistungen unter den Anwendungsbereich der Richtlinie fallen.

[1)] Neubekanntmachung der GewO idF der Bek. v. 1.1.1987 (BGBl. I S. 425) in der ab 1.1.1999 geltenden Fassung.

[2)] Vollständig wiedergegeben in **beck-online, Module Arbeitsrecht.**

[3)] § 6 bish. Text wird Abs. 1, Sätze 1 und 2 Halbs. 2 geänd., Abs. 2 angef. mWv 1.1.2003 durch G v. 24.8.2002 (BGBl. I S. 3412); Abs. 1a angef. mWv 25.7.2009 durch G v. 17.7.2009 (BGBl. I S. 2091); Abs. 1 Satz 1 geänd. mWv 1.7.2017 durch G v. 21.10.2016 (BGBl. I S. 2372); Abs. 1 Sätze 1–3 geänd. mWv 1.1.2021 durch G v. 22.12.2020 (BGBl. I S. 3320); Abs. 1 Satz 1 neu gef. mWv 1.8. 2022 durch G v. 7.7.2021 (BGBl. I S. 2363).

[4)] **beck-online, Module Arbeitsrecht Nr. 133a.**

[5)] **Habersack ErgBd. Nr. 99.**

[6)] **Habersack ErgBd. Nr. 99a.**

[7)] Auszugsweise abgedruckt unter Nr. **133**.

[8)] **Sartorius Nr. 950.**

[9)] Nr. **866**.

(2) Die Bestimmungen des Abschnitts I des Titels VII finden auf alle Arbeitnehmer Anwendung.

Titel II. Stehendes Gewerbe

III. Umfang, Ausübung und Verlust der Gewerbebefugnisse

§ 41[1)] *(aufgehoben)*

§§ 41a–104n *(hier nicht wiedergegeben)*

Titel VII.[2)] Arbeitnehmer

I.[3)] Allgemeine arbeitsrechtliche Grundsätze

§ 105[4)] **Freie Gestaltung des Arbeitsvertrages.** [1] Arbeitgeber und Arbeitnehmer können Abschluss, Inhalt und Form des Arbeitsvertrages frei vereinbaren, soweit nicht zwingende gesetzliche Vorschriften, Bestimmungen eines anwendbaren Tarifvertrages oder einer Betriebsvereinbarung entgegenstehen. [2] Soweit die Vertragsbedingungen wesentlich sind, richtet sich ihr Nachweis nach den Bestimmungen des Nachweisgesetzes[5)].

§ 106[6)] **Weisungsrecht des Arbeitgebers.** [1] Der Arbeitgeber kann Inhalt, Ort und Zeit der Arbeitsleistung nach billigem Ermessen näher bestimmen, soweit diese Arbeitsbedingungen nicht durch den Arbeitsvertrag, Bestimmungen einer Betriebsvereinbarung, eines anwendbaren Tarifvertrages oder gesetzliche Vorschriften festgelegt sind. [2] Dies gilt auch hinsichtlich der Ordnung und des Verhaltens der Arbeitnehmer im Betrieb. [3] Bei der Ausübung des Ermessens hat der Arbeitgeber auch auf Behinderungen des Arbeitnehmers Rücksicht zu nehmen.

§ 107[7)] **Berechnung und Zahlung des Arbeitsentgelts.** (1) Das Arbeitsentgelt ist in Euro zu berechnen und auszuzahlen.

(2) [1] Arbeitgeber und Arbeitnehmer können Sachbezüge als Teil des Arbeitsentgelts vereinbaren, wenn dies dem Interesse des Arbeitnehmers oder der Eigenart des Arbeitsverhältnisses entspricht. [2] Der Arbeitgeber darf dem Arbeitnehmer keine Waren auf Kredit überlassen. [3] Er darf ihm nach Vereinbarung Waren in Anrechnung auf das Arbeitsentgelt überlassen, wenn die Anrechnung zu den durchschnittlichen Selbstkosten erfolgt. [4] Die geleisteten Gegenstände müssen mittlerer Art und Güte sein, soweit nicht ausdrücklich eine andere Vereinbarung getroffen worden ist. [5] Der Wert der vereinbarten Sachbezüge oder die Anrechnung der überlassenen Waren auf das Arbeitsentgelt darf die Höhe des pfändbaren Teils des Arbeitsentgelts nicht übersteigen.

(3) [1] Die Zahlung eines regelmäßigen Arbeitsentgelts kann nicht für die Fälle ausgeschlossen werden, in denen der Arbeitnehmer für seine Tätigkeit von

---

[1)] § 41 aufgeh. mWv 1.1.2023 durch G v. 9.11.2022 (BGBl. I S. 2009).
[2)] Titel VII Überschr. neu gef. mWv 1.1.2003 durch G v. 24.8.2002 (BGBl. I S. 3412).
[3)] I. Abschn. Überschr. neu gef. mWv 1.1.2003 durch G v. 24.8.2002 (BGBl. I S. 3412).
[4)] § 105 neu gef. mWv 1.1.2003 durch G v. 24.8.2002 (BGBl. I S. 3412).
[5)] Nr. **90**.
[6)] § 106 eingef. mWv 1.1.2003 durch G v. 24.8.2002 (BGBl. I S. 3412).
[7)] § 107 eingef. mWv 1.1.2003 durch G v. 24.8.2002 (BGBl. I S. 3412).

Dritten ein Trinkgeld erhält. [2] Trinkgeld ist ein Geldbetrag, den ein Dritter ohne rechtliche Verpflichtung dem Arbeitnehmer zusätzlich zu einer dem Arbeitgeber geschuldeten Leistung zahlt.

§ 108[1)] Abrechnung des Arbeitsentgelts. (1) [1] Dem Arbeitnehmer ist bei Zahlung des Arbeitsentgelts eine Abrechnung in Textform zu erteilen. [2] Die Abrechnung muss mindestens Angaben über Abrechnungszeitraum und Zusammensetzung des Arbeitsentgelts enthalten. [3] Hinsichtlich der Zusammensetzung sind insbesondere Angaben über Art und Höhe der Zuschläge, Zulagen, sonstige Vergütungen, Art und Höhe der Abzüge, Abschlagszahlungen sowie Vorschüsse erforderlich.

(2) Die Verpflichtung zur Abrechnung entfällt, wenn sich die Angaben gegenüber der letzten ordnungsgemäßen Abrechnung nicht geändert haben.

(3) [1] Das Bundesministerium für Arbeit und Soziales wird ermächtigt, das Nähere zum Inhalt und Verfahren einer Entgeltbescheinigung, die zu Zwecken nach dem Sozialgesetzbuch sowie zur Vorlage bei den Sozial- und Familiengerichten verwendet werden kann, durch Rechtsverordnung[2)] zu bestimmen. [2] Besoldungsmitteilungen für Beamte, Richter oder Soldaten, die inhaltlich der Entgeltbescheinigung nach Satz 1 entsprechen, können für die in Satz 1 genannten Zwecke verwendet werden. [3] Der Arbeitnehmer kann vom Arbeitgeber zu anderen Zwecken eine weitere Entgeltbescheinigung verlangen, die sich auf die Angaben nach Absatz 1 beschränkt.

§ 109[3)] Zeugnis. (1) [1] Der Arbeitnehmer hat bei Beendigung eines Arbeitsverhältnisses Anspruch auf ein schriftliches Zeugnis. [2] Das Zeugnis muss mindestens Angaben zu Art und Dauer der Tätigkeit (einfaches Zeugnis) enthalten. [3] Der Arbeitnehmer kann verlangen, dass sich die Angaben darüber hinaus auf Leistung und Verhalten im Arbeitsverhältnis (qualifiziertes Zeugnis) erstrecken.

(2) [1] Das Zeugnis muss klar und verständlich formuliert sein. [2] Es darf keine Merkmale oder Formulierungen enthalten, die den Zweck haben, eine andere als aus der äußeren Form oder aus dem Wortlaut ersichtliche Aussage über den Arbeitnehmer zu treffen.

(3) Das Zeugnis kann mit Einwilligung des Arbeitnehmers in elektronischer Form erteilt werden.

§ 110[4)] Wettbewerbsverbot. [1] Arbeitgeber und Arbeitnehmer können die berufliche Tätigkeit des Arbeitnehmers für die Zeit nach Beendigung des Arbeitsverhältnisses durch Vereinbarung beschränken (Wettbewerbsverbot). [2] Die §§ 74 bis 75f des Handelsgesetzbuches[5)] sind entsprechend anzuwenden.

[1)] § 108 eingef. mWv 1.1.2003 durch G v. 24.8.2002 (BGBl. I S. 3412); Abs. 3 angef. mWv 23.12. 2007 durch G v. 19.12.2007 (BGBl. I S. 3024); Abs. 3 neu gef. mWv 2.4.2009 durch G v. 28.3.2009 (BGBl. I S. 634); Abs. 3 neu gef. mWv 3.12.2011 durch G v. 23.11.2011 (BGBl. I S. 2298); Abs. 3 Satz 1 geänd. mWv 1.1.2016 durch G v. 15.4.2015 (BGBl. I S. 583); Abs. 3 Satz 2 eingef., bish. Satz 2 wird Satz 3 mWv 1.1.2017 durch G v. 11.11.2016 (BGBl. I S. 2500).

[2)] Siehe die EntgeltbescheinigungsVO **(beck-online, Module Arbeitsrecht Nr. 106a)**.

[3)] § 109 eingef. mWv 1.1.2003 durch G v. 24.8.2002 (BGBl. I S. 3412); Abs. 3 neu gef. mWv 1.1. 2025 durch G v. 23.10.2024 (BGBl. 2024 I Nr. 323).

[4)] § 110 eingef. mWv 1.1.2003 durch G v. 24.8.2002 (BGBl. I S. 3412).

[5)] Nr. **105**.

III.[1] Aufsicht

§ 139b[2] Gewerbeaufsichtsbehörde. (1) [1]Die Aufsicht über die Ausführung der Bestimmungen der auf Grund des § 120e oder des § 139h erlassenen Rechtsverordnungen ist ausschließlich oder neben den ordentlichen Polizeibehörden besonderen von den Landesregierungen zu ernennenden Beamten zu übertragen. [2]Denselben stehen bei Ausübung dieser Aufsicht alle amtlichen Befugnisse der Ortspolizeibehörden, insbesondere das Recht zur jederzeitigen Besichtigung und Prüfung der Anlagen zu. [3]Die amtlich zu ihrer Kenntnis gelangenden Geschäfts- und Betriebsverhältnisse der ihrer Besichtigung und Prüfung unterliegenden Anlagen dürfen sie nur zur Verfolgung von Gesetzwidrigkeiten und zur Erfüllung von gesetzlich geregelten Aufgaben zum Schutz der Umwelt den dafür zuständigen Behörden offenbaren. [4]Soweit es sich bei Geschäfts- und Betriebsverhältnissen um Informationen über die Umwelt im Sinne des Umweltinformationsgesetzes[3] handelt, richtet sich die Befugnis zu ihrer Offenbarung nach dem Umweltinformationsgesetz.

(2) Die Ordnung der Zuständigkeitsverhältnisse zwischen diesen Beamten und den ordentlichen Polizeibehörden bleibt der verfassungsmäßigen Regelung in den einzelnen Ländern vorbehalten.

(3) [1]Die erwähnten Beamten haben Jahresberichte über ihre amtliche Tätigkeit zu erstatten. [2]Diese Jahresberichte oder Auszüge aus denselben sind dem *Bundesrat* und dem Deutschen Bundestag vorzulegen.

(4) Die auf Grund der Bestimmungen der auf Grund des § 120e oder des § 139h erlassenen Rechtsverordnungen auszuführenden amtlichen Besichtigungen und Prüfungen müssen die Arbeitgeber zu jeder Zeit, namentlich auch in der Nacht, während des Betriebs gestatten.

(5) Die Arbeitgeber sind ferner verpflichtet, den genannten Beamten oder der Polizeibehörde diejenigen statistischen Mitteilungen über die Verhältnisse ihrer Arbeitnehmer zu machen, welche vom Bundesministerium für Arbeit und Soziales[4] durch Rechtsverordnung mit Zustimmung des Bundesrates oder von der Landesregierung unter Festsetzung der dabei zu beobachtenden Fristen und Formen vorgeschrieben werden.

(5a) (weggefallen)

(6) [1]Die Beauftragten der zuständigen Behörden sind befugt, die Unterkünfte, auf die sich die Pflichten der Arbeitgeber nach der Arbeitsstättenverordnung[5] beziehen, zu betreten und zu besichtigen. [2]Gegen den Willen der Unterkunftsinhaber ist dies jedoch nur zur Verhütung dringender Gefahren für

---

[1] Bish. Abschn. V. wird Abschn. III. mWv 1.1.2003 durch G v. 24.8.2002 (BGBl. I S. 3412).

[2] § 139b Abs. 8 Nr. 7 neu gef. mWv 1.8.2002 durch G v. 23.7.2002 (BGBl. I S. 2787); Abs. 1 Satz 1, Abs. 3 Satz 2, Abs. 4 und 6 Satz 1 geänd. mWv 1.1.2003 durch G v. 24.8.2002 (BGBl. I S. 3412); Abs. 5 geänd. mWv 28.11.2003 durch VO v. 25.11.2003 (BGBl. I S. 2304); Abs. 7 Nr. 2, Abs. 8 Nr. 1 geänd. mWv 1.1.2004 durch G v. 23.12.2003 (BGBl. I S. 2848); Abs. 7 Nr. 1, 6 und letzer Satzteil sowie Abs. 8 Nr. 5 geänd. mWv 1.1.2005 durch G v. 30.7.2004 (BGBl. I S. 1950); Abs. 5 geänd. mWv 8.11.2006 durch VO v. 31.10.2006 (BGBl. I S. 2407); Abs. 6 Satz 1 geänd. mWv 1.1.2021 durch G v. 22.12.2020 (BGBl. I S. 3334); Abs. 7 Nr. 1 und 3 geänd., Nr. 8–10 eingef., abschl. Satzteil neu gef., Abs. 8 Nr. 4 geänd. mWv 30.12.2025 durch G v. 22.12.2025 (BGBl. 2025 I Nr. 369).

[3] **Sartorius Nr. 294.**

[4] ***Amtl. Anm.:*** *Zuständige Stelle gemäß Artikel 129 Abs. 1 Satz 1 des Grundgesetzes* [auszugsweise abgedruckt unter Nr. **10**].

[5] Nr. **380**.

die öffentliche Sicherheit oder Ordnung zulässig. [3] Das Grundrecht der Unverletzlichkeit der Wohnung (Artikel 13 des Grundgesetzes[1)]) wird insoweit eingeschränkt.

(7) Ergeben sich im Einzelfall für die für den Arbeitsschutz zuständigen Landesbehörden konkrete Anhaltspunkte für

1. eine Beschäftigung oder Tätigkeit von Ausländern ohne erforderlichen Aufenthaltstitel nach § 4a Absatz 5 Satz 1 des Aufenthaltsgesetzes[2)], eine Erlaubnis oder Berechtigung nach § 4a Absatz 5 Satz 2 in Verbindung mit Absatz 4 des Aufenthaltsgesetzes[2)], eine Aufenthaltsgestattung oder eine Duldung, die zur Ausübung der Beschäftigung berechtigen, oder eine Genehmigung nach § 284 Absatz 1 des Dritten Buches Sozialgesetzbuch[3)],
2. Verstöße gegen die Mitwirkungspflicht nach § 60 Abs. 1 Satz 1 Nr. 2 des Ersten Buches Sozialgesetzbuch[4)] gegenüber einer Dienststelle der Bundesagentur für Arbeit, einem Träger der gesetzlichen Kranken-, Pflege-, Unfall- oder Rentenversicherung oder einem Träger der Sozialhilfe oder gegen die Meldepflicht nach § 8a des Asylbewerberleistungsgesetzes[5)],
3. Verstöße gegen das Schwarzarbeitsbekämpfungsgesetz,
4. Verstöße gegen das Arbeitnehmerüberlassungsgesetz[6)],
5. Verstöße gegen Vorschriften des Vierten[7)] und Siebten Buches Sozialgesetzbuch[8)] über die Verpflichtung zur Zahlung von Sozialversicherungsbeiträgen,
6. Verstöße gegen das Aufenthaltsgesetz[9)],
7. Verstöße gegen die Steuergesetze,
8. Verstöße gegen das Gesetz zur Sicherung von Arbeitnehmerrechten in der Fleischwirtschaft[10)],
9. Verstöße gegen das Mindestlohngesetz[11)],
10. Verstöße gegen das Arbeitnehmer-Entsendegesetz[12)],

unterrichten sie die für die Verfolgung und Ahndung der Verstöße jeweils zuständigen Behörden und, soweit erforderlich, die Träger der Sozialhilfe sowie die Behörden nach § 71 des Aufenthaltsgesetzes.[13)]

(8) In den Fällen des Absatzes 7 arbeiten die für den Arbeitsschutz zuständigen Landesbehörden insbesondere mit folgenden Behörden zusammen:

1. den Agenturen für Arbeit,
2. den Trägern der Krankenversicherung als Einzugsstellen für die Sozialversicherungsbeiträge,
3. den Trägern der Unfallversicherung,

[1)] **beck-online, Module Arbeitsrecht Nr. 10.**
[2)] Nr. **760**.
[3)] Nr. **700**.
[4)] Nr. **691**.
[5)] Nr. **781**.
[6)] Nr. **730**.
[7)] Auszugsweise abgedruckt unter Nr. **694**.
[8)] Auszugsweise abgedruckt unter Nr. **697**.
[9)] Auszugsweise abgedruckt unter Nr. **760**.
[10)] Nr. **508**.
[11)] Nr. **505**.
[12)] Nr. **506**.
[13)] **beck-online, Module Arbeitsrecht Nr. 760.**

4. den nach Landesrecht für die Verfolgung und Ahndung von Ordnungswidrigkeiten nach dem Schwarzarbeitsbekämpfungsgesetz zuständigen Behörden,
5. den in § 71 des Aufenthaltsgesetzes[1] genannten Behörden,
6. den Finanzbehörden,
7. den Behörden der Zollverwaltung,
8. den Rentenversicherungsträgern,
9. den Trägern der Sozialhilfe.

Titel X. Straf- und Bußgeldvorschriften

§ 147[2] Verletzung von Arbeitsschutzvorschriften. (1) Ordnungswidrig handelt, wer vorsätzlich oder fahrlässig

1. eine Besichtigung oder Prüfung nach § 139b Abs. 1 Satz 2, Abs. 4, 6 Satz 1 oder 2 nicht gestattet oder
2. entgegen § 139b Abs. 5 eine vorgeschriebene statistische Mitteilung nicht, nicht richtig, nicht vollständig oder nicht rechtzeitig macht.

(2) Die Ordnungswidrigkeit kann mit einer Geldbuße geahndet werden.

Titel XI. Gewerbezentralregister

§ 149[3] Einrichtung eines Gewerbezentralregisters. (1) Das Bundesamt für Justiz (Registerbehörde) führt ein Gewerbezentralregister.

(2) [1] In das Register sind einzutragen

1. die vollziehbaren und die nicht mehr anfechtbaren Entscheidungen einer Verwaltungsbehörde, durch die wegen Unzuverlässigkeit oder Ungeeignetheit
   a) ein Antrag auf Zulassung (Erlaubnis, Genehmigung, Konzession, Bewilligung) zu einem Gewerbe oder einer sonstigen wirtschaftlichen Unternehmung abgelehnt oder eine erteilte Zulassung zurückgenommen oder widerrufen,
   b) die Ausübung eines Gewerbes, die Tätigkeit als Vertretungsberechtigter einer Gewerbetreibenden oder als mit der Leitung eines Gewerbebetriebes beauftragte Person oder der Betrieb oder die Leitung einer sonstigen wirtschaftlichen Unternehmung untersagt,

---

[1] **beck-online, Module Arbeitsrecht Nr. 760.**

[2] § 147 Abs. 3 geänd. mWv 1.1.2002 durch G v. 10.11.2001 (BGBl. I S. 2992); bish. Abs. 1 und 3 aufgeh., bish. Abs. 2 wird Abs. 1 und geänd., neuer Abs. 2 eingef. mWv 1.1.2003 durch G v. 24.8. 2002 (BGBl. I S. 3412).

[3] § 149 Abs. 2 Satz 1 Nr. 3 geänd. mWv 1.1.2002 durch G v. 13.12.2001 (BGBl. I S. 3584); Abs. 2 Satz 1 Nr. 3 geänd. mWv 1.1.2003 durch G v. 24.8.2002 (BGBl. I S. 3412); Abs. 2 Satz 1 Nr. 3 geänd., Nr. 4 angef. mWv 1.4.2004 durch G v. 23.12.2003 (BGBl. I S. 2848); Abs. 2 Satz 1 Nr. 4 geänd. mWv 1.8.2004 durch G v. 23.7.2004 (BGBl. I S. 1842); Abs. 1 neu gef. mWv 1.1.2007 durch G v. 17.12.2006 (BGBl. I S. 3171); Abs. 2 Satz 2 geänd. mWv 1.5.2014 durch G v. 28.8.2013 (BGBl. I S. 3313); Abs. 2 Satz 1 Nr. 1 Buchst. c und d geänd., Buchst. e angef. mWv 5.12.2014 durch G v. 28.11.2014 (BGBl. I S. 1802); Abs. 2 Satz 1 Nr. 2 und Nr. 3 einl. und abschl. Satzteil geänd. mWv 29.7.2017; Abs. 3 und 4 angef. mWv 31.8.2020 durch G v. 18.7.2017 (BGBl. I S. 2732).

c) ein Antrag auf Erteilung eines Befähigungsscheines nach § 20 des Sprengstoffgesetzes[1)] abgelehnt oder ein erteilter Befähigungsschein entzogen,
d) im Rahmen eines Gewerbebetriebes oder einer sonstigen wirtschaftlichen Unternehmung die Befugnis zur Einstellung oder Ausbildung von Auszubildenden entzogen oder die Beschäftigung, Beaufsichtigung, Anweisung oder Ausbildung von Kindern und Jugendlichen verboten oder
e) die Führung von Kraftverkehrsgeschäften untersagt

wird,

2. Verzichte auf eine Zulassung zu einem Gewerbe oder einer sonstigen wirtschaftlichen Unternehmung während eines Rücknahme- oder Widerrufsverfahrens wegen Unzuverlässigkeit oder Ungeeignetheit,
3. rechtskräftige Bußgeldentscheidungen, insbesondere auch solche wegen einer Steuerordnungswidrigkeit, die aufgrund von Taten ergangen sind, die
a) bei oder in Zusammenhang mit der Ausübung eines Gewerbes oder dem Betrieb einer sonstigen wirtschaftlichen Unternehmung oder
b) bei der Tätigkeit in einem Gewerbe oder einer sonstigen wirtschaftlichen Unternehmung von einem Vertreter oder Beauftragten im Sinne des § 9 des Gesetzes über Ordnungswidrigkeiten[2)] oder von einer Person, die in einer Rechtsvorschrift ausdrücklich als Verantwortlicher bezeichnet ist,

begangen worden sind, wenn die Geldbuße mehr als 200 Euro beträgt,

4. rechtskräftige strafgerichtliche Verurteilungen wegen einer Straftat nach den §§ 10 und 11 des Schwarzarbeitsbekämpfungsgesetzes[3)], nach den §§ 15 und 15a des Arbeitnehmerüberlassungsgesetzes[4)] oder nach § 266a Abs. 1, 2 und 4 des Strafgesetzbuches[5)], die bei oder im Zusammenhang mit der Ausübung eines Gewerbes oder dem Betrieb einer sonstigen wirtschaftlichen Unternehmung begangen worden ist, wenn auf Freiheitsstrafe von mehr als drei Monaten oder Geldstrafe von mehr als 90 Tagessätzen erkannt worden ist.

[2]Von der Eintragung sind Entscheidungen und Verzichte ausgenommen, die nach § 28 des Straßenverkehrsgesetzes[6)] in das Fahreignungsregister einzutragen sind.

(3) [1]Gerichte und Behörden teilen der Registerbehörde die in Absatz 2 genannten Entscheidungen und Tatsachen mit. [2]Stellen sie fest, dass die mitgeteilten Daten unrichtig sind, haben sie der Registerbehörde dies und, soweit und sobald sie bekannt sind, die richtigen Daten unverzüglich anzugeben. [3]Stellt die Registerbehörde eine Unrichtigkeit fest, hat sie die richtigen Daten der mitteilenden Stelle zu übermitteln oder die mitteilende Stelle zu ersuchen, die richtigen Daten mitzuteilen. [4]In beiden Fällen hat die Registerbehörde die unrichtige Eintragung zu berichtigen. [5]Die mitteilende Stelle sowie Stellen, denen nachweisbar eine unrichtige Auskunft erteilt worden ist, sind hiervon zu unterrichten, sofern es sich nicht um eine offenbare Unrichtigkeit handelt. [6]Die Unterrichtung der mitteilenden Stelle unterbleibt, wenn seit Eingang der Mitteilung nach Satz 1 mehr als fünf Jahre verstrichen sind. [7]Die Frist verlängert sich bei Verurteilungen zu Freiheitsstrafe um deren Dauer.

---

1) **Beck'sche Textausgaben, Arbeitssicherheit Nr. 630.**
2) **Habersack Nr. 94.**
3) Nr. **110**.
4) Nr. **730**.
5) **Habersack Nr. 85.**
6) **Habersack Nr. 35.**

(4) [1] Legt die betroffene Person schlüssig dar, dass eine Eintragung unrichtig ist, hat die Registerbehörde die Eintragung mit einem Sperrvermerk zu versehen, solange sich weder die Richtigkeit noch die Unrichtigkeit der Eintragung feststellen lassen. [2] Die Daten dürfen außer zur Prüfung der Richtigkeit und außer zur Auskunftserteilung in den Fällen des § 150a Absatz 2 Nummer 1 und 2 ohne Einwilligung der betroffenen Person nicht verarbeitet oder genutzt werden. [3] In der Auskunft nach Satz 2 ist auf den Sperrvermerk hinzuweisen. [4] Im Übrigen wird nur auf den Sperrvermerk hingewiesen.

§ 150[1)] Auskunft auf Antrag der betroffenen Person. (1) [1] Auf Antrag erteilt die Registerbehörde einer Person Auskunft über den sie betreffenden Inhalt des Registers. [2] Das Auskunftsrecht nach Artikel 15 der Verordnung (EU) 2016/679[2)] wird dadurch gewährleistet, dass die Registerbehörde der betroffenen Person einen formlosen kostenfreien Auszug über den sie betreffenden Inhalt des Registers erteilt.

(2) [1] Wohnt der Antragsteller innerhalb des Geltungsbereichs dieses Gesetzes, ist der Antrag bei der nach § 155 Absatz 2 zuständigen Behörde zu stellen; sofern der Antragsteller nicht persönlich erscheint, ist eine schriftliche Antragstellung mit amtlich oder öffentlich beglaubigter Unterschrift des Antragstellers zulässig. [2] Der Antragsteller hat seine Identität und, wenn er als gesetzlicher Vertreter handelt, seine Vertretungsmacht nachzuweisen; er kann sich bei der Antragstellung durch einen Bevollmächtigten oder eine Bevollmächtigte nur vertreten lassen, wenn die Bevollmächtigung im Handels- oder Genossenschaftsregister eingetragen ist. [3] Die Behörde nimmt die Gebühr für die Auskunft entgegen, behält davon drei Achtel ein und führt den Restbetrag an die Bundeskasse ab.

(3) [1] Wohnt der Antragsteller außerhalb des Geltungsbereichs dieses Gesetzes, so kann er den Antrag unmittelbar bei der Registerbehörde stellen. [2] Absatz 2 Satz 2 gilt entsprechend.

(4) Die Übersendung der Auskunft an eine andere Person als die betroffene Person ist nicht zulässig.

(5) [1] Für die Vorbereitung der Entscheidung über einen Antrag auf Zulassung zu einem Gewerbe oder einer sonstigen wirtschaftlichen Unternehmung, auf öffentliche Bestellung und Vereidigung nach § 36, auf Erteilung eines Befähigungsscheins nach § 20 des Sprengstoffgesetzes[3)] oder zur Überprüfung der Zuverlässigkeit nach § 38 Abs. 1 kann die Auskunft auch zur Vorlage bei einer Behörde beantragt werden. [2] Dies gilt auch für Zwecke einer Zuverlässigkeitsüberprüfung durch die Bundesanstalt für Finanzdienstleistungsaufsicht. [3] Wird die Auskunft zur Vorlage bei einer Behörde beantragt, ist sie der Behörde unmittelbar zu übersenden.

(Fortsetzung nächstes Blatt)

[1)] § 150 Abs. 5 Satz 1 geänd. mWv 12.12.2012 durch G v. 5.12.2012 (BGBl. I S. 2415); Abs. 2 Satz 1 neu gef. mWv 14.9.2013 durch G v. 6.9.2013 (BGBl. I S. 3556); Überschrift geänd. mWv 29.7.2017 durch G v. 18.7.2017 (BGBl. I S. 2732, geänd. mWv 26.11.2019 durch G v. 20.11.2019, BGBl. I S. 1626); Überschrift neu gef., Abs. 1 Satz 2 angef., Abs. 4 geänd., Abs. 5 Satz 3 aufgeh. mWv 26.11.2019 durch G v. 20.11.2019 (BGBl. I S. 1626); Abs. 2 Satz 2 geänd. mWv 1.1.2022 durch G v. 10.8.2021 (BGBl. I S. 3420); Abs. 5 Satz 2 eingef., bish. Satz 2 wird Satz 3 mWv 10.2.2026 durch G v. 4.2.*2026 (BGBl. 2026 I Nr. 33)*.

[2)] Nr. **489**.

[3)] **Beck'sche Textausgaben, Arbeitssicherheit Nr. 630.**

§ 150a[1] Auskunft an Behörden oder öffentliche Auftraggeber.

(1) [1] Auskünfte aus dem Register werden für

1. die Verfolgung wegen einer
   a) in § 148 Nr. 1,
   b) in § 404 Abs. 1, 2 Nr. 3 des Dritten Buches Sozialgesetzbuch[2], in § 8 Abs. 1 des Schwarzarbeitsbekämpfungsgesetzes[3], § 21 Absatz 1 Nummer 1 bis 10, 12 und 13 sowie Absatz 2 des Mindestlohngesetzes[4], in § 23 Absatz 1 Nummer 1 bis 11 und 13 sowie Absatz 2 des Arbeitnehmer-Entsendegesetzes[5] und in § 16 Abs. 1 bis 2 des Arbeitnehmerüberlassungsgesetzes[6]

   bezeichneten Ordnungswidrigkeit,
2. die Vorbereitung
   a) der Entscheidung über die in § 149 Absatz 2 Satz 1 Nr. 1 Buchstabe a und c bezeichneten Anträge,
   b) der übrigen in § 149 Absatz 2 Satz 1 Nr. 1 Buchstabe a bis e bezeichneten Entscheidungen,
   c) von Verwaltungsentscheidungen auf Grund des Straßenverkehrsgesetzes[7], des Fahrlehrergesetzes, des Fahrpersonalgesetzes[8], des Binnenschiffahrtsaufgabengesetzes oder der auf Grund dieser Gesetze erlassenen Rechts-

---

[1] § 150a Abs. 2 Nr. 3 geänd. mWv 1.1.2002 durch G v. 13.12.2001 (BGBl. I S. 3584); Abs. 1 Satz 1 Nr. 1 Buchst. b geänd. und Nr. 4 angef. mWv 1.8.2002 durch G v. 23.7.2002 (BGBl. I S. 2787); Überschrift neu gef., Abs. 1 Satz 1 Nr. 4 und Satz 2 geänd. mWv 1.4.2004 durch G v. 23.12.2003 (BGBl. I S. 2848); Abs. 5 neu gef. mWv 1.4.2004 durch G v. 24.12.2003 (BGBl. I S. 2954); Abs. 1 Satz 1 Nr. 1 Buchst. b neu gef. und Nr. 4 geänd. mWv 1.8.2004 durch G v. 23.7.2004 (BGBl. I S. 1842); Abs. 2 Nr. 1 geänd. mWv 1.1.2005 durch G v. 30.7.2004 (BGBl. I S. 1950); Abs. 2 Nr. 4 angef. mWv 1.7.2005 durch G v. 7.7.2005 (BGBl. I S. 1954); Abs. 1 Satz 1 Nr. 1 Buchst. b und Nr. 4 geänd. mWv 28.4.2009 durch G v. 22.4.2009 (BGBl. I S. 818); Abs. 1 Satz 1 Nr. 4 geänd. mWv 27.4. 2012 durch G v. 15.12.2011 (BGBl. I S. 2714); Abs. 2 Nr. 1 geänd. mWv 12.12.2012 durch G v. 5.12.2012 (BGBl. I S. 2415); Abs. 1 Satz 1 Nr. 4 geänd. mWv 30.6.2013 durch G v. 26.6.2013 (BGBl. I S. 1738); Abs. 1 Satz 1 Nr. 1 Buchst. b und Nr. 4 geänd. mWv 16.8.2014 durch G v. 11.8. 2014 (BGBl. I S. 1348); Abs. 1 Satz 1 Nr. 2 Buchst. b geänd. mWv 5.12.2014 durch G v. 28.11.2014 (BGBl. I S. 1802); Abs. 1 Satz 2 geänd. mWv 18.4.2016 durch G v. 17.2.2016 (BGBl. I S. 203); Abs. 2 Nr. 5 angef. mWv 26.6.2017 durch G v. 23.6.2017 (BGBl. I S. 1822); Abs. 1 Satz 1 Nr. 2 Buchst. a und b, Abs. 2 Nr. 1–4 und Abs. 3 geänd., Abs. 7 angef. mWv 29.7.2017; Abs. 2 Nr. 6 eingef. mWv 31.8.2020 durch G v. 18.7.2017 (BGBl. I S. 2732, ber. S. 3431); Abs. 1 Satz 1 Nr. 4 aufgeh., Satz 2 geänd. mWv 1.6.2025 durch G v. 18.7.2017 (BGBl. I S. 2739, geänd. durch G v. 18.1.2021, BGBl. I S. 2, iVm Bek. v. 18.10.2021, BAnz AT 29.10.2021 B3, und Bek. v. 16.2.2022, BGBl. I S. 306); Abs. 5 aufgeh., bish. Abs. 6 und 7 werden Abs. 5 und 6 mWv 26.11.2019 durch G v. 20.11.2019 (BGBl. I S. 1626); Abs. 2 Nr. 4 geänd. mWv 19.1.2021 durch G v. 18.1.2021 (BGBl. I S. 2); Abs. 2 Nr. 6 geänd., Nr. 7 angef. mWv 28.12.2022 durch G v. 19.12.2022 (BGBl. I S. 2606); Abs. 1 Satz 1 Nr. 1 Buchst. b geänd. mWv 1.7.2023 durch G v. 28.6.2023 (BGBl. 2023 I Nr. 172); Abs. 2 Nr. 7 geänd., Nr. 8 angef. mWv 19.7.2024 durch G v. 15.7.2024 (BGBl. 2024 I Nr. 236); Abs. 1 Satz 1 Nr. 1 Buchst. b geänd. mWv 30.12.2025 durch G v. 22.12.2025 (BGBl. 2025 I Nr. 369); Abs. 2 Nr. 6 geänd. mWv 16.1.2026 durch G v. 11.1.2026 (BGBl. 2026 I Nr. 6).

[2] Nr. **700**.

[3] Nr. **110**.

[4] Nr. **505**.

[5] Nr. **506**.

[6] Nr. **730**.

[7] **Habersack Nr. 35.**

[8] Nr. **356**.

vorschriften über Eintragungen, die das Personenbeförderungsgesetz[1] oder das Güterkraftverkehrsgesetz[2] betreffen,

3. die Vorbereitung von Rechtsvorschriften und allgemeinen Verwaltungsvorschriften, insoweit nur in anonymisierter Form,

4. *(aufgehoben)*

erteilt. [2] Auskunftsberechtigt sind die Behörden, denen die in Satz 1 bezeichneten Aufgaben obliegen.

(2) Auskünfte aus dem Register werden ferner

1. den Gerichten und Staatsanwaltschaften über die in § 149 Absatz 2 Satz 1 Nr. 1 und 2 bezeichneten Eintragungen für Zwecke der Rechtspflege, zur Verfolgung von Straftaten nach § 148 Nr. 1, nach § 95 Abs. 1 Nr. 4 des Aufenthaltsgesetzes[3] und § 27 Absatz 2 Nummer 2 des Jugendschutzgesetzes[4] auch über die in § 149 Absatz 2 Satz 1 Nr. 3 bezeichneten Eintragungen,
2. den Kriminaldienst verrichtenden Dienststellen der Polizei für Zwecke der Verhütung und Verfolgung der in § 74c Abs. 1 Nr. 1 bis 6 des Gerichtsverfassungsgesetzes[5] aufgeführten Straftaten über die in § 149 Absatz 2 Satz 1 Nr. 1 und 2 bezeichneten Eintragungen,
3. den zuständigen Behörden für die Aufhebung der in § 149 Absatz 2 Satz 1 Nr. 3 bezeichneten Bußgeldentscheidungen, auch wenn die Geldbuße weniger als 200 Euro beträgt,
4. den nach § 82 Absatz 1 des Gesetzes gegen Wettbewerbsbeschränkungen zuständigen Behörden zur Verfolgung von Ordnungswidrigkeiten nach § 81 Abs. 1 bis 3 des Gesetzes gegen Wettbewerbsbeschränkungen über die in § 149 Abs. 2 Satz 1 Nr. 3 bezeichneten Eintragungen,
5. der Zentralstelle für Finanztransaktionsuntersuchungen zur Erfüllung ihrer Aufgaben nach dem Geldwäschegesetz[6],
6. den Verfassungsschutzbehörden des Bundes und der Länder, dem Bundesnachrichtendienst und dem Militärischen Abschirmdienst für die diesen Behörden übertragenen Sicherheitsaufgaben nach dem Sicherheitsüberprüfungsgesetz[7] des Bundes oder einer entsprechenden landesrechtlichen Vorschrift,
7. der Zentralstelle für Sanktionsdurchsetzung,
8. der Bundesnetzagentur für Elektrizität, Gas, Telekommunikation, Post und Eisenbahnen zur Wahrnehmung ihrer Aufgaben nach Kapitel 2 des Postgesetzes[8] über die in § 149 Absatz 2 Satz 1 Nummer 3 bezeichneten Eintragungen

erteilt.

(Fortsetzung nächstes Blatt)

---

[1] **Sartorius Nr. 950.**
[2] **beck-online, Module Arbeitsrecht Nr. 731.**
[3] Nr. 760.
[4] **Sartorius Nr. 400.**
[5] Nr. 665.
[6] ***beck-online, Module Arbeitsrecht Nr. 169a.***
[7] **beck-online, Module Arbeitsrecht Nr. 492a.**
[8] **Sartorius ErgBd. Nr. 910.**

(3) Auskünfte über Bußgeldentscheidungen wegen einer Steuerordnungswidrigkeit dürfen nur in den in Absatz 1 Satz 1 Nr. 1 und 2 genannten Fällen erteilt werden.

(4) Die auskunftsberechtigten Stellen haben den Zweck anzugeben, für den die Auskunft benötigt wird.

(5) Die Auskünfte aus dem Register dürfen nur den mit der Entgegennahme oder Bearbeitung betrauten Bediensteten zur Kenntnis gebracht werden.

(6) Soweit eine Auskunft nach den Absätzen 1 und 2 nur für eingeschränkte Zwecke erteilt wird, darf die auskunftsberechtigte Stelle nicht die Vorlage einer Auskunft nach § 150 Absatz 1 verlangen.

Schlußbestimmungen

§ 155[1] Landesrecht, Zuständigkeiten. (1) Wo in diesem Gesetz auf die Landesgesetze verwiesen ist, sind unter den letzteren auch die verfassungs- oder gesetzmäßig erlassenen Rechtsverordnungen zu verstehen.

(2) Die Landesregierungen oder die von ihnen bestimmten Stellen bestimmen die für die Ausführung dieses Gesetzes und der nach diesem Gesetz ergangenen Rechtsverordnungen zuständigen Behörden, soweit in diesem Gesetz nichts anderes bestimmt ist.

(3) Die Landesregierungen werden ermächtigt, ihre Befugnis zum Erlaß von Rechtsverordnungen auf oberste Landesbehörden und auf andere Behörden zu übertragen und dabei zu bestimmen, daß diese ihre Befugnis durch Rechtsverordnung auf nachgeordnete oder ihrer Aufsicht unterstehende Behörden weiter übertragen können.

(4) (weggefallen)

(5) Die Senate der Länder Berlin, Bremen und Hamburg werden ermächtigt, zuständige öffentliche Stellen oder zuständige Behörden von mehreren Verwaltungseinheiten für Zwecke der Datenverarbeitung als einheitliche Stelle oder Behörde zu bestimmen.

---

[1] § 155 Abs. 3 geänd., Abs. 5 neu gef. mWv 1.1.2003 durch G v. 24.8.2002 (BGBl. I S. 3412).

107. Gesetz zur Ordnung des Handwerks (Handwerksordnung)

In der Fassung der Bekanntmachung vom 24. September 1998[1)]

(BGBl. I S. 3074, ber. 2006 I S. 2095)

FNA 7110-1

zuletzt geänd. durch Art. 2 G zur Änd. des Schornsteinfeger-HandwerksG und der HandwerksO v. 3.4.2025 (BGBl. 2025 I Nr. 106)

– Auszug –[2)]

Erster Teil.[3)] Ausübung eines Handwerks und eines handwerksähnlichen Gewerbes

Erster Abschnitt.[4)] Berechtigung zum selbständigen Betrieb eines zulassungspflichtigen Handwerks

§ 1[5)] [Handwerksbetrieb; Eintragung in die Handwerksrolle] (1) [1]Der selbständige Betrieb eines zulassungspflichtigen Handwerks als stehendes Gewerbe ist nur den in der Handwerksrolle eingetragenen natürlichen und juristischen Personen und Personengesellschaften gestattet. [2]Personengesellschaften im Sinne dieses Gesetzes sind Personenhandelsgesellschaften und Gesellschaften des bürgerlichen Rechts.

(2) [1]Ein Gewerbebetrieb ist ein Betrieb eines zulassungspflichtigen Handwerks, wenn er handwerksmäßig betrieben wird und ein Gewerbe vollständig umfaßt, das in der Anlage A aufgeführt ist, oder Tätigkeiten ausgeübt werden, die für dieses Gewerbe wesentlich sind (wesentliche Tätigkeiten). [2]Keine wesentlichen Tätigkeiten sind insbesondere solche, die

1. in einem Zeitraum von bis zu drei Monaten erlernt werden können,
2. zwar eine längere Anlernzeit verlangen, aber für das Gesamtbild des betreffenden zulassungspflichtigen Handwerks nebensächlich sind und deswegen nicht die Fertigkeiten und Kenntnisse erfordern, auf die die Ausbildung in diesem Handwerk hauptsächlich ausgerichtet ist, oder
3. nicht aus einem zulassungspflichtigen Handwerk entstanden sind.

[3]Die Ausübung mehrerer Tätigkeiten im Sinne des Satzes 2 Nr. 1 und 2 ist zulässig, es sei denn, die Gesamtbetrachtung ergibt, dass sie für ein bestimmtes zulassungspflichtiges Handwerk wesentlich sind.

[1)] Neubekanntmachung der HandwerksO idF der Bek. v. 28.12.1965 (BGBl. 1966 I S. 1) in der ab 1.4.1998 geltenden Fassung.

[2)] Vollständig wiedergegeben in **beck-online, Module Arbeitsrecht.**

[3)] Erster Teil Überschr. neu gef. mWv 1.1.2004 durch G v. 24.12.2003 (BGBl. I S. 2934).

[4)] Erster Teil Erster Abschn. Überschr. neu gef. mWv 1.1.2004 durch G v. 24.12.2003 (BGBl. I S. 2934).

[5)] § 1 Abs. 3 geänd. mWv 7.11.2001 durch VO v. 29.10.2001 (BGBl. I S. 2785); Abs. 2 Sätze 2 und 3 angef., bish. Wortlaut wird Satz 1 mWv 30.12.2003 durch G v. 24.12.2003 (BGBl. I S. 2933); Abs. 1 neu gef., Abs. 2 Satz 1 und Abs. 3 geänd. mWv 1.1.2004 durch G v. 24.12.2003 (BGBl. I S. 2934); Abs. 3 geänd. mWv 8.11.2006 durch VO v. 31.10.2006 (BGBl. I S. 2407); Abs. 3 geänd. mWv 8.9.2015 durch VO v. 31.8.2015 (BGBl. I S. 1474); Abs. 3 geänd. mWv 16.11.2022 durch G v. 9.11.2022 (BGBl. I S. 2009).

(3) Das Bundesministerium für Wirtschaft und Klimaschutz wird ermächtigt, durch Rechtsverordnung mit Zustimmung des Bundesrates die Anlage A zu diesem Gesetz dadurch zu ändern, daß es darin aufgeführte Gewerbe streicht, ganz oder teilweise zusammenfaßt oder trennt oder Bezeichnungen für sie festsetzt, soweit es die technische und wirtschaftliche Entwicklung erfordert.

§ 2[1)] [Anwendung des Gesetzes auf öffentlich-rechtliche Unternehmen und Nebenbetriebe] Die Vorschriften dieses Gesetzes für den selbständigen Betrieb eines zulassungspflichtigen Handwerks gelten auch

1. für gewerbliche Betriebe des Bundes, der Länder, der Gemeinden und der sonstigen juristischen Personen des öffentlichen Rechts, in denen Waren zum Absatz an Dritte handwerksmäßig hergestellt oder Leistungen für Dritte handwerksmäßig bewirkt werden,
2. für handwerkliche Nebenbetriebe, die mit einem Versorgungs- oder sonstigen Betrieb der in Nummer 1 bezeichneten öffentlich-rechtlichen Stellen verbunden sind,
3. für handwerkliche Nebenbetriebe, die mit einem Unternehmen eines zulassungspflichtigen Handwerks, der Industrie, des Handels, der Landwirtschaft oder sonstiger Wirtschafts- und Berufszweige verbunden sind.

§ 3[2)] [Nebenbetrieb; Hilfsbetrieb] (1) Ein handwerklicher Nebenbetrieb im Sinne des § 2 Nr. 2 und 3 liegt vor, wenn in ihm Waren zum Absatz an Dritte handwerksmäßig hergestellt oder Leistungen für Dritte handwerksmäßig bewirkt werden, es sei denn, daß eine solche Tätigkeit nur in unerheblichem Umfang ausgeübt wird, oder daß es sich um einen Hilfsbetrieb handelt.

(2) Eine Tätigkeit im Sinne des Absatzes 1 ist unerheblich, wenn sie während eines Jahres die durchschnittliche Arbeitszeit eines ohne Hilfskräfte Vollzeit arbeitenden Betriebs des betreffenden Handwerkszweigs nicht übersteigt.

(3) Hilfsbetriebe im Sinne des Absatzes 1 sind unselbständige, der wirtschaftlichen Zweckbestimmung des Hauptbetriebs dienende Betriebe eines zulassungspflichtigen Handwerks, wenn sie

1. Arbeiten für den Hauptbetrieb oder für andere dem Inhaber des Hauptbetriebs ganz oder überwiegend gehörende Betriebe ausführen oder
2. Leistungen an Dritte bewirken, die
   a) als handwerkliche Arbeiten untergeordneter Art zur gebrauchsfertigen Überlassung üblich sind oder
   b) in unentgeltlichen Pflege-, Installations-, Instandhaltungs- oder Instandsetzungsarbeiten bestehen oder
   c) in entgeltlichen Pflege-, Installations-, Instandhaltungs- oder Instandsetzungsarbeiten an solchen Gegenständen bestehen, die in einem Hauptbetrieb selbst hergestellt worden sind oder für die der Hauptbetrieb als Hersteller im Sinne des Produkthaftungsgesetzes[3)] gilt.

---

1) § 2 einl. Satzteil und Nr. 3 geänd. mWv 1.1.2004 durch G v. 24.12.2003 (BGBl. I S. 2934).

2) *§ 3 Abs. 2 und Abs. 3 einl.* Satzteil geänd., Abs. 3 Nr. 2 Buchst. b und c neu gef., Buchst. d aufgeh. mWv 1.1.2004 durch G v. 24.12.2003 (BGBl. I S. 2934).

3) **Habersack Nr. 27.**

Zweiter Teil. Berufsbildung im Handwerk

Erster Abschnitt. Berechtigung zum Einstellen und Ausbilden

§ 21[1)] **[Eignung der Ausbildungsstätte]** (1) Lehrlinge (Auszubildende) dürfen nur eingestellt und ausgebildet werden, wenn

1. die Ausbildungsstätte nach Art und Einrichtung für die Berufsausbildung geeignet ist, und
2. die Zahl der Lehrlinge (Auszubildenden) in einem angemessenen Verhältnis zur Zahl der Ausbildungsplätze oder zur Zahl der beschäftigten Fachkräfte steht, es sei denn, dass anderenfalls die Berufsausbildung nicht gefährdet wird.

(2) Eine Ausbildungsstätte, in der die erforderlichen beruflichen Fertigkeiten, Kenntnisse und Fähigkeiten nicht in vollem Umfang vermittelt werden können, gilt als geeignet, wenn diese durch Ausbildungsmaßnahmen außerhalb der Ausbildungsstätte vermittelt werden.

§ 22[2)] **[Persönliche und fachliche Eignung]** (1) [1]Lehrlinge (Auszubildende) darf nur einstellen, wer persönlich geeignet ist. [2]Lehrlinge (Auszubildende) darf nur ausbilden, wer persönlich und fachlich geeignet ist.

(2) [1]Wer fachlich nicht geeignet ist oder wer nicht selbst ausbildet, darf Lehrlinge (Auszubildende) nur dann einstellen, wenn er persönlich und fachlich geeignete Ausbilder bestellt, die die Ausbildungsinhalte unmittelbar, verantwortlich und in wesentlichem Umfang vermitteln. [2]Eine unmittelbare Vermittlung der Ausbildungsinhalte ist in angemessenem Umfang auch als digitales mobiles Ausbilden ohne gleichzeitige Anwesenheit der Lehrlinge (Auszubildenden) und ihrer Ausbilder am gleichen Ort möglich, wenn

1. für die Vermittlung Informationstechnik eingesetzt wird,
2. die Ausbildungsinhalte und die Orte, an denen sich die Lehrlinge (Auszubildenden) und ihre Ausbilder jeweils aufhalten, für die Vermittlung von Ausbildungsinhalten auf Distanz geeignet sind und
3. die Qualität der Vermittlung derjenigen bei gleichzeitiger Anwesenheit der Lehrlinge (Auszubildenden) und ihrer Ausbilder am gleichen Ort gleichwertig ist; dies ist insbesondere der Fall, wenn der Ausbilder jederzeit zu den betriebsüblichen Zeiten für den Lehrling (Auszubildenden) erreichbar ist, den Lernprozess steuert und begleitet sowie die Lernfortschritte kontrolliert.

[3]Für die Ausgestaltung digitalen mobilen Ausbildens kann der Hauptausschuss des Bundesinstituts für Berufsbildung Empfehlungen beschließen.

(3) Unter der Verantwortung des Ausbilders kann bei der Berufsausbildung mitwirken, wer selbst nicht Ausbilder ist, aber abweichend von den besonderen Voraussetzungen des § 22b die für die Vermittlung von Ausbildungsinhalten erforderlichen beruflichen Fertigkeiten, Kenntnisse und Fähigkeiten besitzt und persönlich geeignet ist.

[1)] § 21 neu gef. mWv 1.4.2005 durch G v. 23.3.2005 (BGBl. I S. 931).

[2)] § 22 neu gef. mWv 1.4.2005 durch G v. 23.3.2005 (BGBl. I S. 931); Abs. 2 Sätze 2 und 3 angef. mWv 1.8.2024 durch G v. 19.7.2024 (BGBl. 2024 I Nr. 246).

§ 22a[1] **[Persönliche Eignung]** Persönlich nicht geeignet ist insbesondere, wer

1. Kinder und Jugendliche nicht beschäftigen darf oder
2. wiederholt oder schwer gegen dieses Gesetz oder die auf Grund dieses Gesetzes erlassenen Vorschriften und Bestimmungen verstoßen hat.

§ 22b[2] **[Fachliche Eignung]** (1) Fachlich geeignet ist, wer die beruflichen sowie die berufs- und arbeitspädagogischen Fertigkeiten, Kenntnisse und Fähigkeiten besitzt, die für die Vermittlung der Ausbildungsinhalte erforderlich sind.

(2) In einem zulassungspflichtigen Handwerk besitzt die fachliche Eignung, wer

1. die Meisterprüfung in dem zulassungspflichtigen Handwerk, in dem ausgebildet werden soll, oder in einem mit diesem verwandten Handwerk bestanden hat oder
2. in dem zulassungspflichtigen Handwerk, in dem ausgebildet werden soll, oder in einem mit diesem verwandten Handwerk
   a) die Voraussetzungen zur Eintragung in die Handwerksrolle nach § 7 erfüllt oder
   b) eine Ausübungsberechtigung nach § 7a oder § 7b erhalten hat oder
   c) eine Ausnahmebewilligung nach § 8 oder nach § 9 Abs. 1 Satz 1 Nr. 1 erhalten hat

und den Teil IV der Meisterprüfung oder eine gleichwertige andere Prüfung, insbesondere eine Ausbildereignungsprüfung auf der Grundlage einer nach § 30 Abs. 5 des Berufsbildungsgesetzes[3] erlassenen Rechtsverordnung, bestanden hat.

(3) [1] In einem zulassungsfreien Handwerk oder einem handwerksähnlichen Gewerbe besitzt die für die fachliche Eignung erforderlichen beruflichen Fertigkeiten, Kenntnisse und Fähigkeiten, wer

1. die Meisterprüfung in dem zulassungsfreien Handwerk oder in dem handwerksähnlichen Gewerbe, in dem ausgebildet werden soll, bestanden hat,
2. die Gesellen- oder Abschlussprüfung in einer dem Ausbildungsberuf entsprechenden Fachrichtung bestanden hat,
3. das Feststellungsverfahren nach § 1 Absatz 6 des Berufsbildungsgesetzes mit dem Ergebnis der vollständigen Vergleichbarkeit der individuellen beruflichen Handlungsfähigkeit mit der für die Ausübung des Ausbildungsberufs der entsprechenden Fachrichtung erforderlichen beruflichen Handlungsfähigkeit abgeschlossen hat,

---

[1] § 22a eingef. mWv 1.4.2005 durch G v. 23.3.2005 (BGBl. I S. 931).

[2] § 22b eingef. mWv 1.4.2005 durch G v. 23.3.2005 (BGBl. I S. 931); Abs. 4 Satz 1 geänd. mWv 8.11.2006 durch VO v. 31.10.2006 (BGBl. I S. 2407); Abs. 2 Nr. 2 Buchst. c geänd., Abs. 3 Satz 2 eingef., bish. Satz 2 wird Satz 3 mWv 1.10.2007 durch G v. 7.9.2007 (BGBl. I S. 2246); Abs. 3 Satz 1 Nr. 3 und 4 sowie letzter Halbs. geänd., Nr. 5 angef. mWv 1.4.2012 durch G v. 6.12.2011 (BGBl. I S. 2515); Abs. 4 Satz 1 geänd. mWv 8.9.2015 durch VO v. 31.8.2015 (BGBl. I S. 1474); Abs. 3 Satz 1 Nr. 5 geänd. mWv 1.7.2021 durch G v. 9.6.2021 (BGBl. I S. 1654); Abs. 4 Satz 1 geänd. mWv 16.11.2022 durch G v. 9.11.2022 (BGBl. I S. 2009); Abs. 3 Satz 1 neu gef., Satz 2 geänd. mWv 1.8.2024 durch G v. 19.7.2024 (BGBl. 2024 I Nr. 246).

[3] Nr. **415**.

4. eine anerkannte Prüfung an einer Ausbildungsstätte oder vor einer Prüfungsbehörde oder eine Abschlussprüfung an einer staatlichen oder staatlich anerkannten Schule in einer dem Ausbildungsberuf entsprechenden Fachrichtung bestanden hat,
5. eine Abschlussprüfung an einer deutschen Hochschule in einer dem Ausbildungsberuf entsprechenden Fachrichtung bestanden hat oder
6. eine Gleichwertigkeitsfeststellung nach § 51g oder einen Bildungsabschluss besitzt, dessen Gleichwertigkeit nach anderen rechtlichen Regelungen festgestellt worden ist

und eine angemessene Zeit in seinem Beruf praktisch tätig gewesen ist. 2 Der Abschlussprüfung an einer deutschen Hochschule gemäß Satz 1 Nummer 5 gleichgestellt sind Diplome nach § 7 Abs. 2 Satz 4. 3 Für den Nachweis der berufs- und arbeitspädagogischen Fertigkeiten, Kenntnisse und Fähigkeiten finden die auf der Grundlage des § 30 Abs. 5 des Berufsbildungsgesetzes erlassenen Rechtsverordnungen Anwendung.

(4) 1 Das Bundesministerium für Wirtschaft und Klimaschutz kann nach Anhörung des Hauptausschusses des Bundesinstituts für Berufsbildung durch Rechtsverordnung, die nicht der Zustimmung des Bundesrates bedarf, bestimmen, dass der Erwerb berufs- und arbeitspädagogischer Fertigkeiten, Kenntnisse und Fähigkeiten gesondert nachzuweisen ist. 2 Dabei können Inhalt, Umfang und Abschluss der Maßnahmen für den Nachweis geregelt werden. 3 Das Bestehen des Teils IV der Meisterprüfung gilt als Nachweis.

(5) Die nach Landesrecht zuständige Behörde kann Personen, die die Voraussetzungen der Absätze 2, 3 und 4 nicht erfüllen, die fachliche Eignung nach Anhören der Handwerkskammer widerruflich zuerkennen.

§ 22c[1] [Anerkennung der Berufsqualifikation] (1) In den Fällen des § 22b Abs. 3 besitzt die für die fachliche Eignung erforderlichen beruflichen Fertigkeiten, Kenntnisse und Fähigkeiten auch, wer die Voraussetzungen für die Anerkennung seiner Berufsqualifikation nach der Richtlinie 2005/36/EG[2] erfüllt, sofern er eine angemessene Zeit in seinem Beruf praktisch tätig gewesen ist.

(2) Die Anerkennung kann unter den in Artikel 14 der in Absatz 1 genannten Richtlinie aufgeführten Voraussetzungen davon abhängig gemacht werden, dass der Antragsteller oder die Antragstellerin zunächst einen höchstens dreijährigen Anpassungslehrgang ableistet oder eine Eignungsprüfung ablegt.

(3) 1 Die Entscheidung über die Anerkennung trifft die Handwerkskammer. 2 Sie kann die Durchführung von Anpassungslehrgängen und Eignungsprüfungen regeln.

§ 23[3] [Eignungsfeststellung] (1) Die Handwerkskammer hat darüber zu wachen, dass die Eignung der Ausbildungsstätte sowie die persönliche und fachliche Eignung vorliegen.

(2) 1 Werden Mängel der Eignung festgestellt, so hat die Handwerkskammer, falls der Mangel zu beheben und eine Gefährdung des Lehrlings (Auszubilden-

---

[1] § 22c eingef. mWv 1.10.2007 durch G v. 7.9.2007 (BGBl. I S. 2246); Abs. 1 geänd. mWv 30.7.2020 durch G v. 19.6.2020 (BGBl. I S. 1403).

[2] **beck-online, Module Arbeitsrecht Nr. 873.**

[3] § 23 neu gef. mWv 1.4.2005 durch G v. 23.3.2005 (BGBl. I S. 931).

den) nicht zu erwarten ist, den Ausbildenden aufzufordern, innerhalb einer von ihr gesetzten Frist den Mangel zu beseitigen. [2] Ist der Mangel der Eignung nicht zu beheben oder ist eine Gefährdung des Lehrlings (Auszubildenden) zu erwarten oder wird der Mangel nicht innerhalb der gesetzten Frist beseitigt, so hat die Handwerkskammer der nach Landesrecht zuständigen Behörde dies mitzuteilen.

§ 24[1)] [Untersagung des Einstellens und Ausbildens] (1) Die nach Landesrecht zuständige Behörde kann für eine bestimmte Ausbildungsstätte das Einstellen und Ausbilden untersagen, wenn die Voraussetzungen nach § 21 nicht oder nicht mehr vorliegen.

(2) Die nach Landesrecht zuständige Behörde hat das Einstellen und Ausbilden zu untersagen, wenn die persönliche oder fachliche Eignung nicht oder nicht mehr vorliegt.

(3) [1] Vor der Untersagung sind die Beteiligten und die Handwerkskammer zu hören. [2] Dies gilt nicht in den Fällen des § 22a Nr. 1.

Zweiter Abschnitt. Ausbildungsordnung, Änderung der Ausbildungszeit

§ 25[2)] [Ausbildungsordnung] (1) [1] Als Grundlage für eine geordnete und einheitliche Berufsausbildung kann das Bundesministerium für Wirtschaft und Klimaschutz im Einvernehmen mit dem Bundesministerium für Bildung und Forschung durch Rechtsverordnung, die nicht der Zustimmung des Bundesrates bedarf, für Gewerbe der Anlage A und der Anlage B Ausbildungsberufe staatlich anerkennen und hierfür Ausbildungsordnungen nach § 26 erlassen. [2] Dabei können in einem Gewerbe mehrere Ausbildungsberufe staatlich anerkannt werden, soweit dies wegen der Breite des Gewerbes erforderlich ist; die in diesen Berufen abgelegten Gesellenprüfungen sind Prüfungen im Sinne des § 49 Abs. 1 oder § 51a Abs. 5 Satz 1.

(2) Für einen anerkannten Ausbildungsberuf darf nur nach der Ausbildungsordnung ausgebildet werden.

(3) In anderen als anerkannten Ausbildungsberufen dürfen Jugendliche unter 18 Jahren nicht ausgebildet werden, soweit die Berufsausbildung nicht auf den Besuch weiterführender Bildungsgänge vorbereitet.

(4) Wird die Ausbildungsordnung eines Ausbildungsberufs aufgehoben oder geändert oder werden Gewerbe in der Anlage A oder in der Anlage B gestrichen, zusammengefasst oder getrennt, so sind für bestehende Berufsausbildungsverhältnisse weiterhin die bis zu dem Zeitpunkt der Aufhebung oder Änderung geltenden Vorschriften anzuwenden, es sei denn, die ändernde Verordnung sieht eine abweichende Regelung vor.

(5) Das Bundesministerium für Wirtschaft und Klimaschutz informiert die Länder frühzeitig über Neuordnungskonzepte und bezieht sie in die Abstimmung ein.

---

1) § 24 neu gef. mWv 1.4.2005 durch G v. 23.3.2005 (BGBl. I S. 931).

2) § 25 neu gef. mWv 1.4.2005 durch G v. 23.3.2005 (BGBl. I S. 931); Abs. 1 Satz 1 und Abs. 5 geänd. mWv 8.11.2006 durch VO v. 31.10.2006 (BGBl. I S. 2407); Abs. 1 Satz 1 und Abs. 5 geänd. mWv *8.9.2015 durch VO v. 31.8.2015 (BGBl. I S. 1474)*; Abs. 4 neu gef. mWv 1.1.2020 durch G v. 12.12.2019 (BGBl. I S. 2522); Abs. 1 Satz 1, Abs. 5 geänd. mWv 16.11.2022 durch G v. 9.11.2022 (BGBl. I S. 2009).

§ 26[1] [Inhalt der Ausbildungsordnung] (1) [1] Die Ausbildungsordnung hat festzulegen

1. die Bezeichnung des Ausbildungsberufes, der anerkannt wird; sie kann von der Gewerbebezeichnung abweichen, muss jedoch inhaltlich von der Gewerbebezeichnung abgedeckt sein,
2. die Ausbildungsdauer; sie soll nicht mehr als drei und nicht weniger als zwei Jahre betragen,
3. die beruflichen Fertigkeiten, Kenntnisse und Fähigkeiten, die mindestens Gegenstand der Berufsausbildung sind (Ausbildungsberufsbild),
4. eine Anleitung zur sachlichen und zeitlichen Gliederung der Vermittlung der beruflichen Fertigkeiten, Kenntnisse und Fähigkeiten (Ausbildungsrahmenplan),
5. die Prüfungsanforderungen.

[2] Bei der Festlegung der Fertigkeiten, Kenntnisse und Fähigkeiten nach Satz 1 Nummer 3 ist insbesondere die technologische und digitale Entwicklung zu beachten.

(2) [1] Die Ausbildungsordnung kann vorsehen,

1. dass die Gesellenprüfung in zwei zeitlich auseinander fallenden Teilen durchgeführt wird,
2. dass im Fall einer Regelung nach Nummer 1 bei nicht bestandener Gesellenprüfung in einem drei- oder dreieinhalbjährigen Ausbildungsberuf, der auf einem zweijährigen Ausbildungsberuf aufbaut, der Abschluss des zweijährigen Ausbildungsberufs erworben wird, sofern im ersten Teil der Gesellenprüfung mindestens ausreichende Prüfungsleistungen erbracht worden sind,
3. dass Auszubildende bei erfolgreichem Abschluss eines zweijährigen Ausbildungsberufs vom ersten Teil der Gesellenprüfung oder einer Zwischenprüfung eines darauf aufbauenden drei- oder dreieinhalbjährigen Ausbildungsberufs befreit sind,
4. dass abweichend von § 25 Absatz 4 die Berufsausbildung in diesem Ausbildungsberuf unter Anrechnung der bereits zurückgelegten Ausbildungszeit fortgesetzt werden kann, wenn die Vertragsparteien dies vereinbaren,
5. dass auf die Dauer der durch die Ausbildungsordnung geregelten Berufsausbildung die Dauer einer anderen abgeschlossenen Berufsausbildung ganz oder teilweise anzurechnen ist,
6. dass über das in Absatz 1 Satz 1 Nummer 3 beschriebene Ausbildungsberufsbild hinaus zusätzliche berufliche Fertigkeiten, Kenntnisse und Fähigkeiten vermittelt werden können, die die berufliche Handlungsfähigkeit ergänzen oder erweitern,
7. dass Teile der Berufsausbildung in geeigneten Einrichtungen außerhalb der Ausbildungsstätte durchgeführt werden, wenn und soweit es die Berufsausbildung erfordert (überbetriebliche Berufsausbildung).

---

[1] § 26 neu gef. mWv 1.4.2005 durch G v. 23.3.2005 (BGBl. I S. 931); Abs. 2 Satz 1 Nr. 6 geänd., Nr. 7 aufgeh. mWv 5.4.2017 durch G v. 29.3.2017 (BGBl. I S. 626); zur Anwendung siehe § 125; Abs. 1 Satz 2 angef., Abs. 2 Satz 1 Nr. 2a und 2b eingef., Nr. 4 neu gef., Sätze 2 und 3 eingef., bish. Satz 2 wird Satz 4 und geänd. mWv 1.1.2020 durch G v. 12.12.2019 (BGBl. I S. 2522); Abs. 2 Satz 1 Nr. 1 aufgeh., bish. Nr. 2 wird Nr. 1, bish. Nr. 2a wird Nr. 2 und geänd., bish. Nr. 2b wird Nr. 3, bish. Nr. 3 wird Nr. 4 und geänd., bish. Nr. 4 wird Nr. 5, bish. Nr. 5 wird Nr. 6 und geänd., bish. Nr. 6 wird Nr. 7, Sätze 2–4 geänd. mWv 1.8.2024 durch G v. 19.7.2024 (BGBl. 2024 I Nr. 246).

2 Im Fall des Satzes 1 Nummer 2 bedarf es eines Antrags der Lehrlinge (Auszubildenden). 3 Im Fall des Satzes 1 Nummer 5 bedarf es der Vereinbarung der Vertragsparteien. 4 Im Rahmen der Ordnungsverfahren soll stets geprüft werden, ob Regelungen nach Satz 1 Nummer 1 bis 3 und 5 sinnvoll und möglich sind.

§ 27[1)] [Ausnahmen] Zur Entwicklung und Erprobung neuer Ausbildungs- und Prüfungsformen kann das Bundesministerium für Wirtschaft und Klimaschutz im Einvernehmen mit dem Bundesministerium für Bildung und Forschung nach Anhörung des Hauptausschusses des Bundesinstituts für Berufsbildung durch Rechtsverordnung, die nicht der Zustimmung des Bundesrates bedarf, Ausnahmen von § 25 Abs. 2 und 3 sowie den §§ 26, 31 und 39 zulassen, die auch auf eine bestimmte Art und Zahl von Ausbildungsstätten beschränkt werden können.

§ 27a[2)] [Anrechnung auf die Ausbildungszeit] (1) 1 Die Landesregierungen können nach Anhörung des Landesausschusses für Berufsbildung durch Rechtsverordnung bestimmen, dass der Besuch eines Bildungsganges berufsbildender Schulen oder die Berufsausbildung in einer sonstigen Einrichtung ganz oder teilweise auf die Ausbildungsdauer angerechnet wird. 2 Die Ermächtigung kann durch Rechtsverordnung auf oberste Landesbehörden weiter übertragen werden.

(2) 1 Ist keine Rechtsverordnung nach Absatz 1 erlassen, kann eine Anrechnung der Ausbildungsdauer durch die zuständige Stelle im Einzelfall erfolgen. 2 Für die Entscheidung über die Anrechnung kann der Hauptausschuss des Bundesinstituts für Berufsbildung Empfehlungen beschließen.

(3) 1 Die Anrechnung bedarf des gemeinsamen Antrags des Lehrlings (Auszubildenden) und des Ausbildenden. 2 Der Antrag ist an die Handwerkskammer zu richten. 3 Er kann sich auf Teile des höchstzulässigen Anrechnungszeitraums beschränken.

(4) Ein Anrechnungszeitraum muss in ganzen Monaten durch sechs teilbar sein.

§ 27b[3)] [Teilzeitberufsausbildung] (1) 1 Die Berufsausbildung kann in Teilzeit durchgeführt werden. 2 Im Berufsausbildungsvertrag ist dazu für die gesamte Ausbildungszeit oder für einen bestimmten Zeitraum der Berufsausbildung die Verkürzung der täglichen oder der wöchentlichen Ausbildungszeit zu vereinbaren. 3 Die Kürzung der täglichen oder der wöchentlichen Ausbildungszeit darf nicht mehr als 50 Prozent betragen.

(2) 1 Die Dauer der Teilzeitberufsausbildung verlängert sich entsprechend, höchstens jedoch bis zum Eineinhalbfachen der Dauer, die in der Ausbildungs-

---

1) § 27 neu gef. mWv 1.4.2005 durch G v. 23.3.2005 (BGBl. I S. 931); geänd. mWv 8.11.2006 durch VO v. 31.10.2006 (BGBl. I S. 2407); geänd. mWv 8.9.2015 durch VO v. 31.8.2015 (BGBl. I S. 1474); geänd. mWv 1.1.2020 durch G v. 12.12.2019 (BGBl. I S. 2522); geänd. mWv 16.11.2022 durch G v. 9.11.2022 (BGBl. I S. 2009).

2) § 27a neu gef. mWv 1.4.2005 durch G v. 23.3.2005 (BGBl. I S. 931); Abs. 2 angef., bish. Wortlaut wird Abs. 1 und Satz 3 aufgeh. mWv 1.8.2009 durch G v. 23.3.2005 (BGBl. I S. 931); Abs. 1 Satz 1 geänd., Abs. 2 neu gef., Abs. 3 und 4 angef. mWv 1.1.2020 durch G v. 12.12.2019 (BGBl. I S. 2522).

3) § 27b neu gef. mWv 1.1.2020 durch G v. 12.12.2019 (BGBl. I S. 2522); Abs. 2 Satz 3 geänd. mWv 1.8.2024 durch G v. 19.7.2024 (BGBl. 2024 I Nr. 246).

ordnung für die betreffende Berufsausbildung in Vollzeit festgelegt ist. [2] Die Dauer der Teilzeitberufsausbildung ist auf ganze Monate abzurunden. [3] § 27c Absatz 1 und 2 bleibt unberührt.

(3) Auf Verlangen des Lehrlings (Auszubildenden) verlängert sich die Ausbildungsdauer auch über die Höchstdauer nach Absatz 2 Satz 1 hinaus bis zur nächsten möglichen Gesellenprüfung.

(4) Der Antrag auf Eintragung des Berufsausbildungsvertrages nach § 30 Absatz 1 in das Verzeichnis der Berufsausbildungsverhältnisse (Lehrlingsrolle) für eine Teilzeitberufsausbildung kann mit einem Antrag auf Verkürzung der Ausbildungsdauer nach § 27c Absatz 1 verbunden werden.

§ 27c[1)] [Verkürzung und Verlängerung der Ausbildungsdauer]

(1) [1] Auf gemeinsamen Antrag des Lehrlings (Auszubildenden) und des Ausbildenden hat die Handwerkskammer die Ausbildungsdauer zu kürzen, wenn zu erwarten ist, dass das Ausbildungsziel in der gekürzten Dauer erreicht wird. [2] Satz 1 gilt bei einer Teilzeitberufsausbildung mit der Maßgabe, dass, wenn eine Verkürzung der Ausbildungsdauer entsprechend den Empfehlungen des Hauptausschusses nach Absatz 3 zu einer Ausbildungsdauer führt, die das Ende der für die betreffende Berufsausbildung in Vollzeit festgelegten Ausbildungsdauer höchstens um sechs Monate überschreitet, die Ausbildungsdauer auf das Ende der für die betreffende Berufsausbildung in Vollzeit festgelegten Ausbildungsdauer verkürzt wird.

(2) [1] In Ausnahmefällen kann die Handwerkskammer auf Antrag des Lehrlings (Auszubildenden) die Ausbildungsdauer verlängern, wenn die Verlängerung erforderlich ist, um das Ausbildungsziel zu erreichen. [2] Vor der Entscheidung nach Satz 1 ist der Ausbildende zu hören.

(3) Für die Entscheidung über die Verkürzung oder Verlängerung der Ausbildungsdauer kann der Hauptausschuss des Bundesinstituts für Berufsbildung Empfehlungen beschließen.

§ 27d[2)] [Verkürzte Gesamtausbildungszeit] [1] Werden in einem Betrieb zwei verwandte Handwerke ausgeübt, so kann in beiden Handwerken in einer verkürzten Gesamtausbildungszeit gleichzeitig ausgebildet werden. [2] Das Bundesministerium für Wirtschaft und Klimaschutz bestimmt im Einvernehmen mit dem Bundesministerium für Bildung und Forschung durch Rechtsverordnung für welche verwandte Handwerke eine Gesamtausbildungszeit vereinbart werden kann und die Dauer der Gesamtausbildungszeit.

Dritter Abschnitt. Verzeichnis der Berufsausbildungsverhältnisse

§ 28[3)] [Einrichten, Führen, Datenschutz] (1) [1] Die Handwerkskammer hat zur Regelung, Überwachung, Förderung und zum Nachweis der Berufsausbildung in anerkannten Ausbildungsberufen ein Verzeichnis der in ihrem

---

[1)] § 27c eingef. mWv 1.1.2020 durch G v. 12.12.2019 (BGBl. I S. 2522); Abs. 1 Satz 2 angef. mWv 1.8.2024 durch G v. 19.7.2024 (BGBl. 2024 I Nr. 246).

[2)] Früherer § 27b wird § 27c mWv 1.4.2005 durch G v. 23.3.2005 (BGBl. I S. 931); Satz 2 geänd. mWv 8.11.2006 durch VO v. 31.10.2006 (BGBl. I S. 2407); Satz 2 geänd. mWv 8.9.2015 durch VO v. 31.8.2015 (BGBl. I S. 1474); bish. § 27c wird § 27d mWv 1.1.2020 durch G v. 12.12.2019 (BGBl. I S. 2522); Satz 2 geänd. mWv 16.11.2022 durch G v. 9.11.2022 (BGBl. I S. 2009).

[3)] § 28 Abs. 7 neu gef. und Abs. 8 angef. mWv 1.4.2005 durch G v. 23.3.2005 (BGBl. I S. 931); Abs. 2–4 neu gef, Abs. 6 Satz 1, Abs. 7 Satz 1 einl. Satzteil und Satz 2 geänd. mWv 26.11.2019 durch →

Bezirk bestehenden Berufsausbildungsverhältnisse nach Maßgabe der Anlage D Abschnitt III zu diesem Gesetz einzurichten und zu führen (Lehrlingsrolle). [2] Die Eintragung ist für den Lehrling (Auszubildenden) gebührenfrei.

(2) [1] Die nach Absatz 1 gespeicherten Daten sind an öffentliche Stellen und an nicht-öffentliche Stellen zu übermitteln, soweit dies zu den in Absatz 1 genannten Zwecken erforderlich ist. [2] Werden Daten an nicht-öffentliche Stellen übermittelt, so ist die jeweils betroffene Person unbeschadet der Verordnung (EU) 2016/679[1)] hiervon zu benachrichtigen, es sei denn, dass sie von der Übermittlung auf andere Weise Kenntnis erlangt.

(3) [1] Die Übermittlung von Daten durch öffentliche Stellen an nicht-öffentliche Stellen ist zulässig, wenn der jeweilige Empfänger sich gegenüber der übermittelnden öffentlichen Stelle verpflichtet hat, die Daten nur für den Zweck zu verarbeiten, zu dessen Erfüllung sie ihm übermittelt werden. [2] Öffentliche Stellen dürfen die ihnen übermittelten Daten nur zu dem Zweck verarbeiten, zu dessen Erfüllung sie ihnen übermittelt wurden.

(4) Für das Verändern und das Einschränken der Verarbeitung der Daten in der Lehrlingsrolle gelten unbeschadet der Verordnung (EU) 2016/679 die Datenschutzgesetze der Länder.

(5) Die Eintragungen sind am Ende des Kalenderjahres, in dem das Berufsausbildungsverhältnis beendet wird, in der Lehrlingsrolle zu löschen.

(6) [1] Die nach Absatz 5 gelöschten Daten sind in einem gesonderten Dateisystem zu speichern, solange und soweit dies für den Nachweis der Berufsausbildung erforderlich ist, höchstens jedoch 60 Jahre. [2] Die Übermittlung von Daten ist nur unter den Voraussetzungen des Absatzes 2 zulässig.

(7) [1] Zur Verbesserung der Feststellung von Angebot und Nachfrage auf dem Ausbildungsmarkt übermittelt die Handwerkskammer folgende Daten aus der Lehrlingsrolle an das Bundesinstitut für Berufsbildung:

1. Ausbildungsberuf einschließlich Fachrichtung,
2. Geschlecht der Lehrlinge (Auszubildenden), Anschlussvertrag bei Anrechnung einer zuvor absolvierten dualen Berufsausbildung nach diesem Gesetz oder nach dem Berufsbildungsgesetz[2)],
3. Verkürzung der Ausbildungsdauer,
4. Art der Förderung bei überwiegend öffentlich, insbesondere auf Grund des Dritten Buches Sozialgesetzbuch[3)] geförderten Berufsausbildungsverhältnissen.

[2] An die Bundesagentur für Arbeit werden zur Verbesserung der Ausbildungsvermittlung, zur Verbesserung der Zuverlässigkeit und Aktualität der Ausbildungsvermittlungsstatistik sowie zur Verbesserung der Feststellung von Angebot und Nachfrage auf dem Ausbildungsmarkt folgende Daten übermittelt:

1. Name, Vorname, Geburtsdatum, Geschlecht und Anschrift der Lehrlinge (Auszubildenden),

---

(Fortsetzung der Anm. von voriger Seite)
G v. 20.11.2019 (BGBl. I S. 1626); Abs. 7 Satz 1 Nr. 1–4 neu gef. mWv 1.1.2020 durch G v. 12.12. 2019 (BGBl. I S. 2522); Abs. 7 neu gef. mWv 1.8.2024 durch G v. 19.7.2024 (BGBl. 2024 I Nr. 246).

1) Nr. **489**.
2) Nr. **415**.
3) Nr. **700**.

2. Ausbildungsberuf einschließlich Fachrichtung,
3. Tag, Monat und Jahr des vertraglich vereinbarten Beginns und Endes der Berufsausbildung sowie Tag, Monat und Jahr einer vorzeitigen Auflösung des Ausbildungsverhältnisses,
4. Name und Anschrift der Ausbildenden, Anschrift und amtlicher Gemeindeschlüssel der Ausbildungsstätte, Wirtschaftszweig, Betriebsnummer der Ausbildungsstätte nach § 18i Absatz 1 oder § 18k Absatz 1 des Vierten Buches Sozialgesetzbuch[1)], Zugehörigkeit zum öffentlichen Dienst.

[3] Übermittelt werden die nach diesem Gesetz eingetragenen Daten zu den Ausbildungsverhältnissen, die ab dem 1. Oktober des vorangegangenen Kalenderjahres abgeschlossen wurden und am 30. September des laufendenden Kalenderjahres noch bestanden. [4] Bei der Datenübermittlung sind dem jeweiligen Stand der Technik entsprechende Maßnahmen zur Sicherstellung von Datenschutz und Datensicherheit, insbesondere nach den Artikeln 24, 25 und 32 der Verordnung (EU) 2016/679 zu treffen, die insbesondere die Vertraulichkeit, Unversehrtheit und Zurechenbarkeit der Daten gewährleisten.

(8) Im Übrigen darf die Handwerkskammer Daten aus dem Berufsausbildungsvertrag, die nicht nach Absatz 1 oder Absatz 6 gespeichert sind, nur für die in Absatz 1 genannten Zwecke sowie in den Fällen des § 88 Abs. 2 des Berufsbildungsgesetzes übermitteln.

§ 29[2)] **[Eintragen, Ändern, Löschen]** (1) Ein Berufsausbildungsvertrag und Änderungen seines wesentlichen Inhalts sind in die Lehrlingsrolle einzutragen, wenn

1. der Berufsausbildungsvertrag den gesetzlichen Vorschriften und der Ausbildungsordnung entspricht,
2. die persönliche und fachliche Eignung sowie die Eignung der Ausbildungsstätte für das Einstellen und Ausbilden vorliegen und
3. für Auszubildende unter 18 Jahren die ärztliche Bescheinigung über die Erstuntersuchung nach § 32 Abs. 1 des Jugendarbeitsschutzgesetzes[3)] zur Einsicht vorgelegt wird.

(2) [1] Die Eintragung ist abzulehnen oder zu löschen, wenn die Eintragungsvoraussetzungen nicht vorliegen und der Mangel nicht nach § 23 Abs. 2 behoben wird. [2] Die Eintragung ist ferner zu löschen, wenn die ärztliche Bescheinigung über die erste Nachuntersuchung nach § 33 Abs. 1 des Jugendarbeitsschutzgesetzes nicht spätestens am Tag der Anmeldung des Auszubildenden zur Zwischenprüfung oder zum ersten Teil der Gesellenprüfung zur Einsicht vorgelegt und der Mangel nicht nach § 23 Abs. 2 behoben wird.

§ 30[4)] **[Antrag]** (1) [1] Der Ausbildende hat unverzüglich nach Abschluß des Berufsausbildungsvertrags die Eintragung in die Lehrlingsrolle nach Maßgabe des Satzes 2 zu beantragen. [2] Der Antrag kann schriftlich oder elektronisch

---

[1)] Nr. **694**.

[2)] § 29 Abs. 2 Sätze 1 und 2 geänd. mWv 1.1.2004 durch G v. 24.12.2003 (BGBl. I S. 2934); Abs. 2 Satz 2 geänd. mWv 1.4.2005 durch G v. 23.3.2005 (BGBl. I S. 931).

[3)] Nr. **420**.

[4)] § 30 Abs. 1 Satz 2 neu gef., Satz 3 eingef., bish. Satz 3 wird Satz 4 mWv 1.8.2013 durch G v. 25.7.2013 (BGBl. I S. 2749); Abs. 1 Satz 3 geänd. mWv 1.8.2022 durch G v. 20.7.2022 (BGBl. I S. 1174); Abs. 1 Sätze 1 und 2 geänd. mWv 1.8.2024 durch G v. 19.7.2024 (BGBl. 2024 I Nr. 246).

gestellt werden; eine Kopie der Vertragsabfassung und des Empfangsnachweises ist jeweils beizufügen. [3]Auf einen betrieblichen Ausbildungsplan im Sinne des § 11 Absatz 1 Satz 2 Nummer 2 des Berufsbildungsgesetzes[1)], der der zuständigen Stelle bereits vorliegt, kann dabei Bezug genommen werden. [4]Entsprechendes gilt bei Änderungen des wesentlichen Vertragsinhalts.

(2) Der Ausbildende hat anzuzeigen

1. eine vorausgegangene allgemeine und berufliche Ausbildung des Lehrlings (Auszubildenden),
2. die Bestellung von Ausbildern.

Vierter Abschnitt. Prüfungswesen

§ 31[2)] **[Gesellenprüfung]** (1) [1]In den anerkannten Ausbildungsberufen (Gewerbe der Anlage A oder der Anlage B) sind Gesellenprüfungen durchzuführen. [2]Die Prüfung kann im Falle des Nichtbestehens zweimal wiederholt werden. [3]Sofern die Gesellenprüfung in zwei zeitlich auseinander fallenden Teilen durchgeführt wird, ist der erste Teil der Gesellenprüfung nicht eigenständig wiederholbar.

(2) [1]Dem Prüfling ist ein Zeugnis auszustellen. [2]Dem Ausbildenden werden auf dessen Verlangen die Ergebnisse der Gesellenprüfung des Lehrlings (Auszubildenden) übermittelt. [3]Sofern die Gesellenprüfung in zwei zeitlich auseinander fallenden Teilen durchgeführt wird, ist das Ergebnis der Prüfungsleistung im ersten Teil der Gesellenprüfung dem Prüfling schriftlich oder elektronisch mitzuteilen.

(3) [1]Dem Zeugnis ist auf Antrag des Lehrlings (Auszubildenden) eine englischsprachige und eine französischsprachige Übersetzung beizufügen. [2]Auf Antrag des Lehrlings (Auszubildenden) ist das Ergebnis berufsschulischer Leistungsfeststellungen auf dem Zeugnis auszuweisen. [3]Der Lehrling (Auszubildende) hat den Nachweis der berufsschulischen Leistungsfeststellungen dem Antrag beizufügen. [4]Sofern die Schule nach Landesrecht verpflichtet ist, die berufsschulische Leistungsfeststellung an die Handwerkskammer oder die nach § 33 Absatz 1 Satz 3 von der Handwerkskammer zur Errichtung von Prüfungsausschüssen ermächtigte Handwerksinnung zu übermitteln, hat die Handwerkskammer oder die Handwerksinnung die berufsschulische Leistungsfeststellung nach der Übermittlung auf dem Zeugnis auszuweisen.

(4) Die Prüfung ist für den Lehrling (Auszubildenden) gebührenfrei.

§ 32[3)] **[Prüfungsgegenstand]** [1]Durch die Gesellenprüfung ist festzustellen, ob der Prüfling die berufliche Handlungsfähigkeit im Sinne des § 1 Abs. 3 des Berufsbildungsgesetzes[1)] erworben hat. [2]In ihr soll der Prüfling nachweisen, dass er die erforderlichen beruflichen Fertigkeiten beherrscht, die notwendigen beruflichen Kenntnisse und Fähigkeiten besitzt und mit dem im Berufsschulunterricht zu vermittelnden, für die Berufsausbildung wesentlichen Lehrstoff vertraut ist. [3]Die Ausbildungsordnung ist zugrunde zu legen.

[1)] Nr. **415**.

[2)] § 31 neu gef. mWv 1.4.2005 durch G v. 23.3.2005 (BGBl. I S. 931); Abs. 3 neu gef. mWv 1.1. 2020 durch G v. 12.12.2019 (BGBl. I S. 2522); Abs. 2 Satz 3 geänd., Abs. 3 Satz 4 angef. mWv 1.8. 2024 durch G v. 19.7.2024 (BGBl. 2024 I Nr. 246).

[3)] § 32 neu gef. mWv 1.4.2005 durch G v. 23.3.2005 (BGBl. I S. 931).

§ 33[1] **[Gesellenprüfungsausschüsse]** (1) [1] Für die Durchführung der Gesellenprüfung errichtet die Handwerkskammer Prüfungsausschüsse. [2] Mehrere Handwerkskammern können bei einer von ihnen gemeinsame Prüfungsausschüsse errichten. [3] Die Handwerkskammer kann Handwerksinnungen ermächtigen, Prüfungsausschüsse zu errichten, wenn die Leistungsfähigkeit der Handwerksinnung die ordnungsgemäße Durchführung der Prüfung sicherstellt.

(2) Werden von einer Handwerksinnung Prüfungsausschüsse errichtet, so sind sie für die Abnahme der Gesellenprüfung aller Lehrlinge (Auszubildenden) der in der Handwerksinnung vertretenen Handwerke ihres Bezirks zuständig, soweit nicht die Handwerkskammer etwas anderes bestimmt.

(3) Prüfungsausschüsse oder Prüferdelegationen nach § 35a Absatz 2 nehmen die Prüfungsleistungen ab.

(4) [1] Prüfungsausschüsse oder Prüferdelegationen nach § 35a Absatz 2 können zur Bewertung einzelner, nicht mündlich zu erbringender Prüfungsleistungen gutachterliche Stellungnahmen Dritter, insbesondere berufsbildender Schulen, einholen. [2] Im Rahmen der Begutachtung nach Satz 1 sind die wesentlichen Abläufe zu dokumentieren und die für die Bewertung erheblichen Tatsachen festzuhalten.

§ 34[2] **[Zusammensetzung, Berufung]** (1) [1] Der Prüfungsausschuß besteht aus mindestens drei Mitgliedern. [2] Die Mitglieder müssen für die Prüfungsgebiete sachkundig und für die Mitwirkung im Prüfungswesen geeignet sein.

(2) [1] Dem Prüfungsausschuss müssen als Mitglieder für zulassungspflichtige Handwerke Arbeitgeber oder Betriebsleiter und Arbeitnehmer in gleicher Zahl, für zulassungsfreie Handwerke oder handwerksähnliche Gewerbe Beauftragte der Arbeitgeber und Arbeitnehmer in gleicher Zahl sowie mindestens eine Lehrkraft einer berufsbildenden Schule angehören. [2] Mindestens zwei Drittel der Gesamtzahl der Mitglieder müssen in zulassungspflichtigen Handwerken Arbeitgeber und Arbeitnehmer, in zulassungsfreien Handwerken oder handwerksähnlichen Gewerben Beauftragte der Arbeitgeber und der Arbeitnehmer sein. [3] Die Mitglieder haben Stellvertreter. [4] Die Mitglieder und die Stellvertreter werden längstens für fünf Jahre berufen oder gewählt.

(3) [1] Die Arbeitgeber müssen in dem zulassungspflichtigen Handwerk, für das der Prüfungsausschuß errichtet ist, die Meisterprüfung abgelegt haben oder zum Ausbilden berechtigt sein. [2] In dem zulassungsfreien Handwerk oder in dem handwerksähnlichen Gewerbe, für das der Prüfungsausschuss errichtet ist, müssen die Arbeitgeber oder die Beauftragten der Arbeitgeber die Gesellenprüfung oder eine entsprechende Abschlussprüfung in einem anerkannten Ausbildungsberuf nach § 4 des Berufsbildungsgesetzes[3] bestanden haben und in diesem Handwerk oder in diesem Gewerbe tätig sein. [3] Die Arbeitnehmer und die Beauftragten der Arbeitnehmer müssen die Gesellenprüfung in dem zu-

---

[1] § 33 neu gef. mWv 1.1.2020 durch G v. 12.12.2019 (BGBl. I S. 2522).

[2] § 34 Abs. 2 Sätze 1 und 2, Abs. 3 Satz 2 neu gef., Abs. 3 Satz 1 und Abs. 5 Satz 1 geänd. mWv 1.1.2004 durch G v. 24.12.2003 (BGBl. I S. 2934); Abs. 3 Satz 2 eingef., bish. Sätze 2 und 3 werden Sätze 3 und 4, neuer Satz 3, Abs. 4 Satz 2 und Abs. 5 Satz 1 geänd. mWv 1.4.2005 durch G v. 23.3. 2005 (BGBl. I S. 931); Abs. 2 Satz 1, Abs. 4 Satz 3 und Abs. 5 Satz 2 geänd., Abs. 7 neu gef., Abs. 8–9a eingef., bish. Abs. 8 wird Abs. 10 mWv 1.1.2020 durch G v. 12.12.2019 (BGBl. I S. 2522); Abs. 4 Satz 3 eingef., bish. Satz 3 wird Satz 4, Abs. 5 Satz 2 eingef., bish. Satz 2 wird Satz 3, Abs. 6 Satz 2, Abs. 8 Satz 2 geänd. mWv 1.7.2021 durch G v. 9.6.2021 (BGBl. I S. 1654).

[3] Nr. **415**.

lassungspflichtigen oder zulassungsfreien Handwerk oder in dem handwerksähnlichen Gewerbe, für das der Prüfungsausschuss errichtet ist, oder eine entsprechende Abschlussprüfung in einem anerkannten Ausbildungsberuf nach § 4 des Berufsbildungsgesetzes bestanden haben und in diesem Handwerk oder in diesem Gewerbe tätig sein. [4] Arbeitnehmer, die eine entsprechende ausländische Befähigung erworben haben und handwerklich tätig sind, können in den Prüfungsausschuß berufen werden.

(4) [1] Die Mitglieder werden von der Handwerkskammer berufen. [2] Die Arbeitnehmer und die Beauftragten der Arbeitnehmer der von der Handwerkskammer errichteten Prüfungsausschüsse werden auf Vorschlag der Mehrheit der Gesellenvertreter in der Vollversammlung der Handwerkskammer berufen. [3] Vorschläge der im Bezirk der Handwerkskammer bestehenden Gewerkschaften und selbständigen Vereinigungen von Arbeitnehmern mit sozial- oder berufspolitischer Zwecksetzung sollen berücksichtigt werden. [4] Die Lehrkraft einer berufsbildenden Schule wird im Einvernehmen mit der Schulaufsichtsbehörde oder der von ihr bestimmten Stelle berufen.

(5) [1] Für die mit Ermächtigung der Handwerkskammer von der Handwerksinnung errichteten Prüfungsausschüsse werden die Arbeitgeber und die Beauftragten der Arbeitgeber von der Innungsversammlung, die Arbeitnehmer und die Beauftragten der Arbeitnehmer von dem Gesellenausschuß gewählt. [2] Vorschläge der im Bezirk der Handwerksinnung bestehenden Gewerkschaften und selbständigen Vereinigungen von Arbeitnehmern mit sozial- oder berufspolitischer Zwecksetzung sollen berücksichtigt werden. [3] Die Lehrkraft einer berufsbildenden Schule wird im Einvernehmen mit der Schulaufsichtsbehörde oder der von ihr bestimmten Stelle nach Anhörung der Handwerksinnung von der Handwerkskammer berufen.

(6) [1] Die Mitglieder der Prüfungsausschüsse können nach Anhörung der an ihrer Berufung Beteiligten aus wichtigem Grund abberufen werden. [2] Satz 1 und die Absätze 4 und 5 gelten für die Stellvertreter entsprechend.

(7) [1] Die Handwerkskammer oder die nach § 33 Absatz 1 Satz 3 von der Handwerkskammer zur Errichtung von Prüfungsausschüssen ermächtigte Handwerksinnung kann weitere Prüfende für den Einsatz in Prüferdelegationen nach § 35a Absatz 2 berufen. [2] Die Berufung weiterer Prüfender kann auf bestimmte Prüf- oder Fachgebiete beschränkt werden. [3] Die Absätze 4 bis 6 sind entsprechend anzuwenden.

(8) [1] Die für die Berufung von Prüfungsausschussmitgliedern Vorschlagsberechtigten sind über die Anzahl und die Größe der einzurichtenden Prüfungsausschüsse sowie über die Zahl der von ihnen vorzuschlagenden weiteren Prüfenden zu unterrichten. [2] Die Vorschlagsberechtigten werden von der Handwerkskammer oder im Fall des § 33 Absatz 1 Satz 3 von der Innung darüber unterrichtet, welche der von ihnen vorgeschlagenen Mitglieder sowie Stellvertreter und Stellvertreterinnen und weiteren Prüfenden berufen wurden.

(9) [1] Die Tätigkeit im Prüfungsausschuss oder in einer Prüferdelegation ist ehrenamtlich. [2] Für bare Auslagen und für Zeitversäumnis ist, soweit eine Entschädigung nicht von anderer Seite gewährt wird, eine angemessene Entschädigung zu zahlen, deren Höhe von der Handwerkskammer mit Genehmigung der obersten Landesbehörde festgesetzt wird. [3] Die Entschädigung für Zeitver-

säumnis hat mindestens im Umfang von § 16 des Justizvergütungs- und -entschädigungsgesetzes[1)] in der jeweils geltenden Fassung zu erfolgen.

(9a) Prüfende sind von ihrem Arbeitgeber von der Erbringung der Arbeitsleistung freizustellen, wenn

1. es zur ordnungsgemäßen Durchführung der ihnen durch das Gesetz zugewiesenen Aufgaben erforderlich ist und
2. wichtige betriebliche Gründe nicht entgegenstehen.

(10) Von Absatz 2 darf nur abgewichen werden, wenn anderenfalls die erforderliche Zahl von Mitgliedern des Prüfungsausschusses nicht berufen werden kann.

§ 35 [Vorsitzender; Stellvertreter] [1] Der Prüfungsausschuß wählt aus seiner Mitte einen Vorsitzenden und dessen Stellvertreter. [2] Der Vorsitzende und sein Stellvertreter sollen nicht derselben Mitgliedergruppe angehören. [3] Der Prüfungsausschuß ist beschlußfähig, wenn zwei Drittel der Mitglieder, mindestens drei, mitwirken. [4] Er beschließt mit der Mehrheit der abgegebenen Stimmen. [5] Bei Stimmengleichheit gibt die Stimme des Vorsitzenden den Ausschlag.

§ 35a[2)] [Bewertung von Prüfungsleistungen] (1) Der Prüfungsausschuss fasst die Beschlüsse über

1. die Noten zur Bewertung einzelner Prüfungsleistungen, die er selbst abgenommen hat,
2. die Noten zur Bewertung der Prüfung insgesamt sowie
3. das Bestehen oder Nichtbestehen der Gesellenprüfung.

(2) [1] Die Handwerkskammer oder im Fall des § 33 Absatz 1 Satz 3 die Handwerksinnung kann im Einvernehmen mit den Mitgliedern des Prüfungsausschusses die Abnahme und abschließende Bewertung von Prüfungsleistungen auf Prüferdelegationen übertragen. [2] Für die Zusammensetzung von Prüferdelegationen und für die Abstimmungen in der Prüferdelegation sind § 34 Absatz 1 bis 3 und § 35 entsprechend anzuwenden. [3] Mitglieder von Prüferdelegationen können die Mitglieder des Prüfungsausschusses, deren Stellvertreter und Stellvertreterinnen sowie weitere Prüfende sein, die durch die Handwerkskammer oder durch die nach § 33 Absatz 1 Satz 3 zur Errichtung von Prüfungsausschüssen ermächtigte Handwerksinnung nach § 34 Absatz 7 berufen worden sind.

(3) [1] Die Handwerkskammer oder im Fall des § 33 Absatz 1 Satz 3 die Handwerksinnung hat vor Beginn der Prüfung über die Bildung von Prüferdelegationen, über deren Mitglieder sowie über deren Stellvertreter und Stellvertreterinnen zu entscheiden. [2] Prüfende können Mitglieder mehrerer Prüferdelegationen sein. [3] Sind verschiedene Prüfungsleistungen derart aufeinander bezogen, dass deren Beurteilung nur einheitlich erfolgen kann, so müssen diese Prüfungsleistungen von denselben Prüfenden abgenommen werden.

(4) [1] Nach § 38 Absatz 2 Satz 2 erstellte oder ausgewählte Antwort-Wahl-Aufgaben können automatisiert ausgewertet werden, wenn das Aufgabener-

---

[1)] **beck-online, Module Arbeitsrecht Nr. 669.**

[2)] § 35a neu gef. mWv 1.1.2020 durch G v. 12.12.2019 (BGBl. I S. 2522); Abs. 2 Sätze 1–3, Abs. 3 Satz 1 geänd. mWv 1.7.2021 durch G v. 9.6.2021 (BGBl. I S. 1654); Abs. 2 Satz 2 geänd. mWv 1.8.2024 durch G v. 19.7.2024 (BGBl. 2024 I Nr. 246).

stellungs- oder Aufgabenauswahlgremium festgelegt hat, welche Antworten als zutreffend anerkannt werden. [2] Die Ergebnisse sind vom Prüfungsausschuss zu übernehmen.

(5) [1] Der Prüfungsausschuss oder die Prüferdelegation kann einvernehmlich die Abnahme und Bewertung einzelner schriftlicher oder sonstiger Prüfungsleistungen, deren Bewertung unabhängig von der Anwesenheit bei der Erbringung erfolgen kann, so vornehmen, dass zwei seiner oder ihrer Mitglieder die Prüfungsleistungen selbständig und unabhängig bewerten. [2] Weichen die auf der Grundlage des in der Prüfungsordnung vorgesehenen Bewertungsschlüssels erfolgten Bewertungen der beiden Prüfenden um nicht mehr als 10 Prozent der erreichbaren Punkte voneinander ab, so errechnet sich die endgültige Bewertung aus dem Durchschnitt der beiden Bewertungen. [3] Bei einer größeren Abweichung erfolgt die endgültige Bewertung durch ein vorab bestimmtes weiteres Mitglied des Prüfungsausschusses oder der Prüferdelegation.

(6) Sieht die Ausbildungsordnung vor, dass Auszubildende bei erfolgreichem Abschluss eines zweijährigen Ausbildungsberufs vom ersten Teil der Gesellenprüfung eines darauf aufbauenden drei- oder dreieinhalbjährigen Ausbildungsberufs befreit sind, so ist das Ergebnis der Gesellenprüfung des zweijährigen Ausbildungsberufs vom Prüfungsausschuss als das Ergebnis des ersten Teils der Gesellenprüfung des auf dem zweijährigen Ausbildungsberuf aufbauenden drei- oder dreieinhalbjährigen Ausbildungsberufs zu übernehmen.

§ 35b[1)] [Prüfung mittels Videokonferenz] (1) [1] Die Handwerkskammer oder die nach § 33 Absatz 1 Satz 3 von der Handwerkskammer zur Errichtung von Prüfungsausschüssen ermächtigte Handwerksinnung kann bestimmen, dass bei der Abnahme und Bewertung von Prüfungsleistungen, deren Bewertung die Anwesenheit der Prüfenden bei der Abnahme erfordert, Prüfende unter Einsatz der Übertragung von Bild und Ton (Videokonferenz) teilnehmen, wenn

1. die abzunehmenden Prüfungsleistungen für diese Form der Durchführung geeignet sind,
2. die Prüflinge mit der Ladung zur Prüfung über diese Form der Durchführung informiert worden sind,
3. die Prüflinge sich unter Aufsicht an einem Ort befinden, der von der Handwerkskammer oder im Falle des § 33 Absatz 1 Satz 3 von der Handwerksinnung festgelegt worden ist,
4. mindestens ein Prüfender sich am gleichen Ort wie die Prüflinge befindet,
5. die Handwerkskammer oder im Falle des § 33 Absatz 1 Satz 3 die Handwerksinnung die zu nutzende Videokonferenztechnik festgelegt hat und deren Funktionsfähigkeit sowie deren Barrierefreiheit sicherstellt,
6. den Prüflingen und den Prüfenden vor der Prüfung ausreichend Gelegenheit gegeben worden ist, sich mit der Videokonferenztechnik vertraut zu machen,
7. während der Abnahme der Prüfungsleistung eine für die Videokonferenztechnik sachkundige Person zur Verfügung steht,

---

[1)] § 35b eingef. mWv 1.8.2024 durch G v. 19.7.2024 (BGBl. 2024 I Nr. 246).

8. bei vorübergehenden technischen Störungen, die nicht durch den Prüfling zu vertreten sind, der damit verbundene Zeitverlust durch entsprechende Zeitverlängerung ausgeglichen wird und
9. keine Aufzeichnung der Videokonferenz erfolgt.

[2] Auf Antrag einzelner Prüfender bei der Handwerkskammer oder bei der nach § 33 Absatz 1 Satz 3 von der *Handwerkammer*[1)] zur Errichtung von Prüfungsausschüssen ermächtigten Handwerksinnung gilt Satz 1 nur für einzelne Prüfungsleistungen und diese Prüfenden mit der Maßgabe, dass die übrigen Prüfenden des jeweiligen Prüfungsausschusses oder der jeweiligen Prüferdelegation dem Antrag zustimmen.

(2) Die Handwerkskammer oder die nach § 33 Absatz 1 Satz 3 von der Handwerkskammer zur Errichtung von Prüfungsausschüssen ermächtigte Handwerksinnung kann bestimmen, dass die Prüfenden an Sitzungen von Prüfungsausschüssen oder Prüferdelegationen auch ohne Anwesenheit an einem Ort teilnehmen und sämtliche oder einzelne ihrer Rechte ganz oder teilweise im Wege elektronischer Kommunikation ausüben können.

§ 36[2)] **[Zulassung zur Gesellenprüfung]** (1) Zur Gesellenprüfung ist zuzulassen,

1. wer die Ausbildungsdauer zurückgelegt hat oder wessen Ausbildungsdauer nicht später als zwei Monate nach dem Prüfungstermin endet,
2. wer an vorgeschriebenen Zwischenprüfungen teilgenommen sowie einen Ausbildungsnachweis nach § 13 Satz 2 Nummer 7 des Berufsbildungsgesetzes[3)] über den Ausbildenden schriftlich oder elektronisch vorgelegt hat und
3. wessen Berufsausbildungsverhältnis in die Lehrlingsrolle eingetragen oder aus einem Grund nicht eingetragen ist, den weder der Lehrling (Auszubildende) noch dessen gesetzlicher Vertreter zu vertreten hat.

(2) [1] Zur Gesellenprüfung ist ferner zuzulassen, wer in einer berufsbildenden Schule oder einer sonstigen Berufsbildungseinrichtung ausgebildet worden ist, wenn dieser Bildungsgang der Berufsausbildung in einem anerkannten Ausbildungsberuf (Gewerbe der Anlage A oder der Anlage B) entspricht. [2] Ein Bildungsgang entspricht der Berufsausbildung in einem anerkannten Ausbildungsberuf, wenn er

1. nach Inhalt, Anforderung und zeitlichem Umfang der jeweiligen Ausbildungsordnung gleichwertig ist,
2. systematisch, insbesondere im Rahmen einer sachlichen und zeitlichen Gliederung durchgeführt wird, und
3. durch Lernortkooperation einen angemessenen Anteil an fachpraktischer Ausbildung gewährleistet.

---

1) Wortlaut amtlich.

2) § 36 neu gef. mWv 1.4.2005 durch G v. 23.3.2005 (BGBl. I S. 931); Abs. 2 Sätze 3 und 4 aufgeh. mWv 1.8.2011 durch G v. 23.3.2005 (BGBl. I S. 931); Abs. 1 Nr. 2 geänd. mWv 5.4.2017 durch G v. 29.3.2017 (BGBl. I S. 626); zur Anwendung siehe § 125; Abs. 1 Nr. 1 und 2 geänd. mWv 1.1.2020 durch G v. 12.12.2019 (BGBl. I S. 2522); Abs. 1 Nr. 2 geänd. mWv 1.8.2024 durch G v. 19.7.2024 (BGBl. 2024 I Nr. 246).

3) Nr. **415**.

§ 36a[1)] [Zulassung zu einzelnen Teilen der Gesellenprüfung] (1) Sofern die Gesellenprüfung in zwei zeitlich auseinander fallenden Teilen durchgeführt wird, ist über die Zulassung jeweils gesondert zu entscheiden.

(2) Zum ersten Teil der Gesellenprüfung ist zuzulassen, wer die in der Ausbildungsordnung vorgeschriebene, erforderliche Ausbildungsdauer zurückgelegt hat und die Voraussetzungen des § 36 Abs. 1 Nr. 2 und 3 erfüllt.

(3) [1] Zum zweiten Teil der Gesellenprüfung ist zuzulassen, wer

1. über die Voraussetzungen des § 36 Absatz 1 hinaus am ersten Teil der Gesellenprüfung teilgenommen hat,
2. auf Grund einer Rechtsverordnung nach § 26 Absatz 2 Satz 1 Nummer 3 von der Ablegung des ersten Teils der Gesellenprüfung befreit ist oder
3. aus Gründen, die er nicht zu vertreten hat, am ersten Teil der Gesellenprüfung nicht teilgenommen hat.

[2] Im Fall des Satzes 1 Nummer 3 ist der erste Teil der Gesellenprüfung zusammen mit dem zweiten Teil abzulegen.

§ 37[2)] [Zulassung in besonderen Fällen] (1) Der Lehrling (Auszubildende) kann nach Anhörung des Ausbildenden und der Berufsschule vor Ablauf seiner Ausbildungszeit zur Gesellenprüfung zugelassen werden, wenn seine Leistungen dies rechtfertigen.

(2) [1] Zur Gesellenprüfung ist auch zuzulassen, wer nachweist, dass er mindestens das Eineinhalbfache der Zeit, die als Ausbildungsdauer vorgeschrieben ist, in dem Beruf tätig gewesen ist, in dem er die Prüfung ablegen will. [2] Als Zeiten der Berufstätigkeit gelten auch Ausbildungszeiten in einem anderen, einschlägigen Ausbildungsberuf. [3] Vom Nachweis der Mindestzeit nach Satz 1 kann ganz oder teilweise abgesehen werden, wenn durch Vorlage von Zeugnissen oder auf andere Weise glaubhaft gemacht wird, dass der Bewerber die berufliche Handlungsfähigkeit erworben hat, die die Zulassung zur Prüfung rechtfertigt. [4] Ausländische Bildungsabschlüsse und Zeiten der Berufstätigkeit im Ausland sind dabei zu berücksichtigen.

(3) Zur Gesellenprüfung ist auch zuzulassen, wer im Rahmen eines Verfahrens nach § 1 Absatz 6 des Berufsbildungsgesetzes[3)] das Zeugnis der vollständigen Vergleichbarkeit seiner individuellen beruflichen Handlungsfähigkeit mit der für die Ausübung des im Antrag bestimmten anerkannten Ausbildungsberufs erforderlichen beruflichen Handlungsfähigkeit erhalten hat.

(4) Soldaten auf Zeit und ehemalige Soldaten sind nach Absatz 2 Satz 3 zur Gesellenprüfung zuzulassen, wenn das Bundesministerium der Verteidigung oder die von ihm bestimmte Stelle bescheinigt, dass der Bewerber berufliche Fertigkeiten, Kenntnisse und Fähigkeiten erworben hat, welche die Zulassung zur Prüfung rechtfertigen.

[1)] § 36a eingef. mWv 1.4.2005 durch G v. 23.3.2005 (BGBl. I S. 931); Abs. 2 geänd., Abs. 3 neu gef. mWv 1.1.2020 durch G v. 12.12.2019 (BGBl. I S. 2522); Abs. 3 Satz 1 Nr. 2 geänd. mWv 1.8. 2024 durch G v. 19.7.2024 (BGBl. 2024 I Nr. 246).

[2)] § 37 neu gef. mWv 1.4.2005 durch G v. 23.3.2005 (BGBl. I S. 931); Abs. 2 Satz 1 geänd. mWv *1.1.2020 durch G v. 12.12.2019 (BGBl. I S. 2522)*; Abs. 3 eingef., bish. Abs. 3 wird Abs. 4 mWv 1.8. 2024 durch G v. 19.7.2024 (BGBl. 2024 I Nr. 246).

[3)] Nr. **415**.

§ 37a[1)] [Entscheidung über die Zulassung] (1) [1] Über die Zulassung zur Gesellenprüfung entscheidet der Vorsitzende des Prüfungsausschusses. [2] Hält er die Zulassungsvoraussetzungen nicht für gegeben, so entscheidet der Prüfungsausschuss.

(2) Auszubildenden, die Elternzeit in Anspruch genommen haben, darf bei der Entscheidung über die Zulassung hieraus kein Nachteil erwachsen.

§ 38[2)] [Prüfungsordnung] (1) [1] Die Handwerkskammer hat eine Prüfungsordnung für die Gesellenprüfung zu erlassen. [2] Die Prüfungsordnung bedarf der Genehmigung der zuständigen obersten Landesbehörde.

(2) [1] Die Prüfungsordnung muss die Zulassung, die Gliederung der Prüfung, die Bewertungsmaßstäbe, die Erteilung der Prüfungszeugnisse, die Folgen von Verstößen gegen die Prüfungsordnung und die Wiederholungsprüfung regeln. [2] Sie kann vorsehen, dass Prüfungsaufgaben, die überregional oder von einem Aufgabenerstellungsausschuss bei der Handwerkskammer erstellt oder ausgewählt werden, zu übernehmen sind, sofern diese Aufgaben von Gremien erstellt oder ausgewählt werden, die entsprechend § 34 Abs. 2 zusammengesetzt sind.

(3) Der Hauptausschuss des Bundesinstituts für Berufsbildung erlässt für die Prüfungsordnung Richtlinien.

§ 39[3)] [Zwischenprüfung] (1) [1] Während der Berufsausbildung ist zur Ermittlung des Ausbildungsstands eine Zwischenprüfung entsprechend der Ausbildungsordnung durchzuführen. [2] Die §§ 31 bis 33 gelten entsprechend.

(2) Die Zwischenprüfung entfällt, sofern

1. die Ausbildungsordnung vorsieht, dass die Gesellenprüfung in zwei zeitlich auseinanderfallenden Teilen durchgeführt wird, oder
2. die Ausbildungsordnung vorsieht, dass auf die Dauer der durch die Ausbildungsordnung geregelten Berufsausbildung die Dauer einer anderen abgeschlossenen Berufsausbildung im Umfang von mindestens zwei Jahren anzurechnen ist, und die Vertragsparteien die Anrechnung mit mindestens dieser Dauer vereinbart haben.

(3) Umzuschulende sind auf ihren Antrag zur Zwischenprüfung zuzulassen.

§ 39a[4)] [Gesonderte Prüfung] (1) [1] Zusätzliche berufliche Fertigkeiten, Kenntnisse und Fähigkeiten nach § 26 Absatz 2 Satz 1 Nummer 6 werden gesondert geprüft und bescheinigt. [2] Das Ergebnis der Prüfung nach § 31 bleibt unberührt.

(2) § 31 Abs. 3 und 4 sowie die §§ 33 bis 35a und 38[5)] gelten entsprechend.

[1)] § 37a eingef. mWv 1.4.2005 durch G v. 23.3.2005 (BGBl. I S. 931).

[2)] § 38 neu gef. mWv 1.4.2005 durch G v. 23.3.2005 (BGBl. I S. 931).

[3)] § 39 neu gef. mWv 1.4.2005 durch G v. 23.3.2005 (BGBl. I S. 931); Abs. 2 neu gef., Abs. 3 angef. mWv 1.1.2020 durch G v. 12.12.2019 (BGBl. I S. 2522).

[4)] § 39a eingef. mWv 1.4.2005 durch G v. 23.3.2005 (BGBl. I S. 931); Abs. 1 Satz 1, Abs. 2 (nicht ausführbar) geänd. mWv 1.8.2024 durch G v. 19.7.2024 (BGBl. 2024 I Nr. 246).

[5)] Gemäß Art. 4 Nr. 14 Buchst. b G v. 19.7.2024 (BGBl. 2024 I Nr. 246) sollen in § 39a Abs. 2 mWv 1.8.2024 die Wörter „§ 31 Abs. 3 und 4 sowie §§ 33 bis 35a und 38" durch die Wörter „§ 31 Absatz 3 und 4 sowie die §§ 33 bis 35b und 38" ersetzt werden.

§ 40[1)] **[Gleichstellung von Prüfungszeugnissen]** (1) Das Bundesministerium für Wirtschaft und Klimaschutz kann im Einvernehmen mit dem Bundesministerium für Bildung und Forschung nach Anhörung des Hauptausschusses des Bundesinstituts für Berufsbildung durch Rechtsverordnung außerhalb des Anwendungsbereichs dieses Gesetzes erworbene Prüfungszeugnisse den entsprechenden Zeugnissen über das Bestehen der Gesellenprüfung gleichstellen, wenn die Berufsausbildung und die in der Prüfung nachzuweisenden beruflichen Fertigkeiten, Kenntnisse und Fähigkeiten gleichwertig sind.

(2) Das Bundesministerium für Wirtschaft und Klimaschutz kann im Einvernehmen mit dem Bundesministerium für Bildung und Forschung nach Anhörung des Hauptausschusses des Bundesinstituts für Berufsbildung durch Rechtsverordnung im Ausland erworbene Prüfungszeugnisse den entsprechenden Zeugnissen über das Bestehen der Gesellenprüfung gleichstellen, wenn die in der Prüfung nachzuweisenden beruflichen Fertigkeiten, Kenntnisse und Fähigkeiten gleichwertig sind.

§ 40a[2)] **[Ausländische Ausbildungsnachweise]** [1] Ausländische Ausbildungsnachweise stehen der Gesellenprüfung im Sinne dieses Gesetzes und der auf ihm beruhenden Rechtsverordnungen gleich, wenn ihre Gleichwertigkeit festgestellt wurde. [2] § 50c Absatz 4 gilt entsprechend. [3] Die Vorschriften des Berufsqualifikationsfeststellungsgesetzes[3)] für nicht reglementierte Berufe sowie § 17 sind anzuwenden.

Fünfter Abschnitt. Regelung und Überwachung der Berufsausbildung

§ 41 [Regelung der Berufsausbildung] Soweit Vorschriften nicht bestehen, regelt die Handwerkskammer die Durchführung der Berufsausbildung im Rahmen der gesetzlichen Vorschriften.

§ 41a[4)] **[Überwachung der Berufsausbildung]** (1) [1] Die Handwerkskammer überwacht die Durchführung

1. der Berufsausbildungsvorbereitung,
2. der Berufsausbildung und
3. der beruflichen Umschulung

und fördert diese durch Beratung der an der Berufsbildung beteiligten Personen. [2] Sie hat zu diesem Zweck Berater zu bestellen. [3] § 111 ist anzuwenden. [4] Die Bestellung von Beratern und Beraterinnen ist hauptberuflich, nebenberuflich oder ehrenamtlich möglich. [5] Erfolgt die Bestellung ehrenamtlich, gilt § 34 Absatz 9 entsprechend.

(2) Ausbildende, Umschulende und Anbieter von Maßnahmen der Berufsausbildungsvorbereitung sind auf Verlangen verpflichtet, die für die Über-

---

[1)] § 40 neu gef. mWv 1.4.2005 durch G v. 23.3.2005 (BGBl. I S. 931); Abs. 1 und 2 geänd. mWv 8.11.2006 durch VO v. 31.10.2006 (BGBl. I S. 2407); Abs. 1 und 2 geänd. mWv 8.9.2015 durch VO v. 31.8.2015 (BGBl. I S. 1474); Abs. 1 und 2 geänd. mWv 16.11.2022 durch G v. 9.11.2022 (BGBl. I S. 2009).

[2)] § 40a eingef. mWv 1.4.2012 durch G v. 6.12.2011 (BGBl. I S. 2515); Satz 2 geänd. mWv 1.7.2021 durch G v. 9.6.2021 (BGBl. I S. 1654).

[3)] **beck-online, Module Arbeitsrecht Nr. 415b.**

[4)] § 41a neu gef. mWv 1.4.2005 durch G v. 23.3.2005 (BGBl. I S. 931); Abs. 3 Satz 2 geänd. mWv 1.1.2020 durch G v. 12.12.2019 (BGBl. I S. 2522); Abs. 1 Sätze 4 und 5 angef. mWv 1.8.2024 durch G v. 19.7.2024 (BGBl. 2024 I Nr. 246).

wachung notwendigen Auskünfte zu erteilen und Unterlagen vorzulegen sowie die Besichtigung der Ausbildungsstätten zu gestatten.

(3) [1] Die Durchführung von Auslandsaufenthalten nach § 2 Abs. 3 des Berufsbildungsgesetzes[1)] überwacht und fördert die Handwerkskammer in geeigneter Weise. [2] Beträgt die Dauer eines Ausbildungsabschnitts im Ausland mehr als acht Wochen, ist hierfür ein mit der Handwerkskammer abgestimmter Plan erforderlich.

(4) Die Handwerkskammer teilt der Aufsichtsbehörde nach dem Jugendarbeitsschutzgesetz[2)] Wahrnehmungen mit, die für die Durchführung des Jugendarbeitsschutzgesetzes von Bedeutung sein können.

Sechster Abschnitt.[3)] Feststellung und Bescheinigung der individuellen beruflichen Handlungsfähigkeit am Maßstab eines anerkannten Ausbildungsberufs

§ 41b[3)] [Feststellungs- oder Ergänzungsverfahren; Bescheinigung der individuellen beruflichen Handlungsfähigkeit] (1) Die Handwerkskammer stellt auf Antrag die individuelle berufliche Handlungsfähigkeit des Antragstellers oder der Antragstellerin am Maßstab eines vom Antragsteller oder von der Antragstellerin zu bezeichnenden anerkannten Ausbildungsberufs (Referenzberuf) in einem Feststellungs- oder Ergänzungsverfahren fest und bescheinigt die individuelle berufliche Handlungsfähigkeit, wenn diese überwiegend oder vollständig mit der für die Ausübung des Referenzberufs erforderlichen beruflichen Handlungsfähigkeit vergleichbar ist.

(2) Antragsberechtigt ist, wer

1. seinen Wohnsitz in Deutschland hat oder die notwendige Berufstätigkeit nach Absatz 3 Satz 1 Nummer 1 mindestens zur Hälfte im Inland absolviert hat und
2. in dem Referenzberuf keinen Berufsabschluss hat und für wessen Berufsabschluss keine Gleichwertigkeit nach dem Berufsqualifikationsfeststellungsgesetz[4)] festgestellt worden ist,
3. nicht in einem Berufsausbildungsverhältnis im Referenzberuf steht sowie
4. das 25. Lebensjahr vollendet hat.

(3) [1] Zum Feststellungsverfahren ist per Bescheid zuzulassen, wer

1. nachweist, mindestens das Eineinhalbfache der Zeit, die als Ausbildungsdauer für den Referenzberuf vorgeschrieben ist, in dem Referenzberuf tätig gewesen zu sein, und
2. glaubhaft macht, bei seiner Tätigkeit nach Nummer 1 oder in sonstiger Weise eine berufliche Handlungsfähigkeit erworben zu haben, die derjenigen, die für die Ausübung des Referenzberufs erforderlich ist, überwiegend oder vollständig vergleichbar ist.

[2] § 37 Absatz 2 Satz 2 bis 4 ist entsprechend mit der Maßgabe anzuwenden, dass, falls ein Berufsausbildungsverhältnis im Referenzberuf bestand und die

[1)] Nr. **415**.
[2)] Nr. **420**.
[3)] Sechster Abschnitt (§§ 41b–41e) eingef. mWv 1.8.2024 durch G v. 19.7.2024 (BGBl. 2024 I Nr. 246).
[4)] **beck-online, Module Arbeitsrecht Nr. 415b.**

Gesellenprüfung nicht bestanden wurde, die Dauer der Berufsausbildung bis höchstens zur Hälfte der festgelegten Ausbildungsdauer berücksichtigt werden kann. [3] Gelingt dem Antragsteller oder der Antragstellerin der Nachweis nach Satz 1 Nummer 1 oder die Glaubhaftmachung nach Satz 1 Nummer 2 aus von ihm oder ihr selbst nicht zu vertretenden Gründen nicht oder nur teilweise, kann insoweit die Abgabe einer eidesstattlichen Versicherung gefordert werden.

(4) Richtet sich der Antrag auf die Feststellung der überwiegenden Vergleichbarkeit, ist Absatz 3 Satz 1 Nummer 1 mit der Maßgabe entsprechend anzuwenden, dass eine Tätigkeit im Tätigkeitsbereich des Referenzberufs genügt, die die im Antrag bezeichneten für die Ausübung des Referenzberufs erforderlichen Fertigkeiten, Kenntnisse und Fähigkeiten umfasst.

(5) [1] Wer bereits ein Feststellungsverfahren nach diesem Abschnitt durchlaufen hat, in dem die überwiegende, aber nicht vollständige Vergleichbarkeit mit der für die Ausübung des Referenzberufs erforderlichen beruflichen Handlungsfähigkeit festgestellt und bescheinigt worden ist, hat Anspruch auf Durchführung eines Ergänzungsverfahrens, wenn er glaubhaft macht, dass er den Teil der beruflichen Handlungsfähigkeit, der für eine vollständige Vergleichbarkeit gefehlt hat, nach der Zulassung zum Feststellungsverfahren erworben hat. [2] Absatz 3 Satz 3 ist mit der Maßgabe anzuwenden, dass es eines erneuten Nachweises nach Absatz 3 Satz 1 Nummer 1 nicht bedarf. [3] Das Ergänzungsverfahren beschränkt sich auf diesen Teil der beruflichen Handlungsfähigkeit. [4] Wird die vollständige Vergleichbarkeit im Ergänzungsverfahren festgestellt, so bescheinigt die Handwerkskammer die vollständige Vergleichbarkeit.

§ 41c[1)] [Feststellungstandem] (1) [1] Für die Durchführung des Feststellungsverfahrens oder des Ergänzungsverfahrens bestimmt die Handwerkskammer aus dem Kreis der Personen, die sie oder eine von ihr nach § 33 Absatz 1 Satz 3 zur Errichtung von Prüfungsausschüssen ermächtigte Handwerksinnung für die Durchführung von Prüfungen im Referenzberuf nach § 34 Absatz 2, 5 und 7 berufen hat, Feststellungstandems nach Satz 2 für mindestens ein Jahr und höchstens für die Dauer der Berufungsperiode. [2] Ein Feststellungstandem besteht aus je einem oder einer Beauftragten der Arbeitgeber- und der Arbeitnehmerseite. [3] Von der Besetzung mit jeweils einem oder einer Beauftragten der Arbeitgeber- und der Arbeitnehmerseite darf nur abgewichen werden, wenn andernfalls nicht die erforderliche Zahl an Personen bestimmt werden kann. [4] Abwechselnd führt eine Person des Feststellungstandems die Feststellung der individuellen beruflichen Handlungsfähigkeit durch (Feststeller oder Feststellerin) und die andere Person sitzt der Durchführung der Feststellung bei (Beisitzer oder Beisitzerin). [5] Die Handwerkskammer bestimmt durch Los, wer je Feststellungstandem die erste Feststellung durchführt. [6] § 34 Absatz 2 Satz 3, Absatz 6 Satz 1, Absatz 7, 9 und 9a ist entsprechend anzuwenden. [7] Mit Zustimmung der Mitglieder eines Feststellungstandems kann die Handwerkskammer abweichend von Satz 4 zweiter Halbsatz vorsehen, dass den Feststellungen anstelle des jeweils zweiten Mitglieds des Feststellungstandems hauptamtliche Mitarbeitende der Handwerkskammer oder Arbeitnehmer und Arbeitnehmerinnen der von der Handwerkskammer beherrschten Tochterunternehmen beisitzen, die die Voraussetzungen des § 34 Absatz 1 Satz 2 erfüllen. [8] Satz 6 gilt für diese Personen nicht.

---

1) Sechster Abschnitt (§§ 41b–41e) eingef. mWv 1.8.2024 durch G v. 19.7.2024 (BGBl. 2024 I Nr. 246).

(2) [1]Der Feststeller oder die Feststellerin hat für die Feststellung geeignete Instrumente auszuwählen. [2]Zu diesen Instrumenten gehören insbesondere mündliche und praktische Aufgaben sowie die Einbeziehung von Arbeitsergebnissen aus dem Tätigkeitsbereich des Referenzberufs in den beiden letzten Jahren vor Antragstellung. [3]Auf schriftliche Aufgaben ist zu verzichten, wenn die Feststellung mittels anderer Instrumente mit vertretbarem Aufwand möglich ist.

(3) [1]Bei einer überwiegenden Vergleichbarkeit weist der Bescheid zusätzlich die festgestellten und die nicht festgestellten Fertigkeiten, Kenntnisse und Fähigkeiten der für die Ausübung des Referenzberufs erforderlichen beruflichen Handlungsfähigkeit aus. [2]Bei einer vollständigen Vergleichbarkeit stellt der Bescheid in der Form eines schriftlichen Zeugnisses die vollständige Vergleichbarkeit der beruflichen Handlungsfähigkeit des Antragstellers oder der Antragstellerin mit der für die Ausübung des Referenzberufs erforderlichen beruflichen Handlungsfähigkeit fest. [3]§ 31 Absatz 3 Satz 1 gilt entsprechend. [4]Kann der Antragsteller oder die Antragstellerin weder die vollständige noch die überwiegende Vergleichbarkeit seiner oder ihrer individuellen beruflichen Handlungsfähigkeit mit der für den Referenzberuf erforderlichen beruflichen Handlungsfähigkeit im Rahmen des Feststellungsverfahrens nach diesem Abschnitt nachweisen, wird der Antrag auf Feststellung abgelehnt.

(4) [1]Die Handwerkskammer hat Regelungen für das Verfahren zur Feststellung und Bescheinigung der individuell erworbenen beruflichen Handlungsfähigkeit zu erlassen. [2]Diese Regelungen bedürfen der Genehmigung der zuständigen obersten Landesbehörde. [3]Die Regelungen müssen umfassen:

1. den Ausschluss von der Mitwirkung,
2. die Verschwiegenheit,
3. die Nichtöffentlichkeit,
4. die Frist für die Ladung zum Feststellungstermin,
5. die Niederschrift, soweit diese über die Dokumentation nach § 41e Nummer 2 hinausgeht,
6. die Fristen für die Bescheide beziehungsweise für die Zeugniserteilung,
7. die Ausweispflicht und Belehrungen, insbesondere über den Ablauf des Verfahrens, die zur Verfügung stehende Zeit und die erlaubten Arbeits- und Hilfsmittel,
8. die Folgen von Täuschungshandlungen und Ordnungsverstößen sowie
9. den Rücktritt vom Feststellungsverfahren und die Nichtteilnahme am Feststellungsverfahren.

[4]§ 38 Absatz 3 gilt entsprechend.

§ 41d[1)] [Regelungen für Menschen mit Behinderungen] (1) Für Menschen mit Behinderungen nach § 2 Absatz 1 Satz 1 des Neunten Buches Sozialgesetzbuch[2)], für die auf Grund von Art und Schwere der Behinderung die Feststellung der überwiegenden oder vollständigen, für die Ausübung des Referenzberufs erforderlichen beruflichen Handlungsfähigkeit nicht möglich ist, sind die §§ 41b und 41c mit der Maßgabe anzuwenden, dass

---

[1)] Sechster Abschnitt (§§ 41b–41e) eingef. mWv 1.8.2024 durch G v. 19.7.2024 (BGBl. 2024 I Nr. 246).
[2)] Nr. **440**.

1. eine individuelle berufliche Handlungsfähigkeit am Maßstab eines Referenzberufs auch dann festgestellt und bescheinigt wird, wenn diese nicht überwiegend oder vollständig, sondern nur teilweise vergleichbar ist mit der für die Ausübung des Referenzberufs erforderlichen beruflichen Handlungsfähigkeit; in diesen Fällen weist der Bescheid eine teilweise Vergleichbarkeit aus; § 41c Absatz 3 Satz 1 gilt entsprechend,
2. bei einem Antrag, der sich auf die Feststellung der teilweisen Vergleichbarkeit richtet,
   a) für § 41b Absatz 3 Satz 1 Nummer 1 eine Tätigkeit im Tätigkeitsbereich des Referenzberufs genügt, die die im Antrag bezeichneten, für die Ausübung des Referenzberufs erforderlichen Fertigkeiten, Kenntnisse und Fähigkeiten umfasst,
   b) für § 41b Absatz 3 Satz 1 Nummer 2 sich die Glaubhaftmachung auf die im Antrag bezeichneten, für die Ausübung des Referenzberufs erforderlichen Fertigkeiten, Kenntnisse und Fähigkeiten beschränkt,
   c) der Bescheid nach § 41c Absatz 3 auf Antrag zusätzlich zur Vergleichbarkeit mit dem Referenzberuf auch eine überwiegende oder vollständige Vergleichbarkeit mit einer Referenzausbildungsregelung nach § 42r ausweist, sofern sich die Ausbildungsregelung am gewählten Referenzberuf orientiert und entsprechend einer berufsspezifischen Musterregelung des Hauptausschusses des Bundesinstituts für Berufsbildung getroffen wurde,
3. abweichend von § 41b Absatz 2 Nummer 4 antragsberechtigt auch ist, wer das 25. Lebensjahr noch nicht vollendet hat.

(2) Im Fall der teilweisen Vergleichbarkeit müssen die festgestellten, für die Ausübung des Referenzberufs erforderlichen Fertigkeiten, Kenntnisse und Fähigkeiten zusammen dem Referenzberuf eindeutig zugeordnet werden können und eine berufliche Tätigkeit im Tätigkeitsbereich des Referenzberufs ermöglichen.

(3) [1] Menschen mit Behinderungen können in ihrem Antrag eine Person als Verfahrensbegleitung benennen, die besonders mit den Belangen von Menschen mit Behinderungen im Rahmen der beruflichen Qualifizierung vertraut ist. [2] Dies sind insbesondere solche Ausbilder, die die Rehabilitationspädagogische Zusatzqualifikation erworben haben. [3] Auf Antrag des Antragstellers oder der Antragstellerin ist der Verfahrensbegleitung Gelegenheit zu geben,

1. zur Auswahl der Feststellungsinstrumente Stellung zu nehmen und
2. an der Durchführung der Feststellung teilzunehmen.

§ 41e[1)] [Ermächtigung] Als Grundlage für ein geordnetes und einheitliches Verfahren wird das Bundesministerium für Bildung und Forschung ermächtigt, im Einvernehmen mit dem Bundesministerium für Wirtschaft und Klimaschutz durch Rechtsverordnung, die nicht der Zustimmung des Bundesrates bedarf, insbesondere

1. die Voraussetzung und Maßstäbe, anhand derer die Durchführung des Feststellungs- und Ergänzungsverfahrens, insbesondere das Verfahren zur Festlegung der Feststellungsinstrumente einschließlich der Verpflichtung zur

---

1) Sechster Abschnitt (§§ 41b–41e) eingef. mWv 1.8.2024 durch G v. 19.7.2024 (BGBl. 2024 I Nr. 246).

gemeinsamen Festlegung von Feststellungsinstrumenten durch zuständige Stellen erfolgt,
2. das Verfahren zur Würdigung, Feststellung und Dokumentation der Leistungen des Antragstellers oder der Antragstellerin,
3. die Möglichkeit von Wiederholungsversuchen sowie
4. Maßgaben zur Ausgestaltung des Bescheids bei Feststellung der überwiegenden oder im Fall des § 41d Absatz 1 Nummer 1 teilweisen Vergleichbarkeit und des Zeugnisses bei Feststellung der vollständigen Vergleichbarkeit

zu regeln.

Siebenter Abschnitt.[1] Berufliche Fortbildung, berufliche Umschulung

§ 42[2] [Fortbildungsordnung] (1) Als Grundlage für eine einheitliche höherqualifizierende Berufsbildung kann das Bundesministerium für Bildung und Forschung im Einvernehmen mit dem Bundesministerium für Wirtschaft und Klimaschutz nach Anhörung des Hauptausschusses des Bundesinstituts für Berufsbildung durch Rechtsverordnung, die nicht der Zustimmung des Bundesrates bedarf, Abschlüsse der höherqualifizierenden Berufsbildung anerkennen und hierfür Prüfungsregelungen erlassen (Fortbildungsordnungen).

(2) Die Fortbildungsordnungen haben festzulegen:
1. die Bezeichnung des Fortbildungsabschlusses,
2. die Fortbildungsstufe,
3. das Ziel, den Inhalt und die Anforderungen der Prüfung,
4. die Zulassungsvoraussetzungen für die Prüfung und
5. das Prüfungsverfahren.

§ 42a[3] [Fortbildungsstufen höherqualifizierter Berufsbildung]

(1) Die Fortbildungsstufen der höherqualifizierenden Berufsbildung sind
1. als erste Fortbildungsstufe der Geprüfte Berufsspezialist und die Geprüfte Berufsspezialistin,
2. als zweite Fortbildungsstufe der Bachelor Professional und
3. als dritte Fortbildungsstufe der Master Professional.

(2) Jede Fortbildungsordnung, die eine höherqualifizierende Berufsbildung der ersten Fortbildungsstufe regelt, soll auf einen Abschluss der zweiten Fortbildungsstufe hinführen.

§ 42b[4] [Erste berufliche Fortbildungsstufe] (1) Den Fortbildungsabschluss des Geprüften Berufsspezialisten oder der Geprüften Berufsspezialistin erlangt, wer eine Prüfung der ersten beruflichen Fortbildungsstufe besteht.

(2) [1] In der Fortbildungsprüfung der ersten beruflichen Fortbildungsstufe wird festgestellt, ob der Prüfling

---

[1] Bish. Sechster Abschnitt wird Siebenter Abschnitt mWv 1.8.2024 durch G v. 19.7.2024 (BGBl. 2024 I Nr. 246).

[2] § 42 neu gef. durch G v. 12.12.2019 (BGBl. I S. 2522); Abs. 1 geänd. mWv 16.11.2022 durch G v. 9.11.2022 (BGBl. I S. 2009).

[3] §§ 42a–42d neu gef. mWv 1.1.2020 durch G v. 12.12.2019 (BGBl. I S. 2522).

[4] § 42b neu gef. mWv 1.1.2020 durch G v. 12.12.2019 (BGBl. I S. 2522); Abs. 3 neu gef. mWv 1.8.2024 durch G v. 19.7.2024 (BGBl. 2024 I Nr. 246).

1. die Fertigkeiten, Kenntnisse und Fähigkeiten, die er in der Regel im Rahmen der Berufsausbildung erworben hat, vertieft hat und
2. die in der Regel im Rahmen der Berufsausbildung erworbene berufliche Handlungsfähigkeit um neue Fertigkeiten, Kenntnisse und Fähigkeiten ergänzt hat.

[2]Der Lernumfang für den Erwerb dieser Fertigkeiten, Kenntnisse und Fähigkeiten soll mindestens 400 Stunden betragen.

(3) Als Voraussetzung zur Zulassung für eine Prüfung der ersten beruflichen Fortbildungsstufe ist als Regelzugang vorzusehen:

1. der Abschluss in einem anerkannten Ausbildungsberuf oder
2. das Zeugnis der vollständigen Vergleichbarkeit der individuellen beruflichen Handlungsfähigkeit mit der für die Ausübung eines Ausbildungsberufs erforderlichen beruflichen Handlungsfähigkeit nach § 1 Absatz 6 des Berufsbildungsgesetzes[1)].

(4) [1]Die Bezeichnung eines Fortbildungsabschlusses der ersten beruflichen Fortbildungsstufe beginnt mit den Wörtern „Geprüfter Berufsspezialist für" oder „Geprüfte Berufsspezialistin für". [2]Die Fortbildungsordnung kann vorsehen, dass dieser Abschlussbezeichnung eine weitere Abschlussbezeichnung vorangestellt wird. [3]Die Abschlussbezeichnung der ersten beruflichen Fortbildungsstufe darf nur führen, wer

1. die Prüfung der ersten beruflichen Fortbildungsstufe bestanden hat oder
2. die Prüfung einer gleichwertigen beruflichen Fortbildung auf der Grundlage bundes- oder landesrechtlicher Regelungen, die diese Abschlussbezeichnung vorsehen, bestanden hat.

§ 42c[2)] [Zweite berufliche Fortbildungsstufe] (1) Den Fortbildungsabschluss Bachelor Professional erlangt, wer eine Prüfung der zweiten beruflichen Fortbildungsstufe erfolgreich besteht.

(2) [1]In der Fortbildungsprüfung der zweiten beruflichen Fortbildungsstufe wird festgestellt, ob der Prüfling in der Lage ist, Fach- und Führungsfunktionen zu übernehmen, in denen zu verantwortende Leitungsprozesse von Organisationen eigenständig gesteuert werden, eigenständig ausgeführt werden und dafür Mitarbeiter und Mitarbeiterinnen geführt werden. [2]Der Lernumfang für den Erwerb dieser Fertigkeiten, Kenntnisse und Fähigkeiten soll mindestens 1 200 Stunden betragen.

(3) Als Voraussetzung zur Zulassung für eine Prüfung der zweiten beruflichen Fortbildungsstufe ist als Regelzugang vorzusehen:

1. der Abschluss in einem anerkannten Ausbildungsberuf,
2. das Zeugnis der vollständigen Vergleichbarkeit der individuellen beruflichen Handlungsfähigkeit mit der für die Ausübung eines Ausbildungsberufs erforderlichen beruflichen Handlungsfähigkeit nach § 1 Absatz 6 des Berufsbildungsgesetzes[1)] oder
3. ein Abschluss der ersten beruflichen Fortbildungsstufe.

[1)] Nr. **415**.

[2)] § 42c neu gef. mWv 1.1.2020 durch G v. 12.12.2019 (BGBl. I S. 2522); Abs. 3 Nr. 1 geänd., Nr. 2 eingef., bish. Nr. 2 wird Nr. 3 mWv 1.8.2024 durch G v. 19.7.2024 (BGBl. 2024 I Nr. 246).

(4) [1]Die Bezeichnung eines Fortbildungsabschlusses der zweiten beruflichen Fortbildungsstufe beginnt mit den Wörtern „Bachelor Professional in". [2]Die Fortbildungsordnung kann vorsehen, dass dieser Abschlussbezeichnung eine weitere Abschlussbezeichnung vorangestellt wird. [3]Die Abschlussbezeichnung der zweiten beruflichen Fortbildungsstufe darf nur führen, wer

1. die Prüfung der zweiten beruflichen Fortbildungsstufe bestanden hat oder
2. die Prüfung einer gleichwertigen beruflichen Fortbildung auf der Grundlage bundes- oder landesrechtlicher Regelungen, die diese Abschlussbezeichnung vorsehen, bestanden hat.

[4]Die §§ 51 und 51d bleiben unberührt.

§ 42d[1)] [Fortbildungsabschluss Master Professional] (1) Den Fortbildungsabschluss Master Professional erlangt, wer die Prüfung der dritten beruflichen Fortbildungsstufe besteht.

(2) [1]In der Fortbildungsprüfung der dritten beruflichen Fortbildungsstufe wird festgestellt, ob der Prüfling

1. die Fertigkeiten, Kenntnisse und Fähigkeiten, die er in der Regel mit der Vorbereitung auf eine Fortbildungsprüfung der zweiten Fortbildungsstufe erworben hat, vertieft hat und
2. neue Fertigkeiten, Kenntnisse und Fähigkeiten erworben hat, die erforderlich sind für die verantwortliche Führung von Organisationen oder zur Bearbeitung von neuen, komplexen Aufgaben- und Problemstellungen wie der Entwicklung von Verfahren und Produkten.

[2]Der Lernumfang für den Erwerb dieser Fertigkeiten, Kenntnisse und Fähigkeiten soll mindestens 1 600 Stunden betragen.

(3) Als Voraussetzung zur Zulassung für eine Prüfung der dritten beruflichen Fortbildungsstufe ist als Regelzugang ein Abschluss auf der zweiten beruflichen Fortbildungsstufe oder eine bestandene Meisterprüfung vorzusehen.

(4) [1]Die Bezeichnung eines Fortbildungsabschlusses der dritten beruflichen Fortbildungsstufe beginnt mit den Wörtern „Master Professional in". [2]Die Fortbildungsordnung kann vorsehen, dass dieser Abschlussbezeichnung eine weitere Abschlussbezeichnung vorangestellt wird. [3]Die Abschlussbezeichnung der dritten beruflichen Fortbildungsstufe darf führen, wer

1. die Prüfung der dritten beruflichen Fortbildungsstufe bestanden hat oder
2. die Prüfung einer gleichwertigen beruflichen Fortbildung auf der Grundlage bundes- oder landesrechtlicher Regelungen, die diese Abschlussbezeichnung vorsehen, bestanden hat.

§ 42e[2)] [Einheitliche Anpassungsfortbildung] (1) Als Grundlage für eine einheitliche Anpassungsfortbildung kann das Bundesministerium für Bildung und Forschung im Einvernehmen mit dem Bundesministerium für Wirtschaft und Klimaschutz nach Anhörung des Hauptausschusses des Bundesinstituts für Berufsbildung durch Rechtsverordnung, die nicht der Zustimmung des Bun-

[1)] §§ 42a–42d neu gef. mWv 1.1.2020 durch G v. 12.12.2019 (BGBl. I S. 2522).

[2)] § 42e eingef. mWv 1.1.2020 durch G v. 12.12.2019 (BGBl. I S. 2522); Abs. 1 geänd. mWv 16.11.2022 durch G v. 9.11.2022 (BGBl. I S. 2009).

desrates bedarf, Fortbildungsabschlüsse anerkennen und hierfür Prüfungsregelungen erlassen (Anpassungsfortbildungsordnungen).

(2) Die Anpassungsfortbildungsordnungen haben festzulegen:

1. die Bezeichnung des Fortbildungsabschlusses,
2. das Ziel, den Inhalt und die Anforderungen der Prüfung,
3. die Zulassungsvoraussetzungen und
4. das Prüfungsverfahren.

§ 42f[1] **[Fortbildungsprüfungsregelungen]** (1) Sofern für einen Fortbildungsabschluss weder eine Fortbildungsordnung noch eine Anpassungsfortbildungsordnung erlassen worden ist, kann die Handwerkskammer Fortbildungsprüfungsregelungen erlassen.

(2) Die Fortbildungsprüfungsregelungen haben festzulegen:

1. die Bezeichnung des Fortbildungsabschlusses,
2. das Ziel, den Inhalt und die Anforderungen der Prüfungen,
3. die Zulassungsvoraussetzungen für die Prüfung und
4. das Prüfungsverfahren.

(3) [1] Bestätigt die zuständige oberste Landesbehörde,

1. dass die Fortbildungsprüfungsregelungen die Voraussetzungen des § 42b Absatz 2 und 3 sowie des § 42a Absatz 2 erfüllen, so beginnt die Bezeichnung des Fortbildungsabschlusses mit den Wörtern „Geprüfter Berufsspezialist für" oder „Geprüfte Berufsspezialistin für",
2. dass die Fortbildungsprüfungsregelungen die Voraussetzungen des § 42c Absatz 2 und 3 erfüllen, so beginnt die Bezeichnung des Fortbildungsabschlusses mit den Wörtern „Bachelor Professional in",
3. dass die Fortbildungsprüfungsregelungen die Voraussetzungen des § 42d Absatz 2 und 3 erfüllen, so beginnt die Bezeichnung des Fortbildungsabschlusses mit den Wörtern „Master Professional in".

[2] Der Abschlussbezeichnung nach Satz 1 ist in Klammern ein Zusatz beizufügen, aus dem sich zweifelsfrei die Handwerkskammer ergibt, die die Fortbildungsprüfungsregelungen erlassen hat. [3] Die Fortbildungsprüfungsregelungen können vorsehen, dass dieser Abschlussbezeichnung eine weitere Abschlussbezeichnung vorangestellt wird. [4] Ist für die Bestätigung nach Satz 1 ein Gutachten erforderlich, wird dieses auf Antrag und auf Kosten der Handwerkskammer vom Bundesinstitut für Berufsbildung nach § 90 Absatz 4 Satz 2 des Berufsbildungsgesetzes[2] erstellt.

(4) [1] Eine Abschlussbezeichnung, die in einer von der zuständigen obersten Landesbehörde bestätigten Fortbildungsprüfungsregelung enthalten ist, darf nur führen, wer die Prüfung bestanden hat. [2] § 42c Absatz 4 Satz 2 und 3 sowie § 42d Absatz 4 Satz 2 und 3 bleiben unberührt.

§ 42g[3] **[Auslandserfahrung]** Sofern Fortbildungsordnungen, Anpassungsfortbildungsordnungen oder Fortbildungsprüfungsregelungen nach § 42f Zu-

---

[1] § 42f eingef. mWv 1.1.2020 durch G v. 12.12.2019 (BGBl. I S. 2522); Abs. 3 Satz 4 angef. mWv *1.8.2024 durch G v. 19.7.2024 (BGBl. 2024 I Nr. 246).*

[2] Nr. **415**.

[3] §§ 42f–42i eingef. mWv 1.1.2020 durch G v. 12.12.2019 (BGBl. I S. 2522).

lassungsvoraussetzungen zu Prüfungen vorsehen, sind ausländische Bildungsabschlüsse und Zeiten der Berufstätigkeit im Ausland zu berücksichtigen.

§ 42h[1] **[Prüfungsausschüsse]** (1) [1] Für die Durchführung von Prüfungen im Bereich der beruflichen Fortbildung errichtet die Handwerkskammer Prüfungsausschüsse. [2] § 31 Absatz 2 Satz 1 und Absatz 3 Satz 1 sowie § 33 Absatz 1 Satz 2, Absatz 3 und 4 und die §§ 34 bis 35a Absatz 1 bis 5 sowie die §§ 35b, 37a und 38 sind entsprechend anzuwenden.

(2) Der Prüfling ist auf Antrag von der Ablegung einzelner Prüfungsbestandteile durch die Handwerkskammer zu befreien, wenn

1. er eine andere vergleichbare Prüfung vor einer öffentlichen oder einer staatlich anerkannten Bildungseinrichtung oder vor einem staatlichen Prüfungsausschuss erfolgreich abgelegt hat und
2. die Anmeldung zur Fortbildungsprüfung innerhalb von zehn Jahren nach der Bekanntgabe des Bestehens der Prüfung erfolgt.

§ 42i[2] **[Gleichstellung ausländischer Bildungsabschlüsse]** Das Bundesministerium für Wirtschaft und Klimaschutz kann im Einvernehmen mit dem Bundesministerium für Bildung und Forschung nach Anhörung des Hauptausschusses des Bundesinstituts für Berufsbildung durch Rechtsverordnung Prüfungszeugnisse, die außerhalb des Anwendungsbereichs dieses Gesetzes oder im Ausland erworben worden sind, den entsprechenden Zeugnissen über das Bestehen einer Fortbildungsprüfung auf der Grundlage der §§ 42b bis 42f gleichstellen, wenn die in der Prüfung nachzuweisenden beruflichen Fertigkeiten, Kenntnisse und Fähigkeiten gleichwertig sind.

§ 42j[3] **[Berufliche Umschulung]** Als Grundlage für eine geordnete und einheitliche berufliche Umschulung kann das Bundesministerium für Bildung und Forschung im Einvernehmen mit dem Bundesministerium für Wirtschaft und Klimaschutz nach Anhörung des Hauptausschusses des Bundesinstituts für Berufsbildung durch Rechtsverordnung, die nicht der Zustimmung des Bundesrates bedarf,

1. die Bezeichnung des Umschulungsabschlusses,
2. das Ziel, den Inhalt, die Art und Dauer der Umschulung,
3. die Anforderungen der Umschulungsprüfung und ihre Zulassungsvoraussetzungen sowie
4. das Prüfungsverfahren der Umschulung

unter Berücksichtigung der besonderen Erfordernisse der beruflichen Erwachsenenbildung bestimmen (Umschulungsordnung).

---

[1] § 42h eingef. mWv 1.1.2020 durch G v. 12.12.2019 (BGBl. I S. 2522); Abs. 1 Satz 2 geänd. mWv 1.8.2024 durch G v. 19.7.2024 (BGBl. 2024 I Nr. 246).

[2] § 42i eingef. mWv 1.1.2020 durch G v. 12.12.2019 (BGBl. I S. 2522); geänd. mWv 16.11.2022 durch G v. 9.11.2022 (BGBl. I S. 2009).

[3] Früherer § 42e neu gef. mWv 1.4.2005 durch G v. 23.3.2005 (BGBl. I S. 931); geänd. mWv 8.11.2006 durch VO v. 31.10.2006 (BGBl. I S. 2407); geänd. mWv 8.9.2015 durch VO v. 31.8.2015 (BGBl. I S. 1474); bish. § 42e wird § 42j mWv 1.1.2020 durch G v. 12.12.2019 (BGBl. I S. 2522); § 42j geänd. mWv 16.11.2022 durch G v. 9.11.2022 (BGBl. I S. 2009).

§ 42k[1)] [Umschulungsprüfungsregelungen] [1] Soweit Rechtsverordnungen nach § 42j nicht erlassen sind, kann die Handwerkskammer Umschulungsprüfungsregelungen erlassen. [2] Die Handwerkskammer regelt die Bezeichnung des Umschulungsabschlusses, Ziel, Inhalt und Anforderungen der Prüfungen, ihre Zulassungsvoraussetzungen sowie das Prüfungsverfahren unter Berücksichtigung der besonderen Erfordernisse beruflicher Erwachsenenbildung.

§ 42l[2)] [Umschulung für einen anerkannten Ausbildungsberuf] [1] Sofern sich die Umschulungsordnung (§ 42j) oder eine Regelung der Handwerkskammer (§ 42k) auf die Umschulung für einen anerkannten Ausbildungsberuf (Gewerbe der Anlage A oder der Anlage B) richtet, sind das Ausbildungsberufsbild (§ 26 Absatz 1 Satz 1 Nummer 3), der Ausbildungsrahmenplan (§ 26 Absatz 1 Satz 1 Nummer 4) und die Prüfungsanforderungen (§ 26 Absatz 1 Satz 1 Nummer 5) zugrunde zu legen. [2] Die §§ 21 bis 24 gelten entsprechend.

§ 42m[3)] [Berücksichtigung ausländischer Bildungsabschlüsse] Sofern die Umschulungsordnung (§ 42j) oder eine Regelung der Handwerkskammer (§ 42k) Zulassungsvoraussetzungen vorsieht, sind ausländische Bildungsabschlüsse und Zeiten der Berufstätigkeit im Ausland zu berücksichtigen.

§ 42n[4)] [Berufliche Umschulung] (1) Maßnahmen der beruflichen Umschulung müssen nach Inhalt, Art, Ziel und Dauer den besonderen Erfordernissen der beruflichen Erwachsenenbildung entsprechen.

(2) [1] Der Umschulende hat die Durchführung der beruflichen Umschulung unverzüglich vor Beginn der Maßnahme der Handwerkskammer schriftlich oder elektronisch anzuzeigen. [2] Die Anzeigepflicht erstreckt sich auf den wesentlichen Inhalt des Umschulungsverhältnisses. [3] Bei Abschluss eines Umschulungsvertrages ist eine Kopie des Umschulungsvertrages beizufügen.

(3) [1] Für die Durchführung von Prüfungen im Bereich der beruflichen Umschulung errichtet die Handwerkskammer Prüfungsausschüsse. [2] § 31 Abs. 2 und 3 sowie § 33 Absatz 3 und die §§ 34 bis 35b, 37a und 38 gelten entsprechend.

(4) Der Prüfling ist auf Antrag von der Ablegung einzelner Prüfungsbestandteile durch die Handwerkskammer zu befreien, wenn er eine andere vergleichbare Prüfung vor einer öffentlichen oder staatlich anerkannten Bildungseinrichtung oder vor einem staatlichen Prüfungsausschuss erfolgreich abgelegt hat und die Anmeldung zur Umschulungsprüfung innerhalb von zehn Jahren nach der Bekanntgabe des Bestehens der anderen Prüfung erfolgt.

---

1) § 42k als § 42f eingef. mWv 1.4.2005 durch G v. 23.3.2005 (BGBl. I S. 931); bish. § 42f wird § 42k und Satz 1 geänd. mWv 1.1.2020 durch G v. 12.12.2019 (BGBl. I S. 2522).

2) § 42l als § 42g eingef. mWv 1.4.2005 durch G v. 23.3.2005 (BGBl. I S. 931); bish. § 42g wird § 42l und Satz 1 geänd. mWv 1.1.2020 durch G v. 12.12.2019 (BGBl. I S. 2522); Satz 1 geänd. mWv 1.8.2024 durch G v. 19.7.2024 (BGBl. 2024 I Nr. 246).

3) § 42m als § 42h eingef. mWv 1.4.2005 durch G v. 23.3.2005 (BGBl. I S. 931); bish. § 42h wird § 42m und geänd. mWv 1.1.2020 durch G v. 12.12.2019 (BGBl. I S. 2522).

4) § 42n als § 42i eingef. mWv 1.4.2005 durch G v. 23.3.2005 (BGBl. I S. 931); bish. § 42i wird § 42n und Abs. 3 Satz 2 und Abs. 4 geänd. mWv 1.1.2020 durch G v. 12.12.2019 (BGBl. I S. 2522); Abs. 2 Sätze 1 und 3 sowie Abs. 3 Satz 2 geänd. mWv 1.8.2024 durch G v. 19.7.2024 (BGBl. 2024 I Nr. 246).

§ 42o[1)] [Gleichwertige Prüfungszeugnisse] Das Bundesministerium für Wirtschaft und Klimaschutz kann im Einvernehmen mit dem Bundesministerium für Bildung und Forschung nach Anhörung des Hauptausschusses des Bundesinstituts für Berufsbildung durch Rechtsverordnung außerhalb des Anwendungsbereichs dieses Gesetzes oder im Ausland erworbene Prüfungszeugnisse den entsprechenden Zeugnissen über das Bestehen einer Umschulungsprüfung auf der Grundlage der §§ 42j und 42k gleichstellen, wenn die in der Prüfung nachzuweisenden beruflichen Fertigkeiten, Kenntnisse und Fähigkeiten gleichwertig sind.

Achter Abschnitt.[2)] Berufliche Bildung behinderter Menschen, Berufsausbildungsvorbereitung

§ 42p[3)] [Ausbildung] Behinderte Menschen (§ 2 Abs. 1 Satz 1 des Neunten Buches Sozialgesetzbuch[4)]) sollen in anerkannten Ausbildungsberufen ausgebildet werden.

§ 42q[5)] [Behindertengerechte Regelung der Ausbildung] (1) [1] Regelungen nach den §§ 38 und 41 sollen die besonderen Verhältnisse behinderter Menschen berücksichtigen. [2] Dies gilt insbesondere für die zeitliche und sachliche Gliederung der Ausbildung, die Dauer von Prüfungszeiten, die Zulassung von Hilfsmitteln und die Inanspruchnahme von Hilfeleistungen Dritter, wie Gebärdendolmetscher für hörbehinderte Menschen.

(2) [1] Der Berufsausbildungsvertrag mit einem behinderten Menschen ist in die Lehrlingsrolle (§ 28) einzutragen. [2] Der behinderte Mensch ist zur Gesellenprüfung auch zuzulassen, wenn die Voraussetzungen des § 36 Abs. 1 Nr. 2 und 3 nicht vorliegen.

§ 42r[6)] [Ausbildungsregelungen] (1) [1] Für behinderte Menschen, für die wegen Art und Schwere ihrer Behinderung eine Ausbildung in einem anerkannten Ausbildungsberuf nicht in Betracht kommt, trifft die Handwerkskammer auf Antrag der behinderten Menschen oder ihrer gesetzlichen Vertreter Ausbildungsregelungen entsprechend den Empfehlungen des Hauptausschusses des Bundesinstituts für Berufsbildung. [2] Die Ausbildungsinhalte sollen unter Berücksichtigung von Lage und Entwicklung des allgemeinen Arbeitsmarktes aus den Inhalten anerkannter Ausbildungsberufe entwickelt werden. [3] Im Antrag nach Satz 1 ist eine Ausbildungsmöglichkeit in dem angestrebten Ausbildungsgang nachzuweisen.

[1)] § 42o als § 42j eingef. mWv 1.4.2005 durch G v. 23.3.2005 (BGBl. I S. 931); geänd. mWv 8.11.2006 durch VO v. 31.10.2006 (BGBl. I S. 2407); geänd. mWv 8.9.2015 durch VO v. 31.8.2015 (BGBl. I S. 1474); bish. § 42j wird § 42o und geänd. mWv 1.1.2020 durch G v. 12.12.2019 (BGBl. I S. 2522); § 42o geänd. mWv 16.11.2022 durch G v. 9.11.2022 (BGBl. I S. 2009).

[2)] Früherer Siebenter Abschnitt Überschrift geänd. mWv 1.4.2005 durch G v. 23.3.2005 (BGBl. I S. 931); bish. Siebenter Abschnitt wird Achter Abschnitt mWv 1.8.2024 durch G v. 19.7.2024 (BGBl. 2024 I Nr. 246).

[3)] § 42p als § 42k eingef. mWv 1.4.2005 durch G v. 23.3.2005 (BGBl. I S. 931); bish. § 42k wird § 42p mWv 1.1.2020 durch G v. 12.12.2019 (BGBl. I S. 2522).

[4)] Nr. **440**.

[5)] § 42q als § 42l eingef. mWv 1.4.2005 durch G v. 23.3.2005 (BGBl. I S. 931); bish. § 42l wird § 42q mWv 1.1.2020 durch G v. 12.12.2019 (BGBl. I S. 2522).

[6)] § 42r als § 42m eingef. mWv 1.4.2005 durch G v. 23.3.2005 (BGBl. I S. 931); bish. § 42m wird § 42r und Abs. 2 neu gef. mWv 1.1.2020 durch G v. 12.12.2019 (BGBl. I S. 2522).

(2) § 42q Absatz 2 Satz 1 ist entsprechend anzuwenden.

§ 42s[1)] [Berufliche Fortbildung und Umschulung] Für die berufliche Fortbildung und die berufliche Umschulung behinderter Menschen gelten die §§ 42p bis 42r entsprechend, soweit Art und Schwere der Behinderung dies erfordern.

§ 42t[2)] [Personenkreis] (1) [1] Die Berufsausbildungsvorbereitung richtet sich an lernbeeinträchtigte oder sozial benachteiligte Personen, deren Entwicklungsstand eine erfolgreiche Ausbildung in einem anerkannten Ausbildungsberuf (Gewerbe der Anlage A oder der Anlage B) noch nicht erwarten lässt. [2] Sie muss nach Inhalt, Art, Ziel und Dauer den besonderen Erfordernissen des in Satz 1 genannten Personenkreises entsprechen und durch umfassende sozialpädagogische Betreuung und Unterstützung begleitet werden.

(2) Für die Berufsausbildungsvorbereitung, die nicht im Rahmen des Dritten Buches Sozialgesetzbuch[3)] oder anderer vergleichbarer, öffentlich geförderter Maßnahmen durchgeführt wird, gelten die §§ 21 bis 24 entsprechend.

§ 42u[4)] [Grundlagen der Berufsausbildungsvorbereitung] (1) Die Vermittlung von Grundlagen für den Erwerb beruflicher Handlungsfähigkeit (§ 1 Abs. 2 des Berufsbildungsgesetzes[5)]) kann insbesondere durch inhaltlich und zeitlich abgegrenzte Lerneinheiten erfolgen, die aus den Inhalten anerkannter Ausbildungsberufe (Gewerbe der Anlage A oder der Anlage B) entwickelt werden (Qualifizierungsbausteine).

(2) [1] Über vermittelte Grundlagen für den Erwerb beruflicher Handlungsfähigkeit stellt der Anbieter der Berufsausbildungsvorbereitung eine Bescheinigung aus. [2] Das Nähere regelt das Bundesministerium für Bildung und Forschung im Einvernehmen mit dem Bundesministerium für Wirtschaft und Klimaschutz nach Anhörung des Hauptausschusses des Bundesinstituts für Berufsbildung durch Rechtsverordnung, die nicht der Zustimmung des Bundesrates bedarf.

§ 42v[6)] [Verbot und Anzeigepflicht der Berufsausbildungsvorbereitung] (1) Die nach Landesrecht zuständige Behörde hat die Berufsausbildungsvorbereitung zu untersagen, wenn die Voraussetzungen des § 42t Absatz 1 nicht vorliegen.

[1)] § 42s als § 42n eingef. mWv 1.4.2005 durch G v. 23.3.2005 (BGBl. I S. 931); bish. § 42n wird § 42s und geänd. mWv 1.1.2020 durch G v. 12.12.2019 (BGBl. I S. 2522).

[2)] § 42t als § 42o eingef. mWv 1.4.2005 durch G v. 23.3.2005 (BGBl. I S. 931); bish. § 42o wird § 42t mWv 1.1.2020 durch G v. 12.12.2019 (BGBl. I S. 2522).

[3)] Nr. **700**.

[4)] § 42u als § 42p eingef. mWv 1.4.2005 durch G v. 23.3.2005 (BGBl. I S. 931); Abs. 2 Satz 2 geänd. mWv 8.11.2006 durch VO v. 31.10.2006 (BGBl. I S. 2407); Abs. 2 Satz 2 geänd. mWv 8.9.2015 durch VO v. 31.8.2015 (BGBl. I S. 1474); bish. § 42p wird § 42u mWv 1.1.2020 durch G v. 12.12.2019 (BGBl. I S. 2522); Abs. 2 Satz 2 geänd. mWv 16.11.2022 durch G v. 9.11.2022 (BGBl. I S. 2009).

[5)] Nr. **415**.

[6)] § 42v als § 42q eingef. mWv 1.4.2005 durch G v. 23.3.2005 (BGBl. I S. 931); Abs. 3 Satz 2 geänd. mWv 1.8.2009 durch G v. 21.12.2008 (BGBl. I S. 2917); Abs. 3 Satz 2 aufgeh. mWv 1.4.2012 durch G v. 20.12.2011 (BGBl. I S. 2854); bish. § 42q wird § 42v und Abs. 1 und Abs. 2 Satz 2 geänd. mWv 1.1.2020 durch G v. 12.12.2019 (BGBl. I S. 2522); Abs. 2 Satz 1 geänd. mWv 1.8.2024 durch G v. 19.7.2024 (BGBl. 2024 I Nr. 246).

(2) [1]Der Anbieter hat die Durchführung von Maßnahmen der Berufsausbildungsvorbereitung vor Beginn der Maßnahme der Handwerkskammer schriftlich oder elektronisch anzuzeigen. [2]Die Anzeigepflicht erstreckt sich auf den wesentlichen Inhalt des Qualifizierungsvertrages.

(3) Die Absätze 1 und 2 sowie § 41a finden keine Anwendung, soweit die Berufsausbildungsvorbereitung im Rahmen des Dritten Buches Sozialgesetzbuch[1)] oder anderer vergleichbarer, öffentlich geförderter Maßnahmen durchgeführt wird.

Neunter Abschnitt.[2)] Berufsbildungsausschuß

§ 43[3)] [Berufsbildungsausschuss] (1) [1]Die Handwerkskammer errichtet einen Berufsbildungsausschuß. [2]Ihm gehören sechs Arbeitgeber, sechs Arbeitnehmer und sechs Lehrkräfte an berufsbildenden Schulen an, die Lehrkräfte mit beratender Stimme.

(2) [1]Die Vertreter der Arbeitgeber werden von der Gruppe der Arbeitgeber, die Vertreter der Arbeitnehmer von der Gruppe der Vertreter der Gesellen und der anderen Arbeitnehmer mit einer abgeschlossenen Berufsausbildung in der Vollversammlung gewählt. [2]Die Lehrkräfte an berufsbildenden Schulen werden von der nach Landesrecht zuständigen Behörde als Mitglieder berufen. [3]Die Amtszeit der Mitglieder beträgt längstens fünf Jahre.

(3) § 34 Absatz 9 gilt entsprechend.

(4) Die Mitglieder können nach Anhören der an ihrer Berufung Beteiligten aus wichtigem Grund abberufen werden.

(5) [1]Die Mitglieder haben Stellvertreter, die bei Verhinderung der Mitglieder an deren Stelle treten. [2]Die Absätze 1 bis 4 gelten für die Stellvertreter entsprechend.

(6) [1]Der Berufsbildungsausschuß wählt aus seiner Mitte einen Vorsitzenden und dessen Stellvertreter. [2]Der Vorsitzende und sein Stellvertreter sollen nicht derselben Mitgliedergruppe angehören.

§ 44[4)] [Aufgaben] (1) [1]Der Berufsbildungsausschuß ist in allen wichtigen Angelegenheiten der beruflichen Bildung zu unterrichten und zu hören. [2]Er hat im Rahmen seiner Aufgaben auf eine stetige Entwicklung der Qualität der beruflichen Bildung hinzuwirken.

(2) Wichtige Angelegenheiten, in denen der Berufsbildungsausschuss anzuhören ist, sind insbesondere:

1. Erlass von Verwaltungsgrundsätzen über die Eignung von Ausbildungs- und Umschulungsstätten, für das Führen von Ausbildungsnachweisen nach § 13

---

1) Nr. **700**.

2) Bish. Achter Abschnitt wird Neunter Abschnitt mWv 1.8.2024 durch G v. 19.7.2024 (BGBl. 2024 I Nr. 246).

3) § 43 Abs. 2 Satz 1 neu gef. und Abs. 1 Satz 2 geänd. mWv 1.1.2004 durch G v. 24.12.2003 (BGBl. I S. 2934); Abs. 1 Satz 2, Abs. 2 Satz 2 und Abs. 3 geänd. mWv 1.1.2020 durch G v. 12.12. 2019 (BGBl. I S. 2522).

4) § 44 Abs. 1 Satz 2 angef., bish. Wortlaut wird Satz 1, Abs. 2 und 3 eingef., bish. Abs. 2 und 3 werden Abs. 4 und 5, neuer Abs. 4 Satz 1 geänd., Abs. 6 angef. mWv 1.4.2005 durch G v. 23.3.2005 (BGBl. I S. 931); Abs. 2 Nr. 1 geänd. mWv 5.4.2017 durch G v. 29.3.2017 (BGBl. I S. 626); zur Anwendung siehe § 125; Abs. 4 Satz 1 geänd. mWv 1.1.2020 durch G v. 12.12.2019 (BGBl. I S. 2522).

Satz 2 Nummer 7 des Berufsbildungsgesetzes[1)], für die Verkürzung der Ausbildungsdauer, für die vorzeitige Zulassung zur Gesellenprüfung, für die Durchführung der Prüfungen, zur Durchführung von über- und außerbetrieblicher Ausbildung sowie Verwaltungsrichtlinien zur beruflichen Bildung,

2. Umsetzung der vom Landesausschuss für Berufsbildung (§ 82 des Berufsbildungsgesetzes) empfohlenen Maßnahmen,
3. wesentliche inhaltliche Änderungen des Ausbildungsvertragsmusters.

(3) Wichtige Angelegenheiten, in denen der Berufsbildungsausschuss zu unterrichten ist, sind insbesondere:

1. Zahl und Art der der Handwerkskammer angezeigten Maßnahmen der Berufsausbildungsvorbereitung und beruflichen Umschulung sowie der eingetragenen Berufsausbildungsverhältnisse,
2. Zahl und Ergebnisse von durchgeführten Prüfungen sowie hierbei gewonnene Erfahrungen,
3. Tätigkeit der Berater und Beraterinnen nach § 41a Abs. 1 Satz 2,
4. für den räumlichen und fachlichen Zuständigkeitsbereich der Handwerkskammer neue Formen, Inhalte und Methoden der Berufsbildung,
5. Stellungnahmen oder Vorschläge der Handwerkskammer gegenüber anderen Stellen und Behörden, soweit sie sich auf die Durchführung dieses Gesetzes oder der auf Grund dieses Gesetzes erlassenen Rechtsvorschriften im Bereich der beruflichen Bildung beziehen,
6. Bau eigener überbetrieblicher Berufsbildungsstätten,
7. Beschlüsse nach Absatz 5 sowie beschlossene Haushaltsansätze zur Durchführung der Berufsbildung mit Ausnahme der Personalkosten,
8. Verfahren zur Beilegung von Streitigkeiten aus Ausbildungsverhältnissen,
9. Arbeitsmarktfragen, soweit sie die Berufsbildung im Zuständigkeitsbereich der Handwerkskammer berühren.

(4) [1] Vor einer Beschlußfassung in der Vollversammlung über Vorschriften zur Durchführung der Berufsbildung, insbesondere nach den §§ 41, 42, 42f und 42j bis 42l, ist die Stellungnahme des Berufsbildungsausschusses einzuholen. [2] Der Berufsbildungsausschuß kann der Vollversammlung auch von sich aus Vorschläge für Vorschriften zur Durchführung der Berufsbildung vorlegen. [3] Die Stellungnahmen und Vorschläge des Berufsbildungsausschusses sind zu begründen.

(5) [1] Die Vorschläge und Stellungnahmen des Berufsbildungsausschusses gelten vorbehaltlich der Vorschrift des Satzes 2 als von der Vollversammlung angenommen, wenn sie nicht mit einer Mehrheit von drei Vierteln der Mitglieder der Vollversammlung in ihrer nächsten Sitzung geändert oder abgelehnt werden. [2] Beschlüsse, zu deren Durchführung die für Berufsbildung im laufenden Haushalt vorgesehenen Mittel nicht ausreichen oder zu deren Durchführung in folgenden Haushaltsjahren Mittel bereitgestellt werden müssen, die die Ausgaben für Berufsbildung des laufenden Haushalts nicht unwesentlich übersteigen, bedürfen der Zustimmung der Vollversammlung.

(6) Abweichend von § 43 Abs. 1 haben die Lehrkräfte Stimmrecht bei Beschlüssen zu Angelegenheiten der Berufsausbildungsvorbereitung und Be-

---

1) Nr. **415**.

rufsausbildung, soweit sich die Beschlüsse unmittelbar auf die Organisation der schulischen Berufsbildung (§ 2 Abs. 1 Nr. 2 des Berufsbildungsgesetzes) auswirken.

§ 44a [Beschlussfähigkeit; Wirksamkeit von Beschlüssen] (1) [1]Der Berufsbildungsausschuß ist beschlußfähig, wenn mehr als die Hälfte seiner stimmberechtigten Mitglieder anwesend ist. [2]Er beschließt mit der Mehrheit der abgegebenen Stimmen.

(2) Zur Wirksamkeit eines Beschlusses ist es erforderlich, daß der Gegenstand bei der Einberufung des Ausschusses bezeichnet ist, es sei denn, daß er mit Zustimmung von zwei Dritteln der stimmberechtigten Mitglieder nachträglich auf die Tagesordnung gesetzt wird.

§ 44b [Geschäftsordnung] [1]Der Berufsbildungsausschuß gibt sich eine Geschäftsordnung. [2]Sie kann die Bildung von Unterausschüssen vorsehen und bestimmen, daß ihnen nicht nur Mitglieder des Ausschusses angehören. [3]Für die Unterausschüsse gelten § 43 Abs. 2 bis 6 und § 44a entsprechend.

Dritter Teil. Meisterprüfung, Meistertitel

Erster Abschnitt.[1)] Meisterprüfung in einem zulassungspflichtigen Handwerk

§ 45[2)] [Anforderungen] (1) Als Grundlage für ein geordnetes und einheitliches Meisterprüfungswesen für zulassungspflichtige Handwerke kann das Bundesministerium für Wirtschaft und Klimaschutz im Einvernehmen mit dem Bundesministerium für Bildung und Forschung durch Rechtsverordnung, die nicht der Zustimmung des Bundesrates bedarf, bestimmen,

1. welche Fertigkeiten und Kenntnisse in den einzelnen zulassungspflichtigen Handwerken zum Zwecke der Meisterprüfung zu berücksichtigen (Meisterprüfungsberufsbild A)
2. welche Anforderungen in der Meisterprüfung zu stellen sind und
3. welche handwerksspezifischen Verfahrensregelungen in der Meisterprüfung gelten.

(2) [1]Durch die Meisterprüfung ist festzustellen, ob der Prüfling befähigt ist, ein zulassungspflichtiges Handwerk meisterhaft auszuüben und selbständig zu führen sowie Lehrlinge ordnungsgemäß auszubilden. [2]Wer die Meisterprüfung bestanden hat, hat damit auch den Fortbildungsabschluss Bachelor Professional erlangt.

(3) Der Prüfling hat in vier selbständigen Prüfungsteilen nachzuweisen, dass er wesentliche Tätigkeiten seines Handwerks meisterhaft verrichten kann (Teil I), die erforderlichen fachtheoretischen Kenntnisse (Teil II), die erforderlichen betriebswirtschaftlichen, kaufmännischen und rechtlichen Kenntnisse

---

[1)] Dritter Teil, Erster Abschn. Überschr. neu gef. mWv 1.1.2004 durch G v. 24.12.2003 (BGBl. I S. 2934).

[2)] § 45 neu gef. mWv 1.1.2004 durch G v. 24.12.2003 (BGBl. I S. 2934); Abs. 1 geänd. mWv 8.11. 2006 durch VO v. 31.10.2006 (BGBl. I S. 2407); Abs. 1 Nr. 1 und 2 geänd., Nr. 3 angef. mWv 15.7. 2011 durch G v. 11.7.2011 (BGBl. I S. 1341); Abs. 1 geänd. mWv 8.9.2015 durch VO v. 31.8.2015 (BGBl. I S. 1474); Abs. 2 Satz 2 angef. mWv 1.1.2020 durch G v. 12.12.2019 (BGBl. I S. 2522); Abs. 1 geänd. mWv 16.11.2022 durch G v. 9.11.2022 (BGBl. I S. 2009).

(Teil III) sowie die erforderlichen berufs- und arbeitspädagogischen Kenntnisse (Teil IV) besitzt.

(4) [1] Bei der Prüfung in Teil I können in der Rechtsverordnung Schwerpunkte gebildet werden. [2] In dem schwerpunktspezifischen Bereich hat der Prüfling nachzuweisen, dass er wesentliche Tätigkeiten in dem von ihm gewählten Schwerpunkt meisterhaft verrichten kann. [3] Für den schwerpunktübergreifenden Bereich sind die Grundfertigkeiten und Grundkenntnisse nachzuweisen, die die fachgerechte Ausübung auch dieser Tätigkeiten ermöglichen.

§ 46[1)] [Befreiung von der Ablegung einzelner Teile der Meisterprüfung] (1) Der Prüfling ist nach Maßgabe der folgenden Vorschriften von einzelnen Teilen der Meisterprüfung befreit, wenn er eine dem jeweiligen Teil der Meisterprüfung vergleichbare Prüfung auf Grund einer nach § 42 oder § 51a Abs. 1 in Verbindung mit Abs. 2 dieses Gesetzes oder § 53 des Berufsbildungsgesetzes[2)] erlassenen Rechtsverordnung oder eine andere vergleichbare Prüfung vor einer öffentlichen oder staatlich anerkannten Bildungseinrichtung oder vor einem staatlichen Prüfungsausschuss erfolgreich abgelegt hat.

(1a) Eine Befreiung nach Absatz 1 ist nur zulässig, wenn

1. die befreiende Prüfung bezogen auf den jeweiligen Teil der Meisterprüfung die Befähigung zu vergleichbaren beruflichen Tätigkeiten in dem jeweiligen Handwerk belegt, und
2. zwischen ihr und dem jeweiligen Teil der Meisterprüfung keine wesentlichen Unterschiede in Inhalt und zeitlichem Umfang bestehen.

(1b) Einzelne Prüfungsleistungen einer befreienden Prüfung dürfen zur Feststellung der Vergleichbarkeit nicht für mehrere Teile der Meisterprüfung zugleich zu Grunde gelegt werden.

(1c) [1] Der Prüfling ist von den Teilen III und IV der Meisterprüfung auch befreit, wenn er die Meisterprüfung in einem anderen zulassungspflichtigen oder zulassungsfreien Handwerk oder in einem handwerksähnlichen Gewerbe bestanden hat. [2] Der Prüfling ist vom Teil IV der Meisterprüfung ferner befreit, wenn er den auf Grund einer Rechtsverordnung nach § 22b Absatz 4 dieses Gesetzes oder nach § 30 Absatz 5 des Berufsbildungsgesetzes vorgeschriebenen Nachweis erbringt.

(2) [1] Prüflinge, die andere deutsche staatliche oder staatlich anerkannte Prüfungen mit Erfolg abgelegt haben, sind auf Antrag durch den Meisterprüfungsausschuss von einzelnen Teilen der Meisterprüfung zu befreien, wenn bei diesen Prüfungen mindestens die gleichen Anforderungen gestellt werden wie in der Meisterprüfung. [2] Der Abschlussprüfung an einer deutschen Hochschule gleichgestellt sind Diplome nach § 7 Abs. 2 Satz 4.

(3) Der Prüfling ist auf Antrag von den Prüfungsleistungen in gleichartigen Prüfungsbereichen, Prüfungsfächern oder Handlungsfeldern durch den Meisterprüfungsausschuss zu befreien, wenn er die Meisterprüfung in einem anderen zulassungspflichtigen oder zulassungsfreien Handwerk oder handwerksähnlichen Gewerbe bestanden hat oder eine andere vergleichbare Prüfung vor einer

---

1) § 46 neu gef. mWv 1.1.2004 durch G v. 24.12.2003 (BGBl. I S. 2934); Abs. 1 Satz 1 geänd. mWv 1.4.2005 durch G v. 23.3.2005 (BGBl. I S. 931); Abs. 2 Satz 2 neu gef. mWv 1.10.2007 durch G v. *7.9.2007 (BGBl. I S. 2246)*; Abs. 1 Satz 1 geänd., Satz 2 aufgeh., Abs. 1a–1c eingef., Abs. 3 geänd., Abs. 5 angef. mWv 1.7.2021 durch G v. 9.6.2021 (BGBl. I S. 1654).

2) Nr. **415**.

öffentlichen oder staatlich anerkannten Bildungseinrichtung oder vor einem staatlichen Prüfungsausschuss erfolgreich abgelegt hat.

(4) Der Meisterprüfungsausschuss entscheidet auf Antrag des Prüflings auch über Befreiungen auf Grund ausländischer Bildungsabschlüsse.

(5) Nähere Einzelheiten können in Rechtsverordnungen nach § 50a Absatz 1 Satz 1 in Verbindung mit Satz 2 Nummer 7 geregelt werden.

§ 47[1)] [Meisterprüfungsausschüsse] (1) [1]Für die Handwerke werden zur Durchführung der Meisterprüfungen Meisterprüfungsausschüsse als staatliche Prüfungsbehörden am Sitz der Handwerkskammer für ihren Bezirk errichtet. [2]Die oberste Landesbehörde kann in besonderen Fällen die Errichtung eines Meisterprüfungsausschusses für mehrere Handwerkskammerbezirke anordnen und mit der Errichtung die für den Sitz des Meisterprüfungsausschusses zuständige höhere Verwaltungsbehörde beauftragen. [3]Soll der Meisterprüfungsausschuß für Handwerkskammerbezirke mehrerer Länder zuständig sein, so bedarf es hierfür des Einvernehmens der beteiligten obersten Landesbehörden. [4]Die Landesregierungen werden ermächtigt, durch Rechtsverordnung zu bestimmen, daß abweichend von Satz 2 an Stelle der obersten Landesbehörde die höhere Verwaltungsbehörde zuständig ist. [5]Die Landesregierungen können diese Ermächtigung auf oberste Landesbehörden übertragen.

(2) [1]Die höhere Verwaltungsbehörde errichtet die Meisterprüfungsausschüsse nach Anhörung der Handwerkskammer und ernennt auf Grund ihrer Vorschläge die Mitglieder und die Stellvertreter für längstens fünf Jahre. [2]Über Vorschläge für Mitglieder nach § 48 Absatz 4 und deren Stellvertreter befindet in der Handwerkskammer die Mehrheit der Gesellenvertreter der Vollversammlung; die Gesellenvertreter sollen Vorschläge der im Bezirk der Handwerkskammer bestehenden Gewerkschaften und selbständigen Vereinigungen von Arbeitnehmern mit sozial- oder berufspolitischer Zwecksetzung berücksichtigen. [3]Die Handwerkskammer hat die in Satz 2 genannten Gesellenvertreter und Organisationen zu unterrichten

1. über die Errichtung von Meisterprüfungsausschüssen am Sitz der Handwerkskammer,
2. über die Zahl der von den Gesellenvertretern vorzuschlagenden Mitglieder und Stellvertreter für die Meisterprüfungsausschüsse und
3. über Personen, die auf Vorschlag der Gesellenvertreter zu Mitgliedern und Stellvertretern der Meisterprüfungsausschüsse berufen sind.

(3) Die Handwerkskammer unterstützt die Meisterprüfungsausschüsse durch das Führen der laufenden Geschäfte.

§ 48[2)] [Zusammensetzung des Meisterprüfungsausschusses] (1) [1]Der Meisterprüfungsausschuss besteht aus vier Mitgliedern. [2]Die Mitglieder sollen das vierundzwanzigste Lebensjahr vollendet haben.

[1)] § 47 Abs. 1 Satz 1 aufgeh., bish. Sätze 2–6 werden Sätze 1–5 und neue Sätze 1, 2, 4 und 5 geänd., Abs. 2 Satz 2 neu gef., Satz 3 und Abs. 3 angef. mWv 1.7.2021 durch G v. 9.6.2021 (BGBl. I S. 1654).

[2)] § 48 Abs. 2 neu gef., Abs. 3 und 4 geänd. mWv 1.1.2004 durch G v. 24.12.2003 (BGBl. I S. 2934); Abs. 6 neu gef. mWv 1.1.2020 durch G v. 12.12.2019 (BGBl. I S. 2522); Abs. 1, 3 neu gef., Abs. 4 geänd., Abs. 5 und 6 neu gef., Abs. 7 angef. mWv 1.7.2021 durch G v. 9.6.2021 (BGBl. I S. 1654).

(2) Der Vorsitzende braucht nicht in einem zulassungspflichtigen Handwerk tätig zu sein; er soll dem zulassungspflichtigen Handwerk, für welches der Meisterprüfungsausschuss errichtet ist, nicht angehören.

(3) Ein Beisitzer muss

1. das Handwerk, für das der Meisterprüfungsausschuss errichtet ist, mindestens seit einem Jahr selbständig als stehendes Gewerbe betreiben und in diesem Handwerk
   a) die Meisterprüfung erfolgreich abgelegt haben oder
   b) das Recht zum Ausbilden von Lehrlingen besitzen oder
2. in dem zulassungspflichtigen Handwerk mindestens seit einem Jahr als Betriebsleiter tätig sein und in seiner Person die Voraussetzungen für die Eintragung in die Handwerksrolle erfüllen

(4) Ein Beisitzer soll ein Geselle sein, der in dem zulassungspflichtigen Handwerk, für das der Meisterprüfungsausschuß errichtet ist, die Meisterprüfung erfolgreich abgelegt hat oder das Recht zum Ausbilden von Lehrlingen besitzt und in dem betreffenden zulassungspflichtigen Handwerk tätig ist.

(5) Ein Beisitzer soll besonders sachkundig in der wirtschaftlichen Betriebsführung sowie in den kaufmännischen, rechtlichen und berufserzieherischen Kenntnissen sein; er braucht dem Handwerk nicht anzugehören.

(6) § 34 Absatz 6 Satz 1, Absatz 9 und 9a ist entsprechend anzuwenden.

(7) [1] Für jedes Mitglied des Meisterprüfungsausschusses können bis zu zwei Stellvertreter für den Fall der Verhinderung des Mitgliedes berufen werden. [2] Für Stellvertreter gelten die Anforderungen für die Berufung des Mitgliedes, als dessen Stellvertreter sie berufen werden. [3] Für die Stellvertreter gilt Absatz 6 entsprechend.

§ 48a[1)] [Bildung von Prüfungskommissionen] (1) [1] Die Abnahme und die abschließende Bewertung der einzelnen Prüfungsleistungen einer Meisterprüfung obliegen Prüfungskommissionen. [2] Die Prüfungskommissionen werden von dem Meisterprüfungsausschuss gebildet.

(2) [1] Für den Einsatz in den Prüfungskommissionen beruft der Meisterprüfungsausschuss für die Dauer von jeweils längstens fünf Jahren prüfende Personen. [2] Die Handwerkskammer hat hierfür eine Liste mit nicht bindenden Vorschlägen zu erstellen; § 47 Absatz 2 Satz 2 und 3 gilt entsprechend.

(3) [1] Jede prüfende Person muss die Voraussetzungen für eine Ernennung zum Mitglied des Meisterprüfungsausschusses erfüllen. [2] § 34 Absatz 6 Satz 1, Absatz 9 und 9a gilt für sie entsprechend. [3] Die Mitglieder des Meisterprüfungsausschusses und ihre Stellvertreter können zu prüfenden Personen berufen werden.

§ 49[2)] [Zulassung zur Prüfung] (1) [1] Zur Meisterprüfung ist zuzulassen, wer eine Gesellenprüfung in dem zulassungspflichtigen Handwerk, in dem er die Meisterprüfung ablegen will, oder in einem damit verwandten zulassungspflichtigen Handwerk oder eine entsprechende Abschlussprüfung in einem

---

[1)] § 48a eingef. mWv 1.7.2021 durch G v. 9.6.2021 (BGBl. I S. 1654).

[2)] § 49 Abs. 1–3 und Abs. 4 Satz 1 Nr. 1 neu gef. mWv 1.1.2004 durch G v. 24.12.2003 (BGBl. I S. 2934); Abs. 1 geänd. mWv 1.4.2005 durch G v. 23.3.2005 (BGBl. I S. 931); Abs. 1 geänd. mWv 1.4.2012 durch G v. 6.12.2011 (BGBl. I S. 2515); Abs. 1 Satz 2 angef. mWv 1.7.2021 durch G v. 9.6.2021 (BGBl. I S. 1654); Abs. 2 neu gef. mWv 1.8.2024 durch G v. 19.7.2024 (BGBl. 2024 I Nr. 246).

anerkannten Ausbildungsberuf oder eine Prüfung auf Grund einer nach § 45 oder § 51a Abs. 1 in Verbindung mit Abs. 2 erlassenen Rechtsverordnung bestanden hat oder eine Gleichwertigkeitsfeststellung nach § 40a für das entsprechende zulassungspflichtige Handwerk oder für ein verwandtes zulassungspflichtiges Handwerk besitzt. [2] Wer die Gesellenprüfung oder die Abschlussprüfung nach Satz 1 in einem Ausbildungsberuf bestanden hat, für den in der Ausbildungsordnung eine Ausbildungsdauer von weniger als drei Jahren festgelegt ist, muss in dem zulassungspflichtigen Handwerk, in dem er die Meisterprüfung ablegen will, eine mindestens einjährige Berufstätigkeit nachweisen.

(2) [1] Zur Meisterprüfung ist auch zuzulassen,

1. wer
   a) eine andere Gesellenprüfung oder eine andere Abschlussprüfung in einem anerkannten Ausbildungsberuf bestanden hat und
   b) in dem zulassungspflichtigen Handwerk, in dem er die Meisterprüfung ablegen will, eine mehrjährige Berufstätigkeit ausgeübt hat;
2. wer
   a) ein Zeugnis der vollständigen Vergleichbarkeit der individuellen beruflichen Handlungsfähigkeit mit der für die Ausübung eines Ausbildungsberufs erforderlichen beruflichen Handlungsfähigkeit nach § 1 Absatz 6 des Berufsbildungsgesetzes[1)] erhalten hat und
   b) in dem zulassungspflichtigen Handwerk, in dem er die Meisterprüfung ablegen will, eine mehrjährige Berufstätigkeit ausgeübt hat, davon mindestens ein Jahr nach Erhalt des Zeugnisses im Sinne des Buchstabens a.

[2] Für die Zeit der Berufstätigkeit dürfen jeweils nicht mehr als drei Jahre gefordert werden. [3] Ferner ist der erfolgreiche Abschluss einer Fachschule bei einjährigen Fachschulen mit einem Jahr, bei mehrjährigen Fachschulen mit zwei Jahren auf die Berufstätigkeit anzurechnen.

(3) Ist der Prüfling in dem zulassungspflichtigen Handwerk, in dem er die Meisterprüfung ablegen will, selbständig, als Werkmeister oder in ähnlicher Stellung tätig gewesen, oder weist er eine der Gesellentätigkeit gleichwertige praktische Tätigkeit nach, so ist die Zeit dieser Tätigkeit anzurechnen.

(4) [1] Die Handwerkskammer kann auf Antrag

1. eine auf drei Jahre festgesetzte Dauer der Berufstätigkeit unter besonderer Berücksichtigung der in der Gesellen- oder Abschlussprüfung und während der Zeit der Berufstätigkeit nachgewiesenen beruflichen Befähigung abkürzen,
2. in Ausnahmefällen von den Voraussetzungen der Absätze 1 bis 4 ganz oder teilweise befreien,
3. unter Berücksichtigung ausländischer Bildungsabschlüsse und Zeiten der Berufstätigkeit im Ausland von den Voraussetzungen der Absätze 1 bis 4 ganz oder teilweise befreien.

[2] Die Handwerkskammer kann eine Stellungnahme des Meisterprüfungsausschusses einholen.

[1)] Nr. **415**.

(5) [1]Die Zulassung wird vom Vorsitzenden des Meisterprüfungsausschusses ausgesprochen. [2]Hält der Vorsitzende die Zulassungsvoraussetzungen nicht für gegeben, so entscheidet der Prüfungsausschuß.

§ 50[1)] [Prüfungskosten] Die durch die Durchführung der Meisterprüfung entstehenden Kosten trägt die Handwerkskammer.

§ 50a[2)] [Verordnungsermächtigung] (1) [1]Das Bundesministerium für Wirtschaft und Klimaschutz wird ermächtigt, im Einvernehmen mit dem Bundesministerium für Bildung und Forschung durch Rechtsverordnung mit Zustimmung des Bundesrates das Zulassungsverfahren und das allgemeine Prüfungsverfahren zu regeln. [2]In der Rechtsverordnung nach Satz 1 sind insbesondere zu regeln

1. die förmlichen Anforderungen an die Zulassung zur Meisterprüfung,
2. die Durchführung der Prüfung,
3. die Geschäftsverteilung und die Beschlussfassung innerhalb des Meisterprüfungsausschusses,
4. die Bildung und die Zusammensetzung der Prüfungskommissionen, insbesondere hinsichtlich der Anzahl, der Qualifikation und der Gruppenzugehörigkeit ihrer Mitglieder,
5. die Zuweisung der Abnahme und Bewertung der Prüfungsleistungen an die Prüfungskommissionen,
6. die Bewertung von Prüfungsleistungen, einschließlich der Anwendung eines einheitlichen Bewertungsmaßstabes auf der Grundlage eines Punktesystems sowie eines Verfahrens zur Bestimmung der abschließenden Bewertung von Prüfungsleistungen bei voneinander abweichenden Einzelbewertungen durch die Mitglieder einer Prüfungskommission,
7. die Anrechnung von einzelnen Prüfungsleistungen und die Befreiung von Prüfungsteilen oder Prüfungsleistungen,
8. die Ermittlung und Bekanntgabe der Prüfungsergebnisse binnen einer bestimmten Frist, längstens eines Monats, sowie die Erteilung der Prüfungszeugnisse,
9. der Nachteilsausgleich für Menschen mit Behinderungen,
10. die Folgen von Verstößen gegen die Prüfungsvorschriften,
11. die Zulässigkeit, der Umfang und die Häufigkeit von Wiederholungsprüfungen und
12. die Niederschrift über die Meisterprüfung.

(2) Die Rechtsverordnung nach Absatz 1 Satz 1 kann darüber hinaus Vorschriften enthalten

1. zur Berufung der prüfenden Personen nach § 48a Absatz 2 und 3 sowie
2. zum Nachteilsausgleich für Teilleistungsstörungen.

(3) Soweit das Bundesministerium für Wirtschaft und Klimaschutz von seiner Befugnis nach Absatz 1 Satz 1, auch in Verbindung mit Absatz 2 Nummer 2, keinen Gebrauch macht, kann eine von der Handwerkskammer mit Genehmi-

---

[1)] § 50 neu gef. mWv 1.7.2021 durch G v. 9.6.2021 (BGBl. I S. 1654).

[2)] § 50a eingef. mWv 1.7.2021 durch G v. 9.6.2021 (BGBl. I S. 1654); Abs. 1 Satz 1, Abs. 3 geänd. mWv 16.11.2022 durch G v. 9.11.2022 (BGBl. I S. 2009).

gung der obersten Landesbehörde zu erlassende Satzung das Zulassungsverfahren und das Prüfungsverfahren regeln.

§ 50b[1)] [Im Ausland erworbene Prüfungszeugnisse] [1]Das Bundesministerium für Wirtschaft und Klimaschutz kann im Einvernehmen mit dem Bundesministerium für Bildung und Forschung durch Rechtsverordnung mit Zustimmung des Bundesrates im Ausland erworbene Prüfungszeugnisse den entsprechenden Zeugnissen über das Bestehen einer deutschen Meisterprüfung in zulassungspflichtigen Handwerken gleichstellen, wenn an den Bildungsgang und in den Prüfungen gleichwertige Anforderungen gestellt werden. [2]Die Vorschriften des Bundesvertriebenengesetzes bleiben unberührt.

§ 50c[2)] [Feststellung der Gleichwertigkeit] (1) [1]Die Gleichwertigkeit ist festzustellen,

1. wenn die Antragstellerin oder der Antragsteller einen Ausbildungsnachweis besitzt, der im Ausland erworben wurde, und
2. dieser Ausbildungsnachweis – soweit erforderlich – unter Berücksichtigung sonstiger Befähigungsnachweise der Meisterprüfung in dem zu betreibenden zulassungspflichtigen Handwerk gleichwertig ist.

[2]Ausbildungsnachweise sind Prüfungszeugnisse und sonstige Befähigungsnachweise, die von verantwortlichen Stellen für den Abschluss einer erfolgreich absolvierten Berufsbildung ausgestellt werden.

(2) Ein Ausbildungsnachweis – soweit erforderlich – unter Berücksichtigung sonstiger Befähigungsnachweise ist als gleichwertig anzusehen, sofern

1. der im Ausland erworbene Ausbildungsnachweis, bezogen auf die Meisterprüfung, in dem zu betreibenden zulassungspflichtigen Handwerk die Befähigung zu vergleichbaren beruflichen Tätigkeiten belegt,
2. die Antragstellerin oder der Antragsteller im Ausbildungsstaat zur Ausübung des zu betreibenden zulassungspflichtigen Handwerks berechtigt ist oder die Berechtigung zur Ausübung des zu betreibenden Handwerks aus Gründen verwehrt wurde, die der Ausübung im Inland nicht entgegenstehen, und
3. zwischen der nachgewiesenen Befähigung und der Meisterprüfung in dem zu betreibenden zulassungspflichtigen Handwerk keine wesentlichen Unterschiede bestehen.

(3) Wesentliche Unterschiede zwischen der nachgewiesenen Befähigung und der entsprechenden Meisterprüfung liegen vor, sofern

1. sich der im Ausland erworbene Ausbildungsnachweis auf Fertigkeiten und Kenntnisse bezieht, die sich wesentlich von den Fertigkeiten und Kenntnissen der entsprechenden Meisterprüfung unterscheiden; dabei sind Inhalt und Dauer der Ausbildung zu berücksichtigen,

---

1) Früherer § 50a Satz 1 geänd. mWv 7.11.2001 durch VO v. 29.10.2001 (BGBl. I S. 2785); Satz 1 geänd. mWv 1.1.2004 durch G v. 24.12.2003 (BGBl. I S. 2934); Satz 1 geänd. mWv 1.4.2005 durch G v. 23.3.2005 (BGBl. I S. 931); Satz 1 geänd. mWv 8.11.2006 durch VO v. 31.10.2006 (BGBl. I S. 2407); Satz 1 geänd. mWv 8.9.2015 durch VO v. 31.8.2015 (BGBl. I S. 1474); bish. § 50a wird § 50b mWv 1.7.2021 durch G v. 9.6.2021 (BGBl. I S. 1654); Satz 1 geänd. mWv 16.11.2022 durch G v. 9.11.2022 (BGBl. I S. 2009).

2) Früherer § 50b eingef. mWv 1.4.2012 durch G v. 6.12.2011 (BGBl. I S. 2515); Abs. 5 Satz 2 angef. mWv 6.7.2017 durch G v. 30.6.2017 (BGBl. I S. 2143); bish. § 50b wird § 50c mWv 1.7.2021 durch G v. 9.6.2021 (BGBl. I S. 1654).

2. die entsprechenden Fertigkeiten und Kenntnisse maßgeblich für die Ausübung zumindest einer wesentlichen Tätigkeit des zulassungspflichtigen Handwerks sind und
3. die Antragstellerin oder der Antragsteller diese Unterschiede nicht durch sonstige Befähigungsnachweise oder nachgewiesene einschlägige Berufserfahrung ausgeglichen hat.

(4) [1] Kann die Antragstellerin oder der Antragsteller die für die Feststellung der Gleichwertigkeit erforderlichen Nachweise nicht oder nur teilweise vorlegen, bestehen Zweifel an der Echtheit oder Richtigkeit der Nachweise oder sind diese inhaltlich nicht ausreichend, kann die Handwerkskammer, insbesondere in Fällen, in denen bei der Gleichwertigkeitsfeststellung Berufserfahrung herangezogen wird, die für einen Vergleich mit der Meisterprüfung in dem zu betreibenden zulassungspflichtigen Handwerk relevanten beruflichen Fertigkeiten, Kenntnisse und Fähigkeiten der Antragstellerin oder des Antragstellers im Rahmen geeigneter Verfahren feststellen. [2] Geeignete Verfahren sind insbesondere Arbeitsproben, Fachgespräche sowie praktische und theoretische Prüfungen.

(5) [1] Sofern die Gleichwertigkeit wegen wesentlicher Unterschiede zu der entsprechenden Meisterprüfung nicht festgestellt werden kann, kann die Handwerkskammer zur Feststellung der Gleichwertigkeit die Teilnahme an einem Anpassungslehrgang, der Gegenstand einer Bewertung ist, oder das Ablegen einer Eignungsprüfung verlangen. [2] Verlangt die Handwerkskammer eine Eignungsprüfung, soll sie ermöglichen, dass diese innerhalb von sechs Monaten abgelegt werden kann.

(6) [1] § 8 Absatz 2 und 3 Satz 2 und 3 gilt entsprechend. [2] Im Übrigen sind die Vorschriften des Berufsqualifikationsfeststellungsgesetzes[1)] über reglementierte Berufe sowie § 17 anzuwenden.

§ 51[2)] [Meistertitel in Verbindung mit einem zulassungspflichtigen Handwerk] (1) Die Ausbildungsbezeichnung Meister/Meisterin in Verbindung mit einem zulassungspflichtigen Handwerk oder in Verbindung mit einer anderen Ausbildungsbezeichnung, die auf eine Tätigkeit in einem oder mehreren zulassungspflichtigen Handwerken hinweist, darf nur führen, wer für dieses zulassungspflichtige Handwerk oder für diese zulassungspflichtigen Handwerke die Meisterprüfung bestanden hat.

(2) Wer eine Ausbildungsbezeichnung nach Absatz 1 führen darf, darf zusätzlich die Bezeichnung „Bachelor Professional in“ unter Angabe des Handwerks führen, für das er eine Ausbildungsbezeichnung nach Absatz 1 zu führen berechtigt ist.

[1)] ***beck-online, Module Arbeitsrecht* Nr. 415b.**

[2)] § 51 neu gef. mWv 1.1.2004 durch G v. 24.12.2003 (BGBl. I S. 2934); Abs. 2 angef. mWv 1.1.2020 durch G v. 12.12.2019 (BGBl. I S. 2522).

Zweiter Abschnitt.[1] Meisterprüfung in einem zulassungsfreien Handwerk oder in einem handwerksähnlichen Gewerbe

§ 51a[2] [Meisterprüfung in einem zulassungsfreien Handwerk]

(1) Für zulassungsfreie Handwerke oder handwerksähnliche Gewerbe, für die eine Ausbildungsordnung nach § 25 dieses Gesetzes oder nach § 4 des Berufsbildungsgesetzes[3] erlassen worden ist, kann eine Meisterprüfung abgelegt werden.

(2) Als Grundlage für ein geordnetes und einheitliches Meisterprüfungswesen für Handwerke oder Gewerbe im Sinne des Absatzes 1 kann das Bundesministerium für Wirtschaft und Klimaschutz im Einvernehmen mit dem Bundesministerium für Bildung und Forschung durch Rechtsverordnung, die nicht der Zustimmung des Bundesrates bedarf, bestimmen,

1. welche Fertigkeiten und Kenntnisse in den einzelnen zulassungsfreien Handwerken oder handwerksähnlichen Gewerben zum Zwecke der Meisterprüfung zu berücksichtigen sind (Meisterprüfungsberufsbild B),
2. welche Anforderungen in der Meisterprüfung zu stellen sind und
3. welche handwerks- und gewerbespezifischen Verfahrensregelungen in der Meisterprüfung gelten.

(3) [1] Durch die Meisterprüfung ist festzustellen, ob der Prüfling eine besondere Befähigung in einem zulassungsfreien Handwerk oder in einem handwerksähnlichen Gewerbe erworben hat und Lehrlinge ordnungsgemäß ausbilden kann. [2] Zu diesem Zweck hat der Prüfling in vier selbständigen Prüfungsteilen nachzuweisen, dass er Tätigkeiten seines zulassungsfreien Handwerks oder seines handwerksähnlichen Gewerbes meisterhaft verrichten kann (Teil I), besondere fachtheoretische Kenntnisse (Teil II), besondere betriebswirtschaftliche, kaufmännische und rechtliche Kenntnisse (Teil III) sowie die erforderlichen berufs- und arbeitspädagogischen Kenntnisse (Teil IV) besitzt. [3] § 45 Absatz 2 Satz 2 ist entsprechend anzuwenden.

(4) [1] Zum Nachweis der Fertigkeiten und Kenntnisse führt die Handwerkskammer Prüfungen nach Maßgabe der folgenden Vorschriften durch. [2] Die durch die Durchführung der Meisterprüfung entstehenden Kosten trägt die Handwerkskammer.

(5) [1] Zur Prüfung ist zuzulassen, wer

1. eine Gesellenprüfung oder eine Abschlussprüfung in einem anerkannten Ausbildungsberuf bestanden hat,

---

[1] Zweiter Abschn. (§§ 51a und 51b) eingef. mWv 1.1.2004 durch G v. 24.12.2003 (BGBl. I S. 2934).

[2] § 51a Abs. 1 geänd. mWv 1.4.2005 durch G v. 23.3.2005 (BGBl. I S. 931); Abs. 2 und 7 geänd. mWv 8.11.2006 durch VO v. 31.10.2006 (BGBl. I S. 2407); Abs. 7 geänd. mWv 1.10.2007 durch G v. 7.9.2007 (BGBl. I S. 2246); Abs. 2 Nr. 2 geänd., Nr. 3 angef., Abs. 7 Satz 1 geänd., Satz 2 angef. mWv 15.7.2011 durch G v. 11.7.2011 (BGBl. I S. 1341); Abs. 5 Satz 1 geänd. mWv 1.4.2012 durch G v. 6.12.2011 (BGBl. I S. 2515); Abs. 5 Satz 1 geänd. mWv 12.12.2012 durch G v. 5.12.2012 (BGBl. I S. 2415); Abs. 2 und Abs. 7 Satz 1 geänd. mWv 8.9.2015 durch VO v. 31.8.2015 (BGBl. I S. 1474); Abs. 3 Satz 3 angef. mWv 1.1.2020 durch G v. 12.12.2019 (BGBl. I S. 2522); Abs. 4 Sätze 1 und 2 geänd., Abs. 6 neu gef., Abs. 7 aufgeh. mWv 1.7.2021 durch G v. 9.6.2021 (BGBl. I S. 1654); Abs. 2 geänd. mWv 16.11.2022 durch G v. 9.11.2022 (BGBl. I S. 2009); Abs. 5 neu gef. mWv 1.8. 2024 durch G v. 19.7.2024 (BGBl. 2024 I Nr. 246).

[3] Nr. **415**.

2. das Zeugnis der vollständigen Vergleichbarkeit der individuellen beruflichen Handlungsfähigkeit mit der für die Ausübung eines Ausbildungsberufs erforderlichen beruflichen Handlungsfähigkeit nach § 1 Absatz 6 des Berufsbildungsgesetzes erhalten hat oder
3. eine Gleichwertigkeitsfeststellung nach § 40a besitzt.

[2] Die Handwerkskammer kann auf Antrag in Ausnahmefällen von der Zulassungsvoraussetzung befreien. [3] Für das Ablegen des Teils III der Meisterprüfung entfällt die Zulassungsvoraussetzung.

(6) Für Befreiungen gilt § 46 mit der Maßgabe entsprechend, dass im Fall des § 46 Absatz 5 an die Stelle des § 50a Absatz 1 Satz 1 in Verbindung mit Satz 2 Nummer 7 der § 51d Absatz 1 Satz 1 in Verbindung mit Satz 2 Nummer 7 tritt.

§ 51b[1)] [Meisterprüfungsausschüsse] (1) [1] Die Handwerkskammer errichtet an ihrem Sitz für ihren Bezirk Meisterprüfungsausschüsse. [2] Mehrere Handwerkskammern können bei einer von ihnen gemeinsame Meisterprüfungsausschüsse errichten.

(2) [1] Der Meisterprüfungsausschuss besteht aus vier Mitgliedern; für jedes Mitglied können bis zu zwei Stellvertreter für den Fall der Verhinderung des Mitgliedes berufen werden. [2] Mitglieder und Stellvertreter werden für längstens fünf Jahre ernannt. [3] Mitglieder nach Absatz 5 und deren Stellvertreter werden auf Vorschlag der Mehrheit der Gesellenvertreter der Vollversammlung ernannt, die ihrerseits Vorschläge der im Bezirk der Handwerkskammer bestehenden Gewerkschaften und selbständigen Vereinigungen von Arbeitnehmern mit sozi-

(Fortsetzung nächstes Blatt)

[1)] § 51b eingef. mWv 1.4.2005 durch G v. 23.3.2005 (BGBl. I S. 931); Abs. 7 neu gef. mWv 1.1. 2020 durch G v. 12.12.2019 (BGBl. I S. 2522); Abs. 2 und 4 neu gef., Abs. 5 geänd., Abs. 6 und 7 neu gef., Abs. 8 angef. mWv 1.7.2021 durch G v. 9.6.2021 (BGBl. I S. 1654).

al- oder berufspolitischer Zwecksetzung berücksichtigen sollen; § 47 Absatz 2 Satz 3 gilt entsprechend.

(3) Der Vorsitzende braucht nicht in einem zulassungsfreien Handwerk oder einem handwerksähnlichen Gewerbe tätig zu sein; er soll dem zulassungsfreien Handwerk oder dem handwerksähnlichen Gewerbe, für welches der Meisterprüfungsausschuss errichtet ist, nicht angehören.

(4) Ein Beisitzer muss das zulassungsfreie Handwerk oder das handwerksähnliche Gewerbe, für das der Meisterprüfungsausschuss errichtet ist, mindestens seit einem Jahr selbständig als stehendes Gewerbe betreiben und in diesem zulassungsfreien Handwerk oder in diesem handwerksähnlichen Gewerbe

1. die Meisterprüfung erfolgreich abgelegt haben oder
2. das Recht zum Ausbilden von Lehrlingen besitzen.

(5) Ein Beisitzer soll ein Geselle sein, der in dem zulassungsfreien Handwerk oder in dem handwerksähnlichen Gewerbe, für das der Meisterprüfungsausschuss errichtet ist, die Meisterprüfung erfolgreich abgelegt hat oder das Recht zum Ausbilden von Lehrlingen besitzt und in dem betreffenden zulassungsfreien Handwerk oder handwerksähnlichen Gewerbe tätig ist.

(6) Ein Beisitzer soll besonders sachkundig in der wirtschaftlichen Betriebsführung sowie in den kaufmännischen, rechtlichen und berufserzieherischen Kenntnissen sein; er braucht dem Handwerk nicht anzugehören.

(7) § 34 Absatz 6 Satz 1, Absatz 9 und 9a ist entsprechend anzuwenden.

(8) [1] Für Stellvertreter gelten die Anforderungen für die Berufung des Mitglieds, als dessen Stellvertreter sie berufen werden. [2] Für die Stellvertreter gilt Absatz 7 entsprechend.

§ 51c[1)] [Abnahme und Bewertung der Meisterprüfung] (1) [1] Die Abnahme und die abschließende Bewertung der einzelnen Prüfungsleistungen einer Meisterprüfung obliegen Prüfungskommissionen. [2] Die Prüfungskommissionen werden von dem Meisterprüfungsausschuss gebildet.

(2) [1] Für den Einsatz in den Prüfungskommissionen beruft der Meisterprüfungsausschuss für die Dauer von jeweils längstens fünf Jahren prüfende Personen. [2] Die Handwerkskammer hat hierfür eine Liste mit nicht bindenden Vorschlägen zu erstellen; § 47 Absatz 2 Satz 2 und 3 gilt entsprechend.

(3) [1] Jede prüfende Person muss die Voraussetzungen für eine Ernennung zum Mitglied des Meisterprüfungsausschusses erfüllen. [2] § 34 Absatz 6 Satz 1, Absatz 9 und 9a gilt für sie entsprechend. [3] Die Mitglieder des Meisterprüfungsausschusses und ihre Stellvertreter können zu prüfenden Personen berufen werden.

§ 51d[2)] [Verordnungsermächtigung] (1) [1] Das Bundesministerium für Wirtschaft und Klimaschutz wird ermächtigt, im Einvernehmen mit dem Bundesministerium für Bildung und Forschung durch Rechtsverordnung mit Zustimmung des Bundesrates das Zulassungsverfahren und das allgemeine Prüfungsverfahren zu regeln. [2] In der Rechtsverordnung nach Satz 1 sind insbesondere zu regeln

---

[1)] § 51c eingef. mWv 1.7.2021 durch G v. 9.6.2021 (BGBl. I S. 1654).

[2)] § 51d eingef. mWv 1.7.2021 durch G v. 9.6.2021 (BGBl. I S. 1654); Abs. 1 Satz 1, Abs. 3 geänd. mWv 16.11.2022 durch G v. 9.11.2022 (BGBl. I S. 2009).

1. die förmlichen Anforderungen an die Zulassung zur Meisterprüfung,
2. die Durchführung der Prüfung,
3. die Geschäftsverteilung und die Beschlussfassung innerhalb des Meisterprüfungsausschusses,
4. die Bildung und die Zusammensetzung der Prüfungskommissionen, insbesondere hinsichtlich der Anzahl, der Qualifikation und der Gruppenzugehörigkeit ihrer Mitglieder,
5. die Zuweisung der Abnahme und Bewertung der Prüfungsleistungen an die Prüfungskommissionen,
6. die Bewertung von Prüfungsleistungen, einschließlich der Anwendung eines einheitlichen Bewertungsmaßstabes auf der Grundlage eines Punktesystems sowie eines Verfahrens zur Bestimmung der abschließenden Bewertung von Prüfungsleistungen bei voneinander abweichenden Einzelbewertungen durch die Mitglieder einer Prüfungskommission,
7. die Anrechnung von einzelnen Prüfungsleistungen und die Befreiung von Prüfungsteilen oder Prüfungsleistungen,
8. die Ermittlung und Bekanntgabe der Prüfungsergebnisse binnen einer bestimmten Frist, längstens eines Monats, sowie die Erteilung der Prüfungszeugnisse,
9. der Nachteilsausgleich für Menschen mit Behinderungen,
10. die Folgen von Verstößen gegen die Prüfungsvorschriften,
11. die Zulässigkeit, der Umfang und die Häufigkeit von Wiederholungsprüfungen und
12. die Niederschrift über die Meisterprüfung.

(2) Die Rechtsverordnung nach Absatz 1 Satz 1 kann darüber hinaus Vorschriften enthalten
1. zur Berufung der prüfenden Personen nach § 51c Absatz 2 und 3 sowie
2. zum Nachteilsausgleich für Teilleistungsstörungen.

(3) Soweit das Bundesministerium für Wirtschaft und Klimaschutz von seiner Befugnis nach Absatz 1 Satz 1, auch in Verbindung mit Absatz 2 Nummer 2, keinen Gebrauch macht, kann eine von der Handwerkskammer mit Genehmigung der obersten Landesbehörde zu erlassende Satzung das Zulassungsverfahren und das Prüfungsverfahren regeln.

§ 51e[1] [Gleichstellung von Prüfungszeugnissen] [1]Das Bundesministerium für Wirtschaft und Klimaschutz kann im Einvernehmen mit dem Bundesministerium für Bildung und Forschung durch Rechtsverordnung mit Zustimmung des Bundesrates im Ausland erworbene Prüfungszeugnisse den entsprechenden Zeugnissen über das Bestehen einer deutschen Meisterprüfung in einem zulassungsfreien Handwerk oder handwerksähnlichen Gewerbe gleichstellen, wenn an den Bildungsgang und in den Prüfungen gleichwertige Anforderun-

(Fortsetzung nächstes Blatt)

[1] Früherer § 51c eingef. mWv 1.4.2005 durch G v. 23.3.2005 (BGBl. I S. 931); Satz 1 geänd. mWv *8.11.2006 durch VO v. 31.10.2006 (BGBl. I S. 2407)*; Satz 1 geänd. mWv 8.9.2015 durch VO v. 31.8.2015 (BGBl. I S. 1474); bish. § 51c wird § 51e mWv 1.7.2021 durch G v. 9.6.2021 (BGBl. I S. 1654); Satz 1 geänd. mWv 16.11.2022 durch G v. 9.11.2022 (BGBl. I S. 2009).

gen gestellt werden. [2] Die Vorschriften des Bundesvertriebenengesetzes bleiben unberührt.

§ 51f[1)] [Meistertitel in Verbindung mit einem zulassungfreien Handwerk] [1] Die Ausbildungsbezeichnung Meister/Meisterin in Verbindung mit einem zulassungsfreien Handwerk oder handwerksähnlichen Gewerbe darf nur führen, wer die Prüfung nach § 51a Abs. 3 in diesem Handwerk oder Gewerbe bestanden hat. [2] § 51 Absatz 2 ist entsprechend anzuwenden.

§ 51g[2)] [Gleichwertigkeit ausländischer Ausbildungsnachweise] [1] Im Fall der Gleichwertigkeit eines im Ausland erworbenen Ausbildungsnachweises mit der Meisterprüfung ist die Gleichwertigkeit festzustellen. [2] § 50c gilt entsprechend.

Vierter Teil. Organisation des Handwerks

Erster Abschnitt. Handwerksinnungen

§ 52[3)] [Bildung von Handwerksinnungen, Innungsbezirke] (1) [1] Inhaber von Betrieben des gleichen zulassungspflichtigen Handwerks oder des gleichen zulassungsfreien Handwerks oder des gleichen handwerksähnlichen Gewerbes oder solcher Handwerke oder handwerksähnlicher Gewerbe, die sich fachlich oder wirtschaftlich nahe stehen, können zur Förderung ihrer gemeinsamen gewerblichen Interessen, wozu in besonderem Maße der Abschluss von Tarifverträgen gehört, innerhalb eines bestimmten Bezirks zu einer Handwerksinnung zusammentreten. [2] Voraussetzung ist, dass für das jeweilige Gewerbe eine Ausbildungsordnung erlassen worden ist. [3] Für jedes Gewerbe kann in dem gleichen Bezirk nur eine Handwerksinnung gebildet werden; sie ist allein berechtigt, die Bezeichnung Innung in Verbindung mit dem Gewerbe zu führen, für das sie errichtet ist.

(2) [1] Der Innungsbezirk soll unter Berücksichtigung einheitlicher Wirtschaftsgebiete so abgegrenzt sein, daß die Zahl der Innungsmitglieder ausreicht, um die Handwerksinnung leistungsfähig zu gestalten, und daß die Mitglieder an dem Leben und den Einrichtungen der Handwerksinnung teilnehmen können. [2] Der Innungsbezirk hat sich mindestens mit dem Gebiet einer kreisfreien Stadt oder eines Landkreises zu decken. [3] Die Handwerkskammer kann unter den Voraussetzungen des Satzes 1 eine andere Abgrenzung zulassen.

(3) [1] Der Innungsbezirk soll sich nicht über den Bezirk einer Handwerkskammer hinaus erstrecken. [2] Soll der Innungsbezirk über den Bezirk einer Handwerkskammer hinaus erstreckt werden, so bedarf die Bezirksabgrenzung der Genehmigung durch die oberste Landesbehörde. [3] Soll sich der Innungsbezirk auch auf ein anderes Land erstrecken, so kann die Genehmigung nur im Einvernehmen mit den beteiligten obersten Landesbehörden erteilt werden.

---

1) Früherer § 51b wird § 51d mWv 1.4.2005 durch G v. 23.3.2005 (BGBl. I S. 931); Satz 2 angef. mWv 1.1.2020 durch G v. 12.12.2019 (BGBl. I S. 2522); bish. § 51d wird § 51f mWv 1.7.2021 durch G v. 9.6.2021 (BGBl. I S. 1654).

2) Früherer § 51e eingef. mWv 1.4.2012 durch G v. 6.12.2011 (BGBl. I S. 2515); bish. § 51e wird § 51g und Satz 2 geänd. mWv 1.7.2021 durch G v. 9.6.2021 (BGBl. I S. 1654).

3) § 52 Abs. 1 neu gef. mWv 1.1.2004 durch G v. 24.12.2003 (BGBl. I S. 2934); Abs. 1 Satz 1 geänd. mWv 1.7.2021 durch G v. 9.6.2021 (BGBl. I S. 1654).

§ 53 [Rechtsform der Handwerksinnung] [1] Die Handwerksinnung ist eine Körperschaft des öffentlichen Rechts. [2] Sie wird mit Genehmigung der Satzung rechtsfähig.

§ 54 [Aufgabe der Innung] (1) [1] Aufgabe der Handwerksinnung ist, die gemeinsamen gewerblichen Interessen ihrer Mitglieder zu fördern. [2] Insbesondere hat sie

1. den Gemeingeist und die Berufsehre zu pflegen,
2. ein gutes Verhältnis zwischen Meistern, Gesellen und Lehrlingen anzustreben,
3. entsprechend den Vorschriften der Handwerkskammer die Lehrlingsausbildung zu regeln und zu überwachen sowie für die berufliche Ausbildung der Lehrlinge zu sorgen und ihre charakterliche Entwicklung zu fördern,
4. die Gesellenprüfungen abzunehmen und hierfür Gesellenprüfungsausschüsse zu errichten, sofern sie von der Handwerkskammer dazu ermächtigt ist,
5. das handwerkliche Können der Meister und Gesellen zu fördern; zu diesem Zweck kann sie insbesondere Fachschulen errichten oder unterstützen und Lehrgänge veranstalten,
6. bei der Verwaltung der Berufsschulen gemäß den bundes- und landesrechtlichen Bestimmungen mitzuwirken,
7. das Genossenschaftswesen im Handwerk zu fördern,
8. über Angelegenheiten der in ihr vertretenen Handwerke den Behörden Gutachten und Auskünfte zu erstatten,
9. die sonstigen handwerklichen Organisationen und Einrichtungen in der Erfüllung ihrer Aufgaben zu unterstützen,
10. die von der Handwerkskammer innerhalb ihrer Zuständigkeit erlassenen Vorschriften und Anordnungen durchzuführen.

(Fortsetzung nächstes Blatt)

(2) Die Handwerksinnung soll

1. zwecks Erhöhung der Wirtschaftlichkeit der Betriebe ihrer Mitglieder Einrichtungen zur Verbesserung der Arbeitsweise und der Betriebsführung schaffen und fördern,
2. bei der Vergebung öffentlicher Lieferungen und Leistungen die Vergebungsstellen beraten,
3. das handwerkliche Pressewesen unterstützen.

(3) Die Handwerksinnung kann

1. Tarifverträge abschließen, soweit und solange solche Verträge nicht durch den Innungsverband für den Bereich der Handwerksinnung geschlossen sind,
2. für ihre Mitglieder und deren Angehörige Unterstützungskassen für Fälle der Krankheit, des Todes, der Arbeitsunfähigkeit oder sonstiger Bedürftigkeit errichten,
3. bei Streitigkeiten zwischen den Innungsmitgliedern und ihren Auftraggebern auf Antrag vermitteln.

(4) Die Handwerksinnung kann auch sonstige Maßnahmen zur Förderung der gemeinsamen gewerblichen Interessen der Innungsmitglieder durchführen.

(5) Die Errichtung und die Rechtsverhältnisse der Innungskrankenkassen richten sich nach den hierfür geltenden bundesrechtlichen Bestimmungen.

§ 55 [Satzung] (1) Die Aufgaben der Handwerksinnung, ihre Verwaltung und die Rechtsverhältnisse ihrer Mitglieder sind, soweit gesetzlich nichts darüber bestimmt ist, durch die Satzung zu regeln.

(2) Die Satzung muß Bestimmungen enthalten über

1. den Namen, den Sitz und den Bezirk der Handwerksinnung sowie die Handwerke, für welche die Handwerksinnung errichtet ist,
2. die Aufgaben der Handwerksinnung,
3. den Eintritt, den Austritt und den Ausschluß der Mitglieder,
4. die Rechte und Pflichten der Mitglieder sowie die Bemessungsgrundlage für die Erhebung der Mitgliedsbeiträge,
5. die Einberufung der Innungsversammlung, das Stimmrecht in ihr und die Art der Beschlußfassung,
6. die Bildung des Vorstands,
7. die Bildung des Gesellenausschusses,
8. die Beurkundung der Beschlüsse der Innungsversammlung und des Vorstands,

9. die Aufstellung des Haushaltsplans sowie die Aufstellung und Prüfung der Jahresrechnung,
10. die Voraussetzungen für die Änderung der Satzung und für die Auflösung der Handwerksinnung sowie den Erlaß und die Änderung der Nebensatzungen,
11. die Verwendung des bei der Auflösung der Handwerksinnung verbleibenden Vermögens.

§ 56 [Genehmigung der Satzung] (1) Die Satzung der Handwerksinnung bedarf der Genehmigung durch die Handwerkskammer des Bezirks, in dem die Handwerksinnung ihren Sitz nimmt.

(2) Die Genehmigung ist zu versagen, wenn
1. die Satzung den gesetzlichen Vorschriften nicht entspricht,
2. die durch die Satzung vorgesehene Begrenzung des Innungsbezirks die nach § 52 Abs. 3 Satz 2 erforderliche Genehmigung nicht erhalten hat.

§ 57 [Nebensatzungen für Unterstützungskassen] (1) [1]Soll in der Handwerksinnung eine Einrichtung der im § 54 Abs. 3 Nr. 2 vorgesehenen Art getroffen werden, so sind die dafür erforderlichen Bestimmungen in Nebensatzungen zusammenzufassen. [2]Diese bedürfen der Genehmigung der Handwerkskammer des Bezirks, in dem die Handwerksinnung ihren Sitz hat.

(2) [1]Über die Einnahmen und Ausgaben solcher Einrichtungen ist getrennt Rechnung zu führen und das hierfür bestimmte Vermögen gesondert von dem Innungsvermögen zu verwalten. [2]Das getrennt verwaltete Vermögen darf für andere Zwecke nicht verwandt werden. [3]Die Gläubiger haben das Recht auf gesonderte Befriedigung aus diesem Vermögen.

§ 58[1] [Innungsmitglieder] (1) [1]Mitglied bei der Handwerksinnung kann jeder Inhaber eines Betriebs eines Handwerks oder eines handwerksähnlichen Gewerbes werden, der das Gewerbe ausübt, für welches die Handwerksinnung gebildet ist. [2]Die Handwerksinnung kann durch Satzung im Rahmen ihrer örtlichen Zuständigkeit bestimmen, dass Gewerbetreibende, die ein dem Gewerbe, für welches die Handwerksinnung gebildet ist, fachlich oder wirtschaftlich nahe stehendes handwerksähnliches Gewerbe ausüben, für das keine Ausbildungsordnung erlassen worden ist, Mitglied der Handwerksinnung werden können.

---

[1] § 58 Abs. 1 bis 3 neugef. mWv 1. 1. 2004 durch G v. 24. 12. 2003 (BGBl. I S. 2934).

(2) Übt der Inhaber eines Betriebs eines Handwerks oder eines handwerksähnlichen Gewerbes mehrere Gewerbe aus, so kann er allen für diese Gewerbe gebildeten Handwerksinnungen angehören.

(3) Dem Inhaber eines Betriebs eines Handwerks oder eines handwerksähnlichen Gewerbes, das den gesetzlichen und satzungsmäßigen Vorschriften entspricht, darf der Eintritt in die Handwerksinnung nicht versagt werden.

(4) Von der Erfüllung der gesetzlichen und satzungsmäßigen Bedingungen kann zugunsten einzelner nicht abgesehen werden.

§ 59 [Gastmitglieder der Innung] 1 Die Handwerksinnung kann Gastmitglieder aufnehmen, die dem Handwerk, für das die Innung gebildet ist, beruflich oder wirtschaftlich nahestehen. 2 Ihre Rechte und Pflichten sind in der Satzung zu regeln. 3 An der Innungsversammlung nehmen sie mit beratender Stimme teil.

§ 68 [Gesellenausschuß] (1) 1 Im Interesse eines guten Verhältnisses zwischen den Innungsmitgliedern und den bei ihnen beschäftigten Gesellen (§ 54 Abs. 1 Nr. 2) wird bei der Handwerksinnung ein Gesellenausschuß errichtet. 2 Der Gesellenausschuß hat die Gesellenmitglieder der Ausschüsse zu wählen, bei denen die Mitwirkung der Gesellen durch Gesetz oder Satzung vorgesehen ist.

(2) Der Gesellenausschuß ist zu beteiligen

1. bei Erlaß von Vorschriften über die Regelung der Lehrlingsausbildung (§ 54 Abs. 1 Nr. 3),
2. bei Maßnahmen zur Förderung und Überwachung der beruflichen Ausbildung und zur Förderung der charakterlichen Entwicklung der Lehrlinge (§ 54 Abs. 1 Nr. 3),
3. bei der Errichtung der Gesellenprüfungsausschüsse (§ 54 Abs. 1 Nr. 4),
4. bei Maßnahmen zur Förderung des handwerklichen Könnens der Gesellen, insbesondere bei der Errichtung oder Unterstützung der zu dieser Förderung bestimmten Fachschulen und Lehrgänge (§ 54 Abs. 1 Nr. 5),
5. bei der Mitwirkung an der Verwaltung der Berufsschulen gemäß den Vorschriften der Unterrichtsverwaltungen (§ 54 Abs. 1 Nr. 6),
6. bei der Wahl oder Benennung der Vorsitzenden von Ausschüssen, bei denen die Mitwirkung der Gesellen durch Gesetz oder Satzung vorgesehen ist,
7. bei der Begründung und Verwaltung aller Einrichtungen, für welche die Gesellen Beiträge entrichten oder eine besondere Mühewaltung übernehmen, oder die zu ihrer Unterstützung bestimmt sind.

(3) Die Beteiligung des Gesellenausschusses hat mit der Maßgabe zu erfolgen, daß

1. bei der Beratung und Beschlußfassung des Vorstands der Handwerksinnung mindestens ein Mitglied des Gesellenausschusses mit vollem Stimmrecht teilnimmt,
2. bei der Beratung und Beschlußfassung der Innungsversammlung seine sämtlichen Mitglieder mit vollem Stimmrecht teilnehmen,
3. bei der Verwaltung von Einrichtungen, für welche die Gesellen Aufwendungen zu machen haben, vom Gesellenausschuß gewählte Gesellen in gleicher Zahl zu beteiligen sind wie die Innungsmitglieder.

(4) [1] Zur Durchführung von Beschlüssen der Innungsversammlung in den in Absatz 2 bezeichneten Angelegenheiten bedarf es der Zustimmung des Gesellenausschusses. [2] Wird die Zustimmung versagt oder nicht in angemessener Frist erteilt, so kann die Handwerksinnung die Entscheidung der Handwerkskammer binnen eines Monats beantragen.

(5) Die Beteiligung des Gesellenausschusses entfällt in den Angelegenheiten, die Gegenstand eines von der Handwerksinnung oder von dem Innungsverband abgeschlossenen oder abzuschließenden Tarifvertrags sind.

§ 69 [Zusammensetzung und Wahl des Gesellenausschusses]

(1) Der Gesellenausschuß besteht aus dem Vorsitzenden (Altgesellen) und einer weiteren Zahl von Mitgliedern.

(2) Für die Mitglieder des Gesellenausschusses sind Stellvertreter zu wählen, die im Falle der Verhinderung oder des Ausscheidens für den Rest der Wahlzeit in der Reihenfolge der Wahl eintreten.

(3) [1] Die Mitglieder des Gesellenausschusses werden mit verdeckten Stimmzetteln in allgemeiner, unmittelbarer und gleicher Wahl gewählt. [2] Zum Zwecke der Wahl ist eine Wahlversammlung einzuberufen; in der Versammlung können durch Zuruf Wahlvorschläge gemacht werden. [3] Führt die Wahlversammlung zu keinem Ergebnis, so ist auf Grund von schriftlichen Wahlvorschlägen nach den Grundsätzen der Verhältniswahl zu wählen; jeder Wahlvorschlag muß die Namen von ebensovielen Bewerbern enthalten, wie Mitglieder des Gesellenausschusses zu wählen sind; wird nur ein gültiger Wahlvorschlag eingereicht, so gelten die darin bezeichneten Bewerber als gewählt. [4] Die Satzung trifft die näheren Bestimmungen über die Zusammensetzung des Gesellenausschusses und über das Wahlverfahren, insbesondere darüber, wie viele Unterschriften für einen gültigen schriftlichen Wahlvorschlag erforderlich sind.

(4) [1] Die Mitglieder des Gesellenausschusses dürfen in der Ausübung ihrer Tätigkeit nicht behindert werden. [2] Auch dürfen sie deswegen

nicht benachteiligt oder begünstigt werden. [3]Die Mitglieder des Gesellenausschusses sind, soweit es zur ordnungsgemäßen Durchführung der ihnen gesetzlich zugewiesenen Aufgaben erforderlich ist und wichtige betriebliche Gründe nicht entgegenstehen, von ihrer beruflichen Tätigkeit ohne Minderung des Arbeitsentgelts freizustellen.

(5) Das Ergebnis der Wahl der Mitglieder des Gesellenausschusses ist in den für die Bekanntmachung der zuständigen Handwerkskammer bestimmten Organen zu veröffentlichen.

§ 70 [Wahlrecht] Berechtigt zur Wahl des Gesellenausschusses sind die bei einem Innungsmitglied beschäftigten Gesellen.

§ 71 [Wählbarkeit zum Gesellenausschuß] (1) Wählbar ist jeder Geselle, der

1. volljährig ist,
2. eine Gesellenprüfung oder eine entsprechende Abschlußprüfung abgelegt hat und
3. seit mindestens drei Monaten in dem Betrieb eines der Handwerksinnung angehörenden selbständigen Handwerkers beschäftigt ist.

(2) Über die Wahlhandlung ist eine Niederschrift anzufertigen.

§ 71 a [Kurzzeitige Arbeitslosigkeit] Eine kurzzeitige Arbeitslosigkeit läßt das Wahlrecht nach den §§ 70 und 71 unberührt, wenn diese zum Zeitpunkt der Wahl nicht länger als drei Monate besteht.

§ 72 [Bei Innungsmitgliedern nicht mehr beschäftigte Ausschußmitglieder] [1]Mitglieder des Gesellenausschusses behalten, auch wenn sie nicht mehr bei Innungsmitgliedern beschäftigt sind, solange sie im Bezirk der Handwerksinnung im Betrieb eines selbständigen Handwerkers verbleiben, die Mitgliedschaft noch bis zum Ende der Wahlzeit, jedoch höchstens für ein Jahr. [2]Im Falle eintretender Arbeitslosigkeit behalten sie ihr Amt bis zum Ende der Wahlzeit.

§ 73[1)] [Beiträge und Gebühren] (1) [1]Die der Handwerksinnung und ihrem Gesellenausschuß erwachsenden Kosten sind, soweit sie aus den Erträgen des Vermögens oder aus anderen Einnahmen keine Dekkung finden, von den Innungsmitgliedern durch Beiträge aufzubringen. [2]Zu den Kosten des Gesellenausschusses zählen auch die anteiligen Lohn- und Lohnnebenkosten, die dem Arbeitgeber durch die Freistellung der Mitglieder des Gesellenausschusses von ihrer beruflichen Tätigkeit entstehen. [3]Diese Kosten sind dem Arbeitgeber auf Antrag von der Innung zu erstatten.

[1)] § 73 Abs. 3 geänd. mWv 1. 1. 2004 durch G v. 24. 12. 2003 (BGBl. I S. 2934).

(2) Die Handwerksinnung kann für die Benutzung der von ihr getroffenen Einrichtungen Gebühren erheben.

(3) Soweit die Handwerksinnung ihre Beiträge nach dem Gewerbesteuermeßbetrag, Gewerbekapital, Gewerbeertrag, Gewinn aus Gewerbebetrieb oder der Lohnsumme bemißt, gilt § 113 Abs. 2 Satz 2, 3 und 8 bis 11.

(4) Die Beiträge und Gebühren werden auf Antrag des Innungsvorstands nach den für die Beitreibung von Gemeindeabgaben geltenden landesrechtlichen Vorschriften beigetrieben.

§ 74 [Haftung der Innung] Die Handwerksinnung ist für den Schaden verantwortlich, den der Vorstand, ein Mitglied des Vorstands oder ein anderer satzungsmäßig berufener Vertreter durch eine in Ausführung der ihm zustehenden Verrichtungen begangene, zum Schadensersatz verpflichtende Handlung einem Dritten zufügt.

Zweiter Abschnitt. Innungsverbände

§ 79 [Landesinnungsverband] (1) [1]Der Landesinnungsverband ist der Zusammenschluß von Handwerksinnungen des gleichen Handwerks oder sich fachlich oder wirtschaftlich nahestehender Handwerke im Bezirk eines Landes. [2]Für mehrere Bundesländer kann ein gemeinsamer Landesinnungsverband gebildet werden.

(2) [1]Innerhalb eines Landes kann in der Regel nur ein Landesinnungsverband für dasselbe Handwerk oder für sich fachlich oder wirtschaftlich nahestehende Handwerke gebildet werden. [2]Ausnahmen können von der obersten Landesbehörde zugelassen werden.

(3) Durch die Satzung kann bestimmt werden, daß selbständige Handwerker dem Landesinnungsverband ihres Handwerks als Einzelmitglieder beitreten können.

§ 80 [Rechtsform; Satzung] [1]Der Landesinnungsverband ist eine juristische Person des privaten Rechts; er wird mit Genehmigung der Satzung rechtsfähig. [2]Die Satzung und ihre Änderung bedürfen der Genehmigung durch die oberste Landesbehörde. [3]Im Falle eines gemeinsamen Landesinnungsverbandes nach § 79 Abs. 1 Satz 2 ist die Genehmigung durch die für den Sitz des Landesinnungsverbandes zuständige oberste Landesbehörde im Einvernehmen mit den beteiligten obersten Landesbehörden zu erteilen. [4]Die Satzung muß den Bestimmungen des § 55 Abs. 2 entsprechen.

§ 81 [Aufgaben des Landesinnungsverbandes] (1) Der Landesinnungsverband hat die Aufgabe,

1. die Interessen des Handwerks wahrzunehmen, für das er gebildet ist,
2. die angeschlossenen Handwerksinnungen in der Erfüllung ihrer gesetzlichen und satzungsmäßigen Aufgaben zu unterstützen,
3. den Behörden Anregungen und Vorschläge zu unterbreiten sowie ihnen auf Verlangen Gutachten zu erstatten.

(2) Er ist befugt, Fachschulen und Fachkurse einzurichten oder zu fördern.

§ 82 [Förderung wirtschaftlicher und sozialer Interessen] [1] Der Landesinnungsverband kann ferner die wirtschaftlichen und sozialen Interessen der den Handwerksinnungen angehörenden Mitglieder fördern. [2] Zu diesem Zweck kann er inbesondere

1. Einrichtungen zur Erhöhung der Leistungsfähigkeit der Betriebe, vor allem in technischer und betriebswirtschaftlicher Hinsicht schaffen oder unterstützen,
2. den gemeinschaftlichen Einkauf und die gemeinschaftliche Übernahme von Lieferungen und Leistungen durch die Bildung von Genossenschaften, Arbeitsgemeinschaften oder auf sonstige Weise im Rahmen der allgemeinen Gesetze fördern,
3. Tarifverträge abschließen.

§ 83 [Anwendbarkeit von Vorschriften] (1) Auf den Landesinnungsverband finden entsprechende Anwendung:

1. § 55 Abs. 1 und Abs. 2 Nr. 1 bis 6, 8 bis 9 und hinsichtlich der Voraussetzungen für die Änderung der Satzung und für die Auflösung des Landesinnungsverbandes Nummer 10 sowie Nummer 11,
2. §§ 60, 61 Abs. 1 und Abs. 2 Nr. 1 und hinsichtlich der Beschlußfassung über die Höhe der Beiträge zum Landesinnungsverband Nummer 2 sowie Nummern 3 bis 5 und 7 bis 8,
3. §§ 59, 62, 64, 66 und 74,
4. § 39 und §§ 41 bis 53 des Bürgerlichen Gesetzbuchs[1)].

(2) [1] Die Mitgliederversammlung besteht aus den Vertretern der angeschlossenen Handwerksinnungen und im Fall des § 79 Abs. 3 auch aus den von den Einzelmitgliedern nach näherer Bestimmung der Satzung gewählten Vertretern. [2] Die Satzung kann bestimmen, daß die Handwerksinnungen und die Gruppe der Einzelmitglieder entsprechend der Zahl der Mitglieder der Handwerksinnungen und der Einzelmitglieder mehrere Stimmen haben und die Stimmen einer Handwerksinnung oder der Gruppe der Einzelmitglieder uneinheitlich abgegeben werden können.

(3) Nach näherer Bestimmung der Satzung können bis zur Hälfte der Mitglieder des Vorstands Personen sein, die nicht von der Mitgliederversammlung gewählt sind.

§ 84 [Anschluss von handwerksähnlichen Betrieben] [1] Durch die Satzung kann bestimmt werden, daß sich Vereinigungen von Inhabern handwerksähnlicher Betriebe oder Inhaber handwerksähnlicher Betriebe einem Landesinnungsverband anschließen können. [2] In diesem Fall obliegt dem Landesinnungsverband nach Maßgabe der §§ 81 und 82 auch die Wahrnehmung der Interessen des handwerksähnlichen Gewerbes. [3] § 83 Abs. 2 gilt entsprechend für

---

[1)] **beck-online, Module Arbeitsrecht Nr. 50.**

die Vertretung des handwerksähnlichen Gewerbes in der Mitgliederversammlung.

§ 85[1)] **[Bundesinnungsverband]** (1) Der Bundesinnungsverband ist der Zusammenschluß von Landesinnungsverbänden des gleichen Handwerks oder sich fachlich oder wirtschaftlich nahestehender Handwerke im Bundesgebiet.

(2) [1] Auf den Bundesinnungsverband finden die Vorschriften dieses Abschnitts sinngemäß Anwendung. [2] Die nach § 80 erforderliche Genehmigung der Satzung und ihrer Änderung erfolgt durch das Bundesministerium für Wirtschaft und Klimaschutz.

Vierter Abschnitt. Handwerkskammern

§ 90[2)] **[Handwerkskammern]** (1) Zur Vertretung der Interessen des Handwerks werden Handwerkskammern errichtet; sie sind Körperschaften des öffentlichen Rechts.

(2) Zur Handwerkskammer gehören die Inhaber eines Betriebs eines Handwerks und eines handwerkähnlichen Gewerbes des Handwerkskammerbezirks sowie die Gesellen, andere Arbeitnehmer mit einer abgeschlossenen Berufsausbildung und die Lehrlinge dieser Gewerbetreibenden.

(3) [1] Zur Handwerkskammer gehören auch Personen, die im Kammerbezirk selbständig eine gewerbliche Tätigkeit nach § 1 Abs. 2 Satz 2 Nr. 1 ausüben, wenn

1. sie die Gesellenprüfung in einem zulassungspflichtigen Handwerk erfolgreich abgelegt haben,
2. die betreffende Tätigkeit Bestandteil der Erstausbildung in diesem zulassungspflichtigen Handwerk war und
3. die Tätigkeit den überwiegenden Teil der gewerblichen Tätigkeit ausmacht.

[2] Satz 1 gilt entsprechend auch für Personen, die ausbildungsvorbereitende Maßnahmen erfolgreich absolviert haben, wenn diese Maßnahmen überwiegend Ausbildungsinhalte in Ausbildungsordnungen vermitteln, die nach § 25 erlassen worden sind und insgesamt einer abgeschlossenen Gesellenausbildung im Wesentlichen entsprechen.

(4) [1] Absatz 3 findet nur unter der Voraussetzung Anwendung, dass die Tätigkeit in einer dem Handwerk entsprechenden Betriebsform erbracht wird. [2] Satz 1 und Absatz 3 gelten nur für Gewerbetreibende, die erstmalig nach dem 30. Dezember 2003 eine gewerbliche Tätigkeit anmelden. [3] Die Handwerkskammer hat ein Verzeichnis zu führen, in welches die Personen nach § 90 Abs. 3 und 4 ihres Bezirks nach Maßgabe der Anlage D Abschnitt IV zu diesem Gesetz mit dem von ihnen betriebenen Gewerbe einzutragen sind (Verzeichnis der Personen nach § 90 Abs. 3 und 4 der Handwerksordnung).

(Fortsetzung nächstes Blatt)

---

1) § 85 Abs. 2 Satz 2 geänd. mWv 7.11.2001 durch VO v. 29.10.2001 (BGBl. I S. 2785); Abs. 2 Satz 2 geänd. mWv 8.9.2015 durch VO v. 31.8.2015 (BGBl. I S. 1474); Abs. 2 Satz 2 geänd. mWv 16.11.2022 durch G v. 9.11.2022 (BGBl. I S. 2009).

2) § 90 Abs. 3 und 4 eingef., bish. Abs. 3 wird Abs. 5 mWv 30.12.2003 durch G v. 24.12.2003 (BGBl. I S. 2933); Abs. 2 geänd. mWv 1.1.2004 durch G v. 24.12.2003 (BGBl. I S. 2934); Abs. 4 Satz 3 angef. mWv 1.4.2005 durch G v. 23.3.2005 (BGBl. I S. 931); Abs. 5 Sätze 1 und 2 neu gef. mWv 12.12.2012 durch G v. 5.12.2012 (BGBl. I S. 2415).

(5) [1]Die Landesregierungen werden ermächtigt, durch Rechtsverordnung Handwerkskammern zu errichten und die Bezirke der Handwerkskammern zu bestimmen; die Bezirke sollen sich in der Regel mit denen der höheren Verwaltungsbehörde decken. [2]Wird der Bezirk einer Handwerkskammer nach Satz 1 geändert, muss eine Vermögensauseinandersetzung erfolgen, welche der Genehmigung durch die oberste Landesbehörde bedarf. [3]Können sich die beteiligten Handwerkskammern hierüber nicht einigen, so entscheidet die oberste Landesbehörde.

§ 91[1)] **[Aufgaben]** (1) Aufgabe der Handwerkskammer ist insbesondere,

1.–3. …

4. die Berufsausbildung zu regeln (§ 41), Vorschriften hierfür zu erlassen, ihre Durchführung zu überwachen (§ 41a) sowie eine Lehrlingsrolle (§ 28 Absatz 1) zu führen,

4a. Vorschriften für Prüfungen im Rahmen einer beruflichen Fortbildung oder Umschulung zu erlassen und Prüfungsausschüsse hierfür zu errichten,

5. Gesellenprüfungsordnungen für die einzelnen Handwerke zu erlassen (§ 38), Prüfungsausschüsse für die Abnahme der Gesellenprüfungen zu errichten oder Handwerksinnungen zu der Errichtung von Gesellenprüfungsausschüssen zu ermächtigen (§ 37) und die ordnungsmäßige Durchführung der Gesellenprüfungen zu überwachen,

6. …

6a. die Gleichwertigkeit festzustellen (§§ 40a, 50c, 51g),[2)]

7.–12. …

13. die Maßnahmen zur Unterstützung notleidender Handwerker sowie Gesellen und anderer Arbeitnehmer mit einer abgeschlossenen Berufsausbildung zu treffen oder zu unterstützen,

14. die Zuständigkeit als Stelle nach § 340 Absatz 1 Satz 1 des Fünften Buches Sozialgesetzbuch für die Betriebe der Handwerke nach den Nummern 33 bis 38 der Anlage A.

(1a) …

(2) Die Handwerkskammer kann gemeinsam mit der Industrie- und Handelskammer Prüfungsausschüsse errichten.

(2a)–(4) …

§ 92 [Organe der Handwerkskammer] Die Organe der Handwerkskammer sind

1. die Mitgliederversammlung (Vollversammlung),
2. der Vorstand,
3. die Ausschüsse.

---

1) § 91 Abs. 1 Nr. 11 und Abs. 2 Satz 1 geänd. mWv 1.1.2004 durch G v. 24.12.2003 (BGBl. I S. 2934); Abs 2 Satz 1 aufgeh., bish. Satz 2 wird alleiniger Wortlaut mWv 1.4.2005 durch G v. 23.3.2005 (BGBl. I S. 931); Abs. 1a, 2a eingef. mWv 18.12.2008 durch G v. 11.12.2008 (BGBl. I S. 2418); Abs. 1 Nr. 6a eingef. mWv 1.4.2012 durch G v. 6.12.2011 (BGBl. I S. 2515); Abs. 1 Nr. 4 geänd., Nr. 7a eingef. mWv 6.7.2017 durch G v. 30.6.2017 (BGBl. I S. 2143); Abs. 3a eingef., Abs. 4 geänd. mWv 1.1.2021 durch G v. 22.12.2020 (BGBl. I S. 3256); Abs. 1 Nr. 6, 6a geänd., Nr. 8 neu gef., Nr. 13 geänd., Nr. 14 angef., Abs. 2b eingef. mWv 1.7.2021 durch G v. 9.6.2021 (BGBl. I S. 1654); Abs. 1 Nr. 14 geänd. mWv 9.4.2025 durch G v. 3.4.2025 (BGBl. 2025 I Nr. 106).

2) Komma fehlt im BGBl. I.

§ 93[1)] [Zusammensetzung der Vollversammlung] (1) [1]Die Vollversammlung besteht aus gewählten Mitgliedern. [2]Ein Drittel der Mitglieder müssen Gesellen oder andere Arbeitnehmer mit einer abgeschlossenen Berufsausbildung sein, die in dem Betrieb eines Gewerbes der Anlage A oder Betrieb eines Gewerbes der Anlage B beschäftigt sind.

(2) [1]Durch die Satzung ist die Zahl der Mitglieder der Vollversammlung und ihre Aufteilung auf die einzelnen in den Anlagen A und B zu diesem Gesetz aufgeführten Gewerbe zu bestimmen. [2]Die Satzung kann bestimmen, dass die Aufteilung der Zahl der Mitglieder der Vollversammlung auch die Personen nach § 90 Abs. 3 und 4 zu berücksichtigen hat. [3]Bei der Aufteilung sollen die wirtschaftlichen Besonderheiten und die wirtschaftliche Bedeutung der einzelnen Gewerbe berücksichtigt werden.

(3) Für jedes Mitglied sind mindestens ein, aber höchstens zwei Stellvertreter zu wählen, die im Verhinderungsfall oder im Falle des Ausscheidens der Mitglieder einzutreten haben.

(4) [1]Die Vollversammlung kann sich nach näherer Bestimmung der Satzung bis zu einem Fünftel der Mitgliederzahl durch Zuwahl von sachverständigen Personen unter Wahrung der in Absatz 1 festgelegten Verhältniszahl ergänzen; diese haben gleiche Rechte und Pflichten wie die gewählten Mitglieder der Vollversammlung. [2]Die Zuwahl der sachverständigen Personen, die auf das Drittel der Gesellen und anderer Arbeitnehmer mit einer abgeschlossenen Berufsausbildung anzurechnen sind, erfolgt auf Vorschlag der Mehrheit dieser Gruppe.

§ 94 [Rechtsstellung der Mitglieder] [1]Die Mitglieder der Vollversammlung sind Vertreter des gesamten Handwerks und des handwerksähnlichen Gewerbes und als solche an Aufträge und Weisungen nicht gebunden. [2]§ 66 Abs. 4, § 69 Abs. 4 und § 73 Abs. 1 gelten entsprechend.

§ 95[2)] [Wahl der Mitglieder] (1) [1]Die Mitglieder der Vollversammlung und ihre Stellvertreter werden durch Listen in allgemeiner, freier, gleicher und geheimer Wahl gewählt. [2]Die Wahlen zur Vollversammlung werden im Briefwahlverfahren durchgeführt.

(2) Das Wahlverfahren regelt sich nach der diesem Gesetz als Anlage C beigefügten Wahlordnung.

§ 96[3)] [Wahlrecht] (1) [1]Berechtigt zur Wahl der Vertreter des Handwerks und des handwerksähnlichen Gewerbes sind die in der Handwerksrolle (§ 6) oder im Verzeichnis nach § 19 eingetragenen natürlichen und juristischen Personen und Personengesellschaften sowie die in das Verzeichnis nach § 90 Abs. 4 Satz 2 eingetragenen natürlichen Personen. [2]Die nach § 90 Abs. 4 Satz 2 eingetragenen Personen sind zur Wahl der Vertreter der Personen nach § 90 Abs. 3 und 4 berechtigt, sofern die Satzung dies nach § 93 bestimmt. [3]Das

---

[1)] § 93 Abs. 2 und 3 neu gef., Abs. 1 Satz 2 geänd. mWv 1.1.2004 durch G v. 24.12.2003 (BGBl. I S. 2934); Abs. 2 Satz 2 eingef., bish. Satz 2 wird Satz 3 mWv 1.4.2005 durch G v. 23.3.2005 (BGBl. I S. 931).

[2)] § 95 Abs. 1 neu gef. mWv 1.1.2004 durch G v. 24.12.2003 (BGBl. I S. 2934).

[3)] *§ 96 Abs. 2 neu gef. mWv 1.1.1999 durch* EGInsO v. 5.10.1994 (BGBl. I S. 2911); Abs. 1 Satz 1 geänd. mWv 1.1.2004 durch G v. 24.12.2003 (BGBl. I S. 2934); Abs. 1 Satz 1 geänd. und Satz 2 eingef., bish. Sätze 2 und 3 werden Sätze 3 und 4 mWv 1.4.2005 durch G v. 23.3.2005 (BGBl. I S. 931).

Wahlrecht kann nur von volljährigen Personen ausgeübt werden. [4]Juristische Personen und Personengesellschaften haben jeweils nur eine Stimme.

(2) Nicht wahlberechtigt sind Personen, die infolge strafgerichtlicher Verurteilung das Recht, in öffentlichen Angelegenheiten zu wählen oder zu stimmen, nicht besitzen.

(3) An der Ausübung des Wahlrechts ist behindert,

1. wer wegen Geisteskrankheit oder Geistesschwäche in einem psychiatrischen Krankenhaus untergebracht ist,
2. wer sich in Straf- oder Untersuchungshaft befindet,
3. wer infolge gerichtlicher oder polizeilicher Anordnung in Verwahrung gehalten wird.

§ 98[1)] **[Wahl der Vertreter der Arbeitnehmer]** (1) [1]Berechtigt zur Wahl der Vertreter der Arbeitnehmer in der Handwerkskammer sind die Gesellen und die weiteren Arbeitnehmer mit abgeschlossener Berufsausbildung, sofern sie am Tag der Wahl volljährig sind und in einem Betrieb eines Handwerks oder eines handwerksähnlichen Gewerbes beschäftigt sind. [2]§ 96 Abs. 2 und 3 findet Anwendung.

(2) Kurzzeitig bestehende Arbeitslosigkeit läßt das Wahlrecht unberührt, wenn diese zum Zeitpunkt der Wahl nicht länger als drei Monate besteht.

§ 99[2)] **[Wählbarkeit zum Vertreter der Arbeitnehmer]** Wählbar zum Vertreter der Arbeitnehmer in der Vollversammlung sind die wahlberechtigten Arbeitnehmer in Sinne des § 90 Abs. 2, sofern sie

1. am Wahltag volljährig sind,
2. eine Gesellenprüfung oder eine andere Abschlußprüfung abgelegt haben oder, wenn sie in einem Betrieb eines handwerksähnlichen Gewerbes beschäftigt sind, nicht nur vorübergehend mit Arbeiten betraut sind, die gewöhnlich nur von einem Gesellen oder einem Arbeitnehmer ausgeführt werden, der einen Berufsabschluß hat.

§ 100 [Wahlprüfung; Bekanntmachung des Ergebnisses] (1) Die Handwerkskammer prüft die Gültigkeit der Wahl ihrer Mitglieder von Amts wegen.

(2) Das Ergebnis der Wahl ist öffentlich bekanntzumachen.

§ 101[3)] **[Einspruch gegen die Wahl]** (1) Gegen die Rechtsgültigkeit der Wahl kann jeder Wahlberechtigte innerhalb von einem Monat nach der Bekanntgabe des Wahlergebnisses Einspruch erheben; der Einspruch eines Inhabers eines Betriebs eines Handwerks oder handwerksähnlichen Gewerbes kann sich nur gegen die Wahl der Vertreter der Handwerke und handwerksähnlichen Gewerbe, der Einspruch eines Gesellen oder anderen Arbeitnehmers mit einer abgeschlossenen Berufsausbildung nur gegen die Wahl der Vertreter der Arbeitnehmer richten.

(2) Der Einspruch gegen die Wahl eines Gewählten kann nur auf eine Verletzung der Vorschriften der §§ 96 bis 99 gestützt werden.

---

1) § 98 Abs. 1 Satz 1 geänd. mWv 1.1.2004 durch G v. 24.12.2003 (BGBl. I S. 2934).
2) § 99 Nr. 2 geänd. mWv 1.1.2004 durch G v. 24.12.2003 (BGBl. I S. 2934).
3) § 101 Abs. 1 geänd. mWv 1.1.2004 durch G v. 24.12.2003 (BGBl. I S. 2934).

(3) [1] Richtet sich der Einspruch gegen die Wahl insgesamt, so ist er binnen einem Monat nach der Bekanntgabe des Wahlergebnisses bei der Handwerkskammer einzulegen. [2] Er kann nur darauf gestützt werden, daß

1. gegen das Gesetz oder gegen die auf Grund des Gesetzes erlassenen Wahlvorschriften verstoßen worden ist und
2. der Verstoß geeignet war, das Ergebnis der Wahl zu beeinflussen.

§ 102 [Ablehnung der Wahl; Amtsniederlegung] (1) Der Gewählte kann die Annahme der Wahl nur ablehnen, wenn er

1. das sechzigste Lebensjahr vollendet hat oder
2. durch Krankheit oder Gebrechen verhindert ist, das Amt ordnungsmäßig zu führen.

(2) Ablehnungsgründe sind nur zu berücksichtigen, wenn sie binnen zwei Wochen nach der Bekanntgabe des Wahlergebnisses bei der Handwerkskammer geltend gemacht worden sind.

(3) Mitglieder der Handwerkskammer können nach Vollendung des sechzigsten Lebensjahrs ihr Amt niederlegen.

§ 103[1)] [Amtsdauer] (1) [1] Die Wahl zur Handwerkskammer erfolgt auf fünf Jahre. [2] Eine Wiederwahl ist zulässig.

(2) Nach Ablauf der Wahlzeit bleiben die Gewählten solange im Amt, bis ihre Nachfolger eintreten.

(3) [1] Die Vertreter der Arbeitnehmer behalten, auch wenn sie nicht mehr im Betrieb eines Handwerks oder eines handwerksähnlichen Gewerbes beschäftigt sind, solange sie im Bezirk der Handwerkskammer verbleiben, das Amt noch bis zum Ende der Wahlzeit, jedoch höchstens für ein Jahr. [2] Im Falle der Arbeitslosigkeit behalten sie das Amt bis zum Ende der Wahlzeit.

§ 104[2)] [Ausscheiden aus dem Amt] (1) Mitglieder der Vollversammlung haben aus dem Amt auszuscheiden, wenn sie durch Krankheit oder Gebrechen verhindert sind, das Amt ordnungsmäßig zu führen oder wenn Tatsachen eintreten, die ihre Wählbarkeit ausschließen.

(2) Gesetzliche Vertreter juristischer Personen und vertretungsberechtigte Gesellschafter der Personengesellschaften haben ferner aus dem Amt auszuscheiden, wenn

1. sie die Vertretungsbefugnis verloren haben,
2. die juristische Person oder die Personengesellschaft in der Handwerksrolle oder in dem Verzeichnis nach § 19 gelöscht worden ist.

(3) Weigert sich das Mitglied auszuscheiden, so ist es von der obersten Landesbehörde nach Anhörung der Handwerkskammer seines Amtes zu entheben.

§ 105[3)] [Satzung der Handwerkskammer] (1) [1] Für die Handwerkskammer ist von der obersten Landesbehörde eine Satzung zu erlassen. [2] Über eine

---

1) § 103 Abs. 3 Satz 1 geänd. mWv 1.1.2004 durch G v. 24.12.2003 (BGBl. I S. 2934).

2) § 104 Abs. 2 Nr. 2 geänd. mWv 1.1.2004 durch G v. 24.12.2003 (BGBl. I S. 2934).

3) § 105 Abs. 2 Nr. 12 geänd. mWv 6.7.2017 durch G v. 30.6.2017 (BGBl. I S. 2143); Abs. 2 Nr. 9 neu gef., Nr. 10 geänd. mWv 1.7.2021 durch G v. 9.6.2021 (BGBl. I S. 1654).

Änderung der Satzung beschließt die Vollversammlung; der Beschluß bedarf der Genehmigung durch die oberste Landesbehörde.

(2) Die Satzung muß Bestimmungen enthalten über

1. den Namen, den Sitz und den Bezirk der Handwerkskammer,
2. die Zahl der Mitglieder der Handwerkskammer und der Stellvertreter sowie die Reihenfolge ihres Eintritts im Falle der Behinderung oder des Ausscheidens der Mitglieder,
3. die Verteilung der Mitglieder und der Stellvertreter auf die im Bezirk der Handwerkskammer vertretenen Handwerke,
4. die Zuwahl zur Handwerkskammer,
5. die Wahl des Vorstands und seine Befugnisse,
6. die Einberufung der Handwerkskammer und ihrer Organe,
7. die Form der Beschlußfassung und die Beurkundung der Beschlüsse der Handwerkskammer und des Vorstands,
8. die Erstellung einer mittelfristigen Finanzplanung und deren Übermittlung an die Vollversammlung,
9. die Festlegung der Haushaltsführung nach dem Verfahren der Kameralistik oder der Doppik sowie die Aufstellung und Genehmigung des Haushaltsplans oder des Wirtschaftsplans,
10. die Aufstellung, Prüfung und Abnahme der Jahresrechnung oder des Jahresabschlusses mit Lagebericht einschließlich der Verwendung des Jahresergebnisses sowie über die Übertragung der Prüfung auf eine unabhängige Stelle außerhalb der Handwerkskammer,
11. die Voraussetzungen und die Form einer Änderung der Satzung,
12. die Organe einschließlich elektronischer Medien, in denen die Bekanntmachungen der Handwerkskammer zu veröffentlichen sind.

(3) Die Satzung darf keine Bestimmung enthalten, die mit den in diesem Gesetz bezeichneten Aufgaben der Handwerkskammer nicht in Verbindung steht oder gesetzlichen Vorschriften zuwiderläuft.

(4) Die Satzung nach Absatz 1 Satz 1 ist in dem amtlichen Organ der für den Sitz der Handwerkskammer zuständigen höheren Verwaltungsbehörde bekanntzumachen.

§ 106[1] [Beschlussfassung der Vollversammlung] (1) Der Beschlußfassung der Vollversammlung bleibt vorbehalten

1. die Wahl des Vorstands und der Ausschüsse,

2.–9. …

10. der Erlaß von Vorschriften über die Berufsausbildung, berufliche Fortbildung und berufliche Umschulung (§ 91 Abs. 1 Nr. 4 und 4a),
11. der Erlass der Gesellenprüfungsordnungen nach § 91 Absatz 1 Nummer 5 und Satzungen nach § 50a Absatz 3 oder § 51d Absatz 3,

---

[1] § 106 Abs. 1 Nr. 8 neu gef. mWv 1.1.2004 durch G v. 24.12.2003 (BGBl. I S. 2934); Abs. 1 Nr. 8a eingef. mWv 18.12.2008 durch G v. 11.12.2008 (BGBl. I S. 2418); Abs. 2 Satz 2 geänd. mWv 6.7.2017 durch G v. 30.6.2017 (BGBl. I S. 2143); Abs. 3–5 angef. mWv 30.7.2020 durch G v. 19.6. 2020 (BGBl. I S. 1403); Abs. 1 Nr. 4, 6, 7 geänd., Nr. 11 neu gef., Abs. 2 Satz 2 geänd. mWv 1.7. 2021 durch G v. 9.6.2021 (BGBl. I S. 1654); Abs. 4 Satz 1 geänd. mWv 23.1.2024 durch G v. 17.1. 2024 (BGBl. 2024 I Nr. 12).

12.–14. ...

(2) [1] Die nach Absatz 1 Nr. 3 bis 7, 10 bis 12 und 14 gefaßten Beschlüsse bedürfen der Genehmigung durch die oberste Landesbehörde. [2] Die Beschlüsse nach Absatz 1 Nr. 5, 6, 10 bis 12 und 14 sind in den für die Bekanntmachungen der Handwerkskammern bestimmten Organen einschließlich der elektronischen Medien (§ 105 Abs. 2 Nr. 12) zu veröffentlichen.

(3) [1] Die Satzung nach Absatz 1 Nummer 12 und deren Änderungen müssen im Einklang mit den Vorgaben des auf sie anzuwendenden europäischen Rechts stehen. [2] Insbesondere sind bei neuen oder zu ändernden Vorschriften, die dem Anwendungsbereich der Richtlinie 2005/36/EG[1)] in der jeweils geltenden Fassung unterfallen, die Vorgaben der Richtlinie (EU) 2018/958 des Europäischen Parlaments und des Rates vom 28. Juni 2018 über eine Verhältnismäßigkeitsprüfung vor Erlass neuer Berufsreglementierungen (ABl. L 173 vom 9.7. 2018, S. 25) in der jeweils geltenden Fassung einzuhalten.

(4) [1] Vorschriften im Sinne des Absatzes 3 Satz 2 sind anhand der in der Anlage E zu diesem Gesetz festgelegten Kriterien auf ihre Verhältnismäßigkeit zu prüfen. [2] Der Umfang der Prüfung muss im Verhältnis zu der Art, dem Inhalt und den Auswirkungen der Vorschrift stehen. [3] Die Vorschrift ist so ausführlich zu erläutern, dass ihre Übereinstimmung mit dem Verhältnismäßigkeitsgrundsatz bewertet werden kann. [4] Die Gründe, aus denen sich ergibt, dass sie gerechtfertigt und verhältnismäßig ist, sind durch qualitative und, soweit möglich und relevant, quantitative Elemente zu substantiieren. [5] Mindestens zwei Wochen vor der Beschlussfassung der Vollversammlung über die Vorschrift ist auf der Internetseite der jeweiligen Handwerkskammer ein Entwurf mit der Gelegenheit zur Stellungnahme zu veröffentlichen. [6] Nach dem Erlass der Vorschrift ist ihre Übereinstimmung mit dem Verhältnismäßigkeitsgrundsatz zu überwachen und bei einer Änderung der Umstände zu prüfen, ob die Vorschrift anzupassen ist.

(5) [1] Die oberste Landesbehörde hat bei der nach Absatz 2 Satz 1 erforderlichen Genehmigung zu prüfen, ob die Vorgaben der Richtlinie (EU) 2018/958 in der jeweils geltenden Fassung eingehalten wurden. [2] Zu diesem Zweck hat ihr die Handwerkskammer die Unterlagen zuzuleiten, aus denen sich die Einhaltung der Vorgaben ergibt. [3] Insbesondere sind die Gründe zu übermitteln, auf Grund derer die Vollversammlung der Handwerkskammer die Vorschriften und Satzungen oder deren Änderungen als gerechtfertigt, notwendig und verhältnismäßig beurteilt hat.

§ 108 [Vorstands- und Präsidentenwahl] (1) [1] Die Vollversammlung wählt aus ihrer Mitte den Vorstand. [2] Ein Drittel der Mitglieder müssen Gesellen oder andere Arbeitnehmer mit abgeschlossener Berufsausbildung sein.

(2) Der Vorstand besteht nach näherer Bestimmung der Satzung aus dem Vorsitzenden (Präsidenten), zwei Stellvertretern (Vizepräsidenten), von denen einer Geselle oder ein anderer Arbeitnehmer mit abgeschlossener Berufsausbildung sein muß, und einer weiteren Zahl von Mitgliedern.

(3) [1] Der Präsident wird von der Vollversammlung mit absoluter Stimmenmehrheit der anwesenden Mitglieder gewählt. [2] Fällt die Mehrzahl der Stimmen nicht auf eine Person, so findet eine engere Wahl zwischen den beiden Personen statt, welche die meisten Stimmen erhalten haben.

---

1) beck-online, Module Arbeitsrecht Nr. 873.

(4) [1]Die Wahl der Vizepräsidenten darf nicht gegen die Mehrheit der Stimmen der Gruppe, der sie angehören, erfolgen. [2]Erfolgt in zwei Wahlgängen keine Entscheidung, so entscheidet ab dem dritten Wahlgang die Stimmenmehrheit der jeweils betroffenen Gruppe. [3]Gleiches gilt für die Wahl der weiteren Mitglieder des Vorstands.

(5) Die Wahl des Präsidenten und seiner Stellvertreter ist der obersten Landesbehörde binnen einer Woche anzuzeigen.

(6) Als Ausweis des Vorstands genügt eine Bescheinigung der obersten Landesbehörde, daß die darin bezeichneten Personen zur Zeit den Vorstand bilden.

§ 111[1)] [Überwachung der Lehrlingsausbildung; Auskunftspflicht der Gewerbetreibenden] (1) [1]Die in die Handwerksrolle und in das Verzeichnis nach § 19 eingetragenen Gewerbetreibenden haben der Handwerkskammer die zur Durchführung von Rechtsvorschriften über die Berufsbildung und der von der Handwerkskammer erlassenen Vorschriften, Anordnungen und der sonstigen von ihr getroffenen Maßnahmen erforderlichen Auskünfte zu erteilen und Unterlagen vorzulegen. [2]Die Handwerkskammer kann für die Erteilung der Auskunft eine Frist setzen.

(2) [1]Die von der Handwerkskammer mit der Einholung von Auskünften beauftragten Personen sind befugt, zu dem in Absatz 1 bezeichneten Zweck die Betriebsräume, Betriebseinrichtungen und Ausbildungsplätze sowie die für den Aufenthalt und die Unterkunft der Lehrlinge und Gesellen bestimmten Räume oder Einrichtungen zu betreten und dort Prüfungen und Besichtigungen vorzunehmen. [2]Der Auskunftspflichtige hat die Maßnahme von Satz 1 zu dulden. [3]Das Grundrecht der Unverletzlichkeit der Wohnung (Artikel 13 des Grundgesetzes[2)]) wird insoweit eingeschränkt.

(3) Der Auskunftspflichtige kann die Auskunft auf solche Fragen verweigern, deren Beantwortung ihn selbst oder einen der in § 383 Abs. 1 Nr. 1 bis 3 der Zivilprozeßordnung[3)] bezeichneten Angehörigen der Gefahr strafgerichtlicher Verfolgung oder eines Verfahrens nach dem Gesetz über Ordnungswidrigkeiten[4)] aussetzen würde.

§ 116 [Ermächtigung] [1]Die Landesregierungen werden ermächtigt, durch Rechtsverordnung die zuständigen Behörden abweichend von § 104 Abs. 3 und § 108 Abs. 6 zu bestimmen. [2]Sie können diese Ermächtigung auf oberste Landesbehörden übertragen.

Fünfter Teil. Bußgeld-, Übergangs- und Schlußvorschriften

Erster Abschnitt. Bußgeldvorschriften

§ 117[5)] [Ordnungswidrigkeiten] (1) Ordnungswidrig handelt, wer

---

[1)] § 111 Abs. 1 Satz 1 geänd. mWv 1.1.2004 durch G v. 24.12.2003 (BGBl. I S. 2934).

[2)] **beck-online, Module Arbeitsrecht Nr. 10.**

[3)] **beck-online, Module Arbeitsrecht Nr. 320.**

[4)] **Habersack Nr. 94.**

[5)] § 117 Abs. 2 geänd. mWv 1.1.2002 durch G v. 10.11.2001 (BGBl. I S. 2992); Abs. 1 Nr. 1 und 2 neu gef. mWv 1.1.2004 durch G v. 24.12.2003 (BGBl. I S. 2934); Abs 1 Nr. 2 geänd. mWv 1.4.2005 durch G v. 23.3.2005 (BGBl. I S. 931); Abs. 1 Nr. 1 geänd. mWv 1.10.2007 durch G v. 7.9.2007 (BGBl. I S. 2246); Abs. 1 Nr. 2 neu gef. mWv 1.1.2020 durch G v. 12.12.2019 (BGBl. I S. 2522); Abs. 1 Nr. 2 geänd. mWv 1.7.2021 durch G v. 9.6.2021 (BGBl. I S. 1654).

1. entgegen § 1 Abs. 1 Satz 1 ein dort genanntes Gewerbe als stehendes Gewerbe selbständig betreibt oder
2. entgegen § 42b Absatz 4 Satz 3, § 42c Absatz 4 Satz 3, § 42d Absatz 4 Satz 3, § 42f Absatz 4 Satz 1, § 51 Absatz 1 oder § 51f Satz 1 eine dort genannte Abschluss- oder Ausbildungsbezeichnung führt.

(2) Die Ordnungswidrigkeit nach Absatz 1 Nr. 1 kann mit einer Geldbuße bis zu zehntausend Euro, die Ordnungswidrigkeit nach Absatz 1 Nr. 2 kann mit einer Geldbuße bis zu fünftausend Euro geahndet werden.

§ 118[1] **[Weitere Ordnungswidrigkeiten]** (1) Ordnungswidrig handelt, wer

1. eine Anzeige nach § 16 Abs. 2 oder § 18 Abs. 1 nicht, nicht richtig, nicht vollständig oder nicht rechtzeitig erstattet,
2. entgegen § 17 Abs. 1 oder Abs. 2 Satz 2, § 111 Abs. 1 oder Abs. 2 Satz 2 oder § 113 Abs. 2 Satz 11, auch in Verbindung mit § 73 Abs. 3, eine Auskunft nicht, nicht richtig, nicht vollständig oder nicht rechtzeitig erteilt, Unterlagen nicht vorlegt oder das Betreten von Grundstücken oder Geschäftsräumen oder die Vornahme von Prüfungen oder Besichtigungen nicht duldet,
3. Lehrlinge (Auszubildende) einstellt oder ausbildet, obwohl er nach § 22a Nr. 1 persönlich oder nach § 22b Abs. 1 fachlich nicht geeignet ist,
4. entgegen § 22 Abs. 2 einen Lehrling (Auszubildenden) einstellt,
5. Lehrlinge (Auszubildende) einstellt oder ausbildet, obwohl ihm das Einstellen oder Ausbilden nach § 24 untersagt worden ist,
6. entgegen § 30 Absatz 1 Satz 1, auch in Verbindung mit Satz 4, eine dort genannte Eintragung nicht, nicht richtig, nicht in der vorgeschriebenen Weise oder nicht rechtzeitig beantragt oder
7. einer Rechtsverordnung nach § 9 Abs. 1 Satz 1 Nr. 2 zuwiderhandelt, soweit sie für einen bestimmten Tatbestand auf diese Bußgeldvorschrift verweist.

(2) Die Ordnungswidrigkeiten nach Absatz 1 Nr. 1, 2, 6 und 7 können mit einer Geldbuße bis zu eintausend Euro, die Ordnungswidrigkeiten nach Absatz 1 Nr. 3 bis 5 können mit einer Geldbuße bis zu fünftausend Euro geahndet werden.

§ 118a [Unterrichtung der Handwerkskammer] [1]Die zuständige Behörde unterrichtet die zuständige Handwerkskammer über die Einleitung von und die abschließende Entscheidung in Verfahren wegen Ordnungswidrigkeiten nach den §§ 117 und 118. [2]Gleiches gilt für Verfahren wegen Ordnungswidrigkeiten nach dem Gesetz zur Bekämpfung der Schwarzarbeit in der Fassung der Bekanntmachung vom 29. Januar 1982, zuletzt geändert durch Anlage I Kapitel VIII Sachgebiet E Nr. 3 des Einigungsvertrages[2] vom 31. August 1990 in Verbindung mit Artikel 1 des Gesetzes vom 23. September 1990

---

[1] § 118 Abs. 2 geänd. mWv 1.1.2002 durch G v. 10.11.2001 (BGBl. I S. 2992); Abs. 1 Nr. 2 geänd. mWv 1.1.2004 durch G v. 24.12.2003 (BGBl. I S. 2934); Abs. 1 Nr. 3 geänd. und Nr. 4 neu gef. mWv 1.4.2005 durch G v. 23.3.2005 (BGBl. I S. 931); Abs. 1 Nr. 6, Abs. 2 geänd., Abs. 1 Nr. 7 angef. mWv *1.10.2007 durch G* v. 7.9.2007 (BGBl. I S. 2246); Abs. 1 Nr. 6 neu gef. mWv 1.8.2024 durch G v. 19.7.2024 (BGBl. 2024 I Nr. 246).

[2] Auszugsweise abgedruckt unter Nr. **10a**.

(BGBl. 1990 II S. 885, 1038), in seiner jeweils geltenden Fassung, soweit Gegenstand des Verfahrens eine handwerkliche Tätigkeit ist.

Zweiter Abschnitt. Übergangsvorschriften

§ 120[1] **[Erhaltung der Befugnis zur Lehrlingsausbildung]** (1) Die am 31. Dezember 2003 vorhandene Befugnis zur Einstellung oder zur Ausbildung von Lehrlingen (Auszubildenden) in Handwerksbetrieben bleibt erhalten.

(2) Wer bis zum 31. März 1998 die Befugnis zur Ausbildung von Lehrlingen (Auszubildenden) in einem Gewerbe erworben hat, das in die Anlage A zu diesem Gesetz aufgenommen wird, gilt im Sinne des § 22b Abs. 1 als fachlich geeignet.

(3) Personen, die am 13. Februar 2020 nach § 22b Absatz 1 und 3 fachlich zur Ausbildung von Lehrlingen (Auszubildenden) eines Handwerks geeignet waren, das in Anlage A Nummer 42 bis 53 aufgeführt ist, gelten im Sinne des § 22b Absatz 1 und 2 weiterhin als fachlich geeignet.

§ 121[2] **[Der Meisterprüfung gleichgestellte Prüfungen]** Der Meisterprüfung im Sinne des § 45 bleiben die in § 133 Abs. 10 der Gewerbeordnung[3] bezeichneten Prüfungen gleichgestellt, sofern sie vor Inkrafttreten dieses Gesetzes abgelegt worden sind.

§ 122[4] **[Gesellen- und Meisterprüfungsvorschriften bei Trennung oder Zusammenfassung von Handwerken]** (1) Werden zulassungspflichtige Handwerke durch Gesetz oder durch eine nach § 1 Abs. 3 erlassene Rechtsverordnung getrennt oder zusammengefasst, so können auch solche Personen als Beisitzer der Gesellen- oder Meisterprüfungsausschüsse der durch die Trennung oder Zusammenfassung entstandenen Handwerke oder handwerksähnlichen Gewerbe berufen werden, die in dem getrennten oder in einem der zusammengefassten Handwerke oder handwerksähnlichen Gewerbe die Gesellen- oder Meisterprüfung abgelegt haben oder das Recht zum Ausbilden von Lehrlingen besitzen und im Falle des § 48 Abs. 3 seit mindestens einem Jahr in dem Handwerk, für das der Meisterprüfungsausschuss errichtet ist, selbständig tätig sind.

(2) Die für die einzelnen Handwerke oder handwerksähnlichen Gewerbe geltenden Gesellen-, Abschluss- und Meisterprüfungsvorschriften sind bis zum Inkrafttreten der nach § 25 Abs. 1 und 38 sowie § 45 Abs. 1 Nr. 2 dieses Gesetzes oder nach § 4 des Berufsbildungsgesetzes[5] vorgesehenen Prüfungsverordnungen anzuwenden, soweit sie nicht mit diesem Gesetz im Widerspruch stehen.

(3) Die für die einzelnen Handwerke oder handwerksähnlichen Gewerbe geltenden Berufsbilder oder Meisterprüfungsverordnungen sind bis zum In-

---

[1] § 120 Abs. 1 und 2 geänd. mWv 1.4.2005 durch G v. 23.3.2005 (BGBl. I S. 931); Abs. 3 angef. mWv 1.7.2021 durch G v. 9.6.2021 (BGBl. I S. 1654).

[2] § 121 geänd. mWv 1.1.2004 durch G v. 24.12.2003 (BGBl. I S. 2934).

[3] **beck-online, Module Arbeitsrecht Nr. 106.**

[4] § 122 Abs. 1–4 neu gef. mWv 1.1.2004 durch G v. 24.12.2003 (BGBl. I S. 2934); Abs. 2 neu gef. mWv 1.4.2005 durch G v. 23.3.2005 (BGBl. I S. 931); Abs. 2 Satz 2 aufgeh., Abs. 5 angef. mWv 1.7.2021 durch G v. 9.6.2021 (BGBl. I S. 1654); Abs. 5 Satz 1 geänd. mWv 16.11.2022 durch G v. 9.11.2022 (BGBl. I S. 2009).

[5] Nr. **415**.

krafttreten von Rechtsverordnungen nach § 45 Abs. 1 und § 51a Abs. 1 in Verbindung mit Abs. 2 anzuwenden.

(4) Die für die einzelnen Handwerke oder handwerksähnlichen Gewerbe geltenden fachlichen Vorschriften sind bis zum Inkrafttreten von Rechtsverordnungen nach § 25 Abs. 1, § 45 Abs. 1 und § 51a Abs. 1 in Verbindung mit Abs. 2 anzuwenden.

(5) [1] Das Bundesministerium für Wirtschaft und Klimaschutz wird ermächtigt, im Einvernehmen mit dem Bundesministerium für Bildung und Forschung durch Rechtsverordnung, die nicht der Zustimmung des Bundesrates bedarf, für die Fälle der Absätze 2 bis 4 ergänzende Übergangsvorschriften zu erlassen, soweit dies für eine ordnungsgemäße Überleitung bestehender Lehrlingsverhältnisse oder sonstiger Ausbildungsverhältnisse oder begonnener Prüfungen oder Prüfungsteile sachdienlich ist. [2] Dabei kann auch von den Absätzen 2 bis 4 abgewichen werden.

§ 122a[1)] [Übergangsvorschriften] (1) [1] Vorbehaltlich der Absätze 2 und 3 sind im Bereich des Dritten Teils dieses Gesetzes bis zum Ablauf des 30. Juni 2022 die am 30. Juni 2021 geltenden Vorschriften weiter anzuwenden. [2] Endet die vorgesehene Dauer der Berufung eines Mitglieds oder eines stellvertretenden Mitglieds eines Meisterprüfungsausschusses binnen des sich aus Satz 1 ergebenden Zeitraums, so verlängert sich seine Berufung bis zum Ablauf des 30. Juni 2022.

(2) Ein Meisterprüfungsausschuss, der am 30. Juni 2021 errichtet ist, bleibt zur Abnahme und Bewertung der bei ihm bis zum Ablauf des 30. Juni 2022 begonnenen Teile einer Meisterprüfung weiter bestehen; insoweit sind für die Durchführung der Prüfungen die in Absatz 1 bezeichneten Vorschriften auch über den dort genannten Zeitpunkt hinaus weiter anzuwenden.

(3) [1] Ein Meisterprüfungsausschuss, der am 30. Juni 2021 errichtet ist, nimmt unbeschadet des Absatzes 2 für die Dauer der Berufung seiner Mitglieder und stellvertretenden Mitglieder ab dem 1. Juli 2022 die Aufgaben eines nach den am 1. Juli 2021 geltenden Vorschriften zu errichtenden Meisterprüfungsausschusses wahr. [2] Unbeschadet des Absatzes 1 ist ein Meisterprüfungsausschuss nach Satz 1 befugt, bereits vor dem 1. Juli 2022 alle erforderlichen Handlungen zur Vorbereitung der Aufgabenwahrnehmung im Sinne des Satzes 1 vorzunehmen, insbesondere solche nach §§ 48a, 51c, auch in Verbindung mit einer Rechtsverordnung nach § 50a oder § 51d.

§ 123[2)] [Zulassung zur Meisterprüfung] (1) Beantragt ein Gewerbetreibender, der bis zum 31. Dezember 2003 berechtigt ist, ein zulassungspflichtiges Handwerk als stehendes Gewerbe selbständig zu betreiben, in diesem Handwerk zur Meisterprüfung zugelassen zu werden, so gelten für die Zulassung zur Prüfung die Bestimmungen der §§ 49 und 50 entsprechend.

(2) Absatz 1 gilt entsprechend für ein Gewerbe, das in die Anlage A aufgenommen wird.

(3) § 49 Absatz 1 Satz 2 ist nicht anzuwenden auf Personen, die bis zum Ablauf des 30. Juni 2021 eine Gesellen- oder Abschlussprüfung bestanden und

[1)] *§ 122a eingef. mWv 1.7.2021 durch G v. 9.6.2021 (BGBl. I S. 1654).*

[2)] § 123 Abs. 1 neu gef. mWv 1.1.2004 durch G v. 24.12.2003 (BGBl. I S. 2934); Abs. 3 angef. mWv 1.7.2021 durch G v. 9.6.2021 (BGBl. I S. 1654).

vor dem 14. Juni 2023 einen Antrag auf Zulassung zur Meisterprüfung gestellt haben.

§ 123a[1] **[Übergangsfristen]** [1] § 22b Absatz 3, § 37 Absatz 3, die §§ 41b, 41c Absatz 1 bis 3, die §§ 41d, 42b Absatz 3, § 42c Absatz 3, § 49 Absatz 2 sowie § 51a Absatz 5 sind erstmals ab dem 1. Januar 2025 anzuwenden. [2] § 22b Absatz 3, § 37 Absatz 3, § 42b Absatz 3, § 42c Absatz 3, § 49 Absatz 2 sowie § 51a Absatz 5 sind in ihrer am 31. Juli 2024 geltenden Fassung bis zum Ablauf des 31. Dezember 2024 weiter anzuwenden.

[1] § 123a eingef. mWv 1.8.2024 durch G v. 19.7.2024 (BGBl. 2024 I Nr. 246).

108. Verordnung über die für Staatsangehörige eines Mitgliedstaates der Europäischen Union oder eines anderen Vertragsstaates des Abkommens über den Europäischen Wirtschaftsraum oder der Schweiz geltenden Voraussetzungen für die Ausübung eines zulassungspflichtigen Handwerks (EU/EWR-Handwerk-Verordnung – EU/EWR HwV)[1)]

Vom 18. März 2016

(BGBl. I S. 509)

FNA 7110-1-8

geänd. durch Art. 2 VO zur Änd. der Kehr- und ÜberprüfungsO und weiterer Vorschriften v. 26.10. 2021 (BGBl. I S. 4740)

Auf Grund des § 9 Absatz 1 Satz 1 Nummer 1 und 2 der Handwerksordnung[2)] in der Fassung der Bekanntmachung vom 24. September 1998 (BGBl. I S. 3074; 2006 I S. 2095), der zuletzt durch Artikel 283 der Verordnung vom 31. August 2015 (BGBl. I S. 1474) geändert worden ist, verordnet das Bundesministerium für Wirtschaft und Energie:

Abschnitt 1. Eintragung in die Handwerksrolle

§ 1 Ausnahmebewilligung zur Eintragung in die Handwerksrolle. [1]Staatsangehörigen eines Mitgliedstaates der Europäischen Union, eines anderen Vertragsstaates des Abkommens über den Europäischen Wirtschaftsraum oder der Schweiz, nachfolgend Herkunftsstaaten genannt, die im Inland zur Ausübung eines Handwerks der Anlage A der Handwerksordnung[2)] in der Fassung der Bekanntmachung vom 24. September 1998 (BGBl. I S. 3074; 2006 I S. 2095), die zuletzt durch Artikel 283 der Verordnung vom 31. August 2015 (BGBl. I S. 1474) geändert worden ist, eine gewerbliche Niederlassung unterhalten oder als Betriebsleiterin oder Betriebsleiter tätig sein wollen, wird nach Maßgabe der folgenden Vorschriften auf Antrag eine Ausnahmebewilligung zur Eintragung in die Handwerksrolle nach § 9 Absatz 1 Satz 1 Nummer 1 in Verbindung mit § 7 Absatz 3 der Handwerksordnung[2)] erteilt. [2]Die Möglichkeit einer Ausnahmebewilligung nach § 8 Absatz 1 der Handwerksordnung[2)] bleibt unberührt.

§ 2 Anerkennung von Berufserfahrung. (1) [1]Eine Ausnahmebewilligung erhält, wer in dem betreffenden Gewerbe die notwendige Berufserfahrung im

---

[1)] **Amtl. Anm.:** Diese Verordnung dient der Umsetzung der Richtlinie 2005/36/EG des Europäischen Parlaments und des Rates vom 7. September 2005 über die Anerkennung von Berufsqualifikationen (ABl. L 255 vom 30.9.2005, S. 22), die zuletzt durch die Richtlinie 2013/55/EU des Europäischen Parlaments und des Rates vom 20. November 2013 zur Änderung der Richtlinie 2005/36/EG über die Anerkennung von Berufsqualifikationen und der Verordnung (EU) Nr. 1024/2012 über die Verwaltungszusammenarbeit mit Hilfe des Binnenmarkt-Informationssystems („IMI-Verordnung") (ABl. L 354 vom 28.12.2013, S. 132) geändert worden ist.

[2)] **beck-online, Module Arbeitsrecht Nr. 107.**

Sinne der Absätze 2 und 3 besitzt. [2] Satz 1 gilt nicht für Gewerbe nach Anlage A Nummer 33 bis 37 der Handwerksordnung[1)].

(2) Die notwendige Berufserfahrung besitzen Personen, die in einem anderen Herkunftsstaat zumindest eine wesentliche Tätigkeit des Gewerbes tatsächlich und rechtmäßig als Vollzeitbeschäftigung oder als entsprechende Teilzeitbeschäftigung ausgeübt haben, und zwar:

1. mindestens sechs Jahre ununterbrochen als Selbständige oder als Betriebsverantwortliche, sofern die Tätigkeit nicht länger als zehn Jahre vor der Antragstellung beendet wurde,
2. mindestens drei Jahre ununterbrochen als Selbständige oder als Betriebsverantwortliche, wenn eine mindestens dreijährige Ausbildung in der Tätigkeit vorangegangen ist,
3. mindestens vier Jahre ununterbrochen als Selbständige oder als Betriebsverantwortliche, wenn eine mindestens zweijährige Ausbildung in der Tätigkeit vorangegangen ist,
4. mindestens drei Jahre ununterbrochen als Selbständige und mindestens fünf Jahre als Arbeitnehmerinnen oder Arbeitnehmer, sofern die Tätigkeit nicht länger als zehn Jahre vor der Antragstellung beendet wurde, oder
5. mindestens fünf Jahre ununterbrochen in einer leitenden Stellung eines Unternehmens, von denen mindestens drei Jahre auf eine Tätigkeit mit technischen Aufgaben und mit der Verantwortung für mindestens eine Abteilung des Unternehmens entfallen müssen, und der außerdem eine mindestens dreijährige Ausbildung in der Tätigkeit vorausgegangen ist; dies gilt nicht für das Friseurgewerbe nach Anlage A Nummer 38 der Handwerksordnung[1)].

(3) Betriebsverantwortliche im Sinne des Absatzes 2 Nummer 1 bis 3 sind Personen, die in einem Unternehmen des entsprechenden Gewerbes in folgender Position tätig sind:

1. als Leiterin oder Leiter des Unternehmens oder einer Zweigniederlassung,
2. als Stellvertreterin oder Stellvertreter einer Inhaberin oder eines Inhabers oder einer Leiterin oder eines Leiters des Unternehmens, wenn mit dieser Stellung eine Verantwortung verbunden ist, die mit der Verantwortung der vertretenen Person vergleichbar ist, oder
3. in leitender Stellung mit kaufmännischen oder technischen Aufgaben und mit der Verantwortung für mindestens eine Abteilung des Unternehmens.

§ 3 Anerkennung von Ausbildungs- und Befähigungsnachweisen.

(1) [1] Die Ausnahmebewilligung wird vorbehaltlich der Anordnung von Ausgleichsmaßnahmen nach § 5 auch erteilt, wenn die Antragstellerin oder der Antragsteller in einem anderen Herkunftsstaat eine berufliche Qualifikation erworben hat, die dort Voraussetzung für die Ausübung zumindest einer wesentlichen Tätigkeit des betreffenden Gewerbes ist. [2] Die berufliche Qualifikation muss durch die Vorlage eines Ausbildungs- oder Befähigungsnachweises nachgewiesen werden.

(2) [1] Die Ausnahmebewilligung wird vorbehaltlich der Anordnung von Ausgleichsmaßnahmen nach § 5 auch erteilt, wenn die Antragstellerin oder der

[1)] **beck-online, Module Arbeitsrecht Nr. 107.**

Antragsteller in einem anderen Herkunftsstaat, in dem für die Ausübung des betreffenden Gewerbes keine bestimmte berufliche Qualifikation notwendig ist, eine reglementierte Ausbildung abgeschlossen hat. [2] Eine reglementierte Ausbildung ist eine Ausbildung,

1. die auf die Ausübung eines bestimmten Berufes ausgerichtet ist und aus einem oder mehreren abgeschlossenen Ausbildungsgängen besteht, dies gegebenenfalls ergänzt durch ein Berufspraktikum oder eine Berufspraxis, und
2. deren Aufbau und Niveau
   a) durch Rechts- und Verwaltungsvorschriften festgelegt sind oder
   b) von einer Behörde, die zur Kontrolle und Genehmigung bestimmt ist, kontrolliert oder genehmigt werden müssen.

(3) [1] Die Ausnahmebewilligung wird vorbehaltlich der Anordnung von Ausgleichsmaßnahmen nach § 5 auch erteilt, wenn die Antragstellerin oder der Antragsteller nachweist, dass sie oder er in einem der anderen Herkunftsstaaten, in dem weder die Ausbildung für diesen Beruf noch der Beruf selbst reglementiert ist, eine wesentliche Tätigkeit des Berufes als Vollzeitbeschäftigung mindestens ein Jahr oder als entsprechende Teilzeitbeschäftigung tatsächlich und rechtmäßig ausgeübt hat und mit einem Ausbildungs- oder Befähigungsnachweis nachweist, dass sie oder er fachlich durch eine Ausbildung auf die Ausübung dieses Berufes vorbereitet wurde. [2] Beschäftigungszeiten, die länger als zehn Jahre vor der Antragstellung liegen, bleiben unberücksichtigt.

(4) [1] Ausbildungen, die in einem anderen Herkunftsstaat auf Voll- oder entsprechender Teilzeitbasis im Rahmen von Ausbildungsprogrammen erfolgreich abgeschlossen wurden, sind den in den Absätzen 1 bis 3 genannten beruflichen Qualifikationen gleichgestellt, wenn sie

1. von diesem Herkunftsstaat im Hinblick auf die jeweilige Tätigkeit als gleichwertig anerkannt werden und
2. in Bezug auf die Aufnahme oder Ausübung eines Berufes in diesem Herkunftsstaat dieselben Rechte verleihen oder auf die Ausübung dieses Berufes vorbereiten.

[2] Dies gilt auch, wenn eine Ausbildung in einem anderen Herkunftsstaat durchgeführt wurde und aus Gründen des Bestandsschutzes auch dann zur Ausübung eines Berufes berechtigt, wenn die berufliche Qualifikation nicht oder nicht mehr den derzeitigen Anforderungen dieses Herkunftsstaates entspricht.

(5) Ausbildungen, die in einem Staat, der kein Herkunftsstaat ist, erfolgreich abgeschlossen wurden, sind den in den Absätzen 1 bis 3 genannten beruflichen Qualifikationen gleichgestellt, wenn

1. ein anderer Herkunftsstaat der Antragstellerin oder dem Antragsteller aufgrund dieser Ausbildung die Ausübung eines Berufes gestattet hat, für den dieser Herkunftsstaat eine bestimmte Qualifikation voraussetzt, und
2. die Antragstellerin oder der Antragsteller diesen Beruf dort mindestens drei Jahre als Vollzeitbeschäftigung oder als entsprechende Teilzeitbeschäftigung ausgeübt hat.

§ 4 Gemeinsame Ausbildungsrahmen und Ausbildungsprüfungen.

(1) [1] Die Ausnahmebewilligung wird auch erteilt, wenn die Antragstellerin oder der Antragsteller in einem anderen Herkunftsstaat für das betreffende Gewerbe erfolgreich einen gemeinsamen Ausbildungsrahmen durchlaufen hat.

[2]Ein gemeinsamer Ausbildungsrahmen ist ein Ausbildungsrahmen, der auf Grundlage der Artikel 49a und 57c der Richtlinie 2005/36/EG[1)] des Europäischen Parlaments und des Rates vom 7. September 2005 über die Anerkennung von Berufsqualifikationen (ABl. L 255 vom 30.9.2005, S. 22), die zuletzt durch die Richtlinie 2013/55/EU (ABl. L 354 vom 28.12.2013, S. 132) geändert worden ist, von der Europäischen Kommission als delegierter Rechtsakt erlassen und in der Bundesrepublik Deutschland eingeführt wurde. [3]Ein gemeinsamer Ausbildungsrahmen deckt ein gemeinsames Spektrum von Kenntnissen, Fähigkeiten und Kompetenzen ab, die für die Ausübung des betreffenden Berufes mindestens erforderlich sind.

(2) [1]Die Ausnahmebewilligung wird auch erteilt, wenn die Antragstellerin oder der Antragsteller in einem anderen Herkunftsstaat für das betreffende Gewerbe eine gemeinsame Ausbildungsprüfung bestanden hat. [2]Eine gemeinsame Ausbildungsprüfung ist eine Ausbildungsprüfung, die auf Grundlage der Artikel 49b und 57c der Richtlinie 2005/36/EG von der Europäischen Kommission als delegierter Rechtsakt erlassen und in der Bundesrepublik Deutschland eingeführt wurde. [3]Die gemeinsame Ausbildungsprüfung ist eine standardisierte Eignungsprüfung, die den Inhabern und Inhaberinnen einer bestimmten Berufsqualifikation vorbehalten ist.

§ 5[2)] Ausgleichsmaßnahmen. (1) [1]Die zuständige Behörde kann von der Antragstellerin oder dem Antragsteller vor der Erteilung einer Ausnahmebewilligung als Ausgleichsmaßnahme die Teilnahme an einem höchstens dreijährigen Anpassungslehrgang oder das Ablegen einer Eignungsprüfung verlangen, wenn

1. die bisherige Ausbildung der Antragstellerin oder des Antragstellers sich auf Fächer oder Handlungsfelder bezieht, die sich wesentlich von denen unterscheiden, die durch eine inländische Meisterprüfung in dem entsprechenden Handwerk abgedeckt werden, oder
2. das Gewerbe, für das eine Ausnahmebewilligung beantragt wird, im Inland wesentliche Tätigkeiten umfasst, die im Herkunftsstaat der Antragstellerin oder des Antragstellers nicht Bestandteil des entsprechenden Berufes sind und, wenn dieser Unterschied in einer besonderen Ausbildung besteht, die im Inland erforderlich ist und sich auf Fächer oder Handlungsfelder bezieht, die sich wesentlich von denen unterscheiden, die durch den vorgelegten Befähigungs- oder Ausbildungsnachweis abgedeckt werden.

[2]Die Antragstellerin oder der Antragsteller kann zwischen der Teilnahme an einem Anpassungslehrgang oder dem Ablegen einer Eignungsprüfung als Ausgleichsmaßnahme wählen.

(2) Ausgleichsmaßnahmen werden nicht angeordnet

1. in den Fällen der §§ 2 und 4,
2. wenn die von der Antragstellerin oder dem Antragsteller im Rahmen der Berufserfahrung erworbenen Kenntnisse geeignet sind, die in Absatz 1 genannten Unterschiede auszugleichen, oder
3. wenn die von der Antragstellerin oder dem Antragsteller durch lebenslanges Lernen erworbenen Kenntnisse, Fähigkeiten und Kompetenzen, die hierfür von einer zuständigen Behörde oder öffentlichen Einrichtung des anderen

---

[1)] **beck-online, Module Arbeitsrecht Nr. 873.**

[2)] § 5 Abs. 1 Satz 2 angef. mWv 1.1.2022 durch VO v. 26.10.2021 (BGBl. I S. 4740).

Herkunftsstaates als gültig anerkannt wurden, den wesentlichen Unterschied in Bezug auf die Fächer oder Handlungsfelder gemäß Absatz 1 Nummer 1 ausgleichen können; das lebenslange Lernen umfasst jegliche Aktivitäten der allgemeinen, beruflichen und sonstigen Bildung sowie des informellen Lernens während des gesamten Lebens, aus denen sich eine Verbesserung von Kenntnissen, Fähigkeiten und Kompetenzen ergibt.

§ 6[1)] Anerkennungsverfahren, Mitteilungspflichten und Fristen.

(1) Die zuständige Behörde kann von der Antragstellerin oder dem Antragsteller insbesondere folgende Unterlagen und Bescheinigungen verlangen:

1. einen Nachweis der Staatsangehörigkeit,
2. in den in den §§ 2 und 3 Absatz 2 genannten Fällen eine Bescheinigung über Art und Dauer der Tätigkeit, die von der zuständigen Behörde oder öffentlichen Einrichtung des anderen Herkunftsstaates ausgestellt wird,
3. in den in § 2 Absatz 2 Nummer 2, 3 und 5 genannten Fällen eine Bescheinigung der Ausbildung durch ein staatlich anerkanntes Zeugnis oder die Anerkennung der Ausbildung durch eine zuständige Berufsorganisation des anderen Herkunftsstaates,
4. in den in den §§ 3 bis 5 genannten Fällen eine beglaubigte Kopie des Befähigungs-, Ausbildungs- oder Prüfungsnachweises, der von der zuständigen Behörde oder öffentlichen Einrichtung des anderen Herkunftsstaates ausgestellt wurde,
5. in den in § 3 Absatz 5 genannten Fällen eine Bescheinigung der Berufserfahrung durch die zuständige Behörde des anderen Herkunftsstaates, der die Ausübung des Berufes gestattet hat, und
6. Unterlagen, die von der zuständigen Behörde des anderen Herkunftsstaates ausgestellt wurden und die belegen, dass die Ausübung des Gewerbes nicht wegen Unzuverlässigkeit untersagt worden ist.

(2) [1] Werden in dem anderen Herkunftsstaat die Unterlagen nach Absatz 1 nicht ausgestellt, können sie durch eine Versicherung an Eides statt oder in Herkunftsstaaten, in denen es eine solche nicht gibt, durch eine feierliche Erklärung ersetzt werden, die die Antragstellerin oder der Antragsteller vor einer zuständigen Behörde oder öffentlichen Einrichtung oder einer Notarin oder einem Notar des anderen Herkunftsstaates abgegeben hat und die durch diese Stelle bescheinigt wurde. [2] Die Unterlagen dürfen bei ihrer Vorlage nicht älter als drei Monate sein.

(3) [1] Die Antragstellerin oder der Antragsteller kann aufgefordert werden, Informationen zu ihrer oder seiner Ausbildung vorzulegen, soweit dies erforderlich ist, um festzustellen, ob die Voraussetzungen nach § 5 Absatz 1 Satz 1 Nummer 1 oder 2 vorliegen. [2] Ferner kann sich die zuständige Behörde an die Kontaktstelle oder die zuständige Behörde oder öffentliche Einrichtung des anderen Herkunftsstaates wenden, um erforderliche Informationen über die Ausbildung der Antragstellerin oder des Antragstellers zu erlangen.

(4) [1] Die zuständige Behörde bestätigt der Antragstellerin oder dem Antragsteller binnen eines Monats den Empfang der Unterlagen und teilt dabei mit, ob Unterlagen fehlen. [2] Spätestens drei Monate nach Einreichung der vollständigen Unterlagen muss zu einem Antrag nach den §§ 2 bis 4 eine Ent-

---

[1)] § 6 Abs. 3 geänd. mWv 1.1.2022 durch VO v. 26.10.2021 (BGBl. I S. 4740).

scheidung ergangen sein. [3]Diese Frist kann um einen Monat verlängert werden, wenn dies im Einzelfall, insbesondere aufgrund des Umfangs oder der tatsächlichen oder rechtlichen Schwierigkeiten des Falles, gerechtfertigt ist. [4]Die Fristverlängerung ist durch die zuständige Behörde zu begründen und der Antragstellerin oder dem Antragsteller vor Ablauf der Frist nach Satz 2 mitzuteilen.

(5) [1]Bestehen Zweifel an der Echtheit der vorgelegten Bescheinigungen und Ausbildungsnachweise oder an den dadurch verliehenen Rechten, hat die zuständige Behörde durch Nachfrage bei der zuständigen Behörde oder öffentlichen Einrichtung des anderen Herkunftsstaates, insbesondere unter Nutzung des Binnenmarkt-Informationssystems, die Echtheit oder die dadurch verliehenen Rechte zu überprüfen. [2]Der Fristablauf nach Absatz 4 ist bis zu einer Klärung gehemmt.

(6) [1]Wird einer oder einem Berufsangehörigen der Gesundheitshandwerke der Anlage A Nummer 33 bis 37 der Handwerksordnung[1)] die Berufsausübung durch eine Behörde oder ein Gericht ganz oder teilweise, dauerhaft oder vorübergehend, untersagt oder beschränkt, unterrichtet die zuständige Behörde die zuständigen Behörden der Herkunftsstaaten über

1. die Identität der Berufsangehörigen,
2. das betroffene Gewerbe,
3. die für die Entscheidung zuständige Behörde oder das zuständige Gericht,
4. den Umfang der Beschränkung oder Untersagung sowie
5. den Geltungszeitraum der Beschränkung oder Untersagung.

[2]Die gleiche Verpflichtung gilt im Fall einer gerichtlichen Feststellung, dass eine Antragstellerin oder ein Antragsteller gefälschte Nachweise über Berufsqualifikationen verwendet hat. [3]Die Unterrichtung hat spätestens drei Tage nach dem vorläufigen oder rechtskräftigen Erlass der behördlichen oder gerichtlichen Entscheidung zu erfolgen. [4]Für die Unterrichtung ist insbesondere das Binnenmarkt-Informationssystem zu nutzen.

(7) [1]Wird eine Ausgleichsmaßnahme nach § 5 Absatz 1 verlangt, so ist dies der Antragstellerin oder dem Antragsteller mitzuteilen und zu begründen. [2]Die Begründung hat den Hinweis zu enthalten, welchem Niveau gemäß Artikel 11 der Richtlinie 2005/36/EG[2)] die vorgelegten Berufsqualifikationen zugeordnet wurden und dass im Inland für die Ausübung einer Betriebsleitertätigkeit das Qualifikationsniveau des Artikels 11 Absatz 1 Buchstabe c der Richtlinie 2005/36/EG erforderlich ist. [3]Zudem sind die wesentlichen festgestellten Unterschiede zu benennen, für die kein Ausgleich erbracht werden konnte. [4]Wird als Ausgleichsmaßnahme eine Eignungsprüfung verlangt, soll diese innerhalb von sechs Monaten ab dem Zugang der Entscheidung ermöglicht und abgelegt werden.

§ 7 Eignungsprüfung. (1) In der Eignungsprüfung werden die beruflichen Kenntnisse, Fähigkeiten und Kompetenzen der Antragstellerinnen oder Antragsteller geprüft und es wird beurteilt, ob die Antragstellerinnen oder

[1)] beck-online, Module Arbeitsrecht Nr. 107.
[2)] beck-online, Module Arbeitsrecht Nr. 873.

Antragsteller in der Lage sind, für ein zulassungspflichtiges Handwerk als Betriebsverantwortliche oder Betriebsverantwortlicher tätig zu sein.

(2) [1] Die Eignungsprüfung wird von der zuständigen Behörde durchgeführt. [2] Sie kann sachverständige Dritte mit der Durchführung der Eignungsprüfung beauftragen.

(3) Die Eignungsprüfung erstreckt sich auf Sachgebiete,

1. die aufgrund eines Vergleichs zwischen der in der Bundesrepublik Deutschland verlangten Ausbildung und der bisherigen Ausbildung der Antragstellerinnen oder Antragsteller von deren Diplomen, Ausbildungsnachweisen oder sonstigen Nachweisen nicht abgedeckt werden und
2. deren Kenntnis wesentliche Voraussetzung für die Ausübung des Berufes ist.

Abschnitt 2. Grenzüberschreitende Erbringung von Dienstleistungen

§ 8 Voraussetzungen der Dienstleistungserbringung. (1) [1] Staatsangehörigen eines Herkunftsstaates, die im Inland keine gewerbliche Niederlassung unterhalten, ist die vorübergehende und gelegentliche Erbringung von Dienstleistungen in einem Handwerk der Anlage A der Handwerksordnung gestattet, wenn sie in einem anderen Herkunftsstaat zur Ausübung vergleichbarer Tätigkeiten rechtmäßig niedergelassen sind. [2] Setzt der andere Herkunftsstaat für die Ausübung der betreffenden Tätigkeiten keine bestimmte berufliche Qualifikation voraus und verfügt die Dienstleistungserbringerin oder der Dienstleistungserbringer über keine reglementierte Ausbildung im Sinne von § 3 Absatz 2 Satz 2 für die Tätigkeiten, so ist Satz 1 nur anzuwenden, wenn die Tätigkeiten im anderen Herkunftsstaat als Vollzeitbeschäftigung mindestens ein Jahr oder als entsprechende Teilzeitbeschäftigung tatsächlich und rechtmäßig ausgeübt worden sind und nicht länger als zehn Jahre zurückliegen.

(2) Beabsichtigen Staatsangehörige eines Herkunftsstaates, Dienstleistungen erstmals in einem Handwerk der Anlage A Nummer 12 oder Nummer 33 bis 37 der Handwerksordnung in der Bundesrepublik Deutschland zu erbringen, so muss die zuständige Behörde vor der Dienstleistungserbringung die Berufsqualifikation der Dienstleistungserbringerin oder des Dienstleistungserbringers prüfen, wenn unter Berücksichtigung der beabsichtigten Tätigkeit bei unzureichender Qualifikation eine schwere Gefahr für die Gesundheit oder Sicherheit der Dienstleistungsempfänger oder Dienstleistungsempfängerinnen bestünde.

§ 9 Anzeige vor Dienstleistungserbringung. (1) [1] Die Dienstleistungserbringerin oder der Dienstleistungserbringer muss der zuständigen Behörde die beabsichtigte Erbringung einer Dienstleistung vor dem erstmaligen Tätigwerden schriftlich oder elektronisch anzeigen und dabei das Vorliegen der Voraussetzungen nach § 8 Absatz 1 durch Unterlagen nachweisen. [2] Die örtliche Zuständigkeit für die Anzeige richtet sich nach dem Ort der erstmaligen Dienstleistungserbringung.

(2) [1] Liegen die Voraussetzungen nach § 8 Absatz 1 vor, darf die Dienstleistung vorbehaltlich von Satz 2 sofort nach der Anzeige erbracht werden. [2] Dienstleistungen in einem Handwerk der Anlage A Nummer 12 oder Nummer 33 bis 37 der Handwerksordnung[1)] dürfen erst erbracht werden, wenn die Behörde entweder mitgeteilt hat, dass keine Prüfung der Berufsqualifikation nach § 8 Absatz 2 beabsichtigt ist, oder wenn eine ausreichende Berufsqualifikation festgestellt wurde. [3] § 10 Absatz 3 bleibt unberührt.

(3) [1] Die zuständige Behörde stellt eine Eingangsbestätigung aus, aus der hervorgeht, ob die Voraussetzungen nach § 8 Absatz 1 vorliegen und ob im Fall des § 8 Absatz 2 die Berufsqualifikation der Dienstleistungserbringerin oder des Dienstleistungserbringers geprüft wird. [2] Die Eingangsbestätigung soll innerhalb eines Monats nach Eingang der Anzeige und der vollständigen Unterlagen ausgestellt werden. [3] § 6 Absatz 7 und § 7 sind entsprechend anzuwenden.

(4) [1] Tritt eine wesentliche Änderung von Umständen ein, die die Voraussetzungen für die Dienstleistungserbringung betreffen, ist die Änderung schriftlich oder elektronisch anzuzeigen und das Vorliegen der Voraussetzungen nach § 8 durch Unterlagen nachzuweisen. [2] Ansonsten ist die Anzeige formlos alle zwölf Monate seit der letzten Anzeige zu wiederholen, solange die weitere Erbringung von Dienstleistungen beabsichtigt ist.

§ 10 Nachprüfung der Berufsqualifikation. (1) [1] Wird die Berufsqualifikation nach § 8 Absatz 2 geprüft, ist § 6 Absatz 3 entsprechend anzuwenden. [2] Die Dienstleistungserbringerin oder der Dienstleistungserbringer soll innerhalb eines Monats nach Eingang der Anzeige und der vollständigen Unterlagen über das Ergebnis unterrichtet werden. [3] Bei einer Verzögerung unterrichtet die zuständige Behörde die Dienstleistungserbringerin oder den Dienstleistungserbringer über die Gründe für die Verzögerung und über den Zeitplan für eine Entscheidung. [4] In diesem Fall muss das Ergebnis der Nachprüfung spätestens innerhalb von zwei Monaten nach Eingang der Anzeige und der vollständigen Unterlagen mitgeteilt werden.

(2) [1] Ergibt die Nachprüfung, dass ein wesentlicher Unterschied zwischen der Berufsqualifikation der Dienstleistungserbringerin oder des Dienstleistungserbringers und der in der Bundesrepublik Deutschland erforderlichen Ausbildung besteht, der auch durch sonstige nachgewiesene einschlägige Qualifikationen im Sinne des § 5 Absatz 2 Nummer 3 nicht ausgeglichen werden kann, muss die zuständige Behörde der Dienstleistungserbringerin oder dem Dienstleistungserbringer innerhalb eines Monats nach der Unterrichtung über das Ergebnis der Nachprüfung Gelegenheit geben, die für eine ausreichende berufliche Qualifikation im Sinne von § 8 Absatz 2 erforderlichen Kenntnisse, Fähigkeiten und Kompetenzen insbesondere durch eine Eignungsprüfung nachzuweisen. [2] Werden zu einem späteren Zeitpunkt neue Unterlagen vorgelegt oder Nachweise für die erforderlichen Kenntnisse, Fähigkeiten und Kompetenzen erbracht, wird die Berufsqualifikation erneut geprüft.

(3) Wenn die zuständige Behörde die in den Absätzen 1 und 2 festgesetzten Fristen nicht einhält, darf die Dienstleistung erbracht werden.

[1)] Auszugsweise abgedruckt unter Nr. **107**.

(4) [1] Ergibt die Nachprüfung, dass die berufliche Qualifikation der Dienstleistungserbringerin oder des Dienstleistungserbringers im Sinne von § 8 Absatz 2 ausreicht, ist eine Bescheinigung darüber auszustellen. [2] Die Bescheinigung kann auf einen wesentlichen Teil der Tätigkeiten beschränkt werden, die zu einem Handwerk der Anlage A Nummer 12 oder Nummer 33 bis 37 der Handwerksordnung[1)] gehören.

Abschnitt 3. Ordnungswidrigkeiten, Inkrafttreten, Außerkrafttreten

§ 11 Ordnungswidrigkeiten. Ordnungswidrig im Sinne des § 118 Absatz 1 Nummer 7 der Handwerksordnung[2)] handelt, wer entgegen § 9 Absatz 1 Satz 1 eine Anzeige nicht, nicht richtig, nicht vollständig, nicht in der vorgeschriebenen Weise oder nicht rechtzeitig erstattet.

§ 12 Inkrafttreten, Außerkrafttreten. [1] Diese Verordnung tritt am Tag nach der Verkündung[3)] in Kraft. [2] Gleichzeitig tritt die EU/EWR-Handwerk-Verordnung vom 20. Dezember 2007 (BGBl. I S. 3075) außer Kraft.

Der Bundesrat hat zugestimmt.

[1)] Auszugsweise abgedruckt unter Nr. **107**.
[2)] Nr. **107**.
[3)] Verkündet am 31. 3. 2016.

110. Gesetz zur Bekämpfung der Schwarzarbeit und illegalen Beschäftigung (Schwarzarbeitsbekämpfungsgesetz – SchwarzArbG)[1)]

Vom 23. Juli 2004
(BGBl. I S. 1842)

FNA 453-22

zuletzt geänd. durch Art. 3 TariftreueG v. 27.4.2026 (BGBl. 2026 I Nr. 119)

Inhaltsübersicht[2)]

[1)] Verkündet als Art. 1 G v. 23.7.2004 (BGBl. I S. 1842); Inkrafttreten gem. Art. 26 Abs. 1 dieses G am 1.8.2004.

[2)] Inhaltsübersicht geänd. mWv 18.3.2005 durch G v. 14.3.2005 (BGBl. I S. 721); mWv 28.8.2007 durch G v. 19.8.2007 (BGBl. I S. 1970); mWv 1.1.2009 durch G v. 21.12.2008 (BGBl. I S. 2933); mWv 26.11. 2011 durch G v. 22.11.2011 (BGBl. I S. 2258); mWv 26.7.2012 durch G v. 21.7.2012 (BGBl. I S. 1566); mWv 10.3.2017 durch G v. 6.3.2017 (BGBl. I S. 399); mWv 18.7.2019 durch G v. 11.7.2019 (BGBl. I S. 1066); mWv 30.12.2025 durch G v. 22.12.2025 (BGBl. 2025 I Nr. 369).

Abschnitt 1. Zweck

§ 1[1] **Zweck des Gesetzes.** (1) Zweck des Gesetzes ist die Verhinderung und Bekämpfung der Schwarzarbeit und illegalen Beschäftigung.

(2) [1] Schwarzarbeit leistet, wer Dienst- oder Werkleistungen erbringt oder ausführen lässt und dabei

1. als Arbeitgeber, Unternehmer oder versicherungspflichtiger Selbstständiger seine sich auf Grund der Dienst- oder Werkleistungen ergebenden sozialversicherungsrechtlichen Melde-, Beitrags- oder Aufzeichnungspflichten nicht erfüllt,
2. als Steuerpflichtiger seine sich auf Grund der Dienst- oder Werkleistungen ergebenden steuerlichen Pflichten nicht erfüllt,
3. als Empfänger von Sozialleistungen seine sich auf Grund der Dienst- oder Werkleistungen ergebenden Mitteilungspflichten gegenüber dem Sozialleistungsträger nicht erfüllt,
4. als Erbringer von Dienst- oder Werkleistungen seiner sich daraus ergebenden Verpflichtung zur Anzeige vom Beginn des selbstständigen Betriebes eines stehenden Gewerbes (§ 14 der Gewerbeordnung[2]) nicht nachgekommen ist oder die erforderliche Reisegewerbekarte (§ 55 der Gewerbeordnung[2]) nicht erworben hat oder
5. als Erbringer von Dienst- oder Werkleistungen ein zulassungspflichtiges Handwerk als stehendes Gewerbe selbstständig betreibt, ohne in der Handwerksrolle eingetragen zu sein (§ 1 der Handwerksordnung[3]).

[2] Schwarzarbeit leistet auch, wer vortäuscht, eine Dienst- oder Werkleistung zu erbringen oder ausführen zu lassen, und wenn er selbst oder ein Dritter dadurch Sozialleistungen nach dem Zweiten[4] oder Dritten Buch Sozialgesetzbuch[5] zu Unrecht bezieht.

(3) Illegale Beschäftigung übt aus, wer

1. als Arbeitgeber Ausländer und Ausländerinnen unerlaubt beschäftigt oder als Entleiher unerlaubt tätig werden lässt,
2. als Ausländer oder Ausländerin unerlaubt eine Erwerbstätigkeit ausübt,
3. als Arbeitgeber Arbeitnehmer und Arbeitnehmerinnen

---

[1] § 1 Abs. 1, Abs. 2 Satz 1 Nr. 4 geänd., Satz 2 angef., Abs. 3 eingef., bish. Abs. 3 wird Abs. 4 und Satz 1 geänd. mWv 18.7.2019 durch G v. 11.7.2019 (BGBl. I S. 1066); Abs. 3 Nr. 4 und 5 geänd., Nr. 6 angef. mWv 1.1.2021, Abs. 3 Nr. 3 Buchst. a und b geänd., Buchst. c angef. mWv 1.4.2021 durch G v. 22.12.2020 (BGBl. I S. 3334); Abs. 1, 3 Nr. 1 und 3 Buchst. a und b geänd., Buchst. c aufgeh. mWv 30.12.2025 durch G v. 22.12.2025 (BGBl. 2025 I Nr. 369).

[2] **beck-online, Module Arbeitsrecht Nr. 106.**

[3] Nr. **107**.

[4] Nr. **692**.

[5] Nr. **700**.

a) ohne erforderliche Erlaubnis nach § 1 Absatz 1 Satz 1 des Arbeitnehmerüberlassungsgesetzes[1] oder

b) entgegen den Bestimmungen nach § 1 Absatz 1 Satz 5 und 6, § 1a oder § 1b des Arbeitnehmerüberlassungsgesetzes

überlässt oder für sich tätig werden lässt,

4. als Arbeitgeber Arbeitnehmer und Arbeitnehmerinnen beschäftigt, ohne dass die Arbeitsbedingungen nach Maßgabe des Mindestlohngesetzes[2], des Arbeitnehmer-Entsendegesetzes[3] oder des § 8 Absatz 5 des Arbeitnehmerüberlassungsgesetzes in Verbindung mit einer Rechtsverordnung nach § 3a Absatz 2 Satz 1 des Arbeitnehmerüberlassungsgesetzes eingehalten werden,
5. als Arbeitgeber Arbeitnehmer und Arbeitnehmerinnen zu ausbeuterischen Arbeitsbedingungen beschäftigt oder
6. als Inhaber oder Dritter Personen entgegen § 6a Absatz 2 des Gesetzes zur Sicherung von Arbeitnehmerrechten in der Fleischwirtschaft[4] tätig werden lässt.

(4) [1] Die Absätze 2 und 3 finden keine Anwendung für nicht nachhaltig auf Gewinn gerichtete Dienst- oder Werkleistungen, die

1. von Angehörigen im Sinne des § 15 der Abgabenordnung[5] oder Lebenspartnern,
2. aus Gefälligkeit,
3. im Wege der Nachbarschaftshilfe oder
4. im Wege der Selbsthilfe im Sinne des § 36 Abs. 2 und 4 des Zweiten Wohnungsbaugesetzes[6] in der Fassung der Bekanntmachung vom 19. August 1994 (BGBl. I S. 2137) oder als Selbsthilfe im Sinne des § 12 Abs. 1 Satz 2 des Wohnraumförderungsgesetzes[7] vom 13. September 2001 (BGBl. I S. 2376), zuletzt geändert durch Artikel 7 des Gesetzes vom 29. Dezember 2003 (BGBl. I S. 3076),

erbracht werden. [2] Als nicht nachhaltig auf Gewinn gerichtet gilt insbesondere eine Tätigkeit, die gegen geringes Entgelt erbracht wird.

Abschnitt 2. Prüfungen

§ 2[8] Prüfungsaufgaben. (1) [1] Die Behörden der Zollverwaltung prüfen, ob

---

[1] Nr. **730**.
[2] Nr. **505**.
[3] Nr. **506**.
[4] Nr. **508**.
[5] **Steuergesetze Nr. 800.**
[6] Das II. WoBauG wurde mWv 31.12.2001 aufgeh. durch G v. 13.9.2001 (BGBl. I S. 2376). § 36 Abs. 2 und 4 dieser Fassung lauten:

„(2) Zur Selbsthilfe gehören die Arbeitsleistungen, die zur Durchführung eines Bauvorhabens erbracht werden
a) von dem Bauherrn selbst,
b) von seinen Angehörigen,
c) von anderen unentgeltlich oder auf Gegenseitigkeit.

(4) Dem Bauherrn steht bei einem Kaufeigenheim, einer Trägerkleinsiedlung, einer Kaufeigentumswohnung und einer Genossenschaftswohnung der Bewerber gleich."

[7] **Sartorius Nr. 355.**
[8] § 2 Abs. 1 Nr. 4, Abs. 2 Satz 1 Nr. 8 neu gef. mWv 18.3.2005 durch G v. 14.3.2005 (BGBl. I S. 721); Abs. 1 Nr. 4 neu gef., Abs. 2 Satz 1 Nr. 8a eingef. mWv 28.8.2007 durch G v. 19.8.2007 (BGBl. I S. 1970); Abs. 2 Satz 1 Nr. 2a eingef. mWv 1.1.2009 durch G v. 21.12.2008 (BGBl. I S. 2933); Abs. 1 Satz 1 Nr. 5 geänd. mWv 28.4.2009 durch G v. 22.4.2009 (BGBl. I S. 818); Abs. 1 Satz 1 Nr. 5 geänd. mWv 30.7.2011 durch G v. 20.7.2011 (BGBl. I S. 1506); Abs. 1 Satz 1 Nr. 5 geänd. mWv 16.8.2014 durch G v. 11.8.2014 (BGBl. I S. 1348); Abs. 2 Satz 1 Nr. 6 neu gef., Nr. 10 und 11 geänd., Nr. 12 angef. mWv 9.12.2014 durch →

1. die sich aus den Dienst- oder Werkleistungen ergebenden Pflichten nach § 28a des Vierten Buches Sozialgesetzbuch[1)] erfüllt werden oder wurden,
2. auf Grund der Dienst- oder Werkleistungen oder der Vortäuschung von Dienst- oder Werkleistungen Sozialleistungen nach dem Zweiten[2)] oder Dritten Buch Sozialgesetzbuch[3)] zu Unrecht bezogen werden oder wurden,
3. die Angaben des Arbeitgebers, die für die Sozialleistungen nach dem Zweiten und Dritten Buch Sozialgesetzbuch erheblich sind, zutreffend bescheinigt wurden,
4. Ausländer und Ausländerinnen
   a) entgegen § 4a Absatz 5 Satz 1 oder 2 des Aufenthaltsgesetzes[4)] beschäftigt oder beauftragt werden oder wurden oder
   b) entgegen § 284 Absatz 1 des Dritten Buches Sozialgesetzbuch beschäftigt werden oder wurden,
5. Arbeitnehmer und Arbeitnehmerinnen
   a) ohne erforderliche Erlaubnis nach § 1 Absatz 1 Satz 1 des Arbeitnehmerüberlassungsgesetzes[5)] ver- oder entliehen werden oder wurden oder
   b) entgegen den Bestimmungen nach § 1 Absatz 1 Satz 5 und 6, § 1a oder § 1b des Arbeitnehmerüberlassungsgesetzes ver- oder entliehen werden oder wurden,
6. die Arbeitsbedingungen nach Maßgabe des Mindestlohngesetzes[6)], des Arbeitnehmer-Entsendegesetzes[7)] und des § 8 Absatz 5 des Arbeitnehmerüberlassungsgesetzes in Verbindung mit einer Rechtsverordnung nach § 3a Absatz 2 Satz 1 des Arbeitnehmerüberlassungsgesetzes eingehalten werden oder wurden,
7. Arbeitnehmer und Arbeitnehmerinnen zu ausbeuterischen Arbeitsbedingungen beschäftigt werden oder wurden,
8. die Arbeitskraft im öffentlichen Raum entgegen § 5b angeboten oder nachgefragt wird oder wurde und
9. entgegen § 6a oder § 7 Absatz 1 des Gesetzes zur Sicherung von Arbeitnehmerrechten in der Fleischwirtschaft[8)]

(Fortsetzung der Anm. von voriger Seite)
G v. 2.12.2014 (BGBl. I S. 1922); Abs. 1 Nr. 5 geänd. mWv 1.4.2017 durch G v. 21.2.2017 (BGBl. I S. 258); Abs. 2 Satz 1 Nr. 8b eingef. mWv 10.3.2017 durch G v. 6.3.2017 (BGBl. I S. 399); Abs. 1 neu gef., Abs. 2 eingef., bish. Abs. 1a wird Abs. 3, bish. Abs. 2 wird Abs. 4 und Satz 1 Nr. 2 geänd., Nr. 2a–8b werden Nr. 3–11, Nr. 12 eingef., bish. Nr. 9 und 10 werden Nr. 13 und 14, bish. Nr. 11 und 12 werden Nr. 15 und 16 und jeweils geänd., Nr. 17–20 angef. mWv 18.7.2019 durch G v. 11.7.2019 (BGBl. I S. 1066); Abs. 1 Nr. 4 Buchst. a und *b [aufgrund vorheriger Änderung nicht ausführbar]* geänd. mWv 1.3.2020 durch G v. 15.8.2019 (BGBl. I S. 1307)*; Änd. von Abs. 2 Satz 1 Nr. 6 mWv 26.11.2019 durch G v. 20.11.2019 (BGBl. I S. 1724) nicht ausführbar aufgrund vorheriger Änderung durch G v. 11.7.2019 (BGBl. I S. 1066)*; Abs. 4 Satz 1 Nr. 7 geänd. mWv 24.6.2020 durch G v. 12.6.2020 (BGBl. I S. 1248); Abs. 1 Satz 1 Nr. 7 und 8 geänd., Nr. 9 angef. mWv 1.1.2021, Abs. 1 Satz 1 Nr. 5 Buchst. a und b geänd., Buchst. c angef. mWv 1.4.2021 durch G v. 22.12.2020 (BGBl. I S. 3334); Abs. 4 Satz 1 Nr. 10 geänd. mWv 9.3.2023 durch G v. 2.3.2023 (BGBl. 2023 I Nr. 56); Abs. 1 Satz 1 Nr. 4 Buchst. a geänd., Nr. 5 neu gef., Nr. 8 geänd., Abs. 5 angef. mWv 30.12.2025 durch G v. 22.12.2025 (BGBl. 2025 I Nr. 369); Abs. 4 Satz 1 Nr. 17a eingef. mWv 1.5.2026 durch G v. 27.4.2026 (BGBl. 2026 I Nr. 119).

1) Nr. **694**.
2) Nr. **692**.
3) Nr. **700**.
4) Nr. **760**.
5) Nr. **730**.
6) Nr. **505**.
7) Nr. **506**.
8) Nr. **508**.

a) ein Betrieb oder eine übergreifende Organisation, in dem oder in der geschlachtet wird, Schlachtkörper zerlegt werden oder Fleisch verarbeitet wird, nicht durch einen alleinigen Inhaber geführt wird oder wurde,
b) die Nutzung eines Betriebes oder einer übergreifenden Organisation, in dem oder in der geschlachtet wird, Schlachtkörper zerlegt werden oder Fleisch verarbeitet wird, ganz oder teilweise einem anderen gestattet wird oder wurde, oder
c) Personen im Bereich der Schlachtung einschließlich der Zerlegung von Schlachtkörpern sowie im Bereich der Fleischverarbeitung tätig werden oder wurden.

[2] Zur Erfüllung ihrer Mitteilungspflicht nach § 6 Absatz 1 Satz 1 in Verbindung mit § 6 Absatz 4 Nummer 4 prüfen die Behörden der Zollverwaltung im Rahmen ihrer Prüfungen nach Satz 1 auch, ob Anhaltspunkte dafür bestehen, dass Steuerpflichtige den sich aus den Dienst- oder Werkleistungen ergebenden steuerlichen Pflichten im Sinne von § 1 Absatz 2 Satz 1 Nummer 2 nicht nachgekommen sind. [3] Zur Erfüllung ihrer Mitteilungspflicht nach § 6 Absatz 1 Satz 1 in Verbindung mit § 6 Absatz 4 Nummer 4 und 7 prüfen die Behörden der Zollverwaltung im Rahmen ihrer Prüfungen nach Satz 1 auch, ob Anhaltspunkte dafür bestehen, dass Kindergeldempfänger ihren Mitwirkungspflichten nicht nachgekommen sind.

(2) [1] Die Prüfung der Erfüllung steuerlicher Pflichten nach § 1 Absatz 2 Satz 1 Nummer 2 obliegt den zuständigen Landesfinanzbehörden und die Prüfung der Erfüllung kindergeldrechtlicher Mitwirkungspflichten den zuständigen Familienkassen. [2] Die Behörden der Zollverwaltung sind zur Mitwirkung an Prüfungen der Landesfinanzbehörden und der Familienkassen bei der Bundesagentur für Arbeit berechtigt. [3] Grundsätze der Zusammenarbeit der Behörden der Zollverwaltung mit den Landesfinanzbehörden werden von den obersten Finanzbehörden des Bundes und der Länder im gegenseitigen Einvernehmen geregelt. [4] Grundsätze der Zusammenarbeit der Behörden der Zollverwaltung mit den Familienkassen bei der Bundesagentur für Arbeit werden von den Behörden der Zollverwaltung und den Familienkassen bei der Bundesagentur für Arbeit im Einvernehmen mit den Fachaufsichtsbehörden geregelt.

(3) Die nach Landesrecht für die Verfolgung und Ahndung von Ordnungswidrigkeiten nach diesem Gesetz zuständigen Behörden prüfen, ob

1. der Verpflichtung zur Anzeige vom Beginn des selbstständigen Betriebes eines stehenden Gewerbes (§ 14 der Gewerbeordnung[1)]) nachgekommen oder die erforderliche Reisegewerbekarte (§ 55 der Gewerbeordnung[1)]) erworben wurde,
2. ein zulassungspflichtiges Handwerk als stehendes Gewerbe selbstständig betrieben wird und die Eintragung in die Handwerksrolle vorliegt.

(4) [1] Die Behörden der Zollverwaltung werden bei den Prüfungen nach Absatz 1 unterstützt von

1. den Finanzbehörden,
2. der Bundesagentur für Arbeit, auch in ihrer Funktion als Familienkasse,
3. der Bundesnetzagentur für Elektrizität, Gas, Telekommunikation, Post und Eisenbahnen,
4. den Einzugsstellen (§ 28i des Vierten Buches Sozialgesetzbuch[2)]),

---

[1)] **beck-online, Module Arbeitsrecht Nr. 106.**
[2)] Nr. **694**.

5. den Trägern der Rentenversicherung,
6. den Trägern der Unfallversicherung,
7. den gemeinsamen Einrichtungen und den zugelassenen kommunalen Trägern nach dem Zweiten Buch Sozialgesetzbuch sowie der Bundesagentur für Arbeit als Verantwortliche für die zentral verwalteten IT-Verfahren nach § 50 Absatz 3 des Zweiten Buches Sozialgesetzbuch,
8. den nach dem Asylbewerberleistungsgesetz[1)] zuständigen Behörden,
9. den in § 71 Abs. 1 bis 3 des Aufenthaltsgesetzes[2)] genannten Behörden,
10. dem Bundesamt für Logistik und Mobilität,
11. den nach Landesrecht für die Genehmigung und Überwachung des Gelegenheitsverkehrs mit Kraftfahrzeugen nach § 46 des Personenbeförderungsgesetzes[3)] zuständigen Behörden,
12. den nach Landesrecht für die Genehmigung und Überwachung des gewerblichen Güterkraftverkehrs zuständigen Behörden,
13. den für den Arbeitsschutz zuständigen Landesbehörden,
14. den Polizeivollzugsbehörden des Bundes und der Länder auf Ersuchen im Einzelfall,
15. den nach Landesrecht für die Verfolgung und Ahndung von Ordnungswidrigkeiten nach diesem Gesetz zuständigen Behörden,
16. den nach § 14 der Gewerbeordnung[4)] für die Entgegennahme der Gewerbeanzeigen zuständigen Stellen,
17. den nach Landesrecht für die Überprüfung der Einhaltung der Vergabe- und Tariftreuegesetze der Länder zuständigen Prüfungs- oder Kontrollstellen,

17a. der Prüfstelle Bundestariftreue nach § 8 Absatz 1 des Bundestariftreuegesetzes,

18. den nach Landesrecht für die Entgegennahme der Anmeldung von Prostituierten nach § 3 des Prostituiertenschutzgesetzes[5)] und für die Erlaubniserteilung an Prostitutionsgewerbetreibende nach § 12 des Prostituiertenschutzgesetzes zuständigen Behörden,
19. den nach Landesrecht für die Erlaubniserteilung nach § 34a der Gewerbeordnung[4)] zuständigen Behörden und

(Fortsetzung nächstes Blatt)

---

1) Auszugsweise abgedruckt unter Nr. **781**.
2) **beck-online, Module Arbeitsrecht Nr. 760.**
3) **Sartorius Nr. *950*.**
4) **beck-online, Module Arbeitsrecht Nr. 106.**
5) **beck-online, Module Arbeitsrecht Nr. 496.**

20. den gemeinsamen Einrichtungen der Tarifvertragsparteien im Sinne des § 4 Absatz 2 des Tarifvertragsgesetzes[1)].

[2]Die Aufgaben dieser Stellen nach anderen Rechtsvorschriften bleiben unberührt. [3]Die Prüfungen können mit anderen Prüfungen der in diesem Absatz genannten Stellen verbunden werden; die Vorschriften über die Unterrichtung und Zusammenarbeit bleiben hiervon unberührt. [4]Verwaltungskosten der unterstützenden Stellen werden nicht erstattet.

(5) [1]Die Entscheidung über die Durchführung von Prüfungen nach Absatz 1 liegt im pflichtgemäßen Ermessen der Behörden der Zollverwaltung. [2]Die Prüfungen werden auf Grundlage eines risikoorientierten Ansatzes durchgeführt. [3]Die Auswahl der zu prüfenden Sachverhalte erfolgt anhand einer Risikobewertung auf der Grundlage von Risikokriterien. [4]Bei der Entscheidung über die Auswahl der zu prüfenden Sachverhalte können die Behörden der Zollverwaltung die Risikohinweise nach § 26 Absatz 5 Satz 4 berücksichtigen. [5]Die Auswahl einer hinreichenden Anzahl von Prüfungen von Sachverhalten, zu denen keine Risikohinweise vorliegen, wird durch die Behörden der Zollverwaltung gewährleistet.

§ 2a[2)] Mitführungs- und Vorlagepflicht von Ausweispapieren.

(1) Bei der Erbringung von Dienst- oder Werkleistungen sind die in folgenden Wirtschaftsbereichen oder Wirtschaftszweigen tätigen Personen verpflichtet, ihren Personalausweis, Pass, Passersatz oder Ausweisersatz mitzuführen und den Behörden der Zollverwaltung auf Verlangen vorzulegen:

1. im Baugewerbe,
2. im Gaststätten- und Beherbergungsgewerbe,
3. im Personenbeförderungsgewerbe,
4. im Speditions-, Transport- und damit verbundenen Logistikgewerbe einschließlich der plattformbasierten Lieferdienste,
5. im Schaustellergewerbe,
6. im Gebäudereinigungsgewerbe,
7. bei Unternehmen, die sich am Auf- und Abbau von Messen und Ausstellungen beteiligen,

[Nr. 8 bis 28.12.2030:]

8. in der Fleischwirtschaft mit Ausnahme des Fleischerhandwerks nach § 2 Absatz 2 Satz 2 des Gesetzes zur Sicherung von Arbeitnehmerrechten in der Fleischwirtschaft[3)],

[Nr. 8 ab 29.12.2030:]

8. *in der Fleischwirtschaft,*
9. im Prostitutionsgewerbe,
10. im Wach- und Sicherheitsgewerbe,

[1)] Nr. **504**.

[2)] § 2a eingef. mWv 1.1.2009 durch G v. 21.12.2008 (BGBl. I S. 2933); Abs. 1 Nr. 9 geänd., Nr. 10 angef. mWv 1.7.2017 durch G v. 21.10.2016 (BGBl. I S. 2372); Abs. 3 angef. mWv 10.3.2017 durch G v. 6.3.2017 (BGBl. I S. 399); Abs. 1 Nr. 10 geänd., Nr. 11 angef., Abs. 3 geänd. mWv 18.7.2019 durch G v. 11.7.2019 (BGBl. I S. 1066); Abs. 1 Nr. 4 geänd., Nr. 6 aufgeh., bish. Nr. 7 und 8 werden Nr. 6 und 7, bish. Nr. 9 wird Nr. 8 und neu gef., bish. Nr. 10 wird Nr. 9, bish. Nr. 11 wird Nr. 10 und geänd., neue Nr. 11 eingef., Abs. 2 neu gef. mWv 30.12.2025, Abs. 1 Nr. 8 neu gef. mWv 29.12.2030 durch G v. 22.12.2025 (BGBl. 2025 I Nr. 369).

[3)] Nr. **508**.

11. im Friseur- und Kosmetikgewerbe.

(2) Der Arbeitgeber hat jeden und jede seiner Arbeitnehmer und Arbeitnehmerinnen vor der Erbringung der Dienst- oder Werkleistungen nachweislich und schriftlich auf die Pflicht nach Absatz 1 hinzuweisen, diesen Hinweis für die Dauer der Erbringung der Dienst- oder Werkleistungen aufzubewahren und auf Verlangen bei den Prüfungen nach § 2 Absatz 1 vorzulegen.

(3) Die Vorlagepflichten nach den Absätzen 1 und 2 bestehen auch gegenüber den nach Landesrecht für die Verfolgung und Ahndung von Ordnungswidrigkeiten nach diesem Gesetz zuständigen Behörden in den Fällen des § 2 Absatz 3.

§ 3[1)] Befugnisse bei der Prüfung von Personen. (1) [1] Zur Durchführung der Prüfungen nach § 2 Absatz 1 sind die Behörden der Zollverwaltung und die sie gemäß § 2 Absatz 4 unterstützenden Stellen befugt, angekündigt oder unangekündigt die Geschäftsräume, mit Ausnahme von Wohnungen, und Grundstücke von Arbeitgebern, Auftraggebern von Dienst- oder Werkleistungen, Entleihern sowie Selbstständigen (Prüfbeteiligte) während der Arbeitszeiten der dort tätigen Personen oder während der Geschäftszeiten zu betreten. [2] Dabei sind die Behörden der Zollverwaltung und die sie gemäß § 2 Absatz 4 unterstützenden Stellen befugt,

1. von den Personen, die in den Geschäftsräumen und auf den Grundstücken tätig sind, Auskünfte über ihre Beschäftigungsverhältnisse oder ihre tatsächlichen oder scheinbaren Tätigkeiten einzuholen und
2. Einsicht in Unterlagen und Daten zu nehmen, von denen anzunehmen ist, dass aus diesen der Umfang, die Art oder die Dauer von tatsächlich bestehenden oder vorgespiegelten Beschäftigungsverhältnissen oder Tätigkeiten hervorgehen oder abgeleitet werden können (Unterlagen und Daten).

(1a) Neben der Einholung von Auskünften nach Absatz 1 Satz 2 Nummer 1 und der Einsichtnahme in Unterlagen und Daten vor Ort können die Behörden der Zollverwaltung zur Durchführung der Prüfungen nach § 2 Absatz 1 Folgendes von den für die Prüfbeteiligten tätigen Personen verlangen:

1. die Erteilung von Auskünften über ihre Beschäftigungsverhältnisse oder ihre tatsächlichen oder scheinbaren Tätigkeiten in schriftlicher oder elektronischer Form oder an Amtsstelle in mündlicher Form oder
2. die Vorlage und Übersendung ihrer Unterlagen und Daten an Amtsstelle.

(1b) [1] Für die Vorlage und Übersendung von Unterlagen und Daten nach Absatz 1a Nummer 2 können die Behörden der Zollverwaltung

1. eine elektronische Einsichtnahme von der Amtsstelle aus nach § 5a Absatz 1 durchführen oder
2. die elektronische Übermittlung nach § 5a Absatz 2 verlangen.

[1)] § 3 Abs. 1 einl. Satzteil, Abs. 3 Satz 1 geänd. mWv 30.7.2011 durch G v. 20.7.2011 (BGBl. I S. 1506); Abs. 5 Satz 3 geänd. mWv 9.12.2014 durch G v. 2.12.2014 (BGBl. I S. 1922); Abs. 6 angef. mWv 10.3.2017 durch G v. 6.3.2017 (BGBl. I S. 399); Abs. 1 neu gef., Abs. 2 Satz 2 angef., Abs. 3 Satz 1 neu gef., Abs. 6 geänd. mWv 18.7.2019 durch G v. 11.7.2019 (BGBl. I S. 1066); Abs. 1 Satz 1 *und Satz 2 Nr. 2 neu gef.*, Abs. 1a und 1b eingef., Abs. 3 Satz 1 Nr. 1 und 2 geänd., Nr. 3 angef., Satz 2 geänd., Satz 3 angef., Abs. 3a–3c eingef. mWv 30.12.2025 durch G v. 22.12.2025 (BGBl. 2025 I Nr. 369).

[2]Die Erteilung von Auskünften nach Absatz 1a Nummer 1 und die Vorlage und Übersendung nach Absatz 1a Nummer 2 können innerhalb einer angemessenen Frist verlangt werden. [3]Für Satz 1 Nummer 1 und 2 gilt § 4 Absatz 1 Satz 2 und 3 entsprechend, unabhängig vom Einsatzort der Datenverarbeitungssysteme der Behörden der Zollverwaltung.

(2) [1]Ist eine Person zur Ausführung von Dienst- oder Werkleistungen bei Dritten tätig, gilt Absatz 1 entsprechend. [2]Bietet eine Person im öffentlichen Raum Dienst- oder Werkleistungen an, gilt Absatz 1 Satz 2 entsprechend.

(3) [1]Zur Durchführung der Prüfungen nach § 2 Absatz 1 sind die Behörden der Zollverwaltung und die sie gemäß § 2 Absatz 4 unterstützenden Stellen befugt, die Personalien zu überprüfen

1. der Personen, die in den Geschäftsräumen oder auf dem Grundstück des Arbeitgebers, des Auftraggebers von Dienst- oder Werkleistungen und des Entleihers tätig sind,
2. des Selbstständigen und
3. der Personen, die ihre Arbeitskraft entgegen § 5b Absatz 1 Satz 1 anbieten oder eine Arbeitskraft entgegen § 5b Absatz 1 Satz 2 nachfragen.

[2]Sie können zu diesem Zweck die in Satz 1 genannten Personen anhalten, sie nach ihren Personalien (Vor-, Familien- und Geburtsnamen, Ort und Tag der Geburt, Beruf, Wohnort, Wohnung und Staatsangehörigkeit) befragen und verlangen, dass sie mitgeführte Ausweispapiere zur Überprüfung nach Satz 1 aushändigen. [3]Dabei dürfen die Behörden der Zollverwaltung die Echtheit der ausgehändigten Ausweispapiere überprüfen sowie die Identität des Inhabers der Ausweispapiere feststellen.

(3a) Die Behörden der Zollverwaltung können zum Zweck der Feststellung der Identität einer Person nach Absatz 3 Satz 1 Lichtbilder und Fingerabdrücke dieser Person erheben, sofern die Kenntnis über die Identität der Person zur Durchführung der Prüfungen nach § 2 Absatz 1 erforderlich ist und die Identität in anderer Weise nicht oder nicht rechtzeitig oder nur unter erheblichen Schwierigkeiten festgestellt werden kann.

(3b) Die Behörden der Zollverwaltung können zum Zweck der Feststellung der Identität einer Person nach Absatz 3 Satz 1 die nach Absatz 3 Satz 2 und 3 oder Absatz 3a erhobenen personenbezogenen Daten mit dem Inhalt von Dateien abgleichen, die sie selbst führen oder für die sie die Berechtigung zum Abruf haben, einschließlich der für die Identitätsfeststellung erforderlichen Daten aus dem polizeilichen Informationsverbund.

(3c) [1]Daten, die nach Absatz 3 Satz 3 oder nach Absatz 3a für den Abgleich nach Absatz 3b von den Behörden der Zollverwaltung erhoben worden sind, mit Ausnahme der biometrischen Daten, dürfen zur Verarbeitung im zentralen Informationssystem automatisiert gespeichert werden, sofern die Daten für die Durchführung der Prüfungen nach § 2 Absatz 1 erforderlich sind. [2]Die biometrischen Daten sind unmittelbar nach der Überprüfung der Ausweispapiere oder Feststellung der Identität zu löschen.

(4) Im Verteidigungsbereich darf ein Betretensrecht nur im Einvernehmen mit dem Bundesministerium der Verteidigung ausgeübt werden.

(5) [1]Die Bediensteten der Zollverwaltung dürfen Beförderungsmittel anhalten. [2]Führer von Beförderungsmitteln haben auf Verlangen zu halten und den Zollbediensteten zu ermöglichen, in das Beförderungsmittel zu gelangen und

es wieder zu verlassen. [3]Die Zollverwaltung unterrichtet die Polizeivollzugsbehörden der Länder über groß angelegte Kontrollen.

(6) Die Absätze 1 bis 4 gelten entsprechend für die nach Landesrecht für die Verfolgung und Ahndung von Ordnungswidrigkeiten nach diesem Gesetz zuständigen Behörden zur Durchführung von Prüfungen nach § 2 Absatz 3, sofern Anhaltspunkte dafür vorliegen, dass Schwarzarbeit im Sinne des § 1 Absatz 2 Nummer 4 und 5 geleistet wird.

§ 4[1)] Befugnisse bei der Prüfung von Unterlagen und Daten. (1) [1]Zur Durchführung der Prüfungen nach § 2 Absatz 1 sind die Behörden der Zollverwaltung und die sie gemäß § 2 Absatz 4 unterstützenden Stellen befugt, angekündigt oder unangekündigt Geschäftsräume, mit Ausnahme von Wohnungen, und Grundstücke der Prüfbeteiligten während der Geschäftszeiten zu betreten und dort Einsicht in die in § 3 Absatz 1 Satz 2 Nummer 2 genannten Unterlagen und Daten zu nehmen. [2]Das Recht zur Einsichtnahme besteht in Bezug auf die Unterlagen und Daten nach Satz 1 unabhängig von deren Format, Aufbewahrung und Speicherung. [3]Zur Prüfung von mit Hilfe eines Datenverarbeitungssystems erstellten und gespeicherten Daten können die Behörden der Zollverwaltung das Datenverarbeitungssystem der Prüfbeteiligten nutzen. [4]Die Verarbeitung und Aufbewahrung der in Satz 2 genannten Daten ist auch auf mobilen Datenverarbeitungssystemen der Behörden der Zollverwaltung unabhängig von deren Einsatzort zulässig, sofern für die Datenverarbeitungssysteme angemessene sowie den einschlägigen Vorschriften und Standards entsprechende Maßnahmen zur Gewährleistung der Informationssicherheit getroffen wurden, die dem jeweiligen Stand der Technik entsprechen sollen.

(1a) Die Behörden der Zollverwaltung können während der Geschäftszeiten aus den Geschäftsräumen zur weiteren Prüfung an Amtsstelle mitnehmen:
1. mit Zustimmung des Prüfbeteiligten die Unterlagen im Original oder
2. ohne Zustimmung kostenfrei eine Abschrift der Unterlagen in Kopie oder eine elektronische Abschrift auf Datenträgern.

(1b) [1]Neben der Einsichtnahme in die Unterlagen und Daten nach Absatz 1 vor Ort sowie der Mitnahme der Unterlagen und Daten nach Absatz 1a können die Behörden der Zollverwaltung
1. die Vorlage und Übersendung der Unterlagen und Daten an Amtsstelle verlangen,
2. eine elektronische Einsichtnahme in die Unterlagen und Daten des Prüfbeteiligten von der Amtsstelle aus nach § 5a Absatz 1 durchführen oder
3. die elektronische Übermittlung der Unterlagen und Daten nach § 5a Absatz 2 verlangen.

[2]Für Satz 1 Nummer 2 und 3 gilt Absatz 1 Satz 4 entsprechend, und zwar unabhängig vom Einsatzort der Datenverarbeitungssysteme der Behörden der Zollverwaltung. [3]Die Behörden der Zollverwaltung können die Vorlage und

[1)] § 4 Abs. 1 geänd., Abs. 2 Satz 2 angef. mWv 30.7.2011 durch G v. 20.7.2011 (BGBl. I S. 1506); Abs. 1a eingef. mWv 10.3.2017 durch G v. 6.3.2017 (BGBl. I S. 399); Abs. 1 neu gef., bish. Abs. 1a *wird Abs. 2 und geänd., bish.* Abs. 2 wird Abs. 3 und Sätze 1 und 2 geänd., bish. Abs. 3 wird Abs. 4 mWv 18.7.2019 durch G v. 11.7.2019 (BGBl. I S. 1066); Überschrift, Abs. 1 neu gef., Abs. 1a und 1b eingef., Abs. 2 neu gef. mWv 30.12.2025 durch G v. 22.12.2025 (BGBl. 2025 I Nr. 369).

Übersendung nach Satz 1 Nummer 1, die elektronische Einsichtnahme nach Satz 1 Nummer 2 sowie die elektronische Übermittlung nach Satz 1 Nummer 3 innerhalb einer angemessenen Frist verlangen.

(2) [1] Zur Durchführung der Prüfungen nach § 2 Absatz 3 sind die Behörden, die für die Verfolgung und Ahndung von Ordnungswidrigkeiten nach diesem Gesetz nach Landesrecht zuständig sind, befugt, unangekündigt Geschäftsräume und Grundstücke der Prüfbeteiligten während der Geschäftszeiten zu betreten und dort Einsicht in die Unterlagen und Daten zu nehmen, von denen anzunehmen ist, dass aus ihnen Umfang, Art und Dauer der Ausübung eines Gewerbes, eines Reisegewerbes oder eines zulassungspflichtigen Handwerks oder der Beschäftigungsverhältnisse hervorgehen oder abgeleitet werden können, sofern Anhaltspunkte dafür vorliegen, dass Schwarzarbeit im Sinne des § 1 Absatz 2 Satz 1 Nummer 4 und 5 geleistet wird. [2] Absatz 1 Satz 2 bis 4 und die Absätze 1a und 1b gelten entsprechend.

(3) [1] Die Behörden der Zollverwaltung sind zur Durchführung der Prüfungen nach § 2 Abs. 1 befugt, Einsicht in die Unterlagen zu nehmen, aus denen die Vergütung der tatsächlich erbrachten oder vorgetäuschten Dienst- oder Werkleistungen hervorgeht, die natürliche oder juristische Personen oder Personenvereinigungen in Auftrag gegeben haben. [2] Satz 1 gilt im Rahmen der Durchführung der Prüfung nach § 2 Absatz 1 Nummer 4, 5 und 6 entsprechend für Unterlagen, aus denen die Vergütung des Leiharbeitsverhältnisses hervorgeht.

(4) Die Behörden der Zollverwaltung sind zur Durchführung der Prüfungen nach § 2 Abs. 1 befugt, bei dem Auftraggeber, der nicht Unternehmer im Sinne des § 2 des Umsatzsteuergesetzes 1999[1)] ist, Einsicht in die Rechnungen, einen Zahlungsbeleg oder eine andere beweiskräftige Unterlage über ausgeführte Werklieferungen oder sonstige Leistungen im Zusammenhang mit einem Grundstück zu nehmen.

§ 5[2)] Duldungs- und Mitwirkungspflichten. (1) [1] Arbeitgeber, tatsächlich oder scheinbar beschäftigte Arbeitnehmer und Arbeitnehmerinnen, Auftraggeber von Dienst- oder Werkleistungen, Entleiher, tatsächlich oder scheinbar selbstständig tätige Personen und Dritte haben bei einer Prüfung nach § 2 Absatz 1 und 3

1. die Prüfung zu dulden und dabei mitzuwirken, insbesondere für die Prüfung erhebliche Auskünfte zu erteilen, die in den §§ 3 und 4 genannten Unterlagen und Daten vorzulegen und die Nutzung der Datenverarbeitungssysteme

---

[1)] **Steuergesetze Nr. 500.**

[2)] § 5 Abs. 1 Satz 4 geänd. mWv 18.3.2005 durch G v. 14.3.2005 (BGBl. I S. 721); Abs. 1 Satz 1, Abs. 3 Sätze 1 und 2 geänd. mWv 30.7.2011 durch G v. 20.7.2011 (BGBl. I S. 1506); Abs. 1 Sätze 1 und 2 geänd. mWv 10.3.2017 durch G v. 6.3.2017 (BGBl. I S. 399); Abs. 1 und 2 eingef., bish. Abs. 1 wird Abs. 3 und Sätze 1–3 aufgeh., bish. Sätze 4–8 werden Sätze 1–5, bish. Abs. 2 wird Abs. 4 und Satz 1 geänd., bish. Abs. 3 wird Abs. 5 und Sätze 1 und 2 geänd. mWv 18.7.2019 durch G v. 11.7. 2019 (BGBl. I S. 1066); *Änd. von Abs. 1 Sätze 4 und 5 und Abs. 3 Satz 2 mWv 26.11.2019 durch G v. 20.11.2019 (BGBl. I S. 1724) nicht ausführbar aufgrund vorheriger Änderung durch G v. 11.7.2019 (BGBl. I S. 1066)*; Abs. 3 Sätze 1 und 2, Abs. 5 Satz 2 geänd. mWv 24.6.2020 durch G v. 12.6.2020 (BGBl. I S. 1248); Abs. 5 Sätze 1 und 2 geänd. mWv 1.1.2021 durch G v. 22.12.2020 (BGBl. I S. 3334); Abs. 1 Satz 1 einl. Satzteil geänd., Nr. 1 und 3 neu gef., Nr. 2 geänd., Nr. 4 angef., Abs. 2a eingef., Abs. 3 Satz 1 geänd., Satz 2 neu gef., Satz 3 geänd., Abs. 5 Satz 1 neu gef., Satz 2 aufgeh., bish. Satz 3 wird Satz 2, bish. Satz 4 wird Satz 3 und geänd. mWv 30.12.2025 durch G v. 22.12.2025 (BGBl. 2025 I Nr. 369).

oder die Übermittlung der mit Hilfe eines Datenverarbeitungssystems erstellten und gespeicherten Daten zu ermöglichen,

2. in den Fällen des § 3 Absatz 1, 2 und 6 sowie des § 4 Absatz 1, 2 und 3 auch das Betreten der Grundstücke und der Geschäftsräume zu dulden,
3. in den Fällen des § 2 Absatz 1 auf Verlangen der Behörden der Zollverwaltung und in den Fällen des § 2 Absatz 3 auf Verlangen der Behörden, die für die Verfolgung und Ahndung von Ordnungswidrigkeiten nach diesem Gesetz nach Landesrecht zuständig sind,
   a) in schriftlicher oder elektronischer Form oder an Amtsstelle in mündlicher Form Auskünfte zu erteilen und
   b) die in den §§ 3 und 4 genannten Unterlagen für die Mitnahme zu einer Prüfung an Amtsstelle bereitzustellen oder an Amtsstelle vorzulegen,
4. bei der Vorlage oder Übersendung von Unterlagen und Daten auf Datenträgern diese ausgesondert zur Verfügung zu stellen und bei der elektronischen Übermittlung von Unterlagen und Daten auf Anforderung der Behörden der Zollverwaltung und in den Fällen des § 2 Absatz 3 auf Verlangen der Behörden, die für die Verfolgung und Ahndung von Ordnungswidrigkeiten nach diesem Gesetz nach Landesrecht zuständig sind, die Einsicht kostenfrei zu ermöglichen.

[2] Auskünfte, die die verpflichtete Person oder einen ihrer in § 15 der Abgabenordnung[1)] bezeichneten Angehörigen der Gefahr aussetzen würden, wegen einer Straftat oder Ordnungswidrigkeit verfolgt zu werden, können verweigert werden.

(2) [1] Die Behörden der Zollverwaltung sind insbesondere dann befugt, eine mündliche Auskunft an Amtsstelle zu verlangen, wenn trotz Aufforderung keine schriftliche Auskunft erteilt worden ist oder wenn eine schriftliche Auskunft nicht zu einer Klärung des Sachverhalts geführt hat. [2] Über die mündliche Auskunft an Amtsstelle ist auf Antrag des Auskunftspflichtigen eine Niederschrift aufzunehmen. [3] Die Niederschrift soll den Namen der anwesenden Personen, den Ort, den Tag und den wesentlichen Inhalt der Auskunft enthalten. [4] Sie soll von dem Amtsträger, dem die mündliche Auskunft erteilt wird, und dem Auskunftspflichtigen unterschrieben werden. [5] Den Beteiligten ist eine Abschrift der Niederschrift zu überlassen.

(2a) [1] Mündliche Auskünfte im Sinne des Absatzes 2 Satz 1 können auch fernmündlich oder elektronisch durch Übertragung in Ton oder in Bild und Ton erfolgen. [2] Für die elektronische Übertragung in Ton oder in Bild und Ton gilt § 5a Absatz 2 Satz 4 entsprechend.

(3) [1] Ausländer und Ausländerinnen sind ferner verpflichtet, ihren Pass, Passersatz oder Ausweisersatz und ihren Aufenthaltstitel, ihre Duldung oder ihre Aufenthaltsgestattung den Behörden der Zollverwaltung auf Verlangen vorzulegen und, sofern sich Anhaltspunkte für einen Verstoß gegen ausländerrechtliche Vorschriften ergeben, zur Übermittlung an die zuständige Ausländerbehörde zu überlassen. [2] Werden die in Satz 1 genannten Dokumente einbehalten, so erteilen die Behörden der Zollverwaltung dem betroffenen Ausländer oder der betroffenen Ausländerin eine Bescheinigung, die die einbehaltenen Dokumente aufführt und die Ausländerbehörde bezeichnet, an die die Dokumente übermittelt werden. [3] Der Ausländer oder die Ausländerin

---

[1)] **Steuergesetze Nr. 800.**

ist verpflichtet, unverzüglich mit der Bescheinigung bei der Ausländerbehörde zu erscheinen. [4]Darauf ist in der Bescheinigung hinzuweisen. [5]Gibt die Ausländerbehörde die einbehaltenen Dokumente zurück oder werden Ersatzdokumente ausgestellt oder vorgelegt, behält die Ausländerbehörde die Bescheinigung ein.

(4) [1]In Fällen des § 4 Absatz 4 haben die Auftraggeber, die nicht Unternehmer im Sinne des § 2 des Umsatzsteuergesetzes 1999[1)] sind, eine Prüfung nach § 2 Abs. 1 zu dulden und dabei mitzuwirken, insbesondere die für die Prüfung erheblichen Auskünfte zu erteilen und die in § 4 Absatz 4 genannten Unterlagen vorzulegen. [2]Absatz 1 Satz 3 gilt entsprechend.

(5) [1]Prüfbeteiligte dürfen automatisiert verarbeitbare Datenträger oder Daten in ihrer Gesamtheit und ohne Aussonderung zur Verfügung stellen, wenn die Aussonderung mit einem unverhältnismäßigen Aufwand verbunden wäre und überwiegende schutzwürdige Interessen der betroffenen Personen nicht entgegenstehen. [2]In diesem Fall haben die Behörden der Zollverwaltung die Daten zu trennen und die nicht nach Satz 1 zu übermittelnden Daten zu löschen. [3]Soweit die übermittelten Daten für Zwecke der Ermittlung von Straftaten oder Ordnungswidrigkeiten, der Ermittlung von steuerlich erheblichen Sachverhalten oder der Festsetzung von Sozialversicherungsbeiträgen oder Sozialleistungen nicht benötigt werden, sind die Datenträger nach Abschluss der Prüfungen nach § 2 Abs. 1 auf Verlangen des Arbeitgebers oder des Auftraggebers zurückzugeben oder die Daten unverzüglich zu löschen.

§ 5a[2)] Elektronische Einsichtnahme in und Übermittlung von Unterlagen und Daten. (1) [1]Der Prüfbeteiligte hat den Behörden der Zollverwaltung die elektronische Einsichtnahme in seine in § 3 Absatz 1 Satz 2 Nummer 2 genannten Unterlagen und Daten an Amtsstelle zu ermöglichen. [2]Der Zugang für die Einsichtnahme ist den Behörden der Zollverwaltung kostenlos zu ermöglichen. [3]Der Zugriff auf die in Satz 1 genannten Unterlagen und Daten richtet sich nach Absatz 2.

(2) [1]Der Prüfbeteiligte hat den Behörden der Zollverwaltung auf Verlangen Unterlagen und Daten elektronisch zu übermitteln, sofern dies für den Prüfbeteiligten technisch möglich ist. [2]Der Prüfbeteiligte hat den Behörden der Zollverwaltung nach ihren Vorgaben die Daten in einem maschinell auswertbaren Format zu übermitteln. [3]Werden zwischen dem Prüfbeteiligten und den Behörden der Zollverwaltung Daten übermittelt, die dem Sozialdatenschutz unterliegen, so sind diese Daten mit einem sicheren und mit den Behörden der Zollverwaltung abgestimmten Verfahren zu verschlüsseln. [4]Sofern alle betroffenen Personen schriftlich eingewilligt haben, nachdem sie über die möglichen Folgen ihrer Einwilligung durch den Arbeitgeber belehrt worden sind, kann auf eine Verschlüsselung verzichtet werden. [5]Der Nachweis der schriftlichen Einwilligung nach Satz 4 ist den Behörden der Zollverwaltung unaufgefordert elektronisch zu übermitteln. [6]Eine elektronische Benachrichtigung über die Bereitstellung von Daten zur elektronischen Einsichtnahme oder über den Zugang elektronisch an die Behörden der Zollverwaltung übermittelter Daten darf auch ohne Verschlüsselung übermittelt werden.

[1)] **Steuergesetze Nr. 500.**
[2)] § 5a eingef. mWv 30.12.2025 durch G v. 22.12.2025 (BGBl. 2025 I Nr. 369).

(3) Die Absätze 1 und 2 gelten entsprechend für die in den Fällen des § 2 Absatz 3 zuständigen Behörden, sofern Anhaltspunkte dafür vorliegen, dass Schwarzarbeit im Sinne des § 1 Absatz 2 Satz 1 Nummer 4 und 5 geleistet wird.

§ 5b[1] Unzulässiges Anbieten und Nachfragen der Arbeitskraft.

(1) [1] Es ist einer Person verboten, ihre Arbeitskraft als Tagelöhner im öffentlichen Raum aus einer Gruppe heraus in einer Weise anzubieten, die geeignet ist, Schwarzarbeit oder illegale Beschäftigung zu ermöglichen. [2] Ebenso ist es einer Person verboten, ein unzulässiges Anbieten der Arbeitskraft dadurch nachzufragen, dass sie ein solches Angebot einholt oder annimmt.

(2) Die Behörden der Zollverwaltung können eine Person, die gegen das Verbot des unzulässigen Anbietens und Nachfragens der Arbeitskraft verstößt, vorübergehend von einem Ort verweisen oder ihr vorübergehend das Betreten eines Ortes verbieten.

§ 6[2] Unterrichtung von und Zusammenarbeit mit Behörden im Inland und in der Europäischen Union sowie im Europäischen Wirtschaftsraum. (1) [1] Die Behörden der Zollverwaltung und die sie gemäß § 2 Absatz 4 unterstützenden Stellen sind verpflichtet, einander die für deren Prüfungen oder für die Zusammenarbeit nach Absatz 6 erforderlichen Informationen einschließlich personenbezogener Daten und die Ergebnisse der Prüfungen und Ermittlungen unverzüglich zu übermitteln, soweit deren Kenntnis für die Erfüllung der Aufgaben der Behörden oder Stellen erforderlich ist. [2] Die Behörden der Zollverwaltung einerseits und die Strafverfolgungsbehörden und die Polizeivollzugsbehörden andererseits sind verpflichtet, einander die erforderlichen Informationen, einschließlich personenbezogener Daten, für die Verhütung und Verfolgung von Straftaten und Ordnungswidrigkeiten, die in Zusammenhang mit einem der in § 2 Abs. 1 genannten Prüfgegenstände stehen, zu übermitteln. [3] An Strafverfolgungsbehörden und Polizeivollzugsbehörden sind darüber hinaus Informationen einschließlich personenbezogener Daten zu übermitteln, sofern tatsächliche Anhaltspunkte dafür vorliegen, dass diese Informationen für die Verhütung und Verfolgung von Straftaten, die nicht in Zusammenhang mit einem der in § 2 Abs. 1 genannten Prüfgegenstände stehen, erforderlich sind.

(1a) Die Behörden der Zollverwaltung übermitteln dem Zollkriminalamt die zur Erfüllung seiner Aufgabe als Zentralstelle gemäß § 3 Absatz 7 Satz 1 Nummer 4 des Zollfahndungsdienstgesetzes erforderlichen Informationen einschließlich personenbezogener Daten.

---

[1] Früherer § 5a eingef. mWv 18.7.2019 durch G v. 11.7.2019 (BGBl. I S. 1066); bish. § 5a wird § 5b mWv 30.12.2025 durch G v. 22.12.2025 (BGBl. 2025 I Nr. 369).

[2] § 6 Abs. 2 Satz 1, Abs. 3 Nr. 5, 6 und 8 geänd. mWv 18.3.2005 durch G v. 14.3.2005 (BGBl. I S. 721); Abs. 3 Nr. 7a eingef. mWv 28.8.2007 durch G v. 19.8.2007 (BGBl. I S. 1970); Abs. 3 Satz 1 Nr. 8 und 9 geänd., Nr. 10 angef. mWv 28.4.2009 durch G v. 22.4.2009 (BGBl. I S. 818); Abs. 3 Satz 1 Nr. 10 geänd. mWv 16.8.2014 durch G v. 11.8.2014 (BGBl. I S. 1348); Abs. 3 Satz 1 Nr. 7b eingef. mWv 10.3.2017 durch G v. 6.3.2017 (BGBl. I S. 399); Überschrift neu gef., Abs. 1 Sätze 1–3, Abs. 2 Satz 1 geänd., Sätze 3–5 angef., Abs. 3 eingef., bish. Abs. 3 wird Abs. 4 und Satz 1 Nr. 7 eingef., bish. Nr. 7–8 werden Nr. 8–11, bish. Nr. 9 wird Nr. 12 und geänd., bish. Nr. 10 wird Nr. 13 und geänd., Nr. 14 und 15 angef., Satz 2 geänd., bish. Abs. 4 wird Abs. 5 und geänd., Abs. 6 angef. mWv 18.7.2019 durch G v. 11.7.2019 (BGBl. I S. 1066); Abs. 2 Satz 1 geänd. mWv 26.11.2019 durch G v. 20.11.2019 (BGBl. I S. 1626); Abs. 1 Satz 1, Abs. 6 geänd. mWv 1.7.2023 durch G v. 28.6.2023 (BGBl. 2023 I Nr. 172); Abs. 1 Sätze 1 und 3 geänd., Abs. 1a eingef., Abs. 2 Satz 3 neu gef., Abs. 3 Satz 6 geänd., Abs. 6 neu gef. mWv 30.12.2025 durch G v. 22.12.2025 (BGBl. 2025 I Nr. 369); Abs. 4 Satz 1 Nr. 14 und 15 neu gef., Nr. 16 angef. mWv 1.5.2026 durch G v. 27.4.2026 (BGBl. 2026 I Nr. 119).

(2) [1] Die Behörden der Zollverwaltung dürfen zur Wahrnehmung ihrer Aufgaben nach § 2 Abs. 1 sowie zur Verfolgung von Straftaten oder Ordnungswidrigkeiten die Dateisysteme der Bundesagentur für Arbeit über erteilte Arbeitsgenehmigungen-EU und Zustimmungen zur Beschäftigung, über im Rahmen von Werkvertragskontingenten beschäftigte ausländische Arbeitnehmer und Arbeitnehmerinnen sowie über Leistungsempfänger nach dem Dritten Buch Sozialgesetzbuch[1)] automatisiert abrufen; die Strafverfolgungsbehörden sind zum automatisierten Abruf nur berechtigt, soweit dies zur Verfolgung von Straftaten oder Ordnungswidrigkeiten erforderlich ist. [2] § 79 Abs. 2 bis 4 des Zehnten Buches Sozialgesetzbuch[2)] gilt entsprechend. [3] Die Behörden der Zollverwaltung dürfen, soweit dies zur Durchführung von Prüfungen nach § 2 oder zur Verfolgung von Straftaten oder Ordnungswidrigkeiten, die mit einem der in § 2 genannten Prüfgegenstände zusammenhängen, erforderlich ist, Daten aus dem Dateisystem der Datenstelle nach § 150 Absatz 5 Satz 1 des Sechsten Buches Sozialgesetzbuch[3)] automatisiert abrufen. [4] Die Behörden der Zollverwaltung dürfen, soweit dies zur Vorbereitung und Durchführung von Prüfungen nach § 2 Absatz 1 Satz 1 Nummer 2 und 3 und zur Verhütung und Verfolgung von Straftaten und Ordnungswidrigkeiten, die mit dieser Prüfungsaufgabe zusammenhängen, erforderlich ist, Daten aus folgenden Datenbeständen automatisiert abrufen:

1. die Datenbestände der gemeinsamen Einrichtungen und der zugelassenen kommunalen Träger nach dem Zweiten Buch Sozialgesetzbuch[4)] und
2. die Datenbestände der Bundesagentur für Arbeit als verantwortliche Stelle für die zentral verwalteten IT-Verfahren nach § 50 Absatz 3 des Zweiten Buches Sozialgesetzbuch über Leistungsempfänger nach dem Zweiten Buch Sozialgesetzbuch.

[5] Das Bundesministerium für Arbeit und Soziales wird ermächtigt, durch Rechtsverordnung mit Zustimmung des Bundesrates die Voraussetzungen für das Abrufverfahren nach Satz 4 sowie die Durchführung des Abrufverfahrens festzulegen.

(3) [1] Die Behörden der Zollverwaltung dürfen die beim Bundeszentralamt für Steuern nach § 5 Absatz 1 Nummer 13 des Finanzverwaltungsgesetzes[5)] vorgehaltenen Daten abrufen, soweit dies zur Wahrnehmung ihrer Prüfungsaufgaben nach § 2 Absatz 1 oder für die damit unmittelbar zusammenhängenden Bußgeld- und Strafverfahren erforderlich ist. [2] Für den Abruf der nach § 30 der Abgabenordnung[6)] dem Steuergeheimnis unterliegenden Daten ist ein automatisiertes Verfahren auf Abruf einzurichten. [3] Die Verantwortung für die Zulässigkeit des einzelnen Abrufs trägt die Behörde der Zollverwaltung, die die Daten abruft. [4] Die abrufende Stelle darf die Daten nach Satz 1 zu dem Zweck verarbeiten, zu dem sie die Daten abgerufen hat. [5] Ist zu befürchten, dass ein Datenabruf nach Satz 1 den Untersuchungszweck eines Ermittlungsverfahrens im Sinne des § 30 Absatz 2 Nummer 1 Buchstabe b der Abgabenordnung gefährdet, so kann die für dieses Verfahren zuständige Finanzbehörde oder die zuständige

---

1) Nr. **700**.
2) **beck-online, Module Arbeitsrecht Nr. 699.**
3) **beck-online, Module Arbeitsrecht Nr. 696.**
4) Nr. **692**.
5) **Sartorius ErgBd. Nr. 698.**
6) **Steuergesetze Nr. 800.**

Staatsanwaltschaft anordnen, dass kein Datenabruf erfolgen darf. ⁶ § 480 Absatz 1 Satz 1 und 2 der Strafprozessordnung[1)] findet Anwendung, wenn die Daten Verfahren betreffen, die zu einem Strafverfahren geführt haben. ⁷ Weitere Einzelheiten insbesondere zum automatischen Verfahren auf Abruf einschließlich der Protokollierung sowie zum Nachweis der aus den Artikeln 24, 25 und 32 der Verordnung (EU) 2016/679[2)] des Europäischen Parlaments und des Rates vom 27. April 2016 zum Schutz natürlicher Personen bei der Verarbeitung personenbezogener Daten, zum freien Datenverkehr und zur Aufhebung der Richtlinie 95/46/EG (Datenschutz-Grundverordnung; ABl. L 119 vom 4.5.2016, S. 1; L 314 vom 22.11.2016, S. 72; L 127 vom 23.5.2018, S. 2) oder § 64 des Bundesdatenschutzgesetzes[3)] erforderlichen technischen und organisatorischen Maßnahmen regelt eine Rechtsverordnung des Bundesministeriums der Finanzen, die der Zustimmung des Bundesrates bedarf.

(4) ¹ Die Behörden der Zollverwaltung unterrichten die jeweils zuständigen Stellen, wenn sich bei der Durchführung ihrer Aufgaben nach diesem Gesetz Anhaltspunkte ergeben für Verstöße gegen

1. dieses Gesetz,
2. das Arbeitnehmerüberlassungsgesetz[4)],
3. Bestimmungen des Vierten und Siebten Buches Sozialgesetzbuch[5)] zur Zahlung von Beiträgen,
4. die Steuergesetze,
5. das Aufenthaltsgesetz[6)],
6. die Mitwirkungspflicht nach § 60 Abs. 1 Satz 1 Nr. 1 und 2 des Ersten Buches Sozialgesetzbuch[7)] oder die Meldepflicht nach § 8a des Asylbewerberleistungsgesetzes[8)],
7. das Bundeskindergeldgesetz[9)],
8. die Handwerks-[10)] oder Gewerbeordnung[11)],
9. das Güterkraftverkehrsgesetz[12)],
10. das Personenbeförderungsgesetz[13)],
11. sonstige Strafgesetze,
12. das Arbeitnehmer-Entsendegesetz[14)],
13. das Mindestlohngesetz[15)],
14. die Arbeitsschutzgesetze,
15. die Vergabe- und Tariftreuegesetze der Länder oder

---

1) **Habersack Nr. 90.**
2) Nr. **489**.
3) Nr. **490**.
4) Nr. **730**.
5) Auszugsweise abgedruckt unter Nr. **697**.
6) Auszugsweise abgedruckt unter Nr. **760**.
7) Nr. **691**.
8) Nr. **781**.
9) Auszugsweise abgedruckt unter Nr. **332**.
10) Auszugsweise abgedruckt unter Nr. **107**.
11) Auszugsweise abgedruckt unter Nr. **106**.
12) **beck-online, Module Arbeitsrecht Nr. 731.**
13) **Sartorius Nr. 950.**
14) Nr. **506**.
15) Nr. **505**.

16. das Bundestariftreuegesetz.

[2]Nach § 5 Absatz 3 Satz 1 in Verwahrung genommene Urkunden sind der Ausländerbehörde unverzüglich zu übermitteln.

(5) Bestehen Anhaltspunkte dafür, dass eine nach § 5 Absatz 3 Satz 1 in Verwahrung genommene Urkunde unecht oder verfälscht ist, ist sie an die zuständige Polizeivollzugsbehörde zu übermitteln.

(6) [1]Auf die Zusammenarbeit der Behörden der Zollverwaltung mit Behörden anderer Mitgliedstaaten der Europäischen Union und mit Behörden anderer Vertragsstaaten des Abkommens über den Europäischen Wirtschaftsraum gemäß § 20 Absatz 2 des Arbeitnehmer-Entsendegesetzes, § 18 Absatz 2 des Mindestlohngesetzes und § 18 Absatz 6 des Arbeitnehmerüberlassungsgesetzes finden die §§ 8a bis 8e des Verwaltungsverfahrensgesetzes[1)] in Verbindung mit den Artikeln 6, 7, 14 bis 18 und 21 der Richtlinie 2014/67/EU in der Fassung vom 15. Mai 2014 auch in Verbindung mit Artikel 1 Absatz 11 Unterabsatz 1 Buchstabe c und Unterabsatz 2 und 3 der Richtlinie (EU) 2020/1057 in der Fassung vom 15. Juli 2020 Anwendung. [2]Ersuchen auf Grundlage der Zusammenarbeit im Sinne des Satzes 1, die über das Binnenmarkt-Informationssystem eingehen und die nicht in Zusammenhang mit einem der in § 2 Absatz 1 genannten Prüfgegenstände stehen, werden von der Generalzolldirektion im Rahmen ihrer Funktion als Verbindungsbüro im Sinne des Artikels 4 Absatz 1 der Richtlinie 96/71/EG[2)] in der Fassung vom 16. Dezember 1996 an die zuständige nationale Zusammenarbeitsbehörde übermittelt. [3]Die Generalzolldirektion darf die ihr von der zuständigen nationalen Zusammenarbeitsbehörde übermittelte Beantwortung des Ersuchens an die ersuchende Behörde übermitteln.

§ 6a[3)] Übermittlung personenbezogener Daten an Mitgliedstaaten der Europäischen Union. (1) [1]Die Behörden der Zollverwaltung können personenbezogene Daten, die in Zusammenhang mit einem der in § 2 Absatz 1 genannten Prüfgegenstände stehen, zum Zweck der Verhütung von Straftaten an eine für die Verhütung und Verfolgung zuständige Behörde eines Mitgliedstaates der Europäischen Union übermitteln. [2]Dabei ist eine Übermittlung personenbezogener Daten ohne Ersuchen nur zulässig, wenn im Einzelfall die Gefahr der Begehung einer Straftat im Sinne des Artikels 2 Absatz 2 des Rahmenbeschlusses 2002/584/JI des Rates vom 13. Juni 2002 über den Europäischen Haftbefehl und die Übergabeverfahren zwischen den Mitgliedstaaten (ABl. L 190 vom 18.7. 2002, S. 1), der zuletzt durch den Rahmenbeschluss 2009/299/JI (ABl. L 81 vom 27.3.2009, S. 24) geändert worden ist, besteht und konkrete Anhaltspunkte dafür vorliegen, dass die Übermittlung dieser personenbezogenen Daten dazu beitragen könnte, eine solche Straftat zu verhindern.

(2) Die Übermittlung personenbezogener Daten nach Absatz 1 ist nur zulässig, wenn das Ersuchen mindestens folgende Angaben enthält:

1. die Bezeichnung und die Anschrift der ersuchenden Behörde,
2. die Bezeichnung der Straftat, zu deren Verhütung die Daten benötigt werden,
3. die Beschreibung des Sachverhalts, der dem Ersuchen zugrunde liegt,

---

[1)] **Sartorius Nr. 100.**

[2)] Nr. **890**.

[3)] § 6a eingef. mWv 26.7.2012 durch G v. 21.7.2012 (BGBl. I S. 1566); Abs. 5 Sätze 1 und 2 geänd., Satz 3 neu gef., Abs. 6 geänd. mWv 26.11.2019 durch G v. 20.11.2019 (BGBl. I S. 1626); Abs. 5 neu gef. mWv 30.12.2025 durch G v. 22.12.2025 (BGBl. 2025 I Nr. 369).

4. die Benennung des Zwecks, zu dem die Daten erbeten werden,
5. der Zusammenhang zwischen dem Zweck, zu dem die Informationen oder Erkenntnisse erbeten werden, und der Person, auf die sich diese Informationen beziehen,
6. Einzelheiten zur Identität der betroffenen Person, sofern sich das Ersuchen auf eine bekannte Person bezieht, und
7. Gründe für die Annahme, dass sachdienliche Informationen und Erkenntnisse im Inland vorliegen.

(3) Die Datenübermittlung nach Absatz 1 unterbleibt, wenn

1. hierdurch wesentliche Sicherheitsinteressen des Bundes oder der Länder beeinträchtigt würden,
2. die Übermittlung der Daten unverhältnismäßig wäre oder die Daten für die Zwecke, für die sie übermittelt werden sollen, nicht erforderlich sind,
3. die zu übermittelnden Daten bei der ersuchten Behörde nicht vorhanden sind und nur durchdas Ergreifen von Zwangsmaßnahmen erlangt werden können oder
4. besondere bundesgesetzliche Verwendungsregelungen entgegenstehen; die Verpflichtung zur Wahrung gesetzlicher Geheimhaltungspflichten oder von Berufs- oder besonderen Amtsgeheimnissen, die nicht auf gesetzlichen Vorschriften beruhen, bleibt unberührt.

(4) Die Übermittlung kann unterbleiben, wenn

1. die Tat, zu deren Verhütung die Daten übermittelt werden sollen, nach deutschem Recht mit einer Freiheitsstrafe von im Höchstmaß einem Jahr oder weniger bedroht ist,
2. die übermittelten Daten als Beweismittel vor einer Justizbehörde verwendet werden sollen,
3. die zu übermittelnden Daten bei der ersuchten Behörde nicht vorhanden sind, jedoch ohne das Ergreifen von Zwangsmaßnahmen erlangt werden können, oder
4. der Erfolg laufender Ermittlungen oder Leib, Leben oder Freiheit einer Person gefährdet würde.

(5) [1] Personenbezogene Daten, die nach der Richtlinie (EU) 2023/977 in der Fassung vom 10. Mai 2023 an die Behörden der Zollverwaltung übermittelt worden sind, dürfen ohne Zustimmung des übermittelnden Staates nur für die Zwecke, für die sie übermittelt wurden, oder zur Abwehr einer gegenwärtigen und erheblichen Gefahr für die öffentliche Sicherheit verarbeitet werden. [2] Für einen anderen Zweck oder als Beweismittel in einem gerichtlichen Verfahren dürfen sie nur verarbeitet werden, wenn der übermittelnde Staat zugestimmt hat. [3] Bedingungen, die der übermittelnde Staat für die Verarbeitung der Daten stellt, sind zu beachten.

(6) Die Behörden der Zollverwaltung erteilen dem übermittelnden Staat auf dessen Ersuchen zu Zwecken der Datenschutzkontrolle Auskunft darüber, wie die übermittelten Daten verarbeitet wurden.

(7) Die Absätze 1 bis 6 finden auch Anwendung auf die Übermittlung von personenbezogenen Daten an für die Verhütung und Verfolgung von Straftaten zuständige Behörden eines Schengen-assoziierten Staates im Sinne von § 91 Absatz 3 des Gesetzes über die internationale Rechtshilfe in Strafsachen[1].

§ 7[2] Auskunftsansprüche bei anonymen Angeboten und Werbemaßnahmen. (1) [1]Wurden Angebote oder Werbemaßnahmen ohne Angabe von Name und Anschrift veröffentlicht und bestehen in diesem Zusammenhang Anhaltspunkte für Schwarzarbeit oder illegale Beschäftigung nach § 1, so ist derjenige, der das Angebot oder die Werbemaßnahme veröffentlicht hat, verpflichtet, den Behörden der Zollverwaltung Namen, Anschrift und Anzahl der Angebote oder Werbemaßnahmen des Auftraggebers des Angebots oder der Werbemaßnahme auf Verlangen unentgeltlich mitzuteilen. [2]Soweit Name und Anschrift nicht vorliegen, sind die Daten mitzuteilen, die eine Identifizierung des Auftraggebers ermöglichen. [3]Bei Anhaltspunkten nach § 1 Absatz 2 Satz 1 Nummer 4 oder 5 besteht diese Verpflichtung gegenüber den nach Landesrecht für die Verfolgung und Ahndung von Ordnungswidrigkeiten nach diesem Gesetz zuständigen Behörden.

(1a) [1]Die Behörden der Zollverwaltung dürfen in Bezug auf die in Absatz 1 genannten Angebote oder Werbemaßnahmen an diejenigen, die die Angebote oder die Werbemaßnahmen veröffentlicht haben, Auskunftsersuchen über eine ihnen noch unbekannte Anzahl von Sachverhalten mit dem Grunde nach bestimmbaren, ihnen noch nicht bekannten Personen stellen (Sammelauskunftsersuchen). [2]Die Generalzolldirektion darf Sammelauskunftsersuchen stellen, sofern sie als Zentralstelle die Behörden der Zollverwaltung bei der Koordinierung der Prüfungs-, Ermittlungs- und Ahndungsverfahren nach § 24 Absatz 2 Satz 1 Nummer 1 unterstützt. [3]Voraussetzung für ein Sammelauskunftsersuchen ist, dass ein hinreichender Anlass für die Prüfung nach § 2 Absatz 1 besteht und andere zumutbare Maßnahmen zur Sachverhaltsaufklärung keinen Erfolg versprechen.

(1b) Absatz 1a gilt entsprechend für die in § 2 Absatz 3 genannten Behörden, sofern Anhaltspunkte dafür vorliegen, dass Schwarzarbeit im Sinne des § 1 Absatz 2 Satz 1 Nummer 4 und 5 geleistet wird.

(2) [1]Die Behörden der Zollverwaltung und die nach Landesrecht für die Verfolgung und Ahndung von Ordnungswidrigkeiten nach diesem Gesetz zuständigen Behörden können zur Erfüllung ihrer Aufgaben nach § 2 Absatz 1 und 3 Auskunft verlangen von demjenigen, der geschäftsmäßig eigene oder fremde digitale Dienste nach § 1 Absatz 4 Nummer 1 des Digitale-Dienste-Gesetzes[3] zur Nutzung bereithält oder den Zugang zur Nutzung vermittelt, über Bestandsdaten gemäß § 2 Absatz 2 Nummer 2 des Telekommunikation-Digitale-Dienste-Datenschutz-Gesetzes (§ 22 Absatz 1 Satz 1 des Telekommunikation-Digitale-Dienste-Datenschutz-Gesetzes). [2]Die Auskunft nach Satz 1 darf nur verlangt werden, sofern im Einzelfall bei der Veröffentlichung

---

[1] **Habersack ErgBd. Nr. 90h.**

[2] § 7 neu gef. mWv 18.7.2019 durch G v. 11.7.2019 (BGBl. I S. 1066); Abs. 2–5 angef. mWv 2.4.2021 durch G v. 30.3.2021 (BGBl. I S. 448); Abs. 2 Sätze 1 und 3 geänd. mWv 1.12.2021 durch G v. 23.6.2021 (BGBl. I S. 1982); Abs. 2 Sätze 1 und 3 geänd. mWv 14.5.2024 durch G v. 6.5.2024 (BGBl. 2024 I Nr. 149); Abs. 1 Satz 1 geänd., Abs. 1a und 1b eingef. mWv 30.12.2025 durch G v. 22.12.2025 (BGBl. 2025 I Nr. 369).

[3] **Sartorius ErgBd. Nr. 922.**

von Angeboten oder Werbemaßnahmen ohne Angabe von Name und Anschrift tatsächliche Anhaltspunkte für Schwarzarbeit oder illegale Beschäftigung nach § 1 vorliegen und die zu erhebenden Daten zur Identifizierung des Auftraggebers erforderlich sind, um Schwarzarbeit oder illegale Beschäftigung aufzudecken. [3] Die Auskunft darf auch anhand einer zu einem bestimmten Zeitpunkt zugewiesenen Internetprotokoll-Adresse verlangt werden (§ 22 Absatz 1 Satz 3 und 4 des Telekommunikation-Digitale-Dienste-Datenschutz-Gesetzes), wenn tatsächliche Anhaltspunkte dafür vorliegen, dass die betroffene Person Nutzer des digitalen Dienstes ist, bei dem die Daten erhoben werden sollen, mit der Maßgabe, dass ein Auskunftsverlangen die Verhütung einer Straftat nach den §§ 10, 10a oder 11 dieses Gesetzes oder § 266a des Strafgesetzbuches[1)] voraussetzt. [4] Die rechtlichen und tatsächlichen Grundlagen des Auskunftsverlangens sind aktenkundig zu machen.

(3) [1] Die betroffene Person ist in den Fällen des Absatzes 2 Satz 3 über die Beauskunftung zu benachrichtigen. [2] Die Benachrichtigung erfolgt, soweit und sobald hierdurch der Zweck der Auskunft nicht vereitelt wird. [3] Sie unterbleibt, wenn ihr überwiegende schutzwürdige Belange Dritter oder der betroffenen Person selbst entgegenstehen. [4] Wird die Benachrichtigung nach Satz 2 zurückgestellt oder nach Satz 3 von ihr abgesehen, sind die Gründe aktenkundig zu machen.

(4) Der auf Grund eines Auskunftsverlangens Verpflichtete hat die zur Auskunftserteilung erforderlichen Daten unverzüglich und vollständig zu übermitteln.

(5) [1] Die die Auskunft verlangende Behörde hat den Verpflichteten für ihr erteilte Auskünfte eine Entschädigung zu gewähren. [2] Der Umfang der Entschädigung bemisst sich nach § 23 und Anlage 3 des Justizvergütungs- und -entschädigungsgesetzes[2)]; die Vorschriften über die Verjährung in § 2 Absatz 1 und 4 des Justizvergütungs- und -entschädigungsgesetzes[3)] finden entsprechend Anwendung.

Abschnitt 3. Bußgeld- und Strafvorschriften

§ 8[4)] Bußgeldvorschriften. (1) Ordnungswidrig handelt, wer

1. a)–c) *(aufgehoben)*
   d) der Verpflichtung zur Anzeige vom Beginn des selbstständigen Betriebes eines stehenden Gewerbes (§ 14 der Gewerbeordnung[5)]) nicht nachgekommen ist oder die erforderliche Reisegewerbekarte (§ 55 der Gewerbeordnung[5)]) nicht erworben hat oder

---

[1)] **Habersack Nr. 85.**

[2)] **beck-online, Module Arbeitsrecht Nr. 669.**

[3)] Nr. 669.

[4)] § 8 Abs. 2 Nr. 1 und 2 eingef., bish. Nr. 1–3 werden Nr. 3–5, Abs. 3 geänd. mWv 1.1.2009 durch G v. 21.12.2008 (BGBl. I S. 2933); Abs. 1 Nr. 1 Buchst. a–c aufgeh., Abs. 3 geänd. mWv 10.3. 2017 durch G v. 6.3.2017 (BGBl. I S. 399); Abs. 1 Nr. 2, Abs. 2 Nr. 3 Buchst. a und b, Nr. 4 und 5 geänd., Nr. 6 und 7 angef., Abs. 3–5 eingef., bish. Abs. 3 wird Abs. 6 und neu gef., bish. Abs. 4 und 5 werden Abs. 7 und 8, Abs. 9 angef. mWv 18.7.2019 durch G v. 11.7.2019 (BGBl. I S. 1066); Abs. 2 Nr. 1 geänd., Nr. 2 neu gef., Nr. 3 Buchst. a geänd., Nr. 4–6 eingef., bish. Nr. 4 wird Nr. 7, bish. Nr. 5 und 6 werden Nr. 8 und 9 und neu gef., Nr. 7 aufgeh., Abs. 4 Nr. 1 geänd., Abs. 5 aufgeh., *bish. Abs. 6 wird Abs. 5 und neu gef.*, bish. Abs. 7–9 werden Abs. 6–8 mWv 30.12.2025 durch G v. 22.12.2025 (BGBl. 2025 I Nr. 369).

[5)] **beck-online, Module Arbeitsrecht Nr. 106.**

e) ein zulassungspflichtiges Handwerk als stehendes Gewerbe selbstständig betreibt, ohne in die Handwerksrolle eingetragen zu sein (§ 1 der Handwerksordnung[1])

und Dienst- oder Werkleistungen in erheblichem Umfang erbringt oder

2. Dienst- oder Werkleistungen in erheblichem Umfang ausführen lässt, indem er eine oder mehrere Personen beauftragt, von der oder denen er weiß oder fahrlässig nicht weiß, dass diese Leistungen unter vorsätzlichem Verstoß gegen eine in Nummer 1 genannte Vorschrift erbringen.

(2) Ordnungswidrig handelt, wer vorsätzlich oder fahrlässig

1. entgegen § 2a Absatz 1 ein dort genanntes Dokument nicht mitführt oder nicht oder nicht rechtzeitig vorlegt,
2. entgegen § 2a Absatz 2 einen Hinweis nicht, nicht richtig, nicht vollständig, nicht in der vorgeschriebenen Weise oder nicht rechtzeitig gibt, nicht oder nicht für die vorgeschriebene Dauer aufbewahrt oder nicht oder nicht rechtzeitig vorlegt,
3. entgegen
   a) § 5 Absatz 1 Satz 1 Nummer 1 oder
   b) § 5 Absatz 4 Satz 1

   eine Prüfung oder das Betreten eines Grundstücks oder eines Geschäftsraumes nicht duldet oder bei einer Prüfung nicht mitwirkt,
4. entgegen § 5 Absatz 1 Satz 1 Nummer 3 Buchstabe a eine dort genannte Auskunft nicht, nicht richtig, nicht vollständig, nicht in der vorgeschriebenen Weise oder nicht rechtzeitig erteilt,
5. entgegen § 5 Absatz 1 Satz 1 Nummer 3 Buchstabe b eine dort genannte Unterlage nicht, nicht richtig, nicht vollständig oder nicht rechtzeitig bereitstellt oder nicht, nicht richtig, nicht vollständig oder nicht rechtzeitig vorlegt,
6. entgegen § 5 Absatz 1 Satz 1 Nummer 4 die Einsicht in eine dort genannte Unterlage nicht, nicht richtig oder nicht rechtzeitig ermöglicht,
7. entgegen § 5 Absatz 3 Satz 1 ein dort genanntes Dokument nicht oder nicht rechtzeitig vorlegt,
8. entgegen § 5b Absatz 1 Satz 1 ihre Arbeitskraft anbietet oder
9. entgegen § 5b Absatz 1 Satz 2 das Anbieten einer Arbeitskraft nachfragt.

(3) Ordnungswidrig handelt, wer als Arbeitgeber eine in § 266a Absatz 2 Nummer 1 oder 2 des Strafgesetzbuches[2] bezeichnete Handlung leichtfertig begeht und dadurch der Einzugsstelle Beiträge des Arbeitnehmers oder der Arbeitnehmerin zur Sozialversicherung einschließlich der Arbeitsförderung oder vom Arbeitgeber zu tragende Beiträge zur Sozialversicherung einschließlich der Arbeitsförderung, unabhängig davon, ob Arbeitsentgelt gezahlt wird, leichtfertig vorenthält.

(4) Ordnungswidrig handelt, wer

1. einen Beleg ausstellt, der in tatsächlicher Hinsicht nicht richtig ist und das Erbringen oder Ausführenlassen einer Dienst- oder Werkleistung oder einer Lieferung vorspiegelt, oder

---

[1] Nr. **107**.
[2] **Habersack Nr. 85.**

2. einen in Nummer 1 genannten Beleg in den Verkehr bringt

und dadurch Schwarzarbeit im Sinne des § 1 Absatz 2 oder illegale Beschäftigung im Sinne des § 1 Absatz 3 ermöglicht.

(5) Die Ordnungswidrigkeit kann in den Fällen des Absatzes 4 mit einer Geldbuße bis zu hunderttausend Euro, in den Fällen des Absatzes 1 Nummer 1 Buchstabe d und e und Nummer 2 sowie in den Fällen des Absatzes 3 mit einer Geldbuße bis zu fünfzigtausend Euro, in den Fällen des Absatzes 2 Nummer 3 Buchstabe a und Nummer 9 mit einer Geldbuße bis zu dreißigtausend Euro, in den Fällen des Absatzes 2 Nummer 1 und 8 mit einer Geldbuße bis zu fünftausend Euro und in den übrigen Fällen mit einer Geldbuße bis zu tausend Euro geahndet werden.

(6) [1] Absatz 1 findet keine Anwendung für nicht nachhaltig auf Gewinn gerichtete Dienst- oder Werkleistungen, die

1. von Angehörigen im Sinne des § 15 der Abgabenordnung[1)] oder Lebenspartnern,
2. aus Gefälligkeit,
3. im Wege der Nachbarschaftshilfe oder
4. im Wege der Selbsthilfe im Sinne des § 36 Abs. 2 und 4 des Zweiten Wohnungsbaugesetzes[2)] in der Fassung der Bekanntmachung vom 19. August 1994 (BGBl. I S. 2137) oder als Selbsthilfe im Sinne des § 12 Abs. 1 Satz 2 des Wohnraumförderungsgesetzes[3)] vom 13. September 2001 (BGBl. I S. 2376), zuletzt geändert durch Artikel 7 des Gesetzes vom 29. Dezember 2003 (BGBl. I S. 3076),

erbracht werden. [2] Als nicht nachhaltig auf Gewinn gerichtet gilt insbesondere eine Tätigkeit, die gegen geringes Entgelt erbracht wird.

(7) Das Bundesministerium der Finanzen wird ermächtigt, durch Rechtsverordnung mit Zustimmung des Bundesrates Vorschriften über Regelsätze für Geldbußen wegen einer Ordnungswidrigkeit nach Absatz 1 oder 2 zu erlassen.

(8) Eine Geldbuße wird in den Fällen des Absatzes 3 nicht festgesetzt, wenn der Arbeitgeber spätestens im Zeitpunkt der Fälligkeit oder unverzüglich danach gegenüber der Einzugsstelle

1. schriftlich die Höhe der vorenthaltenen Beiträge mitteilt,
2. schriftlich darlegt, warum die fristgemäße Zahlung nicht möglich ist, obwohl er sich darum ernsthaft bemüht hat, und
3. die vorenthaltenen Beiträge nachträglich innerhalb der von der Einzugsstelle bestimmten angemessenen Frist entrichtet.

[1)] **Steuergesetze Nr. 800.**

[2)] Das II. WoBauG wurde mWv 31.12.2001 aufgeh. durch G v. 13.9.2001 (BGBl. I S. 2376). § 36 Abs. 2 und 4 dieser Fassung lauten:

„(2) Zur Selbsthilfe gehören die Arbeitsleistungen, die zur Durchführung eines Bauvorhabens erbracht werden
a) von dem Bauherrn selbst,
b) von seinen Angehörigen,
c) von anderen unentgeltlich oder auf Gegenseitigkeit.

(4) Dem Bauherrn steht bei einem Kaufeigenheim, einer Trägerkleinsiedlung, einer Kaufeigentumswohnung und einer Genossenschaftswohnung der Bewerber gleich.“

[3)] **Sartorius Nr. 355.**

§ 9[1] **Strafvorschriften.** *(1)*[2] Mit Freiheitsstrafe bis zu fünf Jahren oder mit Geldstrafe wird bestraft, wer eine in § 8 Absatz 4 bezeichnete Handlung begeht und gewerbsmäßig oder als Mitglied einer Bande handelt, die sich zur fortgesetzten Begehung solcher Taten verbunden hat.

§ 10[3] **Beschäftigung von Ausländerinnen und Ausländern ohne Genehmigung, Aufenthaltstitel, Erlaubnis oder Berechtigung und zu ungünstigen Arbeitsbedingungen.** (1) Wer vorsätzlich eine in § 404 Abs. 2 Nr. 3 des Dritten Buches Sozialgesetzbuch[4] bezeichnete Handlung begeht und die Ausländerin oder den Ausländer zu Arbeitsbedingungen beschäftigt, die in einem auffälligen Missverhältnis zu den Arbeitsbedingungen deutscher Arbeitnehmer und Arbeitnehmerinnen stehen, die die gleiche oder eine vergleichbare Tätigkeit ausüben, wird mit Freiheitsstrafe bis zu drei Jahren oder mit Geldstrafe bestraft.

(2) [1] In besonders schweren Fällen des Absatzes 1 ist die Strafe Freiheitsstrafe von sechs Monaten bis zu fünf Jahren. [2] Ein besonders schwerer Fall liegt in der Regel vor, wenn der Täter gewerbsmäßig oder aus grobem Eigennutz handelt.

§ 10a[5] **Beschäftigung von Ausländern ohne Aufenthaltstitel, die Opfer von Menschenhandel sind.** Mit Freiheitsstrafe bis zu drei Jahren oder mit Geldstrafe wird bestraft, wer entgegen § 4a Absatz 5 Satz 1 oder 2 des Aufenthaltsgesetzes[6] einen Ausländer beschäftigt und hierbei eine Lage ausnutzt, in der sich der Ausländer durch eine gegen ihn gerichtete Tat eines Dritten nach § 232a Absatz 1 bis 5 oder § 232b des Strafgesetzbuchs[7] befindet.

§ 11[8] **Erwerbstätigkeit von Ausländern ohne Genehmigung oder ohne Aufenthaltstitel in größerem Umfang oder von minderjährigen Ausländern.** (1) Wer

1. gleichzeitig mehr als fünf Ausländer entgegen § 284 Abs. 1 des Dritten Buches Sozialgesetzbuch[4] beschäftigt oder entgegen § 4a Absatz 5 Satz 1 oder 2 des Aufenthaltsgesetzes[6] beschäftigt oder mit Dienst- oder Werkleistungen beauftragt,
2. eine in
   a) § 404 Abs. 2 Nr. 3 des Dritten Buches Sozialgesetzbuch,
   b) § 404 Abs. 2 Nr. 4 des Dritten Buches Sozialgesetzbuch,

---

[1] § 9 neu gef. mWv 30.12.2025 durch G v. 22.12.2025 (BGBl. 2025 I Nr. 369).

[2] Absatzzähler amtlich.

[3] § 10 Überschrift und Abs. 1 geänd. mWv 18.3.2005 durch G v. 14.3.2005 (BGBl. I S. 721); Überschrift neu gef., Abs. 1 geänd. mWv 30.12.2025 durch G v. 22.12.2025 (BGBl. 2025 I Nr. 369).

[4] Nr. **700**.

[5] § 10a eingef. mWv 26.11.2011 durch G v. 22.11.2011 (BGBl. I S. 2258); geänd. mWv 15.10.2016 durch G v. 11.10.2016 (BGBl. I S. 2226); geänd. mWv 1.3.2020 durch G v. 15.8.2019 (BGBl. I S. 1307); geänd. mWv 30.12.2025 durch G v. 22.12.2025 (BGBl. 2025 I Nr. 369).

[6] Nr. **760**.

[7] **Habersack Nr. 85.**

[8] § 11 neu gef. mWv 18.3.2005 durch G v. 14.3.2005 (BGBl. I S. 721); Überschrift und Abs. 2 geänd., Abs. 1 neu gef. mWv 28.8.2007 durch G v. 19.8.2007 (BGBl. I S. 1970); Überschrift, Abs. 1 Nr. 1 und 2 geänd., Nr. 3 angef., Abs. 2 neu gef. mWv 26.11.2011 durch G v. 22.11.2011 (BGBl. I S. 2258); Abs. 1 Nr. 2 Buchst. c geänd. mWv 18.7.2019 durch G v. 11.7.2019 (BGBl. I S. 1066); Abs. 1 Nr. 1 und 3 geänd. mWv 24.6.2020 durch G v. 12.6.2020 (BGBl. I S. 1248); Abs. 1 Nr. 1 und 2 Buchst. c, Nr. 3 geänd. mWv 30.12.2025, Abs. 1 Nr. 2 Buchst. d geänd. mit noch nicht bestimmtem Inkrafttreten durch G v. 22.12.2025 (BGBl. 2025 I Nr. 369).

c) § 98 Absatz 2b Nummer 1 des Aufenthaltsgesetzes[1] oder

d) ***[bis unbestimmt:*** § 98 Abs. 3 Nr. 1 des Aufenthaltsgesetzes[1]***] [ab unbestimmt:*** *§ 98 Absatz 3 Nummer 1a des Aufenthaltsgesetzes*[1]***]***

bezeichnete vorsätzliche Handlung beharrlich wiederholt oder

3. entgegen § 4a Absatz 5 Satz 1 oder 2 des Aufenthaltsgesetzes[1] eine Person unter 18 Jahren beschäftigt,

wird mit Freiheitsstrafe bis zu einem Jahr oder mit Geldstrafe bestraft.

(2) Handelt der Täter in den Fällen des Absatzes 1 Nummer 1, Nummer 2 Buchstabe a oder Buchstabe c oder Nummer 3 aus grobem Eigennutz, ist die Strafe Freiheitsstrafe bis zu drei Jahren oder Geldstrafe.

Abschnitt 4. Ermittlungen

§ 12[2] **Allgemeines zu den Ordnungswidrigkeiten.** (1) Verwaltungsbehörden im Sinne des § 36 Abs. 1 Nr. 1 des Gesetzes über Ordnungswidrigkeiten[3] sind

1. *(aufgehoben)*
2. in den Fällen des § 8 Abs. 1 Nr. 1 Buchstabe d und e und Nr. 2 in Verbindung mit Nr. 1 Buchstabe d und e die nach Landesrecht zuständige Behörde,
3. in den Fällen des § 8 Abs. 2 die Behörden der Zollverwaltung sowie die nach Landesrecht zuständige Behörde jeweils für ihren Geschäftsbereich,
4. in den Fällen des § 8 Absatz 3 und 4 die Behörden der Zollverwaltung.

(2) Die Geldbußen fließen in die Kasse der Verwaltungsbehörde, die den Bußgeldbescheid erlassen hat.

(3) [1] Die nach Absatz 2 zuständige Kasse trägt abweichend von § 105 Abs. 2 des Gesetzes über Ordnungswidrigkeiten die notwendigen Auslagen. [2] Sie ist auch ersatzpflichtig im Sinne des § 110 Abs. 4 des Gesetzes über Ordnungswidrigkeiten.

(4) Die Behörden der Zollverwaltung unterrichten das Gewerbezentralregister über rechtskräftige Bußgeldbescheide nach § 8 Absatz 2 Nummer 3 Buchstabe a und Nummer 5 sowie Absatz 3 und 4, sofern die Geldbuße mehr als zweihundert Euro beträgt.

(5) [1] Nimmt die Staatsanwaltschaft an der Hauptverhandlung nach § 75 Absatz 2 des Gesetzes über Ordnungswidrigkeiten nicht teil, so gibt das Gericht den Verwaltungsbehörden im Sinne des Absatzes 1 Gelegenheit, die Gründe vorzubringen, die aus ihrer Sicht für die Entscheidung von Bedeutung sind. [2] Dies gilt auch, wenn das Gericht erwägt, das Verfahren einzustellen. [3] Der Vertreter der Verwaltungsbehörden im Sinne des Absatzes 1 erhält in der

---

[1] Nr. **760**.

[2] § 12 Abs. 1 Nr. 1 und 2 neu gef. mWv 18.3.2005 durch G v. 14.3.2005 (BGBl. I S. 721); Abs. 4 geänd. mWv 1.1.2009 durch G v. 21.12.2008 (BGBl. I S. 2933); Abs. 1 Nr. 1 aufgeh., Nr. 3 geänd. mWv 10.3.2017 durch G v. 6.3.2017 (BGBl. I S. 399); Abs. 1 Nr. 3 geänd., Nr. 4 angef., Abs. 4 geänd., Abs. 5 angef. mWv 18.7.2019 durch G v. 11.7.2019 (BGBl. I S. 1066); Abs. 5 Satz 4 geänd. *mWv 18.12.2019 durch G v. 12.12.2019* (BGBl. I S. 2451); Abs. 1 Nr. 4, Abs. 4, 5 Sätze 1 und 3 geänd. mWv 30.12.2025 durch G v. 22.12.2025 (BGBl. 2025 I Nr. 369).

[3] **Habersack Nr. 94.**

Hauptverhandlung auf Verlangen das Wort. [4] Ihm ist zu gestatten, Fragen an Betroffene, Zeugen und Sachverständige zu richten.

§ 13[1)] Zusammenarbeit in Bußgeldverfahren. (1) Die Behörden der Zollverwaltung arbeiten insbesondere mit den in § 2 Absatz 4 genannten unterstützenden Stellen zusammen.

(2) [1] Ergeben sich für die in § 2 Absatz 4 Nummer 2 bis 20 genannten unterstützenden Stellen im Zusammenhang mit der Erfüllung ihrer gesetzlichen Aufgaben Anhaltspunkte für in § 8 genannte Verstöße, unterrichten sie die für die Verfolgung und Ahndung von Ordnungswidrigkeiten nach diesem Gesetz zuständigen Behörden. [2] § 31a der Abgabenordnung[2)] bleibt unberührt.

(3) [1] Gerichte und Staatsanwaltschaften sollen den nach diesem Gesetz zuständigen Stellen Erkenntnisse übermitteln, die aus ihrer Sicht zur Verfolgung von Ordnungswidrigkeiten nach § 8 erforderlich sind, soweit nicht für das Gericht oder die Staatsanwaltschaft erkennbar ist, dass schutzwürdige Interessen der betroffenen Person oder anderer Verfahrensbeteiligter an dem Ausschluss der Übermittlung überwiegen. [2] Dabei ist zu berücksichtigen, wie gesichert die zu übermittelnden Erkenntnisse sind.

§ 14[3)] Ermittlungsbefugnisse. (1) [1] Die Behörden der Zollverwaltung haben bei der Verfolgung von Straftaten und Ordnungswidrigkeiten, die mit einem der in § 2 Abs. 1 genannten Prüfgegenstände unmittelbar zusammenhängen, die gleichen Befugnisse wie die Polizeivollzugsbehörden nach der Strafprozessordnung[4)] und dem Gesetz über Ordnungswidrigkeiten[5)]. [2] Ihre Beamten sind insoweit Ermittlungspersonen der Staatsanwaltschaft. [3] In den Dienst der Zollverwaltung übergeleitete Angestellte nehmen die Befugnisse nach Satz 1 wahr und sind insoweit Ermittlungspersonen der Staatsanwaltschaft, wenn sie

1. das 21. Lebensjahr vollendet haben,
2. am 31. Dezember 2003 im Dienst der Bundesanstalt für Arbeit gestanden haben und
3. dort mindestens zwei Jahre lang zur Bekämpfung der Schwarzarbeit oder der illegalen Beschäftigung eingesetzt waren.

(2) Zur Bekämpfung von Schwarzarbeit und illegaler Beschäftigung können die Behörden der Zollverwaltung, die Polizeibehörden und die Landesfinanzbehörden in Abstimmung mit der Staatsanwaltschaft gemeinsame Ermittlungsgruppen bilden.

(3) Die Behörden der Zollverwaltung dürfen bei der Verfolgung von Straftaten nach Absatz 1 erkennungsdienstliche Maßnahmen nach § 81b der Strafprozessordnung auch zur Vorsorge für künftige Strafverfahren durchführen.

(4) § 5 Absatz 3 gilt im Ermittlungsverfahren entsprechend.

---

1) § 13 Abs. 1 und 2 Satz 1 geänd. mWv 18.7.2019 durch G v. 11.7.2019 (BGBl. I S. 1066); Abs. 3 Satz 1 geänd. mWv 26.11.2019 durch G v. 20.11.2019 (BGBl. I S. 1626).

2) **Steuergesetze Nr. 800.**

3) § 14 Abs. 1 Sätze 2 und 3 geänd. mWv 1.7.2005 durch G v. 24.6.2005 (BGBl. I S. 1841); Abs. 3 angef. mWv 18.7.2019 durch G v. 11.7.2019 (BGBl. I S. 1066); Abs. 4 angef. mWv 30.12.2025 durch G v. 22.12.2025 (BGBl. 2025 I Nr. 369).

4) **Habersack Nr. 90.**

5) **Habersack Nr. 94.**

§ 14a[1] Selbstständige Durchführung von Ermittlungsverfahren.

(1) [1] Die Behörden der Zollverwaltung führen in den Fällen, in denen ihnen die Befugnisse nach § 14 zustehen, die Ermittlungsverfahren nach Maßgabe dieser Vorschrift und in den Grenzen des § 14b selbstständig durch, wenn die Tat eine Straftat darstellt nach

1. § 266a des Strafgesetzbuches[2] oder
2. § 263 des Strafgesetzbuches bei der auf Grund der Dienst- oder Werkleistungen oder der Vortäuschung von Dienst- oder Werkleistungen Sozialleistungen nach dem Zweiten[3] oder Dritten Buch Sozialgesetzbuch[4] zu Unrecht bezogen werden oder wurden.

[2] Die allgemeinen Gesetze über das Strafverfahren sind anzuwenden.

(2) [1] Absatz 1 gilt nicht, wenn besondere Umstände es angezeigt erscheinen lassen, dass das Ermittlungsverfahren unter der Verantwortung der Staatsanwaltschaft zu führen ist. [2] Dies ist insbesondere der Fall, wenn

1. der Verdacht besonders schwerer Fälle von Straftaten nach Absatz 1 Satz 1 gegeben ist,
2. eine Maßnahme nach § 100a der Strafprozessordnung[5] beantragt werden soll,
3. die Anordnung der Untersuchungshaft nach § 112 der Strafprozessordnung beantragt werden soll,
4. die Strafsache besondere Schwierigkeiten aufweist,
5. der Beschuldigte außer dieser Tat noch einer anderen, prozessual selbstständigen Straftat beschuldigt wird und die Taten in einem einheitlichen Ermittlungsverfahren verfolgt werden sollen,
6. eine Freiheitsstrafe zu erwarten ist, die nicht im Strafbefehlsverfahren festgesetzt werden kann,
7. gegen die folgenden Personen ermittelt werden soll:
   a) Mitglieder des Europäischen Parlaments, des Deutschen Bundestages oder einer gesetzgebenden Körperschaft eines Landes,
   b) Mitglieder diplomatischer Vertretungen und andere von der inländischen Gerichtsbarkeit befreite Personen,
   c) Mitglieder einer Truppe oder eines zivilen Gefolges eines NATO-Staates oder deren Angehörige,
   d) Personen, die in den Anwendungsbereich des Jugendgerichtsgesetzes[6] fallen, oder
   e) Personen, bei denen Anhaltspunkte dafür vorliegen, dass sie vermindert schuldfähig (§ 21 des Strafgesetzbuches) oder aus psychischen Gründen in ihrer Verteidigung behindert sind, oder
8. ein Amtsträger der Zollverwaltung der Beteiligung verdächtig ist.

---

[1] § 14a eingef. mWv 18.7.2019 durch G v. 11.7.2019 (BGBl. I S. 1066); Abs. 1 Satz 1, Abs. 2 Satz 1, Satz 2 Nr. 1 neu gef., Nr. 2, 3 und 7 geänd., Sätze 3 und 4 angef., Abs. 3 und 4 neu gef. mWv 30.12.2025 durch G v. 22.12.2025 (BGBl. 2025 I Nr. 369).

[2] **Habersack Nr. 85.**

[3] Nr. **692**.

[4] *Nr. **700**.*

[5] **Habersack Nr. 90.**

[6] **Habersack Nr. 89.**

[3] Besteht bei den Behörden der Zollverwaltung Unsicherheit darüber, ob ein Ermittlungsverfahren unter der Verantwortung der Staatsanwaltschaft zu führen ist, legen die Behörden der Zollverwaltung das entsprechende Verfahren der zuständigen Staatsanwaltschaft vor. [4] Diese entscheidet, ob sie die Strafsache in eigener Zuständigkeit weiterführen will.

(3) Ergibt sich erst während der selbstständigen Durchführung des Ermittlungsverfahrens, dass ein Fall des Absatzes 2 vorliegt, gibt die Behörde der Zollverwaltung die Strafsache an die Staatsanwaltschaft ab.

(4) [1] Im Übrigen können die Behörden der Zollverwaltung die Strafsache jederzeit an die Staatsanwaltschaft abgeben. [2] Die Staatsanwaltschaft kann die Strafsache jederzeit an sich ziehen. [3] In beiden Fällen kann die Staatsanwaltschaft im Einvernehmen mit den Behörden der Zollverwaltung die Strafsache wieder an die Behörden der Zollverwaltung abgeben.

§ 14b[1)] Rechte und Pflichten bei der selbstständigen Durchführung von Ermittlungsverfahren. (1) Führen die Behörden der Zollverwaltung das Ermittlungsverfahren nach § 14a selbstständig durch, so nehmen sie die Rechte und Pflichten wahr, die der Staatsanwaltschaft im Ermittlungsverfahren zustehen.

(2) Sie haben nicht die Befugnis, Ermittlungen durch die Behörden und Beamten des Polizeidienstes vornehmen zu lassen.

(3) Bieten die Ermittlungen genügenden Anlass zur Erhebung der öffentlichen Klage, so beantragt die Behörde der Zollverwaltung über die Staatsanwaltschaft bei dem zuständigen Gericht den Erlass eines Strafbefehls, wenn die Strafsache zur Behandlung im Strafbefehlsverfahren geeignet erscheint; andernfalls legt die Behörde der Zollverwaltung die Akten der Staatsanwaltschaft vor.

(4) Hat die Behörde der Zollverwaltung den Erlass eines Strafbefehls beantragt, so nimmt sie die Rechte und Pflichten der Staatsanwaltschaft wahr, solange nicht nach § 408 Absatz 3 Satz 2 der Strafprozessordnung[2)] die Hauptverhandlung anberaumt oder Einspruch gegen den Strafbefehl erhoben ist.

(5) Hat die Behörde der Zollverwaltung den Antrag gestellt, eine Einziehung gemäß § 435 der Strafprozessordnung selbstständig anzuordnen oder eine Geldbuße gegen eine juristische Person oder eine Personenvereinigung gemäß § 444 Absatz 3 der Strafprozessordnung selbstständig festzusetzen, so nimmt sie die Rechte und Pflichten der Staatsanwaltschaft wahr, solange die mündliche Verhandlung nicht beantragt oder vom Gericht angeordnet ist.

(6) [1] Das Gericht gibt den Behörden der Zollverwaltung Gelegenheit, diejenigen Gesichtspunkte vorzubringen, die aus ihrer Sicht für die Entscheidung von Bedeutung sind. [2] Dies gilt auch, wenn das Gericht erwägt, das Verfahren einzustellen. [3] Der Termin zur Hauptverhandlung und der Termin zur Vernehmung durch einen beauftragten oder ersuchten Richter nach den §§ 223 und 233 der Strafprozessordnung werden den Behörden der Zollverwaltung mitgeteilt. [4] Ihre Vertretung erhält in der Hauptverhandlung auf Verlangen das Wort. [5] Ihr ist zu gestatten, Fragen an Angeklagte, Zeugen und Sachverständige

---

[1)] § 14b eingef. mWv 18.7.2019 durch G v. 11.7.2019 (BGBl. I S. 1066); Abs. 6 angef. mWv 30.12.2025 durch G v. 22.12.2025 (BGBl. 2025 I Nr. 369).

[2)] **Habersack Nr. 90.**

zu richten. [6] Das Urteil und andere das Verfahren abschließende Entscheidungen sind den Behörden der Zollverwaltung mitzuteilen.

§ 14c[1)] Sachliche und örtliche Zuständigkeit bei der selbstständigen Durchführung von Ermittlungsverfahren. (1) Sachlich zuständig für die Durchführung des selbstständigen Ermittlungsverfahrens nach § 14a ist das Hauptzollamt.

(2) [1] Örtlich zuständig für die Durchführung des selbstständigen Ermittlungsverfahrens ist das Hauptzollamt,

1. in dessen Bezirk die Straftat begangen oder entdeckt worden ist,
2. das zum Zeitpunkt der Einleitung des Ermittlungsverfahrens für die Prüfung gemäß § 2 Absatz 1 zuständig ist oder
3. in dessen Bezirk der Beschuldigte zum Zeitpunkt der Einleitung des Ermittlungsverfahrens seinen Wohnsitz hat; hat der Beschuldigte im räumlichen Geltungsbereich dieses Gesetzes keinen Wohnsitz, so wird die Zuständigkeit durch den Ort des gewöhnlichen Aufenthalts bestimmt.

[2] Sind nach Satz 1 mehrere Hauptzollämter zuständig, so gebührt der Vorzug demjenigen Hauptzollamt, das wegen der Tat zuerst ein Strafverfahren eingeleitet hat. [3] Auf Ersuchen dieses Hauptzollamts hat ein anderes zuständiges Hauptzollamt die Strafsache zu übernehmen, wenn dies für die Ermittlungen sachdienlich erscheint. [4] In Zweifelsfällen entscheidet die Zentralstelle.

(3) Ändert sich in den Fällen des Absatzes 2 Satz 1 Nummer 3 der Wohnsitz oder der Ort des gewöhnlichen Aufenthalts des Beschuldigten nach Einleitung des Ermittlungsverfahrens, so ist auch das Hauptzollamt örtlich zuständig, in dessen Bezirk der neue Wohnsitz oder Ort des gewöhnlichen Aufenthalts liegt.

Abschnitt 5. Datenschutz

§ 15[2)] Allgemeine Datenverarbeitung. (1) [1] Für die Wahrnehmung der Aufgaben nach diesem Gesetz durch die Behörden der Zollverwaltung gelten hinsichtlich der Sozialdaten die Vorschriften des Zweiten Kapitels des Zehnten Buches Sozialgesetzbuch[3)]. [2] Diese Aufgaben gelten in datenschutzrechtlicher Hinsicht auch als Aufgaben nach dem Sozialgesetzbuch. [3] Die Verarbeitung personenbezogener Daten im Ermittlungsverfahren richtet sich nach den Vorschriften der Strafprozessordnung[4)] und, sofern erforderlich, nach den Vorschriften des Gesetzes über Ordnungswidrigkeiten[5)]. [4] Die Vorschriften des Vierten Abschnitts des Ersten Teils der Abgabenordnung[6)] zum Steuergeheimnis bleiben unberührt.

(2) [1] Die Behörden der Zollverwaltung können unbeschadet des Absatzes 1 personenbezogene Daten weiterverarbeiten, soweit dies erforderlich ist

1. zur Erfüllung ihrer Aufgaben nach diesem Gesetz oder

[1)] § 14c eingef. mWv 18.7.2019 durch G v. 11.7.2019 (BGBl. I S. 1066); Abs. 2 Satz 1 Nr. 2 und 3 geänd., Satz 2 neu gef., Sätze 3 und 4 angef., Abs. 3 bish. Satz 1 geänd, Satz 2 aufgeh. mWv 30.12.2025 durch G v. 22.12.2025 (BGBl. 2025 I Nr. 369).

[2)] § 15 neu gef. mWv 30.12.2025 durch G v. 22.12.2025 (BGBl. 2025 I Nr. 369).

[3)] Auszugsweise abgedruckt unter Nr. **699**.

[4)] ***Habersack Nr. 90.***

[5)] **Habersack Nr. 94.**

[6)] **Steuergesetze Nr. 800.**

2. zur Verhütung, Verfolgung, Ahndung und Vollstreckung von Straftaten und Ordnungswidrigkeiten, die mit einem der in § 2 Absatz 1 genannten Prüfgegenstände zusammenhängen.

[2] § 100e Absatz 6, § 161 Absatz 3 und 4 sowie § 479 Absatz 2 der Strafprozessordnung finden entsprechend Anwendung.

(3) [1] Absatz 2 gilt nicht für personenbezogene Daten, die durch den Einsatz verdeckter Maßnahmen nach Maßgabe der Strafprozessordnung oder der Polizeigesetze erhoben wurden. [2] Diese personenbezogenen Daten dürfen die Behörden der Zollverwaltung nur dann zu anderen als dem Erhebungszweck weiterverarbeiten, wenn

1. mindestens
   a) vergleichbar gewichtige Straftaten verhütet, aufgedeckt oder verfolgt werden sollen oder
   b) vergleichbar gewichtige Rechtsgüter geschützt werden sollen und
2. sich im Einzelfall konkrete Ermittlungsansätze zur Verhütung, Aufdeckung oder Verfolgung solcher Straftaten ergeben.

(4) [1] Bei der Verarbeitung von personenbezogenen Daten stellen die Behörden der Zollverwaltung durch technische und organisatorische Maßnahmen sicher, dass die Absätze 2 und 3 beachtet werden. [2] Insbesondere sind personenbezogene Daten, die durch den Einsatz verdeckter Maßnahmen nach Maßgabe der Strafprozessordnung oder der Polizeigesetze der Länder und des Bundes erhoben wurden, bei der Speicherung zu kennzeichnen und dürfen ohne entsprechende Kennzeichnung nicht verarbeitet werden. [3] Nach einer Übermittlung an eine andere Stelle ist die Kennzeichnung durch diese aufrechtzuerhalten.

(5) Sofern die oder der Bundesbeauftragte für den Datenschutz und die Informationsfreiheit Verstöße nach § 16 Absatz 2 des Bundesdatenschutzgesetzes[1)] beanstandet hat, kann sie oder er geeignete Maßnahmen anordnen, wenn dies zur Beseitigung eines erheblichen Verstoßes gegen datenschutzrechtliche Vorschriften erforderlich ist.

§ 16[2)] Zentrales Informationssystem für die Finanzkontrolle Schwarzarbeit. (1) Die Behörden der Zollverwaltung führen ein zentrales Informationssystem für die Finanzkontrolle Schwarzarbeit, in dem die zur Aufgabenerfüllung nach diesem Gesetz erhobenen und übermittelten Daten automatisiert verarbeitet werden.

(2) [1] Im zentralen Informationssystem für die Finanzkontrolle Schwarzarbeit werden folgende Daten gespeichert:

1. Familienname, frühere Namen, Vornamen, Tag und Ort der Geburt einschließlich Bezirk, Geburtsland, Geschlecht, Staatsangehörigkeiten, Wohnanschriften, Familienstand, Berufsbezeichnung, Steuernummer, Personalausweis- und Reisepassnummer, Kontodaten, Sozialversicherungsnummer, bei Unternehmen Name, Sitz, Rechtsform, Registernummer und -ort, Vertre-

---

[1)] Nr. **490**.

[2)] § 16 neu gef. mWv 10.3.2017 durch G v. 6.3.2017 (BGBl. I S. 399); Abs. 1, Abs. 3 einl. Satzteil, Abs. 4 Satz 2 Nr. 1 geänd. mWv 26.11.2019 durch G v. 20.11.2019 (BGBl. I S. 1626); Abs. 2 Satz 2 Nr. 1 und 2 geänd., Nr. 3 angef., Abs. 3 Nr. 1, 2, 4 und 5 geänd., Nr. 6 und 7 angef. mWv 30.12.2025 durch G v. 22.12.2025 (BGBl. 2025 I Nr. 369).

tungsverhältnisse des Unternehmens, Adressdaten, Steuernummer, Betriebsnummer, Kontodaten,

2. die Bezeichnung der aktenführenden Dienststelle der Zollverwaltung und das Aktenzeichen und
3. der Zeitpunkt der Einleitung des Verfahrens, der Zeitpunkt der letzten Verfahrenshandlung und der Zeitpunkt der Erledigung des Verfahrens, jeweils durch die Behörden der Zollverwaltung, sowie der Zeitpunkt und die Art der Erledigung durch das Gericht oder die Staatsanwaltschaft.

[2] Das Bundesministerium der Finanzen kann durch Rechtsverordnung ergänzend weitere Daten bestimmen, soweit diese für die Finanzkontrolle Schwarzarbeit im Rahmen ihrer Aufgaben

1. zur Vorbereitung und Durchführung von Prüfungen nach § 2 Absatz 1 und 5,
2. zur Verhütung, Verfolgung, Ahndung und Vollstreckung von Straftaten und Ordnungswidrigkeiten, die mit einem der in § 2 Absatz 1 genannten Prüfgegenstände zusammenhängen, oder
3. zur Durchführung des zentralen Risikomanagements nach § 25

erforderlich sind.

(3) Im zentralen Informationssystem für die Finanzkontrolle Schwarzarbeit dürfen personenbezogene Daten nur zu folgenden Zwecken verarbeitet werden:

1. zur Vorbereitung und Durchführung von Prüfungen nach § 2 Absatz 1 und 5,
2. zur Verhütung, Verfolgung, Ahndung und Vollstreckung von Straftaten und Ordnungswidrigkeiten, die mit einem der in § 2 Absatz 1 genannten Prüfgegenstände zusammenhängen,
3. zur Besteuerung, soweit sie im Zusammenhang mit der Erbringung von Dienst- oder Werkleistungen steht,
4. zur Erfüllung von Aufgaben, welche den Behörden der Zollverwaltung nach § 5a des Finanzverwaltungsgesetzes[1] zugewiesen sind,
5. zur Fortbildung im Bereich der Finanzkontrolle Schwarzarbeit, soweit die Daten anonymisiert werden,
6. zur Wahrnehmung der Zentralstellenaufgaben nach § 24 und
7. zur Durchführung der Aufgaben des zentralen Risikomanagements nach § 25.

(4) [1] Die Generalzolldirektion erstellt für die automatisierte Verarbeitung nach Absatz 1 eine Errichtungsanordnung, die der Zustimmung des Bundesministeriums der Finanzen bedarf. [2] In der Errichtungsanordnung sind festzulegen:

1. die Bezeichnung des Verantwortlichen,
2. die Rechtsgrundlage und der Zweck der Verarbeitung,
3. der Personenkreis, über den Daten gespeichert werden,
4. die Art und der Inhalt der gespeicherten personenbezogenen Daten,
5. die Arten der personenbezogenen Daten, die der Erschließung der Sammlung dienen,

[1] **Sartorius ErgBd. Nr. 698.**

6. die Anlieferung oder die Eingabe der gespeicherten Daten,
7. die Voraussetzungen, unter denen gespeicherte personenbezogene Daten an welche Empfänger und in welchen Verfahren übermittelt werden,
8. die Prüffristen und die Speicherungsdauer,
9. die Protokollierung sowie
10. die Verpflichtung zur Erstellung und zur Pflege eines Rollen- und Berechtigungskonzeptes.

[3] Die oder der Bundesbeauftragte für den Datenschutz und die Informationsfreiheit ist vor Erlass der Errichtungsanordnung anzuhören.

§ 17[1)] Übermittlung von Daten aus dem zentralen Informationssystem. (1) [1] Die Übermittlung von Daten aus dem zentralen Informationssystem für die Finanzkontrolle Schwarzarbeit erfolgt auf Ersuchen an

1. *(aufgehoben)*
2. die Staatsanwaltschaften für Zwecke der Strafverfolgung,
3. die Polizeivollzugsbehörden des Bundes und der Länder für die Verhütung und Verfolgung von Straftaten und Ordnungswidrigkeiten, die im Zusammenhang mit einem der in § 2 Abs. 1 genannten Prüfgegenstände stehen,
4. die Finanzbehörden der Länder zur Durchführung eines Steuerstraf- oder Steuerordnungswidrigkeitenverfahrens und für die Besteuerung, soweit die Besteuerung im Zusammenhang mit der Erbringung oder der Vortäuschung der Erbringung von Dienst- oder Werkleistungen steht,
5. die Zentralstelle für Finanztransaktionsuntersuchungen zur Erfüllung ihrer Aufgaben nach § 28 Absatz 1 Satz 2 Nummer 2 des Geldwäschegesetzes[2)],
6. die Bundesagentur für Arbeit zur Durchführung von Ordnungswidrigkeitenverfahren wegen Leistungsmissbrauchs und für die damit zusammenhängende Einstellung der Gewährung von Leistungen nach dem Dritten Buch Sozialgesetzbuch[3)],
7. die Bundesagentur für Arbeit zur Durchführung von Ordnungswidrigkeitenverfahren nach dem Arbeitnehmerüberlassungsgesetz[4)] sowie für den Widerruf, die Versagung oder die Versagung der Verlängerung der Erlaubnis im Sinne des § 1 Absatz 1 Satz 1 des Arbeitnehmerüberlassungsgesetzes,
8. die Bundesagentur für Arbeit in ihrer Funktion als Familienkasse zur Durchführung von Steuerstrafverfahren und Ordnungswidrigkeitenverfahren und für die damit zusammenhängende Einstellung der Gewährung von Kindergeldleistungen und des Kinderzuschlags,
9. die gemeinsamen Einrichtungen und die zugelassenen kommunalen Träger nach dem Zweiten Buch Sozialgesetzbuch[5)] zur Durchführung von Ord-

---

[1)] § 17 Überschrift und Abs. 1 Satz 1 Nr. 3 geänd. mWv 1.1.2009 durch G v. 21.12.2008 (BGBl. I S. 2933); Überschrift, Abs. 1 Satz 1 einl. Satzteil geänd., Nr. 1 aufgeh., Nr. 2–4, Satz 2 geänd. mWv 10.3.2017 durch G v. 6.3.2017 (BGBl. I S. 399); Abs. 1 Satz 1 Nr. 4 geänd., Nr. 5 angef. mWv 26.6. 2017 durch G v. 23.6.2017 (BGBl. I S. 1822); Überschrift neu gef., Abs. 1 Satz 1 Nr. 4, Nr. 5 geänd., Nr. 6–10 angef. mWv 18.7.2019 durch G v. 11.7.2019 (BGBl. I S. 1066); Abs. 1 Satz 3 geänd. mWv 26.11.2019 durch G v. 20.11.2019 (BGBl. I S. 1724); Abs. 1 Satz 1 Nr. 9 und 10 geänd., Nr. 11 angef. mWv 30.12.2025 durch G v. 22.12.2025 (BGBl. 2025 I Nr. 369).

[2)] **beck-online, Module Arbeitsrecht Nr. 169a.**

[3)] Nr. **700**.

[4)] Nr. **730**.

[5)] Nr. **692**.

nungswidrigkeitenverfahren wegen Leistungsmissbrauchs und für die damit zusammenhängende Leistungsbearbeitung nach dem Zweiten Buch Sozialgesetzbuch,

10. die Träger nach dem Zwölften Buch Sozialgesetzbuch[1)] zur Durchführung von Ordnungswidrigkeitenverfahren wegen Leistungsmissbrauchs und für die damit zusammenhängende Leistungsbearbeitung nach dem Zwölften Buch Sozialgesetzbuch oder
11. das Zollkriminalamt zur Erfüllung seiner Aufgaben nach § 3 Absatz 7 Satz 1 Nummer 3 und 4 des Zollfahndungsdienstgesetzes.

[2] Soweit durch eine Übermittlung von Daten die Gefährdung des Untersuchungszwecks eines Ermittlungsverfahrens zu besorgen ist, kann die für dieses Verfahren zuständige Behörde der Zollverwaltung oder die zuständige Staatsanwaltschaft anordnen, dass keine Übermittlung von Daten erfolgen darf. [3] § 480 Absatz 1 Satz 1 und 2 der Strafprozessordnung[2)] findet Anwendung, wenn die Daten Verfahren betreffen, die zu einem Strafverfahren geführt haben.

(2) [1] Die Übermittlung der Daten erfolgt im Wege eines automatisierten Abrufverfahrens oder eines automatisierten Anfrage- und Auskunftsverfahrens, im Fall einer Störung der Datenfernübertragung oder bei außergewöhnlicher Dringlichkeit telefonisch oder durch Telefax. [2] Die beteiligten Stellen haben zu gewährleisten, dass dem jeweiligen Stand der Technik entsprechende Maßnahmen zur Sicherstellung von Datenschutz und Datensicherheit getroffen werden, die insbesondere die Vertraulichkeit und Unversehrtheit der Daten gewährleisten; im Fall der Nutzung allgemein zugänglicher Netze sind dem jeweiligen Stand der Technik entsprechende Verschlüsselungsverfahren anzuwenden. [3] Es gilt § 79 Abs. 2 bis 4 des Zehnten Buches Sozialgesetzbuch[3)].

§ 18 Auskunft an die betroffene Person. [1] Für die Auskunft an die betroffene Person gilt § 83 des Zehnten Buches Sozialgesetzbuch[3)]. [2] Die Auskunft bedarf des Einvernehmens der zuständigen Staatsanwaltschaft, wenn sie Daten aus einem Verfahren betrifft, das zu einem Strafverfahren geführt hat.

§ 19[4)] Löschung. [1] Die Daten im zentralen Informationssystem für die Finanzkontrolle Schwarzarbeit und die dazugehörigen Verfahrensakten sind nach den Bestimmungen des § 489 der Strafprozessordnung[2)], des § 49c des Gesetzes über Ordnungswidrigkeiten[5)] und des § 84 des Zehnten Buches Sozialgesetzbuch[3)] zu löschen und zu vernichten, spätestens jedoch

1. ein Jahr nach Ablauf des Kalenderjahres, in dem eine Prüfung nach § 2 ohne Einleitung eines Straf- oder Bußgeldverfahrens abgeschlossen worden ist,
2. fünf Jahre nach Ablauf des Kalenderjahres, in dem
   a) ein Strafverfahren rechtskräftig abgeschlossen worden ist oder
   b) ein Bußgeldverfahren rechtskräftig abgeschlossen worden ist und die Bußgeldentscheidung beglichen oder vollstreckt wurde,

---

1) **Aichberger, SGB Nr. 12.**
2) **Habersack Nr. 90.**
3) ***beck-online, Module Arbeitsrecht Nr. 699.***
4) § 19 neu gef. mWv 30.12.2025 durch G v. 22.12.2025 (BGBl. 2025 I Nr. 369).
5) **Habersack Nr. 94.**

3. zwei Jahre nach Ablauf des Kalenderjahres, in dem ein Strafverfahren abgeschlossen worden ist, wenn
   a) die Person, über die Daten nach § 16 gespeichert wurden, von dem betreffenden Tatvorwurf rechtskräftig freigesprochen worden ist,
   b) die Eröffnung des Hauptverfahrens unanfechtbar abgelehnt worden ist oder
   c) das Verfahren nicht nur vorläufig eingestellt worden ist und keine Anhaltspunkte dafür vorhanden sind, dass die Tat als Ordnungswidrigkeit verfolgt werden kann, oder
4. ein Jahr nach Ablauf des Kalenderjahres, in dem
   a) der Hinweis durch einen Hinweisgeber übermittelt worden ist oder
   b) der Risikohinweis nach § 26 Absatz 5 Satz 4 übermittelt worden ist.

[2]Die Löschfrist für Hinweise und Risikohinweise nach Satz 1 Nummer 4 Buchstabe a und b gilt, sofern diesen Hinweisen keine Prüfung nach § 2 oder ein Ermittlungsverfahren gefolgt ist. [3]Die Daten nach Satz 1 Nummer 4 Buchstabe a sind unverzüglich zu löschen, sofern sie für die weitere Aufgabenerfüllung nicht mehr erforderlich sind.

Abschnitt 6. Verwaltungsverfahren, Rechtsweg

§ 20 Entschädigung der Zeugen und Sachverständigen. Werden Zeugen und Sachverständige von den Behörden der Zollverwaltung herangezogen, so erhalten sie auf Antrag in entsprechender Anwendung des Justizvergütungs- und -entschädigungsgesetzes[1] eine Entschädigung oder Vergütung.

§ 21[2] Ausschluss von öffentlichen Aufträgen. (1) [1]Von der Teilnahme an einem Wettbewerb um einen Liefer-, Bau- oder Dienstleistungsauftrag der in den §§ 99 und 100 des Gesetzes gegen Wettbewerbsbeschränkungen[3] genannten Auftraggeber sollen Bewerber bis zu einer Dauer von drei Jahren ausgeschlossen werden, die oder deren nach Satzung oder Gesetz Vertretungsberechtigte nach

1. § 8 Absatz 1 Nummer 2, Absatz 2 Nummer 3, Absatz 3 oder den §§ 9 bis 11,
2. § 404 Absatz 1 oder 2 Nummer 3 des Dritten Buches Sozialgesetzbuch[4],
3. den §§ 15, 15a, 16 Absatz 1 Nummer 1, 1a, 1c, 1d, 1f, 2, 7b oder 11 bis 17 des Arbeitnehmerüberlassungsgesetzes[5] oder
4. § 266a Absatz 1 bis 4 des Strafgesetzbuches[6]

zu einer Freiheitsstrafe von mehr als drei Monaten oder einer Geldstrafe von mehr als neunzig Tagessätzen verurteilt oder mit einer Geldbuße von wenigs-

---

[1] Auszugsweise abgedruckt unter Nr. **669**.

[2] § 21 Abs. 1 Satz 4 neu gef., Satz 5 eingef., bish. Satz 5 wird Satz 6 mWv 14.9.2007 durch G v. 7.9.2007 (BGBl. I S. 2246); Abs. 1 Nr. 3 geänd. mWv 1.4.2017 durch G v. 21.2.2017 (BGBl. I S. 258); Abs. 1 Satz 1 einl. Satzteil, Nr. 1, Sätze 3–5 geänd. mWv 10.3.2017 durch G v. 6.3.2017 (BGBl. I S. 399); Abs. 1 Sätze 4 und 5 geänd. mWv 1.6.2022 durch G v. 18.7.2017 (BGBl. I S. 2739, geänd. durch G v. 18.1.2021, BGBl. I S. 2) iVm Bek. v. 18.10.2021 (BAnz AT 29.10.2021 B3) und Bek. v. 16.2.2022 (BGBl. I S. 306); Abs. 1 Satz 1 Nr. 1–4 neu gef. mWv 30.12.2025 durch G v. 22.12.2025 (BGBl. 2025 I Nr. 369).

[3] **beck-online, Module Arbeitsrecht Nr. 509.**

[4] Nr. **700**.

[5] Nr. **730**.

[6] **Habersack Nr. 85.**

tens zweitausendfünfhundert Euro belegt worden sind. [2] Das Gleiche gilt auch schon vor Durchführung eines Straf- oder Bußgeldverfahrens, wenn im Einzelfall angesichts der Beweislage kein vernünftiger Zweifel an einer schwerwiegenden Verfehlung nach Satz 1 besteht. [3] Die für die Verfolgung oder Ahndung zuständigen Behörden nach Satz 1 Nr. 1 bis 4 dürfen den öffentlichen Auftraggebern nach § 99 des Gesetzes gegen Wettbewerbsbeschränkungen und solchen Stellen, die von öffentlichen Auftraggebern zugelassene Präqualifikationsverzeichnisse oder Unternehmer- und Lieferantenverzeichnisse führen, auf Verlangen die erforderlichen Auskünfte geben. [4] Öffentliche Auftraggeber nach Satz 3 fordern im Rahmen ihrer Tätigkeit Auskünfte aus dem Wettbewerbsregister an oder verlangen vom Bewerber eine Erklärung, dass die Voraussetzungen für einen Ausschluss nach Satz 1 oder 2 nicht vorliegen; auch im Falle einer Erklärung des Bewerbers können öffentliche Auftraggeber Auskünfte aus dem Wettbewerbsregister jederzeit anfordern. [5] Für den Bewerber, der den Zuschlag erhalten soll, fordert der öffentliche Auftraggeber nach Satz 3 bei Aufträgen ab einer Höhe von 30 000 Euro vor Zuschlagserteilung eine Auskunft aus dem Wettbewerbsregister an. [6] Der Bewerber ist vor der Entscheidung über den Ausschluss zu hören.

(2) Eine Verfehlung nach Absatz 1 steht einer Verletzung von Pflichten nach § 241 Abs. 2 des Bürgerlichen Gesetzbuchs[1)] gleich.

§ 22 Verwaltungsverfahren. Soweit dieses Gesetz nichts anderes bestimmt, gelten die Vorschriften der Abgabenordnung[2)] sinngemäß für das Verwaltungsverfahren der Behörden der Zollverwaltung nach diesem Gesetz.

§ 23 Rechtsweg. In öffentlich-rechtlichen Streitigkeiten über Verwaltungshandeln der Behörden der Zollverwaltung nach diesem Gesetz ist der Finanzrechtsweg gegeben.

Abschnitt 7.[3)] Zentralstelle und Risikomanagement

§ 24[3)] Zentralstelle. (1) Die Generalzolldirektion ist die Zentralstelle der Behörden der Zollverwaltung für die Bekämpfung der Schwarzarbeit und der illegalen Beschäftigung (Zentralstelle).

(2) [1] Die Zentralstelle unterstützt die Hauptzollämter insbesondere

1. bei der Koordinierung der Prüfungs- und Ermittlungsverfahren sowie eingehender Ersuchen,
2. durch die Erstellung von Analysen, Statistiken und Berichten zur Bekämpfung der Schwarzarbeit und der illegalen Beschäftigung,
3. auf dem Gebiet der internationalen Amtshilfe zur Bekämpfung der Schwarzarbeit und der illegalen Beschäftigung sowie
4. durch ein zentrales Risikomanagement nach § 25.

[2] Die Zentralstelle kann personenbezogene Daten verarbeiten, soweit dies zur Erfüllung der Aufgaben nach Satz 1 erforderlich ist und dieses Gesetz oder andere Vorschriften keine zusätzlichen Voraussetzungen vorsehen.

---

1) *Nr.* **50**.
2) **Steuergesetze Nr. 800.**
3) Abschnitt 7 (§§ 24–26) angef. mWv 30.12.2025 durch G v. 22.12.2025 (BGBl. 2025 I Nr. 369).

(3) Die Zentralstelle kann den Hauptzollämtern zur Wahrnehmung ihrer Aufgaben und Befugnisse nach diesem Gesetz Weisungen erteilen.

(4) [1] Die Zentralstelle erstellt Statistiken über die Bekämpfung der Schwarzarbeit und der illegalen Beschäftigung nach diesem Gesetz. [2] Die Zentralstelle hat die einheitliche und termingerechte Erstellung von Statistiken sicherzustellen, die Ergebnisse der Statistiken in angemessener Gliederung über das Internet zu veröffentlichen sowie die Daten der Statistiken zu analysieren.

§ 25[1)] Zentrales Risikomanagement. (1) [1] Die Zentralstelle nimmt für die Hauptzollämter die Aufgaben des zentralen Risikomanagements für die Bekämpfung der Schwarzarbeit und illegalen Beschäftigung wahr. [2] Die Zentralstelle arbeitet bei ihren Aufgaben des zentralen Risikomanagements mit den in § 2 Absatz 4 genannten Stellen sowie mit den Stellen, die für deren Datenhaltung verantwortlich sind, zusammen. [3] Grundsätze dieser Zusammenarbeit werden im gegenseitigen Einvernehmen geregelt.

(2) [1] Ziel des zentralen Risikomanagements ist die systematische Ermittlung von Risiken für das Auftreten von Schwarzarbeit und illegaler Beschäftigung und die Anwendung aller für die Risikobegrenzung erforderlichen Maßnahmen. [2] Ein Risiko für das Auftreten von Schwarzarbeit und illegaler Beschäftigung liegt vor, wenn es nach objektiven Indikatoren wahrscheinlich ist, dass Schwarzarbeit nach § 1 Absatz 2 geleistet oder illegale Beschäftigung nach § 1 Absatz 3 ausgeübt wird (Risikoindikatoren). [3] Als Risikoindikatoren für Schwarzarbeit und illegale Beschäftigung kommen insbesondere Auffälligkeiten und Anomalien im Zusammenhang mit der Beschäftigten- oder der Lohnstruktur, der Arbeitszeit, dem Umsatz oder dem Gewinn in Unternehmen oder der Art der Dienst- und Werkleistungen in Betracht. [4] Von den Risikoindikatoren werden branchenabhängige Parameter als Werte abgeleitet, bei deren Über- oder Unterschreiten, abhängig vom Risikoindikator, ein erhöhtes Risiko für das Auftreten von Schwarzarbeit und illegaler Beschäftigung gegeben ist (Risikoparameter).

(3) Zu den Aufgaben des zentralen Risikomanagements gehören insbesondere

1. das Erheben von nach Absatz 4 erforderlichen Informationen einschließlich personenbezogener Daten bei den Hauptzollämtern sowie im gegenseitigen Einvernehmen bei den jeweils betroffenen in § 2 Absatz 4 genannten Stellen und den Stellen, die für deren Datenhaltung verantwortlich sind,
2. die Analyse und Bewertung der erhobenen Informationen einschließlich personenbezogener Daten hinsichtlich der Risiken für das Auftreten von Schwarzarbeit und illegaler Beschäftigung,
3. die Übermittlung der aus der Analyse und Bewertung gewonnenen Risikohinweise an die Hauptzollämter, die im Sinne des § 2 Absatz 5 Satz 4 bei der Auswahl der zu prüfenden Sachverhalte zu berücksichtigen sind, und
4. die Überwachung und Überprüfung des Risikomanagementprozesses und seiner Ergebnisse.

(4) [1] Informationen, einschließlich personenbezogener Daten, dürfen nur dann für die Aufgaben des zentralen Risikomanagements verarbeitet werden, wenn damit mögliche Risiken für das Auftreten von Schwarzarbeit und illegaler

---

[1)] Abschnitt 7 (§§ 24–26) angef. mWv 30.12.2025 durch G v. 22.12.2025 (BGBl. 2025 I Nr. 369).

Beschäftigung im Sinne des Absatzes 2 Satz 2 identifiziert werden können. [2]Die Zentralstelle darf personenbezogene Daten zur Erfüllung der Aufgaben nach Absatz 3 im Einzelfall verarbeiten.

(5) Für die Aufgaben des zentralen Risikomanagements nach dieser Vorschrift kann die Zentralstelle ein operatives Informations- und Datenanalysesystem nach § 26 in den dort genannten Grenzen einsetzen.

§ 26[1)] Operatives Informations- und Datenanalysesystem; Verordnungsermächtigung. (1) [1]Für die Entscheidung nach § 2 Absatz 5 Satz 4 werden in dem operativen Informations- und Datenanalysesystem die nach Absatz 2 gespeicherten Daten von der Zentralstelle anhand festgelegter Risikoindikatoren und Risikoparameter im Sinne des § 25 Absatz 2 hinsichtlich möglicher Risiken für das Auftreten von Schwarzarbeit und illegaler Beschäftigung unter Beachtung der nachfolgenden Absätze automationsgestützt analysiert und bewertet. [2]Die Risikoindikatoren und die Risikoparameter werden von der Zentralstelle im Einvernehmen mit den betroffenen in Absatz 2 genannten Stellen für die von ihnen zum Abruf zur Verfügung gestellten oder übermittelten Daten sowie im Einvernehmen mit der oder dem Bundesbeauftragten für den Datenschutz und die Informationsfreiheit festgelegt. [3]Die automationsgestützte Analyse und Bewertung nach Satz 1 erfolgt in den Wirtschaftsbereichen oder Wirtschaftszweigen nach § 2a Absatz 1 dieses Gesetzes, nach § 4 des Arbeitnehmer-Entsendegesetzes[2)] sowie in den weiteren Wirtschaftsbereichen oder Wirtschaftszweigen nach Absatz 9 Satz 1 in Verbindung mit Absatz 9 Satz 2 Nummer 1.

(2) [1]Zur Durchführung der automationsgestützten Analyse und Bewertung nach Absatz 1 darf die Zentralstelle folgende auf die Wirtschaftsbereiche oder Wirtschaftszweige nach Absatz 1 Satz 3 entfallende und mit den nachfolgenden Stellen abgestimmte Daten, soweit diese dort vorhanden und für eine Analyse und Bewertung nach Absatz 1 Satz 1 erforderlich sind, in der Regel einmal halbjährlich bei diesen Stellen automatisiert abrufen oder von diesen Stellen übermittelt bekommen und diese Daten in dem operativen Informations- und Datenanalysesystem speichern:

1. von den Landesfinanzbehörden: die zu einem Arbeitgeber oder Unternehmer gespeicherten Grundinformationen aus dem Stammdatendienst, Daten aus Umsatzsteuer-Voranmeldungen nach § 18 des Umsatzsteuergesetzes[3)], Lohnsteuer-Anmeldungen nach § 41a des Einkommensteuergesetzes[4)] sowie Gewinnermittlungsdaten nach § 4 Absatz 1 und 3 sowie § 5 des Einkommensteuergesetzes,
2. von der Datenstelle der Rentenversicherung:
   a) Daten aus der Datenselektion nach § 28p Absatz 8 Satz 9 bis 13 des Vierten Buches Sozialgesetzbuch[5)],
   b) Daten nach § 150 Absatz 3a des Sechsten Buches Sozialgesetzbuch[6)],

---

[1)] Abschnitt 7 (§§ 24–26) angef. mWv 30.12.2025 durch G v. 22.12.2025 (BGBl. 2025 I Nr. 369).
[2)] Nr. **506**.
[3)] **Steuergesetze Nr. 500.**
[4)] ***beck-online, Module Arbeitsrecht Nr. 331.***
[5)] Nr. **694**.
[6)] **beck-online, Module Arbeitsrecht Nr. 696.**

3. Meldedaten der Zollverwaltung: Daten der Meldungen nach § 16 des Mindestlohngesetzes[1)], nach § 18 des Arbeitnehmer-Entsendegesetzes und nach § 17b des Arbeitnehmerüberlassungsgesetzes[2)].

[2]Zur Identifikation des Arbeitgebers oder des Unternehmers darf die Zentralstelle mit dem Datenabruf oder der Datenübermittlung nach Satz 1 bei den dort genannten Stellen und soweit bei diesen vorhanden, folgende Daten zu Arbeitgebern und Unternehmern von der Zentralstelle zusätzlich automatisiert abrufen oder übermittelt bekommen und speichern:

1. Name,
2. Sitz oder Ort der Geschäftsleitung,
3. Rechtsform,
4. Registernummer und -ort,
5. Adressdaten,
6. Name der vertretungsberechtigten Person,
7. Betriebsnummer,
8. Wirtschaftsidentifikationsnummer und
9. Wirtschaftszweigklassifikation oder Gewerbekennzahl.

(3) [1]Die Kosten für die Datenselektion nach § 28p Absatz 8 Satz 9 bis 13 des Vierten Buches Sozialgesetzbuch[3)] sind der Deutschen Rentenversicherung Bund zu erstatten. [2]Die Daten aus der Datenselektion dürfen nur für die Aufgaben des zentralen Risikomanagements nach § 25 verwendet werden. [3]Das Nähere zur Verwaltungskostenerstattung wird durch Verwaltungsvereinbarung zwischen der Generalzolldirektion und der Deutschen Rentenversicherung Bund einvernehmlich geregelt.

(4) [1]Die Zentralstelle darf die nach Absatz 2 erhobenen Informationen einschließlich personenbezogener Daten sowie die aus deren Abgleich gewonnenen Informationen und personenbezogenen Daten in dem operativen Informations- und Datenanalysesystem verarbeiten, soweit dies für die Aufgaben des zentralen Risikomanagements nach § 25 erforderlich ist. [2]Die in Satz 1 genannten personenbezogenen Daten dürfen nicht zu anderen als dem in Satz 1 genannten Zweck verarbeitet werden. [3]Die Verarbeitung nach Satz 1 erfolgt in Form eines ersten automatisierten Datenabgleichs aus den Daten nach Absatz 2 anhand der nach Absatz 1 Satz 2 festgelegten Risikoindikatoren und Risikoparameter. [4]Bei Über- oder Unterschreiten der Risikoparameter, abhängig vom Risikoindikator, werden die Abgleichergebnisse gespeichert (Risikofälle). [5]Die von der Datenstelle der Rentenversicherung übermittelten Risikofälle nach § 28p Absatz 8 Satz 10 des Vierten Buches Sozialgesetzbuch[3)] sind den Risikofällen nach Satz 4 gleichgestellt. [6]Abhängig vom Maß der Über- und Unterschreitung eines oder mehrerer Risikoparameter wird jedem Risikofall ein Punktwert zugeordnet (Risikobewertung). [7]Die Risikobewertung erfolgt für jeden Risikoindikator unter Berücksichtigung des spezifischen Risikos für Schwarzarbeit und illegale Beschäftigung bezogen auf unterschiedliche Wirtschaftsbereiche oder Wirtschaftszweige nach Absatz 1 Satz 3 und der tatsächlichen Umstände in der jeweiligen Branche.

[1)] Nr. **505**.
[2)] Nr. **730**.
[3)] Nr. **694**.

(5) [1]Die Risikofälle können in einem zweiten automatisierten Datenabgleich mit den im zentralen Informationssystem für die Finanzkontrolle Schwarzarbeit nach § 16 dieses Gesetzes vorgehaltenen Daten abgeglichen werden. [2]Wenn dieser Datenabgleich zu neuen Erkenntnissen führt, die Rückschlüsse auf die Wahrscheinlichkeit von Schwarzarbeit oder illegaler Beschäftigung zulassen, dann wird die Risikobewertung gemäß Absatz 4 Satz 6 angemessen erhöht oder vermindert. [3]Hierbei wird berücksichtigt, ob bereits Prüfungen nach § 2 Absatz 1 durchgeführt werden oder wurden, ob eine Geldwäscheverdachtsmeldung nach § 43 des Geldwäschegesetzes[1)] im Informationssystem der Finanzkontrolle Schwarzarbeit vorliegt, oder ob Verstöße im Sinne von § 6 Absatz 4 oder Straftaten und Ordnungswidrigkeiten nach § 14 Absatz 1 festgestellt worden sind und welches Ausmaß diese Verstöße hatten. [4]Sofern bei der Risikobewertung ein festgelegter Schwellenwert überschritten wird, kann das Gesamtergebnis aus dem operativen Informations- und Datenanalysesystem an das zentrale Informationssystem für die Finanzkontrolle Schwarzarbeit nach § 16 als Hinweis (Risikohinweis) übermittelt und für die Entscheidung nach § 2 Absatz 5 Satz 4 berücksichtigt werden. [5]Bei der Übermittlung des Risikohinweises an das zentrale Informationssystem sind diejenigen Risikoindikatoren, die zu einem Risikohinweis führen, mit dem Datensatz des Risikohinweises zu verknüpfen und müssen einer datenschutzrechtlichen Überprüfung zugänglich sein.

(6) [1]Die Zentralstelle darf zur Unterstützung bei der Anpassung von Risikoparametern nach Absatz 1 Satz 2 sowie bei der Ermittlung von Punktwerten nach Absatz 4 Satz 6 und Schwellenwerten nach Absatz 5 Satz 4 selbstlernende oder automatisierte Systeme einsetzen. [2]Das Anlernen der in Satz 1 genannten Systeme erfolgt auf Grundlage der Daten aus der Risikobewertung, der erstellten Risikohinweise sowie der Ergebnisse aus Prüfungen. [3]Dabei gewährleistet die Zentralstelle, dass diese Systeme ausschließlich Vorschläge zur Anpassung oder Berechnung von Risikoparametern oder Punkt- und Schwellenwerten erstellen. [4]Diese Vorschläge sind von der Zentralstelle auf ihre Eignung zu überprüfen. [5]Geeignet sind die Vorschläge nur dann, wenn sie nicht auf diskriminierenden oder verzerrenden Algorithmen beruhen. [6]Entscheidungen über die Anpassung von Risikoparametern und von Punkt- und Schwellenwerten sind zu begründen. [7]Sämtliche Verarbeitungsschritte der in Satz 1 genannten Systeme sind zu protokollieren. [8]Automatisierte Systeme, die eigenständig Gefährlichkeitsaussagen über Personen treffen können, sind unzulässig.

(7) [1]Personenbezogene Daten aus allgemein zugänglichen Quellen dürfen nicht automatisiert verarbeitet werden. [2]Abweichend von § 15 Absatz 3 dürfen personenbezogene Daten, die durch den Einsatz verdeckter Überwachungsmaßnahmen nach Maßgabe der Strafprozessordnung[2)] oder der Polizeigesetze erhoben wurden, nicht für den Abgleich nach Absatz 5 Satz 1 weiterverarbeitet werden.

(8) [1]Die Daten in dem operativen Informations- und Datenanalysesystem sind spätestens ein Jahr nach Ablauf des Kalenderjahres, in dem die nach § 26 Absatz 2 erhobenen Daten zugegangen sind, zu löschen. [2]Daten, die zu keinem Risikohinweis führen, sind unverzüglich nach der maschinellen Risikobewertung im operativen Informations- und Datenanalysesystem zu löschen.

[1)] **beck-online, Module Arbeitsrecht Nr. 169a.**
[2)] **Habersack Nr. 90.**

(9) [1]Das Bundesministerium der Finanzen bestimmt im Einvernehmen mit dem Bundesministerium für Arbeit und Soziales die weiteren Einzelheiten zur Datenverarbeitung durch Rechtsverordnung mit Zustimmung des Bundesrates. [2]Die Rechtsverordnung legt insbesondere fest:

1. weitere Wirtschaftsbereiche oder Wirtschaftszweige neben Absatz 1 Satz 3, sofern dies erforderlich ist auf Grundlage der Bewertungen des zentralen Risikomanagements nach § 25,
2. von § 26 Absatz 2 Satz 1 abweichende Zeiträume und
3. weitere Einzelheiten zum Umfang der Daten nach § 26 Absatz 2 und der Verarbeitungsmethoden nach § 26 Absatz 4 bis 6.

(10) [1]Die Zentralstelle stellt durch organisatorische und technische Maßnahmen sicher, dass Daten nur gemäß ihrer rechtlichen Verwendbarkeit verarbeitet werden. [2]Hierbei sind auch Begrenzungen der Zugriffsmöglichkeiten auf die automationsgestützten Systeme vorzusehen. [3]Die organisatorischen und technischen Einzelheiten des operativen Informations- und Datenanalysesystems werden von der Zentralstelle in einer Verwaltungsvorschrift festgelegt. [4]Die Verwaltungsvorschrift ist in der jeweils aktuellen Fassung im Bundesanzeiger zu veröffentlichen. [5]Die Risikoparameter und Einzelheiten zur Risikobewertung dürfen nicht veröffentlicht werden.

114. Seearbeitsgesetz (SeeArbG)[1) 2)]

Vom 20. April 2013
(BGBl. I S. 868)

FNA 9513-38

zuletzt geänd. durch Art. 3 Zweites G zur Änd. schifffahrtsrechtlicher Vorschriften v. 14.3.2023 (BGBl. I Nr. 73)

Inhaltsübersicht[3)]

---

1) Verkündet als Art. 1 G zur Umsetzung des Seearbeitsübereinkommens 2006 der Internationalen Arbeitsorganisation v. 20.4.2013 (BGBl. I. S. 868); Inkrafttreten gem. Art. 7 Abs. 1 dieses G am 1.8. 2013.

2) **Amtl. Anm.:** Dieses Gesetz dient der Umsetzung der Richtlinie 2009/13/EG des Rates vom 16. Februar 2009 zur Durchführung der Vereinbarung zwischen dem Verband der Reeder in der Europäischen Gemeinschaft (ECSA) und der Europäischen Transportarbeiter-Föderation (ETF) über das Seearbeitsübereinkommen 2006 und zur Änderung der Richtlinie 1999/63/EG (ABl. L 124 vom 20.5.2009, S. 30).

3) Inhaltsübersicht geänd. mWv 3.12.2015 durch G v. 25.11.2015 (BGBl. I S. 2095); geänd. mWv 18.1.2017 durch G v. 22.12.2015 (BGBl. I S. 2569); geänd. mWv 5.12.2018 durch G v. 27.11.2018 (BGBl. I S. 2012); geänd. mWv 26.12.2020 durch G v. 14.10.2020 (BGBl. I S. 2112); geänd. mWv 1.1.2020 durch G v. 20.5.2021 (BGBl. I S. 1144); geänd. mWv 1.8.2022 durch G v. 20.7.2022 (BGBl. I S. 1174); geänd. mWv 1.1.2023 durch G v. 20.12.2022 (BGBl. I S. 2752).

Abschnitt 3. Beschäftigungsbedingungen

Unterabschnitt 1. Heuervertrag, Dienstleistungspflicht

Abschnitt 1. Allgemeine Vorschriften

§ 1 Anwendungsbereich. (1) [1] Dieses Gesetz regelt die Arbeits- und Lebensbedingungen von Seeleuten an Bord von Kauffahrteischiffen, die die Bundesflagge führen. [2] Es gilt nicht für gewerbsmäßig genutzte Sportboote unter 24 Meter Länge, wenn auf diesen nicht mehr als zwei Personen beschäftigt sind.

(2) Für Beschäftigte an Bord eines Fahrzeuges, das

1. die Wasserstraßen der Zonen 1 und 2 nach dem Anhang I der Binnenschiffsuntersuchungsordnung vom 6. Dezember 2008 (BGBl. I S. 2450), in der jeweils geltenden Fassung, seewärts nicht verlässt oder zu verlassen beabsichtigt oder
2. die in Nummer 1 bezeichneten Wasserstraßen nur auf Grund einer besonderen schiffssicherheitsrechtlichen Genehmigung seewärts verlassen darf,

gelten die in der Binnenschifffahrt anzuwendenden arbeitsrechtlichen Vorschriften.

(3) Für Seeleute auf Schiffen unter ausländischer Flagge gelten die §§ 139 bis 141 sowie für Schiffe unter ausländischer Flagge die §§ 137 und 138.

§ 2[1] Begriffsbestimmungen. Im Sinne dieses Gesetzes und soweit nicht ausdrücklich etwas anders bestimmt ist, sind

1. das Seearbeitsübereinkommen[2]: das Seearbeitsübereinkommen 2006 der Internationalen Arbeitsorganisation vom 23. Februar 2006 (BGBl. 2013 II S. 763, 765),
2. das STCW-Übereinkommen: das Internationale Übereinkommen vom 7. Juli 1978 über Normen für die Ausbildung, die Erteilung von Befähigungszeugnissen und den Wachdienst von Seeleuten (BGBl. 1982 II S. 297) in der jeweils geltenden Fassung,
3. ein Schiff unter ausländischer Flagge: ein Schiff unter einer anderen Flagge als der Bundesflagge, das dem Erwerb durch die Seefahrt dient,
4. die Berufsgenossenschaft: die Berufsgenossenschaft Verkehrswirtschaft Post-Logistik Telekommunikation,
5. der seeärztliche Dienst der Berufsgenossenschaft: eine mit Ärzten ausgestattete unselbständige Arbeitseinheit der Berufsgenossenschaft, die schifffahrtsmedizinische Aufgaben wahrnimmt,
6. Arbeitszeit: die Zeit, während der ein Besatzungsmitglied Arbeit verrichten muss,

---

[1] § 2 Nr. 1 geänd. mWv 3.7.2013 durch G v. 26.6.2013 (BGBl. II S. 763); Nr. 4 geänd. mWv 31.12.2015 durch G v. 22.12.2015 (BGBl. I S. 2569); Nr. 10 geänd., Nr. 11 und 12 angef. mWv 26.12.2020 durch G v. 14.10.2020 (BGBl. I S. 2112).

[2] **beck-online, Module Arbeitsrecht Nr. 1081e.**

7. Ruhezeit: die Zeit außerhalb der Arbeitszeit, wobei dieser Begriff kürzere Arbeitsunterbrechungen (Ruhepausen) nach § 45 Absatz 2 und § 53 Absatz 5 nicht mit einschließt,
8. Feiertage: in Deutschland die gesetzlichen Feiertage des Liegeortes, im Ausland und auf See die Feiertage des Registerhafens des Schiffes,
9. Servicepersonal: die Besatzungsmitglieder, die zur Verpflegung, Bedienung, Betreuung, Unterhaltung oder Krankenpflege anderer Besatzungsmitglieder oder von Passagieren arbeiten oder auf dem Schiff im Verkauf tätig sind,
10. anerkannte Organisation: eine nach § 135 anerkannte Organisation,
11. Seeräuberei: Seeräuberei im Sinne von Artikel 101 des Seerechtsübereinkommens der Vereinten Nationen vom 10. Dezember 1982 (BGBl. 1994 II S. 1798, 1799),
12. bewaffneter Raubüberfall auf Schiffe: jede rechtswidrige Gewalttat oder Freiheitsberaubung oder jede Plünderung oder deren Androhung, ausgenommen seeräuberische Handlungen, die zu privaten Zwecken begangen wird und die gegen ein Schiff oder gegen Personen oder Vermögenswerte an Bord dieses Schiffes in den Binnengewässern, den Archipelgewässern oder den Hoheitsgewässern eines Staates gerichtet ist, oder jede Anstiftung zu einer oben beschriebenen Handlung oder deren vorsätzliche Erleichterung zu verstehen.

§ 3[1)] Besatzungsmitglieder. (1) Seeleute im Sinne dieses Gesetzes sind alle Personen, die an Bord des Schiffes tätig sind, unabhängig davon, ob sie vom Reeder oder einer anderen Person beschäftigt werden oder als Selbständige tätig sind, einschließlich der zu ihrer Berufsbildung Beschäftigten (Besatzungsmitglieder).

(2) [1] Für die zu ihrer Berufsausbildung Beschäftigten gelten die Vorschriften des Abschnittes 4 über die Berufsausbildung an Bord. [2] Soweit die Vorschriften des Abschnittes 4 keine besonderen Regelungen treffen, sind im Übrigen die Vorschriften dieses Gesetzes mit der Maßgabe anzuwenden, dass an die Stelle des „Heuervertrages" der „Berufsausbildungsvertrag", an die Stelle des „Heuerverhältnisses" das „Berufsausbildungsverhältnis" und an die Stelle der „Heuer" die „Vergütung" tritt. [3] Für Praktikanten und andere Personen, die beschäftigt werden, um berufliche Fertigkeiten, Kenntnisse, Fähigkeiten oder berufliche Erfahrungen zu erwerben, ohne dass es sich um eine Berufsausbildung handelt, gelten die Sätze 1 und 2 entsprechend.

(3) [1] Keine Besatzungsmitglieder im Sinne des Absatzes 1 sind

1. Lotsinnen oder Lotsen sowie Personen, die im Auftrag des Bundes, eines Landes oder einer anderen öffentlich-rechtlichen Körperschaft Beratungs- oder Kontrolltätigkeit an Bord ausüben,
2. Personen, die im Auftrag einer Werft oder eines Anlagenherstellers zur Ausführung von Gewährleistungsarbeiten oder Garantiearbeiten oder anderen an Bord notwendigen Arbeiten oder zur Einweisung der Besatzung in der Regel nicht länger als 96 Stunden an Bord tätig sind,

(Fortsetzung nächstes Blatt)

---

1) § 3 Abs. 5 eingef., bish. Abs. 5 wird Abs. 6 mWv 26.12.2020 durch G v. 14.10.2020 (BGBl. I S. 2112).

3. Personen, die zur Ausführung von unaufschiebbaren Reparaturen oder Wartungsarbeiten, die von den Besatzungsmitgliedern nicht selbst ausgeführt werden können oder dürfen, in der Regel nicht länger als 96 Stunden an Bord tätig sind,
4. Reederei- und Ladungsinspektorinnen oder -inspektoren, die auf der Grundlage der Reiseplanung in der Regel nicht länger als 72 Stunden an Bord tätig sein sollen,
5. Künstlerinnen oder Künstler, die zur Unterhaltung der Fahrgäste nicht länger als 72 Stunden an Bord tätig sind,
6. Wissenschaftlerinnen oder Wissenschaftler, die vorübergehend an Bord von Schiffen tätig sind,
7. Personen, die sich auf einem Schiff befinden, um von dort aus besondere Tätigkeiten zur Errichtung, zur Änderung oder zum Betrieb von Bauwerken, künstlichen Inseln oder sonstigen Anlagen auf See durchzuführen,
8. Fachschülerinnen oder -schüler und Hochschul- oder Fachhochschulstudentinnen oder -studenten, die an nach Landesrecht eingerichteten Ausbildungsstätten ausgebildet werden und zu diesem Zweck eine praktische Ausbildung und Seefahrtszeit auf einem Schiff durchführen,
9. Schülerinnen oder Schüler, die im Rahmen von landesrechtlichen Vorschriften ein Praktikum an Bord leisten,
10. Schülerinnen oder Schüler, denen durch Vermittlung des Verbandes Deutscher Reeder auf vertraglicher Grundlage während der Schulferien Einblick in die Praxis der Seefahrtberufe gewährt wird, ohne dass diese Personen an Bord tätig sind,
11. Kanalsteurer auf dem Nord-Ostsee-Kanal und
12. Sicherheitskräfte privater nach der Gewerbeordnung[1] zugelassener Bewachungsunternehmen.

[2] Abweichend von Satz 1 Nummer 2 oder 3 genehmigt die Berufsgenossenschaft auf Antrag des anderen Arbeitgebers oder des Reeders, dass eine zu diesen Personengruppen gehörende Person über den jeweils dort genannten Zeitraum hinaus an Bord tätig sein kann, ohne Besatzungsmitglied zu sein, soweit

1. die Tätigkeit auf einer bestimmten Schiffsreise erfolgt oder erfolgen soll,
2. eine über den in Satz 1 Nummer 2 oder 3 genannten Zeitraum hinausgehende Tätigkeit an Bord für die Erfüllung einer bestimmten Aufgabe erforderlich ist, die von den nach den schiffssicherheitsrechtlichen Vorschriften an Bord tätigen Besatzungsmitgliedern nicht selbst ausgeführt werden kann oder darf, und
3. der vorgesehene Einsatz drei Wochen nicht überschreitet.

[3] Die Genehmigung ist auf den für die Tätigkeit voraussichtlich erforderlichen Zeitraum zu beschränken, der drei Wochen nicht überschreiten darf. [4] Eine Kopie der Genehmigung ist an Bord mitzuführen.

(4) [1] Für die in Absatz 3 Satz 1 bezeichneten Personengruppen gelten die §§ 10, 120 bis 126 sowie die auf Grund dieser Vorschriften erlassenen Rechtsverordnungen. [2] Für die in Absatz 3 Satz 1 Nummer 8, 9 und 10 bezeichneten Personengruppen gelten zusätzlich zu den in Satz 1 genannten Vorschriften die

---

[1] Auszugsweise abgedruckt unter Nr. **106**.

§§ 11 bis 20, 42 bis 55, 73 bis 80, 93 bis 113, 117, 118, 127 und 128 sowie die auf Grund dieser Vorschriften erlassenen Rechtsverordnungen. [3]Für die in Absatz 3 Satz 1 Nummer 11 bezeichnete Personengruppe gelten zusätzlich zu den in Satz 1 genannten Vorschriften die §§ 11 bis 20 und 36 sowie die auf Grund dieser Vorschriften erlassenen Rechtsverordnungen. [4]Für die in Absatz 3 Satz 1 Nummer 12 bezeichneten Personengruppen gelten zusätzlich zu den in Satz 1 genannten Vorschriften die §§ 11 bis 20 sowie die auf Grund dieser Vorschriften erlassenen Rechtsverordnungen. [5]Der Reeder hat dafür zu sorgen, dass die in Absatz 3 Satz 1 Nummer 6 bis 10 und 12 genannten Personengruppen eine Unterweisung über die gesetzlichen Arbeitsschutzvorschriften sowie die vorgeschriebene Sicherheitsunterweisung erhalten. [6]Die in Absatz 3 Satz 1 Nummer 10 genannte Personengruppe ist vom Reeder in der gesetzlichen Unfallversicherung gegen Unfälle zu versichern.

(5) Eine Person, die sich ohne Zustimmung des Reeders, Kapitäns oder einer anderen zuständigen Person auf dem Schiff oder in der Ladung, die später auf das Schiff verbracht wird, verborgen gehalten hat und nach Auslaufen des Schiffes an Bord entdeckt wurde, darf nicht an Bord des Schiffes tätig sein; dies gilt nicht bei einem Notfall oder für Tätigkeiten im Zusammenhang mit der eigenen Unterkunft und Verpflegung.

(6) Name, Zweck sowie Beginn und Ende des Aufenthaltes von Personen an Bord, die nach Absatz 3 nicht zu den Besatzungsmitgliedern gehören und keine Fahrgäste sind, sind unverzüglich im Seetagebuch zu vermerken.

§ 4 Reeder. (1) Reeder im Sinne dieses Gesetzes ist

1. der Eigentümer des Schiffes oder
2. jede andere Organisation oder Person, die vom Eigentümer des Schiffes die Verantwortung für den Betrieb des Schiffes übernommen und die sich mit der Übernahme dieser Verantwortung in dem Vertrag mit dem Eigentümer verpflichtet hat, die Aufgaben und Pflichten zu erfüllen, die dem Reeder nach diesem Gesetz und den anderen Rechtsvorschriften zur Umsetzung des Seearbeitsübereinkommens auferlegt werden.

(2) [1]Der Reeder ist für die Einhaltung der Rechte und Pflichten nach diesem Gesetz und den anderen Rechtsvorschriften zur Umsetzung des Seearbeitsübereinkommens verantwortlich. [2]Dies gilt auch dann, wenn

1. eine andere Organisation oder Person bestimmte Aufgaben und Pflichten im Auftrag des Reeders erfüllt oder
2. eine andere Organisation oder Person Arbeitgeber oder Ausbildender eines Besatzungsmitglieds ist (anderer Arbeitgeber).

(3) [1]Unabhängig von der Verantwortung des Reeders nach Absatz 2 ist auch der andere Arbeitgeber für die Einhaltung der Rechte und Pflichten des Reeders nach diesem Gesetz und den anderen Rechtsvorschriften zur Umsetzung des Seearbeitsübereinkommens[1)] verantwortlich. [2]Der Reeder hat zur Wahrnehmung seiner Verantwortung nach Absatz 2 vertraglich mit dem anderen Arbeitgeber sicherzustellen, dass der andere Arbeitgeber die ihm nach Satz 1 obliegenden Aufgaben und Pflichten gegenüber dem Besatzungsmitglied erfüllt.

[1)] beck-online, Module Arbeitsrecht Nr. 1081f.

(4) [1] Der Reeder haftet auch für Zahlungsverpflichtungen des anderen Arbeitgebers aus dem Heuer- oder Berufsausbildungsverhältnis; insoweit gelten die Vorschriften über den Bürgen, der auf die Einrede der Vorausklage verzichtet hat. [2] Die Haftung des Reeders für die Verpflichtung zur Heuer- oder Vergütungszahlung erstreckt sich auf die übliche Vergütung, es sei denn, dass sich ein abweichender Anspruch aus einer vom Reeder unterschriebenen Ausfertigung des Heuer- oder Berufsausbildungsvertrages ergibt.

(Fortsetzung nächstes Blatt)

(5) Für bürgerliche Rechtsstreitigkeiten zwischen Arbeitnehmern oder Auszubildenden und Reedern über Ansprüche aus der Verantwortung des Reeders nach Absatz 2 Satz 1 in Verbindung mit Absatz 2 Satz 2 Nummer 2 oder Absatz 4 sind ausschließlich die Gerichte für Arbeitssachen zuständig.

§ 5 Kapitän und Stellvertreter. (1) Kapitän ist das vom Reeder zur Führung des Schiffes bestellte Besatzungsmitglied.

(2) Der Kapitän muss Inhaber eines staatlichen Befähigungszeugnisses sein, das ihn zur Führung des Schiffes berechtigt.

(3) Ist ein Kapitän nicht vorhanden oder ist er verhindert, so nimmt der Erste Offizier des Decksdienstes oder der Alleinsteuermann die Pflichten und Befugnisse des Kapitäns wahr.

§ 6 Schiffsoffiziere. Schiffsoffiziere sind Besatzungsmitglieder des nautischen oder des technischen Dienstes, die eines staatlichen Befähigungszeugnisses bedürfen, sowie die Schiffsärztinnen und Schiffsärzte, die Seefunkerinnen und Seefunker, die Schiffselektrotechnikerinnen und Schiffselektrotechniker und die Zahlmeisterinnen und Zahlmeister.

§ 7 Jugendliche Besatzungsmitglieder. Jugendliche Besatzungsmitglieder sind Besatzungsmitglieder, die das 18. Lebensjahr nicht vollendet haben.

§ 8 Datenschutz. (1) Der Reeder und der Kapitän haben dafür zu sorgen, dass Heuerverträge, Heuerabrechnungen, Seediensttauglichkeitszeugnisse, Krankenunterlagen sowie alle anderen Unterlagen mit personenbezogenen Daten so an Bord verwahrt werden, dass kein unberechtigter Dritter davon Kenntnis erlangen kann.

(2) [1] Der Reeder hat sicherzustellen, dass die Übermittlung personenbezogener Daten von Besatzungsmitgliedern nur an die Person erfolgt, für die die Daten dienstlich oder zu privaten Zwecken bestimmt sind. [2] Die Übermittlung von personenbezogenen Daten, insbesondere Kopien von Heuerverträgen, an den Kapitän an Bord eines Schiffes ist zulässig.

§ 9 Abweichende Vereinbarungen. [1] Von den Vorschriften dieses Gesetzes kann zu Ungunsten des Besatzungsmitglieds nur abgewichen werden, wenn es gesetzlich bestimmt ist. [2] Die Mindestanforderungen der Arbeits- und Lebensbedingungen des Seearbeitsübereinkommens im Sinne der Artikel III, IV und VI Nummer 1 Satz 1 sind auch dann zu beachten, wenn eine abweichende Rechtswahl getroffen worden ist.

Abschnitt 2. Mindestanforderungen für die Arbeit von Besatzungsmitgliedern auf Schiffen

Unterabschnitt 1. Mindestalter

§ 10 Mindestalter des Besatzungsmitglieds. (1) Der Reeder darf Personen unter 16 Jahren sowie Personen, die der Vollzeitschulpflicht unterliegen, als Besatzungsmitglied auf Schiffen nicht beschäftigen oder arbeiten lassen.

(2) Personen unter 18 Jahren dürfen nicht als Schiffskoch oder Schiffsköchin arbeiten.

(3) Abweichend von Absatz 1 dürfen auf Fischereifahrzeugen Personen ab 15 Jahren, die nicht mehr der Vollzeitschulpflicht unterliegen, im Rahmen eines Berufsausbildungsverhältnisses beschäftigt werden.

Unterabschnitt 2. Seediensttauglichkeit

§ 11 Erfordernis der Seediensttauglichkeit. [1] Als Besatzungsmitglied darf nur tätig sein, wer für die von ihm zu verrichtende Tätigkeit auf See gesundheitlich tauglich (seediensttauglich) ist. [2] Seediensttauglich ist, wer nach seinem Gesundheitszustand für die Tätigkeit an Bord von Schiffen geeignet und hinreichend widerstandsfähig ist und den zur Erhaltung der Schiffssicherheit gestellten besonderen Anforderungen seines Dienstzweiges genügt. [3] Ein Reeder darf ein Besatzungsmitglied nur tätig werden lassen, wenn dieses seediensttauglich ist.

§ 12[1)] Seediensttauglichkeitszeugnis. (1) [1] Das Besatzungsmitglied hat vor Aufnahme seiner Tätigkeit seine Seediensttauglichkeit durch eine Bescheinigung eines zugelassenen Arztes nachzuweisen (Seediensttauglichkeitszeugnis). [2] Der Reeder darf ein Besatzungsmitglied ohne ein gültiges Seediensttauglichkeitszeugnis auf Schiffen nicht beschäftigen.

(2) [1] Der zugelassene Arzt hat vor jeder Seediensttauglichkeitsuntersuchung die Identität der zu untersuchenden Person festzustellen und Einblick in die für die Person erfassten Daten des Seediensttauglichkeitsverzeichnisses nach Maßgabe des § 19 Absatz 6 zu nehmen. [2] Er darf eine Untersuchung auf Seediensttauglichkeit nur durchführen und ein Seediensttauglichkeitszeugnis nur erteilen, wenn im Seediensttauglichkeitsverzeichnis kein Sperrvermerk eingetragen ist.

(3) [1] Der zugelassene Arzt darf die Seediensttauglichkeit nur bescheinigen, wenn er auf Grund seiner medizinischen Untersuchung die Seediensttauglichkeit festgestellt hat. [2] Das Seediensttauglichkeitszeugnis kann auch auf Grund einer Untersuchung eines Arztes des seeärztlichen Dienstes der Berufsgenossenschaft durch diese ausgestellt werden, soweit dies in diesem Gesetz oder auf Grund dieses Gesetzes bestimmt ist.

(4) [1] Jede Untersuchung auf Seediensttauglichkeit sowie jede Ausstellung eines Seediensttauglichkeitszeugnisses ist der Berufgenossenschaft durch den zugelassenen Arzt unverzüglich nach Abschluss der Untersuchung zum Zweck der Einstellung in das Seediensttauglichkeitsverzeichnis nach Maßgabe des Satzes 2 elektronisch zu melden. [2] In der Meldung sind die in § 19 Absatz 3 Nummer 1 bis 7 und 9 bis 16 bezeichneten Daten anzugeben.

(5) [1] Die Gültigkeitsdauer des Seediensttauglichkeitszeugnisses beträgt zwei Jahre, für jugendliche Besatzungsmitglieder ein Jahr. [2] Der zugelassene Arzt oder der Arzt des seeärztlichen Dienstes kann abweichend von Satz 1 eine kürzere Geltungsdauer des Seediensttauglichkeitszeugnisses festsetzen, wenn

1. nach dem Ergebnis der Untersuchung die Seediensttauglichkeit nur bis zu diesem Zeitpunkt voraussehbar ist,
2. nur eine befristete Tätigkeit vorliegt oder
3. auf Grund der Funktion an Bord eine kürzere Gültigkeitsdauer angezeigt ist.

---

1) § 12 Abs. 3 Satz 1 geänd. mWv 21.3.2023 durch G v. 14.3.2023 (BGBl. I Nr. 73).

(6) Läuft die Gültigkeitsdauer eines Seediensttauglichkeitszeugnisses während einer Reise des Schiffes ab, so gilt es weiter, bis der nächste Hafen angelaufen wird, in dem das Besatzungsmitglied ein ärztliches Zeugnis von einem qualifizierten Arzt erhalten kann, längstens jedoch für drei weitere Monate.

(7) Ein Seediensttauglichkeitszeugnis, das von der zuständigen Einrichtung eines anderen Staates ausgestellt ist, steht einem Seediensttauglichkeitszeugnis nach Absatz 1 gleich, wenn das Zeugnis den Anforderungen des STCW-Übereinkommens genügt.

§ 13 Ablehnung der Seediensttauglichkeit, Feststellungen durch die Berufsgenossenschaft. (1) [1]Wird einer untersuchten Person wegen fehlender Seediensttauglichkeit das Seediensttauglichkeitszeugnis durch einen zugelassenen Arzt nicht erteilt oder stellt der zugelassene Arzt eine Einschränkung ihrer Seediensttauglichkeit insbesondere hinsichtlich Dauer, Tätigkeitsbereich oder Fahrtgebiet fest, so kann die Person diese Feststellung auf Antrag bei der Berufsgenossenschaft überprüfen lassen. [2]Die Berufsgenossenschaft überprüft die Feststellung des zugelassenen Arztes durch die Ärzte des seeärztlichen Dienstes der Berufsgenossenschaft

1. nach Aktenlage auf der Grundlage der Ergebnisse vorangegangener ärztlicher Untersuchungen oder anderer medizinischer Befunde,
2. auf der Grundlage einer Untersuchung eines Arztes des seeärztlichen Dienstes der Berufsgenossenschaft oder
3. auf der Grundlage eines Gutachtens einer Fachärztin oder eines Facharztes.

[3]Die Berufsgenossenschaft ist befugt, Untersuchungsergebnisse über diese Person im Einzelfall von dem Arzt, der die vorhergegangene Untersuchung durchgeführt hat, anzufordern.

(2) Ergibt die Überprüfung, dass die Person seediensttauglich ist, stellt die Berufsgenossenschaft ein Seediensttauglichkeitszeugnis aus.

(3) [1]Wird auf Grund der Untersuchung festgestellt, dass die untersuchte Person nicht oder nur eingeschränkt seediensttauglich ist, stellt die Berufsgenossenschaft dies durch Bescheid fest. [2]Widerspruch und Anfechtungsklage gegen einen Bescheid nach Satz 1 haben keine aufschiebende Wirkung.

§ 14[1)] Anordnungsbefugnisse der Berufsgenossenschaft. (1) [1]Die Berufsgenossenschaft kann, soweit es erforderlich ist, um

1. Mehrfachuntersuchungen zu vermeiden,
2. der Notwendigkeit besonderer ärztlicher Beurteilung Rechnung zu tragen,
3. die Tätigkeit der zugelassenen Ärzte zu überwachen,

gegenüber einer zu untersuchenden Person anordnen, dass eine Seediensttauglichkeitsuntersuchung ausschließlich durch Ärzte des seeärztlichen Dienstes der Berufsgenossenschaft durchgeführt und das Seediensttauglichkeitszeugnis durch diese erteilt wird. [2]Die Anordnung ist zusätzlich als Sperrvermerk in das Seediensttauglichkeitsverzeichnis einzutragen.

(2) [1]Wenn die Berufsgenossenschaft Grund zu der Annahme hat, dass ein Besatzungsmitglied die Anforderungen an die Seediensttauglichkeit nicht mehr erfüllt, kann sie anordnen, dass sich das Besatzungsmitglied binnen einer bestimmten Frist einer Untersuchung bei einem Arzt des seeärztlichen Dienstes

---

[1)] § 14 Abs. 2 neu gef. mWv 21.3.2023 durch G v. 14.3.2023 (BGBl. I Nr. 73).

der Berufsgenossenschaft zu unterziehen hat. [2] In der Anordnung nach Satz 1 kann die Berufsgenossenschaft auch anordnen, dass die Untersuchung abweichend von Satz 1 bei einem vom seeärztlichen Dienst der Berufsgenossenschaft bestimmten Facharzt zu erfolgen hat. [3] Der Facharzt ist verpflichtet, das Gutachten unverzüglich dem seeärztlichen Dienst zu übermitteln. [4] Die Berufsgenossenschaft ist zudem befugt, Untersuchungsergebnisse über dieses Besatzungsmitglied im Einzelfall von dem Arzt, der die vorausgegangene Untersuchung durchgeführt hat, anzufordern.

(3) [1] Ergibt die angeordnete Untersuchung nach Absatz 2 Satz 1, dass das Besatzungsmitglied nicht mehr seediensttauglich ist, oder wird die in Absatz 2 Satz 1 bezeichnete Frist nicht eingehalten, so erklärt die Berufsgenossenschaft das Seediensttauglichkeitszeugnis für ungültig. [2] Bestehen im Falle des Absatzes 2 Satz 1 erhebliche Zweifel an der Seediensttauglichkeit, kann die Berufsgenossenschaft das Seediensttauglichkeitszeugnis schon mit der Anordnung nach Absatz 2 Satz 1 für vorläufig ungültig erklären. [3] Über Erklärungen nach Satz 1 oder 2 sind der Reeder und der Kapitän unverzüglich durch die Berufsgenossenschaft zu unterrichten. [4] Ein für ungültig oder vorläufig ungültig erklärtes Seediensttauglichkeitszeugnis ist von der Berufsgenossenschaft einzuziehen. [5] Während der Dauer der Beschäftigung auf einem Schiff hat der Kapitän das eingezogene Seediensttauglichkeitszeugnis auf Verlangen der Berufsgenossenschaft zu übermitteln, ansonsten das Besatzungsmitglied. [6] Mit Eintritt der Unanfechtbarkeit der Entscheidung über die Ungültigkeit des Seediensttauglichkeitszeugnisses ist dieses zu vernichten.

(4) Im Falle eines nach § 12 Absatz 7 gleichgestellten Seediensttauglichkeitszeugnisses gelten die Absätze 2 und 3 mit der Maßgabe entsprechend, dass an die Stelle der Erklärung der Ungültigkeit des Seediensttauglichkeitszeugnisses die Anordnung tritt, dass das Besatzungsmitglied auf einem Schiff, das die Bundesflagge führt, nicht tätig sein darf; die Anordnung ist im Seediensttauglichkeitszeugnis zu vermerken.

(5) Widerspruch und Anfechtungsklage gegen Anordnungen nach den Absätzen 2 und 3, auch in Verbindung mit Absatz 4, haben keine aufschiebende Wirkung.

§ 15 Rechtsbehelfsverfahren. (1) Den Widerspruchsbescheid nach § 73 der Verwaltungsgerichtsordnung[1] erlässt der Widerspruchsausschuss.

(2) [1] Der Widerspruchsausschuss wird bei der Berufsgenossenschaft gebildet und besteht aus einem Bediensteten der Berufsgenossenschaft, der die Befähigung zum Richteramt oder zum höheren Verwaltungsdienst haben muss, als Vorsitzenden und zwei Beisitzern, von denen einer ein Arzt des seeärztlichen Dienstes der Berufsgenossenschaft und der andere aus der Berufsgruppe des Widerspruchsführers sein muss. [2] Der Widerspruchsausschuss entscheidet mit der Mehrheit seiner Mitglieder. [3] Auf das Verfahren vor dem Widerspruchsausschuss sind im Übrigen die §§ 63 bis 69, 71, 89 und 90 des Verwaltungsverfahrensgesetzes[2] anzuwenden.

(3) Im Widerspruchsverfahren hat sich der Widerspruchsführer auf Anordnung der Berufsgenossenschaft oder auf eigenes Verlangen durch einen beson-

---

[1] **beck-online, Module Arbeitsrecht Nr. 663.**
[2] **Sartorius Nr. 100.**

ders bestellten Gutachter, der hinsichtlich der zu beurteilenden gesundheitlichen Fragen besonders fachkundig ist, untersuchen zu lassen.

(4) [1] Das Widerspruchsverfahren ist gebührenfrei. [2] § 80 des Verwaltungsverfahrensgesetzes gilt mit der Maßgabe, dass dem Widerspruchsführer die Kosten des Verfahrens nur auferlegt werden können, soweit der Widerspruch auf Grund grob fahrlässigen Verhaltens des Widerspruchsführers erfolglos geblieben ist.

§ 16 Zulassung von Ärzten. (1) [1] Eine Ärztin oder ein Arzt wird durch die Berufsgenossenschaft zur Feststellung der Seediensttauglichkeit zugelassen, wenn sie oder er

1. die für die Untersuchung und die Feststellung der Seediensttauglichkeit notwendigen fachlichen Kenntnisse besitzt sowie
2. unabhängig und zuverlässig ist und dadurch die Gewähr für eine ordnungsgemäße Erfüllung der Aufgaben bietet.

[2] Im Antrag auf Zulassung sind die in § 19 Absatz 3 Nummer 8 bezeichneten Daten anzugeben. [3] Nachträgliche Änderungen der Daten sind unverzüglich zu melden. [4] Die Berufsgenossenschaft veröffentlicht die Zulassung unter Angabe des Namens, der Anschrift und der Telefonnummer im Verkehrsblatt und auf ihrer Internetseite.

(2) [1] Die Zulassung ist auf drei Jahre, bei erstmaliger Zulassung auf ein Jahr befristet. [2] Die Zulassung kann, auch nachträglich, mit Nebenbestimmungen verbunden werden.

(3) [1] Die Zulassung ist zurückzunehmen, wenn die Ärztin oder der Arzt die Zulassung

1. durch arglistige Täuschung, Drohung oder Bestechung oder
2. vorsätzlich oder grob fahrlässig durch Angaben, die in wesentlicher Beziehung unrichtig oder unvollständig waren,

erwirkt hat. [2] Die Zulassung ist zu widerrufen, wenn die Ärztin oder der Arzt nicht mehr über die notwendigen fachlichen Kenntnisse, die erforderliche Unabhängigkeit oder Zuverlässigkeit verfügt. [3] Im Übrigen bleiben die §§ 48 und 49 des Verwaltungsverfahrensgesetzes[1)] unberührt. [4] Die Berufsgenossenschaft kann, auch in den Fällen der Sätze 1 und 2, anstelle der Rücknahme oder des Widerrufs bis zur Beseitigung der Rücknahme- oder Widerrufsgründe das Ruhen der Zulassung für einen bestimmten Zeitraum anordnen, soweit mit einer Beseitigung der Rücknahme- oder Widerrufsgründe binnen des bestimmten Zeitraumes zu rechnen ist.

§ 17[2)] Überwachung der Ärzte. (1) [1] Ein zugelassener Arzt unterliegt der Überwachung durch die Berufsgenossenschaft. [2] Über die Befugnisse des § 143 hinaus können die Ärzte des seeärztlichen Dienstes der Berufsgenossenschaft und deren berufsmäßig tätige Gehilfen

1. verlangen, dass der Berufsgenossenschaft medizinische Befunde und die auf diesen beruhenden Seediensttauglichkeitszeugnisse zur Verfügung gestellt werden,

---

[1)] **Sartorius Nr. 100.**
[2)] § 17 neu gef. mWv 21.3.2023 durch G v. 14.3.2023 (BGBl. I Nr. 73).

2. Auskunft über die durchgeführten Untersuchungen und ausgestellten Seediensttauglichkeitszeugnisse verlangen,
3. anordnen, bei Untersuchungen anwesend zu sein, soweit die zu untersuchende Person vor der Untersuchung nach Artikel 4 Nummer 11 in Verbindung mit den Artikeln 7 und 9 Absatz 2 Buchstabe a der Verordnung (EU) 2016/679[1)] des Europäischen Parlaments und des Rates vom 27. April 2016 zum Schutz natürlicher Personen bei der Verarbeitung personenbezogener Daten, zum freien Datenverkehr und zur Aufhebung der Richtlinie 95/46/EG (Datenschutz-Grundverordnung) (ABl. L 119 vom 4.5.2016, S. 1; L 314 vom 22.11.2016, S. 72; L 127 vom 23.5.2018, S. 2) eingewilligt hat.

(2) [1] Die Ärzte des seeärztlichen Dienstes der Berufsgenossenschaft und deren berufsmäßig tätige Gehilfen sind bei Wahrnehmung ihrer Befugnisse nach Absatz 1 Satz 2 in demselben Maße wie der überwachte Arzt zur Verschwiegenheit über die zur Kenntnis gelangten Tatsachen und sonstigen Informationen verpflichtet. [2] Soweit die in Absatz 1 Satz 2 Nummer 1 und 2 bezeichneten Daten elektronisch gespeichert sind, sind diese auf Verlangen der Berufsgenossenschaft vom zugelassenen Arzt oder von dessen berufsmäßig tätigen Gehilfen zu dem in Absatz 1 Satz 1 genannten Zweck auszudrucken und der Berufsgenossenschaft anschließend zu übersenden. [3] Die Berufsgenossenschaft hat alle medizinischen Befunde, die sie nach Absatz 1 Satz 2 vom zugelassenen Arzt im Original oder in Kopie angefordert hat, einschließlich der nach Satz 2 übermittelten Ausdrucke, nach dem Abschluss der Überwachung nach Absatz 1 Satz 1 an den zugelassenen Arzt unverzüglich zurückzugeben oder zu vernichten. [4] Bereits bei ihr in diesem Zusammenhang gespeicherte Daten sind von der Berufsgenossenschaft unverzüglich nach Rückgabe oder Vernichtung nach Satz 3 zu löschen.

(3) Der zugelassene Arzt hat die Maßnahmen nach Absatz 1 Satz 2 und Absatz 2 Satz 2 zu dulden.

(4) [1] Soweit es im Rahmen der Zulassung von Ärzten erforderlich ist, dürfen die Ärzte des seeärztlichen Dienstes der Berufsgenossenschaft Untersuchungen auf Seediensttauglichkeit durchführen und Seediensttauglichkeitszeugnisse ausstellen. [2] Im Rahmen dieser Untersuchungen sind die zu schulenden Ärzte befugt, bei den Untersuchungen anwesend zu sein, soweit die zu untersuchende Person vor der Untersuchung nach Artikel 4 Nummer 11 in Verbindung mit den Artikeln 7 und 9 Absatz 2 Buchstabe a der Datenschutz-Grundverordnung eingewilligt hat. [3] Absatz 2 Satz 1 gilt für die zu schulenden Ärzte entsprechend.

§ 18 Übernahme der Untersuchungskosten. (1) [1] Die Berufsgenossenschaft übernimmt die Kosten der in den §§ 12 und 13 bezeichneten Untersuchungen, wenn
1. die zu untersuchende Person in einem Heuerverhältnis zu einem Mitglied der Berufsgenossenschaft steht,
2. die zu untersuchende Person ein Heuerverhältnis im Sinne der Nummer 1 eingeht oder
3. ein Mitglied der Berufsgenossenschaft die Untersuchung veranlasst hat.

[1)] Nr. **489**.

[2]Die Berufsgenossenschaft kann die von ihr nach Satz 1 übernommenen Kosten nach näherer Regelung ihrer Satzung auf ihre Mitglieder umlegen.

(2) Soweit die Voraussetzungen des Absatzes 1 nicht zutreffen, ist zur Zahlung der Kosten verpflichtet, wer sich hierzu durch eine vor der Berufsgenossenschaft abgegebene oder ihr mitgeteilte Erklärung zur Übernahme verpflichtet hat oder wer die Untersuchung beantragt hat.

(3) Die Kosten der Untersuchungen für jugendliche Besatzungsmitglieder erstattet der Bund der Berufsgenossenschaft.

§ 19[1)] Seediensttauglichkeitsverzeichnis. (1) Die Berufsgenossenschaft führt ein Verzeichnis über alle durchgeführten Seediensttauglichkeitsuntersuchungen (Seediensttauglichkeitsverzeichnis).

(2) Das Seediensttauglichkeitsverzeichnis wird zur Speicherung von Daten geführt, um

1. die Durchführung der Seediensttauglichkeitsuntersuchungen und die Ausstellung der Seediensttauglichkeitszeugnisse zu gewährleisten,
2. die Überwachung der Tätigkeit der zugelassenen Ärzte sicherzustellen,
3. die Abrechnung der Seediensttauglichkeitsuntersuchungen mit den zugelassenen Ärzten zu gewährleisten,
4. Mehrfach-Seediensttauglichkeitsuntersuchungen bei unterschiedlichen zugelassenen Ärzten zu vermeiden,
5. die Echtheit und die Gültigkeit von Seediensttauglichkeitszeugnissen festzustellen,
6. in anonymisierter Form statistische oder wissenschaftliche Auswertungen zu ermöglichen.

(3) Im Seediensttauglichkeitsverzeichnis werden, soweit dies zur Erfüllung der in Absatz 2 genannten Zwecke jeweils erforderlich ist, gespeichert

1. Familienname, Vorname, Geschlecht,
2. Geburtsdatum,
3. Geburtsort und Geburtsland,
4. Staatsangehörigkeit,
5. Anschrift und Telekommunikationsdaten,
6. Funktion an Bord oder Dienststellung,
7. Name eines die Zulassung beantragenden oder des zugelassenen Arztes,
8. Anschrift, Telekommunikationsdaten, Alter, Qualifikation, Bankverbindung, Zugangsdaten zum Verzeichnis, Zulassungstag eines die Zulassung beantragenden oder des zugelassenen Arztes sowie Name und Anschrift des Praxispersonals, der vertretenden Ärzte und der Konsiliarärzte des untersuchenden zugelassenen Arztes,
9. medizinische Fallbeispiele in anonymisierter Form,
10. Untersuchungstag oder Untersuchungstage,
11. Abschluss der Untersuchung und Abschlusstag,
12. Kostenträger der Seediensttauglichkeitsuntersuchung,
13. Seediensttauglichkeit für Dienstzweige,

[1)] § 19 Abs. 5, Abs. 6 Satz 1, Abs. 7 und Abs. 8 Sätze 1–3 geänd. mWv 26.11.2019 durch G v. 20.11.2019 (BGBl. I S. 1626); Abs. 7 geänd. mWv 21.3.2023 durch G v. 14.3.2023 (BGBl. I Nr. 73).

14. Gültigkeit des Seediensttauglichkeitszeugnisses,
15. Nummer des Seediensttauglichkeitszeugnisses,
16. Diagnosegruppen in anonymisierter Form,
17. Sperrvermerke der Berufsgenossenschaft.

(4) Wer eine Seediensttauglichkeitsuntersuchung beantragt, hat dem zugelassenen Arzt einen Identitätsnachweis vorzulegen sowie die in Absatz 3 Nummer 1 bis 6 aufgeführten Daten mitzuteilen und auf Verlangen zu belegen.

(5) Zum Zweck des Absatzes 2 Nummer 1 bis 6 dürfen Daten nach Absatz 3 von der Berufsgenossenschaft verarbeitet werden.

(6) [1] Zum Zweck des Absatzes 2 Nummer 1 und 4 dürfen Daten nach Absatz 3 Nummer 1, 2, 5, 15 und 17 an die zugelassenen Ärzte übermittelt und von ihnen verwendet werden, soweit dies zur Erfüllung der ihnen obliegenden Aufgaben erforderlich ist. [2] Bei der ersten Seediensttauglichkeitsuntersuchung eines Besatzungsmitglieds darf ein zugelassener Arzt Daten nach Absatz 3 Nummer 1 bis 6 und 10 bis 16 erheben. [3] Bei einer Folgeuntersuchung darf ein zugelassener Arzt Daten nach Absatz 3 Nummer 6, 10 und 12 bis 16 speichern sowie Daten nach Absatz 3 Nummer 1, 4, 5 und 6 verändern.

(7) Zum Zweck des Absatzes 2 Nummer 5 dürfen Daten nach Absatz 3 Nummer 1, 2, 4, 10, 13 bis 15 an das Bundesamt für Seeschifffahrt und Hydrographie übermittelt und von ihm verwendet werden, soweit dies zur Erfüllung der ihm obliegenden Aufgaben erforderlich ist.

(8) [1] Zum Zweck des Absatzes 2 Nummer 5 dürfen auf Antrag Daten nach Absatz 3 Nummer 1, 2, 14 und 15 an Unternehmen, zuständige Stellen anderer Staaten oder internationale oder europäische Organisationen übermittelt und von ihnen verwendet werden, soweit dies zur Erfüllung der ihnen obliegenden Aufgaben erforderlich ist. [2] Werden Daten an eine ausländische öffentliche Stelle oder an eine internationale oder europäische Organisation übermittelt, ist der Empfänger darauf hinzuweisen, dass die übermittelten Daten nur zu dem Zweck verarbeitet werden dürfen, zu dessen Erfüllung sie übermittelt werden. [3] Eine Übermittlung unterbleibt, wenn dadurch schutzwürdige Interessen der betroffenen Person beeinträchtigt werden, insbesondere wenn beim Empfänger ein angemessener Datenschutzstandard nicht gewährleistet ist.

(9) Zum Zweck des Absatzes 2 Nummer 6 dürfen Daten nach Absatz 3 Nummer 2 bis 4, 6, 9, 10, 13 und 16 in anonymisierter Form an Einrichtungen, die wissenschaftliche Forschung betreiben, sowie an öffentliche Stellen übermittelt werden.

(10) [1] Die nach Absatz 3 gespeicherten und nach den Absätzen 4 bis 8 übermittelten personenbezogenen Daten sind zu löschen, soweit sie für die Aufgaben nach Absatz 2 nicht mehr erforderlich sind, spätestens jedoch zehn Jahre nach dem Tag, an dem das letzte Ereignis eingetreten ist, das zur Speicherung der Daten geführt hat. [2] Im Falle der Ablehnung eines Arztes als zugelassener Arzt sind die Daten nach Absatz 3 Nummer 8 mit Eintritt der Unanfechtbarkeit der Entscheidung über den Antrag unverzüglich zu löschen.

(11) [1] Dem Besatzungsmitglied oder dem zugelassenen Arzt wird auf Antrag schriftlich über den ihn betreffenden Inhalt des Seediensttauglichkeitsverzeichnisses unentgeltlich Auskunft erteilt. [2] Der Antragsteller hat dem Antrag einen Identitätsnachweis beizufügen.

§ 20[1)] Rechtsverordnungen. (1) [1]Das Bundesministerium für Digitales und Verkehr wird ermächtigt, im Einvernehmen mit dem Bundesministerium für Arbeit und Soziales durch Rechtsverordnung ohne Zustimmung des Bundesrates

1. die näheren Anforderungen an die Seediensttauglichkeit, einschließlich der erforderlichen Nachuntersuchungen durch die Berufsgenossenschaft,
2. die Durchführung der vorgeschriebenen Untersuchungen,
3. die Ausgestaltung des Seediensttauglichkeitszeugnisses,
4. Voraussetzungen für die Zulassung der Ärzte, insbesondere die Anforderungen an die Befähigung und die persönliche Eignung, sowie die erforderlichen Nachweise,
5. das Erfordernis einer Fortbildung der zugelassenen Ärzte,
6. die näheren Einzelheiten über die Verarbeitung der Daten des Seediensttauglichkeitsverzeichnisses

sowie das jeweilige Verfahren zu regeln. [2]In Rechtsverordnungen nach Satz 1 Nummer 4 oder 5 können Regelungen über eine Prüfung der Fachkunde einschließlich der Regelungen über Ablauf und Inhalt der Prüfung, die Leistungsbewertung und die Zusammensetzung des Prüfungsausschusses getroffen werden. [3]In Rechtsverordnungen nach Satz 1 Nummer 6 kann vorgesehen werden, dass die an die jeweiligen Empfänger jeweils zu übermittelnden Daten ihnen durch Abruf im automatisierten Verfahren übermittelt oder von ihnen direkt eingestellt werden können, soweit

1. die erforderlichen technischen und organisatorischen Maßnahmen nach den Artikeln 24, 25 und 32 der Verordnung (EU) 2016/679[2)] des Europäischen Parlaments und des Rates vom 27. April 2016 zum Schutz natürlicher Personen bei der Verarbeitung personenbezogener Daten, zum freien Datenverkehr und zur Aufhebung der Richtlinie 95/46/EG (Datenschutz-Grundverordnung) (ABl. L 119 vom 4.5.2016, S. 1; L 314 vom 22.11.2016, S. 72; L 127 vom 23.5.2018, S. 2) in der jeweils geltenden Fassung zur Sicherstellung des Datenschutzes und der Datensicherheit getroffen,
2. bei der Nutzung allgemein zugänglicher Netze Verschlüsselungsverfahren angewendet und
3. die Zulässigkeit der Direkteinstellung oder der Abrufe kontrolliert

werden.

(2) Rechtsverordnungen nach Absatz 1 bedürfen des Einvernehmens des Bundesministeriums für Ernährung und Landwirtschaft, soweit die Seefischerei betroffen ist.

Unterabschnitt 3. Besatzungsstärke, Besatzungsliste, Befähigungen

§ 21 Besatzungsstärke der Schiffe. [1]Der Reeder und der Kapitän haben unbeschadet der Vorschriften des Schiffssicherheitsgesetzes für eine nach Anzahl, Qualifikation und Eignung ausreichende Schiffsbesatzung zu sorgen, um unter allen Betriebszuständen einen sicheren, effizienten und gefahrlosen

[1)] § 20 Abs. 1 Satz 1 einl. Satzteil und Abs. 2 geänd. mWv 3.12.2015 durch G v. 25.11.2015 (BGBl. I S. 2095); Abs. 1 Satz 1 Nr. 6 und Satz 3 Nr. 1 geänd. mWv 26.11.2019 durch G v. 20.11. 2019 (BGBl. I S. 1626); Abs. 1 Satz 1 einl. Satzteil geänd. mWv 21.3.2023 durch G v. 14.3.2023 (BGBl. I Nr. 73).

[2)] Nr. **489**.

Schiffsbetrieb zu gewährleisten. [2]Das Nähere kann in einer Rechtsverordnung nach § 9 Absatz 1 Nummer 3 des Seeaufgabengesetzes geregelt werden.

§ 22 Besatzungsliste. (1) [1]Auf Schiffen in der internationalen Fahrt ist der Kapitän verpflichtet, eine Besatzungsliste zu erstellen und mitzuführen, die jederzeit den vollständigen Stand der Zusammensetzung der Besatzung unter Angabe der Vornamen und Familiennamen, der Geburtsdaten, der Geburtsorte, der Nationalitäten, der Nummern der Identitätsnachweise und der Funktionen an Bord oder der Dienststellungen der Besatzungsmitglieder wiedergibt. [2]Die Besatzungsliste muss dem von der Berufsgenossenschaft im Verkehrsblatt oder Bundesanzeiger veröffentlichten Muster entsprechen.

(2) Auf Schiffen in der nationalen Fahrt ist der Kapitän verpflichtet, entweder eine Besatzungsliste entsprechend Absatz 1 zu erstellen und mitzuführen oder die Zusammensetzung der Besatzung entsprechend Absatz 1 Satz 1 in das Seetagebuch einzutragen.

(3) [1]Der Reeder ist verpflichtet, die Besatzungslisten und die Seetagebücher für das jeweilige Schiff mindestens fünf Jahre aufzubewahren. [2]Die Frist beginnt bei Besatzungslisten ab dem Tag der Ausstellung, bei Seetagebüchern ab dem Tag der letzten Eintragung. [3]Aufbewahrungsfristen nach anderen Rechtsvorschriften bleiben davon unberührt.

(4) [1]Die Berufsgenossenschaft kann vom Kapitän und vom Reeder jederzeit verlangen, dass

1. die Besatzungsliste,
2. eine Kopie der Besatzungsliste oder
3. ein die Besatzung des Schiffes wiedergebender Auszug aus dem Seetagebuch

vorgelegt oder übermittelt wird, um die Einhaltung der sicheren Besetzung nach den dafür geltenden Vorschriften zu überprüfen. [2]Der Kapitän und der Reeder sind verpflichtet, dem Verlangen nach Satz 1 unverzüglich nachzukommen.

§ 23 Befähigungszeugnisse und -nachweise, Sicherheitsunterweisung. [1]Als Besatzungsmitglied darf nur tätig sein, wer Inhaber der nach den seeverkehrsrechtlichen Vorschriften erforderlichen Befähigungszeugnisse, Befähigungsnachweise oder sonstiger Qualifikationsbescheinigungen ist. [2]Der Kapitän hat dafür zu sorgen, dass die Besatzungsmitglieder eine Sicherheitsunterweisung mit den nach der Regel VI/1 der Anlage zu dem STCW-Übereinkommen vorgeschriebenen Inhalten an Bord erhalten.

Unterabschnitt 4. Arbeitsvermittlung

§ 24 Verpflichtungen des Reeders. (1) Ein Reeder darf einen privaten Arbeitsvermittlungsdienst für Seeleute (Vermittler) mit Sitz in Deutschland nur dann für die Vermittlung von Seeleuten in Anspruch nehmen, wenn ihm vom Vermittler eine schriftliche Bescheinigung der Berufsgenossenschaft vorgelegt worden ist, dass der Vermittler die Anforderungen des § 25 erfüllt.

(2) Der Reeder bestätigt einem Vermittler mit Sitz in Deutschland vor Abschluss einer Vermittlung schriftlich, dass

1. der zu schließende Heuervertrag die Anforderungen der §§ 28 und 29 erfüllt,
2. er seinen Verpflichtungen nach den §§ 73 bis 76 nachkommt und

3. er eine Versicherung abgeschlossen hat, um Personen, die an Bord eines Schiffes vermittelt worden sind, für finanzielle Verluste zu entschädigen, die ihnen infolge einer vom Reeder zu vertretenden Pflichtverletzung aus dem Beschäftigungsvertrag entstehen.

(3) Ein Reeder darf einen Vermittler mit Sitz in Staaten, die das Seearbeitsübereinkommen nicht ratifiziert haben, nur dann für die Vermittlung von Seeleuten in Anspruch nehmen, wenn der Vermittler dem Reeder gegenüber schriftlich versichert hat, dass er die Vorschriften zur Anwerbung und Vermittlung nach der Regel 1.4 des Seearbeitsübereinkommens erfüllt.

§ 25 Anforderungen an Vermittler. (1) Ein Vermittler darf Personen, die an Bord eines Schiffes tätig werden sollen, nur vermitteln, wenn er

1. keine Mittel, Verfahren oder Listen verwendet, um sie an der Aufnahme einer Beschäftigung zu hindern, die ihrer Qualifikation entspricht,
2. von ihnen weder unmittelbar noch mittelbar eine Vergütung für die Vermittlung verlangt,
3. von ihnen vor der Vermittlung verlangt, alle für die zu vermittelnde Tätigkeit erforderlichen Dokumente vorzulegen,
4. ein stets aktuelles Verzeichnis aller angeworbenen oder vermittelten Personen führt,
5. ein Beschwerdemanagementsystem eingerichtet hat und stets aktuell unterhält sowie die Berufsgenossenschaft unverzüglich über Beschwerden unterrichtet, denen nicht abgeholfen worden ist,
6. von jedem Reeder vor Abschluss einer Vermittlung eine Bestätigung nach § 24 Absatz 2 entgegennimmt,
7. von jedem Reeder, der Schiffe unter ausländischer Flagge betreibt, vor Abschluss einer Vermittlung eine schriftliche Bestätigung entgegennimmt, dass der zu schließende Beschäftigungsvertrag den im Seearbeitsübereinkommen genannten Anforderungen entspricht,
8. eine Versicherung abgeschlossen hat, um Personen, die an Bord eines Schiffes vermittelt worden sind, für finanzielle Verluste zu entschädigen, die ihnen infolge einer von dem Vermittler zu vertretenen Pflichtverletzung entstehen.

(2) Die §§ 296 bis 301 des Dritten Buches Sozialgesetzbuch[1] bleiben unberührt.

§ 26 Verfahren. (1) [1] Die Berufsgenossenschaft stellt einem Vermittler auf schriftlichen Antrag eine Bescheinigung über das Erfüllen der Anforderungen nach § 25 Absatz 1 aus, wenn keine Anhaltspunkte dafür vorliegen, dass der Vermittler den Anforderungen nicht genügen wird. [2] Der Vermittler hat gegenüber der Berufsgenossenschaft in seinem Antrag alle zur Beurteilung der Voraussetzung nach Satz 1 erforderlichen Angaben zu machen. [3] Hat die Berufsgenossenschaft auf Grund ihr bekannter Tatsachen Zweifel an der Richtigkeit der Angaben des Antragstellers, kann sie die Verbände der Reeder und der Seeleute vor Ausstellen der Bescheinigung nach Satz 1 anhören. [4] Die Berufsgenossenschaft berücksichtigt dabei auch ihr bekannt gewordene Beschwerden.

---

[1] Nr. **700**.

(2) Die Bescheinigung nach Absatz 1 Satz 1 wird für die Dauer von drei Jahren ausgestellt.

(3) Wer Personen, die an Bord eines Schiffes tätig werden sollen, vermittelt, bedarf der Bescheinigung nach Absatz 1.

(4) Die Berufsgenossenschaft soll in geeigneter Weise, ohne Angabe personenbezogener Daten, Probleme öffentlich bekannt machen, die sich bei der Anheuerung auf einem Schiff ergeben können, das die Flagge eines Staates führt, der das Seearbeitsübereinkommen nicht ratifiziert hat.

§ 27[1)] Rechtsverordnungen. Das Bundesministerium für Arbeit und Soziales wird ermächtigt, im Einvernehmen mit dem Bundesministerium für Digitales und Verkehr durch Rechtsverordnung ohne Zustimmung des Bundesrates Näheres zum Verfahren der Antragstellung und zur Erteilung der Bescheinigung nach § 26 Absatz 1 zu regeln.

Abschnitt 3. Beschäftigungsbedingungen

Unterabschnitt 1. Heuervertrag, Dienstleistungspflicht

§ 28[2)] Heuervertrag. (1) [1]Der Reeder darf ein Besatzungsmitglied nur mit einem gültigen Heuervertrag beschäftigen. [2]Durch den Heuervertrag wird ein Heuerverhältnis zwischen dem Reeder und dem Besatzungsmitglied begründet. [3]Der Reeder hat dem Besatzungsmitglied rechtzeitig vor dem beabsichtigten Vertragsabschluss einen Vertragsentwurf, einschließlich der nach Absatz 2 Nummer 13 anzugebenden Tarifverträge, Betriebsvereinbarungen oder Bordvereinbarungen, auszuhändigen oder zu übermitteln. [4]Der Heuervertrag bedarf der Schriftform; die elektronische Form ist ausgeschlossen. [5]Der Reeder und das Besatzungsmitglied erhalten je eine Ausfertigung des von ihnen unterzeichneten Heuervertrages.

(2) In den Heuervertrag ist der wesentliche Inhalt des Heuerverhältnisses aufzunehmen, insbesondere:

1. der vollständige Name und die Anschrift des Reeders; im Falle eines anderen Arbeitgebers der vollständige Name und die Anschrift des Arbeitgebers und des Reeders,
2. der vollständige Name, das Geburtsdatum, der Geburtsort und die Anschrift des Besatzungsmitglieds,
3. die Bezeichnung oder Beschreibung der vom Besatzungsmitglied zu leistenden Dienste, soweit vorgesehen, die Beschränkung der Dienstpflicht auf bestimmte Schiffe oder Fahrtgebiete,
4. der Zeitpunkt des Beginns des Heuerverhältnisses, der Ort und der Tag des Dienstantritts unter Angabe des Schiffes,
5. bei befristetem Heuervertrag: das Enddatum oder die vorgesehene Dauer des Heuerverhältnisses,

---

[1)] § 27 geänd. mWv 3.12.2015 durch G v. 25.11.2015 (BGBl. I S. 2095); geänd. mWv 21.3.2023 durch G v. 14.3.2023 (BGBl. I Nr. 73).

[2)] § 28 Abs. 1 Satz 1 neu gef. mWv 3.12.2015 durch G v. 25.11.2015 (BGBl. I S. 2095); Abs. 1 Satz 3 und Abs. 2 Nr. 5 geänd., Nr. 6 eingef., bish. Nr. 6 wird Nr. 7 und neu gef., Nr. 8 eingef., bish. Nr. 7 wird Nr. 9 und neu gef., bish. Nr. 8 wird Nr. 10, bish. Nr. 9 wird Nr. 11 und neu gef., bish. Nr. 10–12 werden Nr. 12–14, Nr. 15 eingef., bish. Nr. 13 wird Nr. 16, Abs. 3 Nr. 3 und Abs. 5 Satz 1 geänd., Abs. 7 angef. mWv 1.8.2022 durch G v. 20.7.2022 (BGBl. I S. 1174).

6. sofern vereinbart, die Dauer der Probezeit,
7. die Zusammensetzung und die Höhe der Heuer einschließlich der Vergütung von Überstunden, der Zuschläge, Zulagen, Prämien und Sonderzahlungen, die jeweils getrennt anzugeben sind, oder die für die Berechnung der Heuer zugrunde zu legende Formel sowie die Fälligkeit der Heuer und die Art der Auszahlung,
8. sofern vereinbart, die Möglichkeit der Anordnung von Überstunden und deren Voraussetzungen,
9. die vereinbarten Arbeitszeiten, vereinbarte Ruhepausen und Ruhezeiten sowie bei einem Mehrwachen-System das vereinbarte System,
10. die Dauer des jährlichen Erholungsurlaubs,
11. das bei der Kündigung des Heuerverhältnisses einzuhaltende Verfahren, mindestens das Schriftformerfordernis und die Fristen für die Kündigung sowie die Frist zur Erhebung einer Kündigungsschutzklage; § 7 des Kündigungsschutzgesetzes[1)] ist auch bei einem nicht ordnungsgemäßen Nachweis der Frist zur Erhebung einer Kündigungsschutzklage anzuwenden,
12. der Heimschaffungsanspruch des Besatzungsmitglieds,
13. die Angabe der Tarifverträge, Betriebsvereinbarungen oder Bordvereinbarungen, die auf das Heuerverhältnis anzuwenden sind,
14. die Leistungen der medizinischen Betreuung und der sozialen Sicherheit, die der Reeder oder der andere Arbeitgeber dem Besatzungsmitglied gewährt oder zu gewähren hat,
15. ein etwaiger Anspruch auf vom Reeder bereitgestellte Fortbildung,
16. der Ort und das Datum, an dem der Heuervertrag abgeschlossen worden ist.

(3) Für Besatzungsmitglieder von Fischereifahrzeugen sind in den Heuervertrag aufzunehmen:

1. zusätzlich zu Absatz 2 Nummer 3 der Name und das Fischereikennzeichen des Fischereifahrzeuges oder die Namen und die Fischereikennzeichen der Fischereifahrzeuge, auf dem oder denen das Besatzungsmitglied Dienst leisten soll,
2. zusätzlich zu Absatz 2 Nummer 4 die Reise oder Reisen, die unternommen werden sollen, falls sie im Zeitpunkt des Vertragsschlusses angegeben werden können,
3. abweichend von Absatz 2 Nummer 7 der Betrag der Heuer oder die Höhe des Anteils und dessen Berechnungsart, wenn das Entgelt in einer Beteiligung besteht, oder der Betrag der Heuer und die Höhe des Anteils und dessen Berechnungsart, wenn beide Formen des Entgelts miteinander verbunden werden, und die gegebenenfalls vereinbarte Mindestheuer.

(4) Hat das Besatzungsmitglied voraussichtlich länger als einen Monat seine Arbeitsleistung im Ausland an Land oder an Bord eines Schiffes unter ausländischer Flagge zu erbringen, sind in den Heuervertrag zusätzlich aufzunehmen:

1. die voraussichtliche Dauer der im Ausland oder an Bord eines Schiffes unter ausländischer Flagge auszuübenden Tätigkeit,
2. die Währung, in der die Heuer ausgezahlt wird,

[1)] Nr. **152**.

3. die mit dem Auslandsaufenthalt oder dem Aufenthalt an Bord eines Schiffes unter ausländischer Flagge verbundenen zusätzlichen Leistungen,
4. die Bedingungen für die Rückkehr des Besatzungsmitglieds.

(5) [1] Die Angaben nach Absatz 2 Nummer 6 bis 12, 14, 15 und Absatz 4 Nummer 2 bis 4 können ersetzt werden durch die Angabe der Tarifverträge, Betriebsvereinbarungen oder Bordvereinbarungen, die für das Heuerverhältnis gelten. [2] Ist in diesen Fällen die jeweilige gesetzliche Regelung maßgebend, so kann hierauf verwiesen werden.

(6) [1] Bei der Änderung wesentlicher Vertragsbedingungen gelten die Absätze 1 bis 5 entsprechend. [2] Satz 1 gilt nicht bei einer Änderung der gesetzlichen Vorschriften, der Tarifverträge, Betriebsvereinbarungen oder Bordvereinbarungen, die für das Heuerverhältnis gelten.

(7) [1] Hat das Heuerverhältnis bereits vor dem 1. August 2022 bestanden, so ist dem Besatzungsmitglied auf sein Verlangen eine Niederschrift mit den nach Absatz 2 wesentlichen Angaben innerhalb von sieben Tagen nach Zugang der Aufforderung auszuhändigen oder zu übermitteln. [2] Soweit eine früher ausgestellte Niederschrift oder ein schriftlicher Heuervertrag die nach Absatz 2 wesentlichen Angaben enthält, entfällt diese Verpflichtung.

§ 29[1)] Information über Beschäftigungsbedingungen. (1) [1] Der Reeder hat durch geeignete Maßnahmen sicherzustellen, dass die Besatzungsmitglieder auf einfache Weise klare Informationen über ihre Vertragsbedingungen, insbesondere über den Inhalt dieses Gesetzes erhalten können. [2] Hierzu sind eine Kopie dieses Gesetzes, des Seearbeitsübereinkommens[2)] und der Vereinbarung zwischen dem Verband der Reeder in der Europäischen Gemeinschaft und der Europäischen Transportarbeiter-Föderation über das Seearbeitsübereinkommen 2006 an geeigneter Stelle an Bord mindestens in deutscher Sprache auszulegen. [3] Jeweils eine Kopie der einzelnen Heuerverträge ist mitzuführen. [4] Ist der Heuervertrag mit einem anderen Arbeitgeber abgeschlossen, so ist an Bord die Kopie einer Ausfertigung mitzuführen, auf der der Reeder mit seiner Unterschrift seine Verantwortung nach § 4 Absatz 2 bestätigt hat. [5] Das Besatzungsmitglied hat das Recht, jederzeit in die Kopie seines Heuervertrages Einsicht zu nehmen.

(2) Soweit der Heuervertrag auf einen Tarifvertrag, eine Betriebsvereinbarung oder Bordvereinbarung verweist, sind diese Unterlagen an geeigneter Stelle an Bord auszulegen.

(3) [1] Der Reeder hat ein Exemplar dieses Gesetzes, des Seearbeitsübereinkommens, der Vereinbarung zwischen dem Verband der Reeder in der Europäischen Gemeinschaft und der Europäischen Transportarbeiter-Föderation über das Seearbeitsübereinkommen 2006, eines Mustervertrages der Heuerverträge sowie der Tarifverträge, Betriebsvereinbarungen oder Bordvereinbarungen, auf die in den Heuerverträgen verwiesen wird, in englischer Übersetzung an Bord mitzuführen. [2] Satz 1 gilt nicht für Schiffe, die nur deutsche Häfen anlaufen.

[1)] *§ 29 Abs. 1 Satz 2 und Abs. 3 Satz 1 neu gef. mWv 3.12.2015 durch G v. 25.11.2015 (BGBl. I S. 2095).*

[2)] **beck-online, Module Arbeitsrecht Nr. 1081e.**

§ 30 Dienstantritt. (1) [1] Der Reeder hat dem Besatzungsmitglied rechtzeitig den Zeitpunkt mitzuteilen, zu dem es sich an Bord einzufinden hat. [2] Dabei ist ihm der Liegeplatz des Schiffes oder ein Meldeort anzugeben.

(2) Kann das Besatzungsmitglied den Dienst wegen eines unabwendbaren Ereignisses nicht antreten, so hat es dies unverzüglich dem Reeder oder dem Kapitän unter Angabe der Gründe mitzuteilen.

§ 31 Anreisekosten. [1] Befindet sich das Schiff, auf dem das Besatzungsmitglied seinen Dienst anzutreten hat, an einem anderen Ort als dem, an welchem das Heuerverhältnis begründet worden ist, so hat das Besatzungsmitglied Anspruch auf Ersatz der notwendigen Fahrt- und Gepäckbeförderungskosten sowie auf ein angemessenes Tage- und Übernachtungsgeld. [2] Die gleichen Ansprüche stehen dem Besatzungsmitglied zu, wenn vor dem Dienstantritt Reisen von dem Ort der Begründung des Heuerverhältnisses an einen anderen Meldeort oder Ort des Dienstantritts notwendig werden.

§ 32 Dienstleistungspflicht. [1] Das Besatzungsmitglied hat die Dienste zu verrichten, zu denen es im Rahmen des Heuerverhältnisses verpflichtet ist. [2] Es hat dabei den Anordnungen der zuständigen Vorgesetzten Folge zu leisten.

§ 32a[1)] Pflichtfortbildungen. (1) Ist der Reeder durch Gesetz oder aufgrund eines Gesetzes, durch Tarifvertrag oder Betriebsvereinbarung verpflichtet, dem Besatzungsmitglied eine für die Erbringung der Arbeitsleistung erforderliche Fortbildung anzubieten, dürfen dem Besatzungsmitglied die Kosten hierfür nicht auferlegt werden.

(2) [1] Fortbildungen nach Absatz 1 sollen während der regelmäßigen Arbeitszeit durchgeführt werden. [2] Soweit Fortbildungen nach Absatz 1 außerhalb der regelmäßigen Arbeitszeit durchgeführt werden müssen, gelten sie als Arbeitszeit.

§ 33[2)] Dienstbescheinigung. (1) [1] Das Besatzungsmitglied hat gegen den Reeder Anspruch auf eine Bescheinigung über den an Bord des Schiffes geleisteten Dienst. [2] Die Bescheinigung ist dem Besatzungsmitglied spätestens am Tag des Dienstendes an Bord in deutscher und englischer Sprache auszuhändigen oder zu übermitteln. [3] Bei Schiffen, auf denen in kurzen Abständen die Besatzungen wechseln oder regelmäßig dieselben Häfen angelaufen werden, insbesondere in der Fähr- und Schleppschifffahrt, muss die Dienstbescheinigung nur auf Antrag des Besatzungsmitglieds sowie bei Ende des Heuerverhältnisses ausgehändigt oder übermittelt werden.

(2) In die Dienstbescheinigung sind aufzunehmen:

1. der Vorname und Familienname, das Geburtsdatum, der Geburtsort und die Anschrift des Besatzungsmitglieds,
2. der Name und die Anschrift des Reeders; im Falle eines anderen Arbeitgebers der Name und die Anschrift des Arbeitgebers und des Reeders,
3. der Name des Schiffes, der Schiffstyp, die IMO-Schiffsidentifikationsnummer, das Unterscheidungssignal, die Vermessung, die Antriebsleistung, das Fahrtgebiet und die seegebietsbezogene funktechnische Ausrüstung des Schiffes,

---

[1)] § 32a eingef. mWv 1.8.2022 durch G v. 20.7.2022 (BGBl. I S. 1174).
[2)] § 33 Abs. 2 Nr. 3 neu gef. mWv 21.3.2023 durch G v. 14.3.2023 (BGBl. I Nr. 73).

4. der Zeitpunkt des Beginns und des Endes des Dienstes an Bord,
5. die Art und Dauer der vom Besatzungsmitglied geleisteten Dienste.

(Fortsetzung nächstes Blatt)

(3) Die Erteilung der Dienstbescheinigung ist elektronisch zulässig, soweit das Besatzungsmitglied eingewilligt hat.

(4) [1] Die Dienstbescheinigung darf keine Beurteilung der Leistung und des Verhaltens des Besatzungsmitglieds und keine Angaben über die Heuer enthalten. [2] Der Anspruch auf ein Zeugnis nach § 109 der Gewerbeordnung[1)] bleibt unberührt.

(5) [1] Der Reeder ist verpflichtet, die Dienstbescheinigungen der Besatzungsmitglieder mindestens fünf Jahre ab dem Tag der Ausstellung in Kopie oder elektronisch aufzubewahren. [2] Die Berufsgenossenschaft kann vom Reeder jederzeit verlangen, dass Kopien von Dienstbescheinigungen vorgelegt oder übermittelt werden, um die Einhaltung der sicheren Besetzung nach den geltenden Vorschriften zu überprüfen. [3] Der Reeder ist verpflichtet, dem Verlangen nach Satz 2 unverzüglich nachzukommen.

Unterabschnitt 2. Bordanwesenheit, Landgang, Gefahren für das Schiff

§ 34 Bordanwesenheitspflicht. [1] Das Besatzungsmitglied ist auch während seiner dienstfreien Zeit zur Anwesenheit an Bord verpflichtet, soweit ihm nicht der Kapitän oder in dessen Vertretung der zuständige Vorgesetzte eine Erlaubnis zum Verlassen des Schiffes erteilt hat. [2] Die Erlaubnis ist zu erteilen, soweit dem Besatzungsmitglied ein Anspruch auf Landgang nach § 35 zusteht.

§ 35 Landgang. (1) Das Besatzungsmitglied hat in seiner dienstfreien Zeit außerhalb der Hafenarbeitszeit im Hafen oder, wenn das Schiff auf Reede liegt, Anspruch auf Landgang.

(2) Das Besatzungsmitglied hat in seiner dienstfreien Zeit auch innerhalb der Hafenarbeitszeit im Hafen oder, wenn das Schiff auf Reede liegt, Anspruch auf Landgang, soweit es der Schiffsbetrieb zulässt.

(3) Der Anspruch auf Landgang nach den Absätzen 1 und 2 besteht nur, soweit es die Abfahrtzeit und die Sicherheit des Schiffes und der Besatzungsmitglieder zulassen.

(4) Der Kapitän hat, wenn für die Landgänger keine oder keine angemessene Beförderungsmöglichkeit durch Dritte besteht, soweit es zumutbar ist, für eine Verbindung zum Land zu sorgen.

(5) Der Kapitän hat dafür zu sorgen, dass der außerhalb der Arbeitszeit im Hafen oder auf Reede notwendige Wachdienst gleichmäßig auf die Besatzungsmitglieder verteilt wird.

§ 36 Abwendung von Gefahren für das Schiff. (1) [1] Das Besatzungsmitglied hat jede Anordnung des Kapitäns zu befolgen, die dazu dienen soll, drohende Gefahr für Menschen, Schiff oder Ladung abzuwenden, einen großen Schaden zu vermeiden, schwere Störungen des Schiffsbetriebs zu verhindern oder öffentlich-rechtliche Vorschriften über die Schiffssicherheit zu erfüllen. [2] In dringenden Fällen gilt das Gleiche gegenüber Anordnungen eines an Ort und Stelle befindlichen Vorgesetzten. [3] Kanalsteurer auf dem Nord-Ostsee-Kanal stehen insoweit den Besatzungsmitgliedern gleich.

(2) Die Vorschriften des Absatzes 1 gelten auch bei drohender Gefahr für andere Schiffe und Menschen.

[1)] Nr. **106**.

(3) Bei Seegefahr, insbesondere bei drohendem Schiffbruch, darf das Besatzungsmitglied das Schiff ohne Einwilligung des Kapitäns nicht verlassen, solange dieser selbst an Bord bleibt.

(4) Bei Schiffbruch ist das Besatzungsmitglied verpflichtet, nach Anordnung des Kapitäns nach besten Kräften für die Rettung von Menschen und ihren Sachen sowie für die Sicherstellung der Schiffsteile, der Ausrüstung und der Ladung zu sorgen und bei der Bergung Hilfe zu leisten.

Unterabschnitt 3. Heuer

§ 37[1] Anspruch auf Heuer. (1) Das Besatzungsmitglied hat für die Dauer des Heuerverhältnisses Anspruch auf Zahlung der vereinbarten Heuer.

(2) [1] Vor Beginn des Heuerverhältnisses hat das Besatzungsmitglied Anspruch auf Zahlung der Heuer für die Dauer der notwendigen Anreise zum vereinbarten Ort des Dienstantritts. [2] Der Anspruch besteht auch für Zeiten, um die sich die Ankunft des Schiffes verspätet.

(3) Das Besatzungsmitglied, das infolge von seeräuberischen Handlungen oder bewaffneten Raubüberfällen auf Schiffe an Bord oder außerhalb des Schiffes gefangen gehalten wird, hat bis zur Freilassung und ordnungsgemäßen Heimschaffung oder im Falle des Todes während der Gefangenschaft bis zu dem festgestellten Todeszeitpunkt Anspruch auf Fortzahlung der vereinbarten Heuer.

§ 38 Bemessung und Fälligkeit der Heuer. (1) [1] Die Heuer bemisst sich nach Kalendermonaten. [2] Bei Berechnung der Heuer für einzelne Tage wird der Kalendermonat zu 30 Tagen gerechnet.

(2) [1] Die Heuer ist mit Ablauf eines jeden Kalendermonats oder bei Beendigung des Heuerverhältnisses fällig. [2] Stehen variable Bestandteile der Heuer bei Ablauf des Kalendermonats noch nicht fest, werden sie mit Ablauf des Kalendermonats fällig, in dessen Verlauf sie erstmals der Höhe nach feststehen oder billigerweise festgestellt werden können. [3] Stehen Anteile an Fracht, Gewinn oder Erlös bei Ablauf des Kalendermonats noch nicht fest, kann das Besatzungsmitglied eine Abschlagszahlung in ungefährer Höhe des bis dahin verdienten Anteils der Heuer verlangen.

§ 39 Zahlung der Heuer. (1) [1] Die Heuer ist in Euro zu berechnen und auszuzahlen, es sei denn, dass im Heuervertrag eine andere gesetzliche Währung vereinbart ist. [2] Vereinbaren Reeder und Besatzungsmitglied, dass die Heuer in einer anderen gesetzlichen Währung als Euro gezahlt werden soll, muss der Wechselkurs dem von der Europäischen Zentralbank veröffentlichten Kurs entsprechen und darf für das Besatzungsmitglied nicht nachteilig sein.

(2) Das Besatzungsmitglied kann vom Reeder verlangen, dass die Heuer oder ein vom Besatzungsmitglied bestimmter Teil hiervon

1. im Hafen oder auf der Reede bar an das Besatzungsmitglied ausgezahlt wird oder
2. unbar an das Besatzungsmitglied oder an einen vom Besatzungsmitglied bestimmten Empfänger geleistet wird.

---

[1] § 37 Abs. 3 angef. mWv 26.12.2020 durch G v. 14.10.2020 (BGBl. I S. 2112).

(3) Der Reeder kann von dem Besatzungsmitglied keine Erstattung der durch die unbare Leistung entstandenen Kosten verlangen.

(4) Von der Heuer des Besatzungsmitglieds dürfen keine Abzüge für die Erlangung oder Beibehaltung einer Beschäftigung vorgenommen werden.

§ 40 Abrechnung. (1) Der Reeder hat dem Besatzungsmitglied bei Fälligkeit (§ 38) eine Abrechnung in Textform (§ 126b des Bürgerlichen Gesetzbuchs[1]) zu erteilen und ihm unverzüglich auszuhändigen.

(2) [1] Die Abrechnung muss den jeweiligen Abrechnungszeitraum und vollständige Angaben über die Zusammensetzung der Heuer enthalten. [2] Hinsichtlich der Zusammensetzung sind insbesondere Angaben über Art und Höhe der Zuschläge, Zulagen, Prämien und Sonderzahlungen sowie die vorgenommenen Abzüge und Abschlagszahlungen, einschließlich der an Dritte geleisteten Beträge, erforderlich. [3] Werden Zahlungen nicht in Euro, sondern in einer anderen gesetzlichen Währung erbracht, hat der Reeder auch den zugrunde gelegten Wechselkurs in der Abrechnung anzugeben.

(3) Beanstandet das Besatzungsmitglied die Abrechnung, ist der Grund der Beanstandung vom Reeder auf der Abrechnung zu vermerken.

§ 41 Verkauf von Waren und Erbringung von Dienstleistungen. Verkauft der Reeder einem Besatzungsmitglied Waren oder erbringt er ihm gegenüber Dienstleistungen, sind die Preise so zu kalkulieren, dass nach Deckung der Kosten keine Überschüsse entstehen.

Unterabschnitt 4. Arbeitszeiten und Ruhezeiten

§ 42[2] Grundsätze für die Gestaltung der Arbeitszeit. (1) [1] Vorschriften über die Seearbeitszeit sind anzuwenden ab dem Zeitpunkt, an dem das Schiff zum Antritt oder zur Fortsetzung der Reise seinen Liegeplatz im Hafen oder auf der Reede zu verlassen beginnt. [2] Vorschriften über die Hafenarbeitszeit sind anzuwenden ab dem Zeitpunkt, an dem das Schiff im Hafen ordnungsgemäß festgemacht oder auf der Reede geankert hat. [3] Treffen an einem Tag Seearbeitszeit und Hafenarbeitszeit zusammen, so ist bei der Berechnung der täglichen Höchstarbeitszeit die an diesem Tag insgesamt geleistete Arbeit zu berücksichtigen.

(2) Besatzungsmitglieder mit gesundheitlichen Problemen, die laut ärztlicher Bescheinigung auf die Nachtarbeit zurückzuführen sind, müssen, sofern möglich, auf eine geeignete Stelle im Tagesdienst versetzt werden.

(3) [1] Der Kapitän hat für die Einhaltung der Arbeitszeitvorschriften der Besatzungsmitglieder zu sorgen. [2] Für Besatzungsmitglieder, die nicht beim Reeder beschäftigt sind, haben deren Arbeitgeber oder Ausbildender und der Kapitän gemeinsam für die Einhaltung der Arbeitszeitvorschriften zu sorgen. [3] Für diese Besatzungsmitglieder kann anstelle des Kapitäns der Arbeitgeber oder der Ausbildende oder die ihn an Bord vertretende Person mit Zustimmung des Kapitäns Anordnungen zur Arbeitszeit treffen. [4] Satz 3 ist in den Fällen des § 47 Absatz 1 nicht anzuwenden.

(4) [1] Der Kapitän soll sich bei seiner Arbeitszeit so weit wie möglich an den Arbeitszeitvorschriften dieses Unterabschnitts orientieren. [2] Die Mindestruhe-

---

[1] Nr. **50**.

[2] § 42 Abs. 4 Satz 3 und 4 geänd. mWv 18.1.2017 durch G v. 22.12.2015 (BGBl. I S. 2569).

zeiten nach § 48 Absatz 1 Nummer 2 dürfen nicht unterschritten werden. [3]Dies gilt nicht, soweit eine abweichende Regelung nach § 49 Absatz 1 Nummer 3 oder 4, jeweils auch in Verbindung mit Absatz 2 oder 3 besteht oder eine Arbeitszeitverlängerung in den besonderen Fällen des § 47 Absatz 1 oder 2 zulässig ist. [4]§ 50 sowie § 45 Absatz 3 und 4 sind anzuwenden, sofern keine abweichende Regelung nach § 49 Absatz 1 Nummer 2 oder 4 besteht. [5]Die §§ 51 und 52 sind nicht anzuwenden. [6]Wenn der Kapitän Seewache geht, sind die §§ 43 bis 49 anzuwenden.

(5) Ergänzend zu den §§ 43 bis 48 darf die Arbeitszeit von Besatzungsmitgliedern eines Fischereifahrzeugs durchschnittlich 48 Stunden wöchentlich innerhalb von zwölf Monaten nicht überschreiten.

§ 43 Seearbeitszeit. (1) [1]Die Seearbeitszeit der zum Wachdienst bestimmten Besatzungsmitglieder darf in der Regel acht Stunden täglich nicht überschreiten. [2]Sie wird nach dem Drei-Wachen-System eingeteilt. [3]Besatzungsmitglieder dürfen während der Brückenwache neben dem Wachdienst keine anderen Arbeiten ausführen. [4]Im Übrigen dürfen die Besatzungsmitglieder während der Wache an Werktagen zwischen 18 und 6 Uhr sowie an Sonntagen und Feiertagen neben dem Wachdienst nur mit gelegentlichen Instandsetzungsarbeiten sowie mit Arbeiten beschäftigt werden, die zur Sicherung des Schiffes und dessen Fahrt, zur Sicherung der Ladung oder zum Bootsdienst unbedingt erforderlich sind.

(2) [1]Die Seearbeitszeit der nicht zum Wachdienst bestimmten Besatzungsmitglieder mit Ausnahme des Servicepersonals darf in der Regel acht Stunden werktäglich nicht überschreiten und muss zwischen 6 und 18 Uhr liegen. [2]An Sonntagen und an Feiertagen dürfen diese Besatzungsmitglieder nur in besonderen Fällen nach § 47 beschäftigt werden.

(3) [1]Die Seearbeitszeit des Servicepersonals darf in der Regel acht Stunden täglich nicht überschreiten. [2]Die Arbeitszeit kann um bis zu eine Stunde verlängert werden, wenn in die Arbeitszeit regelmäßig und in erheblichem Umfang Arbeitsbereitschaft fällt. [3]Die Arbeitszeit muss zwischen 6 und 20 Uhr liegen. [4]Der Zeitraum darf für das Servicepersonal auf Fahrgastschiffen auf Anordnung des Kapitäns und für das Krankenpflegepersonal außerdem auf Anordnung des Schiffsarztes oder der Schiffsärztin überschritten werden. [5]Das Servicepersonal darf an Sonntagen und Feiertagen nur mit Arbeiten beschäftigt werden, die zur Verpflegung, Bedienung oder Krankenpflege der an Bord befindlichen Personen unbedingt erforderlich sind, sowie im Verkauf und zur Betreuung oder Unterhaltung von Fahrgästen.

§ 44 Hafenarbeitszeit. (1) [1]Die Hafenarbeitszeit der Besatzungsmitglieder mit Ausnahme des Servicepersonals darf von Montag bis Freitag in der Regel acht Stunden täglich nicht überschreiten. [2]Am Samstag darf die Hafenarbeitszeit in der Regel fünf Stunden, bei Wachdienst acht Stunden nicht überschreiten. [3]Die Hafenarbeitszeit muss, abgesehen vom Wachdienst, von Montag bis Freitag zwischen 6 und 18 Uhr, am Samstag zwischen 6 und 13 Uhr liegen.

(2) [1]An Werktagen außerhalb der in Absatz 1 Satz 3 bestimmten Zeiten sowie an Sonntagen und Feiertagen dürfen die in Absatz 1 genannten Besatzungsmitglieder nur mit notwendigem Wachdienst sowie mit unumgänglichen und unaufschiebbaren Arbeiten beschäftigt werden. [2]An Sonntagen und Feiertagen darf die Beschäftigung mit unumgänglichen und unaufschiebbaren Arbeiten in der Regel fünf Stunden nicht überschreiten.

(3) [1] Die Hafenarbeitszeit des Servicepersonals muss zwischen 6 und 18 Uhr liegen. [2] Im Übrigen ist § 43 Absatz 3 entsprechend anzuwenden.

§ 45 Ruhepausen und Ruhezeiten. (1) Den Besatzungsmitgliedern sind Ruhepausen und Ruhezeiten zu gewähren, die von ausreichender Dauer sein müssen, um die Sicherheit und Gesundheit der Besatzungsmitglieder zu gewährleisten.

(2) [1] Sofern nicht spätestens nach einer Arbeitszeit von sechseinhalb Stunden eine Ruhezeit gewährt wird, muss die Arbeitszeit spätestens nach sechs Stunden durch eine Ruhepause unterbrochen werden. [2] Die Ruhepause muss mindestens betragen:

1. 30 Minuten bei einer Arbeitszeit von mehr als sechs bis zu neun Stunden,
2. 45 Minuten bei einer Arbeitszeit von mehr als neun Stunden.

[3] Die Ruhepausen nach Satz 2 können in Zeitabschnitte von jeweils mindestens 15 Minuten aufgeteilt werden.

(3) [1] Die Ruhezeit nach § 48 Absatz 1 Nummer 2 Buchstabe a darf nur in höchstens zwei Zeiträume aufgeteilt werden, von denen einer eine Mindestdauer von sechs Stunden, der andere eine Mindestdauer von einer Stunde haben muss. [2] Der Zeitraum zwischen zwei aufeinanderfolgenden Ruhezeiten darf 14 Stunden nicht überschreiten. [3] Für das Servicepersonal muss in den Fällen des § 43 Absatz 3 Satz 4 auch in Verbindung mit § 44 Absatz 3 einer der Zeiträume für die Ruhezeit nach Satz 1 mindestens acht Stunden betragen.

(4) [1] Hat das Besatzungsmitglied während seiner planmäßigen Ruhezeit in Bereitschaft zu sein und wird die Ruhezeit durch Aufrufe zur Arbeit gestört, ist dem Besatzungsmitglied eine angemessene Ruhezeit als Ausgleich zu gewähren. [2] Die Ausgleichsruhezeit muss mindestens der Dauer der Ruhezeitunterbrechungen entsprechen. [3] Eine ununterbrochene Ruhezeit von sechs Stunden muss gewährleistet sein.

§ 46 Abweichende Arbeitszeitregelungen für Zwei-Wachen-Schiffe, Bergungsfahrzeuge und Schlepper. (1) [1] Auf Schiffen mit einer Bruttoraumzahl von bis zu 2 500 in der Fahrt in der Ostsee, in der Nordsee und entlang der norwegischen Küste bis zu 64 ° nördlicher Breite, im Übrigen bis zu 61 ° nördlicher Breite und 7 ° westlicher Länge sowie nach den Häfen Großbritanniens, Irlands und der Atlantikküste Frankreichs, Spaniens und Portugals ausschließlich Gibraltars sowie für Fischereifahrzeuge gleicher Größe auch über diese Fahrtgebiete hinaus darf, sofern die Reise länger als zehn Stunden dauert, die Arbeitszeit des zum Wachdienst bestimmten Deck- und Maschinenpersonals auf See abweichend von § 43 Absatz 1 auf bis zu zwölf Stunden täglich verlängert und nach dem Zwei-Wachen-System eingeteilt werden. [2] Satz 1 ist auch auf Schiffen mit einer Bruttoraumzahl über 2 500 anzuwenden, die vor dem 1. Juli 2002 den bis dahin geltenden Grenzwert für den Raumgehalt eingehalten haben. [3] Wird die Arbeitszeit entsprechend verlängert, haben die Besatzungsmitglieder Anspruch auf einen angemessenen Zuschlag zur Grundheuer.

(2) [1] Auf Bergungsfahrzeugen, See- und Bergungsschleppern in der Nord- und Ostseefahrt bis zu 61 ° nördlicher Breite ist Absatz 1 Satz 1 für die Arbeitszeit der Wache gehenden Besatzungsmitglieder anzuwenden. [2] Wenn das Fahrzeug an der Bergungsstätte eingesetzt ist, kann die Arbeitszeit abweichend von

§ 43 vom Kapitän, insbesondere unter Berücksichtigung des Tidenwechsels und der Wetterlage, festgesetzt werden.

§ 47[1)] Arbeitszeitverlängerung in besonderen Ausnahmefällen.

(1) [1] Der Kapitän hat das Recht, für Besatzungsmitglieder die Arbeitsstunden anzuordnen, die für die unmittelbare Sicherheit des Schiffes und der Personen an Bord *[ab 18. 1. 2017:,]* bei einer unmittelbaren Gefahr für die Ladung oder zur Hilfeleistung für in Seenot befindliche Schiffe oder Personen erforderlich sind. [2] Der Kapitän kann den Arbeitszeit- und Ruhezeitplan vorübergehend außer Kraft setzen und anordnen, dass die Besatzungsmitglieder jederzeit die erforderlichen Arbeitsstunden erbringen, bis die normale Situation wiederhergestellt ist.

(2) Sicherheits-, Feuerlösch- und Rettungsbootsübungen sowie durch innerstaatliche Rechtsvorschriften und durch internationale Vereinbarungen vorgeschriebene Übungen sind in einer Weise durchzuführen, die die Störung der Ruhezeiten auf ein Mindestmaß beschränkt und keine Übermüdung verursacht.

(3) [1] In den Fällen der Absätze 1 und 2 sind die §§ 43 bis 46 und 48 nicht anzuwenden. [2] Sobald es nach Wiederherstellung der normalen Situation möglich ist, hat der Kapitän sicherzustellen, dass jedes Besatzungsmitglied, das während einer planmäßigen Ruhezeit Arbeit geleistet oder an einer Übung teilgenommen hat, eine ausreichende Ruhezeit erhält. [3] Die Ausgleichsruhezeit muss mindestens der Dauer der Ruhezeitunterbrechung entsprechen.

(4) [1] Abgesehen von den Fällen der Absätze 1 und 2 kann der Kapitän in sonstigen dringenden Fällen eine Verlängerung der in den §§ 43, 44 und 46 bestimmten täglichen Arbeitszeit anordnen. [2] Dasselbe gilt bei Wachdienst im Hafen. [3] In diesen Fällen sind die Regelungen der §§ 43, 44 und 46 über die Lage der Arbeitszeit und die Beschäftigungsbeschränkungen nicht anzuwenden.

§ 48 Höchstarbeitszeiten und Mindestruhezeiten. (1) Der Reeder und der Kapitän haben dafür zu sorgen, dass auf dem Schiff folgende Arbeitszeiten und Ruhezeiten der Besatzungsmitglieder eingehalten werden:

1. die Höchstarbeitszeit darf nicht überschreiten:
   a) 14 Stunden in jedem Zeitraum von 24 Stunden und
   b) 72 Stunden in jedem Zeitraum von sieben Tagen

   und
2. die Mindestruhezeit darf nicht unterschreiten:
   a) zehn Stunden in jedem Zeitraum von 24 Stunden und
   b) 77 Stunden in jedem Zeitraum von sieben Tagen.

(2) [1] Auf einem Schiff, das in kurzer Aufeinanderfolge mehrere Häfen anläuft, kann von der Höchstarbeitszeit nach Absatz 1 Nummer 1 Buchstabe b während der Tage der häufigen Hafenfolge abgewichen werden. [2] Eine kurze Aufeinanderfolge von Häfen liegt dann vor, wenn zwischen den seewärtigen Lotsenversetzpositionen des zu verlassenden Reviers und des anzufahrenden Reviers weniger als 36 Stunden liegen. [3] Nachdem das Schiff das Fahrtgebiet mit häufiger Hafenfolge wieder verlassen hat, hat der Kapitän sicherzustellen, dass alle Besatzungsmitglieder, die während dieser Zeit über die nach Absatz 1 Nummer 1

---

1) § 47 Abs. 1 Satz 1 geänd. mWv 18. 1. 2017 durch G v. 22. 12. 2015 (BGBl. I S. 2569).

Buchstabe b zulässige Höchstarbeitszeit hinaus Arbeitsstunden geleistet haben, unverzüglich eine zusätzliche Ruhezeit in Höhe der Anzahl der zusätzlich geleisteten Arbeitsstunden erhalten. [4] Der Ausgleich kann auch in Verbindung mit Urlaub gewährt werden.

§ 49 Abweichende Arbeitszeitregelungen durch Tarifvertrag. (1) In einem Tarifvertrag oder auf Grund eines Tarifvertrages in einer Betriebsvereinbarung oder Bordvereinbarung kann vereinbart werden,

1. die Befugnis des Kapitäns, abweichend von § 47 Absatz 4 auch in anderen Fällen eine Verlängerung der in den §§ 43 und 44 bestimmten täglichen Arbeitszeit bis zu zwei Stunden anordnen und dabei von den Regelungen über die Lage der Arbeitszeit und die Beschäftigungsbeschränkungen abweichen zu können,
2. abweichend von § 45 Absatz 3 Satz 1 die Mindestruhezeit nach § 48 Absatz 1 Nummer 2 Buchstabe a in drei Abschnitte aufzuteilen, von denen einer eine Mindestdauer von sechs Stunden und die beiden übrigen eine Mindestdauer von jeweils einer Stunde haben müssen; diese Ausnahmeregelung kann für höchstens zwei 24-Stunden-Zeiträume in jedem Zeitraum von sieben Tagen in Anspruch genommen werden,
3. abweichende Regelungen von den §§ 43 und 44 zur See- und Hafenarbeitszeit sowie abweichende Regelungen von § 48 Absatz 1 zur Höchstarbeitszeit und zur Mindestruhezeit unter der Voraussetzung, dass die Ruhezeit nicht weniger als 70 Stunden in jedem Zeitraum von sieben Tagen beträgt; Abweichungen von der Mindestruhezeit dürfen höchstens für zwei aufeinanderfolgende Wochen zugelassen werden; zwischen zwei an Bord verbrachten Zeiträumen, für die die Ausnahmeregelung gilt, muss eine Zeitspanne liegen, die mindestens doppelt so lang ist, wie der unter die Ausnahmeregelung fallende Zeitraum, es sei denn, dass dem Zeitraum, für den die Ausnahmeregelung gilt, eine Freistellung von mindestens gleicher Dauer folgt,
4. für Besatzungsmitglieder von Fischereifahrzeugen abweichende Regelungen von § 42 Absatz 5 sowie über Nummer 2 und 3 hinaus auch abweichende Regelungen von § 45 Absatz 3 und von § 48 Absatz 1 Nummer 2 hinsichtlich der Arbeitszeit während des Fangs und seiner Verarbeitung an Bord,
5. für Besatzungsmitglieder von Fischereifahrzeugen sowie von Fahrgastschiffen und Fährschiffen auch abweichende Regelungen von § 51 hinsichtlich der Vergütung und von § 52 hinsichtlich des Ausgleichs für Sonntags- und Feiertagsarbeit.

(2) Im Geltungsbereich eines Tarifvertrages, der eine Regelung nach Absatz 1 Nummer 1 bis 5 enthält, kann diese tarifvertragliche Regelung im Betrieb eines nicht tarifgebundenen Reeders durch Betriebsvereinbarung oder Bordvereinbarung oder, wenn eine Arbeitnehmervertretung nicht besteht, durch schriftliche Vereinbarung zwischen dem Reeder und den Besatzungsmitgliedern übernommen werden, wenn die Anwendung des gesamten Tarifvertrages vereinbart ist.

(3) Für Besatzungsmitglieder von Fischereifahrzeugen sowie von Fahrgastschiffen und Fährschiffen, für die Tarifverträge üblicherweise nicht geschlossen werden, können Ausnahmen mit den in Absatz 1 Nummer 2 bis 5 vorgesehenen Regelungen allgemein oder im Einzelfall durch die Berufsgenossenschaft bewilligt werden.

(4) [1] Die Abweichungen nach Absatz 1 Nummer 2 bis 4 sowie den Absätzen 2 und 3 müssen in Übereinstimmung mit den allgemeinen Grundsätzen für die Sicherheit und den Gesundheitsschutz der Besatzungsmitglieder stehen und aus technischen oder arbeitsorganisatorischen Gründen erforderlich sein. [2] Sie haben so weit wie möglich den gesetzlichen Bestimmungen zu folgen, können aber häufigeren oder längeren Urlaubszeiten oder der Gewährung von Ausgleichsurlaub für die Besatzungsmitglieder Rechnung tragen.

(5) Absatz 1 ist nicht anzuwenden für Tarifverträge, die nach § 21 Absatz 4 Satz 2 des Flaggenrechtsgesetzes[1)] abgeschlossen werden.

§ 50 Übersicht über die Arbeitsorganisation, Arbeitszeitnachweise.

(1) [1] Auf jedem Schiff ist eine Übersicht über die Arbeitsorganisation an Bord zu führen, die Folgendes enthalten muss:

1. den See- und Hafendienstplan für alle an Bord beschäftigten Besatzungsmitglieder,
2. die Höchstarbeitszeiten und die Mindestruhezeiten nach § 48 sowie davon vereinbarte Abweichungen nach § 49.

[2] Der Kapitän hat dafür zu sorgen, dass die Übersicht über die Arbeitsorganisation an einem leicht zugänglichen Ort an Bord ausgehängt wird.

(2) Auf jedem Schiff sind Arbeitszeitnachweise zu führen, aus denen gesondert für jedes Besatzungsmitglied die täglichen Arbeitszeiten und Ruhezeiten zu ersehen sind.

(3) [1] Zum Führen der Übersicht über die Arbeitsorganisation und der Arbeitszeitnachweise ist der Kapitän verpflichtet. [2] Er kann damit einen Schiffsoffizier oder einen anderen Vorgesetzten beauftragen.

(4) Die Besatzungsmitglieder sind verpflichtet, dem Kapitän oder seinem Beauftragten die notwendigen Angaben für die Übersicht über die Arbeitsorganisation sowie für die Arbeitszeitnachweise zu geben.

§ 51 Vergütung für Mehr- und Nachtarbeit sowie Sonntags- und Feiertagsarbeit. (1) [1] Werden Besatzungsmitglieder über die in den §§ 43, 44 und 53 Absatz 2 bestimmten Grenzen der täglichen Arbeitszeit hinaus mit Mehrarbeit beschäftigt, so ist ihnen, abgesehen von den Fällen des § 47 Absatz 1 und 2, für jede Stunde eine Vergütung in Höhe von mindestens einem Zweihundertstel der Grundheuer sowie ein angemessener Zuschlag zu zahlen. [2] Ist die Höhe des Zuschlages nicht durch Tarifvertrag festgelegt, so beträgt er für die ersten 60 Mehrarbeitsstunden des Monats sowie für Mehrarbeit bei Wachdienst im Hafen je ein Viertel, für die folgenden 30 je die Hälfte eines Zweihundertstels der Grundheuer und für jede weitere Mehrarbeitsstunde ein Zweihundertstel der Grundheuer. [3] Abweichend von Satz 1 gilt in den Fällen des § 46 die dort bestimmte Grenze der täglichen Arbeitszeit.

(2) Soweit es sich bei Mehrarbeit, die in den Fällen des § 47 Absatz 1 Satz 1 geleistet wird, um gewerbsmäßige Bergung handelt, ist diese angemessen zu vergüten.

(3) [1] Den Besatzungsmitgliedern ist, abgesehen vom Wachdienst,

---

1) NipperdeyDirekt (online) Nr. 963.

1. bei Sonntags- und Feiertagsarbeit, auf See mit Ausnahme der Arbeiten nach § 43 Absatz 3 Satz 5,
2. bei Arbeiten, die an Werktagen im Falle des § 43 Absatz 1 Satz 4 zwischen 18 und 6 Uhr oder im Hafen außerhalb der in § 44 Absatz 1 Satz 3 und Absatz 3 Satz 1 bestimmten Zeiträume geleistet werden,

für jede Arbeitsstunde ein Zuschlag von mindestens einem Viertel eines Zweihundertstels der Grundheuer zu zahlen. [2] Sind Arbeiten zu gleich solche nach den Nummern 1 und 2, so ist der Zuschlag nur einmal zu zahlen. [3] Sind diese Arbeiten zugleich Mehrarbeit im Sinne des Absatzes 1, so gelten für die Vergütung die im Tarifvertrag oder in Absatz 1 Satz 2 bestimmten Sätze mit der Maßgabe, dass sich der Mindestzuschlag bei Arbeiten nach Nummer 1 jeweils um ein Viertel eines Zweihundertstels der Grundheuer erhöht.

§ 52 Sonntags- und Feiertagsausgleich. (1) [1] Jedem Besatzungsmitglied ist für jeden Sonntag und für jeden Feiertag, an dem es gearbeitet hat oder an dem sich das Schiff weniger als zwölf Stunden im Hafen befunden hat, ein Ausgleich durch einen arbeitsfreien Werktag zu geben. [2] Einem Besatzungsmitglied des Servicepersonals sind im Monat mindestens zwei freie Tage zu gewähren.

(2) [1] Der Ausgleich ist so bald wie möglich zu gewähren. [2] Ist das innerhalb derselben Woche nicht möglich, so soll der freie Tag in einer der folgenden Wochen gegeben werden. [3] Bis zum Urlaubsantritt nicht gewährte arbeitsfreie Tage sind mit dem Urlaub zu verbinden oder, wenn einer Verlängerung des Urlaubs zwingende betriebliche Gründe entgegenstehen, abzugelten.

(3) [1] Freie Tage sind in einem Hafen zu gewähren, in dem Landgang zulässig und möglich ist. [2] Auf Verlangen des Besatzungsmitglieds können freie Tage auch auf See gewährt werden.

(4) Auf arbeitsfreie Tage finden die Vorschriften des § 58 Absatz 1 Satz 1 und des § 61 Absatz 1 und 2 entsprechende Anwendung.

§ 53 Arbeitszeitregelungen für jugendliche Besatzungsmitglieder.

(1) [1] Für jugendliche Besatzungsmitglieder sind die §§ 42, 48, 50 und 51 sowie die folgenden Absätze anzuwenden. [2] Die §§ 43 und 44 sind mit der Maßgabe der Absätze 2 bis 4 anzuwenden.

(2) [1] Im Hafen dürfen jugendliche Besatzungsmitglieder an höchstens fünf Tagen in der Woche bis zu acht Stunden täglich und bis zu 40 Stunden wöchentlich arbeiten. [2] Die freien Tage sollen möglichst der Samstag und der Sonntag sein.

(3) Auf See dürfen jugendliche Besatzungsmitglieder an höchstens sechs Tagen in der Woche bis zu acht Stunden täglich und bis zu 48 Stunden wöchentlich arbeiten.

(4) [1] Im Wachdienst auf See dürfen jugendliche Besatzungsmitglieder an jedem Tag bis zu acht Stunden täglich und in der Woche ab 5 Uhr beschäftigt werden. [2] Dies gilt jedoch nur, wenn jugendliche Besatzungsmitglieder während der Wache neben dem Wachdienst nur mit gelegentlichen Instandsetzungsarbeiten sowie mit Arbeiten beschäftigt werden, die zur Sicherung des Schiffes und dessen Fahrt, zur Sicherung der Ladung oder zum Bootsdienst unbedingt erforderlich sind. [3] Der Arbeitsbeginn kann auf 4 Uhr gelegt werden, wenn andernfalls die

wirksame Ausbildung jugendlicher Besatzungsmitglieder nach festgelegten Programmen und Zeitplänen beeinträchtigt würde.

(5) [1] Den jugendlichen Besatzungsmitgliedern müssen im Voraus feststehende Ruhepausen von angemessener Dauer gewährt werden. [2] Als Ruhepause gilt nur eine Arbeitsunterbrechung von mindestens 15 Minuten. [3] Die Ruhepausen müssen insgesamt mindestens betragen:

1. 30 Minuten bei einer Arbeitszeit von mehr als viereinhalb bis zu sechs Stunden,
2. 60 Minuten bei einer Arbeitszeit von mehr als sechs Stunden.

[4] Die Ruhepausen müssen in angemessener zeitlicher Lage gewährt werden. [5] Länger als viereinhalb Stunden hintereinander dürfen jugendliche Besatzungsmitglieder nicht ohne Ruhepause arbeiten. [6] Für die Einnahme aller Mahlzeiten ist genügend Zeit einzuräumen.

(6) [1] In der Zeit zwischen 20 und 6 Uhr ist die Arbeit von jugendlichen Besatzungsmitgliedern vorbehaltlich der Regelung in Absatz 4 verboten. [2] Außerdem dürfen jugendliche Besatzungsmitglieder auf Fahrgastschiffen bei Aufführungen zur Unterhaltung der Fahrgäste bis 23 Uhr gestaltend mitwirken, wenn im Anschluss daran eine ununterbrochene Ruhezeit von mindestens neun Stunden gewährleistet ist. [3] Die Berufsgenossenschaft kann Ausnahmen von dem Verbot des Satzes 1 zulassen, wenn

1. die wirksame Ausbildung der betreffenden jugendlichen Besatzungsmitglieder nach festgelegten Programmen und Zeitplänen beeinträchtigt würde oder
2. die Besonderheit der Aufgabe oder eines anerkannten Ausbildungsprogramms es erforderlich macht, dass die von der Ausnahme erfassten jugendlichen Besatzungsmitglieder Aufgaben in der Nacht verrichten und nach Beratung mit Verbänden der Reeder und der Seeleute feststeht, dass die Arbeit sich nicht nachteilig auf die Gesundheit oder das Wohlbefinden der jugendlichen Besatzungsmitglieder auswirkt.

(7) [1] Mehrarbeit ist für jugendliche Besatzungsmitglieder nur in den Fällen des § 47 Absatz 1 und 2 zulässig, jedoch nur, soweit für die jeweilige Arbeit kein erwachsenes Besatzungsmitglied herangezogen werden kann. [2] Die Regelungen des Absatzes 5 zu Ruhepausen und des Absatzes 6 zur Nachtruhe sind in diesem Fall nicht anzuwenden. [3] Solche Ausnahmesituationen sind unter Angabe der Gründe schriftlich aufzuzeichnen und vom Kapitän zu unterzeichnen. [4] Die Mehrarbeit ist durch entsprechende Verkürzung der Arbeitszeit innerhalb der folgenden drei Wochen auszugleichen. [5] Kann der Arbeitszeitausgleich wegen Beendigung des Vertragsverhältnisses nicht mehr gewährt werden, ist die Mehrarbeit zu vergüten, wobei der Zuschlag für jugendliche Besatzungsmitglieder abweichend von § 51 Absatz 1 für jede Mehrarbeitsstunde mindestens ein Viertel eines Zweihundertstels der Grundheuer beträgt.

(8) [1] Arbeiten jugendliche Besatzungsmitglieder an mehr als fünf Tagen, so ist ihnen für die Arbeit am sechsten und siebten Tag in der Woche je ein anderer freier Tag zu gewähren. [2] Die Regelungen des § 52 zum Sonntags- und Feiertagsausgleich sind anzuwenden. [3] Sofern ein freier Tag nach Satz 1 als Ausgleich für eine Beschäftigung an einem Werktag zu gewähren ist, ist § 52 Absatz 2 bis 4 entsprechend anzuwenden. [4] Die finanzielle Abgeltung freier Tage ist nicht zulässig.

§ 54 Abweichende Arbeitszeitregelungen für jugendliche Besatzungsmitglieder durch Tarifvertrag. (1) [1] In einem Tarifvertrag oder auf Grund eines Tarifvertrages in einer Betriebsvereinbarung oder Bordvereinbarung kann für jugendliche Besatzungsmitglieder vereinbart werden,

1. abweichend von § 53 Absatz 2 die Arbeitszeit bis zu neun Stunden täglich, 44 Stunden wöchentlich und bis zu fünfeinhalb Tagen in der Woche anders zu verteilen, jedoch nur unter Einhaltung einer durchschnittlichen Wochenarbeitszeit von 40 Stunden in einem Ausgleichszeitraum von zwei Monaten;
2. abweichend von § 53 Absatz 4 Satz 1 jugendliche Besatzungsmitglieder auch im Wachdienst im Hafen zu beschäftigen; § 53 Absatz 8 ist anzuwenden;
3. abweichend von § 53 Absatz 5 Satz 3 Nummer 2 die Gesamtdauer der Ruhepausen auf bis zu 45 Minuten zu kürzen;
4. abweichend von § 53 Absatz 6 jugendliche Besatzungsmitglieder einmal in der Woche in der Zeit von 20 bis 24 Uhr zu beschäftigen, wenn im Anschluss daran eine ununterbrochene Ruhezeit von mindestens neun Stunden gewährleistet ist; die Ruhezeit kann auf acht Stunden verkürzt werden, wenn andernfalls die wirksame Ausbildung jugendlicher Besatzungsmitglieder nach festgelegten Programmen und Zeitplänen beeinträchtigt würde;
5. auf Fahrgastschiffen, Fährschiffen, Bergungsfahrzeugen und See- und Bergungsschleppern abweichende Regelungen von § 53 Absatz 2 bis 8 hinsichtlich der Arbeitszeit sowie für jugendliche Besatzungsmitglieder von Fahrgastschiffen und Fährschiffen abweichende Regelungen auch hinsichtlich der Vergütung und des Ausgleichs für Sonntags- und Feiertagsarbeit sowie sonstige Mehrarbeit; dies ist auch für jugendliche Besatzungsmitglieder von Fischereifahrzeugen sinngemäß anzuwenden; hinsichtlich der Arbeitszeit jedoch nur während des Fangs und seiner Verarbeitung an Bord.

[2] Im Falle des Satzes 1 Nummer 5 sind zusätzlich nachstehende Anforderungen einzuhalten. [3] Bei einer Abweichung von § 53 Absatz 6 muss mindestens ein Zeitraum von neun Stunden, der die Zeit zwischen 0 und 5 Uhr einschließt, arbeitsfrei sein. [4] Abweichungen müssen in Übereinstimmung mit den allgemeinen Grundsätzen für die Sicherheit und den Gesundheitsschutz der jugendlichen Besatzungsmitglieder stehen und aus objektiven, technischen oder arbeitsorganisatorischen Gründen erforderlich sein. [5] Sie haben so weit wie möglich den gesetzlichen Bestimmungen zu folgen, können aber häufigeren oder längeren Urlaubszeiten oder der Gewährung von Ausgleichsurlaub für die Besatzungsmitglieder Rechnung tragen.

(2) Im Geltungsbereich eines Tarifvertrages, der eine Regelung nach Absatz 1 Nummer 1 bis 5 enthält, kann diese tarifvertragliche Regelung im Betrieb eines nicht tarifgebundenen Reeders durch Betriebs- oder Bordvereinbarung oder, wenn eine Arbeitnehmervertretung nicht besteht, durch schriftliche Vereinbarung zwischen dem Reeder und den Besatzungsmitgliedern übernommen werden, wenn die Anwendung des gesamten Tarifvertrages vereinbart ist.

(3) Für Besatzungsmitglieder von Fahrgastschiffen, Fährschiffen oder von Fischereifahrzeugen, für die Tarifverträge üblicherweise nicht geschlossen werden, können Ausnahmen mit einer in Absatz 1 Nummer 5 vorgesehenen Regelung allgemein oder im Einzelfall durch die Berufsgenossenschaft bewilligt werden.

(4) Absatz 1 ist nicht für Tarifverträge anzuwenden, die nach § 21 Absatz 4 Satz 2 des Flaggenrechtsgesetzes[1] abgeschlossen werden.

§ 55[2] Rechtsverordnungen. [1] Das Bundesministerium für Arbeit und Soziales wird ermächtigt, im Einvernehmen mit dem Bundesministerium für Digitales und Verkehr durch Rechtsverordnung ohne Zustimmung des Bundesrates

1. die näheren Anforderungen zum Führen der Übersicht über die Arbeitsorganisation und die Arbeitszeitnachweise nach § 50 Absatz 1 und 2 zu bestimmen,
2. weitergehende Vorschriften zu der Übersicht über die Arbeitsorganisation und den Arbeitszeitnachweisen nach § 50 zu erlassen,
3. abweichend von den §§ 43, 44, 45 und 48 Regelungen zur Arbeitszeit sowie zu den Ruhepausen und zur Ruhezeit für Besatzungsmitglieder auf Schiffen, von denen aus besondere Tätigkeiten zur Errichtung, zur Änderung oder zum Betrieb von Bauwerken, künstlichen Inseln oder sonstigen Anlagen auf See durchgeführt werden (Offshore-Tätigkeiten), zuzulassen und die zum Schutz der Besatzungsmitglieder notwendigen Bedingungen zu bestimmen.

[2] Rechtsverordnungen nach Satz 1 bedürfen des Einvernehmens des Bundesministeriums für Ernährung und Landwirtschaft, soweit die Seefischerei betroffen ist.

Unterabschnitt 5. Urlaub

§ 56 Urlaubsanspruch. (1) [1] Ein Besatzungsmitglied hat für jedes Beschäftigungsjahr Anspruch auf bezahlten Erholungsurlaub. [2] Der Anspruch auf Erholungsurlaub darf nur unter den Voraussetzungen des § 64 Absatz 3 abgegolten werden.

(2) Soweit nachfolgend nichts anderes bestimmt ist, ist das Bundesurlaubsgesetz[3] anzuwenden.

§ 57 Urlaubsdauer. (1) Der Urlaub der Besatzungsmitglieder beträgt für jedes Beschäftigungsjahr mindestens 30 Kalendertage.

(2) Der Urlaub jugendlicher Besatzungsmitglieder beträgt für jedes Beschäftigungsjahr mindestens

1. 34 Kalendertage, wenn sie zu Beginn des Beschäftigungsjahres noch nicht 17 Jahre alt sind,
2. 32 Kalendertage, wenn sie zu Beginn des Beschäftigungsjahres noch nicht 18 Jahre alt sind.

(3) Nicht auf den Urlaub anzurechnen sind

1. gesetzliche Feiertage, die am Ort des Heimathafens gelten,
2. Zeiten einer Arbeitsunfähigkeit infolge Krankheit oder Unfall sowie Arbeitsausfälle infolge Mutterschaft,

---

[1] **beck-online, Module Arbeitsrecht Nr. 963.**

[2] *§ 55 Satz 1 einl.* Satzteil und Satz 2 geänd. mWv 3.12.2015 durch G v. 25.11.2015 (BGBl. I S. 2095); Satz 1 einl. Satzteil geänd. mWv 21.3.2023 durch G v. 14.3.2023 (BGBl. I Nr. 73).

[3] Nr. **134**.

3. Landgang nach § 35 und
4. Ausgleichsfreizeiten nach § 52.

§ 58 Festlegung des Urlaubs. (1) [1] Bei der zeitlichen Festlegung des Urlaubs sind die Urlaubswünsche des Besatzungsmitglieds zu berücksichtigen, es sei denn, dass ihrer Berücksichtigung dringende betriebliche Belange oder Urlaubswünsche anderer vom Reeder beschäftigter Besatzungsmitglieder, die unter sozialen Gesichtspunkten den Vorrang verdienen, entgegenstehen. [2] Der Urlaub ist möglichst nach sechsmonatigem ununterbrochenem Dienst an Bord, spätestens bis zum Schluss des Beschäftigungsjahres zu gewähren. [3] Ist nicht der Reeder, sondern eine andere Person Arbeitgeber oder Ausbilder des Besatzungsmitglieds und kommt die andere Person ihrer vertraglichen Verpflichtung nach Satz 2 nicht nach, ist der Reeder verpflichtet, im Namen und mit Wirkung für die andere Person den Urlaub zu gewähren.

(2) Jugendlichen Besatzungsmitgliedern haben Reeder und Kapitän den Urlaub spätestens nach sechsmonatigem ununterbrochenem Dienst an Bord zu gewähren.

(3) Der Urlaub ist zusammenhängend zu gewähren, es sei denn, dass dringende betriebliche oder in der Person des Besatzungsmitglieds liegende Gründe eine Teilung des Urlaubs erforderlich machen.

(4) [1] Der Urlaub beginnt frühestens mit dem Tag, der dem Tag der Ankunft des Besatzungsmitglieds am Urlaubsort nachfolgt. [2] Ist der Ort der Wiederaufnahme des Dienstes an Bord oder ein anderer vom Reeder zur Wiederaufnahme des Dienstes bestimmter Ort nicht der Urlaubsort, hat das Besatzungsmitglied an dem Tag, der auf das Ende des Urlaubs folgt, die Reise zu diesem Ort anzutreten.

§ 59 Urlaubsort. Urlaubsort ist nach Wahl des Besatzungsmitglieds

1. der Wohnort des Besatzungsmitglieds,
2. der Ort, an dem der Heuervertrag abgeschlossen worden ist,
3. der durch Tarifvertrag festgelegte Ort oder
4. jeder andere im Heuervertrag vereinbarte Ort.

§ 60 Reisekosten. [1] Der Reeder trägt die Reisekosten zum Urlaubsort und vom Urlaubsort zum Ort der Wiederaufnahme des Dienstes an Bord oder zu einem anderen vom Reeder bestimmten Ort. [2] Hinsichtlich des Umfangs der Reisekosten gilt § 31 entsprechend.

§ 61 Urlaubsentgelt. (1) [1] Als Urlaubsentgelt ist dem Besatzungsmitglied die Heuer im Sinne des § 37 fortzuzahlen. [2] Für Sachbezüge ist ein angemessener Abgeltungsbetrag zu gewähren.

(2) [1] Für jeden Urlaubstag sowie für jeden in den Urlaub fallenden Feiertag im Sinne des § 57 Absatz 3 Nummer 1 ist ein Dreißigstel der Heuer zu zahlen. [2] Heuerteile, deren Höhe sich nach dem Ausmaß der Arbeit, dem Erfolg oder ähnlichen nicht gleichbleibenden Bemessungsgrundlagen richtet, sind bei der Berechnung des Urlaubsentgelts angemessen zu berücksichtigen.

§ 62 Erkrankung während des Urlaubs. (1) [1] Wird ein Besatzungsmitglied während des Urlaubs arbeitsunfähig krank, so werden diese Krankheitstage auf den Urlaub nicht angerechnet, soweit die Erkrankung durch ärztliches Zeugnis nachgewiesen wird. [2] Ist anzunehmen, dass die Erkrankung über den Ablauf des Urlaubs hinaus fortdauern wird, so ist das Besatzungsmitglied verpflichtet, dies dem Reeder unverzüglich mitzuteilen.

(2) [1] Das Besatzungsmitglied hat seine Arbeitsleistung nach Ablauf des ihm bewilligten Urlaubs oder, soweit die Erkrankung länger dauert, nach Wiederherstellung der Arbeitsfähigkeit dem Reeder zur Verfügung zu stellen. [2] Der Reeder bestimmt den Zeitpunkt, von dem ab der restliche Urlaub gewährt wird; dabei sind die Wünsche des Besatzungsmitglieds zu berücksichtigen.

§ 63 Urlaub bei Beendigung des Heuerverhältnisses. (1) Endet das Heuerverhältnis des Besatzungsmitglieds vor Ablauf des Beschäftigungsjahres, so hat das Besatzungsmitglied für jeden angefangenen Beschäftigungsmonat Anspruch auf ein Zwölftel des Jahresurlaubs.

(2) Hat das Besatzungsmitglied bei Beendigung des Heuerverhältnisses mehr als den ihm zustehenden Urlaub erhalten, so kann das dafür gezahlte Urlaubsentgelt nicht zurückgefordert werden.

§ 64 Verlängerung des Heuerverhältnisses, Urlaubsabgeltung.

(1) [1] Hat das Besatzungsmitglied bei Beendigung des Heuerverhältnisses noch nicht den ihm zustehenden Urlaub erhalten, verlängert sich das Heuerverhältnis um die Dauer des nicht gewährten Urlaubs, es sei denn, dass

1. eine Verlängerung des Heuerverhältnisses infolge des Eingehens eines neuen Rechtsverhältnisses nicht möglich ist oder
2. das Besatzungsmitglied aus von seinem Willen unabhängigen Gründen nicht in der Lage ist, den Urlaub während des Zeitraums der Verlängerung zu nehmen.

[2] Der Urlaub ist im Zeitraum der Verlängerung des Heuerverhältnisses zu gewähren.

(2) Besteht nach Beendigung des Heuerverhältnisses ein Arbeitsverhältnis zum Reeder, hat der Reeder den dem Besatzungsmitglied noch aus dem Heuerverhältnis zustehenden Urlaub in diesem Arbeitsverhältnis zu gewähren.

(3) [1] Der Reeder hat den Urlaub abzugelten, soweit dieser wegen Beendigung des Heuerverhältnisses nicht gewährt werden kann. [2] Satz 1 gilt nicht, soweit die Voraussetzungen des Absatzes 1 oder 2 vorliegen.

Unterabschnitt 6. Kündigung und Beendigung des Heuerverhältnisses

§ 65 Kündigungsrecht. (1) Das Heuerverhältnis kann durch den Reeder und durch das Besatzungsmitglied gekündigt werden.

(2) [1] Die Beendigung des Heuerverhältnisses durch Kündigung bedarf zu ihrer Wirksamkeit der Schriftform. [2] Die elektronische Form ist ausgeschlossen.

(3) Die ordentliche Kündigung gegenüber einem Kapitän oder einem Schiffsoffizier kann nur vom Reeder ausgesprochen werden.

(4) Für die Kündigung des Heuerverhältnisses gelten die allgemeinen Vorschriften über die Kündigung von Arbeitsverhältnissen, soweit in diesem Unterabschnitt nichts anderes bestimmt ist.

§ 66 Kündigungsfristen. (1) [1] Das Heuerverhältnis kann während der ersten drei Monate mit einer Frist von einer Woche gekündigt werden. [2] Dauert die erste Reise länger als drei Monate, so kann die Kündigung während der ersten sechs Monate noch in den auf die Beendigung der Reise folgenden drei Tagen mit Wochenfrist ausgesprochen werden. [3] Nach Ablauf der in den Sätzen 1 und 2 bezeichneten Zeiten beträgt die Kündigungsfrist vier Wochen zum 15. Tag oder zum Ende eines Kalendermonats. [4] Die Kündigungsfrist erhöht sich auf zwei Monate zum Ende eines Kalendermonats, wenn das Heuerverhältnis in dem Betrieb oder Unternehmen zwei Jahre bestanden hat. [5] Die Sätze 1 und 2 gelten nicht für den Kapitän; für ihn gelten von Beginn des Heuerverhältnisses an die Fristen nach Satz 3.

(2) [1] Abweichend von Absatz 1 kann das Heuerverhältnis des Besatzungsmitglieds auf einem Fischereifahrzeug mit einer Bruttoraumzahl von bis zu 1 300 mit einer Frist von 48 Stunden gekündigt werden. [2] Dies gilt nicht für den Kapitän.

(3) Für eine Kündigung durch den Reeder beträgt die Kündigungsfrist, wenn das Heuerverhältnis in dem Betrieb oder Unternehmen

1. acht Jahre bestanden hat, drei Monate zum Ende eines Kalendermonats,
2. zehn Jahre bestanden hat, vier Monate zum Ende eines Kalendermonats,
3. zwölf Jahre bestanden hat, fünf Monate zum Ende eines Kalendermonats,
4. 15 Jahre bestanden hat, sechs Monate zum Ende eines Kalendermonats,
5. 20 Jahre bestanden hat, sieben Monate zum Ende eines Kalendermonats.

(4) § 622 Absatz 3 bis 6 des Bürgerlichen Gesetzbuchs[1)] ist entsprechend anzuwenden.

(5) Soweit nichts anderes vereinbart wird, setzt sich das Heuerverhältnis über den Ablauf der Kündigungsfrist bis zur Ankunft des Schiffes in einem Hafen fort, in dem die Heimschaffung des Besatzungsmitglieds und seine Ablösung durch eine Ersatzperson sicher und mit allgemein zugänglichen Verkehrsmitteln möglich ist.

§ 67 Außerordentliche Kündigung durch den Reeder. (1) [1] Der Reeder kann das Heuerverhältnis aus wichtigem Grund ohne Einhaltung einer Kündigungsfrist nach § 626 des Bürgerlichen Gesetzbuchs[1)] kündigen. [2] Ein wichtiger Grund liegt insbesondere vor, wenn das Besatzungsmitglied

1. für den übernommenen Dienst aus Gründen, die schon vor der Begründung des Heuerverhältnisses bestanden, ungeeignet ist, es sei denn, dass dem Reeder diese Gründe zu diesem Zeitpunkt bekannt waren oder den Umständen nach bekannt sein mussten,
2. eine ansteckende Krankheit verschweigt, durch die es andere gefährdet, oder nicht angibt, dass es Dauerausscheider von Erregern des Typhus oder des Paratyphus ist,

---

[1)] Nr. **50**.

3. seine Pflichten aus dem Heuerverhältnis beharrlich oder in besonders grober Weise verletzt,
4. eine Straftat begeht, die sein weiteres Verbleiben an Bord unzumutbar macht,
5. durch eine von ihm begangene Straftat arbeitsunfähig wird.

(2) Der Kapitän ist verpflichtet, die außerordentliche Kündigung und deren Grund unverzüglich in das Seetagebuch einzutragen und dem Besatzungsmitglied eine von ihm unterzeichnete Abschrift der Eintragung auszuhändigen.

(3) Wird die außerordentliche Kündigung auf See ausgesprochen oder bleibt das Besatzungsmitglied nach einer außerordentlichen Kündigung an Bord, so hat es den Verpflegungssatz zu entrichten, der dem Abgeltungsbetrag für nicht gewährte Verpflegung während des Urlaubs (§ 61 Absatz 1 Satz 2) entspricht.

§ 68 Außerordentliche Kündigung durch das Besatzungsmitglied.

(1) [1] Das Besatzungsmitglied kann das Heuerverhältnis aus wichtigem Grund ohne Einhaltung einer Kündigungsfrist nach § 626 des Bürgerlichen Gesetzbuchs[1)] kündigen. [2] Ein wichtiger Grund liegt insbesondere vor, wenn
1. sich der Reeder oder der Kapitän ihm gegenüber einer schweren Pflichtverletzung schuldig macht,
2. der Kapitän es in erheblicher Weise in der Ehre verletzt, es misshandelt oder seine Misshandlung durch andere Personen duldet,
3. das Schiff die Flagge wechselt,
4. der Vorschrift des § 58 Absatz 1 Satz 2 und 3 zuwider Urlaub nicht gewährt wird,
5. das Schiff einen verseuchten Hafen anlaufen soll oder einen Hafen bei Ausbruch einer Seuche nicht unverzüglich verlässt und sich daraus schwere gesundheitliche Gefahren für das Besatzungsmitglied ergeben können,
6. das Schiff ein Gebiet befahren soll, in dem es besonderen Gefahren durch bewaffnete Auseinandersetzungen ausgesetzt ist, oder wenn das Schiff ein solches Gebiet nicht unverzüglich verlässt,
7. das Schiff nicht seetüchtig ist,
8. die Aufenthaltsräume für die Besatzung gesundheitsschädlich sind,
9. die für die Schiffsbesatzung mitgenommenen Verpflegungsvorräte oder das Trinkwasser ungenügend oder verdorben sind oder
10. das Schiff unzureichend besetzt ist.

[3] Im Falle des Satzes 2 Nummer 7 bis 10 ist das Besatzungsmitglied zur außerordentlichen Kündigung jedoch nur berechtigt, wenn der Verstoß in angemessener Frist auf Beschwerde hin nicht beseitigt wird. [4] Das Kündigungsrecht nach Satz 2 Nummer 5 oder 6 entfällt, wenn dem Besatzungsmitglied die Gründe, die zur Kündigung berechtigen, vor Antritt der Reise bekannt waren oder den Umständen nach bekannt sein mussten.

(2) [1] In den Fällen des Absatzes 1 hat das Besatzungsmitglied ab dem Zeitpunkt der Kündigung Anspruch auf Zahlung der Heuer für einen Monat. [2] Schadensersatzansprüche auf Grund anderer Vorschriften bleiben unberührt.

---

1) Nr. **50**.

§ 69 Außerordentliche Kündigung durch das Besatzungsmitglied wegen dringender Familienangelegenheit. [1]Das Besatzungsmitglied kann das Heuerverhältnis ohne Einhaltung einer Frist kündigen, wenn dies wegen einer dringenden Familienangelegenheit oder wegen eines anderen dringenden persönlichen Grundes erforderlich ist. [2]Dringende Familienangelegenheiten sind insbesondere

1. Niederkunft der Ehefrau oder der Lebenspartnerin,
2. Tod der Ehefrau oder des Ehemanns, eines Kindes, eines Elternteiles oder des Lebenspartners,
3. schwere Erkrankung der Ehefrau oder des Ehemanns, eines Kindes, eines Elternteiles oder des Lebenspartners.

§ 70 Entschädigung bei Arbeitslosigkeit wegen Schiffsverlustes oder Schiffbruchs. [1]Kündigt der Reeder das Heuerverhältnis wegen Schiffsverlustes oder Schiffbruchs, hat das Besatzungsmitglied über das Ende des Heuerverhältnisses hinaus, längstens bis zum Ablauf von zwei Monaten nach dem Zugang der Kündigung, Anspruch auf Zahlung der Heuer für jeden Tag der Arbeitslosigkeit. [2]Auf den Heueranspruch muss sich das Besatzungsmitglied anrechnen lassen, was es

1. an Leistungen der Arbeitslosenversicherung zu beanspruchen hat oder
2. durch anderweitige Arbeit verdient oder zu verdienen böswillig unterlassen hat.

§ 71 Beendigung des Heuerverhältnisses bei vermutetem Verlust von Schiff und Besatzung. (1) Ist der Verbleib eines Schiffes und seiner Besatzung nicht feststellbar und ist den Umständen nach anzunehmen, dass das Schiff verlorengegangen ist, so gilt das Heuerverhältnis des Besatzungsmitglieds als beendet, wenn seit der letzten amtlich festgestellten Nachricht über das Schiff ein Monat verstrichen ist.

(2) Wird später der Aufenthalt überlebender Besatzungsmitglieder festgestellt, so sind auf diese Besatzungsmitglieder die §§ 73, 75 und 76 über Heimschaffung und Fortzahlung der Heuer anzuwenden.

§ 71a[1)] Verlängerung des Heuerverhältnisses während Gefangenschaft. Befindet sich das Besatzungsmitglied bei Beendigung des Heuerverhältnisses in Gefangenschaft infolge seeräuberischer Handlung oder bewaffneter Raubüberfälle auf Schiffe, verlängert sich das Heuerverhältnis bis zum Zeitpunkt der Freilassung oder des Todes des Besatzungsmitglieds.

§ 72 Zurücklassung. (1) [1]Unbeschadet der Vorschrift des § 101 darf das Besatzungsmitglied ohne Einwilligung der Berufsgenossenschaft nicht an einem Ort im Ausland zurückgelassen werden. [2]Eine Zurücklassung liegt vor, wenn das Besatzungsmitglied auf Veranlassung des Kapitäns das Schiff verlassen muss.

(2) Ist im Falle der Zurücklassung eine Hilfsbedürftigkeit des Besatzungsmitglieds zu befürchten, so kann die Berufsgenossenschaft ihre Einwilligung von der Leistung eines Betrages abhängig machen, der den Unterhalt des Besatzungsmitglieds in den auf die Zurücklassung folgenden drei Monaten gewährleistet.

---

1) § 71a eingef. mWv 26.12.2020 durch G v. 14.10.2020 (BGBl. I S. 2112).

(3) Die Zurücklassung eines jugendlichen Besatzungsmitglieds bedarf auch der Einwilligung seines gesetzlichen Vertreters.

Unterabschnitt 7.[1] Heimschaffung und Imstichlassen

§ 73[2] Anspruch auf Heimschaffung. Das Besatzungsmitglied hat Anspruch auf Heimschaffung an den nach § 75 maßgebenden Bestimmungsort

1. im Falle von Krankheit oder Verletzung nach Maßgabe des § 105,
2. wenn das Heuerverhältnis endet; im Falle einer ordentlichen Kündigung nach Ablauf der sich aus § 66 ergebenden Kündigungsfrist,
3. wenn der Reeder seine gesetzlichen oder arbeitsvertraglichen Verpflichtungen wegen Insolvenz, Veräußerung des Schiffes, Änderung der Eintragung im Schiffsregister oder aus einem ähnlichen Grund nicht mehr erfüllt,
4. wenn ein Schiff ein Gebiet befahren soll, in dem besondere Gefahren durch bewaffnete Auseinandersetzungen drohen und in das sich das Besatzungsmitglied nicht begeben will, oder wenn das Schiff ein solches Gebiet nicht unverzüglich verlässt,
5. wenn der Reeder das Besatzungsmitglied im Stich lässt (§ 76a Absatz 1 Satz 3).

§ 74 Heimschaffung eines jugendlichen Besatzungsmitglieds. Hat ein jugendliches Besatzungsmitglied während seiner ersten Auslandsreise auf einem Schiff mindestens vier Monate lang Dienst getan und stellt sich während dieser Zeit heraus, dass es für das Leben auf See ungeeignet ist, so hat es einen Anspruch auf Heimschaffung von einem Hafen, in dem die Heimschaffung sicher und mit allgemein zugänglichen Verkehrsmitteln möglich ist.

§ 75[3] Bestimmungsort der Heimschaffung. (1) Bestimmungsort der Heimschaffung nach Wahl des Besatzungsmitglieds ist

1. der Wohnort des Besatzungsmitglieds,
2. der Ort, an dem der Heuervertrag abgeschlossen worden ist,
3. der durch Tarifvertrag festgelegte Ort oder
4. jeder andere im Heuervertrag vereinbarte Ort.

(2) Lässt der Reeder ein Besatzungsmitglied im Stich (§ 76a Absatz 1 Satz 3), ist abweichend von Absatz 1 Bestimmungsort der Heimschaffung ausschließlich der Wohnort des Besatzungsmitglieds.

§ 76[4] Durchführung und Kosten der Heimschaffung. (1) [1] Der Reeder hat die Vorkehrungen für die Durchführung der Heimschaffung zu treffen. [2] Er stellt sicher, dass das Besatzungsmitglied den Pass und sonstige für die Heimschaffung erforderliche Ausweispapiere erhält. [3] Die Beförderung des Besatzungsmitglieds erfolgt grundsätzlich auf dem Luftweg. [4] Für die Zeit vom Verlassen des Schiffes bis zum Eintreffen am Bestimmungsort hat das Besatzungsmitglied Anspruch auf Fortzahlung der Heuer.

---

[1] Abschnitt 3 Unterabschnitt 7 Überschrift geänd. mWv 18.1.2017 durch G v. 22.12.2015 (BGBl. I S. 2569).

[2] § 73 Nr. 4 geänd., Nr. 5 angef. mWv 18.1.2017 durch G v. 22.12.2015 (BGBl. I S. 2569).

[3] § 75 Abs. 2 angef. mWv 18.1.2017 durch G v. 22.12.2015 (BGBl. I S. 2569).

[4] § 76 Abs. 8 geänd. mWv 18.1.2017 durch G v. 22.12.2015 (BGBl. I S. 2569); Abs. 4 Satz 3 angef. mWv 26.12.2020 durch G v. 14.10.2020 (BGBl. I S. 2112).

(2) [1] Der Anspruch auf Heimschaffung umfasst

1. die Beförderung an den Bestimmungsort,
2. die Unterkunft und Verpflegung,
3. die Beförderung von bis zu 30 Kilogramm persönlichem Gepäck an den Bestimmungsort der Heimschaffung und
4. ärztliche Behandlung, soweit das Besatzungsmitglied dieser bedarf, um zum Bestimmungsort reisen zu können.

[2] Der Reeder trägt die notwendigen Kosten der Heimschaffung. [3] Die Aufrechnung der Kosten der Heimschaffung mit der Heuer oder anderen Ansprüchen des Besatzungsmitglieds ist unwirksam. [4] Eine Vorauszahlung zur Deckung der Kosten der Heimschaffung darf der Reeder nicht verlangen; eine entsprechende Vereinbarung ist unwirksam.

(3) Die Wartezeit bis zur Heimschaffung und die Dauer der Heimschaffung dürfen nicht auf den Urlaub angerechnet werden.

(4) [1] Ein Besatzungsmitglied ist heimgeschafft, wenn es am Bestimmungsort eingetroffen ist. [2] Der Anspruch auf Heimschaffung erlischt, wenn er nicht innerhalb von drei Monaten, gerechnet ab dem Tag, an dem das Besatzungsmitglied den Anspruch erstmals geltend machen konnte, geltend gemacht worden ist. [3] Die Frist nach Satz 2 läuft nicht, solange das Besatzungsmitglied infolge von seeräuberischen Handlungen oder bewaffneten Raubüberfällen auf Schiffe gefangen gehalten wird.

(5) [1] Ist das Heuerverhältnis durch eine Kündigung nach § 67 beendet worden, kann der Reeder vom Besatzungsmitglied die Erstattung der Kosten der Heimschaffung verlangen. [2] Absatz 1 Satz 4 und Absatz 2 Satz 3 gelten nicht.

(6) Ist der Reeder außerstande, die Vorkehrungen für die Heimschaffung zu treffen, hat das Besatzungsmitglied Anspruch auf Zahlung des für seine Heimschaffung erforderlichen Geldbetrages.

(7) Das Recht des Reeders, sich die Kosten für die Heimschaffung auf Grund vertraglicher Vereinbarungen mit Dritten erstatten zu lassen, bleibt unberührt.

(8) Der Reeder ist verpflichtet, zum Schutz der an Bord des Schiffes beschäftigten Besatzungsmitglieder für Fälle der Heimschaffung nach § 73 Nummer 1 bis 4 eine Zahlungsübernahmeerklärung nachzuweisen, die durch eine Bürgschaft oder Garantie durch eine Vereinigung von Reedern oder eine sonstige finanzielle Sicherheit abgedeckt ist.

§ 76a[1] Pflicht zur finanziellen Absicherung für Fälle des Imstichlassens. (1) [1] Der Reeder eines Schiffes, das kein Fischereifahrzeug ist, hat nach Maßgabe der Absätze 2 und 3 für Fälle des Imstichlassens eines Besatzungsmitglieds eine Versicherung oder eine sonstige finanzielle Sicherheit aufrechtzuerhalten. [2] Die Versicherung oder die sonstige finanzielle Sicherheit ist der Berufsgenossenschaft bei Überprüfungen nachzuweisen. [3] Ein Besatzungsmitglied ist insbesondere im Stich gelassen, wenn der Reeder

1. die Kosten für die Heimschaffung nach § 76 Absatz 2 Satz 2 nicht übernimmt,
2. den Anspruch des Besatzungsmitglieds auf medizinische Betreuung nach den §§ 99 bis 103 nicht erfüllt,
3. mit der Heuerzahlung nach § 37 mindestens zwei Monate in Verzug ist,

---

[1] § 76a eingef. mWv 18.1.2017 durch G v. 22.12.2015 (BGBl. I S. 2569).

4. gesundheitsschädliche Unterkunftsräume bereithält,
5. verdorbene oder für die Schiffsbesatzung ungenügende Verpflegungs- oder Trinkwasservorräte zur Verfügung stellt oder
6. keinen ausreichenden Kraftstoff für das Überleben an Bord des Schiffes zur Verfügung stellt.

(2) [1] Die Versicherung oder die sonstige finanzielle Sicherheit muss die gesetzlichen Ansprüche der Besatzungsmitglieder und solche Leistungen, die nach dem Heuervertrag mit dem in § 28 vorgeschriebenen Inhalt, nach dem Berufsausbildungsvertrag mit dem in § 82 vorgeschriebenen Inhalt oder nach dem anwendbaren Tarifvertag geschuldet sind, finanziell absichern. [2] Der Versicherungsvertrag oder der Vertrag über die sonstige finanzielle Sicherheit kann die finanzielle Absicherung von ausstehenden Leistungen aus dem Heuerverhältnis auf vier Monate beschränken. [3] Das gilt nicht für Ansprüche, bei deren Nichterfüllung durch den Reeder ein Besatzungsmitglied nach Absatz 1 Satz 3 Nummer 1, 2, 4, 5 oder 6 im Stich gelassen ist.

(3) Der Versicherungsvertrag oder der Vertrag über die sonstige finanzielle Sicherheit muss vorsehen, dass
1. Besatzungsmitglieder ihre Ansprüche unmittelbar gegen den Versicherer oder den Sicherungsgeber geltend machen können,
2. der Versicherungsschutz oder der Schutz durch die sonstige finanzielle Sicherheit nicht vor Ablauf der vereinbarten Vertragsdauer endet, es sei denn, der Versicherer oder der Sicherungsgeber informiert die Berufsgenossenschaft mindestens 30 Tage zuvor.

(4) [1] Der Versicherer oder der Sicherungsgeber übermittelt nach Maßgabe des Absatzes 5 dem Reeder eines Schiffes im Sinne des § 130 Absatz 1 oder 8 eine Bescheinigung über die Versicherung oder die sonstige finanzielle Sicherheit in deutscher Sprache, begleitet von einer englischen Übersetzung. [2] Der Reeder hat die Bescheinigung an Bord mitzuführen. [3] Eine Kopie der Bescheinigung ist an geeigneter Stelle an Bord in einer für die Besatzungsmitglieder geeigneten Sprache auszuhängen.

(5) Die Bescheinigung hat mindestens den folgenden Inhalt:
1. Name des Schiffes,
2. Heimathafen des Schiffes,
3. Rufzeichen des Schiffes,
4. IMO-Schiffsidentifikationsnummer,
5. Name und Anschrift des Versicherers oder des Sicherungsgebers,
6. Kontaktinformationen der Personen oder der Stelle, die für die Behandlung von Hilfeersuchen der Seeleute zuständig sind,
7. Name des Reeders,
8. Gültigkeitsdauer der Versicherung oder der sonstigen finanziellen Sicherheit sowie
9. eine Erklärung des Versicherers oder des Sicherungsgebers, dass die Versicherung oder die sonstige finanzielle Sicherheit den Anforderungen der Norm A2.5.2 des Seearbeitsübereinkommens[1] genügt.

---

[1] **beck-online, Module Arbeitsrecht Nr. 1081f.**

(6) [1] Soweit der Versicherer oder der Sicherungsgeber das Besatzungsmitglied oder im Falle des § 77 Satz 1 in Verbindung mit Satz 3 die Berufsgenossenschaft befriedigt, geht der Anspruch des Besatzungsmitglieds gegen den Reeder auf ihn über. [2] Der Reeder hat den Anspruch in Geld zu erfüllen. [3] Steht dem Reeder ein Ersatzanspruch zu, geht dieser Anspruch auf den Versicherer oder den Sicherungsgeber über, soweit er die Leistung erbringt.

(7) Der Anspruch eines Besatzungsmitglieds gegen den Versicherer oder den Sicherungsgeber auf Zahlung der vom Reeder geschuldeten Heuer mindert sich insoweit, als diese Heueransprüche nach § 169 des Dritten Buches Sozialgesetzbuch[1)] auf die Bundesagentur für Arbeit übergehen.

§ 77[2)] Behördliche Durchführungsmaßnahmen bei der Heimschaffung. [1] Erfüllt der Reeder seine Verpflichtung nach § 76 nicht und befriedigt im Falle eines Imstichlassens im Sinne des § 76a Absatz 1 auch der Versicherer oder der Sicherungsgeber das Besatzungsmitglied nicht, hat die Berufsgenossenschaft die Heimschaffung zu veranlassen und die Kosten zu verauslagen. [2] Sie sind vom Reeder zu erstatten. [3] Die Ansprüche des Besatzungsmitglieds im Falle eines Imstichlassens im Sinne des § 76a Absatz 1 gegen den Versicherer oder den Sicherungsgeber gehen insoweit auf sie über.

§ 78 Verfügbarkeit von Rechtsvorschriften über Heimschaffung. Der Reeder hat sicherzustellen, dass dem Besatzungsmitglied an Bord eine Kopie der anwendbaren Rechtsvorschriften über die Heimschaffung in einer für das Besatzungsmitglied geeigneten Sprache zur Verfügung steht.

Unterabschnitt 8. Verfahren bei Tod von Besatzungsmitgliedern

§ 79 Tod des Besatzungsmitglieds. (1) [1] Der Kapitän hat für die Bestattung zu sorgen, wenn ein Besatzungsmitglied an Bord oder während der Schiffsreise im Ausland verstorben ist. [2] Wenn der Leichnam nicht bis zu einem Hafen in dem Staat, in dem der Bestimmungsort nach § 75 liegt, mitgenommen werden kann, das Schiff aber zumutbarerweise innerhalb von 24 Stunden nach dem Todesfall einen Hafen erreichen kann, und gegen die Mitnahme des Leichnams keine gesundheitlichen Bedenken bestehen, so ist die Bestattung an Land vorzunehmen. [3] Ist eine Bestattung auf See erforderlich, so ist sie in einer würdigen Form vorzunehmen.

(2) Der Reeder trägt die Kosten der Bestattung, wenn ein Besatzungsmitglied im Zusammenhang mit seiner Tätigkeit oder deren Folgen verstorben ist.

§ 80 Sorge für Sachen und Heuerguthaben eines verstorbenen oder vermissten Besatzungsmitglieds. (1) [1] Der Kapitän hat die Sachen eines verstorbenen oder vermissten Besatzungsmitglieds dem Vertreter des Reeders vor Ort zu übergeben. [2] Der Reeder hat sicherzustellen, dass die Sachen unverzüglich an die Erben des verstorbenen oder die Angehörigen des vermissten Besatzungsmitglieds übermittelt werden.

(2) Der Reeder hat das Heuerguthaben eines verstorbenen oder für tot erklärten Besatzungsmitglieds an dessen Erben zu überweisen, bei einem vermissten Besatzungsmitglied an dessen Angehörige.

[1)] Nr. **700**.

[2)] § 77 Satz 1 geänd., Satz 3 angef. mWv 18.1.2017 durch G v. 22.12.2015 (BGBl. I S. 2569).

Abschnitt 4. Berufsausbildung an Bord

§ 81 Vertrag über die Berufsausbildung für einen Beruf an Bord.
[1]Der Reeder darf die Berufsausbildung eines Besatzungsmitglieds für einen Beruf an Bord nur durchführen, wenn es einen Berufsausbildungsvertrag hat, dessen Form und Inhalt die Anforderungen des § 82 erfüllt. [2]Durch den Berufsausbildungsvertrag wird ein Berufsausbildungsverhältnis begründet. [3]Die Vorschriften des § 10 Absatz 2 bis 5 des Berufsbildungsgesetzes[1)] über Abschluss und Wirksamkeit des Berufsausbildungsvertrages und die Verbundausbildung sind entsprechend anzuwenden.

§ 82[2)] Form und Inhalt des Vertrages über die Berufsausbildung an Bord. (1) [1]Der Vertrag über die Berufsausbildung für einen Beruf an Bord bedarf der Schriftform; die elektronische Form ist ausgeschlossen. [2]Der Reeder hat den Auszubildenden und dessen gesetzlichen Vertreter rechtzeitig vor dem beabsichtigten Vertragsschluss einen Vertragsentwurf, einschließlich der nach Absatz 3 Satz 1 Nummer 12 anzugebenden Tarifverträge, Betriebsvereinbarungen oder Bordvereinbarungen, auszuhändigen. [3]Der Vertrag über die Berufsausbildung ist vor Beginn der Berufsausbildung abzuschließen und von dem Reeder, den Auszubildenden und deren gesetzlichen Vertretern zu unterzeichnen. [4]Alle Unterzeichnenden müssen unverzüglich eine Ausfertigung des Vertrages über die Berufsausbildung an Bord erhalten.

(2) [1]Beginnt eine Berufsausbildung nach dem Berufsbildungsgesetz[1)] zunächst an Land und soll der praktische Teil an Bord durchgeführt werden, ist der Vertrag nach Absatz 1 spätestens vor Beginn der praktischen Ausbildung an Bord abzuschließen. [2]§ 11 des Berufsbildungsgesetzes bleibt unberührt.

(3) [1]In den Vertrag über die Berufsausbildung an Bord sind mindestens aufzunehmen:

1. der Name und die Anschrift des Reeders; im Falle eines anderen Ausbildenden dessen vollständiger Name und Anschrift sowie Name und Anschrift des Reeders,
2. der Vorname und Familienname, das Geburtsdatum, der Geburtsort und die Anschrift des Auszubildenden,
3. der Zeitpunkt des Beginns der Berufsausbildung,
4. die Art, sachliche und zeitliche Gliederung sowie das Ziel der Berufsausbildung, insbesondere die Berufstätigkeit, für die ausgebildet werden soll,
5. die Dauer der Berufsausbildung,
6. der Hinweis darauf, dass die Ausbildung auf verschiedenen Schiffen erfolgen kann, sowie die Ausbildungsmaßnahmen außerhalb der Ausbildungsstätte,
7. die Dauer der täglichen regelmäßigen Ausbildungszeit und der Ruhezeiten,
8. die Dauer der Probezeit,
9. die Zusammensetzung und die Höhe der Vergütung einschließlich der Zuschläge, Zulagen, Prämien und Sonderzahlungen, die jeweils getrennt anzugeben sind, oder die für die Berechnung der Vergütung zugrunde zu legende Formel sowie die Fälligkeit der Vergütung, die Art der Auszahlung

---

[1)] Nr. *415*.

[2)] § 82 Abs. 3 Satz 1 Nr. 6, 9 und 11 neu gef., Abs. 9 angef. mWv 1.8.2022 durch G v. 20.7.2022 (BGBl. I S. 1174).

und, soweit vorgesehen, die Modalitäten und die Vergütung von Überstunden,

10. die Dauer des jährlichen Erholungsurlaubs,
11. das bei der Kündigung des Ausbildungsvertrages einzuhaltende Verfahren, mindestens das Schriftformerfordernis und die Fristen für eine Kündigung sowie die Frist zur Erhebung einer Kündigungsschutzklage; § 7 des Kündigungsschutzgesetzes[1)] ist auch bei einem nicht ordnungsgemäßen Nachweis der Frist zur Erhebung einer Kündigungsschutzklage anzuwenden,
12. die Angabe der Tarifverträge, Betriebsvereinbarungen oder Bordvereinbarungen, die auf das Berufsausbildungsverhältnis an Bord anzuwenden sind,
13. die Leistungen der medizinischen Betreuung und der sozialen Sicherheit, die der Reeder als Ausbildender oder der andere Ausbildende dem Auszubildenden zu gewähren hat,
14. der Heimschaffungsanspruch des Auszubildenden,
15. der Ort und das Datum, an dem der Vertrag über die Berufsausbildung an Bord abgeschlossen worden ist.

[2]Den Auszubildenden ist der Ort des Dienstantritts an Bord rechtzeitig schriftlich mitzuteilen.

(4) Für Besatzungsmitglieder von Fischereifahrzeugen sind

1. zusätzlich zu Absatz 3 der Name und das Fischereikennzeichen des Fischereifahrzeuges oder die Namen und die Fischereikennzeichen der Fischereifahrzeuge, auf dem oder denen das Besatzungsmitglied Dienst leisten soll,
2. zusätzlich zu Absatz 3 die Reise oder Reisen, die unternommen werden sollen, falls sie im Zeitpunkt des Vertragsschlusses angegeben werden können,
3. abweichend von Absatz 3 Satz 1 Nummer 9 die Höhe des Anteils und dessen Berechnungsart, wenn eine Beteiligung am Fangerlös gewährt wird,

in den Berufsausbildungsvertrag aufzunehmen.

(5) [1]Wird die Ausbildung voraussichtlich länger als einen Monat an Bord eines Schiffes unter ausländischer Flagge durchgeführt, sind in den Vertrag zusätzlich aufzunehmen:

1. die Dauer der Ausbildung an Bord des Schiffes unter ausländischer Flagge,
2. die Währung, in der die Vergütung ausgezahlt wird,
3. die zusätzlichen Leistungen, die mit der Ausbildung auf einem Schiff unter ausländischer Flagge verbunden sind,
4. die Bedingungen für die Rückkehr des Auszubildenden.

[2]Die Vorschriften über die Eignung und die Zulassung eines Schiffes unter ausländischer Flagge als Ausbildungsstätte bleiben unberührt.

(6) [1]Die Angaben nach Absatz 3 Satz 1 Nummer 7, 9 bis 11, 13 und 14 und Absatz 4 können ersetzt werden durch die Angabe der Tarifverträge, Betriebsvereinbarungen oder Bordvereinbarungen sowie ähnlicher Regelungen, die für das Berufsausbildungsverhältnis an Bord gelten. [2]Ist in diesen Fällen die jeweilige gesetzliche Regelung maßgebend, so kann hierauf verwiesen werden.

[1)] Nr. **152**.

(7) [1] Bei der Änderung wesentlicher Vertragsbedingungen gelten die Absätze 1 bis 5 entsprechend. [2] Satz 1 gilt nicht bei einer Änderung der gesetzlichen Vorschriften, der Tarifverträge, Betriebsvereinbarungen oder Bordvereinbarungen, die für das Berufsausbildungsverhältnis gelten.

(8) Die Vorschriften der §§ 12 bis 16 des Berufsbildungsgesetzes über nichtige Vereinbarungen, die Pflichten der Auszubildenden und der Ausbildenden während der Berufsausbildung, die Freistellung für die Teilnahme am Berufsschulunterricht und das Zeugnis sind entsprechend anwendbar.

(9) [1] Hat das Ausbildungsverhältnis bereits vor dem 1. August 2022 bestanden, so ist dem Auszubildenden auf sein Verlangen eine Niederschrift mit den nach Absatz 3 wesentlichen Angaben innerhalb von sieben Tagen nach Zugang der Aufforderung auszuhändigen oder zu übermitteln. [2] Soweit eine früher ausgestellte Niederschrift oder ein schriftlicher Ausbildungsvertrag die nach Absatz 3 erforderlichen Angaben enthält, entfällt diese Verpflichtung.

§ 83 Vertrag über die Berufsausbildung auf Fahrzeugen der kleinen Hochseefischerei oder der Küstenfischerei. [1] Erfolgt die Berufsausbildung auf einem Fahrzeug der kleinen Hochseefischerei oder Küstenfischerei, gelten anstelle der §§ 10 und 11 des Berufsbildungsgesetzes[1)] die §§ 81 und 82; die übrigen Vorschriften dieses Abschnittes sind nicht anzuwenden. [2] Auf den Berufsausbildungsvertrag sind die Vorschriften der anderen Abschnitte dieses Gesetzes anzuwenden, soweit sich aus dem Wesen und Zweck des Vertrages und aus dem Berufsbildungsgesetz nichts anderes ergibt.

§ 84 Vergütungsanspruch. Reeder haben Auszubildenden eine angemessene Vergütung zu zahlen, die so zu bemessen ist, dass sie mit fortschreitender Berufsausbildung, mindestens jährlich bezogen auf das Ausbildungsjahr, ansteigt.

§ 85 Bemessung und Fälligkeit der Vergütung. (1) [1] Die Vergütung bemisst sich nach Kalendermonaten. [2] Bei Berechnung der Vergütung für einzelne Tage wird der Kalendermonat zu 30 Tagen gerechnet.

(2) [1] Die Vergütung ist mit Ablauf eines jeden Kalendermonats oder bei Beendigung des Berufsausbildungsverhältnisses fällig. [2] Die Vorschrift des § 19 des Berufsbildungsgesetzes[1)] über die Fortzahlung der Vergütung ist entsprechend anzuwenden.

§ 86 Probezeit. [1] Das Berufsausbildungsverhältnis beginnt mit der Probezeit. [2] Sie muss mindestens einen Monat und darf höchstens fünf Monate betragen. [3] Mit den in § 3 Absatz 2 Satz 3 genannten Personen kann abweichend von Satz 2 eine kürzere Probezeit vereinbart werden.

§ 87 Beendigung. (1) [1] Das Berufsausbildungsverhältnis endet mit dem Ablauf der Ausbildungszeit. [2] Bestehen Auszubildende vor Ablauf der Ausbildungszeit die Abschlussprüfung, so endet das Berufsausbildungsverhältnis mit Bekanntgabe des Ergebnisses durch den Prüfungsausschuss.

(2) Bestehen Auszubildende die Abschlussprüfung nicht, so verlängert sich das Berufsausbildungsverhältnis auf ihr Verlangen bis zu der durch den Prüfungsausschuss festgelegten Wiederholungsprüfung, längstens um ein Jahr.

[1)] Nr. **415**.

§ 88 Kündigung. (1) [1] Während der Probezeit kann das Berufsausbildungsverhältnis mit einer Kündigungsfrist von einer Woche gekündigt werden. [2] Wird die Kündigung während der Fahrt des Schiffes ausgesprochen, setzt sich das Berufsausbildungsverhältnis nach Ablauf der Kündigungsfrist als Heuerverhältnis im Sinne des § 28 bis zur Ankunft des Schiffes in einem Hafen fort, in dem eine Heimschaffung des Auszubildenden mit allgemein zugänglichen Verkehrsmitteln möglich ist. [3] Ist der Auszubildende mit der Fortsetzung als Heuerverhältnis nicht einverstanden, so hat er während der Bordanwesenheit den sich aus § 67 Absatz 3 ergebenden Verpflegungssatz zu entrichten.

(2) [1] Nach der Probezeit kann das Berufsausbildungsverhältnis nur gekündigt werden

1. aus einem wichtigen Grund im Sinne des § 67 Absatz 1 oder des § 68 Absatz 1 ohne Einhaltung einer Kündigungsfrist,
2. von Auszubildenden mit einer Kündigungsfrist von vier Wochen, wenn sie die Berufsausbildung aufgeben oder sich für eine andere Berufstätigkeit ausbilden lassen wollen.

(Fortsetzung nächstes Blatt)

[2] Im Falle der Kündigung aus wichtigem Grund im Sinne des Satzes 1 Nummer 1 sind bei einer Kündigung des Reeders § 67 Absatz 3, bei einer Kündigung des Auszubildenden § 68 Absatz 2 entsprechend anzuwenden. [3] Im Falle einer Kündigung durch den Auszubildenden nach Satz 1 Nummer 2 setzt sich das Berufsausbildungsverhältnis über den Ablauf der Kündigungsfrist bis zur Ankunft des Schiffes in einem Hafen fort, in dem eine Heimschaffung des Auszubildenden mit allgemein zugänglichen Verkehrsmitteln gewährleistet ist.

(3) Die Kündigung muss schriftlich und in den Fällen des Absatzes 2 unter Angabe der Kündigungsgründe erfolgen.

(4) Eine Kündigung aus wichtigem Grund ist unwirksam, wenn die ihr zugrunde liegenden Tatsachen dem zur Kündigung Berechtigten länger als zwei Wochen bekannt sind.

§ 89 Schadensersatz bei vorzeitiger Beendigung. (1) [1] Wird das Berufsausbildungsverhältnis nach der Probezeit vorzeitig gelöst, so können Reeder oder Auszubildende Ersatz des Schadens verlangen, wenn die andere Person den Grund für die Auflösung zu vertreten hat. [2] Dies gilt nicht im Falle des § 88 Absatz 2 Nummer 2.

(2) Der Anspruch erlischt, wenn er nicht innerhalb von drei Monaten, gerechnet ab dem Tag, an dem das Besatzungsmitglied den Anspruch erstmals geltend machen konnte, nach Beendigung des Berufsausbildungsverhältnisses geltend gemacht wird.

(3) Auf die in § 3 Absatz 2 Satz 3 genannten Personen sind die Absätze 1 und 2 nicht anzuwenden.

§ 90 Berufsausbildung auf Schiffen des Bundes und der Länder. Die §§ 81 bis 89 sowie die auf Grund des § 92 erlassenen Rechtsverordnungen sind entsprechend anzuwenden, wenn die Berufsausbildung auf Schiffen durchgeführt wird, die eine Landesdienst- oder die Bundesdienstflagge führen und in der Seefahrt eingesetzt sind.

§ 91 Zuständige Stelle. Für die Berufsbildung in Berufen nach § 92 ist die Berufsbildungsstelle Seeschifffahrt e.V., Bremen, die zuständige Stelle.

§ 92[1)] Rechtsverordnungen. Das Bundesministerium für Digitales und Verkehr wird ermächtigt, durch Rechtsverordnung im Einvernehmen mit dem Bundesministerium für Bildung und Forschung ohne Zustimmung des Bundesrates nach Anhörung der für Berufsbildungsfragen zuständigen obersten Landesbehörden der Küstenländer Ausbildungsberufe in der Seeschifffahrt staatlich anzuerkennen und Bestimmungen zu erlassen über

1. die Bezeichnung des anzuerkennenden Ausbildungsberufes,
2. die Zusammensetzung und die Aufgaben der zuständigen Stelle,
3. die Ausbildungsdauer, die nicht weniger als zwei Jahre betragen soll,
4. die beruflichen Fertigkeiten, Kenntnisse und Fähigkeiten, die mindestens Gegenstand der Berufsausbildung sind (Ausbildungsberufsbild),

[1)] § 92 einl. Satzteil geänd. mWv 3.12.2015 durch G v. 25.11.2015 (BGBl. I S. 2095); einl. Satzteil geänd. mWv 21.3.2023 durch G v. 14.3.2023 (BGBl. I Nr. 73).

5. eine Anleitung zur sachlichen und zeitlichen Gliederung der Vermittlung der beruflichen Fertigkeiten, Kenntnisse und Fähigkeiten (Ausbildungsrahmenplan),
6. die Anrechnung beruflicher Vorbildung auf die Ausbildungszeit,
7. die Eignung der Ausbildenden, der Ausbildungsstätte, die persönliche und fachliche Eignung der Ausbilderinnen oder Ausbilder,
8. das Prüfungswesen, insbesondere im Hinblick auf den Prüfungsausschuss, Prüfungsgegenstand und die Prüfungsordnung.

Abschnitt 5. Unterkünfte und Freizeiteinrichtungen, Verpflegung einschließlich Bedienung

Unterabschnitt 1. Unterkünfte und Freizeiteinrichtungen

§ 93 Anspruch auf Unterkunft. (1) [1]Jedes Besatzungsmitglied hat für die Dauer des Heuerverhältnisses Anspruch auf sichere, gesunde und menschenwürdige Unterkunft und Einrichtungen einschließlich sicherer Aufbewahrung seiner Kleidungsstücke und seiner anderen Gebrauchsgegenstände auf dem Schiff, soweit Fahrtdauer und Einsatzbedingungen des Schiffes dies erfordern. [2]Dabei sind die sozialen, kulturellen und religiösen Bedürfnisse der Besatzungsmitglieder angemessen zu berücksichtigen.

(2) Jedes Besatzungsmitglied ist verpflichtet, die ihm zur Verfügung gestellten Räume und Einrichtungsgegenstände pfleglich zu behandeln.

(3) [1]Der Kapitän oder ein von ihm damit beauftragter Schiffsoffizier hat die Unterkunftsräume und Freizeiteinrichtungen mindestens einmal monatlich zu besichtigen, damit sichergestellt ist, dass diese Räume und Einrichtungen sauber, angemessen wohnlich sind und sich in einem guten Allgemeinzustand befinden. [2]Bei Räumen, die als Wohnung genutzt werden, darf die Besichtigung nur mit Zustimmung des jeweils betroffenen Besatzungsmitglieds erfolgen. [3]Die Ergebnisse jeder Besichtigung sind im Seetagebuch einzutragen und für Kontrollen bereitzuhalten.

(4) Kann dem Besatzungsmitglied aus besonderen, von ihm nicht zu vertretenden Gründen eine Unterkunft auf dem Schiff nicht gewährt werden, so hat es Anspruch auf eine anderweitige angemessene Unterkunft oder Zahlung des dafür erforderlichen Geldbetrages.

§ 94 Zugang zu Kommunikationseinrichtungen. [1]Der Kapitän hat den Besatzungsmitgliedern auf ihr Verlangen angemessenen und preisgünstigen Zugang zu Schiff-Land-Fernsprechverbindungen, E-Mail-Diensten und Internet-Diensten zu gewähren, soweit solche Einrichtungen an Bord vorhanden sind. [2]Der Reeder hat sicherzustellen, dass

1. die an ein Besatzungsmitglied gerichtete Post unverzüglich zugestellt wird und
2. das Besatzungsmitglied kein Nachporto zu zahlen hat, wenn seine Post aus Gründen, die sich seinem Einfluss entziehen, umadressiert werden muss.

§ 95 Besuche, mitreisende Partner. [1]Sofern betriebliche Belange sowie innerstaatliche oder internationale Rechtsvorschriften zur Gefahrenabwehr nicht entgegenstehen, hat der Kapitän den Besatzungsmitgliedern auf ihr Verlangen zu erlauben,

1. bei Hafenaufenthalten unverzüglich Besuch von ihren Partnern, Verwandten und Freunden an Bord zu empfangen,
2. sich gelegentlich von ihren Partnern auf Fahrten begleiten zu lassen.

[2] Mitreisende Partner sind verpflichtet, sich ausreichend gegen Unfall und Krankheit zu versichern. [3] Der Reeder hat die Besatzungsmitglieder beim Abschluss einer solchen Versicherung zu unterstützen.

§ 96[1)] Rechtsverordnungen. [1] Das Bundesministerium für Arbeit und Soziales wird ermächtigt, im Einvernehmen mit dem Bundesministerium für Digitales und Verkehr durch Rechtsverordnung ohne Zustimmung des Bundesrates

1. die näheren Anforderungen an die Wohn- und Aufenthaltsräume, sanitären Anlagen, Wascheinrichtungen und Küchenräume sowie Freizeiteinrichtungen an Bord der Schiffe, einschließlich der zugehörigen Einrichtungen und Versorgungsanlagen, und deren Einsatzbereitschaft zu bestimmen,
2. die näheren Anforderungen an die medizinischen Räumlichkeiten an Bord der Schiffe und deren Einsatzbereitschaft, jeweils auch zur Sicherstellung einer ausreichenden medizinischen Behandlung und Versorgung, zu bestimmen.

[2] Rechtsverordnungen nach Satz 1 bedürfen des Einvernehmens

1. des Bundesministeriums für Ernährung und Landwirtschaft, soweit die Seefischerei betroffen ist,
2. des Bundesministeriums für Gesundheit im Falle des Satzes 1 Nummer 1.

Unterabschnitt 2. Verpflegung einschließlich Bedienung

§ 97 Anspruch auf Verpflegung, Unterweisung. (1) [1] Das Besatzungsmitglied hat für die Dauer des Heuerverhältnisses Anspruch auf kostenfreie, angemessene und ausreichende Speisen und Getränke (Verpflegung) sowie Trinkwasser. [2] Angemessen ist die Verpflegung, wenn sie hinsichtlich Nährwert, Güte und Abwechslung eine geeignete und ausgewogene Ernährung gewährleistet. [3] Hierbei sind die Anzahl der Besatzungsmitglieder an Bord, ihre kulturellen Eigenheiten und religiösen Gebräuche sowie die Dauer und Art der Reise angemessen zu berücksichtigen.

(2) [1] Der Reeder hat dafür Sorge zu tragen, dass

1. das Trinkwasser, die Wasserversorgungsanlage und ihr Betrieb den geltenden trinkwasserrechtlichen Vorschriften,
2. die Verpflegung den geltenden lebensmittelrechtlichen Vorschriften

entsprechen. [2] Er hat sicherzustellen, dass das Küchen- und Bedienungspersonal entsprechend unterwiesen wird. [3] Insbesondere hat er dafür zu sorgen, dass das Personal, das mit den in § 42 Absatz 1 des Infektionsschutzgesetzes[2)] bezeichneten Tätigkeiten mit Lebensmitteln beschäftigt werden soll, bei Dienstantritt an Bord und im Weiteren alle zwei Jahre im Sinne des § 43 Absatz 4 des Infektionsschutzgesetzes[2)] über Tätigkeitsverbote und Mitteilungspflichten belehrt wird. [4] Die Belehrungen sind im Seetagebuch zu dokumentieren. [5] Bei

---

[1)] § 96 Satz 1 einl. Satzteil geänd., Nr. 2 neu gef., Satz 2 Nr. 1 geänd. mWv 3.12.2015 durch G v. 25.11.2015 (BGBl. I S. 2095); Satz 1 geänd. mWv 21.3.2023 durch G v. 14.3.2023 (BGBl. I Nr. 73).

[2)] Nr. **497**.

Tätigkeiten auf wechselnden Schiffen ist eine Abschrift oder Kopie zum Seetagebuch des jeweiligen Schiffes zu nehmen. [6] § 43 Absatz 1 des Infektionsschutzgesetzes[1)] ist nicht anzuwenden.

§ 98 Überprüfungen. Der Kapitän oder eine von ihm bestimmte Person hat dafür zu sorgen, dass Überprüfungen

1. der Verpflegungs- und Trinkwasservorräte,
2. aller Räume und Ausrüstungsgegenstände, die der Lagerung von Verpflegung und Trinkwasser dienen, und
3. der Küchen und der anderen Ausrüstungen für die Zubereitung und das Servieren von Speisen

mindestens monatlich durchgeführt und unverzüglich unter Angabe des Tages und des Ergebnisses der Überprüfung im Seetagebuch eingetragen werden.

Abschnitt 6. Sicherheit und Gesundheitsschutz bei der Arbeit, medizinische und soziale Betreuung

Unterabschnitt 1. Anspruch auf medizinische Betreuung an Bord und an Land

§ 99 Anspruch auf medizinische Betreuung. (1) [1] Das Besatzungsmitglied hat für die Dauer des Heuerverhältnisses im Falle einer Erkrankung oder Verletzung auf Kosten des Reeders Anspruch auf unverzügliche und angemessene medizinische Betreuung, wie sie im Allgemeinen den Arbeitnehmern an Land zur Verfügung steht, bis es wieder gesund ist oder bis die Krankheit oder Erwerbsunfähigkeit als dauernd eingestuft ist, soweit die §§ 100, 102 und 103 nichts anderes bestimmen. [2] Sofern das Schiff in einem inländischen Hafen liegt, hat das Besatzungsmitglied entsprechend Satz 1 Anspruch auf vorbeugende Maßnahmen, die zur Verhütung und Früherkennung von Krankheiten und deren Verschlechterung notwendig sind und die Programme zur Gesundheitsförderung und Gesundheitserziehung umfassen.

(2) [1] Dem erkrankten oder verletzten Besatzungsmitglied steht ein Besatzungsmitglied gleich, das infolge einer nicht rechtswidrigen Sterilisation oder eines nicht rechtswidrigen Abbruchs der Schwangerschaft an seiner Dienstleistung verhindert ist. [2] Dasselbe gilt für einen Abbruch der Schwangerschaft, wenn die Schwangerschaft innerhalb von zwölf Wochen nach der Empfängnis durch einen Arzt abgebrochen wird, die schwangere Frau den Abbruch verlangt und dem Arzt durch eine Bescheinigung nachgewiesen hat, dass sie sich mindestens drei Tage vor dem Eingriff von einer anerkannten Beratungsstelle hat beraten lassen.

(3) [1] Der Anspruch auf medizinische Betreuung nach Absatz 1 Satz 1 umfasst alle erforderlichen Maßnahmen zum Schutz der Gesundheit und der Heilbehandlung, einschließlich einer notwendigen Zahnbehandlung, sowie die Verpflegung und Unterkunft des kranken oder verletzten Besatzungsmitglieds. [2] Zur medizinischen Betreuung gehören auch die Versorgung mit den notwendigen Arznei- und Heilmitteln, der Zugang zu medizinischen Geräten und Einrichtungen für Diagnose und Behandlung und zu medizinischen Informationen und Fachauskünften.

---

1) Nr. **497**.

(4) Das Besatzungsmitglied hat das Recht, in den Anlaufhäfen umgehend einen qualifizierten Arzt oder Zahnarzt aufzusuchen.

(5) Der Anspruch nach Absatz 1 besteht nicht, wenn
1. das Heuerverhältnis im Ausland begründet worden ist und das Besatzungsmitglied die Reise wegen einer bei Beginn des Heuerverhältnisses bereits vorhandenen Erkrankung oder Verletzung nicht antritt,
2. das Besatzungsmitglied eine Krankheit oder ein Gebrechen bei Abschluss des Heuervertrages vorsätzlich verschwiegen hat oder
3. das Besatzungsmitglied sich die Krankheit oder Verletzung durch eine von ihm vorsätzlich begangene Straftat zugezogen hat.

§ 100 Besonderheiten bei der medizinischen Betreuung im Inland.

(1) Liegt das Schiff in einem inländischen Hafen, so hat ein in der gesetzlichen Krankenversicherung oder der privaten substitutiven Krankenversicherung versichertes Besatzungsmitglied, solange es an Bord bleibt, die Wahl zwischen der medizinischen Betreuung auf Kosten des Reeders oder der Krankenversicherung.

(2) Der Reeder kann das in der gesetzlichen Krankenversicherung oder der privaten substitutiven Krankenversicherung versicherte Besatzungsmitglied an die Krankenversicherung verweisen, wenn
1. eine Schiffsärztin oder ein Schiffsarzt oder ein vom Reeder beauftragter Arzt nicht zur Verfügung steht,
2. die Krankheit oder das Verhalten des Besatzungsmitglieds das Verbleiben an Bord nicht gestattet oder unzumutbar macht oder
3. der Erfolg der Behandlung gefährdet ist.

§ 101 Besonderheiten bei der medizinischen Betreuung im Ausland.

(1) Hat ein Besatzungsmitglied das Schiff im Ausland wegen Krankheit oder Verletzung verlassen müssen, so kann das Besatzungsmitglied vom Reeder Heilbehandlung und Verpflegung in einem zumutbaren Krankenhaus verlangen.

(2) In den Fällen des Absatzes 1 hat der Reeder dem Besatzungsmitglied zur Befriedigung notwendiger persönlicher Bedürfnisse ein angemessenes Tagegeld zu zahlen, sofern nicht die Heuer nach § 104 fortzuzahlen ist.

§ 102 Ruhen des Anspruchs auf medizinische Betreuung auf Kosten des Reeders. Weigert sich ein Besatzungsmitglied ohne berechtigten Grund, die angebotene Heilbehandlung oder Krankenhausbehandlung anzunehmen, so ruht der Anspruch auf medizinische Betreuung auf Kosten des Reeders für die Dauer der unberechtigten Weigerung.

§ 103 Ende der medizinischen Betreuung auf Kosten des Reeders.

(1) [1] Die medizinische Betreuung auf Kosten des Reeders endet, sobald ein Besatzungsmitglied, das in der gesetzlichen Krankenversicherung oder der privaten substitutiven Krankenversicherung versichert ist, an einem inländischen Ort das Schiff verlässt. [2] Die medizinische Betreuung ist jedoch, wenn mit der Unterbrechung Gefahr verbunden ist, fortzusetzen, bis die zuständige Krankenversicherung oder die zuständige Unfallversicherung mit Leistungen beginnt.

(2) [1]Ist ein Besatzungsmitglied im Ausland zurückgelassen worden, so endet die medizinische Betreuung auf Kosten des Reeders, wenn das Besatzungsmitglied, das in der gesetzlichen Krankenversicherung oder der privaten substitutiven Krankenversicherung versichert ist, nach Deutschland heimgeschafft oder zurückgekehrt ist. [2]Die medizinische Betreuung auf Kosten des Reeders endet für jedes Besatzungsmitglied spätestens mit dem Ablauf der 26. Woche, nachdem es das Schiff verlassen hat. [3]Bei Verletzung infolge eines Arbeitsunfalls endet die medizinische Betreuung, sobald die zuständige Unfallversicherung mit ihren Leistungen beginnt.

Unterabschnitt 2. Heuerfortzahlung und sonstige Ansprüche im Krankheitsfall

§ 104 Fortzahlung der Heuer im Krankheitsfall. (1) [1]Ein infolge Krankheit oder Verletzung arbeitsunfähiges Besatzungsmitglied hat Anspruch auf Fortzahlung der Heuer vom Beginn der Arbeitsunfähigkeit mindestens bis zu dem Tage, an dem es das Schiff verlässt. [2]Im Übrigen gelten die Vorschriften des Entgeltfortzahlungsgesetzes[1]. [3]Solange das Besatzungsmitglied sich an Bord eines Schiffes auf See oder im Ausland aufhält, ist jedoch § 5 des Entgeltfortzahlungsgesetzes nur insoweit anzuwenden, als das Besatzungsmitglied zur Mitteilung seiner Arbeitsunfähigkeit und deren voraussichtlicher Dauer verpflichtet ist.

(2) [1]Der Reeder hat einem arbeitsunfähig erkrankten oder verletzten Besatzungsmitglied, das keinen Anspruch auf Fortzahlung der Heuer nach Absatz 1 mehr hat, bis zur Dauer von 16 Wochen seit Beginn der Arbeitsunfähigkeit oder der Behandlung in einem Krankenhaus einen Betrag in Höhe des Krankengeldes zu zahlen, das dem Besatzungsmitglied nach dem Fünften Buch Sozialgesetzbuch[2] zustehen würde, wenn es in der gesetzlichen Krankenversicherung versichert und im Inland erkrankt wäre. [2]Der Anspruch nach Satz 1 besteht nicht für ein Besatzungsmitglied, das das Schiff verlassen hat und im Inland einen Anspruch auf Krankengeld gegen die gesetzliche Krankenversicherung hat.

§ 105 Heimschaffung im Krankheitsfall. (1) [1]Ein Besatzungsmitglied, das wegen Krankheit oder Verletzung im Ausland zurückgelassen ist, kann mit seiner Einwilligung und der des behandelnden Arztes nach Maßgabe des § 73 heimgeschafft werden. [2]Ist das Besatzungsmitglied außerstande, die Einwilligung zu erteilen, oder verweigert es die Einwilligung ohne ausreichenden Grund, so kann sie durch die Berufsgenossenschaft nach Anhörung eines Arztes, der nicht dem seeärztlichen Dienst der Berufsgenossenschaft angehört, ersetzt werden.

(2) [1]Ein Besatzungsmitglied, das nach Abschluss der Kranken- oder Heilbehandlung im Ausland nicht an Bord des Schiffes zurückkehren kann, hat Anspruch auf Heimschaffung nach Maßgabe der §§ 73 und 76. [2]Soweit dem Besatzungsmitglied nicht ein Heueranspruch auf Grund anderer Vorschriften zusteht, hat es während der Dauer der Heimschaffung Anspruch auf ein angemessenes Tagegeld zur Befriedigung notwendiger persönlicher Bedürfnisse.

---

[1] Nr. **215**.
[2] Auszugsweise abgedruckt unter Nr. **695**.

§ 106 Sorge für Sachen und Heuerguthaben eines erkrankten oder verletzten Besatzungsmitglieds. (1) [1]Muss ein Besatzungsmitglied wegen Krankheit oder Verletzung an Land zurückgelassen werden, so hat der Kapitän, soweit das Besatzungsmitglied nichts anderes bestimmt hat, unverzüglich dessen Sachen und dessen Heuerguthaben dem Vertreter des Reeders vor Ort zur Aufbewahrung zu übergeben. [2]Das Besatzungsmitglied muss der Übergabe an den Vertreter des Reeders zustimmen, wenn es dazu in der Lage ist. [3]Das Besatzungsmitglied ist in jedem Fall über die Übergabe zu informieren.

(2) [1]Der Kapitän hat unverzüglich dafür zu sorgen, dass eine Aufstellung über die Sachen und das Heuerguthaben des Besatzungsmitglieds in zwei Ausfertigungen erstellt und dabei die Aufbewahrungsstelle angegeben wird. [2]Diese Aufstellung ist vom Kapitän und einem anderen Besatzungsmitglied zu unterzeichnen. [3]Je eine Ausfertigung der Aufstellung erhalten die Aufbewahrungsstelle und das zurückgelassene Besatzungsmitglied.

§ 106a[1)] Pflicht zur Entschädigung bei Arbeitsunfällen und Berufskrankheiten. (1) [1]Der Reeder eines Schiffes, hat nach Maßgabe des Absatzes 2 eine Versicherung oder eine sonstige finanzielle Sicherheit aufrechtzuerhalten, die bei Berufsunfähigkeit oder Tod von Besatzungsmitgliedern infolge von Arbeitsunfällen oder Berufskrankheiten diese oder ihre Hinterbliebenen entschädigt. [2]Die Versicherung oder die sonstige finanzielle Sicherheit ist der Berufsgenossenschaft bei Überprüfungen nachzuweisen. [3]Für Schiffe, die Fischereifahrzeuge sind, gelten die Absätze 3 und 4 nicht.

(2) Die Versicherung oder der Vertrag über die sonstige finanzielle Sicherheit muss vorsehen, dass

1. die Ansprüche der Besatzungsmitglieder unmittelbar gegen den Versicherer oder den Sicherungsgeber geltend gemacht werden können,
2. Zwischenzahlungen geleistet werden, soweit das zur Vermeidung einer besonderen Härte für das Besatzungsmitglied erforderlich ist und
3. der Versicherungsschutz oder der Schutz durch die sonstige finanzielle Sicherheit nicht vor Ablauf der vereinbarten Vertragsdauer endet, es sei denn, der Versicherer oder der Sicherungsgeber informiert die Berufsgenossenschaft mindestens 30 Tage zuvor.

(3) [1]Der Versicherer oder der Sicherungsgeber übermittelt nach Maßgabe des Absatzes 4 dem Reeder eine Bescheinigung über die Versicherung oder die sonstige finanzielle Sicherheit in deutscher Sprache, begleitet von einer englischen Übersetzung. [2]Der Reeder hat die Bescheinigung an Bord mitzuführen. [3]Eine Kopie der Bescheinigung ist an geeigneter Stelle an Bord in einer für die Besatzungsmitglieder geeigneten Sprache auszuhängen.

(4) Die Bescheinigung hat mindestens den folgenden Inhalt:

1. Name des Schiffes,
2. Heimathafen des Schiffes,
3. Rufzeichen des Schiffes,
4. IMO-Schiffsidentifikationsnummer,
5. Name und Anschrift des Versicherers oder des Sicherungsgebers,

---

[1)] § 106a eingef. mWv 18.1.2017 durch G v. 22.12.2015 (BGBl. I S. 2569); Abs. 1 Satz 1 geänd., Satz 3 angef. mWv 20.10.2020 durch G v. 14.10.2020 (BGBl. I S. 2112).

6. Kontaktinformationen der Personen oder der Stelle, die für die Behandlung von Hilfeersuchen der Seeleute zuständig sind,
7. Name des Reeders,
8. Gültigkeitsdauer der Versicherung,
9. eine Erklärung des Versicherers oder des Sicherungsgebers, dass die Versicherung oder die sonstige finanzielle Sicherheit den Anforderungen der Norm A4.2.1 des Seearbeitsübereinkommens[1] genügt.

(5) Steht ein Ende des Versicherungsschutzes oder des Schutzes durch die sonstige finanzielle Sicherheit bevor, informiert

1. der Reeder die Besatzungsmitglieder,
2. der Versicherer oder der Sicherungsgeber die Berufsgenossenschaft.

Unterabschnitt 3. Gewährleistung der medizinischen Betreuung durch den Reeder

§ 107[2] Medizinische Räumlichkeiten und medizinische Ausstattung.

(1) [1]Der Reeder hat dafür zu sorgen, dass das Schiff mit den für eine ausreichende medizinische Betreuung der Personen an Bord erforderlichen Räumlichkeiten (medizinische Räumlichkeiten) versehen ist. [2]Zu den medizinischen Räumlichkeiten gehören

1. die Kranken-, Behandlungs- und Eingriffsräume,
2. die Einrichtung dieser Räume, insbesondere der Apothekenschrank, sanitäre Einrichtungen und Kommunikationseinrichtungen sowie Beleuchtung und Belüftung.

[3]Der Reeder hat dafür zu sorgen, dass die medizinischen Räumlichkeiten in ständig einsatzbereitem Zustand gehalten werden.

(2) [1]Der Reeder hat dafür zu sorgen, dass nach Maßgabe der Sätze 2 und 3 das Schiff sowie die zum Schiff gehörenden Überlebensfahrzeuge und Bereitschaftsboote mit einer angemessenen medizinischen Ausstattung versehen sind, die die Anforderungen des jeweiligen Schiffstyps, des Einsatzzweckes und des Fahrtgebietes sowie die Art, die Dauer, das Ziel der Reisen und die Anzahl der Personen an Bord berücksichtigt. [2]Zu der medizinischen Ausstattung gehören insbesondere

1. die in der Schiffsapotheke, in Arzneikisten oder in Sanitätskästen aufbewahrten Arzneimittel, Medizinprodukte, Hilfsmittel und sonstige medizinische Ausrüstung,
2. die notwendigen Unterlagen für die täglichen oder anlassbezogenen Aufzeichnungen über die Behandlungen und die Verwendung der Schiffsapotheke und der sonstigen medizinischen Ausrüstung, insbesondere Tagebücher und ärztliche Berichtsformulare, und
3. die benötigten medizinischen Anleitungen.

[3]Die medizinische Ausstattung muss hinsichtlich ihres Inhaltes, ihrer Aufbewahrung, ihrer Kennzeichnung und ihrer Anwendung, einschließlich der Aufzeichnungsmöglichkeiten, geeignet sein, den Schutz der Gesundheit der Personen an Bord und deren unverzügliche angemessene medizinische Behand-

---

[1] **beck-online, Module Arbeitsrecht Nr. 1081e.**
[2] § 107 Abs. 1 Satz 2 Nr. 1 geänd. mWv 21.3.2023 durch G v. 14.3.2023 (BGBl. I Nr. 73).

lung und Versorgung an Bord zu gewährleisten. [4]Entspricht die medizinische Ausstattung dem im Verkehrsblatt oder im Bundesanzeiger jeweils zuletzt bekannt gemachten Stand der medizinischen Anforderungen in der Seeschifffahrt (Stand der medizinischen Erkenntnisse), genügt die medizinische Ausstattung den Anforderungen des Satzes 3.

§ 108[1)] Ausschuss für medizinische Ausstattung in der Seeschifffahrt.

(1) [1]Das Bundesministerium für Digitales und Verkehr errichtet einen Ausschuss für medizinische Ausstattung in der Seeschifffahrt (Ausschuss). [2]Dem Ausschuss obliegt es,

1. Entwicklungen im Bereich der medizinischen Ausstattung fortlaufend zu verfolgen,
2. den Stand der medizinischen Erkenntnisse zu ermitteln und festzustellen,
3. Empfehlungen zur Einrichtung der medizinischen Räumlichkeiten zu geben.

[3]Bei der Feststellung des Standes der medizinischen Erkenntnisse sind insbesondere der jeweilige Schiffstyp, die Anzahl der Personen an Bord, der Einsatzzweck, das Fahrtgebiet, die Art, die Dauer und das Ziel der Reisen sowie einschlägige national und international empfohlene ärztliche Normen zu berücksichtigen.

(2) [1]Das Bundesministerium für Digitales und Verkehr hat den vom Ausschuss festgestellten Stand der medizinischen Erkenntnisse im Verkehrsblatt oder im Bundesanzeiger bekannt zu geben. [2]Die Berufsgenossenschaft kann eine Bekanntmachung nach Satz 1 nachrichtlich auf ihrer Internetseite veröffentlichen.

(3) [1]Der Ausschuss besteht aus einer Vertreterin oder einem Vertreter

1. des seeärztlichen Dienstes der Berufsgenossenschaft,
2. des funk- oder satellitenfunkärztlichen Dienstes mit fachärztlicher Beratung,
3. der für die Gesundheitsangelegenheiten zuständigen Behörde der Freien und Hansestadt Hamburg, wobei die Person in der Schifffahrtsmedizin erfahren sein muss,
4. des auf Grund des Abkommens der Länder über die Zusammenarbeit auf dem Gebiet der Schifffahrtsmedizin eingerichteten Arbeitskreises der Küstenländer für Schiffshygiene, wobei die Person in der Schifffahrtsmedizin erfahren sein muss,
5. des Bundesinstituts für Arzneimittel und Medizinprodukte,
6. der Arzneimittelkommission der Deutschen Apotheker,
7. der Arzneimittelkommission der deutschen Ärzteschaft,
8. des Bundesamtes für Seeschifffahrt und Hydrographie,
9. der Reeder und
10. der Seeleute.

[2]Ferner gehören dem Ausschuss mit beratender Stimme an:

[1)] § 108 Abs. 1 Satz 1, Abs. 2 Satz 1, Abs. 3 Satz 3, Abs. 5 Sätze 1, 4, 5 einl. Satzteil und Satz 6 geänd. mWv 3.12.2015 durch G v. 25.11.2015 (BGBl. I S. 2095); Abs. 1 Satz 1, Abs. 2 Satz 1, Abs. 3 Satz 3, Abs. 5 Sätze 1, 4, 5 und 6 geänd. mWv 21.3.2023 durch G v. 14.3.2023 (BGBl. I Nr. 73).

1. eine weitere Vertreterin oder ein weiterer Vertreter der Berufsgenossenschaft mit Befähigung zum Richteramt,
2. zwei von der Bundesapothekerkammer benannte, in der Schiffsausrüstung erfahrene Apothekerinnen oder Apotheker,
3. eine Vertreterin oder ein Vertreter der Deutschen Gesellschaft für Maritime Medizin, die oder der nicht zugleich den in Satz 1 genannten Einrichtungen angehört.

[3] Den Vorsitz führt eine Vertreterin oder ein Vertreter des Bundesministeriums für Digitales und Verkehr, die oder der kein Stimmrecht hat. [4] Die in Satz 1 Nummer 1 bis 7 bezeichneten Personen müssen hinsichtlich der medizinischen Behandlung und Versorgung von Personen an Bord oder hinsichtlich der Zulassung und Registrierung von Arzneimitteln, Betäubungsmitteln und Medizinprodukten fachkundig sein; die in Satz 1 Nummer 8 bis 10 bezeichneten Personen müssen Inhaber eines Befähigungszeugnisses für den nautischen Dienst auf Kauffahrteischiffen sein oder über gleichwertige Seefahrterfahrung einschließlich praktischer Kenntnisse in der medizinischen Betreuung an Bord verfügen.

(4) [1] Der Ausschuss ist bei der Wahrnehmung seiner Aufgaben unabhängig. [2] Der Ausschuss tagt nicht öffentlich. [3] Über die Beratungen ist, mit Ausnahme der gefassten Beschlüsse, gegenüber Dritten Stillschweigen zu wahren. [4] Der Ausschuss ist beschlussfähig, wenn mehr als die Hälfte der stimmberechtigten Mitglieder anwesend sind; er fasst seine Beschlüsse mit der Mehrheit von zwei Dritteln der anwesenden stimmberechtigten Mitglieder. [5] Außerhalb von Sitzungen können Beschlüsse im schriftlichen Verfahren gefasst werden, wenn kein stimmberechtigtes Mitglied widerspricht; in diesem Falle bedarf ein Beschluss der Mehrheit von zwei Dritteln aller stimmberechtigten Mitglieder.

(5) [1] Das Bundesministerium für Digitales und Verkehr beruft die Mitglieder des Ausschusses auf Vorschlag der entsendungsberechtigten Behörden und sonstigen Einrichtungen für die Dauer von drei Jahren. [2] Für jedes Mitglied ist ein Vertreter zu berufen. [3] Wiederberufung ist zulässig. [4] Das Bundesministerium für Digitales und Verkehr kann einen Vorschlag nur zurückweisen, wenn die vorgeschlagene Person die notwendige Fachkunde nicht besitzt. [5] Das Bundesministerium für Digitales und Verkehr hat ferner, soweit im Einzelfall ein besonderer fachlicher Bedarf besteht, je eine Vertreterin oder einen Vertreter

1. des Bernhard-Nocht-Instituts für Tropenmedizin im Hinblick auf tropenmedizinische Belange,
2. des Paul-Ehrlich-Instituts im Hinblick auf Belange des Impfschutzes und der Anwendung von Sera und Impfstoffen,
3. des Robert Koch-Instituts im Hinblick auf die Bekämpfung und Verhütung von Infektionskrankheiten oder
4. der Bundesanstalt für Landwirtschaft und Ernährung im Hinblick auf besondere Belange der Seefischerei

zu beratenden Mitgliedern des Ausschusses auf Vorschlag der genannten Einrichtungen zu berufen; die Sätze 2 und 3 gelten entsprechend. [6] Darüber hinaus kann das Bundesministerium für Digitales und Verkehr bei sonstigem Bedarf weitere Personen benennen, die beratend an Sitzungen des Ausschusses teilnehmen können.

(6) Die Geschäftsführung des Ausschusses obliegt der Berufsgenossenschaft; sie nimmt an den Sitzungen teil.

§ 109[1)] Durchführung der medizinischen Betreuung und Kontrollen an Bord. (1) [1] Für die Durchführung der medizinischen Behandlung und Versorgung an Bord und die Führung, Verwaltung und vertrauliche Behandlung der Aufzeichnungen, insbesondere der ärztlichen Berichtsformulare, ist

1. der Schiffsarzt oder die Schiffsärztin oder
2. auf einem Schiff ohne Schiffsarzt oder Schiffsärztin der Kapitän

zuständig. [2] Der Kapitän kann im Falle des Satzes 1 Nummer 2 einen Schiffsoffizier mit der Wahrnehmung der Aufgaben nach Satz 1 beauftragen. [3] Der Kapitän und für den Fall des Satzes 2 zusätzlich auch der Schiffsoffizier müssen über eine Ausbildung verfügen, die eine angemessene medizinische Behandlung und Versorgung an Bord gewährleistet. [4] Die in Satz 3 genannten Personen müssen sich alle fünf Jahre in diesem Bereich durch die Teilnahme an einem zugelassenen medizinischen Wiederholungslehrgang fortbilden. [5] Die Anbieter medizinischer Wiederholungslehrgänge haben sicherzustellen, dass den Teilnehmern die für die angemessene medizinische Behandlung und Versorgung an Bord aktuellen Kenntnisse und Fähigkeiten vermittelt werden. [6] Ein medizinischer Wiederholungslehrgang wird von der Berufsgenossenschaft zugelassen, wenn gewährleistet ist, dass die Anforderungen des Satzes 5 in Verbindung mit einer Rechtsverordnung nach § 113 Satz 1 Nummer 4 erfüllt werden.

(2) [1] Der Reeder hat dafür zu sorgen, dass die in Absatz 1 Satz 1 angeführten Aufgaben von den dort genannten Personen wahrgenommen werden. [2] Der Reeder hat ferner dafür zu sorgen, dass sein Schiff

1. bei Indienststellung,
2. bei einem Flaggenwechsel oder
3. im Rahmen der Flaggenstaatkontrolle nach Maßgabe des § 129 Absatz 2

hinsichtlich der medizinischen Räumlichkeiten und der medizinischen Ausstattung durch die Berufsgenossenschaft überprüft wird. [3] Die Berufsgenossenschaft kann sich der Mitwirkung von anerkannten Organisationen bedienen.

(3) [1] Der Reeder hat zusätzlich zu der Überprüfung durch die Berufsgenossenschaft durch betriebseigene Kontrollen mindestens alle zwölf Monate sicherzustellen, dass die medizinischen Räumlichkeiten und die medizinische Ausstattung stets in einem ordnungsgemäßen Zustand sind. [2] Bei der Kontrolle und der notwendigen Ergänzung der medizinischen Ausstattung mit Arzneimitteln und Medizinprodukten hat sich der Reeder der Mitwirkung einer öffentlichen Apotheke zu bedienen. [3] Die in Absatz 1 Satz 1 und 2 genannten Personen haben über die Durchführung der betriebseigenen Kontrollen und die Mitwirkung der Apotheke stets aktuelle Nachweise zu führen und mindestens fünf Jahre ab dem Tag der Ausstellung an Bord aufzubewahren.

(4) [1] Die nach Absatz 1 Satz 1 oder 2 zuständige Person hat die medizinische Betreuung einer erkrankten oder verletzten Person an Bord in den in § 107 Absatz 2 Satz 2 Nummer 2 bezeichneten Unterlagen unverzüglich schriftlich oder elektronisch aufzuzeichnen. [2] Die Unterlagen und die darin enthaltenen Angaben sind vertraulich zu behandeln und dürfen nur verarbeitet werden, um die Behandlung der erkrankten oder verletzten Person zu gewährleisten. [3] Die Berufsgenossenschaft kann allgemein anordnen, dass die nach Absatz 1 Satz 1 oder 2 zuständigen Personen verpflichtet sind, Unterlagen anonymisiert an die

---

[1)] § 109 Abs. 1 Satz 6 geänd. und Abs. 4 neu gef. mWv 3.12.2015 durch G v. 25.11.2015 (BGBl. I S. 2095); Abs. 4 Satz 2 geänd. mWv 26.11.2019 durch G v. 20.11.2019 (BGBl. I S. 1626).

Berufsgenossenschaft zu bestimmten Zeitpunkten zu übermitteln, soweit dies für die Fortentwicklung des Standes der medizinischen Erkenntnisse erforderlich ist. 4 Die Berufsgenossenschaft darf Daten aus den Unterlagen in anonymisierter Form an Einrichtungen, die wissenschaftliche Forschung betreiben, sowie an öffentliche Stellen zum Zwecke statistischer oder wissenschaftlicher Auswertungen übermitteln.

§ 110 Überwachung. Über die Befugnisse des § 143 hinaus können die Berufsgenossenschaft und bei ihr beschäftigte Personen insbesondere anordnen, dass

1. die medizinischen Räumlichkeiten so ausgestattet und unterhalten werden, dass sie den Anforderungen des § 107 Absatz 1 Satz 1 genügen,
2. die medizinische Ausstattung, die nicht dem Stand der medizinischen Erkenntnisse im Sinne des § 107 Absatz 2 Satz 4 entspricht, so geändert oder ergänzt wird, dass sie den Anforderungen des § 107 Absatz 2 Satz 3 oder einer Anordnung nach § 111 Absatz 2 genügt.

§ 111[1)] Ausnahmen. (1) Die Berufsgenossenschaft kann auf Antrag im Einzelfall Ausnahmen von den Anforderungen nach diesem Unterabschnitt und den auf Grund der Vorschriften dieses Unterabschnitts erlassenen Rechtsverordnungen bewilligen, soweit dies mit dem Stand der medizinischen Erkenntnisse vereinbar ist und die medizinische Behandlung und Versorgung der Personen an Bord nicht gefährdet wird.

(2) 1 Die Berufsgenossenschaft kann mit Zustimmung des Bundesministeriums für Digitales und Verkehr gegenüber den Reedern anordnen, dass abweichend von dem im Verkehrsblatt oder im Bundesanzeiger veröffentlichten Stand der medizinischen Erkenntnisse die medizinische Ausstattung bestimmten Anforderungen zu genügen hat, soweit dies erforderlich ist, um neueren Erkenntnissen, die im Stand der medizinischen Erkenntnisse noch nicht berücksichtigt sind, Rechnung zu tragen. 2 Eine Anordnung nach Satz 1 gilt bis zur Veröffentlichung eines neueren Standes der medizinischen Erkenntnisse, längstens für zwei Jahre. 3 Die Anordnung ist im Verkehrsblatt oder im Bundesanzeiger bekannt zu geben; sie kann zusätzlich auf der Internetseite der Berufsgenossenschaft veröffentlicht werden.

§ 112 Funk- und satellitenfunkärztliche Betreuung. Der vom Bund nach § 1 Nummer 7a des Seeaufgabengesetzes eingerichtete funk- oder satellitenfunkärztliche Dienst mit fachärztlicher Beratung steht allen Schiffen auf See, ungeachtet ihrer Flagge, kostenfrei und jederzeit für funk- oder satellitenfunkärztliche Beratung, einschließlich fachärztlicher Beratung, zur Verfügung.

§ 113[2)] Rechtsverordnungen. 1 Das Bundesministerium für Digitales und Verkehr wird ermächtigt, zur Sicherstellung einer ausreichenden medizinischen Behandlung und Versorgung an Bord eines Schiffes durch Rechtsverordnung ohne Zustimmung des Bundesrates

---

1) § 111 Abs. 2 Satz 1 geänd. mWv 3.12.2015 durch G v. 25.11.2015 (BGBl. I S. 2095); Abs. 2 Satz 1 geänd. mWv 21.3.2023 durch G v. 14.3.2023 (BGBl. I Nr. 73).

2) *§ 113 Abs. 2 aufgeh., Satz 1* einl. Satzteil und Satz 3 Nr. 1 geänd. mWv 3.12.2015 durch G v. 25.11.2015 (BGBl. I S. 2095); Satz 1 einl. Satzteil geänd. mWv 21.3.2023 durch G v. 14.3.2023 (BGBl. I Nr. 73).

1. die Geschäftsordnung für den Ausschuss für medizinische Ausstattung in der Seeschifffahrt zu regeln; dabei kann die Bildung von vorbereitenden Unterausschüssen, deren Aufgaben und deren Zusammensetzung bestimmt werden,
2. nähere Vorschriften über die Besetzung von Schiffen mit Schiffsärzten zu erlassen,
3. die näheren Anforderungen an die Ausbildung und Fortbildung der Personen im Sinne des § 109 Absatz 1 Satz 1 Nummer 2 und Satz 2, einschließlich von Prüfungen und Ausstellung von Bescheinigungen und Zeugnissen, zu bestimmen,
4. die näheren Anforderungen an die Zulassung und Qualitätssicherung medizinischer Wiederholungskurse zu bestimmen,
5. nähere Vorschriften zur Überwachung der Vorschriften dieses Unterabschnitts und der auf Grund der Vorschriften dieses Unterabschnitts erlassenen Rechtsverordnungen, insbesondere über Meldepflichten, Aufzeichnungspflichten, Pflichten zur Aufbewahrung von geschäftlichen Unterlagen, Pflichten zu Auskünften, zur Duldung von Besichtigungen der Geschäftsräume und Betriebsstätten und Unterstützungspflichten, zu erlassen,
6. das Nähere über Art, Umfang und Häufigkeit der betriebseigenen Kontrollen nach § 109 Absatz 3 sowie die erforderlichen Nachweise, Aufzeichnungen und Aufbewahrungsfristen zu regeln.

[2] In Rechtsverordnungen nach Satz 1 Nummer 3, 4 und 6 kann das Verwaltungsverfahren näher geregelt werden. [3] Rechtsverordnungen nach Satz 1 bedürfen des Einvernehmens

1. des Bundesministeriums für Ernährung und Landwirtschaft, soweit die Seefischerei betroffen ist,
2. des Bundesministeriums für Gesundheit, soweit infektiologische oder hygienische Regelungsinhalte betroffen sind.

Unterabschnitt 4. Sicherheit und Gesundheitsschutz bei der Arbeit

§ 114 Allgemeiner Schutz gegen Betriebsgefahren. (1) [1] Der Reeder ist verpflichtet, den gesamten Schiffsbetrieb und alle Arbeitsmittel, Geräte und Anlagen an Bord so einzurichten und zu unterhalten sowie die Beschäftigung und den Ablauf der Arbeit so zu regeln, dass die Besatzungsmitglieder gegen See- und Feuergefahren, arbeitsbedingte Gesundheitsgefahren sowie gegen sonstige Gefahren für Leben, Gesundheit und Sittlichkeit soweit geschützt sind, wie die Art des Schiffsbetriebs es gestattet. [2] Insbesondere hat der Reeder sicherzustellen, dass dem Kapitän die erforderlichen Mittel zur Verfügung gestellt werden, um eine ausreichende Besatzungsstärke des Schiffes und die Einhaltung der gesetzlichen Arbeitsschutz- und Arbeitszeitbestimmungen zu gewährleisten. [3] Die Pflichten zur Unterhaltung und zum sicheren Betrieb des Schiffes und der Arbeitsbereiche, Anlagen und Geräte an Bord sowie zur Regelung der Beschäftigung und des Ablaufs der Arbeit treffen auch den Kapitän.

(2) Die Besatzungsmitglieder haben die Arbeitsschutzmaßnahmen zu befolgen.

§ 115 Schiffssicherheitsausschuss. (1) [1]Der Reeder hat auf Schiffen mit fünf oder mehr Besatzungsmitgliedern einen Schiffssicherheitsausschuss zu bilden. [2]Dieser Ausschuss setzt sich zusammen aus:

1. dem Kapitän,
2. einem von der Bordvertretung bestimmten Mitglied der Bordvertretung und
3. dem Sicherheitsbeauftragten nach § 116.

[3]Soweit eine Bordvertretung nicht besteht, ist das Mitglied nach Satz 2 Nummer 2 vom Kapitän nach Anhörung der Besatzung zu benennen.

(2) [1]Der Schiffssicherheitsausschuss hat die Aufgabe, Anliegen des Arbeitsschutzes und der Unfallverhütung zu beraten. [2]Der Schiffssicherheitsausschuss tritt mindestens einmal vierteljährlich zusammen.

§ 116 Sicherheitsbeauftragter. (1) [1]Der Reeder hat auf Schiffen mit fünf oder mehr Besatzungsmitgliedern einen Sicherheitsbeauftragten zu bestellen. [2]Die Bestellung und Abberufung erfolgt mit Zustimmung der Bordvertretung, soweit eine solche besteht.

(2) Der Sicherheitsbeauftragte hat den Reeder bei der Durchführung der Maßnahmen zur Verhütung von Arbeitsunfällen und Berufskrankheiten zu unterstützen, insbesondere sich von dem Vorhandensein und der ordnungsgemäßen Benutzung der vorgeschriebenen Schutzeinrichtungen und persönlichen Schutzausrüstungen zu überzeugen sowie auf Unfall- und Gesundheitsgefahren für die Besatzungsmitglieder aufmerksam zu machen.

(3) Der Sicherheitsbeauftragte darf wegen der Erfüllung der ihm übertragenen Aufgaben nicht benachteiligt werden.

§ 117 Besonderer Schutz von jugendlichen Besatzungsmitgliedern.

(1) Die Beschäftigung oder Arbeit von jugendlichen Besatzungsmitgliedern mit Arbeiten, die ihre Gesundheit oder Sicherheit gefährden können, ist verboten.

(2) [1]Jugendliche Besatzungsmitglieder dürfen nicht beschäftigt werden oder Arbeiten über tragen erhalten,

1. die ihre physische oder psychische Leistungsfähigkeit übersteigen,
2. bei denen sie sittlichen Gefahren ausgesetzt sind,
3. die mit Unfallgefahren verbunden sind, von denen anzunehmen ist, dass jugendliche Besatzungsmitglieder sie wegen mangelnden Sicherheitsbewusstseins oder mangelnder Erfahrung nicht erkennen oder nicht abwenden können,
4. bei denen ihre Gesundheit durch außergewöhnliche Hitze oder Kälte oder starke Nässe gefährdet wird,
5. bei denen sie schädlichen Einwirkungen von Lärm, Erschütterungen oder Strahlen ausgesetzt sind,
6. bei denen sie schädlichen Einwirkungen von Gefahrstoffen im Sinne der Gefahrstoffverordnung[1]) ausgesetzt sind,
7. bei denen sie schädlichen Einwirkungen von biologischen Arbeitsstoffen im Sinne der Biostoffverordnung[2]) ausgesetzt sind,

---

[1]) **beck-online, Module Arbeitsrecht Nr. 397.**
[2]) **beck-online, Module Arbeitsrecht Nr. 388.**

8. im Maschinendienst, wenn sie die Abschlussprüfung in einem für den Maschinendienst anerkannten Ausbildungsberuf noch nicht bestanden haben.

[2] Satz 1 Nummer 3 bis 8 gilt nicht für jugendliche Besatzungsmitglieder, soweit

1. dies zur Erreichung ihres Ausbildungszieles erforderlich ist,
2. ihr Schutz durch die Aufsicht einer fachkundigen Person gewährleistet ist,
3. der Luftgrenzwert bei gefährlichen Stoffen nach Nummer 6 unterschritten wird.

[3] Satz 2 ist nicht anzuwenden auf gezielte Tätigkeiten mit biologischen Arbeitsstoffen der Risikogruppen 3 und 4 im Sinne der Biostoffverordnung sowie für die Beschäftigung von mindestens 15-jährigen Besatzungsmitgliedern auf Fischereifahrzeugen nach § 10 Absatz 3.

(3) [1] Der Kapitän hat die erforderlichen Vorkehrungen und Anordnungen zum Schutze der jugendlichen Besatzungsmitglieder gegen Gefahren für Leben und Gesundheit sowie zur Vermeidung einer Beeinträchtigung der körperlichen oder seelisch-geistigen Entwicklung zu treffen. [2] Hierbei sind das mangelnde Sicherheitsbewusstsein, die mangelnde Erfahrung und der Entwicklungsstand der jugendlichen Besatzungsmitglieder zu berücksichtigen und die allgemein anerkannten sicherheitstechnischen und arbeitsmedizinischen Regeln sowie die sonstigen gesicherten arbeitswissenschaftlichen Erkenntnisse zu beachten. [3] Der Kapitän hat insbesondere bei folgenden Tätigkeiten zu prüfen, ob eine Arbeit jugendlicher Besatzungsmitglieder nach den Absätzen 1 und 2 ausgeschlossen ist:

1. Heben, Bewegen oder Tragen schwerer Lasten oder Gegenstände,
2. Betreten von Kesseln, Tanks und Kofferdämmen,
3. Bedienen von Hebezeugen und anderen kraftgetriebenen Geräten und Werkzeugen oder die Tätigkeit als Signalgeber zur Verständigung mit den Personen, die derartige Geräte bedienen,
4. Handhabung von Festmachertrossen, Schlepptrossen oder Ankergeschirr,
5. Arbeiten in der Takelage,
6. Arbeiten in der Höhe oder auf Deck bei schwerem Wetter,
7. Wachdienst während der Nacht,
8. Wartung elektrischer Anlagen und Geräte,
9. Reinigung von Küchenmaschinen,
10. Bedienen von Schiffsbooten oder die Übernahme der Verantwortung für diese.

(4) [1] Vor Beginn der Arbeit jugendlicher Besatzungsmitglieder und bei wesentlicher Änderung der Arbeitsbedingungen hat der Kapitän die mit der Arbeit verbundenen Gefährdungen jugendlicher Besatzungsmitglieder zu beurteilen. [2] Im Übrigen gelten die Vorschriften des Arbeitsschutzgesetzes[1)].

(5) [1] Der Kapitän hat die jugendlichen Besatzungsmitglieder vor Beginn der Arbeit und bei wesentlicher Änderung der Arbeitsbedingungen über die Unfall- und Gesundheitsgefahren, denen sie bei der Arbeit ausgesetzt sind, sowie über die Einrichtungen und Maßnahmen zur Abwendung dieser Gefahren zu unterweisen. [2] Er hat die jugendlichen Besatzungsmitglieder vor der erstmaligen Arbeitsaufnahme an Maschinen und gefährlichen Arbeitsstellen oder mit Arbei-

[1)] Nr. **370**.

ten, bei denen sie mit gesundheitsgefährdenden Stoffen in Berührung kommen, über die besonderen Gefahren dieser Arbeiten sowie über das bei ihrer Verrichtung erforderliche Verhalten zu unterweisen. [3] Die Unterweisungen sind in angemessenen Zeitabständen, mindestens aber halbjährlich zu wiederholen.

(6) Der Reeder beteiligt die Betriebsärztinnen und Betriebsärzte sowie die Fachkräfte für Arbeitssicherheit an der Planung, Durchführung und Überwachung der für die Sicherheit und den Gesundheitsschutz bei der Arbeit jugendlicher Besatzungsmitglieder geltenden Vorschriften.

(7) [1] Für Besatzungsmitglieder, die nicht beim Reeder beschäftigt sind, haben deren Arbeitgeber oder Ausbildende und der Kapitän gemeinsam für die Einhaltung der Vorschriften nach den Absätzen 1 bis 5 zu sorgen. [2] Für diese Besatzungsmitglieder kann anstelle des Kapitäns der Arbeitgeber, der Ausbildende oder die diese an Bord vertretende Person mit Zustimmung des Kapitäns Anordnungen zum Arbeitsschutz treffen.

(8) [1] Die Berufsgenossenschaft kann im Einzelfall feststellen, ob eine Arbeit unter die Arbeitsverbote oder Arbeitsbeschränkungen nach den Absätzen 1 und 2 oder einer nach § 118 erlassenen Rechtsverordnung fällt. [2] Sie kann in Einzelfällen die Arbeit jugendlicher Besatzungsmitglieder mit bestimmten Tätigkeiten über die Arbeitsverbote oder Arbeitsbeschränkungen des Absatzes 1 und einer Rechtsverordnung nach § 118 hinaus verbieten oder beschränken, wenn diese Arbeiten mit Gefahren für Leben, Gesundheit oder für die körperliche oder seelisch-geistige Entwicklung der jugendlichen Besatzungsmitglieder verbunden sind.

§ 118[1)] Rechtsverordnungen. [1] Das Bundesministerium für Arbeit und Soziales wird ermächtigt, im Einvernehmen mit dem Bundesministerium für Digitales und Verkehr durch Rechtsverordnung ohne Zustimmung des Bundesrates die Arbeitsverbote und Arbeitsbeschränkungen des § 117 Absatz 1 bis 3 für Jugendliche bei Arbeiten, die mit besonderen Gefahren für Leben, Gesundheit oder für die körperliche oder seelisch-geistige Entwicklung verbunden sind, zu bestimmen. [2] Rechtsverordnungen nach Satz 1 bedürfen des Einvernehmens des Bundesministeriums für Ernährung und Landwirtschaft, soweit die Seefischerei betroffen ist.

Unterabschnitt 5. Zugang zu Sozialeinrichtungen an Land

§ 119[2)] Sozialeinrichtungen für Seeleute an Land; Verordnungsermächtigungen. (1) Sozialeinrichtungen für Seeleute in den Häfen haben sicherzustellen, dass sie für alle Seeleute ungeachtet der Flagge des Schiffes diskriminierungsfrei und leicht zugänglich sind.

(2) Zu den Sozialeinrichtungen gehören

1. Versammlungs- und Freizeiträume,

[1)] § 118 Sätze 1 und 2 geänd. mWv 3.12.2015 durch G v. 25.11.2015 (BGBl. I S. 2095); Satz 1 geänd. mWv 21.3.2023 durch G v. 14.3.2023 (BGBl. I Nr. 73).

[2)] § 119 Abs. 4 neu gef. mWv 31.12.2015 durch G v. 22.12.2015 (BGBl. I S. 2569); Abs. 4 neu gef. mWv 1.1.2019 durch G v. 27.11.2018 (BGBl. I S. 2012); Abs. 4 Satz 1 geänd. mWv 1.1.2019 durch G v. *20.3.2019 (BGBl. I S. 346)*; Abs. 4 Satz 1 geänd. mWv 1.1.2020 durch G v. 4.3.2020 (BGBl. I S. 437); Überschrift neu gef., Abs. 5 angef. mWv 1.1.2020 durch G v. 20.5.2021 (BGBl. I S. 1144); Abs. 5 Satz 6 geänd. mWv 21.3.2023 durch G v. 14.3.2023 (BGBl. I Nr. 73).

2. Sporteinrichtungen und andere Einrichtungen im Freien, auch für Wettbewerbe,
3. Bildungseinrichtungen und
4. Einrichtungen für die Religionsausübung und für persönlichen Rat.

(3) [1] Die Sozialeinrichtungen sollen Sozialbeiräte einrichten. [2] Den Sozialbeiräten sollen Vertreter der Verbände der Reeder und der Seeleute, der zuständigen Stellen und von freiwilligen Organisationen und Organen der sozialen Betreuung angehören. [3] Soweit angebracht, sollen Konsuln der Seeschifffahrtsstaaten und die örtlichen Vertreter ausländischer Sozialorganisationen eingeladen werden, mit den in den Häfen tätigen Sozialbeiräten zusammenarbeiten.

(4)[1)] [1] Zur Erfüllung ihrer Aufgaben erhalten die Sozialeinrichtungen in inländischen Häfen einen jährlichen Gesamtbetrag in Höhe von 1,5 Millionen Euro aus Mitteln des Bundes. [2] Jede Sozialeinrichtung hat einen anteiligen Anspruch in gleicher Höhe aus dem Gesamtbetrag nach Satz 1. [3] Zuständige Behörde für die Gewährung der Leistung ist die Berufsgenossenschaft. [4] Das Bundesministerium für Arbeit und Soziales bestimmt durch Rechtsverordnung, die nicht der Zustimmung des Bundesrates bedarf, das Nähere zur Gewährung des Gesamtbetrages, insbesondere die Verteilungsgrundsätze sowie das Antragsverfahren und die Leistungsgewährung.

(5) [1] Unbeschadet der vorstehenden Bestimmungen fördert der Bund die Tätigkeit inländischer Einrichtungen, deren Aufgabe es ist, Seeleute durch den Betrieb von Sozialeinrichtungen in ausländischen Häfen zu unterstützen. [2] Die Einrichtungen müssen gemeinnützig sein im Sinne von § 52 der Abgabenordnung[2)] und nachweislich seit mindestens drei Jahren die in Satz 1 bezeichnete Aufgabe tatsächlich wahrnehmen. [3] Zur Erfüllung ihrer Aufgaben erhalten die Einrichtungen einen jährlichen Gesamtbetrag in Höhe von 1,025 Millionen Euro aus Mitteln des Bundes. [4] Gibt es mehr als eine leistungsberechtigte Einrichtung, hat jede aus dem Gesamtbetrag einen anteiligen Anspruch, dessen Höhe sich nach der Anzahl der durch die leistungsberechtigte Einrichtung im Ausland betriebenen Sozialeinrichtungen bemisst. [5] Absatz 4 Satz 3 gilt entsprechend. [6] Das Bundesministerium für Digitales und Verkehr bestimmt durch Rechtsverordnung, die nicht der Zustimmung des Bundesrates bedarf, das Nähere zur Gewährung des Gesamtbetrages sowie das Antragsverfahren und die Leistungsgewährung.

Abschnitt 7. Ordnung an Bord und Beschwerderecht

Unterabschnitt 1. Einhaltung der Ordnung an Bord

§ 120 Verhalten an Bord. Die Schiffsbesatzung hat vertrauensvoll und unter gegenseitiger Achtung und Rücksichtnahme zusammenzuarbeiten, um den Schiffsbetrieb zu sichern und die öffentliche Sicherheit und Ordnung an Bord und im Zusammenhang mit dem Betrieb des Schiffes zu gewährleisten.

§ 121 Verantwortung des Kapitäns für die Erhaltung von Sicherheit und Ordnung. (1) [1] Der Kapitän ist der Vorgesetzte aller Besatzungsmitglie-

---

[1)] Siehe hierzu ua: VO nach § 119 Abs. 4 SeearbeitsG **(beck-online, Module Arbeitsrecht Nr. 114e)**.

[2)] **Steuergesetze Nr. 800.**

der. [2] Ihm steht die oberste Anordnungsbefugnis gegenüber den Besatzungsmitgliedern und den sonstigen an Bord befindlichen Personen zu.

(2) [1] Der Kapitän hat für die Erhaltung der öffentlichen Sicherheit und Ordnung an Bord und im Zusammenhang mit dem Betrieb des Schiffes zu sorgen und ist im Rahmen der nachfolgenden Vorschriften und der anderen Rechtsvorschriften berechtigt, die dazu notwendigen Maßnahmen zu treffen. [2] Er darf vom Reeder nicht daran gehindert werden, alle Entscheidungen zu treffen, die nach dem fachlichen Ermessen des Kapitäns für die Sicherheit des Schiffes und seine sichere Fahrt, seinen sicheren Betrieb oder die Sicherheit der Besatzungsmitglieder und der sonstigen an Bord befindlichen Personen erforderlich sind.

(3) [1] Droht Menschen oder dem Schiff eine unmittelbare Gefahr, so kann der Kapitän die zur Abwendung der Gefahr gegebenen Anordnungen notfalls mit den erforderlichen Zwangsmitteln durchsetzen; die vorübergehende Festnahme ist zulässig. [2] Die Grundrechte des Artikels 2 Absatz 2 Satz 1 und 2 und des Artikels 13 Absatz 1 und 2 des Grundgesetzes[1)] werden insoweit eingeschränkt. [3] Kommt die Anwendung mehrerer Mittel in Frage, so ist das Mittel zu wählen, das den Betroffenen am wenigsten beeinträchtigt.

(4) [1] Die Anwendung körperlicher Gewalt oder die vorübergehende Festnahme ist nur zulässig, wenn andere Mittel von vornherein unzulänglich erscheinen oder sich als unzulänglich erwiesen haben. [2] Sie dürfen nur insoweit und so lange angewendet werden, als die Erfüllung der Aufgaben des Kapitäns im Rahmen der Absätze 2 und 3 dies erfordert.

(5) [1] Der Kapitän kann die Ausübung der sich aus den Absätzen 1 bis 4 ergebenden Befugnisse auf den Ersten Offizier des Decksdienstes und den Leiter der Maschinenanlage innerhalb ihrer Dienstzweige übertragen, wenn er nicht in der Lage ist, sie selbst auszuüben. [2] Jede Ausübung der Befugnisse ist spätestens innerhalb von 24 Stunden dem Kapitän mitzuteilen. [3] Die Übertragung ist den Besatzungsmitgliedern in geeigneter Weise bekannt zu geben.

(6) Der Kapitän hat Maßnahmen nach den Absätzen 3 und 4 und die Übertragung der Befugnisse nach Absatz 5 unter Darstellung des Sachverhalts unverzüglich in das Seetagebuch einzutragen.

§ 122 Anordnungsbefugnis der Schiffsoffiziere und der anderen Vorgesetzten. (1) Die Schiffsoffiziere und die anderen Vorgesetzten haben die Anordnungsbefugnis zur Erhaltung der öffentlichen Sicherheit und Ordnung

(Fortsetzung nächstes Blatt)

[1)] **beck-online, Module Arbeitsrecht Nr. 10.**

an Bord und im Zusammenhang mit dem Betrieb des Schiffes in ihrem Verantwortungsbereich.

(2) [1]Die Schiffsoffiziere sind die Vorgesetzten der in ihrem Dienstzweig tätigen Besatzungsmitglieder, soweit diese nicht Leiter von Dienstzweigen sind, sowie der innerhalb ihres Dienstzweiges tätigen Personen nach § 3 Absatz 3. [2]Leiter von Dienstzweigen sind Vorgesetzte aller in ihrem Dienstzweig tätigen Besatzungsmitglieder und Personen nach § 3 Absatz 3.

(3) [1]Der Kapitän kann innerhalb der einzelnen Dienstzweige auch andere Besatzungsmitglieder als Vorgesetzte bestimmen. [2]Die Bestimmung ist durch Aushang bekannt zu machen.

(4) Der wachhabende Schiffsoffizier des Maschinendienstes und die anderen Besatzungsmitglieder, die Leiter von Dienstzweigen sind, haben die Anordnungen des wachhabenden nautischen Schiffsoffiziers, die im Rahmen des Wachdienstes ergehen, in ihrem Dienstbereich durchzuführen.

(Fortsetzung nächstes Blatt)

§ 123 Pflichten der Vorgesetzten. (1) [1]Der Kapitän und die anderen Vorgesetzten haben die ihnen unterstellten Personen gerecht und verständnisvoll zu behandeln und Verstößen gegen die Gesetze und die guten Sitten entgegenzutreten. [2]Der Kapitän und die Vorgesetzten dürfen Besatzungsmitglieder nicht körperlich bestrafen, entwürdigend behandeln, nötigen oder misshandeln und haben sie vor körperlicher Bestrafung, entwürdigender Behandlung, Nötigung, Misshandlung und sittlicher Gefährdung durch andere Besatzungsmitglieder zu schützen. [3]Sie haben darauf zu achten, dass jugendliche Besatzungsmitglieder auch während der Freizeit vor gesundheitlichen und sittlichen Gefahren nach Möglichkeit geschützt sind.

(2) Der Kapitän hat dafür zu sorgen, dass die berufliche Fortbildung der Jugendlichen im Rahmen des Schiffsbetriebs gefördert wird.

§ 124 Pflichten der Besatzungsmitglieder und der sonstigen an Bord befindlichen Personen. (1) [1]Jedes Besatzungsmitglied ist verpflichtet, vollziehbare Anordnungen der Vorgesetzten unverzüglich zu befolgen. [2]Insbesondere ist das Besatzungsmitglied verpflichtet, eine vollziehbare Anordnung eines zuständigen Vorgesetzten unverzüglich zu befolgen, die dazu dient, eine drohende Gefahr für Menschen, für das Schiff oder dessen Ladung abzuwehren, schwere Störungen des Schiffsbetriebs zu verhindern oder Vorschriften über die Schiffssicherheit zu erfüllen. [3]In den Fällen des § 121 Absatz 2 und 3, auch in Verbindung mit Absatz 5, sind die Besatzungsmitglieder zur Beistandsleistung verpflichtet.

(2) Das Besatzungsmitglied ist nicht verpflichtet, eine Anordnung auszuführen, die die Menschenwürde verletzt oder wenn durch das Ausführen der Anordnung eine Straftat oder eine Ordnungswidrigkeit begangen würde.

(3) [1]Die sonstigen an Bord befindlichen Personen haben die vollziehbaren Anordnungen zu befolgen, die ihnen vom Kapitän oder in seiner Vertretung oder seinem Auftrag von einem Mitglied der Besatzung im Interesse der Erhaltung der öffentlichen Sicherheit und Ordnung an Bord und im Zusammenhang mit dem Betrieb des Schiffes erteilt werden. [2]Absatz 2 gilt entsprechend.

§ 125 Anbordbringen von Personen und Gegenständen. (1) Die Besatzungsmitglieder dürfen Personen, die nicht zur Schiffsbesatzung gehören, nicht ohne Erlaubnis des Kapitäns an Bord bringen.

(2) [1]Die Besatzungsmitglieder sind berechtigt, persönliche Bedarfsgegenstände und Verbrauchsgüter in angemessenem Umfang an Bord zu bringen, sofern dadurch nicht gesetzliche Vorschriften verletzt, die Ordnung an Bord beeinträchtigt oder Menschen, Schiff oder Ladung gefährdet werden. [2]Die Mitnahme von anderen Gegenständen, insbesondere von Waffen und Munition, ist nur mit Einwilligung des Kapitäns zulässig.

(3) [1]Werden Gegenstände entgegen den Vorschriften des Absatzes 2 an Bord gebracht, so kann der Kapitän sie in Verwahrung nehmen oder in anderer Weise sicherstellen. [2]Gefährdet ihr Verbleib die Gesundheit der an Bord befindlichen Personen, das Schiff oder die Ladung oder könnte er das Eingreifen einer Behörde veranlassen, so kann der Kapitän die Beseitigung der Gegenstände verlangen. [3]Kommt das Besatzungsmitglied dem Verlangen nicht nach, so kann der Kapitän die Vernichtung der Gegenstände veranlas-

sen. [4] In diesem Falle sind die Tatsache und der Grund der Vernichtung in das Seetagebuch einzutragen.

§ 126 Besatzungsmitgliedern gleichgestellte Personen. Kanalsteurer auf dem Nord-Ostsee-Kanal und Sicherheitskräfte privater nach der Gewerbeordnung[1)] zugelassener Bewachungsunternehmen stehen hinsichtlich dieses Unterabschnitts den Besatzungsmitgliedern gleich.

Unterabschnitt 2. Beschwerderecht, Beschwerdeverfahren

§ 127 Beschwerderecht. (1) Das Besatzungsmitglied hat das Recht, sich über einen Verstoß gegen dieses Gesetz und die auf Grund dieses Gesetzes erlassenen Rechtsverordnungen oder über eine Benachteiligung oder ungerechte Behandlung bei den in § 128 Absatz 1, 2 und 4 genannten Stellen zu beschweren (Beschwerde).

(2) Der Reeder oder in seinem Auftrag der Kapitän bestimmt mindestens eine Person an Bord des Schiffes, die dem Besatzungsmitglied auf vertraulicher Grundlage unparteiischen Rat zu einer Beschwerde erteilen und bei der Wahrnehmung des Beschwerderechts behilflich sein kann.

(3) [1] Das Besatzungsmitglied kann sich während des Beschwerdeverfahrens von einer Person seines Vertrauens an Bord des Schiffes begleiten und vertreten lassen. [2] Die Befugnis, sich durch einen Rechtsanwalt vertreten zu lassen, bleibt unberührt.

(4) Wegen der Erhebung einer Beschwerde dürfen dem Besatzungsmitglied und den Vertrauenspersonen nach den Absätzen 2 und 3 keine Nachteile entstehen.

(5) Beschwerderechte sowie Entschädigungs- und Schadensersatzansprüche nach anderen gesetzlichen Vorschriften bleiben unberührt.

(6) [1] Der Reeder hat das Besatzungsmitglied zusätzlich zur Aushändigung des Heuervertrages schriftlich über die an Bord gültigen Beschwerderegelungen zu unterrichten. [2] Die Unterrichtung hat auch den Namen der Vertrauensperson nach Absatz 2 und die Anschriften und Rufnummern des Reeders, der Berufsgenossenschaft und der im Wohnsitzstaat für Beschwerden zuständigen Stelle zu enthalten. [3] Der Reeder hat die Unterlagen über die Beschwerderegelungen stets auf dem aktuellen Stand zu halten. [4] Er kann die Verpflichtung nach Satz 3 erfüllen, indem er das Besatzungsmitglied auf einen allgemein zugänglichen Aushang an Bord verweist.

§ 128[2)] Beschwerdeverfahren. (1) Das Besatzungsmitglied soll seine Beschwerde zunächst an den unmittelbaren Vorgesetzten an Bord richten.

(2) [1] Beschwert sich das Besatzungsmitglied bei dem unmittelbaren Vorgesetzten an Bord und hilft dieser der Beschwerde innerhalb einer angemessenen Frist, die im Regelfall zwei Wochen nicht überschreiten soll, nicht ab, hat er die Beschwerde auf Verlangen des Beschwerdeführers dem Kapitän vorzulegen. [2] Der Kapitän hat über die Beschwerde zu entscheiden. [3] Handelt

---

1) Auszugsweise abgedruckt unter Nr. **106**.

2) § 128 Abs. 5 Satz 1 geänd., Sätze 2 und 3 angef., Abs. 6 Satz 2 aufgeh., Abs. 7 geänd. mWv 3.12.2015 durch G v. 25.11.2015 (BGBl. I S. 2095).

es sich um eine Beschwerde über das Verhalten von Besatzungsmitgliedern, hat der Kapitän zunächst einen gütlichen Ausgleich zu versuchen. [4] Hilft der Kapitän der Beschwerde nicht ab, hat er diese auf Verlangen des Beschwerdeführers an den Reeder weiterzuleiten.

(3) [1] Der Kapitän hat die Beschwerde und seine Entscheidung unter Darstellung des Sachverhalts in das Seetagebuch einzutragen. [2] Dem Beschwerdeführer soll eine Abschrift der Eintragung ausgehändigt werden.

(4) Gleichwohl hat das Besatzungsmitglied das Recht, sich jederzeit unmittelbar

1. bei dem Kapitän,
2. bei dem Reeder,
3. bei der Berufsgenossenschaft,
4. bei den deutschen Auslandsvertretungen,
5. bei anderen geeigneten externen Stellen

zu beschweren.

(5) [1] Die in Absatz 4 Nummer 3 bis 5 genannten Stellen sowie die von ihnen beauftragten Personen haben die Quelle einer Beschwerde nach § 127 Absatz 1 vertraulich zu behandeln. [2] Es ist ihnen ohne Einwilligung des Beschwerdeführers untersagt, den Reeder oder von ihm beauftragte Personen darüber zu unterrichten, dass eine Untersuchung infolge einer Beschwerde stattfindet. [3] Satz 2 gilt nicht, soweit die Unterrichtung im Einzelfall erforderlich ist, um eine konkrete Gefahr für Leben und Gesundheit von Menschen oder das Schiff oder seine Ladung abzuwehren.

(6) Erhält eine deutsche Auslandsvertretung eine Beschwerde, hat sie diese unverzüglich an die Berufsgenossenschaft weiterzuleiten.

(7) Die Berufsgenossenschaft hat sicherzustellen, dass Beschwerden von Besatzungsmitgliedern jederzeit entgegengenommen und untersucht werden und ihnen nach Möglichkeit abgeholfen wird.

(8) [1] Die Berufsgenossenschaft kann sich bei der Untersuchung und Abhilfe von Beschwerden der Mitwirkung anerkannter Organisationen und anderer sachverständiger Personen bedienen. [2] Die Kosten der Überprüfung hat der Reeder zu tragen.

Abschnitt 8. Zeugnisse und Verantwortlichkeit des Flaggenstaates

Unterabschnitt 1. Überprüfung der Arbeits- und Lebensbedingungen auf Schiffen und an Land

§ 129[1] Umfang der Flaggenstaatkontrolle. (1) [1] Die Berufsgenossenschaft ist im Rahmen dieses Gesetzes für die Überprüfung der Einhaltung der Arbeits- und Lebensbedingungen an Bord von Schiffen nach den Rechtsvorschriften zuständig, die zum Schutz vor Gefahren für die Sicherheit und die Gesundheit oder zum sonstigen Schutz der Besatzungsmitglieder erlassen

[1] § 129 Abs. 1 Satz 2 Nr. 5 und 8 geänd. mWv 18.1.2017 durch G v. 22.12.2015 (BGBl. I S. 2569).

worden sind. [2] Insbesondere umfasst die Überprüfung die Einhaltung der Vorschriften zu folgenden Anforderungen:

1. Mindestalter,
2. Seediensttauglichkeit,
3. Besatzungsstärke, Besatzungsliste, Befähigungen,
4. Arbeitsvermittlung,
5. Beschäftigungsbedingungen einschließlich Arbeits- und Ruhezeiten sowie finanzielle Absicherung für Fälle des Imstichlassens,
6. Unterkünfte und Freizeiteinrichtungen,
7. Verpflegung einschließlich Bedienung,
8. Sicherheit und Gesundheitsschutz bei der Arbeit, medizinische und soziale Betreuung einschließlich Entschädigung bei Arbeitsunfällen und Berufskrankheiten,
9. Ordnung an Bord und Beschwerdeverfahren.

[3] Die Zuständigkeit der Berufsgenossenschaft erstreckt sich auch auf Sachverhalte an Land, soweit diese einen unmittelbaren Bezug zu den Arbeits- und Lebensbedingungen an Bord aufweisen.

(2) Die Berufsgenossenschaft überprüft

1. zeugnispflichtige Schiffe nach § 130 regelmäßig alle fünf Jahre mit einer Zwischenüberprüfung zwischen dem zweiten und dritten Jahr der Laufzeit des Zeugnisses,
2. nichtzeugnispflichtige Schiffe nach § 134 regelmäßig alle drei Jahre,
3. Fischereifahrzeuge im Sinne des § 133 Absatz 1 Satz 1 regelmäßig alle vier Jahre mit einer Zwischenüberprüfung nach zwei Jahren und
4. Fischereifahrzeuge, die nicht unter Nummer 3 fallen, anlassbezogen, insbesondere bei Eingang von Beschwerden.

(3) Die Berufsgenossenschaft erteilt nach Maßgabe der nachstehenden Vorschriften das Seearbeitszeugnis, die Seearbeits-Konformitätserklärung und das Fischereiarbeitszeugnis.

Unterabschnitt 2. Seearbeitszeugnis und Seearbeits-Konformitätserklärung

§ 130 Pflicht zum Mitführen eines Seearbeitszeugnisses, Erteilungsvoraussetzungen. (1) [1] Der Reeder darf ein Schiff mit einer Bruttoraumzahl von 500 oder größer, das

1. für internationale Fahrten verwendet wird oder
2. Fahrten von einem Hafen oder zwischen Häfen in einem anderen Staat durchführt,

und das kein Fischereifahrzeug ist, nur in Dienst stellen oder in Fahrt halten, wenn er für das Schiff ein gültiges Seearbeitszeugnis hat und sicherstellt, dass das Schiff jederzeit den Anforderungen des Zeugnisses entspricht. [2] Ohne ein Seearbeitszeugnis darf der Kapitän mit dem Schiff aus einem Hafen nicht auslaufen oder dieses in Fahrt halten. [3] Das Seearbeitszeugnis ist an Bord mitzuführen.

(2) [1] Das Seearbeitszeugnis wird von der Berufsgenossenschaft erteilt, wenn sie durch eine Überprüfung des Schiffes festgestellt hat, dass

1. die Arbeits- und Lebensbedingungen der Besatzungsmitglieder auf dem Schiff den Anforderungen der Rechtsvorschriften entsprechen, die zum Schutz vor Gefahren für die Sicherheit und die Gesundheit oder zum sonstigen Schutz der Besatzungsmitglieder erlassen worden sind, und
2. die zur Aufrechterhaltung der Anforderungen der Nummer 1 ergriffenen Maßnahmen ausreichend sind.

[2] Abweichend von Satz 1 kann die Berufsgenossenschaft auf Antrag des Reeders ein Seearbeitszeugnis auch dann erteilen, wenn ihr durch ein vom Reeder in Auftrag gegebenes Gutachten (Überprüfungsbericht) einer anerkannten Organisation nachgewiesen ist, dass die Anforderungen des Satzes 1 erfüllt sind. [3] Unbeschadet des Satzes 2 kann sich die Berufsgenossenschaft jederzeit vorbehalten, das Seearbeitszeugnis erst nach einer durch sie selbst durchgeführten Überprüfung im Sinne des Satzes 1 zu erteilen.

(3) Der Reeder darf eine anerkannte Organisation nur mit der Überprüfung und der Erstellung des Überprüfungsberichtes beauftragen, wenn er mit der anerkannten Organisation eine schriftliche Vereinbarung geschlossen hat, in der mindestens die Befugnis der anerkannten Organisation geregelt ist, dass das Abstellen eines Verstoßes verlangt und die Berufsgenossenschaft über einen festgestellten Verstoß unterrichtet werden darf.

(4) [1] Soweit der Reeder eine anerkannte Organisation mit der Überprüfung und der Erstellung des Überprüfungsberichtes beauftragt, hat er dies der Berufsgenossenschaft anzuzeigen. [2] Die anerkannte Organisation hat die Berufsgenossenschaft über einen festgestellten Verstoß zu unterrichten.

(5) [1] Das Seearbeitszeugnis gilt vorbehaltlich des Absatzes 6 für fünf Jahre. [2] Ein erneutes Erteilen des Seearbeitszeugnisses ist nur unter den Voraussetzungen des Absatzes 2 Satz 1 möglich.

(6) [1] Ein Seearbeitszeugnis verliert seine Gültigkeit

1. wenn vorgeschriebene Zwischenüberprüfungen nicht fristgerecht durchgeführt oder bescheinigt worden sind,
2. bei Flaggenwechsel,
3. wenn die Verantwortung des Reeders für den Betrieb des Schiffes endet,
4. im Falle wesentlicher baulicher Veränderungen der Unterkünfte und Freizeiteinrichtungen,
5. im Falle seiner Rücknahme oder seines Widerrufes.

[2] In den Fällen des Satzes 1 hat der Reeder das Seearbeitszeugnis unaufgefordert der Berufsgenossenschaft zum Zweck des Einziehens auszuhändigen.

(7) Der Reeder hat dafür zu sorgen, dass das Seearbeitszeugnis jeweils in Kopie an einer den Besatzungsmitgliedern zugänglichen Stelle an Bord ausgehängt ist.

(8) Das Seearbeitszeugnis wird auf Antrag des Reeders auch für solche Schiffe ausgestellt, die nicht unter Absatz 1 Satz 1 fallen und keine Fischereifahrzeuge sind.

(9) Soweit ein berechtigtes Interesse vorliegt, erteilt die Berufsgenossenschaft auf Antrag Auskunft über ausgestellte oder erneuerte Seearbeitszeugnisse.

§ 131[1] Vorläufiges Seearbeitszeugnis, kurzzeitige Verlängerung der Gültigkeit des Seearbeitszeugnisses, amtlich anerkanntes Seearbeitszeugnis. (1) Die Berufsgenossenschaft kann auf Antrag des Reeders einmalig ein Seearbeitszeugnis vorläufig erteilen (vorläufiges Seearbeitszeugnis), wenn

1. ein Neubau in Dienst gestellt wird,
2. ein Schiff die Flagge wechselt oder
3. der Reeder die Verantwortung für den Betrieb eines für ihn neuen Schiffes übernimmt.

(2) Die Berufsgenossenschaft kann auf Antrag des Reeders die kurzzeitige Verlängerung der Gültigkeit eines Seearbeitszeugnisses erteilen, soweit

1. eine Überprüfung des Schiffes nach § 130 Absatz 2 durchgeführt worden ist und
2. ein Seearbeitszeugnis unmittelbar vor dem Ablauf seiner Gültigkeit nicht mehr rechtzeitig nach § 130 Absatz 5 Satz 2 erneut erteilt und an Bord des Schiffes übermittelt werden kann.

(3) [1] Die Berufsgenossenschaft kann einem Reeder genehmigen, dass eine nach Maßgabe des § 130 Absatz 3 beauftragte anerkannte Organisation ein amtlich anerkanntes Seearbeitszeugnis ausstellt. [2] Das amtlich anerkannte Seearbeitszeugnis wird als

1. amtlich anerkanntes vorläufiges Seearbeitszeugnis oder
2. amtlich anerkannte kurzzeitige Verlängerung der Gültigkeit des Seearbeitszeugnisses nach Absatz 2

ausgestellt und tritt jeweils an die Stelle eines vorläufigen Seearbeitszeugnisses oder einer kurzzeitigen Verlängerung der Gültigkeit eines Seearbeitszeugnisses nach Absatz 2. [3] Die anerkannte Organisation darf ein amtlich anerkanntes Seearbeitszeugnis nur ausstellen, wenn sie die Voraussetzungen für das Erteilen eines vorläufigen Seearbeitszeugnisses oder einer kurzzeitigen Verlängerung der Gültigkeit eines Seearbeitszeugnisses nach Absatz 2, amtlich anerkanntes Seearbeitszeugnis als erfüllt ansieht. [4] Die anerkannte Organisation hat die Berufsgenossenschaft unverzüglich über das Ausstellen eines amtlich anerkannten Seearbeitszeugnisses nach Satz 1 zu unterrichten und ihr eine Kopie zu übermitteln.

(4) [1] Das vorläufige Seearbeitszeugnis und das amtlich anerkannte Seearbeitszeugnis nach Absatz 3Satz 2 Nummer 1 gelten vorbehaltlich des Absatzes 5 längstens für sechs Monate. [2] Die kurzzeitige Verlängerung der Gültigkeit eines Seearbeitszeugnisses nach Absatz 2 und das amtlich anerkannte Seearbeitszeugnis nach Absatz 3 Satz 2 Nummer 2 gelten vorbehaltlich des Absatzes 5 längstens für fünf Monate ab dem Tag des Ablaufs des bestehenden Zeugnisses.

(5) Für den Verlust der Gültigkeit und die Einziehung eines amtlich anerkannten Seearbeitszeugnisses nach Absatz 3 gilt § 130 Absatz 6 entsprechend.

---

[1] *§ 131 Überschrift, Abs. 2 einl. Satzteil* sowie Abs. 3 Satz 3 geänd., Satz 2 neu gef., Abs. 4 Satz 2 angef., bish. Wortlaut wird Satz 1 und geänd. mWv 5.12.2018 durch G v. 27.11.2018 (BGBl. I S. 2012).

§ 132 Seearbeits-Konformitätserklärung. (1) Der Reeder hat dafür zu sorgen, dass an Bord seines Schiffes im Sinne des § 130 Absatz 1 eine Seearbeits-Konformitätserklärung mitgeführt wird und der Reeder sicherstellt, dass das Schiff jederzeit den Anforderungen der Erklärung entspricht.

(2) [1] Teil I der Seearbeits-Konformitätserklärung führt die innerstaatlichen Rechtsvorschriften auf, die zum Schutz vor Gefahren für die Sicherheit und die Gesundheit oder zum sonstigen Schutz der Besatzungsmitglieder erlassen worden sind. [2] In Teil II der Seearbeits-Konformitätserklärung hat der Reeder die Maßnahmen aufzuführen, die er getroffen hat, um die Erfüllung der in Teil I der Seearbeits-Konformitätserklärung beschriebenen Anforderungen auf dem Schiff sicherzustellen und um fortlaufende Verbesserungen zu ermöglichen.

(3) Die Berufsgenossenschaft erteilt dem Reeder die Seearbeits-Konformitätserklärung, wenn

1. der Reeder ihr den Teil II der Seearbeits-Konformitätserklärung übermittelt hat und
2. die Berufsgenossenschaft überprüft hat, dass die vom Reeder in Teil II der Seearbeits-Konformitätserklärung aufgeführten Maßnahmen im Sinne des Absatzes 2 Satz 2 geeignet sind, die Anforderungen nach Absatz 2 Satz 1 zu erfüllen und
3. eine Überprüfung an Bord des Schiffes nach § 130 Absatz 2 ergeben hat, dass die Anforderungen eingehalten werden.

(4) [1] Eine Seearbeits-Konformitätserklärung verliert ihre Gültigkeit

1. in den Fällen, in denen ein Seearbeitszeugnis nach § 130 Absatz 6 Satz 1 Nummer 2 bis 5 seine Gültigkeit verliert,
2. wenn sich die vom Reeder in Teil II der Seearbeits-Konformitätserklärung aufgeführten Maßnahmen derart geändert haben, dass die Maßnahmen nicht mehr geeignet sind, die Anforderungen nach Absatz 2 Satz 1 zu erfüllen oder
3. wenn die tatsächlichen Verhältnisse an Bord nicht mehr den vom Reeder in Teil II der Seearbeits-Konformitätserklärung aufgeführten Maßnahmen entsprechen.

[2] § 130 Absatz 6 Satz 2 gilt entsprechend.

(5) § 130 Absatz 7 und 8 gilt entsprechend.

Unterabschnitt 3. Fischereiarbeitszeugnis

§ 133[1] Pflicht zum Mitführen eines Fischereiarbeitszeugnisses, Erteilungsvoraussetzungen. (1) [1] Der Reeder darf ein Fischereifahrzeug, das länger als drei Tage auf See bleibt und

1. dessen Länge 24 Meter oder mehr beträgt oder
2. das regelmäßig in mehr als 200 Seemeilen Entfernung von der Küstenlinie oder jenseits des äußeren Randes des Festlandsockels eingesetzt wird, wenn diese Entfernung von der Küstenlinie größer ist,

---

[1] § 133 Abs. 1 Satz 2 geänd. mWv 3.12.2015 durch G v. 25.11.2015 (BGBl. I S. 2095).

nur in Dienst stellen oder in Fahrt halten, wenn er für das Fahrzeug ein gültiges Fischereiarbeitszeugnis hat. [2] § 130 Absatz 1 Satz 2 und 3, Absatz 2 Satz 1 Nummer 1, Absatz 5 Satz 2 und Absatz 7 gilt entsprechend. [3] Die Berufsgenossenschaft erteilt das Fischereiarbeitszeugnis für eine Dauer von bis zu vier Jahren. [4] Ein erneutes Erteilen des Fischereiarbeitszeugnisses ist nur unter den Voraussetzungen des § 130 Absatz 2 Satz 1 Nummer 1 möglich.

(2) Ein Fischereiarbeitszeugnis verliert bei entsprechender Anwendung der Voraussetzungen des § 130 Absatz 6 Satz 1 seine Gültigkeit; § 130 Absatz 6 Satz 2 gilt entsprechend.

Unterabschnitt 4. Nicht zeugnispflichtige Schiffe

§ 134 Nicht zeugnispflichtige Schiffe. [1] Der Reeder darf ein Schiff, das nicht unter § 130 Absatz 1 Satz 1 fällt und kein Fischereifahrzeug ist, nur in Dienst stellen oder in Fahrt halten, wenn er dieses in Abständen von drei Jahren in Hinblick auf die in § 130 Absatz 2 Satz 1 bezeichneten Anforderungen durch die Berufsgenossenschaft überprüfen lässt. [2] Über die Überprüfung wird ein Überprüfungsbericht ausgestellt. [3] Der Reeder hat sicherzustellen, dass dieser an Bord mitgeführt wird.

Unterabschnitt 5. Anerkannte Organisationen

§ 135 Ermächtigung anerkannter Organisationen. (1) Die Berufsgenossenschaft kann nach der Verordnung (EG) Nr. 391/2009 des Europäischen Parlaments und des Rates vom 23. April 2009 über gemeinsame Vorschriften und Normen für Schiffsüberprüfungs- und -besichtigungsorganisationen (ABl. L 131 vom 28.5.2009, S. 11, L 74 vom 22.3.2010, S. 1) in der jeweils geltenden Fassung anerkannte Organisationen zum Zweck der Mitwirkung an Überprüfungen und Besichtigungen von Schiffen im Zusammenhang mit den in diesem Gesetz vorgesehenen Zeugnissen ermächtigen (anerkannte Organisationen).

(2) [1] Die Ermächtigung erfolgt durch eine schriftliche Vereinbarung zwischen der Berufsgenossenschaft und der anerkannten Organisation, in der die von der Organisation wahrzunehmenden Aufgaben und Funktionen im Einzelnen aufgeführt sind. [2] Die Vereinbarung muss enthalten:

1. die Bestimmungen des Anhangs 2 der Richtlinien für die Beauftragung anerkannter Organisationen, die für die Verwaltung handeln, vom 4. November 1993 (VkBl. 2008 S. 508), die nach Maßgabe der Bekanntmachung des Bundesministeriums für Verkehr, Bau und Stadtentwicklung vom 20. Mai 2009 (VkBl. 2009 S. 354) geändert worden sind,
2. Bestimmungen über die finanzielle Haftung der anerkannten Organisation,
3. ergänzende Bestimmungen zu den Befugnissen der Berufsgenossenschaft nach diesem Gesetz über die regelmäßige Kontrolle der von den anerkannten Organisationen für die Verwaltung wahrgenommenen Aufgaben,
4. Bestimmungen für die Übermittlung wesentlicher Angaben über die von *einer anerkannten* Organisation klassifizierte Flotte sowie über Klassenwechsel, Aussetzung oder Entzug der Klasse, nur soweit personenbezogene Daten nicht betroffen sind.

(3) [1]Die anerkannte Organisation muss im Gebiet der Bundesrepublik Deutschland eine örtliche Niederlassung unterhalten. [2]Eine anerkannte Organisation, die ihren Sitz nicht in einem Mitgliedstaat der Europäischen Union hat, darf nur ermächtigt werden, wenn der Sitzstaat anerkannte Organisationen, die ihren Sitz in einem Mitgliedstaat der Europäischen Union haben, auf der Grundlage der Gegenseitigkeit behandelt. [3]Eine Vereinbarung über die Ermächtigung darf zudem nur geschlossen werden, wenn die anerkannte Organisation nachweist, dass sie folgende Voraussetzungen erfüllt:

1. eine ausreichende Anzahl von qualifizierten Inspektoren beschäftigt,
2. Sachverstand und Kenntnisse der Anforderungen und einzelnen Aspekte des Seearbeitsübereinkommens und der entsprechenden Vorschriften besitzt,
3. ein System für die Aus-, Fort- und Weiterbildung des Personals unterhält,
4. über die Größe, Struktur, Erfahrung und Fähigkeit verfügt, um die Aufgaben nach Absatz 1 effektiv wahrzunehmen.

(4) [1]Die Berufsgenossenschaft hat eine Vereinbarung nach Absatz 2 zu kündigen, wenn die Europäische Kommission nach Artikel 7 der Verordnung (EG) Nr. 391/2009 einer anerkannten Organisation die Anerkennung entzogen hat. [2]Die Kündigung wird wirksam an dem Tag, an dem die Entziehung durch die Europäische Kommission wirksam wird. [3]Die Möglichkeit der Kündigung nach den allgemeinen Vorschriften bleibt unberührt.

(5) Die Berufsgenossenschaft gibt die anerkannten Organisationen, die sie nach Absatz 1 ermächtigt hat oder deren Ermächtigung durch Kündigung der Vereinbarung beendet ist, im Bundesanzeiger und nachrichtlich auf ihrer Internetseite bekannt.

Unterabschnitt 6. Rechtsverordnungen

§ 136[1)] Rechtsverordnungen. (1) Das Bundesministerium für Digitales und Verkehr wird ermächtigt, im Einvernehmen mit dem Bundesministerium für Arbeit und Soziales durch Rechtsverordnung ohne Zustimmung des Bundesrates Bestimmungen über

1. die nähere Ausgestaltung der Überprüfungen und Überwachung nach diesem Abschnitt, die Voraussetzungen, den Gegenstand und die Durchführung der Überprüfungen sowie die Anforderungen an die mit der Vornahme der Überprüfungen betrauten Personen, auch soweit Personen anerkannter Organisationen betroffen sind,
2. die näheren Einzelheiten über die Ausstellung und deren Voraussetzungen, die Gültigkeit und Gültigkeitsdauer, die Form und die Aufhebung und Entziehung des Seearbeitszeugnisses, des vorläufigen Seearbeitszeugnisses, der kurzzeitigen Verlängerung der Gültigkeit des Seearbeitszeugnisses, der Seearbeits-Konformitätserklärung und der von der anerkannten Organisation auszustellenden Überprüfungsberichte und amtlich anerkannten Seearbeitszeugnisse und des Fischereiarbeitszeugnisses sowie deren Überprüfung,
3. Rechte und Pflichten der anerkannten Organisationen einschließlich der näheren Einzelheiten der Vereinbarung mit dem Reeder,

---

1) § 136 neu gef. mWv 3.12.2015 durch G v. 25.11.2015 (BGBl. I S. 2095); Abs. 1 Nr. 2 geänd. mWv 5.12.2018 durch G v. 27.11.2018 (BGBl. I S. 2012); Abs. 1 einl. Satzteil und Abs. 2 geänd. mWv 21.3.2023 durch G v. 14.3.2023 (BGBl. I Nr. 73).

4. Aufzeichnungen und Unterlagen, auch soweit sie an Bord mitzuführen oder auszuhändigen sind, und die Aufbewahrung von Aufzeichnungen,
5. Voraussetzungen, unter denen ein Seearbeitszeugnis, eine Seearbeits-Konformitätserklärung oder ein Fischereiarbeitszeugnis ganz oder teilweise nicht erforderlich ist

sowie das jeweilige Verfahren zu erlassen.

(2) Das Bundesministerium für Digitales und Verkehr wird ferner ermächtigt, durch Rechtsverordnung ohne Zustimmung des Bundesrates Bestimmungen über die näheren Einzelheiten der Voraussetzungen für die Ermächtigung einer anerkannten Organisation nach § 135 sowie das Verfahren zu erlassen.

Abschnitt 9. Anforderungen an Schiffe unter ausländischer Flagge und Verantwortlichkeit des Hafenstaates

Unterabschnitt 1. Anforderungen an Schiffe unter ausländischer Flagge

§ 137[1] [2] Anforderungen an Reeder eines Schiffes unter ausländischer Flagge. (1) Reeder und Kapitän eines Schiffes unter ausländischer Flagge haben jeweils sicherzustellen, dass die Arbeits- und Lebensbedingungen der Besatzungsmitglieder an Bord den Anforderungen der Artikel und der Regeln in Verbindung mit Teil A des Codes des Seearbeitsübereinkommens genügen.

(2) Können für ein Schiff unter ausländischer Flagge ein gültiges Seearbeitszeugnis und eine gültige Seearbeits-Konformitätserklärung nach § 132 vorgelegt werden, gelten die in Absatz 1 bezeichneten Anforderungen als erfüllt, soweit im Einzelfall kein Grund zu der Annahme besteht, dass das Schiff den Anforderungen nicht genügt.

Unterabschnitt 2. Hafenstaatkontrolle

§ 138[1] [3] Überprüfung von Schiffen unter ausländischer Flagge.

(1) Die Überprüfung der Einhaltung der in § 137 Absatz 1 bezeichneten Anforderungen auf Schiffen unter ausländischer Flagge (Hafenstaatkontrolle im Sinne der Richtlinie 2009/16/EG des Europäischen Parlaments und des Rates vom 23. April 2009 über die Hafenstaatkontrolle (ABl. L 131 vom 28.5.2009, S. 57), die durch die Richtlinie 2013/38/EU (ABl. L 218 vom 14.8.2013, S. 1) geändert worden ist) ist Aufgabe der Berufsgenossenschaft.

(2) Die Häufigkeit und die Auswahl eines zu überprüfenden Schiffes richten sich nach dessen Risikoprofil, das nach den Artikeln 10 bis 14 in Verbindung mit den Anhängen I und II der Richtlinie 2009/16/EG zu ermitteln ist.

(3) [1]Die Berufsgenossenschaft und die bei ihr beschäftigten Personen überprüfen die Einhaltung der in § 137 Absatz 1 bezeichneten Anforderungen zunächst durch Prüfung des vom Kapitän vorzulegenden Seearbeitszeugnisses und der Seearbeits-Konformitätserklärung. [2]Stellt die Berufsgenossenschaft oder die von ihr beauftragte Person fest, dass

---

[1] Siehe zum Inkrafttreten der §§ 137–141 und 143 die Anwendungsvorschriften in § 154.
[2] § 137 Abs. 2 geänd. mWv 3.12.2015 durch G v. 25.11.2015 (BGBl. I S. 2095).
[3] § 138 Abs. 1 neu gef. mWv 3.12.2015 durch G v. 25.11.2015 (BGBl. I S. 2095).

1. ein Schiff unter ausländischer Flagge kein Seearbeitszeugnis und keine Seearbeits-Konformitätserklärung hat oder eine oder beide Urkunden ungültig oder gefälscht sind,
2. es Grund für die Annahme gibt, dass die Arbeits- und Lebensbedingungen auf dem Schiff nicht den Anforderungen des § 137 Absatz 1 genügen,
3. es Grund für die Annahme gibt, dass das Schiff die Flagge gewechselt hat, um die Einhaltung der Anforderungen des § 137 Absatz 1 zu umgehen, oder
4. eine Beschwerde nach § 139 vorliegt, wonach spezifische Arbeits- und Lebensbedingungen auf dem Schiff den Anforderungen des Seearbeitsübereinkommens nicht genügen,

kann sie eine über die Prüfung des Seearbeitszeugnisses hinausgehende gründlichere Überprüfung durchführen, um Aufschluss über die Arbeits- und Lebensbedingungen an Bord des Schiffes zu erhalten. [3]Eine solche Überprüfung ist insbesondere dann durchzuführen, wenn die begründete Annahme oder Behauptung mangelhafter Arbeits- und Lebensbedingungen eine Gefahr für die Sicherheit des Schiffes oder der Besatzung oder für die Gesundheit oder den Schutz der Besatzungsmitglieder darstellen könnte oder wenn Grund zu der Annahme besteht, dass der Verstoß eine schwerwiegende Verletzung der in § 137 Absatz 1 bezeichneten Anforderungen darstellt.

(4) [1]Stellt die Berufsgenossenschaft bei einer Überprüfung einen Verstoß hinsichtlich des Einhaltens der in § 137 Absatz 1 bezeichneten Anforderungen fest, hat sie hierüber unverzüglich den Kapitän zu unterrichten. [2]Sie kann die Beseitigung des Verstoßes verlangen und dafür eine angemessene Frist setzen.

(5) [1]Hält die Berufsgenossenschaft einen Verstoß für schwerwiegend oder beruht dieser auf einer Beschwerde, hat sie über Absatz 4 hinaus die Verbände der Reeder und der Seeleute des Hafenstaates zu unterrichten. [2]Sie kann einen Vertreter des Flaggenstaates benachrichtigen und die zuständigen Stellen des nächsten Anlaufhafens entsprechend unterrichten.

(6) Soweit eine Anordnung nach § 143 Absatz 3 ergeht, hat die Berufsgenossenschaft einen Vertreter des Flaggenstaates und die für den Hafen zuständigen Verbände der Reeder und der Seeleute unverzüglich zu unterrichten.

(7) Für die Durchführung der Überprüfung gilt im Übrigen § 143.

Unterabschnitt 3. Besatzungsmitglieder auf Schiffen unter ausländischer Flagge

§ 139[1] Beschwerden auf Schiffen unter ausländischer Flagge.

(1) Das Besatzungsmitglied auf einem Schiff unter ausländischer Flagge, das einen inländischen Hafen anläuft oder den Nord-Ostsee-Kanal befährt, hat das Recht, sich über einen Verstoß gegen das Seearbeitsübereinkommen bei der Berufsgenossenschaft zu beschweren.

(2) [1]Die Beschwerde ist vertraulich zu behandeln. [2]Kapitän, Reeder und jeder in der Beschwerde benannten Person ist unverzüglich Gelegenheit zu geben, binnen einer angemessenen Frist Stellung zu nehmen.

(3) Besteht an Bord des Schiffes unter ausländischer Flagge ein Beschwerdeverfahren, soll die Berufsgenossenschaft den Beschwerdeführer vorrangig auf dieses verweisen, soweit Beschwerdegegenstand oder berechtigte Belange des

[1] Siehe zum Inkrafttreten der §§ 137–141 und 143 die Anwendungsvorschriften in § 154.

Beschwerdeführers, insbesondere die Furcht vor Vergeltungsmaßnahmen, dem nicht entgegenstehen.

(4) Die Berufsgenossenschaft kann bei Beschwerden nach Absatz 1, insbesondere wenn diese alle Besatzungsmitglieder auf dem Schiff betreffen, eine Überprüfung im Sinne des § 138 Absatz 3 Satz 2 durchführen.

(5) [1] Führen die Maßnahmen nach den Absätzen 3 und 4 nicht zu einer Beilegung der Beschwerde, benachrichtigt die Berufsgenossenschaft umgehend den Flaggenstaat und fordert diesen auf, unverzüglich einen Plan mit Abhilfemaßnahmen vorzulegen. [2] Sie kann von einer weiteren Behandlung der Beschwerde absehen, wenn der Flaggenstaat über ein Beschwerdeverfahren verfügt, das den Anforderungen der Regel 5.1.5 des Seearbeitsübereinkommens genügt, einen geeigneten Aktionsplan vorlegt und die Behandlung der Beschwerde übernimmt.

(6) [1] Führen die Maßnahmen nach Absatz 5 nicht zu einer Beilegung der Beschwerde, unterrichtet die Berufsgenossenschaft die für den Hafen zuständigen Verbände der Reeder und der Seeleute und übermittelt dem Generaldirektor des Internationalen Arbeitsamtes eine Kopie ihres Berichts. [2] Eine vom Flaggenstaat innerhalb der vorgeschriebenen Frist abgegebene Antwort ist dem Bericht beizufügen.

§ 140[1)] Heimschaffung von Besatzungsmitgliedern auf Schiffen unter ausländischer Flagge. [1] Verzögert sich die Heimschaffung eines Besatzungsmitglieds auf einem Schiff unter ausländischer Flagge, das im Inland zurückgelassen worden ist, unterrichtet die Berufsgenossenschaft unverzüglich den konsularischen Vertreter des Flaggenstaates und des Staatsangehörigkeitsstaates oder des Aufenthaltsstaates des Besatzungsmitglieds. [2] Sorgt die Berufsgenossenschaft für die Heimschaffung, hat sie die verauslagten Kosten beim Flaggenstaat einzufordern. [3] Statt den Anspruch nach Satz 2 geltend zu machen, kann sie nach Maßgabe des Internationalen Übereinkommens vom 10. Mai 1952 zur Vereinheitlichung von Regeln über den Arrest in Seeschiffe (BGBl. 1972 II S. 655) Schiffe des Reeders festhalten, bis die verauslagten Kosten durch den Reeder erstattet worden sind.

§ 141[1)] Medizinische Betreuung von Besatzungsmitgliedern auf Schiffen unter ausländischer Flagge. Bedarf ein erkranktes oder verletztes Besatzungsmitglied auf einem Schiff unter ausländischer Flagge, das einen inländischen Hafen anläuft oder den Nord-Ostsee-Kanal befährt, der unverzüglichen medizinischen Betreuung, hat die Berufsgenossenschaft, unbeschadet ausländerrechtlicher Vorschriften, für einen ungehinderten Zugang des Besatzungsmitglieds zu den medizinischen Einrichtungen an Land zu sorgen.

Abschnitt 10. Durchsetzung der Arbeits- und Lebensbedingungen

§ 142 Zuständigkeiten. (1) Neben den Zuständigkeiten nach den §§ 129 und 138 obliegt der Berufsgenossenschaft die Überwachung der Sozialeinrichtungen.

[1)] Siehe zum Inkrafttreten der §§ 137–141 und 143 die Anwendungsvorschriften in § 154.

(2) Die Zuständigkeiten anderer Stellen hinsichtlich der Berufsausbildung an Bord sowie der Ausstellung von Befähigungszeugnissen und -nachweisen bleiben unberührt.

§ 143[1) 2)] Eingriffsbefugnisse der Berufsgenossenschaft. (1) [1] Zum Zweck der Überwachung der Einhaltung der Arbeits- und Lebensbedingungen im Rahmen der Flaggenstaatkontrolle und der Hafenstaatkontrolle sind die Berufsgenossenschaft und die bei ihr beschäftigten Personen befugt,

1. Schiffe im Sinne des § 1 Absatz 1 Satz 1 und Schiffe unter ausländischer Flagge,
2. Sachverhalte an Land, soweit diese einen unmittelbaren Bezug zu den Arbeits- und Lebensbedingungen an Bord aufweisen, und
3. anerkannte Organisationen

zu überprüfen und die erforderlichen Anordnungen und Maßnahmen gegenüber den nach diesem Gesetz verpflichteten Personen, insbesondere gegenüber Reedern, Besatzungsmitgliedern, Seeleuten, Vermittlern, zugelassenen Ärzten und anerkannten Organisationen, zu treffen, die zur Feststellung eines hinreichenden Verdachts eines Verstoßes oder zur Beseitigung eines festgestellten Verstoßes oder zur Verhütung eines künftigen Verstoßes, insbesondere in den Fällen des § 129 Absatz 1 oder des § 137 Absatz 1, erforderlich sind. [2] Zu diesen Zwecken können die Berufsgenossenschaft und die bei ihr beschäftigten Personen insbesondere

1. unangekündigt während der üblichen Geschäfts- und Betriebszeiten an Bord eines Schiffes oder eines Schiffes unter ausländischer Flagge gehen sowie Geschäfts-, Dienst- und Behandlungsräume von Reedern, Vermittlern, zugelassenen Ärzten und anerkannten Organisationen betreten,
2. zur Verhütung dringender Gefahren für die öffentliche Sicherheit und Ordnung
   a) die Räumlichkeiten an Bord eines Schiffes oder eines Schiffes unter ausländischer Flagge auch außerhalb der dort genannten Zeiten,
   b) Wohnräume an Bord eines Schiffes oder eines Schiffes unter ausländischer Flagge

   betreten; das Grundrecht der Unverletzlichkeit der Wohnung (Artikel 13 des Grundgesetzes[3)]) wird insoweit eingeschränkt,
3. jederzeit die Hafenanlagen mit Ausnahme der dort gelegenen Räumlichkeiten betreten,
4. alle ihnen notwendig erscheinenden Prüfungen vornehmen und Feststellungen in Zusammenarbeit mit dem Reeder oder dessen Beauftragten an Bord sowie mit Vermittlern, zugelassenen Ärzten und anerkannten Organisationen treffen,
5. Einsicht in alle Bücher, insbesondere Seetagebücher, Register, Zeugnisse, Arbeitszeitnachweise, Befähigungszeugnisse, und sonstigen Unterlagen, ausgenommen Krankenunterlagen, nehmen,

---

[1)] Siehe zum Inkrafttreten der §§ 137–141 und 143 die Anwendungsvorschriften in § 154.

[2)] § 143 Abs. 3 Satz 2 angef. mWv 3.12.2015 durch G v. 25.11.2015 (BGBl. I S. 2095); Abs. 7 Satz 2 geänd. mWv 26.11.2019 durch G v. 20.11.2019 (BGBl. I S. 1626).

[3)] **beck-online, Module Arbeitsrecht Nr. 10.**

6. alle Auskünfte verlangen, die zur Erfüllung der Zwecke nach Satz 1 erforderlich sind.

[3] Die nach diesem Gesetz verpflichteten Personen, insbesondere Reeder, Besatzungsmitglieder, Seeleute, Vermittler, zugelassene Ärzte und anerkannte Organisationen, sind verpflichtet, den mit der Überwachung betrauten Personen die Maßnahmen nach Satz 2 zu ermöglichen und die Maßnahmen zu dulden, die bei der Kontrolle benötigten Arbeitskräfte und Hilfsmittel bereitzustellen sowie auf Verlangen die erforderlichen Auskünfte zu erteilen, Unterlagen vorzulegen oder Auszüge aus elektronischen Dateien auszudrucken und vorzulegen.

(2) Wer nach Absatz 1 Satz 2 Nummer 6 in Verbindung mit Absatz 1 Satz 3 zur Auskunft verpflichtet ist, kann die Auskunft auf solche Fragen verweigern, deren Beantwortung ihn selbst oder einen der in § 383 Absatz 1 Nummer 1 bis 3 der Zivilprozessordnung[1)] bezeichneten Angehörigen der Gefahr strafgerichtlicher Verfolgung oder eines Verfahrens nach dem Gesetz über Ordnungswidrigkeiten aussetzen würde.

(3) [1] Wird bei einer Überprüfung festgestellt, dass ein Schiff nach § 1 Absatz 1 Satz 1 oder ein Schiff unter ausländischer Flagge nicht den Anforderungen des § 129 Absatz 1 oder des § 137 Absatz 1 entspricht und

1. die Arbeits- und Lebensbedingungen an Bord eine Gefahr für die Sicherheit, die Gesundheit oder den Schutz der Besatzungsmitglieder darstellen oder
2. die Nichterfüllung eine schwere oder wiederholte Verletzung der Anforderungen nach § 129 Absatz 1 oder § 137 Absatz 1 darstellt,

kann die Berufsgenossenschaft das Auslaufen oder die Weiterfahrt des betroffenen Schiffes untersagen, bis die erforderlichen Maßnahmen getroffen oder der Verstoß beseitigt worden ist. [2] Weigert sich ein Reeder beharrlich oder wiederholt,

1. für ein in § 130 Absatz 1 bezeichnetes Schiff das vorgeschriebene Seearbeitszeugnis und die Seearbeits-Konformitätserklärung zu beantragen oder
2. für ein in § 133 Absatz 1 bezeichnetes Fischereifahrzeug das vorgeschriebene Fischereiarbeitszeugnis zu beantragen oder
3. ein in Satz 1 bezeichnetes Schiff durch die Berufsgenossenschaft überprüfen zu lassen,

kann die Berufsgenossenschaft das Auslaufen oder die Weiterfahrt des betroffenen Schiffes untersagen, bis das jeweils vorgeschriebene Zeugnis erteilt oder das Schiff überprüft worden ist.

(4) [1] Die Berufsgenossenschaft hat eine Bescheinigung eines Vermittlers nach § 26 Absatz 1 Satz 1 oder ein Seearbeitszeugnis nach § 130 Absatz 1 oder § 131 Absatz 1 und 2

1. zurückzunehmen, wenn bekannt wird, dass die Bescheinigung oder das Zeugnis hätte versagt werden müssen,
2. zu widerrufen, wenn die Voraussetzungen für die Erteilung nachträglich entfallen sind;

im Übrigen bleiben die Vorschriften über Rücknahme und Widerruf von Verwaltungsakten unberührt. [2] Die Berufsgenossenschaft kann in entsprechender Anwendung des Satzes 1 ein amtlich anerkanntes Seearbeitszeugnis nach

---

1) beck-online, Module Arbeitsrecht Nr. 320.

§ 131 Absatz 3 und eine bereits ausgestellte Seearbeits-Konformitätserklärung für ungültig erklären.

(5) [1] Die Berufsgenossenschaft hat eine nach Absatz 4 aufgehobene oder für ungültig erklärte Urkunde einzuziehen. [2] Der Reeder oder der Vermittler hat der Berufsgenossenschaft eine eingezogene Urkunde der Berufsgenossenschaft auszuhändigen. [3] Mit Eintritt der Unanfechtbarkeit der Entscheidung über die Aufhebung oder die Ungültigkeit ist die Urkunde zu vernichten.

(6) Widerspruch und Anfechtungsklage gegen Anordnungen der Berufsgenossenschaft nach den Absätzen 1, 3 bis 5 haben keine aufschiebende Wirkung.

(7) [1] Erhält die Berufsgenossenschaft bei der Wahrnehmung ihrer Aufgaben nach diesem Gesetz Kenntnis von Tatsachen, die Grund zu der Annahme geben, dass Tatbestände anderer gesetzlicher Regelungen erfüllt sind, die in die Zuständigkeit einer anderen Behörde fallen, so unterrichtet die Berufsgenossenschaft nach Maßgabe des Satzes 2 unverzüglich die für Ermittlungen nach den anderen gesetzlichen Vorschriften zuständige Behörde. [2] Anzugeben sind die Tatsachen sowie Name, Anschrift und Telekommunikationsverbindung der betroffenen Person, soweit die Angaben der Berufsgenossenschaft vorliegen und nach ihrer Einschätzung für die Ermittlungen der anderen Behörde erforderlich sind.

§ 144[1)] Fachaufsicht über die Berufsgenossenschaft. (1) Bei der Durchführung der Aufgaben nach den Abschnitten 1, 2 Unterabschnitt 1 und 4, den Abschnitten 3, 5 Unterabschnitt 1, Abschnitt 6 Unterabschnitt 1, 2, 4 und 5 mit Ausnahme des § 119 Absatz 5, und den Abschnitten 7, 11 und 12 unterliegt die Berufsgenossenschaft der Fachaufsicht des Bundesministeriums für Arbeit und Soziales.

(2) Bei der Durchführung der Aufgaben nach Abschnitt 2 Unterabschnitt 2 und 3, den Abschnitten 4, 5 Unterabschnitt 2, Abschnitt 6 Unterabschnitt 3, § 119 Absatz 5 und den Abschnitten 8, 9 und 10 unterliegt die Berufsgenossenschaft der Fachaufsicht des Bundesministeriums für Digitales und Verkehr.

Abschnitt 11. Straf- und Bußgeldvorschriften

§ 145[2)] Bußgeldvorschriften. (1) Ordnungswidrig handelt, wer vorsätzlich oder fahrlässig

1. entgegen § 10 Absatz 1 eine dort genannte Person beschäftigt oder arbeiten lässt,
2. entgegen § 12 Absatz 1 Satz 2 ein Besatzungsmitglied ohne gültiges Seediensttauglichkeitszeugnis beschäftigt,
3. entgegen § 22 Absatz 3 Satz 1 oder § 33 Absatz 5 Satz 1 eine Besatzungsliste, ein Seetagebuch oder eine Kopie der Dienstbescheinigung nicht oder nicht mindestens fünf Jahre aufbewahrt,
4. ohne Bescheinigung nach § 26 Absatz 3 eine Person vermittelt,

---

[1)] § 144 Abs. 2 geänd. mWv 3.12.2015 durch G v. 25.11.2015 (BGBl. I S. 2095); Abs. 1 und Abs. 2 geänd. mWv 1.1.2020 durch G v. 20.5.2021 (BGBl. I S. 1144); Abs. 2 geänd. mWv 21.3.2023 durch G v. 14.3.2023 (BGBl. I Nr. 73).

[2)] § 145 Abs. 1 Nr. 18 geänd. mWv 3.12.2015 durch G v. 25.11.2015 (BGBl. I S. 2095); Abs. 1 Nr. 9a eingef., Abs. 3 geänd. mWv 18.1.2017 durch G v. 22.12.2015 (BGBl. I S. 2569).

5. entgegen § 34 Satz 2 dem Besatzungsmitglied eine Erlaubnis nicht erteilt,
6. entgegen § 48 Absatz 1, auch in Verbindung mit einer Rechtsverordnung nach § 55 Satz 1 Nummer 3 nicht dafür sorgt, dass die dort genannten Arbeitszeiten und Ruhezeiten eingehalten werden,
7. entgegen § 50 Absatz 1 Satz 1 oder Absatz 2, jeweils auch in Verbindung mit einer Rechtsverordnung nach § 55 Satz 1 Nummer 1, die dort genannte Übersicht oder einen Arbeitszeitnachweis nicht, nicht richtig oder nicht vollständig führt,
8. entgegen § 58 Absatz 2 einem jugendlichen Besatzungsmitglied Urlaub nicht gewährt,
9. entgegen § 72 Absatz 1 Satz 1 ein Besatzungsmitglied im Ausland zurücklässt,
9a. entgegen § 76a Absatz 1 Satz 2 oder § 106a Absatz 1 Satz 2 einen Nachweis nicht oder nicht rechtzeitig erbringt,
10. entgegen § 94 Satz 1 dem Besatzungsmitglied den Zugang zu einer dort genannten Kommunikationseinrichtung nicht gewährt,
11. entgegen § 95 Satz 1 Nummer 1 einen Bordbesuch nicht erlaubt,
12. entgegen § 106 Absatz 1 Satz 1 eine dort genannte Sache oder ein Heuerguthaben nicht oder nicht rechtzeitig übergibt,
13. entgegen § 106 Absatz 2 Satz 1 nicht dafür sorgt, dass eine dort genannte Aufstellung erstellt wird,
14. entgegen § 109 Absatz 3 Satz 3 einen dort genannten Nachweis nicht, nicht richtig oder nicht vollständig führt oder nicht oder nicht mindestens fünf Jahre aufbewahrt,
15. entgegen § 117 Absatz 5 eine dort genannte Unterweisung nicht oder nicht rechtzeitig vornimmt oder nicht oder nicht rechtzeitig wiederholt,
16. einer vollziehbaren Anordnung nach
    a) § 117 Absatz 8 Satz 2 oder § 143 Absatz 1 Satz 1 in Verbindung mit § 117 Absatz 2 Satz 1 oder
    b) § 124 Absatz 1 Satz 2

    zuwiderhandelt,
17. entgegen § 121 Absatz 6 eine dort genannte Eintragung in das Seetagebuch nicht, nicht richtig, nicht vollständig oder nicht rechtzeitig vornimmt oder
18. einer Rechtsverordnung nach § 20 Absatz 1 Satz 1 Nummer 1, 2, 4, 5 oder Nummer 6, § 55 Satz 1 Nummer 2, § 96 Satz 1 oder § 113 Satz 1 Nummer 2, 3, 4, 5 oder Nummer 6 oder einer vollziehbaren Anordnung auf Grund einer solchen Rechtsverordnung zuwiderhandelt, soweit die Rechtsverordnung für einen bestimmten Tatbestand auf diese Bußgeldvorschrift verweist.

(2) Die Bestimmungen des Absatzes 1 Nummer 1 bis 3, 6, 8, 15, 16 Buchstabe a und Nummer 18 gelten auch für einen anderen Arbeitgeber, die Vorschriften des Absatzes 1 Nummer 5 bis 15, 16 Buchstabe a und Nummer 18 auch für den Stellvertreter des Kapitäns im Sinne des § 5 Absatz 3.

(3) Die Ordnungswidrigkeit kann in den Fällen des Absatzes 1 Nummer 1, 2, 6, 9 und 16 mit einer Geldbuße bis zu fünfzigtausend, in den Fällen des Absatzes 1 Nummer 4, 7, 8, 9a, 12, 15 und 17 mit einer Geldbuße bis zu zehntausend und in den übrigen Fällen mit einer Geldbuße bis zu fünftausend Euro geahndet werden.

(4) Verwaltungsbehörde im Sinne des § 36 Absatz 1 Nummer 1 des Gesetzes über Ordnungswidrigkeiten[1] ist die Berufsgenossenschaft.

§ 146 Strafvorschriften. (1) Mit Freiheitsstrafe bis zu fünf Jahren oder mit Geldstrafe wird bestraft, wer eine in § 145 Absatz 1 Nummer 16 Buchstabe b bezeichnete vorsätzliche Handlung

1. gemeinschaftlich mit anderen Besatzungsmitgliedern begeht oder
2. begeht und dadurch Leben oder Gesundheit eines anderen oder fremde Sachen von bedeutendem Wert gefährdet.

(2) Mit Freiheitsstrafe bis zu drei Jahren oder mit Geldstrafe wird bestraft, wer in den Fällen des Absatzes 1 Nummer 2 die Gefahr fahrlässig verursacht.

(3) Mit Freiheitsstrafe bis zu einem Jahr oder mit Geldstrafe wird bestraft, wer

1. eine in § 145 Absatz 1 Nummer 1, 2, 6, 9 oder Nummer 16, jeweils auch in Verbindung mit § 145 Absatz 2, bezeichnete vorsätzliche Handlung beharrlich wiederholt,
2. eine in § 145 Absatz 1 Nummer 1, 2, 6, 9 oder Nummer 16 Buchstabe a, jeweils auch in Verbindung mit § 145 Absatz 2, bezeichnete vorsätzliche Handlung begeht und dadurch die betroffene Person in ihrer Gesundheit oder Arbeitskraft gefährdet oder
3. eine in § 145 Absatz 1 Nummer 16 Buchstabe b bezeichnete vorsätzliche Handlung begeht und dadurch die betroffene Person in ihrer Arbeitskraft gefährdet.

§ 147 Rechtsmittel. (1) [1]Die Frist für den Einspruch gegen den Bußgeldbescheid gilt als gewahrt, wenn das betroffene Besatzungsmitglied den Einspruch innerhalb der Frist bei dem Kapitän schriftlich oder zur Niederschrift einlegt. [2]Der Kapitän hat den Zeitpunkt der Einlegung unverzüglich in das Seetagebuch einzutragen und dem betroffenen Besatzungsmitglied darüber eine Bescheinigung auszustellen. [3]Legt der Kapitän selbst den Einspruch ein, so obliegen seinem Stellvertreter (§ 5 Absatz 3) die Aufgaben nach den Sätzen 1 und 2. [4]Die Niederschrift oder der schriftliche Einspruch ist unverzüglich der Behörde, die den Bußgeldbescheid erlassen hat, zu übersenden.

(2) Für die Einlegung der Rechtsbeschwerde gilt Absatz 1 entsprechend.

Abschnitt 12. Schlussvorschriften

Unterabschnitt 1. Anwendung auf Selbständige

§ 148[2] Selbständige. (1) [1]Für Selbständige gilt in Abschnitt 3 über die Beschäftigungsbedingungen § 28 Absatz 1 Satz 1 mit der Maßgabe, dass anstelle des Heuervertrages der Vertrag mit dem Reeder tritt. [2]§ 28 Absatz 1 Satz 2 bis 5, Absatz 2 Nummer 1 bis 5, 9, 11, 12, 14 und 16, Absatz 3 Nummer 1 und 2 sowie § 29 Absatz 1 Satz 3 und 4 gelten mit der gleichen Maßgabe entsprechend.

(2) [1]Für Selbständige sind

---

[1] **Habersack Nr. 94.**

[2] § 148 Abs. 1 Satz 2 und Abs. 2 Satz 1 Nr. 1 Buchst. a geänd. mWv 1.8.2022 durch G v. 20.7. 2022 (BGBl. I S. 1174).

1. in Abschnitt 3 über die Beschäftigungsbedingungen
   a) in Unterabschnitt 1 die Vorschriften des § 28 Absatz 2 Nummer 7, 10, 13, Absatz 3 Nummer 3, Absatz 4, 5 und 6 Satz 2, des § 29 Absatz 2 und 3 sowie die §§ 31 bis 33 über den Heuervertrag, die Anreisekosten, die Dienstleistungspflicht, Pflichtfortbildungen und die Dienstbescheinigung,
   b) die Vorschriften des Unterabschnitts 3 über die Heuer,
   c) in Unterabschnitt 4 die Vorschriften des § 42 Absatz 1, 2, 4 und 5, der §§ 43, 44 und 45 Absatz 1 und 2, der §§ 46, 47 Absatz 3 Satz 3, Absatz 4, des § 48 Absatz 1 Nummer 1 und Absatz 2, der §§ 49, 51, 52, 54 über die Arbeitszeiten und Ruhezeiten sowie die Vergütungsregelungen in § 53 Absatz 1 und 7 in Verbindung mit § 52,
   d) die Vorschriften des Unterabschnitts 5 über den Urlaub, es sei denn, die Personen sind wegen ihrer wirtschaftlichen Unselbständigkeit als arbeitnehmerähnliche Personen anzusehen,
   e) die Vorschriften des Unterabschnitts 6 über die Kündigung des Heuerverhältnisses,
   f) in Unterabschnitt 7 die Vorschrift des § 76 Absatz 1 Satz 4 und Absatz 5 über die Fortzahlung der Heuer bei Heimschaffung und die Erstattung der Kosten der Heimschaffung,
2. in Abschnitt 6 über die medizinische und soziale Betreuung die Vorschriften der §§ 104 und 105 Absatz 2 Satz 2 über die Fortzahlung der Heuer oder eines angemessenen Tagegeldes im Krankheitsfall sowie des § 117 Absatz 4 Satz 2 zur Anwendung des Arbeitsschutzgesetzes[1)]

nicht anzuwenden. [2] Soweit nach den §§ 49 und 54 abweichende Regelungen über die Arbeitszeiten und Ruhezeiten tarifvertraglich vereinbart sind, können diese auf Selbständige sinngemäß angewendet werden.

(3) Soweit für Selbständige geltende Ansprüche nach diesem Gesetz auf die Dauer (§ 93 Absatz 1 Satz 1, § 97 Absatz 1 Satz 1, § 99 Absatz 1 Satz 1) oder das Ende (§ 73 Nummer 2) des Heuerverhältnisses abstellen, sind die Vorschriften mit der Maßgabe anzuwenden, dass an deren Stelle die Dauer des mit dem Reeder bestehenden Vertragsverhältnisses oder dessen Ende tritt.

(4) Der Reeder hat das Recht, sich die Kosten für die Heimschaffung, die Unterkunft und die Verpflegung für die Dauer des Aufenthaltes an Bord, die er ausgelegt hat, auf Grund einer vertraglichen Vereinbarung mit dem Selbständigen erstatten zu lassen.

Unterabschnitt 2. Gebühren, Zurverfügungstellen und Verkünden von Rechtsvorschriften

§ 149[2)] Gebühren. (1) Für Amtshandlungen, einschließlich Abnahmen, Prüfungen, Überprüfungen, Untersuchungen, Begutachtungen und Auditierungen (Amtshandlungen) nach diesem Gesetz oder nach Rechtsverordnungen auf Grund dieses Gesetzes erhebt die Berufsgenossenschaft Gebühren und Auslagen.

(2) [1] Das Bundesministerium für Digitales und Verkehr wird ermächtigt, im Einvernehmen mit dem Bundesministerium für Arbeit und Soziales durch

---

[1)] Nr. *370*.

[2)] § 149 Abs. 2 Satz 1 geänd. mWv 3.12.2015 durch G v. 25.11.2015 (BGBl. I S. 2095); Abs. 2 Satz 1 geänd. mWv 21.3.2023 durch G v. 14.3.2023 (BGBl. I Nr. 73).

Rechtsverordnung ohne Zustimmung des Bundesrates die Gebühren für die einzelnen Amtshandlungen im Sinne des Absatzes 1 zu bestimmen und dabei feste Sätze oder Rahmensätze vorzusehen. [2]Die Gebührensätze sind so zu bemessen, dass der mit den Amtshandlungen verbundene Personal- und Sachaufwand gedeckt wird; bei begünstigenden Amtshandlungen kann daneben die Bedeutung, der wirtschaftliche Wert oder der sonstige Nutzen für den Gebührenschuldner angemessen berücksichtigt werden. [3]In Rechtsverordnungen nach Satz 1 können Gebühren nach festen Sätzen im Sinne des § 4 des Verwaltungskostengesetzes auch als nach feststehenden Stundensätzen vorgesehene Gebühren (Zeitgebühren) festgelegt werden.

(3) Für Amtshandlungen im Sinne des Absatzes 1 gegenüber der Deutschen Gesellschaft zur Rettung Schiffbrüchiger werden Gebühren und Auslagen nicht erhoben.

§ 150[1)] Zurverfügungstellen von Gesetzen und Rechtsverordnungen, Einstellen von Kopien und Unterlagen in ein elektronisches Informationssystem. (1) [1]Die nach den Vorschriften der §§ 20, 55, 92, 96, 113 und 136 dieses Gesetzes erlassenen Rechtsverordnungen und das Gesetz über Ordnungswidrigkeiten muss der Reeder an Bord den Besatzungsmitgliedern zur Verfügung stellen. [2]Das Zurverfügungstellen erfolgt durch Aushang oder Auslegung an geeigneter Stelle oder durch Einstellung in ein elektronisches Informationssystem, das für die Besatzungsmitglieder zugänglich ist.

(2) Die nach § 29 Absatz 1 Satz 2, Absatz 2 und 3, § 76a Absatz 4 Satz 3, § 78 sowie § 106a Absatz 3 Satz 3 und § 130 Absatz 7 bestehenden Verpflichtungen erfüllt der Reeder auch, wenn er die aufgeführten Kopien und Unterlagen in ein elektronisches Informationssystem im Sinne des Absatzes 1 einstellt.

§ 151[2)] *(aufgehoben)*

Unterabschnitt 3. Übergangsregelungen

§ 152 Übergangsregelung für Schiffe mit Vermessung in Bruttoregistertonnen. Für Schiffe, die vor dem 18. Juli 1994 nach dem Übereinkommen vom 10. Juni 1947 über ein einheitliches System der Schiffsvermessung (BGBl. 1957 II S. 1469, 1471; 1958 II S. 67) vermessen wurden, gilt der im Internationalen Schiffsmessbrief (1969) in der Spalte „Bemerkungen" eingetragene Bruttoraumgehalt in Bruttoregistertonnen als Bruttoraumzahl.

§ 153 Übergangsregelung für zugelassene Ärzte. [1]Ärztinnen oder Ärzte, die am 1. August 2013 von der Berufsgenossenschaft mit der Durchführung der Untersuchung der Seediensttauglichkeit betraut sind, gelten vorläufig als nach § 16 Absatz 1 zugelassen. [2]Die vorläufige Zulassung erlischt,

1. wenn nicht bis zum 1. Oktober 2013 die Erteilung der Zulassung beantragt wird oder
2. im Falle rechtzeitiger Antragstellung mit Eintritt der Unanfechtbarkeit der Entscheidung über den Antrag.

[1)] § 150 Überschrift neu gef. und Abs. 2 angef. mWv 3.12.2015 durch G v. 25.11.2015 (BGBl. I S. 2095); Abs. 2 geänd. mWv 18.1.2017 durch G v. 22.12.2015 (BGBl. I S. 2569).

[2)] § 151 aufgeh. mWv 1.1.2023 durch G v. 20.12.2022 (BGBl. I S. 2752).

[3]In der Rechtsverordnung nach § 20 Absatz 1 Satz 1 Nummer 4 können für Ärztinnen oder Ärzte im Sinne des Satzes 1 Erleichterungen hinsichtlich des Nachweises der Voraussetzungen für die Zulassung vorgesehen werden.

§ 154[1] *(aufgehoben)*

---

[1] § 154 aufgeh. mWv 1.1.2020 durch G v. 20.5.2021 (BGBl. I S. 1144).

114a. Verordnung betreffend die Übersicht über die Arbeitsorganisation und die Arbeitszeitnachweise in der Seeschifffahrt (See-Arbeitszeitnachweisverordnung – See-ArbZNV)[1)]

Vom 25. Juli 2013
(BGBl. I S. 2795)

FNA 9513-38-4

geänd. durch Art. 11 Abs. 46 eIDAS-DurchführungsG v. 18.7.2017 (BGBl. I S. 2745)

Auf Grund des § 55 Satz 1 Nummer 1 und 2 in Verbindung mit Satz 2 des Seearbeitsgesetzes[2)] vom 20. April 2013 (BGBl. I S. 868) verordnet das Bundesministerium für Arbeit und Soziales im Einvernehmen mit dem Bundesministerium für Verkehr, Bau und Stadtentwicklung und dem Bundesministerium für Ernährung, Landwirtschaft und Verbraucherschutz:

§ 1 Anwendungsbereich. Die Übersicht über die Arbeitsorganisation an Bord und die Arbeitszeitnachweise der Besatzungsmitglieder auf Kauffahrteischiffen, die die Bundesflagge führen, sind nach Maßgabe dieser Verordnung zu führen.

§ 2 Übersicht über die Arbeitsorganisation. (1) [1] Die Übersicht über die Arbeitsorganisation an Bord nach § 50 Absatz 1 Satz 1 des Seearbeitsgesetzes[2)] ist nach dem Muster der Anlage 1 zu führen. [2] Die Übersicht ist vom Kapitän zu unterschreiben, bevor sie nach § 50 Absatz 1 Satz 2 des Seearbeitsgesetzes an dem leicht zugänglichen Ort ausgehängt wird.

(2) [1] Die Übersicht muss enthalten:

1. den See- und Hafendienstplan für jedes an Bord beschäftigte Besatzungsmitglied,
2. a) die Höchstarbeitszeiten und die Mindestruhezeiten nach § 48 Absatz 1 des Seearbeitsgesetzes,

   b) die auf Grund des Seearbeitsgesetzes zulässigen von § 48 Absatz 1 abweichenden Höchstarbeitszeiten und Mindestruhezeiten,
3. die Aufgaben im Wachdienst und jede zu erwartende zusätzliche Arbeit und
4. für jedes Besatzungsmitglied die Gesamtstundenzahl der geplanten Arbeitszeit.

[2] Beruht im Falle des Satzes 1 Nummer 2 Buchstabe b die Abweichung auf einer Verordnung oder einer Vereinbarung, ist in der Übersicht über die Arbeitsorganisation die maßgebliche Regelung der Verordnung oder die maßgebliche Vereinbarung zu bezeichnen.

[1)] **Amtl. Anm.:** Die Verordnung dient der Umsetzung der Richtlinie 1999/63/EG **[beck-online, Module Arbeitsrecht Nr. 893e]** des Rates vom 21. Juni 1999 zu der vom Verband der Reeder in der Europäischen Gemeinschaft (ECSA) und dem Verband der Verkehrsgewerkschaften in der Europäischen Union (FST) getroffenen Vereinbarung über die Regelung der Arbeitszeit von Seeleuten (ABl. L 167 vom 2.7.1999, S. 33), die zuletzt durch die Richtlinie 2009/13/EG (ABl. L 124 vom 20.5.2009, S. 30) geändert worden ist.

[2)] Nr. **114**.

(3) Auf Fischereifahrzeugen ist die Übersicht derart zu führen, dass der Kapitän die Wachdienste der Besatzungsmitglieder auf See und im Hafen insoweit einzutragen hat, als diese nach einem wiederkehrenden regelmäßigen Rhythmus eingeteilt sind.

§ 3[1)] Arbeitszeitnachweise. (1) [1] Die Arbeitszeitnachweise nach § 50 Absatz 2 des Seearbeitsgesetzes[2)] sind nach dem Muster der Anlage 2 jeweils für einen Monat zu führen. [2] Die Arbeitszeitnachweise können in elektronischer Form geführt werden, wenn dabei die Anforderungen nach Satz 1 und nach Absatz 2 bis 4 eingehalten werden.

(2) [1] Aus dem Arbeitszeitnachweis müssen die Arbeitszeiten und die Ruhezeiten und gewährte Ruhepausen nach § 45 Absatz 2 des Seearbeitsgesetzes eindeutig erkennbar sein. [2] Abweichungen von den normalerweise geltenden Arbeits- und Ruhezeiten, insbesondere Verlängerungen der Arbeitszeit nach § 47, § 48 Absatz 2 und § 49 des Seearbeitsgesetzes, sind im Arbeitszeitnachweis in der Spalte Bemerkungen zu begründen. [3] Die Ruhepausen sind in der Spalte Bemerkungen anzugeben.

(3) [1] Der Arbeitszeitnachweis ist vom Kapitän oder einem von ihm beauftragten Schiffsoffizier oder anderen Vorgesetzten und vom Besatzungsmitglied nach Ablauf des Kalendermonats zu unterzeichnen, um zu bestätigen, dass die täglichen Aufzeichnungen die Arbeits- und Ruhezeiten zutreffend wiedergeben. [2] Werden die Arbeitszeitnachweise in elektronischer Form geführt, haben die in Satz 1 genannten Personen dem Arbeitszeitnachweis den jeweiligen Namen hinzuzufügen und das elektronische Dokument mit einer qualifizierten elektronischen Signatur zu versehen.

(4) Dem Besatzungsmitglied ist eine Kopie seines nach Absatz 3 unterzeichneten Arbeitszeitnachweises unverzüglich auszuhändigen oder elektronisch zu übermitteln.

§ 4 Sprachenvorschrift. Die Übersicht über die Arbeitsorganisation nach § 2 sowie die Arbeitszeitnachweise nach § 3 sind in deutscher und englischer Sprache und in den weiteren Arbeitssprachen des Schiffes zu führen.

§ 5 Aufbewahrung. (1) [1] Solange das Schiff die Bundesflagge führt, hat der Reeder sicherzustellen, dass

1. im Falle einer Änderung der Übersicht über die Arbeitsorganisation die bisherige Fassung ab dem Zeitpunkt der Änderung und
2. die Arbeitszeitnachweise für die Besatzungsmitglieder ab dem Zeitpunkt der Unterzeichnung nach § 3 Absatz 3

mindestens drei Jahre an Bord des Schiffes aufbewahrt werden. [2] Wird das Schiff vor Ablauf einer Aufbewahrungsfrist außer Dienst gestellt oder wechselt es vorher die Flagge, sind die Übersichten über die Arbeitsorganisation und die Arbeitszeitnachweise bei der Reederei für die verbliebene Verwahrungszeit aufzubewahren. [3] Die Aufbewahrung in digitalisierter oder elektronischer Form ist möglich.

[1)] § 3 Abs. 3 Satz 2 geänd. mWv 29.7.2017 durch G v. 18.7.2017 (BGBl. I S. 2745).
[2)] Nr. **114**.

(2) Bei Schiffen in der nationalen Fahrt können die Übersichten über die Arbeitsorganisation und die Arbeitszeitnachweise abweichend von Absatz 1 Satz 1 am Sitz der Reederei so aufbewahrt werden, dass die Berufsgenossenschaft für Transport und Verkehrswirtschaft während der üblichen Geschäftszeiten Einsicht nehmen kann.

§ 6 Ordnungswidrigkeiten. Ordnungswidrig im Sinne des § 145 Absatz 1 Nummer 18 des Seearbeitsgesetzes[1)] handelt, wer vorsätzlich oder fahrlässig entgegen § 5 Absatz 1 Satz 1 nicht sicherstellt, dass die Übersichten über die Arbeitsorganisation und die Arbeitszeitnachweise mindestens drei Jahre aufbewahrt werden.

§ 7 Inkrafttreten, Außerkrafttreten. [1] Diese Verordnung tritt am 1. August 2013 in Kraft. [2] Gleichzeitig tritt die See-Arbeitszeitnachweisverordnung[2)] vom 5. Juli 2002 (BGBl. I S. 2571) außer Kraft.

---

1) Nr. **114**.
2) **NipperdeyDirekt (online) Nr. 114 c.**

Anlage 1
(zu § 2 Absatz 1)

Standardmuster für die Übersicht über die Arbeitsorganisation an Bord[1]

Name des Schiffes: Flagge: IMO-Nr. (falls vorhanden) Letzte Aktualisierung der Übersicht: ( ) von ( ) Seiten

Die Höchstarbeitszeit und die Mindestruhezeit unterliegen nachstehender Regelung: Seearbeitsgesetz, das dem Seearbeitsübereinkommen 2006 der IAO und dem Internationalen Übereinkommen über Normen für die Ausbildung, die Erteilung von Befähigungszeugnissen und den Wachdienst von Seeleuten (1978) in seiner geänderten Fassung (STCW-Übereinkommen) entspricht.

Höchstarbeitszeit und Mindestruhezeit:

Sonstige Bestimmungen:

Dienstliche Stellung/Rang[2]	Tägliche Regelarbeitszeit auf See		Tägliche Regelarbeitszeit im Hafen		Bemerkungen	Tägliche Gesamtarbeitszeit/ Gesamtruhezeit[3] (Std.)	
	Wachdienst (von … bis …)	Sonstige Pflichten (von … bis …)[4]	Wachdienst (von … bis …)	Sonstige Pflichten (von … bis …)[3]		Auf See	Im Hafen

Unterschrift des Kapitäns: ____________________

[1] Die in diesem Muster verwendeten Begriffe sind in den Arbeitssprachen des Schiffes sowie in Englisch anzugeben.
[2] Hier sind die gleichen wie die im Schiffsbesatzungszeugnis für diese dienstliche Stellung/Ränge enthaltenen Begriffe zu verwenden.
[3] Nichtzutreffendes streichen.
[4] Für das Wachpersonal können unter der Rubrik „Bemerkungen" Angaben zu der voraussichtlich für außerplanmäßige Dienste abzuleistenden Stundenzahl eingetragen werden; diese Stunden sind in die Rubrik zur Angabe der täglichen Gesamtarbeitszeit aufzunehmen.

114 b. Verordnung über die Arbeitszeit der Arbeitnehmerinnen und Arbeitnehmer als Besatzungen von Schiffen und Booten im Geschäftsbereich des Bundesministeriums der Verteidigung (See-Arbeitszeitverordnung – SeeAZV)

Vom 9. April 2013
(BGBl. I S. 803)

FNA 8050-21-1

Auf Grund des § 15 Absatz 3 a des Arbeitszeitgesetzes[1], der durch Artikel 15 des Gesetzes vom 25. Juli 2012 (BGBl. I S. 1583) eingefügt worden ist, verordnet das Bundesministerium der Verteidigung im Einvernehmen mit dem Bundesministerium für Arbeit und Soziales:

§ 1 Geltungsbereich. (1) Diese Verordnung gilt für die Arbeitnehmerinnen und Arbeitnehmer bei den Streitkräften als Besatzung von Schiffen und Booten während der Teilnahme an mandatierten Einsätzen oder einsatzbezogenen Verpflichtungen.

(2) Die Teilnahme an mandatierten Einsätzen oder einsatzbezogenen Verpflichtungen beginnt mit der Unterstellung der Besatzung unter den Befehlshaber für den mandatierten Einsatz oder die einsatzbezogene Verpflichtung und endet mit dem Ende der Unterstellung.

§ 2 Begriffsbestimmungen. (1) Mandatierte Einsätze sind Verwendungen, an denen die Streitkräfte außerhalb des Geltungsbereichs des Grundgesetzes[2] nach Zustimmung des Bundestages nach Parlamentsbeteiligungsgesetz teilnehmen.

(2) [1] Einsatzbezogene Verpflichtungen sind Verwendungen, die außerhalb des deutschen Hoheitsgebietes mit Schiffen und Booten stattfinden und den mandatierten Einsätzen vergleichbare Belastungen und Einschränkungen mit sich bringen. [2] Vor der Teilnahme von Arbeitnehmerinnen und Arbeitnehmern an einer entsprechenden Verwendung stellt der Inspekteur der Marine fest, ob es sich um eine einsatzbezogene Verpflichtung im Sinne dieser Vorschrift handelt.

(3) Zur Besatzung eines Schiffes und Bootes gehören nur diejenigen Arbeitnehmerinnen und Arbeitnehmer, die im Schiffsbetrieb an Bord, gegebenenfalls in mehreren Schichten, tätig sind und deren Tätigkeit in der Stärke- und Ausrüstungsnachweisung aufgeführt ist.

(4) Feiertage im Sinne dieser Verordnung sind die gesetzlichen Feiertage des Heimathafens.

---

[1] Nr. **350**.
[2] Auszugsweise abgedruckt unter Nr. **10**.

§ 3 Arbeitszeit der Arbeitnehmerinnen und Arbeitnehmer. (1) Die tägliche Arbeitszeit der Arbeitnehmerinnen und Arbeitnehmer darf, abweichend von den §§ 3, 6 Absatz 2 und § 11 Absatz 2 des Arbeitszeitgesetzes[1)], auf bis zu 13 Stunden verlängert werden, wenn hierfür dringende betriebliche oder dienstliche Gründe vorliegen, und darüber hinaus auf bis zu 15 Stunden bei Ereignissen, die unabhängig vom Willen der Betroffenen eintreten und deren Folgen nicht auf andere Weise zu beseitigen sind, besonders wenn Arbeitsergebnisse zu misslingen drohen.

(2) An einem Tag geleistete Arbeitszeit, die dem Geltungsbereich dieser Verordnung unterfällt, ist bei der Berechnung der durchschnittlichen Arbeitszeit nach § 3 Satz 2 des Arbeitszeitgesetzes mit acht Stunden zu berücksichtigen.

(3) [1] Unterfällt die an einem Tag geleistete Arbeitszeit nicht ausschließlich dem Geltungsbereich dieser Verordnung, darf die Gesamtarbeitszeit die nach Absatz 1 zulässige Höchstarbeitszeit nicht überschreiten. [2] Soweit die nicht dem Geltungsbereich dieser Verordnung unterfallende Arbeitszeit acht Stunden überschreitet, ist diese Arbeitszeit nach den Vorschriften des Arbeitszeitgesetzes auszugleichen.

§ 4 Ruhepausen. (1) Abweichend von § 4 des Arbeitszeitgesetzes[1)] muss die Arbeitszeit spätestens nach sechs Stunden durch eine Ruhepause unterbrochen werden, sofern nicht spätestens nach einer Arbeitszeit von sechseinhalb Stunden eine Ruhezeit gewährt wird.

(2) [1] Die Ruhepause muss mindestens betragen:

1. 30 Minuten bei einer Arbeitszeit von sechs bis zu neun Stunden,
2. 45 Minuten bei einer Arbeitszeit von mehr als neun Stunden.

[2] Sie kann in Zeitabschnitte von jeweils mindestens 15 Minuten aufgeteilt werden.

§ 5 Ruhezeit. (1) [1] Abweichend von § 5 des Arbeitszeitgesetzes[1)] beträgt die tägliche Ruhezeit grundsätzlich elf zusammenhängende Stunden. [2] Sie darf in höchstens zwei Zeiträume aufgeteilt werden, wovon einer mindestens sechs Stunden betragen muss.

(2) [1] Wird die tägliche Ruhezeit aufgrund von Arbeitszeitverlängerungen nach § 3 Absatz 1 ausnahmsweise verkürzt, müssen pro Woche tägliche Ruhezeiten von durchschnittlich mindestens elf Stunden gewährleistet sein. [2] Die tägliche Ruhezeit darf sechs zusammenhängende Stunden nicht unterschreiten.

(3) [1] Wird in einer Woche an weniger als sieben aufeinander folgenden Tagen Arbeit geleistet, die dem Geltungsbereich dieser Verordnung unterfällt, so kann der Ausgleich der täglichen Ruhezeit nach Absatz 2 auch an Werktagen dieser Woche erfolgen, an denen keine Arbeit verrichtet wird, die dem Geltungsbereich dieser Verordnung unterfällt. [2] Kann ein Ausgleich wegen Urlaubstagen, Krankheitstagen oder der Gewährung von Ersatzruhetagen nach § 9 nicht in derselben Woche erfolgen, muss der Ausgleich baldmög-

[1)] Nr. **350**.

lichst, spätestens in der nächsten auf diese Tage folgenden Woche, in der die geleistete Arbeitszeit nicht dieser Verordnung unterfällt, gewährt werden.

§ 6 Arbeitszeitverlängerung zur Abwendung von Gefahren. (1) [1] Der Kapitän des Schiffes und des Bootes hat das Recht, abweichend von den §§ 3 bis 5 die Arbeitsstunden anzuordnen, die für die unmittelbare Sicherheit des Schiffes und des Bootes und der Personen an Bord, zur Hilfeleistung für andere, in Seenot befindliche Schiffe oder Personen erforderlich sind. [2] Der Kapitän kann anordnen, dass die Besatzungsmitglieder jederzeit die erforderlichen Arbeitsstunden erbringen, bis die normale Situation wiederhergestellt ist.

(2) [1] Sobald es nach Wiederherstellung der normalen Situation möglich ist, hat der Kapitän sicherzustellen, dass jedes Besatzungsmitglied, das während einer planmäßigen Ruhezeit Arbeit geleistet hat, eine ausreichende Ruhezeit erhält. [2] Die Ausgleichsruhezeit muss mindestens der Dauer der Ruhezeitunterbrechung entsprechen.

§ 7 Gesundheitsschutz. Das Bundesministerium der Verteidigung ist verpflichtet, durch besondere Maßnahmen sicherzustellen, dass die Gesundheit der Arbeitnehmerinnen und Arbeitnehmer nicht gefährdet wird.

§ 8 Sonn- und Feiertagsbeschäftigung. Abweichend von § 9 des Arbeitszeitgesetzes[1)] dürfen Arbeitnehmerinnen und Arbeitnehmer an Sonn- und Feiertagen beschäftigt werden.

§ 9 Ausgleich für Sonn- und Feiertagsbeschäftigung. (1) Werden Arbeitnehmerinnen und Arbeitnehmer an Sonn- oder Feiertagen beschäftigt, müssen sie einen Ersatzruhetag erhalten, der möglichst zeitnah, spätestens innerhalb eines Zeitraumes von zwölf Monaten, gerechnet ab dem Beginn der Teilnahme an Verwendungen im Sinne dieser Vorschrift, zu gewähren ist.

(2) [1] Ersatzruhetage sind in einem Hafen, in dem Landgang möglich ist, oder an Land zu gewähren. [2] Auf Wunsch der Arbeitnehmerinnen und Arbeitnehmer können die Ersatzruhetage auch auf See gewährt werden. [3] Die Ersatzruhetage können zusammenhängend gewährt werden.

(3) Ersatzruhetage, die in einem Zeitraum außerhalb des Geltungsbereiches der Verordnung gewährt werden, sind bei der Berechnung der durchschnittlichen Arbeitszeit nach § 3 Satz 2 des Arbeitszeitgesetzes[1)] mit acht Stunden zu berücksichtigen.

§ 10 Geltung des Arbeitszeitgesetzes. Im Übrigen gelten die Bestimmungen des Arbeitszeitgesetzes[1)].

§ 11 Inkrafttreten. Diese Verordnung tritt am Tag nach der Verkündung[2)] in Kraft.

[1)] Nr. **350**.
[2)] Verkündet am 19. 4. 2013.

114 c. Verordnung über die Überprüfung der Einhaltung der Arbeits- und Lebensbedingungen auf Schiffen (Seearbeitsüberprüfungs-Verordnung – SeeArbÜV)[1]

Vom 25. Juli 2013
(BGBl. I S. 2800)
FNA 9513-38-5

Das Bundesministerium für Verkehr, Bau und Stadtentwicklung verordnet auf Grund

– des § 136 Absatz 1 des Seearbeitsgesetzes[2] vom 20. April 2013 (BGBl. I S. 868) im Einvernehmen mit dem Bundesministerium für Arbeit und Soziales und
– des § 136 Absatz 2 des Seearbeitsgesetzes[2] vom 20. April 2013 (BGBl. I S. 868):

§ 1 Zielsetzung und Anwendungsbereich. Diese Verordnung regelt

1. die Überprüfung der Einhaltung der Arbeits- und Lebensbedingungen an Bord von Schiffen nach den Rechtsvorschriften, die zum Schutz vor Gefahren für die Sicherheit und die Gesundheit oder zum sonstigen Schutz der Besatzungsmitglieder erlassen worden sind (Flaggenstaatkontrolle),
2. das nähere Verfahren für die Ausstellung, Gültigkeit und Form des Seearbeitszeugnisses, des vorläufigen Seearbeitszeugnisses, der Seearbeits-Konformitätserklärung, des Fischereiarbeitszeugnisses sowie der Überprüfungsberichte,
3. die Überwachung der anerkannten Organisationen bei ihrer Überprüfungstätigkeit nach dem Seearbeitsgesetz und den auf Grund dieses Gesetzes erlassenen Rechtsverordnungen.

§ 2 Personal. Die Berufsgenossenschaft für Transport und Verkehrswirtschaft (Berufsgenossenschaft) und die anerkannten Organisationen haben für die Wahrnehmung ihrer Aufgaben und Tätigkeiten eine ausreichende Zahl von Inspektoren vorzuhalten und sicherzustellen, dass diese über die erforderliche Ausbildung, Befähigung und Ausstattung verfügen.

§ 3 Verantwortlichkeit des Reeders. (1) Ist der Eigentümer eines Schiffes der Reeder (§ 4 Absatz 1 Nummer 1 des Seearbeitsgesetzes[2]), hat er der Berufsgenossenschaft einen Auszug aus dem Seeschiffsregister vorzulegen.

---

[1] **Amtl. Anm.:** Die Verordnung dient der Umsetzung der Richtlinie 2009/13/EG **[NipperdeyDirekt (online) Nr. 893 g]** des Rates vom 16. Februar 2009 zur Durchführung der Vereinbarung zwischen dem Verband der Reeder in der Europäischen Gemeinschaft (ECSA) und der Europäischen Transportarbeiter-Föderation (ETF) über das Seearbeitsübereinkommen 2006 und zur Änderung der Richtlinie 1999/63/EG (ABl. L 124 vom 20. 5. 2009, S. 30).

[2] Nr. **114**.

(2) [1] Ist nicht der Eigentümer eines Schiffes der Reeder, sondern nimmt eine andere natürliche oder juristische Person die Verantwortung für den Schiffsbetrieb wahr (§ 4 Absatz 1 Nummer 2 des Seearbeitsgesetzes), so hat diese dies unter Angabe ihres Namens und ihrer Anschrift der Berufsgenossenschaft schriftlich zu erklären. [2] Die Erklärung kann auch elektronisch abgegeben werden.

(3) Hat die Berufsgenossenschaft berechtigte Zweifel daran, dass der Eigentümer die Verantwortung nach § 4 Absatz 1 Nummer 2 des Seearbeitsgesetzes einer natürlichen oder juristischen Person vollständig übertragen hat, kann sie vom Eigentümer des Schiffes die zur Klärung erforderlichen Auskünfte sowie die Vorlage des in § 4 Absatz 1 Nummer 2 des Seearbeitsgesetzes bezeichneten Vertrages verlangen.

§ 4 Überwachung der anerkannten Organisationen. (1) Die Durchführung der von den anerkannten Organisationen wahrgenommenen Tätigkeiten ist regelmäßig, mindestens jedoch alle zwei Jahre, von der Berufsgenossenschaft im Hinblick darauf zu überprüfen, dass die anerkannten Organisationen ihre Tätigkeiten ordnungsgemäß erfüllen.

(2) Die Berufsgenossenschaft ist über § 143 des Seearbeitsgesetzes[1)] hinaus insbesondere befugt:

1. die Tätigkeit der anerkannten Organisation in deren Geschäftsräumen zu überprüfen,
2. anlassunabhängig und anlassbezogen Überprüfungen von Schiffen durchzuführen, um die Aufgabenwahrnehmung durch die anerkannte Organisation zu überprüfen,
3. Überprüfungen von Schiffen durch eine anerkannte Organisation zu begleiten,
4. Audits der anerkannten Organisation durch die Europäische Schiffssicherheitsagentur zu begleiten,
5. Überprüfungsberichte der anerkannten Organisationen hinsichtlich der ordnungsgemäßen Durchführung der Überprüfungen von Schiffen, der dabei festgestellten Verstöße sowie deren Abstellung zu überprüfen (Plausibilitätsüberprüfung),
6. alle zur Verfügung stehenden Informationsquellen auszuwerten, insbesondere Datenbanken über Festhaltungen von Schiffen im Rahmen der Hafenstaatkontrolle und Berichte von Mitgliedstaaten der Europäischen Union über die Tätigkeit von anerkannten Organisationen, soweit dies nach den jeweils für die Informationsquellen geltenden Rechtsvorschriften zulässig ist.

§ 5 Zwischen- und Erneuerungsüberprüfungen. (1) [1] Wird das Seearbeitszeugnis für fünf Jahre ausgestellt, hat der Reeder dafür zu sorgen, dass zwischen dem zweiten und dritten Jahrestag der Ausstellung des Seearbeitszeugnisses nach Maßgabe des § 130 Absatz 2 des Seearbeitsgesetzes[1)] an Bord überprüft wird, ob die Erteilungsvoraussetzungen des Seearbeitszeugnisses weiterhin vorliegen (Zwischenüberprüfung). [2] Jahrestag bedeutet Tag und

---

[1)] Nr. **114**.

Monat jedes Jahres, die dem Tag des Gültigkeitsablaufs des Seearbeitszeugnisses entsprechen. [3] Der Reeder hat der Berufsgenossenschaft die Fälligkeit einer Überprüfung spätestens drei Wochen vor der Fälligkeit anzuzeigen. [4] Die Zwischenüberprüfung wird im Seearbeitszeugnis vermerkt.

(2) [1] Ein Seearbeitszeugnis wird von der Berufsgenossenschaft nur dann neu erteilt, wenn zuvor eine Überprüfung des Schiffes nach Maßgabe des § 130 Absatz 2 des Seearbeitsgesetzes durch die Berufsgenossenschaft durchgeführt worden ist (Erneuerungsüberprüfung). [2] Die Frist für die fünfjährige Gültigkeitsdauer des Seearbeitszeugnisses beginnt in diesem Fall

1. am Tag des Ablaufs der Gültigkeit des zuvor bestehenden Seearbeitszeugnisses, wenn die Erneuerungsüberprüfung innerhalb eines Zeitraumes von drei Monaten vor dem Ablauf der Gültigkeit durchgeführt worden ist,
2. am Tag des Abschlusses der Erneuerungsüberprüfung, wenn die Überprüfung mehr als drei Monate vor dem Ablauf der Gültigkeit des Seearbeitszeugnisses abgeschlossen worden ist.

(3) Für die Fristen der Erneuerungsüberprüfung für ein Fischereiarbeitszeugnis gilt Absatz 2 entsprechend.

§ 6 Überprüfungen für die Erteilung des vorläufigen Seearbeitszeugnisses. (1) Das vorläufige Seearbeitszeugnis nach § 131 Absatz 1 des Seearbeitsgesetzes[1)] wird von der Berufsgenossenschaft erteilt, wenn

1. der Reeder nachvollziehbar dargelegt hat, dass er über angemessene Verfahren verfügt, um die Anforderungen an die Arbeits- und Lebensbedingungen an Bord von Schiffen nach den Rechtsvorschriften, die zum Schutz vor Gefahren für die Sicherheit und die Gesundheit oder zum sonstigen Schutz der Besatzungsmitglieder erlassen worden sind, einzuhalten,
2. der Kapitän des Schiffes nachvollziehbar dargelegt hat, dass er sich mit den Anforderungen an die Arbeits- und Lebensbedingungen nach Nummer 1 vertraut gemacht hat und die Verpflichtungen, die sich daraus ergeben, kennt,
3. der Reeder der Berufsgenossenschaft die für die Erteilung einer Seearbeits-Konformitätserklärung notwendigen Informationen zur Verfügung gestellt hat,
4. das Vorliegen der Voraussetzungen der Nummern 1 bis 3 und das Schiff hinsichtlich des Erfüllens der Anforderungen des § 129 Absatz 1 des Seearbeitsgesetzes durch die Berufsgenossenschaft überprüft worden ist.

(2) Absatz 1 gilt für die Ausstellung eines amtlich anerkannten vorläufigen Seearbeitszeugnisses nach § 131 Absatz 3 des Seearbeitsgesetzes durch eine anerkannte Organisation entsprechend.

(3) Für die Gültigkeitsdauer des vorläufigen Seearbeitszeugnisses wird keine Seearbeits-Konformitätserklärung ausgestellt.

(4) Der Reeder hat dafür zu sorgen, dass rechtzeitig vor Ablauf der Gültigkeit des vorläufigen Seearbeitszeugnisses eine Überprüfung des Schiffes für die anschließende Erteilung eines Seearbeitszeugnisses durchgeführt wird.

---

1) Nr. **114**.

§ 7 Aufzeichnung der Überprüfungen, Aufbewahrungspflichten.

(1) Die in § 2 bezeichneten Inspektoren haben die Ergebnisse aller Überprüfungen an Bord eines Schiffes in einem Überprüfungsbericht aufzuzeichnen und dem Kapitän unverzüglich zwei Ausfertigungen zu übergeben.

(2) [1] Wird bei einer Überprüfung ein Verstoß festgestellt, ist dieser im Überprüfungsbericht unter Angabe folgender Punkte aufzuzeichnen:

1. vom Reeder vorgeschlagene Maßnahmen zur Abstellung des Verstoßes,
2. Zeitpunkt, bis zu dem der Verstoß abgestellt werden soll,
3. Zeitpunkt, an dem der Verstoß nachweislich abgestellt worden ist.

[2] Der um diese Angaben ergänzte Überprüfungsbericht ist der Seearbeits-Konformitätserklärung beizufügen. [3] Die zweite Ausfertigung ist an einer deutlich sichtbaren, den Besatzungsmitgliedern zugänglichen Stelle an Bord auszuhängen.

(3) Soweit eine anerkannte Organisation tätig ist, ist diese verpflichtet, den Überprüfungsbericht unverzüglich, spätestens jedoch innerhalb einer Woche nach Abschluss der Überprüfung des Schiffes, an die Berufsgenossenschaft zu übermitteln.

(4) Die anerkannten Organisationen sind verpflichtet, ihre Überprüfungsberichte mindestens fünf Jahre ab dem Tag der Ausstellung aufzubewahren.

(5) [1] Die Berufsgenossenschaft erstellt und veröffentlicht jährlich einen Bericht über ihre Überprüfungstätigkeit. [2] In dem Bericht dürfen keine personenbezogenen Daten enthalten sein.

§ 8 Muster. (1) Die Berufsgenossenschaft veröffentlicht die Muster des Seearbeitszeugnisses, des vorläufigen Seearbeitszeugnisses, des Fischereiarbeitszeugnisses, der Seearbeits-Konformitätserklärung, der von ihr verwendeten Überprüfungsberichte und der Erklärung nach § 3 im Verkehrsblatt oder im Bundesanzeiger.

(2) Eine anerkannte Organisation darf eigene, von Absatz 1 abweichende Vordrucke für ihre Überprüfungsberichte verwenden, soweit folgende Mindestinhalte enthalten sind:

1. Name der anerkannten Organisation und des Inspektors,
2. Name und IMO-Nummer des Schiffes,
3. Abschlussdatum und Ort der Überprüfung des Schiffes,
4. Umfang und Ergebnis der Überprüfung des Schiffes,
5. festgestellte Verstöße und Angabe, ob die Verstöße vor dem Auslaufen des Schiffes abgestellt worden sind,
6. bei Feststellung von Verstößen Fristen und ein Maßnahmenplan zur Abstellung der Verstöße,
7. die Angabe, ob die Anforderungen des § 131 Absatz 1 Satz 1 des Seearbeitsgesetzes[1] auf dem Schiff bei einer erstmaligen Überprüfung, Zwischenüberprüfung oder einer Erneuerungsüberprüfung erfüllt sind.

§ 9 Inkrafttreten. Diese Verordnung tritt am 1. August 2013 in Kraft.

---

[1] Nr. **114**.

114d. Verordnung über die Befähigungen der Seeleute in der Seeschifffahrt (Seeleute-Befähigungsverordnung – See-BV)[1) 2)]

Vom 8. Mai 2014

(BGBl. I S. 460)

FNA 9513-39

zuletzt geänd. durch Art. 4 Dritte VO zur Änd. der BMDV-Wasserstraßen und Schifffahrt Besondere GebührenVO und weiterer schifffahrtsrechtlicher Vorschriften v. 25.3.2025 (BGBl. 2025 I Nr. 100)

Das Bundesministerium für Verkehr und digitale Infrastruktur verordnet, jeweils in Verbindung mit *§ 1 Absatz 2 des Zuständigkeitsänderungsgesetzes*[3)] vom 16. August 2002 (BGBl. I S. 3165) und dem Organisationserlass vom 17. Dezember 2013 (BGBl. I S. 4310),

– auf Grund des § 9 Absatz 1 Satz 1 Nummer 3a, 3c, 3d in Verbindung mit Absatz 2 Satz 3 des Seeaufgabengesetzes in der Fassung der Bekanntmachung vom 26. Juli 2002 (BGBl. I S. 2876), § 9 Absatz 1 und 2 geändert durch Artikel 2 Absatz 1 Nummer 6 des Gesetzes vom 20. April 2013 (BGBl. I S. 868), im Einvernehmen mit dem Bundesministerium für Arbeit und Soziales und dem Bundesministerium für Ernährung und Landwirtschaft und

– auf Grund des § 12 Absatz 2 des Seeaufgabengesetzes in der Fassung der Bekanntmachung vom 26. Juli 2002 (BGBl. I S. 2876), der durch Artikel 2 Absatz 163 des Gesetzes vom 7. August 2013 (BGBl. I S. 3154) geändert worden ist, in Verbindung mit § 23 Absatz 2 des Bundesgebührengesetzes[4)] vom 7. August 2013 (BGBl. I S. 3154) im Einvernehmen mit dem Bundesministerium der Finanzen:

Inhaltsübersicht[5)]

[1)] **Amtl. Anm.:** Die Verordnung dient auch der Umsetzung der

1. Richtlinie (EU) 2022/993 des Europäischen Parlaments und des Rates vom 8. Juni 2022 über Mindestanforderungen für die Ausbildung von Seeleuten (ABl. L 169 vom 27.6.2022, S. 45).
2. Richtlinie 2005/45/EG ***[beck-online, Module Arbeitsrecht Nr. 893i]*** des Europäischen Parlaments und des Rates vom 7. September 2005 über die gegenseitige Anerkennung von Befähigungszeugnissen der Mitgliedstaaten für Seeleute und zur Änderung der Richtlinie 2001/25/EG (ABl. L 255 vom 30.9.2005, S. 160),
3. Richtlinie 2005/36/EG ***[beck-online, Module Arbeitsrecht Nr. 873]*** des Europäischen Parlaments und des Rates vom 7. September 2005 über die Anerkennung von Berufsqualifikationen (ABl. L 255 vom 30.9.2005, S. 22), soweit Berufe in der Seeschifffahrt berührt sind.

[2)] Überschrift Fussn. geänd. mWv 20.4.2024 durch VO v. 9.4.2024 (BGBl. 2024 I Nr. 126).

[3)] Richtig wohl: „§ 1 Absatz 2 des Zuständigkeitsanpassungsgesetzes".

[4)] **Sartorius Nr. 120.**

[5)] Inhaltsübersicht geänd. mWv 31.7.2021 durch VO v. 28.7.2021 (BGBl. I S. 3236).

Teil 1. Allgemeine Bestimmungen

Abschnitt 1. Anwendungsbereich, Begriffsbestimmungen, Zuständigkeiten

§ 1 Anwendungsbereich Diese Verordnung regelt

1. die Befähigungen und die weiteren Voraussetzungen für die Erteilung und den Entzug von Befähigungszeugnissen, Befähigungsnachweisen sowie sonstigen Bescheinigungen für Kapitäne, Schiffsoffiziere und sonstige Seeleute für den Dienst auf Kauffahrteischiffen (Schiffsdienst),
2. die Zulassung von Lehrgängen und
3. das Verfahren zur Anerkennung von Berufseingangsprüfungen,

soweit dies nicht auf Grund anderer Vorschriften besonders geregelt ist.

§ 2[1)] Begriffsbestimmungen. (1) „STCW-Übereinkommen" bedeutet das Internationale Übereinkommen vom 7. Juli 1978 über Normen für die Ausbildung, die Erteilung von Befähigungszeugnissen und den Wachdienst von Seeleuten (BGBl. 1982 II S. 297, 298) in der jeweils geltenden Fassung.

(2) „STCW-Code" bedeutet die mit Entschließung 2 zur Schlussakte der Konferenz der Mitgliedstaaten der Internationalen Seeschifffahrts-Organisation am 7. Juli 1995 angenommenen Änderungen der Anlage zum STCW-Übereinkommen (BGBl. 1997 II S. 1118) in der jeweils geltenden Fassung.

(3) „IGF-Code" bedeutet der Internationale Code für die Sicherheit von Schiffen, die Gase oder andere Brennstoffe mit niedrigem Flammpunkt verwenden (VkBl. 2016 S. 655, Sonderband C 8151), nach der Begriffsbestimmung in der Regel II-1.2.28 des Internationalen Übereinkommens von 1974 zum Schutz des menschlichen Lebens auf See mit Anlage und Anhang sowie Protokolle von 1978 und 1988 zu diesem Übereinkommen (SOLAS) (BGBl. 1979 II S. 141; 1980 II S. 525; 1983 II S. 784; 1994 II S. 2458 sowie Anlageband zum BGBl. II Nr. 44 vom 27. September 1994, S. 43) in der jeweils geltenden Fassung.

(4) „Polar-Code" bedeutet der Internationale Code für Schiffe, die in Polargewässern verkehren, nach den Begriffsbestimmungen in SOLAS-Regel XIV/1.1; „Polargewässer" bedeutet arktische Gewässer und/oder das Antarktisgebiet nach den Begriffsbestimmungen in den SOLAS-Regeln XIV/1.2 bis XIV/1.4 (VkBl. 2015 S. 843, Sonderband C 8146) in der jeweils geltenden Fassung.

(5) „ISPS-Code" bedeutet der am 12. Dezember 2020 durch die Entschließung 2 der Konferenz der Vertragsregierungen des Internationalen Übereinkommens von 1974 zum Schutz des menschlichen Lebens auf See (SOLAS) beschlossene Internationale Code für die Gefahrenabwehr auf Schiffen und in Hafenanlagen (BGBl. 2003 II S. 2018) in der jeweils geltenden Fassung.

(6) [1] Im Sinne dieser Verordnung bedeutet der Ausdruck

1. „Bundesamt" das Bundesamt für Seeschifffahrt und Hydrographie,

---

[1)] § 2 Abs. 3-5 eingef., bish. Abs. 3 und 4 werden Abs. 6 und 7, neuer Abs. 6 Satz 1 Nr. 2, 8 und 14 neu gef., Nr. 15 aufgeh., bish. Nr. 16 wird Nr. 15 und neu gef., bish. Nr. 17 wird Nr. 16, bish. Nr. 18 wird Nr. 17 und neu gef., bish. Nr. 19 und 20 werden Nr. 18 und 19, Nr. 21 aufgeh., bish. Nr. 22 wird Nr. 20, Nr. 21-24 angef., Satz 2 geänd., Sätze 3 und 4 angef., Abs. 7 neu gef. mWv 31.7.2021 durch VO v. 28.7.2021 (BGBl. I S. 3236); Abs. 3 und Abs. 5 geänd. mWv 1.7.2024 durch VO v. 25.6. 2024 (BGBl. 2024 I Nr. 217).

2. „Berufsgenossenschaft" die Berufsgenossenschaft Verkehrswirtschaft, Post-Logistik Telekommunikation,
3. „Befähigungszeugnis" die von einer zuständigen Behörde einer Vertragspartei des STCW-Übereinkommens und im Falle des nautischen Schiffsdienstes auf Fischereifahrzeugen und des technischen Schiffsdienstes auf Schiffen mit weniger als 750 Kilowatt Antriebsleistung von einer sonstigen zuständigen Stelle erteilte amtliche Bescheinigung für Kapitäne, Schiffsoffiziere und GMDSS-Funker, in der die vom Inhaber der Bescheinigung wahrnehmbaren Befugnisse, Funktionen und Verantwortungsebenen einschließlich Einschränkungen eingetragen sind, und den Inhaber dazu berechtigt, in der in der Bescheinigung bezeichneten Dienststellung Schiffsdienst zu verrichten und die Funktionen auszuüben, die der darin bezeichneten Verantwortungsebene entsprechen,
4. „Befähigungsnachweis" das von einer zuständigen Stelle einer Vertragspartei des STCW-Übereinkommens erteilte Fachkundezeugnis für Seeleute, in dem die vom Inhaber des Fachkundezeugnisses wahrnehmbaren Befugnisse, Funktionen, Verantwortungsebenen einschließlich Einschränkungen eingetragen sind,
5. „Qualifikationsnachweis" der schriftliche Nachweis nach § 51, der weder ein Befähigungszeugnis noch einen Befähigungsnachweis darstellt, der jedoch dazu verwendet wird, nachzuweisen, dass die für den jeweiligen Qualifikationsnachweis maßgeblichen Vorschriften des STCW-Übereinkommens erfüllt werden,
6. „Anerkennungsvermerk" ein vom Bundesamt erteilter Vermerk, der dazu dient, ein im Ausland erworbenes Befähigungszeugnis zum Kapitän, Schiffsoffizier oder GMDSS-Funker oder einen Befähigungsnachweis für den Schiffsdienst auf Tankschiffen für den Dienst auf Schiffen, die die Bundesflagge führen, anzuerkennen,
7. „Gleichwertigkeitsbescheinigung" eine vom Bundesamt erteilte Bescheinigung, die dazu verwendet wird, eine im Ausland erworbene Bescheinigung über eine nicht dem STCW-Übereinkommen unterliegende Befähigung für den Dienst auf Schiffen, die die Bundesflagge führen, anzuerkennen,
8. „Bescheinigungen" Befähigungszeugnisse, Befähigungsnachweise, Qualifikationsnachweise, Anerkennungsvermerke, Gleichwertigkeitsbescheinigungen, Ausnahmegenehmigungen und sonstige Dokumente, die nach Maßgabe dieser Verordnung erteilt werden,
9. „Führungsebene" die Verantwortungsebene, zu der typischerweise gehört, dass Besatzungsmitglieder als Kapitän, Erster Offizier, Leiter der Maschinenanlage oder Zweiter technischer Offizier Schiffsdienst verrichten und sicherstellen, dass alle Funktionen innerhalb des zugewiesenen Verantwortungsbereichs sachgerecht wahrgenommen werden,
10. „Betriebsebene" die Verantwortungsebene, zu der typischerweise gehört, dass Besatzungsmitglieder als Nautischer oder Technischer Wachoffizier, Elektrotechnischer Schiffsoffizier, Technischer Offizier im Bereitschaftsdienst in einem zeitweise unbesetzten Maschinenraum, GMDSS-Funker oder Schiffsarzt Schiffsdienst verrichten und in Übereinstimmung mit sachgerechten Verfahren und nach Maßgabe einer Person aus der Führungsebene für den betreffenden Verantwortungsbereich unmittelbaren Einfluss auf die Wahrnehmung aller Funktionen innerhalb des zugewiesenen Verantwortungsbereichs ausüben,

11. „Unterstützungsebene" die Verantwortungsebene, zu der typischerweise gehört, dass Besatzungsmitglieder nach Weisung des Kapitäns oder eines Schiffsoffiziers zugewiesene Aufgaben, Pflichten und Verantwortung wahrnehmen,
12. „Ausbildungsberichtsheft" ein vom Bundesamt herausgegebener oder zugelassener Tätigkeitsnachweis zur Bescheinigung einer praktischen Ausbildung und Seefahrtzeit,
13. „Monat" einen Kalendermonat oder, soweit es sich um mehrere Zeiträume von jeweils weniger als einem Kalendermonat handelt, ein zusammengesetzter Zeitraum von 30 Tagen,
14. „nationale Fahrt" die Fahrt von deutschen Häfen nach deutschen Häfen,
15. „küstennahe Fahrt" die Fahrt, während der Häfen in Deutschland, im europäischen Teil des Königreichs der Niederlande, im Königreich Dänemark mit Ausnahme der Färöer und Grönlands sowie Häfen der Republik Polen angelaufen werden,
16. „Fischereifahrzeug" ein Kauffahrteischiff, das für den Fang von Fischen oder anderen Lebewesen des Meeres verwendet wird,
17. „Küstenfischerei" die Fischerei, die betrieben wird auf Fangreisen in einem Abstand von nicht mehr als 35 Seemeilen von der Küste der Bundesrepublik Deutschland oder in einem Abstand von nicht mehr als 30 Seemeilen von der Küste der benachbarten Küstenländer,
18. „Kleine Hochseefischerei" die Fischerei, die in der Ostsee, in der Nordsee und in dem Gebiet betrieben wird, das begrenzt wird im Norden durch den Breitenparallel 63 ° Nord von der norwegischen Küste bis zum Meridian 10 ° West, von dort nach Süden bis 60 Seemeilen nördlich der irischen Küste, weiter in einem Abstand von 60 Seemeilen an der irischen Westküste entlang bis 50 ° 30′ Nord und 10 ° West und von dort in gerader Linie zum Leuchtturm von Creach (Ushant) auf der Insel Ouessant,
19. „Große Hochseefischerei" die Fischerei, die außerhalb der Grenzen der Kleinen Hochseefischerei betrieben wird,
20. „Länge" 96 vom Hundert der Gesamtlänge in einer Wasserlinie in Höhe von 85 vom Hundert der geringsten Seitenhöhe über Oberkante Kiel, von der Kiellinie gemessen, oder, wenn der folgende Wert größer ist, die Länge von der Vorkante des Vorstevens bis zur Drehachse des Ruderschafts in dieser Wasserlinie,
21. „Berufseingangsprüfung" die Feststellung, ob ein Bewerber um eine Bescheinigung über die jeweils vorgeschriebenen Befähigungen, Kenntnisse, das Verständnis und die Fachkunde verfügt und in der Lage ist, diese an Bord von Kauffahrteischiffen sicher anzuwenden,
22. „berufsrechtliche Akkreditierung" das Verfahren zur und über die Feststellung über die Einhaltung der berufsrechtlichen Anforderungen an den nach Landesrecht eingerichteten Hochschulen nach dem STCW-Übereinkommen,
23. „gültig" im Falle unbefristet ausgestellter Bescheinigungen den Fortbestand der Befähigung aufrechterhaltend und
24. „Antriebsleistung" die in Kilowatt ausgedrückte höchste Gesamtdauerleistung aller Hauptantriebsmaschinen des Schiffes, die im Schiffszertifikat oder in einem anderen amtlichen Dokument ausgewiesen ist.

[2] Im Falle des Satzes 1 Nummer 20 verläuft bei Fahrzeugen, die mit Kielfall entworfen sind, die Wasserlinie, in der diese Länge gemessen wird, parallel zur Konstruktionswasserlinie. [3] Die Berufseingangsprüfung nach Satz 1 Nummer 21 hat in Form von Prüfungsleistungen und einer praktischen Abschlussprüfung zu erfolgen. [4] Die praktische Abschlussprüfung hat zum Ende eines berufsrechtlich akkreditierten seefahrtbezogenen Studiengangs oder einer seefahrtbezogenen schulischen Ausbildung an einer nach Landesrecht eingerichteten Ausbildungsstätte zu erfolgen.

(7) Für die Zwecke dieser Verordnung werden zur Bezeichnung der Befähigungszeugnisse und Befähigungsnachweise im nautischen Schiffsdienst, Seefunkdienst, technischen und elektrotechnischen Schiffsdienst, im Gesamtschiffsbetrieb, Schiffssicherheitsdienst und in der Gefahrenabwehr, im Schiffsdienst für besondere Schiffstypen, ausgenommen dem Schiffsdienst auf Fahrgastschiffen, die in Anlage 1 genannten Abkürzungen verwendet.

§ 3[1)] Zuständigkeiten. (1) [1] Das Bundesamt ist im Rahmen dieser Verordnung zuständig

1. für die Erteilung, die Ersatzausstellung, den Umtausch, den Entzug, die Sicherstellung und die Erklärung des Ruhens der Bescheinigungen,
2. für die Verlängerung der Gültigkeitsdauer der Befähigungszeugnisse und Befähigungsnachweise durch die Anerkennung des Fortbestandes der Befähigung,
3. für die Zulassung von Lehrgängen und Tätigkeiten, die Durchführung von Prüfungen, die berufsrechtliche Akkreditierung sowie für die Vorgaben an die Anforderungen für die Berufseingangsprüfung,
4. für die Herausgabe von Ausbildungsberichtsheften, soweit dies nach dieser Verordnung erforderlich ist,
5. vorbehaltlich des Absatzes 5 Satz 1 Nummer 1 für die Feststellung, ob Ausbildungen in der Metallbearbeitung und Elektrotechnik den Anforderungen genügen,
6. für die Erteilung des Nachweises über eine berufliche Tätigkeit in der Seeschifffahrt,
7. für die Überwachung der Durchführung der praktischen Ausbildung und Seefahrtzeit nach § 31 Absatz 2 Nummer 2, § 40 Absatz 2 Nummer 2 und § 42 Absatz 4 Nummer 2, und
8. für die Überwachung der Durchführung der Ausbildung nach § 49 Absatz 4 Nummer 1 Buchstabe b und Absatz 6 Nummer 1 Buchstabe b und § 50 Absatz 4 Nummer 1 Buchstabe b.

[2] Das Bundesamt kann bei der Überwachung der Durchführung der praktischen Ausbildung und Seefahrtzeit nach Nummer 7 die Berufsbildungsstelle Seeschifffahrt e.V. beteiligen.

(2) Abweichend von Absatz 1 Nummer 1 ist für die Erteilung von Befähigungszeugnissen zum Nautischen Wachoffizier oder Technischen Wachoffizier für einen Bewerber oder eine Bewerberin (Bewerber) mit einem Abschlusszeugnis der nach dem Recht des Landes Mecklenburg-Vorpommern einge-

[1)] § 3 Abs. 1 Satz 1 Nr. 3 geänd., Nr. 7 und 8 und Satz 2 angef., Abs. 3 geänd., Abs. 5 Satz 1 neu gef., Satz 3 angef. mWv 31.7.2021 durch VO v. 28.7.2021 (BGBl. I S. 3236); Abs. 1 Satz 1 Nr. 5 und Nr. 6 geänd. mWv 1.7.2024 durch VO v. 25.6.2024 (BGBl. 2024 I Nr. 217).

richteten Ausbildungsstätten, die vom Land auf Grund der Verwaltungsvereinbarung zwischen der Bundesrepublik Deutschland und dem Land Mecklenburg-Vorpommern vom 5. August 2005 (BAnz. S. 12 875) benannte Verwaltungsbehörde zuständig.

(3) Abweichend von Absatz 1 Nummer 1 bedarf es im Falle der Qualifikationsnachweise für den Dienst auf Fahrgastschiffen und der Qualifikationsnachweise für die Aufrechterhaltung der Befähigungen nach den §§ 44 bis 46 keiner Bescheinigung des Bundesamtes, wenn Bescheinigungen nach Maßgabe des § 51 Absatz 6 oder des § 54 Absatz 2 ausgestellt werden.

(4) [1] Abweichend von Absatz 1 Nummer 3 ist für die Zulassung der Lehrgänge in der Sicherheitsgrundausbildung, zum Führen von Überlebensfahrzeugen und Bereitschaftsbooten sowie schnellen Bereitschaftsbooten und zur Leitung von Brandbekämpfungsmaßnahmen die Berufsgenossenschaft zuständig. [2] Satz 1 gilt auch für Lehrgänge zur Aufrechterhaltung der beruflichen Befähigung nach § 54 Absatz 1.

(5) [1] Die Berufsbildungsstelle Seeschifffahrt e.V. ist im Rahmen dieser Verordnung zuständig für

1. die Feststellung, ob Ausbildungsberufe der Metall- oder Elektrotechnik den Anforderungen genügen,
2. die Veröffentlichung einer Liste mit den nach Nummer 1 festgestellten Ausbildungsberufen und
3. die Überwachung der Durchführung der praktischen Ausbildung und Seefahrtzeit der Offiziersassistenten.

[2] Sie untersteht hierbei der Fachaufsicht des Bundesministeriums für Verkehr und digitale Infrastruktur. [3] Die Feststellung und Veröffentlichung nach Nummer 1 bedarf des Einvernehmens des Bundesamtes.

§ 4 Muster für Bescheinigungen. Die Muster der nach dieser Verordnung vorgeschriebenen Befähigungszeugnisse, Befähigungsnachweise, Anerkennungsvermerke und des Nachweises über eine berufliche Tätigkeit in der Seeschifffahrt werden vom Bundesministerium für Verkehr und digitale Infrastruktur im Verkehrsblatt bekannt gemacht.

Abschnitt 2. Erwerb und Erteilung von Bescheinigungen

§ 5[1)] Allgemeine Voraussetzungen für den Erwerb von Bescheinigungen. (1) [1] Wer ein Befähigungszeugnis, einen Befähigungsnachweis oder einen Qualifikationsnachweis erwerben will, hat

1. seine Identität und das nach § 6 vorgeschriebene Mindestalter,
2. seine persönliche Eignung nach § 7,
3. seine fachliche Eignung
   a) im Rahmen der landesrechtlichen Ausbildungsgänge durch eine Berufseingangsprüfung oder
   b) im Rahmen von zugelassenen Lehrgängen zum Erwerb von Befähigungen im deutschen Seeschifffahrtsrecht nach Anlage 2, im Schiffssicherheits-

[1)] § 5 Abs. 1 Satz 1 Nr. 5 und Satz 2 neu gef., Abs. 3 Satz 2 angef. mWv 31.7.2021 durch VO v. 28.7.2021 (BGBl. I S. 3236).

dienst und in der Gefahrenabwehr, für den Schiffsdienst auf besonderen Schiffstypen und sonstigen beruflichen Fortbildungen,
4. die jeweils nach dieser Verordnung vorgeschriebene praktische Ausbildung und Seefahrtzeit und
5. den Abschluss eines zugelassenen Lehrgangs nach den Anforderungen des Abschnitts A-VI/1 des STCW-Codes in Verbindung mit § 54 Absatz 1 und 2 und einen entsprechenden gültigen Befähigungsnachweis

nachzuweisen. [2] Satz 1 Nummer 5 gilt nicht für Bewerber um
1. ein Befähigungszeugnis für GMDSS-Funker,
2. einen Befähigungsnachweis über eine Sicherheitsgrundausbildung oder für die Gefahrenabwehr auf dem Schiff,
3. einen Befähigungsnachweis für den Schiffsdienst auf Schiffen, die in Polargewässern verkehren und
4. einen Qualifikationsnachweis nach § 51 Absatz 1.

(2) Wer ein Befähigungszeugnis für den nautischen Schiffsdienst erwerben will, muss zusätzlich zu den Anforderungen des Absatzes 1
1. im Falle der nationalen Fahrt, der küstennahen Fahrt oder der Küstenfischerei ein Beschränkt Gültiges Betriebszeugnis ROC für GMDSS-Funker und
2. im Übrigen ein Allgemeines Betriebszeugnis GOC für GMDSS-Funker

nachweisen.

(3) [1] Absatz 1 Satz 1 Nummer 1 und 2 ist auf die Erteilung von Anerkennungsvermerken und Gleichwertigkeitsbescheinigungen entsprechend anzuwenden. [2] Für die Erteilung von Seeleute-Ausweisen ist Absatz 1 Satz 1 Nummer 1 entsprechend anzuwenden.

§ 6[1)] Mindestalter. (1) [1] Unbeschadet der Vorschriften des Seearbeitsgesetzes[2)] beträgt das Mindestalter von Bewerbern um ein Befähigungszeugnis oder einen Befähigungsnachweis 18 Jahre. [2] Bewerber um ein Befähigungszeugnis zum Kapitän müssen mindestens 20 Jahre alt sein.

(2) [1] Abweichend von Absatz 1 müssen Bewerber mindestens 16 Jahre alt sein für den Befähigungsnachweis für
1. die Wachbefähigung Brücke,
2. die Wachbefähigung Maschine,
3. die Befähigung hinsichtlich der grundlegenden Anforderungen an die Sicherheit an Bord,
4. die Befähigung in der Gefahrenabwehr auf dem Schiff,
5. die Befähigung zum Schiffsdienst auf einem Öltankschiff, einem Chemikalientankschiff oder einem Flüssiggastankschiff,
6. den Schiffsdienst auf Schiffen, die dem IGF-Code unterliegen,
7. den Schiffsdienst auf Schiffen, die in Polargewässern verkehren sowie
8. für einen Qualifikationsnachweis für den Schiffsdienst auf Fahrgastschiffen.

[2] Satz 1 gilt entsprechend für den Erwerb eines Seeleute-Ausweises.

[1)] § 6 Abs. 2 Satz 1 Nr. 6–8 sowie Satz 2 angef. mWv 31.7.2021 durch VO v. 28.7.2021 (BGBl. I S. 3236); Abs. 2 Nr. 5 geänd. mWv 20.4.2024 durch VO v. 9.4.2024 (BGBl. 2024 I Nr. 126).

[2)] Nr. **114**.

(3) [1] In den Fällen des Absatzes 2 können die Befähigungen auch schon vor dem 16. Geburtstag erworben und erforderliche Prüfungen auch vor diesem Zeitpunkt abgelegt werden. [2] Befähigungsnachweise dürfen jedoch erst zu dem in Absatz 2 genannten Zeitpunkt erteilt werden.

§ 7[1)] Persönliche Eignung. (1) Die persönliche Eignung für den Erwerb oder die Gültigkeitsverlängerung eines Befähigungszeugnisses oder Befähigungsnachweises besitzt, wer

1. die Seediensttauglichkeit für die zu verrichtende Tätigkeit auf See und für den jeweiligen Dienstzweig durch ein Zeugnis nach § 12 des Seearbeitsgesetzes[2)] nachweist und
2. nicht unzuverlässig ist.

(2) Unzuverlässig ist, wer erheblich oder wiederholt gegen verkehrsstrafrechtliche Vorschriften im Zusammenhang mit dem Betrieb eines Schiffes verstoßen hat und deswegen rechtskräftig verurteilt worden ist.

(3) Unzuverlässig ist in der Regel, wer als Inhaber eines Befähigungszeugnisses oder eines Anerkennungsvermerkes gegen die in der Seeschifffahrt geltenden Vorschriften im Hinblick auf den Alkoholgenuss verstoßen oder unter Einwirkung berauschender Mittel Schiffsdienst versehen hat.

(4) Als unzuverlässig kann insbesondere angesehen werden,

1. wer erheblich gegen verkehrsstrafrechtliche Vorschriften außerhalb des Seeschiffsverkehrs verstoßen hat und deswegen rechtskräftig verurteilt worden ist,
2. wer wiederholt mit Geldbuße geahndete Zuwiderhandlungen gegen Schifffahrtspolizeivorschriften begangen hat,
3. wem ein Befähigungszeugnis oder ein Anerkennungsvermerk für die Seeschifffahrt von der zuständigen Behörde bestandskräftig entzogen worden ist,
4. gegen wen wiederholt ein Fahrverbot für den Straßenverkehr, die Binnenschifffahrt oder die Seeschifffahrt ausgesprochen worden ist, oder
5. wer im Zusammenhang mit dem Erwerb einer Bescheinigung nach dieser Verordnung wegen Betrugs oder Urkundenfälschung rechtskräftig verurteilt wurde.

(5) Sind Tatsachen bekannt, die Bedenken gegen die erforderliche Zuverlässigkeit des Bewerbers begründen, kann das Bundesamt von einem Bewerber verlangen, dass er

1. ein Führungszeugnis nach § 30 des Bundeszentralregistergesetzes[3)] zur Vorlage beim Bundesamt zu beantragen hat oder
2. ein
   a) verkehrspsychologisches Gutachten oder
   b) medizinisch-psychologisches Gutachten

   vorzulegen hat.

(6) Sind Tatsachen bekannt, die Bedenken gegen das Vorliegen der Seediensttauglichkeit eines Inhabers eines Seediensttauglichkeitszeugnisses begrün-

---

[1)] § 7 Abs. 1 Nr. 2, Abs. 3 und Abs. 4 Nr. 3 geänd., Nr. 4 neu gef., Nr. 5 angef., Abs. 5 einl. Satzteil geänd., Abs. 6 angef. mWv 31.7.2021 durch VO v. 28.7.2021 (BGBl. I S. 3236).

[2)] Nr. **114**.

[3)] **beck-online, Module Arbeitsrecht Nr. 494.**

den, soll das Bundesamt den Seeärztlichen Dienst der Berufsgenossenschaft informieren.

§ 8[1] **Befristungen.** (1) Befristet erteilt und in der Gültigkeitsdauer verlängert werden

1. ein Befähigungszeugnis für den nautischen Schiffsdienst auf nicht der Fischerei dienenden Kauffahrteischiffen und den Seefunkdienst sowie für den technischen Bereich mit Ausnahme des Befähigungszeugnisses zum Schiffsmaschinisten,
2. ein Befähigungsnachweis für den Schiffsdienst auf Tankschiffen,
3. ein Qualifikationsnachweis für den Schiffsdienst auf Fahrgastschiffen,
4. ein Vermerk über die Anerkennung eines ausländischen Befähigungszeugnisses,
5. ein Befähigungsnachweis für den Schiffsdienst auf Schiffen, die dem IGF-Code unterliegen und
6. ein Befähigungsnachweis für den Schiffsdienst auf Schiffen, die in Polargewässern verkehren.

(2) Die Befristung soll längstens fünf Jahre betragen.

(3) [1] Die Befristung beginnt mit dem Datum

1. des erfolgreichen Abschlusses der Ausbildung oder
2. des Abschlusses eines Lehrgangs, der Voraussetzung für die begehrte Bescheinigung ist.

[2] Die Befristung endet im Falle der Erteilung oder Gültigkeitsverlängerung von Befähigungszeugnissen für den nautischen Schiffsdienst mit dem Datum der Befristung der Erlaubnis für die Ausübung des Seefunkdienstes“ [3] Es ist auf das zeitlich erste Ereignis abzustellen. [4] Liegt das Ereignis nicht länger als sechs Monate zurück, ist für den Fristbeginn das Datum der Ausstellung der jeweiligen Bescheinigung maßgeblich.

§ 9[2] **Einschränkungen.** (1) Das Bundesamt erteilt ein Befähigungszeugnis und verlängert dieses in seiner Gültigkeitsdauer mit den sich aus § 13 Absatz 1 des Seearbeitsgesetzes[3], dieser Verordnung und den sich aus den Regeln der Anlage zum STCW-Übereinkommen ergebenden Einschränkungen, soweit zutreffend, hinsichtlich der Schiffsgröße, der Antriebsleistung, des Fahrtgebietes, der nautischen oder der technischen Ausrüstung.

(2) Sofern der Bewerber um ein Befähigungszeugnis für den nautischen Schiffsdienst kein Zeugnis über Kenntnisse der englischen Sprache nachweist, die mindestens den grundlegenden Kenntnissen entsprechend der Stufe A 2 des vom Europarat mit der Empfehlung (2008) 7 des Ministerrats vom 2. Juli 2008 und von der Europäischen Gemeinschaft mit der Entschließung des Rates vom 14. Februar 2002 zur Förderung der Sprachenvielfalt und des Erwerbs von Sprachkenntnissen im Rahmen der Umsetzung der Ziele des Europäischen

---

[1] § 8 Abs. 1 Nr. 3 und Nr. 4 geänd., Nr. 5 und 6 angef., Abs. 3 Satz 1 neu gef., Satz 2 eingef., bish. Sätze 2 und 3 werden Sätze 3 und 4 und neuer Satz 3 geänd. mWv 31.7.2021 durch VO v. 28.7.2021 (BGBl. I S. 3236).

[2] § 9 Abs. 1 geänd., Abs. 2 angef. mWv 31.7.2021 durch VO v. 28.7.2021 (BGBl. I S. 3236); Abs. 2 geänd. mWv 20.4.2024 durch VO v. 9.4.2024 (BGBl. 2024 I Nr. 126).

[3] Nr. **114**.

Jahres der Sprachen 2001 (ABl. C 50 vom 23.2.2002, S. 1) zur Anwendung empfohlenen gemeinsamen europäischen Referenzrahmens für Sprachen entsprechen, gilt das Befähigungszeugnis ausschließlich für die nationale Fahrt.

Abschnitt 3.[1] Berufseingangsprüfungen, berufsrechtliche Akkreditierung und Qualitätssicherung

Unterabschnitt 1. Berufseingangsprüfungen für Kapitäne und Schiffsoffiziere

§ 10[2] Berufseingangsprüfungen und berufsrechtliche Akkreditierung.

(1) Bewerber um ein Befähigungszeugnis

1. zum Offizier für den Decksbereich,
2. zum Offizier für den technischen Bereich,
3. zum Offizier im elektrotechnischen Bereich oder
4. zum Kapitän, soweit durch diese Verordnung vorgesehen,

müssen ihre fachliche Eignung durch eine Berufseingangsprüfung nachweisen.

(2) Berufseingangsprüfungen können an nach Landesrecht eingerichteten Ausbildungsstätten absolviert werden.

(3) Zu den Berufseingangsprüfungen ist zugelassen, wer

1. den Abschluss der jeweils vorgeschriebenen praktischen Ausbildung und Seefahrtzeit,
2. die Ausbildung an einer nach Landesrecht eingerichteten Ausbildungsstätte
   a) entsprechend den nach dieser Verordnung sowie nach Landesrecht jeweils vorgesehenen Ausbildungsinhalten,
   b) in der jeweils nach dieser Verordnung sowie nach Landesrecht vorgesehenen Dauer und
3. das Bestehen von Prüfungsleistungen
   a) in allen im STCW-Übereinkommen und den Anlagen zum STCW-Übereinkommen erfassten Ausbildungsbereichen,
   b) im deutschen Seeschifffahrtsrecht nach Anlage 2 Nummer 5

nachweist.

(4) Die Anforderungen an die Berufseingangsprüfung nach den §§ 11 und 12 gelten

1. bei einer Hochschule als erfüllt, wenn der entsprechende Studiengang durch das Bundesamt berufsrechtlich akkreditiert wurde,
2. bei einer Fachschule als erfüllt, wenn die Rahmen-Ausbildungs- und Prüfungsordnung und die Rahmenlehrpläne in Abstimmung mit dem Bundesministerium für Verkehr und digitale Infrastruktur erstellt und durchgeführt werden.

(5) [1]Die berufsrechtliche Akkreditierung kann für die Dauer von höchstens fünf Jahren erteilt werden. [2]Sie kann, auch nachträglich, mit Nebenbestimmungen versehen werden. [3]Die berufsrechtliche Akkreditierung kann verlän-

---

[1] Abschnitt 3 Überschrift neu gef. mWv 31.7.2021 durch VO v. 28.7.2021 (BGBl. I S. 3236).

[2] § 10 Überschrift neu gef., Abs. 1 Satz 1 Nr. 2 geänd., Nr. 3 eingef., bish. Nr. 3 wird Nr. 4, Satz 2 aufgeh., Abs. 2 eingef., bish. Abs. 2 wird Abs. 3 und Nr. 2 Buchst. a und Nr. 3 geänd.. bish. Abs. 3 wird Abs. 4 und neu gef., Abs. 5 angef. mWv 31.7.2021 durch VO v. 28.7.2021 (BGBl. I S. 3236).

gert werden, wenn dies mindestens sechs Monate vor Ablauf der Gültigkeitsdauer beantragt wurde und die Voraussetzungen für die berufsrechtliche Akkreditierung weiterhin vorliegen.

§ 11[1)] Qualitätsnormen für Ausbildung und Prüfungsleistungen.

(1) Die jeweiligen Anforderungen zur Gewährleistung des Schutzes des menschlichen Lebens auf See und der Meeresumwelt hinsichtlich der Ausbildung und Befähigung nach dem STCW-Übereinkommen gelten für die dem STCW-Übereinkommen entsprechende Erteilung von Befähigungszeugnissen im Sinne des § 2 Absatz 2 des Seeaufgabengesetzes als erfüllt, wenn keine Beanstandungen durch das Bundesamt entgegenstehen und die Einhaltung der folgenden Vorschriften der Anlage zu dem STCW-Übereinkommen gewährleistet ist:

1. hinsichtlich der zugrunde liegenden Ausbildungsprogramme die Einhaltung der Regel I/6,
2. hinsichtlich der Verwendung von Simulatoren die Einhaltung der Regel I/12,
3. hinsichtlich der schul- und hochschulrechtlichen oder beruflichen praktischen Schulung, Ausbildung und Befähigung an Bord die Einhaltung der Anforderungen der entsprechenden Kapitel in Verbindung mit Regel I/6,
4. hinsichtlich der Befähigung, Beaufsichtigung und Überwachung der Ausbilder und der Verantwortlichen für die Ausbildung und Befähigungsbewertung die Einhaltung der Regel I/6,
5. hinsichtlich der Überprüfung der fachlichen Kenntnisse und Fähigkeiten der Bewerber sowie hinsichtlich der Befähigungsbewertung die Einhaltung der Regel I/6.

(2) Die jeweiligen Anforderungen zur Gewährleistung des Schutzes des menschlichen Lebens auf See und der Meeresumwelt hinsichtlich der Ausbildung und Befähigung für den nautischen Schiffsdienst auf Fischereifahrzeugen gelten für die Erteilung von Befähigungszeugnissen im Sinne des § 2 Absatz 2 des Seeaufgabengesetzes als erfüllt, wenn keine konkret begründeten Beanstandungen entgegenstehen und die Einhaltung der entsprechenden Vorschriften dieser Verordnung und die sinngemäße Anwendung des Absatzes 1 gewährleistet sind.

(3) [1]Zur Prüfung der Anforderungen des Absatzes 1 Nummer 1, 2, 4 und 5 und des Absatzes 2 ist dem Bundesamt im Hinblick auf den Erlass und die Änderung von Studien- und Prüfungsordnungen sowie von Lehrplänen Gelegenheit zur Stellungnahme zu gewähren. [2]Es ist befugt, Anmerkungen im Interesse einer vollständigen Umsetzung der jeweiligen Anforderungen des STCW-Übereinkommens abzugeben. [3]Die Anforderungen des Absatzes 1 Nummer 1, 2, 4 und 5 und des Absatzes 2 gelten als erfüllt, wenn sie mit dem Bundesamt abgestimmt sind.

[1)] § 11 Überschrift geänd., Abs. 1 Nr. 6 und 7 aufgeh., Abs. 3 angef. mWv 31.7.2021 durch VO v. 28.7.2021 (BGBl. I S. 3236; Abs. 1 Nr. 5 geänd. mWv 1.7.2024 durch VO v. 25.6.2024 (BGBl. 2024 I Nr. 217)).

§ 12[1] Qualitätssicherung. (1) Zusätzlich zu den Anforderungen nach § 11 stellen die nach Landesrecht eingerichteten Ausbildungsstätten sicher, dass in Bezug auf alle Tätigkeiten im Zusammenhang mit der seefahrtbezogenen Ausbildung nach den Vorgaben dieser Verordnung

1. Qualitätssicherungssysteme nach Regel I/8 Absatz 1 der Anlage zum STCW-Übereinkommen dauerhaft eingerichtet sind,
2. eine regelmäßige Beurteilung nach Regel I/8 Absatz 2 der Anlage zum STCW-Übereinkommen durch ausgewählte befähigte Personen erfolgt, die mit den jeweiligen Tätigkeiten selbst nicht befasst sind, und
3. dem Bundesministerium für Verkehr und digitale Infrastruktur und dem Bundesamt für die regelmäßige Berichtspflicht nach Regel I/8 Absatz 3 der Anlage zum STCW-Übereinkommen die erforderlichen Angaben, Unterlagen und Informationen zur Verfügung gestellt werden.

(2) Maßgeblich für die Eignung als befähigte Person nach Absatz 1 Satz 1 Nummer 2 sind Kenntnisse über die internationale Seeschifffahrt und die Qualitätsanforderungen aus Übereinkommen und Codes der Internationalen Seeschifffahrts-Organisation, insbesondere des STCW-Übereinkommens und dessen Umsetzung in innerstaatliches Recht.

(3) [1] Dem Bundesamt wird von den nach Landesrecht eingerichteten seefahrtbezogenen Ausbildungsstätten Gelegenheit gegeben, an den Berufseingangsprüfungen als Beobachter teilzunehmen. [2] Vertreter des Bundesamtes dürfen nicht dem Prüfungsausschuss angehören, sollen jedoch das Recht eingeräumt bekommen, Prüfungsfragen anzuregen und in schriftliche Prüfungsleistungen Einsicht zu nehmen. [3] Anregungen des Bundesamtes sind im Rahmen der Umsetzung von Absatz 1 zu berücksichtigen.

§ 13[2] *(aufgehoben)*

§ 14[3] Aufhebung der Anerkennung als Berufseingangsprüfungen.

[1] Liegen dem Bundesministerium für Verkehr und digitale Infrastruktur oder dem Bundesamt begründete Beanstandungen darüber vor oder wird die Bundesrepublik Deutschland davon unterrichtet, dass ein anderer Staat oder die Internationale Seeschifffahrts-Organisation die Anforderungen der §§ 10 bis 12 nicht für erfüllt halten, so kann die Anerkennung einer Abschlussprüfung als Berufseingangsprüfung aufgehoben werden. [2] Die §§ 48 und 49 des Verwaltungsverfahrensgesetzes[4] gelten entsprechend.

Unterabschnitt 2. Zulassung von Lehrgängen

§ 15[5] Anforderungen an Lehrgänge. [1] Lehrgänge im Sinne des § 5 Absatz 1 Satz 1 Nummer 3 Buchstabe b bedürfen der Zulassung. [2] Die Lehrgänge einschließlich vorgeschriebener Prüfungen müssen geeignet sein, für die jewei-

[1] § 12 Überschrift neu gef., Abs. 1 Satz 1 neu gef., Satz 2 aufgeh., Abs. 3 Satz 1 geänd., Satz 2 neu gef., Satz 3 geänd. mWv 31.7.2021 durch VO v. 28.7.2021 (BGBl. I S. 3236).

[2] § 13 aufgeh. mWv 31.7.2021 durch VO v. 28.7.2021 (BGBl. I S. 3236).

[3] § 14 neu gef. mWv 31.7.2021 durch VO v. 28.7.2021 (BGBl. I S. 3236); Überschrift geänd. mWv *1.7.2024 durch VO v. 25.6.2024* (BGBl. 2024 I Nr. 217).

[4] **Sartorius Nr. 100.**

[5] § 15 Satz 1 geänd. mWv 31.7.2021 durch VO v. 28.7.2021 (BGBl. I S. 3236).

lige Befähigung die Kenntnisse, das Verständnis und die Fachkunde zu vermitteln und deren Erwerb nachzuweisen.

§ 16[1)] Zulassung von Lehrgängen. (1) [1]Die Zulassung eines Lehrgangs ist schriftlich oder elektronisch bei der jeweils zuständigen Behörde zu beantragen. [2]Der Antrag muss folgende Angaben enthalten:

1. eine Lehrgangsbezeichnung,
2. einen Ausbildungsrahmen mit mindestens folgenden Inhalten:
   a) zeitlicher Umfang der Ausbildung,
   b) Eingangsvoraussetzungen für die Teilnehmer hinsichtlich Vorbildung, Ausbildungsstand, persönliche Eignung und deren Kontrolle,
   c) Muster einer Teilnahmebescheinigung oder eines Qualifikationsnachweises,
   d) kleinste und größte zulässige Teilnehmerzahl und
   e) Beschreibung der Unterrichtsräume und deren Ausstattung einschließlich der Einrichtungen für praktische Übungen,
3. die zu verwendenden Lehr- und Lernmittel,
4. einen Ausbildungsplan mit mindestens folgenden Inhalten:
   a) Inhaltsübersicht mit Angabe des Zeitrahmens für die einzelnen Themenbereiche, differenziert nach theoretischem Unterricht und praktischer Übung (Stundenplan),
   b) ausführlicher Lehrplan mit eingehender Darstellung der zu erlangenden Befähigungen,
   c) Darstellung der anzuwendenden Unterrichtsmethodik und Unterrichtstechnik und
   d) Darstellung des Verfahrens zur Bewertung der Befähigungen der Teilnehmer einschließlich des Verfahrens der Zulassung zur Prüfung und der Möglichkeiten und Modalitäten einer Nachprüfung,
5. eine Liste der Ausbilder und Prüfer mit Darstellung ihrer Ausbildung, Qualifikation, Fortbildung, Lehrbefähigung und einschlägigen Lehrtätigkeit und
6. die Darstellung des Verfahrens zur Einhaltung der Standards für Ausbildung und Prüfungsleistungen nach § 11.

[3]Die Anforderungen an die Qualitätssicherung nach § 12 Absatz 1 und 2 gelten entsprechend.

(2) [1]Sofern die eingereichten Unterlagen vollständig und geeignet sind, eine den Anforderungen entsprechende Ausbildung zu belegen, kann für die Dauer von höchstens sechs Monaten eine vorläufige Zulassung erteilt werden. [2]Innerhalb der Laufzeit der vorläufigen Zulassung überprüft die jeweils zuständige Behörde den Lehrgang bei der Ausbildungseinrichtung. [3]Der erste Termin zur Durchführung des vorläufig zugelassenen Lehrgangs wird in Abstimmung mit dem Bundesamt vereinbart. [4]Entspricht er den Anforderungen, wird die Zulassung für die Dauer von höchstens drei Jahren erteilt. [5]Sie kann, auch nachträglich, mit Nebenbestimmungen versehen werden.

[1)] § 16 Abs. 1 Satz 1 und Satz 2 Nr. 2 Buchst. c geänd., Nr. 6 neu gef., Satz 3 angef., Abs. 2 Satz 3 eingef., bish. Sätze 3 und 4 werden Sätze 4 und 5, Abs. 6 angef. mWv 31.7.2021 durch VO v. 28.7. 2021 (BGBl. I S. 3236).

(3) Änderungen zulassungsrelevanter Sachverhalte sind der jeweils zuständigen Behörde unverzüglich anzuzeigen.

(4) Die Zulassung kann verlängert werden, wenn dies mindestens sechs Monate vor Ablauf der Gültigkeitsdauer beantragt wurde und die Voraussetzungen für die Zulassung weiterhin vorliegen.

(5) [1] Die Zulassung ist zurückzunehmen, wenn der Anbieter die Zulassung

1. durch arglistige Täuschung, Drohung oder Bestechung oder
2. vorsätzlich oder grob fahrlässig durch Angaben, die in wesentlicher Beziehung unrichtig oder unvollständig waren,

erwirkt hat. [2] Die Zulassung ist zu widerrufen, wenn der Anbieter nicht mehr über die notwendigen fachlichen Kenntnisse, die erforderliche Unabhängigkeit oder Zuverlässigkeit verfügt. [3] Im Übrigen bleiben die §§ 48 und 49 des Verwaltungsverfahrensgesetzes[1)] unberührt.

(6) [1] Für die Zulassung von Modulen im Rahmen der berufsrechtlichen Akkreditierung nach § 10, die zur Ausstellung von Befähigungsnachweisen, Qualifikationsnachweisen oder Teilnahmebescheinigungen führen sollen, gelten die Absätze 1, 3, 4 und 5 entsprechend. [2] Innerhalb der Laufzeit der Zulassung kann das Bundesamt das Modul bei der nach Landesrecht eingerichteten Ausbildungsstätte überprüfen. [3] Die Dauer der Zulassung des Moduls richtet sich nach der Dauer der zugrundeliegenden berufsrechtlichen Akkreditierung.

§ 17[2)] Teilnehmerverzeichnis. (1) Der Anbieter hat ein Verzeichnis der Teilnehmer zu führen, die einen Lehrgang innerhalb der letzten sechs Jahre erfolgreich abgeschlossen haben.

(2) In das Verzeichnis sind die Angaben über

1. den Namen, Vornamen sowie das Geburtsdatum der Teilnehmer,
2. die Bezeichnung und BSH-Zulassungsnummer des Lehrgangs einschließlich des Zeitraums, an dem der einzelne Teilnehmer teilgenommen hat sowie
3. die Teilnahmebescheinigungs- oder Qualifikationsnachweisnummern der einzelnen Teilnehmer sowie das Datum der Erteilung der Bescheinigung

aufzunehmen.

(3) [1] Kann der Anbieter seinen Pflichten nach Absatz 1 nicht mehr nachkommen, ist das Teilnehmerverzeichnis unverzüglich in digitaler Form an die zulassende Stelle zu übermitteln. [2] Nach der Übermittlung nach Satz 1 ist das Teilnehmerverzeichnis nach Absatz 1 vom Anbieter unverzüglich, bei Speicherung in elektronischer Form automatisiert, zu löschen.

Unterabschnitt 3. Seefahrtzeiten und Tätigkeiten

§ 18 Seefahrtzeiten und Schiffe. [1] Seefahrtzeiten müssen geeignet sein, die für die jeweilige Befähigung erforderlichen Kenntnisse, das Verständnis und die Fachkunde zu erwerben und fortlaufend anzuwenden. [2] Sie sind auf Schiffen, die in den Anwendungsbereich des STCW-Übereinkommens nach dessen Artikel III fallen, oder auf Fischereifahrzeugen abzuleisten.

[1)] ***Sartorius Nr. 100.***

[2)] § 17 Abs. 1 geänd., Abs. 2 und 3 angef. mWv 31.7.2021 durch VO v. 28.7.2021 (BGBl. I S. 3236).

§ 19 Zugelassene Tätigkeiten. [1]Tätigkeiten, die als geeignet für den Fortbestand der Befähigung im Sinne des § 53 zugelassen werden sollen, müssen Kenntnisse, Verständnis und Fachkunde erfordern, die dem jeweiligen Befähigungszeugnis zugrunde liegen. [2]Das Bundesamt veröffentlicht eine Liste der zugelassenen Tätigkeiten.

Abschnitt 4. Ausländische Zeugnisse und Nachweise

§ 20[1)] Befähigungszeugnisse und Befähigungsnachweise anderer Mitgliedstaaten der Europäischen Union oder anderer Vertragsstaaten des Abkommens über den Europäischen Wirtschaftsraum. (1) [1]Ein Befähigungszeugnis im Sinne des Artikels 4 der Richtlinie (EU) 2022/993 des Europäischen Parlaments und des Rates vom 8. Juni 2022 über Mindestanforderungen für die Ausbildung von Seeleuten (ABl. L 169 vom 27.6.2022, S. 45) eines anderen Mitgliedstaates der Europäischen Union oder eines Vertragsstaates des Abkommens über den Europäischen Wirtschaftsraum wird auf Antrag vom Bundesamt anerkannt. [2]Satz 1 gilt auch für Befähigungsnachweise zum Kapitän oder Schiffsoffizier auf Tankschiffen nach den Abschnitten A-V/1-1 und A-V/1-2 des STCW-Codes.

(2) [1]Die Anerkennung erfolgt unverzüglich nach Antragstellung durch das Erteilen eines Vermerkes entsprechend den Anforderungen des Abschnittes A-I/2 Absatz 3 des STCW-Codes. [2]Die Anerkennung beschränkt sich auf die im zur Anerkennung vorgelegten Befähigungszeugnis ausgewiesenen Funktionen, Dienststellungen und Verantwortungsebenen. [3]Einschränkungen, die im vorgelegten Befähigungszeugnis enthalten sind, sind nach Maßgabe des STCW-Übereinkommens beizubehalten.

(3) [1]Handelt es sich um ein Befähigungszeugnis mit Funktionen auf der Führungsebene, muss der Bewerber um den Vermerk angemessene Kenntnisse des deutschen Seeschifffahrtsrechts durch die erfolgreiche Teilnahme an einem zugelassenen Lehrgang nachweisen. [2]Liegt der geforderte Kenntnisnachweis bei Antragstellung noch nicht vor, kann einmalig ein auf längstens drei Monate befristeter Anerkennungsvermerk erteilt werden.

(4) [1]Der Vermerk ist entsprechend § 8 zu befristen. [2]Die Gültigkeitsdauer darf jedoch die Dauer der Gültigkeit des zur Anerkennung vorgelegten Befähigungszeugnisses nicht überschreiten.

(5) [1]Das Bundesamt kann andere als die in Absatz 1 bezeichneten Befähigungszeugnisse und berufliche Bescheinigungen für den Schiffsdienst eines anderen Mitgliedstaates der Europäischen Union oder Vertragsstaates des Abkommens über den Europäischen Wirtschaftsraum auf Antrag anerkennen oder Gleichwertigkeitsbescheinigungen ausstellen, wenn nachgewiesen wird, dass der Inhaber des Befähigungszeugnisses über gleichwertige Kenntnisse verfügt, wie sie von dem Inhaber einer vergleichbaren deutschen seemännischen Qualifikation verlangt werden. [2]Ein Anpassungslehrgang oder angemessene berufliche Erfahrungen können im Einzelfall verlangt werden.

---

1) § 20 Überschrift geänd., Abs. 1 neu gef., Abs. 2 Satz 1 und Abs. 3 Sätze 1 und 2 geänd., Abs. 5 Satz 3 aufgeh. mWv 31.7.2021 durch VO v. 28.7.2021 (BGBl. I S. 3236); Abs. 1 Satz 1 neu gef. mWv 20.4.2024 durch VO v. 9.4.2024 (BGBl. 2024 I Nr. 126).

§ 21[1] Befähigungszeugnisse und Befähigungsnachweise aus Drittstaaten. [1] Ein Befähigungszeugnis aus anderen als den in § 20 bezeichneten Staaten kann auf Antrag anerkannt werden, soweit dies mit dem jeweiligen Drittstaat im Sinne der Regel I/10 Absatz 1.2 der Anlage zum STCW-Übereinkommen vereinbart ist. [2] § 20 Absatz 2 bis 5 ist entsprechend anzuwenden. [3] Satz 1 gilt auch für Befähigungsnachweise zum Kapitän oder Schiffsoffizier auf Tankschiffen nach den Abschnitten A-V/1-1 und A-V/1-2 des STCW-Codes.

§ 22[2] Ausländische Befähigungsnachweise, Qualifikationsnachweise. [1] Ein Befähigungsnachweis oder ein Qualifikationsnachweis einer Vertragspartei des STCW-Übereinkommens gilt als der entsprechende Befähigungsnachweis oder Qualifikationsnachweis nach dieser Verordnung, ohne dass es eines Verfahrens nach § 20 oder § 21 bedarf. [2] Satz 1 gilt nicht für Befähigungsnachweise zum Kapitän oder Schiffsoffizier auf Tankschiffen nach den Abschnitten A-V/1-1 und A-V/1-2 des STCW-Codes.

Abschnitt 5. Sonstige allgemeine Bestimmungen

§ 23[3] Täuschungen und sonstige rechtswidrige Praktiken im Zusammenhang mit Bescheinigungen. [1] Das Bundesamt wird im Rahmen der Führung des Seeleute-Befähigungs-Verzeichnisses nach § 9f des Seeaufgabengesetzes als zuständige Stelle im Sinne des Artikels 9 der Richtlinie (EU) 2022/993 tätig. [2] Ihm obliegen die für die Aufdeckung und Bekämpfung von Täuschungen oder sonstigen rechtswidrigen Praktiken im Zusammenhang mit der Erteilung und Gültigkeitsverlängerung von Bescheinigungen erforderlichen Maßnahmen. [3] Dies umfasst auch den Informationsaustausch mit den zuständigen ausländischen Stellen im Sinne des Artikels 9 Absatz 2 der Richtlinie (EU) 2022/993 unter Beachtung der Vorschriften des § 9f Absatz 4 und 5 des Seeaufgabengesetzes.

§ 24[4] Genehmigungen bei Abweichungen vom Ausbildungsgang und dem Erwerb von Bescheinigungen. (1) [1] Das Bundesamt kann Abweichungen von den Vorschriften im Hinblick auf den Erwerb von Befähigungszeugnissen und Befähigungsnachweisen auf Antrag genehmigen, wenn durch andere Ausbildungen und Tätigkeiten, insbesondere in der Wasserstraßen- und Schifffahrtsverwaltung des Bundes, des Fischereischutzes und der Seefischereiaufsicht des Bundes, der Bundeswehr, der Bundespolizei und bei den Wasserschutzpolizeien der Länder, Befähigungen erworben worden sind, die den Bestimmungen dieser Verordnung entsprechen. [2] Diese Regelung ist in Fällen des § 43 Absatz 2 Nummer 1 nicht anzuwenden.

(2) [1] In Verbindung mit dem Erwerb von Befähigungszeugnissen für Kapitäne und Offiziere muss die Teilnahme an einer Berufseingangsprüfung nachgewiesen werden. [2] Für den Erwerb von Befähigungszeugnissen für den Dienst auf Führungsebene im Rahmen der in Absatz 1 Satz 1 genannten Tätigkeiten sind Seefahrtzeiten mit einem gültigen Befähigungszeugnis nach dieser Verordnung in entsprechender Dienststellung nachzuweisen, ausgenommen sind

---

[1] § 21 Überschrift geänd., Satz 3 angef. mWv 31.7.2021 durch VO v. 28.7.2021 (BGBl. I S. 3236).
[2] § 22 Satz 1 geänd. mWv 31.7.2021 durch VO v. 28.7.2021 (BGBl. I S. 3236).
[3] § 23 neu gef. mWv 20.4.2024 durch VO v. 9.4.2024 (BGBl. 2024 I Nr. 126).
[4] § 24 Satz 1 geänd. mWv 4.6.2016 durch VO v. 2.6.2016 (BGBl. I S. 1257); Abs. 2 angef. mWv 31.7.2021 durch VO v. 28.7.2021 (BGBl. I S. 3236).

Anerkennungen von Abweichungen, die unter eigens für den Zweck des Absatzes 1 Satz 1 getroffene Vereinbarungen zwischen dem Bundesamt und dort genannten Institutionen fallen.

§ 25[1)] Ausnahmegenehmigungen. [1] Das Bundesamt kann, wenn Personen, Sachwerte und die Umwelt nicht gefährdet werden, auf Antrag eine Ausnahme nach Maßgabe des Artikels VIII des STCW-Übereinkommens oder des Artikels 17 der Richtlinie (EU) 2022/993 genehmigen, die es einem bestimmten Schiffsoffizier gestattet, auf einem bestimmten Kauffahrteischiff, das die Bundesflagge führt, während einer bestimmten Zeit, längstens für sechs Monate, Aufgaben wahrzunehmen, für die kein entsprechendes Befähigungszeugnis vorhanden ist. [2] Für die Aufgaben des Kapitäns oder des Leiters der Maschinenanlage darf keine Ausnahme genehmigt werden, ausgenommen in Fällen höherer Gewalt, und auch dann nur für möglichst kurze Zeit.

§ 26[2)] Mitführungspflicht. Inhaber von Bescheinigungen sind verpflichtet, diese in Urschrift oder als ein in der Beweiskraft dieser Urschrift gleichgestelltes elektronisches Dokument an Bord mitzuführen, soweit die Bescheinigungen für die zugewiesenen Aufgaben maßgeblich sind.

(Fortsetzung nächstes Blatt)

[1)] § 25 Satz 1 neu gef. mWv 20.4.2024 durch VO v. 9.4.2024 (BGBl. 2024 I Nr. 126).
[2)] § 26 geänd. mWv 31.7.2021 durch VO v. 28.7.2021 (BGBl. I S. 3236).

§ 27[1)] Ersatzausstellungen, inhaltsgleiche Bescheinigungen und Umtausch. (1) Wer den Verlust oder die Unbrauchbarkeit einer ihm nach dieser Verordnung erteilten Bescheinigung oder eine Namensänderung glaubhaft macht, erhält auf Antrag eine Ersatzausfertigung.

(2) [1] Von Absatz 1 sind die Befähigungsnachweise für den Schiffssicherheitsdienst sowie andere unbefristete Bescheinigungen, die eine entsprechende Befähigung enthalten, ausgenommen. [2] Für diese muss das Vorliegen der Voraussetzungen des § 5 Absatz 1 Satz 1 Nummer 1 bis 3 zum Zeitpunkt der Antragstellung auf Ersatzausstellung nachgewiesen werden.

(3) Das Bundesamt kann auf Antrag eine inhaltsgleiche Bescheinigung über verlorene oder unbrauchbare Bescheinigungen aushändigen.

(4) [1] Befähigungszeugnisse für den nautischen oder technischen Schiffsdienst als Offizier oder Kapitän, die vor dem 1. Juni 2014 erteilt worden sind, können auf Antrag in entsprechender Anwendung des § 24 Absatz 1 Satz 1 in Befähigungszeugnisse nach dieser Verordnung umgetauscht werden. [2] Befähigungszeugnisse zum Schiffsführer auf Kleinfahrzeugen können auf Antrag in ein Befähigungszeugnis zum Kapitän nationale Fahrt BRZ 100 (Kapitän NK 100) umgetauscht werden. [3] Befähigungszeugnisse zum Schiffsmaschinisten, die vor dem 1. Juni 2014 mit Befristung der Erlaubnis nach der Schiffsoffizier-Ausbildungsverordnung in der Fassung der Bekanntmachung vom 15. Januar 1992 (BGBl. I S. 22, 227), die durch § 66 Absatz 2 der Verordnung vom 8. Mai 2014 (BGBl. I S. 460) aufgehoben worden ist, erteilt worden sind, können auf Antrag in Befähigungszeugnisse zum Schiffsmaschinisten TSM nach dieser Verordnung umgetauscht werden.

Teil 2. Befähigungen für den Decksbereich

Abschnitt 1. Nautischer Schiffsdienst ausgenommen Fischereifahrzeuge

§ 28[2)] Anforderungen an Seefahrtzeiten. (1) Seefahrtzeiten sind für den Erwerb der Befähigungszeugnisse nach § 29 Absatz 1 auf Kauffahrteischiffen mit einer Bruttoraumzahl von 500 oder mehr oder auf Kauffahrteischiffen außerhalb der küstennahen Fahrt abzuleisten.

(2) Seefahrtzeiten für den Erwerb eines Befähigungszeugnisses nach § 29 Absatz 2 sind auf Kauffahrteischiffen mit einer Bruttoraumzahl von 100 oder mehr oder auf Kauffahrteischiffen in der küstennahen Fahrt ab sechs Seemeilen von der deutschen Küste entfernt, oder auf Kauffahrteischiffen, die für die Beförderung von mehr als 12 Fahrgästen zugelassen sind, abzuleisten.

(3) Seefahrtzeiten für den Erwerb eines Befähigungszeugnisses nach § 29 Absatz 3 sind auf Kauffahrteischiffen abzuleisten.

(4) Seefahrtzeiten nach Absatz 1 und 2 dürfen nicht auf Fischereifahrzeugen abgeleistet werden.

(5) Die Absätze 1 bis 4 gelten für den Nachweis des Fortbestandes der beruflichen Befähigung nach § 53 entsprechend.

[1)] § 27 Überschrift neu gef., Abs. 1 und Abs. 2 Satz 1 geänd., Satz 2 neu gef., Abs. 3 geänd., Abs. 4 angef. mWv 31.7.2021 durch VO v. 28.7.2021 (BGBl. I S. 3236).

[2)] § 28 Abs. 1 geänd., Abs. 2 und 3 eingef., bish. Abs. 2 und 3 werden Abs. 4 und 5 und jeweils geänd. mWv 31.7.2021 durch VO v. 28.7.2021 (BGBl. I S. 3236).

§ 29[1] **Befähigungszeugnisse und Befähigungsnachweise.** (1) [1] Für den nautischen Schiffsdienst werden auf Antrag Befähigungszeugnisse erteilt über die Befähigung zum

1. Nautischen Wachoffizier NWO,
2. Ersten Offizier NEO und
3. Kapitän NK.

[2] Das Befähigungszeugnis zum Nautischen Wachoffizier schließt die Befähigung zum Ersten Offizier auf Kauffahrteischiffen mit einer Bruttoraumzahl von weniger als 3 000 ein.

(2) Für den nautischen Schiffsdienst mit einer Bruttoraumzahl von weniger als 500 in der küstennahen Fahrt im Sinne der Regel II/3 der Anlage zum STCW-Übereinkommen werden auf Antrag Befähigungszeugnisse erteilt über die Befähigung zum

1. Nautischen Wachoffizier in der küstennahen Fahrt NWO 500 und
2. Kapitän in der küstennahen Fahrt NK 500.

(3) [1] Für den nautischen Schiffsdienst

1. auf Schiffen mit einer Bruttoraumzahl von weniger als 100 und einer Antriebsleistung bis zu 300 Kilowatt, die in der nationalen Fahrt bis zu sechs Seemeilen von der deutschen Küste entfernt und mit höchstens 12 Fahrgästen an Bord eingesetzt werden, sowie
2. auf Börtebooten

wird auf Antrag das Befähigungszeugnis zum Kapitän NK 100 im Sinne der Regel II/3 Absatz 7 der Anlage zum STCW-Übereinkommen erteilt. [2] Befähigungszeugnisse für den nautischen Schiffsdienst nach den Absätzen 1 und 2 schließen die Befugnis zum Kapitän NK 100 ein.

(4) Für den nautischen Schiffsdienst auf der Unterstützungsebene werden auf Antrag Befähigungsnachweise erteilt für die

1. Wachbefähigung Brücke NWB, die berechtigt, der Brückenwache anzugehören und
2. Befähigung zum Vollmatrosen im Decksbereich NVM.

§ 30[2] **Voraussetzungen für den Erwerb der Befähigungszeugnisse.**

(1) [1] Für den Erwerb des Zeugnisses über die Befähigung zum Nautischen Wachoffizier NWO hat der Bewerber

1. den
   a) Besitz des Zeugnisses über die Abschlussprüfung im Ausbildungsberuf Schiffsmechaniker oder
   b) Abschluss einer zugelassenen praktischen Ausbildung und Seefahrtzeit als nautischer Offiziersassistent nach Maßgabe der Richtlinien für die Aus-

[1] § 29 Abs. 3 neu gef., Abs. 4 Nr. 1 und 2 geänd. mWv 31.7.2021 durch VO v. 28.7.2021 (BGBl. I S. 3236).

[2] § 30 Abs. 1 Satz 1 Nr. 1 Buchst. b, Nr. 2 und 3 geänd., Abs. 2 Satz 1 geänd., Satz 2 angef., Abs. 3 *Satz 1 geänd., Satz 2 angef., Abs. 4 Satz 1 Nr. 1* Buchst. b und c und Nr. 2 und 3 geänd., Abs. 5 Satz 1 geänd., Satz 2 angef., Abs. 6 neu gef., Abs. 7 aufgeh. mWv 31.7.2021 durch VO v. 28.7.2021 (BGBl. I S. 3236).

bildung von nautischen Offiziersassistenten in der Seeschifffahrt vom 26. April 2018 (VkBl. 2018 S. 365) von mindestens zwölf Monaten,

2. den Abschluss einer mindestens zweijährigen Ausbildung nach den Anforderungen der Abschnitte A-II/1, A-II/2, A-IV/2, A-VI/4 und A-VI/5 des STCW-Codes an einer nach Landesrecht eingerichteten Ausbildungsstätte,

3. den Besitz gültiger Befähigungsnachweise nach den Anforderungen der Abschnitte A-VI/2 Absatz 1 bis 4 und A-VI/3 Absatz 1 bis 4 des STCW-Codes,

nachzuweisen. [2] Im Falle des Satzes 1 Nummer 1 Buchstabe b kann die Ausbildung und Seefahrtzeit auch als schulrechtliches Praktikum oder in Form von Praxissemestern während der Ausbildung an einer nach Landesrecht eingerichteten Ausbildungsstätte abgeleistet werden. [3] Der Bewerber hat im Falle des Satzes 2 ein Ausbildungsberichtsheft zu führen, in dem der Kapitän oder ein befähigter Schiffsoffizier bestätigt, dass während der vorgeschriebenen Seefahrtzeit mindestens sechs Monate lang unter der Aufsicht des Kapitäns oder eines befähigten Schiffsoffiziers Wachdienst auf der Brücke geleistet und mit der Ausbildung an Bord die entsprechenden Anforderungen des Abschnittes A-II/1 des STCW-Codes erfüllt wurden.

(2) [1] Für den Erwerb des Zeugnisses über die Befähigung zum Ersten Offizier NEO hat der Bewerber eine Seefahrtzeit von mindestens zwölf Monaten in der Dienststellung als Nautischer Wachoffizier NWO nachzuweisen. [2] Zum Zeitpunkt der Antragstellung muss der Fortbestand der Befähigung nach § 53 nachgewiesen werden.

(3) [1] Für den Erwerb des Zeugnisses über die Befähigung zum Kapitän NK hat der Bewerber zusätzlich zu der Seefahrtzeit nach Absatz 2 eine weitere Seefahrtzeit von mindestens zwölf Monaten in der Dienststellung als Erster Offizier NEO oder von 24 Monaten in der Dienststellung als Nautischer Wachoffizier NWO nachzuweisen. [2] Zum Zeitpunkt der Antragstellung muss der Fortbestand der Befähigung nach § 53 nachgewiesen werden.

(4) [1] Für den Erwerb des Zeugnisses über die Befähigung zum Nautischen Wachoffizier NWO 500 hat der Bewerber

1. den
   a) Besitz des Zeugnisses über die Abschlussprüfung im Ausbildungsberuf Schiffsmechaniker,
   b) Abschluss einer zugelassenen praktischen Ausbildung und Seefahrtzeit als nautischer Offiziersassistent in der Seeschifffahrt nach Maßgabe der Richtlinien für die Ausbildung von nautischen Offiziersassistenten in der Seeschifffahrt von mindestens zwölf Monaten,
   c) Besitz des Zeugnisses über die Abschlussprüfung im Ausbildungsberuf Fischwirt mit Schwerpunkt Kleine Hochsee- und Küstenfischerei und eine anschließende Seefahrtzeit von zwölf Monaten im Decksdienst oder
   d) eine Seefahrtzeit von mindestens 36 Monaten im Decksdienst,
2. den Abschluss einer Ausbildung nach den Anforderungen der Abschnitte A-II/3, A-IV/2 und A-VI/4 Absatz 1 bis 3 des STCW-Codes von in der Regel einem Schulhalbjahr an einer nach Landesrecht eingerichteten Ausbildungsstätte und
3. den Besitz gültiger Befähigungsnachweise nach den Anforderungen der Abschnitte A-VI/2 Absatz 1 bis 4 und A-VI/3 Absatz 1 bis 4 des STCW-Codes,

nachzuweisen. [2]Der Bewerber hat in den Fällen des Satzes 1 Nummer 1 Buchstabe b ein Ausbildungsberichtsheft zu führen, in dem der Kapitän oder ein befähigter Schiffsoffizier bestätigt, dass mit der Ausbildung an Bord die entsprechenden Anforderungen des Abschnittes A-II/3 des STCW-Codes erfüllt wurden.

(5) [1]Für den Erwerb des Zeugnisses über die Befähigung zum Kapitän NK 500 hat der Bewerber eine Seefahrtzeit von mindestens zwölf Monaten in der Dienststellung als Nautischer Wachoffizier NWO 500 nachzuweisen. [2]Zum Zeitpunkt der Antragstellung muss der Fortbestand der Befähigung nach § 53 nachgewiesen werden.

(6) Für den Erwerb des Zeugnisses über die Befähigung zum Kapitän NK 100 hat der Bewerber

1. eine Seefahrtzeit im Decksdienst von mindestens sechs Monaten und
2. den Abschluss einer Ausbildung nach den Anforderungen der Regel II/3 Absatz 7 in Verbindung mit den Abschnitten A-II/3 und A-IV/2 des STCW-Codes an einer nach Landesrecht eingerichteten Ausbildungsstätte nach Anlage 3 von in der Regel mindestens drei Monaten

nachzuweisen.

§ 31[1)] Voraussetzungen für den Erwerb der Befähigungsnachweise.

(1) [1]Für den Erwerb des Befähigungsnachweises Wachbefähigung Brücke NWB hat der Bewerber nachzuweisen

1. eine
   a) Seefahrtzeit von mindestens sechs Monaten oder
   b) Seefahrtzeit von mindestens zwei Monaten zusätzlich zu einer besonderen Ausbildung oder eines zugelassenen Lehrgangs entweder an Bord eines Schiffes oder an Land und
2. die Befähigung nach Abschnitt A-II/4 des STCW-Codes.

[2]Die Seefahrtzeit und Ausbildung nach Satz 1 Nummer 1 muss sich auf die Aufgaben im Brückenwachdienst beziehen und unter der unmittelbaren Aufsicht des Kapitäns, eines Nautischen Wachoffiziers oder eines anderen nach diesem Abschnitt befähigten Besatzungsmitgliedes ausgeführt werden. [3]In Fällen von Satz 1 Nummer 1 Buchstabe a erfolgt der Nachweis der Befähigung nach Satz 1 Nummer 2 durch eine Prüfung auf Antrag durch das Bundesamt nach Anlage 4. [4]Das Bundesamt kann bei der Durchführung der Prüfung die Berufsbildungsstelle Seeschifffahrt e.V. beteiligen.

(2) Für den Erwerb eines Befähigungsnachweises zum Vollmatrosen im Decksbereich NVM hat der Bewerber nachzuweisen

1. einen vor dem 1. Juni 2014 nach deutschem Recht ausgestellten Matrosenbrief, das Vorliegen der Voraussetzungen nach § 29 Absatz 4 Nummer 1 und einen gültigen Befähigungsnachweis nach § 45 Absatz 1 oder
2. den Abschluss einer Ausbildung nach den Anforderungen des Abschnitts A-II/5 des STCW-Codes zum Schiffsbetriebstechnischen Assistenten-Nautik an einer nach Landesrecht eingerichteten Ausbildungsstätte, einen gültigen Befähigungsnachweis nach § 45 Absatz 1 und eine vom Bundesamt zugelas-

---

1) § 31 Abs. 1 Satz 1 neu gef., Sätze 2 und 3 geänd., Satz 4 und Abs. 2 angef. mWv 31.7.2021 durch VO v. 28.7.2021 (BGBl. I S. 3236).

sene praktische Ausbildung und Seefahrtzeit im Decksbereich auf Unterstützungsebene von mindestens sechseinhalb Monaten.

Abschnitt 2. Nautischer Schiffsdienst auf Fischereifahrzeugen

§ 32 Anforderungen an Seefahrtzeiten. [1] Seefahrtzeiten im Sinne dieses Abschnittes müssen auf Fischereifahrzeugen von mindestens zwölf Metern Länge abgeleistet werden. [2] Satz 1 gilt nicht für den Erwerb des Befähigungszeugnisses zum Kapitän BKü.

§ 33[1)] Befähigungszeugnisse. (1) Für den nautischen Schiffsdienst auf Fischereifahrzeugen von 24 oder mehr Metern Länge werden auf Antrag erteilt

1. über die Befähigung zum Kapitän das Befähigungszeugnis
   a) Kapitän BG mit den Befugnissen zum Kapitän und zum Ersten Offizier in der Großen Hochseefischerei und
   b) Kapitän BK mit den Befugnissen zum Kapitän in der Kleinen Hochseefischerei,
2. über die Befähigung zum Schiffsoffizier das Befähigungszeugnis
   a) Nautischer Wachoffizier BGW mit der Befugnis zum Wachoffizier in der Großen Hochseefischerei und
   b) Nautischer Wachoffizier BKW mit der Befugnis zum Wachoffizier in der Kleinen Hochseefischerei.

(2) [1] Für den nautischen Schiffsdienst auf Fischereifahrzeugen von weniger als 24 Metern Länge in der Küstenfischerei wird auf Antrag das Befähigungszeugnis erteilt über die Befähigung zum Kapitän BKü. [2] Vor dem 1. Juni 2014 erworbene Befähigungszeugnisse zum Kapitän BKü behalten ihre Geltung hinsichtlich des Führens von Fischereifahrzeugen bis zu einem Raumgehalt von 75 BRT/BRZ 150 unabhängig von der Länge des Fahrzeuges.

(3) [1] Die Befugnisse eines Befähigungszeugnisses zum Kapitän höherer Ordnung schließen die Befugnisse eines Befähigungszeugnisses niedrigerer Ordnung ein. [2] Das Befähigungszeugnis Nautischer Wachoffizier BGW schließt die Befugnisse des Befähigungszeugnisses Nautischer Wachoffizier BKW ein. [3] Ergänzend zu Satz 1 schließt das Befähigungszeugnis Nautischer Wachoffizier BKW die Befugnisse des Befähigungszeugnisses zum Kapitän BKü ein, wenn die Voraussetzungen des § 6 erfüllt sind. [4] Befähigungszeugnisse für den nautischen Schiffsdienst auf Fischereifahrzeugen schließen die Befugnis zum Kapitän NK 100 ein. [5] Für Inhaber eines Befähigungszeugnisses zum Kapitän BKü gilt Satz 4 nur, wenn der Inhaber eine Abschlussprüfung an einer nach Landesrecht eingerichteten Ausbildungsstätte bestanden hat und sein Zeugnis über die Abschlussprüfung mindestens ausreichende Leistungen in der Schiffsbetriebstechnik aufweist oder wenn im Abschlusszeugnis zum Fischwirt ausreichende Leistungen im Fach Motorenkunde bestätigt wurden.

(4) Ein Inhaber des Befähigungszeugnisses zum Kapitän BKü, der seine Abschlussprüfung an einer nach Landesrecht eingerichteten Ausbildungsstätten bestanden hat und dessen Zeugnis über die Abschlussprüfung mindestens ausreichende Leistungen in der Schiffsbetriebstechnik aufweist, erhält auf Antrag folgenden Zusatz auf dem Befähigungszeugnis BKü: „Berechtigt auch zum

---

[1)] § 33 Abs. 3 Satz 4 geänd., Satz 5 angef., Abs. 4 geänd., Abs. 5 aufgeh. mWv 31.7.2021 durch VO v. 28.7.2021 (BGBl. I S. 3236).

Leiten von Antriebsanlagen mit einer Leistung bis einschließlich 300 Kilowatt auf Fischereifahrzeugen in der Küstenfischerei."

§ 34[1)] Voraussetzungen für den Erwerb der Befähigungszeugnisse.

(1) [1] Für den Erwerb des Zeugnisses über die Befähigung zum Nautischen Wachoffizier BGW hat der Bewerber nachzuweisen

1. eine Seefahrtzeit im Decksdienst von mindestens 24 Monaten auf Fahrzeugen der Hochseefischerei oder
2. den Besitz des Zeugnisses über die Abschlussprüfung im Ausbildungsberuf Schiffsmechaniker, Matrose oder Fischwirt mit Schwerpunkt Kleine Hochsee- und Küstenfischerei sowie eine anschließende Seefahrtzeit von zwölf Monaten im Decksdienst auf Fahrzeugen der Seefischerei.

[2] Ferner hat der Bewerber den Abschluss einer mindestens zweijährigen Ausbildung nach den Anforderungen der Anlage 5 an einer nach Landesrecht eingerichteten Ausbildungsstätte nachzuweisen.

(2) Für den Erwerb des Zeugnisses über die Befähigung zum Nautischen Wachoffizier BKW und zum Kapitän BKü hat der Bewerber den Besitz des Zeugnisses über die Abschlussprüfung im Ausbildungsberuf Schiffsmechaniker, Matrose oder Fischwirt mit Schwerpunkt Kleine Hochsee- und Küstenfischerei sowie eine anschließende Seefahrtzeit von zwölf Monaten im Decksdienst auf Fahrzeugen der Seefischerei sowie im Falle

1. des Erwerbs des Befähigungszeugnisses zum Nautischen Wachoffizier BKW den erfolgreichen Abschluss einer Ausbildung mit einer Dauer von mindestens zwei Halbjahren und
2. des Erwerbs des Befähigungszeugnisses zum Kapitän BKü den erfolgreichen Abschluss einer Ausbildung mit einer Dauer von mindestens einem halben Halbjahr

nach den Anforderungen der Anlage 5 an einer nach Landesrecht eingerichteten Ausbildungsstätte nachzuweisen.

(3) Für den Erwerb des Zeugnisses über die Befähigung zum Kapitän BG hat der Bewerber eine Seefahrtzeit von 24 Monaten in der Dienststellung als Nautischer Wachoffizier in der Großen Hochseefischerei nachzuweisen.

(4) Für den Erwerb des Zeugnisses über die Befähigung zum Kapitän BK hat der Bewerber eine Seefahrtzeit von 24 Monaten in der Dienststellung als Nautischer Wachoffizier in der Kleinen Hochseefischerei nachzuweisen.

Abschnitt 3. Seefunkdienst

§ 35[2)] Befähigungszeugnisse zum GMDSS-Funker. Für die Ausübung des Seefunkdienstes bei Seefunkstellen auf Kauffahrteischiffen, die am Weltweiten Seenot- und Sicherheitsfunksystem (GMDSS) teilnehmen, werden nach Maßgabe des Abschnittes A-IV/2 des STCW-Codes auf Antrag als Befähigungszeugnisse über die Befähigung zum GMDSS-Funker erteilt

---

[1)] § 34 Abs. 1 Satz 1 Nr. 2, Abs. 2 einl. Satzteil, Abs. 3 und 4 geänd. mWv 31.7.2021 durch VO v. *28.7.2021 (BGBl. I S. 3236).*

[2)] § 35 Überschrift neu gef., Nr. 2 geänd. mWv 31.7.2021 durch VO v. 28.7.2021 (BGBl. I S. 3236).

1. das Allgemeine Betriebszeugnis GOC für die uneingeschränkte Ausübung des Seefunkdienstes bei Sprech-Seefunkstellen, Schiffs-Erdfunkstellen sowie allen Funkeinrichtungen des GMDSS und
2. das Beschränkt gültige Betriebszeugnis ROC für die Ausübung des Seefunkdienstes bei Sprech-Seefunkstellen für UKW und Funkeinrichtungen des GMDSS für UKW.

§ 36[1)] Voraussetzungen für den Erwerb der Befähigungszeugnisse zum GMDSS-Funker. [1] Für den Erwerb des Befähigungszeugnisses zum GMDSS-Funker hat der Bewerber den Abschluss eines nautischen Ausbildungsganges nach Maßgabe der §§ 30 oder 34 an nach Landesrecht eingerichteten Ausbildungsstätten nachzuweisen. [2] Die Anforderungen nach Satz 1 können gleichfalls durch die erfolgreiche Teilnahme an einem zugelassenen Lehrgang nach den Anforderungen des Abschnittes A-IV/2 des STCW-Codes nachgewiesen werden.

Teil 3. Befähigungen für den technischen Bereich

§ 37[2)] Anforderungen an Seefahrtzeiten. (1) Seefahrtzeiten im Sinne dieses Teils sind auf Kauffahrteischiffen mit einer Antriebsleistung von 750 Kilowatt oder mehr abzuleisten.

(2) Absatz 1 gilt nicht für Bewerber für das Befähigungszeugnis nach § 38 Absatz 2.

(3) Absatz 1 gilt für den Nachweis des Fortbestandes der Befähigung nach § 53 entsprechend.

Abschnitt 1. Technischer Schiffsdienst

§ 38[3)] Befähigungszeugnisse und Befähigungsnachweise. (1) [1] Für den technischen Schiffsdienst in einem besetzten Maschinenraum oder im Bereitschaftsdienst in zeitweise unbesetzten Maschinenräumen für Antriebsanlagen jeder Leistung werden auf Antrag Befähigungszeugnisse erteilt über die Befähigung zum

1. Technischen Wachoffizier TWO,
2. Zweiten technischen Schiffsoffizier TZO und
3. Leiter der Maschinenanlage TLM.

[2] Das Befähigungszeugnis zum Zweiten technischen Schiffsoffizier schließt die Befähigung zum Leiter der Maschinenanlage für Antriebsanlagen von weniger als 3 000 Kilowatt Leistung ein; ausgenommen sind Befähigungszeugnisse, die unter der Voraussetzung des § 53 Absatz 1 Satz 1 Nummer 2 Buchstabe b ausgestellt werden.

(2) Für den technischen Schiffsdienst für Antriebsanlagen von weniger als 750 Kilowatt Leistung wird auf Antrag das Befähigungszeugnis über die Befähigung zum Schiffsmaschinisten TSM erteilt.

(3) Für den technischen Schiffsdienst in einem besetzten Maschinenraum oder im Bereitschaftsdienst in zeitweise unbesetzten Maschinenräumen mit einer Antriebsanlage von 750 Kilowatt Leistung oder mehr auf der Unterstützungsebene werden auf Antrag Befähigungsnachweise erteilt für die

---

1) § 36 Überschrift und Satz 1 geänd. mWv 31.7.2021 durch VO v. 28.7.2021 (BGBl. I S. 3236).
2) § 37 Abs. 3 geänd. mWv 31.7.2021 durch VO v. 28.7.2021 (BGBl. I S. 3236).
3) § 38 Abs. 1 Satz 2 und Abs. 3 Nr. 2 geänd. mWv 31.7.2021 durch VO v. 28.7.2021 (BGBl. I S. 3236).

1. Wachbefähigung Maschine TWB mit der Berechtigung, der Maschinenwache in besetzten Maschinenräumen anzugehören oder zum Bereitschaftsdienst in zeitweise unbesetzten Maschinenräumen eingeteilt zu werden, und
2. Befähigung zum Vollmatrosen im Maschinenbereich TVM.

§ 39[1)] Voraussetzungen für den Erwerb der Befähigungszeugnisse.

(1) [1] Für den Erwerb des Zeugnisses über die Befähigung zum Technischen Wachoffizier TWO hat der Bewerber

1. den
   a) Besitz des Zeugnisses über die Abschlussprüfung im Ausbildungsberuf Schiffsmechaniker,
   b) Besitz des Zeugnisses über die Abschlussprüfung in einem nach § 3 Absatz 5 Satz 1 Nummer 1 anerkannten Ausbildungsberuf der Metall- oder Elektrotechnik, der eine Ausbildung in der Metallbearbeitung nach Anlage 6 von mindestens 14 Wochen sowie eine Vertiefung dieser Fachkunde durch die praktische Anwendung der Ausbildungsinhalte während der Dauer der Berufsausbildung beinhaltet und den Abschluss einer zugelassenen praktischen Ausbildung und Seefahrtzeit als technischer Offiziersassistent nach Maßgabe der Richtlinien für die Ausbildung von technischen Offiziersassistenten in der Seeschifffahrt vom 17. November 2020 (VkBl. 2020 S. 802) von mindestens zwölf Monaten,
   c) Besitz eines Zeugnisses über die Abschlussprüfung Schiffsbetriebstechnischer Assistent-Technik und den Abschluss einer zugelassenen praktischen Ausbildung und Seefahrtzeit als technischer Offiziersassistent nach Maßgabe der Richtlinien für die Ausbildung von technischen Offiziersassistenten in der Seeschifffahrt von mindestens zwölf Monaten oder
   d) Abschluss einer zugelassenen praktischen Ausbildung und Seefahrtzeit als technischer Offiziersassistent nach Maßgabe der Richtlinien für die Ausbildung von technischen Offiziersassistenten in der Seeschifffahrt von mindestens 18 Monaten,
2. den Abschluss einer mindestens zweijährigen Ausbildung nach den Anforderungen der Abschnitte A-III/1 und A-III/2, einschließlich des Abschnittes A-VI/4 Absatz 1 bis 3 des STCW-Codes an einer nach Landesrecht eingerichteten Ausbildungsstätte und
3. den *den*[2)] Besitz gültiger Befähigungsnachweise nach den Anforderungen der Abschnitte A-VI/2 Absatz 1 bis 4 und A-VI/3 Absatz 1 bis 4 des STCW-Codes,

nachzuweisen. [2] Im Falle des Satzes 1 Nummer 1 Buchstabe d kann Ausbildung und Seefahrtzeit auch als schulrechtliches Praktikum oder in Form von Praxissemestern während der Ausbildung an einer nach Landesrecht eingerichteten Ausbildungsstätte abgeleistet werden. [3] Der Bewerber hat im Falle des Satzes 2 ein Ausbildungsberichtsheft zu führen, in dem der Leiter der Maschinenanlage oder ein befähigter Schiffsoffizier bestätigt, dass während der vorgeschriebenen See-

---

[1)] § 39 Abs. 1 Satz 1 Nr. 1 Buchst. b neu gef., Buchst. c eingef., bish. Buchst. c wird Buchst. d und geänd., Nr. 2 und Nr. 3 und Abs. 2 Satz 1 geänd., Satz 2 angef., Abs. 3 Satz 1 geänd., Satz 2 angef., Abs. 4 Nr. 1 Buchst. a geänd., Buchst. b und c neu gef., Nr. 2 geänd., Nr. 3 aufgeh. mWv 31.7.2021 durch VO v. 28.7.2021 (BGBl. I S. 3236); Abs. 1 Satz 2 geänd. mWv 20.4.2024 durch VO v. 9.4.2024 (BGBl. 2024 I Nr. 126); *Abs. 4 Nr. 1 Buchst. c geänd., Buchst. d eingef. mWv 2.4.2025 durch VO v. 25.3.2025 (BGBl. 2025 I Nr. 100).*

[2)] Amtlicher Fehler.

fahrtzeit mindestens sechs Monate lang unter der Aufsicht des Leiters der Maschinenanlage oder eines befähigten Schiffsoffiziers Maschinenwachdienst geleistet und mit der Ausbildung an Bord die entsprechenden Anforderungen des Abschnittes A-III/1 des STCW-Codes erfüllt wurden.

(2) [1] Für den Erwerb des Zeugnisses über die Befähigung zum Zweiten technischen Schiffsoffizier TZO hat der Bewerber eine Seefahrtzeit von mindestens zwölf Monaten in der Dienststellung als Technischer Wachoffizier TWO nachzuweisen. [2] Zum Zeitpunkt der Antragstellung muss der Fortbestand der Befähigung nach § 53 nachgewiesen werden.

(3) [1] Für den Erwerb des Zeugnisses über die Befähigung zum Leiter der Maschinenanlage TLM hat der Bewerber zusätzlich zu der Seefahrtzeit nach Absatz 2 eine weitere Seefahrtzeit von mindestens zwölf Monaten in der Dienststellung als Zweiter technischer Schiffsoffizier oder von 24 Monaten in der Dienststellung als Technischer Wachoffizier nachzuweisen. [2] Zum Zeitpunkt der Antragstellung muss der Fortbestand der Befähigung nach § 53 nachgewiesen werden.

(4) Für den Erwerb des Zeugnisses über die Befähigung zum Schiffsmaschinisten TSM hat der Bewerber nachzuweisen

1. den
   a) Besitz des Zeugnisses über die Abschlussprüfung im Ausbildungsberuf Schiffsmechaniker,
   b) Besitz des Zeugnisses über die Abschlussprüfung in einem nach § 3 Absatz 5 Satz 1 Nummer 1 anerkannten Ausbildungsberuf der Metall- oder Elektrotechnik, der eine Ausbildung in der Metallbearbeitung nach Anlage 6 von mindestens sieben Wochen beinhaltet, und eine Seefahrtzeit im Maschinendienst von mindestens sechs Monaten oder
   c) Besitz eines nautischen Befähigungszeugnisses nach Teil 2 ausgenommen des Befähigungszeugnisses nach § 29 Absatz 3 sowie eine Ausbildung in der Metallbearbeitung nach Anlage 6 von mindestens sieben Wochen oder
   d) Besitz des Zeugnisses über die Abschlussprüfung zum berufsqualifizierenden Bildungsgang Schiffsbetriebstechnischer Assistent SBTA Technik und
2. den Abschluss einer Ausbildung nach den Anforderungen der Anlage 7 von in der Regel einem halben Schulhalbjahr an einer nach Landesrecht eingerichteten Ausbildungsstätte.

§ 40[1)] Voraussetzungen für den Erwerb der Befähigungsnachweise.

(1) [1] Für den Erwerb des Befähigungsnachweises Wachbefähigung Maschine TWB hat der Bewerber nachzuweisen

1. eine
   a) Seefahrtzeit von mindestens sechs Monaten und eine Ausbildung in der Metallbearbeitung nach Anlage 6 von mindestens sieben Wochen oder den Besitz des Zeugnisses über die Abschlussprüfung in einem nach § 3 Absatz 5 Satz 1 Nummer 1 anerkannten Ausbildungsberuf der Metall- oder Elektrotechnik, der eine Ausbildung in der Metallbearbeitung nach Anlage 6 von mindestens sieben Wochen sowie eine Vertiefung der Fachkunde durch die praktische Anwendung der Ausbildungsinhalte während der Dauer der Berufsausbildung beinhaltet, oder

---

[1)] § 40 Abs. 1 Satz 1 neu gef., Sätze 2 und 3 geänd., Satz 4 und Abs. 2 angef. mWv 31.7.2021 durch VO v. 28.7.2021 (BGBl. I S. 3236).

b) Seefahrtzeit von mindestens zwei Monaten zusätzlich zu einer besonderen Ausbildung oder einem zugelassenen Lehrgang, die eine Ausbildung in der Metallbearbeitung nach Anlage 6 von mindestens sieben Wochen beinhalten, und

2. die Befähigung nach Abschnitt A-III/4 des STCW-Codes.

²Die Seefahrtzeit und Ausbildung nach Satz 1 müssen sich auf die Aufgaben im Maschinenwachdienst beziehen und unter der unmittelbaren Aufsicht eines Technischen Offiziers oder eines anderen nach diesem Abschnitt befähigten Besatzungsmitgliedes, ausgeführt werden. ³In Fällen von Satz 1 Nummer 1 Buchstabe a erfolgt der Nachweis der Befähigung nach Satz 1 Nummer 2 durch eine Prüfung auf Antrag durch das Bundesamt entsprechend Anlage 4. ⁴Das Bundesamt kann bei der Durchführung der Prüfung die Berufsbildungsstelle Seeschifffahrt e.V. beteiligen.

(2) Für den Erwerb eines Befähigungsnachweises zum Vollmatrosen im Maschinenbereich TVM hat der Bewerber nachzuweisen

1. einen vor dem 1. Juni 2014 nach deutschem Recht ausgestellten Matrosenbrief, das Vorliegen der Voraussetzungen nach § 38 Absatz 3 Nummer 1 oder
2. den Abschluss einer Ausbildung nach den Anforderungen des Abschnitts A-III/5 des STCW-Codes zum Schiffsbetriebstechnischen Assistenten-Technik an einer nach Landesrecht eingerichteten Ausbildungsstätte und eine vom Bundesamt zugelassene praktische Ausbildung und Seefahrtzeit im Maschinenbereich auf Unterstützungsebene von mindestens zwei Wochen.

Abschnitt 2. Elektrotechnischer Schiffsdienst

§ 41[1] Befähigungszeugnis und Befähigungsnachweis. Für den elektrotechnischen Schiffsdienst auf Schiffen mit einer Antriebsleistung von 750 Kilowatt oder mehr werden auf Antrag das Befähigungszeugnis über die Befähigung zum Elektrotechnischen Schiffsoffizier ETO und der Befähigungsnachweis über die Befähigung zum Schiffselektriker ESE erteilt.

§ 42[2] Voraussetzungen für den Erwerb des Befähigungszeugnisses und Befähigungsnachweises. (1) Für den Erwerb des Zeugnisses über die Befähigung zum Elektrotechnischen Schiffsoffizier ETO hat der Bewerber

1. den
   a) Besitz des Zeugnisses über die Abschlussprüfung im Ausbildungsberuf Schiffsmechaniker und den Abschluss einer zugelassenen praktischen Ausbildung und Seefahrtzeit als elektrotechnischer Offiziersassistent nach Maßgabe der Richtlinien für die Ausbildung von elektrotechnischen Offiziersassistenten in der Seeschifffahrt vom 5. Dezember 2018 (VkBl. 2018 S. 883) von mindestens sechs Monaten,

(Fortsetzung nächstes Blatt)

[1] § 41 geänd. mWv 31.7.2021 durch VO v. 28.7.2021 (BGBl. I S. 3236).
[2] § 42 neu gef. mWv 31.7.2021 durch VO v. 28.7.2021 (BGBl. I S. 3236).

b) Besitz des Zeugnisses über die Abschlussprüfung in einem nach § 3 Absatz 5 Satz 1 Nummer 1 anerkannten Ausbildungsberuf der Elektrotechnik, der eine Ausbildung in der Elektrofertigung und Metallbearbeitung nach Anlage 6a von mindestens neun Wochen sowie eine Vertiefung dieser Fachkunde durch die praktische Anwendung der Ausbildungsinhalte während der Dauer der Berufsausbildung beinhaltet und den Abschluss einer zugelassenen praktischen Ausbildung und Seefahrtzeit als elektrotechnischer Offiziersassistent nach Maßgabe der Richtlinien für die Ausbildung von elektrotechnischen Offiziersassistenten in der Seeschifffahrt in der jeweils geltenden Fassung von mindestens sechs Monaten,

c) Besitz des Zeugnisses über den Abschluss einer Fachschulausbildung oder eines Hochschul- oder Universitätsstudiums, die eine Ausbildung in der Elektrofertigung und Metallbearbeitung nach Anlage 6a von mindestens neun Wochen sowie eine Vertiefung dieser Fachkunde durch die praktische Anwendung der Ausbildungsinhalte während der Dauer des Studiums beinhalten und den Abschluss einer zugelassenen praktischen Ausbildung und Seefahrtzeit als elektrotechnischer Offiziersassistent nach Maßgabe der Richtlinien für die Ausbildung von elektrotechnischen Offiziersassistenten in der Seeschifffahrt in der jeweils geltenden Fassung von mindestens sechs Monaten, oder

d) Abschluss einer zugelassenen praktischen Ausbildung und Seefahrtzeit als elektrotechnischer Offiziersassistent nach Maßgabe der Richtlinien für die Ausbildung von elektrotechnischen Offiziersassistenten in der Seeschifffahrt von zwölf Monaten,

2. den Abschluss einer mindestens zweijährigen Ausbildung nach den Anforderungen des Abschnitts A-III/6, einschließlich des Abschnitts A-VI/4 Absatz 1 bis 3 des STCW-Codes an einer nach Landesrecht eingerichteten Ausbildungsstätte und

3. den Besitz gültiger Befähigungsnachweise nach den Anforderungen der Abschnitte A-VI/2 Absatz 1 bis 4 und A-VI/3 Absatz 1 bis 4 des STCW-Codes

nachzuweisen.

(2) [1] Im Falle des Absatzes 1 Nummer 1 Buchstabe d können Ausbildung und Seefahrtzeit auch als schulrechtliches Praktikum oder in Form von Praxissemestern während der Ausbildung an einer nach Landesrecht eingerichteten Ausbildungsstelle abgeleistet werden. [2] Der Bewerber hat im Falle des Satzes 1 ein Ausbildungsberichtsheft zu führen, in dem der Leiter der Maschinenanlage oder ein befähigter Schiffsoffizier bestätigt, dass mit der Ausbildung an Bord die entsprechenden Anforderungen des Abschnitts A-III/6 des STCW-Codes erfüllt wurden.

(3) [1] Inhaber eines Befähigungszeugnisses nach § 38 Absatz 1 erfüllen die Anforderungen nach Absatz 1, wenn sie den Abschluss einer überbetrieblichen Ausbildung in der Elektrofertigung nach Anlage 6a von mindestens sieben Wochen und eine Ausbildung nach Abschnitt A-III/6 des STCW-Codes an einer nach Landesrecht eingerichteten Ausbildungsstätte nachweisen. [2] Seeleute, die innerhalb der letzten fünf Jahre vor dem 1. Juni 2014 eine Seefahrtzeit von mindestens zwölf Monaten in entsprechender Dienststellung nachweisen, können auf Antrag ein Befähigungszeugnis zum Elektrotechnischen Schiffsoffizier ETO erhalten, sofern die Voraussetzungen nach Nummer 2 und 3 einschließlich des Nachweises über den Abschluss eines zugelassenen Lehrgangs in Betrieb und

Unterhaltung von elektrisch betriebenen Anlagen mit einer Spannung von mehr als 1 000 Volt erfüllt sind.

(4) Für den Erwerb des Nachweises über die Befähigung zum Schiffselektriker ESE hat der Bewerber nachzuweisen

1. den Besitz des Zeugnisses über die Abschlussprüfung in einem nach § 3 Absatz 5 Satz 1 Nummer 1 anerkannten Ausbildungsberuf der Elektrotechnik, der eine Ausbildung in der Elektrofertigung und Metallbearbeitung nach Anlage 6a von mindestens neun Wochen sowie eine Vertiefung dieser Fachkunde durch die praktische Anwendung der Ausbildungsinhalte während der Dauer der Berufsausbildung beinhaltet,
2. eine vom Bundesamt zugelassene praktische Ausbildung und Seefahrtzeit im elektrotechnischen Schiffsdienst von mindestens sechs Monaten auf Unterstützungsebene und
3. die Befähigung nach Abschnitt A-III/7 des STCW-Codes.

Teil 4. Befähigungen im Gesamtschiffsbetrieb

§ 43[1] Befähigungsnachweis zum Schiffsmechaniker. (1) Für den Schiffsdienst auf der Unterstützungsebene im Gesamtschiffsbetrieb wird nach Maßgabe des Abschnittes A-VII/2 in Verbindung mit Abschnitt A-II/5 und Abschnitt A-III/5 des STCW-Codes auf Antrag der Befähigungsnachweis über die Befähigung zum Schiffsmechaniker GSM nach der See-Berufsausbildungsverordnung erteilt.

(2) Für den Erwerb des Nachweises über die Befähigung zum Schiffsmechaniker GSM hat der Bewerber nachzuweisen

1. den Besitz des Zeugnisses über die Abschlussprüfung im Ausbildungsberuf Schiffsmechaniker und
2. den Besitz eines gültigen Befähigungsnachweises nach den Anforderungen des Abschnittes A-VI/2 Absatz 1 bis 4 des STCW-Codes.

(3) Auszubildende zum Schiffsmechaniker können auf Antrag erhalten

1. nach erfolgreichem Abschluss der überbetrieblichen Ausbildung in der Brandabwehr und Rettung sowie Gefahrenabwehr die Befähigungsnachweise Sicherheitsgrundausbildung und Grundausbildung in der Gefahrenabwehr auf dem Schiff und
2. nach bestandener Abschlussprüfung Teil 1 die Befähigungsnachweise Wachbefähigung Brücke, Wachbefähigung Maschine und zum Führen von Überlebensfahrzeugen und Bereitschaftsbooten.

---

[1] § 43 Überschrift neu gef., Abs. 2 Nr. 2 und Abs. 3 Nr. 1 geänd. mWv 31.7.2021 durch VO v. 28.7.2021 (BGBl. I S. 3236).

Teil 5. Befähigungen im Schiffssicherheitsdienst und in der Gefahrenabwehr

§ 44[1] Befähigungsnachweis hinsichtlich der grundlegenden Anforderungen an die Sicherheit an Bord (Sicherheitsgrundausbildung)

(1) [1] Für Seeleute, die in irgendeiner Funktion an Bord des Schiffes als Teil der Schiffsbesatzung im Rahmen der Betriebsführung des Schiffes dauernd oder vorübergehend mit zugewiesenen Aufgaben in den Bereichen Sicherheit oder Verschmutzungsverhütung beschäftigt sind, wird auf Antrag der Befähigungsnachweis über eine Sicherheitsgrundausbildung SGA erteilt. [2] Unbeschadet der Verpflichtung des Kapitäns nach § 23 des Seearbeitsgesetzes[2] zur Sicherheitsunterweisung für alle Personen an Bord, die keine Fahrgäste sind, muss ein Besatzungsmitglied, dem Aufgaben im Hinblick auf die Gewährleistung der Schiffssicherheit und der Verhinderung von Umweltverschmutzung an Bord zugewiesen werden sollen, Inhaber des Befähigungsnachweises über den Abschluss der Sicherheitsgrundausbildung sein.

(2) Für den Erwerb des Befähigungsnachweises nach Absatz 1 Satz 1 muss der Bewerber den Abschluss eines zugelassenen Lehrgangs nachweisen in

1. persönlichen Überlebenstechniken nach den Anforderungen der Tabelle A-VI/1-1 des STCW-Codes,
2. Brandverhütung und Brandbekämpfung nach den Anforderungen der Tabelle A-VI/1-2 des STCW-Codes,
3. Grundlagen der Ersten Hilfe nach den Anforderungen der Tabelle A-VI/1-3 des STCW-Codes und
4. persönlicher Sicherheit und sozialer Verantwortung nach den Anforderungen der Tabelle A-VI/1-4 des STCW-Codes.

(3) Für den Dienst auf Fischereifahrzeugen kann auf Antrag für Inhaber eines Befähigungszeugnisses nach § 33 ein Befähigungsnachweis nach Absatz 1 ohne Bezugnahme auf die Regel VI/1 der Anlage zum STCW-Übereinkommen erteilt werden.

§ 45[3] Befähigungsnachweise zum Führen von Überlebensfahrzeugen und Bereitschaftsbooten sowie schnellen Bereitschaftsbooten. (1) Für den Schiffsdienst auf Überlebensfahrzeugen und Bereitschaftsbooten wird auf Antrag der Befähigungsnachweis über die Befähigung zum Führen von Überlebensfahrzeugen und Bereitschaftsbooten SÜB erteilt.

(2) [1] Für den Erwerb des Befähigungsnachweises nach Absatz 1 hat der Bewerber nachzuweisen

1. eine Seefahrtzeit von mindestens sechs Monaten und
2. den Abschluss eines zugelassenen Lehrgangs nach den Anforderungen des Abschnittes A-VI/2 Absatz 1 bis 4 des STCW-Codes.

---

[1] § 44 Abs. 1 Satz 1 neu gef., Abs. 2 Satz 1 einl. Satzteil geänd., Sätze 2 und 3 aufgeh. mWv 31.7.2021 durch VO v. 28.7.2021 (BGBl. I S. 3236).

[2] Nr. **114**.

[3] § 45 Abs. 2 Satz 1 einl. Satzteil, Abs. 3 und Abs. 4 Satz 1 einl. Satzteil geänd., Nr. 1 neu gef. mWv 31.7.2021 durch VO v. 28.7.2021 (BGBl. I S. 3236); Abs. 3 geänd. mWv 20.4.2024 durch VO v. 9.4.2024 (BGBl. 2024 I Nr. 126).

[2]Die Ausbildung nach Satz 1 Nummer 2 muss auch die Fachkunde im sicheren Umgang mit Freifallrettungsbooten vermitteln.

(3) Für den Schiffsdienst auf schnellen Bereitschaftsbooten wird auf Antrag der Befähigungsnachweis über die Befähigung zum Führen von schnellen Bereitschaftsbooten SBB erteilt.

(4) Für den Erwerb des Befähigungsnachweises nach Absatz 3 hat der Bewerber nachzuweisen

1. den Besitz eines gültigen Befähigungsnachweises nach Absatz 1 und
2. die Teilnahme an einem zugelassenen Lehrgang nach den Anforderungen des Abschnittes A-VI/2 Absatz 7 bis 10 des STCW-Codes.

§ 46[1)] Befähigungsnachweis zur Leitung von Brandbekämpfungsmaßnahmen. (1) Auf Antrag wird der Befähigungsnachweis zur Leitung von Brandbekämpfungsmaßnahmen SLB erteilt.

(2) Für den Erwerb des Befähigungsnachweises nach Absatz 1 hat der Bewerber den Abschluss eines zugelassenen Lehrgangs nach den Anforderungen des Abschnittes A-VI/3 Absatz 1 bis 4 des STCW-Codes unter besonderer Berücksichtigung von Organisation, Planung und Taktik bei der Durchführung von Brandbekämpfungsmaßnahmen nachzuweisen.

§ 47[2)] Befähigungsnachweis von Beauftragten für die Gefahrenabwehr auf dem Schiff (Gefahrenabwehrbeauftragter) [1]Für den Dienst als Beauftragter für die Gefahrenabwehr auf dem Schiff wird auf Antrag der Befähigungsnachweis Gefahrenabwehrbeauftragter SSO erteilt. [2]Für den Erwerb des Befähigungsnachweises nach Satz 1 hat der Bewerber nachzuweisen

1. die Erfüllung der Voraussetzungen für den Erwerb des Befähigungsnachweises über eine Grundausbildung in der Gefahrenabwehr auf dem Schiff,
2. eine Seefahrtzeit von mindestens zwölf Monaten auf Schiffen, die dem ISPS-Code unterliegen, und
3. den Abschluss eines zugelassenen Lehrgangs nach den Anforderungen des Abschnittes A-VI/5 des STCW-Codes.

§ 48[3)] Befähigungsnachweise für Besatzungsmitglieder in der Gefahrenabwehr auf dem Schiff (Grundausbildung in der Gefahrenabwehr)

(1) [1]Für Seeleute wird auf Antrag der Befähigungsnachweis über eine Grundausbildung in der Gefahrenabwehr auf dem Schiff SRT erteilt. [2]Unbeschadet der Verpflichtung des Kapitäns nach § 23 des Seearbeitsgesetzes[4)] zur Sicherheitsunterweisung müssen alle Personen, die keine Fahrgäste sind, eine Einführungsunterweisung an Bord nach Abschnitt A-VI/6 Absatz 1 des STCW-Codes durch den Beauftragten für die Gefahrenabwehr auf dem Schiff oder ein anderes qualifiziertes Besatzungsmitglied erhalten, damit sie befähigt sind,

(Fortsetzung nächstes Blatt)

[1)] § 46 Abs. 2 geänd. mWv 31.7.2021 durch VO v. 28.7.2021 (BGBl. I S. 3236).

[2)] § 47 Satz 2 einl. Satzteil und Nr. 1 und 2 geänd. mWv 31.7.2021 durch VO v. 28.7.2021 (BGBl. I S. 3236).

[3)] *§ 48 Abs. 1 Sätze 1 und 2 geänd.*, Abs. 2 neu gef. mWv 31.7.2021 durch VO v. 28.7.2021 (BGBl. I S. 3236); Abs. 1 Satz 1 geänd. mWv 20.4.2024 durch VO v. 9.4.2024 (BGBl. 2024 I Nr. 126).

[4)] Nr. **114**.

1. Gefahren für die Sicherheit, einschließlich Bedrohungen durch Piraten oder andere bewaffnete Überfälle, zu erkennen und zu melden,
2. die zu befolgenden Verfahren in einer Bedrohungslage zu kennen und
3. Aufgaben nach dem Gefahrenabwehrplan wahrzunehmen.

(2) Für den Erwerb des Befähigungsnachweises nach Absatz 1 Satz 1 muss der Bewerber den Abschluss eines zugelassenen Lehrgangs nachweisen
1. nach den Anforderungen der Tabelle A-VI/6-1 des STCW-Codes (Befähigung in Bezug auf die Förderung des Bewusstseins für die Bedeutung der Gefahrenabwehr) und
2. nach den Anforderungen der Tabelle A-VI/6-2 des STCW-Codes (Befähigung von Seeleuten mit spezifischen Aufgaben im Zusammenhang mit Angelegenheiten der Gefahrenabwehr).

Teil 6. Zusätzliche Befähigungen für den Schiffsdienst auf besonderen Schiffstypen

Abschnitt 1. Befähigungen für den Schiffsdienst auf Tankschiffen

§ 49[1] Befähigungsnachweise für den Schiffsdienst auf Öltankschiffen und Chemikalientankschiffen. (1) Für Schiffsoffiziere und andere Besatzungsmitglieder, denen spezifische Aufgaben und Verantwortlichkeiten im Zusammenhang mit der Ladung oder den Ladungseinrichtungen auf Öltankschiffen und Chemikalientankschiffen zugewiesen sind, wird auf Antrag der Befähigungsnachweis über eine Grundausbildung im Umschlag der Ladung von Öltankschiffen und Chemikalientankschiffen ÖL-CHEM-G erteilt.

(2) Für den Erwerb des Befähigungsnachweises nach Absatz 1 hat der Bewerber zusätzlich zum Abschluss eines zugelassenen Lehrgangs Brandbekämpfungsmaßnahmen nach den Anforderungen des Abschnitts A-V/1-1 Absatz 1 des STCW-Codes nachzuweisen
1. eine Seefahrtzeit von mindestens drei Monaten auf Öltankschiffen oder Chemikalientankschiffen und ausreichende Kenntnisse nach den Anforderungen des Abschnittes A-V/1-1 Absatz 1 des STCW-Codes oder
2. den Abschluss eines zugelassenen Lehrgangs ÖL-CHEM-G nach den Anforderungen des Abschnittes A-V/1-1 Absatz 1 des STCW-Codes.

(3) Für den Kapitän, den Leiter der Maschinenanlage, den Ersten Offizier, den Zweiten technischen Schiffsoffizier und jedes weitere Besatzungsmitglied mit unmittelbarer Verantwortung für das Laden und Löschen, die Ladungsfürsorge, den Ladungsumschlag, das Reinigen von Tanks oder für sonstige ladungsbezogene Tätigkeiten auf Öltankschiffen wird auf Antrag der Befähigungsnachweis über eine Fortbildung im Umschlag der Ladung von Öltankschiffen ÖL-F erteilt.

(4) Für den Erwerb des Befähigungsnachweises nach Absatz 3 hat der Bewerber nachzuweisen
1. zusätzlich zu der nach Absatz 2 erworbenen und aufrechterhaltenen Befähigung

---

[1] § 49 Abs. 1 neu gef., Abs. 2 einl. Satzteil und Nr. 2 geänd., Abs. 3-6 neu gef. mWv 31.7.2021 durch VO v. 28.7.2021 (BGBl. I S. 3236).

a) eine Seefahrtzeit von mindestens drei Monaten auf Öltankschiffen oder

b) den Abschluss einer vom Bundesamt zugelassenen verkürzten Ausbildung als überzähliges Besatzungsmitglied auf Tankschiffen von mindestens einem Monat an Bord von Öltankschiffen als überzähliges Besatzungsmitglied, in der mindestens drei Lade- und drei Löschvorgänge durchgeführt worden und die Ausbildung in einem zugelassenen Ausbildungsberichtsheft nach Maßgabe der Anleitung in Abschnitt B-V/1 des STCW-Codes dokumentiert sind, und

2. den Abschluss eines zugelassenen Lehrgangs ÖL-F nach den Anforderungen des Abschnitts A-V/1-1 Absatz 2 des STCW-Codes.

(5) Für den Kapitän, den Leiter der Maschinenanlage, den Ersten Offizier, den Zweiten technischen Schiffsoffizier und jedes weitere Besatzungsmitglied mit unmittelbarer Verantwortung für das Laden und Löschen, die Ladungsfürsorge, den Ladungsumschlag, das Reinigen von Tanks oder für sonstige ladungsbezogene Tätigkeiten auf Chemikalientankschiffen wird auf Antrag der Befähigungsnachweis über eine Fortbildung im Umschlag der Ladung von Chemikalientankschiffen CHEM-F erteilt.

(6) Für den Erwerb des Befähigungsnachweises nach Absatz 5 hat der Bewerber nachzuweisen

1. zusätzlich zu der nach Absatz 2 erworbenen und aufrechterhaltenen Befähigung

a) eine Seefahrtzeit von mindestens drei Monaten auf Chemikalientankschiffen oder

b) den Abschluss einer vom Bundesamt zugelassenen verkürzten Ausbildung als überzähliges Besatzungsmitglied auf Tankschiffen von mindestens einem Monat an Bord von Chemikalientankschiffen als überzähliges Besatzungsmitglied, in der mindestens drei Lade- und drei Löschvorgänge durchgeführt worden und die Ausbildung in einem zugelassenen Ausbildungsberichtsheft nach Maßgabe der Anleitung in Abschnitt B-V/1 des STCW-Codes dokumentiert sind, und

2. den Abschluss eines zugelassenen Lehrgangs CHEM-F nach den Anforderungen des Abschnitts A-V/1-1 Absatz 3 des STCW-Codes.

§ 50[1] Befähigungsnachweise für den Schiffsdienst auf Flüssiggastankschiffen. (1) Für Schiffsoffiziere und andere Besatzungsmitglieder, denen spezifische Aufgaben und Verantwortlichkeiten im Zusammenhang mit der Ladung oder den Ladungseinrichtungen auf Flüssiggastankschiffen zugewiesen sind, wird auf Antrag der Befähigungsnachweis über eine Grundausbildung im Umschlag der Ladung von Flüssiggastankschiffen GAS-G erteilt.

(2) Für den Erwerb des Befähigungsnachweises nach Absatz 1 hat der Bewerber zusätzlich zum Abschluss eines zugelassenen Lehrgangs Brandbekämpfungsmaßnahmen nach den Anforderungen des Abschnitts A-V/1-2 Absatz 1 des STCW-Codes nachzuweisen

1. eine Seefahrtzeit von mindestens drei Monaten auf Flüssiggastankschiffen und ausreichende Kenntnisse nach den Anforderungen des Abschnittes A-V/1-2 Absatz 1 des STCW-Codes oder

---

[1] § 50 Abs. 1 neu gef., Abs. 2 einl. Satzteil und Nr. 2 geänd., Abs. 3 und 4 neu gef. mWv 31.7.2021 durch VO v. 28.7.2021 (BGBl. I S. 3236).

2. den Abschluss eines zugelassenen Lehrgangs GAS-G nach den Anforderungen des Abschnittes A-V/1-2 Absatz 1 des STCW-Codes.

(3) Für den Kapitän, den Leiter der Maschinenanlage, den Ersten Offizier, den Zweiten technischen Schiffsoffizier und jedes weitere Besatzungsmitglied mit unmittelbarer Verantwortung für das Laden und Löschen, die Ladungsfürsorge, den Ladungsumschlag, das Reinigen von Tanks oder für sonstige ladungsbezogene Tätigkeiten auf Flüssiggastankschiffen wird auf Antrag der Befähigungsnachweis über eine Fortbildung im Umschlag der Ladung von Flüssiggastankschiffen GAS-F erteilt.

(4) Für den Erwerb des Befähigungsnachweises nach Absatz 3 hat der Bewerber nachzuweisen

1. zusätzlich zu der nach Absatz 2 erworbenen und aufrechterhaltenen Befähigung
   a) eine Seefahrtzeit von mindestens drei Monaten auf Flüssiggastankschiffen oder
   b) den Abschluss einer vom Bundesamt zugelassenen verkürzten Ausbildung als überzähliges Besatzungsmitglied auf Tankschiffen von mindestens einem Monat an Bord von Flüssiggastankschiffen als überzähliges Besatzungsmitglied, in der mindestens drei Lade- und drei Löschvorgänge durchgeführt worden und die Ausbildung in einem zugelassenen Ausbildungsberichtsheft nach Maßgabe der Anleitung in Abschnitt B-V/1 des STCW-Codes dokumentiert sind, und
2. den Abschluss eines zugelassenen Lehrgangs GAS-F nach den Anforderungen des Abschnitts A-V/1-2 Absatz 2 des STCW-Codes.

Abschnitt 2.[1] Befähigungen für den Schiffsdienst auf Schiffen, die dem IGF-Code unterliegen

§ 50a[1] Befähigungsnachweise für den Schiffsdienst auf Schiffen, die dem IGF-Code unterliegen. (1) Für Kapitäne, Schiffsoffiziere und jedes weitere Besatzungsmitglied, die für spezifische Sicherheitsaufgaben im Zusammenhang mit der sorgfältigen Behandlung und der Verwendung von Brennstoffen sowie mit den diesbezüglichen Notfallmaßnahmen an Bord von Schiffen, die dem IGF-Code unterliegen, verantwortlich sind, wird auf Antrag der Befähigungsnachweis über eine Grundausbildung für den Schiffsdienst auf Schiffen, die dem IGF-Code unterliegen, IGF-G erteilt.

(2) Für den Erwerb des Befähigungsnachweises nach Absatz 1 hat der Bewerber

1. zusätzlich zum Abschluss eines zugelassenen Lehrgangs Brandbekämpfungsmaßnahmen nach den Anforderungen des Abschnitts A-V/3 Absatz 1 des STCW-Codes den Abschluss eines zugelassenen Lehrgangs IGF-G nach den Anforderungen des Abschnitts A-V/3 Absatz 1 des STCW-Codes oder
2. einen gültigen Befähigungsnachweis nach § 50 Absatz 1 oder Absatz 3 nachzuweisen.

(3) Für Kapitäne, technische Schiffsoffiziere und jedes weitere Besatzungsmitglied mit unmittelbarer Verantwortung für die sorgfältige Behandlung und die Verwendung von Brennstoffen und Brennstoffsystemen auf Schiffen, die

---

[1] Abschnitt 2 (§ 50a) eingef. mWv 31.7.2021 durch VO v. 28.7.2021 (BGBl. I S. 3236).

dem IGF-Code unterliegen, wird auf Antrag der Befähigungsnachweis über eine Fortbildung für den Schiffsdienst auf Schiffen, die dem IGF-Code unterliegen, IGF-F erteilt.

(4) [1] Für den Erwerb des Befähigungsnachweises nach Absatz 3 hat der Bewerber zusätzlich zu dem nach Absatz 2 erteilten und gültigen Befähigungsnachweis

1. eine Seefahrtzeit von mindestens einem Monat Dauer im Verlauf der vorangegangenen fünf Jahre einschließlich der Teilnahme an mindestens drei Bunkervorgängen an Bord von Schiffen, die dem IGF-Code unterliegen, und
2. den Abschluss eines zugelassenen Lehrgangs IGF-F nach den Anforderungen des Abschnitts A-V/3 Absatz 2 des STCW-Codes

nachzuweisen. [2] Zwei der drei Bunkervorgänge nach Satz 1 Nummer 1 können im Rahmen des Lehrgangs nach Satz 1 Nummer 2 durch eine zugelassene Ausbildung am Simulator in Bezug auf Bunkervorgänge ersetzt werden.

(5) Für den Erwerb des Befähigungsnachweises nach Absatz 3 hat der Bewerber zusätzlich zu dem nach § 50 Absatz 3 erteilten gültigen Befähigungsnachweis

1. die Teilnahme an mindestens drei Bunkervorgängen im Verlauf der vorangegangenen fünf Jahre an Bord von Schiffen, die dem IGF-Code unterliegen, oder an drei Lade- oder Löschvorgängen auf Flüssiggastankschiffen und
2. eine Seefahrtzeit von insgesamt drei Monaten im Verlauf der vorangegangenen fünf Jahren an Bord von
   a) Schiffen, die dem IGF-Code unterliegen,
   b) Tankschiffen, die vom IGF-Code erfasste Brennstoffe als Ladung befördern, oder
   c) Schiffen, die Gase oder Brennstoffe mit niedrigem Flammpunkt als Brennstoff verwenden,

nachzuweisen.

Abschnitt 3.[1] Befähigungen für den Schiffsdienst auf Schiffen, die in Polargewässern verkehren

§ 50b[1] Befähigungsnachweise für den Schiffsdienst auf Schiffen, die in Polargewässern verkehren. (1) Für Kapitäne und nautische Schiffsoffiziere, die im Wachdienst auf Schiffen, die in Polargewässern verkehren, eingesetzt sind, wird auf Antrag der Befähigungsnachweis über eine Grundausbildung für den Schiffsdienst auf Schiffen, die in Polargewässern verkehren, PLR-G erteilt.

(2) Für den Erwerb des Befähigungsnachweises nach Absatz 1 hat der Bewerber den Abschluss eines zugelassenen Lehrgangs PLR-G nach den Anforderungen des Abschnitts A-V/4 Absatz 1 des STCW-Codes nachzuweisen.

(3) Für Kapitäne und Erste Offiziere, die auf Schiffen, die in Polargewässern verkehren, eingesetzt sind, wird auf Antrag der Befähigungsnachweis über eine Fortbildung für den Schiffsdienst auf Schiffen, die in Polargewässern verkehren, PLR-F erteilt.

---

[1] Abschnitt 3 (§ 50b) eingef. mWv 31.7.2021 durch VO v. 28.7.2021 (BGBl. I S. 3236).

(4) Für den Erwerb des Befähigungsnachweises nach Absatz 3 hat der Bewerber zusätzlich zu der nach Absatz 2 erworbenen und aufrechterhaltenen Befähigung

1. eine Seefahrtzeit von mindestens zwei Monaten Dauer im Decksbereich, auf der Führungsebene oder bei der Wahrnehmung des Wachdienstes auf der Betriebsebene in Polargewässern oder eine andere gleichwertige Seefahrtzeit und
2. den Abschluss eines zugelassenen Lehrgangs PLR-F nach den Anforderungen des Abschnitts A-V/4 Absatz 2 des STCW-Codes

nachzuweisen.

Abschnitt 4.[1)] Befähigungen für den Schiffsdienst auf Fahrgastschiffen

§ 51[2)] Qualifikationsnachweise für den Schiffsdienst auf Fahrgastschiffen. (1) [1] Für jedes Besatzungsmitglied eines Fahrgastschiffes, das Fahrgästen in Fahrgasträumen unmittelbare Dienste leistet, wird der Qualifikationsnachweis über die Befähigung über eine Fahrgastsicherheitsausbildung nach den Anforderungen von Abschnitt A-V/2 Absatz 2 des STCW-Codes erteilt. [2] Unbeschadet der Verpflichtung des Kapitäns nach § 23 des Seearbeitsgesetzes[3)] zur Sicherheitsunterweisung müssen alle Mitglieder des Personals eines Fahrgastschiffes eine Einführungsunterweisung an Bord nach Abschnitt A-V/2 Absatz 1 des STCW-Codes erhalten, damit sie befähigt sind, einen persönlichen Beitrag zur Umsetzung von Notfallplänen, Anweisungen für den Notfall und Notfallverfahren sowie zu einer wirksamen Verständigung mit den Fahrgästen in einer Notfallsituation zu leisten.

(2) Für den Kapitän, die Schiffsoffiziere und die weiteren nach den Kapiteln II, III und VII der Anlage zum STCW-Übereinkommen befähigten Besatzungsmitglieder und jedes weitere Besatzungsmitglied eines Fahrgastschiffes, das laut Eintragung in der Sicherheitsrolle dazu eingeteilt ist, Fahrgästen in Notfällen Hilfe zu leisten, wird der Qualifikationsnachweis über die Befähigung über die Führung von Menschenmengen auf Fahrgastschiffen nach den Anforderungen des Abschnitts A-V/2 Absatz 3 des STCW-Codes erteilt.

(3) Für den Kapitän, den Leiter der Maschinenanlage, den Ersten Offizier, den Zweiten technischen Schiffsoffizier und jedes weitere Besatzungsmitglied eines Fahrgastschiffes, das laut Eintragung in der Sicherheitsrolle für die Sicherheit von Fahrgästen in Notfällen verantwortlich ist, wird der Qualifikationsnachweis über die Befähigung zur Krisenbewältigung und in menschlichen Verhaltensweisen nach den Anforderungen von Abschnitt A-V/2 Absatz 4 des STCW-Codes erteilt.

(4) Für den Kapitän, den Leiter der Maschinenanlage, den Ersten Offizier, den Zweiten technischen Schiffsoffizier und jedes weitere Besatzungsmitglied eines Fahrgastschiffes mit unmittelbarer Verantwortung für das An- und Vonbordgehen der Fahrgäste, das Laden, Löschen oder Sichern von Ladung oder das Verschließen von Öffnungen in der Außenhaut an Bord von Ro-Ro-Fahrgastschiffen, wird der Qualifikationsnachweis über die Befähigung zur Gewährleistung der Fahrgastsicherheit, Ladungssicherheit und Dichtigkeit des Schiffs-

---

1) Bish. Abschnitt 2 wird Abschnitt 4 mWv 31.7.2021 durch VO v. 28.7.2021 (BGBl. I S. 3236).
2) § 51 neu gef. mWv 31.7.2021 durch VO v. 28.7.2021 (BGBl. I S. 3236).
3) Nr. **114**.

körpers nach den Anforderungen von Abschnitt A-V/2 Absatz 5 des STCW-Codes erteilt.

(5) Kapitäne, Schiffsoffiziere und Besatzungsmitglieder, für die eine Ausbildung nach den Absätzen 1 bis 4 vorgeschrieben ist, müssen in Zeitabständen von höchstens fünf Jahren nach Erwerb der Befähigung den Abschluss einer entsprechenden Auffrischungsausbildung nachweisen.

(6) [1] Die Befähigungen nach den Absätzen 1 bis 4 können durch den Abschluss eines zugelassenen Lehrgangs erworben werden. [2] Die Befähigungen sind durch den Anbieter mit einem Qualifikationsnachweis zu bestätigen.

Teil 7.[1)] Aufrechterhaltung der Befähigung

§ 52[2)] Allgemeine Voraussetzungen für die Gültigkeitsverlängerung von Bescheinigungen. (1) [1] Die Gültigkeitsdauer einer befristeten Bescheinigung kann auf Antrag verlängert werden. [2] Zur Verlängerung der Gültigkeitsdauer wird eine neue Bescheinigung ausgestellt. [3] Die Verlängerung der Gültigkeitsdauer von Bescheinigungen setzt voraus, dass der Bewerber seine Identität und seine persönliche Eignung nach § 7 nachweist sowie einen gültigen Befähigungsnachweis nach § 44 erbringt. [4] Der Nachweis nach § 44 ist nicht erforderlich für die Verlängerung der Gültigkeitsdauer eines Befähigungszeugnisses für GMDSS-Funker oder eines Befähigungsnachweises für den Schiffsdienst auf Schiffen, die in Polargewässern verkehren.

(2) Dieser Teil gilt nicht für

1. Befähigungszeugnisse für den nautischen Schiffsdienst auf Fischereifahrzeugen und zum Schiffsmaschinisten,
2. Befähigungsnachweise für den nautischen, technischen und elektrotechnischen Schiffsdienst und im Gesamtschiffsbetrieb sowie für die Gefahrenabwehr auf dem Schiff.

§ 53[3)] Gültigkeitsverlängerung von Befähigungszeugnissen. (1) [1] Ein Kapitän oder ein Schiffsoffizier muss zur Verlängerung der Gültigkeitsdauer seines Befähigungszeugnisses den Fortbestand der Befähigung nachweisen durch

1. eine Seefahrtzeit, in welcher, ungeachtet der Dienststellung, Funktionen wahrgenommen wurden, die dem in der Gültigkeitsdauer zu verlängerndem Zeugnis entsprechen und zwar von mindestens
   a) insgesamt zwölf Monaten im Verlauf der vorangegangenen fünf Jahre oder
   b) insgesamt drei Monaten im Verlauf der dem Verlängerungsantrag unmittelbar vorangegangenen sechs Monate oder
   c) insgesamt ein und einem halben Monat im Verlauf der vorangegangenen fünf Jahre, und zusätzlich die Ausübung von zugelassenen Tätigkeiten von mindestens zwölf Monaten im Verlauf der vorangegangenen fünf Jahre oder

---

1) Teil 7 Überschrift neu gef. mWv 31.7.2021 durch VO v. 28.7.2021 (BGBl. I S. 3236).

2) § 52 Abs. 1 Satz 3 geänd., Satz 4 angef., Abs. 2 Nr. 1 geänd. mWv 31.7.2021 durch VO v. 28.7. 2021 (BGBl. I S. 3236).

3) *§ 53 Abs. 1 Satz 1 Nr. 1 einl. Satzteil,* Buchst. b und Nr. 2 Buchst. c geänd., Nr. 3 angef., Satz 2 neu gef., Satz 3 aufgeh., Abs. 2 eingef., bish. Abs. 2-5 werden Abs. 3-6 und neue Abs. 3 und 6 Satz 1 und 3 geänd., Abs. 7 angef. mWv 31.7.2021 durch VO v. 28.7.2021 (BGBl. I S. 3236).

2. eine Seefahrtzeit von mindestens drei Monaten
   a) entweder als ausschließlich zu Ausbildungszwecken mitfahrendes Besatzungsmitglied, welches Funktionen wahrgenommen hat, die dem in der Gültigkeitsdauer zu verlängernden Zeugnis entsprechen, oder
   b) unmittelbar vor Eintritt in die Dienststellung entsprechend dem in der Gültigkeitsdauer zu verlängernden Befähigungszeugnis als Schiffsoffizier in einer niedrigeren Dienststellung, als es die höchste Befugnis des zur Gültigkeitsverlängerung vorliegenden Befähigungszeugnisses zulässt oder
3. die erfolgreiche Teilnahme an einem zugelassenen Lehrgang nach Abschnitt A-I/11 Nummer 1.4 des STCW-Codes.

[2] Fahrtzeiten nach Satz 1 Nummer 1 und 2 müssen mit einem für die ausgeübten Funktionen gültigen Befähigungszeugnis nach dieser Verordnung nachgewiesen werden.

(2) [1] Ein GMDSS-Funker muss zur Verlängerung der Gültigkeitsdauer seines Befähigungszeugnisses den Fortbestand der Befähigung nachweisen durch
1. eine Seefahrtzeit im Sinne des Absatzes 1 Satz 1 Nummer 1 oder Nummer 2 Buchstabe a,
2. die erfolgreiche Teilnahme an einem zugelassenen Lehrgang nach Abschnitt A-I/11 Nummer 1.4 des STCW-Codes oder
3. die erfolgreiche Teilnahme an einer Prüfung für den Seefunkdienst nach Anlage 4, die auf Antrag vom Bundesamt durchgeführt wird.

[2] Im Falle des Absatzes 1 Satz 1 Nummer 1 Buchstabe c können die eineinhalb Monate in Abhängigkeit von der zugelassenen Tätigkeit entfallen oder innerhalb der zwölf Monate der Ausübung der zugelassenen Tätigkeit nachgewiesen werden. [3] Absatz 1 Satz 2 gilt entsprechend.

(3) Um das Ableisten der Seefahrtzeiten nach Absatz 1 Satz 1 Nummer 2 zu ermöglichen, kann das Bundesamt auf Antrag ein Befähigungszeugnis in der entsprechend niedrigeren Dienststellung unter Berücksichtigung der sonstigen Voraussetzungen ausstellen.

(4) Soweit Befähigungszeugnisse Befugnisse von Befähigungsnachweisen einschließen, die einer Verlängerung der Gültigkeitsdauer nach § 54 bedürfen, ist deren Verlängerung der Gültigkeitsdauer Voraussetzung für eine Verlängerung nach Absatz 1.

(5) [1] Auf die Verlängerung der Gültigkeitsdauer von Befähigungszeugnissen für den nautischen Schiffsdienst ist § 5 Absatz 2 entsprechend anzuwenden. [2] Abweichend von Satz 1 reicht für die Verlängerung der Gültigkeitsdauer von Befähigungszeugnissen für den nautischen Schiffsdienst in der nationalen Fahrt der Besitz eines UKW-Betriebszeugnisses für Funker nach Anlage 3 der Schiffssicherheitsverordnung aus, um die Voraussetzungen des § 5 Absatz 2 Nummer 1 zu erfüllen.

(6) [1] Inhaber eines Befähigungszeugnisses nach § 29 Absatz 1 und 2 müssen entsprechend der Regel I/11 Absatz 5 der Anlage zum STCW-Übereinkommen eine ausreichende Befähigung für die Bedienung von ECDIS-Anlagen durch den Abschluss eines zugelassenen Lehrgangs nachweisen, wenn das Befähigungszeugnis zum Nautischen Wachoffizier NWO erstmals vor dem 1. Januar 2006 oder das Befähigungszeugnis zum NWO 500 erstmals vor dem 1. Januar 2015 erteilt worden ist. [2] Hierzu gehört insbesondere die Ausbildung an einem ECDIS-Simulator, der die Standards nach Abschnitt A-I/12 des

STCW-Codes erfüllt. [3] Wird die Befähigung nicht nachgewiesen, so ist das Befähigungszeugnis mit einer Einschränkung nach § 9 Absatz 1 zu erteilen.

(7) [1] Inhaber eines Befähigungszeugnisses nach § 29 Absatz 2 müssen entsprechend der Regel I/11 Absatz 5 der Anlage zum STCW-Übereinkommen eine ausreichende Befähigung für die Bedienung von ARPA-Anlagen durch den Abschluss eines zugelassenen Lehrgangs nachweisen, wenn das Befähigungszeugnis zum NWO 500 erstmals vor dem 1. Januar 2015 erteilt worden ist. [2] Hierzu gehört insbesondere die Ausbildung an einem ARPA-Simulator, der die Standards nach Abschnitt A-I/12 des STCW-Codes erfüllt. [3] Wird die Befähigung nicht nachgewiesen, so ist das Befähigungszeugnis mit einer Einschränkung nach § 9 Absatz 1 zu erteilen.

§ 54[1)] Gültigkeitsverlängerung von Befähigungsnachweisen. (1) [1] Inhaber eines Befähigungsnachweises für den Schiffssicherheitsdienst müssen zur Aufrechterhaltung der jeweiligen Befähigung in zeitlichen Abständen von nicht mehr als fünf Jahren die fortdauernde Erfüllung der Anforderungen der entsprechenden Abschnitte des STCW-Codes durch den Abschluss eines oder mehrerer zugelassenen Lehrgänge und entsprechende Qualifikationsnachweise belegen. [2] Die Berufsgenossenschaft kann bei der Zulassung Fortbildungsmaßnahmen an Bord und einschlägige Berufserfahrung in dem in den Abschnitten A-VI/1, A-VI/2 und A-VI/3 des STCW-Codes angegebenen Umfang berücksichtigen.

(2) [1] Der Nachweis nach Absatz 1 ist durch Vorlage eines Qualifikationsnachweises zu erbringen, der die Teilnahme an einem oder mehreren zugelassenen Lehrgängen bestätigt. [2] Die Lehrgangsanbieter stellen sicher, dass die Voraussetzungen des STCW-Übereinkommens eingehalten werden. [3] Die Befähigungen werden durch den Lehrgangsanbieter mit einem oder mehreren Qualifikationsnachweisen bestätigt. [4] Die erforderliche Aufrechterhaltung der Befähigung in der Sicherheitsgrundausbildung und zum Führen von Überlebensfahrzeugen und Bereitschaftsbooten kann durch die bestandene Abschlussprüfung zum Schiffsmechaniker nachgewiesen werden. [5] Die Befähigungen werden durch das Bundesamt mit einem Befähigungsnachweis zum Schiffsmechaniker bestätigt.

(3) Inhaber von Befähigungsnachweisen für den Schiffsdienst auf Tankschiffen müssen, wenn der Erwerb des Befähigungsnachweises mehr als fünf Jahre zurückliegt, zur Verlängerung der Gültigkeitsdauer des Befähigungsnachweises nachweisen

1. den Abschluss eines zugelassenen Lehrgangs im Verlauf der vorangegangenen fünf Jahre oder
2. eine Seefahrtzeit von mindestens drei Monaten im Verlauf der vorangegangenen fünf Jahre, in denen Befugnisse entsprechend des Befähigungsnachweises ausgeübt wurden.

(4) [1] Inhaber von Befähigungsnachweisen für den Schiffsdienst auf Schiffen, die dem IGF-Code unterliegen, müssen, wenn der Erwerb des Befähigungsnachweises mehr als fünf Jahre zurückliegt, zur Verlängerung der Gültigkeitsdauer des Befähigungsnachweises nachweisen

---

[1)] § 54 Abs. 1 Satz 1 geänd., Abs. 2 Satz 2 aufgeh., bish. Sätze 3 und 4 werden Sätze 2 und 3, Sätze 4 und 5 angef., Abs. 3 neu gef., Abs. 4 und 5 angef. mWv 31.7.2021 durch VO v. 28.7.2021 (BGBl. I S. 3236).

1. den Abschluss eines zugelassenen Lehrgangs im Verlauf der vorangegangenen fünf Jahre oder
2. eine Seefahrtzeit von mindestens drei Monaten im Verlauf der vorangegangenen fünf Jahre, in denen Befugnisse entsprechend des Befähigungsnachweises ausgeübt wurden.

[2] § 50a Absatz 2 Nummer 2 und Absatz 5 Nummer 2 Buchstabe b und c gelten entsprechend.

(5) Inhaber von Befähigungsnachweisen für den Schiffsdienst auf Schiffen, die in Polargewässern verkehren, müssen, wenn der Erwerb des Befähigungsnachweises mehr als fünf Jahre zurückliegt, zur Verlängerung der Gültigkeitsdauer des Befähigungsnachweises nachweisen

1. den Abschluss eines zugelassenen Lehrgangs im Verlauf der vorangegangenen fünf Jahre oder
2. eine Seefahrtzeit von mindestens zwei Monaten im Verlauf der vorangegangenen fünf Jahre im Decksbereich, auf der Führungsebene oder bei der Wahrnehmung des Wachdienstes auf der Betriebsebene, in denen Befugnisse entsprechend des Befähigungsnachweises ausgeübt wurden.

§ 55[1] *(aufgehoben)*

Teil 8. Entzug, Ruhen und Sicherstellung von Befähigungszeugnissen

§ 56[2] **Entzug von Befähigungszeugnissen.** (1) Ein Befähigungszeugnis ist zu entziehen, wenn der Inhaber unzuverlässig im Sinne des § 7 oder seedienstuntauglich ist.

(2) Das Bundesamt kann in den Fällen des Absatzes 1 Fristen und Bedingungen für die Erteilung eines neuen Befähigungszeugnisses niedrigerer, gleicher oder höherer Ordnung festlegen.

(3) Die Schifffahrtspolizeibehörden haben dem Bundesamt unverzüglich alle Tatsachen mitzuteilen, die für die Prüfung der Voraussetzungen für eine Entziehung erforderlich sind.

(4) [1] Die dem Befähigungszeugnis zugrunde liegende Erlaubnis erlischt mit der Entziehung. [2] Das Bundesamt kann anordnen, dass das Befähigungszeugnis nach der Entziehung unverzüglich dem Bundesamt zu übergeben ist. [3] Satz 2 gilt auch dann, wenn der sofortige Vollzug der Entziehung angeordnet wurde.

(5) [1] Bei einem ausländischen Befähigungszeugnis hat die Entziehung die Wirkung einer Aberkennung des Rechts, von dem Befähigungszeugnis im Inland Gebrauch zu machen. [2] Absatz 4 Satz 2 bis 4 gelten entsprechend mit der Maßgabe, dass eine Vorlage beim Bundesamt erfolgt, damit die Anordnung nach Satz 1 im Seeleute-Befähigungs-Verzeichnis für die Dauer der Anordnung gespeichert werden kann.

---

[1] § 55 aufgeh. mWv 31.7.2021 durch VO v. 28.7.2021 (BGBl. I S. 3236).

[2] § 56 Abs. 1 geänd., Abs. 2 und 3 aufgeh., bish. Abs. 4–9 werden Abs. 2–7, neuer Abs. 2 geänd., neuer Abs. 4 neu gef., neuer Abs. 5 Satz 2, neuer Abs. 6 und Abs. 7 geänd. mWv 31.7.2021 durch VO v. 28.7.2021 (BGBl. I S. 3236).

(6) Die Entziehung oder die Feststellung der fehlenden Fahrberechtigung nach Absatz 5 ist dem Inhaber und der zuständigen Stelle, die das ausländische Befähigungszeugnis erteilt hat, schriftlich mitzuteilen.

(7) Die Absätze 1 bis 6 gelten entsprechend für den Entzug von Vermerken über die Anerkennung ausländischer Befähigungszeugnisse.

§ 57 Ruhen von Befähigungszeugnissen. (1) [1] Das Bundesamt kann für eine bestimmte Zeit das Ruhen eines Befähigungszeugnisses anordnen, wenn bei dem Inhaber die Voraussetzungen für eine Entziehung noch nicht vorliegen, aber Zweifel an seiner Zuverlässigkeit bestehen. [2] Werden diese Zweifel vor Ablauf der angeordneten Zeit ausgeräumt, ist die Anordnung aufzuheben. [3] Solange und soweit das Ruhen des Befähigungszeugnisses angeordnet ist, darf der Inhaber von der dem Befähigungszeugnis zugrunde liegenden Erlaubnis keinen Gebrauch machen.

(2) Zweifel an der Zuverlässigkeit bestehen in der Regel, wenn der Inhaber eines Befähigungszeugnisses im Schiffsverkehr unter dem Einfluss der Wirkung alkoholischer Getränke oder anderer berauschender Mittel nicht in der Lage war oder ist, das Schiff sicher zu führen oder als Mitglied der Schiffsbesatzung eine andere Tätigkeit des Brücken-, Decks- oder Maschinendienstes auszuüben.

(3) Von dem Ruhen des Befähigungszeugnisses können in besonders begründeten Einzelfällen bestimmte Arten von Schiffen oder bestimmte Seeschifffahrtsstraßen ausgenommen werden.

(4) [1] Der Inhaber eines Befähigungszeugnisses im Sinne dieser Verordnung hat das Befähigungszeugnis spätestens mit der Vollziehbarkeit der Anordnung dem Bundesamt zur amtlichen Verwahrung zu übergeben. [2] Inhaber eines anderen Befähigungszeugnisses haben dieses spätestens mit der Vollziehbarkeit der Anordnung dem Bundesamt zu übergeben, damit die Anordnung des Ruhens des Befähigungszeugnisses darin vermerkt werden kann. [3] Nach Ablauf der angeordneten Frist oder im Falle der vorzeitigen Aufhebung der Anordnung ist dies im Befähigungszeugnis kenntlich zu machen und das Befähigungszeugnis dem Inhaber oder einer durch eine schriftliche Vollmacht ausgewiesene Person zurückzugeben.

(5) Soweit ein Vermerk über die Anerkennung eines ausländischen Befähigungszeugnisses erteilt worden ist, ist Absatz 4 Satz 1 entsprechend anwendbar.

§ 58 Vollzug. [1] Das Bundesamt kann auf Antrag des Zeugnisinhabers einen späteren Beginn des Entzugs oder des Ruhens anordnen. [2] Der spätere Zeitpunkt darf nicht mehr als vier Wochen von dem ursprünglich angeordneten Zeitpunkt abweichen.

§ 59 Vorläufige Sicherstellung von Befähigungszeugnissen. (1) Sind dringende Gründe für die Annahme vorhanden, dass ein Befähigungszeugnis entzogen oder sein Ruhen angeordnet wird, so kann die vorläufige Sicherstellung des Befähigungszeugnisses angeordnet werden.

(2) Ein vorläufig sichergestelltes Befähigungszeugnis ist unverzüglich dem Bundesamt unter Angabe der Gründe zu übergeben.

(3) [1] Das Bundesamt hat unverzüglich, nachdem es von der Anordnung der Sicherstellung Kenntnis erhalten hat, über das Ruhen des Befähigungszeugnisses oder seinen Entzug zu entscheiden. [2] Die vorläufige Sicherstellung ist

aufzuheben und das Befähigungszeugnis dem Inhaber oder einer bevollmächtigten Person zurückzugeben, wenn der Grund für die Anordnung weggefallen ist oder wenn das Bundesamt das Befähigungszeugnis nicht entzieht oder nicht dessen Ruhen anordnet.

(4) Soweit ein Vermerk über die Anerkennung eines ausländischen Befähigungszeugnisses erteilt worden ist, sind die Absätze 1 bis 3 entsprechend anzuwenden.

§ 60 Vollzugshilfe. Das Bundesamt bedient sich der Hilfe der Landespolizei, einschließlich der Wasserschutzpolizei, sowie der Bundespolizei und der Zollverwaltung nach Maßgabe der Vereinbarungen zwischen dem Bund und den Ländern über die Ausübung der schifffahrtspolizeilichen Vollzugsaufgaben, der zwischen dem Bund und den Küstenländern geschlossenen Zusatzvereinbarung zur Vereinbarung über die Ausübung der schifffahrtspolizeilichen Vollzugsaufgaben und der Seeschifffahrtsaufgaben-Übertragungsverordnung vom 23. Juni 1982 (BGBl. I S. 733).

§ 61[1] Verhältnis zu anderen Rechtsvorschriften. Zuständigkeiten und Befugnisse nach Maßgabe des Seefischereigesetzes und anderen Rechtsvorschriften zur Entziehung von Berechtigungen, Beschränkung von Berechtigungen oder Sicherstellung und Beschlagnahme der entsprechenden Urkunden bleiben durch die §§ 56 bis 59 unberührt.

Teil 9. Nachweis einer beruflichen Tätigkeit in der Seeschifffahrt

§ 62[2] Nachweis einer beruflichen Tätigkeit in der Seeschifffahrt (Seeleute-Ausweis) (1) [1] Seeleute können auf Antrag nach Maßgabe der Absätze 2 und 3 einen Nachweis einer beruflichen Tätigkeit in der Seeschifffahrt mit der Bezeichnung „Seeleute-Ausweis" erhalten. [2] Dieser Nachweis gilt nur in Verbindung mit einem gültigen Reisepass oder Personalausweis und ist weder Passersatz noch amtlicher Identitätsnachweis. [3] Der Nachweis darf zusätzlich die Bezeichnung „seafarer's card" enthalten.

(2) Den Nachweis nach Absatz 1 können erhalten
1. der Inhaber einer gültigen Bescheinigung nach dieser Verordnung,
2. jedes sonstige Besatzungsmitglied auf einem Kauffahrteischiff, das die Bundesflagge führt,
3. Fachschüler oder Hochschulstudenten, die an nach Landesrecht eingerichteten Ausbildungsstätten ausgebildet werden und zu diesem Zweck eine praktische Ausbildung und Seefahrtzeit auf einem Schiff durchführen,
4. Schüler, denen durch Vermittlung des Verbandes Deutscher Reeder auf vertraglicher Grundlage während der Schulferien Einblick in die Praxis der Seefahrtberufe gewährt wird, ohne dass diese Personen an Bord tätig sind,
5. deutsche Staatsbürger, die Inhaber einer gültigen ausländischen Bescheinigung für Seeleute sind,
6. Auszubildende zum Schiffsmechaniker.

---

[1] § 61 geänd. mWv 1.1.2025 durch G v. 23.10.2024 (BGBl. 2024 I Nr. 323).

[2] § 62 Abs. 2 Nr. 3–6 angef., Abs. 3 einl. Satzteil geänd. mWv 31.7.2021 durch VO v. 28.7.2021 (BGBl. I S. 3236); Abs. 2 Nr. 2 geänd. mWv 1.7.2024 durch VO v. 25.6.2024 (BGBl. 2024 I Nr. 217).

(3) [1]Der Nachweis nach Absatz 1 ist zehn Jahre, im Falle des Absatzes 2 Nummer 4 ein Jahr gültig und enthält ein Passbild sowie folgende Angaben:
1. Name und Vornamen,
2. Geburtsdatum und Geburtsort,
3. Staatsangehörigkeit,
4. Kartennummer,
5. Ausstellungsdatum und Gültigkeitsdauer und
6. ausstellende Behörde.

[2]Die Begriffe des Satzes 1 können zusätzlich in englischer Übersetzung verwendet werden.

Teil 10. Datenschutz

§ 63[1)] Umgang mit personenbezogenen Daten. (1) [1]Die nach dieser Verordnung zuständigen Verwaltungsbehörden sind im Rahmen ihrer jeweiligen Zuständigkeit befugt, zum Zweck der Prüfung der Voraussetzungen für den Erwerb von Bescheinigungen oder der Verlängerung deren Gültigkeit erforderlichen personenbezogenen Daten zu erheben, zu speichern und zu verwenden. [2]Sie sind nach dem Abschluss der Prüfung nach Satz 1 jeweils unverzüglich zu löschen, soweit sie nicht in dem Seeleute-Befähigungs-Verzeichnis nach § 9f des Seeaufgabengesetzes gespeichert werden oder nach anderen Rechtsvorschriften längere Aufbewahrungsfristen bestehen.

(2) [1]Das Bundesamt trägt die Information über den Entzug eines Befähigungszeugnisses und über die Anordnung des Ruhens einer Befähigung einschließlich der Fristen und Bedingungen nach den §§ 56 und 57 unverzüglich in das Seeleute-Befähigungs-Verzeichnis ein. [2]Die Daten nach Satz 1 sind jeweils unverzüglich nach der Beendigung einer der in Satz 1 genannten Maßnahmen zu löschen.

(3) Absatz 1 gilt auch für die Anbieter von zugelassenen Lehrgängen und im Anschluss an die Übermittlung nach § 17 Absatz 3 auch für die zulassende Stelle mit der Maßgabe, dass die personenbezogenen Daten jedes Lehrgangsteilnehmers im Teilnehmerverzeichnis nach § 17 jeweils sechs Jahre nach dessen erfolgreichem Abschluss des Lehrgangs unverzüglich, bei elektronischer Speicherung automatisiert, zu löschen sind, soweit nicht in anderen Rechtsvorschriften längere Aufbewahrungsfristen bestehen.

Teil 11. Schlussbestimmungen

§ 64[2)] Übergangsbestimmungen. (1) Berufe der Metall- oder Elektroindustrie, die vor dem 1. Juni 2014 zugelassen waren, erfüllen die Anforderungen an die Ausbildung in der Metallbearbeitung nach Anlage 6.

(2) Soweit durch diese Rechtsverordnung die Gültigkeitsdauer von Befähigungszeugnissen und Befähigungsnachweisen zeitlich befristet ist, gilt diese Befristung mit dem Inkrafttreten dieser Verordnung gleichfalls für entsprechen-

---

[1)] § 63 Abs. 1 Satz 1 und Abs. 3 geänd. mWv 31.7.2021 durch VO v. 28.7.2021 (BGBl. I S. 3236).

[2)] § 64 Abs. 1 und 2 aufgeh., bish. Abs. 3 und 4 werden Abs. 1 und 2, bish. Abs. 5–8 aufgeh., Abs. 3 und 4 angef. mWv 31.7.2021 durch VO v. 28.7.2021 (BGBl. I S. 3236).

de Zeugnisse und Nachweise, die nach den bisher geltenden Vorschriften erteilt worden sind.

(3) Inhaber eines Befähigungszeugnisses zum Schiffsführer NSF sowie Inhaber eines Sportküstenschifferscheins, die ein gültiges Seediensttauglichkeitszeugnis für den Decksdienst sowie ein beschränkt gültiges Funkbetriebszeugnis (SRC) nachweisen können, gelten bis zum Ablauf des 31. Dezember 2023 als befähigt im Sinne des § 30 Absatz 6.

(4) Befähigungsnachweise über eine Grundausbildung oder Fortbildung für den Schiffsdienst auf Schiffen, die dem IGF-Code unterliegen, die vor dem Inkrafttreten der Ersten Verordnung zur Änderung der Seeleute-Befähigungsverordnung erteilt worden sind, sind bis längstens fünf Jahre nach Ausstellung gültig.

§ 65 Änderung der Gebührenverordnung für Amtshandlungen des Bundesamtes für Seeschifffahrt und Hydrographie. *(hier nicht wiedergegeben)*

§ 66 Inkrafttreten, Außerkrafttreten. (1) Diese Verordnung tritt am 1. Juni 2014 in Kraft.

(2) Gleichzeitig treten außer Kraft

1. die Schiffsoffizier-Ausbildungsverordnung in der Fassung der Bekanntmachung vom 15. Januar 1992 (BGBl. I S. 22, 227), die zuletzt durch Artikel 29 Nummer 5 des Gesetzes vom 25. Juli 2013 (BGBl. I S. 2749) geändert worden ist,
2. die Seemannsamtsverordnung[1] vom 21. Oktober 1981 (BGBl. I S. 1146), die zuletzt durch Artikel 4 der Verordnung vom 27. Oktober 2006 (BGBl. I S. 2403) geändert worden ist.

Anlagen 1–7
(hier nicht wiedergegeben)

---

[1] **beck-online, Module Arbeitsrecht Nr. 114g.**

115. Gesetz über die Schaffung eines besonderen Arbeitgebers für Hafenarbeiter (Gesamthafenbetrieb)

Vom 3. August 1950[1] (BGBl. I S. 352)

Geändert durch Gesetz vom 23. Dezember 2003 (BGBl. I S. 2848)

BGBl. III/FNA 800-10

§ 1 [Bildung eines Gesamthafenbetriebs durch schriftl. Vereinbarung] (1) [1]Durch schriftliche Vereinbarung von zuständigen Arbeitgeberverbänden und Gewerkschaften oder von einzelnen Arbeitgebern und Gewerkschaften kann von den Betrieben eines Hafens, in denen Hafenarbeit geleistet wird, zur Schaffung stetiger Arbeitsverhältnisse für Hafenarbeiter ein besonderer Arbeitgeber (Gesamthafenbetrieb) gebildet werden. [2]Eine erwerbswirtschaftliche Tätigkeit des Gesamthafenbetriebes ist ausgeschlossen.

(2) Der Gesamthafenbetrieb umfaßt auch Betriebe, deren Unternehmer weder Mitglied des Arbeitgeberverbandes sind noch selbst die Vereinbarung nach Abs. 1 abgeschlossen haben, sofern die Betriebe, die dem die Vereinbarung abschließenden Arbeitgeberverband angehören oder die selbst die Vereinbarung abgeschlossen haben nach Feststellung der obersten Arbeitsbehörde des Landes oder der von ihr bestimmten Stelle im Durchschnitt des dem Abschluß der Vereinbarung vorangegangenen Kalendervierteljahres insgesamt nicht weniger als 50 v. H. der Hafenarbeiter beschäftigt haben.

§ 2[2] [Ordnung und Aufgaben. Genehmigung. Arbeitsvermittlung] (1) Der Gesamthafenbetrieb bestimmt nach Maßgabe der geltenden Gesetze seine Rechtsform, seine Aufgaben, seine Organe und seine Geschäftsführung, insbesondere auch die Grundsätze für die Erhebung, Verwaltung und Verwendung von Beiträgen und Umlagen; er hat dabei den Begriff der Hafenarbeit im Sinne des § 1 Abs. 1 bindend festzusetzen.

(2) Die Regelungen nach Abs. 1 bedürfen der Genehmigung durch die oberste Arbeitsbehörde des Landes; die Genehmigung ist widerruflich.

(3) Soweit der Gesamthafenbetrieb gemäß § 2 Abs. 1 eine nichtgewerbsmäßige Arbeitsvermittlung durchzuführen hat, ist er der Aufsicht

---

[1] **Saarland:** Das Gesetz gilt auch im Saarland; vgl. Zweite VO zur Einführung von Bundesrecht im Saarland v. 28. 11. 1958 – in Kraft am 1. 12. 1958 – (BGBl. I S. 891).

[2] § 2 Abs. 3 geänd. mWv 1. 1. 2004 durch G v. 23. 12. 2003 (BGBl. I S. 2848).

der Bundesagentur für Arbeit unterstellt und an deren Weisungen gebunden.

§ 3 [Beiträge und Umlagen] [1]Werden Beiträge und Umlagen beschlossen, so hat der Gesamthafenbetrieb einen Rechtsanspruch auf die festgesetzten Leistungen gegen die Unternehmer der zugehörigen Betriebe. [2]Diese haben einen Rechtsanspruch auf die festgesetzten Leistungen gegen den Gesamthafenbetrieb. [3]Aufrechnung ist statthaft, der ordentliche Rechtsweg ist zulässig.

[4]Das vorstehende Gesetz wird, nachdem der Bundesrat von seinem Recht nach Art. 77 Abs. 2 des Grundgesetzes[1)] keinen Gebrauch gemacht hat, hiermit verkündet.[2)]

[1)] Nr. **10**.

[2)] In Kraft getreten gem. Art. 82 GG am 21. 8. 1950.

117. Gesetz betreffend die privatrechtlichen Verhältnisse der Binnenschiffahrt (Binnenschiffahrtsgesetz – BinSchG)[1)]

In der Fassung der Bekanntmachung vom 20. Mai 1898[2)]
(RGBl. I S. 868)

BGBl. III/FNA 4103-1

zuletzt geänd. durch Art. 1 Erste VO zur Änd. der Beträge für die Haftungsbeschränkung in der Binnenschifffahrt v. 2.12.2024 (BGBl. 2024 I Nr. 388)

– Auszug –[3)]

Erster Abschnitt. Schiffseigner

§ 1 [Begriff des Schiffseigners] Schiffseigner im Sinne dieses Gesetzes ist der Eigentümer eines zur Schiffahrt auf Flüssen oder sonstigen Binnengewässern bestimmten und hierzu von ihm verwendeten Schiffes.

Zweiter Abschnitt. Schiffer

§ 7[4)] [Verpflichtungen des Schiffers] (1) Der Führer des Schiffes (Schiffer) ist verpflichtet, bei allen Dienstverrichtungen, namentlich bei der Erfüllung der von ihm auszuführenden Verträge, die Sorgfalt eines ordentlichen Schiffers anzuwenden.

(2) [1] Er haftet für jeden durch die Vernachlässigung dieser Sorgfalt entstandenen Schaden nicht nur dem Schiffseigner, sondern auch den Ladungsbeteiligten (Absender und Empfänger), den beförderten Personen und der Schiffsbesatzung, es sei denn, daß er auf Anweisung des Schiffseigners gehandelt hat. [2] Auch in dem letzteren Falle bleibt der Schiffer verantwortlich, wenn er es unterlassen hat, dem Schiffseigner die nach Lage des Falles erforderliche Aufklärung zu erteilen, oder wenn ihm eine strafbare Handlung zur Last fällt.

(3) Durch die Erteilung der Anweisung wird der Schiffseigner verpflichtet, wenn er bei der Erteilung von dem Sachverhältnisse unterrichtet war.

§ 20[5)] [Anspruch auf die vertragsmäßigen Leistungen] (1) Der Schiffer untersteht, soweit nicht in diesem Gesetz ein anderes bestimmt ist, den Vorschriften, welche für die technischen Angestellten im Sinne der Gewerbeordnung[6)] gelten.

(2), (3) *(aufgehoben)*

(4) Hat der Schiffer eine Reise angetreten, so ist er verpflichtet, bis zur Beendigung der Reise und zur Entlöschung des Schiffes im Dienste zu bleiben,

---

[1)] Gesetzestitel geänd. durch G v. 21.4.1986 (BGBl. I S. 551).

[2)] Neubekanntmachung des BinSchG v. 15.6.1895 (RGBl. I S. 301) in der ab 1.1.1900 geltenden Fassung.

[3)] Vollständig wiedergegeben in **beck-online, Module Arbeitsrecht.**

[4)] § 7 Abs. 3 geänd. durch G v. 25.8.1998 (BGBl. I S. 2489).

[5)] § 20 Abs. 1 geänd., Abs. 2 u. 3 aufgeh. durch G v. 14.08.1969 (BGBl. I S. 1106); Abs. 1 geänd. durch G v. 26.5.1994 (BGBl. I S. 1014).

[6)] Auszugsweise abgedruckt unter Nr. **106**.

es sei denn, daß ein den sofortigen Austritt rechtfertigender Grund vorhanden ist.

(5) [1] Wird das Dienstverhältnis vor der Ankunft des Schiffes am Bestimmungsorte während der Reise aufgehoben, so hat der Schiffer Anspruch auf die Kosten der Rückreise nach dem Orte, an welchem er in Dienst getreten ist. [2] Diese Bestimmung findet keine Anwendung, wenn der Schiffer sich einer Handlung schuldig gemacht hat, welche geeignet ist, seine sofortige Entlassung zu rechtfertigen.

(6) Ist ein die sofortige Entlassung rechtfertigender Grund nicht vorhanden, so kann der Schiffer zwar jederzeit seines Dienstes enthoben werden, jedoch unbeschadet seiner Entschädigungsansprüche für die Zeit bis zum Ende der vertragsmäßigen Dauer des Dienstverhältnisses oder bis zum Ablaufe der Kündigungsfrist.

Dritter Abschnitt. Schiffsmannschaft

§ 21 [Zugehörigkeit zur Schiffsmannschaft] (1) Zur Schiffsmannschaft gehören mit Ausnahme des Schiffers die zum Schiffahrtsdienste auf dem Schiffe angestellten Personen der Schiffsbesatzung, insbesondere die Steuerleute, Bootsleute, Matrosen, Schiffsknechte, Schiffsjungen, Maschinisten und Heizer.

(2) Die Schiffsmannschaft untersteht der Gewerbeordnung[1)].

§ 22 [Dienstantritt des Schiffsmanns] [1] Die Verpflichtung des Schiffsmannes zum Dienstantritt beginnt, wenn nichts anderes verabredet ist, mit dem Abschlusse des Dienstvertrages. [2] Tritt der Schiffsmann den Dienst nicht binnen vierundzwanzig Stunden an, so braucht er nicht mehr angenommen zu werden. [3] Der Anspruch des Schiffseigners auf Schadensersatz wird hierdurch nicht berührt.

§ 23 [Aufgaben des Schiffsmanns] (1) Der Schiffsmann ist verpflichtet, in Ansehung des Schiffsdienstes den Anordnungen des Schif-

(Fortsetzung nächstes Blatt)

[1)] Auszugsweise abgedruckt unter Nr. **106**.

fers Folge zu leisten und jederzeit alle für Schiff und Ladung ihm übertragenen Arbeiten zu verrichten.

(2) Er darf das Schiff ohne Erlaubnis des Schiffers nicht verlassen.

(3) Verunglückt das Schiff, so hat der Schiffsmann für Rettung der Personen und ihres Gepäcks sowie für Sicherstellung der Schiffsteile, der Gerätschaften und der Ladung den Anordnungen des Schiffers gemäß nach besten Kräften zu sorgen.

§ 24 [Lohnzahlung] Wenn über die Zeit der Lohnzahlung nichts anderes vereinbart ist, so kann der Schiffsmann am Schlusse jeder zweiten Woche die Auszahlung des verdienten Lohnes verlangen.

§ 25* [Dauer und Aufhebung des Dienstverhältnisses] (1) *(aufgehoben)*

(2) Nach Antritt der Reise ist der Schiffsmann verpflichtet, bis zur Beendigung der Reise und zur Entlöschung des Schiffes im Dienste zu bleiben, es sei denn, daß ein den sofortigen Austritt rechtfertigender Grund vorhanden ist.

(3) Wird das Dienstverhältnis vor der Ankunft des Schiffes am Bestimmungsort während der Reise aufgehoben, so hat der Schiffsmann Anspruch auf die Kosten der Rückreise nach dem Orte, an welchem er in Dienst getreten ist. Diese Bestimmung findet keine Anwendung, wenn der Schiffsmann sich einer Handlung schuldig gemacht hat, welche geeignet ist, seine sofortige Entlassung zu rechtfertigen.

(4) Ist ein die sofortige Entlassung rechtfertigender Grund nicht vorhanden, so kann der Schiffsmann zwar jederzeit seines Dienstes enthoben werden, jedoch unbeschadet seiner Entschädigungsansprüche für die Zeit bis zum Ende der vertragsmäßigen Dauer des Dienstverhältnisses oder bis zum Ablaufe der Kündigungsfrist.

---

* § 25 Abs. 1 aufgehoben durch Gesetz vom 14. 8. 1969.

120. Gesetz gegen den unlauteren Wettbewerb (UWG)[1)]

in der Fassung der Bekanntmachung vom 3. März 2010[2)]
(BGBl. I S. 254)

FNA 43-7

zuletzt geänd. durch Art. 1 Drittes G zur Änd. des UWG v. 12.2.2026 (BGBl. 2026 I Nr. 43)

– Auszug –[3)]

Kapitel 1. Allgemeine Bestimmungen

§ 3[4)] Verbot unlauterer geschäftlicher Handlungen. (1) Unlautere geschäftliche Handlungen sind unzulässig.

(2) Geschäftliche Handlungen, die sich an Verbraucher richten oder diese erreichen, sind unlauter, wenn sie nicht der unternehmerischen Sorgfalt entsprechen und dazu geeignet sind, das wirtschaftliche Verhalten des Verbrauchers wesentlich zu beeinflussen.

(3) Die im Anhang dieses Gesetzes aufgeführten geschäftlichen Handlungen gegenüber Verbrauchern sind stets unzulässig.

(4) [1] Bei der Beurteilung von geschäftlichen Handlungen gegenüber Verbrauchern ist auf den durchschnittlichen Verbraucher oder, wenn sich die geschäftliche Handlung an eine bestimmte Gruppe von Verbrauchern wendet, auf ein durchschnittliches Mitglied dieser Gruppe abzustellen. [2] Geschäftliche Handlungen, die für den Unternehmer vorhersehbar das wirtschaftliche Verhalten nur einer eindeutig identifizierbaren Gruppe von Verbrauchern wesentlich beeinflussen, die auf Grund von geistigen oder körperlichen Beeinträchtigungen, Alter oder Leichtgläubigkeit im Hinblick auf diese geschäftlichen Handlungen oder die diesen zugrunde liegenden Waren oder Dienstleistungen besonders schutzbedürftig sind, sind aus der Sicht eines durchschnittlichen Mitglieds dieser Gruppe zu beurteilen.

[1)] **Amtl. Anm.:** Dieses Gesetz dient der Umsetzung der Richtlinie 2005/29/EG des Europäischen Parlaments und des Rates vom 11. Mai 2005 über unlautere Geschäftspraktiken von Unternehmen gegenüber Verbrauchern im Binnenmarkt und zur Änderung der Richtlinie 84/450/EWG des Rates, der Richtlinien 97/7/EG, 98/27/EG und 2002/65/EG des Europäischen Parlaments und des Rates sowie der Verordnung (EG) Nr. 2006/2004 des Europäischen Parlaments und des Rates (ABl. L 149 vom 11.6.2005, S. 22; berichtigt im ABl. L 253 vom 25.9.2009, S. 18) sowie der Richtlinie 2006/114/EG des Europäischen Parlaments und des Rates vom 12. Dezember 2006 über irreführende und vergleichende Werbung (kodifizierte Fassung) (ABl. L 376 vom 27.12.2006, S. 21). Es dient ferner der Umsetzung von Artikel 13 der Richtlinie 2002/58/EG des Europäischen Parlaments und des Rates vom 12. Juli 2002 über die Verarbeitung personenbezogener Daten und den Schutz der Privatsphäre in der elektronischen Kommunikation (ABl. L 201 vom 31.7.2002, S. 37), der zuletzt durch Artikel 2 Nummer 7 der Richtlinie 2009/136/EG (ABl. L 337 vom 18.12.2009, S. 11) geändert worden ist.

Die Verpflichtungen aus der Richtlinie 98/34/EG des Europäischen Parlaments und des Rates vom 22. Juni 1998 über ein Informationsverfahren auf dem Gebiet der Normen und technischen Vorschriften und der Vorschriften für die Dienste der Informationsgesellschaft (ABl. L 204 vom 21.7.1998, S. 37), die zuletzt durch die Richtlinie 2006/96/EG (ABl. L 363 vom 20.12.2006, S. 81) geändert worden ist, sind beachtet worden.

[2)] Neubekanntmachung des UWG v. 3.7.2004 (BGBl. I S. 1414) in der ab 4.8.2009 geltenden Fassung.

[3)] Vollständig wiedergegeben in **beck-online, Module Arbeitsrecht.**

[4)] § 3 neu gef. mWv 10.12.2015 durch G v. 2.12.2015 (BGBl. I S. 2158).

§ 3a[1] Rechtsbruch. Unlauter handelt, wer einer gesetzlichen Vorschrift zuwiderhandelt, die auch dazu bestimmt ist, im Interesse der Marktteilnehmer das Marktverhalten zu regeln, und der Verstoß geeignet ist, die Interessen von Verbrauchern, sonstigen Marktteilnehmern oder Mitbewerbern spürbar zu beeinträchtigen.

§§ 4–7 *(hier nicht wiedergegeben)*

Kapitel 2. Rechtsfolgen

§ 8[2] Beseitigung und Unterlassung. (1) [1] Wer eine nach § 3 oder § 7 unzulässige geschäftliche Handlung vornimmt, kann auf Beseitigung und bei Wiederholungsgefahr auf Unterlassung in Anspruch genommen werden. [2] Der Anspruch auf Unterlassung besteht bereits dann, wenn eine derartige Zuwiderhandlung gegen § 3 oder § 7 droht.

(2) Werden die Zuwiderhandlungen in einem Unternehmen von einem Mitarbeiter oder Beauftragten begangen, so sind der Unterlassungsanspruch und der Beseitigungsanspruch auch gegen den Inhaber des Unternehmens begründet.

(3) Die Ansprüche aus Absatz 1 stehen zu:

1. jedem Mitbewerber, der Waren oder Dienstleistungen in nicht unerheblichem Maße und nicht nur gelegentlich vertreibt oder nachfragt,
2. denjenigen rechtsfähigen Verbänden zur Förderung gewerblicher oder selbstständiger beruflicher Interessen, die in der Liste der qualifizierten Wirtschaftsverbände nach § 8b eingetragen sind, soweit ihnen eine erhebliche Zahl von Unternehmern angehört, die Waren oder Dienstleistungen gleicher oder verwandter Art auf demselben Markt vertreiben, und die Zuwiderhandlung die Interessen ihrer Mitglieder berührt,
3. den qualifizierten Verbraucherverbänden, die in der Liste nach § 4 des Unterlassungsklagengesetzes[3] eingetragen sind, und den qualifizierten Einrichtungen aus anderen Mitgliedstaaten der Europäischen Union, die in dem Verzeichnis der Europäischen Kommission nach Artikel 5 Absatz 1 Satz 4 der Richtlinie (EU) 2020/1828 des Europäischen Parlaments und des Rates vom 25. November 2020 über Verbandsklagen zum Schutz der Kollektivinteressen der Verbraucher und zur Aufhebung der Richtlinie 2009/22/EG (ABl. L 409 vom 4.12.2020, S. 1) eingetragen sind,
4. den Industrie- und Handelskammern, den nach der Handwerksordnung[4] errichteten Organisationen und anderen berufsständischen Körperschaften des öffentlichen Rechts im Rahmen der Erfüllung ihrer Aufgaben sowie den Gewerkschaften im Rahmen der Erfüllung ihrer Aufgaben bei der Vertretung selbstständiger beruflicher Interessen.

---

[1] § 3a eingef. mWv 10.12.2015 durch G v. 2.12.2015 (BGBl. I S. 2158).

[2] § 8 Abs. 5 Satz 1 neu gef. mWv 31.10.2009 durch G v. 29.7.2009 (BGBl. I S. 2355); Abs. 4 Sätze 2 und 3 angef. mWv 9.10.2013 durch G v. 1.10.2013 (BGBl. I S. 3714); Abs. 3 Nr. 2 geänd., Nr. 3 neu gef., Abs. 5 Satz 1 geänd. mWv 24.2.2016 durch G v. 17.2.2016 (BGBl. I S. 233); Abs. 4 neu gef., Abs. 5 Satz 2 geänd. mWv 2.12.2020, Abs. 3 neu gef. mWv 1.12.2021 durch G v. 26.11. 2020 (BGBl. I S. 2568); Abs. 3 Nr. 3, Abs. 5 neu gef. mWv 13.10.2023 durch G v. 8.10.2023 (BGBl. 2023 I Nr. 272).

[3] **Habersack Nr. 105.**

[4] Auszugsweise abgedruckt unter Nr. **107**.

(4) Stellen nach Absatz 3 Nummer 2 und 3 können die Ansprüche nicht geltend machen, solange ihre Eintragung ruht.

(5) [1] § 13 des Unterlassungsklagengesetzes ist entsprechend anzuwenden; in § 13 Absatz 1 und 3 Satz 2 des Unterlassungsklagengesetzes treten an die Stelle der dort aufgeführten Ansprüche nach dem Unterlassungsklagengesetz die Ansprüche nach dieser Vorschrift. [2] Macht eine anspruchsberechtigte Stelle nach Absatz 3 Nummer 3 Ansprüche nach Absatz 1 gerichtlich geltend, so sind die §§ 5a und 6a des Unterlassungsklagengesetzes entsprechend anzuwenden. [3] Im Übrigen findet das Unterlassungsklagengesetz keine Anwendung, es sei denn, es liegt ein Fall des § 2a des Unterlassungsklagengesetzes vor.

§ 8a[1)] Anspruchsberechtigte bei einem Verstoß gegen die Verordnung (EU) 2019/1150. Anspruchsberechtigt nach § 8 Absatz 1 sind bei einem Verstoß gegen die Verordnung (EU) 2019/1150 des Europäischen Parlaments und des Rates vom 20. Juni 2019 zur Förderung von Fairness und Transparenz für gewerbliche Nutzer von Online-Vermittlungsdiensten (ABl. L 186 vom 11.7.2019, S. 57) abweichend von § 8 Absatz 3 die Verbände, Organisationen und öffentlichen Stellen, die die Voraussetzungen des Artikels 14 Absatz 3 und 4 der Verordnung (EU) 2019/1150 erfüllen.

§ 8b[2)] Liste der qualifizierten Wirtschaftsverbände. (1) Das Bundesamt für Justiz führt eine Liste der qualifizierten Wirtschaftsverbände und veröffentlicht sie in der jeweils aktuellen Fassung auf seiner Internetseite.

(2) Ein rechtsfähiger Verband, zu dessen satzungsmäßigen Aufgaben es gehört, gewerbliche oder selbstständige berufliche Interessen zu verfolgen und zu fördern sowie zu Fragen des lauteren Wettbewerbs zu beraten und zu informieren, wird auf seinen Antrag in die Liste eingetragen, wenn

1. er mindestens 75 Unternehmer als Mitglieder hat,
2. er zum Zeitpunkt der Antragstellung seit mindestens einem Jahr seine satzungsmäßigen Aufgaben wahrgenommen hat,
3. auf Grund seiner bisherigen Tätigkeit sowie seiner personellen, sachlichen und finanziellen Ausstattung gesichert erscheint, dass er
   a) seine satzungsmäßigen Aufgaben auch künftig dauerhaft wirksam und sachgerecht erfüllen wird und
   b) seine Ansprüche nicht vorwiegend geltend machen wird, um für sich Einnahmen aus Abmahnungen oder Vertragsstrafen zu erzielen,
4. seinen Mitgliedern keine Zuwendungen aus dem Verbandsvermögen gewährt werden und Personen, die für den Verband tätig sind, nicht durch unangemessen hohe Vergütungen oder andere Zuwendungen begünstigt werden.

(3) [1] Die Vorschriften für qualifizierte Verbraucherverbände in § 4 Absatz 3 und 4 und in den §§ 4a bis 4c und 4f des Unterlassungsklagengesetzes[3)] sind auf die qualifizierten Wirtschaftsverbände entsprechend anzuwenden. [2] Ergänzend zu den Berichtspflichten der qualifizierten Wirtschaftsverbände nach § 4b Absatz 1 Satz 1 Nummer 1 des Unterlassungsklagengesetzes sind auch die Anzahl

---

[1)] § 8a eingef. mWv 27.11.2020 durch G v. 19.11.2020 (BGBl. I S. 2456).

[2)] § 8b eingef. mWv 2.12.2020 durch G v. 26.11.2020 (BGBl. I S. 2568); Abs. 3 neu gef. mWv 13.10.2023 durch G v. 8.10.2023 (BGBl. 2023 I Nr. 272).

[3)] **Habersack Nr. 105.**

der gestellten Anträge auf Erlass von einstweiligen Verfügungen und die Anzahl der erhobenen Klagen zur Durchsetzung der in dieser Vorschrift genannten Ansprüche anzugeben.

§ 8c[1)] Verbot der missbräuchlichen Geltendmachung von Ansprüchen; Haftung. (1) Die Geltendmachung der Ansprüche aus § 8 Absatz 1 ist unzulässig, wenn sie unter Berücksichtigung der gesamten Umstände missbräuchlich ist.

(2) Eine missbräuchliche Geltendmachung ist im Zweifel anzunehmen, wenn

1. die Geltendmachung der Ansprüche vorwiegend dazu dient, gegen den Zuwiderhandelnden einen Anspruch auf Ersatz von Aufwendungen oder von Kosten der Rechtsverfolgung oder die Zahlung einer Vertragsstrafe entstehen zu lassen,
2. ein Mitbewerber eine erhebliche Anzahl von Verstößen gegen die gleiche Rechtsvorschrift durch Abmahnungen geltend macht, wenn die Anzahl der geltend gemachten Verstöße außer Verhältnis zum Umfang der eigenen Geschäftstätigkeit steht oder wenn anzunehmen ist, dass der Mitbewerber das wirtschaftliche Risiko seines außergerichtlichen oder gerichtlichen Vorgehens nicht selbst trägt,
3. ein Mitbewerber den Gegenstandswert für eine Abmahnung unangemessen hoch ansetzt,
4. offensichtlich überhöhte Vertragsstrafen vereinbart oder gefordert werden,
5. eine vorgeschlagene Unterlassungsverpflichtung offensichtlich über die abgemahnte Rechtsverletzung hinausgeht,
6. mehrere Zuwiderhandlungen, die zusammen hätten abgemahnt werden können, einzeln abgemahnt werden oder
7. wegen einer Zuwiderhandlung, für die mehrere Zuwiderhandelnde verantwortlich sind, die Ansprüche gegen die Zuwiderhandelnden ohne sachlichen Grund nicht zusammen geltend gemacht werden.

(3) [1] Im Fall der missbräuchlichen Geltendmachung von Ansprüchen kann der Anspruchsgegner vom Anspruchsteller Ersatz der für seine Rechtsverteidigung erforderlichen Aufwendungen fordern. [2] Weitergehende Ersatzansprüche bleiben unberührt.

§ 9[2)] Schadensersatz. (1) Wer vorsätzlich oder fahrlässig eine nach § 3 oder § 7 unzulässige geschäftliche Handlung vornimmt, ist den Mitbewerbern zum Ersatz des daraus entstehenden Schadens verpflichtet.

(2) [1] Wer vorsätzlich oder fahrlässig eine nach § 3 unzulässige geschäftliche Handlung vornimmt und hierdurch Verbraucher zu einer geschäftlichen Entscheidung veranlasst, die sie andernfalls nicht getroffen hätten, ist ihnen zum Ersatz des daraus entstehenden Schadens verpflichtet. ***[Satz 2 bis 26.9.2026:]*** [2] Dies gilt nicht für unlautere geschäftliche Handlungen nach den §§ 3a, 4 und 6 sowie nach Nummer 32 des Anhangs. ***[Satz 2 ab 27.9.2026:]*** *[2] Dies gilt nicht für unlautere geschäftliche Handlungen nach den §§ 3a, 4 und 6 sowie nach Nummer 32 des Anhangs.*

[1)] § 8c eingef. mWv 2.12.2020 durch G v. 26.11.2020 (BGBl. I S. 2568).

[2)] § 9 neu gef. mWv 28.5.2022 durch G v. 10.8.2021 (BGBl. I S. 3504); Abs. 2 Satz 2 neu gef. mWv 27.9.2026 durch G v. 12.2.2026 (BGBl. 2026 I Nr. 43).

(3) Gegen verantwortliche Personen von periodischen Druckschriften kann der Anspruch auf Schadensersatz nach den Absätzen 1 und 2 nur bei einer vorsätzlichen Zuwiderhandlung geltend gemacht werden.

§ 10[1] Gewinnabschöpfung. (1) [1] Wer vorsätzlich oder grob fahrlässig eine nach § 3 oder § 7 unzulässige geschäftliche Handlung vornimmt und hierdurch zu Lasten einer Vielzahl von Abnehmern einen Gewinn erzielt, kann von den gemäß § 8 Absatz 3 Nummer 2 bis 4 zur Geltendmachung eines Unterlassungsanspruchs Berechtigten auf Herausgabe dieses Gewinns an den Bundeshaushalt in Anspruch genommen werden. [2] Ist zwischen den Parteien streitig, ob durch die unzulässige geschäftliche Handlung zu Lasten einer Vielzahl von Abnehmern ein Gewinn erzielt wurde oder wie hoch der erzielte Gewinn ist, so entscheidet hierüber das Gericht unter Würdigung aller Umstände nach freier Überzeugung.

(2) [1] Auf den Gewinn sind die Leistungen anzurechnen, die der Schuldner auf Grund der Zuwiderhandlung an Dritte oder an den Staat erbracht hat. [2] Soweit der Schuldner solche Leistungen erst nach Erfüllung des Anspruchs nach Absatz 1 erbracht hat, erstattet das Bundesamt für Justiz dem Schuldner den abgeführten Gewinn in Höhe der nachgewiesenen Zahlungen zurück.

(3) Beanspruchen mehrere Gläubiger den Gewinn, so gelten die §§ 428 bis 430 des Bürgerlichen Gesetzbuchs[2] entsprechend.

(4) Die Gläubiger haben dem Bundesamt für Justiz über die Geltendmachung von Ansprüchen nach Absatz 1 Auskunft zu erteilen.

(5) [1] Haben die Gläubiger einen Anspruch gegen den Schuldner auf Ersatz der für die Geltendmachung des Anspruchs erforderlichen Aufwendungen und können sie vom Schuldner keinen Ausgleich erlangen, so können sie die Erstattung dieser Aufwendungen vom Bundesamt für Justiz verlangen. [2] Der Anspruch nach Satz 1 ist auf die Höhe des an den Bundeshaushalt abgeführten Gewinns beschränkt.

(6) [1] Die Gläubiger können vom Bundesamt für Justiz Ersatz der Aufwendungen verlangen, die für eine Finanzierung des gerichtlichen Verfahrens durch einen gewerblichen Prozessfinanzierer entstanden sind, wenn das Bundesamt für Justiz vor Einleitung des gerichtlichen Verfahrens die Inanspruchnahme dieser Finanzierung bewilligt hat. [2] Das Bundesamt für Justiz bewilligt die Inanspruchnahme der Finanzierung, wenn die beabsichtigte Rechtsverfolgung unter Berücksichtigung der gesamten Umstände nicht missbräuchlich ist und die Aufwendungen für den Prozessfinanzierer üblich und angemessen sind.

§ 11[3] Verjährung. (1) Die Ansprüche aus den §§ 8, 9 Absatz 1 und § 13 Absatz 3 verjähren in sechs Monaten und der Anspruch aus § 9 Absatz 2 Satz 1 verjährt in einem Jahr.

(2) Die Verjährungsfrist beginnt, wenn

1. der Anspruch entstanden ist und

---

[1] § 10 Abs. 1 Satz 1 geänd., Satz 2 angef., Abs. 2 Satz 2, Abs. 4 Satz 1 geänd., Sätze 2 und 3 aufgeh., Abs. 5 neu gef., Abs. 6 angef. mWv 13.10.2023 durch G v. 8.10.2023 (BGBl. 2023 I Nr. 272).

[2] **beck-online, Module Arbeitsrecht Nr. 50.**

[3] § 11 Abs. 1 geänd. mWv 2.12.2020 durch G v. 26.11.2020 (BGBl. I S. 2568); Abs. 1 neu gef. mWv 28.5.2022 durch G v. 10.8.2021 (BGBl. I S. 3504).

2. der Gläubiger von den den Anspruch begründenden Umständen und der Person des Schuldners Kenntnis erlangt oder ohne grobe Fahrlässigkeit erlangen müsste.

(3) Schadensersatzansprüche verjähren ohne Rücksicht auf die Kenntnis oder grob fahrlässige Unkenntnis in zehn Jahren von ihrer Entstehung, spätestens in 30 Jahren von der den Schaden auslösenden Handlung an.

(4) Andere Ansprüche verjähren ohne Rücksicht auf die Kenntnis oder grob fahrlässige Unkenntnis in drei Jahren von der Entstehung an.

Kapitel 3. Verfahrensvorschriften

§§ 12–15a *(hier nicht wiedergegeben)*

Kapitel 4. Straf- und Bußgeldvorschriften

§ 16 *(hier nicht wiedergegeben)*

§§ 17, 18[1] *(aufgehoben)*

§§ 19, 20 *(hier nicht wiedergegeben)*

Anhang
(hier nicht wiedergegeben)

[1] §§ 17, 18 aufgeh. mWv 26.4.2019 durch G v. 18.4.2019 (BGBl. I S. 466).

121. Gesetz zum Schutz von Geschäftsgeheimnissen (GeschGehG)[1) 2)]

Vom 18. April 2019
(BGBl. I S. 466)
FNA 427-1

– Auszug –[3)]

Abschnitt 1. Allgemeines

§ 1 Anwendungsbereich. (1) Dieses Gesetz dient dem Schutz von Geschäftsgeheimnissen vor unerlaubter Erlangung, Nutzung und Offenlegung.

(2) Öffentlich-rechtliche Vorschriften zur Geheimhaltung, Erlangung, Nutzung oder Offenlegung von Geschäftsgeheimnissen gehen vor.

(3) Es bleiben unberührt:

1. der berufs- und strafrechtliche Schutz von Geschäftsgeheimnissen, deren unbefugte Offenbarung von § 203 des Strafgesetzbuches[4)] erfasst wird,
2. die Ausübung des Rechts der freien Meinungsäußerung und der Informationsfreiheit nach der Charta der Grundrechte der Europäischen Union[5)] (ABl. C 202 vom 7.6.2016, S. 389), einschließlich der Achtung der Freiheit und der Pluralität der Medien,
3. die Autonomie der Sozialpartner und ihr Recht, Kollektivverträge nach den bestehenden europäischen und nationalen Vorschriften abzuschließen,
4. die Rechte und Pflichten aus dem Arbeitsverhältnis und die Rechte der Arbeitnehmervertretungen.

§ 2 Begriffsbestimmungen. Im Sinne dieses Gesetzes ist

1. Geschäftsgeheimnis
   eine Information
   a) die weder insgesamt noch in der genauen Anordnung und Zusammensetzung ihrer Bestandteile den Personen in den Kreisen, die üblicherweise mit dieser Art von Informationen umgehen, allgemein bekannt oder ohne Weiteres zugänglich ist und daher von wirtschaftlichem Wert ist und

---

[1)] Verkündet als Art. 1 G v. 18.4.2019 (BGBl. I S. 466); Inkrafttreten gem. Art. 6 dieses G am 26.4.2019.

[2)] **Amtl. Anm. am Titel des ArtikelG:** Artikel 1 dieses Gesetzes dient der Umsetzung der Richtlinie (EU) 2016/943 des Europäischen Parlaments und des Rates vom 8. Juni 2016 über den Schutz vertraulichen Know-hows und vertraulicher Geschäftsinformationen (Geschäftsgeheimnisse) vor rechtswidrigem Erwerb sowie rechtswidriger Nutzung und Offenlegung (ABl. L 157 vom 15.6.2016, S. 1).

[3)] Vollständig wiedergegeben in **beck-online, Module Arbeitsrecht**.

[4)] **Schönfelder Nr. 85.**

[5)] Auszugsweise abgedruckt unter Nr. **856**.

b) die Gegenstand von den Umständen nach angemessenen Geheimhaltungsmaßnahmen durch ihren rechtmäßigen Inhaber ist und

c) bei der ein berechtigtes Interesse an der Geheimhaltung besteht;

2. Inhaber eines Geschäftsgeheimnisses
jede natürliche oder juristische Person, die die rechtmäßige Kontrolle über ein Geschäftsgeheimnis hat;

3. Rechtsverletzer
jede natürliche oder juristische Person, die entgegen § 4 ein Geschäftsgeheimnis rechtswidrig erlangt, nutzt oder offenlegt; Rechtsverletzer ist nicht, wer sich auf eine Ausnahme nach § 5 berufen kann;

4. rechtsverletzendes Produkt
ein Produkt, dessen Konzeption, Merkmale, Funktionsweise, Herstellungsprozess oder Marketing in erheblichem Umfang auf einem rechtswidrig erlangten, genutzten oder offengelegten Geschäftsgeheimnis beruht.

§ 3 Erlaubte Handlungen. (1) Ein Geschäftsgeheimnis darf insbesondere erlangt werden durch

1. eine eigenständige Entdeckung oder Schöpfung;
2. ein Beobachten, Untersuchen, Rückbauen oder Testen eines Produkts oder Gegenstands, das oder der
   a) öffentlich verfügbar gemacht wurde oder
   b) sich im rechtmäßigen Besitz des Beobachtenden, Untersuchenden, Rückbauenden oder Testenden befindet und dieser keiner Pflicht zur Beschränkung der Erlangung des Geschäftsgeheimnisses unterliegt;
3. ein Ausüben von Informations- und Anhörungsrechten der Arbeitnehmer oder Mitwirkungs- und Mitbestimmungsrechte der Arbeitnehmervertretung.

(2) Ein Geschäftsgeheimnis darf erlangt, genutzt oder offengelegt werden, wenn dies durch Gesetz, aufgrund eines Gesetzes oder durch Rechtsgeschäft gestattet ist.

§ 4 Handlungsverbote. (1) Ein Geschäftsgeheimnis darf nicht erlangt werden durch

1. unbefugten Zugang zu, unbefugte Aneignung oder unbefugtes Kopieren von Dokumenten, Gegenständen, Materialien, Stoffen oder elektronischen Dateien, die der rechtmäßigen Kontrolle des Inhabers des Geschäftsgeheimnisses unterliegen und die das Geschäftsgeheimnis enthalten oder aus denen sich das Geschäftsgeheimnis ableiten lässt, oder
2. jedes sonstige Verhalten, das unter den jeweiligen Umständen nicht dem Grundsatz von Treu und Glauben unter Berücksichtigung der anständigen Marktgepflogenheit entspricht.

(2) Ein Geschäftsgeheimnis darf nicht nutzen oder offenlegen, wer

1. das Geschäftsgeheimnis durch eine eigene Handlung nach Absatz 1
   a) Nummer 1 oder
   b) Nummer 2
   erlangt hat,

2. gegen eine Verpflichtung zur Beschränkung der Nutzung des Geschäftsgeheimnisses verstößt oder
3. gegen eine Verpflichtung verstößt, das Geschäftsgeheimnis nicht offenzulegen.

(3) [1] Ein Geschäftsgeheimnis darf nicht erlangen, nutzen oder offenlegen, wer das Geschäftsgeheimnis über eine andere Person erlangt hat und zum Zeitpunkt der Erlangung, Nutzung oder Offenlegung weiß oder wissen müsste, dass diese das Geschäftsgeheimnis entgegen Absatz 2 genutzt oder offengelegt hat. [2] Das gilt insbesondere, wenn die Nutzung in der Herstellung, dem Anbieten, dem Inverkehrbringen oder der Einfuhr, der Ausfuhr oder der Lagerung für diese Zwecke von rechtsverletzenden Produkten besteht.

§ 5 Ausnahmen. Die Erlangung, die Nutzung oder die Offenlegung eines Geschäftsgeheimnisses fällt nicht unter die Verbote des § 4, wenn dies zum Schutz eines berechtigten Interesses erfolgt, insbesondere

1. zur Ausübung des Rechts der freien Meinungsäußerung und der Informationsfreiheit, einschließlich der Achtung der Freiheit und der Pluralität der Medien;
2. zur Aufdeckung einer rechtswidrigen Handlung oder eines beruflichen oder sonstigen Fehlverhaltens, wenn die Erlangung, Nutzung oder Offenlegung geeignet ist, das allgemeine öffentliche Interesse zu schützen;
3. im Rahmen der Offenlegung durch Arbeitnehmer gegenüber der Arbeitnehmervertretung, wenn dies erforderlich ist, damit die Arbeitnehmervertretung ihre Aufgaben erfüllen kann.

Abschnitt 2. Ansprüche bei Rechtsverletzungen

§ 6 Beseitigung und Unterlassung. [1] Der Inhaber des Geschäftsgeheimnisses kann den Rechtsverletzer auf Beseitigung der Beeinträchtigung und bei Wiederholungsgefahr auch auf Unterlassung in Anspruch nehmen. [2] Der Anspruch auf Unterlassung besteht auch dann, wenn eine Rechtsverletzung erstmalig droht.

§ 7 Vernichtung; Herausgabe; Rückruf; Entfernung und Rücknahme vom Markt. Der Inhaber des Geschäftsgeheimnisses kann den Rechtsverletzer auch in Anspruch nehmen auf

1. Vernichtung oder Herausgabe der im Besitz oder Eigentum des Rechtsverletzers stehenden Dokumente, Gegenstände, Materialien, Stoffe oder elektronischen Dateien, die das Geschäftsgeheimnis enthalten oder verkörpern,
2. Rückruf des rechtsverletzenden Produkts,
3. dauerhafte Entfernung der rechtsverletzenden Produkte aus den Vertriebswegen,
4. Vernichtung der rechtsverletzenden Produkte oder
5. Rücknahme der rechtsverletzenden Produkte vom Markt, wenn der Schutz des Geschäftsgeheimnisses hierdurch nicht beeinträchtigt wird.

§ 8 *(hier nicht wiedergegeben)*

§ 9 Anspruchsausschluss bei Unverhältnismäßigkeit. Die Ansprüche nach den §§ 6 bis 8 Absatz 1 sind ausgeschlossen, wenn die Erfüllung im Einzelfall unverhältnismäßig wäre, unter Berücksichtigung insbesondere

1. des Wertes oder eines anderen spezifischen Merkmals des Geschäftsgeheimnisses,
2. der getroffenen Geheimhaltungsmaßnahmen,
3. des Verhaltens des Rechtsverletzers bei Erlangung, Nutzung oder Offenlegung des Geschäftsgeheimnisses,
4. der Folgen der rechtswidrigen Nutzung oder Offenlegung des Geschäftsgeheimnisses,
5. der berechtigten Interessen des Inhabers des Geschäftsgeheimnisses und des Rechtsverletzers sowie der Auswirkungen, die die Erfüllung der Ansprüche für beide haben könnte,
6. der berechtigten Interessen Dritter oder
7. des öffentlichen Interesses.

§ 10 Haftung des Rechtsverletzers. (1) [1] Ein Rechtsverletzer, der vorsätzlich oder fahrlässig handelt, ist dem Inhaber des Geschäftsgeheimnisses zum Ersatz des daraus entstehenden Schadens verpflichtet. [2] § 619a des Bürgerlichen Gesetzbuchs[1)] bleibt unberührt.

(2) [1] Bei der Bemessung des Schadensersatzes kann auch der Gewinn, den der Rechtsverletzer durch die Verletzung des Rechts erzielt hat, berücksichtigt werden. [2] Der Schadensersatzanspruch kann auch auf der Grundlage des Betrages bestimmt werden, den der Rechtsverletzer als angemessene Vergütung hätte entrichten müssen, wenn er die Zustimmung zur Erlangung, Nutzung oder Offenlegung des Geschäftsgeheimnisses eingeholt hätte.

(3) Der Inhaber des Geschäftsgeheimnisses kann auch wegen des Schadens, der nicht Vermögensschaden ist, von dem Rechtsverletzer eine Entschädigung in Geld verlangen, soweit dies der Billigkeit entspricht.

§§ 11–13 *(hier nicht wiedergegeben)*

§ 14 Missbrauchsverbot. [1] Die Geltendmachung der Ansprüche nach diesem Gesetz ist unzulässig, wenn sie unter Berücksichtigung der gesamten Umstände missbräuchlich ist. [2] Bei missbräuchlicher Geltendmachung kann der Anspruchsgegner Ersatz der für seine Rechtsverteidigung erforderlichen Aufwendungen verlangen. [3] Weitergehende Ersatzansprüche bleiben unberührt.

Abschnitt 3. Verfahren in Geschäftsgeheimnisstreitsachen

§ 15 *(hier nicht wiedergegeben)*

[1)] Nr. **50**.

§ 16 Geheimhaltung. (1) Bei Klagen, durch die Ansprüche nach diesem Gesetz geltend gemacht werden (Geschäftsgeheimnisstreitsachen) kann das Gericht der Hauptsache auf Antrag einer Partei streitgegenständliche Informationen ganz oder teilweise als geheimhaltungsbedürftig einstufen, wenn diese ein Geschäftsgeheimnis sein können.

(2) Die Parteien, ihre Prozessvertreter, Zeugen, Sachverständige, sonstige Vertreter und alle sonstigen Personen, die an Geschäftsgeheimnisstreitsachen beteiligt sind oder die Zugang zu Dokumenten eines solchen Verfahrens haben, müssen als geheimhaltungsbedürftig eingestufte Informationen vertraulich behandeln und dürfen diese außerhalb eines gerichtlichen Verfahrens nicht nutzen oder offenlegen, es sei denn, dass sie von diesen außerhalb des Verfahrens Kenntnis erlangt haben.

(3) Wenn das Gericht eine Entscheidung nach Absatz 1 trifft, darf Dritten, die ein Recht auf Akteneinsicht haben, nur ein Akteninhalt zur Verfügung gestellt werden, in dem die Geschäftsgeheimnisse enthaltenden Ausführungen unkenntlich gemacht wurden.

§ 17 Ordnungsmittel. [1] Das Gericht der Hauptsache kann auf Antrag einer Partei bei Zuwiderhandlungen gegen die Verpflichtungen nach § 16 Absatz 2 ein Ordnungsgeld bis zu 100 000 Euro oder Ordnungshaft bis zu sechs Monaten festsetzen und sofort vollstrecken. [2] Bei der Festsetzung von Ordnungsgeld ist zugleich für den Fall, dass dieses nicht beigetrieben werden kann, zu bestimmen, in welchem Maße Ordnungshaft an seine Stelle tritt. [3] Die Beschwerde gegen ein nach Satz 1 verhängtes Ordnungsmittel entfaltet aufschiebende Wirkung.

§ 18 Geheimhaltung nach Abschluss des Verfahrens. [1] Die Verpflichtungen nach § 16 Absatz 2 bestehen auch nach Abschluss des gerichtlichen Verfahrens fort. [2] Dies gilt nicht, wenn das Gericht der Hauptsache das Vorliegen des streitgegenständlichen Geschäftsgeheimnisses durch rechtskräftiges Urteil verneint hat oder sobald die streitgegenständlichen Informationen für Personen in den Kreisen, die üblicherweise mit solchen Informationen umgehen, bekannt oder ohne Weiteres zugänglich werden.

§ 19 Weitere gerichtliche Beschränkungen. (1) [1] Zusätzlich zu § 16 Absatz 1 beschränkt das Gericht der Hauptsache zur Wahrung von Geschäftsgeheimnissen auf Antrag einer Partei den Zugang ganz oder teilweise auf eine bestimmte Anzahl von zuverlässigen Personen

1. zu von den Parteien oder Dritten eingereichten oder vorgelegten Dokumenten, die Geschäftsgeheimnisse enthalten können, oder
2. zur mündlichen Verhandlung, bei der Geschäftsgeheimnisse offengelegt werden könnten, und zu der Aufzeichnung oder dem Protokoll der mündlichen Verhandlung.

[2] Dies gilt nur, soweit nach Abwägung aller Umstände das Geheimhaltungsinteresse das Recht der Beteiligten auf rechtliches Gehör auch unter Beachtung ihres Rechts auf effektiven Rechtsschutz und ein faires Verfahren übersteigt. [3] Es ist jeweils mindestens einer natürlichen Person jeder Partei und ihren Prozessvertretern oder sonstigen Vertretern Zugang zu gewähren. [4] Im

Übrigen bestimmt das Gericht nach freiem Ermessen, welche Anordnungen zur Erreichung des Zwecks erforderlich sind.

(2) Wenn das Gericht Beschränkungen nach Absatz 1 Satz 1 trifft,

1. kann die Öffentlichkeit auf Antrag von der mündlichen Verhandlung ausgeschlossen werden und
2. gilt § 16 Absatz 3 für nicht zugelassene Personen.

(3) Die §§ 16 bis 19 Absatz 1 und 2 gelten entsprechend im Verfahren der Zwangsvollstreckung, wenn das Gericht der Hauptsache Informationen nach § 16 Absatz 1 als geheimhaltungsbedürftig eingestuft oder zusätzliche Beschränkungen nach Absatz 1 Satz 1 getroffen hat.

§ 20 Verfahren bei Maßnahmen nach den §§ 16 bis 19. (1) Das Gericht der Hauptsache kann eine Beschränkung nach § 16 Absatz 1 und § 19 Absatz 1 ab Anhängigkeit des Rechtsstreits anordnen.

(2) [1] Die andere Partei ist spätestens nach Anordnung der Maßnahme vom Gericht zu hören. [2] Das Gericht kann die Maßnahmen nach Anhörung der Parteien aufheben oder abändern.

(3) Die den Antrag nach § 16 Absatz 1 oder § 19 Absatz 1 stellende Partei muss glaubhaft machen, dass es sich bei der streitgegenständlichen Information um ein Geschäftsgeheimnis handelt.

(4) [1] Werden mit dem Antrag oder nach einer Anordnung nach § 16 Absatz 1 oder einer Anordnung nach § 19 Absatz 1 Satz 1 Nummer 1 Schriftstücke und sonstige Unterlagen eingereicht oder vorgelegt, muss die den Antrag stellende Partei diejenigen Ausführungen kennzeichnen, die nach ihrem Vorbringen Geschäftsgeheimnisse enthalten. [2] Im Fall des § 19 Absatz 1 Satz 1 Nummer 1 muss sie zusätzlich eine Fassung ohne Preisgabe von Geschäftsgeheimnissen vorlegen, die eingesehen werden kann. [3] Wird keine solche um die Geschäftsgeheimnisse reduzierte Fassung vorgelegt, kann das Gericht von der Zustimmung zur Einsichtnahme ausgehen, es sei denn, ihm sind besondere Umstände bekannt, die eine solche Vermutung nicht rechtfertigen.

(5) [1] Das Gericht entscheidet über den Antrag durch Beschluss. [2] Gibt es dem Antrag statt, hat es die Beteiligten auf die Wirkung der Anordnung nach § 16 Absatz 2 und § 18 und Folgen der Zuwiderhandlung nach § 17 hinzuweisen. [3] Beabsichtigt das Gericht die Zurückweisung des Antrags, hat es die den Antrag stellende Partei darauf und auf die Gründe hierfür hinzuweisen und ihr binnen einer zu bestimmenden Frist Gelegenheit zur Stellungnahme zu geben. [4] Die Einstufung als geheimhaltungsbedürftig nach § 16 Absatz 1 und die Anordnung der Beschränkung nach § 19 Absatz 1 können nur gemeinsam mit dem Rechtsmittel in der Hauptsache angefochten werden. [5] Im Übrigen findet die sofortige Beschwerde statt.

(6) Gericht der Hauptsache im Sinne dieses Abschnitts ist

1. das Gericht des ersten Rechtszuges oder
2. das Berufungsgericht, wenn die Hauptsache in der Berufungsinstanz anhängig ist.

§ 21 Bekanntmachung des Urteils. (1) [1] Der obsiegenden Partei einer Geschäftsgeheimnisstreitsache kann auf Antrag in der Urteilsformel die Befugnis zugesprochen werden, das Urteil oder Informationen über das Urteil auf Kosten der unterliegenden Partei öffentlich bekannt zu machen, wenn die obsiegende Partei hierfür ein berechtigtes Interesse darlegt. [2] Form und Umfang der öffentlichen Bekanntmachung werden unter Berücksichtigung der berechtigten Interessen der im Urteil genannten Personen in der Urteilsformel bestimmt.

(2) Bei den Entscheidungen über die öffentliche Bekanntmachung nach Absatz 1 Satz 1 ist insbesondere zu berücksichtigen:

1. der Wert des Geschäftsgeheimnisses,
2. das Verhalten des Rechtsverletzers bei Erlangung, Nutzung oder Offenlegung des Geschäftsgeheimnisses,
3. die Folgen der rechtswidrigen Nutzung oder Offenlegung des Geschäftsgeheimnisses und
4. die Wahrscheinlichkeit einer weiteren rechtswidrigen Nutzung oder Offenlegung des Geschäftsgeheimnisses durch den Rechtsverletzer.

(3) Das Urteil darf erst nach Rechtskraft bekannt gemacht werden, es sei denn, das Gericht bestimmt etwas anderes.

§ 22 Streitwertbegünstigung. (1) Macht bei Geschäftsgeheimnisstreitsachen eine Partei glaubhaft, dass die Belastung mit den Prozesskosten nach dem vollen Streitwert ihre wirtschaftliche Lage erheblich gefährden würde, so kann das Gericht auf ihren Antrag anordnen, dass die Verpflichtung dieser Partei zur Zahlung von Gerichtskosten sich nach dem ihrer Wirtschaftslage angepassten Teil des Streitwerts bemisst.

(2) Die Anordnung nach Absatz 1 bewirkt auch, dass

1. die begünstigte Partei die Gebühren ihres Rechtsanwalts ebenfalls nur nach diesem Teil des Streitwerts zu entrichten hat,
2. die begünstigte Partei, soweit ihr Kosten des Rechtsstreits auferlegt werden oder soweit sie diese übernimmt, die von dem Gegner entrichteten Gerichtsgebühren und die Gebühren seines Rechtsanwalts nur nach diesem Teil des Streitwerts zu erstatten hat und
3. der Rechtsanwalt der begünstigten Partei seine Gebühren von dem Gegner nach dem für diesen geltenden Streitwert beitreiben kann, soweit die außergerichtlichen Kosten dem Gegner auferlegt oder von ihm übernommen werden.

(3) [1] Der Antrag nach Absatz 1 ist vor der Verhandlung zur Hauptsache zu stellen. [2] Danach ist er nur zulässig, wenn der angenommene oder festgesetzte Streitwert durch das Gericht heraufgesetzt wird. [3] Der Antrag kann vor der Geschäftsstelle des Gerichts zur Niederschrift erklärt werden. [4] Vor der Entscheidung über den Antrag ist der Gegner zu hören.

Abschnitt 4. Strafvorschriften

§ 23 Verletzung von Geschäftsgeheimnissen. (1) Mit Freiheitsstrafe bis zu drei Jahren oder mit Geldstrafe wird bestraft, wer zur Förderung des eigenen oder fremden Wettbewerbs, aus Eigennutz, zugunsten eines Dritten oder in der Absicht, dem Inhaber eines Unternehmens Schaden zuzufügen,

1. entgegen § 4 Absatz 1 Nummer 1 ein Geschäftsgeheimnis erlangt,
2. entgegen § 4 Absatz 2 Nummer 1 Buchstabe a ein Geschäftsgeheimnis nutzt oder offenlegt oder
3. entgegen § 4 Absatz 2 Nummer 3 als eine bei einem Unternehmen beschäftigte Person ein Geschäftsgeheimnis, das ihr im Rahmen des Beschäftigungsverhältnisses anvertraut worden oder zugänglich geworden ist, während der Geltungsdauer des Beschäftigungsverhältnisses offenlegt.

(2) Ebenso wird bestraft, wer zur Förderung des eigenen oder fremden Wettbewerbs, aus Eigennutz, zugunsten eines Dritten oder in der Absicht, dem Inhaber eines Unternehmens Schaden zuzufügen, ein Geschäftsgeheimnis nutzt oder offenlegt, das er durch eine fremde Handlung nach Absatz 1 Nummer 2 oder Nummer 3 erlangt hat.

(3) Mit Freiheitsstrafe bis zu zwei Jahren oder mit Geldstrafe wird bestraft, wer zur Förderung des eigenen oder fremden Wettbewerbs oder aus Eigennutz entgegen § 4 Absatz 2 Nummer 2 oder Nummer 3 ein Geschäftsgeheimnis, das eine ihm im geschäftlichen Verkehr anvertraute geheime Vorlage oder Vorschrift technischer Art ist, nutzt oder offenlegt.

(4) Mit Freiheitsstrafe bis zu fünf Jahren oder mit Geldstrafe wird bestraft, wer

1. in den Fällen des Absatzes 1 oder des Absatzes 2 gewerbsmäßig handelt,
2. in den Fällen des Absatzes 1 Nummer 2 oder Nummer 3 oder des Absatzes 2 bei der Offenlegung weiß, dass das Geschäftsgeheimnis im Ausland genutzt werden soll, oder
3. in den Fällen des Absatzes 1 Nummer 2 oder des Absatzes 2 das Geschäftsgeheimnis im Ausland nutzt.

(5) Der Versuch ist strafbar.

(6) Beihilfehandlungen einer in § 53 Absatz 1 Satz 1 Nummer 5 der Strafprozessordnung[1)] genannten Person sind nicht rechtswidrig, wenn sie sich auf die Entgegennahme, Auswertung oder Veröffentlichung des Geschäftsgeheimnisses beschränken.

(7) [1] § 5 Nummer 7 des Strafgesetzbuches[2)] gilt entsprechend. [2] Die §§ 30 und 31 des Strafgesetzbuches gelten entsprechend, wenn der Täter zur Förderung des eigenen oder fremden Wettbewerbs oder aus Eigennutz handelt.

(8) Die Tat wird nur auf Antrag verfolgt, es sei denn, dass die Strafverfolgungsbehörde wegen des besonderen öffentlichen Interesses an der Strafverfolgung ein Einschreiten von Amts wegen für geboten hält.

[1)] Schönfelder Nr. 90.
[2)] Schönfelder Nr. 85.

122. Gesetz für einen besseren Schutz hinweisgebender Personen (Hinweisgeberschutzgesetz – HinSchG)[1) 2)]

Vom 31. Mai 2023
(BGBl. 2023 I Nr. 140)

FNA 450-34

zuletzt geänd. durch Art. 14 G zur Umsetzung der NIS-2-RL und zur Regelung wesentlicher Grundzüge des Informationssicherheitsmanagements in der Bundesverwaltung v. 2.12.2025 (BGBl. 2025 I Nr. 301)

– Auszug –[3)]

Abschnitt 1. Allgemeine Vorschriften

§ 1 Zielsetzung und persönlicher Anwendungsbereich. (1) Dieses Gesetz regelt den Schutz von natürlichen Personen, die im Zusammenhang mit ihrer beruflichen Tätigkeit oder im Vorfeld einer beruflichen Tätigkeit Informationen über Verstöße erlangt haben und diese an die nach diesem Gesetz vorgesehenen Meldestellen melden oder offenlegen (hinweisgebende Personen).

(2) Darüber hinaus werden Personen geschützt, die Gegenstand einer Meldung oder Offenlegung sind, sowie sonstige Personen, die von einer Meldung oder Offenlegung betroffen sind.

§ 2[4)] Sachlicher Anwendungsbereich. (1) Dieses Gesetz gilt für die Meldung (§ 3 Absatz 4) und die Offenlegung (§ 3 Absatz 5) von Informationen über

1. Verstöße, die strafbewehrt sind,
2. Verstöße, die bußgeldbewehrt sind, soweit die verletzte Vorschrift dem Schutz von Leben, Leib oder Gesundheit oder dem Schutz der Rechte von Beschäftigten oder ihrer Vertretungsorgane dient,
3. sonstige Verstöße gegen Rechtsvorschriften des Bundes und der Länder sowie unmittelbar geltende Rechtsakte der Europäischen Union und der Europäischen Atomgemeinschaft
   a) zur Bekämpfung von Geldwäsche und Terrorismusfinanzierung, unter Einschluss insbesondere des Geldwäschegesetzes[5)] und der Verordnung (EU) 2015/847 des Europäischen Parlaments und des Rates vom 20. Mai 2015 über die Übermittlung von Angaben bei Geldtransfers und zur

---

[1)] *Verkündet als* Art. 1 G v. 31.5.2023 (BGBl. 2023 I Nr. 140); Inkrafttreten gem. Art. 10 Abs. 2 dieses G am 2.7.2023, mit Ausnahme des § 41, der gem. Art. 10 Abs. 1 bereits am 3.6.2023 in Kraft tritt.

[2)] **Amtl. Anm. zum MantelG**: Dieses Gesetz dient der Umsetzung der Richtlinie (EU) 2019/1937 des Europäischen Parlaments und des Rates vom 23. Oktober 2019 zum Schutz von Personen, die Verstöße gegen das Unionsrecht melden (ABl. L 305 vom 26.11.2019, S. 17), die zuletzt durch die Verordnung (EU) 2022/1925 (ABl. L 265 vom 12.10.2022, S. 1) geändert worden ist.

[3)] Vollständig wiedergegeben in **beck-online, Module Arbeitsrecht.**

[4)] § 2 Abs. 1 Nr. 3 Buchst. q geänd. mWv 6.12.2025 durch G v. 2.12.2025 (BGBl. 2025 I Nr. 301).

[5)] **beck-online, Module Arbeitsrecht Nr. 169a.**

Aufhebung der Verordnung (EU) Nr. 1781/2006 (ABl. L 141 vom 5.6. 2015, S. 1), die durch die Verordnung (EU) 2019/2175 (ABl. L 334 vom 27.12.2019, S. 1) geändert worden ist, in der jeweils geltenden Fassung,

b) mit Vorgaben zur Produktsicherheit und -konformität,

c) mit Vorgaben zur Sicherheit im Straßenverkehr, die das Straßeninfrastruktursicherheitsmanagement, die Sicherheitsanforderungen in Straßentunneln sowie die Zulassung zum Beruf des Güterkraftverkehrsunternehmers oder des Personenkraftverkehrsunternehmers (Kraftomnibusunternehmen) betreffen,

d) mit Vorgaben zur Gewährleistung der Eisenbahnbetriebssicherheit,

e) mit Vorgaben zur Sicherheit im Seeverkehr betreffend Vorschriften der Europäischen Union für die Anerkennung von Schiffsüberprüfungs- und -besichtigungsorganisationen, die Haftung und Versicherung des Beförderers bei der Beförderung von Reisenden auf See, die Zulassung von Schiffsausrüstung, die Seesicherheitsuntersuchung, die Seeleute-Ausbildung, die Registrierung von Personen auf Fahrgastschiffen in der Seeschifffahrt sowie Vorschriften und Verfahrensregeln der Europäischen Union für das sichere Be- und Entladen von Massengutschiffen,

f) mit Vorgaben zur zivilen Luftverkehrssicherheit im Sinne der Abwehr von Gefahren für die betriebliche und technische Sicherheit und im Sinne der Flugsicherung,

g) mit Vorgaben zur sicheren Beförderung gefährlicher Güter auf der Straße, per Eisenbahn und per Binnenschiff,

h) mit Vorgaben zum Umweltschutz,

i) mit Vorgaben zum Strahlenschutz und zur kerntechnischen Sicherheit,

j) zur Förderung der Nutzung von Energie aus erneuerbaren Quellen und der Energieeffizienz,

k) zur Lebensmittel- und Futtermittelsicherheit, zur ökologischen Produktion und zur Kennzeichnung von ökologischen Erzeugnissen, zum Schutz geografischer Angaben für Agrarerzeugnisse und Lebensmittel einschließlich Wein, aromatisierter Weinerzeugnisse und Spirituosen sowie garantiert traditioneller Spezialitäten, zum Inverkehrbringen und Verwenden von Pflanzenschutzmitteln sowie zur Tiergesundheit und zum Tierschutz, soweit sie den Schutz von landwirtschaftlichen Nutztieren, den Schutz von Tieren zum Zeitpunkt der Tötung, die Haltung von Wildtieren in Zoos, den Schutz der für wissenschaftliche Zwecke verwendeten Tiere sowie den Transport von Tieren und die damit zusammenhängenden Vorgänge betreffen,

l) zu Qualitäts- und Sicherheitsstandards für Organe und Substanzen menschlichen Ursprungs, Human- und Tierarzneimittel, Medizinprodukte sowie die grenzüberschreitende Patientenversorgung,

m) zur Herstellung, zur Aufmachung und zum Verkauf von Tabakerzeugnissen und verwandten Erzeugnissen,

n) zur Regelung der Verbraucherrechte und des Verbraucherschutzes im Zusammenhang mit Verträgen zwischen Unternehmern und Verbrauchern sowie zum Schutz von Verbrauchern im Bereich der Zahlungskonten und Finanzdienstleistungen, bei Preisangaben sowie vor unlauteren geschäftlichen Handlungen,

o) zum Schutz der Privatsphäre in der elektronischen Kommunikation, zum Schutz der Vertraulichkeit der Kommunikation, zum Schutz personenbezogener Daten im Bereich der elektronischen Kommunikation, zum Schutz der Privatsphäre der Endeinrichtungen von Nutzern und von in diesen Endeinrichtungen gespeicherten Informationen, zum Schutz vor unzumutbaren Belästigungen durch Werbung mittels Telefonanrufen, automatischen Anrufmaschinen, Faxgeräten oder elektronischer Post sowie über die Rufnummernanzeige und -unterdrückung und zur Aufnahme in Teilnehmerverzeichnisse,

p) zum Schutz personenbezogener Daten im Anwendungsbereich der Verordnung (EU) 2016/679[1] des Europäischen Parlaments und des Rates vom 27. April 2016 zum Schutz natürlicher Personen bei der Verarbeitung personenbezogener Daten, zum freien Datenverkehr und zur Aufhebung der Richtlinie 95/46/EG (Datenschutz-Grundverordnung) (ABl. L 119 vom 4.5.2016, S. 1; L 314 vom 22.11.2016, S. 72; L 127 vom 23.5.2018, S. 2; L 74 vom 4.3.2021, S. 35) gemäß deren Artikel 2,

q) zur Sicherheit in der Informationstechnik im Sinne des § 2 Nummer 39 des BSI-Gesetzes von besonders wichtigen Einrichtungen nach § 28 Absatz 1 des BSI-Gesetzes und wichtigen Einrichtungen nach § 28 Absatz 2 des BSI-Gesetzes, soweit diese den Einrichtungsarten nach Anhang 1 Nummer 6.1.4. oder Anhang 2 Nummern 6.1.1. oder 6.1.2 des BSI-Gesetzes zuzuordnen sind,

r) zur Regelung der Rechte von Aktionären von Aktiengesellschaften,

s) zur Abschlussprüfung bei Unternehmen von öffentlichem Interesse nach § 316a Satz 2 des Handelsgesetzbuchs[2],

t) zur Rechnungslegung einschließlich der Buchführung von Unternehmen, die kapitalmarktorientiert im Sinne des § 264d des Handelsgesetzbuchs[2] sind, von Kreditinstituten im Sinne des § 340 Absatz 1 des Handelsgesetzbuchs[2], Finanzdienstleistungsinstituten im Sinne des § 340 Absatz 4 Satz 1 des Handelsgesetzbuchs[2], Wertpapierinstituten im Sinne des § 340 Absatz 4a Satz 1 des Handelsgesetzbuchs[2], Instituten im Sinne des § 340 Absatz 5 Satz 1 des Handelsgesetzbuchs[2], Versicherungsunternehmen im Sinne des § 341 Absatz 1 des Handelsgesetzbuchs[2] und Pensionsfonds im Sinne des § 341 Absatz 4 Satz 1 des Handelsgesetzbuchs[2],

4. Verstöße gegen bundesrechtlich und einheitlich geltende Regelungen für Auftraggeber zum Verfahren der Vergabe von öffentlichen Aufträgen und Konzessionen und zum Rechtsschutz in diesen Verfahren ab Erreichen der jeweils maßgeblichen EU-Schwellenwerte,

5. Verstöße, die von § 4d Absatz 1 Satz 1 des Finanzdienstleistungsaufsichtsgesetzes erfasst sind, soweit sich nicht aus § 4 Absatz 1 Satz 1 etwas anderes ergibt,

6. Verstöße gegen für Körperschaften und Personenhandelsgesellschaften geltende steuerliche Rechtsnormen,

7. Verstöße in Form von Vereinbarungen, die darauf abzielen, sich in missbräuchlicher Weise einen steuerlichen Vorteil zu verschaffen, der dem Ziel

---

[1] Nr. **489**.

[2] **beck-online, Module Arbeitsrecht Nr. 105.**

oder dem Zweck des für Körperschaften und Personenhandelsgesellschaften geltenden Steuerrechts zuwiderläuft,

8. Verstöße gegen die Artikel 101 und 102 des Vertrags über die Arbeitsweise der Europäischen Union[1] sowie Verstöße gegen die in § 81 Absatz 2 Nummer 1, 2 Buchstabe a und Nummer 5 sowie Absatz 3 des Gesetzes gegen Wettbewerbsbeschränkungen[2] genannten Rechtsvorschriften,
9. Verstöße gegen Vorschriften der Verordnung (EU) 2022/1925 des Europäischen Parlaments und des Rates vom 14. September 2022 über bestreitbare und faire Märkte im digitalen Sektor und zur Änderung der Richtlinien (EU) 2019/1937 und (EU) 2020/1828 (Gesetz über digitale Märkte) (ABl. L 265 vom 12.10.2022, S. 1),
10. Äußerungen von Beamtinnen und Beamten, die einen Verstoß gegen die Pflicht zur Verfassungstreue darstellen.

(2) Dieses Gesetz gilt außerdem für die Meldung und Offenlegung von Informationen über

1. Verstöße gegen den Schutz der finanziellen Interessen der Europäischen Union im Sinne des Artikels 325 des Vertrags über die Arbeitsweise der Europäischen Union[1] und
2. Verstöße gegen Binnenmarktvorschriften im Sinne des Artikels 26 Absatz 2 des Vertrags über die Arbeitsweise der Europäischen Union[1], einschließlich über Absatz 1 Nummer 8 hinausgehender Vorschriften der Europäischen Union über Wettbewerb und staatliche Beihilfen.

§ 3 Begriffsbestimmungen. (1) Für dieses Gesetz gelten die Begriffsbestimmungen der folgenden Absätze.

(2) [1] Verstöße sind Handlungen oder Unterlassungen im Rahmen einer beruflichen, unternehmerischen oder dienstlichen Tätigkeit, die rechtswidrig sind und Vorschriften oder Rechtsgebiete betreffen, die in den sachlichen Anwendungsbereich nach § 2 fallen. [2] Hierzu können auch missbräuchliche Handlungen oder Unterlassungen gehören, die dem Ziel oder dem Zweck der Regelungen in den Vorschriften oder Rechtsgebieten zuwiderlaufen, die in den sachlichen Anwendungsbereich nach § 2 fallen.

(3) Informationen über Verstöße sind begründete Verdachtsmomente oder Wissen über tatsächliche oder mögliche Verstöße, die bei dem Beschäftigungsgeber, bei dem die hinweisgebende Person tätig ist oder war, oder bei einer anderen Stelle, mit der die hinweisgebende Person aufgrund ihrer beruflichen Tätigkeit im Kontakt steht oder stand, bereits begangen wurden oder sehr wahrscheinlich erfolgen werden, sowie über Versuche der Verschleierung solcher Verstöße.

(4) Meldungen sind Mitteilungen von Informationen über Verstöße an interne Meldestellen (§ 12) oder externe Meldestellen (§§ 19 bis 24).

(5) Offenlegung bezeichnet das Zugänglichmachen von Informationen über Verstöße gegenüber der Öffentlichkeit.

(6) Repressalien sind Handlungen oder Unterlassungen im Zusammenhang mit der beruflichen Tätigkeit, die eine Reaktion auf eine Meldung oder eine

---

[1] **beck-online, Module Arbeitsrecht Nr. 850.**
[2] **beck-online, Module Arbeitsrecht Nr. 509.**

Offenlegung sind und durch die der hinweisgebenden Person ein ungerechtfertigter Nachteil entsteht oder entstehen kann.

(7) Folgemaßnahmen sind die von einer internen Meldestelle nach § 18 oder von einer externen Meldestelle nach § 29 ergriffenen Maßnahmen zur Prüfung der Stichhaltigkeit einer Meldung, zum weiteren Vorgehen gegen den gemeldeten Verstoß oder zum Abschluss des Verfahrens.

(8) Beschäftigte sind

(Fortsetzung nächstes Blatt)

1. Arbeitnehmerinnen und Arbeitnehmer,
2. die zu ihrer Berufsbildung Beschäftigten,
3. Beamtinnen und Beamte,
4. Richterinnen und Richter mit Ausnahme der ehrenamtlichen Richterinnen und Richter,
5. Soldatinnen und Soldaten,
6. Personen, die wegen ihrer wirtschaftlichen Unselbständigkeit als arbeitnehmerähnliche Personen anzusehen sind; zu diesen gehören auch die in Heimarbeit Beschäftigten und die ihnen Gleichgestellten,
7. Menschen mit Behinderung, die in einer Werkstatt für behinderte Menschen oder bei einem anderen Leistungsanbieter nach § 60 des Neunten Buches Sozialgesetzbuch[1] beschäftigt sind.

(9) Beschäftigungsgeber sind, sofern mindestens eine Person bei ihnen beschäftigt ist,

1. natürliche Personen sowie juristische Personen des öffentlichen und des privaten Rechts,
2. rechtsfähige Personengesellschaften und
3. sonstige, nicht in den Nummern 1 und 2 genannte rechtsfähige Personenvereinigungen.

(10) Private Beschäftigungsgeber sind Beschäftigungsgeber mit Ausnahme juristischer Personen des öffentlichen Rechts und solcher Beschäftigungsgeber, die im Eigentum oder unter der Kontrolle einer juristischen Person des öffentlichen Rechts stehen.

§§ 4, 5 *(hier nicht wiedergegeben)*

§ 6 Verhältnis zu sonstigen Verschwiegenheits- und Geheimhaltungspflichten. (1) Beinhaltet eine interne oder eine externe Meldung oder eine Offenlegung ein Geschäftsgeheimnis im Sinne des § 2 Nummer 1 des Gesetzes zum Schutz von Geschäftsgeheimnissen[2], so ist die Weitergabe des Geschäftsgeheimnisses an eine zuständige Meldestelle oder dessen Offenlegung erlaubt, sofern

1. die hinweisgebende Person hinreichenden Grund zu der Annahme hatte, dass die Weitergabe oder die Offenlegung des Inhalts dieser Informationen notwendig ist, um einen Verstoß aufzudecken, und
2. die Voraussetzungen des § 33 Absatz 1 Nummer 2 und 3 erfüllt sind.

(2) Vorbehaltlich der Vorgaben des § 5 dürfen Informationen, die einer vertraglichen Verschwiegenheitspflicht, einer Rechtsvorschrift des Bundes, eines Landes oder einem unmittelbar geltenden Rechtsakt der Europäischen Union über die Geheimhaltung oder über Verschwiegenheitspflichten, dem Steuergeheimnis nach § 30 der Abgabenordnung[3] oder dem Sozialgeheimnis nach § 35 des Ersten Buches Sozialgesetzbuch[4] unterliegen, an eine zuständige Meldestelle weitergegeben oder unter den Voraussetzungen des § 32 offengelegt werden, sofern

---

[1] Nr. **440**.
[2] Nr. **121**.
[3] **Steuergesetze Nr. 800.**
[4] Nr. **691**.

1. die hinweisgebende Person hinreichenden Grund zu der Annahme hatte, dass die Weitergabe oder die Offenlegung des Inhalts dieser Informationen notwendig ist, um einen Verstoß aufzudecken, und
2. die Voraussetzungen des § 33 Absatz 1 Nummer 2 und 3 erfüllt sind.

(3) Personen, die im Rahmen ihrer Tätigkeit für eine Meldestelle Informationen erlangen, die einer vertraglichen Verschwiegenheitspflicht, einer Rechtsvorschrift des Bundes über die Geheimhaltung oder über Verschwiegenheitspflichten, dem Steuergeheimnis nach § 30 der Abgabenordnung oder dem Sozialgeheimnis nach § 35 des Ersten Buches Sozialgesetzbuch unterliegen, haben ab dem Zeitpunkt des Eingangs der Informationen

1. diese Verschwiegenheits- oder Geheimhaltungsvorschriften vorbehaltlich des Absatzes 4 anzuwenden und
2. die schutzwürdigen Belange Betroffener in gleicher Weise zu beachten wie sie die hinweisgebende Person zu beachten hat, die die Informationen der Meldestelle mitgeteilt hat.

(4) Meldestellen dürfen Geheimnisse im Sinne der Absätze 1 und 2 nur insoweit verwenden oder weitergeben, wie dies für das Ergreifen von Folgemaßnahmen erforderlich ist.

(5) In Bezug auf Informationen, die einer vertraglichen Verschwiegenheitspflicht unterliegen, gelten die Absätze 3 und 4 ab dem Zeitpunkt, zu dem Kenntnis von der Verschwiegenheitspflicht besteht.

Abschnitt 2. Meldungen

Unterabschnitt 1. Grundsätze

§ 7 Wahlrecht zwischen interner und externer Meldung. (1) [1] Personen, die beabsichtigen, Informationen über einen Verstoß zu melden, können wählen, ob sie sich an eine interne Meldestelle (§ 12) oder eine externe Meldestelle (§§ 19 bis 24) wenden. [2] Diese Personen sollten in den Fällen, in denen intern wirksam gegen den Verstoß vorgegangen werden kann und sie keine Repressalien befürchten, die Meldung an eine interne Meldestelle bevorzugen. [3] Wenn einem intern gemeldeten Verstoß nicht abgeholfen wurde, bleibt es der hinweisgebenden Person unbenommen, sich an eine externe Meldestelle zu wenden.

(2) Es ist verboten, Meldungen oder die auf eine Meldung folgende Kommunikation zwischen hinweisgebender Person und Meldestelle zu behindern oder dies zu versuchen.

(3) [1] Beschäftigungsgeber, die nach § 12 Absatz 1 und 3 zur Einrichtung interner Meldestellen verpflichtet sind, sollen Anreize dafür schaffen, dass sich hinweisgebende Personen vor einer Meldung an eine externe Meldestelle zunächst an die jeweilige interne Meldestelle wenden. [2] Diese Beschäftigungsgeber stellen für Beschäftigte klare und leicht zugängliche Informationen über die Nutzung des internen Meldeverfahrens bereit. [3] Die Möglichkeit einer externen Meldung darf hierdurch nicht beschränkt oder erschwert werden.

§ 8 Vertraulichkeitsgebot. (1) [1] Die Meldestellen haben die Vertraulichkeit der Identität der folgenden Personen zu wahren:

1. der hinweisgebenden Person, sofern die gemeldeten Informationen Verstöße betreffen, die in den Anwendungsbereich dieses Gesetzes fallen, oder die hinweisgebende Person zum Zeitpunkt der Meldung hinreichenden Grund zu der Annahme hatte, dass dies der Fall sei,
2. der Personen, die Gegenstand einer Meldung sind, und
3. der sonstigen in der Meldung genannten Personen.

[2] Die Identität der in Satz 1 genannten Personen darf ausschließlich den Personen, die für die Entgegennahme von Meldungen oder für das Ergreifen von Folgemaßnahmen zuständig sind, sowie den sie bei der Erfüllung dieser Aufgaben unterstützenden Personen bekannt werden.

(2) Das Gebot der Vertraulichkeit der Identität gilt unabhängig davon, ob die Meldestelle für die eingehende Meldung zuständig ist.

§ 9 Ausnahmen vom Vertraulichkeitsgebot. (1) Die Identität einer hinweisgebenden Person, die vorsätzlich oder grob fahrlässig unrichtige Informationen über Verstöße meldet, wird nicht nach diesem Gesetz geschützt.

(2) [1] Informationen über die Identität einer hinweisgebenden Person oder über sonstige Umstände, die Rückschlüsse auf die Identität dieser Person erlauben, dürfen abweichend von § 8 Absatz 1 an die zuständige Stelle weitergegeben werden

1. in Strafverfahren auf Verlangen der Strafverfolgungsbehörden,
2. aufgrund einer Anordnung in einem einer Meldung nachfolgenden Verwaltungsverfahren, einschließlich verwaltungsbehördlicher Bußgeldverfahren,
3. aufgrund einer gerichtlichen Entscheidung,
4. von der Bundesanstalt für Finanzdienstleistungsaufsicht als externe Meldestelle nach § 21 an die zuständigen Fachabteilungen innerhalb der Bundesanstalt für Finanzdienstleistungsaufsicht sowie bei in § 109a des Wertpapierhandelsgesetzes[1)] genannten Vorgängen an die in § 109a des Wertpapierhandelsgesetzes genannten Stellen oder
5. von dem Bundeskartellamt als externe Meldestelle nach § 22 an die zuständigen Fachabteilungen innerhalb des Bundeskartellamtes sowie in den Fällen des § 49 Absatz 2 Satz 2 und Absatz 4 und § 50d des Gesetzes gegen Wettbewerbsbeschränkungen[2)] an die jeweils zuständige Wettbewerbsbehörde.

[2] Die Meldestelle hat die hinweisgebende Person vorab über die Weitergabe zu informieren. [3] Hiervon ist abzusehen, wenn die Strafverfolgungsbehörde, die zuständige Behörde oder das Gericht der Meldestelle mitgeteilt hat, dass durch die Information die entsprechenden Ermittlungen, Untersuchungen oder Gerichtsverfahren gefährdet würden. [4] Der hinweisgebenden Person sind mit der Information zugleich die Gründe für die Weitergabe schriftlich oder elektronisch darzulegen.

(3) [1] Über die Fälle des Absatzes 2 hinaus dürfen Informationen über die Identität der hinweisgebenden Person oder über sonstige Umstände, die Rückschlüsse auf die Identität dieser Person erlauben, weitergegeben werden, wenn

---

[1)] **beck-online, Module Arbeitsrecht Nr. 127.**
[2)] **beck-online, Module Arbeitsrecht Nr. 509.**

1. die Weitergabe für Folgemaßnahmen erforderlich ist und
2. die hinweisgebende Person zuvor in die Weitergabe eingewilligt hat.

²Die Einwilligung nach Satz 1 Nummer 2 muss für jede einzelne Weitergabe von Informationen über die Identität gesondert und in Textform vorliegen. ³Die Regelung des § 26 Absatz 2 des Bundesdatenschutzgesetzes[1] bleibt unberührt.

(4) Informationen über die Identität von Personen, die Gegenstand einer Meldung sind, und von sonstigen in der Meldung genannten Personen dürfen abweichend von § 8 Absatz 1 an die jeweils zuständige Stelle weitergegeben werden

1. bei Vorliegen einer diesbezüglichen Einwilligung,
2. von internen Meldestellen, sofern dies im Rahmen interner Untersuchungen bei dem jeweiligen Beschäftigungsgeber oder in der jeweiligen Organisationseinheit erforderlich ist,
3. sofern dies für das Ergreifen von Folgemaßnahmen erforderlich ist,
4. in Strafverfahren auf Verlangen der Strafverfolgungsbehörde,
5. aufgrund einer Anordnung in einem einer Meldung nachfolgenden Verwaltungsverfahren, einschließlich verwaltungsbehördlicher Bußgeldverfahren,
6. aufgrund einer gerichtlichen Entscheidung,
7. von der Bundesanstalt für Finanzdienstleistungsaufsicht als externe Meldestelle nach § 21 an die zuständigen Fachabteilungen innerhalb der Bundesanstalt für Finanzdienstleistungsaufsicht sowie bei in § 109a des Wertpapierhandelsgesetzes genannten Vorgängen an die in § 109a des Wertpapierhandelsgesetzes genannten Stellen oder
8. von dem Bundeskartellamt als externe Meldestelle nach § 22 an die zuständigen Fachabteilungen innerhalb des Bundeskartellamtes sowie in den Fällen des § 49 Absatz 2 Satz 2 und Absatz 4 und § 50d des Gesetzes gegen Wettbewerbsbeschränkungen an die jeweils zuständige Wettbewerbsbehörde.

§§ 10, 11 *(hier nicht wiedergegeben)*

Unterabschnitt 2. Interne Meldungen

§ 12[2] Pflicht zur Einrichtung interner Meldestellen. (1) ¹Beschäftigungsgeber haben dafür zu sorgen, dass bei ihnen mindestens eine Stelle für interne Meldungen eingerichtet ist und betrieben wird, an die sich Beschäftigte wenden können (interne Meldestelle). ²Ist der Bund oder ein Land Beschäftigungsgeber, bestimmen die obersten Bundes- oder Landesbehörden Organisationseinheiten in Form von einzelnen oder mehreren Behörden, Verwaltungsstellen, Betrieben oder Gerichten. ³Die Pflicht nach Satz 1 gilt sodann für die Einrichtung und den Betrieb der internen Meldestelle bei den jeweiligen Organisationseinheiten. ⁴Für Gemeinden und Gemeindeverbände und solche Beschäftigungsgeber, die im Eigentum oder unter der Kontrolle von Gemein-

---

[1] *Nr. 490.*

[2] § 12 Abs. 3 Nr. 6 und 7 geänd., Nr. 8 und 9 angef. mWv 1.7.2024 durch G v. 27.12.2024 (BGBl. 2024 I Nr. 438).

den und Gemeindeverbänden stehen, gilt die Pflicht zur Einrichtung und zum Betrieb interner Meldestellen nach Maßgabe des jeweiligen Landesrechts.

(2) Die Pflicht nach Absatz 1 Satz 1 gilt nur für Beschäftigungsgeber mit jeweils in der Regel mindestens 50 Beschäftigten.

(3) Abweichend von Absatz 2 gilt die Pflicht nach Absatz 1 Satz 1 unabhängig von der Zahl der Beschäftigten für

1. Wertpapierdienstleistungsunternehmen im Sinne des § 2 Absatz 10 des Wertpapierhandelsgesetzes[1)],
2. Datenbereitstellungsdienste im Sinne des § 2 Absatz 40 des Wertpapierhandelsgesetzes,
3. Börsenträger im Sinne des Börsengesetzes,
4. Institute im Sinne des § 1 Absatz 1b des Kreditwesengesetzes[2)] und Institute im Sinne des § 2 Absatz 1 des Wertpapierinstitutsgesetzes,
5. Gegenparteien im Sinne des Artikels 3 Nummer 2 der Verordnung (EU) 2015/2365 des Europäischen Parlaments und des Rates vom 25. November 2015 über die Transparenz von Wertpapierfinanzierungsgeschäften und der Weiterverwendung sowie zur Änderung der Verordnung (EU) Nr. 648/2012 (ABl. L 337 vom 23.12.2015, S. 1), die zuletzt durch die Verordnung (EU) 2021/23 (ABl. L 22 vom 22.1.2021, S. 1) geändert worden ist, in der jeweils geltenden Fassung,
6. Kapitalverwaltungsgesellschaften gemäß § 17 Absatz 1 des Kapitalanlagegesetzbuchs[3)],
7. Unternehmen gemäß § 1 Absatz 1 des Versicherungsaufsichtsgesetzes[4)] mit Ausnahme der nach den §§ 61 bis 66a des Versicherungsaufsichtsgesetzes[4)] tätigen Unternehmen mit Sitz in einem anderen Mitgliedstaat der Europäischen Union oder einem anderen Vertragsstaat des Abkommens über den Europäischen Wirtschaftsraum,
8. Institute im Sinne des § 2 Absatz 4 des Kryptomärkteaufsichtsgesetzes sowie
9. Institute im Sinne des § 1 Absatz 3 des Zahlungsdiensteaufsichtsgesetzes.

(4) [1]Die nach Absatz 1 Satz 1 verpflichteten Beschäftigungsgeber erteilen der internen Meldestelle die notwendigen Befugnisse, um ihre Aufgaben wahrzunehmen, insbesondere, um Meldungen zu prüfen und Folgemaßnahmen zu ergreifen. [2]Ist der Beschäftigungsgeber der Bund oder ein Land, gilt Satz 1 für die jeweiligen Organisationseinheiten entsprechend.

§§ 13–31 *(hier nicht wiedergegeben)*

Abschnitt 3. Offenlegung

§ 32 Offenlegen von Informationen. (1) Personen, die Informationen über Verstöße offenlegen, fallen unter die Schutzmaßnahmen dieses Gesetzes, wenn sie

1. zunächst gemäß Abschnitt 2 Unterabschnitt 4 eine externe Meldung erstattet haben und

---

[1)] **beck-online, Module Arbeitsrecht Nr. 127.**
[2)] **beck-online, Module Arbeitsrecht Nr. 205.**
[3)] **beck-online, Module Arbeitsrecht Nr. 129.**
[4)] **beck-online, Module Arbeitsrecht Nr. 206.**

a) hierauf innerhalb der Fristen für eine Rückmeldung nach § 28 Absatz 4 keine geeigneten Folgemaßnahmen nach § 29 ergriffen wurden oder
b) sie keine Rückmeldung über das Ergreifen solcher Folgemaßnahmen erhalten haben oder

2. hinreichenden Grund zu der Annahme hatten, dass
a) der Verstoß wegen eines Notfalls, der Gefahr irreversibler Schäden oder vergleichbarer Umstände eine unmittelbare oder offenkundige Gefährdung des öffentlichen Interesses darstellen kann,
b) im Fall einer externen Meldung Repressalien zu befürchten sind oder
c) Beweismittel unterdrückt oder vernichtet werden könnten, Absprachen zwischen der zuständigen externen Meldestelle und dem Urheber des Verstoßes bestehen könnten oder aufgrund sonstiger besonderer Umstände die Aussichten gering sind, dass die externe Meldestelle wirksame Folgemaßnahmen nach § 29 einleiten wird.

(2) Das Offenlegen unrichtiger Informationen über Verstöße ist verboten.

Abschnitt 4. Schutzmaßnahmen

§ 33 Voraussetzungen für den Schutz hinweisgebender Personen.

(1) Die §§ 35 bis 37 sind auf hinweisgebende Personen anwendbar, sofern

1. diese intern gemäß § 17 oder extern gemäß § 28 Meldung erstattet haben oder eine Offenlegung gemäß § 32 vorgenommen haben,
2. die hinweisgebende Person zum Zeitpunkt der Meldung oder Offenlegung hinreichenden Grund zu der Annahme hatte, dass die von ihr gemeldeten oder offengelegten Informationen der Wahrheit entsprechen, und
3. die Informationen Verstöße betreffen, die in den Anwendungsbereich dieses Gesetzes fallen, oder die hinweisgebende Person zum Zeitpunkt der Meldung oder Offenlegung hinreichenden Grund zu der Annahme hatte, dass dies der Fall sei.

(2) Die §§ 35 bis 37 sind unter den Voraussetzungen des Absatzes 1 auch anwendbar auf Personen, die zuständigen Organen, Einrichtungen oder sonstigen Stellen der Europäischen Union in den Anwendungsbereich dieses Gesetzes fallende Verstöße gegen das Unionsrecht melden.

§ 34 Weitere geschützte Personen. (1) Die §§ 35 bis 37 gelten entsprechend für natürliche Personen, die die hinweisgebende Person bei einer internen oder externen Meldung oder einer Offenlegung im beruflichen Zusammenhang vertraulich unterstützen, sofern die gemeldeten oder offengelegten Informationen

1. zutreffend sind oder die unterstützende Person zum Zeitpunkt der Unterstützung hinreichenden Grund zu der Annahme hatte, dass die von der hinweisgebenden Person gemeldeten oder offengelegten Informationen der Wahrheit entsprachen, und
2. Verstöße betreffen, die in den Anwendungsbereich dieses Gesetzes fallen, oder die unterstützende Person zum Zeitpunkt der Unterstützung hinreichenden Grund zu der Annahme hatte, dass dies der Fall sei.

(2) Sofern die Voraussetzungen des § 33 erfüllt sind, gelten die §§ 35 bis 37 entsprechend für

1. Dritte, die mit der hinweisgebenden Person in Verbindung stehen und in einem beruflichen Zusammenhang Repressalien erlitten haben, es sei denn, diese beruhen nicht auf der Meldung oder Offenlegung durch die hinweisgebende Person, und
2. juristische Personen, rechtsfähige Personengesellschaften und sonstige rechtsfähige Personenvereinigungen, die mit der hinweisgebenden Person infolge einer Beteiligung rechtlich verbunden sind oder für die die hinweisgebende Person tätig ist oder mit denen sie in einem beruflichen Kontext anderweitig in Verbindung steht.

§ 35 Ausschluss der Verantwortlichkeit. (1) Eine hinweisgebende Person kann nicht für die Beschaffung von oder den Zugriff auf Informationen, die sie gemeldet oder offengelegt hat, rechtlich verantwortlich gemacht werden, sofern die Beschaffung nicht als solche oder der Zugriff nicht als solcher eine eigenständige Straftat darstellt.

(2) Eine hinweisgebende Person verletzt keine Offenlegungsbeschränkungen und kann nicht für die bei einer Meldung oder Offenlegung erfolgte Weitergabe von Informationen rechtlich verantwortlich gemacht werden, sofern sie hinreichenden Grund zu der Annahme hatte, dass die Weitergabe der Informationen erforderlich war, um einen Verstoß aufzudecken.

§ 36 Verbot von Repressalien; Beweislastumkehr. (1) [1] Gegen hinweisgebende Personen gerichtete Repressalien sind verboten. [2] Das gilt auch für die Androhung und den Versuch, Repressalien auszuüben.

(2) [1] Erleidet eine hinweisgebende Person eine Benachteiligung im Zusammenhang mit ihrer beruflichen Tätigkeit und macht sie geltend, diese Benachteiligung infolge einer Meldung oder Offenlegung nach diesem Gesetz erlitten zu haben, so wird vermutet, dass diese Benachteiligung eine Repressalie für diese Meldung oder Offenlegung ist. [2] In diesem Fall hat die Person, die die hinweisgebende Person benachteiligt hat, zu beweisen, dass die Benachteiligung auf hinreichend gerechtfertigten Gründen basierte oder dass sie nicht auf der Meldung oder Offenlegung beruhte.

§ 37 Schadensersatz nach Repressalien. (1) Bei einem Verstoß gegen das Verbot von Repressalien ist der Verursacher verpflichtet, der hinweisgebenden Person den daraus entstehenden Schaden zu ersetzen.

(2) Ein Verstoß gegen das Verbot von Repressalien begründet keinen Anspruch auf Begründung eines Beschäftigungsverhältnisses, eines Berufsausbildungsverhältnisses oder eines anderen Vertragsverhältnisses oder auf einen beruflichen Aufstieg.

§ 38 Schadensersatz nach einer Falschmeldung. Die hinweisgebende Person ist zum Ersatz des Schadens verpflichtet, der aus einer vorsätzlichen oder grob fahrlässigen Meldung oder Offenlegung unrichtiger Informationen entstanden ist.

§ 39 Verbot abweichender Vereinbarungen. Vereinbarungen, die die nach diesem Gesetz bestehenden Rechte hinweisgebender Personen oder sonst nach diesem Gesetz geschützter Personen einschränken, sind unwirksam.

Abschnitt 5. Sanktionen

§ 40 Bußgeldvorschriften. (1) Ordnungswidrig handelt, wer wissentlich entgegen § 32 Absatz 2 eine unrichtige Information offenlegt.

(2) Ordnungswidrig handelt, wer

1. entgegen § 7 Absatz 2 eine Meldung oder dort genannte Kommunikation behindert,
2. entgegen § 12 Absatz 1 Satz 1 nicht dafür sorgt, dass eine interne Meldestelle eingerichtet ist und betrieben wird, oder
3. entgegen § 36 Absatz 1 Satz 1, auch in Verbindung mit § 34, eine Repressalie ergreift.

(3) Ordnungswidrig handelt, wer vorsätzlich oder leichtfertig entgegen § 8 Absatz 1 Satz 1 die Vertraulichkeit nicht wahrt.

(4) Ordnungswidrig handelt, wer eine in Absatz 3 bezeichnete Handlung fahrlässig begeht.

(5) Der Versuch einer Ordnungswidrigkeit kann in den Fällen des Absatzes 2 Nummer 1 und 3 geahndet werden.

(6) [1] Die Ordnungswidrigkeit kann in den Fällen des Absatzes 2 Nummer 1 und 3, der Absätze 3 und 5 mit einer Geldbuße bis zu fünfzigtausend Euro, in den Fällen der Absätze 1 und 2 Nummer 2 mit einer Geldbuße bis zu zwanzigtausend Euro und in den übrigen Fällen mit einer Geldbuße bis zu zehntausend Euro geahndet werden. [2] § 30 Absatz 2 Satz 3 des Gesetzes über Ordnungswidrigkeiten[1)] ist in den Fällen des Absatzes 2 Nummer 1 und 3 und der Absätze 3 und 4 anzuwenden.

[1)] **Habersack Nr. 94.**

125. Gesetz über die unternehmerischen Sorgfaltspflichten zur Vermeidung von Menschenrechtsverletzungen in Lieferketten (Lieferkettensorgfaltspflichtengesetz – LkSG)[1)]

Vom 16. Juli 2021
(BGBl. I S. 2959)

FNA 705-3

Abschnitt 1. Allgemeine Bestimmungen

§ 1 Anwendungsbereich. (1) [1] Dieses Gesetz ist anzuwenden auf Unternehmen ungeachtet ihrer Rechtsform, die

1. ihre Hauptverwaltung, ihre Hauptniederlassung, ihren Verwaltungssitz oder ihren satzungsmäßigen Sitz im Inland haben und
2. in der Regel mindestens 3 000 Arbeitnehmer im Inland beschäftigen; ins Ausland entsandte Arbeitnehmer sind erfasst.

[2] Abweichend von Satz 1 Nummer 1 ist dieses Gesetz auch anzuwenden auf Unternehmen ungeachtet ihrer Rechtsform, die

1. eine Zweigniederlassung gemäß § 13d des Handelsgesetzbuchs[2)] im Inland haben und
2. in der Regel mindestens 3 000 Arbeitnehmer im Inland beschäftigen.

[3] Ab dem 1. Januar 2024 betragen die in Satz 1 Nummer 2 und Satz 2 Nummer 2 vorgesehenen Schwellenwerte jeweils 1 000 Arbeitnehmer.

(2) Leiharbeitnehmer sind bei der Berechnung der Arbeitnehmerzahl (Absatz 1 Satz 1 Nummer 2 und Satz 2 Nummer 2) des Entleihunternehmens zu berücksichtigen, wenn die Einsatzdauer sechs Monate übersteigt.

(3) Innerhalb von verbundenen Unternehmen (§ 15 des Aktiengesetzes[3)]) sind die im Inland beschäftigten Arbeitnehmer sämtlicher konzernangehöriger Gesellschaften bei der Berechnung der Arbeitnehmerzahl (Absatz 1 Satz 1 Nummer 2) der Obergesellschaft zu berücksichtigen; ins Ausland entsandte Arbeitnehmer sind erfasst.

§ 2 Begriffsbestimmungen. (1) Geschützte Rechtspositionen im Sinne dieses Gesetzes sind solche, die sich aus den in den Nummern 1 bis 11 der Anlage aufgelisteten Übereinkommen zum Schutz der Menschenrechte ergeben.

(2) Ein menschenrechtliches Risiko im Sinne dieses Gesetzes ist ein Zustand, bei dem aufgrund tatsächlicher Umstände mit hinreichender Wahrscheinlichkeit ein Verstoß gegen eines der folgenden Verbote droht:

[1)] Verkündet als Art. 1 G v. 16.7.2021 (BGBl. I S. 2959); Inkrafttreten gem. Art. 5 Abs. 1 dieses G am 1.1.2023, mit Ausnahme von § 13 Abs. 3, § 14 Abs. 2 und §§ 19–21, die bereits am 23.7.2021 in Kraft getreten sind, vgl. Art. 5 Abs. 2 dieses G.

[2)] **beck-online, Module Arbeitsrecht Nr. 105.**

[3)] Nr. **567**.

1. das Verbot der Beschäftigung eines Kindes unter dem Alter, mit dem nach dem Recht des Beschäftigungsortes die Schulpflicht endet, wobei das Beschäftigungsalter 15 Jahre nicht unterschreiten darf; dies gilt nicht, wenn das Recht des Beschäftigungsortes hiervon in Übereinstimmung mit Artikel 2 Absatz 4 sowie den Artikeln 4 bis 8 des Übereinkommens Nr. 138 der Internationalen Arbeitsorganisation vom 26. Juni 1973 über das Mindestalter für die Zulassung zur Beschäftigung (BGBl. 1976 II S. 201, 202) abweicht;
2. das Verbot der schlimmsten Formen der Kinderarbeit für Kinder unter 18 Jahren; dies umfasst gemäß Artikel 3 des Übereinkommens Nr. 182 der Internationalen Arbeitsorganisation vom 17. Juni 1999 über das Verbot und unverzügliche Maßnahmen zur Beseitigung der schlimmsten Formen der Kinderarbeit (BGBl. 2001 II S. 1290, 1291):
   a) alle Formen der Sklaverei oder alle sklavereiähnlichen Praktiken, wie den Verkauf von Kindern und den Kinderhandel, Schuldknechtschaft und Leibeigenschaft sowie Zwangs- oder Pflichtarbeit, einschließlich der Zwangs- oder Pflichtrekrutierung von Kindern für den Einsatz in bewaffneten Konflikten,
   b) das Heranziehen, Vermitteln oder Anbieten eines Kindes zur Prostitution, zur Herstellung von Pornographie oder zu pornographischen Darbietungen,
   c) das Heranziehen, Vermitteln oder Anbieten eines Kindes zu unerlaubten Tätigkeiten, insbesondere zur Gewinnung von und zum Handel mit Drogen,
   d) Arbeit, die ihrer Natur nach oder aufgrund der Umstände, unter denen sie verrichtet wird, voraussichtlich für die Gesundheit, die Sicherheit oder die Sittlichkeit von Kindern schädlich ist;
3. das Verbot der Beschäftigung von Personen in Zwangsarbeit; dies umfasst jede Arbeitsleistung oder Dienstleistung, die von einer Person unter Androhung von Strafe verlangt wird und für die sie sich nicht freiwillig zur Verfügung gestellt hat, etwa in Folge von Schuldknechtschaft oder Menschenhandel; ausgenommen von der Zwangsarbeit sind Arbeits- oder Dienstleistungen, die mit Artikel 2 Absatz 2 des Übereinkommens Nr. 29 der Internationalen Arbeitsorganisation vom 28. Juni 1930 über Zwangs- oder Pflichtarbeit (BGBl. 1956 II S. 640, 641) oder mit Artikel 8 Buchstabe b und c des Internationen Paktes vom 19. Dezember 1966 über bürgerliche und politische Rechte (BGBl. 1973 II S. 1533, 1534) vereinbar sind;
4. das Verbot aller Formen der Sklaverei, sklavenähnlicher Praktiken, Leibeigenschaft oder anderer Formen von Herrschaftsausübung oder Unterdrückung im Umfeld der Arbeitsstätte, etwa durch extreme wirtschaftliche oder sexuelle Ausbeutung und Erniedrigungen;
5. das Verbot der Missachtung der nach dem Recht des Beschäftigungsortes geltenden Pflichten des Arbeitsschutzes, wenn hierdurch die Gefahr von Unfällen bei der Arbeit oder arbeitsbedingte Gesundheitsgefahren entstehen, insbesondere durch:
   a) offensichtlich ungenügende Sicherheitsstandards bei der Bereitstellung und der Instandhaltung der Arbeitsstätte, des Arbeitsplatzes und der Arbeitsmittel,

b) das Fehlen geeigneter Schutzmaßnahmen, um Einwirkungen durch chemische, physikalische oder biologische Stoffe zu vermeiden,
c) das Fehlen von Maßnahmen zur Verhinderung übermäßiger körperlicher und geistiger Ermüdung, insbesondere durch eine ungeeignete Arbeitsorganisation in Bezug auf Arbeitszeiten und Ruhepausen oder
d) die ungenügende Ausbildung und Unterweisung von Beschäftigten;

6. das Verbot der Missachtung der Koalitionsfreiheit, nach der
a) Arbeitnehmer sich frei zu Gewerkschaften zusammenzuschließen oder diesen beitreten können,
b) die Gründung, der Beitritt und die Mitgliedschaft zu einer Gewerkschaft nicht als Grund für ungerechtfertigte Diskriminierungen oder Vergeltungsmaßnahmen genutzt werden dürfen,
c) Gewerkschaften sich frei und in Übereinstimmung mit dem Recht des Beschäftigungsortes betätigen dürfen; dieses umfasst das Streikrecht und das Recht auf Kollektivverhandlungen;

7. das Verbot der Ungleichbehandlung in Beschäftigung, etwa aufgrund von nationaler und ethnischer Abstammung, sozialer Herkunft, Gesundheitsstatus, Behinderung, sexueller Orientierung, Alter, Geschlecht, politischer Meinung, Religion oder Weltanschauung, sofern diese nicht in den Erfordernissen der Beschäftigung begründet ist; eine Ungleichbehandlung umfasst insbesondere die Zahlung ungleichen Entgelts für gleichwertige Arbeit;

8. das Verbot des Vorenthaltens eines angemessenen Lohns; der angemessene Lohn ist mindestens der nach dem anwendbaren Recht festgelegte Mindestlohn und bemisst sich ansonsten nach dem Recht des Beschäftigungsortes;

9. das Verbot der Herbeiführung einer schädlichen Bodenveränderung, Gewässerverunreinigung, Luftverunreinigung, schädlichen Lärmemission oder eines übermäßigen Wasserverbrauchs, die
a) die natürlichen Grundlagen zum Erhalt und der Produktion von Nahrung erheblich beeinträchtigt,
b) einer Person den Zugang zu einwandfreiem Trinkwasser verwehrt,
c) einer Person den Zugang zu Sanitäranlagen erschwert oder zerstört oder
d) die Gesundheit einer Person schädigt;

10. das Verbot der widerrechtlichen Zwangsräumung und das Verbot des widerrechtlichen Entzugs von Land, von Wäldern und Gewässern bei dem Erwerb, der Bebauung oder anderweitigen Nutzung von Land, Wäldern und Gewässern, deren Nutzung die Lebensgrundlage einer Person sichert;

11. das Verbot der Beauftragung oder Nutzung privater oder öffentlicher Sicherheitskräfte zum Schutz des unternehmerischen Projekts, wenn aufgrund mangelnder Unterweisung oder Kontrolle seitens des Unternehmens bei dem Einsatz der Sicherheitskräfte
a) das Verbot von Folter und grausamer, unmenschlicher oder erniedrigender Behandlung missachtet wird,
b) Leib oder Leben verletzt werden oder
c) die Vereinigungs- und Koalitionsfreiheit beeinträchtigt werden;

12. das Verbot eines über die Nummern 1 bis 11 hinausgehenden Tuns oder pflichtwidrigen Unterlassens, das unmittelbar geeignet ist, in besonders schwerwiegender Weise eine geschützte Rechtsposition zu beeinträchtigen

und dessen Rechtswidrigkeit bei verständiger Würdigung aller in Betracht kommenden Umstände offensichtlich ist.

(3) Ein umweltbezogenes Risiko im Sinne dieses Gesetzes ist ein Zustand, bei dem auf Grund tatsächlicher Umstände mit hinreichender Wahrscheinlichkeit ein Verstoß gegen eines der folgenden Verbote droht:

1. das Verbot der Herstellung von mit Quecksilber versetzten Produkten gemäß Artikel 4 Absatz 1 und Anlage A Teil I des Übereinkommens von Minamata vom 10. Oktober 2013 über Quecksilber (BGBl. 2017 II S. 610, 611) (Minamata-Übereinkommen);
2. das Verbot der Verwendung von Quecksilber und Quecksilberverbindungen bei Herstellungsprozessen im Sinne des Artikels 5 Absatz 2 und Anlage B Teil I des Minamata-Übereinkommens ab dem für die jeweiligen Produkte und Prozesse im Übereinkommen festgelegten Ausstiegsdatum;
3. das Verbot der Behandlung von Quecksilberabfällen entgegen den Bestimmungen des Artikels 11 Absatz 3 des Minamata-Übereinkommens;
4. das Verbot der Produktion und Verwendung von Chemikalien nach Artikel 3 Absatz 1 Buchstabe a und Anlage A des Stockholmer Übereinkommens vom 23. Mai 2001 über persistente organische Schadstoffe (BGBl. 2002 II S. 803, 804) (POPs-Übereinkommen), zuletzt geändert durch den Beschluss vom 6. Mai 2005 (BGBl. 2009 II S. 1060, 1061), in der Fassung der Verordnung (EU) 2019/1021 des Europäischen Parlaments und des Rates vom 20. Juni 2019 über persistente organische Schadstoffe (ABl. L 169 vom 26.5.2019, S. 45), die zuletzt durch die Delegierte Verordnung (EU) 2021/277 der Kommission vom 16. Dezember 2020 (ABl. L 62 vom 23.2.2021, S. 1) geändert worden ist;
5. das Verbot der nicht umweltgerechten Handhabung, Sammlung, Lagerung und Entsorgung von Abfällen nach den Regelungen, die in der anwendbaren Rechtsordnung nach den Maßgaben des Artikels 6 Absatz 1 Buchstabe d Ziffer i und ii des POPs-Übereinkommens gelten;
6. das Verbot der Ausfuhr gefährlicher Abfälle im Sinne des Artikel 1 Absatz 1 und anderer Abfälle im Sinne des Artikel 1 Absatz 2 des Basler Übereinkommens über die Kontrolle der grenzüberschreitenden Verbringung gefährlicher Abfälle und ihrer Entsorgung vom 22. März 1989 (BGBl. 1994 II S. 2703, 2704) (Basler Übereinkommen), zuletzt geändert durch die Dritte Verordnung zur Änderung von Anlagen zum Basler Übereinkommen vom 22. März 1989 vom 6. Mai 2014 (BGBl. II S. 306, 307), und im Sinne der Verordnung (EG) Nr. 1013/2006 des Europäischen Parlaments und des Rates vom 14. Juni 2006 über die Verbringung von Abfällen (ABl. L 190 vom 12.7. 2006, S. 1) (Verordnung (EG) Nr. 1013/2006), die zuletzt durch die Delegierte Verordnung (EU) 2020/2174 der Kommission vom 19. Oktober 2020 (ABl. L 433 vom 22.12.2020, S. 11) geändert worden ist
   a) in eine Vertragspartei, die die Einfuhr solcher gefährlichen und anderer Abfälle verboten hat (Artikel 4 Absatz 1 Buchstabe b des Basler Übereinkommens),
   b) in einen Einfuhrstaat im Sinne des Artikel 2 Nummer 11 des Basler Übereinkommens, der nicht seine schriftliche Einwilligung zu der bestimmten Einfuhr gegeben hat, wenn dieser Einfuhrstaat die Einfuhr dieser gefährlichen Abfälle nicht verboten hat (Artikel 4 Absatz 1 Buchstabe c des Basler Übereinkommens),

c) in eine Nichtvertragspartei des Basler Übereinkommens (Artikel 4 Absatz 5 des Basler Übereinkommens),

d) in einen Einfuhrstaat, wenn solche gefährlichen Abfälle oder andere Abfälle in diesem Staat oder anderswo nicht umweltgerecht behandelt werden (Artikel 4 Absatz 8 Satz 1 des Basler Übereinkommens);

7. das Verbot der Ausfuhr gefährlicher Abfälle von in Anlage VII des Basler Übereinkommens aufgeführten Staaten in Staaten, die nicht in Anlage VII aufgeführt sind (Artikel 4A des Basler Übereinkommens, Artikel 36 der Verordnung (EG) Nr. 1013/2006) sowie
8. das Verbot der Einfuhr gefährlicher Abfälle und anderer Abfälle aus einer Nichtvertragspartei des Basler Übereinkommens (Artikel 4 Absatz 5 des Basler Übereinkommens).

(4) [1] Eine Verletzung einer menschenrechtsbezogenen Pflicht im Sinne dieses Gesetzes ist der Verstoß gegen ein in Absatz 2 Nummer 1 bis 12 genanntes Verbot. [2] Eine Verletzung einer umweltbezogenen Pflicht im Sinne dieses Gesetzes ist der Verstoß gegen ein in Absatz 3 Nummer 1 bis 8 genanntes Verbot.

(5) [1] Die Lieferkette im Sinne dieses Gesetzes bezieht sich auf alle Produkte und Dienstleistungen eines Unternehmens. [2] Sie umfasst alle Schritte im In- und Ausland, die zur Herstellung der Produkte und zur Erbringung der Dienstleistungen erforderlich sind, angefangen von der Gewinnung der Rohstoffe bis zu der Lieferung an den Endkunden und erfasst

1. das Handeln eines Unternehmens im eigenen Geschäftsbereich,
2. das Handeln eines unmittelbaren Zulieferers und
3. das Handeln eines mittelbaren Zulieferers.

(6) [1] Der eigene Geschäftsbereich im Sinne dieses Gesetzes erfasst jede Tätigkeit des Unternehmens zur Erreichung des Unternehmensziels. [2] Erfasst ist damit jede Tätigkeit zur Herstellung und Verwertung von Produkten und zur Erbringung von Dienstleistungen, unabhängig davon, ob sie an einem Standort im In- oder Ausland vorgenommen wird. [3] In verbundenen Unternehmen zählt zum eigenen Geschäftsbereich der Obergesellschaft eine konzernangehörige Gesellschaft, wenn die Obergesellschaft auf die konzernangehörige Gesellschaft einen bestimmenden Einfluss ausübt.

(7) Unmittelbarer Zulieferer im Sinne dieses Gesetzes ist ein Partner eines Vertrages über die Lieferung von Waren oder die Erbringung von Dienstleistungen, dessen Zulieferungen für die Herstellung des Produktes des Unternehmens oder zur Erbringung und Inanspruchnahme der betreffenden Dienstleistung notwendig sind.

(8) Mittelbarer Zulieferer im Sinne dieses Gesetzes ist jedes Unternehmen, das kein unmittelbarer Zulieferer ist und dessen Zulieferungen für die Herstellung des Produktes des Unternehmens oder zur Erbringung und Inanspruchnahme der betreffenden Dienstleistung notwendig sind.

Abschnitt 2. Sorgfaltspflichten

§ 3 Sorgfaltspflichten. (1) [1] Unternehmen sind dazu verpflichtet, in ihren Lieferketten die in diesem Abschnitt festgelegten menschenrechtlichen und umweltbezogenen Sorgfaltspflichten in angemessener Weise zu beachten mit dem Ziel, menschenrechtlichen oder umweltbezogenen Risiken vorzubeugen oder sie zu minimieren oder die Verletzung menschenrechtsbezogener oder umweltbezogener Pflichten zu beenden. [2] Die Sorgfaltspflichten enthalten:

1. die Einrichtung eines Risikomanagements (§ 4 Absatz 1),
2. die Festlegung einer betriebsinternen Zuständigkeit (§ 4 Absatz 3),
3. die Durchführung regelmäßiger Risikoanalysen (§ 5),
4. die Abgabe einer Grundsatzerklärung (§ 6 Absatz 2),
5. die Verankerung von Präventionsmaßnahmen im eigenen Geschäftsbereich (§ 6 Absatz 1 und 3) und gegenüber unmittelbaren Zulieferern (§ 6 Absatz 4),
6. das Ergreifen von Abhilfemaßnahmen (§ 7 Absatz 1 bis 3),
7. die Einrichtung eines Beschwerdeverfahrens (§ 8),
8. die Umsetzung von Sorgfaltspflichten in Bezug auf Risiken bei mittelbaren Zulieferern (§ 9) und
9. die Dokumentation (§ 10 Absatz 1) und die Berichterstattung (§ 10 Absatz 2).

(2) Die angemessene Weise eines Handelns, das den Sorgfaltspflichten genügt, bestimmt sich nach

1. Art und Umfang der Geschäftstätigkeit des Unternehmens,
2. dem Einflussvermögen des Unternehmens auf den unmittelbaren Verursacher eines menschenrechtlichen oder umweltbezogenen Risikos oder der Verletzung einer menschenrechtsbezogenen oder einer umweltbezogenen Pflicht,
3. der typischerweise zu erwartenden Schwere der Verletzung, der Umkehrbarkeit der Verletzung und der Wahrscheinlichkeit der Verletzung einer menschenrechtsbezogenen oder einer umweltbezogenen Pflicht sowie
4. nach der Art des Verursachungsbeitrages des Unternehmens zu dem menschenrechtlichen oder umweltbezogenen Risiko oder zu der Verletzung einer menschenrechtsbezogenen oder einer umweltbezogenen Pflicht.

(3) [1] Eine Verletzung der Pflichten aus diesem Gesetz begründet keine zivilrechtliche Haftung. [2] Eine unabhängig von diesem Gesetz begründete zivilrechtliche Haftung bleibt unberührt.

§ 4 Risikomanagement. (1) [1] Unternehmen müssen ein angemessenes und wirksames Risikomanagement zur Einhaltung der Sorgfaltspflichten (§ 3 Absatz 1) einrichten. [2] Das Risikomanagement ist *in alle maßgebliche*[1)] Geschäftsabläufe durch angemessene Maßnahmen zu verankern.

(2) Wirksam sind solche Maßnahmen, die es ermöglichen, menschenrechtliche und umweltbezogene Risiken zu erkennen und zu minimieren sowie Verletzungen menschenrechtsbezogener oder umweltbezogener Pflichten zu verhindern, zu beenden oder deren Ausmaß zu minimieren, wenn das Unternehmen diese Risiken oder Verletzungen innerhalb der Lieferkette verursacht oder dazu beigetragen hat.

(3) [1] Das Unternehmen hat dafür zu sorgen, dass festgelegt ist, wer innerhalb des Unternehmens dafür zuständig ist, das Risikomanagement zu überwachen, etwa durch die Benennung eines Menschenrechtsbeauftragten. [2] Die Geschäfts-

---

[1)] Wortlaut amtlich.

leitung hat sich regelmäßig, mindestens einmal jährlich, über die Arbeit der zuständigen Person oder Personen zu informieren.

(4) Das Unternehmen hat bei der Errichtung und Umsetzung seines Risikomanagementsystems die Interessen seiner Beschäftigten, der Beschäftigten innerhalb seiner Lieferketten und derjenigen, die in sonstiger Weise durch das wirtschaftliche Handeln des Unternehmens oder durch das wirtschaftliche Handeln eines Unternehmens in seinen Lieferketten in einer geschützten Rechtsposition unmittelbar betroffen sein können, angemessen zu berücksichtigen.

§ 5 Risikoanalyse. (1) [1] Im Rahmen des Risikomanagements hat das Unternehmen eine angemessene Risikoanalyse nach den Abätzen 2 bis 4 durchzuführen, um die menschenrechtlichen und umweltbezogenen Risiken im eigenen Geschäftsbereich sowie bei seinen unmittelbaren Zulieferern zu ermitteln. [2] In Fällen, in denen ein Unternehmen eine missbräuchliche Gestaltung der unmittelbaren Zuliefererbeziehung oder ein Umgehungsgeschäft vorgenommen hat, um die Anforderungen an die Sorgfaltspflichten in Hinblick auf den unmittelbaren Zulieferer zu umgehen, gilt ein mittelbarer Zulieferer als unmittelbarer Zulieferer.

(2) [1] Die ermittelten menschenrechtlichen und umweltbezogenen Risiken sind angemessen zu gewichten und zu priorisieren. [2] Dabei sind insbesondere die in § 3 Absatz 2 genannten Kriterien maßgeblich.

(3) Das Unternehmen muss dafür Sorge tragen, dass die Ergebnisse der Risikoanalyse intern an die maßgeblichen Entscheidungsträger, etwa an den Vorstand oder an die Einkaufsabteilung, kommuniziert werden.

(4) [1] Die Risikoanalyse ist einmal im Jahr sowie anlassbezogen durchzuführen, wenn das Unternehmen mit einer wesentlich veränderten oder wesentlich erweiterten Risikolage in der Lieferkette rechnen muss, etwa durch die Einführung neuer Produkte, Projekte oder eines neuen Geschäftsfeldes. [2] Erkenntnisse aus der Bearbeitung von Hinweisen nach § 8 Absatz 1 sind zu berücksichtigen.

§ 6 Präventionsmaßnahmen. (1) Stellt ein Unternehmen im Rahmen einer Risikoanalyse nach § 5 ein Risiko fest, hat es unverzüglich angemessene Präventionsmaßnahmen nach den Absätzen 2 bis 4 zu ergreifen.

(2) [1] Das Unternehmen muss eine Grundsatzerklärung über seine Menschenrechtsstrategie abgeben. [2] Die Unternehmensleitung hat die Grundsatzerklärung abzugeben. [3] Die Grundsatzerklärung muss mindestens die folgenden Elemente einer Menschenrechtsstrategie des Unternehmens enthalten:

1. die Beschreibung des Verfahrens, mit dem das Unternehmen seinen Pflichten nach § 4 Absatz 1, § 5 Absatz 1, § 6 Absatz 3 bis 5, sowie den §§ 7 bis 10 nachkommt,
2. die für das Unternehmen auf Grundlage der Risikoanalyse festgestellten prioritären menschenrechtlichen und umweltbezogenen Risiken und
3. die auf Grundlage der Risikoanalyse erfolgte Festlegung der menschenrechtsbezogenen und umweltbezogenen Erwartungen, die das Unternehmen an seine Beschäftigten und Zulieferer in der Lieferkette richtet.

(3) Das Unternehmen muss angemessene Präventionsmaßnahmen im eigenen Geschäftsbereich verankern, insbesondere:

1. die Umsetzung der in der Grundsatzerklärung dargelegten Menschenrechtsstrategie in den relevanten Geschäftsabläufen,
2. die Entwicklung und Implementierung geeigneter Beschaffungsstrategien und Einkaufspraktiken, durch die festgestellte Risiken verhindert oder minimiert werden,
3. die Durchführung von Schulungen in den relevanten Geschäftsbereichen,
4. die Durchführung risikobasierter Kontrollmaßnahmen, mit denen die Einhaltung der in der Grundsatzerklärung enthaltenen Menschenrechtsstrategie im eigenen Geschäftsbereich überprüft wird.

(4) Das Unternehmen muss angemessene Präventionsmaßnahmen gegenüber einem unmittelbaren Zulieferer verankern, insbesondere:
1. die Berücksichtigung der menschenrechtsbezogenen und umweltbezogenen Erwartungen bei der Auswahl eines unmittelbaren Zulieferers,
2. die vertragliche Zusicherung eines unmittelbaren Zulieferers, dass dieser die von der Geschäftsleitung des Unternehmens verlangten menschenrechtsbezogenen und umweltbezogenen Erwartungen einhält und entlang der Lieferkette angemessen adressiert,
3. die Durchführung von Schulungen und Weiterbildungen zur Durchsetzung der vertraglichen Zusicherungen des unmittelbaren Zulieferers nach Nummer 2,
4. die Vereinbarung angemessener vertraglicher Kontrollmechanismen sowie deren risikobasierte Durchführung, um die Einhaltung der Menschenrechtsstrategie bei dem unmittelbaren Zulieferer zu überprüfen.

(5) [1] Die Wirksamkeit der Präventionsmaßnahmen ist einmal im Jahr sowie anlassbezogen zu überprüfen, wenn das Unternehmen mit einer wesentlich veränderten oder wesentlich erweiterten Risikolage im eigenen Geschäftsbereich oder beim unmittelbaren Zulieferer rechnen muss, etwa durch die Einführung neuer Produkte, Projekte oder eines neuen Geschäftsfeldes. [2] Erkenntnisse aus der Bearbeitung von Hinweisen nach § 8 Absatz 1 sind zu berücksichtigen. [3] Die Maßnahmen sind bei Bedarf unverzüglich zu aktualisieren.

§ 7 Abhilfemaßnahmen. (1) [1] Stellt das Unternehmen fest, dass die Verletzung einer menschenrechtsbezogenen oder einer umweltbezogenen Pflicht in seinem eigenen Geschäftsbereich oder bei einem unmittelbaren Zulieferer bereits eingetreten ist oder unmittelbar bevorsteht, hat es unverzüglich angemessene Abhilfemaßnahmen zu ergreifen, um diese Verletzung zu verhindern, zu beenden oder das Ausmaß der Verletzung zu minimieren. [2] § 5 Absatz 1 Satz 2 gilt entsprechend. [3] Im eigenen Geschäftsbereich im Inland muss die Abhilfemaßnahme zu einer Beendigung der Verletzung führen. [4] Im eigenen Geschäftsbereich im Ausland und im eigenen Geschäftsbereich gemäß § 2 Absatz 6 Satz 3 muss die Abhilfemaßnahme in der Regel zur Beendigung der Verletzung führen.

(2) [1] Ist die Verletzung einer menschenrechtsbezogenen oder einer umweltbezogenen Pflicht bei einem unmittelbaren Zulieferer so beschaffen, dass das Unternehmen sie nicht in absehbarer Zeit beenden kann, muss es unverzüglich ein Konzept zur Beendigung oder Minimierung erstellen und umsetzen. [2] Das Konzept muss einen konkreten Zeitplan enthalten. [3] Bei der Erstellung und

Umsetzung des Konzepts sind insbesondere folgende Maßnahmen in Betracht zu ziehen:

1. die gemeinsame Erarbeitung und Umsetzung eines Plans zur Beendigung oder Minimierung der Verletzung mit dem Unternehmen, durch das die Verletzung verursacht wird,
2. der Zusammenschluss mit anderen Unternehmen im Rahmen von Brancheninitiativen und Branchenstandards, um die Einflussmöglichkeit auf den Verursacher zu erhöhen,
3. ein temporäres Aussetzen der Geschäftsbeziehung während der Bemühungen zur Risikominimierung.

(3) [1]Der Abbruch einer Geschäftsbeziehung ist nur geboten, wenn

1. die Verletzung einer geschützten Rechtsposition oder einer umweltbezogenen Pflicht als sehr schwerwiegend bewertet wird,
2. die Umsetzung der im Konzept erarbeiteten Maßnahmen nach Ablauf der im Konzept festgelegten Zeit keine Abhilfe bewirkt,
3. dem Unternehmen keine anderen milderen Mittel zur Verfügung stehen und eine Erhöhung des Einflussvermögens nicht aussichtsreich erscheint.

[2]Die bloße Tatsache, dass ein Staat eines der in der Anlage zu diesem Gesetz aufgelisteten Übereinkommen nicht ratifiziert oder nicht in sein nationales Recht umgesetzt hat, führt nicht zu einer Pflicht zum Abbruch der Geschäftsbeziehung. [3]Von Satz 2 unberührt bleiben Einschränkungen des Außenwirtschaftsverkehrs durch oder aufgrund von Bundesrecht, Recht der Europäischen Union oder Völkerrecht.

(4) [1]Die Wirksamkeit der Abhilfemaßnahmen ist einmal im Jahr sowie anlassbezogen zu überprüfen, wenn das Unternehmen mit einer wesentlich veränderten oder wesentlich erweiterten Risikolage im eigenen Geschäftsbereich oder beim unmittelbaren Zulieferer rechnen muss, etwa durch die Einführung neuer Produkte, Projekte oder eines neuen Geschäftsfeldes. [2]Erkenntnisse aus der Bearbeitung von Hinweisen nach § 8 Absatz 1 sind zu berücksichtigen. [3]Die Maßnahmen sind bei Bedarf unverzüglich zu aktualisieren.

§ 8 Beschwerdeverfahren. (1) [1]Das Unternehmen hat dafür zu sorgen, dass ein angemessenes unternehmensinternes Beschwerdeverfahren nach den Absätzen 2 bis 4 eingerichtet ist. [2]Das Beschwerdeverfahren ermöglicht Personen, auf menschenrechtliche und umweltbezogene Risiken sowie auf Verletzungen menschenrechtsbezogener oder umweltbezogener Pflichten hinzuweisen, die durch das wirtschaftliche Handeln eines Unternehmens im eigenen Geschäftsbereich oder eines unmittelbaren Zulieferers entstanden sind. [3]Der Eingang des Hinweises ist den Hinweisgebern zu bestätigen. [4]Die von dem Unternehmen mit der Durchführung des Verfahrens betrauten Personen haben den Sachverhalt mit den Hinweisgebern zu erörtern. [5]Sie können ein Verfahren der einvernehmlichen Beilegung anbieten. [6]Die Unternehmen können sich stattdessen an einem entsprechenden externen Beschwerdeverfahren beteiligen, sofern es die nachfolgenden Kriterien erfüllt.

(2) Das Unternehmen legt eine Verfahrensordnung in Textform fest, die öffentlich zugänglich ist.

(3) [1] Die von dem Unternehmen mit der Durchführung des Verfahrens betrauten Personen müssen Gewähr für unparteiisches Handeln bieten, insbesondere müssen sie unabhängig und an Weisungen nicht gebunden sein. [2] Sie sind zur Verschwiegenheit verpflichtet.

(4) [1] Das Unternehmen muss in geeigneter Weise klare und verständliche Informationen zur Erreichbarkeit und Zuständigkeit und zur Durchführung des Beschwerdeverfahrens öffentlich zugänglich machen. [2] Das Beschwerdeverfahren muss für potenzielle Beteiligte zugänglich sein, die Vertraulichkeit der Identität wahren und wirksamen Schutz vor Benachteiligung oder Bestrafung aufgrund einer Beschwerde gewährleisten.

(5) [1] Die Wirksamkeit des Beschwerdeverfahrens ist mindestens einmal im Jahr sowie anlassbezogen zu überprüfen, wenn das Unternehmen mit einer wesentlich veränderten oder wesentlich erweiterten Risikolage im eigenen Geschäftsbereich oder beim unmittelbaren Zulieferer rechnen muss, etwa durch die Einführung neuer Produkte, Projekte oder eines neuen Geschäftsfeldes. [2] Die Maßnahmen sind bei Bedarf unverzüglich zu wiederholen.

§ 9 Mittelbare Zulieferer; Verordnungsermächtigung. (1) Das Unternehmen muss das Beschwerdeverfahren nach § 8 so einrichten, dass es Personen auch ermöglicht, auf menschenrechtliche oder umweltbezogene Risiken sowie auf Verletzungen menschenrechtsbezogener oder umweltbezogener Pflichten hinzuweisen, die durch das wirtschaftliche Handeln eines mittelbaren Zulieferers entstanden sind.

(2) Das Unternehmen muss nach Maßgabe des Absatzes 3 sein bestehendes Risikomanagement im Sinne von § 4 anpassen.

(3) Liegen einem Unternehmen tatsächliche Anhaltspunkte vor, die eine Verletzung einer menschenrechtsbezogenen oder einer umweltbezogenen Pflicht bei mittelbaren Zulieferern möglich erscheinen lassen (substantiierte Kenntnis), so hat es anlassbezogen unverzüglich

1. eine Risikoanalyse gemäß § 5 Absatz 1 bis 3 durchzuführen,
2. angemessene Präventionsmaßnahmen gegenüber dem Verursacher zu verankern, etwa die Durchführung von Kontrollmaßnahmen, die Unterstützung bei der Vorbeugung und Vermeidung eines Risikos oder die Umsetzung von branchenspezifischen oder branchenübergreifenden Initiativen, denen das Unternehmen beigetreten ist,
3. ein Konzept zur Verhinderung, Beendigung oder Minimierung zu erstellen und umzusetzen und
4. gegebenenfalls entsprechend seine Grundsatzerklärung gemäß § 6 Absatz 2 zu aktualisieren.

(4) Das Bundesministerium für Arbeit und Soziales wird ermächtigt, Näheres zu den Pflichten des Absatzes 3 durch Rechtsverordnung im Einvernehmen mit dem Bundesministerium für Wirtschaft und Energie ohne Zustimmung des Bundesrates zu regeln.

§ 10 Dokumentations- und Berichtspflicht. (1) [1] Die Erfüllung der Sorgfaltspflichten nach § 3 ist unternehmensintern fortlaufend zu dokumentieren. [2] Die Dokumentation ist ab ihrer Erstellung mindestens sieben Jahre lang aufzubewahren.

(2) [1] Das Unternehmen hat jährlich einen Bericht über die Erfüllung seiner Sorgfaltspflichten im vergangenen Geschäftsjahr zu erstellen und spätestens vier Monate nach dem Schluss des Geschäftsjahrs auf der Internetseite des Unternehmens für einen Zeitraum von sieben Jahren kostenfrei öffentlich zugänglich zu machen. [2] In dem Bericht ist nachvollziehbar mindestens darzulegen,

1. ob und falls ja, welche menschenrechtlichen und umweltbezogenen Risiken oder Verletzungen einer menschenrechtsbezogenen oder umweltbezogenen Pflicht das Unternehmen identifiziert hat,
2. was das Unternehmen, unter Bezugnahme auf die in den §§ 4 bis 9 beschriebenen Maßnahmen, zur Erfüllung seiner Sorgfaltspflichten unternommen hat; dazu zählen auch die Elemente der Grundsatzerklärung gemäß § 6 Absatz 2, sowie die Maßnahmen, die das Unternehmen aufgrund von Beschwerden nach § 8 oder nach § 9 Absatz 1 getroffen hat,
3. wie das Unternehmen die Auswirkungen und die Wirksamkeit der Maßnahmen bewertet und
4. welche Schlussfolgerungen es aus der Bewertung für zukünftige Maßnahmen zieht.

(3) Hat das Unternehmen kein menschenrechtliches oder umweltbezogenes Risiko und keine Verletzung einer menschenrechtsbezogenen oder einer umweltbezogenen Pflicht festgestellt und dies in seinem Bericht plausibel dargelegt, sind keine weiteren Ausführungen nach Absatz 2 Satz 2 Nummer 2 bis 4 erforderlich.

(4) Der Wahrung von Betriebs- und Geschäftsgeheimnissen ist dabei gebührend Rechnung zu tragen.

Abschnitt 3. Zivilprozess

§ 11 Besondere Prozessstandschaft. (1) Wer geltend macht, in einer überragend wichtigen geschützten Rechtsposition aus § 2 Absatz 1 verletzt zu sein, kann zur gerichtlichen Geltendmachung seiner Rechte einer inländischen Gewerkschaft oder Nichtregierungsorganisation die Ermächtigung zur Prozessführung erteilen.

(2) Eine Gewerkschaft oder Nichtregierungsorganisation kann nach Absatz 1 nur ermächtigt werden, wenn sie eine auf Dauer angelegte eigene Präsenz unterhält und sich nach ihrer Satzung nicht gewerbsmäßig und nicht nur vorübergehend dafür einsetzt, die Menschenrechte oder entsprechende Rechte im nationalen Recht eines Staates zu realisieren.

Abschnitt 4. Behördliche Kontrolle und Durchsetzung

Unterabschnitt 1. Berichtsprüfung

§ 12 Einreichung des Berichts. (1) Der Bericht nach § 10 Absatz 2 Satz 1 ist in deutscher Sprache und elektronisch über einen von der zuständigen Behörde bereitgestellten Zugang einzureichen.

(2) Der Bericht ist spätestens vier Monate nach dem Schluss des Geschäftsjahres, auf das er sich bezieht, einzureichen.

§ 13 Behördliche Berichtsprüfung; Verordnungsermächtigung.

(1) Die zuständige Behörde prüft, ob

1. der Bericht nach § 10 Absatz 2 Satz 1 vorliegt und
2. die Anforderungen nach § 10 Absatz 2 und 3 eingehalten wurden.

(2) Werden die Anforderungen nach § 10 Absatz 2 und 3 nicht erfüllt, kann die zuständige Behörde verlangen, dass das Unternehmen den Bericht innerhalb einer angemessenen Frist nachbessert.

(3)[1] Das Bundesministerium für Arbeit und Soziales wird ermächtigt, durch Rechtsverordnung im Einvernehmen mit dem Bundesministerium für Wirtschaft und Energie ohne Zustimmung des Bundesrates folgende Verfahren näher zu regeln:

1. das Verfahren der Einreichung des Berichts nach § 12 sowie
2. das Verfahren der behördlichen Berichtsprüfung nach den Absätzen 1 und 2.

Unterabschnitt 2. Risikobasierte Kontrolle

§ 14 Behördliches Tätigwerden; Verordnungsermächtigung. (1) Die zuständige Behörde wird tätig:

1. von Amts wegen nach pflichtgemäßem Ermessen,
   a) um die Einhaltung der Pflichten nach den §§ 3 bis 10 Absatz 1 im Hinblick auf mögliche menschenrechtliche und umweltbezogene Risiken sowie Verletzungen einer menschenrechtsbezogenen oder einer umweltbezogenen Pflicht zu kontrollieren und
   b) Verstöße gegen Pflichten nach Buchstabe a festzustellen, zu beseitigen und zu verhindern;
2. auf Antrag, wenn die antragstellende Person substantiiert geltend macht,
   a) infolge der Nichterfüllung einer in den §§ 3 bis 9 enthaltenen Pflicht in einer geschützten Rechtsposition verletzt zu sein oder
   b) dass eine in Buchstabe a genannte Verletzung unmittelbar bevorsteht.

(2)[2] Das Bundesministerium für Arbeit und Soziales wird ermächtigt, durch Rechtsverordnung im Einvernehmen mit dem Bundesministerium für Wirtschaft und Energie ohne Zustimmung des Bundesrates das Verfahren der risikobasierten Kontrolle nach Absatz 1 und den §§ 15 bis 17 näher zu regeln.

§ 15 Anordnungen und Maßnahmen. [1]Die zuständige Behörde trifft die geeigneten und erforderlichen Anordnungen und Maßnahmen, um Verstöße gegen die Pflichten nach den §§ 3 bis 10 Absatz 1 festzustellen, zu beseitigen und zu verhindern.
[2]Sie kann insbesondere

1. Personen laden,
2. dem Unternehmen aufgeben, innerhalb von drei Monaten ab Bekanntgabe der Anordnung einen Plan zur Behebung der Missstände einschließlich klarer Zeitangaben zu dessen Umsetzung vorzulegen und
3. dem Unternehmen konkrete Handlungen zur Erfüllung seiner Pflichten aufgeben.

---

[1] § 13 Abs. 3 ist bereits mWv 23.7.2021 in Kraft getreten, vgl. Art. 5 Abs. 2 G v. 16.7.2021 (BGBl. I S. 2959).

[2] § 14 Abs. 2 ist bereits mWv 23.7.2021 in Kraft getreten, vgl. Art. 5 Abs. 2 G v. 16.7.2021 (BGBl. I S. 2959).

§ 16 Betretensrechte. Soweit dies zur Wahrnehmung der Aufgaben nach § 14 erforderlich ist, sind die zuständige Behörde und ihre Beauftragten befugt,

1. Betriebsgrundstücke, Geschäftsräume und Wirtschaftsgebäude der Unternehmen während der üblichen Geschäfts- oder Betriebszeiten zu betreten und zu besichtigen sowie
2. bei Unternehmen während der üblichen Geschäfts- oder Betriebszeiten geschäftliche Unterlagen und Aufzeichnungen, aus denen sich ableiten lässt, ob die Sorgfaltspflichten nach den §§ 3 bis 10 Absatz 1 eingehalten wurden, einzusehen und zu prüfen.

§ 17 Auskunfts- und Herausgabepflichten. (1) [1] Unternehmen und nach § 15 Satz 2 Nummer 1 geladene Personen sind verpflichtet, der zuständigen Behörde auf Verlangen die Auskünfte zu erteilen und die Unterlagen herauszugeben, die die Behörde zur Durchführung der ihr durch dieses Gesetz oder aufgrund dieses Gesetzes übertragenen Aufgaben benötigt. [2] Die Verpflichtung erstreckt sich auch auf Auskünfte über verbundene Unternehmen (§ 15 des Aktiengesetzes[1)]), unmittelbare und mittelbare Zulieferer und die Herausgabe von Unterlagen dieser Unternehmen, soweit das auskunfts- oder herausgabepflichtige Unternehmen oder die auskunfts- oder herausgabepflichtige Person die Informationen zur Verfügung hat oder aufgrund bestehender vertraglicher Beziehungen zur Beschaffung der verlangten Informationen in der Lage ist.

(2) Die zu erteilenden Auskünfte und herauszugebenden Unterlagen nach Absatz 1 umfassen insbesondere

1. die Angaben und Nachweise zur Feststellung, ob ein Unternehmen in den Anwendungsbereich dieses Gesetzes fällt,
2. die Angaben und Nachweise über die Erfüllung der Pflichten nach den §§ 3 bis 10 Absatz 1 und
3. die Namen der zur Überwachung der internen Prozesse des Unternehmens zur Erfüllung der Pflichten nach den §§ 3 bis 10 Absatz 1 zuständigen Personen.

(3) [1] Wer zur Auskunft nach Absatz 1 verpflichtet ist, kann die Auskunft auf solche Fragen verweigern, deren Beantwortung ihn selbst oder einen der in § 52 Absatz 1 der Strafprozessordnung[2)] bezeichneten Angehörigen der Gefahr strafgerichtlicher Verfolgung oder eines Verfahrens nach dem Gesetz über Ordnungswidrigkeiten aussetzen würde. [2] Die auskunftspflichtige Person ist über ihr Recht zur Verweigerung der Auskunft zu belehren. [3] Sonstige gesetzliche Auskunfts- oder Aussageverweigerungsrechte sowie gesetzliche Verschwiegenheitspflichten bleiben unberührt.

§ 18 *Duldungs- und Mitwirkungspflichten.* [1] Die Unternehmen haben die Maßnahmen der zuständigen Behörde und ihrer Beauftragten zu dulden und bei der Durchführung der Maßnahmen mitzuwirken. [2] Satz 1 gilt auch für die Inhaber der Unternehmen und ihre Vertretung, bei juristischen Personen für die nach Gesetz oder Satzung zur Vertretung berufenen Personen.

[1)] Nr. **567**.

[2)] **Habersack Nr. 90.**

Unterabschnitt 3. Zuständige Behörde, Handreichungen, Rechenschaftsbericht

§ 19[1)] Zuständige Behörde. (1) [1]Für die behördliche Kontrolle und Durchsetzung nach diesem Abschnitt ist das Bundesamt für Wirtschaft und Ausfuhrkontrolle zuständig. [2]Für die Aufgaben nach diesem Gesetz obliegt die Rechts- und Fachaufsicht über das Bundesamt dem Bundesministerium für Wirtschaft und Energie. [3]Das Bundesministerium für Wirtschaft und Energie übt die Rechts- und Fachaufsicht im Einvernehmen mit dem Bundesministerium für Arbeit und Soziales aus.

(2) Bei der Wahrnehmung ihrer Aufgaben verfolgt die zuständige Behörde einen risikobasierten Ansatz.

§ 20[1)] Handreichungen. [1]Die zuständige Behörde veröffentlicht branchenübergreifende oder branchenspezifische Informationen, Hilfestellungen und Empfehlungen zur Einhaltung dieses Gesetzes und stimmt sich dabei mit den fachlich betroffenen Behörden ab. [2]Die Informationen, Hilfestellungen oder Empfehlungen bedürfen vor Veröffentlichung der Zustimmung des Auswärtigen Amtes, insofern außenpolitische Belange davon berührt sind.

§ 21[1)] Rechenschaftsbericht. (1) [1]Die nach § 19 Absatz 1 Satz 1 zuständige Behörde berichtet einmal jährlich über ihre im vorausgegangenen Kalenderjahr erfolgten Kontroll- und Durchsetzungstätigkeiten nach Abschnitt 4. [2]Der Bericht ist erstmals für das Jahr 2022 zu erstellen und auf der Webseite der zuständigen Behörde zu veröffentlichen.

(2) Die Berichte sollen auf festgestellte Verstöße und angeordnete Abhilfemaßnahmen hinweisen und diese erläutern sowie eine Auswertung der eingereichten Unternehmensberichte nach § 12 enthalten, ohne die jeweils betroffenen Unternehmen zu benennen.

Abschnitt 5. Öffentliche Beschaffung

§ 22 Ausschluss von der Vergabe öffentlicher Aufträge. (1) [1]Von der Teilnahme an einem Verfahren über die Vergabe eines Liefer-, Bau- oder Dienstleistungsauftrags der in den §§ 99 und 100 des Gesetzes gegen Wettbewerbsbeschränkungen[2)] genannten Auftraggeber sollen Unternehmen bis zur nachgewiesenen Selbstreinigung nach § 125 des Gesetzes gegen Wettbewerbsbeschränkungen ausgeschlossen werden, die wegen eines rechtskräftig festgestellten Verstoßes nach § 24 Absatz 1 mit einer Geldbuße nach Maßgabe von Absatz 2 belegt worden sind. [2]Der Ausschluss nach Satz 1 darf nur innerhalb eines angemessenen Zeitraums von bis zu drei Jahren erfolgen.

(2) [1]Ein Ausschluss nach Absatz 1 setzt einen rechtskräftig festgestellten Verstoß mit einer Geldbuße von wenigstens einhundertfünfundsiebzigtausend Euro voraus. [2]Abweichend von Satz 1 wird

1. in den Fällen des § 24 Absatz 2 Satz 2 in Verbindung mit § 24 Absatz 2 Satz 1 Nummer 2 ein rechtskräftig festgestellter Verstoß mit einer Geldbuße von wenigstens eine Million fünfhunderttausend Euro,

---

1) *§§ 19–21 sind bereits mWv 23.7.2021 in Kraft getreten, vgl. Art. 5 Abs. 2 G v. 16.7.2021 (BGBl. I S. 2959).*

2) **beck-online, Module Arbeitsrecht Nr. 509.**

2. in den Fällen des § 24 Absatz 2 Satz 2 in Verbindung mit § 24 Absatz 2 Satz 1 Nummer 1 ein rechtskräftig festgestellter Verstoß mit einer Geldbuße von wenigstens zwei Millionen Euro und
3. in den Fällen des § 24 Absatz 3 ein rechtskräftig festgestellter Verstoß mit einer Geldbuße von wenigstens 0,35 Prozent des durchschnittlichen Jahresumsatzes vorausgesetzt.

(3) Vor der Entscheidung über den Ausschluss ist der Bewerber zu hören.

Abschnitt 6. Zwangsgeld und Bußgeld

§ 23 Zwangsgeld. Die Höhe des Zwangsgeldes im Verwaltungszwangsverfahren der nach § 19 Absatz 1 Satz 1 zuständigen Behörde beträgt abweichend von § 11 Absatz 3 des Verwaltungsvollstreckungsgesetzes[1] bis zu 50 000 Euro.

§ 24 Bußgeldvorschriften. (1) Ordnungswidrig handelt, wer vorsätzlich oder fahrlässig

1. entgegen § 4 Absatz 3 Satz 1 nicht dafür sorgt, dass eine dort genannte Festlegung getroffen ist,
2. entgegen § 5 Absatz 1 Satz 1 oder § 9 Absatz 3 Nummer 1 eine Risikoanalyse nicht, nicht richtig, nicht vollständig oder nicht rechtzeitig durchführt,
3. entgegen § 6 Absatz 1 eine Präventionsmaßnahme nicht oder nicht rechtzeitig ergreift,
4. entgegen § 6 Absatz 5 Satz 1, § 7 Absatz 4 Satz 1 oder § 8 Absatz 5 Satz 1 eine Überprüfung nicht oder nicht rechtzeitig vornimmt,
5. entgegen § 6 Absatz 5 Satz 3, § 7 Absatz 4 Satz 3 oder § 8 Absatz 5 Satz 2 eine Maßnahme nicht oder nicht rechtzeitig aktualisiert,
6. entgegen § 7 Absatz 1 Satz 1 eine Abhilfemaßnahme nicht oder nicht rechtzeitig ergreift,
7. entgegen
   a) § 7 Absatz 2 Satz 1 oder
   b) § 9 Absatz 3 Nummer 3

   ein Konzept nicht oder nicht rechtzeitig erstellt oder nicht oder nicht rechtzeitig umsetzt,
8. entgegen § 8 Absatz 1 Satz 1, auch in Verbindung mit § 9 Absatz 1, nicht dafür sorgt, dass ein Beschwerdeverfahren eingerichtet ist,
9. entgegen § 10 Absatz 1 Satz 2 eine Dokumentation nicht oder nicht mindestens sieben Jahre aufbewahrt,
10. entgegen § 10 Absatz 2 Satz 1 einen Bericht nicht richtig erstellt,
11. entgegen § 10 Absatz 2 Satz 1 einen dort genannten Bericht nicht oder nicht rechtzeitig öffentlich zugänglich macht,
12. entgegen § 12 einen Bericht nicht oder nicht rechtzeitig einreicht oder
13. einer vollziehbaren Anordnung nach § 13 Absatz 2 oder § 15 Satz 2 Nummer 2 zuwiderhandelt.

(2) [1] Die Ordnungswidrigkeit kann geahndet werden

---

[1] **Sartorius Nr. 112.**

1. in den Fällen des Absatzes 1
   a) Nummer 3, 7 Buchstabe b und Nummer 8
   b) Nummer 6 und 7 Buchstabe a
   mit einer Geldbuße bis zu achthunderttausend Euro,
2. in den Fällen des Absatzes 1 Nummer 1, 2, 4, 5 und 13 mit einer Geldbuße bis zu fünfhunderttausend Euro und
3. in den übrigen Fällen des Absatzes 1 mit einer Geldbuße bis zu hunderttausend Euro.

[2] In den Fällen des Satzes 1 Nummer 1 und 2 ist § 30 Absatz 2 Satz 3 des Gesetzes über Ordnungswidrigkeiten[1)] anzuwenden.

(3) [1] Bei einer juristischen Person oder Personenvereinigung mit einem durchschnittlichen Jahresumsatz von mehr als 400 Millionen Euro kann abweichend von Absatz 2 Satz 2 in Verbindung mit Satz 1 Nummer 1 Buchstabe b eine Ordnungswidrigkeit nach Absatz 1 Nummer 6 oder 7 Buchstabe a mit einer Geldbuße bis zu 2 Prozent des durchschnittlichen Jahresumsatzes geahndet werden. [2] Bei der Ermittlung des durchschnittlichen Jahresumsatzes der juristischen Person oder Personenvereinigung ist der weltweite Umsatz aller natürlichen und juristischen Personen sowie aller Personenvereinigungen der letzten drei Geschäftsjahre, die der Behördenentscheidung vorausgehen, zugrunde zu legen, soweit diese Personen und Personenvereinigungen als wirtschaftliche Einheit operieren. [3] Der durchschnittliche Jahresumsatz kann geschätzt werden.

(4) [1] Grundlage für die Bemessung der Geldbuße bei juristischen Personen und Personenvereinigungen ist die Bedeutung der Ordnungswidrigkeit. [2] Bei der Bemessung sind die wirtschaftlichen Verhältnisse der juristischen Person oder Personenvereinigung zu berücksichtigen. [3] Bei der Bemessung sind die Umstände, insoweit sie für und gegen die juristische Person oder Personenvereinigung sprechen, gegeneinander abzuwägen. [4] Dabei kommen insbesondere in Betracht:

1. der Vorwurf, der den Täter der Ordnungswidrigkeit trifft,
2. die Beweggründe und Ziele des Täters der Ordnungswidrigkeit,
3. Gewicht, Ausmaß und Dauer der Ordnungswidrigkeit,
4. Art der Ausführung der Ordnungswidrigkeit, insbesondere die Anzahl der Täter und deren Position in der juristischen Person oder Personenvereinigung,
5. die Auswirkungen der Ordnungswidrigkeit,
6. vorausgegangene Ordnungswidrigkeiten, für die die juristische Person oder Personenvereinigung nach § 30 des Gesetzes über Ordnungswidrigkeiten, auch in Verbindung mit § 130 des Gesetzes über Ordnungswidrigkeiten, verantwortlich ist, sowie vor der Ordnungswidrigkeit getroffene Vorkehrungen zur Vermeidung und Aufdeckung von Ordnungswidrigkeiten,
7. das Bemühen der juristischen Person oder Personenvereinigung, die Ordnungswidrigkeit aufzudecken und den Schaden wiedergutzumachen, sowie nach der Ordnungswidrigkeit getroffene Vorkehrungen zur Vermeidung und Aufdeckung von Ordnungswidrigkeiten,

---

[1)] **Habersack Nr. 94.**

8. die Folgen der Ordnungswidrigkeit, die die juristische Person oder Personenvereinigung getroffen haben.

(5) [1] Verwaltungsbehörde im Sinne des § 36 Absatz 1 Nummer 1 des Gesetzes über Ordnungswidrigkeiten ist das Bundesamt für Wirtschaft und Ausfuhrkontrolle. [2] Für die Rechts- und Fachaufsicht über das Bundesamt gilt § 19 Absatz 1 Satz 2 und 3.

Anlage
(zu § 2 Absatz 1, § 7 Absatz 3 Satz 2)

Übereinkommen

1. Übereinkommen Nr. 29 der Internationalen Arbeitsorganisation vom 28. Juni 1930 über Zwangs- oder Pflichtarbeit (BGBl. 1956 II S. 640, 641) (ILO-Übereinkommen Nr. 29)
2. Protokoll vom 11. Juni 2014 zum Übereinkommen Nr. 29 der Internationalen Arbeitsorganisation vom 28. Juni 1930 über Zwangs- oder Pflichtarbeit (BGBl. 2019 II S. 437, 438)
3. Übereinkommen Nr. 87 der Internationalen Arbeitsorganisation vom 9. Juli 1948 über die Vereinigungsfreiheit und den Schutz des Vereinigungsrechtes (BGBl. 1956 II S. 2072, 2071) geändert durch das Übereinkommen vom 26. Juni 1961 (BGBl. 1963 II S. 1135, 1136) (ILO-Übereinkommen Nr. 87[1])
4. Übereinkommen Nr. 98 der Internationalen Arbeitsorganisation vom 1. Juli 1949 über die Anwendung der Grundsätze des Vereinigungsrechtes und des Rechtes zu Kollektivverhandlungen (BGBl. 1955 II S. 1122, 1123) geändert durch das Übereinkommen vom 26. Juni 1961 (BGBl. 1963 II S. 1135, 1136) (ILO-Übereinkommen Nr. 98[2])
5. Übereinkommen Nr. 100 der Internationalen Arbeitsorganisation vom 29. Juni 1951 über die Gleichheit des Entgelts männlicher und weiblicher Arbeitskräfte für gleichwertige Arbeit (BGBl. 1956 II S. 23, 24) (ILO-Übereinkommen Nr. 100)
6. Übereinkommen Nr. 105 der Internationalen Arbeitsorganisation vom 25. Juni 1957 über die Abschaffung der Zwangsarbeit (BGBl. 1959 II S. 441, 442) (ILO-Übereinkommen Nr. 105)
7. Übereinkommen Nr. 111 der Internationalen Arbeitsorganisation vom 25. Juni 1958 über die Diskriminierung in Beschäftigung und Beruf (BGBl. 1961 II S. 97, 98) (ILO-Übereinkommen Nr. 111)
8. Übereinkommen Nr. 138 der Internationalen Arbeitsorganisation vom 26. Juni 1973 über das Mindestalter für die Zulassung zur Beschäftigung (BGBl. 1976 II S. 201, 202) (ILO-Übereinkommen Nr. 138)
9. Übereinkommen Nr. 182 der Internationalen Arbeitsorganisation vom 17. Juni 1999 über das Verbot und unverzügliche Maßnahmen zur Beseitigung der schlimmsten Formen der Kinderarbeit (BGBl. 2001 II S. 1290, 1291) (ILO-Übereinkommen Nr. 182)
10. Internationaler Pakt vom 19. Dezember 1966 über bürgerliche und politische Rechte, (BGBl. 1973 II S. 1533, 1534)
11. Internationaler Pakt vom 19. Dezember 1966 über wirtschaftliche, soziale und kulturelle Rechte (BGBl. 1973 II S. 1569, 1570)
12. Übereinkommen von Minamata vom 10. Oktober 2013 über Quecksilber (BGBl. 2017 II S. 610, 611) (Minamata-Übereinkommen)
13. Stockholmer Übereinkommen vom 23. Mai 2001 über persistente organische Schadstoffe (BGBl. 2002 II S. 803, 804) (POPs-Übereinkommen), zuletzt geändert durch den Beschluss vom 6. Mai 2005 (BGBl. 2009 II S. 1060, 1061)
14. Basler Übereinkommen über die Kontrolle der grenzüberschreitenden Verbringung gefährlicher Abfälle und ihrer Entsorgung vom 22. März 1989 (BGBl. 1994 II S. 2703, 2704) (Basler Übereinkommen), zuletzt geändert durch die Dritte Verordnung zur Änderung von Anlagen zum Basler Übereinkommen vom 22. März 1989 vom 6. Mai 2014 (BGBl. II S. 306/307)

---

[1] Nr. **1082a**.
[2] **beck-online, Module Arbeitsrecht Nr. 1081h.**

132. Gesetz über eine Berufsordnung der Wirtschaftsprüfer (Wirtschaftsprüferordnung WPO)[1)]

In der Fassung der Bekanntmachung vom 5. November 1975
(BGBl. I S. 2803)

FNA 702-1

zuletzt geänd. durch Art. 33 StandortförderG v. 4.2.2026 (BGBl. 2026 I Nr. 33)

– Auszug –[2)]

Dritter Teil. Rechte und Pflichten der Wirtschaftsprüfer

§ 44 Eigenverantwortliche Tätigkeit. (1) [1] Eine eigenverantwortliche Tätigkeit übt nicht aus, wer sich als zeichnungsberechtigter Vertreter oder als zeichnungsberechtigter Angestellter an Weisungen zu halten hat, die ihn verpflichten, Prüfungsberichte und Gutachten auch dann zu unterzeichnen, wenn ihr Inhalt sich mit seiner Überzeugung nicht deckt. [2] Weisungen, die solche Verpflichtungen enthalten, sind unzulässig. [3] Anteilseigner einer Wirtschaftsprüfungsgesellschaft und Mitglieder der Verwaltungs-, Leitungs- und Aufsichtsorgane dieser oder einer verbundenen Wirtschaftsprüfungsgesellschaft dürfen auf die Durchführung von Abschlussprüfungen nicht in einer Weise Einfluss nehmen, die die Unabhängigkeit der verantwortlichen Berufsangehörigen beeinträchtigt.

(2) Die Eigenverantwortlichkeit wird nicht schon dadurch ausgeschlossen, daß für gesetzliche Vertreter von Wirtschaftsprüfungsgesellschaften und für bei Wirtschaftsprüfern oder Wirtschaftsprüfungsgesellschaften angestellte Wirtschaftsprüfer eine Mitzeichnung durch einen anderen Wirtschaftsprüfer oder bei genossenschaftlichen Prüfungsverbänden, Prüfungsstellen von Sparkassen- und Giroverbänden oder überörtlichen Prüfungseinrichtungen für Körperschaften und Anstalten des öffentlichen Rechts durch einen zeichnungsberechtigten Vertreter des Prüfungsverbandes, der Prüfungsstelle oder der Prüfungseinrichtung vereinbart ist.

§ 45[3)] Prokuristen. [1] Wirtschaftsprüfer sollen als Angestellte von Wirtschaftsprüfungsgesellschaften die Rechtsstellung von Prokuristen haben. [2] Angestellte Wirtschaftsprüfer gelten als leitende Angestellte im Sinne des § 5 Abs. 3 des Betriebsverfassungsgesetzes[4)].

§ 55[5)] Vergütung. (1) [1] Unbeschadet des Artikels 4 der Verordnung (EU) Nr. 537/2014 dürfen Berufsangehörige für Tätigkeiten nach § 2 Abs. 1 und 3 Nr. 1 und 3 keine Vereinbarung schließen, durch welche die Höhe der Vergütung vom Ergebnis ihrer Tätigkeit als Wirtschaftsprüfer abhängig gemacht

---

[1)] Überschrift geänd. mWv 1.8.2021 durch G v. 25.6.2021 (BGBl. I S. 2154).

[2)] Vollständig wiedergegeben in **beck-online, Module Arbeitsrecht.**

[3)] § 45 Satz 2 angef., bish. Wortlaut wird Satz 1 mWv 6.9.2007 durch G v. 3.9.2007 (BGBl. I S. 2178).

[4)] Nr. **570**.

[5)] § 55a eingef. mWv 1.1.1995 durch G v. 15.7.1994 (BGBl. I S. 1569); Abs. 1 Satz 1 geänd., Sätze 2 und 3 angef., Abs. 3 neu gef. mWv 6.9.2007 durch G v. 3.9.2007 (BGBl. I S. 2178); bish. § 55a wird § 55 und Abs. 1 Satz 1 geänd., Satz 2 eingef., bish. Sätze 2 und 3 werden Sätze 3 und 4 mWv 1.7.2008 durch G v. 12.6.2008 (BGBl. I S. 1000); Abs. 1 Satz 1 geänd., Satz 4 eingef., bish. Satz 4 wird Satz 5 und geänd., Abs. 2 geänd. mWv 17.6.2016 durch G v. 31.3.2016 (BGBl. I S. 518).

wird. [2] Für Tätigkeiten nach § 2 Abs. 2 gilt dies, soweit § 55a nichts anderes bestimmt. [3] Die Vergütung für gesetzlich vorgeschriebene Abschlussprüfungen darf über Satz 1 hinaus nicht an weitere Bedingungen geknüpft sein und sie darf auch nicht von der Erbringung zusätzlicher Leistungen für das geprüfte Unternehmen beeinflusst oder bestimmt sein. [4] Satz 3 gilt entsprechend für die Vergütung oder Leistungsbewertung von Personen, die an der Abschlussprüfung beteiligt sind oder auf andere Weise in der Lage sind, das Ergebnis der Abschlussprüfung zu beeinflussen. [5] Besteht zwischen der erbrachten Leistung und der vereinbarten Vergütung ein erhebliches Missverhältnis, muss der Wirtschaftsprüferkammer oder der Abschlussprüferaufsichtsstelle auf Verlangen nachgewiesen werden können, dass für die Prüfung eine angemessene Zeit aufgewandt und qualifiziertes Personal eingesetzt wurde.

(2) Die Abgabe und Entgegennahme eines Teils der Vergütung oder sonstiger Vorteile für die Vermittlung von Aufträgen, gleichviel ob im Verhältnis zu Berufsangehörigen oder Dritten, ist unzulässig.

(3) [1] Die Abtretung von Vergütungsforderungen oder die Übertragung ihrer Einziehung an Berufsangehörige, an Berufsgesellschaften oder an Berufsausübungsgemeinschaften ist auch ohne Zustimmung der auftraggebenden Person zulässig; diese sind in gleicher Weise zur Verschwiegenheit verpflichtet wie die beauftragte Person. [2] Satz 1 gilt auch bei einer Abtretung oder Übertragung an Berufsangehörige anderer freier Berufe, die einer entsprechenden gesetzlichen Verschwiegenheitspflicht unterliegen. [3] Die Abtretung von Vergütungsforderungen oder die Übertragung ihrer Einziehung an andere Personen ist entweder bei rechtskräftiger Feststellung der Vergütungsforderung oder mit Zustimmung der auftraggebenden Person zulässig.

§ 55b[1)] Internes Qualitätssicherungssystem. (1) [1] Berufsangehörige haben für ihre Praxis Regelungen zu schaffen, die die Einhaltung ihrer Berufspflichten gewährleisten, und deren Anwendung zu überwachen und durchzusetzen (internes Qualitätssicherungssystem). [2] Das interne Qualitätssicherungssystem soll in einem angemessenen Verhältnis zum Umfang und zur Komplexität der beruflichen Tätigkeit stehen. [3] Das interne Qualitätssicherungssystem ist zu dokumentieren und den Mitarbeitern der Berufsangehörigen zur Kenntnis zu geben.

(2) [1] Bei Berufsangehörigen, die Abschlussprüfungen nach § 316 des Handelsgesetzbuchs[2)] durchführen, haben die Regelungen nach Absatz 1 angemessene Grundsätze und Verfahren zur ordnungsgemäßen Durchführung und Sicherung der Qualität der Abschlussprüfung zu umfassen. [2] Dazu gehören zumindest

1.–7. …

8. Grundsätze der Vergütung und Gewinnbeteiligung nach § 55 und

(Fortsetzung nächstes Blatt)

[1)] § 55b neu gef. mWv 17.6.2016 durch G v. 31.3.2016 (BGBl. I S. 518); Abs. 2 Satz 2 Nr. 3 geänd. mWv 1.7.2021 durch G v. 3.6.2021 (BGBl. I S. 1534).

[2)] **beck-online, Module Arbeitsrecht Nr. 105.**

9. …

(3), (4) …

Vierter Teil. Organisation des Berufs

§ 57[1)] Aufgaben der Wirtschaftsprüferkammer. (1) Die Wirtschaftsprüferkammer erfüllt die ihr durch Gesetz zugewiesenen Aufgaben; sie hat die beruflichen Belange der Gesamtheit ihrer Mitglieder zu wahren und die Erfüllung der beruflichen Pflichten zu überwachen.

(2) Der Wirtschaftsprüferkammer obliegt insbesondere:

1.–7. …

8. die durch Gesetz zugewiesenen Aufgaben im Bereich der Berufsbildung wahrzunehmen;

9.–17. …

(3)–(9) …

Siebenter Teil.[2)] Vereidigte Buchprüfer und Buchprüfungsgesellschaften

§ 130[3)] Anwendung von Vorschriften des Gesetzes. (1) [1] Auf vereidigte Buchprüfer finden § 1 Abs. 2 und § 3 sowie die Bestimmungen des Dritten, Sechsten, Siebenten und Achten Abschnitts des Zweiten Teils und des Dritten, Fünften und Sechsten Teils entsprechende Anwendung. [2] Im berufsgerichtlichen Verfahren gegen vereidigte Buchprüfer können vereidigte Buchprüfer und Wirtschaftsprüfer als Beisitzer berufen werden.

[1)] § 57 Abs. 2 Nr. 11 geänd., Abs. 2 Nr. 13 sowie Abs. 3 und Abs. 4 angef. mWv 1.1.1995 durch G v. 15.7.1994 (BGBl. I S. 1569), Abs. 3 Satz 2 geänd., Abs. 2 Nr. 14 angef. mWv 1.1.2001 und Nr. 15 angef. mWv 1.1.2002 durch G v. 19.12.2000 (BGBl. I S. 1769); Abs. 5 angef. mWv 1.1.2002 durch G v. 10.12.2001 (BGBl. I S. 3414); Abs. 2 Nr. 15 geänd., Nrn. 16 und 17 angef., Abs. 3 Satz 2 geänd. mWv 1.1.2004 durch G v. 1.12.2003 (BGBl. I S. 2446); Abs. 1 neu gef., Abs. 2 Nr. 9 aufgeh., Abs. 3 Satz 1 Halbs. 1 und Abs. 4 Nr. 5 geänd. mWv 1.1.2005 durch G v. 27.12.2004 (BGBl. I S. 3846); Abs. 3 Satz 2 geänd. mWv 8.11.2006 durch VO v. 31.10.2006 (BGBl. I S. 2407); Abs. 2 Nr. 5 aufgeh., Abs. 3 Satz 1 und Satz 2 geänd., Abs. 4 Nr. 1 Buchst. e und i und Nr. 4 neu gef., Abs. 3 Satz 3, Abs. 4 Nr. 1 Buchstabe l und Abs. 6 bis 9 angef. mWv 6.9.2007 durch G v. 3.9.2007 (BGBl. I S. 2178); Abs. 6 Satz 1 geänd., Abs. 9 Satz 5 neu gef. mWv 29.5.2009 durch G v. 25.5.2009 (BGBl. I S. 1102); Abs. 4 Nr. 3 Buchst. f geänd., Buchst. g angef. mWv 1.1.2014 durch G v. 31.8.2013 (BGBl. I S. 3533); Abs. 2 Nr. 11 und Abs. 3 Satz 2 geänd. mWv 8.9.2015 durch VO v. 31.8.2015 (BGBl. I S. 1474); Abs. 2 Nr. 4, Abs. 3 Satz 1, Abs. 4 Nr. 1 Buchst e, Abs. 5 Satz 2, Abs. 6 Satz 1, Abs. 8 Satz 1, Abs. 9 Satz 5 Nr. 2 geänd., Abs. 4 Nr. 4 neu gef. mWv 17.6.2016 durch G v. 31.3.2016 (BGBl. I S. 518); Abs. 9 Satz 3 neu gef. mWv 26.11.2019 durch G v. 20.11.2019 (BGBl. I S. 1626); Abs. 3 Sätze 2 und 3 neu gef., Abs. 3a und 3b eingef. mWv 30.7.2020 durch G v. 19.6.2020 (BGBl. I S. 1403); Abs. 3b Satz 5 angef. mWv 1.8.2021 durch G v. 25.6.2021 (BGBl. I S. 2154); Abs. 6 Satz 3 Nr. 1, 2, Satz 4 geänd. mWv 1.8.2022 durch G v. 7.7.2021 (BGBl. I S. 2363); Abs. 2 Nr. 11 geänd. mWv 22.6.2023 durch G v. 19.6.2023 (BGBl. 2023 I Nr. 154); Abs. 3a Satz 1 geänd. mWv 23.1.2024 durch G v. 17.1.2024 (BGBl. 2024 I Nr. 12).

[2)] Bish. 6. Teil wird 7. Teil mWv 1.1.2005 durch G v. 27.12.2004 (BGBl. I S. 3846).

[3)] § 130 Abs. 1 Satz 1 geänd. sowie Abs. 2 neu gef. mWv 1.1.1995 durch G v. 15.7.1994 (BGBl. I S. 1569); Abs. 3 angef. mWv 1.1.2001 durch G v. 19.12.2000 (BGBl. I S. 1769); Abs. 1 Satz 1 und Abs. 2 Satz 1 geänd. mWv 1.1.2002 durch G v. 10.12.2001 (BGBl. I S. 3414); Abs. 1 geänd., Abs. 2 neu gef. mWv 1.1.2004 durch G v. 1.12.2003 (BGBl. I S. 2446); Abs. 1 Satz 1 geänd. mWv 1.1.2005 durch G v. 27.12.2004 (BGBl. I S. 3846); Abs. 2 Satz 2 neu gef., Abs. 3 Satz 2 HS 2 angef. mWv 6.9. 2007 durch G v. 3.9.2007 (BGBl. I S. 2178); Abs. 2 Satz 1 geänd. mWv 17.6.2016 durch G v. 31.3. 2016 (BGBl. I S. 518).

(2) [1] Auf Buchprüfungsgesellschaften finden § 1 Absatz 3, § 3, die Bestimmungen des Dritten, Fünften, Sechsten, Siebten und Achten Abschnitts des Zweiten Teils und die Bestimmungen des Dritten Teils sowie § 71 Absatz 2 entsprechende Anwendung. [2] Sobald die Zahl der gesetzlichen Vertreter (§ 28 Abs. 1), die Berufsangehörige sind, die Zahl der gesetzlichen Vertreter, die vereidigte Buchprüfer oder vereidigte Buchprüferinnen sind, übersteigt, ist der Antrag auf Anerkennung als Wirtschaftsprüfungsgesellschaft zu stellen, sofern die übrigen Anerkennungsvoraussetzungen insbesondere nach § 28 vorliegen. [3] Die Anerkennung als Buchprüfungsgesellschaft ist zurückzunehmen oder zu widerrufen, wenn bei Vorliegen der Voraussetzungen des Absatzes 2 Satz 2 ein Antrag auf Anerkennung als Wirtschaftsprüfungsgesellschaft unterbleibt.

(3) …

133. Steuerberatungsgesetz (StBerG)[1)]

In der Fassung der Bekanntmachung vom 4. November 1975[2)]
(BGBl. I S. 2735)

FNA 610–10

zuletzt geänd. durch Art. 22 G zur Entwicklung und Erprobung eines Online-Verfahrens in der Zivilgerichtsbarkeit v. 22.12.2025 (BGBl. 2025 I Nr. 349)

– Auszug –[3)]

Zweiter Teil. Steuerberaterordnung

Dritter Abschnitt. Rechte und Pflichten

§ 57[4)] **Allgemeine Berufspflichten.** (1) [1] Steuerberater und Steuerbevollmächtigte haben ihren Beruf unabhängig, eigenverantwortlich, gewissenhaft, verschwiegen und unter Verzicht auf berufswidrige Werbung auszuüben. [2] Die Verschwiegenheitspflicht bezieht sich auf alles, was in Ausübung des Berufs bekannt geworden ist. [3] Sie gilt nicht für Tatsachen, die offenkundig sind oder ihrer Bedeutung nach keiner Geheimhaltung bedürfen.

(1a) Steuerberater und Steuerbevollmächtigte dürfen nicht tätig werden, wenn eine Kollision mit eigenen Interessen gegeben ist.

(1b) Berät oder vertritt ein Steuerberater oder Steuerbevollmächtigter mehrere Auftraggeber in derselben Sache, ist er bei Interessenkollisionen verpflichtet, auf die widerstreitenden Interessen der Auftraggeber ausdrücklich hinzuweisen und darf nur vermittelnd tätig werden.

(1c) [1] Die Absätze 1a und 1b gelten auch für Steuerberater und Steuerbevollmächtigte, die ihren Beruf gemeinschaftlich mit einem Steuerberater oder Steuerbevollmächtigten ausüben, der einem Tätigkeitsverbot nach Absatz 1a unterliegt oder der nach Absatz 1b nur vermittelnd tätig werden darf. [2] Ein Tätigkeitsverbot nach Satz 1 bleibt bestehen, wenn der dem Tätigkeitsverbot unterliegende Steuerberater oder Steuerbevollmächtigte die gemeinschaftliche Berufsausübung beendet. [3] Die Sätze 1 und 2 sind nicht anzuwenden, wenn die betroffenen Auftraggeber der Tätigkeit nach umfassender Information in Textform zugestimmt haben und geeignete Vorkehrungen die Einhaltung der Verschwiegenheit sicherstellen. [4] Ein Tätigkeitsverbot nach Absatz 1a oder Absatz 1b, das gegenüber einer Berufsausübungsgesellschaft besteht, entfällt, wenn die Voraussetzungen des Satzes 3 erfüllt sind. [5] Soweit es für die Prüfung eines Tätigkeitsverbots oder einer Beschränkung auf vermittelnde Tätigkeit erforderlich ist, dürfen der Verschwiegenheitspflicht unterliegende Tatsachen einem

---

[1)] Für Wirtschaftsprüfer erging die Wirtschaftsprüferordnung idF der Bekanntmachung v. 5.11.1975 (BGBl. I S. 2803).

[2)] Neubekanntmachung des StBerG v. 16.8.1961 (BGBl. I S. 1301) in der ab 29.6.1975 geltenden Fassung.

[3)] Vollständig wiedergegeben in **beck-online, Module Arbeitsrecht.**

[4)] § 57 Abs. 4 Nr. 2 geänd. durch G v. 18.8.1980 (BGBl. I S. 1537), Abs. 3 Nr. 4 angef. durch G v. 9.6.1989 (BGBl. I S. 1062), Abs. 3 Nrn. 1, 4 und 5 geänd., Abs. 3 Nr. 6 angef. mWv 1.7.2000 durch G v. 24.6.2000 (BGBl. I S. 874); Abs. 2a eingef., Abs. 4 Nr. 1 neu gef., Nr. 2 geänd. mWv 12.4.2008 durch G v. 8.4.2008 (BGBl. I S. 666); Abs. 3 Nr. 4 neu gef. mWv 18.12.2019 durch G v. 12.12.2019 (BGBl. I S. 2451); Abs. 1 Sätze 2 und 3 angef., Abs. 1a–1c eingef. mWv 1.8.2022 durch G v. 7.7.2021 (BGBl. I S. 2363).

Steuerberater oder Steuerbevollmächtigten auch ohne Einwilligung des Auftraggebers offenbart werden.

(2) [1] Steuerberater und Steuerbevollmächtigte haben sich jeder Tätigkeit zu enthalten, die mit ihrem Beruf oder mit dem Ansehen des Berufs nicht vereinbar ist. [2] Sie haben sich auch außerhalb der Berufstätigkeit des Vertrauens und der Achtung würdig zu erweisen, die ihr Beruf erfordert.

(2a) Steuerberater und Steuerbevollmächtigte sind verpflichtet, sich fortzubilden.

(3) Mit dem Beruf eines Steuerberaters oder eines Steuerbevollmächtigten sind insbesondere vereinbar

1. die Tätigkeit als Wirtschaftsprüfer, Rechtsanwalt, niedergelassener europäischer Rechtsanwalt oder vereidigter Buchprüfer;
2. eine freiberufliche Tätigkeit, die die Wahrnehmung fremder Interessen einschließlich der Beratung zum Gegenstand hat;
3. eine wirtschaftsberatende, gutachtliche oder treuhänderische Tätigkeit sowie die Erteilung von Bescheinigungen über die Beachtung steuerrechtlicher Vorschriften in Vermögensübersichten und Erfolgsrechnungen;
4. die Tätigkeit eines Lehrers oder eines wissenschaftlichen Mitarbeiters an Hochschulen und wissenschaftlichen Instituten, sofern der wissenschaftliche Mitarbeiter ihm übertragene Aufgaben in Forschung und Lehre überwiegend selbständig erfüllt; nicht vereinbar hingegen ist die Tätigkeit eines Lehrers oder eines wissenschaftlichen Mitarbeiters an staatlichen verwaltungsinternen Fachhochschulen mit Ausbildungsgängen für den öffentlichen Dienst;
5. eine freie schriftstellerische Tätigkeit sowie eine freie Vortrags- und Lehrtätigkeit;
6. die Durchführung von Lehr- und Vortragsveranstaltungen zur Vorbereitung auf die Steuerberaterprüfung sowie die Prüfung als Wirtschaftsprüfer und vereidigter Buchprüfer und zur Fortbildung der Mitglieder der Steuerberaterkammern und deren Mitarbeiter.

(4) Als Tätigkeiten, die mit dem Beruf des Steuerberaters und des Steuerbevollmächtigten nicht vereinbar sind, gelten insbesondere

1. eine gewerbliche Tätigkeit; die zuständige Steuerberaterkammer kann von diesem Verbot Ausnahmen zulassen, soweit durch die Tätigkeit eine Verletzung von Berufspflichten nicht zu erwarten ist;
2. eine Tätigkeit als Arbeitnehmer mit Ausnahme der Fälle des Absatzes 3 Nr. 4 sowie der §§ 58 und 59. Eine Tätigkeit als Angestellter der Finanzverwaltung ist stets mit dem Beruf des Steuerberaters oder Steuerbevollmächtigten unvereinbar.

§ 58[1)] Tätigkeit als Angestellter. [1] Steuerberater und Steuerbevollmächtigte dürfen ihren Beruf als Angestellte einer Person oder Vereinigung im Sinne des § 3 Satz 1 ausüben. [2] Sie dürfen ferner tätig werden

---

[1)] § 58 Abs. 2 Nr. 5 und 6 angef. durch G v. 18.8.1980 (BGBl. I S. 1537), Abs. 2 Nr. 7 und 8 angef. mWv 1.7.1994 durch G v. 24.6.1994 (BGBl. I S. 1387); Abs. 2 Nr. 1 geänd. mWv 1.3.1999 durch G *v. 31.8.1998 (BGBl. I S. 2600)*; Abs. 1, Abs. 2 Absatzbezeichnung und Nr. 1 aufgeh., Abs. 2 Einleitungssatz, bish. Nrn. 4 und 7 geänd., bish. Nrn. 2 bis 8 werden Nrn. 1 bis 7 mWv 1.7.2000 durch G v. 24.6.2000 (BGBl. I S. 874); Satz 2 Nr. 5 neu gef., Nr. 5a eingef. mWv 12.4.2008 durch G →

1. als Leiter oder als Angestellte von genossenschaftlichen Prüfungsverbänden, genossenschaftlichen Treuhandstellen oder überörtlichen Prüfungseinrichtungen für Körperschaften und Anstalten des öffentlichen Rechts,
2. als Leiter von Buchstellen oder von Beratungsstellen der Lohnsteuerhilfevereine,
3. als Angestellte von Buchstellen oder von Beratungsstellen der Lohnsteuerhilfevereine, wenn die Buchstelle, die jeweilige Geschäftsstelle der Buchstelle oder die Beratungsstelle von einem Steuerberater oder Steuerbevollmächtigten geleitet wird,
4. als Angestellte von Genossenschaften oder anderen Personenvereinigungen,
   a) deren Mitglieder ausschließlich Personen und Gesellschaften im Sinne des § 3 sind und
   b) deren Zweck ausschließlich der Betrieb von Einrichtungen zur Unterstützung der Mitglieder bei der Ausübung ihres Berufes ist,
5. als Angestellte von Berufskammern der in § 50 Absatz 1 Satz 1 genannten Berufe,

5a. als Angestellte, wenn sie im Rahmen des Angestelltenverhältnisses Tätigkeiten im Sinne des § 33 wahrnehmen. Dies gilt nicht, wenn hierdurch die Pflicht zur unabhängigen und eigenverantwortlichen Berufsausübung beeinträchtigt wird. Der Steuerberater oder Steuerbevollmächtigte darf für einen Auftraggeber, dem er auf Grund eines ständigen Dienst- oder ähnlichen Beschäftigungsverhältnisses seine Arbeitszeit und -kraft zur Verfügung stellen muss, nicht in seiner Eigenschaft als Steuerberater oder Steuerbevollmächtigter tätig werden. Bei Mandatsübernahme hat der Steuerberater oder Steuerbevollmächtigte den Mandanten auf seine Angestelltentätigkeit hinzuweisen. § 57 Abs. 4 Nr. 2 Satz 2 bleibt unberührt,

6. als Angestellte von ausländischen Berufsangehörigen, die ihre berufliche Niederlassung im Ausland haben, wenn diese den in § 50 Absatz 1 Satz 1 genannten vergleichbar sind und die Voraussetzungen für die Berufsausübung den Anforderungen dieses Gesetzes im wesentlichen entsprechen; für Angestellte von Vereinigungen mit Sitz im Ausland gilt dies nur, soweit es sich um Vereinigungen handelt, deren Vorstandsmitglieder, Geschäftsführer, persönlich haftende Gesellschafter, Mitglieder oder sonstige Anteilseigner mehrheitlich Personen sind, die im Ausland einen den in § 3 Satz 1 Nummer 1 genannten Berufen in der Ausbildung und den Befugnissen vergleichbaren Beruf ausüben und bei denen die Voraussetzungen für die Berufsausübung den Anforderungen dieses Gesetzes im Wesentlichen entsprechen,
7. als Geschäftsführer oder als Angestellte einer europäischen wirtschaftlichen Interessenvereinigung, wenn alle Geschäftsführer und alle Mitglieder Angehörige europäischer steuerberatender, wirtschaftsprüfender oder rechtsberatender Berufe sind,
8. als Angestellte des Bundesamts für Wirtschaft und Ausfuhrkontrolle, soweit es sich um eine Tätigkeit bei der Abschlussprüferaufsichtsstelle handelt. § 59 steht dem nicht entgegen.

(Fortsetzung der Anm. von voriger Seite)
v. 8.4.2008 (BGBl. I S. 666); Satz 2 Nr. 7 geänd., Nr. 8 angef. mWv 17.6.2016 durch G v. 31.3.2016 (BGBl. I S. 518); Satz 2 Nr. 5 und 6 geänd. mWv 1.8.2022 durch G v. 7.7.2021 (BGBl. I S. 2363); Satz 1 und 2 Nr. 6 geänd. mWv 16.3.2023 durch G v. 10.3.2023 (BGBl. I Nr. 64).

§ 59[1)] Steuerberater oder Steuerbevollmächtigte im öffentlich-rechtlichen Dienst- oder Amtsverhältnis. [1] Ist ein Steuerberater oder Steuerbevollmächtigter ein öffentlich-rechtliches Dienstverhältnis als Wahlbeamter auf Zeit oder ein öffentlich-rechtliches Amtsverhältnis eingegangen, so darf er seinen Beruf als Steuerberater oder Steuerbevollmächtigter nicht ausüben, es sei denn, daß er die ihm übertragene Aufgabe ehrenamtlich wahrnimmt. [2] Die zuständige Steuerberaterkammer kann dem Steuerberater oder Steuerbevollmächtigten auf seinen Antrag einen Vertreter bestellen oder ihm gestatten, seinen Beruf selbst auszuüben, wenn die Einhaltung der allgemeinen Berufspflichten dadurch nicht gefährdet wird.

---

1) § 59 Satz 2 geänd. mWv 1.7.2000 durch G v. 24.6.2000 (BGBl. I S. 874).

B. *Urlaubsbestimmungen*

134. Mindesturlaubsgesetz für Arbeitnehmer (Bundesurlaubsgesetz)[1)]

Vom 8. Januar 1963
(BGBl. I S. 2)

FNA 800-4

zuletzt geänd. durch Art. 3 Abs. 3 G zur Umsetzung des Seearbeitsübereinkommens 2006 der Internationalen Arbeitsorganisation v. 20. 4. 2013 (BGBl. I S. 868)

§ 1 Urlaubsanspruch. Jeder Arbeitnehmer hat in jedem Kalenderjahr Anspruch auf bezahlten Erholungsurlaub.

§ 2 Geltungsbereich. [1] Arbeitnehmer im Sinne des Gesetzes sind Arbeiter und Angestellte sowie die zu ihrer Berufsausbildung Beschäftigten. [2] Als Arbeitnehmer gelten auch Personen, die wegen ihrer wirtschaftlichen Unselbständigkeit als arbeitnehmerähnliche Personen anzusehen sind; für den Bereich der Heimarbeit gilt § 12.

§ 3[2)] Dauer des Urlaubs. (1) Der Urlaub beträgt jährlich mindestens 24 Werktage.

(2) Als Werktage gelten alle Kalendertage, die nicht Sonn- oder gesetzliche Feiertage sind.

§ 4 Wartezeit. Der volle Urlaubsanspruch wird erstmalig nach sechsmonatigem Bestehen des Arbeitsverhältnisses erworben.

§ 5 Teilurlaub. (1) Anspruch auf ein Zwölftel des Jahresurlaubs für jeden vollen Monat des Bestehens des Arbeitsverhältnisses hat der Arbeitnehmer

a) für Zeiten eines Kalenderjahres, für die er wegen Nichterfüllung der Wartezeit in diesem Kalenderjahr keinen vollen Urlaubsanspruch erwirbt;

b) wenn er vor erfüllter Wartezeit aus dem Arbeitsverhältnis ausscheidet;

c) wenn er nach erfüllter Wartezeit in der ersten Hälfte eines Kalenderjahres aus dem Arbeitsverhältnis ausscheidet.

(2) Bruchteile von Urlaubstagen, die mindestens einen halben Tag ergeben, sind auf volle Urlaubstage aufzurunden.

(3) Hat der Arbeitnehmer im Falle des Absatzes 1 Buchstabe c bereits Urlaub über den ihm zustehenden Umfang hinaus erhalten, so kann das dafür gezahlte Urlaubsentgelt nicht zurückgefordert werden.

[1)] **Amtl. Anm.:** Ändert Bundesgesetzbl. III 9513-1.

[2)] § 3 Abs. 1 neu gef. durch G v. 29. 10. 1974 (BGBl. I S. 2879), Abs. 1 geänd. durch G v. 6. 6. 1994 (BGBl. I S. 1170).

§ 6 Ausschluß von Doppelansprüchen. (1) Der Anspruch auf Urlaub besteht nicht, soweit dem Arbeitnehmer für das laufende Kalenderjahr bereits von einem früheren Arbeitgeber Urlaub gewährt worden ist.

(2) Der Arbeitgeber ist verpflichtet, bei Beendigung des Arbeitsverhältnisses dem Arbeitnehmer eine Bescheinigung über den im laufenden Kalenderjahr gewährten oder abgegoltenen Urlaub auszuhändigen.

§ 7[1)] Zeitpunkt, Übertragbarkeit und Abgeltung des Urlaubs. (1) [1] Bei der zeitlichen Festlegung des Urlaubs sind die Urlaubswünsche des Arbeitnehmers zu berücksichtigen, es sei denn, daß ihrer Berücksichtigung dringende betriebliche Belange oder Urlaubswünsche anderer Arbeitnehmer, die unter sozialen Gesichtspunkten den Vorrang verdienen, entgegenstehen. [2] Der Urlaub ist zu gewähren, wenn der Arbeitnehmer dies im Anschluß an eine Maßnahme der medizinischen Vorsorge oder Rehabilitation verlangt.

(2) [1] Der Urlaub ist zusammenhängend zu gewähren, es sei denn, daß dringende betriebliche oder in der Person des Arbeitnehmers liegende Gründe eine Teilung des Urlaubs erforderlich machen. [2] Kann der Urlaub aus diesen Gründen nicht zusammenhängend gewährt werden, und hat der Arbeitnehmer Anspruch auf Urlaub von mehr als zwölf Werktagen, so muß einer der Urlaubsteile mindestens zwölf aufeinanderfolgende Werktage umfassen.

(3) [1] Der Urlaub muß im laufenden Kalenderjahr gewährt und genommen werden. [2] Eine Übertragung des Urlaubs auf das nächste Kalenderjahr ist nur statthaft, wenn dringende betriebliche oder in der Person des Arbeitnehmers liegende Gründe dies rechtfertigen. [3] Im Fall der Übertragung muß der Urlaub in den ersten drei Monaten des folgenden Kalenderjahres gewährt und genommen werden. [4] Auf Verlangen des Arbeitnehmers ist ein nach § 5 Abs. 1 Buchstabe a entstehender Teilurlaub jedoch auf das nächste Kalenderjahr zu übertragen.

(Fortsetzung nächste Seite)

---

1) § 7 Abs. 2 Satz 2 angef., Abs. 4 Satz 2 aufgeh. durch G v. 29. 10. 1974 (BGBl. I S. 2879); Abs. 1 Satz 2 angef. durch G v. 26. 5. 1994 (BGBl. I S. 1014).

(4) Kann der Urlaub wegen Beendigung des Arbeitsverhältnisses ganz oder teilweise nicht mehr gewährt werden, so ist er abzugelten.

§ 8 Erwerbstätigkeit während des Urlaubs. Während des Urlaubs darf der Arbeitnehmer keine dem Urlaubszweck widersprechende Erwerbstätigkeit leisten.

§ 9 Erkrankung während des Urlaubs. Erkrankt ein Arbeitnehmer während des Urlaubs, so werden die durch ärztliches Zeugnis nachgewiesenen Tage der Arbeitsunfähigkeit auf den Jahresurlaub nicht angerechnet.

§ 10[1] **Maßnahmen der medizinischen Vorsorge oder Rehabilitation.** Maßnahmen der medizinischen Vorsorge oder Rehabilitation dürfen nicht auf den Urlaub angerechnet werden, soweit ein Anspruch auf Fortzahlung des Arbeitsentgelts nach den gesetzlichen Vorschriften über die Entgeltfortzahlung im Krankheitsfall besteht.

§ 11[2] **Urlaubsentgelt.** (1) [1]Das Urlaubsentgelt bemißt sich nach dem durchschnittlichen Arbeitsverdienst, das der Arbeitnehmer in den letzten dreizehn Wochen vor dem Beginn des Urlaubs erhalten hat, mit Ausnahme des zusätzlich für Überstunden gezahlten Arbeitsverdienstes. [2]Bei Verdiensterhöhungen nicht nur vorübergehender Natur, die während des Berechnungszeitraums oder des Urlaubs eintreten, ist von dem erhöhten Verdienst auszugehen. [3]Verdienstkürzungen, die im Berechnungszeitraum infolge von Kurzarbeit, Arbeitsausfällen oder unverschuldeter Arbeitsversäumnis eintreten, bleiben für die Berechnung des Urlaubsentgelts außer Betracht. [4]Zum Arbeitsentgelt gehörende Sachbezüge, die während des Urlaubs nicht weitergewährt werden, sind für die Dauer des Urlaubs angemessen in bar abzugelten.

(2) Das Urlaubsentgelt ist vor Antritt des Urlaubs auszuzahlen.

§ 12[3] **Urlaub im Bereich der Heimarbeit.** Für die in Heimarbeit Beschäftigten und die ihnen nach § 1 Abs. 2 Buchstaben a bis c des Heimarbeitsgesetzes[4] Gleichgestellten, für die die Urlaubsregelung nicht ausdrücklich von der Gleichstellung ausgenommen ist, gelten die

---

[1] § 10 neugef. durch G v. 19. 12. 1998 (BGBl. I S. 3843).

[2] § 11 Abs. 1 Satz 4 angef. durch G v. 29. 10. 1974 (BGBl. I S. 2879); Abs. 1 Satz 1 2. Halbs. angef. durch G v. 25. 9. 1996 (BGBl. I S. 1476) mWv 1. 10. 1996.

[3] § 12 Nr. 1 geänd. durch G v. 29. 10. 1974 (BGBl. I S. 2879), Abs. 1, Abs. 1 Nr. 1 und Nr. 4 geänd. durch G v. 6. 6. 1994 (BGBl. I S. 1170) mWv 1. 1. 1995. In der Nr. 1 wurde die Zahl „18" durch die Zahl „24" und das Wort „Urlaubstage" durch das Wort „Werktage" sowie die Zahl „6³/₄" durch die Zahl „9,1" ersetzt.
In der Nr. 4 wurde die Zahl „6³/₄" durch die Zahl „9,1" ersetzt.

[4] Nr. **450**.

vorstehenden Bestimmungen mit Ausnahme der §§ 4 bis 6, 7 Abs. 3 und 4 und § 11 nach Maßgabe der folgenden Bestimmungen:

1. Heimarbeiter (§ 1 Abs. 1 Buchstabe a des Heimarbeitsgesetzes) und nach § 1 Abs. 2 Buchstabe a des Heimarbeitsgesetzes Gleichgestellte erhalten von ihrem Auftraggeber oder, falls sie von einem Zwischenmeister beschäftigt werden, von diesem
   bei einem Anspruch auf 24 Werktage
   ein Urlaubsentgelt von 9,1 vom Hundert
   des in der Zeit vom 1. Mai bis zum 30. April des folgenden Jahres oder bis zur Beendigung des Beschäftigungsverhältnisses verdienten Arbeitsentgelts vor Abzug der Steuern und Sozialversicherungsbeiträge ohne Unkostenzuschlag und ohne die für den Lohnausfall an Feiertagen, den Arbeitsausfall infolge Krankheit und den Urlaub zu leistenden Zahlungen.
2. War der Anspruchsberechtigte im Berechnungszeitraum nicht ständig beschäftigt, so brauchen unbeschadet des Anspruches auf Urlaubsentgelt nach Nummer 1 nur so viele Urlaubstage gegeben zu werden, wie durchschnittliche Tagesverdienste, die er in der Regel erzielt hat, in dem Urlaubsentgelt nach Nummer 1 enthalten sind.
3. Das Urlaubsentgelt für die in Nummer 1 bezeichneten Personen soll erst bei der letzten Entgeltzahlung vor Antritt des Urlaubs ausgezahlt werden.
4. Hausgewerbetreibende (§ 1 Abs. 1 Buchstabe b des Heimarbeitsgesetzes[1]) und nach § 1 Abs. 2 Buchstaben b und c des Heimarbeitsgesetzes[1] Gleichgestellte erhalten von ihrem Auftraggeber oder, falls sie von einem Zwischenmeister beschäftigt werden, von diesem als eigenes Urlaubsentgelt und zur Sicherung der Urlaubsansprüche der von ihnen Beschäftigten einen Betrag von 9,1 vom Hundert des an sie ausgezahlten Arbeitsentgelts vor Abzug der Steuern und Sozialversicherungsbeiträge ohne Unkostenzuschlag und ohne die für den Lohnausfall an Feiertagen, den Arbeitsausfall infolge Krankheit und den Urlaub zu leistenden Zahlungen.
5. Zwischenmeister, die den in Heimarbeit Beschäftigten nach § 1 Abs. 2 Buchstabe d des Heimarbeitsgesetzes[1] gleichgestellt sind, haben gegen ihren Auftraggeber Anspruch auf die von ihnen nach den Nummern 1 und 4 nachweislich zu zahlenden Beträge.
6. Die Beträge nach den Nummern 1, 4 und 5 sind gesondert im Entgeltbeleg auszuweisen.
7. Durch Tarifvertrag kann bestimmt werden, daß Heimarbeiter (§ 1 Abs. 1 Buchstabe a des Heimarbeitsgesetzes,[1] die nur für einen Auf-

[1] Nr. **450**.

traggeber tätig sind und tariflich allgemein wie Betriebsarbeiter behandelt werden, Urlaub nach den allgemeinen Urlaubsbestimmungen erhalten.

8. Auf die in den Nummern 1, 4 und 5 vorgesehenen Beträge finden die §§ 23 bis 25, 27 und 28 und auf die in den Nummern 1 und 4 vorgesehenen Beträge außerdem § 21 Abs. 2 des Heimarbeitsgesetzes entsprechende Anwendung. Für die Urlaubsansprüche der fremden Hilfskräfte der in Nummer 4 genannten Personen gilt § 26 des Heimarbeitsgesetzes entsprechend.

§ 13[1] **Unabdingbarkeit.** (1) [1] Von den vorstehenden Vorschriften mit Ausnahme der §§ 1, 2 und 3 Abs. 1 kann in Tarifverträgen abgewichen werden. [2] Die abweichenden Bestimmungen haben zwischen nichttarifgebundenen Arbeitgebern und Arbeitnehmern Geltung, wenn zwischen diesen die Anwendung der einschlägigen tariflichen Urlaubsregelung vereinbart ist. [3] Im übrigen kann, abgesehen von § 7 Abs. 2 Satz 2, von den Bestimmungen dieses Gesetzes nicht zuungunsten des Arbeitnehmers abgewichen werden.

(2) [1] Für das Baugewerbe oder sonstige Wirtschaftszweige, in denen als Folge häufigen Ortswechsels der von den Betrieben zu leistenden Arbeit Arbeitsverhältnisse von kürzerer Dauer als einem Jahr in erheblichem Umfange üblich sind, kann durch Tarifvertrag von den vorstehenden Vorschriften über die in Absatz 1 Satz 1 vorgesehene Grenze hinaus abgewichen werden, soweit dies zur Sicherung eines zusammenhängenden Jahresurlaubs für alle Arbeitnehmer erforderlich ist. [2] Absatz 1 Satz 2 findet entsprechende Anwendung.

(3) Für den Bereich der Deutsche Bahn Aktiengesellschaft sowie einer gemäß § 2 Abs. 1 und § 3 Abs. 3 des Deutsche Bahn Gründungsgesetzes[2] vom 27. Dezember 1993 (BGBl. I S. 2378, 2386) ausgegliederten Gesellschaft und für den Bereich der Nachfolgeunternehmen der Deutschen Bundespost kann von der Vorschrift über das Kalenderjahr als Urlaubsjahr (§ 1) in Tarifverträgen abgewichen werden.

§ 14 Berlin-Klausel. (gegenstandslos)

§ 15[3] **Änderung und Aufhebung von Gesetzen.** (1) Unberührt bleiben die urlaubsrechtlichen Bestimmungen des Arbeitsplatzschutzgesetzes vom 30. März 1957 (Bundesgesetzbl. I S. 293), geändert durch Gesetz vom 22. März 1962 (Bundesgesetzbl. I S. 169), des Neunten Buches Sozialgesetzbuch[4], *des Jugendarbeitsschutzgesetzes vom 9. August 1960 (Bundesgesetzbl. I S. 665), geändert durch Gesetz vom 20. Juli 1962 (Bundesgesetzbl. I S. 449),*[5] und des Seearbeitsgesetzes vom 20. April 2013 (BGBl. I S. 868), jedoch wird

---

[1] § 13 Abs. 1 Satz 3 geänd. durch G v. 29. 10. 1974 (BGBl. I S. 2879); Abs. 3 neu gef. durch G v. 27. 12. 1993 (BGBl. I S. 2378); Abs. 3 geänd. mWv 11. 5. 2002 durch G v. 7. 5. 2002 (BGBl. I S. 1529).

[2] **NipperdeyDirekt (online) Nr. 635 b.**

[3] § 15 Abs. 1 geänd. mWv 1. 7. 2001 durch G v. 19. 6. 2001 (BGBl. I S. 1046); Abs. 1 geänd. mWv 1. 8. 2013 durch G v. 20. 4. 2013 (BGBl. I S. 868).

[4] Auszugsweise abgedruckt unter Nr. **698**.

[5] Siehe nun JugendarbeitsschutzG (Nr. **420**).

a) in § 19 Abs. 6 Satz 2 des Jugendarbeitsschutzgesetzes[1] der Punkt hinter dem letzten Wort durch ein Komma ersetzt und folgender Satzteil angefügt: „und in diesen Fällen eine grobe Verletzung der Treuepflicht aus dem Beschäftigungsverhältnis vorliegt.";

b) § 53 Abs. 2 des Seemannsgesetzes[2] durch folgende Bestimmung ersetzt: „Das Bundesurlaubsgesetz vom 8. Januar 1963 (Bundesgesetzbl. I S. 2) findet auf den Urlaubsanspruch des Besatzungsmitglieds nur insoweit Anwendung, als es Vorschriften über die Mindestdauer des Urlaubs enthält."

(2) [1] Mit dem Inkrafttreten dieses Gesetzes treten die landesrechtlichen Vorschriften über den Erholungsurlaub außer Kraft. [2] In Kraft bleiben jedoch die landesrechtlichen Bestimmungen über den Urlaub für Opfer des Nationalsozialismus und für solche Arbeitnehmer, die geistig oder körperlich in ihrer Erwerbsfähigkeit behindert sind.

§ 15 a[3] Übergangsvorschrift. Befindet sich der Arbeitnehmer von einem Tag nach dem 9. Dezember 1998 bis zum 1. Januar 1999 oder darüber hinaus in einer Maßnahme der medizinischen Vorsorge oder Rehabilitation, sind für diesen Zeitraum die seit dem 1. Januar 1999 geltenden Vorschriften maßgebend, es sei denn, daß diese für den Arbeitnehmer ungünstiger sind.

§ 16 Inkrafttreten. Dieses Gesetz tritt mit Wirkung vom 1. Januar 1963 in Kraft.

---

[1] Nr. **420**.

[2] ***Amtl. Anm.:*** *Bundesgesetzbl. III 9513-1.*

[3] § 15 a eingef. durch G v. 25. 9. 1996 (BGBl. I S. 1476) und neu gef. durch G v. 19. 12. 1998 (BGBl. I S. 3843).

134a. Übersicht zu den Sonderurlaubsregelungen der Länder[1)]

Baden-Württemberg

Gesetz zur Stärkung des Ehrenamtes in der Jugendarbeit vom 20. November 2007 (GBl. S. 530).

Bildungszeitgesetz Baden-Württemberg (BzG BW) vom 17. März 2015 (GBl. S. 161), zuletzt geänd. durch G v. 4.2.2021 (GBl. S. 117).

Verordnung der Landesregierung zur Regelung der Bildungszeit für die Qualifizierung zur Wahrnehmung ehrenamtlicher Tätigkeiten (VO BzG BW) vom 15. Dezember 2015 (GBl. S. 1251).

Bayern

Gesetz zur Freistellung von Arbeitnehmern für Zwecke der Jugendarbeit vom 14. April 1980 (Bay RS 2162-3-K), geänd. durch G v. 27.3.2017 (GVBl. S. 52).

Verordnung über Urlaub, Mutterschutz und Elternzeit der bayerischen Beamten (Bayerische Urlaubs- und Mutterschutzverordnung – UrlMV) vom 28. November 2017 (GVBl. S. 543), zuletzt geänd. durch G v. 23.12.2024 (GVBl. S. 605).

Berlin

Berliner Bildungszeitgesetz (BiZeitG) vom 5. Juli 2021 (GVBl. S. 849).

Verordnung über den Erholungsurlaub der Beamten und Richter (Erholungsurlaubsverordnung - EUrlVO) vom 26. April 1988 (GVBl. S. 846), zuletzt geänd. durch VO v. 26.8.2014 (GVBl. S. 323).

Verordnung über den Urlaub der Beamten und Richter aus besonderen Anlässen (Sonderurlaubsverordnung - SUrlVO) in der Fassung der Bekanntmachung vom 1. Januar 1971 (GVBl. S. 245), zuletzt geänd. durch G v. 7.6.2021 (GVBl. S. 618).

Brandenburg

Gesetz zur Regelung und Förderung der Weiterbildung im Land Brandenburg (Brandenburgisches Weiterbildungsgesetz - BbgWBG) vom 15. Dezember 1993 (GVBl. I S. 498), zuletzt geänd. durch G v. 25.1.2016 (GVBl. I Nr. 5).

Verordnung über die Anerkennung von Weiterbildungsveranstaltungen zur Bildungsfreistellung nach dem brandenburgischen Weiterbildungsgesetz (Bildungsfreistellungsverordnung - BFV) vom 21. Januar 2005 (GVBl. II S. 57).

Verordnung über Erholungsurlaub und Dienstbefreiung der Beamten und Richter im Land Brandenburg (Erholungsurlaubs- und Dienstbefreiungsverordnung - EUrlDbV) vom 16. September 2009 (GVBl. II S. 618), zuletzt geänd. durch VO v. 25.6.2024 (GVBl. II Nr. 44).

[1)] Die Übersicht ist nichtamtlich. Die Vorschriften sind vollständig wiedergegeben in **beck-online, Module Arbeitsrecht.**

Bremen

Bremisches Bildungszeitgesetz (BremBZG) vom 18. Dezember 1974 (SaBremR 223-i-1), zuletzt geänd. durch G v. 26.9.2017 (Brem.GBl. S. 388).

Verordnung über die Anerkennung von Bildungsveranstaltungen nach dem Bremischen Bildungszeitgesetz vom 17. Oktober 2017 (Brem.GBl. S. 452), geänd. durch VO v. 5.1.2021 (Brem.GBl. S. 116).

Bremisches Kinder-, Jugend- und Familienförderungsgesetz (BremKJFFöG) vom 22. Dezember 1998 (Brem.GBl. S. 351), zuletzt geänd. durch Bek. v. 20.10.2020 (Brem.GBl. S. 1172).

Verordnung über den Urlaub für bremische Beamtinnen und Beamte und Richterinnen und Richter vom 2. Mai 2023 (Brem.GBl. S. 458), geänd. durch VO v. 1.10.2024 (Brem.GBl. S. 775).

Hamburg

Gesetz über Sonderurlaub für Jugendgruppenleiter vom 28. Juni 1955 (BS Hbg I 800-c).

Hamburgisches Bildungsurlaubsgesetz vom 21. Januar 1974 (GVBl. S. 6), zuletzt geänd. durch G v. 15.12.2009 (HmbGVBl. S. 444).

Verordnung über die Anerkennung von Bildungsveranstaltungen vom 9. April 1974 (GVBl. S. 113), zuletzt geänd. durch VO v. 31.5.2016 (HmbGVBl. S. 224).

Verordnung über den Erholungsurlaub der hamburgischen Beamtinnen und Beamten (Hamburgische Erholungsurlaubsverordnung - HmbEUrlVO) vom 21. Januar 1974 (GVBl. S. 6), zuletzt geänd. durch G v. 4.7.2023 (HmbGVBl. S. 238).

Hessen

Hessisches Gesetz über den Anspruch auf Bildungsurlaub in der Fassung der Bekanntmachung vom 28. Juli 1998 (GVBl. I S. 294, ber. S. 348), zuletzt geänd. durch G v. 13.10.2022 (GVBl. S. 499).

Urlaubsverordnung für die Beamtinnen und Beamten im Lande Hessen (Hessische Urlaubsverordnung - HUrlVO) vom 12. Dezember 2006 (GVBl. I S. 671), zuletzt geänd. durch VO v. 2.6.2023 (GVBl. S. 406)[1)]

Hessisches Kinder- und Jugendhilfegesetzbuch (HKJGB) vom 18. Dezember 2006 (GVBl. I S. 698), zuletzt geänd. durch G v. 10.7.2024 (GVBl. Nr. 31).

Mecklenburg-Vorpommern

Gesetz zur Freistellung für Weiterbildungen für das Land Mecklenburg-Vorpommern (Bildungsfreistellungsgesetz - BfG M-V) vom v. 13. Dezember 2013 (GVOBl. M-V S. 691), geänd. durch G v. 11.12.2020 (GVOBl. M-V S. 1386).

Gesetz zur Förderung und Entwicklung der Kinder- und Jugendarbeit, der Jugendsozialarbeit, des erzieherischen Kinder- und Jugendschutzes, der Freistellung ehrenamtlicher Mitarbeiter und der fortbildung hauptberuflicher Fachkräfte und Mitarbeiter (Kinder- und Jugendförderungsgesetz - KJfG M-V) - Drittes Landesausführungsgesetz zum Kinder- und Jugendhilfegesetz - vom

[1)] Beachte die VO zur vorübergehenden Abweichung von Regelungen der Hessischen ArbeitszeitVO und der Hessischen Urlaubsverordnung.

7. Juli 1997 (GVOBl. S. 287) (GS Meckl.-Vorp. Gl. Nr. 226-3), zuletzt geänd. durch G v. 16.12.2019 (GVOBl. M-V S. 791).

Landesverordnung über Voraussetzungen, Verfahren und Umfang der Freistellung und Arbeitsentgelterstattung sowie über die Höhe der zu diesem Zweck bereitzustellenden Landesmittel (Freistellungsverordnung - FrStVO M-V) vom 27. Januar 1998 (GVOBl. S. 99) (GS Meckl.-Vorp. Gl. Nr. 226-3-2).

Niedersachsen

Gesetz über die Arbeitsbefreiung für Zwecke der Jugendpflege und des Jugendsports vom 29. Juni 1962 (Nds. GVBl. S. 74), zuletzt geänd. durch G v. 25.5. 1980 (Nds. GVBl. S. 147).

Niedersächsisches Gesetz über den Bildungsurlaub für Arbeitnehmer und Arbeitnehmerinnen (Niedersächsisches Bildungsurlaubsgesetz - NBildUG) vom 25. Januar 1991 (Nds. GVBl. S. 29), zuletzt geänd. durch G v. 17.12.1999 (Nds. GVBl. S. 430).

Verordnung zur Durchführung des Niedersächsischen Bildungsurlaubsgesetzes (DVO-NBildUG) vom 26. März 1991 (Nds. GVBl. S. 167), zuletzt geänd. durch G v. 17.4.1997 (Nds. GVBl. S. 111).

Niedersächsische Erholungsurlaubsverordnung (NEUrlVO) in der Fassung der Bekanntmachung vom 7. September 2004 (Nds. GVBl. S. 317), zuletzt geänd. durch VO v. 6.10.2022 (Nds. GVBl. S. 632).

Nordrhein-Westfalen

Gesetz zur Gewährung von Sonderurlaub für ehrenamtliche Mitarbeiter in der Jugendhilfe (Sonderurlaubsgesetz) vom 31. Juli 1974 (GV. NRW. S. 768), zuletzt geänd. durch G v. 5.4.2005 (GV. NRW. S. 274).

Gesetz zur Freistellung von Arbeitnehmern zum Zwecke der beruflichen und politischen Weiterbildung - Arbeitnehmerweiterbildungsgesetz (AWbG) vom 6. November 1984 (GV. NRW. S. 678), zuletzt geänd. durch G v. 6.12.2022 (GV. NRW. S. 1064).

Verordnung über die Freistellung wegen Mutterschutz für Beamtinnen und Richterinnen, Eltern - und Pflegezeit, Erholungs- und Sonderurlaub der Beamtinnen und Beamten und Richterinnen und Richter im Land Nordrhein-Westfalen (Freistellungs- und Urlaubsverordnung NRW - FrUrlV NRW) vom 10. Januar 2012 (GV. NRW. S. 2), zuletzt geänd. durch VO v. 10.9.2024 (GV. NRW. S. 620).

Rheinland-Pfalz

Landesgesetz zur Stärkung des Ehrenamtes in der Jugendarbeit vom 5. Oktober 2001 (GVBl. S. 209), geänd. durch G v. 17.12.2020 (GVBl. S. 731).

Landesbildungszeitgesetz (LBZG) vom 11. Februar 2026 (GVBl. S. 29).

Saarland

Gesetz über Sonderurlaub für ehrenamtliche Mitarbeiterinnen und Mitarbeiter in der Jugendarbeit vom 8. Juli 1998 (Amtsbl. S. 862), geänd. durch G v. 18.11. 2010 (Amtsbl. I S. 1420).

Saarländisches Weiterbildungsförderungsgesetz (SWFG) vom 10. Februar 2010 (Amtsbl. S. 28), zuletzt geänd. durch G v. 8.12.2021 (Amtsbl. I S. 2629).

Saarländisches Bildungsfreistellungsgesetz (SBFG) vom 10. Februar 2010 (Amtsbl. S. 28), zuletzt geänd. durch G v. 24.4.2024 (Amtsbl. I S. 311).

Gesetz betreffend Regelung des Zusatzurlaubs für kriegs- und unfallbeschädigte Arbeitnehmer in der Privatwirtschaft vom 22. Juni 1950 (Amtsbl. S. 759), aufgeh. durch G v. 23.6.1999 (Amtsbl. S. 1263).

Verordnung zur Durchführung des Gesetzes betreffend Regelung des Zusatzurlaubs für kriegs- und unfallbeschädigte Arbeitnehmer in der Privatwirtschaft vom 20. November 1950 (Amtsbl. S. 1092), geänd. durch VO v. 29.12.1952 (Amtsbl. 1953 S. 25).

Zweite Verordnung zur Durchführung des Gesetzes betreffend Regelung des Zusatzurlaubs für kriegs- und unfallbeschädigte Arbeitnehmer in der Privatwirtschaft vom 5. März 1951 (Amtsbl. S. 442).

Verordnung über den Urlaub für die saarländischen Beamtinnen und Beamten sowie Richterinnen und Richter (Urlaubsverordnung - UrlaubsVO) vom 14. Januar 2015 (Amtsbl. I S. 134), zuletzt geänd. durch VO v. 20.2.2024 (Amtsbl. I S. 122).

Sachsen

Gesetz des Freistaates Sachsen über die Erteilung von Sonderurlaub an Mitarbeiter in der Jugendhilfe (Sonderurlaubsgesetz) vom 27. August 1991 (SächsGVBl. S. 323), zuletzt geänd. durch G v. 6.6.2002 (SächsGVBl. S. 168).

Verordnung der Sächsischen Staatsregierung über den Urlaub, den Mutterschutz und die Elternzeit der Beamten und Richter im Freistaat Sachsen (Sächsische Urlaubs-, Mutterschutz- und Elternzeitverordnung – SächsUrlMuEltVO) in der Fassung der Bekanntmachung vom 23.7.2018 (SächsGVBl. S. 496), zuletzt geänd. durch VO v. 13.8.2024 (SächsGVBl. S. 764).

Sachsen-Anhalt

Gesetz zur Freistellung von der Arbeit für Maßnahmen der Weiterbildung (Bildungsfreistellungsgesetz) vom 4. März 1998 (GVBl. LSA S. 92), zuletzt geänd. durch G v. 18.11.2005 (GVBl. LSA S. 698).

Verordnung zur Durchführung des Bildungsfreistellungsgesetzes (Bildungsfreistellungsverordnung) vom 24. Juni 1998 (GVBl. LSA S. 290), zuletzt geänd. durch VO v. 21.6.2004 (GVBl. LSA S. 351).

Schleswig-Holstein

Weiterbildungsgesetz Schleswig-Holstein (WBG) vom 6. März 2012 (GVOBl. Schl.-H. S. 282), geänd. durch G v. 22.1.2017 (GVOBl. Schl.-H. S. 123).

Landesverordnung über die Anerkennung von Weiterbildungsveranstaltungen für die Bildungsfreistellung (Bildungsfreistellungsverordnung – BilFVO) vom 16. Mai 2017 (GVOBl. Schl.-H. S. 319), zuletzt geänd. durch VO v. 8.1.2025 (GVOBl. Schl.-H. Nr. 9).

Erstes Gesetz zur Ausführung des Kinder- und Jugendhilfegesetzes (Jugendförderungsgesetz - JuFöG) vom 5. Februar 1992 (GVOBl. Schl.-H. S. 158), zuletzt geänd. durch G v. 29.4.2022 (GVOBl. Schl.-H. S. 616).

Landesverordnung über die Voraussetzungen und das Verfahren der Freistellung sowie der Erstattung des Verdienstausfalles für die ehrenamtliche Mitarbeit in der Jugendarbeit vom 4. März 1999 (GVOBl. Schl.-H. S. 72).

Landesverordnung über den Erholungsurlaub der Beamtinnen und Beamten und der Richterinnen und Richter vom 2. August 2001 (GVOBl. Schl.-H. S. 72), geänd. durch VO v. 14.12.2021 (GVOBl. Schl.-H. S. 1546).

Landesverordnung über die Bewilligung von Urlaub aus anderen Anlässen für die Beamtinnen und Beamten (Sonderurlaubsverordnung – SUVO) vom 29. November 2018 (GVOBl. Schl.-H. S. 796).

Thüringen

Thüringer Verordnung über den Urlaub und die Dienstbefreiung der Beamten und Richter (Thüringer Urlaubsverordnung – ThürUrlVO –) vom 29. November 2016 (GVBl. S. 574), zuletzt geänd. durch VO v. 9.9.2022 (GVBl. S. 420).

Verordnung zur Durchführung des Thüringer Bildungsfreistellungsgesetzes (Thüringer Bildungsfreistellungsverordnung - ThürBfVO -) vom 12. Juli 2016 (GVBl. S. 266).

C. *Vorschriften über Kündigungen*

152. Kündigungsschutzgesetz (KSchG)

In der Fassung der Bekanntmachung vom 25. August 1969[1)]
(BGBl. I S. 1317)

FNA 800-2

zuletzt geänd. durch Art. 2 BetriebsrätemodernisierungsG v. 14.6.2021 (BGBl. I S. 1762)

Erster Abschnitt. Allgemeiner Kündigungsschutz

§ 1[2)] **Sozial ungerechtfertigte Kündigungen.** (1) Die Kündigung des Arbeitsverhältnisses gegenüber einem Arbeitnehmer, dessen Arbeitsverhältnis in demselben Betrieb oder Unternehmen ohne Unterbrechung länger als sechs Monate bestanden hat, ist rechtsunwirksam, wenn sie sozial ungerechtfertigt ist.

(2) [1] Sozial ungerechtfertigt ist die Kündigung, wenn sie nicht durch Gründe, die in der Person oder in dem Verhalten des Arbeitnehmers liegen, oder durch dringende betriebliche Erfordernisse, die einer Weiterbeschäftigung des Arbeitnehmers in diesem Betrieb entgegenstehen, bedingt ist. [2] Die Kündigung ist auch sozial ungerechtfertigt, wenn

1. in Betrieben des privaten Rechts
   a) die Kündigung gegen eine Richtlinie nach § 95 des Betriebsverfassungsgesetzes[3)] verstößt,
   b) der Arbeitnehmer an einem anderen Arbeitsplatz in demselben Betrieb oder in einem anderen Betrieb des Unternehmens weiterbeschäftigt werden kann

   und der Betriebsrat oder eine andere nach dem Betriebsverfassungsgesetz insoweit zuständige Vertretung der Arbeitnehmer aus einem dieser Gründe der Kündigung innerhalb der Frist des § 102 Abs. 2 Satz 1 des Betriebsverfassungsgesetzes schriftlich widersprochen hat,
2. in Betrieben und Verwaltungen des öffentlichen Rechts
   a) die Kündigung gegen eine Richtlinie über die personelle Auswahl bei Kündigungen verstößt,
   b) der Arbeitnehmer an einem anderen Arbeitsplatz in derselben Dienststelle oder in einer anderen Dienststelle desselben Verwaltungszweiges an demselben Dienstort einschließlich seines Einzugsgebietes weiterbeschäftigt werden kann

   und die zuständige Personalvertretung aus einem dieser Gründe fristgerecht gegen die Kündigung Einwendungen erhoben hat, es sei denn, daß die

---

[1)] Neubekanntmachung des KSchG v. 10.8.1951 (BGBl. I S. 499) in der ab 1.9.1969 geltenden Fassung.

[2)] § 1 Abs. 1 geänd. durch G v. 5.7.1976 (BGBl. I S. 1769); Abs. 2 neu gef. durch G v. 15.3.1974 (BGBl. I S. 693); Abs. 3 Satz 1 geänd., Satz 2 neu gef., Abs. 4 und 5 angef. durch G v. 25.9.1996 (BGBl. I S. 1476); Abs. 3 Satz 1 geänd., Satz 2 und Abs. 4 neu gef., Abs. 5 aufgeh. durch G v. 19.12. 1998 (BGBl. I S. 3843); Abs. 3 Satz 1 geänd., Satz 2 und Abs. 4 neu gef., Abs. 5 angef. mWv 1.1.2004 durch G v. 24.12.2003 (BGBl. I S. 3002).

[3)] Nr. **570**.

Stufenvertretung in der Verhandlung mit der übergeordneten Dienststelle die Einwendungen nicht aufrechterhalten hat.

[3] Satz 2 gilt entsprechend, wenn die Weiterbeschäftigung des Arbeitnehmers nach zumutbaren Umschulungs- oder Fortbildungsmaßnahmen oder eine Weiterbeschäftigung des Arbeitnehmers unter geänderten Arbeitsbedingungen möglich ist und der Arbeitnehmer sein Einverständnis hiermit erklärt hat. [4] Der Arbeitgeber hat die Tatsachen zu beweisen, die die Kündigung bedingen.

(3) [1] Ist einem Arbeitnehmer aus dringenden betrieblichen Erfordernissen im Sinne des Absatzes 2 gekündigt worden, so ist die Kündigung trotzdem sozial ungerechtfertigt, wenn der Arbeitgeber bei der Auswahl des Arbeitnehmers die Dauer der Betriebszugehörigkeit, das Lebensalter, die Unterhaltspflichten und die Schwerbehinderung des Arbeitnehmers nicht oder nicht ausreichend berücksichtigt hat; auf Verlangen des Arbeitnehmers hat der Arbeitgeber dem Arbeitnehmer die Gründe anzugeben, die zu der getroffenen sozialen Auswahl geführt haben. [2] In die soziale Auswahl nach Satz 1 sind Arbeitnehmer nicht einzubeziehen, deren Weiterbeschäftigung, insbesondere wegen ihrer Kenntnisse, Fähigkeiten und Leistungen oder zur Sicherung einer ausgewogenen Personalstruktur des Betriebes, im berechtigten betrieblichen Interesse liegt. [3] Der Arbeitnehmer hat die Tatsachen zu beweisen, die die Kündigung als sozial ungerechtfertigt im Sinne des Satzes 1 erscheinen lassen.

(4) Ist in einem Tarifvertrag, in einer Betriebsvereinbarung nach § 95 des Betriebsverfassungsgesetzes oder in einer entsprechenden Richtlinie nach den Personalvertretungsgesetzen festgelegt, wie die sozialen Gesichtspunkte nach Absatz 3 Satz 1 im Verhältnis zueinander zu bewerten sind, so kann die Bewertung nur auf grobe Fehlerhaftigkeit überprüft werden.

(5) [1] Sind bei einer Kündigung auf Grund einer Betriebsänderung nach § 111 des Betriebsverfassungsgesetzes die Arbeitnehmer, denen gekündigt werden soll, in einem Interessenausgleich zwischen Arbeitgeber und Betriebsrat namentlich bezeichnet, so wird vermutet, dass die Kündigung durch dringende betriebliche Erfordernisse im Sinne des Absatzes 2 bedingt ist. [2] Die soziale Auswahl der Arbeitnehmer kann nur auf grobe Fehlerhaftigkeit überprüft werden. [3] Die Sätze 1 und 2 gelten nicht, soweit sich die Sachlage nach Zustandekommen des Interessenausgleichs wesentlich geändert hat. [4] Der Interessenausgleich nach Satz 1 ersetzt die Stellungnahme des Betriebsrates nach § 17 Abs. 3 Satz 2.

§ 1a[1)] Abfindungsanspruch bei betriebsbedingter Kündigung.

(1) [1] Kündigt der Arbeitgeber wegen dringender betrieblicher Erfordernisse nach § 1 Abs. 2 Satz 1 und erhebt der Arbeitnehmer bis zum Ablauf der Frist des § 4 Satz 1 keine Klage auf Feststellung, dass das Arbeitsverhältnis durch die Kündigung nicht aufgelöst ist, hat der Arbeitnehmer mit dem Ablauf der Kündigungsfrist Anspruch auf eine Abfindung. [2] Der Anspruch setzt den Hin-

(Fortsetzung nächstes Blatt)

[1)] § 1a eingef. mWv 1.1.2004 durch G v. 24.12.2003 (BGBl. I S. 3002).

weis des Arbeitgebers in der Kündigungserklärung voraus, dass die Kündigung auf dringende betriebliche Erfordernisse gestützt ist und der Arbeitnehmer bei Verstreichenlassen der Klagefrist die Abfindung beanspruchen kann.

(2) [1]Die Höhe der Abfindung beträgt 0,5 Monatsverdienste für jedes Jahr des Bestehens des Arbeitsverhältnisses. [2]§ 10 Abs. 3 gilt entsprechend. [3]Bei der Ermittlung der Dauer des Arbeitsverhältnisses ist ein Zeitraum von mehr als sechs Monaten auf ein volles Jahr aufzurunden.

§ 2[1)] Änderungskündigung. [1]Kündigt der Arbeitgeber das Arbeitsverhältnis und bietet er dem Arbeitnehmer im Zusammenhang mit der Kündigung die Fortsetzung des Arbeitsverhältnisses zu geänderten Arbeitsbedingungen an, so kann der Arbeitnehmer dieses Angebot unter dem Vorbehalt annehmen, daß die Änderung der Arbeitsbedingungen nicht sozial ungerechtfertigt ist (§ 1 Abs. 2 Satz 1 bis 3, Abs. 3 Satz 1 und 2). [2]Diesen Vorbehalt muß der Arbeitnehmer dem Arbeitgeber innerhalb der Kündigungsfrist, spätestens jedoch innerhalb von drei Wochen nach Zugang der Kündigung erklären.

§ 3 Kündigungseinspruch. [1]Hält der Arbeitnehmer eine Kündigung für sozial ungerechtfertigt, so kann er binnen einer Woche nach der Kündigung Einspruch beim Betriebsrat einlegen. [2]Erachtet der Betriebsrat den Einspruch für begründet, so hat er zu versuchen, eine Verständigung mit dem Arbeitgeber herbeizuführen. [3]Er hat seine Stellungnahme zu dem Einspruch dem Arbeitnehmer und dem Arbeitgeber auf Verlangen schriftlich mitzuteilen.

§ 4[2)] Anrufung des Arbeitsgerichtes. [1]Will ein Arbeitnehmer geltend machen, dass eine Kündigung sozial ungerechtfertigt oder aus anderen Gründen rechtsunwirksam ist, so muss er innerhalb von drei Wochen nach Zugang der schriftlichen Kündigung Klage beim Arbeitsgericht auf Feststellung erheben, dass das Arbeitsverhältnis durch die Kündigung nicht aufgelöst ist. [2]Im Falle des § 2 ist die Klage auf Feststellung zu erheben, daß die Änderung der Arbeitsbedingungen sozial ungerechtfertigt oder aus anderen Gründen rechtsunwirksam ist. [3]Hat der Arbeitnehmer Einspruch beim Betriebsrat eingelegt (§ 3), so soll er der Klage die Stellungnahme des Betriebsrates beifügen. [4]Soweit die Kündigung der Zustimmung einer Behörde bedarf, läuft die Frist zur Anrufung des Arbeitsgerichtes erst von der Bekanntgabe der Entscheidung der Behörde an den Arbeitnehmer ab.

§ 5[3)] Zulassung verspäteter Klagen. (1) [1]War ein Arbeitnehmer nach erfolgter Kündigung trotz Anwendung aller ihm nach Lage der Umstände zuzumutenden Sorgfalt verhindert, die Klage innerhalb von drei Wochen nach Zugang der schriftlichen Kündigung zu erheben, so ist auf seinen Antrag die Klage nachträglich zuzulassen. [2]Gleiches gilt, wenn eine Frau von ihrer Schwangerschaft aus einem von ihr nicht zu vertretenden Grund erst nach Ablauf der Frist des § 4 Satz 1 Kenntnis erlangt hat.

[1)] § 2 Satz 1 geänd. durch G v. 15. 3. 1974 (BGBl. I S. 693).

[2)] § 4 Satz 1 neu gef., Satz 2 geänd. mWv 1. 1. 2004 durch G v. 24. 12. 2003 (BGBl. I S. 3002).

[3)] § 5 Abs. 4 Satz 1 neu gef. mWv 1. 5. 2000 durch G v. 30. 3. 2000 (BGBl. I S. 333); Abs. 1 Satz 2 angef., bish. Wortlaut wird Satz 1 und geänd. mWv 1. 1. 2004 durch G v. 24. 12. 2003 (BGBl. I S. 3002); Abs. 4 neu gef., Abs. 5 angef. mWv 1. 4. 2008 durch G v. 26. 3. 2008 (BGBl. I S. 444).

(2) [1]Mit dem Antrag ist die Klageerhebung zu verbinden; ist die Klage bereits eingereicht, so ist auf sie im Antrag Bezug zu nehmen. [2]Der Antrag muß ferner die Angabe der die nachträgliche Zulassung begründenden Tatsachen und der Mittel für deren Glaubhaftmachung enthalten.

(3) [1]Der Antrag ist nur innerhalb von zwei Wochen nach Behebung des Hindernisses zulässig. [2]Nach Ablauf von sechs Monaten, vom Ende der versäumten Frist an gerechnet, kann der Antrag nicht mehr gestellt werden.

(4) [1]Das Verfahren über den Antrag auf nachträgliche Zulassung ist mit dem Verfahren über die Klage zu verbinden. [2]Das Arbeitsgericht kann das Verfahren zunächst auf die Verhandlung und Entscheidung über den Antrag beschränken. [3]In diesem Fall ergeht die Entscheidung durch Zwischenurteil, das wie ein Endurteil angefochten werden kann.

(5) [1]Hat das Arbeitsgericht über einen Antrag auf nachträgliche Klagezulassung nicht entschieden oder wird ein solcher Antrag erstmals vor dem Landesarbeitsgericht gestellt, entscheidet hierüber die Kammer des Landesarbeitsgerichts. [2]Absatz 4 gilt entsprechend.

§ 6[1)] Verlängerte Anrufungsfrist. [1]Hat ein Arbeitnehmer innerhalb von drei Wochen nach Zugang der schriftlichen Kündigung im Klagewege geltend gemacht, dass eine rechtswirksame Kündigung nicht vorliege, so kann er sich in diesem Verfahren bis zum Schluss der mündlichen Verhandlung erster Instanz zur Begründung der Unwirk-

(Fortsetzung nächste Seite)

[1)] § 6 neu gef. mWv 1. 1. 2004 durch G v. 24. 12. 2003 (BGBl. I S. 3002).

samkeit der Kündigung auch auf innerhalb der Klagefrist nicht geltend gemachte Gründe berufen. [2]Das Arbeitsgericht soll ihn hierauf hinweisen.

§ 7[1)] Wirksamwerden der Kündigung. Wird die Rechtsunwirksamkeit einer Kündigung nicht rechtzeitig geltend gemacht (§ 4 Satz 1, §§ 5 und 6), so gilt die Kündigung als von Anfang an rechtswirksam; ein vom Arbeitnehmer nach § 2 erklärter Vorbehalt erlischt.

§ 8 Wiederherstellung der früheren Arbeitsbedingungen. Stellt das Gericht im Falle des § 2 fest, daß die Änderung der Arbeitsbedingungen sozial ungerechtfertigt ist, so gilt die Änderungskündigung als von Anfang an rechtsunwirksam.

§ 9 Auflösung des Arbeitsverhältnisses durch Urteil des Gerichts; Abfindung des Arbeitnehmers. (1) [1]Stellt das Gericht fest, daß das Arbeitsverhältnis durch die Kündigung nicht aufgelöst ist, ist jedoch dem Arbeitnehmer die Fortsetzung des Arbeitsverhältnisses nicht zuzumuten, so hat das Gericht auf Antrag des Arbeitnehmers das Arbeitsverhältnis aufzulösen und den Arbeitgeber zur Zahlung einer angemessenen Abfindung zu verurteilen. [2]Die gleiche Entscheidung hat das Gericht auf Antrag des Arbeitgebers zu treffen, wenn Gründe vorliegen, die eine den Betriebszwecken dienliche weitere Zusammenarbeit zwischen Arbeitgeber und Arbeitnehmer nicht erwarten lassen. [3]Arbeitnehmer und Arbeitgeber können den Antrag auf Auflösung des Arbeitsverhältnisses bis zum Schluß der letzten mündlichen Verhandlung in der Berufungsinstanz stellen.

(2) Das Gericht hat für die Auflösung des Arbeitsverhältnisses den Zeitpunkt festzusetzen, an dem es bei sozial gerechtfertigter Kündigung geendet hätte.

§ 10[2)] Höhe der Abfindung. (1) Als Abfindung ist ein Betrag bis zu zwölf Monatsverdiensten festzusetzen.

(2) [1]Hat der Arbeitnehmer das fünfzigste Lebensjahr vollendet und hat das Arbeitsverhältnis mindestens fünfzehn Jahre bestanden, so ist ein Betrag bis zu fünfzehn Monatsverdiensten, hat der Arbeitnehmer das fünfundfünfzigste Lebensjahr vollendet und hat das Arbeitsverhältnis mindestens zwanzig Jahre bestanden, so ist ein Betrag bis zu achtzehn Monatsverdiensten festzusetzen. [2]Dies gilt nicht, wenn der Arbeitnehmer in dem Zeitpunkt, den das Gericht nach § 9 Abs. 2 für die Auflösung des Arbeitsverhältnisses festsetzt, das in der Vorschrift des

---

1) § 7 neugef. mWv 1. 1. 2004 durch G v. 24. 12. 2003 (BGBl. I S. 3002).

2) § 10 Abs. 2 Satz 2 neugef. durch G v. 16. 10. 1972 (BGBl. I S. 1965), Abs. 2 Satz 2 geänd. mWv 1. 1. 1992 durch G v. 18. 12. 1989 (BGBl. I S. 2261).

Sechsten Buches Sozialgesetzbuch über die Regelaltersrente bezeichnete Lebensalter erreicht hat.

(3) Als Monatsverdienst gilt, was dem Arbeitnehmer bei der für ihn maßgebenden regelmäßigen Arbeitszeit in dem Monat, in dem das Arbeitsverhältnis endet (§ 9 Abs. 2), an Geld und Sachbezügen zusteht.

§ 11[1] **Anrechnung auf entgangenen Zwischenverdienst.** Besteht nach der Entscheidung des Gerichts das Arbeitsverhältnis fort, so muß sich der Arbeitnehmer auf das Arbeitsentgelt, das ihm der Arbeitgeber für die Zeit nach der Entlassung schuldet, anrechnen lassen,

1. was er durch anderweitige Arbeit verdient hat,
2. was er hätte verdienen können, wenn er es nicht böswillig unterlassen hätte, eine ihm zumutbare Arbeit anzunehmen,
3. was ihm an öffentlich-rechtlichen Leistungen infolge Arbeitslosigkeit aus der Sozialversicherung, der Arbeitslosenversicherung, der Sicherung des Lebensunterhalts nach dem Zweiten Buch Sozialgesetzbuch oder der Sozialhilfe für die Zwischenzeit gezahlt worden ist. Diese Beträge hat der Arbeitgeber der Stelle zu erstatten, die sie geleistet hat.

§ 12 Neues Arbeitsverhältnis des Arbeitnehmers; Auflösung des alten Arbeitsverhältnisses. [1]Besteht nach der Entscheidung des Gerichts das Arbeitsverhältnis fort, ist jedoch der Arbeitnehmer inzwischen ein neues Arbeitsverhältnis eingegangen, so kann er binnen einer Woche nach der Rechtskraft des Urteils durch Erklärung gegenüber dem alten Arbeitgeber die Fortsetzung des Arbeitsverhältnisses bei diesem verweigern. [2]Die Frist wird auch durch eine vor ihrem Ablauf zur Post gegebene schriftliche Erklärung gewahrt. [3]Mit dem Zugang der Erklärung erlischt das Arbeitsverhältnis. [4]Macht der Arbeitnehmer von seinem Verweigerungsrecht Gebrauch, so ist ihm entgangener Verdienst nur für die Zeit zwischen der Entlassung und dem Tage des Eintritts in das neue Arbeitsverhältnis zu gewähren. [5]§ 11 findet entsprechende Anwendung.

§ 13[2] **Außerordentliche, sittenwidrige und sonstige Kündigungen.** (1) [1]Die Vorschriften über das Recht zur außerordentlichen Kündigung eines Arbeitsverhältnisses werden durch das vorliegende Gesetz nicht berührt. [2]Die Rechtsunwirksamkeit einer außerordentlichen Kündigung kann jedoch nur nach Maßgabe des § 4 Satz 1 und der §§ 5 bis 7 geltend gemacht werden. [3]Stellt das Gericht fest, dass die

---

[1] § 11 Nr. 3 geänd. mWv 1. 1. 2005 durch G v. 24. 12. 2003 (BGBl. I S. 2954).
[2] § 13 neugef. mWv 1. 1. 2004 durch G v. 24. 12. 2003 (BGBl. I S. 3002).

außerordentliche Kündigung unbegründet ist, ist jedoch dem Arbeitnehmer die Fortsetzung des Arbeitsverhältnisses nicht zuzumuten, so hat auf seinen Antrag das Gericht das Arbeitsverhältnis aufzulösen und den Arbeitgeber zur Zahlung einer angemessenen Abfindung zu verurteilen. [4]Das Gericht hat für die Auflösung des Arbeitsverhältnisses den Zeitpunkt festzulegen, zu dem die außerordentliche Kündigung ausgesprochen wurde. [5]Die Vorschriften der §§ 10 bis 12 gelten entsprechend.

(2) Verstößt eine Kündigung gegen die guten Sitten, so finden die Vorschriften des § 9 Abs. 1 Satz 1 und Abs. 2 und der §§ 10 bis 12 entsprechende Anwendung.

(3) Im Übrigen finden die Vorschriften dieses Abschnitts mit Ausnahme der §§ 4 bis 7 auf eine Kündigung, die bereits aus anderen als den in § 1 Abs. 2 und 3 bezeichneten Gründen rechtsunwirksam ist, keine Anwendung.

§ 14 Angestellte in leitender Stellung. (1) Die Vorschriften dieses Abschnitts gelten nicht

1. in Betrieben einer juristischen Person für die Mitglieder des Organs, das zur gesetzlichen Vertretung der juristischen Person berufen ist,
2. in Betrieben einer Personengesamtheit für die durch Gesetz, Satzung oder Gesellschaftsvertrag zur Vertretung der Personengesamtheit berufenen Personen.

(2) [1]Auf Geschäftsführer, Betriebsleiter und ähnliche leitende Angestellte, soweit diese zur selbständigen Einstellung oder Entlassung von Arbeitnehmern berechtigt sind, finden die Vorschriften dieses Abschnitts mit Ausnahme des § 3 Anwendung. [2]§ 9 Abs. 1 Satz 2 findet mit der Maßgabe Anwendung, daß der Antrag des Arbeitgebers auf Auflösung des Arbeitsverhältnisses keiner Begründung bedarf.

Zweiter Abschnitt.[1)] Kündigungsschutz im Rahmen der Betriebsverfassung und Personalvertretung

§ 15[2)] Unzulässigkeit der Kündigung. (1) [1]Die Kündigung eines Mitglieds eines Betriebsrats, einer Jugend- und Auszubildendenvertretung, einer Bordvertretung oder eines Seebetriebsrats ist unzulässig, es sei denn, daß Tatsachen vorliegen, die den Arbeitgeber zur Kündigung aus wichtigem Grund ohne Einhaltung einer Kündigungsfrist berechtigen, und daß die nach § 103 des Betriebsverfassungsgesetzes[3)] erforderliche Zustimmung vorliegt oder durch gerichtliche Entscheidung ersetzt ist. [2]Nach Beendigung der Amtszeit ist die Kündigung eines Mitglieds eines Betriebsrats, einer Jugend- und Auszubildendenvertretung oder eines Seebetriebsrats innerhalb eines Jahres, die Kündigung eines Mitglieds einer Bordvertretung innerhalb von sechs Monaten, jeweils vom Zeitpunkt der Beendigung der Amtszeit an gerechnet, unzulässig, es sei denn, daß Tatsachen vorliegen, die den Arbeitgeber zur Kündigung aus wichti-

[1)] 2. Abschnitt Überschrift neu gef. durch G v. 15.3.1974 (BGBl. I S. 693).

[2)] § 15 Abs. 1 neu gef. durch G v.15.1.1972 (BGBl. I S. 13); Abs. 2 eingef., bish. Abs. 2–4 werden Abs. 3–5 und neu gef. durch G v. 15.3.1974 (BGBl. I S. 693); Abs. 1 geänd. durch G v. 13.7.1988 (BGBl. I S. 1034); Abs. 2 Satz 1 geänd. durch G v. 13.7.1988 (BGBl. I S. 1037); Abs. 3a eingef. mWv 28.7.2001 durch G v. 23.7.2001 (BGBl. I S. 1852); Abs. 3a Satz 1, Abs. 4 und 5 Satz 1 geänd., Abs. 3b eingef. mWv 18.6.2021 durch G v. 14.6.2021 (BGBl. I S. 1762).

[3)] Nr. **570**.

gem Grund ohne Einhaltung einer Kündigungsfrist berechtigen; dies gilt nicht, wenn die Beendigung der Mitgliedschaft auf einer gerichtlichen Entscheidung beruht.

(2) [1] Die Kündigung eines Mitglieds einer Personalvertretung, einer Jugend- und Auszubildendenvertretung oder einer Jugendvertretung ist unzulässig, es sei denn, daß Tatsachen vorliegen, die den Arbeitgeber zur Kündigung aus wichtigem Grund ohne Einhaltung einer Kündigungsfrist berechtigen, und daß die nach dem Personalvertretungsrecht erforderliche Zustimmung vorliegt oder durch gerichtliche Entscheidung ersetzt ist. [2] Nach Beendigung der Amtszeit der in Satz 1 genannten Personen ist ihre Kündigung innerhalb eines Jahres, vom Zeitpunkt der Beendigung der Amtszeit an gerechnet, unzulässig, es sei denn, daß Tatsachen vorliegen, die den Arbeitgeber zur Kündigung aus wichtigem Grund ohne Einhaltung einer Kündigungsfrist berechtigen; dies gilt nicht, wenn die Beendigung der Mitgliedschaft auf einer gerichtlichen Entscheidung beruht.

(3) [1] Die Kündigung eines Mitglieds eines Wahlvorstands ist vom Zeitpunkt seiner Bestellung an, die Kündigung eines Wahlbewerbers vom Zeitpunkt der Aufstellung des Wahlvorschlags an, jeweils bis zur Bekanntgabe des Wahlergebnisses unzulässig, es sei denn, daß Tatsachen vorliegen, die den Arbeitgeber zur Kündigung aus wichtigem Grund ohne Einhaltung einer Kündigungsfrist berechtigen, und daß die nach § 103 des Betriebsverfassungsgesetzes oder nach dem Personalvertretungsrecht erforderliche Zustimmung vorliegt oder durch eine gerichtliche Entscheidung ersetzt ist. [2] Innerhalb von sechs Monaten nach Bekanntgabe des Wahlergebnisses ist die Kündigung unzulässig, es sei denn, daß Tatsachen vorliegen, die den Arbeitgeber zur Kündigung aus wichtigem Grund ohne Einhaltung einer Kündigungsfrist berechtigen; dies gilt nicht für Mitglieder des Wahlvorstands, wenn dieser durch gerichtliche Entscheidung durch einen anderen Wahlvorstand ersetzt worden ist.

(3a) [1] Die Kündigung eines Arbeitnehmers, der zu einer Betriebs-, Wahl- oder Bordversammlung nach § 17 Abs. 3, § 17a Nr. 3 Satz 2, § 115 Abs. 2 Nr. 8 Satz 1 des Betriebsverfassungsgesetzes einlädt oder die Bestellung eines Wahlvorstands nach § 16 Abs. 2 Satz 1, § 17 Abs. 4, § 17a Nr. 4, § 63 Abs. 3, § 115 Abs. 2 Nr. 8 Satz 2 oder § 116 Abs. 2 Nr. 7 Satz 5 des Betriebsverfassungsgesetzes beantragt, ist vom Zeitpunkt der Einladung oder Antragstellung an bis zur Bekanntgabe des Wahlergebnisses unzulässig, es sei denn, dass Tatsachen vorliegen, die den Arbeitgeber zur Kündigung aus wichtigem Grund ohne Einhaltung einer Kündigungsfrist berechtigen; der Kündigungsschutz gilt für die ersten sechs in der Einladung oder die ersten drei in der Antragstellung aufgeführten Arbeitnehmer. [2] Wird ein Betriebsrat, eine Jugend- und Auszubildendenvertretung, eine Bordvertretung oder ein Seebetriebsrat nicht gewählt, besteht der Kündigungsschutz nach Satz 1 vom Zeitpunkt der Einladung oder Antragstellung an drei Monate.

(3b) [1] Die Kündigung eines Arbeitnehmers, der Vorbereitungshandlungen zur Errichtung eines Betriebsrats oder einer Bordvertretung unternimmt und eine öffentlich beglaubigte Erklärung mit dem Inhalt abgegeben hat, dass er die Absicht hat, einen Betriebsrat oder eine Bordvertretung zu errichten, ist unzulässig, soweit sie aus Gründen erfolgt, die in der Person oder in dem Verhalten des Arbeitnehmers liegen, es sei denn, dass Tatsachen vorliegen, die den Arbeitgeber zur Kündigung aus wichtigem Grund ohne Einhaltung einer Kündigungsfrist berechtigen. [2] Der Kündigungsschutz gilt von der Abgabe der

Erklärung nach Satz 1 bis zum Zeitpunkt der Einladung zu einer Betriebs-, Wahl- oder Bordversammlung nach § 17 Absatz 3, § 17a Nummer 3 Satz 2, § 115 Absatz 2 Nummer 8 Satz 1 des Betriebsverfassungsgesetzes, längstens jedoch für drei Monate.

(4) Wird der Betrieb stillgelegt, so ist die Kündigung der in den Absätzen 1 bis 3a genannten Personen frühestens zum Zeitpunkt der Stillegung zulässig, es sei denn, daß ihre Kündigung zu einem früheren Zeitpunkt durch zwingende betriebliche Erfordernisse bedingt ist.

(5) [1] Wird eine der in den Absätzen 1 bis 3a genannten Personen in einer Betriebsabteilung beschäftigt, die stillgelegt wird, so ist sie in eine andere Betriebsabteilung zu übernehmen. [2] Ist dies aus betrieblichen Gründen nicht möglich, so findet auf ihre Kündigung die Vorschrift des Absatzes 4 über die Kündigung bei Stillegung des Betriebs sinngemäß Anwendung.

§ 16[1)] Neues Arbeitsverhältnis; Auflösung des alten Arbeitsverhältnisses. [1] Stellt das Gericht die Unwirksamkeit der Kündigung einer der in § 15 Abs. 1 bis 3b genannten Personen fest, so kann diese Person, falls sie inzwischen ein neues Arbeitsverhältnis eingegangen ist, binnen einer Woche nach Rechtskraft des Urteils durch Erklärung gegenüber dem alten Arbeitgeber die Weiterbeschäftigung bei diesem verweigern. [2] Im übrigen finden die Vorschriften des § 11 und des § 12 Satz 2 bis 4 entsprechende Anwendung.

Dritter Abschnitt. Anzeigepflichtige Entlassungen

§ 17[2)] Anzeigepflicht. (1) [1] Der Arbeitgeber ist verpflichtet, der Agentur für Arbeit Anzeige zu erstatten, bevor er

1. in Betrieben mit in der Regel mehr als 20 und weniger als 60 Arbeitnehmern mehr als 5 Arbeitnehmer,
2. in Betrieben mit in der Regel mindestens 60 und weniger als 500 Arbeitnehmern 10 vom Hundert der im Betrieb regelmäßig beschäftigten Arbeitnehmer oder aber mehr als 25 Arbeitnehmer,
3. in Betrieben mit in der Regel mindestens 500 Arbeitnehmern mindestens 30 Arbeitnehmer

innerhalb von 30 Kalendertagen entläßt. [2] Den Entlassungen stehen andere Beendigungen des Arbeitsverhältnisses gleich, die vom Arbeitgeber veranlaßt werden.

(2) [1] Beabsichtigt der Arbeitgeber, nach Absatz 1 anzeigepflichtige Entlassungen vorzunehmen, hat er dem Betriebsrat rechtzeitig die zweckdienlichen Auskünfte zu erteilen und ihn schriftlich insbesondere zu unterrichten über

1. die Gründe für die geplanten Entlassungen,
2. die Zahl und die Berufsgruppen der zu entlassenden Arbeitnehmer,

---

[1)] § 16 Satz 1 neu gef. durch G v. 15.1.1972 (BGBl. I S. 13); Überschrift neu gef., Satz 1 geänd. durch G v. 15.3.1974 (BGBl. I S. 693); Satz 1 geänd. mWv 28.7.2001 durch G v. 23.7.2001 (BGBl. I S. 1852); Satz 1 geänd. mWv 18.6.2021 durch G v. 14.6.2021 (BGBl. I S. 1762).

[2)] § 17 Abs. 1 neu gef., Abs. 2 und 3 eingef., bish. Abs. 2 und 3 werden Abs. 4 und 5 durch G v. 27.4.1978 (BGBl. I S. 550); Abs. 1 Satz 2 angef., Abs. 2 Satz 1, Abs. 3 Sätze 1 und 4 neu gef., Abs. 3a eingef. durch G v. 20.7.1995 (BGBl. I S. 946); Abs. 1 Satz 1, Abs. 3 Satz 1 geänd. mWv 1.1. 2004 durch G v. 23.12.2003 (BGBl. I S. 2848); Abs. 3 Satz 7 geänd. mWv 27.11.2004 durch G v. 19.11.2004 (BGBl. I S. 2902).

3. die Zahl und die Berufsgruppen der in der Regel beschäftigten Arbeitnehmer,
4. den Zeitraum, in dem die Entlassungen vorgenommen werden sollen,
5. die vorgesehenen Kriterien für die Auswahl der zu entlassenden Arbeitnehmer,
6. die für die Berechnung etwaiger Abfindungen vorgesehenen Kriterien.

[2] Arbeitgeber und Betriebsrat haben insbesondere die Möglichkeiten zu beraten, Entlassungen zu vermeiden oder einzuschränken und ihre Folgen zu mildern.

(3) [1] Der Arbeitgeber hat gleichzeitig der Agentur für Arbeit eine Abschrift der Mitteilung an den Betriebsrat zuzuleiten; sie muß zumindest die in Absatz 2 Satz 1 Nr. 1 bis 5 vorgeschriebenen Angaben enthalten. [2] Die Anzeige nach Absatz 1 ist schriftlich unter Beifügung der Stellungnahme des Betriebsrates zu den Entlassungen zu erstatten. [3] Liegt eine Stellungnahme des Betriebsrates nicht vor, so ist die Anzeige wirksam, wenn der Arbeitgeber glaubhaft macht, daß er den Betriebsrat mindestens zwei Wochen vor Erstattung der Anzeige nach Absatz 2 Satz 1 unterrichtet hat, und er den Stand der Beratungen darlegt. [4] Die Anzeige muß Angaben über den Namen des Arbeitgebers, den Sitz und die Art des Betriebes enthalten, ferner die Gründe für die geplanten Entlassungen, die Zahl und die Berufsgruppen der zu entlassenden und der in der Regel beschäftigten Arbeitnehmer, den Zeitraum, in dem die Entlassungen vorgenommen werden sollen und die vorgesehenen Kriterien für die Auswahl der zu entlassenden Arbeitnehmer. [5] In der Anzeige sollen ferner im Einvernehmen mit dem Betriebsrat für die

(Fortsetzung nächstes Blatt)

Arbeitsvermittlung Angaben über Geschlecht, Alter, Beruf und Staatsangehörigkeit der zu entlassenden Arbeitnehmer gemacht werden. [6] Der Arbeitgeber hat dem Betriebsrat eine Abschrift der Anzeige zuzuleiten. [7] Der Betriebsrat kann gegenüber der Agentur für Arbeit weitere Stellungnahmen abgeben. [8] Er hat dem Arbeitgeber eine Abschrift der Stellungnahme zuzuleiten.

(3 a) [1] Die Auskunfts-, Beratungs- und Anzeigepflichten nach den Absätzen 1 bis 3 gelten auch dann, wenn die Entscheidung über die Entlassungen von einem den Arbeitgeber beherrschenden Unternehmen getroffen wurde. [2] Der Arbeitgeber kann sich nicht darauf berufen, daß das für die Entlassungen verantwortliche Unternehmen die notwendigen Auskünfte nicht übermittelt hat.

(4) [1] Das Recht zur fristlosen Entlassung bleibt unberührt. [2] Fristlose Entlassungen werden bei Berechnung der Mindestzahl der Entlassungen nach Absatz 1 nicht mitgerechnet.

(5) Als Arbeitnehmer im Sinne dieser Vorschrift gelten nicht

1. in Betrieben einer juristischen Person die Mitglieder des Organs, das zur gesetzlichen Vertretung der juristischen Person berufen ist,
2. in Betrieben einer Personengesamtheit die durch Gesetz, Satzung oder Gesellschaftsvertrag zur Vertretung der Personengesamtheit berufenen Personen,
3. Geschäftsführer, Betriebsleiter und ähnliche leitende Personen, soweit diese zur selbständigen Einstellung oder Entlassung von Arbeitnehmern berechtigt sind.

§ 18[1)] Entlassungssperre. (1) Entlassungen, die nach § 17 anzuzeigen sind, werden vor Ablauf eines Monats nach Eingang der Anzeige bei der Agentur für Arbeit nur mit deren Zustimmung wirksam; die Zustimmung kann auch rückwirkend bis zum Tage der Antragstellung erteilt werden.

(2) Die Agentur für Arbeit kann im Einzelfall bestimmen, daß die Entlassungen nicht vor Ablauf von längstens zwei Monaten nach Eingang der Anzeige wirksam werden.

(3) *(aufgehoben)*

(4) Soweit die Entlassungen nicht innerhalb von 90 Tagen nach dem Zeitpunkt, zu dem sie nach den Absätzen 1 und 2 zulässig sind, durchgeführt werden, bedarf es unter den Voraussetzungen des § 17 Abs. 1 einer erneuten Anzeige.

§ 19[2)] Zulässigkeit von Kurzarbeit. (1) Ist der Arbeitgeber nicht in der Lage, die Arbeitnehmer bis zu dem in § 18 Abs. 1 und 2 bezeichneten Zeitpunkt voll zu beschäftigen, so kann die Bundesagentur für Arbeit zulassen, daß der Arbeitgeber für die Zwischenzeit Kurzarbeit einführt.

(2) Der Arbeitgeber ist im Falle der Kurzarbeit berechtigt, Lohn oder Gehalt der mit verkürzter Arbeitszeit beschäftigten Arbeitnehmer entsprechend zu kürzen; die Kürzung des Arbeitsentgelts wird jedoch erst von dem

---

1) § 18 Abs. 1, 2 und 4 geänd., Abs. 3 aufgeh. durch G v. 24. 3. 1997 (BGBl. I S. 594); Abs. 1 und 2 geänd. mWv 1. 1. 2004 durch G v. 23. 12. 2003 (BGBl. I S. 2848).

2) § 19 Abs. 1 geänd. mWv 1. 1. 2004 durch G v. 23. 12. 2003 (BGBl. I S. 2848).

Zeitpunkt an wirksam, an dem das Arbeitsverhältnis nach den allgemeinen gesetzlichen oder den vereinbarten Bestimmungen enden würde.

(3) Tarifvertragliche Bestimmungen über die Einführung, das Ausmaß und die Bezahlung von Kurzarbeit werden durch die Absätze 1 und 2 nicht berührt.

§ 20[1] Entscheidungen der Agentur für Arbeit. (1) [1] Die Entscheidungen der Agentur für Arbeit nach § 18 Abs. 1 und 2 trifft deren Geschäftsführung oder ein Ausschuß (Entscheidungsträger). [2] Die Geschäftsführung darf nur dann entscheiden, wenn die Zahl der Entlassungen weniger als 50 beträgt.

(2) [1] Der Ausschuß setzt sich aus dem Geschäftsführer, der Geschäftsführerin oder dem oder der Vorsitzenden der Geschäftsführung der Agentur für Arbeit oder einem von ihm oder ihr beauftragten Angehörigen der Agentur für Arbeit als Vorsitzenden und je zwei Vertretern der Arbeitnehmer, der Arbeitgeber und der öffentlichen Körperschaften zusammen, die von dem Verwaltungsausschuss der Agentur für Arbeit benannt werden. [2] Er trifft seine Entscheidungen mit Stimmenmehrheit.

(3) [1] Der Entscheidungsträger hat vor seiner Entscheidung den Arbeitgeber und den Betriebsrat anzuhören. [2] Dem Entscheidungsträger sind, insbesondere vom Arbeitgeber und Betriebsrat, die von ihm für die Beurteilung des Falles erforderlich gehaltenen Auskünfte zu erteilen.

(4) [1] Der Entscheidungsträger hat sowohl das Interesse des Arbeitgebers als auch das der zu entlassenden Arbeitnehmer, das öffentliche Interesse und die Lage des gesamten Arbeitsmarktes unter besonderer Beachtung des Wirtschaftszweiges, dem der Betrieb angehört, zu berücksichtigen.

§ 21[2] Entscheidungen der Zentrale der Bundesagentur für Arbeit. [1] Für Betriebe, die zum Geschäftsbereich des Bundesministers für Verkehr oder des Bundesministers für Post und Telekommunikation gehören, trifft, wenn mehr als 500 Arbeitnehmer entlassen werden sollen, ein gemäß § 20 Abs. 1 bei der Zentrale der Bundesagentur für Arbeit zu bildender Ausschuß die Entscheidungen nach § 18 Abs. 1 und 2. [2] Der zuständige Bundesminister kann zwei Vertreter mit beratender Stimme in den Ausschuß entsenden. [3] Die Anzeigen nach § 17 sind in diesem Falle an die Zentrale der Bundesagentur für Arbeit zu erstatten. [4] Im übrigen gilt § 20 Abs. 1 bis 3 entsprechend.

§ 22[3] Ausnahmebetriebe. (1) Auf Saisonbetriebe und Kampagne-Betriebe finden die Vorschriften dieses Abschnitts bei Entlassungen, die durch diese Eigenart der Betriebe bedingt sind, keine Anwendung.

---

[1] § 20 neu gef. durch G v. 24. 3. 1997 (BGBl. I S. 594); Abs. 1 Sätze 1 und 2, Abs. 2 Satz 1 geänd. mWv 1. 1. 2004 durch G v. 23. 12. 2003 (BGBl. I S. 2848); Abs. 2 Satz 1 geänd. mWv 1. 5. 2004 durch G v. 23. 4. 2004 (BGBl. I S. 602); Überschrift geänd. mWv 27. 11. 2004 durch G v. 19. 11. 2004 (BGBl. I S. 2902); Abs. 2 Satz 1 geänd. mWv 26. 7. 2007 durch G v. 19. 7. 2007 (BGBl. I S. 1457).

[2] § 21 Satz 1 geänd. durch VO v. 26. 2. 1993 (BGBl. I S. 278); Sätze 1 und 3 geänd. mWv 1. 1. 2004 durch G v. 23. 12. 2003 (BGBl. I S. 2848); Überschrift geänd. mWv 27. 11. 2004 durch G v. 19. 11. 2004 (BGBl. I S. 2902).

[3] *§ 22 Abs. 2 Satz 1* geänd. durch G v. 24. 3. 1997 (BGBl. I S. 594); Abs. 2 Satz 2 geänd. mWv 28. 11. 2003 durch VO v. 25. 11. 2003 (BGBl. I S. 2304); Abs. 2 Satz 2 geänd. mWv 8. 11. 2006 durch VO v. 31. 10. 2006 (BGBl. I S. 2407).

(2) [1]Keine Saisonbetriebe oder Kampagne-Betriebe sind Betriebe des Baugewerbes, in denen die ganzjährige Beschäftigung nach dem Dritten Buch Sozialgesetzbuch[1)] gefördert wird. [2]Das Bundesministerium für Arbeit und Soziales wird ermächtigt, durch Rechtsverordnung Vorschriften zu erlassen, welche Betriebe als Saisonbetriebe oder Kampagne-Betriebe im Sinne des Absatzes 1 gelten.

§ 22a[2)] *(aufgehoben)*

Vierter Abschnitt. Schlußbestimmungen

§ 23[3)] **Geltungsbereich.** (1) [1]Die Vorschriften des Ersten und Zweiten Abschnitts gelten für Betriebe und Verwaltungen des privaten und des öffentlichen Rechts, vorbehaltlich der Vorschriften des § 24 für die Seeschiffahrts-, Binnenschiffahrts- und Luftverkehrsbetriebe. [2]Die Vorschriften des Ersten Abschnitts gelten mit Ausnahme der §§ 4 bis 7 und des § 13 Abs. 1 Satz 1 und 2 nicht für Betriebe und Verwaltungen, in denen in der Regel fünf oder weniger Arbeitnehmer ausschließlich der zu ihrer Berufsbildung Beschäftigten beschäftigt werden. [3]In Betrieben und Verwaltungen, in denen in der Regel zehn oder weniger Arbeitnehmer ausschließlich der zu ihrer Berufsbildung Beschäftigten beschäftigt werden, gelten die Vorschriften des Ersten Abschnitts mit Ausnahme der §§ 4 bis 7 und des § 13 Abs. 1 Satz 1 und 2 nicht für Arbeitnehmer, deren Arbeitsverhältnis nach dem 31. Dezember 2003 begonnen hat; diese Arbeitnehmer sind bei der Feststellung der Zahl der beschäftigten Arbeitnehmer nach Satz 2 bis zur Beschäftigung von in der Regel zehn Arbeitnehmern nicht zu berücksichtigen. [4]Bei der Feststellung der Zahl der beschäftigten Arbeitnehmer nach den Sätzen 2 und 3 sind teilzeitbeschäftigte Arbeitnehmer mit einer regelmäßigen wöchentlichen Arbeitszeit von nicht mehr als 20 Stunden mit 0,5 und nicht mehr als 30 Stunden mit 0,75 zu berücksichtigen.

(2) Die Vorschriften des Dritten Abschnitts gelten für Betriebe und Verwaltungen des privaten Rechts sowie für Betriebe, die von einer öffentlichen Verwaltung geführt werden, soweit sie wirtschaftliche Zwecke verfolgen.

§ 24[4)] **Anwendung des Gesetzes auf Betriebe der Schifffahrt und des Luftverkehrs.** (1) Die Vorschriften des Ersten und Zweiten Abschnitts finden nach Maßgabe der Absätze 2 bis 4 auf Arbeitsverhältnisse der Besatzung von Seeschiffen, Binnenschiffen und Luftfahrzeugen Anwendung.

(2) Als Betrieb im Sinne dieses Gesetzes gilt jeweils die Gesamtheit der Seeschiffe oder der Binnenschiffe eines Schifffahrtsbetriebs oder der Luftfahrzeuge eines Luftverkehrsbetriebs.

[1)] Nr. **700**.

[2)] § 22a eingef. durch G v. 27.4.1978 (BGBl. I S. 550) und aufgeh. durch G v. 20.7.1995 (BGBl. I S. 946).

[3)] § 23 Abs. 1 Satz 2 geänd., Sätze 3 und 4 angef. durch G v. 26.4.1985 (BGBl. I S. 710); Abs. 2 Satz 2 geänd. durch G v. 27.4.1978 (BGBl. I S. 550); Abs. 1 Satz 2 geänd., Sätze 3 und 4 neu gef. durch G v. 25.9.1996 (BGBl. I S. 1476); Abs. 1 Sätze 2 und 3 geänd., Satz 4 aufgeh. durch G v. 19.12.1998 (BGBl. I S. 3843); Abs. 1 Satz 2 geänd., Satz 3 eingef., bish. Satz 3 wird Satz 4 und geänd. mWv 1.1.2004 durch G v. 24.12.2003 (BGBl. I S. 3002); Abs. 2 Satz 2 aufgeh. mWv 10.10.2017 durch G v. 17.7.2017 (BGBl. I S. 2509).

[4)] § 24 neu gef. mWv 1.8.2013 durch G v. 20.4.2013 (BGBl. I S. 868); Abs. 5 angef. mWv 10.10.2017 durch G v. 17.7.2017 (BGBl. I S. 2509); Abs. 4 Satz 3 eingef., bish. Satz 3 wird Satz 4 und geänd. mWv 26.12.2020 durch G v. 14.10.2020 (BGBl. I S. 2112).

(3) Dauert die erste Reise eines Besatzungsmitglieds eines Seeschiffes oder eines Binnenschiffes länger als sechs Monate, so verlängert sich die Sechsmonatsfrist des § 1 Absatz 1 bis drei Tage nach Beendigung dieser Reise.

(4) [1] Die Klage nach § 4 ist binnen drei Wochen zu erheben, nachdem die Kündigung dem Besatzungsmitglied an Land zugegangen ist. [2] Geht dem Besatzungsmitglied eines Seeschiffes oder eines Binnenschiffes die Kündigung während der Fahrt des Schiffes zu, ist die Klage innerhalb von sechs Wochen nach dem Dienstende an Bord zu erheben. [3] Geht dem Besatzungsmitglied eines Seeschiffes die Kündigung während einer Gefangenschaft aufgrund von seeräuberischen Handlungen oder bewaffneten Raubüberfällen auf Schiffe im Sinne von § 2 Nummer 11 oder 12 des Seearbeitsgesetzes[1)] zu oder gerät das Besatzungsmitglied während des Laufs der Frist nach Satz 1 oder 2 in eine solche Gefangenschaft, ist die Klage innerhalb von sechs Wochen nach der Freilassung des Besatzungsmitglieds zu erheben; nimmt das Besatzungsmitglied nach der Freilassung den Dienst an Bord wieder auf, beginnt die Frist mit dem Dienstende an Bord. [4] An die Stelle der Dreiwochenfrist in § 5 Absatz 1 und § 6 treten die in den Sätzen 1 bis 3 genannten Fristen.

(5) [1] Die Vorschriften des Dritten Abschnitts finden nach Maßgabe der folgenden Sätze Anwendung auf die Besatzungen von Seeschiffen. [2] Bei Schiffen nach § 114 Absatz 4 Satz 1 des Betriebsverfassungsgesetzes[2)] tritt, soweit sie nicht als Teil des Landbetriebs gelten, an die Stelle des Betriebsrats der Seebetriebsrat. [3] Betrifft eine anzeigepflichtige Entlassung die Besatzung eines Seeschiffes, welches unter der Flagge eines anderen Mitgliedstaates der Europäischen Union fährt, so ist die Anzeige an die Behörde des Staates zu richten, unter dessen Flagge das Schiff fährt.

§ 25 Kündigung in Arbeitskämpfen. Die Vorschriften dieses Gesetzes finden keine Anwendung auf Kündigungen und Entlassungen, die lediglich als Maßnahmen in wirtschaftlichen Kämpfen zwischen Arbeitgebern und Arbeitnehmern vorgenommen werden.

§ 25a Berlin-Klausel. (gegenstandslos)

§ 26 Inkrafttreten. Dieses Gesetz tritt am Tage nach seiner Verkündung in Kraft.[3)]

---

1) Nr. **114**.
2) Nr. **570**.
3) **Amtl. Anm.:** Die Vorschrift betrifft das Inkrafttreten des Gesetzes in der Fassung vom 10. August 1951 (Bundesgesetzbl. I S. 499).

155. Gesetz über den Einfluß von Eignungsübungen der Streitkräfte auf Vertragsverhältnisse der Arbeitnehmer und Handelsvertreter sowie auf Beamtenverhältnisse (Eignungsübungsgesetz)[1)]

Vom 20. Januar 1956

(BGBl. I S. 13)

FNA 53-5

zuletzt geänd. durch Art. 11a GKV-Versichertenentlastungsgesetz v. 11.12.2018 (BGBl. I S. 2387)

§ 1 Arbeitsverhältnis bei Einberufung. (1) [1] Wird ein Arbeitnehmer auf Grund freiwilliger Verpflichtung zu einer Übung zur Auswahl von freiwilligen Soldaten (Eignungsübung) einberufen, so ruht das Arbeitsverhältnis während der Eignungsübung bis zur Dauer von vier Monaten. [2] Der Beginn der Eignungsübung ist dem Einzuberufenden und seinem Arbeitgeber mindestens vier Wochen vor Übungsbeginn mitzuteilen; die Frist kann mit Zustimmung des Einzuberufenden und seines Arbeitgebers verkürzt werden.

(2) Wird die Eignungsübung vorzeitig beendet und ergibt sich für den Arbeitgeber aus gesetzlichen oder tarifvertraglichen Bestimmungen die Pflicht, vorübergehend für zwei Personen am gleichen Arbeitsplatz Lohn oder Gehalt zu zahlen, so hat der Arbeitgeber Anspruch auf Erstattung der ihm hierdurch ohne sein Verschulden entstandenen Mehraufwendungen.

(3) Ein befristetes Arbeitsverhältnis wird durch die Einberufung zu einer Eignungsübung nicht verlängert; das gleiche gilt, wenn ein Arbeitsverhältnis aus sonstigen Gründen während der Eignungsübung geendet hätte.

§ 2 Kündigungsverbot für den Arbeitgeber. (1) [1] Der Arbeitgeber darf das Arbeitsverhältnis während der Eignungsübung nicht kündigen. [2] Das Recht zur außerordentlichen Kündigung aus Gründen, die nicht in der Teilnahme des Arbeitnehmers an einer Eignungsübung liegen, bleibt unberührt.

(2) [1] Aus Anlaß der Teilnahme des Arbeitnehmers an einer Eignungsübung darf der Arbeitgeber das Arbeitsverhältnis vor und nach der Eignungsübung nicht kündigen. [2] Muß der Arbeitgeber aus dringenden betrieblichen Erfordernissen (§ 1 Abs. 2 des Kündigungsschutzgesetzes[2)]) Arbeitnehmer entlassen, so darf bei der Auswahl der zu Entlassenden die Teilnahme eines Arbeitnehmers an einer Eignungsübung nicht zu dessen Ungunsten berücksichtigt werden. [3] Kündigt der Arbeitgeber binnen sechs Monaten, nachdem er von der Meldung des Arbeitnehmers bei den Streitkräften zur Teilnahme an einer Eignungsübung Kenntnis erhalten hat, oder innerhalb von drei Monaten im Anschluß an die Eignungsübung, so wird vermutet, daß die Kündigung aus Anlaß der Teilnahme an einer Eignungsübung ausgesprochen und, sofern aus dringenden betrieblichen Erfordernissen Entlassungen erfolgen, bei der Auswahl des Arbeitnehmers seine Teilnahme an einer Eignungsübung zu seinen Ungunsten berücksichtigt worden ist.

[1)] Das Gesetz und die VO gelten im **Saarland;** vgl. Nr. 59 und 60 Erste VO zur Einführung von Bundesrecht im Saarland vom 26.8.1957 (BGBl. I S. 1255).

[2)] Nr. **152**.

(3) Die Vorschriften des Absatzes 2 gelten auch, wenn der Arbeitgeber vor Inkrafttreten dieses Gesetzes dem Arbeitnehmer wegen einer beabsichtigten Teilnahme an einer Eignungsübung gekündigt hat.

§ 3 Ende des Arbeitsverhältnisses. (1) [1] Bleibt der Arbeitnehmer im Anschluß an die Eignungsübung als freiwilliger Soldat in den Streitkräften, so endet das Arbeitsverhältnis mit Ablauf der Eignungsübung. [2] Die zuständige Dienststelle der Streitkräfte hat dem Arbeitgeber spätestens zwei Wochen vor dem Ende der Eignungsübung die beabsichtigte weitere Verwendung des Arbeitnehmers in den Streitkräften und das Ende der Eignungsübung unverzüglich mitzuteilen.

(2) [1] Setzt der Arbeitnehmer die Eignungsübung über vier Monate hinaus freiwillig fort, so endet das Arbeitsverhältnis mit Ablauf der vier Monate. [2] Dies gilt nicht, wenn bis zum Ablauf der vier Monate die Eignung des Arbeitnehmers wegen Krankheit von mehr als vier Wochen nicht endgültig beurteilt worden ist und der Arbeitnehmer aus diesem Grunde die Eignungsübung freiwillig fortsetzt; in diesem Falle ruht das Arbeitsverhältnis höchstens weitere vier Monate. [3] Es endet, wenn der Arbeitnehmer die Eignungsübung auch noch über diesen Zeitpunkt hinaus freiwillig fortsetzt. [4] Absatz 1 Satz 2 gilt entsprechend.

§ 4 Werkwohnung. [1] Eine Werkwohnung ist für die Dauer der Eignungsübung weiterzugewähren. [2] Bildet die freie Überlassung der Werkwohnung einen Teil des Arbeitsentgelts (*§ 21 des Mieterschutzgesetzes*[1)]), so hat der Arbeitnehmer dem Arbeitgeber für die Weitergewährung diesen Teil des Arbeitsentgelts als Entschädigung zu zahlen. [3] Ist kein Betrag festgesetzt, ist für die Weitergewährung eine angemessene Entschädigung zu zahlen. [4] Für sonstige Sachbezüge aus dem Arbeitsverhältnis gilt Entsprechendes.

§ 5 Vorschriften für Handelsvertreter. (1) [1] Das Vertragsverhältnis zwischen einem Handelsvertreter und einem Unternehmer wird durch die Teilnahme des Handelsvertreters an einer Eignungsübung nicht gelöst. [2] Der Beginn der Eignungsübung ist dem Einzuberufenden und den Unternehmern, mit denen er in einem Vertragsverhältnis steht, mindestens vier Wochen vor Übungsbeginn mitzuteilen; die Frist kann mit Zustimmung der Beteiligten verkürzt werden. [3] § 1 Abs. 3 gilt sinngemäß.

(2) [1] Aus Anlaß der Teilnahme des Handelsvertreters an einer Eignungsübung darf der Unternehmer das Vertragsverhältnis nicht kündigen. [2] Kündigt der Unternehmer innerhalb von sechs Monaten, nachdem er von der Meldung des Handelsvertreters bei den Streitkräften zur Teilnahme an einer Eignungsübung Kenntnis erhalten hat, oder während der Eignungsübung, so wird vermutet, daß die Kündigung aus Anlaß der Teilnahme an einer Eignungsübung ausgesprochen worden ist.

(3) Die Vorschriften des Absatzes 2 gelten auch, wenn der Unternehmer vor Inkrafttreten dieses Gesetzes dem Handelsvertreter wegen einer beabsichtigten Teilnahme an einer Eignungsübung gekündigt hat.

(4) Der Handelsvertreter hat während der Eignungsübung keinen Anspruch auf Provision nach § 87 Abs. 2 Satz 1 des Handelsgesetzbuchs[2)] sowie keinen An-

---

[1)] Das Mieterschutzgesetz ist außer Kraft getreten. Jetzt gelten die §§ 576–576b BGB (Nr. **50**).
[2)] Nr. **105**.

spruch auf eine vereinbarte feste Vergütung oder auf Ersatz der im regelmäßigen Geschäftsbetrieb entstandenen Aufwendungen.

(5) [1] Bleibt der Handelsvertreter im Anschluß an die Eignungsübung als freiwilliger Soldat in den Streitkräften, so endet das Vertragsverhältnis mit Ablauf der Eignungsübung. [2] Die zuständige Dienststelle der Streitkräfte hat dem Unternehmer spätestens zwei Wochen vor dem Ende der Eignungsübung die beabsichtigte weitere Verwendung des Handelsvertreters in den Streitkräften und unverzüglich das Ende der Eignungsübung mitzuteilen.

(6) [1] Setzt der Handelsvertreter die Eignungsübung über vier Monate hinaus freiwillig fort, so endet das Vertragsverhältnis mit Ablauf der vier Monate. [2] Dies gilt nicht, wenn bis zum Ablauf der vier Monate die Eignung des Handelsvertreters wegen Krankheit von mehr als vier Wochen nicht endgültig beurteilt worden ist und der Handelsvertreter aus diesem Grunde die Eignungsübung freiwillig fortsetzt; in diesem Falle endet das Vertragsverhältnis nach weiteren vier Monaten, wenn der Handelsvertreter die Eignungsübung auch noch über diesen Zeitpunkt hinaus freiwillig fortsetzt. [3] Absatz 5 Satz 2 gilt entsprechend.

(7) Endet das Vertragsverhältnis nach Absatz 5 oder 6, besteht ein Anspruch des Handelsvertreters auf Ausgleich nach § 89b des Handelsgesetzbuchs[1)] nicht.

§ 6 Ausschluß von Nachteilen. (1) Aus der Teilnahme an einer Eignungsübung darf dem Arbeitnehmer in beruflicher und betrieblicher Hinsicht und dem Handelsvertreter in seinen vertraglichen Beziehungen zu dem Unternehmer kein Nachteil erwachsen.

(2) [1] Die Bundesregierung regelt durch Rechtsverordnung das Nähere hinsichtlich des Urlaubs, der zusätzlichen Alters- und Hinterbliebenenversorgung, der betrieblichen Pensions- und Urlaubskassen, der Zulagen und sonstigen Rechte, die sich ausschließlich aus der Dauer der Zugehörigkeit zum Beruf, zum Betrieb oder zur Verwaltung oder aus der Dauer des Vertragsverhältnisses ergeben; darin ist zu bestimmen, daß der Bund Beiträge leistet. [2] Der Arbeitgeber kann verpflichtet werden, Beiträge vorab zu entrichten.

§ 7[2)] Vorschriften für Beamte und Richter. (1) [1] Ein Beamter oder Richter, der zu einer Eignungsübung einberufen wird, ist für die Dauer der Eignungsübung ohne Dienstbezüge beurlaubt. [2] § 1 Abs. 1 Satz 2 und Abs. 3 gilt sinngemäß.

(2) [1] Der Beamte oder Richter darf aus Anlaß der Teilnahme an einer Eignungsübung nicht entlassen werden. [2] Eine Entlassung, die vor Inkrafttreten dieses Gesetzes mit Rücksicht auf eine beabsichtigte Teilnahme an einer Eignungsübung ausgesprochen wurde, ist unwirksam. [3] § 2 Abs. 2 Satz 2 und 3 gilt sinngemäß.

(3) [1] Aus der Teilnahme an einer Eignungsübung darf dem Beamten oder Richter kein Nachteil erwachsen. [2] Die Bundesregierung regelt durch Rechtsverordnung, inwieweit der Erholungsurlaub aus dem Dienstverhältnis als Beamter oder Richter von den Streitkräften gewährt wird.

(4) [1] Der Vorbereitungsdienst wird um die Zeit der Eignungsübung verlängert. [2] Die Verzögerungen, die sich aus der Verlängerung des Vorbereitungsdienstes für den Beginn des Diätendienstalters und im Falle der unmittelbaren Anstellung für

---

1) Nr. **105**.
2) § 7 Abs. 4 Satz 2 geänd. mWv 1.7.2009 durch G v. 5.2.2009 (BGBl. I S. 160).

den Beginn des Besoldungsdienstalters oder, bei Beamten und Richtern des Bundes, für den Beginn der Erfahrungszeit ergeben, sind auszugleichen. [3] Die außerplanmäßige Mindestdienstzeit und die Probezeit werden um die Zeit der Verzögerung gekürzt.

(5) Bleibt der Beamte oder Richter im Anschluß an die Eignungsübung als freiwilliger Soldat in den Streitkräften, so ist er mit der Übernahme aus seinem bisherigen Dienstverhältnis entlassen.

(6) [1] Setzt der Beamte oder Richter die Eignungsübung über vier Monate hinaus freiwillig fort, so ist er mit Ablauf der vier Monate aus seinem bisherigen Dienstverhältnis entlassen. [2] Dies gilt nicht, wenn bis zum Ablauf der vier Monate die Eignung des Beamten oder Richters wegen Krankheit von mehr als vier Wochen nicht endgültig beurteilt worden ist und der Beamte oder Richter aus diesem Grunde die Eignungsübung freiwillig fortsetzt; in diesem Falle ist der Urlaub um höchstens weitere vier Monate verlängert. [3] Setzt der Beamte oder Richter die Eignungsübung auch noch über diesen Zeitpunkt hinaus freiwillig fort, gilt Satz 1 entsprechend.

(7) In den Fällen der Absätze 5 und 6 gilt § 3 Abs. 1 Satz 2 sinngemäß; die Entlassung gilt als Entlassung auf eigenen Antrag.

§ 8[1) 2)] Gesetzliche Krankenversicherung. (1) [1] Die Teilnahme an einer Eignungsübung berührt eine bestehende Pflicht- oder freiwillige Versicherung bei einem Träger der gesetzlichen Krankenversicherung nicht. [2] Für die Zeit der Teilnahme ruht der Anspruch auf Leistungen der gesetzlichen Krankenversicherung. [3] Dies gilt nicht für Ansprüche von Familienangehörigen, die nach § 10 des Fünften Buches Sozialgesetzbuch[3)] versichert sind.

(2) [1] Bei pflichtversicherten Arbeitnehmern hat der Arbeitgeber, bei Arbeitslosen hat die Agentur für Arbeit Beginn und Ende der Eignungsübung dem zuständigen Träger der Krankenversicherung unverzüglich zu melden. [2] Sonstige Pflichtversicherte und freiwillig Versicherte haben diese Meldung selbst zu erstatten.

[Abs. 3 bis 31.12.2019:]

(3) [1] Für die Zeiten der Teilnahme an der Eignungsübung zahlt der Bund den zuständigen Trägern der Krankenversicherung ein Zehntel des Beitrages, der zuletzt vor Beginn der Eignungsübung zu entrichten war. [2] Während der Eignungsübung eintretende Änderungen des Beitragssatzes und der Jahresarbeitsverdienstgrenze sind zu berücksichtigen.

[Abs. 3 ab 1.1.2020:]

(3) [1] Für die Zeit der Teilnahme an der Eignungsübung zahlt der Bund den zuständigen Trägern der Krankenversicherung den Beitrag zur gesetzlichen Krankenversicherung. [2] Für die Bemessung des Beitrags wird 10 Prozent der monatlichen Bezugsgröße nach § 18 des

---

1) § 8 neu gef. durch G v. 17.12.1970 (BGBl. I S. 1741); Abs. 1 neu gef. und Abs. 4 Satz 1 geänd. durch G v. 23.12.1977 (BGBl. I S. 3110); Abs. 3 Satz 1 geänd. mWv 1.1.2004 durch G v. 23.12.2003 (BGBl. I S. 2848); Abs. 1 Satz 2 neu gef., Satz 3 angef., Abs. 2 aufgeh., bish. Abs. 3 und 4 werden Abs. 2 und 3 mWv 9.8.2008 durch G v. 31.7.2008 (BGBl. I S. 1629); Abs. 3 neu gef. mWv 1.1.2020 durch G v. 11.12.2018 (BGBl. I S. 2387).

2) Vgl. dazu Allgem. Verwaltungsvorschriften zur Durchführung der §§ 8 und 10 des EignungsübungsG v. 22.12.1956 (BAnz. Nr. 250 S. 3) mit Berichtigung v. 8.2.1957 (BAnz. Nr. 33 S. 3) nebst Ausführungsbestimmungen v. 19.11.1965 (BAnz. 1965 Nr. 2 S. 2).

3) Nr. **695**.

Vierten Buches Sozialgesetzbuch[1] *zugrunde gelegt und gilt der allgemeine Beitragssatz nach § 241 des Fünften Buches Sozialgesetzbuch*[2] *zuzüglich des durchschnittlichen Zusatzbeitragssatzes nach § 242a des Fünften Buches Sozialgesetzbuch*[3].

§ 8a[4] **Pflegeversicherung.** (1) Die Teilnahme an einer Eignungsübung berührt eine bestehende Pflegeversicherung nicht.

[Abs. 2 bis 31.12.2019:]

(2) Für die Zeit der Teilnahme an einer Eignungsübung trägt der Bund die Hälfte des Beitrages zur sozialen Pflegeversicherung oder zahlt einen Beitragszuschuß für Privatversicherte entsprechend § 61 des Elften Buches Sozialgesetzbuch[5].

[Abs. 2 ab 1.1.2020:]

(2) Für die Zeit der Teilnahme an der Eignungsübung wird bei der Bemessung des Beitrags zur sozialen Pflegeversicherung die monatliche Bezugsgröße nach § 18 des Vierten Buches Sozialgesetzbuch[1] *zugrunde gelegt.*

[Abs. 3 ab 1.1.2020:]

(3) Für die Zeit der Teilnahme an der Eignungsübung trägt der Bund die Hälfte des Beitrags zur sozialen Pflegeversicherung oder zahlt einen entsprechenden Beitragszuschuss zur privaten Pflege-Pflichtversicherung, höchstens jedoch die Hälfte des Betrages, den der Eignungsübende für seine private Pflege-Pflichtversicherung zu zahlen hat.

§ 9[6][7] **Gesetzliche Rentenversicherung.** (1) [1] War der Teilnehmer an einer Eignungsübung zuletzt vor Beginn der Eignungsübung nach dem Sechsten Buch Sozialgesetzbuch pflichtversichert und bleibt er nicht in den Streitkräften, so hat der Bund, vorbehaltlich der Regelung in Absatz 5, auf Antrag die Beiträge für die Zeiten der Teilnahme an der Eignungsübung in der Höhe nachzuentrichten, in der sie im Durchschnitt der letzten drei voll mit Pflichtbeiträgen belegten Kalendermonate vor Beginn der Eignungsübung entrichtet sind. [2] Das gleiche gilt für Versicherte, die während der Eignungsübung vermindert erwerbsfähig werden oder sterben. [3] Die nachentrichteten Beiträge gelten als rechtzeitig entrichtete Pflichtbeiträge.

(2) Während der Eignungsübung eintretende Änderungen des Beitragssatzes und der Beitragsbemessungsgrenze (Sechstes Buch Sozialgesetzbuch[8]) sind zu berücksichtigen.

(3) [1] Hat der Teilnehmer an einer Eignungsübung für die Zeit der Teilnahme an einer solchen Übung freiwillige Beiträge zur gesetzlichen Rentenversicherung

---

[1] Nr. **694**.

[2] Nr. **695**.

[3] **beck-online, Module Arbeitsrecht Nr. 695.**

[4] § 8a eingef. durch G v. 26.5.1994 (BGBl. I S. 1014); Abs. 2 neu gef., Abs. 3 angef. mWv 1.1.2020 durch G v. 11.12.2018 (BGBl. I S. 2387).

[5] **Aichberger, SGB Nr. 11.**

[6] § 9 neu gef. durch G v. 17.12.1970 (BGBl. I S. 1741); Abs. 1 Satz 1, Abs. 2 und 5 Satz 1 geänd., Abs. 1 Satz 2 zweiter Halbs. neu gef. durch G v. 18.12.1989 (BGBl. I S. 2261); Abs. 5 Satz 1 geänd. durch G v. 29.7.1994 (BGBl. I S. 1890).

[7] Siehe dazu Neufassung der Nachentrichtung von Beiträgen zu den gesetzlichen Rentenversicherungen nach § 9 des Eignungsübungsgesetzes (Nr. **155**) (VMBl. 1971 S. 166) und Neufassung der Verfahrensbestimmungen zur Durchführung der §§ 9 und 9a des Eignungsübungsgesetzes (Nr. **155**) (VMBl. 1971 S. 168).

[8] Auszugsweise abgedruckt unter Nr. **696**.

entrichtet, so hat der Bund dem nicht in den Streitkräften verbleibenden Teilnehmer der Eignungsübung auf Antrag den aufgewendeten Betrag zu erstatten. [2] Hierbei ist höchstens diejenige Beitragsklasse zugrunde zu legen, die dem durchschnittlichen Bruttoarbeitsverdienst des Antragstellers in den letzten drei Kalendermonaten vor Beginn der Eignungsübung entspricht, in denen ein voller Arbeitsverdienst erzielt worden ist.

(4) [1] Die Anträge nach den Absätzen 1 und 3 sind innerhalb einer Ausschlußfrist von einem Jahr nach Beendigung der Eignungsübung beim Bundesminister der Verteidigung oder der von ihm bestimmten Stelle zu stellen. [2] Der Eignungsübende ist vor Beendigung der Eignungsübung auf die Ausschlußfrist hinzuweisen. [3] Wird der Eignungsübende nach Beendigung der Eignungsübung auf die Ausschlußfrist hingewiesen, beginnt die Ausschlußfrist des Satzes 1 erst mit dem Tage, an dem ihm die Mitteilung zugeht.

(5) [1] Handwerkern, die nach dem Sechsten Buch Sozialgesetzbuch[1)] versicherungspflichtig sind, sowie Personen, die nach dem Gesetz über die Alterssicherung der Landwirte verpflichtet sind, Beiträge zu zahlen, werden auf Antrag die Beiträge für Zeiten der Teilnahme an einer Eignungsübung erstattet. [2] Die Absätze 2 und 4 gelten entsprechend.

§ 9a[2)] Öffentlich-rechtliche Versicherungs- oder Versorgungseinrichtungen. (1) War der Teilnehmer an einer Eignungsübung bis zu deren Beginn auf Grund einer durch Gesetz angeordneten oder auf Gesetz beruhenden Verpflichtung Mitglied einer öffentlich-rechtlichen Versicherungs- oder Versorgungseinrichtung seiner Berufsgruppe und hat er sich deswegen von der Versicherungspflicht in der gesetzlichen Rentenversicherung befreien lassen, so hat der Bund ihm die Beiträge zu dieser Einrichtung für die Zeit der Teilnahme an der Eignungsübung in der Höhe zu erstatten, in der sie zuletzt vor der Eignungsübung nach der Satzung oder den Versicherungsbedingungen als Pflichtbeiträge zu zahlen waren, wenn er nicht in den Streitkräften verbleibt.

(2) Der Antrag auf Erstattung der Beiträge ist innerhalb eines Jahres nach Beendigung der Eignungsübung zu stellen.

§ 10[3)] Arbeitslosenversicherung. [1] Personen, die an einer Eignungsübung teilnehmen, sind versicherungspflichtig nach dem Dritten Buch Sozialgesetzbuch[4)]. [2] Für Zeiten der Teilnahme an der Eignungsübung trägt der Bund den Beitrag zur Arbeitsförderung. ***[Satz 3 bis 31.12.2019:]*** [3] Der Beitrag ist in der gleichen Höhe wie zuletzt vor Beginn der Eignungsübung zu zahlen. ***[Satz 3 ab 1.1.2020:]*** *[3] Beitragsbemessungsgrundlage ist die monatliche Bezugsgröße nach § 18 des Vierten Buches Sozialgesetzbuch[5)].*

§ 11[6)] *(aufgehoben)*

[1)] Auszugsweise abgedruckt unter Nr. **696**.

[2)] § 9a eingef. durch das G v. 10.8.1966 (BGBl. I S. 481), Abs. 1 geänd. mWv 1.1.1992 durch G v. 18.12.1989 (BGBl. I S. 2261).

[3)] § 10 neu gef. mWv 1.1.1998 durch G v. 24.3.1997 (BGBl. I S. 594); Überschr. neu gef., Satz 1 geänd. mWv 9.8.2008 durch G v. 31.7.2008 (BGBl. I S. 1629); Satz 3 neu gef. mWv 1.1.2020 durch G v. 11.12.2018 (BGBl. I S. 2387).

[4)] *Nr. **700**.*

[5)] Nr. **694**.

[6)] § 11 aufgeh. mWv 9.8.2008 durch G v. 31.7.2008 (BGBl. I S. 1629).

155a. Verordnung zum Eignungsübungsgesetz

Vom 15. Februar 1956 (BGBl. I S. 71)

Geändert durch VO vom 10. Februar 1959 (BGBl. I S. 34), VO vom 15. Mai 1961 (BGBl. I S. 609), VO vom 7. September 1966 (BGBl. I S. 589) und VO vom 10. Mai 1971 (BGBl. I S. 450)

BGBl. III 53-5-1

Auf Grund des § 6 Abs. 2 und des § 7 Abs. 3 Satz 2 des Eignungsübungsgesetzes vom 20. Januar 1956 (Bundesgesetzbl. I S. 13) verordnet die Bundesregierung:

§ 1 Urlaub für Arbeitnehmer bei Ausscheiden aus den Streitkräften. (1) Ein Arbeitnehmer, der nach Teilnahme an einer Eignungsübung aus den Streitkräften ausscheidet, erhält von den Streitkräften für jeden angefangenen Monat, den er bei den Streitkräften Dienst geleistet hat, ein Zwölftel des Urlaubs, der ihm auf Grund des Arbeitsverhältnisses für das laufende Urlaubsjahr zusteht; der Urlaub wird auch dann gewährt, wenn der Arbeitnehmer eine für den Erwerb des Urlaubsanspruchs vorgesehene Wartezeit noch nicht erfüllt hat.

(2) Ergibt sich nach der Berechnung des Urlaubs nach Absatz 1 ein Bruchteil eines Tages, so wird der Urlaub auf volle Tage aufgerundet.

(3) Der Anspruch auf Urlaub entfällt, soweit der Arbeitnehmer seinen Erholungsurlaub vor der Eignungsübung bereits verbraucht hat.

(4) [1] Der Urlaub ist unter Fortzahlung der Dienstbezüge vor der Entlassung aus den Streitkräften zu gewähren. [2] Soweit der Urlaub wegen Krankheit oder wegen Entlassung auf eigenen Antrag bis zur Entlassung nicht gewährt werden kann, sind für den restlichen Urlaub die Dienstbezüge zu zahlen.

(5) Der Urlaub wird auf den Erholungsurlaub des Arbeitnehmers angerechnet.

(6) [1] Für Arbeitnehmer, für die eine Urlaubsmarkenregelung gilt, finden die Absätze 1 bis 5 keine Anwendung. [2] Die Urlaubsmarken werden für die Dauer der Eignungsübung von den Streitkräften geklebt.

§ 2 Urlaub für Arbeitnehmer bei Verbleiben in den Streitkräften. (1) [1] Ein Arbeitnehmer, der nach der Teilnahme an einer Eignungsübung als freiwilliger Soldat in den Streitkräften bleibt, erhält den Urlaub aus dem bisherigen Arbeitsverhältnis, der bei Beginn der Eignungsübung im laufenden Urlaubsjahr noch nicht verbraucht ist, von den Streitkräften. [2] Eine Abgeltung findet nicht statt.

(2) Hat der Arbeitnehmer bei Beginn der Eignungsübung eine für den Erwerb des Urlaubsanspruchs vorgesehene Wartezeit noch nicht erfüllt, so ist der Urlaub so zu bemessen, als ob das Arbeitsverhältnis zu diesem Zeitpunkt geendet hätte.

§ 3 Urlaubsbescheinigung. [1]Der Arbeitgeber hat dem Arbeitnehmer vor Beginn der Eignungsübung eine Bescheinigung über den im laufenden Urlaubsjahr zustehenden und bereits gewährten Erholungsurlaub oder die Urlaubskarte auszuhändigen. [2]Der Arbeitnehmer hat die Bescheinigung oder die Urlaubskarte unverzüglich bei der zuständigen Dienststelle der Streitkräfte abzugeben. [3]Ein Arbeitnehmer, der nach Teilnahme an einer Eignungsübung sein bisheriges Arbeitsverhältnis fortsetzt, erhält von den Streitkräften eine Bescheinigung über den gewährten oder abgegoltenen Urlaub.

§ 4 Urlaub für Beamte und Richter. Für Beamte und Richter gelten die §§ 1 bis 3 mit Ausnahme des § 1 Abs. 4 Satz 2 und Abs. 6 sinngemäß.

§ 5[1)] Zusätzliche Alters- und Hinterbliebenenversorgung für Arbeitnehmer im öffentlichen Dienst. (1) Durch die Teilnahme an einer Eignungsübung wird eine bestehende Versicherung in der zusätzlichen Alters- und Hinterbliebenenversorgung für Arbeitnehmer im öffentlichen Dienst nicht berührt; jedoch sind während der Eignungsübung keine Beiträge zu entrichten.

(2) [1]Für Pflichtversicherte, die nach Teilnahme an einer Eignungsübung ihr bisheriges Arbeitsverhältnis fortsetzen oder bei Verbleiben in den Streitkräften sich freiwillig weiterversichern wollen, sind die Beiträge für die Dauer der Eignungsübung nachzuentrichten, und zwar in der Höhe, in der sie zuletzt vor Beginn der Eignungsübung gezahlt wurden. [2]Während der Eignungsübung eintretende Änderungen des Beitragssatzes sind zu berücksichtigen. [3]Das gleiche gilt für Pflichtversicherte und freiwillig Versicherte, bei denen der Versicherungsfall während der Eignungsübung eintritt.

(3) [1]Der Arbeitgeber hat die nachzuentrichtenden Beiträge an die Versicherungsanstalt abzuführen oder bei Verwendung von Beitragsmarken durch Kleben von Marken zu entrichten. [2]Die Streitkräfte haben dem Arbeitgeber den Betrag zu erstatten, den er zum Zweck der Beitragsnachentrichtung für die Dauer der Eignungsübung verwendet hat.

---

1) § 5 Abs. 2 und 3 neugef. durch VO v. 10. 5. 1971.

(4) Leistet der Arbeitgeber bei einem freiwillig Versicherten auf Grund tariflicher Verpflichtung einen Anteil an den Beiträgen und wird die freiwillige Versicherung bei Fortsetzung des Arbeitsverhältnisses aufrechterhalten, so erstatten die Streitkräfte dem Arbeitgeber die für die Zeit der Eignungsübung nachzuentrichtenden Beitragsanteile.

(5) Wird die zusätzliche Alters- und Hinterbliebenenversorgung durch Überversicherung (Höherversicherung) oder auf andere Weise gewährt, gelten die Absätze 1 bis 4 sinngemäß.

§ 6* Betriebliche und überbetriebliche Alters- und Hinterbliebenenversorgung. (1) Für Betriebe, für die Pensionskassen bestehen, gilt § 5 Abs. 1 und 2 sinngemäß.

(2) Der Arbeitgeber hat die nachzuentrichtenden Beiträge an die Pensionskasse abzuführen oder bei Verwendung von Beitragsmarken durch Kleben von Marken zu entrichten. Die Streitkräfte haben dem Arbeitgeber den Betrag zu erstatten, den er zum Zweck der Beitragsnachentrichtung für die Dauer der Eignungsübung verwendet hat. Dies gilt auch dann, wenn nur der Arbeitgeber Beiträge an die Pensionskasse zahlt.

(3) § 5 Abs. 4 gilt sinngemäß. Die Streitkräfte erstatten in diesen Fällen dem Arbeitgeber die für die Zeit der Eignungsübung nachzuentrichtenden Beitragsanteile.

(4) Für sonstige Einrichtungen und Formen der betrieblichen und überbetrieblichen Alters- und Hinterbliebenenversorgung gelten die Absätze 1 bis 3 sinngemäß.

§ 7 Urlaubskassen. Beiträge für Urlaubskassen brauchen für die Dauer der Eignungsübung nicht entrichtet zu werden. § 1 Abs. 6 bleibt unberührt.

§ 8 Anrechnung der Wehrdienstzeit. Die Zeit der Teilnahme an einer Eignungsübung wird auf die Dauer der Berufs- und Betriebszugehörigkeit sowie auf die Dauer des Vertragsverhältnisses angerechnet. Für Arbeitnehmer im öffentlichen Dienst gilt sie als Dienstzeit im Sinne von Tarifordnungen und Tarifverträgen des öffentlichen Dienstes. Auf Ausbildungs- und Probezeiten wird die Zeit der Teilnahme an einer Eignungsübung nicht angerechnet.

§ 9* Geltungsdauer der Verordnung. Diese Verordnung tritt am 26. Januar 1956 in Kraft.

---

* § 6 Abs. 2 und 3 i. d. F. der VO vom 10. 5. 1971.
§ 9 i. d. F. der VO vom 10. 5. 1971.

156. Gesetz über den Schutz des Arbeitsplatzes bei Einberufung zum Wehrdienst (Arbeitsplatzschutzgesetz – ArbPlSchG)

In der Fassung der Bekanntmachung vom 16. Juli 2009[1)]
(BGBl. I S. 2055)

FNA 53-2

zuletzt geänd. durch Art. 4 Wehrdienst-ModernisierungsG v. 22.12.2025 (BGBl. 2025 I Nr. 370)

Abschnitt 1.[2)] Grundwehrdienst und Wehrübungen

§ 1[3)] Ruhen des Arbeitsverhältnisses. (1) Wird ein Arbeitnehmer zum Grundwehrdienst oder zu einer Wehrübung einberufen, so ruht das Arbeitsverhältnis während des Wehrdienstes.

(2) [1] Einem Arbeitnehmer im öffentlichen Dienst hat der Arbeitgeber während einer Wehrübung Arbeitsentgelt wie bei einem Erholungsurlaub zu zahlen. [2] Zum Arbeitsentgelt gehören nicht besondere Zuwendungen, die mit Rücksicht auf den Erholungsurlaub gewährt werden. [3] Auf Antrag erstattet der Bund im Rahmen verfügbarer Haushaltsmittel dem Arbeitgeber für eine Wehrübung im Kalenderjahr das ausgezahlte, um die gesetzlichen Abzüge geminderte Arbeitsentgelt (§ 14 des Vierten Buches Sozialgesetzbuch[4)]) für den 15. bis 30. Wehrübungstag; der Antrag ist nur zulässig, wenn er spätestens zwei Monate nach Beginn der Wehrübung gestellt wird. [4] Satz 3 gilt nicht, wenn der Bund selbst Arbeitgeber ist.

(3) Der Arbeitnehmer hat den Einberufungsbescheid unverzüglich seinem Arbeitgeber vorzulegen.

(4) Ein befristetes Arbeitsverhältnis wird durch Einberufung zum Grundwehrdienst oder zu einer Wehrübung nicht verlängert; das Gleiche gilt, wenn ein Arbeitsverhältnis aus anderen Gründen während des Wehrdienstes geendet hätte.

(5) [1] Wird der Einberufungsbescheid zum Grundwehrdienst oder zu einer Wehrübung vor Diensteintritt aufgehoben oder wird der Grundwehrdienst oder die Wehrübung vorzeitig beendet und muss der Arbeitgeber vorübergehend für zwei Personen am gleichen Arbeitsplatz Lohn oder Gehalt zahlen, so werden ihm die hierdurch ohne sein Verschulden entstandenen Mehraufwendungen vom Bund auf Antrag erstattet. [2] Der Antrag ist innerhalb von sechs Monaten, nachdem die Mehraufwendungen entstanden sind, bei der vom Bundesministerium der Verteidigung bestimmten Stelle zu stellen.

(6) [1] Auf Antrag erstattet der Bund einem Arbeitgeber, der kein Arbeitgeber des öffentlichen Dienstes ist, die zusätzlichen Kosten für die Einstellung einer Ersatzkraft auf Grund einer Wehrübung im Kalenderjahr. [2] Die Erstattung

---

1) Neubekanntmachung des ArbeitsplatzschutzG idF der Bek. v. 14.2.2001 (BGBl. I S. 253) in der ab 18.6.2009 geltenden Fassung.

2) Abschnitt 1 Überschrift neu gef. mWv 1.1.2020 durch G v. 4.8.2019 (BGBl. I S. 1147).

3) § 1 Abs. 2 Sätze 3 und 4, Abs. 6 angef. mWv 1.1.2020 durch G v. 4.8.2019 (BGBl. I S. 1147); Abs. 2 Satz 3 und Abs. 6 Satz 5 geänd. mWv 1.1.2026 durch G v. 22.12.2025 (BGBl. 2025 I Nr. 370).

4) Nr. **694**.

erfolgt im Rahmen verfügbarer Haushaltsmittel in Höhe eines Drittels der dem Arbeitnehmer zustehenden Mindestleistung nach § 8 Absatz 1 in Verbindung mit Anlage 1 des Unterhaltssicherungsgesetzes. [3] Sie erfolgt nur, wenn der Arbeitgeber nachweist, dass er eine fachlich gleichwertige Ersatzkraft eingestellt hat. [4] Der Anspruch besteht für jeden Tag der Wehrübung ab dem 21. Tag, höchstens jedoch für 30 Tage. [5] Der Antrag ist nur zulässig, wenn er spätestens zwei Monate nach Beginn der Wehrübung gestellt wird.

§ 2 Kündigungsschutz für Arbeitnehmer, Weiterbeschäftigung nach der Berufsausbildung. (1) Von der Zustellung des Einberufungsbescheides bis zur Beendigung des Grundwehrdienstes sowie während einer Wehrübung darf der Arbeitgeber das Arbeitsverhältnis nicht kündigen.

(2) [1] Im Übrigen darf der Arbeitgeber das Arbeitsverhältnis nicht aus Anlass des Wehrdienstes kündigen. [2] Muss er aus dringenden betrieblichen Erfordernissen (§ 1 Absatz 2 des Kündigungsschutzgesetzes[1)]) Arbeitnehmer entlassen, so darf er bei der Auswahl der zu Entlassenden den Wehrdienst eines Arbeitnehmers nicht zu dessen Ungunsten berücksichtigen. [3] Ist streitig, ob der Arbeitgeber aus Anlass des Wehrdienstes gekündigt oder bei der Auswahl der zu Entlassenden den Wehrdienst zu Ungunsten des Arbeitnehmers berücksichtigt hat, so trifft die Beweislast den Arbeitgeber.

(3) [1] Das Recht zur Kündigung aus wichtigem Grund bleibt unberührt. [2] Die Einberufung des Arbeitnehmers zum Wehrdienst ist kein wichtiger Grund zur Kündigung; dies gilt im Falle des Grundwehrdienstes von mehr als sechs Monaten nicht für unverheiratete Arbeitnehmer in Betrieben mit in der Regel fünf oder weniger Arbeitnehmern ausschließlich der zu ihrer Berufsbildung Beschäftigten, wenn dem Arbeitgeber infolge Einstellung einer Ersatzkraft die Weiterbeschäftigung des Arbeitnehmers nach Entlassung aus dem Wehrdienst nicht zugemutet werden kann. [3] Bei der Feststellung der Zahl der beschäftigten Arbeitnehmer nach Satz 2 sind teilzeitbeschäftigte Arbeitnehmer mit einer regelmäßigen wöchentlichen Arbeitszeit von nicht mehr als 20 Stunden mit 0,5 und nicht mehr als 30 Stunden mit 0,75 zu berücksichtigen. [4] Eine nach Satz 2 zweiter Halbsatz zulässige Kündigung darf jedoch nur unter Einhaltung einer Frist von zwei Monaten für den Zeitpunkt der Entlassung aus dem Wehrdienst ausgesprochen werden.

(4) Geht dem Arbeitnehmer nach der Zustellung des Einberufungsbescheides oder während des Wehrdienstes eine Kündigung zu, so beginnt die Frist des § 4 Satz 1 des Kündigungsschutzgesetzes erst zwei Wochen nach Ende des Wehrdienstes.

(5) [1] Der Ausbildende darf die Übernahme eines Auszubildenden in ein Arbeitsverhältnis auf unbestimmte Zeit nach Beendigung des Berufsausbildungsverhältnisses nicht aus Anlass des Wehrdienstes ablehnen. [2] Absatz 2 Satz 3 gilt entsprechend. [3] Der Arbeitgeber darf die Verlängerung eines befristeten Arbeitsverhältnisses oder die Übernahme des Arbeitnehmers in ein unbefristetes Arbeitsverhältnis nicht aus Anlass des Wehrdienstes ablehnen.

§ 3 Wohnraum und Sachbezüge. (1) Das Ruhen des Arbeitsverhältnisses (§ 1 Absatz 1) lässt eine Verpflichtung zum Überlassen von Wohnraum unberührt.

[1)] Nr. **152**.

(2) [1]Für die Auflösung eines Mietverhältnisses über Wohnraum, der mit Rücksicht auf das Arbeitsverhältnis zur Unterbringung des Arbeitnehmers und seiner Familie überlassen ist, darf die durch den Grundwehrdienst oder eine Wehrübung veranlasste Abwesenheit des Arbeitnehmers nicht zu seinem Nachteil berücksichtigt werden. [2]Dies gilt entsprechend für allein stehende Arbeitnehmer, die den Wohnraum während ihrer Abwesenheit aus besonderen Gründen benötigen.

(3) [1]Bildet die Überlassung des Wohnraumes einen Teil des Arbeitsentgelts, so hat der Arbeitnehmer für die Weitergewährung an den Arbeitgeber eine Entschädigung zu zahlen, die diesem Teil des Arbeitsentgelts entspricht. [2]Ist kein bestimmter Betrag vereinbart, so hat der Arbeitnehmer eine angemessene Entschädigung zu zahlen.

(4) [1]Sachbezüge sind während des Grundwehrdienstes oder während einer Wehrübung auf Verlangen weiterzugewähren. [2]Absatz 3 gilt sinngemäß.

(5) Die Absätze 3 und 4 finden keine Anwendung, wenn der Arbeitgeber nach diesem Gesetz das Arbeitsentgelt während des Wehrdienstes weiterzuzahlen hat.

§ 4[1)] Erholungsurlaub. (1) [1]Der Arbeitgeber kann den Erholungsurlaub, der dem Arbeitnehmer für ein Urlaubsjahr aus dem Arbeitsverhältnis zusteht, für jeden vollen Monat, den der Arbeitnehmer in diesem Jahr Wehrdienst geleistet hat, um ein Zwölftel kürzen. [2]Dem Arbeitnehmer ist der ihm zustehende Erholungsurlaub auf Verlangen vor Beginn des Wehrdienstes zu gewähren.

(2) Hat der Arbeitnehmer den ihm zustehenden Urlaub vor seiner Einberufung nicht oder nicht vollständig erhalten, so hat der Arbeitgeber den Resturlaub nach dem Wehrdienst im laufenden oder im nächsten Urlaubsjahr zu gewähren.

(3) Endet das Arbeitsverhältnis während des Wehrdienstes oder setzt der Arbeitnehmer im Anschluss an den Wehrdienst das Arbeitsverhältnis nicht fort, so hat der Arbeitgeber den noch nicht gewährten Urlaub abzugelten.

(4) Hat der Arbeitnehmer vor seiner Einberufung mehr Urlaub erhalten als ihm nach Absatz 1 zustand, so kann der Arbeitgeber den Urlaub, der dem Arbeitnehmer nach seiner Entlassung aus dem Wehrdienst zusteht, um die zuviel gewährten Urlaubstage kürzen.

(5) Für die Zeit des Wehrdienstes richtet sich der Urlaub nach den Urlaubsvorschriften für Soldaten.

§ 5[2)] Benachteiligungsverbot. Einem Arbeitnehmer, der Grundwehrdienst leistet oder an einer Wehrübung teilnimmt, darf in beruflicher und betrieblicher Hinsicht kein Nachteil entstehen.

§ 6[3)] Fortsetzung des Arbeitsverhältnisses. (1) [1]Die Zeit des Grundwehrdienstes oder einer Wehrübung wird auf die Berufs- und Betriebszugehörigkeit angerechnet; bei Auszubildenden und sonstigen in Berufsausbildung Beschäftigten wird die Wehrdienstzeit auf die Berufszugehörigkeit jedoch erst nach Abschluss der Ausbildung angerechnet. [2]Die Zeit des Grundwehrdienstes oder

---

[1)] § 4 Abs. 1 Satz 1 geänd. mWv 1.1.2026 durch G v. 22.12.2025 (BGBl. 2025 I Nr. 370).

[2)] § 5 eingef. mWv 1.1.2020 durch G v. 4.8.2019 (BGBl. I S. 1147).

[3)] § 6 Abs. 1 aufgeh., bish. Abs. 2–4 werden Abs. 1–3 mWv 1.1.2020 durch G v. 4.8.2019 (BGBl. I S. 1147).

einer Wehrübung gilt als Dienst- und Beschäftigungszeit im Sinne der Tarifordnungen und Tarifverträge des öffentlichen Dienstes.

(2) Auf Probe- und Ausbildungszeiten wird die Zeit des Grundwehrdienstes oder einer Wehrübung nicht angerechnet.

(3) [1] Auf Bewährungszeiten, die für die Einstufung in eine höhere Lohn- oder Vergütungsgruppe vereinbart sind, wird die Zeit des Grundwehrdienstes nicht angerechnet. [2] Während der Zeit, um die sich die Einstufung in eine höhere Lohn- oder Vergütungsgruppe hierdurch verzögert, erhält der Arbeitnehmer von seinem Arbeitgeber zum Arbeitsentgelt eine Zulage in Höhe des Unterschiedsbetrages zwischen seinem Arbeitsentgelt und dem Arbeitsentgelt, das ihm bei der Einstufung in die höhere Lohn- oder Vergütungsgruppe zustehen würde.

§ 7[1)] Vorschriften für in Heimarbeit Beschäftigte. (1) Für in Heimarbeit Beschäftigte, die ihren Lebensunterhalt überwiegend aus der Heimarbeit beziehen, gelten die §§ 1 bis 4 sowie 6 Absatz 1 sinngemäß.

(2) [1] Vor und nach dem Wehrdienst dürfen in Heimarbeit Beschäftigte aus Anlass des Wehrdienstes bei der Ausgabe von Heimarbeit im Vergleich zu den anderen in Heimarbeit Beschäftigten des gleichen Auftraggebers oder Zwischenmeisters nicht benachteiligt werden; andernfalls haben sie Anspruch auf das dadurch entgangene Entgelt. [2] Der Berechnung des entgangenen Entgelts ist das Entgelt zugrunde zu legen, das der in Heimarbeit Beschäftigte im Durchschnitt der letzten 52 Wochen vor der Vorlage des Einberufungsbescheides beim Auftraggeber oder Zwischenmeister erzielt hat.

§ 8 Vorschriften für Handelsvertreter. (1) Das Vertragsverhältnis zwischen einem Handelsvertreter und einem Unternehmer wird durch Einberufung des Handelsvertreters zum Grundwehrdienst oder zu einer Wehrübung nicht gelöst.

(2) Der Handelsvertreter hat den Einberufungsbescheid unverzüglich den Unternehmern vorzulegen, mit denen er in einem Vertragsverhältnis steht.

(3) Ein befristetes Vertragsverhältnis wird durch Einberufung zum Grundwehrdienst oder zu einer Wehrübung nicht verlängert; das Gleiche gilt, wenn ein Vertragsverhältnis aus anderen Gründen während des Wehrdienstes geendet hätte.

(4) Der Unternehmer darf das Vertragsverhältnis aus Anlass der Einberufung des Handelsvertreters zum Grundwehrdienst oder zu einer Wehrübung nicht kündigen.

(5) [1] Ist dem Handelsvertreter ein bestimmter Bezirk oder ein bestimmter Kundenkreis zugewiesen und kann er während des Grundwehrdienstes oder während einer Wehrübung seine Vertragspflichten nicht in dem notwendigen Umfang erfüllen, so kann der Unternehmer aus diesem Grund erforderliche Aufwendungen von dem Handelsvertreter ersetzt verlangen. [2] Zu ersetzen sind nur die Aufwendungen, die dem Unternehmer dadurch entstehen, dass er die dem Handelsvertreter obliegende Tätigkeit selbst ausübt oder durch Angestellte oder durch andere Handelsvertreter ausüben lässt; soweit der Unternehmer selbst die Tätigkeit ausübt, kann er nur die aufgewendeten Reisekosten ersetzt

---

[1)] § 7 Abs. 1 geänd. mWv 1.1.2020 durch G v. 4.8.2019 (BGBl. I S. 1147).

verlangen. [3]Die Aufwendungen sind nur bis zur Höhe der Vergütung des Handelsvertreters zu ersetzen; sie können mit ihr verrechnet werden.

(6) Der Unternehmer ist, auch wenn der Handelsvertreter zum Alleinvertreter bestellt ist, während des Grundwehrdienstes oder einer Wehrübung des Handelsvertreters berechtigt, selbst oder durch Angestellte oder durch andere Handelsvertreter sich um die Vermittlung oder den Abschluss von Geschäften zu bemühen.

§ 9[1)] Vorschriften für Beamte und Richter. (1) Wird ein Beamter zum Grundwehrdienst einberufen, so ist er für die Dauer des Grundwehrdienstes ohne Bezüge beurlaubt.

(2) [1]Wird ein Beamter zu einer Wehrübung einberufen, so ist er für die Dauer der Wehrübung mit Bezügen beurlaubt. [2]Der Dienstherr hat ihm während dieser Zeit die Bezüge wie bei einem Erholungsurlaub zu zahlen. [3]Zu den Bezügen gehören nicht besondere Zuwendungen, die mit Rücksicht auf den Erholungsurlaub gewährt werden. [4]Auf Antrag erstattet der Bund im Rahmen verfügbarer Haushaltsmittel dem Dienstherrn für eine Wehrübung im Kalenderjahr die um die gesetzlichen Abzüge geminderten Bezüge für den 15. bis 30. Wehrübungstag; der Antrag ist nur zulässig, wenn er spätestens zwei Monate nach Beginn der Wehrübung gestellt wird. [5]Satz 3 gilt nicht für Dienstherren nach § 2 des Bundesbeamtengesetzes[2)].

(3) [1]Absatz 2 Satz 2 gilt für die bei der Deutschen Post AG, der DB Privat- und Firmenkundenbank AG und der Deutschen Telekom AG beschäftigten Beamten mit der Maßgabe, dass der Bund den Aktiengesellschaften die Bezüge der Beamten für die Dauer der Wehrübung zu erstatten hat. [2]Der Antrag ist innerhalb von sechs Monaten nach Beendigung des Wehrdienstes bei der vom Bundesministerium der Verteidigung bestimmten Stelle zu stellen.

(4) Der Beamte hat den Einberufungsbescheid unverzüglich seinem Dienstvorgesetzten vorzulegen.

(5) Dienstverhältnisse auf Zeit werden durch Einberufung zum Grundwehrdienst oder zu einer Wehrübung nicht verlängert.

(6) Der Beamte darf aus Anlass der Einberufung zum Grundwehrdienst oder zu einer Wehrübung nicht entlassen werden.

(7) Dem Beamten dürfen aus der Abwesenheit, die durch den Wehrdienst veranlasst war, keine dienstlichen Nachteile entstehen.

(8) [1]Vorbereitungsdienst und Probezeiten werden um die Zeit des Grundwehrdienstes verlängert. [2]Der Vorbereitungsdienst wird um die Zeit der Wehrübungen verlängert, die sechs Wochen im Kalenderjahr überschreitet. [3]Die Verzögerungen, die sich daraus für den Beginn des Besoldungsdienstalters oder, bei Beamten und Richtern des Bundes, für den Beginn der Erfahrungszeit ergeben, sind auszugleichen. [4]Auch die sich daraus ergebenden beruflichen Verzögerungen sind angemessen auszugleichen.

(9) § 4 Abs. 1, 2, 4 und 5 gilt für Beamte entsprechend.

[1)] § 9 Abs. 8 Satz 3 geänd. mWv 1.7.2009 durch G v. 5.2.2009 (BGBl. I S. 160); Abs. 2 Sätze 4 und 5 angef. mWv 1.1.2020 durch G v. 4.8.2019 (BGBl. I S. 1147); Abs. 3 Satz 1 geänd. mWv 2.4.2021 durch G v. 30.3.2021 (BGBl. I S. 402); Abs. 2 Satz 4 geänd. mWv 1.1.2026 durch G v. 22.12.2025 (BGBl. 2025 I Nr. 370).

[2)] **Sartorius Nr. 160.**

(10) [1] Die Einstellung als Beamter darf wegen der Einberufung zum Grundwehrdienst oder zu einer Wehrübung nicht verzögert werden. [2] Wird ein Soldat während des Grundwehrdienstes oder einer Wehrübung eingestellt, so sind die Absätze 1, 2 und 4 bis 9 entsprechend anzuwenden.

(11) Die Absätze 1, 2 und 4 bis 10 gelten für Richter entsprechend.

§ 10 Freiwillige Wehrübungen. Wird der Wehrpflichtige zu einer Wehrübung auf Grund freiwilliger Verpflichtung (§ 4 Absatz 3 Satz 1 und 2 des Wehrpflichtgesetzes[1)]) einberufen, so gelten die §§ 1 bis 4 und 6 bis 9 nur, soweit diese Wehrübung allein oder zusammen mit anderen freiwilligen Wehrübungen im Kalenderjahr nicht länger als sechs Wochen dauert.

§ 11 (weggefallen)

§ 11a Bevorzugte Einstellung in den öffentlichen Dienst. (1) [1] Bewirbt sich ein Soldat oder entlassener Soldat bis zum Ablauf von sechs Monaten nach Beendigung des Grundwehrdienstes um Einstellung in den öffentlichen Dienst, so hat er Vorrang vor gesetzlich nicht bevorrechtigten Bewerbern gleicher Eignung. [2] Das Gleiche gilt für Wehrpflichtige, die im Anschluss an den Grundwehrdienst eine für den künftigen Beruf im öffentlichen Dienst vorgeschriebene, über die allgemein bildende Schulbildung hinausgehende Ausbildung ohne unzulässige Überschreitung der Regelzeit durchlaufen, wenn sie sich innerhalb von sechs Monaten nach Abschluss dieser Ausbildung um Einstellung bewerben.

(2) [1] Haben sich die Anforderungen an die fachliche Eignung für die Einstellung in den öffentlichen Dienst für Wehrpflichtige im Sinne des Absatzes 1 Satz 2 während der wehrdienstbedingten Verzögerung ihrer Bewerbung um Einstellung erhöht, so ist der Grad ihrer fachlichen Eignung nach den Anforderungen zu prüfen, die zu einem Zeitpunkt bestanden haben, zu dem sie sich ohne den Grundwehrdienst hätten bewerben können. [2] Führt die Prüfung zu dem Ergebnis, dass ein Wehrpflichtiger ohne diese Verzögerung eingestellt worden wäre, kann er vor Bewerbern ohne Grundwehrdienst eingestellt werden. [3] Die Zahl der Stellen, die Wehrpflichtigen in einem Einstellungstermin vorbehalten werden kann, bestimmt sich nach dem zahlenmäßigen Verhältnis der Bewerber mit wehrdienstbedingter Verzögerung zu denjenigen, bei denen eine solche nicht vorliegt; Bruchteile von Stellen sind zugunsten der Wehrpflichtigen aufzurunden.

§ 12[2)] Anrechnung der Wehrdienstzeit und der Zeit einer Berufsförderung bei Einstellung entlassener Soldaten. (1) [1] Wird ein entlassener Soldat im Anschluss an den Grundwehrdienst oder an eine Wehrübung als Arbeitnehmer eingestellt, gilt § 6, nachdem er sechs Monate lang dem Betrieb oder der Verwaltung angehört. [2] Das Gleiche gilt für Wehrpflichtige, die im Anschluss an den Grundwehrdienst oder eine Wehrübung eine für den künftigen Beruf als Arbeitnehmer förderliche, über die allgemein bildende Schulbildung hinausgehende Ausbildung ohne unzulässige Überschreitung der Regelzeit durchlaufen und im Anschluss daran als Arbeitnehmer eingestellt werden. [3] In einer betrieblichen oder überbetrieblichen Altersversorgung be-

---

[1)] ***beck-online, Module Arbeitsrecht Nr. 156a.***

[2)] § 12 Abs. 2 Satz 2 angef. mWv 1.7.2009 durch G v. 5.2.2009 (BGBl. I S. 160, ber. S. 462); Abs. 1 Satz 1 geänd. mWv 1.1.2020 durch G v. 4.8.2019 (BGBl. I S. 1147).

schränkt sich eine Anrechnung nach Satz 1 auf die Berücksichtigung bei den Unverfallbarkeitsfristen nach dem Gesetz zur Verbesserung der betrieblichen Altersversorgung[1]. [4] Ist dem Soldaten infolge einer Wehrdienstbeschädigung nach Entlassung aus der Bundeswehr auf Grund des Soldatenversorgungsgesetzes[2] Berufsumschulung oder Berufsfortbildung gewährt worden, so wird auch die hierfür erforderliche Zeit auf die Berufs- und Betriebszugehörigkeit oder als Dienst- und Beschäftigungszeit angerechnet.

(2) [1] Die Besoldungsgesetze regeln unter Berücksichtigung des § 9 Absatz 7 und 11 die Anrechnung der Wehrdienstzeit auf das Besoldungsdienstalter für entlassene Soldaten, die nach dem Grundwehrdienst oder nach einer Wehrübung als Beamter oder Richter eingestellt werden. [2] Bei Einstellung als Beamter oder Richter des Bundes gilt Satz 1 mit der Maßgabe, dass an die Stelle des Besoldungsdienstalters die Erfahrungszeit tritt.

(3) Bewirbt sich ein Soldat oder entlassener Soldat bis zum Ablauf von sechs Monaten nach Beendigung des Grundwehrdienstes oder einer Wehrübung um Einstellung als Beamter und wird er in den Vorbereitungsdienst eingestellt, so gelten Absatz 2 und § 9 Absatz 8 Satz 4 entsprechend.

(4) Absatz 3 gilt entsprechend für einen Arbeitnehmer, dessen Ausbildung für ein späteres Beamtenverhältnis durch eine festgesetzte mehrjährige Tätigkeit im Arbeitsverhältnis an Stelle des sonst vorgeschriebenen Vorbereitungsdienstes durchgeführt wird.

§ 13 Anrechnung des Wehrdienstes im späteren Berufsleben. (1) Die Zeit des Grundwehrdienstes und der Wehrübungen wird auf die bei der Zulassung zu weiterführenden Prüfungen im Beruf nachzuweisende Zeit einer mehrjährigen Tätigkeit nach der Lehrabschlussprüfung angerechnet, soweit eine Zeit von einem Jahr nicht unterschritten wird.

(2) Beginnt ein entlassener Soldat im Anschluss an den Grundwehrdienst oder eine Wehrübung eine für den künftigen Beruf als Beamter oder Richter über die allgemein bildende Schulbildung hinausgehende vorgeschriebene Ausbildung (Hochschul-, Fachhochschul-, Fachschul- oder andere berufliche Ausbildung) oder wird diese durch den Grundwehrdienst oder durch Wehrübungen unterbrochen, so gelten für Beamte § 9 Absatz 8 Satz 4 und § 12 Absatz 2, für Richter § 9 Absatz 11 und § 12 Absatz 2 entsprechend, wenn er sich bis zum Ablauf von sechs Monaten nach Abschluss der Ausbildung um Einstellung als Beamter oder Richter bewirbt und auf Grund dieser Bewerbung eingestellt wird.

(3) Für einen Arbeitnehmer, dessen Ausbildung für ein späteres Beamtenverhältnis durch eine festgesetzte mehrjährige Tätigkeit im Arbeitsverhältnis an Stelle des sonst vorgeschriebenen Vorbereitungsdienstes durchgeführt wird, gelten § 9 Absatz 8 Satz 4 und § 12 Abs. 2 entsprechend.

---

[1] Nr. **180**.
[2] **beck-online, Module Arbeitsrecht Nr. 156b.**

Abschnitt 2.[1] Meldung

§ 14[2] Weiterzahlung des Arbeitsentgelts. (1) Wird ein Arbeitnehmer nach Maßgabe des Wehrpflichtgesetzes[3] von den Karrierecentern der Bundeswehr aufgefordert, sich persönlich zu melden oder vorzustellen, so hat der Arbeitgeber für die ausfallende Arbeitszeit das Arbeitsentgelt weiterzuzahlen.

(2) Der Arbeitnehmer hat die Ladung unverzüglich seinem Arbeitgeber vorzulegen.

(3) Die Absätze 1 und 2 gelten entsprechend für den Arbeitnehmer, der zu Dienstleistungen nach dem Vierten Abschnitt des Soldatengesetzes herangezogen werden soll.

Abschnitt 3.[4] Alters- und Hinterbliebenenversorgung[5]

§ 14a[6] Zusätzliche Alters- und Hinterbliebenenversorgung für Arbeitnehmer. (1) Eine bestehende Versicherung in der zusätzlichen Alters- und Hinterbliebenenversorgung für Arbeitnehmer im öffentlichen Dienst wird durch Einberufung zum Grundwehrdienst oder zu einer Wehrübung nicht berührt.

(2) [1]Der Arbeitgeber hat während des Wehrdienstes die Beiträge (Arbeitgeber- und Arbeitnehmeranteil) weiterzuentrichten, und zwar in der Höhe, in der sie zu entrichten gewesen wären, wenn das Arbeitsverhältnis aus Anlass der Einberufung des Arbeitnehmers nicht ruhen würde. [2]Nach Ende des Wehrdienstes meldet der Arbeitgeber die auf die Zeit des Wehrdienstes entfallenden Beiträge beim Bundesministerium der Verteidigung oder der von ihm bestimmten Stelle zur Erstattung an. [3]Satz 2 gilt nicht im Falle des § 1 Absatz 2. [4]Veränderungen in der Beitragshöhe, die nach dem Wehrdienst eintreten, bleiben unberücksichtigt.

(3) [1]Für Arbeitnehmer, die einer Pensionskasse angehören oder als Leistungsempfänger einer anderen Einrichtung oder Form der betrieblichen oder überbetrieblichen Alters- und Hinterbliebenenversorgung in Betracht kommen, gelten Absätze 1 und 2 Satz 1, 2 und 4 singgemäß. [2]Betriebliche oder überbetriebliche Alters- und Hinterbliebenenversorgungen sind Versicherungen in Einrichtungen nach dem Betriebsrentengesetz[7], freiwillige Versicherungen in einem Zweig der gesetzlichen Rentenversicherung und Versicherungen in öffentlich-rechtlichen Versicherungs- oder Versorgungseinrichtungen einer Berufsgruppe.

(4) [1]Einem Arbeitnehmer, der aus seinem Arbeitseinkommen freiwillig Beiträge zur gesetzlichen Rentenversicherung oder zu einer sonstigen Alters- und Hinterbliebenenversorgung leistet, werden diese auf Antrag für die Zeit des

---

[1] Abschnitt 2 Überschrift neu gef. mWv 1.1.2020 durch G v. 4.8.2019 (BGBl. I S. 1147).

[2] § 14 Abs. 1 geänd. mWv 1.1.2020 durch G v. 4.8.2019 (BGBl. I S. 1147).

[3] **beck-online, Module Arbeitsrecht Nr. 156a.**

[4] Abschnitt 3 Überschrift neu gef. mWv 1.1.2020 durch G v. 4.8.2019 (BGBl. I S. 1147).

[5] Siehe hierzu auch die VO zum Dritten Abschnitt des ArbeitsplatzschutzG **(beck-online, Module Arbeitsrecht Nr. 156.1)**.

[6] § 14a Abs. 4 Satz 3 geänd. mWv 1.11.2015 durch G v. 29.6.2015 (BGBl. I S. 1061); Abs. 3 Satz 2 angef., Abs. 4 Satz 3 geänd., Abs. 5 und 6 aufgeh. mWv 1.1.2020 durch G v. 4.8.2019 (BGBl. I S. 1147).

[7] Nr. **180**.

Wehrdienstes in Höhe des Betrages erstattet, der für die letzten zwölf Monate vor Beginn des Wehrdienstes durchschnittlich entrichtet worden ist, wenn die den Aufwendungen zu Grunde liegende Versicherung bei Beginn des Wehrdienstes mindestens zwölf Monate besteht und der Arbeitgeber nach den Absätzen 1 bis 3 nicht zur Weiterentrichtung verpflichtet ist; Einkünfte aus geringfügiger Beschäftigung im Sinne des § 8 des Vierten Buches Sozialgesetzbuch[1)] bleiben außer Betracht. [2]Die Leistungen nach diesem Absatz dürfen, wenn Beiträge des Bundes zur gesetzlichen Rentenversicherung für die Zeit des Wehrdienstes entrichtet werden, 40 vom Hundert des Höchstbeitrages, der für die freiwillige Versicherung in der allgemeinen Rentenversicherung entrichtet werden kann, ansonsten den Höchstbeitrag nicht übersteigen. [3]Die Sätze 1 und 2 gelten nicht bei Zahlung des Arbeitsentgelts nach § 1 Absatz 2, bei Anspruch auf Leistungen nach den §§ 5 bis 8 des Unterhaltssicherungsgesetzes oder für Elternzeit.

§ 14b[2)] Alters- und Hinterbliebenenversorgung in besonderen Fällen.

(1) [1]Einem Wehrpflichtigen, der am Tage vor Beginn des Wehrdienstverhältnisses (§ 2 des Soldatengesetzes) auf Grund einer durch Gesetz angeordneten oder auf Gesetz beruhenden Verpflichtung Mitglied einer öffentlich-rechtlichen Versicherungs- oder Versorgungseinrichtung seiner Berufsgruppe ist und von der Versicherungspflicht in der gesetzlichen Rentenversicherung befreit ist oder vor der Wehrdienstleistung in einem Zweig der gesetzlichen Rentenversicherung freiwillig versichert war, werden die Beiträge zu dieser Einrichtung auf Antrag in der Höhe erstattet, in der sie nach der Satzung oder den Versicherungsbedingungen für die Zeit des Wehrdienstes zu zahlen sind. [2]Die Leistungen dürfen den Betrag nicht übersteigen, den der Bund für die Zeit des Wehrdienstes in der gesetzlichen Rentenversicherung zu entrichten hätte, wenn der Wehrpflichtige nicht von der Versicherungspflicht befreit worden wäre. [3]Die Sätze 1 und 2 gelten nicht bei Zahlung des Arbeitsentgelts nach § 1 Absatz 2, der Bezüge nach § 9 Absatz 2, bei Anspruch auf Leistungen nach § 5 Absatz 1 und nach § 6 des Unterhaltssicherungsgesetzes oder für Elternzeit.

(2) [1]Einem Wehrpflichtigen, der nach § 14a nicht anspruchsberechtigt ist und Beiträge zur gesetzlichen Rentenversicherung oder zu einer sonstigen Alters- und Hinterbliebenenversorgung leistet, werden die Beiträge auf Antrag für die Zeit des Wehrdienstes erstattet. [2]Beiträge, die freiwillig zur gesetzlichen Rentenversicherung entrichtet werden, soweit sie die Beiträge des Bundes zur gesetzlichen Rentenversicherung für die Zeit des Wehrdienstes übersteigen, und Beiträge zu einer sonstigen Alters- und Hinterbliebenenversorgung, die freiwillig entrichtet werden, werden nur in Höhe des Betrages erstattet, der für die letzten zwölf Monate vor Beginn des Wehrdienstes durchschnittlich entrichtet worden ist, wenn die den Aufwendungen zu Grunde liegende Versicherung bei Beginn des Wehrdienstes mindestens zwölf Monate besteht. [3]Diese Beiträge müssen aus eigenen Einkünften aus Land- und Forstwirtschaft, Gewerbebetrieb, selbständiger Arbeit, nichtselbständiger Arbeit oder Lohnersatzleistungen geleistet worden sein; Einkünfte aus geringfügiger Beschäfti-

---

[1)] Nr. **694**.

[2)] § 14b Abs. 1 Satz 3 und Abs. 2 Satz 5 geänd. mWv 1.11.2015 durch G v. 29.6.2015 (BGBl. I S. 1061); Abs. 4 und 5 aufgeh. mWv 1.1.2020 durch G v. 4.8.2019 (BGBl. I S. 1147); Abs. 1 Satz 3 und Abs. 2 Satz 5 geänd. mWv 1.1.2026 durch G v. 22.12.2025 (BGBl. 2025 I Nr. 370).

gung im Sinne des § 8 des Vierten Buches Sozialgesetzbuch[1)] bleiben außer Betracht. [4]Sind Zuschüsse zum Beitrag nach § 32 des Gesetzes über die Alterssicherung der Landwirte[2)] gewährt worden, ist mit den für den gleichen Zeitraum gezahlten Zuschüssen gegen den Erstattungsanspruch aufzurechnen. [5]Die Sätze 1 bis 4 gelten nicht bei Zahlung des Arbeitsentgelts nach § 1 Absatz 2, der Bezüge nach § 9 Absatz 2, bei Anspruch auf Leistungen nach den §§ 5 bis 8 des Unterhaltssicherungsgesetzes oder für Elternzeit.

(3) Die Leistungen nach Absatz 2 dürfen, wenn Beiträge des Bundes zur gesetzlichen Rentenversicherung für die Zeit des Wehrdienstes entrichtet oder Beiträge nach Absatz 1 erstattet werden, 40 vom Hundert des Höchstbeitrages, der für die freiwillige Versicherung in der allgemeinen Rentenversicherung entrichtet werden kann, ansonsten den Höchstbeitrag nicht übersteigen.

§ 14c[3)] Verfahren. (1) [1]Ist seit der Beendigung des Wehrdienstes ein Jahr verstrichen, so können Beiträge nicht mehr nach § 14a Absatz 2 Satz 2 angemeldet und können Anträge nach § 14b Absatz 1 und 2 nicht mehr gestellt werden. [2]Über die Erstattungsanträge entscheidet das Bundesamt für das Personalmanagement der Bundeswehr. [3]Zu erstattende Beiträge nach § 14a dürfen nur unmittelbar an die Einrichtung der Alters- und Hinterbliebenenversorgung gezahlt werden, sofern ein Nachweis über die Beitragszahlung durch den Arbeitgeber oder die Arbeitgeberin nicht vorgelegt wird. [4]Zu erstattende Beiträge nach § 14b werden an die Einrichtung der Alters- und Hinterbliebenenversorgung gezahlt.

(2) [1]Der Wehrpflichtige hat die Unterlagen zur Begründung des Erstattungsantrags drei Jahre aufzubewahren. [2]Die Aufbewahrungsfrist beginnt mit dem Datum der Entscheidung über den Erstattungsantrag.

Abschnitt 4.[4)] Schlussvorschriften

§ 15 Begriffsbestimmungen. (1) Arbeitnehmer im Sinne dieses Gesetzes sind Arbeiter und Angestellte sowie die zu ihrer Berufsausbildung Beschäftigten.

(2) Öffentlicher Dienst im Sinne dieses Gesetzes ist die Tätigkeit im Dienst des Bundes, eines Landes, einer Gemeinde (eines Gemeindeverbandes) oder anderer Körperschaften, Anstalten und Stiftungen des öffentlichen Rechts oder der Verbände von solchen; ausgenommen ist die Tätigkeit bei öffentlich-rechtlichen Religionsgesellschaften oder ihren Verbänden.

§ 16[5)] Sonstige Geltung des Gesetzes. (1) [1]Dieses Gesetz gilt auch im Falle des unbefristeten Wehrdienstes im Spannungs- oder Verteidigungsfall mit der

---

[1)] Nr. 694.

[2)] **Aichberger, SGB Nr. 30/10.**

[3)] § 14c eingef. mWv 1.1.2020 durch G v. 4.8.2019 (BGBl. I S. 1147); Abs. 1 neu gef. mWv 1.1.2026 durch G v. 22.12.2025 (BGBl. 2025 I Nr. 370).

[4)] Abschnitt 4 Überschrift neu gef. mWv 1.1.2020 durch G v. 4.8.2019 (BGBl. I S. 1147).

[5)] § 16 Abs. 7 angef. mWv 1.7.2011 durch G v. 28.4.2011 (BGBl. I S. 678); Abs 7 geänd. mWv 13.4.2013 durch G v. 8.4.2013 (BGBl. I S. 730); Abs. 4 Satz 2 neu gef. mWv 1.1.2020 durch G v. 4.8.2019 (BGBl. I S. 1147); Abs. 1 neu gef., Abs. 2 geänd., Abs. 3 aufgeh., bish. Abs. 4 wird Abs. 3, Abs. 5 aufgeh., bish. Abs. 6 wird Abs. 4 und bish. Abs. 7 wird Abs. 5 mWv 1.1.2026 durch G v. 22.12.2025 (BGBl. 2025 I Nr. 370).

Maßgabe, dass die Vorschriften über Wehrübungen anzuwenden sind. [2]§ 1 Absatz 2 Satz 3 und Absatz 6 sowie § 9 Absatz 2 Satz 4 sind nicht anzuwenden.

(2) Dieses Gesetz gilt auch im Falle der freiwilligen Verlängerung des Grundwehrdienstes (§ 6a des Wehrpflichtgesetzes[1)]) mit der Maßgabe, dass die Vorschriften über den Grundwehrdienst anzuwenden sind.

(3) [1]Dieses Gesetz ist ferner anzuwenden auf Arbeits- und Dienstverhältnisse von Personen, die zu Dienstleistungen nach dem Vierten Abschnitt des Soldatengesetzes herangezogen werden, mit der Maßgabe, dass die Vorschriften über Wehrübungen entsprechend anzuwenden sind. [2]§ 10 ist nur bei Übungen (§ 61 des Soldatengesetzes) und Wehrdienst zur temporären Verbesserung der personellen Einsatzbereitschaft (§ 63b des Soldatengesetzes) anzuwenden.

(4) [1]§ 1 Absatz 1, 3 und 4 und die §§ 2 bis 8 dieses Gesetzes gelten auch für in Deutschland beschäftigte Ausländer, wenn diese in ihrem Heimatstaat zur Erfüllung ihrer dort bestehenden Wehrpflicht zum Wehrdienst herangezogen werden. [2]Dies gilt nur für Ausländer, die Staatsangehörige der Vertragsparteien der Europäischen Sozialcharta vom 18. Oktober 1961 (BGBl. 1964 II S. 1262) sind und die ihren rechtmäßigen Aufenthalt in Deutschland haben.

(5) Dieses Gesetz gilt auch im Falle des freiwilligen Wehrdienstes nach § 58b des Soldatengesetzes mit der Maßgabe, dass die Vorschriften über den Grundwehrdienst anzuwenden sind.

§ 16a[2)] Wehrdienst als Soldat auf Zeit. (1) Dieses Gesetz gilt auch im Falle des Wehrdienstes als Soldat auf Zeit

1. für die zunächst auf sechs Monate festgesetzte Dienstzeit,
2. für die endgültig auf insgesamt nicht mehr als zwei Jahre festgesetzte Dienstzeit

mit der Maßgabe, dass die für den Grundwehrdienst der Wehrpflichtigen geltenden Vorschriften anzuwenden sind, ausgenommen § 9 Absatz 8 Satz 3, §§ 14a und 14b.

(2) In den Fällen des Absatzes 1 Nummer 1 und 2 sind § 125 Satz 1 des Beamtenrechtsrahmengesetzes oder § 31 Absatz 1 Satz 1 Nummer 2 des Bundesbeamtengesetzes[3)] und § 22 Absatz 2 Satz 1 des Beamtenstatusgesetzes[4)] nicht anzuwenden.

(3) (weggefallen)

(4) [1]Wird die Dienstzeit auf insgesamt mehr als zwei Jahre festgesetzt, so ist der Arbeitgeber durch die zuständige Personal bearbeitende Dienststelle der Bundeswehr unverzüglich zu benachrichtigen. [2]Das Gleiche gilt, wenn ein Wehrpflichtiger während des Grundwehrdienstes zum Soldaten auf Zeit ernannt wird.

(5) Die Absätze 1 bis 4 gelten entsprechend im Falle einer Verlängerung der Dienstzeit nach Absatz 1 aus zwingenden Gründen der Verteidigung (§ 54 Abs. 3 des Soldatengesetzes).

[1)] **beck-online, Module Arbeitsrecht Nr. 156a.**

[2)] § 16a Abs. 2 geänd. mWv 14.3.2015 durch G v. 6.3.2015 (BGBl. I S. 250); Abs. 2 und Abs. 4 Satz 1 geänd. mWv 1.1.2026 durch G v. 22.12.2025 (BGBl. 2025 I Nr. 370).

[3)] **Sartorius Nr. 160.**

[4)] **Sartorius Nr. 150.**

§ 17 Übergangsvorschrift. (1) Für Anspruchsberechtigte, die vor dem 1. Januar 1990 als Soldat eingestellt worden sind, bleiben die Vorschriften des § 14a Absatz 4, des § 14b Absatz 1 und 2 sowie des § 16a Absatz 1 in der bis dahin geltenden Fassung maßgebend.

(2) Auf Bundesbeamte, denen mit der Begründung eines Beamtenverhältnisses auf Probe nicht gleichzeitig ein Amt verliehen wird, sind § 9 Absatz 8 Satz 4 bis 6, § 12 Absatz 3 und § 13 Absatz 2 und 3 in der bis zum 11. Februar 2009 geltenden Fassung anzuwenden.

(3) Bis zum Inkrafttreten von Vorschriften, die der Vorgabe des § 9 Absatz 8 Satz 4 Rechnung tragen, im jeweiligen Dienstrecht sind § 9 Absatz 8 Satz 4 bis 6 und Absatz 11, § 12 Absatz 3 und § 13 Absatz 2 und 3 in der bis zum 31. März 2009 geltenden Fassung anzuwenden.

156b. Gesetz über die Versorgung der früheren Soldatinnen und früheren Soldaten und ihrer Hinterbliebenen

156b. (Soldatenversorgungsgesetz – SVG)[1]

Vom 20. August 2021
(BGBl. I S. 3932, 3958)

FNA 53-12

zuletzt geänd. durch Art. 7 Wehrdienst-ModernisierungsG v. 22.12.2025 (BGBl. 2025 I Nr. 370)

– Auszug –[2]

Teil 2. Berufsförderung und Dienstzeitversorgung

Abschnitt 1. Berufsförderung und Dienstzeitversorgung der Soldatinnen auf Zeit und Soldaten auf Zeit; Berufsförderung der freiwilligen Wehrdienst nach § 58b des Soldatengesetzes Leistenden

Unterabschnitt 2. Eingliederung in das spätere Berufsleben

§ 11 Anrechnung der Zeit der Förderung der beruflichen Bildung und des Wehrdienstes auf die Berufs- und Betriebszugehörigkeit bei anschließenden Beschäftigungsverhältnissen. (1) [1] Die Zeit einer nach § 7 geförderten Maßnahme der beruflichen Bildung wird auf die Berufszugehörigkeit angerechnet, wenn die frühere Soldatin oder der frühere Soldat im Anschluss daran in dem erlernten oder einem vergleichbaren Beruf sechs Monate tätig ist. [2] Eine vorübergehende berufsfremde Beschäftigung bleibt außer Betracht.

(2) [1] Die Zeit des Grundwehrdienstes, der Probezeit des freiwilligen Wehrdienstes nach § 58b des Soldatengesetzes oder die nach § 7 Absatz 1 des Wehrpflichtgesetzes[3] auf den Grundwehrdienst anrechenbare Zeit des Wehrdienstes als Soldatin auf Zeit oder Soldat auf Zeit wird bei früheren Soldatinnen auf Zeit und früheren Soldaten auf Zeit auf die Berufszugehörigkeit angerechnet. [2] Soweit Wehrdienstzeiten nicht nach Satz 1 oder als Zeit einer nach § 7 geförderten Maßnahme der beruflichen Bildung nach Absatz 1 voll zu berücksichtigen sind, werden sie zu einem Drittel auf die Berufszugehörigkeit angerechnet.

(3) [1] Die Zeiten einer nach § 7 geförderten Maßnahme der beruflichen Bildung und des Wehrdienstes werden nach den Absätzen 1 und 2 auch auf die Betriebszugehörigkeit angerechnet, wenn die frühere Soldatin oder der frühere Soldat nach Beendigung des Dienstverhältnisses sechs Monate dem Betrieb angehört. [2] In einer betrieblichen oder überbetrieblichen Altersversorgung beschränkt sich eine Anrechnung nach Satz 1 auf die Berücksichtigung bei den Unverfallbarkeitsfristen nach dem Gesetz zur Verbesserung der betrieblichen Altersversorgung[4].

(4) Bei Arbeitnehmerinnen und Arbeitnehmern im öffentlichen Dienst werden Zeiten einer nach § 7 geförderten Maßnahme der beruflichen Bildung und

---

[1] Verkündet als Art. 4 G v. 20.8.2021 (BGBl. I S. 3932); Inkrafttreten gem. Art. 90 Abs. 1 dieses G am 1.1.2025.

[2] Vollständig wiedergegeben in **beck-online, Module Arbeitsrecht.**

[3] **beck-online, Module Arbeitsrecht Nr. 156a.**

[4] Nr. **180**.

des Wehrdienstes nach Maßgabe der Absätze 1 und 2 auf die Dienst- und Beschäftigungszeit angerechnet, wenn die frühere Soldatin oder der frühere Soldat nach Beendigung des Dienstverhältnisses sechs Monate im öffentlichen Dienst beschäftigt ist.

(5) [1] Die Absätze 1 bis 4 gelten entsprechend, wenn eine Soldatin oder ein Soldat im Anschluss an eine nach § 7 geförderte Maßnahme der beruflichen Bildung oder an den Wehrdienst eine für den künftigen Beruf förderliche Ausbildung ohne unzulässige Überschreitung der Regelzeit durchführt. [2] Auf Probe- und Ausbildungszeiten sowie auf Wartezeiten für den Erwerb des Urlaubsanspruchs werden Zeiten einer nach § 7 geförderten Maßnahme der beruflichen Bildung und des Wehrdienstes nicht angerechnet.

(6) Die Absätze 1 bis 5 gelten nicht für eine frühere Soldatin auf Zeit oder einen früheren Soldaten auf Zeit, deren oder dessen Wehrdienstzeit für einen Zeitraum bis zu zwei Jahren festgesetzt oder nach § 54 Absatz 3 des Soldatengesetzes über diesen Zeitraum hinaus verlängert worden ist.

§ 12 Anrechnung der Zeit der Förderung der beruflichen Bildung und des Wehrdienstes bei nachfolgenden Dienstverhältnissen. (1) Bewirbt sich eine Soldatin auf Zeit oder ein Soldat auf Zeit oder eine frühere Soldatin auf Zeit oder ein früherer Soldat auf Zeit bis zum Ablauf von sechs Monaten nach Beendigung des Dienstverhältnisses um Einstellung als Beamtin oder Beamter, gilt § 9 Absatz 8 Satz 4 des Arbeitsplatzschutzgesetzes[1)] entsprechend.

(2) Die Zeit der Probezeit des freiwilligen Wehrdienstes nach § 58b des Soldatengesetzes oder die nach § 7 Absatz 1 des Wehrpflichtgesetzes[2)] auf den Grundwehrdienst anrechenbare Zeit wird auf die bei der Zulassung zu weiterführenden Prüfungen im Beruf nachzuweisende Zeit einer mehrjährigen Tätigkeit nach der Berufsabschlussprüfung angerechnet, soweit eine Zeit von einem Jahr nicht unterschritten wird.

(3) [1] Beginnt eine frühere Soldatin auf Zeit oder ein früherer Soldat auf Zeit im Anschluss an den Wehrdienst eine für den künftigen Beruf als Beamtin oder Beamter vorgeschriebene, über die allgemeinbildende Schulbildung hinausgehende Ausbildung oder wird diese durch den Wehrdienst unterbrochen, so gilt Absatz 1 entsprechend, wenn sie oder er sich bis zum Ablauf von sechs Monaten nach Beendigung der Ausbildung um Einstellung als Beamtin oder Beamter bewirbt und auf Grund dieser Bewerbung eingestellt wird. [2] Dienstzeiten, die Voraussetzung für eine Beförderung sind, beginnen für eine Richterin oder einen Richter, die oder der unter den dem Satz 1 entsprechenden Voraussetzungen eingestellt worden ist, mit dem Zeitpunkt, zu dem sie oder er ohne Ableisten der Probezeit des freiwilligen Wehrdienstes nach § 58b des Soldatengesetzes oder des nach § 7 Absatz 1 des Wehrpflichtgesetzes auf den Grundwehrdienst anrechenbaren Wehrdienstes als Soldatin auf Zeit oder Soldat auf Zeit zur Ernennung auf Lebenszeit herangestanden hätte.

(Fortsetzung nächstes Blatt)

[1)] Nr. 156.
[2)] **beck-online, Module Arbeitsrecht Nr. 156a.**

(4) Die Absätze 1 und 3 gelten entsprechend für eine Arbeitnehmerin oder einen Arbeitnehmer, deren oder dessen Ausbildung für ein späteres Beamtenverhältnis durch eine festgesetzte mehrjährige Tätigkeit im Arbeitsverhältnis an Stelle des sonst vorgeschriebenen Vorbereitungsdienstes durchgeführt wird.

(5) Die Absätze 1 bis 4 gelten nicht für eine Soldatin auf Zeit oder einen Soldaten auf Zeit oder eine frühere Soldatin auf Zeit oder einen früheren Soldaten auf Zeit, deren oder dessen Wehrdienstzeit für einen Zeitraum bis zu zwei Jahren festgesetzt oder nach § 54 Absatz 3 des Soldatengesetzes über diesen Zeitraum hinaus verlängert worden ist.

157. Gesetz über das Technische Hilfswerk (THW-Gesetz – THWG)[1)]

Vom 22. Januar 1990
(BGBl. I S. 118)

FNA 215-10

zuletzt geänd. durch Art. 2 Abs. 8 G zur Neustrukturierung des ZollfahndungsdienstG v. 30.3.2021 (BGBl. I S. 402)

– Auszug –

§ 2[2)] Helferinnen und Helfer; Verordnungsermächtigung. (1) [1]Dienste sollen in der Regel außerhalb der üblichen Arbeitszeit stattfinden. [2]Dies gilt nicht für Einsätze.

(2) Für die Verarbeitung personenbezogener Daten der Helferinnen und Helfer für Zwecke des Helferverhältnisses gilt § 26 des Bundesdatenschutzgesetzes[3)] entsprechend.

(3) Das Bundesministerium des Innern, für Bau und Heimat wird ermächtigt, durch Rechtsverordnung ohne Zustimmung des Bundesrates Zustandekommen, Inhalt und Beendigung des Helferverhältnisses im Einzelnen zu regeln.

§ 3[4)] Ausgleichsansprüche und soziale Sicherung. (1) [1]Arbeitnehmerinnen und Arbeitnehmern dürfen aus ihrer Verpflichtung zum Dienst im Technischen Hilfswerk und aus diesem Dienst keine Nachteile im Arbeitsverhältnis, in der Sozial- und Arbeitslosenversicherung sowie in der betrieblichen Altersversorgung erwachsen. [2]Während des Dienstes kann zu der von den Helferinnen und Helfern eingegangenen Verpflichtung auch die Teilnahme an einer Gemeinschaftsverpflegung gehören, soweit die zuständige Einsatz- oder Ausbildungsleitung dies anordnet. [3]Werden Arbeitnehmerinnen oder Arbeitnehmer während der für sie maßgebenden regelmäßigen Arbeitszeit zu Diensten herangezogen, so sind sie für die Dauer der Dienste unter Weitergewährung des Arbeitsentgelts, das sie ohne die Dienste erhalten hätten, von der Arbeitsleistung freigestellt. [4]Dies gilt nicht für Dienste, die in nicht unerheblichem Umfang der Gemeinschaftspflege dienen. [5]Erkundungen gelten als Dienste. [6]Versicherungsverhältnisse in der Sozial- und Arbeitslosenversicherung sowie in der betrieblichen Altersversorgung werden durch den Dienst im Technischen

---

[1)] Überschrift geänd. mWv 1.9.2009 durch G v. 29.7.2009 (BGBl. I S. 2350); geänd. mWv 1.8. 2013 durch G v. 11.6.2013 (BGBl. I S. 1514).

[2)] § 2 neu gef. mWv 1.5.2020 durch G v. 15.4.2020 (BGBl. I S. 808).

[3)] Nr. **490**.

[4)] § 3 Abs. 7 und 8 eingef., bish. Abs. 7 wird Abs. 9 durch G v. 28.7.1993 (BGBl. I S. 1394); Abs. 2 Satz 3 angef. durch G v. 17.12.1997 (BGBl. I S. 3108); Abs. 2 Satz 1 und Abs. 4 geänd. mWv 1.1. 2004 durch G v. 23.12.2003 (BGBl. I S. 2848); Abs. 7 geänd. mWv 1.12.2002 durch G v. 21.12.2004 (BGBl. I S. 3592); Abs. 7 geänd. mWv 1.7.2010 durch G v. 5.2.2009 (BGBl. I S. 160); Abs. 1 Sätze 1, 2 und 4, Abs. 2 Sätze 2 und 3, Abs. 3 Sätze 1–3, Abs. 4, Abs. 5 Sätze 1–3, Abs. 6 sowie Abs. 8 Satz 1 geänd., Abs. 9 neu gef. mWv 1.9.2009 durch G v. 29.7.2009 (BGBl. I S. 2350); Abs. 7 geänd., Abs. 9 Satz 2 angef. mWv 1.8.2013 durch G v. 11.6.2013 (BGBl. I S. 1514); Überschrift und Abs. 1 neu gef., Abs. 2 Sätze 1 und 3, Abs. 3 Satz 3, Abs. 6 und 7 und Abs. 8 Satz 1 geänd., Abs. 9 aufgeh. mWv 1.5. 2020 durch G v. 15.4.2020 (BGBl. I S. 808); Abs. 2 Satz 3 geänd. mWv 2.4.2021 durch G v. 30.3. 2021 (BGBl. I S. 402); obsolet, da bereits durch G v. 15.4.2020 (BGBl. I S. 808) ausgeführt.

Hilfswerk nicht berührt. [7] Arbeitnehmerinnen und Arbeitnehmer sind auch Personen, die in einem Berufsausbildungsverhältnis stehen. [8] Die Sätze 1 bis 6 gelten für Beamtinnen und Beamte sowie Berufsrichterinnen und -richter entsprechend.

(2) [1] Privaten Arbeitgeberinnen und Arbeitgebern ist das weitergewährte Arbeitsentgelt einschließlich ihrer Beiträge zur Sozialversicherung und zur Bundesagentur für Arbeit sowie zur betrieblichen Altersversorgung bei einem Ausfall von mehr als zwei Stunden am Tag oder von mehr als sieben Stunden innerhalb von zwei Wochen für die gesamte Ausfallzeit auf Antrag zu erstatten. [2] Ihnen ist auf Antrag auch das Arbeitsentgelt zu erstatten, das sie Arbeitnehmerinnen und Arbeitnehmern aufgrund der gesetzlichen Vorschriften während einer Arbeitsunfähigkeit infolge Krankheit weiter leisten, wenn die Arbeitsunfähigkeit auf den Dienst im Technischen Hilfswerk zurückzuführen ist. [3] Die Sätze 1 und 2 gelten für die bei der Deutschen Post AG, der DB Privat- und Firmenkundenbank AG und der Deutschen Telekom AG beschäftigten Beamtinnen und Beamten entsprechend.

(3)–(8) …

159. Übersicht über Kündigungsschutz für besondere Beauftragte[1)]

Bundes-Immissionsschutzgesetz

Gesetz zum Schutz vor schädlichen Umwelteinwirkungen durch Luftverunreinigungen, Geräusche, Erschütterungen und ähnliche Vorgänge (Bundes-Immissionsschutzgesetz - BImSchG) idF der Bek. vom 17. Mai 2013 (BGBl. I S. 1274, ber. 2021 S. 123), zuletzt geänd. durch G v. 29.3.2026 (BGBl. 2026 I Nr. 84).

– Immissionsschutzbeauftragter[2)] §§ 53 ff.,

– Störfallbeauftragter[2)] §§ 58a ff.

Kreislaufwirtschaftsgesetz

Gesetz zur Förderung der Kreislaufwirtschaft und Sicherung der umweltverträglichen Bewirtschaftung von Abfällen (Kreislaufwirtschaftsgesetz – KrWG) vom 24. Februar 2012 (BGBl. I S. 212), zuletzt geänd. durch G v. 2.3.2023 (BGBl. I Nr. 56).

– Abfallbeauftragter §§ 59 ff.

Abfallbeauftragtenverordnung

Verordnung über Betriebsbeauftragte für Abfall (Abfallbeauftragtenverordnung – AbfBeauftrV) vom 2. Dezember 2016 (BGBl. I S. 2770, 2789), zuletzt geänd. durch VO v. 28.4.2022 (BGBl. I S. 700).

– Abfallbeauftragter §§ 2 ff.

Wasserhaushaltsgesetz

Gesetz zur Ordnung des Wasserhaushalts (Wasserhaushaltsgesetz - WHG) vom 31. Juli 2009 (BGBl. I S. 2585), zuletzt geänd. durch G v. 29.3.2026 (BGBl. 2026 I Nr. 84).

– Gewässerschutzbeauftragter §§ 64–66.

Tierschutzgesetz

Tierschutzgesetz idF der Bek. vom 18. Mai 2006 (BGBl. I S. 1206, ber. S. 1313), zuletzt geänd. durch G v. 20.12.2022 (BGBl. I S. 2752).

– Tierschutzbeauftragter § 10.

Verordnung zum Schutz von zu Versuchszwecken oder zu anderen wissenschaftlichen Zwecken verwendeten Tieren (Tierschutz-Versuchstierverordnung - TierSchVersV) vom 1. August 2013 (BGBl. I S. 3125), geänd. durch VO v. 12.12.2013 (BGBl. I S. 4145).

– Tierschutzbeauftragter § 5 Absatz 6.

[1)] Die Übersicht ist nichtamtlich. Die Vorschriften sind vollständig wiedergegeben in **beck-online, Module Arbeitsrecht.**

[2)] Siehe hierzu auch §§ 1 ff. Verordnung über Immissionsschutz- und Störfallbeauftragte - 5. BImSchV **(beck-online, Module Arbeitsrecht Nr. 399j)**.

Gentechnikgesetz

Gesetz zur Regelung der Gentechnik (Gentechnikgesetz - GenTG) idF der Bek. vom 16. Dezember 1993 (BGBl. I S. 2066), zuletzt geänd. durch G v. 27.9.2021 (BGBl. I S. 4530).

– Beauftragter für biologische Sicherheit §§ 3 Nr. 11, 6 Abs. 4.

Gentechnik-Sicherheitsverordnung

Verordnung über die Sicherheitsstufen und Sicherheitsmaßnahmen bei gentechnischen Arbeiten in gentechnischen Anlagen (Gentechnik-Sicherheitsverordnung - GenTSV) vom 12. August 2019 (BGBl. I S. 1235).

– Beauftragter für biologische Sicherheit §§ 16 ff.

Zivilschutz- und Katastrophenhilfegesetz

Gesetz über den Zivilschutz und die Katastrophenhilfe des Bundes (Zivilschutz- und Katastrophenhilfegesetz - ZSKG) vom 25. März 1997 (BGBl. I S. 726), zuletzt geänd. durch VO v. 19.6.2020 (BGBl. I S. 1328).

– Rechtsverhältnisse der Zivilschutz-Helfer § 27.

Katastrophenschutzgesetz

Gesetz über die Erweiterung des Katastrophenschutzes vom 14. Februar 1990 (BGBl. I S. 229), zuletzt geänd. durch G v. 30.3.2021 (BGBl. I S. 402).

– Rechtsverhältnisse der Helfer im Katastrophenschutz § 9 Absatz 2.

– Insoweit ablösende Landesgesetze haben Vorrang.

Gefahrgutbeförderungsgesetz

Gesetz über die Beförderung gefährlicher Güter (Gefahrgutbeförderungsgesetz - GGBefG) idF der Bek. vom 7. Juli 2009 (BGBl. I S. 1775), zuletzt geänd. durch G v. 2.3.2023 (BGBl. I Nr. 56).

– Gefahrgutbeauftragter § 3 Abs. 1 Satz 1 Nr. 14.

Gefahrgutbeauftragtenverordnung

Verordnung über die Bestellung von Gefahrgutbeauftragten in Unternehmen (Gefahrgutbeauftragtenverordnung – GbV) idF der Bek. vom 11. März 2019 (BGBl. I S. 304), zuletzt geänd. durch VO v. 17.12.2024 (BGBl. 2024 I Nr. 422).

– Gefahrgutbeauftragter bes. § 9.

Siebtes Buch Sozialgesetzbuch – Gesetzliche Unfallversicherung –

Siebtes Buch Sozialgesetzbuch – Gesetzliche Unfallversicherung – vom 7. August 1996 (BGBl. I S. 1254), zuletzt geänd. durch G v. 5.12.2012 (BGBl. I S. 2447).

– Sicherheitsbeauftragter § 22 Abs. 3.

Bundesgleichstellungsgesetz

Gesetz für die Gleichstellung von Frauen und Männern in der Bundesverwaltung und in den Unternehmen und Gerichten des Bundes (Bundesgleichstellungsgesetz - BGleiG) vom 24. April 2015 (BGBl. I S. 642, 643).

– Gleichstellungsbeauftragter § 28 Abs. 4.

Strahlenschutzverordnung

Verordnung zum Schutz vor der schädlichen Wirkung ionisierender Strahlung (Strahlenschutzverordnung - StrlSchV) vom 29. November 2018 (BGBl. I S. 2034, 2036), zuletzt geänd. durch G v. 23.10.2024 (BGBl. 2024 I Nr. 324).

– Strahlenschutzbeauftragter § 43.

Atomrechtliche Sicherheitsbeauftragten- und Meldeverordnung

Verordnung über den kerntechnischen Sicherheitsbeauftragten und über die Meldung von Störfällen und sonstigen Ereignissen (Atomrechtliche Sicherheitsbeauftragten- und Meldeverordnung - AtSMV) vom 14. Oktober 1992 (BGBl. I S. 1766), zuletzt geänd. durch VO v. 29.11.2018 (BGBl. I S. 2034).

– kerntechnischer Sicherheitsbeauftragter § 5.

Wertpapierhandelsgesetz

Gesetz über den Wertpapierhandel (Wertpapierhandelsgesetz - WpHG) idF der Bek. vom 9. September 1998 (BGBl. I S. 2708), zuletzt geänd. durch G v. 9.4. 2026 (BGBl. 2026 I Nr. 97).

– Compliance-Beauftragter § 87 Abs. 5.

Kapitalanlagegesetzbuch

Kapitalanlagegesetzbuch (KAGB) vom 4. Juli 2013 (BGBl. I S. 1981), zuletzt geänd. durch G v. 9.4.2026 (BGBl. 2026 I Nr. 97).

– Compliance-Beauftragter §§ 2 und 3 Kapitalanlage-Verhaltens- und -Organisationsverordnung – KAVerOV[1] i.V.m. Art. 61 Delegierte VO (EU) Nr. 231/2013 der Kommission vom 19. Dezember 2012 zur Ergänzung der Richtlinie 2011/61/EU des Europäischen Parlaments und des Rates im Hinblick auf Ausnahmen, die Bedingungen für die Ausübung der Tätigkeit, Verwahrstellen, Hebelfinanzierung, Transparenz und Beaufsichtigung.

Institutsvergütungsverordnung

Verordnung über die aufsichtsrechtlichen Anforderungen an Vergütungssysteme von Instituten (Institutsvergütungsverordnung - InstitutsVergV) vom 16. Dezember 2013 (BGBl. I S. 4270), zuletzt geänd. durch G v. 25.3.2026 (BGBl. 2026 I Nr. 81).

– Vergütungsbeauftragter § 23 Absatz 2.

Geldwäschegesetz

Gesetz über das Aufspüren von Gewinnen aus schweren Straftaten (Geldwäschegesetz - GwG) v. 23.6.2017 (BGBl. I S. 1822), zuletzt geänd. durch G v. 4.2.2026 (BGBl. 2026 I Nr. 33).

– Geldwäschebeauftagter § 7 Absatz 7.

---

[1] **beck-online, Module Arbeitsrecht Nr. 207.**

Jugendmedienschutz-Staatsvertrag

Staatsvertrag über den Schutz der Menschenwürde und den Jugendschutz in Rundfunk und Telemedien (Jugendmedienschutz-Staatsvertrag - JMStV) v. 13.9.2002, zuletzt geänd. durch StV v. 14.3.2025.

– Jugendschutzbeauftragter § 7 Absatz 5.

Medizinprodukteverordnung (EU) 2017/745

Verordnung (EU) 2017/745 des Europäischen Parlaments und des Rates vom 5. April 2017 über Medizinprodukte, zur Änderung der Richtlinie 2001/83/EG, der Verordnung (EG) Nr. 178/2002 und der Verordnung (EG) Nr. 1223/2009 und zur Aufhebung der Richtlinien 90/385/EWG und 93/42/EWG des Rates v. 5.4.2017 (ABl. L 117 S. 1, ber. ABl. 2019 L 117 S. 9, ABl. L 334 S. 165, ABl. 2021 Nr. L 241 S. 7).

– Sicherheitsbeauftragter für Medizinprodukte Art. 15 Absatz 5.

Luftverkehrs-Zulassungs-Ordnung

Luftverkehrs-Zulassungs-Ordnung (LuftVZO) v. 10.7.2008 (BGBl. I S. 1229), zuletzt geänd. durch VO v. 11.12.2024 (BGBl. 2024 I Nr. 411).

– Beauftragter für das Sicherheitsmanagement § 45c Absatz 3.

D. Recht am Arbeitsergebnis und betriebliche Altersversorgung

170. Gesetz über Arbeitnehmererfindungen[1)]

Vom 25. Juli 1957
(BGBl. I S. 756)

BGBl. III/FNA 422-1

zuletzt geänd. durch Art. 25 G zur Neuregelung des Berufsrechts der anwaltlichen und steuerberatenden Berufsausübungsgesellschaften sowie zur Änd. weiterer Vorschriften im Bereich der rechtsberatenden Berufe v. 7.7.2021 (BGBl. I S. 2363)

Inhaltsübersicht[2)]

---

1) Änderungen vor dem 1.1.1998 sind nicht in Fußnoten nachgewiesen.
2) Inhaltsübersicht geänd. mWv 7.2.2002 durch G v. 18.1.2002 (BGBl. I S. 414).

Erster Abschnitt. Anwendungsbereich und Begriffsbestimmungen

§ 1[1)] Anwendungsbereich. Diesem Gesetz unterliegen die Erfindungen und technischen Verbesserungsvorschläge von Arbeitnehmern im privaten und im öffentlichen Dienst, von Beamten und Soldaten.

§ 2 Erfindungen. Erfindungen im Sinne dieses Gesetzes sind nur Erfindungen, die patent- oder gebrauchsmusterfähig sind.

§ 3 Technische Verbesserungsvorschläge. Technische Verbesserungsvorschläge im Sinne dieses Gesetzes sind Vorschläge für sonstige technische Neuerungen, die nicht patent- oder gebrauchsmusterfähig sind.

§ 4 Diensterfindungen und freie Erfindungen. (1) Erfindungen von Arbeitnehmern im Sinne dieses Gesetzes können gebundene oder freie Erfindungen sein.

(2) Gebundene Erfindungen (Diensterfindungen) sind während der Dauer des Arbeitsverhältnisses gemachte Erfindungen, die entweder

1. aus der dem Arbeitnehmer im Betrieb oder in der öffentlichen Verwaltung obliegenden Tätigkeit entstanden sind oder
2. maßgeblich auf Erfahrungen oder Arbeiten des Betriebes oder der öffentlichen Verwaltung beruhen.

(3) [1] Sonstige Erfindungen von Arbeitnehmern sind freie Erfindungen. [2] Sie unterliegen jedoch den Beschränkungen der §§ 18 und 19.

(4) Die Absätze 1 bis 3 gelten entsprechend für Erfindungen von Beamten und Soldaten.

[1)] *Hinsichtlich* eines *urheberrechtlich* geschützten Werkes, dessen Urheber das Werk in Erfüllung seiner Verpflichtung aus einem Arbeits- oder Dienstverhältnis geschaffen hat, vgl. § 43 Urheberrechtsgesetz.

Zweiter Abschnitt. Erfindungen und technische Verbesserungsvorschläge von Arbeitnehmern im privaten Dienst

1. Diensterfindungen

§ 5[1] Meldepflicht. (1) [1]Der Arbeitnehmer, der eine Diensterfindung gemacht hat, ist verpflichtet, sie unverzüglich dem Arbeitgeber gesondert in Textform zu melden und hierbei kenntlich zu machen, daß es sich um die Meldung einer Erfindung handelt. [2]Sind mehrere Arbeitnehmer an dem Zustandekommen der Erfindung beteiligt, so können sie die Meldung gemeinsam abgeben. [3]Der Arbeitgeber hat den Zeitpunkt des Eingangs der Meldung dem Arbeitnehmer unverzüglich in Textform zu bestätigen.

(2) [1]In der Meldung hat der Arbeitnehmer die technische Aufgabe, ihre Lösung und das Zustandekommen der Diensterfindung zu beschreiben. [2]Vorhandene Aufzeichnungen sollen beigefügt werden, soweit sie zum Verständnis der Erfindung erforderlich sind. [3]Die Meldung soll dem Arbeitnehmer dienstlich erteilte Weisungen oder Richtlinien, die benutzten Erfahrungen oder Arbeiten des Betriebes, die Mitarbeiter sowie Art und Umfang ihrer Mitarbeit angeben und soll hervorheben, was der meldende Arbeitnehmer als seinen eigenen Anteil ansieht.

(3) [1]Eine Meldung, die den Anforderungen des Absatzes 2 nicht entspricht, gilt als ordnungsgemäß, wenn der Arbeitgeber nicht innerhalb von zwei Monaten erklärt, daß und in welcher Hinsicht die Meldung einer Ergänzung bedarf. [2]Er hat den Arbeitnehmer, soweit erforderlich, bei der Ergänzung der Meldung zu unterstützen.

§ 6[2] Inanspruchnahme. (1) Der Arbeitgeber kann eine Diensterfindung durch Erklärung gegenüber dem Arbeitnehmer in Anspruch nehmen.

(2) Die Inanspruchnahme gilt als erklärt, wenn der Arbeitgeber die Diensterfindung nicht bis zum Ablauf von vier Monaten nach Eingang der ordnungsgemäßen Meldung (§ 5 Abs. 2 Satz 1 und 3) gegenüber dem Arbeitnehmer durch Erklärung in Textform freigibt.

§ 7[3] Wirkung der Inanspruchnahme. (1) Mit der Inanspruchnahme gehen alle vermögenswerten Rechte an der Diensterfindung auf den Arbeitgeber über.

(2) Verfügungen, die der Arbeitnehmer über eine Diensterfindung vor der Inanspruchnahme getroffen hat, sind dem Arbeitgeber gegenüber unwirksam, soweit seine Rechte beeinträchtigt werden.

§ 8[4] Frei gewordene Diensterfindungen. [1]Eine Diensterfindung wird frei, wenn der Arbeitgeber sie durch Erklärung in Textform freigibt. [2]Über eine frei gewordene Diensterfindung kann der Arbeitnehmer ohne die Beschränkungen der §§ 18 und 19 verfügen.

---

[1] § 5 Abs. 1 Sätze 1 und 3 geänd. mWv 1.10.2009 durch G v. 31.7.2009 (BGBl. I S. 2521).

[2] § 6 Abs. 1 geänd., Abs. 2 neu gef. mWv 1.10.2009 durch G v. 31.7.2009 (BGBl. I S. 2521).

[3] § 7 Abs. 1 neu gef., Abs. 2 aufgeh., bish. Abs. 3 wird Abs. 2 mWv 1.10.2009 durch G v. 31.7.2009 (BGBl. I S. 2521).

[4] § 8 neu gef. mWv 1.10.2009 durch G v. 31.7.2009 (BGBl. I S. 2521).

§ 9[1] Vergütung bei Inanspruchnahme. (1) Der Arbeitnehmer hat gegen den Arbeitgeber einen Anspruch auf angemessene Vergütung, sobald der Arbeitgeber die Diensterfindung in Anspruch genommen hat.

(2) Für die Bemessung der Vergütung sind insbesondere die wirtschaftliche Verwertbarkeit der Diensterfindung, die Aufgaben und die Stellung des Arbeitnehmers im Betrieb sowie der Anteil des Betriebes an dem Zustandekommen der Diensterfindung maßgebend.

§ 10[2] *(aufgehoben)*

§ 11[3] Vergütungsrichtlinien[4]. ***[bis 31.7.2022:*** Der Bundesminister für Arbeit***][ab 1.8.2022:*** *Das Bundesministerium für Arbeit und Soziales]* erläßt nach Anhörung der Spitzenorganisationen der Arbeitgeber und der Arbeitnehmer (§ 12 des Tarifvertragsgesetzes[5]) Richtlinien über die Bemessung der Vergütung.

§ 12[6] Feststellung oder Festsetzung der Vergütung. (1) Die Art und Höhe der Vergütung soll in angemessener Frist nach Inanspruchnahme der Diensterfindung durch Vereinbarung zwischen dem Arbeitgeber und dem Arbeitnehmer festgestellt werden.

(2) [1] Wenn mehrere Arbeitnehmer an der Diensterfindung beteiligt sind, ist die Vergütung für jeden gesondert festzustellen. [2] Die Gesamthöhe der Vergütung und die Anteile der einzelnen Erfinder an der Diensterfindung hat der Arbeitgeber den Beteiligten bekanntzugeben.

(3) [1] Kommt eine Vereinbarung über die Vergütung in angemessener Frist nach Inanspruchnahme der Diensterfindung nicht zustande, so hat der Arbeitgeber die Vergütung durch eine begründete Erklärung in Textform an den Arbeitnehmer festzusetzen und entsprechend der Festsetzung zu zahlen. [2] Die Vergütung ist spätestens bis zum Ablauf von drei Monaten nach Erteilung des Schutzrechts festzusetzen.

(Fortsetzung nächstes Blatt)

---

[1] § 9 Überschrift und Abs. 1 geänd. mWv 1.10.2009 durch G v. 31.7.2009 (BGBl. I S. 2521).

[2] § 10 aufgeh. mWv 1.10.2009 durch G v. 31.7.2009 (BGBl. I S. 2521).

[3] § 11 geänd. mWv 1.10.2009 durch G v. 31.7.2009 (BGBl. I S. 2521); geänd. mWv 1.8.2022 durch G v. 7.7.2021 (BGBl. I S. 2363).

[4] Siehe dazu die Richtlinien für die Vergütung von Arbeitnehmererfindungen im öffentlichen Dienst v. 1.12.1960 (BAnz. Nr. 237 S. 2).

[5] Nr. **504**.

[6] § 12 Abs. 3 Satz 1 und Abs. 4 geänd., Abs. 3 Satz 2 neu gef. mWv 1.10.2009 durch G v. 31.7.2009 (BGBl. I S. 2521).

(4) [1] Der Arbeitnehmer kann der Festsetzung innerhalb von zwei Monaten durch Erklärung in Textform widersprechen, wenn er mit der Festsetzung nicht einverstanden ist. [2] Widerspricht er nicht, so wird die Festsetzung für beide Teile verbindlich.

(5) [1] Sind mehrere Arbeitnehmer an der Diensterfindung beteiligt, so wird die Festsetzung für alle Beteiligten nicht verbindlich, wenn einer von ihnen der Festsetzung mit der Begründung widerspricht, daß sein Anteil an der Diensterfindung unrichtig festgesetzt sei. [2] Der Arbeitgeber ist in diesem Falle berechtigt, die Vergütung für alle Beteiligten neu festzusetzen.

(6) [1] Arbeitgeber und Arbeitnehmer können voneinander die Einwilligung in eine andere Regelung der Vergütung verlangen, wenn sich Umstände wesentlich ändern, die für die Feststellung oder Festsetzung der Vergütung maßgebend waren. [2] Rückzahlung einer bereits geleisteten Vergütung kann nicht verlangt werden. [3] Die Absätze 1 bis 5 sind nicht anzuwenden.

§ 13[1)] Schutzrechtsanmeldung im Inland. (1) [1] Der Arbeitgeber ist verpflichtet und allein berechtigt, eine gemeldete Diensterfindung im Inland zur Erteilung eines Schutzrechts anzumelden. [2] Eine patentfähige Diensterfindung hat er zur Erteilung eines Patents anzumelden, sofern nicht bei verständiger Würdigung der Verwertbarkeit der Erfindung der Gebrauchsmusterschutz zweckdienlicher erscheint. [3] Die Anmeldung hat unverzüglich zu geschehen.

(2) Die Verpflichtung des Arbeitgebers zur Anmeldung entfällt,

1. wenn die Diensterfindung frei geworden ist (§ 8);
2. wenn der Arbeitnehmer der Nichtanmeldung zustimmt;
3. wenn die Voraussetzungen des § 17 vorliegen.

(3) Genügt der Arbeitgeber nach Inanspruchnahme der Diensterfindung seiner Anmeldepflicht nicht und bewirkt er die Anmeldung auch nicht innerhalb einer ihm vom Arbeitnehmer gesetzten angemessenen Nachfrist, so kann der Arbeitnehmer die Anmeldung der Diensterfindung für den Arbeitgeber auf dessen Namen und Kosten bewirken.

(4) [1] Ist die Diensterfindung frei geworden, so ist nur der Arbeitnehmer berechtigt, sie zur Erteilung eines Schutzrechts anzumelden. [2] Hatte der Arbeitgeber die Diensterfindung bereits zur Erteilung eines Schutzrechts angemeldet, so gehen die Rechte aus der Anmeldung auf den Arbeitnehmer über.

§ 14[2)] Schutzrechtsanmeldung im Ausland. (1) Nach Inanspruchnahme der Diensterfindung ist der Arbeitgeber berechtigt, diese auch im Ausland zur Erteilung von Schutzrechten anzumelden.

(2) [1] Für ausländische Staaten, in denen der Arbeitgeber Schutzrechte nicht erwerben will, hat er dem Arbeitnehmer die Diensterfindung freizugeben und ihm auf Verlangen den Erwerb von Auslandsschutzrechten zu ermöglichen. [2] Die Freigabe soll so rechtzeitig vorgenommen werden, daß der Arbeitnehmer die Prioritätsfristen der zwischenstaatlichen Verträge auf dem Gebiet des gewerblichen Rechtsschutzes ausnutzen kann.

[1)] § 13 Abs. 2 Nr. 1 und Abs. 3 geänd. mWv 1. 10. 2009 durch G v. 31. 7. 2009 (BGBl. I S. 2521).

[2)] § 14 Abs. 1 geänd. mWv 1. 10. 2009 durch G v. 31. 7. 2009 (BGBl. I S. 2521).

(3) Der Arbeitgeber kann sich gleichzeitig mit der Freigabe nach Absatz 2 ein nicht ausschließliches Recht zur Benutzung der Diensterfindung in den betreffenden ausländischen Staaten gegen angemessene Vergütung vorbehalten und verlangen, daß der Arbeitnehmer bei der Verwertung der freigegebenen Erfindung in den betreffenden ausländischen Staaten die Verpflichtungen des Arbeitgebers aus den im Zeitpunkt der Freigabe bestehenden Verträgen über die Diensterfindung gegen angemessene Vergütung berücksichtigt.

§ 15 Gegenseitige Rechte und Pflichten beim Erwerb von Schutzrechten. (1) [1] Der Arbeitgeber hat dem Arbeitnehmer zugleich mit der Anmeldung der Diensterfindung zur Erteilung eines Schutzrechts Abschriften der Anmeldeunterlagen zu geben. [2] Er hat ihn von dem Fortgang des Verfahrens zu unterrichten und ihm auf Verlangen Einsicht in den Schriftwechsel zu gewähren.

(2) Der Arbeitnehmer hat den Arbeitgeber auf Verlangen beim Erwerb von Schutzrechten zu unterstützen und die erforderlichen Erklärungen abzugeben.

§ 16 Aufgabe der Schutzrechtsanmeldung oder des Schutzrechts. (1) Wenn der Arbeitgeber vor Erfüllung des Anspruchs des Arbeitnehmers auf angemessene Vergütung die Anmeldung der Diensterfindung zur Erteilung eines Schutzrechts nicht weiterverfolgen oder das auf die Diensterfindung erteilte Schutzrecht nicht aufrechterhalten will, hat er dies dem Arbeitnehmer mitzuteilen und ihm auf dessen Verlangen und Kosten das Recht zu übertragen sowie die zur Wahrung des Rechts erforderlichen Unterlagen auszuhändigen.

(2) Der Arbeitgeber ist berechtigt, das Recht aufzugeben, sofern der Arbeitnehmer nicht innerhalb von drei Monaten nach Zugang der Mitteilung die Übertragung des Rechts verlangt.

(3) Gleichzeitig mit der Mitteilung nach Absatz 1 kann sich der Arbeitgeber ein nichtausschließliches Recht zur Benutzung der Diensterfindung gegen angemessene Vergütung vorbehalten.

§ 17[1] Betriebsgeheimnisse. (1) Wenn berechtigte Belange des Betriebes es erfordern, eine gemeldete Diensterfindung nicht bekanntwerden zu lassen, kann der Arbeitgeber von der Erwirkung eines Schutzrechts absehen, sofern er die Schutzfähigkeit der Diensterfindung gegenüber dem Arbeitnehmer anerkennt.

(2) Erkennt der Arbeitgeber die Schutzfähigkeit der Diensterfindung nicht an, so kann er von der Erwirkung eines Schutzrechts absehen, wenn er zur Herbeiführung einer Einigung über die Schutzfähigkeit der Diensterfindung die Schiedsstelle (§ 29) anruft.

(3) Bei der Bemessung der Vergütung für eine Erfindung nach Absatz 1 sind auch die wirtschaftlichen Nachteile zu berücksichtigen, die sich für den Arbeitnehmer daraus ergeben, daß auf die Diensterfindung kein Schutzrecht erteilt worden ist.

---

[1] § 17 i.d.F. des Gesetzes vom 4. 9. 1967 (BGBl. I S. 953).

2. Freie Erfindungen

§ 18[1] **Mitteilungspflicht.** (1) [1] Der Arbeitnehmer, der während der Dauer des Arbeitsverhältnisses eine freie Erfindung gemacht hat, hat dies dem Arbeitgeber unverzüglich durch Erklärung in Textform mitzuteilen. [2] Dabei muß über die Erfindung und, wenn dies erforderlich ist, auch über ihre Entstehung soviel mitgeteilt werden, daß der Arbeitgeber beurteilen kann, ob die Erfindung frei ist.

(2) Bestreitet der Arbeitgeber nicht innerhalb von drei Monaten nach Zugang der Mitteilung durch Erklärung in Textform an den Arbeitnehmer, daß die ihm mitgeteilte Erfindung frei sei, so kann die Erfindung nicht mehr als Diensterfindung in Anspruch genommen werden (§ 6).

(3) Eine Verpflichtung zur Mitteilung freier Erfindungen besteht nicht, wenn die Erfindung offensichtlich im Arbeitsbereich des Betriebes des Arbeitgebers nicht verwendbar ist.

§ 19 Anbietungspflicht. (1) [1] Bevor der Arbeitnehmer eine freie Erfindung während der Dauer des Arbeitsverhältnisses anderweitig verwertet, hat er zunächst dem Arbeitgeber mindestens ein nichtausschließliches Recht zur Benutzung der Erfindung zu angemessenen Bedingungen anzubieten, wenn die Erfindung im Zeitpunkt des Angebots in den vorhandenen oder vorbereiteten Arbeitsbereich des Betriebes des Arbeitgebers fällt. [2] Das Angebot kann gleichzeitig mit der Mitteilung nach § 18 abgegeben werden.

(2) Nimmt der Arbeitgeber das Angebot innerhalb von drei Monaten nicht an, so erlischt das Vorrecht.

(3) Erklärt sich der Arbeitgeber innerhalb der Frist des Absatzes 2 zum Erwerb des ihm angebotenen Rechts bereit, macht er jedoch geltend, daß die Bedingungen des Angebots nicht angemessen seien, so setzt das Gericht auf Antrag des Arbeitgebers oder des Arbeitnehmers die Bedingungen fest.

(4) Der Arbeitgeber oder der Arbeitnehmer kann eine andere Festsetzung der Bedingungen beantragen, wenn sich Umstände wesentlich ändern, die für die vereinbarten oder festgesetzten Bedingungen maßgebend waren.

3. Technische Verbesserungsvorschläge

§ 20 (1) [1] Für technische Verbesserungsvorschläge, die dem Arbeitgeber eine ähnliche Vorzugsstellung gewähren wie ein gewerbliches Schutzrecht, hat der Arbeitnehmer gegen den Arbeitgeber einen Anspruch auf angemessene Vergütung, sobald dieser sie verwertet. [2] Die Bestimmungen der §§ 9 und 12 sind sinngemäß anzuwenden.

(2) Im übrigen bleibt die Behandlung technischer Verbesserungsvorschläge der Regelung durch Tarifvertrag oder Betriebsvereinbarung überlassen.

4. Gemeinsame Bestimmungen

§ 21[2] *(aufgehoben)*

---

[1] § 18 Abs. 1 Satz 1 und Abs. 2 geänd. mWv 1. 10. 2009 durch G v. 31. 7. 2009 (BGBl. I S. 2521).

[2] § 21 aufgeh. mWv 1. 10. 2009 durch G v. 31. 7. 2009 (BGBl. I S. 2521).

§ 22 Unabdingbarkeit. [1]Die Vorschriften dieses Gesetzes können zuungunsten des Arbeitnehmers nicht abgedungen werden. [2]Zulässig sind jedoch Vereinbarungen über Diensterfindungen nach ihrer Meldung, über freie Erfindungen und technische Verbesserungsvorschläge (§ 20 Abs. 1) nach ihrer Mitteilung.

§ 23[1] Unbilligkeit. (1) [1]Vereinbarungen über Diensterfindungen, freie Erfindungen oder technische Verbesserungsvorschläge (§ 20 Abs. 1), die nach diesem Gesetz zulässig sind, sind unwirksam, soweit sie in erheblichem Maße unbillig sind. [2]Das gleiche gilt für die Festsetzung der Vergütung (§ 12 Abs. 4).

(2) Auf die Unbilligkeit einer Vereinbarung oder einer Festsetzung der Vergütung können sich Arbeitgeber und Arbeitnehmer nur berufen, wenn sie die Unbilligkeit spätestens bis zum Ablauf von sechs Monaten nach Beendigung des Arbeitsverhältnisses durch Erklärung in Textform gegenüber dem anderen Teil geltend machen.

§ 24[2] Geheimhaltungspflicht. (1) Der Arbeitgeber hat die ihm gemeldete oder mitgeteilte Erfindung eines Arbeitnehmers so lange geheimzuhalten, als dessen berechtigte Belange dies erfordern.

(2) Der Arbeitnehmer hat eine Diensterfindung so lange geheimzuhalten, als sie nicht frei geworden ist (§ 8).

(3) Sonstige Personen, die auf Grund dieses Gesetzes von einer Erfindung Kenntnis erlangt haben, dürfen ihre Kenntnis weder auswerten noch bekanntgeben.

§ 25[3] Verpflichtungen aus dem Arbeitsverhältnis. Sonstige Verpflichtungen, die sich für den Arbeitgeber und den Arbeitnehmer aus dem Arbeitsverhältnis ergeben, werden durch die Vorschriften dieses Gesetzes nicht berührt, soweit sich nicht daraus, daß die Erfindung frei geworden ist (§ 8), etwas anderes ergibt.

§ 26 Auflösung des Arbeitsverhältnisses. Die Rechte und Pflichten aus diesem Gesetz werden durch die Auflösung des Arbeitsverhältnisses nicht berührt.

§ 27[4] Insolvenzverfahren. Wird nach Inanspruchnahme der Diensterfindung das Insolvenzverfahren über das Vermögen des Arbeitgebers eröffnet, so gilt folgendes:

1. Veräußert der Insolvenzverwalter die Diensterfindung mit dem Geschäftsbetrieb, so tritt der Erwerber für die Zeit von der Eröffnung des Insolvenzverfahrens an in die Vergütungspflicht des Arbeitgebers ein.
2. Verwertet der Insolvenzverwalter die Diensterfindung im Unternehmen des Schuldners, so hat er dem Arbeitnehmer eine angemessene Vergütung für die Verwertung aus der Insolvenzmasse zu zahlen.

---

[1] § 23 Abs. 2 geänd. mWv 1. 10. 2009 durch G v. 31. 7. 2009 (BGBl. I S. 2521).
[2] *§ 24 Abs. 2* geänd. mWv 1. 10. 2009 durch G v. 31. 7. 2009 (BGBl. I S. 2521).
[3] § 25 geänd. mWv 1. 10. 2009 durch G v. 31. 7. 2009 (BGBl. I S. 2521).
[4] § 27 neu gef. mWv 1. 10. 2009 durch G v. 31. 7. 2009 (BGBl. I S. 2521).

3. In allen anderen Fällen hat der Insolvenzverwalter dem Arbeitnehmer die Diensterfindung sowie darauf bezogene Schutzrechtspositionen spätestens nach Ablauf eines Jahres nach Eröffnung des Insolvenzverfahrens anzubieten; im Übrigen gilt § 16 entsprechend. Nimmt der Arbeitnehmer das Angebot innerhalb von zwei Monaten nach dessen Zugang nicht an, kann der Insolvenzverwalter die Erfindung ohne Geschäftsbetrieb veräußern oder das Recht aufgeben. Im Fall der Veräußerung kann der Insolvenzverwalter mit dem Erwerber vereinbaren, dass sich dieser verpflichtet, dem Arbeitnehmer die Vergütung nach § 9 zu zahlen. Wird eine solche Vereinbarung nicht getroffen, hat der Insolvenzverwalter dem Arbeitnehmer die Vergütung aus dem Veräußerungserlös zu zahlen.
4. Im Übrigen kann der Arbeitnehmer seine Vergütungsansprüche nach den §§ 9 bis 12 nur als Insolvenzgläubiger geltend machen.

5. Schiedsverfahren

§ 28 Gütliche Einigung. [1] In allen Streitfällen zwischen Arbeitgeber und Arbeitnehmer auf Grund dieses Gesetzes kann jederzeit die Schiedsstelle angerufen werden. [2] Die Schiedsstelle hat zu versuchen, eine gütliche Einigung herbeizuführen.

§ 29[1)] **Errichtung der Schiedsstelle.** (1) Die Schiedsstelle wird beim ***[bis 31.7.2022:*** Patentamt***][ab 1.8.2022:*** *Deutschen Patent- und Markenamt****]*** errichtet.

(2) Die Schiedsstelle kann außerhalb ihres Sitzes zusammentreten.

§ 30[2)] **Besetzung der Schiedsstelle.** (1) Die Schiedsstelle besteht aus einem Vorsitzenden oder seinem Vertreter und zwei Beisitzern.

(2) [1] Der Vorsitzende und sein Vertreter sollen die Befähigung zum Richteramt nach dem Deutschen Richtergesetz besitzen. [2] Sie werden vom ***[bis 31.7.2022:*** Bundesminister der Justiz***][ab 1.8.2022:*** *Bundesministerium der Justiz und für Verbraucherschutz****]*** für die Dauer von vier Jahren berufen. [3] Eine Wiederberufung ist zulässig.

(3) [1] Die Beisitzer sollen auf dem Gebiet der Technik, auf das sich die Erfindung oder der technische Verbesserungsvorschlag bezieht, besondere Erfahrung besitzen. [2] Sie werden vom Präsidenten des Patentamts aus den Mitgliedern oder Hilfsmitgliedern des ***[bis 31.7.2022:*** Patentamts***][ab 1.8.2022:*** *Deutschen Patent- und Markenamts****]*** für den einzelnen Streitfall berufen.

(4) [1] Auf Antrag eines Beteiligten ist die Besetzung der Schiedsstelle um je einen Beisitzer aus Kreisen der Arbeitgeber und der Arbeitnehmer zu erweitern. [2] Diese Beisitzer werden vom Präsidenten des ***[bis 31.7.2022:*** Patentamts***] [ab 1.8.2022:*** *Deutschen Patent- und Markenamts****]*** aus Vorschlagslisten ausgewählt und für den einzelnen Streitfall bestellt. [3] Zur Einreichung von Vorschlagslisten sind berechtigt die in § 11 genannten Spitzenorganisationen, ferner die Gewerkschaften und die selbständigen Vereinigungen von Arbeitnehmern mit sozial- oder berufspolitischer Zweckssetzung, die keiner dieser Spitzenorganisa-

---

1) § 29 Abs. 1 geänd. mWv 1.8.2022 durch G v. 7.7.2021 (BGBl. I S. 2363).

2) § 30 Abs. 2 geänd. und Abs. 6 angef. durch G v. 23.3.1961 (BGBl. I S. 274, ber. S. 316); Abs. 2 Sätze 1 und 2 geänd., Satz 3 angef., Abs. 6 bish. Satz 1 geänd. und Satz 2 angef. mWv 1.10.2009 durch G v. 31.7.2009 (BGBl. I S. 2521); Abs. 2 Satz 2, Abs. 3 Satz 2, Abs. 4 Satz 2 , Abs. 5 und 6 Satz 1 geänd. mWv 1.8.2022 durch G v. 7.7.2021 (BGBl. I S. 2363).

tionen angeschlossen sind, wenn ihnen eine erhebliche Zahl von Arbeitnehmern angehört, von denen nach der ihnen im Betrieb obliegenden Tätigkeit erfinderische Leistungen erwartet werden.

(5) Der Präsident des ***[bis 31.7.2022:*** Patentamts***][ab 1.8.2022:*** *Deutschen Patent- und Markenamts]* soll den Beisitzer nach Absatz 4 aus der Vorschlagsliste derjenigen Organisationen auswählen, welcher der Beteiligte angehört, wenn der Beteiligte seine Zugehörigkeit zu einer Organisation vor der Auswahl der Schiedsstelle mitgeteilt hat.

(6) [1]Die Dienstaufsicht über die Schiedsstelle führt der Vorsitzende, die Dienstaufsicht über den Vorsitzenden der Präsident des ***[bis 31.7.2022:*** Patentamtes***][ab 1.8.2022:*** *Deutschen Patent- und Markenamts]*. [2]Die Mitglieder der Schiedsstelle sind an Weisungen nicht gebunden.

§ 31 Anrufung der Schiedsstelle. (1) [1]Die Anrufung der Schiedsstelle erfolgt durch schriftlichen Antrag. [2]Der Antrag soll in zwei Stücken eingereicht werden. [3]Er soll eine kurze Darstellung des Sachverhalts sowie Namen und Anschrift des anderen Beteiligten enthalten.

(2) Der Antrag wird vom Vorsitzenden der Schiedsstelle dem anderen Beteiligten mit der Aufforderung zugestellt, sich innerhalb einer bestimmten Frist zu dem Antrag schriftlich zu äußern.

§ 32 Antrag auf Erweiterung der Schiedsstelle. Der Antrag auf Erweiterung der Besetzung der Schiedsstelle ist von demjenigen, der die Schiedsstelle anruft, zugleich mit der Anrufung (§ 31 Abs. 1), von dem anderen Beteiligten innerhalb von zwei Wochen nach Zustellung des die Anrufung enthaltenden Antrags (§ 31 Abs. 2) zu stellen.

§ 33[1)] Verfahren vor der Schiedsstelle. (1) [1]Auf das Verfahren vor der Schiedsstelle sind §§ 41 bis 48, 1042 Abs. 1 und § 1050 der Zivilprozeßordnung[2)] sinngemäß anzuwenden. [2]§ 1042 Abs. 2 der Zivilprozeßordnung[2)] ist mit der Maßgabe sinngemäß anzuwenden, daß auch Patentanwälte und Erlaubnisscheininhaber (Artikel 3 des Zweiten Gesetzes zur Änderung und Überleitung von Vorschriften auf dem Gebiet des gewerblichen Rechtsschutzes vom 2. Juli 1949 – WiGBl. S. 179) sowie Verbandsvertreter im Sinne des § 11 des Arbeitsgerichtsgesetzes[3)] von der Schiedsstelle nicht zurückgewiesen werden dürfen.

(2) Im übrigen bestimmt die Schiedsstelle das Verfahren selbst.

§ 34 Einigungsvorschlag der Schiedsstelle. (1) [1]Die Schiedsstelle faßt ihre Beschlüsse mit Stimmenmehrheit. [2]§ 196 Abs. 2 des Gerichtsverfassungsgesetzes[4)] ist anzuwenden.

(2) [1]Die Schiedsstelle hat den Beteiligten einen Einigungsvorschlag zu machen. [2]Der Einigungsvorschlag ist zu begründen und von sämtlichen Mitgliedern der Schiedsstelle zu unterschreiben. [3]Auf die Möglichkeit des Widerspruchs und die Folgen bei Versäumung der Widerspruchsfrist ist in dem

---

[1)] § 33 Abs. 1 Satz 1 und 2 geänd. durch G v. 22. 12 .1997 (BGBl. I S. 3224).
[2)] **beck-online, Module Arbeitsrecht Nr. 320.**
[3)] Nr. **660.**
[4)] **beck-online, Module Arbeitsrecht Nr. 665.**

Einigungsvorschlag hinzuweisen. [4] Der Einigungsvorschlag ist den Beteiligten zuzustellen.

(3) Der Einigungsvorschlag gilt als angenommen und eine dem Inhalt des Vorschlages entsprechende Vereinbarung als zustande gekommen, wenn nicht innerhalb eines Monats nach Zustellung des Vorschlages ein schriftlicher Widerspruch eines der Beteiligten bei der Schiedsstelle eingeht.

(4) [1] Ist einer der Beteiligten durch unabwendbaren Zufall verhindert worden, den Widerspruch rechtzeitig einzulegen, so ist er auf Antrag wieder in den vorigen Stand einzusetzen. [2] Der Antrag muß innerhalb eines Monats nach Wegfall des Hindernisses schriftlich bei der Schiedsstelle eingereicht werden. [3] Innerhalb dieser Frist ist der Widerspruch nachzuholen. [4] Der Antrag muß die Tatsachen, auf die er gestützt wird, und die Mittel angeben, mit denen diese Tatsachen glaubhaft gemacht werden. [5] Ein Jahr nach Zustellung des Einigungsvorschlages kann die Wiedereinsetzung nicht mehr beantragt und der Widerspruch nicht mehr nachgeholt werden.

(5) [1] Über den Wiedereinsetzungsantrag entscheidet die Schiedsstelle. [2] Gegen die Entscheidung der Schiedsstelle findet die sofortige Beschwerde nach den Vorschriften der Zivilprozeßordnung[1)] an das für den Sitz des Antragstellers zuständige Landgericht statt.

§ 35 Erfolglose Beendigung des Schiedsverfahrens. (1) Das Verfahren vor der Schiedsstelle ist erfolglos beendet,

1. wenn sich der andere Beteiligte innerhalb der ihm nach § 31 Abs. 2 gesetzten Frist nicht geäußert hat;
2. wenn er es abgelehnt hat, sich auf das Verfahren vor der Schiedsstelle einzulassen;
3. wenn innerhalb der Frist des § 34 Abs. 3 ein schriftlicher Widerspruch eines der Beteiligten bei der Schiedsstelle eingegangen ist.

(2) Der Vorsitzende der Schiedsstelle teilt die erfolglose Beendigung des Schiedsverfahrens den Beteiligten mit.

§ 36 Kosten des Schiedsverfahrens. Im Verfahren vor der Schiedsstelle werden keine Gebühren oder Auslagen erhoben.

6. Gerichtliches Verfahren

§ 37 Voraussetzungen für die Erhebung der Klage. (1) Rechte oder Rechtsverhältnisse, die in diesem Gesetz geregelt sind, können im Wege der Klage erst geltend gemacht werden, nachdem ein Verfahren vor der Schiedsstelle vorausgegangen ist.

(2) Dies gilt nicht,

1. wenn mit der Klage Rechte aus einer Vereinbarung (§§ 12, 19, 22, 34) geltend gemacht werden oder die Klage darauf gestützt wird, daß die Vereinbarung nicht rechtswirksam sei;
2. wenn seit der Anrufung der Schiedsstelle sechs Monate verstrichen sind;
3. wenn der Arbeitnehmer aus dem Betrieb des Arbeitgebers ausgeschieden ist;

---

1) Auszugsweise abgedruckt unter Nr. **320**.

4. wenn die Parteien vereinbart haben, von der Anrufung der Schiedsstelle abzusehen. Diese Vereinbarung kann erst getroffen werden, nachdem der Streitfall (§ 28) eingetreten ist. Sie bedarf der Schriftform.

(3) Einer Vereinbarung nach Absatz 2 Nr. 4 steht es gleich, wenn beide Parteien zur Hauptsache mündlich verhandelt haben, ohne geltend zu machen, daß die Schiedsstelle nicht angerufen worden ist.

(4) Der vorherigen Anrufung der Schiedsstelle bedarf es ferner nicht für Anträge auf Anordnung eines Arrestes oder einer einstweiligen Verfügung.

(5) Die Klage ist nach Erlaß eines Arrestes oder einer einstweiligen Verfügung ohne die Beschränkung des Absatzes 1 zulässig, wenn der Partei nach den §§ 926, 936 der Zivilprozeßordnung[1] eine Frist zur Erhebung der Klage bestimmt worden ist.

§ 38 Klage auf angemessene Vergütung. Besteht Streit über die Höhe der Vergütung, so kann die Klage auch auf Zahlung eines vom Gericht zu bestimmenden angemessenen Betrages gerichtet werden.

§ 39[2] Zuständigkeit. (1) [1] Für alle Rechtsstreitigkeiten über Erfindungen eines Arbeitnehmers sind die für Patentstreitsachen zuständigen Gerichte (§ 143 des Patentgesetzes[3]) ohne Rücksicht auf den Streitwert ausschließlich zuständig. [2] Die Vorschriften über das Verfahren in Patentstreitsachen sind anzuwenden.

(2) Ausgenommen von der Regelung des Absatzes 1 sind Rechtsstreitigkeiten, die ausschließlich Ansprüche auf Leistung einer festgestellten oder festgesetzten Vergütung für eine Erfindung zum Gegenstand haben.

Dritter Abschnitt. Erfindungen und technische Verbesserungsvorschläge von Arbeitnehmern im öffentlichen Dienst, von Beamten und Soldaten

§ 40 Arbeitnehmer im öffentlichen Dienst. Auf Erfindungen und technische Verbesserungsvorschläge von Arbeitnehmern, die in Betrieben und Verwaltungen des Bundes, der Länder, der Gemeinden und sonstigen Körperschaften, Anstalten und Stiftungen des öffentlichen Rechts beschäftigt sind, sind die Vorschriften für Arbeitnehmer im privaten Dienst mit folgender Maßgabe anzuwenden:

1. An Stelle der Inanspruchnahme der Diensterfindung kann der Arbeitgeber eine angemessene Beteiligung an dem Ertrage der Diensterfindung in Anspruch nehmen, wenn dies vorher vereinbart worden ist. Über die Höhe der Beteiligung können im voraus bindende Abmachungen getroffen werden. Kommt eine Vereinbarung über die Höhe der Beteiligung nicht zustande, so hat der Arbeitgeber sie festzusetzen. § 12 Abs. 3 bis 6 ist entsprechend anzuwenden.
2. Die Behandlung von technischen Verbesserungsvorschlägen nach § 20 Abs. 2 kann auch durch Dienstvereinbarung geregelt werden; Vorschriften, nach

---

[1] **beck-online, Module Arbeitsrecht Nr. 320.**

[2] § 39 Abs. 1 Satz 1 geänd. durch G v. 15.8.1986 (BGBl. I S. 1446), Satz 3 aufgeh. durch G v. 24.6. 1994 (BGBl. I S. 1325).

[3] **Habersack ErgBd. Nr. 70.**

denen die Einigung über die Dienstvereinbarung durch die Entscheidung einer höheren Dienststelle oder einer dritten Stelle ersetzt werden kann, finden keine Anwendung.

3. Dem Arbeitnehmer können im öffentlichen Interesse durch allgemeine Anordnung der zuständigen obersten Dienstbehörde Beschränkungen hinsichtlich der Art der Verwertung der Diensterfindung auferlegt werden.
4. Zur Einreichung von Vorschlagslisten für Arbeitgeberbeisitzer (§ 30 Abs. 4) sind auch die Bundesregierung und die Landesregierungen berechtigt.
5. Soweit öffentliche Verwaltungen eigene Schiedsstellen zur Beilegung von Streitigkeiten auf Grund dieses Gesetzes errichtet haben, finden die Vorschriften der §§ 29 bis 32 keine Anwendung.

§ 41 Beamte, Soldaten. Auf Erfindungen und technische Verbesserungsvorschläge von Beamten und Soldaten sind die Vorschriften für Arbeitnehmer im öffentlichen Dienst entsprechend anzuwenden.

§ 42[1)] Besondere Bestimmungen für Erfindungen an Hochschulen.

Für Erfindungen der an einer Hochschule Beschäftigten gelten folgende besonderen Bestimmungen:

1. Der Erfinder ist berechtigt, die Diensterfindung im Rahmen seiner Lehr- und Forschungstätigkeit zu offenbaren, wenn er dies dem Dienstherrn rechtzeitig, in der Regel zwei Monate zuvor, angezeigt hat. § 24 Abs. 2 findet insoweit keine Anwendung.
2. Lehnt ein Erfinder aufgrund seiner Lehr- und Forschungsfreiheit die Offenbarung seiner Diensterfindung ab, so ist er nicht verpflichtet, die Erfindung dem Dienstherrn zu melden. Will der Erfinder seine Erfindung zu einem späteren Zeitpunkt offenbaren, so hat er dem Dienstherrn die Erfindung unverzüglich zu melden.
3. Dem Erfinder bleibt im Fall der Inanspruchnahme der Diensterfindung ein nichtausschließliches Recht zur Benutzung der Diensterfindung im Rahmen seiner Lehr- und Forschungstätigkeit.
4. Verwertet der Dienstherr die Erfindung, beträgt die Höhe der Vergütung 30 vom Hundert der durch die Verwertung erzielten Einnahmen.
5. § 40 Nr. 1 findet keine Anwendung.

Vierter Abschnitt. Übergangs- und Schlußbestimmungen

§ 43[2)] Übergangsvorschrift. (1) [1] § 42 in der am 7. Februar 2002 (BGBl. I S. 414) geltenden Fassung dieses Gesetzes findet nur Anwendung auf Erfindungen, die nach dem 6. Februar 2002 gemacht worden sind. [2] Abweichend von Satz 1 ist in den Fällen, in denen sich Professoren, Dozenten oder wissenschaftliche Assistenten an einer wissenschaftlichen Hochschule zur Übertragung der Rechte an einer Erfindung gegenüber einem Dritten vor dem 18. Juli 2001 vertraglich verpflichtet haben, § 42 des Gesetzes über Arbeitnehmererfindungen in der bis zum 6. Februar 2002 geltenden Fassung bis zum 7. Februar 2003 weiter anzuwenden.

[1)] § 42 neu gef. mWv 7.2.2002 durch G v. 18.1.2002 (BGBl. I S. 414).

[2)] § 43 neu gef. mWv 7.2.2002 durch G v. 18.1.2002 (BGBl. I S. 414); Abs. 3 angef. mWv 1.10. 2009 durch G v. 31.7.2009 (BGBl. I S. 2521).

(2) [1] Für die vor dem 7. Februar 2002 von den an einer Hochschule Beschäftigten gemachten Erfindungen sind die Vorschriften des Gesetzes über Arbeitnehmererfindungen in der bis zum 6. Februar 2002 geltenden Fassung anzuwenden. [2] Das Recht der Professoren, Dozenten und wissenschaftlichen Assistenten an einer wissenschaftlichen Hochschule, dem Dienstherrn ihre vor dem 6. Februar 2002 gemachten Erfindungen anzubieten, bleibt unberührt.

(3) [1] Auf Erfindungen, die vor dem 1. Oktober 2009 gemeldet wurden, sind die Vorschriften dieses Gesetzes in der bis zum 30. September 2009 geltenden Fassung weiter anzuwenden. [2] Für technische Verbesserungsvorschläge gilt Satz 1 entsprechend.

§ 44[1)] *(aufgehoben)*

§ 45[2)] **Durchführungsbestimmungen.** [1] ***[bis 31.7.2022:*** Der Bundesminister der Justiz***][ab 1.8.2022:*** *Das Bundesministerium der Justiz und für Verbraucherschutz****]*** wird ermächtigt, im Einvernehmen mit dem ***[bis 31.7.2022:*** Bundesminister für Arbeit***][ab 1.8.2022:*** *Bundesministerium für Arbeit und Soziales****]*** die für die Erweiterung der Besetzung der Schiedsstelle (§ 30 Abs. 4 und 5) erforderlichen Durchführungsbestimmungen zu erlassen.[3)] [2] Insbesondere kann ***[bis 31.7.2022:*** er***][ab 1.8.2022:*** *es****]*** bestimmen,

1. welche persönlichen Voraussetzungen Personen erfüllen müssen, die als Beisitzer aus Kreisen der Arbeitgeber oder der Arbeitnehmer vorgeschlagen werden;
2. wie die auf Grund der Vorschlagslisten ausgewählten Beisitzer für ihre Tätigkeit zu entschädigen sind.

§ 46 Außerkrafttreten von Vorschriften. Mit dem Inkrafttreten dieses Gesetzes werden folgende Vorschriften aufgehoben, soweit sie nicht bereits außer Kraft getreten sind:

1. Die Verordnung über die Behandlung von Erfindungen von Gefolgschaftsmitgliedern vom 12. Juli 1942 (Reichsgesetzbl. I S. 466);
2. die Durchführungsverordnung zur Verordnung über die Behandlung von Erfindungen von Gefolgschaftsmitgliedern vom 20. März 1943 (Reichsgesetzbl. I S. 257).

§ 47[4)] *(aufgehoben)*

§ 48[5)] *(aufgehoben)*

§ 49 Inkrafttreten. Dieses Gesetz tritt am 1. Oktober 1957 in Kraft.

[1)] § 44 aufgeh. mWv 7.2.2002 durch G v. 18.1.2002 (BGBl. I S. 414).

[2)] § 45 Sätze 1 und 2 einl. Satzteil geänd. mWv 1.8.2022 durch G v. 7.7.2021 (BGBl. I S. 2363).

[3)] Vgl. Zweite Verordnung zur Durchführung des Gesetzes über Arbeitnehmererfindungen (Nr. **170b**).

[4)] § 47 aufgeh. durch G v. 16.7.1998 (BGBl. I S. 1827).

[5)] § 48 aufgeh. mWv 1.10.2009 durch G v. 31.7.2009 (BGBl. I S. 2521).

170 b. Zweite Verordnung zur Durchführung des Gesetzes über Arbeitnehmererfindungen

Vom 1. Oktober 1957

(BGBl. I S. 1680)

FNA 422-1-2

zuletzt geänd. durch Art. 8 G zur Vereinfachung und Modernisierung des Patentrechts v. 31. 7. 2009 (BGBl. I S. 2521)

Auf Grund des § 45 des Gesetzes über Arbeitnehmererfindungen[1] vom 25. Juli 1957 (Bundesgesetzbl. I S. 756) wird im Einvernehmen mit dem Bundesminister für Arbeit verordnet:

§ 1[2] Voraussetzungen für die Bestellung als Beisitzer. (1) Als Beisitzer aus Kreisen der Arbeitgeber und der Arbeitnehmer für die Erweiterung der Besetzung der Schiedsstelle gemäß § 30 Abs. 4 und 5 des Gesetzes über Arbeitnehmererfindungen[1] (Beisitzer) sind Personen zu bestellen, die das fünfundzwanzigste Lebensjahr vollendet haben.

(2) Vom Amt eines Beisitzers ist ausgeschlossen,

1. wer infolge Richterspruchs die Fähigkeit zur Bekleidung öffentlicher Ämter nicht besitzt oder wegen einer vorsätzlichen Tat zu einer Freiheitsstrafe von mehr als sechs Monaten verurteilt worden ist;
2. wer wegen einer Tat angeklagt ist, die den Verlust der Fähigkeit zur Bekleidung öffentlicher Ämter zur Folge haben kann;
3. wer durch gerichtliche Anordnung in der Verfügung über sein Vermögen beschränkt ist;
4. wer das Wahlrecht zum Deutschen Bundestag nicht besitzt.

(3) Beamte und Angestellte des Patentamts dürfen nicht als Beisitzer bestellt werden.

(4) Niemand darf zugleich Beisitzer der Arbeitgeberseite und der Arbeitnehmerseite sein.

§ 2[3] Beisitzer aus Kreisen der Arbeitgeber. (1) Beisitzer aus Kreisen der Arbeitgeber kann auch sein, wer vorübergehend oder regelmäßig zu gewissen Zeiten des Jahres keine Arbeitnehmer beschäftigt.

(2) Zu Beisitzern aus Kreisen der Arbeitgeber können auch bestellt werden

1. bei Betrieben einer juristischen Person oder einer Personengesamtheit Personen, die kraft Gesetzes, Satzung oder Gesellschaftsvertrages allein oder als Mitglieder des Vertretungsorgans zur Vertretung der juristischen Person oder der Personengesamtheit berufen sind;

---

[1] Nr. **170**.

[2] § 1 Abs. 2 neu gef. durch VO v. 10. 10. 1969 (BGBl. I S. 1881).

[3] § 2 Abs. 2 Nr. 2 geänd. durch VO v. 22. 8. 1968 (BGBl. I S. 994).

2. leitende Angestellte, wenn sie zur selbständigen Einstellung und Entlassung von im Betrieb oder in der Betriebsabteilung beschäftigten Arbeitnehmern berechtigt sind oder wenn ihnen Generalvollmacht oder Prokura erteilt ist oder wenn sie Aufgaben wahrnehmen, die regelmäßig wegen ihrer Bedeutung für den Bestand und die Entwicklung des Betriebs nur auf Grund besonderen persönlichen Vertrauens des Arbeitgebers bestimmten Personen im Hinblick auf deren besondere Erfahrungen und Kenntnisse übertragen werden;
3. bei dem Bund, den Ländern, den Gemeinden, den Gemeindeverbänden und anderen Körperschaften, Anstalten und Stiftungen des öffentlichen Rechts Beamte und Angestellte nach näherer Anordnung der zuständigen obersten Bundes- oder Landesbehörde;
4. Mitglieder und Angestellte von Vereinigungen von Arbeitgebern sowie Vorstandsmitglieder und Angestellte von Zusammenschlüssen solcher Vereinigungen, wenn diese Personen kraft Satzung oder Vollmacht zur Vertretung befugt sind.

§ 3 Beisitzer aus Kreisen der Arbeitnehmer. (1) Beisitzer aus Kreisen der Arbeitnehmer kann auch sein, wer arbeitslos ist.

(2) Den Arbeitnehmern stehen für die Bestellung als Beisitzer Mitglieder und Angestellte von Gewerkschaften, von selbständigen Vereinigungen von Arbeitnehmern mit sozial- oder berufspolitischer Zwecksetzung sowie Vorstandsmitglieder und Angestellte von Zusammenschlüssen von Gewerkschaften gleich, wenn diese Personen kraft Satzung oder Vollmacht zur Vertretung befugt sind.

§ 4 Vorschlagslisten. (1) Vorschlagslisten für die Auswahl der Beisitzer sind dem Präsidenten des Patentamts einzureichen.

(2) Die Vorschlagslisten sollen folgende Angaben über die als Beisitzer vorgeschlagenen Personen enthalten:
1. Name,
2. Geburtstag,
3. Beruf,
4. Wohnort.

(3) Den Vorschlagslisten ist eine Erklärung der als Beisitzer vorgeschlagenen Personen darüber beizufügen, daß die Voraussetzungen für die Bestellung als Beisitzer (§§ 1 bis 3) in ihrer Person vorliegen und sie bereit sind, das Amt des Beisitzers zu übernehmen.

(4) [1] Änderungen in der Person eines vorgeschlagenen Beisitzers, die die Voraussetzungen für die Bestellung als Beisitzer (§§ 1 bis 3) oder die nach Absatz 2 erforderlichen Angaben betreffen, sind dem Präsidenten des Patentamts von der Organisation, die den Beisitzer vorgeschlagen hat, unverzüglich mitzuteilen. [2] Sie werden vom Präsidenten des Patentamts in der Vorschlagsliste vermerkt.

§ 5[1] Ehrenamt. (1) Das Amt des Beisitzers ist ein Ehrenamt.

(2) [1] Der Vorsitzende der Schiedsstelle hat die Beisitzer vor ihrer ersten Dienstleistung auf die Erfüllung der Obliegenheiten ihres Amtes zu verpflich-

---

[1] § 5 Abs. 2 neu gef. durch VO v. 10. 12. 1974 (BGBl. I S. 3459).

ten. [2] Er soll die Beisitzer auf § 24 des Gesetzes über Arbeitnehmererfindungen[1)] hinweisen. [3] Über die Verpflichtung soll eine Niederschrift aufgenommen werden, die der Verpflichtete mit zu unterzeichnen hat.

§ 6 Zurückziehung eines Beisitzers. (1) [1] Vorschläge für die Bestellung als Beisitzer können von der Organisation, die sie eingereicht hat, zurückgezogen werden. [2] Die Zurückziehung ist dem Präsidenten des Patentamts schriftlich mitzuteilen.

(2) [1] Der Präsident des Patentamts hat nach Eingang der Mitteilung über die Zurückziehung den vorgeschlagenen Beisitzer in der Vorschlagsliste zu streichen. [2] Ist der Beisitzer bereits für ein Schiedsverfahren bestellt worden, so bleibt die Bestellung bis zur Beendigung des Schiedsverfahrens wirksam.

(3) Der Präsident des Patentamts hat die Zurückziehung dem vorgeschlagenen Beisitzer unverzüglich schriftlich mitzuteilen.

§ 7 Abberufung eines Beisitzers. (1) [1] Der Präsident des Patentamts darf einen vorgeschlagenen Beisitzer nicht bestellen und hat einen bereits bestellten Beisitzer unverzüglich abzuberufen, wenn das Fehlen einer Voraussetzung für die Bestellung (§§ 1 bis 3) nachträglich bekannt wird oder eine Voraussetzung nachträglich fortfällt. [2] Er hat hiervon die Organisation, die den Beisitzer vorgeschlagen hat, und den Beisitzer unverzüglich schriftlich zu unterrichten.

(2) Das gleiche gilt, wenn ein Beisitzer seine Amtspflicht grob verletzt.

(3) Vor der Abberufung ist der Beisitzer zu hören.

§ 8[2)] Entschädigung der Beisitzer. [1] Die Beisitzer erhalten eine Entschädigung nach Maßgabe der §§ 2, 3, 5 bis 7 und 16 bis 18 des Justizvergütungs- und -entschädigungsgesetzes[3)]; § 4 dieses Gesetzes gilt entsprechend. [2] Die Entschädigung wird von dem Vorsitzenden der Schiedsstelle festgesetzt. [3] Für die gerichtliche Festsetzung ist das Verwaltungsgericht zuständig, in dessen Bezirk die Schiedsstelle ihren Sitz hat. [4] Die Festsetzung kann von dem Vorsitzenden der Schiedsstelle auf das Patentamt übertragen werden.

§ 9[4)] *(aufgehoben)*

§ 10 Beisitzer aus Kreisen der Beamten und Soldaten. Für den öffentlichen Dienst sind, soweit es sich um Beamte und Soldaten handelt, die Vorschriften dieser Verordnung entsprechend anzuwenden.

§ 11[5)] *(aufgehoben)*

§ 12[6)] *(aufgehoben)*

§ 13 Inkrafttreten. Diese Verordnung tritt am Tage nach ihrer Verkündung in Kraft.[7)]

[1)] Nr. **170**.

[2)] § 8 Satz 1 geänd. mWv 1. 7. 2004 durch G v. 5. 5. 2004 (BGBl. I S. 718); Satz 4 angef. mWv 1. 10. 2009 durch G v. 31. 7. 2009 (BGBl. I S. 2521).

[3)] **DVD Nipperdey plus Nr. 669.**

[4)] § 9 aufgeh. mWv 1. 10. 2009 durch G v. 31. 7. 2009 (BGBl. I S. 2521).

[5)] § 11 aufgeh. mWv 1. 10. 2009 durch G v. 31. 7. 2009 (BGBl. I S. 2521).

[6)] § 12 aufgeh. mWv 1. 10. 2009 durch G v. 31. 7. 2009 (BGBl. I S. 2521).

[7)] Verkündet am 2. 10. 1957.

§ 11[6] *(aufgehoben)*

---

[1] Nr. 170.
[2] § 6 [illegible]
[3] § 8 [illegible] 2004 [illegible]
[4] [illegible]
[5] [illegible]
[6] [illegible]
[7] Verkündet am 2. 10. 1957.

170 c. Richtlinien[1] für die Vergütung von Arbeitnehmererfindungen im privaten Dienst[2]

Vom 20. Juli 1959 (Beilage zum BAnz. Nr. 156)

Geändert durch Richtlinie vom 1. September 1983 (BAnz. Nr. 169 = BArbBl. 11/1983 S. 27)

Inhaltsübersicht

Nach § 11 des Gesetzes über Arbeitnehmererfindungen vom 25. Juli 1957 (Bundesgesetzbl. I S. 756) erlasse ich nach Anhörung der Spit-

[1] Die Richtlinien sind erlassen vom Bundesminister für Arbeit und Sozialordnung.

[2] Nach den Richtlinien für die Vergütung von Arbeitnehmererfindungen im **öffentlichen Dienst** vom 1. 12. 1960 (BAnz. Nr. 237 S. 2) sind die Richtlinien für die Vergütung von Arbeitnehmererfindungen im privaten Dienst auf Arbeitnehmer im öffentlichen Dienst sowie auf Beamte und Soldaten entsprechend anzuwenden. Vgl. auch Erlaß über Arbeitnehmererfindungen in der Bundeswehr vom 24. 11. 1983 (VMBl. S. 303); Allgemeine Anordnung des Bundesministers für das Post- und Fernmeldewesen über die Art der Verwertung von Diensterfindungen vom 19. 9. 1961 (AmtsBlBMinPost S. 995), Allgemeine Anordnung über Beschränkungen bei der Verwertung von Diensterfindungen von Angehörigen der technisch-wissenschaftlichen Bundesanstalten im Bereich des Bundesministers für Wirtschaft vom 17. 7. 1963 (WMBl. S. 154) sowie die Richtlinien für das Vorschlagwesen in der Bundesverwaltung (ohne Bundespost und Bundesbahn) i. d. F. v. 11. 11. 1965 (BAnz. Nr. 198).

zenorganisationen der Arbeitgeber und der Arbeitnehmer folgende Richtlinien über die Bemessung der Vergütung für Diensterfindungen von Arbeitnehmern im privaten Dienst.

Einleitung

(1) Die Richtlinien sollen dazu dienen, die angemessene Vergütung zu ermitteln, die dem Arbeitnehmer für unbeschränkt oder beschränkt in Anspruch genommene Diensterfindungen (§ 9 Abs. 1 und § 10 Abs. 1 des Gesetzes) und für technische Verbesserungsvorschläge im Sinne des § 20 Abs. 1 des Gesetzes zusteht; sie sind keine verbindlichen Vorschriften, sondern geben nur Anhaltspunkte für die Vergütung. Wenn im Einzelfall die bisherige betriebliche Praxis für die Arbeitnehmer günstiger war, sollen die Richtlinien nicht zum Anlaß für eine Verschlechterung genommen werden.

(2) Nach § 9 Abs. 2 des Gesetzes sind für die Bemessung der Vergütung insbesondere die wirtschaftliche Verwertbarkeit der Diensterfindung, die Aufgaben und die Stellung des Arbeitnehmers im Betrieb sowie der Anteil des Betriebs am Zustandekommen der Diensterfindung maßgebend. Hiernach wird bei der Ermittlung der Vergütung in der Regel so zu verfahren sein, daß zunächst die wirtschaftliche Verwertbarkeit der Erfindung ermittelt wird. Die wirtschaftliche Verwertbarkeit (im folgenden als Erfindungswert bezeichnet) wird im Ersten Teil der Richtlinien behandelt. Da es sich hier jedoch nicht um eine freie Erfindung handelt, sondern um eine Erfindung, die entweder aus der dem Arbeitnehmer im Betrieb obliegenden Tätigkeit entstanden ist oder maßgeblich auf Erfahrungen oder Arbeiten des Betriebes beruht, ist ein Abzug zu machen, der den Aufgaben und der Stellung des Arbeitnehmers im Betrieb sowie dem Anteil des Betriebs am Zustandekommen der Diensterfindung entspricht. Dieser Abzug wird im Zweiten Teil der Richtlinien behandelt; der Anteil am Erfindungswert, der sich für den Arbeitnehmer unter Berücksichtigung des Abzugs ergibt, wird hierbei in Form eines in Prozenten ausgedrückten Anteilsfaktors ermittelt. Der Dritte Teil der Richtlinien behandelt die rechnerische Ermittlung der Vergütung sowie Fragen der Zahlungsart und Zahlungsdauer.

Bei jeder Vergütungsberechnung ist darauf zu achten, daß derselbe Gesichtspunkt für eine Erhöhung oder Ermäßigung der Vergütung nicht mehrfach berücksichtigt werden darf.

Die einzelnen Absätze der Richtlinien sind mit Randnummern versehen, um die Zitierung zu erleichtern.

Erster Teil. Erfindungswert

A. Patentfähige Erfindungen

I. Betrieblich benutzte Erfindungen

1. Allgemeines

(3) Bei betrieblich benutzten Erfindungen kann der Erfindungswert in der Regel (über Ausnahmen vgl. Nummer 4) nach drei verschiedenen Methoden ermittelt werden:

a) Ermittlung des Erfindungswertes nach der Lizenzanalogie (Nummer 6ff.)

Bei dieser Methode wird der Lizenzsatz, der für vergleichbare Fälle bei freien Erfindungen in der Praxis üblich ist, der Ermittlung des Erfindungswertes zugrunde gelegt. Der in Prozenten oder als bestimmter Geldbetrag je Stück oder Gewichtseinheit (vgl. Nummer 39) ausgedrückte Lizenzsatz wird auf eine bestimmte Bezugsgröße (Umsatz oder Erzeugung) bezogen. Dann ist der Erfindungswert die mit dem Lizenzsatz multiplizierte Bezugsgröße.

b) Ermittlung des Erfindungswertes nach dem erfaßbaren betrieblichen Nutzen (Nummer 12)

Der Erfindungswert kann ferner nach dem erfaßbaren Nutzen ermittelt werden, der dem Betrieb aus der Benutzung der Erfindung erwachsen ist.

c) Schätzung des Erfindungswertes (Nummer 13)

Schließlich kann der Erfindungswert geschätzt werden.

(4) Neben der Methode der Lizenzanalogie nach Nummer 3a kommen im Einzelfall auch andere Analogiemethoden in Betracht. So kann anstatt von dem analogen Lizenzsatz von der Analogie zum Kaufpreis ausgegangen werden, wenn eine Gesamtabfindung (vgl. Nummer 40) angezeigt ist und der Kaufpreis bekannt ist, der in vergleichbaren Fällen mit freien Erfindern üblicherweise vereinbart wird. Für die Vergleichbarkeit und die Notwendigkeit, den Kaufpreis auf das Maß zu bringen, das für die zu beurteilende Diensterfindung richtig ist, gilt das unter Nummer 9 Gesagte entsprechend.

(5) Welche der unter Numer 3 und 4 aufgeführten Methoden anzuwenden ist, hängt von den Umständen des einzelnen Falles ab. Wenn der Industriezweig mit Lizenzsätzen oder Kaufpreisen vertraut ist, die für die Übernahme eines ähnlichen Erzeugnisses oder Verfahrens üblicherweise vereinbart wird, kann von der Lizenzanalogie ausgegangen werden.

Die Ermittlung des Erfindungswertes nach dem erfaßbaren betrieblichen Nutzen kommt vor allem bei Erfindungen in Betracht, mit deren

Hilfe Ersparnisse erzielt werden, sowie bei Verbesserungserfindungen, wenn die Verbesserung nicht derart ist, daß der mit dem verbesserten Gegenstand erzielte Umsatz als Bewertungsgrundlage dienen kann; sie kann ferner bei Erfindungen angewandt werden, die nur innerbetrieblich verwendete Erzeugnisse, Maschinen oder Vorrichtungen betreffen, und bei Erfindungen, die nur innerbetrieblich verwendete Verfahren betreffen, bei denen der Umsatz keine genügende Bewertungsgrundlage darstellt. Die Methode der Ermittlung des Erfindungswertes nach dem erfaßbaren betrieblichen Nutzen hat den Nachteil, daß der Nutzen oft schwer zu ermitteln ist und die Berechnungen des Nutzens schwer überprüfbar sind. In manchen Fällen wird sich allerdings der Nutzen aus einer Verbilligung des Ausgangsmaterials, aus einer Senkung der Lohn-, Energie- oder Instandsetzungskosten oder aus einer Erhöhung der Ausbeute errechnen lassen. Bei der Wahl dieser Methode ist ferner zu berücksichtigen, daß sich für den Arbeitgeber auf Grund der Auskunfts- und Rechnungslegungspflichten, die ihm nach § 242 des Bürgerlichen Gesetzbuches obliegen können, eine Pflicht zu einer weitergehenden Darlegung betrieblicher Rechnungsvorgänge ergeben kann als bei der Ermittlung des Erfindungswertes nach der Lizenzanalogie. Der Erfindungswert wird nur dann zu schätzen sein, wenn er mit Hilfe der Methoden unter Nummer 3a und b oder Nummer 4 nicht oder nur mit unverhältnismäßig hohen Aufwendungen ermittelt werden kann (z.B. bei Arbeitsschutzmitteln und -vorrichtungen, sofern sie nicht allgemein verwertbar sind). Es kann ferner ratsam sein, eine der Berechnungsmethoden zur Überprüfung des Ergebnisses heranzuziehen, das mit Hilfe der anderen Methoden gefunden ist.

2. Ermittlung des Erfindungswertes nach der Lizenzanalogie

(6) Bei dieser Methode ist zu prüfen, wieweit man einen Vergleich ziehen kann. Dabei ist zu beachten, ob und wieweit in den Merkmalen, die die Höhe des Lizenzsatzes beeinflussen, Übereinstimmung besteht. In Betracht zu ziehen sind insbesondere die Verbesserung oder Verschlechterung der Wirkungsweise, der Bauform, des Gewichts, des Raumbedarfs, der Genauigkeit, der Betriebssicherheit; die Verbilligung oder Verteuerung der Herstellung, vor allem der Werkstoffe und der Arbeitsstunden; die Erweiterung oder Beschränkung der Verwendbarkeit; die Frage, ob sich die Erfindung ohne weiteres in die laufende Fertigung einreihen läßt oder ob Herstellungs- und Konstruktionsänderungen notwendig sind, ob eine sofortige Verwertung möglich ist oder ob noch umfangreiche Versuche vorgenommen werden müssen; die erwartete Umsatzsteigerung, die Möglichkeit des Übergangs von *Einzelanfertigung* zur Serienherstellung, zusätzliche oder vereinfachte Werbungsmöglichkeiten, günstige Preisgestaltung. Es ist ferner zu prü-

fen, welcher Schutzumfang dem Schutzrecht zukommt, das auf den Gegenstand der Erfindung erteilt ist, und ob sich der Besitz des Schutzrechts für den Betrieb technisch und wirtschaftlich auswirkt. Vielfach wird auch beim Abschluß eines Lizenzvertrages mit einem kleinen Unternehmen ein höherer Lizenzsatz vereinbart als beim Abschluß mit einer gut eingeführten Großfirma, weil bei dieser im allgemeinen ein höherer Umsatz erwartet wird als bei kleineren Unternehmen. Außerdem ist bei dem Vergleich zu berücksichtigen, wer in den ähnlichen Fällen, die zum Vergleich herangezogen werden, die Kosten des Schutzrechts trägt.

(7) Wenn man mit dem einen freien Erfinder üblicherweise gezahlten Lizenzsatz vergleicht, so muß von derselben Bezugsgröße ausgegangen werden; als Bezugsgrößen kommen Umsatz oder Erzeugung in Betracht. Ferner ist zu berücksichtigen, ob im Analogiefall der Rechnungswert des das Werk verlassenden Erzeugnisses oder der betriebsinterne Verrechnungswert von Zwischenerzeugnissen der Ermittlung des Umsatzwertes zugrunde gelegt worden ist. Bei der Berechnung des Erfindungswertes mit Hilfe des Umsatzes oder der Erzeugung wird im allgemeinen von dem tatsächlich erzielten Umsatz oder der tatsächlich erzielten Erzeugung auszugehen sein. Mitunter wird jedoch auch von einem vereinbarten Mindestumsatz oder aber von der Umsatzsteigerung ausgegangen werden können, die durch die Erfindung erzielt worden ist.

(8) Beeinflußt eine Erfindung eine Vorrichtung, die aus verschiedenen Teilen zusammengesetzt ist, so kann der Ermittlung des Erfindungswertes entweder der Wert der ganzen Vorrichtung oder nur der wertbeeinflußte Teil zugrunde gelegt werden. Es ist hierbei zu berücksichtigen, auf welcher Grundlage die Lizenz in dem betreffenden Industriezweig üblicherweise vereinbart wird und ob üblicherweise der patentierte Teil allein oder nur in Verbindung mit der Gesamtvorrichtung bewertet wird. Dies wird häufig davon abhängen, ob durch die Benutzung der Erfindung nur der Teil oder die Gesamtvorrichtung im Wert gestiegen ist.

(9) Stellt sich bei dem Vergleich heraus, daß sich die Diensterfindung und die zum Vergleich herangezogenen freien Erfindungen nicht in den genannten Gesichtspunkten entsprechen, so ist der Lizenzsatz entsprechend zu erhöhen oder zu ermäßigen. Es ist jedoch nicht gerechtfertigt, den Lizenzsatz mit der Begründung zu ermäßigen, es handele sich um eine Diensterfindung; dieser Gesichtspunkt wird erst bei der Ermittlung des Anteilsfaktors berücksichtigt.

(10) Anhaltspunkte für die Bestimmung des Lizenzsatzes in den einzelnen Industriezweigen können daraus entnommen werden, daß z. B. im allgemeinen

in der Elektroindustrie ein Lizenzsatz von	½– 5%,
in der Maschinen- und Werkzeugindustrie ein Lizenzsatz von	⅓–10%,
in der chemischen Industrie ein Lizenzsatz von	2– 5%,
auf pharmazeutischem Gebiet ein Lizenzsatz von	2–10%,

vom Umsatz üblich ist.

(11)[1] Für den Fall besonders hoher Umsätze kann die nachfolgende, bei Umsätzen über 3 Millionen DM einsetzende Staffel als Anhalt für eine Ermäßigung des Lizenzsatzes dienen, wobei jedoch im Einzelfall zu berücksichtigen ist, ob und in welcher Höhe in den verschiedenen Industriezweigen solche Ermäßigungen des Lizenzsatzes bei freien Erfindungen üblich sind:

Bei einem Gesamtumsatz

von	0–3	Millionen DM keine Ermäßigung des Lizenzsatzes,
von	3–5	Millionen DM 10%ige Ermäßigung des Lizenzsatzes für den 3 Millionen DM übersteigenden Umsatz,
von	5–10	Millionen DM 20%ige Ermäßigung des Lizenzsatzes für den 5 Millionen DM übersteigenden Umsatz,
von	10–20	Millionen DM 30%ige Ermäßigung des Lizenzsatzes für den 10 Millionen DM übersteigenden Umsatz,
von	20–30	Millionen DM 40%ige Ermäßigung des Lizenzsatzes für den 20 Millionen DM übersteigenden Umsatz,
von	30–40	Millionen DM 50%ige Ermäßigung des Lizenzsatzes für den 30 Millionen DM übersteigenden Umsatz,
von	40–50	Millionen DM 60%ige Ermäßigung des Lizenzsatzes für den 40 Millionen DM übersteigenden Umsatz,
von	50–60	Millionen DM 65%ige Ermäßigung des Lizenzsatzes für den 50 Millionen DM übersteigenden Umsatz,
von	60–80	Millionen DM 70%ige Ermäßigung des Lizenzsatzes für den 60 Millionen DM übersteigenden Umsatz,

[1] Nr. 11 neugef. durch Richtlinie vom 1. 9. 1983 mit folgender Bemerkung:
„Die Beschränkung der Änderung der Richtlinien auf Nummer 11 war wegen der Vordringlichkeit dieser Änderung erforderlich. Sie rechtfertigt nicht den Umkehrschluß, daß die Richtlinien im übrigen noch in jeder Hinsicht der heutigen Ansicht des Bundesministers für Arbeit und Sozialordnung über eine angemessene Vergütung entsprechen."

von 80–100 Millionen DM
75%ige Ermäßigung des Lizenzsatzes für den 80 Millionen DM übersteigenden Umsatz,
von 100 Millionen DM
80%ige Ermäßigung des Lizenzsatzes für den 100 Millionen DM übersteigenden Umsatz.

Beispiel: Bei einem Umsatz von 10 Millionen DM ist der Lizenzsatz wie folgt zu ermäßigen:
Bis 3 Millionen DM keine Ermäßigung,

für den 3 Millionen DM übersteigenden Umsatz von 2 Millionen um 10%, für den 5 Millionen DM übersteigenden Umsatz von 5 Millionen um 20%.

Da bei Einzelstücken mit sehr hohem Wert in aller Regel bereits der Lizenzsatz herabgesetzt wird, ist in derartigen Fällen der Lizenzsatz nicht nach der vorstehenden Staffel zu ermäßigen, wenn schon ein einziges unter Verwendung der Erfindung hergestelltes Erzeugnis oder, sofern dem Erfindungswert nur der von der Erfindung wertbeeinflußte Teil des Erzeugnisses zugrunde gelegt wird, dieser Teil einen Wert von mehr als 3 Millionen DM hat. Dasselbe gilt, wenn wenige solcher Erzeugnisse oder nur wenige solcher Teile des Erzeugnisses einen Wert von mehr als 3 Millionen DM haben.

3. Ermittlung des Erfindungswertes nach dem erfaßbaren betrieblichen Nutzen

(12) Unter dem erfaßbaren betrieblichen Nutzen (vgl. zur Anwendung dieser Methode Nummer 5) ist die durch den Einsatz der Erfindung verursachte Differenz zwischen Kosten und Erträgen zu verstehen. Die Ermittlung dieses Betrages ist durch Kosten- und Ertragsvergleich nach betriebswirtschaftlichen Grundsätzen vorzunehmen. Hierbei sind die Grundsätze für die Preisbildung bei öffentlichen Aufträgen anzuwenden (vgl. die Verordnung PR Nr. 30/53 über die Preise bei öffentlichen Aufträgen vom 21. November 1953[1]) und die Leitsätze für die Preisermittlung auf Grund von Selbstkosten), so daß also auch kalkulatorische Zinsen und Einzelwagnisse, ein betriebsnotwendiger Gewinn und gegebenenfalls ein kalkulatorischer Unternehmerlohn zu berücksichtigen sind. Der so ermittelte Betrag stellt den Erfindungswert dar.

Kosten, die vor der Fertigstellung der Erfindung auf die Erfindung verwandt worden sind, sind bei der Ermittlung des Erfindungswertes nicht abzusetzen. Sie sind vielmehr bei der Ermittlung des Anteilsfak-

1) Vgl. BAnz. 1953 Nr. 244. Vgl. Texte zum öffentl. Preisrecht (Beil. zu BAnz. 1990 Nr. 130a).

tors im Zweiten Teil der Richtlinien zu berücksichtigen, und zwar, soweit es sich um die Kosten für die Arbeitskraft des Erfinders selbst handelt, entsprechend der Tabelle c in Nummer 34, soweit es sich um sonstige Kosten vor der Fertigstellung der Erfindung handelt, entsprechend der Tabelle b in Nummer 32 (technische Hilfsmittel).

4. Schätzung

(13) In einer Reihe von Fällen versagen die dargestellten Methoden zur Ermittlung des Erfindungswertes, weil keine ähnlichen Fälle vorliegen oder weil ein Nutzen nicht erfaßt werden kann. In solchen oder ähnlichen Fällen muß der Erfindungswert geschätzt werden (vgl. zur Anwendung der Schätzungsmethode den letzten Absatz der Nummer 5). Hierbei kann von dem Preis ausgegangen werden, den der Betrieb hätte aufwenden müssen, wenn er die Erfindung von einem freien Erfinder hätte erwerben wollen.

II. Lizenz-, Kauf- und Austauschverträge

(14) Wird die Erfindung nicht betrieblich benutzt, sondern durch Vergabe von Lizenzen verwertet, so ist der Erfindungswert gleich der Nettolizenzeinnahme. Um den Nettobetrag festzustellen, sind von der Bruttolizenzeinnahme die Kosten der Entwicklung nach Fertigstellung der Erfindung abzuziehen, sowie die Kosten, die aufgewandt wurden, um die Erfindung betriebsreif zu machen; ferner sind die auf die Lizenzvergabe im Einzelfall entfallenden Kosten der Patent- und Lizenzverwaltung, der Schutzrechtsübertragung, sowie die mit der Lizenzvergabe zusammenhängenden Aufwendungen (z.B. Steuern, mit Ausnahme der inländischen reinen Ertragssteuern, Verhandlungskosten) abzuziehen. Soweit solche Kosten entstanden sind, wird außerdem ein entsprechender Anteil an den Gemeinkosten des Arbeitgebers zu berücksichtigen sein, soweit die Gemeinkosten nicht schon in den vorgenannten Kosten enthalten sind. Ferner ist bei der Ermittlung der Nettolizenzeinnahme darauf zu achten, ob im Einzelfall der Arbeitgeber als Lizenzgeber ein Risiko insofern eingeht, als er auch in der Zukunft Aufwendungen durch die Verteidigung der Schutzrechte, durch die Verfolgung von Verletzungen und aus der Einhaltung von Gewährleistungen haben kann.

Soweit die Einnahmen nicht auf der Lizenzvergabe, sondern auf der Übermittlung besonderer Erfahrungen (know how) beruht, sind diese Einnahmen bei der Berechnung des Erfindungswertes von der Bruttolizenzeinnahme ebenfalls abzuziehen, wenn diese Erfahrungen nicht als technische Verbesserungsvorschläge im Sinne des § 20 Abs. 1 des Gesetzes anzusehen sind. Bei der Beurteilung der Frage, ob und inwieweit die Einnahme auf der Übermittlung besonderer Erfahrungen beruht, ist nicht allein auf den Inhalt des Lizenzvertrages abzustellen; vielmehr ist das tatsächliche Verhältnis des Wertes der Lizenz zu dem der Übermittlung besonderer Erfahrungen zu berücksichtigen.

Eine Ermäßigung nach der Staffel in Nummer 11 ist nur insoweit angemessen, als sie auch dem Lizenznehmer des Arbeitgebers eingeräumt worden ist.

(15) Macht die Berechnung dieser Unkosten und Aufgaben große Schwierigkeiten, so kann es zweckmäßig sein, in Analogie zu den üblichen Arten der vertraglichen Ausgestaltung zwischen einem freien Erfinder als Lizenzgeber und dem Arbeitgeber als Lizenznehmer zu verfahren. In der Praxis wird ein freier Erfinder wegen der bezeichneten Kosten und Aufgaben eines Generallizenznehmers (Lizenznehmer einer ausschließlichen unbeschränkten Lizenz) mit etwa 20 bis 50%, in besonderen Fällen auch mit mehr als 50% und in Ausnahmefällen sogar mit über 75% der Bruttolizenzeinnahme beteiligt, die durch die Verwertung einer Erfindung erzielt wird. Zu berücksichtigen ist im einzelnen, ob bei der Lizenzvergabe ausschließliche unbeschränkte Lizenzen oder einfache oder beschränkte Lizenzen erteilt werden. Bei der Vergabe einer ausschließlichen unbeschränkten Lizenz behält der Arbeitgeber kein eigenes Benutzungsrecht, wird im allgemeinen auch keine eigenen weiteren Erfahrungen laufend zu übermitteln haben. Hier wird daher der Erfindungswert eher bei 50% und mehr anzusetzen sein. Bei der Vergabe einer einfachen oder beschränkten Lizenz wird bei gleichzeitiger Benutzung der Erfindung durch den Arbeitgeber, wenn damit die laufende Übermittlung von eigenen Erfahrungen verbunden ist, der Erfindungswert eher an der unteren Grenze liegen.

(16) Wird die Erfindung verkauft, so ist der Erfindungswert ebenfalls durch Verminderung des Bruttoertrages auf den Nettoertrag zu ermitteln. Im Gegensatz zur Lizenzvergabe wird hierbei jedoch in den meisten Fällen nicht damit zu rechnen sein, daß noch zukünftige Aufgaben und Belastungen des Arbeitgebers als Verkäufer zu berücksichtigen sind. Bei der Ermittlung des Nettoertrages sind alle Aufwendungen für die Entwicklung der Erfindung, nachdem sie fertiggestellt worden ist, für ihre Betriebsreifmachung, die Kosten der Schutzrechtserlangung und -übertragung, die mit dem Verkauf zusammenhängenden Aufwendungen (z.B. Steuern, mit Ausnahme der inländischen reinen Ertragssteuern, Verhandlungskosten) sowie ein entsprechender Anteil an den Gemeinkosten des Arbeitgebers, soweit sie nicht schon in den vorgenannten Kosten enthalten sind, zu berücksichtigen.

Soweit der Kaufpreis nicht auf der Übertragung des Schutzrechts, sondern auf der Übermittlung besonderer Erfahrungen (know how) beruht, sind diese Einnahmen bei der Berechnung des Erfindungswertes ebenfalls von dem Bruttoertrag abzuziehen, wenn diese Erfahrungen nicht als technische Verbesserungsvorschläge im Sinne des § 20 Abs. 1 des Gesetzes anzusehen sind. Bei der Beurteilung der Frage, ob und wieweit der Kaufpreis auf der Übermittlung besonderer Erfahrungen beruht, ist nicht allein auf den Inhalt des Kaufvertrages abzustellen; vielmehr ist das tatsächliche Verhältnis des Wertes des Schutzrechts zu dem der Übermittlung besonderer Erfahrungen zu berücksichtigen.

(17) Wird die Erfindung durch einen Austauschvertrag verwertet, so kann versucht werden, zunächst den Gesamtnutzen des Vertrages für den Arbeitgeber zu ermitteln, um sodann durch Abschätzung der Quote, die auf die in Anspruch genommene Diensterfindung entfällt, ihren Anteil am Gesamtnutzen zu ermitteln. Ist dies untunlich, so wird der Erfindungswert nach Nummer 13 geschätzt werden müssen.

Soweit Gegenstand des Austauschvertrages nicht die Überlassung von Schutzrechten oder von Benutzungsrechten, sondern die Überlassung besonderer Erfahrungen (know how) ist, ist dies bei der Ermittlung des Gesamtnutzens des Vertrages zu berücksichtigen, soweit diese Erfahrungen nicht als technische Verbesserungsvorschläge im Sinne des § 20 Abs. 1 des Gesetzes anzusehen sind. Bei der Beurteilung der Frage, ob und wieweit die Übermittlung besonderer Erfahrungen Gegenstand des Austauschvertrages sind, ist nicht allein auf den Inhalt des Vertrages abzustellen; vielmehr ist das tatsächliche Verhältnis des Wertes der Schutzrechte zu dem der Übermittlung besonderer Erfahrungen zu berücksichtigen.

III. Sperrpatente

(18) Einen besonderen Fall der Verwertung einer Diensterfindung bilden die Sperrpatente. Darunter versteht man im allgemeinen Patente, die nur deshalb angemeldet oder aufrechterhalten werden, um zu verhindern, daß ein Wettbewerber die Erfindung verwertet und dadurch die eigene laufende oder bevorstehende Erzeugung beeinträchtigt. Bei diesen Patenten unterbleibt die Benutzung, weil entweder ein gleichartiges Patent schon im Betrieb benutzt wird oder ohne Bestehen eines Patentes eine der Erfindung entsprechende Erzeugung schon im Betrieb läuft oder das Anlaufen einer solchen Erzeugung bevorsteht. Wenn schon eine Erfindung im Betrieb benutzt wird, die mit Hilfe der zweiten Erfindung umgangen werden kann und wenn die wirtschaftliche Tragweite beider Erfindungen ungefähr gleich ist, werden nach der Verwertung der ersten Erfindung Anhaltspunkte für den Erfindungswert bezüglich der zweiten gefunden werden können. Die *Summe der* Werte beider Erfindungen kann jedoch höher sein als der Erfindungswert der ersten Erfindung. Durch Schätzung kann ermittelt

werden, welcher Anteil des Umsatzes, der Erzeugung oder des Nutzens bei Anwendung der zweiten Erfindung auf diese entfallen würde. Selbst wenn man hierbei zu einer annähernden Gleichwertigkeit der beiden Erfindungen kommt, ist es angemessen, für die zweite Erfindung weniger als die Hälfte der Summe der Werte beider Erfindungen anzusetzen, weil es als ein besonderer Vorteil benutzter Erfindungen anzusehen ist, wenn sie sich schon in der Praxis bewährt haben und auf dem Markt eingeführt sind. Eine zweite Erfindung, mit der es möglich ist, die erste zu umgehen, kann für den Schutzumfang der ersten Erfindung eine Schwäche offenbaren, die bei der Feststellung des Erfindungswertes für die erste Erfindung nicht immer berücksichtigt worden ist. Deshalb kann der Anlaß für eine Neufestsetzung der Vergütung nach § 12 Abs. 6 des Gesetzes vorliegen.

IV. Schutzrechtskomplexe

(19) Werden bei einem Verfahren oder Erzeugnis mehrere Erfindungen benutzt, so soll, wenn es sich hierbei um einen einheitlich zu wertenden Gesamtkomplex handelt, zunächst der Wert des Gesamtkomplexes, gegebenenfalls einschließlich nicht benutzter Sperrschutzrechte, bestimmt werden. Der so bestimmte Gesamterfindungswert ist auf die einzelnen Erfindungen aufzuteilen. Dabei ist zu berücksichtigen, welchen Einfluß die einzelnen Erfindungen auf die Gesamtgestaltung des mit dem Schutzrechtskomplex belasteten Gegenstandes haben.

V. Nicht verwertete Erfindungen

(20) Nicht verwertete Erfindungen sind Erfindungen, die weder betrieblich benutzt noch als Sperrpatent noch außerbetrieblich durch Vergabe von Lizenzen, Verkauf oder Tausch verwertet werden. Die Frage nach ihrem Wert hängt davon ab, aus welchen Gründen die Verwertung unterbleibt (vgl. Nummer 21–24).

1. Vorrats- und Ausbaupatente

(21) Vorratspatente sind Patente für Erfindungen, die im Zeitpunkt der Erteilung des Patents noch nicht verwertet werden oder noch nicht verwertbar sind, mit deren späterer Verwertung oder Verwertbarkeit aber zu rechnen ist. Von ihrer Verwertung wird z.B. deshalb abgesehen, weil der Fortschritt der technischen Entwicklung abgewartet werden soll, bis die Verwertung des Patents möglich erscheint. Erfindungen dieser Art werden bis zu ihrer praktischen Verwertung „auf

Vorrat" gehalten. Sie haben wegen der begründeten Erwartung ihrer Verwertbarkeit einen Erfindungswert. Vorratspatente, die lediglich bestehende Patente verbessern, werden als Ausbaupatente bezeichnet.

Der Wert der Vorrats- und Ausbaupatente wird frei geschätzt werden müssen, wobei die Art der voraussichtlichen späteren Verwertung und die Höhe des alsdann voraussichtlich zu erzielenden Nutzens Anhaltspunkte ergeben können. Bei einer späteren Verwertung wird häufig der Anlaß für eine Neufestsetzung der Vergütung nach § 12 Abs. 6 des Gesetzes gegeben sein. Ob verwertbare Vorratspatente, die nicht verwertet werden, zu vergüten sind, richtet sich nach Nummer 24.

2. Nicht verwertbare Erfindungen

(22) Erfindungen, die nicht verwertet werden, weil sie wirtschaftlich nicht verwertbar sind und bei denen auch mit ihrer späteren Verwertbarkeit nicht zu rechnen ist, haben keinen Erfindungswert. Aus der Tatsache, daß ein Schutzrecht erteilt worden ist, ergibt sich nichts Gegenteiliges; denn die Prüfung durch das Patentamt bezieht sich zwar auf Neuheit, Fortschrittlichkeit und Erfindungshöhe, nicht aber darauf, ob die Erfindung mit wirtschaftlichem Erfolg verwertet werden kann. Erfindungen, die betrieblich nicht benutzt, nicht als Sperrpatent oder durch Lizenzvergabe, Verkauf oder Tausch verwertet werden können und auch als Vorratspatent keinen Wert haben, sollten dem Erfinder freigegeben werden.

3. Erfindungen, deren Verwertbarkeit noch nicht feststellbar ist

(23) Nicht immer wird sofort festzustellen sein, ob eine Erfindung wirtschaftlich verwertbar ist oder ob mit ihrer späteren Verwertbarkeit zu rechnen ist. Dazu wird es vielmehr in einer Reihe von Fällen einer gewissen Zeit der Prüfung und Erprobung bedürfen. Wenn und solange der Arbeitgeber die Erfindung prüft und erprobt und dabei die wirtschaftliche Verwertbarkeit noch nicht feststeht, ist die Zahlung einer Vergütung in der Regel nicht angemessen. Zwar besteht die Möglichkeit, daß sich eine Verwertbarkeit ergibt. Diese Möglichkeit wird aber dadurch angemessen abgegolten, daß der Arbeitgeber auf seine Kosten die Erfindung überprüft und erprobt und damit seinerseits dem Erfinder die Gelegenheit einräumt, bei günstigem Prüfungsergebnis eine Vergütung zu erhalten.

Die Frist, die dem Betrieb zur Feststellung der wirtschaftlichen Verwertbarkeit billigerweise gewährt werden muß, wird von Fall zu Fall verschieden sein, sollte aber drei bis fünf Jahre nach Patenterteilung nur *in besonderen* Ausnahmefällen überschreiten. Wird die Erfindung nach Ablauf dieser Frist nicht freigegeben, so wird vielfach eine tatsächliche

Vermutung dafür sprechen, daß ihr ein Wert zukommt, sei es auch nur als Vorrats- oder Ausbaupatent.

4. Erfindungen, bei denen die Verwertbarkeit nicht oder nicht voll ausgenutzt wird

(24) Wird die Erfindung ganz oder teilweise nicht verwertet, obwohl sie verwertbar ist, so sind bei der Ermittlung des Erfindungswertes die unausgenutzten Verwertungsmöglichkeiten im Rahmen der bei verständiger Würdigung bestehenden wirtschaftlichen Möglichkeiten zu berücksichtigen.

VI. Besonderheiten

1. Beschränkte Inanspruchnahme

(25) Für die Bewertung des nichtausschließlichen Rechts zur Benutzung der Diensterfindung gilt das für die Bewertung der unbeschränkt in Anspruch genommenen Diensterfindung Gesagte entsprechend. Bei der Ermittlung des Erfindungswertes ist jedoch allein auf die tatsächliche Verwertung durch den Arbeitgeber abzustellen; die unausgenutzte wirtschaftliche Verwertbarkeit (vgl. Nummer 24) ist nicht zu berücksichtigen.

Wird der Erfindungswert mit Hilfe des erfaßbaren betrieblichen Nutzens ermittelt, so unterscheidet sich im übrigen die Ermittlung des Erfindungswertes bei der beschränkten Inanspruchnahme nicht von der bei der unbeschränkten Inanspruchnahme.

Bei der Ermittlung des Erfindungswertes nach der Lizenzanalogie ist nach Möglichkeit von den für nichtausschließliche Lizenzen mit freien Erfindern üblicherweise vereinbarten Sätzen auszugehen. Sind solche Erfahrungssätze für nichtausschließliche Lizenzen nicht bekannt, so kann auch von einer Erfindung ausgegangen werden, für die eine ausschließliche Lizenz erteilt worden ist; dabei ist jedoch zu beachten, daß die in der Praxis für nichtausschließliche Lizenzen gezahlten Lizenzsätze in der Regel, keinesfalls aber in allen Fällen, etwas niedriger sind als die für ausschließliche Lizenzen gezahlten Sätze. Hat der Arbeitnehmer Lizenzen vergeben, so können die in diesen Lizenzverträgen vereinbarten Lizenzsätze in geeigneten Fällen als Maßstab für den Erfindungswert herangezogen werden. Hat der Arbeitnehmer kein Schutzrecht erwirkt, so wirkt diese Tatsache nicht mindernd auf die Vergütung, jedoch ist eine Vergütung nicht oder nicht mehr zu zahlen, wenn die Erfindung so weit bekannt geworden ist, daß sie infolge des Fehlens eines Schutzrechts auch von Wettbewerbern berechtigterweise benutzt wird.

2. Absatz im Ausland und ausländische Schutzrechte

(26) Wird das Ausland vom Inlandsbetrieb aus beliefert, so ist bei der Berechnung des Erfindungswertes nach dem erfaßbaren betrieblichen Nutzen der Nutzen wie im Inland zu erfassen. Ebenso ist bei der Berechnung des Erfindungswertes nach der Lizenzanalogie der Umsatz oder die Erzeugung auch insoweit zu berücksichtigen, als das Ausland vom Inland aus beliefert wird. Bei zusätzlicher Verwertung im Ausland (z.B. Erzeugung im Ausland, Lizenzvergaben im Ausland) erhöht sich der Erfindungswert entsprechend, sofern dort ein entsprechendes Schutzrecht besteht.

Auch im Ausland ist eine nicht ausgenutzte Verwertbarkeit oder eine unausgenutzte weitere Verwertbarkeit nach den gleichen Grundsätzen wie im Inland zu behandeln (vgl. Nummer 24). Sofern weder der Arbeitgeber noch der Arbeitnehmer Schutzrechte im Ausland erworben haben, handelt es sich um schutzrechtsfreies Gebiet, auf dem Wettbewerber tätig werden können, so daß für eine etwaige Benutzung des Erfindungsgegenstandes in dem schutzrechtsfreien Land sowie für den Vertrieb des in dem schutzrechtsfreien Land hergestellten Erzeugnisses im allgemeinen eine Vergütung nicht verlangt werden kann.

3. Betriebsgeheime Erfindungen

(§ 17)

(27) Betriebsgeheime Erfindungen sind ebenso wie geschützte Erfindungen zu vergüten. Dabei sind nach § 17 Abs. 4 des Gesetzes auch die wirtschaftlichen Nachteile zu berücksichtigen, die sich für den Arbeitnehmer dadurch ergeben, daß auf die Diensterfindung kein Schutzrecht erteilt worden ist. Die Beeinträchtigung kann u.a. darin liegen, daß der Erfinder nicht als solcher bekannt wird oder daß die Diensterfindung nur in beschränktem Umfang ausgewertet werden kann. Eine Beeinträchtigung kann auch darin liegen, daß die Diensterfindung vorzeitig bekannt und mangels Rechtsschutzes durch andere Wettbewerber ausgewertet wird.

B. Gebrauchsmusterfähige Erfindungen

(28) Bei der Ermittlung des Erfindungswertes für gebrauchsmusterfähige Diensterfindungen können grundsätzlich dieselben Methoden angewandt werden wie bei patentfähigen Diensterfindungen. Wird der Erfindungswert nach dem erfaßbaren betrieblichen Nutzen ermittelt, so ist hierbei nach denselben Grundsätzen wie bei patentfähigen

Diensterfindungen zu verfahren. Wird dagegen von der Lizenzanalogie ausgegangen, so ist nach Möglichkeit von den für gebrauchsmusterfähigen Erfindungen in vergleichbaren Fällen üblichen Lizenzen auszugehen. Sind solche Lizenzsätze für gebrauchsmusterfähige Erfindungen freier Erfindungen nicht bekannt, so kann bei der Lizenzanalogie auch von den für vergleichbare patentfähige Erfindungen üblichen Lizenzsätzen ausgegangen werden; dabei ist jedoch folgendes zu beachten: In der Praxis werden vielfach die für Gebrauchsmuster an freie Erfinder üblicherweise gezahlten Lizenzen niedriger sein als die für patentfähige Erfindungen; dies beruht u. a. auf dem im allgemeinen engeren Schutzumfang sowie auf der kürzeren gesetzlichen Schutzdauer des Gebrauchsmusters. Die ungeklärte Schutzfähigkeit des Gebrauchsmusters kann jedoch bei Diensterfindungen nur dann zuungunsten des Arbeitnehmers berücksichtigt werden, wenn im Einzelfall bestimmte Bedenken gegen die Schutzfähigkeit eine Herabsetzung des Analogielizenzsatzes angemessen erscheinen lassen. Wird in diesem Falle das Gebrauchsmuster nicht angegriffen oder erfolgreich verteidigt, so wird im allgemeinen der Anlaß für eine Neufestsetzung der Vergütung nach § 12 Abs. 6 des Gesetzes vorliegen.

Wird eine patentfähige Erfindung nach § 13 Abs. 1 Satz 2 des Gesetzes als Gebrauchsmuster angemeldet, so ist der Erfindungswert wie bei einer patentfähigen Erfindung zu bemessen, wobei jedoch die kürzere gesetzliche Schutzdauer des Gebrauchsmusters zu berücksichtigen ist.

C. Technische Verbesserungsvorschläge
(§ 20 Abs. 1)

(29) Nach § 20 Abs. 1 des Gesetzes hat der Arbeitnehmer für technische Verbesserungsvorschläge, die dem Arbeitgeber eine ähnliche Vorzugsstellung gewähren wie ein gewerbliches Schutzrecht, gegen den Arbeitgeber einen Anspruch auf angemessene Vergütung, sobald dieser sie verwertet. Eine solche Vorzugsstellung gewähren technische Verbesserungsvorschläge, die von Dritten nicht nachgeahmt werden können (z.B. Anwendung von Geheimverfahren; Verwendung von Erzeugnissen, die nicht analysiert werden können). Der technische Verbesserungsvorschlag als solcher muß die Vorzugsstellung gewähren; wird er an einem Gerät verwandt, das schon eine solche Vorzugsstellung genießt, so ist der Vorschlag nur insoweit vergütungspflichtig, als er für sich betrachtet, also abgesehen von der schon bestehenden Vorzugsstellung, die Vorzugsstellung gewähren würde. Bei der Ermittlung des Wertes des technischen Verbesserungsvorschlages im Sinne des § 20 Abs. 1 des Gesetzes sind dieselben Methoden anzuwenden wie bei der Ermittlung des Erfindungswertes für schutzfähige Erfin-

dungen. Dabei ist jedoch allein auf die tatsächliche Verwertung durch den Arbeitgeber abzustellen; die unausgenutzte wirtschaftliche Verwertbarkeit (Nummer 24) ist nicht zu berücksichtigen. Sobald die Vorzugsstellung wegfällt, weil die technische Neuerung so weit bekannt geworden ist, daß sie auch von Wettbewerbern berechtigterweise benutzt wird, ist eine Vergütung nicht oder nicht mehr zu zahlen.

Zweiter Teil. Anteilsfaktor

(30) Von dem im Ersten Teil ermittelten Erfindungswert ist mit Rücksicht darauf, daß es sich nicht um eine freie Erfindung handelt, ein entsprechender Abzug zu machen. Der Anteil, der sich für den Arbeitnehmer unter Berücksichtigung dieses Abzugs an dem Erfindungswert ergibt, wird in Form eines in Prozenten ausgedrückten Anteilsfaktor ermittelt.

Der Anteilsfaktor wird bestimmt:

a) durch die Stellung der Aufgabe,
b) durch die Lösung der Aufgabe,
c) durch die Aufgaben und die Stellung des Arbeitnehmers im Betrieb.

Die im folgenden hinter den einzelnen Gruppen der Tabellen a), b) und c) eingefügten Wertzahlen dienen der Berechnung des Anteilsfaktors nach der Tabelle unter Nummer 37. Soweit im Einzelfall eine zwischen den einzelnen Gruppen liegende Bewertung angemessen erscheint, können Zwischenwerte gebildet werden (z. B. 3,5).

a) Stellung der Aufgabe

(31) Der Anteil des Arbeitnehmers am Zustandekommen der Diensterfindung ist umso größer, je größer seine Initiative bei der Aufgabenstellung und je größer seine Beteiligung bei der Erkenntnis der betrieblichen Mängel und Bedürfnisse ist. Diese Gesichtspunkte können in folgenden 6 Gruppen berücksichtigt werden:

Der Arbeitnehmer ist zu der Erfindung veranlaßt worden:

1. weil der Betrieb ihm eine Aufgabe unter unmittelbarer Angabe des beschrittenen Lösungsweges gestellt hat (1);
2. weil der Betrieb ihm eine Aufgabe ohne unmittelbare Angabe des beschrittenen Lösungsweges gestellt hat (2);
3. ohne daß der Betrieb ihm eine Aufgabe gestellt hat, jedoch durch die infolge der Betriebszugehörigkeit erlangte Kenntnis von Mängeln und Bedürfnissen, wenn der Erfinder diese Mängel und Bedürfnisse nicht selbst festgestellt hat (3);

4. ohne daß der Betrieb ihm eine Aufgabe gestellt hat, jedoch durch die infolge der Betriebszugehörigkeit erlangte Kenntnis von Mängeln und Bedürfnissen, wenn der Erfinder diese Mängel und Bedürfnisse selbst festgestellt hat (4);
5. weil er sich innerhalb seines Aufgabenbereichs eine Aufgabe gestellt hat (5);
6. weil er sich außerhalb seines Aufgabenbereichs eine Aufgabe gestellt hat (6).

Bei Gruppe 1 macht es keinen Unterschied, ob der Betrieb den Erfinder schon bei der Aufgabenstellung oder erst später auf den beschrittenen Lösungsweg unmittelbar hingewiesen hat, es sei denn, daß der Erfinder von sich aus den Lösungsweg bereits beschritten hatte. Ist bei einer Erfindung, die in Gruppe 3 oder 4 einzuordnen ist, der Erfinder vom Betrieb später auf den beschrittenen Lösungsweg hingewiesen worden, so kann es angemessen sein, die Erfindung niedriger einzuordnen, es sei denn, daß der Erfinder von sich aus den Lösungsweg bereits beschritten hatte. Liegt in Gruppe 3 oder 4 die Aufgabe außerhalb des Aufgabenbereichs des Erfinders, so wird es angemessen sein die Erfindung höher einzuordnen.

Ferner ist zu berücksichtigen, daß auch in der Aufgabenstellung allein schon eine unmittelbare Angabe des beschrittenen Lösungsweges liegen kann, wenn die Aufgabe sehr eng gestellt ist. Andererseits sind ganz allgemeine Anweisungen (z.B. auf Erfindungen bedacht zu sein) noch nicht als Stellung der Aufgabe im Sinne dieser Tabelle anzusehen.

b) Lösung der Aufgabe

(32) Bei der Ermittlung der Wertzahlen für die Lösung der Aufgabe sind folgende Gesichtspunkte zu beachten:

1. Die Lösung wird mit Hilfe der dem Erfinder beruflich geläufigen Überlegungen gefunden;
2. sie wird auf Grund betrieblicher Arbeiten oder Kenntnisse gefunden;
3. der Betrieb unterstützt den Erfinder mit technischen Hilfsmitteln.

Liegen bei einer Erfindung alle diese Merkmale vor, so erhält die Erfindung für die Lösung der Aufgabe die Wertzahl 1; liegt keines dieser Merkmale vor, so erhält sie die Wertzahl 6.

Sind bei einer Erfindung die angeführten drei Merkmale teilweise verwirklicht, so kommt ihr für die Lösung der Aufgabe eine zwischen 1 und 6 liegende Wertzahl zu. Bei der Ermittlung der Wertzahl für die Lösung der Aufgabe sind die Verhältnisse des Einzelfalles auch im Hinblick auf die Bedeutung der angeführten drei Merkmale (z.B. das

Ausmaß der Unterstützung mit technischen Hilfsmitteln) zu berücksichtigen.

Beruflich geläufige Überlegungen im Sinne dieser Nummer sind solche, die aus Kenntnissen und Erfahrungen des Arbeitnehmers stammen, die er zur Erfüllung der ihm übertragenen Tätigkeiten haben muß.

Betriebliche Arbeiten oder Kenntnisse im Sinne dieser Nummer sind innerbetriebliche Erkenntnisse, Arbeiten, Anregungen, Erfahrungen, Hinweise usw. die den Erfinder zur Lösung hingeführt oder sie ihm wesentlich erleichtert haben.

Technische Hilfsmittel im Sinne dieser Nummer sind Energien, Rohstoffe und Geräte des Betriebes, deren Bereitstellung wesentlich zum Zustandekommen der Diensterfindung beigetragen hat. Wie technische Hilfsmittel ist auch die Bereitstellung von Arbeitskräften zu werten. Die Arbeitskraft des Erfinders selbst sowie die allgemeinen, ohnehin entstandenen Aufwendungen für Forschung, Laboreinrichtungen und Apparaturen sind nicht als technische Hilfsmittel in diesem Sinne anzusehen.

c) Aufgaben und Stellung des Arbeitnehmers im Betrieb

(33) Der Anteil des Arbeitnehmers verringert sich um so mehr, je größer der ihm durch seine Stellung ermöglichte Einblick in die Erzeugung und Entwicklung des Betriebes ist und je mehr von ihm angesichts seiner Stellung und des ihm z.Z. der Erfindungsmeldung gezahlten Arbeitsentgelts erwartet werden kann, daß er an der technischen Entwicklung des Betriebes mitarbeitet. Stellung im Betrieb bedeutet nicht die nominelle, sondern die tatsächliche Stellung des Arbeitnehmers, die ihm unter Berücksichtigung der ihm obliegenden Aufgaben und der ihm ermöglichten Einblicke in das Betriebsgeschehen zukommt.

(34) Man kann folgende Gruppen von Arbeitnehmern unterscheiden, wobei die Wertzahl um so höher ist, je geringer die Leistungserwartung ist:

8. Gruppe: Hierzu gehören Arbeitnehmer, die im wesentlichen ohne Vorbildung für die im Betrieb ausgeübte Tätigkeit sind (z.B. ungelernte Arbeiter, Hilfsarbeiter, Angelernte, Lehrlinge) (8).

7. Gruppe: Zu dieser Gruppe sind die Arbeitnehmer zu rechnen, die eine handwerklich-technische Ausbildung erhalten haben (z.B. Facharbeiter, Laboranten, Monteure, einfache Zeichner), auch wenn sie schon mit kleineren Aufsichtspflichten betraut sind (z.B. *Vorarbeiter, Untermeister*, Schichtmeister, Kolonnenführer). Von diesen Personen wird allgemein erwartet, daß sie die ihnen übertragenen Aufgaben mit einem gewissen technischen Verständnis ausführen. Andererseits ist zu berücksichtigen, daß von dieser Berufsgruppe in der Regel die Lösung konstruktiver oder verfahrensmäßiger technischer Aufgaben nicht erwartet wird (7).

6. Gruppe: Hierher gehören Personen, die als untere betriebliche Führungskräfte eingesetzt werden (z.B. Meister, Obermeister, Werkmeister) oder eine etwas gründlichere technische Ausbildung erhalten haben (z.B. Chemotechniker, Techniker). Von diesen Arbeitnehmern wird in der Regel schon erwartet, daß sie Vorschläge zur Rationalisierung innerhalb der ihnen obliegenden Tätigkeit machen und auf einfache technische Neuerungen bedacht sind (6).

5. Gruppe: Zu dieser Gruppe sind die Arbeitnehmer zu rechnen, die eine gehobene technische Ausbildung erhalten haben, sei es auf Universitäten oder technischen Hochschulen, sei es auf höheren technischen Lehranstalten oder in Ingenieur- oder entsprechenden Fachschulen, wenn sie in der Fertigung tätig sind. Von diesen Arbeitnehmern wird ein reges technisches Interesse sowie die Fähigkeit erwartet, gewisse konstruktive oder verfahrensmäßige Aufgaben zu lösen (5).

4. Gruppe: Hierher gehören die in der Fertigung leitend Tätigen (Gruppenleiter, d.h. Ingenieure und Chemiker, denen andere Ingenieure oder Chemiker unterstellt sind) und die in der Entwicklung tätigen Ingenieure und Chemiker (4).

3. Gruppe: Zu dieser Gruppe sind in der Fertigung der Leiter einer ganzen Fertigungsgruppe (z.B. technischer Abteilungsleiter und Werksleiter) zu zählen, in der Entwicklung die Gruppenleiter von Konstruktionsbüros und Entwicklungslaboratorien und in der Forschung die Ingenieure und Chemiker (3).

2. Gruppe: Hier sind die Leiter der Entwicklungsabteilungen einzuordnen sowie die Gruppenleiter in der Forschung (2).

1. Gruppe: Zur Spitzengruppe gehören die Leiter der gesamten Forschungsabteilung eines Unternehmens und die technischen Leiter größerer Betriebe (1).

Die vorstehende Tabelle kann nur Anhaltspunkte geben. Die Einstufung in die einzelnen Gruppen muß jeweils im Einzelfall nach Maßgabe der tatsächlichen Verhältnisse unter Berücksichtigung der Ausführungen in Nummer 33, 35 und 36 vorgenommen werden. In kleineren Betrieben sind z.B. vielfach die Leiter von Forschungsabteilungen nicht in Gruppe 1, sondern – je nach den Umständen des Einzelfalles – in die Gruppen 2, 3 oder 4 einzuordnen. Auch die Abstufung nach der Tätigkeit in Fertigung, Entwicklung oder Forschung ist nicht stets berechtigt, weil z.B. in manchen Betrieben die in der Entwicklung tätigen Arbeitnehmer Erfindungen näher stehen als die in der Forschung tätigen Arbeitnehmer.

(35) Wenn die Gehaltshöhe gegenüber dem Aufgabengebiet Unterschiede zeigt, kann es berechtigt sein, den Erfinder in eine höhere oder tiefere Gruppe einzustufen, weil Gehaltshöhe und Leistungserwartung miteinander in Verbindung stehen. Dies ist besonders zu berücksichtigen im Verhältnis zwischen jüngeren und älteren Arbeitnehmern der gleichen Gruppe. In der Regel wächst das Gehalt eines Arbeitnehmers mit seinem Alter, wobei weitgehend der Gesichtspunkt maßgebend ist, daß die zunehmende Erfahrung auf Grund langjähriger Tätigkeit eine höhere Leistung erwarten läßt. Hiernach kann also ein höher bezahlter älterer Angestellter einer bestimmten Gruppe eher in die nächstniedrigere einzustufen sein, während ein jüngerer, geringer bezahlter Angestellter der nächsthöheren Gruppe zuzurechnen ist. Es ist weiter zu berücksichtigen, daß zum Teil gerade bei leitenden Angestellten nicht erwartet wird, daß sie sich mit technischen Einzelfragen befassen. Besonders in größeren Firmen stehen leitende Angestellte zum Teil der technischen Entwicklung ferner als Entwicklungs- oder Betriebsingenieure. In solchen Fällen ist daher gleichfalls eine Berichtigung der Gruppeneinteilung angebracht. Auch die Vorbildung wird in der Regel ein Anhaltspunkt für die Einstufung des Arbeitnehmers sein. Sie ist aber hierauf dann ohne Einfluß, wenn der Arbeitnehmer nicht entsprechend seiner Vorbildung im Betrieb eingesetzt wird. Andererseits ist auch zu berücksichtigen, daß Arbeitnehmer, die sich ohne entsprechende Vorbildung eine größere technische Erfahrung zugeeignet haben und demgemäß im Betrieb eingesetzt und bezahlt werden, in eine entsprechend niedrigere Gruppe (also mit niedrigerer Wertzahl, z.B. von Gruppe 6 in Gruppe 5) eingestuft werden müssen.

(36) Von Arbeitnehmern, die kaufmännisch tätig sind und keine technische Vorbildung haben, werden im allgemeinen keine technischen Leistungen erwartet. Etwas anderes kann mitunter für die sogenannten technischen Kaufleute und die höheren kaufmännischen Angestellten (kaufmännische Abteilungsleiter, Verwaltungs- und kaufmännische Direktoren) gelten. Wie diese Personen einzustufen sind, muß von Fall zu Fall entschieden werden.

Tabelle

(37) Für die Berechnung des Anteilsfaktors gilt folgende Tabelle:

a + b + c =	3	4	5	6	7	8	9	10	11	12	13	14	15	16	17	18	19	(20)
A =	2	4	7	10	13	15	18	21	25	32	39	47	55	63	72	81	90	(100)

In dieser Tabelle bedeuten:

a = Wertzahlen, die sich aus der Stellung der Aufgabe ergeben,

b = Wertzahlen, die sich aus der Lösung der Aufgabe ergeben,

c = Wertzahlen, die sich aus Aufgaben und Stellung im Betrieb ergeben,

A = Anteilsfaktor (Anteil des Arbeitnehmers am Erfindungswert in Prozenten).

Die Summe, die sich aus den Wertzahlen a, b und c ergibt, braucht keine ganze Zahl zu sein. Sind als Wertzahlen Zwischenwerte (z. B. 3,5) gebildet worden, so ist als Anteilsfaktor eine Zahl zu ermitteln, die entsprechend zwischen den angegebenen Zahlen liegt. Die Zahlen 20 und 100 sind in Klammern gesetzt, weil zumindest in diesem Fall eine freie Erfindung vorliegt.

Wegfall der Vergütung

(38) Ist der Anteilsfaktor sehr niedrig, so kann, wenn der Erfindungswert gleichfalls gering ist, die nach den vorstehenden Richtlinien zu ermittelnde Vergütung bis auf einen Anerkennungsbetrag sinken oder ganz wegfallen.

Dritter Teil. Die rechnerische Ermittlung der Vergütung

I. Formel

(39) Die Berechnung der Vergütung aus Erfindungswert und Anteilsfaktor kann in folgender Formel ausgedrückt werden:

$$V = E \cdot A$$

Dabei bedeuten:

V = die zu zahlende Vergütung,
E = den Erfindungswert,
A = den Anteilsfaktor in Prozenten.

Die Ermittlung des Erfindungswertes nach der Lizenzanalogie kann in folgender Formel ausgedrückt werden:

$$E = B \cdot L$$

Dabei bedeuten:

E = den Erfindungswert,
B = die Bezugsgröße,
L = Lizenzsatz in Prozenten.

In dieser Formel kann die Bezugsgröße ein Geldbetrag oder eine Stückzahl sein. Ist die Bezugsgröße ein bestimmter Geldbetrag, so ist der Lizenzbetrag ein Prozentsatz (z.B. 3% von 100000,– DM). Ist die Bezugsgröße dagegen eine Stückzahl oder eine Gewichtseinheit, so ist der Lizenzsatz ein bestimmter Geldbetrag je Stück oder Gewichtseinheit (z.B. 0,10 DM je Stück oder Gewichtseinheit des umgesetzten Erzeugnisses).

Insgesamt ergibt sich hiernach für die Ermittlung der Vergütung bei Anwendung der Lizenzanalogie folgende Formel:

$$V = B \cdot L \cdot A$$

Hierbei ist für B jeweils die entsprechende Bezugsgröße (Umsatz, Erzeugung) einzusetzen. Sie kann sich auf die gesamte Laufdauer des Schutzrechts (oder die gesamte sonst nach Nummer 42 in Betracht kommende Zeit) oder auf einen bestimmten periodisch wiederkehrenden Zeitabschnitt (z.B. 1 Jahr) beziehen; entsprechend ergibt sich aus der Formel die Vergütung für die gesamte Laufdauer (V) oder den bestimmten Zeitabschnitt (bei jährlicher Ermittlung im folgenden mit Vj bezeichnet). Wird z.B. die Vergütung unter Anwendung der Lizenzanalogie in Verbindung mit dem Umsatz ermittelt, so lautet die Formel für die Berechnung der Vergütung:

$$V = U \cdot L \cdot A$$

oder bei jährlicher Ermittlung

$$Vj = Uj \cdot L \cdot A$$

Beispiel: Bei einem Jahresumsatz von 400 000,- DM, einem Lizenzsatz von 3% und einem Anteilsfaktor von (a + b+ c = 8 =) 15% ergibt folgende Rechnung:

$$Vj = 400000 \cdot \frac{3 \cdot 15}{100 \cdot 100}$$

Die Vergütung für ein Jahr beträgt in diesem Fall 1800,– DM.

II. Art der Zahlung der Vergütung

(40) Die Vergütung kann in Form einer laufenden Beteiligung bemessen werden. Hängt ihre Höhe von dem Umsatz, der Erzeugung oder dem erfaßbaren betrieblichen Nutzen ab, so wird die Vergütung zweckmäßig nachkalkulatorisch errechnet; in diesem Fall empfiehlt sich die jährliche Abrechnung, wobei – soweit dies angemessen erscheint – entsprechende Abschlagszahlungen zu leisten sein werden. Wird die Diensterfindung durch Lizenzvergabe verwertet, so wird die *Zahlung der Vergütung* im allgemeinen der Zahlung der Lizenzen anzupassen sein.

Manchmal wird die Zahlung einer einmaligen oder mehrmaligen festen Summe (Gesamtabfindung) als angemessen anzusehen sein. Dies gilt insbesondere für folgende Fälle:

a) Wenn es sich um kleinere Erfindungen handelt, für die eine jährliche Abrechnung wegen des dadurch entstehenden Aufwandes nicht angemessen erscheint,

b) wenn die Diensterfindung als Vorrats- oder Ausbaupatent verwertet wird.

c) Ist der Diensterfinder in einer Stellung, in der er auf den Einsatz seiner Erfindung oder die Entwicklung weiterer verwandter Erfindungen im Betrieb einen maßgeblichen Einfluß ausüben kann, so ist zur Vermeidung von Interessengegensätzen ebenfalls zu empfehlen, die Vergütung in Form einmaliger oder mehrmaliger fester Beträge zu zahlen.

In der Praxis findet sich manchmal eine Verbindung beider Zahlungsarten derart, daß der Lizenznehmer eine einmalige Zahlung leistet und der Lizenzgeber im übrigen laufend an den Erträgen der Erfindung beteiligt wird. Auch eine solche Regelung kann eine angemessene Art der Vergütungsregelung darstellen.

(41) Nur ein geringer Teil der Patente wird in der Praxis für die Gesamtlaufdauer von 18 Jahren aufrechterhalten. Bei patentfähigen Erfindungen hat es sich bei der Gesamtabfindung häufig als berechtigt erwiesen, im allgemeinen eine durchschnittliche Laufdauer des Patents von einem Drittel der Gesamtlaufdauer, also von 6 Jahren, für die Ermittlung der einmaligen festen Vergütung zugrunde zu legen. Bei einer wesentlichen Änderung der Umstände, die für die Feststellung oder Festsetzung der Vergütung maßgebend waren, können nach § 12 Abs. 6 des Gesetzes Arbeitgeber und Arbeitnehmer voneinander die Einwilligung in eine andere Regelung der Vergütung verlangen.

III. Die für die Berechnung der Vergütung maßgebende Zeit

(42) Die Zeit, die für die Berechnung der Vergütung bei laufender Zahlung maßgebend ist, endet bei der unbeschränkten Inanspruchnahme in der Regel mit dem Wegfall des Schutzrechts. Dasselbe gilt bei der beschränkten Inanspruchnahme, wenn ein Schutzrecht erwirkt ist. Wegen der Dauer der Vergütung bei beschränkter Inanspruchnahme wird im übrigen auf Nummer 25 verwiesen. In Ausnahmefällen kann der Gesichtspunkt der Angemessenheit der Vergütung auch eine Zahlung über die Laufdauer des Schutzrechts hinaus gerechtfertigt erscheinen lassen. Dies gilt beispielsweise dann, wenn eine Erfindung erst in den letzten Jahren der Laufdauer eines Schutzrechts praktisch ausgewertet worden ist und die durch das Patent während seiner Lauf-

zeit dem Patentinhaber vermittelte Vorzugstellung auf dem Markt auf Grund besonderer Umstände noch weiter andauert. Solche besonderen Umstände können z.B. darin liegen, daß die Erfindung ein geschütztes Verfahren betrifft, für dessen Ausübung hohe betriebsinterne Erfahrungen notwendig sind, die nicht ohne weiteres bei Ablauf des Schutzrechts Wettbewerbern zur Verfügung stehen.

(43) Ist das Schutzrecht vernichtbar, so bleibt dennoch der Arbeitgeber bis zur Nichtigkeitserklärung zur Vergütungszahlung verpflichtet, weil bis dahin der Arbeitgeber eine tatsächliche Nutzungsmöglichkeit und günstigere Geschäftsstellung hat, die er ohne die Inanspruchnahme nicht hätte. Die offenbar oder wahrscheinlich gewordene Nichtigkeit ist für den Vergütungsanspruch der tatsächlichen Vernichtung dann gleichzustellen, wenn nach den Umständen das Schutzrecht seine bisherige wirtschaftliche Wirkung so weit verloren hat, daß dem Arbeitgeber die Vergütungszahlung nicht mehr zugemutet werden kann. Dies ist besonders dann der Fall, wenn Wettbewerber, ohne eine Verletzungsklage befürchten zu müssen, nach dem Schutzrecht arbeiten.

180. Gesetz zur Verbesserung der betrieblichen Altersversorgung (Betriebsrentengesetz – BetrAVG)[1)]

Vom 19. Dezember 1974
(BGBl. I S. 3610)

FNA 800-22-1

zuletzt geänd. durch Art. 1 Zweites BetriebsrentenstärkungsG v. 16.1.2026 (BGBl. 2026 I Nr. 14)

Der Bundestag hat mit Zustimmung des Bundesrates das folgende Gesetz beschlossen:

Erster Teil. Arbeitsrechtliche Vorschriften

Erster Abschnitt. Durchführung der betrieblichen Altersversorgung

§ 1[2)] Zusage des Arbeitgebers auf betriebliche Altersversorgung.

(1) [1] Werden einem Arbeitnehmer Leistungen der Alters-, Invaliditäts- oder Hinterbliebenenversorgung aus Anlass seines Arbeitsverhältnisses vom Arbeitgeber zugesagt (betriebliche Altersversorgung), gelten die Vorschriften dieses Gesetzes. [2] Die Durchführung der betrieblichen Altersversorgung kann unmittelbar über den Arbeitgeber oder über einen der in § 1b Abs. 2 bis 4 genannten Versorgungsträger erfolgen. [3] Der Arbeitgeber steht für die Erfüllung der von ihm zugesagten Leistungen auch dann ein, wenn die Durchführung nicht unmittelbar über ihn erfolgt.

(2) Betriebliche Altersversorgung liegt auch vor, wenn

1. der Arbeitgeber sich verpflichtet, bestimmte Beiträge in eine Anwartschaft auf Alters-, Invaliditäts- oder Hinterbliebenenversorgung umzuwandeln (beitragsorientierte Leistungszusage),
2. der Arbeitgeber sich verpflichtet, Beiträge zur Finanzierung von Leistungen der betrieblichen Altersversorgung an einen Pensionsfonds, eine Pensionskasse oder eine Direktversicherung zu zahlen und für Leistungen zur Altersversorgung das planmäßig zuzurechnende Versorgungskapital auf der Grundlage der gezahlten Beiträge (Beiträge und die daraus erzielten Erträge), mindestens die Summe der zugesagten Beiträge, soweit sie nicht rechnungsmäßig für einen biometrischen Risikoausgleich verbraucht wurden, hierfür zur Verfügung zu stellen (Beitragszusage mit Mindestleistung),

2a. der Arbeitgeber durch Tarifvertrag oder auf Grund eines Tarifvertrages in einer Betriebs- oder Dienstvereinbarung verpflichtet wird, Beiträge zur Finanzierung von Leistungen der betrieblichen Altersversorgung an einen Pensionsfonds, eine Pensionskasse oder eine Direktversicherung nach § 22 zu zahlen; die Pflichten des Arbeitgebers nach Absatz 1 Satz 3, § 1a Absatz 4 Satz 2, den §§ 1b bis 6 und 16 sowie die Insolvenzsicherungspflicht nach dem Vierten Abschnitt bestehen nicht (reine Beitragszusage),

---

[1)] Gesetzestitel geänd. mWv 1.1.2005 durch G v. 5.7.2004 (BGBl. I S. 1427).

[2)] § 1 neu gef. mWv 1.1.2001, Abs. 2 neu gef. mWv 1.1.2002 durch G v. 26.6.2001 (BGBl. I S. 1310); Abs. 2 Nr. 2 und 3 geänd., Nr. 4 angef. mWv 1.7.2002 durch G v. 21.6.2002 (BGBl. I S. 2167); Abs. 2 Nr. 2a eingef. mWv 1.1.2018 durch G v. 17.8.2017 (BGBl. I S. 3214).

3. künftige Entgeltansprüche in eine wertgleiche Anwartschaft auf Versorgungsleistungen umgewandelt werden (Entgeltumwandlung) oder
4. der Arbeitnehmer Beiträge aus seinem Arbeitsentgelt zur Finanzierung von Leistungen der betrieblichen Altersversorgung an einen Pensionsfonds, eine Pensionskasse oder eine Direktversicherung leistet und die Zusage des Arbeitgebers auch die Leistungen aus diesen Beiträgen umfasst; die Regelungen für Entgeltumwandlung sind hierbei entsprechend anzuwenden, soweit die zugesagten Leistungen aus diesen Beiträgen im Wege der Kapitaldeckung finanziert werden.

§ 1a[1)] Anspruch auf betriebliche Altersversorgung durch Entgeltumwandlung. (1) [1] Der Arbeitnehmer kann vom Arbeitgeber verlangen, dass von seinen künftigen Entgeltansprüchen bis zu 4 vom Hundert der jeweiligen Beitragsbemessungsgrenze in der allgemeinen Rentenversicherung durch Entgeltumwandlung für seine betriebliche Altersversorgung verwendet werden. [2] Die Durchführung des Anspruchs des Arbeitnehmers wird durch Vereinbarung geregelt. [3] Ist der Arbeitgeber zu einer Durchführung über einen Pensionsfonds oder eine Pensionskasse (§ 1b Abs. 3) oder über eine Versorgungseinrichtung nach § 22 bereit, ist die betriebliche Altersversorgung dort durchzuführen; andernfalls kann der Arbeitnehmer verlangen, dass der Arbeitgeber für ihn eine Direktversicherung (§ 1b Abs. 2) abschließt. [4] Soweit der Anspruch geltend gemacht wird, muss der Arbeitnehmer jährlich einen Betrag in Höhe von mindestens einem Hundertsechzigstel der Bezugsgröße nach § 18 Abs. 1 des Vierten Buches Sozialgesetzbuch[2)] für seine betriebliche Altersversorgung verwenden. [5] Soweit der Arbeitnehmer Teile seines regelmäßigen Entgelts für betriebliche Altersversorgung verwendet, kann der Arbeitgeber verlangen, dass während eines laufenden Kalenderjahres gleich bleibende monatliche Beträge verwendet werden.

(1a) Der Arbeitgeber muss 15 Prozent des umgewandelten Entgelts zusätzlich als Arbeitgeberzuschuss an den Pensionsfonds, die Pensionskasse oder die Direktversicherung weiterleiten, soweit er durch die Entgeltumwandlung Sozialversicherungsbeiträge einspart.

(2) Soweit eine durch Entgeltumwandlung finanzierte betriebliche Altersversorgung besteht, ist der Anspruch des Arbeitnehmers auf Entgeltumwandlung ausgeschlossen.

(3) Soweit der Arbeitnehmer einen Anspruch auf Entgeltumwandlung für betriebliche Altersversorgung nach Absatz 1 hat, kann er verlangen, dass die Voraussetzungen für eine Förderung nach den §§ 10a, 82 Abs. 2 des Einkommensteuergesetzes[3)] erfüllt werden, wenn die betriebliche Altersversorgung über einen Pensionsfonds, eine Pensionskasse oder eine Direktversicherung durchgeführt wird.

(4) [1] Falls der Arbeitnehmer bei fortbestehendem Arbeitsverhältnis kein Entgelt erhält, hat er das Recht, die Versicherung oder Versorgung mit eigenen Beiträgen fortzusetzen. [2] Der Arbeitgeber steht auch für die Leistungen aus

---

[1)] § 1a eingef. mWv 1.1.2002 durch G v. 26.6.2001 (BGBl. I S. 1310); Abs. 4 angef. mWv 1.1.2005 durch G v. 5.7.2004 (BGBl. I S. 1427); Abs. 1 Satz 1 geänd. mWv 1.1.2005 durch G v. 9.12.2004 (BGBl. I S. 3242); Abs. 1 Satz 3 geänd. mWv 1.1.2018, Abs. 1a eingef. mWv 1.1.2019 durch G v. 17.8.2017 (*BGBl. I S. 3214*).

[2)] Nr. **694**.

[3)] **beck-online, Module Arbeitsrecht Nr. 331.**

diesen Beiträgen ein. [3] Die Regelungen über Entgeltumwandlung gelten entsprechend.

§ 1b[1)] **Unverfallbarkeit und Durchführung der betrieblichen Altersversorgung.** (1) [1] Einem Arbeitnehmer, dem Leistungen aus der betrieblichen Altersversorgung zugesagt worden sind, bleibt die Anwartschaft erhalten, wenn das Arbeitsverhältnis vor Eintritt des Versorgungsfalls, jedoch nach Vollendung des 21. Lebensjahres endet und die Versorgungszusage zu diesem Zeitpunkt mindestens drei Jahre bestanden hat (unverfallbare Anwartschaft). [2] Ein Arbeitnehmer behält seine Anwartschaft auch dann, wenn er aufgrund einer Vorruhestandsregelung ausscheidet und ohne das vorherige Ausscheiden die Wartezeit und die sonstigen Voraussetzungen für den Bezug von Leistungen der betrieblichen Altersversorgung hätte erfüllen können. [3] Eine Änderung der Versorgungszusage oder ihre Übernahme durch eine andere Person unterbricht nicht den Ablauf der Fristen nach Satz 1. [4] Der Verpflichtung aus einer Versorgungszusage stehen Versorgungsverpflichtungen gleich, die auf betrieblicher Übung oder dem Grundsatz der Gleichbehandlung beruhen. [5] Der Ablauf einer vorgesehenen Wartezeit wird durch die Beendigung des Arbeitsverhältnisses nach Erfüllung der Voraussetzungen der Sätze 1 und 2 nicht berührt. [6] Wechselt ein Arbeitnehmer vom Geltungsbereich dieses Gesetzes in einen anderen Mitgliedstaat der Europäischen Union, bleibt die Anwartschaft in gleichem Umfange wie für Personen erhalten, die auch nach Beendigung eines Arbeitsverhältnisses innerhalb des Geltungsbereichs dieses Gesetzes verbleiben.

(2) [1] Wird für die betriebliche Altersversorgung eine Lebensversicherung auf das Leben des Arbeitnehmers durch den Arbeitgeber abgeschlossen und sind der Arbeitnehmer oder seine Hinterbliebenen hinsichtlich der Leistungen des Versicherers ganz oder teilweise bezugsberechtigt (Direktversicherung), so ist der Arbeitgeber verpflichtet, wegen Beendigung des Arbeitsverhältnisses nach Erfüllung der in Absatz 1 Satz 1 und 2 genannten Voraussetzungen das Bezugsrecht nicht mehr zu widerrufen. [2] Eine Vereinbarung, nach der das Bezugsrecht durch die Beendigung des Arbeitsverhältnisses nach Erfüllung der in Absatz 1 Satz 1 und 2 genannten Voraussetzungen auflösend bedingt ist, ist unwirksam. [3] Hat der Arbeitgeber die Ansprüche aus dem Versicherungsvertrag abgetreten oder beliehen, so ist er verpflichtet, den Arbeitnehmer, dessen Arbeitsverhältnis nach Erfüllung der in Absatz 1 Satz 1 und 2 genannten Voraussetzungen geendet hat, bei Eintritt des Versicherungsfalles so zu stellen, als ob die Abtretung oder Beleihung nicht erfolgt wäre. [4] Als Zeitpunkt der Erteilung der Versorgungszusage im Sinne des Absatzes 1 gilt der Versicherungsbeginn, frühestens jedoch der Beginn der Betriebszugehörigkeit.

(3) [1] Wird die betriebliche Altersversorgung von einer rechtsfähigen Versorgungseinrichtung durchgeführt, die dem Arbeitnehmer oder seinen Hinterbliebenen auf ihre Leistungen einen Rechtsanspruch gewährt (Pensionskasse und Pensionsfonds), so gilt Absatz 1 entsprechend. [2] Als Zeitpunkt der Erteilung

---

[1)] § 1b eingef. mWv 1.1.2001; Abs. 3 Satz 1 geänd. mWv 1.1.2002 durch G v. 26.6.2001 (BGBl. I S. 1310); Abs. 2 Satz 2 geänd., Abs. 5 Satz 2 angef., Satz 1 Nr. 1 aufgeh., bish. Nr. 2–4 werden Nr. 1–3 mWv 1.7.2002 durch G v. 21.6.2002 (BGBl. I S. 2167); Abs. 1 Satz 1 geänd. mWv 1.1.2009 durch G v. 10.12.2007 (BGBl. I S. 2838); Abs. 1 Satz 1 geänd. mWv 1.1.2018 durch G v. 21.12.2015 (BGBl. I S. 2553); Abs. 5 Satz 1 einl. Satzteil geänd. mWv 1.1.2018 durch G v. 17.8.2017 (BGBl. I S. 3214); Abs. 5 Satz 1 einl. Satzteil, Nr. 1 und Nr. 2 geänd. mWv 22.1.2026 durch G v. 16.1.2026 (BGBl. 2026 I Nr. 14).

der Versorgungszusage im Sinne des Absatzes 1 gilt der Versicherungsbeginn, frühestens jedoch der Beginn der Betriebszugehörigkeit.

(4) [1] Wird die betriebliche Altersversorgung von einer rechtsfähigen Versorgungseinrichtung durchgeführt, die auf ihre Leistungen keinen Rechtsanspruch gewährt (Unterstützungskasse), so sind die nach Erfüllung der in Absatz 1 Satz 1 und 2 genannten Voraussetzungen und vor Eintritt des Versorgungsfalles aus dem Unternehmen ausgeschiedenen Arbeitnehmer und ihre Hinterbliebenen den bis zum Eintritt des Versorgungsfalles dem Unternehmen angehörenden Arbeitnehmern und deren Hinterbliebenen gleichgestellt. [2] Die Versorgungszusage gilt in dem Zeitpunkt als erteilt im Sinne des Absatzes 1, von dem an der Arbeitnehmer zum Kreis der Begünstigten der Unterstützungskasse gehört.

(5) [1] Soweit betriebliche Altersversorgung durch Entgeltumwandlung einschließlich eines möglichen Arbeitgeberzuschusses nach § 1a Absatz 1a oder § 20 Absatz 3 erfolgt, behält der Arbeitnehmer seine Anwartschaft, wenn sein Arbeitsverhältnis vor Eintritt des Versorgungsfalles endet; in den Fällen der Absätze 2 und 3

1. dürfen die Überschussanteile nur zur Verbesserung der Leistung verwendet werden,
2. muss dem ausgeschiedenen Arbeitnehmer das Recht zur Fortsetzung der Versicherung oder Versorgung mit eigenen Beiträgen eingeräumt werden und
3. muss das Recht zur Verpfändung, Abtretung oder Beleihung durch den Arbeitgeber ausgeschlossen werden.

[2] Im Fall einer Direktversicherung ist dem Arbeitnehmer darüber hinaus mit Beginn der Entgeltumwandlung ein unwiderrufliches Bezugsrecht einzuräumen.

§ 2[1)] Höhe der unverfallbaren Anwartschaft. (1) **[Unmittelbare Versorgung]** [1] Bei Eintritt des Versorgungsfalles wegen Erreichens der Altersgrenze, wegen Invalidität oder Tod haben ein vorher ausgeschiedener Arbeitnehmer, dessen Anwartschaft nach § 1b fortbesteht, und seine Hinterbliebenen einen Anspruch mindestens in Höhe des Teiles der ohne das vorherige Ausscheiden zustehenden Leistung, der dem Verhältnis der Dauer der Betriebszugehörigkeit zu der Zeit vom Beginn der Betriebszugehörigkeit bis zum Erreichen der Regelaltersgrenze in der gesetzlichen Rentenversicherung entspricht; an die

---

[1)] § 2 Abs. 5 Satz 2 geänd. mWv 1.1.1992 durch G v. 18.12.1989 (BGBl. I S. 2261); Abs. 2 Satz 4, Abs. 3 Sätze 1 und 2 sowie Abs. 5 Satz 2 Halbs. 2 geänd. mWv 29.7.1994 durch G v. 21.7.1994 (BGBl. I S. 1630); Überschrift eingef. durch G v. 16.12.1997 (BGBl. I S. 2998); Abs. 1, 2 und 4 geänd., Abs. 5a eingef. mWv 1.1.2001, Abs. 3a, Abs. 5 Satz 3, Abs. 5b eingef., Abs. 5 bish. Satz 3 wird Satz 4 mWv 1.1.2002 durch G v. 26.6.2001 (BGBl. I S. 1310); Abs. 5a und 5b geänd. mWv 1.7.2002 durch G v. 21.6.2002 (BGBl. I S. 2167); Abs. 6 aufgeh. mWv 1.1.2005 durch G v. 5.7.2004 (BGBl. I S. 1427); Abs. 1 Satz 1 neu gef. mWv 1.1.2008 durch G v. 20.4.2007 (BGBl. I S. 554); Abs. 2 Sätze 4 und 6 geänd. mWv 1.1.2008 durch G v. 23.11.2007 (BGBl. I S. 2631); Abs. 2 Satz 7 angef., Abs. 3 Satz 3 neu gef. mWv 1.1.2009 durch G v. 21.12.2008 (BGBl. I S. 2940); Abs. 1 Satz 1 geänd. mWv 1.7.2014 durch G v. 23.6.2014 (BGBl. I S. 787); Abs. 3 Satz 1, Abs. 3a geänd. mWv 1.1.2016 durch G v. 1.4.2015 (BGBl. I S. 434); Abs. 5 aufgeh., bish. Abs. 5a wird Abs. 5, bish. Abs. 5b wird Abs. 6 und geänd. mWv 1.1.2018 durch G v. 21.12.2015 (BGBl. I S. 2553); Abs. 2 Satz 4 geänd. mWv 1.1.2018 durch G v. *17.8.2017 (BGBl. I S. 3214)*; Abs. 3 Satz 1 und Abs. 3a geänd. mWv 13.1.2019 durch G v. 19.12.2018 (BGBl. I S. 2672); Abs. 2 Satz 2 einl. Satzteil geänd, Satz 3 neu gef., Abs. 3 Satz 2 einl. Satzteil geänd. mWv 24.6.2020 durch G v. 12.6.2020 (BGBl. I S. 1248).

Stelle des Erreichens der Regelaltersgrenze tritt ein früherer Zeitpunkt, wenn dieser in der Versorgungsregelung als feste Altersgrenze vorgesehen ist, spätestens der Zeitpunkt der Vollendung des 65. Lebensjahres, falls der Arbeitnehmer ausscheidet und gleichzeitig eine Altersrente aus der gesetzlichen Rentenversicherung für besonders langjährig Versicherte in Anspruch nimmt. [2]Der Mindestanspruch auf Leistungen wegen Invalidität oder Tod vor Erreichen der Altersgrenze ist jedoch nicht höher als der Betrag, den der Arbeitnehmer oder seine Hinterbliebenen erhalten hätten, wenn im Zeitpunkt des Ausscheidens der Versorgungsfall eingetreten wäre und die sonstigen Leistungsvoraussetzungen erfüllt gewesen wären.

(2) **[Direktversicherung]** [1]Ist bei einer Direktversicherung der Arbeitnehmer nach Erfüllung der Voraussetzungen des § 1b Abs. 1 und 5 vor Eintritt des Versorgungsfalles ausgeschieden, so gilt Absatz 1 mit der Maßgabe, daß sich der vom Arbeitgeber zu finanzierende Teilanspruch nach Absatz 1, soweit er über die von dem Versicherer nach dem Versicherungsvertrag auf Grund der Beiträge des Arbeitgebers zu erbringende Versicherungsleistung hinausgeht, gegen den Arbeitgeber richtet. [2]An die Stelle der Ansprüche nach Satz 1 tritt die von dem Versicherer auf Grund des Versicherungsvertrages zu erbringende Versicherungsleistung, wenn

1. spätestens nach 3 Monaten seit dem Ausscheiden des Arbeitnehmers das Bezugsrecht unwiderruflich ist und eine Abtretung oder Beleihung des Rechts aus dem Versicherungsvertrag durch den Arbeitgeber und Beitragsrückstände nicht vorhanden sind,
2. vom Beginn der Versicherung, frühestens jedoch vom Beginn der Betriebszugehörigkeit an, nach dem Versicherungsvertrag die Überschußanteile nur zur Verbesserung der Versicherungsleistung zu verwenden sind und
3. der ausgeschiedene Arbeitnehmer nach dem Versicherungsvertrag das Recht zur Fortsetzung der Versicherung mit eigenen Beiträgen hat.

[3]Die Einstandspflicht des Arbeitgebers nach § 1 Absatz 1 Satz 3 bleibt unberührt. [4]Der ausgeschiedene Arbeitnehmer darf die Ansprüche aus dem Versicherungsvertrag in Höhe des durch Beitragszahlungen des Arbeitgebers gebildeten geschäftsplanmäßigen Deckungskapitals oder, soweit die Berechnung des Deckungskapitals nicht zum Geschäftsplan gehört, des nach § 169 Abs. 3 und 4 des Versicherungsvertragsgesetzes[1)] berechneten Wertes weder abtreten noch beleihen. [5]In dieser Höhe darf der Rückkaufswert auf Grund einer Kündigung des Versicherungsvertrages nicht in Anspruch genommen werden; im Falle einer Kündigung wird die Versicherung in eine prämienfreie Versicherung umgewandelt. [6]§ 169 Abs. 1 des Versicherungsvertragsgesetzes findet insoweit keine Anwendung. [7]Eine Abfindung des Anspruchs nach § 3 ist weiterhin möglich.

(3) **[Pensionskassen]** [1]Für Pensionskassen gilt Absatz 1 mit der Maßgabe, daß sich der vom Arbeitgeber zu finanzierende Teilanspruch nach Absatz 1, soweit er über die von der Pensionskasse nach dem aufsichtsbehördlich genehmigten Geschäftsplan oder, soweit eine aufsichtsbehördliche Genehmigung nicht vorgeschrieben ist, nach den allgemeinen Versicherungsbedingungen und den fachlichen Geschäftsunterlagen im Sinne des § 9 Absatz 2 Nummer 2 in Verbindung mit § 219 Absatz 3 Nummer 1 Buchstabe b des Versicherungs-

---

[1)] **Habersack Nr. 62.**

aufsichtsgesetzes[1] (Geschäftsunterlagen) auf Grund der Beiträge des Arbeitgebers zu erbringende Leistung hinausgeht, gegen den Arbeitgeber richtet. ² An die Stelle der Ansprüche nach Satz 1 tritt die von der Pensionskasse auf Grund des Geschäftsplanes oder der Geschäftsunterlagen zu erbringende Leistung, wenn nach dem aufsichtsbehördlich genehmigten Geschäftsplan oder den Geschäftsunterlagen

1. vom Beginn der Versicherung, frühestens jedoch vom Beginn der Betriebszugehörigkeit an, Überschußanteile, die auf Grund des Finanzierungsverfahrens regelmäßig entstehen, nur zur Verbesserung der Versicherungsleistung zu verwenden sind oder die Steigerung der Versorgungsanwartschaften des Arbeitnehmers der Entwicklung seines Arbeitsentgeltes, soweit es unter den jeweiligen Beitragsbemessungsgrenzen der gesetzlichen Rentenversicherungen liegt, entspricht und
2. der ausgeschiedene Arbeitnehmer das Recht zur Fortsetzung der Versicherung mit eigenen Beiträgen hat.

³ Absatz 2 Satz 3 bis 7 gilt entsprechend.

(3a) **[Pensionsfonds]** Für Pensionsfonds gilt Absatz 1 mit der Maßgabe, dass sich der vom Arbeitgeber zu finanzierende Teilanspruch, soweit er über die vom Pensionsfonds auf der Grundlage der nach dem geltenden Pensionsplan im Sinne des § 237 Absatz 1 Satz 3 des Versicherungsaufsichtsgesetzes[1] berechnete Deckungsrückstellung hinausgeht, gegen den Arbeitgeber richtet.

(4) **[Unterstützungskassen]** Eine Unterstützungskasse hat bei Eintritt des Versorgungsfalles einem vorzeitig ausgeschiedenen Arbeitnehmer, der nach § 1b Abs. 4 gleichgestellt ist, und seinen Hinterbliebenen mindestens den nach Absatz 1 berechneten Teil der Versorgung zu gewähren.

(5) Bei einer unverfallbaren Anwartschaft aus Entgeltumwandlung tritt an die Stelle der Ansprüche nach Absatz 1, 3a oder 4 die vom Zeitpunkt der Zusage auf betriebliche Altersversorgung bis zum Ausscheiden des Arbeitnehmers erreichte Anwartschaft auf Leistungen aus den bis dahin umgewandelten Entgeltbestandteilen; dies gilt entsprechend für eine unverfallbare Anwartschaft aus Beiträgen im Rahmen einer beitragsorientierten Leistungszusage.

(6) An die Stelle der Ansprüche nach den Absätzen 2, 3, 3a und 5 tritt bei einer Beitragszusage mit Mindestleistung das dem Arbeitnehmer planmäßig zuzurechnende Versorgungskapital auf der Grundlage der bis zu seinem Ausscheiden geleisteten Beiträge (Beiträge und die bis zum Eintritt des Versorgungsfalls erzielten Erträge), mindestens die Summe der bis dahin zugesagten Beiträge, soweit sie nicht rechnungsmäßig für einen biometrischen Risikoausgleich verbraucht wurden.

§ 2a[2] Berechnung und Wahrung des Teilanspruchs. (1) Bei der Berechnung des Teilanspruchs eines mit unverfallbarer Anwartschaft ausgeschiedenen Arbeitnehmers nach § 2 sind die Versorgungsregelung und die Bemessungsgrundlagen im Zeitpunkt des Ausscheidens zugrunde zu legen; Veränderungen, die nach dem Ausscheiden eintreten, bleiben außer Betracht.

(2) ¹ Abweichend von Absatz 1 darf ein ausgeschiedener Arbeitnehmer im Hinblick auf den Wert seiner unverfallbaren Anwartschaft gegenüber vergleich-

[1] **beck-online, Module Arbeitsrecht Nr. 206.**
[2] § 2a eingef. mWv 1.1.2018 durch G v. 21.12.2015 (BGBl. I S. 2553).

baren nicht ausgeschiedenen Arbeitnehmern nicht benachteiligt werden. [2]Eine Benachteiligung gilt insbesondere als ausgeschlossen, wenn

1. die Anwartschaft
   a) als nominales Anrecht festgelegt ist,
   b) eine Verzinsung enthält, die auch dem ausgeschiedenen Arbeitnehmer zugutekommt, oder
   c) über einen Pensionsfonds, eine Pensionskasse oder eine Direktversicherung durchgeführt wird und die Erträge auch dem ausgeschiedenen Arbeitnehmer zugutekommen, oder
2. die Anwartschaft angepasst wird
   a) um 1 Prozent jährlich,
   b) wie die Anwartschaften oder die Nettolöhne vergleichbarer nicht ausgeschiedener Arbeitnehmer,
   c) wie die laufenden Leistungen, die an die Versorgungsempfänger des Arbeitgebers erbracht werden, oder
   d) entsprechend dem Verbraucherpreisindex für Deutschland.

(3) [1]Ist bei der Berechnung des Teilanspruchs eine Rente der gesetzlichen Rentenversicherung zu berücksichtigen, so kann bei einer unmittelbaren oder über eine Unterstützungskasse durchgeführten Versorgungszusage das bei der Berechnung von Pensionsrückstellungen allgemein zulässige Verfahren zugrunde gelegt werden, es sei denn, der ausgeschiedene Arbeitnehmer weist die bei der gesetzlichen Rentenversicherung im Zeitpunkt des Ausscheidens erreichten Entgeltpunkte nach. [2]Bei einer Versorgungszusage, die über eine Pensionskasse oder einen Pensionsfonds durchgeführt wird, sind der aufsichtsbehördlich genehmigte Geschäftsplan, der Pensionsplan oder die sonstigen Geschäftsunterlagen zugrunde zu legen.

(4) Versorgungsanwartschaften, die der Arbeitnehmer nach seinem Ausscheiden erwirbt, dürfen nicht zu einer Kürzung des Teilanspruchs führen.

§ 3[1)] Abfindung. (1) Unverfallbare Anwartschaften im Falle der Beendigung des Arbeitsverhältnisses und laufende Leistungen dürfen nur unter den Voraussetzungen der folgenden Absätze abgefunden werden.

(2) [1]Der Arbeitgeber kann eine Anwartschaft ohne Zustimmung des Arbeitnehmers abfinden, wenn der Monatsbetrag der aus der Anwartschaft resultierenden laufenden Leistung bei Erreichen der vorgesehenen Altersgrenze 1,5 vom Hundert, bei Kapitalleistungen 18 Zehntel der monatlichen Bezugsgröße nach § 18 des Vierten Buches Sozialgesetzbuch[2)] nicht übersteigen würde. [2]Dies gilt entsprechend für die Abfindung einer laufenden Leistung. [3]Die Abfindung einer Anwartschaft bedarf der Zustimmung des Arbeitnehmers, wenn dieser nach Beendigung des Arbeitsverhältnisses ein neues Arbeitsverhältnis in einem anderen Mitgliedstaat der Europäischen Union begründet und dies innerhalb von drei Monaten nach Beendigung des Arbeitsverhältnisses seinem ehemaligen Arbeitgeber mitteilt. [4]Die Abfindung ist unzulässig, wenn der

---

[1)] § 3 neu gef. mWv 1.1.2005 durch G v. 5.7.2004 (BGBl. I S. 1427); Abs. 2 Satz 3 eingef., bish. Satz 3 wird Satz 4 mWv 1.1.2018 durch G v. 21.12.2015 (BGBl. I S. 2553); Abs. 2 Satz 1 neu gef., Abs. 2a eingef., Abs. 7 angef. mWv 22.1.2026 durch G v. 16.1.2026 (BGBl. 2026 I Nr. 14).

[2)] Nr. **694**.

Arbeitnehmer von seinem Recht auf Übertragung der Anwartschaft Gebrauch macht.

(2a) Der Arbeitgeber kann eine Anwartschaft mit Zustimmung des Arbeitnehmers abfinden, wenn der Monatsbetrag der aus der Anwartschaft resultierenden laufenden Leistung bei Erreichen der vorgesehenen Altersgrenze 2 vom Hundert, bei Kapitalleistungen 24 Zehntel der monatlichen Bezugsgröße nach § 18 des Vierten Buches Sozialgesetzbuch[1)] nicht übersteigen würde und der Abfindungsbetrag vom Arbeitgeber unmittelbar zur Zahlung von Beiträgen zur gesetzlichen Rentenversicherung verwendet wird.

(3) Die Anwartschaft ist auf Verlangen des Arbeitnehmers abzufinden, wenn die Beiträge zur gesetzlichen Rentenversicherung erstattet worden sind.

(4) Der Teil der Anwartschaft, der während eines Insolvenzverfahrens erdient worden ist, kann ohne Zustimmung des Arbeitnehmers abgefunden werden, wenn die Betriebstätigkeit vollständig eingestellt und das Unternehmen liquidiert wird.

(5) Für die Berechnung des Abfindungsbetrages gilt § 4 Abs. 5 entsprechend.

(6) Die Abfindung ist gesondert auszuweisen und einmalig zu zahlen.

(7) Mit der Genehmigung des Beschlusses zur Auflösung einer Pensionskasse nach § 199 Absatz 2 Satz 1 des Versicherungsaufsichtsgesetzes[2)] und der Auszahlung des gebildeten Kapitals an den Versorgungsberechtigten gilt die Anwartschaft oder laufende Leistung in dem Umfang, wie sie von der Pensionskasse durchgeführt worden ist, als abgefunden.

§ 4[3)] Übertragung. (1) Unverfallbare Anwartschaften und laufende Leistungen dürfen nur unter den Voraussetzungen der folgenden Absätze übertragen werden.

(2) Nach Beendigung des Arbeitsverhältnisses kann im Einvernehmen des ehemaligen mit dem neuen Arbeitgeber sowie dem Arbeitnehmer

1. die Zusage vom neuen Arbeitgeber übernommen werden oder
2. der Wert der vom Arbeitnehmer erworbenen unverfallbaren Anwartschaft auf betriebliche Altersversorgung (Übertragungswert) auf den neuen Arbeitgeber übertragen werden, wenn dieser eine wertgleiche Zusage erteilt; für die neue Anwartschaft gelten die Regelungen über Entgeltumwandlung entsprechend.

(3) [1]Der Arbeitnehmer kann innerhalb eines Jahres nach Beendigung des Arbeitsverhältnisses von seinem ehemaligen Arbeitgeber verlangen, dass der Übertragungswert auf den neuen Arbeitgeber oder auf die Versorgungseinrichtung nach § 22 des neuen Arbeitgebers übertragen wird, wenn

1. die betriebliche Altersversorgung über einen Pensionsfonds, eine Pensionskasse oder eine Direktversicherung durchgeführt worden ist und
2. der Übertragungswert die Beitragsbemessungsgrenze in der allgemeinen Rentenversicherung nicht übersteigt.

[1)] Nr. **694**.

[2)] **beck-online, Module Arbeitsrecht Nr. 206.**

[3)] § 4 neu gef. mWv 1.1.2005 durch G v. 5.7.2004 (BGBl. I S. 1427); Abs. 3 Satz 1 Nr. 2 geänd. mWv *1.1.2005 durch G v. 9.12.2004* (BGBl. I S. 3242); Abs. 3 Satz 1 einl. Satzteil geänd., Satz 5 angef. mWv 1.1.2018 durch G v. 17.8.2017 (BGBl. I S. 3214); Abs. 3 Satz 2 geänd., Abs. 4 Satz 2 eingef., bish. Satz 2 wird 3 mWv 24.6.2020 durch G v. 12.6.2020 (BGBl. I S. 1248).

[2] Der Anspruch richtet sich gegen den Versorgungsträger, wenn die versicherungsförmige Lösung nach § 2 Abs. 2 oder 3 vorliegt oder soweit der Arbeitnehmer die Versicherung oder Versorgung mit eigenen Beiträgen fortgeführt hat. [3] Der neue Arbeitgeber ist verpflichtet, eine dem Übertragungswert wertgleiche Zusage zu erteilen und über einen Pensionsfonds, eine Pensionskasse oder eine Direktversicherung durchzuführen. [4] Für die neue Anwartschaft gelten die Regelungen über Entgeltumwandlung entsprechend. [5] Ist der neue Arbeitgeber zu einer Durchführung über eine Versorgungseinrichtung nach § 22 bereit, ist die betriebliche Altersversorgung dort durchzuführen; die Sätze 3 und 4 sind in diesem Fall nicht anzuwenden.

(4) [1] Wird die Betriebstätigkeit eingestellt und das Unternehmen liquidiert, kann eine Zusage von einer Pensionskasse oder einem Unternehmen der Lebensversicherung ohne Zustimmung des Arbeitnehmers oder Versorgungsempfängers übernommen werden, wenn sichergestellt ist, dass die Überschussanteile ab Rentenbeginn entsprechend § 16 Abs. 3 Nr. 2 verwendet werden. [2] Bei einer Pensionskasse nach § 7 Absatz 1 Satz 2 Nummer 3 muss sichergestellt sein, dass im Zeitpunkt der Übernahme der in der Rechtsverordnung zu § 235 Absatz 1 Nummer 4 des Versicherungsaufsichtsgesetzes[1)] in der jeweils geltenden Fassung festgesetzte Höchstzinssatz zur Berechnung der Deckungsrückstellung nicht überschritten wird. [3] § 2 Abs. 2 Satz 4 bis 6 gilt entsprechend.

(5) [1] Der Übertragungswert entspricht bei einer unmittelbar über den Arbeitgeber oder über eine Unterstützungskasse durchgeführten betrieblichen Altersversorgung dem Barwert der nach § 2 bemessenen künftigen Versorgungsleistung im Zeitpunkt der Übertragung; bei der Berechnung des Barwerts sind die Rechnungsgrundlagen sowie die anerkannten Regeln der Versicherungsmathematik maßgebend. [2] Soweit die betriebliche Altersversorgung über einen Pensionsfonds, eine Pensionskasse oder eine Direktversicherung durchgeführt worden ist, entspricht der Übertragungswert dem gebildeten Kapital im Zeitpunkt der Übertragung.

(6) Mit der vollständigen Übertragung des Übertragungswerts erlischt die Zusage des ehemaligen Arbeitgebers.

§ 4a[2)] Auskunftspflichten. (1) Der Arbeitgeber oder der Versorgungsträger hat dem Arbeitnehmer auf dessen Verlangen mitzuteilen,

1. ob und wie eine Anwartschaft auf betriebliche Altersversorgung erworben wird,
2. wie hoch der Anspruch auf betriebliche Altersversorgung aus der bisher erworbenen Anwartschaft ist und bei Erreichen der in der Versorgungsregelung vorgesehenen Altersgrenze voraussichtlich sein wird,
3. wie sich eine Beendigung des Arbeitsverhältnisses auf die Anwartschaft auswirkt und
4. wie sich die Anwartschaft nach einer Beendigung des Arbeitsverhältnisses entwickeln wird.

(2) [1] Der Arbeitgeber oder der Versorgungsträger hat dem Arbeitnehmer oder dem ausgeschiedenen Arbeitnehmer auf dessen Verlangen mitzuteilen, wie hoch bei einer Übertragung der Anwartschaft nach § 4 Absatz 3 der

---

[1)] **beck-online, Module Arbeitsrecht Nr. 206.**
[2)] § 4a neu gef. mWv 1.1.2018 durch G v. 21.12.2015 (BGBl. I S. 2553).

Übertragungswert ist. [2]Der neue Arbeitgeber oder der Versorgungsträger hat dem Arbeitnehmer auf dessen Verlangen mitzuteilen, in welcher Höhe aus dem Übertragungswert ein Anspruch auf Altersversorgung bestehen würde und ob eine Invaliditäts- oder Hinterbliebenenversorgung bestehen würde.

(3) [1]Der Arbeitgeber oder der Versorgungsträger hat dem ausgeschiedenen Arbeitnehmer auf dessen Verlangen mitzuteilen, wie hoch die Anwartschaft auf betriebliche Altersversorgung ist und wie sich die Anwartschaft künftig entwickeln wird. [2]Satz 1 gilt entsprechend für Hinterbliebene im Versorgungsfall.

(4) Die Auskunft muss verständlich, in Textform und in angemessener Frist erteilt werden.

Zweiter Abschnitt. Auszehrungsverbot

§ 5[1] Auszehrung und Anrechnung. (1) Die bei Eintritt des Versorgungsfalles festgesetzten Leistungen der betrieblichen Altersversorgung dürfen nicht mehr dadurch gemindert oder entzogen werden, daß Beträge, um die sich andere Versorgungsbezüge nach diesem Zeitpunkt durch Anpassung an die wirtschaftliche Entwicklung erhöhen, angerechnet oder bei der Begrenzung der Gesamtversorgung auf einen Höchstbetrag berücksichtigt werden.

(2) [1]Leistungen der betrieblichen Altersversorgung dürfen durch Anrechnung oder Berücksichtigung anderer Versorgungsbezüge, soweit sie auf eigenen Beiträgen des Versorgungsempfängers beruhen, nicht gekürzt werden. [2]Dies gilt nicht für Renten aus den gesetzlichen Rentenversicherungen, soweit sie auf Pflichtbeiträgen beruhen, sowie für sonstige Versorgungsbezüge, die mindestens zur Hälfte auf Beiträgen oder Zuschüssen des Arbeitgebers beruhen.

Dritter Abschnitt. Altersgrenze

§ 6[2] Vorzeitige Altersleistung. [1]Einem Arbeitnehmer, der die Altersrente aus der gesetzlichen Rentenversicherung ***[bis 31.12.2026:*** als Vollrente***]*** in Anspruch nimmt, sind auf sein Verlangen nach Erfüllung der Wartezeit und sonstiger Leistungsvoraussetzungen Leistungen der betrieblichen Altersversorgung zu gewähren. ***[Satz 2 bis 31.12.2026:]*** [2]Wird die Altersrente aus der gesetzlichen Rentenversicherung auf einen Teilbetrag beschränkt, können die Leistungen der betrieblichen Altersversorgung eingestellt werden. ***[Satz 3 bis 31.12.2026:]*** [3]Der ausgeschiedene Arbeitnehmer ist verpflichtet, eine Beschränkung der Altersrente aus der gesetzlichen Rentenversicherung dem Arbeitgeber oder sonstigen Versorgungsträger unverzüglich anzuzeigen.

Vierter Abschnitt. Insolvenzsicherung

§ 7[3] Umfang des Versicherungsschutzes. (1) **[Versorgungsansprüche]** [1]Versorgungsempfänger, deren Ansprüche aus einer unmittelbaren Versor-

---

[1] § 5 Überschrift eingef. durch G v. 16.12.1997 (BGBl. I S. 2998).

[2] § 6 neu gef. mWv 1.1.1992 durch G v. 18.12.1989 (BGBl. I S. 2261), Überschrift angef., Satz 1 geänd. durch G v. 16.12.1997 (BGBl. I S. 2998); Satz 1 geänd. mWv 1.1.2008 durch G v. 20.4.2007 (BGBl. I S. 554); Sätze 2 und 3 neu gef. mWv 1.1.2023 durch G v. 20.12.2022 (BGBl. I S. 2759); Satz 1 geänd., Sätze 2 und 3 aufgeh. mWv 1.1.2027 durch G v. 16.1.2026 (BGBl. 2026 I Nr. 14).

[3] § 7 neu gef. durch G v. 16.12.1997 (BGBl. I S. 2998); Abs. 1 Satz 2, Abs. 2 Sätze 1 und 3, Abs. 3 Satz 3 geänd., *Satz 4 angef.* mWv 1.1.2001, Abs. 1 Satz 2, Abs. 2 neu gef., Abs. 5 Satz 1 geänd. mWv 1.1.2002 durch G v. 26.6.2001 (BGBl. I S. 1310); Abs. 3 Sätze 3 und 4 aufgeh., Abs. 5 Satz 3 geänd. mWv 1.7.2002 durch G v. 21.6.2002 (BGBl. I S. 2167); Abs. 5 Satz 3 neu gef. und Abs. 6 geänd. →

gungszusage des Arbeitgebers nicht erfüllt werden, weil über das Vermögen des Arbeitgebers oder über seinen Nachlaß das Insolvenzverfahren eröffnet worden ist, und ihre Hinterbliebenen haben gegen den Träger der Insolvenzsicherung einen Anspruch in Höhe der Leistung, die der Arbeitgeber auf Grund der Versorgungszusage zu erbringen hätte, wenn das Insolvenzverfahren nicht eröffnet worden wäre. [2] Satz 1 gilt entsprechend,

1. wenn Leistungen aus einer Direktversicherung aufgrund der in § 1b Abs. 2 Satz 3 genannten Tatbestände nicht gezahlt werden und der Arbeitgeber seiner Verpflichtung nach § 1b Abs. 2 Satz 3 wegen der Eröffnung des Insolvenzverfahrens nicht nachkommt,
2. wenn eine Unterstützungskasse die nach ihrer Versorgungsregelung vorgesehene Versorgung nicht erbringt, weil über das Vermögen oder den Nachlass eines Arbeitgebers, der der Unterstützungskasse Zuwendungen leistet, das Insolvenzverfahren eröffnet worden ist,
3. wenn über das Vermögen oder den Nachlass des Arbeitgebers, dessen Versorgungszusage von einem Pensionsfonds oder einer Pensionskasse durchgeführt wird, das Insolvenzverfahren eröffnet worden ist und soweit der Pensionsfonds oder die Pensionskasse die nach der Versorgungszusage des Arbeitgebers vorgesehene Leistung nicht erbringt; ein Anspruch gegen den Träger der Insolvenzsicherung besteht nicht, wenn eine Pensionskasse einem Sicherungsfonds nach dem Dritten Teil des Versicherungsaufsichtsgesetzes angehört oder in Form einer gemeinsamen Einrichtung nach § 4 des Tarifvertragsgesetzes[1)] organisiert ist.

[3] § 14 des Versicherungsvertragsgesetzes[2)] findet entsprechende Anwendung. [4] Der Eröffnung des Insolvenzverfahrens stehen bei der Anwendung der Sätze 1 bis 3 gleich

1. die Abweisung des Antrags auf Eröffnung des Insolvenzverfahrens mangels Masse,
2. der außergerichtliche Vergleich (Stundungs-, Quoten- oder Liquidationsvergleich) des Arbeitgebers mit seinen Gläubigern zur Abwendung eines Insolvenzverfahrens, wenn ihm der Träger der Insolvenzsicherung zustimmt,
3. die vollständige Beendigung der Betriebstätigkeit im Geltungsbereich dieses Gesetzes, wenn ein Antrag auf Eröffnung des Insolvenzverfahrens nicht gestellt worden ist und ein Insolvenzverfahren offensichtlich mangels Masse nicht in Betracht kommt.

(1a) **[Anspruchszeitraum]** [1] Der Anspruch gegen den Träger der Insolvenzsicherung entsteht mit dem Beginn des Kalendermonats, der auf den Eintritt des Sicherungsfalles folgt. [2] Der Anspruch endet mit Ablauf des Sterbemonats des Begünstigten, soweit in der Versorgungszusage des Arbeitgebers nicht etwas anderes bestimmt ist. [3] In den Fällen des Absatzes 1 Satz 1 und 4

(Fortsetzung der Anm. von voriger Seite)
mWv 1.1.2005 durch G v. 5.7.2004 (BGBl. I S. 1427); Abs. 5 Satz 3 Nr. 1 und 2 geänd. mWv 1.1. 2005 durch G v. 9.12.2004 (BGBl. I S. 3242); Abs. 1 Satz 3 geänd. mWv 1.1.2008 durch G v. 23.11. 2007 (BGBl. I S. 2631); Abs. 1a Satz 3 geänd. mWv 1.1.2009 durch G v. 21.12.2008 (BGBl. I S. 2940); Abs. 2 Sätze 3 und 5 geänd., Satz 6 angef. mWv 1.1.2018 durch G v. 21.12.2015 (BGBl. I S. 2553); Abs. 1 Satz 2 Nr. 2 neu gef., Nr. 3 angef., Abs. 2 neu gef., Abs. 2a eingef. mWv 24.6.2020 durch G v. 12.6.2020 (BGBl. I S. 1248).

[1)] Nr. **504**.

[2)] **Habersack Nr. 62.**

Nr. 1 und 3 umfaßt der Anspruch auch rückständige Versorgungsleistungen, soweit diese bis zu zwölf Monaten vor Entstehen der Leistungspflicht des Trägers der Insolvenzsicherung entstanden sind.

(2) **[Versorgungsanwartschaften]** Personen, die bei Eröffnung des Insolvenzverfahrens oder bei Eintritt der nach Absatz 1 Satz 4 gleichstehenden Voraussetzungen (Sicherungsfall) eine nach § 1b unverfallbare Versorgungsanwartschaft haben, und ihre Hinterbliebenen haben bei Eintritt des Versorgungsfalls einen Anspruch gegen den Träger der Insolvenzsicherung, wenn die Anwartschaft beruht

1. auf einer unmittelbaren Versorgungszusage des Arbeitgebers,
2. auf einer Direktversicherung und der Arbeitnehmer hinsichtlich der Leistungen des Versicherers widerruflich bezugsberechtigt ist oder die Leistungen auf Grund der in § 1b Absatz 2 Satz 3 genannten Tatbestände nicht gezahlt werden und der Arbeitgeber seiner Verpflichtung aus § 1b Absatz 2 Satz 3 wegen der Eröffnung des Insolvenzverfahrens nicht nachkommt,
3. auf einer Versorgungszusage des Arbeitgebers, die von einer Unterstützungskasse durchgeführt wird, oder
4. auf einer Versorgungszusage des Arbeitgebers, die von einem Pensionsfonds oder einer Pensionskasse nach Absatz 1 Satz 2 Nummer 3 durchgeführt wird, soweit der Pensionsfonds oder die Pensionskasse die nach der Versorgungszusage des Arbeitgebers vorgesehene Leistung nicht erbringt.

(2a) **[Anspruchshöhe]** [1] Die Höhe des Anspruchs nach Absatz 2 richtet sich

1. bei unmittelbaren Versorgungszusagen, Unterstützungskassen und Pensionsfonds nach § 2 Absatz 1,
2. bei Direktversicherungen nach § 2 Absatz 2 Satz 2,
3. bei Pensionskassen nach § 2 Absatz 3 Satz 2.

[2] Die Betriebszugehörigkeit wird bis zum Eintritt des Sicherungsfalls berücksichtigt. [3] § 2 Absatz 5 und 6 gilt entsprechend. [4] Veränderungen der Versorgungsregelung und der Bemessungsgrundlagen, die nach dem Eintritt des Sicherungsfalls eintreten, sind nicht zu berücksichtigen; § 2a Absatz 2 findet keine Anwendung.

(3) **[Höchstgrenze]** [1] Ein Anspruch auf laufende Leistungen gegen den Träger der Insolvenzsicherung beträgt im Monat höchstens das Dreifache der im Zeitpunkt der ersten Fälligkeit maßgebenden monatlichen Bezugsgröße gemäß § 18 des Vierten Buches Sozialgesetzbuch[1)]. [2] Satz 1 gilt entsprechend bei einem Anspruch auf Kapitalleistungen mit der Maßgabe, daß zehn vom Hundert der Leistung als Jahresbetrag einer laufenden Leistung anzusetzen sind.

(4) **[Anzurechnende Leistungen]** [1] Ein Anspruch auf Leistungen gegen den Träger der Insolvenzsicherung vermindert sich in dem Umfang, in dem der Arbeitgeber oder sonstige Träger der Versorgung die Leistungen der betrieblichen Altersversorgung erbringt. [2] Wird im Insolvenzverfahren ein Insolvenzplan bestätigt, vermindert sich der Anspruch auf Leistungen gegen den Träger der Insolvenzsicherung insoweit, als nach dem Insolvenzplan der Arbeitgeber oder sonstige Träger der Versorgung einen Teil der Leistungen selbst zu erbringen hat. [3] Sieht der Insolvenzplan vor, daß der Arbeitgeber oder sonstige Träger der Versorgung die Leistungen der betrieblichen Altersversorgung von

---

[1)] Nr. 694.

einem bestimmten Zeitpunkt an selbst zu erbringen hat, entfällt der Anspruch auf Leistungen gegen den Träger der Insolvenzsicherung von diesem Zeitpunkt an. [4] Die Sätze 2 und 3 sind für den außergerichtlichen Vergleich nach Absatz 1 Satz 4 Nr. 2 entsprechend anzuwenden. [5] Im Insolvenzplan soll vorgesehen werden, daß bei einer nachhaltigen Besserung der wirtschaftlichen Lage des Arbeitgebers die vom Träger der Insolvenzsicherung zu erbringenden Leistungen ganz oder zum Teil vom Arbeitgeber oder sonstigen Träger der Versorgung wieder übernommen werden.

(5) **[Versicherungsmissbrauch]** [1] Ein Anspruch gegen den Träger der Insolvenzsicherung besteht nicht, soweit nach den Umständen des Falles die Annahme gerechtfertigt ist, daß es der alleinige oder überwiegende Zweck der Versorgungszusage oder ihre Verbesserung oder der für die Direktversicherung in § 1b Abs. 2 Satz 3 genannten Tatbestände gewesen ist, den Träger der Insolvenzsicherung in Anspruch zu nehmen. [2] Diese Annahme ist insbesondere dann gerechtfertigt, wenn bei Erteilung oder Verbesserung der Versorgungszusage wegen der wirtschaftlichen Lage des Arbeitgebers zu erwarten war, daß die Zusage nicht erfüllt werde. [3] Ein Anspruch auf Leistungen gegen den Träger der Insolvenzsicherung besteht bei Zusagen und Verbesserungen von Zusagen, die in den beiden letzten Jahren vor dem Eintritt des Sicherungsfalls erfolgt sind, nur

1. für ab dem 1. Januar 2002 gegebene Zusagen, soweit bei Entgeltumwandlung Beträge von bis zu 4 vom Hundert der Beitragsbemessungsgrenze in der allgemeinen Rentenversicherung für eine betriebliche Altersversorgung verwendet werden oder
2. für im Rahmen von Übertragungen gegebene Zusagen, soweit der Übertragungswert die Beitragsbemessungsgrenze in der allgemeinen Rentenversicherung nicht übersteigt.

(6) **[Katastrophenfall]** Ist der Sicherungsfall durch kriegerische Ereignisse, innere Unruhen, Naturkatastrophen oder Kernenergie verursacht worden, kann der Träger der Insolvenzsicherung mit Zustimmung der Bundesanstalt für Finanzdienstleistungsaufsicht die Leistungen nach billigem Ermessen abweichend von den Absätzen 1 bis 5 festsetzen.

§ 8[1] Übertragung der Leistungspflicht. (1) Ein Anspruch gegen den Träger der Insolvenzsicherung auf Leistungen nach § 7 besteht nicht, wenn ein Unternehmen der Lebensversicherung sich dem Träger der Insolvenzsicherung gegenüber verpflichtet, diese Leistungen zu erbringen, und die nach § 7 Berechtigten ein unmittelbares Recht erwerben, die Leistungen zu fordern.

(2) [1] An die Stelle des Anspruchs gegen den Träger der Insolvenzsicherung nach § 7 tritt auf Verlangen des Berechtigten die Versicherungsleistung aus einer auf sein Leben abgeschlossenen Rückdeckungsversicherung, wenn die Versorgungszusage auf die Leistungen der Rückdeckungsversicherung verweist. [2] Das Wahlrecht des Berechtigten nach Satz 1 besteht nicht, sofern die Rück-

---

[1] § 8 Abs. 2 Satz 2 angef. durch G v. 28.11.1983 (BGBl. I S. 1377); Überschrift eingef., Abs. 2 neu gef. durch G v. 16.12.1997 (BGBl. I S. 2998); Abs. 2 geänd. mWv 1.1.2001, Abs. 1a eingef. mWv 1.1.2002 durch G v. 26.6.2001 (BGBl. I S. 1310); Abs. 1a Satz 3 geänd. und Abs. 2 neu gef. mWv 1.1. 2005 durch G v. 5.7.2004 (BGBl. I S. 1427); Abs. 1a Satz 1, 2 und 3 geänd. mWv 2.9.2005 durch G v. 29.8.2005 (BGBl. I S. 2546); Überschrift geänd., bish. Abs. 1a wird Abs. 2, bish. Abs. 2 wird § 8a, Abs. 3 angef. mWv 1.1.2018 durch G v. 17.8.2017 (BGBl. I S. 3214); Abs. 1 geänd., Abs. 2 aufgeh., bish. Abs. 3 wird Abs. 2 und Satz 2 geänd. mWv 24.6.2020 durch G v. 12.6.2020 (BGBl. I S. 1248).

deckungsversicherung in die Insolvenzmasse des Arbeitgebers fällt oder die Aufsichtsbehörde das Vermögen nach § 9 Absatz 3a oder 3b nicht auf den Träger der Insolvenzsicherung überträgt. [3] Der Berechtigte hat das Recht, als Versicherungsnehmer in die Versicherung einzutreten und die Versicherung mit eigenen Beiträgen fortzusetzen; § 1b Absatz 5 Satz 1 Nummer 1 und § 2 Absatz 2 Satz 4 bis 6 gelten entsprechend. [4] Der Träger der Insolvenzsicherung informiert den Berechtigten über sein Wahlrecht nach Satz 1 und über die damit verbundenen Folgen für den Insolvenzschutz. [5] Das Wahlrecht erlischt sechs Monate nach Information durch den Träger der Insolvenzsicherung. [6] Der Versicherer informiert den Träger der Insolvenzsicherung unverzüglich über den Versicherungsnehmerwechsel.

§ 8a[1)] Abfindung durch den Träger der Insolvenzsicherung. [1] Der Träger der Insolvenzsicherung kann eine Anwartschaft ohne Zustimmung des Arbeitnehmers abfinden, wenn der Monatsbetrag der aus der Anwartschaft resultierenden laufenden Leistung bei Erreichen der vorgesehenen Altersgrenze 1 vom Hundert, bei Kapitalleistungen zwölf Zehntel der monatlichen Bezugsgröße nach § 18 des Vierten Buches Sozialgesetzbuch[2)] nicht übersteigen würde oder wenn dem Arbeitnehmer die Beiträge zur gesetzlichen Rentenversicherung erstattet worden sind. [2] Dies gilt entsprechend für die Abfindung einer laufenden Leistung. [3] Die Abfindung ist darüber hinaus möglich, wenn sie an ein Unternehmen der Lebensversicherung gezahlt wird, bei dem der Versorgungsberechtigte im Rahmen einer Direktversicherung versichert ist. [4] § 2 Abs. 2 Satz 4 bis 6 und § 3 Abs. 5 gelten entsprechend.

§ 9[3)] Mitteilungspflicht; Forderungs- und Vermögensübergang.

(1) **[Mitteilungspflichten]** [1] Der Träger der Insolvenzsicherung teilt dem Berechtigten die ihm nach § 7 oder § 8 zustehenden Ansprüche oder Anwartschaften schriftlich mit; mit Einwilligung des Berechtigten kann die Mitteilung über ein vom Träger der Insolvenzsicherung bereitgestelltes technisches Verfahren erfolgen. [2] Unterbleibt die Mitteilung, so ist der Anspruch oder die Anwartschaft spätestens ein Jahr nach dem Sicherungsfall bei dem Träger der Insolvenzsicherung anzumelden; erfolgt die Anmeldung später, so beginnen die Leistungen frühestens mit dem Ersten des Monats der Anmeldung, es sei denn, daß der Berechtigte an der rechtzeitigen Anmeldung ohne sein Verschulden verhindert war.

(2) **[Forderungsübergang]** [1] Ansprüche oder Anwartschaften des Berechtigten gegen den Arbeitgeber auf Leistungen der betrieblichen Altersversorgung, die den Anspruch gegen den Träger der Insolvenzsicherung begründen, gehen im Falle eines Insolvenzverfahrens mit dessen Eröffnung, in den

---

[1)] Bish. § 8 Abs. 2 wird § 8a, Überschrift eingef. mWv 1.1.2018 durch G v. 17.8.2017 (BGBl. I S. 3214).

[2)] Nr. **694**.

[3)] § 9 Abs. 2 Satz 1, Abs. 3 Satz 4 geänd., Abs. 2 Satz 3 und Abs. 4 und 5 angef. durch G v. 5.10. 1994 (BGBl. I S. 2911); Überschrift eingef., Abs. 3 Satz 4 geänd. durch G v. 16.12.1997 (BGBl. I S. 2998); Abs. 3a eingef. mWv 1.1.2002 durch G v. 26.6.2001 (BGBl. I S. 1310); Abs. 3a geänd. mWv 2.9.2005 durch G v. 29.8.2005 (BGBl. I S. 2546); Abs. 3a geänd. mWv 1.1.2018 durch G v. 17.8.2017 (BGBl. I S. 3214); Abs. 3a neu gef., Abs. 3b eingef. mWv 24.6.2020 durch G v. 12.6.2020 (BGBl. I S. 1248); Abs. 4 Satz 1 neu gef. mWv 1.1.2021 durch G v. 22.12.2020 (BGBl. I S. 3256); Abs. 1 Satz 1 neu gef., Abs. 3 Satz 3 geänd., Abs. 3b neu gef. mWv 22.1.2026 durch G v. 16.1.2026 (BGBl. 2026 I Nr. 14).

übrigen Sicherungsfällen dann auf den Träger der Insolvenzsicherung über, wenn dieser nach Absatz 1 Satz 1 dem Berechtigten die ihm zustehenden Ansprüche oder Anwartschaften mitteilt. [2]Der Übergang kann nicht zum Nachteil des Berechtigten geltend gemacht werden. [3]Die mit der Eröffnung des Insolvenzverfahrens übergegangenen Anwartschaften werden im Insolvenzverfahren als unbedingte Forderungen nach § 45 der Insolvenzordnung[1)] geltend gemacht.

(3) **[Vermögensübergang]** [1]Ist der Träger der Insolvenzsicherung zu Leistungen verpflichtet, die ohne den Eintritt des Sicherungsfalles eine Unterstützungskasse erbringen würde, geht deren Vermögen einschließlich der Verbindlichkeiten auf ihn über; die Haftung für die Verbindlichkeiten beschränkt sich auf das übergegangene Vermögen. [2]Wenn die übergegangenen Vermögenswerte den Barwert der Ansprüche und Anwartschaften gegen den Träger der Insolvenzsicherung übersteigen, hat dieser den übersteigenden Teil entsprechend der Satzung der Unterstützungskasse zu verwenden. [3]Bei einer Unterstützungskasse mit mehreren Trägerunternehmen hat der Träger der Insolvenzsicherung einen Anspruch gegen die Unterstützungskasse auf denjenigen Teil des Vermögens der Kasse, der auf das Unternehmen entfällt, bei dem der Sicherungsfall eingetreten ist. [4]Die Sätze 1 bis 3 gelten nicht, wenn der Sicherungsfall auf den in § 7 Abs. 1 Satz 4 Nr. 2 genannten Gründen beruht, es sei denn, daß das Trägerunternehmen seine Betriebstätigkeit nach Eintritt des Sicherungsfalls nicht fortsetzt und aufgelöst wird (Liquidationsvergleich).

(3a) [1]Hat die Pensionskasse nach § 7 Absatz 1 Satz 2 Nummer 3 Kenntnis über den Sicherungsfall bei einem Arbeitgeber erlangt, dessen Versorgungszusage von ihr durchgeführt wird, hat sie dies und die Auswirkungen des Sicherungsfalls auf die Pensionskasse der Aufsichtsbehörde und dem Träger der Insolvenzsicherung unverzüglich mitzuteilen. [2]Sind bei der Pensionskasse vor Eintritt des Sicherungsfalls garantierte Leistungen gekürzt worden oder liegen der Aufsichtsbehörde Informationen vor, die eine dauerhafte Verschlechterung der finanziellen Lage der Pensionskasse wegen der Insolvenz des Arbeitgebers erwarten lassen, entscheidet die Aufsichtsbehörde nach Anhörung des Trägers der Insolvenzsicherung und der Pensionskasse nach pflichtgemäßem Ermessen, ob das dem Arbeitgeber zuzuordnende Vermögen der Pensionskasse einschließlich der Verbindlichkeiten auf den Träger der Insolvenzsicherung übertragen werden soll. [3]Die Aufsichtsbehörde teilt ihre Entscheidung dem Träger der Insolvenzsicherung und der Pensionskasse mit. [4]Die Übertragungsanordnung kann mit Nebenbestimmungen versehen werden. [5]Absatz 3 Satz 1 zweiter Halbsatz gilt entsprechend. [6]Der Träger der Insolvenzsicherung kann nach Anhörung der Aufsichtsbehörde der Pensionskasse Finanzmittel zur Verfügung stellen. [7]Werden nach Eintritt des Sicherungsfalls von der Pensionskasse garantierte Leistungen gekürzt, gelten die Sätze 2 bis 6 entsprechend.

(3b) **[Pensionsfonds]** Bei versicherungsförmigen Pensionsplänen von Pensionsfonds gilt Absatz 3a entsprechend, bei nicht versicherungsförmigen Pensionsplänen von Pensionsfonds gilt Absatz 3 entsprechend.

(4) **[Insolvenzplan]** [1]In einem Insolvenzplan, der die Fortführung des Unternehmens oder eines Betriebes vorsieht, ist für den Träger der Insolvenzsicherung eine besondere Gruppe zu bilden, sofern er hierauf nicht verzichtet. [2]Sofern im Insolvenzplan nichts anderes vorgesehen ist, kann der Träger der

---

[1)] **beck-online, Module Arbeitsrecht Nr. 327.**

Insolvenzsicherung, wenn innerhalb von drei Jahren nach der Aufhebung des Insolvenzverfahrens ein Antrag auf Eröffnung eines neuen Insolvenzverfahrens über das Vermögen des Arbeitgebers gestellt wird, in diesem Verfahren als Insolvenzgläubiger Erstattung der von ihm erbrachten Leistungen verlangen.

(5) **[Beschwerderecht]** Dem Träger der Insolvenzsicherung steht gegen den Beschluß, durch den das Insolvenzverfahren eröffnet wird, die sofortige Beschwerde zu.

§ 10[1)] Beitragspflicht und Beitragsbemessung; Beitragsbescheid.

(1) **[Beitragspflicht]** [1] Die Mittel für die Durchführung der Insolvenzsicherung werden auf Grund öffentlich-rechtlicher Verpflichtung durch Beiträge aller Arbeitgeber aufgebracht, die Leistungen der betrieblichen Altersversorgung unmittelbar zugesagt haben, eine betriebliche Altersversorgung über eine Unterstützungskasse, eine Direktversicherung der in § 7 Abs. 1 Satz 2 und Absatz 2 Satz 1 Nr. 2 bezeichneten Art, einen Pensionsfonds oder eine Pensionskasse nach § 7 Absatz 1 Satz 2 Nummer 3 durchführen. [2] Der Versorgungsträger kann die Beiträge für den Arbeitgeber übernehmen.

(2) **[Gesamtbeitragsaufkommen]** [1] Die Beiträge müssen den Barwert der im laufenden Kalenderjahr entstehenden Ansprüche auf Leistungen der Insolvenzsicherung decken zuzüglich eines Betrages für die aufgrund eingetretener Insolvenzen zu sichernden Anwartschaften, der sich aus dem Unterschied der Barwerte dieser Anwartschaften am Ende des Kalenderjahres und am Ende des Vorjahres bemisst. [2] Der Rechnungszinsfuß bei der Berechnung des Barwerts der Ansprüche auf Leistungen der Insolvenzsicherung bestimmt sich nach § 235 Absatz 1 Nummer 4 des Versicherungsaufsichtsgesetzes[2)]; soweit keine Übertragung nach § 8 Abs. 1 stattfindet, ist der Rechnungszinsfuß bei der Berechnung des Barwerts der Anwartschaften um ein Drittel höher. [3] Darüber hinaus müssen die Beiträge die im gleichen Zeitraum entstehenden Verwaltungskosten und sonstigen Kosten, die mit der Gewährung der Leistungen zusammenhängen, und die Zuführung zu einem von der Bundesanstalt für Finanzdienstleistungsaufsicht festgesetzten Ausgleichsfonds decken; § 193 des Versicherungsaufsichtsgesetzes[2)] bleibt unberührt. [4] Auf die am Ende des Kalenderjahres fälligen Beiträge können Vorschüsse erhoben werden. [5] In Jahren, in denen sich außergewöhnlich hohe Beiträge ergeben würden, kann zu deren Ermäßigung der Ausgleichsfonds in einem von der Bundesanstalt für Finanzdienstleistungsaufsicht zu genehmigenden Umfang herangezogen werden; außerdem können die nach den Sätzen 1 bis 3 erforderlichen Beiträge auf das laufende und die bis zu vier folgenden Kalenderjahre verteilt werden.

[1)] § 10 Abs. 3 Nr. 3 neu gef. durch G v. 25.2.1992 (BGBl. I S. 297); Abs. 3 Nr. 2 geänd. durch G v. 21.7.1994 (BGBl. I S. 1630); Überschrift eingef., Abs. 2 Satz 2 neu gef. durch G v. 16.12.1997 (BGBl. I S. 2998); Abs. 3 Satz 1 geänd. mWv 1.1.2001, Abs. 1 geänd., Abs. 3 Nr. 4 angef. mWv 1.1. 2002 durch G v. 26.6.2001 (BGBl. I S. 1310); Abs. 3 Nr. 4 neu gef. mWv 1.1.2002 durch G v. 24.7. 2003 (BGBl. I S. 1526); Abs. 2 Sätze 1 und 3 geänd. mWv 1.1.2005 durch G v. 5.7.2004 (BGBl. I S. 1427); Abs. 2 geänd. mWv 2.9.2005 durch G v. 29.8.2005 (BGBl. I S. 2546); Abs. 2 neu gef. mWv 12.12.2006 durch G v. 2.12.2006 (BGBl. I S. 2742); Abs. 2 Sätze 2 und 3 geänd., Satz 5 neu gef., Satz 6 aufgeh. mWv 1.1.2016 durch G v. 1.4.2015 (BGBl. I S. 434); Abs. 2 Satz 2 geänd. mWv 1.1. 2018 durch G v. 17.8.2017 (BGBl. I S. 3214); Abs. 2 Satz 2 geänd. mWv 13.1.2019 durch G v. 19.12. 2018 (BGBl. I S. 2672); Abs. 1 Satz 1 geänd., Satz 2 angef., Abs. 3 Nr. 4 neu gef. mWv 24.6.2020 *durch G v. 12.6.2020 (BGBl. I S. 1248)*; Überschrift geänd., Abs. 5 angef. mWv 22.1.2026 durch G v. 16.1.2026 (BGBl. 2026 I Nr. 14).

[2)] **beck-online, Module Arbeitsrecht Nr. 206.**

(3) **[Beitragsbemessungsgrundlage]** Die nach Absatz 2 erforderlichen Beiträge werden auf die Arbeitgeber nach Maßgabe der nachfolgenden Beträge umgelegt, soweit sie sich auf die laufenden Versorgungsleistungen und die nach § 1b unverfallbaren Versorgungsanwartschaften beziehen (Beitragsbemessungsgrundlage); diese Beträge sind festzustellen auf den Schluß des Wirtschaftsjahres des Arbeitgebers, das im abgelaufenen Kalenderjahr geendet hat:

1. Bei Arbeitgebern, die Leistungen der betrieblichen Altersversorgung unmittelbar zugesagt haben, ist Beitragsbemessungsgrundlage der Teilwert der Pensionsverpflichtung (§ 6a Abs. 3 des Einkommensteuergesetzes[1]).
2. Bei Arbeitgebern, die eine betriebliche Altersversorgung über eine Direktversicherung mit widerruflichem Bezugsrecht durchführen, ist Beitragsbemessungsgrundlage das geschäftsplanmäßige Deckungskapital oder, soweit die Berechnung des Deckungskapitals nicht zum Geschäftsplan gehört, die Deckungsrückstellung. Für Versicherungen, bei denen der Versicherungsfall bereits eingetreten ist, und für Versicherungsanwartschaften, für die ein unwiderrufliches Bezugsrecht eingeräumt ist, ist das Deckungskapital oder die Deckungsrückstellung nur insoweit zu berücksichtigen, als die Versicherungen abgetreten oder beliehen sind.
3. Bei Arbeitgebern, die eine betriebliche Altersversorgung über eine Unterstützungskasse durchführen, ist Beitragsbemessungsgrundlage das Deckungskapital für die laufenden Leistungen (§ 4d Abs. 1 Nr. 1 Buchstabe a des Einkommensteuergesetzes) zuzüglich des Zwanzigfachen der nach § 4d Abs. 1 Nr. 1 Buchstabe b Satz 1 des Einkommensteuergesetzes errechneten jährlichen Zuwendungen für Leistungsanwärter im Sinne von § 4d Abs. 1 Nr. 1 Buchstabe b Satz 2 des Einkommensteuergesetzes.
4. Bei Arbeitgebern, die eine betriebliche Altersversorgung über einen Pensionsfonds oder eine Pensionskasse nach § 7 Absatz 1 Satz 2 Nummer 3 durchführen, ist Beitragsbemessungsgrundlage
   a) für unverfallbare Anwartschaften auf lebenslange Altersleistungen die Höhe der jährlichen Versorgungsleistung, die im Versorgungsfall, spätestens zum Zeitpunkt des Erreichens der Regelaltersgrenze in der gesetzlichen Rentenversicherung, erreicht werden kann, bei ausschließlich lebenslangen Invaliditäts- oder lebenslangen Hinterbliebenenleistungen jeweils ein Viertel dieses Wertes; bei Kapitalleistungen gelten 10 Prozent der Kapitalleistung, bei Auszahlungsplänen 10 Prozent der Ratensumme zuzüglich des Restkapitals als Höhe der lebenslangen jährlichen Versorgungsleistung,
   b) für lebenslang laufende Versorgungsleistungen 20 Prozent des nach Anlage 1 Spalte 2 zu § 4d Absatz 1 des Einkommensteuergesetzes berechneten Deckungskapitals; bei befristeten Versorgungsleistungen gelten 10 Prozent des Produktes aus maximal möglicher Restlaufzeit in vollen Jahren und der Höhe der jährlichen laufenden Leistung, bei Auszahlungsplänen 10 Prozent der zukünftigen Ratensumme zuzüglich des Restkapitals als Höhe der lebenslangen jährlichen Versorgungsleistung.

(4) **[Zwangsvollstreckung]** [1]Aus den Beitragsbescheiden des Trägers der Insolvenzsicherung findet die Zwangsvollstreckung in entsprechender An-

[1] **beck-online, Module Arbeitsrecht Nr. 331.**

wendung der Vorschriften der Zivilprozeßordnung[1)] statt. [2]Die vollstreckbare Ausfertigung erteilt der Träger der Insolvenzsicherung.

(5) **[Automatische Einrichtungen]** Der Träger der Insolvenzsicherung kann seine Beitragsbescheide vollständig durch automatische Einrichtungen erlassen, sofern weder ein Ermessen noch ein Beurteilungsspielraum besteht.

§ 10a[2)] **Säumniszuschläge; Zinsen; Verjährung.** (1) Für Beiträge, die wegen Verstoßes des Arbeitgebers gegen die Meldepflicht erst nach Fälligkeit erhoben werden, kann der Träger der Insolvenzsicherung für jeden angefangenen Monat vom Zeitpunkt der Fälligkeit an einen Säumniszuschlag in Höhe von bis zu eins vom Hundert der nacherhobenen Beiträge erheben.

(2) [1] Für festgesetzte Beiträge und Vorschüsse, die der Arbeitgeber nach Fälligkeit zahlt, erhebt der Träger der Insolvenzsicherung für jeden Monat Verzugszinsen in Höhe von 0,5 vom Hundert der rückständigen Beiträge. [2]Angefangene Monate bleiben außer Ansatz.

(3) [1]Vom Träger der Insolvenzsicherung zu erstattende Beiträge werden vom Tage der Fälligkeit oder bei Feststellung des Erstattungsanspruchs durch gerichtliche Entscheidung vom Tage der Rechtshängigkeit an für jeden Monat mit 0,5 vom Hundert verzinst. [2]Angefangene Monate bleiben außer Ansatz.

(4) [1]Ansprüche auf Zahlung der Beiträge zur Insolvenzsicherung gemäß § 10 sowie Erstattungsansprüche nach Zahlung nicht geschuldeter Beiträge zur Insolvenzsicherung verjähren in sechs Jahren. [2]Die Verjährungsfrist beginnt mit Ablauf des Kalenderjahres, in dem die Beitragspflicht entstanden oder der Erstattungsanspruch fällig geworden ist. [3]Auf die Verjährung sind die Vorschriften des Bürgerlichen Gesetzbuchs[3)] anzuwenden.

§ 11[4)] **Melde-, Auskunfts- und Mitteilungspflichten.** (1) **[Erstmalige Mitteilung über Zusagen]** [1]Der Arbeitgeber hat dem Träger der Insolvenzsicherung eine betriebliche Altersversorgung nach § 1b Abs. 1 bis 4 für seine Arbeitnehmer innerhalb von 3 Monaten nach Erteilung der unmittelbaren Versorgungszusage, dem Abschluß einer Direktversicherung, der Errichtung einer Unterstützungskasse, eines Pensionsfonds oder einer Pensionskasse nach § 7 Absatz 1 Satz 2 Nummer 3 mitzuteilen. [2]Der Arbeitgeber, der sonstige Träger der Versorgung, der Insolvenzverwalter und die nach § 7 Berechtigten sind verpflichtet, dem Träger der Insolvenzsicherung alle Auskünfte zu erteilen, die zur Durchführung der Vorschriften dieses Abschnittes erforderlich sind, sowie Unterlagen vorzulegen, aus denen die erforderlichen Angaben ersichtlich sind. [3]Enthält die Auskunft des Arbeitgebers nach Satz 2 keine oder eine unrichtige Betriebsnummer, kann der Träger der Insolvenzsicherung diese von der Bundesagentur für Arbeit anfordern und verarbeiten, soweit dies für die Erfüllung seiner Aufgaben nach diesem Abschnitt erforderlich ist. [4]Reichen die von dem nach § 7 Berechtigten vorgelegten Unterlagen für die Feststellung der

---

[1)] Auszugsweise abgedruckt unter Nr. **320**.

[2)] § 10a eingef. durch G v. 16.12.1997 (BGBl. I S. 2998).

[3)] Auszugsweise abgedruckt unter Nr. **50**.

[4)] § 11 Abs. 1 Satz 2, Abs. 3 und 4 geänd., Abs. 5 neu gef. durch G v. 5.10.1994 (BGBl. I S. 2911); Überschrift eingef., Abs. 1 Satz 1 geänd. durch G v. 16.12.1997 (BGBl. I S. 2998); Abs. 1 Satz 1 geänd. mWv 1.1.2001; Abs. 1 Satz 1, Abs. 2 Satz 2 geänd. mWv 1.1.2002 durch G v. 26.6.2001 *(BGBl. I S. 1310); Abs. 1 Satz 1 und* Abs. 2 Satz 1 geänd., Abs. 6 Satz 2 angef., Abs. 6a eingef., Abs. 7 geänd. mWv 24.6.2020 durch G v. 12.6.2020 (BGBl. I S. 1248); Abs. 1 Sätze 3 und 4 angef. mWv 22.1.2026 durch G v. 16.1.2026 (BGBl. 2026 I Nr. 14).

Leistungen nicht aus, kann der Träger der Insolvenzsicherung die zur Feststellung der Leistungen erforderlichen Daten von den Trägern der gesetzlichen Rentenversicherung anfordern und verarbeiten, soweit dies für die Erfüllung seiner Aufgaben nach diesem Abschnitt erforderlich ist.

(2) **[Periodische Mitteilungen]** [1] Ein beitragspflichtiger Arbeitgeber hat dem Träger der Insolvenzsicherung spätestens bis zum 30. September eines jeden Kalenderjahres die Höhe des nach § 10 Abs. 3 für die Bemessung des Beitrages maßgebenden Betrages bei unmittelbaren Versorgungszusagen auf Grund eines versicherungsmathematischen Gutachtens, bei Direktversicherungen auf Grund einer Bescheinigung des Versicherers und bei Unterstützungskassen, Pensionsfonds und Pensionskassen auf Grund einer nachprüfbaren Berechnung mitzuteilen. [2] Der Arbeitgeber hat die in Satz 1 bezeichneten Unterlagen mindestens 6 Jahre aufzubewahren.

(3) **[Mitteilungen im Insolvenzfall]** [1] Der Insolvenzverwalter hat dem Träger der Insolvenzsicherung die Eröffnung des Insolvenzverfahrens, Namen und Anschriften der Versorgungsempfänger und die Höhe ihrer Versorgung nach § 7 unverzüglich mitzuteilen. [2] Er hat zugleich Namen und Anschriften der Personen, die bei Eröffnung des Insolvenzverfahrens eine nach § 1 unverfallbare Versorgungsanwartschaft haben, sowie die Höhe ihrer Anwartschaft nach § 7 mitzuteilen.

(4) Der Arbeitgeber, der sonstige Träger der Versorgung und die nach § 7 Berechtigten sind verpflichtet, dem Insolvenzverwalter Auskünfte über alle Tatsachen zu erteilen, auf die sich die Mitteilungspflicht nach Absatz 3 bezieht.

(5) In den Fällen, in denen ein Insolvenzverfahren nicht eröffnet wird (§ 7 Abs. 1 Satz 4) oder nach § 207 der Insolvenzordnung[1)] eingestellt worden ist, sind die Pflichten des Insolvenzverwalters nach Absatz 3 vom Arbeitgeber oder dem sonstigen Träger der Versorgung zu erfüllen.

(6) **[Amtshilfe]** [1] Kammern und andere Zusammenschlüsse von Unternehmern oder anderen selbständigen Berufstätigen, die als Körperschaften des öffentlichen Rechts errichtet sind, ferner Verbände und andere Zusammenschlüsse, denen Unternehmer oder andere selbständige Berufstätige kraft Gesetzes angehören oder anzugehören haben, haben den Träger der Insolvenzsicherung bei der Ermittlung der nach § 10 beitragspflichtigen Arbeitgeber zu unterstützen. [2] Die Aufsichtsbehörden haben auf Anfrage dem Träger der Insolvenzsicherung die unter ihrer Aufsicht stehenden Pensionskassen mitzuteilen.

(6a) **[Mitteilungspflicht]** Ist bei einem Arbeitgeber, dessen Versorgungszusage von einer Pensionskasse oder einem Pensionsfonds durchgeführt wird, der Sicherungsfall eingetreten, muss die Pensionskasse oder der Pensionsfonds dem Träger der Insolvenzsicherung beschlossene Änderungen von Versorgungsleistungen unverzüglich mitteilen.

(7) **[Vordrucke]** Die nach den Absätzen 1 bis 3 und 5 zu Mitteilungen und Auskünften und die nach Absatz 6 zur Unterstützung Verpflichteten haben die vom Träger der Insolvenzsicherung vorgesehenen Vordrucke und technischen Verfahren zu verwenden.

(8) **[Angaben der Finanzämter]** [1] Zur Sicherung der vollständigen Erfassung der nach § 10 beitragspflichtigen Arbeitgeber können die Finanzämter dem Träger der Insolvenzsicherung mitteilen, welche Arbeitgeber für die Bei-

---

1) beck-online, Module Arbeitsrecht Nr. 327.

tragspflicht in Betracht kommen. [2]Die Bundesregierung wird ermächtigt, durch Rechtsverordnung mit Zustimmung des Bundesrates das Nähere zu bestimmen und Einzelheiten des Verfahrens zu regeln.

§ 12[1)] Ordnungswidrigkeiten. (1) Ordnungswidrig handelt, wer vorsätzlich oder fahrlässig

1. entgegen § 11 Absatz 1 Satz 1, Absatz 2 Satz 1, Absatz 3, 5 oder 6a eine Mitteilung nicht, nicht richtig, nicht vollständig oder nicht rechtzeitig vornimmt,
2. entgegen § 11 Abs. 1 Satz 2 oder Abs. 4 eine Auskunft nicht, nicht richtig, nicht vollständig oder nicht rechtzeitig erteilt oder
3. entgegen § 11 Abs. 1 Satz 2 Unterlagen nicht, nicht richtig, nicht vollständig oder nicht rechtzeitig vorlegt oder entgegen § 11 Abs. 2 Satz 2 Unterlagen nicht aufbewahrt.

(2) Die Ordnungswidrigkeit kann mit einer Geldbuße bis zu zweitausendfünfhundert Euro geahndet werden.

(3) Verwaltungsbehörde im Sinne des § 36 Abs. 1 Nr. 1 des Gesetzes über Ordnungswidrigkeiten[2)] ist die Bundesanstalt für Finanzdienstleistungsaufsicht.

§ 13[3)] *(aufgehoben)*

§ 14[4)] Träger der Insolvenzsicherung. (1) **[Pensions-Sicherungs-Verein]** [1]Träger der Insolvenzsicherung ist der Pensions-Sicherungs-Verein Versicherungsverein auf Gegenseitigkeit. [2]Er ist zugleich Träger der Insolvenzsicherung von Versorgungszusagen Luxemburger Unternehmen nach Maßgabe des Abkommens vom 22. September 2000 zwischen der Bundesrepublik Deutschland und dem Großherzogtum Luxemburg über Zusammenarbeit im Bereich der Insolvenzsicherung betrieblicher Altersversorgung.

(2) [1]Der Pensions-Sicherungs-Verein Versicherungsverein auf Gegenseitigkeit unterliegt der Aufsicht durch die Bundesanstalt für Finanzdienstleistungsaufsicht. [2]Soweit dieses Gesetz nichts anderes bestimmt, gelten für ihn die Vorschriften für kleine Versicherungsunternehmen nach den §§ 212 bis 216 des Versicherungsaufsichtsgesetzes[5)] und die auf Grund des § 217 des Versicherungsaufsichtsgesetzes[5)] erlassenen Rechtsverordnungen entsprechend. [3]Die folgenden Vorschriften gelten mit folgenden Maßgaben:

1. § 212 Absatz 2 Nummer 1 des Versicherungsaufsichtsgesetzes[5)] gilt mit der Maßgabe, dass § 30 des Versicherungsaufsichtsgesetzes[5)] Anwendung findet;

[1)] § 12 Überschrift eingef. durch G v. 16.12.1997 (BGBl. I S. 2998); Abs. 2 geänd. mWv 1.1.2002 durch G v. 21.12.2000 (BGBl. I S. 1983); Abs. 3 geänd. mWv 1.1.2005 durch G v. 5.7.2004 (BGBl. I S. 1427); Abs. 1 Nr. 1 geänd. mWv 24.6.2020 durch G v. 12.6.2020 (BGBl. I S. 1248).

[2)] **Habersack Nr. 94.**

[3)] § 13 aufgeh. durch G v. 16.12.1997 (BGBl. I S. 2998).

[4)] § 14 Abs. 1 Satz 4 geänd. durch G v. 29.3.1983 (BGBl. I S. 377); Abs. 2 geänd. durch G v. 20.2.1986 (BGBl. I S. 297); Überschrift eingef. durch G v. 16.12.1997 (BGBl. I S. 2998); Abs. 1 neu gef. mWv 14.12.2001 durch G v. 10.12.2001 (BGBl. 2001 II S. 1258); Abs. 2 Sätze 1 und 2, Abs. 3 Satz 1 erster Halbsatz, Nr. 2 Satz 2 und Nr. 3 sowie Satz 2 geänd., Abs. 3 Satz 5 neu gef. mWv 22.8.2003 durch G v. 15.8.2003 (BGBl. I S. 1657); Abs. 1 Satz 3 und Abs. 3 Satz 1 Nr. 1 und 3 geänd. mWv 1.1.2005 durch G v. 5.7.2004 (BGBl. I S. 1427); Abs. 1 Sätze 3 und 4 aufgeh., Abs. 2 eingef., bish. Abs. 2 und 3 werden Abs. 3 und 4 mWv 1.1.2016 durch G v. 1.4.2015 (BGBl. I S. 434); Abs. 2 Satz 3 Nr. 3 geänd. mWv 13.1.2019 durch G v. 19.12.2018 (BGBl. I S. 2672).

[5)] **beck-online, Module Arbeitsrecht Nr. 206.**

2. § 212 Absatz 3 Nummer 6 des Versicherungsaufsichtsgesetzes[1)] gilt ohne Maßgabe; § 212 Absatz 3 Nummer 7, 10 und 12 des Versicherungsaufsichtsgesetzes[1)] gilt mit der Maßgabe, dass die dort genannten Vorschriften auch auf die interne Revision Anwendung finden; § 212 Absatz 3 Nummer 13 des Versicherungsaufsichtsgesetzes[1)] gilt mit der Maßgabe, dass die Bundesanstalt für Finanzdienstleistungsaufsicht bei Vorliegen der gesetzlichen Tatbestandsmerkmale die Erlaubnis zum Geschäftsbetrieb widerrufen kann;
3. § 214 Absatz 1 des Versicherungsaufsichtsgesetzes[1)] gilt mit der Maßgabe, dass grundsätzlich die Hälfte des Ausgleichsfonds den Eigenmitteln zugerechnet werden kann. Auf Antrag des Pensions-Sicherungs-Vereins Versicherungsverein auf Gegenseitigkeit kann die Bundesanstalt für Finanzdienstleistungsaufsicht im Fall einer Inanspruchnahme des Ausgleichsfonds nach § 10 Absatz 2 Satz 5 festsetzen, dass der Ausgleichsfonds vorübergehend zu einem hierüber hinausgehenden Anteil den Eigenmitteln zugerechnet werden kann; § 214 Absatz 6 des Versicherungsaufsichtsgesetzes[1)] findet keine Anwendung;
4. der Umfang des Sicherungsvermögens muss mindestens der Summe aus den Bilanzwerten der in § 125 Absatz 2 des Versicherungsaufsichtsgesetzes genannten Beträge und dem nicht den Eigenmitteln zuzurechnenden Teil des Ausgleichsfonds entsprechen;
5. § 134 Absatz 3 Satz 2 des Versicherungsaufsichtsgesetzes[1)] gilt mit der Maßgabe, dass die Aufsichtsbehörde die Frist für Maßnahmen des Pensions-Sicherungs-Vereins Versicherungsverein auf Gegenseitigkeit um einen angemessenen Zeitraum verlängern kann; § 134 Absatz 6 Satz 1 des Versicherungsaufsichtsgesetzes[1)] ist entsprechend anzuwenden;
6. § 135 Absatz 2 Satz 2 des Versicherungsaufsichtsgesetzes[1)] gilt mit der Maßgabe, dass die Aufsichtsbehörde die genannte Frist um einen angemessenen Zeitraum verlängern kann.

(3) **[Kreditanstalt für Wiederaufbau]** [1]Der Bundesminister für Arbeit und Sozialordnung weist durch Rechtsverordnung mit Zustimmung des Bundesrates die Stellung des Trägers der Insolvenzsicherung der Kreditanstalt für Wiederaufbau zu, bei der ein Fonds zur Insolvenzsicherung der betrieblichen Altersversorgung gebildet wird, wenn

1. bis zum 31. Dezember 1974 nicht nachgewiesen worden ist, daß der in Absatz 1 genannte Träger die Erlaubnis der Aufsichtsbehörde zum Geschäftsbetrieb erhalten hat,
2. der in Absatz 1 genannte Träger aufgelöst worden ist oder
3. die Aufsichtsbehörde den Geschäftsbetrieb des in Absatz 1 genannten Trägers untersagt oder die Erlaubnis zum Geschäftsbetrieb widerruft.

[2]In den Fällen der Nummern 2 und 3 geht das Vermögen des in Absatz 1 genannten Trägers einschließlich der Verbindlichkeiten auf die Kreditanstalt für Wiederaufbau über, die es dem Fonds zur Insolvenzsicherung der betrieblichen Altersversorgung zuweist.

(4) [1]Wird die Insolvenzsicherung von der Kreditanstalt für Wiederaufbau durchgeführt, gelten die Vorschriften dieses Abschnittes mit folgenden Abweichungen:

[1)] **beck-online, Module Arbeitsrecht Nr. 206.**

1. In § 7 Abs. 6 entfällt die Zustimmung der Bundesanstalt für Finanzdienstleistungsaufsicht.
2. § 10 Abs. 2 findet keine Anwendung. Die von der Kreditanstalt für Wiederaufbau zu erhebenden Beiträge müssen den Bedarf für die laufenden Leistungen der Insolvenzsicherung im laufenden Kalenderjahr und die im gleichen Zeitraum entstehenden Verwaltungskosten und sonstigen Kosten, die mit der Gewährung der Leistungen zusammenhängen, decken. Bei einer Zuweisung nach Absatz 2 Nr. 1 beträgt der Beitrag für die ersten 3 Jahre mindestens 0,1 vom Hundert der Beitragsbemessungsgrundlage gemäß § 10 Abs. 3; der nicht benötigte Teil dieses Beitragsaufkommens wird einer Betriebsmittelreserve zugeführt. Bei einer Zuweisung nach Absatz 2 Nr. 2 oder 3 wird in den ersten 3 Jahren zu dem Beitrag nach Nummer 2 Satz 2 ein Zuschlag von 0,08 vom Hundert der Beitragsbemessungsgrundlage gemäß § 10 Abs. 3 zur Bildung einer Betriebsmittelreserve erhoben. Auf die Beiträge können Vorschüsse erhoben werden.
3. In § 12 Abs. 3 tritt an die Stelle der Bundesanstalt für Finanzdienstleistungsaufsicht die Kreditanstalt für Wiederaufbau.

[2] Die Kreditanstalt für Wiederaufbau verwaltet den Fonds im eigenen Namen. [3] Für Verbindlichkeiten des Fonds haftet sie nur mit dem Vermögen des Fonds. [4] Dieser haftet nicht für die sonstigen Verbindlichkeiten der Bank. [5] § 11 Abs. 1 Satz 1 des Gesetzes über die Kreditanstalt für Wiederaufbau in der Fassung der Bekanntmachung vom 23. Juni 1969 (BGBl. I S. 573), das zuletzt durch Artikel 14 des Gesetzes vom 21. Juni 2002 (BGBl. I S. 2010) geändert worden ist, ist in der jeweils geltenden Fassung auch für den Fonds anzuwenden.

§ 15[1)] Verschwiegenheitspflicht. [1] Personen, die bei dem Träger der Insolvenzsicherung beschäftigt oder für ihn tätig sind, dürfen fremde Geheimnisse, insbesondere Betriebs- oder Geschäftsgeheimnisse, nicht unbefugt offenbaren oder verwerten. [2] Sie sind nach dem Gesetz über die förmliche Verpflichtung nichtbeamteter Personen vom 2. März 1974 (Bundesgesetzbl. I S. 469, 547) von der Bundesanstalt für Finanzdienstleistungsaufsicht auf die gewissenhafte Erfüllung ihrer Obliegenheiten zu verpflichten.

Fünfter Abschnitt. Anpassung

§ 16[2)] Anpassungsprüfungspflicht. (1) **[Grundsatz]** Der Arbeitgeber hat alle drei Jahre eine Anpassung der laufenden Leistungen der betrieblichen Altersversorgung zu prüfen und hierüber nach billigem Ermessen zu entscheiden; dabei sind insbesondere die Belange des Versorgungsempfängers und die wirtschaftliche Lage des Arbeitgebers zu berücksichtigen.

(2) **[Obergrenzen]** Die Verpflichtung nach Absatz 1 gilt als erfüllt, wenn die Anpassung nicht geringer ist als der Anstieg
1. des Verbraucherpreisindexes für Deutschland oder

---

1) § 15 Überschrift eingef. durch G v. 16.12.1997 (BGBl. I S. 2998); Satz 2 geänd. mWv 1.1.2005 durch G v. 5.7.2004 (BGBl. I S. 1427).

2) Überschrift eingef., bish. Text wird Abs. 1, Abs. 2 bis 4 angef. durch G v. 16.12.1997 (BGBl. I S. 2998); Abs. 3 geänd., Abs. 5 und 6 angef. mWv 1.1.2001, Abs. 3 Nr. 1 und 2 geänd., Nr. 3 angef. *mWv 1.1.2002 durch G v. 26.6.2001* (BGBl. I S. 1310); Abs. 6 neu gef. mWv 1.7.2002 durch G v. 21.6.2002 (BGBl. I S. 2167); Abs. 2 Nr. 1 neu gef. mWv 1.1.2003 durch G v. 3.4.2003 (BGBl. I S. 462); Abs. 3 Nr. 2 geänd. mWv 31.12.2015 durch G v. 21.12.2015 (BGBl. I S. 2553)

2. der Nettolöhne vergleichbarer Arbeitnehmergruppen des Unternehmens im Prüfungszeitraum.

(3) **[Ausnahmen]** Die Verpflichtung nach Absatz 1 entfällt, wenn

1. der Arbeitgeber sich verpflichtet, die laufenden Leistungen jährlich um wenigstens eins vom Hundert anzupassen,
2. die betriebliche Altersversorgung über eine Direktversicherung im Sinne des § 1b Abs. 2 oder über eine Pensionskasse im Sinne des § 1b Abs. 3 durchgeführt wird und ab Rentenbeginn sämtliche auf den Rentenbestand entfallende Überschußanteile zur Erhöhung der laufenden Leistungen verwendet werden oder
3. eine Beitragszusage mit Mindestleistung erteilt wurde; Absatz 5 findet insoweit keine Anwendung.

(4) **[Nachholen der Anpassung]** [1] Sind laufende Leistungen nach Absatz 1 nicht oder nicht in vollem Umfang anzupassen (zu Recht unterbliebene Anpassung), ist der Arbeitgeber nicht verpflichtet, die Anpassung zu einem späteren Zeitpunkt nachzuholen. [2] Eine Anpassung gilt als zu Recht unterblieben, wenn der Arbeitgeber dem Versorgungsempfänger die wirtschaftliche Lage des Unternehmens schriftlich dargelegt, der Versorgungsempfänger nicht binnen drei Kalendermonaten nach Zugang der Mitteilung schriftlich widersprochen hat und er auf die Rechtsfolgen eines nicht fristgemäßen Widerspruchs hingewiesen wurde.

(5) [1] Soweit betriebliche Altersversorgung durch Entgeltumwandlung finanziert wird, ist der Arbeitgeber verpflichtet, die Leistungen mindestens entsprechend Absatz 3 Nr. 1 anzupassen oder im Falle der Durchführung über eine Direktversicherung oder eine Pensionskasse sämtliche Überschussanteile entsprechend Absatz 3 Nr. 2 zu verwenden.

(6) Eine Verpflichtung zur Anpassung besteht nicht für monatliche Raten im Rahmen eines Auszahlungsplans sowie für Renten ab Vollendung des 85. Lebensjahres im Anschluss an einen Auszahlungsplan.

Sechster Abschnitt. Geltungsbereich

§ 17[1)] Persönlicher Geltungsbereich. (1) **[Arbeitnehmer.** [1] Arbeitnehmer im Sinne der §§ 1 bis 16 sind Arbeiter und Angestellte einschließlich der zu ihrer Berufsausbildung Beschäftigten; ein Berufsausbildungsverhältnis steht einem Arbeitsverhältnis gleich. [2] Die §§ 1 bis 16 gelten entsprechend für Personen, die nicht Arbeitnehmer sind, wenn ihnen Leistungen der Alters-, Invaliditäts- oder Hinterbliebenenversorgung aus Anlaß ihrer Tätigkeit für ein Unternehmen zugesagt worden sind. [3] Arbeitnehmer im Sinne von § 1a Abs. 1 sind nur Personen nach den Sätzen 1 und 2, soweit sie aufgrund der Beschäftigung oder Tätigkeit bei dem Arbeitgeber, gegen den sich der Anspruch nach § 1a richten würde, in der gesetzlichen Rentenversicherung pflichtversichert sind.

[1)] § 17 Abs. 2 geänd. durch G v. 5.10.1994 (BGBl. I S. 2911); Überschrift eingef. durch G v. 16.12. 1997 (BGBl. I S. 2998); Abs. 5 angef. mWv 30.6.2001, Abs. 1 Satz 3 angef., Abs. 3 Satz 1 geänd. mWv 1.1.2002 durch G v. 26.6.2001 (BGBl. I S. 1310); Abs. 3 Satz 1 geänd. mWv 1.1.2002 durch G v. 26.11.2001 (BGBl. I S. 3138); Abs. 3 Satz 1 geänd. mWv 1.1.2018 durch G v. 21.12.2015 (BGBl. I S. 2553); Überschrift geänd., Abs. 3 und 5 aufgeh., bish. Abs. 4 wird Abs. 3 mWv 1.1.2018 durch G v. 17.8.2017 (BGBl. I S. 3214).

(2) **[Öffentlicher Dienst]** Die §§ 7 bis 15 gelten nicht für den Bund, die Länder, die Gemeinden sowie die Körperschaften, Stiftungen und Anstalten des öffentlichen Rechts, bei denen das Insolvenzverfahren nicht zulässig ist, und solche juristische Personen des öffentlichen Rechts, bei denen der Bund, ein Land oder eine Gemeinde kraft Gesetzes die Zahlungsfähigkeit sichert.

(3) **[Gesetzesvorrang]** Gesetzliche Regelungen über Leistungen der betrieblichen Altersversorgung werden unbeschadet des § 18 durch die §§ 1 bis 16 und 26 bis 30 nicht berührt.

§ 18[1] **Sonderregelungen für den öffentlichen Dienst.** (1) [1] Für Personen, die

1. bei der Versorgungsanstalt des Bundes und der Länder (VBL) oder einer kommunalen oder kirchlichen Zusatzversorgungseinrichtung versichert sind, oder
2. bei einer anderen Zusatzversorgungseinrichtung versichert sind, die mit einer der Zusatzversorgungseinrichtungen nach Nummer 1 ein Überleitungsabkommen abgeschlossen hat oder aufgrund satzungsrechtlicher Vorschriften der Zusatzversorgungseinrichtungen nach Nummer 1 ein solches Abkommen abschließen kann, oder
3. unter das Hamburgische Zusatzversorgungsgesetz[2] oder unter das Bremische Ruhelohngesetz[3] in ihren jeweiligen Fassungen fallen oder auf die diese Gesetze sonst Anwendung finden,

gelten die §§ 2, 2a Absatz 1, 3 und 4 sowie die §§ 5, 16, 27 und 28 nicht, soweit sich aus den nachfolgenden Regelungen nichts Abweichendes ergibt;§ 3 Absatz 2 Satz 1, Absatz 2a bis 4 gilt nicht; § 4 gilt nicht, wenn die Anwartschaft oder die laufende Leistung ganz oder teilweise umlage- oder haushaltsfinanziert ist. [2] Soweit die betriebliche Altersversorgung über eine der in Satz 1 genannten Einrichtungen durchgeführt wird, finden die §§ 7 bis 15 keine Anwendung.

(2) Bei Eintritt des Versorgungsfalles vor dem 2. Januar 2002 erhalten die in Absatz 1 Nummer 1 und 2 bezeichneten Personen, deren Anwartschaft nach § 1b fortbesteht und deren Arbeitsverhältnis vor Eintritt des Versorgungsfalles geendet hat, von der Zusatzversorgungseinrichtung aus der Pflichtversicherung eine Zusatzrente nach folgenden Maßgaben:

1. Der monatliche Betrag der Zusatzrente beträgt für jedes Jahr der aufgrund des Arbeitsverhältnisses bestehenden Pflichtversicherung bei einer Zusatzversorgungseinrichtung 2,25 vom Hundert, höchstens jedoch 100 vom Hundert der Leistung, die bei dem höchstmöglichen Versorgungssatz zugestanden hätte (Voll-Leistung). Für die Berechnung der Voll-Leistung

[1] § 18 neu gef. mWv 1.1.2001 (Abs. 9 mWv 1.1.1999) durch G v. 21.12.2000 (BGBl. I S. 1914); Abs. 2 geänd. mWv 1.1.2002 durch G v. 26.11.2001 (BGBl. I S. 3138); Abs. 1 abschl. Satzteil geänd. mWv 1.1.2005 durch G v. 5.7.2004 (BGBl. I S. 1427); Abs. 9 zweiter Halbs. geänd. mWv 1.10.2005 durch G v. 9.12.2004 (BGBl. I S. 3242); Abs. 1 abschl. Satzteil geänd., Abs. 2 Nr. 1 Satz 2 Buchst. c neu gef., Abs. 7 Satz 1 geänd., Satz 3 aufgeh., bish. Satz 4 wird Satz 3 mWv 1.1.2018 durch G v. 21.12.2015 (BGBl. I S. 2553); Abs. 1 Nr. 1 und 2 geänd., Nr. 3 neu gef., Abs. 2 einl. Satzteil neu gef., Nr. 6 geänd., Abs. 2a eingef., Abs. 3 und 4 neu gef., Abs. 5 geänd., Abs. 6 neu gef. **mWv 1.1.2002** durch G v. 17.8.2017 (BGBl. I S. 3214); Abs. 1 Satz 2 angef., Abs. 7 Satz 1 geänd. mWv 24.6.2020 durch G v. 12.6.2020 (BGBl. I S. 1248); Abs. 1 Satz 1 abschl. Satzteil geänd. mWv 22.1.2026 durch G v. *16.1.2026 (BGBl. 2026 I Nr. 14)*.

[2] **beck-online, Module Arbeitsrecht Nr. 183.**

[3] **beck-online, Module Arbeitsrecht Nr. 185.**

a) ist der Versicherungsfall der Regelaltersrente maßgebend,

b) ist das Arbeitsentgelt maßgebend, das nach der Versorgungsregelung für die Leistungsbemessung maßgebend wäre, wenn im Zeitpunkt des Ausscheidens der Versicherungsfall im Sinne der Versorgungsregelung eingetreten wäre,

c) findet § 2a Absatz 1 entsprechend Anwendung,

d) ist im Rahmen einer Gesamtversorgung der im Falle einer Teilzeitbeschäftigung oder Beurlaubung nach der Versorgungsregelung für die gesamte Dauer des Arbeitsverhältnisses maßgebliche Beschäftigungsquotient nach der Versorgungsregelung als Beschäftigungsquotient auch für die übrige Zeit maßgebend,

e) finden die Vorschriften der Versorgungsregelung über eine Mindestleistung keine Anwendung und

f) ist eine anzurechnende Grundversorgung nach dem bei der Berechnung von Pensionsrückstellungen für die Berücksichtigung von Renten aus der gesetzlichen Rentenversicherung allgemein zulässigen Verfahren zu ermitteln. Hierbei ist das Arbeitsentgelt nach Buchstabe b zugrunde zu legen und – soweit während der Pflichtversicherung Teilzeitbeschäftigung bestand – diese nach Maßgabe der Versorgungsregelung zu berücksichtigen.

2. Die Zusatzrente vermindert sich um 0,3 vom Hundert für jeden vollen Kalendermonat, den der Versorgungsfall vor Vollendung des 65. Lebensjahres eintritt, höchstens jedoch um den in der Versorgungsregelung für die Voll-Leistung vorgesehenen Vomhundertsatz.

3. Übersteigt die Summe der Vomhundertsätze nach Nummer 1 aus unterschiedlichen Arbeitsverhältnissen 100, sind die einzelnen Leistungen im gleichen Verhältnis zu kürzen.

4. Die Zusatzrente muss monatlich mindestens den Betrag erreichen, der sich aufgrund des Arbeitsverhältnisses nach der Versorgungsregelung als Versicherungsrente aus den jeweils maßgeblichen Vomhundertsätzen der zusatzversorgungspflichtigen Entgelte oder der gezahlten Beiträge und Erhöhungsbeträge ergibt.

5. Die Vorschriften der Versorgungsregelung über das Erlöschen, das Ruhen und die Nichtleistung der Versorgungsrente gelten entsprechend. Soweit die Versorgungsregelung eine Mindestleistung in Ruhensfällen vorsieht, gilt dies nur, wenn die Mindestleistung der Leistung im Sinne der Nummer 4 entspricht.

6. Verstirbt die in Absatz 1 genannte Person und beginnt die Hinterbliebenenrente vor dem 2. Januar 2002, erhält eine Witwe oder ein Witwer 60 vom Hundert, eine Witwe oder ein Witwer im Sinne des § 46 Abs. 1 des Sechsten Buches Sozialgesetzbuch[1] 42 vom Hundert, eine Halbwaise 12 vom Hundert und eine Vollwaise 20 vom Hundert der unter Berücksichtigung der in diesem Absatz genannten Maßgaben zu berechnenden Zusatzrente; die §§ 46, 48, 103 bis 105 des Sechsten Buches Sozialgesetzbuch[1] sind entsprechend anzuwenden. Die Leistungen an mehrere Hinterbliebene dürfen den Betrag der Zusatzrente nicht übersteigen; gegebenenfalls sind die Leistungen im gleichen Verhältnis zu kürzen.

7. Versorgungsfall ist der Versicherungsfall im Sinne der Versorgungsregelung.

---

[1] **beck-online, Module Arbeitsrecht Nr. 696.**

(2a) Bei Eintritt des Versorgungsfalles oder bei Beginn der Hinterbliebenenrente nach dem 1. Januar 2002 erhalten die in Absatz 1 Nummer 1 und 2 genannten Personen, deren Anwartschaft nach § 1b fortbesteht und deren Arbeitsverhältnis vor Eintritt des Versorgungsfalles geendet hat, von der Zusatzversorgungseinrichtung die nach der jeweils maßgebenden Versorgungsregelung vorgesehenen Leistungen.

(3) [1] Personen, auf die bis zur Beendigung ihres Arbeitsverhältnisses die Regelungen des Hamburgischen Zusatzversorgungsgesetzes oder des Bremischen Ruhelohngesetzes in ihren jeweiligen Fassungen Anwendung gefunden haben, haben Anspruch gegenüber ihrem ehemaligen Arbeitgeber auf Leistungen in sinngemäßer Anwendung des Absatzes 2 mit Ausnahme von Absatz 2 Nummer 3 und 4 sowie Nummer 5 Satz 2; bei Anwendung des Hamburgischen Zusatzversorgungsgesetzes bestimmt sich der monatliche Betrag der Zusatzrente abweichend von Absatz 2 nach der nach dem Hamburgischen Zusatzversorgungsgesetz maßgebenden Berechnungsweise. [2] An die Stelle des Stichtags 2. Januar 2002 tritt im Bereich des Hamburgischen Zusatzversorgungsgesetzes der 1. August 2003 und im Bereich des Bremischen Ruhelohngesetzes der 1. März 2007.

(4) [1] Die Leistungen nach den Absätzen 2, 2a und 3 werden in der Pflichtversicherung jährlich zum 1. Juli um 1 Prozent erhöht. [2] In der freiwilligen Versicherung bestimmt sich die Anpassung der Leistungen nach der jeweils maßgebenden Versorgungsregelung.

(5) Besteht bei Eintritt des Versorgungsfalles neben dem Anspruch auf Zusatzrente nach Absatz 2 oder auf die in Absatz 3 oder Absatz 7 bezeichneten Leistungen auch Anspruch auf eine Versorgungsrente oder Versicherungsrente der in Absatz 1 Satz 1 Nr. 1 und 2 bezeichneten Zusatzversorgungseinrichtungen oder Anspruch auf entsprechende Versorgungsleistungen der Versorgungsanstalt der deutschen Kulturorchester oder der Versorgungsanstalt der deutschen Bühnen oder nach den Regelungen des Ersten Ruhegeldgesetzes, des Zweiten Ruhegeldgesetzes oder des Bremischen Ruhelohngesetzes, in deren Berechnung auch die der Zusatzrente nach Absatz 2 zugrunde liegenden Zeiten berücksichtigt sind, ist nur die im Zahlbetrag höhere Rente zu leisten.

(6) Eine Anwartschaft auf Versorgungsleistungen kann bei Übertritt der anwartschaftsberechtigten Person in ein Versorgungssystem einer überstaatlichen Einrichtung in das Versorgungssystem dieser Einrichtung übertragen werden, wenn ein entsprechendes Abkommen zwischen der Zusatzversorgungseinrichtung oder der Freien und Hansestadt Hamburg oder der Freien Hansestadt Bremen und der überstaatlichen Einrichtung besteht.

(7) [1] Für Personen, die bei der Versorgungsanstalt der deutschen Kulturorchester oder der Versorgungsanstalt der deutschen Bühnen pflichtversichert sind, gelten die §§ 2 und 3, mit Ausnahme von § 3 Absatz 2 Satz 3, sowie die §§ 4, 5, 16, 27 und 28 nicht; soweit die betriebliche Altersversorgung über die Versorgungsanstalten durchgeführt wird, finden die §§ 7 bis 15 keine Anwendung. [2] Bei Eintritt des Versorgungsfalles treten an die Stelle der Zusatzrente und der Leistungen an Hinterbliebene nach Absatz 2 und an die Stelle der Regelung in Absatz 4 die satzungsgemäß vorgesehenen Leistungen; Absatz 2 Nr. 5 findet entsprechend Anwendung. [3] Als pflichtversichert gelten auch die freiwillig Versicherten der Versorgungsanstalt der deutschen Kulturorchester und der Versorgungsanstalt der deutschen Bühnen.

(8) Gegen Entscheidungen der Zusatzversorgungseinrichtungen über Ansprüche nach diesem Gesetz ist der Rechtsweg gegeben, der für Versicherte der Einrichtung gilt.

(9) Bei Personen, die aus einem Arbeitsverhältnis ausscheiden, in dem sie nach § 5 Abs. 1 Satz 1 Nr. 2 des Sechsten Buches Sozialgesetzbuch[1)] versicherungsfrei waren, dürfen die Ansprüche nach § 2 Abs. 1 Satz 1 und 2 nicht hinter dem Rentenanspruch zurückbleiben, der sich ergeben hätte, wenn der Arbeitnehmer für die Zeit der versicherungsfreien Beschäftigung in der gesetzlichen Rentenversicherung nachversichert worden wäre; die Vergleichsberechnung ist im Versorgungsfall aufgrund einer Auskunft der Deutschen Rentenversicherung Bund vorzunehmen.

§ 18a[2)] Verjährung. [1]Der Anspruch auf Leistungen aus der betrieblichen Altersversorgung verjährt in 30 Jahren. [2]Ansprüche auf regelmäßig wiederkehrende Leistungen unterliegen der regelmäßigen Verjährungsfrist nach den Vorschriften des Bürgerlichen Gesetzbuchs[3)].

Siebter Abschnitt.[4)] Betriebliche Altersversorgung und Tarifvertrag

Unterabschnitt 1.[4)] Tariföffnung; Optionssysteme

§ 19[4)] Allgemeine Tariföffnungsklausel. (1) Von den §§ 1a, 2, 2a Absatz 1, 3 und 4, § 3, mit Ausnahme des § 3 Absatz 2 Satz 3, von den §§ 4, 5, 16, 18a Satz 1, §§ 27 und 28 kann in Tarifverträgen abgewichen werden.

(2) Die abweichenden Bestimmungen haben zwischen nichttarifgebundenen Arbeitgebern und Arbeitnehmern Geltung, wenn zwischen diesen die Anwendung der einschlägigen tariflichen Regelung vereinbart ist.

(3) Im Übrigen kann von den Bestimmungen dieses Gesetzes nicht zuungunsten des Arbeitnehmers abgewichen werden.

§ 20[5)] Tarifvertrag und Entgeltumwandlung; Optionssysteme.

(1) Soweit Entgeltansprüche auf einem Tarifvertrag beruhen, kann für diese eine Entgeltumwandlung nur vorgenommen werden, soweit dies durch Tarifvertrag vorgesehen oder durch Tarifvertrag zugelassen ist.

(2) [1]In einem Tarifvertrag oder auf Grund eines Tarifvertrages in einer Betriebs- oder Dienstvereinbarung kann geregelt werden, dass der Arbeitgeber für alle Arbeitnehmer oder für eine Gruppe von Arbeitnehmern des Unternehmens oder einzelner Betriebe eine automatische Entgeltumwandlung einführt, gegen die der Arbeitnehmer ein Widerspruchsrecht hat (Optionssystem). [2]Das Angebot des Arbeitgebers auf Entgeltumwandlung gilt als vom Arbeitnehmer angenommen, wenn er nicht widersprochen hat und das Angebot

1. in Textform und mindestens drei Monate vor der ersten Fälligkeit des umzuwandelnden Entgelts gemacht worden ist und
2. deutlich darauf hinweist,

---

1) Nr. **696**.
2) § 18a eingef. mWv 1.1.2002 durch G v. 26.11.2001 (BGBl. I S. 3138).
3) Auszugsweise abgedruckt unter Nr. **50**.
4) 7. Abschnitt (§§ 19–25) eingef. mWv 1.1.2018 durch G v. 17.8.2017 (BGBl. I S. 3214).
5) § 20 eingef. mWv 1.1.2018 durch G v. 17.8.2017 (BGBl. I S. 3214); Abs. 3 angef. mWv 22.1.2026 durch G v. 16.1.2026 (BGBl. 2026 I Nr. 14).

a) welcher Betrag und welcher Vergütungsbestandteil umgewandelt werden sollen und

b) dass der Arbeitnehmer ohne Angabe von Gründen innerhalb einer Frist von mindestens einem Monat nach dem Zugang des Angebots widersprechen und die Entgeltumwandlung mit einer Frist von höchstens einem Monat beenden kann.

[3] Nichttarifgebundene Arbeitgeber können ein einschlägiges tarifvertragliches Optionssystem anwenden oder auf Grund eines einschlägigen Tarifvertrages durch Betriebs- oder Dienstvereinbarung die Einführung eines Optionssystems regeln; Satz 2 gilt entsprechend.

(3) Sind Entgeltansprüche nicht und werden sie auch nicht üblicherweise in einem einschlägigen Tarifvertrag geregelt, können Optionssysteme auch ohne tarifvertragliche Grundlage in einer Betriebs- oder Dienstvereinbarung geregelt werden, wenn der Arbeitgeber zusätzlich zu den Vorgaben nach Absatz 2 mindestens 20 Prozent des umgewandelten Entgelts als Arbeitgeberzuschuss hinzugibt; die Verpflichtung des Arbeitgebers aus § 1a Absatz 1a gilt insoweit als erfüllt.

Unterabschnitt 2.[1] Tarifvertrag und reine Beitragszusage

§ 21[2] Tarifvertragsparteien; Sozialpartnermodell. (1) Sozialpartnermodell im Sinne dieses Gesetzes ist die tarifvertragliche Regelung einer betrieblichen Altersversorgung in Form der reinen Beitragszusage.

(2) [1] Die Tarifvertragsparteien müssen sich an der Durchführung und Steuerung eines Sozialpartnermodells beteiligen. [2] Eine mangelhafte Beteiligung führt nicht zur Unwirksamkeit der reinen Beitragszusage. [3] Die Beteiligungspflicht nach Satz 1 entfällt, wenn ein Tarifvertrag vorsieht, sich einem bestehenden Sozialpartnermodell anzuschließen.

(3) Wird eine reine Beitragszusage über eine Direktversicherung durchgeführt, kann eine gemeinsame Einrichtung nach § 4 des Tarifvertragsgesetzes[3] als Versicherungsnehmer an die Stelle des Arbeitgebers treten.

§ 22[4] Arbeitnehmer und Versorgungseinrichtung. (1) [1] Bei einer reinen Beitragszusage hat der Pensionsfonds, die Pensionskasse oder die Direktversicherung dem Versorgungsempfänger auf der Grundlage des planmäßig zuzurechnenden Versorgungskapitals laufende Leistungen der betrieblichen Altersversorgung zu erbringen. [2] Die Höhe der Leistungen darf nicht garantiert werden.

(2) [1] Die auf den gezahlten Beiträgen beruhende Anwartschaft auf Altersrente ist sofort unverfallbar. [2] Die Erträge der Versorgungseinrichtung müssen auch dem ausgeschiedenen Arbeitnehmer zugutekommen.

---

[1] 7. Abschnitt (§§ 19–25) eingef. mWv 1.1.2018 durch G v. 17.8.2017 (BGBl. I S. 3214).

[2] § 21 eingef. mWv 1.1.2018 durch G v. 17.8.2017 (BGBl. I S. 3214); Überschrift, Abs. 1 und 2 neu gef., Abs. 3 aufgeh., bish. Abs. 4 wird Abs. 3 mWv 22.1.2026 durch G v. 16.1.2026 (BGBl. 2026 I Nr. 14).

[3] Nr. **504**.

[4] § 22 eingef. mWv 1.1.2018 durch G v. 17.8.2017 (BGBl. I S. 3214); Abs. 4 Satz 3 geänd. mWv 24.6.2020 durch G v. 12.6.2020 (BGBl. I S. 1248); Abs. 3, Abs. 4 Satz 3 neu gef. mWv 22.1.2026 durch G v. 16.1.2026 (BGBl. 2026 I Nr. 14).

(3) [1]Der Arbeitnehmer hat gegenüber der Versorgungseinrichtung das Recht,

1. nach Beendigung des Arbeitsverhältnisses
   a) die Versorgung mit eigenen Beiträgen fortzusetzen oder
   b) innerhalb eines Jahres das gebildete Versorgungskapital auf die neue Versorgungseinrichtung, an die Beiträge auf der Grundlage einer reinen Beitragszusage gezahlt werden, zu übertragen,
2. entsprechend § 4a Auskunft zu verlangen und
3. entsprechend § 6 vorzeitige Altersleistungen in Anspruch zu nehmen.

[2]Bei einem Wechsel der Versorgungseinrichtung gilt Satz 1 Nummer 1 Buchstabe b entsprechend.

(4) [1]Die bei der Versorgungseinrichtung bestehende Anwartschaft ist nicht übertragbar, nicht beleihbar und nicht veräußerbar. [2]Sie darf vorbehaltlich des Satzes 3 nicht vorzeitig verwertet werden. [3]Die Versorgungseinrichtung kann Anwartschaften und laufende Leistungen bis zu einer von den Tarifvertragsparteien festgelegten Wertgrenze abfinden; § 3 Absatz 2 Satz 3 gilt entsprechend.

(5) Für die Verjährung der Ansprüche gilt § 18a entsprechend.

§ 23[1)] Zusatzbeiträge des Arbeitgebers. (1) Zur Absicherung der reinen Beitragszusage soll im Tarifvertrag ein Sicherungsbeitrag vereinbart werden.

(2) Bei einer reinen Beitragszusage ist im Fall der Entgeltumwandlung im Tarifvertrag zu regeln, dass der Arbeitgeber 15 Prozent des umgewandelten Entgelts zusätzlich als Arbeitgeberzuschuss an die Versorgungseinrichtung weiterleiten muss, soweit der Arbeitgeber durch die Entgeltumwandlung Sozialversicherungsbeiträge einspart.

§ 24[2)] Teilnahme Dritter an Sozialpartnermodellen. (1) Arbeitgeber und Arbeitnehmer können die Anwendung eines einschlägigen Sozialpartnermodells vereinbaren.

(2) Die Anwendung eines nicht einschlägigen Sozialpartnermodells können Arbeitgeber und Arbeitnehmer vereinbaren, wenn

1. ein für das Arbeitsverhältnis einschlägiger Tarifvertrag dies eröffnet oder
2. die das Sozialpartnermodell tragende Gewerkschaft nach ihrer Satzung für das Arbeitsverhältnis tarifzuständig ist.

(3) Arbeitnehmer, die bei Tarifvertragsparteien beschäftigt sind, die ein Sozialpartnermodell abgeschlossen haben, können mit ihrem Arbeitgeber die Teilnahme an dem Sozialpartnermodell vereinbaren.

(4) [1]Die Teilnahme nach den Absätzen 1 bis 3 bedarf der Zustimmung der das Sozialpartnermodell tragenden Tarifvertragsparteien. [2]Die Tarifvertragsparteien können Dritte an den Kosten, die ihnen im Zusammenhang mit der Durchführung und Steuerung des Sozialpartnermodells entstehen, angemessen beteiligen. [3]Sie können die Kostenbeteiligung auch über die Beiträge und Leistungen der durchführenden Versorgungseinrichtung erheben lassen; an eine

---

1) 7. Abschnitt (§§ 19–25) eingef. mWv 1.1.2018 durch G v. 17.8.2017 (BGBl. I S. 3214).

2) 7. Abschnitt (§§ 19–25) eingef. mWv 1.1.2018 durch G v. 17.8.2017 (BGBl. I S. 3214); § 24 neu gef. mWv 22.1.2026 durch G v. 16.1.2026 (BGBl. 2026 I Nr. 14).

entsprechende Entscheidung ist die durchführende Versorgungseinrichtung bei der Kalkulation der Beiträge und Leistungen gebunden.

§ 25[1] **Verordnungsermächtigung.** [1]Das Bundesministerium für Arbeit und Soziales wird ermächtigt, im Einvernehmen mit dem Bundesministerium der Finanzen durch Rechtsverordnung Mindestanforderungen an die Verwendung der Beiträge nach § 1 Absatz 2 Nummer 2a festzulegen. [2]Die Ermächtigung kann im Einvernehmen mit dem Bundesministerium der Finanzen auf die Bundesanstalt für Finanzdienstleistungsaufsicht übertragen werden. [3]Rechtsverordnungen nach den Sätzen 1 und 2 bedürfen nicht der Zustimmung des Bundesrates.

Zweiter Teil.[2] Übergangs- und Schlußvorschriften

§ 26 [Ausschluss der Rückwirkung] Die §§ 1 bis 4 und 18 gelten nicht, wenn das Arbeitsverhältnis oder Dienstverhältnis vor dem Inkrafttreten des Gesetzes beendet worden ist.

§ 26a[3] **Übergangsvorschrift zu § 1a Absatz 1a.** § 1a Absatz 1a gilt für individual- und kollektivrechtliche Entgeltumwandlungsvereinbarungen, die vor dem 1. Januar 2019 geschlossen worden sind, erst ab dem 1. Januar 2022.

§ 27 [Direktversicherungen und Pensionskassen] § 2 Abs. 2 Satz 2 Nr. 2 und 3 und Abs. 3 Satz 2 Nr. 1 und 2 gelten in Fällen, in denen vor dem Inkrafttreten des Gesetzes die Direktversicherung abgeschlossen worden ist oder die Versicherung des Arbeitnehmers bei einer Pensionskasse begonnen hat, mit der Maßgabe, daß die in diesen Vorschriften genannten Voraussetzungen spätestens für die Zeit nach Ablauf eines Jahres seit dem Inkrafttreten des Gesetzes erfüllt sein müssen.

§ 28 [Auszehrungs- und Anrechnungsverbot] § 5 gilt für Fälle, in denen der Versorgungsfall vor dem Inkrafttreten des Gesetzes eingetreten ist, mit der Maßgabe, daß diese Vorschrift bei der Berechnung der nach dem Inkrafttreten des Gesetzes fällig werdenden Versorgungsleistungen anzuwenden ist.

§ 29 [Vorzeitige Altersleistungen] § 6 gilt für die Fälle, in denen das Altersruhegeld der gesetzlichen Rentenversicherung bereits vor dem Inkrafttreten des Gesetzes in Anspruch genommen worden ist, mit der Maßgabe, daß die Leistungen der betrieblichen Altersversorgung vom Inkrafttreten des Gesetzes an zu gewähren sind.

§ 30[4] **[Erstmalige Beitrags- und Leistungspflicht bei Insolvenzsicherung]** (1) [1]Ein Anspruch gegen den Träger der Insolvenzsicherung nach § 7 besteht nur, wenn der Sicherungsfall nach dem Inkrafttreten der §§ 7 bis 15 eingetreten ist; er kann erstmals nach dem Ablauf von sechs Monaten nach diesem Zeitpunkt geltend gemacht werden. [2]Die Beitragspflicht des Arbeitgebers beginnt mit dem Inkrafttreten der §§ 7 bis 15.

---

[1] 7. Abschnitt (§§ 19–25) eingef. mWv 1.1.2018 durch G v. 17.8.2017 (BGBl. I S. 3214).

[2] Bish. Zweiter Teil aufgeh., bish. Dritter Teil wird Zweiter Teil mWv 1.1.2018 durch G v. 17.8. 2017 (*BGBl. I S. 3214*).

[3] § 26a eingef. mWv 1.1.2019 durch G v. 17.8.2017 (BGBl. I S. 3214).

[4] § 30 Abs. 2–5 angef. mWv 24.6.2020 durch G v. 12.6.2020 (BGBl. I S. 1248).

(2) [1] Wenn die betriebliche Altersversorgung über eine Pensionskasse nach § 7 Absatz 1 Satz 2 Nummer 3 durchgeführt wird, besteht ein Anspruch gegen den Träger der Insolvenzsicherung, wenn der Sicherungsfall nach dem 31. Dezember 2021 eingetreten ist. [2] Die Beitragspflicht des Arbeitgebers, der betriebliche Altersversorgung über eine Pensionskasse nach § 7 Absatz 1 Satz 2 Nummer 3 durchführt, beginnt im Jahr 2021; der Beitrag beträgt in diesem Jahr 3 Promille der Beitragsbemessungsgrundlage nach § 10 Absatz 3 Nummer 4. [3] Zusätzlich zum Beitrag nach § 10 Absatz 2 Satz 1 wird für die betriebliche Altersversorgung nach Satz 2 für die Jahre 2022 bis 2025 ein Beitrag in Höhe von 1,5 Promille der Beitragsbemessungsgrundlage nach § 10 Absatz 3 Nummer 4 erhoben; die Beiträge sind zum Ende des jeweiligen Kalenderjahres fällig.

(3) [1] Ist der Sicherungsfall nach Absatz 2 vor dem 1. Januar 2022 eingetreten, besteht ein Anspruch gegen den Träger der Insolvenzsicherung, wenn die Pensionskasse die nach der Versorgungszusage des Arbeitgebers vorgesehene Leistung um mehr als die Hälfte kürzt oder das Einkommen des ehemaligen Arbeitnehmers wegen einer Kürzung unter die von Eurostat für Deutschland ermittelte Armutsgefährdungsschwelle fällt. [2] Leistungen werden nur auf Antrag und nicht rückwirkend erbracht; sie können mit Nebenbestimmungen versehen werden. [3] Mit dem Antrag sind Unterlagen vorzulegen, die den Anspruch belegen. [4] Die Kosten, die dem Träger der Insolvenzsicherung insofern entstehen, werden vom Bund übernommen; Einzelheiten werden in einer Verwaltungsvereinbarung zwischen dem Träger der Insolvenzsicherung und dem Bundesministerium für Arbeit und Soziales im Einvernehmen mit dem Bundesministerium der Finanzen geregelt.

(4) Soweit die betriebliche Altersversorgung über einen Pensionsfonds durchgeführt wird, gelten für Sicherungsfälle, die vor dem 1. Januar 2022 eingetreten sind, die §§ 7, 8 und 9 in der am 31. Dezember 2019 geltenden Fassung; für die Beitragsjahre 2020 bis 2022 können Arbeitgeber die Beitragsbemessungsgrundlage nach § 10 Absatz 3 Nummer 4 in der am 31. Dezember 2019 geltenden Fassung ermitteln.

(5) [1] Das Bundesministerium für Arbeit und Soziales untersucht 2026, ob die Beitragsbemessung nach § 10 Absatz 3 Nummer 4 bei betrieblicher Altersversorgung, die von Pensionskassen durchgeführt wird, weiterhin sachgerecht ist, insbesondere, ob die Höhe des Beitrags dem vom Träger der Insolvenzsicherung zu tragenden Risiko entspricht. [2] Das Bundesministerium für Arbeit und Soziales kann Dritte mit dieser Untersuchung beauftragen.

§ 30a[1)] Evaluierung. [1] Das Bundesministerium für Arbeit und Soziales wird 2027 untersuchen, ob die Verbreitung der betrieblichen Altersversorgung aufgrund der vorgesehenen Öffnung von Sozialpartnermodellen erkennbar gestiegen ist. [2] Sollte sich die Zahl der Beschäftigten, die an einem Sozialpartnermodell teilnehmen, bis dahin gegenüber 2025 nicht verdoppelt haben, muss die Bundesregierung den gesetzgebenden Körperschaften bis zum 31. März 2028 geeignete Maßnahmen vorschlagen, damit allen Unternehmen und ihren Beschäftigten der Zugang zu einem Sozialpartnermodell eröffnet wird.

[1)] § 30a eingef. mWv 22.1.2026 durch G v. 16.1.2026 (BGBl. 2026 I Nr. 14).

§ 30b[1] **[Anwendbarkeit des § 4 Abs. 3]** § 4 Abs. 3 gilt nur für Zusagen, die nach dem 31. Dezember 2004 erteilt wurden.

§ 30c[2] **[Anwendbarkeit des § 16 Abs. 3 Nr. 1]** (1) § 16 Abs. 3 Nr. 1 gilt nur für laufende Leistungen, die auf Zusagen beruhen, die nach dem 31. Dezember 1998 erteilt werden.

(1a) § 16 Absatz 3 Nummer 2 gilt auch für Anpassungszeiträume, die vor dem 1. Januar 2016 liegen; in diesen Zeiträumen bereits erfolgte Anpassungen oder unterbliebene Anpassungen, gegen die der Versorgungsberechtigte vor dem 1. Januar 2016 Klage erhoben hat, bleiben unberührt.

(2) § 16 Abs. 4 gilt nicht für vor dem 1. Januar 1999 zu Recht unterbliebene Anpassungen.

(3) § 16 Abs. 5 gilt nur für laufende Leistungen, die auf Zusagen beruhen, die nach dem 31. Dezember 2000 erteilt werden.

(4) Für die Erfüllung der Anpassungsprüfungspflicht für Zeiträume vor dem 1. Januar 2003 gilt § 16 Abs. 2 Nr. 1 mit der Maßgabe, dass an die Stelle des Verbraucherpreisindexes für Deutschland der Preisindex für die Lebenshaltung von 4-Personen-Haushalten von Arbeitern und Angestellten mit mittlerem Einkommen tritt.

§ 30d[3] **Übergangsregelung zu § 18.** (1) [1]Ist der Versorgungsfall vor dem 1. Januar 2001 eingetreten oder ist der Arbeitnehmer vor dem 1. Januar 2001 aus dem Beschäftigungsverhältnis bei einem öffentlichen Arbeitgeber ausgeschieden und der Versorgungsfall nach dem 31. Dezember 2000 und vor dem 2. Januar 2002 eingetreten, sind für die Berechnung der Voll-Leistung die Regelungen der Zusatzversorgungseinrichtungen nach § 18 Abs. 1 Satz 1 Nr. 1

(Fortsetzung nächstes Blatt)

[1] § 30b neu gef. mWv 1.1.2005 durch G v. 5.7.2004 (BGBl. I S. 1427).

[2] § 30c eingef. durch G v. 16.12.1997 (BGBl. I S. 2998); Abs. 3 angef. mWv 1.1.2001 durch G v. 26.6.2001 (BGBl. I S. 1310); Abs. 4 angef. mWv 1.1.2003 durch G v. 3.4.2003 (BGBl. I S. 462); Abs. 1a eingef. mWv *24.8.2017* durch G v. 17.8.2017 (BGBl. I S. 3214).

[3] § 30d neu gef. mWv 1.1.2001 durch G v. 21.12.2000 (BGBl. I S. 1914); Abs. 1 Satz 1 geänd., Abs. 2a eingef. mWv 1.1.2002 durch G v. 17.8.2017 (BGBl. I S. 3214).

und 2 oder die Gesetze im Sinne des § 18 Abs. 1 Satz 1 Nr. 3 sowie die weiteren Berechnungsfaktoren jeweils in der am 31. Dezember 2000 geltenden Fassung maßgebend; § 18 Abs. 2 Nr. 1 Buchstabe b bleibt unberührt. [2]Die Steuerklasse III/O ist zugrunde zu legen. [3]Ist der Versorgungsfall vor dem 1. Januar 2001 eingetreten, besteht der Anspruch auf Zusatzrente mindestens in der Höhe, wie er sich aus § 18 in der Fassung vom 16. Dezember 1997 (BGBl. I S. 2998) ergibt.

(2) Die Anwendung des § 18 ist in den Fällen des Absatzes 1 ausgeschlossen, soweit eine Versorgungsrente der in § 18 Abs. 1 Satz 1 Nr. 1 und 2 bezeichneten Zusatzversorgungseinrichtungen oder eine entsprechende Leistung aufgrund der Regelungen des Ersten Ruhegeldgesetzes, des Zweiten Ruhegeldgesetzes oder des Bremischen Ruhelohngesetzes bezogen wird, oder eine Versicherungsrente abgefunden wurde.

(2a) Für Personen, deren Beschäftigungsverhältnis vor dem 1. Januar 2002 vor Eintritt des Versorgungsfalls geendet hat und deren Anwartschaft nach § 1b fortbesteht, haben die in § 18 Absatz 1 Satz 1 Nummer 1 und 2 bezeichneten Zusatzversorgungseinrichtungen bei Eintritt des Versorgungsfalls nach dem 1. Januar 2002 die Anwartschaft für Zeiten bis zum 1. Januar 2002 nach § 18 Absatz 2 unter Berücksichtigung des § 18 Absatz 5 zu ermitteln.

(3) [1]Für Arbeitnehmer im Sinne des § 18 Abs. 1 Satz 1 Nr. 4, 5 und 6 in der bis zum 31. Dezember 1998 geltenden Fassung, für die bis zum 31. Dezember 1998 ein Anspruch auf Nachversicherung nach § 18 Abs. 6 entstanden ist, gilt Absatz 1 Satz 1 für die aufgrund der Nachversicherung zu ermittelnde Voll-Leistung entsprechend mit der Maßgabe, dass sich der nach § 2 zu ermittelnde Anspruch gegen den ehemaligen Arbeitgeber richtet. [2]Für den nach § 2 zu ermittelnden Anspruch gilt § 18 Abs. 2 Nr. 1 Buchstabe b entsprechend; für die übrigen Bemessungsfaktoren ist auf die Rechtslage am 31. Dezember 2000 abzustellen. [3]Leistungen der gesetzlichen Rentenversicherung, die auf einer Nachversicherung wegen Ausscheidens aus einem Dienstordnungsverhältnis beruhen, und Leistungen, die die zuständige Versorgungseinrichtung aufgrund von Nachversicherungen im Sinne des § 18 Abs. 6 in der am 31. Dezember 1998 geltenden Fassung gewährt, werden auf den Anspruch nach § 2 angerechnet. [4]Hat das Arbeitsverhältnis im Sinne des § 18 Abs. 9 bereits am 31. Dezember 1998 bestanden, ist in die Vergleichsberechnung nach § 18 Abs. 9 auch die Zusatzrente nach § 18 in der bis zum 31. Dezember 1998 geltenden Fassung einzubeziehen.

§ 30e[1)] [Anwendungsbereich des § 1 Abs. 2 Nr. 4] (1) § 1 Abs. 2 Nr. 4 zweiter Halbsatz gilt für Zusagen, die nach dem 31. Dezember 2002 erteilt werden.

(2) [1]§ 1 Abs. 2 Nr. 4 zweiter Halbsatz findet auf Pensionskassen, deren Leistungen der betrieblichen Altersversorgung durch Beiträge der Arbeitnehmer und Arbeitgeber gemeinsam finanziert und die als beitragsorientierte Leistungszusage oder als Leistungszusage durchgeführt werden, mit der Maßgabe Anwendung, dass dem ausgeschiedenen Arbeitnehmer das Recht zur Fortführung mit eigenen Beiträgen nicht eingeräumt werden und eine Überschuss-

---

[1)] § 30e eingef. mWv 1.7.2002 durch G v. 21.6.2002 (BGBl. I S. 2167); Abs. 2 Satz 2 eingef., bish. Sätze 2 und 3 werden Sätze 3 und 4 mWv 1.1.2005 durch G v. 5.7.2004 (BGBl. I S. 1427); Abs. 2 Satz 2 geänd. mWv 1.1.2018 durch G v. 21.12.2015 (BGBl. I S. 2553).

verwendung gemäß § 1b Abs. 5 Nr. 1 nicht erfolgen muss. [2]Wird dem ausgeschiedenen Arbeitnehmer ein Recht zur Fortführung nicht eingeräumt, gilt für die Höhe der unverfallbaren Anwartschaft § 2 Absatz 5 entsprechend. [3]Für die Anpassung laufender Leistungen gelten die Regelungen nach § 16 Abs. 1 bis 4. [4]Die Regelung in Absatz 1 bleibt unberührt.

§ 30f[1)] [Unverfallbare Anwartschaft] (1) [1]Wenn Leistungen der betrieblichen Altersversorgung vor dem 1. Januar 2001 zugesagt worden sind, ist § 1b Abs. 1 mit der Maßgabe anzuwenden, dass die Anwartschaft erhalten bleibt, wenn das Arbeitsverhältnis vor Eintritt des Versorgungsfalles, jedoch nach Vollendung des 35. Lebensjahres endet und die Versorgungszusage zu diesem Zeitpunkt
1. mindestens zehn Jahre oder
2. bei mindestens zwölfjähriger Betriebszugehörigkeit mindestens drei Jahre

bestanden hat; in diesen Fällen bleibt die Anwartschaft auch erhalten, wenn die Zusage ab dem 1. Januar 2001 fünf Jahre bestanden hat und bei Beendigung des Arbeitsverhältnisses das 30. Lebensjahr vollendet ist. [2]§ 1b Abs. 5 findet für Anwartschaften aus diesen Zusagen keine Anwendung.

(2) Wenn Leistungen der betrieblichen Altersversorgung vor dem 1. Januar 2009 und nach dem 31. Dezember 2000 zugesagt worden sind, ist § 1b Abs. 1 Satz 1 mit der Maßgabe anzuwenden, dass die Anwartschaft erhalten bleibt, wenn das Arbeitsverhältnis vor Eintritt des Versorgungsfalls, jedoch nach Vollendung des 30. Lebensjahres endet und die Versorgungszusage zu diesem Zeitpunkt fünf Jahre bestanden hat; in diesen Fällen bleibt die Anwartschaft auch erhalten, wenn die Zusage ab dem 1. Januar 2009 fünf Jahre bestanden hat und bei Beendigung des Arbeitsverhältnisses das 25. Lebensjahr vollendet ist.

(3) Wenn Leistungen der betrieblichen Altersversorgung vor dem 1. Januar 2018 und nach dem 31. Dezember 2008 zugesagt worden sind, ist § 1b Absatz 1 Satz 1 mit der Maßgabe anzuwenden, dass die Anwartschaft erhalten bleibt, wenn das Arbeitsverhältnis vor Eintritt des Versorgungsfalls, jedoch nach Vollendung des 25. Lebensjahres endet und die Versorgungszusage zu diesem Zeitpunkt fünf Jahre bestanden hat; in diesen Fällen bleibt die Anwartschaft auch erhalten, wenn die Zusage ab dem 1. Januar 2018 drei Jahre bestanden hat und bei Beendigung des Arbeitsverhältnisses das 21. Lebensjahr vollendet ist.

§ 30g[2)] [Anwendbarkeit des § 2 Abs. 5] (1) [1]§ 2a Absatz 2 gilt nicht für Beschäftigungszeiten vor dem 1. Januar 2018. [2]Für Beschäftigungszeiten nach dem 31. Dezember 2017 gilt § 2a Absatz 2 nicht, wenn das Versorgungssystem vor dem 20. Mai 2014 für neue Arbeitnehmer geschlossen war.

(2) [1]§ 2 Absatz 5 gilt nur für Anwartschaften, die auf Zusagen beruhen, die nach dem 31. Dezember 2000 erteilt worden sind. [2]Im Einvernehmen zwischen Arbeitgeber und Arbeitnehmer kann § 2 Absatz 5 auch auf Anwartschaften angewendet werden, die auf Zusagen beruhen, die vor dem 1. Januar 2001 erteilt worden sind.

[1)] § 30f eingef. mWv 1.1.2001 durch G v. 26.6.2001 (BGBl. I S. 1310); bish. Wortlaut wird Abs. 1 und Satz 1 erster Halbs. geänd., Abs. 2 angef. mWv 1.1.2009 durch G v. 10.12.2007 (BGBl. I S. 2838); Abs. 3 angef. mWv 1.1.2018 durch G v. 21.12.2015 (BGBl. I S. 2553).

[2)] § 30g eingef. mWv 1.1.2001 durch G v. 26.6.2001 (BGBl. I S. 1310); Abs. 2 neu gef. mWv 1.1. 2005 durch G v. 5.7.2004 (BGBl. I S. 1427); Abs. 1 eingef., bish. Abs. 1 wird Abs. 2 und Sätze 1 und 2 geänd., bish. Abs. 2 wird Abs. 3 mWv 1.1.2018 durch G v. 21.12.2015 (BGBl. I S. 2553).

(3) § 3 findet keine Anwendung auf laufende Leistungen, die vor dem 1. Januar 2005 erstmals gezahlt worden sind.

§ 30h[1] **[Entgeltumwandlungen nach dem 29.6.2001]** § 20 Absatz 1 gilt für Entgeltumwandlungen, die auf Zusagen beruhen, die nach dem 29. Juni 2001 erteilt werden.

§ 30i[2] **[Insolvenzsicherung]** (1) [1]Der Barwert der bis zum 31. Dezember 2005 aufgrund eingetretener Insolvenzen zu sichernden Anwartschaften wird einmalig auf die beitragspflichtigen Arbeitgeber entsprechend § 10 Abs. 3 umgelegt und vom Träger der Insolvenzsicherung nach Maßgabe der Beträge zum Schluss des Wirtschaftsjahres, das im Jahr 2004 geendet hat, erhoben. [2]Der Rechnungszinsfuß bei der Berechnung des Barwerts beträgt 3,67 vom Hundert.

(2) [1]Der Betrag ist in 15 gleichen Raten fällig. [2]Die erste Rate wird am 31. März 2007 fällig, die weiteren zum 31. März der folgenden Kalenderjahre. [3]Bei vorfälliger Zahlung erfolgt eine Diskontierung der einzelnen Jahresraten mit dem zum Zeitpunkt der Zahlung um ein Drittel erhöhten Rechnungszinsfuß nach der nach § 235 Nummer 4 des Versicherungsaufsichtsgesetzes erlassenen Rechtsverordnung, wobei nur volle Monate berücksichtigt werden.

(3) Der abgezinste Gesamtbetrag ist gemäß Absatz 2 am 31. März 2007 fällig, wenn die sich ergebende Jahresrate nicht höher als 50 Euro ist.

(4) Insolvenzbedingte Zahlungsausfälle von ausstehenden Raten werden im Jahr der Insolvenz in die erforderlichen jährlichen Beiträge gemäß § 10 Abs. 2 eingerechnet.

§ 30j[3] **Übergangsregelung zu § 20 Absatz 2.** § 20 Absatz 2 gilt nicht für Optionssysteme, die auf der Grundlage von Betriebs- oder Dienstvereinbarungen vor dem 1. Juni 2017 eingeführt worden sind.

§ 31[4] **[Sicherungsfälle vor dem 1.1.1999]** Auf Sicherungsfälle, die vor dem 1. Januar 1999 eingetreten sind, ist dieses Gesetz in der bis zu diesem Zeitpunkt geltenden Fassung anzuwenden.

§ 32 Inkrafttreten. [1]Dieses Gesetz tritt vorbehaltlich des Satzes 2 am Tage nach seiner Verkündung[5] in Kraft. [2]Die §§ 7 bis 15 treten am 1. Januar 1975 in Kraft.

---

[1] § 30h eingef. mWv 30.6.2001 durch G v. 26.6.2001 (BGBl. I S. 1310); geänd. mWv 1.1.2018 durch G v. 17.8.2017 (BGBl. I S. 3214).

[2] § 30i eingef. mWv 12.12.2006 durch G v. 2.12.2006 (BGBl. I S. 2742); Abs. 2 Satz 3 geänd. mWv 1.1.2016 durch G v. 1.4.2015 (BGBl. I S. 434).

[3] § 30j eingef. mWv 1.1.2018 durch G v. 17.8.2017 (BGBl. I S. 3214).

[4] § 31 neu gef. durch G v. 5.10.1994 (BGBl. I S. 2911).

[5] Verkündet am 21.12.1974.

IV.
Zahlung und Sicherung des Arbeitsentgelts

201. Gesetz über die Statistik der Verdienste und Arbeitskosten (Verdienststatistikgesetz – VerdStatG)

Vom 21. Dezember 2006

(BGBl. I S. 3291)

FNA 800-27

zuletzt geänd. durch Art. 5 G zur Anpassung nationaler Rechtsvorschriften an die europäische Systematik der Wirtschaftszweige NACE Revision 2.1 v. 22.12.2025 (BGBl. 2025 I Nr. 354)

Der Bundestag hat das folgende Gesetz beschlossen:

§ 1[1)] Zwecke der Verdienststatistik. Für Zwecke wirtschafts- und sozialpolitischer Planungsentscheidungen, insbesondere zur regelmäßigen Evaluierung des gesetzlichen Mindestlohns, sowie zur Erfüllung von Berichtspflichten nach dem Recht der Europäischen Union wird eine Bundesstatistik der Arbeitsverdienste und der Struktur der Arbeitskosten durchgeführt.

§ 2[2)] Art der Erhebungen, Stichprobenauswahl, Erhebungseinheiten.

(1) [1] Die Statistik umfasst

1. die Erhebung der Arbeitsverdienste (§ 4) und
2. die Erhebung der Struktur der Arbeitskosten (§ 5).

[2] Die Erhebungen werden als Stichprobenerhebungen durchgeführt. [3] Die Auswahl der Erhebungseinheiten erfolgt nach mathematisch-statistischen Verfahren.

(2) Die Erhebungseinheiten sind, soweit bei ihnen Personen in einem Beschäftigungsverhältnis stehen,

1. Personen des öffentlichen und privaten Rechts, insbesondere Unternehmen, Körperschaften und Stiftungen sowie Anstalten des öffentlichen Rechts (Gesamteinheiten);
2. räumlich getrennte Teile der unter Nummer 1 fallenden juristischen Personen, insbesondere die Haupt- und Zweigniederlassungen sowie die Betriebe von Unternehmen (Teileinheiten).

§ 3[3)] *(aufgehoben)*

§ 4[4)] Erhebung der Arbeitsverdienste. (1) Die Erhebung der Arbeitsverdienste wird im Kalenderjahr 2021 einmal für den Berichtsmonat April und ab dem Kalenderjahr 2022 monatlich durchgeführt.

[1)] § 1 neu gef. mWv 1.1.2021 durch G v. 12.8.2020 (BGBl. I S. 1872).

[2)] § 2 bish. Sätze 1 bis 3 werden Abs. 1, bish. Satz 4 wird Abs. 2 und neu gef. mWv 1.1.2009 durch G v. 17.3.2008 (BGBl. I S. 399); Abs. 1 Satz 1 Nr. 3 geänd., Nr. 4 aufgeh. mWv 16.8.2014 durch G v. 11.8.2014 (BGBl. I S. 1348); Abs. 1 Satz 1 neu gef. mWv 1.1.2021 durch G v. 12.8.2020 (BGBl. I S. 1872).

[3)] § 3 aufgeh. mWv 1.1.2021 durch G v. 12.8.2020 (BGBl. I S. 1872).

[4)] § 4 neu gef. mWv 1.1.2021 durch G v. 12.8.2020 (BGBl. I S. 1872); Abs. 2 neu gef. mWv 1.1.2027 durch G v. 22.12.2025 (BGBl. 2025 I Nr. 354).

[Abs. 2 bis 31.12.2026:]

(2) Die Erhebung erstreckt sich auf die Wirtschaftszweige nach Anhang I der Verordnung (EG) Nr. 1893/2006 des Europäischen Parlaments und des Rates vom 20. Dezember 2006 zur Aufstellung der statistischen Systematik der Wirtschaftszweige NACE Revision 2 und zur Änderung der Verordnung (EWG) Nr. 3037/90 des Rates sowie einiger Verordnungen der EG über bestimmte Bereiche der Statistik (ABl. L 393 vom 30.12.2006, S. 1), die zuletzt durch die Verordnung (EU) 2019/1243 (ABL. L 198 vom 25.7.2019, S. 241) geändert worden ist, in der jeweils geltenden Fassung mit Ausnahme von

1. Abschnitt O – Öffentliche Verwaltung, Verteidigung; Sozialversicherung,
2. Abschnitt T – Private Haushalte mit Hauspersonal; Herstellung von Waren und Erbringung von Dienstleistungen durch private Haushalte für den Eigenbedarf ohne ausgeprägten Schwerpunkt,
3. Abschnitt U – Exterritoriale Organisationen und Körperschaften.

[Abs. 2 ab 1.1.2027:]

(2) Die Erhebung erstreckt sich auf die Wirtschaftszweige nach Anhang I der Verordnung (EG) Nr. 1893/2006 in Verbindung mit der vom Statistischen Bundesamt daraus erstellten Klassifikation der Wirtschaftszweige mit Ausnahme von

1. Abschnitt P – Öffentliche Verwaltung, Verteidigung; Sozialversicherung,
2. Abschnitt U – Private Haushalte mit Hauspersonal sowie Herstellung von Waren und Erbringung von Dienstleistungen durch private Haushalte für den Eigenbedarf ohne ausgeprägten Schwerpunkt,
3. Abschnitt V – Exterritoriale Organisationen und Körperschaften.

(3) [1]Die Erhebung wird bei höchstens 58 000 Erhebungseinheiten durchgeführt. [2]Gesamteinheiten werden nur dann für die Erhebung ausgewählt, wenn sie nicht aus mehreren Teileinheiten bestehen. [3]Bei jeder Erhebungseinheit werden Angaben zu folgenden Erhebungsmerkmalen erfasst:

1. Art der angewandten Vergütungsvereinbarung,
2. für alle Beschäftigten der Erhebungseinheit jeweils
   a) Geschlecht,
   b) Geburtsmonat und Geburtsjahr,
   c) Staatsangehörigkeit,
   d) Monat und Jahr des Eintritts in die Erhebungseinheit, bei Teileinheiten Monat und Jahr des Eintritts in die jeweilige Gesamteinheit,
   e) ausgeübte Tätigkeit,
   f) höchster Bildungsabschluss,
   g) Art des Beschäftigungsverhältnisses,
   h) Zahl der bezahlten Arbeitsstunden mit getrennt ausgewiesenen Überstunden,
   i) Bruttomonatsverdienst, untergliedert nach Verdienstbestandteilen.

(4) [1]Die Angaben zu den Erhebungsmerkmalen nach Absatz 3 Satz 3 Nummer 1 und 2 Buchstabe a bis g werden nach dem Stand am Ende des Monats *erfasst.* [2]Die Angaben zu den Erhebungsmerkmalen nach Absatz 3 Satz 3 Nummer 2 Buchstabe h und i werden derart erfasst, dass sie sich auf den gesamten Kalendermonat beziehen.

(5) [1] Alle fünf Jahre, beginnend mit dem Kalenderjahr 2025, werden die Bezeichnungen der angewandten Vergütungsvereinbarungen aller Beschäftigten der jeweiligen Erhebungseinheit nach dem Stand am Ende eines repräsentativen Kalendermonats erfasst. [2] Die Erhebung erfolgt bei höchstens 20 000 der Erhebungseinheiten, bei denen im jeweiligen Kalenderjahr die Haupterhebung durchgeführt wird.

§ 5[1)] Erhebung der Struktur der Arbeitskosten. (1) Die Erhebung erfasst alle vier Jahre, beginnend für das Berichtsjahr 2008, bei höchstens 34 000 Erhebungseinheiten nach § 2 Absatz 2 Nummer 1 sowie bei allen zugehörigen Teileinheiten Angaben zu folgenden Erhebungsmerkmalen:

1. Land,
2. Wirtschaftszweig,
3. Zahl der Beschäftigten,
4. Zahl der bezahlten Arbeitsstunden,
5. Jahressumme der Bruttoverdienste, untergliedert nach Verdienstbestandteilen,
6. Jahressumme der vom Arbeitgeber geleisteten Sozialbeiträge, insbesondere der Arbeitgeberanteile am Gesamtsozialversicherungsbeitrag, untergliedert nach Beitragsbestandteilen,
7. Aufwendungen des Arbeitgebers für die berufliche Bildung der Beschäftigten,
8. unmittelbar mit den Arbeitskosten verbundene Subventionen,
9. sonstige unmittelbar mit den Arbeitskosten verbundene Aufwendungen und Abgaben des Arbeitgebers.

(2) [1] Die Erhebungsmerkmale nach Absatz 1 Nr. 1 und 2 werden nach dem Stand am Ende des Jahres erfasst, die übrigen derart, dass sie für das gesamte vorhergehende Jahr kennzeichnend sind. [2] Die Erhebungsmerkmale nach Absatz 1 Nr. 3 bis 6 werden untergliedert nach der Art des Beschäftigungsverhältnisses erfasst.

(3) [1] Die Erhebung erstreckt sich auf die Wirtschaftszweige nach § 4 Absatz 2. [2] Zusätzlich ausgenommen sind die Wirtschaftszweige nach Abschnitt A – Land- und Forstwirtschaft, Fischerei.

§ 6[2)] Verdienstverlaufsstatistik. (1) Das Statistische Bundesamt und die statistischen Ämter der Länder führen eine Verdienstverlaufsstatistik für alle Beschäftigten der Erhebungseinheiten, bei denen die Arbeitsverdienste nach § 4 erhoben werden.

(2) [1] Das jeweils zuständige statistische Landesamt erstellt für jede Beschäftigte und jeden Beschäftigten ein eindeutiges, verschlüsseltes und nicht rückverfolgbares Pseudonym nach dem Stand der Technik. [2] Das Pseudonym wird aus den Hilfsmerkmalen nach § 7 Nummer 3 gebildet. [3] Das Pseudonym wird spätestens nach Abschluss der statistischen Aufbereitung erstellt. [4] Daran anschließend werden diese Hilfsmerkmale gelöscht.

[1)] § 5 Abs. 1 neu gef., Abs. 2 Satz 1 geänd., Satz 2 neu gef. mWv 1.1.2009 durch G v. 17.3.2008 (BGBl. I S. 399); Abs. 1 einl. Satzteil neu gef., Nr. 4 geänd., Abs. 3 angef. mWv 1.1.2021 durch G v. 12.8.2020 (BGBl. I S. 1872).

[2)] § 6 neu gef. mWv 1.1.2021 durch G v. 12.8.2020 (BGBl. I S. 1872).

(3) [1]Die Einzelangaben werden mit den Pseudonymen auf einem nach dem Stand der Technik sicheren Kommunikationsweg an eine zentrale Datenbank des Statistischen Bundesamtes übermittelt und dort gespeichert. [2]Eine Übermittlung der Pseudonyme an die Erhebungseinheiten ist nicht zulässig.

(4) Mit Hilfe der Pseudonyme dürfen die Einzelangaben mit den entsprechenden Einzelangaben zurückliegender Monate von den statistischen Ämtern des Bundes und der Länder für den jeweiligen Zuständigkeitsbereich zusammengeführt werden, um Analysen über Verdienstverläufe durchzuführen.

(5) [1]Die Pseudonyme werden drei Jahre nach der letzten Erhebung zu der oder dem Beschäftigten gelöscht. [2]Die in Absatz 4 dargestellten Zusammenführungen werden 15 Jahre nach der letzten Erhebung gelöscht.

§ 7[1)] Hilfsmerkmale. Hilfsmerkmale der Erhebung sind:

1. Name und Anschrift der Erhebungseinheit,
2. Name und Kontaktdaten der Personen, die für Rückfragen zur Verfügung stehen,
3. Personalnummern der in die Erhebung nach § 4 einbezogenen Beschäftigten oder, wenn keine Personalnummern vorliegen, eindeutige, im Zeitverlauf gleichbleibende Ordnungsnummern der Beschäftigten.

§ 8[2)] Auskunftspflicht. (1) [1]Für die Erhebungen besteht Auskunftspflicht. [2]Die Angaben zu § 7 Nr. 2 sind freiwillig. [3]Auskunftspflichtig sind die Inhaber der in die Erhebungen einbezogenen Erhebungseinheiten sowie die mit deren Leitung Beauftragten im Rahmen der ihnen übertragenen Aufgaben und Befugnisse.

(2) [1]Für Unternehmen, deren Inhaber oder Inhaberinnen Existenzgründer oder Existenzgründerinnen sind, besteht im Kalenderjahr der Betriebseröffnung abweichend von Absatz 1 Satz 1 und 3 keine Auskunftspflicht. [2]In den beiden folgenden Kalenderjahren besteht dann keine Auskunftspflicht, wenn das Unternehmen im letzten abgeschlossenen Geschäftsjahr Umsätze in Höhe von weniger als 800 000 Euro erwirtschaftet hat. [3]Gesellschaften können sich auf die Befreiung von der Auskunftspflicht berufen, wenn alle an der Gesellschaft Beteiligten Existenzgründer oder Existenzgründerinnen sind.

(3) Existenzgründer und Existenzgründerinnen im Sinne von Absatz 2 sind natürliche Personen, die eine gewerbliche oder freiberufliche Tätigkeit in Form einer Neugründung, einer Übernahme oder einer tätigen Beteiligung aus abhängiger Beschäftigung oder aus der Nichtbeschäftigung heraus aufnehmen.

§ 9 Übermittlung von Einzelangaben. Das Statistische Bundesamt und die statistischen Ämter der Länder dürfen an die obersten Bundes- und Landesbehörden für die Verwendung gegenüber den gesetzgebenden Körperschaften und für Zwecke der Planung, jedoch nicht für die Regelung von Einzelfällen, Tabellen mit statistischen Ergebnissen übermitteln, auch soweit Tabellenfelder nur einen einzigen Fall ausweisen.

[1)] § 7 neu gef. mWv 1.1.2021 durch G v. 12.8.2020 (BGBl. I S. 1872).

[2)] § 8 *bish.* Wortlaut wird Abs. 1, Abs. 2 angef. mWv 1.1.2008 durch G v. 7.9.2007 (BGBl. I S. 2246); Abs. 1 Satz 3 geänd. mWv 1.1.2009 durch G v. 17.3.2008 (BGBl. I S. 399); Abs. 2 neu gef., Abs. 3 angef. mWv 1.1.2016 durch G v. 28.7.2015 (BGBl. I S. 1400).

§ 10[1] **Verordnungsermächtigung.** Die Bundesregierung wird ermächtigt, durch Rechtsverordnung mit Zustimmung des Bundesrates

1. Erhebungen oder die Erhebung einzelner Erhebungsmerkmale auszusetzen, die Untergliederung von Erhebungsmerkmalen zu verändern, die Periodizität von Erhebungen zu verlängern, Berichtszeiträume zu verschieben sowie den Kreis der zu Befragenden einzuschränken,
2. einzelne neue Erhebungsmerkmale zu den in § 2 genannten Erhebungen einzuführen, wenn dies zum Zweck dieses Gesetzes erforderlich ist und es sich nicht um personenbezogene Daten handelt; werden Erhebungsmerkmale eingeführt, die nicht zur Erfüllung von Berichtspflichten nach dem Recht der Europäischen Union erforderlich sind, so ist durch die gleichzeitige Aussetzung der Erhebung anderer Erhebungsmerkmale eine Erweiterung des Erhebungsumfangs zu vermeiden.

§ 11[2] **Übergangsregelung.** Die Erhebung der Arbeitsverdienste wird für die vier Berichtsquartale des Jahres 2021 auf der Grundlage des § 3 in der bis zum 31. Dezember 2020 geltenden Fassung, die Erhebung der Zahl der geleisteten Arbeitsstunden für das Berichtsjahr 2020 auf der Grundlage des § 5 Absatz 1 Nummer 4 in der bis zum 31. Dezember 2020 geltenden Fassung durchgeführt.

---

[1] § 10 Nr. 2 geänd. mWv 1.1.2021 durch G v. 12.8.2020 (BGBl. I S. 1872).
[2] § 11 neu gef. mWv 1.1.2021 durch G v. 12.8.2020 (BGBl. I S. 1872).

205. Gesetz über das Kreditwesen (Kreditwesengesetz – KWG)[1)]

In der Fassung der Bekanntmachung vom 9. September 1998[2)]
(BGBl. I S. 2776)

FNA 7610-1

zuletzt geänd. durch Art. 6, Art. 7 FondsrisikobegrenzungsG v. 9.4.2026 (BGBl. 2026 I Nr. 97)

– Auszug –[3)]

Zweiter Abschnitt.[4)] Vorschriften für Institute, Institutsgruppen, Finanzholding-Gruppen, gemischte Finanzholding-Gruppen und gemischte Holdinggesellschaften

5.[5)] Besondere Pflichten

§ 25a[6)] Besondere organisatorische Pflichten, Bestimmungen für Risikoträger; Verordnungsermächtigung. (1) [1]Ein Institut muss über eine ordnungsgemäße Geschäftsorganisation verfügen, die die Einhaltung der vom Institut zu beachtenden gesetzlichen Bestimmungen und der betriebswirtschaftlichen Notwendigkeiten gewährleistet. [2]Die Geschäftsleiter sind für die ordnungsgemäße Geschäftsorganisation des Instituts verantwortlich; sie haben die erforderlichen Maßnahmen für die Ausarbeitung der entsprechenden instituts-

---

[1)] Überschrift geänd. mWv 1.7.2002 durch G v. 21.6.2002 (BGBl. I S. 2010).

[2)] Neubekanntmachung des KWG idF der Bek. v. 22.1.1996 (BGBl. I S. 64) in der ab 1.8.1998 geltenden Fassung.

[3)] Vollständig wiedergegeben in **beck-online, Module Arbeitsrecht.**

[4)] 2. Abschnitt Überschr. neu gef. mWv 1.1.2005 durch G v. 21.12.2004 (BGBl. I S. 3610); geänd. mWv 4.7.2013 durch G v. 27.6.2013 (BGBl. I S. 1862); geänd. mWv 25.6.2017 durch G v. 23.6.2017 (BGBl. I S. 1693).

[5)] 2. Abschnitt UAbschnitt 5 Überschrift neu gef. mWv 4.7.2013 durch G v. 27.6.2013 (BGBl. I S. 1862); Überschrift geänd. mWv 25.6.2017 durch G v. 23.6.2017 (BGBl. I S. 1693); Überschrift neu gef. mWv 1.4.2026 durch G v. 25.3.2026 (BGBl. 2026 I Nr. 81).

[6)] § 25a neu gef. mWv 1.1.2014 und Abs. 6 gilt mWv 4.9.2013 durch G v. 28.8.2013 (BGBl. I S. 3395); Abs. 1 Satz 3 Nr. 6 und Abs. 3 Satz 1 geänd., Abs. 2 Satz 3 und Abs. 4 aufgeh., Abs. 5 Satz 3, Abs. 6 Satz 1 Nr. 1 und 3 geänd. mWv 19.7.2014 durch G v. 15.7.2014 (BGBl. I S. 934); Abs. 4 neu gef. mWv 6.11.2015 durch G v. 2.11.2015 (BGBl. I S. 1864); Abs. 1 Satz 6 Nr. 3 geänd. mWv 2.7.2016 und Abs. 1 Satz 6 Nr. 3 geänd. mWv 31.12.2016 durch G v. 30.6.2016 (BGBl. I S. 1514); Abs. 1 Satz 3 Nr. 6 geänd., Abs. 5a eingef., Abs. 6 Satz 1 Nr. 1 Buchst. c geänd, Nr. 2 neu gef., Nr. 2a eingef., Nr. 4 geänd., Nr. 5 neu gef., Nr. 6 eingef. mWv 29.12.2016 durch G v. 23.12.2016 (BGBl. I S. 3171); Abs. 3 Satz 1 neu gef. mWv 10.6.2017 durch G v. 6.6.2017 (BGBl. I S. 1495); Abs. 1 Satz 6 Nr. 3 geänd. mWv 3.1.2018 durch G v. 23.6.2017 (BGBl. I S. 1693); Überschrift und Abs. 5a neu gef., Abs. 5b und 5c angef. mWv 29.3.2019 durch G v. 25.3.2019 (BGBl. I S. 357); Abs. 1 Satz 6 Nr. 3 geänd. mWv 21.7.2019 durch G v. 8.7.2019 (BGBl. I S. 1002); Abs. 1 Satz 3 Nr. 2 und 5, Satz 6 Nr. 3 geänd., Abs. 5b Satz 1 neu gef., Satz 2 eingef., bish. Sätze 2–5 werden Sätze 3–6, neue Sätze 3 und 6 geänd., Satz 7 angef., Abs. 5c und Abs. 6 Satz 1 Nr. 1 abschl. Satzteil geänd. mWv 29.12.2020; Abs. 2 Satz 1 geänd. mWv 28.6.2021 durch G v. 9.12.2020 (BGBl. I S. 2773); Abs. 5b Satz 1 einl. Satzteil geänd. mWv 26.6.2021 durch G v. 12.5.2021 (BGBl. I S. 990); Abs. 5b Sätze 3, 6 und 7 und Abs. 5c geänd. mWv 30.12.2023 durch G v. 22.12.2023 (BGBl. 2023 I Nr. 411); Abs. 1 Satz 3 geänd., Satz 6 Nr. 2, Abs. 3 Sätze 1 und 3 neu gef., Satz 4 angef., Abs. 5b Satz 6 neu gef. mWv 31.3.2026, Abs. 1 Satz 3 Nr. 1 und 3 neu gef., Nr. 4a eingef., Abs. 2, Abs. 5 Satz 2 sowie Abs. 5b Sätze 3 und 4 neu gef., Satz 7 geänd., Abs. 5c neu gef. mWv 1.4.2026 durch G v. 25.3.2026 (BGBl. 2026 I Nr. 81); Abs. 1 Satz 3 eingef., bish. Sätze 3–6 werden Sätze 4–7 mWv 25.6.2026 durch G v. 9.4.2026 (BGBl. 2026 I Nr. 97).

internen Vorgaben zu ergreifen, sofern nicht das Verwaltungs- oder Aufsichtsorgan entscheidet. [3] Dies umfasst insbesondere wirksame Verfahren zur Ermittlung, Steuerung, Überwachung und Meldung der Risiken, denen das Institut ausgesetzt ist oder sein könnte, einschließlich kurz-, mittel- und langfristiger Umwelt-, Sozial- und Unternehmensführungsrisiken sowie des Konzentrationsrisikos, das aus Risikopositionen gegenüber zentralen Gegenparteien erwächst, unter Berücksichtigung der in Artikel 7a der Verordnung (EU) Nr. 648/2012 festgelegten Bedingungen. [4] Eine ordnungsgemäße Geschäftsorganisation muss insbesondere eine solide Unternehmensführung sowie ein angemessenes und wirksames Risikomanagement umfassen, auf dessen Basis ein Institut die Risikotragfähigkeit laufend sicherzustellen hat; das Risikomanagement umfasst insbesondere

1. die Festlegung von Strategien, insbesondere die Festlegung einer auf die nachhaltige Entwicklung des Instituts gerichteten Geschäftsstrategie und einer damit konsistenten Risikostrategie, sowie die Einrichtung von Prozessen zur Planung, Umsetzung, Beurteilung und Anpassung der Strategien, wobei die Strategien und die hierfür eingerichteten Prozesse von kleinen und nicht komplexen Instituten im Sinne des Artikels 4 Absatz 1 Unterabsatz 1 Nummer 145 der Verordnung (EU) Nr. 575/2013[1)] alle zwei Jahre und von den übrigen Instituten in Abhängigkeit von Art, Umfang, Komplexität und Risikogehalt der Geschäftstätigkeit regelmäßig, mindestens aber alle zwei Jahre zu überprüfen und soweit erforderlich anzupassen sind;
2. Verfahren zur Ermittlung und Sicherstellung der Risikotragfähigkeit, wobei eine vorsichtige Ermittlung der Risiken, der potentiellen Verluste, die sich auf Grund von Stressszenarien ergeben, einschließlich derjenigen, die nach dem aufsichtlichen Stresstest nach § 6b Absatz 3 ermittelt werden, und des zu ihrer Abdeckung verfügbaren Risikodeckungspotenzials zugrunde zu legen ist;
3. die Einrichtung interner Kontrollverfahren mit einem internen Kontrollsystem und einer unabhängigen Internen Revision, wobei das interne Kontrollsystem insbesondere Folgendes umfasst:
   a) aufbau- und ablauforganisatorische Regelungen mit klarer Abgrenzung der Verantwortungsbereiche,
   b) Prozesse zur Identifizierung, Beurteilung, Steuerung sowie Überwachung und Kommunikation der Risiken entsprechend den in Titel VII Kapitel 2 Abschnitt 2 Unterabschnitt II der Richtlinie 2013/36/EU[2)] in der Fassung vom 27. November 2024 niedergelegten Kriterien und
   c) eine unabhängige Risikocontrolling-Funktion und eine unabhängige Compliance-Funktion;

   die Interne Revision darf nicht mit anderen Geschäftsbereichen oder Kontrollfunktionen des Instituts kombiniert werden;
4. eine angemessene personelle und technisch-organisatorische Ausstattung des Instituts;

4a. angemessene Kapazitäten für das Datenmanagement sowie effektive Prozesse zur Sicherstellung der Datenqualität;

[1)] **beck-online, Module Arbeitsrecht Nr. 894b.**
[2)] Nr. **894a**.

5. die Festlegung eines angemessenen Notfallmanagements, insbesondere für IT-Systeme, und
6. angemessene, transparente und auf eine nachhaltige Entwicklung des Instituts ausgerichtete Vergütungssysteme für Geschäftsleiter und Mitarbeiter unter Berücksichtigung von Absatz 5; dies gilt mit Ausnahme der Pflicht zur Offenlegung vergütungsbezogener Informationen nicht, soweit die Vergütung durch Tarifvertrag oder in seinem Geltungsbereich durch Vereinbarung der Arbeitsvertragsparteien über die Anwendung der tarifvertraglichen Regelungen oder auf Grund eines Tarifvertrags in einer Betriebs- oder Dienstvereinbarung vereinbart ist.

[5] Die Ausgestaltung des Risikomanagements hängt von Art, Umfang, Komplexität und Risikogehalt der Geschäftstätigkeit ab. [6] Seine Angemessenheit und Wirksamkeit ist vom Institut regelmäßig zu überprüfen. [7] Eine ordnungsgemäße Geschäftsorganisation umfasst darüber hinaus

1. angemessene Regelungen, anhand derer sich die finanzielle Lage des Instituts jederzeit mit hinreichender Genauigkeit bestimmen lässt;
2. eine vollständige Dokumentation der Geschäftstätigkeit, die eine lückenlose Überwachung durch die Bundesanstalt für ihren Zuständigkeitsbereich gewährleistet; erforderliche Aufzeichnungen sind mindestens fünf Jahre aufzubewahren; § 257 Absatz 4 des Handelsgesetzbuchs[1] bleibt unberührt, § 257 Absatz 3 und 5 des Handelsgesetzbuchs[1] gilt entsprechend, und
3. einen Prozess, der es den Mitarbeitern unter Wahrung der Vertraulichkeit ihrer Identität ermöglicht, Verstöße gegen die Verordnung (EU) Nr. 575/2013[2], die Verordnung (EU) Nr. 596/2014 des Europäischen Parlaments und des Rates vom 16. April 2014 über Marktmissbrauch (Marktmissbrauchsverordnung) und zur Aufhebung der Richtlinie 2003/6/EG des Europäischen Parlaments und des Rates und der Richtlinien 2003/124/EG, 2003/125/EG und 2004/72/EG der Kommission (ABl. L 173 vom 12.6. 2014, S. 1; L 287 vom 21.10.2016, S. 320; L 306 vom 15.11.2016, S. 43; L 348 vom 21.12.2016, S. 83), die zuletzt durch die Verordnung (EU) 2016/1033 (ABl. L 175 vom 30.6.2016, S. 1) geändert worden ist, die Verordnung (EU) Nr. 600/2014, die Verordnung (EU) Nr. 1286/2014 oder die Verordnung (EU) 2017/1129 des Europäischen Parlaments und des Rates vom 14. Juni 2017 über den Prospekt, der beim öffentlichen Angebot von Wertpapieren oder bei deren Zulassung zum Handel an einem geregelten Markt zu veröffentlichen ist und zur Aufhebung der Richtlinie 2003/71/EG (ABl. L 168 vom 30.6.2017, S. 12) oder gegen dieses Gesetz oder gegen die auf Grund dieses Gesetzes erlassenen Rechtsverordnungen oder gegen das Wertpapierhandelsgesetz[3] oder gegen die auf Grund des Wertpapierhandelsgesetzes erlassenen Rechtsverordnungen sowie etwaige strafbare Handlungen innerhalb des Unternehmens an geeignete Stellen zu berichten.

(2) [1] Die Bundesanstalt kann gegenüber einem Institut die Anwendung des standardisierten Ansatzes oder des vereinfachten standardisierten Ansatzes, jeweils gemäß der Delegierten Verordnung (EU) 2024/857 in der Fassung vom 1. Dezember 2023, für das Risikomanagement von Zinsänderungsrisiken aus

[1] **beck-online, Module Arbeitsrecht Nr. 105.**
[2] Auszugsweise abgedruckt unter Nr. **894b**.
[3] **beck-online, Module Arbeitsrecht Nr. 127.**

den nicht unter das Handelsbuch fallenden Geschäften anordnen, falls die internen Verfahren und Methoden kein angemessenes und wirksames Risikomanagement in diesem Bereich gewährleisten. [2] Die Bundesanstalt kann gegenüber einem Institut im Einzelfall Anordnungen treffen, die geeignet und erforderlich sind, die ordnungsgemäße Geschäftsorganisation im Sinne des Absatzes 1 Satz 3 und 6 sicherzustellen.

(3) [1] Die Absätze 1 und 2 gelten für Institutsgruppen, Finanzholding-Gruppen und gemischte Finanzholding-Gruppen sowie Unterkonsolidierungsgruppen nach Artikel 22 der Verordnung (EU) Nr. 575/2013[1)] mit der Maßgabe entsprechend, dass die Geschäftsleiter des übergeordneten oder zur Unterkonsolidierung verpflichteten Unternehmens für die ordnungsgemäße Geschäftsorganisation einschließlich einer soliden Unternehmensführung sowie eines angemessenen und wirksamen Risikomanagements der Institutsgruppe, Finanzholding-Gruppe, gemischten Finanzholding-Gruppe oder der Unterkonsolidierungsgruppe verantwortlich sind. [2] Zu einer Gruppe im Sinne von Satz 1 gehören auch Tochterunternehmen eines übergeordneten Unternehmens oder nachgeordneten Tochterunternehmens einer Institutsgruppe, Finanzholding-Gruppe oder gemischten Finanzholding-Gruppe, auf die weder die Verordnung (EU) Nr. 575/2013[2)] noch § 1a zur Anwendung kommt. [3] Die Regelungen, Verfahren und Mechanismen der gruppenangehörigen Unternehmen müssen dabei kohärent sein und ineinandergreifen. [4] Die sich aus den Sätzen 1 und 3 ergebenden Pflichten müssen von Tochterunternehmen der Gruppe mit Sitz in einem Drittstaat nur insoweit beachtet werden, als diese Pflichten nicht dem geltenden Recht im Herkunftsstaat des Tochterunternehmens entgegenstehen.

(4) [1] Das Bundesministerium der Finanzen wird ermächtigt, durch Rechtsverordnung, die nicht der Zustimmung des Bundesrates bedarf, im Einvernehmen mit der Deutschen Bundesbank und nach Anhörung der Europäischen Zentralbank nähere Bestimmungen über die Ausgestaltung eines angemessenen und wirksamen Risikomanagements auf Einzelinstituts- und Gruppenebene gemäß Absatz 1 Satz 3 Nummer 1 bis 5 und Absatz 3 und der jeweils zugehörigen Tätigkeiten und Prozesse zu erlassen. [2] Vor Erlass der Rechtsverordnung sind die Spitzenverbände der Institute zu hören.

(5) [1] Die Institute haben angemessene Verhältnisse zwischen der variablen und fixen jährlichen Vergütung für Mitarbeiter und Geschäftsleiter festzulegen. [2] Sie haben die variable Vergütung vorbehaltlich eines Beschlusses nach Satz 5 jeweils bei maximal 100 Prozent der fixen Vergütung für jeden einzelnen Mitarbeiter oder Geschäftsleiter zu halten. [3] Hierbei kann für bis zu 25 Prozent der variablen Vergütung der zukünftige Wert auf den Zeitpunkt der Mitteilung an die jeweiligen Mitarbeiter oder Geschäftsleiter über die Höhe der variablen Vergütung für einen Bemessungszeitraum abgezinst werden, wenn dieser Teil der variablen Vergütung in Instrumenten gezahlt wird, die für die Dauer von mindestens fünf Jahren nach dieser Mitteilung zurückbehalten werden. [4] Bei der Zurückbehaltung dürfen ein Anspruch und eine Anwartschaft auf diesen Teil der variablen Vergütung erst nach Ablauf des Zurückbehaltungszeitraums erwachsen und während des Zurückbehaltungszeitraums lediglich ein Anspruch auf fehlerfreie Ermittlung des noch nicht zu einer Anwartschaft oder einem Anspruch erwachsenen Teils dieses Teils der variablen Vergütung beste-

---

[1)] **beck-online, Module Arbeitsrecht Nr. 894b.**

[2)] Auszugsweise abgedruckt unter Nr. **894b**.

hen, nicht aber auf diesen Teil der variablen Vergütung selbst. [5] Die Anteilseigner, die Eigentümer, die Mitglieder oder die Träger des Instituts können über die Billigung einer höheren variablen Vergütung als nach Satz 2, die 200 Prozent der fixen Vergütung für jeden einzelnen Mitarbeiter oder Geschäftsleiter nicht überschreiten darf, beschließen. [6] Zur Billigung einer höheren variablen Vergütung als nach Satz 2 für Mitarbeiter haben die Geschäftsleitung und das Verwaltungs- oder Aufsichtsorgan, zur Billigung einer höheren variablen Vergütung als nach Satz 2 für Geschäftsleiter nur das Verwaltungs- oder Aufsichtsorgan, einen Vorschlag zur Beschlussfassung zu machen; der Vorschlag hat die Gründe für die erbetene Billigung einer höheren variablen Vergütung als nach Satz 2 und deren Umfang, einschließlich der Anzahl der betroffenen Mitarbeiter und Geschäftsleiter sowie ihrer Funktionen, und den erwarteten Einfluss einer höheren variablen Vergütung als nach Satz 2 auf die Anforderung, eine angemessene Eigenmittelausstattung vorzuhalten, darzulegen. [7] Der Beschlussvorschlag ist so rechtzeitig vor der Beschlussfassung bekannt zu machen, dass sich die Anteilseigner, die Eigentümer, die Mitglieder oder die Träger des Instituts angemessen informieren können; üben die Anteilseigner, die Eigentümer, die Mitglieder oder die Träger ihre Rechte in einer Versammlung aus, ist der Beschlussvorschlag mit der Einberufung der Versammlung bekannt zu machen. [8] Der Beschluss bedarf einer Mehrheit von mindestens 66 Prozent der abgegebenen Stimmen, sofern mindestens 50 Prozent der Stimmrechte bei der Beschlussfassung vertreten sind, oder von mindestens 75 Prozent der abgegebenen Stimmen. [9] Anteilseigner, Eigentümer, Mitglieder oder Träger die als Mitarbeiter oder Geschäftsleiter von einer höheren variablen Vergütung als nach Satz 2 betroffen wären, dürfen ihr Stimmrecht weder unmittelbar noch mittelbar ausüben.

(5a) [1] Auf Risikoträger und Risikoträgerinnen bedeutender Institute, deren jährliche fixe Vergütung das Dreifache der Beitragsbemessungsgrenze in der allgemeinen Rentenversicherung im Sinne des § 159 des Sechsten Buches Sozialgesetzbuch[1)] überschreitet und die keine Geschäftsführer, Betriebsleiter und ähnliche leitende Angestellte sind, die zur selbständigen Einstellung oder Entlassung von Arbeitnehmern berechtigt sind, findet § 9 Absatz 1 Satz 2 des Kündigungsschutzgesetzes[2)] mit der Maßgabe Anwendung, dass der Antrag des Arbeitgebers auf Auflösung des Arbeitsverhältnisses keiner Begründung bedarf. [2] § 14 Absatz 1 des Kündigungsschutzgesetzes bleibt unberührt.

(5b) [1] In einem CRR-Kreditinstitut sowie in einem Institut, das kein CRR-Institut, aber bedeutend gemäß § 1 Absatz 3c ist, gelten die folgenden Personengruppen zwingend als Risikoträger:

1. Mitarbeiter der unmittelbar der Geschäftsleitung nachgelagerten Führungsebene;
2. Mitarbeiter mit Managementverantwortung für die Kontrollfunktionen oder die wesentlichen Geschäftsbereiche des Instituts;
3. Mitarbeiter, die im oder für das vorhergehende Geschäftsjahr Anspruch auf eine Vergütung in Höhe von mindestens 500 000 Euro hatten, sofern
   a) diese Vergütung mindestens der durchschnittlichen Vergütung der Geschäftsleiter, der Mitglieder des Verwaltungs- oder Aufsichtsorgans sowie

---
[1)] Nr. **696**.
[2)] Nr. **152**.

der Mitarbeiter der unmittelbar der Geschäftsleitung nachgelagerten Führungsebene des Instituts im Sinne von Nummer 1 entspricht, und

b) die Mitarbeiter die berufliche Tätigkeit in einem wesentlichen Geschäftsbereich ausüben und sich diese Tätigkeit erheblich auf das Risikoprofil des betreffenden Geschäftsbereichs auswirkt.

[2] Ein bedeutendes Institut hat darüber hinaus auf Grundlage einer Risikoanalyse eigenverantwortlich alle weiteren Risikoträger zu ermitteln. [3] Dabei sind immer mindestens die Kriterien gemäß den Artikeln 5 und 6 der Delegierten Verordnung (EU) 2021/923 in der Fassung vom 25. März 2021 zugrunde zu legen. [4] Das Institut teilt den betroffenen Mitarbeitern und Mitarbeiterinnen die Einstufung als Risikoträger unverzüglich mit. [5] Die Risikoanalyse ist schriftlich oder elektronisch zu dokumentieren und regelmäßig zu aktualisieren. [6] Ausnahmen nach Artikel 6 Absatz 2 der Delegierten Verordnung (EU) 2021/923 in der Fassung vom 25. März 2021 bedürfen der Zustimmung der Geschäftsleitung und der vorherigen Kenntnisnahme durch das Verwaltungs- oder Aufsichtsorgan. [7] Für die Zwecke dieser Vorschrift gelten die Begriffsbestimmungen sowie die Berechnungsmethoden zur Höhe der maßgeblichen Vergütung nach der Delegierten Verordnung (EU) 2021/923 in der Fassung vom 25. März 2021.

(5c) Die nach Artikel 6 Absatz 3 Satz 1 der Delegierten Verordnung (EU) 2021/923 in der Fassung vom 25. März 2021 an die Aufsichtsbehörde zu stellenden Anträge sind unverzüglich, spätestens jedoch sechs Monate nach Ablauf des Geschäftsjahres, zu stellen.

(6)[1)] [1] Das Bundesministerium der Finanzen wird ermächtigt, durch Rechtsverordnung, die nicht der Zustimmung des Bundesrates bedarf, im Benehmen mit der Deutschen Bundesbank nähere Bestimmungen zu erlassen über

1. die Ausgestaltung der Vergütungssysteme nach Absatz 1 Satz 3 Nummer 6 einschließlich der Ausgestaltung
   a) der Entscheidungsprozesse und Verantwortlichkeiten,
   b) des Verhältnisses der variablen zur fixen Vergütung und der Vergütungsinstrumente für die variable Vergütung,
   c) positiver und negativer Vergütungsparameter, der Leistungszeiträume, Zurückbehaltungszeiträume und Rückforderungszeiträume einschließlich der Voraussetzungen und Parameter für einen vollständigen Verlust oder eine teilweise Reduzierung oder eine vollständige oder teilweise Rückforderung der variablen Vergütung sowie

   der Berücksichtigung der institutsspezifischen und gruppenweiten Geschäfts- und Vergütungsstrategie einschließlich deren Anwendung und Umsetzung in Unternehmen, die nach Artikel 18 der Verordnung (EU) Nr. 575/2013[2)] zu konsolidieren sind oder freiwillig konsolidiert werden, der Ziele, der Werte und der langfristigen Interessen des Instituts,
2. die Voraussetzungen und das Verfahren bei Billigung eines höheren Verhältnisses zwischen der variablen und fixen jährlichen Vergütung nach Absatz 5 Satz 2 bis 9,

---

[1)] § 25a Abs. 6 gilt mWv 4.9.2013 durch Art. 10 Abs. 2 Nr. 7 G v. 28.8.2013 (BGBl. I S. 3395).
[2)] **beck-online, Module Arbeitsrecht Nr. 894b.**

2a. die Berechnung des Verhältnisses der variablen zur fixen Vergütung nach Absatz 5 Satz 2 bis 5, insbesondere über die Diskontierungsfaktoren zur Ermittlung des zugrunde zu legenden Barwerts der variablen Vergütung,
3. die Überwachung der Angemessenheit und der Transparenz der Vergütungssysteme durch das Institut und die Weiterentwicklung der Vergütungssysteme, auch unter Einbeziehung des Vergütungskontrollausschusses und eines Vergütungsbeauftragten,
4. die Offenlegung der Ausgestaltung der Vergütungssysteme und der Zusammensetzung der Vergütung einschließlich des Gesamtbetrags der garantierten Bonuszahlungen und der einzelvertraglichen Abfindungszahlungen unter Angabe der höchsten geleisteten Abfindung und der Anzahl der Begünstigten, soweit nicht von Artikel 450 der Verordnung (EU) Nr. 575/2013[1] erfasst, das Offenlegungsmedium und die Häufigkeit der Offenlegung,
5. die Ausgestaltung der Offenlegung gemäß Artikel 450 der Verordnung (EU) Nr. 575/2013[1] sowie
6. die vollständige oder teilweise Herausnahme von Instituten, die keine CRR-Institute[2] sind, aus dem Anwendungsbereich der Rechtsverordnung.

[2] Die Regelungen haben sich insbesondere an Größe und Vergütungsstruktur des Instituts sowie Art, Umfang, Komplexität, Risikogehalt und Internationalität der Geschäftsaktivitäten zu orientieren. [3] Im Rahmen der Bestimmungen nach Satz 1 Nummer 4 müssen die auf Offenlegung der Vergütung bezogenen handelsrechtlichen Bestimmungen nach § 340a Absatz 1 und 2 in Verbindung mit § 340l Absatz 1 Satz 1 des Handelsgesetzbuchs[3] unberührt bleiben. [4] Das Bundesministerium der Finanzen kann die Ermächtigung durch Rechtsverordnung auf die Bundesanstalt mit der Maßgabe übertragen, dass die Rechtsverordnung im Einvernehmen mit der Deutschen Bundesbank ergeht. [5] Vor Erlass der Rechtsverordnung sind die Spitzenverbände der Institute zu hören.

Dritter Abschnitt. Vorschriften über die Beaufsichtigung der Institute

4. Maßnahmen in besonderen Fällen

§ 45[4] Maßnahmen zur Sicherstellung einer dauerhaften Erfüllung der regulatorischen Anforderungen. (1) Die Aufsichtsbehörde kann gegenüber einem Institut Maßnahmen zur dauerhaften Erfüllung der jeweiligen Anforderung anordnen, wenn seine Vermögens-, Finanz- oder Ertragsentwicklung oder andere Umstände die Annahme rechtfertigen, dass es mindestens eine der folgenden Anforderungen nicht erfüllt oder zukünftig voraussichtlich nicht erfüllen wird:
1. die Anforderungen der Verordnung (EU) Nr. 575/2013[5],

---

[1] Nr. **894b**.

[2] Nach den Änd. durch G v. 12.5.2021 (BGBl. I S. 990) jetzt wohl richtig: „CRR-Kreditinstitute".

[3] **beck-online, Module Arbeitsrecht Nr. 105.**

[4] § 45 neu gef. mWv 29.12.2020; Abs. 1 Nr. 4a eingef. mWv 1.1.2023 durch G v. 9.12.2020 (BGBl. I S. 2773); Abs. 2 Nr. 8 neu gef. mWv 30.12.2026 durch G v. 4.2.2026 (BGBl. 2026 I Nr. 33); Überschrift, Abs. 1, Abs. 2 Nr. 5 sowie Nr. 12 und 13 neu gef., Nr. 14–16 angef., Abs. 4–7 neu gef. mWv 1.4.2026 durch G v. 25.3.2026 (BGBl. 2026 I Nr. 81).

[5] Auszugsweise abgedruckt unter Nr. **894b**.

2. die Anforderungen dieses Gesetzes oder der aufgrund dieses Gesetzes ergangenen Rechtsverordnungen oder
3. die Mindestanforderung an Eigenmittel und berücksichtigungsfähige Verbindlichkeiten und die Anforderung an das Verlustabsorptionskapital nach den §§ 49 bis 51 des Sanierungs- und Abwicklungsgesetzes[1].

(2) Die Aufsichtsbehörde kann insbesondere

1. anordnen, dass das Institut der Aufsichtsbehörde und der Deutschen Bundesbank eine begründete Darstellung der Entwicklung der wesentlichen Geschäftsaktivitäten über einen Zeitraum von mindestens drei Jahren, einschließlich Planbilanzen, Plangewinn- und -verlustrechnungen sowie der bankaufsichtlichen Kennzahlen, vorlegt,
2. anordnen, dass das Institut Maßnahmen zur besseren Abschirmung oder Reduzierung der vom Institut als wesentlich identifizierten Risiken und damit verbundener Risikokonzentrationen prüft und der Aufsichtsbehörde und der Deutschen Bundesbank darüber berichtet, wobei auch Konzepte für den Ausstieg aus einzelnen Geschäftsbereichen oder die Abtrennung von Instituts- oder Gruppenteilen erwogen werden sollen,
3. anordnen, dass das Institut der Aufsichtsbehörde und der Deutschen Bundesbank über geeignete Maßnahmen zur Erhöhung seines Kernkapitals, seiner Eigenmittel und seiner Liquidität berichtet,
4. anordnen, dass das Institut ein Konzept zur Abwendung einer möglichen Gefahrenlage nach § 35 Absatz 2 Nummer 4 entwickelt und der Aufsichtsbehörde und der Deutschen Bundesbank vorlegt,
5. anordnen, dass das Institut seine Nettogewinne zur Stärkung seiner Eigenmittel einsetzt, und insbesondere Entnahmen durch die Inhaber oder Gesellschafter sowie Ausschüttungen oder Zinszahlungen an Anteilseigner, Gesellschafter oder Inhaber von Instrumenten des zusätzlichen Kernkapitals untersagen oder beschränken, sofern die Nichtzahlung nicht ein Ausfallereignis für das Institut darstellt,
6. bilanzielle Maßnahmen untersagen oder beschränken, die dazu dienen, einen entstandenen Jahresfehlbetrag auszugleichen oder einen Bilanzgewinn auszuweisen,
7. anordnen, dass die Auszahlung jeder Art von gewinnabhängigen Erträgen auf Eigenmittelinstrumente insgesamt oder teilweise ersatzlos entfällt, wenn die gewinnabhängigen Erträge nicht vollständig durch einen erzielten Jahresüberschuss gedeckt sind,

[Nr. 8 bis 29.12.2026:]

8. die Gewährung von Krediten im Sinne von § 19 Absatz 1 untersagen oder beschränken,

[Nr. 8 ab 30.12.2026:]

8. *geschäftsbeschränkende Maßnahmen anordnen, insbesondere das Eingehen von Risikopositionen im Sinne von Artikel 5 Absatz 1 der Verordnung (EU) Nr. 575/2013[2] oder die Annahme von Einlagen untersagen oder beschränken,*

---

[1] **beck-online, Module Arbeitsrecht Nr. 656.**
[2] **beck-online, Module Arbeitsrecht Nr. 894b.**

9. anordnen, dass das Institut Maßnahmen zur Reduzierung von Risiken, einschließlich der mit ausgelagerten Aktivitäten und Prozessen verbundenen Risiken, ergreift, soweit sich diese aus bestimmten Arten von Geschäften und Produkten oder der Nutzung bestimmter Systeme ergeben,
10. anordnen, dass das Institut den Jahresgesamtbetrag, den es für die variable Vergütung aller Geschäftsleiter und Mitarbeiter vorsieht (Gesamtbetrag der variablen Vergütungen), auf einen bestimmten Anteil des Jahresergebnisses beschränkt oder vollständig streicht, soweit diese variablen Vergütungsbestandteile nicht durch Tarifvertrag oder in seinem Geltungsbereich durch Vereinbarung der Arbeitsvertragsparteien über die Anwendung der tarifvertraglichen Regelungen oder auf Grund eines Tarifvertrags in einer Betriebs- oder Dienstvereinbarung vereinbart sind,
11. die Auszahlung variabler Vergütungsbestandteile untersagen oder auf einen bestimmten Anteil des Jahresergebnisses beschränken, soweit diese variablen Vergütungsbestandteile nicht durch Tarifvertrag oder in seinem Geltungsbereich durch Vereinbarung der Arbeitsvertragsparteien über die Anwendung der tarifvertraglichen Regelungen oder auf Grund eines Tarifvertrags in einer Betriebs- oder Dienstvereinbarung vereinbart sind,

12.–16. …

(3) …

(4) [1]Die Aufsichtsbehörde darf die in Absatz 2 Nummer 5 bis 11 und 13 bis 15 sowie Absatz 5 Satz 2 bezeichneten Anordnungen erst treffen, wenn das Institut oder die gemischte Finanzholding-Gesellschaft die Gefahrenlage gemäß Absatz 1 nicht innerhalb einer von der Aufsichtsbehörde zu bestimmenden Frist behoben hat. [2]Soweit dies zur Verhinderung einer kurzfristig zu erwartenden Verschlechterung der Vermögens-, Finanz- oder Ertragsentwicklung des Instituts nach Absatz 1 erforderlich ist oder soweit bereits Maßnahmen nach Absatz 2 Nummer 1 bis 4 und 12 ergriffen wurden, sind solche Anordnungen auch ohne vorherige Fristsetzung zulässig.

(5) [1]Absatz 1, 2 Nummer 1 bis 7, 9 bis 12 und 14 bis 16 sowie Absatz 4 sind auf übergeordnete Unternehmen nach § 10a sowie auf Institute und Finanzholding-Gesellschaften, die nach Artikel 22 der Verordnung (EU) Nr. 575/2013[1)] zur Teilkonsolidierung verpflichtet sind, entsprechend anzuwenden, wenn eine oder mehrere der in Absatz 1 aufgezählten Anforderungen auf zusammengefasster Basis nicht erfüllt werden oder zukünftig voraussichtlich nicht mehr erfüllt werden können. [2]Bei einem gruppenangehörigen Institut, das nach § 2a Absatz 1 freigestellt ist, kann die Aufsichtsbehörde anordnen, dass die Vorschriften der Artikel 24 bis 403 der Verordnung (EU) Nr. 575/2013[1)] entgegen der Freistellung ganz oder teilweise wieder anzuwenden sind.

(6) [1]Beschlüsse über eine Gewinnausschüttung sind nichtig, soweit sie einer Anordnung nach Absatz 2 oder 5 widersprechen. [2]Aus Regelungen in Verträgen über Eigenmittelinstrumente können keine Rechte abgeleitet werden, soweit diese einer Anordnung nach Absatz 2 Nummer 5 bis 11 oder Nummer 13, 14 oder Absatz 5 widersprechen.

[1)] **beck-online, Module Arbeitsrecht Nr. 894b.**

(7) [1] Bei einer Streichung des Gesamtbetrags der variablen Vergütung oder einer Untersagung der Auszahlung von variablen Vergütungsbestandteilen nach Absatz 2 Nummer 10 oder 11 kann die Aufsichtsbehörde anordnen, dass die Ansprüche auf Gewährung variabler Vergütungsbestandteile ganz oder teilweise erlöschen, wenn bei Untersagung der Auszahlung oder innerhalb eines Zeitraums von zwei Jahren nach Untersagung der Auszahlung

1. das Institut außerordentliche staatliche Unterstützung in Anspruch nimmt und die Voraussetzungen für die Untersagung der Auszahlung bis zu diesem Zeitpunkt nicht weggefallen sind oder allein aufgrund dieser Maßnahmen weggefallen sind,
2. eine Anordnung der Aufsichtsbehörde nach Absatz 2 Nummer 5 bis 11 und 13 bis 15 besteht oder getroffen wird oder
3. Maßnahmen nach § 46 getroffen werden oder eine Abwicklungsanordnung im Sinne des § 77 des Sanierungs- und Abwicklungsgesetzes[1)] ergangen ist.

[2] Eine solche Anordnung soll insbesondere ergehen, wenn

1. die Ansprüche auf Gewährung variabler Vergütungsbestandteile aufgrund solcher Regelungen eines Vergütungssystems eines Instituts entstanden sind, die den Anforderungen nach § 25a Absatz 1 Satz 3 Nummer 6 widersprechen, oder
2. anzunehmen ist, dass ohne die außerordentliche staatliche Unterstützung das Institut nicht in der Lage gewesen wäre, die variablen Vergütungsbestandteile zu gewähren.

[3] Ist anzunehmen, dass das Institut einen Teil der variablen Vergütungsbestandteile hätte gewähren können, sind die variablen Vergütungsbestandteile angemessen zu kürzen.

(8) [1] Liegen die Voraussetzungen nach Absatz 7 Satz 1 und 2 vor, kann die Aufsichtsbehörde gegenüber dem Institut auch anordnen, dass das Institut sämtliche nach § 25a Absatz 5 Satz 4 dieses Gesetzes und nach § 20 Absatz 1 und 2 der Institutsvergütungsverordnung[2)] zurückbehaltenen variablen Vergütungen von Geschäftsleitern und Mitarbeitern kürzt oder streicht. [2] Die Aufsichtsbehörde kann Anordnungen nach Absatz 2 Nummer 10 und 11 und nach Absatz 7 Satz 1 auch treffen, wenn ein Institut außerordentliche staatliche Unterstützung in Anspruch nimmt und die Anordnung zur Erhaltung einer soliden Eigenkapital- oder Liquiditätsausstattung oder zu einer frühzeitigen Beendigung der staatlichen Unterstützung geboten ist. [3] Nimmt ein Institut staatliche Unterstützung in Anspruch, kann die Aufsichtsbehörde außerdem die Auszahlung von variablen Vergütungsbestandteilen an Geschäftsleiter des Instituts ganz oder teilweise untersagen und das Erlöschen der entsprechenden Ansprüche anordnen. [4] Ansprüche auf variable Vergütung, die vor dem 1. Januar 2011 entstanden sind, können weder nach Absatz 7 noch nach den Sätzen 1 und 2 gekürzt oder gestrichen werden. [5] Satz 3 ist nicht auf Ansprüche auf variable Vergütung anwendbar, die vor dem 1. Januar 2012 entstanden sind.

(9) [1] Institute müssen der Möglichkeit einer Anordnung nach Absatz 2 Nummer 10 und 11 und nach den Absätzen 7 und 8 Satz 1 bis 3 in vertraglichen Vereinbarungen mit ihren Geschäftsleitern und Mitarbeitern Rechnung tragen.

[1)] **beck-online, Module Arbeitsrecht Nr. 656.**
[2)] Nr. **205a**.

[2] Soweit vertragliche Vereinbarungen über die Gewährung einer variablen Vergütung einer Anordnung nach Satz 1 entgegenstehen, können aus ihnen keine Rechte abgeleitet werden.

(10) Die Aufsichtsbehörde kann eine Maßnahme nach den Absätzen 1 bis 8 gegenüber einem in § 10 Absatz 4 Satz 1 aufgeführten Unternehmen oder einer dort aufgeführten Gruppe auch anordnen, wenn dieses oder diese die nach § 10 Absatz 4 angeordneten erhöhten Kapitalanforderungen nicht erfüllt.

(11) [1] Zur Umsetzung der Anordnungen nach Absatz 8 oder § 10 Absatz 4 gelten für Beschlussfassungen der Anteilsinhaberversammlung des Instituts, die Kapitalmaßnahmen betreffen, die §§ 7 bis 7f, 9, 10, 12, 13 und 15 des Wirtschaftsstabilisierungsbeschleunigungsgesetzes[1)] entsprechend. [2] Dies gilt auch dann, wenn andere private oder öffentliche Stellen als der Finanzmarktstabilisierungsfonds zur Erreichung der Kapitalanforderungen teilweise oder vollständig beitragen.

[1)] Nr. **652**.

205a. Verordnung über die aufsichtsrechtlichen Anforderungen an Vergütungssysteme von Instituten (Institutsvergütungsverordnung – InstitutsVergV)[1)]

Vom 16. Dezember 2013

(BGBl. I S. 4270)

FNA 7610-2-43

zuletzt geänd. durch Art. 11, Art. 12 Bankenrichtlinienumsetzungs- und BürokratieentlastungsG v. 25.3.2026 (BGBl. 2026 I Nr. 81)

Auf Grund des § 25a Absatz 6 des Kreditwesengesetzes[2)], der durch Artikel 1 Nummer 48 des Gesetzes vom 28. August 2013 (BGBl. I S. 3395) in das Kreditwesengesetz eingefügt worden ist, verordnet das Bundesministerium der Finanzen im Benehmen mit der Deutschen Bundesbank und nach Anhörung der Spitzenverbände der Institute:

Inhaltsübersicht[3)]

[1)] **Amtl. Anm.:** Diese Verordnung dient der Umsetzung der Richtlinie 2013/36/EU *[Nr. **894a**]* des Europäischen Parlaments und des Rates vom 26. Juni 2013 über den Zugang zur Tätigkeit von Kreditinstituten und die Beaufsichtigung von Kreditinstituten und Wertpapierfirmen, zur Änderung der Richtlinie 2002/87/EG und zur Aufhebung der Richtlinien 2006/48/EG und 2006/49/EG (ABl. L 176 vom 27.6.2013, S. 338) sowie der Anpassung des Aufsichtsrechts an die Verordnung (EU) Nr. 575/2013 [auszugsweise abgedruckt unter Nr. **894b**] des Europäischen Parlaments und des Rates vom 26. Juni 2013 über die Aufsichtsanforderungen an Kreditinstitute und Wertpapierfirmen und zur Änderung der Verordnung (EU) Nr. 646/2012 (ABl. L 176 vom 27.6.2013, S. 1).

[2)] Nr. **205**.

[3)] Inhaltsübersicht geänd. mWv 4.8.2017 durch VO v. 25.7.2017 (BGBl. I S. 3042); geänd. mWv 26.4.2019 durch VO v. 15.4.2019 (BGBl. I S. 486); geänd. mWv 25.9.2021 durch VO v. 20.9.2021 (BGBl. I S. 4308).

Abschnitt 1. Allgemeines

§ 1[1] Anwendungsbereich. (1) [1]Diese Verordnung gilt vorbehaltlich des Absatzes 3 für alle Institute gemäß § 1 Absatz 1b und § 53 Absatz 1 des Kreditwesengesetzes[2], auf die § 25a des Kreditwesengesetzes[3] anzuwenden ist, und für die Vergütung sämtlicher Mitarbeiter und Mitarbeiterinnen dieser Institute gemäß § 2 Absatz 7. [2]Auf Zweigniederlassungen von Unternehmen mit Sitz in einem anderen Staat des Europäischen Wirtschaftsraums gemäß § 53b Absatz 1 und 7 des Kreditwesengesetzes[2] und auf Unternehmen, die ausschließlich Finanzdienstleistungen gemäß § 1 Absatz 1a Satz 2 Nummer 9 oder Nummer 10 des Kreditwesengesetzes[2] erbringen, ist sie nicht anzuwenden. [3]§ 27 Absatz 1 bis 5 ist zudem von übergeordneten Unternehmen, bei denen es sich um eine Mutterfinanzholding-Gesellschaft, gemischte Mutterfinanzholding-Gesellschaft, EU-Mutterfinanzholding-Gesellschaft oder eine gemischte EU-Mutterfinanzholding-Gesellschaft handelt, anzuwenden.

(2) § 5 Absatz 6 und § 16 sind nicht anzuwenden auf Institute, die weder ein CRR-Kreditinstitut gemäß § 1 Absatz 3d Satz 1 des Kreditwesengesetzes[2] noch bedeutend gemäß § 1 Absatz 3c des Kreditwesengesetzes[2] sind.

(3) [1]Abschnitt 3 gilt nur für bedeutende Institute gemäß § 1 Absatz 3c des Kreditwesengesetzes[2]. [2]Die §§ 18, 19 Absatz 1 Satz 1 und 2, Absatz 2 und 3, § 20 Absatz 1 und 3 bis 6 sowie die §§ 21 und 22 gelten auch für CRR-Kreditinstitute, die nicht bedeutend gemäß § 1 Absatz 3c des Kreditwesengesetzes[2] sind, wenn

1. sie übergeordnete Unternehmen sind, deren Bilanzsumme auf konsolidierter oder teilkonsolidierter Basis gemäß Artikel 18 der Verordnung (EU)

[1] § 1 Satz 1 neu gef., Satz 2 geänd., Abs. 2 eingef., bish. Abs. 2 wird Abs. 3 und geänd., bish. Abs. 3 wird Abs. 4 und einl. Satzteil neu gef. mWv 4.8.2017 durch VO v. 25.7.2017 (BGBl. I S. 3042); Abs. 2 und 3 geänd. mWv 26.4.2019 durch VO v. 15.4.2019 (BGBl. I S. 486); Abs. 1 Satz 2 und Abs. 2 geänd., Abs. 3 neu gef. mWv 25.9.2021 durch VO v. 20.9.2021 (BGBl. I S. 4308); Abs. 2 und Abs. 3 Satz 2 geänd. mWv 16.11.2022 durch VO v. 10.11.2022 (BGBl. I S. 2021); Abs. 1 Satz 3 angef., Abs. 3 Satz 2 Nr. 2 Buchst. c neu gef. mWv 31.3.2026 durch G v. 25.3.2026 (BGBl. 2026 I Nr. 81).

[2] **beck-online, Module Arbeitsrecht Nr. 205.**

[3] Nr. **205**.

Nr. 575/2013[1] des Europäischen Parlaments und des Rates vom 26. Juni 2013 über Aufsichtsanforderungen an Kreditinstitute und zur Änderung der Verordnung (EU) Nr. 648/2012 (ABl. L 176 vom 27.6.2013, S. 1; L 208 vom 2.8.2013, S. 68; L 321 vom 30.11.2013, S. 6; L 193 vom 21.7.2015, S. 166; L 20 vom 25.1.2017, S. 3; L 13 vom 17.1.2020, S. 58; L 335 vom 13.10.2020, S. 20; L 405 vom 2.12.2020, S. 79), die zuletzt durch die Verordnung (EU) 2020/873 (ABl. L 204 vom 26.6.2020, S. 4) geändert worden ist, 30 Milliarden Euro erreicht oder überschreitet, oder

2. ihre Bilanzsumme im Durchschnitt zu den jeweiligen Stichtagen der letzten vier abgeschlossenen Geschäftsjahre 5 Milliarden Euro überschritten hat und die Institute mindestens eine der folgenden weiteren Voraussetzungen erfüllen:
   a) sie fallen weder unter die Befreiung des § 20 Absatz 1 des Sanierungs- und Abwicklungsgesetzes[2], noch unterliegen sie den vereinfachten Anforderungen der §§ 19 und 41 des Sanierungs- und Abwicklungsgesetzes[2];
   b) ihre Handelsbuchtätigkeiten zum Abschluss des letzten Geschäftsjahres gehen über einen geringen Umfang im Sinne des Artikels 94 Absatz 1 der Verordnung (EU) Nr. 575/2013[1] hinaus oder
   c) ihr Gesamtwert an Derivatepositionen, die mit Handelsabsicht gehalten werden, übersteigt zum Abschluss des letzten Geschäftsjahres 2 Prozent der gesamten bilanziellen und außerbilanziellen Vermögenswerte oder ihr Gesamtwert an allen Derivatepositionen übersteigt 5 Prozent, wobei beide Werte gemäß Artikel 273a Absatz 3 der Verordnung (EU) Nr. 575/2013[1] berechnet werden.

(4) Diese Verordnung ist mit Ausnahme von § 16 Absatz 1 Satz 1 Nummer 1 und 3 nicht anzuwenden auf Vergütungen, die

1. durch Tarifvertrag vereinbart sind,
2. im Geltungsbereich eines Tarifvertrages durch Vereinbarung der Arbeitsvertragsparteien über die Anwendung der tarifvertraglichen Regelungen vereinbart sind oder
3. aufgrund eines Tarifvertrages in einer Betriebs- oder Dienstvereinbarung vereinbart sind.

§ 2[3] Begriffsbestimmungen. (1) [1]Vergütung im Sinne dieser Verordnung sind

1. sämtliche finanziellen Leistungen, gleich welcher Art, einschließlich der Leistungen zur Altersversorgung,
2. sämtliche Sachbezüge, gleich welcher Art, einschließlich der Leistungen zur Altersversorgung, und
3. sämtliche Leistungen von Dritten,

die ein Mitarbeiter oder eine Mitarbeiterin im Hinblick auf seine oder ihre berufliche Tätigkeit für das Institut erhält. [2]Sachbezüge gemäß Satz 1 Nummer 2, die nach dem Einkommensteuergesetz[4] nicht als Einkünfte aus nicht-

---

[1] **beck-online, Module Arbeitsrecht Nr. 894b.**

[2] **beck-online, Module Arbeitsrecht Nr. 656.**

[3] § 2 neu gef. mWv 4.8.2017 durch VO v. 25.7.2017 (BGBl. I S. 3042); Abs. 8 Satz 1 neu gef., Abs. 11 Satz 3 und Abs. 12 geänd. mWv 25.9.2021 durch VO v. 20.9.2021 (BGBl. I S. 4308).

[4] **beck-online, Module Arbeitsrecht Nr. 331.**

selbständiger Arbeit anzusehen sind oder gemäß § 8 Absatz 2 Satz 11 des Einkommensteuergesetzes außer Ansatz bleiben, müssen nicht berücksichtigt werden.

(2) Vergütungssysteme im Sinne dieser Verordnung sind die institutsinternen Regelungen zur Vergütung sowie deren tatsächliche Umsetzung und Anwendung durch das Institut.

(3) [1] Variable Vergütung im Sinne dieser Verordnung ist der Teil der Vergütung, der nicht fix gemäß Absatz 6 ist. [2] Ist eine eindeutige Zuordnung eines Vergütungsbestandteils zur fixen Vergütung gemäß Absatz 6 nicht möglich, gilt dieser Bestandteil als variable Vergütung.

(4) Zusätzliche Leistungen zur Altersversorgung im Sinne dieser Verordnung sind die Teile der variablen Vergütung, deren Gewährung einem Mitarbeiter oder einer Mitarbeiterin vom Institut nach dessen Ermessen als Altersversorgung zugesagt werden.

(5) Abfindungen sind Vergütungen, die ein Mitarbeiter oder eine Mitarbeiterin im Zusammenhang mit der vorzeitigen Beendigung des Arbeits-, Geschäftsbesorgungs- oder Dienstverhältnisses erhält.

(6) [1] Fixe Vergütung im Sinne dieser Verordnung ist der Teil der Vergütung,

1. dessen Gewährung und Höhe keinem Ermessen unterliegt,
2. dessen Gewährung und Höhe dem Mitarbeiter oder der Mitarbeiterin keine Anreize für eine Risikoübernahme bieten,
3. bei dem die Voraussetzungen für die Gewährung und Höhe vorher festgelegt wurden,
4. bei dem die Voraussetzungen für die Gewährung und Höhe transparent für den Mitarbeiter oder die Mitarbeiterin sind,
5. dessen Gewährung und Höhe dauerhaft sind,
6. der nicht einseitig vom Institut verringert, ausgesetzt oder aufgehoben werden kann und
7. der nicht leistungsabhängig oder sonst vom Eintritt zuvor vereinbarter Bedingungen abhängig ausgestaltet ist.

[2] Als fixe Vergütung gelten auch finanzielle Leistungen oder Sachbezüge, die auf einer zuvor festgelegten allgemeinen, ermessensunabhängigen und institutsweiten Regelung beruhen, die nicht leistungsabhängig sind, keine Anreize für eine Risikoübernahme bieten und entweder einen Großteil der Mitarbeiter und Mitarbeiterinnen oder Mitarbeiter und Mitarbeiterinnen, die vorab festgelegte Kriterien erfüllen, begünstigen, sowie Zahlungen in Erfüllung gesetzlicher Verpflichtungen. [3] Abweichend von Satz 1 Nummer 5 gelten bei Erfüllung der zusätzlichen Voraussetzungen gemäß Satz 4 auch Zulagen als fixe Vergütung, die

1. an ins Ausland entsandte Mitarbeiter und Mitarbeiterinnen für die Dauer ihres Auslandsaufenthalts entweder im Hinblick auf die dortigen Lebenshaltungskosten sowie die dortige Steuerlast gezahlt werden oder um die vertraglich vereinbarte fixe Vergütung gemäß Satz 1 an das für eine vergleichbare Tätigkeit im jeweiligen Markt übliche Vergütungsniveau anzupassen (Auslandszulage) oder
2. an Mitarbeiter und Mitarbeiterinnen im Hinblick auf eine vorübergehend übernommene anspruchsvollere Aufgabe, Funktion oder organisatorische Verantwortung gezahlt werden (Funktionszulage).

[4]Die Zulagen gemäß Satz 3 müssen folgende zusätzliche Voraussetzungen erfüllen, um als fixe Vergütung zu gelten:

1. Die Zulage wird aufgrund einer einheitlichen institutsweiten Regelung in vergleichbaren Fällen ermessensunabhängig an alle betroffenen Mitarbeiter und Mitarbeiterinnen geleistet;
2. die Höhe der Zulage basiert auf vorbestimmten Kriterien und
3. der Anspruch auf die Leistung der Zulage steht unter der auflösenden Bedingung des Wegfalls des jeweiligen Grundes ihrer Gewährung.

(7) [1]Mitarbeiter und Mitarbeiterinnen im Sinne dieser Verordnung sind alle Arbeitnehmer des Instituts gemäß § 5 Absatz 1 des Arbeitsgerichtsgesetzes[1)] sowie alle natürlichen Personen,

1. deren sich das Institut beim Betreiben von Bankgeschäften oder bei der Erbringung von Finanzdienstleistungen bedient, insbesondere aufgrund eines Arbeits-, Geschäftsbesorgungs- oder Dienstverhältnisses, oder
2. die im Rahmen einer Auslagerungsvereinbarung mit einem gruppenangehörigen Auslagerungsunternehmen unmittelbar an Dienstleistungen für das Institut beteiligt sind, um Bankgeschäfte zu betreiben oder Finanzdienstleistungen zu erbringen.

[2]Als Mitarbeiter und Mitarbeiterinnen im Sinne dieser Verordnung gelten auch Geschäftsleiter und Geschäftsleiterinnen gemäß § 1 Absatz 2 des Kreditwesengesetzes[2)]. [3]Nicht als Mitarbeiter und Mitarbeiterinnen im Sinne dieser Verordnung gelten Handelsvertreter und Handelsvertreterinnen gemäß § 84 Absatz 1 des Handelsgesetzbuchs[3)].

(8) [1]Risikoträger und Risikoträgerinnen im Sinne dieser Verordnung sind solche gemäß § 1 Absatz 21 sowie § 25a Absatz 5b Satz 1 und 2 des Kreditwesengesetzes[4)]. [2]Gruppen-Risikoträger und Gruppen-Risikoträgerinnen sind Mitarbeiter und Mitarbeiterinnen, deren berufliche Tätigkeit sich wesentlich auf das Gesamtrisikoprofil einer Gruppe gemäß Absatz 12 auswirkt.

(9) Vergütungsparameter im Sinne dieser Verordnung sind die quantitativen und qualitativen Bestimmungsfaktoren, anhand derer die Leistung und der Erfolg eines Mitarbeiters oder einer Mitarbeiterin oder einer Organisationseinheit oder der Gesamterfolg eines Instituts oder einer Gruppe gemessen werden.

(10) [1]Erfolgsbeiträge im Sinne dieser Verordnung sind die auf der Grundlage von Vergütungsparametern ermittelten tatsächlichen Leistungen und Erfolge eines Mitarbeiters oder einer Mitarbeiterin oder einer Organisationseinheit oder der Gesamterfolg eines Instituts oder einer Gruppe, die in die Ermittlung der Höhe der variablen Vergütungsbestandteile einfließen. [2]Erfolgsbeiträge können auch negativ sein.

(11) [1]Kontrolleinheiten im Sinne dieser Verordnung sind diejenigen Organisationseinheiten unterhalb der Geschäftsleitung, die die geschäftsinitiierenden Organisationseinheiten, insbesondere die Bereiche Markt gemäß § 25c Absatz 4a Nummer 3 Buchstabe b des Kreditwesengesetzes und Handel, über-

---

[1)] Nr. **660**.
[2)] **beck-online, Module Arbeitsrecht Nr. 205.**
[3)] Nr. **105**.
[4)] Nr. **205**.

wachen. [2]Hierzu zählen die Bereiche Marktfolge gemäß § 25c Absatz 4a Nummer 3 Buchstabe b des Kreditwesengesetzes und Risikocontrolling. [3]Weitere Kontrolleinheiten im Sinne dieser Verordnung sind die Einheiten mit Compliance-Funktion und die Interne Revision.

(12) Gruppen, übergeordnete Unternehmen und nachgeordnete Unternehmen im Sinne dieser Verordnung sind solche gemäß § 10a Absatz 1 und 2 des Kreditwesengesetzes.

Abschnitt 2. Allgemeine Anforderungen an Vergütungssysteme

§ 3[1)] Verantwortlichkeiten; Beteiligung der Kontrolleinheiten.

(1) [1]Die Geschäftsleitung ist für die angemessene Ausgestaltung der Vergütungssysteme der Mitarbeiter und Mitarbeiterinnen, die keine Geschäftsleiter oder Geschäftsleiterinnen sind, nach Maßgabe des § 25a Absatz 1 Nummer 6 in Verbindung mit Absatz 5 des Kreditwesengesetzes[2)] und dieser Verordnung verantwortlich. [2]Sie hat das Verwaltungs- oder Aufsichtsorgan mindestens einmal jährlich über die Ausgestaltung der Vergütungssysteme des Instituts zu informieren. [3]Die Sätze 1 und 2 gelten auch in Bezug auf den Prozess zur Ermittlung der Risikoträger und Risikoträgerinnen nach § 25a Absatz 5b des Kreditwesengesetzes[2)] sowie bei Instituten nach § 1 Absatz 3 auf den Prozess zur Ermittlung der Gruppen-Risikoträger und Gruppen-Risikoträgerinnen nach § 27 Absatz 2 Satz 1 und 3. [4]Dem oder der Vorsitzenden des Verwaltungs- oder Aufsichtsorgans ist ein entsprechendes Auskunftsrecht gegenüber der Geschäftsleitung einzuräumen.

(2) Das Verwaltungs- oder Aufsichtsorgan ist für die angemessene Ausgestaltung der Vergütungssysteme der Geschäftsleiter und Geschäftsleiterinnen nach Maßgabe des § 25a Absatz 1 Nummer 6 in Verbindung mit Absatz 5 des Kreditwesengesetzes und dieser Verordnung verantwortlich.

(3) Die Kontrolleinheiten und der Bereich Personal sind im Rahmen ihrer Aufgaben bei der Ausgestaltung und der Überwachung der Vergütungssysteme sowie in bedeutenden Instituten gemäß § 1 Absatz 3c des Kreditwesengesetzes[3)] auch in Bezug auf den Prozess der Ermittlung der Risikoträger und Risikoträgerinnen gemäß § 25a Absatz 5b des Kreditwesengesetzes[2)] sowie der Gruppen-Risikoträger und Gruppen-Risikoträgerinnen gemäß § 27 Absatz 2 Satz 1 angemessen zu beteiligen.

§ 4[4)] Ausrichtung an der Strategie des Instituts. [1]Die Vergütungsstrategie und die Vergütungssysteme müssen auf die Erreichung der Ziele ausgerichtet sein, die in den Geschäfts- und Risikostrategien des jeweiligen Instituts niedergelegt sind. [2]Dabei ist auch die Unternehmenskultur zu berücksichtigen. [3]Die Vergütungsparameter sind zu Beginn des Bemessungszeitraums festzulegen und

---

[1)] § 3 Überschrift, Abs. 1 Satz 1, Abs. 2 und Abs. 3 neu gef., Abs. 1 Satz 3 eingef., bish. Satz 3 wird Satz 4 mWv 4.8.2017 durch VO v. 25.7.2017 (BGBl. I S. 3042); Abs. 1 Satz 3 und Abs. 3 geänd. mWv 26.4.2019 durch VO v. 15.4.2019 (BGBl. I S. 486); Abs. 1 Satz 3 und Abs. 3 geänd. mWv 25.9.2021 durch VO v. 20.9.2021 (BGBl. I S. 4308).; Abs. 1 Satz 3 neu gef. mWv 1.4.2026 durch G v. 25.3.2026 (BGBl. 2026 I Nr. 81)

[2)] Nr. **205**.

[3)] **beck-online, Module Arbeitsrecht Nr. 205.**

[4)] § 4 Satz 1 geänd., Satz 2 eingef., bish. Satz 2 wird Satz 3 mWv 4.8.2017 durch VO v. 25.7.2017 (BGBl. I S. 3042); Satz 3 neu gef., Satz 4 angef. mWv 1.4.2026 durch G v. 25.3.2026 (BGBl. 2026 I Nr. 81).

müssen sich an den Strategien ausrichten sowie das Erreichen der strategischen Ziele unterstützen. [4]Dabei sind auch die ESG- Risiken zu berücksichtigen.

§ 5[1)] Angemessenheit der Vergütung und der Vergütungssysteme.

(1) Die Vergütungssysteme sind angemessen ausgestaltet, wenn

1. Anreize für die Mitarbeiter und Mitarbeiterinnen, unverhältnismäßig hohe Risiken einzugehen, vermieden werden;

1a. im Falle einer leistungsabhängigen Vergütung finanzielle und nichtfinanzielle Kriterien berücksichtigt werden, einschließlich solcher nach § 4 Satz 4;

2. die Vergütungssysteme nicht der Überwachungsfunktion der Kontrolleinheiten und des für die Risikosteuerung zuständigen Mitglieds der Geschäftsleitung zuwiderlaufen;

3. sie die Verbraucherrechte und -interessen berücksichtigen; insbesondere dürfen nicht ausschließlich quantitative Vergütungsparameter verwendet werden, sofern unmittelbar Verbraucherinteressen betroffen sind;

4. sie nicht der Einhaltung der Verpflichtung zuwiderlaufen, bei der Erbringung von Beratungsleistungen gemäß § 511 des Bürgerlichen Gesetzbuchs[2)] im besten Interesse des Darlehensnehmers zu handeln; insbesondere darf die Vergütung nicht an Absatzziele in Bezug auf Immobiliar-Verbraucherdarlehensverträge gemäß § 491 Absatz 3 des Bürgerlichen Gesetzbuchs[2)] gekoppelt sein;

5. die Vergütung der für die Prüfung der Kreditwürdigkeit zuständigen Mitarbeiter und Mitarbeiterinnen nicht von der Zahl oder dem Anteil der genehmigten Anträge auf Abschluss eines Immobiliar-Verbraucherdarlehensvertrags gemäß § 491 Absatz 3 des Bürgerlichen Gesetzbuchs abhängt; und

6. sie geschlechtsneutral sind, so dass eine Entgeltbenachteiligung wegen des Geschlechts bei gleicher oder gleichwertiger Arbeit ausgeschlossen ist.

(2) In der Regel sind Vergütungssysteme nicht angemessen ausgestaltet, wenn trotz negativer Erfolgsbeiträge ein der Höhe nach unveränderter Anspruch auf die variable Vergütung besteht.

(3) Anreize, unverhältnismäßig hohe Risiken einzugehen, liegen insbesondere vor, wenn

1. eine signifikante Abhängigkeit der Mitarbeiter oder Mitarbeiterinnen von der variablen Vergütung besteht oder

2. einzelvertraglich für den Fall der Beendigung der Tätigkeit Ansprüche auf Leistungen begründet werden und diese Ansprüche selbst bei negativen individuellen Erfolgsbeiträgen oder bei Fehlverhalten der Höhe nach unverändert bleiben.

[1)] § 5 Abs. 1 Nr. 1 und 2 geänd., Nr. 3 und 4 angef. mWv 21.3.2016 durch G v. 11.3.2016 (BGBl. I S. 396); Abs. 1 und Abs. 5–7 neu gef., Abs. 3 einl. Satzteil, Nr. 1 und 2 geänd., Abs. 4 Satz 2 angef. mWv 4.8.2017 durch VO v. 25.7.2017 (BGBl. I S. 3042); Abs. 5 Satz 2 und Abs. 7 Satz 4 geänd. mWv 26.4.2019 durch VO v. 15.4.2019 (BGBl. I S. 486); Abs. 1 Nr. 4 und 5 geänd., Nr. 6 angef., Abs. 5 Satz 2, Abs. 6 Satz 5 Nr. 1 Buchst. b und Abs. 7 Satz 4 geänd. mWv 25.9.2021 durch VO v. 20.9.2021 (BGBl. I S. 4308); Abs. 6 Satz 5 Nr. 1 Buchst. b neu gef. mWv 31.3.2026 durch; Abs. 1 Nr. 1a eingef. mWv 1.4.2026 G v. 25.3.2026 (BGBl. 2026 I Nr. 81).

[2)] **beck-online, Module Arbeitsrecht Nr. 50.**

(4) [1] Vergütungssysteme laufen der Überwachungsfunktion der Kontrolleinheiten insbesondere zuwider, wenn sich die Höhe der variablen Vergütung von Mitarbeitern und Mitarbeiterinnen der Kontrolleinheiten und den Mitarbeitern und Mitarbeiterinnen der von ihnen kontrollierten Organisationseinheiten maßgeblich nach gleichlaufenden Vergütungsparametern bestimmt und die Gefahr eines Interessenkonfliktes besteht. [2] Im Hinblick auf das für die Risikosteuerung zuständige Mitglied der Geschäftsleitung gilt dies entsprechend.

(5) [1] Eine variable Vergütung darf nur garantiert werden

1. für die ersten zwölf Monate nach Aufnahme eines Arbeits-, Geschäftsbesorgungs- oder Dienstverhältnisses bei dem Institut,
2. unter der Voraussetzung, dass die unmittelbar vorangegangene Tätigkeit des Mitarbeiters oder der Mitarbeiterin nicht in derselben Gruppe erfolgte, und
3. unter der Bedingung, dass das Institut zum Zeitpunkt der Auszahlung die Anforderungen gemäß § 7 Absatz 1 Satz 3 erfüllt.

[2] In bedeutenden Instituten gemäß § 1 Absatz 3c des Kreditwesengesetzes[1)] sind die Anforderungen der §§ 20 und 22 darauf nicht anzuwenden. [3] Bei der Berechnung des Verhältnisses zwischen der variablen und der fixen jährlichen Vergütung gemäß § 25a Absatz 5 des Kreditwesengesetzes[2)] kann eine garantierte variable Vergütung nur dann unberücksichtigt bleiben, wenn sie vor Beginn der Tätigkeit zugesagt worden ist.

(6) [1] Abfindungen und vertraglich festgelegte Karenzentschädigungen für die Dauer eines nachvertraglichen Wettbewerbsverbots gelten als variable Vergütung. [2] Das Institut hat in Bezug auf die Zusage von Abfindungen schriftlich oder elektronisch Grundsätze festzulegen, in denen insbesondere ein Höchstbetrag oder die Kriterien für die Bestimmung der Abfindungsbeträge zu regeln sind. [3] Abfindungen sind im Einklang mit dem Rahmenkonzept gemäß § 11 Absatz 1 Nummer 3 zu gewähren und angemessen zu dokumentieren. [4] Sie müssen vorbehaltlich Satz 5 der Leistung des Mitarbeiters oder der Mitarbeiterin im Zeitverlauf Rechnung tragen und dürfen negative Erfolgsbeiträge oder Fehlverhalten des Mitarbeiters oder der Mitarbeiterin nicht belohnen. [5] Folgende Vergütungen fallen nicht in den Anwendungsbereich der §§ 7 und 20 und müssen bei der Berechnung des Verhältnisses der variablen zur fixen Vergütung gemäß § 25a Absatz 5 Satz 2 bis 5 des Kreditwesengesetzes nicht berücksichtigt werden:

1. Abfindungen,
   a) auf die ein gesetzlicher Anspruch besteht,
   b) die aufgrund eines Sozialplans gemäß § 112 Absatz 1 des Betriebsverfassungsgesetzes[3)] oder gemäß § 79 Absatz 1 Nummer 5 des Bundespersonalvertretungsgesetzes[4)] oder gemäß den entsprechenden landesrechtlichen Regelungen geleistet werden,
   c) die aufgrund eines rechtskräftigen Urteils oder Prozessvergleichs zu leisten sind, oder
   d) die im Fall einer einvernehmlichen oder institutsseitigen betriebsbedingten Vertragsbeendigung oder bei Abwendung eines unmittelbar drohenden

---

[1)] **beck-online, Module Arbeitsrecht Nr. 205.**
[2)] Nr. **205**.
[3)] Nr. **570**.
[4)] Nr. **572**.

gerichtlichen Verfahrens einen Betrag nicht überschreiten, der anhand einer vorher in den Grundsätzen gemäß Satz 2 festgelegten allgemeinen Formel berechnet wurde;

2. vertraglich festgelegten Karenzentschädigungen für die Dauer eines nachvertraglichen Wettbewerbsverbots, sofern die Zahlungen vorbehaltlich § 74 Absatz 2 des Handelsgesetzbuchs[1] die ursprünglich geschuldete Fixvergütung nicht überschreiten, und
3. sonstige Abfindungen, sofern das Institut der Aufsichtsbehörde gemäß § 1 Absatz 5 des Kreditwesengesetzes[2] die Gründe für die Gewährung sowie die Angemessenheit des Betrages schlüssig dargelegt hat; bei Abfindungen bis zu einer Höhe, die
   a) 200 000 Euro nicht überschreitet und
   b) nicht mehr als 200 Prozent der fixen Vergütung des Mitarbeiters oder der Mitarbeiterin im letzten abgeschlossenen Geschäftsjahr entspricht,

   gilt der Betrag als angemessen, und es kann auf eine Darlegung verzichtet werden.

Setzt sich die Vergütung aus mehreren Bestandteilen gemäß den Nummern 1 bis 3 zusammen, so ist in jedem Fall eine Darlegung bei der Aufsichtsbehörde gemäß Nummer 3 notwendig.

(7) [1] Zusätzliche variable Vergütungen, die zum Zweck der Bindung der Mitarbeiter und Mitarbeiterinnen an das Institut gewährt werden (Halteprämien), sind nur zulässig, wenn das Institut in der Lage ist, sein berechtigtes Interesse an der Gewährung von Halteprämien zu begründen. [2] Sie müssen insbesondere den Anforderungen gemäß den §§ 4 und 7 genügen. [3] Bei der Berechnung des Verhältnisses gemäß § 25a Absatz 5 des Kreditwesengesetzes[3] sind Halteprämien entweder zeitanteilig oder mit dem Gesamtbetrag zum Zeitpunkt der Fälligkeit zu berücksichtigen. [4] Bei Risikoträgern und Risikoträgerinnen von bedeutenden Instituten gemäß § 1 Absatz 3c des Kreditwesengesetzes[2] sind zusätzlich auch die Anforderungen der §§ 20 und 22 einzuhalten.

§ 6[4] Verhältnis von variabler zu fixer Vergütung; Billigung einer höheren Obergrenze gemäß § 25a Absatz 5 Satz 5 des Kreditwesengesetzes.

(1) [1] Besteht die Vergütung aus einer variablen und einer fixen Vergütung, müssen diese in einem angemessenen Verhältnis zueinander stehen. [2] Das Verhältnis ist angemessen, wenn einerseits keine signifikante Abhängigkeit des Mitarbeiters oder der Mitarbeiterin von der variablen Vergütung besteht, die variable Vergütung aber andererseits einen wirksamen Verhaltensanreiz setzen kann.

(2) [1] Das Institut hat eine angemessene Obergrenze für die variable Vergütung im Verhältnis zur fixen Vergütung festzulegen. [2] Soweit anwendbar, ist § 25a Absatz 5 des Kreditwesengesetzes[3] bei der Festlegung der Obergrenze zu beachten. [3] Dabei kann auf höchstens 25 Prozent des Gesamtwerts der variablen

[1] Nr. **105**.

[2] **beck-online, Module Arbeitsrecht Nr. 205.**

[3] Nr. **205**.

[4] § 6 Überschrift geänd., Abs. 1 Satz 2 neu gef., Abs. 2 Satz 1 geänd., Satz 2 eingef., bish. Satz 2 wird Satz 3 und geänd., Abs. 3 geänd., Abs. 4 neu gef., Abs. 5 angef. mWv 4.8.2017 durch VO v. 25.7.2017 (BGBl. I S. 3042); Abs. 4 geänd. mWv 25.9.2021 durch VO v. 20.9.2021 (BGBl. I S. 4308).

Vergütung ein angemessener Diskontierungssatz angewendet werden, sofern dieser Anteil in Instrumenten gezahlt wird, die für mindestens fünf Jahre zurückbehalten werden.

(3) Im Zusammenhang mit der Zurückbehaltung darf ein Anspruch oder eine Anwartschaft auf den in Instrumenten zurückbehaltenen Vergütungsanteil gemäß Absatz 2 Satz 3 erst nach Ablauf des Zurückbehaltungszeitraums entstehen und während des Zurückbehaltungszeitraums lediglich ein Anspruch auf fehlerfreie Ermittlung des noch nicht zu einer Anwartschaft oder einem Anspruch erwachsenen Teils dieses Teils der variablen Vergütung bestehen, nicht aber auf diesen Teil der variablen Vergütung selbst.

(4) Wird gemäß § 25a Absatz 5 Satz 5 des Kreditwesengesetzes[1)] eine Erhöhung der Obergrenze für die variable Vergütung im Verhältnis zur fixen Vergütung gemäß Satz 2 angestrebt, muss das Institut in der Lage sein, der Aufsichtsbehörde gemäß § 1 Absatz 5 des Kreditwesengesetzes[2)] nachzuweisen, dass die vorgeschlagene höhere Obergrenze nicht die Einhaltung der Verpflichtungen des Instituts gemäß der Verordnung (EU) Nr. 575/2013[3)], gemäß dem Kreditwesengesetz[4)] und gemäß dieser Verordnung beeinträchtigt, wobei besonderes Augenmerk auf die Eigenmittelverpflichtungen des Instituts zu legen ist.

(5) Übt ein Unternehmen als Anteilseigner, Eigentümer, Mitglied oder Träger seine Stimmrechte im Hinblick auf die Billigung einer höheren Obergrenze für die variable Vergütung im Verhältnis zur fixen Vergütung gemäß § 25a Absatz 5 des Kreditwesengesetzes[1)] für Mitarbeiter und Mitarbeiterinnen seines Tochterunternehmens aus, ist dessen Zustimmung zur Erhöhung nur dann wirksam, wenn diese entweder ihrerseits unter Einhaltung der Anforderungen aus § 25a Absatz 5 Satz 5 bis 9 des Kreditwesengesetzes zustande gekommen ist oder wenn die Erhöhung in Übereinstimmung mit der gruppenweiten Vergütungsstrategie gemäß § 27 Absatz 1 steht.

§ 7[5)] Voraussetzungen für die Festsetzung des Gesamtbetrags der variablen Vergütung und die Erdienung zurückbehaltener Vergütungsbestandteile. (1) [1]Der Gesamtbetrag der variablen Vergütungen gemäß § 45 Absatz 2 Nummer 10 des Kreditwesengesetzes[1)] muss in einem formalisierten, transparenten und nachvollziehbaren Prozess unter angemessener und ihrem Aufgabenbereich entsprechender Beteiligung der Kontrolleinheiten festgesetzt werden. [2]Die Verantwortlichkeiten gemäß § 3 gelten entsprechend. [3]Bei der Festsetzung des Gesamtbetrags

1. sind die Risikotragfähigkeit, die mehrjährige Kapitalplanung und die Ertragslage des Instituts und der Gruppe hinreichend zu berücksichtigen und
2. ist sicherzustellen, dass das Institut und die Gruppe in der Lage sind,
   a) eine angemessene Eigenmittel- und Liquiditätsausstattung,

---

[1)] Nr. **205**.
[2)] **beck-online, Module Arbeitsrecht Nr. 205.**
[3)] Auszugsweise abgedruckt unter Nr. **894b**.
[4)] Auszugsweise abgedruckt unter Nr. **205**.
[5)] § 7 Überschrift neu gef., Abs. 1 Satz 1 geänd., Satz 2 eingef., bish. Satz 2 wird Satz 3 und neu gef., Abs. 2 angef. mWv 4.8.2017 durch VO v. 25.7.2017 (BGBl. I S. 3042); Abs. 1 Satz 1 und Satz 3 Nr. 2 Buchst. b geänd. mWv 25.9.2021 durch VO v. 20.9.2021 (BGBl. I S. 4308); Abs. 1 Satz 3 Nr. 2 Buchst. a und b geänd., Buchst. c angef. mWv 18.2.2023 durch VO v. 14.2.2023 (BGBl. 2023 I Nr. 41).

b) die kombinierten Kapitalpufferanforderungen gemäß § 10i des Kreditwesengesetzes[1] und

c) sofern es sich um ein global systemrelevantes Institut handelt, die Anforderung an den Puffer der Verschuldungsquote gemäß § 10j des Kreditwesengesetzes[1]

dauerhaft aufrechtzuerhalten oder wiederherzustellen.

(2) [1]Eine Ermittlung und eine Erdienung von variabler Vergütung darf nur erfolgen, wenn und soweit zu den jeweiligen Zeitpunkten die Voraussetzungen gemäß Absatz 1 Satz 3 erfüllt sind. [2]Ein späterer Ausgleich für eine Verringerung der variablen Vergütung ist nicht zulässig.

§ 8[2] Verbot der Einschränkung oder Aufhebung der Risikoadjustierung. (1) [1]Die Risikoadjustierung der variablen Vergütung darf seitens der Institute nicht durch Absicherungs- oder sonstige Gegenmaßnahmen eingeschränkt oder aufgehoben werden. [2]Insbesondere dürfen keine Instrumente oder Methoden angewendet werden, durch die Anforderungen dieser Verordnung umgangen werden.

(2) [1]Die Institute haben angemessene Compliance-Strukturen einzurichten, um Absicherungs- oder sonstige Gegenmaßnahmen seitens der Mitarbeiter und Mitarbeiterinnen zur Einschränkung oder Aufhebung der Risikoadjustierung der Vergütung zu verhindern. [2]Angemessene Compliance-Strukturen bestehen insbesondere in einer Verpflichtung der Mitarbeiter und Mitarbeiterinnen, keine persönlichen Absicherungs- oder sonstigen Gegenmaßnahmen zu treffen, um die Risikoorientierung ihrer Vergütung einzuschränken oder aufzuheben, sowie bei bedeutenden Instituten gemäß § 1 Absatz 3c des Kreditwesengesetzes[1] in der Verpflichtung der Risikoträger und Risikoträgerinnen, private Depotkonten anzuzeigen. [3]Dabei ist die Einhaltung dieser Verpflichtung risikoorientiert zumindest stichprobenartig durch die Kontrolleinheiten mit Compliance-Funktion gemäß § 2 Absatz 11 zu überprüfen; bei bedeutenden Instituten gemäß § 1 Absatz 3c des Kreditwesengesetzes[1] erfolgt die Überprüfung durch den Vergütungsbeauftragten gemäß den §§ 23 bis 25.

§ 9[3] Zusätzliche Anforderungen an die Vergütung der Mitarbeiter und Mitarbeiterinnen der Kontrolleinheiten. (1) Die Vergütung der Mitarbeiter und Mitarbeiterinnen der Kontrolleinheiten muss so ausgestaltet sein, dass eine angemessene qualitative und quantitative Personalausstattung ermöglicht wird.

(2) Bei der Ausgestaltung der Vergütung der Mitarbeiter und Mitarbeiterinnen der Kontrolleinheiten ist sicherzustellen, dass der Schwerpunkt auf dem fixen Vergütungsbestandteil liegt.

§ 10[4] Zusätzliche Anforderungen an die Vergütung von Geschäftsleitern und Geschäftsleiterinnen. (1) Das Verwaltungs- oder Aufsichtsorgan

---

[1] **beck-online, Module Arbeitsrecht Nr. 205.**

[2] § 8 neu gef. mWv 4.8.2017 durch VO v. 25.7.2017 (BGBl. I S. 3042); Abs. 2 Satz 2 und 3 geänd. mWv 26.4.2019 durch VO v. 15.4.2019 (BGBl. I S. 486); Abs. 2 Sätze 2 und 3 geänd. mWv 25.9.2021 durch VO v. 20.9.2021 (BGBl. I S. 4308).

[3] § 9 Abs. 2 geänd. mWv 4.8.2017 durch VO v. 25.7.2017 (BGBl. I S. 3042).

[4] § 10 Abs. 1 neu gef., Abs. 3 geänd. mWv 4.8.2017 durch VO v. 25.7.2017 (BGBl. I S. 3042).

hat bei der Festsetzung der Vergütung des einzelnen Geschäftsleiters oder der einzelnen Geschäftsleiterin dafür zu sorgen, dass die Vergütung

1. in einem jeweils angemessenen Verhältnis zu den Aufgaben und Leistungen des Geschäftsleiters oder der Geschäftsleiterin sowie zur Lage des Instituts steht und
2. die übliche Vergütung nicht ohne besondere Gründe übersteigt.

(2) Variable Vergütungen sollen eine mehrjährige Bemessungsgrundlage haben; für außerordentliche Entwicklungen soll das Verwaltungs- oder Aufsichtsorgan eine Begrenzungsmöglichkeit vereinbaren.

(3) Andere einschlägige bundes- oder landesgesetzliche Regelungen zur Vergütung von Geschäftsleitern und Geschäftsleiterinnen bleiben von den Absätzen 1 und 2 unberührt.

(4) [1] Die Vergütung, die Geschäftsleiter und Geschäftsleiterinnen für ihre berufliche Tätigkeit bei dem Institut erhalten, muss abschließend im Anstellungsvertrag festgelegt werden. [2] Der Anstellungsvertrag und spätere Änderungen bedürfen der Schriftform.

§ 11[1)] Grundsätze zu den Vergütungssystemen in den Organisationsrichtlinien; Dokumentationspflichten. (1) [1] Das Institut hat in seinen Organisationsrichtlinien Grundsätze zu den Vergütungssystemen festzulegen. [2] Die Grundsätze umfassen insbesondere

1. Angaben zur Ausgestaltung und Anpassung der Vergütungssysteme und zur Zusammensetzung der Vergütung,
2. die Regelungen der jeweiligen Zuständigkeiten und Entscheidungsbefugnisse der Geschäftsleitung, des Verwaltungs- oder Aufsichtsorgans, gegebenenfalls des Vergütungskontrollausschusses und des Vergütungsbeauftragten, der Kontrolleinheiten, des Bereichs Personal und der übrigen Organisationseinheiten im Rahmen von Entscheidungsprozessen sowie
3. ein Rahmenkonzept zur Festlegung und Genehmigung von Abfindungen einschließlich einer klaren Zuordnung von Zuständigkeiten und Entscheidungsbefugnissen unter Einbeziehung der Kontrolleinheiten und des Bereichs Personal im Rahmen ihrer jeweiligen Zuständigkeiten.

(2) Die Institute haben Inhalte und Ergebnisse der Entscheidungsprozesse, in denen der Gesamtbetrag der variablen Vergütungen und dessen Verteilung im Institut festgelegt wurden, angemessen zu dokumentieren.

(3) [1] Werden Zulagen der fixen Vergütung zugeordnet, sind die Gründe dafür zu dokumentieren. [2] Dabei ist gesondert darauf einzugehen, wenn die Zulagen

1. im Ergebnis ausschließlich an Risikoträger und Risikoträgerinnen gezahlt werden,
2. im Ergebnis beschränkt sind auf Fälle, in denen das Verhältnis zwischen der variablen und der fixen jährlichen Vergütung die Obergrenze gemäß § 25a Absatz 5 des Kreditwesengesetzes[2)] übersteigen würde, sofern die Zulagen als variable Vergütung angesehen würden, oder

---

[1)] § 11 neu gef. mWv 4.8.2017 durch VO v. 25.7.2017 (BGBl. I S. 3042); Abs. 1 Nr. 2 und 3 geänd. mWv 25.9.2021 durch VO v. 20.9.2021 (BGBl. I S. 4308).

[2)] Nr. **205**.

3. an Kennzahlen anknüpfen, die Näherungswerte für den Erfolg des Instituts sein können; in diesem Fall muss das Institut darlegen können, dass diese Kennzahlen tatsächlich nicht vom Erfolg des Instituts abhängen.

§ 12[1)] Überprüfung und Anpassung der Vergütungssysteme. (1) [1]Die Vergütungssysteme und die zugrunde gelegten Vergütungsparameter sind von dem Institut zumindest einmal jährlich auf ihre Angemessenheit, insbesondere auch ihre Vereinbarkeit mit den Geschäfts- und Risikostrategien, zu überprüfen. [2]Dabei sind zumindest die diesbezüglichen Berichte der Internen Revision, der Prüfungsbericht des Abschlussprüfers gemäß § 26 Absatz 1 des Kreditwesengesetzes[2)] sowie in bedeutenden Instituten gemäß § 1 Absatz 3c des Kreditwesengesetzes[2)] der Vergütungskontrollbericht gemäß § 24 Absatz 3 heranzuziehen. [3]Die Überprüfung ist schriftlich oder elektronisch zu dokumentieren und das Überprüfungsergebnis dem Verwaltungs- oder Aufsichtsorgan vorzulegen.

(2) [1]Werden bei der Überprüfung Mängel festgestellt, ist zeitnah ein Maßnahmenplan zu erstellen und umzusetzen. [2]Die ergriffenen Maßnahmen zur Behebung der festgestellten Mängel sind zu dokumentieren.

§ 13[3)] Information über die Vergütungssysteme. (1) [1]Die Mitarbeiter und Mitarbeiterinnen müssen schriftlich über die Ausgestaltung der für sie maßgeblichen Vergütungssysteme und insbesondere über die Ausgestaltung der für sie relevanten Vergütungsparameter in Kenntnis gesetzt werden. [2]Die Schriftform ist auch bei einer elektronischen Übermittlung gewahrt.

(2) Die weiteren Informationen zu den Vergütungssystemen, die gemäß Artikel 450 der Verordnung (EU) Nr. 575/2013[4)] und ergänzend gemäß § 16 dieser Verordnung von den Instituten offenzulegen sind, sind allen Mitarbeitern und Mitarbeiterinnen zugänglich zu machen.

§ 14[5)] Anpassung bestehender Vereinbarungen. (1) Das Institut hat darauf hinzuwirken, dass bestehende

1. Verträge mit Mitarbeitern und Mitarbeiterinnen,
2. Betriebs- und Dienstvereinbarungen sowie
3. betriebliche Übungen,

die mit dieser Verordnung nicht vereinbar sind, soweit rechtlich zulässig, angepasst werden.

(2) Die Anpassung hat auf Grundlage einer für Dritte nachvollziehbaren fundierten juristischen Begutachtung der Rechtslage und unter Berücksichtigung der konkreten Erfolgsaussichten zu erfolgen.

[1)] § 12 neu gef. mWv 4.8.2017 durch VO v. 25.7.2017 (BGBl. I S. 3042); Abs. 1 Satz 2 geänd. mWv 26.4.2019 durch VO v. 15.4.2019 (BGBl. I S. 486); Abs. 1 Satz 2 geänd. mWv 25.9.2021 durch VO v. 20.9.2021 (BGBl. I S. 4308); Abs. 1 Satz 2 neu gef. mWv 31.3.2026 durch G v. 25.3.2026 (BGBl. 2026 I Nr. 81).

[2)] **beck-online, Module Arbeitsrecht Nr. 205.**

[3)] § 13 neu gef. mWv 4.8.2017 durch VO v. 25.7.2017 (BGBl. I S. 3042).

[4)] Nr. **894b**.

[5)] § 14 Abs. 1 einl. Satzteil geänd., Nr. 1 neu gef. mWv 4.8.2017 durch VO v. 25.7.2017 (BGBl. I S. 3042).

§ 15[1] Aufgaben des Vergütungskontrollausschusses. (1) Hat das Institut einen Vergütungskontrollausschuss gemäß § 25d Absatz 7 Satz 1, 2 und 6 des Kreditwesengesetzes[2] eingerichtet, so nimmt dieser insbesondere die Aufgaben gemäß den Absätzen 2 bis 5 sowie gemäß § 25d Absatz 12 Satz 1 des Kreditwesengesetzes wahr.

(2) [1] Der Vergütungskontrollausschuss unterstützt das Verwaltungs- oder Aufsichtsorgan bei der angemessenen Ausgestaltung der Vergütungssysteme des Instituts für Geschäftsleiter und Geschäftsleiterinnen. [2] Dies umfasst insbesondere auch

1. die Vorbereitung der Beschlüsse des Verwaltungs- oder Aufsichtsorgans zur Festsetzung des Gesamtbetrags der variablen Vergütungen gemäß § 45 Absatz 2 Nummer 10 des Kreditwesengesetzes[3] unter Berücksichtigung des § 7 sowie zur Festlegung von angemessenen Vergütungsparametern, von Erfolgsbeiträgen, der Leistungs- und Zurückbehaltungszeiträume und der Voraussetzungen für einen vollständigen Verlust oder eine teilweise Reduzierung der zurückbehaltenen variablen Vergütung oder für eine Rückforderung bereits ausgezahlter variabler Vergütung sowie
2. die regelmäßige, mindestens jedoch jährliche Überprüfung, ob die vom Verwaltungs- oder Aufsichtsorgan beschlossenen Festlegungen zu den in Nummer 1 genannten Punkten noch angemessen sind; im Fall festgestellter Mängel ist zeitnah ein Maßnahmenplan zu erstellen.

(3) [1] Der Vergütungskontrollausschuss unterstützt das Verwaltungs- oder Aufsichtsorgan des Instituts ferner bei der Überwachung der angemessenen Ausgestaltung der Vergütungssysteme für die Mitarbeiter und Mitarbeiterinnen, die keine Geschäftsleiter oder Geschäftsleiterinnen sind, sowie in bedeutenden Instituten gemäß § 1 Absatz 3c des Kreditwesengesetzes[2] auch bei der Überwachung des Prozesses der Ermittlung der Risikoträger und Risikoträgerinnen gemäß § 25a Absatz 5b des Kreditwesengesetzes[3] sowie der Gruppen-Risikoträger und Gruppen-Risikoträgerinnen gemäß § 27 Absatz 2 Satz 1. [2] Zu den diesbezüglichen Aufgaben des Vergütungskontrollausschusses zählt insbesondere die regelmäßige, mindestens jedoch jährliche Überprüfung, ob

1. der Gesamtbetrag der variablen Vergütungen gemäß § 45 Absatz 2 Nummer 10 des Kreditwesengesetzes unter Berücksichtigung des § 7 dieser Verordnung ermittelt ist,
2. die festgelegten Grundsätze zur Bemessung von Vergütungsparametern, Erfolgsbeiträgen sowie Leistungs- und Zurückbehaltungszeiträumen einschließlich der Voraussetzungen für einen vollständigen Verlust oder eine teilweise Reduzierung der variablen Vergütung angemessen sind und
3. die Vergütungssysteme der Mitarbeiter und Mitarbeiterinnen in den Kontrolleinheiten den Anforderungen dieser Verordnung entsprechen.

(4) Im Rahmen seiner Aufgaben bewertet der Vergütungskontrollausschuss die Auswirkungen der Vergütungssysteme auf die Risiko-, Kapital- und Liqui-

---

[1] § 15 Überschrift, Abs. 1 und 3 neu gef., Abs. 2 Satz 2 Nr. 1 und 2 sowie Abs. 4 geänd., Abs. 5 angef. mWv 4.8.2017 durch VO v. 25.7.2017 (BGBl. I S. 3042); Abs. 3 Satz 1 geänd. mWv 26.4.2019 durch VO v. 15.4.2019 (BGBl. I S. 486); Abs. 1, Abs. 2 Satz 2 Nr. 1, Abs. 3 Sätze 1 und 2 Nr. 1 und Abs. 4 geänd. mWv *25.9.2021 durch VO* v. 20.9.2021 (BGBl. I S. 4308).

[2] **beck-online, Module Arbeitsrecht Nr. 205.**

[3] Nr. **205**.

ditätssituation des Instituts sowie der Gruppe und überwacht, dass die Vergütungssysteme im Einklang mit den Anforderungen gemäß § 4 stehen.

(5) Der Vergütungskontrollausschuss hat das Aufsichts- oder Verwaltungsorgan bei der Erstellung der Beschlussvorschläge gemäß § 25a Absatz 5 Satz 6 des Kreditwesengesetzes zu unterstützen.

§ 16[1] Offenlegung. (1) Unbeschadet der Offenlegungspflichten gemäß Artikel 450 der Verordnung (EU) Nr. 575/2013[2] haben bedeutende Institute gemäß § 1 Absatz 3c des Kreditwesengesetzes[3], unterteilt nach den jeweiligen Geschäftsbereichen des Instituts, folgende Informationen offenzulegen:

1. eine Darstellung der Vergütungssysteme mit

(Fortsetzung nächstes Blatt)

---

[1] § 16 neu gef. mWv 4.8.2017 durch VO v. 25.7.2017 (BGBl. I S. 3042); Abs. 1 einl. Satzteil, Abs. 2 und Abs. 5 einl. Satzteil geänd. mWv 26.4.2019 durch VO v. 15.4.2019 (BGBl. I S. 486); Abs. 1 einl. Satzteil, Abs. 3 Satz 1, Abs. 4 Sätze 1, 2 und 5 und Abs. 5 geänd., Abs. 2 neu gef. mWv 25.9. 2021 durch VO v. 20.9.2021 (BGBl. I S. 4308).

[2] Nr. **894b**.

[3] **beck-online, Module Arbeitsrecht Nr. 205.**

a) Erläuterungen dazu, wie die Anforderungen dieser Verordnung erfüllt werden, insbesondere die Anforderungen an die Ausgestaltung der Vergütungssysteme gemäß den §§ 4 bis 10,

b) gegebenenfalls einer Darstellung vorhandener Unterschiede und Besonderheiten in der Ausgestaltung der Vergütungssysteme von einzelnen Mitarbeiterkategorien und

c) gegebenenfalls einer Darstellung der wesentlichen Veränderungen in der Vergütungsstrategie einschließlich der Auswirkungen auf die jeweilige Zusammensetzung der variablen und fixen Vergütung,

2. bei Einrichtung eines Vergütungskontrollausschusses gemäß § 15 Angaben zu seiner Zusammensetzung und seinen Aufgaben sowie Erläuterungen dazu, wie die Anforderungen an die Zusammenarbeit mit diesem Vergütungskontrollausschuss erfüllt werden, sowie

3. den Gesamtbetrag aller Vergütungen, unterteilt in fixe und variable Vergütung, sowie die Anzahl der Begünstigten der variablen Vergütung.

(2) Unbeschadet der Offenlegungspflichten gemäß Artikel 450 der Verordnung (EU) Nr. 575/2013[1)] haben Institute, die weder bedeutende Institute gemäß § 1 Absatz 3c des Kreditwesengesetzes[2)] sind noch in den Anwendungsbereich von Artikel 433b Absatz 2 der Verordnung (EU) Nr. 575/2013[3)] fallen, den Gesamtbetrag aller Vergütungen, unterteilt in fixe und variable Vergütung, sowie die Anzahl der Begünstigten der variablen Vergütung offenzulegen.

(3) [1] Die Institute haben unter Wahrung der in Absatz 4 genannten Grundsätze die in Absatz 1 genannten Informationen so detailliert darzustellen, dass die inhaltliche Übereinstimmung der Vergütungssysteme mit den Anforderungen dieser Verordnung nachvollziehbar ist. [2] Auf die etwaige Einbindung externer Berater und Interessengruppen bei der Ausgestaltung der Vergütungssysteme ist einzugehen.

(4) [1] Die Informationen gemäß Absatz 1 sind zusammen mit den Angaben gemäß Artikel 450 der Verordnung (EU) Nr. 575/2013 in deutscher Sprache sowie in verständlicher und transparenter Form offenzulegen. [2] Institute, die eine Webseite betreiben, haben die Informationen gemäß Absatz 1 in jedem Fall dort offenzulegen. [3] Die quantitativen Informationen sind in tabellarischer und, sofern dies zum besseren Verständnis erforderlich ist, auch in grafischer Form darzustellen. [4] Wie detailliert die Informationen offenzulegen sind, ist abhängig von der Größe und der Vergütungsstruktur des Instituts sowie von Art, Umfang, Risikogehalt und Internationalität seiner Geschäftsaktivitäten. [5] Bei der Offenlegung der Informationen gemäß Absatz 1 können die in Artikel 432 der Verordnung (EU) Nr. 575/2013 genannten Grundsätze zur Wesentlichkeit der Informationen, zum Schutz von Geschäftsgeheimnissen und zur Wahrung der Vertraulichkeit entsprechend angewendet werden.

(5) Absatz 2 gilt nicht für nachgeordnete Unternehmen, deren übergeordnetes Unternehmen

1. innerhalb des Europäischen Wirtschaftsraums ansässig ist oder
2. in einem Drittstaat ansässig ist und von diesem gleichwertige Angaben auf konsolidierter Basis veröffentlicht werden.

[1)] **Nr. 894b.**
[2)] **beck-online, Module Arbeitsrecht Nr. 205.**
[3)] **beck-online, Module Arbeitsrecht Nr. 894b.**

Abschnitt 3.[1] Besondere Anforderungen an bedeutende Institute

§ 17[2] *(aufgehoben)*

§ 18[3] **Anforderungen an Vergütungssysteme von Risikoträgern und Risikoträgerinnen in bedeutenden Instituten; Risikoausrichtung der Vergütungssysteme.** (1) [1] Vergütungssysteme für Risikoträger und Risikoträgerinnen bedeutender Institute gemäß § 1 Absatz 3c des Kreditwesengesetzes[4] müssen zusätzlich den besonderen Anforderungen der Absätze 3 bis 5 und der §§ 19 bis 22 entsprechen. [2] Vergütungssysteme für Risikoträger und Risikoträgerinnen der in § 1 Absatz 3 Satz 2 genannten Institute müssen den gleichen besonderen Anforderungen wie die Institute nach Satz 1 entsprechen, mit Ausnahme der Anforderungen des § 19 Absatz 1 Satz 3 und 4 und des § 20 Absatz 2. [3] Die §§ 20 und 22 sind dabei jeweils nicht auf die für ein Geschäftsjahr ermittelte variable Vergütung eines Risikoträgers oder einer Risikoträgerin anzuwenden, sofern diese nicht mehr als 50 000 Euro beträgt und nicht mehr als ein Drittel der Gesamtjahresvergütung des Risikoträgers oder der Risikoträgerin ausmacht.

(2) *(aufgehoben)*

(3) [1] Die variable Vergütung ist an den eingegangenen gegenwärtigen und zukünftigen Risiken auszurichten, wobei sicherzustellen ist, dass Anreize, Risiken einzugehen durch Anreize zur Risikosteuerung ausgeglichen werden. [2] Dies umfasst sowohl die Ex-ante-Risikoadjustierung bei der Ermittlung der variablen Vergütung gemäß § 19 als auch die Ex-post-Risikoadjustierung bei der Auszahlung der variablen Vergütung gemäß § 20 und die Auszahlung von zusätzlichen Leistungen zur Altersversorgung gemäß § 22.

(4) [1] Das Institut muss den Zeitrahmen der Risiko- und Erfolgsmessung über mehrere Jahre anlegen und an seinem Geschäftszyklus ausrichten. [2] Bei der Festlegung des Bemessungszeitraums gemäß § 19 und des Zurückbehaltungszeitraums gemäß § 20 Absatz 1 und 2 und § 22 Absatz 1 Satz 1 sowie der Sperrfrist gemäß § 20 Absatz 5 muss das Institut seine Geschäftstätigkeit und die Stellung des jeweiligen Risikoträgers oder der jeweiligen Risikoträgerin angemessen berücksichtigen.

(5) [1] Negative Abweichungen des Erfolgsbeitrags des Risikoträgers oder der Risikoträgerin, des Erfolgsbeitrags seiner oder ihrer Organisationseinheit oder des Gesamterfolgs des Instituts oder der Gruppe von den vereinbarten Zielen müssen die Höhe der variablen Vergütung verringern und auch zum vollständigen Verlust derselben führen können. [2] Dies gilt auf Basis einer periodengerechten Zuordnung der negativen Abweichung zu einem Bemessungszeitraum sowohl für § 19 als auch für die §§ 20 und 22 Absatz 1. [3] Der vollständige Verlust einer variablen Vergütung muss in jedem Fall eintreten, wenn der Risikoträger oder die Risikoträgerin

---

[1] Abschnitt 3 Überschrift geänd. mWv 4.8.2017 durch VO v. 25.7.2017 (BGBl. I S. 3042).

[2] § 17 aufgeh. mWv 26.4.2019 durch VO v. 15.4.2019 (BGBl. I S. 486).

[3] § 18 neu gef. mWv 4.8.2017 durch VO v. 25.7.2017 (BGBl. I S. 3042); Abs. 1 geänd., Abs. 2 aufgeh. mWv 26.4.2019 durch VO v. 15.4.2019 (BGBl. I S. 486); Abs. 1 und Abs. 5 Satz 3 Nr. 1 neu gef. mWv 25.9.2021 durch VO v. 20.9.2021 (BGBl. I S. 4308).

[4] **beck-online, Module Arbeitsrecht Nr. 205.**

1. an einem Verhalten, das für das Institut zu erheblichen Verlusten, einer wesentlichen regulatorischen Sanktion oder einer wesentlichen aufsichtlichen Maßnahme geführt hat, maßgeblich beteiligt oder dafür verantwortlich war oder
2. relevante externe oder interne Regelungen in Bezug auf Eignung und Verhalten in schwerwiegendem Maß verletzt hat.

§ 19[1] Ermittlung der variablen Vergütung (Ex-ante-Risikoadjustierung) (1) [1] Bei der Ermittlung der variablen Vergütung sind der Gesamterfolg des Instituts oder, falls erforderlich, der Gruppe sowie der Erfolgsbeitrag der Organisationseinheit und der individuelle Erfolgsbeitrag angemessen zu berücksichtigen. [2] Dabei ist ein angemessener Betrachtungszeitraum zugrunde zu legen, der mindestens ein Jahr betragen muss (Bemessungszeitraum). [3] Bei Risikoträgern oder Risikoträgerinnen, die Geschäftsleiter oder Geschäftsleiterinnen sind, beträgt der Bemessungszeitraum mindestens drei Jahre. [4] Dabei kann der Zurückbehaltungszeitraum auf den Bemessungszeitraum angerechnet werden, soweit er die Untergrenze aus § 20 Absatz 2 überschreitet; Satz 2 bleibt unberührt.

(2) [1] Der individuelle Erfolgsbeitrag ist anhand der Erreichung von vereinbarten Zielen zu bestimmen, wobei sowohl quantitative als auch qualitative Vergütungsparameter angemessen berücksichtigt werden müssen. [2] Die Vergütungsparameter sind so festzulegen, dass der Grad der Zielerreichung ermittelt werden kann. [3] Insbesondere sitten- oder pflichtwidriges Verhalten darf nicht durch positive Erfolgsbeiträge ausgeglichen werden, sondern muss die Höhe der variablen Vergütung verringern.

(3) [1] Für die Ermittlung des Gesamterfolgs des Instituts oder, falls erforderlich, der Gruppe, des Erfolgsbeitrags der jeweiligen Organisationseinheit und, soweit dies nicht mit einem unverhältnismäßigen Aufwand verbunden ist, des individuellen Erfolgsbeitrags sind insbesondere solche Vergütungsparameter zu verwenden, die dem Ziel eines nachhaltigen Erfolges Rechnung tragen. [2] Dabei sind vor allem eingegangene Risiken, deren Laufzeiten sowie Kapital- und Liquiditätskosten zu berücksichtigen, wobei die Laufzeiten der Risiken nicht zwingend nachgebildet werden müssen.

§ 20[2] Zurückbehaltung, Anspruchs- und Auszahlungsvoraussetzungen, Rückforderung (Ex-post-Risikoadjustierung) (1) [1] Die Auszahlung eines erheblichen Teils, mindestens aber von 40 Prozent, der variablen Vergütung eines Risikoträgers oder einer Risikoträgerin muss über einen Zurückbehaltungszeitraum von mindestens vier Jahren gestreckt werden. [2] Abhängig von der Stellung, den Aufgaben und den Tätigkeiten eines Risikoträgers oder einer Risikoträgerin sowie von der Höhe der variablen Vergütung und der Risiken, die ein Risikoträger oder eine Risikoträgerin begründen kann, erhöhen sich die Untergrenze des Zurückbehaltungszeitraums auf bis zu fünf Jahre und die Untergrenze des zurückzubehaltenden Anteils der variablen Vergütung auf bis zu 60 Prozent. [3] Bei der Festlegung des Zurückbehaltungszeitraums und des zurückzubehaltenden Anteils der variablen Vergütung gemäß den Sätzen 1

[1] § 19 Überschrift und Abs. 1 neu gef., Abs. 2 Satz 1 und 3, Abs. 3 Satz 1 und 2 geänd. mWv 4.8. 2017 durch VO v. 25.7.2017 (BGBl. I S. 3042).

[2] § 20 neu gef. mWv 4.8.2017 durch VO v. 25.7.2017 (BGBl. I S. 3042); Abs. 1 Satz 1 und Abs. 2 geänd. mWv 25.9.2021 durch VO v. 20.9.2021 (BGBl. I S. 4308).

und 2 sind der Geschäftszyklus, Art und Risikogehalt der Geschäftsaktivitäten, die diesbezüglich erwarteten Schwankungen, die Einflussnahmemöglichkeit der Risikoträger und Risikoträgerinnen hierauf sowie gegebenenfalls eine gemäß § 25a Absatz 5 des Kreditwesengesetzes[1)] gebilligte höhere Obergrenze für die variable Vergütung im Verhältnis zur fixen Vergütung zu berücksichtigen.

(2) Bei Risikoträgern oder Risikoträgerinnen, die Geschäftsleiter oder Geschäftsleiterinnen sind oder der der Geschäftsleitung unmittelbar nachgelagerten Führungsebene angehören, betragen die Untergrenzen gemäß Absatz 1 Satz 2 fünf Jahre und 60 Prozent.

(3) [1] Jedes Institut hat in seinen Organisationsrichtlinien einen Schwellenwert für die jährliche variable Vergütung eines Risikoträgers oder einer Risikoträgerin in angemessener Höhe festzulegen, ab dessen Erreichen sich der Anteil der variablen Vergütung, dessen Auszahlung gemäß Absatz 1 Satz 1 zu strecken ist, auf mindestens 60 Prozent erhöht. [2] Dieser Schwellenwert darf 500 000 Euro nicht überschreiten.

(4) Während des Zurückbehaltungszeitraums

1. darf der Anspruch oder die Anwartschaft auf diesen Vergütungsanteil nicht schneller als zeitanteilig entstehen,
2. besteht lediglich ein Anspruch auf fehlerfreie Ermittlung bezüglich des noch nicht zu einer Anwartschaft oder einem Anspruch erwachsenen Teils der variablen Vergütung, nicht aber auf diesen Teil der variablen Vergütung selbst, und
3. erfolgt eine nachträgliche Überprüfung, ob die ursprüngliche Ermittlung der variablen Vergütung gemäß § 19 auch rückblickend noch zutreffend erscheint; im Fall einer negativen Abweichung des Überprüfungsergebnisses ist die zurückbehaltene variable Vergütung entsprechend zu reduzieren.

(5) [1] Abhängig von den Aufgaben sowie der Tätigkeit und der Stellung eines Risikoträgers oder einer Risikoträgerin muss sich ein erheblicher Teil, mindestens aber 50 Prozent, jeder zurückbehaltenen und jeder nicht zurückbehaltenen variablen Vergütung aus den folgenden Bestandteilen zusammensetzen, die vorbehaltlich der Verfügbarkeit von Instrumenten gemäß Nummer 2 in einem ausgewogenen Verhältnis zueinander stehen müssen:

1. je nach Rechtsform des jeweiligen Instituts aus Aktien oder gleichwertigen Beteiligungen oder aus aktienbasierten oder gleichwertigen Instrumenten, die den Wert des Unternehmens nachhaltig widerspiegeln,
2. falls verfügbar, aus Instrumenten im Sinne der Delegierten Verordnung (EU) Nr. 527/2014 der Kommission vom 12. März 2014 zur Ergänzung der Richtlinie 2013/36/EU des Europäischen Parlaments und des Rates durch technische Regulierungsstandards zur Bezeichnung der Klassen von Instrumenten, die die Bonität eines Instituts unter der Annahme der Unternehmensfortführung angemessen widerspiegeln und die für eine Verwendung zu Zwecken der variablen Vergütung geeignet sind (ABl. L 148 vom 20.5.2014, S. 21).

[2] Die in Satz 1 genannten Instrumente sind mit einer angemessenen Sperrfrist von in der Regel mindestens einem Jahr zu versehen, nach deren Ablauf

---

[1)] Nr. **205**.

frühestens über den jeweiligen Anteil der variablen Vergütung verfügt werden darf.

(6) [1]In den Fällen des § 18 Absatz 5 Satz 3 Nummer 1 und 2 hat das Institut auf Grundlage entsprechender Vereinbarungen mit den Risikoträgern und Risikoträgerinnen eine bereits ausgezahlte variable Vergütung zurückzufordern und Ansprüche auf die Auszahlung variabler Vergütung zum Erlöschen zu bringen. [2]Dies gilt auf Basis einer periodengerechten Zuordnung des negativen Erfolgsbeitrags zu einem Bemessungszeitraum mindestens für einen Zeitraum, der mit der Auszahlung des nicht gemäß den Absätzen 1 und 2 zurückbehaltenen Anteils der variablen Vergütung beginnt und zwei Jahre nach Ablauf der Zurückbehaltungsfrist für den zuletzt gemäß Absatz 4 Satz 1 Nummer 1 erdienten Vergütungsbestandteil endet.

§ 21[1)] Vergütungen im Zusammenhang mit Ausgleichszahlungen. Vergütungen im Zusammenhang mit Ausgleichszahlungen für entgangene Ansprüche aus vorherigen Beschäftigungsverhältnissen gelten als garantierte variable Vergütung gemäß § 5 Absatz 5 und müssen unter Einbeziehung der besonderen Anforderungen gemäß den §§ 20 und 22 mit den langfristigen Interessen des Instituts in Einklang stehen.

§ 22[2)] Zusätzliche Leistungen zur Altersversorgung. (1) [1]Zusätzliche Leistungen zur Altersversorgung, die anlässlich einer nicht ruhestandsbedingten Beendigung des Arbeits-, Geschäftsbesorgungs- oder Dienstverhältnisses an Risikoträger oder Risikoträgerinnen gewährt werden, müssen abweichend von § 20 in voller Höhe aus Instrumenten gemäß § 20 Absatz 5 Satz 1 Nummer 1 und 2 bestehen und vom Institut mindestens fünf Jahre zurückbehalten werden. [2]§ 18 Absatz 5 und § 20 Absatz 4 Nummer 2 und 3 gelten entsprechend.

(2) [1]Zusätzliche Leistungen zur Altersversorgung, die anlässlich einer ruhestandsbedingten Beendigung des Arbeits-, Geschäftsbesorgungs- oder Dienstverhältnisses an Risikoträger oder Risikoträgerinnen geleistet werden, müssen abweichend von § 20 in voller Höhe aus Instrumenten gemäß § 20 Absatz 5 Satz 1 Nummer 1 und 2 bestehen und mit einer fünfjährigen Sperrfrist versehen sein. [2]Über die Instrumente darf frühestens nach Ablauf der Sperrfrist verfügt werden. [3]§ 20 Absatz 6 gilt entsprechend.

(3) Für die Auszahlung der zusätzlichen Leistungen zur Altersversorgung gilt § 7 entsprechend.

§ 23[3)] Vergütungsbeauftragte in bedeutenden Instituten. (1) [1]Bedeutende Institute haben eine angemessene, dauerhafte und wirksame Kontrolle der Vergütung der Mitarbeiter und Mitarbeiterinnen sicherzustellen. [2]Hierfür hat die Geschäftsleitung nach Anhörung des Verwaltungs- oder Aufsichtsorgans einen Vergütungsbeauftragten oder eine Vergütungsbeauftragte zu bestellen. [3]Vergütungsbeauftragte müssen die für ihre Tätigkeit erforderlichen Kenntnisse und Erfahrungen besitzen, insbesondere im Bereich der Vergütungssysteme und des Risikocontrollings. [4]Zum Erhalt der zur Erfüllung ihrer Aufgaben erforderlichen Fachkunde sind Vergütungsbeauftragten die Teilnahme an Fort-

---

[1)] § 21 neu gef. mWv 4.8.2017 durch VO v. 25.7.2017 (BGBl. I S. 3042).

[2)] § 22 neu gef. mWv 4.8.2017 durch VO v. 25.7.2017 (BGBl. I S. 3042).

[3)] § 23 Abs. 1 Satz 3, Abs. 2 Satz 2 und 3, Abs. 3, 4 und 6 neu gef., Abs. 1 Satz 4, Abs. 2 Satz 1 und Abs. 5 geänd. mWv 4.8.2017 durch VO v. 25.7.2017 (BGBl. I S. 3042).

und Weiterbildungsveranstaltungen zu ermöglichen und deren Kosten vom Institut zu übernehmen.

(2) [1] Vergütungsbeauftragte werden für einen Zeitraum von mindestens 24 Monaten bestellt. [2] Sie dürfen wegen der Erfüllung ihrer Aufgaben nicht benachteiligt werden. [3] Ist gemäß Absatz 1 Satz 2 ein Vergütungsbeauftragter oder eine Vergütungsbeauftragte bestellt, so ist die Kündigung seines oder ihres Arbeitsverhältnisses während der Bestellung unzulässig, es sei denn, es liegen Tatsachen vor, die die verantwortliche Stelle zur Kündigung aus wichtigem Grund ohne Einhaltung einer Kündigungsfrist berechtigen. [4] Nach der Abberufung als Vergütungsbeauftragter oder Vergütungsbeauftragte ist die Kündigung innerhalb eines Jahres nach der Beendigung der Bestellung unzulässig, es sei denn, die verantwortliche Stelle ist zur Kündigung aus wichtigem Grund ohne Einhaltung einer Kündigungsfrist berechtigt.

(3) Soll ein neuer Vergütungsbeauftragter oder eine neue Vergütungsbeauftragte bestellt werden, ist das Verwaltungs- oder Aufsichtsorgan rechtzeitig vorher zu informieren und anzuhören.

(4) Vergütungsbeauftragter oder Vergütungsbeauftragte dürfen nicht sein:

1. ein Geschäftsleiter oder eine Geschäftsleiterin des Instituts,
2. der oder die Compliance-Beauftragte des Instituts oder
3. ein Mitarbeiter oder eine Mitarbeiterin des Instituts, der oder die auch für die Ausgestaltung der Vergütungssysteme verantwortlich ist oder war und bei dem dadurch ein Interessenkonflikt vorliegt.

(5) Vergütungsbeauftragte sind aufbauorganisatorisch auf einer ausreichend hohen Führungsebene unterhalb der Geschäftsleitung anzusiedeln.

(6) Für Vergütungsbeauftragte ist ein hinreichend qualifizierter Vertreter oder eine hinreichend qualifizierte Vertreterin zu bestimmen, auf den oder die die Regelungen der Absätze 1 bis 5 und der §§ 24 und 25 entsprechend anzuwenden sind.

§ 24[1)] Aufgaben der Vergütungsbeauftragten. (1) [1] Vergütungsbeauftragte haben die Angemessenheit der Vergütungssysteme der Mitarbeiter und Mitarbeiterinnen, die keine Geschäftsleiter oder Geschäftsleiterinnen sind, nach Maßgabe dieser Verordnung, des § 25a Absatz 1 Satz 3 Nummer 6 und Absatz 5 des Kreditwesengesetzes[2)], die Risikoträgerermittlung nach § 25a Absatz 5b des Kreditwesengesetzes[2)] sowie die Offenlegung nach § 16 und nach Artikel 450 der Verordnung (EU) Nr. 575/2013[3)] ständig zu überwachen. [2] Zu diesem Zweck sind sie mit den zur wirksamen Ausübung ihrer Tätigkeit erforderlichen Befugnissen auszustatten sowie in die laufenden Prozesse der Vergütungssysteme einzubinden. [3] Dies gilt sowohl für die konzeptionelle Neu- und Weiterentwicklung als auch für die laufende Anwendung der Vergütungssysteme. [4] In einem übergeordneten Unternehmen gilt dies darüber hinaus auch für die Regelungen zur gruppenweiten Vergütungsstrategie. [5] Die Vergütungsbeauftragten sind verpflichtet, sich mit dem oder der Vorsitzenden des Vergütungs-

---

[1)] § 24 Überschrift, Abs. 1 Satz 4, Abs. 2 Satz 1 und 2, Abs. 3 Satz 1 und 3 geänd., Abs. 1 Satz 1 und 2 neu gef. mWv 4.8.2017 durch VO v. 25.7.2017 (BGBl. I S. 3042); Abs. 1 Satz 1 geänd., Satz 4 eingef., bish. Satz 4 wird Satz 5 und geänd. mWv 25.9.2021 durch VO v. 20.9.2021 (BGBl. I S. *4308*).

[2)] Nr. **205**.

[3)] Nr. **894b**.

kontrollausschusses oder, falls kein Vergütungskontrollausschuss eingerichtet wurde, mit dem oder der Vorsitzenden des Verwaltungs- oder Aufsichtsorgans eng abzustimmen.

(2) [1] Vergütungsbeauftragte haben zudem das Verwaltungs- oder Aufsichtsorgan und dessen Vergütungskontrollausschuss bei deren Überwachungs- und Ausgestaltungsaufgaben hinsichtlich aller Vergütungssysteme zu unterstützen. [2] Sie sind verpflichtet, dem oder der Vorsitzenden des Vergütungskontrollausschusses oder, falls kein Vergütungskontrollausschuss eingerichtet wurde, dem oder der Vorsitzenden des Aufsichts- oder Verwaltungsorgans Auskunft zu erteilen.

(3) [1] Vergütungsbeauftragte haben mindestens einmal jährlich einen Bericht über die Angemessenheit der Ausgestaltung der Vergütungssysteme der Mitarbeiter und Mitarbeiterinnen, die keine Geschäftsleiter und Geschäftsleiterinnen sind, (Vergütungskontrollbericht) zu verfassen und diesen gleichzeitig der Geschäftsleitung, dem Verwaltungs- oder Aufsichtsorgan und dem Vergütungskontrollausschuss, sofern ein solcher eingerichtet ist, vorzulegen. [2] Das Verwaltungs- oder Aufsichtsorgan oder der Vergütungskontrollausschuss bestimmt unbeschadet des Satzes 1 über den Turnus für die Erstellung des Vergütungskontrollberichtes. [3] Soweit erforderlich, haben Vergütungsbeauftragte auch anlassbezogen Bericht zu erstatten.

§ 25[1)] Personal- und Sachausstattung der Vergütungsbeauftragten.

(1) [1] Die Institute müssen Vergütungsbeauftragten eine angemessene quantitative und qualitative Personal- und Sachausstattung zur Verfügung stellen. [2] Vergütungsbeauftragten unterstellte Mitarbeiter und Mitarbeiterinnen müssen die für ihre Tätigkeit erforderlichen Kenntnisse und Erfahrungen besitzen, insbesondere im Bereich der Vergütungssysteme und des Risikocontrollings. [3] Durch geeignete Maßnahmen ist zu gewährleisten, dass das Qualifikationsniveau dieser Mitarbeiter und Mitarbeiterinnen die Ausübung der Tätigkeit ermöglicht.

(2) Die Vergütungsbeauftragten gemäß Absatz 1 unterstellten Mitarbeiter und Mitarbeiterinnen sind jeweils mit den zur wirksamen Ausübung ihrer Tätigkeit erforderlichen Befugnissen auszustatten.

§ 26[2)] Vergütungsbeauftragte in den Organisationsrichtlinien. Die Aufgaben und die organisatorische Einbindung der Vergütungsbeauftragten sind in den Organisationsrichtlinien des Instituts gemäß § 11 darzustellen.

Abschnitt 4.[3)] Ergänzende Vorschriften für Gruppen

§ 27[4)] Gruppenweite Regelung der Vergütung. (1) [1] Das übergeordnete Unternehmen einer Gruppe hat eine gruppenweite Vergütungsstrategie fest-

---

[1)] § 25 Überschrift, Abs. 1 Satz 1 und 2 und Abs. 2 geänd. mWv 4.8.2017 durch VO v. 25.7.2017 (BGBl. I S. 3042).

[2)] § 26 neu gef. mWv 4.8.2017 durch VO v. 25.7.2017 (BGBl. I S. 3042).

[3)] Abschnitt 4 (§ 27) neu gef. mWv 4.8.2017 durch VO v. 25.7.2017 (BGBl. I S. 3042).

[4)] Abschnitt 4 (§ 27) neu gef. mWv 4.8.2017 durch VO v. 25.7.2017 (BGBl. I S. 3042); Abs. 2 Satz 1 und Abs. 4 Satz 2 geänd. mWv 26.4.2019 durch VO v. 15.4.2019 (BGBl. I S. 486); Abs. 1 Sätze 1 und 2 und Abs. 2 neu gef., Abs. 3 und 4 eingef., bish. Abs. 3 wird Abs. 5 und Satz 1 geänd., bish. Abs. 4 wird Abs. 6 und Satz 2 geänd. mWv 25.9.2021 durch VO v. 20.9.2021 (BGBl. I S. 4308); Abs. 4 geänd. mWv 16.11.2022 durch VO v. 10.11.2022 (BGBl. I S. 2021).

zulegen, welche die Grundsätze für angemessene, transparente, geschlechtsneutrale und auf eine nachhaltige Entwicklung der Gruppe ausgerichtete Vergütungssysteme vorgibt. [2]Die gruppenweite Vergütungsstrategie hat die Anforderungen des § 25a Absatz 5 des Kreditwesengesetzes[1)] und der §§ 4 bis 13 dieser Verordnung in Bezug auf alle Mitarbeiter und Mitarbeiterinnen der gruppenangehörigen Unternehmen umzusetzen, wobei in nachgeordneten Unternehmen sowohl § 1 dieser Verordnung als auch § 2 Absatz 7 bis 8b, 9a, 9e, 9g und 9h des Kreditwesengesetzes[2)] vorbehaltlich der Regelungen in den Absätzen 2 und 4 entsprechend gelten. [3]Das übergeordnete Unternehmen hat die Offenlegungsanforderungen gemäß § 16 auf konsolidierter Ebene zu erfüllen. [4]Unterliegt ein nachgeordnetes Unternehmen mit Sitz im Ausland nach der dortigen Rechtsordnung strengeren Anforderungen als im Inland, hat das übergeordnete Unternehmen dies bei der Festlegung der gruppenweiten Vergütungsstrategie zu berücksichtigen und darauf hinzuwirken, dass das nachgeordnete Unternehmen die strengeren Anforderungen einhält.

(2) [1]Ist das übergeordnete Unternehmen bedeutend gemäß § 1 Absatz 3c des Kreditwesengesetzes[2)], hat es auf Grundlage einer gruppenweiten Risikoanalyse in entsprechender Anwendung des § 25a Absatz 5b des Kreditwesengesetzes[1)] die Gruppen-Risikoträger und Gruppen-Risikoträgerinnen zu ermitteln. [2]Bei der Festlegung der gruppenweiten Vergütungsstrategie gemäß Absatz 1 hat es zusätzlich zu den Anforderungen gemäß Absatz 1 in Bezug auf die Gruppen-Risikoträger und Gruppen-Risikoträgerinnen die Anforderungen des § 25a Absatz 5 des Kreditwesengesetzes[1)] sowie die Anforderungen gemäß § 18 Absatz 1 und 3 bis 5 und der §§ 19 bis 22 in Bezug auf die Gruppen-Risikoträger und Gruppen-Risikoträgerinnen umzusetzen. [3]Institute gemäß § 1 Absatz 3 Satz 2 haben die Gruppen-Risikoträger und Gruppen-Risikoträgerinnen gemäß § 25a Absatz 5b Satz 1 des Kreditwesengesetzes[1)] zu ermitteln und die Anforderungen gemäß den Sätzen 1 und 2, mit Ausnahme von § 19 Absatz 1 Satz 3 und 4 sowie § 20 Absatz 2, zu erfüllen.

(3) Die Anforderungen gemäß Absatz 1 Satz 2 sowie Absatz 2 sind nicht auf folgende nachgeordnete Unternehmen anzuwenden:

1. Unternehmen mit Sitz in der Europäischen Union, die an besondere Vergütungsanforderungen nach Maßgabe anderer Rechtsakte der Europäischen Union gebunden sind;
2. Unternehmen mit Sitz in einem Drittstaat, die an besondere Vergütungsanforderungen nach Maßgabe anderer Rechtsakte der Europäischen Union gebunden wären, wenn sie ihren Sitz in der Europäischen Union hätten.

(4) Abweichend von Absatz 3 ist hinsichtlich Mitarbeitern und Mitarbeiterinnen, die in einem nachgeordneten Unternehmen tätig sind, welches entweder eine Kapitalverwaltungsgesellschaft im Sinne von § 17 des Kapitalanlagegesetzbuches[3)], eine EU-Verwaltungsgesellschaft im Sinne von § 1 Absatz 17 des Kapitalanlagegesetzbuches oder eine ausländische AIF-Verwaltungsgesellschaft im Sinne des § 1 Absatz 18 des Kapitalanlagegesetzbuches ist oder die im Anhang I Abschnitt A Nummer 2, 3, 4, 6 und 7 der Richtlinie 2014/65/EU des Europäischen Parlaments und des Rates vom 15. Mai 2014 über Märkte für Finanzinstrumente sowie zur Änderung der Richtlinien 2002/92/EG und

---

[1)] Nr. 205.
[2)] **beck-online, Module Arbeitsrecht Nr. 205.**
[3)] **beck-online, Module Arbeitsrecht Nr. 129.**

2011/61/EU (ABl. L 173 vom 12.6.2014, S. 349; L 74 vom 18.3.2015, S. 38; L 188 vom 13.7.2016, S. 28; L 273 vom 8.10.2016, S. 35; L 64 vom 10.3.2017, S. 116; L 278 vom 27.10.2017, S. 56), die zuletzt durch die Verordnung (EU) 2019/2115 (ABl. L 320 vom 11.12.2019, S. 1) geändert worden ist, aufgeführten Wertpapierdienstleistungen und Anlagetätigkeiten ausführt, in der gruppenweiten Vergütungsstrategie die Einhaltung der Anforderungen gemäß Absatz 1 Satz 2 sowie Absatz 2 sicherzustellen, sofern sich deren berufliche Tätigkeit direkt und wesentlich auf das Risikoprofil oder die Geschäftstätigkeit mindestens eines CRR-Kreditinstitutes der Gruppe auswirkt.

(5) [1] Das übergeordnete Unternehmen hat die Einhaltung der gruppenweiten Vergütungsstrategie in den nachgeordneten Unternehmen sicherzustellen. [2] Soweit geboten, hat das übergeordnete Unternehmen auf die Einrichtung eines Vergütungskontrollausschusses in den nachgeordneten Unternehmen hinzuwirken, der die Anforderungen des § 25d Absatz 12 des Kreditwesengesetzes und des § 15 dieser Verordnung erfüllt.

(6) [1] Die Aufgaben des Vergütungsbeauftragten gemäß § 24 können zentral durch den Vergütungsbeauftragten des übergeordneten Unternehmens erfüllt werden. [2] Bei nachgeordneten Unternehmen, die keine bedeutenden Institute gemäß § 1 Absatz 3c des Kreditwesengesetzes[1)] sind, kann auch die Überprüfung gemäß § 12 Absatz 1 zentral durch das übergeordnete Unternehmen durchgeführt werden.

Abschnitt 5. Schlussvorschriften

§ 28[2)] *(aufgehoben)*

§ 29 Inkrafttreten, Außerkrafttreten. [1] Diese Verordnung tritt am 1. Januar 2014 in Kraft. [2] Gleichzeitig tritt die Instituts-Vergütungsverordnung[3)] vom 6. Oktober 2010 (BGBl. I S. 1374) außer Kraft.

[1)] **beck-online, Module Arbeitsrecht Nr. 205.**
[2)] § 28 aufgeh. mWv 25.9.2021 durch VO v. 20.9.2021 (BGBl. I S. 4308).
[3)] **beck-online, Module Arbeitsrecht Nr. 205a.**

206. Gesetz über die Beaufsichtigung der Versicherungsunternehmen (Versicherungsaufsichtsgesetz – VAG)[1)]

Vom 1. April 2015
(BGBl. I S. 434)

FNA 7631-11

zuletzt geänd. durch Art. 25 Bankenrichtlinienumsetzungs- und BürokratieentlastungsG v. 25.3.2026 (BGBl. 2026 I Nr. 81)

– Auszug –[2)]

Teil 2. Vorschriften für die Erstversicherung und die Rückversicherung

Kapitel 1. Geschäftstätigkeit

Abschnitt 3. Geschäftsorganisation

§ 25[3)] Vergütung. (1) Die Vergütungssysteme für Geschäftsleiter, Mitarbeiter und Aufsichtsratsmitglieder von Versicherungsunternehmen müssen angemessen, transparent und auf eine nachhaltige Entwicklung des Unternehmens ausgerichtet sein.

(2) Versicherungsunternehmen dürfen Geschäftsleitern und Aufsichtsratsmitgliedern Vergütungen für andere Tätigkeiten, die sie für das jeweilige Unternehmen erbringen, nur gewähren, soweit dies mit ihren Aufgaben als Organmitglieder vereinbar ist.

(3) [1] Übergeordnete Unternehmen einer Gruppe haben sicherzustellen, dass die Vergütungssysteme für Geschäftsleiter, Mitarbeiter und Aufsichtsratsmitglieder innerhalb der gesamten Gruppe angemessen, transparent und auf eine nachhaltige Entwicklung ausgerichtet sind. [2] Übergeordnetes Unternehmen einer Gruppe im Sinne dieses Absatzes ist das an der Spitze der Gruppe stehende Unternehmen, das entweder selbst Versicherungsunternehmen oder Versicherungs-Holdinggesellschaft ist.

(4) [1] Unter den Voraussetzungen des § 134 Absatz 1 soll die Aufsichtsbehörde anordnen, dass das Versicherungsunternehmen den Jahresgesamtbetrag, den es für die variable Vergütung aller Geschäftsleiter und Mitarbeiter vorsieht (Gesamtbetrag der variablen Vergütungen), auf einen bestimmten Anteil des Jahresergebnisses beschränkt oder vollständig streicht. [2] Unter den Voraussetzungen des § 134 Absatz 1 soll die Aufsichtsbehörde ferner die Auszahlung variabler

---

[1)] Verkündet als Art. 1 G zur Modernisierung der Finanzaufsicht über Versicherungen v. 1.4.2015 (BGBl. I S. 434); Inkrafttreten gem. Art. 3 Abs. 1 Satz 1 dieses G am 1.1.2016, mit Ausnahme des § 355, der gem. Art. 3 Abs. 1 Satz 2 am 11.4.2015 in Kraft getreten ist.

Amtl. Anm. an der Überschrift des Mantelgesetzes: „Artikel 1 dieses Gesetzes dient der Umsetzung der Richtlinie 2009/138/EG des Europäischen Parlaments und des Rates vom 25. November 2009 betreffend die Aufnahme und Ausübung der Versicherungs- und der Rückversicherungstätigkeit (Solvabilität II) (ABl. L 335 vom 17.12.2009, S. 1), die zuletzt durch die Richtlinie 2014/51/EU (ABl. L 153 vom 22.5.2014, S. 1) geändert worden ist."

[2)] Vollständig wiedergegeben in **beck-online, Module Arbeitsrecht.**

[3)] § 25 Abs. 6 angef. mWv 21.3.2016 durch G v. 11.3.2016 (BGBl. I S. 396).

Vergütungsbestandteile untersagen oder auf einen bestimmten Anteil des Jahresergebnisses beschränken. [3] Die Versicherungsunternehmen müssen der Anordnungs-, Untersagungs- und Beschränkungsbefugnis der Sätze 1 und 2 in entsprechenden vertraglichen Vereinbarungen mit ihren Geschäftsleitern, Mitarbeitern und Aufsichtsratsmitgliedern Rechnung tragen. [4] Soweit vertragliche Vereinbarungen über die Gewährung einer variablen Vergütung einer Anordnung, Untersagung oder Beschränkung nach Satz 1 oder 2 entgegenstehen, können aus ihnen keine Rechte hergeleitet werden.

(5) Die Absätze 1, 3 und 4 gelten nicht, soweit die Vergütung durch Tarifvertrag oder in seinem Geltungsbereich durch Vereinbarung der Arbeitsvertragsparteien über die Anwendung der tarifvertraglichen Regelungen oder in einer Betriebs- oder Dienstvereinbarung auf Grund eines Tarifvertrags vereinbart ist.

(6) Für den Abschluss oder die Vermittlung von Immobiliar-Verbraucherdarlehensverträgen darf die Struktur der Vergütung der Vermittler deren Fähigkeit nicht beeinträchtigen, im besten Interesse des Verbrauchers zu handeln, insbesondere darf sie nicht an Absatzziele gekoppelt sein.

§ 34[1)] Verordnungsermächtigung. (1) [1] Für Versicherungsunternehmen, die nicht der Aufsicht durch die Aufsichtsbehörden der Länder unterliegen, kann das Bundesministerium der Finanzen durch Rechtsverordnung nähere Bestimmungen über den Inhalt der allgemeinen Sanierungspläne nach § 26 Absatz 1 erlassen. [2] Die Ermächtigung kann durch Rechtsverordnung auf die Bundesanstalt übertragen werden. [3] Vor dem Erlass ist der Versicherungsbeirat zu hören. [4] Die Rechtsverordnungen nach den Sätzen 1 bis 3 bedürfen nicht der Zustimmung des Bundesrates.

(2) ***[Satz 1 bis 9.1.2028:]*** [1] Das Bundesministerium der Finanzen wird ermächtigt, durch Rechtsverordnung nähere Einzelheiten festzulegen zur Ausgestaltung, Überwachung, Weiterentwicklung und Transparenz der Vergütungssysteme im Sinne des § 25, einschließlich der Entscheidungsprozesse und Verantwortlichkeiten, der Zusammensetzung der Vergütung, der positiven und negativen Vergütungsparameter, der Leistungszeiträume und der Offenlegung der Ausgestaltung der Vergütungssysteme und der gezahlten Vergütungen, des Offenlegungsmediums und der Häufigkeit der Offenlegung sowie zur Zulässigkeit sonstiger Vergütungen im Sinne des § 25 Absatz 2. ***[Satz 1 ab 10.1.2028:]*** *[1] Das Bundesministerium der Finanzen wird ermächtigt, durch Rechtsverordnung nähere Einzelheiten festzulegen*

1. zur Ausgestaltung, Überwachung, Weiterentwicklung und Transparenz der Vergütungssysteme im Sinne des § 25, einschließlich

a) der Entscheidungsprozesse und Verantwortlichkeiten,

b) der Zusammensetzung der Vergütung,

c) der positiven und negativen Vergütungsparameter,

d) der Leistungszeiträume,

e) der Offenlegung der Ausgestaltung der Vergütungssysteme und der gezahlten Vergütungen, des Offenlegungsmediums und der Häufigkeit der Offenlegung und

---

1) § 34 Abs. 3 angef. mWv 1.7.2021 durch G v. 3.6.2021 (BGBl. I S. 1534); Abs. 2 Satz 1 neu gef. mWv 10.1.2028 durch G v. 4.2.2026 (BGBl. 2026 I Nr. 33).

f) Zeitpunkt, Umfang und Verfahren für die Meldung von offengelegten Informationen an die Aufsichtsbehörde, sowie

2. zur Zulässigkeit sonstiger Vergütungen im Sinne des § 25 Absatz 2.

[2] Die Regelungen haben sich insbesondere an Größe und Vergütungsstruktur des Unternehmens sowie Art, Umfang, Komplexität, Risikogehalt und Internationalität der Geschäftsaktivitäten insgesamt zu orientieren. [3] Bei Unternehmen, die einer Versicherungsgruppe angehören, haben sich die Regelungen zusätzlich an der Größe der Gruppe sowie an Art, Umfang, Komplexität, Risikogehalt und Internationalität der Geschäftsaktivitäten der Gruppe zu orientieren. [4] Im Rahmen der Bestimmungen nach Satz 1 müssen die auf Offenlegung der Vergütung bezogenen handelsrechtlichen Bestimmungen nach § 341a Absatz 1 und 2 in Verbindung mit § 341l Absatz 1 Satz 1 des Handelsgesetzbuchs[1)] unberührt bleiben. [5] Die Ermächtigung kann durch Rechtsverordnung auf die Bundesanstalt übertragen werden. [6] Rechtsverordnungen nach den Sätzen 1 bis 5 bedürfen nicht der Zustimmung des Bundesrates.

(3) [1] Das Bundesministerium der Finanzen wird ermächtigt, für Versicherungsunternehmen, die nicht der Aufsicht durch die Aufsichtsbehörden der Länder unterliegen, durch Rechtsverordnung nähere Bestimmungen über die nach diesem Gesetz vorgesehenen Anzeigen der Ausgliederungen von Funktionen und Versicherungstätigkeiten zu erlassen. [2] Das Bundesministerium der Finanzen kann die Ermächtigung durch Rechtsverordnung auf die Bundesanstalt übertragen. [3] Rechtsverordnungen nach den Sätzen 1 und 2 bedürfen nicht der Zustimmung des Bundesrates.

Abschnitt 6. Verhinderung von Geldwäsche und von Terrorismusfinanzierung

§ 52[2)] Verpflichtete Unternehmen. Die Vorschriften dieses Abschnitts gelten für alle Versicherungsunternehmen im Sinne von § 2 Absatz 1 Nummer 7 des Geldwäschegesetzes[3)].

§ 53[4)] Interne Sicherungsmaßnahmen. (1) [1] Die verpflichteten Unternehmen dürfen im Einzelfall einander Informationen übermitteln, wenn tatsächliche Anhaltspunkte dafür vorliegen, dass der Empfänger der Informationen diese für die Beurteilung der Frage benötigt, ob ein Sachverhalt nach § 43 Absatz 1 des Geldwäschegesetzes[3)] der Zentralstelle für Finanztransaktionsuntersuchungen zu melden oder eine Strafanzeige nach § 158 der Strafprozessordnung[5)] zu erstatten ist. [2] Der Empfänger darf die Informationen ausschließlich verwenden, um Geldwäsche, Terrorismusfinanzierung oder sonstige strafbare Handlungen zu verhindern oder nach § 158 der Strafprozessordnung anzuzeigen. [3] Er darf die Informationen nur unter den durch das übermittelnde Versicherungsunternehmen vorgegebenen Bedingungen verwenden.

(2) Sofern die verpflichteten Unternehmen eine interne Revision vorhalten, haben sie sicherzustellen, dass ein Bericht über das Ergebnis einer Prüfung der

---

1) **beck-online, Module Arbeitsrecht Nr. 105.**

2) § 52 neu gef. mWv 26.6.2017 durch G v. 23.6.2017 (BGBl. I S. 1822).

3) **beck-online, Module Arbeitsrecht Nr. 169a.**

4) § 53 neu gef. mWv 26.6.2017 durch G v. 23.6.2017 (BGBl. I S. 1822); Abs. 2 geänd. mWv 1.1.2020 durch G v. 12.12.2019 (BGBl. I S. 2602).

5) **Habersack Nr. 90.**

internen Revision nach § 6 Absatz 2 Nummer 7 des Geldwäschegesetzes jeweils zeitnah der Geschäftsleitung, dem Geldwäschebeauftragten sowie auf Anforderung der Aufsichtsbehörde vorgelegt wird.

Kapitel 4. Versicherungsvereine auf Gegenseitigkeit

§ 189[1] **Aufsichtsrat.** (1) [1]Der Aufsichtsrat besteht aus drei Personen. [2]Die Satzung kann eine bestimmte höhere Zahl festsetzen, die durch drei teilbar sein muss. [3]Die Höchstzahl der Aufsichtsratsmitglieder beträgt 21.

(2) [1]Der Aufsichtsrat setzt sich bei Vereinen, für die nach § 1 Absatz 1 Nummer 4 des Drittelbeteiligungsgesetzes[2] das Drittelbeteiligungsgesetz gilt, zusammen aus Aufsichtsratsmitgliedern, die von der obersten Vertretung gewählt werden, und aus Aufsichtsratsmitgliedern der Arbeitnehmer. [2]Bei den übrigen Vereinen setzt sich der Aufsichtsrat nur aus Aufsichtsratsmitgliedern zusammen, die von der obersten Vertretung gewählt werden.

(3) [1]Für den Aufsichtsrat gelten § 30 Absatz 2 und 3 Satz 1 und 2 erster Halbsatz, § 96 Absatz 4, die §§ 97 bis 100, 101 Absatz 1 und 3, die §§ 102 und 103 Absatz 1 und 3 bis 5 sowie die §§ 104 bis 111, 112 bis 116 des Aktiengesetzes[3] entsprechend. [2]Die dort der Hauptversammlung übertragenen Aufgaben hat hier die oberste Vertretung wahrzunehmen. [3]Das Antragsrecht nach § 98 Absatz 2 Nummer 3 und § 104 Absatz 1 Satz 1 des Aktiengesetzes[3] steht jedem Mitglied der obersten Vertretung zu. [4]Neben § 116 des Aktiengesetzes[3] tritt Absatz 4.

(4) …

---

[1] § 189 Abs. 3 Satz 1 geänd. durch G v. 2.11.2015 (BGBl. I S. 1864); Abs. 3 Satz 1 geänd., Satz 4 neu gef, Abs. 4 aufgeh., bish. Abs. 5 wird Abs. 4 mWv 1.1.2020 durch G v. 12.12.2019 (BGBl. I S. 2637).

[2] Nr. **564**.

[3] Nr. **567**.

206a. Verordnung über die aufsichtsrechtlichen Anforderungen an Vergütungssysteme im Versicherungsbereich (Versicherungs-Vergütungsverordnung – VersVergV)[1)]

Vom 18. April 2016
(BGBl. I S. 763)

FNA 7631-11-4

zuletzt geänd. durch Art. 57 Standortfördergesetz v. 4.2.2026 (BGBl. 2026 I Nr. 33)

Auf Grund des § 34 Absatz 2 Satz 1 in Verbindung mit Satz 6 des Versicherungsaufsichtsgesetzes[2)] vom 1. April 2015 (BGBl. I S. 434) verordnet das Bundesministerium der Finanzen:

§ 1[3)] Geltungsbereich. (1) Diese Verordnung gilt für die folgenden Unternehmen:

1. Erst- und Rückversicherungsunternehmen sowie Pensionsfonds mit Sitz im Inland,
2. Versicherungs-Holdinggesellschaften im Sinne des § 7 Nummer 31 sowie Unternehmen im Sinne des § 293 Absatz 4 des Versicherungsaufsichtsgesetzes mit Sitz im Inland,
3. Versicherungs-Zweckgesellschaften mit Sitz im Inland,
4. gemischte Finanzholding-Gesellschaften mit Sitz im Inland,
5. übergeordnete Unternehmen eines Finanzkonglomerats mit Sitz im Inland, es sei denn, es handelt sich um Institute im Sinne des § 1 Absatz 1b des Kreditwesengesetzes[4)],
6. im Inland erlaubnispflichtige Erst- und Rückversicherungsunternehmen sowie Einrichtungen der betrieblichen Altersversorgung mit Sitz in einem Drittstaat und
7. im Inland erlaubnispflichtige Erstversicherungsunternehmen mit Sitz in einem anderen Mitgliedstaat der Europäischen Union oder einem anderen Vertragsstaat des Abkommens über den Europäischen Wirtschaftsraum, die nicht den Versicherungsrichtlinien unterfallen.

(2) [1]Die §§ 3, 4 und 6 sind nicht auf Unternehmen anzuwenden, für die Artikel 275 der Delegierten Verordnung (EU) 2015/35 der Kommission vom 10. Oktober 2014 zur Ergänzung der Richtlinie 2009/138/EG des Europäischen Parlaments und des Rates betreffend die Aufnahme und Ausübung der Versicherungs- und der Rückversicherungstätigkeit (Solvabilität II) (ABl. L 12 vom 17.1.2015, S. 1) gilt oder die freiwillig Artikel 275 der Delegierten Verordnung (EU) 2015/35 anwenden. [2]Im Übrigen ist § 4 nur anzuwenden, wenn das Unternehmen bedeutend im Sinne des Absatzes 3 ist.

[1)] Die Änderung durch G v. 4.2.2026 (BGBl. 2026 I Nr. 33) tritt erst **mWv 10.1.2030** in Kraft und ist im Text noch nicht berücksichtigt.
[2)] Auszugsweise abgedruckt unter Nr. **206**.
[3)] § 1 Abs. 2 Satz 1 geänd. mWv 1.8.2017 durch VO v. 19.7.2017 (BGBl. I S. 3023).
[4)] **beck-online, Module Arbeitsrecht Nr. 205.**

(3) [1]Unternehmen mit einer Bilanzsumme von mindestens 45 Milliarden Euro und Unternehmen, die einer Versicherungsgruppe oder einem nach § 11 des Finanzkonglomerate-Aufsichtsgesetzes festgestellten Finanzkonglomerat mit einer Bilanzsumme von mindestens 45 Milliarden Euro angehören, haben auf der Grundlage einer Risikoanalyse eigenverantwortlich festzustellen, ob sie bedeutend sind. [2]Bei der Risikoanalyse sind insbesondere die Größe und Vergütungsstruktur sowie Art, Umfang, Komplexität, Risikogehalt und Internationalität der Geschäftstätigkeit zu beachten. [3]Unternehmen, die einer Versicherungsgruppe oder einem nach § 11 des Finanzkonglomerate-Aufsichtsgesetzes festgestellten Finanzkonglomerat angehören, haben bei der Analyse auch die Größe sowie Art, Umfang, Komplexität, Risikogehalt und Internationalität der Geschäftstätigkeit der Gruppe oder des Konglomerats zu beachten. [4]Die Feststellung und die Analyse sind schriftlich zu dokumentieren. [5]Die Analyse muss plausibel, umfassend und für Dritte nachvollziehbar sein. [6]Unternehmen mit einer Bilanzsumme von mindestens 90 Milliarden Euro und Unternehmen, die einer Versicherungsgruppe oder einem nach § 11 des Finanzkonglomerate-Aufsichtsgesetzes festgestellten Finanzkonglomerat mit einer Bilanzsumme von mindestens 90 Milliarden Euro angehören, sind in der Regel als bedeutend anzusehen. [7]Unternehmen mit einer Bilanzsumme von weniger als 45 Milliarden Euro und Unternehmen, die einer Versicherungsgruppe oder einem nach § 11 des Finanzkonglomerate-Aufsichtsgesetzes festgestellten Finanzkonglomerat mit einer Bilanzsumme von weniger als 45 Milliarden Euro angehören, gelten als nicht bedeutend.

(4) Diese Verordnung ist auf Vergütungen, die durch Tarifvertrag oder in seinem Geltungsbereich durch Vereinbarung der Arbeitsvertragsparteien über die Anwendung der tarifvertraglichen Regelungen oder auf Grund eines Tarifvertrages in einer Betriebs- oder Dienstvereinbarung vereinbart sind, nicht anzuwenden.

§ 2 Begriffsbestimmungen. Im Sinne dieser Verordnung ist oder sind:

1. „Unternehmen“: alle in § 1 Absatz 1 genannten Unternehmen;
2. „Vergütung“: sämtliche finanziellen Leistungen und Sachbezüge, gleich welcher Art, sowie Leistungen von Dritten, die ein Geschäftsleiter oder eine Geschäftsleiterin oder ein Mitarbeiter oder eine Mitarbeiterin im Hinblick auf seine oder ihre berufliche Tätigkeit bei dem Unternehmen erhält; nicht als Vergütung gelten finanzielle Leistungen oder Sachbezüge, die von dem Unternehmen kraft einer allgemeinen, ermessensunabhängigen Regelung gewährt werden und keine Anreizwirkung zur Eingehung von Risiken entfalten, insbesondere Rabatte, betriebliche Versicherungs- und Sozialleistungen sowie bei Mitarbeitern und Mitarbeiterinnen die Beiträge zur gesetzlichen Rentenversicherung im Sinne des Sechsten Buches Sozialgesetzbuch und die Beiträge zur betrieblichen Altersversorgung im Sinne des Betriebsrentengesetzes;
3. „Vergütungssysteme“: alle unternehmensinternen Regelungen zur Vergütung sowie deren tatsächliche Umsetzung und Anwendung durch die Unternehmen;
4. „variable Vergütung“: der Teil der Vergütung, dessen Gewährung oder *Höhe im Ermessen* des Unternehmens steht oder vom Eintritt vereinbarter Bedingungen abhängt, und zwar einschließlich der ermessensabhängigen Leistungen zur Altersversorgung;

5. „ermessensabhängige Leistungen zur Altersversorgung“: der Teil der variablen Vergütung, der zum Zwecke der Altersversorgung im Hinblick auf eine konkret bevorstehende Beendigung des Beschäftigungsverhältnisses beim Unternehmen vereinbart wird;
6. „fixe Vergütung“: der Teil der Vergütung, der nicht variabel ist;
7. „Mitarbeiter“ und „Mitarbeiterinnen“: alle natürlichen Personen, derer sich das Unternehmen beim Geschäftsbetrieb, insbesondere auf Grund eines Arbeits-, Geschäftsbesorgungs- oder Dienstverhältnisses bedient, und alle natürlichen Personen, die im Rahmen der Ausgliederung wichtiger Funktionen oder Versicherungstätigkeiten mit einer gruppenangehörigen Gesellschaft, für die die Institutsvergütungsverordnung nicht gilt, unmittelbar an Dienstleistungen für das Unternehmen beteiligt sind; dies gilt nicht im Fall der Ausgliederung wichtiger Funktionen oder Versicherungstätigkeiten von Pensionskassen oder Pensionsfonds, die über keine eigenen Mitarbeiter und Mitarbeiterinnen verfügen, für Trägerunternehmen oder für deren Spezialdienstleistungsunternehmen; Geschäftsleiter und Geschäftsleiterinnen und Handelsvertreter im Sinne des § 84 Absatz 1 des Handelsgesetzbuchs[1] gelten nicht als Mitarbeiter und Mitarbeiterinnen;
8. „Vergütungsparameter“: die quantitativen und qualitativen Bestimmungsfaktoren, anhand derer die Leistung und der Erfolg eines Geschäftsleiters oder einer Geschäftsleiterin, eines Mitarbeiters oder einer Mitarbeiterin oder einer unternehmensinternen Organisationseinheit gemessen wird;
9. „Erfolgsbeiträge“: die auf der Grundlage von Vergütungsparametern ermittelten tatsächlichen Leistungen und Erfolge von Geschäftsleitern oder Geschäftsleiterinnen, Mitarbeitern oder Mitarbeiterinnen oder unternehmensinternen Organisationseinheiten, die in die Ermittlung der Höhe der variablen Vergütungsbestandteile einfließen; Erfolgsbeiträge können positiv oder negativ sein;
10. „Kontrolleinheiten“: die unternehmensinternen Organisationseinheiten, die die geschäftsinitiierenden Organisationseinheiten überwachen, einschließlich der internen Revision.

§ 3[2] Allgemeine Anforderungen. (1) [1] Die Unternehmen müssen Grundsätze zu den Vergütungssystemen für Geschäftsleiter und Geschäftsleiterinnen sowie für Mitarbeiter und Mitarbeiterinnen festlegen. [2] Die Vergütungssysteme sind zumindest einmal jährlich auf ihre Angemessenheit zu überprüfen und gegebenenfalls anzupassen. [3] Die Geschäftsleiter und Geschäftsleiterinnen sind für die angemessene Ausgestaltung der Vergütungssysteme der Mitarbeiter und Mitarbeiterinnen verantwortlich. [4] Für die angemessene Ausgestaltung der Vergütungssysteme der Geschäftsleiter und Geschäftsleiterinnen ist der Aufsichtsrat verantwortlich. [5] Ist für die angemessene Ausgestaltung der Vergütungssysteme der Geschäftsleiter und Geschäftsleiterinnen öffentlich-rechtlicher Pensionskassen, die der Landesaufsicht unterliegen, im Landesrecht eine verantwortliche Stelle festgelegt, tritt diese an die Stelle des Aufsichtsrats.

---

[1] Nr. **105**.

[2] § 3 Abs. 1 Satz 2–5 neu gef., Abs. 1a und 1b eingef., Abs. 2 Satz 1 geänd. mWv 13.1.2019 durch G v. 19.12.2018 (BGBl. I S. 2672); Abs. 1b Sätze 4 und 5 angef. mWv 10.1.2030 durch G v. 4.2.2026 (BGBl. 2026 I Nr. 33).

(1a) Versicherungsunternehmen, die keine Pensionskassen sind, müssen die Vergütungssysteme so ausgestalten, dass

1. sie auf die Erreichung der in den Strategien des Unternehmens niedergelegten Ziele ausgerichtet sind; im Fall von Strategieänderungen ist die Ausgestaltung der Vergütungssysteme zu überprüfen und erforderlichenfalls anzupassen;
2. sie negative Anreize vermeiden, insbesondere Interessenkonflikte und das Eingehen unverhältnismäßig hoher Risiken, und sie nicht der Überwachungsfunktion der Kontrolleinheiten zuwiderlaufen;
3. bei Geschäftsleitern und Geschäftsleiterinnen der variable Teil eine Vergütung für den aus der Tätigkeit sich ergebenden nachhaltigen Erfolg des Unternehmens darstellt; die variable Vergütung darf insbesondere nicht maßgeblich von der Gesamtbeitragseinnahme, vom Neugeschäft oder von der Vermittlung einzelner Versicherungsverträge abhängig sein;
4. sie die wesentlichen Risiken und deren Zeithorizont angemessen berücksichtigen;
5. bezüglich einzelner Organisationseinheiten auch der gesamte Erfolg des Unternehmens angemessen berücksichtigt wird; dies schließt jedoch die Zahlung von Provisionen im Bereich des angestellten Außendienstes nicht aus, und
6. eine qualitativ und quantitativ angemessene Personalausstattung der Kontrolleinheiten ermöglicht wird.

(1b) [1] Pensionskassen und Pensionsfonds müssen für Personen, die das Unternehmen tatsächlich leiten oder für eine Schlüsselfunktion verantwortlich sind, und für andere Gruppen von Personen, deren Tätigkeiten das Risikoprofil des Unternehmens wesentlich beeinflussen, die Vergütungssysteme so ausgestalten, dass

1. sie im Einklang mit den Tätigkeiten, dem Risikoprofil, den Zielen und mit dem langfristigen Interesse, der finanziellen Stabilität und der Leistung der Pensionskasse oder des Pensionsfonds insgesamt entworfen, umgesetzt und fortgeführt werden;
2. sie zu einem soliden, vorsichtigen und effizienten Management beitragen;
3. sie mit den langfristigen Interessen der Versorgungsanwärter und Versorgungsempfänger der von ihnen betriebenen Altersversorgungssysteme im Einklang stehen;
4. sie Maßnahmen zur Vermeidung von Interessenkonflikten umfassen;
5. sie mit einem soliden und wirksamen Risikomanagement vereinbar sind und nicht zur Übernahme von Risiken, die unvereinbar sind mit dem Risikoprofil und Vorschriften der Pensionskasse oder des Pensionsfonds, ermutigen;
6. sie und ihre Überwachung klaren, transparenten und effizienten Regeln unterliegen.

[2] Die Vergütungssysteme gelten für die Pensionskassen und Pensionsfonds sowie für die Dienstleister und Subdienstleister im Sinne des § 32 des Versicherungsaufsichtsgesetzes[1)], die nicht in den Anwendungsbereich der folgenden Richt*linien fallen:*

[1)] **beck-online, Module Arbeitsrecht Nr. 206.**

1. Richtlinie 2009/65/EG des Europäischen Parlaments und des Rates vom 13. Juli 2009 zur Koordinierung der Rechts- und Verwaltungsvorschriften betreffend bestimmte Organismen für gemeinsame Anlagen in Wertpapieren (OGAW) (Neufassung) (ABl. L 302 vom 17.11.2009, S. 32), die zuletzt durch die Verordnung (EU) 2017/2402 (ABl. L 347 vom 28.12.2017, S. 35) geändert worden ist;
2. Richtlinie 2009/138/EG des Europäischen Parlaments und des Rates vom 25. November 2009 betreffend die Aufnahme und Ausübung der Versicherungs- und der Rückversicherungstätigkeit (Solvabilität II) (ABl. L 335 vom 17.12.2009, S. 1), die zuletzt durch die Richtlinie (EU) 2018/843 (ABl. L 156 vom 19.6.2018, S. 43) geändert worden ist;
3. Richtlinie 2011/61/EU[1)] des Europäischen Parlaments und des Rates vom 8. Juni 2011 über die Verwalter alternativer Investmentfonds und zur Änderung der Richtlinien 2003/41/EG und 2009/65/EG und der Verordnungen (EG) Nr. 1060/2009 und (EU) Nr. 1095/2010 (ABl. L 174 vom 1.7.2011, S. 1), die zuletzt durch die Verordnung (EU) 2017/2402 (ABl. L 347 vom 28.12.2017, S. 35) geändert worden ist;
4. Richtlinie 2013/36/EU[2)] des Europäischen Parlaments und des Rates vom 26. Juni 2013 über den Zugang zur Tätigkeit von Kreditinstituten und die Beaufsichtigung von Kreditinstituten und Wertpapierfirmen, zur Änderung der Richtlinie 2002/87/EG und zur Aufhebung der Richtlinien 2006/48/EG und 2006/49/EG (ABl. L 176 vom 27.6.2013, S. 338), die zuletzt durch die Richtlinie (EU) 2018/843 (ABl. L 156 vom 19.6.2018, S. 43) geändert worden ist;
5. Richtlinie 2014/65/EU des Europäischen Parlaments und des Rates vom 15. Mai 2014 über Märkte für Finanzinstrumente sowie zur Änderung der Richtlinien 2002/92/EG und 2011/61/EU (ABl. L 173 vom 12.6.2014, S. 349), die zuletzt durch die Delegierte Verordnung (EU) 2017/1946 (ABl. L 276 vom 26.10.2017, S. 32) geändert worden ist.

[3] Sofern die Verordnung (EU) 2016/679[3)] des Europäischen Parlaments und des Rates vom 27. April 2016 zum Schutz natürlicher Personen bei der Verarbeitung personenbezogener Daten, zum freien Datenverkehr und zur Aufhebung der Richtlinie 95/46/EG (Datenschutz-Grundverordnung) (ABl. L 119 vom 4.5.2016, S. 1) nicht etwas anderes vorsieht, veröffentlichen Pensionskassen und Pensionsfonds in regelmäßigen Abständen Informationen zu ihrer Vergütungspolitik. ***[Sätze 4 u. 5 ab 10.1.2030:]*** *[4] Die Informationen nach Satz 3 sind von den Pensionskassen und Pensionsfonds gleichzeitig mit ihrer Veröffentlichung an die Bundesanstalt zu übersenden. [5] Bei der Übermittlung von Informationen nach Satz 3 gelten die Anforderungen des § 330a Absatz 2 bis 4 des Versicherungsaufsichtsgesetzes[4)].*

(2) [1] Der Aufsichtsrat oder die verantwortliche Stelle nach Absatz 1 Satz 5 hat bei der Festsetzung der Vergütung des einzelnen Geschäftsleiters oder der einzelnen Geschäftsleiterin dafür zu sorgen, dass die Vergütung
1. in einem angemessenen Verhältnis zu den Aufgaben und Leistungen des Geschäftsleiters oder der Geschäftsleiterin steht,
2. in einem angemessenen Verhältnis zur Lage des Unternehmens steht und

---

[1)] **beck-online, Module Arbeitsrecht Nr. 970.**
[2)] Nr. **894a**.
[3)] Nr. **489**.
[4)] **beck-online, Module Arbeitsrecht Nr. 206.**

3. die übliche Vergütung nicht ohne besondere Gründe übersteigt.

[2] Variable Vergütungen sollen daher eine mehrjährige Bemessungsgrundlage haben; für außerordentliche Entwicklungen soll der Aufsichtsrat eine Begrenzungsmöglichkeit vereinbaren. [3] Andere einschlägige bundes- oder landesgesetzliche Regelungen zur Vergütung von Geschäftsleitern und Geschäftsleiterinnen bleiben von den Sätzen 1 und 2 unberührt. [4] Satz 2 gilt nicht für kleinere Vereine im Sinne des § 210 des Versicherungsaufsichtsgesetzes[1)].

(3) [1] Die Vergütung, die Geschäftsleiter und Geschäftsleiterinnen für ihre berufliche Tätigkeit bei dem Unternehmen erhalten, muss abschließend im Anstellungsvertrag festgelegt werden. [2] Der Anstellungsvertrag und Änderungen des Anstellungsvertrags bedürfen der Schriftform. [3] Die Vergütung für die Tätigkeit als Aufsichtsratsmitglied muss abschließend durch Satzung oder durch Beschluss der Hauptversammlung oder der obersten Vertretung festgelegt sein.

(4) [1] Die Geschäftsleiter und Geschäftsleiterinnen sowie die Mitarbeiter und Mitarbeiterinnen müssen über die Ausgestaltung und Änderungen der für sie maßgeblichen Vergütungsparameter schriftlich informiert werden. [2] Die Schriftform ist auch bei einer elektronischen Übermittlung gewahrt.

(5) [1] Die Geschäftsleiter und Geschäftsleiterinnen haben den Aufsichtsrat mindestens einmal jährlich über die Ausgestaltung der Vergütungssysteme des Unternehmens zu informieren. [2] Die Unternehmen haben dem oder der Vorsitzenden des Aufsichtsrats ein entsprechendes Auskunftsrecht gegenüber den Geschäftsleitern und Geschäftsleiterinnen einzuräumen.

(6) [1] Die Unternehmen dürfen ihren Geschäftsleitern und Geschäftsleiterinnen sowie ihren Aufsichtsratsmitgliedern in der Regel keine Vergütung im Zusammenhang mit der Vermittlung von Versicherungsverträgen gewähren. [2] Entsprechendes gilt für die Vergütung der Aufsichtsratstätigkeit von Aufsichtsratsmitgliedern, die zugleich Geschäftsleiter oder Geschäftsleiterinnen oder Generalbevollmächtigte von Versicherungsvermittlungsunternehmen sind, die in erheblichem Umfang Versicherungsverträge für das Unternehmen vermitteln.

(7) Diese Verordnung steht der Vergütung der Aufsichtsratstätigkeit von angestellten Arbeitnehmervertretern und Arbeitnehmervertreterinnen, die Arbeitsentgelt erhalten, nicht entgegen.

§ 4[2)] Besondere Anforderungen. (1) [1] Die besonderen Anforderungen gelten nur für Geschäftsleiter und Geschäftsleiterinnen bedeutender Unternehmen im Sinne des § 1 Absatz 3 sowie auf solche Mitarbeiter und Mitarbeiterinnen dieser Unternehmen, deren Tätigkeiten einen wesentlichen Einfluss auf das Gesamtrisikoprofil haben. [2] Das Unternehmen hat auf der Grundlage einer Risikoanalyse eigenverantwortlich festzustellen, ob es Mitarbeiter und Mitarbeiterinnen hat, deren Tätigkeiten einen wesentlichen Einfluss auf das Gesamtrisikoprofil haben, und diese Feststellung sowie die

(Fortsetzung nächstes Blatt)

[1)] **beck-online, Module Arbeitsrecht Nr. 206.**

[2)] § 4 Abs. 1 Satz 1 geänd. mWv 1.8.2017 durch VO v. 19.7.2017 (BGBl. I S. 3023).

Analyse schriftlich zu dokumentieren. [3] Für die Risikoanalyse können unter anderem die Größe, die Art der Geschäftstätigkeit, das Geschäftsvolumen, die Höhe der Risiken und die Erträge einer Organisationseinheit als Kriterien herangezogen werden. [4] Auch die Tätigkeit, die Stellung, die Höhe der bisherigen Vergütung sowie eine ausgeprägte Wettbewerbssituation auf dem Arbeitsmarkt kommen als Kriterien in Frage. [5] Die Analyse muss plausibel, umfassend und für Dritte nachvollziehbar sein.

(2) [1] Die fixe und die variable Vergütung müssen in einem angemessenen Verhältnis zueinander stehen. [2] Das Verhältnis ist angemessen, wenn einerseits keine signifikante Abhängigkeit von der variablen Vergütung besteht, die variable Vergütung aber andererseits einen wirksamen Verhaltensanreiz setzen kann. [3] Eine garantierte variable Vergütung ist in der Regel nur im Rahmen der Aufnahme eines Dienst- oder Arbeitsverhältnisses und längstens für ein Jahr zulässig.

(3) Bei der variablen Vergütung

1. ist neben dem Gesamterfolg des Unternehmens oder der Gruppe und dem Erfolgsbeitrag der Organisationseinheit auch der individuelle Erfolgsbeitrag zu berücksichtigen, soweit er mit vertretbarem Aufwand bestimmt werden kann; im Rahmen des individuellen Erfolgsbeitrags können auch nichtfinanzielle Parameter herangezogen werden wie zum Beispiel die Beachtung der unternehmensinternen Regelwerke und Strategien, die Kundenzufriedenheit und erlangte Qualifikationen;
2. sind für die Ermittlung des Gesamterfolgs des Unternehmens, des Erfolgsbeitrags der jeweiligen Organisationseinheit und des individuellen Erfolgsbeitrags insbesondere solche Vergütungsparameter zu verwenden, die dem Ziel eines nachhaltigen Erfolgs Rechnung tragen; dabei sind insbesondere eingegangene Risiken und Kapitalkosten zu berücksichtigen;
3. ist sicherzustellen, dass mindestens 40 Prozent der variablen Vergütung nicht vor dem Ablauf eines angemessenen Zurückbehaltungszeitraums unter Berücksichtigung des geschäftlichen Erfolgs ausbezahlt werden; in der Regel ist ein Zeitraum von drei Jahren angemessen; die Auszahlung von mindestens 50 Prozent der zurückbehaltenen Beträge der variablen Vergütung soll von einer nachhaltigen Wertentwicklung des Unternehmens abhängig sein;
4. muss sich die Höhe der variablen Vergütung einschließlich der zurückbehaltenen Beträge nach Nummer 3 verringern durch
   a) negative individuelle Erfolgsbeiträge des Geschäftsleiters oder der Geschäftsleiterin oder des Mitarbeiters oder der Mitarbeiterin,
   b) negative Erfolgsbeiträge der jeweiligen Organisationseinheit sowie
   c) einen negativen Gesamterfolg des Unternehmens oder der Gruppe.

(4) [1] Die Risikoorientierung der Vergütung darf nicht durch Absicherungs- oder sonstige Gegenmaßnahmen aufgehoben oder eingeschränkt werden. [2] Die Unternehmen haben angemessene Compliance-Strukturen zur Unterbindung solcher Maßnahmen zu implementieren. [3] Angemessene Compliance-Strukturen können insbesondere in einer vertraglichen Verpflichtung der Geschäftsleiter und Geschäftsleiterinnen sowie der Mitarbeiter und Mitarbeiterinnen bestehen, keine persönlichen Absicherungs- oder sonstigen Gegen-

maßnahmen zu treffen, um die Risikoorientierung ihrer Vergütung einzuschränken oder aufzuheben.

(5) Ermessensabhängige Leistungen zur Altersversorgung, die anlässlich einer nicht ruhestandsbedingten Beendigung des Arbeits-, Geschäftsbesorgungs- oder Dienstverhältnisses von Geschäftsleitern und Geschäftsleiterinnen sowie von Mitarbeitern und Mitarbeiterinnen geleistet werden, müssen

1. von einer nachhaltigen Wertentwicklung des Unternehmens abhängen,
2. über einen Zurückbehaltungszeitraum von mindestens fünf Jahren gestreckt werden, wobei während des Zurückbehaltungszeitraums lediglich ein Anspruch auf fehlerfreie Ermittlung dieser ermessensabhängigen Leistungen zur Altersversorgung besteht, nicht aber auf die ermessensabhängigen Leistungen zur Altersversorgung selbst, und
3. für den Fall verringert werden, dass sich die für die ermessensabhängigen Leistungen zur Altersversorgung maßgeblichen Erfolgsbeiträge des Geschäftsleiters oder der Geschäftsleiterin, des Mitarbeiters oder der Mitarbeiterin, seiner oder ihrer Organisationseinheit oder der Gesamterfolg des Unternehmens oder der Gruppe nicht als nachhaltig erweisen.

(6) Ermessensabhängige Leistungen zur Altersversorgung, die anlässlich einer ruhestandsbedingten Beendigung des Arbeits-, Geschäftsbesorgungs- oder Dienstverhältnisses von Geschäftsleitern und Geschäftsleiterinnen sowie von Mitarbeitern und Mitarbeiterinnen geleistet werden, müssen

1. von einer nachhaltigen Wertentwicklung des Unternehmens abhängen und
2. mit einer Frist von mindestens fünf Jahren versehen werden, nach deren Verstreichen frühestens über die ermessensabhängigen Leistungen zur Altersversorgung verfügt werden darf.

(7) [1] Für die Ausgestaltung, Überprüfung und Weiterentwicklung der Vergütungssysteme soll ein Ausschuss eingerichtet werden (Vergütungsausschuss). [2] Der Vergütungsausschuss hat mindestens einmal jährlich einen Bericht mit den Ergebnissen seiner Überprüfung und mit Vorschlägen zur Weiterentwicklung der Vergütungssysteme vorzulegen. [3] Das Unternehmen hat dem oder der Vorsitzenden des Aufsichtsrats ein direktes Auskunftsrecht gegenüber dem Vergütungsausschuss einzuräumen.

(8) Die Unternehmen haben in geeigneter Form einen jährlichen Vergütungsbericht zu veröffentlichen, der insbesondere Angaben zur Vergütungspolitik und zu den Vergütungsstrukturen einschließlich des Anteils der variablen Vergütung enthält.

§ 5 Anforderungen auf Versicherungsgruppen- und Finanzkonglomeratsebene. (1) Übergeordnete Unternehmen einer Versicherungsgruppe im Sinne des § 25 Absatz 3 des Versicherungsaufsichtsgesetzes[1] und übergeordnete Unternehmen eines Finanzkonglomerats haben sicherzustellen, dass die Vergütungssysteme für Geschäftsleiter und Geschäftsleiterinnen, für Mitarbeiter und Mitarbeiterinnen sowie für Aufsichtsratsmitglieder innerhalb der gesamten Gruppe oder des gesamten Konglomerats angemessen, transparent und auf eine nachhaltige Entwicklung ausgerichtet sind.

---

[1] Nr. **206**.

(2) Die in Absatz 1 genannten Unternehmen haben auf der Grundlage einer Risikoanalyse eigenverantwortlich festzustellen, auf welche Unternehmen der Gruppe oder des Konglomerats, für die weder § 25a des Kreditwesengesetzes[1] in Verbindung mit der Institutsvergütungsverordnung noch § 25 des Versicherungsaufsichtsgesetzes[2] in Verbindung mit dieser Verordnung, noch Artikel 275 der Delegierten Verordnung (EU) 2015/35 gelten, die Anforderungen der §§ 3 und 4 oder des Artikels 275 der Delegierten Verordnung (EU) 2015/35 anzuwenden sind.

(3) [1] Bei der Risikoanalyse sind insbesondere die Bedeutung der betreffenden Unternehmen für die Risikosituation der Gruppe oder des Konglomerats, die Höhe der Beitragseinnahmen, das Kapitalanlagevolumen, die Bilanzsumme und die Marktstellung des Unternehmens zu beachten. [2] Die Feststellung und die Risikoanalyse sind schriftlich zu dokumentieren. [3] Die Risikoanalyse muss plausibel, umfassend und für Dritte nachvollziehbar sein.

(4) [1] Sofern es unter Berücksichtigung der Größe und Komplexität der Geschäftstätigkeit der Versicherungsgruppe oder des Finanzkonglomerats risikoadäquat erscheint, können einzelne Anforderungen dieser Verordnung zentral innerhalb der Gruppe oder des Konglomerats erfüllt werden. [2] Das übergeordnete Unternehmen hat die Einschätzung hierüber schriftlich zu dokumentieren.

§ 6 Anpassung bestehender Vereinbarungen. (1) Die Unternehmen haben darauf hinzuwirken, dass, soweit rechtlich zulässig, folgende Vereinbarungen angepasst werden:

1. die mit Geschäftsleitern und Geschäftsleiterinnen, mit Mitarbeitern und Mitarbeiterinnen sowie mit Aufsichtsratsmitgliedern bestehenden Verträge, die mit dieser Verordnung nicht vereinbar sind, und
2. betriebliche Übungen sowie bestehende Satzungen und Beschlüsse, die mit dieser Verordnung nicht vereinbar sind.

(2) Bei der Anpassung ist eine für Dritte nachvollziehbare fundierte juristische Begutachtung der Rechtslage zugrunde zu legen, wobei die konkreten Erfolgsaussichten zu berücksichtigen sind.

§ 7 Inkrafttreten. Diese Verordnung tritt am Tag nach der Verkündung[3] in Kraft.

---

[1] Nr. **205**.
[2] Nr. **206**.
[3] Verkündet am 21.4.2016.

---

[1] Nr. [illegible].
[2] Nr. 206.
[3] Verkündet am [illegible] 2016.

215. Gesetz über die Zahlung des Arbeitsentgelts an Feiertagen und im Krankheitsfall (Entgeltfortzahlungsgesetz)[1)]

Vom 26. Mai 1994
(BGBl. I S. 1014)

FNA 800-19-3

zuletzt geänd. durch Art. 9 Drittes BürokratieentlastungsG v. 22.11.2019 (BGBl. I S. 1746, geänd. durch G v. 11.2.2021, BGBl. I S. 154 und G v. 23.3.2022, BGBl. I S. 482)

§ 1 Anwendungsbereich. (1) Dieses Gesetz regelt die Zahlung des Arbeitsentgelts an gesetzlichen Feiertagen und die Fortzahlung des Arbeitsentgelts im Krankheitsfall an Arbeitnehmer sowie die wirtschaftliche Sicherung im Bereich der Heimarbeit für gesetzliche Feiertage und im Krankheitsfall.

(2) Arbeitnehmer im Sinne dieses Gesetzes sind Arbeiter und Angestellte sowie die zu ihrer Berufsbildung Beschäftigten.

§ 2 Entgeltzahlung an Feiertagen. (1) Für Arbeitszeit, die infolge eines gesetzlichen Feiertages ausfällt, hat der Arbeitgeber dem Arbeitnehmer das Arbeitsentgelt zu zahlen, das er ohne den Arbeitsausfall erhalten hätte.

(2) Die Arbeitszeit, die an einem gesetzlichen Feiertag gleichzeitig infolge von Kurzarbeit ausfällt und für die an anderen Tagen als an gesetzlichen Feiertagen Kurzarbeitergeld geleistet wird, gilt als infolge eines gesetzlichen Feiertages nach Absatz 1 ausgefallen.

(3) Arbeitnehmer, die am letzten Arbeitstag vor oder am ersten Arbeitstag nach Feiertagen unentschuldigt der Arbeit fernbleiben, haben keinen Anspruch auf Bezahlung für diese Feiertage.

§ 3 Anspruch auf Entgeltfortzahlung im Krankheitsfall. (1) [1] Wird ein Arbeitnehmer durch Arbeitsunfähigkeit infolge Krankheit an seiner Arbeitsleistung verhindert, ohne daß ihn ein Verschulden trifft, so hat er Anspruch auf Entgeltfortzahlung im Krankheitsfall durch den Arbeitgeber für die Zeit der Arbeitsunfähigkeit bis zur Dauer von sechs Wochen. [2] Wird der Arbeitnehmer infolge derselben Krankheit erneut arbeitsunfähig, so verliert er wegen der erneuten Arbeitsunfähigkeit den Anspruch nach Satz 1 für einen weiteren Zeitraum von höchstens sechs Wochen nicht, wenn

1. er vor der erneuten Arbeitsunfähigkeit mindestens sechs Monate nicht infolge derselben Krankheit arbeitsunfähig war oder
2. seit Beginn der ersten Arbeitsunfähigkeit infolge derselben Krankheit eine Frist von zwölf Monaten abgelaufen ist.

(2) [1] Als unverschuldete Arbeitsunfähigkeit im Sinne des Absatzes 1 gilt auch eine Arbeitsverhinderung, die infolge einer nicht rechtswidrigen Sterilisation oder eines nicht rechtswidrigen Abbruchs der Schwangerschaft eintritt. [2] Dasselbe gilt für einen Abbruch der Schwangerschaft, wenn die Schwangerschaft innerhalb von zwölf Wochen nach der Empfängnis durch einen Arzt abge-

---

[1)] Verkündet als Art. 53 des Pflege-Versicherungsgesetzes vom 26.5.1994 (BGBl. I S. 1014); Inkrafttreten gem. Art. 68 Abs. 4 am 1.6.1994.

brochen wird, die schwangere Frau den Abbruch verlangt und dem Arzt durch eine Bescheinigung nachgewiesen hat, daß sie sich mindestens drei Tage vor dem Eingriff von einer anerkannten Beratungsstelle hat beraten lassen.

(3) Der Anspruch nach Absatz 1 entsteht nach vierwöchiger ununterbrochener Dauer des Arbeitsverhältnisses.

§ 3a[1)] Anspruch auf Entgeltfortzahlung bei Spende von Organen, Geweben oder Blut zur Separation von Blutstammzellen oder anderen Blutbestandteilen. (1) [1] Ist ein Arbeitnehmer durch Arbeitsunfähigkeit infolge der Spende von Organen oder Geweben, die nach den §§ 8 und 8a des Transplantationsgesetzes[2)] erfolgt, oder einer Blutspende zur Separation von Blutstammzellen oder anderen Blutbestandteilen im Sinne von § 9 des Transfusionsgesetzes an seiner Arbeitsleistung verhindert, hat er Anspruch auf Entgeltfortzahlung durch den Arbeitgeber für die Zeit der Arbeitsunfähigkeit bis zur Dauer von sechs Wochen. [2] § 3 Absatz 1 Satz 2 gilt entsprechend.

(2) [1] Dem Arbeitgeber sind von der gesetzlichen Krankenkasse des Empfängers von Organen, Geweben oder Blut zur Separation von Blutstammzellen oder anderen Blutbestandteilen das an den Arbeitnehmer nach Absatz 1 fortgezahlte Arbeitsentgelt sowie die hierauf entfallenden vom Arbeitgeber zu tragenden Beiträge zur Sozialversicherung und zur betrieblichen Alters- und Hinterbliebenenversorgung auf Antrag zu erstatten. [2] Ist der Empfänger von Organen, Geweben oder Blut zur Separation von Blutstammzellen oder anderen Blutbestandteilen gemäß § 193 Absatz 3 des Versicherungsvertragsgesetzes[3)] bei einem privaten Krankenversicherungsunternehmen versichert, erstattet dieses dem Arbeitgeber auf Antrag die Kosten nach Satz 1 in Höhe des tariflichen Erstattungssatzes. [3] Ist der Empfänger von Organen, Geweben oder Blut zur Separation von Blutstammzellen oder anderen Blutbestandteilen bei einem Beihilfeträger des Bundes beihilfeberechtigt oder berücksichtigungsfähiger Angehöriger, erstattet der zuständige Beihilfeträger dem Arbeitgeber auf Antrag die Kosten nach Satz 1 zum jeweiligen Bemessungssatz des Empfängers von Organen, Geweben oder Blut zur Separation von Blutstammzellen oder anderen Blutbestandteilen; dies gilt entsprechend für sonstige öffentlich-rechtliche Träger von Kosten in Krankheitsfällen auf Bundesebene. [4] Unterliegt der Empfänger von Organen, Geweben oder Blut zur Separation von Blutstammzellen oder anderen Blutbestandteilen der Heilfürsorge im Bereich des Bundes oder der truppenärztlichen Versorgung, erstatten die zuständigen Träger auf Antrag die Kosten nach Satz 1. [5] Mehrere Erstattungspflichtige haben die Kosten nach Satz 1 anteilig zu tragen. [6] Der Arbeitnehmer hat dem Arbeitgeber unverzüglich die zur Geltendmachung des Erstattungsanspruches erforderlichen Angaben zu machen.

§ 4[4)] Höhe des fortzuzahlenden Arbeitsentgelts. (1) Für den in § 3 Abs. 1 oder in § 3a Absatz 1 bezeichneten Zeitraum ist dem Arbeitnehmer das ihm

---

[1)] § 3a eingef. mWv 1.8.2012 durch G v. 21.7.2012 (BGBl. I S. 1601); Überschrift, Abs. 1 Satz 1, Abs. 2 Sätze 1–4 geänd. mWv 23.7.2015 durch G v. 16.7.2015 (BGBl. I S. 1211).

[2)] **Sartorius ErgBd. Nr. 280.**

[3)] **Habersack Nr. 62.**

[4)] § 4 Abs. 1 neu gef. mWv. *1.10.1996* durch G v. 25.9.1996 (BGBl. I S. 1476), Satz 2 neu gef. durch G v. 2.12.1996 (BGBl. I S. 1859); Abs. 1 neu gef., Abs. 1a Satz 1 geänd. durch G v. 19.12.1998 (BGBl. I S. 3843); Abs. 1 und 2 geänd. mWv 1.8.2012 durch G v. 21.7.2012 (BGBl. I S. 1601).

bei der für ihn maßgebenden regelmäßigen Arbeitszeit zustehende Arbeitsentgelt fortzuzahlen.

(1a) [1] Zum Arbeitsentgelt nach Absatz 1 gehören nicht das zusätzlich für Überstunden gezahlte Arbeitsentgelt und Leistungen für Aufwendungen des Arbeitnehmers, soweit der Anspruch auf sie im Falle der Arbeitsfähigkeit davon abhängig ist, daß dem Arbeitnehmer entsprechende Aufwendungen tatsächlich entstanden sind, und dem Arbeitnehmer solche Aufwendungen während der Arbeitsunfähigkeit nicht entstehen. [2] Erhält der Arbeitnehmer eine auf das Ergebnis der Arbeit abgestellte Vergütung, so ist der von dem Arbeitnehmer in der für ihn maßgebenden regelmäßigen Arbeitszeit erzielbare Durchschnittsverdienst der Berechnung zugrunde zu legen.

(2) Ist der Arbeitgeber für Arbeitszeit, die gleichzeitig infolge eines gesetzlichen Feiertages ausgefallen ist, zur Fortzahlung des Arbeitsentgelts nach § 3 oder nach § 3a verpflichtet, bemißt sich die Höhe des fortzuzahlenden Arbeitsentgelts für diesen Feiertag nach § 2.

(3) [1] Wird in dem Betrieb verkürzt gearbeitet und würde deshalb das Arbeitsentgelt des Arbeitnehmers im Falle seiner Arbeitsfähigkeit gemindert, so ist die verkürzte Arbeitszeit für ihre Dauer als die für den Arbeitnehmer maßgebende regelmäßige Arbeitszeit im Sinne des Absatzes 1 anzusehen. [2] Dies gilt nicht im Falle des § 2 Abs. 2.

(4) [1] Durch Tarifvertrag kann eine von den Absätzen 1, 1a und 3 abweichende Bemessungsgrundlage des fortzuzahlenden Arbeitsentgelts festgelegt werden. [2] Im Geltungsbereich eines solchen Tarifvertrages kann zwischen nichttarifgebundenen Arbeitgebern und Arbeitnehmern die Anwendung der tarifvertraglichen Regelung über die Fortzahlung des Arbeitsentgelts im Krankheitsfalle vereinbart werden.

§ 4a[1)] Kürzung von Sondervergütungen. [1] Eine Vereinbarung über die Kürzung von Leistungen, die der Arbeitgeber zusätzlich zum laufenden Arbeitsentgelt erbringt (Sondervergütungen), ist auch für Zeiten der Arbeitsunfähigkeit infolge Krankheit zulässig. [2] Die Kürzung darf für jeden Tag der Arbeitsunfähigkeit infolge Krankheit ein Viertel des Arbeitsentgelts, das im Jahresdurchschnitt auf einen Arbeitstag entfällt, nicht überschreiten.

§ 5[2)] Anzeige- und Nachweispflichten. (1) [1] Der Arbeitnehmer ist verpflichtet, dem Arbeitgeber die Arbeitsunfähigkeit und deren voraussichtliche Dauer unverzüglich mitzuteilen. [2] Dauert die Arbeitsunfähigkeit länger als drei Kalendertage, hat der Arbeitnehmer eine ärztliche Bescheinigung über das Bestehen der Arbeitsunfähigkeit sowie deren voraussichtliche Dauer spätestens an dem darauffolgenden Arbeitstag vorzulegen. [3] Der Arbeitgeber ist berechtigt, die Vorlage der ärztlichen Bescheinigung früher zu verlangen. [4] Dauert die Arbeitsunfähigkeit länger als in der Bescheinigung angegeben, ist der Arbeitnehmer verpflichtet, eine neue ärztliche Bescheinigung vorzulegen. [5] Ist der Arbeitnehmer Mitglied einer gesetzlichen Krankenkasse, muß die ärztliche Bescheinigung einen Vermerk des behandelnden Arztes darüber enthalten, daß der Krankenkasse unverzüglich eine Bescheinigung über die Arbeitsunfähigkeit

---

[1)] Bish. § 4a aufgeh., § 4b wird § 4a durch G v. 19.12.1998 (BGBl. I S. 3843).

[2)] § 5 Abs. 1a eingef. mWv 1.1.2023 durch G v. 22.11.2019 (BGBl. I S. 1746, geänd. durch G v. 11.2.2021, BGBl. I S. 154 und G v. 23.3.2022, BGBl. I S. 482).

mit Angaben über den Befund und die voraussichtliche Dauer der Arbeitsunfähigkeit übersandt wird.

[Abs. 1a ab 1.1.2023:]

(1a) [1] Absatz 1 Satz 2 bis 5 gilt nicht für Arbeitnehmer, die Versicherte einer gesetzlichen Krankenkasse sind. [2] Diese sind verpflichtet, zu den in Absatz 1 Satz 2 bis 4 genannten Zeitpunkten das Bestehen einer Arbeitsunfähigkeit sowie deren voraussichtliche Dauer feststellen und sich eine ärztliche Bescheinigung nach Absatz 1 Satz 2 oder 4 aushändigen zu lassen. [3] Die Sätze 1 und 2 gelten nicht

1. *für Personen, die eine geringfügige Beschäftigung in Privathaushalten ausüben (§ 8a des Vierten Buches Sozialgesetzbuch[1])), und*
2. *in Fällen der Feststellung der Arbeitsunfähigkeit durch einen Arzt, der nicht an der vertragsärztlichen Versorgung teilnimmt.*

(2) [1] Hält sich der Arbeitnehmer bei Beginn der Arbeitsunfähigkeit im Ausland auf, so ist er verpflichtet, dem Arbeitgeber die Arbeitsunfähigkeit, deren voraussichtliche Dauer und die Adresse am Aufenthaltsort in der schnellstmöglichen Art der Übermittlung mitzuteilen. [2] Die durch die Mitteilung entstehenden Kosten hat der Arbeitgeber zu tragen. [3] Darüber hinaus ist der Arbeitnehmer, wenn er Mitglied einer gesetzlichen Krankenkasse ist, verpflichtet, auch dieser die Arbeitsunfähigkeit und deren voraussichtliche Dauer unverzüglich anzuzeigen. [4] Dauert die Arbeitsunfähigkeit länger als angezeigt, so ist der Arbeitnehmer verpflichtet, der gesetzlichen Krankenkasse die voraussichtliche Fortdauer der Arbeitsunfähigkeit mitzuteilen. [5] Die gesetzlichen Krankenkassen können festlegen, daß der Arbeitnehmer Anzeige- und Mitteilungspflichten nach den Sätzen 3 und 4 auch gegenüber einem ausländischen Sozialversicherungsträger erfüllen kann. [6] Absatz 1 Satz 5 gilt nicht. [7] Kehrt ein arbeitsunfähig erkrankter Arbeitnehmer in das Inland zurück, so ist er verpflichtet, dem Arbeitgeber und der Krankenkasse seine Rückkehr unverzüglich anzuzeigen.

§ 6[2]) Forderungsübergang bei Dritthaftung. (1) Kann der Arbeitnehmer auf Grund gesetzlicher Vorschriften von einem Dritten Schadensersatz wegen des Verdienstausfalls beanspruchen, der ihm durch die Arbeitsunfähigkeit entstanden ist, so geht dieser Anspruch insoweit auf den Arbeitgeber über, als dieser dem Arbeitnehmer nach diesem Gesetz Arbeitsentgelt fortgezahlt und darauf entfallende vom Arbeitgeber zu tragende Beiträge zur Bundesagentur für Arbeit, Arbeitgeberanteile an Beiträgen zur Sozialversicherung und zur Pflegeversicherung sowie zu Einrichtungen der zusätzlichen Alters- und Hinterbliebenenversorgung abgeführt hat.

(2) Der Arbeitnehmer hat dem Arbeitgeber unverzüglich die zur Geltendmachung des Schadensersatzanspruchs erforderlichen Angaben zu machen.

(3) Der Forderungsübergang nach Absatz 1 kann nicht zum Nachteil des Arbeitnehmers geltend gemacht werden.

(Fortsetzung nächstes Blatt)

---

[1]) Nr. **694**.

[2]) § 6 Abs. 1 geänd. mWv 1.1.2004 durch G v. 23.12.2003 (BGBl. I S. 2848).

§ 7 Leistungsverweigerungsrecht des Arbeitgebers. (1) Der Arbeitgeber ist berechtigt, die Fortzahlung des Arbeitsentgelts zu verweigern,

1. solange der Arbeitnehmer die von ihm nach § 5 Abs. 1 vorzulegende ärztliche Bescheinigung nicht vorlegt oder den ihm nach § 5 Abs. 2 obliegenden Verpflichtungen nicht nachkommt;
2. wenn der Arbeitnehmer den Übergang eines Schadensersatzanspruchs gegen einen Dritten auf den Arbeitgeber (§ 6) verhindert.

(2) Absatz 1 gilt nicht, wenn der Arbeitnehmer die Verletzung dieser ihm obliegenden Verpflichtungen nicht zu vertreten hat.

§ 8[1] Beendigung des Arbeitsverhältnisses. (1) [1] Der Anspruch auf Fortzahlung des Arbeitsentgelts wird nicht dadurch berührt, daß der Arbeitgeber das Arbeitsverhältnis aus Anlaß der Arbeitsunfähigkeit kündigt. [2] Das gleiche gilt, wenn der Arbeitnehmer das Arbeitsverhältnis aus einem vom Arbeitgeber zu vertretenden Grunde kündigt, der den Arbeitnehmer zur Kündigung aus wichtigem Grund ohne Einhaltung einer Kündigungsfrist berechtigt.

(2) Endet das Arbeitsverhältnis vor Ablauf der in § 3 Abs. 1 oder in § 3a Absatz 1 bezeichneten Zeit nach dem Beginn der Arbeitsunfähigkeit, ohne daß es einer Kündigung bedarf, oder infolge einer Kündigung aus anderen als den in Absatz 1 bezeichneten Gründen, so endet der Anspruch mit dem Ende des Arbeitsverhältnisses.

§ 9[2] Maßnahmen der medizinischen Vorsorge und Rehabilitation.

(1) [1] Die Vorschriften der §§ 3 bis 4a und 6 bis 8 gelten entsprechend für die Arbeitsverhinderung infolge einer Maßnahme der medizinischen Vorsorge oder Rehabilitation, die ein Träger der gesetzlichen Renten-, Kranken- oder Unfallversicherung, eine Verwaltungsbehörde der Kriegsopferversorgung oder ein sonstiger Sozialleistungsträger bewilligt hat und die in einer Einrichtung der medizinischen Vorsorge oder Rehabilitation durchgeführt wird. [2] Ist der Arbeitnehmer nicht Mitglied einer gesetzlichen Krankenkasse oder nicht in der gesetzlichen Rentenversicherung versichert, gelten die §§ 3 bis 4a und 6 bis 8 entsprechend, wenn eine Maßnahme der medizinischen Vorsorge oder Rehabilitation ärztlich verordnet worden ist und in einer Einrichtung der medizinischen Vorsorge oder Rehabilitation oder einer vergleichbaren Einrichtung durchgeführt wird.

(2) Der Arbeitnehmer ist verpflichtet, dem Arbeitgeber den Zeitpunkt des Antritts der Maßnahme, die voraussichtliche Dauer und die Verlängerung der Maßnahme im Sinne des Absatzes 1 unverzüglich mitzuteilen und ihm

a) eine Bescheinigung über die Bewilligung der Maßnahme durch einen Sozialleistungsträger nach Absatz 1 Satz 1 oder

b) eine ärztliche Bescheinigung über die Erforderlichkeit der Maßnahme im Sinne des Absatzes 1 Satz 2

unverzüglich vorzulegen.

---

[1] § 8 Abs. 2 geänd. mWv 1.8.2012 durch G v. 21.7.2012 (BGBl. I S. 1601).

[2] § 9 Abs. 1 Satz 1 und 2 geänd. durch G v. 19.12.1998 (BGBl. I S. 3843), Abs. 1 Sätze 1 und 2 geänd. mWv 1.7.2001 durch G v. 19.6.2001 (BGBl. I S. 1046).

§ 10[1)] **Wirtschaftliche Sicherung für den Krankheitsfall im Bereich der Heimarbeit.** (1) [1]In Heimarbeit Beschäftigte (§ 1 Abs. 1 des Heimarbeitsgesetzes[2)]) und ihnen nach § 1 Abs. 2 Buchstabe a bis c des Heimarbeitsgesetzes Gleichgestellte haben gegen ihren Auftraggeber oder, falls sie von einem Zwischenmeister beschäftigt werden, gegen diesen Anspruch auf Zahlung eines Zuschlags zum Arbeitsentgelt. [2]Der Zuschlag beträgt

1. für Heimarbeiter, für Hausgewerbetreibende ohne fremde Hilfskräfte und die nach § 1 Abs. 2 Buchstabe a des Heimarbeitsgesetzes Gleichgestellten 3,4 vom Hundert,
2. für Hausgewerbetreibende mit nicht mehr als zwei fremden Hilfskräften und die nach § 1 Abs. 2 Buchstabe b und c des Heimarbeitsgesetzes Gleichgestellten 6,4 vom Hundert

des Arbeitsentgelts vor Abzug der Steuern, des Beitrags zur Bundesagentur für Arbeit und der Sozialversicherungsbeiträge ohne Unkostenzuschlag und ohne die für den Lohnausfall an gesetzlichen Feiertagen, den Urlaub und den Arbeitsausfall infolge Krankheit zu leistenden Zahlungen. [3]Der Zuschlag für die unter Nummer 2 aufgeführten Personen dient zugleich zur Sicherung der Ansprüche der von ihnen Beschäftigten.

(2) Zwischenmeister, die den in Heimarbeit Beschäftigten nach § 1 Abs. 2 Buchstabe d des Heimarbeitsgesetzes gleichgestellt sind, haben gegen ihren Auftraggeber Anspruch auf Vergütung der von ihnen nach Absatz 1 nachweislich zu zahlenden Zuschläge.

(3) Die nach den Absätzen 1 und 2 in Betracht kommenden Zuschläge sind gesondert in den Entgeltbeleg einzutragen.

(4) [1]Für Heimarbeiter (§ 1 Abs. 1 Buchstabe a des Heimarbeitsgesetzes) kann durch Tarifvertrag bestimmt werden, daß sie statt der in Absatz 1 Satz 2 Nr. 1 bezeichneten Leistungen die den Arbeitnehmern im Falle ihrer Arbeitsunfähigkeit nach diesem Gesetz zustehenden Leistungen erhalten. [2]Bei der Bemessung des Anspruchs auf Arbeitsentgelt bleibt der Unkostenzuschlag außer Betracht.

(5) [1]Auf die in den Absätzen 1 und 2 vorgesehenen Zuschläge sind die §§ 23 bis 25, 27 und 28 des Heimarbeitsgesetzes, auf die in Absatz 1 dem Zwischenmeister gegenüber vorgesehenen Zuschläge außerdem § 21 Abs. 2 des Heimarbeitsgesetzes entsprechend anzuwenden. [2]Auf die Ansprüche der fremden Hilfskräfte der in Absatz 1 unter Nummer 2 genannten Personen auf Entgeltfortzahlung im Krankheitsfall ist § 26 des Heimarbeitsgesetzes entsprechend anzuwenden.

§ 11 Feiertagsbezahlung der in Heimarbeit Beschäftigten. (1) [1]Die in Heimarbeit Beschäftigten (§ 1 Abs. 1 des Heimarbeitsgesetzes[2)]) haben gegen den Auftraggeber oder Zwischenmeister Anspruch auf Feiertagsbezahlung nach Maßgabe der Absätze 2 bis 5. [2]Den gleichen Anspruch haben die in § 1 Abs. 2 Buchstabe a bis d des Heimarbeitsgesetzes bezeichneten Personen, wenn sie hinsichtlich der Feiertagsbezahlung gleichgestellt werden; die Vorschriften des § 1 Abs. 3 Satz 3 und Abs. 4 und 5 des Heimarbeitsgesetzes finden Anwendung. [3]Eine Gleichstellung, die sich auf die Entgeltregelung erstreckt, gilt auch

---

[1)] § 10 Abs. 1 Satz 2 geänd. mWv 1.1.2004 durch G v. 23.12.2003 (BGBl. I S. 2848).
[2)] Nr. **450**.

für die Feiertagsbezahlung, wenn diese nicht ausdrücklich von der Gleichstellung ausgenommen ist.

(2) [1] Das Feiertagsgeld beträgt für jeden Feiertag im Sinne des § 2 Abs. 1 0,72 vom Hundert des in einem Zeitraum von sechs Monaten ausgezahlten reinen Arbeitsentgelts ohne Unkostenzuschläge. [2] Bei der Berechnung des Feiertagsgeldes ist für die Feiertage, die in den Zeitraum vom 1. Mai bis 31. Oktober fallen, der vorhergehende Zeitraum vom 1. November bis 30. April und für die Feiertage, die in den Zeitraum vom 1. November bis 30. April fallen, der vorhergehende Zeitraum vom 1. Mai bis 31. Oktober zugrunde zu legen. [3] Der Anspruch auf Feiertagsgeld ist unabhängig davon, ob im laufenden Halbjahreszeitraum noch eine Beschäftigung in Heimarbeit für den Auftraggeber stattfindet.

(3) [1] Das Feiertagsgeld ist jeweils bei der Entgeltzahlung vor dem Feiertag zu zahlen. [2] Ist die Beschäftigung vor dem Feiertag unterbrochen worden, so ist das Feiertagsgeld spätestens drei Tage vor dem Feiertag auszuzahlen. [3] Besteht bei der Einstellung der Ausgabe von Heimarbeit zwischen den Beteiligten Einvernehmen, das Heimarbeitsverhältnis nicht wieder fortzusetzen, so ist dem Berechtigten bei der letzten Entgeltzahlung das Feiertagsgeld für die noch übrigen Feiertage des laufenden sowie für die Feiertage des folgenden Halbjahreszeitraumes zu zahlen. [4] Das Feiertagsgeld ist jeweils bei der Auszahlung in die Entgeltbelege (§ 9 des Heimarbeitsgesetzes) einzutragen.

(4) [1] Übersteigt das Feiertagsgeld, das der nach Absatz 1 anspruchsberechtigte Hausgewerbetreibende oder im Lohnauftrag arbeitende Gewerbetreibende (Anspruchsberechtigte) für einen Feiertag auf Grund des § 2 seinen fremden Hilfskräften (§ 2 Abs. 6 des Heimarbeitsgesetzes) gezahlt hat, den Betrag, den er auf Grund der Absätze 2 und 3 für diesen Feiertag erhalten hat, so haben ihm auf Verlangen seine Auftraggeber oder Zwischenmeister den Mehrbetrag anteilig zu erstatten. [2] Ist der Anspruchsberechtigte gleichzeitig Zwischenmeister, so bleibt hierbei das für die Heimarbeiter oder Hausgewerbetreibenden empfangene und weiter gezahlte Feiertagsgeld außer Ansatz. [3] Nimmt ein Anspruchsberechtigter eine Erstattung nach Satz 1 in Anspruch, so können ihm bei Einstellung der Ausgabe von Heimarbeit die erstatteten Beträge auf das Feiertagsgeld angerechnet werden, das ihm auf Grund des Absatzes 2 und des Absatzes 3 Satz 3 für die dann noch übrigen Feiertage des laufenden sowie für die Feiertage des folgenden Halbjahreszeitraumes zu zahlen ist.

(5) Das Feiertagsgeld gilt als Entgelt im Sinne der Vorschriften des Heimarbeitsgesetzes über Mithaftung des Auftraggebers (§ 21 Abs. 2), über Entgeltschutz (§§ 23 bis 27) und über Auskunftspflicht über Entgelte (§ 28); hierbei finden die §§ 24 bis 26 des Heimarbeitsgesetzes Anwendung, wenn ein Feiertagsgeld gezahlt ist, das niedriger ist als das in diesem Gesetz festgesetzte.

§ 12 Unabdingbarkeit. Abgesehen von § 4 Abs. 4 kann von den Vorschriften dieses Gesetzes nicht zuungunsten des Arbeitnehmers oder der nach § 10 berechtigten Personen abgewichen werden.

§ 13[1)] Übergangsvorschrift. Ist der Arbeitnehmer von einem Tag nach dem 9. Dezember 1998 bis zum 1. Januar 1999 oder darüber hinaus durch Arbeitsunfähigkeit infolge Krankheit oder infolge einer Maßnahme der medizinischen

---

1) § 13 neu gef. durch G v. 19.12.1998 (BGBl. I S. 3843).

Vorsorge oder Rehabilitation an seiner Arbeitsleistung verhindert, sind für diesen Zeitraum die seit dem 1. Januar 1999 geltenden Vorschriften maßgebend, es sei denn, daß diese für den Arbeitnehmer ungünstiger sind.

220. Gesetz über den Ausgleich der Arbeitgeberaufwendungen für Entgeltfortzahlung (Aufwendungsausgleichsgesetz – AAG)[1)]

Vom 22. Dezember 2005

(BGBl. I S. 3686)

FNA 800-19-4

zuletzt geänd. durch Art. 15 8. SGB IV-ÄnderungsG v. 20.12.2022 (BGBl. I S. 2759)

§ 1[2)] Erstattungsanspruch. (1) Die Krankenkassen mit Ausnahme der landwirtschaftlichen Krankenkasse erstatten den Arbeitgebern, die in der Regel ausschließlich der zu ihrer Berufsausbildung Beschäftigten nicht mehr als 30 Arbeitnehmer und Arbeitnehmerinnen beschäftigen, 80 Prozent

1. des für den in § 3 Abs. 1 und 2 und den in § 9 Abs. 1 des Entgeltfortzahlungsgesetzes bezeichneten Zeitraum an Arbeitnehmer und Arbeitnehmerinnen fortgezahlten Arbeitsentgelts,
2. der auf die Arbeitsentgelte nach der Nummer 1 entfallenden von den Arbeitgebern zu tragenden Beiträge zur Bundesagentur für Arbeit und der Arbeitgeberanteile an Beiträgen zur gesetzlichen Kranken- und Rentenversicherung, zur sozialen Pflegeversicherung und die Arbeitgeberzuschüsse nach § 172a des Sechsten Buches Sozialgesetzbuch sowie der Beitragszuschüsse nach § 257 des Fünften und nach § 61 des Elften Buches Sozialgesetzbuch.

(2) Die Krankenkassen mit Ausnahme der landwirtschaftlichen Krankenkasse erstatten den Arbeitgebern in vollem Umfang

1. den vom Arbeitgeber nach § 20 Absatz 1 des Mutterschutzgesetzes gezahlten Zuschuss zum Mutterschaftsgeld,
2. das vom Arbeitgeber nach § 18 des Mutterschutzgesetzes bei Beschäftigungsverboten gezahlte Arbeitsentgelt,
3. die auf die Arbeitsentgelte nach der Nummer 2 entfallenden von den Arbeitgebern zu tragenden Beiträge zur Bundesagentur für Arbeit und die Arbeitgeberanteile an Beiträgen zur gesetzlichen Kranken- und Rentenversicherung, zur sozialen Pflegeversicherung und die Arbeitgeberzuschüsse nach § 172a des Sechsten Buches Sozialgesetzbuch sowie der Beitragszuschüsse nach § 257 des Fünften und nach § 61 des Elften Buches Sozialgesetzbuch.

(3) Am Ausgleich der Arbeitgeberaufwendungen nach den Absätzen 1 (U1-Verfahren) und 2 (U2-Verfahren) nehmen auch die Arbeitgeber teil, die nur Auszubildende beschäftigen.

[1)] Verkündet als Art. 1 G v. 22.12.2005 (BGBl. I S. 3686); Inkrafttreten gem. Art. 4 Satz 2 dieses G am 1.1.2006, mit Ausnahme von § 2 Abs. 2 Satz 3, § 3 Abs. 3, § 7, § 8 Abs. 2 und § 9, die gem. Art. 4 Satz 1 dieses G am 1.10.2005 in Kraft treten.

[2)] § 1 Abs. 1 Nr. 2, Abs. 2 Nr. 3 geänd. mWv 1.1.2012 durch G v. 22.12.2011 (BGBl. I S. 3057); Abs. 1 und 2 geänd. mWv 1.1.2013 durch G v. 12.4.2012 (BGBl. I S. 579); Abs. 2 Nr. 1 und 2 geänd. mWv 1.1.2018 durch G v. 23.5.2017 (BGBl. I S. 1228).

§ 2[1] **Erstattung.** (1) [1]Die zu gewährenden Beträge werden dem Arbeitgeber von der Krankenkasse ausgezahlt, bei der die Arbeitnehmer und Arbeitnehmerinnen, die Auszubildenden oder die nach § 18 oder § 20 Absatz 1 des Mutterschutzgesetzes anspruchsberechtigten Frauen versichert sind. [2]Für geringfügig Beschäftigte nach dem Vierten Buch Sozialgesetzbuch ist zuständige Krankenkasse die Deutsche Rentenversicherung Knappschaft-Bahn-See als Träger der knappschaftlichen Krankenversicherung. [3]Für Arbeitnehmer und Arbeitnehmerinnen, die nicht Mitglied einer Krankenkasse sind, gilt § 175 Abs. 3 Satz 2 des Fünften Buches Sozialgesetzbuch entsprechend.

(2) [1]Die Erstattung wird auf Antrag erbracht. [2]Sie ist zu gewähren, sobald der Arbeitgeber Arbeitsentgelt nach § 3 Abs. 1 und 2 und § 9 Abs. 1 des Entgeltfortzahlungsgesetzes, Arbeitsentgelt nach § 18 des Mutterschutzgesetzes oder Zuschuss zum Mutterschaftsgeld nach § 20 Absatz 1 des Mutterschutzgesetzes gezahlt hat. [3]Stellt die Krankenkasse eine inhaltliche Abweichung zwischen ihrer Berechnung der Erstattung und dem Antrag des Arbeitgebers fest, hat sie diese Abweichung und die Gründe hierfür dem Arbeitgeber durch Datenübertragung nach § 95 Absatz 1 Satz 1 des Vierten Buches Sozialgesetzbuch unverzüglich zu melden; dies gilt auch, wenn dem Antrag vollständig entsprochen wird. [4]§ 28a Absatz 1 Satz 2 des Vierten Buches Sozialgesetzbuch gilt entsprechend.

(3) [1]Der Arbeitgeber hat einen Antrag nach Absatz 2 Satz 1 durch Datenübertragung nach § 95 Absatz 1 Satz 1 und § 95b Absatz 1 Satz 1 des Vierten Buches Sozialgesetzbuch an die zuständige Krankenkasse zu übermitteln. [2]§ 28a Absatz 1 Satz 2 des Vierten Buches Sozialgesetzbuch gilt für die Meldung nach Satz 1 entsprechend.

(4) Den Übertragungsweg und die Einzelheiten des Verfahrens wie den Aufbau der Datensätze für die maschinellen Meldungen der Krankenkassen nach Absatz 2 und die maschinellen Anträge der Arbeitgeber nach Absatz 3 legt der Spitzenverband Bund der Krankenkassen in Grundsätzen fest, die vom Bundesministerium für Arbeit und Soziales im Einvernehmen mit dem Bundesministerium für Gesundheit zu genehmigen sind; die Bundesvereinigung der Deutschen Arbeitgeberverbände ist anzuhören.

§ 3[2] **Feststellung der Umlagepflicht.** (1) [1]Die zuständige Krankenkasse hat jeweils zum Beginn eines Kalenderjahrs festzustellen, welche Arbeitgeber für die Dauer dieses Kalenderjahrs an dem Ausgleich der Arbeitgeberaufwendungen nach § 1 Abs. 1 teilnehmen. [2]Ein Arbeitgeber beschäftigt in der Regel nicht mehr als 30 Arbeitnehmer und Arbeitnehmerinnen, wenn er in dem letzten Kalenderjahr, das demjenigen, für das die Feststellung nach Satz 1 zu treffen ist, vorausgegangen ist, für einen Zeitraum von mindestens acht Kalendermonaten nicht mehr als 30 Arbeitnehmer und Arbeitnehmerinnen beschäf-

(Fortsetzung nächstes Blatt)

---

[1] § 2 Abs. 2 Satz 3 aufgeh. mWv 1.4.2007 durch G v. 26.3.2007 (BGBl. I S. 378); Abs. 3 neu gef. mWv 1.1.2009 und Satz 1 geänd. mWv 1.1.2011 durch G v. 21.12.2008 (BGBl. I S. 2940); Abs. 2 Sätze 3 und 4 angef., Abs. 3 neu gef. mWv 1.1.2016 durch G v. 15.4.2015 (BGBl. I S. 583); Abs. 2 Satz 3 geänd., Abs. 3 Satz 3 aufgeh., Abs. 4 angef. mWv 1.1.2017 durch G v. 11.11.2016 (BGBl. I S. 2500); Abs. 1 Satz 1, Abs. 2 Satz 2 geänd. mWv 1.1.2018 durch G v. 23.5.2017 (BGBl. I S. 1228); Abs. 2 Satz 3, Abs. 3 Satz 1 geänd. mWv 1.1.2021 durch G v. 12.6.2020 (BGBl. I S. 1248); Abs. 2 Satz 3, Abs. 3 Satz 1 geänd. mWv 1.1.2023 durch G v. 20.12.2022 (BGBl. I S. 2759).

[2] § 3 Abs. 3 geänd. mWv 1.7.2008 durch G v. 26.3.2007 (BGBl. I S. 378).

tigt hat. [3] Hat ein Betrieb nicht während des ganzen nach Satz 2 maßgebenden Kalenderjahrs bestanden, so nimmt der Arbeitgeber am Ausgleich der Arbeitgeberaufwendungen teil, wenn er während des Zeitraums des Bestehens des Betriebs in der überwiegenden Zahl der Kalendermonate nicht mehr als 30 Arbeitnehmer und Arbeitnehmerinnen beschäftigt hat. [4] Wird ein Betrieb im Laufe des Kalenderjahrs errichtet, für das die Feststellung nach Satz 1 getroffen ist, so nimmt der Arbeitgeber am Ausgleich der Arbeitgeberaufwendungen teil, wenn nach der Art des Betriebs anzunehmen ist, dass die Zahl der beschäftigten Arbeitnehmer und Arbeitnehmerinnen während der überwiegenden Kalendermonate dieses Kalenderjahrs 30 nicht überschreiten wird. [5] Bei der Errechnung der Gesamtzahl der beschäftigten Arbeitnehmer und Arbeitnehmerinnen bleiben schwerbehinderte Menschen im Sinne des Neunten Buches Sozialgesetzbuch[1)] außer Ansatz. [6] Arbeitnehmer und Arbeitnehmerinnen, die wöchentlich regelmäßig nicht mehr als 10 Stunden zu leisten haben, werden mit 0,25, diejenigen, die nicht mehr als 20 Stunden zu leisten haben, mit 0,5 und diejenigen, die nicht mehr als 30 Stunden zu leisten haben, mit 0,75 angesetzt.

(2) Der Arbeitgeber hat der nach § 2 Abs. 1 zuständigen Krankenkasse die für die Durchführung des Ausgleichs erforderlichen Angaben zu machen.

(3)[2)] Der Spitzenverband Bund der Krankenkassen regelt das Nähere über die Durchführung des Feststellungsverfahrens nach Absatz 1.

§ 4[3)] Versagung und Rückforderung der Erstattung. (1) Die Erstattung kann im Einzelfall versagt werden, solange der Arbeitgeber die nach § 3 Abs. 2 erforderlichen Angaben nicht oder nicht vollständig macht.

(2) [1] Die Krankenkasse hat Erstattungsbeträge vom Arbeitgeber insbesondere zurückzufordern, soweit der Arbeitgeber

1. schuldhaft falsche oder unvollständige Angaben gemacht hat oder
2. Erstattungsbeträge gefordert hat, obwohl er wusste oder wissen musste, dass ein Anspruch nach § 3 Abs. 1 und 2 oder § 9 Abs. 1 des Entgeltfortzahlungsgesetzes oder nach § 18 oder § 20 Absatz 1 des Mutterschutzgesetzes nicht besteht.

[2] Der Arbeitgeber kann sich nicht darauf berufen, dass er durch die zu Unrecht gezahlten Beträge nicht mehr bereichert sei. [3] Von der Rückforderung kann abgesehen werden, wenn der zu Unrecht gezahlte Betrag gering ist und der entstehende Verwaltungsaufwand unverhältnismäßig groß sein würde.

§ 5 Abtretung. Ist auf den Arbeitgeber ein Anspruch auf Schadenersatz nach § 6 des Entgeltfortzahlungsgesetzes übergegangen, so ist die Krankenkasse zur Erstattung nur verpflichtet, wenn der Arbeitgeber den auf ihn übergegangenen Anspruch bis zur anteiligen Höhe des Erstattungsbetrags an die Krankenkasse abtritt.

§ 6 Verjährung und Aufrechnung. (1) Der Erstattungsanspruch verjährt in vier Jahren nach Ablauf des Kalenderjahrs, in dem er entstanden ist.

---

1) Auszugsweise abgedruckt unter Nr. **440**.
2) § 3 Abs. 3 ist **mWv 1.10.2005** in Kraft getreten, vgl. die Anm. zum Gesetzestitel.
3) § 4 Abs. 2 Satz 1 Nr. 2 geänd. mWv 1.1.2018 durch G v. 23.5.2017 (BGBl. I S. 1228).

(2) Gegen Erstattungsansprüche dürfen nur Ansprüche aufgerechnet werden auf

1. Zahlung von Umlagebeträgen, Beiträge zur gesetzlichen Krankenversicherung und solche Beiträge, die die Einzugsstelle für andere Träger der Sozialversicherung und die Bundesagentur für Arbeit einzuziehen hat,
2. Rückzahlung von Vorschüssen,
3. Rückzahlung von zu Unrecht gezahlten Erstattungsbeträgen,
4. Erstattung von Verfahrenskosten,
5. Zahlung von Geldbußen,
6. Herausgabe einer von einem Dritten an den Berechtigten bewirkten Leistung, die der Krankenkasse gegenüber wirksam ist.

§ 7[1)2)] **Aufbringung der Mittel.** (1) Die Mittel zur Durchführung der U1- und U2-Verfahren werden von den am Ausgleich beteiligten Arbeitgebern jeweils durch gesonderte Umlagen aufgebracht, die die erforderlichen Verwaltungskosten angemessen berücksichtigen.

(2) [1] Die Umlagen sind jeweils in einem Prozentsatz des Entgelts (Umlagesatz) festzusetzen, nach dem die Beiträge zur gesetzlichen Rentenversicherung für die im Betrieb beschäftigten Arbeitnehmer, Arbeitnehmerinnen und Auszubildenden bemessen werden oder bei Versicherungspflicht in der gesetzlichen Rentenversicherung zu bemessen wären. [2] Bei der Berechnung der Umlage für Aufwendungen nach § 1 Abs. 1 sind Entgelte von Arbeitnehmern und Arbeitnehmerinnen, deren Beschäftigungsverhältnis bei einem Arbeitgeber nicht länger als vier Wochen besteht und bei denen wegen der Art des Beschäftigungsverhältnisses auf Grund des § 3 Abs. 3 des Entgeltfortzahlungsgesetzes kein Anspruch auf Entgeltfortzahlung im Krankheitsfall entstehen kann, sowie einmalig gezahlte Arbeitsentgelte nach § 23a des Vierten Buches Sozialgesetzbuch nicht zu berücksichtigen. [3] Für die Zeit des Bezugs von Kurzarbeitergeld bemessen sich die Umlagen nach dem tatsächlich erzielten Arbeitsentgelt bis zur Beitragsbemessungsgrenze in der gesetzlichen Rentenversicherung.

§ 8 Verwaltung der Mittel. (1) [1] Die Krankenkassen verwalten die Mittel für den Ausgleich der Arbeitgeberaufwendungen als Sondervermögen. [2] Die Mittel dürfen nur für die gesetzlich vorgeschriebenen oder zugelassenen Zwecke verwendet werden.

(2)[3)] [1] Die Krankenkasse kann durch Satzungsregelung die Durchführung der U1- und U2-Verfahren auf eine andere Krankenkasse oder einen Landes- oder Bundesverband übertragen. [2] Der Einzug der Umlagen obliegt weiterhin der übertragenden Krankenkasse, die die von den Arbeitgebern gezahlten Umlagen an die durchführende Krankenkasse oder den Verband weiterzuleiten hat. [3] § 90 des Vierten Buches Sozialgesetzbuch gilt entsprechend.

§ 9[4)3)] **Satzung.** (1) Die Satzung der Krankenkasse muss insbesondere Bestimmungen enthalten über die

---

1) § 7 Abs. 2 Satz 3 geänd. mWv 1.1.2007 durch G v. 24.4.2006 (BGBl. I S. 926).

2) § 7 ist **mWv 1.10.2005** in Kraft getreten, vgl. die Anm. zum Gesetzestitel.

3) *§ 8 Abs. 2 und § 9 sind* **mWv 1.10.2005** in Kraft getreten, vgl. die Anm. zum Gesetzestitel.

4) § 9 Abs. 2 Nr. 1 geänd., Nr. 4 aufgeh. mWv 1.4.2007 durch G v. 26.3.2007 (BGBl. I S. 378); Abs. 2 Nr. 2 geänd. mWv 1.1.2018 durch G v. 23.5.2017 (BGBl. I S. 1228).

1. Höhe der Umlagesätze,
2. Bildung von Betriebsmitteln,
3. Aufstellung des Haushalts,
4. Prüfung und Abnahme des Rechnungsabschlusses.

(2) Die Satzung kann

1. die Höhe der Erstattung nach § 1 Abs. 1 beschränken und verschiedene Erstattungssätze, die 40 vom Hundert nicht unterschreiten, vorsehen,
2. eine pauschale Erstattung des von den Arbeitgebern zu tragenden Teils des Gesamtsozialversicherungsbeitrags für das nach § 18 des Mutterschutzgesetzes gezahlte Arbeitsentgelt vorsehen,
3. die Zahlung von Vorschüssen vorsehen,
4. *(aufgehoben)*
5. die Übertragung nach § 8 Abs. 2 enthalten.

(3) Die Betriebsmittel dürfen den Betrag der voraussichtlichen Ausgaben für drei Monate nicht übersteigen.

(4) In Angelegenheiten dieses Gesetzes wirken in den Selbstverwaltungsorganen nur die Vertreter der Arbeitgeber mit; die Selbstverwaltungsorgane der Ersatzkassen haben Einvernehmen mit den für die Vertretung der Interessen der Arbeitgeber maßgeblichen Spitzenorganisationen herzustellen.

(5) Die Absätze 1 bis 4 gelten auch für die durchführende Krankenkasse oder den Verband nach § 8 Abs. 2 Satz 1.

§ 10 Anwendung sozialversicherungsrechtlicher Vorschriften. Die für die gesetzliche Krankenversicherung geltenden Vorschriften finden entsprechende Anwendung, soweit dieses Gesetz nichts anderes bestimmt.

§ 11[1] Ausnahmevorschriften. (1) § 1 Abs. 1 ist nicht anzuwenden auf

1. den Bund, die Länder, die Gemeinden und Gemeindeverbände sowie sonstige Körperschaften, Anstalten und Stiftungen des öffentlichen Rechts sowie die Vereinigungen, Einrichtungen und Unternehmungen, die hinsichtlich der für die Beschäftigten des Bundes, der Länder oder der Gemeinden geltenden Tarifverträge tarifgebunden sind, sowie die Verbände von Gemeinden, Gemeindeverbänden und kommunalen Unternehmen einschließlich deren Spitzenverbände,
2. zivile Arbeitskräfte, die bei Dienststellen und diesen gleichgestellten Einrichtungen der in der Bundesrepublik Deutschland stationierten ausländischen Truppen und der dort auf Grund des Nordatlantikpaktes errichteten internationalen militärischen Hauptquartiere beschäftigt sind,
3. Hausgewerbetreibende (§ 1 Abs. 1 Buchstabe b des Heimarbeitsgesetzes) sowie die in § 1 Abs. 2 Satz 1 Buchstabe b und c des Heimarbeitsgesetzes bezeichneten Personen, wenn sie hinsichtlich der Entgeltregelung gleichgestellt sind,

---

[1] § 11 Abs. 2 Nr. 2 geänd., Nr. 3 angef. mWv 1.1.2012 durch G v. 22.12.2011 (BGBl. I S. 3057); Abs. 2 Nr. 3 geänd. mWv 1.4.2012 durch G v. 20.12.2011 (BGBl. I S. 2854); Abs. 2 Nr. 3 geänd., Nr. 4 angef. mWv 1.1.2018 durch G v. 6.5.2019 (BGBl. I S. 646); Abs. 2 Nr. 3 geänd. mWv 29.5.2020 durch G v. 20.5.2020 (BGBl. I S. 1044).

4. die Spitzenverbände der freien Wohlfahrtspflege (Arbeiterwohlfahrt, Diakonisches Werk der Evangelischen Kirche in Deutschland, Deutscher Caritasverband, Deutscher Paritätischer Wohlfahrtsverband, Deutsches Rotes Kreuz und Zentralwohlfahrtsstelle der Juden in Deutschland) einschließlich ihrer selbstständigen und nichtselbstständigen Untergliederungen, Einrichtungen und Anstalten, es sei denn, sie erklären schriftlich und unwiderruflich gegenüber einer Krankenkasse mit Wirkung für alle durchführenden Krankenkassen und Verbände ihre Teilnahme am Umlageverfahren nach § 1 Abs. 1.

(2) § 1 ist nicht anzuwenden auf

1. die nach § 2 Abs. 1 Nr. 3 des Zweiten Gesetzes über die Krankenversicherung der Landwirte versicherten mitarbeitenden Familienangehörigen eines landwirtschaftlichen Unternehmers,
2. Dienststellen und diesen gleichgestellte Einrichtungen der in der Bundesrepublik Deutschland stationierten ausländischen Truppen und der dort auf Grund des Nordatlantikpaktes errichteten internationalen militärischen Hauptquartiere mit Ausnahme der in Absatz 1 Nr. 2 genannten zivilen Arbeitskräfte,
3. im Rahmen des § 54a des Dritten Buches Sozialgesetzbuch bezuschusste betriebliche Einstiegsqualifizierungen und im Rahmen des § 76 Absatz 7 des Dritten Buches Sozialgesetzbuch geförderte Berufsausbildungen in außerbetrieblichen Einrichtungen,
4. Menschen mit Behinderungen im Arbeitsbereich anerkannter Werkstätten, die zu den Werkstätten in einem arbeitnehmerähnlichen Rechtsverhältnis stehen.

§ 12 Freiwilliges Ausgleichsverfahren. (1) [1] Für Betriebe eines Wirtschaftszweigs können Arbeitgeber Einrichtungen zum Ausgleich der Arbeitgeberaufwendungen errichten, an denen auch Arbeitgeber teilnehmen, die die Voraussetzungen des § 1 nicht erfüllen. [2] Die Errichtung und die Regelung des Ausgleichsverfahrens bedürfen der Genehmigung des Bundesministeriums für Gesundheit.

(2) Auf Arbeitgeber, deren Aufwendungen durch eine Einrichtung nach Absatz 1 ausgeglichen werden, finden die Vorschriften dieses Gesetzes keine Anwendung.

(3) Körperschaften, Personenvereinigungen und Vermögensmassen im Sinne des § 1 Abs. 1 des Körperschaftsteuergesetzes, die als Einrichtung der in Absatz 1 bezeichneten Art durch das Bundesministerium für Gesundheit genehmigt sind, sind von der Körperschaftsteuer, Gewerbesteuer und Vermögensteuer befreit.

250. Übersicht über die Gesetzlichen Feiertage[1)]

Die Feiertagsgesetze der Länder Baden-Württemberg, Bayern, Berlin, Bremen, Brandenburg, Hamburg, Hessen Mecklenburg-Vorpommern, Niedersachsen, Nordrhein-Westfalen, Rheinland-Pfalz, Sachsen, Sachsen-Anhalt und Schleswig-Holstein, Thüringen regeln neben den gesetzlichen noch die (staatlich) geschützten (kirchlichen) Feiertage, an denen meist bis zum Ende des Hauptgottesdienstes die Läden geschlossen zu halten sind und den konfessionsangehörigen Arbeitnehmern Gelegenheit zu geben ist, am Hauptgottesdienst teilzunehmen.

---

1) Die Übersicht ist nicht amtlich.

Die für das gesamte Gebiet eines Landes geltenden Feiertage sind durch einen • gekennzeichnet. In Bayern ist Mariä Himmelfahrt mit 1 bezeichnet, da dieser Feiertag nur in Gemeinden mit überwiegend katholischer Bevölkerung gilt; in Gemeinden mit überwiegend evangelischer Bevölkerung können katholische Arbeitnehmer an diesem Tag der Arbeit fernbleiben, wobei ihnen außer Lohnausfall keine anderen Nachteile entstehen dürfen.

In Bayern ist außerdem noch gesetzlicher Feiertag nur für den Stadtkreis Augsburg der 8. August – das Friedensfest.

	BW	Bay.	Berlin	Bbg.	Brem.	Hbg.	Hes.	MV	Nds.	NRW	RP	Saarl.	Sachs.	SaAn.	SH	Thür.
Neujahr	•	•	•	•	•	•	•	•	•	•	•	•	•	•	•	•
Heilige Drei Könige	•	•												•		
Internationaler Frauentag			•													
Karfreitag	•	•	•	•	•	•	•	•	•	•	•	•	•	•	•	•
Ostermontag	•	•	•	•	•	•	•	•	•	•	•	•	•	•	•	•
1. Mai	•	•	•	•	•	•	•	•	•	•	•	•	•	•	•	•
Christi Himmelfahrt	•	•	•	•	•	•	•	•	•	•	•	•	•	•	•	•
Pfingstmontag	•	•	•	•	•	•	•	•	•	•	•	•	•	•	•	•
Fronleichnam	•	•					•			•	•	•	3			1
Mariä Himmelfahrt		1										•				
Weltkindertag																•
3. Oktober	•	•	•	•	•	•	•	•	•	•	•	•	•	•	•	•
Reformationstag				•	•	•		•	•				•	•	•	•
Allerheiligen	•	•								•	•	•				1
Buß- und Bettag													•			
1. Weihnachtsfeiertag	•	•	•	•	•	•	•	•	•	•	•	•	•	•	•	•
2. Weihnachtsfeiertag	•	•	•	•	•	•	•	•	•	•	•	•	•	•	•	•
INSGESAMT	12	12 (13)	10	10	10	10	10	10	10	11	11	12	11 (12)	11	10	11 (13)

• = gesetzlicher Feiertag
1 = gesetzlicher Feiertag nur in Gebieten mit überwiegend katholischer Bevölkerung
3 = gesetzlicher Feiertag nur in einigen Gemeinden der Landkreise Bautzen, Hoyerswerda und Kamenz

251. Übersicht zu den Feiertagsregelungen in Bund und Ländern[1)]

Bund

Art. 2 Abs. 2 Vertrag zwischen der Bundesrepublik Deutschland und der Deutschen Demokratischen Republik über die Herstellung der Einheit Deutschlands – Einigungsvertrag – vom 31. August 1990 (BGBl. II S. 885, 889), zuletzt geänd. durch Beschl. v. 12.5.1992 (BGBl. I S. 1361).

Baden-Württemberg

Gesetz über die Sonntage und Feiertage (Feiertagsgesetz- FTG) vom 8. Mai 1995 (GBl. S. 450), geänd. durch G v. 1.12.2015 (GBl. S. 1034).

Bayern

Gesetz über den Schutz der Sonn- und Feiertage (Feiertagsgesetz - FTG) vom 21. Mai 1980 (Bay RS 1131-3-I), zuletzt geänd. durch V v. 26.3.2019 (GVBl. S. 98).

Berlin

Gesetz über die Sonn- und Feiertage vom 28. Oktober 1954 (GVBl. S. 615), zuletzt geänd. durch G v. 10.7.2024 (GVBl. S. 460).

Verordnung über den Schutz der Sonn- und Feiertage (Feiertagsschutz-Verordnung - FSchVO) in der Fassung der Bekanntmachung vom 5. Oktober 2004 (GVBl. S. 441).

Brandenburg

Gesetz über die Sonn- und Feiertage (Feiertagsgesetz - FTG) vom 21. März 1991 (GVBl. I S. 44), zuletzt geänd. durch G v. 30.4.2015 (GVBl. I Nr. 13).

Bremen

Gesetz über die Sonn- und Feiertage vom 12. November 1954 (Brem.GBl. S. 115), zuletzt geänd. durch Bek. v. 2.9.2025 (Brem.GBl. S. 674).

Hamburg

Gesetz über Sonntage, Feiertage, Gedenktage und Trauertage (Feiertagsgesetz) vom 16. Oktober 1953 (BS Hbg I 113-1), zuletzt geänd. durch G v. 17.2.2021 (HmbGVBl. S. 75).

Feiertagsschutzverordnung vom 15. Februar 1957 (GVBl. S. 51), zuletzt geänd. durch VO v. 19.3.2024 (HmbGVBl. S. 74).

Zweite Verordnung zum Feiertagsgesetz (Verordnung über den Volkstrauertag) vom 10. November 1953 (BS Hbg I 113-1-2), zuletzt geänd. durch G v. 2.3. 1970 (HmbGVBl. S. 90).

Vierte Verordnung zum Feiertagsgesetz (Verordnung zum Schutz des Buß- und Bettages) vom 7. November 1995 (GVBl. S. 290).

[1)] Die Übersicht ist nichtamtlich. Die Vorschriften sind vollständig wiedergegeben in **beck-online, Module Arbeitsrecht.**

Hessen

Hessisches Feiertagsgesetz (HFeiertagsG) in der Fassung der Bekanntmachung vom 29. Dezember 1971 (GVBl. I S. 344), zuletzt geänd. durch G v. 13.12. 2012 (GVBl. S. 622).

Mecklenburg-Vorpommern

Gesetz über Sonn- und Feiertage (Feiertagsgesetz Mecklenburg-Vorpommern - FTG M-V-) in der Fassung der Bekanntmachung vom 8. März 2002 (GVOBl. S. 145) (GS Meckl.-Vorp. Gl. Nr. 1136-1), zuletzt geänd. durch G v. 7.7.2022 (GVOBl. M-V S. 427).

Niedersachsen

Niedersächsisches Gesetz über die Feiertage (NFeiertagsG) in der Fassung der Bekanntmachung vom 7. März 1995 (Nds. GVBl. S. 50), zuletzt geänd. durch G v. 22.6.2018 (Nds. GVBl. S. 123).

Nordrhein-Westfalen

Gesetz über Sonn- und Feiertage (Feiertagsgesetz NW) in der Fassung der Bekanntmachung vom 23. April 1989 (GV. NW. S. 222), zuletzt geänd. durch G v. 20.12.1994 (GV. NRW. S. 1114).

Rheinland-Pfalz

Landesgesetz über den Schutz der Sonn- und Feiertage (Feiertagsgesetz - LFtG -) vom 15. Juli 1970 (GVBl. S. 225), zuletzt geänd. durch G v. 27.10.2009 (GVBl. S. 358).

Saarland

Gesetz über die Sonn- und Feiertage (Feiertagsgesetz - SFG) vom 18. Februar 1976 (Amtsbl. S. 213), zuletzt geänd. durch G v. 13.10.2015 (Amtsbl. I S. 790).

Sachsen

Gesetz über Sonn- und Feiertage im Freistaat Sachsen (SächsSFG) vom 10. November 1992 (SächsGVBl. S. 536), zuletzt geänd. durch G v. 23.4.2025 (SächsGVBl. S. 146).

Sachsen-Anhalt

Gesetz über die Sonn- und Feiertage (FeiertG LSA) in der Fassung der Bekanntmachung vom 25. August 2004 (GVBl. LSA S. 53), zuletzt geänd. durch G v. 22.11.2006 (GVBl. LSA S. 528).

Schleswig-Holstein

Gesetz über Sonn- und Feiertage (SFTG) vom 28. Juni 2004 (GVOBl. Schl.-H. S. 213), geänd. durch G v. 15.2.2016 (GVOBl. Schl.-H. S. 80).

Thüringen

Thüringer Feier- und Gedenktagsgesetz (ThürFGtG) vom 21. Dezember 1994 (GVBl. S. 1221), zuletzt geänd. durch G v. 19.3.2019 (GVBl. S. 22).

C. Schutz des Arbeitsentgelts

320. Zivilprozessordnung

In der Fassung der Bekanntmachung vom 5. Dezember 2005[1]
(BGBl. I S. 3202; 2006 I S. 431; 2007 I S. 1781)

FNA 310-4

zuletzt geänd. durch Art. 1, 2 G zur Entwicklung und Erprobung eines Online-Verfahrens in der Zivilgerichtsbarkeit v. 22.12.2025 (BGBl. 2025 I Nr. 349)

– Auszug –[2]

Buch 8. Zwangsvollstreckung

Abschnitt 1. Allgemeine Vorschriften

§ 765a Vollstreckungsschutz. (1) [1] Auf Antrag des Schuldners kann das Vollstreckungsgericht eine Maßnahme der Zwangsvollstreckung ganz oder teilweise aufheben, untersagen oder einstweilen einstellen, wenn die Maßnahme unter voller Würdigung des Schutzbedürfnisses des Gläubigers wegen ganz besonderer Umstände eine Härte bedeutet, die mit den guten Sitten nicht vereinbar ist. [2] Es ist befugt, die in § 732 Abs. 2 bezeichneten Anordnungen zu erlassen. [3] Betrifft die Maßnahme ein Tier, so hat das Vollstreckungsgericht bei der von ihm vorzunehmenden Abwägung die Verantwortung des Menschen für das Tier zu berücksichtigen.

(2) Eine Maßnahme zur Erwirkung der Herausgabe von Sachen kann der Gerichtsvollzieher bis zur Entscheidung des Vollstreckungsgerichts, jedoch nicht länger als eine Woche, aufschieben, wenn ihm die Voraussetzungen des Absatzes 1 Satz 1 glaubhaft gemacht werden und dem Schuldner die rechtzeitige Anrufung des Vollstreckungsgerichts nicht möglich war.

(3) In Räumungssachen ist der Antrag nach Absatz 1 spätestens zwei Wochen vor dem festgesetzten Räumungstermin zu stellen, es sei denn, dass die Gründe, auf denen der Antrag beruht, erst nach diesem Zeitpunkt entstanden sind oder der Schuldner ohne sein Verschulden an einer rechtzeitigen Antragstellung gehindert war.

(4) Das Vollstreckungsgericht hebt seinen Beschluss auf Antrag auf oder ändert ihn, wenn dies mit Rücksicht auf eine Änderung der Sachlage geboten ist.

(5) Die Aufhebung von Vollstreckungsmaßregeln erfolgt in den Fällen des Absatzes 1 Satz 1 und des Absatzes 4 erst nach Rechtskraft des Beschlusses.

---

[1] Neubekanntmachung der ZPO idF der Bek. v. 12.9.1950 (BGBl. I S. 533) in der ab 21.10.2005 geltenden Fassung.

[2] Vollständig wiedergegeben in **beck-online, Module Arbeitsrecht.**

Abschnitt 2. Zwangsvollstreckung wegen Geldforderungen

Titel 1.[1] Allgemeine Vorschriften

§ 802l[2] Auskunftsrechte des Gerichtsvollziehers. (1) [1]Der Gerichtsvollzieher darf vorbehaltlich der Sätze 2 und 3 folgende Maßnahmen durchführen, soweit sie zur Vollstreckung erforderlich sind:

1. Erhebung des Namens und der Vornamen oder der Firma sowie der Anschrift der derzeitigen Arbeitgeber des Schuldners bei den Trägern der gesetzlichen Rentenversicherung und bei einer berufsständischen Versorgungseinrichtung im Sinne des § 6 Absatz 1 Satz 1 Nummer 1 des Sechsten Buches Sozialgesetzbuch[3];
2. Ersuchen an das Bundeszentralamt für Steuern, bei den Kreditinstituten die in § 93b Absatz 1 und 1a der Abgabenordnung[4] bezeichneten Daten, ausgenommen die Identifikationsnummer nach § 139b der Abgabenordnung, abzurufen (§ 93 Absatz 8 der Abgabenordnung);
3. Erhebung der Fahrzeug- und Halterdaten nach § 33 Absatz 1 des Straßenverkehrsgesetzes[5] beim Kraftfahrt-Bundesamt zu einem Fahrzeug, als dessen Halter der Schuldner eingetragen ist.

[2]Maßnahmen nach Satz 1 sind nur zulässig, wenn

1. die Ladung zu dem Termin zur Abgabe der Vermögensauskunft an den Schuldner nicht zustellbar ist und
   a) die Anschrift, unter der die Zustellung ausgeführt werden sollte, mit der Anschrift übereinstimmt, die von einer der in § 755 Absatz 1 und 2 genannten Stellen innerhalb von drei Monaten vor oder nach dem Zustellungsversuch mitgeteilt wurde, oder
   b) die Meldebehörde nach dem Zustellungsversuch die Auskunft erteilt, dass ihr keine derzeitige Anschrift des Schuldners bekannt ist, oder
   c) die Meldebehörde innerhalb von drei Monaten vor Erteilung des Vollstreckungsauftrags die Auskunft erteilt hat, dass ihr keine derzeitige Anschrift des Schuldners bekannt ist;
2. der Schuldner seiner Pflicht zur Abgabe der Vermögensauskunft in dem der Maßnahme nach Satz 1 zugrundeliegenden Vollstreckungsverfahren nicht nachkommt oder
3. bei einer Vollstreckung in die in der Vermögensauskunft aufgeführten Vermögensgegenstände eine vollständige Befriedigung des Gläubigers nicht zu erwarten ist.

[3]Die Erhebung nach Satz 1 Nummer 1 bei einer berufsständischen Versorgungseinrichtung ist zusätzlich zu den Voraussetzungen des Satzes 2 nur zulässig, wenn der Gläubiger die berufsständische Versorgungseinrichtung bezeichnet und tatsächliche Anhaltspunkte nennt, die nahelegen, dass der Schuldner Mitglied dieser berufsständischen Versorgungseinrichtung ist.

---

[1] Titel 1 (§§ 802a–802l) eingef. mWv 1.1.2013 durch G v. 29.7.2009 (BGBl. I S. 2258), mit Ausnahme von § 802k Abs. 3 und 4, die gem. Art. 6 Satz 1 dieses G bereits am 1.8.2009 in Kraft getreten sind.

[2] § 802l eingef. mWv 1.1.2013 durch G v. 29.7.2009 (BGBl. I S. 2258); Abs. 1 Satz 2 neu gef., Abs. 4 und 5 angef. mWv 26.11.2016 durch G v. 21.11.2016 (BGBl. I S. 2591); Abs. 2 Satz 1 geänd. mWv 26.11.2019 durch G v. 20.11.2019 (BGBl. I S. 1724); Abs. 1 neu gef., Abs. 3 Satz 2 geänd. mWv 1.1.2022 durch G v. 7.5.2021 (BGBl. I S. 850).

[3] *Nr. **696**.*

[4] **Steuergesetze Nr. 800.**

[5] **Habersack Nr. 35.**

(2) [1] Daten, die für die Zwecke der Vollstreckung nicht erforderlich sind, hat der Gerichtsvollzieher unverzüglich zu löschen oder deren Verarbeitung einzuschränken. [2] Die Löschung ist zu protokollieren.

(3) [1] Über das Ergebnis einer Erhebung oder eines Ersuchens nach Absatz 1 setzt der Gerichtsvollzieher den Gläubiger unter Beachtung des Absatzes 2 unverzüglich und den Schuldner innerhalb von vier Wochen nach Erhalt in Kenntnis. [2] § 802d Absatz 1 Satz 3 und Absatz 2 gilt entsprechend.

(4) [1] Nach Absatz 1 Satz 1 erhobene Daten, die innerhalb der letzten drei Monate bei dem Gerichtsvollzieher eingegangen sind, darf dieser auch einem weiteren Gläubiger übermitteln, wenn die Voraussetzungen für die Datenerhebung auch bei diesem Gläubiger vorliegen. [2] Der Gerichtsvollzieher hat dem weiteren Gläubiger die Tatsache, dass die Daten in einem anderen Verfahren erhoben wurden, und den Zeitpunkt ihres Eingangs bei ihm mitzuteilen. [3] Eine erneute Auskunft ist auf Antrag des weiteren Gläubigers einzuholen, wenn Anhaltspunkte dafür vorliegen, dass seit dem Eingang der Auskunft eine Änderung der Vermögensverhältnisse, über die nach Absatz 1 Satz 1 Auskunft eingeholt wurde, eingetreten ist.

(5) Übermittelt der Gerichtsvollzieher Daten nach Absatz 4 Satz 1 an einen weiteren Gläubiger, so hat er den Schuldner davon innerhalb von vier Wochen nach der Übermittlung in Kenntnis zu setzen; § 802d Absatz 1 Satz 3 und Absatz 2 gilt entsprechend.

Titel 2.[1] Zwangsvollstreckung in das bewegliche Vermögen

Untertitel 1. Allgemeine Vorschriften

§ 807[2] Abnahme der Vermögensauskunft nach Pfändungsversuch.

(1) [1] Hat der Gläubiger die Vornahme der Pfändung beim Schuldner beantragt und

1. hat der Schuldner die Durchsuchung (§ 758) verweigert oder
2. ergibt der Pfändungsversuch, dass eine Pfändung voraussichtlich nicht zu einer vollständigen Befriedigung des Gläubigers führen wird,

so kann der Gerichtsvollzieher dem Schuldner die Vermögensauskunft auf Antrag des Gläubigers abweichend von § 802f sofort abnehmen. [2] § 802f Absatz 7 und 8 findet Anwendung.

(2) [1] Der Schuldner kann einer sofortigen Abnahme widersprechen. [2] In diesem Fall verfährt der Gerichtsvollzieher nach § 802f; der Setzung einer Zahlungsfrist bedarf es nicht.

Untertitel 2. Zwangsvollstreckung in körperliche Sachen

§ 811[3] Unpfändbare Sachen und Tiere. (1) Nicht der Pfändung unterliegen

1. Sachen, die der Schuldner oder eine Person, mit der er in einem gemeinsamen Haushalt zusammenlebt, benötigt
   a) für eine bescheidene Lebens- und Haushaltsführung;

---

[1] Bish. Titel 1 wird Titel 2 mWv 1.1.2013 durch G v. 29.7.2009 (BGBl. I S. 2258).

[2] § 807 neu gef. mWv 1.1.2013 durch G v. 29.7.2009 (BGBl. I S. 2258); Abs. 1 Satz 2 geänd. mWv 19.7.2024 durch G v. 15.7.2024 (BGBl. 2024 I Nr. 237).

[3] § 811 neu gef. mWv 1.1.2022 durch G v. 7.5.2021 (BGBl. I S. 850).

b) für die Ausübung einer Erwerbstätigkeit oder eine damit in Zusammenhang stehende Aus- oder Fortbildung;

c) aus gesundheitlichen Gründen;

d) zur Ausübung von Religion oder Weltanschauung oder als Gegenstand religiöser oder weltanschaulicher Verehrung, wenn ihr Wert 500 Euro nicht übersteigt;

2. Gartenhäuser, Wohnlauben und ähnliche Einrichtungen, die der Schuldner oder dessen Familie als ständige Unterkunft nutzt und die der Zwangsvollstreckung in das bewegliche Vermögen unterliegen;

3. Bargeld

a) für den Schuldner, der eine natürliche Person ist, in Höhe von einem Fünftel,

b) für jede weitere Person, mit der der Schuldner in einem gemeinsamen Haushalt zusammenlebt, in Höhe von einem Zehntel

des täglichen Freibetrages nach § 850c Absatz 1 Nummer 3 in Verbindung mit Absatz 4 Nummer 1 für jeden Kalendertag ab dem Zeitpunkt der Pfändung bis zu dem Ende des Monats, in dem die Pfändung bewirkt wird; der Gerichtsvollzieher kann im Einzelfall nach pflichtgemäßem Ermessen einen abweichenden Betrag festsetzen;

4. Unterlagen, zu deren Aufbewahrung eine gesetzliche Verpflichtung besteht oder die der Schuldner oder eine Person, mit der er in einem gemeinsamen Haushalt zusammenlebt, zu Buchführungs- oder Dokumentationszwecken benötigt;

5. private Aufzeichnungen, durch deren Verwertung in Persönlichkeitsrechte eingegriffen wird;

6. öffentliche Urkunden, die der Schuldner, dessen Familie oder eine Person, mit der er in einem gemeinsamen Haushalt zusammenlebt, für Beweisführungszwecke benötigt;

7. Trauringe, Orden und Ehrenzeichen;

8. Tiere, die der Schuldner oder eine Person, mit der er in einem gemeinsamen Haushalt zusammenlebt,

a) nicht zu Erwerbszwecken hält oder

b) für die Ausübung einer Erwerbstätigkeit benötigt,

sowie das für diese Tiere erforderliche Futter und die erforderliche Streu.

(2) [1] Eine in Absatz 1 Nummer 1 Buchstabe a und b sowie Nummer 2 bezeichnete Sache oder ein in Absatz 1 Nummer 8 Buchstabe b bezeichnetes Tier kann abweichend von Absatz 1 gepfändet werden, wenn der Verkäufer wegen einer durch Eigentumsvorbehalt gesicherten Geldforderung aus dem Verkauf der Sache oder des Tieres vollstreckt. [2] Die Vereinbarung des Eigentumsvorbehaltes ist durch eine Urkunde nachzuweisen.

(3) Auf Antrag des Gläubigers lässt das Vollstreckungsgericht die Pfändung eines in Absatz 1 Nummer 8 Buchstabe a bezeichneten Tieres zu, wenn dieses einen hohen Wert hat und die Unpfändbarkeit für den Gläubiger eine Härte bedeuten würde, die auch unter Würdigung der Belange des Tierschutzes und der berechtigten Interessen des Schuldners nicht zu rechtfertigen ist.

(4) Sachen, die der Schuldner für eine Lebens- und Haushaltsführung benötigt, die nicht als bescheiden angesehen werden kann, sollen nicht gepfändet

werden, wenn offensichtlich ist, dass durch ihre Verwertung nur ein Erlös erzielt würde, der in keinem Verhältnis zum Anschaffungswert steht.

§ 811a[1)] **Austauschpfändung.** (1) Die Pfändung einer nach § 811 Absatz 1 Nummer 1 Buchstabe a und b und Nummer 2 unpfändbaren Sache kann zugelassen werden, wenn der Gläubiger dem Schuldner vor der Wegnahme der Sache ein Ersatzstück, das dem geschützten Verwendungszweck genügt, oder den zur Beschaffung eines solchen Ersatzstückes erforderlichen Geldbetrag überlässt; ist dem Gläubiger die rechtzeitige Ersatzbeschaffung nicht möglich oder nicht zuzumuten, so kann die Pfändung mit der Maßgabe zugelassen werden, dass dem Schuldner der zur Ersatzbeschaffung erforderliche Geldbetrag aus dem Vollstreckungserlös überlassen wird (Austauschpfändung).

(2) [1] Über die Zulässigkeit der Austauschpfändung entscheidet das Vollstreckungsgericht auf Antrag des Gläubigers durch Beschluss. [2] Das Gericht soll die Austauschpfändung nur zulassen, wenn sie nach Lage der Verhältnisse angemessen ist, insbesondere wenn zu erwarten ist, dass der Vollstreckungserlös den Wert des Ersatzstückes erheblich übersteigen werde. [3] Das Gericht setzt den Wert eines vom Gläubiger angebotenen Ersatzstückes oder den zur Ersatzbeschaffung erforderlichen Betrag fest. [4] Bei der Austauschpfändung nach Absatz 1 Halbsatz 1 ist der festgesetzte Betrag dem Gläubiger aus dem Vollstreckungserlös zu erstatten; er gehört zu den Kosten der Zwangsvollstreckung.

(3) Der dem Schuldner überlassene Geldbetrag ist unpfändbar.

(4) Bei der Austauschpfändung nach Absatz 1 Halbsatz 2 ist die Wegnahme der gepfändeten Sache erst nach Rechtskraft des Zulassungsbeschlusses zulässig.

§ 811b Vorläufige Austauschpfändung. (1) [1] Ohne vorgängige Entscheidung des Gerichts ist eine vorläufige Austauschpfändung zulässig, wenn eine Zulassung durch das Gericht zu erwarten ist. [2] Der Gerichtsvollzieher soll die Austauschpfändung nur vornehmen, wenn zu erwarten ist, dass der Vollstreckungserlös den Wert des Ersatzstückes erheblich übersteigen wird.

(2) Die Pfändung ist aufzuheben, wenn der Gläubiger nicht binnen einer Frist von zwei Wochen nach Benachrichtigung von der Pfändung einen Antrag nach § 811a Abs. 2 bei dem Vollstreckungsgericht gestellt hat oder wenn ein solcher Antrag rechtskräftig zurückgewiesen ist.

(3) Bei der Benachrichtigung ist dem Gläubiger unter Hinweis auf die Antragsfrist und die Folgen ihrer Versäumung mitzuteilen, dass die Pfändung als Austauschpfändung erfolgt ist.

(4) [1] Die Übergabe des Ersatzstückes oder des zu seiner Beschaffung erforderlichen Geldbetrages an den Schuldner und die Fortsetzung der Zwangsvollstreckung erfolgen erst nach Erlass des Beschlusses gemäß § 811a Abs. 2 auf Anweisung des Gläubigers. [2] § 811a Abs. 4 gilt entsprechend.

§ 811c[2)] **Vorwegpfändung.** (1) [1] Ist zu erwarten, dass eine Sache demnächst pfändbar wird, so kann sie gepfändet werden, ist aber im Gewahrsam des Schuldners zu belassen. [2] Die Vollstreckung darf erst fortgesetzt werden, wenn die Sache pfändbar geworden ist.

[1)] § 811a Abs. 1 geänd. mWv 1.1.2022 durch G v. 7.5.2021 (BGBl. I S. 850).
[2)] § 811c aufgeh., bish. § 811d wird § 811c mWv 1.1.2022 durch G v. 7.5.2021 (BGBl. I S. 850).

(2) Die Pfändung ist aufzuheben, wenn die Sache nicht binnen eines Jahres pfändbar geworden ist.

Untertitel 3. Zwangsvollstreckung in Forderungen und andere Vermögensrechte

§ 832 Pfändungsumfang bei fortlaufenden Bezügen. Das Pfandrecht, das durch die Pfändung einer Gehaltsforderung oder einer ähnlichen in fortlaufenden Bezügen bestehenden Forderung erworben wird, erstreckt sich auch auf die nach der Pfändung fällig werdenden Beträge.

§ 833 Pfändungsumfang bei Arbeits- und Diensteinkommen. (1) [1] Durch die Pfändung eines Diensteinkommens wird auch das Einkommen betroffen, das der Schuldner infolge der Versetzung in ein anderes Amt, der Übertragung eines neuen Amtes oder einer Gehaltserhöhung zu beziehen hat. [2] Diese Vorschrift ist auf den Fall der Änderung des Dienstherrn nicht anzuwenden.

(2) Endet das Arbeits- oder Dienstverhältnis und begründen Schuldner und Drittschuldner innerhalb von neun Monaten ein solches neu, so erstreckt sich die Pfändung auf die Forderung aus dem neuen Arbeits- oder Dienstverhältnis.

§ 850 Pfändungsschutz für Arbeitseinkommen. (1) Arbeitseinkommen, das in Geld zahlbar ist, kann nur nach Maßgabe der §§ 850a bis 850i gepfändet werden.

(2) Arbeitseinkommen im Sinne dieser Vorschrift sind die Dienst- und Versorgungsbezüge der Beamten, Arbeits- und Dienstlöhne, Ruhegelder und ähnliche nach dem einstweiligen oder dauernden Ausscheiden aus dem Dienst- oder Arbeitsverhältnis gewährte fortlaufende Einkünfte, ferner Hinterbliebenenbezüge sowie sonstige Vergütungen für Dienstleistungen aller Art, die die Erwerbstätigkeit des Schuldners vollständig oder zu einem wesentlichen Teil in Anspruch nehmen.

(3) Arbeitseinkommen sind auch die folgenden Bezüge, soweit sie in Geld zahlbar sind:

a) Bezüge, die ein Arbeitnehmer zum Ausgleich für Wettbewerbsbeschränkungen für die Zeit nach Beendigung seines Dienstverhältnisses beanspruchen kann;

b) Renten, die auf Grund von Versicherungsverträgen gewährt werden, wenn diese Verträge zur Versorgung des Versicherungsnehmers oder seiner unterhaltsberechtigten Angehörigen eingegangen sind.

(4) Die Pfändung des in Geld zahlbaren Arbeitseinkommens erfasst alle Vergütungen, die dem Schuldner aus der Arbeits- oder Dienstleistung zustehen, ohne Rücksicht auf ihre Benennung oder Berechnungsart.

§ 850a[1)] Unpfändbare Bezüge. Unpfändbar sind

1. zur Hälfte die für die Leistung von Mehrarbeitsstunden gezahlten Teile des Arbeitseinkommens;
2. die für die Dauer eines Urlaubs über das Arbeitseinkommen hinaus gewährten Bezüge, Zuwendungen aus Anlass eines besonderen Betriebsereignisses und Treugelder, soweit sie den Rahmen des Üblichen nicht übersteigen;

[1)] § 850a Nr. 5 geänd. mWv 26.11.2015 durch G v. 20.11.2015 (BGBl. I S. 2010); Nr. 4 neu gef. mWv 1.1.2022 durch G v. 7.5.2021 (BGBl. I S. 850).

3. Aufwandsentschädigungen, Auslösungsgelder und sonstige soziale Zulagen für auswärtige Beschäftigungen, das Entgelt für selbstgestelltes Arbeitsmaterial, Gefahrenzulagen sowie Schmutz- und Erschwerniszulagen, soweit diese Bezüge den Rahmen des Üblichen nicht übersteigen;
4. Weihnachtsvergütungen bis zu der Hälfte des Betrages, dessen Höhe sich nach Aufrundung des monatlichen Freibetrages nach § 850c Absatz 1 in Verbindung mit Absatz 4 auf den nächsten vollen 10-Euro-Betrag ergibt;
5. Geburtsbeihilfen sowie Beihilfen aus Anlass der Eingehung einer Ehe oder Begründung einer Lebenspartnerschaft, sofern die Vollstreckung wegen anderer als der aus Anlass der Geburt, der Eingehung einer Ehe oder der Begründung einer Lebenspartnerschaft entstandenen Ansprüche betrieben wird;
6. Erziehungsgelder, Studienbeihilfen und ähnliche Bezüge;
7. Sterbe- und Gnadenbezüge aus Arbeits- oder Dienstverhältnissen;
8. Blindenzulagen.

§ 850b[1] **Bedingt pfändbare Bezüge.** (1) Unpfändbar sind ferner

1. Renten, die wegen einer Verletzung des Körpers oder der Gesundheit zu entrichten sind;
2. Unterhaltsrenten, die auf gesetzlicher Vorschrift beruhen, sowie die wegen Entziehung einer solchen Forderung zu entrichtenden Renten;
3. fortlaufende Einkünfte, die ein Schuldner aus Stiftungen oder sonst auf Grund der Fürsorge und Freigebigkeit eines Dritten oder auf Grund eines Altenteils oder Auszugsvertrags bezieht;
4. Bezüge aus Witwen-, Waisen-, Hilfs- und Krankenkassen, die ausschließlich oder zu einem wesentlichen Teil zu Unterstützungszwecken gewährt werden, ferner Ansprüche aus Lebensversicherungen, die nur auf den Todesfall des Versicherungsnehmers abgeschlossen sind, wenn die Versicherungssumme 5400 Euro nicht übersteigt.

(2) Diese Bezüge können nach den für Arbeitseinkommen geltenden Vorschriften gepfändet werden, wenn die Vollstreckung in das sonstige bewegliche Vermögen des Schuldners zu einer vollständigen Befriedigung des Gläubigers nicht geführt hat oder voraussichtlich nicht führen wird und wenn nach den Umständen des Falles, insbesondere nach der Art des beizutreibenden Anspruchs und der Höhe der Bezüge, die Pfändung der Billigkeit entspricht.

(3) Das Vollstreckungsgericht soll vor seiner Entscheidung die Beteiligten hören.

§ 850c[2] **Pfändungsgrenzen für Arbeitseinkommen.** (1) Arbeitseinkommen ist unpfändbar, wenn es, je nach dem Zeitraum, für den es gezahlt wird, nicht mehr als

1. *1178,59 Euro* monatlich,
2. *271,24 Euro* wöchentlich oder
3. *54,25 Euro* täglich

---

[1] § 850b Abs. 1 Nr. 4 geänd. mWv 1.1.2022 durch G v. 7.5.2021 (BGBl. I S. 850).

[2] § 850c Abs. 2a Satz 2 geänd. mWv 8.9.2015 durch VO v. 31.8.2015 (BGBl. I S. 1474); Abs. 1–3 neu gef., Abs. 4 und 5 eingef., bish. Abs. 4 wird Abs. 6 und geänd. mWv 8.5.2021 durch G v. 22.11. 2020 (BGBl. I S. 2466, geänd. durch G v. 7.5.2021, BGBl. I S. 850).

beträgt.[1)]

(2) [1] Gewährt der Schuldner auf Grund einer gesetzlichen Verpflichtung seinem Ehegatten, einem früheren Ehegatten, seinem Lebenspartner, einem früheren Lebenspartner, einem Verwandten oder nach den §§ 1615l und 1615n des Bürgerlichen Gesetzbuchs[2)] einem Elternteil Unterhalt, so erhöht sich der Betrag nach Absatz 1 für die erste Person, der Unterhalt gewährt wird, und zwar um

1. *443,57 Euro* monatlich,
2. *102,08 Euro* wöchentlich oder
3. *20,42 Euro* täglich.

[2] Für die zweite bis fünfte Person, der Unterhalt gewährt wird, erhöht sich der Betrag nach Absatz 1 um je

1. *247,12 Euro* monatlich,
2. *56,87 Euro* wöchentlich oder
3. *11,37 Euro* täglich.[1)]

(3) [1] Übersteigt das Arbeitseinkommen den Betrag nach Absatz 1, so ist es hinsichtlich des überschießenden Teils in Höhe von drei Zehnteln unpfändbar. [2] Gewährt der Schuldner nach Absatz 2 Unterhalt, so sind für die erste Person weitere zwei Zehntel und für die zweite bis fünfte Person jeweils ein weiteres Zehntel unpfändbar. [3] Der Teil des Arbeitseinkommens, der

1. *3613,08 Euro* monatlich,
2. *831,50 Euro* wöchentlich oder
3. *166,30 Euro* täglich[3)]

übersteigt, bleibt bei der Berechnung des unpfändbaren Betrages unberücksichtigt.

(4) [1] Das Bundesministerium der Justiz und für Verbraucherschutz macht im Bundesgesetzblatt Folgendes bekannt (Pfändungsfreigrenzenbekanntmachung)[4)]:

1. die Höhe des unpfändbaren Arbeitseinkommens nach Absatz 1,
2. die Höhe der Erhöhungsbeträge nach Absatz 2,

[1)] Ab 1.7.2026 geltende Beträge gem. Abs. 4 Satz 1 iVm der Pfändungsfreigrenzenbek. 2026 v. 19.3.2026 (BGBl. 2026 I Nr. 80), auszugsweise wiedergegeben als nichtamtlicher Anhang zur ZPO):

unpfändbar gem. Abs. 1:	Erhöhungsbetrag für die 1. Person gem. Abs. 2 Satz 1:	Erhöhungsbetrag für die 2.–5. Person gem. Abs. 2 Satz 2:	
1 587,40 Euro	597,42 Euro	332,83 Euro	monatlich
365,33 Euro	137,50 Euro	76,60 Euro	wöchentlich
73,06 Euro	27,50 Euro	15,32 Euro	täglich

[2)] **beck-online, Module Arbeitsrecht Nr. 50.**

[3)] Ab 1.7.2026: **4866,30 Euro** monatlich, **1119,90 Euro** wöchentlich, **223,99 Euro** täglich gem. Abs. 4 Satz 1 iVm der Pfändungsfreigrenzenbek. 2026 v. 19.3.2026 (BGBl. 2026 I Nr. 80), auszugsweise wiedergegeben als nichtamtlicher Anhang zur ZPO).

[4)] Siehe die Pfändungsfreigrenzenbek. 2026 v. 19.3.2026 (BGBl. 2026 I Nr. 80), auszugsweise wiedergegeben als nichtamtlicher Anhang zur ZPO.

3. die Höhe der in Absatz 3 Satz 3 genannten Höchstbeträge.

[2] Die Beträge werden jeweils zum 1. Juli eines Jahres entsprechend der im Vergleich zum jeweiligen Vorjahreszeitraum sich ergebenden prozentualen Entwicklung des Grundfreibetrages nach § 32a Absatz 1 Satz 2 Nummer 1 des Einkommensteuergesetzes[1)] angepasst; der Berechnung ist die am 1. Januar des jeweiligen Jahres geltende Fassung des § 32a Absatz 1 Satz 2 Nummer 1 des Einkommensteuergesetzes zugrunde zu legen.

(5) [1] Um den nach Absatz 3 pfändbaren Teil des Arbeitseinkommens zu berechnen, ist das Arbeitseinkommen, gegebenenfalls nach Abzug des nach Absatz 3 Satz 3 pfändbaren Betrages, auf eine Zahl abzurunden, die bei einer Auszahlung für

1. Monate bei einer Teilung durch 10 eine natürliche Zahl ergibt,
2. Wochen bei einer Teilung durch 2,5 eine natürliche Zahl ergibt,
3. Tage bei einer Teilung durch 0,5 eine natürliche Zahl ergibt.

[2] Die sich aus der Berechnung nach Satz 1 ergebenden Beträge sind in der Pfändungsfreigrenzenbekanntmachung als Tabelle enthalten. [3] Im Pfändungsbeschluss genügt die Bezugnahme auf die Tabelle.

(6) Hat eine Person, welcher der Schuldner auf Grund gesetzlicher Verpflichtung Unterhalt gewährt, eigene Einkünfte, so kann das Vollstreckungsgericht auf Antrag des Gläubigers nach billigem Ermessen bestimmen, dass diese Person bei der Berechnung des unpfändbaren Teils des Arbeitseinkommens ganz oder teilweise unberücksichtigt bleibt; soll die Person nur teilweise berücksichtigt werden, so ist Absatz 5 Satz 3 nicht anzuwenden.

§ 850d[2)] Pfändbarkeit bei Unterhaltsansprüchen. (1) [1] Wegen der Unterhaltsansprüche, die kraft Gesetzes einem Verwandten, dem Ehegatten, einem früheren Ehegatten, dem Lebenspartner, einem früheren Lebenspartner oder nach §§ 1615l, 1615n des Bürgerlichen Gesetzbuchs[3)] einem Elternteil zustehen, sind das Arbeitseinkommen und die in § 850a Nr. 1, 2 und 4 genannten Bezüge ohne die in § 850c bezeichneten Beschränkungen pfändbar. [2] Dem Schuldner ist jedoch so viel zu belassen, als er für seinen notwendigen Unterhalt und zur Erfüllung seiner laufenden gesetzlichen Unterhaltspflichten gegenüber den dem Gläubiger vorgehenden Berechtigten oder zur gleichmäßigen Befriedigung der dem Gläubiger gleichstehenden Berechtigten bedarf; von den in § 850a Nr. 1, 2 und 4 genannten Bezügen hat ihm mindestens die Hälfte des nach § 850a unpfändbaren Betrages zu verbleiben. [3] Der dem Schuldner hiernach verbleibende Teil seines Arbeitseinkommens darf den Betrag nicht übersteigen, der ihm nach den Vorschriften des § 850c gegenüber nicht bevorrechtigten Gläubigern zu verbleiben hätte. [4] Für die Pfändung wegen der Rückstände, die länger als ein Jahr vor dem Antrag auf Erlass des Pfändungsbeschlusses fällig geworden sind, gelten die Vorschriften dieses Absatzes insoweit nicht, als nach Lage der Verhältnisse nicht anzunehmen ist, dass der Schuldner sich seiner Zahlungspflicht absichtlich entzogen hat.

(2) Mehrere nach Absatz 1 Berechtigte sind mit ihren Ansprüchen in der Reihenfolge nach § 1609 des Bürgerlichen Gesetzbuchs[3)] und § 16 des Lebens-

---

[1)] **beck-online, Module Arbeitsrecht Nr. 331.**
[2)] § 850d Abs. 2 neu gef. mWv 1.1.2008 durch G v. 21.12.2007 (BGBl. I S. 3189).
[3)] **beck-online, Module Arbeitsrecht Nr. 50.**

partnerschaftsgesetzes[1] zu berücksichtigen, wobei mehrere gleich nahe Berechtigte untereinander den gleichen Rang haben.

(3) Bei der Vollstreckung wegen der in Absatz 1 bezeichneten Ansprüche sowie wegen der aus Anlass einer Verletzung des Körpers oder der Gesundheit zu zahlenden Renten kann zugleich mit der Pfändung wegen fälliger Ansprüche auch künftig fällig werdendes Arbeitseinkommen wegen der dann jeweils fällig werdenden Ansprüche gepfändet und überwiesen werden.

§ 850e Berechnung des pfändbaren Arbeitseinkommens. Für die Berechnung des pfändbaren Arbeitseinkommens gilt Folgendes:

1. [1] Nicht mitzurechnen sind die nach § 850a der Pfändung entzogenen Bezüge, ferner Beträge, die unmittelbar auf Grund steuerrechtlicher oder sozialrechtlicher Vorschriften zur Erfüllung gesetzlicher Verpflichtungen des Schuldners abzuführen sind. [2] Diesen Beträgen stehen gleich die auf den Auszahlungszeitraum entfallenden Beträge, die der Schuldner
   a) nach den Vorschriften der Sozialversicherungsgesetze zur Weiterversicherung entrichtet oder
   b) an eine Ersatzkasse oder an ein Unternehmen der privaten Krankenversicherung leistet, soweit sie den Rahmen des Üblichen nicht übersteigen.
2. [1] Mehrere Arbeitseinkommen sind auf Antrag vom Vollstreckungsgericht bei der Pfändung zusammenzurechnen. [2] Der unpfändbare Grundbetrag ist in erster Linie dem Arbeitseinkommen zu entnehmen, das die wesentliche Grundlage der Lebenshaltung des Schuldners bildet.

2a. [1] Mit Arbeitseinkommen sind auf Antrag auch Ansprüche auf laufende Geldleistungen nach dem Sozialgesetzbuch zusammenzurechnen, soweit diese der Pfändung unterworfen sind. [2] Der unpfändbare Grundbetrag ist, soweit die Pfändung nicht wegen gesetzlicher Unterhaltsansprüche erfolgt, in erster Linie den laufenden Geldleistungen nach dem Sozialgesetzbuch zu entnehmen. [3] Ansprüche auf Geldleistungen für Kinder dürfen mit Arbeitseinkommen nur zusammengerechnet werden, soweit sie nach § 76 des Einkommensteuergesetzes[2] oder nach § 54 Abs. 5 des Ersten Buches Sozialgesetzbuch[3] gepfändet werden können.

3. [1] Erhält der Schuldner neben seinem in Geld zahlbaren Einkommen auch Naturalleistungen, so sind Geld- und Naturalleistungen zusammenzurechnen. [2] In diesem Fall ist der in Geld zahlbare Betrag insoweit pfändbar, als der nach § 850c unpfändbare Teil des Gesamteinkommens durch den Wert der dem Schuldner verbleibenden Naturalleistungen gedeckt ist.
4. [1] Trifft eine Pfändung, eine Abtretung oder eine sonstige Verfügung wegen eines der in § 850d bezeichneten Ansprüche mit einer Pfändung wegen eines sonstigen Anspruchs zusammen, so sind auf die Unterhaltsansprüche zunächst die gemäß § 850d der Pfändung in erweitertem Umfang unterliegenden Teile des Arbeitseinkommens zu verrechnen. [2] Die Verrechnung nimmt auf Antrag eines Beteiligten das Vollstreckungsgericht vor. [3] Der Drittschuldner kann, solange ihm eine Entscheidung des Vollstreckungsgerichts nicht zugestellt ist, nach dem Inhalt der ihm bekannten Pfändungs-

[1] **Habersack ErgBd. Nr. 43.**
[2] **beck-online, Module Arbeitsrecht Nr. 331.**
[3] Nr. **691**.

beschlüsse, Abtretungen und sonstigen Verfügungen mit befreiender Wirkung leisten.

§ 850f[1)] Änderung des unpfändbaren Betrages. (1) Das Vollstreckungsgericht kann dem Schuldner auf Antrag von dem nach den Bestimmungen der §§ 850c, 850d und 850i pfändbaren Teil seines Arbeitseinkommens einen Teil belassen, wenn

1. der Schuldner nachweist, dass bei Anwendung der Pfändungsfreigrenzen entsprechend § 850c der notwendige Lebensunterhalt im Sinne des Dritten und Vierten Kapitels des Zwölften Buches Sozialgesetzbuch[2)] oder nach Kapitel 3 Abschnitt 2 des Zweiten Buches Sozialgesetzbuch[3)] für sich und für die Personen, denen er gesetzlich zum Unterhalt verpflichtet ist, nicht gedeckt ist,
2. besondere Bedürfnisse des Schuldners aus persönlichen oder beruflichen Gründen oder
3. der besondere Umfang der gesetzlichen Unterhaltspflichten des Schuldners, insbesondere die Zahl der Unterhaltsberechtigten, dies erfordern

und überwiegende Belange des Gläubigers nicht entgegenstehen.

(2) Wird die Zwangsvollstreckung wegen einer Forderung aus einer vorsätzlich begangenen unerlaubten Handlung betrieben, so kann das Vollstreckungsgericht auf Antrag des Gläubigers den pfändbaren Teil des Arbeitseinkommens ohne Rücksicht auf die in § 850c vorgesehenen Beschränkungen bestimmen; dem Schuldner ist jedoch so viel zu belassen, wie er für seinen notwendigen Unterhalt und zur Erfüllung seiner laufenden gesetzlichen Unterhaltspflichten bedarf.

§ 850g Änderung der Unpfändbarkeitsvoraussetzungen. [1]Ändern sich die Voraussetzungen für die Bemessung des unpfändbaren Teils des Arbeitseinkommens, so hat das Vollstreckungsgericht auf Antrag des Schuldners oder des Gläubigers den Pfändungsbeschluss entsprechend zu ändern. [2]Antragsberechtigt ist auch ein Dritter, dem der Schuldner kraft Gesetzes Unterhalt zu gewähren hat. [3]Der Drittschuldner kann nach dem Inhalt des früheren Pfändungsbeschlusses mit befreiender Wirkung leisten, bis ihm der Änderungsbeschluss zugestellt wird.

§ 850h Verschleiertes Arbeitseinkommen. (1) [1]Hat sich der Empfänger der vom Schuldner geleisteten Arbeiten oder Dienste verpflichtet, Leistungen an einen Dritten zu bewirken, die nach Lage der Verhältnisse ganz oder teilweise eine Vergütung für die Leistung des Schuldners darstellen, so kann der Anspruch des Drittberechtigten insoweit auf Grund des Schuldtitels gegen den Schuldner gepfändet werden, wie wenn der Anspruch dem Schuldner zustände. [2]Die Pfändung des Vergütungsanspruchs des Schuldners umfasst ohne wei-

---

[1)] § 850f Abs. 3 Satz 4 angef. mWv 1.8.2009 durch G v. 29.7.2009 (BGBl. I S. 2258); Abs. 3 Satz 4 geänd. mWv 8.9.2015 durch VO v. 31.8.2015 (BGBl. I S. 1474); Abs. 1 Buchst. a geänd. mWv 26.11.2016 durch G v. 21.11.2016 (BGBl. I S. 2591); Abs. 1 Buchst. a wird Nr. 1 und neu gef., Buchst. b und c werden Nr. 2 und 3, Abs. 3 aufgeh. mWv 8.5.2021 durch G v. 22.11.2020 (BGBl. I S. 2466, geänd. durch G v. 7.5.2021, BGBl. I S. 850).

[2)] **Aichberger, SGB Nr. 12.**

[3)] Nr. **692**.

teres den Anspruch des Drittberechtigten. [3] Der Pfändungsbeschluss ist dem Drittberechtigten ebenso wie dem Schuldner zuzustellen.

(2) [1] Leistet der Schuldner einem Dritten in einem ständigen Verhältnis Arbeiten oder Dienste, die nach Art und Umfang üblicherweise vergütet werden, unentgeltlich oder gegen eine unverhältnismäßig geringe Vergütung, so gilt im Verhältnis des Gläubigers zu dem Empfänger der Arbeits- und Dienstleistungen eine angemessene Vergütung als geschuldet. [2] Bei der Prüfung, ob diese Voraussetzungen vorliegen, sowie bei der Bemessung der Vergütung ist auf alle Umstände des Einzelfalles, insbesondere die Art der Arbeits- und Dienstleistung, die verwandtschaftlichen oder sonstigen Beziehungen zwischen dem Dienstberechtigten und dem Dienstverpflichteten und die wirtschaftliche Leistungsfähigkeit des Dienstberechtigten Rücksicht zu nehmen.

§ 850i[1)] Pfändungsschutz für sonstige Einkünfte. (1) [1] Werden nicht wiederkehrend zahlbare Vergütungen für persönlich geleistete Arbeiten oder Dienste oder sonstige Einkünfte, die kein Arbeitseinkommen sind, gepfändet, so hat das Gericht dem Schuldner auf Antrag während eines angemessenen Zeitraums so viel zu belassen, als ihm nach freier Schätzung des Gerichts verbleiben würde, wenn sein Einkommen aus laufendem Arbeits- oder Dienstlohn bestünde. [2] Bei der Entscheidung sind die wirtschaftlichen Verhältnisse des Schuldners, insbesondere seine sonstigen Verdienstmöglichkeiten, frei zu würdigen. [3] Der Antrag des Schuldners ist insoweit abzulehnen, als überwiegende Belange des Gläubigers entgegenstehen.

(2) Die Vorschriften des § 27 des Heimarbeitsgesetzes vom 14. März 1951 (BGBl. I S. 191) bleiben unberührt.

(3) Die Bestimmungen der Versicherungs-, Versorgungs- und sonstigen gesetzlichen Vorschriften über die Pfändung von Ansprüchen bestimmter Art bleiben unberührt.

§ 850k[2)] Einrichtung und Beendigung des Pfändungsschutzkontos.

(1) [1] Eine natürliche Person kann jederzeit von dem Kreditinstitut verlangen, dass ein von ihr dort geführtes Zahlungskonto als Pfändungsschutzkonto geführt wird. [2] Satz 1 gilt auch, wenn das Zahlungskonto zum Zeitpunkt des Verlangens einen negativen Saldo aufweist. [3] Ein Pfändungsschutzkonto darf jedoch ausschließlich auf Guthabenbasis geführt werden.

(2) [1] Ist Guthaben auf dem Zahlungskonto bereits gepfändet worden, kann der Schuldner die Führung dieses Kontos als Pfändungsschutzkonto zum Beginn des vierten auf sein Verlangen folgenden Geschäftstages fordern. [2] Das Vertragsverhältnis zwischen dem Kontoinhaber und dem Kreditinstitut bleibt im Übrigen unberührt.

(3) [1] Jede Person darf nur ein Pfändungsschutzkonto unterhalten. [2] Bei dem Verlangen nach Absatz 1 hat der Kunde gegenüber dem Kreditinstitut zu versichern, dass er kein weiteres Pfändungsschutzkonto unterhält.

(4) [1] Unterhält ein Schuldner entgegen Absatz 3 Satz 1 mehrere Zahlungskonten als Pfändungsschutzkonten, ordnet das Vollstreckungsgericht auf Antrag des Gläubigers an, dass nur das von dem Gläubiger in seinem Antrag bezeich-

---

1) § 850i Überschrift und Abs. 1 neu gef., Abs. 2 aufgeh., bish. Abs. 3 und 4 werden Abs. 2 und 3 mWv 1.7.2010 durch G v. 7.7.2009 (BGBl. I S. 1707).

2) § 850k neu gef. mWv 1.12.2021 durch G v. 22.11.2020 (BGBl. I S. 2466).

nete Zahlungskonto dem Schuldner als Pfändungsschutzkonto verbleibt. [2]Der Gläubiger hat den Umstand, dass ein Schuldner entgegen Satz 1 mehrere Zahlungskonten als Pfändungsschutzkonten unterhält, durch Vorlage entsprechender Erklärungen der Drittschuldner glaubhaft zu machen. [3]Eine Anhörung des Schuldners durch das Vollstreckungsgericht unterbleibt. [4]Die Anordnung nach Satz 1 ist allen Drittschuldnern zuzustellen. [5]Mit der Zustellung der Anordnung an diejenigen Kreditinstitute, deren Zahlungskonten nicht zum Pfändungsschutzkonto bestimmt sind, entfallen die Wirkungen dieser Pfändungsschutzkonten.

(5) [1]Der Kontoinhaber kann mit einer Frist von mindestens vier Geschäftstagen zum Monatsende von dem Kreditinstitut verlangen, dass das dort geführte Pfändungsschutzkonto als Zahlungskonto ohne Pfändungsschutz geführt wird. [2]Absatz 2 Satz 2 gilt entsprechend.

§ 850l[1)] Pfändung des Gemeinschaftskontos. (1) [1]Unterhält der Schuldner, der eine natürliche Person ist, mit einer anderen natürlichen oder mit einer juristischen Person oder mit einer Mehrheit von Personen ein Gemeinschaftskonto und wird Guthaben auf diesem Konto gepfändet, so darf das Kreditinstitut erst nach Ablauf von einem Monat nach Zustellung des Überweisungsbeschlusses aus dem Guthaben an den Gläubiger leisten oder den Betrag hinterlegen. [2]Satz 1 gilt auch für künftiges Guthaben.

(2) [1]Ist der Schuldner eine natürliche Person, kann er innerhalb des Zeitraums nach Absatz 1 Satz 1 von dem Kreditinstitut verlangen, bestehendes oder künftiges Guthaben von dem Gemeinschaftskonto auf ein bei dem Kreditinstitut allein auf seinen Namen lautendes Zahlungskonto zu übertragen. [2]Wird Guthaben nach Satz 1 übertragen und verlangt der Schuldner innerhalb des Zeitraums nach Absatz 1 Satz 1, dass das Zahlungskonto als Pfändungsschutzkonto geführt wird, so gelten für die Einrichtung des Pfändungsschutzkontos § 850k und für das übertragene Guthaben die Regelungen des Buches 8 Abschnitt 4. [3]Für die Übertragung nach Satz 1 ist eine Mitwirkung anderer Kontoinhaber oder des Gläubigers nicht erforderlich. [4]Der Übertragungsbetrag beläuft sich auf den Kopfteil des Schuldners an dem Guthaben. [5]Sämtliche Kontoinhaber und der Gläubiger können sich auf eine von Satz 4 abweichende Aufteilung des Übertragungsbetrages einigen; die Vereinbarung ist dem Kreditinstitut in Textform mitzuteilen.

(3) Absatz 2 Satz 1 und 3 bis 5 ist auf natürliche Personen, mit denen der Schuldner das Gemeinschaftskonto unterhält, entsprechend anzuwenden.

(4) Die Wirkungen von Pfändung und Überweisung von Guthaben auf dem Gemeinschaftskonto setzen sich an dem nach Absatz 2 Satz 1 auf ein Einzelkonto des Schuldners übertragenen Guthaben fort; sie setzen sich nicht an dem Guthaben fort, das nach Absatz 3 übertragen wird.

§ 851 Nicht übertragbare Forderungen. (1) Eine Forderung ist in Ermangelung besonderer Vorschriften der Pfändung nur insoweit unterworfen, als sie übertragbar ist.

[1)] § 850l neu gef. mWv 1.12.2021 durch G v. 22.11.2020 (BGBl. I S. 2466); Abs. 2 Satz 2 geänd. mWv 1.12.2021 durch G v. 7.5.2021 (BGBl. I S. 850).

(2) Eine nach § 399 des Bürgerlichen Gesetzbuchs[1] nicht übertragbare Forderung kann insoweit gepfändet und zur Einziehung überwiesen werden, als der geschuldete Gegenstand der Pfändung unterworfen ist.

§ 851a Pfändungsschutz für Landwirte. (1) Die Pfändung von Forderungen, die einem die Landwirtschaft betreibenden Schuldner aus dem Verkauf von landwirtschaftlichen Erzeugnissen zustehen, ist auf seinen Antrag vom Vollstreckungsgericht insoweit aufzuheben, als die Einkünfte zum Unterhalt des Schuldners, seiner Familie und seiner Arbeitnehmer oder zur Aufrechterhaltung einer geordneten Wirtschaftsführung unentbehrlich sind.

(2) Die Pfändung soll unterbleiben, wenn offenkundig ist, dass die Voraussetzungen für die Aufhebung der Zwangsvollstreckung nach Absatz 1 vorliegen.

§ 851c[2] Pfändungsschutz bei Altersrenten. (1) Ansprüche auf Leistungen, die auf Grund von Verträgen gewährt werden, dürfen nur wie Arbeitseinkommen gepfändet werden, wenn

1. die Leistung in regelmäßigen Zeitabständen lebenslang und nicht vor Vollendung des 60. Lebensjahres oder nur bei Eintritt der Berufsunfähigkeit gewährt wird,
2. über die Ansprüche aus dem Vertrag nicht verfügt werden darf,
3. die Bestimmung von Dritten mit Ausnahme von Hinterbliebenen als Berechtigte ausgeschlossen ist und
4. die Zahlung einer Kapitalleistung, ausgenommen eine Zahlung für den Todesfall, nicht vereinbart wurde.

(2) [1] Beträge, die der Schuldner anspart, um in Erfüllung eines Vertrages nach Absatz 1 eine angemessene Alterssicherung aufzubauen, unterliegen nicht der Pfändung, soweit sie

1. jährlich nicht mehr betragen als
   a) 6 000 Euro bei einem Schuldner vom 18. bis zum vollendeten 27. Lebensjahr und
   b) 7 000 Euro bei einem Schuldner vom 28. bis zum vollendeten 67. Lebensjahr und
2. einen Gesamtbetrag von 340 000 Euro nicht übersteigen.

[2] Die in Satz 1 genannten Beträge werden jeweils zum 1. Juli eines jeden fünften Jahres entsprechend der Entwicklung auf dem Kapitalmarkt, des Sterblichkeitsrisikos und der Höhe der Pfändungsfreigrenze angepasst und die angepassten Beträge vom Bundesministerium der Justiz und für Verbraucherschutz in der Pfändungsfreigrenzenbekanntmachung im Sinne des § 850c Absatz 4 Satz 1 bekannt gemacht. [3] Übersteigt der Rückkaufwert der Alterssicherung den unpfändbaren Betrag, sind drei Zehntel des überschießenden Betrags unpfändbar. [4] Satz 3 gilt nicht für den Teil des Rückkaufwerts, der den dreifachen Wert des in Satz 1 Nummer 2 genannten Betrags übersteigt.

(3) § 850e Nr. 2 und 2a gilt entsprechend.

---

[1] **beck-online, Module Arbeitsrecht Nr. 50.**

[2] § 851c eingef. mWv 31.3.2007 durch G v. 26.3.2007 (BGBl. I S. 368); Abs. 2 Sätze 1 und 2 geänd. mWv 1.1.2013 durch G v. 5.12.2012 (BGBl. I S. 2418); Abs. 2 Sätze 1, 2 neu gef., Satz 4 geänd. mWv 1.1.2022 durch G v. 7.5.2021 (BGBl. I S. 850).

§ 851d[1] **Pfändungsschutz bei steuerlich gefördertem Altersvorsorgevermögen.** Monatliche Leistungen in Form einer lebenslangen Rente oder monatlicher Ratenzahlungen im Rahmen eines Auszahlungsplans nach § 1 Abs. 1 Satz 1 Nr. 4 des Altersvorsorgeverträge-Zertifizierungsgesetzes[2] aus steuerlich gefördertem Altersvorsorgevermögen sind wie Arbeitseinkommen pfändbar.

(Fortsetzung nächstes Blatt)

[1] § 851d eingef. mWv 31.3.2007 durch G v. 26.3.2007 (BGBl. I S. 368).
[2] **Aichberger, SGB Nr. 6/80.**

Nichtamtlicher Anhang[1)]
(zu § 850c)

[Pfändungsfreibeträge ab 1.7.2026]

Auszahlung für Monate

Euro	Pfändbarer Betrag bei Unterhaltspflicht für … Personen					
Nettolohn monatlich	0	1	2	3	4	5 und mehr
bis 1 589,99	–	–	–	–	–	–
1 590,00 bis 1 599,99	1,82	–	–	–	–	–
1 600,00 bis 1 609,99	8,82	–	–	–	–	–
1 610,00 bis 1 619,99	15,82	–	–	–	–	–
1 620,00 bis 1 629,99	22,82	–	–	–	–	–
1 630,00 bis 1 639,99	29,82	–	–	–	–	–
1 640,00 bis 1 649,99	36,82	–	–	–	–	–
1 650,00 bis 1 659,99	43,82	–	–	–	–	–
1 660,00 bis 1 669,99	50,82	–	–	–	–	–
1 670,00 bis 1 679,99	57,82	–	–	–	–	–
1 680,00 bis 1 689,99	64,82	–	–	–	–	–
1 690,00 bis 1 699,99	71,82	–	–	–	–	–
1 700,00 bis 1 709,99	78,82	–	–	–	–	–
1 710,00 bis 1 719,99	85,82	–	–	–	–	–
1 720,00 bis 1 729,99	92,82	–	–	–	–	–
1 730,00 bis 1 739,99	99,82	–	–	–	–	–
1 740,00 bis 1 749,99	106,82	–	–	–	–	–
1 750,00 bis 1 759,99	113,82	–	–	–	–	–
1 760,00 bis 1 769,99	120,82	–	–	–	–	–
1 770,00 bis 1 779,99	127,82	–	–	–	–	–
1 780,00 bis 1 789,99	134,82	–	–	–	–	–
1 790,00 bis 1 799,99	141,82	–	–	–	–	–
1 800,00 bis 1 809,99	148,82	–	–	–	–	–
1 810,00 bis 1 819,99	155,82	–	–	–	–	–
1 820,00 bis 1 829,99	162,82	–	–	–	–	–
1 830,00 bis 1 839,99	169,82	–	–	–	–	–
1 840,00 bis 1 849,99	176,82	–	–	–	–	–
1 850,00 bis 1 859,99	183,82	–	–	–	–	–
1 860,00 bis 1 869,99	190,82	–	–	–	–	–
1 870,00 bis 1 879,99	197,82	–	–	–	–	–
1 880,00 bis 1 889,99	204,82	–	–	–	–	–
1 890,00 bis 1 899,99	211,82	–	–	–	–	–
1 900,00 bis 1 909,99	218,82	–	–	–	–	–
1 910,00 bis 1 919,99	225,82	–	–	–	–	–
1 920,00 bis 1 929,99	232,82	–	–	–	–	–
1 930,00 bis 1 939,99	239,82	–	–	–	–	–
1 940,00 bis 1 949,99	246,82	–	–	–	–	–
1 950,00 bis 1 959,99	253,82	–	–	–	–	–
1 960,00 bis 1 969,99	260,82	–	–	–	–	–
1 970,00 bis 1 979,99	267,82	–	–	–	–	–

[1)] Pfändungsfreibeträge in der **ab 1.7.2026** geltenden Fassung gem. dem Anhang der Pfändungsfreigrenzenbek. 2026 v. 19.3.2026 (BGBl. 2026 I Nr. 80).

Euro	Pfändbarer Betrag bei Unterhaltspflicht für … Personen					
Nettolohn monatlich	0	1	2	3	4	5 und mehr
1 980,00 bis 1 989,99	274,82	–	–	–	–	–
1 990,00 bis 1 999,99	281,82	–	–	–	–	–
2 000,00 bis 2 009,99	288,82	–	–	–	–	–
2 010,00 bis 2 019,99	295,82	–	–	–	–	–
2 020,00 bis 2 029,99	302,82	–	–	–	–	–
2 030,00 bis 2 039,99	309,82	–	–	–	–	–
2 040,00 bis 2 049,99	316,82	–	–	–	–	–
2 050,00 bis 2 059,99	323,82	–	–	–	–	–
2 060,00 bis 2 069,99	330,82	–	–	–	–	–
2 070,00 bis 2 079,99	337,82	–	–	–	–	–
2 080,00 bis 2 089,99	344,82	–	–	–	–	–
2 090,00 bis 2 099,99	351,82	–	–	–	–	–
2 100,00 bis 2 109,99	358,82	–	–	–	–	–
2 110,00 bis 2 119,99	365,82	–	–	–	–	–
2 120,00 bis 2 129,99	372,82	–	–	–	–	–
2 130,00 bis 2 139,99	379,82	–	–	–	–	–
2 140,00 bis 2 149,99	386,82	–	–	–	–	–
2 150,00 bis 2 159,99	393,82	–	–	–	–	–
2 160,00 bis 2 169,99	400,82	–	–	–	–	–
2 170,00 bis 2 179,99	407,82	–	–	–	–	–
2 180,00 bis 2 189,99	414,82	–	–	–	–	–
2 190,00 bis 2 199,99	421,82	2,59	–	–	–	–
2 200,00 bis 2 209,99	428,82	7,59	–	–	–	–
2 210,00 bis 2 219,99	435,82	12,59	–	–	–	–
2 220,00 bis 2 229,99	442,82	17,59	–	–	–	–
2 230,00 bis 2 239,99	449,82	22,59	–	–	–	–
2 240,00 bis 2 249,99	456,82	27,59	–	–	–	–
2 250,00 bis 2 259,99	463,82	32,59	–	–	–	–
2 260,00 bis 2 269,99	470,82	37,59	–	–	–	–
2 270,00 bis 2 279,99	477,82	42,59	–	–	–	–
2 280,00 bis 2 289,99	484,82	47,59	–	–	–	–
2 290,00 bis 2 299,99	491,82	52,59	–	–	–	–
2 300,00 bis 2 309,99	498,82	57,59	–	–	–	–
2 310,00 bis 2 319,99	505,82	62,59	–	–	–	–
2 320,00 bis 2 329,99	512,82	67,59	–	–	–	–
2 330,00 bis 2 339,99	519,82	72,59	–	–	–	–
2 340,00 bis 2 349,99	526,82	77,59	–	–	–	–
2 350,00 bis 2 359,99	533,82	82,59	–	–	–	–
2 360,00 bis 2 369,99	540,82	87,59	–	–	–	–
2 370,00 bis 2 379,99	547,82	92,59	–	–	–	–
2 380,00 bis 2 389,99	554,82	97,59	–	–	–	–
2 390,00 bis 2 399,99	561,82	102,59	–	–	–	–
2 400,00 bis 2 409,99	568,82	107,59	–	–	–	–
2 410,00 bis 2 419,99	575,82	112,59	–	–	–	–
2 420,00 bis 2 429,99	582,82	117,59	–	–	–	–
2 430,00 bis 2 439,99	589,82	122,59	–	–	–	–
2 440,00 bis 2 449,99	596,82	127,59	–	–	–	–
2 450,00 bis 2 459,99	603,82	132,59	–	–	–	–

Euro	Pfändbarer Betrag bei Unterhaltspflicht für … Personen					
Nettolohn monatlich	0	1	2	3	4	5 und mehr
2 460,00 bis 2 469,99	610,82	137,59	–	–	–	–
2 470,00 bis 2 479,99	617,82	142,59	–	–	–	–
2 480,00 bis 2 489,99	624,82	147,59	–	–	–	–
2 490,00 bis 2 499,99	631,82	152,59	–	–	–	–
2 500,00 bis 2 509,99	638,82	157,59	–	–	–	–
2 510,00 bis 2 519,99	645,82	162,59	–	–	–	–
2 520,00 bis 2 529,99	652,82	167,59	0,94	–	–	–
2 530,00 bis 2 539,99	659,82	172,59	4,94	–	–	–
2 540,00 bis 2 549,99	666,82	177,59	8,94	–	–	–
2 550,00 bis 2 559,99	673,82	182,59	12,94	–	–	–
2 560,00 bis 2 569,99	680,82	187,59	16,94	–	–	–
2 570,00 bis 2 579,99	687,82	192,59	20,94	–	–	–
2 580,00 bis 2 589,99	694,82	197,59	24,94	–	–	–
2 590,00 bis 2 599,99	701,82	202,59	28,94	–	–	–
2 600,00 bis 2 609,99	708,82	207,59	32,94	–	–	–
2 610,00 bis 2 619,99	715,82	212,59	36,94	–	–	–
2 620,00 bis 2 629,99	722,82	217,59	40,94	–	–	–
2 630,00 bis 2 639,99	729,82	222,59	44,94	–	–	–
2 640,00 bis 2 649,99	736,82	227,59	48,94	–	–	–
2 650,00 bis 2 659,99	743,82	232,59	52,94	–	–	–
2 660,00 bis 2 669,99	750,82	237,59	56,94	–	–	–
2 670,00 bis 2 679,99	757,82	242,59	60,94	–	–	–
2 680,00 bis 2 689,99	764,82	247,59	64,94	–	–	–
2 690,00 bis 2 699,99	771,82	252,59	68,94	–	–	–
2 700,00 bis 2 709,99	778,82	257,59	72,94	–	–	–
2 710,00 bis 2 719,99	785,82	262,59	76,94	–	–	–
2 720,00 bis 2 729,99	792,82	267,59	80,94	–	–	–
2 730,00 bis 2 739,99	799,82	272,59	84,94	–	–	–
2 740,00 bis 2 749,99	806,82	277,59	88,94	–	–	–
2 750,00 bis 2 759,99	813,82	282,59	92,94	–	–	–
2 760,00 bis 2 769,99	820,82	287,59	96,94	–	–	–
2 770,00 bis 2 779,99	827,82	292,59	100,94	–	–	–
2 780,00 bis 2 789,99	834,82	297,59	104,94	–	–	–
2 790,00 bis 2 799,99	841,82	302,59	108,94	–	–	–
2 800,00 bis 2 809,99	848,82	307,59	112,94	–	–	–
2 810,00 bis 2 819,99	855,82	312,59	116,94	–	–	–
2 820,00 bis 2 829,99	862,82	317,59	120,94	–	–	–
2 830,00 bis 2 839,99	869,82	322,59	124,94	–	–	–
2 840,00 bis 2 849,99	876,82	327,59	128,94	–	–	–
2 850,00 bis 2 859,99	883,82	332,59	132,94	–	–	–
2 860,00 bis 2 869,99	890,82	337,59	136,94	2,86	–	–
2 870,00 bis 2 879,99	897,82	342,59	140,94	5,86	–	–
2 880,00 bis 2 889,99	904,82	347,59	144,94	8,86	–	–
2 890,00 bis 2 899,99	911,82	352,59	148,94	11,86	–	–
2 900,00 bis 2 909,99	918,82	357,59	152,94	14,86	–	–
2 910,00 bis 2 919,99	925,82	362,59	156,94	17,86	–	–
2 920,00 bis 2 929,99	932,82	367,59	160,94	20,86	–	–
2 930,00 bis 2 939,99	939,82	372,59	164,94	23,86	–	–

Euro	Pfändbarer Betrag bei Unterhaltspflicht für … Personen					
Nettolohn monatlich	0	1	2	3	4	5 und mehr
2 940,00 bis 2 949,99	946,82	377,59	168,94	26,86	–	–
2 950,00 bis 2 959,99	953,82	382,59	172,94	29,86	–	–
2 960,00 bis 2 969,99	960,82	387,59	176,94	32,86	–	–
2 970,00 bis 2 979,99	967,82	392,59	180,94	35,86	–	–
2 980,00 bis 2 989,99	974,82	397,59	184,94	38,86	–	–
2 990,00 bis 2 999,99	981,82	402,59	188,94	41,86	–	–
3 000,00 bis 3 009,99	988,82	407,59	192,94	44,86	–	–
3 010,00 bis 3 019,99	995,82	412,59	196,94	47,86	–	–
3 020,00 bis 3 029,99	1 002,82	417,59	200,94	50,86	–	–
3 030,00 bis 3 039,99	1 009,82	422,59	204,94	53,86	–	–
3 040,00 bis 3 049,99	1 016,82	427,59	208,94	56,86	–	–
3 050,00 bis 3 059,99	1 023,82	432,59	212,94	59,86	–	–
3 060,00 bis 3 069,99	1 030,82	437,59	216,94	62,86	–	–
3 070,00 bis 3 079,99	1 037,82	442,59	220,94	65,86	–	–
3 080,00 bis 3 089,99	1 044,82	447,59	224,94	68,86	–	–
3 090,00 bis 3 099,99	1 051,82	452,59	228,94	71,86	–	–
3 100,00 bis 3 109,99	1 058,82	457,59	232,94	74,86	–	–
3 110,00 bis 3 119,99	1 065,82	462,59	236,94	77,86	–	–
3 120,00 bis 3 129,99	1 072,82	467,59	240,94	80,86	–	–
3 130,00 bis 3 139,99	1 079,82	472,59	244,94	83,86	–	–
3 140,00 bis 3 149,99	1 086,82	477,59	248,94	86,86	–	–
3 150,00 bis 3 159,99	1 093,82	482,59	252,94	89,86	–	–
3 160,00 bis 3 169,99	1 100,82	487,59	256,94	92,86	–	–
3 170,00 bis 3 179,99	1 107,82	492,59	260,94	95,86	–	–
3 180,00 bis 3 189,99	1 114,82	497,59	264,94	98,86	–	–
3 190,00 bis 3 199,99	1 121,82	502,59	268,94	101,86	1,34	–
3 200,00 bis 3 209,99	1 128,82	507,59	272,94	104,86	3,34	–
3 210,00 bis 3 219,99	1 135,82	512,59	276,94	107,86	5,34	–
3 220,00 bis 3 229,99	1 142,82	517,59	280,94	110,86	7,34	–
3 230,00 bis 3 239,99	1 149,82	522,59	284,94	113,86	9,34	–
3 240,00 bis 3 249,99	1 156,82	527,59	288,94	116,86	11,34	–
3 250,00 bis 3 259,99	1 163,82	532,59	292,94	119,86	13,34	–
3 260,00 bis 3 269,99	1 170,82	537,59	296,94	122,86	15,34	–
3 270,00 bis 3 279,99	1 177,82	542,59	300,94	125,86	17,34	–
3 280,00 bis 3 289,99	1 184,82	547,59	304,94	128,86	19,34	–
3 290,00 bis 3 299,99	1 191,82	552,59	308,94	131,86	21,34	–
3 300,00 bis 3 309,99	1 198,82	557,59	312,94	134,86	23,34	–
3 310,00 bis 3 319,99	1 205,82	562,59	316,94	137,86	25,34	–
3 320,00 bis 3 329,99	1 212,82	567,59	320,94	140,86	27,34	–
3 330,00 bis 3 339,99	1 219,82	572,59	324,94	143,86	29,34	–
3 340,00 bis 3 349,99	1 226,82	577,59	328,94	146,86	31,34	–
3 350,00 bis 3 359,99	1 233,82	582,59	332,94	149,86	33,34	–
3 360,00 bis 3 369,99	1 240,82	587,59	336,94	152,86	35,34	–
3 370,00 bis 3 379,99	1 247,82	592,59	340,94	155,86	37,34	–
3 380,00 bis 3 389,99	1 254,82	597,59	344,94	158,86	39,34	–
3 390,00 bis 3 399,99	1 261,82	602,59	348,94	161,86	41,34	–
3 400,00 bis 3 409,99	1 268,82	607,59	352,94	164,86	43,34	–
3 410,00 bis 3 419,99	1 275,82	612,59	356,94	167,86	45,34	–

Euro	Pfändbarer Betrag bei Unterhaltspflicht für … Personen					
Nettolohn monatlich	0	1	2	3	4	5 und mehr
3 420,00 bis 3 429,99	1 282,82	617,59	360,94	170,86	47,34	–
3 430,00 bis 3 439,99	1 289,82	622,59	364,94	173,86	49,34	–
3 440,00 bis 3 449,99	1 296,82	627,59	368,94	176,86	51,34	–
3 450,00 bis 3 459,99	1 303,82	632,59	372,94	179,86	53,34	–
3 460,00 bis 3 469,99	1 310,82	637,59	376,94	182,86	55,34	–
3 470,00 bis 3 479,99	1 317,82	642,59	380,94	185,86	57,34	–
3 480,00 bis 3 489,99	1 324,82	647,59	384,94	188,86	59,34	–
3 490,00 bis 3 499,99	1 331,82	652,59	388,94	191,86	61,34	–
3 500,00 bis 3 509,99	1 338,82	657,59	392,94	194,86	63,34	–
3 510,00 bis 3 519,99	1 345,82	662,59	396,94	197,86	65,34	–
3 520,00 bis 3 529,99	1 352,82	667,59	400,94	200,86	67,34	0,39
3 530,00 bis 3 539,99	1 359,82	672,59	404,94	203,86	69,34	1,39
3 540,00 bis 3 549,99	1 366,82	677,59	408,94	206,86	71,34	2,39
3 550,00 bis 3 559,99	1 373,82	682,59	412,94	209,86	73,34	3,39
3 560,00 bis 3 569,99	1 380,82	687,59	416,94	212,86	75,34	4,39
3 570,00 bis 3 579,99	1 387,82	692,59	420,94	215,86	77,34	5,39
3 580,00 bis 3 589,99	1 394,82	697,59	424,94	218,86	79,34	6,39
3 590,00 bis 3 599,99	1 401,82	702,59	428,94	221,86	81,34	7,39
3 600,00 bis 3 609,99	1 408,82	707,59	432,94	224,86	83,34	8,39
3 610,00 bis 3 619,99	1 415,82	712,59	436,94	227,86	85,34	9,39
3 620,00 bis 3 629,99	1 422,82	717,59	440,94	230,86	87,34	10,39
3 630,00 bis 3 639,99	1 429,82	722,59	444,94	233,86	89,34	11,39
3 640,00 bis 3 649,99	1 436,82	727,59	448,94	236,86	91,34	12,39
3 650,00 bis 3 659,99	1 443,82	732,59	452,94	239,86	93,34	13,39
3 660,00 bis 3 669,99	1 450,82	737,59	456,94	242,86	95,34	14,39
3 670,00 bis 3 679,99	1 457,82	742,59	460,94	245,86	97,34	15,39
3 680,00 bis 3 689,99	1 464,82	747,59	464,94	248,86	99,34	16,39
3 690,00 bis 3 699,99	1 471,82	752,59	468,94	251,86	101,34	17,39
3 700,00 bis 3 709,99	1 478,82	757,59	472,94	254,86	103,34	18,39
3 710,00 bis 3 719,99	1 485,82	762,59	476,94	257,86	105,34	19,39
3 720,00 bis 3 729,99	1 492,82	767,59	480,94	260,86	107,34	20,39
3 730,00 bis 3 739,99	1 499,82	772,59	484,94	263,86	109,34	21,39
3 740,00 bis 3 749,99	1 506,82	777,59	488,94	266,86	111,34	22,39
3 750,00 bis 3 759,99	1 513,82	782,59	492,94	269,86	113,34	23,39
3 760,00 bis 3 769,99	1 520,82	787,59	496,94	272,86	115,34	24,39
3 770,00 bis 3 779,99	1 527,82	792,59	500,94	275,86	117,34	25,39
3 780,00 bis 3 789,99	1 534,82	797,59	504,94	278,86	119,34	26,39
3 790,00 bis 3 799,99	1 541,82	802,59	508,94	281,86	121,34	27,39
3 800,00 bis 3 809,99	1 548,82	807,59	512,94	284,86	123,34	28,39
3 810,00 bis 3 819,99	1 555,82	812,59	516,94	287,86	125,34	29,39
3 820,00 bis 3 829,99	1 562,82	817,59	520,94	290,86	127,34	30,39
3 830,00 bis 3 839,99	1 569,82	822,59	524,94	293,86	129,34	31,39
3 840,00 bis 3 849,99	1 576,82	827,59	528,94	296,86	131,34	32,39
3 850,00 bis 3 859,99	1 583,82	832,59	532,94	299,86	133,34	33,39
3 860,00 bis 3 869,99	1 590,82	837,59	536,94	302,86	135,34	34,39
3 870,00 bis 3 879,99	1 597,82	842,59	540,94	305,86	137,34	35,39
3 880,00 bis 3 889,99	1 604,82	847,59	544,94	308,86	139,34	36,39
3 890,00 bis 3 899,99	1 611,82	852,59	548,94	311,86	141,34	37,39

Euro	Pfändbarer Betrag bei Unterhaltspflicht für … Personen					
Nettolohn monatlich	0	1	2	3	4	5 und mehr
3 900,00 bis 3 909,99	1 618,82	857,59	552,94	314,86	143,34	38,39
3 910,00 bis 3 919,99	1 625,82	862,59	556,94	317,86	145,34	39,39
3 920,00 bis 3 929,99	1 632,82	867,59	560,94	320,86	147,34	40,39
3 930,00 bis 3 939,99	1 639,82	872,59	564,94	323,86	149,34	41,39
3 940,00 bis 3 949,99	1 646,82	877,59	568,94	326,86	151,34	42,39
3 950,00 bis 3 959,99	1 653,82	882,59	572,94	329,86	153,34	43,39
3 960,00 bis 3 969,99	1 660,82	887,59	576,94	332,86	155,34	44,39
3 970,00 bis 3 979,99	1 667,82	892,59	580,94	335,86	157,34	45,39
3 980,00 bis 3 989,99	1 674,82	897,59	584,94	338,86	159,34	46,39
3 990,00 bis 3 999,99	1 681,82	902,59	588,94	341,86	161,34	47,39
4 000,00 bis 4 009,99	1 688,82	907,59	592,94	344,86	163,34	48,39
4 010,00 bis 4 019,99	1 695,82	912,59	596,94	347,86	165,34	49,39
4 020,00 bis 4 029,99	1 702,82	917,59	600,94	350,86	167,34	50,39
4 030,00 bis 4 039,99	1 709,82	922,59	604,94	353,86	169,34	51,39
4 040,00 bis 4 049,99	1 716,82	927,59	608,94	356,86	171,34	52,39
4 050,00 bis 4 059,99	1 723,82	932,59	612,94	359,86	173,34	53,39
4 060,00 bis 4 069,99	1 730,82	937,59	616,94	362,86	175,34	54,39
4 070,00 bis 4 079,99	1 737,82	942,59	620,94	365,86	177,34	55,39
4 080,00 bis 4 089,99	1 744,82	947,59	624,94	368,86	179,34	56,39
4 090,00 bis 4 099,99	1 751,82	952,59	628,94	371,86	181,34	57,39
4 100,00 bis 4 109,99	1 758,82	957,59	632,94	374,86	183,34	58,39
4 110,00 bis 4 119,99	1 765,82	962,59	636,94	377,86	185,34	59,39
4 120,00 bis 4 129,99	1 772,82	967,59	640,94	380,86	187,34	60,39
4 130,00 bis 4 139,99	1 779,82	972,59	644,94	383,86	189,34	61,39
4 140,00 bis 4 149,99	1 786,82	977,59	648,94	386,86	191,34	62,39
4 150,00 bis 4 159,99	1 793,82	982,59	652,94	389,86	193,34	63,39
4 160,00 bis 4 169,99	1 800,82	987,59	656,94	392,86	195,34	64,39
4 170,00 bis 4 179,99	1 807,82	992,59	660,94	395,86	197,34	65,39
4 180,00 bis 4 189,99	1 814,82	997,59	664,94	398,86	199,34	66,39
4 190,00 bis 4 199,99	1 821,82	1 002,59	668,94	401,86	201,34	67,39
4 200,00 bis 4 209,99	1 828,82	1 007,59	672,94	404,86	203,34	68,39
4 210,00 bis 4 219,99	1 835,82	1 012,59	676,94	407,86	205,34	69,39
4 220,00 bis 4 229,99	1 842,82	1 017,59	680,94	410,86	207,34	70,39
4 230,00 bis 4 239,99	1 849,82	1 022,59	684,94	413,86	209,34	71,39
4 240,00 bis 4 249,99	1 856,82	1 027,59	688,94	416,86	211,34	72,39
4 250,00 bis 4 259,99	1 863,82	1 032,59	692,94	419,86	213,34	73,39
4 260,00 bis 4 269,99	1 870,82	1 037,59	696,94	422,86	215,34	74,39
4 270,00 bis 4 279,99	1 877,82	1 042,59	700,94	425,86	217,34	75,39
4 280,00 bis 4 289,99	1 884,82	1 047,59	704,94	428,86	219,34	76,39
4 290,00 bis 4 299,99	1 891,82	1 052,59	708,94	431,86	221,34	77,39
4 300,00 bis 4 309,99	1 898,82	1 057,59	712,94	434,86	223,34	78,39
4 310,00 bis 4 319,99	1 905,82	1 062,59	716,94	437,86	225,34	79,39
4 320,00 bis 4 329,99	1 912,82	1 067,59	720,94	440,86	227,34	80,39
4 330,00 bis 4 339,99	1 919,82	1 072,59	724,94	443,86	229,34	81,39
4 340,00 bis 4 349,99	1 926,82	1 077,59	728,94	446,86	231,34	82,39
4 350,00 bis 4 359,99	1 933,82	1 082,59	732,94	449,86	233,34	83,39
4 360,00 bis 4 369,99	1 940,82	1 087,59	736,94	452,86	235,34	84,39
4 370,00 bis 4 379,99	1 947,82	1 092,59	740,94	455,86	237,34	85,39

Euro	Pfändbarer Betrag bei Unterhaltspflicht für … Personen					
Nettolohn monatlich	0	1	2	3	4	5 und mehr
4 380,00 bis 4 389,99	1 954,82	1 097,59	744,94	458,86	239,34	86,39
4 390,00 bis 4 399,99	1 961,82	1 102,59	748,94	461,86	241,34	87,39
4 400,00 bis 4 409,99	1 968,82	1 107,59	752,94	464,86	243,34	88,39
4 410,00 bis 4 419,99	1 975,82	1 112,59	756,94	467,86	245,34	89,39
4 420,00 bis 4 429,99	1 982,82	1 117,59	760,94	470,86	247,34	90,39
4 430,00 bis 4 439,99	1 989,82	1 122,59	764,94	473,86	249,34	91,39
4 440,00 bis 4 449,99	1 996,82	1 127,59	768,94	476,86	251,34	92,39
4 450,00 bis 4 459,99	2 003,82	1 132,59	772,94	479,86	253,34	93,39
4 460,00 bis 4 469,99	2 010,82	1 137,59	776,94	482,86	255,34	94,39
4 470,00 bis 4 479,99	2 017,82	1 142,59	780,94	485,86	257,34	95,39
4 480,00 bis 4 489,99	2 024,82	1 147,59	784,94	488,86	259,34	96,39
4 490,00 bis 4 499,99	2 031,82	1 152,59	788,94	491,86	261,34	97,39
4 500,00 bis 4 509,99	2 038,82	1 157,59	792,94	494,86	263,34	98,39
4 510,00 bis 4 519,99	2 045,82	1 162,59	796,94	497,86	265,34	99,39
4 520,00 bis 4 529,99	2 052,82	1 167,59	800,94	500,86	267,34	100,39
4 530,00 bis 4 539,99	2 059,82	1 172,59	804,94	503,86	269,34	101,39
4 540,00 bis 4 549,99	2 066,82	1 177,59	808,94	506,86	271,34	102,39
4 550,00 bis 4 559,99	2 073,82	1 182,59	812,94	509,86	273,34	103,39
4 560,00 bis 4 569,99	2 080,82	1 187,59	816,94	512,86	275,34	104,39
4 570,00 bis 4 579,99	2 087,82	1 192,59	820,94	515,86	277,34	105,39
4 580,00 bis 4 589,99	2 094,82	1 197,59	824,94	518,86	279,34	106,39
4 590,00 bis 4 599,99	2 101,82	1 202,59	828,94	521,86	281,34	107,39
4 600,00 bis 4 609,99	2 108,82	1 207,59	832,94	524,86	283,34	108,39
4 610,00 bis 4 619,99	2 115,82	1 212,59	836,94	527,86	285,34	109,39
4 620,00 bis 4 629,99	2 122,82	1 217,59	840,94	530,86	287,34	110,39
4 630,00 bis 4 639,99	2 129,82	1 222,59	844,94	533,86	289,34	111,39
4 640,00 bis 4 649,99	2 136,82	1 227,59	848,94	536,86	291,34	112,39
4 650,00 bis 4 659,99	2 143,82	1 232,59	852,94	539,86	293,34	113,39
4 660,00 bis 4 669,99	2 150,82	1 237,59	856,94	542,86	295,34	114,39
4 670,00 bis 4 679,99	2 157,82	1 242,59	860,94	545,86	297,34	115,39
4 680,00 bis 4 689,99	2 164,82	1 247,59	864,94	548,86	299,34	116,39
4 690,00 bis 4 699,99	2 171,82	1 252,59	868,94	551,86	301,34	117,39
4 700,00 bis 4 709,99	2 178,82	1 257,59	872,94	554,86	303,34	118,39
4 710,00 bis 4 719,99	2 185,82	1 262,59	876,94	557,86	305,34	119,39
4 720,00 bis 4 729,99	2 192,82	1 267,59	880,94	560,86	307,34	120,39
4 730,00 bis 4 739,99	2 199,82	1 272,59	884,94	563,86	309,34	121,39
4 740,00 bis 4 749,99	2 206,82	1 277,59	888,94	566,86	311,34	122,39
4 750,00 bis 4 759,99	2 213,82	1 282,59	892,94	569,86	313,34	123,39
4 760,00 bis 4 769,99	2 220,82	1 287,59	896,94	572,86	315,34	124,39
4 770,00 bis 4 779,99	2 227,82	1 292,59	900,94	575,86	317,34	125,39
4 780,00 bis 4 789,99	2 234,82	1 297,59	904,94	578,86	319,34	126,39
4 790,00 bis 4 799,99	2 241,82	1 302,59	908,94	581,86	321,34	127,39
4 800,00 bis 4 809,99	2 248,82	1 307,59	912,94	584,86	323,34	128,39
4 810,00 bis 4 819,99	2 255,82	1 312,59	916,94	587,86	325,34	129,39
4 820,00 bis 4 829,99	2 262,82	1 317,59	920,94	590,86	327,34	130,39
4 830,00 bis 4 839,99	2 269,82	1 322,59	924,94	593,86	329,34	131,39
4 840,00 bis 4 849,99	2 276,82	1 327,59	928,94	596,86	331,34	132,39
4 850,00 bis 4 859,99	2 283,82	1 332,59	932,94	599,86	333,34	133,39

Euro	Pfändbarer Betrag bei Unterhaltspflicht für … Personen					
Nettolohn monatlich	0	1	2	3	4	5 und mehr
4 860,00 bis 4 866,30	2 290,82	1 337,59	936,94	602,86	335,34	134,39
Der Mehrbetrag über 4 866,30 ist voll pfändbar.						

Auszahlung für Wochen

Euro	Pfändbarer Betrag bei Unterhaltspflicht für … Personen					
Nettolohn wöchentlich	0	1	2	3	4	5 und mehr
bis 367,49	–	–	–	–	–	–
367,50 bis 369,99	1,52	–	–	–	–	–
370,00 bis 372,49	3,27	–	–	–	–	–
372,50 bis 374,99	5,02	–	–	–	–	–
375,00 bis 377,49	6,77	–	–	–	–	–
377,50 bis 379,99	8,52	–	–	–	–	–
380,00 bis 382,49	10,27	–	–	–	–	–
382,50 bis 384,99	12,02	–	–	–	–	–
385,00 bis 387,49	13,77	–	–	–	–	–
387,50 bis 389,99	15,52	–	–	–	–	–
390,00 bis 392,49	17,27	–	–	–	–	–
392,50 bis 394,99	19,02	–	–	–	–	–
395,00 bis 397,49	20,77	–	–	–	–	–
397,50 bis 399,99	22,52	–	–	–	–	–
400,00 bis 402,49	24,27	–	–	–	–	–
402,50 bis 404,99	26,02	–	–	–	–	–
405,00 bis 407,49	27,77	–	–	–	–	–
407,50 bis 409,99	29,52	–	–	–	–	–
410,00 bis 412,49	31,27	–	–	–	–	–
412,50 bis 414,99	33,02	–	–	–	–	–
415,00 bis 417,49	34,77	–	–	–	–	–
417,50 bis 419,99	36,52	–	–	–	–	–
420,00 bis 422,49	38,27	–	–	–	–	–
422,50 bis 424,99	40,02	–	–	–	–	–
425,00 bis 427,49	41,77	–	–	–	–	–
427,50 bis 429,99	43,52	–	–	–	–	–
430,00 bis 432,49	45,27	–	–	–	–	–
432,50 bis 434,99	47,02	–	–	–	–	–
435,00 bis 437,49	48,77	–	–	–	–	–
437,50 bis 439,99	50,52	–	–	–	–	–
440,00 bis 442,49	52,27	–	–	–	–	–
442,50 bis 444,99	54,02	–	–	–	–	–
445,00 bis 447,49	55,77	–	–	–	–	–
447,50 bis 449,99	57,52	–	–	–	–	–
450,00 bis 452,49	59,27	–	–	–	–	–
452,50 bis 454,99	61,02	–	–	–	–	–
455,00 bis 457,49	62,77	–	–	–	–	–
457,50 bis 459,99	64,52	–	–	–	–	–
460,00 bis 462,49	66,27	–	–	–	–	–
462,50 bis 464,99	68,02	–	–	–	–	–
465,00 bis 467,49	69,77	–	–	–	–	–
467,50 bis 469,99	71,52	–	–	–	–	–

Euro	Pfändbarer Betrag bei Unterhaltspflicht für … Personen					
Nettolohn wöchentlich	0	1	2	3	4	5 und mehr
470,00 bis 472,49	73,27	–	–	–	–	–
472,50 bis 474,99	75,02	–	–	–	–	–
475,00 bis 477,49	76,77	–	–	–	–	–
477,50 bis 479,99	78,52	–	–	–	–	–
480,00 bis 482,49	80,27	–	–	–	–	–
482,50 bis 484,99	82,02	–	–	–	–	–
485,00 bis 487,49	83,77	–	–	–	–	–
487,50 bis 489,99	85,52	–	–	–	–	–
490,00 bis 492,49	87,27	–	–	–	–	–
492,50 bis 494,99	89,02	–	–	–	–	–
495,00 bis 497,49	90,77	–	–	–	–	–
497,50 bis 499,99	92,52	–	–	–	–	–
500,00 bis 502,49	94,27	–	–	–	–	–
502,50 bis 504,99	96,02	–	–	–	–	–
505,00 bis 507,49	97,77	1,09	–	–	–	–
507,50 bis 509,99	99,52	2,34	–	–	–	–
510,00 bis 512,49	101,27	3,59	–	–	–	–
512,50 bis 514,99	103,02	4,84	–	–	–	–
515,00 bis 517,49	104,77	6,09	–	–	–	–
517,50 bis 519,99	106,52	7,34	–	–	–	–
520,00 bis 522,49	108,27	8,59	–	–	–	–
522,50 bis 524,99	110,02	9,84	–	–	–	–
525,00 bis 527,49	111,77	11,09	–	–	–	–
527,50 bis 529,99	113,52	12,34	–	–	–	–
530,00 bis 532,49	115,27	13,59	–	–	–	–
532,50 bis 534,99	117,02	14,84	–	–	–	–
535,00 bis 537,49	118,77	16,09	–	–	–	–
537,50 bis 539,99	120,52	17,34	–	–	–	–
540,00 bis 542,49	122,27	18,59	–	–	–	–
542,50 bis 544,99	124,02	19,84	–	–	–	–
545,00 bis 547,49	125,77	21,09	–	–	–	–
547,50 bis 549,99	127,52	22,34	–	–	–	–
550,00 bis 552,49	129,27	23,59	–	–	–	–
552,50 bis 554,99	131,02	24,84	–	–	–	–
555,00 bis 557,49	132,77	26,09	–	–	–	–
557,50 bis 559,99	134,52	27,34	–	–	–	–
560,00 bis 562,49	136,27	28,59	–	–	–	–
562,50 bis 564,99	138,02	29,84	–	–	–	–
565,00 bis 567,49	139,77	31,09	–	–	–	–
567,50 bis 569,99	141,52	32,34	–	–	–	–
570,00 bis 572,49	143,27	33,59	–	–	–	–
572,50 bis 574,99	145,02	34,84	–	–	–	–
575,00 bis 577,49	146,77	36,09	–	–	–	–
577,50 bis 579,99	148,52	37,34	–	–	–	–
580,00 bis 582,49	150,27	38,59	0,23	–	–	–
582,50 bis 584,99	152,02	39,84	1,23	–	–	–
585,00 bis 587,49	153,77	41,09	2,23	–	–	–
587,50 bis 589,99	155,52	42,34	3,23	–	–	–

Euro Nettolohn wöchentlich	Pfändbarer Betrag bei Unterhaltspflicht für … Personen					
	0	1	2	3	4	5 und mehr
590,00 bis 592,49	157,27	43,59	4,23	–	–	–
592,50 bis 594,99	159,02	44,84	5,23	–	–	–
595,00 bis 597,49	160,77	46,09	6,23	–	–	–
597,50 bis 599,99	162,52	47,34	7,23	–	–	–
600,00 bis 602,49	164,27	48,59	8,23	–	–	–
602,50 bis 604,99	166,02	49,84	9,23	–	–	–
605,00 bis 607,49	167,77	51,09	10,23	–	–	–
607,50 bis 609,99	169,52	52,34	11,23	–	–	–
610,00 bis 612,49	171,27	53,59	12,23	–	–	–
612,50 bis 614,99	173,02	54,84	13,23	–	–	–
615,00 bis 617,49	174,77	56,09	14,23	–	–	–
617,50 bis 619,99	176,52	57,34	15,23	–	–	–
620,00 bis 622,49	178,27	58,59	16,23	–	–	–
622,50 bis 624,99	180,02	59,84	17,23	–	–	–
625,00 bis 627,49	181,77	61,09	18,23	–	–	–
627,50 bis 629,99	183,52	62,34	19,23	–	–	–
630,00 bis 632,49	185,27	63,59	20,23	–	–	–
632,50 bis 634,99	187,02	64,84	21,23	–	–	–
635,00 bis 637,49	188,77	66,09	22,23	–	–	–
637,50 bis 639,99	190,52	67,34	23,23	–	–	–
640,00 bis 642,49	192,27	68,59	24,23	–	–	–
642,50 bis 644,99	194,02	69,84	25,23	–	–	–
645,00 bis 647,49	195,77	71,09	26,23	–	–	–
647,50 bis 649,99	197,52	72,34	27,23	–	–	–
650,00 bis 652,49	199,27	73,59	28,23	–	–	–
652,50 bis 654,99	201,02	74,84	29,23	–	–	–
655,00 bis 657,49	202,77	76,09	30,23	–	–	–
657,50 bis 659,99	204,52	77,34	31,23	0,44	–	–
660,00 bis 662,49	206,27	78,59	32,23	1,19	–	–
662,50 bis 664,99	208,02	79,84	33,23	1,94	–	–
665,00 bis 667,49	209,77	81,09	34,23	2,69	–	–
667,50 bis 669,99	211,52	82,34	35,23	3,44	–	–
670,00 bis 672,49	213,27	83,59	36,23	4,19	–	–
672,50 bis 674,99	215,02	84,84	37,23	4,94	–	–
675,00 bis 677,49	216,77	86,09	38,23	5,69	–	–
677,50 bis 679,99	218,52	87,34	39,23	6,44	–	–
680,00 bis 682,49	220,27	88,59	40,23	7,19	–	–
682,50 bis 684,99	222,02	89,84	41,23	7,94	–	–
685,00 bis 687,49	223,77	91,09	42,23	8,69	–	–
687,50 bis 689,99	225,52	92,34	43,23	9,44	–	–
690,00 bis 692,49	227,27	93,59	44,23	10,19	–	–
692,50 bis 694,99	229,02	94,84	45,23	10,94	–	–
695,00 bis 697,49	230,77	96,09	46,23	11,69	–	–
697,50 bis 699,99	232,52	97,34	47,23	12,44	–	–
700,00 bis 702,49	234,27	98,59	48,23	13,19	–	–
702,50 bis 704,99	236,02	99,84	49,23	13,94	–	–
705,00 bis 707,49	237,77	101,09	50,23	14,69	–	–
707,50 bis 709,99	239,52	102,34	51,23	15,44	–	–

Euro	Pfändbarer Betrag bei Unterhaltspflicht für … Personen					
Nettolohn wöchentlich	0	1	2	3	4	5 und mehr
710,00 bis 712,49	241,27	103,59	52,23	16,19	–	–
712,50 bis 714,99	243,02	104,84	53,23	16,94	–	–
715,00 bis 717,49	244,77	106,09	54,23	17,69	–	–
717,50 bis 719,99	246,52	107,34	55,23	18,44	–	–
720,00 bis 722,49	248,27	108,59	56,23	19,19	–	–
722,50 bis 724,99	250,02	109,84	57,23	19,94	–	–
725,00 bis 727,49	251,77	111,09	58,23	20,69	–	–
727,50 bis 729,99	253,52	112,34	59,23	21,44	–	–
730,00 bis 732,49	255,27	113,59	60,23	22,19	–	–
732,50 bis 734,99	257,02	114,84	61,23	22,94	–	–
735,00 bis 737,49	258,77	116,09	62,23	23,69	0,47	–
737,50 bis 739,99	260,52	117,34	63,23	24,44	0,97	–
740,00 bis 742,49	262,27	118,59	64,23	25,19	1,47	–
742,50 bis 744,99	264,02	119,84	65,23	25,94	1,97	–
745,00 bis 747,49	265,77	121,09	66,23	26,69	2,47	–
747,50 bis 749,99	267,52	122,34	67,23	27,44	2,97	–
750,00 bis 752,49	269,27	123,59	68,23	28,19	3,47	–
752,50 bis 754,99	271,02	124,84	69,23	28,94	3,97	–
755,00 bis 757,49	272,77	126,09	70,23	29,69	4,47	–
757,50 bis 759,99	274,52	127,34	71,23	30,44	4,97	–
760,00 bis 762,49	276,27	128,59	72,23	31,19	5,47	–
762,50 bis 764,99	278,02	129,84	73,23	31,94	5,97	–
765,00 bis 767,49	279,77	131,09	74,23	32,69	6,47	–
767,50 bis 769,99	281,52	132,34	75,23	33,44	6,97	–
770,00 bis 772,49	283,27	133,59	76,23	34,19	7,47	–
772,50 bis 774,99	285,02	134,84	77,23	34,94	7,97	–
775,00 bis 777,49	286,77	136,09	78,23	35,69	8,47	–
777,50 bis 779,99	288,52	137,34	79,23	36,44	8,97	–
780,00 bis 782,49	290,27	138,59	80,23	37,19	9,47	–
782,50 bis 784,99	292,02	139,84	81,23	37,94	9,97	–
785,00 bis 787,49	293,77	141,09	82,23	38,69	10,47	–
787,50 bis 789,99	295,52	142,34	83,23	39,44	10,97	–
790,00 bis 792,49	297,27	143,59	84,23	40,19	11,47	–
792,50 bis 794,99	299,02	144,84	85,23	40,94	11,97	–
795,00 bis 797,49	300,77	146,09	86,23	41,69	12,47	–
797,50 bis 799,99	302,52	147,34	87,23	42,44	12,97	–
800,00 bis 802,49	304,27	148,59	88,23	43,19	13,47	–
802,50 bis 804,99	306,02	149,84	89,23	43,94	13,97	–
805,00 bis 807,49	307,77	151,09	90,23	44,69	14,47	–
807,50 bis 809,99	309,52	152,34	91,23	45,44	14,97	–
810,00 bis 812,49	311,27	153,59	92,23	46,19	15,47	0,08
812,50 bis 814,99	313,02	154,84	93,23	46,94	15,97	0,33
815,00 bis 817,49	314,77	156,09	94,23	47,69	16,47	0,58
817,50 bis 819,99	316,52	157,34	95,23	48,44	16,97	0,83
820,00 bis 822,49	318,27	158,59	96,23	49,19	17,47	1,08
822,50 bis 824,99	320,02	159,84	97,23	49,94	17,97	1,33
825,00 bis 827,49	321,77	161,09	98,23	50,69	18,47	1,58
827,50 bis 829,99	323,52	162,34	99,23	51,44	18,97	1,83

Euro	Pfändbarer Betrag bei Unterhaltspflicht für … Personen					
Nettolohn wöchentlich	0	1	2	3	4	5 und mehr
830,00 bis 832,49	325,27	163,59	100,23	52,19	19,47	2,08
832,50 bis 834,99	327,02	164,84	101,23	52,94	19,97	2,33
835,00 bis 837,49	328,77	166,09	102,23	53,69	20,47	2,58
837,50 bis 839,99	330,52	167,34	103,23	54,44	20,97	2,83
840,00 bis 842,49	332,27	168,59	104,23	55,19	21,47	3,08
842,50 bis 844,99	334,02	169,84	105,23	55,94	21,97	3,33
845,00 bis 847,49	335,77	171,09	106,23	56,69	22,47	3,58
847,50 bis 849,99	337,52	172,34	107,23	57,44	22,97	3,83
850,00 bis 852,49	339,27	173,59	108,23	58,19	23,47	4,08
852,50 bis 854,99	341,02	174,84	109,23	58,94	23,97	4,33
855,00 bis 857,49	342,77	176,09	110,23	59,69	24,47	4,58
857,50 bis 859,99	344,52	177,34	111,23	60,44	24,97	4,83
860,00 bis 862,49	346,27	178,59	112,23	61,19	25,47	5,08
862,50 bis 864,99	348,02	179,84	113,23	61,94	25,97	5,33
865,00 bis 867,49	349,77	181,09	114,23	62,69	26,47	5,58
867,50 bis 869,99	351,52	182,34	115,23	63,44	26,97	5,83
870,00 bis 872,49	353,27	183,59	116,23	64,19	27,47	6,08
872,50 bis 874,99	355,02	184,84	117,23	64,94	27,97	6,33
875,00 bis 877,49	356,77	186,09	118,23	65,69	28,47	6,58
877,50 bis 879,99	358,52	187,34	119,23	66,44	28,97	6,83
880,00 bis 882,49	360,27	188,59	120,23	67,19	29,47	7,08
882,50 bis 884,99	362,02	189,84	121,23	67,94	29,97	7,33
885,00 bis 887,49	363,77	191,09	122,23	68,69	30,47	7,58
887,50 bis 889,99	365,52	192,34	123,23	69,44	30,97	7,83
890,00 bis 892,49	367,27	193,59	124,23	70,19	31,47	8,08
892,50 bis 894,99	369,02	194,84	125,23	70,94	31,97	8,33
895,00 bis 897,49	370,77	196,09	126,23	71,69	32,47	8,58
897,50 bis 899,99	372,52	197,34	127,23	72,44	32,97	8,83
900,00 bis 902,49	374,27	198,59	128,23	73,19	33,47	9,08
902,50 bis 904,99	376,02	199,84	129,23	73,94	33,97	9,33
905,00 bis 907,49	377,77	201,09	130,23	74,69	34,47	9,58
907,50 bis 909,99	379,52	202,34	131,23	75,44	34,97	9,83
910,00 bis 912,49	381,27	203,59	132,23	76,19	35,47	10,08
912,50 bis 914,99	383,02	204,84	133,23	76,94	35,97	10,33
915,00 bis 917,49	384,77	206,09	134,23	77,69	36,47	10,58
917,50 bis 919,99	386,52	207,34	135,23	78,44	36,97	10,83
920,00 bis 922,49	388,27	208,59	136,23	79,19	37,47	11,08
922,50 bis 924,99	390,02	209,84	137,23	79,94	37,97	11,33
925,00 bis 927,49	391,77	211,09	138,23	80,69	38,47	11,58
927,50 bis 929,99	393,52	212,34	139,23	81,44	38,97	11,83
930,00 bis 932,49	395,27	213,59	140,23	82,19	39,47	12,08
932,50 bis 934,99	397,02	214,84	141,23	82,94	39,97	12,33
935,00 bis 937,49	398,77	216,09	142,23	83,69	40,47	12,58
937,50 bis 939,99	400,52	217,34	143,23	84,44	40,97	12,83
940,00 bis 942,49	402,27	218,59	144,23	85,19	41,47	13,08
942,50 bis 944,99	404,02	219,84	145,23	85,94	41,97	13,33
945,00 bis 947,49	405,77	221,09	146,23	86,69	42,47	13,58
947,50 bis 949,99	407,52	222,34	147,23	87,44	42,97	13,83

Euro Nettolohn wöchentlich	Pfändbarer Betrag bei Unterhaltspflicht für … Personen 0	1	2	3	4	5 und mehr
950,00 bis 952,49	409,27	223,59	148,23	88,19	43,47	14,08
952,50 bis 954,99	411,02	224,84	149,23	88,94	43,97	14,33
955,00 bis 957,49	412,77	226,09	150,23	89,69	44,47	14,58
957,50 bis 959,99	414,52	227,34	151,23	90,44	44,97	14,83
960,00 bis 962,49	416,27	228,59	152,23	91,19	45,47	15,08
962,50 bis 964,99	418,02	229,84	153,23	91,94	45,97	15,33
965,00 bis 967,49	419,77	231,09	154,23	92,69	46,47	15,58
967,50 bis 969,99	421,52	232,34	155,23	93,44	46,97	15,83
970,00 bis 972,49	423,27	233,59	156,23	94,19	47,47	16,08
972,50 bis 974,99	425,02	234,84	157,23	94,94	47,97	16,33
975,00 bis 977,49	426,77	236,09	158,23	95,69	48,47	16,58
977,50 bis 979,99	428,52	237,34	159,23	96,44	48,97	16,83
980,00 bis 982,49	430,27	238,59	160,23	97,19	49,47	17,08
982,50 bis 984,99	432,02	239,84	161,23	97,94	49,97	17,33
985,00 bis 987,49	433,77	241,09	162,23	98,69	50,47	17,58
987,50 bis 989,99	435,52	242,34	163,23	99,44	50,97	17,83
990,00 bis 992,49	437,27	243,59	164,23	100,19	51,47	18,08
992,50 bis 994,99	439,02	244,84	165,23	100,94	51,97	18,33
995,00 bis 997,49	440,77	246,09	166,23	101,69	52,47	18,58
997,50 bis 999,99	442,52	247,34	167,23	102,44	52,97	18,83
1 000,00 bis 1 002,49	444,27	248,59	168,23	103,19	53,47	19,08
1 002,50 bis 1 004,99	446,02	249,84	169,23	103,94	53,97	19,33
1 005,00 bis 1 007,49	447,77	251,09	170,23	104,69	54,47	19,58
1 007,50 bis 1 009,99	449,52	252,34	171,23	105,44	54,97	19,83
1 010,00 bis 1 012,49	451,27	253,59	172,23	106,19	55,47	20,08
1 012,50 bis 1 014,99	453,02	254,84	173,23	106,94	55,97	20,33
1 015,00 bis 1 017,49	454,77	256,09	174,23	107,69	56,47	20,58
1 017,50 bis 1 019,99	456,52	257,34	175,23	108,44	56,97	20,83
1 020,00 bis 1 022,49	458,27	258,59	176,23	109,19	57,47	21,08
1 022,50 bis 1 024,99	460,02	259,84	177,23	109,94	57,97	21,33
1 025,00 bis 1 027,49	461,77	261,09	178,23	110,69	58,47	21,58
1 027,50 bis 1 029,99	463,52	262,34	179,23	111,44	58,97	21,83
1 030,00 bis 1 032,49	465,27	263,59	180,23	112,19	59,47	22,08
1 032,50 bis 1 034,99	467,02	264,84	181,23	112,94	59,97	22,33
1 035,00 bis 1 037,49	468,77	266,09	182,23	113,69	60,47	22,58
1 037,50 bis 1 039,99	470,52	267,34	183,23	114,44	60,97	22,83
1 040,00 bis 1 042,49	472,27	268,59	184,23	115,19	61,47	23,08
1 042,50 bis 1 044,99	474,02	269,84	185,23	115,94	61,97	23,33
1 045,00 bis 1 047,49	475,77	271,09	186,23	116,69	62,47	23,58
1 047,50 bis 1 049,99	477,52	272,34	187,23	117,44	62,97	23,83
1 050,00 bis 1 052,49	479,27	273,59	188,23	118,19	63,47	24,08
1 052,50 bis 1 054,99	481,02	274,84	189,23	118,94	63,97	24,33
1 055,00 bis 1 057,49	482,77	276,09	190,23	119,69	64,47	24,58
1 057,50 bis 1 059,99	484,52	277,34	191,23	120,44	64,97	24,83
1 060,00 bis 1 062,49	486,27	278,59	192,23	121,19	65,47	25,08
1 062,50 bis 1 064,99	488,02	279,84	193,23	121,94	65,97	25,33
1 065,00 bis 1 067,49	489,77	281,09	194,23	122,69	66,47	25,58
1 067,50 bis 1 069,99	491,52	282,34	195,23	123,44	66,97	25,83

Euro	Pfändbarer Betrag bei Unterhaltspflicht für … Personen					
Nettolohn wöchentlich	0	1	2	3	4	5 und mehr
1 070,00 bis 1 072,49	493,27	283,59	196,23	124,19	67,47	26,08
1 072,50 bis 1 074,99	495,02	284,84	197,23	124,94	67,97	26,33
1 075,00 bis 1 077,49	496,77	286,09	198,23	125,69	68,47	26,58
1 077,50 bis 1 079,99	498,52	287,34	199,23	126,44	68,97	26,83
1 080,00 bis 1 082,49	500,27	288,59	200,23	127,19	69,47	27,08
1 082,50 bis 1 084,99	502,02	289,84	201,23	127,94	69,97	27,33
1 085,00 bis 1 087,49	503,77	291,09	202,23	128,69	70,47	27,58
1 087,50 bis 1 089,99	505,52	292,34	203,23	129,44	70,97	27,83
1 090,00 bis 1 092,49	507,27	293,59	204,23	130,19	71,47	28,08
1 092,50 bis 1 094,99	509,02	294,84	205,23	130,94	71,97	28,33
1 095,00 bis 1 097,49	510,77	296,09	206,23	131,69	72,47	28,58
1 097,50 bis 1 099,99	512,52	297,34	207,23	132,44	72,97	28,83
1 100,00 bis 1 102,49	514,27	298,59	208,23	133,19	73,47	29,08
1 102,50 bis 1 104,99	516,02	299,84	209,23	133,94	73,97	29,33
1 105,00 bis 1 107,49	517,77	301,09	210,23	134,69	74,47	29,58
1 107,50 bis 1 109,99	519,52	302,34	211,23	135,44	74,97	29,83
1 110,00 bis 1 112,49	521,27	303,59	212,23	136,19	75,47	30,08
1 112,50 bis 1 114,99	523,02	304,84	213,23	136,94	75,97	30,33
1 115,00 bis 1 117,49	524,77	306,09	214,23	137,69	76,47	30,58
1 117,50 bis 1 119,90	526,52	307,34	215,23	138,44	76,97	30,83
Der Mehrbetrag über 1 119,90 ist voll pfändbar.						

Auszahlung für Tage

Euro	Pfändbarer Betrag bei Unterhaltspflicht für … Personen					
Nettolohn täglich	0	1	2	3	4	5 und mehr
bis 73,49	–	–	–	–	–	–
73,50 bis 73,99	0,31	–	–	–	–	–
74,00 bis 74,49	0,66	–	–	–	–	–
74,50 bis 74,99	1,01	–	–	–	–	–
75,00 bis 75,49	1,36	–	–	–	–	–
75,50 bis 75,99	1,71	–	–	–	–	–
76,00 bis 76,49	2,06	–	–	–	–	–
76,50 bis 76,99	2,41	–	–	–	–	–
77,00 bis 77,49	2,76	–	–	–	–	–
77,50 bis 77,99	3,11	–	–	–	–	–
78,00 bis 78,49	3,46	–	–	–	–	–
78,50 bis 78,99	3,81	–	–	–	–	–
79,00 bis 79,49	4,16	–	–	–	–	–
79,50 bis 79,99	4,51	–	–	–	–	–
80,00 bis 80,49	4,86	–	–	–	–	–
80,50 bis 80,99	5,21	–	–	–	–	–
81,00 bis 81,49	5,56	–	–	–	–	–
81,50 bis 81,99	5,91	–	–	–	–	–
82,00 bis 82,49	6,26	–	–	–	–	–
82,50 bis 82,99	6,61	–	–	–	–	–
83,00 bis 83,49	6,96	–	–	–	–	–
83,50 bis 83,99	7,31	–	–	–	–	–
84,00 bis 84,49	7,66	–	–	–	–	–

Euro	Pfändbarer Betrag bei Unterhaltspflicht für … Personen					
Nettolohn täglich	0	1	2	3	4	5 und mehr
84,50 bis 84,99	8,01	–	–	–	–	–
85,00 bis 85,49	8,36	–	–	–	–	–
85,50 bis 85,99	8,71	–	–	–	–	–
86,00 bis 86,49	9,06	–	–	–	–	–
86,50 bis 86,99	9,41	–	–	–	–	–
87,00 bis 87,49	9,76	–	–	–	–	–
87,50 bis 87,99	10,11	–	–	–	–	–
88,00 bis 88,49	10,46	–	–	–	–	–
88,50 bis 88,99	10,81	–	–	–	–	–
89,00 bis 89,49	11,16	–	–	–	–	–
89,50 bis 89,99	11,51	–	–	–	–	–
90,00 bis 90,49	11,86	–	–	–	–	–
90,50 bis 90,99	12,21	–	–	–	–	–
91,00 bis 91,49	12,56	–	–	–	–	–
91,50 bis 91,99	12,91	–	–	–	–	–
92,00 bis 92,49	13,26	–	–	–	–	–
92,50 bis 92,99	13,61	–	–	–	–	–
93,00 bis 93,49	13,96	–	–	–	–	–
93,50 bis 93,99	14,31	–	–	–	–	–
94,00 bis 94,49	14,66	–	–	–	–	–
94,50 bis 94,99	15,01	–	–	–	–	–
95,00 bis 95,49	15,36	–	–	–	–	–
95,50 bis 95,99	15,71	–	–	–	–	–
96,00 bis 96,49	16,06	–	–	–	–	–
96,50 bis 96,99	16,41	–	–	–	–	–
97,00 bis 97,49	16,76	–	–	–	–	–
97,50 bis 97,99	17,11	–	–	–	–	–
98,00 bis 98,49	17,46	–	–	–	–	–
98,50 bis 98,99	17,81	–	–	–	–	–
99,00 bis 99,49	18,16	–	–	–	–	–
99,50 bis 99,99	18,51	–	–	–	–	–
100,00 bis 100,49	18,86	–	–	–	–	–
100,50 bis 100,99	19,21	–	–	–	–	–
101,00 bis 101,49	19,56	0,22	–	–	–	–
101,50 bis 101,99	19,91	0,47	–	–	–	–
102,00 bis 102,49	20,26	0,72	–	–	–	–
102,50 bis 102,99	20,61	0,97	–	–	–	–
103,00 bis 103,49	20,96	1,22	–	–	–	–
103,50 bis 103,99	21,31	1,47	–	–	–	–
104,00 bis 104,49	21,66	1,72	–	–	–	–
104,50 bis 104,99	22,01	1,97	–	–	–	–
105,00 bis 105,49	22,36	2,22	–	–	–	–
105,50 bis 105,99	22,71	2,47	–	–	–	–
106,00 bis 106,49	23,06	2,72	–	–	–	–
106,50 bis 106,99	23,41	2,97	–	–	–	–
107,00 bis 107,49	23,76	3,22	–	–	–	–
107,50 bis 107,99	24,11	3,47	–	–	–	–
108,00 bis 108,49	24,46	3,72	–	–	–	–

Euro	Pfändbarer Betrag bei Unterhaltspflicht für … Personen					
Nettolohn täglich	0	1	2	3	4	5 und mehr
108,50 bis 108,99	24,81	3,97	–	–	–	–
109,00 bis 109,49	25,16	4,22	–	–	–	–
109,50 bis 109,99	25,51	4,47	–	–	–	–
110,00 bis 110,49	25,86	4,72	–	–	–	–
110,50 bis 110,99	26,21	4,97	–	–	–	–
111,00 bis 111,49	26,56	5,22	–	–	–	–
111,50 bis 111,99	26,91	5,47	–	–	–	–
112,00 bis 112,49	27,26	5,72	–	–	–	–
112,50 bis 112,99	27,61	5,97	–	–	–	–
113,00 bis 113,49	27,96	6,22	–	–	–	–
113,50 bis 113,99	28,31	6,47	–	–	–	–
114,00 bis 114,49	28,66	6,72	–	–	–	–
114,50 bis 114,99	29,01	6,97	–	–	–	–
115,00 bis 115,49	29,36	7,22	–	–	–	–
115,50 bis 115,99	29,71	7,47	–	–	–	–
116,00 bis 116,49	30,06	7,72	0,05	–	–	–
116,50 bis 116,99	30,41	7,97	0,25	–	–	–
117,00 bis 117,49	30,76	8,22	0,45	–	–	–
117,50 bis 117,99	31,11	8,47	0,65	–	–	–
118,00 bis 118,49	31,46	8,72	0,85	–	–	–
118,50 bis 118,99	31,81	8,97	1,05	–	–	–
119,00 bis 119,49	32,16	9,22	1,25	–	–	–
119,50 bis 119,99	32,51	9,47	1,45	–	–	–
120,00 bis 120,49	32,86	9,72	1,65	–	–	–
120,50 bis 120,99	33,21	9,97	1,85	–	–	–
121,00 bis 121,49	33,56	10,22	2,05	–	–	–
121,50 bis 121,99	33,91	10,47	2,25	–	–	–
122,00 bis 122,49	34,26	10,72	2,45	–	–	–
122,50 bis 122,99	34,61	10,97	2,65	–	–	–
123,00 bis 123,49	34,96	11,22	2,85	–	–	–
123,50 bis 123,99	35,31	11,47	3,05	–	–	–
124,00 bis 124,49	35,66	11,72	3,25	–	–	–
124,50 bis 124,99	36,01	11,97	3,45	–	–	–
125,00 bis 125,49	36,36	12,22	3,65	–	–	–
125,50 bis 125,99	36,71	12,47	3,85	–	–	–
126,00 bis 126,49	37,06	12,72	4,05	–	–	–
126,50 bis 126,99	37,41	12,97	4,25	–	–	–
127,00 bis 127,49	37,76	13,22	4,45	–	–	–
127,50 bis 127,99	38,11	13,47	4,65	–	–	–
128,00 bis 128,49	38,46	13,72	4,85	–	–	–
128,50 bis 128,99	38,81	13,97	5,05	–	–	–
129,00 bis 129,49	39,16	14,22	5,25	–	–	–
129,50 bis 129,99	39,51	14,47	5,45	–	–	–
130,00 bis 130,49	39,86	14,72	5,65	–	–	–
130,50 bis 130,99	40,21	14,97	5,85	–	–	–
131,00 bis 131,49	40,56	15,22	6,05	–	–	–
131,50 bis 131,99	40,91	15,47	6,25	0,09	–	–
132,00 bis 132,49	41,26	15,72	6,45	0,24	–	–

Euro	Pfändbarer Betrag bei Unterhaltspflicht für … Personen					
Nettolohn täglich	0	1	2	3	4	5 und mehr
132,50 bis 132,99	41,61	15,97	6,65	0,39	–	–
133,00 bis 133,49	41,96	16,22	6,85	0,54	–	–
133,50 bis 133,99	42,31	16,47	7,05	0,69	–	–
134,00 bis 134,49	42,66	16,72	7,25	0,84	–	–
134,50 bis 134,99	43,01	16,97	7,45	0,99	–	–
135,00 bis 135,49	43,36	17,22	7,65	1,14	–	–
135,50 bis 135,99	43,71	17,47	7,85	1,29	–	–
136,00 bis 136,49	44,06	17,72	8,05	1,44	–	–
136,50 bis 136,99	44,41	17,97	8,25	1,59	–	–
137,00 bis 137,49	44,76	18,22	8,45	1,74	–	–
137,50 bis 137,99	45,11	18,47	8,65	1,89	–	–
138,00 bis 138,49	45,46	18,72	8,85	2,04	–	–
138,50 bis 138,99	45,81	18,97	9,05	2,19	–	–
139,00 bis 139,49	46,16	19,22	9,25	2,34	–	–
139,50 bis 139,99	46,51	19,47	9,45	2,49	–	–
140,00 bis 140,49	46,86	19,72	9,65	2,64	–	–
140,50 bis 140,99	47,21	19,97	9,85	2,79	–	–
141,00 bis 141,49	47,56	20,22	10,05	2,94	–	–
141,50 bis 141,99	47,91	20,47	10,25	3,09	–	–
142,00 bis 142,49	48,26	20,72	10,45	3,24	–	–
142,50 bis 142,99	48,61	20,97	10,65	3,39	–	–
143,00 bis 143,49	48,96	21,22	10,85	3,54	–	–
143,50 bis 143,99	49,31	21,47	11,05	3,69	–	–
144,00 bis 144,49	49,66	21,72	11,25	3,84	–	–
144,50 bis 144,99	50,01	21,97	11,45	3,99	–	–
145,00 bis 145,49	50,36	22,22	11,65	4,14	–	–
145,50 bis 145,99	50,71	22,47	11,85	4,29	–	–
146,00 bis 146,49	51,06	22,72	12,05	4,44	–	–
146,50 bis 146,99	51,41	22,97	12,25	4,59	–	–
147,00 bis 147,49	51,76	23,22	12,45	4,74	0,10	–
147,50 bis 147,99	52,11	23,47	12,65	4,89	0,20	–
148,00 bis 148,49	52,46	23,72	12,85	5,04	0,30	–
148,50 bis 148,99	52,81	23,97	13,05	5,19	0,40	–
149,00 bis 149,49	53,16	24,22	13,25	5,34	0,50	–
149,50 bis 149,99	53,51	24,47	13,45	5,49	0,60	–
150,00 bis 150,49	53,86	24,72	13,65	5,64	0,70	–
150,50 bis 150,99	54,21	24,97	13,85	5,79	0,80	–
151,00 bis 151,49	54,56	25,22	14,05	5,94	0,90	–
151,50 bis 151,99	54,91	25,47	14,25	6,09	1,00	–
152,00 bis 152,49	55,26	25,72	14,45	6,24	1,10	–
152,50 bis 152,99	55,61	25,97	14,65	6,39	1,20	–
153,00 bis 153,49	55,96	26,22	14,85	6,54	1,30	–
153,50 bis 153,99	56,31	26,47	15,05	6,69	1,40	–
154,00 bis 154,49	56,66	26,72	15,25	6,84	1,50	–
154,50 bis 154,99	57,01	26,97	15,45	6,99	1,60	–
155,00 bis 155,49	57,36	27,22	15,65	7,14	1,70	–
155,50 bis 155,99	57,71	27,47	15,85	7,29	1,80	–
156,00 bis 156,49	58,06	27,72	16,05	7,44	1,90	–

Euro	Pfändbarer Betrag bei Unterhaltspflicht für … Personen					
Nettolohn täglich	0	1	2	3	4	5 und mehr
156,50 bis 156,99	58,41	27,97	16,25	7,59	2,00	–
157,00 bis 157,49	58,76	28,22	16,45	7,74	2,10	–
157,50 bis 157,99	59,11	28,47	16,65	7,89	2,20	–
158,00 bis 158,49	59,46	28,72	16,85	8,04	2,30	–
158,50 bis 158,99	59,81	28,97	17,05	8,19	2,40	–
159,00 bis 159,49	60,16	29,22	17,25	8,34	2,50	–
159,50 bis 159,99	60,51	29,47	17,45	8,49	2,60	–
160,00 bis 160,49	60,86	29,72	17,65	8,64	2,70	–
160,50 bis 160,99	61,21	29,97	17,85	8,79	2,80	–
161,00 bis 161,49	61,56	30,22	18,05	8,94	2,90	–
161,50 bis 161,99	61,91	30,47	18,25	9,09	3,00	–
162,00 bis 162,49	62,26	30,72	18,45	9,24	3,10	0,02
162,50 bis 162,99	62,61	30,97	18,65	9,39	3,20	0,07
163,00 bis 163,49	62,96	31,22	18,85	9,54	3,30	0,12
163,50 bis 163,99	63,31	31,47	19,05	9,69	3,40	0,17
164,00 bis 164,49	63,66	31,72	19,25	9,84	3,50	0,22
164,50 bis 164,99	64,01	31,97	19,45	9,99	3,60	0,27
165,00 bis 165,49	64,36	32,22	19,65	10,14	3,70	0,32
165,50 bis 165,99	64,71	32,47	19,85	10,29	3,80	0,37
166,00 bis 166,49	65,06	32,72	20,05	10,44	3,90	0,42
166,50 bis 166,99	65,41	32,97	20,25	10,59	4,00	0,47
167,00 bis 167,49	65,76	33,22	20,45	10,74	4,10	0,52
167,50 bis 167,99	66,11	33,47	20,65	10,89	4,20	0,57
168,00 bis 168,49	66,46	33,72	20,85	11,04	4,30	0,62
168,50 bis 168,99	66,81	33,97	21,05	11,19	4,40	0,67
169,00 bis 169,49	67,16	34,22	21,25	11,34	4,50	0,72
169,50 bis 169,99	67,51	34,47	21,45	11,49	4,60	0,77
170,00 bis 170,49	67,86	34,72	21,65	11,64	4,70	0,82
170,50 bis 170,99	68,21	34,97	21,85	11,79	4,80	0,87
171,00 bis 171,49	68,56	35,22	22,05	11,94	4,90	0,92
171,50 bis 171,99	68,91	35,47	22,25	12,09	5,00	0,97
172,00 bis 172,49	69,26	35,72	22,45	12,24	5,10	1,02
172,50 bis 172,99	69,61	35,97	22,65	12,39	5,20	1,07
173,00 bis 173,49	69,96	36,22	22,85	12,54	5,30	1,12
173,50 bis 173,99	70,31	36,47	23,05	12,69	5,40	1,17
174,00 bis 174,49	70,66	36,72	23,25	12,84	5,50	1,22
174,50 bis 174,99	71,01	36,97	23,45	12,99	5,60	1,27
175,00 bis 175,49	71,36	37,22	23,65	13,14	5,70	1,32
175,50 bis 175,99	71,71	37,47	23,85	13,29	5,80	1,37
176,00 bis 176,49	72,06	37,72	24,05	13,44	5,90	1,42
176,50 bis 176,99	72,41	37,97	24,25	13,59	6,00	1,47
177,00 bis 177,49	72,76	38,22	24,45	13,74	6,10	1,52
177,50 bis 177,99	73,11	38,47	24,65	13,89	6,20	1,57
178,00 bis 178,49	73,46	38,72	24,85	14,04	6,30	1,62
178,50 bis 178,99	73,81	38,97	25,05	14,19	6,40	1,67
179,00 bis 179,49	74,16	39,22	25,25	14,34	6,50	1,72
179,50 bis 179,99	74,51	39,47	25,45	14,49	6,60	1,77
180,00 bis 180,49	74,86	39,72	25,65	14,64	6,70	1,82

Euro	Pfändbarer Betrag bei Unterhaltspflicht für … Personen					
Nettolohn täglich	0	1	2	3	4	5 und mehr
180,50 bis 180,99	75,21	39,97	25,85	14,79	6,80	1,87
181,00 bis 181,49	75,56	40,22	26,05	14,94	6,90	1,92
181,50 bis 181,99	75,91	40,47	26,25	15,09	7,00	1,97
182,00 bis 182,49	76,26	40,72	26,45	15,24	7,10	2,02
182,50 bis 182,99	76,61	40,97	26,65	15,39	7,20	2,07
183,00 bis 183,49	76,96	41,22	26,85	15,54	7,30	2,12
183,50 bis 183,99	77,31	41,47	27,05	15,69	7,40	2,17
184,00 bis 184,49	77,66	41,72	27,25	15,84	7,50	2,22
184,50 bis 184,99	78,01	41,97	27,45	15,99	7,60	2,27
185,00 bis 185,49	78,36	42,22	27,65	16,14	7,70	2,32
185,50 bis 185,99	78,71	42,47	27,85	16,29	7,80	2,37
186,00 bis 186,49	79,06	42,72	28,05	16,44	7,90	2,42
186,50 bis 186,99	79,41	42,97	28,25	16,59	8,00	2,47
187,00 bis 187,49	79,76	43,22	28,45	16,74	8,10	2,52
187,50 bis 187,99	80,11	43,47	28,65	16,89	8,20	2,57
188,00 bis 188,49	80,46	43,72	28,85	17,04	8,30	2,62
188,50 bis 188,99	80,81	43,97	29,05	17,19	8,40	2,67
189,00 bis 189,49	81,16	44,22	29,25	17,34	8,50	2,72
189,50 bis 189,99	81,51	44,47	29,45	17,49	8,60	2,77
190,00 bis 190,49	81,86	44,72	29,65	17,64	8,70	2,82
190,50 bis 190,99	82,21	44,97	29,85	17,79	8,80	2,87
191,00 bis 191,49	82,56	45,22	30,05	17,94	8,90	2,92
191,50 bis 191,99	82,91	45,47	30,25	18,09	9,00	2,97
192,00 bis 192,49	83,26	45,72	30,45	18,24	9,10	3,02
192,50 bis 192,99	83,61	45,97	30,65	18,39	9,20	3,07
193,00 bis 193,49	83,96	46,22	30,85	18,54	9,30	3,12
193,50 bis 193,99	84,31	46,47	31,05	18,69	9,40	3,17
194,00 bis 194,49	84,66	46,72	31,25	18,84	9,50	3,22
194,50 bis 194,99	85,01	46,97	31,45	18,99	9,60	3,27
195,00 bis 195,49	85,36	47,22	31,65	19,14	9,70	3,32
195,50 bis 195,99	85,71	47,47	31,85	19,29	9,80	3,37
196,00 bis 196,49	86,06	47,72	32,05	19,44	9,90	3,42
196,50 bis 196,99	86,41	47,97	32,25	19,59	10,00	3,47
197,00 bis 197,49	86,76	48,22	32,45	19,74	10,10	3,52
197,50 bis 197,99	87,11	48,47	32,65	19,89	10,20	3,57
198,00 bis 198,49	87,46	48,72	32,85	20,04	10,30	3,62
198,50 bis 198,99	87,81	48,97	33,05	20,19	10,40	3,67
199,00 bis 199,49	88,16	49,22	33,25	20,34	10,50	3,72
199,50 bis 199,99	88,51	49,47	33,45	20,49	10,60	3,77
200,00 bis 200,49	88,86	49,72	33,65	20,64	10,70	3,82
200,50 bis 200,99	89,21	49,97	33,85	20,79	10,80	3,87
201,00 bis 201,49	89,56	50,22	34,05	20,94	10,90	3,92
201,50 bis 201,99	89,91	50,47	34,25	21,09	11,00	3,97
202,00 bis 202,49	90,26	50,72	34,45	21,24	11,10	4,02
202,50 bis 202,99	90,61	50,97	34,65	21,39	11,20	4,07
203,00 bis 203,49	90,96	51,22	34,85	21,54	11,30	4,12
203,50 bis 203,99	91,31	51,47	35,05	21,69	11,40	4,17
204,00 bis 204,49	91,66	51,72	35,25	21,84	11,50	4,22

Euro Nettolohn täglich	Pfändbarer Betrag bei Unterhaltspflicht für … Personen 0	1	2	3	4	5 und mehr
204,50 bis 204,99	92,01	51,97	35,45	21,99	11,60	4,27
205,00 bis 205,49	92,36	52,22	35,65	22,14	11,70	4,32
205,50 bis 205,99	92,71	52,47	35,85	22,29	11,80	4,37
206,00 bis 206,49	93,06	52,72	36,05	22,44	11,90	4,42
206,50 bis 206,99	93,41	52,97	36,25	22,59	12,00	4,47
207,00 bis 207,49	93,76	53,22	36,45	22,74	12,10	4,52
207,50 bis 207,99	94,11	53,47	36,65	22,89	12,20	4,57
208,00 bis 208,49	94,46	53,72	36,85	23,04	12,30	4,62
208,50 bis 208,99	94,81	53,97	37,05	23,19	12,40	4,67
209,00 bis 209,49	95,16	54,22	37,25	23,34	12,50	4,72
209,50 bis 209,99	95,51	54,47	37,45	23,49	12,60	4,77
210,00 bis 210,49	95,86	54,72	37,65	23,64	12,70	4,82
210,50 bis 210,99	96,21	54,97	37,85	23,79	12,80	4,87
211,00 bis 211,49	96,56	55,22	38,05	23,94	12,90	4,92
211,50 bis 211,99	96,91	55,47	38,25	24,09	13,00	4,97
212,00 bis 212,49	97,26	55,72	38,45	24,24	13,10	5,02
212,50 bis 212,99	97,61	55,97	38,65	24,39	13,20	5,07
213,00 bis 213,49	97,96	56,22	38,85	24,54	13,30	5,12
213,50 bis 213,99	98,31	56,47	39,05	24,69	13,40	5,17
214,00 bis 214,49	98,66	56,72	39,25	24,84	13,50	5,22
214,50 bis 214,99	99,01	56,97	39,45	24,99	13,60	5,27
215,00 bis 215,49	99,36	57,22	39,65	25,14	13,70	5,32
215,50 bis 215,99	99,71	57,47	39,85	25,29	13,80	5,37
216,00 bis 216,49	100,06	57,72	40,05	25,44	13,90	5,42
216,50 bis 216,99	100,41	57,97	40,25	25,59	14,00	5,47
217,00 bis 217,49	100,76	58,22	40,45	25,74	14,10	5,52
217,50 bis 217,99	101,11	58,47	40,65	25,89	14,20	5,57
218,00 bis 218,49	101,46	58,72	40,85	26,04	14,30	5,62
218,50 bis 218,99	101,81	58,97	41,05	26,19	14,40	5,67
219,00 bis 219,49	102,16	59,22	41,25	26,34	14,50	5,72
219,50 bis 219,99	102,51	59,47	41,45	26,49	14,60	5,77
220,00 bis 220,49	102,86	59,72	41,65	26,64	14,70	5,82
220,50 bis 220,99	103,21	59,97	41,85	26,79	14,80	5,87
221,00 bis 221,49	103,56	60,22	42,05	26,94	14,90	5,92
221,50 bis 221,99	103,91	60,47	42,25	27,09	15,00	5,97
222,00 bis 222,49	104,26	60,72	42,45	27,24	15,10	6,02
222,50 bis 222,99	104,61	60,97	42,65	27,39	15,20	6,07
223,00 bis 223,49	104,96	61,22	42,85	27,54	15,30	6,12
223,50 bis 223,99	105,31	61,47	43,05	27,69	15,40	6,17
Der Mehrbetrag über 223,99 ist voll pfändbar.						

327. Insolvenzordnung (InsO)

Vom 5. Oktober 1994
(BGBl. I S. 2866)

FNA 311-13

zuletzt geänd. durch Art. 6 PostrechtsmodernisierungsG v. 15.7.2024 (BGBl. 2024 I Nr. 236)

– Auszug –[1)]

Erster Teil. Allgemeine Vorschriften

§ 1 Ziele des Insolvenzverfahrens. [1]Das Insolvenzverfahren dient dazu, die Gläubiger eines Schuldners gemeinschaftlich zu befriedigen, indem das Vermögen des Schuldners verwertet und der Erlös verteilt oder in einem Insolvenzplan eine abweichende Regelung insbesondere zum Erhalt des Unternehmens getroffen wird. [2]Dem redlichen Schuldner wird Gelegenheit gegeben, sich von seinen restlichen Verbindlichkeiten zu befreien.

§ 2[2)] Amtsgericht als Insolvenzgericht. (1) Für das Insolvenzverfahren ist das Amtsgericht, in dessen Bezirk ein Landgericht seinen Sitz hat, als Insolvenzgericht für den Bezirk dieses Landgerichts ausschließlich zuständig.

(2) [1]Die Landesregierungen werden ermächtigt, zur sachdienlichen Förderung oder schnelleren Erledigung der Verfahren durch Rechtsverordnung andere oder zusätzliche Amtsgerichte zu Insolvenzgerichten zu bestimmen und die Bezirke der Insolvenzgerichte abweichend festzulegen. [2]Die Landesregierungen können die Ermächtigung auf die Landesjustizverwaltungen übertragen.

(3) [1]Rechtsverordnungen nach Absatz 2 sollen je Bezirk eines Oberlandesgerichts ein Insolvenzgericht bestimmen, an dem ein Gruppen-Gerichtsstand nach § 3a begründet werden kann. [2]Die Zuständigkeit des bestimmten Insolvenzgerichts kann innerhalb eines Landes auch über den Bezirk eines Oberlandesgerichts erstreckt werden.

Zweiter Teil. Eröffnung des Insolvenzverfahrens. Erfaßtes Vermögen und Verfahrensbeteiligte

Erster Abschnitt. Eröffnungsvoraussetzungen und Eröffnungsverfahren

§ 11[3)] Zulässigkeit des Insolvenzverfahrens. (1) [1]Ein Insolvenzverfahren kann über das Vermögen jeder natürlichen und jeder juristischen Person eröffnet werden. [2]Der Verein ohne Rechtspersönlichkeit steht insoweit einer juristischen Person gleich.

(2) Ein Insolvenzverfahren kann ferner eröffnet werden:

---

1) Vollständig wiedergegeben in **beck-online, Module Arbeitsrecht.**

2) § 2 Abs. 3 angef. mWv 21.4.2018 durch G v. 13.4.2017 (BGBl. I S. 866).

3) § 11 Abs. 2 Nr. 1 geänd. durch G v. 22.7.1998 (BGBl. I S. 1878); Abs. 2 Nr. 2 geänd. mWv 26.11.2015 durch G v. 20.11.2015 (BGBl. I S. 2010); Abs. 2 Nr. 1, Abs. 3 geänd. mWv 1.1.2024 durch G v. 10.8.2021 (BGBl. I S. 3436); Abs. 1 Satz 2 geänd. mWv 1.1.2024 durch G v. 22.12.2023 (BGBl. 2023 I Nr. 411).

1. über das Vermögen einer rechtsfähigen Personengesellschaft (offene Handelsgesellschaft, Kommanditgesellschaft, Partnerschaftsgesellschaft, Gesellschaft des Bürgerlichen Rechts, Partenreederei, Europäische wirtschaftliche Interessenvereinigung);
2. nach Maßgabe der §§ 315 bis 334 über einen Nachlaß, über das Gesamtgut einer fortgesetzten Gütergemeinschaft oder über das Gesamtgut einer Gütergemeinschaft, das von den Ehegatten oder Lebenspartnern gemeinschaftlich verwaltet wird.

(3) Nach Auflösung einer juristischen Person oder einer rechtsfähigen Personengesellschaft ist die Eröffnung des Insolvenzverfahrens zulässig, solange die Verteilung des Vermögens nicht vollzogen ist.

§ 12[1)] Juristische Personen des öffentlichen Rechts. (1) Unzulässig ist das Insolvenzverfahren über das Vermögen

1. des Bundes oder eines Landes;
2. einer juristischen Person des öffentlichen Rechts, die der Aufsicht eines Landes untersteht, wenn das Landesrecht dies bestimmt.

(2) Hat ein Land nach Absatz 1 Nr. 2 das Insolvenzverfahren über das Vermögen einer juristischen Person für unzulässig erklärt, so können im Falle der Zahlungsunfähigkeit oder der Überschuldung dieser juristischen Person deren Arbeitnehmer von dem Land die Leistungen verlangen, die sie im Falle der Eröffnung eines Insolvenzverfahrens nach den Vorschriften des Dritten Buches Sozialgesetzbuch[2)] über das Insolvenzgeld von der Agentur für Arbeit und nach den Vorschriften des Gesetzes zur Verbesserung der betrieblichen Altersversorgung[3)] vom Träger der Insolvenzsicherung beanspruchen könnten.

§ 13[4)] Eröffnungsantrag. (1) [1] Das Insolvenzverfahren wird nur auf schriftlichen Antrag eröffnet. [2] Antragsberechtigt sind die Gläubiger und der Schuldner. [3] Dem Antrag des Schuldners ist ein Verzeichnis der Gläubiger und ihrer Forderungen beizufügen. [4] Wenn der Schuldner einen Geschäftsbetrieb hat, der nicht eingestellt ist, sollen in dem Verzeichnis besonders kenntlich gemacht werden

1. die höchsten Forderungen,
2. die höchsten gesicherten Forderungen,
3. die Forderungen der Finanzverwaltung,
4. die Forderungen der Sozialversicherungsträger sowie
5. die Forderungen aus betrieblicher Altersversorgung.

[5] Der Schuldner hat in diesem Fall auch Angaben zur Bilanzsumme, zu den Umsatzerlösen und zur durchschnittlichen Zahl der Arbeitnehmer des vorangegangenen Geschäftsjahres zu machen. [6] Die Angaben nach Satz 4 sind verpflichtend, wenn

---

1) § 12 Abs. 2 geänd. durch G v. 24.3.1997 (BGBl. I S. 594); Abs. 2 geänd. mWv 1.1.2004 durch G v. 23.12.2003 (BGBl. I S. 2848).

2) Nr. **700**.

3) Nr. **180**.

4) § 13 Abs. 1 Satz 1 geänd. und Abs. 3 angef. mWv 1.7.2007 durch G v. 13.4.2007 (BGBl. I S. 509); Abs. 1 Sätze 3–7 und Abs. 3 Satz 3 angef. mWv 1.3.2012 durch G v. 7.12.2011 (BGBl. I S. 2582); Abs. 3 Satz 1 geänd. mWv 8.9.2015 durch VO v. 31.8.2015 (BGBl. I S. 1474); Abs. 3 eingef., bish. Abs. 3 wird Abs. 4 mWv 26.6.2017 durch G v. 5.6.2017 (BGBl. I S. 1476).

1. der Schuldner Eigenverwaltung beantragt,
2. der Schuldner die Merkmale des § 22a Absatz 1 erfüllt oder
3. die Einsetzung eines vorläufigen Gläubigerausschusses beantragt wurde.

[7] Dem Verzeichnis nach Satz 3 und den Angaben nach den Sätzen 4 und 5 ist die Erklärung beizufügen, dass die enthaltenen Angaben richtig und vollständig sind.

(2) Der Antrag kann zurückgenommen werden, bis das Insolvenzverfahren eröffnet oder der Antrag rechtskräftig abgewiesen ist.

(3) Ist der Eröffnungsantrag unzulässig, so fordert das Insolvenzgericht den Antragsteller unverzüglich auf, den Mangel zu beheben und räumt ihm hierzu eine angemessene Frist ein.

(4) [1] Das Bundesministerium der Justiz und für Verbraucherschutz wird ermächtigt, durch Rechtsverordnung mit Zustimmung des Bundesrates für die Antragstellung durch den Schuldner ein Formular einzuführen. [2] Soweit nach Satz 1 ein Formular eingeführt ist, muss der Schuldner dieses benutzen. [3] Für Verfahren, die von den Gerichten maschinell bearbeitet, und für solche, die nicht maschinell bearbeitet werden, können unterschiedliche Formulare eingeführt werden.

§ 13a *(hier nicht wiedergegeben)*

§ 14[1)] Antrag eines Gläubigers. (1) [1] Der Antrag eines Gläubigers ist zulässig, wenn der Gläubiger ein rechtliches Interesse an der Eröffnung des Insolvenzverfahrens hat und seine Forderung und den Eröffnungsgrund glaubhaft macht. [2] Der Antrag wird nicht allein dadurch unzulässig, dass die Forderung erfüllt wird.

(2) Ist der Antrag zulässig, so hat das Insolvenzgericht den Schuldner zu hören.

(3) [1] Wird die Forderung des Gläubigers nach Antragstellung erfüllt, so hat der Schuldner die Kosten des Verfahrens zu tragen, wenn der Antrag als unbegründet abgewiesen wird. [2] Der Schuldner hat die Kosten auch dann zu tragen, wenn der Antrag eines Gläubigers wegen einer zum Zeitpunkt der Antragstellung wirksamen nichtöffentlichen Stabilisierungsanordnung nach dem Unternehmensstabilisierungs- und -restrukturierungsgesetz[2)] abgewiesen wird und der Gläubiger von der Stabilisierungsanordnung keine Kenntnis haben konnte.

§ 15[3)] Antragsrecht bei juristischen Personen und rechtsfähigen Personengesellschaften. (1) [1] Zum Antrag auf Eröffnung eines Insolvenzverfahrens über das Vermögen einer juristischen Person oder einer rechtsfähigen Personengesellschaft ist außer den Gläubigern jedes Mitglied des Vertretungsorgans, bei einer rechtsfähigen Personengesellschaft oder bei einer Kommanditgesellschaft auf Aktien jeder persönlich haftende Gesellschafter, sowie jeder Abwickler berechtigt. [2] Bei einer juristischen Person ist im Fall der Führungs-

---

[1)] § 14 Abs. 1 Sätze 2 und 3, Abs. 3 angef. mWv 1.1.2011 durch G v. 9.12.2010 (BGBl. I S. 1885); Abs. 1 Satz 2 neu gef., Satz 3 aufgeh. mWv 5.4.2017 durch G v. 29.3.2017 (BGBl. I S. 654); Abs. 3 Satz 2 angef. mWv 1.1.2021 durch G v. 22.12.2020 (BGBl. I S. 3256) .

[2)] **Habersack ErgBd. Nr. 110e.**

[3)] § 15 Abs. 1 Satz 2 angef., Abs. 2 Satz 1 geänd., Satz 2 eingef., bish. Satz 2 wird Satz 3 und geänd. mWv 1.11.2008 durch G v. 23.10.2008 (BGBl. I S. 2026); Überschrift, Abs. 1 Satz 1, Abs. 3 Satz 1 geänd. mWv 1.1.2024 durch G v. 10.8.2021 (BGBl. I S. 3436).

losigkeit auch jeder Gesellschafter, bei einer Aktiengesellschaft oder einer Genossenschaft zudem auch jedes Mitglied des Aufsichtsrats zur Antragstellung berechtigt.

(2) [1] Wird der Antrag nicht von allen Mitgliedern des Vertretungsorgans, allen persönlich haftenden Gesellschaftern, allen Gesellschaftern der juristischen Person, allen Mitgliedern des Aufsichtsrats oder allen Abwicklern gestellt, so ist er zulässig, wenn der Eröffnungsgrund glaubhaft gemacht wird. [2] Zusätzlich ist bei Antragstellung durch Gesellschafter einer juristischen Person oder Mitglieder des Aufsichtsrats auch die Führungslosigkeit glaubhaft zu machen. [3] Das Insolvenzgericht hat die übrigen Mitglieder des Vertretungsorgans, persönlich haftenden Gesellschafter, Gesellschafter der juristischen Person, Mitglieder des Aufsichtsrats oder Abwickler zu hören.

(3) [1] Ist bei einer rechtsfähigen Personengesellschaft kein persönlich haftender Gesellschafter eine natürliche Person, so gelten die Absätze 1 und 2 entsprechend für die organschaftlichen Vertreter und die Abwickler der zur Vertretung der Gesellschaft ermächtigten Gesellschafter. [2] Entsprechendes gilt, wenn sich die Verbindung von Gesellschaften in dieser Art fortsetzt.

§ 15a[1) 2)] Antragspflicht bei juristischen Personen und rechtsfähigen Personengesellschaften. (1) [1] Wird eine juristische Person zahlungsunfähig oder überschuldet, haben die Mitglieder des Vertretungsorgans oder die Abwickler ohne schuldhaftes Zögern einen Eröffnungsantrag zu stellen. [2] Der Antrag ist spätestens drei Wochen nach Eintritt der Zahlungsunfähigkeit und sechs Wochen nach Eintritt der Überschuldung zu stellen. [3] Das Gleiche gilt für die organschaftlichen Vertreter der zur Vertretung der Gesellschaft ermächtigten Gesellschafter oder die Abwickler bei einer rechtsfähigen Personengesellschaft, bei der kein persönlich haftender Gesellschafter eine natürliche Person ist; dies gilt nicht, wenn zu den persönlich haftenden Gesellschaftern eine andere Gesellschaft gehört, bei der ein persönlich haftender Gesellschafter eine natürliche Person ist.

(2) Bei einer Gesellschaft im Sinne des Absatzes 1 Satz 3 gilt Absatz 1 sinngemäß, wenn die organschaftlichen Vertreter der zur Vertretung der Gesellschaft ermächtigten Gesellschafter ihrerseits Gesellschaften sind, bei denen kein

(Fortsetzung nächstes Blatt)

---

1) § 15a eingef. mWv 1.11.2008 durch G v. 23.10.2008 (BGBl. I S. 2026); Abs. 1 Satz 1, Abs. 2 und 4 geänd. mWv 1.3.2012 durch G v. 7.12.2011 (BGBl. I S. 2582); Abs. 6 angef. mWv 1.7.2014 durch G v. 15.7.2013 (BGBl. I S. 2379); Abs. 4 neu gef., Abs 6 eingef., bish. Abs. 6 wird Abs. 7 und geänd. mWv 26.6.2017 durch G v. 5.6.2017 (BGBl. I S. 1476); Abs. 1 Satz 1 geänd., Satz 2 eingef., bish. Satz 2 wird Satz 3, Abs. 2, Abs. 4 einl. Satzteil geänd. mWv 1.1.2021 durch G v. 22.12.2020 (BGBl. I S. 3256); Überschrift, Abs. 1 Satz 3 geänd. mWv 1.1.2024 durch G v. 10.8.2021 (BGBl. I S. 3436).

2) Siehe hierzu das Sanierungs- und insolvenzrechtliches KrisenfolgenabmilderungsG **(Habersack Nr. 110d)**.

persönlich haftender Gesellschafter eine natürliche Person ist, oder sich die Verbindung von Gesellschaften in dieser Art fortsetzt.

(3) Im Fall der Führungslosigkeit einer Gesellschaft mit beschränkter Haftung ist auch jeder Gesellschafter, im Fall der Führungslosigkeit einer Aktiengesellschaft oder einer Genossenschaft ist auch jedes Mitglied des Aufsichtsrats zur Stellung des Antrags verpflichtet, es sei denn, diese Person hat von der Zahlungsunfähigkeit und der Überschuldung oder der Führungslosigkeit keine Kenntnis.

(4) Mit Freiheitsstrafe bis zu drei Jahren oder mit Geldstrafe wird bestraft, wer entgegen Absatz 1 Satz 1 und 2, auch in Verbindung mit Satz 3 oder Absatz 2 oder Absatz 3, einen Eröffnungsantrag

1. nicht oder nicht rechtzeitig stellt oder
2. nicht richtig stellt.

(5) Handelt der Täter in den Fällen des Absatzes 4 fahrlässig, ist die Strafe Freiheitsstrafe bis zu einem Jahr oder Geldstrafe.

(6) Im Falle des Absatzes 4 Nummer 2, auch in Verbindung mit Absatz 5, ist die Tat nur strafbar, wenn der Eröffnungsantrag rechtskräftig als unzulässig zurückgewiesen wurde.

(7) Auf Vereine und Stiftungen, für die § 42 Absatz 2 des Bürgerlichen Gesetzbuchs[1)] gilt, sind die Absätze 1 bis 6 nicht anzuwenden.

§ 15b[2)] Zahlungen bei Zahlungsunfähigkeit und Überschuldung; Verjährung. (1) [1] Die nach § 15a Absatz 1 Satz 1 antragspflichtigen Mitglieder des Vertretungsorgans und Abwickler einer juristischen Person dürfen nach dem Eintritt der Zahlungsunfähigkeit oder der Überschuldung der juristischen Person keine Zahlungen mehr für diese vornehmen. [2] Dies gilt nicht für Zahlungen, die mit der Sorgfalt eines ordentlichen und gewissenhaften Geschäftsleiters vereinbar sind.

(2) [1] Zahlungen, die im ordnungsgemäßen Geschäftsgang erfolgen, insbesondere solche Zahlungen, die der Aufrechterhaltung des Geschäftsbetriebs dienen, gelten vorbehaltlich des Absatzes 3 als mit der Sorgfalt eines ordentlichen und gewissenhaften Geschäftsleiters vereinbar. [2] Im Rahmen des für eine rechtzeitige Antragstellung maßgeblichen Zeitraums nach § 15a Absatz 1 Satz 1 und 2 gilt dies nur, solange die Antragspflichtigen Maßnahmen zur nachhaltigen Beseitigung der Insolvenzreife oder zur Vorbereitung eines Insolvenzantrags mit der Sorgfalt eines ordentlichen und gewissenhaften Geschäftsleiters betreiben. [3] Zahlungen, die im Zeitraum zwischen der Stellung des Antrags und der Eröffnung des Verfahrens geleistet werden, gelten auch dann als mit der Sorgfalt eines ordentlichen und gewissenhaften Geschäftsleiters vereinbar, wenn diese mit Zustimmung eines vorläufigen Insolvenzverwalters vorgenommen wurden.

(3) Ist der nach § 15a Absatz 1 Satz 1 und 2 für eine rechtzeitige Antragstellung maßgebliche Zeitpunkt verstrichen und hat der Antragspflichtige keinen Antrag gestellt, sind Zahlungen in der Regel nicht mit der Sorgfalt eines ordentlichen und gewissenhaften Geschäftsleiters vereinbar.

(4) [1] Werden entgegen Absatz 1 Zahlungen geleistet, sind die Antragspflichtigen der juristischen Person zur Erstattung verpflichtet. [2] Ist der Gläubigerschaft

---

[1)] **beck-online, Module Arbeitsrecht Nr. 50.**
[2)] § 15b eingef. mWv 1.1.2021 durch G v. 22.12.2020 (BGBl. I S. 3256).

der juristischen Person ein geringerer Schaden entstanden, beschränkt sich die Ersatzpflicht auf den Ausgleich dieses Schadens. [3]Soweit die Erstattung oder der Ersatz zur Befriedigung der Gläubiger der juristischen Person erforderlich ist, wird die Pflicht nicht dadurch ausgeschlossen, dass dieselben in Befolgung eines Beschlusses eines Organs der juristischen Person gehandelt haben. [4]Ein Verzicht der juristischen Person auf Erstattungs- oder Ersatzansprüche oder ein Vergleich der juristischen Person über diese Ansprüche ist unwirksam. [5]Dies gilt nicht, wenn der Erstattungs- oder Ersatzpflichtige zahlungsunfähig ist und sich zur Abwendung des Insolvenzverfahrens mit seinen Gläubigern vergleicht, wenn die Erstattungs- oder Ersatzpflicht in einem Insolvenzplan geregelt wird oder wenn ein Insolvenzverwalter für die juristische Person handelt.

(5) [1]Absatz 1 Satz 1 und Absatz 4 gelten auch für Zahlungen an Personen, die an der juristischen Person beteiligt sind, soweit diese zur Zahlungsunfähigkeit der juristischen Person führen mussten, es sei denn, dies war auch bei Beachtung der in Absatz 1 Satz 2 bezeichneten Sorgfalt nicht erkennbar. [2]Satz 1 ist auf Genossenschaften nicht anwendbar.

(6) Die Absätze 1 bis 5 gelten auch für die nach § 15a Absatz 1 Satz 3 und Absatz 2 zur Stellung des Antrags verpflichteten organschaftlichen Vertreter der zur Vertretung der Gesellschaft ermächtigten Gesellschafter.

(7) [1]Die Ansprüche aufgrund der vorstehenden Bestimmungen verjähren in fünf Jahren. [2]Besteht zum Zeitpunkt der Pflichtverletzung eine Börsennotierung, verjähren die Ansprüche in zehn Jahren.

(8) [1]Eine Verletzung steuerrechtlicher Zahlungspflichten liegt nicht vor, wenn zwischen dem Eintritt der Zahlungsunfähigkeit nach § 17 oder der Überschuldung nach § 19 und der Entscheidung des Insolvenzgerichts über den Insolvenzantrag Ansprüche aus dem Steuerschuldverhältnis nicht oder nicht rechtzeitig erfüllt werden, sofern die Antragspflichtigen ihren Verpflichtungen nach § 15a nachkommen. [2]Wird entgegen der Verpflichtung nach § 15a ein Insolvenzantrag verspätet gestellt, gilt dies nur für die nach Bestellung eines vorläufigen Insolvenzverwalters oder Anordnung der vorläufigen Eigenverwaltung fällig werdenden Ansprüche aus dem Steuerschuldverhältnis. [3]Wird das Insolvenzverfahren nicht eröffnet und ist dies auf eine Pflichtverletzung der Antragspflichtigen zurückzuführen, gelten die Sätze 1 und 2 nicht.

§ 16 Eröffnungsgrund. Die Eröffnung des Insolvenzverfahrens setzt voraus, daß ein Eröffnungsgrund gegeben ist.

§ 17 Zahlungsunfähigkeit. (1) Allgemeiner Eröffnungsgrund ist die Zahlungsunfähigkeit.

(2) [1]Der Schuldner ist zahlungsunfähig, wenn er nicht in der Lage ist, die fälligen Zahlungspflichten zu erfüllen. [2]Zahlungsunfähigkeit ist in der Regel anzunehmen, wenn der Schuldner seine Zahlungen eingestellt hat.

§ 18[1)] Drohende Zahlungsunfähigkeit. (1) Beantragt der Schuldner die Eröffnung des Insolvenzverfahrens, so ist auch die drohende Zahlungsunfähigkeit Eröffnungsgrund.

[1)] § 18 Abs. 2 Satz 2 angef. mWv 1.1.2021 durch G v. 22.12.2020 (BGBl. I S. 3256); Abs. 3 geänd. mWv 1.1.2024 durch G v. 10.8.2021 (BGBl. I S. 3436).

(2) [1] Der Schuldner droht zahlungsunfähig zu werden, wenn er voraussichtlich nicht in der Lage sein wird, die bestehenden Zahlungspflichten im Zeitpunkt der Fälligkeit zu erfüllen. [2] In aller Regel ist ein Prognosezeitraum von 24 Monaten zugrunde zu legen.

(3) Wird bei einer juristischen Person oder einer rechtsfähigen Personengesellschaft der Antrag nicht von allen Mitgliedern des Vertretungsorgans, allen persönlich haftenden Gesellschaftern oder allen Abwicklern gestellt, so ist Absatz 1 nur anzuwenden, wenn der oder die Antragsteller zur Vertretung der juristischen Person oder der Gesellschaft berechtigt sind.

§ 19[1)] Überschuldung. (1) Bei einer juristischen Person ist auch die Überschuldung Eröffnungsgrund.

(2) [1] Überschuldung liegt vor, wenn das Vermögen des Schuldners die bestehenden Verbindlichkeiten nicht mehr deckt, es sei denn, die Fortführung des Unternehmens in den nächsten zwölf Monaten ist nach den Umständen überwiegend wahrscheinlich. [2] Forderungen auf Rückgewähr von Gesellschafterdarlehen oder aus Rechtshandlungen, die einem solchen Darlehen wirtschaftlich entsprechen, für die gemäß § 39 Abs. 2 zwischen Gläubiger und Schuldner der Nachrang im Insolvenzverfahren hinter den in § 39 Abs. 1 Nr. 1 bis 5 bezeichneten Forderungen vereinbart worden ist, sind nicht bei den Verbindlichkeiten nach Satz 1 zu berücksichtigen.

(3) [1] Ist bei einer rechtsfähigen Personengesellschaft kein persönlich haftender Gesellschafter eine natürliche Person, so gelten die Absätze 1 und 2 entsprechend. [2] Dies gilt nicht, wenn zu den persönlich haftenden Gesellschaftern eine andere Gesellschaft gehört, bei der ein persönlich haftender Gesellschafter eine natürliche Person ist.

§ 20[2)] Auskunfts- und Mitwirkungspflicht im Eröffnungsverfahren. Hinweis auf Restschuldbefreiung. (1) [1] Ist der Antrag zulässig, so hat der Schuldner dem Insolvenzgericht die Auskünfte zu erteilen, die zur Entscheidung über den Antrag erforderlich sind, und es auch sonst bei der Erfüllung seiner Aufgaben zu unterstützen. [2] Die §§ 97, 98, 101 Abs. 1 Satz 1, 2, Abs. 2 gelten entsprechend.

(2) Ist der Schuldner eine natürliche Person, so soll er darauf hingewiesen werden, dass er nach Maßgabe der §§ 286 bis 303a Restschuldbefreiung erlangen kann.

§ 21[3)] Anordnung vorläufiger Maßnahmen. (1) [1] Das Insolvenzgericht hat alle Maßnahmen zu treffen, die erforderlich erscheinen, um bis zur Entscheidung

---

[1)] § 19 Abs. 2 neu gef. mWv 18.10.2008 durch G v. 17.10.2008 (BGBl. I S. 1982, geänd. durch G v. 7.4.2009, BGBl. I S. 725, G v. 24.9.2009, BGBl. I S. 3151 und G v. 5.12.2012, BGBl. I S. 2418); Abs. 2 Satz 2 angef. mWv 1.11.2008 durch G v. 23.10.2008 (BGBl. I S. 2026); Abs. 2 Satz 1 geänd. mWv 1.1.2021 durch G v. 22.12.2020 (BGBl. I S. 3256); Abs. 3 Satz 1 geänd. mWv 1.1.2024 durch G v. 10.8.2021 (BGBl. I S. 3436).

[2)] § 20 Überschrift neu gef., Abs. 2 angef. mWv 1.12.2001 durch G v. 26.10.2001 (BGBl. I S. 2710); Überschrift neu gef., Abs. 1 Satz 1 geänd. mWv 1.7.2007 durch G v. 13.4.2007 (BGBl. I S. 509); Abs. 2 geänd. mWv 1.7.2014 durch G v. 15.7.2013 (BGBl. I S. 2379).

[3)] § 21 Abs. 2 Nr. 1 und 3 geänd., Nr. 4 angef. durch G v. 19.12.1998 (BGBl. I S. 3836); Abs. 1 Satz 2 angef. mWv 1.12.2001 durch G v. 26.10.2001 (BGBl. I S. 2710); Abs. 2 Satz 2 angef. mWv 9.4.2004 durch G v. 5.4.2004 (BGBl. I S. 502); Abs. 2 Satz 1 Nr. 4 geänd. und Nr. 5 angef. mWv 1.7.2007 durch G v. 13.4.2007 (BGBl. I S. 509); Abs. 2 Satz 2 geänd. mWv 31.10.2009 durch G v. 29.7.2009 (BGBl. I S. 2355); Abs. 2 Satz 2 geänd., Satz 3 angef. mWv 30.6.2011 durch G v. 19.11.2010 (BGBl. I S. 1592); →

über den Antrag eine den Gläubigern nachteilige Veränderung in der Vermögenslage des Schuldners zu verhüten. [2] Gegen die Anordnung der Maßnahme steht dem Schuldner die sofortige Beschwerde zu.

(2) [1] Das Gericht kann insbesondere

1. einen vorläufigen Insolvenzverwalter bestellen, für den § 8 Absatz 3 und die §§ 56 bis 56b, 58 bis 66 und 269a entsprechend gelten;

1a. einen vorläufigen Gläubigerausschuss einsetzen, für den § 67 Absatz 2, 3 und die §§ 69 bis 73 entsprechend gelten; zu Mitgliedern des Gläubigerausschusses können auch Personen bestellt werden, die erst mit Eröffnung des Verfahrens Gläubiger werden;

2. dem Schuldner ein allgemeines Verfügungsverbot auferlegen oder anordnen, daß Verfügungen des Schuldners nur mit Zustimmung des vorläufigen Insolvenzverwalters wirksam sind;

3. Maßnahmen der Zwangsvollstreckung gegen den Schuldner untersagen oder einstweilen einstellen, soweit nicht unbewegliche Gegenstände betroffen sind;

4. eine vorläufige Postsperre anordnen, für die die §§ 99, 101 Abs. 1 Satz 1 entsprechend gelten;

5. anordnen, dass Gegenstände, die im Falle der Eröffnung des Verfahrens von § 166 erfasst würden oder deren Aussonderung verlangt werden könnte, vom Gläubiger nicht verwertet oder eingezogen werden dürfen und dass solche Gegenstände zur Fortführung des Unternehmens des Schuldners eingesetzt werden können, soweit sie hierfür von erheblicher Bedeutung sind; § 169 Satz 2 und 3 gilt entsprechend; ein durch die Nutzung eingetretener Wertverlust ist durch laufende Zahlungen an den Gläubiger auszugleichen. Die Verpflichtung zu Ausgleichszahlungen besteht nur, soweit der durch die Nutzung entstehende Wertverlust die Sicherung des absonderungsberechtigten Gläubigers beeinträchtigt. Zieht der vorläufige Insolvenzverwalter eine zur Sicherung eines Anspruchs abgetretene Forderung anstelle des Gläubigers ein, so gelten die §§ 170, 171 entsprechend.

[2] Die Anordnung von Sicherungsmaßnahmen berührt nicht die Wirksamkeit von Verfügungen über Finanzsicherheiten nach § 1 Abs. 17 des Kreditwesengesetzes[1)] und die Wirksamkeit der Verrechnung von Ansprüchen und Leistungen aus Zahlungsaufträgen, Aufträgen zwischen Zahlungsdienstleistern oder zwischengeschalteten Stellen oder Aufträgen zur Übertragung von Wertpapieren, die in Systeme nach § 1 Abs. 16 des Kreditwesengesetzes[1)] eingebracht wurden. [3] Dies gilt auch dann, wenn ein solches Rechtsgeschäft des Schuldners am Tag der Anordnung getätigt und verrechnet oder eine Finanzsicherheit bestellt wird und der andere Teil nachweist, dass er die Anordnung weder kannte noch hätte kennen müssen; ist der andere Teil ein Systembetreiber oder Teilnehmer in dem System, bestimmt sich der Tag der Anordnung nach dem Geschäftstag im Sinne des § 1 Absatz 16b des Kreditwesengesetzes[1)].

(Fortsetzung der Anm. von voriger Seite)
Überschrift neu gef., Abs. 2 Satz 1 Nr. 1 geänd., Nr. 1a eingef. mWv 1.3.2012 durch G v. 7.12.2011 (*BGBl. I S. 2582*); *Abs. 2 Satz 1 Nr. 1* neu gef. mWv 21.4.2018 durch G v. 13.4.2017 (BGBl. I S. 866); Abs. 2 Satz 1 Nr. 1a geänd. mWv 1.1.2021 durch G v. 22.12.2020 (BGBl. I S. 3256).

[1)] **beck-online, Module Arbeitsrecht Nr. 205.**

(3) [1] Reichen andere Maßnahmen nicht aus, so kann das Gericht den Schuldner zwangsweise vorführen und nach Anhörung in Haft nehmen lassen. [2] Ist der Schuldner keine natürliche Person, so gilt entsprechendes für seine organschaftlichen Vertreter. [3] Für die Anordnung von Haft gilt § 98 Abs. 3 entsprechend.

§ 22[1)] Rechtsstellung des vorläufigen Insolvenzverwalters. (1) [1] Wird ein vorläufiger Insolvenzverwalter bestellt und dem Schuldner ein allgemeines Verfügungsverbot auferlegt, so geht die Verwaltungs- und Verfügungsbefugnis über das Vermögen des Schuldners auf den vorläufigen Insolvenzverwalter über. [2] In diesem Fall hat der vorläufige Insolvenzverwalter:

1. das Vermögen des Schuldners zu sichern und zu erhalten;
2. ein Unternehmen, das der Schuldner betreibt, bis zur Entscheidung über die Eröffnung des Insolvenzverfahrens fortzuführen, soweit nicht das Insolvenzgericht einer Stillegung zustimmt, um eine erhebliche Verminderung des Vermögens zu vermeiden;
3. zu prüfen, ob das Vermögen des Schuldners die Kosten des Verfahrens decken wird; das Gericht kann ihn zusätzlich beauftragen, als Sachverständiger zu prüfen, ob ein Eröffnungsgrund vorliegt und welche Aussichten für eine Fortführung des Unternehmens des Schuldners bestehen.

(2) [1] Wird ein vorläufiger Insolvenzverwalter bestellt, ohne daß dem Schuldner ein allgemeines Verfügungsverbot auferlegt wird, so bestimmt das Gericht die Pflichten des vorläufigen Insolvenzverwalters. [2] Sie dürfen nicht über die Pflichten nach Absatz 1 Satz 2 hinausgehen.

(3) [1] Der vorläufige Insolvenzverwalter ist berechtigt, die Geschäftsräume des Schuldners zu betreten und dort Nachforschungen anzustellen. [2] Der Schuldner hat dem vorläufigen Insolvenzverwalter Einsicht in seine Bücher und Geschäftspapiere zu gestatten. [3] Er hat ihm alle erforderlichen Auskünfte zu erteilen und ihn bei der Erfüllung seiner Aufgaben zu unterstützen; die §§ 97, 98, 101 Abs. 1 Satz 1, 2, Abs. 2 gelten entsprechend.

§ 22a[2)] Bestellung eines vorläufigen Gläubigerausschusses. (1) Das Insolvenzgericht hat einen vorläufigen Gläubigerausschuss nach § 21 Absatz 2 Nummer 1a einzusetzen, wenn der Schuldner im vorangegangenen Geschäftsjahr mindestens zwei der drei nachstehenden Merkmale erfüllt hat:

1. mindestens 6 000 000 Euro Bilanzsumme nach Abzug eines auf der Aktivseite ausgewiesenen Fehlbetrags im Sinne des § 268 Absatz 3 des Handelsgesetzbuchs[3)];
2. mindestens 12 000 000 Euro Umsatzerlöse in den zwölf Monaten vor dem Abschlussstichtag;
3. im Jahresdurchschnitt mindestens fünfzig Arbeitnehmer.

(2) Das Gericht soll auf Antrag des Schuldners, des vorläufigen Insolvenzverwalters oder eines Gläubigers einen vorläufigen Gläubigerausschuss nach § 21 Absatz 2 Nummer 1a einsetzen, wenn Personen benannt werden, die als

---

[1)] § 22 Abs. 3 Satz 3 geänd. mWv 1.7.2007 durch G v. 13.4.2007 (BGBl. I S. 509).

[2)] § 22a eingef. mWv 1.3.2012 durch G v. 7.12.2011 (BGBl. I S. 2582); Abs. 1 Nr. 1 und 2 geänd. mWv 23.7.2015 durch G v. 17.7.2015 (BGBl. I S. 1245).

[3)] **beck-online, Module Arbeitsrecht Nr. 105.**

Mitglieder des vorläufigen Gläubigerausschusses in Betracht kommen und dem Antrag Einverständniserklärungen der benannten Personen beigefügt werden.

(3) Ein vorläufiger Gläubigerausschuss ist nicht einzusetzen, wenn der Geschäftsbetrieb des Schuldners eingestellt ist, die Einsetzung des vorläufigen Gläubigerausschusses im Hinblick auf die zu erwartende Insolvenzmasse unverhältnismäßig ist oder die mit der Einsetzung verbundene Verzögerung zu einer nachteiligen Veränderung der Vermögenslage des Schuldners führt.

(4) Auf Aufforderung des Gerichts hat der Schuldner oder der vorläufige Insolvenzverwalter Personen zu benennen, die als Mitglieder des vorläufigen Gläubigerausschusses in Betracht kommen.

§ 23[1)] Bekanntmachung der Verfügungsbeschränkungen. (1) [1] Der Beschluß, durch den eine der in § 21 Abs. 2 Nr. 2 vorgesehenen Verfügungsbeschränkungen angeordnet und ein vorläufiger Insolvenzverwalter bestellt wird, ist öffentlich bekanntzumachen. [2] Er ist dem Schuldner, den Personen, die Verpflichtungen gegenüber dem Schuldner haben, und dem vorläufigen Insolvenzverwalter besonders zuzustellen. [3] Die Schuldner des Schuldners sind zugleich aufzufordern, nur noch unter Beachtung des Beschlusses zu leisten.

(2) Ist der Schuldner im Handels-, Genossenschafts-, Gesellschafts-, Partnerschafts- ***[bis 31.12.2027:*** oder Vereinsregister***][ab 1.1.2028:****, Vereins- oder Stiftungsregister****]*** eingetragen, so hat die Geschäftsstelle des Insolvenzgerichts dem Registergericht ***[ab 1.1.2028:*** *oder im Fall des Stiftungsregisters der Registerbehörde****]*** eine Ausfertigung des Beschlusses zu übermitteln.

(3) Für die Eintragung der Verfügungsbeschränkung im Grundbuch, im Schiffsregister, im Schiffsbauregister und im Register über Pfandrechte an Luftfahrzeugen gelten die §§ 32, 33 entsprechend.

§ 24 Wirkungen der Verfügungsbeschränkungen. (1) Bei einem Verstoß gegen eine der in § 21 Abs. 2 Nr. 2 vorgesehenen Verfügungsbeschränkungen gelten die §§ 81, 82 entsprechend.

(2) Ist die Verfügungsbefugnis über das Vermögen des Schuldners auf einen vorläufigen Insolvenzverwalter übergegangen, so gelten für die Aufnahme anhängiger Rechtsstreitigkeiten § 85 Abs. 1 Satz 1 und § 86 entsprechend.

§ 25 Aufhebung der Sicherungsmaßnahmen. (1) Werden die Sicherungsmaßnahmen aufgehoben, so gilt für die Bekanntmachung der Aufhebung einer Verfügungsbeschränkung § 23 entsprechend.

(2) [1] Ist die Verfügungsbefugnis über das Vermögen des Schuldners auf einen vorläufigen Insolvenzverwalter übergegangen, so hat dieser vor der Aufhebung seiner Bestellung aus dem von ihm verwalteten Vermögen die entstandenen Kosten zu berichtigen und die von ihm begründeten Verbindlichkeiten zu erfüllen. [2] Gleiches gilt für die Verbindlichkeiten aus einem Dauerschuldverhältnis, soweit der vorläufige Insolvenzverwalter für das von ihm verwaltete Vermögen die Gegenleistung in Anspruch genommen hat.

[1)] *§ 23 Abs. 2 geänd. durch G v. 19.12.1998* (BGBl. I S. 3836); Abs. 2 geänd. mWv 1.1.2028 durch G v. 16.7.2021 (BGBl. I S. 2947, geänd. durch G v. 8.12.2025, BGBl. I 2025 Nr. 319); Abs. 2 geänd. mWv 1.1.2024 durch G v. 10.8.2021 (BGBl. I S. 3436).

§ 26[1] **Abweisung mangels Masse.** (1) [1]Das Insolvenzgericht weist den Antrag auf Eröffnung des Insolvenzverfahrens ab, wenn das Vermögen des Schuldners voraussichtlich nicht ausreichen wird, um die Kosten des Verfahrens zu decken. [2]Die Abweisung unterbleibt, wenn ein ausreichender Geldbetrag vorgeschossen wird oder die Kosten nach § 4a gestundet werden. [3]Der Beschluss ist unverzüglich öffentlich bekannt zu machen.

(2) [1]Das Gericht ordnet die Eintragung des Schuldners, bei dem der Eröffnungsantrag mangels Masse abgewiesen worden ist, in das Schuldnerverzeichnis nach § 882b der Zivilprozessordnung[2] an und übermittelt die Anordnung unverzüglich elektronisch dem zentralen Vollstreckungsgericht nach § 882h Abs. 1 der Zivilprozessordnung[2]. [2]§ 882c Abs. 3 der Zivilprozessordnung[2] gilt entsprechend.

(3) [1]Wer nach Absatz 1 Satz 2 einen Vorschuß geleistet hat, kann die Erstattung des vorgeschossenen Betrages von jeder Person verlangen, die entgegen den Vorschriften des Insolvenz- oder Gesellschaftsrechts den Antrag auf Eröffnung des Insolvenzverfahrens pflichtwidrig und schuldhaft nicht gestellt hat. [2]Ist streitig, ob die Person pflichtwidrig und schuldhaft gehandelt hat, so trifft sie die Beweislast.

(4) [1]Zur Leistung eines Vorschusses nach Absatz 1 Satz 2 ist jede Person verpflichtet, die entgegen den Vorschriften des Insolvenz- oder Gesellschaftsrechts pflichtwidrig und schuldhaft keinen Antrag auf Eröffnung des Insolvenzverfahrens gestellt hat. [2]Ist streitig, ob die Person pflichtwidrig und schuldhaft gehandelt hat, so trifft sie die Beweislast. [3]Die Zahlung des Vorschusses kann der vorläufige Insolvenzverwalter sowie jede Person verlangen, die einen begründeten Vermögensanspruch gegen den Schuldner hat.

§ 26a *(hier nicht wiedergegeben)*

§ 27[3] **Eröffnungsbeschluß.** (1) [1]Wird das Insolvenzverfahren eröffnet, so ernennt das Insolvenzgericht einen Insolvenzverwalter. [2]§ 270 bleibt unberührt.

(2) Der Eröffnungsbeschluß enthält:

1. Firma oder Namen und Vornamen, Geburtsdatum, Registergericht und Registernummer, unter der der Schuldner eingetragen ist,[4] Geschäftszweig oder Beschäftigung, gewerbliche Niederlassung oder Wohnung des Schuldners;
2. Namen und Anschrift des Insolvenzverwalters;
3. die Stunde der Eröffnung;
4. die Gründe, aus denen das Gericht von einem einstimmigen Vorschlag des vorläufigen Gläubigerausschusses zur Person des Verwalters abgewichen ist; dabei ist der Name der vorgeschlagenen Person nicht zu nennen;

---

[1] § 26 Abs. 1 Satz 2 neu gef. mWv 1.12.2001 durch G v. 26.10.2001 (BGBl. I S. 2710); Abs. 3 Satz 3 aufgeh. mWv 15.12.2004 durch G v. 9.12.2004 (BGBl. I S. 3214); Abs. 1 Satz 3 angef. mWv 1.7.2007 durch G v. 13.4.2007 (BGBl. I S. 509); Abs. 3 Satz 1 geänd. mWv 1.11.2008 durch G v. 23.10.2008 (BGBl. I S. 2026); Abs. 2 neu gef. mWv 1.1.2013 durch G v. 29.7.2009 (BGBl. I S. 2258); Abs. 4 angef. mWv 1.3.2012 durch G v. 7.12.2011 (BGBl. I S. 2582).

[2] **beck-online, Module Arbeitsrecht Nr. 320.**

[3] § 27 Abs. 2 Nr. 1 und 3 geänd. und Nr. 4 angef. mWv 1.7.2007 durch G v. 13.4.2007 (BGBl. I S. 509); Abs. 2 Nr. 4 geänd., Nr. 5 angef. mWv 1.3.2012 durch G v. 7.12.2011 (BGBl. I S. 2582); Abs. 1 Satz 2 neu gef., Abs. 2 Nr. 1 geänd., Nr. 4 aufgeh., bish. Nr. 5 wird Nr. 4 mWv 1.7.2014 durch G v. 15.7.2013 (BGBl. I S. 2379); Abs. 2 Nr. 4 geänd., Nr. 5 angef. mWv 26.6.2017 durch G v. 5.6.2017 (BGBl. I S. 1476); Abs. 2 Nr. 1 geänd. mWv 1.1.2024 durch G v. 10.8.2021 (BGBl. I S. 3436).

[4] Komma fehlt im BGBl. I.

5. eine abstrakte Darstellung der für personenbezogene Daten geltenden Löschungsfristen nach § 3 der Verordnung zu öffentlichen Bekanntmachungen in Insolvenzverfahren im Internet vom 12. Februar 2002 (BGBl. I S. 677), die zuletzt durch Artikel 2 des Gesetzes vom 13. April 2007 (BGBl. I S. 509) geändert worden ist.

(3) Ist die Stunde der Eröffnung nicht angegeben, so gilt als Zeitpunkt der Eröffnung die Mittagsstunde des Tages, an dem der Beschluß erlassen worden ist.

§ 28[1] Aufforderungen an die Gläubiger und die Schuldner. (1) [1] Im Eröffnungsbeschluß sind die Gläubiger aufzufordern, ihre Forderungen innerhalb einer bestimmten Frist unter Beachtung des § 174 beim Insolvenzverwalter anzumelden. [2] Die Frist ist auf einen Zeitraum von mindestens zwei Wochen und höchstens drei Monaten festzusetzen.

(2) [1] Im Eröffnungsbeschluß sind die Gläubiger aufzufordern, dem Verwalter unverzüglich mitzuteilen, welche Sicherungsrechte sie an beweglichen Sachen oder an Rechten des Schuldners in Anspruch nehmen. [2] Der Gegenstand, an dem das Sicherungsrecht beansprucht wird, die Art und der Entstehungsgrund des Sicherungsrechts sowie die gesicherte Forderung sind zu bezeichnen. [3] Wer die Mitteilung schuldhaft unterläßt oder verzögert, haftet für den daraus entstehenden Schaden.

(3) Im Eröffnungsbeschluß sind die Personen, die Verpflichtungen gegenüber dem Schuldner haben, aufzufordern, nicht mehr an den Schuldner zu leisten, sondern an den Verwalter.

(4) Der Eröffnungsbeschluss hat den Hinweis darauf zu enthalten, dass Gläubiger, die elektronische Dokumente über sichere elektronische Übermittlungswege (§ 130a der Zivilprozessordnung[2]) empfangen können, unter Angabe des über einen solchen Weg erreichbaren Postfachs ihre Zustimmung zu elektronischen Zustellungen erklären können; die Möglichkeit der elektronischen Zustellung an die in § 173 Absatz 2 der Zivilprozessordnung[2] Genannten bleibt unberührt.

§ 29[3] Terminbestimmungen. (1) Im Eröffnungsbeschluß bestimmt das Insolvenzgericht Termine für:

1. eine Gläubigerversammlung, in der auf der Grundlage eines Berichts des Insolvenzverwalters über den Fortgang des Insolvenzverfahrens beschlossen wird (Berichtstermin); der Termin soll nicht über sechs Wochen und darf nicht über drei Monate hinaus angesetzt werden;
2. eine Gläubigerversammlung, in der die angemeldeten Forderungen geprüft werden (Prüfungstermin); der Zeitraum zwischen dem Ablauf der Anmeldefrist und dem Prüfungstermin soll mindestens eine Woche und höchstens zwei Monate betragen.

(2) [1] Die Termine können verbunden werden. [2] Das Gericht soll auf den Berichtstermin verzichten, wenn die Vermögensverhältnisse des Schuldners überschaubar sind und die Zahl der Gläubiger oder die Höhe der Verbindlichkeiten gering ist.

---
[1] § 28 Abs. 4 angef. mWv 17.7.2024 durch G v. 12.7.2024 (BGBl. 2024 I Nr. 234).
[2] **beck-online, Module Arbeitsrecht Nr. 320.**
[3] § 29 Abs. 2 Satz 2 angef. mWv 1.7.2014 durch G v. 15.7.2013 (BGBl. I S. 2379).

§ 30[1)] Bekanntmachung des Eröffnungsbeschlusses. (1) Die Geschäftsstelle des Insolvenzgerichts hat den Eröffnungsbeschluß sofort öffentlich bekanntzumachen.

(2) Den Gläubigern und Schuldnern des Schuldners und dem Schuldner selbst ist der Beschluß besonders zuzustellen.

Zweiter Abschnitt. Insolvenzmasse. Einteilung der Gläubiger

§ 35[2)] Begriff der Insolvenzmasse. (1) Das Insolvenzverfahren erfaßt das gesamte Vermögen, das dem Schuldner zur Zeit der Eröffnung des Verfahrens gehört und das er während des Verfahrens erlangt (Insolvenzmasse).

(2) [1] Übt der Schuldner eine selbstständige Tätigkeit aus oder beabsichtigt er, demnächst eine solche Tätigkeit auszuüben, hat der Insolvenzverwalter ihm gegenüber zu erklären, ob Vermögen aus der selbstständigen Tätigkeit zur Insolvenzmasse gehört und ob Ansprüche aus dieser Tätigkeit im Insolvenzverfahren geltend gemacht werden können. [2] § 295a gilt entsprechend. [3] Auf Antrag des Gläubigerausschusses oder, wenn ein solcher nicht bestellt ist, der Gläubigerversammlung ordnet das Insolvenzgericht die Unwirksamkeit der Erklärung an.

(Fortsetzung nächstes Blatt)

[1)] § 30 Überschrift geänd., Abs. 3 aufgeh. mWv 1.12.2001 durch G v. 26.10.2001 (BGBl. I S. 2710); Abs. 1 Satz 2 neu gef. mWv 1.7.2007 durch G v. 13.4.2007 (BGBl. I S. 509); Abs. 1 Satz 2 aufgeh. mWv 1.7.2014 durch G v. 15.7.2013 (BGBl. I S. 2379).

[2)] § 35 Abs. 2 und 3 angef. mWv 1.7.2007 durch G v. 13.4.2007 (BGBl. I S. 509); Abs. 2 Satz 2 geänd. mWv 1.7.2014 durch G v. 15.7.2013 (BGBl. I S. 2379); Abs. 2 Satz 2 geänd. mWv 26.6.2017 durch G v. 5.6.2017 (BGBl. I S. 1476); Abs. 2 Satz 2 geänd., Abs. 3 eingef., bish. Abs. 3 wird Abs. 4 mWv 31.12.2020 durch G v. 22.12.2020 (BGBl. I S. 3328) .

(3) [1]Der Schuldner hat den Verwalter unverzüglich über die Aufnahme oder Fortführung einer selbständigen Tätigkeit zu informieren. [2]Ersucht der Schuldner den Verwalter um die Freigabe einer solchen Tätigkeit, hat sich der Verwalter unverzüglich, spätestens nach einem Monat zu dem Ersuchen zu erklären.

(4) [1]Die Erklärung des Insolvenzverwalters ist dem Gericht gegenüber anzuzeigen. [2]Das Gericht hat die Erklärung und den Beschluss über ihre Unwirksamkeit öffentlich bekannt zu machen.

§ 36[1)] **Unpfändbare Gegenstände.** (1) [1]Gegenstände, die nicht der Zwangsvollstreckung unterliegen, gehören nicht zur Insolvenzmasse. [2]Die ***[bis 30.11.2021:*** §§ 850, 850a, 850c, 850e, 850f Abs. 1, §§ 850g bis 850k, 851c und 851d der Zivilprozessordnung[2)]***][ab 1.12.2021:** §§ 850, 850a, 850c, 850e, 850f Abs. 1, §§ 850g bis 850l, 851c, 851d, 899 bis 904, 905 Satz 1 und 3 sowie § 906 Absatz 2 bis 4 der Zivilprozessordnung[2)]**]*** gelten entsprechend. ***[Satz 3 ab 1.12.2021:]*** *[3]Verfügungen des Schuldners über Guthaben, das nach den Vorschriften der Zivilprozessordnung[3)] über die Wirkungen des Pfändungsschutzkontos nicht von der Pfändung erfasst wird, bedürfen zu ihrer Wirksamkeit nicht der Freigabe dieses Kontoguthabens durch den Insolvenzverwalter.*

(2) Zur Insolvenzmasse gehören jedoch

1. die Geschäftsbücher des Schuldners; gesetzliche Pflichten zur Aufbewahrung von Unterlagen bleiben unberührt;

[Nr. 2 bis 31.12.2021:]

2. die Sachen, die nach § 811 Abs. 1 Nr. 4 und 9 der Zivilprozeßordnung[2)] nicht der Zwangsvollstreckung unterliegen.

[Nr. 2 ab 1.1.2022:]

2. *im Fall einer selbständigen Tätigkeit des Schuldners die Sachen nach § 811 Absatz 1 Nummer 1 Buchstabe b und Tiere nach § 811 Absatz 1 Nummer 8 Buchstabe b der Zivilprozessordnung[2)]; hiervon ausgenommen sind Sachen, die für die Fortsetzung einer Erwerbstätigkeit erforderlich sind, welche in der Erbringung persönlicher Leistungen besteht.*

(3) Sachen, die zum gewöhnlichen Hausrat gehören und im Haushalt des Schuldners gebraucht werden, gehören nicht zur Insolvenzmasse, wenn ohne weiteres ersichtlich ist, daß durch ihre Verwertung nur ein Erlös erzielt werden würde, der zu dem Wert außer allem Verhältnis steht.

(4) [1]Für Entscheidungen, ob ein Gegenstand nach den in Absatz 1 Satz 2 genannten Vorschriften der Zwangsvollstreckung unterliegt, ist das Insolvenzgericht zuständig. [2]Anstelle eines Gläubigers ist der Insolvenzverwalter antragsberechtigt. [3]Für das Eröffnungsverfahren gelten die Sätze 1 und 2 entsprechend.

§ 38 Begriff der Insolvenzgläubiger. Die Insolvenzmasse dient zur Befriedigung der persönlichen Gläubiger, die einen zur Zeit der Eröffnung des Insolvenzverfahrens begründeten Vermögensanspruch gegen den Schuldner haben (Insolvenzgläubiger).

[1)] § 36 Abs. 2 Nr. 2 geänd. durch G v. 19.12.1998 (BGBl. I S. 3836); Abs. 1 Satz 2, Abs. 4 angef. mWv 1.12.2001 durch G v. 26.10.2001 (BGBl. I S. 2710); Abs. 1 Satz 2 geänd. mWv 31.3.2007 durch G v. 26.3. 2007 (BGBl. I S. 368); Abs. 1 Satz 2 geänd. mWv 1.7.2010 und mWv 1.1.2012 durch G v. 7.7.2009 (BGBl. I S. 1707); Abs. 1 Satz 2 geänd., Satz 3 angef. mWv 1.12.2021 durch G v. 22.11.2020 (BGBl. I S. 2466); Abs. 2 Nr. 2 neu gef. mWv 1.1.2022 durch G v. 7.5.2021 (BGBl. I S. 850).

[2)] Nr. **320**.

[3)] Auszugsweise abgedruckt unter Nr. **320**.

§ 39[1)] Nachrangige Insolvenzgläubiger. (1) [1] Im Rang nach den übrigen Forderungen der Insolvenzgläubiger werden in folgender Rangfolge, bei gleichem Rang nach dem Verhältnis ihrer Beträge, berichtigt:

1. die seit der Eröffnung des Insolvenzverfahrens laufenden Zinsen und Säumniszuschläge auf Forderungen der Insolvenzgläubiger;
2. die Kosten, die den einzelnen Insolvenzgläubigern durch ihre Teilnahme am Verfahren erwachsen;
3. Geldstrafen, Geldbußen, Ordnungsgelder und Zwangsgelder sowie solche Nebenfolgen einer Straftat oder Ordnungswidrigkeit, die zu einer Geldzahlung verpflichten;
4. Forderungen auf eine unentgeltliche Leistung des Schuldners;
5. nach Maßgabe der Absätze 4 und 5 Forderungen auf Rückgewähr eines Gesellschafterdarlehens oder Forderungen aus Rechtshandlungen, die einem solchen Darlehen wirtschaftlich entsprechen.

[2] Satz 1 Nummer 5 ist nicht anzuwenden, wenn eine staatliche Förderbank oder eines ihrer Tochterunternehmen einem Unternehmen, an dem die staatliche Förderbank oder eines ihrer Tochterunternehmen beteiligt ist, ein Darlehen gewährt oder eine andere einer Darlehensgewährung wirtschaftlich entsprechende Rechtshandlung vorgenommen hat.

(2) Forderungen, für die zwischen Gläubiger und Schuldner der Nachrang im Insolvenzverfahren vereinbart worden ist, werden im Zweifel nach den in Absatz 1 bezeichneten Forderungen berichtigt.

(3) Die Zinsen der Forderungen nachrangiger Insolvenzgläubiger und die Kosten, die diesen Gläubigern durch ihre Teilnahme am Verfahren entstehen, haben den gleichen Rang wie die Forderungen dieser Gläubiger.

(4) [1] Absatz 1 Nr. 5 gilt für Gesellschaften, die weder eine natürliche Person noch eine Gesellschaft als persönlich haftenden Gesellschafter haben, bei der ein persönlich haftender Gesellschafter eine natürliche Person ist. [2] Erwirbt ein Gläubiger bei drohender oder eingetretener Zahlungsunfähigkeit der Gesellschaft oder bei Überschuldung Anteile zum Zweck ihrer Sanierung, führt dies bis zur nachhaltigen Sanierung nicht zur Anwendung von Absatz 1 Nr. 5 auf seine Forderungen aus bestehenden oder neu gewährten Darlehen oder auf Forderungen aus Rechtshandlungen, die einem solchen Darlehen wirtschaftlich entsprechen.

(5) Absatz 1 Nr. 5 gilt nicht für den nicht geschäftsführenden Gesellschafter einer Gesellschaft im Sinne des Absatzes 4 Satz 1, der mit 10 Prozent oder weniger am Haftkapital beteiligt ist.

§ 41 Nicht fällige Forderungen. (1) Nicht fällige Forderungen gelten als fällig.

(2) [1] Sind sie unverzinslich, so sind sie mit dem gesetzlichen Zinssatz abzuzinsen. [2] Sie vermindern sich dadurch auf den Betrag, der bei Hinzurechnung der gesetzlichen Zinsen für die Zeit von der Eröffnung des Insolvenzverfahrens bis zur Fälligkeit dem vollen Betrag der Forderung entspricht.

[1)] § 39 Abs. 1 Nr. 1 geänd. mWv 1.7.2007 durch G v. 13.4.2007 (BGBl. I S. 509); Abs. 1 Nr. 5 neu gef., Abs. 4 und 5 angef. mWv 1.11.2008 durch G v. 23.10.2008 (BGBl. I S. 2026); Abs. 1 Satz 2 angef. mWv 1.1.2021 durch G v. 22.12.2020 (BGBl. I S. 3256).

§ 42 Auflösend bedingte Forderungen. Auflösend bedingte Forderungen werden, solange die Bedingung nicht eingetreten ist, im Insolvenzverfahren wie unbedingte Forderungen berücksichtigt.

§ 43 Haftung mehrerer Personen. Ein Gläubiger, dem mehrere Personen für dieselbe Leistung auf das Ganze haften, kann im Insolvenzverfahren gegen jeden Schuldner bis zu seiner vollen Befriedigung den ganzen Betrag geltend machen, den er zur Zeit der Eröffnung des Verfahrens zu fordern hatte.

§ 44 Rechte der Gesamtschuldner und Bürgen. Der Gesamtschuldner und der Bürge können die Forderung, die sie durch eine Befriedigung des Gläubigers künftig gegen den Schuldner erwerben könnten, im Insolvenzverfahren nur dann geltend machen, wenn der Gläubiger seine Forderung nicht geltend macht.

§ 53 Massegläubiger. Aus der Insolvenzmasse sind die Kosten des Insolvenzverfahrens und die sonstigen Masseverbindlichkeiten vorweg zu berichtigen.

§ 54 Kosten des Insolvenzverfahrens. Kosten des Insolvenzverfahrens sind:

1. die Gerichtskosten für das Insolvenzverfahren;
2. die Vergütungen und die Auslagen des vorläufigen Insolvenzverwalters, des Insolvenzverwalters und der Mitglieder des Gläubigerausschusses.

§ 55[1] Sonstige Masseverbindlichkeiten. (1) Masseverbindlichkeiten sind weiter die Verbindlichkeiten:

1. die durch Handlungen des Insolvenzverwalters oder in anderer Weise durch die Verwaltung, Verwertung und Verteilung der Insolvenzmasse begründet werden, ohne zu den Kosten des Insolvenzverfahrens zu gehören;
2. aus gegenseitigen Verträgen, soweit deren Erfüllung zur Insolvenzmasse verlangt wird oder für die Zeit nach der Eröffnung des Insolvenzverfahrens erfolgen muß;
3. aus einer ungerechtfertigten Bereicherung der Masse.

(2) [1] Verbindlichkeiten, die von einem vorläufigen Insolvenzverwalter begründet worden sind, auf den die Verfügungsbefugnis über das Vermögen des Schuldners übergegangen ist, gelten nach der Eröffnung des Verfahrens als Masseverbindlichkeiten. [2] Gleiches gilt für Verbindlichkeiten aus einem Dauerschuldverhältnis, soweit der vorläufige Insolvenzverwalter für das von ihm verwaltete Vermögen die Gegenleistung in Anspruch genommen hat.

(3) [1] Gehen nach Absatz 2 begründete Ansprüche auf Arbeitsentgelt nach § 169 des Dritten Buches Sozialgesetzbuch[2] auf die Bundesagentur für Arbeit über, so kann die Bundesagentur diese nur als Insolvenzgläubiger geltend machen. [2] Satz 1 gilt entsprechend für die in § 175 Absatz 1 des Dritten Buches Sozialgesetzbuch bezeichneten Ansprüche, soweit diese gegenüber dem Schuldner bestehen bleiben.

---

[1] § 55 Abs. 3 angef. mWv 1.12.2001 durch G v. 26.10.2001 (BGBl. I S. 2710); Abs. 3 Satz 1 geänd. mWv 1.1.2004 durch G v. 23.12.2003 (BGBl. I S. 2848); Abs. 4 angef. mWv 1.1.2011 durch G v. 9.12.2010 (BGBl. I S. 1885); Abs. 3 Sätze 1 und 2 geänd. mWv 1.4.2012 durch G v. 20.12.2011 (BGBl. I S. 2854); Abs. 4 neu gef. mWv 1.1.2021 durch G v. 22.12.2020 (BGBl. I S. 3256).

[2] Nr. **700**.

(4) [1] Umsatzsteuerverbindlichkeiten des Insolvenzschuldners, die von einem vorläufigen Insolvenzverwalter oder vom Schuldner mit Zustimmung eines vorläufigen Insolvenzverwalters oder vom Schuldner nach Bestellung eines vorläufigen Sachwalters begründet worden sind, gelten nach Eröffnung des Insolvenzverfahrens als Masseverbindlichkeit. [2] Den Umsatzsteuerverbindlichkeiten stehen die folgenden Verbindlichkeiten gleich:

1. sonstige Ein- und Ausfuhrabgaben,
2. bundesgesetzlich geregelte Verbrauchsteuern,
3. die Luftverkehr- und die Kraftfahrzeugsteuer und
4. die Lohnsteuer.

Dritter Abschnitt. Insolvenzverwalter. Organe der Gläubiger

§ 56[1)] Bestellung des Insolvenzverwalters. (1) [1] Zum Insolvenzverwalter ist eine für den jeweiligen Einzelfall geeignete, insbesondere geschäftskundige und von den Gläubigern und dem Schuldner unabhängige natürliche Person zu bestellen, die aus dem Kreis aller zur Übernahme von Insolvenzverwaltungen bereiten Personen auszuwählen ist. [2] Wer als Restrukturierungsbeauftragter oder Sanierungsmoderator in einer Restrukturierungssache des Schuldners tätig war, kann, wenn der Schuldner mindestens zwei der drei in § 22a Absatz 1 genannten Voraussetzungen erfüllt, nur dann zum Insolvenzverwalter bestellt werden, wenn der vorläufige Gläubigerausschuss zustimmt. [3] Die Bereitschaft zur Übernahme von Insolvenzverwaltungen kann auf bestimmte Verfahren beschränkt werden. [4] Die erforderliche Unabhängigkeit wird nicht schon dadurch ausgeschlossen, dass die Person

1. vom Schuldner oder von einem Gläubiger vorgeschlagen worden ist oder
2. den Schuldner vor dem Eröffnungsantrag in allgemeiner Form über den Ablauf eines Insolvenzverfahrens und dessen Folgen beraten hat.

(2) Der Verwalter erhält eine Urkunde über seine Bestellung. Bei Beendigung seines Amtes hat er die Urkunde dem Insolvenzgericht zurückzugeben.

§ 56a[2)] Gläubigerbeteiligung bei der Verwalterbestellung. (1) Vor der Bestellung des Verwalters ist dem vorläufigen Gläubigerausschuss Gelegenheit zu geben, sich zu den Anforderungen, die an den Verwalter zu stellen sind, und zur Person des Verwalters zu äußern, soweit dies nicht innerhalb von zwei Werktagen offensichtlich zu einer nachteiligen Veränderung der Vermögenslage des Schuldners führt.

(2) [1] Das Gericht darf von einem einstimmigen Vorschlag des vorläufigen Gläubigerausschusses zur Person des Verwalters nur abweichen, wenn die vorgeschlagene Person für die Übernahme des Amtes nicht geeignet ist. [2] Das Gericht hat bei der Auswahl des Verwalters die vom vorläufigen Gläubigerausschuss beschlossenen Anforderungen an die Person des Verwalters zugrunde zu legen.

[1)] § 56 Abs. 1 Satz 1 geänd., Satz 2 angef. mWv 1.7.2007 durch G v. 13.4.2007 (BGBl. I S. 509); Abs. 1 Satz 3 angef. mWv 1.3.2012 durch G v. 7.12.2011 (BGBl. I S. 2582); Abs. 1 Satz 3 Nr. 1 geänd. mWv 19.7.2013 durch G v. 15.7.2013 (BGBl. I S. 2379); Abs. 1 Satz 2 eingef., bish. Sätze 2 und 3 werden Sätze 3 und 4 mWv 1.1.2021 durch G v. 22.12.2020 (BGBl. I S. 3256).

[2)] § 56a eingef. mWv 1.3.2012 durch G v. 7.12.2011 (BGBl. I S. 2582); Abs. 1 geänd., Abs. 3 neu gef. mWv 1.1.2021 durch G v. 22.12.2020 (BGBl. I S. 3256).

(3) [1] Sieht das Gericht mit Rücksicht auf eine nachteilige Veränderung der Vermögenslage des Schuldners von einer Anhörung nach Absatz 1 ab, hat es seine Entscheidung schriftlich zu begründen. [2] Der vorläufige Gläubigerausschuss kann in seiner ersten Sitzung einstimmig eine andere Person als die bestellte zum Insolvenzverwalter wählen.

§ 56b[1)] Verwalterbestellung bei Schuldnern derselben Unternehmensgruppe. (1) [1] Wird über das Vermögen von gruppenangehörigen Schuldnern die Eröffnung eines Insolvenzverfahrens beantragt, so haben die angegangenen Insolvenzgerichte sich darüber abzustimmen, ob es im Interesse der Gläubiger liegt, lediglich eine Person zum Insolvenzverwalter zu bestellen. [2] Bei der Abstimmung ist insbesondere zu erörtern, ob diese Person alle Verfahren über die gruppenangehörigen Schuldner mit der gebotenen Unabhängigkeit wahrnehmen kann und ob mögliche Interessenkonflikte durch die Bestellung von Sonderinsolvenzverwaltern ausgeräumt werden können.

(2) [1] Von dem Vorschlag oder den Vorgaben eines vorläufigen Gläubigerausschusses nach § 56a kann das Gericht abweichen, wenn der für einen anderen gruppenangehörigen Schuldner bestellte vorläufige Gläubigerausschuss eine andere Person einstimmig vorschlägt, die sich für eine Tätigkeit nach Absatz 1 Satz 1 eignet. [2] Vor der Bestellung dieser Person ist der vorläufige Gläubigerausschuss anzuhören. [3] Ist zur Auflösung von Interessenkonflikten ein Sonderinsolvenzverwalter zu bestellen, findet § 56a entsprechende Anwendung.

§ 66[2)] Rechnungslegung. (1) Der Insolvenzverwalter hat bei der Beendigung seines Amtes einer Gläubigerversammlung Rechnung zu legen.

(2) [1] Vor der Gläubigerversammlung prüft das Insolvenzgericht die Schlußrechnung des Verwalters. [2] Es legt die Schlußrechnung mit den Belegen, mit einem Vermerk über die Prüfung und, wenn ein Gläubigerausschuß bestellt ist, mit dessen Bemerkungen zur Einsicht der Beteiligten aus; es kann dem Gläubigerausschuß für dessen Stellungnahme eine Frist setzen. [3] Der Zeitraum zwischen der Auslegung der Unterlagen und dem Termin der Gläubigerversammlung soll mindestens eine Woche betragen.

(3) [1] Die Gläubigerversammlung kann dem Verwalter aufgeben, zu bestimmten Zeitpunkten während des Verfahrens Zwischenrechnung zu legen. [2] Die Absätze 1 und 2 gelten entsprechend.

(4) Der Insolvenzplan kann eine abweichende Regelung treffen.

§ 67[3)] Einsetzung des Gläubigerausschusses. (1) Vor der ersten Gläubigerversammlung kann das Insolvenzgericht einen Gläubigerausschuß einsetzen.

(2) [1] Im Gläubigerausschuß sollen die absonderungsberechtigten Gläubiger, die Insolvenzgläubiger mit den höchsten Forderungen und die Kleingläubiger vertreten sein. [2] Dem Ausschuß soll ein Vertreter der Arbeitnehmer angehören.

(3) Zu Mitgliedern des Gläubigerausschusses können auch Personen bestellt werden, die keine Gläubiger sind.

---

1) § 56b eingef. mWv 21.4.2018 durch G v. 13.4.2017 (BGBl. I S. 866).

2) § 66 Abs. 1 Satz 2 angef. mWv 1.3.2012 durch G v. 7.12.2011 (BGBl. I S. 2582); Abs. 1 Satz 2 aufgeh., Abs. 4 angef. mWv 1.1.2021 durch G v. 22.12.2020 (BGBl. I S. 3256).

3) § 67 Abs. 2 Satz 2 geänd. mWv 1.3.2012 durch G v. 7.12.2011 (BGBl. I S. 2582).

§ 68 Wahl anderer Mitglieder. (1) [1]Die Gläubigerversammlung beschließt, ob ein Gläubigerausschuß eingesetzt werden soll. [2]Hat das Insolvenzgericht bereits einen Gläubigerausschuß eingesetzt, so beschließt sie, ob dieser beibehalten werden soll.

(2) Sie kann vom Insolvenzgericht bestellte Mitglieder abwählen und andere oder zusätzliche Mitglieder des Gläubigerausschusses wählen.

§ 69 Aufgaben des Gläubigerausschusses. [1]Die Mitglieder des Gläubigerausschusses haben den Insolvenzverwalter bei seiner Geschäftsführung zu unterstützen und zu überwachen. [2]Sie haben sich über den Gang der Geschäfte zu unterrichten sowie die Bücher und Geschäftspapiere einsehen und den Geldverkehr und -bestand prüfen zu lassen.

§ 70 Entlassung. [1]Das Insolvenzgericht kann ein Mitglied des Gläubigerausschusses aus wichtigem Grund aus dem Amt entlassen. [2]Die Entlassung kann von Amts wegen, auf Antrag des Mitglieds des Gläubigerausschusses oder auf Antrag der Gläubigerversammlung erfolgen. [3]Vor der Entscheidung des Gerichts ist das Mitglied des Gläubigerausschusses zu hören; gegen die Entscheidung steht ihm die sofortige Beschwerde zu.

§ 71 Haftung der Mitglieder des Gläubigerausschusses. [1]Die Mitglieder des Gläubigerausschusses sind den absonderungsberechtigten Gläubigern und den Insolvenzgläubigern zum Schadenersatz verpflichtet, wenn sie schuldhaft die Pflichten verletzen, die ihnen nach diesem Gesetz obliegen. [2]§ 62 gilt entsprechend.

§ 72 Beschlüsse des Gläubigerausschusses. Ein Beschluß des Gläubigerausschusses ist gültig, wenn die Mehrheit der Mitglieder an der Beschlußfassung teilgenommen hat und der Beschluß mit der Mehrheit der abgegebenen Stimmen gefaßt worden ist.

§ 73[1)] Vergütung der Mitglieder des Gläubigerausschusses. (1) [1]Die Mitglieder des Gläubigerausschusses haben Anspruch auf Vergütung für ihre Tätigkeit und auf Erstattung angemessener Auslagen. [2]Dabei ist dem Zeitaufwand und dem Umfang der Tätigkeit Rechnung zu tragen.

(2) § 63 Abs. 2 sowie die §§ 64 und 65 gelten entsprechend.

§ 74[2)] Einberufung der Gläubigerversammlung. (1) [1]Die Gläubigerversammlung wird vom Insolvenzgericht einberufen. [2]Zur Teilnahme an der Versammlung sind alle absonderungsberechtigten Gläubiger, alle Insolvenzgläubiger, der Insolvenzverwalter, die Mitglieder des Gläubigerausschusses und der Schuldner berechtigt.

(2) [1]Die Zeit, der Ort und die Tagesordnung der Gläubigerversammlung sind öffentlich bekanntzumachen. [2]Die öffentliche Bekanntmachung kann unterbleiben, wenn in einer Gläubigerversammlung die Verhandlung vertagt wird.

[1)] § 73 Abs. 2 neu gef. mWv 1.12.2001 durch G v. 26.10.2001 (BGBl. I S. 2710).
[2)] § 74 Abs. 1 Satz 2 geänd. durch G v. 19.12.1998 (BGBl. I S. 3836).

§ 75[1)] Antrag auf Einberufung. (1) Die Gläubigerversammlung ist einzuberufen, wenn dies beantragt wird:

1. vom Insolvenzverwalter;
2. vom Gläubigerausschuß;
3. von mindestens fünf absonderungsberechtigten Gläubigern oder nicht nachrangigen Insolvenzgläubigern, deren Absonderungsrechte und Forderungen nach der Schätzung des Insolvenzgerichts zusammen ein Fünftel der Summe erreichen, die sich aus dem Wert aller Absonderungsrechte und den Forderungsbeträgen aller nicht nachrangigen Insolvenzgläubiger ergibt;
4. von einem oder mehreren absonderungsberechtigten Gläubigern oder nicht nachrangigen Insolvenzgläubigern, deren Absonderungsrechte und Forderungen nach der Schätzung des Gerichts zwei Fünftel der in Nummer 3 bezeichneten Summe erreichen.

(Fortsetzung nächstes Blatt)

[1)] § 75 Abs. 2 geänd. durch G v. 19.12.1998 (BGBl. I S. 3836).

(2) Der Zeitraum zwischen dem Eingang des Antrags und dem Termin der Gläubigerversammlung soll höchstens drei Wochen betragen.

(3) Wird die Einberufung abgelehnt, so steht dem Antragsteller die sofortige Beschwerde zu.

§ 76 Beschlüsse der Gläubigerversammlung. (1) Die Gläubigerversammlung wird vom Insolvenzgericht geleitet.

(2) Ein Beschluß der Gläubigerversammlung kommt zustande, wenn die Summe der Forderungsbeträge der zustimmenden Gläubiger mehr als die Hälfte der Summe der Forderungsbeträge der abstimmenden Gläubiger beträgt; bei absonderungsberechtigten Gläubigern, denen der Schuldner nicht persönlich haftet, tritt der Wert des Absonderungsrechts an die Stelle des Forderungsbetrags.

§ 77 Feststellung des Stimmrechts. (1) [1] Ein Stimmrecht gewähren die Forderungen, die angemeldet und weder vom Insolvenzverwalter noch von einem stimmberechtigten Gläubiger bestritten worden sind. [2] Nachrangige Gläubiger sind nicht stimmberechtigt.

(2) [1] Die Gläubiger, deren Forderungen bestritten werden, sind stimmberechtigt, soweit sich in der Gläubigerversammlung der Verwalter und die erschienenen stimmberechtigten Gläubiger über das Stimmrecht geeinigt haben. [2] Kommt es nicht zu einer Einigung, so entscheidet das Insolvenzgericht. [3] Es kann seine Entscheidung auf den Antrag des Verwalters oder eines in der Gläubigerversammlung erschienenen Gläubigers ändern.

(3) Absatz 2 gilt entsprechend

1. für die Gläubiger aufschiebend bedingter Forderungen;
2. für die absonderungsberechtigten Gläubiger.

§ 78 Aufhebung eines Beschlusses der Gläubigerversammlung.

(1) Widerspricht ein Beschluß der Gläubigerversammlung dem gemeinsamen Interesse der Insolvenzgläubiger, so hat das Insolvenzgericht den Beschluß aufzuheben, wenn ein absonderungsberechtigter Gläubiger, ein nicht nachrangiger Insolvenzgläubiger oder der Insolvenzverwalter dies in der Gläubigerversammlung beantragt.

(2) [1] Die Aufhebung des Beschlusses ist öffentlich bekanntzumachen. [2] Gegen die Aufhebung steht jedem absonderungsberechtigten Gläubiger und jedem nicht nachrangigen Insolvenzgläubiger die sofortige Beschwerde zu. [3] Gegen die Ablehnung des Antrags auf Aufhebung steht dem Antragsteller die sofortige Beschwerde zu.

§ 79 Unterrichtung der Gläubigerversammlung. [1] Die Gläubigerversammlung ist berechtigt, vom Insolvenzverwalter einzelne Auskünfte und einen Bericht über den Sachstand und die Geschäftsführung zu verlangen. [2] Ist ein Gläubigerausschuß nicht bestellt, so kann die Gläubigerversammlung den Geldverkehr und -bestand des Verwalters prüfen lassen.

Dritter Teil. Wirkungen der Eröffnung des Insolvenzverfahrens

Erster Abschnitt. Allgemeine Wirkungen

§ 80 Übergang des Verwaltungs- und Verfügungsrechts. (1) Durch die Eröffnung des Insolvenzverfahrens geht das Recht des Schuldners, das zur Insolvenzmasse gehörende Vermögen zu verwalten und über es zu verfügen, auf den Insolvenzverwalter über.

(2) [1] Ein gegen den Schuldner bestehendes Veräußerungsverbot, das nur den Schutz bestimmter Personen bezweckt (§§ 135, 136 des Bürgerlichen Gesetzbuchs[1)]), hat im Verfahren keine Wirkung. [2] Die Vorschriften über die Wirkungen einer Pfändung oder einer Beschlagnahme im Wege der Zwangsvollstreckung bleiben unberührt.

§ 81[2)] Verfügungen des Schuldners. (1) [1] Hat der Schuldner nach der Eröffnung des Insolvenzverfahrens über einen Gegenstand der Insolvenzmasse verfügt, so ist diese Verfügung unwirksam. [2] Unberührt bleiben die §§ 892, 893 des Bürgerlichen Gesetzbuchs[1)], §§ 16, 17 des Gesetzes über Rechte an eingetragenen Schiffen und Schiffsbauwerken und §§ 16, 17 des Gesetzes über Rechte an Luftfahrzeugen. [3] Dem anderen Teil ist die Gegenleistung aus der Insolvenzmasse zurückzugewähren, soweit die Masse durch sie bereichert ist.

(2) [1] Für eine Verfügung über künftige Forderungen auf Bezüge aus einem Dienstverhältnis des Schuldners oder an deren Stelle tretende laufende Bezüge gilt Absatz 1 auch insoweit, als die Bezüge für die Zeit nach der Beendigung des Insolvenzverfahrens betroffen sind. [2] Das Recht des Schuldners zur Abtretung dieser Bezüge an einen Treuhänder mit dem Ziel der gemeinschaftlichen Befriedigung der Insolvenzgläubiger bleibt unberührt.

(3) [1] Hat der Schuldner am Tag der Eröffnung des Verfahrens verfügt, so wird vermutet, daß er nach der Eröffnung verfügt hat. [2] Eine Verfügung des Schuldners über Finanzsicherheiten im Sinne des § 1 Abs. 17 des Kreditwesengesetzes[3)] nach der Eröffnung ist, unbeschadet der §§ 129 bis 147, wirksam, wenn sie am Tag der Eröffnung erfolgt und der andere Teil nachweist, dass er die Eröffnung des Verfahrens weder kannte noch kennen musste.

§ 82 Leistungen an den Schuldner. [1] Ist nach der Eröffnung des Insolvenzverfahrens zur Erfüllung einer Verbindlichkeit an den Schuldner geleistet worden, obwohl die Verbindlichkeit zur Insolvenzmasse zu erfüllen war, so wird der Leistende befreit, wenn er zur Zeit der Leistung die Eröffnung des Verfahrens nicht kannte. [2] Hat er vor der öffentlichen Bekanntmachung der Eröffnung geleistet, so wird vermutet, daß er die Eröffnung nicht kannte.

§ 87 Forderungen der Insolvenzgläubiger. Die Insolvenzgläubiger können ihre Forderungen nur nach den Vorschriften über das Insolvenzverfahren verfolgen.

---

1) **NipperdeyDirekt (online) Nr. 50.**

2) § 81 Abs. 3 Satz 2 angef., bish. Wortlaut wird Satz 1 mWv 9. 4. 2004 durch G v. 5. 4. 2004 (BGBl. I S. 502).

3) **NipperdeyDirekt (online) Nr. 205.**

Zweiter Abschnitt. Erfüllung der Rechtsgeschäfte. Mitwirkung des Betriebsrats

§ 103 Wahlrecht des Insolvenzverwalters. (1) Ist ein gegenseitiger Vertrag zur Zeit der Eröffnung des Insolvenzverfahrens vom Schuldner und vom anderen Teil nicht oder nicht vollständig erfüllt, so kann der Insolvenzverwalter anstelle des Schuldners den Vertrag erfüllen und die Erfüllung vom anderen Teil verlangen.

(2) [1] Lehnt der Verwalter die Erfüllung ab, so kann der andere Teil eine Forderung wegen der Nichterfüllung nur als Insolvenzgläubiger geltend machen. [2] Fordert der andere Teil den Verwalter zur Ausübung seines Wahlrechts auf, so hat der Verwalter unverzüglich zu erklären, ob er die Erfüllung verlangen will. [3] Unterläßt er dies, so kann er auf der Erfüllung nicht bestehen.

§ 108[1)] Fortbestehen bestimmter Schuldverhältnisse. (1) [1] Miet- und Pachtverhältnisse des Schuldners über unbewegliche Gegenstände oder Räume sowie Dienstverhältnisse des Schuldners bestehen mit Wirkung für die Insolvenzmasse fort. [2] Dies gilt auch für Miet- und Pachtverhältnisse, die der Schuldner als Vermieter oder Verpächter eingegangen war und die sonstige Gegenstände betreffen, die einem Dritten, der ihre Anschaffung oder Herstellung finanziert hat, zur Sicherheit übertragen wurden.

(2) Ein vom Schuldner als Darlehensgeber eingegangenes Darlehensverhältnis besteht mit Wirkung für die Masse fort, soweit dem Darlehensnehmer der geschuldete Gegenstand zur Verfügung gestellt wurde.

(3) Ansprüche für die Zeit vor der Eröffnung des Insolvenzverfahrens kann der andere Teil nur als Insolvenzgläubiger geltend machen.

§ 110[2)] Schuldner als Vermieter oder Verpächter. (1) [1] Hatte der Schuldner als Vermieter oder Verpächter eines unbeweglichen Gegenstands oder von Räumen vor der Eröffnung des Insolvenzverfahrens über die Miet- oder Pachtforderung für die spätere Zeit verfügt, so ist diese Verfügung nur wirksam, soweit sie sich auf die Miete oder Pacht für den zur Zeit der Eröffnung des Verfahrens laufenden Kalendermonat bezieht. [2] Ist die Eröffnung nach dem fünfzehnten Tag des Monats erfolgt, so ist die Verfügung auch für den folgenden Kalendermonat wirksam.

(2) [1] Eine Verfügung im Sinne des Absatzes 1 ist insbesondere die Einziehung der Miete oder Pacht. [2] Einer rechtsgeschäftlichen Verfügung steht eine Verfügung gleich, die im Wege der Zwangsvollstreckung erfolgt.

(3) [1] Der Mieter oder der Pächter kann gegen die Miet- oder Pachtforderung für den in Absatz 1 bezeichneten Zeitraum eine Forderung aufrechnen, die ihm gegen den Schuldner zusteht. [2] Die §§ 95 und 96 Nr. 2 bis 4 bleiben unberührt.

---

1) § 108 Abs. 1 Satz 2 angef. durch G v. 19. 7. 1996 (BGBl. I S. 1013); Überschr. geänd., Abs. 2 eingef., bish. Abs. 2 wird Abs. 3 mWv 1. 7. 2007 durch G v. 13. 4. 2007 (BGBl. I S. 509).

2) § 110 Abs. 1 Satz 1, Abs. 2 Satz 1, Abs. 3 Satz 1 geänd. mWv 1. 9. 2001 durch G v. 19. 6. 2001 (BGBl. I S. 1149).

§ 111[1] **Veräußerung des Miet- oder Pachtobjekts.** [1] Veräußert der Insolvenzverwalter einen unbeweglichen Gegenstand oder Räume, die der Schuldner vermietet oder verpachtet hatte, und tritt der Erwerber anstelle des Schuldners in das Miet- oder Pachtverhältnis ein, so kann der Erwerber das Miet- oder Pachtverhältnis unter Einhaltung der gesetzlichen Frist kündigen. [2] Die Kündigung kann nur für den ersten Termin erfolgen, für den sie zulässig ist.

§ 113[2] **Kündigung eines Dienstverhältnisses.** [1] Ein Dienstverhältnis, bei dem der Schuldner der Dienstberechtigte ist, kann vom Insolvenzverwalter und vom anderen Teil ohne Rücksicht auf eine vereinbarte Vertragsdauer oder einen vereinbarten Ausschluß des Rechts zur ordentlichen Kündigung gekündigt werden. [2] Die Kündigungsfrist beträgt drei Monate zum Monatsende, wenn nicht eine kürzere Frist maßgeblich ist. [3] Kündigt der Verwalter, so kann der andere Teil wegen der vorzeitigen Beendigung des Dienstverhältnisses als Insolvenzgläubiger Schadenersatz verlangen.

§ 115 Erlöschen von Aufträgen. (1) Ein vom Schuldner erteilter Auftrag, der sich auf das zur Insolvenzmasse gehörende Vermögen bezieht, erlischt durch die Eröffnung des Insolvenzverfahrens.

(2) [1] Der Beauftragte hat, wenn mit dem Aufschub Gefahr verbunden ist, die Besorgung des übertragenen Geschäfts fortzusetzen, bis der Insolvenzverwalter anderweitig Fürsorge treffen kann. [2] Der Auftrag gilt insoweit als fortbestehend. [3] Mit seinen Ersatzansprüchen aus dieser Fortsetzung ist der Beauftragte Massegläubiger.

(3) [1] Solange der Beauftragte die Eröffnung des Verfahrens ohne Verschulden nicht kennt, gilt der Auftrag zu seinen Gunsten als fortbestehend. [2] Mit den Ersatzansprüchen aus dieser Fortsetzung ist der Beauftragte Insolvenzgläubiger.

§ 116[3] **Erlöschen von Geschäftsbesorgungsverträgen.** [1] Hat sich jemand durch einen Dienst- oder Werkvertrag mit dem Schuldner verpflichtet, ein Geschäft für diesen zu besorgen, so gilt § 115 entsprechend. [2] Dabei gelten die Vorschriften für die Ersatzansprüche aus der Fortsetzung der Geschäftsbesorgung auch für die Vergütungsansprüche. [3] Satz 1 findet keine Anwendung auf Zahlungsaufträge sowie auf Aufträge zwischen Zahlungsdienstleistern oder zwischengeschalteten Stellen und Aufträge zur Übertragung von Wertpapieren; diese bestehen mit Wirkung für die Masse fort.

§ 117 Erlöschen von Vollmachten. (1) Eine vom Schuldner erteilte Vollmacht, die sich auf das zur Insolvenzmasse gehörende Vermögen bezieht, erlischt durch die Eröffnung des Insolvenzverfahrens.

(2) Soweit ein Auftrag oder ein Geschäftsbesorgungsvertrag nach § 115 Abs. 2 fortbesteht, gilt auch die Vollmacht als fortbestehend.

---

[1] § 111 Satz 3 aufgeh. mWv 31. 12. 2006 durch G v. 22. 12. 2006 (BGBl. I S. 3416).

[2] § 113 Abs. 2 aufgeh., bish Abs. 1 wird alleiniger Wortlaut mWv 1. 1. 2004 durch G v. 24. 12. 2003 *(BGBl. I S. 3002).*

[3] § 116 Satz 3 angef. durch G v. 21. 7. 1999 (BGBl. I S. 1642); Satz 3 geänd. mWv 31. 10. 2009 durch G v. 29. 7. 2009 (BGBl. I S. 2355).

(3) Solange der Bevollmächtigte die Eröffnung des Verfahrens ohne Verschulden nicht kennt, haftet er nicht nach § 179 des Bürgerlichen Gesetzbuchs[1)].

§ 118[2)] Auflösung von Gesellschaften. [1]Wird eine *[bis 31.12.2023:* Gesellschaft ohne Rechtspersönlichkeit*][ab 1.1.2024: rechtsfähige Personengesellschaft]* oder eine Kommanditgesellschaft auf Aktien durch die Eröffnung des Insolvenzverfahrens über das Vermögen eines Gesellschafters aufgelöst, so ist der geschäftsführende Gesellschafter mit den Ansprüchen, die ihm aus der einstweiligen Fortführung eilbedürftiger Geschäfte zustehen, Massegläubiger. [2]Mit den Ansprüchen aus der Fortführung der Geschäfte während der Zeit, in der er die Eröffnung des Insolvenzverfahrens ohne sein Verschulden nicht kannte, ist er Insolvenzgläubiger; § 84 Abs. 1 bleibt unberührt.

§ 119 Unwirksamkeit abweichender Vereinbarungen. Vereinbarungen, durch die im voraus die Anwendung der §§ 103 bis 118 ausgeschlossen oder beschränkt wird, sind unwirksam.

§ 120 Kündigung von Betriebsvereinbarungen. (1) [1]Sind in Betriebsvereinbarungen Leistungen vorgesehen, welche die Insolvenzmasse belasten, so sollen Insolvenzverwalter und Betriebsrat über eine einvernehmliche Herabsetzung der Leistungen beraten. [2]Diese Betriebsvereinbarungen können auch dann mit einer Frist von drei Monaten gekündigt werden, wenn eine längere Frist vereinbart ist.

(2) Unberührt bleibt das Recht, eine Betriebsvereinbarung aus wichtigem Grund ohne Einhaltung einer Kündigungsfrist zu kündigen.

§ 121[3)] Betriebsänderungen und Vermittlungsverfahren. Im Insolvenzverfahren über das Vermögen des Unternehmers gilt § 112 Abs. 2 Satz 1 des Betriebsverfassungsgesetzes[4)] mit der Maßgabe, daß dem Verfahren vor der Einigungsstelle nur dann ein Vermittlungsversuch vorangeht, wenn der Insolvenzverwalter und der Betriebsrat gemeinsam um eine solche Vermittlung ersuchen.

§ 122 Gerichtliche Zustimmung zur Durchführung einer Betriebsänderung. (1) [1]Ist eine Betriebsänderung geplant und kommt zwischen Insolvenzverwalter und Betriebsrat der Interessenausgleich nach § 112 des Betriebsverfassungsgesetzes[4)] nicht innerhalb von drei Wochen nach Verhandlungsbeginn oder schriftlicher Aufforderung zur Aufnahme von Verhandlungen zustande, obwohl der Verwalter den Betriebsrat rechtzeitig und umfassend unterrichtet hat, so kann der Verwalter die Zustimmung des Arbeitsgerichts dazu beantragen, daß die Betriebsänderung durchgeführt wird, ohne daß das Verfahren nach § 112 Abs. 2 des Betriebsverfassungsgesetzes vorangegangen ist. [2]§ 113 Abs. 3 des Betriebsverfassungsgesetzes ist insoweit nicht anzuwenden. [3]Unberührt bleibt das Recht des Verwalters, einen Interessenausgleich nach § 125 zustande zu bringen oder einen Feststellungsantrag nach § 126 zu stellen.

[1)] Nr. **50**.
[2)] § 118 Satz 1 geänd. mWv 1.1.2024 durch G v. 10.8.2021 (BGBl. I S. 3436).
[3)] § 121 geänd. mWv 1.1.2004 durch G v. 23.12.2003 (BGBl. I S. 2848).
[4)] Nr. **570**.

(2) [1] Das Gericht erteilt die Zustimmung, wenn die wirtschaftliche Lage des Unternehmens auch unter Berücksichtigung der sozialen Belange der Arbeitnehmer erfordert, daß die Betriebsänderung ohne vorheriges Verfahren nach § 112 Abs. 2 des Betriebsverfassungsgesetzes durchgeführt wird. [2] Die Vorschriften des Arbeitsgerichtsgesetzes[1)] über das Beschlußverfahren gelten entsprechend; Beteiligte sind der Insolvenzverwalter und der Betriebsrat. [3] Der Antrag ist nach Maßgabe des § 61a Abs. 3 bis 6 des Arbeitsgerichtsgesetzes vorrangig zu erledigen.

(3) [1] Gegen den Beschluß des Gerichts findet die Beschwerde an das Landesarbeitsgericht nicht statt. [2] Die Rechtsbeschwerde an das Bundesarbeitsgericht findet statt, wenn sie in dem Beschluß des Arbeitsgerichts zugelassen wird; § 72 Abs. 2 und 3 des Arbeitsgerichtsgesetzes gilt entsprechend. [3] Die Rechtsbeschwerde ist innerhalb eines Monats nach Zustellung der in vollständiger Form abgefaßten Entscheidung des Arbeitsgerichts beim Bundesarbeitsgericht einzulegen und zu begründen.

§ 123 Umfang des Sozialplans. (1) In einem Sozialplan, der nach der Eröffnung des Insolvenzverfahrens aufgestellt wird, kann für den Ausgleich oder die Milderung der wirtschaftlichen Nachteile, die den Arbeitnehmern infolge der geplanten Betriebsänderung entstehen, ein Gesamtbetrag von bis zu zweieinhalb Monatsverdiensten (§ 10 Abs. 3 des Kündigungsschutzgesetzes[2)]) der von einer Entlassung betroffenen Arbeitnehmer vorgesehen werden.

(2) [1] Die Verbindlichkeiten aus einem solchen Sozialplan sind Masseverbindlichkeiten. [2] Jedoch darf, wenn nicht ein Insolvenzplan zustande kommt, für die Berichtigung von Sozialplanforderungen nicht mehr als ein Drittel der Masse verwendet werden, die ohne einen Sozialplan für die Verteilung an die Insolvenzgläubiger zur Verfügung stünde. [3] Übersteigt der Gesamtbetrag aller Sozialplanforderungen diese Grenze, so sind die einzelnen Forderungen anteilig zu kürzen.

(3) [1] Sooft hinreichende Barmittel in der Masse vorhanden sind, soll der Insolvenzverwalter mit Zustimmung des Insolvenzgerichts Abschlagszahlungen auf die Sozialplanforderungen leisten. [2] Eine Zwangsvollstreckung in die Masse wegen einer Sozialplanforderung ist unzulässig.

(Fortsetzung nächstes Blatt)

[1)] Nr. **660**.
[2)] Nr. **152**.

§ 124 Sozialplan vor Verfahrenseröffnung. (1) Ein Sozialplan, der vor der Eröffnung des Insolvenzverfahrens, jedoch nicht früher als drei Monate vor dem Eröffnungsantrag aufgestellt worden ist, kann sowohl vom Insolvenzverwalter als auch vom Betriebsrat widerrufen werden.

(2) Wird der Sozialplan widerrufen, so können die Arbeitnehmer, denen Forderungen aus dem Sozialplan zustanden, bei der Aufstellung eines Sozialplans im Insolvenzverfahren berücksichtigt werden.

(3) [1] Leistungen, die ein Arbeitnehmer vor der Eröffnung des Verfahrens auf seine Forderung aus dem widerrufenen Sozialplan erhalten hat, können nicht wegen des Widerrufs zurückgefordert werden. [2] Bei der Aufstellung eines neuen Sozialplans sind derartige Leistungen an einen von einer Entlassung betroffenen Arbeitnehmer bei der Berechnung des Gesamtbetrags der Sozialplanforderungen nach § 123 Abs. 1 bis zur Höhe von zweieinhalb Monatsverdiensten abzusetzen.

§ 125[1)] Interessenausgleich und Kündigungsschutz. (1) [1] Ist eine Betriebsänderung (§ 111 des Betriebsverfassungsgesetzes) geplant und kommt zwischen Insolvenzverwalter und Betriebsrat ein Interessenausgleich zustande, in dem die Arbeitnehmer, denen gekündigt werden soll, namentlich bezeichnet sind, so ist § 1 des Kündigungsschutzgesetzes mit folgenden Maßgaben anzuwenden:

1. es wird vermutet, daß die Kündigung der Arbeitsverhältnisse der bezeichneten Arbeitnehmer durch dringende betriebliche Erfordernisse, die einer Weiterbeschäftigung in diesem Betrieb oder einer Weiterbeschäftigung zu unveränderten Arbeitsbedingungen entgegenstehen, bedingt ist;
2. die soziale Auswahl der Arbeitnehmer kann nur im Hinblick auf die Dauer der Betriebszugehörigkeit, das Lebensalter und die Unterhaltspflichten und auch insoweit nur auf grobe Fehlerhaftigkeit nachgeprüft werden; sie ist nicht als grob fehlerhaft anzusehen, wenn eine ausgewogene Personalstruktur erhalten oder geschaffen wird.

[2] Satz 1 gilt nicht, soweit sich die Sachlage nach Zustandekommen des Interessenausgleichs wesentlich geändert hat.

(2) Der Interessenausgleich nach Absatz 1 ersetzt die Stellungnahme des Betriebsrats nach § 17 Abs. 3 Satz 2 des Kündigungsschutzgesetzes.

§ 126[1)] Beschlußverfahren zum Kündigungsschutz. (1) [1] Hat der Betrieb keinen Betriebsrat oder kommt aus anderen Gründen innerhalb von drei Wochen nach Verhandlungsbeginn oder schriftli-

1) Beachte dazu Anm. 1) zu § 113 InsO.

cher Aufforderung zur Aufnahme von Verhandlungen ein Interessenausgleich nach § 125 Abs. 1 nicht zustande, obwohl der Verwalter den Betriebsrat rechtzeitig und umfassend unterrichtet hat, so kann der Insolvenzverwalter beim Arbeitsgericht beantragen festzustellen, daß die Kündigung der Arbeitsverhältnisse bestimmter, im Antrag bezeichneter Arbeitnehmer durch dringende betriebliche Erfordernisse bedingt und sozial gerechtfertigt ist. [2]Die soziale Auswahl der Arbeitnehmer kann nur im Hinblick auf die Dauer der Betriebszugehörigkeit, das Lebensalter und die Unterhaltspflichten nachgeprüft werden.

(2) [1]Die Vorschriften des Arbeitsgerichtsgesetzes über das Beschlußverfahren gelten entsprechend; Beteiligte sind der Insolvenzverwalter, der Betriebsrat und die bezeichneten Arbeitnehmer, soweit sie nicht mit der Beendigung der Arbeitsverhältnisse oder mit den geänderten Arbeitsbedingungen einverstanden sind. [2]§ 122 Abs. 2 Satz 3, Abs. 3 gilt entsprechend.

(3) [1]Für die Kosten, die den Beteiligten im Verfahren des ersten Rechtszugs entstehen, gilt § 12a Abs. 1 Satz 1 und 2 des Arbeitsgerichtsgesetzes entsprechend. [2]Im Verfahren vor dem Bundesarbeitsgericht gelten die Vorschriften der Zivilprozeßordnung über die Erstattung der Kosten des Rechtsstreits entsprechend.

§ 127[1)] Klage des Arbeitnehmers. (1) [1]Kündigt der Insolvenzverwalter einem Arbeitnehmer, der in dem Antrag nach § 126 Abs. 1 bezeichnet ist, und erhebt der Arbeitnehmer Klage auf Feststellung, daß das Arbeitsverhältnis durch die Kündigung nicht aufgelöst oder die Änderung der Arbeitsbedingungen sozial ungerechtfertigt ist, so ist die rechtskräftige Entscheidung im Verfahren nach § 126 für die Parteien bindend. [2]Dies gilt nicht, soweit sich die Sachlage nach dem Schluß der letzten mündlichen Verhandlung wesentlich geändert hat.

(2) Hat der Arbeitnehmer schon vor der Rechtskraft der Entscheidung im Verfahren nach § 126 Klage erhoben, so ist die Verhandlung über die Klage auf Antrag des Verwalters bis zu diesem Zeitpunkt auszusetzen.

§ 128[1)] Betriebsveräußerung. (1) [1]Die Anwendung der §§ 125 bis 127 wird nicht dadurch ausgeschlossen, daß die Betriebsänderung, die dem Interessenausgleich oder dem Feststellungsantrag zugrundeliegt, erst nach einer Betriebsveräußerung durchgeführt werden soll. [2]An dem Verfahren nach § 126 ist der Erwerber des Betriebs beteiligt.

(2) Im Falle eines Betriebsübergangs erstreckt sich die Vermutung nach § 125 Abs. 1 Satz 1 Nr. 1 oder die gerichtliche Feststellung nach

---

1) Beachte dazu Anm. 1) zu § 113 InsO.

§ 126 Abs. 1 Satz 1 auch darauf, daß die Kündigung der Arbeitsverhältnisse nicht wegen des Betriebsübergangs erfolgt.

Dritter Abschnitt. Insolvenzanfechtung

§ 129 Grundsatz. (1) Rechtshandlungen, die vor der Eröffnung des Insolvenzverfahrens vorgenommen worden sind und die Insolvenzgläubiger benachteiligen, kann der Insolvenzverwalter nach Maßgabe der §§ 130 bis 146 anfechten.

(2) Eine Unterlassung steht einer Rechtshandlung gleich.

§ 130[1] Kongruente Deckung. (1) [1] Anfechtbar ist eine Rechtshandlung, die einem Insolvenzgläubiger eine Sicherung oder Befriedigung gewährt oder ermöglicht hat,

1. wenn sie in den letzten drei Monaten vor dem Antrag auf Eröffnung des Insolvenzverfahrens vorgenommen worden ist, wenn zur Zeit der Handlung der Schuldner zahlungsunfähig war und wenn der Gläubiger zu dieser Zeit die Zahlungsunfähigkeit kannte oder
2. wenn sie nach dem Eröffnungsantrag vorgenommen worden ist und wenn der Gläubiger zur Zeit der Handlung die Zahlungsunfähigkeit oder den Eröffnungsantrag kannte.

[2] Dies gilt nicht, soweit die Rechtshandlung auf einer Sicherungsvereinbarung beruht, die die Verpflichtung enthält, eine Finanzsicherheit, eine andere oder eine zusätzliche Finanzsicherheit im Sinne des § 1 Abs. 17 des Kreditwesengesetzes[2] zu bestellen, um das in der Sicherungsvereinbarung festgelegte Verhältnis zwischen dem Wert der gesicherten Verbindlichkeiten und dem Wert der geleisteten Sicherheiten wiederherzustellen (Margensicherheit).

(2) Der Kenntnis der Zahlungsunfähigkeit oder des Eröffnungsantrags steht die Kenntnis von Umständen gleich, die zwingend auf die Zahlungsunfähigkeit oder den Eröffnungsantrag schließen lassen.

(3) Gegenüber einer Person, die dem Schuldner zur Zeit der Handlung nahestand (§ 138), wird vermutet, daß sie die Zahlungsunfähigkeit oder den Eröffnungsantrag kannte.

§ 131 Inkongruente Deckung. (1) Anfechtbar ist eine Rechtshandlung, die einem Insolvenzgläubiger eine Sicherung oder Befriedigung gewährt oder ermöglicht hat, die er nicht oder nicht in der Art oder nicht zu der Zeit zu beanspruchen hatte,

1. wenn die Handlung im letzten Monat vor dem Antrag auf Eröffnung des Insolvenzverfahrens oder nach diesem Antrag vorgenommen worden ist,
2. wenn die Handlung innerhalb des zweiten oder dritten Monats vor dem Eröffnungsantrag vorgenommen worden ist und der Schuldner zur Zeit der Handlung zahlungsunfähig war oder
3. wenn die Handlung innerhalb des zweiten oder dritten Monats vor dem Eröffnungsantrag vorgenommen worden ist und dem Gläubiger zur Zeit der Handlung bekannt war, daß sie die Insolvenzgläubiger benachteiligte.

---

[1] § 130 Abs. 1 Satz 2 angef. mWv 9.4.2004 durch G v. 5.4.2004 (BGBl. I S. 502).
[2] **beck-online, Module Arbeitsrecht Nr. 205.**

(2) [1] Für die Anwendung des Absatzes 1 Nr. 3 steht der Kenntnis der Benachteiligung der Insolvenzgläubiger die Kenntnis von Umständen gleich, die zwingend auf die Benachteiligung schließen lassen. [2] Gegenüber einer Person, die dem Schuldner zur Zeit der Handlung nahestand (§ 138), wird vermutet, daß sie die Benachteiligung der Insolvenzgläubiger kannte.

§ 132 Unmittelbar nachteilige Rechtshandlungen. (1) Anfechtbar ist ein Rechtsgeschäft des Schuldners, das die Insolvenzgläubiger unmittelbar benachteiligt,

1. wenn es in den letzten drei Monaten vor dem Antrag auf Eröffnung des Insolvenzverfahrens vorgenommen worden ist, wenn zur Zeit des Rechtsgeschäfts der Schuldner zahlungsunfähig war und wenn der andere Teil zu dieser Zeit die Zahlungsunfähigkeit kannte oder
2. wenn es nach dem Eröffnungsantrag vorgenommen worden ist und wenn der andere Teil zur Zeit des Rechtsgeschäfts die Zahlungsunfähigkeit oder den Eröffnungsantrag kannte.

(2) Einem Rechtsgeschäft, das die Insolvenzgläubiger unmittelbar benachteiligt, steht eine andere Rechtshandlung des Schuldners gleich, durch die der Schuldner ein Recht verliert oder nicht mehr geltend machen kann oder durch die ein vermögensrechtlicher Anspruch gegen ihn erhalten oder durchsetzbar wird.

(3) § 130 Abs. 2 und 3 gilt entsprechend.

§ 133[1)] Vorsätzliche Benachteiligung. (1) [1] Anfechtbar ist eine Rechtshandlung, die der Schuldner in den letzten zehn Jahren vor dem Antrag auf Eröffnung des Insolvenzverfahrens oder nach diesem Antrag mit dem Vorsatz, seine Gläubiger zu benachteiligen, vorgenommen hat, wenn der andere Teil zur Zeit der Handlung den Vorsatz des Schuldners kannte. [2] Diese Kenntnis wird vermutet, wenn der andere Teil wußte, daß die Zahlungsunfähigkeit des Schuldners drohte und daß die Handlung die Gläubiger benachteiligte.

(2) Hat die Rechtshandlung dem anderen Teil eine Sicherung oder Befriedigung gewährt oder ermöglicht, beträgt der Zeitraum nach Absatz 1 Satz 1 vier Jahre.

(3) [1] Hat die Rechtshandlung dem anderen Teil eine Sicherung oder Befriedigung gewährt oder ermöglicht, welche dieser in der Art und zu der Zeit beanspruchen konnte, tritt an die Stelle der drohenden Zahlungsunfähigkeit des Schuldners nach Absatz 1 Satz 2 die eingetretene. [2] Hatte der andere Teil mit dem Schuldner eine Zahlungsvereinbarung getroffen oder diesem in sonstiger Weise eine Zahlungserleichterung gewährt, wird vermutet, dass er zur Zeit der Handlung die Zahlungsunfähigkeit des Schuldners nicht kannte.

(4) [1] Anfechtbar ist ein vom Schuldner mit einer nahestehenden Person (§ 138) geschlossener entgeltlicher Vertrag, durch den die Insolvenzgläubiger unmittelbar benachteiligt werden. [2] Die Anfechtung ist ausgeschlossen, wenn der Vertrag früher als zwei Jahre vor dem Eröffnungsantrag geschlossen worden ist oder wenn dem anderen Teil zur Zeit des Vertragsschlusses ein Vorsatz des Schuldners, die Gläubiger zu benachteiligen, nicht bekannt war.

[1)] § 133 Abs. 2 und 3 eingef., bish. Abs. 2 wird Abs. 4 mWv 5.4.2017 durch G v. 29.3.2017 (BGBl. I S. 654).

Vierter Teil. Verwaltung und Verwertung der Insolvenzmasse

Erster Abschnitt. Sicherung der Insolvenzmasse

§ 148 Übernahme der Insolvenzmasse. (1) Nach der Eröffnung des Insolvenzverfahrens hat der Insolvenzverwalter das gesamte zur Insolvenzmasse gehörende Vermögen sofort in Besitz und Verwaltung zu nehmen.

(2) [1]Der Verwalter kann auf Grund einer vollstreckbaren Ausfertigung des Eröffnungsbeschlusses die Herausgabe der Sachen, die sich im Gewahrsam des Schuldners befinden, im Wege der Zwangsvollstreckung durchsetzen. [2]§ 766 der Zivilprozeßordnung gilt mit der Maßgabe, daß an die Stelle des Vollstreckungsgerichts das Insolvenzgericht tritt.

Zweiter Abschnitt. Entscheidung über die Verwertung

§ 159 Verwertung der Insolvenzmasse. Nach dem Berichtstermin hat der Insolvenzverwalter unverzüglich das zur Insolvenzmasse gehörende Vermögen zu verwerten, soweit die Beschlüsse der Gläubigerversammlung nicht entgegenstehen.

§ 160[1)] Besonders bedeutsame Rechtshandlungen. (1) [1]Der Insolvenzverwalter hat die Zustimmung des Gläubigerausschusses einzuholen, wenn er Rechtshandlungen vornehmen will, die für das Insolvenzverfahren von besonderer Bedeutung sind. [2]Ist ein Gläubigerausschuß nicht bestellt, so ist die Zustimmung der Gläubigerversammlung einzuholen. [3]Ist die einberufene Gläubigerversammlung beschlussunfähig, gilt die Zustimmung als erteilt; auf diese Folgen sind die Gläubiger bei der Einladung zur Gläubigerversammlung hinzuweisen.

(2) Die Zustimmung nach Absatz 1 ist insbesondere erforderlich,

1. wenn das Unternehmen oder ein Betrieb, das Warenlager im ganzen, ein unbeweglicher Gegenstand aus freier Hand, die Beteiligung des Schuldners an einem anderen Unternehmen, die der Herstellung einer dauernden Verbindung zu diesem Unternehmen dienen soll, oder das Recht auf den Bezug wiederkehrender Einkünfte veräußert werden soll;
2. wenn ein Darlehen aufgenommen werden soll, das die Insolvenzmasse erheblich belasten würde;
3. wenn ein Rechtsstreit mit erheblichem Streitwert anhängig gemacht oder aufgenommen, die Aufnahme eines solchen Rechtsstreits abgelehnt oder zur Beilegung oder zur Vermeidung eines solchen Rechtsstreits ein Vergleich oder ein Schiedsvertrag geschlossen werden soll.

§ 161 Vorläufige Untersagung der Rechtshandlung. [1]In den Fällen des § 160 hat der Insolvenzverwalter vor der Beschlußfassung des Gläubigerausschusses oder der Gläubigerversammlung den Schuldner zu unterrichten, wenn dies ohne nachteilige Verzögerung möglich ist. [2]Sofern nicht die Gläubigerversammlung ihre Zustimmung erteilt hat, kann das Insolvenzgericht auf Antrag des Schuldners oder einer in § 75 Abs. 1 Nr. 3 bezeichneten Mehrzahl von Gläubigern und nach Anhörung des Verwalters die Vornahme der Rechtshand-

---

1) § 160 Abs. 1 Satz 3 angef. mWv 1.7.2007 durch G v. 13.4.2007 (BGBl. I S. 509).

lung vorläufig untersagen und eine Gläubigerversammlung einberufen, die über die Vornahme beschließt.

§ 162 Betriebsveräußerung an besonders Interessierte. (1) Die Veräußerung des Unternehmens oder eines Betriebs ist nur mit Zustimmung der Gläubigerversammlung zulässig, wenn der Erwerber oder eine Person, die an seinem Kapital zu mindestens einem Fünftel beteiligt ist,

1. zu den Personen gehört, die dem Schuldner nahestehen (§ 138),
2. ein absonderungsberechtigter Gläubiger oder ein nicht nachrangiger Insolvenzgläubiger ist, dessen Absonderungsrechte und Forderungen nach der Schätzung des Insolvenzgerichts zusammen ein Fünftel der Summe erreichen, die sich aus dem Wert aller Absonderungsrechte und den Forderungsbeträgen aller nicht nachrangigen Insolvenzgläubiger ergibt.

(2) Eine Person ist auch insoweit im Sinne des Absatzes 1 am Erwerber beteiligt, als ein von der Person abhängiges Unternehmen oder ein Dritter für Rechnung der Person oder des abhängigen Unternehmens am Erwerber beteiligt ist.

§ 163 Betriebsveräußerung unter Wert. (1) Auf Antrag des Schuldners oder einer in § 75 Abs. 1 Nr. 3 bezeichneten Mehrzahl von Gläubigern und nach Anhörung des Insolvenzverwalters kann das Insolvenzgericht anordnen, daß die geplante Veräußerung des Unternehmens oder eines Betriebs nur mit Zustimmung der Gläubigerversammlung zulässig ist, wenn der Antragsteller glaubhaft macht, daß eine Veräußerung an einen anderen Erwerber für die Insolvenzmasse günstiger wäre.

(2) Sind dem Antragsteller durch den Antrag Kosten entstanden, so ist er berechtigt, die Erstattung dieser Kosten aus der Insolvenzmasse zu verlangen, sobald die Anordnung des Gerichts ergangen ist.

§ 164 Wirksamkeit der Handlung. Durch einen Verstoß gegen die §§ 160 bis 163 wird die Wirksamkeit der Handlung des Insolvenzverwalters nicht berührt.

Fünfter Teil. Befriedigung der Insolvenzgläubiger. Einstellung des Verfahrens

Dritter Abschnitt. Einstellung des Verfahrens

§ 208 Anzeige der Masseunzulänglichkeit. (1) [1] Sind die Kosten des Insolvenzverfahrens gedeckt, reicht die Insolvenzmasse jedoch nicht aus, um die fälligen sonstigen Masseverbindlichkeiten zu erfüllen, so hat der Insolvenzverwalter dem Insolvenzgericht anzuzeigen, daß Masseunzulänglichkeit vorliegt. [2] Gleiches gilt, wenn die Masse voraussichtlich nicht ausreichen wird, um die bestehenden sonstigen Masseverbindlichkeiten im Zeitpunkt der Fälligkeit zu erfüllen.

(2) [1] Das Gericht hat die Anzeige der Masseunzulänglichkeit öffentlich bekanntzumachen. [2] Den Massegläubigern ist sie besonders zuzustellen.

(3) Die Pflicht des Verwalters zur Verwaltung und zur Verwertung der Masse besteht auch nach der Anzeige der Masseunzulänglichkeit fort.

§ 209 Befriedigung der Massegläubiger. (1) Der Insolvenzverwalter hat die Masseverbindlichkeiten nach folgender Rangordnung zu berichtigen, bei gleichem Rang nach dem Verhältnis ihrer Beträge:

1. die Kosten des Insolvenzverfahrens;
2. die Masseverbindlichkeiten, die nach der Anzeige der Masseunzulänglichkeit begründet worden sind, ohne zu den Kosten des Verfahrens zu gehören;
3. die übrigen Masseverbindlichkeiten, unter diesen zuletzt der nach den §§ 100, 101 Abs. 1 Satz 3 bewilligte Unterhalt.

(2) Als Masseverbindlichkeiten im Sinne des Absatzes 1 Nr. 2 gelten auch die Verbindlichkeiten

1. aus einem gegenseitigen Vertrag, dessen Erfüllung der Verwalter gewählt hat, nachdem er die Masseunzulänglichkeit angezeigt hatte;
2. aus einem Dauerschuldverhältnis für die Zeit nach dem ersten Termin, zu dem der Verwalter nach der Anzeige der Masseunzulänglichkeit kündigen konnte;
3. aus einem Dauerschuldverhältnis, soweit der Verwalter nach der Anzeige der Masseunzulänglichkeit für die Insolvenzmasse die Gegenleistung in Anspruch genommen hat.

Sechster Teil. Insolvenzplan

Erster Abschnitt. Aufstellung des Plans

§ 217[1] Grundsatz. (1) [1]Die Befriedigung der absonderungsberechtigten Gläubiger und der Insolvenzgläubiger, die Verwertung der Insolvenzmasse und deren Verteilung an die Beteiligten sowie die Verfahrensabwicklung und die Haftung des Schuldners nach der Beendigung des Insolvenzverfahrens können in einem Insolvenzplan abweichend von den Vorschriften dieses Gesetzes geregelt werden. [2]Ist der Schuldner keine natürliche Person, so können auch die Anteils- oder Mitgliedschaftsrechte der am Schuldner beteiligten Personen in den Plan einbezogen werden.

(2) Der Insolvenzplan kann ferner die Rechte der Inhaber von Insolvenzforderungen gestalten, die diesen aus einer von einem verbundenen Unternehmen im Sinne des § 15 des Aktiengesetzes[2] als Bürge, Mitschuldner oder aufgrund einer anderweitig übernommenen Haftung oder an Gegenständen des Vermögens dieses Unternehmens (gruppeninterne Drittsicherheit) zustehen.

§ 218 Vorlage des Insolvenzplans. (1) [1]Zur Vorlage eines Insolvenzplans an das Insolvenzgericht sind der Insolvenzverwalter und der Schuldner berechtigt. [2]Die Vorlage durch den Schuldner kann mit dem Antrag auf Eröffnung des Insolvenzverfahrens verbunden werden. [3]Ein Plan, der erst nach dem Schlußtermin beim Gericht eingeht, wird nicht berücksichtigt.

(2) Hat die Gläubigerversammlung den Verwalter beauftragt, einen Insolvenzplan auszuarbeiten, so hat der Verwalter den Plan binnen angemessener Frist dem Gericht vorzulegen.

---

[1] § 217 Satz 1 geänd., Satz 2 angef. mWv 1.3.2012 durch G v. 7.12.2011 (BGBl. I S. 2582); Abs. 2 angef. mWv 1.1.2021 durch G v. 22.12.2020 (BGBl. I S. 3256).
[2] Nr. **567**.

(3) Bei der Aufstellung des Plans durch den Verwalter wirken der Gläubigerausschuß, wenn ein solcher bestellt ist, der Betriebsrat, der Sprecherausschuß der leitenden Angestellten und der Schuldner beratend mit.

§ 219 Gliederung des Plans. [1]Der Insolvenzplan besteht aus dem darstellenden Teil und dem gestaltenden Teil. [2]Ihm sind die in den §§ 229 und 230 genannten Anlagen beizufügen.

§ 220[1)] Darstellender Teil. (1) Im darstellenden Teil des Insolvenzplans wird beschrieben, welche Maßnahmen nach der Eröffnung des Insolvenzverfahrens getroffen worden sind oder noch getroffen werden sollen, um die Grundlagen für die geplante Gestaltung der Rechte der Beteiligten zu schaffen.

(2) [1]Der darstellende Teil muss alle sonstigen Angaben zu den Grundlagen und den Auswirkungen des Plans enthalten, die für die Entscheidung der Beteiligten über die Zustimmung zum Plan und für dessen gerichtliche Bestätigung erheblich sind. [2]Er enthält insbesondere eine Vergleichsrechnung, in der die Auswirkungen des Plans auf die voraussichtliche Befriedigung der Gläubiger dargestellt werden. [3]Sieht der Plan eine Fortführung des Unternehmens vor, ist für die Ermittlung der voraussichtlichen Befriedigung ohne Plan in der Regel zu unterstellen, dass das Unternehmen fortgeführt wird. [4]Dies gilt nicht, wenn ein Verkauf des Unternehmens oder eine anderweitige Fortführung aussichtslos ist.

(3) Sieht der Insolvenzplan Eingriffe in die Rechte von Insolvenzgläubigern aus gruppeninternen Drittsicherheiten (§ 217 Absatz 2) vor, sind in die Darstellung auch die Verhältnisse des die Sicherheit gewährenden verbundenen Unternehmens und die Auswirkungen des Plans auf dieses Unternehmen einzubeziehen.

§ 221[2)] Gestaltender Teil. [1]Im gestaltenden Teil des Insolvenzplans wird festgelegt, wie die Rechtsstellung der Beteiligten durch den Plan geändert werden soll. [2]Der Insolvenzverwalter kann durch den Plan bevollmächtigt werden, die zur Umsetzung notwendigen Maßnahmen zu ergreifen und offensichtliche Fehler des Plans zu berichtigen.

§ 222[3)] Bildung von Gruppen. (1) [1]Bei der Festlegung der Rechte der Beteiligten im Insolvenzplan sind Gruppen zu bilden, soweit Beteiligte mit unterschiedlicher Rechtsstellung betroffen sind. [2]Es ist zu unterscheiden zwischen

1. den absonderungsberechtigten Gläubigern, wenn durch den Plan in deren Rechte eingegriffen wird;
2. den nicht nachrangigen Insolvenzgläubigern;
3. den einzelnen Rangklassen der nachrangigen Insolvenzgläubiger, soweit deren Forderungen nicht nach § 225 als erlassen gelten sollen;

[1)] § 220 Abs. 2 geänd. mWv 1.3.2012 durch G v. 7.12.2011 (BGBl. I S. 2582); Abs. 2 Satz 1 geänd., Sätze 2–4, Abs. 3 angef. mWv 1.1.2021 durch G v. 22.12.2020 (BGBl. I S. 3256).

[2)] § 221 Satz 2 angef. mWv 1.3.2012 durch G v. 7.12.2011 (BGBl. I S. 2582).

[3)] § 222 Abs. 1 Satz 1, Satz 2 Nr. 3 und Abs. 2 Satz 1 geänd., Abs. 1 Satz 2 Nr. 4 angef. und Abs. 3 Satz 2 neu gef. mWv 1.3.2012 durch G v. 7.12.2011 (BGBl. I S. 2582); Abs. 1 Satz 2 Nr. 4 geänd., Nr. 5 angef. mWv 1.1.2021 durch G v. 22.12.2020 (BGBl. I S. 3256).

4. den am Schuldner beteiligten Personen, wenn deren Anteils- oder Mitgliedschaftsrechte in den Plan einbezogen werden;
5. den Inhabern von Rechten aus gruppeninternen Drittsicherheiten.

(2) [1] Aus den Beteiligten mit gleicher Rechtsstellung können Gruppen gebildet werden, in denen Beteiligte mit gleichartigen wirtschaftlichen Interessen zusammengefaßt werden. [2] Die Gruppen müssen sachgerecht voneinander abgegrenzt werden. [3] Die Kriterien für die Abgrenzung sind im Plan anzugeben.

(3) [1] Die Arbeitnehmer sollen eine besondere Gruppe bilden, wenn sie als Insolvenzgläubiger mit nicht unerheblichen Forderungen beteiligt sind. [2] Für Kleingläubiger und geringfügig beteiligte Anteilsinhaber mit einer Beteiligung am Haftkapital von weniger als 1 Prozent oder weniger als 1 000 Euro können besondere Gruppen gebildet werden.

§ 223[1)] Rechte der Absonderungsberechtigten. (1) [1] Ist im Insolvenzplan nichts anderes bestimmt, so wird das Recht der absonderungsberechtigten Gläubiger zur Befriedigung aus den Gegenständen, an denen Absonderungsrechte bestehen, vom Plan nicht berührt. [2] Eine abweichende Bestimmung ist hinsichtlich der Finanzsicherheiten im Sinne von § 1 Abs. 17 des Kreditwesengesetzes[2)] sowie der Sicherheiten ausgeschlossen, die

1. dem Betreiber oder dem Teilnehmer eines Systems nach § 1 Abs. 16 des Kreditwesengesetzes[2)] zur Sicherung seiner Ansprüche aus dem System oder
2. der Zentralbank eines Mitgliedstaats der Europäischen Union oder der Europäischen Zentralbank

gestellt wurden.

(2) Soweit im Plan eine abweichende Regelung getroffen wird, ist im gestaltenden Teil für die absonderungsberechtigten Gläubiger anzugeben, um welchen Bruchteil die Rechte gekürzt, für welchen Zeitraum sie gestundet oder welchen sonstigen Regelungen sie unterworfen werden sollen.

§ 223a[3)] Gruppeninterne Drittsicherheiten. [1] Ist im Insolvenzplan nichts anderes bestimmt, so wird das Recht eines Insolvenzgläubigers aus einer gruppeninternen Drittsicherheit (§ 217 Absatz 2) durch den Insolvenzplan nicht berührt. [2] Wird eine Regelung getroffen, ist der Eingriff angemessen zu entschädigen. [3] § 223 Absatz 1 Satz 2 und Absatz 2 gilt entsprechend.

§ 224 Rechte der Insolvenzgläubiger. Für die nicht nachrangigen Gläubiger ist im gestaltenden Teil des Insolvenzplans anzugeben, um welchen Bruchteil die Forderungen gekürzt, für welchen Zeitraum sie gestundet, wie sie gesichert oder welchen sonstigen Regelungen sie unterworfen werden sollen.

§ 225 Rechte der nachrangigen Insolvenzgläubiger. (1) Die Forderungen nachrangiger Insolvenzgläubiger gelten, wenn im Insolvenzplan nichts anderes bestimmt ist, als erlassen.

---

1) § 233 Abs. 1 Satz 2 angef. mWv 11.12.1999 durch G v. 8.12.1999 (BGBl. I S. 2384); Abs. 1 Satz 2 einleit. Satzteil, Nr. 1 geänd. mWv 9.4.2004 durch G v. 5.4.2004 (BGBl. I S. 502); Abs. 1 Satz 2 Nr. 1 geänd. mWv 30.6.2011 durch G v. 19.11.2010 (BGBl. I S. 1592).

2) **beck-online, Module Arbeitsrecht Nr. 205.**

3) § 223a eingef. mWv 1.1.2021 durch G v. 22.12.2020 (BGBl. I S. 3256).

(2) Soweit im Plan eine abweichende Regelung getroffen wird, sind im gestaltenden Teil für jede Gruppe der nachrangigen Gläubiger die in § 224 vorgeschriebenen Angaben zu machen.

(3) Die Haftung des Schuldners nach der Beendigung des Insolvenzverfahrens für Geldstrafen und die diesen in § 39 Abs. 1 Nr. 3 gleichgestellten Verbindlichkeiten kann durch einen Plan weder ausgeschlossen noch eingeschränkt werden.

§ 225a[1)] Rechte der Anteilsinhaber. (1) Die Anteils- oder Mitgliedschaftsrechte der am Schuldner beteiligten Personen bleiben vom Insolvenzplan unberührt, es sei denn, dass der Plan etwas anderes bestimmt.

(2) [1] Im gestaltenden Teil des Plans kann vorgesehen werden, dass Forderungen von Gläubigern in Anteils- oder Mitgliedschaftsrechte am Schuldner umgewandelt werden. [2] Eine Umwandlung gegen den Willen der betroffenen Gläubiger ist ausgeschlossen. [3] Insbesondere kann der Plan eine Kapitalherabsetzung oder -erhöhung, die Leistung von Sacheinlagen, den Ausschluss von Bezugsrechten oder die Zahlung von Abfindungen an ausscheidende Anteilsinhaber vorsehen.

(3) Im Plan kann jede Regelung getroffen werden, die gesellschaftsrechtlich zulässig ist, insbesondere die Fortsetzung einer aufgelösten Gesellschaft oder die Übertragung von Anteils- oder Mitgliedschaftsrechten.

(4) [1] Maßnahmen nach Absatz 2 oder 3 berechtigen nicht zum Rücktritt oder zur Kündigung von Verträgen, an denen der Schuldner beteiligt ist. [2] Sie führen auch nicht zu einer anderweitigen Beendigung der Verträge. [3] Entgegenstehende vertragliche Vereinbarungen sind unwirksam. [4] Von den Sätzen 1 und 2 bleiben Vereinbarungen unberührt, welche an eine Pflichtverletzung des Schuldners anknüpfen, sofern sich diese nicht darin erschöpft, dass eine Maßnahme nach Absatz 2 oder 3 in Aussicht genommen oder durchgeführt wird.

(5) [1] Stellt eine Maßnahme nach Absatz 2 oder 3 für eine am Schuldner beteiligte Person einen wichtigen Grund zum Austritt aus der juristischen Person oder rechtsfähigen Personengesellschaft dar und wird von diesem Austrittsrecht Gebrauch gemacht, so ist für die Bestimmung der Höhe eines etwaigen Abfindungsanspruches die Vermögenslage maßgeblich, die sich bei einer Abwicklung des Schuldners eingestellt hätte. [2] Die Auszahlung des Abfindungsanspruches kann zur Vermeidung einer unangemessenen Belastung der Finanzlage des Schuldners über einen Zeitraum von bis zu drei Jahren gestundet werden. [3] Nicht ausgezahlte Abfindungsguthaben sind zu verzinsen.

§ 226 Gleichbehandlung der Beteiligten. (1) Innerhalb jeder Gruppe sind allen Beteiligten gleiche Rechte anzubieten.

(2) [1] Eine unterschiedliche Behandlung der Beteiligten einer Gruppe ist nur mit Zustimmung aller betroffenen Beteiligten zulässig. [2] In diesem Fall ist dem Insolvenzplan die zustimmende Erklärung eines jeden betroffenen Beteiligten beizufügen.

(3) Jedes Abkommen des Insolvenzverwalters, des Schuldners oder anderer Personen mit einzelnen Beteiligten, durch das diesen für ihr Verhalten bei Abstimmungen oder sonst im Zusammenhang mit dem Insolvenzverfahren ein nicht im Plan vorgesehener Vorteil gewährt wird, ist nichtig.

[1)] § 225a eingef. mWv 1.3.2012 durch G v. 7.12.2011 (BGBl. I S. 2582); Abs. 5 Satz 1 geänd. mWv 1.1.2024 durch G v. 10.8.2021 (BGBl. I S. 3436).

§ 227[1] Haftung des Schuldners. (1) Ist im Insolvenzplan nichts anderes bestimmt, so wird der Schuldner mit der im gestaltenden Teil vorgesehenen Befriedigung der Insolvenzgläubiger von seinen restlichen Verbindlichkeiten gegenüber diesen Gläubigern befreit.

(2) Ist der Schuldner eine rechtsfähige Personengesellschaft oder eine Kommanditgesellschaft auf Aktien, so gilt Absatz 1 entsprechend für die persönliche Haftung der Gesellschafter.

§ 228 Änderung sachenrechtlicher Verhältnisse. [1] Sollen Rechte an Gegenständen begründet, geändert, übertragen oder aufgehoben werden, so können die erforderlichen Willenserklärungen der Beteiligten in den gestaltenden Teil des Insolvenzplans aufgenommen werden. [2] Sind im Grundbuch eingetragene Rechte an einem Grundstück oder an eingetragenen Rechten betroffen, so sind diese Rechte unter Beachtung des § 28 der Grundbuchordnung[2] genau zu bezeichnen. [3] Für Rechte, die im Schiffsregister, im Schiffsbauregister oder im Register für Pfandrechte an Luftfahrzeugen eingetragen sind, gilt Satz 2 entsprechend.

§ 229[3] Vermögensübersicht. Ergebnis- und Finanzplan. [1] Sollen die Gläubiger aus den Erträgen des vom Schuldner oder von einem Dritten fortgeführten Unternehmens befriedigt werden, so ist dem Insolvenzplan eine Vermögensübersicht beizufügen, in der die Vermögensgegenstände und die Verbindlichkeiten, die sich bei einem Wirksamwerden des Plans gegenüberstünden, mit ihren Werten aufgeführt werden. [2] Ergänzend ist darzustellen, welche Aufwendungen und Erträge für den Zeitraum, während dessen die Gläubiger befriedigt werden sollen, zu erwarten sind und durch welche Abfolge von Einnahmen und Ausgaben die Zahlungsfähigkeit des Unternehmens während dieses Zeitraums gewährleistet werden soll. [3] Dabei sind auch die Gläubiger zu berücksichtigen, die zwar ihre Forderungen nicht angemeldet haben, jedoch bei der Ausarbeitung des Plans bekannt sind.

§ 230[4] Weitere Anlagen. (1) [1] Ist im Insolvenzplan vorgesehen, daß der Schuldner sein Unternehmen fortführt, und ist der Schuldner eine natürliche Person, so ist dem Plan die Erklärung des Schuldners beizufügen, daß er zur Fortführung des Unternehmens auf der Grundlage des Plans bereit ist. [2] Ist der Schuldner eine rechtsfähige Personengesellschaft oder eine Kommanditgesellschaft auf Aktien, so ist dem Plan eine entsprechende Erklärung der Personen beizufügen, die nach dem Plan persönlich haftende Gesellschafter des Unternehmens sein sollen. [3] Die Erklärung des Schuldners nach Satz 1 ist nicht erforderlich, wenn dieser selbst den Plan vorlegt.

(2) Sollen Gläubiger Anteils- oder Mitgliedschaftsrechte oder Beteiligungen an einer juristischen Person, einem Verein ohne Rechtspersönlichkeit oder einer rechtsfähigen Personengesellschaft übernehmen, so ist dem Plan die zustimmende Erklärung eines jeden dieser Gläubiger beizufügen.

---

[1] § 227 Abs. 2 geänd. mWv 1.1.2024 durch G v. 10.8.2021 (BGBl. I S. 3436).

[2] **Habersack Nr. 114.**

[3] § 229 Satz 3 angef. mWv 1.3.2012 durch G v. 7.12.2011 (BGBl. I S. 2582).

[4] § 230 Abs. 1 Satz 2 neu gef. mWv 1.3.2012 durch G v. 7.12.2011 (BGBl. I S. 2582); Abs. 4 angef. mWv 1.1.2021 durch G v. 22.12.2020 (BGBl. I S. 3256); Abs. 1 Satz 2, Abs. 2 geänd. mWv 1.1.2024 durch G v. 10.8.2021 (BGBl. I S. 3436); Abs. 2 geänd. mWv 1.1.2024 durch G v. 22.12.2023 (BGBl. 2023 I Nr. 411).

(3) Hat ein Dritter für den Fall der Bestätigung des Plans Verpflichtungen gegenüber den Gläubigern übernommen, so ist dem Plan die Erklärung des Dritten beizufügen.

(4) Sieht der Insolvenzplan Eingriffe in die Rechte von Gläubigern aus gruppeninternen Drittsicherheiten vor, so ist dem Plan die Zustimmung des verbundenen Unternehmens beizufügen, das die Sicherheit gestellt hat.

§ 231[1)] Zurückweisung des Plans. (1) [1]Das Insolvenzgericht weist den Insolvenzplan von Amts wegen zurück,

1. wenn die Vorschriften über das Recht zur Vorlage und den Inhalt des Plans, insbesondere zur Bildung von Gruppen, nicht beachtet sind und der Vorlegende den Mangel nicht beheben kann oder innerhalb einer angemessenen, vom Gericht gesetzten Frist nicht behebt,
2. wenn ein vom Schuldner vorgelegter Plan offensichtlich keine Aussicht auf Annahme durch die Beteiligten oder auf Bestätigung durch das Gericht hat oder
3. wenn die Ansprüche, die den Beteiligten nach dem gestaltenden Teil eines vom Schuldner vorgelegten Plans zustehen, offensichtlich nicht erfüllt werden können.

[2]Die Entscheidung des Gerichts soll innerhalb von zwei Wochen nach Vorlage des Plans erfolgen.

(2) Hatte der Schuldner in dem Insolvenzverfahren bereits einen Plan vorgelegt, der von den Beteiligten abgelehnt, vom Gericht nicht bestätigt oder vom Schuldner nach der öffentlichen Bekanntmachung des Erörterungstermins zurückgezogen worden ist, so hat das Gericht einen neuen Plan des Schuldners zurückzuweisen, wenn der Insolvenzverwalter mit Zustimmung des Gläubigerausschusses, wenn ein solcher bestellt ist, die Zurückweisung beantragt.

(3) Gegen den Beschluß, durch den der Plan zurückgewiesen wird, steht dem Vorlegenden die sofortige Beschwerde zu.

§ 232[2)] Stellungnahmen zum Plan. (1) Wird der Insolvenzplan nicht zurückgewiesen, so leitet das Insolvenzgericht ihn zur Stellungnahme, insbesondere zur Vergleichsrechnung, zu:

1. dem Gläubigerausschuß, wenn ein solcher bestellt ist, dem Betriebsrat und dem Sprecherausschuß der leitenden Angestellten;
2. dem Schuldner, wenn der Insolvenzverwalter den Plan vorgelegt hat;
3. dem Verwalter, wenn der Schuldner den Plan vorgelegt hat.

(2) Das Gericht kann auch der für den Schuldner zuständigen amtlichen Berufsvertretung der Industrie, des Handels, des Handwerks oder der Landwirtschaft oder anderen sachkundigen Stellen Gelegenheit zur Äußerung geben.

(3) [1]Das Gericht bestimmt eine Frist für die Abgabe der Stellungnahmen. [2]Die Frist soll zwei Wochen nicht überschreiten.

[1)] § 231 Abs. 1 Satz 1 Nr. 1 und 2 geänd., Satz 2 angef., Abs. 2 geänd. mWv 1.3.2012 durch G v. 7.12. 2011 (BGBl. I S. 2582).

[2)] § 232 Abs. 3 Satz 2 angef. mWv 1.3.2012 durch G v. 7.12.2011 (BGBl. I S. 2582); Abs. 1 einl. Satzteil geänd., Abs. 4 angef. mWv 1.1.2021 durch G v. 22.12.2020 (BGBl. I S. 3256).

(4) [1] Das Gericht kann den in den Absätzen 1 und 2 Genannten den Plan bereits vor der Entscheidung nach § 231 zur Stellungnahme zuleiten. [2] Enthält eine daraufhin eingehende Stellungnahme neuen Tatsachenvortrag, auf den das Gericht eine Zurückweisungsentscheidung stützen will, hat das Gericht die Stellungnahme dem Planvorleger und den anderen nach Absatz 1 zur Stellungnahme Berechtigten zur Stellungnahme binnen einer Frist von höchstens einer Woche zuzuleiten.

§ 233 Aussetzung von Verwertung und Verteilung. [1] Soweit die Durchführung eines vorgelegten Insolvenzplans durch die Fortsetzung der Verwertung und Verteilung der Insolvenzmasse gefährdet würde, ordnet das Insolvenzgericht auf Antrag des Schuldners oder des Insolvenzverwalters die Aussetzung der Verwertung und Verteilung an. [2] Das Gericht sieht von der Aussetzung ab oder hebt sie auf, soweit mit ihr die Gefahr erheblicher Nachteile für die Masse verbunden ist oder soweit der Verwalter mit Zustimmung des Gläubigerausschusses oder der Gläubigerversammlung die Fortsetzung der Verwertung und Verteilung beantragt.

§ 234 Niederlegung des Plans. Der Insolvenzplan ist mit seinen Anlagen und den eingegangenen Stellungnahmen in der Geschäftsstelle zur Einsicht der Beteiligten niederzulegen.

Zweiter Abschnitt. Annahme und Bestätigung des Plans

§ 235[1)] Erörterungs- und Abstimmungstermin. (1) [1] Das Insolvenzgericht bestimmt einen Termin, in dem der Insolvenzplan und das Stimmrecht der Beteiligten erörtert werden und anschließend über den Plan abgestimmt wird (Erörterungs- und Abstimmungstermin). [2] Der Termin soll nicht über einen Monat hinaus angesetzt werden. [3] Er kann gleichzeitig mit der Einholung der Stellungnahmen nach § 232 anberaumt werden.

(2) [1] Der Erörterungs- und Abstimmungstermin ist öffentlich bekanntzumachen. [2] Dabei ist darauf hinzuweisen, daß der Plan und die eingegangenen Stellungnahmen in der Geschäftsstelle eingesehen werden können. [3] § 74 Abs. 2 Satz 2 gilt entsprechend.

(3) [1] Die Insolvenzgläubiger, die Forderungen angemeldet haben, die absonderungsberechtigten Gläubiger, der Insolvenzverwalter, der Schuldner, der Betriebsrat und der Sprecherausschuß der leitenden Angestellten sind besonders zu laden. [2] Mit der Ladung ist ein Abdruck des Plans oder eine Zusammenfassung seines wesentlichen Inhalts, die der Vorlegende auf Aufforderung einzureichen hat, zu übersenden. [3] Sind die Anteils- oder Mitgliedschaftsrechte der am Schuldner beteiligten Personen in den Plan einbezogen, so sind auch diese Personen gemäß den Sätzen 1 und 2 zu laden; dies gilt nicht für Aktionäre oder Kommanditaktionäre. [4] § 8 Absatz 3 gilt entsprechend. [5] Für börsennotierte Gesellschaften findet § 121 Absatz 4a des Aktiengesetzes entsprechende Anwendung; sie haben eine Zusammenfassung des wesentlichen Inhalts des Plans über ihre Internetseite zugänglich zu machen.

[1)] § 235 Abs. 2 Satz 3 angef. durch G v. 19.12.1998 (BGBl. I S. 3836); Abs. 1 Satz 1 geänd., Satz 3 und Abs. 3 Sätze 3 und 4 angef. mWv 1.3.2012 durch G v. 7.12.2011 (BGBl. I S. 2582); Abs. 3 Satz 4 eingef., bish. Satz 4 wird Satz 5 mWv 1.1.2021 durch G v. 22.12.2020 (BGBl. I S. 3256).

§ 236 Verbindung mit dem Prüfungstermin. [1]Der Erörterungs- und Abstimmungstermin darf nicht vor dem Prüfungstermin stattfinden. [2]Beide Termine können jedoch verbunden werden.

§ 237 Stimmrecht der Insolvenzgläubiger. (1) [1]Für das Stimmrecht der Insolvenzgläubiger bei der Abstimmung über den Insolvenzplan gilt § 77 Abs. 1 Satz 1, Abs. 2 und 3 Nr. 1 entsprechend. [2]Absonderungsberechtigte Gläubiger sind nur insoweit zur Abstimmung als Insolvenzgläubiger berechtigt, als ihnen der Schuldner auch persönlich haftet und sie auf die abgesonderte Befriedigung verzichten oder bei ihr ausfallen; solange der Ausfall nicht feststeht, sind sie mit dem mutmaßlichen Ausfall zu berücksichtigen.

(2) Gläubiger, deren Forderungen durch den Plan nicht beeinträchtigt werden, haben kein Stimmrecht.

§ 238 Stimmrecht der absonderungsberechtigten Gläubiger. (1) [1]Soweit im Insolvenzplan auch die Rechtsstellung absonderungsberechtigter Gläubiger geregelt wird, sind im Termin die Rechte dieser Gläubiger einzeln zu erörtern. [2]Ein Stimmrecht gewähren die Absonderungsrechte, die weder vom Insolvenzverwalter noch von einem absonderungsberechtigten Gläubiger noch von einem Insolvenzgläubiger bestritten werden. [3]Für das Stimmrecht bei streitigen, aufschiebend bedingten oder nicht fälligen Rechten gelten die §§ 41, 77 Abs. 2, 3 Nr. 1 entsprechend.

(2) § 237 Abs. 2 gilt entsprechend.

§ 238a[1)] Stimmrecht der Anteilsinhaber. (1) [1]Das Stimmrecht der Anteilsinhaber des Schuldners bestimmt sich allein nach deren Beteiligung am gezeichneten Kapital oder Vermögen des Schuldners. [2]Stimmrechtsbeschränkungen, Sonder- oder Mehrstimmrechte bleiben außer Betracht.

(2) § 237 Absatz 2 gilt entsprechend.

§ 238b[2)] Stimmrecht der Berechtigten aus gruppeninternen Drittsicherheiten. Sieht der Plan Eingriffe in Rechte aus gruppeninternen Drittsicherheiten vor, richtet sich das Stimmrecht nach dem Befriedigungsbeitrag, der aus der Geltendmachung der Rechte aus der Drittsicherheit mutmaßlich zu erwarten ist.

§ 239[3)] Stimmliste. Der Urkundsbeamte der Geschäftsstelle hält in einem Verzeichnis fest, welche Stimmrechte den Beteiligten nach dem Ergebnis der Erörterung im Termin zustehen.

§ 240 Änderung des Plans. [1]Der Vorlegende ist berechtigt, einzelne Regelungen des Insolvenzplans auf Grund der Erörterung im Termin inhaltlich zu ändern. [2]Über den geänderten Plan kann noch in demselben Termin abgestimmt werden.

§ 241[4)] Gesonderter Abstimmungstermin. (1) [1]Das Insolvenzgericht kann einen gesonderten Termin zur Abstimmung über den Insolvenzplan

---

[1)] § 238a eingef. mWv 1.3.2012 durch G v. 7.12.2011 (BGBl. I S. 2582).
[2)] § 238b eingef. mWv 1.1.2021 durch G v. 22.12.2020 (BGBl. I S. 3256).
[3)] § 239 geänd. mWv 1.3.2012 durch G v. 7.12.2011 (BGBl. I S. 2582).
[4)] § 241 Abs. 2 neu gef. mWv 1.3.2012 durch G v. 7.12.2011 (BGBl. I S. 2582).

bestimmen. [2] In diesem Fall soll der Zeitraum zwischen dem Erörterungstermin und dem Abstimmungstermin nicht mehr als einen Monat betragen.

(2) [1] Zum Abstimmungstermin sind die stimmberechtigten Beteiligten und der Schuldner zu laden. [2] Dies gilt nicht für Aktionäre oder Kommanditaktionäre. [3] Für diese reicht es aus, den Termin öffentlich bekannt zu machen. [4] Für börsennotierte Gesellschaften findet § 121 Absatz 4a des Aktiengesetzes entsprechende Anwendung. [5] Im Fall einer Änderung des Plans ist auf die Änderung besonders hinzuweisen.

§ 242[1)] Schriftliche Abstimmung. (1) Ist ein gesonderter Abstimmungstermin bestimmt, so kann das Stimmrecht schriftlich ausgeübt werden.

(2) [1] Das Insolvenzgericht übersendet den stimmberechtigten Beteiligten nach dem Erörterungstermin den Stimmzettel und teilt ihnen dabei ihr Stimmrecht mit. [2] Die schriftliche Stimmabgabe wird nur berücksichtigt, wenn sie dem Gericht spätestens am Tag vor dem Abstimmungstermin zugegangen ist; darauf ist bei der Übersendung des Stimmzettels hinzuweisen.

§ 243[2)] Abstimmung in Gruppen. Jede Gruppe der stimmberechtigten Beteiligten stimmt gesondert über den Insolvenzplan ab.

§ 244[3)] Erforderliche Mehrheiten. (1) Zur Annahme des Insolvenzplans durch die Gläubiger ist erforderlich, daß in jeder Gruppe

1. die Mehrheit der abstimmenden Gläubiger dem Plan zustimmt und
2. die Summe der Ansprüche der zustimmenden Gläubiger mehr als die Hälfte der Summe der Ansprüche der abstimmenden Gläubiger beträgt.

(2) [1] Gläubiger, denen ein Recht gemeinschaftlich zusteht oder deren Rechte bis zum Eintritt des Eröffnungsgrunds ein einheitliches Recht gebildet haben, werden bei der Abstimmung als ein Gläubiger gerechnet. [2] Entsprechendes gilt, wenn an einem Recht ein Pfandrecht oder ein Nießbrauch besteht.

(3) Für die am Schuldner beteiligten Personen gilt Absatz 1 Nummer 2 entsprechend mit der Maßgabe, dass an die Stelle der Summe der Ansprüche die Summe der Beteiligungen tritt.

§ 245[4)] Obstruktionsverbot. (1) Auch wenn die erforderlichen Mehrheiten nicht erreicht worden sind, gilt die Zustimmung einer Abstimmungsgruppe als erteilt, wenn

1. die Angehörigen dieser Gruppe durch den Insolvenzplan voraussichtlich nicht schlechter gestellt werden, als sie ohne einen Plan stünden,
2. die Angehörigen dieser Gruppe angemessen an dem wirtschaftlichen Wert beteiligt werden, der auf der Grundlage des Plans den Beteiligten zufließen soll, und
3. die Mehrheit der abstimmenden Gruppen dem Plan mit den erforderlichen Mehrheiten zugestimmt hat.

---

1) § 242 Abs. 2 Satz 1 geänd. mWv 1.3.2012 durch G v. 7.12.2011 (BGBl. I S. 2582).

2) § 243 geänd. mWv 1.3.2012 durch G v. 7.12.2011 (BGBl. I S. 2582).

3) § 244 Abs. 3 angef. mWv 1.3.2012 durch G v. 7.12.2011 (BGBl. I S. 2582).

4) § 245 Abs. 1 Nr. 1 geänd. durch G v. 19.12.1998 (BGBl. I S. 3836); Abs. 1 Nr. 1 und 2 geänd., Abs. 2 neu gef., Abs. 3 angef. mWv 1.3.2012 durch G v. 7.12.2011 (BGBl. I S. 2582); Abs. 2 Satz 1 Nr. 2 geänd., Sätze 2 und 3 angef., Abs. 2a eingef. mWv 1.1.2021 durch G v. 22.12.2020 (BGBl. I S. 3256).

(2) [1]Für eine Gruppe der Gläubiger liegt eine angemessene Beteiligung im Sinne des Absatzes 1 Nummer 2 vor, wenn nach dem Plan

1. kein anderer Gläubiger wirtschaftliche Werte erhält, die den vollen Betrag seines Anspruchs übersteigen,
2. weder ein Gläubiger, der ohne einen Plan mit Nachrang gegenüber den Gläubigern der Gruppe zu befriedigen wäre, noch der Schuldner oder eine an ihm beteiligte Person einen durch Leistung in das Vermögen des Schuldners nicht vollständig ausgeglichenen wirtschaftlichen Wert erhält und
3. kein Gläubiger, der ohne einen Plan gleichrangig mit den Gläubigern der Gruppe zu befriedigen wäre, bessergestellt wird als diese Gläubiger.

[2]Handelt es sich bei dem Schuldner um eine natürliche Person, deren Mitwirkung bei der Fortführung des Unternehmens infolge besonderer, in der Person des Schuldners liegender Umstände unerlässlich ist, um den Planmehrwert zu verwirklichen, und hat sich der Schuldner im Plan zur Fortführung des Unternehmens sowie dazu verpflichtet, die wirtschaftlichen Werte, die er erhält oder behält, zu übertragen, wenn seine Mitwirkung aus von ihm zu vertretenden Gründen vor Ablauf von fünf Jahren oder einer kürzeren, für den Planvollzug vorgesehenen Frist endet, kann eine angemessene Beteiligung der Gläubigergruppe auch dann vorliegen, wenn der Schuldner in Abweichung von Satz 1 Nummer 2 wirtschaftliche Werte erhält. [3]Satz 2 gilt entsprechend für an der Geschäftsführung beteiligte Inhaber von Anteils- oder Mitgliedschaftsrechten.

(2a) Wird die erforderliche Mehrheit in der nach § 222 Absatz 1 Satz 2 Nummer 5 zu bildenden Gruppe nicht erreicht, gelten die Absätze 1 und 2 für diese Gruppe nur, wenn die für den Eingriff vorgesehene Entschädigung die Inhaber der Rechte aus der gruppeninternen Drittsicherheit für den zu erleidenden Rechtsverlust angemessen entschädigt.

(3) Für eine Gruppe der Anteilsinhaber liegt eine angemessene Beteiligung im Sinne des Absatzes 1 Nummer 2 vor, wenn nach dem Plan

1. kein Gläubiger wirtschaftliche Werte erhält, die den vollen Betrag seines Anspruchs übersteigen, und
2. kein Anteilsinhaber, der ohne einen Plan den Anteilsinhabern der Gruppe gleichgestellt wäre, bessergestellt wird als diese.

§ 245a[1)] Schlechterstellung bei natürlichen Personen. [1]Ist der Schuldner eine natürliche Person, ist für die Prüfung einer voraussichtlichen Schlechterstellung nach § 245 Absatz 1 Nummer 1 im Zweifel davon auszugehen, dass die Einkommens-, Vermögens- und Familienverhältnisse des Schuldners zum Zeitpunkt der Abstimmung über den Insolvenzplan für die Verfahrensdauer und den Zeitraum, in dem die Insolvenzgläubiger ihre restlichen Forderungen gegen den Schuldner unbeschränkt geltend machen können, maßgeblich bleiben. [2]Hat der Schuldner einen zulässigen Antrag auf Restschuldbefreiung gestellt, ist im Zweifel zudem anzunehmen, dass die Restschuldbefreiung zum Ablauf der Abtretungsfrist des § 287 Absatz 2 erteilt wird.

[1)] § 245a eingef. mWv 1.1.2021 durch G v. 22.12.2020 (BGBl. I S. 3256).

§ 246[1)] Zustimmung nachrangiger Insolvenzgläubiger. Für die Annahme des Insolvenzplans durch die nachrangigen Insolvenzgläubiger gelten ergänzend folgende Bestimmungen:

1. Die Zustimmung der Gruppen mit einem Rang hinter § 39 Abs. 1 Nr. 3 gilt als erteilt, wenn kein Insolvenzgläubiger durch den Plan besser gestellt wird als die Gläubiger dieser Gruppen.
2. Beteiligt sich kein Gläubiger einer Gruppe an der Abstimmung, so gilt die Zustimmung der Gruppe als erteilt.

§ 246a[2)] Zustimmung der Anteilsinhaber. Beteiligt sich keines der Mitglieder einer Gruppe der Anteilsinhaber an der Abstimmung, so gilt die Zustimmung der Gruppe als erteilt.

§ 247[3)] Zustimmung des Schuldners. (1) Die Zustimmung des Schuldners zum Plan gilt als erteilt, wenn der Schuldner dem Plan nicht spätestens im Abstimmungstermin schriftlich widerspricht.

(2) Ein Widerspruch ist im Rahmen des Absatzes 1 unbeachtlich, wenn

1. der Schuldner durch den Plan voraussichtlich nicht schlechter gestellt wird, als er ohne einen Plan stünde, und
2. kein Gläubiger einen wirtschaftlichen Wert erhält, der den vollen Betrag seines Anspruchs übersteigt.

§ 248[4)] Gerichtliche Bestätigung. (1) Nach der Annahme des Insolvenzplans durch die Beteiligten (§§ 244 bis 246a) und der Zustimmung des Schuldners bedarf der Plan der Bestätigung durch das Insolvenzgericht.

(2) Das Gericht soll vor der Entscheidung über die Bestätigung den Insolvenzverwalter, den Gläubigerausschuß, wenn ein solcher bestellt ist, und den Schuldner hören.

§ 248a[5)] Gerichtliche Bestätigung einer Planberichtigung. (1) Eine Berichtigung des Insolvenzplans durch den Insolvenzverwalter nach § 221 Satz 2 bedarf der Bestätigung durch das Insolvenzgericht.

(2) Das Gericht soll vor der Entscheidung über die Bestätigung den Insolvenzverwalter, den Gläubigerausschuss, wenn ein solcher bestellt ist, die Gläubiger und die Anteilsinhaber, sofern ihre Rechte betroffen sind, sowie den Schuldner hören.

(3) Die Bestätigung ist auf Antrag zu versagen, wenn ein Beteiligter durch die mit der Berichtigung einhergehende Planänderung voraussichtlich schlechtergestellt wird, als er nach den mit dem Plan beabsichtigten Wirkungen stünde.

[1)] § 246 Nr. 1 aufgeh., bish. Nr. 2 und 3 werden Nr. 1 und 2 mWv 1.3.2012 durch G v. 7.12.2011 (BGBl. I S. 2582).

[2)] § 246a eingef. mWv 1.3.2012 durch G v. 7.12.2011 (BGBl. I S. 2582).

[3)] § 247 Abs. 2 Nr. 1 geänd. durch G v. 19.12.1998 (BGBl. I S. 3836); Abs. 1 geänd. mWv 1.3.2012 durch G v. 7.12.2011 (BGBl. I S. 2582).

[4)] § 248 Abs. 1 geänd. mWv 1.3.2012 durch G v. 7.12.2011 (BGBl. I S. 2582).

[5)] § 248a eingef. mWv 1.3.2012 durch G v. 7.12.2011 (BGBl. I S. 2582).

(4) [1] Gegen den Beschluss, durch den die Berichtigung bestätigt oder versagt wird, steht den in Absatz 2 genannten Gläubigern und Anteilsinhabern sowie dem Verwalter die sofortige Beschwerde zu. [2] § 253 Absatz 4 gilt entsprechend.

§ 249 Bedingter Plan. [1] Ist im Insolvenzplan vorgesehen, daß vor der Bestätigung bestimmte Leistungen erbracht oder andere Maßnahmen verwirklicht werden sollen, so darf der Plan nur bestätigt werden, wenn diese Voraussetzungen erfüllt sind. [2] Die Bestätigung ist von Amts wegen zu versagen, wenn die Voraussetzungen auch nach Ablauf einer angemessenen, vom Insolvenzgericht gesetzten Frist nicht erfüllt sind.

§ 250[1] Verstoß gegen Verfahrensvorschriften. Die Bestätigung ist von Amts wegen zu versagen,

1. wenn die Vorschriften über den Inhalt und die verfahrensmäßige Behandlung des Insolvenzplans sowie über die Annahme durch die Beteiligten und die Zustimmung des Schuldners in einem wesentlichen Punkt nicht beachtet worden sind und der Mangel nicht behoben werden kann oder
2. wenn die Annahme des Plans unlauter, insbesondere durch Begünstigung eines Beteiligten, herbeigeführt worden ist.

§ 251[2] Minderheitenschutz. (1) Auf Antrag eines Gläubigers oder, wenn der Schuldner keine natürliche Person ist, einer am Schuldner beteiligten Person ist die Bestätigung des Insolvenzplans zu versagen, wenn

1. der Antragsteller dem Plan spätestens im Abstimmungstermin schriftlich oder zu Protokoll widersprochen hat und
2. der Antragsteller durch den Plan voraussichtlich schlechtergestellt wird, als er ohne einen Plan stünde; ist der Schuldner eine natürliche Person, gilt § 245a entsprechend.

(2) Der Antrag ist nur zulässig, wenn der Antragsteller spätestens im Abstimmungstermin glaubhaft macht, dass er durch den Plan voraussichtlich schlechtergestellt wird.

(3) [1] Der Antrag ist abzuweisen, wenn im gestaltenden Teil des Plans Mittel für den Fall bereitgestellt werden, dass ein Beteiligter eine Schlechterstellung nachweist. [2] Ob der Beteiligte einen Ausgleich aus diesen Mitteln erhält, ist außerhalb des Insolvenzverfahrens zu klären.

§ 252[3] Bekanntgabe der Entscheidung. (1) [1] Der Beschluß, durch den der Insolvenzplan bestätigt oder seine Bestätigung versagt wird, ist im Abstimmungstermin oder in einem alsbald zu bestimmenden besonderen Termin zu verkünden. [2] § 74 Abs. 2 Satz 2 gilt entsprechend.

(2) [1] Wird der Plan bestätigt, so ist den Insolvenzgläubigern, die Forderungen angemeldet haben, und den absonderungsberechtigten Gläubigern unter Hinweis auf die Bestätigung ein Abdruck des Plans oder eine Zusammenfassung seines wesentlichen Inhalts zu übersenden. [2] Sind die Anteils- oder Mitglied-

---

[1] § 250 Nr. 1 und 2 geänd. mWv 1.3.2012 durch G v. 7.12.2011 (BGBl. I S. 2582).

[2] § 251 neu gef. mWv 1.3.2012 durch G v. 7.12.2011 (BGBl. I S. 2582); Abs. 1 Nr. 2 geänd. mWv 1.1.2021 durch G v. 22.12.2020 (BGBl. I S. 3256).

[3] § 252 Abs. 1 Satz 2 angef. durch G v. 19.12.1998 (BGBl. I S. 3836); Abs. 2 Sätze 2 und 3 angef. mWv 1.3.2012 durch G v. 7.12.2011 (BGBl. I S. 2582); Abs. 2 Sätze 3 und 4 eingef., bish. Satz 3 wird Satz 5 mWv 1.1.2021 durch G v. 22.12.2020 (BGBl. I S. 3256).

schaftsrechte der am Schuldner beteiligten Personen in den Plan einbezogen, so sind auch diesen die Unterlagen zu übersenden; dies gilt nicht für Aktionäre oder Kommanditaktionäre. [3]Die Übersendung eines Abdrucks des Plans oder einer Zusammenfassung seines wesentlichen Inhalts nach den Sätzen 1 und 2 kann unterbleiben, wenn ein Abdruck des Plans mit der Ladung nach § 235 Absatz 2 Satz 2 übersendet und der Plan unverändert angenommen wurde. [4]§ 8 Absatz 3 gilt entsprechend. [5]Börsennotierte Gesellschaften haben eine Zusammenfassung des wesentlichen Inhalts des Plans über ihre Internetseite zugänglich zu machen.

§ 253[1)] Rechtsmittel. (1) Gegen den Beschluss, durch den der Insolvenzplan bestätigt oder durch den die Bestätigung versagt wird, steht den Gläubigern, dem Schuldner und, wenn dieser keine natürliche Person ist, den am Schuldner beteiligten Personen die sofortige Beschwerde zu.

(2) Die sofortige Beschwerde gegen die Bestätigung ist nur zulässig, wenn der Beschwerdeführer

1. dem Plan spätestens im Abstimmungstermin schriftlich oder zu Protokoll widersprochen hat,
2. gegen den Plan gestimmt hat und
3. glaubhaft macht, dass er durch den Plan wesentlich schlechtergestellt wird, als er ohne einen Plan stünde, und dass dieser Nachteil nicht durch eine Zahlung aus den in § 251 Absatz 3 genannten Mitteln ausgeglichen werden kann; ist der Schuldner eine natürliche Person, gilt § 245a entsprechend.

(3) Absatz 2 Nummer 1 und 2 gilt nur, wenn in der öffentlichen Bekanntmachung des Termins (§ 235 Absatz 2) und in den Ladungen zum Termin (§ 235 Absatz 3) auf die Notwendigkeit des Widerspruchs und der Ablehnung des Plans besonders hingewiesen wurde.

(4) [1]Auf Antrag des Insolvenzverwalters weist das Landgericht die Beschwerde unverzüglich zurück, wenn das alsbaldige Wirksamwerden des Insolvenzplans vorrangig erscheint, weil die Nachteile einer Verzögerung des Planvollzugs nach freier Überzeugung des Gerichts die Nachteile für den Beschwerdeführer überwiegen; ein Abhilfeverfahren nach § 572 Absatz 1 Satz 1 der Zivilprozessordnung findet nicht statt. [2]Dies gilt nicht, wenn ein besonders schwerer Rechtsverstoß vorliegt. [3]Weist das Gericht die Beschwerde nach Satz 1 zurück, ist dem Beschwerdeführer aus der Masse der Schaden zu ersetzen, der ihm durch den Planvollzug entsteht; die Rückgängigmachung der Wirkungen des Insolvenzplans kann nicht als Schadensersatz verlangt werden. [4]Für Klagen, mit denen Schadensersatzansprüche nach Satz 3 geltend gemacht werden, ist das Landgericht ausschließlich zuständig, das die sofortige Beschwerde zurückgewiesen hat.

[1)] § 253 neu gef. mWv 1.3.2012 durch G v. 7.12.2011 (BGBl. I S. 2582); Abs. 2 Nr. 3 geänd. mWv 1.1.2021 durch G v. 22.12.2020 (BGBl. I S. 3256).

Dritter Abschnitt. Wirkungen des bestätigten Plans. Überwachung der Planerfüllung

§ 254[1] Allgemeine Wirkungen des Plans. (1) Mit der Rechtskraft der Bestätigung des Insolvenzplans treten die im gestaltenden Teil festgelegten Wirkungen für und gegen alle Beteiligten ein.

(2) [1] Die Rechte der Insolvenzgläubiger gegen Mitschuldner und Bürgen des Schuldners sowie die Rechte dieser Gläubiger an Gegenständen, die nicht zur Insolvenzmasse gehören, oder aus einer Vormerkung, die sich auf solche Gegenstände bezieht, werden mit Ausnahme der nach § 223a gestalteten Rechte aus gruppeninternen Drittsicherheiten (§ 217 Absatz 2) durch den Plan nicht berührt. [2] Der Schuldner wird jedoch durch den Plan gegenüber dem Mitschuldner, dem Bürgen oder anderen Rückgriffsberechtigten in gleicher Weise befreit wie gegenüber dem Gläubiger.

(3) Ist ein Gläubiger weitergehend befriedigt worden, als er nach dem Plan zu beanspruchen hat, so begründet dies keine Pflicht zur Rückgewähr des Erlangten.

(4) Werden Forderungen von Gläubigern in Anteils- oder Mitgliedschaftsrechte am Schuldner umgewandelt, kann der Schuldner nach der gerichtlichen Bestätigung keine Ansprüche wegen einer Überbewertung der Forderungen im Plan gegen die bisherigen Gläubiger geltend machen.

§ 254a[2] Rechte an Gegenständen. Sonstige Wirkungen des Plans.

(1) Wenn Rechte an Gegenständen begründet, geändert, übertragen oder aufgehoben oder Geschäftsanteile an einer Gesellschaft mit beschränkter Haftung abgetreten werden sollen, gelten die in den Insolvenzplan aufgenommenen Willenserklärungen der Beteiligten als in der vorgeschriebenen Form abgegeben.

(2) [1] Wenn die Anteils- oder Mitgliedschaftsrechte der am Schuldner beteiligten Personen in den Plan einbezogen sind (§ 225a), gelten die in den Plan aufgenommenen Beschlüsse der Anteilsinhaber oder sonstigen Willenserklärungen der Beteiligten als in der vorgeschriebenen Form abgegeben. [2] Gesellschaftsrechtlich erforderliche Ladungen, Bekanntmachungen und sonstige Maßnahmen zur Vorbereitung von Beschlüssen der Anteilsinhaber gelten als in der vorgeschriebenen Form bewirkt. [3] Der Insolvenzverwalter ist berechtigt, die erforderlichen Anmeldungen beim jeweiligen Registergericht vorzunehmen.

(3) Entsprechendes gilt für die in den Plan aufgenommenen Verpflichtungserklärungen, die einer Maßnahme nach Absatz 1 oder 2 zugrunde liegen.

§ 254b[3] Wirkung für alle Beteiligten. Die §§ 254 und 254a gelten auch für Insolvenzgläubiger, die ihre Forderungen nicht angemeldet haben, und für Beteiligte, die dem Insolvenzplan widersprochen haben.

§ 255 Wiederauflebensklausel. (1) [1] Sind auf Grund des gestaltenden Teils des Insolvenzplans Forderungen von Insolvenzgläubigern gestundet oder teil-

---

[1] § 254 Abs. 1 Sätze 2 und 3 aufgeh., Abs. 4 angef. mWv 1.3.2012 durch G v. 7.12.2011 (BGBl. I S. 2582); *Abs. 2 Satz 1* geänd. mWv 1.1.2021 durch G v. 22.12.2020 (BGBl. I S. 3256).

[2] § 254a eingef. mWv 1.3.2012 durch G v. 7.12.2011 (BGBl. I S. 2582).

[3] § 254b eingef. mWv 1.3.2012 durch G v. 7.12.2011 (BGBl. I S. 2582).

weise erlassen worden, so wird die Stundung oder der Erlaß für den Gläubiger hinfällig, gegenüber dem der Schuldner mit der Erfüllung des Plans erheblich in Rückstand gerät. [2] Ein erheblicher Rückstand ist erst anzunehmen, wenn der Schuldner eine fällige Verbindlichkeit nicht bezahlt hat, obwohl der Gläubiger ihn schriftlich gemahnt und ihm dabei eine mindestens zweiwöchige Nachfrist gesetzt hat.

(2) Wird vor vollständiger Erfüllung des Plans über das Vermögen des Schuldners ein neues Insolvenzverfahren eröffnet, so ist die Stundung oder der Erlaß für alle Insolvenzgläubiger hinfällig.

(3) [1] Im Plan kann etwas anderes vorgesehen werden. [2] Jedoch kann von Absatz 1 nicht zum Nachteil des Schuldners abgewichen werden.

§ 256 Streitige Forderungen. Ausfallforderungen. (1) [1] Ist eine Forderung im Prüfungstermin bestritten worden oder steht die Höhe der Ausfallforderung eines absonderungsberechtigten Gläubigers noch nicht fest, so ist ein Rückstand mit der Erfüllung des Insolvenzplans im Sinne des § 255 Abs. 1 nicht anzunehmen, wenn der Schuldner die Forderung bis zur endgültigen Feststellung ihrer Höhe in dem Ausmaß berücksichtigt, das der Entscheidung des Insolvenzgerichts über das Stimmrecht des Gläubigers bei der Abstimmung über den Plan entspricht. [2] Ist keine Entscheidung über das Stimmrecht getroffen worden, so hat das Gericht auf Antrag des Schuldners oder des Gläubigers nachträglich festzustellen, in welchem Ausmaß der Schuldner vorläufig die Forderung zu berücksichtigen hat.

(2) [1] Ergibt die endgültige Feststellung, daß der Schuldner zuwenig gezahlt hat, so hat er das Fehlende nachzuzahlen. [2] Ein erheblicher Rückstand mit der Erfüllung des Plans ist erst anzunehmen, wenn der Schuldner das Fehlende nicht nachzahlt, obwohl der Gläubiger ihn schriftlich gemahnt und ihm dabei eine mindestens zweiwöchige Nachfrist gesetzt hat.

(3) Ergibt die endgültige Feststellung, daß der Schuldner zuviel gezahlt hat, so kann er den Mehrbetrag nur insoweit zurückfordern, als dieser auch den nicht fälligen Teil der Forderung übersteigt, die dem Gläubiger nach dem Insolvenzplan zusteht.

§ 257 Vollstreckung aus dem Plan. (1) [1] Aus dem rechtskräftig bestätigten Insolvenzplan in Verbindung mit der Eintragung in die Tabelle können die Insolvenzgläubiger, deren Forderungen festgestellt und nicht vom Schuldner im Prüfungstermin bestritten worden sind, wie aus einem vollstreckbaren Urteil die Zwangsvollstreckung gegen den Schuldner betreiben. [2] Einer nicht bestrittenen Forderung steht eine Forderung gleich, bei der ein erhobener Widerspruch beseitigt ist. [3] § 202 gilt entsprechend.

(2) Gleiches gilt für die Zwangsvollstreckung gegen einen Dritten, der durch eine dem Insolvenzgericht eingereichte schriftliche Erklärung für die Erfüllung des Plans neben dem Schuldner ohne Vorbehalt der Einrede der Vorausklage Verpflichtungen übernommen hat.

(3) Macht ein Gläubiger die Rechte geltend, die ihm im Falle eines erheblichen Rückstands des Schuldners mit der Erfüllung des Plans zustehen, so hat er zur Erteilung der Vollstreckungsklausel für diese Rechte und zur Durchführung der Vollstreckung die Mahnung und den Ablauf der Nachfrist glaubhaft zu machen, jedoch keinen weiteren Beweis für den Rückstand des Schuldners zu führen.

§ 258[1)] **Aufhebung des Insolvenzverfahrens.** (1) Sobald die Bestätigung des Insolvenzplans rechtskräftig ist und der Insolvenzplan nicht etwas anderes vorsieht, beschließt das Insolvenzgericht die Aufhebung des Insolvenzverfahrens.

(2) [1] Vor der Aufhebung hat der Verwalter die unstreitigen fälligen Masseansprüche zu berichtigen und für die streitigen oder nicht fälligen Sicherheit zu leisten. [2] Für die nicht fälligen Masseansprüche kann auch ein Finanzplan vorgelegt werden, aus dem sich ergibt, dass ihre Erfüllung gewährleistet ist.

(3) [1] Der Beschluss enthält den Zeitpunkt der Aufhebung, der frühestens zwei Tage nach der Beschlussfassung liegen soll. [2] Der Beschluss und der Grund der Aufhebung sind öffentlich bekanntzumachen. [3] Der Schuldner, der Insolvenzverwalter und die Mitglieder des Gläubigerausschusses sind vorab über den Zeitpunkt der Aufhebung zu unterrichten. [4] Die §§ 31 bis 33 gelten entsprechend. [5] Ist der Zeitpunkt der Aufhebung nicht angegeben, wird die Aufhebung wirksam, sobald nach dem Tag der Veröffentlichung zwei weitere Tage verstrichen sind.

§ 259 Wirkungen der Aufhebung. (1) [1] Mit der Aufhebung des Insolvenzverfahrens erlöschen die Ämter des Insolvenzverwalters und der Mitglieder des Gläubigerausschusses. [2] Der Schuldner erhält das Recht zurück, über die Insolvenzmasse frei zu verfügen.

(2) Die Vorschriften über die Überwachung der Planerfüllung bleiben unberührt.

(3) [1] Einen anhängigen Rechtsstreit, der die Insolvenzanfechtung zum Gegenstand hat, kann der Verwalter auch nach der Aufhebung des Verfahrens fortführen, wenn dies im gestaltenden Teil des Plans vorgesehen ist. [2] In diesem Fall wird der Rechtsstreit für Rechnung des Schuldners geführt, wenn im Plan keine abweichende Regelung getroffen wird.

§ 259a[2)] **Vollstreckungsschutz.** (1) [1] Gefährden nach der Aufhebung des Verfahrens Zwangsvollstreckungen einzelner Insolvenzgläubiger, die ihre Forderungen bis zum Abstimmungstermin nicht angemeldet haben, die Durchführung des Insolvenzplans, kann das Insolvenzgericht auf Antrag des Schuldners eine Maßnahme der Zwangsvollstreckung ganz oder teilweise aufheben oder längstens für drei Jahre untersagen. [2] Der Antrag ist nur zulässig, wenn der Schuldner die tatsächlichen Behauptungen, die die Gefährdung begründen, glaubhaft macht.

(2) Ist die Gefährdung glaubhaft gemacht, kann das Gericht die Zwangsvollstreckung auch einstweilen einstellen.

(3) Das Gericht hebt seinen Beschluss auf Antrag auf oder ändert ihn ab, wenn dies mit Rücksicht auf eine Änderung der Sachlage geboten ist.

§ 259b[3)] **Besondere Verjährungsfrist.** (1) Die Forderung eines Insolvenzgläubigers, die nicht bis zum Abstimmungstermin angemeldet worden ist, verjährt in einem Jahr.

[1)] § 258 Abs. 3 Satz 3 geänd. mWv 1.7.2007 durch G v. 13.4.2007 (BGBl. I S. 509); Abs. 1 geänd., Abs. 2 neu gef. mWv 1.3.2012 durch G v. 7.12.2011 (BGBl. I S. 2582); Abs. 3 neu gef. mWv 1.1. *2021 durch G v. 22.12.2020 (BGBl. I S. 3256).*

[2)] § 259a eingef. mWv 1.3.2012 durch G v. 7.12.2011 (BGBl. I S. 2582).

[3)] § 259b eingef. mWv 1.3.2012 durch G v. 7.12.2011 (BGBl. I S. 2582).

(2) Die Verjährungsfrist beginnt, wenn die Forderung fällig und der Beschluss rechtskräftig ist, durch den der Insolvenzplan bestätigt wurde.

(3) Die Absätze 1 und 2 sind nur anzuwenden, wenn dadurch die Verjährung einer Forderung früher vollendet wird als bei Anwendung der ansonsten geltenden Verjährungsvorschriften.

(4) [1] Die Verjährung einer Forderung eines Insolvenzgläubigers ist gehemmt, solange wegen Vollstreckungsschutzes nach § 259a nicht vollstreckt werden darf. [2] Die Hemmung endet drei Monate nach Beendigung des Vollstreckungsschutzes.

§ 260[1)] Überwachung der Planerfüllung. (1) Im gestaltenden Teil des Insolvenzplans kann vorgesehen werden, daß die Erfüllung des Plans überwacht wird.

(2) Im Falle des Absatzes 1 wird nach der Aufhebung des Insolvenzverfahrens überwacht, ob die Ansprüche erfüllt werden, die den Gläubigern nach dem gestaltenden Teil gegen den Schuldner zustehen.

(3) Wenn dies im gestaltenden Teil vorgesehen ist, erstreckt sich die Überwachung auf die Erfüllung der Ansprüche, die den Gläubigern nach dem gestaltenden Teil gegen eine juristische Person oder ***[bis 31.12.2023:*** Gesellschaft ohne Rechtspersönlichkeit***][ab 1.1.2024:*** *rechtsfähige Personengesellschaft]* zustehen, die nach der Eröffnung des Insolvenzverfahrens gegründet worden ist, um das Unternehmen oder einen Betrieb des Schuldners zu übernehmen und weiterzuführen (Übernahmegesellschaft).

§ 261 Aufgaben und Befugnisse des Insolvenzverwalters. (1) [1] Die Überwachung ist Aufgabe des Insolvenzverwalters. [2] Die Ämter des Verwalters und der Mitglieder des Gläubigerausschusses und die Aufsicht des Insolvenzgerichts bestehen insoweit fort. [3] § 22 Abs. 3 gilt entsprechend.

(2) [1] Während der Zeit der Überwachung hat der Verwalter dem Gläubigerausschuß, wenn ein solcher bestellt ist, und dem Gericht jährlich über den jeweiligen Stand und die weiteren Aussichten der Erfüllung des Insolvenzplans zu berichten. [2] Unberührt bleibt das Recht des Gläubigerausschusses und des Gerichts, jederzeit einzelne Auskünfte oder einen Zwischenbericht zu verlangen.

§ 262 Anzeigepflicht des Insolvenzverwalters. [1] Stellt der Insolvenzverwalter fest, daß Ansprüche, deren Erfüllung überwacht wird, nicht erfüllt werden oder nicht erfüllt werden können, so hat er dies unverzüglich dem Gläubigerausschuß und dem Insolvenzgericht anzuzeigen. [2] Ist ein Gläubigerausschuß nicht bestellt, so hat der Verwalter an dessen Stelle alle Gläubiger zu unterrichten, denen nach dem gestaltenden Teil des Insolvenzplans Ansprüche gegen den Schuldner oder die Übernahmegesellschaft zustehen.

§ 263 Zustimmungsbedürftige Geschäfte. [1] Im gestaltenden Teil des Insolvenzplans kann vorgesehen werden, daß bestimmte Rechtsgeschäfte des Schuldners oder der Übernahmegesellschaft während der Zeit der Überwachung nur wirksam sind, wenn der Insolvenzverwalter ihnen zustimmt. [2] § 81 Abs. 1 und § 82 gelten entsprechend.

§ 264 Kreditrahmen. (1) [1] Im gestaltenden Teil des Insolvenzplans kann vorgesehen werden, daß die Insolvenzgläubiger nachrangig sind gegenüber Gläubigern mit Forderungen aus Darlehen und sonstigen Krediten, die der Schuldner

---

1) § 260 Abs. 3 geänd. mWv 1.1.2024 durch G v. 10.8.2021 (BGBl. I S. 3436).

oder die Übernahmegesellschaft während der Zeit der Überwachung aufnimmt oder die ein Massegläubiger in die Zeit der Überwachung hinein stehen läßt. [2] In diesem Fall ist zugleich ein Gesamtbetrag für derartige Kredite festzulegen (Kreditrahmen). [3] Dieser darf den Wert der Vermögensgegenstände nicht übersteigen, die in der Vermögensübersicht des Plans (§ 229 Satz 1) aufgeführt sind.

(2) Der Nachrang der Insolvenzgläubiger gemäß Absatz 1 besteht nur gegenüber Gläubigern, mit denen vereinbart wird, daß und in welcher Höhe der von ihnen gewährte Kredit nach Hauptforderung, Zinsen und Kosten innerhalb des Kreditrahmens liegt, und gegenüber denen der Insolvenzverwalter diese Vereinbarung schriftlich bestätigt.

(3) § 39 Abs. 1 Nr. 5 bleibt unberührt.

§ 265 Nachrang von Neugläubigern. [1] Gegenüber den Gläubigern mit Forderungen aus Krediten, die nach Maßgabe des § 264 aufgenommen oder stehen gelassen werden, sind nachrangig auch die Gläubiger mit sonstigen vertraglichen Ansprüchen, die während der Zeit der Überwachung begründet werden. [2] Als solche Ansprüche gelten auch die Ansprüche aus einem vor der Überwachung vertraglich begründeten Dauerschuldverhältnis für die Zeit nach dem ersten Termin, zu dem der Gläubiger nach Beginn der Überwachung kündigen konnte.

§ 266 Berücksichtigung des Nachrangs. (1) Der Nachrang der Insolvenzgläubiger und der in § 265 bezeichneten Gläubiger wird nur in einem Insolvenzverfahren berücksichtigt, das vor der Aufhebung der Überwachung eröffnet wird.

(2) In diesem neuen Insolvenzverfahren gehen diese Gläubiger den übrigen nachrangigen Gläubigern im Range vor.

§ 267 Bekanntmachung der Überwachung. (1) Wird die Erfüllung des Insolvenzplans überwacht, so ist dies zusammen mit dem Beschluß über die Aufhebung des Insolvenzverfahrens öffentlich bekanntzumachen.

(2) Ebenso ist bekanntzumachen:

1. im Falle des § 260 Abs. 3 die Erstreckung der Überwachung auf die Übernahmegesellschaft;
2. im Falle des § 263, welche Rechtsgeschäfte an die Zustimmung des Insolvenzverwalters gebunden werden;
3. im Falle des § 264, in welcher Höhe ein Kreditrahmen vorgesehen ist.

(3) [1] § 31 gilt entsprechend. [2] Soweit im Falle des § 263 das Recht zur Verfügung über ein Grundstück, ein eingetragenes Schiff, Schiffsbauwerk oder Luftfahrzeug, ein Recht an einem solchen Gegenstand oder ein Recht an einem solchen Recht beschränkt wird, gelten die §§ 32 und 33 entsprechend.

§ 268 Aufhebung der Überwachung. (1) Das Insolvenzgericht beschließt die Aufhebung der Überwachung,

1. wenn die Ansprüche, deren Erfüllung überwacht wird, erfüllt sind oder die Erfüllung dieser Ansprüche gewährleistet ist oder
2. wenn seit der Aufhebung des Insolvenzverfahrens drei Jahre verstrichen sind und kein Antrag auf Eröffnung eines neuen Insolvenzverfahrens vorliegt.

(2) [1] Der Beschluß ist öffentlich bekanntzumachen. [2] § 267 Abs. 3 gilt entsprechend.

§ 269 Kosten der Überwachung. [1] Die Kosten der Überwachung trägt der Schuldner. [2] Im Falle des § 260 Abs. 3 trägt die Übernahmegesellschaft die durch ihre Überwachung entstehenden Kosten.

Siebter Teil.[1)] Koordinierung der Verfahren von Schuldnern, die derselben Unternehmensgruppe angehören

Erster Abschnitt. Allgemeine Bestimmungen

§ 269a[1)] Zusammenarbeit der Insolvenzverwalter. [1] Die Insolvenzverwalter gruppenangehöriger Schuldner sind untereinander zur Unterrichtung und Zusammenarbeit verpflichtet, soweit hierdurch nicht die Interessen der Beteiligten des Verfahrens beeinträchtigt werden, für das sie bestellt sind. [2] Insbesondere haben sie auf Anforderung unverzüglich alle Informationen mitzuteilen, die für das andere Verfahren von Bedeutung sein können.

Achter Teil.[2)] Eigenverwaltung

§ 270[3)] Grundsatz. (1) [1] Der Schuldner ist berechtigt, unter der Aufsicht eines Sachwalters die Insolvenzmasse zu verwalten und über sie zu verfügen, wenn das Insolvenzgericht in dem Beschluss über die Eröffnung des Insolvenzverfahrens die Eigenverwaltung anordnet. [2] Für das Verfahren gelten die allgemeinen Vorschriften, soweit in diesem Teil nichts anderes bestimmt ist.

(2) Die Vorschriften dieses Teils sind auf Verbraucherinsolvenzverfahren nach § 304 nicht anzuwenden.

§ 270a[4)] Antrag; Eigenverwaltungsplanung. (1) Der Schuldner fügt dem Antrag auf Anordnung der Eigenverwaltung eine Eigenverwaltungsplanung bei, welche umfasst:

1. einen Finanzplan, der den Zeitraum von sechs Monaten abdeckt und eine fundierte Darstellung der Finanzierungsquellen enthält, durch welche die Fortführung des gewöhnlichen Geschäftsbetriebes und die Deckung der Kosten des Verfahrens in diesem Zeitraum sichergestellt werden soll,
2. ein Konzept für die Durchführung des Insolvenzverfahrens, welches auf Grundlage einer Darstellung von Art, Ausmaß und Ursachen der Krise das Ziel der Eigenverwaltung und die Maßnahmen beschreibt, welche zur Erreichung des Ziels in Aussicht genommen werden,
3. eine Darstellung des Stands von Verhandlungen mit Gläubigern, den am Schuldner beteiligten Personen und Dritten zu den in Aussicht genommenen Maßnahmen,
4. eine Darstellung der Vorkehrungen, die der Schuldner getroffen hat, um seine Fähigkeit sicherzustellen, insolvenzrechtliche Pflichten zu erfüllen, und
5. eine begründete Darstellung etwaiger Mehr- oder Minderkosten, die im Rahmen der Eigenverwaltung im Vergleich zu einem Regelverfahren und im Verhältnis zur Insolvenzmasse voraussichtlich anfallen werden.

---

1) 7. Teil (§§ 269a–269i) eingef. mWv 21.4.2018 durch G v. 13.4.2017 (BGBl. I S. 866).
2) Bish. 7. Teil wird 8. Teil mWv 21.4.2018 durch G v. 13.4.2017 (BGBl. I S. 866).
3) § 270 neu gef. mWv 1.1.2021 durch G v. 22.12.2020 (BGBl. I S. 3256).
4) § 270a neu gef. mWv 1.1.2021 durch G v. 22.12.2020 (BGBl. I S. 3256).

(2) Des Weiteren hat der Schuldner zu erklären,

1. ob, in welchem Umfang und gegenüber welchen Gläubigern er sich mit der Erfüllung von Verbindlichkeiten aus Arbeitsverhältnissen, Pensionszusagen oder dem Steuerschuldverhältnis, gegenüber Sozialversicherungsträgern oder Lieferanten in Verzug befindet,
2. ob und in welchen Verfahren zu seinen Gunsten innerhalb der letzten drei Jahre vor dem Antrag Vollstreckungs- oder Verwertungssperren nach diesem Gesetz oder nach dem Unternehmensstabilisierungs- und -restrukturierungsgesetz[1] angeordnet wurden und
3. ob er für die letzten drei Geschäftsjahre seinen Offenlegungspflichten, insbesondere nach den §§ 325 bis 328 oder 339 des Handelsgesetzbuchs[2] nachgekommen ist.

§ 270b[3] Anordnung der vorläufigen Eigenverwaltung. (1) [1] Das Gericht bestellt einen vorläufigen Sachwalter, auf den die §§ 274 und 275 anzuwenden sind (vorläufige Eigenverwaltung), wenn

1. die Eigenverwaltungsplanung des Schuldners vollständig und schlüssig ist und
2. keine Umstände bekannt sind, aus denen sich ergibt, dass die Eigenverwaltungsplanung in wesentlichen Punkten auf unzutreffenden Tatsachen beruht.

[2] Weist die Eigenverwaltungsplanung behebbare Mängel auf, kann das Gericht die vorläufige Eigenverwaltung einstweilen anordnen; in diesem Fall setzt es dem Schuldner eine Frist zur Nachbesserung, die 20 Tage nicht übersteigt.

(2) Sind nach dem gemäß § 270a Absatz 1 Nummer 1 übermittelten Finanzplan die Kosten der Eigenverwaltung und der Fortführung des gewöhnlichen Geschäftsbetriebs nicht gedeckt, übersteigen die nach § 270a Absatz 1 Nummer 5 ausgewiesenen voraussichtlichen Kosten der Eigenverwaltung in wesentlicher Weise die voraussichtlichen Kosten des Regelverfahrens oder sind Umstände bekannt, aus denen sich ergibt, dass

1. Zahlungsrückstände gegenüber Arbeitnehmern oder erhebliche Zahlungsrückstände gegenüber den weiteren in § 270a Absatz 2 Nummer 1 genannten Gläubigern bestehen,
2. zugunsten des Schuldners in den letzten drei Jahren vor der Stellung des Antrags Vollstreckungs- oder Verwertungssperren nach diesem Gesetz oder nach dem Unternehmensstabilisierungs- und -restrukturierungsgesetz[1] angeordnet worden sind oder
3. der Schuldner in einem der letzten drei Jahre vor der Antragstellung gegen die Offenlegungsverpflichtungen, insbesondere nach den §§ 325 bis 328 oder 339 des Handelsgesetzbuchs[2] verstoßen hat,

erfolgt die Bestellung des vorläufigen Sachwalters nur, wenn trotz dieser Umstände zu erwarten ist, dass der Schuldner bereit und in der Lage ist, seine Geschäftsführung an den Interessen der Gläubiger auszurichten.

(3) [1] Einem vorläufigen Gläubigerausschuss ist vor Erlass der Entscheidung nach Absatz 1 oder Absatz 2 Gelegenheit zur Äußerung zu geben. [2] Ohne Äußerung des Gläubigerausschusses darf eine Entscheidung nur ergehen, wenn seit der

---

[1] **Habersack ErgBd. Nr. 110e.**

[2] ***beck-online*, Module *Arbeitsrecht* Nr. 105.**

[3] § 270b neu gef. mWv 1.1.2021 durch G v. 22.12.2020 (BGBl. I S. 3256); Abs. 3 Satz 1 geänd. mWv 27.7.2022 durch G v. 20.7.2022 (BGBl. I S. 1166).

Antragstellung zwei Werktage vergangen sind oder wenn offensichtlich mit nachteiligen Veränderungen der Vermögenslage des Schuldners zu rechnen ist, die sich nicht anders als durch Bestellung eines vorläufigen Insolvenzverwalters abwenden lassen. [3] An einen die vorläufige Eigenverwaltung unterstützenden einstimmigen Beschluss des vorläufigen Gläubigerausschusses ist das Gericht gebunden. [4] Stimmt der vorläufige Gläubigerausschuss einstimmig gegen die vorläufige Eigenverwaltung, unterbleibt die Anordnung.

(4) [1] Bestellt das Gericht einen vorläufigen Insolvenzverwalter, sind die Gründe hierfür schriftlich darzulegen. [2] § 27 Absatz 2 Nummer 4 gilt entsprechend.

§ 270c[1)] Vorläufiges Eigenverwaltungsverfahren. (1) Das Gericht kann den vorläufigen Sachwalter *beauftragten*[2)], Bericht zu erstatten über

1. die vom Schuldner vorgelegte Eigenverwaltungsplanung, insbesondere, ob diese von den erkannten und erkennbaren tatsächlichen Gegebenheiten ausgeht, schlüssig ist und durchführbar erscheint,
2. die Vollständigkeit und Geeignetheit der Rechnungslegung und Buchführung als Grundlage für die Eigenverwaltungsplanung, insbesondere für die Finanzplanung,
3. das Bestehen von Haftungsansprüchen des Schuldners gegen amtierende oder ehemalige Mitglieder der Organe.

(2) Der Schuldner hat dem Gericht und dem vorläufigen Sachwalter unverzüglich wesentliche Änderungen mitzuteilen, welche die Eigenverwaltungsplanung betreffen.

(3) [1] Das Gericht kann vorläufige Maßnahmen nach § 21 Absatz 1 und 2 Satz 1 Nummer 1a, 3 bis 5 anordnen. [2] Ordnet das Gericht die vorläufige Eigenverwaltung nach § 270b Absatz 1 Satz 2 an, kann es zudem anordnen, dass Verfügungen des Schuldners der Zustimmung durch den vorläufigen Sachwalter bedürfen.

(4) [1] Auf Antrag des Schuldners hat das Gericht anzuordnen, dass der Schuldner Masseverbindlichkeiten begründet. [2] Soll sich die Ermächtigung auf Verbindlichkeiten erstrecken, die im Finanzplan nicht berücksichtigt sind, bedarf dies einer besonderen Begründung. [3] § 55 Absatz 2 gilt entsprechend.

(5) Hat der Schuldner den Eröffnungsantrag bei drohender Zahlungsunfähigkeit gestellt und die Eigenverwaltung beantragt, sieht das Gericht jedoch die Voraussetzungen der Eigenverwaltung als nicht gegeben an, so hat es seine Bedenken dem Schuldner mitzuteilen und diesem Gelegenheit zu geben, den Eröffnungsantrag vor der Entscheidung über die Eröffnung zurückzunehmen.

§ 270d[3)] Vorbereitung einer Sanierung; Schutzschirm. (1) [1] Hat der Schuldner mit dem Antrag eine mit Gründen versehene Bescheinigung eines in Insolvenzsachen erfahrenen Steuerberaters, Wirtschaftsprüfers oder Rechtsanwalts oder einer Person mit vergleichbarer Qualifikation vorgelegt, aus der sich ergibt, dass drohende Zahlungsunfähigkeit oder Überschuldung, aber keine Zahlungsunfähigkeit vorliegt und die angestrebte Sanierung nicht offensichtlich aussichtslos ist, so bestimmt das Insolvenzgericht auf Antrag des Schuldners eine Frist zur Vorlage eines Insolvenzplans. [2] Die Frist darf höchstens drei Monate betragen.

---

1) § 270c neu gef. mWv 1.1.2021 durch G v. 22.12.2020 (BGBl. I S. 3256).
2) Richtig wohl: „beauftragen".
3) § 270d eingef. mWv 1.1.2021 durch G v. 22.12.2020 (BGBl. I S. 3256).

(2) [1] Der Aussteller der Bescheinigung nach Absatz 1 darf nicht zum vorläufigen Sachwalter bestellt werden. [2] Der Schuldner kann dem Gericht Vorschläge für die Person des vorläufigen Sachwalters unterbreiten. [3] Das Gericht kann von einem Vorschlag des Schuldners nur abweichen, wenn die vorgeschlagene Person offensichtlich für die Übernahme des Amtes nicht geeignet ist; dies ist vom Gericht schriftlich zu begründen.

(3) Das Gericht hat Maßnahmen nach § 21 Absatz 2 Satz 1 Nummer 3 anzuordnen, wenn der Schuldner dies beantragt.

(4) [1] Der Schuldner oder der vorläufige Sachwalter haben dem Gericht den Eintritt der Zahlungsunfähigkeit unverzüglich anzuzeigen. [2] Nach Aufhebung der Anordnung nach Absatz 1 oder nach Ablauf der Frist entscheidet das Gericht über die Eröffnung des Insolvenzverfahrens.

§ 270e[1)] Aufhebung der vorläufigen Eigenverwaltung. (1) Die vorläufige Eigenverwaltung wird durch Bestellung eines vorläufigen Insolvenzverwalters aufgehoben, wenn

1. der Schuldner in schwerwiegender Weise gegen insolvenzrechtliche Pflichten verstößt oder sich auf sonstige Weise zeigt, dass er nicht bereit oder in der Lage ist, seine Geschäftsführung am Interesse der Gläubiger auszurichten, insbesondere, wenn sich erweist, dass
   a) der Schuldner die Eigenverwaltungsplanung in wesentlichen Punkten auf unzutreffende Tatsachen gestützt hat oder seinen Pflichten nach § 270c Absatz 2 nicht nachkommt,
   b) die Rechnungslegung und Buchführung so unvollständig oder mangelhaft sind, dass sie keine Beurteilung der Eigenverwaltungsplanung, insbesondere des Finanzplans, ermöglichen,
   c) Haftungsansprüche des Schuldners gegen amtierende oder ehemalige Mitglieder seiner Organe bestehen, deren Durchsetzung in der Eigenverwaltung erschwert werden könnte,
2. Mängel der Eigenverwaltungsplanung nicht innerhalb der gemäß § 270b Absatz 1 Satz 2 gesetzten Frist behoben werden,
3. die Erreichung des Eigenverwaltungsziels, insbesondere eine angestrebte Sanierung sich als aussichtslos erweist,
4. der vorläufige Sachwalter dies mit Zustimmung des vorläufigen Gläubigerausschusses oder der vorläufige Gläubigerausschuss dies beantragt,
5. der Schuldner dies beantragt.

(2) [1] Die vorläufige Eigenverwaltung wird durch Bestellung eines vorläufigen Insolvenzverwalters zudem aufgehoben, wenn ein absonderungsberechtigter Gläubiger oder Insolvenzgläubiger die Aufhebung beantragt und glaubhaft macht, dass die Voraussetzungen für eine Anordnung der vorläufigen Eigenverwaltung nicht vorliegen und ihm durch die Eigenverwaltung erhebliche Nachteile drohen. [2] Vor der Entscheidung über den Antrag ist der Schuldner zu hören. [3] Gegen die Entscheidung steht dem Gläubiger und dem Schuldner die sofortige Beschwerde zu.

(3) Zum vorläufigen Insolvenzverwalter kann der bisherige vorläufige Sachwalter bestellt werden.

---

1) § 270e eingef. mWv 1.1.2021 durch G v. 22.12.2020 (BGBl. I S. 3256).

(4) [1] Dem vorläufigen Gläubigerausschuss ist vor Erlass der Entscheidung nach Absatz 1 Nummer 1 oder 3 Gelegenheit zur Äußerung zu geben. [2] § 270b Absatz 3 Satz 2 gilt entsprechend. [3] Bestellt das Gericht einen vorläufigen Insolvenzverwalter, sind die Gründe hierfür schriftlich darzulegen. [4] § 27 Absatz 2 Nummer 4 gilt entsprechend.

§ 270f[1)] Anordnung der Eigenverwaltung. (1) Die Eigenverwaltung wird auf Antrag des Schuldners angeordnet, es sei denn, eine vorläufige Eigenverwaltung wäre nach § 270b nicht anzuordnen oder nach § 270e aufzuheben.

(2) [1] Anstelle eines Insolvenzverwalters wird ein Sachwalter bestellt. [2] Die Forderungen der Insolvenzgläubiger sind beim Sachwalter anzumelden. [3] Die §§ 32 und 33 sind nicht anzuwenden.

(3) § 270b Absatz 3 und 4 ist entsprechend anzuwenden.

§ 270g[2)] Eigenverwaltung bei gruppenangehörigen Schuldnern. [1] Wird die Eigenverwaltung oder die vorläufige Eigenverwaltung bei einem gruppenangehörigen Schuldner angeordnet, unterliegt der Schuldner den Kooperationspflichten des § 269a. [2] Dem eigenverwaltenden Schuldner stehen nach Verfahrenseröffnung die Antragsrechte nach § 3a Absatz 1, § 3d Absatz 2 und § 269d Absatz 2 Satz 2 zu.

§ 271[3)] Nachträgliche Anordnung. [1] Beantragt die Gläubigerversammlung mit der in § 76 Absatz 2 genannten Mehrheit und der Mehrheit der abstimmenden Gläubiger die Eigenverwaltung, so ordnet das Gericht diese an, sofern der Schuldner zustimmt. [2] Zum Sachwalter kann der bisherige Insolvenzverwalter bestellt werden.

§ 272[4)] Aufhebung der Anordnung. (1) Das Insolvenzgericht hebt die Anordnung der Eigenverwaltung auf, wenn

1. der Schuldner in schwerwiegender Weise gegen insolvenzrechtliche Pflichten verstößt oder sich auf sonstige Weise zeigt, dass er nicht bereit oder in der Lage ist, seine Geschäftsführung am Interesse der Gläubiger auszurichten; dies gilt auch dann, wenn sich erweist, dass
   a) der Schuldner die Eigenverwaltungsplanung in wesentlichen Punkten auf unzutreffende Tatsachen gestützt hat,
   b) die Rechnungslegung und Buchführung so unvollständig oder mangelhaft sind, dass sie keine Beurteilung der Eigenverwaltungsplanung, insbesondere des Finanzplans, ermöglichen,
   c) Haftungsansprüche des Schuldners gegen amtierende oder ehemalige Mitglieder des vertretungsberechtigten Organs bestehen, deren Durchsetzung in der Eigenverwaltung erschwert werden könnte,
2. die Erreichung des Eigenverwaltungsziels, insbesondere eine angestrebte Sanierung sich als aussichtslos erweist,

---

1) § 270f eingef. mWv 1.1.2021 durch G v. 22.12.2020 (BGBl. I S. 3256); Abs. 3 geänd. mWv 27.7.2022 durch G v. 20.7.2022 (BGBl. I S. 1166).

2) Früherer § 270d eingef. mWv 21.4.2018 durch G v. 13.4.2017 (BGBl. I S. 866); bish. § 270d wird § 270g mWv 1.1.2021 durch G v. 22.12.2020 (BGBl. I S. 3256) .

3) § 271 neu gef. mWv 1.3.2012 durch G v. 7.12.2011 (BGBl. I S. 2582).

4) § 272 Abs. 1 Nr. 1 geänd., Nr. 2 und Abs. 2 Satz 1 neu gef. mWv 1.3.2012 durch G v. 7.12.2011 (BGBl. I S. 2582); Abs. 1 neu gef., Abs. 2 Satz 1 geänd. mWv 1.1.2021 durch G v. 22.12.2020 (BGBl. I S. 3256).

3. dies von der Gläubigerversammlung mit der in § 76 Absatz 2 genannten Mehrheit und der Mehrheit der abstimmenden Gläubiger beantragt wird,
4. dies von einem absonderungsberechtigten Gläubiger oder von einem Insolvenzgläubiger beantragt wird, die Voraussetzungen der Anordnung der Eigenverwaltung des § 270f Absatz 1 in Verbindung mit § 270b Absatz 1 Satz 1 weggefallen sind und dem Antragsteller durch die Eigenverwaltung erhebliche Nachteile drohen,
5. dies vom Schuldner beantragt wird.

(2) [1] Der Antrag eines Gläubigers ist nur zulässig, wenn die in Absatz 1 Nummer 4 genannten Voraussetzungen glaubhaft gemacht werden. [2] Vor der Entscheidung über den Antrag ist der Schuldner zu hören. [3] Gegen die Entscheidung steht dem Gläubiger und dem Schuldner die sofortige Beschwerde zu.

(3) Zum Insolvenzverwalter kann der bisherige Sachwalter bestellt werden.

§ 273 Öffentliche Bekanntmachung. Der Beschluß des Insolvenzgerichts, durch den nach der Eröffnung des Insolvenzverfahrens die Eigenverwaltung angeordnet oder die Anordnung aufgehoben wird, ist öffentlich bekanntzumachen.

§ 274[1)] Rechtsstellung des Sachwalters. (1) Für die Bestellung des Sachwalters, für die Aufsicht des Insolvenzgerichts sowie für die Haftung und die Vergütung des Sachwalters gelten § 27 Absatz 2 Nummer 4, § 54 Nummer 2 und die §§ 56 bis 60, 62 bis 65 entsprechend.

(2) [1] Der Sachwalter hat die wirtschaftliche Lage des Schuldners zu prüfen und die Geschäftsführung sowie die Ausgaben für die Lebensführung zu überwachen. [2] Das Gericht kann anordnen, dass der Sachwalter den Schuldner im Rahmen der Insolvenzgeldvorfinanzierung, der insolvenzrechtlichen Buchführung und der Verhandlungen mit Kunden und Lieferanten unterstützen kann. [3] § 22 Abs. 3 gilt entsprechend.

(3) [1] Stellt der Sachwalter Umstände fest, die erwarten lassen, daß die Fortsetzung der Eigenverwaltung zu Nachteilen für die Gläubiger führen wird, so hat er dies unverzüglich dem Gläubigerausschuß und dem Insolvenzgericht anzuzeigen. [2] Ist ein Gläubigerausschuß nicht bestellt, so hat der Sachwalter an dessen Stelle die Insolvenzgläubiger, die Forderungen angemeldet haben, und die absonderungsberechtigten Gläubiger zu unterrichten.

§ 275 Mitwirkung des Sachwalters. (1) [1] Verbindlichkeiten, die nicht zum gewöhnlichen Geschäftsbetrieb gehören, soll der Schuldner nur mit Zustimmung des Sachwalters eingehen. [2] Auch Verbindlichkeiten, die zum gewöhnlichen Geschäftsbetrieb gehören, soll er nicht eingehen, wenn der Sachwalter widerspricht.

(Fortsetzung nächstes Blatt)

[1)] § 274 Abs. 1 geänd. mWv 1.3.2012 durch G v. 7.12.2011 (BGBl. I S. 2582); Abs. 1 geänd. mWv 1.7.2014 durch G v. 15.7.2013 (BGBl. I S. 2379); Abs. 2 Satz 2 eingef., bish. Satz 2 wird Satz 3 mWv 1.1.2021 durch G v. 22.12.2020 (BGBl. I S. 3256).

(2) Der Sachwalter kann vom Schuldner verlangen, daß alle eingehenden Gelder nur vom Sachwalter entgegengenommen und Zahlungen nur vom Sachwalter geleistet werden.

§ 276 Mitwirkung des Gläubigerausschusses. [1]Der Schuldner hat die Zustimmung des Gläubigerausschusses einzuholen, wenn er Rechtshandlungen vornehmen will, die für das Insolvenzverfahren von besonderer Bedeutung sind. [2]§ 160 Abs. 1 Satz 2, Abs. 2, § 161 Satz 2 und § 164 gelten entsprechend.

§ 276a[1)] Mitwirkung der Überwachungsorgane. (1) [1]Ist der Schuldner eine juristische Person oder eine ***[bis 31.12.2023:*** Gesellschaft ohne Rechtspersönlichkeit***][ab 1.1.2024:*** *rechtsfähige Personengesellschaft****]***, so haben der Aufsichtsrat, die Gesellschafterversammlung oder entsprechende Organe keinen Einfluss auf die Geschäftsführung des Schuldners. [2]Die Abberufung und Neubestellung von Mitgliedern der Geschäftsleitung ist nur wirksam, wenn der Sachwalter zustimmt. [3]Die Zustimmung ist zu erteilen, wenn die Maßnahme nicht zu Nachteilen für die Gläubiger führt.

(2) [1]Ist der Schuldner als juristische Person verfasst, so haften auch die Mitglieder des Vertretungsorgans nach Maßgabe der §§ 60 bis 62. [2]Bei einer ***[bis 31.12.2023:*** Gesellschaft ohne Rechtspersönlichkeit***][ab 1.1.2024:*** *rechtsfähigen Personengesellschaft****]*** gilt dies für die zur Vertretung der Gesellschaft ermächtigten Gesellschafter. [3]Ist kein zur Vertretung der Gesellschaft ermächtigter Gesellschafter eine natürliche Person, gilt dies für die organschaftlichen Vertreter der zur Vertretung ermächtigten Gesellschafter. [4]Satz 3 gilt sinngemäß, wenn es sich bei den organschaftlichen Vertretern um ***[bis 31.12.2023:*** Gesellschaften ohne Rechtspersönlichkeit***][ab 1.1.2024:*** *rechtsfähige Personengesellschaften****]*** handelt, bei denen keine natürliche Person zur organschaftlichen Vertretung ermächtigt ist, oder wenn sich die Verbindung von Gesellschaften in dieser Art fortsetzt.

(3) Die Absätze 1 und 2 finden im Zeitraum zwischen der Anordnung der vorläufigen Eigenverwaltung oder der Anordnung vorläufiger Maßnahmen nach § 270c Absatz 3 und der Verfahrenseröffnung entsprechende Anwendung.

§ 277 Anordnung der Zustimmungsbedürftigkeit. (1) [1]Auf Antrag der Gläubigerversammlung ordnet das Insolvenzgericht an, daß bestimmte Rechtsgeschäfte des Schuldners nur wirksam sind, wenn der Sachwalter ihnen zustimmt. [2]§ 81 Abs. 1 Satz 2 und 3 und § 82 gelten entsprechend. [3]Stimmt der Sachwalter der Begründung einer Masseverbindlichkeit zu, so gilt § 61 entsprechend.

(2) [1]Die Anordnung kann auch auf den Antrag eines absonderungsberechtigten Gläubigers oder eines Insolvenzgläubigers ergehen, wenn sie unaufschiebbar erforderlich ist, um Nachteile für die Gläubiger zu vermeiden. [2]Der Antrag ist nur zulässig, wenn diese Voraussetzung der Anordnung glaubhaft gemacht wird.

(3) [1]Die Anordnung ist öffentlich bekanntzumachen. [2]§ 31 gilt entsprechend. [3]Soweit das Recht zur Verfügung über ein Grundstück, ein eingetragenes Schiff, Schiffsbauwerk oder Luftfahrzeug, ein Recht an einem solchen

---

[1)] § 276a eingef. mWv 1.3.2012 durch G v. 7.12.2011 (BGBl. I S. 2582); Abs. 2 und 3 angef. mWv 1.1.2021 durch G v. 22.12.2020 (BGBl. I S. 3256); Abs. 1 Satz 1, Abs. 2 Sätze 2 und 4 geänd. mWv 1.1.2024 durch G v. 10.8.2021 (BGBl. I S. 3436).

Gegenstand oder ein Recht an einem solchen Recht beschränkt wird, gelten die §§ 32 und 33 entsprechend.

§ 278 Mittel zur Lebensführung des Schuldners. (1) Der Schuldner ist berechtigt, für sich und die in § 100 Abs. 2 Satz 2 genannten Familienangehörigen aus der Insolvenzmasse die Mittel zu entnehmen, die unter Berücksichtigung der bisherigen Lebensverhältnisse des Schuldners eine bescheidene Lebensführung gestatten.

(2) Ist der Schuldner keine natürliche Person, so gilt Absatz 1 entsprechend für die vertretungsberechtigten persönlich haftenden Gesellschafter des Schuldners.

§ 279 Gegenseitige Verträge. [1] Die Vorschriften über die Erfüllung der Rechtsgeschäfte und die Mitwirkung des Betriebsrats (§§ 103 bis 128) gelten mit der Maßgabe, daß an die Stelle des Insolvenzverwalters der Schuldner tritt. [2] Der Schuldner soll seine Rechte nach diesen Vorschriften im Einvernehmen mit dem Sachwalter ausüben. [3] Die Rechte nach den §§ 120, 122 und 126 kann er wirksam nur mit Zustimmung des Sachwalters ausüben.

§ 280 Haftung. Insolvenzanfechtung. Nur der Sachwalter kann die Haftung nach den §§ 92 und 93 für die Insolvenzmasse geltend machen und Rechtshandlungen nach den §§ 129 bis 147 anfechten.

§ 281 Unterrichtung der Gläubiger. (1) [1] Das Verzeichnis der Massegegenstände, das Gläubigerverzeichnis und die Vermögensübersicht (§§ 151 bis 153) hat der Schuldner zu erstellen. [2] Der Sachwalter hat die Verzeichnisse und die Vermögensübersicht zu prüfen und jeweils schriftlich zu erklären, ob nach dem Ergebnis seiner Prüfung Einwendungen zu erheben sind.

(2) [1] Im Berichtstermin hat der Schuldner den Bericht zu erstatten. [2] Der Sachwalter hat zu dem Bericht Stellung zu nehmen.

(3) [1] Zur Rechnungslegung (§§ 66, 155) ist der Schuldner verpflichtet. [2] Für die Schlußrechnung des Schuldners gilt Absatz 1 Satz 2 entsprechend.

§ 282 Verwertung von Sicherungsgut. (1) [1] Das Recht des Insolvenzverwalters zur Verwertung von Gegenständen, an denen Absonderungsrechte bestehen, steht dem Schuldner zu. [2] Kosten der Feststellung der Gegenstände und der Rechte an diesen werden jedoch nicht erhoben. [3] Als Kosten der Verwertung können nur die tatsächlich entstandenen, für die Verwertung erforderlichen Kosten und der Umsatzsteuerbetrag angesetzt werden.

(2) Der Schuldner soll sein Verwertungsrecht im Einvernehmen mit dem Sachwalter ausüben.

§ 283 Befriedigung der Insolvenzgläubiger. (1) [1] Bei der Prüfung der Forderungen können außer den Insolvenzgläubigern der Schuldner und der Sachwalter angemeldete Forderungen bestreiten. [2] Eine Forderung, die ein Insolvenzgläubiger, der Schuldner oder der Sachwalter bestritten hat, gilt nicht als festgestellt.

(2) [1] Die Verteilungen werden vom Schuldner vorgenommen. [2] Der Sachwalter hat die Verteilungsverzeichnisse zu prüfen und jeweils schriftlich zu erklären, ob nach dem Ergebnis seiner Prüfung Einwendungen zu erheben sind.

§ 284[1] Insolvenzplan. (1) [1]Ein Auftrag der Gläubigerversammlung zur Ausarbeitung eines Insolvenzplans ist an den Sachwalter oder an den Schuldner zu richten. [2]Der vorläufige Gläubigerausschuss kann einen Auftrag zur Ausarbeitung eines Insolvenzplans an den vorläufigen Sachwalter oder den Schuldner richten. [3]Wird der Auftrag an den Schuldner gerichtet, so wirkt der vorläufige Sachwalter oder der Sachwalter beratend mit.

(2) Eine Überwachung der Planerfüllung ist Aufgabe des Sachwalters.

§ 285 Masseunzulänglichkeit. Masseunzulänglichkeit ist vom Sachwalter dem Insolvenzgericht anzuzeigen.

[1] § 284 Abs. 1 Satz 2 eingef., bish. Satz 2 wird Satz 3 und geänd. mWv 1.1.2021 durch G v. 22.12. 2020 (BGBl. I S. 3256).

D. Besteuerung

330. Fünftes Gesetz zur Förderung der Vermögensbildung der Arbeitnehmer (Fünftes Vermögensbildungsgesetz – 5. VermBG)[1)]

In der Fassung der Bekanntmachung vom 4. März 1994[2)]
(BGBl. I S. 406)

FNA 800-9

zuletzt geänd. durch Art. 51 Jahressteuergesetz 2024 (JStG 2024) v. 2.12.2024 (BGBl. 2024 I Nr. 387)

§ 1[3)] Persönlicher Geltungsbereich. (1) Die Vermögensbildung der Arbeitnehmer durch vereinbarte vermögenswirksame Leistungen der Arbeitgeber wird nach den Vorschriften dieses Gesetzes gefördert.

(2) [1] Arbeitnehmer im Sinne dieses Gesetzes sind Arbeiter und Angestellte einschließlich der zu ihrer Berufsausbildung Beschäftigten. [2] Als Arbeitnehmer gelten auch die in Heimarbeit Beschäftigten.

(3) Die Vorschriften dieses Gesetzes gelten nicht

1. für vermögenswirksame Leistungen juristischer Personen an Mitglieder des Organs, das zur gesetzlichen Vertretung der juristischen Person berufen ist,
2. für vermögenswirksame Leistungen von Personengesamtheiten an die durch Gesetz, Satzung oder Gesellschaftsvertrag zur Vertretung der Personengesamtheit berufenen Personen.

(4) Für Beamte, Richter, Berufssoldaten und Soldaten auf Zeit gelten die nachstehenden Vorschriften dieses Gesetzes entsprechend.

§ 2[4)] Vermögenswirksame Leistungen, Anlageformen. (1) Vermögenswirksame Leistungen sind Geldleistungen, die der Arbeitgeber für den Arbeitnehmer anlegt

1. als Sparbeiträge des Arbeitnehmers auf Grund eines Sparvertrags über Wertpapiere oder andere Vermögensbeteiligungen (§ 4)
   a) zum Erwerb von Aktien, die vom Arbeitgeber ausgegeben werden oder an einer deutschen Börse zum regulierten Markt zugelassen oder in den Freiverkehr einbezogen sind,

---

[1)] Die hier wiedergegebene Fassung gilt für vermögenswirksame Leistungen, die nach dem 31.12. 1993 angelegt werden (§ 17).

[2)] Neubekanntmachung des 5. VermBG idF der Bek. v. 19.2.1987 (BGBl. I S. 630) in der ab 1.1. 1994 geltenden Fassung.

[3)] § 1 Abs. 4 geänd. durch G v. 25.3.1997 (BGBl. I S. 726).

[4)] § 2 Abs. 1 Nr. 1 Buchst. c neu gef., Buchst. d und e aufgeh. durch G v. 7. 9. 1998 (BGBl. I S. 2647) und neu gef. mWv 1. 1. 2004 durch G v. 15. 12. 2003 (BGBl. I S. 2676); Abs. 5 geänd. mWv 18. 8. 2006 durch G v. 14. 8. 2006 (BGBl. I S. 1911); Abs. 1 Nr. 1 Buchst. a, b und f geänd. mWv 1. 11. 2007 durch G v. 16. 7. 2007 (BGBl. I S. 1330); Abs. 1 Nr. 1 Buchst. c und f geänd., Buchst. d eingef., mWv 1. 4. 2009 durch G v. 7. 3. 2009 (BGBl. I S. 451); Abs. 1 Nr. 5 Buchst. d geänd. mWv 14. 12. 2011 durch G v. 7. 12. 2011 (BGBl. I S. 2592); Abs. 1 Nr. 1 Buchst. c neu gef.,Buchst. d aufgeh., mWv 24. 12. 2013 durch G v. 18. 12. 2013 (BGBl. I S. 4318); Abs. 3 Nr. 1 neu gef. mWv 1.1.2025 durch G v. 23.10.2024 (BGBl. 2024 I Nr. 323).

b) zum Erwerb von Wandelschuldverschreibungen, die vom Arbeitgeber ausgegeben werden oder an einer deutschen Börse zum regulierten Markt zugelassen oder in den Freiverkehr einbezogen sind, sowie von Gewinnschuldverschreibungen, die vom Arbeitgeber ausgegeben werden, zum Erwerb von Namensschuldverschreibungen des Arbeitgebers jedoch nur dann, wenn auf dessen Kosten die Ansprüche des Arbeitnehmers aus der Schuldverschreibung durch ein Kreditinstitut verbürgt oder durch ein Versicherungsunternehmen privatrechtlich gesichert sind und das Kreditinstitut oder Versicherungsunternehmen im Geltungsbereich dieses Gesetzes zum Geschäftsbetrieb befugt ist,

c) zum Erwerb von Anteilen an OGAW-Sondervermögen sowie an als Sondervermögen aufgelegten offenen Publikums-AIF nach den §§ 218 und 219 des Kapitalanlagegesetzbuchs[1] sowie von Anteilen an offenen EU-Investmentvermögen und offenen ausländischen AIF, die nach dem Kapitalanlagegesetzbuch vertrieben werden dürfen, wenn nach dem Jahresbericht für das vorletzte Geschäftsjahr, das dem Kalenderjahr des Abschlusses des Vertrags im Sinne des § 4 oder des § 5 vorausgeht, der Wert der Aktien in diesem Investmentvermögen 60 Prozent des Werts dieses Investmentvermögens nicht unterschreitet; für neu aufgelegte Investmentvermögen ist für das erste und zweite Geschäftsjahr der erste Jahresbericht oder der erste Halbjahresbericht nach Auflegung des Investmentvermögens maßgebend,

d), e) *(aufgehoben)*

f) zum Erwerb von Genußscheinen, die vom Arbeitgeber als Wertpapiere ausgegeben werden oder an einer deutschen Börse zum regulierten Markt zugelassen oder in den Freiverkehr einbezogen sind und von Unternehmen mit Sitz und Geschäftsleitung im Geltungsbereich dieses Gesetzes, die keine Kreditinstitute sind, ausgegeben werden, wenn mit den Genußscheinen das Recht am Gewinn eines Unternehmens verbunden ist und der Arbeitnehmer nicht als Mitunternehmer im Sinne des § 15 Abs. 1 Satz 1 Nr. 2 des Einkommensteuergesetzes[2] anzusehen ist,

g) zur Begründung oder zum Erwerb eines Geschäftsguthabens bei einer Genossenschaft mit Sitz und Geschäftsleitung im Geltungsbereich dieses Gesetzes; ist die Genossenschaft nicht der Arbeitgeber, so setzt die Anlage vermögenswirksamer Leistungen voraus, daß die Genossenschaft entweder ein Kreditinstitut oder eine Bau- oder Wohnungsgenossenschaft im Sinne des § 2 Abs. 1 Nr. 2 des Wohnungsbau-Prämiengesetzes[3] ist, die zum Zeitpunkt der Begründung oder des Erwerbs des Geschäftsguthabens seit mindestens drei Jahren im Genossenschaftsregister ohne wesentliche Änderung ihres Unternehmensgegenstandes eingetragen und nicht aufgelöst ist oder Sitz und Geschäftsleitung in dem in Artikel 3 des Einigungsvertrages[4] genannten Gebiet hat und dort entweder am 1. Juli 1990 als Arbeiterwohnungsbaugenossenschaft, Gemeinnützige Wohnungsbaugenossenschaft oder sonstige Wohnungsbaugenossenschaft bestanden oder einen nicht un-

---

[1] **beck-online, Module Arbeitsrecht Nr. 129.**
[2] **beck-online, Module Arbeitsrecht Nr. 331.**
[3] **Steuergesetze Nr. 52.**
[4] **beck-online, Module Arbeitsrecht Nr. 10a.**

wesentlichen Teil von Wohnungen aus dem Bestand einer solchen Bau- oder Wohnungsgenossenschaft erworben hat,

h) zur Übernahme einer Stammeinlage oder zum Erwerb eines Geschäftsanteils an einer Gesellschaft mit beschränkter Haftung mit Sitz und Geschäftsleitung im Geltungsbereich dieses Gesetzes, wenn die Gesellschaft das Unternehmen des Arbeitgebers ist,

i) zur Begründung oder zum Erwerb einer Beteiligung als stiller Gesellschafter im Sinne des § 230 des Handelsgesetzbuchs[1] am Unternehmen des Arbeitgebers mit Sitz und Geschäftsleitung im Geltungsbereich dieses Gesetzes, wenn der Arbeitnehmer nicht als Mitunternehmer im Sinne des § 15 Abs. 1 Nr. 2 des Einkommensteuergesetzes anzusehen ist,

k) zur Begründung oder zum Erwerb einer Darlehensforderung gegen den Arbeitgeber, wenn auf dessen Kosten die Ansprüche des Arbeitnehmers aus dem Darlehensvertrag durch ein Kreditinstitut verbürgt oder durch ein Versicherungsunternehmen privatrechtlich gesichert sind und das Kreditinstitut oder Versicherungsunternehmen im Geltungsbereich dieses Gesetzes zum Geschäftsbetrieb befugt ist,

l) zur Begründung oder zum Erwerb eines Genußrechts am Unternehmen des Arbeitgebers mit Sitz und Geschäftsleitung im Geltungsbereich dieses Gesetzes, wenn damit das Recht am Gewinn dieses Unternehmens verbunden ist, der Arbeitnehmer nicht als Mitunternehmer im Sinne des § 15 Abs. 1 Nr. 2 des Einkommensteuergesetzes anzusehen ist und über das Genußrecht kein Genußschein im Sinne des Buchstaben f ausgegeben wird,

2. als Aufwendungen des Arbeitnehmers auf Grund eines Wertpapier-Kaufvertrags (§ 5),
3. als Aufwendungen des Arbeitnehmers auf Grund eines Beteiligungs-Vertrags (§ 6) oder eines Beteiligungs-Kaufvertrags (§ 7),
4. als Aufwendungen des Arbeitnehmers nach den Vorschriften des Wohnungsbau-Prämiengesetzes; die Voraussetzungen für die Gewährung einer Prämie nach dem Wohnungsbau-Prämiengesetz brauchen nicht vorzuliegen; die Anlage vermögenswirksamer Leistungen als Aufwendungen nach § 2 Abs. 1 Nr. 2 des Wohnungsbau-Prämiengesetzes für den ersten Erwerb von Anteilen an Bau- und Wohnungsgenossenschaften setzt voraus, daß die Voraussetzungen der Nummer 1 Buchstabe g zweiter Halbsatz erfüllt sind,
5. als Aufwendungen des Arbeitnehmers

a) zum Bau, zum Erwerb, zum Ausbau oder zur Erweiterung eines im Inland belegenen Wohngebäudes oder einer im Inland belegenen Eigentumswohnung,

b) zum Erwerb eines Dauerwohnrechts im Sinne des Wohnungseigentumsgesetzes an einer im Inland belegenen Wohnung,

c) zum Erwerb eines im Inland belegenen Grundstücks zum Zwecke des Wohnungsbaus oder

d) zur Erfüllung von Verpflichtungen, die im Zusammenhang mit den in den Buchstaben a bis c bezeichneten Vorhaben eingegangen sind,

---

[1] **beck-online, Module Arbeitsrecht Nr. 105.**

sofern der Anlage nicht ein von einem Dritten vorgefertigtes Konzept zu Grunde liegt, bei dem der Arbeitnehmer vermögenswirksame Leistungen zusammen mit mehr als 15 anderen Arbeitnehmern anlegen kann; die Förderung der Aufwendungen nach den Buchstaben a bis c setzt voraus, daß sie unmittelbar für die dort bezeichneten Vorhaben verwendet werden,

6. als Sparbeiträge des Arbeitnehmers auf Grund eines Sparvertrags (§ 8),
7. als Beiträge des Arbeitnehmers auf Grund eines Kapitalversicherungsvertrags (§ 9),
8. als Aufwendungen des Arbeitnehmers, der nach § 18 Abs. 2 oder 3 die Mitgliedschaft in einer Genossenschaft oder Gesellschaft mit beschränkter Haftung gekündigt hat, zur Erfüllung von Verpflichtungen aus der Mitgliedschaft, die nach dem 31. Dezember 1994 fortbestehen oder entstehen.

(2) [1] Aktien, Wandelschuldverschreibungen, Gewinnschuldverschreibungen oder Genußscheine eines Unternehmens, das im Sinne des § 18 Abs. 1 des Aktiengesetzes[1)] als herrschendes Unternehmen mit dem Unternehmen des Arbeitgebers verbunden ist, stehen Aktien, Wandelschuldverschreibungen, Gewinnschuldverschreibungen oder Genußscheinen im Sinne des Absatzes 1 Nr. 1 Buchstabe a, b oder f gleich, die vom Arbeitgeber ausgegeben werden. [2] Ein Geschäftsguthaben bei einer Genossenschaft mit Sitz und Geschäftsleitung im Geltungsbereich dieses Gesetzes, die im Sinne des § 18 Abs. 1 des Aktiengesetzes[1)] als herrschendes Unternehmen mit dem Unternehmen des Arbeitgebers verbunden ist, steht einem Geschäftsguthaben im Sinne des Absatzes 1 Nr. 1 Buchstabe g bei einer Genossenschaft, die das Unternehmen des Arbeitgebers ist, gleich. [3] Eine Stammeinlage oder ein Geschäftsanteil an einer Gesellschaft mit beschränkter Haftung mit Sitz und Geschäftsleitung im Geltungsbereich dieses Gesetzes, die im Sinne des § 18 Abs. 1 des Aktiengesetzes[1)] als herrschendes Unternehmen mit dem Unternehmen des Arbeitgebers verbunden ist, stehen einer Stammeinlage oder einem Geschäftsanteil im Sinne des Absatzes 1 Nr. 1 Buchstabe h an einer Gesellschaft, die das Unternehmen des Arbeitgebers ist, gleich. [4] Eine Beteiligung als stiller Gesellschafter an einem Unternehmen mit Sitz und Geschäftsleitung im Geltungsbereich dieses Gesetzes, das im Sinne des § 18 Abs. 1 des Aktiengesetzes[1)] als herrschendes Unternehmen mit dem Unternehmen des Arbeitgebers verbunden ist oder das auf Grund eines Vertrags mit dem Arbeitgeber an dessen Unternehmen gesellschaftsrechtlich beteiligt ist, steht einer Beteiligung als stiller Gesellschafter im Sinne des Absatzes 1 Nr. 1 Buchstabe i gleich. [5] Eine Darlehensforderung gegen ein Unternehmen mit Sitz und Geschäftsleitung im Geltungsbereich dieses Gesetzes, das im Sinne des § 18 Abs. 1 des Aktiengesetzes[1)] als herrschendes Unternehmen mit dem Unternehmen des Arbeitgebers verbunden ist, oder ein Genußrecht an einem solchen Unternehmen stehen einer Darlehensforderung oder einem Genußrecht im Sinne des Absatzes 1 Nr. 1 Buchstabe k oder l gleich.

(3) Die Anlage vermögenswirksamer Leistungen in Gewinnschuldverschreibungen im Sinne des Absatzes 1 Nr. 1 Buchstabe b und des Absatzes 2 Satz 1, in denen neben der gewinnabhängigen Verzinsung eine gewinnunabhängige Mindestverzinsung zugesagt ist, setzt voraus, daß

---

1) Nr. **567**.

1. die gewinnunabhängige Mindestverzinsung der Gewinnschuldverschreibung im Regelfall die Hälfte der Gesamtverzinsung nicht überschreitet oder
2. die gewinnunabhängige Mindestverzinsung zum Zeitpunkt der Ausgabe der Gewinnschuldverschreibung die Hälfte der Emissionsrendite festverzinslicher Wertpapiere nicht überschreitet, die in den Monatsberichten der Deutschen Bundesbank für den viertletzten Kalendermonat ausgewiesen wird, der dem Kalendermonat der Ausgabe vorausgeht.

(4) Die Anlage vermögenswirksamer Leistungen in Genußscheinen und Genußrechten im Sinne des Absatzes 1 Nr. 1 Buchstabe f und l und des Absatzes 2 Satz 1 und 5 setzt voraus, daß eine Rückzahlung zum Nennwert nicht zugesagt ist; ist neben dem Recht am Gewinn eine gewinnunabhängige Mindestverzinsung zugesagt, gilt Absatz 3 entsprechend.

(5) Der Anlage vermögenswirksamer Leistungen nach Absatz 1 Nr. 1 Buchstabe f, i bis l, Absatz 2 Satz 1, 4 und 5 sowie Absatz 4 in einer Genossenschaft mit Sitz und Geschäftsleitung im Geltungsbereich dieses Gesetzes stehen § 19 und eine Festsetzung durch Satzung gemäß § 20 des Genossenschaftsgesetzes[1] nicht entgegen.

(5a) [1]Der Arbeitgeber hat vor der Anlage vermögenswirksamer Leistungen im eigenen Unternehmen in Zusammenarbeit mit dem Arbeitnehmer Vorkehrungen zu treffen, die der Absicherung der angelegten vermögenswirksamen Leistungen bei einer während der Dauer der Sperrfrist eintretenden Zahlungsunfähigkeit des Arbeitgebers dienen. [2]Das Bundesministerium für Arbeit und Sozialordnung berichtet den gesetzgebenden Körperschaften bis zum 30. Juni 2002 über die nach Satz 1 getroffenen Vorkehrungen.

(6) [1]Vermögenswirksame Leistungen sind steuerpflichtige Einnahmen im Sinne des Einkommensteuergesetzes und Einkommen, Verdienst oder Entgelt (Arbeitsentgelt) im Sinne der Sozialversicherung und des Dritten Buches Sozialgesetzbuch[2]. [2]Reicht der nach Abzug der vermögenswirksamen Leistung verbleibende Arbeitslohn zur Deckung der einzubehaltenden Steuern, Sozialversicherungsbeiträge und Beiträge zur Bundesagentur für Arbeit nicht aus, so hat der Arbeitnehmer dem Arbeitgeber den zur Deckung erforderlichen Betrag zu zahlen.

(7) [1]Vermögenswirksame Leistungen sind arbeitsrechtlich Bestandteil des Lohns oder Gehalts. [2]Der Anspruch auf die vermögenswirksame Leistung ist nicht übertragbar.

§ 3[3] Vermögenswirksame Leistungen für Angehörige, Überweisung durch den Arbeitgeber, Kennzeichnungs-, Bestätigungs- und Mitteilungspflichten. (1) [1]Vermögenswirksame Leistungen können auch angelegt werden

1. zugunsten des nicht dauernd getrennt lebenden Ehegatten oder Lebenspartners des Arbeitnehmers,
2. zugunsten der in § 32 Abs. 1 des Einkommensteuergesetzes[4] bezeichneten Kinder, die zu Beginn des maßgebenden Kalenderjahrs das 17. Lebensjahr

[1] **Habersack Nr. 53.**
[2] Nr. **700**.
[3] § 3 Abs. 1 Satz 1 Nr. 1 neu gef. durch G v. 26.6.2013 (BGBl. I S. 1809).
[4] **beck-online, Module Arbeitsrecht Nr. 331.**

noch nicht vollendet hatten oder die in diesem Kalenderjahr lebend geboren wurden oder

3. zugunsten der Eltern oder eines Elternteils des Arbeitnehmers, wenn der Arbeitnehmer als Kind die Voraussetzungen der Nummer 2 erfüllt.

[2] Dies gilt nicht für die Anlage vermögenswirksamer Leistungen auf Grund von Verträgen nach den §§ 5 bis 7.

(2) [1] Der Arbeitgeber hat die vermögenswirksamen Leistungen für den Arbeitnehmer unmittelbar an das Unternehmen oder Institut zu überweisen, bei dem sie angelegt werden sollen. [2] Er hat dabei gegenüber dem Unternehmen oder Institut die vermögenswirksamen Leistungen zu kennzeichnen. [3] Das Unternehmen oder Institut hat die nach § 2 Abs. 1 Nr. 1 bis 5, Abs. 2 bis 4 angelegten vermögenswirksamen Leistungen und die Art ihrer Anlage zu kennzeichnen. [4] Kann eine vermögenswirksame Leistung nicht oder nicht mehr die Voraussetzungen des § 2 Abs. 1 bis 4 erfüllen, so hat das Unternehmen oder Institut dies dem Arbeitgeber unverzüglich schriftlich mitzuteilen. [5] Die Sätze 1 bis 4 gelten nicht für die Anlage vermögenswirksamer Leistungen auf Grund von Verträgen nach den §§ 5, 6 Abs. 1 und § 7 Abs. 1 mit dem Arbeitgeber.

(3) [1] Für eine vom Arbeitnehmer gewählte Anlage nach § 2 Abs. 1 Nr. 5 hat der Arbeitgeber auf Verlangen des Arbeitnehmers die vermögenswirksamen Leistungen an den Arbeitnehmer zu überweisen, wenn dieser dem Arbeitgeber eine schriftliche Bestätigung seines Gläubigers vorgelegt hat, daß die Anlage bei ihm die Voraussetzungen des § 2 Abs. 1 Nr. 5 erfüllt; Absatz 2 gilt in diesem Falle nicht. [2] Der Arbeitgeber hat die Richtigkeit der Bestätigung nicht zu prüfen.

§ 4[1)] Sparvertrag über Wertpapiere oder andere Vermögensbeteiligungen. (1) Ein Sparvertrag über Wertpapiere oder andere Vermögensbeteiligungen im Sinne des § 2 Abs. 1 Nr. 1 ist ein Sparvertrag mit einem Kreditinstitut oder einer Kapitalverwaltungsgesellschaft, in dem sich der Arbeitnehmer verpflichtet, als Sparbeiträge zum Erwerb von Wertpapieren im Sinne des § 2 Abs. 1 Nr. 1 Buchstabe a bis f, Abs. 2 Satz 1, Abs. 3 und 4 oder zur Begründung oder zum Erwerb von Rechten im Sinne des § 2 Abs. 1 Nr. 1 Buchstabe g bis l, Abs. 2 Satz 2 bis 5 und Abs. 4 einmalig oder für die Dauer von sechs Jahren seit Vertragsabschluß laufend vermögenswirksame Leistungen einzahlen zu lassen oder andere Beträge einzuzahlen.

(2) [1] Die Förderung der auf Grund eines Vertrags nach Absatz 1 angelegten vermögenswirksamen Leistungen setzt voraus, daß

1. die Leistungen eines Kalenderjahrs, vorbehaltlich des Absatzes 3, spätestens bis zum Ablauf des folgenden Kalenderjahrs zum Erwerb der Wertpapiere oder zur Begründung oder zum Erwerb der Rechte verwendet und bis zur Verwendung festgelegt werden und

(Fortsetzung nächstes Blatt)

[1)] § 4 Abs. 4 Nr. 6 geänd. mWv 1.1.2002 durch G v. 19.12.2000 (BGBl. I S. 1790); Abs. 3 geänd. mWv 1.1.2002 durch G v. 19.12.2000 (BGBl. I S. 1790); Abs. 1 und 2 Satz 3, Abs. 5 geänd. mWv 28.12.2007 durch G v. 21.12.2007 (BGBl. I S. 3089); Abs. 4 neu gef. durch G v. 8.12.2008 (BGBl. I S. 2373); Abs. 4 geänd. mWv 1.4.2009 durch G v. 7.3.2009 (BGBl. I S. 451); Abs. 4 Nrn. 1 und 2, 4 geänd. durch G v. 26.6.2013 (BGBl. I S. 1809); Abs. 1 und 2 Satz 3, Abs. 4 Nr. 4, Abs. 5 geänd. mWv 24.12.2013 durch G v. 18.12.2013 (BGBl. I S. 4318).

2. die mit den Leistungen erworbenen Wertpapiere unverzüglich nach ihrem Erwerb bis zum Ablauf einer Frist von sieben Jahren (Sperrfrist) festgelegt werden und über die Wertpapiere oder die mit den Leistungen begründeten oder erworbenen Rechte bis zum Ablauf der Sperrfrist nicht durch Rückzahlung, Abtretung, Beleihung oder in anderer Weise verfügt wird.

[2] Die Sperrfrist gilt für alle auf Grund des Vertrags angelegten vermögenswirksamen Leistungen und beginnt am 1. Januar des Kalenderjahrs, in dem der Vertrag abgeschlossen worden ist. [3] Als Zeitpunkt des Vertragsabschlusses gilt der Tag, an dem die vermögenswirksame Leistung, bei Verträgen über laufende Einzahlungen die erste vermögenswirksame Leistung, beim Kreditinstitut oder bei der Kapitalverwaltungsgesellschaft eingeht.

(3) Vermögenswirksame Leistungen, die nicht bis zum Ablauf der Frist nach Absatz 2 Nr. 1 verwendet worden sind, gelten als rechtzeitig verwendet, wenn sie am Ende eines Kalenderjahrs insgesamt 150 Euro nicht übersteigen und bis zum Ablauf der Sperrfrist nach Absatz 2 verwendet oder festgelegt werden.

(4) Eine vorzeitige Verfügung ist abweichend von Absatz 2 unschädlich, wenn

1. der Arbeitnehmer oder sein von ihm nicht dauernd getrennt lebender Ehegatte oder Lebenspartner nach Vertragsabschluß gestorben oder völlig erwerbsunfähig geworden ist,
2. der Arbeitnehmer nach Vertragsabschluß, aber vor der vorzeitigen Verfügung geheiratet oder eine Lebenspartnerschaft begründet hat und im Zeitpunkt der vorzeitigen Verfügung mindestens zwei Jahre seit Beginn der Sperrfrist vergangen sind,
3. der Arbeitnehmer nach Vertragsabschluß arbeitslos geworden ist und die Arbeitslosigkeit mindestens ein Jahr lang ununterbrochen bestanden hat und im Zeitpunkt der vorzeitigen Verfügung noch besteht,
4. der Arbeitnehmer den Erlös innerhalb der folgenden drei Monate unmittelbar für die eigene Weiterbildung oder für die seines von ihm nicht dauernd getrennt lebenden Ehegatten oder Lebenspartners einsetzt und die Maßnahme außerhalb des Betriebes, dem er oder der Ehegatte oder der Lebenspartner angehört, durchgeführt wird und Kenntnisse und Fertigkeiten vermittelt werden, die dem beruflichen Fortkommen dienen und über arbeitsplatzbezogene Anpassungsfortbildungen hinausgehen; für vermögenswirksame Leistungen, die der Arbeitgeber für den Arbeitnehmer nach § 2 Absatz 1 Nummer 1 Buchstabe a, b, f bis l angelegt hat und die Rechte am Unternehmen des Arbeitgebers begründen, gilt dies nur bei Zustimmung des Arbeitgebers; bei nach § 2 Abs. 2 gleichgestellten Anlagen gilt dies nur bei Zustimmung des Unternehmens, das im Sinne des § 18 Abs. 1 des Aktiengesetzes[1] als herrschendes Unternehmen mit dem Unternehmen des Arbeitgebers verbunden ist,
5. der Arbeitnehmer nach Vertragsabschluß unter Aufgabe der nichtselbständigen Arbeit eine Erwerbstätigkeit, die nach § 138 Abs. 1 der Abgabenordnung[2] der Gemeinde mitzuteilen ist, aufgenommen hat oder

---

[1] Nr. **567**.
[2] **Steuergesetze Nr. 800.**

6. festgelegte Wertpapiere veräußert werden und der Erlös bis zum Ablauf des Kalendermonats, der dem Kalendermonat der Veräußerung folgt, zum Erwerb von in Absatz 1 bezeichneten Wertpapieren wiederverwendet wird; der bis zum Ablauf des der Veräußerung folgenden Kalendermonats nicht wiederverwendete Erlös gilt als rechtzeitig wiederverwendet, wenn er am Ende eines Kalendermonats insgesamt 150 Euro nicht übersteigt.

(5) Unschädlich ist auch, wenn in die Rechte und Pflichten des Kreditinstituts oder der Kapitalverwaltungsgesellschaft aus dem Sparvertrag an seine Stelle ein anderes Kreditinstitut oder eine andere Kapitalverwaltungsgesellschaft während der Laufzeit des Vertrags durch Rechtsgeschäft eintritt.

(6) [1] Werden auf einen Vertrag über laufend einzuzahlende vermögenswirksame Leistungen oder andere Beträge in einem Kalenderjahr, das dem Kalenderjahr des Vertragsabschlusses folgt, weder vermögenswirksame Leistungen noch andere Beträge eingezahlt, so ist der Vertrag unterbrochen und kann nicht fortgeführt werden. [2] Das gleiche gilt, wenn mindestens alle Einzahlungen eines Kalenderjahrs zurückgezahlt oder die Rückzahlungsansprüche aus dem Vertrag abgetreten oder beliehen werden.

§ 5 Wertpapier-Kaufvertrag. (1) Ein Wertpapier-Kaufvertrag im Sinne des § 2 Abs. 1 Nr. 2 ist ein Kaufvertrag zwischen dem Arbeitnehmer und dem Arbeitgeber zum Erwerb von Wertpapieren im Sinne des § 2 Abs. 1 Nr. 1 Buchstabe a bis f, Abs. 2 Satz 1, Abs. 3 und 4 durch den Arbeitnehmer mit der Vereinbarung, den vom Arbeitnehmer geschuldeten Kaufpreis mit vermögenswirksamen Leistungen zu verrechnen oder mit anderen Beträgen zu zahlen.

(2) Die Förderung der auf Grund eines Vertrags nach Absatz 1 angelegten vermögenswirksamen Leistungen setzt voraus, daß

1. mit den Leistungen eines Kalenderjahrs spätestens bis zum Ablauf des folgenden Kalenderjahrs die Wertpapiere erworben werden und
2. die mit den Leistungen erworbenen Wertpapiere unverzüglich nach ihrem Erwerb bis zum Ablauf einer Frist von sechs Jahren (Sperrfrist) festgelegt werden und über die Wertpapiere bis zum Ablauf der Sperrfrist nicht durch Rückzahlung, Abtretung, Beleihung oder in anderer Weise verfügt wird; die Sperrfrist beginnt am 1. Januar des Kalenderjahrs, in dem das Wertpapier erworben worden ist; § 4 Abs. 4 Nr. 1 bis 5 gilt entsprechend.

§ 6 Beteiligungs-Vertrag. (1) Ein Beteiligungs-Vertrag im Sinne des § 2 Abs. 1 Nr. 3 ist ein Vertrag zwischen dem Arbeitnehmer und dem Arbeitgeber über die Begründung von Rechten im Sinne des § 2 Abs. 1 Nr. 1 Buchstabe g bis l und Abs. 4 für den Arbeitnehmer am Unternehmen des Arbeitgebers mit der Vereinbarung, die vom Arbeitnehmer für die Begründung geschuldete Geldsumme mit vermögenswirksamen Leistungen zu verrechnen oder mit anderen Beträgen zu zahlen.

(2) Ein Beteiligungs-Vertrag im Sinne des § 2 Abs. 1 Nr. 3 ist auch ein Vertrag zwischen dem Arbeitnehmer und

1. einem Unternehmen, das nach § 2 Abs. 2 Satz 2 bis 5 mit dem Unternehmen des Arbeitgebers verbunden oder nach § 2 Abs. 2 Satz 4 an diesem *Unternehmen* beteiligt ist, über die Begründung von Rechten im Sinne des § 2 Abs. 1 Nr. 1 Buchstabe g bis l, Abs. 2 Satz 2 bis 5 und Abs. 4 für den Arbeitnehmer an diesem Unternehmen oder

2. einer Genossenschaft mit Sitz und Geschäftsleitung im Geltungsbereich dieses Gesetzes, die ein Kreditinstitut oder eine Bau- oder Wohnungsgenossenschaft ist, die die Voraussetzungen des § 2 Abs. 1 Nr. 1 Buchstabe g zweiter Halbsatz erfüllt, über die Begründung eines Geschäftsguthabens für den Arbeitnehmer bei dieser Genossenschaft

mit der Vereinbarung, die vom Arbeitnehmer für die Begründung der Rechte oder des Geschäftsguthabens geschuldete Geldsumme mit vermögenswirksamen Leistungen zahlen zu lassen oder mit anderen Beträgen zu zahlen.

(3) Die Förderung der auf Grund eines Vertrags nach Absatz 1 oder 2 angelegten vermögenswirksamen Leistungen setzt voraus, daß

1. mit den Leistungen eines Kalenderjahrs spätestens bis zum Ablauf des folgenden Kalenderjahrs die Rechte begründet werden und
2. über die mit den Leistungen begründeten Rechte bis zum Ablauf einer Frist von sechs Jahren (Sperrfrist) nicht durch Rückzahlung, Abtretung, Beleihung oder in anderer Weise verfügt wird; die Sperrfrist beginnt am 1. Januar des Kalenderjahrs, in dem das Recht begründet worden ist; § 4 Abs. 4 Nr. 1 bis 5 gilt entsprechend.

§ 7 Beteiligungs-Kaufvertrag. (1) Ein Beteiligungs-Kaufvertrag im Sinne des § 2 Abs. 1 Nr. 3 ist ein Kaufvertrag zwischen dem Arbeitnehmer und dem Arbeitgeber zum Erwerb von Rechten im Sinne des § 2 Abs. 1 Nr. 1 Buchstabe g bis l, Abs. 2 Satz 2 bis 5 und Abs. 4 durch den Arbeitnehmer mit der Vereinbarung, den vom Arbeitnehmer geschuldeten Kaufpreis mit vermögenswirksamen Leistungen zu verrechnen oder mit anderen Beträgen zu zahlen.

(2) Ein Beteiligungs-Kaufvertrag im Sinne des § 2 Abs. 1 Nr. 3 ist auch ein Kaufvertrag zwischen dem Arbeitnehmer und einer Gesellschaft mit beschränkter Haftung, die nach § 2 Abs. 2 Satz 3 mit dem Unternehmen des Arbeitgebers verbunden ist, zum Erwerb eines Geschäftsanteils im Sinne des § 2 Abs. 1 Nr. 1 Buchstabe h an dieser Gesellschaft durch den Arbeitnehmer mit der Vereinbarung, den vom Arbeitnehmer geschuldeten Kaufpreis mit vermögenswirksamen Leistungen zahlen zu lassen oder mit anderen Beträgen zu zahlen.

(3) Für die Förderung der auf Grund eines Vertrags nach Absatz 1 oder 2 angelegten vermögenswirksamen Leistungen gilt § 6 Abs. 3 entsprechend.

§ 8[1)] Sparvertrag. (1) Ein Sparvertrag im Sinne des § 2 Abs. 1 Nr. 6 ist ein Sparvertrag zwischen dem Arbeitnehmer und einem Kreditinstitut, in dem die in den Absätzen 2 bis 5 bezeichneten Vereinbarungen, mindestens aber die in den Absätzen 2 und 3 bezeichneten Vereinbarungen, getroffen sind.

(2) [1] Der Arbeitnehmer ist verpflichtet,

1. einmalig oder für die Dauer von sechs Jahren seit Vertragsabschluß laufend, mindestens aber einmal im Kalenderjahr, als Sparbeiträge vermögenswirksame Leistungen einzahlen zu lassen oder andere Beträge einzuzahlen und

---

[1)] § 8 Abs. 4 Satz 1 Nr. 5 und 6 geänd. mWv 1. 1. 2004 durch G v. 15. 12. 2003 (BGBl. I S. 2676); Abs. 5 neu gef. durch G v. 29. 7. 2008 (BGBl. I S. 1509); Abs. 5 Satz 1 neu gef. durch G v. 26. 6. 2013 (BGBl. I S. 1809); Abs. 4 Nr. 5 geänd., Nr. 6 neu gef. mWv 24. 12. 2013 durch G v. 18. 12. 2013 (BGBl. I S. 4318).

2. bis zum Ablauf einer Frist von sieben Jahren (Sperrfrist) die eingezahlten vermögenswirksamen Leistungen bei dem Kreditinstitut festzulegen und die Rückzahlungsansprüche aus dem Vertrag weder abzutreten noch zu beleihen.

[2] Der Zeitpunkt des Vertragsabschlusses und der Beginn der Sperrfrist bestimmen sich nach den Regelungen des § 4 Abs. 2 Satz 2 und 3.

(3) Der Arbeitnehmer ist abweichend von der in Absatz 2 Satz 1 Nr. 2 bezeichneten Vereinbarung zu vorzeitiger Verfügung berechtigt, wenn eine der in § 4 Abs. 4 Nr. 1 bis 5 bezeichneten Voraussetzungen erfüllt ist.

(4) [1] Der Arbeitnehmer ist abweichend von der in Absatz 2 Satz 1 Nr. 2 bezeichneten Vereinbarung auch berechtigt, vor Ablauf der Sperrfrist mit eingezahlten vermögenswirksamen Leistungen zu erwerben

1. Wertpapiere im Sinne des § 2 Abs. 1 Nr. 1 Buchstabe a bis f, Abs. 2 Satz 1, Abs. 3 und 4,
2. Schuldverschreibungen, die vom Bund, von den Ländern, von den Gemeinden, von anderen Körperschaften des öffentlichen Rechts, vom Arbeitgeber, von einem im Sinne des § 18 Abs. 1 des Aktiengesetzes[1)] als herrschendes Unternehmen mit dem Unternehmen des Arbeitgebers verbundenen Unternehmen oder von einem Kreditinstitut mit Sitz und Geschäftsleitung im Geltungsbereich dieses Gesetzes ausgegeben werden, Namensschuldverschreibungen des Arbeitgebers jedoch nur dann, wenn auf dessen Kosten die Ansprüche des Arbeitnehmers aus der Schuldverschreibung durch ein Kreditinstitut verbürgt oder durch ein Versicherungsunternehmen privatrechtlich gesichert sind und das Kreditinstitut oder Versicherungsunternehmen im Geltungsbereich dieses Gesetzes zum Geschäftsbetrieb befugt ist,
3. Genußscheine, die von einem Kreditinstitut mit Sitz und Geschäftsleitung im Geltungsbereich dieses Gesetzes, das nicht der Arbeitgeber ist, als Wertpapiere ausgegeben werden, wenn mit den Genußscheinen das Recht am Gewinn des Kreditinstituts verbunden ist, der Arbeitnehmer nicht als Mitunternehmer im Sinne des § 15 Abs. 1 Nr. 2 des Einkommensteuergesetzes[2)] anzusehen ist und die Voraussetzungen des § 2 Abs. 4 erfüllt sind,
4. Anleiheforderungen, die in ein Schuldbuch des Bundes oder eines Landes eingetragen werden,
5. Anteile an einem Sondervermögen, die von Kapitalverwaltungsgesellschaften im Sinne des Kapitalanlagegesetzbuchs[3)] ausgegeben werden und nicht unter § 2 Abs. 1 Nr. 1 Buchstabe c fallen, oder
6. Anteile an offenen EU-Investmentvermögen und ausländischen AIF, die nach dem Kapitalanlagegesetzbuch vertrieben werden dürfen.

[2] Der Arbeitnehmer ist verpflichtet, bis zum Ablauf der Sperrfrist die nach Satz 1 erworbenen Wertpapiere bei dem Kreditinstitut, mit dem der Sparvertrag abgeschlossen ist, festzulegen und über die Wertpapiere nicht zu verfügen; diese Verpflichtung besteht nicht, wenn eine der in § 4 Abs. 4 Nr. 1 bis 5 bezeichneten Voraussetzungen erfüllt ist.

[1)] Nr. **567**.
[2)] Nr. **331**.
[3)] **NipperdeyDirekt (online) Nr. 129.**

(5) [1] Der Arbeitnehmer ist abweichend von der in Absatz 2 Satz 1 Nummer 2 bezeichneten Vereinbarung auch berechtigt, vor Ablauf der Sperrfrist die Überweisung eingezahlter vermögenswirksamer Leistungen auf einen von ihm oder seinem nicht dauernd getrennt lebenden Ehegatten oder Lebenspartner abgeschlossenen Bausparvertrag zu verlangen, wenn weder mit der Auszahlung der Bausparsumme begonnen worden ist noch die überwiesenen Beträge vor Ablauf der Sperrfrist ganz oder zum Teil zurückgezahlt noch Ansprüche aus dem Bausparvertrag abgetreten oder beliehen werden oder wenn eine solche vorzeitige Verfügung nach § 2 Absatz 3 Satz 2 Nummer 1 und 2 des Wohnungsbau-Prämiengesetzes[1)] in der Fassung der Bekanntmachung vom 30. Oktober 1997 (BGBl. I S. 2678), das zuletzt durch Artikel 7 des Gesetzes vom 5. April 2011 (BGBl. I S. 554) geändert worden ist, in der jeweils geltenden Fassung unschädlich ist. [2] Satz 1 gilt für vor dem 1. Januar 2009 und nach dem 31. Dezember 2008 abgeschlossene Bausparverträge.

§ 9[2)] Kapitalversicherungsvertrag. (1) Ein Kapitalversicherungsvertrag im Sinne des § 2 Abs. 1 Nr. 7 ist ein Vertrag über eine Kapitalversicherung auf den Erlebens- und Todesfall gegen laufenden Beitrag, der für die Dauer von mindestens zwölf Jahren und mit den in den Absätzen 2 bis 5 bezeichneten Vereinbarungen zwischen dem Arbeitnehmer und einem Versicherungsunternehmen abgeschlossen ist, das im Geltungsbereich dieses Gesetzes zum Geschäftsbetrieb befugt ist.

(2) Der Arbeitnehmer ist verpflichtet, als Versicherungsbeiträge vermögenswirksame Leistungen einzahlen zu lassen oder andere Beträge einzuzahlen.

(3) Die Versicherungsbeiträge enthalten keine Anteile für Zusatzleistungen wie für Unfall, Invalidität oder Krankheit.

(4) Der Versicherungsvertrag sieht vor, daß bereits ab Vertragsbeginn ein nicht kürzbarer Anteil von mindestens 50 Prozent des gezahlten Beitrags als Rückkaufswert (§ 169 des Versicherungsvertragsgesetzes[3)]) erstattet oder der Berechnung der prämienfreien Versicherungsleistung (§ 165 des Versicherungsvertragsgesetzes) zugrunde gelegt wird.

(5) Die Gewinnanteile werden verwendet

1. zur Erhöhung der Versicherungsleistung oder
2. auf Verlangen des Arbeitnehmers zur Verrechnung mit fälligen Beiträgen, wenn er nach Vertragsabschluß arbeitslos geworden ist und die Arbeitslosigkeit mindestens ein Jahr lang ununterbrochen bestanden hat und im Zeitpunkt der Verrechnung noch besteht.

§ 10[4)] Vereinbarung zusätzlicher vermögenswirksamer Leistungen. (1) Vermögenswirksame Leistungen können in Verträgen mit Arbeitnehmern, in Betriebsvereinbarungen, in Tarifverträgen oder in bindenden Festsetzungen (§ 19 des Heimarbeitsgesetzes) vereinbart werden.

[1)] **Steuergesetze Nr. 52.**

[2)] § 9 Abs. 4 neu gef. mWv 1. 1. 1994 durch G v. 21. 7. 1994 (BGBl. I S. 1630); geänd. mWv 1. 1. 2008 durch G v. 23. 11. 2007 (BGBl. I S. 2631); geänd. mWv 1. 4. 2009 durch G v. 7. 3. 2009 (BGBl. I S. 451).

[3)] **Schönfelder Nr. 62.**

[4)] § 10 Abs. 2 bis 4 aufgeh., Abs. 5 Satz 2 aufgeh, bish. Satz 1 wird alleiniger Wortlaut mWv 1. 1. 2002 durch G v. 26. 6. 2001 (BGBl. I S. 1310).

(2) bis (4) *(aufgehoben)*

(5) Der Arbeitgeber kann auf tarifvertraglich vereinbarte vermögenswirksame Leistungen die betrieblichen Sozialleistungen anrechnen, die dem Arbeitnehmer in dem Kalenderjahr bisher schon als vermögenswirksame Leistungen erbracht worden sind.

§ 11[1] Vermögenswirksame Anlage von Teilen des Arbeitslohns. (1) Der Arbeitgeber hat auf schriftliches Verlangen des Arbeitnehmers einen Vertrag über die vermögenswirksame Anlage von Teilen des Arbeitslohns abzuschließen.

(2) Auch vermögenswirksam angelegte Teile des Arbeitslohns sind vermögenswirksame Leistungen im Sinne dieses Gesetzes.

(3) [1] Zum Abschluß eines Vertrags nach Absatz 1, wonach die Lohnteile nicht zusammen mit anderen vermögenswirksamen Leistungen für den Arbeitnehmer angelegt und überwiesen werden sollen, ist der Arbeitgeber nur dann verpflichtet, wenn der Arbeitnehmer die Anlage von Teilen des Arbeitslohns in monatlichen der Höhe nach gleichbleibenden Beträgen von mindestens 13 Euro oder in vierteljährlichen der Höhe nach gleichbleibenden Beträgen von mindestens 39 Euro oder nur einmal im Kalenderjahr in Höhe eines Betrags von mindestens 39 Euro verlangt. [2] Der Arbeitnehmer kann bei der Anlage in monatlichen Beträgen während des Kalenderjahrs die Art der vermögenswirksamen Anlage und das Unternehmen oder Institut, bei dem sie erfolgen soll, nur mit Zustimmung des Arbeitgebers wechseln.

(4) [1] Der Arbeitgeber kann einen Termin im Kalenderjahr bestimmen, zu dem die Arbeitnehmer des Betriebs oder Betriebsteils die einmalige Anlage von Teilen des Arbeitslohns nach Absatz 3 verlangen können. [2] Die Bestimmung dieses Termins unterliegt der Mitbestimmung des Betriebsrats oder der zuständigen Personalvertretung; das für die Mitbestimmung in sozialen Angelegenheiten vorgeschriebene Verfahren ist einzuhalten. [3] Der nach Satz 1 bestimmte Termin ist den Arbeitnehmern in jedem Kalenderjahr erneut in geeigneter Form bekanntzugeben. [4] Zu einem anderen als dem nach Satz 1 bestimmten Termin kann der Arbeitnehmer eine einmalige Anlage nach Absatz 3 nur verlangen

1. von Teilen des Arbeitslohns, den er im letzten Lohnzahlungszeitraum des Kalenderjahrs erzielt, oder
2. von Teilen besonderer Zuwendungen, die im Zusammenhang mit dem Weihnachtsfest oder Jahresende gezahlt werden.

(5) [1] Der Arbeitnehmer kann jeweils einmal im Kalenderjahr von dem Arbeitgeber schriftlich verlangen, daß der Vertrag über die vermögenswirksame Anlage von Teilen des Arbeitslohns aufgehoben, eingeschränkt oder erweitert wird. [2] Im Fall der Aufhebung ist der Arbeitgeber nicht verpflichtet, in demselben Kalenderjahr einen neuen Vertrag über die vermögenswirksame Anlage von Teilen des Arbeitslohns abzuschließen.

(6) In Tarifverträgen oder Betriebsvereinbarungen kann von den Absätzen 3 bis 5 abgewichen werden.

---

[1] § 11 Abs. 3 geänd. mWv 1. 1. 2002 durch G v. 19. 12. 2000 (BGBl. I S. 1790).

§ 12[1)] **Freie Wahl der Anlage.** [1]Vermögenswirksame Leistungen werden nur dann nach den Vorschriften dieses Gesetzes gefördert, wenn der Arbeitnehmer die Art der vermögenswirksamen Anlage und das Unternehmen oder Institut, bei dem sie erfolgen soll, frei wählen kann. [2]Einer Förderung steht jedoch nicht entgegen, daß durch Tarifvertrag die Anlage auf die Formen des § 2 Abs. 1 Nr. 1 bis 5, Abs. 2 bis 4 beschränkt wird. [3]Eine Anlage im Unternehmen des Arbeitgebers nach § 2 Abs. 1 Nr. 1 Buchstabe g bis l und Abs. 4 ist nur mit Zustimmung des Arbeitgebers zulässig.

§ 13[2)] **Anspruch auf Arbeitnehmer-Sparzulage.** (1) [1]Der Arbeitnehmer hat Anspruch auf eine Arbeitnehmer-Sparzulage nach Absatz 2, wenn er gegenüber dem Unternehmen, dem Institut oder dem in § 3 Absatz 3 genannten Gläubiger in die Datenübermittlung nach Maßgabe des § 15 Absatz 1 Satz 2 und 3 eingewilligt hat und sein Einkommen die Grenze von 40 000 Euro oder bei einer Zusammenveranlagung nach § 26b des Einkommensteuergesetzes[3)] von 80 000 Euro nicht übersteigt. [2]Maßgeblich ist das zu versteuernde Einkommen nach § 2 Absatz 5 des Einkommensteuergesetzes in dem Kalenderjahr, in dem die vermögenswirksamen Leistungen angelegt worden sind.

(2) Die Arbeitnehmer-Sparzulage beträgt 20 Prozent der nach § 2 Absatz 1 Nummer 1 bis 3, Absatz 2 bis 4 angelegten vermögenswirksamen Leistungen, soweit sie 400 Euro im Kalenderjahr nicht übersteigen, und 9 Prozent der nach § 2 Absatz 1 Nummer 4 und 5 angelegten vermögenswirksamen Leistungen, soweit sie 470 Euro im Kalenderjahr nicht übersteigen.

(3) [1]Die Arbeitnehmer-Sparzulage gilt weder als steuerpflichtige Einnahme im Sinne des Einkommensteuergesetzes noch als Einkommen, Verdienst oder Entgelt (Arbeitsentgelt) im Sinne der Sozialversicherung und des Dritten Buches Sozialgesetzbuch[4)]; sie gilt arbeitsrechtlich nicht als Bestandteil des Lohns oder Gehalts. [2]Der Anspruch auf Arbeitnehmer-Sparzulage ist nicht übertragbar.

(4) Der Anspruch auf Arbeitnehmer-Sparzulage entsteht mit Ablauf des Kalenderjahrs, in dem die vermögenswirksamen Leistungen angelegt worden sind.

(5) [1]Der Anspruch auf Arbeitnehmer-Sparzulage entfällt rückwirkend, soweit die in den §§ 4 bis 7 genannten Fristen oder bei einer Anlage nach § 2 Abs. 1 Nr. 4 die in § 2 Abs. 1 Nr. 3 und 4 und Abs. 3 Satz 1 des Wohnungsbau-Prämiengesetzes[5)] vorgesehenen Voraussetzungen nicht eingehalten werden. [2]Satz 1 gilt für vor dem 1. Januar 2009 und nach dem 31. Dezember 2008

[1)] § 12 Satz 2 eingef., bish. Satz 2 wird Satz 3 mWv 1.1.1999 durch G v. 7.9.1998 (BGBl. I S. 2647).

[2)] § 13 Abs. 3 Satz 2 angef. mWv 29.7.1994 durch G v. 21.7.1994 (BGBl. I S. 1630); Satz 1 geänd. mWv 1.1.1998 durch G v. 24.3.1997 (BGBl. I S. 594); Abs. 1 neu gef. durch G v. 7.9.1998 (BGBl. I S. 2647); Satz 2 geänd. mWv 1.1.2002 durch G v. 19.12.2000 (BGBl. I S. 1790); Satz 3 geänd. mWv 23.12.2001 durch G v. 20.12.2001 (BGBl. I S. 3794); Abs. 5 Satz 1 neu gef., Satz 2 eingef., bish. Satz 2 wird Satz 3 durch G v. 29.7.2008 (BGBl. I S. 1509); Abs. 5 Satz 3 Nr. 1 und 2 geänd., Nr. 3 angef. durch G v. 8.12.2008 (BGBl. I S. 2373); Abs. 1 Satz 1 neu gef., Satz 2 aufgeh., bish. Satz 3 wird Satz 2 durch G v. 7.3.2009 (BGBl. I S. 451); Satz 2 geänd. durch G v. 8.12.2010 (BGBl. I S. 1768); Abs. 2 neu gef. mWv 12.4.2011 durch G v. 5.4.2011 (BGBl. I S. 554); Satz 1 einl. Satzteil neu gef., Nr. 1 und 2 geänd. durch G v. 26.6.2013 (BGBl. I S. 1809); Abs. 1 Satz 1 neu gef. durch G v. 11.12.2023 (BGBl. 2023 I Nr. 354).

[3)] **beck-online, Module Arbeitsrecht Nr. 331.**

[4)] Nr. **700.**

[5)] **Steuergesetze Nr. 52.**

abgeschlossene Bausparverträge. [3] Der Anspruch entfällt nicht, wenn die Sperrfrist nicht eingehalten wird, weil

1. der Arbeitnehmer das Umtausch- oder Abfindungsangebot eines Wertpapier-Emittenten angenommen hat oder Wertpapiere dem Aussteller nach Auslosung oder Kündigung durch den Aussteller zur Einlösung vorgelegt worden sind,
2. die mit den vermögenswirksamen Leistungen erworbenen oder begründeten Wertpapiere oder Rechte im Sinne des § 2 Abs. 1 Nr. 1, Abs. 2 bis 4 ohne Mitwirkung des Arbeitnehmers wertlos geworden sind oder
3. der Arbeitnehmer über nach § 2 Abs. 1 Nr. 4 angelegte vermögenswirksame Leistungen nach Maßgabe des § 4 Abs. 4 Nr. 4 in Höhe von mindestens 30 Euro verfügt.

§ 14[1)] Festsetzung der Arbeitnehmer-Sparzulage, Anwendung der Abgabenordnung, Verordnungsermächtigung, Rechtsweg. (1) [1] Die Verwaltung der Arbeitnehmer-Sparzulage obliegt den Finanzämtern. [2] Die Arbeitnehmer-Sparzulage wird aus den Einnahmen an Lohnsteuer gezahlt.

(2) [1] Auf die Arbeitnehmer-Sparzulage sind die für Steuervergütungen geltenden Vorschriften der Abgabenordnung[2)] entsprechend anzuwenden. [2] Dies gilt nicht für § 163 der Abgabenordnung.

(3) [1] Für die Arbeitnehmer-Sparzulage gelten die Strafvorschriften des § 370 Abs. 1 bis 4, der §§ 371, 375 Abs. 1 und des § 376 sowie die Bußgeldvorschriften der §§ 378, 379 Abs. 1 und 4 und der §§ 383 und 384 der Abgabenordnung entsprechend. [2] Für das Strafverfahren wegen einer Straftat nach Satz 1 sowie der Begünstigung einer Person, die eine solche Tat begangen hat, gelten die §§ 385 bis 408, für das Bußgeldverfahren wegen einer Ordnungswidrigkeit nach Satz 1 die §§ 409 bis 412 der Abgabenordnung entsprechend.

(4) [1] Die Arbeitnehmer-Sparzulage wird auf Antrag durch das für die Besteuerung des Arbeitnehmers nach dem Einkommen zuständige Finanzamt festgesetzt. [2] Der Arbeitnehmer hat den Antrag nach amtlich vorgeschriebenem Vordruck zu stellen. [3] Die Arbeitnehmer-Sparzulage wird fällig

a) mit Ablauf der für die Anlageform vorgeschriebenen Sperrfrist nach diesem Gesetz,
b) mit Ablauf der im Wohnungsbau-Prämiengesetz[3)] oder in der Verordnung zur Durchführung des Wohnungsbau-Prämiengesetzes[4)] genannten Sperr- und Rückzahlungsfristen. [2] Bei Bausparverträgen gelten die in § 2 Abs. 3 Satz 1 des Wohnungsbau-Prämiengesetzes genannten Sperr- und Rückzahlungsfristen und zwar unabhängig davon, ob der Vertrag vor dem 1. Januar 2009 oder nach dem 31. Dezember 2008 abgeschlossen worden ist,
c) mit Zuteilung des Bausparvertrags oder
d) in den Fällen unschädlicher Verfügung.

[1)] § 14 Abs. 6 eingef., bish. Abs. 5 und 6 werden Abs. 7 und 8 mWv 1.1.2002 durch G v. 26.6.2001 (BGBl. I S. 1310); Abs. 4 Satz 4 Buchst. b neu gef. durch G v. 29.7.2008 (BGBl. I S. 1509); Abs. 4 Satz 2 neu gef. durch G v. 16.7.2009 (BGBl. I S. 1959); Abs. 4 Satz 3 aufgeh., bish. Satz 4 wird Satz 3, Abs. 5 u. 6 neu gef. mWv 30.6.2013 durch G v. 26.6.2013 (BGBl. I S. 1809); .

[2)] **Steuergesetze Nr. 800.**

[3)] **Steuergesetze Nr. 52.**

[4)] **Steuergesetze Nr. 53.**

(5) [1] Ein Bescheid über die Ablehnung der Festsetzung einer Arbeitnehmer-Sparzulage ist aufzuheben und die Arbeitnehmer-Sparzulage ist nachträglich festzusetzen, wenn der Einkommensteuerbescheid nach Ergehen des Ablehnungsbescheides geändert wird und dadurch erstmals festgestellt wird, dass die Einkommensgrenzen des § 13 Absatz 1 unterschritten sind. [2] Die Frist für die Festsetzung der Arbeitnehmer-Sparzulage endet in diesem Fall nicht vor Ablauf eines Jahres nach Bekanntgabe des geänderten Steuerbescheides. [3] Satz 2 gilt entsprechend, wenn der geänderten Einkommensteuerfestsetzung kein Bescheid über die Ablehnung der Festsetzung einer Arbeitnehmer-Sparzulage vorangegangen ist.

(6) Besteht für Aufwendungen, die vermögenswirksame Leistungen darstellen, ein Anspruch auf Arbeitnehmer-Sparzulage und hat der Arbeitnehmer hierfür abweichend von § 1 Satz 2 Nummer 1 des Wohnungsbau-Prämiengesetzes eine Wohnungsbauprämie beantragt, endet die Frist für die Festsetzung der Arbeitnehmer-Sparzulage nicht vor Ablauf eines Jahres nach Bekanntgabe der Mitteilung über die Änderung des Prämienanspruchs.

(7) [1] Die Bundesregierung wird ermächtigt, durch Rechtsverordnung mit Zustimmung des Bundesrates das Verfahren bei der Festsetzung und der Auszahlung der Arbeitnehmer-Sparzulage näher zu regeln, soweit dies zur Vereinfachung des Verfahrens erforderlich ist. [2] Dabei kann auch bestimmt werden, daß der Arbeitgeber, das Unternehmen, das Institut oder der in § 3 Abs. 3 genannte Gläubiger bei der Antragstellung mitwirkt und ihnen die Arbeitnehmer-Sparzulage zugunsten des Arbeitnehmers überwiesen wird.

(8) In öffentlich-rechtlichen Streitigkeiten über die auf Grund dieses Gesetzes ergehenden Verwaltungsakte der Finanzbehörden ist der Finanzrechtsweg gegeben.

§ 15[1)] Elektronische Vermögensbildungsbescheinigung, Verordnungsermächtigungen, Haftung, Anrufungsauskunft, Außenprüfung.

(1) [1] Das Unternehmen, das Institut oder der in § 3 Absatz 3 genannte Gläubiger hat der für die Besteuerung des Arbeitnehmers nach dem Einkommen zuständigen Finanzbehörde nach Maßgabe des § 93c der Abgabenordnung[2)] neben den in § 93c Absatz 1 der Abgabenordnung genannten Daten folgende Angaben zu übermitteln (elektronische Vermögensbildungsbescheinigung), wenn der Arbeitnehmer gegenüber der mitteilungspflichtigen Stelle in die Datenübermittlung eingewilligt hat:

1. den jeweiligen Jahresbetrag der nach § 2 Abs. 1 Nr. 1 bis 5, Abs. 2 bis 4 angelegten vermögenswirksamen Leistungen sowie die Art ihrer Anlage,
2. das Kalenderjahr, dem diese vermögenswirksamen Leistungen zuzuordnen sind, und

[1)] § 15 Überschrift neu gef. durch G v. 26.6.2013 (BGBl. I S. 1809); § 15 Abs. 1 Nr. 3 neu gef. durch G v. 29.7.2008 (BGBl. I S. 1509); zur erstmaligen Anwendung siehe § 17 Abs. 8; Sätze 2 bis 5 angef. durch G v. 20.12.2008 (BGBl. I S. 2850); Satz 1 einl. Satzteil neu gef., Nr. 1 eingef., bish. Nr. 1 bis 3 werden Nr. 2 bis 4, Sätze 2 bis 5 neu gef., Sätze 6 bis 8 angef. durch G v. 26.6.2013 (BGBl. I S. 1809); zur erstmaligen Anwendung ab 1.1.2017 siehe § 17 Abs. 14; Satz 1 einl. Satzteil neu gef., Nr. 1 aufgeh., bish. Nr. 2 bis 4 werden Nr. 1 bis 3, Satz 7 aufgeh., bish. Satz 8 wird Satz 7 und geänd., Abs. 1a eingef., Abs. 4 neu gef., Abs. 5 Satz 2 neu gef. mWv 1.1.2017 durch G v. 18.7.2016 (BGBl. I S. 1679); Sätze 4 bis 6 aufgeh., bish. Satz 7 wird Satz 4 mWv 26.11.2019 durch G v. 20.11.2019 (BGBl. I S. 1626); zur Anwendung siehe auch § 17 Abs. 16.

[2)] **Steuergesetze Nr. 800.**

3. entweder das Ende der für die Anlageform vorgeschriebenen Sperrfrist nach diesem Gesetz oder bei einer Anlage nach § 2 Abs. 1 Nr. 4 das Ende der im Wohnungsbau-Prämiengesetz[1)] oder in der Verordnung zur Durchführung des Wohnungsbau-Prämiengesetzes[2)] genannten Sperr- und Rückzahlungsfristen. Bei Bausparverträgen sind die in § 2 Abs. 3 Satz 1 des Wohnungsbau-Prämiengesetzes genannten Sperr- und Rückzahlungsfristen zu bescheinigen unabhängig davon, ob der Vertrag vor dem 1. Januar 2009 oder nach dem 31. Dezember 2008 abgeschlossen worden ist.

[2]Die Einwilligung nach Satz 1 ist spätestens bis zum Ablauf des zweiten Kalenderjahres, das auf das Kalenderjahr der Anlage der vermögenswirksamen Leistungen folgt, zu erteilen. [3]Dabei hat der Arbeitnehmer dem Mitteilungspflichtigen die Identifikationsnummer mitzuteilen. [4]Wird die Einwilligung nach Ablauf des Kalenderjahres der Anlage der vermögenswirksamen Leistungen abgegeben, sind die Daten bis zum Ende des folgenden Kalendervierteljahres zu übermitteln.

(1a) [1]In den Fällen des Absatzes 1 ist für die Anwendung des § 72a Absatz 4 und des § 93c Absatz 4 Satz 1 der Abgabenordnung die für die Besteuerung der mitteilungspflichtigen Stelle nach dem Einkommen zuständige Finanzbehörde zuständig. [2]Die nach Absatz 1 übermittelten Daten können durch die nach Satz 1 zuständige Finanzbehörde zum Zweck der Anwendung des § 93c Absatz 4 Satz 1 der Abgabenordnung bei den für die Besteuerung der Arbeitnehmer nach dem Einkommen zuständigen Finanzbehörden abgerufen und verwendet werden.

(2) Die Bundesregierung wird ermächtigt, durch Rechtsverordnung mit Zustimmung des Bundesrates weitere Vorschriften zu erlassen über

1. Aufzeichnungs- und Mitteilungspflichten des Arbeitgebers und des Unternehmens oder Instituts, bei dem die vermögenswirksamen Leistungen angelegt sind, und
2. die Festlegung von Wertpapieren und die Art der Festlegung, soweit dies erforderlich ist, damit nicht die Arbeitnehmer-Sparzulage zu Unrecht gezahlt, versagt, nicht zurückgefordert oder nicht einbehalten wird.

(3) Haben der Arbeitgeber, das Unternehmen, das Institut oder der in § 3 Abs. 3 genannte Gläubiger ihre Pflichten nach diesem Gesetz oder nach einer auf Grund dieses Gesetzes erlassenen Rechtsverordnung verletzt, so haften sie für die Arbeitnehmer-Sparzulage, die wegen ihrer Pflichtverletzung zu Unrecht gezahlt, nicht zurückgefordert oder nicht einbehalten worden ist.

(4) Das Finanzamt, das für die Besteuerung nach dem Einkommen der in Absatz 3 Genannten zuständig ist, hat auf deren Anfrage Auskunft darüber zu erteilen, wie im einzelnen Fall die Vorschriften über vermögenswirksame Leistungen anzuwenden sind, die nach § 2 Absatz 1 Nummer 1 bis 5 und Absatz 2 bis 4 angelegt werden.

(5) [1]Das für die Lohnsteuer-Außenprüfung zuständige Finanzamt kann bei den in Absatz 3 Genannten eine Außenprüfung durchführen, um festzustellen, ob sie ihre Pflichten nach diesem Gesetz oder nach einer auf Grund dieses Gesetzes erlassenen Rechtsverordnung, soweit diese mit der Anlage vermögenswirksamer Leistungen nach § 2 Abs. 1 Nr. 1 bis 5, Abs. 2 bis 4 zusammenhän-

---

[1)] **Steuergesetze Nr. 52.**
[2)] **Steuergesetze Nr. 53.**

gen, erfüllt haben. 2 Die §§ 195 bis 203a der Abgabenordnung gelten entsprechend.

§ 16 Berlin-Klausel. (gegenstandslos)

§ 16a[1] Gleichstellung der Wertpapierinstitute. Für die Anwendung der vorstehenden Vorschriften dieses Gesetzes sind Wertpapierinstitute im Sinne des Wertpapierinstitutsgesetzes den Kreditinstituten sowie den Kapitalverwaltungsgesellschaften im Sinne des Kapitalanlagegesetzbuchs[2] gleichgestellt.

§ 17[3] Anwendungsvorschriften. (1) Die vorstehenden Vorschriften dieses Gesetzes gelten vorbehaltlich der nachfolgenden Absätze für vermögenswirksame Leistungen, die nach dem 31. Dezember 1993 angelegt werden.

(2) Für vermögenswirksame Leistungen, die vor dem 1. Januar 1994 angelegt werden, gilt, soweit Absatz 5 nichts anderes bestimmt, § 17 des Fünften Vermögensbildungsgesetzes in der Fassung der Bekanntmachung vom 19. Januar 1989 (BGBl. I S. 137) – Fünftes Vermögensbildungsgesetz 1989 –, unter Berücksichtigung der Änderung durch Artikel 2 Nr. 1 des Gesetzes vom 13. Dezember 1990 (BGBl. I S. 2749).

(3) Für vermögenswirksame Leistungen, die im Jahr 1994 angelegt werden auf Grund eines vor dem 1. Januar 1994 abgeschlossenen Vertrags

1. nach § 4 Abs. 1 oder § 5 Abs. 1 des Fünften Vermögensbildungsgesetzes 1989 zum Erwerb von Aktien oder Wandelschuldverschreibungen, die keine Aktien oder Wandelschuldverschreibungen im Sinne des vorstehenden § 2 Abs. 1 Nr. 1 Buchstabe a oder b, Abs. 2 Satz 1 sind, oder
2. nach § 6 Abs. 2 des Fünften Vermögensbildungsgesetzes 1989 über die Begründung eines Geschäftsguthabens bei einer Genossenschaft, die keine Genossenschaft im Sinne des vorstehenden § 2 Abs. 1 Nr. 1 Buchstabe g, Abs. 2 Satz 2 ist, oder
3. nach § 6 Abs. 2 oder § 7 Abs. 2 des Fünften Vermögensbildungsgesetzes 1989 über die Übernahme einer Stammeinlage oder zum Erwerb eines Geschäftsanteils an einer Gesellschaft mit beschränkter Haftung, die keine Gesellschaft im Sinne des vorstehenden § 2 Abs. 1 Nr. 1 Buchstabe h, Abs. 2 Satz 3 ist,

gelten statt der vorstehenden §§ 2, 4, 6 und 7 die §§ 2, 4, 6 und 7 des Fünften Vermögensbildungsgesetzes 1989.

(4) Für vermögenswirksame Leistungen, die nach dem 31. Dezember 1993 auf Grund eines Vertrags im Sinne des § 17 Abs. 5 Satz 1 des Fünften Ver-

---

[1] § 16a eingef. durch G v. 2.12.2024 (BGBl. 2024 I Nr. 387); zur Anwendung siehe § 17 Abs. 18.

[2] **beck-online, Module Arbeitsrecht Nr. 129.**

[3] § 17 Abs. 6 und 7 angef. mWv 1. 1. 1999 durch G v. 7. 9. 1998 (BGBl. I S. 2647); Abs. 7 neu gef. mWv 1. 1. 2004 durch G v. 29. 12. 2003 (BGBl. I S. 3076); Abs. 1 neu gef., Abs. 8 angef. mWv 1. 8. 2008 durch G v. 29. 7. 2008 (BGBl. I S. 1509); Abs. 9 angef. mWv 1. 1. 2009 durch G v. 8. 12. 2008 (BGBl. I S. 2373); Abs. 7 neu gef. mWv 1. 1. 2009 durch G v. 7. 3. 2009 (BGBl. I S. 451); Abs. 10 angef. mWv 23. 7. 2009 durch G v. 16. 7. 2009 (BGBl. I S. 1959); § 17 Abs. 11 angef. mWv 14. 12. 2010 durch G v. 8. 12. 2010 (BGBl. I S. 1768); Abs. 12 angef. mWv 14. 12. 2011 durch G v. 7. 12. 2011 (BGBl. I S. 2592); Abs. 13 u. 14 angef. mWv 30. 6. 2013 durch G v. 26. 6. 2013 (BGBl. I S. 1809); Abs. 15 angef. mWv 24. 12. 2013 durch G v. 18. 12. 2013 (BGBl. I S. 4318); Abs. 16 angef. durch G v. 20.11.2019 (BGBl. I S. 1626); § 17 Abs. 17 angef. durch G v. 11.12.2023 (BGBl. 2023 I Nr. 354); Abs. 18 angef. durch G v. 2.12.2024 (BGBl. 2024 I Nr. 387).

mögensbildungsgesetzes 1989 angelegt werden, gilt § 17 Abs. 5 und 6 des Fünften Vermögensbildungsgesetzes 1989.

(5) [1] Für vermögenswirksame Leistungen, die vor dem 1. Januar 1994 auf Grund eines Vertrags im Sinne des Absatzes 3 angelegt worden sind, gelten § 4 Abs. 2 bis 5, § 5 Abs. 2, § 6 Abs. 3 und § 7 Abs. 3 des Fünften Vermögensbildungsgesetzes 1989 über Fristen für die Verwendung vermögenswirksamer Leistungen und über Sperrfristen nach dem 31. Dezember 1993 nicht mehr. [2] Für vermögenswirksame Leistungen, die vor dem 1. Januar 1990 auf Grund eines Vertrags im Sinne des § 17 Abs. 2 des Fünften Vermögensbildungsgesetzes 1989 über die Begründung einer oder mehrerer Beteiligungen als stiller Gesellschafter angelegt worden sind, gilt § 7 Abs. 3 des Fünften Vermögensbildungsgesetzes in der Fassung der Bekanntmachung vom 19. Februar 1987 (BGBl. I S. 630) über die Sperrfrist nach dem 31. Dezember 1993 nicht mehr.

(6) Für vermögenswirksame Leistungen, die vor dem 1. Januar 1999 angelegt worden sind, gilt § 13 Abs. 1 und 2 dieses Gesetzes in der Fassung der Bekanntmachung vom 4. März 1994 (BGBl. I S. 406).

(7) § 13 Abs. 1 Satz 1 und Abs. 2 in der Fassung des Artikels 2 des Gesetzes vom 7. März 2009 (BGBl. I S. 451) ist erstmals für vermögenswirksame Leistungen anzuwenden, die nach dem 31. Dezember 2008 angelegt werden.

(8) § 8 Abs. 5, § 13 Abs. 5 Satz 1 und 2, § 14 Abs. 4 Satz 4 Buchstabe b und § 15 Abs. 1 Nr. 3 in der Fassung des Artikels 7 des Gesetzes vom 29. Juli 2008 (BGBl. I S. 1509) sind erstmals für vermögenswirksame Leistungen anzuwenden, die nach dem 31. Dezember 2008 angelegt werden.

(9) § 4 Abs. 4 Nr. 4 und § 13 Abs. 5 Satz 3 Nr. 3 in der Fassung des Artikels 1 des Gesetzes vom 8. Dezember 2008 (BGBl. I S. 2373) ist erstmals bei Verfügungen nach dem 31. Dezember 2008 anzuwenden.

(10) § 14 Absatz 4 Satz 2 in der Fassung des Artikels 12 des Gesetzes vom 16. Juli 2009 (BGBl. I S. 1959) ist erstmals für vermögenswirksame Leistungen anzuwenden, die nach dem 31. Dezember 2006 angelegt werden, und in Fällen, in denen am 22. Juli 2009 über einen Antrag auf Arbeitnehmer-Sparzulage noch nicht bestandskräftig entschieden ist.

(11) § 13 Absatz 1 Satz 2 in der Fassung des Artikels 10 des Gesetzes vom 8. Dezember 2010 (BGBl. I S. 1768) ist erstmals für vermögenswirksame Leistungen anzuwenden, die nach dem 31. Dezember 2008 angelegt werden.

(12) § 2 Absatz 1 Nummer 5 in der Fassung des Artikels 13 des Gesetzes vom 7. Dezember 2011 (BGBl. I S. 2592) ist erstmals für vermögenswirksame Leistungen anzuwenden, die nach dem 31. Dezember 2011 angelegt werden.

(13) [1] § 3 Absatz 1 Satz 1 Nummer 1 in der Fassung des Artikels 18 des Gesetzes vom 26. Juni 2013 (BGBl. I S. 1809) ist erstmals für vermögenswirksame Leistungen anzuwenden, die nach dem 31. Dezember 2012 angelegt werden. [2] § 4 Absatz 4 Nummer 1, 2 und 4 sowie § 8 Absatz 5 Satz 1 in der Fassung des Artikels 18 des Gesetzes vom 26. Juni 2013 (BGBl. I S. 1809) sind erstmals bei Verfügungen nach dem 31. Dezember 2012 anzuwenden.

(14) [1] Das Bundesministerium der Finanzen teilt den Zeitpunkt der erstmaligen Anwendung der §§ 13 und 14 Absatz 4 sowie des § 15 in der Fassung des Artikels 18 des Gesetzes vom 26. Juni 2013 (BGBl. I S. 1809) durch ein im Bundessteuerblatt zu veröffentlichendes Schreiben mit. [2] Bis zu diesem Zeitpunkt sind die §§ 13 und 14 Absatz 4 sowie der § 15 in der Fassung des

Artikels 13 des Gesetzes vom 7. Dezember 2011 (BGBl. I S. 2592) weiter anzuwenden.

(15) [1] § 2 Absatz 1 Nummer 1 in der Fassung des Artikels 5 des Gesetzes vom 18. Dezember 2013 (BGBl. I S. 4318) ist erstmals für vermögenswirksame Leistungen anzuwenden, die nach dem 31. Dezember 2013 angelegt werden. [2] § 4 Absatz 4 Nummer 4 in der Fassung des Artikels 5 des Gesetzes vom 18. Dezember 2013 (BGBl. I S. 4318) ist erstmals bei Verfügungen nach dem 31. Dezember 2013 anzuwenden.

(16) Zur Abwicklung von Verträgen, die vor dem 25. Mai 2018 unter den Voraussetzungen des § 15 Absatz 1 Satz 4 in der am 30. Juni 2013 geltenden Fassung abgeschlossen wurden, sind das Unternehmen, das Institut oder der in § 3 Absatz 3 genannte Gläubiger verpflichtet, die Daten nach Maßgabe des § 15 Absatz 1 Satz 1 zu übermitteln, es sei denn, der Arbeitnehmer hat der Datenübermittlung schriftlich widersprochen.

(17) § 13 Absatz 1 Satz 1 in der Fassung des Artikels 34 des Gesetzes vom 11. Dezember 2023 (BGBl. 2023 I Nr. 354) ist erstmals für vermögenswirksame Leistungen anzuwenden, die nach dem 31. Dezember 2023 angelegt werden.

(18) § 16a ist rückwirkend ab Inkrafttreten des Wertpapierinstitutsgesetzes vom 12. Mai 2021 (BGBl. I S. 990) anzuwenden.

§ 18 Kündigung eines vor 1994 abgeschlossenen Anlagevertrags und der Mitgliedschaft in einer Genossenschaft oder Gesellschaft mit beschränkter Haftung. (1) Hat sich der Arbeitnehmer in einem Vertrag im Sinne des § 17 Abs. 3 verpflichtet, auch nach dem 31. Dezember 1994 vermögenswirksame Leistungen überweisen zu lassen oder andere Beträge zu zahlen, so kann er den Vertrag bis zum 30. September 1994 auf den 31. Dezember 1994 mit der Wirkung schriftlich kündigen, daß auf Grund dieses Vertrags vermögenswirksame Leistungen oder andere Beträge nach dem 31. Dezember 1994 nicht mehr zu zahlen sind.

(2) [1] Ist der Arbeitnehmer im Zusammenhang mit dem Abschluß eines Vertrags im Sinne des § 17 Abs. 3 Nr. 2 Mitglied in einer Genossenschaft geworden, so kann er die Mitgliedschaft bis zum 30. September 1994 auf den 31. Dezember 1994 mit der Wirkung schriftlich kündigen, daß nach diesem Zeitpunkt die Verpflichtung, Einzahlungen auf einen Geschäftsanteil zu leisten und ein Eintrittsgeld zu zahlen, entfällt. [2] Weitergehende Rechte des Arbeitnehmers nach dem Statut der Genossenschaft bleiben unberührt. [3] Der ausgeschiedene Arbeitnehmer kann die Auszahlung des Auseinandersetzungsguthabens, die Genossenschaft kann die Zahlung eines den ausgeschiedenen Arbeitnehmer treffenden Anteils an einem Fehlbetrag zum 1. Januar 1998 verlangen.

(3) [1] Ist der Arbeitnehmer im Zusammenhang mit dem Abschluß eines Vertrags im Sinne des § 17 Abs. 3 Nr. 3 Gesellschafter einer Gesellschaft mit beschränkter Haftung geworden, so kann er die Mitgliedschaft bis zum 30. September 1994 auf den 31. Dezember 1994 schriftlich kündigen. [2] Weitergehende Rechte des Arbeitnehmers nach dem Gesellschaftsvertrag bleiben unberührt. [3] Der zum Austritt berechtigte Arbeitnehmer kann von der Gesellschaft als Abfindung den Verkehrswert seines Geschäftsanteils verlangen; maßgebend ist der Verkehrswert im Zeitpunkt des Zugangs der Kündigungserklärung. [4] Der Arbeitnehmer kann die Abfindung nur verlangen, wenn die Gesellschaft sie

ohne Verstoß gegen § 30 Abs. 1 des Gesetzes betreffend die Gesellschaften mit beschränkter Haftung zahlen kann. [5] Hat die Gesellschaft die Abfindung bezahlt, so stehen dem Arbeitnehmer aus seinem Geschäftsanteil keine Rechte mehr zu. [6] Kann die Gesellschaft bis zum 31. Dezember 1996 die Abfindung nicht gemäß Satz 4 zahlen, so ist sie auf Antrag des zum Austritt berechtigten Arbeitnehmers aufzulösen. [7] § 61 Abs. 1, Abs. 2 Satz 1 und Abs. 3 des Gesetzes betreffend die Gesellschaften mit beschränkter Haftung gilt im übrigen entsprechend.

(4) Werden auf Grund der Kündigung nach Absatz 1, 2 oder 3 Leistungen nicht erbracht, so hat der Arbeitnehmer dies nicht zu vertreten.

(5) [1] Hat der Arbeitnehmer nach Absatz 1 einen Vertrag im Sinne des § 17 Abs. 3 Nr. 2 oder nach Absatz 2 die Mitgliedschaft in einer Genossenschaft gekündigt, so gelten beide Kündigungen als erklärt, wenn der Arbeitnehmer dies nicht ausdrücklich ausgeschlossen hat. [2] Entsprechendes gilt, wenn der Arbeitnehmer nach Absatz 1 einen Vertrag im Sinne des § 17 Abs. 3 Nr. 3 oder nach Absatz 3 die Mitgliedschaft in einer Gesellschaft mit beschränkter Haftung gekündigt hat.

(6) Macht der Arbeitnehmer von seinem Kündigungsrecht nach Absatz 1 keinen Gebrauch, so gilt die Verpflichtung, vermögenswirksame Leistungen überweisen zu lassen, nach dem 31. Dezember 1994 als Verpflichtung, andere Beträge in entsprechender Höhe zu zahlen.

331. Einkommensteuergesetz (EStG)[1]

In der Fassung der Bekanntmachung vom 8. Oktober 2009[2]
(BGBl. I S. 3366)

FNA 611-1

zuletzt geänd. durch Art. 29 Standortfördergesetz v. 4.2.2026 (BGBl. 2026 I Nr. 33)

– Auszug –[3]

II. Einkommen

1. Sachliche Voraussetzungen für die Besteuerung

§ 2[4] Umfang der Besteuerung, Begriffsbestimmungen. (1) [1] Der Einkommensteuer unterliegen

1. Einkünfte aus Land- und Forstwirtschaft,
2. Einkünfte aus Gewerbebetrieb,
3. Einkünfte aus selbständiger Arbeit,
4. Einkünfte aus nichtselbständiger Arbeit,
5. Einkünfte aus Kapitalvermögen,
6. Einkünfte aus Vermietung und Verpachtung,
7. sonstige Einkünfte im Sinne des § 22,

die der Steuerpflichtige während seiner unbeschränkten Einkommensteuerpflicht oder als inländische Einkünfte während seiner beschränkten Einkommensteuerpflicht erzielt. [2] Zu welcher Einkunftsart die Einkünfte im einzelnen Fall gehören, bestimmt sich nach den §§ 13 bis 24.

(2)–(5) …

(5a) [1] Knüpfen außersteuerliche Rechtsnormen an die in den vorstehenden Absätzen definierten Begriffe (Einkünfte, Summe der Einkünfte, Gesamtbetrag der Einkünfte, Einkommen, zu versteuerndes Einkommen) an, erhöhen sich für deren Zwecke diese Größen um die nach § 32d Absatz 1 und nach § 43 Absatz 5 zu besteuernden Beträge sowie um die nach § 3 Nummer 40 steuerfreien Beträge und mindern sich um die nach § 3c Absatz 2 nicht abziehbaren Beträge. [2] Knüpfen außersteuerliche Rechtsnormen an die in den Absätzen 1 bis 3 genannten Begriffe (Einkünfte, Summe der Einkünfte, Gesamtbetrag der Einkünfte) an, mindern sich für deren Zwecke diese Größen um die nach § 10 Absatz 1 Nummer 5 abziehbaren Kinderbetreuungskosten.

(5b)–(8) …

---

[1] Wiedergegeben ist der aktuell geltende Gesetzeswortlaut; zu den für bestimmte Veranlagungszeiträume anzuwendenden, ggf. abweichenden Fassungen siehe § 52.

[2] Neubekanntmachung des EStG idF der Bek. v. 19.10.2002 (BGBl. I S. 4210; 2003 I S. 179) in der ab 1.9.2009 geltenden Fassung.

[3] Vollständig wiedergegeben in **beck-online, Module Arbeitsrecht.**

[4] § 2 Abs. 2 Satz 1 Nr. 1 und Abs. 5b Satz 2 Nr. 2 geänd. mWv 14.12.2010 durch G v. 8.12.2010 (BGBl. I S. 1768); Abs. 5a Satz 2 angef., Abs. 5b Satz 2 aufgeh. mWv 1.1.2012 durch G v. 1.11.2011 (BGBl. I S. 2131); Abs. 8 angef. mWv 19.7.2013 durch G v. 15.7.2013 (BGBl. I S. 2397); Abs. 6 Satz 3 geänd. mWv 18.7.2019 durch G v. 11.7.2019 (BGBl. I S. 1066); Abs. 6 Satz 1 geänd. mWv 30.1.2020 durch G v. 12.12.2019 (BGBl. I S. 2451).

§ 2a *(hier nicht wiedergegeben)*

2. Steuerfreie Einnahmen

§ 3[1)] **[Steuerfreie Einnahmen]** Steuerfrei sind

1. …

[1)] § 3 Nr. 64 geänd. mWv 1.7.2010 durch G v. 5.2.2009 (BGBl. I S. 160); Nr. 39 Satz 2 neu gef. mWv 2.4.2009 durch G v. 8.4.2010 (BGBl. I S. 386); Nr. 26a Satz 2 geänd., Nr. 26b eingef., Nr. 40 Satz 1 Buchst. d Satz 2 geänd. mWv 14.12.2010 durch G v. 8.12.2010 (BGBl. I S. 1768); Nr. 38 inhaltlich bestätigt mWv 12.4.2011 durch G v. 5.4.2011 (BGBl. I S. 554); Nr. 70 Satz 3 Buchst. b neu gef. mWv 26.6.2011 durch G v. 22.6.2011 (BGBl. I S. 1126); Nr. 19, 21, 22, 37, 46 und 49 aufgeh., Nr. 44 Satz 1 geänd. mWv 5.11.2011 durch G v. 1.11.2011 (BGBl. I S. 2131); Nr. 8a, 55c–55e eingef. mWv 14.12.2011 durch G v. 7.12.2011 (BGBl. I S. 2592); Nr. 2 geänd. mWv 1.4.2012 durch G v. 20.12.2011 (BGBl. I S. 2854); Nr. 45 neu gef. mWv 1.1.2012 durch G v. 8.5.2012 (BGBl. I S. 1030); Nr. 13 und 16 neu gef. mWv 1.1.2014 durch G v. 20.2.2013 (BGBl. I S. 285); Nr. 26 Satz 1 und Nr. 26a Satz 1 geänd. mWv 1.1.2013 durch G v. 21.3.2013 (BGBl. I S. 556); Nr. 5 neu gef., Nr. 40 Satz 4 geänd., Nr. 40 Buchst. d Satz 2 neu gef., Satz 3 geänd. mWv 30.6.2013 durch G v. 26.6.2013 (BGBl. I S. 1809); Nr. 6 und Nr. 12 Satz 1 neu gef., Nr. 32, 39 Satz 1 und Nr. 40 Satz 1 Buchst. a Satz 1, Buchst. b Satz 1 und Nr. 40 Satz 3 geänd. mWv 31.7.2014 durch G v. 25.7.2014 (BGBl. I S. 1266); Nr. 2 neu gef., Nr. 2a und 2b aufgeh., Nr. 4 einl. Satzteil und Buchst. b geänd. mWv 1.1. 2015 durch G v. 25.7.2014 (BGBl. I S. 1266); Nr. 70 Satz 5 geänd., Nr. 71 angef. mWv 31.12.2014, Nr. 34a eingef., Nr. 45 Satz 1 geänd. und Satz 2 angef., Nr. 67 neu gef. mWv 1.1.2015 durch G v. 22.12.2014 (BGBl. I S. 2417); Nr. 48 neu gef. mWv 1.11.2015 durch G v. 29.6.2015 (BGBl. I S. 1061); Nr. 40 Satz 4 geänd., Satz 5 angef. mWv 1.1.2016 durch G v. 2.11.2015 (BGBl. I S. 1834); Nr. 46 neu gef. mWv 17.11.2016 durch G v. 7.11.2016 (BGBl. I S. 2498); Nr. 40 Satz 3 neu gef., Satz 4 aufgeh., bish. Satz 5 wird Satz 4 mWv 1.1.2017 durch G v. 20.12.2016 (BGBl. I S. 3000); Nr. 36 Satz 1 geänd. mWv 1.1.2017 durch G v. 23.12.2016 (BGBl. I S. 3191); Nr. 71 neu gef. mWv 5.7.2017 durch G v. 27.6.2017 (BGBl. I S. 2074); Nr. 23 geänd. mWv 22.7.2017 durch G v. 17.7. 2017 (BGBl. I S. 2443); Nr. 55 Satz 1 geänd., Nr. 55c Satz 2 Buchst. a eingef., bish. Buchst. a und b werden Buchst. b und c, Nr. 56 Sätze 1 und 2 geänd., Nr. 62 Sätze 1 und 3 geänd., Satz 4 aufgeh., Nr. 63 Satz 1 geänd., Sätze 3 und 4 neu gef., Nr. 63a eingef., Nr. 65 Satz 1 Buchst. b und c geänd., Buchst. d angef., Satz 4 geänd., Satz 5 angef. mWv 1.1.2018 durch G v. 17.8.2017 (BGBl. I S. 3214); Nr. 26 Satz 1, Nr. 26a Satz 1, Nr. 36 Satz 1 geänd., Satz 2 neu gef., Nr. 56 Satz 1 und Nr. 63 Satz 1 geänd. mWv 15.12.2018, Nr. 15 und 37 eingef., Nr. 34 neu gef. mWv 1.1.2019 durch G v. 11.12. 2018 (BGBl. I S. 2338); Nr. 55c Satz 2 Buchst. c geänd. mWv 29.3.2019 durch G v. 25.3.2019 (BGBl. I S. 357); Nr. 34 geänd. mWv 1.1.2020 durch G v. 22.11.2019 (BGBl. I S. 1746); Nr. 19 eingef. mWv 18.12.2019, Nr. 3 Buchst. a geänd., Nr. 5 neu gef., Nr. 48 geänd. mWv 1.1.2020 durch G v. 12.12.2019 (BGBl. I S. 2451); Nr. 6 Satz 2 geänd. mWv 1.1.2024 durch G v. 12.12.2019 (BGBl. I S. 2652); Nr. 11a und 28a eingef. mWv 30.6.2020 durch G v. 19.6.2020 (BGBl. I S. 1385); Nr. 60 neu gef. mWv 14.8.2020 durch G v. 8.8.2020 (BGBl. I S. 1818); Nr. 10 Satz 1 und Nr. 26 Satz 1 geänd. mWv 15.12.2020 durch G v. 9.12.2020 (BGBl. I S. 2770); Nr. 19 neu gef. mWv 29.12.2020, Nr. 2 Buchst. e, Nr. 11a, Nr. 26 Satz 1, Nr. 26a Satz 1 und Nr. 28a geänd. mWv 1.1.2021 durch G v. 21.12.2020 (BGBl. I S. 3096); Nr. 26b Satz 1 geänd. mWv 1.1.2023 durch G v. 4.5.2021 (BGBl. I S. 882); Nr. 40 Satz 3 geänd. mWv 26.6.2021 durch G v. 12.5.2021 (BGBl. I S. 990); Nr. 11a geänd. mWv 9.6.2021 durch G v. 2.6.2021 (BGBl. I S. 1259); Nr. 39 Satz 1 geänd. mWv 1.7.2021 durch G v. 3.6.2021 (BGBl. I S. 1498); Nr. 40 Satz 1 Buchst. d Satz 3 eingef., bish. Satz 3 wird Satz 4, Nr. 41 aufgeh. mWv 1.7.2021 durch G v. 25.6.2021 (BGBl. I S. 2035); Nr. 23 neu gef. mWv 23.7.2021 durch G v. 16.7.2021 (BGBl. I S. 2993); Nr. 3 Buchst. a und d, Nr. 6 Satz 2 und Nr. 67 Buchst. d geänd. mWv 1.1.2025 durch G v. 20.8.2021 (BGBl. I S. 3932); Nr. 11b eingef. mWv 1.1.2021, Nr. 28a geänd. mWv 23.6.2022 durch G v. 19.6.2022 (BGBl. I S. 911); Nr. 11c eingef. mWv 1.10. 2022 durch G v. 19.10.2022 (BGBl. I S. 1743); Nr. 14a eingef. mWv 1.1.2021, Nr. 11b Sätze 2 und 4 geänd., Satz 5 angef., Nr. 65 Satz 1 Buchst. a und d und Satz 5, Nr. 71 Buchst. a Sätze 1 und 3 geänd., Nr. 72 angef. mWv 21.12.2022 durch G v. 16.12.2022 (BGBl. I S. 2294); Nr. 71 Buchst. a Satz 1, Satz 2 Doppelbuchst. aa und bb, Buchst b Satz 1 einl. Satzteil und Doppelbuchst. ee geänd. mWv 15.12.2023, Nr. 39 Satz 1 geänd. mWv 1.1.2024 durch G v. 11.12.2023 (BGBl. 2023 I Nr. 354); Nr. 2 Buchst. a, Nr. 19 Satz 1 Buchst. a geänd. mWv 1.4.2024 durch G v. 27.3.2024 (BGBl. 2024 I Nr. 108); →

2. a) das Arbeitslosengeld, das Teilarbeitslosengeld, das Kurzarbeitergeld, der Zuschuss zum Arbeitsentgelt, das Übergangsgeld, der Gründungszuschuss, das Qualifizierungsgeld nach dem Dritten Buch Sozialgesetzbuch sowie die übrigen Leistungen nach dem Dritten Buch Sozialgesetzbuch und den entsprechenden Programmen des Bundes und der Länder, soweit sie Arbeitnehmern oder Arbeitsuchenden oder zur Förderung der Aus- oder Weiterbildung oder Existenzgründung der Empfänger gewährt werden,
b) das Insolvenzgeld, Leistungen auf Grund der in § 169 und § 175 Absatz 2 des Dritten Buches Sozialgesetzbuch genannten Ansprüche sowie Zahlungen des Arbeitgebers an einen Sozialleistungsträger auf Grund des gesetzlichen Forderungsübergangs nach § 115 Absatz 1 des Zehnten Buches Sozialgesetzbuch[1)], wenn ein Insolvenzereignis nach § 165 Absatz 1 Satz 2 auch in Verbindung mit Satz 3 des Dritten Buches Sozialgesetzbuch[2)] vorliegt,
c) die Arbeitslosenbeihilfe nach dem Soldatenversorgungsgesetz[3)],
d) Leistungen zur Sicherung des Lebensunterhalts und zur Eingliederung in Arbeit nach dem Zweiten Buch Sozialgesetzbuch[4)],
e) mit den in den Nummern 1 bis 2 Buchstabe d und Nummer 67 Buchstabe b genannten Leistungen vergleichbare Leistungen ausländischer Rechtsträger, die ihren Sitz in einem Mitgliedstaat der Europäischen Union, in einem Staat, auf den das Abkommen über den Europäischen Wirtschaftsraum Anwendung findet oder in der Schweiz haben;

3.–7. …

8. Geldrenten, Kapitalentschädigungen und Leistungen im Heilverfahren, die auf Grund gesetzlicher Vorschriften zur Wiedergutmachung nationalsozialistischen Unrechts gewährt werden. ²Die Steuerpflicht von Bezügen aus einem aus Wiedergutmachungsgründen neu begründeten oder wieder begründeten Dienstverhältnis sowie von Bezügen aus einem früheren Dienstverhältnis, die aus Wiedergutmachungsgründen neu gewährt oder wieder gewährt werden, bleibt unberührt;

8a. Renten wegen Alters und Renten wegen verminderter Erwerbsfähigkeit aus der gesetzlichen Rentenversicherung, die an Verfolgte im Sinne des § 1 des Bundesentschädigungsgesetzes gezahlt werden, wenn rentenrechtliche Zeiten auf Grund der Verfolgung in der Rente enthalten sind. ²Renten wegen Todes aus der gesetzlichen Rentenversicherung, wenn der verstorbene Versicherte Verfolgter im Sinne

(Fortsetzung der Anm. von voriger Seite)
Nr. 72 Satz 1 neu gef. mWv 6.12.2024 durch G v. 2.12.2024 (BGBl. 2024 I Nr. 387); Nr. 21 eingef. mWv 1.1.2026 durch G v. 22.12.2025 (BGBl. 2025 I Nr. 361); Nr. 26 Satz 1, Nr. 26a Satz 1 neu gef. mWv 24.12.2025, Nr. 26 Satz 1, Nr. 26a Satz 1 neu gef., Nr. 72 Satz 3 geänd., Nr. 73 angef. mWv 1.1.2026 durch G v. 22.12.2025 (BGBl. 2025 I Nr. 363); Nr. 5 Buchst. e geänd., Buchst. f eingef. mWv 1.1.2026 durch G v. 22.12.2025 (BGBl. 2025 I Nr. 370); Nr. 55c Satz 2 Buchst. b neu gef. mWv 22.1.2026 durch G v. 16.1.2026 (BGBl. 2026 I Nr. 14).

[1)] Nr. **699**.
[2)] Nr. **700**.
[3)] **beck-online, Module Arbeitsrecht Nr. 156b.**
[4)] Nr. **692**.

des § 1 des Bundesentschädigungsgesetzes war und wenn rentenrechtliche Zeiten auf Grund der Verfolgung in dieser Rente enthalten sind;

9.–11. …

11a. zusätzlich zum ohnehin geschuldeten Arbeitslohn vom Arbeitgeber in der Zeit vom 1. März 2020 bis zum 31. März 2022 auf Grund der Corona-Krise an seine Arbeitnehmer in Form von Zuschüssen und Sachbezügen gewährte Beihilfen und Unterstützungen bis zu einem Betrag von 1 500 Euro;

11b. zusätzlich zum ohnehin geschuldeten Arbeitslohn vom Arbeitgeber in der Zeit vom 18. November 2021 bis zum 31. Dezember 2022 an seine Arbeitnehmer zur Anerkennung besonderer Leistungen während der Corona-Krise gewährte Leistungen bis zu einem Betrag von 4 500 Euro. [2] Voraussetzung für die Steuerbefreiung ist, dass die Arbeitnehmer in Einrichtungen im Sinne des § 23 Absatz 3 Satz 1 Nummer 1 bis 4, 8, 11 oder Nummer 12 des Infektionsschutzgesetzes[1)] oder § 36 Absatz 1 Nummer 2 oder Nummer 7 des Infektionsschutzgesetzes[2)] tätig sind; maßgeblich ist jeweils die am 22. Juni 2022 gültige Fassung des Infektionsschutzgesetzes[3)]. [3] Die Steuerbefreiung gilt entsprechend für Personen, die in den in Satz 2 genannten Einrichtungen im Rahmen einer Arbeitnehmerüberlassung oder im Rahmen eines Werk- oder Dienstleistungsvertrags eingesetzt werden. [4] Nummer 11a findet auf die Leistungen im Sinne der Sätze 1 bis 3 keine Anwendung. [5] Abweichend von Satz 1 gilt die Steuerbefreiung für Leistungen nach § 150c des Elften Buches Sozialgesetzbuch[4)] in der Fassung des Gesetzes zur Stärkung des Schutzes der Bevölkerung und insbesondere vulnerabler Personengruppen vor COVID-19 vom 16. September 2022 (BGBl. I S. 1454) auch dann, wenn sie in der Zeit bis zum 31. Mai 2023 gewährt werden;

11c. zusätzlich zum ohnehin geschuldeten Arbeitslohn vom Arbeitgeber in der Zeit vom 26. Oktober 2022 bis zum 31. Dezember 2024 in Form von Zuschüssen und Sachbezügen gewährte Leistungen zur Abmilderung der gestiegenen Verbraucherpreise bis zu einem Betrag von 3 000 Euro;

12.–14a. …

15. Zuschüsse des Arbeitgebers, die zusätzlich zum ohnehin geschuldeten Arbeitslohn zu den Aufwendungen des Arbeitnehmers für Fahrten mit öffentlichen Verkehrsmitteln im Linienverkehr (ohne Luftverkehr) zwischen Wohnung und erster Tätigkeitsstätte und nach § 9 Absatz 1 Satz 3 Nummer 4a Satz 3 sowie für Fahrten im öffentlichen Personennahverkehr gezahlt werden. [2] Das Gleiche gilt für die unentgeltliche oder verbilligte Nutzung öffentlicher Verkehrsmittel im Linienverkehr (ohne Luftverkehr) für Fahrten zwischen Wohnung und erster Tätigkeitsstätte und nach § 9 Absatz 1 Satz 3 Nummer 4a Satz 3 sowie für Fahrten im öffentlichen Personennahverkehr, die der

---

1) Nr. **497**.
2) ***beck-online, Module Arbeitsrecht* Nr. 497.**
3) Auszugsweise abgedruckt unter Nr. **497**.
4) **Aichberger, SGB Nr. 11.**

Arbeitnehmer auf Grund seines Dienstverhältnisses zusätzlich zum ohnehin geschuldeten Arbeitslohn in Anspruch nehmen kann. [3]Die nach den Sätzen 1 und 2 steuerfreien Leistungen mindern den nach § 9 Absatz 1 Satz 3 Nummer 4 Satz 2 abziehbaren Betrag;

16.–18. …

19. Weiterbildungsleistungen des Arbeitgebers oder auf dessen Veranlassung von einem Dritten
   a) für Maßnahmen nach § 82 Absatz 1 und 2 und § 82a des Dritten Buches Sozialgesetzbuch oder
   b) die der Verbesserung der Beschäftigungsfähigkeit des Arbeitnehmers dienen.

   [2]Steuerfrei sind auch Beratungsleistungen des Arbeitgebers oder auf dessen Veranlassung von einem Dritten zur beruflichen Neuorientierung bei Beendigung des Dienstverhältnisses. [3]Die Leistungen im Sinne der Sätze 1 und 2 dürfen keinen überwiegenden Belohnungscharakter haben;

20. …

21. Einnahmen aus nichtselbständiger Arbeit nach § 19 Absatz 1 Satz 1 Nummer 1 bis zu einer Höhe von insgesamt 24 000 Euro im Jahr, soweit die Einnahmen für vom Steuerpflichtigen ab dem Folgemonat nach Erreichen der Regelaltersgrenze gemäß § 35 Satz 2 oder § 235 des Sechsten Buches Sozialgesetzbuch[1)] erbrachte Leistungen zufließen und der Arbeitgeber für diese Leistungen Beiträge nach § 168 Absatz 1 Nummer 1 oder Nummer 1d oder Absatz 3, § 172 Absatz 1 oder § 172a des Sechsten Buches Sozialgesetzbuch[2)] zu entrichten hat. Die Steuerfreiheit gilt nicht, wenn die Einnahmen bereits nach anderen Vorschriften steuerfrei sind. Für jeden Kalendermonat, in dem die Voraussetzungen des Satzes 1 nicht vorgelegen haben, ermäßigt sich der Steuerfreibetrag um ein Zwölftel. Beim Lohnsteuerabzug ist der Freibetrag in der Steuerklasse VI nur zu berücksichtigen, wenn der Steuerpflichtige gegenüber dem Arbeitgeber bestätigt hat, dass die Steuerbefreiung nach Satz 1 nicht bereits in einem anderen Dienstverhältnis berücksichtigt wird. Diese Bestätigung ist zum Lohnkonto zu nehmen. Im Lohnsteuerabzugsverfahren ist der Steuerfreibetrag zeitanteilig zu berücksichtigen; dies gilt entsprechend bei der Veranlagung zur Einkommensteuer;

22.–25. …

26. [1]Einnahmen aus nebenberuflichen Tätigkeiten zur Förderung gemeinnütziger, mildtätiger und kirchlicher Zwecke (§§ 52 bis 54 der Abgabenordnung[3)]) als Übungsleiter, Ausbilder, Erzieher, Betreuer oder vergleichbaren nebenberuflichen Tätigkeiten, aus nebenberuflichen künstlerischen Tätigkeiten oder der nebenberuflichen Pflege alter, kranker Menschen oder von Menschen mit Behinderungen im Dienst oder Auftrag einer juristischen Person des öffentlichen Rechts, die in einem Mitgliedstaat der Europäischen Union, in einem Staat,

---

[1)] **beck-online, Module Arbeitsrecht Nr. 696.**
[2)] Nr. **696.**
[3)] **Steuergesetze Nr. 800.**

auf den das Abkommen über den Europäischen Wirtschaftsraum Anwendung findet, oder in der Schweiz belegen ist, oder einer unter § 5 Absatz 1 Nummer 9 des Körperschaftsteuergesetzes[1)] fallenden Einrichtung bis zur Höhe von insgesamt 3300 Euro im Jahr. [2] Überschreiten die Einnahmen für die in Satz 1 bezeichneten Tätigkeiten den steuerfreien Betrag, dürfen die mit den nebenberuflichen Tätigkeiten in unmittelbarem wirtschaftlichen Zusammenhang stehenden Ausgaben abweichend von § 3c nur insoweit als Betriebsausgaben oder Werbungskosten abgezogen werden, als sie den Betrag der steuerfreien Einnahmen übersteigen;

26a. [1] Einnahmen aus nebenberuflichen Tätigkeiten zur Förderung gemeinnütziger, mildtätiger und kirchlicher Zwecke (§§ 52 bis 54 der Abgabenordnung) im Dienst oder Auftrag einer juristischen Person des öffentlichen Rechts, die in einem Mitgliedstaat der Europäischen Union, in einem Staat, auf den das Abkommen über den Europäischen Wirtschaftsraum Anwendung findet, oder in der Schweiz belegen ist, oder einer unter § 5 Absatz 1 Nummer 9 des Körperschaftsteuergesetzes fallenden Einrichtung bis zur Höhe von insgesamt 960 Euro im Jahr. [2] Die Steuerbefreiung ist ausgeschlossen, wenn für die Einnahmen aus der Tätigkeit – ganz oder teilweise – eine Steuerbefreiung nach § 3 Nummer 12, 26 oder 26b gewährt wird. [3] Überschreiten die Einnahmen für die in Satz 1 bezeichneten Tätigkeiten den steuerfreien Betrag, dürfen die mit den nebenberuflichen Tätigkeiten in unmittelbarem wirtschaftlichen Zusammenhang stehenden Ausgaben abweichend von § 3c nur insoweit als Betriebsausgaben oder Werbungskosten abgezogen werden, als sie den Betrag der steuerfreien Einnahmen übersteigen;

26b. Aufwandspauschalen nach § 1878 des Bürgerlichen Gesetzbuchs[2)], soweit sie zusammen mit den steuerfreien Einnahmen im Sinne der Nummer 26 den Freibetrag nach Nummer 26 Satz 1 nicht überschreiten. [2] Nummer 26 Satz 2 gilt entsprechend;

27. …

28. die Aufstockungsbeträge im Sinne des § 3 Absatz 1 Nummer 1 Buchstabe a sowie die Beiträge und Aufwendungen im Sinne des § 3 Absatz 1 Nummer 1 Buchstabe b und des § 4 Absatz 2 des Altersteilzeitgesetzes[3)], die Zuschläge, die versicherungsfrei Beschäftigte im Sinne des § 27 Absatz 1 Nummer 1 bis 3 des Dritten Buches Sozialgesetzbuch zur Aufstockung der Bezüge bei Altersteilzeit nach beamtenrechtlichen Vorschriften oder Grundsätzen erhalten sowie die Zahlungen des Arbeitgebers zur Übernahme der Beiträge im Sinne des § 187a des Sechsten Buches Sozialgesetzbuch[4)], soweit sie 50 Prozent der Beiträge nicht übersteigen;

28a. Zuschüsse des Arbeitgebers zum Kurzarbeitergeld und Saison-Kurzarbeitergeld, soweit sie zusammen mit dem Kurzarbeitergeld 80 Prozent des Unterschiedsbetrags zwischen dem Soll-Entgelt und dem

---

[1)] **Steuergesetze Nr. 100.**
[2)] ***beck-online, Module Arbeitsrecht*** **Nr. 50.**
[3)] Nr. **721.**
[4)] **beck-online, Module Arbeitsrecht Nr. 696.**

Ist-Entgelt nach § 106 des Dritten Buches Sozialgesetzbuch nicht übersteigen und sie für Lohnzahlungszeiträume, die nach dem 29. Februar 2020 beginnen und vor dem 1. Juli 2022 enden, geleistet werden;

29. …

30. Entschädigungen für die betriebliche Benutzung von Werkzeugen eines Arbeitnehmers (Werkzeuggeld), soweit sie die entsprechenden Aufwendungen des Arbeitnehmers nicht offensichtlich übersteigen;

31. die typische Berufskleidung, die der Arbeitgeber seinem Arbeitnehmer unentgeltlich oder verbilligt überlässt; dasselbe gilt für eine Barablösung eines nicht nur einzelvertraglichen Anspruchs auf Gestellung von typischer Berufskleidung, wenn die Barablösung betrieblich veranlasst ist und die entsprechenden Aufwendungen des Arbeitnehmers nicht offensichtlich übersteigt;

32. die unentgeltliche oder verbilligte Sammelbeförderung eines Arbeitnehmers zwischen Wohnung und erster Tätigkeitsstätte sowie bei Fahrten nach § 9 Absatz 1 Satz 3 Nummer 4a Satz 3 mit einem vom Arbeitgeber gestellten Beförderungsmittel, soweit die Sammelbeförderung für den betrieblichen Einsatz des Arbeitnehmers notwendig ist;

33. zusätzlich zum ohnehin geschuldeten Arbeitslohn erbrachte Leistungen des Arbeitgebers zur Unterbringung und Betreuung von nicht schulpflichtigen Kindern der Arbeitnehmer in Kindergärten oder vergleichbaren Einrichtungen;

34. zusätzlich zum ohnehin geschuldeten Arbeitslohn erbrachte Leistungen des Arbeitgebers zur Verhinderung und Verminderung von Krankheitsrisiken und zur Förderung der Gesundheit in Betrieben, die hinsichtlich Qualität, Zweckbindung, Zielgerichtetheit und Zertifizierung den Anforderungen der §§ 20 und 20b des Fünften Buches Sozialgesetzbuch[1] genügen, soweit sie 600 Euro im Kalenderjahr nicht übersteigen;

34a. zusätzlich zum ohnehin geschuldeten Arbeitslohn erbrachte Leistungen des Arbeitgebers

a) an ein Dienstleistungsunternehmen, das den Arbeitnehmer hinsichtlich der Betreuung von Kindern oder pflegebedürftigen Angehörigen berät oder hierfür Betreuungspersonen vermittelt sowie

b) zur kurzfristigen Betreuung von Kindern im Sinne des § 32 Absatz 1, die das 14. Lebensjahr noch nicht vollendet haben oder die wegen einer vor Vollendung des 25. Lebensjahres eingetretenen körperlichen, geistigen oder seelischen Behinderung außerstande sind, sich selbst zu unterhalten oder pflegebedürftigen Angehörigen des Arbeitnehmers, wenn die Betreuung aus zwingenden und beruflich veranlassten Gründen notwendig ist, auch wenn sie im privaten Haushalt des Arbeitnehmers stattfindet, soweit die Leistungen 600 Euro im Kalenderjahr nicht übersteigen;

35. …

---

[1] **beck-online, Module Arbeitsrecht Nr. 695.**

36. Einnahmen für Leistungen zu körperbezogenen Pflegemaßnahmen, pflegerischen Betreuungsmaßnahmen oder Hilfen bei der Haushaltsführung bis zur Höhe des Pflegegeldes nach § 37 des Elften Buches Sozialgesetzbuch, mindestens aber bis zur Höhe des Entlastungsbetrages nach § 45b Absatz 1 Satz 1 des Elften Buches Sozialgesetzbuch, wenn diese Leistungen von Angehörigen des Pflegebedürftigen oder von anderen Personen, die damit eine sittliche Pflicht im Sinne des § 33 Absatz 2 gegenüber dem Pflegebedürftigen erfüllen, erbracht werden. [2]Entsprechendes gilt, wenn der Pflegebedürftige vergleichbare Leistungen aus privaten Versicherungsverträgen nach den Vorgaben des Elften Buches Sozialgesetzbuch oder nach den Beihilfevorschriften für häusliche Pflege erhält;

37. zusätzlich zum ohnehin geschuldeten Arbeitslohn vom Arbeitgeber gewährte Vorteile für die Überlassung eines betrieblichen Fahrrads, das kein Kraftfahrzeug im Sinne des § 6 Absatz 1 Nummer 4 Satz 2 ist;

38. …

39. der Vorteil des Arbeitnehmers im Rahmen eines gegenwärtigen Dienstverhältnisses aus der unentgeltlichen oder verbilligten Überlassung von Vermögensbeteiligungen im Sinne des § 2 Absatz 1 Nummer 1 Buchstabe a, b und f bis l und Absatz 2 bis 5 des Fünften Vermögensbildungsgesetzes[1] in der Fassung der Bekanntmachung vom 4. März 1994 (BGBl. I S. 406), zuletzt geändert durch Artikel 2 des Gesetzes vom 7. März 2009 (BGBl. I S. 451), in der jeweils geltenden Fassung, am Unternehmen des Arbeitgebers, soweit der Vorteil insgesamt 2 000 Euro im Kalenderjahr nicht übersteigt. [2]Voraussetzung für die Steuerfreiheit ist, dass die Beteiligung mindestens allen Arbeitnehmern offensteht, die im Zeitpunkt der Bekanntgabe des Angebots ein Jahr oder länger ununterbrochen in einem gegenwärtigen Dienstverhältnis zum Unternehmen stehen. [3]Als Unternehmen des Arbeitgebers im Sinne des Satzes 1 gilt auch ein Unternehmen im Sinne des § 18 des Aktiengesetzes[2]. [4]Als Wert der Vermögensbeteiligung ist der gemeine Wert anzusetzen;

40.–49. …

50. die Beträge, die der Arbeitnehmer vom Arbeitgeber erhält, um sie für ihn auszugeben (durchlaufende Gelder), und die Beträge, durch die Auslagen des Arbeitnehmers für den Arbeitgeber ersetzt werden (Auslagenersatz);

51. Trinkgelder, die anlässlich einer Arbeitsleistung dem Arbeitnehmer von Dritten freiwillig und ohne dass ein Rechtsanspruch auf sie besteht, zusätzlich zu dem Betrag gegeben werden, der für diese Arbeitsleistung zu zahlen ist;

52. (weggefallen)

53. die Übertragung von Wertguthaben nach § 7f Absatz 1 Satz 1 Nummer 2 des Vierten Buches Sozialgesetzbuch[3] auf die Deutsche Rentenversicherung Bund. [2]Die Leistungen aus dem Wertguthaben

---

[1] *Nr. 330.*
[2] Nr. **567**.
[3] Nr. **694**.

durch die Deutsche Rentenversicherung Bund gehören zu den Einkünften aus nichtselbständiger Arbeit im Sinne des § 19. [3] Von ihnen ist Lohnsteuer einzubehalten;

54. …

55. der in den Fällen des § 4 Absatz 2 Nummer 2 und Absatz 3 des Betriebsrentengesetzes[1)] vom 19. Dezember 1974 (BGBl. I S. 3610), das zuletzt durch Artikel 8 des Gesetzes vom 5. Juli 2004 (BGBl. I S. 1427) geändert worden ist, in der jeweils geltenden Fassung geleistete Übertragungswert nach § 4 Absatz 5 des Betriebsrentengesetzes, wenn die betriebliche Altersversorgung beim ehemaligen und neuen Arbeitgeber über einen Pensionsfonds, eine Pensionskasse oder ein Unternehmen der Lebensversicherung durchgeführt wird; dies gilt auch, wenn eine Versorgungsanwartschaft aus einer betrieblichen Altersversorgung auf Grund vertraglicher Vereinbarung ohne Fristerfordernis unverfallbar ist. [2] Satz 1 gilt auch, wenn der Übertragungswert vom ehemaligen Arbeitgeber oder von einer Unterstützungskasse an den neuen Arbeitgeber oder eine andere Unterstützungskasse geleistet wird. [3] Die Leistungen des neuen Arbeitgebers, der Unterstützungskasse, des Pensionsfonds, der Pensionskasse oder des Unternehmens der Lebensversicherung auf Grund des Betrags nach Satz 1 und 2 gehören zu den Einkünften, zu denen die Leistungen gehören würden, wenn die Übertragung nach § 4 Absatz 2 Nummer 2 und Absatz 3 des Betriebsrentengesetzes nicht stattgefunden hätte;

55a., 55b …

55c. Übertragungen von Altersvorsorgevermögen im Sinne des § 92 auf einen anderen auf den Namen des Steuerpflichtigen lautenden Altersvorsorgevertrag (§ 1 Absatz 1 Satz 1 Nummer 10 Buchstabe b des Altersvorsorgeverträge-Zertifizierungsgesetzes[2)]), soweit die Leistungen zu steuerpflichtigen Einkünften nach § 22 Nummer 5 führen würden. [2] Dies gilt entsprechend,

a) wenn Anwartschaften aus einer betrieblichen Altersversorgung, die über einen Pensionsfonds, eine Pensionskasse oder ein Unternehmen der Lebensversicherung (Direktversicherung) durchgeführt wird, lediglich auf einen anderen Träger einer betrieblichen Altersversorgung in Form eines Pensionsfonds, einer Pensionskasse oder eines Unternehmens der Lebensversicherung (Direktversicherung) übertragen werden, soweit keine Zahlungen unmittelbar an den Arbeitnehmer erfolgen,

b) wenn Anwartschaften der betrieblichen Altersversorgung abgefunden werden, soweit das Altersvorsorgevermögen zugunsten eines auf den Namen des Steuerpflichtigen lautenden Altersvorsorgevertrages geleistet wird, und in den Fällen des § 3 Absatz 2a des Betriebsrentengesetzes,

c) wenn im Fall des Todes des Steuerpflichtigen das Altersvorsorgevermögen auf einen auf den Namen des Ehegatten lautenden Altersvorsorgevertrag übertragen wird, wenn die Ehegatten im Zeitpunkt des Todes des Zulageberechtigten nicht dauernd ge-

---

[1)] Nr. **180**.

[2)] **Aichberger, SGB Nr. 6/80.**

trennt gelebt haben (§ 26 Absatz 1) und ihren Wohnsitz oder gewöhnlichen Aufenthalt in einem Mitgliedstaat der Europäischen Union oder einem Staat hatten, auf den das Abkommen über den Europäischen Wirtschaftsraum anwendbar ist; dies gilt auch, wenn die Ehegatten ihren vor dem Zeitpunkt, ab dem das Vereinigte Königreich Großbritannien und Nordirland nicht mehr Mitgliedstaat der Europäischen Union ist und auch nicht wie ein solcher zu behandeln ist, begründeten Wohnsitz oder gewöhnlichen Aufenthalt im Vereinigten Königreich Großbritannien und Nordirland hatten und der Vertrag vor dem 23. Juni 2016 abgeschlossen worden ist;

55d., 55e ...

56. Zuwendungen des Arbeitgebers nach § 19 Absatz 1 Satz 1 Nummer 3 Satz 1 aus dem ersten Dienstverhältnis an eine Pensionskasse zum Aufbau einer nicht kapitalgedeckten betrieblichen Altersversorgung, bei der eine Auszahlung der zugesagten Alters-, Invaliditäts- oder Hinterbliebenenversorgung entsprechend § 82 Absatz 2 Satz 2 vorgesehen ist, soweit diese Zuwendungen im Kalenderjahr 2 Prozent der Beitragsbemessungsgrenze in der allgemeinen Rentenversicherung nicht übersteigen. [2]Der in Satz 1 genannte Höchstbetrag erhöht sich ab 1. Januar 2020 auf 3 Prozent und ab 1. Januar 2025 auf 4 Prozent der Beitragsbemessungsgrenze in der allgemeinen Rentenversicherung. [3]Die Beträge nach den Sätzen 1 und 2 sind jeweils um die nach § 3 Nummer 63 Satz 1, 3 oder Satz 4 steuerfreien Beträge zu mindern;

57.–66. ...

67. a) das Erziehungsgeld nach dem Bundeserziehungsgeldgesetz[1)] und vergleichbare Leistungen der Länder,

b) das Elterngeld nach dem Bundeselterngeld- und Elternzeitgesetz[2)] und vergleichbare Leistungen der Länder,

c) Leistungen für Kindererziehung an Mütter der Geburtsjahrgänge vor 1921 nach den §§ 294 bis 299 des Sechsten Buches Sozialgesetzbuch sowie

d) Zuschläge, die nach den §§ 50a bis 50e des Beamtenversorgungsgesetzes[3)] oder nach den §§ 96 bis 100 des Soldatenversorgungsgesetzes oder nach vergleichbaren Regelungen der Länder für ein vor dem 1. Januar 2015 geborenes Kind oder für eine vor dem 1. Januar 2015 begonnene Zeit der Pflege einer pflegebedürftigen Person zu gewähren sind; im Falle des Zusammentreffens von Zeiten für mehrere Kinder nach § 50b des Beamtenversorgungsgesetzes oder § 97 des Soldatenversorgungsgesetzes oder nach vergleichbaren Regelungen der Länder gilt dies, wenn eines der Kinder vor dem 1. Januar 2015 geboren ist;

68.–73. ...

§ 3a *(hier nicht wiedergegeben)*

[1)] **beck-online, Module Arbeitsrecht Nr. 401a.**
[2)] Auszugsweise abgedruckt unter Nr. **401**.
[3)] **Sartorius Nr. 155.**

§ 3b Steuerfreiheit von Zuschlägen für Sonntags-, Feiertags- oder Nachtarbeit. (1) Steuerfrei sind Zuschläge, die für tatsächlich geleistete Sonntags-, Feiertags- oder Nachtarbeit neben dem Grundlohn gezahlt werden, soweit sie

1. für Nachtarbeit 25 Prozent,
2. vorbehaltlich der Nummern 3 und 4 für Sonntagsarbeit 50 Prozent,
3. vorbehaltlich der Nummer 4 für Arbeit am 31. Dezember ab 14 Uhr und an den gesetzlichen Feiertagen 125 Prozent,
4. für Arbeit am 24. Dezember ab 14 Uhr, am 25. und 26. Dezember sowie am 1. Mai 150 Prozent

des Grundlohns nicht übersteigen.

(2) [1] Grundlohn ist der laufende Arbeitslohn, der dem Arbeitnehmer bei der für ihn maßgebenden regelmäßigen Arbeitszeit für den jeweiligen Lohnzahlungszeitraum zusteht; er ist in einen Stundenlohn umzurechnen und mit höchstens 50 Euro anzusetzen. [2] Nachtarbeit ist die Arbeit in der Zeit von 20 Uhr bis 6 Uhr. [3] Sonntagsarbeit und Feiertagsarbeit ist die Arbeit in der Zeit von 0 Uhr bis 24 Uhr des jeweiligen Tages. [4] Die gesetzlichen Feiertage werden durch die am Ort der Arbeitsstätte geltenden Vorschriften bestimmt.

(3) Wenn die Nachtarbeit vor 0 Uhr aufgenommen wird, gilt abweichend von den Absätzen 1 und 2 Folgendes:

1. Für Nachtarbeit in der Zeit von 0 Uhr bis 4 Uhr erhöht sich der Zuschlagssatz auf 40 Prozent,
2. als Sonntagsarbeit und Feiertagsarbeit gilt auch die Arbeit in der Zeit von 0 Uhr bis 4 Uhr des auf den Sonntag oder Feiertag folgenden Tages.

(Fortsetzung nächstes Blatt)

8. Die einzelnen Einkunftsarten

h) Gemeinsame Vorschriften

§ 24 [Entschädigungen, Nutzungsvergütungen u.ä.] Zu den Einkünften im Sinne des § 2 Absatz 1 gehören auch

1. Entschädigungen, die gewährt worden sind
   a) als Ersatz für entgangene oder entgehende Einnahmen oder
   b) für die Aufgabe oder Nichtausübung einer Tätigkeit, für die Aufgabe einer Gewinnbeteiligung oder einer Anwartschaft auf eine solche;
   c) als Ausgleichszahlungen an Handelsvertreter nach § 89b des Handelsgesetzbuchs[1];
2. Einkünfte aus einer ehemaligen Tätigkeit im Sinne des § 2 Absatz 1 Satz 1 Nummer 1 bis 4 oder aus einem früheren Rechtsverhältnis im Sinne des § 2 Absatz 1 Satz 1 Nummer 5 bis 7, und zwar auch dann, wenn sie dem Steuerpflichtigen als Rechtsnachfolger zufließen;
3. …

IV. Tarif

§ 31[2] Familienleistungsausgleich. [1] Die steuerliche Freistellung eines Einkommensbetrags in Höhe des Existenzminimums eines Kindes einschließlich der Bedarfe für Betreuung und Erziehung oder Ausbildung wird im gesamten Veranlagungszeitraum entweder durch die Freibeträge nach § 32 Absatz 6 oder durch Kindergeld nach Abschnitt X bewirkt. [2] Soweit das Kindergeld dafür nicht erforderlich ist, dient es der Förderung der Familie. [3] Im laufenden Kalenderjahr wird Kindergeld als Steuervergütung monatlich gezahlt. [4] Bewirkt der Anspruch auf Kindergeld für den gesamten Veranlagungszeitraum die nach Satz 1 gebotene steuerliche Freistellung nicht vollständig und werden deshalb bei der Veranlagung zur Einkommensteuer die Freibeträge nach § 32 Absatz 6 vom Einkommen abgezogen, erhöht sich die unter Abzug dieser Freibeträge ermittelte tarifliche Einkommensteuer um den Anspruch auf Kindergeld für den gesamten Veranlagungszeitraum; bei nicht zusammenveranlagten Eltern wird der Kindergeldanspruch im Umfang des Kinderfreibetrags angesetzt. [5] Bei der Prüfung der Steuerfreistellung und der Hinzurechnung nach Satz 4 bleibt der Anspruch auf Kindergeld für Kalendermonate unberücksichtigt, in denen durch Bescheid der Familienkasse ein Anspruch auf Kindergeld festgesetzt, aber wegen § 70 Absatz 1 Satz 2 nicht ausgezahlt wurde. [6] Satz 4 gilt entsprechend für mit dem Kindergeld vergleichbare Leistungen nach § 65. [7] Besteht nach ausländischem Recht Anspruch auf Leistungen für Kinder, wird dieser insoweit nicht berücksichtigt, als er das inländische Kindergeld übersteigt.

---

[1] Nr. **105**.

[2] § 31 Satz 5 eingef., bish. Sätze 5 und 6 werden Sätze 6 und 7 mWv 18.7.2019 durch G v. 11.7. 2019 (BGBl. I S. 1066).

§ 32[1)] Kinder, Freibeträge für Kinder. (1) Kinder sind

1. im ersten Grad mit dem Steuerpflichtigen verwandte Kinder,
2. Pflegekinder (Personen, mit denen der Steuerpflichtige durch ein familienähnliches, auf längere Dauer berechnetes Band verbunden ist, sofern er sie nicht zu Erwerbszwecken in seinen Haushalt aufgenommen hat und das Obhuts- und Pflegeverhältnis zu den Eltern nicht mehr besteht).

(2) [1] Besteht bei einem angenommenen Kind das Kindschaftsverhältnis zu den leiblichen Eltern weiter, ist es vorrangig als angenommenes Kind zu berücksichtigen. [2] Ist ein im ersten Grad mit dem Steuerpflichtigen verwandtes Kind zugleich ein Pflegekind, ist es vorrangig als Pflegekind zu berücksichtigen.

(3) Ein Kind wird in dem Kalendermonat, in dem es lebend geboren wurde, und in jedem folgenden Kalendermonat, zu dessen Beginn es das 18. Lebensjahr noch nicht vollendet hat, berücksichtigt.

(4) [1] Ein Kind, das das 18. Lebensjahr vollendet hat, wird berücksichtigt, wenn es

1. noch nicht das 21. Lebensjahr vollendet hat, nicht in einem Beschäftigungsverhältnis steht und bei einer Agentur für Arbeit im Inland als Arbeitsuchender gemeldet ist oder
2. noch nicht das 25. Lebensjahr vollendet hat und
   a) für einen Beruf ausgebildet wird oder
   b) sich in einer Übergangszeit von höchstens vier Monaten befindet, die zwischen zwei Ausbildungsabschnitten oder zwischen einem Ausbildungsabschnitt und der Ableistung des gesetzlichen Wehr- oder Zivildienstes, einer vom Wehr- oder Zivildienst befreienden Tätigkeit als Entwicklungshelfer oder als Dienstleistender im Ausland nach § 14b des Zivildienstgesetzes[2)] oder der Ableistung des freiwilligen Wehrdienstes nach § 58b des Soldatengesetzes oder der Ableistung eines freiwilligen Dienstes im Sinne des Buchstaben d liegt, oder
   c) eine Berufsausbildung mangels Ausbildungsplatzes nicht beginnen oder fortsetzen kann oder
   d) einen der folgenden freiwilligen Dienste leistet:

[1)] § 32 Abs. 6 Satz 1 Beträge geänd. mWv 31.12.2009 durch G v. 22.12.2009 (BGBl. I S. 3950); Abs. 4 Sätze 2 und 3 neu gef., Sätze 4–10 aufgeh., Abs. 5 Satz 3 geänd., Abs. 6 Sätze 6 und 7 neu gef., Sätze 8–11 angef. mWv 1.1.2012 durch G v. 1.11.2011 (BGBl. I S. 2131); Abs. 4 Satz 1 Nr. 2 Buchst. d geänd. mWv 14.12.2011 durch G v. 7.12.2011 (BGBl. I S. 2592); Abs. 4 Satz 1 Nr. 2 Buchst. d und Satz 2 geänd. mWv 1.1.2012 durch G v. 26.6.2013 (BGBl. I S. 1809); Abs. 4 Satz 1 Nr. 2 Buchst. d und Abs. 6 Satz 7 geänd. mWv 31.7.2014 durch G v. 25.7.2014 (BGBl. I S. 1266); Abs. 4 Satz 1 Nr. 2 Buchst. b geänd. mWv 1.1.2015 durch G v. 22.12.2014 (BGBl. I S. 2417); Abs. 6 Satz 1 geänd. mWv 23.7.2015 und mWv 1.1.2016 durch G v. 16.7.2015 (BGBl. I S. 1202); Abs. 6 Satz 1 geänd. mWv 1.1.2017 und mWv 1.1.2018 durch G v. 20.12.2016 (BGBl. I S. 3000); Abs. 4 Satz 1 Nr. 2 Buchst. d und Abs. 6 Satz 1 geänd. mWv 1.1.2019, Abs. 6 Satz 1 geänd. mWv 1.1.2020 durch G v. 29.11.2018 (BGBl. I S. 2210); Abs. 4 Satz 1 Nr. 2 Buchst. d geänd. mWv 18.7.2019 durch G v. 11.7.2019 (BGBl. I S. 1066); Abs. 6 Satz 1 geänd. mWv 1.1.2021 durch G v. 1.12.2020 (BGBl. I S. 2616); Abs. 6 Satz 6 neu gef. mWv 9.6.2021 durch G v. 2.6.2021 (BGBl. I S. 1259); Abs. 6 Satz 1 geänd. mWv 1.1.2022, mWv 1.1.2023 und mWv 1.1.2024 durch G v. 8.12.2022 (BGBl. I S. 2230); Abs. 4 Satz 1 Nr. 2 Buchst. d neu gef. mWv 21.12.2022, Abs. 6 Sätze 12–14 angef. mWv 1.1.2023 durch G v. 16.12.2022 (BGBl. I S. 2294); Abs. 6 Satz 1 geänd. mWv 1.1.2024 durch G v. 2.12.2024 (BGBl. 2024 I Nr. 386); Abs. 6 Satz 1 geänd. mWv 1.1.2025 und mWv 1.1.2026 durch G v. 23.12.2024 (BGBl. 2024 I Nr. 449).

[2)] **beck-online, Module Arbeitsrecht Nr. 156c.**

aa) ein freiwilliges soziales Jahr im Sinne des Jugendfreiwilligendienstegesetzes[1],

bb) ein freiwilliges ökologisches Jahr im Sinne des Jugendfreiwilligendienstegesetzes,

cc) einen Bundesfreiwilligendienst im Sinne des Bundesfreiwilligendienstgesetzes[2],

dd) eine Freiwilligentätigkeit im Rahmen des Europäischen Solidaritätskorps im Sinne der Verordnung (EU) 2021/888 des Europäischen Parlaments und des Rates vom 20. Mai 2021 zur Aufstellung des Programms für das Europäische Solidaritätskorps und zur Aufhebung der Verordnungen (EU) 2018/1475 und (EU) Nr. 375/2014 (ABl. L 202 vom 8.6.2021, S. 32),

ee) einen anderen Dienst im Ausland im Sinne von § 5 des Bundesfreiwilligendienstgesetzes,

ff) einen entwicklungspolitischen Freiwilligendienst „weltwärts" im Sinne der Förderleitlinie des Bundesministeriums für wirtschaftliche Zusammenarbeit und Entwicklung vom 1. Januar 2016,

gg) einen Freiwilligendienst aller Generationen im Sinne von § 2 Absatz 1a des Siebten Buches Sozialgesetzbuch[3] oder

hh) einen Internationalen Jugendfreiwilligendienst im Sinne der Richtlinie des Bundesministeriums für Familie, Senioren, Frauen und Jugend vom 4. Januar 2021 (GMBl S. 77) oder

3. wegen körperlicher, geistiger oder seelischer Behinderung außerstande ist, sich selbst zu unterhalten; Voraussetzung ist, dass die Behinderung vor Vollendung des 25. Lebensjahres eingetreten ist.

[2] Nach Abschluss einer erstmaligen Berufsausbildung oder eines Erststudiums wird ein Kind in den Fällen des Satzes 1 Nummer 2 nur berücksichtigt, wenn das Kind keiner Erwerbstätigkeit nachgeht. [3] Eine Erwerbstätigkeit mit bis zu 20 Stunden regelmäßiger wöchentlicher Arbeitszeit, ein Ausbildungsdienstverhältnis oder ein geringfügiges Beschäftigungsverhältnis im Sinne der §§ 8 und 8a des Vierten Buches Sozialgesetzbuch[4] sind unschädlich.

(5) [1] In den Fällen des Absatzes 4 Satz 1 Nummer 1 oder Nummer 2 Buchstabe a und b wird ein Kind, das

1. den gesetzlichen Grundwehrdienst oder Zivildienst geleistet hat oder
2. sich anstelle des gesetzlichen Grundwehrdienstes freiwillig für die Dauer von nicht mehr als drei Jahren zum Wehrdienst verpflichtet hat oder
3. eine vom gesetzlichen Grundwehrdienst oder Zivildienst befreiende Tätigkeit als Entwicklungshelfer im Sinne des § 1 Absatz 1 des Entwicklungshelfer-Gesetzes[5] ausgeübt hat,

für einen der Dauer dieser Dienste oder der Tätigkeit entsprechenden Zeitraum, höchstens für die Dauer des inländischen gesetzlichen Grundwehrdienstes oder bei anerkannten Kriegsdienstverweigerern für die Dauer des inländischen gesetzlichen Zivildienstes über das 21. oder 25. Lebensjahr hinaus

[1] Nr. **422**.
[2] Nr. **422a**.
[3] Nr. **697**.
[4] Nr. **694**.
[5] **beck-online, Module Arbeitsrecht Nr. 425.**

berücksichtigt. [2] Wird der gesetzliche Grundwehrdienst oder Zivildienst in einem Mitgliedstaat der Europäischen Union oder einem Staat, auf den das Abkommen über den Europäischen Wirtschaftsraum Anwendung findet, geleistet, so ist die Dauer dieses Dienstes maßgebend. [3] Absatz 4 Satz 2 und 3 gilt entsprechend.

(6) [1] Bei der Veranlagung zur Einkommensteuer wird für jedes zu berücksichtigende Kind des Steuerpflichtigen ein Freibetrag von ***[bis 31.12.2025:** 3 336**][ab 1.1.2026:** 3 414**]*** Euro für das sächliche Existenzminimum des Kindes (Kinderfreibetrag) sowie ein Freibetrag von 1 464 Euro für den Betreuungs- und Erziehungs- oder Ausbildungsbedarf des Kindes vom Einkommen abgezogen. [2] Bei Ehegatten, die nach den §§ 26, 26b zusammen zur Einkommensteuer veranlagt werden, verdoppeln sich die Beträge nach Satz 1, wenn das Kind zu beiden Ehegatten in einem Kindschaftsverhältnis steht. [3] Die Beträge nach Satz 2 stehen dem Steuerpflichtigen auch dann zu, wenn

1. der andere Elternteil verstorben oder nicht unbeschränkt einkommensteuerpflichtig ist oder
2. der Steuerpflichtige allein das Kind angenommen hat oder das Kind nur zu ihm in einem Pflegekindschaftsverhältnis steht.

[4] Für ein nicht nach § 1 Absatz 1 oder 2 unbeschränkt einkommensteuerpflichtiges Kind können die Beträge nach den Sätzen 1 bis 3 nur abgezogen werden, soweit sie nach den Verhältnissen seines Wohnsitzstaates notwendig und angemessen sind. [5] Für jeden Kalendermonat, in dem die Voraussetzungen für einen Freibetrag nach den Sätzen 1 bis 4 nicht vorliegen, ermäßigen sich die dort genannten Beträge um ein Zwölftel. [6] Abweichend von Satz 1 wird bei einem unbeschränkt einkommensteuerpflichtigen Elternpaar, bei dem die Voraussetzungen des § 26 Absatz 1 Satz 1 nicht vorliegen, auf Antrag eines Elternteils der dem anderen Elternteil zustehende Kinderfreibetrag auf ihn übertragen, wenn er, nicht jedoch der andere Elternteil, seiner Unterhaltspflicht gegenüber dem Kind für das Kalenderjahr im Wesentlichen nachkommt oder der andere Elternteil mangels Leistungsfähigkeit nicht unterhaltspflichtig ist; die Übertragung des Kinderfreibetrags führt stets auch zur Übertragung des Freibetrags für den Betreuungs- und Erziehungs- oder Ausbildungsbedarf. [7] Eine Übertragung nach Satz 6 scheidet für Zeiträume aus, für die Unterhaltsleistungen nach dem Unterhaltsvorschussgesetz[1)] gezahlt werden. [8] Bei minderjährigen Kindern wird der dem Elternteil, in dessen Wohnung das Kind nicht gemeldet ist, zustehende Freibetrag für den Betreuungs- und Erziehungs- oder Ausbildungsbedarf auf Antrag des anderen Elternteils auf diesen übertragen, wenn bei dem Elternpaar die Voraussetzungen des § 26 Absatz 1 Satz 1 nicht vorliegen. [9] Eine Übertragung nach Satz 8 scheidet aus, wenn der Übertragung widersprochen wird, weil der Elternteil, bei dem das Kind nicht gemeldet ist, Kinderbetreuungskosten trägt oder das Kind regelmäßig in einem nicht unwesentlichen Umfang betreut. [10] Die den Eltern nach den Sätzen 1 bis 9 zustehenden Freibeträge können auf Antrag auch auf einen Stiefelternteil oder Großelternteil übertragen werden, wenn dieser das Kind in seinen Haushalt aufgenommen hat oder dieser einer Unterhaltspflicht gegenüber dem Kind unterliegt. [11] Die Übertragung nach Satz 10 kann auch mit Zustimmung des berechtigten Elternteils erfolgen, die nur für künftige Kalenderjahre widerrufen werden kann. [12] Voraussetzung für die Berücksichtigung des Kinderfreibetrags

---

[1)] Aichberger, SGB Nr. 8/30.

sowie des Freibetrags für den Betreuungs- und Erziehungs- oder Ausbildungsbedarf des Kindes ist die Identifizierung des Kindes durch die an dieses Kind vergebene Identifikationsnummer (§ 139b der Abgabenordnung[1)]). [13]Ist das Kind nicht nach einem Steuergesetz steuerpflichtig (§ 139a Absatz 2 der Abgabenordnung), ist es in anderer geeigneter Weise zu identifizieren. [14]Die nachträgliche Identifizierung oder nachträgliche Vergabe der Identifikationsnummer wirkt auf Monate zurück, in denen die übrigen Voraussetzungen für die Gewährung des Kinderfreibetrags sowie des Freibetrags für den Betreuungs- und Erziehungs- oder Ausbildungsbedarf des Kindes vorliegen.

§§ 32a – 33b *(hier nicht wiedergegeben)*

§ 34[2)] Außerordentliche Einkünfte. (1)[3)] [1]Sind in dem zu versteuernden Einkommen außerordentliche Einkünfte enthalten, so ist die auf alle im Veranlagungszeitraum bezogenen außerordentlichen Einkünfte entfallende Einkommensteuer nach den Sätzen 2 bis 4 zu berechnen. [2]Die für die außerordentlichen Einkünfte anzusetzende Einkommensteuer beträgt das Fünffache des Unterschiedsbetrags zwischen der Einkommensteuer für das um diese Einkünfte verminderte zu versteuernde Einkommen (verbleibendes zu versteuerndes Einkommen) und der Einkommensteuer für das verbleibende zu versteuernde Einkommen zuzüglich eines Fünftels dieser Einkünfte. [3]Ist das verbleibende zu versteuernde Einkommen negativ und das zu versteuernde Einkommen positiv, so beträgt die Einkommensteuer das Fünffache der auf ein Fünftel des zu versteuernden Einkommens entfallenden Einkommensteuer. [4]Die Sätze 1 bis 3 gelten nicht für außerordentliche Einkünfte im Sinne des Absatzes 2 Nummer 1, wenn der Steuerpflichtige auf diese Einkünfte ganz oder teilweise § 6b oder § 6c anwendet.

(2) Als außerordentliche Einkünfte kommen nur in Betracht:

1. …
2. Entschädigungen im Sinne des § 24 Nummer 1;
3. Nutzungsvergütungen und Zinsen im Sinne des § 24 Nummer 3, soweit sie für einen Zeitraum von mehr als drei Jahren nachgezahlt werden;
4. Vergütungen für mehrjährige Tätigkeiten; mehrjährig ist eine Tätigkeit, soweit sie sich über mindestens zwei Veranlagungszeiträume erstreckt und einen Zeitraum von mehr als zwölf Monaten umfasst.

(3) …

---

1) **Steuergesetze Nr. 800.**

2) § 34 Abs. 3 Satz 2 neu gef. mWv 14.12.2010 durch G v. 8.12.2010 (BGBl. I S. 1768); Abs. 2 Nr. 4 geänd., Nr. 5 aufgeh. mWv 1.1.2012 durch G v. 1.11.2011 (BGBl. I S. 2131).

3) Gem. Beschluss der BVerfG v. 7.7.2010 – 2 BvL 1/03, 2 BvL 57/06, 2 BvL 58/06 –verstößt § 34 Abs. 1 iVm § 52 Abs. 47 idF des SteuerentlastungsG 1999/2000/2002 v. 24.3.1999 (BGBl. I S. 402) vom 24.3.1999 (BGBl. I S. 402) gegen die verfassungsrechtlichen Grundsätze des Vertrauensschutzes und ist nichtig, soweit danach für Entschädigungen im Sinne des § 24 Nr. 1 Buchst. a die sogenannte Fünftel-Regelung anstelle des zuvor geltenden halben durchschnittlichen Steuersatzes auch dann zur Anwendung kommt, wenn diese im Jahr 1998, aber noch vor der Einbringung der Neuregelung in den Deutschen Bundestag am 9.11.1998 verbindlich vereinbart und im Jahr 1999 ausgezahlt wurden, oder – unabhängig vom Zeitpunkt der Vereinbarung – noch vor der Verkündung der Neuregelung am 31.3.1999 ausgezahlt wurden.

X. Kindergeld

§ 62[1)] Anspruchsberechtigte. (1) [1] Für Kinder im Sinne des § 63 hat Anspruch auf Kindergeld nach diesem Gesetz, wer

1. im Inland einen Wohnsitz oder seinen gewöhnlichen Aufenthalt hat oder
2. ohne Wohnsitz oder gewöhnlichen Aufenthalt im Inland
   a) nach § 1 Absatz 2 unbeschränkt einkommensteuerpflichtig ist oder
   b) nach § 1 Absatz 3 als unbeschränkt einkommensteuerpflichtig behandelt wird.

[2] Voraussetzung für den Anspruch nach Satz 1 ist, dass der Berechtigte durch die an ihn vergebene Identifikationsnummer (§ 139b der Abgabenordnung[2)]) identifiziert wird. [3] Die nachträgliche Vergabe der Identifikationsnummer wirkt auf Monate zurück, in denen die Voraussetzungen des Satzes 1 vorliegen.

(1a) [1] Begründet ein Staatsangehöriger eines anderen Mitgliedstaates der Europäischen Union oder eines Staates, auf den das Abkommen über den Europäischen Wirtschaftsraum Anwendung findet, im Inland einen Wohnsitz oder gewöhnlichen Aufenthalt, so hat er für die ersten drei Monate ab Begründung des Wohnsitzes oder des gewöhnlichen Aufenthalts keinen Anspruch auf Kindergeld. [2] Dies gilt nicht, wenn er nachweist, dass er inländische Einkünfte im Sinne des § 2 Absatz 1 Satz 1 Nummer 1 bis 4 mit Ausnahme von Einkünften nach § 19 Absatz 1 Satz 1 Nummer 2 erzielt. [3] Nach Ablauf des in Satz 1 genannten Zeitraums hat er Anspruch auf Kindergeld, es sei denn, die Voraussetzungen des § 2 Absatz 2 oder Absatz 3 des Freizügigkeitsgesetzes/EU[3)] liegen nicht vor oder es sind nur die Voraussetzungen des § 2 Absatz 2 Nummer 1a des Freizügigkeitsgesetzes/EU erfüllt, ohne dass vorher eine andere der in § 2 Absatz 2 des Freizügigkeitsgesetzes/EU genannten Voraussetzungen erfüllt war. [4] Die Prüfung, ob die Voraussetzungen für einen Anspruch auf Kindergeld gemäß Satz 2 vorliegen oder gemäß Satz 3 nicht gegeben sind, führt die Familienkasse in eigener Zuständigkeit durch. [5] Lehnt die Familienkasse eine Kindergeldfestsetzung in diesem Fall ab, hat sie ihre Entscheidung der zuständigen Ausländerbehörde mitzuteilen. [6] Wurde das Vorliegen der Anspruchsvoraussetzungen durch die Verwendung gefälschter oder verfälschter Dokumente oder durch Vorspiegelung falscher Tatsachen vorgetäuscht, hat die Familienkasse die zuständige Ausländerbehörde unverzüglich zu unterrichten.

(2) Ein nicht freizügigkeitsberechtigter Ausländer erhält Kindergeld nur, wenn er

1. eine Niederlassungserlaubnis oder eine Erlaubnis zum Daueraufenthalt-EU besitzt,
2. eine Blaue Karte EU, eine ICT-Karte, eine Mobiler-ICT-Karte oder eine Aufenthaltserlaubnis besitzt, die für einen Zeitraum von mindestens sechs

---

[1)] § 62 Abs. 1 Sätze 2 und 3 angef. mWv 9.12.2014 durch G v. 2.12.2014 (BGBl. I S. 1922); Abs. 1a eingef. mWv 18.7.2019 durch G v. 11.7.2019 (BGBl. I S. 1066); Abs. 2 Nr. 2 Buchst. c und Nr. 3 Buchst. b geänd., Nr. 4 angef. mWv 1.1.2020, Abs. 2 neu gef. mWv 1.3.2020 durch G v. 12.12.2019 (BGBl. I S. 2451); Abs. 2 Nr. 2 Buchst. c geänd. mWv 1.6.2022 durch G v. 23.5.2022 (BGBl. I S. 760); Abs. 2 Nr. 2 Buchst. a und b geänd. mWv 6.12.2024 durch G v. 2.12.2024 (BGBl. 2024 I Nr. 387).

[2)] **Steuergesetze Nr. 800.**

[3)] Nr. **770**.

Monaten zur Ausübung einer Erwerbstätigkeit berechtigen oder berechtigt haben oder diese erlauben, es sei denn, die Aufenthaltserlaubnis wurde

a) nach § 16e des Aufenthaltsgesetzes[1] zu Ausbildungszwecken, nach § 19c Absatz 1 des Aufenthaltsgesetzes[2] zum Zweck der Beschäftigung als Au-Pair oder zum Zweck der Saisonbeschäftigung, nach § 19e des Aufenthaltsgesetzes[2] zum Zweck der Teilnahme an einem Europäischen Freiwilligendienst oder nach § 20a Absatz 5 Satz 1 des Aufenthaltsgesetzes[2] zur Suche nach einer Erwerbstätigkeit oder nach Maßnahmen zur Anerkennung ausländischer Berufsqualifikationen erteilt,
b) nach § 16b des Aufenthaltsgesetzes[1] zum Zweck eines Studiums, nach § 16d des Aufenthaltsgesetzes[1] für Maßnahmen zur Anerkennung ausländischer Berufsqualifikationen, nach § 20 des Aufenthaltsgesetzes[2] zur Suche nach einer Erwerbstätigkeit oder nach § 20a Absatz 5 Satz 2 des Aufenthaltsgesetzes[2] zur Suche nach einer Erwerbstätigkeit oder nach Maßnahmen zur Anerkennung ausländischer Berufsqualifikationen erteilt und er ist weder erwerbstätig noch nimmt er Elternzeit nach § 15 des Bundeselterngeld- und Elternzeitgesetzes[3] oder laufende Geldleistungen nach dem Dritten Buch Sozialgesetzbuch[4] in Anspruch,
c) nach § 23 Absatz 1 des Aufenthaltsgesetzes[1] wegen eines Krieges in seinem Heimatland oder nach den § 23a oder § 25 Absatz 3 bis 5 des Aufenthaltsgesetzes[1] erteilt,

3. eine in Nummer 2 Buchstabe c genannte Aufenthaltserlaubnis besitzt und im Bundesgebiet berechtigt erwerbstätig ist oder Elternzeit nach § 15 des Bundeselterngeld- und Elternzeitgesetzes[3] oder laufende Geldleistungen nach dem Dritten Buch Sozialgesetzbuch in Anspruch nimmt,
4. eine in Nummer 2 Buchstabe c genannte Aufenthaltserlaubnis besitzt und sich seit mindestens 15 Monaten erlaubt, gestattet oder geduldet im Bundesgebiet aufhält oder
5. eine Beschäftigungsduldung gemäß § 60d in Verbindung mit § 60a Absatz 2 Satz 3 des Aufenthaltsgesetzes[1] besitzt.

§ 63[5] **Kinder.** (1) [1] Als Kinder werden berücksichtigt

1. Kinder im Sinne des § 32 Absatz 1,
2. vom Berechtigten in seinen Haushalt aufgenommene Kinder seines Ehegatten,
3. vom Berechtigten in seinen Haushalt aufgenommene Enkel.

[2] § 32 Absatz 3 bis 5 gilt entsprechend. [3] Voraussetzung für die Berücksichtigung ist die Identifizierung des Kindes durch die an dieses Kind vergebene Identifikationsnummer (§ 139b der Abgabenordnung[6]). [4] Ist das Kind nicht nach einem Steuergesetz steuerpflichtig (§ 139a Absatz 2 der Abgabenordnung), ist es in anderer geeigneter Weise zu identifizieren. [5] Die nachträgliche Identifizierung oder nachträgliche Vergabe der Identifikationsnummer wirkt auf Monate

---

[1] **beck-online, Module Arbeitsrecht Nr. 760.**
[2] Nr. **760**.
[3] Nr. **401**.
[4] Nr. **700**.
[5] § 63 Abs. 1 Sätze 3 bis 5 eingef., bish. Sätze 3 und 4 werden Sätze 6 und 7, Satz 6 geänd. mWv 9.12.2014 durch G v. 2.12.2014 (BGBl. I S. 1922).
[6] **Steuergesetze Nr. 800.**

zurück, in denen die Voraussetzungen der Sätze 1 bis 4 vorliegen. [6] Kinder, die weder einen Wohnsitz noch ihren gewöhnlichen Aufenthalt im Inland, in einem Mitgliedstaat der Europäischen Union oder in einem Staat, auf den das Abkommen über den Europäischen Wirtschaftsraum Anwendung findet, haben, werden nicht berücksichtigt, es sei denn, sie leben im Haushalt eines Berechtigten im Sinne des § 62 Absatz 1 Satz 1 Nummer 2 Buchstabe a. [7] Kinder im Sinne von § 2 Absatz 4 Satz 2 des Bundeskindergeldgesetzes[1)] werden nicht berücksichtigt.

(2) Die Bundesregierung wird ermächtigt, durch Rechtsverordnung, die nicht der Zustimmung des Bundesrates bedarf, zu bestimmen, dass einem Berechtigten, der im Inland erwerbstätig ist oder sonst seine hauptsächlichen Einkünfte erzielt, für seine in Absatz 1 Satz 3 erster Halbsatz bezeichneten Kinder Kindergeld ganz oder teilweise zu leisten ist, soweit dies mit Rücksicht auf die durchschnittlichen Lebenshaltungskosten für Kinder in deren Wohnsitzstaat und auf die dort gewährten dem Kindergeld vergleichbaren Leistungen geboten ist.

§ 64 Zusammentreffen mehrerer Ansprüche. (1) Für jedes Kind wird nur einem Berechtigten Kindergeld gezahlt.

(2) [1] Bei mehreren Berechtigten wird das Kindergeld demjenigen gezahlt, der das Kind in seinen Haushalt aufgenommen hat. [2] Ist ein Kind in den gemeinsamen Haushalt von Eltern, einem Elternteil und dessen Ehegatten, Pflegeeltern oder Großeltern aufgenommen worden, so bestimmen diese untereinander den Berechtigten. [3] Wird eine Bestimmung nicht getroffen, so bestimmt das Familiengericht auf Antrag den Berechtigten. [4] Den Antrag kann stellen, wer ein berechtigtes Interesse an der Zahlung des Kindergeldes hat. [5] Lebt ein Kind im gemeinsamen Haushalt von Eltern und Großeltern, so wird das Kindergeld vorrangig einem Elternteil gezahlt; es wird an einen Großelternteil gezahlt, wenn der Elternteil gegenüber der zuständigen Stelle auf seinen Vorrang schriftlich verzichtet hat.

(3) [1] Ist das Kind nicht in den Haushalt eines Berechtigten aufgenommen, so erhält das Kindergeld derjenige, der dem Kind eine Unterhaltsrente zahlt. [2] Zahlen mehrere Berechtigte dem Kind Unterhaltsrenten, so erhält das Kindergeld derjenige, der dem Kind die höchste Unterhaltsrente zahlt. [3] Werden gleich hohe Unterhaltsrenten gezahlt oder zahlt keiner der Berechtigten dem Kind Unterhalt, so bestimmen die Berechtigten untereinander, wer das Kindergeld erhalten soll. [4] Wird eine Bestimmung nicht getroffen, so gilt Absatz 2 Satz 3 und 4 entsprechend.

§ 65[2)] Andere Leistungen für Kinder. [1] Kindergeld wird nicht für ein Kind gezahlt, für das eine der folgenden Leistungen zu zahlen ist oder bei entsprechender Antragstellung zu zahlen wäre:

1. Leistungen für Kinder, die im Ausland gewährt werden und dem Kindergeld oder der Kinderzulage aus der gesetzlichen Unfallversicherung nach § 217 Absatz 3 des Siebten Buches Sozialgesetzbuch[3)] in der bis zum 30. Juni 2020

[1)] Nr. **332**.

[2)] § 65 Abs. 1 Satz 3 geänd. mWv 30.6.2013 durch G v. 26.6.2013 (BGBl. I S. 1809); Abs. 2 aufgeh., im verbleibenden Wortlaut Satz 1 neu gef., Satz 3 geänd. mWv 21.12.2022 durch G v. 16.12. 2022 (BGBl. I S. 2294).

[3)] Nr. **697**.

geltenden Fassung oder dem Kinderzuschuss aus der gesetzlichen Rentenversicherung nach § 270 des Sechsten Buches Sozialgesetzbuch[1)] in der bis zum 16. November 2016 geltenden Fassung vergleichbar sind,

2. Leistungen für Kinder, die von einer zwischen- oder überstaatlichen Einrichtung gewährt werden und dem Kindergeld vergleichbar sind.

[2] Soweit es für die Anwendung von Vorschriften dieses Gesetzes auf den Erhalt von Kindergeld ankommt, stehen die Leistungen nach Satz 1 dem Kindergeld gleich. [3] Steht ein Berechtigter in einem Versicherungspflichtverhältnis zur Bundesagentur für Arbeit nach § 24 des Dritten Buches Sozialgesetzbuch[2)] oder ist er versicherungsfrei nach § 28 Absatz 1 Nummer 1 des Dritten Buches Sozialgesetzbuch oder steht er im Inland in einem öffentlich-rechtlichen Dienst- oder Amtsverhältnis, so wird sein Anspruch auf Kindergeld für ein Kind nicht nach Satz 1 Nummer 2 mit Rücksicht darauf ausgeschlossen, dass sein Ehegatte als Beamter, Ruhestandsbeamter oder sonstiger Bediensteter der Europäischen Union für das Kind Anspruch auf Kinderzulage hat.

§ 66[3)] Höhe des Kindergeldes, Zahlungszeitraum. (1) Das Kindergeld beträgt monatlich für jedes Kind ***[bis 31.12.2025:*** 255***][ab 1.1.2026:*** *259]* Euro.

(2) Das Kindergeld wird monatlich vom Beginn des Monats an gezahlt, in dem die Anspruchsvoraussetzungen erfüllt sind, bis zum Ende des Monats, in dem die Anspruchsvoraussetzungen wegfallen.

[Abs. 3 ab 1.1.2026:]

(3) [1] Werden die Freibeträge für Kinder nach § 31 Satz 1 in Verbindung mit § 32 Absatz 6 Satz 1 angehoben, wird das Kindergeld entsprechend erhöht. [2] Das Kindergeld ist dabei auf volle Euro kaufmännisch zu runden.

§ 67[4)] Antrag. [1] Das Kindergeld ist bei der zuständigen Familienkasse elektronisch nach amtlich vorgeschriebenem Datensatz über die amtlich vorgeschriebene Schnittstelle zu beantragen; die Familienkasse kann auf die elektronische Antragstellung verzichten, wenn das Kindergeld schriftlich beantragt und der Antrag vom Berechtigten eigenhändig unterschrieben wird. [2] Den Antrag kann außer dem Berechtigten auch stellen, wer ein berechtigtes Interesse an der Leistung des Kindergeldes hat. [3] In Fällen des Satzes 2 ist § 62 Absatz 1 Satz 2 bis 3 anzuwenden. [4] Der Berechtigte ist zu diesem Zweck verpflichtet, demjenigen, der ein berechtigtes Interesse an der Leistung des Kindergeldes hat, seine

---

1) **beck-online, Module Arbeitsrecht Nr. 696.**

2) Nr. **700**.

3) § 66 Abs. 1 Satz 1 neu gef. mWv 31.12.2009 durch G v. 22.12.2009 (BGBl. I S. 3950); Abs. 1 neu gef. mWv 23.7.2015 und mWv 1.1.2016 durch G v. 16.7.2015 (BGBl. I S. 1202); Abs. 1 neu gef. mWv 1.1.2017 und mWv 1.1.2018 durch G v. 20.12.2016 (BGBl. I S. 3000); Abs. 3 angef. mWv 1.1.2018 durch G v. 23.6.2017 (BGBl. I S. 1682); Abs. 1 neu gef. mWv 1.7.2019 durch G v. 29.11.2018 (BGBl. I S. 2210); Abs. 3 aufgeh. mWv 18.7.2019 durch G v. 11.7.2019 (BGBl. I S. 1066); Abs. 1 Sätze 2–4 angef. mWv 1.7.2020 durch G v. 29.6.2020 (BGBl. I S. 1512); Abs. 1 neu gef. mWv 1.1.2021 durch G v. 1.12.2020 (BGBl. I S. 2616); Abs. 1 Sätze 2–4 angef. mWv 18.3.2021 durch G v. 10.3.2021 (BGBl. I S. 330); Abs. 1 Sätze 2 und 3 geänd. mWv 28.5.2022 durch G v. 23.5.2022 (BGBl. I S. 749); Abs. 1 neu gef. mWv 1.1.2023 durch G v. 8.12.2022 (BGBl. I S. 2230); Abs. 1 geänd. mWv 1.1.2025 und mWv 1.1.2026, Abs. 3 angef. mWv 1.1.2026 durch G v. 23.12.2024 (BGBl. 2024 I Nr. 449).

4) § 67 Sätze 3–5 angef. mWv 9.12.2014 durch G v. 2.12.2014 (BGBl. I S. 1922); Satz 1 neu gef. mWv 10.12.2020 durch G v. 3.12.2020 (BGBl. I S. 2668); Satz 1 neu gef. mWv 6.12.2024 durch G v. 2.12.2024 (BGBl. 2024 I Nr. 387).

an ihn vergebene Identifikationsnummer (§ 139b der Abgabenordnung[1]) mitzuteilen. [5] Kommt der Berechtigte dieser Verpflichtung nicht nach, teilt die zuständige Familienkasse demjenigen, der ein berechtigtes Interesse an der Leistung des Kindergeldes hat, auf seine Anfrage die Identifikationsnummer des Berechtigten mit.

§ 68[2] Besondere Mitwirkungspflichten und Offenbarungsbefugnis.

(1) [1] Wer Kindergeld beantragt oder erhält, hat Änderungen in den Verhältnissen, die für die Leistung erheblich sind oder über die im Zusammenhang mit der Leistung Erklärungen abgegeben worden sind, unverzüglich der zuständigen Familienkasse mitzuteilen. [2] Ein Kind, das das 18. Lebensjahr vollendet hat, ist auf Verlangen der Familienkasse verpflichtet, an der Aufklärung des für die Kindergeldzahlung maßgebenden Sachverhalts mitzuwirken; § 101 der Abgabenordnung[1] findet insoweit keine Anwendung.

(2) (weggefallen)

(3) Auf Antrag des Berechtigten erteilt die das Kindergeld auszahlende Stelle eine Bescheinigung über das für das Kalenderjahr ausgezahlte Kindergeld.

(4) [1] Die Familienkassen dürfen den Stellen, die die Bezüge im öffentlichen Dienst anweisen, den für die jeweilige Kindergeldzahlung maßgebenden Sachverhalt durch automatisierte Abrufverfahren bereitstellen oder Auskunft über diesen Sachverhalt erteilen. [2] Das Bundesministerium der Finanzen wird ermächtigt, durch Rechtsverordnung ohne Zustimmung des Bundesrates zur Durchführung von automatisierten Abrufen nach Satz 1 die Voraussetzungen, unter denen ein Datenabruf erfolgen darf, festzulegen.

(5) [1] Zur Erfüllung der in § 31a Absatz 2 der Abgabenordnung genannten Mitteilungspflichten und zur Prüfung der jeweiligen Anspruchsvoraussetzungen und zur Bemessung der jeweiligen Leistung dürfen die Familienkassen den Leistungsträgern, die für Leistungen der Arbeitsförderung nach § 19 Absatz 2, für Leistungen der Grundsicherung für Arbeitsuchende nach § 19a Absatz 2, für Kindergeld, Kinderzuschlag, Leistungen für Bildung und Teilhabe und Elterngeld nach § 25 Absatz 3 oder für Leistungen der Sozialhilfe nach § 28 Absatz 2 des Ersten Buches Sozialgesetzbuch[3] zuständig sind, und den nach § 9 Absatz 1 Satz 2 des Unterhaltsvorschussgesetzes[4] zuständigen Stellen den für die jeweilige Kindergeldzahlung maßgebenden Sachverhalt in einem automatisierten Abrufverfahren übermitteln. [2] Das Bundesministerium der Finanzen wird ermächtigt, durch Rechtsverordnung mit Zustimmung des Bundesrates zur Durchführung von automatisierten Abrufen nach Satz 1 die Voraussetzungen, unter denen ein Datenabruf erfolgen darf, festzulegen.

(6) [1] Zur Prüfung und Bemessung der in Artikel 3 Absatz 1 Buchstabe j in Verbindung mit Artikel 1 Buchstabe z der Verordnung (EG) Nr. 883/2004 des Europäischen Parlaments und des Rates vom 29. April 2004 zur Koordinierung der Systeme der sozialen Sicherheit (ABl. L 166 vom 30.4.2004, S. 1), die zuletzt durch die Verordnung (EU) 2017/492 (ABl. L 76 vom 22.3.2017, S. 13)

---

[1] **Steuergesetze Nr. 800.**

[2] § 68 Abs. 4 neu gef. mWv 14.12.2016 durch G v. 8.12.2016 (BGBl. I S. 2835); Überschrift geänd., Abs. 5–7 angef. mWv 18.7.2019 durch G v. 11.7.2019 (BGBl. I S. 1066); Abs. 4 Satz 1 geänd. mWv 26.11.2019 durch G v. 20.11.2019 (BGBl. I S. 1626); Abs. 5 Satz 1 geänd. mWv 6.12.2024 durch G v. *2.12.2024 (BGBl. 2024 I Nr. 387)*.

[3] Nr. **691**.

[4] **Aichberger, SGB Nr. 8/30.**

geändert worden ist, genannten Familienleistungen dürfen die Familienkassen den zuständigen öffentlichen Stellen eines Mitgliedstaates der Europäischen Union den für die jeweilige Kindergeldzahlung maßgebenden Sachverhalt durch automatisierte Abrufverfahren bereitstellen. [2]Das Bundesministerium der Finanzen wird ermächtigt, durch Rechtsverordnung ohne Zustimmung des Bundesrates zur Durchführung von automatisierten Abrufen nach Satz 1 die Voraussetzungen, unter denen ein Datenabruf erfolgen darf, festzulegen.

(7) [1]Die Datenstelle der Rentenversicherung darf den Familienkassen in einem automatisierten Abrufverfahren die zur Überprüfung des Anspruchs auf Kindergeld nach § 62 Absatz 1a und 2 erforderlichen Daten übermitteln; § 79 Absatz 2 bis 4 des Zehnten Buches Sozialgesetzbuch[1)] gilt entsprechend. [2]Die Träger der Leistungen nach dem Zweiten[2)] und Dritten Buch Sozialgesetzbuch[3)] dürfen den Familienkassen in einem automatisierten Abrufverfahren die zur Überprüfung des Anspruchs auf Kindergeld nach § 62 erforderlichen Daten übermitteln. [3]Das Bundesministerium für Arbeit und Soziales wird ermächtigt, durch Rechtsverordnung mit Zustimmung des Bundesrates die Voraussetzungen für das Abrufverfahren und Regelungen zu den Kosten des Verfahrens nach Satz 2 festzulegen.

§ 69[4)] Datenübermittlung an die Familienkassen. [1]Erfährt das Bundeszentralamt für Steuern, dass ein Kind, für das Kindergeld gezahlt wird, verzogen ist oder von Amts wegen von der Meldebehörde abgemeldet wurde, hat es der zuständigen Familienkasse unverzüglich die in § 139b Absatz 3 Nummer 1, 3, 5, 8 und 14 der Abgabenordnung[5)] genannten Daten zum Zweck der Prüfung der Rechtmäßigkeit des Bezugs von Kindergeld zu übermitteln. [2]Die beim Bundeszentralamt für Steuern gespeicherten Daten für ein Kind, für das Kindergeld gezahlt wird, werden auf Anfrage auch den Finanzämtern zur Prüfung der Rechtmäßigkeit der Berücksichtigung der Freibeträge nach § 32 Absatz 6 zur Verfügung gestellt. [3]Erteilt das Bundeszentralamt für Steuern auf Grund der Geburt eines Kindes eine neue Identifikationsnummer nach § 139b der Abgabenordnung, übermittelt es der zuständigen Familienkasse zum Zweck der Prüfung des Bezugs von Kindergeld unverzüglich

1. die in § 139b Absatz 3 Nummer 1, 3, 5, 8 und 10 der Abgabenordnung genannten Daten des Kindes sowie
2. soweit vorhanden, die in § 139b Absatz 3 Nummer 1, 3, 5, 8 und 10 und Absatz 3a der Abgabenordnung genannten Daten der Personen, bei denen für dieses Kind nach § 39e Absatz 1 ein Kinderfreibetrag berücksichtigt wird.

§ 70[6)] Festsetzung und Zahlung des Kindergeldes. (1) [1]Das Kindergeld nach § 62 wird von den Familienkassen durch Bescheid festgesetzt und ausgezahlt. [2]Die Auszahlung von festgesetztem Kindergeld erfolgt rückwirkend nur für die letzten sechs Monate vor Beginn des Monats, in dem der Antrag auf

---

[1)] **beck-online, Module Arbeitsrecht Nr. 699.**

[2)] Nr. **692.**

[3)] Nr. **700.**

[4)] § 69 eingef. mWv 1.1.2018 durch G v. 23.6.2017 (BGBl. I S. 1682); Satz 1 geänd., Sätze 2 und 3 angef. mWv 1.1.2023 durch G v. 16.12.2022 (BGBl. I S. 2294).

[5)] **Steuergesetze Nr. 800.**

[6)] § 70 Abs. 4 aufgeh. mWv 1.1.2012 durch G v. 1.11.2011 (BGBl. I S. 2131); Abs. 3 neu gef. mWv 1.1.2015 durch G v. 22.12.2014 (BGBl. I S. 2417); Abs. 1 Sätze 2 und 3 angef. mWv 18.7.2019 durch G v. 11.7.2019 (BGBl. I S. 1066).

Kindergeld eingegangen ist. [3]Der Anspruch auf Kindergeld nach § 62 bleibt von dieser Auszahlungsbeschränkung unberührt.

(2) [1]Soweit in den Verhältnissen, die für den Anspruch auf Kindergeld erheblich sind, Änderungen eintreten, ist die Festsetzung des Kindergeldes mit Wirkung vom Zeitpunkt der Änderung der Verhältnisse aufzuheben oder zu ändern. [2]Ist die Änderung einer Kindergeldfestsetzung nur wegen einer Anhebung der in § 66 Absatz 1 genannten Kindergeldbeträge erforderlich, kann von der Erteilung eines schriftlichen Änderungsbescheides abgesehen werden.

(3) [1]Materielle Fehler der letzten Festsetzung können durch Aufhebung oder Änderung der Festsetzung mit Wirkung ab dem auf die Bekanntgabe der Aufhebung oder Änderung der Festsetzung folgenden Monat beseitigt werden. [2]Bei der Aufhebung oder Änderung der Festsetzung nach Satz 1 ist § 176 der Abgabenordnung entsprechend anzuwenden; dies gilt nicht für Monate, die nach der Verkündung der maßgeblichen Entscheidung eines obersten Bundesgerichts beginnen.

§ 71[1)] Vorläufige Einstellung der Zahlung des Kindergeldes. (1) Die Familienkasse kann die Zahlung des Kindergeldes ohne Erteilung eines Bescheides vorläufig einstellen, wenn

1. sie Kenntnis von Tatsachen erhält, die kraft Gesetzes zum Ruhen oder zum Wegfall des Anspruchs führen, und
2. die Festsetzung, aus der sich der Anspruch ergibt, deshalb mit Wirkung für die Vergangenheit aufzuheben ist.

(2) [1]Soweit die Kenntnis der Familienkasse nicht auf Angaben des Berechtigten beruht, der das Kindergeld erhält, sind dem Berechtigten unverzüglich die vorläufige Einstellung der Zahlung des Kindergeldes sowie die dafür maßgeblichen Gründe mitzuteilen. [2]Ihm ist Gelegenheit zu geben, sich zu äußern.

(3) Die Familienkasse hat die vorläufig eingestellte Zahlung des Kindergeldes unverzüglich nachzuholen, soweit die Festsetzung, aus der sich der Anspruch ergibt, zwei Monate nach der vorläufigen Einstellung der Zahlung nicht mit Wirkung für die Vergangenheit aufgehoben oder geändert wird.

§ 72[2)] *(aufgehoben)*

§ 73 (weggefallen)

§ 74[3)] Zahlung des Kindergeldes in Sonderfällen. (1) [1]Das für ein Kind festgesetzte Kindergeld nach § 66 Absatz 1 kann an das Kind ausgezahlt werden, wenn der Kindergeldberechtigte ihm gegenüber seiner gesetzlichen Unterhaltspflicht nicht nachkommt. [2]Dies gilt auch, wenn der Kindergeldberechtigte mangels Leistungsfähigkeit nicht unterhaltspflichtig ist oder nur Unterhalt in Höhe eines Betrags zu leisten braucht, der geringer ist als das für die Auszahlung in Betracht kommende Kindergeld. [3]Die Auszahlung kann auch an die Person oder Stelle erfolgen, die dem Kind Unterhalt gewährt.

[1)] § 71 neu gef. mWv 18.7.2019 durch G v. 11.7.2019 (BGBl. I S. 1066).
[2)] § 72 aufgeh. mWv 1.1.2024 durch G v. 16.12.2022 (BGBl. I S. 2294).
[3)] § 74 Abs. 1 Satz 2 aufgeh., bish. Sätze 3 und 4 werden Sätze 2 und 3 mWv 6.12.2024 durch G v. 2.12.2024 (BGBl. 2024 I Nr. 387).

(2) Für Erstattungsansprüche der Träger von Sozialleistungen gegen die Familienkasse gelten die §§ 102 bis 109 und 111 bis 113 des Zehnten Buches Sozialgesetzbuch[1] entsprechend.

§ 75[2] **Aufrechnung.** (1) Mit Ansprüchen auf Erstattung von Kindergeld kann die Familienkasse gegen Ansprüche auf Kindergeld bis zu deren Hälfte aufrechnen, wenn der Leistungsberechtigte nicht nachweist, dass er dadurch hilfebedürftig im Sinne der Vorschriften des Zwölften Buches Sozialgesetzbuch[3] über die Hilfe zum Lebensunterhalt oder im Sinne der Vorschriften des Zweiten Buches Sozialgesetzbuch[4] über die Leistungen zur Sicherung des Lebensunterhalts wird.

(2) Absatz 1 gilt für die Aufrechnung eines Anspruchs auf Erstattung von Kindergeld gegen einen späteren Kindergeldanspruch eines mit dem Erstattungspflichtigen in Haushaltsgemeinschaft lebenden Berechtigten entsprechend, soweit es sich um laufendes Kindergeld für ein Kind handelt, das bei beiden berücksichtigt werden kann oder konnte.

§ 76[5] **Pfändung.** Der Anspruch auf Kindergeld kann nur wegen gesetzlicher Unterhaltsansprüche eines Kindes, für das Kindergeld festgesetzt und dem Berechtigten ausgezahlt wird, gepfändet werden.

---

[1] **beck-online, Module Arbeitsrecht Nr. 699.**
[2] § 75 Abs. 1 geänd. mWv 1.1.2015 durch G v. 22.12.2014 (BGBl. I S. 2417).
[3] **Aichberger, SGB Nr. 12.**
[4] Nr. **692**.
[5] § 76 neu gef. mWv 6.12.2024 durch G v. 2.12.2024 (BGBl. 2024 I Nr. 387).

332. Bundeskindergeldgesetz (BKGG)

In der Fassung der Bekanntmachung vom 28. Januar 2009[1)]
(BGBl. I S. 142, ber. S. 3177)

FNA 85-4

zuletzt geänd. durch Art. 10 13. G zur Änd. des Zweiten Buches Sozialgesetzbuch und anderer Gesetze v. 16.4.2026 (BGBl. 2026 I Nr. 107)

– Auszug –[2)]

Erster Abschnitt. Leistungen

§ 1[3)] Anspruchsberechtigte. (1) Kindergeld nach diesem Gesetz für seine Kinder erhält, wer nach § 1 Absatz 1 und 2 des Einkommensteuergesetzes[4)] nicht unbeschränkt steuerpflichtig ist und auch nicht nach § 1 Absatz 3 des Einkommensteuergesetzes als unbeschränkt steuerpflichtig behandelt wird und

1. in einem Versicherungspflichtverhältnis zur Bundesagentur für Arbeit nach dem Dritten Buch Sozialgesetzbuch[5)] steht oder versicherungsfrei nach § 28 Absatz 1 Nummer 1 des Dritten Buches Sozialgesetzbuch ist oder
2. als Entwicklungshelfer Unterhaltsleistungen im Sinne des § 4 Absatz 1 Nummer 1 des Entwicklungshelfer-Gesetzes[6)] erhält oder als Missionar der Missionswerke und -gesellschaften, die Mitglieder oder Vereinbarungspartner des Evangelischen Missionswerkes Hamburg, der Arbeitsgemeinschaft Evangelikaler Missionen e.V., des Deutschen katholischen Missionsrates oder der Arbeitsgemeinschaft pfingstlich-charismatischer Missionen sind, tätig ist oder
3. eine nach § 123a des Beamtenrechtsrahmengesetzes[7)] oder § 29 des Bundesbeamtengesetzes[8)] oder nach § 20 des Beamtenstatusgesetzes[9)] bei einer Einrichtung außerhalb Deutschlands zugewiesene Tätigkeit ausübt oder
4. als Ehegatte oder Lebenspartner eines Mitglieds der Truppe oder des zivilen Gefolges eines NATO-Mitgliedstaates die Staatsangehörigkeit eines EU/EWR-Mitgliedstaates besitzt und in Deutschland seinen Wohnsitz oder gewöhnlichen Aufenthalt hat.

(2) [1] Kindergeld für sich selbst erhält, wer

1. in Deutschland einen Wohnsitz oder seinen gewöhnlichen Aufenthalt hat,

---

[1)] Neubekanntmachung des BundeskindergeldG idF der Bek. v. 17.7.2007 (BGBl. I S. 1450) in der ab 1.1.2009 geltenden Fassung.

[2)] Vollständig wiedergegeben in **beck-online, Module Arbeitsrecht.**

[3)] § 1 Abs. 1 Nr. 3 neu gef. mWv 1.4.2009 durch G v. 17.6.2008 (BGBl. I S. 1010); Abs. 1 Nr. 3 geänd. mWv 12.2.2009 durch G v. 5.2.2009 (BGBl. I S. 160); Abs. 1 Nr. 3 geänd. mWv 1.1.2012 durch G v. 1.11.2011 (BGBl. I S. 2131); Abs. 1 Nr. 4 geänd. mWv 24.7.2014 durch G v. 18.7.2014 (BGBl. I S. 1042); Abs. 3 Nr. 2 Buchst. c geänd., Worlaut vor Nr. 3 aufgeh., Nr. 3 Buchst. b geänd., Wortlaut nach Nr. 3 Buchst. b eingef., Nr. 4 angef. mWv 1.1.2020, Abs. 3 neu gef. mWv 1.3.2020 durch G v. 12.12.2019 (BGBl. I S. 2451); Abs. 3 Nr. 2 Buchst. c geänd. mWv 1.6.2022 durch G v. 23.5.2022 (BGBl. I S. 760); Abs. 3 Satz 1 Nr. 2 Buchst. a und b geänd. mWv 6.12.2024 durch G v. 2.12.2024 (BGBl. 2024 I Nr. 387).

[4)] **beck-online, Module Arbeitsrecht Nr. 331.**

[5)] Nr. **700**.

[6)] **beck-online, Module Arbeitsrecht Nr. 425.**

[7)] **Sartorius Nr. 150a.**

[8)] **Sartorius Nr. 160.**

[9)] **Sartorius Nr. 150.**

2. Vollwaise ist oder den Aufenthalt seiner Eltern nicht kennt und
3. nicht bei einer anderen Person als Kind zu berücksichtigen ist.

[2] § 2 Absatz 2 und 3 sowie die §§ 4 und 5 sind entsprechend anzuwenden. [3] Im Fall des § 2 Absatz 2 Satz 1 Nummer 3 wird Kindergeld längstens bis zur Vollendung des 25. Lebensjahres[1)] gewährt.

(3) [1] Ein nicht freizügigkeitsberechtigter Ausländer erhält Kindergeld nur, wenn er

1. eine Niederlassungserlaubnis oder eine Erlaubnis zum Daueraufenthalt-EU besitzt,
2. eine Blaue Karte EU, eine ICT-Karte, eine Mobiler-ICT-Karte oder eine Aufenthaltserlaubnis besitzt, die für einen Zeitraum von mindestens sechs Monaten zur Ausübung einer Erwerbstätigkeit berechtigen oder berechtigt haben oder diese erlauben, es sei denn, die Aufenthaltserlaubnis wurde
   a) nach § 16e des Aufenthaltsgesetzes[2)] zu Ausbildungszwecken, nach § 19c Absatz 1 des Aufenthaltsgesetzes[3)] zum Zweck der Beschäftigung als Au-Pair oder zum Zweck der Saisonbeschäftigung, nach § 19e des Aufenthaltsgesetzes[3)] zum Zweck der Teilnahme an einem Europäischen Freiwilligendienst oder nach § 20a Absatz 5 Satz 1 des Aufenthaltsgesetzes[3)] zur Suche nach einer Erwerbstätigkeit oder nach Maßnahmen zur Anerkennung ausländischer Berufsqualifikationen erteilt,
   b) nach § 16b des Aufenthaltsgesetzes[2)] zum Zweck eines Studiums, nach § 16d des Aufenthaltsgesetzes[2)] für Maßnahmen zur Anerkennung ausländischer Berufsqualifikationen, nach § 20 des Aufenthaltsgesetzes[3)] zur Suche nach einer Erwerbstätigkeit oder nach § 20a Absatz 5 Satz 2 des Aufenthaltsgesetzes[3)] zur Suche nach einer Erwerbstätigkeit oder nach Maßnahmen zur Anerkennung ausländischer Berufsqualifikationen erteilt und er ist weder erwerbstätig noch nimmt er Elternzeit nach § 15 des Bundeselterngeld- und Elternzeitgesetzes[4)] oder laufende Geldleistungen nach dem Dritten Buch Sozialgesetzbuch in Anspruch,
   c) nach § 23 Absatz 1 des Aufenthaltsgesetzes[2)] wegen eines Krieges in seinem Heimatland oder nach den § 23a oder § 25 Absatz 3 bis 5 des Aufenthaltsgesetzes[2)] erteilt,
3. eine in Nummer 2 Buchstabe c genannte Aufenthaltserlaubnis besitzt und im Bundesgebiet berechtigt erwerbstätig ist oder Elternzeit nach § 15 des Bundeselterngeld- und Elternzeitgesetzes[4)] oder laufende Geldleistungen nach dem Dritten Buch Sozialgesetzbuch in Anspruch nimmt,
4. eine in Nummer 2 Buchstabe c genannte Aufenthaltserlaubnis besitzt und sich seit mindestens 15 Monaten erlaubt, gestattet oder geduldet im Bundesgebiet aufhält oder
5. eine Beschäftigungsduldung gemäß § 60d in Verbindung mit § 60a Absatz 2 Satz 3 des Aufenthaltsgesetzes[2)] besitzt.

[2] Abweichend von Satz 1 Nummer 3 erste Alternative erhält ein minderjähriger nicht freizügigkeitsberechtigter Ausländer unabhängig von einer Erwerbstätigkeit Kindergeld.

[1)] Siehe hierzu die Übergangsvorschrift in § 20 Abs. 8.
[2)] **beck-online, Module Arbeitsrecht Nr. 760.**
[3)] Nr. **760**.
[4)] Nr. **401**.

§ 2[1)] Kinder. (1) Als Kinder werden auch berücksichtigt
1. vom Berechtigten in seinen Haushalt aufgenommene Kinder seines Ehegatten oder Lebenspartners,
2. Pflegekinder (Personen, mit denen der Berechtigte durch ein familienähnliches, auf Dauer berechnetes Band verbunden ist, sofern er sie nicht zu Erwerbszwecken in seinen Haushalt aufgenommen hat und das Obhuts- und Pflegeverhältnis zu den Eltern nicht mehr besteht),
3. vom Berechtigten in seinen Haushalt aufgenommene Enkel.

(2) [1] Ein Kind, das das 18. Lebensjahr vollendet hat, wird berücksichtigt, wenn es
1. noch nicht das 21. Lebensjahr vollendet hat, nicht in einem Beschäftigungsverhältnis steht und bei einer Agentur für Arbeit im Inland als Arbeitsuchender gemeldet ist oder
2. noch nicht das 25. Lebensjahr vollendet hat und
   a) für einen Beruf ausgebildet wird oder
   b) sich in einer Übergangszeit von höchstens vier Monaten befindet, die zwischen zwei Ausbildungsabschnitten oder zwischen einem Ausbildungsabschnitt und der Ableistung des gesetzlichen Wehr- oder Zivildienstes, einer vom Wehr- oder Zivildienst befreienden Tätigkeit als Entwicklungshelfer oder als Dienstleistender im Ausland nach § 14b des Zivildienstgesetzes[2)] oder der Ableistung des freiwilligen Wehrdienstes nach § 58b des Soldatengesetzes oder der Ableistung eines freiwilligen Dienstes im Sinne des Buchstaben d liegt, oder
   c) eine Berufsausbildung mangels Ausbildungsplatzes nicht beginnen oder fortsetzen kann oder
   d) einen der folgenden freiwilligen Dienste leistet:
      aa) ein freiwilliges soziales Jahr im Sinne des Jugendfreiwilligendienstegesetzes[3)],
      bb) ein freiwilliges ökologisches Jahr im Sinne des Jugendfreiwilligendienstegesetzes,
      cc) einen Bundesfreiwilligendienst im Sinne des Bundesfreiwilligendienstgesetzes[4)],
      dd) eine Freiwilligentätigkeit im Rahmen des Europäischen Solidaritätskorps im Sinne der Verordnung (EU) 2021/888 des Europäischen Parlaments und des Rates vom 20. Mai 2021 zur Aufstellung des

---

[1)] § 2 Abs. 2 Satz 1 Nr. 2 Buchst. d, Satz 2 geänd. mWv 23.7.2009 durch G v. 16.7.2009 (BGBl. I S. 1959); Abs. 2 Sätze 2 und 3 neu gef., Sätze 4–10 aufgeh., Abs. 3 Satz 3 geänd. mWv 1.1.2012 durch G v. 1.11.2011 (BGBl. I S. 2131); Abs. 2 Satz 1 Nr. 2 Buchst. d geänd. mWv 1.1.2011 durch G v. 7.12.2011 (BGBl. I S. 2592); Abs. 2 Satz 1 Nr. 2 Buchst. d, Satz 2 geänd. mWv 1.1.2012 durch G v. 26.6.2013 (BGBl. I S. 1809); Abs. 1 Nr. 1 geänd. mWv 24.7.2014 durch G v. 18.7.2014 (BGBl. I S. 1042); Abs. 2 Satz 1 Nr. 2 Buchst. d geänd. mWv 31.7.2014 durch G v. 25.7.2014 (BGBl. I S. 1266); Abs. 2 Satz 1 Nr. 2 Buchst. b geänd. mWv 1.1.2015 durch G v. 22.12.2014 (BGBl. I S. 2417); Abs. 2 Satz 1 Nr. 2 Buchst. d geänd. mWv 1.1.2019 durch G v. 29.11.2018 (BGBl. I S. 2210); Abs. 2 Satz 1 Nr. 2 Buchst. d geänd. mWv 18.7.2019 durch G v. 11.7.2019 (BGBl. I S. 1066); Abs. 2 Satz 1 Nr. 2 Buchst. d neu gef. mWv 21.12.2022 durch G v. 16.12.2022 (BGBl. I S. 2294).

[2)] **beck-online, Module Arbeitsrecht Nr. 156c.**

[3)] Nr. **422**.

[4)] Nr. **422a**.

Programms für das Europäische Solidaritätskorps und zur Aufhebung der Verordnungen (EU) 2018/1475 und (EU) Nr. 375/2014 (ABl. L 202 vom 8.6.2021, S. 32),

ee) einen anderen Dienst im Ausland im Sinne von § 5 des Bundesfreiwilligendienstgesetzes,

ff) einen entwicklungspolitischen Freiwilligendienst „weltwärts" im Sinne der Förderleitlinie des Bundesministeriums für wirtschaftliche Zusammenarbeit und Entwicklung vom 1. Januar 2016,

gg) einen Freiwilligendienst aller Generationen im Sinne von § 2 Absatz 1a des Siebten Buches Sozialgesetzbuch[1] oder

hh) einen Internationalen Jugendfreiwilligendienst im Sinne der Richtlinie des Bundesministeriums für Familie, Senioren, Frauen und Jugend vom 4. Januar 2021 (GMBl S. 77) oder

3. wegen körperlicher, geistiger oder seelischer Behinderung außerstande ist, sich selbst zu unterhalten; Voraussetzung ist, dass die Behinderung vor Vollendung des 25. Lebensjahres eingetreten ist.

[2] Nach Abschluss einer erstmaligen Berufsausbildung oder eines Erststudiums wird ein Kind in den Fällen des Satzes 1 Nummer 2 nur berücksichtigt, wenn das Kind keiner Erwerbstätigkeit nachgeht. [3] Eine Erwerbstätigkeit mit bis zu 20 Stunden regelmäßiger wöchentlicher Arbeitszeit, ein Ausbildungsdienstverhältnis oder ein geringfügiges Beschäftigungsverhältnis im Sinne der §§ 8 und 8a des Vierten Buches Sozialgesetzbuch[2] sind unschädlich.

(3) [1] In den Fällen des Absatzes 2 Satz 1 Nummer 1 oder Nummer 2 Buchstabe a und b wird ein Kind, das

1. den gesetzlichen Grundwehrdienst oder Zivildienst geleistet hat oder
2. sich an Stelle des gesetzlichen Grundwehrdienstes freiwillig für die Dauer von nicht mehr als drei Jahren zum Wehrdienst verpflichtet hat oder
3. eine vom gesetzlichen Grundwehrdienst oder Zivildienst befreiende Tätigkeit als Entwicklungshelfer im Sinne des § 1 Absatz 1 des Entwicklungshelfer-Gesetzes[3] ausgeübt hat,

für einen der Dauer dieser Dienste oder der Tätigkeit entsprechenden Zeitraum, höchstens für die Dauer des inländischen gesetzlichen Grundwehrdienstes, bei anerkannten Kriegsdienstverweigerern für die Dauer des inländischen gesetzlichen Zivildienstes über das 21. oder 25. Lebensjahr hinaus berücksichtigt. [2] Wird der gesetzliche Grundwehrdienst oder Zivildienst in einem Mitgliedstaat der Europäischen Union oder einem Staat, auf den das Abkommen über den Europäischen Wirtschaftsraum Anwendung findet, geleistet, so ist die Dauer dieses Dienstes maßgebend. [3] Absatz 2 Satz 2 und 3 gilt entsprechend.

(4) [1] Kinder, für die einer anderen Person nach dem Einkommensteuergesetz[4] Kindergeld oder ein Kinderfreibetrag zusteht, werden nicht berücksichtigt. [2] Dies gilt nicht für Kinder, die in den Haushalt des Anspruchsberechtigten nach § 1 aufgenommen worden sind oder für die dieser die höhere Unterhaltsrente zahlt, wenn sie weder in seinen Haushalt noch in den Haushalt eines nach § 62 des Einkommensteuergesetzes Anspruchsberechtigten aufgenommen sind.

---

[1] Nr. 697.
[2] *Nr. 694.*
[3] **beck-online, Module Arbeitsrecht Nr. 425.**
[4] **beck-online, Module Arbeitsrecht Nr. 331.**

(5) [1] Kinder, die weder einen Wohnsitz noch ihren gewöhnlichen Aufenthalt in Deutschland haben, werden nicht berücksichtigt. [2] Dies gilt nicht gegenüber Berechtigten nach § 1 Absatz 1 Nummer 2 und 3, wenn sie die Kinder in ihren Haushalt aufgenommen haben.

(6) Die Bundesregierung wird ermächtigt, durch Rechtsverordnung, die nicht der Zustimmung des Bundesrates bedarf, zu bestimmen, dass einem Berechtigten, der in Deutschland erwerbstätig ist oder sonst seine hauptsächlichen Einkünfte erzielt, für seine in Absatz 5 Satz 1 bezeichneten Kinder Kindergeld ganz oder teilweise zu leisten ist, soweit dies mit Rücksicht auf die durchschnittlichen Lebenshaltungskosten für Kinder in deren Wohnland und auf die dort gewährten dem Kindergeld vergleichbaren Leistungen geboten ist.

§ 3[1)] Zusammentreffen mehrerer Ansprüche. (1) Für jedes Kind werden nur einer Person Kindergeld, Kinderzuschlag und Leistungen für Bildung und Teilhabe gewährt.

(2) [1] Erfüllen für ein Kind mehrere Personen die Anspruchsvoraussetzungen, so werden das Kindergeld, der Kinderzuschlag und die Leistungen für Bildung und Teilhabe derjenigen Person gewährt, die das Kind in ihren Haushalt aufgenommen hat. [2] Ist ein Kind in den gemeinsamen Haushalt von Eltern, von einem Elternteil und dessen Ehegatten oder Lebenspartner, von Pflegeeltern oder Großeltern aufgenommen worden, bestimmen diese untereinander den Berechtigten. [3] Wird eine Bestimmung nicht getroffen, bestimmt das Familiengericht auf Antrag den Berechtigten. [4] Antragsberechtigt ist, wer ein berechtigtes Interesse an der Leistung des Kindergeldes hat. [5] Lebt ein Kind im gemeinsamen Haushalt von Eltern und Großeltern, werden das Kindergeld, der Kinderzuschlag und die Leistungen für Bildung und Teilhabe vorrangig einem Elternteil gewährt; sie werden an einen Großelternteil gewährt, wenn der Elternteil gegenüber der zuständigen Stelle auf seinen Vorrang schriftlich verzichtet hat.

(3) [1] Ist das Kind nicht in den Haushalt einer der Personen aufgenommen, die die Anspruchsvoraussetzungen erfüllen, wird das Kindergeld derjenigen Person gewährt, die dem Kind eine Unterhaltsrente zahlt. [2] Zahlen mehrere anspruchsberechtigte Personen dem Kind Unterhaltsrenten, wird das Kindergeld derjenigen Person gewährt, die dem Kind laufend die höchste Unterhaltsrente zahlt. [3] Werden gleich hohe Unterhaltsrenten gezahlt oder zahlt keiner der Berechtigten dem Kind Unterhalt, so bestimmen die Berechtigten untereinander, wer das Kindergeld erhalten soll. [4] Wird eine Bestimmung nicht getroffen, so gilt Absatz 2 Satz 3 und 4 entsprechend.

§ 4[2)] Andere Leistungen für Kinder. [1] Kindergeld wird nicht für ein Kind gezahlt, für das eine der folgenden Leistungen zu zahlen ist oder bei entsprechender Antragstellung zu zahlen wäre:

1. Leistungen für Kinder, die im Ausland gewährt werden und dem Kindergeld oder der Kinderzulage aus der gesetzlichen Unfallversicherung nach § 217

[1)] § 3 Abs. 2 Satz 3 geänd. mWv 1.9.2009 durch G v. 17.12.2008 (BGBl. I S. 2586); Abs. 1, Abs. 2 Sätze 1 und 5 geänd. mWv 1.1.2011 durch G v. 24.3.2011 (BGBl. I S. 453); Abs. 2 Satz 2 neu gef. mWv 24.7.2014 durch G v. 18.7.2014 (BGBl. I S. 1042).

[2)] § 4 Abs. 1 Satz 2 geänd. mWv 24.7.2014 durch G v. 18.7.2014 (BGBl. I S. 1042); Abs. 2 aufgeh., Satz 1 neu gef., Satz 2 geänd. mWv 21.12.2022 durch G v. 16.12.2022 (BGBl. I S. 2294).

Absatz 3 des Siebten Buches Sozialgesetzbuch[1] in der bis zum 30. Juni 2020 geltenden Fassung oder dem Kinderzuschuss aus der gesetzlichen Rentenversicherung nach § 270 des Sechsten Buches Sozialgesetzbuch[2] in der bis zum 16. November 2016 geltenden Fassung vergleichbar sind,

2. Leistungen für Kinder, die von einer zwischen- oder überstaatlichen Einrichtung gewährt werden und dem Kindergeld vergleichbar sind.

[2] Steht ein Berechtigter in einem Versicherungspflichtverhältnis zur Bundesagentur für Arbeit nach dem Dritten Buch Sozialgesetzbuch[3] oder ist er versicherungsfrei nach § 28 Absatz 1 Nummer 1 des Dritten Buches Sozialgesetzbuch oder steht er in Deutschland in einem öffentlich-rechtlichen Dienst- oder Amtsverhältnis, so wird sein Anspruch auf Kindergeld für ein Kind nicht nach Satz 1 Nummer 2 mit Rücksicht darauf ausgeschlossen, dass sein Ehegatte oder Lebenspartner als Beamter, Ruhestandsbeamter oder sonstiger Bediensteter der Europäischen Gemeinschaften für das Kind Anspruch auf Kinderzulage hat.

§ 5[4] Beginn und Ende des Anspruchs. (1) Das Kindergeld, der Kinderzuschlag und die Leistungen für Bildung und Teilhabe werden vom Beginn des Monats an gewährt, in dem die Anspruchsvoraussetzungen erfüllt sind; sie werden bis zum Ende des Monats gewährt, in dem die Anspruchsvoraussetzungen wegfallen.

(2) Das Kindergeld wird rückwirkend nur für die letzten sechs Monate vor Beginn des Monats gezahlt, in dem der Antrag auf Kindergeld eingegangen ist.

(3) [1] Der Kinderzuschlag wird nicht für Zeiten vor der Antragstellung gewährt. [2] § 28 des Zehnten Buches Sozialgesetzbuch[5] gilt mit der Maßgabe, dass der Antrag unverzüglich nach Ablauf des Monats, in dem die Ablehnung oder Erstattung der anderen Leistungen bindend geworden ist, nachzuholen ist.

§ 6[6] Höhe des Kindergeldes. (1) Das Kindergeld beträgt monatlich für jedes Kind 259 Euro.

(2) [1] Werden die Freibeträge für Kinder nach § 31 Satz 1 in Verbindung mit § 32 Absatz 6 Satz 1 des Einkommensteuergesetzes[7] angehoben, wird das

---

[1] Nr. **697**.

[2] **beck-online, Module Arbeitsrecht Nr. 696.**

[3] Nr. **700**.

[4] § 5 Abs. 1 und 2 geänd. mWv 1.1.2011 durch G v. 24.3.2011 (BGBl. I S. 453); Abs. 2 geänd. mWv 1.7.2013 durch G v. 3.5.2013 (BGBl. I S. 1108); Abs. 2 neu gef., Abs. 3 angef. mWv 1.7.2019, Abs. 3 Satz 2 geänd. mWv 1.1.2020 durch G v. 29.4.2019 (BGBl. I S. 530); Abs. 3 Satz 2 aufgeh., bish. Satz 3 wird Satz 2 mWv 1.1.2021 durch G v. 1.12.2020 (BGBl. I S. 2616).

[5] Nr. **699**.

[6] § 6 Abs. 3 angef. mWv 6.3.2009 durch G v. 2.3.2009 (BGBl. I S. 416); Abs. 1 neu gef., Abs. 2 geänd. mWv 1.1.2010 durch G v. 22.12.2009 (BGBl. I S. 3950); Abs. 1 neu gef., Abs. 2 geänd. mWv 1.1.2015 und mWv 1.1.2016 durch G v. 16.7.2015 (BGBl. I S. 1202); Abs. 1 neu gef., Abs. 2 geänd. mWv 1.1.2017 und Abs. 1 neu gef., Abs. 2 geänd. mWv 1.1.2018 durch G v. 20.12.2016 (BGBl. I S. 3000); Abs. 3 neu gef. mWv 1.1.2018 durch G v. 23.6.2017 (BGBl. I S. 1682); Abs. 1 neu gef., Abs. 2 geänd. mWv 1.7.2019 durch G v. 29.11.2018 (BGBl. I S. 2210); Abs. 3 aufgeh. mWv 1.7.2019 durch G v. 29.4.2019 (BGBl. I S. 530); Abs. 3 angef. mWv 1.7.2020 durch G v. 29.6.2020 (BGBl. I S. 1512); Abs. 1 neu gef., Abs. 2 geänd. mWv 1.1.2021 durch G v. 1.12.2020 (BGBl. I S. 2616); Abs. 3 neu gef. mWv 18.3.2021 durch G v. 10.3.2021 (BGBl. I S. 330); Abs. 3 Sätze 1 und 2 geänd. mWv 28.5.2022 durch G v. 23.5.2022 (BGBl. I S. 749); Abs. 1 neu gef. Abs. 2 aufgeh. mWv 1.1.2023 durch *G v. 8.12.2022 (BGBl. I S. 2230)*; Abs. 1 geänd. mWv 1.1.2025 , Abs. 1 geänd., Abs. 2 neu gef. mWv 1.1.2026 durch G v. 23.12.2024 (BGBl. 2024 I Nr. 449).

[7] **beck-online, Module Arbeitsrecht Nr. 331.**

Kindergeld entsprechend erhöht. [2]Das Kindergeld ist dabei auf volle Euro kaufmännisch zu runden.

(3) [1]Darüber hinaus wird für jedes Kind, für das für den Monat Juli 2022 ein Anspruch auf Kindergeld besteht, für den Monat Juli 2022 ein Einmalbetrag in Höhe von 100 Euro gezahlt. [2]Ein Anspruch in Höhe des Einmalbetrags von 100 Euro für das Kalenderjahr 2022 besteht auch für ein Kind, für das nicht für den Monat Juli 2022, jedoch für mindestens einen anderen Kalendermonat im Kalenderjahr 2022 ein Anspruch auf Kindergeld besteht.

§§ 6a, 6b *(hier nicht wiedergegeben)*

Zweiter Abschnitt. Organisation und Verfahren

§ 7[1)] Zuständigkeit. (1) Die Bundesagentur für Arbeit (Bundesagentur) führt dieses Gesetz nach fachlichen Weisungen des Bundesministeriums für Familie, Senioren, Frauen und Jugend durch.

(2) Die Bundesagentur führt bei der Durchführung dieses Gesetzes die Bezeichnung „Familienkasse".

(3) Abweichend von Absatz 1 führen die Länder § 6b als eigene Angelegenheit aus.

§ 7a[2)] Datenübermittlung. (1) Die Träger der Leistungen nach § 6b und die Träger der Grundsicherung für Arbeitsuchende teilen sich alle Tatsachen mit, die für die Erbringung und Abrechnung der Leistungen nach § 6b dieses Gesetzes und § 28 des Zweiten Buches Sozialgesetzbuch[3)] erforderlich sind.

(2) [1]Die zuständige Familienkasse übermittelt dem Bundeszentralamt für Steuern unter den Vorgaben des § 139b Absatz 10 Satz 2 und 3 der Abgabenordnung[4)] die internationale Bankkontonummer (IBAN), bei ausländischen Kreditinstituten auch den internationalen Banken-Identifizierungsschlüssel (BIC), des Kontos, auf welches das Kindergeld zuletzt ausgezahlt worden ist. [2]Ist in den Fällen des Satzes 1 der Familienkasse die Identifikationsnummer nicht bekannt, darf sie diese Identifikationsnummer unter Angabe der in § 139b Absatz 3 der Abgabenordnung genannten Daten beim Bundeszentralamt für Steuern abfragen.

§ 7b[5)] Automatisiertes Abrufverfahren. Macht das Bundesministerium der Finanzen von seiner Ermächtigung nach § 68 Absatz 6 Satz 2 des Einkommensteuergesetzes[6)] Gebrauch und erlässt eine Rechtsverordnung zur Durchführung von automatisierten Abrufen nach § 68 Absatz 6 Satz 1 des Einkommensteuergesetzes, so ist die Rechtsverordnung im Geltungsbereich dieses Gesetzes entsprechend anzuwenden.

[1)] § 7 Überschrift neu gef., Abs. 3 angef. mWv 1.1.2011 durch G v. 24.3.2011 (BGBl. I S. 453).

[2)] § 7a eingef. mWv 1.1.2011 durch G v. 24.3.2011 (BGBl. I S. 453); Abs. 2 angef. mWv 6.12.2024 durch G v. 2.12.2024 (BGBl. 2024 I Nr. 387).

[3)] Nr. **692.**

[4)] **Steuergesetze Nr. 800.**

[5)] § 7b eingef. mWv 18.7.2019 durch G v. 11.7.2019 (BGBl. I S. 1066).

[6)] **beck-online, Module Arbeitsrecht Nr. 331.**

§ 8[1] Aufbringung der Mittel. (1) Die Aufwendungen der Bundesagentur für die Durchführung dieses Gesetzes trägt der Bund.

(2) Der Bund stellt der Bundesagentur nach Bedarf die Mittel bereit, die sie für die Zahlung des Kindergeldes und des Kinderzuschlags benötigt.

(3) [1]Der Bund erstattet die Verwaltungskosten, die der Bundesagentur aus der Durchführung dieses Gesetzes entstehen. [2]Näheres wird durch Verwaltungsvereinbarung geregelt.

(4) Abweichend von den Absätzen 1 bis 3 tragen die Länder die Ausgaben für die Leistungen nach § 6b und ihre Durchführung.

§ 9[2] Antrag. (1) [1]Das Kindergeld und der Kinderzuschlag sind schriftlich zu beantragen. [2]Der Antrag soll bei der nach § 13 zuständigen Familienkasse gestellt werden. [3]Den Antrag kann außer dem Berechtigten auch stellen, wer ein berechtigtes Interesse an der Leistung des Kindergeldes hat.

(2) [1]Vollendet ein Kind das 18. Lebensjahr, so wird es für den Anspruch auf Kindergeld nur dann weiterhin berücksichtigt, wenn der oder die Berechtigte anzeigt, dass die Voraussetzungen des § 2 Absatz 2 vorliegen. [2]Absatz 1 gilt entsprechend.

(3) [1]Die Leistungen für Bildung und Teilhabe sind bei der zuständigen Stelle zu beantragen. [2]Absatz 1 Satz 3 gilt entsprechend.

§ 10[3] Auskunftspflicht. (1) [1]§ 60 Absatz 1 des Ersten Buches Sozialgesetzbuch[4] gilt auch für die bei dem Antragsteller oder Berechtigten berücksichtigten Kinder, für den nicht dauernd getrennt lebenden Ehegatten des Antragstellers oder Berechtigten und für die sonstigen Personen, bei denen die bezeichneten Kinder berücksichtigt werden. [2]§ 60 Absatz 4 des Zweiten Buches Sozialgesetzbuch[5] gilt entsprechend.

(2) Soweit es zur Durchführung der §§ 2 und 6a erforderlich ist, hat der jeweilige Arbeitgeber der in diesen Vorschriften bezeichneten Personen auf Verlangen der zuständigen Stelle eine Bescheinigung über den Arbeitslohn, die einbehaltenen Steuern und Sozialabgaben auszustellen.

(3) Die Familienkassen können den nach Absatz 2 Verpflichteten eine angemessene Frist zur Erfüllung der Pflicht setzen.

§ 11[6] Gewährung des Kindergeldes und des Kinderzuschlags.

(1) Das Kindergeld und der Kinderzuschlag werden monatlich gewährt.

(2) Auszuzahlende Beträge sind auf Euro *abzurunden*[7], und zwar unter 50 Cent nach unten, sonst nach oben.

---

[1] § 8 Überschrift geänd., Abs. 4 angef. mWv 1.1.2011 durch G v. 24.3.2011 (BGBl. I S. 453); Abs. 2 und Abs. 3 Satz 1 geänd., Satz 2 angef. mWv 1.1.2021 durch G v. 1.12.2020 (BGBl. I S. 2616).

[2] § 9 Abs. 3 angef. mWv 1.1.2011 durch G v. 24.3.2011 (BGBl. I S. 453); Abs. 3 Satz 1 geänd. mWv 1.7.2019 durch G v. 29.4.2019 (BGBl. I S. 530.

[3] § 10 Abs. 2 geänd. mWv 1.1.2012 durch G v. 7.12.2011 (BGBl. I S. 2592); Abs. 1 Satz 2 angef. mWv 24.7.2014 durch G v. 18.7.2014 (BGBl. I S. 1042).

[4] Nr. **691**.

[5] Nr. **692**.

[6] § 11 Überschrift und Abs. 1 geänd. mWv 1.1.2011 durch G v. 24.3.2011 (BGBl. I S. 453); Abs. 5 und 6 angef. mWv 1.8.2016 durch G v. 26.7.2016 (BGBl. I S. 1824); Abs. 5 aufgeh., bish. Abs. 6 wird *Abs. 5, neuer Abs. 6 angef.* mWv 1.7.2019 durch G v. 29.4.2019 (BGBl. I S. 530); Abs. 3 eingef., bish. Abs. 3–6 werden Abs. 4–7 mWv 1.1.2026 durch G v. 22.12.2025 (BGBl. 2025 I Nr. 355).

[7] Richtig wohl: „zu runden".

(3) [1] Abweichend von § 47 Absatz 1 des Ersten Buches Sozialgesetzbuch[1)] werden das sozialrechtliche Kindergeld und der Kinderzuschlag ausschließlich auf das angegebene Konto bei einem Geldinstitut, für das die Verordnung (EU) Nr. 260/2012 gilt, überwiesen. [2] Die Überweisung erfolgt kostenfrei.

(4) § 45 Absatz 3 des Zehnten Buches Sozialgesetzbuch[2)] findet keine Anwendung.

(5) Ein rechtswidriger nicht begünstigender Verwaltungsakt ist abweichend von § 44 Absatz 1 des Zehnten Buches Sozialgesetzbuch[2)] für die Zukunft zurückzunehmen; er kann ganz oder teilweise auch für die Vergangenheit zurückgenommen werden.

(6) Wird ein Verwaltungsakt über die Bewilligung von Kinderzuschlag aufgehoben, sind bereits erbrachte Leistungen abweichend von § 50 Absatz 1 des Zehnten Buches Sozialgesetzbuch[2)] nicht zu erstatten, soweit der Bezug von Kinderzuschlag den Anspruch auf Leistungen nach dem Zweiten Buch Sozialgesetzbuch[3)] ausschließt oder mindert.

(7) Entsprechend anwendbar sind die Vorschriften des Dritten Buches Sozialgesetzbuch über

1. die Aufhebung von Verwaltungsakten (§ 330 Absatz 2, 3 Satz 1) sowie
2. die vorläufige Zahlungseinstellung nach § 331 mit der Maßgabe, dass die Familienkasse auch zur teilweisen Zahlungseinstellung berechtigt ist, wenn sie von Tatsachen Kenntnis erhält, die zu einem geringeren Leistungsanspruch führen.

§ 12 Aufrechnung. § 51 des Ersten Buches Sozialgesetzbuch[1)] gilt für die Aufrechnung eines Anspruchs auf Erstattung von Kindergeld und Kinderzuschlag gegen einen späteren Anspruch auf Kindergeld und Kinderzuschlag eines oder einer mit dem Erstattungspflichtigen in Haushaltsgemeinschaft lebenden Berechtigten entsprechend, soweit es sich um laufendes Kindergeld oder laufenden Kinderzuschlag für ein Kind handelt, das bei beiden berücksichtigt werden konnte.

§ 13[4)] Zuständige Stelle. (1) [1] Für die Entgegennahme des Antrags und die Entscheidungen über den Anspruch ist die Familienkasse (§ 7 Absatz 2) zuständig, in deren Bezirk der Berechtigte seinen Wohnsitz hat. [2] Hat der Berechtigte keinen Wohnsitz im Geltungsbereich dieses Gesetzes, ist die Familienkasse zuständig, in deren Bezirk er seinen gewöhnlichen Aufenthalt hat. [3] Hat der Berechtigte im Geltungsbereich dieses Gesetzes weder einen Wohnsitz noch einen gewöhnlichen Aufenthalt, ist die Familienkasse zuständig, in deren Bezirk er erwerbstätig ist. [4] In den übrigen Fällen ist die Familienkasse Bayern Nord zuständig.

(2) Die Entscheidungen über den Anspruch trifft die Leitung der Familienkasse.

[1)] Nr. **691**.
[2)] Nr. **699**.
[3)] Nr. **692**.
[4)] § 13 Überschrift geänd., Abs. 4 angef. mWv 1.1.2011 durch G v. 24.3.2011 (BGBl. I S. 453); Abs. 1 Satz 4, Abs. 3 geänd. mWv 1.1.2021 durch G v. 1.12.2020 (BGBl. I S. 2616).

(3) Der Vorstand der Bundesagentur kann für bestimmte Bezirke oder Gruppen von Berechtigten die Entscheidungen über den Anspruch auf Kindergeld und Kinderzuschlag einheitlich einer anderen Familienkasse übertragen.

(4) Für die Leistungen nach § 6b bestimmen abweichend von den Absätzen 1 und 2 die Landesregierungen oder die von ihnen beauftragten Stellen die für die Durchführung zuständigen Behörden.

§ 14[1)] Bescheid, Bekanntgabe von Verwaltungsakten durch Bereitstellung zum Datenabruf. (1) [1] Wird der Antrag auf Kindergeld, Kinderzuschlag oder Leistungen für Bildung und Teilhabe abgelehnt, ist ein Bescheid zu erteilen. [2] Das Gleiche gilt, wenn das Kindergeld, der Kinderzuschlag oder die Leistungen für Bildung und Teilhabe entzogen werden.

(2) Abweichend von § 37 Absatz 2a des Zehnten Buches Sozialgesetzbuch[2)] gilt für die Bekanntgabe von elektronischen Verwaltungsakten zum Kindergeld und zum Kinderzuschlag § 9 Absatz 1 des Onlinezugangsgesetzes.

§ 15 Rechtsweg. Für Streitigkeiten nach diesem Gesetz sind die Gerichte der Sozialgerichtsbarkeit zuständig.

Dritter Abschnitt. Bußgeldvorschriften

§ 16[3)] Ordnungswidrigkeiten. (1) Ordnungswidrig handelt, wer vorsätzlich oder leichtfertig

1. entgegen § 60 Absatz 1 Satz 1 Nummer 1 oder Nummer 3 des Ersten Buches Sozialgesetzbuch[4)] in Verbindung mit § 10 Absatz 1 auf Verlangen nicht die leistungserheblichen Tatsachen angibt oder Beweisurkunden vorlegt,
2. entgegen § 60 Absatz 1 Satz 1 Nummer 2 des Ersten Buches Sozialgesetzbuch eine Änderung in den Verhältnissen, die für einen Anspruch auf Kindergeld, Kinderzuschlag oder Leistungen für Bildung und Teilhabe erheblich ist, nicht, nicht richtig, nicht vollständig oder nicht rechtzeitig mitteilt oder
3. entgegen § 10 Absatz 2 oder Absatz 3 auf Verlangen eine Bescheinigung nicht, nicht richtig, nicht vollständig oder nicht rechtzeitig ausstellt.

(2) Die Ordnungswidrigkeit kann mit einer Geldbuße geahndet werden.

(3) § 66 des Zehnten Buches Sozialgesetzbuch[2)] gilt entsprechend.

(4) Verwaltungsbehörden im Sinne des § 36 Absatz 1 Nummer 1 des Gesetzes über Ordnungswidrigkeiten[5)] sind die nach § 409 der Abgabenordnung[6)] bei Steuerordnungswidrigkeiten wegen des Kindergeldes nach dem X. Abschnitt des Einkommensteuergesetzes[7)] zuständigen Verwaltungsbehörden.

---

1) § 14 neu gef. mWv 1.1.2026 durch G v. 28.10.2025 (BGBl. 2025 I Nr. 259).
2) Nr. **699**.
3) § 16 Abs. 1 Nr. 2 geänd. mWv 1.1.2011 durch G v. 24.3.2011 (BGBl. I S. 453).
4) Nr. **691**.
5) ***Habersack Nr. 94.***
6) **Steuergesetze Nr. 800.**
7) **beck-online, Module Arbeitsrecht Nr. 331.**

Vierter Abschnitt. Übergangs- und Schlussvorschriften

§ 17 Recht der Europäischen Gemeinschaft. [1] Soweit in diesem Gesetz Ansprüche Deutschen vorbehalten sind, haben Angehörige der anderen Mitgliedstaaten der Europäischen Union, Flüchtlinge und Staatenlose nach Maßgabe des Vertrages zur Gründung der Europäischen Gemeinschaft und der auf seiner Grundlage erlassenen Verordnungen die gleichen Rechte. [2] Auch im Übrigen bleiben die Bestimmungen der genannten Verordnungen unberührt.

§ 18 Anwendung des Sozialgesetzbuches. Soweit dieses Gesetz keine ausdrückliche Regelung trifft, ist bei der Ausführung das Sozialgesetzbuch anzuwenden.

§ 19 *(hier nicht wiedergegeben)*

§ 20[1)] Anwendungsvorschrift. (1)–(12) …

(13) [1] § 1 Absatz 3 Satz 1 Nummer 1 bis 4 in der Fassung des Artikels 34 des Gesetzes vom 12. Dezember 2019 (BGBl. I S. 2451) ist für Entscheidungen anzuwenden, die Zeiträume betreffen, die nach dem letzten Tag des sechsten auf die Verkündung des Fachkräfteeinwanderungsgesetzes folgenden Kalendermonats beginnen. [2] § 1 Absatz 3 Satz 1 Nummer 5 in der Fassung des Artikels 34 des Gesetzes vom 12. Dezember 2019 (BGBl. I S. 2451) ist für Entscheidungen anzuwenden, die Zeiträume betreffen, die nach dem 31. Dezember 2019 beginnen. [3] § 1 Absatz 3 Nummer 2 Buchstabe c in der Fassung des Artikels 5 Nummer 1 des Gesetzes vom 23. Mai 2022 (BGBl. I S. 760) ist für Entscheidungen anzuwenden, die Zeiträume betreffen, die nach dem 31. Mai 2022 beginnen. [4] § 1 Absatz 3 Satz 1 Nummer 2 in der Fassung des Artikels 42 des Gesetzes vom 2. Dezember 2024 (BGBl. 2024 I Nr. 387) ist für Entscheidungen anzuwenden, die Zeiträume betreffen, die nach dem 31. Mai 2024 beginnen.

---

1) § 20 Abs. 5 Satz 3 angef., Abs. 5a eingef. mWv 23.7.2009 durch G v. 16.7.2009 (BGBl. I S. 1959); Abs. 8 angef. mWv 1.1.2011 durch G v. 24.3.2011 (BGBl. I S. 453); Abs. 8 Satz 3 neu gef., Satz 4 eingef., bish. Satz 4 wird Satz 5 mWv 1.1.2011 durch G v. 20.6.2011 (BGBl. I S. 1114); Abs. 5 Satz 4 angef. mWv 1.1.2011 durch G v. 7.12.2011 (BGBl. I S. 2592); Abs. 9 angef. mWv 1.1.2012 durch G v. 26.6.2013 (BGBl. I S. 1809); Abs. 5 Satz 1 geänd., Satz 5 angef. mWv 31.7.2014 durch G v. 25.7.2014 (BGBl. I S. 1266); Abs. 10 angef. mWv 1.1.2018 durch G v. 23.6.2017 (BGBl. I S. 1682); Abs. 2 und 3 neu gef., Abs. 5 Sätze 1-4 aufgeh., bish. Satz 5 wird alleiniger Wortlaut, Abs. 7 und 8 aufgeh, bish. Abs. 9 und 10 werden Abs. 7 und 8 mWv 1.7.2019, Abs. 2 eingef., bish. Abs. 2-8 werden Abs. 3-9 mWv 1.1.2020 durch G v. 29.4.2019 (BGBl. I S. 530); Abs. 10 angef. mWv 1.1.2020 und neu gef. mWv 1.3.2020 durch G v. 12.12.2019 (BGBl. I S. 2451); Abs. 4 geänd., Abs. 5–7 eingef., bish. Abs. 5–10 werden Abs. 8–13 mWv 28.3.2020 durch G v. 27.3.2020 (BGBl. I S. 575); Abs. 7a eingef. mWv 29.5.2020 durch G v. 20.5.2020 (BGBl. I S. 1055); Abs. 6a eingef. mWv 29.10.2020 durch G v. 23.10.2020 (BGBl. I S. 2208); Abs. 2 geänd. mWv 1.1.2021 durch G v. 1.12.2020 (BGBl. I S. 2616); Abs. 6a neu gef. mWv 1.1.2021 durch G v. 9.12.2020 (BGBl. I S. 2855); Abs. 6a Satz 1 geänd., Satz 3 aufgeh. mWv 1.4.2021 durch G v. 10.3.2021 (BGBl. I S. 335); Abs. 6a Satz 1 geänd., Satz 3 angef. mWv 24.11.2021 durch G v. 22.11.2021 (BGBl. I S. 4906); Abs. 13 Satz 3 angef. mWv 1.6.2022 durch G v. 23.5.2022 (BGBl. I S. 760); Abs. 3a eingef. mWv 1.1.2023 durch G v. 8.12.2022 (BGBl. I S. 2230); Abs. 2 und 7a aufgeh. mWv 1.1.2023 durch G v. 16.12.2022 (BGBl. I S. 2328); Abs. 13 Satz 4 angef. mWv 6.12.2024 durch G v. 2.12.2024 (BGBl. 2024 I Nr. 387); Abs. 6 und 6a aufgeh. mWv 1.7.2026 durch G v. 16.4.2026 (BGBl. 2026 I Nr. 107).

Vierter Abschnitt. Übergangs- und Schlussvorschriften

[illegible]

[illegible]

[illegible]

§ [illegible] Anwendungsvorschrift [illegible]

[illegible]

[illegible]

V.

Arbeitsschutzrecht

A. Arbeitsschutz

350. Arbeitszeitgesetz (ArbZG)[1]

Vom 6. Juni 1994

(BGBl. I S. 1170)

FNA 8050-21

zuletzt geänd. durch Art. 52 Viertes BürokratieentlastungsG v. 23.10.2024 (BGBl. 2024 I Nr. 323)

Inhaltsübersicht[2]

---

[1] Verkündet als Art. 1 ArbeitszeitrechtsG vom 6.6.1994 (BGBl. I S. 1170); Inkrafttreten gem. Art. 21 Satz 2 dieses G am 1.7.1994.

[2] Die Inhaltsübersicht wurde nichtamtlich an die nachträglichen Änderungen angepasst.

Erster Abschnitt. Allgemeine Vorschriften

§ 1[1)] Zweck des Gesetzes Zweck des Gesetzes ist es,

1. die Sicherheit und den Gesundheitsschutz der Arbeitnehmer in der Bundesrepublik Deutschland und in der ausschließlichen Wirtschaftszone bei der Arbeitszeitgestaltung zu gewährleisten und die Rahmenbedingungen für flexible Arbeitszeiten zu verbessern sowie
2. den Sonntag und die staatlich anerkannten Feiertage als Tage der Arbeitsruhe und der seelischen Erhebung der Arbeitnehmer zu schützen.

§ 2[2)] Begriffsbestimmungen. (1) [1]Arbeitszeit im Sinne dieses Gesetzes ist die Zeit vom Beginn bis zum Ende der Arbeit ohne die Ruhepausen; Arbeitszeiten bei mehreren Arbeitgebern sind zusammenzurechnen. [2]Im Bergbau unter Tage zählen die Ruhepausen zur Arbeitszeit.

(2) Arbeitnehmer im Sinne dieses Gesetzes sind Arbeiter und Angestellte sowie die zu ihrer Berufsbildung Beschäftigten.

(3) Nachtzeit im Sinne dieses Gesetzes ist die Zeit von 23 bis 6 Uhr, in Bäckereien und Konditoreien die Zeit von 22 bis 5 Uhr.

(4) Nachtarbeit im Sinne dieses Gesetzes ist jede Arbeit, die mehr als zwei Stunden der Nachtzeit umfaßt.

(5) Nachtarbeitnehmer im Sinne dieses Gesetzes sind Arbeitnehmer, die

1. auf Grund ihrer Arbeitszeitgestaltung normalerweise Nachtarbeit in Wechselschicht zu leisten haben oder
2. Nachtarbeit an mindestens 48 Tagen im Kalenderjahr leisten.

Zweiter Abschnitt. Werktägliche Arbeitszeit und arbeitsfreie Zeiten

§ 3 Arbeitszeit der Arbeitnehmer. [1]Die werktägliche Arbeitszeit der Arbeitnehmer darf acht Stunden nicht überschreiten. [2]Sie kann auf bis zu zehn Stunden nur verlängert werden, wenn innerhalb von sechs Kalendermonaten oder innerhalb von 24 Wochen im Durchschnitt acht Stunden werktäglich nicht überschritten werden.

§ 4 Ruhepausen. [1]Die Arbeit ist durch im voraus feststehende Ruhepausen von mindestens 30 Minuten bei einer Arbeitszeit von mehr als sechs bis zu neun Stunden und 45 Minuten bei einer Arbeitszeit von mehr als neun Stunden insgesamt zu unterbrechen. [2]Die Ruhepausen nach Satz 1 können in Zeitabschnitte von jeweils mindestens 15 Minuten aufgeteilt werden. [3]Länger als sechs Stunden hintereinander dürfen Arbeitnehmer nicht ohne Ruhepause beschäftigt werden.

(Fortsetzung nächstes Blatt)

[1)] § 1 Nr. 1 geänd. mWv 1.8.2013 durch G v. 20.4.2013 (BGBl. I S. 868).
[2)] § 2 Abs. 3 geänd. mWv 1.11.1996 durch G v. 30.7.1996 (BGBl. I S. 1186).

§ 5[1] **Ruhezeit.** (1) Die Arbeitnehmer müssen nach Beendigung der täglichen Arbeitszeit eine ununterbrochene Ruhezeit von mindestens elf Stunden haben.

(2) Die Dauer der Ruhezeit des Absatzes 1 kann in Krankenhäusern und anderen Einrichtungen zur Behandlung, Pflege und Betreuung von Personen, in Gaststätten und anderen Einrichtungen zur Bewirtung und Beherbergung, in Verkehrsbetrieben, beim Rundfunk sowie in der Landwirtschaft und in der Tierhaltung um bis zu eine Stunde verkürzt werden, wenn jede Verkürzung der Ruhezeit innerhalb eines Kalendermonats oder innerhalb von vier Wochen durch Verlängerung einer anderen Ruhezeit auf mindestens zwölf Stunden ausgeglichen wird.

(3) Abweichend von Absatz 1 können in Krankenhäusern und anderen Einrichtungen zur Behandlung, Pflege und Betreuung von Personen Kürzungen der Ruhezeit durch Inanspruchnahmen während der Rufbereitschaft, die nicht mehr als die Hälfte der Ruhezeit betragen, zu anderen Zeiten ausgeglichen werden.

§ 6 Nacht- und Schichtarbeit. (1) Die Arbeitszeit der Nacht- und Schichtarbeitnehmer ist nach den gesicherten arbeitswissenschaftlichen Erkenntnissen über die menschengerechte Gestaltung der Arbeit festzulegen.

(2) [1]Die werktägliche Arbeitszeit der Nachtarbeitnehmer darf acht Stunden nicht überschreiten. [2]Sie kann auf bis zu zehn Stunden nur verlängert werden, wenn abweichend von § 3 innerhalb von einem Kalendermonat oder innerhalb von vier Wochen im Durchschnitt acht Stunden werktäglich nicht überschritten werden. [3]Für Zeiträume, in denen Nachtarbeitnehmer im Sinne des § 2 Abs. 5 Nr. 2 nicht zur Nachtarbeit herangezogen werden, findet § 3 Satz 2 Anwendung.

(3) [1]Nachtarbeitnehmer sind berechtigt, sich vor Beginn der Beschäftigung und danach in regelmäßigen Zeitabständen von nicht weniger als drei Jahren arbeitsmedizinisch untersuchen zu lassen. [2]Nach Vollendung des 50. Lebensjahres steht Nachtarbeitnehmern dieses Recht in Zeitabständen von einem Jahr zu. [3]Die Kosten der Untersuchungen hat der Arbeitgeber zu tragen, sofern er die Untersuchungen den Nachtarbeitnehmern nicht kostenlos durch einen Betriebsarzt oder einen überbetrieblichen Dienst von Betriebsärzten anbietet.

(4) [1]Der Arbeitgeber hat den Nachtarbeitnehmer auf dessen Verlangen auf einen für ihn geeigneten Tagesarbeitsplatz umzusetzen, wenn

a) nach arbeitsmedizinischer Feststellung die weitere Verrichtung von Nachtarbeit den Arbeitnehmer in seiner Gesundheit gefährdet oder
b) im Haushalt des Arbeitnehmers ein Kind unter zwölf Jahren lebt, das nicht von einer anderen im Haushalt lebenden Person betreut werden kann, oder
c) der Arbeitnehmer einen schwerpflegebedürftigen Angehörigen zu versorgen hat, der nicht von einem anderen im Haushalt lebenden Angehörigen versorgt werden kann,

sofern dem nicht dringende betriebliche Erfordernisse entgegenstehen. [2]Stehen der Umsetzung des Nachtarbeitnehmers auf einen für ihn geeigneten Ta-

[1] § 5 Abs. 3 geänd. mWv 1. 1. 2004 durch G v. 24. 12. 2003 (BGBl. I S. 3002); Abs. 4 aufgeh. mWv 1. 9. 2006 durch G v. 14. 8. 2006 (BGBl. I S. 1962).

gesarbeitsplatz nach Auffassung des Arbeitgebers dringende betriebliche Erfordernisse entgegen, so ist der Betriebs- oder Personalrat zu hören. [3]Der Betriebs- oder Personalrat kann dem Arbeitgeber Vorschläge für eine Umsetzung unterbreiten.

(5) Soweit keine tarifvertraglichen Ausgleichsregelungen bestehen, hat der Arbeitgeber dem Nachtarbeitnehmer für die während der Nachtzeit geleisteten Arbeitsstunden eine angemessene Zahl bezahlter freier Tage oder einen angemessenen Zuschlag auf das ihm hierfür zustehende Bruttoarbeitsentgelt zu gewähren.

(6) Es ist sicherzustellen, daß Nachtarbeitnehmer den gleichen Zugang zur betrieblichen Weiterbildung und zu aufstiegsfördernden Maßnahmen haben wie die übrigen Arbeitnehmer.

§ 7[1)] Abweichende Regelungen. (1) In einem Tarifvertrag oder auf Grund eines Tarifvertrags in einer Betriebs- oder Dienstvereinbarung kann zugelassen werden,

1. abweichend von § 3
   a) die Arbeitszeit über zehn Stunden werktäglich zu verlängern, wenn in die Arbeitszeit regelmäßig und in erheblichem Umfang Arbeitsbereitschaft oder Bereitschaftsdienst fällt,
   b) einen anderen Ausgleichszeitraum festzulegen,
2. abweichend von § 4 Satz 2 die Gesamtdauer der Ruhepausen in Schichtbetrieben und Verkehrsbetrieben auf Kurzpausen von angemessener Dauer aufzuteilen,
3. abweichend von § 5 Abs. 1 die Ruhezeit um bis zu zwei Stunden zu kürzen, wenn die Art der Arbeit dies erfordert und die Kürzung der Ruhezeit innerhalb eines festzulegenden Ausgleichszeitraums ausgeglichen wird,
4. abweichend von § 6 Abs. 2
   a) die Arbeitzeit über zehn Stunden werktäglich hinaus zu verlängern, wenn in die Arbeitszeit regelmäßig und in erheblichem Umfang Arbeitsbereitschaft oder Bereitschaftsdienst fällt,
   b) einen anderen Ausgleichszeitraum festzulegen,
5. den Beginn des siebenstündigen Nachtzeitraums des § 2 Abs. 3 auf die Zeit zwischen 22 und 24 Uhr festzulegen.

(Fortsetzung nächste Seite)

---

1) § 7 Abs. 1 Einleitung, Nr. 1 Buchst. a, Nr. 4 Buchst. a geänd., Nr. 1 Buchst. c aufgeh., Abs. 2 Einleitung, Nr. 1 geänd., Abs. 2a eingef., Abs. 3 Sätze 1 und 2, Abs. 4 und 5 geänd., Abs. 7, 8 und 9 angef. mWv 1. 1. 2004 durch G v. 24. 12. 2003 (BGBl. I S. 3002).

(2) Sofern der Gesundheitsschutz der Arbeitnehmer durch einen entsprechenden Zeitausgleich gewährleistet wird, kann in einem Tarifvertrag oder auf Grund eines Tarifvertrags in einer Betriebs- oder Dienstvereinbarung ferner zugelassen werden,

1. abweichend von § 5 Abs. 1 die Ruhezeiten bei Rufbereitschaft den Besonderheiten dieses Dienstes anzupassen, insbesondere Kürzungen der Ruhezeit infolge von Inanspruchnahmen während dieser Dienste zu anderen Zeiten auszugleichen,
2. die Regelungen der §§ 3, 5 Abs. 1 und § 6 Abs. 2 in der Landwirtschaft der Bestellungs- und Erntezeit sowie den Witterungseinflüssen anzupassen,
3. die Regelungen der §§ 3, 4, 5 Abs. 1 und § 6 Abs. 2 bei der Behandlung, Pflege und Betreuung von Personen der Eigenart dieser Tätigkeit und dem Wohl dieser Personen entsprechend anzupassen,
4. die Regelungen der §§ 3, 4, 5 Abs. 1 und § 6 Abs. 2 bei Verwaltungen und Betrieben des Bundes, der Länder, der Gemeinden und sonstigen Körperschaften, Anstalten und Stiftungen des öffentlichen Rechts sowie bei anderen Arbeitgebern, die der Tarifbindung eines für den öffentlichen Dienst geltenden oder eines im wesentlichen inhaltsgleichen Tarifvertrags unterliegen, der Eigenart der Tätigkeit bei diesen Stellen anzupassen.

(2a) In einem Tarifvertrag oder auf Grund eines Tarifvertrags in einer Betriebs- oder Dienstvereinbarung kann abweichend von den §§ 3, 5 Abs. 1 und § 6 Abs. 2 zugelassen werden, die werktägliche Arbeitszeit auch ohne Ausgleich über acht Stunden zu verlängern, wenn in die Arbeitszeit regelmäßig und in erheblichem Umfang Arbeitsbereitschaft oder Bereitschaftsdienst fällt und durch besondere Regelungen sichergestellt wird, dass die Gesundheit der Arbeitnehmer nicht gefährdet wird.

(3) [1] Im Geltungsbereich eines Tarifvertrags nach Absatz 1, 2 oder 2a können abweichende tarifvertragliche Regelungen im Betrieb eines nicht tarifgebundenen Arbeitgebers durch Betriebs- oder Dienstvereinbarung oder, wenn ein Betriebs- oder Personalrat nicht besteht, durch schriftliche Vereinbarung zwischen dem Arbeitgeber und dem Arbeitnehmer übernommen werden. [2] Können auf Grund eines solchen Tarifvertrags abweichende Regelungen in einer Betriebs- oder Dienstvereinbarung getroffen werden, kann auch in Betrieben eines nicht tarifgebundenen Arbeitgebers davon Gebrauch gemacht werden. [3] Eine nach Absatz 2 Nr. 4 getroffene abweichende tarifvertragliche Regelung hat zwischen nicht tarifgebundenen Arbeitgebern und Arbeitnehmern Geltung, wenn zwischen ihnen die Anwendung der für den öffentlichen Dienst geltenden tarifvertraglichen Bestimmungen

vereinbart ist und die Arbeitgeber die Kosten des Betriebs überwiegend mit Zuwendungen im Sinne des Haushaltsrechts decken.

(4) Die Kirchen und die öffentlich-rechtlichen Religionsgesellschaften können die in Absatz 1, 2 oder 2a genannten Abweichungen in ihren Regelungen vorsehen.

(5) In einem Bereich, in dem Regelungen durch Tarifvertrag üblicherweise nicht getroffen werden, können Ausnahmen im Rahmen des Absatzes 1, 2 oder 2a durch die Aufsichtsbehörde bewilligt werden, wenn dies aus betrieblichen Gründen erforderlich ist und die Gesundheit der Arbeitnehmer nicht gefährdet wird.

(6) Die Bundesregierung kann durch Rechtsverordnung mit Zustimmung des Bundesrates Ausnahmen im Rahmen des Absatzes 1 oder 2 zulassen, sofern dies aus betrieblichen Gründen erforderlich ist und die Gesundheit der Arbeitnehmer nicht gefährdet wird.

(7) [1] Auf Grund einer Regelung nach Absatz 2a oder den Absätzen 3 bis 5 jeweils in Verbindung mit Absatz 2a darf die Arbeitszeit nur verlängert werden, wenn der Arbeitnehmer schriftlich eingewilligt hat. [2] Der Arbeitnehmer kann die Einwilligung mit einer Frist von sechs Monaten schriftlich widerrufen. [3] Der Arbeitgeber darf einen Arbeitnehmer nicht benachteiligen, weil dieser die Einwilligung zur Verlängerung der Arbeitszeit nicht erklärt oder die Einwilligung widerrufen hat.

(8) [1] Werden Regelungen nach Absatz 1 Nr. 1 und 4, Absatz 2 Nr. 2 bis 4 oder solche Regelungen auf Grund der Absätze 3 und 4 zugelassen, darf die Arbeitszeit 48 Stunden wöchentlich im Durchschnitt von zwölf Kalendermonaten nicht überschreiten. [2] Erfolgt die Zulassung auf Grund des Absatzes 5, darf die Arbeitszeit 48 Stunden wöchentlich im Durchschnitt von sechs Kalendermonaten oder 24 Wochen nicht überschreiten.

(9) Wird die werktägliche Arbeitszeit über zwölf Stunden hinaus verlängert, muss im unmittelbaren Anschluss an die Beendigung der Arbeitszeit eine Ruhezeit von mindestens elf Stunden gewährt werden.

§ 8 Gefährliche Arbeiten. [1] Die Bundesregierung kann durch Rechtsverordnung mit Zustimmung des Bundesrates für einzelne Beschäftigungsbereiche, für bestimmte Arbeiten oder für bestimmte Arbeitnehmergruppen, bei denen besondere Gefahren für die Gesundheit der Arbeitnehmer zu erwarten sind, die Arbeitszeit über § 3 hinaus beschränken, die Ruhepausen und Ruhezeiten über die §§ 4 und 5 hinaus ausdehnen, die Regelungen zum Schutz der Nacht- und Schichtarbeitnehmer in § 6 erweitern und die Abweichungsmöglichkeiten nach § 7 beschränken, soweit dies zum Schutz der Gesundheit der Arbeitnehmer erforderlich ist. [2] Satz 1 gilt nicht für Beschäftigungsbereiche und Arbeiten in Betrieben, die der Bergaufsicht unterliegen.

Dritter Abschnitt. Sonn- und Feiertagsruhe

§ 9 Sonn- und Feiertagsruhe. (1) Arbeitnehmer dürfen an Sonn- und gesetzlichen Feiertagen von 0 bis 24 Uhr nicht beschäftigt werden.

(2) In mehrschichtigen Betrieben mit regelmäßiger Tag- und Nachtschicht kann Beginn oder Ende der Sonn- und Feiertagsruhe um bis zu sechs Stunden vor- oder zurückverlegt werden, wenn für die auf den Beginn der Ruhezeit folgenden 24 Stunden der Betrieb ruht.

(3) Für Kraftfahrer und Beifahrer kann der Beginn der 24stündigen Sonn- und Feiertagsruhe um bis zu zwei Stunden vorverlegt werden.

§ 10[1] **Sonn- und Feiertagsbeschäftigung.** (1) Sofern die Arbeiten nicht an Werktagen vorgenommen werden können, dürfen Arbeitnehmer an Sonn- und Feiertagen abweichend von § 9 beschäftigt werden

1. in Not- und Rettungsdiensten sowie bei der Feuerwehr,
2. zur Aufrechterhaltung der öffentlichen Sicherheit und Ordnung sowie der Funktionsfähigkeit von Gerichten und Behörden und für Zwecke der Verteidigung,
3. in Krankenhäusern und anderen Einrichtungen zur Behandlung, Pflege und Betreuung von Personen,
4. in Gaststätten und anderen Einrichtungen zur Bewirtung und Beherbergung sowie im Haushalt,
5. bei Musikaufführungen, Theatervorstellungen, Filmvorführungen, Schaustellungen, Darbietungen und anderen ähnlichen Veranstaltungen,
6. bei nichtgewerblichen Aktionen und Veranstaltungen der Kirchen, Religionsgesellschaften, Verbände, Vereine, Parteien und anderer ähnlicher Vereinigungen,
7. beim Sport und in Freizeit-, Erholungs- und Vergnügungseinrichtungen, beim Fremdenverkehr sowie in Museen und wissenschaftlichen Präsenzbibliotheken,
8. beim Rundfunk, bei der Tages- und Sportpresse, bei Nachrichtenagenturen sowie bei den der Tagesaktualität dienenden Tätigkeiten für andere Presseerzeugnisse einschließlich des Austragens, bei der Herstellung von Satz, Filmen und Druckformen für tagesaktuelle Nachrichten und Bilder, bei tagesaktuellen Aufnahmen auf Ton-

---

[1] § 10 Abs. 3 angef. durch G v. 30. 7. 1996 (BGBl. I S. 1186), Abs. 4 angef. mWv 1. 1. 1999 durch G v. 9. 6. 1998 (BGBl. I S. 1242).

und Bildträger sowie beim Transport und Kommissionieren von Presseerzeugnissen, deren Ersterscheinungstag am Montag oder am Tag nach einem Feiertag liegt,

9. bei Messen, Ausstellungen und Märkten im Sinne des Titels IV der Gewerbeordnung sowie bei Volksfesten,
10. in Verkehrsbetrieben sowie beim Transport und Kommissionieren von leichtverderblichen Waren im Sinne des § 30 Abs. 3 Nr. 2 der Straßenverkehrsordnung,
11. in den Energie- und Wasserversorgungsbetrieben sowie in Abfall- und Abwasserentsorgungsbetrieben,
12. in der Landwirtschaft und in der Tierhaltung sowie in Einrichtungen zur Behandlung und Pflege von Tieren,
13. im Bewachungsgewerbe und bei der Bewachung von Betriebsanlagen,
14. bei der Reinigung und Instandhaltung von Betriebseinrichtungen, soweit hierdurch der regelmäßige Fortgang des eigenen oder eines fremden Betriebs bedingt ist, bei der Vorbereitung der Wiederaufnahme des vollen werktägigen Betriebs sowie bei der Aufrechterhaltung der Funktionsfähigkeit von Datennetzen und Rechnersystemen,
15. zur Verhütung des Verderbens von Naturerzeugnissen oder Rohstoffen oder des Mißlingens von Arbeitsergebnissen sowie bei kontinuierlich durchzuführenden Forschungsarbeiten,
16. zur Vermeidung einer Zerstörung oder erheblichen Beschädigung der Produktionseinrichtungen.

(2) Abweichend von § 9 dürfen Arbeitnehmer an Sonn- und Feiertagen mit den Produktionsarbeiten beschäftigt werden, wenn die infolge der Unterbrechung der Produktion nach Absatz 1 Nr. 14 zulässigen Arbeiten den Einsatz von mehr Arbeitnehmern als bei durchgehender Produktion erfordern.

(3) Abweichend von § 9 dürfen Arbeitnehmer an Sonn- und Feiertagen in Bäckereien und Konditoreien für bis zu drei Stunden mit der Herstellung und dem Austragen oder Ausfahren von Konditorwaren und an diesem Tag zum Verkauf kommenden Bäckerwaren beschäftigt werden.

(4) Sofern die Arbeiten nicht an Werktagen vorgenommen werden können, dürfen Arbeitnehmer zur Durchführung des Eil- und Großbetragszahlungsverkehrs und des Geld-, Devisen-, Wertpapier- und Derivatehandels abweichend von § 9 Abs. 1 an den auf einen Werktag *fallenden Feiertagen* beschäftigt werden, die nicht in allen Mitgliedstaaten der Europäischen Union Feiertage sind.

§ 11[1] **Ausgleich für Sonn- und Feiertagsbeschäftigung.** (1) Mindestens 15 Sonntage im Jahr müssen beschäftigungsfrei bleiben.

(2) Für die Beschäftigung an Sonn- und Feiertagen gelten die §§ 3 bis 8 entsprechend, jedoch dürfen durch die Arbeitszeit an Sonn- und Feiertagen die in den §§ 3, 6 Abs. 2 und §§ 7, 21a Abs. 4 bestimmten Höchstarbeitszeiten und Ausgleichszeiträume nicht überschritten werden.

(3) [1] Werden Arbeitnehmer an einem Sonntag beschäftigt, müssen sie einen Ersatzruhetag haben, der innerhalb eines den Beschäftigungstag einschließenden Zeitraums von zwei Wochen zu gewähren ist. [2] Werden Arbeitnehmer an einem auf einen Werktag fallenden Feiertag beschäftigt, müssen sie einen Ersatzruhetag haben, der innerhalb eines den Beschäftigungstag einschließenden Zeitraums von acht Wochen zu gewähren ist.

(4) Die Sonn- oder Feiertagsruhe des § 9 oder der Ersatzruhetag des Absatzes 3 ist den Arbeitnehmern unmittelbar in Verbindung mit einer Ruhezeit nach § 5 zu gewähren, soweit dem technische oder arbeitsorganisatorische Gründe nicht entgegenstehen.

§ 12[2] **Abweichende Regelungen.** [1] In einem Tarifvertrag oder auf Grund eines Tarifvertrags in einer Betriebs- oder Dienstvereinbarung kann zugelassen werden,

1. abweichend von § 11 Abs. 1 die Anzahl der beschäftigungsfreien Sonntage in den Einrichtungen des § 10 Abs. 1 Nr. 2, 3, 4 und 10 auf mindestens zehn Sonntage, im Rundfunk, in Theaterbetrieben, Orchestern sowie bei Schaustellungen auf mindestens acht Sonntage, in Filmtheatern und in der Tierhaltung auf mindestens sechs Sonntage im Jahr zu verringern,
2. abweichend von § 11 Abs. 3 den Wegfall von Ersatzruhetagen für auf Werktage fallende Feiertage zu vereinbaren oder Arbeitnehmer innerhalb eines festzulegenden Ausgleichszeitraums beschäftigungsfrei zu stellen,
3. abweichend von § 11 Abs. 1 bis 3 in der Seeschiffahrt die den Arbeitnehmern nach diesen Vorschriften zustehenden freien Tage zusammenhängend zu geben,
4. abweichend von § 11 Abs. 2 die Arbeitszeit in vollkontinuierlichen Schichtbetrieben an Sonn- und Feiertagen auf bis zu zwölf Stunden zu verlängern, wenn dadurch zusätzliche freie Schichten an Sonn- und Feiertagen erreicht werden.

[2] § 7 Abs. 3 bis 6 findet Anwendung.

§ 13 Ermächtigung, Anordnung, Bewilligung. (1) Die Bundesregierung kann durch Rechtsverordnung mit Zustimmung des Bundesrates zur Vermeidung erheblicher Schäden unter Berücksichtigung des Schutzes der Arbeitnehmer und der Sonn- und Feiertagsruhe

1. die Bereiche mit Sonn- und Feiertagsbeschäftigung nach § 10 sowie die dort zugelassenen Arbeiten näher bestimmen,
2. über die Ausnahmen nach § 10 hinaus weitere Ausnahmen abweichend von § 9

---

[1] § 11 Abs. 2 geänd. mWv 1.9.2006 durch G v. 14.8.2006 (BGBl. I S. 1962).
[2] § 12 Einleitung geänd. mWv 1.1.2004 durch G v. 24.12.2003 (BGBl. I S. 3002).

a) für Betriebe, in denen die Beschäftigung von Arbeitnehmern an Sonn- oder Feiertagen zur Befriedigung täglicher oder an diesen Tagen besonders hervortretender Bedürfnisse der Bevölkerung erforderlich ist,

b) für Betriebe, in denen Arbeiten vorkommen, deren Unterbrechung oder Aufschub

aa) nach dem Stand der Technik ihrer Art nach nicht oder nur mit erheblichen Schwierigkeiten möglich ist,

bb) besondere Gefahren für Leben oder Gesundheit der Arbeitnehmer zur Folge hätte,

cc) zu erheblichen Belastungen der Umwelt oder der Energie- oder Wasserversorgung führen würde,

c) aus Gründen des Gemeinwohls, insbesondere auch zur Sicherung der Beschäftigung,

zulassen und die zum Schutz der Arbeitnehmer und der Sonn- und Feiertagsruhe notwendigen Bedingungen bestimmen.

(2) [1] Soweit die Bundesregierung von der Ermächtigung des Absatzes 1 Nr. 2 Buchstabe a keinen Gebrauch gemacht hat, können die Landesregierungen durch Rechtsverordnung entsprechende Bestimmungen erlassen. [2] Die Landesregierungen können diese Ermächtigung durch Rechtsverordnung auf oberste Landesbehörden übertragen.

(3) Die Aufsichtsbehörde kann

1. feststellen, ob eine Beschäftigung nach § 10 zulässig ist,

2. abweichend von § 9 bewilligen, Arbeitnehmer zu beschäftigen

a) im Handelsgewerbe an bis zu zehn Sonn- und Feiertagen im Jahr, an denen besondere Verhältnisse einen erweiterten Geschäftsverkehr erforderlich machen,

b) an bis zu fünf Sonn- und Feiertagen im Jahr, wenn besondere Verhältnisse zur Verhütung eines unverhältnismäßigen Schadens dies erfordern,

c) an einem Sonntag im Jahr zur Durchführung einer gesetzlich vorgeschriebenen Inventur,

und Anordnungen über die Beschäftigungszeit unter Berücksichtigung der für den öffentlichen Gottesdienst bestimmten Zeit treffen.

(4) Die Aufsichtsbehörde soll abweichend von § 9 bewilligen, daß Arbeitnehmer an Sonn- und Feiertagen mit Arbeiten beschäftigt werden, die aus chemischen, biologischen, technischen oder physikalischen Gründen einen ununterbrochenen Fortgang auch an Sonn- und Feiertagen erfordern.

(5) Die Aufsichtsbehörde hat abweichend von § 9 die Beschäftigung von Arbeitnehmern an Sonn- und Feiertagen zu bewilligen, wenn bei einer weitgehenden Ausnutzung der gesetzlich zulässigen wöchentlichen Betriebszeiten und bei längeren Betriebszeiten im Ausland die Konkurrenzfähigkeit unzumutbar beeinträchtigt ist und durch die Genehmigung von Sonn- und Feiertagsarbeit die Beschäftigung gesichert werden kann.

Vierter Abschnitt. Ausnahmen in besonderen Fällen

§ 14[1] Außergewöhnliche Fälle. (1) Von den §§ 3 bis 5, 6 Abs. 2, §§ 7, 9 bis 11 darf abgewichen werden bei vorübergehenden Arbeiten in Notfällen und in außergewöhnlichen Fällen, die unabhängig vom Willen der Betroffenen eintreten und deren Folgen nicht auf andere Weise zu beseitigen sind, besonders wenn Rohstoffe oder Lebensmittel zu verderben oder Arbeitsergebnisse zu mißlingen drohen.

(2) Von den §§ 3 bis 5, 6 Abs. 2, §§ 7, 11 Abs. 1 bis 3 und § 12 darf ferner abgewichen werden,

1. wenn eine verhältnismäßig geringe Zahl von Arbeitnehmern vorübergehend mit Arbeiten beschäftigt wird, deren Nichterledigung das Ergebnis der Arbeiten gefährden oder einen unverhältnismäßigen Schaden zur Folge haben würden,
2. bei Forschung und Lehre, bei unaufschiebbaren Vor- und Abschlußarbeiten sowie bei unaufschiebbaren Arbeiten zur Behandlung, Pflege und Betreuung von Personen oder zur Behandlung und Pflege von Tieren an einzelnen Tagen,

wenn dem Arbeitgeber andere Vorkehrungen nicht zugemutet werden können.

(3) Wird von den Befugnissen nach Absatz 1 oder 2 Gebrauch gemacht, darf die Arbeitszeit 48 Stunden wöchentlich im Durchschnitt von sechs Kalendermonaten oder 24 Wochen nicht überschreiten.

§ 15[2] Bewilligung, Ermächtigung. (1) Die Aufsichtsbehörde kann

1. eine von den §§ 3, 6 Abs. 2 und § 11 Abs. 2 abweichende längere tägliche Arbeitszeit bewilligen
   a) für kontinuierliche Schichtbetriebe zur Erreichung zusätzlicher Freischichten,
   b) für Bau- und Montagestellen,
2. eine von den §§ 3, 6 Abs. 2 und § 11 Abs. 2 abweichende längere tägliche Arbeitszeit für Saison- und Kampagnebetriebe für die Zeit der Saison oder Kampagne bewilligen, wenn die Verlängerung der Arbeitszeit über acht Stunden werktäglich durch eine entsprechende Verkürzung der Arbeitszeit zu anderen Zeiten ausgeglichen wird,
3. eine von den §§ 5 und 11 Abs. 2 abweichende Dauer und Lage der Ruhezeit bei Arbeitsbereitschaft, Bereitschaftsdienst und Rufbereitschaft den Besonderheiten dieser Inanspruchnahmen im öffentlichen Dienst entsprechend bewilligen,
4. eine von den §§ 5 und 11 Abs. 2 abweichende Ruhezeit zur Herbeiführung eines regelmäßigen wöchentlichen Schichtwechsels zweimal innerhalb eines Zeitraums von drei Wochen bewilligen.

---

[1] § 14 Abs. 3 angef. mWv 1.1.2004 durch G v. 24.12.2003 (BGBl. I S. 3002); Abs. 4 angef. mWv 28.3.2020 und aufgeh. mWv 1.1.2021 durch G v. 27.3.2020 (BGBl. I S. 575).

[2] § 15 Abs. 3 geänd. mWv 28.11.2003 durch VO v. 25.11.2003 (BGBl. I S. 2304); Abs. 4 angef. mWv 1.1.2004 durch G v. 24.12.2003 (BGBl. I S. 3002); Abs. 3 geänd. mWv 8.11.2006 durch VO v. 31.10.2006 (BGBl. I S. 2407); Abs. 3a eingef. mWv 26.7.2012 durch G v. 21.7.2012 (BGBl. I S. 1583); Abs. 2a eingef. mWv 1.8.2013 durch G v. 20.4.2013 (BGBl. I S. 868).

(2) Die Aufsichtsbehörde kann über die in diesem Gesetz vorgesehenen Ausnahmen hinaus weitergehende Ausnahmen zulassen, soweit sie im öffentlichen Interesse dringend nötig werden.

(2a) Die Bundesregierung kann durch Rechtsverordnung mit Zustimmung des Bundesrates

1. Ausnahmen von den §§ 3, 4, 5 und 6 Absatz 2 sowie von den §§ 9 und 11 für Arbeitnehmer, die besondere Tätigkeiten zur Errichtung, zur Änderung oder zum Betrieb von Bauwerken, künstlichen Inseln oder sonstigen Anlagen auf See (Offshore-Tätigkeiten) durchführen, zulassen und
2. die zum Schutz der in Nummer 1 genannten Arbeitnehmer sowie der Sonn- und Feiertagsruhe notwendigen Bedingungen bestimmen.

(3) Das Bundesministerium der Verteidigung kann in seinem Geschäftsbereich durch Rechtsverordnung mit Zustimmung des Bundesministeriums für Arbeit und Soziales aus zwingenden Gründen der Verteidigung Arbeitnehmer verpflichten, über die in diesem Gesetz und in den auf Grund dieses Gesetzes erlassenen Rechtsverordnungen und Tarifverträgen festgelegten Arbeitszeitgrenzen und -beschränkungen hinaus Arbeit zu leisten.

(3a) Das Bundesministerium der Verteidigung kann in seinem Geschäftsbereich durch Rechtsverordnung im Einvernehmen mit dem Bundesministerium für Arbeit und Soziales für besondere Tätigkeiten der Arbeitnehmer bei den Streitkräften Abweichungen von in diesem Gesetz sowie von in den auf Grund dieses Gesetzes erlassenen Rechtsverordnungen bestimmten Arbeitszeitgrenzen und -beschränkungen zulassen, soweit die Abweichungen aus zwingenden Gründen erforderlich sind und die größtmögliche Sicherheit und der bestmögliche Gesundheitsschutz der Arbeitnehmer gewährleistet werden.

(4) Werden Ausnahmen nach Absatz 1 oder 2 zugelassen, darf die Arbeitszeit 48 Stunden wöchentlich im Durchschnitt von sechs Kalendermonaten oder 24 Wochen nicht überschreiten.

Fünfter Abschnitt. Durchführung des Gesetzes

§ 16[1)] **Aushang und Arbeitszeitnachweise.** (1) Der Arbeitgeber ist verpflichtet, eine Kopie dieses Gesetzes, der auf Grund dieses Gesetzes erlassenen, für den Betrieb geltenden Rechtsverordnungen und der für den Betrieb geltenden Tarifverträge und Betriebs- oder Dienstvereinbarungen im Sinne des § 7 Absatz 1 bis 3 und der §§ 12 und 21a Absatz 6 den Arbeitnehmern über die im Betrieb oder in der Dienststelle übliche Informations- und Kommunikationstechnik zur Verfügung zu stellen oder an geeigneter Stelle im Betrieb oder in der Dienststelle zur Einsichtnahme auszulegen oder auszuhängen.

(2) [1]Der Arbeitgeber ist verpflichtet, die über die werktägliche Arbeitszeit des § 3 Satz 1 hinausgehende Arbeitszeit der Arbeitnehmer aufzuzeichnen und ein Verzeichnis der Arbeitnehmer zu führen, die in eine Verlängerung der Arbeitszeit gemäß § 7 Abs. 7 eingewilligt haben. [2]Die Nachweise sind mindestens zwei Jahre aufzubewahren.

(Fortsetzung nächstes Blatt)

[1)] § 16 Abs. 1, Abs. 2 Sätze 1 und 2 geänd. mWv 1.1.2004 durch G v. 24.12.2003 (BGBl. I S. 3002); Abs. 1 geänd. mWv 1.9.2006 durch G v. 14.8.2006 (BGBl. I S. 1962); Abs. 1 neu gef. mWv 1.1.2025 durch G v. 23.10.2024 (BGBl. 2024 I Nr. 323).

§ 17[1] Aufsichtsbehörde. (1) Die Einhaltung dieses Gesetzes und der auf Grund dieses Gesetzes erlassenen Rechtsverordnungen wird von den nach Landesrecht zuständigen Behörden (Aufsichtsbehörden) überwacht.

(2) Die Aufsichtsbehörde kann die erforderlichen Maßnahmen anordnen, die der Arbeitgeber zur Erfüllung der sich aus diesem Gesetz und den auf Grund dieses Gesetzes erlassenen Rechtsverordnungen ergebenden Pflichten zu treffen hat.

(3) Für den öffentlichen Dienst des Bundes sowie für die bundesunmittelbaren Körperschaften, Anstalten und Stiftungen des öffentlichen Rechts werden die Aufgaben und Befugnisse der Aufsichtsbehörde vom zuständigen Bundesministerium oder den von ihm bestimmten Stellen wahrgenommen; das gleiche gilt für die Befugnisse nach § 15 Abs. 1 und 2.

(4) [1] Die Aufsichtsbehörde kann vom Arbeitgeber die für die Durchführung dieses Gesetzes und der auf Grund dieses Gesetzes erlassenen Rechtsverordnungen erforderlichen Auskünfte verlangen. [2] Sie kann ferner vom Arbeitgeber verlangen, die Arbeitszeitnachweise und Tarifverträge oder Betriebs- oder Dienstvereinbarungen im Sinne des § 7 Abs. 1 bis 3, §§ 12 und 21a Abs. 6 sowie andere Arbeitszeitnachweise oder Geschäftsunterlagen, die mittelbar oder unmittelbar Auskunft über die Einhaltung des Arbeitszeitgesetzes geben, vorzulegen oder zur Einsicht einzusenden.

(5) [1] Die Beauftragten der Aufsichtsbehörde sind berechtigt, die Arbeitsstätten während der Betriebs- und Arbeitszeit zu betreten und zu besichtigen; außerhalb dieser Zeit oder wenn sich die Arbeitsstätten in einer Wohnung befinden, dürfen sie ohne Einverständnis des Inhabers nur zur Verhütung von dringenden Gefahren für die öffentliche Sicherheit und Ordnung betreten und besichtigt werden. [2] Der Arbeitgeber hat das Betreten und Besichtigen der Arbeitsstätten zu gestatten. [3] Das Grundrecht der Unverletzlichkeit der Wohnung (Artikel 13 des Grundgesetzes[2]) wird insoweit eingeschränkt.

(6) Der zur Auskunft Verpflichtete kann die Auskunft auf solche Fragen verweigern, deren Beantwortung ihn selbst oder einen der in § 383 Abs. 1 Nr. 1 bis 3 der Zivilprozeßordnung[3] bezeichneten Angehörigen der Gefahr strafgerichtlicher Verfolgung oder eines Verfahrens nach dem Gesetz über Ordnungswidrigkeiten[4] aussetzen würde.

Sechster Abschnitt. Sonderregelungen

§ 18[5] Nichtanwendung des Gesetzes. (1) Dieses Gesetz ist nicht anzuwenden auf

1. leitende Angestellte im Sinne des § 5 Abs. 3 des Betriebsverfassungsgesetzes[6] sowie Chefärzte,

---

[1] § 17 Abs. 4 Satz 2 geänd. mWv 1.1.2004 durch G v. 24.12.2003 (BGBl. I S. 3002); Abs. 4 geänd. mWv 1.9.2006 durch G v. 14.8.2006 (BGBl. I S. 1962); Abs. 4 Satz 2 geänd. mWv 1.1.2021 durch G v. 22.12.2020 (BGBl. I S. 3334).

[2] **beck-online, Module Arbeitsrecht Nr. 10.**

[3] **beck-online, Module Arbeitsrecht Nr. 320.**

[4] **Habersack Nr. 94.**

[5] § 18 Abs. 4 aufgeh. mWv 1.11.1996 durch G v. 30.7.1996 (BGBl. I S. 1186); Abs. 3 neu gef. mWv 1.8.2013 durch G v. 20.4.2013 (BGBl. I S. 868).

[6] Nr. **570**.

2. Leiter von öffentlichen Dienststellen und deren Vertreter sowie Arbeitnehmer im öffentlichen Dienst, die zu selbständigen Entscheidungen in Personalangelegenheiten befugt sind,
3. Arbeitnehmer, die in häuslicher Gemeinschaft mit den ihnen anvertrauten Personen zusammenleben und sie eigenverantwortlich erziehen, pflegen oder betreuen,
4. den liturgischen Bereich der Kirchen und der Religionsgemeinschaften.

(2) Für die Beschäftigung von Personen unter 18 Jahren gilt anstelle dieses Gesetzes das Jugendarbeitsschutzgesetz[1].

(3) Für die Beschäftigung von Arbeitnehmern als Besatzungsmitglieder auf Kauffahrteischiffen im Sinne des § 3 des Seearbeitsgesetzes[2] gilt anstelle dieses Gesetzes das Seearbeitsgesetz.

§ 19 Beschäftigung im öffentlichen Dienst. Bei der Wahrnehmung hoheitlicher Aufgaben im öffentlichen Dienst können, soweit keine tarifvertragliche Regelung besteht, durch die zuständige Dienstbehörde die für Beamte geltenden Bestimmungen über die Arbeitszeit auf die Arbeitnehmer übertragen werden; insoweit finden die §§ 3 bis 13 keine Anwendung.

§ 20 Beschäftigung in der Luftfahrt. Für die Beschäftigung von Arbeitnehmern als Besatzungsmitglieder von Luftfahrzeugen gelten anstelle der Vorschriften dieses Gesetzes über Arbeits- und Ruhezeiten die Vorschriften über Flug-, Flugdienst- und Ruhezeiten der Zweiten Durchführungsverordnung zur Betriebsordnung für Luftfahrtgerät in der jeweils geltenden Fassung.

§ 21[3] Beschäftigung in der Binnenschiffahrt. (1) [1] Die Bundesregierung kann durch Rechtsverordnung mit Zustimmung des Bundesrates, auch zur Umsetzung zwischenstaatlicher Vereinbarungen oder Rechtsakten der Europäischen Union, abweichend von den Vorschriften dieses Gesetzes die Bedingungen für die Arbeitszeitgestaltung von Arbeitnehmern, die als Mitglied der Besatzung oder des Bordpersonals an Bord eines Fahrzeugs in der Binnenschifffahrt beschäftigt sind, regeln, soweit dies erforderlich ist, um den besonderen Bedingungen an Bord von Binnenschiffen Rechnung zu tragen. [2] Insbesondere können in diesen Rechtsverordnungen die notwendigen Bedingungen für die Sicherheit und den Gesundheitsschutz im Sinne des § 1, einschließlich gesundheitlicher Untersuchungen hinsichtlich der Auswirkungen der Arbeitszeitbedingungen auf einem Schiff in der Binnenschifffahrt, sowie die notwendigen

(Fortsetzung nächstes Blatt)

---

[1] Nr. **420**.
[2] Nr. **114**.
[3] § 21 neu gef. mWv 17.11.2016 durch G v. 11.11.2016 (BGBl. I S. 2500).

Bedingungen für den Schutz der Sonn- und Feiertagsruhe bestimmt werden. [3]In Rechtsverordnungen nach Satz 1 kann ferner bestimmt werden, dass von den Vorschriften der Rechtsverordnung durch Tarifvertrag abgewichen werden kann.

(2) [1]Soweit die Bundesregierung von der Ermächtigung des Absatzes 1 keinen Gebrauch macht, gelten die Vorschriften dieses Gesetzes für das Fahrpersonal auf Binnenschiffen, es sei denn, binnenschifffahrtsrechtliche Vorschriften über Ruhezeiten stehen dem entgegen. [2]Bei Anwendung des Satzes 1 kann durch Tarifvertrag von den Vorschriften dieses Gesetzes abgewichen werden, um der Eigenart der Binnenschifffahrt Rechnung zu tragen.

§ 21a[1)] Beschäftigung im Straßentransport. (1) [1]Für die Beschäftigung von Arbeitnehmern als Fahrer oder Beifahrer bei Straßenverkehrstätigkeiten im Sinne der Verordnung (EG) Nr. 561/2006[2)] des Europäischen Parlaments und des Rates vom 15. März 2006 zur Harmonisierung bestimmter Sozialvorschriften im Straßenverkehr und zur Änderung der Verordnungen (EWG) Nr. 3821/85 und (EG) Nr. 2135/98 des Rates sowie zur Aufhebung der Verordnung (EWG) Nr. 3820/85 des Rates (ABl. EG Nr. L 102 S. 1) oder des Europäischen Übereinkommens über die Arbeit des im internationalen Straßenverkehr beschäftigten Fahrpersonals (AETR)[3)] vom 1. Juli 1970 (BGBl. II 1974 S. 1473) in ihren jeweiligen Fassungen gelten die Vorschriften dieses Gesetzes, soweit nicht die folgenden Absätze abweichende Regelungen enthalten. [2]Die Vorschriften der Verordnung (EG) Nr. 561/2006 und des AETR bleiben unberührt.

(2) Eine Woche im Sinne dieser Vorschriften ist der Zeitraum von Montag 0 Uhr bis Sonntag 24 Uhr.

(3) [1]Abweichend von § 2 Abs. 1 ist keine Arbeitszeit:

1. die Zeit, während derer sich ein Arbeitnehmer am Arbeitsplatz bereithalten muss, um seine Tätigkeit aufzunehmen,
2. die Zeit, während derer sich ein Arbeitnehmer bereithalten muss, um seine Tätigkeit auf Anweisung aufnehmen zu können, ohne sich an seinem Arbeitsplatz aufhalten zu müssen;
3. für Arbeitnehmer, die sich beim Fahren abwechseln, die während der Fahrt neben dem Fahrer oder in einer Schlafkabine verbrachte Zeit.

[2]Für die Zeiten nach Satz 1 Nr. 1 und 2 gilt dies nur, wenn der Zeitraum und dessen voraussichtliche Dauer im Voraus, spätestens unmittelbar vor Beginn des betreffenden Zeitraums bekannt ist. [3]Die in Satz 1 genannten Zeiten sind keine Ruhezeiten. [4]Die in Satz 1 Nr. 1 und 2 genannten Zeiten sind keine Ruhepausen.

(4) [1]Die Arbeitszeit darf 48 Stunden wöchentlich nicht überschreiten. [2]Sie kann auf bis zu 60 Stunden verlängert werden, wenn innerhalb von vier Kalendermonaten oder 16 Wochen im Durchschnitt 48 Stunden wöchentlich nicht überschritten werden.

[1)] § 21a eingef. mWv 1.9.2006 durch G v. 14.8.2006 (BGBl. I S. 1962); Abs. 1 Sätze 1 und 2 geänd. mWv 11.4.2007 durch G v. 14.8.2006 (BGBl. I S. 1962).

[2)] Nr. **355**.

[3)] **beck-online, Module Arbeitsrecht Nr. 355b.**

(5) [1]Die Ruhezeiten bestimmen sich nach den Vorschriften der Europäischen Gemeinschaften für Kraftfahrer und Beifahrer sowie nach dem AETR. [2]Dies gilt auch für Auszubildende und Praktikanten.

(6) [1]In einem Tarifvertrag oder auf Grund eines Tarifvertrags in einer Betriebs- oder Dienstvereinbarung kann zugelassen werden,

1. nähere Einzelheiten zu den in Absatz 3 Satz 1 Nr. 1, 2 und Satz 2 genannten Voraussetzungen zu regeln,
2. abweichend von Absatz 4 sowie den §§ 3 und 6 Abs. 2 die Arbeitszeit festzulegen, wenn objektive, technische oder arbeitszeitorganisatorische Gründe vorliegen. Dabei darf die Arbeitszeit 48 Stunden wöchentlich im Durchschnitt von sechs Kalendermonaten nicht überschreiten.

[2]§ 7 Abs. 1 Nr. 2 und Abs. 2a gilt nicht. [3]§ 7 Abs. 3 gilt entsprechend.

(7) [1]Der Arbeitgeber ist verpflichtet, die Arbeitszeit der Arbeitnehmer aufzuzeichnen. [2]Die Aufzeichnungen sind mindestens zwei Jahre aufzubewahren. [3]Der Arbeitgeber hat dem Arbeitnehmer auf Verlangen eine Kopie der Aufzeichnungen seiner Arbeitszeit auszuhändigen.

(8) [1]Zur Berechnung der Arbeitszeit fordert der Arbeitgeber den Arbeitnehmer schriftlich auf, ihm eine Aufstellung der bei einem anderen Arbeitgeber geleisteten Arbeitszeit vorzulegen. [2]Der Arbeitnehmer legt diese Angaben schriftlich vor.

Siebter Abschnitt. Straf- und Bußgeldvorschriften

§ 22[1)] Bußgeldvorschriften. (1) Ordnungswidrig handelt, wer als Arbeitgeber vorsätzlich oder fahrlässig

1. entgegen §§ 3, 6 Abs. 2 oder § 21a Abs. 4, jeweils auch in Verbindung mit § 11 Abs. 2, einen Arbeitnehmer über die Grenzen der Arbeitszeit hinaus beschäftigt,
2. entgegen § 4 Ruhepausen nicht, nicht mit der vorgeschriebenen Mindestdauer oder nicht rechtzeitig gewährt,
3. entgegen § 5 Abs. 1 die Mindestruhezeit nicht gewährt oder entgegen § 5 Abs. 2 die Verkürzung der Ruhezeit durch Verlängerung einer anderen Ruhezeit nicht oder nicht rechtzeitig ausgleicht,
4. einer Rechtsverordnung nach § 8 Satz 1, § 13 Abs. 1 oder 2, § 15 Absatz 2a Nummer 2, § 21 Absatz 1 oder § 24 zuwiderhandelt, soweit sie für einen bestimmten Tatbestand auf diese Bußgeldvorschrift verweist,
5. entgegen § 9 Abs. 1 einen Arbeitnehmer an Sonn- oder Feiertagen beschäftigt,
6. entgegen § 11 Abs. 1 einen Arbeitnehmer an allen Sonntagen beschäftigt oder entgegen § 11 Abs. 3 einen Ersatzruhetag nicht oder nicht rechtzeitig gewährt,
7. einer vollziehbaren Anordnung nach § 13 Abs. 3 Nr. 2 zuwiderhandelt,

---

1) § 22 Abs. 2 geänd. mWv 1.1.2002 durch G v. 21.12.2000 (BGBl. I S. 1983); Abs. 1 Nr. 1 und 9 geänd. *mWv 1.9.2006 durch G v.* 14.8.2006 (BGBl. I S. 1962); Abs. 1 Nr. 4 geänd. mWv 1.8.2013 durch G v. 20.4.2013 (BGBl. I S. 868); Abs. 1 Nr. 4 geänd. mWv 17.11.2016 durch G v. 11.11.2016 (BGBl. I S. 2500); Abs. 2 Nr. 2 geänd. mWv 1.1.2021 durch G v. 22.12.2020 (BGBl. I S. 3334).

8. entgegen § 16 Abs. 1 die dort bezeichnete Auslage oder den dort bezeichneten Aushang nicht vornimmt,
9. entgegen § 16 Abs. 2 oder § 21a Abs. 7 Aufzeichnungen nicht oder nicht richtig erstellt oder nicht für die vorgeschriebene Dauer aufbewahrt oder
10. entgegen § 17 Abs. 4 eine Auskunft nicht, nicht richtig oder nicht vollständig erteilt, Unterlagen nicht oder nicht vollständig vorlegt oder nicht einsendet oder entgegen § 17 Abs. 5 Satz 2 eine Maßnahme nicht gestattet.

(2) Die Ordnungswidrigkeit kann in den Fällen des Absatzes 1 Nr. 1 bis 7, 9 und 10 mit einer Geldbuße bis zu dreißigtausend Euro, in den Fällen des Absatzes 1 Nr. 8 mit einer Geldbuße bis zu fünftausend Euro geahndet werden.

§ 23 Strafvorschriften. (1) Wer eine der in § 22 Abs. 1 Nr. 1 bis 3, 5 bis 7 bezeichneten Handlungen

1. vorsätzlich begeht und dadurch Gesundheit oder Arbeitskraft eines Arbeitnehmers gefährdet oder
2. beharrlich wiederholt,

wird mit Freiheitsstrafe bis zu einem Jahr oder mit Geldstrafe bestraft.

(2) Wer in den Fällen des Absatzes 1 Nr. 1 die Gefahr fahrlässig verursacht, wird mit Freiheitsstrafe bis zu sechs Monaten oder mit Geldstrafe bis zu 180 Tagessätzen bestraft.

Achter Abschnitt. Schlußvorschriften

§ 24 Umsetzung von zwischenstaatlichen Vereinbarungen und Rechtsakten der EG. Die Bundesregierung kann mit Zustimmung des Bundesrates zur Erfüllung von Verpflichtungen aus zwischenstaatlichen Vereinbarungen oder zur Umsetzung von Rechtsakten des Rates oder der Kommission der Europäischen Gemeinschaften, die Sachbereiche dieses Gesetzes betreffen, Rechtsverordnungen nach diesem Gesetz erlassen.

§ 25[1] Übergangsregelung für Tarifverträge. [1] Enthält ein am 1. Januar 2004 bestehender oder nachwirkender Tarifvertrag abweichende Regelungen nach § 7 Abs. 1 oder 2 oder § 12 Satz 1, die den in diesen Vorschriften festgelegten Höchstrahmen überschreiten, bleiben diese tarifvertraglichen Bestimmungen bis zum 31. Dezember 2006 unberührt. [2] Tarifverträgen nach Satz 1 stehen durch Tarifvertrag zugelassene Betriebsvereinbarungen sowie Regelungen nach § 7 Abs. 4 gleich.

§ 26[2] *(aufgehoben)*

---

[1] § 25 neu gef. mWv 1.1.2004 durch G v. 24.12.2003 (BGBl. I S. 3002); Satz 1 geänd. mWv 31.12.2005 durch G v. 22.12.2005 (BGBl. I S. 3676).

[2] § 26 aufgeh. mWv 1.1.2004 durch G v. 24.12.2003 (BGBl. I S. 3002).

---

[1] § 25 neu gef. mWv 1. 1. 2004 durch G v. 24. 12. 2003 (BGBl. I S. 3002); Satz 1 Zeitangabe geänd. durch G v. 21. 12. 2004 (BGBl. I S. 3592).

351c. Verordnung über Ausnahmen vom Verbot der Beschäftigung von Arbeitnehmern an Sonn- und Feiertagen in der Eisen- und Stahlindustrie

In der Fassung vom 31. Juli 1968 (BGBl. I S. 886)

Geändert durch Gesetz vom 24. April 1986 (BGBl. I S. 560) und durch Gesetz vom 6. Juni 1994 (BGBl. I S. 1170)

BGBl. III 7107–4

§ 1. (1) [1]In der Eisen- und Stahlindustrie dürfen Arbeitnehmer an Sonn- und Feiertagen beschäftigt werden beim Betrieb

1. von Hochöfen, Niederschachtöfen, Öfen nach dem Stürzelbergverfahren und Rennöfen während der Zeit von 0 bis 24 Uhr,
2. von Siemens-Martin-Stahlöfen mit einem Schmelzgewicht von weniger als 75 t und Elektro-Stahlöfen mit einem Schmelzgewicht von weniger als 10 t mit Ausnahme der Öfen, in denen Stahlguß erzeugt wird, sowie von Öfen nach dem Rotorverfahren während der Zeit bis 6 Uhr und ab 22 Uhr,
3. von Siemens-Martin-Stahlöfen mit einem Schmelzgewicht von mindestens 75 t und Elektro-Stahlöfen mit einem Schmelzgewicht von mindestes 10 t mit Ausnahme der Öfen, in denen Stahlguß erzeugt wird, während der Zeit von 0 bis 24 Uhr,
4. von Thomasstahl-Konvertern während der Zeit bis 6 Uhr und ab 22 Uhr,
5. von Oxygenstahl-Konvertern und von Walzenstraßen erster Hitze, die im Verbund mit diesen Konvertern betrieben werden, während der Zeit von 0 bis 24 Uhr,
6. von Walzenstraßen erster Hitze, die im Verbund mit den in den Nummern 2 und 4 bezeichneten Öfen und Konvertern betrieben werden, bis 6 Uhr und ab 22 Uhr,
7. von Walzenstraßen erster Hitze, die überwiegend im Verbund mit den in Nummer 3 bezeichneten Stahlöfen betrieben werden, während der Zeit bis 6 Uhr und ab 14 Uhr oder bis 14 Uhr und ab 22 Uhr.

[2]Die Regelung nach den Nummern 2 bis 7 gilt nicht für die Weihnachts-, Oster- und Pfingstfeiertage, den 1. Januar und den 1. Mai.

(2) [1]Die Beschäftigung nach Absatz 1 Nr. 1 bis 4 ist nur mit folgenden Arbeiten und den jeweils zugehörigen Hilfsverrichtungen gestattet:

1. Beistellung der Einsatzstoffe vom Betriebslager,
2. alle anderen für das Erschmelzen des Roheisens, der Luppen oder des Stahls unmittelbar erforderlichen Arbeiten,
3. Abtransport und Lagerung des Roheisens und der Schlacke, der Luppen oder des Stahls,
4. Oberflächenbearbeitung und Wärmebehandlung des Stahls, soweit sie in der ersten Hitze vorgenommen werden müssen.

2 Dies gilt nicht, sofern die Arbeiten oder Hilfsverrichtungen auf einen Werktag verlegt werden können.

(3) 1 Beim Betrieb der Walzenstraßen erster Hitze ist nur die Beschäftigung mit dem Antransport der Rohstahlblöcke und Brammen und mit allen anderen für das Walzen der Blöcke und Brammen in erster Hitze unmittelbar erforderlichen Arbeiten sowie mit den jeweils zugehörigen Hilfsverrichtungen gestattet. 2 Dies gilt nicht, sofern die Arbeiten oder Hilfsverrichtungen auf einen Werktag verlegt werden können.

§ 2.[1)] Die Beschäftigung nach § 1 Abs. 1 Nr. 2 bis 7 ist nur gestattet, wenn die in § 10 Abs. 1 Nr. 14 des Arbeitszeitgesetzes zugelassenen Arbeiten zur Reinigung und Instandhaltung entweder in der Zeit von 6 bis 14 Uhr oder in der Zeit von 14 bis 22 Uhr nicht vorgenommen werden, in den Fällen des § 1 Abs. 1 Nr. 7 während der Zeit, während der eine Beschäftigung nach dieser Verordnung nicht gestattet ist.

§ 3. Arbeitnehmer dürfen nach § 1 nur unter den in den §§ 4 bis 8 vorgesehenen Bedingungen beschäftigt werden.

§ 4. (1) Den Arbeitnehmern, die nach § 1 Abs. 1 Nr. 1 beschäftigt werden, ist in einem im Schichtplan festzulegenden Wechsel an mindestens 13 Sonntagen im Jahr eine ununterbrochene Ruhezeit von mindestens 72 Stunden zu gewähren, die den vollen Kalendersonntag umfassen muß.

(2) Den Arbeitnehmern, die nach § 1 Abs. 1 Nr. 2, 4, 6 und 7 beschäftigt werden, ist in einem im Schichtplan festzulegenden Wechsel an mindestens 26 Sonntagen im Jahr eine ununterbrochene Ruhezeit von mindestens 40 Stunden zu gewähren, die den vollen Kalendersonntag umfassen muß.

(3) 1 Den Arbeitnehmern, die nach § 1 Abs. 1 Nr. 3 und 5 beschäftigt werden, ist an mindestens 26 Sonntagen im Jahr eine ununterbrochene Ruhezeit von mindestens 40 Stunden zu gewähren, die den vollen Kalendersonntag umfassen muß. 2 Auf Grund eines Tarifvertrages oder, so-

---

1) § 2 geänd. durch G v. 6. 6. 1994 (BGBl. I S. 1170).

weit eine solche Regelung nicht besteht, auf Grund einer Betriebsvereinbarung kann die Dauer der Ruhezeit für höchstens 9 Sonntage bis auf 16 Stunden verkürzt werden, wenn die Arbeitnehmer an diesen Sonntagen mindestens in der Zeit von 6 bis 22 Uhr von der Arbeit freigestellt werden. Die arbeitsfreien Sonntage sind nach Maßgabe der betrieblichen Verhältnisse und der Schichtpläne im voraus festzulegen.

(4) Den Arbeitnehmern, die nach § 1 Abs. 1 Nr. 2 bis 7 beschäftigt werden, ist an den Weihnachtsfeiertagen eine ununterbrochene Ruhezeit von mindestens 64 Stunden, die am 24. Dezember spätestens um 14 Uhr beginnen muß, am 1. Januar eine ununterbrochene Ruhezeit von mindestens 40 Stunden, die am 31. Dezember um 18 Uhr beginnen muß, an den Oster- und Pfingstfeiertagen eine ununterbrochene Ruhezeit von jeweils mindestens 48 Stunden und am 1. Mai eine ununterbrochene Ruhezeit von mindestens 40 Stunden zu gewähren.

(5) Den Arbeitnehmern, die nach § 1 Abs. 1 Nr. 1 beschäftigt werden, ist an den Weihnachts-, Oster- und Pfingstfeiertagen eine ununterbrochene Ruhezeit von angemessener Dauer zu gewähren. Sie muß für mindestens die Hälfte dieser Arbeitnehmer mindestens 40 Stunden betragen und in der Zeit von 6 Uhr des den Feiertagen vorangehenden Tages bis 6 Uhr des auf die Feiertage folgenden Tages liegen.

§ 5 (1) Die Arbeitszeit an einem Sonn- oder Feiertag darf die Dauer von acht Stunden nicht überschreiten. Sie kann, soweit es bisher gestattet war, auf höchstens zwölf Stunden verlängert werden, wenn den Arbeitnehmern an Stelle der in § 4 Abs. 1 und 3 Satz 2 zu gewährenden freien Sonntage in einem im Schichtplan festzulegenden Wechsel an mindestens 26 Sonntagen im Jahr eine ununterbrochene Ruhezeit von mindestens 40 Stunden gewährt wird, die den vollen Kalendersonntag umfaßt; § 4 Abs. 4 bleibt unberührt.

(2) Den Arbeitnehmern ist für die Beschäftigung an einem Sonntag eine ununterbrochene Ersatzruhezeit von mindestens 24 Stunden in derselben oder in der vorhergehenden Woche zu gewähren.

§ 6* *(aufgehoben)*

§ 7 (1) Wer Arbeitnehmer nach § 1 Abs. 1 Nr. 3 und 5 beschäftigt, hat ein Verzeichnis zu führen, in dem für jeden dieser Arbeitnehmer zu vermerken sind

a) die nach § 4 Abs. 3 und 4 gewährten arbeitsfreien Sonn- und Feiertage sowie die Dauer und Lage der an diesen arbeitsfreien Tagen gewährten Ruhezeiten,

---

[1] § 6 aufgehoben durch Ges. v. 24. 4. 1986 (BGBl. I S. 560).

b) die nach § 5 Abs. 2 gewährten Ersatzruhezeiten und deren Dauer.

(2) Das Verzeichnis ist der nach Landesrecht zuständigen Behörde auf Verlangen vorzulegen oder einzusenden. Es ist mindestens bis zum Ablauf von zwei Jahren nach der letzten Eintragung aufzubewahren. Die Landesregierungen können durch Rechtsverordnung eine einheitliche Form für das Verzeichnis vorschreiben.

§ 8 Wer Arbeitnehmer nach § 1 beschäftigt, hat einen Abdruck dieser Verordnung an geeigneter Stelle im Betrieb zur Einsicht auszulegen oder auszuhängen.

§ 9 Diese Verordnung gilt mit der Maßgabe, daß in § 1 Abs. 1 Nr. 2 und 3 die Zahl „75" durch die Zahl „50" ersetzt wird, auch im Land Berlin, sofern sie im Land Berlin in Kraft gesetzt wird.

351d. Verordnung über Ausnahmen vom Verbot der Beschäftigung von Arbeitnehmern an Sonn- und Feiertagen in der Papierindustrie

Vom 20. Juli 1963 (BGBl. I S. 491)

Geändert durch Gesetz vom 24. April 1986 (BGBl. I S. 560) und durch Gesetz vom 6. Juni 1994 (BGBl. I S. 1170)

BGBl. III 7107-5

Auf Grund des § 105d der Gewerbeordnung in Verbindung mit Artikel 129 Abs. 1 des Grundgesetzes wird mit Zustimmung des Bundesrates für die Papierindustrie verordnet:

§ 1.[1] [1]In der Papierindustrie dürfen Arbeitnehmer an Sonn- und Feiertagen mit Ausnahme der Weihnachts-, Oster- und Pfingstfeiertage und des 1. Mai beschäftigt werden mit Arbeiten zur Herstellung

1. von Zeitungsdruckpapier und Maschinenpappe auf Papiermaschinen mit einer Bahnlänge von mindesten 200 m,
2. von Schreib-, Druck-, Pack- und Kraftpapier sowie Sonderpapier auf Papiermaschinen mit einer Bahnlänge von mindestens 175 m,
3. von Pergamentersatz, Pergamin und ähnlichen Papieren, Zellstoffkarton und Rohpapier für geklebten Karton sowie einseitig glattem Pack- und Kraftpapier auf Papiermaschinen mit einer Bahnlänge von mindestens 110 m,
4. von Sonderpapier mit einem Flächenfertiggewicht unter 23g/qm und technischem Zeichenpapier auf Papiermaschinen mit einer Bahnlänge von mindestens 75 m,
5. von Zellstoffwatte, Toilettenpapier und Textilersatzkrepp mit einer Arbeitsgeschwindigkeit von mindestens 350m/min auf Yankee-Maschinen,
6. von Seidenpapier mit einer Arbeitsgeschwindigkeit von mindestens 200m/min auf Yankee-Maschinen,
7. von Papier auf zellstoffintegrierten Papiermaschinen (Verbundmaschinen), wenn das auf der Verbundmaschine hergestellte Papier zu mehr als 75 vom Hundert des Zellstoffeintrags aus eigenerzeugtem Zellstoff besteht.

[2]Als Bahnlänge gilt die Länge der Papierbahn vom Auflauf des Stoffes auf das Sieb bis zum Aufrollapparat, als Arbeitsgeschwindigkeit gilt die Siebgeschwindigkeit.

---

[1] § 1 Abs. 1 Nr. 7 angef. durch G v. 6. 6. 1994 (BGBl. I S. 1170).

(2) Die Beschäftigung nach Absatz 1 ist nur mit folgenden Arbeiten und den jeweils zugehörigen Hilfsverrichtungen gestattet, sofern die Arbeiten oder Hilfsverrichtungen nicht auf einen Werktag verlegt werden können:

1. Antransport der Rohmaterialien vom Betriebslager,
2. alle anderen zur Stoffaufbereitung und Papierherstellung unmittelbar erforderlichen Arbeiten,
3. Abtransport der Rollen oder Formate zur Lagerung im Zwischenlager.

§ 2.[1] (1) Die Beschäftigung nach § 1 ist an einem Sonn- und Feiertag in einem Betrieb nur gestattet, wenn die in § 10 Abs. 1 Nr. 14 des Arbeitszeitgesetzes zugelassenen Arbeiten zur Reinigung und Instandhaltung während des ganzen Sonn- oder Feiertags an keiner Papiermaschine des Betriebs vorgenommen werden.

(2) Absatz 1 findet keine Anwendung, wenn Arbeitnehmer an einem Sonn- oder Feiertag nach § 1 an nicht mehr als der Hälfte der Papiermaschinen des Betriebs beschäftigt werden und die in § 10 Abs. 1 Nr. 14 des Arbeitszeitgesetzes zugelassenen Arbeiten zur Reinigung und Instandhaltung

a) während des gannzen Sonn- oder Feiertags an den Papiermaschinen, die an diesem Sonn- oder Feiertag laufen,
   und
b) nach 10 Uhr am Sonn- oder Feiertag an den Papiermaschinen, die an diesem Sonn- oder Feiertag nicht laufen,

nicht vorgenommen werden.

§ 3. Arbeitnehmer dürfen nach § 1 nur unter den in §§ 4 bis 9 vorgesehen Bedingungen beschäftigt werden.

§ 4. (1) [1] Den an Sonn- und Feiertagen beschäftigten Arbeitnehmern ist an mindestens 26 Sonntagen im Jahr eine ununterbrochene Ruhezeit von mindestens 40 Stunden zu gewähren, die den vollen Kalendersonntag umfassen muß. [2] Die arbeitsfreien Sonntage sind nach Maßgabe der betrieblichen Verhältnisse und der Schichtpläne im voraus festzulegen.

(2) An den Weihnachtsfeiertagen ist den Arbeitnehmern eine ununterbrochene Ruhezeit von mindestens 60 Stunden, die am 24. Dezember spätestens um 18 Uhr beginnen muß, an den Oster- und Pfingstfeiertagen eine ununterbrochene Ruhezeit von jeweils mindestens 48 Stunden und am 1. Mai eine ununterbrochene Ruhezeit von mindestens 40 Stunden zu gewähren.

---

[1] § 2 Abs. 1 und 2 geänd. durch G v. 6. 6. 1994 (BGBl. I S. 1170).

§ 5. (1) Die Arbeitszeit an einem Sonn- oder Feiertag darf die Dauer von acht Stunden nicht überschreiten.

(2) Den Arbeitnehmern ist für die Beschäftigung an einem Sonntag eine ununterbrochene Ersatzruhezeit von mindestens 24 Stunden in derselben oder in der vorhergehenden Woche zu gewähren.

§ 6. Auf Grund eines Tarifvertrages oder, soweit eine solche Regelung nicht besteht, auf Grund einer Betriebsvereinbarung kann

a) die in § 4 Abs. 1 Satz 1 vorgeschriebene Dauer der Ruhezeit für höchstens 5 Sonntage bis auf 16 Stunden verkürzt werden, wenn die Arbeitnehmer an diesen Sonntagen mindestens in der Zeit von 6 bis 22 Uhr von der Arbeit freigestellt werden,

oder

b) die in § 5 Abs. 1 vorgeschriebene Dauer der Arbeitszeit an Sonntagen auf höchstens 12 Stunden verlängert werden.

§ 7.[1] *(aufgehoben)*

§ 8. (1) Wer Arbeitnehmer nach § 1 beschäftigt, hat ein Verzeichnis zu führen, in dem für jeden dieser Arbeitnehmer zu vermerken sind

a) die nach §§ 4 und 6 gewährten arbeitsfreien Sonn- und Feiertage sowie die Dauer und Lage der an diesen arbeitsfreien Tagen gewährten Ruhezeiten,

b) die nach § 5 Abs. 2 gewährten Ersatzruhezeiten und deren Dauer.

(2) [1]Das Verzeichnis ist der nach Landesrecht zuständigen Behörde auf Verlangen vorzulegen oder einzusenden. [2]Es ist mindestens bis zum Ablauf von zwei Jahren nach der letzten Eintragung aufzubewahren. [3]Die Landesregierungen können durch Rechtsverordnung eine einheitliche Form für das Verzeichnis vorschreiben.

§ 9. Wer Arbeitnehmer nach § 1 beschäftigt, hat einen Abdruck dieser Verordnung an geeigneter Stelle im Betrieb zur Einsicht auszulegen oder auszuhängen.

§ 10.[2] *(aufgehoben)*

§ 11.[3] (1) Diese Verordnung tritt einen Monat nach Ihrer Verkündigung in Kraft.

(2) *(aufgehoben)*

(3) *(aufgehoben)*

---

[1] § 7 aufgeh. durch G v. 24. 4. 1986 (BGBl. I S. 560).
[2] § 10 aufgeh. durch G v. 6. 6. 1994 (BGBl. I S. 1170).
[3] § 11 Abs. 2 und 3 aufgeh. durch G v. 6. 6. 1994 (BGBl. I S. 1170).

355. Verordnung (EG) Nr. 561/2006 des Europäischen Parlaments und des Rates vom 15. März 2006 zur Harmonisierung bestimmter Sozialvorschriften im Straßenverkehr und zur Änderung der Verordnungen (EWG) Nr. 3821/85 und (EG) Nr. 2135/98 des Rates sowie zur Aufhebung der Verordnung (EWG) Nr. 3820/85 des Rates[1) 2)]

(Text von Bedeutung für den EWR)

(ABl. L 102 S. 1, ber. ABl. 2009 L 70 S. 19, ABl. 2015 L 101 S. 62, ABl. 2016 L 195 S. 83, 2023 ABl. L 90039 S. 1)

Celex-Nr. 3 2006 R 0561

zuletzt geänd. durch Art. 1 VO (EU) 2024/1258 v. 24.4.2024 (ABl. L, 2024/1258, 2.5.2024, ELI: http://data.europa.eu/eli/reg/2024/1258/oj)

DER RAT DER EUROPÄISCHEN GEMEINSCHAFTEN –

gestützt auf den Vertrag zur Gründung der Europäischen Gemeinschaft[3)], insbesondere auf Artikel 71[4)],

auf Vorschlag der Kommission[5)],

nach Stellungnahme des Europäischen Wirtschafts- und Sozialausschusses[6)],

nach Anhörung des Ausschusses der Regionen,

gemäß dem Verfahren des Artikels 251 des Vertrags[7) 8)], im Hinblick auf den vom Vermittlungsausschuss am 8. Dezember 2005 gebilligten Gemeinsamen Entwurf,

in Erwägung nachstehender Gründe:

(1) Durch die Verordnung (EWG) Nr. 3820/85[9)] des Rates vom 20. Dezember 1985 über die Harmonisierung bestimmter Sozialvorschriften im Straßenverkehr[10)] sollten die Wettbewerbsbedingungen zwischen Binnenverkehrs-

---

1) Inkrafttreten dieser VO am 11.4.2007 mit Ausnahme des Art. 10 Abs. 5, der bereits am 1.5.2006 in Kraft getreten ist, vgl. Art. 29.

2) Zur Fortgeltung des Art. 5 der Verordnung (EWG) Nr. 3820/85 **(beck-online, Module Arbeitsrecht Nr. 355a)** siehe die Übergangsvorschriften in Art. 28 Abs. 2.

3) Nunmehr Vertrag über die Arbeitsweise der Europäischen Union durch Vertrag von Lissabon v. 13.12.2007 (ABl. C 306 S. 1).

4) Nunmehr Art. 91 AEUV durch Vertrag von Lissabon v. 13.12.2007 (ABl. C 306 S. 1).

5) **Amtl. Anm.:** ABl. C 51 E vom 26.2.2002, S. 234.

6) **Amtl. Anm.:** ABl. C 221 vom 17.9.2002, S. 19.

7) Nunmehr Art. 294 AEUV durch Vertrag von Lissabon v. 13.12.2007 (ABl. C 306 S. 1).

8) **Amtl. Anm.:** Stellungnahme des Europäischen Parlaments vom 14. Januar 2003 (ABl. C 38 E vom 12.2.2004, S. 152), Gemeinsamer Standpunkt des Rates vom 9. Dezember 2004 (ABl. C 63 E vom 15.3.2005, S. 11) und Standpunkt des Europäischen Parlaments vom 13. April 2005 (ABl. C 33 E vom 9.2.2006, S. 425). Legislative Entschließung des Europäischen Parlaments vom 2. Februar 2006 und Beschluss des Rates vom 2. Februar 2006.

9) **beck-online, Module Arbeitsrecht Nr. 355a.**

10) **Amtl. Anm.:** ABl. L 370 vom 31.12.1985, S. 1. Geändert durch die Richtlinie 2003/59/EG des Europäischen Parlaments und des Rates (ABl. L 226 vom 10.9.2003, S. 4).

trägern, insbesondere im Straßenverkehrsgewerbe, harmonisiert und die Arbeitsbedingungen und die Sicherheit im Straßenverkehr verbessert werden. Die in diesen Bereichen erzielten Fortschritte sollten gewahrt und ausgebaut werden.

(2) Nach der Richtlinie 2002/15/EG[1] des Europäischen Parlaments und des Rates vom 11. März 2002 zur Regelung der Arbeitszeit von Personen, die Fahrtätigkeiten im Bereich des Straßentransports ausüben[2], sind die Mitgliedstaaten verpflichtet, Maßnahmen zur Beschränkung der wöchentlichen Höchstarbeitszeit des Fahrpersonals zu erlassen.

(3) Es hat sich als schwierig erwiesen, gewisse Bestimmungen der Verordnung (EWG) Nr. 3820/85[3] über Lenkzeiten, Fahrtunterbrechungen und Ruhezeiten von Fahrern im nationalen und grenzüberschreitenden Straßenverkehr innerhalb der Gemeinschaft in allen Mitgliedstaaten einheitlich auszulegen, anzuwenden, durchzusetzen und zu überwachen, weil die Bestimmungen zu allgemein gehalten sind.

(4) Eine wirksame und einheitliche Durchführung dieser Bestimmungen ist wünschenswert, damit ihre Ziele erreicht werden und ihre Anwendung nicht in Misskredit gerät. Daher sind klarere und einfachere Vorschriften nötig, die sowohl vom Straßenverkehrsgewerbe als auch den Vollzugsbehörden leichter zu verstehen, auszulegen und anzuwenden sind.

(5) Durch die in dieser Verordnung vorgesehenen Maßnahmen in Bezug auf die Arbeitsbedingungen sollte das Recht der Sozialpartner, im Zuge von Tarifverhandlungen oder in anderer Weise günstigere Bedingungen für die Arbeitnehmer festzulegen, nicht beeinträchtigt werden.

(6) Es ist wünschenswert, den Geltungsbereich dieser Verordnung klar zu bestimmen, indem die Hauptarten der von ihr erfassten Fahrzeuge aufgeführt werden.

(7) Diese Verordnung sollte für Beförderungen im Straßenverkehr, die entweder ausschließlich innerhalb der Gemeinschaft oder aber zwischen der Gemeinschaft, der Schweiz und den Vertragsstaaten des Abkommens über den Europäischen Wirtschaftsraum getätigt werden, gelten.

(8) Das Europäische Übereinkommen über die Arbeit des im internationalen Straßenverkehr beschäftigten Fahrpersonals[4] (im Folgenden „AETR" genannt) vom 1. Juli 1970 in seiner geänderten Fassung sollte weiterhin Anwendung finden auf die Beförderung von Gütern und Personen im Straßenverkehr mit Fahrzeugen, die in einem Mitgliedstaat oder einem Staat, der Vertragspartei des AETR ist, zugelassen sind, und zwar für die gesamte Strecke von Fahrten zwischen der Gemeinschaft und einem Drittstaat außer der Schweiz und der Vertragsstaaten des Abkommens über den Europäischen Wirtschaftsraum oder durch einen solchen Staat hindurch. Es ist unabdingbar, dass das AETR so schnell wie möglich, im Idealfall innerhalb von zwei Jahren nach Inkrafttreten dieser Verordnung, geändert wird, um dessen Bestimmungen an diese Verordnung anzupassen.

(9) Bei Beförderungen im Straßenverkehr mit Fahrzeugen, die in einem Drittstaat zugelassen sind, der nicht Vertragspartei des AETR ist, sollte

[1] **beck-online, Module Arbeitsrecht Nr. 893a.**
[2] **Amtl. Anm.:** *ABl. L 80* vom 23.3.2002, S. 35.
[3] **beck-online, Module Arbeitsrecht Nr. 355a.**
[4] **beck-online, Module Arbeitsrecht Nr. 355b.**

das AETR für den Teil der Fahrstrecke gelten, der innerhalb der Gemeinschaft oder innerhalb von Staaten liegt, die Vertragsparteien des AETR sind.

(10) Da der Gegenstand des AETR in den Geltungsbereich dieser Verordnung fällt, ist die Gemeinschaft für die Aushandlung und den Abschluss dieses Übereinkommens zuständig.

(11) Erfordert eine Änderung der innergemeinschaftlichen Regeln auf dem betreffenden Gebiet eine entsprechende Änderung des AETR, so sollten die Mitgliedstaaten gemeinsam handeln, um eine solche Änderung des AETR nach dem darin vorgesehenen Verfahren so schnell wie möglich zu erreichen.

(12) Das Verzeichnis der Ausnahmen sollte aktualisiert werden, um den Entwicklungen im Kraftverkehrssektor im Laufe der letzten neunzehn Jahre Rechnung zu tragen.

(13) Alle wesentlichen Begriffe sollten umfassend definiert werden, um die Auslegung zu erleichtern und eine einheitliche Anwendung dieser Verordnung zu gewährleisten. Daneben muss eine einheitliche Auslegung und Anwendung dieser Verordnung seitens der einzelstaatlichen Kontrollbehörden angestrebt werden. Die Definition des Begriffs „Woche" in dieser Verordnung sollte Fahrer nicht daran hindern, ihre Arbeitswoche an jedem beliebigen Tag der Woche aufzunehmen.

(14) Um eine wirksame Durchsetzung zu gewährleisten, ist es von wesentlicher Bedeutung, dass die zuständigen Behörden bei Straßenkontrollen nach einer Übergangszeit in der Lage sein sollten, die ordnungsgemäße Einhaltung der Lenk- und Ruhezeiten des laufenden Tages und der vorausgehenden 28 Tage zu kontrollieren.

(15) Die grundlegenden Vorschriften über die Lenkzeiten müssen klarer und einfacher werden, um eine wirksame und einheitliche Durchsetzung mit Hilfe des digitalen Fahrtenschreibers nach der Verordnung (EWG) Nr. 3821/85[1)] des Rates vom 20. Dezember 1985 über das Kontrollgerät im Straßenverkehr[2)] und der vorliegenden Verordnung zu ermöglichen. Außerdem sollten sich die Vollzugsbehörden der Mitgliedstaaten in einem Ständigen Ausschuss um Einvernehmen über die Durchführung dieser Verordnung bemühen.

(16) Nach den Vorschriften der Verordnung (EWG) Nr. 3820/85[3)] war es möglich, die täglichen Lenkzeiten und Fahrtunterbrechungen so zu planen, dass Fahrer zu lange ohne eine vollständige Fahrtunterbrechung fahren konnten, was zu Beeinträchtigungen der Straßenverkehrssicherheit und schlechteren Arbeitsbedingungen für die Fahrer geführt hat. Es ist daher angebracht, sicherzustellen, dass aufgeteilte Fahrtunterbrechungen so angeordnet werden, dass Missbrauch verhindert wird.

(17) Mit dieser Verordnung sollen die sozialen Bedingungen für die von ihr erfassten Arbeitnehmer sowie die allgemeine Straßenverkehrssicherheit verbessert werden. Dazu dienen insbesondere die Bestimmungen über die maximale Lenkzeit pro Tag, pro Woche und pro Zeitraum von zwei

---

[1)] **beck-online, Module Arbeitsrecht Nr. 355c.**

[2)] **Amtl. Anm.:** ABl. L 370 vom 31.12.1985, S. 8. Zuletzt geändert durch die Verordnung (EG) Nr. 432/2004 der Kommission (ABl. L 71 vom 10.3.2004, S. 3).

[3)] **beck-online, Module Arbeitsrecht Nr. 355a.**

aufeinander folgenden Wochen, die Bestimmung über die Verpflichtung der Fahrer, mindestens einmal in jedem Zeitraum von zwei aufeinander folgenden Wochen eine regelmäßige wöchentliche Ruhezeit zu nehmen, und die Bestimmungen, wonach eine tägliche Ruhezeit unter keinen Umständen einen ununterbrochenen Zeitraum von neun Stunden unterschreiten sollte. Da diese Bestimmungen angemessene Ruhepausen garantieren, ist unter Berücksichtigung der Erfahrungen mit der praktischen Durchführung in den vergangenen Jahren ein Ausgleichssystem für reduzierte tägliche Ruhezeiten nicht mehr notwendig.

(18) Viele Beförderungen im innergemeinschaftlichen Straßenverkehr enthalten Streckenabschnitte, die mit Fähren oder auf der Schiene zurückgelegt werden. Für solche Beförderungen sollten deshalb klare und sachgemäße Bestimmungen über die täglichen Ruhezeiten und Fahrtunterbrechungen festgelegt werden.

(19) Angesichts der Zunahme des grenzüberschreitenden Güter- und Personenverkehrs ist es im Interesse der Straßenverkehrssicherheit und einer besseren Durchsetzung von Straßenkontrollen und Kontrollen auf dem Betriebsgelände von Unternehmen wünschenswert, dass auch die in anderen Mitgliedstaaten oder Drittstaaten angefallenen Lenkzeiten, Ruhezeiten und Fahrtunterbrechungen kontrolliert werden und festgestellt wird, ob die entsprechenden Vorschriften in vollem Umfang und ordnungsgemäß eingehalten wurden.

(20) Die Haftung von Verkehrsunternehmen sollte zumindest für Verkehrsunternehmen gelten, die juristische oder natürliche Personen sind, ohne jedoch die Verfolgung natürlicher Personen auszuschließen, die Verstöße gegen diese Verordnung begehen, dazu anstiften oder Beihilfe leisten.

(21) Fahrer, die für mehrere Verkehrsunternehmen tätig sind, müssen jedes dieser Unternehmen angemessen informieren, damit diese ihren Pflichten aus dieser Verordnung nachkommen können.

(22) Zur Förderung des sozialen Fortschritts und zur Verbesserung der Straßenverkehrssicherheit sollte jeder Mitgliedstaat das Recht behalten, bestimmte zweckmäßige Maßnahmen zu treffen.

(23) Nationale Abweichungen sollten die Änderungen im Kraftverkehrssektor widerspiegeln und sich auf jene Elemente beschränken, die derzeit keinem Wettbewerbsdruck unterliegen.

(24) Die Mitgliedstaaten sollten Vorschriften für Fahrzeuge erlassen, die zur Personenbeförderung im Linienverkehr dienen, wenn die Strecke nicht mehr als 50 km beträgt. Diese Vorschriften sollten einen angemessenen Schutz in Form von erlaubten Lenkzeiten und vorgeschriebenen Fahrtunterbrechungen und Ruhezeiten bieten.

(25) Im Interesse einer wirksamen Durchsetzung dieser Verordnung ist es wünschenswert, dass alle inländischen und grenzüberschreitenden Personenlinienverkehrsdienste unter Einsatz eines Standardkontrollgeräts kontrolliert werden.

(26) Die Mitgliedstaaten sollten Sanktionen festlegen, die bei Verstößen gegen diese Verordnung zu verhängen sind, und deren Durchsetzung gewährleisten. Diese Sanktionen müssen wirksam, verhältnismäßig, abschreckend und nicht diskriminierend sein. Die Möglichkeit, ein Fahrzeug bei einem schweren Verstoß stillzulegen, sollte in das gemeinsame Spektrum möglicher Maßnahmen der Mitgliedstaaten aufgenommen

werden. Die in dieser Verordnung enthaltenen Bestimmungen über Sanktionen oder Verfahren sollten nationale Beweislastregeln unberührt lassen.

(27) Im Interesse einer klaren und wirksamen Durchsetzung dieser Verordnung sind einheitliche Bestimmungen über die Haftung von Verkehrsunternehmen und Fahrern bei Verstößen gegen diese Verordnung wünschenswert. Diese Haftung kann in den Mitgliedstaaten gegebenenfalls strafrechtliche, zivilrechtliche oder verwaltungsrechtliche Sanktionen zur Folge haben.

(28) Da das Ziel dieser Verordnung, nämlich die Festlegung eindeutiger gemeinsamer Vorschriften über Lenk- und Ruhezeiten, auf Ebene der Mitgliedstaaten nicht ausreichend erreicht werden kann und daher wegen der Notwendigkeit koordinierter Maßnahmen besser auf Gemeinschaftsebene zu erreichen ist, kann die Gemeinschaft im Einklang mit dem in Artikel 5 des Vertrags[1)] niedergelegten Subsidiaritätsprinzip tätig werden. Entsprechend dem in demselben Artikel genannten Verhältnismäßigkeitsprinzip geht diese Verordnung nicht über das für die Erreichung dieses Ziels erforderliche Maß hinaus.

(29) Die zur Durchführung dieser Verordnung erforderlichen Maßnahmen sollten gemäß dem Beschluss 1999/468/EG des Rates vom 28. Juni 1999 zur Festlegung der Modalitäten für die Ausübung der der Kommission übertragenen Durchführungsbefugnisse[2)] erlassen werden.

(30) Da die Bestimmungen zum Mindestalter der Fahrer in der Richtlinie 2003/59/EG[3)] geregelt worden sind und bis 2009 umgesetzt werden müssen, braucht diese Verordnung lediglich Übergangsbestimmungen für das Mindestalter des Fahrpersonals zu enthalten.

(31) Die Verordnung (EWG) Nr. 3821/85[4)] sollte geändert werden, um die besonderen Verpflichtungen der Verkehrsunternehmen und der Fahrer klar herauszustellen sowie um die Rechtssicherheit zu fördern und die Durchsetzung der maximalen Lenk- und Ruhezeiten durch Straßenkontrollen zu erleichtern.

(32) Die Verordnung (EWG) Nr. 3821/85[4)] sollte auch geändert werden, um die Rechtssicherheit hinsichtlich der neuen Termine für die Einführung digitaler Fahrtenschreiber und für die Verfügbarkeit von Fahrerkarten zu fördern.

(33) Mit der Einführung des Aufzeichnungsgeräts gemäß Verordnung (EG) Nr. 2135/98 und somit der elektronischen Aufzeichnung der Tätigkeiten des Fahrers auf seiner Fahrerkarte über einen Zeitraum von 28 Tagen und des Fahrzeugs über einen Zeitraum von 365 Tagen wird in

---

[1)] Nunmehr Art. 5 EUV v. 13.12.2007 (ABl. C 306 S. 1, ber. ABl. 2008 C 111 S. 56, ABl. 2009 C 290 S. 1, ABl. 2011 C 378 S. 3), zuletzt geänd. durch Akte v. 9.12.2011 (ABl. 2012 L 112 S. 21) durch Vertrag von Lissabon v. 13.12.2007 (ABl. C 306 S. 1).

[2)] **Amtl. Anm.:** ABl. L 184 vom 17.7.1999, S. 23.

[3)] **Amtl. Anm.:** Richtlinie 2003/59/EG des Europäischen Parlaments und des Rates vom 15. Juli 2003 über die Grundqualifikation und Weiterbildung der Fahrer bestimmter Kraftfahrzeuge für den Güter- oder Personenkraftverkehr und zur Änderung der Verordnung (EWG) Nr. 3820/85 und der Richtlinie 91/439/EWG des Rates sowie zur Aufhebung der Richtlinie 76/914/EWG des Rates (ABl. L 226 vom 10.9.2003, S. 4). Geändert durch die Richtlinie 2004/66/EG des Rates (ABl. L 168 vom 1.5.2004, S. 35).

[4)] **beck-online, Module Arbeitsrecht Nr. 355c.**

Zukunft eine schnellere und umfassendere Kontrolle auf der Straße ermöglicht.

(34)[1] Die Richtlinie 88/599/EWG[2] schreibt für Kontrollen auf der Straße lediglich die Kontrolle der täglichen Lenkzeiten, der täglichen Ruhezeit sowie der Fahrtunterbrechungen vor. Mit der Einführung eines digitalen Aufzeichnungsgeräts werden die Daten des Fahrers und des Fahrzeuges elektronisch gespeichert und erlauben eine elektronische Auswertung der Daten vor Ort. Dies sollte mit der Zeit eine einfache Kontrolle der regelmäßigen und reduzierten täglichen Ruhezeiten und der regelmäßigen und reduzierten wöchentlichen Ruhezeiten sowie der Ausgleichsruhepausen ermöglichen.

(35) Die Erfahrung zeigt, dass eine Einhaltung der Bestimmungen dieser Verordnung und insbesondere der vorgeschriebenen maximalen Lenkzeit über einen Zeitraum von zwei Wochen nur durchgesetzt werden kann, wenn wirksame und effektive Kontrollen des gesamten Zeitraums durchgeführt werden.

(36) Die Anwendung der gesetzlichen Vorschriften betreffend digitale Tachografen sollte im Einklang mit dieser Verordnung erfolgen, um eine optimale Wirksamkeit bei der Überwachung und Durchsetzung bestimmter Sozialvorschriften im Straßenverkehr zu erreichen.

(37) Aus Gründen der Klarheit und Rationalisierung sollte die Verordnung (EWG) Nr. 3820/85[3] aufgehoben und durch diese Verordnung ersetzt werden –

HABEN FOLGENDE VERORDNUNG ERLASSEN:

Kapitel I. Einleitende Bestimmungen

Art. 1 [Einleitende Bestimmungen] [1]Durch diese Verordnung werden Vorschriften zu den Lenkzeiten, Fahrtunterbrechungen und Ruhezeiten für Kraftfahrer im Straßengüter- und -personenverkehr festgelegt, um die Bedingungen für den Wettbewerb zwischen Landverkehrsträgern, insbesondere im Straßenverkehrsgewerbe, anzugleichen und die Arbeitsbedingungen sowie die Straßenverkehrssicherheit zu verbessern. [2]Ziel dieser Verordnung ist es ferner, zu einer besseren Kontrolle und Durchsetzung durch die Mitgliedstaaten sowie zu einer besseren Arbeitspraxis innerhalb des Straßenverkehrsgewerbes beizutragen.

Art. 2[4] [Sachlicher und räumlicher Geltungsbereich] (1) Diese Verordnung gilt für folgende Beförderungen im Straßenverkehr:

a) Güterbeförderung mit Fahrzeugen, deren zulässige Höchstmasse einschließlich Anhänger oder Sattelanhänger 3,5 t übersteigt, oder

---

[1] Erwägungsgrund (34) Satz 1 ber. ABl. 2015 L 101 S. 62.

[2] **Amtl. Anm.:** Richtlinie 88/599/EWG des Rates vom 23. November 1988 über einheitliche Verfahren zur Anwendung der Verordnung (EWG) Nr. 3820/85 über die Harmonisierung bestimmter Sozialvorschriften im Straßenverkehr und der Verordnung (EWG) Nr. 3821/85 über das Kontrollgerät im Straßenverkehr (ABl. L 325 vom 29.11.1988, S. 55).

[3] **beck-online, Module Arbeitsrecht Nr. 355a.**

[4] Art. 2 Abs. 1 Buchst. aa eingef. mWv 20.8.2020 durch VO v. 15.7.2020 (ABl. L 249 S. 1).

aa) ab dem 1. Juli 2026 bei grenzüberschreitenden Güterbeförderungen oder bei Kabotagebeförderungen mit Fahrzeugen, deren zulässige Höchstmasse einschließlich Anhänger oder Sattelanhänger 2,5 Tonnen übersteigt, oder

b) Personenbeförderung mit Fahrzeugen, die für die Beförderung von mehr als neun Personen einschließlich des Fahrers konstruiert oder dauerhaft angepasst und zu diesem Zweck bestimmt sind.

(2) Diese Verordnung gilt unabhängig vom Land der Zulassung des Fahrzeugs für Beförderungen im Straßenverkehr

a) ausschließlich innerhalb der Gemeinschaft oder

b) zwischen der Gemeinschaft, der Schweiz und den Vertragsstaaten des Abkommens über den Europäischen Wirtschaftsraum.

(3) *[1]* Das AETR[1] gilt anstelle dieser Verordnung für grenzüberschreitende Beförderungen im Straßenverkehr, die teilweise außerhalb der in Absatz 2 genannten Gebiete erfolgen,

a) im Falle von Fahrzeugen, die in der Gemeinschaft oder in Staaten, die Vertragsparteien des AETR sind, zugelassen sind, für die gesamte Fahrstrecke;

b) im Falle von Fahrzeugen, die in einem Drittstaat, der nicht Vertragspartei des AETR ist, zugelassen sind, nur für den Teil der Fahrstrecke, der im Gebiet der Gemeinschaft oder von Staaten liegt, die Vertragsparteien des AETR sind.

[2] Die Bestimmungen des AETR sollten an die Bestimmungen dieser Verordnung angepasst werden, damit die wesentlichen Bestimmungen dieser Verordnung über das AETR auf solche Fahrzeuge für den auf Gemeinschaftsgebiet liegenden Fahrtabschnitt angewendet werden können.

Art. 3[2] [Ausnahmen vom Geltungsbereich] Diese Verordnung gilt nicht für Beförderungen im Straßenverkehr mit folgenden Fahrzeugen:

a) Fahrzeuge, die zur Personenbeförderung im Linienverkehr verwendet werden, wenn die Linienstrecke nicht mehr als 50 km beträgt;

aa) Fahrzeuge oder Fahrzeugkombinationen mit einer zulässigen Höchstmasse von nicht mehr als 7,5 Tonnen, die

i) zur Beförderung von Material, Ausrüstungen oder Maschinen benutzt werden, die der Fahrer zur Ausübung seines Berufes benötigt, oder

ii) zur Auslieferung von handwerklich hergestellten Gütern,

ausschließlich in einem Umkreis von 100 km vom Standort des Unternehmens, und unter der Bedingung, dass das Lenken des Fahrzeugs für den Fahrer nicht die Haupttätigkeit darstellt und dass die Beförderung nicht gewerblich erfolgt;

b) Fahrzeuge mit einer zulässigen Höchstgeschwindigkeit von nicht mehr als 40 km/h;

c) Fahrzeuge, die Eigentum der Streitkräfte, des Katastrophenschutzes, der Feuerwehr oder der für die Aufrechterhaltung der öffentlichen Ordnung zuständigen Kräfte sind oder von ihnen ohne Fahrer angemietet werden, sofern die Beförderung aufgrund der diesen Diensten zugewiesenen Aufgaben stattfindet und ihrer Aufsicht unterliegt;

---

[1] **beck-online, Module Arbeitsrecht Nr. 355b.**

[2] Art. 3 Buchst. aa eingef. mWv 2.3.2015 durch VO v. 4.2.2014 (ABl. L 60 S. 1); Buchst. aa neu gef., Buchst. ha eingef. mWv 20.8.2020 durch VO v. 15.7.2020 (ABl. L 249 S. 1).

d) Fahrzeuge – einschließlich Fahrzeuge, die für nichtgewerbliche Transporte für humanitäre Hilfe verwendet werden –, die in Notfällen oder bei Rettungsmaßnahmen verwendet werden;

e) Spezialfahrzeuge für medizinische Zwecke;

f) spezielle Pannenhilfefahrzeuge, die innerhalb eines Umkreises von 100 km um ihren Standort eingesetzt werden;

g) Fahrzeuge, mit denen zum Zweck der technischen Entwicklung oder im Rahmen von Reparatur- oder Wartungsarbeiten Probefahrten auf der Straße durchgeführt werden, sowie neue oder umgebaute Fahrzeuge, die noch nicht in Betrieb genommen worden sind;

h) Fahrzeuge oder Fahrzeugkombinationen mit einer zulässigen Höchstmasse von nicht mehr als 7,5 t, die zur nichtgewerblichen Güterbeförderung verwendet werden;

ha) Fahrzeuge mit einer zulässigen Höchstmasse einschließlich Anhänger oder Sattelanhänger von mehr als 2,5 aber nicht mehr als 3,5 Tonnen, die für die Güterbeförderung eingesetzt werden, wenn die Beförderung nicht als gewerbliche Beförderung, sondern durch das Unternehmen oder den Fahrer im Werkverkehr erfolgt und das Fahren nicht die Haupttätigkeit der Person darstellt, die das Fahrzeug führt;

i) Nutzfahrzeuge, die nach den Rechtsvorschriften des Mitgliedstaats, in dem sie verwendet werden, als historisch eingestuft werden und die zur nichtgewerblichen Güter- oder Personenbeförderung verwendet werden.

Art. 4[1)] [Begriffsbestimmungen] Im Sinne dieser Verordnung bezeichnet der Ausdruck

a) „Beförderung im Straßenverkehr" jede ganz oder teilweise auf einer öffentlichen Straße durchgeführte Fahrt eines zur Personen- oder Güterbeförderung verwendeten leeren oder beladenen Fahrzeugs;

b) „Fahrzeug" ein Kraftfahrzeug, eine Zugmaschine, einen Anhänger oder Sattelanhänger oder eine Kombination dieser Fahrzeuge gemäß den nachstehenden Definitionen:

 – „Kraftfahrzeug": jedes auf der Straße verkehrende Fahrzeug mit Eigenantrieb, das normalerweise zur Personen- oder Güterbeförderung verwendet wird, mit Ausnahme von dauerhaft auf Schienen verkehrenden Fahrzeugen;

 – „Zugmaschine": jedes auf der Straße verkehrende Fahrzeug mit Eigenantrieb, das speziell dafür ausgelegt ist, Anhänger, Sattelanhänger, Geräte oder Maschinen zu ziehen, zu schieben oder zu bewegen, mit Ausnahme von dauerhaft auf Schienen verkehrenden Fahrzeugen;

 – „Anhänger": jedes Fahrzeug, das dazu bestimmt ist, an ein Kraftfahrzeug oder eine Zugmaschine angehängt zu werden;

 – „Sattelanhänger": ein Anhänger ohne Vorderachse, der so angehängt wird, dass ein beträchtlicher Teil seines Eigengewichts und des Gewichts seiner Ladung von der Zugmaschine oder vom Kraftfahrzeug getragen wird;

[1)] Art. 4 Buchst. k und *l* ber. *ABl. 2015* L 101 S. 62; Buchst. r angef. mWv 20.8.2020 durch VO v. 15.7.2020 (ABl. L 249 S. 1); Buchst. n neu gef., Buchst. na eingef. mWv 22.5.2024 durch VO v. 24.4. 2024 (ABl. L, 2024/1258, 2.5.2024).

c) „Fahrer“ jede Person, die das Fahrzeug, sei es auch nur kurze Zeit, selbst lenkt oder sich in einem Fahrzeug befindet, um es – als Bestandteil seiner Pflichten – gegebenenfalls lenken zu können;

d) „Fahrtunterbrechung“ jeden Zeitraum, in dem der Fahrer keine Fahrtätigkeit ausüben und keine anderen Arbeiten ausführen darf und der ausschließlich zur Erholung genutzt wird;

e) „andere Arbeiten“ alle in Artikel 3 Buchstabe a der Richtlinie 2002/15/EG[1] als „Arbeitszeit“ definierten Tätigkeiten mit Ausnahme der Fahrtätigkeit sowie jegliche Arbeit für denselben oder einen anderen Arbeitgeber, sei es inner- oder außerhalb des Verkehrssektors;

f) „Ruhepause“ jeden ununterbrochenen Zeitraum, in dem ein Fahrer frei über seine Zeit verfügen kann;

g) „tägliche Ruhezeit“ den täglichen Zeitraum, in dem ein Fahrer frei über seine Zeit verfügen kann und der eine „regelmäßige tägliche Ruhezeit“ und eine „reduzierte tägliche Ruhezeit“ umfasst;
   - „regelmäßige tägliche Ruhezeit“ eine Ruhepause von mindestens 11 Stunden. Diese regelmäßige tägliche Ruhezeit kann auch in zwei Teilen genommen werden, wobei der erste Teil einen ununterbrochenen Zeitraum von mindestens 3 Stunden und der zweite Teil einen ununterbrochenen Zeitraum von mindestens 9 Stunden umfassen muss;
   - „reduzierte tägliche Ruhezeit“ eine Ruhepause von mindestens 9 Stunden, aber weniger als 11 Stunden;

h) „wöchentliche Ruhezeit“ den wöchentlichen Zeitraum, in dem ein Fahrer frei über seine Zeit verfügen kann und der eine „regelmäßige wöchentliche Ruhezeit“ und eine „reduzierte wöchentliche Ruhezeit“ umfasst;
   - „regelmäßige wöchentliche Ruhezeit“ eine Ruhepause von mindestens 45 Stunden;
   - „reduzierte wöchentliche Ruhezeit“ eine Ruhepause von weniger als 45 Stunden, die vorbehaltlich der Bedingungen des Artikels 8 Absatz 6 auf eine Mindestzeit von 24 aufeinander folgenden Stunden reduziert werden kann;

i) „Woche“ den Zeitraum zwischen Montag 00.00 Uhr und Sonntag 24.00 Uhr;

j) „Lenkzeit“ die Dauer der Lenktätigkeit, aufgezeichnet entweder:
   - vollautomatisch oder halbautomatisch durch Kontrollgeräte im Sinne der Anhänge I und I B der Verordnung (EWG) Nr. 3821/85[2], oder
   - von Hand gemäß den Anforderungen des Artikels 16 Absatz 2 der Verordnung (EWG) Nr. 3821/85;

k) „tägliche Lenkzeit“ die summierte Gesamtlenkzeit zwischen dem Ende einer täglichen Ruhezeit und dem Beginn der darauf folgenden täglichen Ruhezeit oder zwischen einer täglichen und einer wöchentlichen Ruhezeit;

l) „wöchentliche Lenkzeit“ die summierte Gesamtlenkzeit innerhalb einer Woche;

m) „zulässige Höchstmasse“ die höchstzulässige Masse eines fahrbereiten Fahrzeugs einschließlich Nutzlast;

---

[1] **beck-online, Module Arbeitsrecht Nr. 893a.**
[2] **beck-online, Module Arbeitsrecht Nr. 355c.**

n) „Personenlinienverkehr" den „Linienverkehr" und die „Sonderformen des Linienverkehrs" im Sinne von Artikel 2 Nummern 2 bzw. 3 der Verordnung (EG) Nr. 1073/2009 des Europäischen Parlaments und des Rates[1)], unabhängig davon, ob sie inländisch oder grenzüberschreitend durchgeführt werden;

na) „Personengelegenheitsverkehr" den „Gelegenheitsverkehr" im Sinne von Artikel 2 Nummer 4 der Verordnung (EG) Nr. 1073/2009, unabhängig davon, ob er inländisch oder grenzüberschreitend durchgeführt wird;

o) „Mehrfahrerbetrieb" den Fall, in dem während der Lenkdauer zwischen zwei aufeinander folgenden täglichen Ruhezeiten oder zwischen einer täglichen und einer wöchentlichen Ruhezeit mindestens zwei Fahrer auf dem Fahrzeug zum Lenken eingesetzt sind. Während der ersten Stunde des Mehrfahrerbetriebs ist die Anwesenheit eines anderen Fahrers oder anderer Fahrer fakultativ, während der restlichen Zeit jedoch obligatorisch;

p) „Verkehrsunternehmen" jede natürliche oder juristische Person und jede Vereinigung oder Gruppe von Personen ohne Rechtspersönlichkeit mit oder ohne Erwerbszweck sowie jede eigene Rechtspersönlichkeit besitzende oder einer Behörde mit Rechtspersönlichkeit unterstehende offizielle Stelle, die Beförderungen im Straßenverkehr gewerblich oder im Werkverkehr vornimmt;

q) „Lenkdauer" die Gesamtlenkzeit zwischen dem Zeitpunkt, zu dem ein Fahrer nach einer Ruhezeit oder einer Fahrtunterbrechung beginnt, ein Fahrzeug zu lenken, und dem Zeitpunkt, zu dem er eine Ruhezeit oder Fahrtunterbrechung einlegt. Die Lenkdauer kann ununterbrochen oder unterbrochen sein;

r) „nichtgewerbliche Beförderung" jede Beförderung im Straßenverkehr, außer Beförderungen auf eigene oder fremde Rechnung die weder direkt noch indirekt entlohnt wird und durch die weder direkt noch indirekt ein Einkommen für den Fahrer des Fahrzeugs oder für Dritte erzielt wird und die nicht im Zusammenhang mit einer beruflichen oder gewerblichen Tätigkeit steht.

Kapitel II. Fahrpersonal, Lenkzeiten, Fahrtunterbrechungen und Ruhezeiten

Art. 5 [Anforderungen an das Fahrpersonal] (1) Das Mindestalter für Schaffner beträgt 18 Jahre.

(2) [1]Das Mindestalter für Beifahrer beträgt 18 Jahre. [2]Die Mitgliedstaaten können jedoch das Mindestalter für Beifahrer unter folgenden Bedingungen auf 16 Jahre herabsetzen:

a) Die Beförderung im Straßenverkehr erfolgt innerhalb eines Mitgliedstaats in einem Umkreis von 50 km vom Standort des Fahrzeugs, einschließlich des Verwaltungsgebiets von Gemeinden, deren Zentrum innerhalb dieses Umkreises liegt,

b) die Herabsetzung erfolgt zum Zwecke der Berufsausbildung und

---

[1)] **Amtl. Anm.:** Verordnung (EG) Nr. 1073/2009 des Europäischen Parlaments und des Rates vom 21. Oktober 2009 über gemeinsame Regeln für den Zugang zum grenzüberschreitenden Personenkraftverkehrsmarkt und zur Änderung der Verordnung (EG) Nr. 561/2006 (ABl. L 300 vom 14.11.2009, S. 88).

c) die von den arbeitsrechtlichen Bestimmungen des jeweiligen Mitgliedstaates vorgegebenen Grenzen werden eingehalten.

Art. 6[1] [Lenkzeiten] (1) *[1]* Die tägliche Lenkzeit darf 9 Stunden nicht überschreiten.

[2] Die tägliche Lenkzeit darf jedoch höchstens zweimal in der Woche auf höchstens 10 Stunden verlängert werden.

(2) Die wöchentliche Lenkzeit darf 56 Stunden nicht überschreiten und nicht dazu führen, dass die in der Richtlinie 2002/15/EG[2] festgelegte wöchentliche Höchstarbeitszeit überschritten wird.

(3) Die summierte Gesamtlenkzeit während zweier aufeinander folgender Wochen darf 90 Stunden nicht überschreiten.

(4) Die tägliche und die wöchentliche Lenkzeit umfassen alle Lenkzeiten im Gebiet der Gemeinschaft oder im Hoheitsgebiet von Drittstaaten.

(5) [1]Der Fahrer muss die Zeiten im Sinne des Artikels 4 Buchstabe e sowie alle Lenkzeiten in einem Fahrzeug, das für gewerbliche Zwecke außerhalb des Anwendungsbereichs der vorliegenden Verordnung verwendet wird, als andere Arbeiten festhalten; ferner muss er gemäß Artikel 34 Absatz 5 Buchstabe b Ziffer iii der Verordnung (EU) Nr. 165/2014 die Bereitschaftszeiten im Sinne des Artikels 3 Buchstabe b der Richtlinie 2002/15/EG des Europäischen Parlaments und des Rates[3] festhalten. [2]Diese Zeiten sind entweder handschriftlich auf einem Schaublatt oder einem Ausdruck einzutragen oder manuell in den Fahrtenschreiber einzugeben.

Art. 7[4] [Unterbrechung] *[1]* Nach einer Lenkdauer von viereinhalb Stunden hat ein Fahrer eine ununterbrochene Fahrtunterbrechung von wenigstens 45 Minuten einzulegen, sofern er keine Ruhezeit einlegt.

[2] Diese Unterbrechung kann durch eine Unterbrechung von mindestens 15 Minuten, gefolgt von einer Unterbrechung von mindestens 30 Minuten, ersetzt werden, die in die Lenkzeit so einzufügen sind, dass die Bestimmungen des Absatzes 1 eingehalten werden.

[3] Für Fahrer, die im Personengelegenheitsverkehr eingesetzt werden, kann die Fahrtunterbrechung nach Absatz 1 auch durch zwei Fahrtunterbrechungen von jeweils mindestens 15 Minuten ersetzt werden, die in die in Absatz 1 genannte Lenkzeit so einzufügen sind, dass die Bestimmungen des Absatz 1 eingehalten werden.

[4] Ein im Mehrfahrerbetrieb eingesetzter Fahrer kann eine Fahrtunterbrechung von 45 Minuten in einem Fahrzeug einlegen, das von einem anderen Fahrer gelenkt wird, sofern der Fahrer, der die Fahrtunterbrechung einlegt, den das Fahrzeug lenkenden Fahrer dabei nicht unterstützt.

---

[1] Art. 6 Abs. 5 neu gef. mWv 20.8.2020 durch VO v. 15.7.2020 (ABl. L 249 S. 1).

[2] **beck-online, Module Arbeitsrecht Nr. 893a.**

[3] **Amtl. Anm.:** Verordnung (EU) Nr. 165/2014 des Europäischen Parlaments und des Rates vom 4. Februar 2014 über Fahrtenschreiber im Straßenverkehr, zur Aufhebung der Verordnung (EWG) Nr. 3821/85 des Rates über das Kontrollgerät im Straßenverkehr und zur Änderung der Verordnung (EG) Nr. 561/2006 des Europäischen Parlaments und des Rates zur Harmonisierung bestimmter Sozialvorschriften im Straßenverkehr (ABl. L 60 vom 28.2.2014, S. 1).

[4] Art. 7 Abs. 3 angef.. mWv 20.8.2020 durch VO v. 15.7.2020 (ABl. L 249 S. 1); Abs. 3 eingef., bish. Abs. 3 wird Abs. 4 mWv 22.5.2024 durch VO v. 24.4.2024 (ABl. L, 2024/1258, 2.5.2024).

Art. 8[1)] **[Ruhezeit]** (1) Der Fahrer muss tägliche und wöchentliche Ruhezeiten einhalten.

(2) *[1]* Innerhalb von 24 Stunden nach dem Ende der vorangegangenen täglichen oder wöchentlichen Ruhezeit muss der Fahrer eine neue tägliche Ruhezeit genommen haben.

[2] Beträgt der Teil der täglichen Ruhezeit, die in den 24-Stunden-Zeitraum fällt, mindestens 9 Stunden, jedoch weniger als 11 Stunden, so ist die fragliche tägliche Ruhezeit als reduzierte tägliche Ruhezeit anzusehen.

(2a) [1] Sofern die Straßenverkehrssicherheit und die Arbeitsbedingungen des Fahrers dadurch nicht beeinträchtigt werden, kann ein Fahrer, der für einen einzelnen Gelegenheitsdienst im Personenverkehr mit einer Dauer von mindestens sechs aufeinanderfolgenden 24-Stunden-Zeiträumen eingesetzt wird, von Absatz 2 Unterabsatz 1 abweichen, indem er einmal die tägliche Ruhezeit innerhalb von höchstens 25 Stunden nach Ende der vorangegangenen täglichen oder wöchentlichen Ruhezeit einlegt, sofern die summierte Gesamtlenkzeit an dem betreffenden Tag sieben Stunden nicht überschritten hat. [2] Unter Einhaltung derselben Bedingungen kann diese Ausnahme zweimal bei einem einzelnen Gelegenheitsdienst im Personenverkehr mit einer Dauer von mindestens acht aufeinanderfolgenden 24-Stunden-Zeiträumen angewandt werden. [3] Die Anwendung dieser Ausnahme lässt die Höchstarbeitszeit nach geltendem Recht unberührt.

(3) Eine tägliche Ruhezeit kann verlängert werden, so dass sich eine regelmäßige wöchentliche Ruhezeit oder eine reduzierte wöchentliche Ruhezeit ergibt.

(4) Der Fahrer darf zwischen zwei wöchentlichen Ruhezeiten höchstens drei reduzierte tägliche Ruhezeiten einlegen.

(5) Abweichend von Absatz 2 muss ein im Mehrfahrerbetrieb eingesetzter Fahrer innerhalb von 30 Stunden nach dem Ende einer täglichen oder wöchentlichen Ruhezeit eine neue tägliche Ruhezeit von mindestens 9 Stunden genommen haben.

(6) *[1]* In zwei jeweils aufeinander folgenden Wochen hat der Fahrer mindestens folgende Ruhezeiten einzuhalten:

a) zwei regelmäßige wöchentliche Ruhezeiten oder
b) eine regelmäßige wöchentliche Ruhezeit und eine reduzierte wöchentliche Ruhezeit von mindestens 24 Stunden.

[2] Eine wöchentliche Ruhezeit beginnt spätestens am Ende von sechs 24-Stunden-Zeiträumen nach dem Ende der vorangegangenen wöchentlichen Ruhezeit.

[3] Abweichend von Unterabsatz 1 kann ein im grenzüberschreitenden Güterverkehr tätiger Fahrer außerhalb des Mitgliedstaats der Niederlassung zwei aufeinanderfolgende reduzierte wöchentliche Ruhezeiten einlegen, sofern der Fahrer in vier jeweils aufeinanderfolgenden Wochen mindesten vier wöchentliche Ruhezeiten einlegt, von denen mindestens zwei regelmäßige wöchentliche Ruhezeiten sein müssen.

---

1) Art. 8 Abs. 6a eingef. mWv 4.6.2010 durch VO v. 21.10.2009 (ABl. L 300 S. 88); Abs. 6 und 8 neu gef., Abs. 6b und 8a eingef., Abs. 10 angef. mWv 20.8.2020 durch VO v. 15.7.2020 (ABl. L 249 S. 1); Abs. 2a eingef., Abs. 6a einl. Satzteil geänd., Buchst. a aufgeh., UAbs. 2 angef. mWv 22.5.2024 durch VO v. 24.4.2024 (ABl. L, 2024/1258, 2.5.2024).

[4] Für die Zwecke dieses Absatzes gilt ein Fahrer als im grenzüberschreitenden Verkehr tätig, wenn der Fahrer die zwei aufeinanderfolgenden reduzierten wöchentlichen Ruhezeiten außerhalb des Mitgliedstaats der Niederlassung des Arbeitgebers und des Landes des Wohnsitzes des Fahrers beginnt.

(6a) *[1]* [1] Abweichend von Absatz 6 darf ein Fahrer, der für einen einzelnen Gelegenheitsdienst im Personenverkehr eingesetzt wird, die wöchentliche Ruhezeit auf bis zu zwölf aufeinanderfolgende 24-Stunden-Zeiträume nach einer vorhergehenden regelmäßigen wöchentlichen Ruhezeit unter folgenden Voraussetzungen verschieben:

a) *(aufgehoben)*

b) nach der Inanspruchnahme der Ausnahmeregelung nimmt der Fahrer
   i) entweder zwei regelmäßige wöchentliche Ruhezeiten oder
   ii) eine regelmäßige wöchentliche Ruhezeit und eine reduzierte wöchentliche Ruhezeit von mindestens 24 Stunden. Dabei wird jedoch die Reduzierung durch eine gleichwertige Ruhepause ausgeglichen, die ohne Unterbrechung vor dem Ende der dritten Woche nach dem Ende des Ausnahmezeitraums genommen werden muss;

c) ab dem 1. Januar 2014 ist das Fahrzeug mit einem Kontrollgerät entsprechend den Anforderungen des Anhangs IB der Verordnung (EWG) Nr. 3821/85[1)] ausgestattet und

d) ab dem 1. Januar 2014, sofern das Fahrzeug bei Fahrten während des Zeitraums von 22.00 Uhr bis 6.00 Uhr mit mehreren Fahrern besetzt ist oder die Lenkdauer nach Artikel 7 auf drei Stunden vermindert wird.

[2] Die Kommission überwacht die Inanspruchnahme dieser Ausnahmeregelung genau, um die Aufrechterhaltung der Sicherheit im Straßenverkehr unter sehr strengen Voraussetzungen sicherzustellen, insbesondere indem sie darauf achtet, dass die summierte Gesamtlenkzeit während des unter die Ausnahmeregelung fallenden Zeitraums nicht zu lang ist. [3] Bis zum 4. Dezember 2012 erstellt die Kommission einen Bericht, in dem sie die Folgen der Ausnahmeregelung in Bezug auf die Sicherheit im Straßenverkehr sowie soziale Aspekte bewertet. [4] Wenn sie es für sinnvoll erachtet, schlägt die Kommission diesbezügliche Änderungen der vorliegenden Verordnung vor.

[2] Die Kommission prüft die Optionen für die Digitalisierung des in Artikel 16 Absatz 4 genannten Fahrtenblatts im Zusammenhang mit umfassenderen Digitalisierungsbemühungen im Straßenverkehrssektor.

(6b) *[1]* Jede Reduzierung der wöchentlichen Ruhezeit ist durch eine gleichwertige Ruhepause auszugleichen, die ohne Unterbrechung vor dem Ende der dritten Woche nach der betreffenden Woche zu nehmen ist.

[2] Wurden zwei reduzierte wöchentliche Ruhezeiten gemäß Absatz 6 Unterabsatz 3 nacheinander eingelegt, ist die nächste Ruhezeit – als Ausgleich für diese zwei reduzierten wöchentlichen Ruhezeiten – vor der darauffolgenden wöchentlichen Ruhezeit einzulegen.

(7) Jede Ruhepause, die als Ausgleich für eine reduzierte wöchentliche Ruhezeit eingelegt wird, ist an eine andere Ruhezeit von mindestens 9 Stunden anzuhängen.

---

1) beck-online, Module Arbeitsrecht Nr. 355c.

(8) *[1]* [1]Die regelmäßigen wöchentlichen Ruhezeiten und jede wöchentliche Ruhezeit von mehr als 45 Stunden, die als Ausgleich für die vorherige verkürzte wöchentliche Ruhezeit eingelegt wird, dürfen nicht in einem Fahrzeug verbracht werden. [2]Sie sind in einer geeigneten geschlechtergerechten Unterkunft mit angemessenen Schlafgelegenheiten und sanitären Einrichtungen zu verbringen.

[2] Alle Kosten für die Unterbringung außerhalb des Fahrzeugs werden vom Arbeitgeber getragen.

(8a) *[1]* Verkehrsunternehmen planen die Arbeit der Fahrer so, dass jeder Fahrer in der Lage ist, innerhalb jedes Zeitraums von vier aufeinanderfolgenden Wochen zu der im Mitgliedstaat der Niederlassung des Arbeitgebers gelegenen Betriebsstätte des Arbeitgebers, der der Fahrer normalerweise zugeordnet ist und an der er seine wöchentliche Ruhezeit beginnt, oder zu seinem Wohnsitz zurückzukehren, um dort mindestens eine regelmäßige wöchentliche Ruhezeit oder eine wöchentliche Ruhezeit von mehr als 45 Stunden als Ausgleich für eine reduzierte wöchentliche Ruhezeit zu verbringen.

[2] Hat der Fahrer jedoch zwei aufeinanderfolgende reduzierte wöchentliche Ruhezeiten gemäß Absatz 6 eingelegt, muss das Verkehrsunternehmen die Arbeit des Fahrers so planen, dass dieser in der Lage ist, bereits vor Beginn der regelmäßigen wöchentlichen Ruhezeit von mehr als 45 Stunden, die als Ausgleich eingelegt wird, zurückzukehren.

[3] Das Unternehmen dokumentiert, wie es diese Verpflichtung erfüllt, und es bewahrt die betreffenden Unterlagen in seinen Geschäftsräumen auf, damit sie auf Verlangen der Kontrollbehörden vorgelegt werden können.

(9) Eine wöchentliche Ruhezeit, die in zwei Wochen fällt, kann für eine der beiden Wochen gezählt werden, nicht aber für beide.

(10) Die Kommission prüft spätestens am 21. August 2022, ob geeignetere Vorschriften für Fahrer erlassen werden können, die für Gelegenheitsdienste im Personenverkehr im Sinne von Artikel 2 Nummer 4 der Verordnung (EG) Nr. 1073/2009 eingesetzt werden, und teilt das Ergebnis dem Parlament und dem Rat mit.

Art. 8a[1)] [Zertifizierte Parkflächen] (1) *[1]* [1]Die Kommission stellt sicher, dass Kraftfahrer im Straßengüter- und -personenverkehr leichten Zugang zu Informationen über sichere und gesicherte Parkflächen haben. [2]Die Kommission veröffentlicht eine Liste aller zertifizierten Parkflächen, damit den Fahrern Folgendes in angemessener Form geboten wird:
- Erkennen und Verhindern von unberechtigtem Eindringen,
- Beleuchtung und Sichtverhältnisse,
- Kontaktstelle und Verfahren für Notfälle,
- geschlechtergerechte sanitäre Einrichtungen,
- Möglichkeiten zum Kauf von Lebensmitteln und Getränken,
- Kommunikationsverbindungen,
- Stromversorgung.

[2] Die Liste dieser Parkflächen wird auf einer einheitlichen amtlichen Internetseite veröffentlicht und regelmäßig aktualisiert.

---

1) Art. 8a eingef. mWv 20.8.2020 durch VO v. 15.7.2020 (ABl. L 249 S. 1).

(2) Die Kommission erlässt delegierte Rechtsakte gemäß Artikel 23a, um Normen festzulegen, mit denen das Dienstleistungs- und Sicherheitsniveau der in Absatz 1 genannten Flächen und die Verfahren für die Zertifizierung von Parkflächen detaillierter vorgegeben werden.

(3) *[1]* An allen zertifizierten Parkflächen kann darauf hingewiesen werden, dass sie gemäß den Normen und Verfahren der Union zertifiziert sind.

[2] Gemäß Artikel 39 Absatz 2 Buchstabe c der Verordnung (EU) Nr. 1315/2013 des Europäischen Parlaments und des Rates[1] sind die Mitgliedstaaten gehalten, die Schaffung von Parkflächen für gewerbliche Straßennutzer zu fördern.

(4) [1] Die Kommission legt dem Europäischen Parlament und dem Rat bis zum 31. Dezember 2024 einen Bericht über die Verfügbarkeit geeigneter Ruheeinrichtungen für Fahrer und über die Verfügbarkeit gesicherter Parkeinrichtungen sowie über den Ausbau sicherer und gesicherter Parkflächen, die gemäß den delegierten Rechtsakten zertifiziert sind, vor. [2] Dieser Bericht kann eine Liste mit Maßnahmen zur Erhöhung der Zahl und der Qualität sicherer und gesicherter Parkflächen enthalten.

Art. 9[2] [Ausnahmen von der Ruhezeit] (1) *[1]* [1] Legt ein Fahrer, der ein Fahrzeug begleitet, das auf einem Fährschiff oder mit der Eisenbahn befördert wird, eine regelmäßige tägliche Ruhezeit oder eine reduzierte wöchentliche Ruhezeit ein, so darf diese Ruhezeit abweichend von Artikel 8 nicht mehr als zwei Mal durch andere Tätigkeiten unterbrochen werden, deren Gesamtdauer eine Stunde nicht überschreiten darf. [2] Während dieser regelmäßigen täglichen Ruhezeit oder reduzierten wöchentlichen Ruhezeit muss dem Fahrer eine Schlafkabine, eine Schlafkoje oder ein Liegeplatz zur Verfügung stehen.

[2] In Bezug auf regelmäßige wöchentliche Ruhezeiten gilt diese Ausnahme für Fähr- oder Zugreisen nur, wenn

a) die geplante Reisedauer 8 Stunden oder mehr beträgt und

b) der Fahrer Zugang zu einer Schlafkabine auf der Fähre oder im Zug hat.

(2) Die von einem Fahrer verbrachte Zeit, um zu einem in den Geltungsbereich dieser Verordnung fallenden Fahrzeug, das sich nicht am Wohnsitz des Fahrers oder der Betriebstätte des Arbeitgebers befindet, der der Fahrer normalerweise zugeordnet ist, anzureisen oder von diesem zurückzureisen, ist nur dann als Ruhepause oder Fahrtunterbrechung anzusehen, wenn sich der Fahrer in einem Zug oder auf einem Fährschiff befindet und Zugang zu einer Schlafkabine, einer Koje oder einem Liegewagen hat.

(3) Die von einem Fahrer verbrachte Zeit, um mit einem nicht in den Geltungsbereich dieser Richtlinie fallenden Fahrzeug zu einem in den Geltungsbereich dieser Verordnung fallenden Fahrzeug, das sich nicht am Wohnsitz des Fahrers oder der Betriebsstätte des Arbeitgebers, dem der Fahrer normalerweise zugeordnet ist, befindet, anzureisen oder von diesem zurückzureisen, ist als andere Arbeiten anzusehen.

---

[1] **Amtl. Anm.:** Verordnung (EU) Nr. 1315/2013 des Europäischen Parlaments und des Rates vom 11. Dezember 2013 über Leitlinien der Union für den Aufbau eines transeuropäischen Verkehrsnetzes und zur Aufhebung des Beschlusses Nr. 661/2010/EU (ABl. L 348 vom 20.12.2013, S. 1).

[2] Art. 9 Abs. 1 und 2 neu gef. mWv 20.8.2020 durch VO v. 15.7.2020 (ABl. L 249 S. 1).

Art. 9a[1] **[Bericht über die Nutzung autonomer Fahrsysteme]** [1] Die Kommission erstellt bis zum 31. Dezember 2025 einen Bericht über die Nutzung autonomer Fahrsysteme in den Mitgliedstaaten und legt ihn dem Europäischen Parlament und dem Rat vor. [2] In dem Bericht geht sie insbesondere auf die möglichen Auswirkungen dieser Systeme auf die Vorschriften über Lenk- und Ruhezeiten ein. [3] Diesem Bericht ist gegebenenfalls ein Gesetzgebungsvorschlag zur Änderung dieser Verordnung beizufügen.

Kapitel III. Haftung von Verkehrsunternehmen

Art. 10[2) 3)] **[Haftung von Verkehrsunternehmen]** (1) Verkehrsunternehmen dürfen beschäftigten oder ihnen zur Verfügung gestellten Fahrern keine Zahlungen in Abhängigkeit von der zurückgelegten Strecke, der Schnelligkeit der Auslieferung und/oder der Menge der beförderten Güter leisten, auch nicht in Form von Prämien oder Lohnzuschlägen, falls diese Zahlungen geeignet sind, die Sicherheit im Straßenverkehr zu gefährden, und/oder zu Verstößen gegen diese Verordnung verleiten.

(2) [1] Das Verkehrsunternehmen organisiert die Arbeit der in Absatz 1 genannten Fahrer so, dass diese die Bestimmungen der Verordnung (EWG) Nr. 3821/85[4] sowie des Kapitels II der vorliegenden Verordnung einhalten können. [2] Das Verkehrsunternehmen hat den Fahrer ordnungsgemäß anzuweisen und regelmäßig zu überprüfen, dass die Verordnung (EWG) Nr. 3821/85 und Kapitel II der vorliegenden Verordnung eingehalten werden.

(3) *[1]* Das Verkehrsunternehmen haftet für Verstöße von Fahrern des Unternehmens, selbst wenn der Verstoß im Hoheitsgebiet eines anderen Mitgliedstaates oder eines Drittstaates begangen wurde.

[2] [1] Unbeschadet des Rechts der Mitgliedstaaten, Verkehrsunternehmen uneingeschränkt haftbar zu machen, können die Mitgliedstaaten diese Haftung von einem Verstoß des Unternehmens gegen die Absätze 1 und 2 abhängig machen. [2] Die Mitgliedstaaten können alle Beweise prüfen, die belegen, dass das Verkehrsunternehmen billigerweise nicht für den begangenen Verstoß haftbar gemacht werden kann.

(4) Unternehmen, Verlader, Spediteure, Reiseveranstalter, Hauptauftragnehmer, Unterauftragnehmer und Fahrervermittlungsagenturen stellen sicher, dass die vertraglich vereinbarten Beförderungszeitpläne nicht gegen diese Verordnung verstoßen.

(5)

a) Ein Verkehrsunternehmen, das Fahrzeuge einsetzt, die unter die vorliegende Verordnung fallen und die mit einem Kontrollgerät ausgestattet sind, das dem Anhang I B der Verordnung (EWG) Nr. 3821/85 entspricht, stellt Folgendes sicher:
   i) Alle Daten werden von dem Bordgerät und der Fahrerkarte so regelmäßig heruntergeladen, wie es der Mitgliedstaat vorschreibt; diese relevanten Daten werden in kürzeren Abständen heruntergeladen, damit sichergestellt

---

[1] Art. 9a eingef. mWv 20.8.2020 durch VO v. 15.7.2020 (ABl. L 249 S. 1).
[2] Art. 10 Abs. 5 ist bereits am 1.5.2006 in Kraft getreten; vgl. Art. 29.
[3] Art. 10 Abs. 1 neu gef. mWv 20.8.2020 durch VO v. 15.7.2020 (ABl. L 249 S. 1).
[4] **beck-online, Module Arbeitsrecht Nr. 355c.**

ist, dass alle von dem Unternehmen oder für das Unternehmen durchgeführten Tätigkeiten heruntergeladen werden;

ii) alle sowohl vom Bordgerät als auch von der Fahrerkarte heruntergeladenen Daten werden nach ihrer Aufzeichnung mindestens zwölf Monate lang aufbewahrt und müssen für einen Kontrollbeamten auf Verlangen entweder direkt oder zur Fernabfrage von den Geschäftsräumen des Unternehmens zugänglich sein.

b) Im Sinne dieses Absatzes wird der Ausdruck „heruntergeladen" entsprechend der Begriffsbestimmung in Anhang I B Kapitel I Buchstabe s der Verordnung (EWG) Nr. 3821/85 ausgelegt.

c) Die Kommission entscheidet nach dem in Artikel 24 Absatz 2 genannten Verfahren über den Höchstzeitraum für das Herunterladen der relevanten Daten gemäß Buchstabe a Ziffer i.

Kapitel IV. Ausnahmen

Art. 11 [Ausnahmen von der Ruhezeit] [1] Ein Mitgliedstaat kann für Beförderungen im Straßenverkehr, die vollständig in seinem Hoheitsgebiet durchgeführt werden, längere Mindestfahrtunterbrechungen und Ruhezeiten oder kürzere Höchstlenkzeiten als nach den Artikeln 6 bis 9 festlegen. [2] In einem solchen Fall muss der Mitgliedstaat die relevanten kollektiven oder anderen Vereinbarungen zwischen den Sozialpartnern berücksichtigen. [3] Für Fahrer im grenzüberschreitenden Verkehr gilt jedoch weiterhin diese Verordnung.

Art. 12[1)] [Sicherer Halteplatz] *[1]* [1] Sofern die Sicherheit im Straßenverkehr nicht gefährdet wird, kann der Fahrer von den Artikeln 6 bis 9 abweichen, um einen geeigneten Halteplatz zu erreichen, soweit dies erforderlich ist, um die Sicherheit von Personen, des Fahrzeugs oder seiner Ladung zu gewährleisten. [2] Der Fahrer hat Art und Grund dieser Abweichung spätestens bei Erreichen des geeigneten Halteplatzes handschriftlich auf dem Schaublatt des Kontrollgeräts oder einem Ausdruck aus dem Kontrollgerät oder im Arbeitszeitplan zu vermerken.

[2] Sofern die Sicherheit im Straßenverkehr nicht gefährdet wird, kann der Fahrer unter außergewöhnlichen Umständen auch von Artikel 6 Absätze 1 und 2 und von Artikel 8 Absatz 2 abweichen, indem er die tägliche und die wöchentliche Lenkzeit um bis zu eine Stunde überschreitet, um die Betriebsstätte des Arbeitgebers oder den Wohnsitz des Fahrers zu erreichen, um eine wöchentliche Ruhezeit einzulegen.

[3] Unter den gleichen Bedingungen kann der Fahrer die tägliche und die wöchentliche Lenkzeit um bis zu zwei Stunden überschreiten, sofern eine ununterbrochene Fahrtunterbrechung von 30 Minuten eingelegt wurde, die der zusätzlichen Lenkzeit zur Erreichung der Betriebsstätte des Arbeitgebers oder des Wohnsitzes des Fahrers, um dort eine regelmäßige wöchentliche Ruhezeit einzulegen, unmittelbar vorausgeht.

[4] Der Fahrer hat Art und Grund dieser Abweichung spätestens bei Erreichen des Bestimmungsorts oder des geeigneten Halteplatzes handschriftlich auf dem Schaublatt des Kontrollgeräts, einem Ausdruck aus dem Kontrollgerät oder im Arbeitszeitplan zu vermerken.

---

1) Art. 12 UAbs. 2–5 angef. mWv 20.8.2020 durch VO v. 15.7.2020 (ABl. L 249 S. 1).

[5] Jede Lenkzeitverlängerung wird durch eine gleichwertige Ruhepause ausgeglichen, die zusammen mit einer beliebigen Ruhezeit ohne Unterbrechung bis zum Ende der dritten Woche nach der betreffenden Woche genommen werden muss.

Art. 13[1)][2)] **[Individuelle Bedingungen]** (1) Sofern die Verwirklichung der in Artikel 1 genannten Ziele nicht beeinträchtigt wird, kann jeder Mitgliedstaat für sein Hoheitsgebiet oder mit Zustimmung der betreffenden Mitgliedstaaten für das Hoheitsgebiet eines anderen Mitgliedstaats Abweichungen von den Artikeln 5 bis 9 zulassen und solche Abweichungen für die Beförderung mit folgenden Fahrzeugen an individuelle Bedingungen knüpfen:

a) Fahrzeuge, die Eigentum von Behörden sind oder von diesen ohne Fahrer angemietet sind, um Beförderungen im Straßenverkehr durchzuführen, die nicht im Wettbewerb mit privatwirtschaftlichen Verkehrsunternehmen stehen;

b) Fahrzeuge, die von Landwirtschafts-, Gartenbau-, Forstwirtschafts- oder Fischereiunternehmen zur Güterbeförderung im Rahmen ihrer eigenen unternehmerischen Tätigkeit in einem Umkreis von bis zu 100 km vom Standort des Unternehmens benutzt oder ohne Fahrer angemietet werden;

c) land- und forstwirtschaftliche Zugmaschinen, die für land- oder forstwirtschaftliche Tätigkeiten eingesetzt werden, und zwar in einem Umkreis von bis zu 100 km vom Standort des Unternehmens, das das Fahrzeug besitzt, anmietet oder least;

d) Fahrzeuge oder Fahrzeugkombinationen mit einer zulässigen Höchstmasse von nicht mehr als 7,5 t, die von Universaldienstanbietern im Sinne des Artikels 2 Absatz 13 der Richtlinie 97/67/EG des Europäischen Parlaments und des Rates vom 15. Dezember 1997 über gemeinsame Vorschriften für die Entwicklung des Binnenmarktes der Postdienste der Gemeinschaft und die Verbesserung der Dienstequalität[3)] zum Zweck der Zustellung von Sendungen im Rahmen des Universaldienstes benutzt werden.
Diese Fahrzeuge dürfen nur in einem Umkreis von 100 km vom Standort des Unternehmens und unter der Bedingung benutzt werden, dass das Lenken des Fahrzeugs für den Fahrer nicht die Haupttätigkeit darstellt;

e) Fahrzeuge, die ausschließlich auf Inseln oder vom Rest des Hoheitsgebiets isolierten Binnengebieten mit einer Fläche von nicht mehr als 2 300 km^2 verkehren, die mit den übrigen Teilen des Hoheitsgebiets nicht durch eine Brücke, eine Furt oder einen Tunnel, die von Kraftfahrzeugen benutzt werden können, verbunden sind und auch nicht an einen anderen Mitgliedstaat angrenzen;

f) Fahrzeuge, die im Umkreis von 100 km vom Standort des Unternehmens zur Güterbeförderung mit Druckerdgas-, Flüssiggas- oder Elektroantrieb benutzt werden und deren zulässige Höchstmasse einschließlich Anhänger oder Sattelanhänger 7,5 t nicht übersteigt;

---

1) Art. 13 Buchst. h ber. ABl. 2009 L 70 S. 19, Abs. 3 Satz 2 ber. 2023 ABl. L 90039 S. 1.

2) Art. 13 Buchst. d, f und p geänd., Buchst. d UAbs. 1 neu gef. mWv 2.3.2015 durch VO v. 4.2.2014 (ABl. L 60 S. 1); Abs. 1 Buchst. e neu gef., Buchst q und r angef. mWv 20.8.2020 durch VO v. 15.7.2020 (ABl. L 249 S. 1).

3) **Amtl. Anm.:** ABl. L 15 vom 21.1.1998, S. 14.

g) Fahrzeuge, die zum Fahrschulunterricht und zur Fahrprüfung zwecks Erlangung des Führerscheins oder eines beruflichen Befähigungsnachweises dienen, sofern diese Fahrzeuge nicht für die gewerbliche Personen- oder Güterbeförderung benutzt werden;

h) Fahrzeuge, die in Verbindung mit Kanalisation, Hochwasserschutz, Wasser-, Gas- und Elektrizitätsversorgung, Straßenunterhaltung und -kontrolle, Hausmüllabfuhr, Telegramm- und Telefondienstleistungen, Rundfunk und Fernsehen sowie zur Erfassung von Radio- bzw. Fernsehsendern oder -geräten eingesetzt werden;

i) Fahrzeuge mit 10 bis 17 Sitzen, die ausschließlich zur nichtgewerblichen Personenbeförderung verwendet werden;

j) Spezialfahrzeuge, die Ausrüstungen des Zirkus- oder Schaustellergewerbes transportieren;

k) speziell ausgerüstete Projektfahrzeuge für mobile Projekte, die hauptsächlich im Stand zu Lehrzwecken dienen;

l) Fahrzeuge, die zum Abholen von Milch bei landwirtschaftlichen Betrieben und/oder zur Rückgabe von Milchbehältern oder von Milcherzeugnissen für Futterzwecke an diese Betriebe verwendet werden;

m) Spezialfahrzeuge für Geld- und/oder Werttransporte;

n) Fahrzeuge, die zur Beförderung von tierischen Abfällen oder von nicht für den menschlichen Verzehr bestimmten Tierkörpern verwendet werden;

o) Fahrzeuge, die ausschließlich auf Straßen in Güterverteilzentren wie Häfen, Umschlaganlagen des Kombinierten Verkehrs und Eisenbahnterminals benutzt werden;

p) Fahrzeuge, die innerhalb eines Umkreises von bis zu 100 km für die Beförderung lebender Tiere von den landwirtschaftlichen Betrieben zu den lokalen Märkten und umgekehrt oder von den Märkten zu den lokalen Schlachthäusern verwendet werden;

q) Fahrzeuge oder Fahrzeugkombinationen zur Beförderung von Baumaschinen für ein Bauunternehmen, die in einem Umkreis von höchstens 100 km vom Standort des Unternehmens benutzt werden, vorausgesetzt dass das Lenken der Fahrzeuge für den Fahrer nicht die Haupttätigkeit darstellt;

r) Fahrzeuge, die für die Lieferung von Transportbeton verwendet werden.

(2) Die Mitgliedstaaten teilen der Kommission die Ausnahmen mit, die sie nach Absatz 1 gewähren, und die Kommission unterrichtet die übrigen Mitgliedstaaten hiervon.

(3) [1] Sofern die Verwirklichung der in Artikel 1 genannten Ziele nicht beeinträchtigt wird und ein angemessener Schutz der Fahrer sichergestellt ist, kann ein Mitgliedstaat mit Genehmigung der Kommission in seinem Hoheitsgebiet in geringem Umfang Ausnahmen von dieser Verordnung für Fahrzeuge, die in zuvor festgelegten Gebieten mit einer Bevölkerungsdichte von weniger als 5 Personen pro Quadratkilometer eingesetzt werden, in folgenden Fällen zulassen:

– Bei inländischen Personenlinienverkehrsdiensten, sofern ihr Fahrplan von den Behörden bestätigt wurde (in diesem Fall dürfen nur Ausnahmen in Bezug auf Fahrtunterbrechungen zugelassen werden) und

– im inländischen Werkverkehr oder gewerblich durchgeführten Güterkraftverkehr, soweit sich diese Tätigkeiten nicht auf den Binnenmarkt auswirken und für den Erhalt bestimmter Wirtschaftszweige in dem betroffenen Gebiet notwendig sind und die Ausnahmebestimmungen dieser Verordnung einen Umkreis von höchstens 100 km vorschreiben.

[2] Eine Beförderung im Straßenverkehr nach dieser Ausnahme kann eine Fahrt zu einem Gebiet mit einer Bevölkerungsdichte von 5 Personen pro Quadratkilometer oder mehr nur einschließen, wenn damit eine Fahrt beendet oder begonnen wird. [3] Solche Maßnahmen müssen ihrer Art und ihrem Umfang nach verhältnismäßig sein.

Art. 14[1)] [Mitteilung der Kommission] (1) Sofern die Verwirklichung der in Artikel 1 genannten Ziele nicht beeinträchtigt wird, können die Mitgliedstaaten nach Genehmigung durch die Kommission Ausnahmen von den Artikeln 6 bis 9 für unter außergewöhnlichen Umständen durchgeführte Beförderungen zulassen.

(2) [1] Die Mitgliedstaaten können in dringenden Fällen, die mit außergewöhnlichen Umständen einhergehen, eine vorübergehende Ausnahme für einen Zeitraum von höchstens 30 Tagen zulassen, die hinreichend zu begründen und der Kommission sofort mitzuteilen ist. [2] Die Kommission veröffentlicht diese Informationen unverzüglich auf einer öffentlichen Internetseite.

(3) Die Kommission teilt den übrigen Mitgliedstaaten alle nach diesem Artikel gewährten Ausnahmen mit.

Art. 15[2)] [Nationale Vorschriften] [1] Die Mitgliedstaaten stellen sicher, dass Fahrer der in Artikel 3 Buchstabe a genannten Fahrzeuge unter nationale Vorschriften fallen, die einen angemessenen Schutz bei den erlaubten Lenkzeiten sowie den vorgeschriebenen Fahrtunterbrechungen und Ruhezeiten bieten. [2] Die Mitgliedstaaten teilen der Kommission die für diese Fahrer geltenden einschlägigen nationalen Vorschriften mit.

Kapitel V. Überwachung und Sanktionen

Art. 16[3)] [Fahrzeuge ohne Kontrollgerät] (1) Verfügt ein Fahrzeug nicht über ein mit der Verordnung (EWG) Nr. 3821/85[4)] übereinstimmendes Kontrollgerät, so gelten die Absätze 2 und 3 des vorliegenden Artikels für:

a) nationale Personenlinienverkehrsdienste und

b) grenzüberschreitende Personenlinienverkehrsdienste, deren Endpunkte in der Luftlinie höchstens 50 km von einer Grenze zwischen zwei Mitgliedstaaten entfernt sind und deren Fahrstrecke höchstens 100 km beträgt.

(2) *[1]* Das Verkehrsunternehmen erstellt einen Fahrplan und einen Arbeitszeitplan, in dem für jeden Fahrer der Name, der Standort und der im Voraus festgelegte Zeitplan für die verschiedenen Zeiträume der Lenktätigkeit, der anderen Arbeiten und der Fahrtunterbrechungen sowie die Bereitschaftszeiten angegeben werden.

---

1) Art. 14 Abs. 2 neu gef. mWv 20.8.2020 durch VO v. 15.7.2020 (ABl. L 249 S. 1).

2) Art. 15 neu gef. mWv 20.8.2020 durch VO v. 15.7.2020 (ABl. L 249 S. 1).

3) Art. 16 Abs. 4 und 5 angef. mWv 22.5.2024 durch VO v. 24.4.2024 (ABl. L, 2024/1258, 2.5.2024); Abs. 3 Buchst. a neu gef. mWv 31.12.2024 durch VO v. 15.7.2020 (ABl. L 249 S. 1).

4) **beck-online, Module Arbeitsrecht Nr. 355c.**

[2] Jeder Fahrer, der in einem Dienst im Sinne des Absatzes 1 eingesetzt ist, muss einen Auszug aus dem Arbeitszeitplan und eine Ausfertigung des Linienfahrplans mit sich führen.

(3) Der Arbeitszeitplan muss

[Buchst. a bis 30.12.2024:]

a) alle in Absatz 2 aufgeführten Angaben mindestens für den Zeitraum der vorangegangenen 28 Tage enthalten; diese Angaben sind in regelmäßigen Abständen von höchstens einem Monat zu aktualisieren;

[Buchst. a ab 31.12.2024:]

a) alle in Absatz 2 aufgeführten Angaben mindestens für den Zeitraum des Tages der Kontrolle und der vorausgehenden 56 Tage enthalten; diese Angaben sind in regelmäßigen Abständen von höchstens einem Monat zu aktualisieren;

b) die Unterschrift des Leiters des Verkehrsunternehmens oder seines Beauftragten tragen;

c) vom Verkehrsunternehmen nach Ablauf des Geltungszeitraums ein Jahr lang aufbewahrt werden. Das Verkehrsunternehmen händigt den betreffenden Fahrern auf Verlangen einen Auszug aus dem Arbeitszeitplan aus; und

d) auf Verlangen einem dazu befugten Kontrollbeamten vorgelegt und ausgehändigt werden.

(4) *[1]* Bis ein digitales Fahrtenblatt zur Verfügung steht muss der Fahrer für die Zwecke von Straßenkontrollen in der Lage sein, die Inanspruchnahme der Ausnahmen gemäß Artikel 7 Absatz 3 und Artikel 8 Absätze 2a und 6a zu begründen, indem er:

a) ein ausgefülltes Fahrtenblatt im Fahrzeug mitführt, das die gemäß der Verordnung (EG) Nr. 1073/2009 erforderlichen Angaben enthält und dem Fahrer vor Antritt jeder Fahrt durch das verantwortliche Verkehrsunternehmen auszuhändigen ist; und

b) Kopien dieser Fahrtenblätter für die vorangegangenen 28 Tage und ab dem 31. Dezember 2024 für die vorangegangenen 56 Tage in Papierform oder elektronischer Form im Fahrzeug mitführt.

[2] Die in Unterabsatz 1 Buchstabe b genannte Verpflichtung gilt spätestens dann nicht mehr, wenn im Fahrzeug gemäß Absatz 5 ein Fahrtenschreiber, bei dem die Art des Personenverkehrsdienstes eingegeben werden kann, verwendet wird.

[3] [1] Für inländische Verkehrsdienste kann das Fahrtenblatt für grenzüberschreitende Verkehrsdienste verwendet werden, sofern darauf vermerkt wird, dass es für inländische Verkehrsdienste verwendet wird. [2] Die Kommission kann, soweit angemessen, im Wege eines Durchführungsrechtsakts das Format des Fahrtenblatts für inländische Verkehrsdienste festlegen, um die Kontrolle der Einhaltung zu erleichtern. [3] Dieser Durchführungsrechtsakt wird gemäß dem in Artikel 24 Absatz 2a genannten Prüfverfahren erlassen.

[4] Die Kommission bewertet spätestens bis zum 31. Dezember 2026 die Optionen für die Digitalisierung des Fahrtenblatts für Fahrer, die im Personengelegenheitsverkehr eingesetzt werden, im Hinblick auf Durchführbarkeit, Kosteneffizienz und ihre Auswirkungen auf die Durchsetzbarkeit und die Arbeitsbedingungen der Fahrer und legt dem Europäischen Parlament und dem Rat gegebenenfalls einen Gesetzgebungsvorschlag für diese Digitalisierung vor.

[5] [1] Diese Bewertung erstreckt sich auf die Entwicklung eines digitalen Fahrtenblatts, das die gemäß der Verordnung (EG) Nr. 1073/2009 erforderlichen Angaben enthält, damit diese Angaben vor Antritt der Fahrt in einer mehrsprachigen Schnittstelle, zu der die Betreiber Zugang haben, elektronisch registriert werden können. [2] Zu diesem Zweck kann die Kommission auch prüfen, ob die Entwicklung eines oder mehrerer neuer Module für das durch die Verordnung (EU) Nr. 1024/2012 des Europäischen Parlaments und des Rates[1)] eingerichtete Binnenmarkt-Informationssystem möglich ist.

(5) [1] Um eine einheitliche Anwendung und Durchsetzung von Artikel 7 Absatz 3 und Artikel 8 Absätze 2a und 6a zu gewährleisten, erlässt die Kommission zum frühestmöglichen Zeitpunkt der Überprüfung der Durchführungsverordnung (EU) 2016/799 der Kommission[2)] oder eines an deren Stelle tretenden Durchführungsrechtsakts, spätestens jedoch bis zum 23. November 2025 Durchführungsrechtsakte zur Festlegung geeigneter technischer Spezifikationen, die es ermöglichen, auf dem Fahrtenschreiber Daten zur Art des Personenverkehrsdienstes – d.h., ob es sich um einen Dienst im Personenlinienverkehr oder einen Gelegenheitsdienst im Personenverkehr handelt – aufzuzeichnen und zu speichern. [2] Der Geltungsbeginn dieser Durchführungsrechtsakte wird nach Konsultation der einschlägigen Interessenträger festgelegt. [3] Diese Durchführungsrechtsakte werden gemäß dem in Artikel 24 Absatz 2a genannten Prüfverfahren erlassen.

Art. 17 [Bericht der Kommission] (1) Die Mitgliedstaaten übermitteln der Kommission unter Verwendung des in der Entscheidung 93/173/EWG[3)] vorgesehenen Berichtsmusters die notwendigen Informationen, damit diese alle zwei Jahre einen Bericht über die Durchführung der vorliegenden Verordnung und der Verordnung (EWG) Nr. 3821/85[4)] und über die Entwicklungen auf dem betreffenden Gebiet erstellen kann.

(2) Diese Angaben müssen bei der Kommission spätestens am 30. September des Jahres nach Ende des betreffenden Zweijahreszeitraums mitgeteilt werden.

(3) In dem Bericht wird zugleich angegeben, inwieweit von den Ausnahmeregelungen gemäß Artikel 13 Gebrauch gemacht wird.

(4) Die Kommission leitet den Bericht innerhalb von 13 Monaten nach Ende des betreffenden Zweijahreszeitraums dem Europäischen Parlament und dem Rat zu.

Art. 17a[5)] [Auswirkungen auf Straßenverkehrssicherheit und soziale Aspekte] [1] Die Kommission erstellt bis zum 31. Dezember 2028 einen Bericht, in dem die Auswirkungen der für den Bereich des Personengelegenheitsverkehrs geltenden Bestimmungen dieser Verordnung auf die Straßenverkehrssicherheit

---

[1)] **Amtl. Anm.:** Verordnung (EU) Nr. 1024/2012 des Europäischen Parlaments und des Rates vom 25. Oktober 2012 über die Verwaltungszusammenarbeit mit Hilfe des Binnenmarkt-Informationssystems und zur Aufhebung der Entscheidung 2008/49/EG der Kommission („IMI-Verordnung") (ABl. L 316 vom 14.11.2012, S. 1).

[2)] **Amtl. Anm.:** Durchführungsverordnung (EU) 2016/799 der Kommission vom 18. März 2016 zur Durchführung der Verordnung (EU) Nr. 165/2014 des Europäischen Parlaments und des Rates zur Festlegung der Vorschriften über Bauart, Prüfung, Einbau, Betrieb und Reparatur von Fahrtenschreibern und ihren Komponenten (ABl. L 139 vom 26.5.2016, S. 1).

[3)] **Amtl. Anm.:** *ABl. L* 72 vom 25.3.1993, S. 33.

[4)] **beck-online, Module Arbeitsrecht Nr. 355c.**

[5)] Art. 17a eingef. mWv 22.5.2024 durch VO v. 24.4.2024 (ABl. L, 2024/1258, 2.5.2024).

und soziale Aspekte, insbesondere die Arbeitsbedingungen der Fahrer, bewertet werden. [2] Die Kommission übermittelt diesen Bericht an das Europäische Parlament und den Rat. [3] Wenn die Kommission es für angemessen hält, legt sie entsprechende Gesetzgebungsvorschläge vor.

Art. 18 [Maßnahmen] Die Mitgliedstaaten ergreifen die zur Durchführung dieser Verordnung erforderlichen Maßnahmen.

Art. 19[1)] [Sanktionen] (1) [1] Die Mitgliedstaaten erlassen Vorschriften über Sanktionen für Verstöße gegen die vorliegende Verordnung und die Verordnung (EU) Nr. 165/2014 und treffen alle erforderlichen Maßnahmen, um deren Anwendung zu gewährleisten. [2] Diese Sanktionen müssen wirksam und verhältnismäßig zum Schweregrad der Verstöße gemäß Anhang III der Richtlinie 2006/22/EG[2)] des Europäischen Parlaments und des Rates[3)], sowie abschreckend und nicht-diskriminierend sein. [3] Kein Verstoß gegen die vorliegende Verordnung oder gegen die Verordnung (EU) Nr. 165/2014 darf mehrmals Gegenstand von Sanktionen oder Verfahren sein. [4] Die Mitgliedstaaten teilen der Kommission diese Maßnahmen und Regeln sowie das Verfahren und die Kriterien, die auf einzelstaatlicher Ebene zur Bewertung der Verhältnismäßigkeit herangezogen wurden, mit. [5] Die Mitgliedstaaten teilen etwaige spätere Änderungen daran, die Auswirkungen darauf haben, unverzüglich mit. [6] Die Kommission informiert die Mitgliedstaaten über diese Regeln und Maßnahmen sowie über etwaige Änderungen. [7] Die Kommission stellt sicher, dass diese Informationen in allen Amtssprachen der Union auf einer eigens hierfür eingerichteten öffentlichen Internetseite veröffentlicht werden, die detaillierte Informationen über die in den Mitgliedstaaten geltenden Sanktionen enthält.

(2) *[1]* Ein Mitgliedstaat ermächtigt die zuständigen Behörden, gegen ein Unternehmen und/oder einen Fahrer bei einem in seinem Hoheitsgebiet festgestellten Verstoß gegen die vorliegende Verordnung oder gegen die Verordnung (EU) Nr. 165/2014 eine Sanktion zu verhängen, sofern hierfür noch keine Sanktion verhängt wurde, und zwar selbst dann, wenn der Verstoß im Hoheitsgebiet eines anderen Mitgliedstaats oder eines Drittstaats begangen wurde.

[2] Dabei gilt folgende Ausnahmeregelung: Wird ein Verstoß festgestellt,

- der nicht im Hoheitsgebiet des betreffenden Mitgliedstaats begangen wurde und
- der von einem Unternehmen, das seinen Sitz in einem anderen Mitgliedstaat oder einem Drittstaat hat, oder von einem Fahrer, der seinen Arbeitsplatz in einem anderen Mitgliedstaat oder einem Drittstaat hat, begangen wurde,

so kann ein Mitgliedstaat bis zum 1. Januar 2009, anstatt eine Sanktion zu verhängen, der zuständigen Behörde des Mitgliedstaats oder des Drittstaats, in dem das Unternehmen seinen Sitz oder der Fahrer seinen Arbeitsplatz hat, den Verstoß melden.

[1)] Art. 19 Abs. 1 neu gef. mWv 20.8.2020 durch VO v. 15.7.2020 (ABl. L 249 S. 1); Abs. 2 UAbs. 1 neu gef. mWv 22.5.2024 durch VO v. 24.4.2024 (ABl. L, 2024/1258, 2.5.2024).

[2)] **beck-online, Module Arbeitsrecht Nr. 893b.**

[3)] **Amtl. Anm.:** Richtlinie 2006/22/EG ***[beck-online, Module Arbeitsrecht Nr. 893b]*** des Europäischen Parlaments und des Rates vom 15. März 2006 über Mindestbedingungen für die Durchführung der Verordnungen (EG) Nr. 561/2006 und (EU) Nr. 165/2014 und der Richtlinie 2002/15/EG über Sozialvorschriften für Tätigkeiten im Kraftverkehr sowie zur Aufhebung der Richtlinie 88/599/EWG des Rates (ABl. L 102 vom 11.4.2006, S. 35).

(3) Leitet ein Mitgliedstaat in Bezug auf einen bestimmten Verstoß ein Verfahren ein oder verhängt er eine Sanktion, so muss er dem Fahrer gegenüber angemessene schriftliche Belege beibringen.

(4) Die Mitgliedstaaten stellen sicher, dass ein System verhältnismäßiger Sanktionen, die finanzielle Sanktionen umfassen können, für den Fall besteht, dass Unternehmen oder mit ihnen verbundene Verlader, Spediteure, Reiseveranstalter, Hauptauftragnehmer, Unterauftragnehmer und Fahrervermittlungsagenturen gegen die vorliegende Verordnung oder die Verordnung (EWG) Nr. 3821/85[1] verstoßen.

Art. 20 [Belege; Aufbewahrung] (1) Der Fahrer muss alle von einem Mitgliedstaat zu Sanktionen oder zur Einleitung von Verfahren beigebrachten Belege so lange aufbewahren, bis derselbe Verstoß gegen diese Verordnung nicht mehr in ein zweites Verfahren oder eine zweite Sanktion gemäß dieser Verordnung münden kann.

(2) Der Fahrer hat die in Absatz 1 genannten Belege auf Verlangen vorzuweisen.

(3) Ein Fahrer, der bei mehreren Verkehrsunternehmen beschäftigt ist oder mehreren Verkehrsunternehmen zur Verfügung steht, verschafft jedem Unternehmen ausreichende Informationen, um diesem die Einhaltung der Bestimmungen des Kapitels II zu ermöglichen.

Art. 21 [Stillegung von Fahrzeugen] [1] In Fällen, in denen ein Mitgliedstaat der Auffassung ist, dass ein Verstoß gegen diese Verordnung vorliegt, der die Straßenverkehrssicherheit eindeutig gefährden könnte, ermächtigt er die betreffende zuständige Behörde, das betreffende Fahrzeug so lange stillzulegen, bis die Ursache des Verstoßes behoben ist. [2] Die Mitgliedstaaten können dem Fahrer auferlegen, eine tägliche Ruhezeit einzulegen. [3] Die Mitgliedstaaten können ferner gegebenenfalls die Zulassung eines Unternehmens entziehen, aussetzen oder einschränken, falls es seinen Sitz in diesem Mitgliedstaat hat, oder sie können die Fahrerlaubnis eines Fahrers entziehen, aussetzen oder einschränken. [4] Die Kommission entwickelt nach dem in Artikel 24 Absatz 2 genannten Verfahren Leitlinien, um eine harmonisierte Anwendung dieses Artikels zu erreichen.

Art. 22[2] [Gegenseitiger Beistand der Mitgliedstaaten] (1) Die Mitgliedstaaten arbeiten eng miteinander zusammen und leisten einander ohne unangemessene Verzögerung Amtshilfe, um die einheitliche Anwendung dieser Ver-

(Fortsetzung nächstes Blatt)

[1] **beck-online, Module Arbeitsrecht Nr. 355c.**

[2] Art. 22 Abs. 1 neu gef., Abs. 2 Bucht. c angef., Abs. 3a und 3b eingef. mWv 20.8.2020 durch VO v. 15.7.2020 (ABl. L 249 S. 1).

ordnung und ihre wirksame Durchsetzung gemäß den Anforderungen des Artikels 8 der Richtlinie 2006/22/EG[1] zu erleichtern.

(2) Die zuständigen Behörden der Mitgliedstaaten tauschen regelmäßig alle verfügbaren Informationen aus über

a) die von Gebietsfremden begangenen Verstöße gegen die Bestimmungen des Kapitels II und die gegen diese Verstöße verhängten Sanktionen;

b) die von einem Mitgliedstaat verhängten Sanktionen für Verstöße, die seine Gebietsansässigen in anderen Mitgliedstaaten begangen haben;

c) sonstige spezielle Informationen, darunter die Risikoeinstufung des Unternehmens, die sich auf die Einhaltung dieser Verordnung auswirken können.

(3) Die Mitgliedstaaten übermitteln der Kommission regelmäßig relevante Informationen über die nationale Auslegung und Anwendung dieser Verordnung; die Kommission stellt diese Informationen den anderen Mitgliedstaaten in elektronischer Form zur Verfügung.

(3a) Für die Zwecke des Informationsaustauschs im Rahmen dieser Verordnung nutzen die Mitgliedstaaten die gemäß Artikel 7 der Richtlinie 2006/22/EG benannten Stellen für die innergemeinschaftliche Verbindung.

(3b) Verwaltungszusammenarbeit und gegenseitige Amtshilfe erfolgen unentgeltlich.

(4) Die Kommission unterstützt durch den in Artikel 24 Absatz 1 genannten Ausschuss den Dialog zwischen den Mitgliedstaaten über die einzelstaatliche Auslegung und Anwendung dieser Verordnung.

Art. 23 [Drittländer] Die Gemeinschaft wird mit Drittländern die Verhandlungen aufnehmen, die zur Durchführung dieser Verordnung gegebenenfalls erforderlich sind.

Art. 23a[2] [Befugnis zum Erlass delegierter Rechtsakte] (1) Die Befugnis zum Erlass delegierter Rechtsakte wird der Kommission unter den in diesem Artikel festgelegten Bedingungen übertragen.

(2) *[1]* Die Befugnis zum Erlass delegierter Rechtsakte gemäß Artikel 8a wird der Kommission für einen Zeitraum von fünf Jahren ab dem 20. August 2020 übertragen.

[2] [1]Die Kommission erstellt spätestens neun Monate vor Ablauf des Zeitraums von fünf Jahren einen Bericht über die Befugnisübertragung. [2]Die Befugnisübertragung verlängert sich stillschweigend um Zeiträume gleicher Länge, es sei denn, das Europäische Parlament oder der Rat widersprechen einer solchen Verlängerung spätestens drei Monate vor Ablauf des jeweiligen Zeitraums.

(3) [1]Die Befugnisübertragung gemäß Artikel 8a kann vom Europäischen Parlament oder vom Rat jederzeit widerrufen werden. [2]Der Beschluss über den Widerruf beendet die Übertragung der in diesem Beschluss angegebenen Befugnis. [3]Er wird am Tag nach seiner Veröffentlichung im *Amtsblatt der Europäischen Union* oder zu einem im Beschluss über den Widerruf angegebenen späteren Zeitpunkt wirksam. [4]Die Gültigkeit von delegierten Rechtsakten,

[1] **beck-online, Module Arbeitsrecht Nr. 893b.**

[2] Art. 23a eingef. mWv 20.8.2020 durch VO v. 15.7.2020 (ABl. L 249 S. 1).

die bereits in Kraft sind, wird von dem Beschluss über den Widerruf nicht berührt.

(4) Vor dem Erlass eines delegierten Rechtsakts konsultiert die Kommission die von den einzelnen Mitgliedstaaten benannten Sachverständigen im Einklang mit den in der Interinstitutionellen Vereinbarung vom 13. April 2016 über bessere Rechtsetzung[1] enthaltenen Grundsätzen.

(5) Sobald die Kommission einen delegierten Rechtsakt erlässt, übermittelt sie ihn gleichzeitig dem Europäischen Parlament und dem Rat.

(6) [1]Ein delegierter Rechtsakt, der gemäß Artikel 8a erlassen wurde, tritt nur in Kraft, wenn weder das Europäische Parlament noch der Rat innerhalb einer Frist von zwei Monaten nach Übermittlung dieses Rechtsakts an das Europäische Parlament und den Rat Einwände erhoben haben oder wenn vor Ablauf dieser Frist sowohl das Europäische Parlament als auch der Rat der Kommission mitgeteilt haben, dass sie keine Einwände erheben werden. [2]Auf Initiative des Europäischen Parlaments oder des Rates wird diese Frist um zwei Monate verlängert.

Art. 24[2] **[Ausschuss]** (1) Die Kommission wird von dem durch Artikel 18 Absatz 1 der Verordnung (EWG) Nr. 3821/85[3] eingesetzten Ausschuss unterstützt.

(2) Wird auf diesen Absatz Bezug genommen, so gilt Artikel 4 der Verordnung (EU) Nr. 182/2011 des Europäischen Parlaments und des Rates[4].

(2a) Wird auf diesen Absatz Bezug genommen, so gilt Artikel 5 der Verordnung (EU) Nr. 182/2011.

(3) Der Ausschuss gibt sich eine Geschäftsordnung.

Art. 25[5] **[Prüfung von Einzelfällen]** (1) Auf Antrag eines Mitgliedstaates oder von sich aus

a) prüft die Kommission die Fälle, in denen die Bestimmungen dieser Verordnung, insbesondere bezüglich der Lenkzeiten, Fahrtunterbrechungen und Ruhezeiten, unterschiedlich angewandt und durchgesetzt werden;

b) klärt die Kommission die Bestimmungen dieser Verordnung, um einen gemeinsamen Ansatz sicherzustellen.

(2) *[1]* In den in Absatz 1 Buchstabe b genannten Fällen erlässt die Kommission Durchführungsrechtsakte zur Festlegung gemeinsamer Ansätze.

[2] Diese Durchführungsrechtsakte werden nach dem in Artikel 24 Absatz 2a genannten Prüfverfahren erlassen.

---

[1] **Amtl. Anm.:** ABl. L 123 vom 12.5.2016, S. 1.

[2] Art. 24 Abs. 2 neu gef., Abs. 2a eingef. mWv 20.8.2020 durch VO v. 15.7.2020 (ABl. L 249 S. 1).

[3] **beck-online, Module Arbeitsrecht Nr. 355c.**

[4] **Amtl. Anm.:** Verordnung (EU) Nr. 182/2011 des Europäischen Parlaments und des Rates vom 16. Februar 2011 zur Festlegung der allgemeinen Regeln und Grundsätze, nach denen die Mitgliedstaaten die Wahrnehmung der Durchführungsbefugnisse durch die Kommission kontrollieren (ABl. L 55 vom 28.2.2011, S. 13).

[5] Art. 25 Abs. 2 neu gef. mWv 20.8.2020 durch VO v. 15.7.2020 (ABl. L 249 S. 1).

Kapitel VI. Schlussbestimmungen

Art. 26, 27 *(nicht wiedergegebene Änderungsvorschriften)*

Art. 28 [Übergangsvorschriften] *[1]* Die Verordnung (EWG) Nr. 3820/85[1] wird aufgehoben und durch die vorliegende Verordnung ersetzt.

[2] Artikel 5 Absätze 1, 2 und 4 der Verordnung (EWG) Nr. 3820/85 gelten jedoch bis zu den in Artikel 15 Absatz 1 der Richtlinie 2003/59/EG genannten Terminen.

Art. 29 [Inkrafttreten] Diese Verordnung tritt am 11. April 2007 in Kraft, ausgenommen Artikel 10 Absatz 5, Artikel 26 Absätze 3 und 4 und Artikel 27, die am 1. Mai 2006 in Kraft treten.

[1] **beck-online, Module Arbeitsrecht Nr. 355a.**

356. Gesetz über das Fahrpersonal von Kraftfahrzeugen und Straßenbahnen (Fahrpersonalgesetz – FPersG)

In der Fassung der Bekanntmachung vom 19.2.1987[1)]
(BGBl. I S. 640)

FNA 9231-8

zuletzt geänd. durch Art. 19 G zur Anpassung von Gesetzen und Verordnungen an die neue Behördenbezeichnung des Bundesamtes für Güterverkehr v. 2.3.2023 (BGBl. I Nr. 56)

§ 1[2)] Anwendungsbereich. (1) [1] Dieses Gesetz gilt für die Beschäftigung und für die Tätigkeit des Fahrpersonals von Kraftfahrzeugen sowie von Straßenbahnen, soweit sie am Verkehr auf öffentlichen Straßen teilnehmen. [2] Mitglieder des Fahrpersonals sind Fahrer, Beifahrer und Schaffner. [3] Sofern dieses Gesetz und die auf der Grundlage von § 2 Nr. 3 erlassenen Rechtsverordnungen Regelungen zur Arbeitszeitgestaltung treffen, gehen diese dem Arbeitszeitgesetz[3)] vor.

(2) Dieses Gesetz gilt nicht für die Mitglieder des Fahrpersonals

1. von Dienstfahrzeugen der Bundeswehr, der Feuerwehr und der anderen Einheiten und Einrichtungen des Katastrophenschutzes, der Polizei und des Zolldienstes,
2. von Kraftfahrzeugen mit einem zulässigen Gesamtgewicht, einschließlich Anhänger oder Sattelanhänger, bis zu 2,8 t, es sei denn, daß sie als Fahrpersonal in einem unter den Geltungsbereich des Arbeitszeitgesetzes fallenden Arbeitsverhältnis stehen.

§ 2[4)] Rechtsverordnungen. Das Bundesministerium für Verkehr und digitale Infrastruktur wird ermächtigt, im Einvernehmen mit dem Bundesministerium für Arbeit und Soziales mit Zustimmung des Bundesrates

1. zur Durchführung der Verordnung (EG) Nr. 2135/98 des Rates vom 24. September 1998 zur Änderung der Verordnung (EWG) Nr. 3821/85 und der Richtlinie 88/599/EWG (ABl. EG Nr. L 274 S. 1), der Verordnung (EG) Nr. 561/2006[5)] des Europäischen Parlaments und des Rates vom 15. März 2006 zur Harmonisierung bestimmter Sozialvorschriften im Straßenverkehr und zur Änderung der Verordnungen (EWG) Nr. 3821/85 und (EG) Nr. 2135/98 des Rates sowie zur Aufhebung der Verordnung (EWG)

[1)] Neubekanntmachung des FPersG idF der Bek. v. 27.10.1976 (BGBl. I S. 3045) in der ab 18.12. 1986 geltenden Fassung.

[2)] § 1 Abs. 1 Satz 3 angef. mWv. 20.5.2004 durch G v. 15.5.2004 (BGBl. I S. 954).

[3)] Nr. **350**.

[4)] § 2 geänd. mWv 7.11.2001 durch VO v. 29.10.2001 (BGBl. I S. 2785); geänd. mWv 28.11.2003 durch VO v. 25.11.2003 (BGBl. I S. 2304); Nr. 1 und 3 geänd., Nr. 4 angef. mWv. 20.5.2004 durch G v. 15.5.2004 (BGBl. I S. 954); Nr. 1 Buchst. e und Nr. 2 Buchst. e geänd. mWv 1.6.2005 durch G v. 3.5.2005 (BGBl. I S. 1221); geänd. mWv 8.11.2006 durch VO v. 31.10.2006 (BGBl. I S. 2407); Nr. 1 und 3 geänd., Nr. 1a eingef. mWv 14.7.2007 durch G v. 6.7.2007 (BGBl. I S. 1270); Nr. 1a aufgeh. mWv 6.8.2010 durch G v. 31.7.2010 (BGBl. I S. 1057); Nr. 1 einl. Satzteil, Buchst. e und abschl. Satzteil, Nr. 4 Buchst. b geänd. mWv 7.3.2015 durch G v. 2.3.2015 (BGBl. I S. 186); einl. Satzteil geänd. mWv 8.9.2015 durch VO v. 31.8.2015 (BGBl. I S. 1474); Nr. 1 einl. Satzteil, Buchst. b, Satzteil nach Buchst. e, Nr. 3 Buchst. c, Nr. 4 einl. Satzteil und Buchst. b und d geänd. mWv 25.5. 2017 durch G v. 16.5.2017 (BGBl. I S. 1214).

[5)] Nr. **355**.

Nr. 3820/85 des Rates (ABl. EU Nr. L 102 S. 1), der Verordnung (EU) Nr. 165/2014 des Europäischen Parlaments und des Rates vom 4. Februar 2014 über Fahrtenschreiber im Straßenverkehr, zur Aufhebung der Verordnung (EWG) Nr. 3821/85 des Rates über das Kontrollgerät im Straßenverkehr und zur Änderung der Verordnung (EG) Nr. 561/2006 des Europäischen Parlaments und des Rates zur Harmonisierung bestimmter Sozialvorschriften im Straßenverkehr (ABl. L 60 vom 28.2.2014, S. 1) sowie der Richtlinie 2006/22/EG[1] des Europäischen Parlaments und des Rates vom 15. März 2006 über Mindestbedingungen für die Durchführung der Verordnungen (EWG) Nr. 3820/85 und (EWG) Nr. 3821/85 des Rates über Sozialvorschriften für Tätigkeiten im Kraftverkehr sowie zur Aufhebung der Richtlinie 88/599/EWG des Rates (ABl. EU Nr. L 102 S. 35) in der jeweils geltenden Fassung, Rechtsverordnungen

a) über die Organisation, das Verfahren und die Mittel der Überwachung der Durchführung dieser Verordnungen,

b) über die Gestaltung und Behandlung der Tätigkeitsnachweise und Fahrtenschreiber,

c) über Ausnahmen von den Mindestaltersgrenzen für das Fahrpersonal sowie Ausnahmen von den Vorschriften über die ununterbrochene Lenkzeit, Fahrtunterbrechungen und Ruhezeiten,

d) über die Benutzung von Fahrzeugen und,

e) soweit es zur Durchsetzung der Rechtsakte der Europäischen Gemeinschaft oder der Europäischen Union erforderlich ist, zur Bezeichnung der Tatbestände, die als Ordnungswidrigkeiten nach § 8 Abs. 1 Nr. 1 Buchstabe b, Nr. 2 Buchstabe b und Nr. 4 Buchstabe b geahndet werden können,

zu erlassen, soweit der Bundesrepublik Deutschland eine Regelung in den Artikeln 5, 6, 7, 8, 10, 11, 12, 13, 14, 15,16, 17, 18, 19, 21 und 22 der Verordnung (EG) Nr. 561/2006, in den Artikeln 3, 21 bis 24, 26, 27, 29 und 32 bis 41 der Verordnung (EU) Nr. 165/2014 und in deren Anhängen anheimgestellt oder auferlegt wird,

1a. *(aufgehoben)*

2. zur Durchführung des Europäischen Übereinkommens vom 1. Juli 1970 über die Arbeit des im internationalen Straßenverkehr beschäftigten Fahrpersonals (AETR)[2] (BGBl. 1974 II S. 1473), in der jeweils geltenden Fassung, Rechtsverordnungen

   a) über die Organisation, das Verfahren und die Mittel der Überwachung der Durchführung dieses Abkommens,

   b) über die Ausrüstung mit Kontrollgeräten und ihre Benutzung sowie über die Gestaltung und Behandlung der Tätigkeitsnachweise,

   c) über Ausnahmen von den Mindestaltersgrenzen für das Fahrpersonal,

   d) über die Nichtanwendung des AETR und anderweitige Vereinbarungen und,

   e) soweit es zur Durchsetzung des AETR erforderlich ist, zur Bezeichnung der Tatbestände, die als Ordnungswidrigkeiten nach § 8 Abs. 1 Nr. 1

---
[1] **beck-online, Module Arbeitsrecht Nr. 893b.**
[2] **beck-online, Module Arbeitsrecht Nr. 355b.**

Buchstabe b, Nr. 2 Buchstabe b und Nr. 4 Buchstabe b geahndet werden können,

zu erlassen, soweit der Bundesrepublik Deutschland eine Regelung in Artikel 2 Abs. 2, Artikel 3, 4 und 10 Abs. 1 sowie Artikel 12 Abs. 1 des AETR und in dessen Anhängen anheimgestellt oder auferlegt wird,

3. zur Gewährleistung der Sicherheit im Straßenverkehr oder zum Schutz von Leben und Gesundheit der Mitglieder des Fahrpersonals, Rechtsverordnungen
   a) über Arbeitszeiten, Lenkzeiten, Fahrtunterbrechungen und Schichtzeiten,
   b) über Ruhezeiten und Ruhepausen,
   c) über die Ausrüstung mit Fahrtenschreibern und ihre Benutzung sowie über die Gestaltung und Behandlung der Tätigkeitsnachweise,
   d) über die Organisation, das Verfahren und die Mittel der Überwachung der Durchführung dieser Rechtsverordnungen,
   e) über die Zulässigkeit tarifvertraglicher Regelungen über Arbeits-, Lenk-, Schicht- und Ruhezeiten sowie Ruhepausen und Fahrtunterbrechungen

   zu erlassen,
4. zur Führung eines zentralen Registers zum Nachweis der ausgestellten, abhanden gekommenen und beschädigten Fahrer-, Werkstatt-, Unternehmens- und Kontrollkarten (Zentrales Fahrtenschreiberkartenregister) eine Rechtsverordnung zu erlassen über
   a) die Speicherung der Identifizierungsdaten der Fahrer, Techniker, Unternehmen und Behörden, denen Fahrer-, Werkstatt-, Unternehmens- oder Kontrollkarten ausgestellt worden sind, und die Speicherung der Identifizierungsdaten der ausgestellten, verlorenen und defekten Fahrer-, Werkstatt-, Unternehmens- und Kontrollkarten,
   b) die Übermittlung der Identifizierungsdaten, mit Ausnahme biometrischer Daten, an die öffentlichen Stellen, die für Verwaltungsmaßnahmen auf Grund der Verordnung (EU) Nr. 165/2014 oder darauf beruhender Rechtsvorschriften oder für die Verfolgung von Straftaten oder Ordnungswidrigkeiten zuständig sind,
   c) den automatisierten Abruf der Identifizierungsdaten, mit Ausnahme biometrischer Daten, durch die vorgenannten Stellen und zur Gewährleistung des Datenschutzes, insbesondere einer Kontrolle der Zulässigkeit der Abrufe, und der Datensicherheit,
   d) die Löschung der Daten spätestens fünf Jahre nach Ablauf der Gültigkeit der jeweiligen Karte.

§ 3 Verbot bestimmter Akkordlöhne, Prämien und Zuschläge. [1] Mitglieder des Fahrpersonals dürfen als Arbeitnehmer nicht nach den zurückgelegten Fahrstrecken oder der Menge der beförderten Güter entlohnt werden, auch nicht in Form von Prämien oder Zuschlägen für diese Fahrstrecken oder Gütermengen. [2] Ausgenommen sind Vergütungen, die nicht geeignet sind, die Sicherheit im Straßenverkehr zu beeinträchtigen.

§ 4[1] Aufsicht. (1) Die Aufsicht über die Ausführung der Verordnungen (EG) Nr. 561/2006[2], (EU) Nr. 165/2014 und der Verordnung (EG) Nr. 2135/98, des AETR[3] sowie dieses Gesetzes und der auf Grund dieses Gesetzes erlassenen Rechtsverordnungen obliegt den von den Landesregierungen bestimmten Behörden (Aufsichtsbehörden), soweit in diesem Gesetz nichts anderes bestimmt ist.

(1a) Die Aufsichtsbehörde kann die erforderlichen Maßnahmen anordnen, die der Arbeitgeber, der Verlader, der Spediteur, der Reiseveranstalter, der Hauptauftragnehmer, der Unterauftragnehmer und die Fahrervermittlungsagentur zur Erfüllung der sich aus diesem Gesetz und den auf Grund dieses Gesetzes erlassenen Rechtsverordnungen ergebenden Pflichten zu treffen haben.

(2) Unberührt bleibt die Zuständigkeit des Bundesamtes für Logistik und Mobilität nach § 9 Abs. 2 dieses Gesetzes und nach § 11 Abs. 2 Nr. 3 Buchstabe a, § 12 Abs. 6 des Güterkraftverkehrsgesetzes.

(3) [1] Der Unternehmer, der Fahrzeughalter und die Mitglieder des Fahrpersonals sind verpflichtet, der zuständigen Behörde innerhalb einer von ihr festzusetzenden Frist

1. die Auskünfte, die zur Ausführung der in Absatz 1 genannten Vorschriften erforderlich sind, wahrheitsgemäß und vollständig zu erteilen,
2. die Unterlagen, die sich auf diese Angaben beziehen oder aus denen die Lohn- oder Gehaltszahlungen ersichtlich sind, zur Prüfung auszuhändigen oder einzusenden; werden die Unterlagen automatisiert gespeichert, sind sie den zuständigen Behörden auf deren Verlangen nach Maßgabe von Satz 12 durch Datenfernübertragung oder auf einem von der jeweiligen Behörde zu bestimmenden Datenträger nach Satz 12 zur Verfügung zu stellen.

[2] Mitglieder des Fahrpersonals haben die Schaublätter und andere Tätigkeitsnachweise der Vortage, die nicht mehr mitzuführen sind, unverzüglich dem Unternehmer auszuhändigen. [3] Bei Einsatz eines digitalen Fahrtenschreibers nach der Verordnung (EU) Nr. 165/2014 hat der Unternehmer die auf der Fahrerkarte gespeicherten Daten in regelmäßigen Abständen zu kopieren. [4] Hierzu haben ihm die Mitglieder des Fahrpersonals die jeweiligen Fahrerkarten zur Verfügung zu stellen. [5] Der Unternehmer hat ferner die im Massenspeicher des Fahrtenschreibers gespeicherten Daten in regelmäßigen Abständen zu kopieren. [6] Der Unternehmer hat die von den Fahrerkarten und den Massenspeichern kopierten Daten unter Berücksichtigung der Grundsätze des

(Fortsetzung nächstes Blatt)

---

[1] § 4 Abs. 2 geänd. durch G v. 22.6.1998 (BGBl. I S. 1485); Abs. 1 und 3 neu gef., Abs. 1a eingef. mWv 20.5.2004 durch G v. 15.5.2004 (BGBl. I S. 954); Abs. 1, 3 Satz 1 Nr. 2, Satz 2 geänd., Satz 6 neu gef., Satz 7 eingef., bish. Satz 7 bis 11 wird Satz 8 bis 12, neuer Satz 8 neu gef., neuer Satz 9 und 11 geänd. mWv 14.7.2007 durch G v. 6.7.2007 (BGBl. I S. 1270); Abs. 1 geänd. mWv 6.8.2010 durch G v. 31.7.2010 (BGBl. I S. 1057); Abs. 1 und 1a geänd. mWv 7.3.2015 durch G v. 2.3.2015 (BGBl. I S. 186); Abs. 1 geänd., Abs. 3 Satz 2 geänd. und Satz 3 neu gef., Sätze 5, 7, 8 und 9 geänd., Abs. 7 geänd. mWv 25.5.2017 durch G v. 16.5.2017 (BGBl. I S. 1214); Abs. 3 Satz 12 neu gef. mWv 26.11.2019 durch G v. 20.11.2019 (BGBl. I S. 1626); Abs. 2 geänd. mWv 9.3.2023 durch G v. 2.3. 2023 (*BGBl. I* Nr. 56).

[2] Nr. **355**.

[3] **beck-online, Module Arbeitsrecht Nr. 355b.**

Satzes 12 ein Jahr ab dem Zeitpunkt des Kopierens zu speichern. [7]Der Unternehmer hat die Schaublätter im Sinne des Artikels 33 Absatz 2 der Verordnung (EU) Nr. 165/2014 und die gemäß Artikel 35 Absatz 2 und Artikel 37 Absatz 2 der Verordnung (EU) Nr. 165/2014 sowie § 2 Abs. 3 Satz 1 und 2 der Fahrpersonalverordnung[1)] zu fertigenden Ausdrucke und handschriftlichen Aufzeichnungen ein Jahr nach dem Ablauf der Mitführpflicht nach Artikel 36 Absatz 1 und 2 der Verordnung (EU) Nr. 165/2014 aufzubewahren. [8]Danach sind bis zum 31. März des auf das Kalenderjahr, in dem die Aufbewahrungsfrist endet, folgenden Kalenderjahres die Daten zu löschen und die Schaublätter und die gemäß Artikel 35 Absatz 2 und Artikel 37 Absatz 2 der Verordnung (EU) Nr. 165/2014 und § 2 Abs. 3 Satz 1 und 2 der Fahrpersonalverordnung zu fertigenden Ausdrucke und handschriftlichen Aufzeichnungen zu vernichten, soweit sie nicht zur Erfüllung der Aufbewahrungspflichten nach § 16 Abs. 2 und § 21a Abs. 7 des Arbeitszeitgesetzes[2)], § 147 Abs. 1 Nr. 5 in Verbindung mit Abs. 3 der Abgabenordnung, § 28f Abs. 1 Satz 1 des Vierten Buches Sozialgesetzbuch[3)] nach § 17 Absatz 2 des Gesetzes zur Regelung eines allgemeinen Mindestlohns[4)], nach § 19 Absatz 2 des Arbeitnehmer-Entsendegesetzes[5)] oder nach § 17c Absatz 2 des Arbeitnehmerüberlassungsgesetzes[6)] benötigt werden. [9]Der Unternehmer hat dabei dafür Sorge zu tragen, dass eine lückenlose Dokumentation der Lenk- und Ruhezeiten gewährleistet ist und die Daten sowie die Schaublätter und die gemäß Artikel 35 Absatz 2, Artikel 37 Absatz 2 der Verordnung (EU) Nr. 165/2014 und § 2 Abs. 3 Satz 1 und 2 der Fahrpersonalverordnung zu fertigenden Ausdrucke und handschriftlichen Aufzeichnungen gegen Verlust und Beschädigung zu sichern. [10]Er stellt den Mitgliedern des Fahrpersonals auf Verlangen eine Kopie der von ihrer Fahrerkarte kopierten Daten zur Verfügung. [11]Artikel 10 Abs. 2 der Verordnung (EG) Nr. 561/2006 bleibt unberührt. [12]Im Falle der Datenfernübertragung sind die erforderlichen technischen und organisatorischen Maßnahmen nach den Artikeln 24, 25 und 32 der Verordnung (EU) 2016/679[7)] des Europäischen Parlaments und des Rates vom 27. April 2016 zum Schutz natürlicher Personen bei der Verarbeitung personenbezogener Daten, zum freien Datenverkehr und zur Aufhebung der Richtlinie 95/46/EG (Datenschutz-Grundverordnung) (ABl. L 119 vom 4.5.2016, S. 1; L 314 vom 22.11.2016, S. 72; L 127 vom 23.5.2018, S. 2) in der jeweils geltenden Fassung zur Sicherstellung des Datenschutzes und der Datensicherheit zu treffen.

(4) Der zur Auskunft Verpflichtete kann die Auskunft auf solche Fragen verweigern, deren Beantwortung ihn selbst oder einen der in § 383 Abs. 1 Nr. 1 bis 3 der Zivilprozeßordnung[8)] bezeichneten Angehörigen der Gefahr strafgerichtlicher Verfolgung oder eines Verfahrens nach dem Gesetz über Ordnungswidrigkeiten aussetzen würde.

(5) [1]Während der Betriebs- und Arbeitszeit ist den Beauftragten der Aufsichtsbehörden, soweit dies zur Wahrnehmung ihrer Aufgaben erforderlich ist,

---

[1)] Nr. **356a**.
[2)] Nr. **350**.
[3)] **beck-online, Module Arbeitsrecht Nr. 694.**
[4)] Nr. **505**.
[5)] Nr. **506**.
[6)] Nr. **730**.
[7)] **beck-online, Module Arbeitsrecht Nr. 489.**
[8)] **beck-online, Module Arbeitsrecht Nr. 320.**

das Betreten und Besichtigen der Grundstücke, Betriebsanlagen, Geschäftsräume und Beförderungsmittel gestattet. [2] Das Betreten und Besichtigen außerhalb dieser Zeit oder wenn die Betriebsanlagen oder Geschäftsräume sich in einer Wohnung befinden, ist ohne Einverständnis nur zur Verhütung von dringenden Gefahren für die öffentliche Sicherheit und Ordnung zulässig. [3] Das Grundrecht der Unverletzlichkeit der Wohnung (Artikel 13 des Grundgesetzes[1)]) wird insoweit eingeschränkt. [4] Soweit dies zur Erfüllung der Aufgaben der Beauftragten der Aufsichtsbehörden erforderlich ist, können Prüfungen und Untersuchungen durchgeführt und die Einsicht in geschäftliche Unterlagen des Auskunftspflichtigen vorgenommen werden. [5] Die Maßnahmen nach den Sätzen 1, 2 und 4 sind von den zu überwachenden Unternehmen und ihren Angestellten, einschließlich der Fahrer, zu dulden.

(6) *(aufgehoben)*

(7) Zuständige Behörde im Sinne des Artikels 4 des Anhangs zum AETR und der Artikel 15, 22 Absatz 3 und Artikel 24 Absatz 5 der Verordnung (EU) Nr. 165/2014 ist das Kraftfahrt-Bundesamt.

§ 4a[2)] Zuständigkeiten. [1] Anträge auf Erteilung von Fahrer-, Werkstatt- oder Unternehmenskarten sind an die nach Landesrecht zuständigen Behörden oder Stellen zu richten. [2] Die Länder können Dritte mit dieser Aufgabe betrauen.

§ 4b[3)] Fahrerlaubnisrechtliche Auskünfte. [1] Durch Abruf im automatisierten Verfahren dürfen aus dem Zentralen Fahrerlaubnisregister die nach § 49 Absatz 1 Nummer 1 bis 3, 7 bis 13 und 17 der Fahrerlaubnis-Verordnung gespeicherten Daten für Maßnahmen im Zusammenhang mit der Ausgabe und Kontrolle von Fahrerkarten nach der Verordnung (EU) Nr. 165/2014 an die hierfür zuständigen Stellen im Inland sowie in einem Mitgliedstaat der Europäischen Union oder einem Vertragsstaat des Abkommens über den Europäischen Wirtschaftsraum übermittelt werden. [2] Die Verantwortung für die Zulässigkeit des einzelnen Abrufs trägt die Stelle, an die die Daten übermittelt werden.

§ 4c[4)] Auskünfte aus dem Fahrtenschreiberkartenregister. (1) Durch Abruf im automatisierten Verfahren dürfen aus dem Fahrtenschreiberkartenregister die nach § 12 der Fahrpersonalverordnung[5)] gespeicherten Daten für Maßnahmen im Zusammenhang mit der Ausgabe und Kontrolle von Fahrerkarten nach der Verordnung (EU) Nr. 165/2014 an die hierfür zuständigen Behörden und Stellen im Inland, in einem Mitgliedstaat der Europäischen Union, in einem Vertragsstaat des Abkommens über den Europäischen Wirtschaftsraum und in der Schweiz übermittelt werden.

[1)] **beck-online, Module Arbeitsrecht Nr. 10.**

[2)] § 4a eingef. mWv 20.5.2004 durch G v. 15.5.2004 (BGBl. I S. 954).

[3)] § 4b eingef. mWv 20.5.2004 durch G v. 15.5.2004 (BGBl. I S. 954); geänd. mWv 25.5.2017 durch G v. 16.5.2017 (BGBl. I S. 1214); Satz 2 angef. mWv 26.11.2019 durch G v. 20.11.2019 (BGBl. I S. 1626).

[4)] § 4c eingef. mWv 14.7.2007 durch G v. 6.7.2007 (BGBl. I S. 1270); Überschrift neu gef., Abs. 1, Abs. 2 Satz 1 und Abs. 3 geänd. mWv 25.5.2017 durch G v. 16.5.2017 (BGBl. I S. 1214); Abs. 2 Satz 2 geänd., Satz 3 aufgeh., Abs. 3 neu gef. mWv 26.11.2019 durch G v. 20.11.2019 (BGBl. I S. 1626).

[5)] Nr. **356a**.

(2) [1] Die zuständigen Behörden und Stellen dürfen die nach § 12 der Fahrpersonalverordnung gespeicherten Daten im automatisierten Verfahren abrufen, soweit die Kenntnis dieser Daten für Maßnahmen im Zusammenhang mit der Ausgabe und Kontrolle von Fahrerkarten nach der Verordnung (EU) Nr. 165/2014 erforderlich ist. [2] Die Daten dürfen nur für diese Zwecke verarbeitet werden.

(3) [1] Die Verantwortung für die Zulässigkeit des einzelnen Abrufs tragen die Behörden und Stellen, an die die Daten übermittelt werden. [2] Die für das Fahrtenschreiberkartenregister zuständige Stelle prüft die Zulässigkeit der Abrufe nur, wenn dazu Anlass besteht. [3] Die für das Fahrtenschreiberkartenregister zuständige Stelle hat zu gewährleisten, dass die Übermittlung personenbezogener Daten zumindest durch geeignete Stichprobenverfahren festgestellt und überprüft werden kann.

§ 5[1)] Anordnungsbefugnis, Sicherungsmaßnahmen, Zurückweisung an der Grenze. (1) [1] Werden bei einer Kontrolle auf Verlangen keine oder nicht vorschriftsmäßig geführte Tätigkeitsnachweise vorgelegt oder wird festgestellt, daß vorgeschriebene Unterbrechungen der Lenkzeit nicht eingelegt oder die höchstzulässige Tageslenkzeit überschritten oder einzuhaltende Mindestruhezeiten nicht genommen worden sind, können die zuständigen Behörden die Fortsetzung der Fahrt untersagen, bis die Voraussetzungen zur Weiterfahrt erfüllt sind. [2] Tätigkeitsnachweise oder Fahrtenschreiber, aus denen sich der Regelverstoß ergibt oder mit denen er begangen wurde, können zur Beweissicherung eingezogen werden; die Fahrerkarte darf während ihrer Gültigkeitsdauer nicht entzogen oder ihre Gültigkeit ausgesetzt werden, es sei denn, es wird festgestellt, dass die Karte gefälscht worden ist, der Fahrer eine Karte verwendet, deren Inhaber er nicht ist, oder die Ausstellung der Karte auf der Grundlage falscher Erklärungen oder gefälschter Dokumente erwirkt wurde.

(1a) [1] Ergeben sich bei einer Kontrolle konkrete Anhaltspunkte dafür, dass der Fahrtenschreiber nicht ordnungsgemäß funktioniert, kann die zuständige Behörde eine Prüfung des Fahrtenschreibers nach Maßgabe des § 57b Absatz 1 und 3 der Straßenverkehrs-Zulassungs-Ordnung anordnen. [2] Abweichend von § 57b Absatz 1 Satz 1 der Straßenverkehrs-Zulassungs-Ordnung fallen dem Halter die Kosten der Prüfung nur zu Last, wenn festgestellt wird, dass Einbau, Zustand, Messgenauigkeit und Arbeitsweise des Fahrtenschreibers nicht vorschriftsmäßig sind.

(2) Im grenzüberschreitenden Verkehr können Kraftfahrzeuge, die nicht in einem Mitgliedstaat der Europäischen Union oder einem anderen Vertragsstaat des Abkommens über den Europäischen Wirtschaftsraum zugelassen sind und in das Hoheitsgebiet der Bundesrepublik Deutschland einfahren wollen, in Fällen des Absatzes 1 an den Außengrenzen der Mitgliedstaaten der Europäischen Union zurückgewiesen werden.

(3) Rechtsbehelfe gegen Anordnungen nach den Absätzen 1, 1a und 2 sowie zur Durchsetzung der in § 4 Abs. 3 Satz 1 und Abs. 5 geregelten Pflichten haben keine aufschiebende Wirkung.

[1)] § 5 Abs. 1 Satz 2 geänd. mWv 20.5.2004 durch G v. 15.5.2004 (BGBl. I S. 954); Abs. 1 Satz 2 und Abs. 3 geänd., Abs. 1a eingef. mWv 25.5.2017 durch G v. 16.5.2017 (BGBl. I S. 1214).

§ 6[1] Allgemeine Verwaltungsvorschriften. Das Bundesministerium für Verkehr und digitale Infrastruktur kann im Einvernehmen mit dem Bundesministerium für Arbeit und Soziales mit Zustimmung des Bundesrates zur Durchführung der in § 2 genannten oder auf § 2 beruhenden Vorschriften allgemeine Verwaltungsvorschriften erlassen, insbesondere über die Erteilung einer Verwarnung (§§ 56, 58 Abs. 2 des Gesetzes über Ordnungswidrigkeiten) wegen einer Ordnungswidrigkeit nach § 8 und darüber, in welchen Fällen eine solche Verwarnung nicht erteilt werden soll.

§ 7 Sicherheitsleistung. Wird eine angeordnete Sicherheitsleistung nicht sofort erbracht, so kann die zuständige Behörde die Weiterfahrt bis zur vollständigen Erbringung untersagen.

§ 8[2] Bußgeldvorschriften. (1) Ordnungswidrig handelt, wer vorsätzlich oder fahrlässig

1. als Unternehmer
   a) einer Rechtsverordnung nach § 2 Nr. 2 Buchstabe b oder Nr. 3 oder einer vollziehbaren Anordnung auf Grund einer solchen Rechtsverordnung zuwiderhandelt, soweit die Rechtsverordnung für einen bestimmten Tatbestand auf diese Bußgeldvorschrift verweist,
   b) einer Vorschrift der Verordnung (EG) Nr. 2135/98, der Verordnung (EU) Nr. 165/2014 oder des AETR[3] zuwiderhandelt, soweit eine Rechtsverordnung nach § 2 Nr. 1 Buchstabe e oder Nr. 2 Buchstabe e für einen bestimmten Tatbestand auf diese Bußgeldvorschrift verweist,
   c) entgegen § 3 Satz 1 ein Mitglied des Fahrpersonals nach der zurückgelegten Fahrstrecke oder der Menge der beförderten Güter entlohnt,
   d) entgegen § 4 Abs. 3 Satz 1 eine Auskunft nicht, nicht richtig, nicht vollständig oder nicht rechtzeitig erteilt oder eine Unterlage nicht oder nicht rechtzeitig aushändigt, nicht oder nicht rechtzeitig einsendet oder nicht oder nicht rechtzeitig zur Verfügung stellt,
   e) entgegen § 4 Abs. 3 Satz 6 dort genannte Daten nicht, nicht richtig oder nicht für die vorgeschriebene Dauer speichert,
   f) entgegen § 4 Abs. 3 Satz 7 ein Schaublatt oder einen Ausdruck nicht oder nicht für die vorgeschriebene Dauer aufbewahrt,
   g) entgegen § 4 Abs. 3 Satz 9 nicht dafür Sorge trägt, dass eine lückenlose Dokumentation oder Datensicherung erfolgt,
   h) entgegen § 4 Abs. 5 Satz 5 eine Maßnahme nicht duldet oder

---

[1] § 6 geänd. mWv 7.11.2001 durch VO v. 29.10.2001 (BGBl. I S. 2785); geänd. mWv 28.11.2003 durch VO v. 25.11.2003 (BGBl. I S. 2304); geänd. mWv 8.11.2006 durch VO v. 31.10.2006 (BGBl. I S. 2407); geänd. mWv 8.9.2015 durch VO v. 31.8.2015 (BGBl. I S. 1474).

[2] § 8 neu gef. mWv 14.7.2007 durch G v. 6.7.2007 (BGBl. I S. 1270); Abs. 1 Nr. 1 Buchst. b und Nr. 2 Buchst. b geänd. mWv 6.8.2010 durch G v. 31.7.2010 (BGBl. I S. 1057); Abs. 4 angef. mWv 21.6.2013 durch G v. 17.6.2013 (BGBl. I S. 1558); Abs. 1 Nr. 1 Buchst. b und h, Nr. 2 Buchst. b, Nr. 4 Buchst. b und Abs. 2 geänd., Abs. 3 aufgeh. mWv 7.3.2015 durch G v. 2.3.2015 (BGBl. I S. 186); Abs. 1 Nr. 1 Buchst. b und j, Nr. 2 Buchst. b und g und Nr. 4 Buchst. b geänd., Abs. 3 neu gef. mWv 25.5.2017 durch G v. 16.5.2017 (BGBl. I S. 1214); Abs. 1 Nr. 1 Buchst. g aufgeh., Buchst. h–j werden Buchst. g–i mWv 26.11.2019 durch G v. 20.11.2019 (BGBl. I S. 1626).

[3] **beck-online, Module Arbeitsrecht Nr. 355b.**

i) einer vollziehbaren Anordnung nach § 5 Absatz 1 Satz 1 oder Absatz 1a Satz 1 oder § 7 zuwiderhandelt,

2. als Fahrer

a) einer Rechtsverordnung nach § 2 Nr. 2 Buchstabe b oder Nr. 3 oder einer vollziehbaren Anordnung auf Grund einer solchen Rechtsverordnung zuwiderhandelt, soweit die Rechtsverordnung für einen bestimmten Tatbestand auf diese Bußgeldvorschrift verweist,

b) einer Vorschrift der Verordnung (EG) Nr. 2135/98, der Verordnung (EU) Nr. 165/2014 oder des AETR zuwiderhandelt, soweit eine Rechtsverordnung nach § 2 Nr. 1 Buchstabe e oder Nr. 2 Buchstabe e für einen bestimmten Tatbestand auf diese Bußgeldvorschrift verweist,

c) entgegen § 4 Abs. 3 Satz 1 eine Auskunft nicht, nicht richtig, nicht vollständig oder nicht rechtzeitig erteilt oder eine Unterlage nicht aushändigt,

d) entgegen § 4 Abs. 3 Satz 2 einen Tätigkeitsnachweis nicht oder nicht rechtzeitig aushändigt,

e) entgegen § 4 Abs. 3 Satz 4 die Fahrerkarte zum Kopieren nicht oder nicht rechtzeitig zur Verfügung stellt,

f) entgegen § 4 Abs. 5 Satz 5 eine Maßnahme nicht duldet oder

g) einer vollziehbaren Anordnung nach § 5 Absatz 1 Satz 1 oder Absatz 1a Satz 1 oder § 7 zuwiderhandelt oder

3. als Fahrzeughalter entgegen § 4 Abs. 3 Satz 1 eine Auskunft nicht, nicht richtig, nicht vollständig oder nicht rechtzeitig erteilt oder eine Unterlage nicht oder nicht rechtzeitig aushändigt, nicht oder nicht rechtzeitig einsendet oder nicht oder nicht rechtzeitig zur Verfügung stellt oder

4. als Werkstattinhaber oder Installateur

a) einer Rechtsverordnung nach § 2 Nr. 2 Buchstabe b oder Nr. 3 Buchstabe c oder einer vollziehbaren Anordnung auf Grund einer solchen Rechtsverordnung zuwiderhandelt, soweit die Rechtsverordnung für einen bestimmten Tatbestand auf diese Bußgeldvorschrift verweist, oder

b) einer Vorschrift der Verordnung (EU) Nr. 165/2014 oder des AETR zuwiderhandelt, soweit eine Rechtsverordnung nach § 2 Nr. 1 Buchstabe e oder Nr. 2 Buchstabe e für einen bestimmten Tatbestand auf diese Bußgeldvorschrift verweist.

(2) Die Ordnungswidrigkeit kann in den Fällen des Absatzes 1 Nr. 1 und 3 mit einer Geldbuße bis zu dreißigtausend Euro, in den übrigen Fällen mit einer Geldbuße bis zu fünftausend Euro geahndet werden.

(3) Ordnungswidrigkeiten nach Absatz 1 Nummer 1 Buchstabe b, Nummer 2 Buchstabe b oder Nummer 4 Buchstabe b, die bis zum 1. März 2016 unter Geltung der Verordnung (EWG) Nr. 3821/85[1] begangen wurden, können abweichend von § 4 Absatz 3 des Gesetzes über Ordnungswidrigkeiten nach den zum Zeitpunkt der Tat geltenden Bestimmungen geahndet werden.

(4) In den Fällen des Absatzes 1 Nummer 1 Buchstabe b, Nummer 2 Buchstabe b und Nummer 4 Buchstabe b kann eine Ordnungswidrigkeit wegen

---

[1] **beck-online, Module Arbeitsrecht Nr. 355c.**

einer Zuwiderhandlung gegen das AETR auch dann geahndet werden, wenn die Ordnungswidrigkeit nicht im Geltungsbereich dieses Gesetzes begangen wurde.

§ 8a[1)] Bußgeldvorschriften. (1) [1] Ordnungswidrig handelt, wer als Unternehmer gegen die Verordnung (EG) Nr. 561/2006[2)] des Europäischen Parlaments und des Rates vom 15. März 2006 zur Harmonisierung bestimmter Sozialvorschriften im Straßenverkehr und zur Änderung der Verordnungen (EWG) Nr. 3821/85 und (EG) Nr. 2135/98 des Rates sowie zur Aufhebung der Verordnung (EWG) Nr. 3820/85 des Rates (ABl. EU Nr. L 102 S. 1), die zuletzt durch die Verordnung (EG) Nr. 1073/2009 (ABl. L 300 vom 14.11. 2009, S. 88) geändert worden ist, verstößt, indem er vorsätzlich oder fahrlässig

1. einen Schaffner oder Beifahrer einsetzt, der das in Artikel 5 genannte Mindestalter nicht erreicht hat,
2. nicht dafür sorgt, dass die in Artikel 6 Abs. 1 Satz 1, Abs. 2 oder 3 genannten Lenkzeiten, die in Artikel 7 Satz 1 genannte Fahrtunterbrechung oder die in Artikel 8 Abs. 2 Satz 1, Abs. 4 bis 7 genannten Ruhezeiten vom Fahrer eingehalten werden,
3. entgegen Artikel 16 Abs. 2 Satz 1 in Verbindung mit Abs. 3 Buchstabe a Halbsatz 1 einen Fahrplan oder einen Arbeitszeitplan nicht, nicht richtig oder nicht vollständig erstellt oder
4. entgegen Artikel 16 Abs. 3 Buchstabe c einen Arbeitszeitplan nicht oder nicht mindestens ein Jahr aufbewahrt.

[2] Im Fall von Satz 1 Nummer 2 sorgt der Unternehmer auch dann nicht dafür, dass die regelmäßige wöchentliche Ruhezeit nach Artikel 8 Absatz 6 eingehalten wird, wenn diese im Fahrzeug oder an einem Ort ohne geeignete Schlafmöglichkeit verbracht wird.

(2) [1] Ordnungswidrig handelt, wer als Fahrer gegen die Verordnung (EG) Nr. 561/2006 verstößt, indem er vorsätzlich oder fahrlässig

1. eine in Artikel 6 Abs. 1 Satz 1, Abs. 2 oder 3 genannte Lenkzeit, die in Artikel 7 Satz 1 genannte Fahrtunterbrechung oder eine in Artikel 8 Abs. 2 Satz 1, Absatz 4, 5, 6, 6a Satz 1 oder Absatz 7 genannte Ruhezeit oder Ruhepause nicht einhält,
2. entgegen Artikel 6 Abs. 5 eine andere Arbeit oder eine Bereitschaftszeit nicht, nicht richtig oder nicht in der vorgeschriebenen Weise festhält,
3. entgegen Artikel 12 Satz 2 Art oder Grund einer Abweichung nicht, nicht richtig, nicht in der vorgeschriebenen Weise oder nicht rechtzeitig vermerkt oder
4. entgegen Artikel 16 Abs. 2 Unterabs. 2 einen Auszug auf dem Arbeitszeitplan oder eine Ausfertigung des Linienfahrplans nicht mit sich führt.

[1)] § 8a eingef. mWv 14.7.2007 durch G v. 6.7.2007 (BGBl. I S. 1270); Abs. 1 einl. Satzteil und Abs. 2 Nr. 1 geänd. mWv 6.8.2010 durch G v. 31.7.2010 (BGBl. I S. 1057); Abs. 1 Nr. 2 und Abs. 4 geänd. mWv *7.3.2015 durch G v. 2.3.2015* (BGBl. I S. 186); Abs. 1 Satz 2 und Abs. 2 Satz 2 angef. mWv 25.5.2017 durch G v. 16.5.2017 (BGBl. I S. 1214).

[2)] Nr. **355**.

[2]Im Fall von Satz 1 Nummer 1 wird die regelmäßige wöchentliche Ruhezeit nach Artikel 8 Absatz 6 auch dann nicht eingehalten, wenn diese im Fahrzeug oder an einem Ort ohne geeignete Schlafmöglichkeit verbracht wird.

(3) Ordnungswidrig handelt, wer als Unternehmer, Verlader, Spediteur, Reiseveranstalter oder Fahrervermittler einen Beförderungszeitplan vertraglich vereinbart und nicht sicherstellt, dass dieser Beförderungszeitplan nicht gegen eine in Absatz 2 Nr. 1 genannte Vorschrift verstößt.

(4) Die Ordnungswidrigkeit kann in den Fällen der Absätze 1 und 3 mit einer Geldbuße bis zu dreißigtausend Euro, in den übrigen Fällen mit einer Geldbuße bis zu fünftausend Euro geahndet werden.

(5) In den Fällen der Absätze 1 und 2 kann die Ordnungswidrigkeit auch dann geahndet werden, wenn sie nicht im Geltungsbereich dieses Gesetzes begangen wurde.

§ 9[1)] Zuständigkeit für die Verfolgung und Ahndung von Ordnungswidrigkeiten. (1) [1]Wird ein Verstoß in einem Unternehmen begangen, das im Geltungsbereich dieses Gesetzes seinen Sitz oder eine geschäftliche Niederlassung hat, ist nur die Verwaltungsbehörde örtlich zuständig, in deren Bezirk die geschäftliche Niederlassung oder der Hauptsitz des Betriebes liegt, bei dem der Betroffene tätig ist. [2]Die §§ 38 und 39 des Gesetzes über Ordnungswidrigkeiten[2)] gelten entsprechend. [3]Soweit nach Satz 1 oder Satz 2 eine Verwaltungsbehörde zuständig ist, die nicht auch für die Kontrolle der Bestimmungen dieses Gesetzes auf dem Betriebsgelände zuständig ist, unterrichtet diese Verwaltungsbehörde die für die Kontrollen der Bestimmungen dieses Gesetzes auf dem Betriebsgelände zuständige Behörde über begangene Ordnungswidrigkeiten.

(2) Wird ein Verstoß in einem Unternehmen begangen, das im Geltungsbereich des Gesetzes weder seinen Sitz noch eine geschäftliche Niederlassung hat, und hat auch der Betroffene im Geltungsbereich des Gesetzes keinen Wohnsitz, so ist Verwaltungsbehörde im Sinne des § 36 Abs. 1 Nr. 1 des Gesetzes über Ordnungswidrigkeiten das Bundesamt für Logistik und Mobilität.

§ 10[3)] Datenschutzbestimmungen. (1) Die nach § 9 für die Durchführung von Bußgeldverfahren zuständigen Behörden dürfen folgende personenbezogene Daten über laufende und abgeschlossene Bußgeldverfahren wegen der in § 8 Absatz 1 und der in § 8a Absatz 1 bis 3genannten Ordnungswidrigkeiten verarbeiten, soweit dies für die Erfüllung ihrer Aufgaben oder für Zwecke der Beurteilung der Zuverlässigkeit des Unternehmens, bei dem die betroffene Person angestellt ist, erforderlich ist:

1. Name, Anschrift, Geburtsdatum und Geburtsort der betroffenen Person, Name und Anschrift des Unternehmens,
2. Zeit und Ort der Begehung der Ordnungswidrigkeit,
3. die gesetzlichen Merkmale der Ordnungswidrigkeit,

[1)] § 9 Abs. 1 neu gef. mWv 6.8.2010 durch G v. 31.7.2010 (BGBl. I S. 1057); Abs. 2 geänd. mWv 9.3.2023 durch G v. 2.3.2023 (BGBl. I Nr. 56).

[2)] **Habersack Nr. 94.**

[3)] § 10 Abs. 2a eingef. mWv 20.5.2004 durch G v. 15.5.2004 (BGBl. I S. 954); Abs. 1 einl. Satzteil, Abs. 2 Nr. 1 und 2 geänd., Nr. 3 angef. mWv 6.8.2010 durch G v. 31.7.2010 (BGBl. I S. 1057); Abs. 2a Satz 1 geänd. mWv 25.5.2017 durch G v. 16.5.2017 (BGBl. I S. 1214); Abs. 1 einl. Satzteil und Nr. 1, Abs. 3–5, Abs. 6 Satz 3 geänd., Abs. 7 neu gef. mWv 26.11.2019 durch G v. 20.11.2019 (BGBl. I S. 1626).

4. Bußgeldbescheide mit dem Datum ihres Erlasses und dem Datum des Eintritts ihrer Rechtskraft sowie
5. die Höhe der Geldbuße und
6. das Datum der Verwarnung oder des Erlasses des Verwarnungsgeldes.

(2) Die in Absatz 1 genannten Behörden übermitteln die Daten nach Absatz 1 für die dort genannten Zwecke

1. an öffentliche Stellen, soweit die Daten für die Entscheidung über den Zugang zum Beruf des Güter- und Personenkraftverkehrsunternehmers erforderlich sind,
2. auf Ersuchen an Gerichte und die Behörden, die in bezug auf die Aufgaben nach diesem Gesetz Verwaltungsbehörde nach § 36 Abs. 1 Nr. 1 des Gesetzes über Ordnungswidrigkeiten[1] sind oder
3. in den Fällen des § 9 Absatz 1 Satz 3 an die für die Kontrollen der Bestimmungen dieses Gesetzes auf dem Betriebsgelände zuständigen Verwaltungsbehörden.

(2a) [1] Die in Absatz 1 genannten Behörden haben Zuwiderhandlungen, die Anlass geben, an der Zuverlässigkeit des Unternehmers und der Verkehrsleiter zu zweifeln, dem Unternehmen und der für das Unternehmen zuständigen Erlaubnisbehörde nach § 3 Abs. 7 des Güterkraftverkehrsgesetzes oder der Genehmigungsbehörde nach § 11 Abs. 1 des Personenbeförderungsgesetzes[2] mitzuteilen. [2] Zur Feststellung von Wiederholungsfällen haben sie die Zuwiderhandlungen der Angehörigen desselben Unternehmens zusammenzuführen.

(3) Eine Übermittlung unterbleibt, soweit hierdurch schutzwürdige Interessen der betroffenen Person beeinträchtigt würden und nicht das öffentliche Interesse das Geheimhaltungsinteresse der betroffenen Person überwiegt.

(4) Der Empfänger darf die nach Absatz 2 übermittelten Daten nur für den Zweck verarbeiten, zu dessen Erfüllung sie ihm übermittelt werden.

(5) Erweisen sich übermittelte Daten als unrichtig, so ist der Empfänger unverzüglich zu unterrichten, wenn dies zur Wahrung schutzwürdiger Interessen der betroffenen Person erforderlich ist.

(6) [1] Die nach den Absätzen 1 und 2 gespeicherten Daten sind zwei Jahre nach dem Eintritt der Rechtskraft des Bußgeldbescheides zu löschen. [2] Wurde das Bußgeld zwei Jahre nach Rechtskraft des Bußgeldbescheides noch nicht oder nicht vollständig gezahlt, so sind die nach den Absätzen 1 und 2 gespeicherten Daten erst bei Eintritt der Vollstreckungsverjährung zu löschen. [3] Wurde die betroffene Person schriftlich verwarnt oder das Verfahren eingestellt, so sind die Daten zwei Jahre nach dem Erlaß der Verwarnung zu löschen. [4] Daten eingestellter Verfahren sind unverzüglich zu löschen.

(7) § 25 Absatz 1 Satz 1 in Verbindung mit § 23 Absatz 1 Nummer 3 und 4 des Bundesdatenschutzgesetzes[3] sowie die entsprechenden Vorschriften der Landesdatenschutzgesetze bleiben unberührt.

§ 11 (Inkrafttreten)

---

[1] ***Habersack Nr. 94.***
[2] **Sartorius Nr. 950.**
[3] Nr. **490**.

356a. Verordnung zur Durchführung des Fahrpersonalgesetzes (Fahrpersonalverordnung – FPersV)[1)]

Vom 27. Juni 2005
(BGBl. I S. 1882)

FNA 9231-8-3

zuletzt geänd. durch Art. 37 Postrechtsmodernisierungsgesetz v. 15.7.2024 (BGBl. 2024 I Nr. 236)

– Auszug –[2)]

Abschnitt 1. Lenk- und Ruhezeiten im nationalen Bereich

§ 1[3)] Lenk- und Ruhezeiten im Straßenverkehr. (1) Fahrer

1. von Fahrzeugen, die zur Güterbeförderung dienen und deren zulässige Höchstmasse einschließlich Anhänger oder Sattelanhänger mehr als 2,8 Tonnen und nicht mehr als 3,5 Tonnen beträgt, sowie
2. von Fahrzeugen, die zur Personenbeförderung dienen, nach ihrer Bauart und Ausstattung geeignet und dazu bestimmt sind, mehr als neun Personen einschließlich Fahrer zu befördern, und im Linienverkehr mit einer Linienlänge bis zu 50 Kilometern eingesetzt sind,

haben Lenkzeiten, Fahrtunterbrechungen und Ruhezeiten nach Maßgabe der Artikel 4, 6 bis 9 und 12 der Verordnung (EG) Nr. 561/2006[4)] des Europäischen Parlaments und des Rates vom 15. März 2006 zur Harmonisierung bestimmter Sozialvorschriften im Straßenverkehr und zur Änderung der Verordnungen (EWG) Nr. 3821/85 und (EG) Nr. 2135/98 des Rates sowie zur Aufhebung der Verordnung (EWG) Nr. 3820/85 des Rates (ABl. EU Nr. L 102 S. 1) einzuhalten.

(2) Absatz 1 findet keine Anwendung auf

1. Fahrzeuge, die in § 18 genannt sind,
2. Fahrzeuge, die in Artikel 3 Buchstabe b bis i der Verordnung (EG) Nr. 561/2006 genannt sind,

---

[1)] Verkündet als Art. 1 VO zur Durchf. des G über die mit der Einführung des digitalen Kontrollgerätes zur Kontrolle der Lenk- und Ruhezeiten erforderlichen Begleitregelungen v. 27.6.2005 (BGBl. I S. 1882); Inkrafttreten gem. Art. 5 dieser VO am 2.7.2005.

Diese VO wurde erlassen auf Grund des § 2 Nr. 1 Buchstabe a, b, c, d und e, Nr. 2 Buchstabe a, b und e, Nr. 3 Buchstabe a, b, c, d und e sowie Nr. 4 FahrpersonalG (Nr. **356**), des § 6 Abs. 1 Nr. 2 Buchstabe p und des § 6a Abs. 2 bis 5 StraßenverkehrsG **(Habersack Nr. 35)** iVm dem 2. Abschnitt VerwaltungskostenG v. 23.6.1970 (BGBl. I S. 821), aufgeh. durch G v. 7.8.2013 (BGBl. I S. 3154).

[2)] Vollständig wiedergegeben in **beck-online, Module Arbeitsrecht.**

[3)] § 1 neu gef. mWv 31.1.2008 durch VO v. 22.1.2008 (BGBl. I S. 54); Abs. 6 Satz 5 abschl. Satzteil geänd. mWv 23.12.2011 durch VO v. 19.12.2011 (BGBl. I S. 2835); Abs. 2 Nr. 3 und 4 geänd., Abs. 2 Nr. 3a neu gef. mWv 7.6.2013 durch VO v. 22.5.2013 (BGBl. I S. 1395); Abs. 3 Nr. 2 Satz 3 eingef., bish. Sätze 3–5 werden Sätze 4–6, Abs. 6 Satz 4 neu gef., Satz 5 abschl. Satzteil und Abs. 7 Satz 1 geänd., Abs. 8–10 angef. mWv 11.3.2015 durch VO v. 9.3.2015 (BGBl. I S. 243); Abs. 6 Satz 1 Nr. 2 geänd., Satz 5 neu gef., Satz 7 Nr. 4 geänd., Abs. 7 Sätze 1 und 3 neu gef., Satz 4 und Abs. 10 Satz 1 geänd. mWv 18.8.2017 durch VO v. 8.8.2017 (BGBl. I S. 3158).

[4)] Nr. **355**.

3. Fahrzeuge, die zur Beförderung von Material, Ausrüstungen oder Maschinen, die der Fahrer zur Ausübung seiner beruflichen Tätigkeit benötigt, verwendet werden, soweit das Lenken des Fahrzeugs nicht die Haupttätigkeit des Fahrers darstellt,

3a. Fahrzeuge, die zur Beförderung von Gütern, die im Betrieb, dem der Fahrer angehört, in handwerklicher Fertigung oder Kleinserie hergestellt wurden oder deren Reparatur im Betrieb vorgesehen ist oder durchgeführt wurde, verwendet werden, soweit das Lenken des Fahrzeugs nicht die Haupttätigkeit des Fahrers darstellt,

4. Fahrzeuge, die als Verkaufswagen auf öffentlichen Märkten oder für den ambulanten Verkauf verwendet werden und für diese Zwecke besonders ausgestattet sind, soweit das Lenken des Fahrzeugs nicht die Haupttätigkeit des Fahrers darstellt, und

5. selbstfahrende Arbeitsmaschinen nach § 2 Nr. 17 der Fahrzeug-Zulassungsverordnung.

(3) Abweichend von Absatz 1 in Verbindung mit Artikel 7 der Verordnung (EG) Nr. 561/2006 haben Fahrer von Kraftomnibussen im Linienverkehr mit einer Linienlänge bis zu 50 Kilometern Fahrtunterbrechungen nach Maßgabe der folgenden Vorschriften einzuhalten:

1. Beträgt der durchschnittliche Haltestellenabstand mehr als drei Kilometer, so ist nach einer Lenkzeit von viereinhalb Stunden eine Fahrtunterbrechung von mindestens 30 zusammenhängenden Minuten einzulegen. Diese Fahrtunterbrechung kann durch zwei Teilunterbrechungen von jeweils mindestens 20 zusammenhängenden Minuten oder drei Teilunterbrechungen von jeweils mindestens 15 Minuten ersetzt werden. Die Teilunterbrechungen müssen innerhalb der Lenkzeit von höchstens viereinhalb Stunden oder teils innerhalb dieser Zeit und teils unmittelbar danach liegen.
2. Beträgt der durchschnittliche Haltestellenabstand nicht mehr als drei Kilometer, sind als Fahrtunterbrechungen auch Arbeitsunterbrechungen ausreichend, soweit diese nach den Dienst- und Fahrplänen in der Arbeitsschicht enthalten sind (z.B. Wendezeiten). Voraussetzung hierfür ist, dass die Gesamtdauer der Arbeitsunterbrechungen mindestens ein Sechstel der vorgesehenen Lenkzeit beträgt. Nach einer ununterbrochenen Lenkzeit von viereinhalb Stunden ist eine Fahrtunterbrechung von mindestens 45 Minuten erforderlich. Arbeitsunterbrechungen unter zehn Minuten werden bei der Berechnung der Gesamtdauer nicht berücksichtigt. Durch Tarifvertrag kann vereinbart werden, dass Arbeitsunterbrechungen von mindestens acht Minuten berücksichtigt werden können, wenn ein Ausgleich vorgesehen ist, der die ausreichende Erholung des Fahrers erwarten lässt. Für Fahrer, die nicht in einem Arbeitsverhältnis stehen, kann die nach Landesrecht zuständige Behörde entsprechende Abweichungen bewilligen.

(4) [1] Abweichend von Absatz 1 in Verbindung mit Artikel 8 Abs. 6 der Verordnung (EG) Nr. 561/2006 sind Fahrer der in Absatz 1 Nr. 2 genannten Fahrzeuge nicht zur Einlegung einer wöchentlichen Ruhezeit nach höchstens sechs 24-Stunden-Zeiträumen verpflichtet. [2] Sie können die wöchentlich einzuhaltenden Ruhezeiten auf einen Zweiwochenzeitraum verteilen.

(5) [1] Der Unternehmer hat dafür zu sorgen, dass die Vorschriften über die Lenkzeiten, die Fahrtunterbrechungen und die Ruhezeiten gemäß den Artikeln 4, 6 bis 9 und 12 der Verordnung (EG) Nr. 561/2006 eingehalten werden. [2] Artikel 10 Abs. 2 der Verordnung (EG) Nr. 561/2006 findet entsprechende Anwendung.

(6) [1] Der Fahrer eines in Absatz 1 Nr. 1 genannten Fahrzeugs hat, sofern dieses Fahrzeug nicht nach Absatz 2 ausgenommen ist, folgende Zeiten aufzuzeichnen:

1. Lenkzeiten,
2. alle sonstigen Arbeitszeiten einschließlich der Bereitschaftszeiten,
3. Fahrtunterbrechungen und
4. tägliche und wöchentliche Ruhezeiten.

[2] Die Aufzeichnungen sind für jeden Tag getrennt zu fertigen und müssen folgende Angaben enthalten:

1. Vor- und Familienname,
2. Datum,
3. amtliche Kennzeichen der benutzten Fahrzeuge,
4. Ort des Fahrtbeginns,
5. Ort des Fahrtendes und
6. Kilometerstände der benutzten Fahrzeuge bei Fahrtbeginn und Fahrtende.

[3] Der Fahrer hat alle Eintragungen jeweils unverzüglich zu Beginn und am Ende der Lenkzeiten, Fahrtunterbrechungen und Ruhezeiten vorzunehmen. [4] Die Aufzeichnungen des laufenden Tages und der vorausgegangenen 28 Kalendertage sind vom Fahrer mitzuführen und den zuständigen Personen auf Verlangen zur Prüfung auszuhändigen. [5] Hat der Fahrer während des in Satz 4 genannten Zeitraums ein Fahrzeug gelenkt, für das

1. die Verordnung (EU) Nr. 165/2014 des Europäischen Parlaments und des Rates vom 4. Februar 2014 über Fahrtenschreiber im Straßenverkehr, zur Aufhebung der Verordnung (EWG) Nr. 3821/85 des Rates über das Kontrollgerät im Straßenverkehr und zur Änderung der Verordnung (EG) Nr. 561/2006 des Europäischen Parlaments und des Rates zur Harmonisierung bestimmter Sozialvorschriften im Straßenverkehr (ABl. L 60 vom 28.2. 2014, S. 1) in der jeweils geltenden Fassung oder
2. das Europäische Übereinkommen vom 1. Juli 1970 über die Arbeit des im internationalen Straßenverkehr beschäftigten Fahrpersonals (AETR)[1] (BGBl. 1974 II S. 1473, 1475) in der jeweils geltenden Fassung

gilt, sind für dieses Fahrzeug Nachweise nach Maßgabe von Artikel 36 Absatz 1 und 2 der Verordnung (EU) Nr. 165/2014 oder von Artikel 12 Absatz 7 des Anhangs zum Europäischen Übereinkommen vom 1. Juli 1970 über die Arbeit des im internationalen Straßenverkehr beschäftigten Fahrpersonals (AETR) an Stelle der Aufzeichnungen mitzuführen. [6] Der Fahrer hat dem Unternehmer alle Aufzeichnungen unverzüglich nach Ablauf der Mitführungspflicht auszuhändigen. [7] Der Unternehmer hat

[1] **beck-online, Module Arbeitsrecht Nr. 355b.**

1. dem Fahrer entsprechend dem Muster der Anlage 1 geeignete Vordrucke zur Fertigung der Aufzeichnungen in ausreichender Anzahl auszuhändigen,
2. die Aufzeichnungen unverzüglich nach Aushändigung durch den Fahrer zu prüfen und unverzüglich Maßnahmen zu ergreifen, die notwendig sind, um die Beachtung der Sätze 1 bis 5 zu gewährleisten,
3. die Aufzeichnungen ein Jahr lang nach Aushändigung durch den Fahrer in chronologischer Reihenfolge und in lesbarer Form außerhalb des Fahrzeugs aufzubewahren und den zuständigen Personen auf Verlangen vorzulegen und
4. die Aufzeichnungen nach Ablauf der Aufbewahrungsfrist bis zum 31. März des folgenden Kalenderjahres zu vernichten, soweit sie nicht zur Erfüllung der Aufbewahrungspflichten nach § 16 Abs. 2 und § 21a Abs. 7 des Arbeitszeitgesetzes[1)], § 147 Abs. 1 Nr. 5 in Verbindung mit Abs. 3 der Abgabenordnung[2)], § 28f Abs. 1 Satz 1 des Vierten Buches Sozialgesetzbuch[3)], § 17 Absatz 2 des Mindestlohngesetzes[4)], § 19 Absatz 2 des Arbeitnehmer-Entsendegesetzes[5)] oder § 17c Absatz 2 des Arbeitnehmerüberlassungsgesetzes[6)] benötigt werden.

(7) [1] Ist das Fahrzeug mit einem analogen Fahrtenschreiber nach Artikel 2 Absatz 2 Buchstabe g der Verordnung (EU) Nr. 165/2014 oder einem digitalen Fahrtenschreiber nach Artikel 2 Absatz 2 Buchstabe h der Verordnung (EU) Nr. 165/2014 oder einem Fahrtschreiber nach § 57a Absatz 1 Satz 1 der Straßenverkehrs-Zulassungs-Ordnung ausgerüstet, haben Fahrer der in Absatz 1 Nummer 1 genannten Fahrzeuge diese entsprechend Artikel 27 Absatz 2, Artikel 32 Absatz 1 bis 4, Artikel 33 Absatz 1 Unterabsatz 3, Artikel 34 Absatz 1 bis 3 Unterabsatz 1, Absatz 4 bis 7, Artikel 35 Absatz 2 und Artikel 37 Absatz 2 der Verordnung (EU) Nr. 165/2014 oder § 57a Absatz 2 Satz 1 der Straßenverkehrs-Zulassungs-Ordnung zu betreiben. [2] Im Falle der Verwendung eines Fahrtschreibers gemäß § 57a der Straßenverkehrs-Zulassungs-Ordnung hat der Fahrer die Schicht und die Pausen jeweils bei Beginn und Ende auf dem Schaublatt zu vermerken. [3] Der Unternehmer hat bei Verwendung eines analogen Fahrtenschreibers oder eines Fahrtschreibers nach § 57a Absatz 1 Satz 1 der Straßenverkehrs-Zulassungs-Ordnung dem Fahrer vor Beginn der Fahrt die für das Gerät zugelassenen Schaublätter entsprechend Artikel 33 Absatz 1 Unterabsatz 2 der Verordnung (EU) Nr. 165/2014 in ausreichender Anzahl auszuhändigen, bei Verwendung eines digitalen Fahrtenschreibers dafür zu sorgen, dass entsprechend Artikel 33 Absatz 1 Unterabsatz 3 der Verordnung (EU) Nr. 165/2014 der Ausdruck von Daten aus dem Fahrtenschreiber im Falle einer Nachprüfung ordnungsgemäß erfolgen kann und entsprechend Artikel 33 Absatz 1 Unterabsatz 1 der Verordnung (EU) Nr. 165/2014 dafür zu sorgen, dass der analoge oder digitale Fahrtenschreiber oder der Fahrtschreiber nach § 57a Absatz 1 Satz 1 der Straßenverkehrs-Zulassungs-Ordnung ordnungsgemäß benutzt wird; Absatz 6 Satz 4 bis 6 und 7 Nummer 2 bis 4 gilt entsprechend. [4] Hat der Fahrer

---

1) Nr. **350**.
2) **Steuergesetze Nr. 800.**
3) **beck-online, Module Arbeitsrecht Nr. 694.**
4) Nr. **505**.
5) Nr. **506**.
6) Nr. **730**.

eines mit einem digitalen Fahrtenschreiber ausgerüsteten Fahrzeugs in dem in Absatz 6 Satz 4 genannten Zeitraum ein Fahrzeug gelenkt, das mit einem analogen Fahrtenschreiber ausgerüstet ist, hat er die Schaublätter dieses Fahrtenschreibers während der Fahrt ebenfalls mitzuführen und den zuständigen Personen auf Verlangen zur Prüfung auszuhändigen.

(8) [1] Der Unternehmer, der Fahrer mit Fahrzeugen nach Absatz 1 Nummer 2 einsetzt, hat zum Nachweis der in Absatz 1 genannten Zeiten vor Fahrtantritt Fahrpläne und Arbeitszeitpläne nach Maßgabe des Artikels 16 Absatz 2 Satz 1 und Absatz 3 Buchstabe a und b der Verordnung (EG) Nr. 561/2006 aufzustellen und ein Jahr nach Ablauf des Gültigkeitszeitraums aufzubewahren. [2] Fahrer von Fahrzeugen nach Absatz 1 Nummer 2 haben einen Auszug aus dem Arbeitszeitplan und eine Ausfertigung des Fahrplans, der die gerade durchgeführte Fahrt betrifft, mitzuführen.

(9) [1] Absatz 8 gilt nicht, wenn das Fahrzeug mit einem Fahrtschreiber nach § 57a Absatz 1 der Straßenverkehrs-Zulassungs-Ordnung in der bis zum 31. Dezember 2012 geltenden Fassung ausgerüstet ist. [2] In diesem Fall findet § 57a Absatz 2 und § 57b der Straßenverkehrs-Zulassungs-Ordnung Anwendung.

(10) [1] Absatz 8 gilt nicht, wenn das Fahrzeug mit einem analogen oder digitalen Fahrtenschreiber ausgerüstet ist. [2] In diesem Fall findet § 57a Absatz 3 der Straßenverkehrs-Zulassungs-Ordnung Anwendung.

§ 2[1)] Digitaler Fahrtenschreiber. (1) Ein Fahrer, der ein Fahrzeug lenkt, das in den Anwendungsbereich der Verordnung (EG) Nr. 561/2006[2)] fällt, oder der Lenk- oder Ruhezeiten nach § 1 Absatz 1 und 3 einzuhalten hat und dabei einen digitalen Fahrtenschreiber betreibt, hat den Fahrtenschreiber entsprechend Artikel 27 Absatz 2, Artikel 32 Absatz 1 Satz 1 und Absatz 2 bis 4, Artikel 33 Absatz 1 Unterabsatz 3, Artikel 34 Absatz 1 bis 3 Unterabsatz 1, Absatz 4, 5 und 7, Artikel 35 Absatz 2 und Artikel 37 Absatz 2 der Verordnung (EU) Nr. 165/2014 zu bedienen und die Benutzerführung zu beachten.

(2) Die in Artikel 34 Absatz 5 Buchstabe b Ziffer ii bis iv der Verordnung (EU) Nr. 165/2014 genannten Zeiträume müssen bei Übernahme des Fahrzeugs auf der Fahrerkarte unter Benutzung der im Fahrtenschreiber vorgesehenen manuellen Eingabemöglichkeiten eingetragen werden, wenn der Fahrer vor Übernahme des Fahrzeugs solche Zeiten verbracht hat.

(3) [1] Die nach Artikel 36 Absatz 2 der Verordnung (EU) Nr. 165/2014 vorgeschriebenen Ausdrucke hat der Fahrer den zuständigen Personen auf Verlangen vorzulegen. [2] Der Unternehmer hat die Ausdrucke in chronologischer Reihenfolge und in lesbarer Form außerhalb des Fahrzeugs aufzubewahren und den zuständigen Personen auf Verlangen vorzulegen.

(4) [1] Bei Einsatz von Mietfahrzeugen, deren Verwendung in den Anwendungsbereich der Verordnung (EG) Nr. 561/2006 oder dieser Verordnung

---

[1)] § 2 neu gef. mWv 31.1.2008 durch VO v. 22.1.2008 (BGBl. I S. 54); Abs. 5 Sätze 1 und 2, Abs. 6 Satz 1 Nr. 2 geänd. mWv 23.12.2011 durch VO v. 19.12.2011 (BGBl. I S. 2835); Abs. 1 und 2 geänd. mWv 11.3.2015 durch VO v. 9.3.2015 (BGBl. I S. 243); Überschrift und Abs. 1 neu gef., Abs. 2, Abs. 3 Satz 1, Abs. 4 Sätze 1, 2 und 4, Abs. 5 Sätze 1 und 4, Abs. 6 Satz 1 einl. Satzteil geänd. mWv 18.8.2017 durch VO v. 8.8.2017 (BGBl. I S. 3158).

[2)] Nr. **355**.

fällt, hat der Unternehmer, der das Fahrzeug anmietet, zu Beginn und am Ende des Mietzeitraums durch Verwendung der Unternehmenskarte sicherzustellen, dass die Daten aus dem Massenspeicher des Fahrtenschreibers über die mit den Fahrzeugen durchgeführten Fahrten übertragen und bei ihm gespeichert werden. [2] Ist dies in begründeten Ausnahmefällen oder bei einer Mietdauer von nicht mehr als 24 Stunden nicht möglich, ist zu Beginn und am Ende des Mietzeitraums ein Ausdruck wie bei Beschädigung oder Fehlfunktion der Fahrerkarte zu fertigen. [3] Der Fahrer hat den Ausdruck unverzüglich nach Erhalt an den Unternehmer weiterzuleiten, der ihn ein Jahr aufzubewahren hat. [4] Nach Ablauf der Aufbewahrungsfrist sind die Ausdrucke bis zum 31. März des folgenden Kalenderjahres zu vernichten, soweit sie nicht zur Erfüllung der Aufbewahrungspflichten nach § 16 Abs. 2 und § 21a Abs. 7 des Arbeitszeitgesetzes[1)], § 147 Abs. 1 Nr. 5 in Verbindung mit Abs. 3 der Abgabenordnung[2)], § 28f Abs. 1 Satz 1 des Vierten Buches Sozialgesetzbuch[3)], § 17 Absatz 2 des Mindestlohngesetzes[4)], § 19 Absatz 2 des Arbeitnehmer-Entsendegesetzes[5)] oder § 17c Absatz 2 des Arbeitnehmerüberlassungsgesetzes[6)] benötigt werden.

(5) [1] Der Unternehmer hat sicherzustellen, dass alle Daten aus dem Massenspeicher des Fahrtenschreibers spätestens 90 Tage nach Aufzeichnung eines Ereignisses zur Speicherung im Betrieb kopiert werden. [2] Der Unternehmer hat sicherzustellen, dass die Daten der Fahrerkarten spätestens 28 Kalendertage nach Aufzeichnung eines Ereignisses zur Speicherung im Betrieb kopiert werden. [3] Der Fahrer hat hierzu dem Unternehmen die Fahrerkarte und die Ausdrucke nach Absatz 3 zur Verfügung zu stellen. [4] Der Unternehmer hat alle sowohl von den Fahrtenschreibern als auch von den Fahrerkarten kopierten Daten der zuständigen Behörde oder Stelle auf Verlangen entweder unmittelbar oder durch Datenfernübertragung oder auf einem durch die Behörde oder Stelle zu bestimmenden Datenträger zur Verfügung zu stellen. [5] Der Unternehmer hat von allen kopierten Daten unverzüglich Sicherheitskopien zu erstellen, die auf einem gesonderten Datenträger zu speichern sind.

(6) [1] Unternehmen, die Fahrzeuge vermieten, haben dem Mieter des Fahrzeugs diejenigen Daten aus dem Massenspeicher des Fahrtenschreibers, die sich auf die vom Mieter durchgeführten Beförderungen beziehen und auf die dieser nicht unmittelbar zugreifen kann,

1. auf dessen Verlangen,
2. spätestens 90 Tage nach Beginn des Mietverhältnisses oder der letzten Datenübermittlung und
3. nach Beendigung des Mietverhältnisses

zur Verfügung zu stellen. [2] Dabei sind dem jeweiligen Stand der Technik entsprechende Maßnahmen zur Sicherstellung von Datenschutz und Datensicherheit zu treffen, die insbesondere die Vertraulichkeit, Unversehrtheit und Zurechenbarkeit der Daten gewährleisten; im Falle der Nutzung allgemein

---

[1)] Nr. **350**.
[2)] **Steuergesetze Nr. 800.**
[3)] **beck-online, Module Arbeitsrecht Nr. 694.**
[4)] *Nr. **505**.*
[5)] Nr. **506**.
[6)] Nr. **730**.

zugänglicher Netze sind dem jeweiligen Stand der Technik entsprechende Verschlüsselungsverfahren anzuwenden.

§ 2a[1)] Aufbewahrung von Kontrollunterlagen. [1] Der Unternehmer bewahrt die ihm oder seinen Fahrern von den zuständigen Personen überlassenen Niederschriften, Ergebnisprotokolle und andere Unterlagen über bei ihm auf dem Gelände vorgenommene beziehungsweise bei seinen Fahrern auf der Straße vorgenommene Kontrollen ein Jahr lang auf. [2] Die Unterlagen sind den zuständigen Personen auf Verlangen vorzulegen. [3] Nach Ablauf der Aufbewahrungspflicht sind die Unterlagen bis zum 31. März des folgenden Kalenderjahres zu vernichten.

Abschnitt 2. Organisation

§ 3[2)] Zertifizierungsinfrastruktur. [1] Die Aufgaben der für die Umsetzung des Zertifizierungsverfahrens nach der Verordnung (EU) Nr. 165/2014 verantwortlichen Stellen ergeben sich aus der Anlage 2. [2] Das Bundesministerium für Verkehr und digitale Infrastruktur nimmt die Aufgaben der Aufsichtsbehörde des Mitgliedstaates (D-Member State Authority – D-MSA) wahr. [3] Deutsche Zertifizierungsstelle (D-Certification Authority – D-CA) ist das Kraftfahrt-Bundesamt. [4] Die für die Fahrtenschreiberkartenausgabe zuständigen Behörden oder Stellen (D-Card Issueing Authorities – D-CIA's) werden von den Ländern bestimmt.

Abschnitt 3. Kontrollsystem nach EG-Verordnungen

§ 4[3)] Allgemeines. (1) [1] Die zum Betrieb des digitalen Fahrtenschreibers erforderlichen Fahrtenschreiberkarten (Fahrer-, Werkstatt-, Unternehmens- und Kontrollkarten) werden nach den Mustern nach Artikel 1 Absatz 3 der Durchführungsverordnung (EU) 2016/799 der Kommission vom 18. März 2016 zur Durchführung der Verordnung (EU) Nr. 165/2014 des Europäischen Parlaments und des Rates zur Festlegung der Vorschriften über Bauart, Prüfung, Einbau, Betrieb und Reparatur von Fahrtenschreibern und ihren Komponenten (ABl. L 139 vom 26.5.2016, S. 1) in Verbindung mit dem Anhang I B Abschnitt IV der Verordnung (EWG) Nr. 3821/85[4)] oder nach Artikel 1 Absatz 2 der Durchführungsverordnung (EU) 2016/799 in Verbindung mit dem Anhang 1 C Abschnitt 4 der Durchführungsverordnung (EU) 2016/799 jeweils in Verbindung mit Anlage 3 hergestellt. [2] Fahrer-, Werk-

[1)] § 2a eingef. mWv 31.1.2008 durch VO v. 22.1.2008 (BGBl. I S. 54).

[2)] § 3 Satz 2 geänd. mWv 8.11.2006 durch VO v. 31.10.2006 (BGBl. I S. 2407); Satz 2 geänd. mWv 8.9.2015 durch VO v. 31.8.2015 (BGBl. I S. 1474); Sätze 1 und 4 geänd. mWv 18.8.2017 durch VO v. 8.8.2017 (BGBl. I S. 3158).

[3)] § 4 Abs. 1 Satz 3 Nr. 1 Buchst. b und Nr. 3, Abs. 4 Satz 5 geänd., Abs. 3 Satz 3 neu gef. mWv 31.1.2008 durch VO v. 22.1.2008 (BGBl. I S. 54); Abs. 1 Sätze 1 und 3 Nr. 1 Buchst. a neu gef., Nr. 2, Satz 5, Abs. 2, Abs. 3 Satz 5, Abs. 4 Satz 1 einl. Satzteil und Satz 3, Abs. 5 Sätze 1 und 2 geänd. mWv 18.8.2017 durch VO v. 8.8.2017 (BGBl. I S. 3158).

[4)] **beck-online, Module Arbeitsrecht Nr. 355c.**

statt- und Unternehmenskarten werden auf Antrag erteilt. [3] Antragsberechtigt sind:

1. für die Fahrerkarte

   a) Inhaber einer gültigen inländischen Fahrerlaubnis nach Muster 1 der Anlage 8 der Fahrerlaubnis-Verordnung[1)] in der jeweils geltenden Fassung,

   b) im Übrigen Inhaber einer Fahrerlaubnis eines Mitgliedstaates der Europäischen Union oder eines anderen Vertragsstaats des Abkommens über den Europäischen Wirtschaftsraum, die dazu berechtigt, Fahrzeuge zu führen, für die Lenk- und Ruhezeiten nach der Verordnung (EG) Nr. 561/2006[2)] beziehungsweise § 1 dieser Verordnung zu beachten sind,

2. für die Werkstattkarte die nach § 57b der Straßenverkehrs-Zulassungs-Ordnung anerkannten oder beauftragten Werkstätten, Hersteller von Fahrtenschreibern sowie Fahrzeughersteller,

3. für die Unternehmenskarte Unternehmen, deren Fahrpersonal Beförderungen durchführt, die unter die Verordnung (EG) Nr. 561/2006 fallen, oder das Lenk- und Ruhezeiten nach § 1 dieser Verordnung einzuhalten hat.

[4] Erfolgt der Antrag auf unpersönlichem Weg, ist eine Kopie der nach den §§ 5, 7 oder § 9 jeweils erforderlichen Unterlagen beizufügen. [5] Im Rahmen des Antragsverfahrens hat für Fahrtenschreiberkarten nach Nummer 1 eine Überprüfung der Identität des Antragstellers sowie der Übereinstimmung der vorgelegten Kopien mit den Originalen stattzufinden.

(2) Die Fahrtenschreiberkarten werden von den nach Landesrecht zuständigen Behörden oder Stellen ausgegeben.

(3) [1] Der Antrag auf Erneuerung der Fahrer- und Unternehmenskarte darf frühestens sechs Monate, der auf Erneuerung der Werkstattkarte frühestens einen Monat vor Ablauf der Gültigkeit der Karte gestellt werden. [2] Den Anträgen sind die nach den §§ 5, 7 oder § 9 jeweils erforderlichen Unterlagen beizufügen. [3] Inhaber einer Werkstattkarte haben spätestens nach drei Jahren eine aktuelle Bescheinigung über die Anerkennung oder Beauftragung der Werkstatt nach § 57b der Straßenverkehrs-Zulassungs-Ordnung und einen Nachweis über eine erneute Schulung im Sinne des § 7 Abs. 2 Nr. 5 vorzulegen. [4] Die in Satz 3 genannten Fristen beginnen mit dem Datum des letzten Nachweises. [5] Die in Artikel 25 Absatz 2 Satz 1 und 2 und in Artikel 29 Absatz 4 Satz 2 der Verordnung (EU) Nr. 165/2014 genannten Fristen beginnen erst mit der vollständigen Vorlage aller nach den §§ 5, 7 oder § 9 erforderlichen Antragsunterlagen und Angaben.

(4) [1] Wird eine Fahrtenschreiberkarte wegen Beschädigung, Fehlfunktion, Verlust oder Diebstahl einer vorhandenen Karte beantragt, hat der Antragsteller der ausstellenden Behörde oder Stelle vorzulegen:

1. bei Verlust eine schriftliche Erklärung über den Verlust,
2. bei Diebstahl den Nachweis einer Anzeige,
3. bei Beschädigung oder Fehlfunktion die zu erneuernde Karte.

---

1) **Schönfelder ErgBd. Nr. 35d.**
2) Nr. **355**.

[2] Dem Antrag sind die nach den §§ 5, 7 oder § 9 jeweils erforderlichen Unterlagen beizufügen. [3] Der Inhaber der Fahrtenschreiberkarte hat auf Verlangen der Behörde oder Stelle, welche die Ersatzkarte ausstellt, eine Versicherung an Eides statt abzugeben, dass und aus welchen Gründen er die Fahrtenschreiberkarte nicht zurückgeben kann. [4] Mit Ausstellung der Ersatzkarte verliert die ersetzte Karte ihre Gültigkeit. [5] Eine wiederaufgefundene Karte ist der ausstellenden Behörde oder Stelle zurückzugeben. [6] Beträgt die Restlaufzeit der zu ersetzenden Karte weniger als sechs Monate, ist die Karte zu erneuern. [7] Absatz 3 Satz 5 gilt mit der Maßgabe, dass die Fristen erst beginnen, wenn alle erforderlichen Antragsunterlagen und Angaben vorliegen und die ausstellende Behörde oder Stelle Kenntnis von der Kartennummer erhält.

(5) [1] Bei Verlust einer Fahrtenschreiberkarte unterrichtet der Karteninhaber unverzüglich die Behörde oder Stelle, welche die Karte erteilt hat. [2] Die Behörde oder Stelle meldet den Verlust dem Fahrtenschreiberkartenregister beim Kraftfahrt-Bundesamt.

§ 5[1)] Fahrerkarte. (1) Der Antragsteller hat Angaben zu seiner Muttersprache zu machen und folgende Unterlagen vorzulegen:

1. a) eine gültige inländische Fahrerlaubnis nach Muster 1 der Anlage 8 der Fahrerlaubnis-Verordnung[2)] in der jeweils geltenden Fassung
   b) im Übrigen eine Fahrerlaubnis eines Mitgliedstaates der Europäischen Union oder eines anderen Vertragsstaats des Abkommens über den Europäischen Wirtschaftsraum, die dazu berechtigt, Fahrzeuge zu führen, für die Lenk- und Ruhezeiten nach der Verordnung (EG) Nr. 561/2006[3)] beziehungsweise § 1 dieser Verordnung zu beachten sind,
2. einen Nachweis über den Wohnsitz im Inland und Anschrift,
3. Nachweise über Geburts- und Familiennamen, Vornamen, Tag und Ort der Geburt sowie
4. ein Lichtbild vor hellem Hintergrund in der Größe 35 mm x 45 mm, das den Antragsteller ohne Kopfbedeckung in einer Frontalaufnahme zeigt; Anlage 8 der Passverordnung[4)] findet entsprechende Anwendung.

(2) Die zuständige Behörde oder Stelle prüft die Richtigkeit und Vollständigkeit der vom Bewerber mitgeteilten Daten.

(3) [1] Jeder Fahrer erhält nur eine Fahrerkarte. [2] Vor der Ausstellung einer Fahrerkarte erfolgen durch die zuständige Behörde oder Stelle Anfragen bei dem zentralen Fahrerlaubnisregister, dem zentralen Fahrtenschreiberkartenregister und den Fahrerkartenregistern der anderen Mitgliedstaaten der Europäischen Union und der Vertragsstaaten des Abkommens über den Europäischen Wirtschaftsraum, ob das vorgelegte Führerscheindokument gültig ist und ob dem Antragsteller bereits anderweitig eine Fahrerkarte ausgestellt wurde. [3] Zu diesem Zweck dürfen die nach § 49 Absatz 1 Nummer 1 bis 3, Nummer 7 bis 13 und Nummer 17 der Fahrerlaubnis-Verordnung im Fahr-

---

[1)] § 5 Abs. 1 einl. Satzteil, Nr. 1 Buchst. a und b, Abs. 4 Satz 2 geänd. mWv 31.1.2008 durch VO v. 22.1.2008 (BGBl. I S. 54); Abs. 1 Nr. 1 Buchst. a und Nr. 4 neu gef., Abs. 3 Sätze 2 und 3 geänd. mWv 18.8.2017 durch VO v. 8.8.2017 (BGBl. I S. 3158).

[2)] **Schönfelder ErgBd. Nr. 35d.**

[3)] Nr. **355.**

[4)] **Sartorius Nr. 251.**

erlaubnisregister gespeicherten Daten im automatisierten Verfahren abgerufen werden.

(4) [1] Die Fahrerkarte darf keinem Dritten zur Nutzung überlassen werden. [2] Der Fahrer hat die Fahrerkarte während der Fahrt mitzuführen und den zuständigen Personen auf Verlangen zur Prüfung auszuhändigen.

(5) [1] Die Gültigkeitsdauer der Fahrerkarte beträgt bei der Erstausstellung und Erneuerung fünf Jahre. [2] Sie beginnt mit dem Datum der Personalisierung. [3] Bei der Erneuerung auf Grund von Beschädigung oder Fehlfunktion beginnt sie mit dem Datum der Personalisierung. [4] Bei der Erneuerung auf Grund des Ablaufs der Gültigkeitsdauer beginnt die Gültigkeitsdauer der neuen Fahrerkarte mit dem Tag, der dem Tag des Ablaufs der Gültigkeit der vorherigen Fahrerkarte folgt. [5] Wird eine Fahrerkarte ersetzt, entspricht die Gültigkeitsdauer der Gültigkeitsdauer der ersetzten Karte.

§ 6[1)] Mitführen der abgelaufenen Fahrerkarte. [1] Der Fahrer hat auch nach Ablauf der Gültigkeit die Fahrerkarte noch mindestens 28 Kalendertage im Fahrzeug mitzuführen. [2] Bei Umtausch der Fahrerkarte entsprechend Artikel 30 Absatz 2 der Verordnung (EU) Nr. 165/2014 hat der Fahrer die Ausdrucke seiner Tätigkeiten für die dem Umtausch vorausgehenden 28 Kalendertage ebenfalls 28 Kalendertage mitzuführen.

§ 7[2)] Werkstattkarte. (1) Die Werkstattkarte wird nur erteilt, wenn der Antragsteller als Unternehmer oder die nach Gesetz, Satzung oder Gesellschaftsvertrag zur Vertretung berufenen Personen sowie die verantwortliche Fachkraft (Installateur) fachlich geeignet sind.

(2) Der Antragsteller hat folgende Angaben zu machen und durch Unterlagen nachzuweisen:

1. Name, Anschrift und Sitz der Werkstatt, des Herstellers von Fahrtenschreibern oder des Fahrzeugherstellers,
2. Geburts- und Familienname, Vornamen, Tag und Ort der Geburt des Unternehmers oder der nach Gesetz, Satzung oder Gesellschaftsvertrag zur Vertretung berufenen Personen,
3. Geburts- und Familienname, Vorname, Tag und Ort der Geburt, aktuelle Wohnanschrift und Muttersprache der verantwortlichen Fachkraft, für die die Werkstattkarte beantragt wird,
4. Anerkennung oder Beauftragung der Werkstatt nach § 57b der Straßenverkehrs-Zulassungs-Ordnung,
5. Schulung der verantwortlichen Fachkraft, für die die Werkstattkarte beantragt wird, entsprechend der Fahrtenschreiber- und Kontrollgeräte-Schulungsrichtlinie, sowie
6. bestehendes Arbeitsverhältnis mit der verantwortlichen Fachkraft, für die die Werkstattkarte beantragt wird.

(3) (entfällt)

[1)] § 6 Sätze 1 und 2 geänd. mWv 31.1.2008 durch VO v. 22.1.2008 (BGBl. I S. 54); Satz 2 geänd. mWv 18.8.2017 durch VO v. 8.8.2017 (BGBl. I S. 3158).

[2)] § 7 Abs. 1 geänd., Abs. 2 neu gef. mWv 31.1.2008 durch VO v. 22.1.2008 (BGBl. I S. 54); Abs. 2 Nr. 1 geänd., Nr. 5 neu gef., Abs. 4 geänd. mWv 18.8.2017 durch VO v. 8.8.2017 (BGBl. I S. 3158).

(4) Die zuständige Behörde oder Stelle stellt durch Abruf beim zentralen Fahrtenschreiberkartenregister sicher, dass die verantwortliche Fachkraft nur eine Werkstattkarte pro Arbeitsverhältnis erhält.

(5) [1] Die Werkstattkarte wird dem Unternehmen gegen Empfangsbestätigung ausgehändigt. [2] Sie ist Eigentum des Unternehmens. [3] Die zur Benutzung der Werkstattkarte erforderliche persönliche Identifikationsnummer wird der verantwortlichen Fachkraft an ihre Privatanschrift übersandt.

(6) [1] Die Gültigkeitsdauer der Werkstattkarte beträgt ein Jahr. [2] Sie beginnt mit dem Datum der Personalisierung. [3] § 5 Abs. 5 Satz 3 bis 5 gilt entsprechend.

§ 8[1)] Wegfall von Erteilungsvoraussetzungen. (1) [1] Ist eine der Erteilungsvoraussetzungen nachträglich entfallen, so ist dies unverzüglich der zuständigen Behörde oder Stelle zu melden; die Werkstattkarte ist innerhalb einer von dieser festzusetzenden Frist an sie zurückzugeben. [2] Die zuständige Behörde oder Stelle hat im Falle des Wegfalls der Erteilungsvoraussetzungen, insbesondere im Falle der missbräuchlichen Verwendung, die Rückgabe der Werkstattkarte zu verlangen. [3] Rückgabepflichtig sind sowohl der Unternehmer, bei juristischen Personen die nach Gesetz, Satzung oder Gesellschaftsvertrag zur Vertretung berufenen Personen, als auch die verantwortliche Fachkraft. [4] Scheidet die verantwortliche Fachkraft aus der Werkstatt aus, haben der Unternehmer oder die vertretungsberechtigten Personen die Werkstattkarte unverzüglich zurückzugeben. [5] Ist dem Unternehmer oder den vertretungsberechtigten Personen eine Rückgabe nicht möglich, ist die zuständige Behörde oder Stelle unverzüglich zu unterrichten.

(2) Wird die Werkstattkarte wegen missbräuchlicher Verwendung zurückgenommen, unterrichtet die zuständige Behörde oder Stelle das Zentrale Fahrtenschreiberkartenregister beim Kraftfahrt-Bundesamt.

§ 9[2)] Unternehmenskarte. (1) Der Antragsteller hat folgende Angaben zu machen und durch Unterlagen nachzuweisen:

1. Name, Anschrift und Sitz des Unternehmens,
2. Geburts- und Familienname, Vornamen, Tag und Ort der Geburt sowie Anschrift des Unternehmers oder der nach Gesetz, Satzung oder Gesellschaftsvertrag zur Vertretung berufenen Personen.

(2) [1] Die Unternehmenskarten werden an den Unternehmer oder die nach Gesetz, Satzung oder Gesellschaftsvertrag zur Vertretung berufenen Personen ausgegeben. [2] Der Unternehmer sorgt für die ordnungsgemäße Verwendung der Karten.

(3) Der Unternehmer hat dafür zu sorgen, dass zu Beginn und am Ende des Fahrzeugeinsatzes für das Unternehmen die Unternehmenskarte in den Fahrtenschreiber eingegeben wird, um den Einsatz des Fahrzeugs dem Unternehmen zuzuordnen.

(4) [1] Die Gültigkeitsdauer der Unternehmenskarte beträgt fünf Jahre. [2] Sie beginnt mit dem Datum der Personalisierung. [3] § 5 Abs. 5 Satz 3 bis 5 gilt entsprechend.

[1)] § 8 Abs. 1 Sätze 3–5 neu gef. mWv 31.1.2008 durch VO v. 22.1.2008 (BGBl. I S. 54); Abs. 2 geänd. mWv 18.8.2017 durch VO v. 8.8.2017 (BGBl. I S. 3158).

[2)] § 9 Abs. 1 Nr. 2 neu gef., Nr. 3 aufgeh., Abs. 2 Satz 1 neu gef. mWv 31.1.2008 durch VO v. 22.1. 2008 (BGBl. I S. 54); Abs. 3 geänd. mWv 18.8.2017 durch VO v. 8.8.2017 (BGBl. I S. 3158).

§ 10[1)] Kontrollkarte. [1]Die Kontrollkarten werden an die für die Kontrolle der Sozialvorschriften im Straßenverkehr zuständigen Behörden und Stellen sowie an die für die Prüfungen nach § 2 Absatz 1 des Schwarzarbeitsbekämpfungsgesetzes[2)] zuständigen Behörden der Zollverwaltung ausgegeben. [2]Die Kontrollkarte weist die Kontrollbehörde aus und ermöglicht das Lesen, Ausdrucken und Herunterladen der im Massenspeicher des Fahrtenschreibers oder auf Fahrerkarten gespeicherten Daten. [3]Die Gültigkeitsdauer der Kontrollkarte beträgt fünf Jahre.

Abschnitt 4.[3)] Zentrales Fahrtenschreiberkartenregister

§ 11[4)] Führung und Zweckbestimmung des Registers. (1) [1]Das Kraftfahrt-Bundesamt führt nach § 2 Nr. 4 des Fahrpersonalgesetzes[5)] das Zentrale Fahrtenschreiberkartenregister zum Nachweis der von den zuständigen Behörden oder Stellen ausgegebenen Fahrtenschreiberkarten. [2]Darin werden erfasst die Identifizierungsdaten der Fahrer, verantwortlichen Fachkräfte, Unternehmen und Behörden, denen Fahrer-, Werkstatt-, Unternehmens- oder Kontrollkarten ausgestellt worden sind, und die Identifizierungsdaten der ausgestellten, abhanden gekommenen und defekten Fahrer-, Werkstatt-, Unternehmens- und Kontrollkarten.

(2) Das Register wird geführt zur Speicherung von Identifizierungsdaten, die erforderlich sind, um feststellen zu können, welche Karten eine Person, ein Unternehmen oder eine Kontrollbehörde besitzt oder welche Karten abhanden gekommen oder beschädigt sind.

§ 12[6)] Inhalt des Registers. Im Zentralen Fahrtenschreiberkartenregister werden gespeichert über

1. Fahrerkarten folgende Daten:
   a) Geburts- und Familienname, Vornamen, Tag und Ort der Geburt, akademischer Grad und Geschlecht,
   b) Fahrtenschreiberkartennummer und die vom Chiphersteller eingebrachte Chipkennung,
   c) Tag des Beginns und des Ablaufs der Gültigkeit der Fahrerkarte,
   d) Tag der Produktion der Fahrerkarte,
   e) Status der Fahrerkarte,
   f) antragsbearbeitende und mitteilende Behörde oder Stelle einschließlich der für die Antragsbearbeitung verantwortlichen Person,

---

1) § 10 Satz 2 geänd. mWv 18.8.2017 durch VO v. 8.8.2017 (BGBl. I S. 3158); Satz 1 geänd. mWv 1.7.2023 durch G v. 28.6.2023 (BGBl. 2023 I Nr. 172).

2) Nr. **110**.

3) Überschrift 4. Abschnitt neu gef. mWv 18.8.2017 durch VO v. 8.8.2017 (BGBl. I S. 3158).

4) § 11 Abs. 1 Satz 1 geänd. mWv 18.8.2017 durch VO v. 8.8.2017 (BGBl. I S. 3158).

5) Nr. **356**.

6) § 12 Nr. 1 Buchst a, Nr. 2 Buchst. c geänd., Nr. 2 Buchst. b, Nr. 3 Buchst. a und b, Nr. 4 Buchst. a neu gef. mWv *31.1.2008 durch* VO v. 22.1.2008 (BGBl. I S. 54); einl. Satzteil, Nr. 1 Buchst. b, Nr. 2 Buchst. a und d, Nr. 3 Buchst. c und Nr. 4 Buchst. b geänd. mWv 18.8.2017 durch VO v. 8.8.2017 (BGBl. I S. 3158).

g) Fahrerlaubnisnummer einschließlich Ausgabestaat,

h) bei Verlust oder Diebstahl das Datum des Abhandenkommens der Fahrerkarte;

2. Werkstattkarten folgende Daten:

a) Name und Anschrift der Werkstatt, des Herstellers von Fahrtenschreibern oder des Fahrzeugherstellers, bei der Anschrift zusätzlich die statistische Kennziffer des Firmensitzes sowie der Standortgemeinde und des Gemeindeteils,

b) Geburts- und Familienname, Vornamen, Tag und Ort der Geburt, akademischer Grad und Geschlecht des Unternehmers, bei juristischen Personen der nach Gesetz, Satzung oder Gesellschaftsvertrag zur Vertretung berufenen Personen,

c) Geburts- und Familienname, Vornamen, Tag und Ort der Geburt, akademischer Grad und Geschlecht der Person, auf die die Karte nach § 7 Abs. 2 Nr. 4 ausgestellt wurde,

d) Fahrtenschreiberkartennummer und die vom Chiphersteller eingebrachte Chipkennung,

e) Tag des Beginns und des Ablaufs der Gültigkeit der Werkstattkarte,

f) Tag der Produktion der Werkstattkarte,

g) Status der Werkstattkarte,

h) antragsbearbeitende und mitteilende Behörde oder Stelle einschließlich der für die Antragsbearbeitung verantwortlichen Person,

i) bei Verlust oder Diebstahl das Datum des Abhandenkommens der Werkstattkarte;

3. Unternehmenskarten folgende Daten:

a) Name und Anschrift des Unternehmens sowie die statistische Kennziffer des Firmensitzes, der Standortgemeinde und des Gemeindeteils,

b) Geburts- und Familienname, Vornamen, Tag und Ort der Geburt, akademischer Grad und Geschlecht des Unternehmers, bei juristischen Personen der nach Gesetz, Satzung oder Gesellschaftsvertrag zur Vertretung berufenen Personen,

c) Fahrtenschreiberkartennummer und die vom Chiphersteller eingebrachte Chipkennung,

d) Tag des Beginns und des Ablaufs der Gültigkeit der Unternehmenskarte,

e) Tag der Produktion der Unternehmenskarte,

f) antragsbearbeitende und mitteilende Behörde oder Stelle einschließlich der für die Antragsbearbeitung verantwortlichen Person,

g) Status der Unternehmenskarte,

h) bei Verlust oder Diebstahl das Datum des Abhandenkommens der Unternehmenskarte;

4. Kontrollkarten folgende Daten:

a) Name und Anschrift der Behörde,

b) Fahrtenschreiberkartennummer und die vom Chiphersteller eingebrachte Chipkennung,

c) Tag des Beginns und des Ablaufs der Gültigkeit der Kontrollkarte,

d) Tag der Produktion der Kontrollkarte,

e) Status der Kontrollkarte,

f) bei Verlust oder Diebstahl das Datum des Abhandenkommens der Kontrollkarte.

§ 13[1] Löschung von Eintragungen im Zentralen Fahrtenschreiberkartenregister. Die Daten über Fahrtenschreiberkarten werden fünf Jahre nach Ablauf der Gültigkeitsdauer gelöscht.

§ 14[2] Mitteilung an das Zentrale Fahrtenschreiberkartenregister im automatisierten Dialogverfahren. (1) Die für die Antragsbearbeitung zuständige Behörde oder Stelle teilt dem Zentralen Fahrtenschreiberkartenregister unverzüglich die zu speichernden oder zu einer Änderung einer Eintragung führenden Daten im automatisierten Dialogverfahren mit; sie teilt dem Personalisierer die zur Personalisierung notwendigen Daten mit.

(2) Zuständige ausländische Stellen sind berechtigt, Statusänderungen zu Fahrtenschreiberkarten im automatisierten Dialogverfahren an das Zentrale Fahrtenschreiberkartenregister zu übermitteln.

(3) Der Personalisierer teilt dem Zentralen Fahrtenschreiberkartenregister unverzüglich jeweils nach Produktion und Versand einer Fahrtenschreiberkarte eine entsprechende Information hierüber mit.

§ 15[3] Übermittlung von Daten an inländische Behörden und Stellen durch Abruf im automatisierten Verfahren. Die im Zentralen Fahrtenschreiberkartenregister gespeicherten Daten dürfen an die hierfür zuständigen Behörden und Stellen durch Abruf im automatisierten Verfahren übermittelt werden, soweit dies erforderlich ist

1. für Verwaltungsmaßnahmen auf Grund der Verordnung (EU) Nr. 165/2014 oder darauf beruhender Rechtsvorschriften,
2. für Verkehrs- oder Grenzkontrollen,
3. für die Verfolgung von Ordnungswidrigkeiten,
4. für die Verfolgung von Straftaten.

§ 16[4] Übermittlung von Daten an ausländische Behörden und Stellen durch Abruf im automatisierten Verfahren. Die im Zentralen Fahrtenschreiberkartenregister über Fahrerkarten und Werkstattkarten gespeicherten Daten dürfen an die hierfür zuständigen Behörden und Stellen in den Mitgliedstaaten der Europäischen Union oder den Vertragsstaaten des Abkommens über den Europäischen Wirtschaftsraum durch Abruf im automatisierten Verfahren übermittelt werden, soweit dies erforderlich ist

1. für Verwaltungsmaßnahmen auf Grund der Verordnung (EU) Nr. 165/2014 oder darauf beruhender Rechtsvorschriften,
2. für Verkehrskontrollen,

---

[1] § 13 geänd. mWv 7.6.2013 durch VO v. 22.5.2013 (BGBl. I S. 1395); Überschrift und Wortlaut geänd. mWv 18.8.2017 durch VO v. 8.8.2017 (BGBl. I S. 3158).

[2] § 14 Überschrift, Abs. 1–3 geänd. mWv 18.8.2017 durch VO v. 8.8.2017 (BGBl. I S. 3158).

[3] § 15 einl. Satzteil, Nr. 1 geänd. mWv 18.8.2017 durch VO v. 8.8.2017 (BGBl. I S. 3158).

[4] § 16 einl. Satzteil, Nr. 1 geänd. mWv 18.8.2017 durch VO v. 8.8.2017 (BGBl. I S. 3158).

3. zur Verfolgung von Zuwiderhandlungen gegen Rechtsvorschriften auf dem Gebiet des Straßenverkehrs oder
4. zur Verfolgung von Straftaten, die im Zusammenhang mit dem Straßenverkehr stehen.

§ 17 Einrichtung und Betrieb der automatisierten Abrufverfahren. Die Einrichtung und der Betrieb der automatisierten Abrufverfahren richten sich nach den Bestimmungen des Bundesdatenschutzgesetzes[1)].

Abschnitt 5. Ausnahmen

§ 18[2)] Ausnahmen nach den Verordnungen (EG) Nr. 561/2006[3)] und (EU) Nr. 165/2014. (1) Nach Artikel 13 Absatz 1 der Verordnung (EG) Nr. 561/2006 und nach Artikel 3 Absatz 2 der Verordnung (EU) Nr. 165/2014 werden im Geltungsbereich des Fahrpersonalgesetzes folgende Fahrzeugkategorien von der Anwendung der Artikel 5 bis 9 der Verordnung (EG) Nr. 561/2006 und der Anwendung der Verordnung (EU) Nr. 165/2014 ausgenommen:

1. Fahrzeuge, die im Eigentum von Behörden stehen oder von diesen ohne Fahrer angemietet oder geleast sind, um Beförderungen im Straßenverkehr durchzuführen, die nicht im Wettbewerb mit privatwirtschaftlichen Verkehrsunternehmen stehen,
2. Fahrzeuge, die von Landwirtschafts-, Gartenbau-, Forstwirtschaft- oder Fischereiunternehmen zur Güterbeförderung, insbesondere auch zur Beförderung lebender Tiere, im Rahmen der eigenen unternehmerischen Tätigkeit in einem Umkreis von bis zu 100 Kilometern vom Standort des Unternehmens verwendet oder von diesen ohne Fahrer angemietet werden,
3. Land- und forstwirtschaftliche Zugmaschinen, die für land- oder forstwirtschaftliche Tätigkeiten in einem Umkreis von bis zu 100 Kilometern vom Standort des Unternehmens verwendet werden, das das Fahrzeug besitzt, anmietet oder least,
4. Fahrzeuge oder Fahrzeugkombinationen mit einer zulässigen Höchstmasse von nicht mehr als 7,5 Tonnen, die von Postdienstleistern, die Universaldienstleistungen im Sinne des § 16 Absatz 1 des Postgesetzes in der jeweils geltenden Fassung erbringen, in einem Umkreis von 100 Kilometern vom Standort des Unternehmens zum Zwecke der Zustellung von Sendungen im Rahmen des Universaldienstes verwendet werden, soweit das Lenken des Fahrzeugs nicht die Haupttätigkeit des Fahrers darstellt,
5. Fahrzeuge, die ausschließlich auf Inseln mit einer Fläche von nicht mehr als 2 300 Quadratkilometern verkehren, die mit den übrigen Teilen des Hoheitsgebiets weder durch eine befahrbare Brücke, Furt oder einen befahrbaren Tunnel verbunden sind,

---

1) Nr. **490**.

2) § 18 neu gef. mWv 31.1.2008 durch VO v. 22.1.2008 (BGBl. I S. 54); Abs. 1 Nr. 8 und 14 neu gef. mWv 23.12.2011 durch VO v. 19.12.2011 (BGBl. I S. 2835); Abs. 1 Nr. 4 Buchst. a und Nr. 12 neu gef. mWv 7.6.2013 durch VO v. 22.5.2013 (BGBl. I S. 1395); Abs. 1 einl. Satzteil geänd., Nr. 4 neu gef., Nr. 6 und 16 geänd. mWv 11.3.2015 durch VO v. 9.3.2015 (BGBl. I S. 243); Überschrift und Abs. 1 einl. Satzteil neu gef., Nr. 12 und 16 geänd. mWv 18.8.2017 durch VO v. 8.8.2017 (BGBl. I S. 3158); Abs. 1 Nr. 4 geänd. mWv 19.7.2024 durch G v. 15.7.2024 (BGBl. 2024 I Nr. 236).

3) Nr. **355**.

6. Fahrzeuge, die im Umkreis von 100 Kilometern vom Standort des Unternehmens zur Güterbeförderung mit Druckerdgas-, Flüssiggas- oder Elektroantrieb verwendet werden und deren zulässige Höchstmasse einschließlich Anhänger oder Sattelanhänger 7,5 Tonnen nicht übersteigt,
7. Fahrzeuge, die zum Fahrschulunterricht und zur Fahrprüfung zwecks Erlangung der Fahrerlaubnis oder eines beruflichen Befähigungsnachweises dienen, sofern diese Fahrzeuge nicht für die gewerbliche Personen- oder Güterbeförderung verwendet werden,
8. Fahrzeuge, die in Verbindung mit der Instandhaltung von Kanalisation, Hochwasserschutz, Wasser-, Gas- und Elektrizitätsversorgung, Straßenunterhaltung und -kontrolle, Hausmüllabfuhr, Telegramm- und Telefondienstleistungen, Rundfunk und Fernsehen sowie zur Erfassung von Radio- beziehungsweise Fernsehsendern oder -geräten eingesetzt werden,
9. Fahrzeuge mit zehn bis 17 Sitzen, die ausschließlich zur nicht gewerblichen Personenbeförderung verwendet werden,
10. Spezialfahrzeuge, die zum Transport von Ausrüstungen des Zirkus- oder Schaustellergewerbes verwendet werden,
11. speziell für mobile Projekte ausgerüstete Fahrzeuge, die hauptsächlich im Stand zu Lehrzwecken verwendet werden,
12. Fahrzeuge, die innerhalb eines Umkreises von bis zu 100 Kilometern vom Standort des Unternehmens zum Abholen von Milch bei landwirtschaftlichen Betrieben, zur Rückgabe von Milchbehältern oder zur Lieferung von Milcherzeugnissen für Futterzwecke an diese Betriebe verwendet werden,
13. Spezialfahrzeuge für Geld- und/oder Werttransporte,
14. Fahrzeuge, die in einem Umkreis von 250 Kilometern vom Standort des Unternehmens zum Transport tierischer Nebenprodukte im Sinne des Artikels 3 Nummer 1 der Verordnung (EG) Nr. 1069/2009 des Europäischen Parlaments und des Rates vom 21. Oktober 2009 mit Hygienevorschriften für nicht für den menschlichen Verzehr bestimmte tierische Nebenprodukte und zur Aufhebung der Verordnung (EG) Nr. 1774/2002 (Verordnung über tierische Nebenprodukte) (ABl. L 300 vom 14.11.2009, S. 1) in der jeweils geltenden Fassung verwendet werden,
15. Fahrzeuge, die ausschließlich auf Straßen in Güterverteilzentren wie Häfen, Umschlaganlagen des Kombinierten Verkehrs und Eisenbahnterminals verwendet werden, und
16. Fahrzeuge, die innerhalb eines Umkreises von bis zu 100 Kilometern vom Standort des Unternehmens für die Beförderung lebender Tiere von den landwirtschaftlichen Betrieben zu den lokalen Märkten und umgekehrt oder von den Märkten zu den lokalen Schlachthäusern verwendet werden.

(Fortsetzung nächstes Blatt)

(2) Abweichend von Artikel 5 Abs. 2 Satz 1 der Verordnung (EG) Nr. 561/2006 beträgt bei Beförderungen in einem Umkreis von 50 Kilometern vom Standort des Fahrzeugs das Mindestalter der Beifahrer zum Zwecke der Berufsausbildung 16 Jahre.

Abschnitt 6. Europäisches Übereinkommen über die Arbeit des im internationalen Straßenverkehr beschäftigten Fahrpersonals (AETR)

§ 19[1)] Fahrtenschreiber nach dem Europäischen Übereinkommen über die Arbeit des im internationalen Straßenverkehr beschäftigten Fahrpersonals (AETR). [1] Auf Grund des Artikels 3 Absatz 1, des Artikels 10 Absatz 1 und des Artikels 13 Absatz 1 des AETR[2)] in Verbindung mit Artikel 2 Abs. 3 der Verordnung (EG) Nr. 561/2006[3)] hat der Unternehmer in Fahrzeuge, die dem AETR unterliegen und mit denen das Hoheitsgebiet der Bundesrepublik Deutschland befahren wird, vor Antritt derartiger Fahrten Fahrtenschreiber einbauen zu lassen. [2] Die Fahrtenschreiber nach Satz 1 sind von dem Fahrer zu benutzen. [3] Die Fahrtenschreiber sind nach den Artikeln 10 bis 14 des Anhangs zum AETR zu betreiben. [4] Bauart, Einbau, Benutzung und Prüfung der Fahrtenschreiber richten sich nach den Vorschriften des AETR einschließlich seines Anhangs und der Anlagen. [5] Fahrtenschreiber im Sinne der Verordnung (EU) Nr. 165/2014 erfüllen die Anforderungen nach Satz 4.

Abschnitt 7. Sonstige Vorschriften

§ 20[4)] Nachweis über berücksichtigungsfreie Tage. (1) [1] Selbstfahrende Unternehmer und Fahrer, die die in dieser Verordnung, in Artikel 36 Absatz 2 der Verordnung (EU) Nr. 165/2014 oder in Kapitel III Artikel 12 Absatz 2 Satz 1 des Anhangs zum Europäischen Übereinkommen über die Arbeit des im internationalen Straßenverkehr beschäftigten Fahrpersonals (AETR)[2)] vorgeschriebenen Nachweise nicht oder nicht vollständig vorlegen können, weil sie an einem oder mehreren der vorausgegangenen 28 Kalendertage

1. ein Fahrzeug gelenkt haben, für dessen Führen eine Nachweispflicht nicht besteht,
2. erkrankt waren,
3. sich im Urlaub befanden oder
4. aus anderen Gründen kein Fahrzeug gelenkt haben,

---

1) § 19 Satz 1 geänd. mWv 31.1.2008 durch VO v. 22.1.2008 (BGBl. I S. 54); Sätze 1 und 3 geänd. mWv 23.12.2011 durch VO v. 19.12.2011 (BGBl. I S. 2835); Überschrift und Sätze 1–5 geänd. mWv 18.8.2017 durch VO v. 8.8.2017 (BGBl. I S. 3158).

2) **beck-online, Module Arbeitsrecht Nr. 355b.**

3) Nr. **355**.

4) § 20 neu gef. mWv 18.8.2017 durch VO v. 8.8.2017 (BGBl. I S. 3158).

haben diese Zeiten durch manuelle Nachträge nach den Absätzen 2 oder 3 zu belegen. [2] Der Unternehmer hat dafür zu sorgen, dass der Fahrer die manuellen Nachträge nach den Absätzen 2 oder 3 vornimmt.

(2) [1] Manuelle Nachträge im Sinne des Absatzes 1 Satz 1 müssen bei Verwendung eines digitalen Fahrtenschreibers vor Fahrtantritt mittels der manuellen Eingabevorrichtung des Fahrtenschreibers auf der Fahrerkarte erfolgen. [2] Ist ein manueller Nachtrag nach Satz 1 aus technischen Gründen nicht möglich, findet Absatz 3 Anwendung.

(3) [1] Manuelle Nachträge im Sinne des Absatzes 1 Satz 1 müssen bei Verwendung eines analogen Fahrtenschreibers, eines Nachweises nach § 1 Absatz 6 oder im Falle des Absatzes 2 Satz 2 vor Fahrtantritt lesbar unter Verwendung der in Artikel 34 Absatz 5 der Verordnung (EU) Nr. 165/2014 aufgeführten Zeichen erfolgen. [2] Der Nachtrag ist auf der Rückseite des nächsten im Anschluss an den berücksichtigungsfreien Zeitraum verwendeten Schaublattes oder Fahrtenschreiberausdruckes (Ausdruck der Tätigkeiten des Fahrers am Fahrtag) oder auf einem Nachweis nach § 1 Absatz 6 vorzunehmen. [3] Bei Bedarf können auch mehrere Schaublätter, Fahrtenschreiberausdrucke oder Nachweise nach § 1 Absatz 6 benutzt werden.

(4) [1] Ist ein manueller Nachtrag nach Absatz 2 Satz 1 aus technischen Gründen nicht möglich oder besonders aufwendig, darf abweichend von den Absätzen 2 und 3 bei einer Kontrolle eine Bescheinigung des Unternehmens über die im Absatz 1 genannten Zeiten vorgelegt werden. [2] Die Bescheinigung darf nicht handschriftlich ausgefüllt werden. [3] Der Unternehmer hat dem betroffenen Fahrer die Bescheinigung mit den Gründen für das Fehlen von Arbeitszeitnachweisen vor Fahrtantritt auszustellen und auszuhändigen sowie dafür zu sorgen, dass der Fahrer die Bescheinigung während der Fahrt mit sich führt. [4] Der selbstfahrende Unternehmer hat die Bescheinigung vor Fahrtantritt auszustellen und zu unterzeichnen. [5] Im Übrigen ist die Bescheinigung vom Unternehmer oder einer von ihm beauftragten Person und vom Fahrer vor Fahrtantritt zu unterzeichnen. [6] Der Fahrer darf die Bescheinigung nicht als beauftragte Person unterzeichnen. [7] Im Fall einer Beauftragung hat der Unternehmer dafür zu sorgen, dass die beauftragte Person die Bescheinigung unterzeichnet. [8] Die Bescheinigung darf von dem Fahrer bei der Kontrolle als Telefax oder Ausdruck einer digitalisierten Kopie zur Verfügung gestellt werden.

(5) [1] Nach Ablauf des Nachweiszeitraumes nach Absatz 1 hat der Fahrer die Nachweise nach den Absätzen 3 und 4 unverzüglich im Unternehmen abzugeben. [2] Der Unternehmer, der nicht zugleich Fahrer ist, hat die Nachweise ab dem Zeitpunkt der Rückgabe durch den Fahrer ein Jahr außerhalb des Fahrzeugs aufzubewahren und den Fahrern auf Verlangen eine Kopie auszuhändigen. [3] Nach Ablauf der Aufbewahrungspflicht sind die Nachweise bis zum 31. März des folgenden Kalenderjahres zu vernichten.

§ 20a[1)] **Verantwortlichkeiten.** (1) [1] Die Verkehrsunternehmen sind verpflichtet, ihren Betrieb nach Maßgabe von Artikel 10 Abs. 1 und 2 der Verordnung (EG) Nr. 561/2006[2)] zu organisieren. [2] Dies gilt auch für Fahrten im

---

[1)] § *20a eingef.* mWv *31.1.2008* durch VO v. *22.1.2008* (BGBl. I S. 54); Abs. 2 Sätze 2–4 angef. mWv 11.3.2015 durch VO v. 9.3.2015 (BGBl. I S. 243).

[2)] Nr. **355**.

Hoheitsgebiet eines anderen Mitgliedstaates der Europäischen Union, eines Vertragsstaates des Abkommens über den Europäischen Wirtschaftsraum oder eines Drittstaates.

(2) [1] Neben den Verkehrsunternehmen sind auch die mit diesen in geschäftlicher Verbindung stehenden Verlader, Spediteure, Reiseveranstalter, Hauptauftragnehmer, Unterauftragnehmer und Fahrervermittlungsagenturen für die Einhaltung der Vorschriften der Verordnung (EG) Nr. 561/2006 und der vorliegenden Verordnung verantwortlich. [2] Die an der Beförderungskette beteiligten Unternehmen haben mit dem Ziel, die Einhaltung der Vorschriften zu gewährleisten, zusammenzuarbeiten und sich abzustimmen. [3] Der jeweilige Auftraggeber hat dafür Sorge zu tragen, dass das beauftragte Verkehrsunternehmen die Vorschriften einhält. [4] Er hat sich vor dem Vertragsabschluss mit einem Verkehrsunternehmen und während der Vertragslaufzeit in angemessenen Zeitabständen darüber zu vergewissern und darauf hinzuwirken, dass das beauftragte Verkehrsunternehmen aufgrund seiner personellen und sachlichen Ausstattung sowie seiner betrieblichen Organisation in der Lage ist, die vorgesehenen Transportaufträge unter Einhaltung der Vorschriften durchzuführen.

(3) Die Verkehrsunternehmen, Verlader, Spediteure, Reiseveranstalter, Hauptauftragnehmer, Unterauftragnehmer und Fahrervermittlungsagenturen stellen sicher, dass die vertraglich vereinbarten Beförderungszeitpläne nicht gegen die Verordnung (EG) Nr. 561/2006 verstoßen.

Abschnitt 8. Ordnungswidrigkeiten

§ 21[1)] Ordnungswidrigkeiten. (1) Ordnungswidrig im Sinne des § 8 Abs. 1 Nr. 1 Buchstabe a des Fahrpersonalgesetzes[2)] handelt, wer als Unternehmer vorsätzlich oder fahrlässig

1. entgegen § 1 Abs. 5 Satz 1 nicht dafür sorgt, dass die dort genannten Vorschriften eingehalten werden,

1a. entgegen § 1 Absatz 6 Satz 7 Nummer 1 geeignete Vordrucke nicht, nicht rechtzeitig oder nicht in ausreichender Anzahl aushändigt,

2. entgegen § 1 Abs. 6 Satz 7 Nummer 2 oder 3, jeweils auch in Verbindung mit Absatz 7 Satz 3 zweiter Halbsatz, eine Aufzeichnung oder ein Schaublatt nicht oder nicht rechtzeitig prüft oder nicht, nicht in der vorgeschriebenen Weise oder nicht für die vorgeschriebene Dauer aufbewahrt oder nicht oder nicht rechtzeitig vorlegt oder eine Maßnahme nicht oder nicht rechtzeitig ergreift,

---

[1)] § 21 Abs. 1 Nr. 2 neu gef., Nr. 3 geänd., Nr. 4 aufgeh., bish. Nr. 5–11 werden Nr. 4–10, neue Nr. 6 geänd., Nr. 8a eingef., neue Nr. 10 neu gef., Abs. 2 Nr. 1, 2, 9 und 13 geänd., Nr. 8 aufgeh., Nr. 15 neu gef. mWv 31.1.2008 durch VO v. 22.1.2008 (BGBl. I S. 54); Abs. 1 Nr. 1a, 9 und 12 eingef., bish. Nr. 9 und 10 werden Nr. 10 und 11 und geänd., Nr. 8a neugef., Abs. 2 Nr. 14 geänd., Nr. 15 neu gef., Nr. 16 und 17 angef. mWv 7.6.2013 durch VO v. 22.5.2013 (BGBl. I S. 1395); Abs. 1 Nr. 3a eingef., Nr. 11 und 12 geänd., Nr. 13 angef., Abs. 2 Nr. 5a eingef. mWv 11.3.2015 durch VO v. 9.3.2015 (BGBl. I S. 243); Abs. 1 Nr. 2, 3, 4, 9 und 10 geänd., Nr. 11 und 12 neu gef., Nr. 13 eingef., bish. Nr. 13 wird Nr. 14, Abs. 2 Nr. 3, 6, 16 und 17 geänd., Nr. 15 neu gef. mWv 18.8.2017 durch VO v. 8.8.2017 (BGBl. I S. 3158).

[2)] Nr. **356**.

3. entgegen § 1 Abs. 7 Satz 3 erster Halbsatz ein Schaublatt nicht oder nicht rechtzeitig aushändigt oder nicht dafür sorgt, dass der Fahrtenschreiber *oder der Fahrtschreiber*[1)] benutzt wird,

3a. entgegen § 1 Absatz 8 Satz 1 einen Fahrplan oder einen Arbeitszeitplan nicht, nicht richtig, nicht vollständig oder nicht rechtzeitig erstellt oder nicht oder nicht mindestens ein Jahr aufbewahrt,

4. entgegen § 2 Abs. 4 Satz 1 nicht sicherstellt, dass die dort genannten Daten übertragen und gespeichert werden,

5. entgegen § 2 Abs. 5 Satz 1 oder 2 nicht sicherstellt, dass die dort genannten Daten kopiert werden,

6. entgegen § 2 Abs. 5 Satz 4 Daten nicht oder nicht rechtzeitig zur Verfügung stellt,

7. entgegen § 2 Abs. 5 Satz 5 eine Sicherheitskopie nicht oder nicht rechtzeitig erstellt,

8. entgegen § 2 Abs. 6 Satz 1 Daten nicht oder nicht rechtzeitig zur Verfügung stellt,

8a. entgegen § 2a Satz 1 oder Satz 2 eine dort genannte Unterlage nicht oder nicht mindestens ein Jahr aufbewahrt oder nicht oder nicht rechtzeitig vorlegt,

9. entgegen § 9 Absatz 3 nicht dafür sorgt, dass die Unternehmenskarte in den Fahrtenschreiber eingegeben wird,

10. entgegen § 19 Satz 1 einen Fahrtenschreiber nicht oder nicht rechtzeitig einbauen lässt,

11. entgegen § 20 Absatz 1 Satz 2 nicht dafür sorgt, dass der Fahrer einen dort genannten Nachtrag vornimmt,

12. entgegen § 20 Absatz 4 Satz 3 oder 4 eine dort genannte Bescheinigung nicht, nicht richtig oder nicht rechtzeitig ausstellt oder nicht dafür sorgt, dass der Fahrer die Bescheinigung mit sich führt,

13. entgegen § 20 Absatz 5 Satz 2 einen dort genannten Nachweis nicht oder nicht mindestens ein Jahr aufbewahrt oder

14. entgegen § 20a Absatz 2 Satz 3 nicht dafür Sorge trägt, dass das beauftragte Verkehrsunternehmen die Vorschriften einhält.

(2) Ordnungswidrig im Sinne des § 8 Abs. 1 Nr. 2 Buchstabe a des Fahrpersonalgesetzes handelt, wer als Fahrer vorsätzlich oder fahrlässig

1. entgegen § 1 Abs. 1 oder 3 Nr. 1 Satz 1 oder Nr. 2 Satz 2 Lenkzeiten, Fahrtunterbrechungen oder Ruhezeiten nicht einhält,

2. entgegen § 1 Abs. 6 Sätze 1 bis 6, jeweils auch in Verbindung mit Abs. 7 Satz 3, eine Aufzeichnung nicht, nicht richtig oder nicht vollständig führt oder eine Aufzeichnung oder ein Schaublatt nicht mitführt oder nicht oder nicht rechtzeitig aushändigt,

3. entgegen § 1 Abs. 7 Satz 1 einen Fahrtenschreiber *oder einen Fahrtschreiber*[1)] nicht oder nicht richtig betreibt,

4. entgegen § 1 Abs. 7 Satz 2 die Schicht oder die Pausen auf dem Schaublatt nicht, nicht richtig oder nicht rechtzeitig vermerkt,

---

1) Wortlaut amtlich.

5. entgegen § 1 Abs. 7 Satz 4 die Schaublätter nicht mitführt oder nicht oder nicht rechtzeitig zur Prüfung aushändigt,
5a. entgegen § 1 Absatz 8 Satz 2 einen Auszug oder eine Ausfertigung nicht mitführt,
6. entgegen § 2 Abs. 1 einen Fahrtenschreiber nicht oder nicht richtig bedient oder die Benutzerführung nicht oder nicht richtig beachtet,
7. entgegen § 2 Abs. 2 einen dort genannten Zeitraum auf der Fahrerkarte nicht, nicht richtig oder nicht rechtzeitig einträgt,
8. *(aufgehoben)*
9. entgegen § 2 Abs. 3 Satz 1 einen Ausdruck nicht oder nicht rechtzeitig vorlegt,
10. entgegen § 2 Abs. 4 Satz 3 den Ausdruck nicht oder nicht rechtzeitig weiterleitet,
11. entgegen § 5 Abs. 4 Satz 1 die Fahrerkarte einem Dritten zur Nutzung überlässt,
12. entgegen § 5 Abs. 4 Satz 2 die Fahrerkarte nicht mitführt oder nicht oder nicht rechtzeitig zur Prüfung aushändigt,
13. entgegen § 6 die abgelaufene Fahrerkarte oder den Ausdruck nicht oder nicht mindestens 28 Kalendertage mitführt,
14. entgegen § 19 Satz 2 ein Kontrollgerät nicht benutzt,
15. entgegen § 20 Absatz 1 Satz 1 dort genannte Zeiten nicht, nicht richtig, nicht vollständig oder nicht rechtzeitig belegt,
16. entgegen § 20 Absatz 4 Satz 6 eine Bescheinigung als beauftragte Person unterzeichnet oder
17. entgegen § 20 Absatz 5 Satz 1 einen dort genannten Nachweis nicht oder nicht rechtzeitig abgibt.

(3) Ordnungswidrig im Sinne des § 8 Abs. 1 Nr. 4 Buchstabe a des Fahrpersonalgesetzes handelt, wer als Werkstattinhaber oder als verantwortliche Fachkraft (Installateur) vorsätzlich oder fahrlässig
1. entgegen § 8 Abs. 1 Satz 1 erster Halbsatz den Wegfall der Erteilungsvoraussetzungen nicht meldet oder
2. entgegen § 4 Abs. 4 Satz 5 oder § 8 Abs. 1 Satz 1 zweiter Halbsatz in Verbindung mit Satz 3 oder 5 eine Werkstattkarte nicht oder nicht rechtzeitig zurückgibt.

§ 22[1] Zuwiderhandlungen gegen das AETR. (1) Ordnungswidrig im Sinne des § 8 Absatz 1 Nummer 1 Buchstabe b des Fahrpersonalgesetzes[2] handelt, wer als Unternehmer gegen das Europäische Übereinkommen über die Arbeit des im internationalen Straßenverkehr beschäftigten Fahrpersonals (AETR)[3] in der Fassung der Bekanntmachung vom 31. Juli 1985 (BGBl. 1985 II S. 889), das zuletzt durch Artikel 1 des Gesetzes vom 2. No-

[1] § 22 aufgeh. mWv 10.9.2009 durch VO v. 22.1.2008 (BGBl. I S. 54). Bish. § 25 wird § 22 mWv 30.6.2016 durch VO v. 17.6.2016 (BGBl. I S. 1463).
[2] Nr. **356**.
[3] **beck-online, Module Arbeitsrecht Nr. 355b.**

vember 2011 (BGBl. 2011 II S. 1095) geändert worden ist, verstößt, indem er vorsätzlich oder fahrlässig

1. entgegen Artikel 5 einen Fahrer einsetzt, der die dort genannten Voraussetzungen nicht erfüllt,
2. entgegen Artikel 11 Absatz 1 in Verbindung mit Artikel 6 Absatz 1 Satz 1, Absatz 2 oder Absatz 3, Artikel 7 Absatz 1 oder Artikel 8 Absatz 1, 2 Satz 1, Absatz 3, 5, 6 Buchstabe a oder Buchstabe c Satz 1, 3 oder Satz 4 oder Absatz 7 den Fahrbetrieb nicht oder nicht richtig organisiert,
3. entgegen Artikel 11 Absatz 2 Satz 2 einen festgestellten Verstoß gegen das Übereinkommen nicht oder nicht rechtzeitig abstellt oder eine dort genannte Maßnahme nicht oder nicht rechtzeitig trifft,
4. entgegen Artikel 10 des Anhangs für das einwandfreie Funktionieren oder die ordnungsgemäße Benutzung des Kontrollgerätes oder der Fahrerkarte nicht sorgt,
5. entgegen Artikel 11 Absatz 1 des Anhangs ein dort genanntes Schaublatt nicht oder nicht richtig aushändigt oder nicht dafür Sorge trägt, dass ein dort genannter Ausdruck erfolgen kann,
6. entgegen Artikel 11 Absatz 2 Buchstabe a Satz 1 des Anhangs ein Schaublatt oder eine Kopie nicht oder nicht mindestens ein Jahr aufbewahrt,
7. entgegen Artikel 11 Absatz 2 Buchstabe a Satz 3 des Anhangs ein Schaublatt nicht oder nicht rechtzeitig aushändigt,
8. entgegen Artikel 11 Absatz 2 Buchstabe b Ziffer ii des Anhangs nicht sicherstellt, dass alle Daten aus der Fahrzeugeinheit und der Fahrerkarte heruntergeladen werden oder mindestens zwölf Monate aufbewahrt werden und die Daten auf Verlangen zur Verfügung stehen,
9. entgegen Artikel 12 Absatz 8 Satz 1 des Anhangs eine Aufzeichnung auf dem Schaublatt, den Speicherinhalt des Kontrollgeräts oder der Fahrerkarte oder ein ausgedrucktes Dokument verfälscht, unterdrückt oder vernichtet oder
10. entgegen Artikel 13 Absatz 1 Unterabsatz 1 des Anhangs eine Reparatur nicht oder nicht rechtzeitig durchführen lässt.

(2) Ordnungswidrig im Sinne des § 8 Absatz 1 Nummer 2 Buchstabe b des Fahrpersonalgesetzes handelt, wer als Fahrer gegen das Europäische Übereinkommen über die Arbeit des im internationalen Straßenverkehr beschäftigten Fahrpersonals (AETR) verstößt, indem er vorsätzlich oder fahrlässig

1. entgegen Artikel 5 ein Fahrzeug führt, ohne das dort festgelegte Mindestalter erreicht zu haben oder ohne einer dort festgesetzten Anforderung zu entsprechen,
2. entgegen Artikel 6 Absatz 1 Satz 1, Absatz 2 oder Absatz 3, Artikel 7 Absatz 1 oder Artikel 8 Absatz 1, 2, 5, 6 oder 7 oder Artikel 8bis eine Lenkzeit, eine Unterbrechung oder eine Ruhezeit nicht einhält,
3. entgegen Artikel 6 Absatz 5 Satz 1 eine dort genannte Zeit nicht oder nicht richtig festhält,
4. entgegen Artikel 9 Satz 2 Art oder Grund einer Abweichung nicht, nicht richtig oder nicht rechtzeitig vermerkt,

5. entgegen Artikel 10 des Anhangs für das einwandfreie Funktionieren und die ordnungsgemäße Benutzung des Kontrollgerätes sowie der Fahrerkarte nicht sorgt,
6. entgegen Artikel 11 Absatz 1 Unterabsatz 2 des Anhangs nicht dafür Sorge trägt, dass ein dort genannter Ausdruck erfolgen kann,
7. entgegen Artikel 12 Absatz 1 Unterabsatz 1 Satz 1 oder Unterabsatz 2 des Anhangs ein angeschmutztes oder beschädigtes Schaublatt verwendet oder dem Reserveblatt das beschädigte Schaublatt nicht, nicht richtig oder nicht rechtzeitig beifügt,
8. entgegen Artikel 12 Absatz 2 Buchstabe a Satz 1 des Anhangs ein Schaublatt oder eine Fahrerkarte nicht oder nicht rechtzeitig benutzt,
9. entgegen Artikel 12 Absatz 2 Buchstabe a Satz 2 oder Satz 3 des Anhangs ein Schaublatt oder eine Fahrerkarte entnimmt oder über den dort genannten Zeitraum hinaus verwendet,
10. entgegen Artikel 12 Absatz 2 Buchstabe b oder Buchstabe c oder Absatz 5 Buchstabe e des Anhangs eine Eintragung oder eine Änderung nicht, nicht richtig, nicht vollständig, nicht in der vorgeschriebenen Weise oder nicht vor Fahrtantritt vornimmt,

10a. entgegen Artikel 12 Absatz 3 zweiter Gedankenstrich des Anhangs die Schaltvorrichtung nicht richtig betätigt,

10b. entgegen Artikel 12 Absatz 5 Buchstabe a bis c oder Buchstabe d des Anhangs eine dort genannte Angabe nicht, nicht richtig, nicht vollständig, nicht in der vorgeschriebenen Weise oder nicht rechtzeitig einträgt,

10c. entgegen Artikel 12 Absatz 5bis Satz 1 des Anhangs ein Symbol nicht richtig eingibt,

11. entgegen Artikel 12 Absatz 7 Buchstabe a oder Buchstabe b des Anhangs ein dort genanntes Schaublatt, eine Fahrerkarte oder einen dort genannten Ausdruck nicht oder nicht rechtzeitig vorlegt,

11a. entgegen Artikel 12 Absatz 8 Satz 1 des Anhangs eine Aufzeichnung auf dem Schaublatt, den Speicherinhalt des Kontrollgeräts oder der Fahrerkarte oder ein ausgedrucktes Dokument verfälscht, unterdrückt oder vernichtet,

12. entgegen Artikel 13 Absatz 2 Buchstabe a des Anhangs eine dort genannte Angabe nicht, nicht richtig, nicht vollständig, nicht in der vorgeschriebenen Weise oder nicht rechtzeitig vermerkt oder
13. entgegen Artikel 13 Absatz 2 Buchstabe b Ziffer i des Anhangs eine Angabe nicht, nicht richtig oder nicht rechtzeitig ausdruckt, den Ausdruck nicht oder nicht rechtzeitig mit der Unterschrift versieht oder eine Zeit nicht, nicht richtig oder nicht rechtzeitig einträgt.

(3) Ordnungswidrig im Sinne des § 8 Absatz 1 Nummer 4 Buchstabe b des Fahrpersonalgesetzes handelt, wer als Werkstattinhaber oder Installateur gegen das Europäische Übereinkommen über die Arbeit des im internationalen Straßenverkehr beschäftigten Fahrpersonals (AETR) verstößt, indem er vorsätzlich oder fahrlässig

1. entgegen Artikel 9 Absatz 1 Satz 1 des Anhangs ein Kontrollgerät einbaut oder repariert oder

2. entgegen Artikel 12 Absatz 8 Satz 1 des Anhangs eine Aufzeichnung auf dem Schaublatt, den Speicherinhalt des Kontrollgeräts oder der Fahrerkarte oder ein ausgedrucktes Dokument verfälscht, unterdrückt oder vernichtet.

§ 23[1] Zuwiderhandlungen gegen die Verordnung (EU) Nr. 165/2014. (1) Ordnungswidrig im Sinne des § 8 Absatz 1 Nummer 1 Buchstabe b des Fahrpersonalgesetzes[2] handelt, wer als Unternehmer gegen die Verordnung (EU) Nr. 165/2014 des Europäischen Parlaments und des Rates vom 4. Februar 2014 über Fahrtenschreiber im Straßenverkehr, zur Aufhebung der Verordnung (EWG) Nr. 3821/85 des Rates über das Kontrollgerät im Straßenverkehr und zur Änderung der Verordnung (EG) Nr. 561/2006 des Europäischen Parlaments und des Rates zur Harmonisierung bestimmter Sozialvorschriften im Straßenverkehr (ABl. L 60 vom 28.2.2014, S. 1) verstößt, indem er vorsätzlich oder fahrlässig

1. entgegen Artikel 3 Absatz 1 einen Fahrtenschreiber nicht einbaut oder nicht benutzt,
2. entgegen Artikel 32 Absatz 1 für das einwandfreie Funktionieren des Fahrtenschreibers oder die ordnungsgemäße Benutzung des Fahrtenschreibers oder der Fahrerkarte oder des Schaublattes nicht sorgt,

2a. entgegen Artikel 32 Absatz 4 das Fahrzeug mit mehr als nur einem einzigen Fahrtenschreiber ausrüstet,

3. entgegen Artikel 33 Absatz 1 Unterabsatz 2 Satz 1 eine ausreichende Anzahl Schaublätter nicht aushändigt,
4. entgegen Artikel 33 Absatz 1 Unterabsatz 2 Satz 2 ein Schaublatt aushändigt, das sich für den eingebauten Fahrtenschreiber nicht eignet,
5. entgegen Artikel 33 Absatz 1 Unterabsatz 3 nicht dafür Sorge trägt, dass der dort genannte Ausdruck ordnungsgemäß erfolgen kann,

5a. entgegen Artikel 33 Absatz 2 Satz 1 ein Schaublatt oder einen Ausdruck nicht oder nicht in der vorgeschriebenen Weise aufbewahrt,

6. entgegen Artikel 33 Absatz 2 Satz 3 ein Schaublatt nicht oder nicht rechtzeitig vorlegt oder nicht oder nicht rechtzeitig aushändigt oder
7. entgegen Artikel 37 Absatz 1 Unterabsatz 1, auch in Verbindung mit Unterabsatz 2, eine Reparatur nicht, nicht richtig oder nicht rechtzeitig durchführen lässt.

(2) Ordnungswidrig im Sinne des § 8 Absatz 1 Nummer 2 Buchstabe b des Fahrpersonalgesetzes handelt, wer als Fahrer gegen die Verordnung (EU) Nr. 165/2014 verstößt, indem er vorsätzlich oder fahrlässig

---

[1] § 23 Abs. 1 einl. Satzteil und Nr. 6 geänd., Abs. 2 Nr. 6 eingef., bish. Nr. 6–13 werden Nr. 7–14, neue Nr. 11 neu gef., Abs. 4 angef. mWv 31.1.2008 durch VO v. 22.1.2008 (BGBl. I S. 54); Abs. 2 Nr. 8 neu gef., Nr. 9a eingef., Abs. 4 geänd. mWv 7.6.2013 durch VO v. 22.5.2013 (BGBl. I S. 1395); Abs. 2 Nr. 5 und Nr. 7–10 aufgeh. mWv 11.3.2015 durch VO v. 9.3.2015 (BGBl. I S. 243); Überschrift geänd., Abs. 1 einl. Satzteil und Nr. 2 neu gef., Nr. 1, 3–7 geänd., Nr. 2a und 5a eingef., Abs. 2 einl. Satzteil und Nr. 2 neu gef., Nr. 1 und 3 geänd., Nr. 4–12 eingef., bish. Nr. 4 wird Nr. 1a und geänd., bish. Nr. 6 wird Nr. 13 und geänd., bish. Nr. 11 wird Nr. 14 und geänd., bish. Nr. 12 wird Nr. 15 und geänd., bish. Nr. 13 wird aufgeh., bish. Nr. 14 wird Nr. 1b und geänd., Abs. 3 neu gef., Abs. 4 geänd., Abs. 5 angef. mWv 30.6.2016 durch VO v. 17.6.2016 (BGBl. I S. 1463).

[2] Nr. **356**.

1. entgegen Artikel 3 Absatz 1 einen Fahrtenschreiber nicht benutzt,
1a. entgegen Artikel 27 Absatz 2 eine andere Fahrerkarte, eine defekte Fahrerkarte oder eine Fahrerkarte, deren Gültigkeit abgelaufen ist, benutzt,
1b. entgegen Artikel 29 Absatz 5 die Fahrt ohne Fahrerkarte fortsetzt,
2. entgegen Artikel 32 Absatz 1 für das einwandfreie Funktionieren des Fahrtenschreibers oder die ordnungsgemäße Benutzung des Fahrtenschreibers oder der Fahrerkarte oder des Schaublattes nicht sorgt,
3. entgegen Artikel 33 Absatz 1 Unterabsatz 3 nicht dafür Sorge trägt, dass der dort genannte Ausdruck ordnungsgemäß erfolgen kann,
4. entgegen Artikel 34 Absatz 1 Satz 1 ein Schaublatt oder eine Fahrerkarte nicht oder nicht rechtzeitig benutzt,
5. entgegen Artikel 34 Absatz 1 Satz 2 ein Schaublatt oder eine Fahrerkarte entnimmt,
6. entgegen Artikel 34 Absatz 1 Satz 3 ein Schaublatt oder eine Fahrerkarte verwendet,
7. entgegen Artikel 34 Absatz 3 Unterabsatz 1, Absatz 4 Unterabsatz 2 oder Absatz 6 Buchstabe e eine Eintragung oder eine Änderung nicht, nicht richtig, nicht vollständig, nicht in der vorgeschriebenen Weise oder nicht vor Fahrtantritt vornimmt,
8. entgegen Artikel 34 Absatz 4 Unterabsatz 1 nicht sicherstellt, dass die Fahrerkarte im richtigen Steckplatz eingeschoben ist,
9. entgegen Artikel 34 Absatz 5 Buchstabe a nicht darauf achtet, dass die Zeitmarkierung mit der dort genannten Zeit übereinstimmt,
10. entgegen Artikel 34 Absatz 5 Buchstabe b die Schaltvorrichtung des Kontrollgeräts nicht, nicht richtig oder nicht zu Beginn der dort genannten Zeiten betätigt,
11. entgegen Artikel 34 Absatz 6 Buchstabe a bis c oder Buchstabe d eine dort genannte Angabe nicht, nicht richtig, nicht vollständig oder nicht rechtzeitig einträgt,
12. entgegen Artikel 34 Absatz 7 Unterabsatz 1 Satz 1 ein Symbol nicht, nicht richtig oder nicht rechtzeitig eingibt,
13. entgegen Artikel 35 Absatz 2 einen Ausdruck nicht oder nicht rechtzeitig fertigt oder eine dort genannte Angabe oder eine dort genannte Zeit nicht, nicht richtig, nicht vollständig oder nicht rechtzeitig einträgt oder eine Unterschrift nicht oder nicht rechtzeitig anbringt,
14. entgegen Artikel 36 Absatz 1 oder 2 ein Schaublatt, die Fahrerkarte, einen Ausdruck oder eine handschriftliche Aufzeichnung nicht oder nicht rechtzeitig vorlegt oder
15. entgegen Artikel 37 Absatz 2 eine dort genannte Angabe nicht, nicht richtig, nicht vollständig oder nicht für die vorgeschriebene Dauer vermerkt.

(3) Ordnungswidrig im Sinne des § 8 Absatz 1 Nummer 1 Buchstabe b, Nummer 4 Buchstabe b des Fahrpersonalgesetzes handelt, wer als Einbaubetriebsinhaber, Werkstattinhaber oder Fahrzeughersteller vorsätzlich oder fahrlässig entgegen Artikel 22 Absatz 1 der Verordnung (EU) Nr. 165/2014 einen Fahrtenschreiber einbaut oder repariert.

(4) Ordnungswidrig im Sinne des § 8 Abs. 1 Nr. 1 Buchstabe b, Nr. 2 Buchstabe b oder Nr. 4 Buchstabe b des Fahrpersonalgesetzes handelt, wer als Unternehmer, Fahrer, Werkstattinhaber oder als Installateur vorsätzlich oder fahrlässig entgegen Artikel 32 Absatz 3 der Verordnung (EU) Nr. 165/2014 Aufzeichnungen auf dem Schaublatt verfälscht, verschleiert, unterdrückt oder vernichtet oder Speicherinhalte des Fahrtenschreibers oder der Fahrerkarte oder die ausgedruckten Dokumente von dem Fahrtenschreiber verfälscht, verschleiert, unterdrückt oder vernichtet oder eine Einrichtung hierfür im Fahrzeug bereithält.

(5) Ordnungswidrig im Sinne des § 8 Absatz 1 Nummer 4 Buchstabe b des Fahrpersonalgesetzes handelt, wer als Werkstattinhaber vorsätzlich oder fahrlässig entgegen Artikel 23 Absatz 4 Satz 1 der Verordnung (EU) Nr. 165/2014 die Nachprüfungsberichte ab der Erstellung nicht mindestens zwei Jahre lang aufbewahrt.

§ 24[1] *(aufgehoben)*

§ 24a[2] *(aufgehoben)*

§ 25[3]

Abschnitt 9. Übergangsvorschriften

§ 26[4] *(aufgehoben)*

[1] § 24 aufgeh. mWv 18.8.2017 durch VO v. 8.8.2017 (BGBl. I S. 3158).
[2] § 24a aufgeh. mWv 30.6.2016 durch VO v. 17.6.2016 (BGBl. I S. 1463).
[3] Bisheriger § 25 wird § 22 mWv 30.6.2016 durch VO v. 17.6.2016 (BGBl. I S. 1463).
[4] § 26 aufgeh. mWv 18.8.2017 durch VO v. 8.8.2017 (BGBl. I S. 3158).

Anlage 1[1)]
(zu § 1 Abs. 6)

1. Name, Vorname	2. Amtliches Kennzeichen	3. Tageskontrollblatt Nr.	4. Datum

	1	2	3	4	5	6	7	8	9	10	11	12
5.												
6. ⊗												
7. ⚒												
	13	14	15	16	17	18	19	20	21	22	23	24
5.												
6. ⊗												
7. ⚒												

8. Ort der Fahrtaufnahme	9. Ort der Fahrtbeendigung

				Stundenzahl
			5.	
10. Kilometerstand	bei Fahrtende	km	6. ⊗	
	bei Fahrtbeginn	km	7. ⚒	
Gesamtfahrstrecke:	....	km		
Bemerkungen und Unterschrift				

Erläuterungen: 5. = Ruhezeiten und Fahrtunterbrechungen
6. = Lenkzeiten
7. = Sonstige Arbeitszeiten einschließlich Bereitschaftszeiten

Anlagen 2 und 3
(hier nicht wiedergegeben)[2)]

[1)] Anl. 1 geänd. mWv 31.1.2008 durch VO v. 22.1.2008 (BGBl. I S. 54); geänd. mWv 18.8.2017 durch VO v. 8.8.2017 (BGBl. I S. 3158).
[2)] Vollständig wiedergegeben in **beck-online, Module Arbeitsrecht**.

357c. Übersicht zu den Ladenöffnungsgesetzen der Länder und Durchführungsbestimmungen der Länder über den Ladenschluss[1)]

Baden-Württemberg

Gesetz über die Ladenöffnung in Baden-Württemberg (LadÖG) vom 14. Februar 2007 (GVBl. S. 135), zuletzt geänd. durch G v. 10.2.2026 (GBl. Nr. 23).

Bayern

Bayerisches Ladenschlussgesetz (BayLadSchlG) vom 25.7.2025 (GVBl. S. 246).
Verordnung über gewerbeaufsichtliche Zuständigkeiten (ZustV-GA) vom 9. Dezember 2014 (GVBl S. 555)

Berlin

Berliner Ladenöffnungsgesetz (BerlLadÖffG) vom 14. November 2006 (GVBl. S. 1046), zuletzt geänd. durch G v. 13.10.2010 (GVBl. S. 467).

Brandenburg

Brandenburgisches Ladenöffnungsgesetz (BbgLöG) vom 27. November 2006 (GVBl. I S. 158), zuletzt geänd. durch G v. 25.4.2017 (GVBl. I Nr. 8).
Verordnung über den Verkauf bestimmter Waren an Sonn- und Feiertagen in Kur-, Ausflugs- und Erholungsorten im Land Brandenburg (Brandenburgische Ladenschluss-Ausnahmeverordnung – BbgLSchlAV) vom 16. April 2024 (GVBl. II Nr. 23).

Bremen

Bremisches Ladenschlussgesetz vom 22. März 2007 (Brem.GBl. S. 221), zuletzt geänd. durch G v. 24.3.2026 (Brem.GBl. S. 301).
Verordnung über die Öffnung von Verkaufsstellen am 16. März 2008 in der Stadtgemeinde Bremen vom 26. Februar 2008 (Brem.GBl. S. 41).

Hamburg

Hamburgisches Gesetz zur Regelung der Ladenöffnungszeiten (Ladenöffnungsgesetz) vom 22. Dezember 2006 (HmbGVBl. S. 611), geänd. durch G v. 15.12.2009 (HmbGVBl. S. 444).

Hessen

Hessisches Ladenöffnungsgesetz (HLöG) vom 23. November 2006 (GVBl. I S. 606), zuletzt geänd. durch G v. 13.12.2012 (GVBl. S. 622).
Verordnung über Zuständigkeiten auf dem Gebiet des Arbeitsschutzes, der Sicherheitstechnik, der Produktsicherheit und des Medizinprodukterechts (Arbeitsschutzzuständigkeitsverordnung – ArbSchZV) vom 11. August 2014 (GVBl. S. 196), geänd. durch VO v. 11.12.2018 (GVBl. S. 732).

[1)] Die Übersicht ist nichtamtlich. Die Vorschriften sind vollständig wiedergegeben in **beck-online, Module Arbeitsrecht.**

Mecklenburg-Vorpommern

Gesetz über die Öffnungszeiten von Verkaufsstellen für das Land Mecklenburg-Vorpommern (Öffnungszeitengesetz – ÖffZG M-V) vom 10. Januar 2024 (GVOBl. M-V S. 4).

Verordnung über die Regelung von Zuständigkeiten nach § 9 Absatz 1 des Öffnungszeitengesetzes (Öffnungszeitengesetz-Zuständigkeitsverordnung – ÖffZGZustVO M-V) vom 4. Juni 2024 (GVOBl. M-V S. 338).

Kostenverordnung für Amtshandlungen auf dem Gebiet des sozialen, technischen und medizinischen Arbeitsschutzes sowie des technischen Verbraucherschutzes (Arbeits- und Verbraucherschutzkostenverordnung – ArbVerbrSchKostVO M-V) vom 13. März 2014 (GVOBl. M-V S. 91, ber. S. 146), geänd. durch VO v. 29.5.2020 (GVOBl. M-V S. 446).

Landesverordnung über den Warenverkauf in Kur- und Erholungsorten an Sonn- und Feiertagen und an Sonnabenden (Warenverkaufsverordnung) vom 12. Juli 1995 (GVOBl. S. 346) (GS Gl. Nr. B 8050-20-1), geänd. durch VO v. 22.8.1996 (GVOBl. S. 377).

Niedersachsen

Niedersächsisches Gesetz über Ladenöffnungs- und Verkaufszeiten (NLöffVZG) vom 8. März 2007 (Nds. GVBl. S. 111), geänd. durch G v. 15.5. 2019 (Nds. GVBl. S. 80).

Nordrhein-Westfalen

Gesetz zur Regelung der Ladenöffnungszeiten (Ladenöffnungsgesetz - LÖG NRW) vom 16. November 2006 (GV. NRW. S. 516), zuletzt geänd. durch G v. 22.3.2018 (GV. NRW. S. 172).

Verordnung zur Durchführung des Gesetzes zur Regelung der Ladenöffnungszeiten (LadenöffnungsVO) vom 27. März 2012 (GV. NRW. S. 158), zuletzt geänd. durch VO v. 31.5.2017 (GV. NRW. S. 633).

Rheinland-Pfalz

Ladenöffnungsgesetz Rheinland-Pfalz (LadöffnG) vom 21. November 2006 (GVBl. S. 351), geänd. durch G v. 22.12.2015 (GVBl. S. 461).

Landesverordnung zur Durchführung des § 7 Abs. 2 des Ladenöffnungsgesetzes Rheinland-Pfalz vom 13. März 2007 (GVBl. S. 65).

Saarland

Gesetz zur Regelung der Ladenöffnungszeiten (Ladenöffnungsgesetz - LÖG Saarland) vom 15. November 2006 (Amtsbl. S. 1974), zuletzt geänd. durch G v. 11.11.2020 (Amtsbl. I S. 1262).

Sachsen

Gesetz über die Ladenöffnungszeiten im Freistaat Sachsen (Sächsisches Ladenöffnungsgesetz - SächsLadÖffG) vom 1. Dezember 2010 (SächsGVBl. S. 338), zuletzt geänd. durch G v. 5.11.2020 (SächsGVBl. S. 589).

Sachsen-Anhalt

Gesetz über die Ladenöffnungszeiten im Land Sachsen-Anhalt (Ladenöffnungszeitengesetz Sachsen-Anhalt - LÖffzeitG LSA) vom 22. November 2006 (GVBl. LSA S. 528), zuletzt geänd. durch G v. 3.3.2025 (GVBl. LSA S. 382).

Verordnung über die Regelung von Zuständigkeiten im Immissions-, Gewerbe- und Arbeitsschutzrecht sowie in anderen Rechtsgebieten (ZustVOGewAIR) vom 14. Juni 1994 (GVBl. S. 636, ber. S. 889), zuletzt geänd. durch VO v. 10.12.2019 (GVBl. LSA S. 988).

Schleswig-Holstein

Gesetz über die Ladenöffnungszeiten (Ladenöffnungszeitengesetz - LÖffZG) vom 29. November 2006 (GVOBl. Schl.-H. S. 243).

Landesverordnung über den Verkauf von Waren an Sonn- und Feiertagen in Kur-, Erholungs- und Tourismusorten (Bäderverordnung – BäderVO) vom 15.6.2018 (GVOBl. Schl.-H. S. 383), geänd. durch VO v. 18.3.2020 (GVOBl. Schl.-H. S. 159)[1].

Thüringen

Thüringer Ladenöffnungsgesetz (ThürLadÖffG) vom 24. November 2006 (GVBl. S. 541).

Thüringer Verordnung zur Regelung von Zuständigkeiten auf dem Gebiet des Arbeitsschutzes (ThürASZustVO) vom 8. August 2013 (GVBl. S. 208), zuletzt geänd. durch G v. 2.7.2024 (GVBl. S. 277).

---

[1] Gem § 8a tritt diese Verordnung **für den Zeitraum vom 20.3.2020 bis 18. Mai 2020 außer Kraft**.

358. Übersicht zu den Bedarfsgewerbeverordnungen der Länder[1)]

Baden-Württemberg

Verordnung der Landesregierung über die Zulassung der Beschäftigung von Arbeitnehmern an Sonn- und Feiertagen (Bedarfsgewerbeverordnung - BedGVO) vom 16. November 1998 (GBl. S. 616).

Bayern

Verordnung über die Zulassung der Beschäftigung von Arbeitnehmern an Sonn- und Feiertagen zur Befriedigung täglicher oder an diesen Tagen besonders hervortretender Bedürfnisse der Bevölkerung (Bedürfnisgewerbeverordnung- BedV) vom 29. Juli 1997 (GVBl S. 395) (Bay RS 8050-20-2-A), zuletzt geänd. durch G v. 25.7.2025 (GVBl. S. 246).

Berlin

Verordnung über die Zulassung der Beschäftigung von Arbeitnehmern an Sonn- und Feiertagen zur Befriedigung täglicher oder an diesen Tagen besonders hervortretender Bedürfnisse der Bevölkerung (Bedürfnisgewerbeverordnung) vom 3. April 1997 (GVBl. S. 270), geänd. durch VO v. 23.7.2002 (GVBl. S. 236).

Brandenburg

Verordnung über die Zulassung der Beschäftigung von Arbeitnehmern an Sonn- und Feiertagen zur Befriedigung täglicher oder an diesen Tagen besonders hervortretender Bedürfnisse der Bevölkerung (Bedarfsgewerbeverordnung - BedGewV) vom 13. November 1998 (GVBl. II S. 622).

Bremen

Verordnung über die Zulassung der Beschäftigung von Arbeitnehmern an Sonn- und Feiertagen (Bedarfsgewerbeordnung - BedGewV -) vom 28. November 1997 (Brem.GBl. S. 577, ber. S. 614) (SaBremR 7102-a-1).

Hamburg

Verordnung über die Zulassung der Beschäftigung von Arbeitnehmerinnen und Arbeitnehmern an Sonn- und Feiertagen (Bedarfsgewerbeverordnung) vom 9. August 2005 (HmbGVBl. S. 349).

Hessen

Verordnung über die Zulassung der Beschäftigung von Arbeitnehmerinnen und Arbeitnehmern an Sonn- und Feiertagen (Bedarfsgewerbeverordnung - BedGewV) vom 12. Oktober 2011 (GVBl. I S. 664), zuletzt geänd. durch Urt. des Hess VGH v. 1.7.2020 (GVBl. S. 541).

[1)] Die Übersicht ist nichtamtlich. Die Vorschriften sind vollständig wiedergegeben in **beck-online, Module Arbeitsrecht.**

Mecklenburg-Vorpommern

Landesverordnung über die Zulassung der Beschäftigung von Arbeitnehmern an Sonn- und Feiertagen (Bedarfsgewerbeordnung - BedGewVO M-V) vom 31. August 1998 (GVOBl. M-V S. 802) (GS Meckl.-Vorp. Gl. Nr. B 8050-21-1).

Niedersachsen

Niedersächsische Verordnung über die Beschäftigung an Sonn- und Feiertagen (SFB-VO) vom 12. Juli 1990 (Nds. GVBl. S. 161), geänd. durch VO v. 28.8. 2002 (Nds. GVBl. S. 373).

Nordrhein-Westfalen

Verordnung über die Zulassung der Beschäftigung von Arbeitnehmern an Sonn- und Feiertagen zur Befriedigung täglicher oder an diesen Tagen besonders hervortretender Bedürfnisse der Bevölkerung vom 5. Mai 1998 (GV. NRW. S. 381), zuletzt geänd. durch G v. 1.12.2021 (GV. NRW. S. 1353).

Rheinland-Pfalz

Landesverordnung über die Zulassung der Sonn- und Feiertagsbeschäftigung zur Befriedigung der Bedürfnisse der Bevölkerung (Bedarfsgewerbeverordnung) vom 30. Juni 1999 (GVBl. S. 147).

Saarland

Verordnung über Ausnahmen von der Sonntags- und Feiertagsruhe in den Bedürfnis-Gewerben (Bedürfnis-Gewerbeverordnung) vom 4. September 1997 (Amtsbl. S. 890).

Sachsen-Anhalt

Verordnung über die Arbeitnehmerbeschäftigung an Sonn- und Feiertagen (Bedarfsgewerbeverordnung - BedGewV) vom 4. Mai 2000 (GVBl. LSA S. 230), geänd. durch G v. 22.11.2006 (GVBl. LSA S. 528).

Schleswig-Holstein

Landesverordnung über die zulässige Beschäftigung von Arbeitnehmerinnen und Arbeitnehmern an Sonn- und Feiertagen im Bedarfsgewerbe (Bedarfsgewerbeverordnung) vom 9. März 1999 (GVOBl. Schl.-H. S. 82), zuletzt geänd. durch VO v. 25.11.2004 (GVOBl. Schl.-H. S. 447).

Thüringen

Thüringer Verordnung über die Zulassung der Beschäftigung von Arbeitnehmern an Sonn- und Feiertagen (Thüringer Bedarfsgewerbeverordnung) vom 8. April 1998 (GVBl. S. 140).

B. Technischer Arbeitsschutz

370. Gesetz über die Durchführung von Maßnahmen des Arbeitsschutzes zur Verbesserung der Sicherheit und des Gesundheitsschutzes der Beschäftigten bei der Arbeit (Arbeitsschutzgesetz – ArbSchG)[1]

Vom 7. August 1996
(BGBl. I S. 1246)

FNA 805-3

zuletzt geänd. durch Art. 7 G zur Modernisierung und Digitalisierung der Schwarzarbeitsbekämpfung v. 22.12.2025 (BGBl. 2025 I Nr. 369)

Erster Abschnitt. Allgemeine Vorschriften

§ 1[2] Zielsetzung und Anwendungsbereich. (1) [1]Dieses Gesetz dient dazu, Sicherheit und Gesundheitsschutz der Beschäftigten bei der Arbeit durch Maßnahmen des Arbeitsschutzes zu sichern und zu verbessern. [2]Es gilt in allen Tätigkeitsbereichen und findet im Rahmen der Vorgaben des Seerechtsübereinkommens der Vereinten Nationen vom 10. Dezember 1982 (BGBl. 1994 II S. 1799) auch in der ausschließlichen Wirtschaftszone Anwendung.

(2) [1]Dieses Gesetz gilt nicht für den Arbeitsschutz von Hausangestellten in privaten Haushalten. [2]Es gilt nicht für den Arbeitsschutz von Beschäftigten auf Seeschiffen und in Betrieben, die dem Bundesberggesetz unterliegen, soweit dafür entsprechende Rechtsvorschriften bestehen.

(3) [1]Pflichten, die die Arbeitgeber zur Gewährleistung von Sicherheit und Gesundheitsschutz der Beschäftigten bei der Arbeit nach sonstigen Rechtsvorschriften haben, bleiben unberührt. [2]Satz 1 gilt entsprechend für Pflichten und Rechte der Beschäftigten. [3]Unberührt bleiben Gesetze, die andere Personen als Arbeitgeber zu Maßnahmen des Arbeitsschutzes verpflichten.

(4) Bei öffentlich-rechtlichen Religionsgemeinschaften treten an die Stelle der Betriebs- oder Personalräte die Mitarbeitervertretungen entsprechend dem kirchlichen Recht.

§ 2 Begriffsbestimmungen. (1) Maßnahmen des Arbeitsschutzes im Sinne dieses Gesetzes sind Maßnahmen zur Verhütung von Unfällen bei der Arbeit

---

[1] Verkündet als Art. 1 G zur Umsetzung der EG-Rahmenrichtlinie Arbeitsschutz und weiterer Arbeitsschutz-Richtlinien v. 7.8.1996 (BGBl. I S. 1246); Inkrafttreten gem. Art. 6 Satz 1 dieses G am 21.8.1996 mit Ausnahme des § 6 Abs. 1, der gem. Art. 6 Satz 2 am 21.8.1997 in Kraft getreten ist.

Dieses G dient der Umsetzung folgender EG-Richtlinien:
- Richtlinie 89/391/EWG des Rates vom 12. Juni 1989 über die Durchführung von Maßnahmen zur Verbesserung der Sicherheit und des Gesundheitsschutzes der Arbeitnehmer bei der Arbeit (ABl. EG Nr. L 183 S. 1) und
- Richtlinie 91/383/EWG des Rates vom 25. Juni 1991 zur Ergänzung der Maßnahmen zur Verbesserung der Sicherheit und des Gesundheitsschutzes von Arbeitnehmern mit befristetem Arbeitsverhältnis oder Leiharbeitsverhältnis (ABl. EG Nr. L 206 S. 19).

[2] § 1 Abs. 1 Satz 2 geänd. mWv 18.4.2008 durch G v. 8.4.2008 (BGBl. I S. 706).

und arbeitsbedingten Gesundheitsgefahren einschließlich Maßnahmen der menschengerechten Gestaltung der Arbeit.

(2) Beschäftigte im Sinne dieses Gesetzes sind:

1. Arbeitnehmerinnen und Arbeitnehmer,
2. die zu ihrer Berufsbildung Beschäftigten,
3. arbeitnehmerähnliche Personen im Sinne des § 5 Abs. 1 des Arbeitsgerichtsgesetzes[1)], ausgenommen die in Heimarbeit Beschäftigten und die ihnen Gleichgestellten,
4. Beamtinnen und Beamte,
5. Richterinnen und Richter,
6. Soldatinnen und Soldaten,
7. die in Werkstätten für Behinderte Beschäftigten.

(3) Arbeitgeber im Sinne dieses Gesetzes sind natürliche und juristische Personen und rechtsfähige Personengesellschaften, die Personen nach Absatz 2 beschäftigen.

(4) Sonstige Rechtsvorschriften im Sinne dieses Gesetzes sind Regelungen über Maßnahmen des Arbeitsschutzes in anderen Gesetzen, in Rechtsverordnungen und Unfallverhütungsvorschriften.

(5) [1] Als Betriebe im Sinne dieses Gesetzes gelten für den Bereich des öffentlichen Dienstes die Dienststellen. [2] Dienststellen sind die einzelnen Behörden, Verwaltungsstellen und Betriebe der Verwaltungen des Bundes, der Länder, der Gemeinden und der sonstigen Körperschaften, Anstalten und Stiftungen des öffentlichen Rechts, die Gerichte des Bundes und der Länder sowie die entsprechenden Einrichtungen der Streitkräfte.

Zweiter Abschnitt. Pflichten des Arbeitgebers

§ 3 Grundpflichten des Arbeitgebers. (1) [1] Der Arbeitgeber ist verpflichtet, die erforderlichen Maßnahmen des Arbeitsschutzes unter Berücksichtigung der Umstände zu treffen, die Sicherheit und Gesundheit der Beschäftigten bei der Arbeit beeinflussen. [2] Er hat die Maßnahmen auf ihre Wirksamkeit zu überprüfen und erforderlichenfalls sich ändernden Gegebenheiten anzupassen. [3] Dabei hat er eine Verbesserung von Sicherheit und Gesundheitsschutz der Beschäftigten anzustreben.

(2) Zur Planung und Durchführung der Maßnahmen nach Absatz 1 hat der Arbeitgeber unter Berücksichtigung der Art der Tätigkeiten und der Zahl der Beschäftigten

1. für eine geeignete Organisation zu sorgen und die erforderlichen Mittel bereitzustellen sowie
2. Vorkehrungen zu treffen, daß die Maßnahmen erforderlichenfalls bei allen Tätigkeiten und eingebunden in die betrieblichen Führungsstrukturen beachtet werden und die Beschäftigten ihren Mitwirkungspflichten nachkommen können.

(3) Kosten für Maßnahmen nach diesem Gesetz darf der Arbeitgeber nicht den Beschäftigten auferlegen.

[1)] Nr. **660**.

§ 4[1] Allgemeine Grundsätze. Der Arbeitgeber hat bei Maßnahmen des Arbeitsschutzes von folgenden allgemeinen Grundsätzen auszugehen:

1. Die Arbeit ist so zu gestalten, daß eine Gefährdung für das Leben sowie die physische und die psychische Gesundheit möglichst vermieden und die verbleibende Gefährdung möglichst gering gehalten wird;
2. Gefahren sind an ihrer Quelle zu bekämpfen;
3. bei den Maßnahmen sind der Stand von Technik, Arbeitsmedizin und Hygiene sowie sonstige gesicherte arbeitswissenschaftliche Erkenntnisse zu berücksichtigen;
4. Maßnahmen sind mit dem Ziel zu planen, Technik, Arbeitsorganisation, sonstige Arbeitsbedingungen, soziale Beziehungen und Einfluß der Umwelt auf den Arbeitsplatz sachgerecht zu verknüpfen;
5. individuelle Schutzmaßnahmen sind nachrangig zu anderen Maßnahmen;
6. spezielle Gefahren für besonders schutzbedürftige Beschäftigtengruppen sind zu berücksichtigen;
7. den Beschäftigten sind geeignete Anweisungen zu erteilen;
8. mittelbar oder unmittelbar geschlechtsspezifisch wirkende Regelungen sind nur zulässig, wenn dies aus biologischen Gründen zwingend geboten ist.

§ 5[2] Beurteilung der Arbeitsbedingungen. (1) Der Arbeitgeber hat durch eine Beurteilung der für die Beschäftigten mit ihrer Arbeit verbundenen Gefährdung zu ermitteln, welche Maßnahmen des Arbeitsschutzes erforderlich sind.

(2) [1]Der Arbeitgeber hat die Beurteilung je nach Art der Tätigkeiten vorzunehmen. [2]Bei gleichartigen Arbeitsbedingungen ist die Beurteilung eines Arbeitsplatzes oder einer Tätigkeit ausreichend.

(3) Eine Gefährdung kann sich insbesondere ergeben durch

1. die Gestaltung und die Einrichtung der Arbeitsstätte und des Arbeitsplatzes,
2. physikalische, chemische und biologische Einwirkungen,
3. die Gestaltung, die Auswahl und den Einsatz von Arbeitsmitteln, insbesondere von Arbeitsstoffen, Maschinen, Geräten und Anlagen sowie den Umgang damit,
4. die Gestaltung von Arbeits- und Fertigungsverfahren, Arbeitsabläufen und Arbeitszeit und deren Zusammenwirken,
5. unzureichende Qualifikation und Unterweisung der Beschäftigten,
6. psychische Belastungen bei der Arbeit.

§ 6[3] Dokumentation. (1) [1]Der Arbeitgeber muß über die je nach Art der Tätigkeiten und der Zahl der Beschäftigten erforderlichen Unterlagen verfügen, aus denen das Ergebnis der Gefährdungsbeurteilung, die von ihm festgelegten Maßnahmen des Arbeitsschutzes und das Ergebnis ihrer Überprüfung ersichtlich sind. [2]Bei gleichartiger Gefährdungssituation ist es ausreichend, wenn die Unterlagen zusammengefaßte Angaben enthalten.

---

[1] § 4 Nr. 1 geänd. mWv 25.10.2013 durch G v. 19.10.2013 (BGBl. I S. 3836).

[2] § 5 Abs. 3 Nr. 5 geänd., Nr. 6 angef. mWv 25.10.2013 durch G v. 19.10.2013 (BGBl. I S. 3836).

[3] § 6 Abs. 1 Satz 4 angef. durch G v. 25.9.1996 (BGBl. I S. 1476); Abs. 1 Satz 4 geänd. durch G v. 19.12.1998 (BGBl. I S. 3843); Abs. 1 Sätze 3 und 4 aufgeh. mWv 25.10.2013 durch G v. 19.10.2013 (BGBl. I S. 3836).

(2) Unfälle in seinem Betrieb, bei denen ein Beschäftigter getötet oder so verletzt wird, daß er stirbt oder für mehr als drei Tage völlig oder teilweise arbeits- oder dienstunfähig wird, hat der Arbeitgeber zu erfassen.

§ 7 Übertragung von Aufgaben. Bei der Übertragung von Aufgaben auf Beschäftigte hat der Arbeitgeber je nach Art der Tätigkeiten zu berücksichtigen, ob die Beschäftigten befähigt sind, die für die Sicherheit und den Gesundheitsschutz bei der Aufgabenerfüllung zu beachtenden Bestimmungen und Maßnahmen einzuhalten.

§ 8 Zusammenarbeit mehrerer Arbeitgeber. (1) [1] Werden Beschäftigte mehrerer Arbeitgeber an einem Arbeitsplatz tätig, sind die Arbeitgeber verpflichtet, bei der Durchführung der Sicherheits- und Gesundheitsschutzbestimmungen zusammenzuarbeiten. [2] Soweit dies für die Sicherheit und den Gesundheitsschutz der Beschäftigten bei der Arbeit erforderlich ist, haben die Arbeitgeber je nach Art der Tätigkeiten insbesondere sich gegenseitig und ihre Beschäftigten über die mit den Arbeiten verbundenen Gefahren für Sicherheit und Gesundheit der Beschäftigten zu unterrichten und Maßnahmen zur Verhütung dieser Gefahren abzustimmen.

(2) Der Arbeitgeber muß sich je nach Art der Tätigkeit vergewissern, daß die Beschäftigten anderer Arbeitgeber, die in seinem Betrieb tätig werden, hinsichtlich der Gefahren für ihre Sicherheit und Gesundheit während ihrer Tätigkeit in seinem Betrieb angemessene Anweisungen erhalten haben.

§ 9 Besondere Gefahren. (1) Der Arbeitgeber hat Maßnahmen zu treffen, damit nur Beschäftigte Zugang zu besonders gefährlichen Arbeitsbereichen haben, die zuvor geeignete Anweisungen erhalten haben.

(2) [1] Der Arbeitgeber hat Vorkehrungen zu treffen, daß alle Beschäftigten, die einer unmittelbaren erheblichen Gefahr ausgesetzt sind oder sein können, möglichst frühzeitig über diese Gefahr und die getroffenen oder zu treffenden Schutzmaßnahmen unterrichtet sind. [2] Bei unmittelbarer erheblicher Gefahr für die eigene Sicherheit oder die Sicherheit anderer Personen müssen die Beschäftigten die geeigneten Maßnahmen zur Gefahrenabwehr und Schadensbegrenzung selbst treffen können, wenn der zuständige Vorgesetzte nicht erreichbar ist; dabei sind die Kenntnisse der Beschäftigten und die vorhandenen technischen Mittel zu berücksichtigen. [3] Den Beschäftigten dürfen aus ihrem Handeln keine Nachteile entstehen, es sei denn, sie haben vorsätzlich oder grob fahrlässig ungeeignete Maßnahmen getroffen.

(3) [1] Der Arbeitgeber hat Maßnahmen zu treffen, die es den Beschäftigten bei unmittelbarer erheblicher Gefahr ermöglichen, sich durch sofortiges Verlassen der Arbeitsplätze in Sicherheit zu bringen. [2] Den Beschäftigten dürfen hierdurch keine Nachteile entstehen. [3] Hält die unmittelbare erhebliche Gefahr an, darf der Arbeitgeber die Beschäftigten nur in besonders begründeten Ausnahmefällen auffordern, ihre Tätigkeit wieder aufzunehmen. [4] Gesetzliche Pflichten der Beschäftigten zur Abwehr von Gefahren für die öffentliche Sicherheit sowie die §§ 7 und 11 des Soldatengesetzes bleiben unberührt.

§ 10 Erste Hilfe und sonstige Notfallmaßnahmen. (1) [1] Der Arbeitgeber hat entsprechend der Art der Arbeitsstätte und der Tätigkeiten sowie der Zahl der Beschäftigten die Maßnahmen zu treffen, die zur Ersten Hilfe, Brandbekämpfung und Evakuierung der Beschäftigten erforderlich sind. [2] Dabei hat er der Anwesenheit anderer Personen Rechnung zu tragen. [3]Er hat auch dafür zu sorgen, daß im Notfall die erforderlichen Verbindungen zu außerbetrieblichen Stellen, insbesondere in den Bereichen der Ersten Hilfe, der medizinischen Notversorgung, der Bergung und der Brandbekämpfung eingerichtet sind.

(2) [1]Der Arbeitgeber hat diejenigen Beschäftigten zu benennen, die Aufgaben der Ersten Hilfe, Brandbekämpfung und Evakuierung der Beschäftigten übernehmen. [2]Anzahl, Ausbildung und Ausrüstung der nach Satz 1 benannten Beschäftigten müssen in einem angemessenen Verhältnis zur Zahl der Beschäftigten und zu den bestehenden besonderen Gefahren stehen. [3]Vor der Benennung hat der Arbeitgeber den Betriebs- oder Personalrat zu hören. [4]Weitergehende Beteiligungsrechte bleiben unberührt. [5]Der Arbeitgeber kann die in Satz 1 genannten Aufgaben auch selbst wahrnehmen, wenn er über die nach Satz 2 erforderliche Ausbildung und Ausrüstung verfügt.

§ 11 Arbeitsmedizinische Vorsorge. Der Arbeitgeber hat den Beschäftigten auf ihren Wunsch unbeschadet der Pflichten aus anderen Rechtsvorschriften zu ermöglichen, sich je nach den Gefahren für ihre Sicherheit und Gesundheit bei der Arbeit regelmäßig arbeitsmedizinisch untersuchen zu lassen, es sei denn, auf Grund der Beurteilung der Arbeitsbedingungen und der getroffenen Schutzmaßnahmen ist nicht mit einem Gesundheitsschaden zu rechnen.

§ 12 Unterweisung. (1) [1]Der Arbeitgeber hat die Beschäftigten über Sicherheit und Gesundheitsschutz bei der Arbeit während ihrer Arbeitszeit ausreichend und angemessen zu unterweisen. [2]Die Unterweisung umfaßt Anweisungen und Erläuterungen, die eigens auf den Arbeitsplatz oder den Aufgabenbereich der Beschäftigten ausgerichtet sind. [3]Die Unterweisung muß bei der Einstellung, bei Veränderungen im Aufgabenbereich, der Einführung neuer Arbeitsmittel oder einer neuen Technologie vor Aufnahme der Tätigkeit der Beschäftigten erfolgen. [4]Die Unterweisung muß an die Gefährdungsentwicklung angepaßt sein und erforderlichenfalls regelmäßig wiederholt werden.

(2) [1]Bei einer Arbeitnehmerüberlassung trifft die Pflicht zur Unterweisung nach Absatz 1 den Entleiher. [2]Er hat die Unterweisung unter Berücksichtigung der Qualifikation und der Erfahrung der Personen, die ihm zur Arbeitsleistung überlassen werden, vorzunehmen. [3]Die sonstigen Arbeitsschutzpflichten des Verleihers bleiben unberührt.

§ 13[1)] Verantwortliche Personen. (1) Verantwortlich für die Erfüllung der sich aus diesem Abschnitt ergebenden Pflichten sind neben dem Arbeitgeber

1. sein gesetzlicher Vertreter,
2. das vertretungsberechtigte Organ einer juristischen Person,
3. der vertretungsberechtigte Gesellschafter einer Personenhandelsgesellschaft,
4. Personen, die mit der Leitung eines Unternehmens oder eines Betriebes beauftragt sind, im Rahmen der ihnen übertragenen Aufgaben und Befugnisse,
5. sonstige nach Absatz 2 oder nach einer auf Grund dieses Gesetzes erlassenen Rechtsverordnung oder nach einer Unfallverhütungsvorschrift verpflichtete Personen im Rahmen ihrer Aufgaben und Befugnisse.

[1)] § 13 Abs. 1 Nr. 5 geänd. mWv 25.10.2013 durch G v. 19.10.2013 (BGBl. I S. 3836).

(2) Der Arbeitgeber kann zuverlässige und fachkundige Personen schriftlich damit beauftragen, ihm obliegende Aufgaben nach diesem Gesetz in eigener Verantwortung wahrzunehmen.

§ 14 Unterrichtung und Anhörung der Beschäftigten des öffentlichen Dienstes. (1) Die Beschäftigten des öffentlichen Dienstes sind vor Beginn der Beschäftigung und bei Veränderungen in ihren Arbeitsbereichen über Gefahren für Sicherheit und Gesundheit, denen sie bei der Arbeit ausgesetzt sein können, sowie über die Maßnahmen und Einrichtungen zur Verhütung dieser Gefahren und die nach § 10 Abs. 2 getroffenen Maßnahmen zu unterrichten.

(2) Soweit in Betrieben des öffentlichen Dienstes keine Vertretung der Beschäftigten besteht, hat der Arbeitgeber die Beschäftigten zu allen Maßnahmen zu hören, die Auswirkungen auf Sicherheit und Gesundheit der Beschäftigten haben können.

Dritter Abschnitt. Pflichten und Rechte der Beschäftigten

§ 15 Pflichten der Beschäftigten. (1) [1]Die Beschäftigten sind verpflichtet, nach ihren Möglichkeiten sowie gemäß der Unterweisung und Weisung des Arbeitgebers für ihre Sicherheit und Gesundheit bei der Arbeit Sorge zu tragen. [2]Entsprechend Satz 1 haben die Beschäftigten auch für die Sicherheit und Gesundheit der Personen zu sorgen, die von ihren Handlungen oder Unterlassungen bei der Arbeit betroffen sind.

(2) Im Rahmen des Absatzes 1 haben die Beschäftigten insbesondere Maschinen, Geräte, Werkzeuge, Arbeitsstoffe, Transportmittel und sonstige Arbeitsmittel sowie Schutzvorrichtungen und die ihnen zur Verfügung gestellte persönliche Schutzausrüstung bestimmungsgemäß zu verwenden.

§ 16 Besondere Unterstützungspflichten. (1) Die Beschäftigten haben dem Arbeitgeber oder dem zuständigen Vorgesetzten jede von ihnen festgestellte unmittelbare erhebliche Gefahr für die Sicherheit und Gesundheit sowie jeden an den Schutzsystemen festgestellten Defekt unverzüglich zu melden.

(2) [1]Die Beschäftigten haben gemeinsam mit dem Betriebsarzt und der Fachkraft für Arbeitssicherheit den Arbeitgeber darin zu unterstützen, die Sicherheit und den Gesundheitsschutz der Beschäftigten bei der Arbeit zu gewährleisten und seine Pflichten entsprechend den behördlichen Auflagen zu erfüllen. [2]Unbeschadet ihrer Pflicht nach Absatz 1 sollen die Beschäftigten von ihnen festgestellte Gefahren für Sicherheit und Gesundheit und Mängel an den Schutzsystemen auch der Fachkraft für Arbeitssicherheit, dem Betriebsarzt oder dem Sicherheitsbeauftragten nach § 22 des Siebten Buches Sozialgesetzbuch[1)] mitteilen.

§ 17[2)] Rechte der Beschäftigten. (1) [1]Die Beschäftigten sind berechtigt, dem Arbeitgeber Vorschläge zu allen Fragen der Sicherheit und des Gesundheitsschutzes bei der Arbeit zu machen. [2]Für Beamtinnen und Beamte des

---

[1)] Nr. **697**.

[2)] § 17 Abs. 1 Satz 3 neu gef. mWv 1.4.2009 durch G v. 17.6.2008 (BGBl. I S. 1010); Abs. 1 Satz 2 geänd. mWv 12.2.2009 durch G v. 5.2.2009 (BGBl. I S. 160); Abs. 2 Satz 3 geänd. mWv 2.7.2023 durch G v. 31.5.2023 (BGBl. 2023 I Nr. 140).

Bundes ist § 125 des Bundesbeamtengesetzes[1] anzuwenden. [3]Entsprechendes Landesrecht bleibt unberührt.

(2) [1]Sind Beschäftigte auf Grund konkreter Anhaltspunkte der Auffassung, daß die vom Arbeitgeber getroffenen Maßnahmen und bereitgestellten Mittel nicht ausreichen, um die Sicherheit und den Gesundheitsschutz bei der Arbeit zu gewährleisten, und hilft der Arbeitgeber darauf gerichteten Beschwerden von Beschäftigten nicht ab, können sich diese an die zuständige Behörde wenden. [2]Hierdurch dürfen den Beschäftigten keine Nachteile entstehen. [3]Die in Absatz 1 Satz 2 und 3 genannten Vorschriften sowie die Vorschriften des Hinweisgeberschutzgesetzes, der Wehrbeschwerdeordnung und des Gesetzes über den Wehrbeauftragten[2] des Deutschen Bundestages bleiben unberührt.

Vierter Abschnitt. Verordnungsermächtigungen

§ 18[3] Verordnungsermächtigungen. (1) [1]Die Bundesregierung wird ermächtigt, durch Rechtsverordnung[4] mit Zustimmung des Bundesrates vorzuschreiben, welche Maßnahmen der Arbeitgeber und die sonstigen verantwortlichen Personen zu treffen haben und wie sich die Beschäftigten zu verhalten haben, um ihre jeweiligen Pflichten, die sich aus diesem Gesetz ergeben, zu erfüllen. [2]In diesen Rechtsverordnungen kann auch bestimmt werden, daß bestimmte Vorschriften des Gesetzes zum Schutz anderer als in § 2 Abs. 2 genannter Personen anzuwenden sind.

(2) Durch Rechtsverordnungen nach Absatz 1 kann insbesondere bestimmt werden,

1. daß und wie zur Abwehr bestimmter Gefahren Dauer oder Lage der Beschäftigung oder die Zahl der Beschäftigten begrenzt werden muß,
2. daß der Einsatz bestimmter Arbeitsmittel oder -verfahren mit besonderen Gefahren für die Beschäftigten verboten ist oder der zuständigen Behörde angezeigt oder von ihr erlaubt sein muß oder besonders gefährdete Personen dabei nicht beschäftigt werden dürfen,
3. daß bestimmte, besonders gefährliche Betriebsanlagen einschließlich der Arbeits- und Fertigungsverfahren vor Inbetriebnahme, in regelmäßigen Abständen oder auf behördliche Anordnung fachkundig geprüft werden müssen,

---

[1] **Sartorius Nr. 160.**

[2] **Sartorius Nr. 635.**

[3] § 18 Abs. 2 Nr. 4 geänd. und Nr. 5 angef. mWv 31.12.2000 durch G v. 27.12.2000 (BGBl. I S. 2048); Abs. 2 Nr. 5 geänd. mWv 28.11.2003 durch VO v. 25.11.2003 (BGBl. I S. 2304); Abs. 2 Nr. 5 geänd. mWv 8.11.2006 durch VO v. 31.10.2006 (BGBl. I S. 2407); Abs. 2 Nr. 3a eingef., Abs. 3 angef. mWv 1.1.2021 durch G v. 22.12.2020 (BGBl. I S. 3334); Abs. 3 Satz 2 angef. mWv 24.11.2021 durch G v. 22.11.2021 (BGBl. I S. 4906); Abs. 3 Satz 2 einl. Satzteil geänd. mWv 19.3.2022 durch G v. 18.3.2022 (BGBl. I S. 473); Abs. 3 Satz 2 einl. Satzteil geänd. mWv 17.9.2022 durch G v. 16.9.2022 (BGBl. I S. 1454).

[4] Siehe ua die PSA-BenutzungsVO **(beck-online, Module Arbeitsrecht Nr. 385)**, die LastenhandhabungsVO **(beck-online, Module Arbeitsrecht Nr. 386)**, die BaustellenVO **(beck-online, Module Arbeitsrecht Nr. 387)**, die ArbeitsstättenVO (**Nr. 380**), BetriebssicherheitsVO **(beck-online, Module Arbeitsrecht Nr. 390)**, die Lärm- und Vibrations-ArbeitsschutzVO **(beck-online, Module Arbeitsrecht Nr. 393c)**, die Arbeitsmedizinische Vorsorge-VO **(Beck'sche Textausgaben, Arbeitssicherheit Nr. 204)**, die ArbeitsschutzVO zu künstlicher optischer Strahlung **(beck-online, Module Arbeitsrecht Nr. 399h)**, die GefahrstoffVO **(beck-online, Module Arbeitsrecht Nr. 397)**, die BiostoffVO **(beck-online, Module Arbeitsrecht Nr. 388)** und die ArbeitsschutzVO zu elektromagnetischen Feldern **(beck-online, Module Arbeitsrecht Nr. 399k)**.

3a. dass für bestimmte Beschäftigte angemessene Unterkünfte bereitzustellen sind, wenn dies aus Gründen der Sicherheit, zum Schutz der Gesundheit oder aus Gründen der menschengerechten Gestaltung der Arbeit erforderlich ist und welche Anforderungen dabei zu erfüllen sind,
4. daß Beschäftigte, bevor sie eine bestimmte gefährdende Tätigkeit aufnehmen oder fortsetzen oder nachdem sie sie beendet haben, arbeitsmedizinisch zu untersuchen sind und welche besonderen Pflichten der Arzt dabei zu beachten hat,
5. dass Ausschüsse zu bilden sind, denen die Aufgabe übertragen wird, die Bundesregierung oder das zuständige Bundesministerium zur Anwendung der Rechtsverordnungen zu beraten, dem Stand der Technik, Arbeitsmedizin und Hygiene entsprechende Regeln und sonstige gesicherte arbeitswissenschaftliche Erkenntnisse zu ermitteln sowie Regeln zu ermitteln, wie die in den Rechtsverordnungen gestellten Anforderungen erfüllt werden können. Das Bundesministerium für Arbeit und Soziales kann die Regeln und Erkenntnisse amtlich bekannt machen.

(3) [1] In epidemischen Lagen von nationaler Tragweite nach § 5 Absatz 1 des Infektionsschutzgesetzes[1)] kann das Bundesministerium für Arbeit und Soziales ohne Zustimmung des Bundesrates spezielle Rechtsverordnungen nach Absatz 1 für einen befristeten Zeitraum erlassen. [2] Das Bundesministerium für Arbeit und Soziales kann ohne Zustimmung des Bundesrates durch Rechtsverordnung für einen befristeten Zeitraum, der spätestens mit Ablauf des 7. April 2023 endet,

1. bestimmen, dass spezielle Rechtsverordnungen nach Satz 1 nach Aufhebung der Feststellung der epidemischen Lage von nationaler Tragweite nach § 5 Absatz 1 des Infektionsschutzgesetzes[1)] fortgelten, und diese ändern sowie
2. spezielle Rechtsverordnungen nach Absatz 1 erlassen.

§ 19 Rechtsakte der Europäischen Gemeinschaften und zwischenstaatliche Vereinbarungen. Rechtsverordnungen nach § 18 können auch erlassen werden, soweit dies zur Durchführung von Rechtsakten des Rates oder der Kommission der Europäischen Gemeinschaften oder von Beschlüssen internationaler Organisationen oder von zwischenstaatlichen Vereinbarungen, die Sachbereiche dieses Gesetzes betreffen, erforderlich ist, insbesondere um Arbeitsschutzpflichten für andere als in § 2 Abs. 3 genannte Personen zu regeln.

§ 20[2)] Regelungen für den öffentlichen Dienst. (1) Für die Beamten der Länder, Gemeinden und sonstigen Körperschaften, Anstalten und Stiftungen des öffentlichen Rechts regelt das Landesrecht, ob und inwieweit die nach § 18 erlassenen Rechtsverordnungen gelten.

(2) [1] Für bestimmte Tätigkeiten im öffentlichen Dienst des Bundes, insbesondere bei der Bundeswehr, der Polizei, den Zivil- und Katastrophenschutzdiensten, dem Zoll oder den Nachrichtendiensten, können das Bundeskanzler-

---

[1)] **beck-online, Module Arbeitsrecht Nr. 497.**

[2)] § 20 Abs. 2 Satz 1 geänd. mWv 7.11.2001 durch VO v. 29.10.2001 (BGBl. I S. 2785); Abs. 2 Satz 2 geänd. mWv 28.11.2003 durch VO v. 25.11.2003 (BGBl. I S. 2304); Abs. 2 Sätze 1 und 2 geänd. mWv *8.11.2006* durch VO v. 31.10.2006 (BGBl. I S. 2407); Abs. 2 Satz 1 geänd. mWv 8.9. 2015 durch VO v. 31.8.2015 (BGBl. I S. 1474); Abs. 2 Sätze 1 und 2 geänd. mWv 27.6.2020 durch VO v. 19.6.2020 (BGBl. I S. 1328).

amt, das Bundesministerium des Innern, für Bau und Heimat, das Bundesministerium für Verkehr und digitale Infrastruktur, das Bundesministerium der Verteidigung oder das Bundesministerium der Finanzen, soweit sie hierfür jeweils zuständig sind, durch Rechtsverordnung[1] ohne Zustimmung des Bundesrates bestimmen, daß Vorschriften dieses Gesetzes ganz oder zum Teil nicht anzuwenden sind, soweit öffentliche Belange dies zwingend erfordern, insbesondere zur Aufrechterhaltung oder Wiederherstellung der öffentlichen Si-

(Fortsetzung nächstes Blatt)

[1] Siehe die ArbeitsschutzG-AnwendungsVO **(beck-online, Module Arbeitsrecht Nr. 389)**.

cherheit. [2]Rechtsverordnungen nach Satz 1 werden im Einvernehmen mit dem Bundesministerium für Arbeit und Soziales und, soweit nicht das Bundesministerium des Innern, für Bau und Heimat selbst ermächtigt ist, im Einvernehmen mit diesem Ministerium erlassen. [3]In den Rechtsverordnungen ist gleichzeitig festzulegen, wie die Sicherheit und der Gesundheitsschutz bei der Arbeit unter Berücksichtigung der Ziele dieses Gesetzes auf andere Weise gewährleistet werden. [4]Für Tätigkeiten im öffentlichen Dienst der Länder, Gemeinden und sonstigen landesunmittelbaren Körperschaften, Anstalten und Stiftungen des öffentlichen Rechts können den Sätzen 1 und 3 entsprechende Regelungen durch Landesrecht getroffen werden.

Fünfter Abschnitt.[1)] Gemeinsame deutsche Arbeitsschutzstrategie

§ 20a[2)] Gemeinsame deutsche Arbeitsschutzstrategie. (1) [1]Nach den Bestimmungen dieses Abschnitts entwickeln Bund, Länder und Unfallversicherungsträger im Interesse eines wirksamen Arbeitsschutzes eine gemeinsame deutsche Arbeitsschutzstrategie und gewährleisten ihre Umsetzung und Fortschreibung. [2]Mit der Wahrnehmung der ihnen gesetzlich zugewiesenen Aufgaben zur Verhütung von Arbeitsunfällen, Berufskrankheiten und arbeitsbedingten Gesundheitsgefahren sowie zur menschengerechten Gestaltung der Arbeit tragen Bund, Länder und Unfallversicherungsträger dazu bei, die Ziele der gemeinsamen deutschen Arbeitsschutzstrategie zu erreichen.

(2) Die gemeinsame deutsche Arbeitsschutzstrategie umfasst

1. die Entwicklung gemeinsamer Arbeitsschutzziele,
2. die Festlegung vorrangiger Handlungsfelder und von Eckpunkten für Arbeitsprogramme sowie deren Ausführung nach einheitlichen Grundsätzen,
3. die Evaluierung der Arbeitsschutzziele, Handlungsfelder und Arbeitsprogramme mit geeigneten Kennziffern,
4. die Festlegung eines abgestimmten Vorgehens der für den Arbeitsschutz zuständigen Landesbehörden und der Unfallversicherungsträger bei der Beratung und Überwachung der Betriebe,
5. die Herstellung eines verständlichen, überschaubaren und abgestimmten Vorschriften- und Regelwerks.

§ 20b[3)] Nationale Arbeitsschutzkonferenz. (1) [1]Die Aufgabe der Entwicklung, Steuerung und Fortschreibung der gemeinsamen deutschen Arbeitsschutzstrategie nach § 20a Abs. 1 Satz 1 wird von der Nationalen Arbeitsschutzkonferenz wahrgenommen. [2]Sie setzt sich aus jeweils drei stimmberechtigten Vertretern von Bund, Ländern und den Unfallversicherungsträgern zusammen und bestimmt für jede Gruppe drei Stellvertreter. [3]Außerdem entsenden die Spitzenorganisationen der Arbeitgeber und Arbeitnehmer für die Behandlung von Angelegenheiten nach § 20a Abs. 2 Nr. 1 bis 3 und 5 jeweils bis zu drei Vertreter in die Nationale Arbeitsschutzkonferenz; sie nehmen mit beratender Stimme an den Sitzungen teil. [4]Die Nationale Arbeitsschutzkonferenz gibt sich eine Geschäftsordnung; darin werden insbesondere die Arbeitsweise und das

---

[1)] 5. Abschn. (§§ 20a und 20b) eingef. mWv 5.11.2008 durch G v. 30.10.2008 (BGBl. I S. 2130).
[2)] § 20a eingef. mWv 5.11.2008 durch G v. 30.10.2008 (BGBl. I S. 2130).
[3)] § 20b eingef. mWv 5.11.2008 durch G v. 30.10.2008 (BGBl. I S. 2130).

Beschlussverfahren festgelegt. [5] Die Geschäftsordnung muss einstimmig angenommen werden.

(2) Alle Einrichtungen, die mit Sicherheit und Gesundheit bei der Arbeit befasst sind, können der Nationalen Arbeitsschutzkonferenz Vorschläge für Arbeitsschutzziele, Handlungsfelder und Arbeitsprogramme unterbreiten.

(3) [1] Die Nationale Arbeitsschutzkonferenz wird durch ein Arbeitsschutzforum unterstützt, das in der Regel einmal jährlich stattfindet. [2] Am Arbeitsschutzforum sollen sachverständige Vertreter der Spitzenorganisationen der Arbeitgeber und Arbeitnehmer, der Berufs- und Wirtschaftsverbände, der Wissenschaft, der Kranken- und Rentenversicherungsträger, von Einrichtungen im Bereich Sicherheit und Gesundheit bei der Arbeit sowie von Einrichtungen, die der Förderung der Beschäftigungsfähigkeit dienen, teilnehmen. [3] Das Arbeitsschutzforum hat die Aufgabe, eine frühzeitige und aktive Teilhabe der sachverständigen Fachöffentlichkeit an der Entwicklung und Fortschreibung der gemeinsamen deutschen Arbeitsschutzstrategie sicherzustellen und die Nationale Arbeitsschutzkonferenz entsprechend zu beraten.

(4) Einzelheiten zum Verfahren der Einreichung von Vorschlägen nach Absatz 2 und zur Durchführung des Arbeitsschutzforums nach Absatz 3 werden in der Geschäftsordnung der Nationalen Arbeitsschutzkonferenz geregelt.

(5) [1] Die Geschäfte der Nationalen Arbeitsschutzkonferenz und des Arbeitsschutzforums führt die Bundesanstalt für Arbeitsschutz und Arbeitsmedizin. [2] Einzelheiten zu Arbeitsweise und Verfahren werden in der Geschäftsordnung der Nationalen Arbeitsschutzkonferenz festgelegt.

Sechster Abschnitt.[1)] Schlußvorschriften

§ 21[2)] Zuständige Behörden; Zusammenwirken mit den Trägern der gesetzlichen Unfallversicherung. (1) [1] Die Überwachung des Arbeitsschutzes nach diesem Gesetz ist staatliche Aufgabe. [2] Die zuständigen Behörden haben die Einhaltung dieses Gesetzes und der auf Grund dieses Gesetzes erlassenen Rechtsverordnungen zu überwachen und die Arbeitgeber bei der Erfüllung ihrer Pflichten zu beraten. [3] Bei der Überwachung haben die zuständigen Behörden bei der Auswahl von Betrieben Art und Umfang des betrieblichen Gefährdungspotenzials zu berücksichtigen.

(1a) [1] Die zuständigen Landesbehörden haben bei der Überwachung nach Absatz 1 sicherzustellen, dass im Laufe eines Kalenderjahres eine Mindestanzahl an Betrieben besichtigt wird. [2] Beginnend mit dem Kalenderjahr 2026 sind im Laufe eines Kalenderjahres mindestens 5 Prozent der im Land vorhandenen Betriebe zu besichtigen (Mindestbesichtigungsquote). [3] Von der Mindestbesichtigungsquote kann durch Landesrecht nicht abgewichen werden. [4] Erreicht eine

---

[1)] Bish. 5. Abschn. (§§ 21–26) wird 6. Abschn. mWv 5.11.2008 durch G v. 30.10.2008 (BGBl. I S. 2130).

[2)] § 21 Abs. 5 Satz 5 neu gef. mWv 11.5.2002 durch G v. 7.5.2002 (BGBl. I S. 1529); Abs. 5 Sätze 2 bis 4 neu gef. mWv 1.1.2003 durch G v. 21.6.2002 (BGBl. I S. 2167); Abs. 5 Satz 3 geänd. mWv 8.11.2006 durch VO v. 31.10.2006 (BGBl. I S. 2407); Abs. 3 neu gef. mWv 5.11.2008 durch G v. 30.10.2008 (BGBl. I S. 2130); Abs. 5 Sätze 2 und 3 geänd. mWv 1.1.2015, Satz 5 geänd. mWv 1.1. 2016 durch G v. 19.10.2013 (BGBl. I S. 3836); Abs. 5 Satz 3 geänd. mWv 8.9.2015 durch VO v. 31.8. 2015 (BGBl. I S. 1474); Abs. 5 Sätze 1 und 2 geänd. mWv 27.6.2020 durch VO v. 19.6.2020 (BGBl. I S. 1328); Abs. 1 Satz 3 angef., Abs. 1a eingef. mWv 1.1.2021, Abs. 3a eingef. mWv 1.1.2023 durch G v. 22.12.2020 (BGBl. I S. 3334).

Landesbehörde die Mindestbesichtigungsquote nicht, so hat sie die Zahl der besichtigten Betriebe bis zum Kalenderjahr 2026 schrittweise mindestens so weit zu erhöhen, dass sie die Mindestbesichtigungsquote erreicht. [5] Maßgeblich für die Anzahl der im Land vorhandenen Betriebe ist die amtliche Statistik der Bundesagentur für Arbeit des Vorjahres.

(2) [1] Die Aufgaben und Befugnisse der Träger der gesetzlichen Unfallversicherung richten sich, soweit nichts anderes bestimmt ist, nach den Vorschriften des Sozialgesetzbuchs. [2] Soweit die Träger der gesetzlichen Unfallversicherung nach dem Sozialgesetzbuch im Rahmen ihres Präventionsauftrags auch Aufgaben zur Gewährleistung von Sicherheit und Gesundheitsschutz der Beschäftigten wahrnehmen, werden sie ausschließlich im Rahmen ihrer autonomen Befugnisse tätig.

(3) [1] Die zuständigen Landesbehörden und die Unfallversicherungsträger wirken auf der Grundlage einer gemeinsamen Beratungs- und Überwachungsstrategie nach § 20a Abs. 2 Nr. 4 eng zusammen und stellen den Erfahrungsaustausch sicher. [2] Diese Strategie umfasst die Abstimmung allgemeiner Grundsätze zur methodischen Vorgehensweise bei

1. der Beratung und Überwachung der Betriebe,
2. der Festlegung inhaltlicher Beratungs- und Überwachungsschwerpunkte, aufeinander abgestimmter oder gemeinsamer Schwerpunktaktionen und Arbeitsprogramme und
3. der Förderung eines Daten- und sonstigen Informationsaustausches, insbesondere über Betriebsbesichtigungen und deren wesentliche Ergebnisse.

[3] Die zuständigen Landesbehörden vereinbaren mit den Unfallversicherungsträgern nach § 20 Abs. 2 Satz 3 des Siebten Buches Sozialgesetzbuch[1)] die Maßnahmen, die zur Umsetzung der gemeinsamen Arbeitsprogramme nach § 20a Abs. 2 Nr. 2 und der gemeinsamen Beratungs- und Überwachungsstrategie notwendig sind; sie evaluieren deren Zielerreichung mit den von der Nationalen Arbeitsschutzkonferenz nach § 20a Abs. 2 Nr. 3 bestimmten Kennziffern.

(3a) [1] Zu nach dem 1. Januar 2023 durchgeführten Betriebsbesichtigungen und deren Ergebnissen übermitteln die für den Arbeitsschutz zuständigen Landesbehörden an den für die besichtigte Betriebsstätte zuständigen Unfallversicherungsträger im Wege elektronischer Datenübertragung folgende Informationen:

1. Name und Anschrift des Betriebs,
2. Anschrift der besichtigten Betriebsstätte, soweit nicht mit Nummer 1 identisch,
3. Kennnummer zur Identifizierung,
4. Wirtschaftszweig des Betriebs,
5. Datum der Besichtigung,
6. Anzahl der Beschäftigten zum Zeitpunkt der Besichtigung,
7. Vorhandensein einer betrieblichen Interessenvertretung,
8. Art der sicherheitstechnischen Betreuung,
9. Art der betriebsärztlichen Betreuung,

---

1) Nr. **697**.

10. Bewertung der Arbeitsschutzorganisation einschließlich
    a) der Unterweisung,
    b) der arbeitsmedizinischen Vorsorge und
    c) der Ersten Hilfe und sonstiger Notfallmaßnahmen,
11. Bewertung der Gefährdungsbeurteilung einschließlich
    a) der Ermittlung von Gefährdungen und Festlegung von Maßnahmen,
    b) der Prüfung der Umsetzung der Maßnahmen und ihrer Wirksamkeit und
    c) der Dokumentation der Gefährdungen und Maßnahmen,
12. Verwaltungshandeln in Form von Feststellungen, Anordnungen oder Bußgeldern.

[2] Die übertragenen Daten dürfen von den Unfallversicherungsträgern nur zur Erfüllung der in ihrer Zuständigkeit nach § 17 Absatz 1 des Siebten Buches Sozialgesetzbuch[1)] liegenden Aufgaben verarbeitet werden.

(4) [1] Die für den Arbeitsschutz zuständige oberste Landesbehörde kann mit Trägern der gesetzlichen Unfallversicherung vereinbaren, daß diese in näher zu bestimmenden Tätigkeitsbereichen die Einhaltung dieses Gesetzes, bestimmter Vorschriften dieses Gesetzes oder der auf Grund dieses Gesetzes erlassenen Rechtsverordnungen überwachen. [2] In der Vereinbarung sind Art und Umfang der Überwachung sowie die Zusammenarbeit mit den staatlichen Arbeitsschutzbehörden festzulegen.

(5) [1] Soweit nachfolgend nichts anderes bestimmt ist, ist zuständige Behörde für die Durchführung dieses Gesetzes und der auf dieses Gesetz gestützten Rechtsverordnungen in den Betrieben und Verwaltungen des Bundes die Zentralstelle für Arbeitsschutz beim Bundesministerium des Innern, für Bau und Heimat. [2] Im Auftrag der Zentralstelle handelt, soweit nichts anderes bestimmt ist, die Unfallversicherung Bund und Bahn, die insoweit der Aufsicht des Bundesministeriums des Innern, für Bau und Heimat unterliegt; Aufwendungen werden nicht erstattet. [3] Im öffentlichen Dienst im Geschäftsbereich des Bundesministeriums für Verkehr und digitale Infrastruktur führt die Unfallversicherung Bund und Bahn, soweit die Eisenbahn-Unfallkasse bis zum 31. Dezember 2014 Träger der Unfallversicherung war, dieses Gesetz durch. [4] Für Betriebe und Verwaltungen in den Geschäftsbereichen des Bundesministeriums der Verteidigung und des Auswärtigen Amtes hinsichtlich seiner Auslandsvertretungen führt das jeweilige Bundesministerium, soweit es jeweils zuständig ist, oder die von ihm jeweils bestimmte Stelle dieses Gesetz durch. [5] Im Geschäftsbereich des Bundesministeriums der Finanzen führt die Berufsgenossenschaft Verkehrswirtschaft Post-Logistik Telekommunikation dieses Gesetz durch, soweit der Geschäftsbereich des ehemaligen Bundesministeriums für Post und Telekommunikation betroffen ist. [6] Die Sätze 1 bis 4 gelten auch für Betriebe und Verwaltungen, die zur Bundesverwaltung gehören, für die aber eine Berufsgenossenschaft Träger der Unfallversicherung ist. [7] Die zuständigen Bundesministerien können mit den Berufsgenossenschaften für diese Betriebe und Verwaltungen vereinbaren, daß das Gesetz von den Berufsgenossenschaften durchgeführt wird; Aufwendungen werden nicht erstattet.

[1)] Nr. **697**.

§ 22[1)] Befugnisse der zuständigen Behörden. (1) [1] Die zuständige Behörde kann vom Arbeitgeber oder von den verantwortlichen Personen die zur Durchführung ihrer Überwachungsaufgabe erforderlichen Auskünfte und die Überlassung von entsprechenden Unterlagen verlangen. [2] Werden Beschäftigte mehrerer Arbeitgeber an einem Arbeitsplatz tätig, kann die zuständige Behörde von den Arbeitgebern oder von den verantwortlichen Personen verlangen, dass das Ergebnis der Abstimmung über die zu treffenden Maßnahmen nach § 8 Absatz 1 schriftlich vorgelegt wird. [3] Die auskunftspflichtige Person kann die Auskunft auf solche Fragen oder die Vorlage derjenigen Unterlagen verweigern, deren Beantwortung oder Vorlage sie selbst oder einen ihrer in § 383 Abs. 1 Nr. 1 bis 3 der Zivilprozeßordnung[2)] bezeichneten Angehörigen der Gefahr der Verfolgung wegen einer Straftat oder Ordnungswidrigkeit aussetzen würde. [4] Die auskunftspflichtige Person ist darauf hinzuweisen.

(2) [1] Die mit der Überwachung beauftragten Personen sind befugt, zu den Betriebs- und Arbeitszeiten Betriebsstätten, Geschäfts- und Betriebsräume zu betreten, zu besichtigen und zu prüfen sowie in die geschäftlichen Unterlagen der auskunftspflichtigen Person Einsicht zu nehmen, soweit dies zur Erfüllung ihrer Aufgaben erforderlich ist. [2] Außerdem sind sie befugt, Betriebsanlagen, Arbeitsmittel und persönliche Schutzausrüstungen zu prüfen, Arbeitsverfahren und Arbeitsabläufe zu untersuchen, Messungen vorzunehmen und insbesondere arbeitsbedingte Gesundheitsgefahren festzustellen und zu untersuchen, auf welche Ursachen ein Arbeitsunfall, eine arbeitsbedingte Erkrankung oder ein Schadensfall zurückzuführen ist. [3] Sie sind berechtigt, die Begleitung durch den Arbeitgeber oder eine von ihm beauftragte Person zu verlangen. [4] Der Arbeitgeber oder die verantwortlichen Personen haben die mit der Überwachung beauftragten Personen bei der Wahrnehmung ihrer Befugnisse nach den Sätzen 1 und 2 zu unterstützen. [5] Außerhalb der in Satz 1 genannten Zeiten dürfen die mit der Überwachung beauftragten Personen ohne Einverständnis des Arbeitgebers die Maßnahmen nach den Sätzen 1 und 2 nur treffen, soweit sie zur Verhütung dringender Gefahren für die öffentliche Sicherheit und Ordnung erforderlich sind. [6] Wenn sich die Arbeitsstätte in einer Wohnung befindet, dürfen die mit der Überwachung beauftragten Personen die Maßnahmen nach den Sätzen 1 und 2 ohne Einverständnis der Bewohner oder Nutzungsberechtigten nur treffen, soweit sie zur Verhütung dringender Gefahren für die öffentliche Sicherheit und Ordnung erforderlich sind. [7] Die auskunftspflichtige Person hat die Maßnahmen nach den Sätzen 1, 2, 5 und 6 zu dulden. [8] Die Sätze 1 und 5 gelten entsprechend, wenn nicht feststeht, ob in der Arbeitsstätte Personen beschäftigt werden, jedoch Tatsachen gegeben sind, die diese Annahme rechtfertigen. [9] Das Grundrecht der Unverletzlichkeit der Wohnung (Artikel 13 des Grundgesetzes[3)]) wird insoweit eingeschränkt.

(3) [1] Die zuständige Behörde kann im Einzelfall anordnen,

1. welche Maßnahmen der Arbeitgeber und die verantwortlichen Personen oder die Beschäftigten zur Erfüllung der Pflichten zu treffen haben, die sich aus diesem Gesetz und den auf Grund dieses Gesetzes erlassenen Rechtsverordnungen ergeben,

---

[1)] § 22 Abs. 1 Satz 2 eingef., bish. Sätze 2, 3 werden Sätze 3, 4, Abs. 2 Satz 5 neu gef., Satz 6 eingef., bish. Sätze 6–8 werden Sätze 7–9, neuer Satz 7 geänd. mWv 1.1.2021 durch G v. 22.12.2020 (BGBl. I S. 3334).

[2)] **beck-online, Module Arbeitsrecht Nr. 320.**

[3)] **beck-online, Module Arbeitsrecht Nr. 10.**

2. welche Maßnahmen der Arbeitgeber und die verantwortlichen Personen zur Abwendung einer besonderen Gefahr für Leben und Gesundheit der Beschäftigten zu treffen haben.

[2]Die zuständige Behörde hat, wenn nicht Gefahr im Verzug ist, zur Ausführung der Anordnung eine angemessene Frist zu setzen. [3]Wird eine Anordnung nach Satz 1 nicht innerhalb einer gesetzten Frist oder eine für sofort vollziehbar erklärte Anordnung nicht sofort ausgeführt, kann die zuständige Behörde die von der Anordnung betroffene Arbeit oder die Verwendung oder den Betrieb der von der Anordnung betroffenen Arbeitsmittel untersagen. [4]Maßnahmen der zuständigen Behörde im Bereich des öffentlichen Dienstes, die den Dienstbetrieb wesentlich beeinträchtigen, sollen im Einvernehmen mit der obersten Bundes- oder Landesbehörde oder dem Hauptverwaltungsbeamten der Gemeinde getroffen werden.

§ 23[1)] Betriebliche Daten; Zusammenarbeit mit anderen Behörden; Jahresbericht, Bundesfachstelle. (1) [1]Der Arbeitgeber hat der zuständigen Behörde zu einem von ihr bestimmten Zeitpunkt Mitteilungen über

1. die Zahl der Beschäftigten und derer, an die er Heimarbeit vergibt, aufgegliedert nach Geschlecht, Alter und Staatsangehörigkeit,
2. den Namen oder die Bezeichnung und Anschrift des Betriebs, in dem er sie beschäftigt,
3. seinen Namen, seine Firma und seine Anschrift sowie
4. den Wirtschaftszweig, dem sein Betrieb angehört,

zu machen. [2]Das Bundesministerium für Arbeit und Soziales wird ermächtigt, durch Rechtsverordnung mit Zustimmung des Bundesrates zu bestimmen, daß die Stellen der Bundesverwaltung, denen der Arbeitgeber die in Satz 1 genannten Mitteilungen bereits auf Grund einer Rechtsvorschrift mitgeteilt hat, diese Angaben an die für die Behörden nach Satz 1 zuständigen obersten Landesbehörden als Schreiben oder auf maschinell verwertbaren Datenträgern oder durch Datenübertragung weiterzuleiten haben. [3]In der Rechtsverordnung können das Nähere über die Form der weiterzuleitenden Angaben sowie die Frist für die Weiterleitung bestimmt werden. [4]Die weitergeleiteten Angaben dürfen nur zur Erfüllung der in der Zuständigkeit der Behörden nach § 21 Abs. 1 liegenden Arbeitsschutzaufgaben verarbeitet werden.

(2) [1]Die mit der Überwachung beauftragten Personen dürfen die ihnen bei ihrer Überwachungstätigkeit zur Kenntnis gelangenden Geschäfts- und Betriebsgeheimnisse nur in den gesetzlich geregelten Fällen oder zur Verfolgung von Gesetzwidrigkeiten oder zur Erfüllung von gesetzlich geregelten Aufgaben

---

[1)] § 23 Abs. 3 Satz 1 Nr. 1 geänd. durch G v. 24.3.1997 (BGBl. I S. 594); Abs. 3 Satz 1 Nrn. 2 und 5 sowie Satz 2 neu gef. durch G v. 16.12.1997 (BGBl. I S. 2970); Abs. 1 Satz 2 geänd. mWv 28.11.2003 durch VO v. 25.11.2003 (BGBl. I S. 2304); Abs. 3 Satz 1 Nr. 2 und Satz 2 geänd. mWv 1.1.2004 durch G v. 23.12.2003 (BGBl. I S. 2848); Abs. 3 Satz 2 geänd. mWv 1.5.2004 durch G v. 23.4.2004 (BGBl. I S. 602); Abs. 3 Satz 1 Nrn. 1 und 6, abschl. Satzteil und Satz 2 geänd. mWv 1.1.2005 durch G v. 30.7.2004 (BGBl. I S. 1950); Abs. 1 Satz 2 geänd. mWv 8.11.2006 durch VO v. 31.10.2006 (BGBl. I S. 2407); Abs. 1 Satz 4 geänd. mWv 26.11.2019 durch G v. 20.11.2019 (BGBl. I S. 1626); Überschrift geänd., Abs. 3 Satz 1 Nr. 8 angef., abschl. Satzteil geänd., Abs. 5 angef. mWv 1.1.2021 durch G v. 22.12.2020 (BGBl. I S. 3334); Abs. 3 Satz 1 Nr. 9 angef., abschl. Satzteil und Satz 2 geänd. mWv *19.7.2024 durch G* v. 15.7.2024 (BGBl. 2024 I Nr. 236); Abs. 3 Satz 1 Nr. 1 und 3 geänd., Nr. 10 und 11 eingef., ausl. Satzteil geänd, Abs. 3a eingef. mWv 30.12.2025 durch G v. 22.12.2025 (BGBl. 2025 I Nr. 369).

zum Schutz der Versicherten dem Träger der gesetzlichen Unfallversicherung oder zum Schutz der Umwelt den dafür zuständigen Behörden offenbaren. [2]Soweit es sich bei Geschäfts- und Betriebsgeheimnissen um Informationen über die Umwelt im Sinne des Umweltinformationsgesetzes[1)] handelt, richtet sich die Befugnis zu ihrer Offenbarung nach dem Umweltinformationsgesetz.

(3) [1]Ergeben sich im Einzelfall für die zuständigen Behörden konkrete Anhaltspunkte für

1. eine Beschäftigung oder Tätigkeit von Ausländern ohne den erforderlichen Aufenthaltstitel nach § 4a Absatz 5 Satz 1 des Aufenthaltsgesetzes[2)], eine Erlaubnis oder Berechtigung nach § 4a Absatz 5 Satz 2 in Verbindung mit Absatz 4, eine Aufenthaltsgestattung oder eine Duldung, die zur Ausübung der Beschäftigung berechtigen, oder eine Genehmigung nach § 284 Absatz 1 des Dritten Buches Sozialgesetzbuch[3)],
2. Verstöße gegen die Mitwirkungspflicht nach § 60 Abs. 1 Satz 1 Nr. 2 des Ersten Buches Sozialgesetzbuch[4)] gegenüber einer Dienststelle der Bundesagentur für Arbeit, einem Träger der gesetzlichen Kranken-, Pflege-, Unfall- oder Rentenversicherung oder einem Träger der Sozialhilfe oder gegen die Meldepflicht nach § 8a des Asylbewerberleistungsgesetzes[5)],
3. Verstöße gegen das Schwarzarbeitsbekämpfungsgesetz[6)],
4. Verstöße gegen das Arbeitnehmerüberlassungsgesetz[7)],
5. Verstöße gegen die Vorschriften des Vierten[8)] und Siebten Buches Sozialgesetzbuch[9)] über die Verpflichtung zur Zahlung von Sozialversicherungsbeiträgen,
6. Verstöße gegen das Aufenthaltsgesetz[10)],
7. Verstöße gegen die Steuergesetze,
8. Verstöße gegen das Gesetz zur Sicherung von Arbeitnehmerrechten in der Fleischwirtschaft[11)],
9. Verstöße gegen Vorgaben für Pakete mit erhöhtem Gewicht nach dem Postgesetz[12)],
10. Verstöße gegen das Mindestlohngesetz[13)],
11. Verstöße gegen das Arbeitnehmer-Entsendegesetz[14)],

unterrichten sie die für die Verfolgung und Ahndung zuständigen Behörden, die Träger der Sozialhilfe sowie die Behörden nach § 71 des Aufenthaltsgesetzes[15)]. [2]In den Fällen des Satzes 1 arbeiten die zuständigen Behörden insbesondere mit den Agenturen für Arbeit, den Hauptzollämtern, den Rentenversiche-

---

1) **Sartorius Nr. 294.**
2) Nr. **760**.
3) Nr. **700**.
4) Nr. **691**.
5) Nr. **781**.
6) Nr. **110**.
7) Nr. **730**.
8) Auszugsweise abgedruckt unter Nr. **694**.
9) Auszugsweise abgedruckt unter Nr. **697**.
10) Auszugsweise abgedruckt unter Nr. **760**.
11) Nr. **508**.
12) **Sartorius ErgBd. Nr. 910.**
13) Nr. **505**.
14) Nr. **506**.
15) **beck-online, Module Arbeitsrecht Nr. 760.**

rungsträgern, den Krankenkassen als Einzugsstellen für die Sozialversicherungsbeiträge, den Trägern der gesetzlichen Unfallversicherung, den nach Landesrecht für die Verfolgung und Ahndung von Verstößen gegen das Gesetz zur Bekämpfung der Schwarzarbeit zuständigen Behörden, den Trägern der Sozialhilfe, den in § 71 des Aufenthaltsgesetzes[1)] genannten Behörden, den Finanzbehörden und der Bundesnetzagentur für Elektrizität, Gas, Telekommunikation, Post und Eisenbahnen zusammen.

(3a) Leitet die Generalzolldirektion im Rahmen ihrer Funktion als Verbindungsbüro im Sinne des Artikels 4 Absatz 1 der Richtlinie 96/71/EG[2)] in der Fassung vom 28. Juni 2018 ein über das Binnenmarkt-Informationssystem eingehendes Ersuchen, das die Mindestarbeitsbedingungen nach Artikel 3 Absatz 1 Buchstabe e der Richtlinie 96/71/EG in der Fassung vom 28. Juni 2018 betrifft, an die zuständigen Behörden weiter, so können diese die zur Beantwortung erforderlichen Informationen an die Generalzolldirektion zur Weiterleitung an die ersuchenden Behörden übermitteln.

(4) [1] Die zuständigen obersten Landesbehörden haben über die Überwachungstätigkeit der ihnen unterstellten Behörden einen Jahresbericht zu veröffentlichen. [2] Der Jahresbericht umfaßt auch Angaben zur Erfüllung von Unterrichtungspflichten aus internationalen Übereinkommen oder Rechtsakten der Europäischen Gemeinschaften, soweit sie den Arbeitsschutz betreffen.

(5) [1] Bei der Bundesanstalt für Arbeitsschutz und Arbeitsmedizin wird eine Bundesfachstelle für Sicherheit und Gesundheit bei der Arbeit eingerichtet. [2] Sie hat die Aufgabe, die Jahresberichte der Länder einschließlich der Besichtigungsquote nach § 21 Absatz 1a auszuwerten und die Ergebnisse für den statistischen Bericht über den Stand von Sicherheit und Gesundheit bei der Arbeit und über das Unfall- und Berufskrankheitengeschehen in der Bundesrepublik Deutschland nach § 25 Absatz 1 des Siebten Buches Sozialgesetzbuch[3)] zusammenzufassen. [3] Das Bundesministerium für Arbeit und Soziales kann die Arbeitsweise und das Verfahren der Bundesfachstelle für Sicherheit und Gesundheit bei der Arbeit im Errichtungserlass der Bundesanstalt für Arbeitsschutz und Arbeitsmedizin festlegen.

§ 24[4)] Ermächtigung zum Erlaß von allgemeinen Verwaltungsvorschriften. Die Bundesregierung kann mit Zustimmung des Bundesrates allgemeine Verwaltungsvorschriften erlassen insbesondere

1. zur Durchführung dieses Gesetzes und der auf Grund dieses Gesetzes erlassenen Rechtsverordnungen, insbesondere dazu, welche Kriterien zur Auswahl von Betrieben bei der Überwachung anzuwenden, welche Sachverhalte im Rahmen einer Betriebsbesichtigung mindestens zu prüfen und welche Ergebnisse aus der Überwachung für die Berichterstattung zu erfassen sind,
2. über die Gestaltung der Jahresberichte nach § 23 Abs. 4 und

---

[1)] **beck-online, Module Arbeitsrecht Nr. 760.**

[2)] Nr. **890**.

[3)] Nr. **697**.

[4)] § 24 Satz 1 einl. Satzteil und Nr. 3 geänd. mWv 28.11.2003 durch VO v. 25.11.2003 (BGBl. I S. 2304); *Satz 1 einl. Satzteil* und Nr. 3 geänd. mWv 8.11.2006 durch VO v. 31.10.2006 (BGBl. I S. 2407); Satz 2 geänd. mWv 27.6.2020 durch VO v. 19.6.2020 (BGBl. I S. 1328); Satz 1 einl. Satzteil und Nr. 1 geänd., Satz 2 aufgeh. mWv 1.1.2021 durch G v. 22.12.2020 (BGBl. I S. 3334).

3. über die Angaben, die die zuständigen obersten Landesbehörden dem Bundesministerium für Arbeit und Soziales für den Unfallverhütungsbericht nach § 25 Abs. 2 des Siebten Buches Sozialgesetzbuch[1)] bis zu einem bestimmten Zeitpunkt mitzuteilen haben.

§ 24a[2)] Ausschuss für Sicherheit und Gesundheit bei der Arbeit.

(1) [1]Beim Bundesministerium für Arbeit und Soziales wird ein Ausschuss für Sicherheit und Gesundheit bei der Arbeit gebildet, in dem geeignete Personen vonseiten der öffentlichen und privaten Arbeitgeber, der Gewerkschaften, der Landesbehörden, der gesetzlichen Unfallversicherung und weitere geeignete Personen, insbesondere aus der Wissenschaft, vertreten sein sollen. [2]Dem Ausschuss sollen nicht mehr als 15 Mitglieder angehören. [3]Für jedes Mitglied ist ein stellvertretendes Mitglied zu benennen. [4]Die Mitgliedschaft im Ausschuss ist ehrenamtlich. [5]Ein Mitglied oder ein stellvertretendes Mitglied aus den anderen Ausschüssen beim Bundesministerium für Arbeit und Soziales nach § 18 Absatz 2 Nummer 5 soll dauerhaft als Gast im Ausschuss für Sicherheit und Gesundheit bei der Arbeit vertreten sein.

(2) [1]Das Bundesministerium für Arbeit und Soziales beruft die Mitglieder des Ausschusses für Sicherheit und Gesundheit bei der Arbeit und die stellvertretenden Mitglieder. [2]Der Ausschuss gibt sich eine Geschäftsordnung und wählt die Vorsitzende oder den Vorsitzenden aus seiner Mitte. [3]Die Geschäftsordnung und die Wahl der oder des Vorsitzenden bedürfen der Zustimmung des Bundesministeriums für Arbeit und Soziales.

(3) [1]Zu den Aufgaben des Ausschusses für Sicherheit und Gesundheit bei der Arbeit gehört es, soweit hierfür kein anderer Ausschuss beim Bundesministerium für Arbeit und Soziales nach § 18 Absatz 2 Nummer 5 zuständig ist,

1. den Stand von Technik, Arbeitsmedizin und Hygiene sowie sonstige gesicherte arbeitswissenschaftliche Erkenntnisse für die Sicherheit und Gesundheit der Beschäftigten zu ermitteln,
2. Regeln und Erkenntnisse zu ermitteln, wie die in diesem Gesetz gestellten Anforderungen erfüllt werden können,
3. Empfehlungen zu Sicherheit und Gesundheit bei der Arbeit aufzustellen,
4. das Bundesministerium für Arbeit und Soziales in allen Fragen des Arbeitsschutzes zu beraten.

[2]Das Arbeitsprogramm des Ausschusses für Sicherheit und Gesundheit bei der Arbeit wird mit dem Bundesministerium für Arbeit und Soziales abgestimmt. [3]Der Ausschuss arbeitet eng mit den anderen Ausschüssen beim Bundesministerium für Arbeit und Soziales nach § 18 Absatz 2 Nummer 5 zusammen.

(4) [1]Das Bundesministerium für Arbeit und Soziales kann die vom Ausschuss für Sicherheit und Gesundheit bei der Arbeit ermittelten Regeln und Erkenntnisse im Gemeinsamen Ministerialblatt bekannt geben und die Empfehlungen veröffentlichen. [2]Der Arbeitgeber hat die bekannt gegebenen Regeln und Erkenntnisse zu berücksichtigen. [3]Bei Einhaltung dieser Regeln und bei Beachtung dieser Erkenntnisse ist davon auszugehen, dass die in diesem Gesetz gestellten Anforderungen erfüllt sind, soweit diese von der betreffenden Regel

---

[1)] Nr. **697**.
[2)] § 24a eingef. mWv 1.1.2021 durch G v. 22.12.2020 (BGBl. I S. 3334).

abgedeckt sind. [4]Die Anforderungen aus Rechtsverordnungen nach § 18 und dazu bekannt gegebene Regeln und Erkenntnisse bleiben unberührt.

(5) [1]Die Bundesministerien sowie die obersten Landesbehörden können zu den Sitzungen des Ausschusses für Sicherheit und Gesundheit bei der Arbeit Vertreterinnen oder Vertreter entsenden. [2]Auf Verlangen ist ihnen in der Sitzung das Wort zu erteilen.

(6) Die Geschäfte des Ausschusses für Sicherheit und Gesundheit bei der Arbeit führt die Bundesanstalt für Arbeitsschutz und Arbeitsmedizin.

§ 25[1)] Bußgeldvorschriften. (1) Ordnungswidrig handelt, wer vorsätzlich oder fahrlässig

1. einer Rechtsverordnung nach § 18 Abs. 1 oder § 19 zuwiderhandelt, soweit sie für einen bestimmten Tatbestand auf diese Bußgeldvorschrift verweist, oder
2. a) als Arbeitgeber oder als verantwortliche Person einer vollziehbaren Anordnung nach § 22 Abs. 3 oder
   b) als Beschäftigter einer vollziehbaren Anordnung nach § 22 Abs. 3 Satz 1 Nr. 1

zuwiderhandelt.

(2) Die Ordnungswidrigkeit kann in den Fällen des Absatzes 1 Nr. 1 und 2 Buchstabe b mit einer Geldbuße bis zu fünftausend Euro, in den Fällen des Absatzes 1 Nr. 2 Buchstabe a mit einer Geldbuße bis zu dreißigtausend Euro geahndet werden.

§ 26 Strafvorschriften. Mit Freiheitsstrafe bis zu einem Jahr oder mit Geldstrafe wird bestraft, wer

1. eine in § 25 Abs. 1 Nr. 2 Buchstabe a bezeichnete Handlung beharrlich wiederholt oder
2. durch eine in § 25 Abs. 1 Nr. 1 oder Nr. 2 Buchstabe a bezeichnete vorsätzliche Handlung Leben oder Gesundheit eines Beschäftigten gefährdet.

[1)] § 25 Abs. 2 geänd. mWv 1.1.2002 durch G v. 21.12.2000 (BGBl. I S. 1983); Abs. 2 geänd. mWv 1.1.2021 durch G v. 22.12.2020 (BGBl. I S. 3334).

380. Verordnung über Arbeitsstätten (Arbeitsstättenverordnung – ArbStättV)[1) 2)]

Vom 12. August 2004
(BGBl. I S. 2179)

FNA 7108-35

zuletzt geänd. durch Art. 10 CannabisG v. 27.3.2024 (BGBl. 2024 I Nr. 109)

Inhaltsübersicht[3)]

§ 1[4)] **Ziel, Anwendungsbereich.** (1) Diese Verordnung dient der Sicherheit und dem Schutz der Gesundheit der Beschäftigten beim Einrichten und Betreiben von Arbeitsstätten.

(2) Für folgende Arbeitsstätten gelten nur § 5 und der Anhang Nummer 1.3:
1. Arbeitsstätten im Reisegewerbe und im Marktverkehr,
2. Transportmittel, die im öffentlichen Verkehr eingesetzt werden,

---

[1)] **Amtl. Anm.:** Diese Verordnung dient der Umsetzung
1. der EG-Richtlinie 89/654/EWG ***[beck-online, Module Arbeitsrecht Nr. 942a]*** des Rates vom 30. November 1989 über Mindestvorschriften für Sicherheit und Gesundheitsschutz in Arbeitsstätten (Erste Einzelrichtlinie im Sinne des Artikels 16 Absatz 1 der Richtlinie 89/391/EWG) (ABl. EG Nr. L 393 S. 1) und
2. der Richtlinie 92/58/EWG des Rates vom 24. Juni 1992 über Mindestvorschriften für die Sicherheits- und/oder Gesundheitsschutzkennzeichnung am Arbeitsplatz (Neunte Einzelrichtlinie im Sinne des Artikels 16 Absatz 1 der Richtlinie 89/391/EWG) (ABl. EG Nr. L 245 S. 23) und
3. des Anhangs IV (Mindestvorschriften für Sicherheit und Gesundheitsschutz auf Baustellen) der Richtlinie 92/57/EWG ***[beck-online, Module Arbeitsrecht Nr. 942d]*** des Rates vom 24. Juni 1992 über die auf zeitlich begrenzte oder ortsveränderliche Baustellen anzuwendenden Mindestvorschriften für die Sicherheit und den Gesundheitsschutz (Achte Einzelrichtlinie im Sinne des Artikels 16 Absatz 1 der Richtlinie 89/391/EWG) (ABl. EG Nr. L 245 S. 6).

[2)] Verkündet als Art. 1 VO über Arbeitsstätten v. 12.8.2004 (BGBl. I S. 2179); Inkrafttreten gem. Art. 4 Satz 1 dieser VO am 25.8.2004. Diese VO wurde erlassen auf Grund des § 18 ArbeitsschutzG sowie des § 66 Satz 3 und des § 68 Abs. 2 Nr 3 BundesbergG.

[3)] Inhaltsübersicht geänd. mWv 27.7.2010 durch VO v. 19.7.2010 (BGBl. I S. 960); geänd. mWv 3.12.2016 durch VO v. 30.11.2016 (BGBl. I S. 2681).

[4)] § 1 Abs. 3 Satz 1 geänd. mWv 8.11.2006 durch VO v. 31.10.2006 (BGBl. I S. 2407); Abs. 2 geänd. mWv 27.7.2010 durch VO v. 19.7.2010 (BGBl. I S. 960); Abs. 3 Satz 1 geänd. mWv 8.9.2015 durch VO v. 31.8.2015 (BGBl. I S. 1474); Abs. 1 und 2 neu gef., Abs. 3–5 eingef., bish. Abs. 3 wird Abs. 6 und Satz 2 geänd. mWv 3.12.2016 durch VO v. 30.11.2016 (BGBl. I S. 2681, ber. 2017 S. 2839); Abs. 5 neu gef. mWv 24.10.2017 durch VO v. 18.10.2017 (BGBl. I S. 3584); Abs. 6 Satz 1 neu gef. mWv 27.6.2020 durch VO v. 19.6.2020 (BGBl. I S. 1328); Abs. 3 eingef., bish. Abs. 3–6 werden Abs. 4–7 mWv 1.1.2021 durch G v. 22.12.2020 (BGBl. I S. 3334).

3. Felder, Wälder und sonstige Flächen, die zu einem land- oder forstwirtschaftlichen Betrieb gehören, aber außerhalb der von ihm bebauten Fläche liegen.

(3) Für Gemeinschaftsunterkünfte außerhalb des Geländes eines Betriebes oder einer Baustelle gelten nur

1. § 3,
2. § 3a und
3. Nummer 4.4 des Anhangs.

(4) [1] Für Telearbeitsplätze gelten nur

1. § 3 bei der erstmaligen Beurteilung der Arbeitsbedingungen und des Arbeitsplatzes,
2. § 6 und der Anhang Nummer 6,

soweit der Arbeitsplatz von dem im Betrieb abweicht. [2] Die in Satz 1 genannten Vorschriften gelten, soweit Anforderungen unter Beachtung der Eigenart von Telearbeitsplätzen auf diese anwendbar sind.

(5) Der Anhang Nummer 6 gilt nicht für

1. Bedienerplätze von Maschinen oder Fahrerplätze von Fahrzeugen mit Bildschirmgeräten,
2. tragbare Bildschirmgeräte für die ortsveränderliche Verwendung, die nicht regelmäßig an einem Arbeitsplatz verwendet werden,
3. Rechenmaschinen, Registrierkassen oder andere Arbeitsmittel mit einer kleinen Daten- oder Messwertanzeigevorrichtung, die zur unmittelbaren Benutzung des Arbeitsmittels erforderlich ist und
4. Schreibmaschinen klassischer Bauart mit einem Display.

(6) Diese Verordnung ist für Arbeitsstätten in Betrieben, die dem Bundesberggesetz unterliegen, nur für Bildschirmarbeitsplätze einschließlich Telearbeitsplätze anzuwenden.

(7) [1] Das Bundeskanzleramt, das Bundesministerium des Innern, für Bau und Heimat, das Bundesministerium für Verkehr und digitale Infrastruktur, das Bundesministerium für Umwelt, Naturschutz und nukleare Sicherheit, das Bundesministerium der Verteidigung oder das Bundesministerium der Finanzen können, soweit sie hierfür jeweils zuständig sind, im Einvernehmen mit dem Bundesministerium für Arbeit und Soziales und, soweit nicht das Bundesministerium des Innern, für Bau und Heimat selbst zuständig ist, im Einvernehmen mit dem Bundesministerium des Innern, für Bau und Heimat Ausnahmen von den Vorschriften dieser Verordnung zulassen, soweit öffentliche Belange dies zwingend erfordern, insbesondere zur Aufrechterhaltung oder Wiederherstellung der öffentlichen Sicherheit. [2] In diesem Fall ist gleichzeitig festzulegen, wie die Sicherheit und der Schutz der Gesundheit der Beschäftigten nach dieser Verordnung auf andere Weise gewährleistet werden.

§ 2[1)] Begriffsbestimmungen. (1) Arbeitsstätten sind:

1. Arbeitsräume oder andere Orte in Gebäuden auf dem Gelände eines Betriebes,
2. Orte im Freien auf dem Gelände eines Betriebes,

[1)] § 2 neu gef. mWv 3.12.2016 durch VO v. 30.11.2016 (BGBl. I S. 2681); Abs. 8 eingef., bish. Abs. 8–12 werden Abs. 9–13 mWv 1.1.2021 durch G v. 22.12.2020 (BGBl. I S. 3334).

3. Orte auf Baustellen,

sofern sie zur Nutzung für Arbeitsplätze vorgesehen sind.

(2) Zur Arbeitsstätte gehören insbesondere auch:

1. Orte auf dem Gelände eines Betriebes oder einer Baustelle, zu denen Beschäftigte im Rahmen ihrer Arbeit Zugang haben,
2. Verkehrswege, Fluchtwege, Notausgänge, Lager-, Maschinen- und Nebenräume, Sanitärräume, Kantinen, Pausen- und Bereitschaftsräume, Erste-Hilfe-Räume, Unterkünfte sowie
3. Einrichtungen, die dem Betreiben der Arbeitsstätte dienen, insbesondere Sicherheitsbeleuchtungen, Feuerlöscheinrichtungen, Versorgungseinrichtungen, Beleuchtungsanlagen, raumlufttechnische Anlagen, Signalanlagen, Energieverteilungsanlagen, Türen und Tore, Fahrsteige, Fahrtreppen, Laderampen und Steigleitern.

(3) Arbeitsräume sind die Räume, in denen Arbeitsplätze innerhalb von Gebäuden dauerhaft eingerichtet sind.

(4) Arbeitsplätze sind Bereiche, in denen Beschäftigte im Rahmen ihrer Arbeit tätig sind.

(5) Bildschirmarbeitsplätze sind Arbeitsplätze, die sich in Arbeitsräumen befinden und die mit Bildschirmgeräten und sonstigen Arbeitsmitteln ausgestattet sind.

(6) Bildschirmgeräte sind Funktionseinheiten, zu denen insbesondere Bildschirme zur Darstellung von visuellen Informationen, Einrichtungen zur Datenein- und -ausgabe, sonstige Steuerungs- und Kommunikationseinheiten (Rechner) sowie eine Software zur Steuerung und Umsetzung der Arbeitsaufgabe gehören.

(7) [1] Telearbeitsplätze sind vom Arbeitgeber fest eingerichtete Bildschirmarbeitsplätze im Privatbereich der Beschäftigten, für die der Arbeitgeber eine mit den Beschäftigten vereinbarte wöchentliche Arbeitszeit und die Dauer der Einrichtung festgelegt hat. [2] Ein Telearbeitsplatz ist vom Arbeitgeber erst dann eingerichtet, wenn Arbeitgeber und Beschäftigte die Bedingungen der Telearbeit arbeitsvertraglich oder im Rahmen einer Vereinbarung festgelegt haben und die benötigte Ausstattung des Telearbeitsplatzes mit Mobiliar, Arbeitsmitteln einschließlich der Kommunikationseinrichtungen durch den Arbeitgeber oder eine von ihm beauftragte Person im Privatbereich des Beschäftigten bereitgestellt und installiert ist.

(8) Gemeinschaftsunterkünfte im Sinne dieser Verordnung sind Unterkünfte innerhalb oder außerhalb des Geländes eines Betriebes oder einer Baustelle, die

1. den Beschäftigten durch den Arbeitgeber oder auf dessen Veranlassung durch Dritte entgeltlich oder unentgeltlich zur Verfügung gestellt werden und
2. von mehreren Beschäftigten und insgesamt von mindestens vier Personen gemeinschaftlich genutzt werden.

(9) [1] Einrichten ist das Bereitstellen und Ausgestalten der Arbeitsstätte. [2] Das Einrichten umfasst insbesondere:

1. bauliche Maßnahmen oder Veränderungen,
2. das Ausstatten mit Maschinen, Anlagen, anderen Arbeitsmitteln und Mobiliar sowie mit Beleuchtungs-, Lüftungs-, Heizungs-, Feuerlösch- und Versorgungseinrichtungen,

3. das Anlegen und Kennzeichnen von Verkehrs- und Fluchtwegen sowie das Kennzeichnen von Gefahrenstellen und brandschutztechnischen Ausrüstungen und
4. das Festlegen von Arbeitsplätzen.

(10) Das Betreiben von Arbeitsstätten umfasst das Benutzen, Instandhalten und Optimieren der Arbeitsstätten sowie die Organisation und Gestaltung der Arbeit einschließlich der Arbeitsabläufe in Arbeitsstätten.

(11) Instandhalten ist die Wartung, Inspektion, Instandsetzung oder Verbesserung der Arbeitsstätten zum Erhalt des baulichen und technischen Zustandes.

(12) [1] Stand der Technik ist der Entwicklungsstand fortschrittlicher Verfahren, Einrichtungen oder Betriebsweisen, der die praktische Eignung einer Maßnahme zur Gewährleistung der Sicherheit und zum Schutz der Gesundheit der Beschäftigten gesichert erscheinen lässt. [2] Bei der Bestimmung des Stands der Technik sind insbesondere vergleichbare Verfahren, Einrichtungen oder Betriebsweisen heranzuziehen, die mit Erfolg in der Praxis erprobt worden sind. [3] Gleiches gilt für die Anforderungen an die Arbeitsmedizin und die Hygiene.

(13) [1] Fachkundig ist, wer über die zur Ausübung einer in dieser Verordnung bestimmten Aufgabe erforderlichen Fachkenntnisse verfügt. [2] Die Anforderungen an die Fachkunde sind abhängig von der jeweiligen Art der Aufgabe. [3] Zu den Anforderungen zählen eine entsprechende Berufsausbildung, Berufserfahrung oder eine zeitnah ausgeübte entsprechende berufliche Tätigkeit. [4] Die Fachkenntnisse sind durch Teilnahme an Schulungen auf aktuellem Stand zu halten.

§ 3[1)] Gefährdungsbeurteilung. (1) [1] Bei der Beurteilung der Arbeitsbedingungen nach § 5 des Arbeitsschutzgesetzes[2)] hat der Arbeitgeber zunächst festzustellen, ob die Beschäftigten Gefährdungen beim Einrichten und Betreiben von Arbeitsstätten ausgesetzt sind oder ausgesetzt sein können. [2] Ist dies der Fall, hat er alle möglichen Gefährdungen der Sicherheit und der Gesundheit der Beschäftigten zu beurteilen und dabei die Auswirkungen der Arbeitsorganisation und der Arbeitsabläufe in der Arbeitsstätte zu berücksichtigen. [3] Bei der Gefährdungsbeurteilung hat er die physischen und psychischen Belastungen sowie bei Bildschirmarbeitsplätzen insbesondere die Belastungen der Augen oder die Gefährdung des Sehvermögens der Beschäftigten zu berücksichtigen. [4] Entsprechend dem Ergebnis der Gefährdungsbeurteilung hat der Arbeitgeber Maßnahmen zum Schutz der Beschäftigten gemäß den Vorschriften dieser Verordnung einschließlich ihres Anhangs nach dem Stand der Technik, Arbeitsmedizin und Hygiene festzulegen. [5] Sonstige gesicherte arbeitswissenschaftliche Erkenntnisse sind zu berücksichtigen.

(2) [1] Der Arbeitgeber hat sicherzustellen, dass die Gefährdungsbeurteilung fachkundig durchgeführt wird. [2] Verfügt der Arbeitgeber nicht selbst über die entsprechenden Kenntnisse, hat er sich fachkundig beraten zu lassen.

(3) [1] Der Arbeitgeber hat die Gefährdungsbeurteilung vor Aufnahme der Tätigkeiten zu dokumentieren. [2] In der Dokumentation ist anzugeben, welche

---

[1)] § 3 eingef. mWv 27.7.2010 durch VO v. 19.7.2010 (BGBl. I S. 960); Abs. 1 Satz 2 neu gef., Satz 3 eingef., bish. Sätze 3 und 4 werden Sätze 4 und 5, neuer Satz 4 und Abs. 3 Sätze 1 und 2 geänd. mWv 3.12.2016 durch VO v. 30.11.2016 (BGBl. I S. 2681).

[2)] Nr. **370**.

Gefährdungen am Arbeitsplatz auftreten können und welche Maßnahmen nach Absatz 1 Satz 4 durchgeführt werden müssen.

§ 3a[1] Einrichten und Betreiben von Arbeitsstätten. (1) [1]Der Arbeitgeber hat dafür zu sorgen, dass Arbeitsstätten so eingerichtet und betrieben werden, dass Gefährdungen für die Sicherheit und die Gesundheit der Beschäftigten möglichst vermieden und verbleibende Gefährdungen möglichst gering gehalten werden. [2]Beim Einrichten und Betreiben der Arbeitsstätten hat der Arbeitgeber die Maßnahmen nach § 3 Absatz 1 durchzuführen und dabei den Stand der Technik, Arbeitsmedizin und Hygiene, die ergonomischen Anforderungen sowie insbesondere die vom Bundesministerium für Arbeit und Soziales nach § 7 Absatz 4 bekannt gemachten Regeln und Erkenntnisse zu berücksichtigen. [3]Bei Einhaltung der bekannt gemachten Regeln ist davon auszugehen, dass die in dieser Verordnung gestellten Anforderungen diesbezüglich erfüllt sind. [4]Wendet der Arbeitgeber diese Regeln nicht an, so muss er durch andere Maßnahmen die gleiche Sicherheit und den gleichen Schutz der Gesundheit der Beschäftigten erreichen.

(2) [1]Beschäftigt der Arbeitgeber Menschen mit Behinderungen, hat er die Arbeitsstätte so einzurichten und zu betreiben, dass die besonderen Belange dieser Beschäftigten im Hinblick auf die Sicherheit und den Schutz der Gesundheit berücksichtigt werden. [2]Dies gilt insbesondere für die barrierefreie Gestaltung von Arbeitsplätzen, Sanitär-, Pausen- und Bereitschaftsräumen, Kantinen, Erste-Hilfe-Räumen und Unterkünften sowie den zugehörigen Türen, Verkehrswegen, Fluchtwegen, Notausgängen, Treppen und Orientierungssystemen, die von den Beschäftigten mit Behinderungen benutzt werden.

(3) [1]Die zuständige Behörde kann auf schriftlichen Antrag des Arbeitgebers Ausnahmen von den Vorschriften dieser Verordnung einschließlich ihres Anhanges zulassen, wenn

1. der Arbeitgeber andere, ebenso wirksame Maßnahmen trifft oder
2. die Durchführung der Vorschrift im Einzelfall zu einer unverhältnismäßigen Härte führen würde und die Abweichung mit dem Schutz der Beschäftigten vereinbar ist.

[2]Der Antrag des Arbeitgebers kann in Papierform oder elektronisch übermittelt werden. [3]Bei der Beurteilung sind die Belange der kleineren Betriebe besonders zu berücksichtigen.

(4) Anforderungen in anderen Rechtsvorschriften, insbesondere im Bauordnungsrecht der Länder, gelten vorrangig, soweit sie über die Anforderungen dieser Verordnung hinausgehen.

§ 4[2] Besondere Anforderungen an das Betreiben von Arbeitsstätten.

(1) [1]Der Arbeitgeber hat die Arbeitsstätte instand zu halten und dafür zu sorgen, dass festgestellte Mängel unverzüglich beseitigt werden. [2]Können Män-

---

[1] § 3 Abs. 1 Satz 2 geänd. mWv 8.11.2006 durch VO v. 31.10.2006 (BGBl. I S. 2407); Abs. 1 Sätze 2–4 geänd. mWv 24.12.2008 durch VO v. 18.12.2008 (BGBl. I S. 2768); neuer § 3 eingef., bish. § 3 wird § 3a und Abs. 1 Sätze 1 und 2 geänd. mWv 27.7.2010 durch VO v. 19.7.2010 (BGBl. I S. 960); Abs. 1 und 2 neu gef., Abs. 3 Satz 2 eingef., bish. Satz 2 wird Satz 3, Abs. 4 neu gef. mWv 3.12.2016 durch VO v. 30.11.2016 (BGBl. I S. 2681).

[2] § 4 Abs. 1 Satz 2 geänd., Abs. 3 und Abs. 4 Sätze 1 und 2 neu gef., Satz 5 und Abs. 5 geänd. mWv 3.12.2016 durch VO v. 30.11.2016 (BGBl. I S. 2681).

gel, mit denen eine unmittelbare erhebliche Gefahr verbunden ist, nicht sofort beseitigt werden, hat er dafür zu sorgen, dass die gefährdeten Beschäftigten ihre Tätigkeit unverzüglich einstellen.

(2) [1] Der Arbeitgeber hat dafür zu sorgen, dass Arbeitsstätten den hygienischen Erfordernissen entsprechend gereinigt werden. [2] Verunreinigungen und Ablagerungen, die zu Gefährdungen führen können, sind unverzüglich zu beseitigen.

(3) Der Arbeitgeber hat die Sicherheitseinrichtungen, insbesondere Sicherheitsbeleuchtung, Brandmelde- und Feuerlöscheinrichtungen, Signalanlagen, Notaggregate und Notschalter sowie raumlufttechnische Anlagen instand zu halten und in regelmäßigen Abständen auf ihre Funktionsfähigkeit prüfen zu lassen.

(4) [1] Der Arbeitgeber hat dafür zu sorgen, dass Verkehrswege, Fluchtwege und Notausgänge ständig freigehalten werden, damit sie jederzeit benutzbar sind. [2] Der Arbeitgeber hat Vorkehrungen so zu treffen, dass die Beschäftigten bei Gefahr sich unverzüglich in Sicherheit bringen und schnell gerettet werden können. [3] Der Arbeitgeber hat einen Flucht- und Rettungsplan aufzustellen, wenn Lage, Ausdehnung und Art der Benutzung der Arbeitsstätte dies erfordern. [4] Der Plan ist an geeigneten Stellen in der Arbeitsstätte auszulegen oder auszuhängen. [5] In angemessenen Zeitabständen ist entsprechend diesem Plan zu üben.

(5) Der Arbeitgeber hat beim Einrichten und Betreiben von Arbeitsstätten Mittel und Einrichtungen zur Ersten Hilfe zur Verfügung zu stellen und regelmäßig auf ihre Vollständigkeit und Verwendungsfähigkeit prüfen zu lassen.

§ 5[1)] Nichtraucherschutz. (1) [1] Der Arbeitgeber hat die erforderlichen Maßnahmen zu treffen, damit die nicht rauchenden Beschäftigten in Arbeitsstätten wirksam vor den Gesundheitsgefahren durch Rauche und Dämpfe von Tabak- und Cannabisprodukten sowie elektronischen Zigaretten geschützt sind. [2] Soweit erforderlich, hat der Arbeitgeber ein allgemeines oder auf einzelne Bereiche der Arbeitsstätte beschränktes Rauchverbot zu erlassen.

(2) In Arbeitsstätten mit Publikumsverkehr hat der Arbeitgeber beim Einrichten und Betreiben von Arbeitsräumen der Natur des Betriebes entsprechende und der Art der Beschäftigung angepasste technische oder organisatorische Maßnahmen nach Absatz 1 zum Schutz der nicht rauchenden Beschäftigten zu treffen.

§ 6[2)] Unterweisung der Beschäftigten. (1) Der Arbeitgeber hat den Beschäftigten ausreichende und angemessene Informationen anhand der Gefährdungsbeurteilung in einer für die Beschäftigten verständlichen Form und Sprache zur Verfügung zu stellen über

1. das bestimmungsgemäße Betreiben der Arbeitsstätte,

(Fortsetzung nächstes Blatt)

[1)] § 5 Abs. 1 Satz 2 angef. mWv 1.9.2007 durch G v. 20.7.2007 (BGBl. I S. 1595); Abs. 2 neu gef. mWv 3.12.2016 durch VO v. 30.11.2016 (BGBl. I S. 2681); Abs. 1 Satz 1 geänd. mWv 1.4.2024 durch G v. 27.3.2024 (BGBl. 2024 I Nr. 109).

[2)] § 6 neu gef. mWv 3.12.2016 durch VO v. 30.11.2016 (BGBl. I S. 2681).

2. alle gesundheits- und sicherheitsrelevanten Fragen im Zusammenhang mit ihrer Tätigkeit,
3. Maßnahmen, die zur Gewährleistung der Sicherheit und zum Schutz der Gesundheit der Beschäftigten durchgeführt werden müssen, und
4. arbeitsplatzspezifische Maßnahmen, insbesondere bei Tätigkeiten auf Baustellen oder an Bildschirmgeräten,

und sie anhand dieser Informationen zu unterweisen.

(2) Die Unterweisung nach Absatz 1 muss sich auf Maßnahmen im Gefahrenfall erstrecken, insbesondere auf

1. die Bedienung von Sicherheits- und Warneinrichtungen,
2. die Erste Hilfe und die dazu vorgehaltenen Mittel und Einrichtungen und
3. den innerbetrieblichen Verkehr.

(3) [1] Die Unterweisung nach Absatz 1 muss sich auf Maßnahmen der Brandverhütung und Verhaltensmaßnahmen im Brandfall erstrecken, insbesondere auf die Nutzung der Fluchtwege und Notausgänge. [2] Diejenigen Beschäftigten, die Aufgaben der Brandbekämpfung übernehmen, hat der Arbeitgeber in der Bedienung der Feuerlöscheinrichtungen zu unterweisen.

(4) [1] Die Unterweisungen müssen vor Aufnahme der Tätigkeit stattfinden. [2] Danach sind sie mindestens jährlich zu wiederholen. [3] Sie haben in einer für die Beschäftigten verständlichen Form und Sprache zu erfolgen. [4] Unterweisungen sind unverzüglich zu wiederholen, wenn sich die Tätigkeiten der Beschäftigten, die Arbeitsorganisation, die Arbeits- und Fertigungsverfahren oder die Einrichtungen und Betriebsweisen in der Arbeitsstätte wesentlich verändern und die Veränderung mit zusätzlichen Gefährdungen verbunden ist.

§ 7[1)] Ausschuss für Arbeitsstätten. (1) [1] Beim Bundesministerium für Arbeit und Soziales wird ein Ausschuss für Arbeitsstätten gebildet, in dem fachkundige Vertreter der Arbeitgeber, der Gewerkschaften, der Länderbehörden, der gesetzlichen Unfallversicherung und weitere fachkundige Personen, insbesondere der Wissenschaft, in angemessener Zahl vertreten sein sollen. [2] Die Gesamtzahl der Mitglieder soll 16 Personen nicht überschreiten. [3] Für jedes Mitglied ist ein stellvertretendes Mitglied zu benennen. [4] Die Mitgliedschaft im Ausschuss für Arbeitsstätten ist ehrenamtlich.

(2) [1] Das Bundesministerium für Arbeit und Soziales beruft die Mitglieder des Ausschusses und die stellvertretenden Mitglieder. [2] Der Ausschuss gibt sich eine Geschäftsordnung und wählt den Vorsitzenden aus seiner Mitte. [3] Die Geschäftsordnung und die Wahl des Vorsitzenden bedürfen der Zustimmung des Bundesministeriums für Arbeit und Soziales.

(3) [1] Zu den Aufgaben des Ausschusses gehört es,

[1)] § 7 Abs. 1 Satz 1, Abs. 2 Sätze 1 und 3, Abs. 3 Satz 1 Nr. 2, Abs. 4 geänd. mWv 8.11.2006 durch VO v. 31.10.2006 (BGBl. I S. 2407); Abs. 4 geänd. mWv 9.3.2007 durch VO v. 6.3.2007 (BGBl. I S. 261); Abs. 3 Satz 1 Nr. 1 eingef., bish. Nr. 1 und 2 werden Nr. 2 und 3, Abs. 4 geänd. mWv 24.12.2008 durch VO v. 18.12.2008 (BGBl. I S. 2768); Abs. 1 neu gef., Abs. 2 Satz 1 geänd., Abs. 3 Sätze 3 und 4 angef. mWv 27.7.2010 durch VO v. 19.7.2010 (BGBl. I S. 960); Abs. 3 Satz 1 Nr. 1 geänd., Nr. 2 und 3 neu gef., Sätze 5 und 6 angef., Abs. 4 geänd. mWv 3.12.2016 durch VO v. 30.11.2016 (BGBl. I S. 2681).

1. dem Stand der Technik, Arbeitsmedizin und Hygiene entsprechende Regeln und sonstige gesicherte wissenschaftliche Erkenntnisse für die Sicherheit und Gesundheit der Beschäftigten in Arbeitsstätten zu ermitteln,
2. Regeln und Erkenntnisse zu ermitteln, wie die Anforderungen dieser Verordnung erfüllt werden können, sowie Empfehlungen für weitere Maßnahmen zur Gewährleistung der Sicherheit und zum Schutz der Gesundheit der Beschäftigten auszuarbeiten und
3. das Bundesministerium für Arbeit und Soziales in allen Fragen der Sicherheit und der Gesundheit der Beschäftigten in Arbeitsstätten zu beraten.

[2] Bei der Wahrnehmung seiner Aufgaben soll der Ausschuss die allgemeinen Grundsätze des Arbeitsschutzes nach § 4 des Arbeitsschutzgesetzes[1)] berücksichtigen. [3] Das Arbeitsprogramm des Ausschusses für Arbeitsstätten wird mit dem Bundesministerium für Arbeit und Soziales abgestimmt. [4] Der Ausschuss arbeitet eng mit den anderen Ausschüssen beim Bundesministerium für Arbeit und Soziales zusammen. [5] Die Sitzungen des Ausschusses sind nicht öffentlich. [6] Beratungs- und Abstimmungsergebnisse des Ausschusses sowie Niederschriften der Untergremien sind vertraulich zu behandeln, soweit die Erfüllung der Aufgaben, die den Untergremien oder den Mitgliedern des Ausschusses obliegen, dem nicht entgegenstehen.

(4) Das Bundesministerium für Arbeit und Soziales kann die vom Ausschuss nach Absatz 3 ermittelten Regeln und Erkenntnisse sowie Empfehlungen im Gemeinsamen Ministerialblatt bekannt machen.

(5) [1] Die Bundesministerien sowie die zuständigen obersten Landesbehörden können zu den Sitzungen des Ausschusses Vertreter entsenden. [2] Diesen ist auf Verlangen in der Sitzung das Wort zu erteilen.

(6) Die Geschäfte des Ausschusses führt die Bundesanstalt für Arbeitsschutz und Arbeitsmedizin.

§ 8[2)] Übergangsvorschriften. (1) [1] Soweit für Arbeitsstätten,
1. die am 1. Mai 1976 eingerichtet waren oder mit deren Einrichtung vor diesem Zeitpunkt begonnen worden war oder
2. die am 20. Dezember 1996 eingerichtet waren oder mit deren Einrichtung vor diesem Zeitpunkt begonnen worden war und für die zum Zeitpunkt der Einrichtung die Gewerbeordnung[3)] keine Anwendung fand,

in dieser Verordnung Anforderungen gestellt werden, die umfangreiche Änderungen der Arbeitsstätte, der Betriebseinrichtungen, Arbeitsverfahren oder Arbeitsabläufe notwendig machen, gelten hierfür bis zum 31. Dezember 2020 mindestens die entsprechenden Anforderungen des Anhangs II der Richtlinie 89/654/EWG[4)] des Rates vom 30. November 1989 über Mindestvorschriften für Sicherheit und Gesundheitsschutz in Arbeitsstätten (ABl. EG Nr. L 393 S. 1). [2] Soweit diese Arbeitsstätten oder ihre Betriebseinrichtungen wesentlich erweitert oder umgebaut oder die Arbeitsverfahren oder Arbeitsabläufe wesentlich umgestaltet werden, hat der Arbeitgeber die erforderlichen Maßnahmen zu

---

[1)] Nr. **370**.

[2)] § 8 Abs. 2 geänd. mWv 8.11.2006 durch VO v. 31.10.2006 (BGBl. I S. 2407); Abs. 2 neu gef. mWv 27.7.2010 durch VO v. 19.7.2010 (BGBl. I S. 960); Abs. 1 Satz 1 Nr. 1 und abschl. Satzteil geänd., Abs. 2 neu gef. mWv 3.12.2016 durch VO v. 30.11.2016 (BGBl. I S. 2681).

[3)] Auszugsweise abgedruckt unter Nr. **106**.

[4)] **beck-online, Module Arbeitsrecht Nr. 942a.**

treffen, damit diese Änderungen, Erweiterungen oder Umgestaltungen mit den Anforderungen dieser Verordnung übereinstimmen.

(2) Bestimmungen in den vom Ausschuss für Arbeitsstätten ermittelten und vom Bundesministerium für Arbeit und Soziales im Gemeinsamen Ministerialblatt bekannt gemachten Regeln für Arbeitsstätten, die Anforderungen an den Arbeitsplatz enthalten, gelten unter Berücksichtigung der Begriffsbestimmung des Arbeitsplatzes in § 2 Absatz 2 der Arbeitsstättenverordnung vom 12. August 2004 (BGBl. I S. 2179), die zuletzt durch Artikel 282 der Verordnung vom 31. August 2015 (BGBl. I S. 1474) geändert worden ist, solange fort, bis sie vom Ausschuss für Arbeitsstätten überprüft und erforderlichenfalls vom Bundesministerium für Arbeit und Soziales im Gemeinsamen Ministerialblatt neu bekannt gemacht worden sind.

§ 9[1] Straftaten und Ordnungswidrigkeiten. (1) Ordnungswidrig im Sinne des § 25 Absatz 1Nummer 1 des Arbeitsschutzgesetzes[2] handelt, wer vorsätzlich oder fahrlässig

1. entgegen § 3 Absatz 3 eine Gefährdungsbeurteilung nicht richtig, nicht vollständig oder nicht rechtzeitig dokumentiert,
2. entgegen § 3a Absatz 1 Satz 1 nicht dafür sorgt, dass eine Arbeitsstätte in der dort vorgeschriebenen Weise eingerichtet ist oder betrieben wird,
3. entgegen § 3a Absatz 1 Satz 2 in Verbindung mit Nummer 4.1 Absatz 1 des Anhangs einen dort genannten Toilettenraum oder eine dort genannte mobile, anschlussfreie Toilettenkabine nicht oder nicht in der vorgeschriebenen Weise zur Verfügung stellt,
4. entgegen § 3a Absatz 1 Satz 2 in Verbindung mit Nummer 4.2 Absatz 1 des Anhangs einen dort genannten Pausenraum oder einen dort genannten Pausenbereich nicht oder nicht in der vorgeschriebenen Weise zur Verfügung stellt,

4a. entgegen § 3a Absatz 1 Satz 2 in Verbindung mit Nummer 4.4 Absatz 1 Satz 1 des Anhangs eine Unterkunft in den Fällen der Nummer 4.4 Absatz 1 Satz 3 des Anhangs nicht oder nicht rechtzeitig zur Verfügung stellt,

4b. entgegen § 3a Absatz 1 Satz 2 in Verbindung mit Nummer 4.4 Absatz 4 Satz 1 des Anhangs eine Unterbringung in einer Gemeinschaftsunterkunft nicht, nicht richtig, nicht vollständig oder nicht rechtzeitig dokumentiert,

5. entgegen § 3a Absatz 2 eine Arbeitsstätte nicht in der dort vorgeschriebenen Weise einrichtet oder betreibt,
6. entgegen § 4 Absatz 1 Satz 2 nicht dafür sorgt, dass die gefährdeten Beschäftigten ihre Tätigkeit unverzüglich einstellen,
7. entgegen § 4 Absatz 4 Satz 1 nicht dafür sorgt, dass Verkehrswege, Fluchtwege und Notausgänge freigehalten werden,
8. entgegen § 4 Absatz 5 ein Mittel oder eine Einrichtung zur Ersten Hilfe nicht zur Verfügung stellt,
9. entgegen § 6 Absatz 4 Satz 1 nicht sicherstellt, dass die Beschäftigten vor Aufnahme der Tätigkeit unterwiesen werden.

---

[1] § 9 angef. mWv 27.7.2010 durch VO v. 19.7.2010 (BGBl. I S. 960); Abs. 1 neu gef. mWv 3.12.2016 durch VO v. 30.11.2016 (BGBl. I S. 2681); Abs. 1 Nr. 4a und 4b eingef. mWv 1.1.2021 durch G v. 22.12.2020 (BGBl. I S. 3334).

[2] Nr. **370**.

(2) Wer durch eine in Absatz 1 bezeichnete vorsätzliche Handlung das Leben oder die Gesundheit von Beschäftigten gefährdet, ist nach § 26 Nummer 2des Arbeitsschutzgesetzes strafbar.

Anhang
(hier nicht wiedergegeben)

383. Gesetz über Betriebsärzte, Sicherheitsingenieure und andere Fachkräfte für Arbeitssicherheit[1)]

Vom 12. Dezember 1973

(BGBl. I S. 1885)

FNA 805-2

zuletzt geänd. durch Art. 3 Abs. 5 G zur Umsetzung des Seearbeitsübereinkommens 2006 der Internationalen Arbeitsorganisation v. 20. 4. 2013 (BGBl. I S. 868)

Der Bundestag hat mit Zustimmung des Bundesrates das folgende Gesetz beschlossen:

Erster Abschnitt

§ 1 Grundsatz. [1]Der Arbeitgeber hat nach Maßgabe dieses Gesetzes Betriebsärzte und Fachkräfte für Arbeitssicherheit zu bestellen. [2]Diese sollen ihn beim Arbeitsschutz und bei der Unfallverhütung unterstützen. [3]Damit soll erreicht werden, daß

1. die dem Arbeitsschutz und der Unfallverhütung dienenden Vorschriften den besonderen Betriebsverhältnissen entsprechend angewandt werden,

---

[1)] Für das Gebiet der ehem. DDR gilt Folgendes:

a) Die Verpflichtung der Arbeitgeber nach § 2 gilt als erfüllt, wenn die betriebsärztlichen Aufgaben durch eine Einrichtung des betriebsärztlichen Gesundheitswesens wahrgenommen werden. Die Buchstaben b) und d) sind anzuwenden.

b) Der Arbeitgeber kann die Fachkunde als Betriebsarzt nach § 4 als nachgewiesen ansehen bei Fachärzten für Arbeitsmedizin oder Arbeitshygiene und Fachärzten mit staatlicher Anerkennung als Betriebsarzt.

c) Der Arbeitgeber kann die Fachkunde als Fachkraft für die Arbeitssicherheit nach § 7 als nachgewiesen ansehen bei Fachkräften, die eine Hochschul-, Fachschul- oder Meisterqualifikation besitzen und eine der Ausbildung entsprechenden praktische Tätigkeit mindestens zwei Jahre lang ausgeübt haben und eine Ausbildung als Fachingenieur oder Fachökonom für Arbeitsschutz oder Arbeitsschutzinspektor oder Sicherheitsingenieur oder Fachingenieur für Brandschutz oder den Erwerb der anerkannten Zusatzqualifikation im Gesundheits- und Arbeitsschutz für Sicherheitsinspektoren oder eine entsprechende Ausbildung auf dem Gebiet der Arbeitshygiene nachweisen können. Fachkräfte für Arbeitssicherheit erfüllen die Anforderungen auch, wenn sie vor dem Inkrafttreten dieses Gesetzes mindestens zwei Jahre auf dem Gebiet der Arbeitssicherheit tätig waren.

d), e) *(aufgehoben)*

f) Wird der Arbeitgeber Mitglied eines Unfallversicherungsträgers und hat dieser Unfallverhütungsvorschriften gemäß § 14 Abs. 1 erlassen, so treten an die Stelle der Bestimmungen in den Buchstaben b) bis e) die entsprechenden Bestimmungen der Unfallverhütungsvorschriften. Die erforderliche Fachkunde kann auch weiterhin als nachgewiesen angesehen werden, wenn die Voraussetzungen der Buchstaben b) und c) erfüllt sind.

g) Für den öffentlichen Dienst der in Artikel 1 des Vertrages genannten Länder und des Landes Berlin für den Teil, in dem das Grundgesetz bisher nicht galt, ist bis zum Erlaß entsprechender Vorschriften durch die für den öffentlichen Dienst zuständigen Minister der Länder die Richtlinie des Bundesministers des Inneren für den betriebsärztlichen und sicherheitstechnischen Dienst in den Verwaltungen und Betrieben des Bundes vom 28. Januar 1978 (GMBl. S. 114 ff.) anzuwenden.

Vgl. Einigungsvertrag vom 31. August 1990 (BGBl. II S. 889/1029).

2. gesicherte arbeitsmedizinische und sicherheitstechnische Erkenntnisse zur Verbesserung des Arbeitsschutzes und der Unfallverhütung verwirklicht werden können,
3. die dem Arbeitsschutz und der Unfallverhütung dienenden Maßnahmen einen möglichst hohen Wirkungsgrad erreichen.

Zweiter Abschnitt. Betriebsärzte

§ 2[1)] Bestellung von Betriebsärzten. (1) Der Arbeitgeber hat Betriebsärzte schriftlich zu bestellen und ihnen die in § 3 genannten Aufgaben zu übertragen, soweit dies erforderlich ist im Hinblick auf

1. die Betriebsart und die damit für die Arbeitnehmer verbundenen Unfall- und Gesundheitsgefahren,
2. die Zahl der beschäftigten Arbeitnehmer und die Zusammensetzung der Arbeitnehmerschaft und
3. die Betriebsorganisation, insbesondere im Hinblick auf die Zahl und die Art der für den Arbeitsschutz und die Unfallverhütung verantwortlichen Personen.

(2) [1] Der Arbeitgeber hat dafür zu sorgen, daß die von ihm bestellten Betriebsärzte ihre Aufgaben erfüllen. [2] Er hat sie bei der Erfüllung ihrer Aufgaben zu unterstützen; insbesondere ist er verpflichtet, ihnen, soweit dies zur Erfüllung ihrer Aufgaben erforderlich ist, Hilfspersonal sowie Räume, Einrichtungen, Geräte und Mittel zur Verfügung zu stellen. [3] Er hat sie über den Einsatz von Personen zu unterrichten, die mit einem befristeten Arbeitsvertrag beschäftigt oder ihm zur Arbeitsleistung überlassen sind.

(3) [1] Der Arbeitgeber hat den Betriebsärzten die zur Erfüllung ihrer Aufgaben erforderliche Fortbildung unter Berücksichtigung der betrieblichen Belange zu ermöglichen. [2] Ist der Betriebsarzt als Arbeitnehmer

(Fortsetzung nächste Seite)

---

1) § 2 Abs. 2 Satz 3 angef. durch G v. 7. 8. 1996 (BGBl. I S. 1246).

eingestellt, so ist er für die Zeit der Fortbildung unter Fortentrichtung der Arbeitsvergütung von der Arbeit freizustellen. [3]Die Kosten der Fortbildung trägt der Arbeitgeber. [4]Ist der Betriebsarzt nicht als Arbeitnehmer eingestellt, so ist er für die Zeit der Fortbildung von der Erfüllung der ihm übertragenen Aufgaben freizustellen.

§ 3[1)] Aufgaben der Betriebsärzte. (1) [1]Die Betriebsärzte haben die Aufgabe, den Arbeitgeber beim Arbeitsschutz und bei der Unfallverhütung in allen Fragen des Gesundheitsschutzes zu unterstützen. [2]Sie haben insbesondere

1. den Arbeitgeber und die sonst für den Arbeitsschutz und die Unfallverhütung verantwortlichen Personen zu beraten, insbesondere bei
   a) der Planung, Ausführung und Unterhaltung von Betriebsanlagen und von sozialen und sanitären Einrichtungen,
   b) der Beschaffung von technischen Arbeitsmitteln und der Einführung von Arbeitsverfahren und Arbeitsstoffen,
   c) der Auswahl und Erprobung von Körperschutzmitteln,
   d) arbeitsphysiologischen, arbeitspsychologischen und sonstigen ergonomischen sowie arbeitshygienischen Fragen, insbesondere
      des Arbeitsrhythmus, der Arbeitszeit und der Pausenregelung,
      der Gestaltung der Arbeitsplätze, des Arbeitsablaufs und der Arbeitsumgebung,
   e) der Organisation der „Ersten Hilfe" im Betrieb,
   f) Fragen des Arbeitsplatzwechsels sowie der Eingliederung und Wiedereingliederung Behinderter in den Arbeitsprozeß,
   g) der Beurteilung der Arbeitsbedingungen,
2. die Arbeitnehmer zu untersuchen, arbeitsmedizinisch zu beurteilen und zu beraten sowie die Untersuchungsergebnisse zu erfassen und auszuwerten,
3. die Durchführung des Arbeitsschutzes und der Unfallverhütung zu beobachten und im Zusammenhang damit
   a) die Arbeitsstätten in regelmäßigen Abständen zu begehen und festgestellte Mängel dem Arbeitgeber oder der sonst für den Arbeitsschutz und die Unfallverhütung verantwortlichen Person mitzuteilen, Maßnahmen zur Beseitigung dieser Mängel vorzuschlagen und auf deren Durchführung hinzuwirken,
   b) auf die Benutzung der Körperschutzmittel zu achten,
   c) Ursachen von arbeitsbedingten Erkrankungen zu untersuchen, die Untersuchungsergebnisse zu erfassen und auszuwerten und dem Arbeitgeber Maßnahmen zur Verhütung dieser Erkrankungen vorzuschlagen,
4. darauf hinzuwirken, daß sich alle im Betrieb Beschäftigten den Anforderungen des Arbeitsschutzes und der Unfallverhütung entspre-

---

1) § 3 Abs. 1 und 2 geänd. durch G v. 7. 8. 1996 (BGBl. I S. 1246).

chend verhalten, insbesondere sie über die Unfall- und Gesundheitsgefahren, denen sie bei der Arbeit ausgesetzt sind, sowie über die Einrichtungen und Maßnahmen zur Abwendung dieser Gefahren zu belehren und bei der Einsatzplanung und Schulung der Helfer in „Erster Hilfe" und des medizinischen Hilfspersonals mitzuwirken.

(2) Die Betriebsärzte haben auf Wunsch des Arbeitnehmers diesem das Ergebnis arbeitsmedizinischer Untersuchungen mitzuteilen; § 8 Abs. 1 Satz 3 bleibt unberührt.

(3) Zu den Aufgaben der Betriebsärzte gehört es nicht, Krankmeldungen der Arbeitnehmer auf ihre Berechtigung zu überprüfen.

§ 4 Anforderungen an Betriebsärzte. Der Arbeitgeber darf als Betriebsärzte nur Personen bestellen, die berechtigt sind, den ärztlichen Beruf auszuüben, und die über die zur Erfüllung der ihnen übertragenen Aufgaben erforderliche arbeitsmedizinische Fachkunde verfügen.

Dritter Abschnitt. Fachkräfte für Arbeitssicherheit

§ 5[1] Bestellung von Fachkräften für Arbeitssicherheit. (1) Der Arbeitgeber hat Fachkräfte für Arbeitssicherheit (Sicherheitsingenieure, -techniker, -meister)[2] schriftlich zu bestellen und ihnen die in § 6 genannten Aufgaben zu übertragen, soweit dies erforderlich ist im Hinblick auf

1. die Betriebsart und die damit für die Arbeitnehmer verbundenen Unfall- und Gesundheitsgefahren,
2. die Zahl der beschäftigten Arbeitnehmer und die Zusammensetzung der Arbeitnehmerschaft,
3. die Betriebsorganisation, insbesondere im Hinblick auf die Zahl und Art der für den Arbeitsschutz und die Unfallverhütung verantwortlichen Personen,
4. die Kenntnisse und die Schulung des Arbeitgebers oder der nach § 13 Abs. 1 Nr. 1, 2 oder 3 des Arbeitsschutzgesetzes verantwortlichen Personen in Fragen des Arbeitsschutzes.

(2) [1] Der Arbeitgeber hat dafür zu sorgen, daß die von ihm bestellten Fachkräfte für Arbeitssicherheit ihre Aufgaben erfüllen. [2] Er hat sie bei der Erfüllung ihrer Aufgaben zu unterstützen; insbesondere ist er verpflichtet, ihnen, soweit dies zur Erfüllung ihrer Aufgaben erforderlich ist, Hilfspersonal sowie Räume, Einrichtungen, Geräte und Mittel zur Verfügung zu stellen. [3] Er hat sie über den Einsatz von Personen zu unterrichten, die mit einem befristeten Arbeitsvertrag beschäftigt oder ihm zur Arbeitsleistung überlassen sind.

(3) [1] Der Arbeitgeber hat den Fachkräften für Arbeitssicherheit die zur Erfüllung ihrer Aufgaben erforderliche Fortbildung unter Berücksichtigung der betrieblichen Belange zu ermöglichen. [2] Ist die Fachkraft

---

[1] § 5 Abs. 1 Nr. 4 angef., Abs. 2 Satz 3 angef. durch G v. 7. 8. 1996 (BGBl. I S. 1246).

[2] Vgl. die Unfallverhütungsvorschrift über Sicherheitsingenieure und andere Fachkräfte für Arbeitssicherheit (VBG 122), **Nipperdey II Nr. 110**.

für Arbeitssicherheit als Arbeitnehmer eingestellt, so ist sie für die Zeit der Fortbildung unter Fortentrichtung der Arbeitsvergütung von der Arbeit freizustellen. [3]Die Kosten der Fortbildung trägt der Arbeitgeber. [4]Ist die Fachkraft für Arbeitssicherheit nicht als Arbeitnehmer eingestellt, so ist sie für die Zeit der Fortbildung von der Erfüllung der ihr übertragenen Aufgaben freizustellen.

§ 6[1)] Aufgaben der Fachkräfte für Arbeitssicherheit. [1]Die Fachkräfte für Arbeitssicherheit haben die Aufgabe, den Arbeitgeber beim Arbeitsschutz und bei der Unfallverhütung in allen Fragen der Arbeitssicherheit einschließlich der menschengerechten Gestaltung der Arbeit zu unterstützen. [2]Sie haben insbesondere

1. den Arbeitgeber und die sonst für den Arbeitsschutz und die Unfallverhütung verantwortlichen Personen zu beraten, insbesondere bei
   a) der Planung, Ausführung und Unterhaltung von Betriebsanlagen und von sozialen und sanitären Einrichtungen,
   b) der Beschaffung von technischen Arbeitsmitteln und der Einführung von Arbeitsverfahren und Arbeitsstoffen,
   c) der Auswahl und Erprobung von Körperschutzmitteln,
   d) der Gestaltung der Arbeitsplätze, des Arbeitsablaufs, der Arbeitsumgebung und in sonstigen Fragen der Ergonomie,
   e) der Beurteilung der Arbeitsbedingungen,
2. die Betriebsanlagen und die technischen Arbeitsmittel insbesondere vor der Inbetriebnahme und Arbeitsverfahren insbesondere vor ihrer Einführung sicherheitstechnisch zu überprüfen,
3. die Durchführung des Arbeitsschutzes und der Unfallverhütung zu beobachten und im Zusammenhang damit
   a) die Arbeitsstätten in regelmäßigen Abständen zu begehen und festgestellte Mängel dem Arbeitgeber oder der sonst für den Arbeitsschutz und die Unfallverhütung verantwortlichen Person mitzuteilen, Maßnahmen zur Beseitigung dieser Mängel vorzuschlagen und auf deren Durchführung hinzuwirken,
   b) auf die Benutzung der Körperschutzmittel zu achten,
   c) Ursachen von Arbeitsunfällen zu untersuchen, die Untersuchungsergebnisse zu erfassen und auszuwerten und dem Arbeitgeber Maßnahmen zur Verhütung dieser Arbeitsunfälle vorzuschlagen,
4. darauf hinzuwirken, daß sich alle im Betrieb Beschäftigten den Anforderungen des Arbeitsschutzes und der Unfallverhütung entsprechend verhalten, insbesondere sie über die Unfall- und Gesundheitsgefahren, denen sie bei der Arbeit ausgesetzt sind, sowie über die Einrichtungen und Maßnahmen zur Abwendung dieser Gefahren zu belehren und bei der Schulung der Sicherheitsbeauftragten mitzuwirken.

---

1) § 6 Satz 2 Nr. 1 Buchst. e angef. durch G v. 7. 8. 1996 (BGBl. I S. 1246).

§ 7 Anforderungen an Fachkräfte für Arbeitssicherheit. (1) [1]Der Arbeitgeber darf als Fachkräfte für Arbeitssicherheit nur Personen bestellen, die den nachstehenden Anforderungen genügen: Der Sicherheitsingenieur muß berechtigt sein, die Berufsbezeichnung Ingenieur zu führen und über die zur Erfüllung der ihm übertragenen Aufgaben erforderliche sicherheitstechnische Fachkunde verfügen. [2]Der Sicherheitstechniker oder -meister muß über die zur Erfüllung der ihm übertragenen Aufgaben erforderliche sicherheitstechnische Fachkunde verfügen.

(2) Die zuständige Behörde kann es im Einzelfall zulassen, daß an Stelle eines Sicherheitsingenieurs, der berechtigt ist, die Berufsbezeichnung Ingenieur zu führen, jemand bestellt werden darf, der zur Erfüllung der sich aus § 6 ergebenden Aufgaben über entsprechende Fachkenntnisse verfügt.

Vierter Abschnitt. Gemeinsame Vorschriften

§ 8[1)] Unabhängigkeit bei der Anwendung der Fachkunde.

(1) [1]Betriebsärzte und Fachkräfte für Arbeitssicherheit sind bei der Anwendung ihrer arbeitsmedizinischen und sicherheitstechnischen Fachkunde weisungsfrei. [2]Sie dürfen wegen der Erfüllung der ihnen übertragenen Aufgaben nicht benachteiligt werden. [3]Betriebsärzte sind nur ihrem ärztlichen Gewissen unterworfen und haben die Regeln der ärztlichen Schweigepflicht zu beachten.

(2) Betriebsärzte und Fachkräfte für Arbeitssicherheit oder, wenn für einen Betrieb mehrere Betriebsärzte oder Fachkräfte für Arbeitssicherheit bestellt sind, der leitende Betriebsarzt und die leitende Fachkraft für Arbeitssicherheit, unterstehen unmittelbar dem Leiter des Betriebs.

(3) [1]Können sich Betriebsärzte oder Fachkräfte für Arbeitssicherheit über eine von ihnen vorgeschlagene arbeitsmedizinische oder sicherheitstechnische Maßnahme mit dem Leiter des Betriebs nicht verständigen, so können sie ihren Vorschlag unmittelbar dem Arbeitgeber und, wenn dieser eine juristische Person ist, dem zuständigen Mitglied des zur gesetzlichen Vertretung berufenen Organs unterbreiten. [2]Ist für einen Betrieb oder ein Unternehmen ein leitender Betriebsarzt oder eine leitende Fachkraft für Arbeitssicherheit bestellt, steht diesen das Vorschlagsrecht nach Satz 1 zu. [3]Lehnt der Arbeitgeber oder das zuständige Mitglied des zur gesetzlichen Vertretung berufenen Organs den Vorschlag ab, so ist dies den Vorschlagenden schriftlich mitzuteilen und zu begründen; der Betriebsrat erhält eine Abschrift.

§ 9 Zusammenarbeit mit dem Betriebsrat. (1) Die Betriebsärzte *und die Fachkräfte* für Arbeitssicherheit haben bei der Erfüllung ihrer Aufgaben mit dem Betriebsrat zusammenzuarbeiten.

---

1) § 8 Abs. 1 Satz 2 eingef. durch G v. 7. 8. 1996 (BGBl. I S. 1246).

(2) [1]Die Betriebsärzte und die Fachkräfte für Arbeitssicherheit haben den Betriebsrat über wichtige Angelegenheiten des Arbeitsschutzes und der Unfallverhütung zu unterrichten; sie haben ihm den Inhalt eines Vorschlages mitzuteilen, den sie nach § 8 Abs. 3 dem Arbeitgeber machen. [2]Sie haben den Betriebsrat auf sein Verlangen in Angelegenheiten des Arbeitsschutzes und der Unfallverhütung zu beraten.

(3) [1]Die Betriebsärzte und Fachkräfte für Arbeitssicherheit sind mit Zustimmung des Betriebsrats zu bestellen und abzuberufen. [2]Das gleiche gilt, wenn deren Aufgaben erweitert oder eingeschränkt werden sollen; im übrigen gilt § 87 in Verbindung mit § 76 des Betriebsverfassungsgesetzes[1]). [3]Vor der Verpflichtung oder Entpflichtung eines freiberuflich tätigen Arztes, einer freiberuflich tätigen Fachkraft für Arbeitssicherheit oder eines überbetrieblichen Dienstes ist der Betriebsrat zu hören.

§ 10[2]) **Zusammenarbeit der Betriebsärzte und der Fachkräfte für Arbeitssicherheit.** [1]Die Betriebsärzte und die Fachkräfte für Arbeitssicherheit haben bei der Erfüllung ihrer Aufgaben zusammenzuarbeiten. [2]Dazu gehört es insbesondere, gemeinsame Betriebsbegehungen vorzunehmen. [3]Die Betriebsärzte und die Fachkräfte für Arbeitssicherheit arbeiten bei der Erfüllung ihrer Aufgaben mit den anderen im Betrieb für Angelegenheiten der technischen Sicherheit, des Gesundheits- und des Umweltschutzes beauftragten Personen zusammen.

§ 11[3]) **Arbeitsschutzausschuß.** [1]Soweit in einer sonstigen Rechtsvorschrift nichts anderes bestimmt ist, hat der Arbeitgeber in Betrieben mit mehr als zwanzig Beschäftigten einen Arbeitsschutzausschuß zu bilden; bei der Feststellung der Zahl der Beschäftigten sind Teilzeitbeschäftigte mit einer regelmäßigen wöchentlichen Arbeitszeit von nicht mehr als 20 Stunden mit 0,5 und nicht mehr als 30 Stunden mit 0,75 zu berücksichtigen. [2]Dieser Ausschuß setzt sich zusammen aus:

dem Arbeitgeber oder einem von ihm Beauftragten,

zwei vom Betriebsrat bestimmten Betriebsratsmitgliedern,

Betriebsärzten,

Fachkräften für Arbeitssicherheit und

Sicherheitsbeauftragten nach § 22 des Siebten Buches Sozialgesetzbuch[4]).

[3]Der Arbeitsschutzausschuß hat die Aufgabe, Anliegen des Arbeitsschutzes und der Unfallverhütung zu beraten. [4]Der Arbeitsschutzausschuß tritt mindestens einmal vierteljährlich zusammen.

§ 12 Behördliche Anordnungen. (1) Die zuständige Behörde kann im Einzelfall anordnen, welche Maßnahmen der Arbeitgeber zur Erfüllung der sich aus diesem Gesetz und den die gesetzlichen Pflichten näher bestimmenden Rechtsverordnungen und Unfallverhütungsvorschriften ergebenden

---

[1]) Nr. **570**.

[2]) § 10 Satz 3 angef. durch G v. 7. 8. 1996 (BGBl. I S. 1246).

[3]) § 11 Satz 1 neu gef. durch G v. 7. 8. 1996 (BGBl. I S. 1246); Satz 2 geänd. durch G v. 7. 8. 1996 (BGBl. I S. 1254); Satz 1 geänd. durch G v. 25. 9. 1996 (BGBl. I S. 1476); Satz 1 geänd. durch G v. 19. 12. 1998 (BGBl. I S. 3843).

[4]) **Aichberger, SGB Nr. 7.**

Pflichten, insbesondere hinsichtlich der Bestellung von Betriebsärzten und Fachkräften für Arbeitssicherheit, zu treffen hat.

(2) Die zuständige Behörde hat, bevor sie eine Anordnung trifft,

1. den Arbeitgeber und den Betriebsrat zu hören und mit ihnen zu erörtern, welche Maßnahmen angebracht erscheinen und
2. dem zuständigen Träger der gesetzlichen Unfallversicherung Gelegenheit zu geben, an der Erörterung mit dem Arbeitgeber teilzunehmen und zu der von der Behörde in Aussicht genommenen Anordnung Stellung zu nehmen.

(3) Die zuständige Behörde hat dem Arbeitgeber zur Ausführung der Anordnung eine angemessene Frist zu setzen.

(4) Die zuständige Behörde hat den Betriebsrat über eine gegenüber dem Arbeitgeber getroffene Anordnung schriftlich in Kenntnis zu setzen.

§ 13[1)] Auskunfts- und Besichtigungsrechte. (1) [1]Der Arbeitgeber hat der zuständigen Behörde auf deren Verlangen die zur Durchführung des Gesetzes erforderlichen Auskünfte zu erteilen. [2]Er kann die Auskunft auf solche Fragen verweigern, deren Beantwortung ihn selbst oder einen der in § 383 Abs. 1 Nr. 1 bis 3 der Zivilprozeßordnung[2)] bezeichneten Angehörigen der Gefahr strafgerichtlicher Verfolgung oder eines Verfahrens nach dem Gesetz über Ordnungswidrigkeiten[3)] aussetzen würde.

(2) [1]Die Beauftragten der zuständigen Behörde sind berechtigt, die Arbeitsstätten während der üblichen Betriebs- und Arbeitszeit zu betreten und zu besichtigen; außerhalb dieser Zeit oder wenn sich die Arbeitsstätten in einer Wohnung befinden, dürfen sie nur zur Verhütung von dringenden Gefahren für die öffentliche Sicherheit und Ordnung betreten und besichtigt werden. [2]Das Grundrecht der Unverletzlichkeit der Wohnung (Artikel 13 des Grundgesetzes[4)]) wird insoweit eingeschränkt.

§ 14[5)] Ermächtigung zum Erlaß von Rechtsverordnungen. [1]Das Bundesministerium für Arbeit und Soziales kann mit Zustimmung des Bundesrates durch Rechtsverordnung bestimmen, welche Maßnahmen der Arbeitgeber zur Erfüllung der sich aus diesem Gesetz ergebenden Pflichten zu treffen hat. [2]Soweit die Träger der gesetzlichen Unfallversicherung ermächtigt[6)] sind, die gesetzlichen Pflichten durch Unfallverhütungsvorschriften[7)] näher zu bestimmen, macht das Bundesministerium für Arbeit und Soziales von der Ermächtigung erst Gebrauch, nachdem innerhalb einer von ihm gesetzten angemessenen Frist der Träger der gesetzlichen Unfallversicherung eine entsprechende

---

1) § 13 Überschr. geänd. und Abs. 1 aufgeh., bish. Abs. 2 wird Abs. 1 und Satz 1 geänd., bish. Abs. 3 wird Abs. 2 durch G v. 12. 4. 1976 (BGBl. I S. 965).

2) **Schönfelder Nr. 100.**

3) **Schönfelder Nr. 94.**

4) **Sartorius Nr. 1.**

5) § 14 Abs. 2 aufgeh., bish. Abs. 1 wird alleiniger Wortlaut mWv 1. 1. 2003 durch G v. 24. 8. 2002 (BGBl. I S. 3412); Sätze 1 und 2 geänd. mWv 28. 11. 2003 durch VO v. 25. 11. 2003 (BGBl. I S. 2304); Abs. 1 Satz 1 und 2 geänd. mWv 8. 11. 2006 durch VO v. 31. 10. 2006 (BGBl. I S. 2407).

6) Vgl. § 15 SGB VII (Nr. **697**).

7) Siehe dazu die Unfallverhütungsvorschriften über Sicherheitsingenieure und andere Fachkräfte für Arbeitssicherheit (VBG 122), über Betriebsärzte (VBG 123) und weitere Vorschriften, **Nipperdey II Nrn. 110 ff.**

Unfallverhütungsvorschrift nicht erlassen hat oder eine unzureichend gewordene Unfallverhütungsvorschrift nicht ändert.

§ 15[1] **Ermächtigung zum Erlaß von allgemeinen Verwaltungsvorschriften.** Das Bundesministerium für Arbeit und Soziales erläßt mit Zustimmung des Bundesrates allgemeine Verwaltungsvorschriften zu diesem Gesetz und den auf Grund des Gesetzes erlassenen Rechtsverordnungen.

§ 16 Öffentliche Verwaltung. In Verwaltungen und Betrieben des Bundes, der Länder, der Gemeinden und der sonstigen Körperschaften, Anstalten und Stiftungen des öffentlichen Rechts ist ein den Grundsätzen dieses Gesetzes gleichwertiger arbeitsmedizinischer und sicherheitstechnischer Arbeitsschutz zu gewährleisten.

§ 17[2] **Nichtanwendung des Gesetzes.** (1) Dieses Gesetz ist nicht anzuwenden, soweit Arbeitnehmer im Haushalt beschäftigt werden.

(2) [1] Soweit im Seearbeitsgesetz und in anderen Vorschriften im Bereich der Seeschifffahrt gleichwertige Regelungen enthalten sind, gelten diese Regelungen für die Besatzungsmitglieder auf Kauffahrteischiffen unter deutscher Flagge. [2] Soweit dieses Gesetz auf die Seeschiffahrt nicht anwendbar ist, wird das Nähere durch Rechtsverordnung geregelt.

(3) [1] Soweit das Bergrecht diesem Gesetz gleichwertige Regelungen enthält, gelten diese Regelungen. [2] Im übrigen gilt dieses Gesetz.

§ 18 Ausnahmen. Die zuständige Behörde kann dem Arbeitgeber gestatten, auch solche Betriebsärzte und Fachkräfte für Arbeitssicherheit zu bestellen, die noch nicht über die erforderliche Fachkunde im Sinne des § 4 oder § 7 verfügen, wenn der Arbeitgeber sich verpflichtet, in einer festzulegenden Frist den Betriebsarzt oder die Fachkraft für Arbeitssicherheit entsprechend fortbilden zu lassen.

§ 19 Überbetriebliche Dienste. Die Verpflichtung des Arbeitgebers, Betriebsärzte und Fachkräfte für Arbeitssicherheit zu bestellen, kann auch dadurch erfüllt werden, daß der Arbeitgeber einen überbetrieblichen Dienst von Betriebsärzten oder Fachkräften für Arbeitssicherheit zur Wahrnehmung der Aufgaben nach § 3 oder § 6 verpflichtet.

§ 20[3] **Ordnungswidrigkeiten.** (1) Ordnungswidrig handelt, wer vorsätzlich oder fahrlässig

1. einer vollziehbaren Anordnung nach § 12 Abs. 1 zuwiderhandelt,
2. entgegen § 13 Abs. 1 Satz 1 eine Auskunft nicht, nicht richtig oder nicht vollständig erteilt oder
3. entgegen § 13 Abs. 2 Satz 1 eine Besichtigung nicht duldet.

[1] § 15 geänd. mWv 28. 11. 2003 durch VO v. 25. 11. 2003 (BGBl. I S. 2304); geänd. mWv 8. 11. 2006 durch VO v. 31. 10. 2006 (BGBl. I S. 2407).

[2] § 17 Abs. 2 Satz 1 neu gef. mWv 1. 8. 2013 durch G v. 20. 4. 2013 (BGBl. I S. 868).

[3] § 20 Abs. 2 geänd. und Abs. 1 Nr. 2 aufgeh., bish. Nrn. 3 und 4 werden Nrn. 2 und 3 und geänd. durch G v. 12. 4. 1976 (BGBl. I S. 965); Abs. 2 geänd. mWv 1. 1. 2002 durch G v. 21. 12. 2000 (BGBl. I S. 1983).

(2) Eine Ordnungswidrigkeit nach Absatz 1 Nr. 1 kann mit einer Geldbuße bis zu fünfundzwanzigtausend Euro, eine Ordnungswidrigkeit nach Absatz 1 Nr. 2 und 3 mit einer Geldbuße bis zu fünfhundert Euro geahndet werden.

§ 21 *(nicht wiedergegebene Änderungsvorschrift)*

§ 22 Berlin-Klausel. *(gegenstandslos)*

§ 23[1] Inkrafttreten. (1) [1] Dieses Gesetz, ausgenommen § 14 und § 21, tritt am ersten Tage des auf die Verkündung[2] folgenden zwölften Kalendermonats in Kraft. [2] § 14 und § 21 treten am Tage nach der Verkündung des Gesetzes in Kraft.

(2) [1] § 6 Abs. 3 Satz 2 und § 7 des Berliner Gesetzes über die Durchführung des Arbeitsschutzes vom 9. August 1949 (VOBl. I S. 265), zuletzt geändert durch Artikel LVIII des Gesetzes vom 6. März 1970 (GVBl. S. 474), treten außer Kraft. [2] Im übrigen bleibt das Gesetz unberührt.

---

[1] § 23 Abs. 1 Sätze 1 und 2 geänd. durch G v. 12. 4. 1976 (BGBl. I S. 965).
[2] Verkündet am 15. 12. 1973.

383a. [Muster-UVV:] DGUV Vorschrift 1
Unfallverhütungsvorschrift
Grundsätze der Prävention

Ausgabe November 2013

[Hrsg.: Deutsche Gesetzliche Unfallversicherung e.V. (DGUV)]

Inhaltsverzeichnis

Erstes Kapitel. Allgemeine Vorschriften

§ 1 Geltungsbereich von Unfallverhütungsvorschriften (1) Unfallverhütungsvorschriften gelten für Unternehmer und Versicherte; sie gelten auch

- für Unternehmer und Beschäftigte von ausländischen Unternehmen, die eine Tätigkeit im Inland ausüben, ohne einem Unfallversicherungsträger anzugehören;
- soweit in dem oder für das Unternehmen Versicherte tätig werden, für die ein anderer Unfallversicherungsträger zuständig ist.

(2) Für Unternehmer mit Versicherten nach § 2 Absatz 1 Nummer 8 Buchstabe b Sozialgesetzbuch Siebtes Buch (SGB VII) gilt diese Unfallverhütungsvorschrift nur, soweit nicht der innere Schulbereich betroffen ist.

Zweites Kapitel. Pflichten des Unternehmers

§ 2 Grundpflichten des Unternehmers. (1) [1]Der Unternehmer hat die erforderlichen Maßnahmen zur Verhütung von Arbeitsunfällen, Berufskrankheiten und arbeitsbedingten Gesundheitsgefahren sowie für eine wirksame Erste Hilfe zu treffen. [2]Die zu treffenden Maßnahmen sind insbesondere in staatlichen Arbeitsschutzvorschriften (Anlage 1), dieser Unfallverhütungsvorschrift und in weiteren Unfallverhütungsvorschriften näher bestimmt. [3]Die in staatlichem Recht bestimmten Maßnahmen gelten auch zum Schutz von Versicherten, die keine Beschäftigten sind.

(2) Der Unternehmer hat bei den Maßnahmen nach Absatz 1 von den allgemeinen Grundsätzen nach § 4 Arbeitsschutzgesetz auszugehen und dabei vorrangig das staatliche Regelwerk sowie das Regelwerk der Unfallversicherungsträger heranzuziehen.

(3) Der Unternehmer hat die Maßnahmen nach Absatz 1 entsprechend den Bestimmungen des § 3 Absatz 1 Sätze 2 und 3 und Absatz 2 Arbeitsschutzgesetz zu planen, zu organisieren, durchzuführen und erforderlichenfalls an veränderte Gegebenheiten anzupassen.

(4) Der Unternehmer darf keine sicherheitswidrigen Weisungen erteilen.

(5) Kosten für Maßnahmen nach dieser Unfallverhütungsvorschrift und den für ihn sonst geltenden Unfallverhütungsvorschriften darf der Unternehmer nicht den Versicherten auferlegen.

§ 3 Beurteilung der Arbeitsbedingungen, Dokumentation, Auskunftspflichten. (1) Der Unternehmer hat durch eine Beurteilung der für die Versicherten mit ihrer Arbeit verbundenen Gefährdungen entsprechend § 5 Absatz 2 und 3 Arbeitsschutzgesetz zu ermitteln, welche Maßnahmen nach § 2 Absatz 1 erforderlich sind.

(2) Der Unternehmer hat Gefährdungsbeurteilungen insbesondere dann zu überprüfen, wenn sich die betrieblichen Gegebenheiten hinsichtlich Sicherheit und Gesundheitsschutz verändert haben.

(3) Der Unternehmer hat entsprechend § 6 Absatz 1 Arbeitsschutzgesetz das Ergebnis der Gefährdungsbeurteilung nach Absatz 1, die von ihm festgelegten Maßnahmen und das Ergebnis ihrer Überprüfung zu dokumentieren.

(4) Der Unternehmer hat dem Unfallversicherungsträger alle Informationen über die im Betrieb getroffenen Maßnahmen des Arbeitsschutzes auf Wunsch zur Kenntnis zu geben.

(5) Für Personen, die in Unternehmen zur Hilfe bei Unglücksfällen oder im Zivilschutz unentgeltlich tätig werden, hat der Unternehmer, der für die vorgenannten Personen zuständig ist, Maßnahmen zu ergreifen, die denen nach Absatz 1 bis 4 gleichwertig sind.

§ 4 Unterweisung der Versicherten. (1) Der Unternehmer hat die Versicherten über Sicherheit und Gesundheitsschutz bei der Arbeit, insbesondere über die mit ihrer Arbeit verbundenen Gefährdungen und die Maßnahmen zu ihrer Verhütung, entsprechend § 12 Absatz 1 Arbeitsschutzgesetz sowie bei einer Arbeitnehmerüberlassung entsprechend § 12 Absatz 2 Arbeitsschutzgesetz zu unterweisen; die Unterweisung muss erforderlichenfalls wiederholt werden, mindestens aber einmal jährlich erfolgen; sie muss dokumentiert werden.

(2) Der Unternehmer hat den Versicherten die für ihren Arbeitsbereich oder für ihre Tätigkeit relevanten Inhalte der geltenden Unfallverhütungsvorschriften und Regeln der Unfallversicherungsträger sowie des einschlägigen staatlichen Vorschriften- und Regelwerks in verständlicher Weise zu vermitteln.

(3) Der Unternehmer nach § 136 Absatz 3 Nummer 3 Alternative 2 Sozialgesetzbuch Siebtes Buch (SGB VII) hat den Schulhoheitsträger hinsichtlich Unterweisungen für Versicherte nach § 2 Absatz 1 Nummer 8 Buchstabe b SGB VII zu unterstützen.

§ 5 Vergabe von Aufträgen. (1) Erteilt der Unternehmer den Auftrag,

1. Einrichtungen zu planen, herzustellen, zu ändern oder in Stand zu setzen,
2. Arbeitsverfahren zu planen oder zu gestalten,

so hat er dem Auftragnehmer schriftlich aufzugeben, die in § 2 Absatz 1 und 2 genannten für die Durchführung des Auftrags maßgeblichen Vorgaben zu beachten.

(2) Erteilt der Unternehmer den Auftrag, Arbeitsmittel, Ausrüstungen oder Arbeitsstoffe zu liefern, so hat er dem Auftragnehmer schriftlich aufzugeben, im Rahmen seines Auftrags die für Sicherheit und Gesundheitsschutz einschlägigen Anforderungen einzuhalten.

(3) [1] Bei der Erteilung von Aufträgen an ein Fremdunternehmen hat der den Auftrag erteilende Unternehmer den Fremdunternehmer bei der Gefährdungsbeurteilung bezüglich der betriebsspezifischen Gefahren zu unterstützen. [2] Der Unternehmer hat ferner sicherzustellen, dass Tätigkeiten mit besonderen Gefahren durch Aufsichtführende überwacht werden, die die Durchführung der festgelegten Schutzmaßnahmen sicherstellen. [3] Der Unternehmer hat ferner mit dem Fremdunternehmen Einvernehmen herzustellen, wer den Aufsichtführenden zu stellen hat.

§ 6 Zusammenarbeit mehrerer Unternehmer. (1) [1] Werden Beschäftigte mehrerer Unternehmer oder selbständige Einzelunternehmer an einem Arbeitsplatz tätig, haben die Unternehmer hinsichtlich der Sicherheit und des Gesundheitsschutzes der Beschäftigten, insbesondere hinsichtlich der Maßnahmen nach § 2 Absatz 1, entsprechend § 8 Absatz 1 Arbeitsschutzgesetz zusammenzuarbeiten. [2] Insbesondere haben sie, soweit es zur Vermeidung einer möglichen gegenseitigen Gefährdung erforderlich ist, eine Person zu bestimmen, die die Arbeiten aufeinander abstimmt; zur Abwehr besonderer Gefahren ist sie mit entsprechender Weisungsbefugnis auszustatten.

(2) Der Unternehmer hat sich je nach Art der Tätigkeit zu vergewissern, dass Personen, die in seinem Betrieb tätig werden, hinsichtlich der Gefahren für ihre Sicherheit und Gesundheit während ihrer Tätigkeit in seinem Betrieb angemessene Anweisungen erhalten haben.

§ 7 Befähigung für Tätigkeiten. (1) [1] Bei der Übertragung von Aufgaben auf Versicherte hat der Unternehmer je nach Art der Tätigkeiten zu berücksichtigen, ob die Versicherten befähigt sind, die für die Sicherheit und den Gesundheitsschutz bei der Aufgabenerfüllung zu beachtenden Bestimmungen und Maßnahmen einzuhalten. [2] Der Unternehmer hat die für bestimmte Tätigkeiten festgelegten Qualifizierungsanforderungen zu berücksichtigen.

(2) Der Unternehmer darf Versicherte, die erkennbar nicht in der Lage sind, eine Arbeit ohne Gefahr für sich oder andere auszuführen, mit dieser Arbeit nicht beschäftigen.

§ 8 Gefährliche Arbeiten. (1) Wenn eine gefährliche Arbeit von mehreren Personen gemeinschaftlich ausgeführt wird und sie zur Vermeidung von Gefahren eine gegenseitige Verständigung erfordert, hat der Unternehmer dafür zu sorgen, dass eine zuverlässige, mit der Arbeit vertraute Person die Aufsicht führt.

(2) Wird eine gefährliche Arbeit von einer Person allein ausgeführt, so hat der Unternehmer über die allgemeinen Schutzmaßnahmen hinaus für geeignete technische oder organisatorische Personenschutzmaßnahmen zu sorgen.

§ 9 Zutritts- und Aufenthaltsverbote. Der Unternehmer hat dafür zu sorgen, dass Unbefugte Betriebsteile nicht betreten, wenn dadurch eine Gefahr für Sicherheit und Gesundheit entsteht.

§ 10 Besichtigung des Unternehmens, Erlass einer Anordnung, Auskunftspflicht. (1) Der Unternehmer hat den Aufsichtspersonen des Unfallversicherungsträgers die Besichtigung seines Unternehmens zu ermöglichen und sie auf ihr Verlangen zu begleiten oder durch einen geeigneten Vertreter begleiten zu lassen.

(2) Erlässt die Aufsichtsperson des Unfallversicherungsträgers eine Anordnung und setzt sie hierbei eine Frist, innerhalb der die verlangten Maßnahmen zu treffen sind, so hat der Unternehmer nach Ablauf der Frist unverzüglich mitzuteilen, ob er die verlangten Maßnahmen getroffen hat.

(3) [1] Der Unternehmer hat den Aufsichtspersonen des Unfallversicherungsträgers auf Verlangen die zur Durchführung ihrer Überwachungsaufgabe erforderlichen Auskünfte zu erteilen. [2] Er hat die Aufsichtspersonen zu unterstützen, soweit dies zur Erfüllung ihrer Aufgaben erforderlich ist.

§ 11 Maßnahmen bei Mängeln. Tritt bei einem Arbeitsmittel, einer Einrichtung, einem Arbeitsverfahren bzw. Arbeitsablauf ein Mangel auf, durch den für die Versicherten sonst nicht abzuwendende Gefahren entstehen, hat der Unternehmer das Arbeitsmittel oder die Einrichtung der weiteren Benutzung zu entziehen oder stillzulegen bzw. das Arbeitsverfahren oder den Arbeitsablauf abzubrechen, bis der Mangel behoben ist.

§ 12 Zugang zu Vorschriften und Regeln. (1) Der Unternehmer hat den Versicherten die für sein Unternehmen geltenden Unfallverhütungsvorschriften und Regeln der Unfallversicherungsträger sowie die einschlägigen staatlichen Vorschriften und Regeln an geeigneter Stelle zugänglich zu machen.

(2) Der Unternehmer hat den mit der Durchführung und Unterstützung von Maßnahmen nach § 2 Absatz 1 betrauten Personen die nach dem Ergebnis der Gefährdungsbeurteilung (§ 3 Absatz 1 und 2) für ihren Zuständigkeitsbereich geltenden Vorschriften und Regeln zur Verfügung zu stellen.

§ 13 Pflichtenübertragung. [1] Der Unternehmer kann zuverlässige und fachkundige Personen schriftlich damit beauftragen, ihm nach Unfallverhütungsvorschriften obliegende Aufgaben in eigener Verantwortung wahrzunehmen. [2] Die Beauftragung muss den Verantwortungsbereich und Befugnisse festlegen und ist vom Beauftragten zu unterzeichnen. [3] Eine Ausfertigung der Beauftragung ist ihm auszuhändigen.

§ 14 Ausnahmen. (1) [1] Der Unternehmer kann bei dem Unfallversicherungsträger im Einzelfall Ausnahmen von Unfallverhütungsvorschriften schriftlich beantragen. [2] Dem Antrag ist eine Stellungnahme der betrieblichen Arbeitnehmervertretung beizufügen; im Falle eines Antrages durch eine Kindertageseinrichtung, eine allgemein bildende oder berufsbildende Schule oder eine Hochschule ist zusätzlich der Leitung der Einrichtung Gelegenheit zur Stellungnahme zu geben.

(2) Der Unfallversicherungsträger kann dem Antrag nach Absatz 1 entsprechen, wenn

1. der Unternehmer eine andere, ebenso wirksame Maßnahme trifft
oder
2. die Durchführung der Vorschriften im Einzelfall zu einer unverhältnismäßigen Härte führen würde und die Abweichung mit dem Schutz der Versicherten vereinbar ist.

(3) Betrifft der Antrag nach Absatz 1 Regelungen in Unfallverhütungsvorschriften, die zugleich Gegenstand staatlicher Arbeitsschutzvorschriften sind, hat der Unfallversicherungsträger eine Stellungnahme der für die Durchführung der staatlichen Arbeitsschutzvorschriften zuständigen staatlichen Arbeitsschutzbehörde einzuholen und zu berücksichtigen.

(4) In staatlichen Arbeitsschutzvorschriften enthaltene Verfahrensvorschriften, insbesondere über Genehmigungen, Erlaubnisse, Ausnahmen, Anzeigen und Vorlagepflichten, bleiben von dieser Unfallverhütungsvorschrift unberührt; die nach diesen Bestimmungen zu treffenden behördlichen Maßnahmen obliegen den zuständigen Arbeitsschutzbehörden.

Drittes Kapitel. Pflichten der Versicherten

§ 15 Allgemeine Unterstützungspflichten und Verhalten. (1) [1] Die Versicherten sind verpflichtet, nach ihren Möglichkeiten sowie gemäß der Unterweisung und Weisung des Unternehmers für ihre Sicherheit und Gesundheit bei der Arbeit sowie für Sicherheit und Gesundheitsschutz derjenigen zu sorgen, die von ihren Handlungen oder Unterlassungen betroffen sind. [2] Die Versicherten haben die Maßnahmen zur Verhütung von Arbeitsunfällen, Berufskrankheiten und arbeitsbedingten Gesundheitsgefahren sowie für eine wirksame Erste Hilfe zu unterstützen. [3] Versicherte haben die entsprechenden Anweisungen des Unternehmers zu befolgen. [4] Die Versicherten dürfen erkennbar gegen Sicherheit und Gesundheit gerichtete Weisungen nicht befolgen.

(2) Versicherte dürfen sich durch den Konsum von Alkohol, Drogen oder anderen berauschenden Mitteln nicht in einen Zustand versetzen, durch den sie sich selbst oder andere gefährden können.

(3) Absatz 2 gilt auch für die Einnahme von Medikamenten.

§ 16 Besondere Unterstützungspflichten. (1) [1] Die Versicherten haben dem Unternehmer oder dem zuständigen Vorgesetzten jede von ihnen festgestellte unmittelbare erhebliche Gefahr für die Sicherheit und Gesundheit sowie jeden an den Schutzvorrichtungen und Schutzsystemen festgestellten Defekt unverzüglich zu melden. [2] Unbeschadet dieser Pflicht sollen die Versicherten von ihnen festgestellte Gefahren für Sicherheit und Gesundheit und Mängel an den Schutzvorrichtungen und Schutzsystemen auch der Fachkraft für Arbeitssicherheit, dem Betriebsarzt oder dem Sicherheitsbeauftragten mitteilen.

(2) [1] Stellt ein Versicherter fest, dass im Hinblick auf die Verhütung von Arbeitsunfällen, Berufskrankheiten und arbeitsbedingten Gesundheitsgefahren

- ein Arbeitsmittel oder eine sonstige Einrichtung einen Mangel aufweist,
- Arbeitsstoffe nicht einwandfrei verpackt, gekennzeichnet oder beschaffen sind oder
- ein Arbeitsverfahren oder Arbeitsabläufe Mängel aufweisen,

hat er, soweit dies zu seiner Arbeitsaufgabe gehört und er über die notwendige Befähigung verfügt, den festgestellten Mangel unverzüglich zu beseitigen. [2] Andernfalls hat er den Mangel dem Vorgesetzten unverzüglich zu melden.

§ 17 Benutzung von Einrichtungen, Arbeitsmitteln und Arbeitsstoffen. Versicherte haben Einrichtungen, Arbeitsmittel und Arbeitsstoffe sowie Schutzvorrichtungen bestimmungsgemäß und im Rahmen der ihnen übertragenen Arbeitsaufgaben zu benutzen.

§ 18 Zutritts- und Aufenthaltsverbote. Versicherte dürfen sich an gefährlichen Stellen nur im Rahmen der ihnen übertragenen Aufgaben aufhalten.

Viertes Kapitel. Organisation des betrieblichen Arbeitsschutzes

Erster Abschnitt. Sicherheitstechnische und betriebsärztliche Betreuung, Sicherheitsbeauftragte

§ 19 Bestellung von Fachkräften für Arbeitssicherheit und Betriebsärzten. (1) Der Unternehmer hat nach Maßgabe des Gesetzes über Betriebsärzte, Sicherheitsingenieure und andere Fachkräfte für Arbeitssicherheit (Arbeitssicherheitsgesetz) und der hierzu erlassenen Unfallverhütungsvorschriften Fachkräfte für Arbeitssicherheit und Betriebsärzte zu bestellen.

(2) Der Unternehmer hat die Zusammenarbeit der Fachkräfte für Arbeitssicherheit und der Betriebsärzte zu fördern.

§ 20 Bestellung und Aufgaben von Sicherheitsbeauftragten. (1) [1]In Unternehmen mit regelmäßig mehr als 20 Beschäftigten hat der Unternehmer unter Berücksichtigung der im Unternehmen bestehenden Verhältnisse hinsichtlich der Arbeitsbedingungen, der Arbeitsumgebung sowie der Arbeitsorganisation Sicherheitsbeauftragte in der erforderlichen Anzahl zu bestellen. [2]Kriterien für die Anzahl der Sicherheitsbeauftragten sind:

- Im Unternehmen bestehende Unfall- und Gesundheitsgefahren,
- Räumliche Nähe der zuständigen Sicherheitsbeauftragten zu den Beschäftigten,
- Zeitliche Nähe der zuständigen Sicherheitsbeauftragten zu den Beschäftigten,
- Fachliche Nähe der zuständigen Sicherheitsbeauftragten zu den Beschäftigten,
- Anzahl der Beschäftigten.

(2) Die Sicherheitsbeauftragten haben den Unternehmer bei der Durchführung der Maßnahmen zur Verhütung von Arbeitsunfällen und Berufskrankheiten zu unterstützen, insbesondere sich von dem Vorhandensein und der ordnungsgemäßen Benutzung der vorgeschriebenen Schutzeinrichtungen und persönlichen Schutzausrüstungen zu überzeugen und auf Unfall- und Gesundheitsgefahren für die Versicherten aufmerksam zu machen.

(3) Der Unternehmer hat den Sicherheitsbeauftragten Gelegenheit zu geben, ihre Aufgaben zu erfüllen, insbesondere in ihrem Bereich an den Betriebsbesichtigungen sowie den Untersuchungen von Unfällen und Berufskrankheiten durch die Aufsichtspersonen der Unfallversicherungsträger teilzunehmen; den Sicherheitsbeauftragten sind die hierbei erzielten Ergebnisse zur Kenntnis zu geben.

(4) Der Unternehmer hat sicherzustellen, dass die Fachkräfte für Arbeitssicherheit und Betriebsärzte mit den Sicherheitsbeauftragten eng zusammenwirken.

(5) Die Sicherheitsbeauftragten dürfen wegen der Erfüllung der ihnen übertragenen Aufgaben nicht benachteiligt werden.

(6) Der Unternehmer hat den Sicherheitsbeauftragten Gelegenheit zu geben, an Aus- und Fortbildungsmaßnahmen des Unfallversicherungsträgers teilzunehmen, soweit dies im Hinblick auf die Betriebsart und die damit für die Versicherten verbundenen Unfall- und Gesundheitsgefahren sowie unter Berücksichtigung betrieblicher Belange erforderlich ist.

Zweiter Abschnitt. Maßnahmen bei besonderen Gefahren

§ 21 Allgemeine Pflichten des Unternehmers. (1) [1]Der Unternehmer hat Vorkehrungen zu treffen, dass alle Versicherten, die einer unmittelbaren erheblichen Gefahr ausgesetzt sind oder sein können, möglichst frühzeitig über diese Gefahr und die getroffenen oder zu treffenden Schutzmaßnahmen unterrichtet sind. [2]Bei unmittelbarer erheblicher Gefahr für die eigene Sicherheit oder die Sicherheit anderer Personen müssen die Versicherten die geeigneten Maßnahmen zur Gefahrenabwehr und Schadensbegrenzung selbst treffen können, wenn der zuständige Vorgesetzte nicht erreichbar ist; dabei sind die Kenntnisse der Versicherten und die vorhandenen technischen Mittel zu berücksichtigen.

(2) Der Unternehmer hat Maßnahmen zu treffen, die es den Versicherten bei unmittelbarer erheblicher Gefahr ermöglichen, sich durch sofortiges Verlassen der Arbeitsplätze in Sicherheit zu bringen.

§ 22 Notfallmaßnahmen. (1) Der Unternehmer hat entsprechend § 10 Arbeitsschutzgesetz die Maßnahmen zu planen, zu treffen und zu überwachen, die insbesondere für den Fall des Entstehens von Bränden, von Explosionen, des unkontrollierten Austretens von Stoffen und von sonstigen gefährlichen Störungen des Betriebsablaufs geboten sind.

(2) Der Unternehmer hat eine ausreichende Anzahl von Versicherten durch Unterweisung und Übung im Umgang mit Feuerlöscheinrichtungen zur Bekämpfung von Entstehungsbränden vertraut zu machen.

§ 23 Maßnahmen gegen Einflüsse des Wettergeschehens. Beschäftigt der Unternehmer Versicherte im Freien und bestehen infolge des Wettergeschehens Unfall- und Gesundheitsgefahren, so hat er geeignete Maßnahmen am Arbeitsplatz vorzusehen, geeignete organisatorische Schutzmaßnahmen zu treffen oder erforderlichenfalls persönliche Schutzausrüstungen zur Verfügung zu stellen.

Dritter Abschnitt. Erste Hilfe

§ 24 Allgemeine Pflichten des Unternehmers. (1) Der Unternehmer hat dafür zu sorgen, dass zur Ersten Hilfe und zur Rettung aus Gefahr die erforderlichen Einrichtungen und Sachmittel sowie das erforderliche Personal zur Verfügung stehen.

(2) Der Unternehmer hat dafür zu sorgen, dass nach einem Unfall unverzüglich Erste Hilfe geleistet und eine erforderliche ärztliche Versorgung veranlasst wird.

(3) Der Unternehmer hat dafür zu sorgen, dass Verletzte sachkundig transportiert werden.

(4) Der Unternehmer hat im Rahmen seiner Möglichkeiten darauf hinzuwirken, dass Versicherte

1. einem Durchgangsarzt vorgestellt werden, es sei denn, dass der erstbehandelnde Arzt festgestellt hat, dass die Verletzung nicht über den Unfalltag hinaus zur Arbeitsunfähigkeit führt oder die Behandlungsbedürftigkeit voraussichtlich nicht mehr als eine Woche beträgt,
2. bei einer schweren Verletzung einem der von den Unfallversicherungsträgern bezeichneten Krankenhäuser zugeführt werden,
3. bei Vorliegen einer Augen- oder Hals-, Nasen-, Ohrenverletzung dem nächsterreichbaren Arzt des entsprechenden Fachgebiets zugeführt werden, es sei denn, dass sich die Vorstellung durch eine ärztliche Erstversorgung erübrigt hat.

(5) [1]Der Unternehmer hat dafür zu sorgen, dass den Versicherten durch Aushänge der Unfallversicherungsträger oder in anderer geeigneter schriftlicher Form Hinweise über die Erste Hilfe und Angaben über Notruf, Erste-Hilfe- *und Rettungs*-Einrichtungen, über das Erste-Hilfe-Personal sowie über herbeizuziehende Ärzte und anzufahrende Krankenhäuser gemacht werden. [2]Die Hinweise und die Angaben sind aktuell zu halten.

(6) [1] Der Unternehmer hat dafür zu sorgen, dass jede Erste-Hilfe-Leistung dokumentiert und diese Dokumentation fünf Jahre lang verfügbar gehalten wird. [2] Die Dokumente sind vertraulich zu behandeln.

(7) Der Schulsachkostenträger als Unternehmer nach § 136 Absatz 3 Nummer 3 Alternative 2 Sozialgesetzbuch Siebtes Buch (SGB VII) hat den Schulhoheitsträger bei der Durchführung von Maßnahmen zur Sicherstellung einer wirksamen Ersten Hilfe für Versicherte nach § 2 Absatz 1 Nummer 8 Buchstabe b SGB VII zu unterstützen.

§ 25 Erforderliche Einrichtungen und Sachmittel. (1) Der Unternehmer hat unter Berücksichtigung der betrieblichen Verhältnisse durch Meldeeinrichtungen und organisatorische Maßnahmen dafür zu sorgen, dass unverzüglich die notwendige Hilfe herbeigerufen und an den Einsatzort geleitet werden kann.

(2) Der Unternehmer hat dafür zu sorgen, dass Mittel zur Ersten Hilfe jederzeit schnell erreichbar und leicht zugänglich in geeigneten Behältnissen, gegen schädigende Einflüsse geschützt, in ausreichender Menge bereitgehalten sowie rechtzeitig ergänzt und erneuert werden.

(3) Der Unternehmer hat dafür zu sorgen, dass unter Berücksichtigung der betrieblichen Verhältnisse Rettungsgeräte und Rettungstransportmittel bereitgehalten werden.

(4) [1] Der Unternehmer hat dafür zu sorgen, dass mindestens ein mit Rettungstransportmitteln leicht erreichbarer Erste-Hilfe-Raum oder eine vergleichbare Einrichtung

1. in einer Betriebsstätte mit mehr als 1000 dort beschäftigten Versicherten,
2. in einer Betriebsstätte mit 1000 oder weniger, aber mehr als 100 dort beschäftigten Versicherten, wenn ihre Art und das Unfallgeschehen nach Art, Schwere und Zahl der Unfälle einen gesonderten Raum für die Erste Hilfe erfordern,
3. auf einer Baustelle mit mehr als 50 dort beschäftigten Versicherten

vorhanden ist. [2] Nummer 3 gilt auch, wenn der Unternehmer zur Erbringung einer Bauleistung aus einem von ihm übernommenen Auftrag Arbeiten an andere Unternehmer vergeben hat und insgesamt mehr als 50 Versicherte gleichzeitig tätig werden.

(5) In Kindertageseinrichtungen, allgemein bildenden und berufsbildenden Schulen sowie Hochschulen hat der Unternehmer geeignete Liegemöglichkeiten oder geeignete Räume mit Liegemöglichkeit zur Erstversorgung von Verletzten in der erforderlichen Anzahl vorzuhalten.

§ 26 Zahl und Ausbildung der Ersthelfer. (1) [1] Der Unternehmer hat dafür zu sorgen, dass für die Erste-Hilfe-Leistung Ersthelfer mindestens in folgender Zahl zur Verfügung stehen:

1. Bei 2 bis zu 20 anwesenden Versicherten ein Ersthelfer,
2. bei mehr als 20 anwesenden Versicherten
   a) in Verwaltungs- und Handelsbetrieben 5 %,
   b) in sonstigen Betrieben 10 %,
   c) in Kindertageseinrichtungen ein Ersthelfer je Kindergruppe,
   d) in Hochschulen 10 % der Versicherten nach § 2 Absatz 1 Nummer 1 Sozialgesetzbuch Siebtes Buch (SGB VII).

[2] Von der Zahl der Ersthelfer nach Nummer 2 kann im Einvernehmen mit dem Unfallversicherungsträger unter Berücksichtigung der Organisation des betrieblichen Rettungswesens und der Gefährdung abgewichen werden.

(2) [1] Der Unternehmer darf als Ersthelfer nur Personen einsetzen, die bei einer von dem Unfallversicherungsträger für die Ausbildung zur Ersten Hilfe ermächtigten Stelle ausgebildet worden sind oder über eine sanitätsdienstliche/rettungsdienstliche Ausbildung oder eine abgeschlossene Ausbildung in einem Beruf des Gesundheitswesens verfügen. [2] Die Voraussetzungen für die Ermächtigung sind in der Anlage 2 zu dieser Unfallverhütungsvorschrift geregelt.

(3) [1] Der Unternehmer hat dafür zu sorgen, dass die Ersthelfer in der Regel in Zeitabständen von zwei Jahren fortgebildet werden. [2] Für die Fortbildung gilt Absatz 2 entsprechend. [3] Personen mit einer sanitätsdienstlichen/rettungsdienstlichen Ausbildung oder einer entsprechenden Qualifikation in einem Beruf des Gesundheitswesens gelten als fortgebildet, wenn sie an vergleichbaren Fortbildungsveranstaltungen regelmäßig teilnehmen oder bei ihrer beruflichen oder ehrenamtlich sanitätsdienstlichen/rettungsdienstlichen Tätigkeit regelmäßig Erste-Hilfe-Maßnahmen durchführen. [4] Der Unternehmer hat sich Nachweise über die Fortbildung vorlegen zu lassen.

(4) Ist nach Art des Betriebes, insbesondere auf Grund des Umganges mit Gefahrstoffen, damit zu rechnen, dass bei Unfällen Maßnahmen erforderlich werden, die nicht Gegenstand der allgemeinen Ausbildung zum Ersthelfer gemäß Absatz 2 sind, hat der Unternehmer für die erforderliche zusätzliche Aus- und Fortbildung zu sorgen.

(5) Die Absätze 1 bis 4 gelten nicht für Unternehmer hinsichtlich der nach § 2 Absatz 1 Nummer 8 Buchstabe b Sozialgesetzbuch Siebtes Buch (SGB VII) Versicherten.

§ 27 Zahl und Ausbildung der Betriebssanitäter. (1) [1] Der Unternehmer hat dafür zu sorgen, dass mindestens ein Betriebssanitäter zur Verfügung steht, wenn

1. in einer Betriebsstätte mehr als 1500 Versicherte nach § 2 Absatz 1 Nummer 1 Sozialgesetzbuch Siebtes Buch (SGB VII) anwesend sind,
2. in einer Betriebsstätte 1500 oder weniger, aber mehr als 250 Versicherte nach § 2 Absatz 1 Nummer 1 SGB VII anwesend sind und Art, Schwere und Zahl der Unfälle den Einsatz von Sanitätspersonal erfordern,
3. auf einer Baustelle mehr als 100 Versicherte nach § 2 Absatz 1 Nummer 1 SGB VII anwesend sind.

[2] Nummer 3 gilt auch, wenn der Unternehmer zur Erbringung einer Bauleistung aus einem von ihm übernommenen Auftrag Arbeiten an andere Unternehmer vergibt und insgesamt mehr als 100 Versicherte gleichzeitig tätig werden.

(2) [1] In Betrieben nach Absatz 1 Satz 1 Nummer 1 kann im Einvernehmen mit dem Unfallversicherungsträger von Betriebssanitätern abgesehen werden, sofern nicht nach Art, Schwere und Zahl der Unfälle ihr Einsatz erforderlich ist. [2] Auf Baustellen nach Absatz 1 Satz 1 Nummer 3 kann im Einvernehmen *mit dem* Unfallversicherungsträger unter Berücksichtigung der Erreichbarkeit des Unfallortes und der Anbindung an den öffentlichen Rettungsdienst von Betriebssanitätern abgesehen werden.

(3) Der Unternehmer darf als Betriebssanitäter nur Personen einsetzen, die von Stellen ausgebildet worden sind, welche von dem Unfallversicherungsträger in personeller, sachlicher und organisatorischer Hinsicht als geeignet beurteilt werden.

(4) [1] Der Unternehmer darf als Betriebssanitäter nur Personen einsetzen, die

1. an einer Grundausbildung

und

2. an einem Aufbaulehrgang

für den betrieblichen Sanitätsdienst teilgenommen haben. [2] Als Grundausbildung gilt auch eine mindestens gleichwertige Ausbildung oder eine die Sanitätsaufgaben einschließende Berufsausbildung.

(5) Für die Teilnahme an dem Aufbaulehrgang nach Absatz 4 Satz 1 Nummer 2 darf die Teilnahme an der Ausbildung nach Absatz 4 Satz 1 Nummer 1 nicht mehr als zwei Jahre zurückliegen; soweit auf Grund der Ausbildung eine entsprechende berufliche Tätigkeit ausgeübt wurde, ist die Beendigung derselben maßgebend.

(6) [1] Der Unternehmer hat dafür zu sorgen, dass die Betriebssanitäter regelmäßig innerhalb von drei Jahren fortgebildet werden. [2] Für die Fortbildung gilt Absatz 3 entsprechend.

§ 28 Unterstützungspflichten der Versicherten. (1) [1] Im Rahmen ihrer Unterstützungspflichten nach § 15 Absatz 1 haben sich Versicherte zum Ersthelfer ausbilden und in der Regel in Zeitabständen von zwei Jahren fortbilden zu lassen. [2] Sie haben sich nach der Ausbildung für Erste-Hilfe-Leistungen zur Verfügung zu stellen. [3] Die Versicherten brauchen den Verpflichtungen nach den Sätzen 1 und 2 nicht nachzukommen, soweit persönliche Gründe entgegenstehen.

(2) Versicherte haben unverzüglich jeden Unfall der zuständigen betrieblichen Stelle zu melden; sind sie hierzu nicht im Stande, liegt die Meldepflicht bei dem Betriebsangehörigen, der von dem Unfall zuerst erfährt.

Vierter Abschnitt. Persönliche Schutzausrüstungen

§ 29 Bereitstellung. (1) Der Unternehmer hat gemäß § 2 der PSA-Benutzungsverordnung den Versicherten geeignete persönliche Schutzausrüstungen bereitzustellen; vor der Bereitstellung hat er die Versicherten anzuhören.

(2) [1] Der Unternehmer hat dafür zu sorgen, dass die persönlichen Schutzausrüstungen den Versicherten in ausreichender Anzahl zur persönlichen Verwendung für die Tätigkeit am Arbeitsplatz zur Verfügung gestellt werden. [2] Für die bereitgestellten persönlichen Schutzausrüstungen müssen EG-Konformitätserklärungen vorliegen. [3] Satz 2 gilt nicht für Hautschutzmittel.

§ 30 Benutzung. (1) Der Unternehmer hat dafür zu sorgen, dass persönliche Schutzausrüstungen entsprechend bestehender Tragezeitbegrenzungen und Gebrauchsdauern bestimmungsgemäß benutzt werden.

(2) Die Versicherten haben die persönlichen Schutzausrüstungen bestimmungsgemäß zu benutzen, regelmäßig auf ihren ordnungsgemäßen Zustand zu prüfen und festgestellte Mängel dem Unternehmer unverzüglich zu melden.

§ 31 Besondere Unterweisungen. Für persönliche Schutzausrüstungen, die gegen tödliche Gefahren oder bleibende Gesundheitsschäden schützen sollen, hat der Unternehmer die nach § 3 Absatz 2 der PSA-Benutzungsverordnung bereitzuhaltende Benutzungsinformation den Versicherten im Rahmen von Unterweisungen mit Übungen zu vermitteln.

Fünftes Kapitel. Ordnungswidrigkeiten

§ 32 Ordnungswidrigkeiten. Ordnungswidrig im Sinne des § 209 Absatz 1 Nummer 1 Sozialgesetzbuch Siebtes Buch (SGB VII) handelt, wer vorsätzlich oder fahrlässig den Bestimmungen der

§ 2 Abs. 5,
§ 12 Abs. 2,
§ 15 Abs. 2,
§ 20 Abs. 1,
§ 24 Abs. 6,
§ 25 Abs. 1, 4 Nr. 1 oder 3,
§ 26 Abs. 1 Satz 1 oder Abs. 2 Satz 1,
§ 27 Abs. 1 Satz 1 Nr. 1 oder 3, Abs. 3,
§ 29 Abs. 2 Satz 2 oder
§ 30

zuwiderhandelt.

Sechstes Kapitel. Aufhebung von Unfallverhütungsvorschriften

§ 33 Aufhebung von Unfallverhütungsvorschriften. Folgende Unfallverhütungsvorschrift wird aufgehoben:
(Text für Berufsgenossenschaften):
„Grundsätze der Prävention“ (BGV A1) vom …
(Text für UVT der öffentlichen Hand):
„Grundsätze der Prävention“ (GUV-V A1) vom …

Siebtes Kapitel. Inkrafttreten

§ 34 Inkrafttreten. Diese Unfallverhütungsvorschrift tritt am … in Kraft.

Anlagen
(hier nicht wiedergegeben)

383b. [Muster-UVV] DGUV Vorschrift 2: Unfallverhütungsvorschrift Betriebsärzte und Fachkräfte für Arbeitssicherheit

– abgestimmter Mustertext –

in der Fassung vom 1. Januar 2012

[Hrsg.: Deutsche Gesetzliche Unfallversicherung e.V. (DGUV)][1)]

Inhaltsverzeichnis

Erstes Kapitel. Allgemeine Vorschriften

§ 1 Geltungsbereich Diese Unfallverhütungsvorschrift bestimmt näher die Maßnahmen, die der Unternehmer zur Erfüllung der sich aus dem Gesetz über Betriebsärzte, Sicherheitsingenieure und andere Fachkräfte für Arbeitssicherheit (Arbeitssicherheitsgesetz)[2)] ergebenden Pflichten zu treffen hat.

§ 2 Bestellung. (1) [1]Der Unternehmer hat Betriebsärzte und Fachkräfte für Arbeitssicherheit zur Wahrnehmung der in den §§ 3 und 6 des Arbeitssicherheitsgesetzes[2)] bezeichneten Aufgaben schriftlich nach Maßgabe der nachfolgenden Bestimmungen zu bestellen. [2]Der Unternehmer hat dem Unfallversicherungsträger auf Verlangen nachzuweisen, wie er die Verpflichtung nach Satz 1 erfüllt hat.

(2) Bei Betrieben mit bis zu 10 Beschäftigten richtet sich der Umfang der betriebsärztlichen und sicherheitstechnischen Betreuung nach Anlage 1.

(3) Bei Betrieben mit mehr als 10 Beschäftigten gelten die Bestimmungen nach Anlage 2.

(4) Abweichend von den Absätzen 2 und 3 kann der Unternehmer nach Maßgabe von Anlage 3 bzw. Anlage 4 ein alternatives Betreuungsmodell wählen, wenn er aktiv in das Betriebsgeschehen eingebunden ist und die Zahl der Beschäftigten bis zu … ***(Konkrete Regelungen des jeweiligen UVT einsetzen; Anlage 3: Obergrenze 50; Anlage 4: 10)*** … beträgt.

[1)] Übersicht über alle erlassenen Fassungen: https://publikationen.dguv.de/regelwerk/vorschriften/1195/betriebsaerzte-und-fachkraefte-fuer-arbeitssicherheit?c=13

[2)] Nr. **383**.

(5) Bei der Berechnung der Zahl der Beschäftigten sind jährliche Durchschnittszahlen zugrunde zu legen; bei der Berechnung des Schwellenwertes in den Absätzen 2, 3 und 4 findet die Regelung des § 6 Abs. 1 Satz 4 des Arbeitsschutzgesetzes[1)] entsprechende Anwendung.

(6) [1] Der Unfallversicherungsträger kann im Einzelfall im Einvernehmen mit der nach § 12 Arbeitssicherheitsgesetz zuständigen Behörde Abweichungen von den Absätzen 2, 3 und 4 zulassen, soweit im Betrieb die Unfall- und Gesundheitsgefahren vom Durchschnitt abweichen und die abweichende Festsetzung mit dem Schutz der Beschäftigten vereinbar ist. [2] Als Vergleichsmaßstab dienen Betriebe der gleichen Art.

§ 3 Arbeitsmedizinische Fachkunde. Der Unternehmer kann die erforderliche arbeitsmedizinische Fachkunde als gegeben ansehen bei Ärzten, die nachweisen, dass sie berechtigt sind,

1. die Gebietsbezeichnung „Arbeitsmedizin“
   oder
2. die Zusatzbezeichnung „Betriebsmedizin“

zu führen.

§ 4 Sicherheitstechnische Fachkunde. (1) Der Unternehmer kann die erforderliche sicherheitstechnische Fachkunde von Fachkräften für Arbeitssicherheit als nachgewiesen ansehen, wenn diese den in den Absätzen 2 bis 5 festgelegten Anforderungen genügen.

(2) [1] Sicherheitsingenieure erfüllen die Anforderungen, wenn sie

1. berechtigt sind, die Berufsbezeichnung Ingenieur zu führen oder einen Bachelor- oder Masterabschluss der Studienrichtung Ingenieurwissenschaften erworben haben,
2. danach eine praktische Tätigkeit in diesem Beruf mindestens zwei Jahre lang ausgeübt
   und
3. einen staatlichen oder von Unfallversicherungsträgern veranstalteten Ausbildungslehrgang
   oder
   einen staatlich oder von Unfallversicherungsträgern anerkannten Ausbildungslehrgang eines anderen Ausbildungsträgers mit Erfolg abgeschlossen haben.

[2] Sicherheitsingenieure, die auf Grund ihrer Hochschul-/Fachhochschulausbildung berechtigt sind, die Berufsbezeichnung „Sicherheitsingenieur“ zu führen und eine einjährige praktische Tätigkeit als Ingenieur ausgeübt haben, erfüllen ebenfalls die Anforderungen.

(3) In der Funktion als Sicherheitsingenieur können auch Personen tätig werden, die über gleichwertige Qualifikationen verfügen.

(4) [1] Sicherheitstechniker erfüllen die Anforderungen, wenn sie

1. eine Prüfung als staatlich anerkannter Techniker erfolgreich abgelegt haben,
2. danach eine praktische Tätigkeit als Techniker mindestens zwei Jahre lang ausgeübt haben
   und

[1)] Nr. 370.

3. einen staatlichen oder von Unfallversicherungsträgern veranstalteten Ausbildungslehrgang
   oder
   einen staatlich oder von Unfallversicherungsträgern anerkannten Ausbildungslehrgang eines anderen Veranstaltungsträgers mit Erfolg abgeschlossen haben.

[2] Die Anforderungen erfüllt auch, wer ohne Prüfung als staatlich anerkannter Techniker mindestens vier Jahre lang als Techniker tätig war und einen staatlichen oder von Unfallversicherungsträgern veranstalteten Ausbildungslehrgang oder einen staatlich oder von Unfallversicherungsträgern anerkannten Ausbildungslehrgang eines anderen Veranstaltungsträgers mit Erfolg abgeschlossen hat.

(5) [1] Sicherheitsmeister erfüllen die Anforderungen, wenn sie

1. die Meisterprüfung erfolgreich abgelegt haben,
2. danach eine praktische Tätigkeit als Meister mindestens zwei Jahre lang ausgeübt haben
   und
3. einen staatlichen oder von Unfallversicherungsträgern veranstalteten Ausbildungslehrgang
   oder
   einen staatlich oder von Unfallversicherungsträgern anerkannten Ausbildungslehrgang eines anderen Veranstaltungsträgers mit Erfolg abgeschlossen haben.

[2] Die Anforderungen erfüllt auch, wer ohne Meisterprüfung mindestens vier Jahre lang als Meister oder in gleichwertiger Funktion tätig war und einen staatlichen oder von Unfallversicherungsträgern veranstalteten Ausbildungslehrgang oder einen staatlich oder von Unfallversicherungsträgern anerkannten Ausbildungslehrgang eines anderen Veranstaltungsträgers mit Erfolg abgeschlossen hat.

(6) [1] Der Ausbildungslehrgang nach den Absätzen 2, 4 und 5 umfasst die Ausbildungsstufe I (Grundausbildung), Ausbildungsstufe II (Vertiefende Ausbildung), Ausbildungsstufe III (Bereichsbezogene Ausbildung) und das begleitende Praktikum. [2] Bestandteile der Ausbildungsstufe III sind die nachfolgenden Rahmenthemen:

(Konkrete Regelungen des jeweiligen UVTs einsetzen)

(7) [1] Bei einem Wechsel einer Fachkraft für Arbeitssicherheit, die die Ausbildungsstufe III (Bereichsbezogene Ausbildung) entsprechend den Festlegungen eines anderen Unfallversicherungsträgers absolviert hat, in eine andere Branche, hat der Unternehmer dafür zu sorgen, dass die Fachkraft für Arbeitssicherheit die erforderlichen bereichsbezogenen Kenntnisse durch Fortbildung erwirbt. [2] Der Unfallversicherungsträger entscheidet über den erforderlichen Umfang an Fortbildung unter Berücksichtigung der Inhalte seiner Ausbildungsstufe III.

§ 5 Bericht. [1] Der Unternehmer hat die gemäß § 2 dieser Unfallverhütungsvorschrift bestellten Betriebsärzte und Fachkräfte für Arbeitssicherheit zu verpflichten, über die Erfüllung der übertragenen Aufgaben regelmäßig schriftlich zu berichten. [2] Die Berichte sollen auch über die Zusammenarbeit der Betriebsärzte und Fachkräfte für Arbeitssicherheit Auskunft geben.

Zweites Kapitel. Übergangsbestimmungen

§ 6 Übergangsbestimmungen. (1) [1]Der Unternehmer kann abweichend von § 3 davon ausgehen, dass Ärzte über die erforderliche Fachkunde verfügen, wenn sie

1. eine Bescheinigung der zuständigen Ärztekammer darüber besitzen, dass sie vor dem 1. Januar 1985 ein Jahr klinisch oder poliklinisch tätig gewesen sind und an einem arbeitsmedizinischen Einführungslehrgang teilgenommen haben
   und
2. a) bis zum 31. Dezember 1985 mindestens 500 Stunden innerhalb eines Jahres betriebsärztlich tätig waren
   oder
   b) bis zum 31. Dezember 1987 einen dreimonatigen Kurs über Arbeitsmedizin absolviert haben
   und
   über die Voraussetzungen nach Nummer 2 Buchstabe a) oder b) eine von der zuständigen Ärztekammer erteilte Bescheinigung beibringen.

[2]Die Bescheinigung der zuständigen Ärztekammer muss vor dem 31. Dezember 1996 ausgestellt worden sein.

(2) Der Nachweis der Fachkunde nach § 4 Abs. 2 bis 5 gilt als erbracht, wenn eine Fachkraft für Arbeitssicherheit im Zeitpunkt des Inkrafttretens dieser Unfallverhütungsvorschrift als solche tätig ist und die Fachkundevoraussetzungen der Unfallverhütungsvorschrift „Fachkräfte für Arbeitssicherheit" (BGV A6/ GUV-V A 6/7) vom ... ***(setzt UVT ein!)*** ... vorliegen.

(3) ***(Übergangsbestimmungen hinsichtlich bisheriger „Unternehmermodelle" und bestehender Verträge mit Dienstleistungsunternehmen werden vom UVT ergänzt. Gilt nur für die gewerblichen BGen und die EUK; UV-Träger der ö.H. tragen hier ein: „entfällt")***

(4) Abweichend von den Bestimmungen nach § 7 tritt Anlage 3 dieser Unfallverhütungsvorschrift am 1. Januar 2013 in Kraft. ***(Gilt nur für die UVT der öffentlichen Hand, die Anlage 3 bisher nicht erlassen haben; BGen tragen hier ein: „entfällt")***

Drittes Kapitel. In-Kraft-Treten und Außer-Kraft-Treten

§ 7 In-Kraft-Treten und Außer-Kraft-Treten. [1]Diese Unfallverhütungsvorschrift tritt am 1. Januar 2011 in Kraft. [2]Gleichzeitig tritt die Unfallverhütungsvorschrift ***„Betriebsärzte und Fachkräfte für Arbeitssicherheit" (BGV A2, GUV-V A2) bzw. „Betriebsärzte, Sicherheitsingenieure und andere Fachkräfte für Arbeitssicherheit" (GUV-V A 6/7)*** vom .... in der Fassung vom .... außer Kraft.

Anlagen 1–4
(hier nicht wiedergegeben)

Anhang 1–5
(hier nicht wiedergegeben)

C. Mutterschutz und Elternzeit

400. Gesetz zum Schutz von Müttern bei der Arbeit, in der Ausbildung und im Studium (Mutterschutzgesetz – MuSchG)[1) 2)]

Vom 23. Mai 2017
(BGBl. I S. 1228)

FNA 8052-5

zuletzt geänd. durch Art. 13 G zur Befugniserweiterung und Entbürokratisierung in der Pflege v. 22.12. 2025 (BGBl. 2025 I Nr. 371)

Inhaltsübersicht

---

1) Verkündet als Art. 1 G zur Neuregelung des Mutterschutzrechts v. 23.5.2017 (BGBl. I S. 1228); Inkrafttreten gem. Art. 10 Abs. 1 Satz 1 dieses G am 1.1.2018 mit Ausnahme von § 32 Abs. 1 Nr. 6, der gem. Art. 10 Abs. 1 Satz 3 am 1.1.2019 in Kraft tritt.

2) **Amtl. Anm. zum MantelG:** Dieses Gesetz dient der Umsetzung der Richtlinie 92/85/EWG des Rates vom 19. Oktober 1992 über die Durchführung von Maßnahmen zur Verbesserung der Sicherheit und des Gesundheitsschutzes von schwangeren Arbeitnehmerinnen, Wöchnerinnen und stillenden Arbeitnehmerinnen am Arbeitsplatz (zehnte Einzelrichtlinie im Sinne des Artikels 16 Absatz 1 der Richtlinie 89/391/EWG) (ABl. L 348 vom 28.11.1992, S. 1), die zuletzt durch die Richtlinie 2014/27/EU (ABl. L 65 vom 5.3.2014, S. 1) geändert worden ist.

Abschnitt 1. Allgemeine Vorschriften

§ 1 Anwendungsbereich, Ziel des Mutterschutzes. (1) [1]Dieses Gesetz schützt die Gesundheit der Frau und ihres Kindes am Arbeits-, Ausbildungs- und Studienplatz während der Schwangerschaft, nach der Entbindung und in der Stillzeit. [2]Das Gesetz ermöglicht es der Frau, ihre Beschäftigung oder sonstige Tätigkeit in dieser Zeit ohne Gefährdung ihrer Gesundheit oder der ihres Kindes fortzusetzen und wirkt Benachteiligungen während der Schwangerschaft, nach der Entbindung und in der Stillzeit entgegen. [3]Regelungen in anderen Arbeitsschutzgesetzen bleiben unberührt.

(2) [1]Dieses Gesetz gilt für Frauen in einer Beschäftigung im Sinne von § 7 Absatz 1 des Vierten Buches Sozialgesetzbuch[1)]. [2]Unabhängig davon, ob ein solches Beschäftigungsverhältnis vorliegt, gilt dieses Gesetz auch für

1. Frauen in betrieblicher Berufsbildung und Praktikantinnen im Sinne von § 26 des Berufsbildungsgesetzes[2)],
2. Frauen mit Behinderung, die in einer Werkstatt für behinderte Menschen beschäftigt sind,
3. Frauen, die als Entwicklungshelferinnen im Sinne des Entwicklungshelfer-Gesetzes[3)] tätig sind, jedoch mit der Maßgabe, dass die §§ 18 bis 22 auf sie nicht anzuwenden sind,
4. Frauen, die als Freiwillige im Sinne des Jugendfreiwilligendienstegesetzes[4)] oder des Bundesfreiwilligendienstgesetzes[5)] tätig sind,
5. Frauen, die als Mitglieder einer geistlichen Genossenschaft, Diakonissen oder Angehörige einer ähnlichen Gemeinschaft auf einer Planstelle oder aufgrund eines Gestellungsvertrages für diese tätig werden, auch während der Zeit ihrer dortigen außerschulischen Ausbildung,
6. Frauen, die in Heimarbeit beschäftigt sind, und ihnen Gleichgestellte im Sinne von § 1 Absatz 1 und 2 des Heimarbeitsgesetzes[6)], soweit sie am Stück mit-

---

[1)] Nr. **694**.
[2)] Nr. **415**.
[3)] **beck-online, Module Arbeitsrecht Nr. 425.**
[4)] Nr. **422**.
[5)] Nr. **422a**.
[6)] Nr. **450**.

arbeiten, jedoch mit der Maßgabe, dass die §§ 10 und 14 auf sie nicht anzuwenden sind und § 9 Absatz 1 bis 5 auf sie entsprechend anzuwenden ist,
7. Frauen, die wegen ihrer wirtschaftlichen Unselbstständigkeit als arbeitnehmerähnliche Person anzusehen sind, jedoch mit der Maßgabe, dass die §§ 18, 19 Absatz 2 und § 20 auf sie nicht anzuwenden sind, und
8. Schülerinnen und Studentinnen, soweit die Ausbildungsstelle Ort, Zeit und Ablauf der Ausbildungsveranstaltung verpflichtend vorgibt oder die ein im Rahmen der schulischen oder hochschulischen Ausbildung verpflichtend vorgegebenes Praktikum ableisten, jedoch mit der Maßgabe, dass die §§ 17 bis 24 auf sie nicht anzuwenden sind.

(3) [1] Das Gesetz gilt nicht für Beamtinnen und Richterinnen. [2] Das Gesetz gilt ebenso nicht für Soldatinnen, auch soweit die Voraussetzungen des Absatzes 2 erfüllt sind, es sei denn, sie werden aufgrund dienstlicher Anordnung oder Gestattung außerhalb des Geschäftsbereiches des Bundesministeriums der Verteidigung tätig.

(4) [1] Dieses Gesetz gilt für jede Person, die schwanger ist, ein Kind geboren hat oder stillt. [2] Die Absätze 2 und 3 gelten entsprechend.

§ 2[1)] Begriffsbestimmungen. (1) [1] Arbeitgeber im Sinne dieses Gesetzes ist die natürliche oder juristische Person oder die rechtsfähige Personengesellschaft, die Personen nach § 1 Absatz 2 Satz 1 beschäftigt. [2] Dem Arbeitgeber stehen gleich:
1. die natürliche oder juristische Person oder die rechtsfähige Personengesellschaft, die Frauen im Fall von § 1 Absatz 2 Satz 2 Nummer 1 ausbildet oder für die Praktikantinnen im Fall von § 1 Absatz 2 Satz 2 Nummer 1 tätig sind,
2. der Träger der Werkstatt für behinderte Menschen im Fall von § 1 Absatz 2 Satz 2 Nummer 2,
3. der Träger des Entwicklungsdienstes im Fall von § 1 Absatz 2 Satz 2 Nummer 3,
4. die Einrichtung, in der der Freiwilligendienst nach dem Jugendfreiwilligendienstegesetz[2)] oder nach dem Bundesfreiwilligendienstgesetz[3)] im Fall von § 1 Absatz 2 Satz 2 Nummer 4 geleistet wird,
5. die geistliche Genossenschaft und ähnliche Gemeinschaft im Fall von § 1 Absatz 2 Satz 2 Nummer 5,
6. der Auftraggeber und der Zwischenmeister von Frauen im Fall von § 1 Absatz 2 Satz 2 Nummer 6,
7. die natürliche oder juristische Person oder die rechtsfähige Personengesellschaft, für die Frauen im Sinne von § 1 Absatz 2 Satz 2 Nummer 7 tätig sind, und
8. die natürliche oder juristische Person oder die rechtsfähige Personengesellschaft, mit der das Ausbildungs- oder Praktikumsverhältnis im Fall von § 1 Absatz 2 Satz 2 Nummer 8 besteht (Ausbildungsstelle).

(2) Eine Beschäftigung im Sinne der nachfolgenden Vorschriften erfasst jede Form der Betätigung, die eine Frau im Rahmen eines Beschäftigungsverhältnisses nach § 1 Absatz 2 Satz 1 oder die eine Frau im Sinne von § 1 Absatz 2 Satz 2 im Rahmen ihres Rechtsverhältnisses zu ihrem Arbeitgeber nach § 2 Absatz 1 Satz 2 ausübt.

[1)] § 2 Abs. 6 angef. mWv 1.6.2025 durch G v. 24.2.2025 (BGBl. 2025 I Nr. 59).
[2)] Nr. **422**.
[3)] Nr. **422a**.

(3) [1]Ein Beschäftigungsverbot im Sinne dieses Gesetzes ist nur ein Beschäftigungsverbot nach den §§ 3 bis 6, 10 Absatz 3, § 13 Absatz 1 Nummer 3 und § 16. [2]Für eine in Heimarbeit beschäftigte Frau und eine ihr Gleichgestellte tritt an die Stelle des Beschäftigungsverbots das Verbot der Ausgabe von Heimarbeit nach den §§ 3, 8, 13 Absatz 2 und § 16. [3]Für eine Frau, die wegen ihrer wirtschaftlichen Unselbstständigkeit als arbeitnehmerähnliche Person anzusehen ist, tritt an die Stelle des Beschäftigungsverbots nach Satz 1 die Befreiung von der vertraglich vereinbarten Leistungspflicht; die Frau kann sich jedoch gegenüber der dem Arbeitgeber gleichgestellten Person oder Gesellschaft im Sinne von Absatz 1 Satz 2 Nummer 7 dazu bereit erklären, die vertraglich vereinbarte Leistung zu erbringen.

(4) Alleinarbeit im Sinne dieses Gesetzes liegt vor, wenn der Arbeitgeber eine Frau an einem Arbeitsplatz in seinem räumlichen Verantwortungsbereich beschäftigt, ohne dass gewährleistet ist, dass sie jederzeit den Arbeitsplatz verlassen oder Hilfe erreichen kann.

(5) [1]Arbeitsentgelt im Sinne dieses Gesetzes ist das Arbeitsentgelt, das nach § 14 des Vierten Buches Sozialgesetzbuch[1)] in Verbindung mit einer aufgrund des § 17 des Vierten Buches Sozialgesetzbuch[1)] erlassenen Verordnung bestimmt wird. [2]Für Frauen im Sinne von § 1 Absatz 2 Satz 2 gilt als Arbeitsentgelt ihre jeweilige Vergütung.

(6) [1]Eine Entbindung ist eine Lebend- oder eine Totgeburt. [2]Die Regelungen zur Entbindung finden im Falle einer Fehlgeburt ab der 13. Schwangerschaftswoche entsprechende Anwendung, soweit nicht in diesem oder einem anderen Gesetz Abweichendes geregelt ist.

Abschnitt 2. Gesundheitsschutz

Unterabschnitt 1. Arbeitszeitlicher Gesundheitsschutz

§ 3[2)] Schutzfristen vor und nach der Entbindung. (1) [1]Der Arbeitgeber darf eine schwangere Frau in den letzten sechs Wochen vor der Entbindung nicht beschäftigen (Schutzfrist vor der Entbindung), soweit sie sich nicht zur Arbeitsleistung ausdrücklich bereit erklärt. [2]Sie kann die Erklärung nach Satz 1 jederzeit mit Wirkung für die Zukunft widerrufen. [3]Für die Berechnung der Schutzfrist vor der Entbindung ist der voraussichtliche Tag der Entbindung maßgeblich, wie er sich aus dem ärztlichen Zeugnis oder dem Zeugnis einer Hebamme oder eines Entbindungspflegers ergibt. [4]Entbindet eine Frau nicht am voraussichtlichen Tag, verkürzt oder verlängert sich die Schutzfrist vor der Entbindung entsprechend.

(2) [1]Der Arbeitgeber darf eine Frau bis zum Ablauf von acht Wochen nach der Entbindung nicht beschäftigen (Schutzfrist nach der Entbindung). [2]Die Schutzfrist nach der Entbindung verlängert sich auf zwölf Wochen

1. bei Frühgeburten,
2. bei Mehrlingsgeburten und,
3. wenn vor Ablauf von acht Wochen nach der Entbindung bei dem Kind eine Behinderung im Sinne von § 2 Absatz 1 Satz 1 des Neunten Buches Sozialgesetzbuch[3)] ärztlich festgestellt wird.

[1)] *Nr.* ***694***.
[2)] § 3 Abs. 2 Satz 5 und Abs. 5 angef. mWv 1.6.2025 durch G v. 24.2.2025 (BGBl. 2025 I Nr. 59).
[3)] Nr. **440**.

[3] Bei vorzeitiger Entbindung verlängert sich die Schutzfrist nach der Entbindung nach Satz 1 oder nach Satz 2 um den Zeitraum der Verkürzung der Schutzfrist vor der Entbindung nach Absatz 1 Satz 4. [4] Nach Satz 2 Nummer 3 verlängert sich die Schutzfrist nach der Entbindung nur, wenn die Frau dies beantragt. [5] Satz 2 gilt nicht bei einer Totgeburt.

(3) [1] Die Ausbildungsstelle darf eine Frau im Sinne von § 1 Absatz 2 Satz 2 Nummer 8 bereits in der Schutzfrist nach der Entbindung im Rahmen der schulischen oder hochschulischen Ausbildung tätig werden lassen, wenn die Frau dies ausdrücklich gegenüber ihrer Ausbildungsstelle verlangt. [2] Die Frau kann ihre Erklärung jederzeit mit Wirkung für die Zukunft widerrufen.

(4) [1] Der Arbeitgeber darf eine Frau nach dem Tod ihres Kindes bereits nach Ablauf der ersten zwei Wochen nach der Entbindung beschäftigen, wenn

1. die Frau dies ausdrücklich verlangt und
2. nach ärztlichem Zeugnis nichts dagegen spricht.

[2] Sie kann ihre Erklärung nach Satz 1 Nummer 1 jederzeit mit Wirkung für die Zukunft widerrufen.

(5) [1] Bei einer Fehlgeburt darf der Arbeitgeber eine Frau nicht beschäftigen, soweit sie sich nicht zur Arbeitsleistung ausdrücklich bereit erklärt,

1. bis zum Ablauf von zwei Wochen bei einer Fehlgeburt ab der 13. Schwangerschaftswoche oder
2. bis zum Ablauf von sechs Wochen bei einer Fehlgeburt ab der 17. Schwangerschaftswoche oder
3. bis zum Ablauf von acht Wochen bei einer Fehlgeburt ab der 20. Schwangerschaftswoche.

[2] Sie kann ihre Erklärung nach Satz 1 jederzeit mit Wirkung für die Zukunft widerrufen. [3] Die Absätze 1 bis 3 gelten nicht.

§ 4 Verbot der Mehrarbeit; Ruhezeit. (1) [1] Der Arbeitgeber darf eine schwangere oder stillende Frau, die 18 Jahre oder älter ist, nicht mit einer Arbeit beschäftigen, die die Frau über achteinhalb Stunden täglich oder über 90 Stunden in der Doppelwoche hinaus zu leisten hat. [2] Eine schwangere oder stillende Frau unter 18 Jahren darf der Arbeitgeber nicht mit einer Arbeit beschäftigen, die die Frau über acht Stunden täglich oder über 80 Stunden in der Doppelwoche hinaus zu leisten hat. [3] In die Doppelwoche werden die Sonntage eingerechnet. [4] Der Arbeitgeber darf eine schwangere oder stillende Frau nicht in einem Umfang beschäftigen, der die vertraglich vereinbarte wöchentliche Arbeitszeit im Durchschnitt des Monats übersteigt. [5] Bei mehreren Arbeitgebern sind die Arbeitszeiten zusammenzurechnen.

(2) Der Arbeitgeber muss der schwangeren oder stillenden Frau nach Beendigung der täglichen Arbeitszeit eine ununterbrochene Ruhezeit von mindestens elf Stunden gewähren.

§ 5 Verbot der Nachtarbeit. (1) [1] Der Arbeitgeber darf eine schwangere oder stillende Frau nicht zwischen 20 Uhr und 6 Uhr beschäftigen. [2] Er darf sie bis 22 Uhr beschäftigen, wenn die Voraussetzungen des § 28 erfüllt sind.

(2) [1] Die Ausbildungsstelle darf eine schwangere oder stillende Frau im Sinne von § 1 Absatz 2 Satz 2 Nummer 8 nicht zwischen 20 Uhr und 6 Uhr im Rahmen der schulischen oder hochschulischen Ausbildung tätig werden lassen. [2] Die Ausbil-

dungsstelle darf sie an Ausbildungsveranstaltungen bis 22 Uhr teilnehmen lassen, wenn

1. sich die Frau dazu ausdrücklich bereit erklärt,
2. die Teilnahme zu Ausbildungszwecken zu dieser Zeit erforderlich ist und
3. insbesondere eine unverantwortbare Gefährdung für die schwangere Frau oder ihr Kind durch Alleinarbeit ausgeschlossen ist.

[3] Die schwangere oder stillende Frau kann ihre Erklärung nach Satz 2 Nummer 1 jederzeit mit Wirkung für die Zukunft widerrufen.

§ 6 Verbot der Sonn- und Feiertagsarbeit. (1) [1] Der Arbeitgeber darf eine schwangere oder stillende Frau nicht an Sonn- und Feiertagen beschäftigen. [2] Er darf sie an Sonn- und Feiertagen nur dann beschäftigen, wenn

1. sich die Frau dazu ausdrücklich bereit erklärt,
2. eine Ausnahme vom allgemeinen Verbot der Arbeit an Sonn- und Feiertagen nach § 10 des Arbeitszeitgesetzes[1)] zugelassen ist,
3. der Frau in jeder Woche im Anschluss an eine ununterbrochene Nachtruhezeit von mindestens elf Stunden ein Ersatzruhetag gewährt wird und
4. insbesondere eine unverantwortbare Gefährdung für die schwangere Frau oder ihr Kind durch Alleinarbeit ausgeschlossen ist.

[3] Die schwangere oder stillende Frau kann ihre Erklärung nach Satz 2 Nummer 1 jederzeit mit Wirkung für die Zukunft widerrufen.

(2) [1] Die Ausbildungsstelle darf eine schwangere oder stillende Frau im Sinne von § 1 Absatz 2 Satz 2 Nummer 8 nicht an Sonn- und Feiertagen im Rahmen der schulischen oder hochschulischen Ausbildung tätig werden lassen. [2] Die Ausbildungsstelle darf sie an Ausbildungsveranstaltungen an Sonn- und Feiertagen teilnehmen lassen, wenn

1. sich die Frau dazu ausdrücklich bereit erklärt,
2. die Teilnahme zu Ausbildungszwecken zu dieser Zeit erforderlich ist,
3. der Frau in jeder Woche im Anschluss an eine ununterbrochene Nachtruhezeit von mindestens elf Stunden ein Ersatzruhetag gewährt wird und
4. insbesondere eine unverantwortbare Gefährdung für die schwangere Frau oder ihr Kind durch Alleinarbeit ausgeschlossen ist.

[3] Die schwangere oder stillende Frau kann ihre Erklärung nach Satz 2 Nummer 1 jederzeit mit Wirkung für die Zukunft widerrufen.

§ 7 Freistellung für Untersuchungen und zum Stillen. (1) [1] Der Arbeitgeber hat eine Frau für die Zeit freizustellen, die zur Durchführung der Untersuchungen im Rahmen der Leistungen der gesetzlichen Krankenversicherung bei Schwangerschaft und Mutterschaft erforderlich sind. [2] Entsprechendes gilt zugunsten einer Frau, die nicht in der gesetzlichen Krankenversicherung versichert ist.

(2) [1] Der Arbeitgeber hat eine stillende Frau auf ihr Verlangen während der ersten zwölf Monate nach der Entbindung für die zum Stillen erforderliche Zeit freizustellen, mindestens aber zweimal täglich für eine halbe Stunde oder einmal täglich für eine Stunde. [2] Bei einer zusammenhängenden Arbeitszeit von mehr als acht Stunden soll auf Verlangen der Frau zweimal eine Stillzeit von mindestens 45

[1)] Nr. **350**.

Minuten oder, wenn in der Nähe der Arbeitsstätte keine Stillgelegenheit vorhanden ist, einmal eine Stillzeit von mindestens 90 Minuten gewährt werden. [3] Die Arbeitszeit gilt als zusammenhängend, wenn sie nicht durch eine Ruhepause von mehr als zwei Stunden unterbrochen wird.

§ 8 Beschränkung von Heimarbeit. (1) Der Auftraggeber oder Zwischenmeister darf Heimarbeit an eine schwangere in Heimarbeit beschäftigte Frau oder an eine ihr Gleichgestellte nur in solchem Umfang und mit solchen Fertigungsfristen ausgeben, dass die Arbeit werktags während einer achtstündigen Tagesarbeitszeit ausgeführt werden kann.

(2) Der Auftraggeber oder Zwischenmeister darf Heimarbeit an eine stillende in Heimarbeit beschäftigte Frau oder an eine ihr Gleichgestellte nur in solchem Umfang und mit solchen Fertigungsfristen ausgeben, dass die Arbeit werktags während einer siebenstündigen Tagesarbeitszeit ausgeführt werden kann.

Unterabschnitt 2. Betrieblicher Gesundheitsschutz

§ 9[1)] Gestaltung der Arbeitsbedingungen; unverantwortbare Gefährdung.

(1) [1] Der Arbeitgeber hat bei der Gestaltung der Arbeitsbedingungen einer schwangeren oder stillenden Frau alle aufgrund der Gefährdungsbeurteilung nach § 10 erforderlichen Maßnahmen für den Schutz ihrer physischen und psychischen Gesundheit sowie der ihres Kindes zu treffen. [2] Er hat die Maßnahmen auf ihre Wirksamkeit zu überprüfen und erforderlichenfalls den sich ändernden Gegebenheiten anzupassen. [3] Soweit es nach den Vorschriften dieses Gesetzes verantwortbar ist, ist der Frau auch während der Schwangerschaft, nach der Entbindung und in der Stillzeit die Fortführung ihrer Tätigkeiten zu ermöglichen. [4] Nachteile aufgrund der Schwangerschaft, der Entbindung oder der Stillzeit sollen vermieden oder ausgeglichen werden.

(2) [1] Der Arbeitgeber hat die Arbeitsbedingungen so zu gestalten, dass Gefährdungen einer schwangeren oder stillenden Frau oder ihres Kindes möglichst vermieden werden und eine unverantwortbare Gefährdung ausgeschlossen wird. [2] Eine Gefährdung ist unverantwortbar, wenn die Eintrittswahrscheinlichkeit einer Gesundheitsbeeinträchtigung angesichts der zu erwartenden Schwere des möglichen Gesundheitsschadens nicht hinnehmbar ist. [3] Eine unverantwortbare Gefährdung gilt als ausgeschlossen, wenn der Arbeitgeber alle Vorgaben einhält, die aller Wahrscheinlichkeit nach dazu führen, dass die Gesundheit einer schwangeren oder stillenden Frau oder ihres Kindes nicht beeinträchtigt wird.

(3) [1] Der Arbeitgeber hat sicherzustellen, dass die schwangere oder stillende Frau ihre Tätigkeit am Arbeitsplatz, soweit es für sie erforderlich ist, kurz unterbrechen kann. [2] Er hat darüber hinaus sicherzustellen, dass sich die schwangere oder stillende Frau während der Pausen und Arbeitsunterbrechungen unter geeigneten Bedingungen hinlegen, hinsetzen und ausruhen kann.

(4) [1] Alle Maßnahmen des Arbeitgebers nach diesem Unterabschnitt sowie die Beurteilung der Arbeitsbedingungen nach § 10 müssen dem Stand der Technik, der Arbeitsmedizin und der Hygiene sowie den sonstigen gesicherten wissenschaftlichen Erkenntnissen entsprechen. [2] Der Arbeitgeber hat bei seinen Maßnahmen die vom Ausschuss für Mutterschutz ermittelten und nach § 30 Absatz 4 im Gemeinsamen Ministerialblatt veröffentlichten Regeln und Erkenntnisse zu berücksichti-

---

1) § 9 Abs. 6 Satz 2 geänd. mWv 1.6.2025 durch G v. 24.2.2025 (BGBl. 2025 I Nr. 59).

gen; bei Einhaltung dieser Regeln und bei Beachtung dieser Erkenntnisse ist davon auszugehen, dass die in diesem Gesetz gestellten Anforderungen erfüllt sind.

(5) Der Arbeitgeber kann zuverlässige und fachkundige Personen schriftlich damit beauftragen, ihm obliegende Aufgaben nach diesem Unterabschnitt in eigener Verantwortung wahrzunehmen.

(6) [1] Kosten für Maßnahmen nach diesem Gesetz darf der Arbeitgeber nicht den Personen auferlegen, die bei ihm beschäftigt sind. [2] Die Kosten für Zeugnisse und Bescheinigungen, die die schwangere Frau, die Frau nach der Entbindung oder die stillende Frau auf Verlangen des Arbeitgebers vorzulegen hat, trägt der Arbeitgeber.

§ 10[1)] Beurteilung der Arbeitsbedingungen; Schutzmaßnahmen.

(1) [1] Im Rahmen der Beurteilung der Arbeitsbedingungen nach § 5 des Arbeitsschutzgesetzes[2)] hat der Arbeitgeber für jede Tätigkeit

1. die Gefährdungen nach Art, Ausmaß und Dauer zu beurteilen, denen eine schwangere oder stillende Frau oder ihr Kind ausgesetzt ist oder sein kann, und
2. unter Berücksichtigung des Ergebnisses der Beurteilung der Gefährdung nach Nummer 1 zu ermitteln, ob für eine schwangere oder stillende Frau oder ihr Kind voraussichtlich
   a) keine Schutzmaßnahmen erforderlich sein werden,
   b) eine Umgestaltung der Arbeitsbedingungen nach § 13 Absatz 1 Nummer 1 erforderlich sein wird oder
   c) eine Fortführung der Tätigkeit der Frau an diesem Arbeitsplatz nicht möglich sein wird.

[2] Bei gleichartigen Arbeitsbedingungen ist die Beurteilung eines Arbeitsplatzes oder einer Tätigkeit ausreichend. [3] Die Verpflichtung des Arbeitgebers nach Satz 1 entfällt, wenn gemäß einer zu diesem Zweck nach § 30 Absatz 4 veröffentlichten Regel oder Erkenntnis des Ausschusses für Mutterschutz eine schwangere oder stillende Frau die Tätigkeit nicht ausüben oder einer Arbeitsbedingung nicht ausgesetzt sein darf.

(2) [1] Sobald eine Frau dem Arbeitgeber mitgeteilt hat, dass sie schwanger ist oder stillt, hat der Arbeitgeber unverzüglich die nach Maßgabe der Gefährdungsbeurteilung nach Absatz 1 oder nach Maßgabe des § 13 erforderlichen Schutzmaßnahmen festzulegen. [2] Zusätzlich hat der Arbeitgeber der Frau ein Gespräch über weitere Anpassungen ihrer Arbeitsbedingungen anzubieten.

(3) Der Arbeitgeber darf eine schwangere oder stillende Frau nur diejenigen Tätigkeiten ausüben lassen, für die er die erforderlichen Schutzmaßnahmen nach Absatz 2 Satz 1 getroffen hat.

(Fortsetzung nächstes Blatt)

[1)] *§ 10 Abs. 1 Satz 3 angef., Abs. 2 Satz 1 geänd.* mWv 1.1.2025 durch G v. 23.10.2024 (BGBl. 2024 I Nr. 323).

[2)] Nr. **370**.

§ 11 Unzulässige Tätigkeiten und Arbeitsbedingungen für schwangere Frauen. (1) [1] Der Arbeitgeber darf eine schwangere Frau keine Tätigkeiten ausüben lassen und sie keinen Arbeitsbedingungen aussetzen, bei denen sie in einem Maß Gefahrstoffen ausgesetzt ist oder sein kann, dass dies für sie oder für ihr Kind eine unverantwortbare Gefährdung darstellt. [2] Eine unverantwortbare Gefährdung im Sinne von Satz 1 liegt insbesondere vor, wenn die schwangere Frau Tätigkeiten ausübt oder Arbeitsbedingungen ausgesetzt ist, bei denen sie folgenden Gefahrstoffen ausgesetzt ist oder sein kann:

1. Gefahrstoffen, die nach den Kriterien des Anhangs I zur Verordnung (EG) Nr. 1272/2008 des Europäischen Parlaments und des Rates vom 16. Dezember 2008 über die Einstufung, Kennzeichnung und Verpackung von Stoffen und Gemischen, zur Änderung und Aufhebung der Richtlinien 67/548/EWG und 1999/45/EG und zur Änderung der Verordnung (EG) Nr. 1907/2006 (ABl. L 353 vom 31.12.2008, S. 1) zu bewerten sind
   a) als reproduktionstoxisch nach der Kategorie 1A, 1B oder 2 oder nach der Zusatzkategorie für Wirkungen auf oder über die Laktation,
   b) als keimzellmutagen nach der Kategorie 1A oder 1B,
   c) als karzinogen nach der Kategorie 1A oder 1B,
   d) als spezifisch zielorgantoxisch nach einmaliger Exposition nach der Kategorie 1 oder
   e) als akut toxisch nach der Kategorie 1, 2 oder 3,
2. Blei und Bleiderivaten, soweit die Gefahr besteht, dass diese Stoffe vom menschlichen Körper aufgenommen werden, oder
3. Gefahrstoffen, die als Stoffe ausgewiesen sind, die auch bei Einhaltung der arbeitsplatzbezogenen Vorgaben möglicherweise zu einer Fruchtschädigung führen können.

[3] Eine unverantwortbare Gefährdung im Sinne von Satz 1 oder 2 gilt insbesondere als ausgeschlossen,

1. wenn
   a) für den jeweiligen Gefahrstoff die arbeitsplatzbezogenen Vorgaben eingehalten werden und es sich um einen Gefahrstoff handelt, der als Stoff ausgewiesen ist, der bei Einhaltung der arbeitsplatzbezogenen Vorgaben hinsichtlich einer Fruchtschädigung als sicher bewertet wird, oder
   b) der Gefahrstoff nicht in der Lage ist, die Plazentaschranke zu überwinden, oder aus anderen Gründen ausgeschlossen ist, dass eine Fruchtschädigung eintritt, und
2. wenn der Gefahrstoff nach den Kriterien des Anhangs I zur Verordnung (EG) Nr. 1272/2008 nicht als reproduktionstoxisch nach der Zusatzkategorie für Wirkungen auf oder über die Laktation zu bewerten ist.

[4] Die vom Ausschuss für Mutterschutz ermittelten wissenschaftlichen Erkenntnisse sind zu beachten.

(2) [1] Der Arbeitgeber darf eine schwangere Frau keine Tätigkeiten ausüben lassen und sie keinen Arbeitsbedingungen aussetzen, bei denen sie in einem Maß mit Biostoffen der Risikogruppe 2, 3 oder 4 im Sinne von § 3 Absatz 1 der Biostoffverordnung[1)] in Kontakt kommt oder kommen kann, dass dies für

---

[1)] **beck-online, Module Arbeitsrecht Nr. 388.**

sie oder für ihr Kind eine unverantwortbare Gefährdung darstellt. [2] Eine unverantwortbare Gefährdung im Sinne von Satz 1 liegt insbesondere vor, wenn die schwangere Frau Tätigkeiten ausübt oder Arbeitsbedingungen ausgesetzt ist, bei denen sie mit folgenden Biostoffen in Kontakt kommt oder kommen kann:

1. mit Biostoffen, die in die Risikogruppe 4 im Sinne von § 3 Absatz 1 der Biostoffverordnung einzustufen sind, oder
2. mit Rötelnvirus oder mit Toxoplasma.

[3] Die Sätze 1 und 2 gelten auch, wenn der Kontakt mit Biostoffen im Sinne von Satz 1 oder 2 therapeutische Maßnahmen erforderlich macht oder machen kann, die selbst eine unverantwortbare Gefährdung darstellen. [4] Eine unverantwortbare Gefährdung im Sinne von Satz 1 oder 2 gilt insbesondere als ausgeschlossen, wenn die schwangere Frau über einen ausreichenden Immunschutz verfügt.

(3) [1] Der Arbeitgeber darf eine schwangere Frau keine Tätigkeiten ausüben lassen und sie keinen Arbeitsbedingungen aussetzen, bei denen sie physikalischen Einwirkungen in einem Maß ausgesetzt ist oder sein kann, dass dies für sie oder für ihr Kind eine unverantwortbare Gefährdung darstellt. [2] Als physikalische Einwirkungen im Sinne von Satz 1 sind insbesondere zu berücksichtigen:

1. ionisierende und nicht ionisierende Strahlungen,
2. Erschütterungen, Vibrationen und Lärm sowie
3. Hitze, Kälte und Nässe.

(4) [1] Der Arbeitgeber darf eine schwangere Frau keine Tätigkeiten ausüben lassen und sie keinen Arbeitsbedingungen aussetzen, bei denen sie einer belastenden Arbeitsumgebung in einem Maß ausgesetzt ist oder sein kann, dass dies für sie oder für ihr Kind eine unverantwortbare Gefährdung darstellt. [2] Der Arbeitgeber darf eine schwangere Frau insbesondere keine Tätigkeiten ausüben lassen

1. in Räumen mit einem Überdruck im Sinne von § 2 der Druckluftverordnung[1)],
2. in Räumen mit sauerstoffreduzierter Atmosphäre oder
3. im Bergbau unter Tage.

(5) [1] Der Arbeitgeber darf eine schwangere Frau keine Tätigkeiten ausüben lassen und sie keinen Arbeitsbedingungen aussetzen, bei denen sie körperlichen Belastungen oder mechanischen Einwirkungen in einem Maß ausgesetzt ist oder sein kann, dass dies für sie oder für ihr Kind eine unverantwortbare Gefährdung darstellt. [2] Der Arbeitgeber darf eine schwangere Frau insbesondere keine Tätigkeiten ausüben lassen, bei denen

1. sie ohne mechanische Hilfsmittel regelmäßig Lasten von mehr als 5 Kilogramm Gewicht oder gelegentlich Lasten von mehr als 10 Kilogramm Gewicht von Hand heben, halten, bewegen oder befördern muss,
2. sie mit mechanischen Hilfsmitteln Lasten von Hand heben, halten, bewegen oder befördern muss und dabei ihre körperliche Beanspruchung der von Arbeiten nach Nummer 1 entspricht,

---

1) beck-online, Module Arbeitsrecht Nr. 384.

3. sie nach Ablauf des fünften Monats der Schwangerschaft überwiegend bewegungsarm ständig stehen muss und wenn diese Tätigkeit täglich vier Stunden überschreitet,
4. sie sich häufig erheblich strecken, beugen, dauernd hocken, sich gebückt halten oder sonstige Zwangshaltungen einnehmen muss,
5. sie auf Beförderungsmitteln eingesetzt wird, wenn dies für sie oder für ihr Kind eine unverantwortbare Gefährdung darstellt,
6. Unfälle, insbesondere durch Ausgleiten, Fallen oder Stürzen, oder Tätlichkeiten zu befürchten sind, die für sie oder für ihr Kind eine unverantwortbare Gefährdung darstellen,
7. sie eine Schutzausrüstung tragen muss und das Tragen eine Belastung darstellt oder
8. eine Erhöhung des Drucks im Bauchraum zu befürchten ist, insbesondere bei Tätigkeiten mit besonderer Fußbeanspruchung.

(6) Der Arbeitgeber darf eine schwangere Frau folgende Arbeiten nicht ausüben lassen:

1. Akkordarbeit oder sonstige Arbeiten, bei denen durch ein gesteigertes Arbeitstempo ein höheres Entgelt erzielt werden kann,
2. Fließarbeit oder
3. getaktete Arbeit mit vorgeschriebenem Arbeitstempo, wenn die Art der Arbeit oder das Arbeitstempo für die schwangere Frau oder für ihr Kind eine unverantwortbare Gefährdung darstellt.

§ 12 Unzulässige Tätigkeiten und Arbeitsbedingungen für stillende Frauen. (1) [1] Der Arbeitgeber darf eine stillende Frau keine Tätigkeiten ausüben lassen und sie keinen Arbeitsbedingungen aussetzen, bei denen sie in einem Maß Gefahrstoffen ausgesetzt ist oder sein kann, dass dies für sie oder für ihr Kind eine unverantwortbare Gefährdung darstellt. [2] Eine unverantwortbare Gefährdung im Sinne von Satz 1 liegt insbesondere vor, wenn die stillende Frau Tätigkeiten ausübt oder Arbeitsbedingungen ausgesetzt ist, bei denen sie folgenden Gefahrstoffen ausgesetzt ist oder sein kann:

1. Gefahrstoffen, die nach den Kriterien des Anhangs I zur Verordnung (EG) Nr. 1272/2008 als reproduktionstoxisch nach der Zusatzkategorie für Wirkungen auf oder über die Laktation zu bewerten sind oder
2. Blei und Bleiderivaten, soweit die Gefahr besteht, dass diese Stoffe vom menschlichen Körper aufgenommen werden.

(2) [1] Der Arbeitgeber darf eine stillende Frau keine Tätigkeiten ausüben lassen und sie keinen Arbeitsbedingungen aussetzen, bei denen sie in einem Maß mit Biostoffen der Risikogruppe 2, 3 oder 4 im Sinne von § 3 Absatz 1 der Biostoffverordnung[1)] in Kontakt kommt oder kommen kann, dass dies für sie oder für ihr Kind eine unverantwortbare Gefährdung darstellt. [2] Eine unverantwortbare Gefährdung im Sinne von Satz 1 liegt insbesondere vor, wenn die stillende Frau Tätigkeiten ausübt oder Arbeitsbedingungen ausgesetzt ist, bei denen sie mit Biostoffen in Kontakt kommt oder kommen kann, die in die Risikogruppe 4 im Sinne von § 3 Absatz 1 der Biostoffver-

---

[1)] **beck-online, Module Arbeitsrecht Nr. 388.**

ordnung einzustufen sind. [3] Die Sätze 1 und 2 gelten auch, wenn der Kontakt mit Biostoffen im Sinne von Satz 1 oder 2 therapeutische Maßnahmen erforderlich macht oder machen kann, die selbst eine unverantwortbare Gefährdung darstellen. [4] Eine unverantwortbare Gefährdung im Sinne von Satz 1 oder 2 gilt als ausgeschlossen, wenn die stillende Frau über einen ausreichenden Immunschutz verfügt.

(3) [1] Der Arbeitgeber darf eine stillende Frau keine Tätigkeiten ausüben lassen und sie keinen Arbeitsbedingungen aussetzen, bei denen sie physikalischen Einwirkungen in einem Maß ausgesetzt ist oder sein kann, dass dies für sie oder für ihr Kind eine unverantwortbare Gefährdung darstellt. [2] Als physikalische Einwirkungen im Sinne von Satz 1 sind insbesondere ionisierende und nicht ionisierende Strahlungen zu berücksichtigen.

(4) [1] Der Arbeitgeber darf eine stillende Frau keine Tätigkeiten ausüben lassen und sie keinen Arbeitsbedingungen aussetzen, bei denen sie einer belastenden Arbeitsumgebung in einem Maß ausgesetzt ist oder sein kann, dass dies für sie oder für ihr Kind eine unverantwortbare Gefährdung darstellt. [2] Der Arbeitgeber darf eine stillende Frau insbesondere keine Tätigkeiten ausüben lassen

1. in Räumen mit einem Überdruck im Sinne von § 2 der Druckluftverordnung[1)] oder
2. im Bergbau unter Tage.

(5) Der Arbeitgeber darf eine stillende Frau folgende Arbeiten nicht ausüben lassen:

1. Akkordarbeit oder sonstige Arbeiten, bei denen durch ein gesteigertes Arbeitstempo ein höheres Entgelt erzielt werden kann,
2. Fließarbeit oder
3. getaktete Arbeit mit vorgeschriebenem Arbeitstempo, wenn die Art der Arbeit oder das Arbeitstempo für die stillende Frau oder für ihr Kind eine unverantwortbare Gefährdung darstellt.

§ 13 Rangfolge der Schutzmaßnahmen: Umgestaltung der Arbeitsbedingungen, Arbeitsplatzwechsel und betriebliches Beschäftigungsverbot. (1) Werden unverantwortbare Gefährdungen im Sinne von § 9, § 11 oder § 12 festgestellt, hat der Arbeitgeber für jede Tätigkeit einer schwangeren oder stillenden Frau Schutzmaßnahmen in folgender Rangfolge zu treffen:

1. Der Arbeitgeber hat die Arbeitsbedingungen für die schwangere oder stillende Frau durch Schutzmaßnahmen nach Maßgabe des § 9 Absatz 2 umzugestalten.
2. Kann der Arbeitgeber unverantwortbare Gefährdungen für die schwangere oder stillende Frau nicht durch die Umgestaltung der Arbeitsbedingungen nach Nummer 1 ausschließen oder ist eine Umgestaltung wegen des nachweislich unverhältnismäßigen Aufwandes nicht zumutbar, hat der Arbeitgeber die Frau an einem anderen geeigneten Arbeitsplatz einzusetzen, wenn er einen solchen Arbeitsplatz zur Verfügung stellen kann und dieser Arbeitsplatz der schwangeren oder stillenden Frau zumutbar ist.

[1)] **beck-online, Module Arbeitsrecht Nr. 384.**

3. Kann der Arbeitgeber unverantwortbare Gefährdungen für die schwangere oder stillende Frau weder durch Schutzmaßnahmen nach Nummer 1 noch durch einen Arbeitsplatzwechsel nach Nummer 2 ausschließen, darf er die schwangere oder stillende Frau nicht weiter beschäftigen.

(2) Der Auftraggeber oder Zwischenmeister darf keine Heimarbeit an schwangere oder stillende Frauen ausgeben, wenn unverantwortbare Gefährdungen nicht durch Schutzmaßnahmen nach Absatz 1 Nummer 1 ausgeschlossen werden können.

§ 14 Dokumentation und Information durch den Arbeitgeber.

(1) [1] Der Arbeitgeber hat die Beurteilung der Arbeitsbedingungen nach § 10 durch Unterlagen zu dokumentieren, aus denen Folgendes ersichtlich ist:

1. das Ergebnis der Gefährdungsbeurteilung nach § 10 Absatz 1 Satz 1 Nummer 1 und der Bedarf an Schutzmaßnahmen nach § 10 Absatz 1 Satz 1 Nummer 2,
2. die Festlegung der erforderlichen Schutzmaßnahmen nach § 10 Absatz 2 Satz 1 sowie das Ergebnis ihrer Überprüfung nach § 9 Absatz 1 Satz 2 und
3. das Angebot eines Gesprächs mit der Frau über weitere Anpassungen ihrer Arbeitsbedingungen nach § 10 Absatz 2 Satz 2 oder der Zeitpunkt eines solchen Gesprächs.

[2] Wenn die Beurteilung nach § 10 Absatz 1 ergibt, dass die schwangere oder stillende Frau oder ihr Kind keiner Gefährdung im Sinne von § 9 Absatz 2 ausgesetzt ist oder sein kann, reicht es aus, diese Feststellung in einer für den Arbeitsplatz der Frau oder für die Tätigkeit der Frau bereits erstellten Dokumentation der Beurteilung der Arbeitsbedingungen nach § 5 des Arbeitsschutzgesetzes[1] zu vermerken.

(2) Der Arbeitgeber hat alle Personen, die bei ihm beschäftigt sind, über das Ergebnis der Gefährdungsbeurteilung nach § 10 Absatz 1 Satz 1 Nummer 1 und über den Bedarf an Schutzmaßnahmen nach § 10 Absatz 1 Satz 1 Nummer 2 zu informieren.

(3) Der Arbeitgeber hat eine schwangere oder stillende Frau über die Gefährdungsbeurteilung nach § 10 Absatz 1 Satz 1 Nummer 1 und über die damit verbundenen für sie erforderlichen Schutzmaßnahmen nach § 10 Absatz 2 Satz 1 in Verbindung mit § 13 zu informieren.

§ 15 Mitteilungen und Nachweise der schwangeren und stillenden Frauen. (1) [1] Eine schwangere Frau soll ihrem Arbeitgeber ihre Schwangerschaft und den voraussichtlichen Tag der Entbindung mitteilen, sobald sie weiß, dass sie schwanger ist. [2] Eine stillende Frau soll ihrem Arbeitgeber so früh wie möglich mitteilen, dass sie stillt.

(2) [1] Auf Verlangen des Arbeitgebers soll eine schwangere Frau als Nachweis über ihre Schwangerschaft ein ärztliches Zeugnis oder das Zeugnis einer Hebamme oder eines Entbindungspflegers vorlegen. [2] Das Zeugnis über die Schwangerschaft soll den voraussichtlichen Tag der Entbindung enthalten.

---

[1] Nr. **370**.

Unterabschnitt 3. Ärztlicher Gesundheitsschutz

§ 16 Ärztliches Beschäftigungsverbot. (1) Der Arbeitgeber darf eine schwangere Frau nicht beschäftigen, soweit nach einem ärztlichen Zeugnis ihre Gesundheit oder die ihres Kindes bei Fortdauer der Beschäftigung gefährdet ist.

(2) Der Arbeitgeber darf eine Frau, die nach einem ärztlichen Zeugnis in den ersten Monaten nach der Entbindung nicht voll leistungsfähig ist, nicht mit Arbeiten beschäftigen, die ihre Leistungsfähigkeit übersteigen.

Abschnitt 3. Kündigungsschutz

§ 17 Kündigungsverbot. (1) [1] Die Kündigung gegenüber einer Frau ist unzulässig

1. während ihrer Schwangerschaft,
2. bis zum Ablauf von vier Monaten nach einer Fehlgeburt nach der zwölften Schwangerschaftswoche und
3. bis zum Ende ihrer Schutzfrist nach der Entbindung, mindestens jedoch bis zum Ablauf von vier Monaten nach der Entbindung,

wenn dem Arbeitgeber zum Zeitpunkt der Kündigung die Schwangerschaft, die Fehlgeburt nach der zwölften Schwangerschaftswoche oder die Entbindung bekannt ist oder wenn sie ihm innerhalb von zwei Wochen nach Zugang der Kündigung mitgeteilt wird. [2] Das Überschreiten dieser Frist ist unschädlich, wenn die Überschreitung auf einem von der Frau nicht zu vertretenden Grund beruht und die Mitteilung unverzüglich nachgeholt wird. [3] Die Sätze 1 und 2 gelten entsprechend für Vorbereitungsmaßnahmen des Arbeitgebers, die er im Hinblick auf eine Kündigung der Frau trifft.

(2) [1] Die für den Arbeitsschutz zuständige oberste Landesbehörde oder die von ihr bestimmte Stelle kann in besonderen Fällen, die nicht mit dem Zustand der Frau in der Schwangerschaft, nach einer Fehlgeburt nach der zwölften Schwangerschaftswoche oder nach der Entbindung in Zusammenhang stehen, ausnahmsweise die Kündigung für zulässig erklären. [2] Die Kündigung bedarf der Schriftform und muss den Kündigungsgrund angeben.

(3) [1] Der Auftraggeber oder Zwischenmeister darf eine in Heimarbeit beschäftigte Frau in den Fristen nach Absatz 1 Satz 1 nicht gegen ihren Willen bei der Ausgabe von Heimarbeit ausschließen; die §§ 3, 8, 11, 12, 13 Absatz 2 und § 16 bleiben unberührt. [2] Absatz 1 gilt auch für eine Frau, die der in Heimarbeit beschäftigten Frau gleichgestellt ist und deren Gleichstellung sich auch auf § 29 des Heimarbeitsgesetzes[1)] erstreckt. [3] Absatz 2 gilt für eine in Heimarbeit beschäftigte Frau und eine ihr Gleichgestellte entsprechend.

Abschnitt 4. Leistungen

§ 18 Mutterschutzlohn. [1] Eine Frau, die wegen eines Beschäftigungsverbots außerhalb der Schutzfristen vor oder nach der Entbindung teilweise oder

---

[1)] Nr. **450**.

gar nicht beschäftigt werden darf, erhält von ihrem Arbeitgeber Mutterschutzlohn. [2] Als Mutterschutzlohn wird das durchschnittliche Arbeitsentgelt der letzten drei abgerechneten Kalendermonate vor dem Eintritt der Schwangerschaft gezahlt. [3] Dies gilt auch, wenn wegen dieses Verbots die Beschäftigung oder die Entlohnungsart wechselt. [4] Beginnt das Beschäftigungsverhältnis erst nach Eintritt der Schwangerschaft, ist das durchschnittliche Arbeitsentgelt aus dem Arbeitsentgelt der ersten drei Monate der Beschäftigung zu berechnen.

§ 19[1)] Mutterschaftsgeld. (1) Eine Frau, die Mitglied einer gesetzlichen Krankenkasse ist, erhält für die Zeit der Schutzfristen vor und nach der Entbindung sowie für den Entbindungstag Mutterschaftsgeld nach den Vorschriften des Fünften Buches Sozialgesetzbuch[2)] oder nach den Vorschriften des Zweiten Gesetzes über die Krankenversicherung der Landwirte[3)].

(2) [1] Eine Frau, die nicht Mitglied einer gesetzlichen Krankenkasse ist, erhält für die Zeit der Schutzfristen vor und nach der Entbindung sowie für den Entbindungstag Mutterschaftsgeld zu Lasten des Bundes in entsprechender Anwendung der Vorschriften des Fünften Buches Sozialgesetzbuch[2)] über das Mutterschaftsgeld, jedoch insgesamt höchstens 210 Euro. [2] Das Mutterschaftsgeld wird dieser Frau auf Antrag vom Bundesamt für Soziale Sicherung gezahlt. [3] Endet das Beschäftigungsverhältnis nach Maßgabe von § 17 Absatz 2 durch eine Kündigung, erhält die Frau Mutterschaftsgeld in entsprechender Anwendung der Sätze 1 und 2 für die Zeit nach dem Ende des Beschäftigungsverhältnisses.

§ 20[4)] Zuschuss zum Mutterschaftsgeld. (1) [1] Eine Frau erhält während ihres bestehenden Beschäftigungsverhältnisses für die Zeit der Schutzfristen vor und nach der Entbindung sowie für den Entbindungstag von ihrem Arbeitgeber einen Zuschuss zum Mutterschaftsgeld. [2] Als Zuschuss zum Mutterschaftsgeld wird der Unterschiedsbetrag zwischen 13 Euro und dem um die gesetzlichen Abzüge verminderten durchschnittlichen kalendertäglichen Arbeitsentgelt der letzten drei abgerechneten Kalendermonate vor Beginn der Schutzfrist vor der Entbindung gezahlt. [3] Einer Frau, deren Beschäftigungsverhältnis während der Schutzfristen vor oder nach der Entbindung beginnt, wird der Zuschuss zum Mutterschaftsgeld von Beginn des Beschäftigungsverhältnisses an gezahlt.

(2) [1] Ist eine Frau für mehrere Arbeitgeber tätig, sind für die Berechnung des Arbeitgeberzuschusses nach Absatz 1 die durchschnittlichen kalendertäglichen Arbeitsentgelte aus diesen Beschäftigungsverhältnissen zusammenzurechnen. [2] Den sich daraus ergebenden Betrag zahlen die Arbeitgeber anteilig im Verhältnis der von ihnen gezahlten durchschnittlichen kalendertäglichen Arbeitsentgelte.

(3) [1] Endet das Beschäftigungsverhältnis nach Maßgabe von § 17 Absatz 2 durch eine Kündigung, erhält die Frau für die Zeit nach dem Ende des Beschäftigungsverhältnisses den Zuschuss zum Mutterschaftsgeld nach Absatz 1 von der für die Zahlung des Mutterschaftsgeldes zuständigen Stelle. [2] Satz 1 gilt entsprechend, wenn der Arbeitgeber wegen eines Insolvenzereignisses im Sinne von § 165 Absatz 1 Satz 2 des Dritten Buches Sozialgesetzbuch[5)] den Zuschuss nach Absatz 1 nicht zahlen kann.

---

1) § 19 Abs. 2 Satz 2 geänd. mWv 1.1.2020 durch G v. 12.12.2019 (BGBl. I S. 2652).

2) Auszugsweise abgedruckt unter Nr. **695**.

3) **Aichberger, SGB Nr. 30/22.**

4) § 20 Abs. 4 angef. mWv 1.1.2026 durch G v. 22.12.2025 (BGBl. 2025 I Nr. 371).

5) Nr. **700**.

(4) [1] Bei Personen, die nach einem Abkommen zur Vermeidung der Doppelbesteuerung nicht in der Bundesrepublik Deutschland ansässig sind und deren Ansässigkeitsstaat nach diesem Abkommen zur Vermeidung der Doppelbesteuerung das Besteuerungsrecht für den Zuschuss zum Mutterschaftsgeld zusteht, sind für die Berechnung des Zuschusses zum Mutterschaftsgeld nur die Beiträge zur Sozialversicherung als das durchschnittliche kalendertägliche Arbeitsentgelt nach Absatz 1 Satz 2 vermindernde gesetzliche Abzüge zu berücksichtigen. [2] Unterliegt der Zuschuss zum Mutterschaftsgeld im Ansässigkeitsstaat nach dessen maßgebenden Vorschriften nicht der Steuer, sind alle gesetzlichen Abzüge nach Absatz 1 Satz 2 zu berücksichtigen.

§ 21 Ermittlung des durchschnittlichen Arbeitsentgelts. (1) [1] Bei der Bestimmung des Berechnungszeitraumes für die Ermittlung des durchschnittlichen Arbeitsentgelts für die Leistungen nach den §§ 18 bis 20 bleiben Zeiten unberücksichtigt, in denen die Frau infolge unverschuldeter Fehlzeiten kein Arbeitsentgelt erzielt hat. [2] War das Beschäftigungsverhältnis kürzer als drei Monate, ist der Berechnung der tatsächliche Zeitraum des Beschäftigungsverhältnisses zugrunde zu legen.

(2) Für die Ermittlung des durchschnittlichen Arbeitsentgelts für die Leistungen nach den §§ 18 bis 20 bleiben unberücksichtigt:

1. einmalig gezahltes Arbeitsentgelt im Sinne von § 23a des Vierten Buches Sozialgesetzbuch[1)],
2. Kürzungen des Arbeitsentgelts, die im Berechnungszeitraum infolge von Kurzarbeit, Arbeitsausfällen oder unverschuldetem Arbeitsversäumnis eintreten, und
3. im Fall der Beendigung der Elternzeit nach dem Bundeselterngeld- und Elternzeitgesetz[2)] das Arbeitsentgelt aus Teilzeitbeschäftigung, das vor der Beendigung der Elternzeit während der Elternzeit erzielt wurde, soweit das durchschnittliche Arbeitsentgelt ohne die Berücksichtigung der Zeiten, in denen dieses Arbeitsentgelt erzielt wurde, höher ist.

(3) Ist die Ermittlung des durchschnittlichen Arbeitsentgelts entsprechend den Absätzen 1 und 2 nicht möglich, ist das durchschnittliche kalendertägliche Arbeitsentgelt einer vergleichbar beschäftigten Person zugrunde zu legen.

(4) Bei einer dauerhaften Änderung der Arbeitsentgelthöhe ist die geänderte Arbeitsentgelthöhe bei der Ermittlung des durchschnittlichen Arbeitsentgelts für die Leistungen nach den §§ 18 bis 20 zugrunde zu legen, und zwar

1. für den gesamten Berechnungszeitraum, wenn die Änderung während des Berechnungszeitraums wirksam wird,
2. ab Wirksamkeit der Änderung der Arbeitsentgelthöhe, wenn die Änderung der Arbeitsentgelthöhe nach dem Berechnungszeitraum wirksam wird.

§ 22 Leistungen während der Elternzeit. [1] Während der Elternzeit sind Ansprüche auf Leistungen nach den §§ 18 und 20 aus dem wegen der Elternzeit ruhenden Arbeitsverhältnis ausgeschlossen. [2] Übt die Frau während der Elternzeit eine Teilzeitarbeit aus, ist für die Ermittlung des durchschnittlichen Arbeitsentgelts nur das Arbeitsentgelt aus dieser Teilzeitarbeit zugrunde zu legen.

[1)] Nr. **694**.
[2)] Auszugsweise abgedruckt unter Nr. **401**.

§ 23 Entgelt bei Freistellung für Untersuchungen und zum Stillen.

(1) [1] Durch die Gewährung der Freistellung nach § 7 darf bei der schwangeren oder stillenden Frau kein Entgeltausfall eintreten. [2] Freistellungszeiten sind weder vor- noch nachzuarbeiten. [3] Sie werden nicht auf Ruhepausen angerechnet, die im Arbeitszeitgesetz[1)] oder in anderen Vorschriften festgelegt sind.

(2) [1] Der Auftraggeber oder Zwischenmeister hat einer in Heimarbeit beschäftigten Frau und der ihr Gleichgestellten für die Stillzeit ein Entgelt zu zahlen, das nach der Höhe des durchschnittlichen Stundenentgelts für jeden Werktag zu berechnen ist. [2] Ist eine Frau für mehrere Auftraggeber oder Zwischenmeister tätig, haben diese das Entgelt für die Stillzeit zu gleichen Teilen zu zahlen. [3] Auf das Entgelt finden die Vorschriften der §§ 23 bis 25 des Heimarbeitsgesetzes[2)] über den Entgeltschutz Anwendung.

§ 24 Fortbestehen des Erholungsurlaubs bei Beschäftigungsverboten.

[1] Für die Berechnung des Anspruchs auf bezahlten Erholungsurlaub gelten die Ausfallzeiten wegen eines Beschäftigungsverbots als Beschäftigungszeiten. [2] Hat eine Frau ihren Urlaub vor Beginn eines Beschäftigungsverbots nicht oder nicht vollständig erhalten, kann sie nach dem Ende des Beschäftigungsverbots den Resturlaub im laufenden oder im nächsten Urlaubsjahr beanspruchen.

§ 25 Beschäftigung nach dem Ende des Beschäftigungsverbots. Mit dem Ende eines Beschäftigungsverbots im Sinne von § 2 Absatz 3 hat eine Frau das Recht, entsprechend den vertraglich vereinbarten Bedingungen beschäftigt zu werden.

Abschnitt 5. Durchführung des Gesetzes

§ 26 Aushang des Gesetzes. (1) [1] In Betrieben und Verwaltungen, in denen regelmäßig mehr als drei Frauen beschäftigt werden, hat der Arbeitgeber eine Kopie dieses Gesetzes an geeigneter Stelle zur Einsicht auszulegen oder auszuhängen. [2] Dies gilt nicht, wenn er das Gesetz für die Personen, die bei ihm beschäftigt sind, in einem elektronischen Verzeichnis jederzeit zugänglich gemacht hat.

(2) [1] Für eine in Heimarbeit beschäftigte Frau oder eine ihr Gleichgestellte muss der Auftraggeber oder Zwischenmeister in den Räumen der Ausgabe oder Abnahme von Heimarbeit eine Kopie dieses Gesetzes an geeigneter Stelle zur Einsicht auslegen oder aushängen. [2] Absatz 1 Satz 2 gilt entsprechend.

§ 27 Mitteilungs- und Aufbewahrungspflichten des Arbeitgebers, Offenbarungsverbot der mit der Überwachung beauftragten Personen.

(1) [1] Der Arbeitgeber hat die Aufsichtsbehörde unverzüglich zu benachrichtigen,

1. wenn eine Frau ihm mitgeteilt hat,
   a) dass sie schwanger ist oder
   b) dass sie stillt, es sei denn, er hat die Aufsichtsbehörde bereits über die Schwangerschaft dieser Frau benachrichtigt, oder
2. wenn er beabsichtigt, eine schwangere oder stillende Frau zu beschäftigen

---

[1)] Nr. **350**.
[2)] Nr. **450**.

a) bis 22 Uhr nach den Vorgaben des § 5 Absatz 2 Satz 2 und 3,

b) an Sonn- und Feiertagen nach den Vorgaben des § 6 Absatz 1 Satz 2 und 3 oder Absatz 2 Satz 2 und 3 oder

c) mit getakteter Arbeit im Sinne von § 11 Absatz 6 Nummer 3 oder § 12 Absatz 5 Nummer 3.

[2] Er darf diese Informationen nicht unbefugt an Dritte weitergeben.

(2) [1] Der Arbeitgeber hat der Aufsichtsbehörde auf Verlangen die Angaben zu machen, die zur Erfüllung der Aufgaben dieser Behörde erforderlich sind. [2] Er hat die Angaben wahrheitsgemäß, vollständig und rechtzeitig zu machen.

(3) Der Arbeitgeber hat der Aufsichtsbehörde auf Verlangen die Unterlagen zur Einsicht vorzulegen oder einzusenden, aus denen Folgendes ersichtlich ist:

1. die Namen der schwangeren oder stillenden Frauen, die bei ihm beschäftigt sind,
2. die Art und der zeitliche Umfang ihrer Beschäftigung,
3. die Entgelte, die an sie gezahlt worden sind,
4. die Ergebnisse der Beurteilung der Arbeitsbedingungen nach § 10 und
5. alle sonstigen nach Absatz 2 erforderlichen Angaben.

(4) [1] Die auskunftspflichtige Person kann die Auskunft auf solche Fragen oder die Vorlage derjenigen Unterlagen verweigern, deren Beantwortung oder Vorlage sie selbst oder einen ihrer in § 383 Absatz 1 Nummer 1 bis 3 der Zivilprozessordnung bezeichneten Angehörigen der Gefahr der Verfolgung wegen einer Straftat oder Ordnungswidrigkeit aussetzen würde. [2] Die auskunftspflichtige Person ist darauf hinzuweisen.

(5) Der Arbeitgeber hat die in Absatz 3 genannten Unterlagen mindestens bis zum Ablauf von zwei Jahren nach der letzten Eintragung aufzubewahren.

(6) [1] Die mit der Überwachung beauftragten Personen der Aufsichtsbehörde dürfen die ihnen bei ihrer Überwachungstätigkeit zur Kenntnis gelangten Geschäfts- und Betriebsgeheimnisse nur in den gesetzlich geregelten Fällen oder zur Verfolgung von Rechtsverstößen oder zur Erfüllung von gesetzlich geregelten Aufgaben zum Schutz der Umwelt den dafür zuständigen Behörden offenbaren. [2] Soweit es sich bei Geschäfts- und Betriebsgeheimnissen um Informationen über die Umwelt im Sinne des Umweltinformationsgesetzes handelt, richtet sich die Befugnis zu ihrer Offenbarung nach dem Umweltinformationsgesetz[1)].

§ 28 Behördliches Genehmigungsverfahren für eine Beschäftigung zwischen 20 Uhr und 22 Uhr. (1) [1] Die Aufsichtsbehörde kann abweichend von § 5 Absatz 1 Satz 1 auf Antrag des Arbeitgebers genehmigen, dass eine schwangere oder stillende Frau zwischen 20 Uhr und 22 Uhr beschäftigt wird, wenn

1. sich die Frau dazu ausdrücklich bereit erklärt,
2. nach ärztlichem Zeugnis nichts gegen die Beschäftigung der Frau bis 22 Uhr spricht und

---

1) Sartorius Nr. 294.

3. insbesondere eine unverantwortbare Gefährdung für die schwangere Frau oder ihr Kind durch Alleinarbeit ausgeschlossen ist.

[2] Dem Antrag ist die Dokumentation der Beurteilung der Arbeitsbedingungen nach § 14 Absatz 1 beizufügen. [3] Die schwangere oder stillende Frau kann ihre Erklärung nach Satz 1 Nummer 1 jederzeit mit Wirkung für die Zukunft widerrufen.

(2) [1] Solange die Aufsichtsbehörde den Antrag nicht ablehnt oder die Beschäftigung zwischen 20 Uhr und 22 Uhr nicht vorläufig untersagt, darf der Arbeitgeber die Frau unter den Voraussetzungen des Absatzes 1 beschäftigen. [2] Die Aufsichtsbehörde hat dem Arbeitgeber nach Eingang des Antrags unverzüglich eine Mitteilung zu machen, wenn die für den Antrag nach Absatz 1 erforderlichen Unterlagen unvollständig sind. [3] Die Aufsichtsbehörde kann die Beschäftigung vorläufig untersagen, soweit dies erforderlich ist, um den Schutz der Gesundheit der Frau oder ihres Kindes sicherzustellen.

(3) [1] Lehnt die Aufsichtsbehörde den Antrag nicht innerhalb von sechs Wochen nach Eingang des vollständigen Antrags ab, gilt die Genehmigung als erteilt. [2] Auf Verlangen ist dem Arbeitgeber der Eintritt der Genehmigungsfiktion (§ 42a des Verwaltungsverfahrensgesetzes[1)]) zu bescheinigen.

(4) Im Übrigen gelten die Vorschriften des Verwaltungsverfahrensgesetzes.

§ 29 Zuständigkeit und Befugnisse der Aufsichtsbehörden, Jahresbericht. (1) Die Aufsicht über die Ausführung der Vorschriften dieses Gesetzes und der aufgrund dieses Gesetzes erlassenen Vorschriften obliegt den nach Landesrecht zuständigen Behörden (Aufsichtsbehörden).

(2) [1] Die Aufsichtsbehörden haben dieselben Befugnisse wie die nach § 22 Absatz 2 und 3 des Arbeitsschutzgesetzes[2)] mit der Überwachung beauftragten Personen. [2] Das Grundrecht der Unverletzlichkeit der Wohnung (Artikel 13 des Grundgesetzes[3)]) wird insoweit eingeschränkt.

(3) [1] Die Aufsichtsbehörde kann in Einzelfällen die erforderlichen Maßnahmen anordnen, die der Arbeitgeber zur Erfüllung derjenigen Pflichten zu treffen hat, die sich aus Abschnitt 2 dieses Gesetzes und aus den aufgrund des § 31 Nummer 1 bis 5 erlassenen Rechtsverordnungen ergeben. [2] Insbesondere kann die Aufsichtsbehörde:

1. in besonders begründeten Einzelfällen Ausnahmen vom Verbot der Mehrarbeit nach § 4 Absatz 1 Satz 1, 2 oder 4 sowie vom Verbot der Nachtarbeit auch zwischen 22 Uhr und 6 Uhr nach § 5 Absatz 1 Satz 1 oder Absatz 2 Satz 1 bewilligen, wenn
   a) sich die Frau dazu ausdrücklich bereit erklärt,
   b) nach ärztlichem Zeugnis nichts gegen die Beschäftigung spricht und
   c) in den Fällen des § 5 Absatz 1 Satz 1 oder Absatz 2 Satz 1 insbesondere eine unverantwortbare Gefährdung für die schwangere Frau oder ihr Kind durch Alleinarbeit ausgeschlossen ist,
2. verbieten, dass ein Arbeitgeber eine schwangere oder stillende Frau
   a) nach § 5 Absatz 2 Satz 2 zwischen 20 Uhr und 22 Uhr beschäftigt oder

---
1) **Sartorius Nr. 100.**
2) Nr. **370**.
3) Nr. **10**.

b) nach § 6 Absatz 1 Satz 2 oder nach § 6 Absatz 2 Satz 2 an Sonn- und Feiertagen beschäftigt,
3. Einzelheiten zur Freistellung zum Stillen nach § 7 Absatz 2 und zur Bereithaltung von Räumlichkeiten, die zum Stillen geeignet sind, anordnen,
4. Einzelheiten zur zulässigen Arbeitsmenge nach § 8 anordnen,
5. Schutzmaßnahmen nach § 9 Absatz 1 bis 3 und nach § 13 anordnen,
6. Einzelheiten zu Art und Umfang der Beurteilung der Arbeitsbedingungen nach § 10 anordnen,
7. bestimmte Tätigkeiten oder Arbeitsbedingungen nach § 11 oder nach § 12 verbieten,
8. Ausnahmen von den Vorschriften des § 11 Absatz 6 Nummer 1 und 2 und des § 12 Absatz 5 Nummer 1 und 2 bewilligen, wenn die Art der Arbeit und das Arbeitstempo keine unverantwortbare Gefährdung für die schwangere oder stillende Frau oder für ihr Kind darstellen, und
9. Einzelheiten zu Art und Umfang der Dokumentation und Information nach § 14 anordnen.

[3] Die schwangere oder stillende Frau kann ihre Erklärung nach Satz 2 Nummer 1 Buchstabe a jederzeit mit Wirkung für die Zukunft widerrufen.

(4) Die Aufsichtsbehörde berät den Arbeitgeber bei der Erfüllung seiner Pflichten nach diesem Gesetz sowie die bei ihm beschäftigten Personen zu ihren Rechten und Pflichten nach diesem Gesetz; dies gilt nicht für die Rechte und Pflichten nach den §§ 18 bis 22.

(5) Für Betriebe und Verwaltungen im Geschäftsbereich des Bundesministeriums der Verteidigung wird die Aufsicht nach Absatz 1 durch das Bundesministerium der Verteidigung oder die von ihm bestimmte Stelle in eigener Zuständigkeit durchgeführt.

(6) [1] Die zuständigen obersten Landesbehörden haben über die Überwachungstätigkeit der ihnen unterstellten Behörden einen Jahresbericht zu veröffentlichen. [2] Der Jahresbericht umfasst auch Angaben zur Erfüllung von Unterrichtungspflichten aus internationalen Übereinkommen oder Rechtsakten der Europäischen Union, soweit sie den Mutterschutz betreffen.

§ 30 Ausschuss für Mutterschutz. (1) [1] Beim Bundesministerium für Familie, Senioren, Frauen und Jugend wird ein Ausschuss für Mutterschutz gebildet, in dem geeignete Personen vonseiten der öffentlichen und privaten Arbeitgeber, der Ausbildungsstellen, der Gewerkschaften, der Studierendenvertretungen und der Landesbehörden sowie weitere geeignete Personen, insbesondere aus der Wissenschaft, vertreten sein sollen. [2] Dem Ausschuss sollen nicht mehr als 15 Mitglieder angehören. [3] Für jedes Mitglied ist ein stellvertretendes Mitglied zu benennen. [4] Die Mitgliedschaft im Ausschuss für Mutterschutz ist ehrenamtlich.

(2) [1] Das Bundesministerium für Familie, Senioren, Frauen und Jugend beruft im Einvernehmen mit dem Bundesministerium für Arbeit und Soziales, dem Bundesministerium für Gesundheit und dem Bundesministerium für Bildung und Forschung die Mitglieder des Ausschusses für Mutterschutz und *die stellvertretenden* Mitglieder. [2] Der Ausschuss gibt sich eine Geschäftsordnung und wählt die Vorsitzende oder den Vorsitzenden aus seiner Mitte. [3] Die Geschäftsordnung und die Wahl der oder des Vorsitzenden bedürfen der

Zustimmung des Bundesministeriums für Familie, Senioren, Frauen und Jugend. [4] Die Zustimmung erfolgt im Einvernehmen mit dem Bundesministerium für Arbeit und Soziales und dem Bundesministerium für Gesundheit.

(3) [1] Zu den Aufgaben des Ausschusses für Mutterschutz gehört es,

1. Art, Ausmaß und Dauer der möglichen unverantwortbaren Gefährdungen einer schwangeren oder stillenden Frau und ihres Kindes nach wissenschaftlichen Erkenntnissen zu ermitteln und zu begründen,
2. sicherheitstechnische, arbeitsmedizinische und arbeitshygienische Regeln zum Schutz der schwangeren oder stillenden Frau und ihres Kindes aufzustellen und
3. das Bundesministerium für Familie, Senioren, Frauen und Jugend in allen mutterschutzbezogenen Fragen zu beraten.

[2] Der Ausschuss arbeitet eng mit den Ausschüssen nach § 18 Absatz 2 Nummer 5 des Arbeitsschutzgesetzes[1)] zusammen.

(4) Nach Prüfung durch das Bundesministerium für Familie, Senioren, Frauen und Jugend, durch das Bundesministerium für Arbeit und Soziales, durch das Bundesministerium für Gesundheit und durch das Bundesministerium für Bildung und Forschung kann das Bundesministerium für Familie, Senioren, Frauen und Jugend im Einvernehmen mit den anderen in diesem Absatz genannten Bundesministerien die vom Ausschuss für Mutterschutz nach Absatz 3 aufgestellten Regeln und Erkenntnisse im Gemeinsamen Ministerialblatt veröffentlichen.

(5) [1] Die Bundesministerien sowie die obersten Landesbehörden können zu den Sitzungen des Ausschusses für Mutterschutz Vertreterinnen oder Vertreter entsenden. [2] Auf Verlangen ist ihnen in der Sitzung das Wort zu erteilen.

(6) Die Geschäfte des Ausschusses für Mutterschutz werden vom Bundesamt für Familie und zivilgesellschaftliche Aufgaben geführt.

§ 31 Erlass von Rechtsverordnungen. Die Bundesregierung wird ermächtigt, durch Rechtsverordnung mit Zustimmung des Bundesrates Folgendes zu regeln:

1. nähere Bestimmungen zum Begriff der unverantwortbaren Gefährdung nach § 9 Absatz 2 Satz 2 und 3,
2. nähere Bestimmungen zur Durchführung der erforderlichen Schutzmaßnahmen nach § 9 Absatz 1 und 2 und nach § 13,
3. nähere Bestimmungen zu Art und Umfang der Beurteilung der Arbeitsbedingungen nach § 10,
4. Festlegungen von unzulässigen Tätigkeiten und Arbeitsbedingungen im Sinne von § 11 oder § 12 oder von anderen nach diesem Gesetz unzulässigen Tätigkeiten und Arbeitsbedingungen,
5. nähere Bestimmungen zur Dokumentation und Information nach § 14,
6. nähere Bestimmungen zur Ermittlung des durchschnittlichen Arbeitsentgelts im Sinne der §§ 18 bis 22 und
7. nähere Bestimmungen zum erforderlichen Inhalt der Benachrichtigung, ihrer Form, der Art und Weise der Übermittlung sowie die Empfänger der vom Arbeitgeber nach § 27 zu meldenden Informationen.

[1)] Nr. **370**.

Abschnitt 6. Bußgeldvorschriften, Strafvorschriften

§ 32[1)] Bußgeldvorschriften. (1) Ordnungswidrig handelt, wer vorsätzlich oder fahrlässig

1. entgegen § 3 Absatz 1 Satz 1, auch in Verbindung mit Satz 4, entgegen § 3 Absatz 2 Satz 1, auch in Verbindung mit Satz 2 oder 3, entgegen § 3 Absatz 3 Satz 1, § 3 Absatz 5 Satz 1, § 4 Absatz 1 Satz 1, 2 oder 4 oder § 5 Absatz 1 Satz 1, § 6 Absatz 1 Satz 1, § 13 Absatz 1 Nummer 3 oder § 16 eine Frau beschäftigt,
2. entgegen § 4 Absatz 2 eine Ruhezeit nicht, nicht richtig oder nicht rechtzeitig gewährt,
3. entgegen § 5 Absatz 2 Satz 1 oder § 6 Absatz 2 Satz 1 eine Frau tätig werden lässt,
4. entgegen § 7 Absatz 1 Satz 1, auch in Verbindung mit Satz 2, oder entgegen § 7 Absatz 2 Satz 1 eine Frau nicht freistellt,
5. entgegen § 8 oder § 13 Absatz 2 Heimarbeit ausgibt,
6.[2)] entgegen § 10 Absatz 1 Satz 1, auch in Verbindung mit einer Rechtsverordnung nach § 31 Nummer 3, eine Gefährdung nicht, nicht richtig oder nicht rechtzeitig beurteilt oder eine Ermittlung nicht, nicht richtig oder nicht rechtzeitig durchführt,
7. entgegen § 10 Absatz 2 Satz 1, auch in Verbindung mit einer Rechtsverordnung nach § 31 Nummer 3, eine Schutzmaßnahme nicht, nicht richtig oder nicht rechtzeitig festlegt,
8. entgegen § 10 Absatz 3 eine Frau eine andere als die dort bezeichnete Tätigkeit ausüben lässt,
9. entgegen § 14 Absatz 1 Satz 1 in Verbindung mit einer Rechtsverordnung nach § 31 Nummer 5 eine Dokumentation nicht, nicht richtig, nicht vollständig oder nicht rechtzeitig erstellt,
10. entgegen § 14 Absatz 2 oder 3, jeweils in Verbindung mit einer Rechtsverordnung nach § 31 Nummer 5, eine Information nicht, nicht richtig, nicht vollständig oder nicht rechtzeitig gibt,
11. entgegen § 27 Absatz 1 Satz 1 die Aufsichtsbehörde nicht, nicht richtig oder nicht rechtzeitig benachrichtigt,
12. entgegen § 27 Absatz 1 Satz 2 eine Information weitergibt,
13. entgegen § 27 Absatz 2 eine Angabe nicht, nicht richtig, nicht vollständig oder nicht rechtzeitig macht,
14. entgegen § 27 Absatz 3 eine Unterlage nicht, nicht richtig oder nicht rechtzeitig vorlegt oder nicht oder nicht rechtzeitig einsendet,

(Fortsetzung nächstes Blatt)

[1)] § 32 Abs. 1 Nr. 1 geänd. mWv 1.6.2025 durch G v. 24.2.2025 (BGBl. 2025 I Nr. 59).

[2)] § 32 Abs. 1 Nr. 6 trat gem. **Art. 10 Abs. 1 Satz 3 G** v. 23.5.2017 (BGBl. I S. 1228) erst **am 1.1. 2019 in Kraft**.

15. entgegen § 27 Absatz 5 eine Unterlage nicht oder nicht mindestens zwei Jahre aufbewahrt,
16. einer vollziehbaren Anordnung nach § 29 Absatz 3 Satz 1 zuwiderhandelt oder
17. einer Rechtsverordnung nach § 31 Nummer 4 oder einer vollziehbaren Anordnung aufgrund einer solchen Rechtsverordnung zuwiderhandelt, soweit die Rechtsverordnung für einen bestimmten Tatbestand auf diese Bußgeldvorschrift verweist.

(2) Die Ordnungswidrigkeit kann in den Fällen des Absatzes 1 Nummer 1 bis 5, 8, 16 und 17 mit einer Geldbuße bis zu dreißigtausend Euro, in den übrigen Fällen mit einer Geldbuße bis zu fünftausend Euro geahndet werden.

§ 33 Strafvorschriften. Wer eine in § 32 Absatz 1 Nummer 1 bis 5, 8, 16 und 17 bezeichnete vorsätzliche Handlung begeht und dadurch die Gesundheit der Frau oder ihres Kindes gefährdet, wird mit Freiheitsstrafe bis zu einem Jahr oder mit Geldstrafe bestraft.

Abschnitt 7. Schlussvorschriften

§ 34 Evaluationsbericht. [1] Die Bundesregierung legt dem Deutschen Bundestag zum 1. Januar 2021 einen Evaluationsbericht über die Auswirkungen des Gesetzes vor. [2] Schwerpunkte des Berichts sollen die Handhabbarkeit der gesetzlichen Regelung in der betrieblichen und behördlichen Praxis, die Wirksamkeit und die Auswirkungen des Gesetzes im Hinblick auf seinen Anwendungsbereich, die Auswirkungen der Regelungen zum Verbot der Mehr- und Nachtarbeit sowie zum Verbot der Sonn- und Feiertagsarbeit und die Arbeit des Ausschusses für Mutterschutz sein. [3] Der Bericht darf keine personenbezogenen Daten enthalten.

401. Gesetz zum Elterngeld und zur Elternzeit (Bundeselterngeld- und Elternzeitgesetz – BEEG)

In der Fassung der Bekanntmachung vom 27. Januar 2015[1]
(BGBl. I S. 33)

FNA 85-5

zuletzt geänd. durch Art. 19 Abs. 2 Wehrdienst-ModernisierungsG v. 22.12.2025 (BGBl. 2025 I Nr. 370)

– Auszug –[2]

Abschnitt 1. Elterngeld

§ 1[3] Berechtigte. (1) [1] Anspruch auf Elterngeld hat, wer

1. einen Wohnsitz oder seinen gewöhnlichen Aufenthalt in Deutschland hat,
2. mit seinem Kind in einem Haushalt lebt,
3. dieses Kind selbst betreut und erzieht und
4. keine oder keine volle Erwerbstätigkeit ausübt.

[2] Bei Mehrlingsgeburten besteht nur ein Anspruch auf Elterngeld.

(2) [1] Anspruch auf Elterngeld hat auch, wer, ohne eine der Voraussetzungen des Absatzes 1 Satz 1 Nummer 1 zu erfüllen,

1. nach § 4 des Vierten Buches Sozialgesetzbuch[4] dem deutschen Sozialversicherungsrecht unterliegt oder im Rahmen seines in Deutschland bestehenden öffentlich-rechtlichen Dienst- oder Amtsverhältnisses vorübergehend ins Ausland abgeordnet, versetzt oder kommandiert ist,
2. Entwicklungshelfer oder Entwicklungshelferin im Sinne des § 1 des Entwicklungshelfer-Gesetzes[5] ist oder als Missionar oder Missionarin der Missionswerke und -gesellschaften, die Mitglieder oder Vereinbarungspartner des Evangelischen Missionswerkes Hamburg, der Arbeitsgemeinschaft Evangelikaler Missionen e.V. oder der Arbeitsgemeinschaft pfingstlich-charismatischer Missionen sind, tätig ist oder
3. die deutsche Staatsangehörigkeit besitzt und nur vorübergehend bei einer zwischen- oder überstaatlichen Einrichtung tätig ist, insbesondere nach den Entsenderichtlinien des Bundes[6] beurlaubte Beamte und Beamtinnen, oder

---

[1] Neubekanntmachung des BEEG v. 5.12.2006 (BGBl. I S. 2748) in der ab 1.1.2015 geltenden Fassung; beachte die Übergangsvorschriften in § 28.

[2] Vollständig wiedergegeben in **beck-online, Module Arbeitsrecht.**

[3] § 1 Abs. 7 Nr. 2 Buchst. d, Nr. 3 Buchst. b geänd., Nr. 4 angef. mWv 1.1.2020, Abs. 7 neu gef. mWv 1.3.2020 durch G v. 12.12.2019 (BGBl. I S. 2451); Abs. 2 Satz 1 Nr. 2 geänd., Satz 2, Abs. 3 Satz 1 Nr. 2 und Abs. 4 neu gef., Abs. 6 und Abs. 8 Satz 2 geänd. mWv 1.9.2021 durch G v. 15.2. 2021 (BGBl. I S. 239); Abs. 7 Satz 1 Nr. 2 Buchst. c geänd. mWv 1.6.2022 durch G v. 23.5.2022 (BGBl. I S. 760); Abs. 8 Sätze 1 und 2 geänd. mWv 1.4.2024 durch G v. 22.12.2023 (BGBl. 2023 I Nr. 412); Abs. 8 Satz 1 geänd. mWv 1.4.2024 durch G v. 27.3.2024 (BGBl. 2024 I Nr. 107); Abs. 6 neu gef., Abs. 6a eingef., Abs. 7 Satz 1 Nr. 2 Buchst. b geänd., Buchst. c neu gef., Nr. 3 geänd. mWv 1.5.2025 durch G v. 23.10.2024 (BGBl. 2024 I Nr. 323); Abs. 7 Satz 1 Nr. 2 Buchst. a und b geänd. mWv 6.12.2024 durch G v. 2.12.2024 (BGBl. 2024 I Nr. 387).

[4] Nr. **694**.

[5] **beck-online, Module Arbeitsrecht Nr. 425.**

[6] Siehe die Entsendungsrichtlinie Bund v. 9.12.2015 (GMBl 2016 S. 34).

wer vorübergehend eine nach § 123a des Beamtenrechtsrahmengesetzes[1] oder § 29 des Bundesbeamtengesetzes[2] zugewiesene Tätigkeit im Ausland wahrnimmt.

[2] Dies gilt auch für mit der nach Satz 1 berechtigten Person in einem Haushalt lebende Ehegatten oder Ehegattinnen.

(3) [1] Anspruch auf Elterngeld hat abweichend von Absatz 1 Satz 1 Nummer 2 auch, wer

1. mit einem Kind in einem Haushalt lebt, das er mit dem Ziel der Annahme als Kind aufgenommen hat,
2. ein Kind des Ehegatten oder der Ehegattin in seinen Haushalt aufgenommen hat oder
3. mit einem Kind in einem Haushalt lebt und die von ihm erklärte Anerkennung der Vaterschaft nach § 1594 Absatz 2 des Bürgerlichen Gesetzbuchs[3] noch nicht wirksam oder über die von ihm beantragte Vaterschaftsfeststellung nach § 1600d des Bürgerlichen Gesetzbuchs[3] noch nicht entschieden ist.

[2] Für angenommene Kinder und Kinder im Sinne des Satzes 1 Nummer 1 sind die Vorschriften dieses Gesetzes mit der Maßgabe anzuwenden, dass statt des Zeitpunktes der Geburt der Zeitpunkt der Aufnahme des Kindes bei der berechtigten Person maßgeblich ist.

(4) Können die Eltern wegen einer schweren Krankheit, Schwerbehinderung oder Todes der Eltern ihr Kind nicht betreuen, haben Verwandte bis zum dritten Grad und ihre Ehegatten oder Ehegattinnen Anspruch auf Elterngeld, wenn sie die übrigen Voraussetzungen nach Absatz 1 erfüllen und wenn von anderen Berechtigten Elterngeld nicht in Anspruch genommen wird.

(5) Der Anspruch auf Elterngeld bleibt unberührt, wenn die Betreuung und Erziehung des Kindes aus einem wichtigen Grund nicht sofort aufgenommen werden kann oder wenn sie unterbrochen werden muss.

(6) Eine Person ist nicht voll erwerbstätig, wenn

1. ihre Arbeitszeit 32 Wochenstunden im Durchschnitt des Lebensmonats nicht übersteigt,
2. sie eine Beschäftigung zur Berufsbildung ausübt oder
3. sie als eine im Sinne der §§ 23 und 43 des Achten Buches Sozialgesetzbuch[4] geeignete Kindertagespflegeperson tätig ist.

(6a) Als erwerbstätig im Sinne dieses Gesetzes gelten auch Personen, die vorübergehend nicht arbeiten, solange sie

1. sich in einem Arbeitsverhältnis befinden oder
2. selbständig erwerbstätig sind.

(7) [1] Ein nicht freizügigkeitsberechtigter Ausländer oder eine nicht freizügigkeitsberechtigte Ausländerin ist nur anspruchsberechtigt, wenn diese Person

1. eine Niederlassungserlaubnis oder eine Erlaubnis zum Daueraufenthalt-EU besitzt,

---

[1] **Sartorius Nr. 150a.**
[2] **Sartorius *Nr. 160*.**
[3] **beck-online, Module Arbeitsrecht Nr. 50.**
[4] **beck-online, Module Arbeitsrecht Nr. 494a.**

2. eine Blaue Karte EU, eine ICT-Karte, eine Mobiler-ICT-Karte oder eine Aufenthaltserlaubnis besitzt, die für einen Zeitraum von mindestens sechs Monaten zur Ausübung einer Erwerbstätigkeit berechtigen oder berechtigt haben oder diese erlauben, es sei denn, die Aufenthaltserlaubnis wurde
   a) nach § 16e des Aufenthaltsgesetzes[1] zu Ausbildungszwecken, nach § 19c Absatz 1 des Aufenthaltsgesetzes[2] zum Zweck der Beschäftigung als Au-Pair oder zum Zweck der Saisonbeschäftigung, nach § 19e des Aufenthaltsgesetzes[2] zum Zweck der Teilnahme an einem Europäischen Freiwilligendienst oder nach § 20a Absatz 5 Satz 1 des Aufenthaltsgesetzes[2] zur Suche nach einer Erwerbstätigkeit oder nach Maßnahmen zur Anerkennung ausländischer Berufsqualifikationen erteilt,
   b) nach § 16b des Aufenthaltsgesetzes[1] zum Zweck eines Studiums, nach § 16d des Aufenthaltsgesetzes[1] für Maßnahmen zur Anerkennung ausländischer Berufsqualifikationen, nach § 20 des Aufenthaltsgesetzes[2] zur Suche nach einer Erwerbstätigkeit oder nach § 20a Absatz 5 Satz 2 des Aufenthaltsgesetzes[2] zur Suche nach einer Erwerbstätigkeit oder nach Maßnahmen zur Anerkennung ausländischer Berufsqualifikationen erteilt und die Person ist weder erwerbstätig noch nimmt sie Elternzeit nach § 15 dieses Gesetzes oder laufende Geldleistungen nach dem Dritten Buch Sozialgesetzbuch[3] in Anspruch,
   c) nach § 23 Absatz 1 des Aufenthaltsgesetzes[1] wegen eines Krieges im Heimatland dieser Person oder nach § 23a oder § 25 Absatz 3 bis 5 des Aufenthaltsgesetzes[1] erteilt,
3. eine in Nummer 2 Buchstabe c genannte Aufenthaltserlaubnis besitzt und im Bundesgebiet berechtigt erwerbstätig ist oder Elternzeit nach § 15 dieses Gesetzes oder laufende Geldleistungen nach dem Dritten Buch Sozialgesetzbuch in Anspruch nimmt,
4. eine in Nummer 2 Buchstabe c genannte Aufenthaltserlaubnis besitzt und sich seit mindestens 15 Monaten erlaubt, gestattet oder geduldet im Bundesgebiet aufhält oder
5. eine Beschäftigungsduldung gemäß § 60d in Verbindung mit § 60a Absatz 2 Satz 3 des Aufenthaltsgesetzes[1] besitzt.

[2]Abweichend von Satz 1 Nummer 3 erste Alternative ist ein minderjähriger nicht freizügigkeitsberechtigter Ausländer oder eine minderjährige nicht freizügigkeitsberechtigte Ausländerin unabhängig von einer Erwerbstätigkeit anspruchsberechtigt.

(8) [1]Ein Anspruch entfällt, wenn die berechtigte Person im letzten abgeschlossenen Veranlagungszeitraum vor der Geburt des Kindes ein zu versteuerndes Einkommen nach § 2 Absatz 5 des Einkommensteuergesetzes[4] in Höhe von mehr als 175 000 Euro erzielt hat. [2]Erfüllt auch eine andere Person die Voraussetzungen des Absatzes 1 Satz 1 Nummer 2 oder der Absätze 3 oder 4, entfällt abweichend von Satz 1 der Anspruch, wenn die Summe des zu versteuernden Einkommens beider Personen mehr als 175 000 Euro beträgt.

---

[1] **beck-online, Module Arbeitsrecht Nr. 760.**
[2] Nr. **760**.
[3] Nr. **700**.
[4] **beck-online, Module Arbeitsrecht Nr. 331.**

§ 2[1)] Höhe des Elterngeldes. (1) [1] Elterngeld wird in Höhe von 67 Prozent des Einkommens aus Erwerbstätigkeit vor der Geburt des Kindes gewährt. [2] Es wird bis zu einem Höchstbetrag von 1 800 Euro monatlich für volle Lebensmonate gezahlt, in denen die berechtigte Person kein Einkommen aus Erwerbstätigkeit hat. [3] Das Einkommen aus Erwerbstätigkeit errechnet sich nach Maßgabe der §§ 2c bis 2f aus der um die Abzüge für Steuern und Sozialabgaben verminderten Summe der positiven Einkünfte aus

1. nichtselbständiger Arbeit nach § 2 Absatz 1 Satz 1 Nummer 4 des Einkommensteuergesetzes[2)] sowie
2. Land- und Forstwirtschaft, Gewerbebetrieb und selbständiger Arbeit nach § 2 Absatz 1 Satz 1 Nummer 1 bis 3 des Einkommensteuergesetzes,

die im Inland zu versteuern sind und die die berechtigte Person durchschnittlich monatlich im Bemessungszeitraum nach § 2b oder in Lebensmonaten der Bezugszeit nach § 2 Absatz 3 hat.

(2) [1] In den Fällen, in denen das Einkommen aus Erwerbstätigkeit vor der Geburt geringer als 1 000 Euro war, erhöht sich der Prozentsatz von 67 Prozent um 0,1 Prozentpunkte für je 2 Euro, um die dieses Einkommen den Betrag von 1 000 Euro unterschreitet, auf bis zu 100 Prozent. [2] In den Fällen, in denen das Einkommen aus Erwerbstätigkeit vor der Geburt höher als 1 200 Euro war, sinkt der Prozentsatz von 67 Prozent um 0,1 Prozentpunkte für je 2 Euro, um die dieses Einkommen den Betrag von 1 200 Euro überschreitet, auf bis zu 65 Prozent.

(3) [1] Für Lebensmonate nach der Geburt des Kindes, in denen die berechtigte Person ein Einkommen aus Erwerbstätigkeit hat, das durchschnittlich geringer ist als das Einkommen aus Erwerbstätigkeit vor der Geburt, wird Elterngeld in Höhe des nach Absatz 1 oder 2 maßgeblichen Prozentsatzes des Unterschiedsbetrages dieser Einkommen aus Erwerbstätigkeit gezahlt. [2] Als Einkommen aus Erwerbstätigkeit vor der Geburt ist dabei höchstens der Betrag von 2 770 Euro anzusetzen. [3] Der Unterschiedsbetrag nach Satz 1 ist für das Einkommen aus Erwerbstätigkeit in Lebensmonaten, in denen die berechtigte Person Basiselterngeld in Anspruch nimmt, und in Lebensmonaten, in denen sie Elterngeld Plus im Sinne des § 4a Absatz 2 in Anspruch nimmt, getrennt zu berechnen.

(4) [1] Elterngeld wird mindestens in Höhe von 300 Euro gezahlt. [2] Dies gilt auch, wenn die berechtigte Person vor der Geburt des Kindes kein Einkommen aus Erwerbstätigkeit hat.

§§ 2a–4d *(hier nicht wiedergegeben)*

(Fortsetzung nächstes Blatt)

[1)] *§ 2 Abs. 1 Satz 2 und Satz 3 abschl. Satzteil,* Abs. 3 Sätze 1 und 3 geänd. mWv 1.9.2021 durch G v. 15.2.2021 (BGBl. I S. 239).

[2)] **beck-online, Module Arbeitsrecht Nr. 331.**

Abschnitt 2.[1] Verfahren und Organisation

§ 5[2] Zusammentreffen von Ansprüchen. (1) Erfüllen beide Elternteile die Anspruchsvoraussetzungen, bestimmen sie, wer von ihnen die Monatsbeträge für welche Lebensmonate des Kindes in Anspruch nimmt.

(2) [1] Beanspruchen beide Elternteile zusammen mehr als die ihnen nach § 4 Absatz 3 und § 4b oder nach § 4 Absatz 3 und § 4b in Verbindung mit § 4d zustehenden Monatsbeträge, so besteht der Anspruch eines Elternteils, der nicht über die Hälfte der zustehenden Monatsbeträge hinausgeht, ungekürzt; der Anspruch des anderen Elternteils wird gekürzt auf die vom Gesamtanspruch verbleibenden Monatsbeträge. [2] Beansprucht jeder der beiden Elternteile mehr als die Hälfte der ihm zustehenden Monatsbeträge, steht jedem Elternteil die Hälfte des Gesamtanspruchs der Monatsbeträge zu.

(3) [1] Die Absätze 1 und 2 gelten in den Fällen des § 1 Absatz 3 und 4 entsprechend. [2] Wird eine Einigung mit einem nicht sorgeberechtigten Elternteil oder einer Person, die nach § 1 Absatz 3 Satz 1 Nummer 2 und 3 Anspruch auf Elterngeld hat, nicht erzielt, so kommt es abweichend von Absatz 2 allein auf die Entscheidung des sorgeberechtigten Elternteils an.

§ 6[3] Auszahlung. Elterngeld wird im Laufe des Lebensmonats gezahlt, für den es bestimmt ist.

§ 7 *(hier nicht wiedergegeben)*

§ 8[4] Auskunftspflicht, Nebenbestimmungen. (1) Soweit im Antrag auf Elterngeld Angaben zum voraussichtlichen Einkommen aus Erwerbstätigkeit gemacht wurden, ist nach Ablauf des Bezugszeitraums für diese Zeit das tatsächliche Einkommen aus Erwerbstätigkeit nachzuweisen.

(1a) [1] Die Mitwirkungspflichten nach § 60 des Ersten Buches Sozialgesetzbuch[5] gelten

1. im Falle des § 1 Absatz 8 Satz 2 auch für die andere Person im Sinne des § 1 Absatz 8 Satz 2 und
2. im Falle des § 4b oder des § 4b in Verbindung mit § 4d Satz 1 für beide Personen, die den Partnerschaftsbonus beantragt haben.

[2] § 65 Absatz 1 und 3 des Ersten Buches Sozialgesetzbuch gilt entsprechend.

(2) [1] Elterngeld wird in den Fällen, in denen die berechtigte Person nach ihren Angaben im Antrag im Bezugszeitraum voraussichtlich kein Einkommen aus Erwerbstätigkeit haben wird, unter dem Vorbehalt des Widerrufs für den Fall gezahlt, dass sie entgegen ihren Angaben im Antrag Einkommen aus Erwerbstätigkeit hat. [2] In den Fällen, in denen zum Zeitpunkt der Antragstellung der Steuerbescheid für den letzten abgeschlossenen steuerlichen Ver-

---

[1] Bish. Abschnitt 2 aufgeh., bish. Abschnitt 3 wird Abschnitt 2 mWv 1.9.2021 durch G v. 15.2.2021 (BGBl. I S. 239).

[2] § 5 neu gef. mWv 1.9.2021 durch G v. 15.2.2021 (BGBl. I S. 239).

[3] § 6 neu gef. mWv 1.9.2021 durch G v. 15.2.2021 (BGBl. I S. 239).

[4] § 8 Abs. 1, Abs. 1a Satz 1 Nr. 2 geänd., Abs. 2 Satz 2 neu gef., Abs. 3 Satz 1 Nr. 1–3 geänd., Nr. 4 und Satz 2 aufgeh. mWv 1.9.2021 durch G v. 15.2.2021 (BGBl. I S. 239); Abs. 3 einl. Satzteil geänd. mWv 1.5.2025 durch G v. 23.10.2024 (BGBl. 2024 I Nr. 323).

[5] Nr. **691**.

anlagungszeitraum vor der Geburt des Kindes nicht vorliegt und nach den Angaben im Antrag die Beträge nach § 1 Absatz 8 voraussichtlich nicht überschritten werden, wird das Elterngeld unter dem Vorbehalt des Widerrufs für den Fall gezahlt, dass entgegen den Angaben im Antrag die Beträge nach § 1 Absatz 8 überschritten werden.

(3) ***[bis 30.4.2025:*** Das Elterngeld***][ab 1.5.2025:*** *Über die Höhe des Elterngeldes]* wird bis zum Nachweis der jeweils erforderlichen Angaben vorläufig unter Berücksichtigung der glaubhaft gemachten Angaben ***[bis 30.4.2025:*** gezahlt***][ab 1.5.2025:*** *entschieden]*, wenn

1. zum Zeitpunkt der Antragstellung der Steuerbescheid für den letzten abgeschlossenen Veranlagungszeitraum vor der Geburt des Kindes nicht vorliegt und noch nicht angegeben werden kann, ob die Beträge nach § 1 Absatz 8 überschritten werden,
2. das Einkommen aus Erwerbstätigkeit vor der Geburt nicht ermittelt werden kann oder
3. die berechtigte Person nach den Angaben im Antrag auf Elterngeld im Bezugszeitraum voraussichtlich Einkommen aus Erwerbstätigkeit hat.

§ 9[1] **Einkommens- und Arbeitszeitnachweis, Auskunftspflicht des Arbeitgebers.** (1) [1] Soweit es zum Nachweis des Einkommens aus Erwerbstätigkeit oder der wöchentlichen Arbeitszeit erforderlich ist, hat der Arbeitgeber der nach § 12 zuständigen Behörde für bei ihm Beschäftigte das Arbeitsentgelt, die für die Ermittlung der nach den §§ 2e und 2f erforderlichen Abzugsmerkmale für Steuern und Sozialabgaben sowie die Arbeitszeit auf Verlangen zu bescheinigen; das Gleiche gilt für ehemalige Arbeitgeber. [2] Für die in Heimarbeit Beschäftigten und die ihnen Gleichgestellten (§ 1 Absatz 1 und 2 des Heimarbeitsgesetzes[2]) tritt an die Stelle des Arbeitgebers der Auftraggeber oder Zwischenmeister.

(2) [1] Für den Nachweis des Einkommens aus Erwerbstätigkeit kann die nach § 12 Absatz 1 zuständige Behörde auch das in § 108a Absatz 1 des Vierten Buches Sozialgesetzbuch[3] vorgesehene Verfahren zur elektronischen Abfrage und Übermittlung von Entgeltbescheinigungsdaten nutzen. [2] Sie darf dieses Verfahren nur nutzen, wenn die betroffene Arbeitnehmerin oder der betroffene Arbeitnehmer zuvor in dessen Nutzung eingewilligt hat. [3] Wenn der betroffene Arbeitgeber ein systemgeprüftes Entgeltabrechnungsprogramm nutzt, ist er verpflichtet, die jeweiligen Entgeltbescheinigungsdaten mit dem in § 108a Absatz 1 des Vierten Buches Sozialgesetzbuch[3] vorgesehenen Verfahren zu übermitteln.

§§ 10–12 *(hier nicht wiedergegeben)*

§ 13 Rechtsweg. (1) [1] Über öffentlich-rechtliche Streitigkeiten in Angelegenheiten der §§ 1 bis 12 entscheiden die Gerichte der Sozialgerichtsbarkeit. [2] § 85 Absatz 2 Nummer 2 des Sozialgerichtsgesetzes[4] gilt mit der Maßgabe, dass die zuständige Stelle nach § 12 bestimmt wird.

---

[1] § 9 Abs. 2 angef. mWv 10.12.2020 durch G v. 3.12.2020 (BGBl. I S. 2668).
[2] Nr. **450**.
[3] **beck-online, Module Arbeitsrecht Nr. 694.**
[4] Nr. **680**.

(2) Widerspruch und Anfechtungsklage haben keine aufschiebende Wirkung.

§ 14[1)] Bußgeldvorschriften. (1) Ordnungswidrig handelt, wer vorsätzlich oder fahrlässig

1. entgegen § 8 Absatz 1 einen Nachweis nicht, nicht richtig, nicht vollständig oder nicht rechtzeitig erbringt,
2. entgegen § 9 Absatz 1 eine dort genannte Angabe nicht, nicht richtig, nicht vollständig oder nicht rechtzeitig bescheinigt,
3. entgegen § 60 Absatz 1 Satz 1 Nummer 1 des Ersten Buches Sozialgesetzbuch[2)], auch in Verbindung mit § 8 Absatz 1a Satz 1, eine Angabe nicht, nicht richtig, nicht vollständig oder nicht rechtzeitig macht,
4. entgegen § 60 Absatz 1 Satz 1 Nummer 2 des Ersten Buches Sozialgesetzbuch, auch in Verbindung mit § 8 Absatz 1a Satz 1, eine Mitteilung nicht, nicht richtig, nicht vollständig oder nicht rechtzeitig macht oder
5. entgegen § 60 Absatz 1 Satz 1 Nummer 3 des Ersten Buches Sozialgesetzbuch, auch in Verbindung mit § 8 Absatz 1a Satz 1, eine Beweisurkunde nicht, nicht richtig, nicht vollständig oder nicht rechtzeitig vorlegt.

(2) Die Ordnungswidrigkeit kann mit einer Geldbuße von bis zu zweitausend Euro geahndet werden.

(3) Verwaltungsbehörden im Sinne des § 36 Absatz 1 Nummer 1 des Gesetzes über Ordnungswidrigkeiten[3)] sind die in § 12 Absatz 1 genannten Behörden.

Abschnitt 3.[4)] Elternzeit für Arbeitnehmerinnen und Arbeitnehmer

§ 15[5)] Anspruch auf Elternzeit. (1) [1] Arbeitnehmerinnen und Arbeitnehmer haben Anspruch auf Elternzeit, wenn sie

1. a) mit ihrem Kind,
   b) mit einem Kind, für das sie die Anspruchsvoraussetzungen nach § 1 Absatz 3 oder 4 erfüllen, oder
   c) mit einem Kind, das sie in Vollzeitpflege nach § 33 des Achten Buches Sozialgesetzbuch[6)] aufgenommen haben,

   in einem Haushalt leben und
2. dieses Kind selbst betreuen und erziehen.

[2] Nicht sorgeberechtigte Elternteile und Personen, die nach Satz 1 Nummer 1 Buchstabe b und c Elternzeit nehmen können, bedürfen der Zustimmung des sorgeberechtigten Elternteils.

[1)] § 14 Abs. 1 Nr. 2 geänd. mWv 10.12.2020 durch G v. 3.12.2020 (BGBl. I S. 2668); Abs. 3 geänd. mWv 1.9.2021 durch G v. 15.2.2021 (BGBl. I S. 239).

[2)] Nr. **691**.

[3)] **Habersack Nr. 94.**

[4)] Bish. Abschnitt 4 wird Abschnitt 3 mWv 1.9.2021 durch G v. 15.2.2021 (BGBl. I S. 239).

[5)] § 15 Abs. 2 Satz 3 und Abs. 7 Satz 4 geänd. mWv 1.1.2018 durch G v. 23.5.2017 (BGBl. I S. 1228); Abs. 4 Sätze 1 und 2 neu gef., Abs. 7 Satz 1 Nr. 3 neu gef. mWv 1.9.2021 durch G v. 15.2.2021 (BGBl. I S. 239); Abs. 5 und Abs. 7 Satz 4 neu gef. mWv 24.12.2022 durch G v. 19.12.2022 (BGBl. I S. 2510); Abs. 4 und Abs. 5 Satz 2 neu gef., Abs. 7 Satz 1 Nr. 5 Buchst. b, Satz 4, Satz 5 abschl. Satzteil, Satz 6 geänd. mWv 1.5.2025 durch G v. 23.10.2024 (BGBl. 2024 I Nr. 323).

[6)] **beck-online, Module Arbeitsrecht Nr. 494a.**

(1a) [1] Anspruch auf Elternzeit haben Arbeitnehmerinnen und Arbeitnehmer auch, wenn sie mit ihrem Enkelkind in einem Haushalt leben und dieses Kind selbst betreuen und erziehen und

1. ein Elternteil des Kindes minderjährig ist oder
2. ein Elternteil des Kindes sich in einer Ausbildung befindet, die vor Vollendung des 18. Lebensjahres begonnen wurde und die Arbeitskraft des Elternteils im Allgemeinen voll in Anspruch nimmt.

[2] Der Anspruch besteht nur für Zeiten, in denen keiner der Elternteile des Kindes selbst Elternzeit beansprucht.

(2) [1] Der Anspruch auf Elternzeit besteht bis zur Vollendung des dritten Lebensjahres eines Kindes. [2] Ein Anteil von bis zu 24 Monaten kann zwischen dem dritten Geburtstag und dem vollendeten achten Lebensjahr des Kindes in Anspruch genommen werden. [3] Die Zeit der Mutterschutzfrist nach § 3 Absatz 2 und 3 des Mutterschutzgesetzes[1)] wird für die Elternzeit der Mutter auf die Begrenzung nach den Sätzen 1 und 2 angerechnet. [4] Bei mehreren Kindern besteht der Anspruch auf Elternzeit für jedes Kind, auch wenn sich die Zeiträume im Sinne der Sätze 1 und 2 überschneiden. [5] Bei einem angenommenen Kind und bei einem Kind in Vollzeit- oder Adoptionspflege kann Elternzeit von insgesamt bis zu drei Jahren ab der Aufnahme bei der berechtigten Person, längstens bis zur Vollendung des achten Lebensjahres des Kindes genommen werden; die Sätze 2 und 4 sind entsprechend anwendbar, soweit sie die zeitliche Aufteilung regeln. [6] Der Anspruch kann nicht durch Vertrag ausgeschlossen oder beschränkt werden.

(3) [1] Die Elternzeit kann, auch anteilig, von jedem Elternteil allein oder von beiden Elternteilen gemeinsam genommen werden. [2] Satz 1 gilt in den Fällen des Absatzes 1 Satz 1 Nummer 1 Buchstabe b und c entsprechend.

[Abs. 4 bis 30.4.2025:]

(4) [1] Der Arbeitnehmer oder die Arbeitnehmerin darf während der Elternzeit nicht mehr als 32 Wochenstunden im Durchschnitt des Monats erwerbstätig sein. [2] Eine im Sinne des § 23 des Achten Buches Sozialgesetzbuch[2)] geeignete Tagespflegeperson darf bis zu fünf Kinder in Tagespflege betreuen, auch wenn die wöchentliche Betreuungszeit 32 Stunden übersteigt. [3] Teilzeitarbeit bei einem anderen Arbeitgeber oder selbstständige Tätigkeit nach Satz 1 bedürfen der Zustimmung des Arbeitgebers. [4] Dieser kann sie nur innerhalb von vier Wochen aus dringenden betrieblichen Gründen schriftlich ablehnen.

[Abs. 4 ab 1.5.2025:]

(4) [1] Die Arbeitnehmerin oder der Arbeitnehmer darf während der Elternzeit nicht mehr als 32 Wochenstunden im Durchschnitt des Monats erwerbstätig sein. [2] Die Beschränkung auf 32 Wochenstunden im Durchschnitt des Monats gilt nicht für die Tätigkeit einer im Sinne der §§ 23 und 43 des Achten Buches Sozialgesetzbuch[2)] geeigneten Kindertagespflegeperson. [3] Die Ausübung einer Teilzeitarbeit bei einem anderen Arbeitgeber oder einer selbständigen Erwerbstätigkeit nach Satz 1 bedürfen der Zustimmung des Arbeitgebers. [4] Dieser kann seine Zustimmung nur innerhalb von vier Wochen nach der Beantragung aus dringenden betrieblichen Gründen in Textform verweigern.

[1)] Nr. 400.
[2)] **beck-online, Module Arbeitsrecht Nr. 494a.**

(5) [1]Der Arbeitnehmer oder die Arbeitnehmerin kann eine Verringerung der Arbeitszeit und ihre Verteilung beantragen. ***[Satz 2 bis 30.4.2025:]*** [2]Der Antrag kann mit der schriftlichen Mitteilung nach Absatz 7 Satz 1 Nummer 5 verbunden werden. ***[Satz 2 ab 1.5.2025:]*** [2]*Der Antrag kann mit der Mitteilung nach Absatz 7 Satz 1 Nummer 5 in Textform verbunden werden.* [3]Über den Antrag sollen sich der Arbeitgeber und der Arbeitnehmer oder die Arbeitnehmerin innerhalb von vier Wochen einigen. [4]Lehnt der Arbeitgeber den Antrag ab, so hat er dies dem Arbeitnehmer oder der Arbeitnehmerin innerhalb der Frist nach Satz 3 mit einer Begründung mitzuteilen. [5]Unberührt bleibt das Recht, sowohl die vor der Elternzeit bestehende Teilzeitarbeit unverändert während der Elternzeit fortzusetzen, soweit Absatz 4 beachtet ist, als auch nach der Elternzeit zu der Arbeitszeit zurückzukehren, die vor Beginn der Elternzeit vereinbart war.

(6) Der Arbeitnehmer oder die Arbeitnehmerin kann gegenüber dem Arbeitgeber, soweit eine Einigung nach Absatz 5 nicht möglich ist, unter den Voraussetzungen des Absatzes 7 während der Gesamtdauer der Elternzeit zweimal eine Verringerung seiner oder ihrer Arbeitszeit beanspruchen.

(7) [1]Für den Anspruch auf Verringerung der Arbeitszeit gelten folgende Voraussetzungen:

1. Der Arbeitgeber beschäftigt, unabhängig von der Anzahl der Personen in Berufsbildung, in der Regel mehr als 15 Arbeitnehmer und Arbeitnehmerinnen,
2. das Arbeitsverhältnis in demselben Betrieb oder Unternehmen besteht ohne Unterbrechung länger als sechs Monate,
3. die vertraglich vereinbarte regelmäßige Arbeitszeit soll für mindestens zwei Monate auf einen Umfang von nicht weniger als 15 und nicht mehr als 32 Wochenstunden im Durchschnitt des Monats verringert werden,
4. dem Anspruch stehen keine dringenden betrieblichen Gründe entgegen und
5. der Anspruch auf Teilzeit wurde dem Arbeitgeber
   a) für den Zeitraum bis zum vollendeten dritten Lebensjahr des Kindes sieben Wochen und
   b) für den Zeitraum zwischen dem dritten Geburtstag und dem vollendeten achten Lebensjahr des Kindes 13 Wochen

   vor Beginn der Teilzeittätigkeit ***[bis 30.4.2025:*** schriftlich***][ab 1.5.2025:*** *in Textform****]*** mitgeteilt.

[2]Der Antrag muss den Beginn und den Umfang der verringerten Arbeitszeit enthalten. [3]Die gewünschte Verteilung der verringerten Arbeitszeit soll im Antrag angegeben werden. [4]Falls der Arbeitgeber die beanspruchte Verringerung oder Verteilung der Arbeitszeit ablehnt, muss die Ablehnung innerhalb der in Satz 5 genannten Frist und ***[bis 30.4.2025:*** mit schriftlicher Begründung***][ab 1.5.2025:*** *mit Begründung in Textform****]*** erfolgen. [5]Hat ein Arbeitgeber die Verringerung der Arbeitszeit

1. in einer Elternzeit zwischen der Geburt und dem vollendeten dritten Lebensjahr des Kindes nicht spätestens vier Wochen nach Zugang des Antrags oder
2. in einer Elternzeit zwischen dem dritten Geburtstag und dem vollendeten achten Lebensjahr des Kindes nicht spätestens acht Wochen nach Zugang des Antrags

[bis 30.4.2025: schriftlich***][ab 1.5.2025:*** *in Textform****]*** abgelehnt, gilt die Zustimmung als erteilt und die Verringerung der Arbeitszeit entsprechend den Wünschen der Arbeitnehmerin oder des Arbeitnehmers als festgelegt. [6] Haben Arbeitgeber und Arbeitnehmerin oder Arbeitnehmer über die Verteilung der Arbeitszeit kein Einvernehmen nach Absatz 5 Satz 2 erzielt und hat der Arbeitgeber nicht innerhalb der in Satz 5 genannten Fristen die gewünschte Verteilung ***[bis 30.4.2025:*** schriftlich***][ab 1.5.2025:*** *in Textform****]*** abgelehnt, gilt die Verteilung der Arbeitszeit entsprechend den Wünschen der Arbeitnehmerin oder des Arbeitnehmers als festgelegt. [7] Soweit der Arbeitgeber den Antrag auf Verringerung oder Verteilung der Arbeitszeit rechtzeitig ablehnt, kann die Arbeitnehmerin oder der Arbeitnehmer Klage vor dem Gericht für Arbeitssachen erheben.

§ 16[1)] Inanspruchnahme der Elternzeit. (1) [1] Wer Elternzeit beanspruchen will, muss sie

1. für den Zeitraum bis zum vollendeten dritten Lebensjahr des Kindes spätestens sieben Wochen und
2. für den Zeitraum zwischen dem dritten Geburtstag und dem vollendeten achten Lebensjahr des Kindes spätestens 13 Wochen

vor Beginn der Elternzeit ***[bis 30.4.2025:*** schriftlich***][ab 1.5.2025:*** *in Textform****]*** vom Arbeitgeber verlangen. [2] Verlangt die Arbeitnehmerin oder der Arbeitnehmer Elternzeit nach Satz 1 Nummer 1, muss sie oder er gleichzeitig erklären, für welche Zeiten innerhalb von zwei Jahren Elternzeit genommen werden soll. [3] Bei dringenden Gründen ist ausnahmsweise eine angemessene kürzere Frist möglich. [4] Nimmt die Mutter die Elternzeit im Anschluss an die Mutterschutzfrist, wird die Zeit der Mutterschutzfrist nach § 3 Absatz 2 und 3 des Mutterschutzgesetzes[2)] auf den Zeitraum nach Satz 2 angerechnet. [5] Nimmt die Mutter die Elternzeit im Anschluss an einen auf die Mutterschutzfrist folgenden Erholungsurlaub, werden die Zeit der Mutterschutzfrist nach § 3 Absatz 2 und 3 des Mutterschutzgesetzes und die Zeit des Erholungsurlaubs auf den Zweijahreszeitraum nach Satz 2 angerechnet. [6] Jeder Elternteil kann seine Elternzeit auf drei Zeitabschnitte verteilen; eine Verteilung auf weitere Zeitabschnitte ist nur mit der Zustimmung des Arbeitgebers möglich. [7] Der Arbeitgeber kann die Inanspruchnahme eines dritten Abschnitts einer Elternzeit innerhalb von acht Wochen nach Zugang des Antrags aus dringenden betrieblichen Gründen ablehnen, wenn dieser Abschnitt im Zeitraum zwischen dem dritten Geburtstag und dem vollendeten achten Lebensjahr des Kindes liegen soll. [8] Der Arbeitgeber hat dem Arbeitnehmer oder der Arbeitnehmerin die Elternzeit zu bescheinigen. [9] Bei einem Arbeitgeberwechsel ist bei der Anmeldung der Elternzeit auf Verlangen des neuen Arbeitgebers eine Bescheinigung des früheren Arbeitgebers über bereits genommene Elternzeit durch die Arbeitnehmerin oder den Arbeitnehmer vorzulegen.

(2) Können Arbeitnehmerinnen aus einem von ihnen nicht zu vertretenden Grund eine sich unmittelbar an die Mutterschutzfrist des § 3 Absatz 2 und 3 des Mutterschutzgesetzes anschließende Elternzeit nicht rechtzeitig verlangen, können sie dies innerhalb einer Woche nach Wegfall des Grundes nachholen.

[1)] § 16 Abs. 1 Sätze 4 und 5, Abs. 2 und Abs. 3 Satz 3 geänd. mWv 1.1.2018 durch G v. 23.5.2017 (BGBl. I S. 1228); Abs. 1 Satz 1 abschl. Satzteil geänd. mWv 1.5.2025 durch G v. 23.10.2024 (BGBl. 2024 I Nr. 323).

[2)] Nr. **400**.

(3) [1]Die Elternzeit kann vorzeitig beendet oder im Rahmen des § 15 Absatz 2 verlängert werden, wenn der Arbeitgeber zustimmt. [2]Die vorzeitige Beendigung wegen der Geburt eines weiteren Kindes oder in Fällen besonderer Härte, insbesondere bei Eintritt einer schweren Krankheit, Schwerbehinderung oder Tod eines Elternteils oder eines Kindes der berechtigten Person oder bei erheblich gefährdeter wirtschaftlicher Existenz der Eltern nach Inanspruchnahme der Elternzeit, kann der Arbeitgeber unbeschadet von Satz 3 nur innerhalb von vier Wochen aus dringenden betrieblichen Gründen schriftlich ablehnen. [3]Die Elternzeit kann zur Inanspruchnahme der Schutzfristen des § 3 des Mutterschutzgesetzes auch ohne Zustimmung des Arbeitgebers vorzeitig beendet werden; in diesen Fällen soll die Arbeitnehmerin dem Arbeitgeber die Beendigung der Elternzeit rechtzeitig mitteilen. [4]Eine Verlängerung der Elternzeit kann verlangt werden, wenn ein vorgesehener Wechsel der Anspruchsberechtigten aus einem wichtigen Grund nicht erfolgen kann.

(4) Stirbt das Kind während der Elternzeit, endet diese spätestens drei Wochen nach dem Tod des Kindes.

(5) Eine Änderung in der Anspruchsberechtigung hat der Arbeitnehmer oder die Arbeitnehmerin dem Arbeitgeber unverzüglich mitzuteilen.

§ 17 Urlaub. (1) [1]Der Arbeitgeber kann den Erholungsurlaub, der dem Arbeitnehmer oder der Arbeitnehmerin für das Urlaubsjahr zusteht, für jeden vollen Kalendermonat der Elternzeit um ein Zwölftel kürzen. [2]Dies gilt nicht, wenn der Arbeitnehmer oder die Arbeitnehmerin während der Elternzeit bei seinem oder ihrem Arbeitgeber Teilzeitarbeit leistet.

(2) Hat der Arbeitnehmer oder die Arbeitnehmerin den ihm oder ihr zustehenden Urlaub vor dem Beginn der Elternzeit nicht oder nicht vollständig erhalten, hat der Arbeitgeber den Resturlaub nach der Elternzeit im laufenden oder im nächsten Urlaubsjahr zu gewähren.

(3) Endet das Arbeitsverhältnis während der Elternzeit oder wird es im Anschluss an die Elternzeit nicht fortgesetzt, so hat der Arbeitgeber den noch nicht gewährten Urlaub abzugelten.

(4) Hat der Arbeitnehmer oder die Arbeitnehmerin vor Beginn der Elternzeit mehr Urlaub erhalten, als ihm oder ihr nach Absatz 1 zusteht, kann der Arbeitgeber den Urlaub, der dem Arbeitnehmer oder der Arbeitnehmerin nach dem Ende der Elternzeit zusteht, um die zu viel gewährten Urlaubstage kürzen.

§ 18[1)] Kündigungsschutz. (1) [1]Der Arbeitgeber darf das Arbeitsverhältnis ab dem Zeitpunkt, von dem an Elternzeit verlangt worden ist, nicht kündigen. [2]Der Kündigungsschutz nach Satz 1 beginnt

1. frühestens acht Wochen vor Beginn einer Elternzeit bis zum vollendeten dritten Lebensjahr des Kindes und
2. frühestens 14 Wochen vor Beginn einer Elternzeit zwischen dem dritten Geburtstag und dem vollendeten achten Lebensjahr des Kindes.

[3]Während der Elternzeit darf der Arbeitgeber das Arbeitsverhältnis nicht kündigen. [4]In besonderen Fällen kann ausnahmsweise eine Kündigung für zulässig erklärt werden. [5]Die Zulässigkeitserklärung erfolgt durch die für den Arbeits-

[1)] § 18 Abs. 2 Nr. 2 geänd. mWv 1.9.2021 durch G v. 15.2.2021 (BGBl. I S. 239).

schutz zuständige oberste Landesbehörde oder die von ihr bestimmte Stelle. [6] Die Bundesregierung kann mit Zustimmung des Bundesrates allgemeine Verwaltungsvorschriften zur Durchführung des Satzes 4 erlassen.

(2) Absatz 1 gilt entsprechend, wenn Arbeitnehmer oder Arbeitnehmerinnen

1. während der Elternzeit bei demselben Arbeitgeber Teilzeitarbeit leisten oder
2. ohne Elternzeit in Anspruch zu nehmen, Teilzeitarbeit leisten und Anspruch auf Elterngeld nach § 1 während des Zeitraums nach § 4 Absatz 1 Satz 2, 3 und 5 haben.

§ 19 Kündigung zum Ende der Elternzeit. Der Arbeitnehmer oder die Arbeitnehmerin kann das Arbeitsverhältnis zum Ende der Elternzeit nur unter Einhaltung einer Kündigungsfrist von drei Monaten kündigen.

§ 20[1)] Zur Berufsbildung Beschäftigte, in Heimarbeit Beschäftigte.

(1) [1] Die zu ihrer Berufsbildung Beschäftigten gelten als Arbeitnehmer und Arbeitnehmerinnen im Sinne dieses Gesetzes. [2] Die Elternzeit wird auf die Dauer einer Berufsausbildung nicht angerechnet, es sei denn, dass während der Elternzeit die Berufsausbildung nach § 7a des Berufsbildungsgesetzes[2)] oder § 27b der Handwerksordnung[3)] in Teilzeit durchgeführt wird. [3] § 15 Absatz 4 Satz 1 bleibt unberührt.

(2) [1] Anspruch auf Elternzeit haben auch die in Heimarbeit Beschäftigten und die ihnen Gleichgestellten (§ 1 Absatz 1 und 2 des Heimarbeitsgesetzes[4)]), soweit sie am Stück mitarbeiten. [2] Für sie tritt an die Stelle des Arbeitgebers der Auftraggeber oder Zwischenmeister und an die Stelle des Arbeitsverhältnisses das Beschäftigungsverhältnis.

§ 21 Befristete Arbeitsverträge. (1) Ein sachlicher Grund, der die Befristung eines Arbeitsverhältnisses rechtfertigt, liegt vor, wenn ein Arbeitnehmer oder eine Arbeitnehmerin zur Vertretung eines anderen Arbeitnehmers oder einer anderen Arbeitnehmerin für die Dauer eines Beschäftigungsverbotes nach dem Mutterschutzgesetz[5)], einer Elternzeit, einer auf Tarifvertrag, Betriebsvereinbarung oder einzelvertraglicher Vereinbarung beruhenden Arbeitsfreistellung zur Betreuung eines Kindes oder für diese Zeiten zusammen oder für Teile davon eingestellt wird.

(2) Über die Dauer der Vertretung nach Absatz 1 hinaus ist die Befristung für notwendige Zeiten einer Einarbeitung zulässig.

(3) Die Dauer der Befristung des Arbeitsvertrags muss kalendermäßig bestimmt oder bestimmbar oder den in den Absätzen 1 und 2 genannten Zwecken zu entnehmen sein.

(4) [1] Der Arbeitgeber kann den befristeten Arbeitsvertrag unter Einhaltung einer Frist von mindestens drei Wochen, jedoch frühestens zum Ende der Elternzeit, kündigen, wenn die Elternzeit ohne Zustimmung des Arbeitgebers vorzeitig endet und der Arbeitnehmer oder die Arbeitnehmerin die vorzeitige

---

1) § 20 Abs. 1 neu gef. mWv 1.9.2021 durch G v. 15.2.2021 (BGBl. I S. 239).
2) Nr. **415**.
3) Nr. **107**.
4) Nr. **450**.
5) Nr. **400**.

Beendigung der Elternzeit mitgeteilt hat. [2]Satz 1 gilt entsprechend, wenn der Arbeitgeber die vorzeitige Beendigung der Elternzeit in den Fällen des § 16 Absatz 3 Satz 2 nicht ablehnen darf.

(5) Das Kündigungsschutzgesetz[1)] ist im Falle des Absatzes 4 nicht anzuwenden.

(6) Absatz 4 gilt nicht, soweit seine Anwendung vertraglich ausgeschlossen ist.

(7) [1]Wird im Rahmen arbeitsrechtlicher Gesetze oder Verordnungen auf die Zahl der beschäftigten Arbeitnehmer und Arbeitnehmerinnen abgestellt, so sind bei der Ermittlung dieser Zahl Arbeitnehmer und Arbeitnehmerinnen, die sich in der Elternzeit befinden oder zur Betreuung eines Kindes freigestellt sind, nicht mitzuzählen, solange für sie aufgrund von Absatz 1 ein Vertreter oder eine Vertreterin eingestellt ist. [2]Dies gilt nicht, wenn der Vertreter oder die Vertreterin nicht mitzuzählen ist. [3]Die Sätze 1 und 2 gelten entsprechend, wenn im Rahmen arbeitsrechtlicher Gesetze oder Verordnungen auf die Zahl der Arbeitsplätze abgestellt wird.

Abschnitt 4.[2)] Statistik und Schlussvorschriften

§§ 22–25 *(hier nicht wiedergegeben)*

§ 26[3)] Anwendung der Bücher des Sozialgesetzbuches. (1) Soweit dieses Gesetz zum Elterngeld keine ausdrückliche Regelung trifft, ist bei der Ausführung des ***[bis 30.4.2025:*** Ersten, Zweiten und Dritten Abschnitts das Erste Kapitel des Zehnten Buches Sozialgesetzbuch[4)]***][ab 1.5.2025:*** *Ersten und Zweiten Abschnitts das Erste Kapitel des Zehnten Buches Sozialgesetzbuch*[4)]***]*** anzuwenden.

(2) § 328 Absatz 3 und § 331 des Dritten Buches Sozialgesetzbuch[5)] gelten entsprechend.

§ 27[6)] Sonderregelung aus Anlass der COVID-19-Pandemie. (1) [1]Übt ein Elternteil eine systemrelevante Tätigkeit aus, so kann sein Bezug von Elterngeld auf Antrag für die Zeit vom 1. März 2020 bis 31. Dezember 2020 aufgeschoben werden. [2]Der Bezug der verschobenen Lebensmonate ist spätestens bis zum 30. Juni 2021 anzutreten. [3]Wird von der Möglichkeit des Aufschubs Gebrauch gemacht, so kann das Basiselterngeld abweichend von § 4 Absatz 1 Satz 2 und 3 auch noch nach Vollendung des 14. Lebensmonats bezogen werden. [4]In der Zeit vom 1. März 2020 bis 30. Juni 2021 entstehende Lücken im Elterngeldbezug sind abweichend von § 4 Absatz 1 Satz 4 unschädlich.

[1)] Nr. **152**.

[2)] Bish. Abschnitt 5 wird Abschnitt 4 mWv 1.9.2021 durch G v. 15.2.2021 (BGBl. I S. 239).

[3)] § 26 Abs. 1 geänd. mWv 1.9.2021 durch G v. 15.2.2021 (BGBl. I S. 239); Abs. 1 geänd. mWv 1.5.2025 durch G v. 23.10.2024 (BGBl. 2024 I Nr. 323).

[4)] Auszugsweise abgedruckt unter Nr. **699**.

[5)] Nr. **700**.

[6)] § 27 eingef. mWv 1.3.2020 durch G v. 20.5.2020 (BGBl. I S. 1061); Abs. 4 neu gef. mWv 1.1. 2021 durch G v. 3.12.2020 (BGBl. I S. 2691); Abs. 3 neu gef. mWv 28.5.2020, Abs. 1 Sätze 3 und 4 geänd., Abs. 4 aufgeh. mWv 1.9.2021 durch G v. 15.2.2021 (BGBl. I S. 239); Abs. 3 geänd. mWv 19.3.2022 durch G v. 18.3.2022 (BGBl. I S. 473).

(2) [1] Für ein Verschieben des Partnerschaftsbonus genügt es, wenn nur ein Elternteil einen systemrelevanten Beruf ausübt. [2] Hat der Bezug des Partnerschaftsbonus bereits begonnen, so gelten allein die Bestimmungen des Absatzes 3.

(3) Liegt der Bezug des Partnerschaftsbonus ganz oder teilweise vor dem Ablauf des 23. September 2022 und kann die berechtigte Person die Voraussetzungen des Bezugs aufgrund der COVID-19-Pandemie nicht einhalten, gelten die Angaben zur Höhe des Einkommens und zum Umfang der Arbeitszeit, die bei der Beantragung des Partnerschaftsbonus glaubhaft gemacht worden sind.

§ 28[1)] Übergangsvorschrift. (1) Für die vor dem 1. September 2021 geborenen oder mit dem Ziel der Adoption aufgenommenen Kinder ist dieses Gesetz in der bis zum 31. August 2021 geltenden Fassung weiter anzuwenden.

(1a) Für die nach dem 31. August 2021 und vor dem 1. April 2024 geborenen oder mit dem Ziel der Adoption aufgenommenen Kinder ist dieses Gesetz in der bis zum 31. März 2024 geltenden Fassung weiter anzuwenden.

[Abs. 1b bis 30.4.2025:]

(1b) Soweit dieses Gesetz Mutterschaftsgeld nach dem Fünften Buch Sozialgesetzbuch[2)] oder nach dem Zweiten Gesetz über die Krankenversicherung der Landwirte[3)] in Bezug nimmt, gelten die betreffenden Regelungen für Mutterschaftsgeld nach der Reichsversicherungsordnung[4)] oder nach dem Gesetz über die Krankenversicherung der Landwirte entsprechend.

[Abs. 1b ab 1.5.2025:]

(1b) Für die nach dem 31. März 2024 und vor dem 1. Mai 2025 geborenen oder mit dem Ziel der Adoption aufgenommenen Kinder ist dieses Gesetz in der bis zum 30. April 2025 geltenden Fassung weiter anzuwenden.

(2) Für die dem Erziehungsgeld vergleichbaren Leistungen der Länder sind § 8 Absatz 1 und § 9 des Bundeserziehungsgeldgesetzes[5)] in der bis zum 31. Dezember 2006 geltenden Fassung weiter anzuwenden.

(3) [1] § 1 Absatz 7 Satz 1 Nummer 1 bis 4 in der Fassung des Artikels 36 des Gesetzes vom 12. Dezember 2019 (BGBl. I S. 2451) ist für Entscheidungen anzuwenden, die Zeiträume betreffen, die nach dem 29. Februar 2020 beginnen. [2] § 1 Absatz 7 Satz 1 Nummer 5 in der Fassung des Artikels 36 des Gesetzes vom 12. Dezember 2019 (BGBl. I S. 2451) ist für Entscheidungen anzuwenden, die Zeiträume betreffen, die nach dem 31. Dezember 2019 beginnen. [4] § 1 Absatz 7 Satz 1 Nummer 2 Buchstabe a und b in der Fassung des Artikels 43 des Gesetzes vom 2. Dezember 2024 (BGBl. 2024 I Nr. 387) ist für Ent-

---

[1)] Früherer § 27 Abs. 3 neu gef. mWv 1.1.2020 und neu gef. mWv 1.3.2020 durch G v. 12.12.2019 (BGBl. I S. 2451); bish. § 27 wird § 28 mWv 1.3.2020 durch G v. 20.5.2020 (BGBl. I S. 1061); Abs. 4 angef. mWv 10.12.2020 durch G v. 3.12.2020 (BGBl. I S. 2668); Abs. 1 Satz 1 geänd., Sätze 2 und 3 aufgeh. mWv 1.9.2021 durch G v. 15.2.2021 (BGBl. I S. 239); Abs. 3 Satz 3 angef. mWv 1.6.2022 durch G v. 23.5.2022 (BGBl. I S. 760); Abs. 1a eingef., bish. Abs. 1a wird Abs. 1b, Abs. 5 angef. mWv 1.4.2024 durch G v. 22.12.2023 (BGBl. 2023 I Nr. 412); Abs. 5 Satz 2 geänd. mWv 1.4.2024 durch G v. 27.3.2024 (BGBl. 2024 I Nr. 107); Abs. 4 neu gef. mWv 1.11.2024, Abs. 1b neu gef. mWv 1.5. 2025 durch G v. 23.10.2024 (BGBl. 2024 I Nr. 323); Abs. 3 Satz 4 angef. mWv 6.12.2024 durch G v. 2.12.2024 (BGBl. 2024 I Nr. 387).

[2)] Auszugsweise abgedruckt unter Nr. **695**.

[3)] ***Aichberger, SGB Nr. 30/22.***

[4)] **beck-online, Module Arbeitsrecht Nr. 400d.**

[5)] **beck-online, Module Arbeitsrecht Nr. 401a.**

scheidungen anzuwenden, die Zeiträume betreffen, die nach dem 31. Mai 2024 beginnen.

(4) [1] § 9 Absatz 2 ist auf Kinder anwendbar, die nach dem 31. Dezember 2021 geboren oder mit dem Ziel der Adoption aufgenommen worden sind. [2] § 25 ist auf Kinder anwendbar, die nach dem 31. Oktober 2024 geboren oder mit dem Ziel der Adoption aufgenommen worden sind. [3] Für die nach dem 31. Dezember 2021 und vor dem 1. November 2024 geborenen oder mit dem Ziel der Adoption aufgenommenen Kinder ist § 25 in der bis zum 31. Oktober 2024 geltenden Fassung weiter anzuwenden. [4] Zur Erprobung des Verfahrens können diese Regelungen in Pilotprojekten mit Zustimmung des Bundesministeriums für Familie, Senioren, Frauen und Jugend, des Bundesministeriums für Arbeit und Soziales und des Bundesministeriums des Innern und für Heimat auf Kinder, die vor dem 1. Januar 2022 geboren oder mit dem Ziel der Adoption aufgenommen worden sind, angewendet werden.

(5) [1] § 1 Absatz 8 ist auf Kinder anwendbar, die ab dem 1. April 2025 geboren oder mit dem Ziel der Adoption angenommen worden sind. [2] Für die ab dem 1. April 2024 und vor dem 1. April 2025 geborenen oder mit dem Ziel der Adoption angenommenen Kinder gilt § 1 Absatz 8 mit der Maßgabe, dass ein Anspruch entfällt, wenn die berechtigte Person im letzten abgeschlossenen Veranlagungszeitraum vor der Geburt des Kindes ein zu versteuerndes Einkommen nach § 2 Absatz 5 des Einkommensteuergesetzes[1)] in Höhe von mehr als 200 000 Euro erzielt hat. [3] Erfüllt auch eine andere Person die Voraussetzungen des § 1 Absatz 1 Satz 1 Nummer 2 oder des Absatzes 3 oder 4, entfällt in diesem Zeitraum abweichend von § 1 Absatz 8 Satz 1 der Anspruch, wenn die Summe des zu versteuernden Einkommens beider Personen mehr als 200 000 Euro beträgt.

[1)] **beck-online, Module Arbeitsrecht Nr. 331.**

401 b. Allgemeine Verwaltungsvorschrift zum Kündigungsschutz bei Elternzeit (§ 18 Abs. 1 Satz 4 des Bundeselterngeld- und Elternzeitgesetzes)

Vom 3. Januar 2007
(BAnz. Nr. 5 S. 247)

Nach § 18 Abs. 1 Satz 4 des Bundeselterngeld- und Elternzeitgesetzes[1] vom 5. Dezember 2006 (BGBl. I S. 2748) wird folgende allgemeine Verwaltungsvorschrift erlassen:

1 Aufgabe der Behörde

Die für den Arbeitsschutz zuständige oberste Landesbehörde oder die von ihr bestimmte Stelle (Behörde) hat zu prüfen, ob ein besonderer Fall gegeben ist. Ein solcher besonderer Fall liegt vor, wenn es gerechtfertigt erscheint, dass das nach § 18 Abs. 1 Satz 1 des Gesetzes[1] als vorrangig angesehene Interesse des Arbeitnehmers oder der Arbeitnehmerin am Fortbestand des Arbeitsverhältnisses wegen außergewöhnlicher Umstände hinter die Interessen des Arbeitgebers zurücktritt.

2 Vorliegen eines besonderen Falles

2.1 Bei der Prüfung nach Maßgabe der Nummer 1 hat die Behörde davon auszugehen, dass ein besonderer Fall im Sinne des § 18 Abs. 1 Satz 2 des Gesetzes[1] insbesondere dann gegeben ist, wenn

2.1.1 der Betrieb, in dem der Arbeitnehmer oder die Arbeitnehmerin beschäftigt ist, stillgelegt wird und der Arbeitnehmer oder die Arbeitnehmerin nicht in einem anderen Betrieb des Unternehmens weiterbeschäftigt werden kann,

2.1.2 die Betriebsabteilung, in der der Arbeitnehmer oder die Arbeitnehmerin beschäftigt ist, stillgelegt wird und der Arbeitnehmer oder die Arbeitnehmerin nicht in einer anderen Betriebsabteilung des Betriebes oder in einem anderen Betrieb des Unternehmens weiterbeschäftigt werden kann,

2.1.3 der Betrieb oder die Betriebsabteilung, in denen der Arbeitnehmer oder die Arbeitnehmerin beschäftigt ist, verlagert wird und der Arbeitnehmer oder die Arbeitnehmerin an dem neuen Sitz des Betriebes oder der Betriebsabteilung und auch in einer anderen Betriebsabteilung oder in einem anderen Betrieb des Unternehmens nicht weiterbeschäftigt werden kann,

2.1.4 der Arbeitnehmer oder die Arbeitnehmerin in den Fällen der Nummern 2.1.1 bis 2.1.3 eine ihm vom Arbeitgeber angebotene, zumutbare Weiterbeschäftigung auf einem anderen Arbeitsplatz ablehnt,

2.1.5 durch die Aufrechterhaltung des Arbeitsverhältnisses nach Beendigung der Elternzeit die Existenz des Betriebes oder die wirtschaftliche Existenz des Arbeitgebers gefährdet wird,

---

[1] Nr. **401**.

2.1.6 besonders schwere Verstöße des Arbeitnehmers oder der Arbeitnehmerin gegen arbeitsvertragliche Pflichten oder vorsätzliche strafbare Handlungen des Arbeitnehmers oder der Arbeitnehmerin dem Arbeitgeber die Aufrechterhaltung des Arbeitsverhältnisses unzumutbar machen.

2.2 Ein besonderer Fall im Sinne des § 18 Abs. 1 Satz 2 des Gesetzes[1] kann auch dann gegeben sein, wenn die wirtschaftliche Existenz des Arbeitgebers durch die Aufrechterhaltung des Arbeitsverhältnisses nach Beendigung der Elternzeit unbillig erschwert wird, so dass er in die Nähe der Existenzgefährdung kommt. Eine solche unbillige Erschwerung kann auch dann angenommen werden, wenn der Arbeitgeber in die Nähe der Existenzgefährdung kommt, weil

2.2.1 der Arbeitnehmer oder die Arbeitnehmerin in einem Betrieb mit in der Regel 5 oder weniger Arbeitnehmern und Arbeitnehmerinnen ausschließlich der zu ihrer Berufsbildung Beschäftigten beschäftigt ist und der Arbeitgeber zur Fortführung des Betriebes dringend auf eine entsprechend qualifizierte Ersatzkraft angewiesen ist, die er nur einstellen kann, wenn er mit ihr einen unbefristeten Arbeitsvertrag abschließt; bei der Feststellung der Zahl der beschäftigten Arbeitnehmerinnen und Arbeitnehmer sind teilzeitbeschäftigte Arbeitnehmerinnen und Arbeitnehmer mit einer regelmäßigen wöchentlichen Arbeitszeit von nicht mehr als 20 Stunden mit 0,5 und nicht mehr als 30 Stunden mit 0,75 zu berücksichtigen, oder

2.2.2 der Arbeitgeber wegen der Aufrechterhaltung des Arbeitsverhältnisses nach Beendigung der Elternzeit keine entsprechend qualifizierte Ersatzkraft für einen nur befristeten Arbeitsvertrag findet und deshalb mehrere Arbeitsplätze wegfallen müssten.

3 Ermessen

Kommt die Behörde zu dem Ergebnis, dass ein besonderer Fall im Sinne des § 18 Abs. 1 Satz 2 des Gesetzes[1] gegeben ist, so hat sie im Rahmen ihres pflichtgemäßen Ermessens zu entscheiden, ob das Interesse des Arbeitgebers an einer Kündigung während der Elternzeit so erheblich überwiegt, dass ausnahmsweise die vom Arbeitgeber beabsichtigte Kündigung für zulässig zu erklären ist.

4 Form des Antrages

Die Zulässigkeitserklärung der Kündigung hat der Arbeitgeber bei der für den Sitz des Betriebes oder der Dienststelle zuständigen Behörde schriftlich oder zu Protokoll zu beantragen. Im Antrag sind der Arbeitsort und die vollständige Anschrift des Arbeitnehmers oder der Arbeitnehmerin, dem oder der gekündigt werden soll, anzugeben. Der Antrag ist zu begründen; etwaige Beweismittel sind beizufügen oder zu benennen.

5 Entscheidung; vorherige Anhörung

5.1 Die Behörde hat die Entscheidung unverzüglich zu treffen.

5.2 Die Behörde hat vor ihrer Entscheidung dem betroffenen Arbeitnehmer oder der betroffenen Arbeitnehmerin sowie dem Betriebs- oder Personalrat Gelegenheit zu geben, sich mündlich oder schriftlich zu dem Antrag nach Nummer 4 zu äußern.

---

[1] Nr. **401**.

6 Zulässigkeitserklärung unter Bedingungen

Die Zulässigkeit der Kündigung kann unter Bedingungen erklärt werden, z.B., dass sie erst zum Ende der Elternzeit ausgesprochen wird.

7 Form der Entscheidung

Die Behörde hat ihre Entscheidung (Zulässigkeitserklärung oder Ablehnung mit Rechtsbehelfsbelehrung) schriftlich zu erlassen, schriftlich zu begründen und dem Arbeitgeber sowie dem Arbeitnehmer oder der Arbeitnehmerin zuzustellen. Dem Betriebs- oder Personalrat ist eine Abschrift zu übersenden.

8 Zur Berufsbildung Beschäftigte, in Heimarbeit Beschäftigte

8.1 Die zu ihrer Berufsbildung Beschäftigten gelten als Arbeitnehmer oder Arbeitnehmerinnen im Sinne der vorstehenden Vorschriften.

8.2 Für die in Heimarbeit Beschäftigten und die ihnen Gleichgestellten (§ 1 Abs. 1 und 2 des Heimarbeitsgesetzes[1]), soweit sie am Stück mitarbeiten, gelten die vorstehenden Vorschriften entsprechend mit der Maßgabe, dass an die Stelle des Arbeitgebers der Auftraggeber oder der Zwischenmeister tritt (vgl. § 20 des Gesetzes[2]).

9 Inkrafttreten

Diese allgemeine Verwaltungsvorschrift tritt mit Wirkung vom 1. Januar 2007 in Kraft.

---

[1] Nr. **450**.
[2] Nr. **401**.

D. Pflegezeit

409. Gesetz über die Pflegezeit (Pflegezeitgesetz – PflegeZG)[1)]

Vom 28. Mai 2008
(BGBl. I S. 874)

FNA 860-11-4

zuletzt geänd. durch Art. 4 G zur Befugniserweiterung und Entbürokratisierung in der Pflege v. 22.12. 2025 (BGBl. 2025 I Nr. 371)

§ 1 Ziel des Gesetzes. Ziel des Gesetzes ist, Beschäftigten die Möglichkeit zu eröffnen, pflegebedürftige nahe Angehörige in häuslicher Umgebung zu pflegen und damit die Vereinbarkeit von Beruf und familiärer Pflege zu verbessern.

§ 2[2)] Kurzzeitige Arbeitsverhinderung. (1) Beschäftigte haben das Recht, bis zu zehn Arbeitstage der Arbeit fernzubleiben, wenn dies erforderlich ist, um für einen pflegebedürftigen nahen Angehörigen in einer akut aufgetretenen Pflegesituation eine bedarfsgerechte Pflege zu organisieren oder eine pflegerische Versorgung in dieser Zeit sicherzustellen.

(2) [1] Beschäftigte sind verpflichtet, dem Arbeitgeber ihre Verhinderung an der Arbeitsleistung und deren voraussichtliche Dauer unverzüglich mitzuteilen. [2] Dem Arbeitgeber ist auf Verlangen eine ärztliche Bescheinigung oder eine Bescheinigung einer Pflegefachperson über die Pflegebedürftigkeit des nahen Angehörigen und die Erforderlichkeit der in Absatz 1 genannten Maßnahmen vorzulegen.

(3) [1] Der Arbeitgeber ist zur Fortzahlung der Vergütung nur verpflichtet, soweit sich eine solche Verpflichtung aus anderen gesetzlichen Vorschriften oder auf Grund einer Vereinbarung ergibt. [2] Ein Anspruch der Beschäftigten auf Zahlung von Pflegeunterstützungsgeld richtet sich nach § 44a Absatz 3 des Elften Buches Sozialgesetzbuch[3)].

§ 3[4)] Pflegezeit und sonstige Freistellungen. (1) [1] Beschäftigte sind von der Arbeitsleistung vollständig oder teilweise freizustellen, wenn sie einen pflegebedürftigen nahen Angehörigen in häuslicher Umgebung pflegen (Pflegezeit). [2] Der Anspruch nach Satz 1 besteht nicht gegenüber Arbeitgebern mit in der Regel 15 oder weniger Beschäftigten.

(2) [1] Die Beschäftigten haben die Pflegebedürftigkeit des nahen Angehörigen durch Vorlage einer Bescheinigung der Pflegekasse oder des Medizinischen Dienstes der Krankenversicherung nachzuweisen. [2] Bei in der privaten Pflege-Pflichtversicherung versicherten Pflegebedürftigen ist ein entsprechender Nachweis zu erbringen.

[1)] Verkündet als Art. 3 Pflege-WeiterentwicklungsG v. 28.5.2008 (BGBl. I S. 874); Inkrafttreten gem. Art. 17 Abs. 1 dieses G am 1.7.2008.

[2)] § 2 Abs. 3 Satz 2 angef. mWv 1.1.2015 durch G v. 23.12.2014 (BGBl. I S. 2462); Abs. 2 Satz 2 geänd. mWv 1.1.2026 durch G v. 22.12.2025 (BGBl. 2025 I Nr. 371).

[3)] **Aichberger, SGB Nr. 11.**

[4)] § 3 Überschrift geänd., Abs. 3 Sätze 3–6 sowie Abs. 5–7 angef. mWv 1.1.2015 durch G v. 23.12.2014 (BGBl. I S. 2462); Abs. 3 Satz 6 neu gef., Abs. 6a eingef. mWv 24.12.2022 durch G v. 19.12.2022 (BGBl. I S. 2510); Abs. 3 Sätze 1 und 6 geänd. mWv 1.1.2025 durch G v. 23.10.2024 (BGBl. 2024 I Nr. 323).

(3) [1] Wer Pflegezeit beanspruchen will, muss dies dem Arbeitgeber spätestens zehn Arbeitstage vor Beginn in Textform ankündigen und gleichzeitig erklären, für welchen Zeitraum und in welchem Umfang die Freistellung von der Arbeitsleistung in Anspruch genommen werden soll. [2] Wenn nur teilweise Freistellung in Anspruch genommen wird, ist auch die gewünschte Verteilung der Arbeitszeit anzugeben. [3] Enthält die Ankündigung keine eindeutige Festlegung, ob die oder der Beschäftigte Pflegezeit oder Familienpflegezeit nach § 2 des Familienpflegezeitgesetzes[1)] in Anspruch nehmen will, und liegen die Voraussetzungen beider Freistellungsansprüche vor, gilt die Erklärung als Ankündigung von Pflegezeit. [4] Beansprucht die oder der Beschäftigte nach der Pflegezeit Familienpflegezeit oder eine Freistellung nach § 2 Absatz 5 des Familienpflegezeitgesetzes zur Pflege oder Betreuung desselben pflegebedürftigen Angehörigen, muss sich die Familienpflegezeit oder die Freistellung nach § 2 Absatz 5 des Familienpflegezeitgesetzes unmittelbar an die Pflegezeit anschließen. [5] In diesem Fall soll die oder der Beschäftigte möglichst frühzeitig erklären, ob sie oder er Familienpflegezeit oder eine Freistellung nach § 2 Absatz 5 des Familienpflegezeitgesetzes in Anspruch nehmen wird; abweichend von § 2a Absatz 1 Satz 1 des Familienpflegezeitgesetzes muss die Ankündigung spätestens drei Monate vor Beginn der Familienpflegezeit erfolgen. [6] Wird Pflegezeit nach einer Familienpflegezeit oder einer Freistellung nach § 2 Absatz 5 des Familienpflegezeitgesetzes in Anspruch genommen, ist die Pflegezeit in unmittelbarem Anschluss an die Familienpflegezeit oder die Freistellung nach § 2 Absatz 5 des Familienpflegezeitgesetzes zu beanspruchen; sie ist abweichend von Satz 1 dem Arbeitgeber spätestens acht Wochen vor Beginn in Textform anzukündigen.

(4) [1] Wenn nur teilweise Freistellung in Anspruch genommen wird, haben Arbeitgeber und Beschäftigte über die Verringerung und die Verteilung der Arbeitszeit eine schriftliche Vereinbarung zu treffen. [2] Hierbei hat der Arbeitgeber den Wünschen der Beschäftigten zu entsprechen, es sei denn, dass dringende betriebliche Gründe entgegenstehen.

(5) [1] Beschäftigte sind von der Arbeitsleistung vollständig oder teilweise freizustellen, wenn sie einen minderjährigen pflegebedürftigen nahen Angehörigen in häuslicher oder außerhäuslicher Umgebung betreuen. [2] Die Inanspruchnahme dieser Freistellung ist jederzeit im Wechsel mit der Freistellung nach Absatz 1 im Rahmen der Gesamtdauer nach § 4 Absatz 1 Satz 4 möglich. [3] Absatz 1 Satz 2 und die Absätze 2 bis 4 gelten entsprechend. [4] Beschäftigte können diesen Anspruch wahlweise statt des Anspruchs auf Pflegezeit nach Absatz 1 geltend machen.

(6) [1] Beschäftigte sind zur Begleitung eines nahen Angehörigen von der Arbeitsleistung vollständig oder teilweise freizustellen, wenn dieser an einer Erkrankung leidet, die progredient verläuft und bereits ein weit fortgeschrittenes Stadium erreicht hat, bei der eine Heilung ausgeschlossen und eine palliativmedizinische Behandlung notwendig ist und die lediglich eine begrenzte Lebenserwartung von Wochen oder wenigen Monaten erwarten lässt. [2] Beschäftigte haben diese gegenüber dem Arbeitgeber durch ein ärztliches Zeugnis nachzuweisen. [3] Absatz 1 Satz 2, Absatz 3 Satz 1 und 2 und Absatz 4 gelten entsprechend. [4] § 45 des Fünften Buches Sozialgesetzbuch bleibt unberührt.

(Fortsetzung nächstes Blatt)

[1)] Nr. **410**.

(6a) [1]Beschäftigte von Arbeitgebern mit in der Regel 15 oder weniger Beschäftigten können bei ihrem Arbeitgeber den Abschluss einer Vereinbarung über eine Pflegezeit nach Absatz 1 Satz 1 oder eine sonstige Freistellung nach Absatz 5 Satz 1 oder Absatz 6 Satz 1 beantragen. [2]Der Arbeitgeber hat den Antrag innerhalb von vier Wochen nach Zugang zu beantworten. [3]Eine Ablehnung des Antrags ist zu begründen. [4]Wird eine Pflegezeit oder sonstige Freistellung nach Satz 1 vereinbart, gelten die Absätze 2, 3 Satz 4 und 6 erster Halbsatz, Absatz 4 Satz 1 sowie Absatz 6 Satz 2 und 4 entsprechend.

(7) Ein Anspruch auf Förderung richtet sich nach den §§ 3, 4, 5 Absatz 1 Satz 1 und Absatz 2 sowie den §§ 6 bis 10 des Familienpflegezeitgesetzes.

§ 4[1)] Dauer der Inanspruchnahme. (1) [1]Die Pflegezeit nach § 3 beträgt für jeden pflegebedürftigen nahen Angehörigen längstens sechs Monate (Höchstdauer). [2]Für einen kürzeren Zeitraum in Anspruch genommene Pflegezeit kann bis zur Höchstdauer verlängert werden, wenn der Arbeitgeber zustimmt. [3]Eine Verlängerung bis zur Höchstdauer kann verlangt werden, wenn ein vorgesehener Wechsel in der Person des Pflegenden aus einem wichtigen Grund nicht erfolgen kann; dies gilt nicht für Fälle des § 3 Absatz 6a. [4]Pflegezeit und Familienpflegezeit nach § 2 des Familienpflegezeitgesetzes[2)] dürfen gemeinsam die Gesamtdauer von 24 Monaten je pflegebedürftigem nahen Angehörigen nicht überschreiten. [5]Die Pflegezeit wird auf Berufsbildungszeiten nicht angerechnet.

(2) [1]Ist der nahe Angehörige nicht mehr pflegebedürftig oder die häusliche Pflege des nahen Angehörigen unmöglich oder unzumutbar, endet die Pflegezeit vier Wochen nach Eintritt der veränderten Umstände. [2]Der Arbeitgeber ist über die veränderten Umstände unverzüglich zu unterrichten. [3]Im Übrigen kann die Pflegezeit nur vorzeitig beendet werden, wenn der Arbeitgeber zustimmt.

(3) [1]Für die Betreuung nach § 3 Absatz 5 gelten die Absätze 1 und 2 entsprechend. [2]Für die Freistellung nach § 3 Absatz 6 gilt eine Höchstdauer von drei Monaten je nahem Angehörigen. [3]Für die Freistellung nach § 3 Absatz 6 gelten Absatz 1 Satz 2, 3 und 5 sowie Absatz 2 entsprechend; bei zusätzlicher Inanspruchnahme von Pflegezeit oder einer Freistellung nach § 3 Absatz 5 oder Familienpflegezeit oder einer Freistellung nach § 2 Absatz 5 des Familienpflegezeitgesetzes dürfen die Freistellungen insgesamt 24 Monate je nahem Angehörigen nicht überschreiten.

(4) Der Arbeitgeber kann den Erholungsurlaub, der der oder dem Beschäftigten für das Urlaubsjahr zusteht, für jeden vollen Kalendermonat der vollständigen Freistellung von der Arbeitsleistung um ein Zwölftel kürzen.

§ 4a[3)] Erneute Pflegezeit nach Inanspruchnahme einer Freistellung auf Grundlage der Sonderregelungen aus Anlass der COVID-19-Pandemie.

(1) Abweichend von § 4 Absatz 1 Satz 2 und 3 können Beschäftigte einmalig nach einer beendeten Pflegezeit zur Pflege oder Betreuung desselben pflegebedürftigen Angehörigen Pflegezeit erneut, jedoch insgesamt nur bis zur Höchstdauer nach § 4 Absatz 1 Satz 1 in Anspruch nehmen, wenn die Gesamtdauer nach § 4 Absatz 1 Satz 4 nicht überschritten wird und die Inanspruchnahme der

---

[1)] § 4 Überschrift geänd., Abs. 1 Satz 4 eingef., bish. Satz 4 wird Satz 5, Abs. 3 und 4 angef. mWv 1.1. 2015 durch G v. 23.12.2014 (BGBl. I S. 2462); Abs. 1 Satz 3 geänd. mWv 24.12.2022 durch G v. 19.12. 2022 (BGBl. I S. 2510).

[2)] Nr. **410**.

[3)] § 4a eingef. mWv 29.10.2020 durch G v. 23.10.2020 (BGBl. I S. 2208).

beendeten Pflegezeit auf der Grundlage der Sonderregelungen aus Anlass der COVID-19-Pandemie erfolgte.

(2) Abweichend von § 3 Absatz 3 Satz 4 muss sich die Familienpflegezeit oder eine Freistellung nach § 2 Absatz 5 des Familienpflegezeitgesetzes[1)] nicht unmittelbar an die Pflegezeit anschließen, wenn die Pflegezeit auf Grund der Sonderregelungen aus Anlass der COVID-19-Pandemie in Anspruch genommen wurde und die Gesamtdauer nach § 4 Absatz 1 Satz 4 nicht überschritten wird.

(3) Abweichend von § 3 Absatz 3 Satz 6 muss sich die Pflegezeit nicht unmittelbar an die Familienpflegezeit oder an die Freistellung nach § 2 Absatz 5 des Familienpflegezeitgesetzes anschließen, wenn die Familienpflegezeit oder Freistellung auf Grund der Sonderregelungen aus Anlass der COVID-19-Pandemie erfolgte und die Gesamtdauer nach § 4 Absatz 1 Satz 4 nicht überschritten wird.

§ 5[2)] Kündigungsschutz. (1) [1] Der Arbeitgeber darf das Beschäftigungsverhältnis von der Ankündigung, höchstens jedoch zwölf Wochen vor dem angekündigten Beginn, bis zur Beendigung der kurzzeitigen Arbeitsverhinderung nach § 2 oder der Freistellung nach § 3 nicht kündigen. [2] Im Fall einer Vereinbarung über eine Freistellung nach § 3 Absatz 6a dieses Gesetzes oder nach § 2a Absatz 5a des Familienpflegezeitgesetzes[1)] beginnt der Kündigungsschutz mit dem Beginn der Freistellung.

(2) [1] In besonderen Fällen kann eine Kündigung von der für den Arbeitsschutz zuständigen obersten Landesbehörde oder der von ihr bestimmten Stelle ausnahmsweise für zulässig erklärt werden. [2] Die Bundesregierung kann hierzu mit Zustimmung des Bundesrates allgemeine Verwaltungsvorschriften erlassen.

§ 6[3)] Befristete Verträge. (1) [1] Wenn zur Vertretung einer Beschäftigten oder eines Beschäftigten für die Dauer der kurzzeitigen Arbeitsverhinderung nach § 2 oder der Freistellung nach § 3 eine Arbeitnehmerin oder ein Arbeitnehmer eingestellt wird, liegt hierin ein sachlicher Grund für die Befristung des Arbeitsverhältnisses. [2] Über die Dauer der Vertretung nach Satz 1 hinaus ist die Befristung für notwendige Zeiten einer Einarbeitung zulässig.

(2) Die Dauer der Befristung des Arbeitsvertrages muss kalendermäßig bestimmt oder bestimmbar sein oder den in Absatz 1 genannten Zwecken zu entnehmen sein.

(3) [1] Der Arbeitgeber kann den befristeten Arbeitsvertrag unter Einhaltung einer Frist von zwei Wochen kündigen, wenn die Freistellung nach § 4 Abs. 2 Satz 1 vorzeitig endet. [2] Das Kündigungsschutzgesetz[4)] ist in diesen Fällen nicht anzuwenden. [3] Satz 1 gilt nicht, soweit seine Anwendung vertraglich ausgeschlossen ist.

(4) [1] Wird im Rahmen arbeitsrechtlicher Gesetze oder Verordnungen auf die Zahl der beschäftigten Arbeitnehmerinnen und Arbeitnehmer abgestellt, sind bei der Ermittlung dieser Zahl Arbeitnehmerinnen und Arbeitnehmer, die nach § 2 kurzzeitig an der Arbeitsleistung verhindert oder nach § 3 freigestellt sind, nicht

---

1) Nr. **410**.

2) § 5 Abs. 1 geänd. mWv 1.1.2015 durch G v. 23.12.2014 (BGBl. I S. 2462); Abs. 1 Satz 2 angef. mWv *24.12.2022 durch G v. 19.12.2022* (BGBl. I S. 2510).

3) § 6 Abs. 1 Satz 1 und Abs. 3 Satz 1 geänd. mWv 1.1.2015 durch G v. 23.12.2014 (BGBl. I S. 2462).

4) Nr. **152**.

mitzuzählen, solange für sie auf Grund von Absatz 1 eine Vertreterin oder ein Vertreter eingestellt ist. [2] Dies gilt nicht, wenn die Vertreterin oder der Vertreter nicht mitzuzählen ist. [3] Die Sätze 1 und 2 gelten entsprechend, wenn im Rahmen arbeitsrechtlicher Gesetze oder Verordnungen auf die Zahl der Arbeitsplätze abgestellt wird.

§ 7[1)] Begriffsbestimmungen. (1) Beschäftigte im Sinne dieses Gesetzes sind
1. Arbeitnehmerinnen und Arbeitnehmer,
2. die zu ihrer Berufsbildung Beschäftigten,
3. Personen, die wegen ihrer wirtschaftlichen Unselbständigkeit als arbeitnehmerähnliche Personen anzusehen sind; zu diesen gehören auch die in Heimarbeit Beschäftigten und die ihnen Gleichgestellten.

(2) [1] Arbeitgeber im Sinne dieses Gesetzes sind natürliche und juristische Personen sowie rechtsfähige Personengesellschaften, die Personen nach Absatz 1 beschäftigen. [2] Für die arbeitnehmerähnlichen Personen, insbesondere für die in Heimarbeit Beschäftigten und die ihnen Gleichgestellten, tritt an die Stelle des Arbeitgebers der Auftraggeber oder Zwischenmeister.

(3) Nahe Angehörige im Sinne dieses Gesetzes sind
1. Großeltern, Eltern, Schwiegereltern, Stiefeltern,
2. Ehegatten, Lebenspartner, Partner einer eheähnlichen oder lebenspartnerschaftsähnlichen Gemeinschaft, Geschwister, Ehegatten der Geschwister und Geschwister der Ehegatten, Lebenspartner der Geschwister und Geschwister der Lebenspartner,
3. Kinder, Adoptiv- oder Pflegekinder, die Kinder, Adoptiv- oder Pflegekinder des Ehegatten oder Lebenspartners, Schwiegerkinder und Enkelkinder.

(4) [1] Pflegebedürftig im Sinne dieses Gesetzes sind Personen, die die Voraussetzungen nach den §§ 14 und 15 des Elften Buches Sozialgesetzbuch[2)] erfüllen. [2] Pflegebedürftig im Sinne von § 2 sind auch Personen, die die Voraussetzungen nach den §§ 14 und 15 des Elften Buches Sozialgesetzbuch voraussichtlich erfüllen.

§ 8 Unabdingbarkeit. Von den Vorschriften dieses Gesetzes kann nicht zuungunsten der Beschäftigten abgewichen werden.

[§ 9 bis 30.4.2023:]

§ 9[3)] Sonderregelungen aus Anlass der COVID-19-Pandemie. (1) [1] Abweichend von § 2 Absatz 1 haben Beschäftigte das Recht, in dem Zeitraum vom 29. Oktober 2020 bis einschließlich 30. April 2023 bis zu 20 Arbeitstage der

---

[1)] § 7 Abs. 3 Nr. 1 und 2 geänd. mWv 1.1.2015 durch G v. 23.12.2014 (BGBl. I S. 2462); Abs. 3 Nr. 2 geänd. mWv 1.1.2016 durch G v. 21.12.2015 (BGBl. I S. 2424).

[2)] **Aichberger, SGB Nr. 11.**

[3)] § 9 angef. mWv 29.10.2020 durch G v. 23.10.2020 (BGBl. I S. 2208); Abs. 1 Satz 1, Abs. 2, Abs. 4 Satz 1 und Abs. 5 und 7 geänd. mWv 30.12.2020 durch G v. 22.12.2020 (BGBl. I S. 3299); Abs. 1 Satz 1, Abs. 2, Abs. 4 Satz 1 und Abs. 5 und 7 geänd. mWv 31.3.2021 durch G v. 29.3.2021 (BGBl. I S. 370); Abs. 1 Satz 1, Abs. 2, Abs. 4 Satz 1 und Abs. 5 und 7 geänd. mWv 30.6.2021 durch G v. 25.6.2021 (BGBl. I S. 2020); Abs. 1 Satz 1, Abs. 2, Abs. 4 Satz 1, Abs. 5 und 7 geänd. mWv 24.11.2021 durch G v. 22.11.2021 (BGBl. I S. 4906); Abs. 1 Satz 1, Abs. 2, Abs. 4 Satz 1, Abs. 5 und 7 geänd. mWv 26.3.2022 durch G v. 23.3.2022 (BGBl. I S. 482); Abs. 1 Satz 1, Abs. 2, Abs. 4 Satz 1, Abs. 5 und 7 geänd. mWv 30.6.2022 durch G v. 28.6.2022 (BGBl. I S. 938); Abs. 1 Satz 1, Abs. 2, Abs. 4 Satz 1, Abs. 5 und 7 geänd. mWv 17.9.2022 durch G v. 16.9.2022 (BGBl. I S. 1454).

Arbeit fernzubleiben, wenn die akute Pflegesituation auf Grund der COVID-19-Pandemie aufgetreten ist. [2] Der Zusammenhang wird vermutet.

(2) § 2 Absatz 3 Satz 2 ist bis zum Ablauf des 30. April 2023 mit der Maßgabe anzuwenden, dass sich der Anspruch auch nach § 150 Absatz 5d Satz 1 des Elften Buches Sozialgesetzbuch[1)] richtet.

(3) Abweichend von § 3 Absatz 3 Satz 1 gilt, dass die Ankündigung in Textform erfolgen muss.

(4) [1] Abweichend von § 3 Absatz 3 Satz 4 muss sich die Familienpflegezeit oder die Freistellung nach § 2 Absatz 5 des Familienpflegezeitgesetzes[2)] nicht unmittelbar an die Pflegezeit anschließen, wenn der Arbeitgeber zustimmt, die Gesamtdauer nach § 4 Absatz 1 Satz 4 nicht überschritten wird und die Familienpflegezeit oder die Freistellung nach § 2 Absatz 5 des Familienpflegezeitgesetzes spätestens mit Ablauf des 30. April 2023 endet. [2] Die Ankündigung muss abweichend von § 3 Absatz 3 Satz 5 spätestens zehn Tage vor Beginn der Familienpflegezeit erfolgen.

(5) Abweichend von § 3 Absatz 3 Satz 6 muss sich die Pflegezeit nicht unmittelbar an die Familienpflegezeit oder an die Freistellung nach § 2 Absatz 5 des Familienpflegezeitgesetzes anschließen, wenn der Arbeitgeber zustimmt, die Gesamtdauer nach § 4 Absatz 1 Satz 4 nicht überschritten wird und die Pflegezeit spätestens mit Ablauf des 30. April 2023 endet; die Inanspruchnahme ist dem Arbeitgeber spätestens zehn Tage vor Beginn der Pflegezeit in Textform anzukündigen.

(6) Abweichend von § 3 Absatz 4 Satz 1 gilt, dass die Vereinbarung in Textform zu treffen ist.

(7) Abweichend von § 4 Absatz 1 Satz 2 und 3 können Beschäftigte mit Zustimmung des Arbeitgebers nach einer beendeten Pflegezeit zur Pflege oder Betreuung desselben pflegebedürftigen Angehörigen Pflegezeit erneut, jedoch insgesamt nur bis zur Höchstdauer nach § 4 Absatz 1 Satz 1 in Anspruch nehmen, wenn die Gesamtdauer nach § 4 Absatz 1 Satz 4 nicht überschritten wird und die Pflegezeit spätestens mit Ablauf des 30. April 2023 endet.

[§ 9 ab 1.5.2023:]

§ 9[3)] *(aufgehoben)*

[1)] **Aichberger, SGB Nr. 11.**

[2)] Nr. **410.**

[3)] § 9 aufgeh. mWv 1.5.2023 durch G v. 23.10.2020 (BGBl. I S. 2208, geänd. durch G v. 22.12.2020, *BGBl. I S. 3299, G v. 29.3.2021, BGBl.* I S. 370, G v.25.6.2021, BGBl. I S. 2020, G v. 22.11.2021 BGBl. I S. 4906, G v. 23.3.2022, BGBl. I S. 482, G v. 28.6.2022, BGBl. I S. 938 und G v. 16.9.2022, BGBl. I S. 1454).

410. Gesetz über die Familienpflegezeit (Familienpflegezeitgesetz – FPfZG)[1)]

Vom 6. Dezember 2011
(BGBl. I S. 2564)

FNA 860-11-5

zuletzt geänd. durch Art. 69 Viertes BürokratieentlastungsG v. 23.10.2024 (BGBl. 2024 I Nr. 323)

§ 1 Ziel des Gesetzes. Durch die Einführung der Familienpflegezeit werden die Möglichkeiten zur Vereinbarkeit von Beruf und familiärer Pflege verbessert.

§ 2[2)] Familienpflegezeit. (1) [1]Beschäftigte sind von der Arbeitsleistung für längstens 24 Monate (Höchstdauer) teilweise freizustellen, wenn sie einen pflegebedürftigen nahen Angehörigen in häuslicher Umgebung pflegen (Familienpflegezeit). [2]Während der Familienpflegezeit muss die verringerte Arbeitszeit wöchentlich mindestens 15 Stunden betragen. [3]Bei unterschiedlichen wöchentlichen Arbeitszeiten oder einer unterschiedlichen Verteilung der wöchentlichen Arbeitszeit darf die wöchentliche Arbeitszeit im Durchschnitt eines Zeitraums von bis zu einem Jahr 15 Stunden nicht unterschreiten (Mindestarbeitszeit). [4]Der Anspruch nach Satz 1 besteht nicht gegenüber Arbeitgebern mit in der Regel 25 oder weniger Beschäftigten ausschließlich der zu ihrer Berufsbildung Beschäftigten.

(2) Pflegezeit und Familienpflegezeit dürfen gemeinsam 24 Monate je pflegebedürftigem nahen Angehörigen nicht überschreiten (Gesamtdauer).

(3) Die §§ 5 bis 8 des Pflegezeitgesetzes[3)] gelten entsprechend.

(4) Die Familienpflegezeit wird auf Berufsbildungszeiten nicht angerechnet.

(5) [1]Beschäftigte sind von der Arbeitsleistung für längstens 24 Monate (Höchstdauer) teilweise freizustellen, wenn sie einen minderjährigen pflegebedürftigen nahen Angehörigen in häuslicher oder außerhäuslicher Umgebung betreuen. [2]Die Inanspruchnahme dieser Freistellung ist jederzeit im Wechsel mit der Freistellung nach Absatz 1 im Rahmen der Gesamtdauer nach Absatz 2 möglich. [3]Absatz 1 Satz 2 bis 4 und die Absätze 2 bis 4 gelten entsprechend. [4]Beschäftigte können diesen Anspruch wahlweise statt des Anspruchs auf Familienpflegezeit nach Absatz 1 geltend machen.

§ 2a[4)] Inanspruchnahme der Familienpflegezeit. (1) [1]Wer Familienpflegezeit nach § 2 beanspruchen will, muss dies dem Arbeitgeber spätestens acht Wochen vor dem gewünschten Beginn in Textform ankündigen und gleichzeitig erklären, für welchen Zeitraum und in welchem Umfang innerhalb der Gesamtdauer nach § 2 Absatz 2 die Freistellung von der Arbeitsleistung in Anspruch genommen werden soll. [2]Dabei ist auch die gewünschte Verteilung der Arbeitszeit anzugeben. [3]Enthält die Ankündigung keine eindeutige Fest-

---

[1)] Verkündet als Art. 1 G v. 6.12.2011 (BGBl. I S. 2564); Inkrafttreten gem. Art. 4 dieses G am 1.1. 2012.

[2)] § 2 neu gef. mWv 1.1.2015 durch G v. 23.12.2014 (BGBl. I S. 2462).

[3)] Nr. **409**.

[4)] § 2a eingef. mWv 1.1.2015 durch G v. 23.12.2014 (BGBl. I S. 2462); Abs. 1 Satz 6 neu gef., Abs. 5a eingef. mWv 24.12.2022 durch G v. 19.12.2022 (BGBl. I S. 2510); Abs. 1 Sätze 1 und 6 geänd. mWv 1.1.2025 durch G v. 23.10.2024 (BGBl. 2024 I Nr. 323).

legung, ob die oder der Beschäftigte Pflegezeit nach § 3 des Pflegezeitgesetzes[1)] oder Familienpflegezeit in Anspruch nehmen will, und liegen die Voraussetzungen beider Freistellungsansprüche vor, gilt die Erklärung als Ankündigung von Pflegezeit. [4] Wird die Familienpflegezeit nach einer Freistellung nach § 3 Absatz 1 oder Absatz 5 des Pflegezeitgesetzes zur Pflege oder Betreuung desselben pflegebedürftigen Angehörigen in Anspruch genommen, muss sich die Familienpflegezeit unmittelbar an die Freistellung nach § 3 Absatz 1 oder Absatz 5 des Pflegezeitgesetzes anschließen. [5] In diesem Fall soll die oder der Beschäftigte möglichst frühzeitig erklären, ob sie oder er Familienpflegezeit in Anspruch nehmen wird; abweichend von Satz 1 muss die Ankündigung spätestens drei Monate vor Beginn der Familienpflegezeit erfolgen. [6] Wird eine Freistellung nach § 3 Absatz 1 oder Absatz 5 des Pflegezeitgesetzes nach einer Familienpflegezeit in Anspruch genommen, ist diese in unmittelbarem Anschluss an die Familienpflegezeit zu beanspruchen; sie ist dem Arbeitgeber spätestens acht Wochen vor Beginn in Textform anzukündigen.

(2) [1] Arbeitgeber und Beschäftigte haben über die Verringerung und Verteilung der Arbeitszeit eine schriftliche Vereinbarung zu treffen. [2] Hierbei hat der Arbeitgeber den Wünschen der Beschäftigten zu entsprechen, es sei denn, dass dringende betriebliche Gründe entgegenstehen.

(3) [1] Für einen kürzeren Zeitraum in Anspruch genommene Familienpflegezeit kann bis zur Gesamtdauer nach § 2 Absatz 2 verlängert werden, wenn der Arbeitgeber zustimmt. [2] Eine Verlängerung bis zur Gesamtdauer kann verlangt werden, wenn ein vorgesehener Wechsel in der Person der oder des Pflegenden aus einem wichtigen Grund nicht erfolgen kann.

(4) [1] Die Beschäftigten haben die Pflegebedürftigkeit der oder des nahen Angehörigen durch Vorlage einer Bescheinigung der Pflegekasse oder des Medizinischen Dienstes der Krankenversicherung nachzuweisen. [2] Bei in der privaten Pflege-Pflichtversicherung versicherten Pflegebedürftigen ist ein entsprechender Nachweis zu erbringen.

(5) [1] Ist die oder der nahe Angehörige nicht mehr pflegebedürftig oder die häusliche Pflege der oder des nahen Angehörigen unmöglich oder unzumutbar, endet die Familienpflegezeit vier Wochen nach Eintritt der veränderten Umstände. [2] Der Arbeitgeber ist hierüber unverzüglich zu unterrichten. [3] Im Übrigen kann die Familienpflegezeit nur vorzeitig beendet werden, wenn der Arbeitgeber zustimmt.

(5a) [1] Beschäftigte von Arbeitgebern mit in der Regel 25 oder weniger Beschäftigten ausschließlich der zu ihrer Berufsbildung Beschäftigten können bei ihrem Arbeitgeber den Abschluss einer Vereinbarung über eine Familienpflegezeit nach § 2 Absatz 1 Satz 1 bis 3 oder eine Freistellung nach § 2 Absatz 5 Satz 1 beantragen. [2] Der Arbeitgeber hat den Antrag nach Satz 1 innerhalb von vier Wochen nach Zugang zu beantworten. [3] Eine Ablehnung des Antrags ist zu begründen. [4] Wird eine Freistellung nach Satz 1 vereinbart, gelten § 2 Absatz 2 bis 4 sowie § 2a Absatz 1 Satz 4 und 6 erster Halbsatz, Absatz 2 Satz 1, Absatz 3 Satz 1, Absatz 4 und 5 entsprechend.

(Fortsetzung nächstes Blatt)

---

1) Nr. **409**.

(6) Die Absätze 1 bis 5 gelten entsprechend für die Freistellung von der Arbeitsleistung nach § 2 Absatz 5.

§ 2b[1] Erneute Familienpflegezeit nach Inanspruchnahme einer Freistellung auf Grundlage der Sonderregelungen aus Anlass der COVID-19-Pandemie. (1) Abweichend von § 2a Absatz 3 können Beschäftigte einmalig nach einer beendeten Familienpflegezeit zur Pflege und Betreuung desselben pflegebedürftigen Angehörigen Familienpflegezeit erneut, jedoch insgesamt nur bis zur Höchstdauer nach § 2 Absatz 1 in Anspruch nehmen, wenn die Gesamtdauer von 24 Monaten nach § 2 Absatz 2 nicht überschritten wird und die Inanspruchnahme der beendeten Familienpflegezeit auf der Grundlage der Sonderregelungen aus Anlass der COVID-19-Pandemie erfolgte.

(2) Abweichend von § 2a Absatz 1 Satz 4 muss sich die Familienpflegezeit nicht unmittelbar an die Freistellung nach § 3 Absatz 1 oder Absatz 5 des Pflegezeitgesetzes[2] anschließen, wenn die Freistellung aufgrund der Sonderregelungen aus Anlass der COVID-19-Pandemie in Anspruch genommen wurde und die Gesamtdauer nach § 2 Absatz 2 von 24 Monaten nicht überschritten wird.

(3) Abweichend von § 2a Absatz 1 Satz 6 muss sich die Freistellung nach § 3 Absatz 1 oder Absatz 5 des Pflegezeitgesetzes nicht unmittelbar an die Familienpflegezeit anschließen, wenn die Inanspruchnahme der Familienpflegezeit aufgrund der Sonderregelungen aus Anlass der COVID-19-Pandemie erfolgte und die Gesamtdauer nach § 2 Absatz 2 von 24 Monaten ab Beginn der ersten Freistellung nicht überschritten wird.

§ 3[3] Förderung der pflegebedingten Freistellung von der Arbeitsleistung. (1) [1] Für die Dauer der Freistellungen nach § 2 dieses Gesetzes oder nach § 3 des Pflegezeitgesetzes[2] gewährt das Bundesamt für Familie und zivilgesellschaftliche Aufgaben Beschäftigten auf Antrag ein in monatlichen Raten zu zahlendes zinsloses Darlehen nach Maßgabe der Absätze 2 bis 5. [2] Der Anspruch gilt auch für Vereinbarungen über Freistellungen von der Arbeitsleistung nach § 2a Absatz 5a dieses Gesetzes.

(2) Die monatlichen Darlehensraten werden in Höhe der Hälfte der Differenz zwischen den pauschalierten monatlichen Nettoentgelten vor und während der Freistellung nach Absatz 1 gewährt.

(3) [1] Das pauschalierte monatliche Nettoentgelt vor der Freistellung nach Absatz 1 wird berechnet auf der Grundlage des regelmäßigen durchschnittlichen monatlichen Bruttoarbeitsentgelts ausschließlich der Sachbezüge der

---

[1] § 2b eingef. mWv 29.10.2020 durch G v. 23.10.2020 (BGBl. I S. 2208).

[2] Nr. **409**.

[3] § 3 neu gef. mWv 1.1.2015 durch G v. 23.12.2014 (BGBl. I S. 2462); Abs. 3 Satz 5 neu gef., Satz 6 angef. mWv 23.5.2020 durch G v. 19.5.2020 (BGBl. I S. 1018); Abs. 3 Satz 6 geänd. mWv 29.10.2020 durch G v. 23.10.2020 (BGBl. I S. 2208); Abs. 3 Satz 6 geänd. mWv 30.12.2020 durch G v. 22.12.2020 (BGBl. I S. 3299); Abs. 3 Sätze 1 und 2 neu gef., Satz 4 eingef., bish. Sätze 4–6 werden Sätze 5–7, neuer Satz 7 geänd. mWv 31.3.2021 durch G v. 29.3.2021 (BGBl. I S. 370); Abs. 3 Satz 7 geänd. mWv 30.6.2021 durch G v. 25.6.2021 (BGBl. I S. 2020); Abs. 3 Satz 7 neu gef. mWv 24.11.2021 durch G v. 22.11.2021 (BGBl. I S. 4906); Abs. 3 Satz 7 geänd. mWv 26.3.2022 durch G v. 23.3.2022 (BGBl. I S. 482); Abs. 3 Satz 7 geänd. mWv 30.6.2022 durch G v. 28.6.2022 (BGBl. I S. 938); Abs. 3 Satz 7 geänd. mWv 17.9.2022 durch G v. 16.9.2022 (BGBl. I S. 1454); Abs. 1 Satz 2 neu gef. mWv 24.12.2022 durch G v. 19.12.2022 (BGBl. I S. 2510).

letzten zwölf Kalendermonate vor Beginn der Freistellung. [2]Das pauschalierte monatliche Nettoentgelt während der Freistellung wird berechnet auf der Grundlage des Bruttoarbeitsentgelts, das sich aus dem Produkt aus der vereinbarten durchschnittlichen monatlichen Stundenzahl während der Freistellung und dem durchschnittlichen Entgelt je Arbeitsstunde ergibt. [3]Durchschnittliches Entgelt je Arbeitsstunde ist das Verhältnis des regelmäßigen gesamten Bruttoarbeitsentgelts ausschließlich der Sachbezüge der letzten zwölf Kalendermonate vor Beginn der Freistellung zur arbeitsvertraglichen Gesamtstundenzahl der letzten zwölf Kalendermonate vor Beginn der Freistellung. [4]Die Berechnung der pauschalierten Nettoentgelte erfolgt entsprechend der Berechnung der pauschalierten Nettoentgelte gemäß § 106 Absatz 1 Satz 5 bis 7 des Dritten Buches Sozialgesetzbuch[1)]. [5]Bei einem weniger als zwölf Monate vor Beginn der Freistellung bestehenden Beschäftigungsverhältnis verkürzt sich der der Berechnung zugrunde zu legende Zeitraum entsprechend. [6]Für die Berechnung des durchschnittlichen Entgelts je Arbeitsstunde bleiben Mutterschutzfristen, Freistellungen nach § 2, kurzzeitige Arbeitsverhinderungen nach § 2 des Pflegezeitgesetzes, Freistellungen nach § 3 des Pflegezeitgesetzes sowie die Einbringung von Arbeitsentgelt in und die Entnahme von Arbeitsentgelt aus Wertguthaben nach § 7b des Vierten Buches Sozialgesetzbuch[2)] außer Betracht. [7]Abweichend von Satz 6 bleiben auf Antrag für die Berechnung des durchschnittlichen Arbeitsentgelts je Arbeitsstunde in der Zeit vom 1. März 2020 bis zum Ablauf des 30. April 2023 auch Kalendermonate mit einem aufgrund der COVID-19-Pandemie geringeren Entgelt unberücksichtigt.

(4) In den Fällen der Freistellung nach § 3 des Pflegezeitgesetzes ist die monatliche Darlehensrate auf den Betrag begrenzt, der bei einer durchschnittlichen Arbeitszeit während der Familienpflegezeit von 15 Wochenstunden zu gewähren ist.

(5) Abweichend von Absatz 2 können Beschäftigte auch einen geringeren Darlehensbetrag in Anspruch nehmen, wobei die monatliche Darlehensrate mindestens 50 Euro betragen muss.

(6) [1]Das Darlehen ist in der in Absatz 2 genannten Höhe, in den Fällen der Pflegezeit in der in Absatz 4 genannten Höhe, vorrangig vor dem Bezug von bedürftigkeitsabhängigen Sozialleistungen in Anspruch zu nehmen und von den Beschäftigten zu beantragen; Absatz 5 ist insoweit nicht anzuwenden. [2]Bei der Berechnung von Sozialleistungen nach Satz 1 sind die Zuflüsse aus dem Darlehen als Einkommen zu berücksichtigen.

§ 4[3)] Mitwirkungspflicht des Arbeitgebers. [1]Der Arbeitgeber hat dem Bundesamt für Familie und zivilgesellschaftliche Aufgaben für bei ihm Beschäftigte den Arbeitsumfang sowie das Arbeitsentgelt vor der Freistellung nach § 3 Absatz 1 zu bescheinigen, soweit dies zum Nachweis des Einkommens aus Erwerbstätigkeit oder der wöchentlichen Arbeitszeit der die Förderung beantragenden Beschäftigten erforderlich ist. [2]Für die in Heimarbeit Beschäftigten und die ihnen Gleichgestellten tritt an die Stelle des Arbeitgebers der Auftraggeber oder Zwischenmeister.

[1)] Nr. **700**.
[2)] Nr. **694**.
[3)] § 4 neu gef. mWv 1.1.2015 durch G v. 23.12.2014 (BGBl. I S. 2462).

§ 5[1)] Ende der Förderfähigkeit. (1) [1]Die Förderfähigkeit endet mit dem Ende der Freistellung nach § 3 Absatz 1. [2]Die Förderfähigkeit endet auch dann, wenn die oder der Beschäftigte während der Freistellung nach § 2 den Mindestumfang der wöchentlichen Arbeitszeit aufgrund gesetzlicher oder kollektivvertraglicher Bestimmungen oder aufgrund von Bestimmungen, die in Arbeitsrechtsregelungen der Kirchen enthalten sind, unterschreitet. [3]Die Unterschreitung der Mindestarbeitszeit aufgrund von Kurzarbeit oder eines Beschäftigungsverbotes lässt die Förderfähigkeit unberührt.

(2) Die Darlehensnehmerin oder der Darlehensnehmer hat dem Bundesamt für Familie und zivilgesellschaftliche Aufgaben unverzüglich jede Änderung in den Verhältnissen, die für den Anspruch nach § 3 Absatz 1 erheblich sind,

(Fortsetzung nächstes Blatt)

[1)] § 5 neu gef. mWv 1.1.2015 durch G v. 23.12.2014 (BGBl. I S. 2462).

mitzuteilen, insbesondere die Beendigung der häuslichen Pflege der oder des nahen Angehörigen, die Beendigung der Betreuung nach § 2 Absatz 5 dieses Gesetzes oder § 3 Absatz 5 des Pflegezeitgesetzes[1], die Beendigung der Freistellung nach § 3 Absatz 6 des Pflegezeitgesetzes, die vorzeitige Beendigung der Freistellung nach § 3 Absatz 1 sowie die Unterschreitung des Mindestumfangs der wöchentlichen Arbeitszeit während der Freistellung nach § 2 aus anderen als den in Absatz 1 Satz 2 genannten Gründen.

§ 6[2] Rückzahlung des Darlehens. (1) [1]Im Anschluss an die Freistellung nach § 3 Absatz 1 ist die Darlehensnehmerin oder der Darlehensnehmer verpflichtet, das Darlehen innerhalb von 48 Monaten nach Beginn der Freistellung nach § 3 Absatz 1 zurückzuzahlen. [2]Die Rückzahlung erfolgt in möglichst gleichbleibenden monatlichen Raten in Höhe des im Bescheid nach § 9 festgesetzten monatlichen Betrags jeweils spätestens zum letzten Bankarbeitstag des laufenden Monats. [3]Für die Rückzahlung gelten alle nach § 3 an die Darlehensnehmerin oder den Darlehensnehmer geleisteten Darlehensbeträge als ein Darlehen.

(2) [1]Die Rückzahlung beginnt in dem Monat, der auf das Ende der Förderung der Freistellung nach § 3 Absatz 1 folgt. [2]Das Bundesamt für Familie und zivilgesellschaftliche Aufgaben kann auf Antrag der Darlehensnehmerin oder des Darlehensnehmers den Beginn der Rückzahlung auf einen späteren Zeitpunkt, spätestens jedoch auf den 25. Monat nach Beginn der Förderung festsetzen, wenn die übrigen Voraussetzungen für den Anspruch nach den §§ 2 und 3 weiterhin vorliegen. [3]Befindet sich die Darlehensnehmerin oder der Darlehensnehmer während des Rückzahlungszeitraums in einer Freistellung nach § 3 Absatz 1, setzt das Bundesamt für Familie und zivilgesellschaftliche Aufgaben auf Antrag der oder des Beschäftigten die monatlichen Rückzahlungsraten bis zur Beendigung der Freistellung von der Arbeitsleistung aus. [4]Der Rückzahlungszeitraum verlängert sich um den Zeitraum der Aussetzung.

§ 7[3] Härtefallregelung. (1) [1]Zur Vermeidung einer besonderen Härte stundet das Bundesamt für Familie und zivilgesellschaftliche Aufgaben der Darlehensnehmerin oder dem Darlehensnehmer auf Antrag die Rückzahlung des Darlehens, ohne dass hierfür Zinsen anfallen. [2]Als besondere Härte gelten insbesondere der Bezug von Entgeltersatzleistungen nach dem Dritten und dem Fünften Buch Sozialgesetzbuch, Leistungen zur Sicherung des Lebensunterhalts nach dem Zweiten Buch Sozialgesetzbuch[4] und Leistungen nach dem Dritten und Vierten Kapitel des Zwölften Buches Sozialgesetzbuch[5] oder eine mehr als 180 Tage ununterbrochene Arbeitsunfähigkeit. [3]Eine besondere Härte liegt auch vor, wenn sich die Darlehensnehmerin oder der Darlehensnehmer wegen unverschuldeter finanzieller Belastungen vorübergehend in ernsthaften Zahlungsschwierigkeiten befindet oder zu erwarten ist, dass sie oder er durch die Rückzahlung des Darlehens in der vorgesehenen Form in solche Schwierigkeiten gerät.

---

[1] Nr. **409**.
[2] § 6 neu gef. mWv 1.1.2015 durch G v. 23.12.2014 (BGBl. I S. 2462).
[3] § 7 neu gef. mWv 1.1.2015 durch G v. 23.12.2014 (BGBl. I S. 2462).
[4] Nr. **692**.
[5] **Aichberger, SGB Nr. 12.**

(2) Für den über die Gesamtdauer der Freistellungen nach § 2 dieses Gesetzes oder nach § 3 Absatz 1 oder 5 des Pflegezeitgesetzes[1] hinausgehenden Zeitraum, in dem die Pflegebedürftigkeit desselben nahen Angehörigen fortbesteht, die Pflege durch die oder den Beschäftigten in häuslicher Umgebung andauert und die Freistellung von der Arbeitsleistung fortgeführt wird, sind auf Antrag die fälligen Rückzahlungsraten zu einem Viertel zu erlassen (Teildarlehenserlass) und die restliche Darlehensschuld für diesen Zeitraum bis zur Beendigung der häuslichen Pflege auf Antrag zu stunden, ohne dass hierfür Zinsen anfallen, sofern eine besondere Härte im Sinne von Absatz 1 Satz 3 vorliegt.

(3) Die Darlehensschuld erlischt, soweit sie noch nicht fällig ist, wenn die Darlehensnehmerin oder der Darlehensnehmer

1. Leistungen nach dem Dritten und Vierten Kapitel des Zwölften Buches Sozialgesetzbuch oder Leistungen zur Sicherung des Lebensunterhalts nach dem Zweiten Buch Sozialgesetzbuch ununterbrochen seit mindestens zwei Jahren nach dem Ende der Freistellung bezieht oder
2. verstirbt.

(4) Der Abschluss von Vergleichen sowie die Stundung, Niederschlagung und der Erlass von Ansprüchen richten sich, sofern in diesem Gesetz nicht abweichende Regelungen getroffen werden, nach den §§ 58 und 59 der Bundeshaushaltsordnung[2].

§ 8[3] Antrag auf Förderung. (1) Das Bundesamt für Familie und zivilgesellschaftliche Aufgaben entscheidet auf schriftlichen Antrag über das Darlehen nach § 3 und dessen Rückzahlung nach § 6.

(2) Der Antrag wirkt vom Zeitpunkt des Vorliegens der Anspruchsvoraussetzungen, wenn er innerhalb von drei Monaten nach deren Vorliegen gestellt wird, andernfalls wirkt er vom Beginn des Monats der Antragstellung.

(3) Der Antrag muss enthalten:

1. Name und Anschrift der oder des das Darlehen beantragenden Beschäftigten,
2. Name, Anschrift und Angehörigenstatus der gepflegten Person,
3. Bescheinigung über die Pflegebedürftigkeit oder im Fall des § 3 Absatz 6 des Pflegezeitgesetzes[1] das dort genannte ärztliche Zeugnis über die Erkrankung des oder der nahen Angehörigen,
4. Dauer der Freistellung nach § 3 Absatz 1 sowie Mitteilung, ob zuvor eine Freistellung nach § 3 Absatz 1 in Anspruch genommen wurde, sowie
5. Höhe, Dauer und Angabe der Zeitabschnitte des beantragten Darlehens.

(4) Dem Antrag sind beizufügen:

1. Entgeltbescheinigungen mit Angabe der arbeitsvertraglichen Wochenstunden der letzten zwölf Monate vor Beginn der Freistellung nach § 3 Absatz 1,
2. in den Fällen der vollständigen Freistellung nach § 3 des Pflegezeitgesetzes eine Bescheinigung des Arbeitgebers über die Freistellung und in den Fällen der teilweisen Freistellung die hierüber getroffene schriftliche Vereinbarung zwischen dem Arbeitgeber und der oder dem Beschäftigten.

---

[1] Nr. *409*.
[2] **Sartorius Nr. 700.**
[3] § 8 neu gef. mWv 1.1.2015 durch G v. 23.12.2014 (BGBl. I S. 2462).

§ 9[1)] Darlehensbescheid und Zahlweise. (1) [1]In dem Bescheid nach § 8 Absatz 1 sind anzugeben:

1. Höhe des Darlehens,
2. Höhe der monatlichen Darlehensraten sowie Dauer der Leistung der Darlehensraten,
3. Höhe und Dauer der Rückzahlungsraten und
4. Fälligkeit der ersten Rückzahlungsrate.

[2]Wurde dem Antragsteller für eine vor dem Antrag liegende Freistellung nach § 3 Absatz 1 ein Darlehen gewährt, sind für die Ermittlung der Beträge nach Satz 1 Nummer 3 und 4 das zurückliegende und das aktuell gewährte Darlehen wie ein Darlehen zu behandeln. [3]Der das erste Darlehen betreffende Bescheid nach Satz 1 wird hinsichtlich Höhe, Dauer und Fälligkeit der Rückzahlungsraten geändert.

(2) Die Höhe der Darlehensraten wird zu Beginn der Leistungsgewährung in monatlichen Festbeträgen für die gesamte Förderdauer festgelegt.

(3) [1]Die Darlehensraten werden unbar zu Beginn jeweils für den Kalendermonat ausgezahlt, in dem die Anspruchsvoraussetzungen vorliegen. [2]Monatliche Förderungsbeträge, die nicht volle Euro ergeben, sind bei Restbeträgen bis zu 0,49 Euro abzurunden und von 0,50 Euro an aufzurunden.

§ 10[2)] Antrag und Nachweis in weiteren Fällen. (1) Das Bundesamt für Familie und zivilgesellschaftliche Aufgaben entscheidet auch in den Fällen des § 7 auf schriftlichen oder elektronischen Antrag, der Name und Anschrift der Darlehensnehmerin oder des Darlehensnehmers enthalten muss.

(2) Die Voraussetzungen des § 7 sind nachzuweisen

1. in den Fällen des Absatzes 1 durch Glaubhaftmachung der dort genannten Voraussetzungen, insbesondere durch Darlegung der persönlichen wirtschaftlichen Verhältnisse oder bei Arbeitsunfähigkeit durch Vorlage einer Arbeitsunfähigkeitsbescheinigung der Darlehensnehmerin oder des Darlehensnehmers,
2. in den Fällen des Absatzes 2 durch Vorlage einer Bescheinigung über die fortbestehende Pflegebedürftigkeit der oder des nahen Angehörigen und die Fortdauer der Freistellung von der Arbeitsleistung sowie Glaubhaftmachung der dort genannten Voraussetzungen, insbesondere durch Darlegung der persönlichen wirtschaftlichen Verhältnisse,
3. in den Fällen des Absatzes 3 durch Vorlage der entsprechenden Leistungsbescheide der Darlehensnehmerin oder des Darlehensnehmers oder durch Vorlage einer Sterbeurkunde durch die Rechtsnachfolger.

(3) Anträge auf Teildarlehenserlass nach § 7 Absatz 2 sind bis spätestens 48 Monate nach Beginn der Freistellungen nach § 2 dieses Gesetzes oder nach § 3 Absatz 1 oder 5 des Pflegezeitgesetzes[3)] zu stellen.

[1)] § 9 neu gef. mWv 1.1.2015 durch G v. 23.12.2014 (BGBl. I S. 2462).

[2)] § 10 neu gef. mWv 1.1.2015 durch G v. 23.12.2014 (BGBl. I S. 2462); Abs. 1 geänd. mWv 1.1.2025 durch G v. 23.10.2024 (BGBl. 2024 I Nr. 323).

[3)] Nr. **409**.

§ 11[1] **Allgemeine Verwaltungsvorschriften.** Zur Durchführung des Verfahrens nach den §§ 8 und 10 kann das Bundesministerium für Familie, Senioren, Frauen und Jugend allgemeine Verwaltungsvorschriften erlassen.

§ 12[2] **Bußgeldvorschriften.** (1) Ordnungswidrig handelt, wer vorsätzlich oder fahrlässig

1. entgegen § 4 Satz 1 eine dort genannte Bescheinigung nicht, nicht richtig, nicht vollständig oder nicht rechtzeitig erstellt,
2. entgegen § 5 Absatz 2 eine Mitteilung nicht, nicht richtig, nicht vollständig oder nicht rechtzeitig macht oder
3. entgegen § 8 Absatz 3 Nummer 4 eine Mitteilung nicht, nicht richtig, nicht vollständig oder nicht rechtzeitig macht.

(2) Verwaltungsbehörde im Sinne des § 36 Absatz 1 Nummer 1 des Gesetzes über Ordnungswidrigkeiten[3] ist das Bundesamt für Familie und zivilgesellschaftliche Aufgaben.

(3) Die Ordnungswidrigkeit kann in den Fällen des Absatzes 1 Nummer 1 mit einer Geldbuße bis zu fünftausend Euro und in den Fällen des Absatzes 1 Nummer 2 mit einer Geldbuße bis zu tausend Euro geahndet werden.

(4) [1]Die Geldbußen fließen in die Kasse des Bundesamtes für Familie und zivilgesellschaftliche Aufgaben. [2]Diese trägt abweichend von § 105 Absatz 2 des Gesetzes über Ordnungswidrigkeiten die notwendigen Auslagen. [3]Sie ist auch ersatzpflichtig im Sinne des § 110 Absatz 4 des Gesetzes über Ordnungswidrigkeiten.

§ 13[4] **Aufbringung der Mittel.** Die für die Ausführung dieses Gesetzes erforderlichen Mittel trägt der Bund.

§ 14[5] **Beirat.** (1) Das Bundesministerium für Familie, Senioren, Frauen und Jugend setzt einen unabhängigen Beirat für die Vereinbarkeit von Pflege und Beruf ein.

(2) [1]Der Beirat befasst sich mit Fragen zur Vereinbarkeit von Pflege und Beruf, er begleitet die Umsetzung der einschlägigen gesetzlichen Regelungen und berät über deren Auswirkungen. [2]Das Bundesministerium für Familie, Senioren, Frauen und Jugend kann dem Beirat Themenstellungen zur Beratung vorgeben.

(3) Der Beirat legt dem Bundesministerium für Familie, Senioren, Frauen und Jugend alle vier Jahre, erstmals zum 1. Juni 2019, einen Bericht vor und kann hierin Handlungsempfehlungen aussprechen.

(4) [1]Der Beirat besteht aus einundzwanzig Mitgliedern, die vom Bundesministerium für Familie, Senioren, Frauen und Jugend im Einvernehmen mit dem Bundesministerium für Arbeit und Soziales und dem Bundesministerium für Gesundheit berufen werden. [2]Stellvertretung ist zulässig. [3]Die oder der

---

[1] § 11 aufgeh., bish. § 13 wird § 11 und geänd. mWv 1.1.2015 durch G v. 23.12.2014 (BGBl. I S. 2462).

[2] § 12 aufgeh., bish. § 14 wird § 12, Abs. 1 neu gef. mWv 1.1.2015 durch G v. 23.12.2014 (BGBl. I S. 2462).

[3] ***Habersack Nr. 94.***

[4] Bish. § 15 wird § 13 und neu gef. mWv 1.1.2015 durch G v. 23.12.2014 (BGBl. I S. 2462).

[5] § 14 angef. mWv 1.1.2015 durch G v. 23.12.2014 (BGBl. I S. 2462).

Vorsitzende und die oder der stellvertretende Vorsitzende werden vom Bundesministerium für Familie, Senioren, Frauen und Jugend ernannt. [4]Der Beirat setzt sich zusammen aus sechs Vertreterinnen oder Vertretern von fachlich betroffenen Interessenverbänden, je zwei Vertreterinnen oder Vertretern der Gewerkschaften, der Arbeitgeber, der Wohlfahrtsverbände und der Seniorenorganisationen sowie aus je einer Vertreterin oder einem Vertreter der sozialen und der privaten Pflege-Pflichtversicherung. [5]Des Weiteren gehören dem Beirat zwei Wissenschaftlerinnen oder Wissenschaftler mit Schwerpunkt in der Forschung der Vereinbarkeit von Pflege und Beruf sowie je eine Vertreterin oder ein Vertreter der Konferenz der Ministerinnen und Minister, Senatorinnen und Senatoren für Jugend und Familie, der Konferenz der Ministerinnen und Minister, Senatorinnen und Senatoren für Arbeit und Soziales sowie der kommunalen Spitzenverbände an. [6]Die Besetzung des Beirats muss geschlechterparitätisch erfolgen.

(5) [1]Die Amtszeit der Mitglieder des Beirats und ihrer Stellvertreterinnen oder Stellvertreter beträgt fünf Jahre und kann einmalig um fünf Jahre verlängert werden. [2]Scheidet ein Mitglied oder dessen Stellvertreterin oder Stellvertreter vorzeitig aus, wird für den Rest der Amtszeit eine Nachfolgerin oder ein Nachfolger berufen.

(6) [1]Die Mitglieder des Beirats sind ehrenamtlich tätig. [2]Sie haben Anspruch auf Erstattung ihrer notwendigen Auslagen.

(7) Der Beirat arbeitet auf der Grundlage einer durch das Bundesministerium für Familie, Senioren, Frauen und Jugend zu erlassenden Geschäftsordnung.

§ 15[1)] Übergangsvorschrift. Die Vorschriften des Familienpflegezeitgesetzes in der Fassung vom 6. Dezember 2011 gelten in den Fällen fort, in denen die Voraussetzungen für die Gewährung eines Darlehens nach § 3 Absatz 1 in Verbindung mit § 12 Absatz 1 Satz 1 bis einschließlich 31. Dezember 2014 vorlagen.

[§ 16 bis 30.4.2023:]

§ 16[2)] Sonderregelungen aus Anlass der COVID-19-Pandemie.

(1) Abweichend von § 2 Absatz 1 Satz 2 gilt, dass die wöchentliche Mindestarbeitszeit von 15 Wochenstunden vorübergehend unterschritten werden darf, längstens jedoch für die Dauer von einem Monat.

(2) Abweichend von § 2a Absatz 1 Satz 1 gilt für Familienpflegezeit, die spätestens am 1. April 2023 beginnt, dass die Ankündigung gegenüber dem Arbeitgeber spätestens zehn Arbeitstage vor dem gewünschten Beginn in Textform erfolgen muss.

[1)] § 15 angef. mWv 1.1.2015 durch G v. 23.12.2014 (BGBl. I S. 2462).

[2)] § 16 angef. mWv 29.10.2020–31.6.2022 durch G v. 23.10.2020 (BGBl. I S. 2208); Abs. 2, Abs. 3 Satz 1, Abs. 4 Satz 1 und Abs. 6 geänd. mWv 30.12.2020 durch G v. 22.12.2020 (BGBl. I S. 3299); Abs. 2, Abs. 3 Satz 1, Abs. 4 Satz 1 und Abs. 6 geänd. mWv 31.3.2021 durch G v. 29.3.2021 (BGBl. I S. 370, geänd. durch G v. 29.3.2021, BGBl. I S. 370); Abs. 2, Abs. 3 Satz 1, Abs. 4 Satz 1 und Abs. 6 geänd. mWv 30.6.2021 durch G v. 25.6.2021 (BGBl. I S. 2020); Abs. 2, Abs. 3 Satz 1, Abs. 4 Satz 1 und Abs. 6 geänd. mWv 24.11.2021 durch G v. 22.11.2021 (BGBl. I S. 4906); Abs. 2, Abs. 3 Satz 1, Abs. 4 Satz 1 und Abs. 6 geänd. mWv 26.3.2022 durch G v. 23.3.2022 (BGBl. I S. 482); Abs. 2, Abs. 3 Satz 1, Abs. 4 Satz 1 und Abs. 6 geänd. mWv 30.6.2022 durch G v. 28.6.2022 (BGBl. I S. 938); Abs. 2, Abs. 3 Satz 1, Abs. 4 Satz 1 und Abs. 6 geänd. mWv 17.9.2022 durch G v. 16.9.2022 (BGBl. I S. 1454).

(3) [1] Abweichend von § 2a Absatz 1 Satz 4 muss sich die Familienpflegezeit nicht unmittelbar an die Freistellung nach § 3 Absatz 1 oder Absatz 5 des Pflegezeitgesetzes[1)] anschließen, wenn der Arbeitgeber zustimmt, die Gesamtdauer nach § 2 Absatz 2 von 24 Monaten nicht überschritten wird und die Familienpflegezeit spätestens mit Ablauf des 30. April 2023 endet. [2] Die Ankündigung muss abweichend von § 2a Absatz 1 Satz 5 spätestens zehn Tage vor Beginn der Familienpflegezeit erfolgen.

(4) [1] Abweichend von § 2a Absatz 1 Satz 6 muss sich die Freistellung nach § 3 Absatz 1 oder Absatz 5 des Pflegezeitgesetzes nicht unmittelbar an die Familienpflegezeit anschließen, wenn der Arbeitgeber zustimmt, die Gesamtdauer nach § 2 Absatz 2 von 24 Monaten nicht überschritten wird und die Pflegezeit spätestens mit Ablauf des 30. April 2023 endet. [2] Die Inanspruchnahme ist dem Arbeitgeber spätestens zehn Tage vor Beginn der Freistellung nach § 3 Absatz 1 oder Absatz 5 des Pflegezeitgesetzes in Textform anzukündigen.

(5) Abweichend von § 2a Absatz 2 Satz 1 gilt, dass die Vereinbarung in Textform zu treffen ist.

(6) Abweichend von § 2a Absatz 3 können Beschäftigte mit Zustimmung des Arbeitgebers nach einer beendeten Familienpflegezeit zur Pflege oder Betreuung desselben pflegebedürftigen Angehörigen Familienpflegezeit erneut, jedoch insgesamt nur bis zur Höchstdauer nach § 2 Absatz 1 in Anspruch nehmen, wenn die Gesamtdauer von 24 Monaten nach § 2 Absatz 2 nicht überschritten wird und die Familienpflegezeit spätestens mit Ablauf des 30. April 2023 endet.

[§ 16 ab 1.5.2023:]
§ 16[2)] *(aufgehoben)*

[1)] Nr. **409**.

[2)] § 16 aufgeh. mWv 1.5.2023 durch G v. 23.10.2020 (BGBl. I S. 2208, geänd. durch G v. 22.12. 2020, BGBl. I S. 3299, G v. 29.3.2021, BGBl. I S. 370, G v.25.6.2021, BGBl. I S. 2020, G v. 22.11. 2021 BGBl. I S. 4906, G v. 23.10.2020 BGBl. I S. 2208, G v. 28.6.2022, BGBl I S. 938 und G v. 16.9. 2022, BGBl. I S. 1454).

E. Berufsbildung und Jugendarbeitsschutz

415. Berufsbildungsgesetz (BBiG)

In der Fassung der Bekanntmachung vom 16. April 2025[1)]

(BGBl. 2025 I Nr. 117; 129)

FNA 806-22

geänd. durch Art. 9 G über die Einführung einer bundeseinheitlichen Pflegefachassistenzausbildung und zur Änd. weiterer Gesetze v. 28.10.2025 (BGBl. 2025 I Nr. 259)

Inhaltsübersicht

[1)] Neubekanntmachung des BBiG v. 4.5.2020 (BGBl. I S. 920) in der ab 1.1.2025 geltenden Fassung.

(Fortsetzung nächstes Blatt)

Teil 1. Allgemeine Vorschriften

§ 1 Ziele und Begriffe der Berufsbildung. (1) Berufsbildung im Sinne dieses Gesetzes sind die Berufsausbildungsvorbereitung, die Berufsausbildung, die berufliche Fortbildung und die berufliche Umschulung.

(2) Die Berufsausbildungsvorbereitung dient dem Ziel, durch die Vermittlung von Grundlagen für den Erwerb beruflicher Handlungsfähigkeit an eine Berufsausbildung in einem anerkannten Ausbildungsberuf heranzuführen.

(3) [1]Die Berufsausbildung hat die für die Ausübung einer qualifizierten beruflichen Tätigkeit in einer sich wandelnden Arbeitswelt notwendigen beruflichen Fertigkeiten, Kenntnisse und Fähigkeiten (berufliche Handlungsfähigkeit) in einem geordneten Ausbildungsgang zu vermitteln. [2]Sie hat ferner den Erwerb der erforderlichen Berufserfahrungen zu ermöglichen.

(4) Die berufliche Fortbildung soll es ermöglichen,

1. die berufliche Handlungsfähigkeit durch eine Anpassungsfortbildung zu erhalten und anzupassen oder
2. die berufliche Handlungsfähigkeit durch eine Fortbildung der höherqualifizierenden Berufsbildung zu erweitern und beruflich aufzusteigen.

(5) Die berufliche Umschulung soll zu einer anderen beruflichen Tätigkeit befähigen.

(6) [1]Nach diesem Gesetz und nach der Handwerksordnung[1)] wird eine individuelle berufliche Handlungsfähigkeit am Maßstab eines anerkannten Ausbildungsberufs festgestellt. [2]Die Feststellung erfolgt unabhängig davon, ob die berufliche Handlungsfähigkeit durch Berufsbildung erworben wurde. [3]Ist die berufliche Handlungsfähigkeit überwiegend oder vollständig mit der für die Ausübung des anerkannten Ausbildungsberufs erforderlichen beruflichen Handlungsfähigkeit vergleichbar, wird dies bescheinigt.

§ 2 Lernorte der Berufsbildung. (1) Berufsbildung wird durchgeführt

1. in Betrieben der Wirtschaft, in vergleichbaren Einrichtungen außerhalb der Wirtschaft, insbesondere des öffentlichen Dienstes, der Angehörigen freier Berufe und in Haushalten (betriebliche Berufsbildung),
2. in berufsbildenden Schulen (schulische Berufsbildung) und
3. in sonstigen Berufsbildungseinrichtungen außerhalb der schulischen und betrieblichen Berufsbildung (außerbetriebliche Berufsbildung).

(2) Die Lernorte nach Absatz 1 wirken bei der Durchführung der Berufsbildung zusammen (Lernortkooperation).

(3) [1]Teile der Berufsausbildung können im Ausland durchgeführt werden, wenn dies dem Ausbildungsziel dient. [2]Ihre Gesamtdauer soll ein Viertel der in der Ausbildungsordnung festgelegten Ausbildungsdauer nicht überschreiten.

[1)] Auszugsweise abgedruckt unter Nr. **107**.

§ 3 Anwendungsbereich. (1) Dieses Gesetz gilt für die Berufsbildung, soweit sie nicht in berufsbildenden Schulen durchgeführt wird, die den Schulgesetzen der Länder unterstehen.

(2) Dieses Gesetz gilt nicht für

1. die Berufsbildung, die in berufsqualifizierenden oder vergleichbaren Studiengängen an Hochschulen auf der Grundlage des Hochschulrahmengesetzes[1] und der Hochschulgesetze der Länder durchgeführt wird,
2. die Berufsbildung in einem öffentlich-rechtlichen Dienstverhältnis,
3. die Berufsbildung auf Kauffahrteischiffen, die nach dem Flaggenrechtsgesetz[2] die Bundesflagge führen, soweit es sich nicht um Schiffe der kleinen Hochseefischerei oder der Küstenfischerei handelt.

(3) Für die Berufsbildung in Berufen der Handwerksordnung[3] und die Feststellung nach § 1 Absatz 6 am Maßstab eines anerkannten Ausbildungsberufs nach der Handwerksordnung[3] gelten § 4 Absatz 1 und 3 bis 6, § 5 Absatz 1 und 2, die §§ 6 bis 9, 27 bis 49, 50b bis 50e, 53 Absatz 1 bis 3, die §§ 53a bis 53e Absatz 1 bis 3, die §§ 54 bis 58 Satz 1, die §§ 59 bis 70, 76 bis 80 sowie 101 Absatz 1 Nummer 7 bis 11 nicht; insoweit gilt die Handwerksordnung[3].

Teil 2. Berufsbildung

Kapitel 1. Berufsausbildung

Abschnitt 1. Ordnung der Berufsausbildung; Anerkennung von Ausbildungsberufen

§ 4 Anerkennung von Ausbildungsberufen. (1) Als Grundlage für eine geordnete und einheitliche Berufsausbildung kann das Bundesministerium für Wirtschaft und Klimaschutz oder das sonst zuständige Fachministerium im Einvernehmen mit dem Bundesministerium für Bildung und Forschung durch Rechtsverordnung, die nicht der Zustimmung des Bundesrates bedarf, Ausbildungsberufe staatlich anerkennen und hierfür Ausbildungsordnungen nach § 5 erlassen.

(2) [1]Besteht in mehr als einem der durch die §§ 71 bis 75 erfassten Berufsbereiche und Bereiche ein Bedarf, gleiche Fertigkeiten, Kenntnisse und Fähigkeiten zu vermitteln, kann das für die betroffenen Berufsbereiche und Bereiche zuständige Fachministerium nach Absatz 1 einen Ausbildungsberuf auch für mehrere der durch die §§ 71 bis 75 erfassten Berufsbereiche und Bereiche staatlich anerkennen und eine entsprechende Ausbildungsordnung nach § 5 erlassen. [2]Sind für die betroffenen Berufsbereiche und Bereiche verschiedene Fachministerien zuständig, können die staatliche Anerkennung und der Erlass der Ausbildungsordnung nach Absatz 1 durch gemeinsame Rechtsverordnung der zuständigen Fachministerien erfolgen.

(3) Für einen anerkannten Ausbildungsberuf darf nur nach der Ausbildungsordnung ausgebildet werden.

---

[1] **beck-online, Module Arbeitsrecht Nr. 81a.**
[2] **beck-online, Module Arbeitsrecht Nr. 963.**
[3] Auszugsweise abgedruckt unter Nr. **107**.

(4) In anderen als anerkannten Ausbildungsberufen dürfen Jugendliche unter 18 Jahren nicht ausgebildet werden, soweit die Berufsausbildung nicht auf den Besuch weiterführender Bildungsgänge vorbereitet.

(5) Wird die Ausbildungsordnung eines Ausbildungsberufs aufgehoben oder geändert, so sind für bestehende Berufsausbildungsverhältnisse weiterhin die Vorschriften, die bis zum Zeitpunkt der Aufhebung oder der Änderung gelten, anzuwenden, es sei denn, die ändernde Verordnung sieht eine abweichende Regelung vor.

(6) Das zuständige Fachministerium informiert die Länder frühzeitig über Neuordnungskonzepte und bezieht sie in die Abstimmung ein.

§ 5 Ausbildungsordnung. (1) [1] Die Ausbildungsordnung hat festzulegen

1. die Bezeichnung des Ausbildungsberufes, der anerkannt wird,
2. die Ausbildungsdauer; sie soll nicht mehr als drei und nicht weniger als zwei Jahre betragen,
3. die beruflichen Fertigkeiten, Kenntnisse und Fähigkeiten, die mindestens Gegenstand der Berufsausbildung sind (Ausbildungsberufsbild),
4. eine Anleitung zur sachlichen und zeitlichen Gliederung der Vermittlung der beruflichen Fertigkeiten, Kenntnisse und Fähigkeiten (Ausbildungsrahmenplan),
5. die Prüfungsanforderungen.

[2] Bei der Festlegung der Fertigkeiten, Kenntnisse und Fähigkeiten nach Satz 1 Nummer 3 ist insbesondere die technologische und digitale Entwicklung zu beachten.

(2) [1] Die Ausbildungsordnung kann vorsehen,

1. dass die Abschlussprüfung in zwei zeitlich auseinanderfallenden Teilen durchgeführt wird,
2. dass im Fall einer Regelung nach Nummer 1 bei nicht bestandener Abschlussprüfung in einem drei- oder dreieinhalbjährigen Ausbildungsberuf, der auf einem zweijährigen Ausbildungsberuf aufbaut, der Abschluss des zweijährigen Ausbildungsberufs erworben wird, sofern im ersten Teil der Abschlussprüfung mindestens ausreichende Prüfungsleistungen erbracht worden sind,
3. dass Auszubildende bei erfolgreichem Abschluss eines zweijährigen Ausbildungsberufs vom ersten Teil der Abschlussprüfung oder einer Zwischenprüfung eines darauf aufbauenden drei- oder dreieinhalbjährigen Ausbildungsberufs befreit sind,
4. dass abweichend von § 4 Absatz 5 die Berufsausbildung in diesem Ausbildungsberuf unter Anrechnung der bereits zurückgelegten Ausbildungszeit fortgesetzt werden kann, wenn die Vertragsparteien dies vereinbaren,
5. dass auf die Dauer der durch die Ausbildungsordnung geregelten Berufsausbildung die Dauer einer anderen abgeschlossenen Berufsausbildung ganz oder teilweise anzurechnen ist,
6. dass über das in Absatz 1 Satz 1 Nummer 3 beschriebene Ausbildungsberufsbild hinaus zusätzliche berufliche Fertigkeiten, Kenntnisse und Fähigkeiten vermittelt werden können, die die berufliche Handlungsfähigkeit ergänzen oder erweitern,

7. dass Teile der Berufsausbildung in geeigneten Einrichtungen außerhalb der Ausbildungsstätte durchgeführt werden, wenn und soweit es die Berufsausbildung erfordert (überbetriebliche Berufsausbildung).

[2] Im Fall des Satzes 1 Nummer 2 bedarf es eines Antrags der Auszubildenden. [3] Im Fall des Satzes 1 Nummer 5 bedarf es der Vereinbarung der Vertragsparteien. [4] Im Rahmen der Ordnungsverfahren soll stets geprüft werden, ob Regelungen nach Satz 1 Nummer 1 bis 3 und 5 sinnvoll und möglich sind.

(3) [1] In den Fällen des § 4 Absatz 2 legt die Ausbildungsordnung fest:

1. eine einheitliche Bezeichnung des Ausbildungsberufs und
2. bei Bedarf differenzierende Regelungen für die betroffenen Berufsbereiche und Bereiche.

[2] Sie kann eine gemeinsame zuständige Stelle für mehrere Berufsbereiche und Bereiche festlegen.

§ 6 Erprobung neuer Ausbildungs- und Prüfungsformen. Zur Entwicklung und Erprobung neuer Ausbildungs- und Prüfungsformen kann das Bundesministerium für Wirtschaft und Klimaschutz oder das sonst zuständige Fachministerium im Einvernehmen mit dem Bundesministerium für Bildung und Forschung nach Anhörung des Hauptausschusses des Bundesinstituts für Berufsbildung durch Rechtsverordnung, die nicht der Zustimmung des Bundesrates bedarf, Ausnahmen von § 4 Absatz 3 und 4 sowie den §§ 5, 37 und 48 zulassen, die auch auf eine bestimmte Art und Zahl von Ausbildungsstätten beschränkt werden können.

§ 7 Anrechnung beruflicher Vorbildung auf die Ausbildungsdauer.

(1) [1] Die Landesregierungen können nach Anhörung des Landesausschusses für Berufsbildung durch Rechtsverordnung bestimmen, dass der Besuch eines Bildungsganges berufsbildender Schulen oder die Berufsausbildung in einer sonstigen Einrichtung ganz oder teilweise auf die Ausbildungsdauer angerechnet wird. [2] Die Ermächtigung kann durch Rechtsverordnung auf oberste Landesbehörden weiter übertragen werden.

(2) [1] Ist keine Rechtsverordnung nach Absatz 1 erlassen, kann eine Anrechnung durch die zuständige Stelle im Einzelfall erfolgen. [2] Für die Entscheidung über die Anrechnung auf die Ausbildungsdauer kann der Hauptausschuss des Bundesinstituts für Berufsbildung Empfehlungen beschließen.

(3) [1] Die Anrechnung bedarf des gemeinsamen Antrags der Auszubildenden und der Ausbildenden. [2] Der Antrag ist an die zuständige Stelle zu richten. [3] Er kann sich auf Teile des höchstzulässigen Anrechnungszeitraums beschränken.

(4) Ein Anrechnungszeitraum muss in ganzen Monaten durch sechs teilbar sein.

§ 7a Teilzeitberufsausbildung. (1) [1] Die Berufsausbildung kann in Teilzeit durchgeführt werden. [2] Im Berufsausbildungsvertrag ist für die gesamte Ausbildungszeit oder für einen bestimmten Zeitraum der Berufsausbildung die Verkürzung der täglichen oder der wöchentlichen Ausbildungszeit zu vereinbaren. [3] Die Kürzung der täglichen oder der wöchentlichen Ausbildungszeit darf nicht mehr als 50 Prozent betragen.

(2) [1] Die Dauer der Teilzeitberufsausbildung verlängert sich entsprechend, höchstens jedoch bis zum Eineinhalbfachen der Dauer, die in der Ausbildungs-

ordnung für die betreffende Berufsausbildung in Vollzeit festgelegt ist. [2]Die Dauer der Teilzeitberufsausbildung ist auf ganze Monate abzurunden. [3]§ 8 Absatz 1 und 2 bleibt unberührt.

(3) Auf Verlangen der Auszubildenden verlängert sich die Ausbildungsdauer auch über die Höchstdauer nach Absatz 2 Satz 1 hinaus bis zur nächsten möglichen Abschlussprüfung.

(4) Der Antrag auf Eintragung des Berufsausbildungsvertrages nach § 36 Absatz 1 in das Verzeichnis der Berufsausbildungsverhältnisse für eine Teilzeitberufsausbildung kann mit einem Antrag auf Verkürzung der Ausbildungsdauer nach § 8 Absatz 1 verbunden werden.

§ 8 Verkürzung oder Verlängerung der Ausbildungsdauer. (1) [1]Auf gemeinsamen Antrag der Auszubildenden und der Ausbildenden hat die zuständige Stelle die Ausbildungsdauer zu kürzen, wenn zu erwarten ist, dass das Ausbildungsziel in der gekürzten Dauer erreicht wird. [2]Satz 1 gilt bei einer Teilzeitberufsausbildung mit der Maßgabe, dass, wenn eine Verkürzung der Ausbildungsdauer entsprechend den Empfehlungen des Hauptausschusses nach Absatz 3 zu einer Ausbildungsdauer führt, die das Ende der für die betreffende Berufsausbildung in Vollzeit festgelegten Ausbildungsdauer höchstens um sechs Monate überschreitet, die Ausbildungsdauer auf das Ende der für die betreffende Berufsausbildung in Vollzeit festgelegten Ausbildungsdauer verkürzt wird.

(2) [1]In Ausnahmefällen kann die zuständige Stelle auf Antrag Auszubildender die Ausbildungsdauer verlängern, wenn die Verlängerung erforderlich ist, um das Ausbildungsziel zu erreichen. [2]Vor der Entscheidung über die Verlängerung sind die Ausbildenden zu hören.

(3) Für die Entscheidung über die Verkürzung oder Verlängerung der Ausbildungsdauer kann der Hauptausschuss des Bundesinstituts für Berufsbildung Empfehlungen beschließen.

§ 9 Regelungsbefugnis. Soweit Vorschriften nicht bestehen, regelt die zuständige Stelle die Durchführung der Berufsausbildung im Rahmen dieses Gesetzes.

Abschnitt 2. Berufsausbildungsverhältnis

Unterabschnitt 1. Begründung des Ausbildungsverhältnisses

§ 10 Vertrag. (1) Wer andere Personen zur Berufsausbildung einstellt (Ausbildende), hat mit den Auszubildenden einen Berufsausbildungsvertrag zu schließen.

(2) Auf den Berufsausbildungsvertrag sind, soweit sich aus seinem Wesen und Zweck und aus diesem Gesetz nichts anderes ergibt, die für den Arbeitsvertrag geltenden Rechtsvorschriften und Rechtsgrundsätze anzuwenden.

(3) Schließen die gesetzlichen Vertreter oder Vertreterinnen mit ihrem Kind einen Berufsausbildungsvertrag, so sind sie von dem Verbot des § 181 des Bürgerlichen Gesetzbuchs[1)] befreit.

(4) Ein Mangel in der Berechtigung, Auszubildende einzustellen oder auszubilden, berührt die Wirksamkeit des Berufsausbildungsvertrages nicht.

[1)] Nr. **50**.

(5) Zur Erfüllung der vertraglichen Verpflichtungen der Ausbildenden können mehrere natürliche oder juristische Personen in einem Ausbildungsverbund zusammenwirken, soweit die Verantwortlichkeit für die einzelnen Ausbildungsabschnitte sowie für die Ausbildungszeit insgesamt sichergestellt ist (Verbundausbildung).

§ 11 Vertragsabfassung. (1) [1]Ausbildende haben unverzüglich nach Abschluss des Berufsausbildungsvertrages, spätestens vor Beginn der Berufsausbildung, den wesentlichen Inhalt des Vertrages gemäß Satz 2 in Textform abzufassen. [2]In die Vertragsabfassung sind mindestens aufzunehmen

1. Name und Anschrift der Ausbildenden sowie der Auszubildenden, bei Minderjährigen zusätzlich Name und Anschrift ihrer gesetzlichen Vertreter oder Vertreterinnen,
2. Art, sachliche und zeitliche Gliederung sowie Ziel der Berufsausbildung, insbesondere die Berufstätigkeit, für die ausgebildet werden soll,
3. Beginn und Dauer der Berufsausbildung,
4. die Ausbildungsstätte und Ausbildungsmaßnahmen außerhalb der Ausbildungsstätte,
5. Dauer der regelmäßigen täglichen Ausbildungszeit,
6. Dauer der Probezeit,
7. Zahlung und Höhe der Vergütung sowie deren Zusammensetzung, sofern sich die Vergütung aus verschiedenen Bestandteilen zusammensetzt,
8. Vergütung oder Ausgleich von Überstunden,
9. Dauer des Urlaubs,
10. Voraussetzungen, unter denen der Berufsausbildungsvertrag gekündigt werden kann,
11. ein in allgemeiner Form gehaltener Hinweis auf die Tarifverträge, Betriebs- oder Dienstvereinbarungen, die auf das Berufsausbildungsverhältnis anzuwenden sind,
12. die Form des Ausbildungsnachweises nach § 13 Satz 2 Nummer 7.

(2) [1]Ausbildende haben den Auszubildenden und deren gesetzlichen Vertretern und Vertreterinnen die Vertragsabfassung unverzüglich nach deren Erstellung auszuhändigen oder nach Maßgabe des Satzes 2 zu übermitteln. [2]Bei elektronischer Abfassung ist die Vertragsabfassung so zu übermitteln, dass die Empfänger und Empfängerinnen nach Satz 1 diese speichern und ausdrucken können. [3]Ausbildende haben den Empfang durch die Empfänger und Empfängerinnen nach Satz 1 nachzuweisen. [4]Die Vertragsabfassung und den Empfangsnachweis haben Ausbildende nach Ablauf des Jahres, in dem das Ausbildungsverhältnis beendet wurde, drei Jahre lang aufzubewahren.

(3) Bei Änderungen des Berufsausbildungsvertrages gelten die Absätze 1 und 2 entsprechend.

(4) (weggefallen)

§ 12 Nichtige Vereinbarungen. (1) [1]Eine Vereinbarung, die Auszubildende für die Zeit nach Beendigung des Berufsausbildungsverhältnisses in der Ausübung ihrer beruflichen Tätigkeit beschränkt, ist nichtig. [2]Dies gilt nicht, wenn sich Auszubildende innerhalb der letzten sechs Monate des Berufsausbildungsverhältnisses dazu verpflichten, nach dessen Beendigung mit den Ausbildenden ein Arbeitsverhältnis einzugehen.

(2) Nichtig ist eine Vereinbarung über

1. die Verpflichtung Auszubildender, für die Berufsausbildung eine Entschädigung zu zahlen,
2. Vertragsstrafen,
3. den Ausschluss oder die Beschränkung von Schadensersatzansprüchen,
4. die Festsetzung der Höhe eines Schadensersatzes in Pauschbeträgen.

Unterabschnitt 2. Pflichten der Auszubildenden

§ 13 Verhalten während der Berufsausbildung. [1]Auszubildende haben sich zu bemühen, die berufliche Handlungsfähigkeit zu erwerben, die zum Erreichen des Ausbildungsziels erforderlich ist. [2]Sie sind insbesondere verpflichtet,

1. die ihnen im Rahmen ihrer Berufsausbildung aufgetragenen Aufgaben sorgfältig auszuführen,
2. an Ausbildungsmaßnahmen teilzunehmen, für die sie nach § 15 freigestellt werden,
3. den Weisungen zu folgen, die ihnen im Rahmen der Berufsausbildung von Ausbildenden, von Ausbildern oder Ausbilderinnen oder von anderen weisungsberechtigten Personen erteilt werden,
4. die für die Ausbildungsstätte geltende Ordnung zu beachten,
5. Werkzeug, Maschinen und sonstige Einrichtungen pfleglich zu behandeln,
6. über Betriebs- und Geschäftsgeheimnisse Stillschweigen zu wahren,
7. einen schriftlichen oder elektronischen Ausbildungsnachweis zu führen,
8. den Empfang der Vertragsabfassung zu bestätigen.

Unterabschnitt 3. Pflichten der Ausbildenden

§ 14 Berufsausbildung. (1) Ausbildende haben

1. dafür zu sorgen, dass den Auszubildenden die berufliche Handlungsfähigkeit vermittelt wird, die zum Erreichen des Ausbildungsziels erforderlich ist, und die Berufsausbildung in einer durch ihren Zweck gebotenen Form planmäßig, zeitlich und sachlich gegliedert so durchzuführen, dass das Ausbildungsziel in der vorgesehenen Ausbildungszeit erreicht werden kann,
2. selbst auszubilden oder einen Ausbilder oder eine Ausbilderin ausdrücklich damit zu beauftragen,
3. Auszubildenden kostenlos die Ausbildungsmittel, insbesondere Werkzeuge, Werkstoffe und Fachliteratur zur Verfügung zu stellen, die zur Berufsausbildung und zum Ablegen von Zwischen- und Abschlussprüfungen, auch soweit solche nach Beendigung des Berufsausbildungsverhältnisses stattfinden, erforderlich sind; die für das digitale mobile Ausbilden nach § 28 Absatz 2 Satz 2 zusätzlich erforderliche Hard- und Software sind für die Auszubildenden kostenlos zur Verfügung zu stellen,
4. Auszubildende zum Besuch der Berufsschule anzuhalten,
5. dafür zu sorgen, dass Auszubildende charakterlich gefördert sowie sittlich und körperlich nicht gefährdet werden.

(2) [1]Ausbildende haben Auszubildende zum Führen der Ausbildungsnachweise nach § 13 Satz 2 Nummer 7 anzuhalten und diese regelmäßig durch-

zusehen. [2] Den Auszubildenden ist Gelegenheit zu geben, den Ausbildungsnachweis am Arbeitsplatz zu führen.

(3) Auszubildenden dürfen nur Aufgaben übertragen werden, die dem Ausbildungszweck dienen und ihren körperlichen Kräften angemessen sind.

§ 15 Freistellung, Anrechnung. (1) [1] Ausbildende dürfen Auszubildende vor einem vor 9 Uhr beginnenden Berufsschulunterricht nicht beschäftigen. [2] Sie haben Auszubildende freizustellen

1. für die Teilnahme am Berufsschulunterricht,
2. an einem Berufsschultag mit mehr als fünf Unterrichtsstunden von mindestens je 45 Minuten, einmal in der Woche,
3. in Berufsschulwochen mit einem planmäßigen Blockunterricht von mindestens 25 Stunden an mindestens fünf Tagen,
4. für die Teilnahme an Prüfungen und Ausbildungsmaßnahmen, die auf Grund öffentlich-rechtlicher oder vertraglicher Bestimmungen außerhalb der Ausbildungsstätte durchzuführen sind, und
5. an dem Arbeitstag, der der schriftlichen Abschlussprüfung unmittelbar vorangeht.

[3] Im Fall von Satz 2 Nummer 3 sind zusätzliche betriebliche Ausbildungsveranstaltungen bis zu zwei Stunden wöchentlich zulässig.

(2) Auf die Ausbildungszeit der Auszubildenden werden angerechnet

1. die Berufsschulunterrichtszeit nach Absatz 1 Satz 2 Nummer 1 einschließlich der Pausen und der notwendigen Wegezeiten zwischen Berufsschule und Ausbildungsstätte,
2. Berufsschultage nach Absatz 1 Satz 2 Nummer 2 mit der durchschnittlichen täglichen Ausbildungszeit,
3. Berufsschulwochen nach Absatz 1 Satz 2 Nummer 3 mit der durchschnittlichen wöchentlichen Ausbildungszeit,
4. die Freistellung nach Absatz 1 Satz 2 Nummer 4 mit der Zeit der Teilnahme einschließlich der Pausen und der notwendigen Wegezeiten zwischen Teilnahmeort und Ausbildungsstätte und
5. die Freistellung nach Absatz 1 Satz 2 Nummer 5 mit der durchschnittlichen täglichen Ausbildungszeit.

(3) Für Auszubildende unter 18 Jahren gilt das Jugendarbeitsschutzgesetz[1)].

§ 16 Zeugnis. (1) [1] Ausbildende haben den Auszubildenden bei Beendigung des Berufsausbildungsverhältnisses ein schriftliches Zeugnis auszustellen. [2] Das Zeugnis kann mit Einwilligung der Auszubildenden in elektronischer Form erteilt werden. [3] Haben Ausbildende die Berufsausbildung nicht selbst durchgeführt, so soll auch der Ausbilder oder die Ausbilderin das Zeugnis unterschreiben.

(2) [1] Das Zeugnis muss Angaben enthalten über Art, Dauer und Ziel der Berufsausbildung sowie über die erworbenen beruflichen Fertigkeiten, Kenntnisse und Fähigkeiten der Auszubildenden. [2] Auf Verlangen Auszubildender sind auch Angaben über Verhalten und Leistung aufzunehmen.

[1)] Nr. **420**.

Unterabschnitt 4. Vergütung

§ 17 Vergütungsanspruch und Mindestvergütung. (1) [1]Ausbildende haben Auszubildenden eine angemessene Vergütung zu gewähren. [2]Die Vergütung steigt mit fortschreitender Berufsausbildung, mindestens jährlich, an.

(2) [1]Die Angemessenheit der Vergütung ist ausgeschlossen, wenn sie folgende monatliche Mindestvergütung unterschreitet:

1. im ersten Jahr einer Berufsausbildung
   a) 515 Euro, wenn die Berufsausbildung im Zeitraum vom 1. Januar 2020 bis zum 31. Dezember 2020 begonnen wird,
   b) 550 Euro, wenn die Berufsausbildung im Zeitraum vom 1. Januar 2021 bis zum 31. Dezember 2021 begonnen wird,
   c) 585 Euro, wenn die Berufsausbildung im Zeitraum vom 1. Januar 2022 bis zum 31. Dezember 2022 begonnen wird, und
   d) 620 Euro, wenn die Berufsausbildung im Zeitraum vom 1. Januar 2023 bis zum 31. Dezember 2023 begonnen wird,
2. im zweiten Jahr einer Berufsausbildung den Betrag nach Nummer 1 für das jeweilige Jahr, in dem die Berufsausbildung begonnen worden ist, zuzüglich 18 Prozent,
3. im dritten Jahr einer Berufsausbildung den Betrag nach Nummer 1 für das jeweilige Jahr, in dem die Berufsausbildung begonnen worden ist, zuzüglich 35 Prozent und
4. im vierten Jahr einer Berufsausbildung den Betrag nach Nummer 1 für das jeweilige Jahr, in dem die Berufsausbildung begonnen worden ist, zuzüglich 40 Prozent.

[2]Die Höhe der Mindestvergütung nach Satz 1 Nummer 1 wird zum 1. Januar eines jeden Jahres, erstmals zum 1. Januar 2024, fortgeschrieben.[1)] [3]Die Fortschreibung entspricht dem rechnerischen Mittel der nach § 88 Absatz 1 Satz 1 Nummer 1 Buchstabe g erhobenen Ausbildungsvergütungen im Vergleich der beiden dem Jahr der Bekanntgabe vorausgegangenen Kalenderjahre. [4]Dabei ist der sich ergebende Betrag bis unter 0,50 Euro abzurunden sowie von 0,50 Euro an aufzurunden. [5]Das Bundesministerium für Bildung und Forschung gibt jeweils spätestens bis zum 1. November eines jeden Kalenderjahres die Höhe der Mindestvergütung nach Satz 1 Nummer 1 bis 4, die für das folgende Kalenderjahr maßgebend ist, im Bundesgesetzblatt bekannt. [6]Die nach den Sätzen 2 bis 5 fortgeschriebene Höhe der Mindestvergütung für das erste Jahr einer Berufsausbildung gilt für Berufsausbildungen, die im

---

[1)] Siehe hierzu u.a.:

Fortschreibungsbekanntmachung Mindestvergütung für Berufsausbildungen nach dem BerufsbildungsG 2024 v. 16.10.2023 (BGBl. 2023 I Nr. 279),

Fortschreibungsbekanntmachung Mindestvergütung für Berufsausbildungen nach dem BerufsbildungsG 2025 v. 8.10.2024 (BGBl. 2024 I Nr. 305),

Fortschreibungsbekanntmachung Mindestvergütung für Berufsausbildungen nach dem BerufsbildungsG 2026 v. 7.10.2025 (BGBl. 2025 I Nr. 235): die monatliche Mindestvergütung beträgt, wenn die Berufsausbildung im Zeitraum vom 1. Januar 2026 bis zum 31. Dezember 2026 begonnen wird,.
– im ersten Jahr einer Berufsausbildung **724 Euro**,
– im zweiten Jahr einer Berufsausbildung **854 Euro**,
– im dritten Jahr einer Berufsausbildung **977 Euro**
– im vierten Jahr einer Berufsausbildung **1014 Euro**.

Jahr der Fortschreibung begonnen werden. [7] Die Aufschläge nach Satz 1 Nummer 2 bis 4 für das zweite bis vierte Jahr einer Berufsausbildung sind auf der Grundlage dieses Betrages zu berechnen und entsprechend Satz 4 zu runden.

(Fortsetzung nächstes Blatt)

(3) [1] Angemessen ist auch eine für den Ausbildenden nach § 3 Absatz 1 des Tarifvertragsgesetzes[1)] geltende tarifvertragliche Vergütungsregelung, durch die die in Absatz 2 genannte jeweilige Mindestvergütung unterschritten wird. [2] Nach Ablauf eines Tarifvertrages nach Satz 1 gilt dessen Vergütungsregelung für bereits begründete Ausbildungsverhältnisse weiterhin als angemessen, bis sie durch einen neuen oder ablösenden Tarifvertrag ersetzt wird.

(4) Die Angemessenheit der vereinbarten Vergütung ist auch dann, wenn sie die Mindestvergütung nach Absatz 2 nicht unterschreitet, in der Regel ausgeschlossen, wenn sie die Höhe der in einem Tarifvertrag geregelten Vergütung, in dessen Geltungsbereich das Ausbildungsverhältnis fällt, an den der Ausbildende aber nicht gebunden ist, um mehr als 20 Prozent unterschreitet.

(5) [1] Bei einer Teilzeitberufsausbildung kann eine nach den Absätzen 2 bis 4 zu gewährende Vergütung unterschritten werden. [2] Die Angemessenheit der Vergütung ist jedoch ausgeschlossen, wenn die prozentuale Kürzung der Vergütung höher ist als die prozentuale Kürzung der täglichen oder der wöchentlichen Arbeitszeit. [3] Absatz 1 Satz 2 und Absatz 2 Satz 1 Nummer 2 bis 4, auch in Verbindung mit Absatz 2 Satz 2 bis 7, sind mit der Maßgabe anzuwenden, dass für die nach § 7a Absatz 2 Satz 1 verlängerte Dauer der Teilzeitberufsausbildung kein weiterer Anstieg der Vergütung erfolgen muss.

(6) Sachleistungen können in Höhe der nach § 17 Absatz 1 Satz 1 Nummer 4 des Vierten Buches Sozialgesetzbuch[2)] festgesetzten Sachbezugswerte angerechnet werden, jedoch nicht über 75 Prozent der Bruttovergütung hinaus.

(7) Eine über die vereinbarte regelmäßige tägliche Ausbildungszeit hinausgehende Beschäftigung ist besonders zu vergüten oder durch die Gewährung entsprechender Freizeit auszugleichen.

§ 18 Bemessung und Fälligkeit der Vergütung. (1) [1] Die Vergütung bemisst sich nach Monaten. [2] Bei Berechnung der Vergütung für einzelne Tage wird der Monat zu 30 Tagen gerechnet.

(2) Ausbildende haben die Vergütung für den laufenden Kalendermonat spätestens am letzten Arbeitstag des Monats zu zahlen.

(3) [1] Gilt für Ausbildende nicht nach § 3 Absatz 1 des Tarifvertragsgesetzes[1)] eine tarifvertragliche Vergütungsregelung, sind sie verpflichtet, den bei ihnen beschäftigten Auszubildenden spätestens zu dem in Absatz 2 genannten Zeitpunkt eine Vergütung mindestens in der bei Beginn der Berufsausbildung geltenden Höhe der Mindestvergütung nach § 17 Absatz 2 Satz 1 zu zahlen. [2] Satz 1 findet bei einer Teilzeitberufsausbildung mit der Maßgabe Anwendung, dass die Vergütungshöhe unter Berücksichtigung des § 17 Absatz 5 Satz 3 mindestens dem prozentualen Anteil an der Arbeitszeit entsprechen muss.

§ 19 Fortzahlung der Vergütung. (1) Auszubildenden ist die Vergütung auch zu zahlen

1. für die Zeit der Freistellung (§ 15),
2. bis zur Dauer von sechs Wochen, wenn sie
   a) sich für die Berufsausbildung bereithalten, diese aber ausfällt oder

---

[1)] Nr. **504**.
[2)] Nr. **694**.

b) aus einem sonstigen, in ihrer Person liegenden Grund unverschuldet verhindert sind, ihre Pflichten aus dem Berufsausbildungsverhältnis zu erfüllen.

(2) Können Auszubildende während der Zeit, für welche die Vergütung fortzuzahlen ist, aus berechtigtem Grund Sachleistungen nicht abnehmen, so sind diese nach den Sachbezugswerten (§ 17 Absatz 6) abzugelten.

Unterabschnitt 5. Beginn und Beendigung des Ausbildungsverhältnisses

§ 20 Probezeit. [1] Das Berufsausbildungsverhältnis beginnt mit der Probezeit. [2] Sie muss mindestens einen Monat und darf höchstens vier Monate betragen.

§ 21 Beendigung. (1) Das Berufsausbildungsverhältnis endet mit dem Ablauf der Ausbildungsdauer.

(2) Bestehen Auszubildende vor Ablauf der Ausbildungsdauer die Abschlussprüfung, so endet das Berufsausbildungsverhältnis mit Bekanntgabe des Ergebnisses durch den Prüfungsausschuss.

(3) Bestehen Auszubildende die Abschlussprüfung nicht, so verlängert sich das Berufsausbildungsverhältnis auf ihr Verlangen bis zur nächstmöglichen Wiederholungsprüfung, höchstens um ein Jahr.

§ 22 Kündigung. (1) Während der Probezeit kann das Berufsausbildungsverhältnis jederzeit ohne Einhalten einer Kündigungsfrist gekündigt werden.

(2) Nach der Probezeit kann das Berufsausbildungsverhältnis nur gekündigt werden

1. aus einem wichtigen Grund ohne Einhalten einer Kündigungsfrist,
2. von Auszubildenden mit einer Kündigungsfrist von vier Wochen, wenn sie die Berufsausbildung aufgeben oder sich für eine andere Berufstätigkeit ausbilden lassen wollen.

(3) Die Kündigung muss schriftlich und in den Fällen des Absatzes 2 unter Angabe der Kündigungsgründe erfolgen; die elektronische Form ist ausgeschlossen.

(4) [1] Eine Kündigung aus einem wichtigen Grund ist unwirksam, wenn die ihr zugrunde liegenden Tatsachen dem zur Kündigung Berechtigten länger als zwei Wochen bekannt sind. [2] Ist ein vorgesehenes Güteverfahren vor einer außergerichtlichen Stelle eingeleitet, so wird bis zu dessen Beendigung der Lauf dieser Frist gehemmt.

§ 23 Schadensersatz bei vorzeitiger Beendigung. (1) [1] Wird das Berufsausbildungsverhältnis nach der Probezeit vorzeitig gelöst, so können Ausbildende oder Auszubildende Ersatz des Schadens verlangen, wenn die andere Person den Grund für die Auflösung zu vertreten hat. [2] Dies gilt nicht im Falle des § 22 Absatz 2 Nummer 2.

(2) Der Anspruch erlischt, wenn er nicht innerhalb von drei Monaten nach Beendigung des Berufsausbildungsverhältnisses geltend gemacht wird.

Unterabschnitt 6. Sonstige Vorschriften

§ 24 Weiterarbeit. Werden Auszubildende im Anschluss an das Berufsausbildungsverhältnis beschäftigt, ohne dass hierüber ausdrücklich etwas vereinbart worden ist, so gilt ein Arbeitsverhältnis auf unbestimmte Zeit als begründet.

§ 25 Unabdingbarkeit. Eine Vereinbarung, die zuungunsten Auszubildender von den Vorschriften dieses Teils des Gesetzes abweicht, ist nichtig.

§ 26 Andere Vertragsverhältnisse. Soweit nicht ein Arbeitsverhältnis vereinbart ist, gelten für Personen, die eingestellt werden, um berufliche Fertigkeiten, Kenntnisse, Fähigkeiten oder berufliche Erfahrungen zu erwerben, ohne dass es sich um eine Berufsausbildung im Sinne dieses Gesetzes handelt, die §§ 10 bis 16 und 17 Absatz 1, 6 und 7 sowie die §§ 18 bis 23 und 25 mit der Maßgabe, dass die gesetzliche Probezeit abgekürzt, auf die Vertragsabfassung verzichtet und bei vorzeitiger Lösung des Vertragsverhältnisses nach Ablauf der Probezeit abweichend von § 23 Absatz 1 Satz 1 Schadensersatz nicht verlangt werden kann.

Abschnitt 3. Eignung von Ausbildungsstätte und Ausbildungspersonal

§ 27 Eignung der Ausbildungsstätte. (1) Auszubildende dürfen nur eingestellt und ausgebildet werden, wenn

1. die Ausbildungsstätte nach Art und Einrichtung für die Berufsausbildung geeignet ist und
2. die Zahl der Auszubildenden in einem angemessenen Verhältnis zur Zahl der Ausbildungsplätze oder zur Zahl der beschäftigten Fachkräfte steht, es sei denn, dass anderenfalls die Berufsausbildung nicht gefährdet wird.

(2) Eine Ausbildungsstätte, in der die erforderlichen beruflichen Fertigkeiten, Kenntnisse und Fähigkeiten nicht im vollen Umfang vermittelt werden können, gilt als geeignet, wenn diese durch Ausbildungsmaßnahmen außerhalb der Ausbildungsstätte vermittelt werden.

(3) [1] Eine Ausbildungsstätte ist nach Art und Einrichtung für die Berufsausbildung in Berufen der Landwirtschaft, einschließlich der ländlichen Hauswirtschaft, nur geeignet, wenn sie von der nach Landesrecht zuständigen Behörde als Ausbildungsstätte anerkannt ist. [2] Das Bundesministerium für Ernährung und Landwirtschaft kann im Einvernehmen mit dem Bundesministerium für Bildung und Forschung nach Anhörung des Hauptausschusses des Bundesinstituts für Berufsbildung durch Rechtsverordnung, die nicht der Zustimmung des Bundesrates bedarf, Mindestanforderungen für die Größe, die Einrichtung und den Bewirtschaftungszustand der Ausbildungsstätte festsetzen.

(4) [1] Eine Ausbildungsstätte ist nach Art und Einrichtung für die Berufsausbildung in Berufen der Hauswirtschaft nur geeignet, wenn sie von der nach Landesrecht zuständigen Behörde als Ausbildungsstätte anerkannt ist. [2] Das Bundesministerium für Wirtschaft und Klimaschutz kann im Einvernehmen mit dem Bundesministerium für Bildung und Forschung nach Anhörung des Hauptausschusses des Bundesinstituts für Berufsbildung durch Rechtsverordnung, die nicht der Zustimmung des Bundesrates bedarf, Mindestanforderungen für die Größe, die Einrichtung und den Bewirtschaftungszustand der Ausbildungsstätte festsetzen.

§ 28 Eignung von Ausbildenden und Ausbildern oder Ausbilderinnen.

(1) [1] Auszubildende darf nur einstellen, wer persönlich geeignet ist. [2] Auszubildende darf nur ausbilden, wer persönlich und fachlich geeignet ist.

(2) [1] Wer fachlich nicht geeignet ist oder wer nicht selbst ausbildet, darf Auszubildende nur dann einstellen, wenn er persönlich und fachlich geeignete

Ausbilder oder Ausbilderinnen bestellt, die die Ausbildungsinhalte in der Ausbildungsstätte unmittelbar, verantwortlich und in wesentlichem Umfang vermitteln. [2] Eine unmittelbare Vermittlung der Ausbildungsinhalte ist in angemessenem Umfang auch als digitales mobiles Ausbilden ohne gleichzeitige Anwesenheit der Auszubildenden und ihrer Ausbilder oder Ausbilderinnen am gleichen Ort möglich, wenn

1. für die Vermittlung Informationstechnik eingesetzt wird,
2. die Ausbildungsinhalte und die Orte, an denen sich die Auszubildenden und ihre Ausbilder oder Ausbilderinnen jeweils aufhalten, für die Vermittlung von Ausbildungsinhalten auf Distanz geeignet sind und
3. die Qualität der Vermittlung derjenigen bei gleichzeitiger Anwesenheit der Auszubildenden und ihrer Ausbilder oder Ausbilderinnen am gleichen Ort gleichwertig ist; dies ist insbesondere der Fall, wenn der Ausbilder oder die Ausbilderin jederzeit zu den betriebsüblichen Zeiten für den Auszubildenden oder die Auszubildende erreichbar ist, den Lernprozess steuert und begleitet sowie die Lernfortschritte kontrolliert.

[3] Für die Ausgestaltung digitalen mobilen Ausbildens kann der Hauptausschuss des Bundesinstituts für Berufsbildung Empfehlungen beschließen.

(3) Unter der Verantwortung des Ausbilders oder der Ausbilderin kann bei der Berufsausbildung mitwirken, wer selbst nicht Ausbilder oder Ausbilderin ist, aber abweichend von den besonderen Voraussetzungen des § 30 die für die Vermittlung von Ausbildungsinhalten erforderlichen beruflichen Fertigkeiten, Kenntnisse und Fähigkeiten besitzt und persönlich geeignet ist.

§ 29 Persönliche Eignung. Persönlich nicht geeignet ist insbesondere, wer

1. Kinder und Jugendliche nicht beschäftigen darf oder
2. wiederholt oder schwer gegen dieses Gesetz oder die auf Grund dieses Gesetzes erlassenen Vorschriften und Bestimmungen verstoßen hat.

§ 30 Fachliche Eignung. (1) Fachlich geeignet ist, wer die beruflichen sowie die berufs- und arbeitspädagogischen Fertigkeiten, Kenntnisse und Fähigkeiten besitzt, die für die Vermittlung der Ausbildungsinhalte erforderlich sind.

(2) Die erforderlichen beruflichen Fertigkeiten, Kenntnisse und Fähigkeiten besitzt, wer

1. die Abschlussprüfung in einer dem Ausbildungsberuf entsprechenden Fachrichtung bestanden hat,
2. das Feststellungsverfahren nach § 1 Absatz 6 mit dem Ergebnis der vollständigen Vergleichbarkeit der individuellen beruflichen Handlungsfähigkeit mit der für die Ausübung des Ausbildungsberufs der entsprechenden Fachrichtung erforderlichen beruflichen Handlungsfähigkeit abgeschlossen hat,
3. eine anerkannte Prüfung an einer Ausbildungsstätte oder vor einer Prüfungsbehörde oder eine Abschlussprüfung an einer staatlichen oder staatlich anerkannten Schule in einer dem Ausbildungsberuf entsprechenden Fachrichtung bestanden hat,
4. eine Abschlussprüfung an einer deutschen Hochschule in einer dem Ausbildungsberuf entsprechenden Fachrichtung bestanden hat oder

5. im Ausland einen Bildungsabschluss in einer dem Ausbildungsberuf entsprechenden Fachrichtung erworben hat, dessen Gleichwertigkeit nach dem Berufsqualifikationsfeststellungsgesetz[1] oder anderen rechtlichen Regelungen festgestellt worden ist

und eine angemessene Zeit in seinem Beruf praktisch tätig gewesen ist.

(3) Das Bundesministerium für Wirtschaft und Klimaschutz oder das sonst zuständige Fachministerium kann im Einvernehmen mit dem Bundesministerium für Bildung und Forschung nach Anhörung des Hauptausschusses des Bundesinstituts für Berufsbildung durch Rechtsverordnung, die nicht der Zustimmung des Bundesrates bedarf, in den Fällen des Absatzes 2 Nummer 3 bestimmen, welche Prüfungen für welche Ausbildungsberufe anerkannt werden.

(4) Das Bundesministerium für Wirtschaft und Klimaschutz oder das sonst zuständige Fachministerium kann im Einvernehmen mit dem Bundesministerium für Bildung und Forschung nach Anhörung des Hauptausschusses des Bundesinstituts für Berufsbildung durch Rechtsverordnung, die nicht der Zustimmung des Bundesrates bedarf, für einzelne Ausbildungsberufe bestimmen, dass abweichend von Absatz 2 die für die fachliche Eignung erforderlichen beruflichen Fertigkeiten, Kenntnisse und Fähigkeiten nur besitzt, wer

1. die Voraussetzungen des Absatzes 2 Nummer 3 oder 4 erfüllt und eine angemessene Zeit in seinem Beruf praktisch tätig gewesen ist oder
2. die Voraussetzungen des Absatzes 2 Nummer 4 erfüllt und eine angemessene Zeit in seinem Beruf praktisch tätig gewesen ist oder
3. für die Ausübung eines freien Berufes zugelassen oder in ein öffentliches Amt bestellt ist.

(5) [1] Das Bundesministerium für Bildung und Forschung kann nach Anhörung des Hauptausschusses des Bundesinstituts für Berufsbildung durch Rechtsverordnung, die nicht der Zustimmung des Bundesrates bedarf, bestimmen, dass der Erwerb berufs- und arbeitspädagogischer Fertigkeiten, Kenntnisse und Fähigkeiten gesondert nachzuweisen ist. [2] Dabei können Inhalt, Umfang und Abschluss der Maßnahmen für den Nachweis geregelt werden.

(6) Die nach Landesrecht zuständige Behörde kann Personen, die die Voraussetzungen des Absatzes 2, 4 oder 5 nicht erfüllen, die fachliche Eignung nach Anhörung der zuständigen Stelle widerruflich zuerkennen.

§ 31 Europaklausel. (1) [1] In den Fällen des § 30 Absatz 2 und 4 besitzt die für die fachliche Eignung erforderlichen beruflichen Fertigkeiten, Kenntnisse und Fähigkeiten auch, wer die Voraussetzungen für die Anerkennung seiner Berufsqualifikation nach der Richtlinie 2005/36/EG[2] des Europäischen Parlaments und des Rates vom 7. September 2005 über die Anerkennung von Berufsqualifikationen (ABl. EU Nr. L 255, S. 22) erfüllt, sofern er eine angemessene Zeit in seinem Beruf praktisch tätig gewesen ist. [2] § 30 Absatz 4 Nummer 3 bleibt unberührt.

(2) Die Anerkennung kann unter den in Artikel 14 der in Absatz 1 genannten Richtlinie aufgeführten Voraussetzungen davon abhängig gemacht werden,

---

[1] **beck-online, Module Arbeitsrecht Nr. 415b.**
[2] **beck-online, Module Arbeitsrecht Nr. 873.**

dass der Antragsteller oder die Antragstellerin zunächst einen höchstens dreijährigen Anpassungslehrgang ableistet oder eine Eignungsprüfung ablegt.

(3) [1] Die Entscheidung über die Anerkennung trifft die zuständige Stelle. [2] Sie kann die Durchführung von Anpassungslehrgängen und Eignungsprüfungen regeln.

§ 31a Sonstige ausländische Vorqualifikationen. [1] In den Fällen des § 30 Absatz 2 und 4 besitzt die für die fachliche Eignung erforderlichen Fertigkeiten, Kenntnisse und Fähigkeiten, wer die Voraussetzungen von § 2 Absatz 1 in Verbindung mit § 9 des Berufsqualifikationsfeststellungsgesetzes[1)] erfüllt und nicht in einem anderen Mitgliedstaat der Europäischen Union oder einem anderen Vertragsstaat des Europäischen Wirtschaftsraums oder der Schweiz seinen Befähigungsnachweis erworben hat, sofern er eine angemessene Zeit in seinem Beruf praktisch tätig gewesen ist. [2] § 30 Absatz 4 Nummer 3 bleibt unberührt.

§ 32 Überwachung der Eignung. (1) Die zuständige Stelle hat darüber zu wachen, dass die Eignung der Ausbildungsstätte sowie die persönliche und fachliche Eignung vorliegen.

(2) [1] Werden Mängel der Eignung festgestellt, so hat die zuständige Stelle, falls der Mangel zu beheben und eine Gefährdung Auszubildender nicht zu erwarten ist, Ausbildende aufzufordern, innerhalb einer von ihr gesetzten Frist den Mangel zu beseitigen. [2] Ist der Mangel der Eignung nicht zu beheben oder ist eine Gefährdung Auszubildender zu erwarten oder wird der Mangel nicht innerhalb der gesetzten Frist beseitigt, so hat die zuständige Stelle dies der nach Landesrecht zuständigen Behörde mitzuteilen.

§ 33 Untersagung des Einstellens und Ausbildens. (1) Die nach Landesrecht zuständige Behörde kann für eine bestimmte Ausbildungsstätte das Einstellen und Ausbilden untersagen, wenn die Voraussetzungen nach § 27 nicht oder nicht mehr vorliegen.

(2) Die nach Landesrecht zuständige Behörde hat das Einstellen und Ausbilden zu untersagen, wenn die persönliche oder fachliche Eignung nicht oder nicht mehr vorliegt.

(3) [1] Vor der Untersagung sind die Beteiligten und die zuständige Stelle zu hören. [2] Dies gilt nicht im Falle des § 29 Nummer 1.

Abschnitt 4. Verzeichnis der Berufsausbildungsverhältnisse

§ 34 Einrichten, Führen. (1) [1] Die zuständige Stelle hat zur Regelung, Überwachung, Förderung und zum Nachweis der Berufsausbildung für anerkannte Ausbildungsberufe ein Verzeichnis der in ihrem Zuständigkeitsbereich bestehenden Berufsausbildungsverhältnisse einzurichten und zu führen, in das der Berufsausbildungsvertrag einzutragen ist. [2] Die Eintragung ist für Auszubildende gebührenfrei.

(2) Die Eintragung umfasst für jedes Berufsausbildungsverhältnis

---

1) beck-online, Module Arbeitsrecht Nr. 415b.

1. Name, Vorname, Geburtsdatum, Anschrift[1)], elektronische Kontaktdaten der Auszubildenden,
2. Geschlecht, Staatsangehörigkeit, allgemeinbildender Schulabschluss, vorausgegangene Teilnahme an berufsvorbereitender Qualifizierung oder beruflicher Grundbildung, vorherige Berufsausbildung sowie vorheriges Studium, Anschlussvertrag bei Anrechnung einer zuvor absolvierten dualen Berufsausbildung nach diesem Gesetz oder nach der Handwerksordnung[2)] einschließlich Ausbildungsberuf,
3. Name, Vorname, Anschrift und elektronische Kontaktdaten der gesetzlichen Vertreter und Vertreterinnen,
4. Ausbildungsberuf einschließlich Fachrichtung,
5. Berufsausbildung im Rahmen eines ausbildungsintegrierenden dualen Studiums,
6. Tag, Monat und Jahr des Abschlusses des Ausbildungsvertrages, Ausbildungsdauer, Dauer der Probezeit, Verkürzung der Ausbildungsdauer, Teilzeitberufsausbildung,
7. die bei Abschluss des Berufsausbildungsvertrages vereinbarte Vergütung für jedes Ausbildungsjahr,
8. Tag, Monat und Jahr des vertraglich vereinbarten Beginns und Endes der Berufsausbildung sowie Tag, Monat und Jahr einer vorzeitigen Auflösung des Ausbildungsverhältnisses,
9. Art der Förderung bei überwiegend öffentlich, insbesondere auf Grund des Dritten Buches Sozialgesetzbuch[3)] geförderten Berufsausbildungsverhältnis,
10. Name, Anschrift[4)], elektronische Kontaktdaten der Ausbildenden, Anschrift und amtlicher Gemeindeschlüssel der Ausbildungsstätte, Wirtschaftszweig, Betriebsnummer der Ausbildungsstätte nach § 18i Absatz 1 oder § 18k Absatz 1 des Vierten Buches Sozialgesetzbuch[5)], Zugehörigkeit zum öffentlichen Dienst,
11. Name, Vorname[6)], elektronische Kontaktdaten, Geschlecht und Art der fachlichen Eignung der Ausbilder und Ausbilderinnen.

[1)] **Amtl. Anm.:** Gemäß Artikel 2 Nummer 1 in Verbindung mit Artikel 7 Absatz 2 des Gesetzes vom 19. Juli 2024 (BGBl. 2024 I Nr. 246) werden in § 34 Absatz 2 Nummer 1 nach dem Wort „Anschrift," die Wörter „Identifikationsnummer nach dem Identifikationsnummerngesetz ***[Steuergesetze Nr. 800k]*** und" eingefügt an dem Tag, an dem das Bundesministerium des Innern und für Heimat im Bundesgesetzblatt bekannt gibt, dass die technischen Voraussetzungen für die Verarbeitung der Identifikationsnummer nach § 139b der Abgabenordnung ***[Steuergesetze Nr. 800]*** nach dem geänderten Gesetz vorliegen.

[2)] Auszugsweise abgedruckt unter Nr. **107**.

[3)] Nr. **700**.

[4)] **Amtl. Anm.:** Gemäß Artikel 2 Nummer 1 in Verbindung mit Artikel 7 Absatz 2 des Gesetzes vom 19. Juli 2024 (BGBl. 2024 I Nr. 246) werden in § 34 Absatz 2 Nummer 10 nach dem Wort „Anschrift," die Wörter „Identifikationsnummer nach dem Identifikationsnummerngesetz ***[Steuergesetze Nr. 800k]*** und" eingefügt an dem Tag, an dem das Bundesministerium des Innern und für Heimat im Bundesgesetzblatt bekannt gibt, dass die technischen Voraussetzungen für die Verarbeitung der Identifikationsnummer nach § 139b der Abgabenordnung ***[Steuergesetze Nr. 800]*** nach dem geänderten Gesetz vorliegen.

[5)] Nr. **694**.

[6)] **Amtl. Anm.:** Gemäß Artikel 2 Nummer 1 in Verbindung mit Artikel 7 Absatz 2 des Gesetzes vom 19. Juli 2024 (BGBl. 2024 I Nr. 246) werden in § 34 Absatz 2 Nummer 11 nach dem Wort „Vorname," die Wörter „Identifikationsnummer nach dem Identifikationsnummerngesetz ***[Steuergesetze Nr. 800k]***," eingefügt an dem Tag, an dem das Bundesministerium des Innern und für Heimat im Bundesgesetzblatt bekannt gibt, dass die technischen Voraussetzungen für die Verarbeitung der →

(3) Die Eintragungen sind am Ende des Kalenderjahres, in dem das Berufsausbildungsverhältnis beendet wird, in dem Verzeichnis der Berufsausbildungsverhältnisse zu löschen.

(4) Die nach Absatz 3 gelöschten Daten sind in einem gesonderten Dateisystem zu speichern, so lange und soweit dies für den Nachweis der Berufsausbildung erforderlich ist, höchstens jedoch für 60 Jahre.

§ 35[1)] Eintragen, Ändern, Löschen. (1) Ein Berufsausbildungsvertrag und Änderungen seines wesentlichen Inhalts sind in das Verzeichnis einzutragen, wenn

1. der Berufsausbildungsvertrag diesem Gesetz und der Ausbildungsordnung entspricht,
2. die persönliche und fachliche Eignung sowie die Eignung der Ausbildungsstätte für das Einstellen und Ausbilden vorliegen und
3. für Auszubildende unter 18 Jahren die ärztliche Bescheinigung über die Erstuntersuchung nach § 32 Absatz 1 des Jugendarbeitsschutzgesetzes[2)] zur Einsicht vorgelegt wird.

(2) [1] Die Eintragung ist abzulehnen oder zu löschen, wenn die Eintragungsvoraussetzungen nicht vorliegen und der Mangel nicht nach § 32 Absatz 2 behoben wird. [2] Die Eintragung ist ferner zu löschen, wenn die ärztliche Bescheinigung über die erste Nachuntersuchung nach § 33 Absatz 1 des Jugendarbeitsschutzgesetzes nicht spätestens am Tage der Anmeldung der Auszubildenden zur Zwischenprüfung oder zum ersten Teil der Abschlussprüfung zur Einsicht vorgelegt und der Mangel nicht nach § 32 Absatz 2 behoben wird.

(3) [1] Zur Verbesserung der Feststellung von Angebot und Nachfrage auf dem Ausbildungsmarkt werden folgende Daten an das Bundesinstitut für Berufsbildung übermittelt:

1. Ausbildungsberuf einschließlich Fachrichtung,
2. Geschlecht der Auszubildenden, Anschlussvertrag bei Anrechnung einer zuvor absolvierten dualen Berufsausbildung nach diesem Gesetz oder nach der Handwerksordnung[3)],
3. Verkürzung der Ausbildungsdauer,
4. Art der Förderung bei überwiegend öffentlich, insbesondere auf Grund des Dritten Buches Sozialgesetzbuch[4)] geförderten Berufsausbildungsverhältnissen.

[2] An die Bundesagentur für Arbeit werden zur Verbesserung der Ausbildungsvermittlung, zur Verbesserung der Zuverlässigkeit und Aktualität der Ausbildungsvermittlungsstatistik sowie zur Verbesserung der Festlegung von Angebot und Nachfrage auf dem Ausbildungsmarkt folgende Daten übermittelt:

1. Name, Vorname, Geburtsdatum, Geschlecht und Anschrift der Auszubildenden,

---

(Fortsetzung der Anm. von voriger Seite)
Identifikationsnummer nach § 139b der Abgabenordnung ***[Steuergesetze Nr. 800]*** nach dem geänderten Gesetz vorliegen.

[1)] § 35 Abs. 3 ber. BGBl. 2025 I Nr. 129.

[2)] Nr. **420**.

[3)] Auszugsweise abgedruckt unter Nr. **107**.

[4)] Nr. **700**.

2. Ausbildungsberuf einschließlich Fachrichtung,
3. Tag, Monat und Jahr des vertraglich vereinbarten Beginns und Endes der Berufsausbildung sowie Tag, Monat und Jahr einer vorzeitigen Auflösung des Ausbildungsverhältnisses,
4. Name und Anschrift der Ausbildenden, Anschrift und amtlicher Gemeindeschlüssel der Ausbildungsstätte, Wirtschaftszweig, Betriebsnummer der Ausbildungsstätte nach § 18i Absatz 1 oder § 18k Absatz 1 des Vierten Buches Sozialgesetzbuch[1], Zugehörigkeit zum öffentlichen Dienst.

[3] Übermittelt werden die nach diesem Gesetz eingetragenen Daten zu den Ausbildungsverhältnissen, die ab dem 1. Oktober des vorangegangenen Kalenderjahres abgeschlossen wurden und am 30. September des laufendenden Kalenderjahres noch bestanden. [4] Bei der Datenübermittlung sind dem jeweiligen Stand der Technik entsprechende Maßnahmen zur Sicherstellung von Datenschutz und Datensicherheit, insbesondere nach den Artikeln 24, 25 und 32 der Verordnung (EU) 2016/679[2] des Europäischen Parlaments und des Rates vom 27. April 2016 zum Schutz natürlicher Personen bei der Verarbeitung personenbezogener Daten, zum freien Datenverkehr und zur Aufhebung der Richtlinie 95/46/EG[3] (Datenschutz-Grundverordnung) (ABl. L 119 vom 4.5. 2016, S. 1; L 314 vom 22.11.2016, S. 72; L 127 vom 23.5.2018, S. 2; L 74 vom 4.3.2021, S. 53) in der jeweils geltenden Fassung zu treffen, die insbesondere die Vertraulichkeit, Unversehrtheit und Zurechenbarkeit der Daten gewährleisten.

(4)[4] [1] An die Bundesagentur für Arbeit werden zur Verbesserung der Ausbildungsvermittlung, zur Verbesserung der Zuverlässigkeit und Aktualität der Ausbildungsvermittlungsstatistik sowie zur Verbesserung der Festlegung von Angebot und Nachfrage auf dem Ausbildungsmarkt folgende Daten übermittelt:

1. *Name, Vorname, Geburtsdatum, Geschlecht und Anschrift der Auszubildenden,*
2. *Ausbildungsberuf einschließlich Fachrichtung,*
3. *Tag, Monat und Jahr des vertraglich vereinbarten Beginns und Endes der Berufsausbildung sowie Tag, Monat und Jahr einer vorzeitigen Auflösung des Ausbildungsverhältnisses,*
4. *Name und Anschrift der Ausbildenden, Anschrift und amtlicher Gemeindeschlüssel der Ausbildungsstätte, Wirtschaftszweig, Betriebsnummer der Ausbildungsstätte nach § 18i Absatz 1 oder § 18k Absatz 1 des Vierten Buches Sozialgesetzbuch[1], Zugehörigkeit zum öffentlichen Dienst.*

[2] Übermittelt werden die nach diesem Gesetz eingetragenen Daten zu den Ausbildungsverhältnissen, die ab dem 1. Oktober des vorangegangenen Kalenderjahres abgeschlossen wurden und am 30. September des laufendenden Kalenderjahres noch bestanden. [3] Bei der Datenübermittlung sind dem jeweiligen Stand der Technik entsprechende Maßnahmen zur Sicherstellung von Datenschutz und Datensicherheit, insbesondere nach den Artikeln 24, 25 und 32 der Verordnung (EU) 2016/679 des Europäischen Parlaments und des Rates vom 27. April 2016 zum Schutz natürlicher Personen bei der Verarbeitung personenbezogener Daten, zum freien Datenverkehr und zur Aufhebung der Richtlinie 95/46/EG (Datenschutz-Grundverordnung) (ABl. L 119 vom 4.5.2016,

---

[1] Nr. **694**.
[2] Nr. **489**.
[3] **beck-online, Module Arbeitsrecht Nr. 488.**
[4] Abs. 4 obsolet geworden durch Ber. BGBl. 2025 I Nr. 129.

S. 1; L 314 vom 22.11.2016, S. 72; L 127 vom 23.5.2018, S. 2; L 74 vom 4.3. 2021, S. 53) in der jeweils geltenden Fassung zu treffen, die insbesondere die Vertraulichkeit, Unversehrtheit und Zurechenbarkeit der Daten gewährleisten.

§ 36 Antrag und Mitteilungspflichten. (1) [1] Ausbildende haben unverzüglich nach Abschluss des Berufsausbildungsvertrages die Eintragung in das Verzeichnis nach Maßgabe des Satzes 2 zu beantragen. [2] Der Antrag kann schriftlich oder elektronisch gestellt werden; eine Kopie der Vertragsabfassung und des Empfangsnachweises ist jeweils beizufügen. [3] Auf einen betrieblichen Ausbildungsplan im Sinne von § 11 Absatz 1 Satz 2 Nummer 2, der der zuständigen Stelle bereits vorliegt, kann dabei Bezug genommen werden. [4] Entsprechendes gilt bei Änderungen des wesentlichen Vertragsinhalts.

(2) Ausbildende und Auszubildende sind verpflichtet, den zuständigen Stellen die zur Eintragung nach § 34 erforderlichen Tatsachen[1)] auf Verlangen mitzuteilen.

Abschnitt 5. Prüfungswesen

§ 37 Abschlussprüfung. (1) [1] In den anerkannten Ausbildungsberufen sind Abschlussprüfungen durchzuführen. [2] Die Abschlussprüfung kann im Falle des Nichtbestehens zweimal wiederholt werden. [3] Sofern die Abschlussprüfung in zwei zeitlich auseinanderfallenden Teilen durchgeführt wird, ist der erste Teil der Abschlussprüfung nicht eigenständig wiederholbar.

(2) [1] Dem Prüfling ist ein Zeugnis auszustellen. [2] Ausbildenden werden auf deren Verlangen die Ergebnisse der Abschlussprüfung der Auszubildenden übermittelt. [3] Sofern die Abschlussprüfung in zwei zeitlich auseinanderfallenden Teilen durchgeführt wird, ist das Ergebnis der Prüfungsleistungen im ersten Teil der Abschlussprüfung dem Prüfling schriftlich oder elektronisch mitzuteilen.

(3) [1] Dem Zeugnis ist auf Antrag des oder der Auszubildenden eine englischsprachige und eine französischsprachige Übersetzung beizufügen. [2] Auf Antrag des oder der Auszubildenden ist das Ergebnis berufsschulischer Leistungsfeststellungen auf dem Zeugnis auszuweisen. [3] Der oder die Auszubildende hat den Nachweis der berufsschulischen Leistungsfeststellungen dem Antrag beizufügen. [4] Sofern die Schule nach Landesrecht verpflichtet ist, die berufsschulische Leistungsfeststellung an die zuständige Stelle zu übermitteln, hat die zuständige Stelle die berufsschulische Leistungsfeststellung nach der Übermittlung auf dem Zeugnis auszuweisen.

(4) Die Abschlussprüfung ist für Auszubildende gebührenfrei.

§ 38 Prüfungsgegenstand. [1] Durch die Abschlussprüfung ist festzustellen, ob der Prüfling die berufliche Handlungsfähigkeit erworben hat. [2] In ihr soll der Prüfling nachweisen, dass er die erforderlichen beruflichen Fertigkeiten beherrscht, die notwendigen beruflichen Kenntnisse und Fähigkeiten besitzt und mit dem im Berufsschulunterricht zu vermittelnden, für die Berufsaus-

[1)] **Amtl. Anm.:** Gemäß Artikel 2 Nummer 2 in Verbindung mit Artikel 7 Absatz 2 des Gesetzes vom 19. Juli 2024 (BGBl. 2024 I Nr. 246) werden in § 36 Absatz 2 nach dem Wort „Tatsachen" die Wörter „mit Ausnahme der Identifikationsnummer nach dem Identifikationsnummerngesetz ***[Steuergesetze Nr. 800k]***" eingefügt an dem Tag, an dem das Bundesministerium des Innern und für Heimat *im Bundesgesetzblatt bekannt gibt*, dass die technischen Voraussetzungen für die Verarbeitung der Identifikationsnummer nach § 139b der Abgabenordnung ***[Steuergesetze Nr. 800]*** nach dem geänderten Gesetz vorliegen.

bildung wesentlichen Lehrstoff vertraut ist. [3]Die Ausbildungsordnung ist zugrunde zu legen.

§ 39 Prüfungsausschüsse, Prüferdelegationen. (1) [1]Für die Durchführung der Abschlussprüfung errichtet die zuständige Stelle Prüfungsausschüsse. [2]Mehrere zuständige Stellen können bei einer von ihnen gemeinsame Prüfungsausschüsse errichten.

(2) Prüfungsausschüsse oder Prüferdelegationen nach § 42 Absatz 2 nehmen die Prüfungsleistungen ab.

(3) [1]Prüfungsausschüsse oder Prüferdelegationen nach § 42 Absatz 2 können zur Bewertung einzelner, nicht mündlich zu erbringender Prüfungsleistungen gutachterliche Stellungnahmen Dritter, insbesondere berufsbildender Schulen, einholen. [2]Im Rahmen der Begutachtung sind die wesentlichen Abläufe zu dokumentieren und die für die Bewertung erheblichen Tatsachen festzuhalten.

§ 40 Zusammensetzung, Berufung. (1) [1]Der Prüfungsausschuss besteht aus mindestens drei Mitgliedern. [2]Die Mitglieder müssen für die Prüfungsgebiete sachkundig und für die Mitwirkung im Prüfungswesen geeignet sein.

(2) [1]Dem Prüfungsausschuss müssen als Mitglieder Beauftragte der Arbeitgeber und der Arbeitnehmer in gleicher Zahl sowie mindestens eine Lehrkraft einer berufsbildenden Schule angehören. [2]Mindestens zwei Drittel der Gesamtzahl der Mitglieder müssen Beauftragte der Arbeitgeber und der Arbeitnehmer sein. [3]Die Mitglieder haben Stellvertreter oder Stellvertreterinnen.

(3) [1]Die Mitglieder werden von der zuständigen Stelle längstens für fünf Jahre berufen. [2]Die Beauftragten der Arbeitnehmer werden auf Vorschlag der im Bezirk der zuständigen Stelle bestehenden Gewerkschaften und selbstständigen Vereinigungen von Arbeitnehmern mit sozial- oder berufspolitischer Zwecksetzung berufen. [3]Die Lehrkraft einer berufsbildenden Schule wird im Einvernehmen mit der Schulaufsichtsbehörde oder der von ihr bestimmten Stelle berufen. [4]Werden Mitglieder nicht oder nicht in ausreichender Zahl innerhalb einer von der zuständigen Stelle gesetzten angemessenen Frist vorgeschlagen, so beruft die zuständige Stelle insoweit nach pflichtgemäßem Ermessen. [5]Die Mitglieder der Prüfungsausschüsse können nach Anhören der an ihrer Berufung Beteiligten aus wichtigem Grund abberufen werden. [6]Die Sätze 1 bis 5 gelten für die stellvertretenden Mitglieder entsprechend.

(4) [1]Die zuständige Stelle kann weitere Prüfende für den Einsatz in Prüferdelegationen nach § 42 Absatz 2 berufen. [2]Die Berufung weiterer Prüfender kann auf bestimmte Prüf- oder Fachgebiete beschränkt werden. [3]Absatz 3 ist entsprechend anzuwenden.

(5) [1]Die für die Berufung von Prüfungsausschussmitgliedern Vorschlagsberechtigten sind über die Anzahl und die Größe der einzurichtenden Prüfungsausschüsse sowie über die Zahl der von ihnen vorzuschlagenden weiteren Prüfenden zu unterrichten. [2]Die Vorschlagsberechtigten werden von der zuständigen Stelle darüber unterrichtet, welche der von ihnen vorgeschlagenen Mitglieder, Stellvertreter und Stellvertreterinnen sowie weiteren Prüfenden berufen wurden.

(6) [1]Die Tätigkeit im Prüfungsausschuss oder in einer Prüferdelegation ist ehrenamtlich. [2]Für bare Auslagen und für Zeitversäumnis ist, soweit eine Entschädigung nicht von anderer Seite gewährt wird, eine angemessene Entschädigung zu zahlen, deren Höhe von der zuständigen Stelle mit Genehmigung der

obersten Landesbehörde festgesetzt wird. [3]Die Entschädigung für Zeitversäumnis hat mindestens im Umfang von § 16 des Justizvergütungs- und -entschädigungsgesetzes[1)] in der jeweils geltenden Fassung zu erfolgen.

(6a) Prüfende sind von ihrem Arbeitgeber von der Erbringung der Arbeitsleistung freizustellen, wenn

1. es zur ordnungsgemäßen Durchführung der ihnen durch das Gesetz zugewiesenen Aufgaben erforderlich ist und
2. wichtige betriebliche Gründe nicht entgegenstehen.

(7) Von Absatz 2 darf nur abgewichen werden, wenn anderenfalls die erforderliche Zahl von Mitgliedern des Prüfungsausschusses nicht berufen werden kann.

§ 41 Vorsitz, Beschlussfähigkeit, Abstimmung. (1) [1]Der Prüfungsausschuss wählt ein Mitglied, das den Vorsitz führt, und ein weiteres Mitglied, das den Vorsitz stellvertretend übernimmt. [2]Der Vorsitz und das ihn stellvertretende Mitglied sollen nicht derselben Mitgliedergruppe angehören.

(2) [1]Der Prüfungsausschuss ist beschlussfähig, wenn zwei Drittel der Mitglieder, mindestens drei, mitwirken. [2]Er beschließt mit der Mehrheit der abgegebenen Stimmen. [3]Bei Stimmengleichheit gibt die Stimme des vorsitzenden Mitglieds den Ausschlag.

§ 42 Beschlussfassung, Bewertung der Abschlussprüfung. (1) Der Prüfungsausschuss fasst die Beschlüsse über

1. die Noten zur Bewertung einzelner Prüfungsleistungen, die er selbst abgenommen hat,
2. die Noten zur Bewertung der Prüfung insgesamt sowie
3. das Bestehen oder Nichtbestehen der Abschlussprüfung.

(2) [1]Die zuständige Stelle kann im Einvernehmen mit den Mitgliedern des Prüfungsausschusses die Abnahme und abschließende Bewertung von Prüfungsleistungen auf Prüferdelegationen übertragen. [2]Für die Zusammensetzung von Prüferdelegationen und für die Abstimmungen in der Prüferdelegation sind § 40 Absatz 1 und 2 sowie § 41 entsprechend anzuwenden. [3]Mitglieder von Prüferdelegationen können die Mitglieder des Prüfungsausschusses, deren Stellvertreter und Stellvertreterinnen sowie weitere Prüfende sein, die durch die zuständige Stelle nach § 40 Absatz 4 berufen worden sind.

(3) [1]Die zuständige Stelle hat vor Beginn der Prüfung über die Bildung von Prüferdelegationen, über deren Mitglieder sowie über deren Stellvertreter und Stellvertreterinnen zu entscheiden. [2]Prüfende können Mitglieder mehrerer Prüferdelegationen sein. [3]Sind verschiedene Prüfungsleistungen derart aufeinander bezogen, dass deren Beurteilung nur einheitlich erfolgen kann, so müssen diese Prüfungsleistungen von denselben Prüfenden abgenommen werden.

(4) [1]Nach § 47 Absatz 2 Satz 2 erstellte oder ausgewählte Antwort-Wahl-Aufgaben können automatisiert ausgewertet werden, wenn das Aufgabenerstellungs- oder Aufgabenauswahlgremium festgelegt hat, welche Antworten als zutreffend anerkannt werden. [2]Die Ergebnisse sind vom Prüfungsausschuss zu übernehmen.

[1)] **beck-online, Module Arbeitsrecht Nr. 669.**

(5) [1]Der Prüfungsausschuss oder die Prüferdelegation kann einvernehmlich die Abnahme und Bewertung einzelner schriftlicher oder sonstiger Prüfungsleistungen, deren Bewertung unabhängig von der Anwesenheit bei der Erbringung erfolgen kann, so vornehmen, dass zwei seiner oder ihrer Mitglieder die Prüfungsleistungen selbstständig und unabhängig bewerten. [2]Weichen die auf der Grundlage des in der Prüfungsordnung vorgesehenen Bewertungsschlüssels erfolgten Bewertungen der beiden Prüfenden um nicht mehr als 10 Prozent der erreichbaren Punkte voneinander ab, so errechnet sich die endgültige Bewertung aus dem Durchschnitt der beiden Bewertungen. [3]Bei einer größeren Abweichung erfolgt die endgültige Bewertung durch ein vorab bestimmtes weiteres Mitglied des Prüfungsausschusses oder der Prüferdelegation.

(6) Sieht die Ausbildungsordnung vor, dass Auszubildende bei erfolgreichem Abschluss eines zweijährigen Ausbildungsberufs vom ersten Teil der Abschlussprüfung eines darauf aufbauenden drei- oder dreieinhalbjährigen Ausbildungsberufs befreit sind, so ist das Ergebnis der Abschlussprüfung des zweijährigen Ausbildungsberufs vom Prüfungsausschuss als das Ergebnis des ersten Teils der Abschlussprüfung des auf dem zweijährigen Ausbildungsberuf aufbauenden drei- oder dreieinhalbjährigen Ausbildungsberufs zu übernehmen.

§ 42a Virtuelle Teilnahme von Prüfenden. (1) [1]Die zuständige Stelle kann bestimmen, dass bei der Abnahme und Bewertung von Prüfungsleistungen, deren Bewertung die Anwesenheit der Prüfenden bei der Abnahme erfordert, Prüfende unter Einsatz der Übertragung von Bild und Ton (Videokonferenz) teilnehmen, wenn

1. die abzunehmenden Prüfungsleistungen für diese Form der Durchführung geeignet sind,
2. die Prüflinge mit der Ladung zur Prüfung über diese Form der Durchführung informiert worden sind,
3. die Prüflinge sich unter Aufsicht an einem Ort befinden, der von der zuständigen Stelle festgelegt worden ist,
4. sich mindestens ein Prüfender am gleichen Ort wie die Prüflinge befindet,
5. die zuständige Stelle die zu nutzende Videokonferenztechnik festgelegt hat und deren Funktionsfähigkeit sowie deren Barrierefreiheit sicherstellt,
6. den Prüflingen und den Prüfenden vor der Prüfung ausreichend Gelegenheit gegeben worden ist, sich mit der Videokonferenztechnik vertraut zu machen,
7. während der Abnahme der Prüfungsleistung eine für die Videokonferenztechnik sachkundige Person zur Verfügung steht,
8. bei vorübergehenden technischen Störungen, die nicht durch den Prüfling zu vertreten sind, der damit verbundene Zeitverlust durch entsprechende Zeitverlängerung ausgeglichen wird und
9. keine Aufzeichnung der Videokonferenz erfolgt.

[2]Auf Antrag einzelner Prüfender bei der zuständigen Stelle gilt Satz 1 nur für einzelne Prüfungsleistungen und diese Prüfenden mit der Maßgabe, dass die übrigen Prüfenden des jeweiligen Prüfungsausschusses oder der jeweiligen Prüferdelegation dem Antrag zustimmen.

(2) Die zuständige Stelle kann bestimmen, dass die Prüfenden an Sitzungen von Prüfungsausschüssen oder Prüferdelegationen auch ohne Anwesenheit an

einem Ort teilnehmen und sämtliche oder einzelne ihrer Rechte ganz oder teilweise im Wege elektronischer Kommunikation ausüben können.

§ 43 Zulassung zur Abschlussprüfung. (1) Zur Abschlussprüfung ist zuzulassen,

1. wer die Ausbildungsdauer zurückgelegt hat oder wessen Ausbildungsdauer nicht später als zwei Monate nach dem Prüfungstermin endet,
2. wer an vorgeschriebenen Zwischenprüfungen teilgenommen sowie einen Ausbildungsnachweis nach § 13 Satz 2 Nummer 7 über den Ausbildenden oder die Ausbildende schriftlich oder elektronisch vorgelegt hat und
3. wessen Berufsausbildungsverhältnis in das Verzeichnis der Berufsausbildungsverhältnisse eingetragen oder aus einem Grund nicht eingetragen ist, den weder die Auszubildenden noch deren gesetzliche Vertreter oder Vertreterinnen zu vertreten haben.

(2) [1] Zur Abschlussprüfung ist ferner zuzulassen, wer in einer berufsbildenden Schule oder einer sonstigen Berufsbildungseinrichtung ausgebildet worden ist, wenn dieser Bildungsgang der Berufsausbildung in einem anerkannten Ausbildungsberuf entspricht. [2] Ein Bildungsgang entspricht der Berufsausbildung in einem anerkannten Ausbildungsberuf, wenn er

1. nach Inhalt, Anforderung und zeitlichem Umfang der jeweiligen Ausbildungsordnung gleichwertig ist,
2. systematisch, insbesondere im Rahmen einer sachlichen und zeitlichen Gliederung, durchgeführt wird und
3. durch Lernortkooperation einen angemessenen Anteil an fachpraktischer Ausbildung gewährleistet.

§ 44 Zulassung zur Abschlussprüfung bei zeitlich auseinanderfallenden Teilen. (1) Sofern die Abschlussprüfung in zwei zeitlich auseinanderfallenden Teilen durchgeführt wird, ist über die Zulassung jeweils gesondert zu entscheiden.

(2) Zum ersten Teil der Abschlussprüfung ist zuzulassen, wer die in der Ausbildungsordnung vorgeschriebene, erforderliche Ausbildungsdauer zurückgelegt hat und die Voraussetzungen des § 43 Absatz 1 Nummer 2 und 3 erfüllt.

(3) [1] Zum zweiten Teil der Abschlussprüfung ist zuzulassen, wer

1. über die Voraussetzungen des § 43 Absatz 1 hinaus am ersten Teil der Abschlussprüfung teilgenommen hat,
2. auf Grund einer Rechtsverordnung nach § 5 Absatz 2 Satz 1 Nummer 3 von der Ablegung des ersten Teils der Abschlussprüfung befreit ist oder
3. aus Gründen, die er nicht zu vertreten hat, am ersten Teil der Abschlussprüfung nicht teilgenommen hat.

[2] Im Fall des Satzes 1 Nummer 3 ist der erste Teil der Abschlussprüfung zusammen mit dem zweiten Teil abzulegen.

§ 45 Zulassung in besonderen Fällen. (1) Auszubildende können nach Anhörung der Ausbildenden und der Berufsschule vor Ablauf ihrer Ausbildungszeit zur Abschlussprüfung zugelassen werden, wenn ihre Leistungen dies rechtfertigen.

(2) [1] Zur Abschlussprüfung ist auch zuzulassen, wer nachweist, dass er mindestens das Eineinhalbfache der Zeit, die als Ausbildungsdauer vorgeschrieben ist, in dem Beruf tätig gewesen ist, in dem die Prüfung abgelegt werden soll. [2] Als Zeiten der Berufstätigkeit gelten auch Ausbildungszeiten in einem anderen, einschlägigen Ausbildungsberuf. [3] Vom Nachweis der Mindestzeit nach Satz 1 kann ganz oder teilweise abgesehen werden, wenn durch Vorlage von Zeugnissen oder auf andere Weise glaubhaft gemacht wird, dass der Bewerber oder die Bewerberin die berufliche Handlungsfähigkeit erworben hat, die die Zulassung zur Prüfung rechtfertigt. [4] Ausländische Bildungsabschlüsse und Zeiten der Berufstätigkeit im Ausland sind dabei zu berücksichtigen.

(3) Zur Abschlussprüfung ist auch zuzulassen, wer im Rahmen eines Verfahrens nach § 1 Absatz 6 die Bescheinigung der vollständigen Vergleichbarkeit seiner individuellen beruflichen Handlungsfähigkeit mit der für die Ausübung des im Antrag bestimmten anerkannten Ausbildungsberufs erforderlichen beruflichen Handlungsfähigkeit erhalten hat.

(4) Soldaten oder Soldatinnen auf Zeit und ehemalige Soldaten oder Soldatinnen sind nach Absatz 2 Satz 3 zur Abschlussprüfung zuzulassen, wenn das Bundesministerium der Verteidigung oder die von ihm bestimmte Stelle bescheinigt, dass der Bewerber oder die Bewerberin berufliche Fertigkeiten, Kenntnisse und Fähigkeiten erworben hat, welche die Zulassung zur Prüfung rechtfertigen.

§ 46 Entscheidung über die Zulassung. (1) [1] Über die Zulassung zur Abschlussprüfung entscheidet die zuständige Stelle. [2] Hält sie die Zulassungsvoraussetzungen nicht für gegeben, so entscheidet der Prüfungsausschuss.

(2) Auszubildenden, die Elternzeit in Anspruch genommen haben, darf bei der Entscheidung über die Zulassung hieraus kein Nachteil erwachsen.

§ 47 Prüfungsordnung. (1) [1] Die zuständige Stelle hat eine Prüfungsordnung für die Abschlussprüfung zu erlassen. [2] Die Prüfungsordnung bedarf der Genehmigung der zuständigen obersten Landesbehörde.

(2) [1] Die Prüfungsordnung muss die Zulassung, die Gliederung der Prüfung, die Bewertungsmaßstäbe, die Erteilung der Prüfungszeugnisse, die Folgen von Verstößen gegen die Prüfungsordnung und die Wiederholungsprüfung regeln. [2] Sie kann vorsehen, dass Prüfungsaufgaben, die überregional oder von einem Aufgabenerstellungsausschuss bei der zuständigen Stelle erstellt oder ausgewählt werden, zu übernehmen sind, sofern diese Aufgaben von Gremien erstellt oder ausgewählt werden, die entsprechend § 40 Absatz 2 zusammengesetzt sind.

(3) [1] Im Fall des § 73 Absatz 1 erlässt das Bundesministerium des Innern und für Heimat oder das sonst zuständige Fachministerium die Prüfungsordnung durch Rechtsverordnung, die nicht der Zustimmung des Bundesrates bedarf. [2] Das Bundesministerium des Innern und für Heimat oder das sonst zuständige Fachministerium kann die Ermächtigung nach Satz 1 durch Rechtsverordnung auf die von ihm bestimmte zuständige Stelle übertragen.

(4) [1] Im Fall des § 73 Absatz 2 erlässt die zuständige Landesregierung die Prüfungsordnung durch Rechtsverordnung. [2] Die Ermächtigung nach Satz 1 kann durch Rechtsverordnung auf die von ihr bestimmte zuständige Stelle übertragen werden.

(5) [1] Wird im Fall des § 71 Absatz 8 die zuständige Stelle durch das Land bestimmt, so erlässt die zuständige Landesregierung die Prüfungsordnung durch

Rechtsverordnung. [2]Die Ermächtigung nach Satz 1 kann durch Rechtsverordnung auf die von ihr bestimmte zuständige Stelle übertragen werden.

(6) Der Hauptausschuss des Bundesinstituts für Berufsbildung erlässt für die Prüfungsordnung Richtlinien.

§ 48 Zwischenprüfungen. (1) [1] Während der Berufsausbildung ist zur Ermittlung des Ausbildungsstandes eine Zwischenprüfung entsprechend der Ausbildungsordnung durchzuführen. [2]Die §§ 37 bis 39 gelten entsprechend.

(2) Die Zwischenprüfung entfällt, sofern

1. die Ausbildungsordnung vorsieht, dass die Abschlussprüfung in zwei zeitlich auseinanderfallenden Teilen durchgeführt wird, oder
2. die Ausbildungsordnung vorsieht, dass auf die Dauer der durch die Ausbildungsordnung geregelten Berufsausbildung die Dauer einer anderen abgeschlossenen Berufsausbildung im Umfang von mindestens zwei Jahren anzurechnen ist, und die Vertragsparteien die Anrechnung mit mindestens dieser Dauer vereinbart haben.

(3) Umzuschulende sind auf ihren Antrag zur Zwischenprüfung zuzulassen.

§ 49 Zusatzqualifikationen. (1) [1] Zusätzliche berufliche Fertigkeiten, Kenntnisse und Fähigkeiten nach § 5 Absatz 2 Satz 1 Nummer 6 werden gesondert geprüft und bescheinigt. [2]Das Ergebnis der Prüfung nach § 37 bleibt unberührt.

(2) § 37 Absatz 3 und 4 sowie die §§ 39 bis 42a und 47 gelten entsprechend.

§ 50 Gleichstellung von Prüfungszeugnissen. (1) Das Bundesministerium für Wirtschaft und Klimaschutz oder das sonst zuständige Fachministerium kann im Einvernehmen mit dem Bundesministerium für Bildung und Forschung nach Anhörung des Hauptausschusses des Bundesinstituts für Berufsbildung durch Rechtsverordnung außerhalb des Anwendungsbereichs dieses Gesetzes erworbene Prüfungszeugnisse den entsprechenden Zeugnissen über das Bestehen der Abschlussprüfung gleichstellen, wenn die Berufsausbildung und die in der Prüfung nachzuweisenden beruflichen Fertigkeiten, Kenntnisse und Fähigkeiten gleichwertig sind.

(2) Das Bundesministerium für Wirtschaft und Klimaschutz oder das sonst zuständige Fachministerium kann im Einvernehmen mit dem Bundesministerium für Bildung und Forschung nach Anhörung des Hauptausschusses des Bundesinstituts für Berufsbildung durch Rechtsverordnung im Ausland erworbene Prüfungszeugnisse den entsprechenden Zeugnissen über das Bestehen der Abschlussprüfung gleichstellen, wenn die in der Prüfung nachzuweisenden beruflichen Fertigkeiten, Kenntnisse und Fähigkeiten gleichwertig sind.

§ 50a Gleichwertigkeit ausländischer Berufsqualifikationen. Ausländische Berufsqualifikationen stehen einer bestandenen Aus- oder Fortbildungsprüfung nach diesem Gesetz gleich, wenn die Gleichwertigkeit der beruflichen Fertigkeiten, Kenntnisse und Fähigkeiten nach dem Berufsqualifikationsfeststellungsgesetz[1)] festgestellt wurde.

[1)] **beck-online, Module Arbeitsrecht Nr. 415b.**

Abschnitt 6. Feststellung und Bescheinigung der individuellen beruflichen Handlungsfähigkeit am Maßstab eines anerkannten Ausbildungsberufs

§ 50b Antragstellung und Zulassung. (1) Die zuständige Stelle stellt auf Antrag die individuelle berufliche Handlungsfähigkeit des Antragstellers oder der Antragstellerin am Maßstab eines vom Antragsteller oder von der Antragstellerin zu bezeichnenden anerkannten Ausbildungsberufs (Referenzberuf) in einem Feststellungs- oder Ergänzungsverfahren fest und bescheinigt die individuelle berufliche Handlungsfähigkeit, wenn diese überwiegend oder vollständig mit der für die Ausübung des Referenzberufs erforderlichen beruflichen Handlungsfähigkeit vergleichbar ist.

(2) Antragsberechtigt ist, wer

1. seinen Wohnsitz in Deutschland hat oder die notwendige Berufstätigkeit nach Absatz 3 Satz 1 Nummer 1 mindestens zur Hälfte im Inland absolviert hat und
2. in dem Referenzberuf keinen Berufsabschluss hat und für wessen Berufsabschluss keine Gleichwertigkeit nach dem Berufsqualifikationsfeststellungsgesetz[1] festgestellt worden ist,
3. nicht in einem Berufsausbildungsverhältnis im Referenzberuf steht sowie
4. das 25. Lebensjahr vollendet hat.

(3) [1] Zum Feststellungsverfahren ist per Bescheid zuzulassen, wer

1. nachweist, mindestens das Eineinhalbfache der Zeit, die als Ausbildungsdauer für den Referenzberuf vorgeschrieben ist, in dem Referenzberuf tätig gewesen zu sein, und
2. glaubhaft macht, bei der Tätigkeit nach Nummer 1 oder in sonstiger Weise eine berufliche Handlungsfähigkeit erworben zu haben, die derjenigen, die für die Ausübung des Referenzberufs erforderlich ist, überwiegend oder vollständig vergleichbar ist.

[2] § 45 Absatz 2 Satz 2 bis 4 ist entsprechend mit der Maßgabe anzuwenden, dass, falls ein Berufsausbildungsverhältnis im Referenzberuf bestand und die Abschlussprüfung nicht bestanden wurde, die Dauer der Berufsausbildung bis höchstens zur Hälfte der festgelegten Ausbildungsdauer berücksichtigt werden kann. [3] Gelingt dem Antragsteller oder der Antragstellerin der Nachweis nach Satz 1 Nummer 1 oder die Glaubhaftmachung nach Satz 1 Nummer 2 aus von ihm oder ihr selbst nicht zu vertretenden Gründen nicht oder nur teilweise, kann insoweit die Abgabe einer eidesstattlichen Versicherung gefordert werden.

(4) Richtet sich der Antrag auf die Feststellung der überwiegenden Vergleichbarkeit, ist Absatz 3 Satz 1 Nummer 1 mit der Maßgabe entsprechend anzuwenden, dass eine Tätigkeit im Tätigkeitsbereich des Referenzberufs genügt, die die im Antrag bezeichneten für die Ausübung des Referenzberufs erforderlichen Fertigkeiten, Kenntnisse und Fähigkeiten umfasst.

(5) [1] Wer bereits ein Feststellungsverfahren nach diesem Abschnitt durchlaufen hat, in dem die überwiegende, aber nicht vollständige Vergleichbarkeit mit der für die Ausübung des Referenzberufs erforderlichen beruflichen Handlungsfähigkeit festgestellt und bescheinigt worden ist, hat Anspruch auf Durchführung eines Ergänzungsverfahrens, wenn er glaubhaft macht, dass er den Teil der beruflichen Handlungsfähigkeit, der für eine vollständige Vergleichbarkeit

---

[1] **beck-online, Module Arbeitsrecht Nr. 415b.**

gefehlt hat, nach der Zulassung zum Feststellungsverfahren erworben hat. [2] Absatz 3 Satz 3 ist mit der Maßgabe anzuwenden, dass es eines erneuten Nachweises nach Absatz 3 Satz 1 Nummer 1 nicht bedarf. [3] Das Ergänzungsverfahren beschränkt sich auf diesen Teil der beruflichen Handlungsfähigkeit. [4] Wird die vollständige Vergleichbarkeit im Ergänzungsverfahren festgestellt, so bescheinigt die zuständige Stelle die vollständige Vergleichbarkeit.

§ 50c Durchführung des Verfahrens. (1) [1] Für die Durchführung des Feststellungsverfahrens oder des Ergänzungsverfahrens bestimmt die zuständige Stelle aus dem Kreis der Personen, die sie für die Durchführung von Prüfungen im Referenzberuf nach § 40 Absatz 3 und 4 berufen hat, Feststellungstandems nach Satz 2 für mindestens ein Jahr und höchstens die Dauer der Berufungsperiode. [2] Ein Feststellungstandem besteht aus je einem oder einer Beauftragten der Arbeitgeber- und der Arbeitnehmerseite. [3] Von der Besetzung mit jeweils einem oder einer Beauftragten der Arbeitgeber- und der Arbeitnehmerseite darf nur abgewichen werden, wenn andernfalls nicht die erforderliche Zahl an Personen bestimmt werden kann. [4] Abwechselnd führt eine Person des Feststellungstandems die Feststellung der individuellen beruflichen Handlungsfähigkeit durch (Feststeller oder Feststellerin) und die andere Person sitzt der Durchführung der Feststellung bei (Beisitzer oder Beisitzerin). [5] Die zuständige Stelle bestimmt durch Los, wer je Feststellungstandem die erste Feststellung durchführt. [6] § 40 Absatz 2 Satz 3, Absatz 3 Satz 5, Absatz 4, 6 und 6a ist entsprechend anzuwenden. [7] Mit Zustimmung der Mitglieder eines Feststellungstandems kann die zuständige Stelle abweichend von Satz 4 zweiter Halbsatz vorsehen, dass den Feststellungen anstelle des jeweils zweiten Mitglieds des Feststellungstandems hauptamtliche Mitarbeitende der zuständigen Stelle oder Arbeitnehmer und Arbeitnehmerinnen der von der zuständigen Stelle beherrschten Tochterunternehmen beisitzen, die die Voraussetzungen des § 40 Absatz 1 Satz 2 erfüllen. [8] Satz 6 gilt für diese Personen nicht.

(2) [1] Der Feststeller oder die Feststellerin hat für die Feststellung geeignete Instrumente auszuwählen. [2] Zu diesen Instrumenten gehören insbesondere mündliche und praktische Aufgaben sowie die Einbeziehung von Arbeitsergebnissen aus dem Tätigkeitsbereich des Referenzberufs in den letzten beiden Jahren vor Antragstellung. [3] Auf schriftliche Aufgaben ist zu verzichten, wenn die Feststellung mittels anderer Instrumente mit vertretbarem Aufwand möglich ist.

(3) [1] Bei einer überwiegenden Vergleichbarkeit weist der Bescheid zusätzlich die festgestellten und die nicht festgestellten Fertigkeiten, Kenntnisse und Fähigkeiten der für die Ausübung des Referenzberufs erforderlichen beruflichen Handlungsfähigkeit aus. [2] Bei einer vollständigen Vergleichbarkeit stellt der Bescheid in der Form eines schriftlichen Zeugnisses die vollständige Vergleichbarkeit der beruflichen Handlungsfähigkeit des Antragstellers oder der Antragstellerin mit der für die Ausübung des Referenzberufs erforderlichen beruflichen Handlungsfähigkeit fest. [3] § 37 Absatz 3 Satz 1 gilt entsprechend. [4] Kann der Antragsteller oder die Antragstellerin weder die vollständige noch die überwiegende Vergleichbarkeit seiner oder ihrer individuellen beruflichen Handlungsfähigkeit mit der für den Referenzberuf erforderlichen beruflichen Handlungsfähigkeit im Rahmen des Feststellungsverfahrens nach diesem Abschnitt nachweisen, wird der Antrag auf Feststellung abgelehnt.

(4) [1]Die zuständige Stelle hat Regelungen für das Verfahren zur Feststellung und Bescheinigung der individuell erworbenen beruflichen Handlungsfähigkeit zu erlassen. [2]Diese Regelungen bedürfen der Genehmigung der zuständigen obersten Landesbehörde. [3]Die Regelungen müssen umfassen:

1. den Ausschluss von der Mitwirkung,
2. die Verschwiegenheit,
3. die Nichtöffentlichkeit,
4. die Frist für die Ladung zum Feststellungstermin,
5. die Niederschrift, soweit diese über die Dokumentation nach § 50e Nummer 2 hinausgeht,
6. die Fristen für die Bescheide beziehungsweise für die Zeugniserteilung,
7. die Ausweispflicht und Belehrungen, insbesondere über den Ablauf des Verfahrens, die zur Verfügung stehende Zeit und die erlaubten Arbeits- und Hilfsmittel,
8. die Folgen von Täuschungshandlungen und Ordnungsverstößen sowie
9. den Rücktritt vom Feststellungsverfahren und die Nichtteilnahme am Feststellungsverfahren.

[4]§ 47 Absatz 3 bis 6 gilt entsprechend.

§ 50d Besondere Regelungen für Menschen mit Behinderungen.

(1) Für Menschen mit Behinderungen nach § 2 Absatz 1 Satz 1 des Neunten Buches Sozialgesetzbuch[1)], für die auf Grund von Art und Schwere der Behinderung die Feststellung der überwiegenden oder vollständigen, für die Ausübung des Referenzberufs erforderlichen beruflichen Handlungsfähigkeit nicht möglich ist, sind die §§ 50b und 50c mit der Maßgabe anzuwenden, dass

1. eine individuelle berufliche Handlungsfähigkeit am Maßstab eines Referenzberufs auch dann festgestellt und bescheinigt wird, wenn diese nicht überwiegend oder vollständig, sondern nur teilweise vergleichbar ist mit der für die Ausübung des Referenzberufs erforderlichen beruflichen Handlungsfähigkeit; in diesen Fällen weist der Bescheid eine teilweise Vergleichbarkeit aus; § 50c Absatz 3 Satz 1 gilt entsprechend,
2. bei einem Antrag, der sich auf die Feststellung der teilweisen Vergleichbarkeit richtet,
   a) für § 50b Absatz 3 Satz 1 Nummer 1 eine Tätigkeit im Tätigkeitsbereich des Referenzberufs genügt, die die im Antrag bezeichneten, für die Ausübung des Referenzberufs erforderlichen Fertigkeiten, Kenntnisse und Fähigkeiten umfasst,
   b) für § 50b Absatz 3 Satz 1 Nummer 2 sich die Glaubhaftmachung auf die im Antrag bezeichneten, für die Ausübung des Referenzberufs erforderlichen Fertigkeiten, Kenntnisse und Fähigkeiten beschränkt,
   c) der Bescheid nach § 50c Absatz 3 auf Antrag zusätzlich zur Vergleichbarkeit mit dem Referenzberuf auch eine überwiegende oder vollständige Vergleichbarkeit mit einer Referenzausbildungsregelung nach § 66 ausweist, sofern sich die Ausbildungsregelung am gewählten Referenzberuf orientiert und entsprechend einer berufsspezifischen Musterregelung des Hauptausschusses des Bundesinstituts für Berufsbildung getroffen wurde,

---

[1)] Nr. **440**.

3. abweichend von § 50b Absatz 2 Nummer 4 antragsberechtigt auch ist, wer das 25. Lebensjahr noch nicht vollendet hat.

(2) Im Fall der teilweisen Vergleichbarkeit müssen die festgestellten, für die Ausübung des Referenzberufs erforderlichen Fertigkeiten, Kenntnisse und Fähigkeiten zusammen dem Referenzberuf eindeutig zugeordnet werden können und eine berufliche Tätigkeit im Tätigkeitsbereich des Referenzberufs ermöglichen.

(3) [1] Menschen mit Behinderungen können in ihrem Antrag eine Person als Verfahrensbegleitung benennen, die besonders mit den Belangen von Menschen mit Behinderungen im Rahmen der beruflichen Qualifizierung vertraut ist. [2] Dies sind insbesondere solche Ausbilder oder Ausbilderinnen, die die Rehabilitationspädagogische Zusatzqualifikation erworben haben. [3] Auf Antrag des Antragstellers oder der Antragstellerin ist der Verfahrensbegleitung Gelegenheit zu geben,

1. zur Auswahl der Feststellungsinstrumente Stellung zu nehmen und
2. an der Durchführung der Feststellung teilzunehmen.

§ 50e Verordnungsermächtigung. Als Grundlage für ein geordnetes und einheitliches Verfahren wird das Bundesministerium für Bildung und Forschung ermächtigt, im Einvernehmen mit dem Bundesministerium für Wirtschaft und Klimaschutz durch Rechtsverordnung, die nicht der Zustimmung des Bundesrates bedarf, insbesondere

1. die Voraussetzung und Maßstäbe, anhand derer die Durchführung des Feststellungs- und Ergänzungsverfahrens, insbesondere das Verfahren zur Festlegung der Feststellungsinstrumente einschließlich der Verpflichtung zur gemeinsamen Festlegung von Feststellungsinstrumenten durch zuständige Stellen erfolgt,
2. das Verfahren zur Würdigung, Feststellung und Dokumentation der Leistungen des Antragstellers oder der Antragstellerin,
3. die Möglichkeit von Wiederholungsversuchen sowie
4. Maßgaben zur Ausgestaltung des Bescheids bei Feststellung der überwiegenden oder im Fall des § 50d Absatz 1 Nummer 1 teilweisen Vergleichbarkeit und des Zeugnisses bei Feststellung der vollständigen Vergleichbarkeit

zu regeln.

Abschnitt 7. Interessenvertretung

§ 51 Interessenvertretung. (1) Auszubildende, deren praktische Berufsbildung in einer sonstigen Berufsbildungseinrichtung außerhalb der schulischen und betrieblichen Berufsbildung (§ 2 Absatz 1 Nummer 3) mit in der Regel mindestens fünf Auszubildenden stattfindet und die nicht wahlberechtigt zum Betriebsrat nach § 7 des Betriebsverfassungsgesetzes[1], zur Jugend- und Auszubildendenvertretung nach § 60 des Betriebsverfassungsgesetzes oder zur Mitwirkungsvertretung nach § 52 des Neunten Buches Sozialgesetzbuch[2] sind (außerbetriebliche Auszubildende), wählen eine besondere Interessenvertretung.

---

[1] Nr. **570**.
[2] Nr. **440**.

(2) Absatz 1 findet keine Anwendung auf Berufsbildungseinrichtungen von Religionsgemeinschaften sowie auf andere Berufsbildungseinrichtungen, soweit sie eigene gleichwertige Regelungen getroffen haben.

§ 52 Verordnungsermächtigung. Das Bundesministerium für Bildung und Forschung kann durch Rechtsverordnung, die nicht der Zustimmung des Bundesrates bedarf, die Fragen bestimmen, auf die sich die Beteiligung erstreckt, die Zusammensetzung und die Amtszeit der Interessenvertretung, die Durchführung der Wahl, insbesondere die Feststellung der Wahlberechtigung und der Wählbarkeit sowie Art und Umfang der Beteiligung.

Kapitel 2. Berufliche Fortbildung

Abschnitt 1. Fortbildungsordnungen des Bundes

§ 53 Fortbildungsordnungen der höherqualifizierenden Berufsbildung. (1) Als Grundlage für eine einheitliche höherqualifizierende Berufsbildung kann das Bundesministerium für Bildung und Forschung im Einvernehmen mit dem Bundesministerium für Wirtschaft und Klimaschutz oder mit dem sonst zuständigen Fachministerium nach Anhörung des Hauptausschusses des Bundesinstituts für Berufsbildung durch Rechtsverordnung, die nicht der Zustimmung des Bundesrates bedarf, Abschlüsse der höherqualifizierenden Berufsbildung anerkennen und hierfür Prüfungsregelungen erlassen (Fortbildungsordnungen).

(2) Die Fortbildungsordnungen haben festzulegen:

1. die Bezeichnung des Fortbildungsabschlusses,
2. die Fortbildungsstufe,
3. das Ziel, den Inhalt und die Anforderungen der Prüfung,
4. die Zulassungsvoraussetzungen für die Prüfung und
5. das Prüfungsverfahren.

(3) Abweichend von Absatz 1 werden Fortbildungsordnungen

1. in den Berufen der Landwirtschaft, einschließlich der ländlichen Hauswirtschaft, durch das Bundesministerium für Ernährung und Landwirtschaft im Einvernehmen mit dem Bundesministerium für Bildung und Forschung erlassen und
2. in Berufen der Hauswirtschaft durch das Bundesministerium für Wirtschaft und Klimaschutz im Einvernehmen mit dem Bundesministerium für Bildung und Forschung erlassen.

(4) § 4 Absatz 2 und § 5 Absatz 3 gelten entsprechend.

§ 53a Fortbildungsstufen. (1) Die Fortbildungsstufen der höherqualifizierenden Berufsbildung sind

1. als erste Fortbildungsstufe der Geprüfte Berufsspezialist und die Geprüfte Berufsspezialistin,
2. als zweite Fortbildungsstufe der Bachelor Professional und
3. als dritte Fortbildungsstufe der Master Professional.

(2) Jede Fortbildungsordnung, die eine höherqualifizierende Berufsbildung der ersten Fortbildungsstufe regelt, soll auf einen Abschluss der zweiten Fortbildungsstufe hinführen.

§ 53b Geprüfter Berufsspezialist und Geprüfte Berufsspezialistin.

(1) Den Fortbildungsabschluss des Geprüften Berufsspezialisten oder der Geprüften Berufsspezialistin erlangt, wer eine Prüfung der ersten beruflichen Fortbildungsstufe besteht.

(2) [1] In der Fortbildungsprüfung der ersten beruflichen Fortbildungsstufe wird festgestellt, ob der Prüfling

1. die Fertigkeiten, Kenntnisse und Fähigkeiten, die er in der Regel im Rahmen der Berufsausbildung erworben hat, vertieft hat und
2. die in der Regel im Rahmen der Berufsausbildung erworbene berufliche Handlungsfähigkeit um neue Fertigkeiten, Kenntnisse und Fähigkeiten ergänzt hat.

[2] Der Lernumfang für den Erwerb dieser Fertigkeiten, Kenntnisse und Fähigkeiten soll mindestens 400 Stunden betragen.

(3) Als Voraussetzung zur Zulassung für eine Prüfung der ersten beruflichen Fortbildungsstufe ist als Regelzugang vorzusehen:

1. der Abschluss in einem anerkannten Ausbildungsberuf oder
2. das Zeugnis der vollständigen Vergleichbarkeit der individuellen beruflichen Handlungsfähigkeit mit der für die Ausübung eines Ausbildungsberufs erforderlichen beruflichen Handlungsfähigkeit nach § 1 Absatz 6.

(4) [1] Die Bezeichnung eines Fortbildungsabschlusses der ersten beruflichen Fortbildungsstufe beginnt mit den Wörtern „Geprüfter Berufsspezialist für" oder „Geprüfte Berufsspezialistin für". [2] Die Fortbildungsordnung kann vorsehen, dass dieser Abschlussbezeichnung eine weitere Abschlussbezeichnung vorangestellt wird. [3] Diese Abschlussbezeichnung der ersten beruflichen Fortbildungsstufe darf nur führen, wer

1. die Prüfung der ersten beruflichen Fortbildungsstufe bestanden hat oder
2. die Prüfung einer gleichwertigen beruflichen Fortbildung auf der Grundlage bundes- oder landesrechtlicher Regelungen, die diese Abschlussbezeichnung vorsehen, bestanden hat.

§ 53c Bachelor Professional. (1) Den Fortbildungsabschluss Bachelor Professional erlangt, wer eine Prüfung der zweiten beruflichen Fortbildungsstufe erfolgreich besteht.

(2) [1] In der Fortbildungsprüfung der zweiten beruflichen Fortbildungsstufe wird festgestellt, ob der Prüfling in der Lage ist, Fach- und Führungsfunktionen zu übernehmen, in denen zu verantwortende Leitungsprozesse von Organisationen eigenständig gesteuert werden, eigenständig ausgeführt werden und dafür Mitarbeiter und Mitarbeiterinnen geführt werden. [2] Der Lernumfang für den Erwerb dieser Fertigkeiten, Kenntnisse und Fähigkeiten soll mindestens 1 200 Stunden betragen.

(3) Als Voraussetzung zur Zulassung für eine Prüfung der zweiten beruflichen Fortbildungsstufe ist als Regelzugang vorzusehen:

1. der Abschluss in einem anerkannten Ausbildungsberuf,
2. das Zeugnis der vollständigen Vergleichbarkeit der individuellen beruflichen Handlungsfähigkeit mit der für die Ausübung eines Ausbildungsberufs erforderlichen beruflichen Handlungsfähigkeit nach § 1 Absatz 6 oder
3. ein Abschluss der ersten beruflichen Fortbildungsstufe.

(4) [1] Die Bezeichnung eines Fortbildungsabschlusses der zweiten beruflichen Fortbildungsstufe beginnt mit den Wörtern „Bachelor Professional in". [2] Die Fortbildungsordnung kann vorsehen, dass dieser Abschlussbezeichnung eine weitere Abschlussbezeichnung vorangestellt wird. [3] Die Abschlussbezeichnung der zweiten beruflichen Fortbildungsstufe darf nur führen, wer

1. die Prüfung der zweiten beruflichen Fortbildungsstufe bestanden hat oder
2. die Prüfung einer gleichwertigen beruflichen Fortbildung auf der Grundlage bundes- oder landesrechtlicher Regelungen, die diese Abschlussbezeichnung vorsehen, bestanden hat.

§ 53d Master Professional. (1) Den Fortbildungsabschluss Master Professional erlangt, wer die Prüfung der dritten beruflichen Fortbildungsstufe besteht.

(2) [1] In der Fortbildungsprüfung der dritten beruflichen Fortbildungsstufe wird festgestellt, ob der Prüfling

1. die Fertigkeiten, Kenntnisse und Fähigkeiten, die er in der Regel mit der Vorbereitung auf eine Fortbildungsprüfung der zweiten Fortbildungsstufe erworben hat, vertieft hat und
2. neue Fertigkeiten, Kenntnisse und Fähigkeiten erworben hat, die erforderlich sind für die verantwortliche Führung von Organisationen oder zur Bearbeitung von neuen, komplexen Aufgaben- und Problemstellungen wie der Entwicklung von Verfahren und Produkten.

[2] Der Lernumfang für den Erwerb dieser Fertigkeiten, Kenntnisse und Fähigkeiten soll mindestens 1 600 Stunden betragen.

(3) Als Voraussetzung zur Zulassung für eine Prüfung der dritten beruflichen Fortbildungsstufe ist als Regelzugang ein Abschluss auf der zweiten beruflichen Fortbildungsstufe vorzusehen.

(4) [1] Die Bezeichnung eines Fortbildungsabschlusses der dritten beruflichen Fortbildungsstufe beginnt mit den Wörtern „Master Professional in". [2] Die Fortbildungsordnung kann vorsehen, dass dieser Abschlussbezeichnung eine weitere Abschlussbezeichnung vorangestellt wird. [3] Die Abschlussbezeichnung der dritten beruflichen Fortbildungsstufe darf nur führen, wer

1. die Prüfung der dritten beruflichen Fortbildungsstufe bestanden hat oder
2. die Prüfung einer gleichwertigen beruflichen Fortbildung auf der Grundlage bundes- oder landesrechtlicher Regelungen, die diese Abschlussbezeichnung vorsehen, bestanden hat.

§ 53e Anpassungsfortbildungsordnungen. (1) Als Grundlage für eine einheitliche Anpassungsfortbildung kann das Bundesministerium für Bildung und Forschung im Einvernehmen mit dem Bundesministerium für Wirtschaft und Klimaschutz oder dem sonst zuständigen Fachministerium nach Anhörung des Hauptausschusses des Bundesinstituts für Berufsbildung durch Rechtsverordnung, die nicht der Zustimmung des Bundesrates bedarf, Fortbildungsabschlüsse anerkennen und hierfür Prüfungsregelungen erlassen (Anpassungsfortbildungsordnungen).

(2) Die Anpassungsfortbildungsordnungen haben festzulegen:

1. die Bezeichnung des Fortbildungsabschlusses,
2. das Ziel, den Inhalt und die Anforderungen der Prüfung,

3. die Zulassungsvoraussetzungen und
4. das Prüfungsverfahren.

(3) Abweichend von Absatz 1 werden Anpassungsfortbildungsordnungen

1. in den Berufen der Landwirtschaft, einschließlich der ländlichen Hauswirtschaft, durch das Bundesministerium für Ernährung und Landwirtschaft im Einvernehmen mit dem Bundesministerium für Bildung und Forschung erlassen und
2. in Berufen der Hauswirtschaft durch das Bundesministerium für Wirtschaft und Klimaschutz im Einvernehmen mit dem Bundesministerium für Bildung und Forschung erlassen.

(4) § 4 Absatz 2 und § 5 Absatz 3 gelten entsprechend.

Abschnitt 2. Fortbildungsprüfungsregelungen der zuständigen Stellen

§ 54 Fortbildungsprüfungsregelungen der zuständigen Stellen.

(1) [1] Sofern für einen Fortbildungsabschluss weder eine Fortbildungsordnung noch eine Anpassungsfortbildungsordnung erlassen worden ist, kann die zuständige Stelle nach § 71 oder § 72 Fortbildungsprüfungsregelungen erlassen. [2] Wird im Fall des § 71 Absatz 8 als zuständige Stelle eine Landesbehörde bestimmt, so erlässt die zuständige Landesregierung die Fortbildungsprüfungsregelungen durch Rechtsverordnung. [3] Die Ermächtigung nach Satz 2 kann durch Rechtsverordnung auf die von ihr bestimmte zuständige Stelle übertragen werden.

(2) Die Fortbildungsprüfungsregelungen haben festzulegen:

1. die Bezeichnung des Fortbildungsabschlusses,
2. das Ziel, den Inhalt und die Anforderungen der Prüfungen,
3. die Zulassungsvoraussetzungen für die Prüfung und
4. das Prüfungsverfahren.

(3) [1] Bestätigt die zuständige oberste Landesbehörde,

1. dass die Fortbildungsprüfungsregelungen die Voraussetzungen des § 53b Absatz 2 und 3 sowie des § 53a Absatz 2 erfüllen, so beginnt die Bezeichnung des Fortbildungsabschlusses mit den Wörtern „Geprüfter Berufsspezialist für" oder „Geprüfte Berufsspezialistin für",
2. dass die Fortbildungsprüfungsregelungen die Voraussetzungen des § 53c Absatz 2 und 3 erfüllen, so beginnt die Bezeichnung des Fortbildungsabschlusses mit den Wörtern „Bachelor Professional in",
3. dass die Fortbildungsprüfungsregelungen die Voraussetzungen des § 53d Absatz 2 und 3 erfüllen, so beginnt die Bezeichnung des Fortbildungsabschlusses mit den Wörtern „Master Professional in".

[2] Der Abschlussbezeichnung nach Satz 1 ist in Klammern ein Zusatz beizufügen, aus dem sich zweifelsfrei die zuständige Stelle ergibt, die die Fortbildungsprüfungsregelungen erlassen hat. [3] Die Fortbildungsprüfungsregelungen können vorsehen, dass dieser Abschlussbezeichnung eine weitere Abschlussbezeichnung vorangestellt wird. [4] Ist für die Bestätigung nach Satz 1 ein Gutachten erforderlich, wird dieses auf Antrag und auf Kosten der zuständigen Stelle vom Bundesinstitut für Berufsbildung nach § 90 Absatz 4 Satz 2 erstellt.

(4) Eine Abschlussbezeichnung, die in einer von der zuständigen obersten Landesbehörde bestätigten Fortbildungsprüfungsregelung enthalten ist, darf nur führen, wer die Prüfung bestanden hat.

Abschnitt 3. Ausländische Vorqualifikationen, Prüfungen

§ 55 Berücksichtigung ausländischer Vorqualifikationen. Sofern Fortbildungsordnungen, Anpassungsfortbildungsordnungen oder Fortbildungsprüfungsregelungen nach § 54 Zulassungsvoraussetzungen zu Prüfungen vorsehen, sind ausländische Bildungsabschlüsse und Zeiten der Berufstätigkeit im Ausland zu berücksichtigen.

§ 56 Fortbildungsprüfungen. (1) [1]Für die Durchführung von Prüfungen im Bereich der beruflichen Fortbildung errichtet die zuständige Stelle Prüfungsausschüsse. [2]§ 37 Absatz 2 Satz 1 und Absatz 3 Satz 1 sowie § 39 Absatz 1 Satz 2, Absatz 2 und 3 und die §§ 40, 41, 42 Absatz 1 bis 5 sowie die §§ 42a, 46 und 47 sind entsprechend anzuwenden.

(2) Der Prüfling ist auf Antrag von der Ablegung einzelner Prüfungsbestandteile durch die zuständige Stelle zu befreien, wenn

1. er eine andere vergleichbare Prüfung vor einer öffentlichen oder einer staatlich anerkannten Bildungseinrichtung oder vor einem staatlichen Prüfungsausschuss erfolgreich abgelegt hat und
2. die Anmeldung zur Fortbildungsprüfung innerhalb von zehn Jahren nach der Bekanntgabe des Bestehens der Prüfung erfolgt.

§ 57 Gleichstellung von Prüfungszeugnissen. Das Bundesministerium für Wirtschaft und Klimaschutz oder das sonst zuständige Fachministerium kann im Einvernehmen mit dem Bundesministerium für Bildung und Forschung nach Anhörung des Hauptausschusses des Bundesinstituts für Berufsbildung durch Rechtsverordnung Prüfungszeugnisse, die außerhalb des Anwendungsbereichs dieses Gesetzes oder im Ausland erworben worden sind, den entsprechenden Zeugnissen über das Bestehen einer Fortbildungsprüfung auf der Grundlage der §§ 53b bis 53e und 54 gleichstellen, wenn die in der Prüfung nachzuweisenden beruflichen Fertigkeiten, Kenntnisse und Fähigkeiten gleichwertig sind.

Kapitel 3. Berufliche Umschulung

§ 58 Umschulungsordnung. [1]Als Grundlage für eine geordnete und einheitliche berufliche Umschulung kann das Bundesministerium für Bildung und Forschung im Einvernehmen mit dem Bundesministerium für Wirtschaft und Klimaschutz oder dem sonst zuständigen Fachministerium nach Anhörung des Hauptausschusses des Bundesinstituts für Berufsbildung durch Rechtsverordnung, die nicht der Zustimmung des Bundesrates bedarf,

1. die Bezeichnung des Umschulungsabschlusses,
2. das Ziel, den Inhalt, die Art und Dauer der Umschulung,
3. die Anforderungen der Umschulungsprüfung und die Zulassungsvoraussetzungen sowie
4. das Prüfungsverfahren der Umschulung

unter Berücksichtigung der besonderen Erfordernisse der beruflichen Erwachsenenbildung bestimmen (Umschulungsordnung). [2] § 4 Absatz 2 Satz 1 und § 5 Absatz 3 gelten entsprechend.

§ 59 Umschulungsprüfungsregelungen der zuständigen Stellen. [1] Soweit Rechtsverordnungen nach § 58 nicht erlassen sind, kann die zuständige Stelle nach § 71 oder § 72 Umschulungsprüfungsregelungen erlassen. [2] Wird im Fall des § 71 Absatz 8 als zuständige Stelle eine Landesbehörde bestimmt, so erlässt die zuständige Landesregierung die Umschulungsprüfungsregelungen durch Rechtsverordnung. [3] Die Ermächtigung nach Satz 2 kann durch Rechtsverordnung auf die von ihr bestimmte zuständige Stelle übertragen werden. [4] Die zuständige Stelle regelt die Bezeichnung des Umschulungsabschlusses, Ziel, Inhalt und Anforderungen der Prüfungen, die Zulassungsvoraussetzungen sowie das Prüfungsverfahren unter Berücksichtigung der besonderen Erfordernisse beruflicher Erwachsenenbildung.

§ 60 Umschulung für einen anerkannten Ausbildungsberuf. [1] Sofern sich die Umschulungsordnung (§ 58) oder eine Regelung der zuständigen Stelle (§ 59) auf die Umschulung für einen anerkannten Ausbildungsberuf richtet, sind das Ausbildungsberufsbild (§ 5 Absatz 1 Satz 1 Nummer 3), der Ausbildungsrahmenplan (§ 5 Absatz 1 Satz 1 Nummer 4) und die Prüfungsanforderungen (§ 5 Absatz 1 Satz 1 Nummer 5) zugrunde zu legen. [2] Die §§ 27 bis 33 gelten entsprechend.

§ 61 Berücksichtigung ausländischer Vorqualifikationen. Sofern die Umschulungsordnung (§ 58) oder eine Regelung der zuständigen Stelle (§ 59) Zulassungsvoraussetzungen vorsieht, sind ausländische Bildungsabschlüsse und Zeiten der Berufstätigkeit im Ausland zu berücksichtigen.

§ 62 Umschulungsmaßnahmen; Umschulungsprüfungen. (1) Maßnahmen der beruflichen Umschulung müssen nach Inhalt, Art, Ziel und Dauer den besonderen Erfordernissen der beruflichen Erwachsenenbildung entsprechen.

(2) [1] Umschulende haben die Durchführung der beruflichen Umschulung vor Beginn der Maßnahme der zuständigen Stelle schriftlich oder elektronisch anzuzeigen. [2] Die Anzeigepflicht erstreckt sich auf den wesentlichen Inhalt des Umschulungsverhältnisses. [3] Bei Abschluss eines Umschulungsvertrages ist eine Kopie des Umschulungsvertrages beizufügen.

(3) [1] Für die Durchführung von Prüfungen im Bereich der beruflichen Umschulung errichtet die zuständige Stelle Prüfungsausschüsse. [2] § 37 Absatz 2 und 3 sowie § 39 Absatz 2 und die §§ 40 bis 42a, 46 und 47 gelten entsprechend.

(4) Der Prüfling ist auf Antrag von der Ablegung einzelner Prüfungsbestandteile durch die zuständige Stelle zu befreien, wenn er eine andere vergleichbare Prüfung vor einer öffentlichen oder staatlich anerkannten Bildungseinrichtung oder vor einem staatlichen Prüfungsausschuss erfolgreich abgelegt hat und die Anmeldung zur Umschulungsprüfung innerhalb von zehn Jahren nach der Bekanntgabe des Bestehens der anderen Prüfung erfolgt.

§ 63 Gleichstellung von Prüfungszeugnissen. Das Bundesministerium für Wirtschaft und Klimaschutz oder das sonst zuständige Fachministerium kann im Einvernehmen mit dem Bundesministerium für Bildung und Forschung nach Anhörung des Hauptausschusses des Bundesinstituts für Berufsbildung durch Rechtsverordnung außerhalb des Anwendungsbereichs dieses Gesetzes oder im Ausland erworbene Prüfungszeugnisse den entsprechenden Zeugnissen über das Bestehen einer Umschulungsprüfung auf der Grundlage der §§ 58 und 59 gleichstellen, wenn die in der Prüfung nachzuweisenden beruflichen Fertigkeiten, Kenntnisse und Fähigkeiten gleichwertig sind.

Kapitel 4. Berufsbildung für besondere Personengruppen

Abschnitt 1. Berufsbildung behinderter Menschen

§ 64 Berufsausbildung. Behinderte Menschen (§ 2 Absatz 1 Satz 1 des Neunten Buches Sozialgesetzbuch[1)]) sollen in anerkannten Ausbildungsberufen ausgebildet werden.

§ 65 Berufsausbildung in anerkannten Ausbildungsberufen. (1) [1] Regelungen nach den §§ 9 und 47 sollen die besonderen Verhältnisse behinderter Menschen berücksichtigen. [2] Dies gilt insbesondere für die zeitliche und sachliche Gliederung der Ausbildung, die Dauer von Prüfungszeiten, die Zulassung von Hilfsmitteln und die Inanspruchnahme von Hilfeleistungen Dritter wie Gebärdensprachdolmetscher für hörbehinderte Menschen.

(2) [1] Der Berufsausbildungsvertrag mit einem behinderten Menschen ist in das Verzeichnis der Berufsausbildungsverhältnisse (§ 34) einzutragen. [2] Der behinderte Mensch ist zur Abschlussprüfung auch zuzulassen, wenn die Voraussetzungen des § 43 Absatz 1 Nummer 2 und 3 nicht vorliegen.

§ 66 Ausbildungsregelungen der zuständigen Stellen. (1) [1] Für behinderte Menschen, für die wegen Art und Schwere ihrer Behinderung eine Ausbildung in einem anerkannten Ausbildungsberuf nicht in Betracht kommt, treffen die zuständigen Stellen auf Antrag der behinderten Menschen oder ihrer gesetzlichen Vertreter oder Vertreterinnen Ausbildungsregelungen entsprechend den Empfehlungen des Hauptausschusses des Bundesinstituts für Berufsbildung. [2] Die Ausbildungsinhalte sollen unter Berücksichtigung von Lage und Entwicklung des allgemeinen Arbeitsmarktes aus den Inhalten anerkannter Ausbildungsberufe entwickelt werden. [3] Im Antrag nach Satz 1 ist eine Ausbildungsmöglichkeit in dem angestrebten Ausbildungsgang nachzuweisen.

(2) § 65 Absatz 2 Satz 1 gilt entsprechend.

§ 67 Berufliche Fortbildung, berufliche Umschulung. Für die berufliche Fortbildung und die berufliche Umschulung behinderter Menschen gelten die §§ 64 bis 66 entsprechend, soweit es Art und Schwere der Behinderung erfordern.

Abschnitt 2. Berufsausbildungsvorbereitung

§ 68 Personenkreis und Anforderungen. (1) [1] Die Berufsausbildungsvorbereitung richtet sich an lernbeeinträchtigte oder sozial benachteiligte Personen, deren Entwicklungsstand eine erfolgreiche Ausbildung in einem anerkannten Ausbildungsberuf noch nicht erwarten lässt. [2] Sie muss nach Inhalt, Art, Ziel und Dauer den besonderen Erfordernissen des in Satz 1 genannten

---

[1)] Nr. **440**.

Personenkreises entsprechen und durch umfassende sozialpädagogische Betreuung und Unterstützung begleitet werden.

(2) Für die Berufsausbildungsvorbereitung, die nicht im Rahmen des Dritten Buches Sozialgesetzbuch[1] oder anderer vergleichbarer, öffentlich geförderter Maßnahmen durchgeführt wird, gelten die §§ 27 bis 33 entsprechend.

§ 69 Qualifizierungsbausteine, Bescheinigung. (1) Die Vermittlung von Grundlagen für den Erwerb beruflicher Handlungsfähigkeit (§ 1 Absatz 2) kann insbesondere durch inhaltlich und zeitlich abgegrenzte Lerneinheiten erfolgen, die aus den Inhalten anerkannter Ausbildungsberufe entwickelt werden (Qualifizierungsbausteine).

(2) [1] Über vermittelte Grundlagen für den Erwerb beruflicher Handlungsfähigkeit stellt der Anbieter der Berufsausbildungsvorbereitung eine Bescheinigung aus. [2] Das Nähere regelt das Bundesministerium für Bildung und Forschung im Einvernehmen mit den für den Erlass von Ausbildungsordnungen zuständigen Fachministerien nach Anhörung des Hauptausschusses des Bundesinstituts für Berufsbildung durch Rechtsverordnung, die nicht der Zustimmung des Bundesrates bedarf.

§ 70 Überwachung, Beratung. (1) Die nach Landesrecht zuständige Behörde hat die Berufsausbildungsvorbereitung zu untersagen, wenn die Voraussetzungen des § 68 Absatz 1 nicht vorliegen.

(2) [1] Der Anbieter hat die Durchführung von Maßnahmen der Berufsausbildungsvorbereitung vor Beginn der Maßnahme der zuständigen Stelle schriftlich oder elektronisch anzuzeigen. [2] Die Anzeigepflicht erstreckt sich auf den wesentlichen Inhalt des Qualifizierungsvertrages.

(3) Die Absätze 1 und 2 sowie § 76 finden keine Anwendung, soweit die Berufsausbildungsvorbereitung im Rahmen des Dritten Buches Sozialgesetzbuch[1] oder anderer vergleichbarer, öffentlich geförderter Maßnahmen durchgeführt wird.

Teil 3. Organisation der Berufsbildung

Kapitel 1. Zuständige Stellen; zuständige Behörden

Abschnitt 1. Bestimmung der zuständigen Stelle

§ 71 Zuständige Stellen. (1) Für die Berufsbildung in Berufen der Handwerksordnung[2] ist die Handwerkskammer zuständige Stelle im Sinne dieses Gesetzes.

(2) Für die Berufsbildung in nichthandwerklichen Gewerbeberufen ist die Industrie- und Handelskammer zuständige Stelle im Sinne dieses Gesetzes.

(3) Für die Berufsbildung in Berufen der Landwirtschaft, einschließlich der ländlichen Hauswirtschaft, ist die Landwirtschaftskammer zuständige Stelle im Sinne dieses Gesetzes.

(4) Für die Berufsbildung der Fachangestellten im Bereich der Rechtspflege sind jeweils für ihren Bereich die Rechtsanwalts-, Patentanwalts- und Notar-

---

[1] Nr. **700**.
[2] Auszugsweise abgedruckt unter Nr. **107**.

kammern und für ihren Tätigkeitsbereich die Notarkassen zuständige Stelle im Sinne dieses Gesetzes.

(5) Für die Berufsbildung der Fachangestellten im Bereich der Wirtschaftsprüfung und Steuerberatung sind jeweils für ihren Bereich die Wirtschaftsprüferkammern und die Steuerberaterkammern zuständige Stelle im Sinne dieses Gesetzes.

(6) Für die Berufsbildung der Fachangestellten im Bereich der Gesundheitsdienstberufe sind jeweils für ihren Bereich die Ärzte-, Zahnärzte-, Tierärzte- und Apothekerkammern zuständige Stelle im Sinne dieses Gesetzes.

(7) Soweit die Berufsausbildungsvorbereitung, die Berufsausbildung und die berufliche Umschulung in Betrieben zulassungspflichtiger Handwerke, zulassungsfreier Handwerke und handwerksähnlicher Gewerbe durchgeführt wird, ist abweichend von den Absätzen 2 bis 6 die Handwerkskammer zuständige Stelle im Sinne dieses Gesetzes.

(8) Soweit Kammern für einzelne Berufsbereiche der Absätze 1 bis 6 nicht bestehen, bestimmt das Land die zuständige Stelle.

(9) [1] Zuständige Stellen können vereinbaren, dass die ihnen jeweils durch Gesetz zugewiesenen Aufgaben im Bereich der Berufsbildung durch eine von ihnen für die Beteiligten wahrgenommen werden. [2] Die Vereinbarung bedarf der Genehmigung durch die zuständigen obersten Bundes- oder Landesbehörden.

§ 72 Bestimmung durch Rechtsverordnung. Das zuständige Fachministerium kann im Einvernehmen mit dem Bundesministerium für Bildung und Forschung durch Rechtsverordnung mit Zustimmung des Bundesrates für Berufsbereiche, die durch § 71 nicht geregelt sind, die zuständige Stelle bestimmen.

§ 73 Zuständige Stellen im Bereich des öffentlichen Dienstes.

(1) Im öffentlichen Dienst bestimmt für den Bund die oberste Bundesbehörde für ihren Geschäftsbereich die zuständige Stelle

1. in den Fällen der §§ 32, 33 und 76 sowie der §§ 23, 24 und 41a der Handwerksordnung[1)],
2. für die Berufsbildung in anderen als den durch die §§ 71 und 72 erfassten Berufsbereichen;

dies gilt auch für die der Aufsicht des Bundes unterstehenden Körperschaften, Anstalten und Stiftungen des öffentlichen Rechts.

(2) [1] Im öffentlichen Dienst bestimmen die Länder für ihren Bereich sowie für die Gemeinden und Gemeindeverbände die zuständige Stelle für die Berufsbildung in anderen als den durch die §§ 71 und 72 erfassten Berufsbereichen. [2] Dies gilt auch für die der Aufsicht der Länder unterstehenden Körperschaften, Anstalten und Stiftungen des öffentlichen Rechts.

(3) § 71 Absatz 9 gilt entsprechend.

§ 74 Erweiterte Zuständigkeit. § 73 gilt entsprechend für Ausbildungsberufe, in denen im Bereich der Kirchen und sonstigen Religionsgemeinschaf-

---

[1)] Nr. **107**.

ten des öffentlichen Rechts oder außerhalb des öffentlichen Dienstes nach Ausbildungsordnungen des öffentlichen Dienstes ausgebildet wird.

§ 75 Zuständige Stellen im Bereich der Kirchen und sonstigen Religionsgemeinschaften des öffentlichen Rechts. [1]Die Kirchen und sonstigen Religionsgemeinschaften des öffentlichen Rechts bestimmen für ihren Bereich die zuständige Stelle für die Berufsbildung in anderen als den durch die §§ 71, 72 und 74 erfassten Berufsbereichen. [2]Die §§ 77 bis 80 finden keine Anwendung.

§ 75a Zuständige Stellen bei mehreren betroffenen Berufsbereichen und Bereichen. [1]Erfolgt in den Fällen des § 4 Absatz 2 die Festlegung einer gemeinsamen zuständigen Stelle nach § 5 Absatz 3 Satz 2, geht § 71 Absatz 7 der Festlegung vor. [2]Erfolgt keine Festlegung, bestimmt sich die zuständige Stelle nach der Zugehörigkeit des ausbildenden Lernorts der betrieblichen Berufsbildung zu einem Berufsbereich oder Bereich entsprechend den §§ 71 bis 75. [3]Die Sätze 1 und 2 gelten bei Umschulungsordnungen entsprechend, soweit ein umschulender Lernort der betrieblichen Berufsbildung besteht. [4]Fehlt ein umschulender Lernort der betrieblichen Berufsbildung, haben die Umzuschulenden die Wahl unter den zuständigen Stellen, die die jeweilige Umschulungsprüfung anbieten. [5]Erfolgt bei Fortbildungsordnungen in den Fällen des § 53 Absatz 4 und des § 53e Absatz 4 keine Festlegung einer gemeinsamen zuständigen Stelle, haben die Fortzubildenden die Wahl unter den zuständigen Stellen, die die jeweilige Fortbildungsprüfung anbieten.

§ 75b Zuständige Stelle bei der Feststellung nach § 1 Absatz 6. Die Vorschriften dieses Abschnitts gelten bei der Feststellung der individuellen beruflichen Handlungsfähigkeit am Maßstab eines anerkannten Ausbildungsberufs nach § 1 Absatz 6 entsprechend.

Abschnitt 2. Überwachung der Berufsbildung

§ 76 Überwachung, Beratung. (1) [1]Die zuständige Stelle überwacht die Durchführung

1. der Berufsausbildungsvorbereitung,
2. der Berufsausbildung und
3. der beruflichen Umschulung

und fördert diese durch Beratung der an der Berufsbildung beteiligten Personen. [2]Sie hat zu diesem Zweck Berater oder Beraterinnen zu bestellen. [3]Die Bestellung von Beratern und Beraterinnen ist hauptberuflich, nebenberuflich oder ehrenamtlich möglich. [4]Erfolgt die Bestellung ehrenamtlich, ist für bare Auslagen und für Zeitversäumnis, soweit eine Entschädigung von anderer Seite nicht gewährt wird, eine angemessene Entschädigung zu zahlen, deren Höhe von der zuständigen Stelle mit Genehmigung der obersten Landesbehörde festgesetzt wird.

(2) Ausbildende, Umschulende und Anbieter von Maßnahmen der Berufsausbildungsvorbereitung sind auf Verlangen verpflichtet, die für die Überwachung notwendigen Auskünfte zu erteilen und Unterlagen vorzulegen sowie die Besichtigung der Ausbildungsstätten zu gestatten.

(3) [1]Die Durchführung von Auslandsaufenthalten nach § 2 Absatz 3 überwacht und fördert die zuständige Stelle in geeigneter Weise. [2]Beträgt die Dauer

eines Ausbildungsabschnitts im Ausland mehr als acht Wochen, ist hierfür ein mit der zuständigen Stelle abgestimmter Plan erforderlich.

(4) Auskunftspflichtige können die Auskunft auf solche Fragen verweigern, deren Beantwortung sie selbst oder einen der in § 52 der Strafprozessordnung[1] bezeichneten Angehörigen der Gefahr strafgerichtlicher Verfolgung oder eines Verfahrens nach dem Gesetz über Ordnungswidrigkeiten[2] aussetzen würde.

(5) Die zuständige Stelle teilt der Aufsichtsbehörde nach dem Jugendarbeitsschutzgesetz[3] Wahrnehmungen mit, die für die Durchführung des Jugendarbeitsschutzgesetzes von Bedeutung sein können.

Abschnitt 3. Berufsbildungsausschuss der zuständigen Stelle

§ 77 Errichtung. (1) [1] Die zuständige Stelle errichtet einen Berufsbildungsausschuss. [2] Ihm gehören sechs Beauftragte der Arbeitgeber, sechs Beauftragte der Arbeitnehmer und sechs Lehrkräfte an berufsbildenden Schulen an, die Lehrkräfte mit beratender Stimme.

(2) Die Beauftragten der Arbeitgeber werden auf Vorschlag der zuständigen Stelle, die Beauftragten der Arbeitnehmer auf Vorschlag der im Bezirk der zuständigen Stelle bestehenden Gewerkschaften und selbstständigen Vereinigungen von Arbeitnehmern mit sozial- oder berufspolitischer Zwecksetzung, die Lehrkräfte an berufsbildenden Schulen von der nach Landesrecht zuständigen Behörde längstens für vier Jahre als Mitglieder berufen.

(3) [1] Die Tätigkeit im Berufsbildungsausschuss ist ehrenamtlich. [2] Für bare Auslagen und für Zeitversäumnis ist, soweit eine Entschädigung nicht von anderer Seite gewährt wird, eine angemessene Entschädigung zu zahlen, deren Höhe von der zuständigen Stelle mit Genehmigung der obersten Landesbehörde festgesetzt wird.

(4) Die Mitglieder können nach Anhören der an ihrer Berufung Beteiligten aus wichtigem Grund abberufen werden.

(5) [1] Die Mitglieder haben Stellvertreter oder Stellvertreterinnen. [2] Die Absätze 1 bis 4 gelten für die Stellvertreter und Stellvertreterinnen entsprechend.

(6) [1] Der Berufsbildungsausschuss wählt ein Mitglied, das den Vorsitz führt, und ein weiteres Mitglied, das den Vorsitz stellvertretend übernimmt. [2] Der Vorsitz und seine Stellvertretung sollen nicht derselben Mitgliedergruppe angehören.

§ 78 Beschlussfähigkeit, Abstimmung. (1) [1] Der Berufsbildungsausschuss ist beschlussfähig, wenn mehr als die Hälfte seiner stimmberechtigten Mitglieder anwesend ist. [2] Er beschließt mit der Mehrheit der abgegebenen Stimmen.

(2) Zur Wirksamkeit eines Beschlusses ist es erforderlich, dass der Gegenstand bei der Einberufung des Ausschusses bezeichnet ist, es sei denn, dass er mit Zustimmung von zwei Dritteln der stimmberechtigten Mitglieder nachträglich auf die Tagesordnung gesetzt wird.

§ 79 Aufgaben. (1) [1] Der Berufsbildungsausschuss ist in allen wichtigen Angelegenheiten der beruflichen Bildung zu unterrichten und zu hören. [2] Er hat

[1] **Habersack Nr. 90.**
[2] **Habersack Nr. 94.**
[3] Nr. 420.

im Rahmen seiner Aufgaben auf eine stetige Entwicklung der Qualität der beruflichen Bildung hinzuwirken.

(2) Wichtige Angelegenheiten, in denen der Berufsbildungsausschuss anzuhören ist, sind insbesondere:

1. Erlass von Verwaltungsgrundsätzen über die Eignung von Ausbildungs- und Umschulungsstätten, für das Führen von Ausbildungsnachweisen nach § 13 Satz 2 Nummer 7, für die Verkürzung der Ausbildungsdauer, für die vorzeitige Zulassung zur Abschlussprüfung, für die Durchführung der Prüfungen, zur Durchführung von über- und außerbetrieblicher Ausbildung sowie Verwaltungsrichtlinien zur beruflichen Bildung,
2. Umsetzung der vom Landesausschuss für Berufsbildung empfohlenen Maßnahmen,
3. wesentliche inhaltliche Änderungen des Ausbildungsvertragsmusters.

(3) Wichtige Angelegenheiten, in denen der Berufsbildungsausschuss zu unterrichten ist, sind insbesondere:

1. Zahl und Art der der zuständigen Stelle angezeigten Maßnahmen der Berufsausbildungsvorbereitung und beruflichen Umschulung sowie der eingetragenen Berufsausbildungsverhältnisse,
2. Zahl und Ergebnisse von durchgeführten Prüfungen sowie hierbei gewonnene Erfahrungen,
3. Tätigkeit der Berater und Beraterinnen nach § 76 Absatz 1 Satz 2,
4. für den räumlichen und fachlichen Zuständigkeitsbereich der zuständigen Stelle neue Formen, Inhalte und Methoden der Berufsbildung,
5. Stellungnahmen oder Vorschläge der zuständigen Stelle gegenüber anderen Stellen und Behörden, soweit sie sich auf die Durchführung dieses Gesetzes oder der auf Grund dieses Gesetzes erlassenen Rechtsvorschriften beziehen,
6. Bau eigener überbetrieblicher Berufsbildungsstätten,
7. Beschlüsse nach Absatz 5 sowie beschlossene Haushaltsansätze zur Durchführung der Berufsbildung mit Ausnahme der Personalkosten,
8. Verfahren zur Beilegung von Streitigkeiten aus Ausbildungsverhältnissen,
9. Arbeitsmarktfragen, soweit sie die Berufsbildung im Zuständigkeitsbereich der zuständigen Stelle berühren.

(4) [1] Der Berufsbildungsausschuss hat die auf Grund dieses Gesetzes von der zuständigen Stelle zu erlassenden Rechtsvorschriften für die Durchführung der Berufsbildung zu beschließen. [2] Gegen Beschlüsse, die gegen Gesetz oder Satzung verstoßen, kann die zur Vertretung der zuständigen Stelle berechtigte Person innerhalb einer Woche Einspruch einlegen. [3] Der Einspruch ist zu begründen und hat aufschiebende Wirkung. [4] Der Berufsbildungsausschuss hat seinen Beschluss zu überprüfen und erneut zu beschließen.

(5) [1] Beschlüsse, zu deren Durchführung die für Berufsbildung im laufenden Haushalt vorgesehenen Mittel nicht ausreichen, bedürfen für ihre Wirksamkeit der Zustimmung der für den Haushaltsplan zuständigen Organe. [2] Das Gleiche gilt für Beschlüsse, zu deren Durchführung in folgenden Haushaltsjahren Mittel bereitgestellt werden müssen, die die Ausgaben für Berufsbildung des laufenden Haushalts nicht unwesentlich übersteigen.

(6) Abweichend von § 77 Absatz 1 haben die Lehrkräfte Stimmrecht bei Beschlüssen zu Angelegenheiten der Berufsausbildungsvorbereitung und Be-

rufsausbildung, soweit sich die Beschlüsse unmittelbar auf die Organisation der schulischen Berufsbildung auswirken.

§ 80 Geschäftsordnung. [1]Der Berufsbildungsausschuss gibt sich eine Geschäftsordnung. [2]Sie kann die Bildung von Unterausschüssen vorsehen und bestimmen, dass ihnen nicht nur Mitglieder des Ausschusses angehören. [3]Für die Unterausschüsse gelten § 77 Absatz 2 bis 6 und § 78 entsprechend.

Abschnitt 4. Zuständige Behörden

§ 81 Zuständige Behörden. (1) Im Bereich des Bundes ist die oberste Bundesbehörde oder die von ihr bestimmte Behörde die zuständige Behörde im Sinne des § 30 Absatz 6, der §§ 32, 33, 40 Absatz 6, des § 76 Absatz 1 und des § 77 Absatz 2 und 3.

(2) Ist eine oberste Bundesbehörde oder eine oberste Landesbehörde zuständige Stelle im Sinne dieses Gesetzes, so bedarf es im Fall des § 40 Absatz 6, des § 76 Absatz 1 und des § 77 Absatz 3 keiner Genehmigung.

Kapitel 2. Landesausschüsse für Berufsbildung

§ 82 Errichtung, Geschäftsordnung, Abstimmung. (1) [1]Bei der Landesregierung wird ein Landesausschuss für Berufsbildung errichtet. [2]Er setzt sich zusammen aus einer gleichen Zahl von Beauftragten der Arbeitgeber, der Arbeitnehmer und der obersten Landesbehörden. [3]Die Hälfte der Beauftragten der obersten Landesbehörden muss in Fragen des Schulwesens sachverständig sein.

(2) [1]Die Mitglieder des Landesausschusses werden längstens für vier Jahre von der Landesregierung oder der von ihr bestimmten obersten Landesbehörde berufen, die Beauftragten der Arbeitgeber auf Vorschlag der auf Landesebene bestehenden Zusammenschlüsse der Kammern, der Arbeitgeberverbände und der Unternehmerverbände, die Beauftragten der Arbeitnehmer auf Vorschlag der auf Landesebene bestehenden Gewerkschaften und selbstständigen Vereinigungen von Arbeitnehmern mit sozial- oder berufspolitischer Zwecksetzung. [2]Die Tätigkeit im Landesausschuss ist ehrenamtlich. [3]Für bare Auslagen und für Zeitversäumnis ist, soweit eine Entschädigung nicht von anderer Seite gewährt wird, eine angemessene Entschädigung zu zahlen, deren Höhe von der Landesregierung oder der von ihr bestimmten obersten Landesbehörde festgesetzt wird. [4]Die Mitglieder können nach Anhören der an ihrer Berufung Beteiligten aus wichtigem Grund abberufen werden. [5]Der Ausschuss wählt ein Mitglied, das den Vorsitz führt, und ein weiteres Mitglied, das den Vorsitz stellvertretend übernimmt. [6]Der Vorsitz und seine Stellvertretung sollen nicht derselben Mitgliedergruppe angehören.

(3) [1]Die Mitglieder haben Stellvertreter oder Stellvertreterinnen. [2]Die Absätze 1 und 2 gelten für die Stellvertreter und Stellvertreterinnen entsprechend.

(4) [1]Der Landesausschuss gibt sich eine Geschäftsordnung, die der Genehmigung der Landesregierung oder der von ihr bestimmten obersten Landesbehörde bedarf. [2]Sie kann die Bildung von Unterausschüssen vorsehen und bestimmen, dass ihnen nicht nur Mitglieder des Landesausschusses angehören. [3]Absatz 2 Satz 2 gilt für die Unterausschüsse hinsichtlich der Entschädigung entsprechend. [4]An den Sitzungen des Landesausschusses und der Unterausschüsse

können Vertreter der beteiligten obersten Landesbehörden, der Gemeinden und Gemeindeverbände sowie der Agentur für Arbeit teilnehmen.

(5) [1]Der Landesausschuss ist beschlussfähig, wenn mehr als die Hälfte seiner Mitglieder anwesend ist. [2]Er beschließt mit der Mehrheit der abgegebenen Stimmen.

§ 83 Aufgaben. (1) [1]Der Landesausschuss hat die Landesregierung in den Fragen der Berufsbildung zu beraten, die sich für das Land ergeben. [2]Er hat im Rahmen seiner Aufgaben auf eine stetige Entwicklung der Qualität der beruflichen Bildung hinzuwirken.

(2) [1]Er hat insbesondere im Interesse einer einheitlichen Berufsbildung auf eine Zusammenarbeit zwischen der schulischen Berufsbildung und der Berufsbildung nach diesem Gesetz sowie auf eine Berücksichtigung der Berufsbildung bei der Neuordnung und Weiterentwicklung des Schulwesens hinzuwirken. [2]Der Landesausschuss kann zur Stärkung der regionalen Ausbildungs- und Beschäftigungssituation Empfehlungen zur inhaltlichen und organisatorischen Abstimmung und zur Verbesserung der Ausbildungsangebote aussprechen.

Teil 4. Berufsbildungsforschung, Planung und Statistik

§ 84 Ziele der Berufsbildungsforschung. Die Berufsbildungsforschung soll

1. Grundlagen der Berufsbildung klären,
2. inländische, europäische und internationale Entwicklungen in der Berufsbildung beobachten,
3. Anforderungen an Inhalte und Ziele der Berufsbildung ermitteln,
4. Weiterentwicklungen der Berufsbildung in Hinblick auf gewandelte wirtschaftliche, gesellschaftliche und technische Erfordernisse vorbereiten,
5. Instrumente und Verfahren der Vermittlung von Berufsbildung sowie den Wissens- und Technologietransfer fördern.

§ 85 Ziele der Berufsbildungsplanung. (1) Durch die Berufsbildungsplanung sind Grundlagen für eine abgestimmte und den technischen, wirtschaftlichen und gesellschaftlichen Anforderungen entsprechende Entwicklung der beruflichen Bildung zu schaffen.

(2) Die Berufsbildungsplanung hat insbesondere dazu beizutragen, dass die Ausbildungsstätten nach Art, Zahl, Größe und Standort ein qualitativ und quantitativ ausreichendes Angebot an beruflichen Ausbildungsplätzen gewährleisten und dass sie unter Berücksichtigung der voraussehbaren Nachfrage und des langfristig zu erwartenden Bedarfs an Ausbildungsplätzen möglichst günstig genutzt werden.

§ 86 Berufsbildungsbericht. (1) [1]Das Bundesministerium für Bildung und Forschung hat Entwicklungen in der beruflichen Bildung ständig zu beobachten und darüber bis zum 15. Mai jeden Jahres der Bundesregierung einen Bericht (Berufsbildungsbericht) vorzulegen. [2]In dem Bericht sind Stand und voraussichtliche Weiterentwicklungen der Berufsbildung darzustellen. [3]Erscheint die Sicherung eines regional und sektoral ausgewogenen Angebots an Ausbildungsplätzen als gefährdet, sollen in den Bericht Vorschläge für die Behebung aufgenommen werden.

(2) Der Bericht soll angeben

1. für das vergangene Kalenderjahr
   a) auf der Grundlage von Angaben der zuständigen Stellen die in das Verzeichnis der Berufsausbildungsverhältnisse nach diesem Gesetz oder der Handwerksordnung[1)] eingetragenen Berufsausbildungsverträge, die vor dem 1. Oktober des vergangenen Jahres in den vorangegangenen zwölf Monaten abgeschlossen worden sind und am 30. September des vergangenen Jahres noch bestehen, sowie
   b) die Zahl der am 30. September des vergangenen Jahres nicht besetzten, der Bundesagentur für Arbeit zur Vermittlung angebotenen Ausbildungsplätze und die Zahl der zu diesem Zeitpunkt bei der Bundesagentur für Arbeit gemeldeten Ausbildungsplätze suchenden Personen;
2. für das laufende Kalenderjahr
   a) die bis zum 30. September des laufenden Jahres zu erwartende Zahl der Ausbildungsplätze suchenden Personen,
   b) eine Einschätzung des bis zum 30. September des laufenden Jahres zu erwartenden Angebots an Ausbildungsplätzen.

§ 87 Zweck und Durchführung der Berufsbildungsstatistik. (1) Für Zwecke der Planung und Ordnung der Berufsbildung wird eine Bundesstatistik durchgeführt.

(2) Das Bundesinstitut für Berufsbildung und die Bundesagentur für Arbeit unterstützen das Statistische Bundesamt bei der technischen und methodischen Vorbereitung der Statistik.

(3) Das Erhebungs- und Aufbereitungsprogramm ist im Benehmen mit dem Bundesinstitut für Berufsbildung so zu gestalten, dass die erhobenen Daten für Zwecke der Planung und Ordnung der Berufsbildung im Rahmen der jeweiligen Zuständigkeiten Verwendung finden können.

§ 88 Erhebungen. (1) [1] Die jährliche Bundesstatistik erfasst

1. für jeden Berufsausbildungsvertrag:
   a) Geschlecht, Geburtsjahr, Staatsangehörigkeit der Auszubildenden,
   b) Amtlicher Gemeindeschlüssel des Wohnortes der Auszubildenden bei Vertragsabschluss,
   c) allgemeinbildender Schulabschluss, vorausgegangene Teilnahme an berufsvorbereitender Qualifizierung oder beruflicher Grundbildung, vorherige Berufsausbildung sowie vorheriges Studium der Auszubildenden,
   d) Ausbildungsberuf einschließlich Fachrichtung,
   e) Amtlicher Gemeindeschlüssel und geografische Gitterzelle der Ausbildungsstätte, Wirtschaftszweig, Zugehörigkeit zum öffentlichen Dienst,
   f) Verkürzung der Ausbildungsdauer, Teilzeitberufsausbildung, Dauer der Probezeit,
   g) die bei Vertragsabschluss vereinbarte Vergütung für jedes Ausbildungsjahr,
   h) Tag, Monat und Jahr des vertraglich vereinbarten Beginns und Endes der aktuellen Ausbildung, Tag, Monat und Jahr einer vorzeitigen Auflösung des Berufsausbildungsverhältnisses,

[1)] Auszugsweise abgedruckt unter Nr. **107**.

i) Anschlussvertrag bei Anrechnung einer zuvor absolvierten dualen Berufsausbildung nach diesem Gesetz oder nach der Handwerksordnung[1] mit Angabe des Ausbildungsberufs,

j) Art der Förderung bei überwiegend öffentlich, insbesondere auf Grund des Dritten Buches Sozialgesetzbuch[2] geförderten Berufsausbildungsverhältnissen,

k) Tag, Monat und Jahr der Abschlussprüfung, Art der Zulassung zur Prüfung, Tag, Monat und Jahr der Wiederholungsprüfungen, Prüfungserfolg,

l) ausbildungsintegrierendes duales Studium,

2. für jede Prüfungsteilnahme in der beruflichen Bildung mit Ausnahme der durch Nummer 1 erfassten Ausbildungsverträge: Geschlecht, Geburtsjahr und Vorbildung der Teilnehmenden, Berufsrichtung, Wiederholungsprüfung, Art der Prüfung, Prüfungserfolg,

3. für jeden Ausbilder und jede Ausbilderin: Geschlecht, Geburtsjahr, Art der fachlichen Eignung,

4. für jede Feststellungsverfahrensteilnahme und jede Ergänzungsverfahrensteilnahme zur Feststellung nach § 1 Absatz 6 gesondert: Geschlecht, Geburtsjahr und Vorbildung der Teilnehmenden, Referenzberuf, Wiederholungsverfahren, Feststellungsergebnis sowie Dauer und Kosten des Verfahrens.

2 Der Berichtszeitraum für die Erhebungen ist das Kalenderjahr. 3 Die Angaben werden mit dem Datenstand zum 31. Dezember des Berichtszeitraums erhoben.

(2) 1 Hilfsmerkmale sind Name und Anschrift der Auskunftspflichtigen, die laufenden Nummern der Datensätze zu den Auszubildenden, den Prüfungsteilnehmenden und den Ausbildern und Ausbilderinnen sowie die Betriebsnummer der Ausbildungsstätte nach § 18i Absatz 1 oder § 18k Absatz 1 des Vierten Buches Sozialgesetzbuch[3]. 2 Die Hilfsmerkmale sind zum frühestmöglichen Zeitpunkt, spätestens jedoch nach Abschluss der wiederkehrenden Erhebung, zu löschen. 3 Die Merkmale nach Absatz 1 Satz 1 Nummer 1 Buchstabe e Wirtschaftszweig, Amtlicher Gemeindeschlüssel und geografische Gitterzelle dürfen mittels des Hilfsmerkmals Betriebsnummer der Ausbildungsstätte nach § 18i Absatz 1 oder § 18k Absatz 1 des Vierten Buches Sozialgesetzbuch[3] aus den Daten des Statistikregisters nach § 13 Absatz 1 des Bundesstatistikgesetzes ermittelt werden und mit den Daten nach Absatz 1 Satz 1 und nach Absatz 2 Satz 1 zusammengeführt werden.

(3) Auskunftspflichtig sind die zuständigen Stellen.

(4) 1 Zu Zwecken der Erstellung der Berufsbildungsberichterstattung sowie zur Durchführung der Berufsbildungsforschung nach § 84 werden die nach Absatz 1 Satz 1 erhobenen Daten als Einzelangaben vom Statistischen Bundesamt und von den statistischen Ämtern der Länder verarbeitet und an das Bundesinstitut für Berufsbildung übermittelt. 2 Hierzu wird beim Bundesinstitut für Berufsbildung eine Organisationseinheit eingerichtet, die räumlich, organisatorisch und personell von den anderen Aufgabenbereichen des Bundesinstituts für Berufsbildung zu trennen ist. 3 Die in der Organisationseinheit tätigen Personen müssen Amtsträger oder für den öffentlichen Dienst besonders

[1] Auszugsweise abgedruckt unter Nr. **107**.
[2] Nr. **700**.
[3] Nr. **694**.

Verpflichtete sein. [4]Sie dürfen aus ihrer Tätigkeit gewonnene Erkenntnisse nur zur Erstellung des Berufsbildungsberichts sowie zur Durchführung der Berufsbildungsforschung verwenden. [5]Die nach Satz 1 übermittelten Daten dürfen nicht mit anderen personenbezogenen Daten zusammengeführt werden. [6]Das Nähere zur Ausführung der Sätze 2 und 3 regelt das Bundesministerium für Bildung und Forschung durch Erlass.

Teil 5. Bundesinstitut für Berufsbildung

§ 89 Bundesinstitut für Berufsbildung. [1]Das Bundesinstitut für Berufsbildung ist eine bundesunmittelbare rechtsfähige Anstalt des öffentlichen Rechts. [2]Es hat seinen Sitz in Bonn.

§ 90[1)] Aufgaben. (1) Das Bundesinstitut für Berufsbildung führt seine Aufgaben im Rahmen der Bildungspolitik der Bundesregierung durch.

(2) [1]Das Bundesinstitut für Berufsbildung hat die Aufgabe, durch wissenschaftliche Forschung zur Berufsbildungsforschung beizutragen. [2]Die Forschung wird auf der Grundlage eines jährlichen Forschungsprogramms durchgeführt; das Forschungsprogramm bedarf der Genehmigung des Bundesministeriums für Bildung und Forschung. [3]Weitere Forschungsaufgaben können dem Bundesinstitut für Berufsbildung von obersten Bundesbehörden im Einvernehmen mit dem Bundesministerium für Bildung und Forschung übertragen werden. [4]Die wesentlichen Ergebnisse der Forschungsarbeit des Bundesinstituts für Berufsbildung sind zu veröffentlichen.

(3) Das Bundesinstitut für Berufsbildung hat die sonstigen Aufgaben:

1. nach Weisung des zuständigen Bundesministeriums
   a) an der Vorbereitung von Ausbildungsordnungen und sonstigen Rechtsverordnungen, die nach diesem Gesetz oder nach dem zweiten Teil der Handwerksordnung[2)] zu erlassen sind, mitzuwirken,
   b) an der Vorbereitung des Berufsbildungsberichts mitzuwirken,
   c) an der Durchführung der Berufsbildungsstatistik nach Maßgabe des § 87 mitzuwirken,
   d) Modellversuche einschließlich wissenschaftlicher Begleituntersuchungen zu fördern,
   e) an der internationalen Zusammenarbeit in der beruflichen Bildung mitzuwirken,
   f) weitere Verwaltungsaufgaben des Bundes zur Förderung der Berufsbildung zu übernehmen;
2. nach allgemeinen Verwaltungsvorschriften des zuständigen Bundesministeriums die Förderung überbetrieblicher Berufsbildungsstätten durchzuführen und die Planung, Errichtung und Weiterentwicklung dieser Einrichtungen zu unterstützen;
3. das Verzeichnis der anerkannten Ausbildungsberufe zu führen und zu veröffentlichen;

[1)] § 90 Abs. 3a geänd. mWv 1.11.2025 durch G v. 28.10.2025 (BGBl. 2025 I Nr. 259).
[2)] Auszugsweise abgedruckt unter Nr. **107**.

4. die im Fernunterrichtsschutzgesetz[1] beschriebenen Aufgaben nach den vom Hauptausschuss erlassenen und vom zuständigen Bundesministerium genehmigten Richtlinien wahrzunehmen und durch Förderung von Entwicklungsvorhaben zur Verbesserung und Ausbau des berufsbildenden Fernunterrichts beizutragen.

(3a) Das Bundesinstitut für Berufsbildung nimmt die Aufgaben nach § 53 Absatz 5 Satz 1 und § 54 des Pflegeberufegesetzes[2] sowie nach § 45 des Pflegefachassistenzgesetzes wahr.

(3b) [1] Das Bundesinstitut für Berufsbildung nimmt die Aufgaben nach § 20a Absatz 4 Satz 5 des Aufenthaltsgesetzes[3] und nach § 6 Absatz 1 Satz 5 der Verordnung über die Beschäftigung von Ausländerinnen und Ausländern[4] wahr. [2] Dabei hat das Bundesinstitut für Berufsbildung zu prüfen, ob die Ausbildung die Anforderungen des Berufsbildungsgesetzes erfüllt und zum Erwerb der beruflichen Handlungsfähigkeit geeignet ist. [3] Das Bundesinstitut für Berufsbildung veröffentlicht auf seiner Internetseite regelmäßig eine Liste der Ausbildungen, für die eine entsprechende Bestätigung erteilt wurde.

(4) [1] Das Bundesinstitut für Berufsbildung kann mit Zustimmung des Bundesministeriums für Bildung und Forschung mit Stellen außerhalb der Bundesverwaltung Verträge zur Übernahme weiterer Aufgaben schließen. [2] Dies gilt für die Begutachtung von Fortbildungsprüfungsregelungen der zuständigen Stellen, ob die Voraussetzungen der gesetzlichen Bestimmungen, die nach § 54 Absatz 3 Satz 1 dieses Gesetzes oder § 42f Absatz 3 Satz 1 der Handwerksordnung[5] zu prüfen sind, vorliegen, mit der Maßgabe, dass es einer Zustimmung des Bundesministeriums für Bildung und Forschung nicht bedarf.

§ 91 Organe. Die Organe des Bundesinstituts für Berufsbildung sind:

1. der Hauptausschuss,
2. der Präsident oder die Präsidentin.

§ 92 Hauptausschuss. (1) Der Hauptausschuss hat neben den ihm durch sonstige Vorschriften dieses Gesetzes zugewiesenen Aufgaben folgende weitere Aufgaben:

1. er beschließt über die Angelegenheiten des Bundesinstituts für Berufsbildung, soweit sie nicht dem Präsidenten oder der Präsidentin übertragen sind;
2. er berät die Bundesregierung in grundsätzlichen Fragen der Berufsbildung und kann eine Stellungnahme zu dem Entwurf des Berufsbildungsberichts abgeben;
3. er beschließt das jährliche Forschungsprogramm;
4. er kann Empfehlungen zur einheitlichen Anwendung dieses Gesetzes geben;

---

[1] Auszugsweise abgedruckt unter Nr. **419**.
[2] Nr. **416**.
[3] Nr. **760**.
[4] Nr. **762**.
[5] Nr. **107**.

5. er kann zu den vom Bundesinstitut vorbereiteten Entwürfen der Verordnungen gemäß § 4 Absatz 1 und 2 unter Berücksichtigung der entsprechenden Entwürfe der schulischen Rahmenlehrpläne Stellung nehmen;
6. er beschließt über die in § 90 Absatz 3 Nummer 3 und 4 sowie § 97 Absatz 4 genannten Angelegenheiten des Bundesinstituts für Berufsbildung.

(2) Der Präsident oder die Präsidentin unterrichtet den Hauptausschuss unverzüglich über erteilte Weisungen zur Durchführung von Aufgaben nach § 90

(Fortsetzung nächstes Blatt)

Absatz 3 Nummer 1 und erlassene Verwaltungsvorschriften nach § 90 Absatz 3 Nummer 2.

(3) [1]Dem Hauptausschuss gehören je acht Beauftragte der Arbeitgeber, der Arbeitnehmer und der Länder sowie fünf Beauftragte des Bundes an. [2]Die Beauftragten des Bundes führen acht Stimmen, die nur einheitlich abgegeben werden können; bei der Beratung der Bundesregierung in grundsätzlichen Fragen der Berufsbildung, bei der Stellungnahme zum Entwurf des Berufsbildungsberichts und im Rahmen von Anhörungen nach diesem Gesetz haben sie kein Stimmrecht. [3]An den Sitzungen des Hauptausschusses können je ein Beauftragter oder eine Beauftragte der Bundesagentur für Arbeit, der auf Bundesebene bestehenden kommunalen Spitzenverbände sowie des wissenschaftlichen Beirats mit beratender Stimme teilnehmen.

(4) Die Beauftragten der Arbeitgeber werden auf Vorschlag der auf Bundesebene bestehenden Zusammenschlüsse der Kammern, Arbeitgeberverbände und Unternehmensverbände, die Beauftragten der Arbeitnehmer auf Vorschlag der auf Bundesebene bestehenden Gewerkschaften, die Beauftragten des Bundes auf Vorschlag der Bundesregierung und die Beauftragten der Länder auf Vorschlag des Bundesrates vom Bundesministerium für Bildung und Forschung längstens für vier Jahre berufen.

(5) [1]Der Hauptausschuss wählt auf die Dauer eines Jahres ein Mitglied, das den Vorsitz führt, und ein weiteres Mitglied, das den Vorsitz stellvertretend übernimmt. [2]Der oder die Vorsitzende wird der Reihe nach von den Beauftragten der Arbeitgeber, der Arbeitnehmer, der Länder und des Bundes vorgeschlagen.

(6) [1]Die Tätigkeit im Hauptausschuss ist ehrenamtlich. [2]Für bare Auslagen und Verdienstausfälle ist, soweit eine Entschädigung nicht von anderer Seite gewährt wird, eine angemessene Entschädigung zu zahlen, deren Höhe vom Bundesinstitut für Berufsbildung mit Genehmigung des Bundesministeriums für Bildung und Forschung festgesetzt wird. [3]Die Genehmigung ergeht im Einvernehmen mit dem Bundesministerium der Finanzen.

(7) Die Mitglieder können nach Anhören der an ihrer Berufung Beteiligten aus wichtigem Grund abberufen werden.

(8) [1]Die Beauftragten haben Stellvertreter oder Stellvertreterinnen. [2]Die Absätze 4, 6 und 7 gelten entsprechend.

(9) [1]Der Hauptausschuss kann nach näherer Regelung der Satzung Unterausschüsse einsetzen, denen auch andere als Mitglieder des Hauptausschusses angehören können. [2]Den Unterausschüssen sollen Beauftragte der Arbeitgeber, der Arbeitnehmer, der Länder und des Bundes angehören. [3]Die Absätze 4 bis 7 gelten für die Unterausschüsse entsprechend.

(10) Bei der Wahrnehmung seiner Aufgaben unterliegt der Hauptausschuss keinen Weisungen.

§ 93 Präsident oder Präsidentin. (1) [1]Der Präsident oder die Präsidentin vertritt das Bundesinstitut für Berufsbildung gerichtlich und außergerichtlich. [2]Er oder sie verwaltet das Bundesinstitut und führt dessen Aufgaben durch. [3]Soweit er oder sie nicht Weisungen und allgemeine Verwaltungsvorschriften des zuständigen Bundesministeriums zu beachten hat (§ 90 Absatz 3 Nummer 1 und 2), führt er oder sie die Aufgaben nach Richtlinien des Hauptausschusses durch.

(2) Der Präsident oder die Präsidentin wird auf Vorschlag der Bundesregierung, der Ständige Vertreter oder die Ständige Vertreterin des Präsidenten oder der Präsidentin auf Vorschlag des Bundesministeriums für Bildung und Forschung im Benehmen mit dem Präsidenten oder der Präsidentin unter Berufung in das Beamtenverhältnis von dem Bundespräsidenten oder der Bundespräsidentin ernannt.

§ 94 Wissenschaftlicher Beirat. (1) Der wissenschaftliche Beirat berät die Organe des Bundesinstituts für Berufsbildung durch Stellungnahmen und Empfehlungen

1. zum Forschungsprogramm des Bundesinstituts für Berufsbildung,
2. zur Zusammenarbeit des Instituts mit Hochschulen und anderen Forschungseinrichtungen und
3. zu den jährlichen Berichten über die wissenschaftlichen Ergebnisse des Bundesinstituts für Berufsbildung.

(2) [1] Zur Wahrnehmung seiner Aufgaben werden dem Beirat von dem Präsidenten oder der Präsidentin des Bundesinstituts für Berufsbildung die erforderlichen Auskünfte erteilt. [2] Auf Wunsch werden ihm einmal jährlich im Rahmen von Kolloquien die wissenschaftlichen Arbeiten des Bundesinstituts für Berufsbildung erläutert.

(3) [1] Dem Beirat gehören bis zu elf anerkannte Fachleute auf dem Gebiet der Berufsbildungsforschung aus dem In- und Ausland an, die nicht Angehörige des Bundesinstituts für Berufsbildung sind. [2] Sie werden von dem Präsidenten oder der Präsidentin des Bundesinstituts für Berufsbildung im Einvernehmen mit dem Bundesministerium für Bildung und Forschung auf vier Jahre bestellt. [3] Einmalige Wiederberufung in Folge ist möglich. [4] An den Sitzungen des wissenschaftlichen Beirats können vier Mitglieder des Hauptausschusses, und zwar je ein Beauftragter oder eine Beauftragte der Arbeitgeber, der Arbeitnehmer, der Länder und des Bundes, ohne Stimmrecht teilnehmen.

(4) Der wissenschaftliche Beirat kann sich eine Geschäftsordnung geben.

(5) § 92 Absatz 6 gilt entsprechend.

§ 95 Ausschuss für Fragen behinderter Menschen. (1) [1] Zur Beratung des Bundesinstituts für Berufsbildung bei seinen Aufgaben auf dem Gebiet der beruflichen Bildung behinderter Menschen wird ein ständiger Unterausschuss des Hauptausschusses errichtet. [2] Der Ausschuss hat darauf hinzuwirken, dass die besonderen Belange der behinderten Menschen in der beruflichen Bildung berücksichtigt werden und die berufliche Bildung behinderter Menschen mit den übrigen Leistungen zur Teilhabe am Arbeitsleben koordiniert wird. [3] Das Bundesinstitut für Berufsbildung trifft Entscheidungen über die Durchführung von Forschungsvorhaben, die die berufliche Bildung behinderter Menschen betreffen, unter Berücksichtigung von Vorschlägen des Ausschusses.

(2) [1] Der Ausschuss besteht aus 17 Mitgliedern, die von dem Präsidenten oder der Präsidentin längstens für vier Jahre berufen werden. [2] Eine Wiederberufung ist zulässig. [3] Die Mitglieder des Ausschusses werden auf Vorschlag des Beirats für die Teilhabe behinderter Menschen (§ 86 des Neunten Buches Sozialgesetzbuch[1]) berufen, und zwar

---

[1] **beck-online, Module Arbeitsrecht Nr. 440.**

ein Mitglied, das die Arbeitnehmer vertritt,
ein Mitglied, das die Arbeitgeber vertritt,
drei Mitglieder, die Organisationen behinderter Menschen vertreten,
ein Mitglied, das die Bundesagentur für Arbeit vertritt,
ein Mitglied, das die gesetzliche Rentenversicherung vertritt,
ein Mitglied, das die gesetzliche Unfallversicherung vertritt,
ein Mitglied, das die Freie Wohlfahrtspflege vertritt,
zwei Mitglieder, die Einrichtungen der beruflichen Rehabilitation vertreten,
sechs weitere für die berufliche Bildung behinderter Menschen sachkundige Personen, die in Bildungsstätten oder ambulanten Diensten für behinderte Menschen tätig sind.

(3) Der Ausschuss kann behinderte Menschen, die beruflich ausgebildet, fortgebildet oder umgeschult werden, zu den Beratungen hinzuziehen.

§ 96 Finanzierung des Bundesinstituts für Berufsbildung. (1) [1]Die Ausgaben für die Errichtung und Verwaltung des Bundesinstituts für Berufsbildung werden durch Zuschüsse des Bundes gedeckt. [2]Die Höhe der Zuschüsse des Bundes regelt das Haushaltsgesetz.

(2) [1]Die Ausgaben zur Durchführung von Aufträgen nach § 90 Absatz 2 Satz 3 und von Aufgaben nach § 90 Absatz 3 Nummer 1 Buchstabe f werden durch das beauftragende Bundesministerium gedeckt. [2]Die Ausgaben für die Bestätigung nach § 90 Absatz 3b sind durch die Stelle zu decken, die den entsprechenden Berufsabschluss erteilt. [3]Die Ausgaben zur Durchführung von Verträgen nach § 90 Absatz 4 sind durch den Vertragspartner zu decken.

§ 97 Haushalt. (1) [1]Der Haushaltsplan wird von dem Präsidenten oder der Präsidentin aufgestellt. [2]Der Hauptausschuss stellt den Haushaltsplan fest.

(2) [1]Der Haushaltsplan bedarf der Genehmigung des Bundesministeriums für Bildung und Forschung. [2]Die Genehmigung erstreckt sich auch auf die Zweckmäßigkeit der Ansätze.

(3) Der Haushaltsplan soll rechtzeitig vor Einreichung der Voranschläge zum Bundeshaushalt, spätestens zum 15. Oktober des vorhergehenden Jahres, dem Bundesministerium für Bildung und Forschung vorgelegt werden.

(4) [1]Über- und außerplanmäßige Ausgaben können vom Hauptausschuss auf Vorschlag des Präsidenten oder der Präsidentin bewilligt werden. [2]Die Bewilligung bedarf der Einwilligung des Bundesministeriums für Bildung und Forschung und des Bundesministeriums der Finanzen. [3]Die Sätze 1 und 2 gelten entsprechend für Maßnahmen, durch die für das Bundesinstitut für Berufsbildung Verpflichtungen entstehen können, für die Ausgaben im Haushaltsplan nicht veranschlagt sind.

(5) [1]Nach Ende des Haushaltsjahres wird die Rechnung von dem Präsidenten oder der Präsidentin aufgestellt. [2]Die Entlastung obliegt dem Hauptausschuss. [3]Sie bedarf nicht der Genehmigung nach § 109 Absatz 3 der Bundeshaushaltsordnung[1)].

§ 98 Satzung. (1) Durch die Satzung des Bundesinstituts für Berufsbildung sind

---

[1)] **Sartorius Nr. 700.**

1. die Art und Weise der Aufgabenerfüllung (§ 90 Absatz 2 und 3) sowie
2. die Organisation

näher zu regeln.

(2) [1] Der Hauptausschuss beschließt mit einer Mehrheit von vier Fünfteln der Stimmen seiner Mitglieder die Satzung. [2] Sie bedarf der Genehmigung des Bundesministeriums für Bildung und Forschung und ist im Bundesanzeiger bekannt zu geben.

(3) Absatz 2 gilt für Satzungsänderungen entsprechend.

§ 99 Personal. (1) [1] Die Aufgaben des Bundesinstituts für Berufsbildung werden von Beamten, Beamtinnen und Dienstkräften, die als Angestellte, Arbeiter und Arbeiterinnen beschäftigt sind, wahrgenommen. [2] Es ist Dienstherr im Sinne des § 2 des Bundesbeamtengesetzes[1)]. [3] Die Beamten und Beamtinnen sind Bundesbeamte und Bundesbeamtinnen.

(2) [1] Das Bundesministerium für Bildung und Forschung ernennt und entlässt die Beamten und Beamtinnen des Bundesinstituts, soweit das Recht zur Ernennung und Entlassung der Beamten und Beamtinnen, deren Amt in der Bundesbesoldungsordnung B aufgeführt ist, nicht von dem Bundespräsidenten oder der Bundespräsidentin ausgeübt wird. [2] Das zuständige Bundesministerium kann seine Befugnisse auf den Präsidenten oder die Präsidentin übertragen.

(3) [1] Oberste Dienstbehörde für die Beamten und Beamtinnen des Bundesinstituts ist das Bundesministerium für Bildung und Forschung. [2] Es kann seine Befugnisse auf den Präsidenten oder die Präsidentin übertragen. [3] § 144 Absatz 1 des Bundesbeamtengesetzes und § 83 Absatz 1 des Bundesdisziplinargesetzes[2)] bleiben unberührt.

(4) [1] Auf die Angestellten, Arbeiter und Arbeiterinnen des Bundesinstituts sind die für Arbeitnehmer und Arbeitnehmerinnen des Bundes geltenden Tarifverträge und sonstigen Bestimmungen anzuwenden. [2] Ausnahmen bedürfen der vorherigen Zustimmung des Bundesministeriums für Bildung und Forschung; die Zustimmung ergeht im Einvernehmen mit dem Bundesministerium des Innern und für Heimat und dem Bundesministerium der Finanzen.

§ 100 Aufsicht über das Bundesinstitut für Berufsbildung. Das Bundesinstitut für Berufsbildung unterliegt, soweit in diesem Gesetz nicht weitergehende Aufsichtsbefugnisse vorgesehen sind, der Rechtsaufsicht des Bundesministeriums für Bildung und Forschung.

Teil 6. Bußgeldvorschriften

§ 101 Bußgeldvorschriften. (1) Ordnungswidrig handelt, wer

1. entgegen § 11 Absatz 1 Satz 1, auch in Verbindung mit Absatz 3, den wesentlichen Inhalt des Vertrages oder eine wesentliche Änderung nicht, nicht richtig, nicht vollständig, nicht in der vorgeschriebenen Weise oder nicht rechtzeitig abfasst,
2. entgegen § 11 Absatz 2 Satz 1, auch in Verbindung mit Absatz 3, die Vertragsabfassung nicht, nicht richtig, nicht vollständig oder nicht recht-

---

[1)] **Sartorius Nr. 160.**
[2)] **Sartorius Nr. 220.**

zeitig aushändigt und nicht, nicht richtig, nicht vollständig, nicht in der vorgeschriebenen Weise oder nicht rechtzeitig übermittelt,

3. entgegen § 11 Absatz 2 Satz 4, auch in Verbindung mit Absatz 3, die Vertragsabfassung oder den Empfangsnachweis nicht oder nicht mindestens drei Jahre aufbewahrt,
4. entgegen § 14 Absatz 3 Auszubildenden eine Verrichtung überträgt, die dem Ausbildungszweck nicht dient,
5. entgegen § 15 Absatz 1 Satz 1 oder 2 Auszubildende beschäftigt oder nicht freistellt,
6. entgegen § 18 Absatz 3 Satz 1, auch in Verbindung mit Satz 2, eine dort genannte Vergütung nicht, nicht richtig, nicht vollständig oder nicht rechtzeitig zahlt,
7. entgegen § 28 Absatz 1 oder 2 Auszubildende einstellt oder ausbildet,
8. einer vollziehbaren Anordnung nach § 33 Absatz 1 oder 2 zuwiderhandelt,
9. entgegen § 36 Absatz 1 Satz 1, auch in Verbindung mit Satz 4, eine dort genannte Eintragung nicht, nicht richtig, nicht in der vorgeschriebenen Weise oder nicht rechtzeitig beantragt,
10. entgegen § 53b Absatz 4 Satz 3, § 53c Absatz 4 Satz 3, § 53d Absatz 4 Satz 3 und § 54 Absatz 4 eine Abschlussbezeichnung führt oder
11. entgegen § 76 Absatz 2 eine Auskunft nicht, nicht richtig, nicht vollständig oder nicht rechtzeitig erteilt, eine Unterlage nicht, nicht richtig, nicht vollständig oder nicht rechtzeitig vorlegt oder eine Besichtigung nicht oder nicht rechtzeitig gestattet.

(2) Die Ordnungswidrigkeit kann in den Fällen des Absatzes 1 Nummer 4 bis 8 mit einer Geldbuße bis zu fünftausend Euro, in den Fällen des Absatzes 1 Nummer 1 bis 3 mit einer Geldbuße bis zu zweitausend Euro und in den übrigen Fällen mit einer Geldbuße bis zu tausend Euro geahndet werden.

Teil 7. Übergangs- und Schlussvorschriften

§ 102 Gleichstellung von Abschlusszeugnissen im Rahmen der deutschen Einheit. Prüfungszeugnisse nach der Systematik der Ausbildungsberufe und der Systematik der Facharbeiterberufe und Prüfungszeugnisse nach § 37 Absatz 2 stehen einander gleich.

§ 103 Fortgeltung bestehender Regelungen. (1) [1]Die vor dem 1. September 1969 anerkannten Lehrberufe und Anlernberufe oder vergleichbar geregelten Ausbildungsberufe gelten als Ausbildungsberufe im Sinne des § 4. [2]Die Berufsbilder, die Berufsbildungspläne, die Prüfungsanforderungen und die Prüfungsordnungen für diese Berufe sind bis zum Erlass von Ausbildungsordnungen nach § 4 und der Prüfungsordnungen nach § 47 anzuwenden.

(2) Die vor dem 1. September 1969 erteilten Prüfungszeugnisse in Berufen, die nach Absatz 1 als anerkannte Ausbildungsberufe gelten, stehen Prüfungszeugnissen nach § 37 Absatz 2 gleich.

(3) Auf Ausbildungsverträge, die vor dem 30. September 2017 abgeschlossen wurden oder bis zu diesem Zeitpunkt abgeschlossen werden, sind § 5 Absatz 2 Satz 1, § 11 Absatz 1 Satz 2, § 13 Satz 2, die §§ 14, 43 Absatz 1 Nummer 2, § 79 Absatz 2 Nummer 1 sowie § 101 Absatz 1 Nummer 3 in ihrer bis zum 5. April 2017 geltenden Fassung weiter anzuwenden.

§ 104 Übertragung von Zuständigkeiten. Die Landesregierungen werden ermächtigt, durch Rechtsverordnung die nach diesem Gesetz den nach Landesrecht zuständigen Behörden übertragenen Zuständigkeiten nach den §§ 27, 30, 32, 33 und 70 auf zuständige Stellen zu übertragen.

§ 105 Evaluation. (1) Die Regelungen zur Mindestvergütung, zu Prüferdelegationen und die Regelung des § 5 Absatz 2 Satz 1 Nummer 2 werden vom Bundesinstitut für Berufsbildung fünf Jahre nach dem Inkrafttreten des Gesetzes zur Modernisierung und Stärkung der beruflichen Bildung wissenschaftlich evaluiert.

(2) Die Regelungen zur Feststellung und Bescheinigung der individuellen beruflichen Handlungsfähigkeit am Maßstab eines anerkannten Ausbildungsberufs werden vom Bundesinstitut für Berufsbildung zehn Jahre nach dem diesbezüglichen Inkrafttreten des Berufsbildungsvalidierungs- und -digitalisierungsgesetzes wissenschaftlich evaluiert.

§ 106 Übergangsregelung. (1) [1] Auf Berufsausbildungsverträge, die bis zum Ablauf des 31. Dezember 2019 abgeschlossen werden, ist § 17 in der bis dahin geltenden Fassung anzuwenden. [2] Auf Berufsausbildungen, die bis zum Ablauf des 31. Juli 2024 begonnen werden, ist die bis dahin geltende Fassung des § 17 anzuwenden.

(2) [1] Für Berufsausbildungsverträge mit Ausbildungsbeginn ab dem 1. Januar 2020 gelten § 34 Absatz 2 Nummer 7 und § 88 Absatz 1 Satz 1 Nummer 1 Buchstabe g in der ab dem 1. Januar 2020 geltenden Fassung. [2] Im Übrigen sind für Berufsausbildungsverträge mit Ausbildungsbeginn bis zum Ablauf des 31. Dezember 2020 die §§ 34, 35 Absatz 3 Satz 1 und § 88 in der am 31. Dezember 2019 geltenden Fassung weiterhin anzuwenden.

(3) [1] Sofern für einen anerkannten Fortbildungsabschluss eine Fortbildungsordnung auf Grund des § 53 in der bis zum Ablauf des 31. Dezember 2019 geltenden Fassung erlassen worden ist, ist diese Fortbildungsordnung bis zum erstmaligen Erlass einer Fortbildungsordnung nach § 53 in der ab dem 1. Januar 2020 geltenden Fassung weiterhin anzuwenden. [2] Sofern eine Fortbildungsprüfungsregelung nach § 54 in der bis zum Ablauf des 31. Dezember 2019 geltenden Fassung erlassen worden ist, ist diese Fortbildungsprüfungsregelung bis zum erstmaligen Erlass einer Fortbildungsprüfungsregelung nach § 54 in der ab dem 1. Januar 2020 geltenden Fassung weiterhin anzuwenden.

(4) [1] § 1 Absatz 6, § 30 Absatz 2, § 45 Absatz 3, die §§ 50b und 50c Absatz 1 bis 3, die §§ 50d und 53b Absatz 3, § 53c Absatz 3 sowie § 88 Absatz 1 und 4 sind erstmals ab dem 1. Januar 2025 anzuwenden. [2] § 30 Absatz 2, § 45 Absatz 3, § 53b Absatz 3, § 53c Absatz 3 sowie § 88 Absatz 1 und 4 sind in ihrer am 31. Juli 2024 geltenden Fassung bis zum Ablauf des 31. Dezember 2024 weiter anzuwenden.

415 a. Ausbilder-Eignungsverordnung

Vom 21. Januar 2009
(BGBl. I S. 88)
FNA 806-22-10-1

Auf Grund des § 30 Absatz 5 des Berufsbildungsgesetzes[1] vom 23. März 2005 (BGBl. I S. 931) verordnet das Bundesministerium für Bildung und Forschung nach Anhörung des Hauptausschusses des Bundesinstituts für Berufsbildung:

§ 1 Geltungsbereich. [1] Ausbilder und Ausbilderinnen haben für die Ausbildung in anerkannten Ausbildungsberufen nach dem Berufsbildungsgesetz den Erwerb der berufs- und arbeitspädagogischen Fertigkeiten, Kenntnisse und Fähigkeiten nach dieser Verordnung nachzuweisen. [2] Dies gilt nicht für die Ausbildung im Bereich der Angehörigen der freien Berufe.

§ 2 Berufs- und arbeitspädagogische Eignung. Die berufs- und arbeitspädagogische Eignung umfasst die Kompetenz zum selbstständigen Planen, Durchführen und Kontrollieren der Berufsausbildung in den Handlungsfeldern:

1. Ausbildungsvoraussetzungen prüfen und Ausbildung planen,
2. Ausbildung vorbereiten und bei der Einstellung von Auszubildenden mitwirken,
3. Ausbildung durchführen und
4. Ausbildung abschließen.

§ 3 Handlungsfelder. (1) [1] Das Handlungsfeld nach § 2 Nummer 1 umfasst die berufs- und arbeitspädagogische Eignung, Ausbildungsvoraussetzungen zu prüfen und Ausbildung zu planen. [2] Die Ausbilder und Ausbilderinnen sind dabei in der Lage,

1. die Vorteile und den Nutzen betrieblicher Ausbildung darstellen und begründen zu können,
2. bei den Planungen und Entscheidungen hinsichtlich des betrieblichen Ausbildungsbedarfs auf der Grundlage der rechtlichen, tarifvertraglichen und betrieblichen Rahmenbedingungen mitzuwirken,
3. die Strukturen des Berufsbildungssystems und seine Schnittstellen darzustellen,
4. Ausbildungsberufe für den Betrieb auszuwählen und dies zu begründen,
5. die Eignung des Betriebes für die Ausbildung in dem angestrebten Ausbildungsberuf zu prüfen sowie, ob und inwieweit Ausbildungsinhalte durch Maßnahmen außerhalb der Ausbildungsstätte, insbesondere Ausbildung im Verbund, überbetriebliche und außerbetriebliche Ausbildung, vermittelt werden können,

---

[1] Nr. **415**.

6. die Möglichkeiten des Einsatzes von auf die Berufsausbildung vorbereitenden Maßnahmen einzuschätzen sowie
7. im Betrieb die Aufgaben der an der Ausbildung Mitwirkenden unter Berücksichtigung ihrer Funktionen und Qualifikationen abzustimmen.

(2) [1] Das Handlungsfeld nach § 2 Nummer 2 umfasst die berufs- und arbeitspädagogische Eignung, die Ausbildung unter Berücksichtigung organisatorischer sowie rechtlicher Aspekte vorzubereiten. [2] Die Ausbilder und Ausbilderinnen sind dabei in der Lage,

1. auf der Grundlage einer Ausbildungsordnung einen betrieblichen Ausbildungsplan zu erstellen, der sich insbesondere an berufstypischen Arbeits- und Geschäftsprozessen orientiert,
2. die Möglichkeiten der Mitwirkung und Mitbestimmung der betrieblichen Interessenvertretungen in der Berufsbildung zu berücksichtigen,
3. den Kooperationsbedarf zu ermitteln und sich inhaltlich sowie organisatorisch mit den Kooperationspartnern, insbesondere der Berufsschule, abzustimmen,
4. Kriterien und Verfahren zur Auswahl von Auszubildenden auch unter Berücksichtigung ihrer Verschiedenartigkeit anzuwenden,
5. den Berufsausbildungsvertrag vorzubereiten und die Eintragung des Vertrages bei der zuständigen Stelle zu veranlassen sowie
6. die Möglichkeiten zu prüfen, ob Teile der Berufsausbildung im Ausland durchgeführt werden können.

(3) [1] Das Handlungsfeld nach § 2 Nummer 3 umfasst die berufs- und arbeitspädagogische Eignung, selbstständiges Lernen in berufstypischen Arbeits- und Geschäftprozessen handlungsorientiert zu fördern. [2] Die Ausbilder und Ausbilderinnen sind dabei in der Lage,

1. lernförderliche Bedingungen und eine motivierende Lernkultur zu schaffen, Rückmeldungen zu geben und zu empfangen,
2. die Probezeit zu organisieren, zu gestalten und zu bewerten,
3. aus dem betrieblichen Ausbildungsplan und den berufstypischen Arbeits- und Geschäftsprozessen betriebliche Lern- und Arbeitsaufgaben zu entwickeln und zu gestalten,
4. Ausbildungsmethoden und -medien zielgruppengerecht auszuwählen und situationsspezifisch einzusetzen,
5. Auszubildende bei Lernschwierigkeiten durch individuelle Gestaltung der Ausbildung und Lernberatung zu unterstützen, bei Bedarf ausbildungsunterstützende Hilfen einzusetzen und die Möglichkeit zur Verlängerung der Ausbildungszeit zu prüfen,
6. Auszubildenden zusätzliche Ausbildungsangebote, insbesondere in Form von Zusatzqualifikationen, zu machen und die Möglichkeit der Verkürzung der Ausbildungsdauer und die der vorzeitigen Zulassung zur Abschlussprüfung zu prüfen,
7. die soziale und persönliche Entwicklung von Auszubildenden zu fördern, Probleme und Konflikte rechtzeitig zu erkennen sowie auf eine Lösung hinzuwirken,

8. Leistungen festzustellen und zu bewerten, Leistungsbeurteilungen Dritter und Prüfungsergebnisse auszuwerten, Beurteilungsgespräche zu führen, Rückschlüsse für den weiteren Ausbildungsverlauf zu ziehen sowie
9. interkulturelle Kompetenzen zu fördern.

(4) [1] Das Handlungsfeld nach § 2 Nummer 4 umfasst die berufs- und arbeitspädagogische Eignung, die Ausbildung zu einem erfolgreichen Abschluss zu führen und dem Auszubildenden Perspektiven für seine berufliche Weiterentwicklung aufzuzeigen. [2] Die Ausbilder und Ausbilderinnen sind dabei in der Lage,

1. Auszubildende auf die Abschluss- oder Gesellenprüfung unter Berücksichtigung der Prüfungstermine vorzubereiten und die Ausbildung zu einem erfolgreichen Abschluss zu führen,
2. für die Anmeldung der Auszubildenden zu Prüfungen bei der zuständigen Stelle zu sorgen und diese auf durchführungsrelevante Besonderheiten hinzuweisen,
3. an der Erstellung eines schriftlichen Zeugnisses auf der Grundlage von Leistungsbeurteilungen mitzuwirken sowie
4. Auszubildende über betriebliche Entwicklungswege und berufliche Weiterbildungsmöglichkeiten zu informieren und zu beraten.

§ 4 Nachweis der Eignung. (1) [1] Die Eignung nach § 2 ist in einer Prüfung nachzuweisen. [2] Die Prüfung besteht aus einem schriftlichen und einem praktischen Teil. [3] Die Prüfung ist bestanden, wenn jeder Prüfungsteil mit mindestens „ausreichend" bewertet wurde. [4] Innerhalb eines Prüfungsverfahrens kann eine nicht bestandene Prüfung zweimal wiederholt werden. [5] Ein bestandener Prüfungsteil kann dabei angerechnet werden.

(2) [1] Im schriftlichen Teil der Prüfung sind fallbezogene Aufgaben aus allen Handlungsfeldern zu bearbeiten. [2] Die schriftliche Prüfung soll drei Stunden dauern.

(3) [1] Der praktische Teil der Prüfung besteht aus der Präsentation einer Ausbildungssituation und einem Fachgespräch mit einer Dauer von insgesamt höchstens 30 Minuten. [2] Hierfür wählt der Prüfungsteilnehmer eine berufstypische Ausbildungssituation aus. [3] Die Präsentation soll 15 Minuten nicht überschreiten. [4] Die Auswahl und Gestaltung der Ausbildungssituation sind im Fachgespräch zu erläutern. [5] Anstelle der Präsentation kann eine Ausbildungssituation auch praktisch durchgeführt werden.

(4) [1] Im Bereich der Landwirtschaft und im Bereich der Hauswirtschaft besteht der praktische Teil aus der Durchführung einer vom Prüfungsteilnehmer in Abstimmung mit dem Prüfungsausschuss auszuwählenden Ausbildungssituation und einem Fachgespräch, in dem die Auswahl und Gestaltung der Ausbildungssituation zu begründen sind. [2] Die Prüfung im praktischen Teil soll höchstens 60 Minuten dauern.

(5) [1] Für die Abnahme der Prüfung errichtet die zuständige Stelle einen Prüfungsausschuss. [2] § 37 Absatz 2 und 3, § 39 Absatz 1 Satz 2, die §§ 40 bis 42, 46 und 47 des Berufsbildungsgesetzes[1)] gelten entsprechend.

[1)] Nr. **415 a**.

§ 5 Zeugnis. Über die bestandene Prüfung ist jeweils ein Zeugnis nach den Anlagen 1 und 2 auszustellen.

§ 6 Andere Nachweise. (1) Wer die Prüfung nach einer vor Inkrafttreten dieser Verordnung geltenden Ausbilder-Eignungsverordnung bestanden hat, die auf Grund des Berufsbildungsgesetzes erlassen worden ist, gilt für die Berufsausbildung als im Sinne dieser Verordnung berufs- und arbeitspädagogisch geeignet.

(2) Wer durch eine Meisterprüfung oder eine andere Prüfung der beruflichen Fortbildung nach der Handwerksordnung oder dem Berufsbildungsgesetz eine berufs- und arbeitspädagogische Eignung nachgewiesen hat, gilt für die Berufsausbildung als im Sinne dieser Verordnung berufs- und arbeitspädagogisch geeignet.

(3) [1] Wer eine sonstige staatliche, staatlich anerkannte oder von einer öffentlich-rechtlichen Körperschaft abgenommene Prüfung bestanden hat, deren Inhalt den in § 3 genannten Anforderungen ganz oder teilweise entspricht, kann von der zuständigen Stelle auf Antrag ganz oder teilweise von der Prüfung nach § 4 befreit werden. [2] Die zuständige Stelle erteilt darüber eine Bescheinigung.

(4) [1] Die zuständige Stelle kann von der Vorlage des Nachweises über den Erwerb der berufs- und arbeitspädagogischen Fertigkeiten, Kenntnisse und Fähigkeiten auf Antrag befreien, wenn das Vorliegen berufs- und arbeitspädagogischer Eignung auf andere Weise glaubhaft gemacht wird und die ordnungsgemäße Ausbildung sichergestellt ist. [2] Die zuständige Stelle kann Auflagen erteilen. [3] Auf Antrag erteilt die zuständige Stelle hierüber eine Bescheinigung.

§ 7 Fortführen der Ausbildertätigkeit. [1] Wer vor dem 1. August 2009 als Ausbilder im Sinne des § 28 Absatz 1 Satz 2 des Berufsbildungsgesetzes[1)] tätig war, ist vom Nachweis nach den §§ 5 und 6 dieser Verordnung befreit, es sei denn, dass die bisherige Ausbildertätigkeit zu Beanstandungen mit einer Aufforderung zur Mängelbeseitigung durch die zuständige Stelle geführt hat. [2] Sind nach Aufforderung die Mängel beseitigt worden und Gefährdungen für eine ordnungsgemäße Ausbildung nicht zu erwarten, kann die zuständige Stelle vom Nachweis nach den §§ 5 und 6 befreien; sie kann dabei Auflagen erteilen.

§ 8 Übergangsregelung. [1] Begonnene Prüfungsverfahren können bis zum Ablauf des 31. Juli 2010 nach den bisherigen Vorschriften zu Ende geführt werden. [2] Die zuständige Stelle kann auf Antrag des Prüfungsteilnehmers oder der Prüfungsteilnehmerin die Wiederholungsprüfung nach dieser Verordnung durchführen; § 4 Absatz 1 Satz 5 findet in diesem Fall keine Anwendung. [3] Im Übrigen kann bei der Anmeldung zur Prüfung bis zum Ablauf des 30. April 2010 die Anwendung der bisherigen Vorschriften beantragt werden.

§ 9 Inkrafttreten, Außerkrafttreten. [1] Diese Verordnung tritt am 1. August 2009 in Kraft. [2] Gleichzeitig tritt die Ausbilder-Eignungsverordnung vom

(Fortsetzung nächste Seite)

---

1) Nr. **415**.

16. Februar 1999 (BGBl. I S. 157, 700), die zuletzt durch die Verordnung vom 14. Mai 2008 (BGBl. I S. 854) geändert worden ist, außer Kraft.

Anlagen 1 und 2
(hier nicht wiedergegeben)

416. Gesetz über die Pflegeberufe (Pflegeberufegesetz – PflBG)[1) 2)]

Vom 17. Juli 2017

(BGBl. I S. 2581)

FNA 2124-25

zuletzt geänd. durch Art. 5 G zur Befugniserweiterung und Entbürokratisierung in der Pflege v. 22.12.2025 (BGBl. 2025 I Nr. 371)

Inhaltsübersicht[3)]

[1)] **Amtl. Anm.:** Dieses Gesetz dient der Umsetzung der Richtlinie 2005/36/EG ***[beck-online, Module Arbeitsrecht Nr. 873]*** des Europäischen Parlaments und des Rates vom 7. September 2005 über die Anerkennung von Berufsqualifikationen (ABl. L 255 vom 30.9.2005, S. 22; L 271 vom 16.10.2007, S. 18), die zuletzt durch den Delegierten Beschluss (EU) 2016/790 (ABl. L 134 vom 24.5.2016, S. 135) geändert worden ist.

[2)] Verkündet als Art. 1 G v. 17.7.2017 (BGBl. I S. 2581); Inkrafttreten gem. Art. 15 Abs. 4 dieses G überwiegend am 1.1.2020, mit Ausnahme der §§ 53–56, die gem. Art. 15 Abs. 1 dieses G am 25.7. 2017 und der §§ 26–36 und § 66, die gem. Art. 15 Abs. 2 dieses G am 1.1.2019 in Kraft getreten sind.

[3)] Inhaltsübersicht geänd. mWv 1.1.2020 durch G v. 19.5.2020 (BGBl. I S. 1018); geänd. mWv 20.7.2021 durch G v. 11.7.2021 (BGBl. I S. 2754); geänd. mWv 16.12.2023, mWv 1.1.2024 und mWv 1.1.2025 durch G v. 12.12.2023 (BGBl. 2023 I Nr. 359); geänd. mWv 1.1.2026 durch G v. 22.12.2025 (BGBl. 2025 I Nr. 371); sie wurde nichtamtlich an die Änderungen mWv 1.11.2025 durch G v. 28.10.2025 (BGBl. 2025 I Nr. 259) angepasst.

[4)] **beck-online, Module Arbeitsrecht Nr. 695.**

Teil 1. Allgemeiner Teil

Abschnitt 1. Erlaubnis zum Führen der Berufsbezeichnung

§ 1[4)] Führen der Berufsbezeichnung. [1] Wer die Berufsbezeichnung „Pflegefachfrau" oder „Pflegefachmann" führen will, bedarf der Erlaubnis. [2] Personen mit einer Ausbildung nach Teil 3 führen die Berufsbezeichnung „Pflegefachfrau" oder „Pflegefachmann" mit dem akademischen Grad.

§ 2 Voraussetzungen für die Erteilung der Erlaubnis. Die Erlaubnis zum Führen der Berufsbezeichnung ist auf Antrag zu erteilen, wenn die antragstellende Person

1. die durch dieses Gesetz vorgeschriebene berufliche oder hochschulische Ausbildung absolviert und die staatliche Abschlussprüfung bestanden hat,
2. sich nicht eines Verhaltens schuldig gemacht hat, aus dem sich die Unzuverlässigkeit zur Ausübung des Berufs ergibt,
3. nicht in gesundheitlicher Hinsicht zur Ausübung des Berufs ungeeignet ist und
4. über die für die Ausübung des Berufs erforderlichen Kenntnisse der deutschen Sprache verfügt.

§ 3[5)] Rücknahme, Widerruf und Ruhen der Erlaubnis. (1) [1] Die Erlaubnis ist zurückzunehmen, wenn bei Erteilung der Erlaubnis entweder die Voraussetzung nach § 2 Nummer 1 oder die Voraussetzung nach § 2 Nummer 2

[1)] Nr. 415.
[2)] **beck-online, Module Arbeitsrecht Nr. 416a.**
[3)] **beck-online, Module Arbeitsrecht Nr. 416b.**
[4)] § 1 Abs. 2 aufgeh. mWv 16.12.2023 durch G v. 12.12.2023 (BGBl. 2023 I Nr. 359).
[5)] § 3 Abs. 3 Satz 1 neu gef. mWv 1.1.2026 durch G v. 28.10.2025 (BGBl. 2025 I Nr. 259).

nicht vorgelegen hat oder die Ausbildung nach den §§ 40 bis 42 nicht abgeschlossen war. 2 Die Erlaubnis kann zurückgenommen werden, wenn bei Erteilung der Erlaubnis entweder die Voraussetzung nach § 2 Nummer 3 oder die Voraussetzung nach § 2 Nummer 4 nicht vorgelegen hat.

(2) 1 Die Erlaubnis ist zu widerrufen, wenn nachträglich bekannt wird, dass die Voraussetzung nach § 2 Nummer 2 nicht erfüllt ist. 2 Die Erlaubnis kann widerrufen werden, wenn nachträglich die Voraussetzung nach § 2 Nummer 3 weggefallen ist.

(3) 1 Das Ruhen der Erlaubnis kann angeordnet werden, wenn

1. gegen die Person, der die Erlaubnis erteilt worden ist, ein Strafverfahren eingeleitet worden ist wegen des Verdachts einer Straftat, aus der sich die Unzuverlässigkeit zur Ausübung des Berufs ergeben würde, oder
2. die Person, der die Erlaubnis erteilt worden ist, in gesundheitlicher Hinsicht vorübergehend nicht mehr zur Ausübung des Berufs geeignet ist oder Zweifel an der gesundheitlichen Eignung dieser Person bestehen und sie sich weigert, sich einer von der zuständigen Behörde angeordneten amtsärztlichen oder fachärztlichen Untersuchung zu unterziehen.

2 Die Anordnung ist aufzuheben, wenn ihre Voraussetzungen nicht mehr vorliegen.

Abschnitt 2.[1] Vorbehaltene Aufgaben; eigenverantwortliche Heilkundeausübung

§ 4[2] Vorbehaltene Aufgaben, Pflegeprozessverantwortung. (1) 1 Pflegerische Aufgaben nach Absatz 2 dürfen beruflich nur von Personen mit einer Erlaubnis nach § 1 durchgeführt werden (Pflegeprozessverantwortung). 2 Ruht die Erlaubnis nach § 3 Absatz 3 Satz 1, dürfen pflegerische Aufgaben nach Absatz 2 nicht durchgeführt werden.

(2) Die pflegerischen Aufgaben im Sinne des Absatzes 1 umfassen

1. die Erhebung und Feststellung des individuellen Pflegebedarfs und die Planung der Pflege nach § 5 Absatz 3 Nummer 1 Buchstabe a,
2. die Organisation, Gestaltung und Steuerung des Pflegeprozesses nach § 5 Absatz 3 Nummer 1 Buchstabe b sowie
3. die Analyse, Evaluation, Sicherung und Entwicklung der Qualität der Pflege nach § 5 Absatz 3 Nummer 1 Buchstabe d.

(3) Wer als Arbeitgeber Personen ohne eine Erlaubnis nach § 1 oder Personen, deren Erlaubnis nach § 3 Absatz 3 Satz 1 ruht, in der Pflege beschäftigt, darf diesen Personen Aufgaben nach Absatz 2 weder übertragen noch die Durchführung von Aufgaben nach Absatz 2 durch diese Personen dulden.

§ 4a[3] Eigenverantwortliche Heilkundeausübung. Personen mit einer Erlaubnis nach § 1 sind zur eigenverantwortlichen Heilkundeausübung im Rah-

---

[1] Teil 1 Abschnitt 2 Überschrift neu gef. mWv 1.1.2026 durch G v. 22.12.2025 (BGBl. 2025 I Nr. 371).

[2] § 4 Abs. 1 Satz 1, Abs. 3 geänd. mWv 16.12.2023 durch G v. 12.12.2023 (BGBl. 2023 I Nr. 359); Überschrift neu gef., Abs. 1 Satz 1 und Abs. 2 Nr. 1 geänd. mWv 1.1.2026 durch G v. 22.12.2025 (BGBl. 2025 I Nr. 371).

[3] § 4a eingef. mWv 1.1.2026 durch G v. 22.12.2025 (BGBl. 2025 I Nr. 371).

men der dazu erworbenen staatlich geprüften, staatlich anerkannten oder staatlich festgestellten Kompetenzen befugt.

Teil 2. Berufliche Ausbildung in der Pflege

Abschnitt 1. Ausbildung

§ 5[1)] Ausbildungsziel. (1) [1]Die Ausbildung zur Pflegefachfrau oder zum Pflegefachmann vermittelt die für die selbstständige, umfassende und prozessorientierte Pflege von Menschen aller Altersstufen in akut und dauerhaft stationären sowie ambulanten Pflegesituationen erforderlichen fachlichen und personalen Kompetenzen einschließlich der zugrunde liegenden methodischen, sozialen, interkulturellen, digitalen und kommunikativen Kompetenzen und der zugrunde liegenden Lernkompetenzen sowie der Fähigkeit zum Wissenstransfer und zur Selbstreflexion. [2]Lebenslanges Lernen wird dabei als ein Prozess der eigenen beruflichen Biographie verstanden und die fortlaufende persönliche und fachliche Weiterentwicklung als notwendig anerkannt.

(2) [1]Pflege im Sinne des Absatzes 1 umfasst präventive, kurative, rehabilitative, palliative und sozialpflegerische Maßnahmen zur Erhaltung, Förderung, Wiedererlangung oder Verbesserung der physischen und psychischen Situation der zu pflegenden Menschen, ihre Beratung sowie ihre Begleitung in allen Lebensphasen und die Begleitung Sterbender. [2]Sie erfolgt entsprechend dem allgemein anerkannten Stand pflegewissenschaftlicher, medizinischer und weiterer bezugswissenschaftlicher Erkenntnisse auf Grundlage einer professionellen Ethik. [3]Sie berücksichtigt die konkrete Lebenssituation, den sozialen, kulturellen und religiösen Hintergrund, die sexuelle Orientierung sowie die Lebensphase der zu pflegenden Menschen. [4]Sie unterstützt die Selbstständigkeit der zu pflegenden Menschen und achtet deren Recht auf Selbstbestimmung.

(3) Die Ausbildung soll insbesondere dazu befähigen

1. die folgenden Aufgaben selbstständig auszuführen:
   a) Erhebung und Feststellung des individuellen Pflegebedarfs und Planung der Pflege,
   b) Organisation, Gestaltung und Steuerung des Pflegeprozesses,
   c) Durchführung der Pflege und Dokumentation der angewendeten Maßnahmen,
   d) Analyse, Evaluation, Sicherung und Entwicklung der Qualität der Pflege,
   e) Bedarfserhebung und Durchführung präventiver und gesundheitsfördernder Maßnahmen,
   f) Beratung, Anleitung und Unterstützung von zu pflegenden Menschen bei der individuellen Auseinandersetzung mit Gesundheit und Krankheit sowie bei der Erhaltung und Stärkung der eigenständigen Lebensführung und Alltagskompetenz unter Einbeziehung ihrer sozialen Bezugspersonen,
   g) Erhaltung, Wiederherstellung, Förderung, Aktivierung und Stabilisierung individueller Fähigkeiten der zu pflegenden Menschen insbesondere im Rahmen von Rehabilitationskonzepten sowie die Pflege und Betreuung bei Einschränkungen der kognitiven Fähigkeiten,

---

1) § 5 Abs. 1 Satz 1 geänd. mWv 16.12.2023 durch G v. 12.12.2023 (BGBl. 2023 I Nr. 359).

h) Einleitung lebenserhaltender Sofortmaßnahmen bis zum Eintreffen der Ärztin oder des Arztes und Durchführung von Maßnahmen in Krisen- und Katastrophensituationen,

i) Anleitung, Beratung und Unterstützung von anderen Berufsgruppen und Ehrenamtlichen in den jeweiligen Pflegekontexten sowie Mitwirkung an der praktischen Ausbildung von Angehörigen von Gesundheitsberufen,

2. ärztlich angeordnete Maßnahmen eigenständig durchzuführen, insbesondere Maßnahmen der medizinischen Diagnostik, Therapie oder Rehabilitation,

3. interdisziplinär mit anderen Berufsgruppen fachlich zu kommunizieren und effektiv zusammenzuarbeiten und dabei individuelle, multidisziplinäre und berufsübergreifende Lösungen bei Krankheitsbefunden und Pflegebedürftigkeit zu entwickeln sowie teamorientiert umzusetzen.

(4) Während der Ausbildung zur Pflegefachfrau oder zum Pflegefachmann werden ein professionelles, ethisch fundiertes Pflegeverständnis und ein berufliches Selbstverständnis entwickelt und gestärkt.

§ 6[1)] **Dauer und Struktur der Ausbildung.** (1) [1]Die Ausbildung zur Pflegefachfrau oder zum Pflegefachmann dauert unabhängig vom Zeitpunkt der staatlichen Abschlussprüfung in Vollzeitform drei Jahre, in Teilzeitform höchstens fünf Jahre. [2]Sie besteht aus theoretischem und praktischem Unterricht und einer praktischen Ausbildung; der Anteil der praktischen Ausbildung überwiegt.

(2) [1]Der theoretische und praktische Unterricht wird an staatlichen, staatlich genehmigten oder staatlich anerkannten Pflegeschulen nach § 9 auf der Grundlage eines von der Pflegeschule zu erstellenden schulinternen Curriculums erteilt. [2]Das schulinterne Curriculum wird auf der Grundlage der Empfehlungen des Rahmenlehrplans nach § 53 Absatz 1 und 2 und der Vorgaben der Ausbildungs- und Prüfungsverordnung nach § 56 Absatz 1 und 2 erstellt. [3]Die Länder können unter Beachtung der Vorgaben der Ausbildungs- und Prüfungsverordnung einen verbindlichen Lehrplan als Grundlage für die Erstellung der schulinternen Curricula der Pflegeschulen erlassen.

(3) [1]Die praktische Ausbildung wird in den Einrichtungen nach § 7 auf der Grundlage eines vom Träger der praktischen Ausbildung zu erstellenden Ausbildungsplans durchgeführt. [2]Sie gliedert sich in Pflichteinsätze, einen Vertiefungseinsatz sowie weitere Einsätze. [3]Wesentlicher Bestandteil der praktischen Ausbildung ist die von den Einrichtungen zu gewährleistende Praxisanleitung im Umfang von mindestens 10 Prozent der während eines Einsatzes zu leistenden praktischen Ausbildungszeit. [4]Die Pflegeschule unterstützt die praktische Ausbildung durch die von ihr in angemessenem Umfang zu gewährleistende Praxisbegleitung. [5]Auf der Grundlage einer Genehmigung der zuständigen Behörde kann ein geringer Anteil der praktischen Ausbildung durch praktische Lerneinheiten an der Pflegeschule oder beim Träger der praktischen Ausbildung ersetzt werden.

(4) Die Pflegeschule, der Träger der praktischen Ausbildung und die weiteren an der praktischen Ausbildung beteiligten Einrichtungen wirken bei der Ausbildung auf der Grundlage entsprechender Kooperationsverträge zusammen.

[1)] § 6 Abs. 3 Satz 5 angef. mWv 16.12.2023 durch G v. 12.12.2023 (BGBl. 2023 I Nr. 359); Abs. 3 Satz 5 neu gef. mWv 1.11.2025 durch G v. 28.10.2025 (BGBl. 2025 I Nr. 259).

(5) Zum Ende des zweiten Ausbildungsdrittels findet eine Zwischenprüfung statt.

§ 7[1)] Durchführung der praktischen Ausbildung. (1) Die Pflichteinsätze in der allgemeinen Akutpflege in stationären Einrichtungen, der allgemeinen Langzeitpflege in stationären Einrichtungen und der allgemeinen ambulanten Akut- und Langzeitpflege werden in folgenden Einrichtungen durchgeführt:

1. zur Versorgung nach § 108 des Fünften Buches Sozialgesetzbuch[2)] zugelassenen Krankenhäusern,
2. zur Versorgung nach § 71 Absatz 2 und § 72 Absatz 1 des Elften Buches Sozialgesetzbuch[3)] zugelassenen stationären Pflegeeinrichtungen,
3. zur Versorgung nach § 71 Absatz 1 und § 72 Absatz 1 des Elften Buches Sozialgesetzbuch und nach § 37 des Fünften Buches Sozialgesetzbuch[2)] zugelassenen ambulanten Pflegeeinrichtungen.

(2) Die Pflichteinsätze in den speziellen Bereichen der pädiatrischen Versorgung und der allgemein-, geronto-, kinder- oder jugendpsychiatrischen Versorgung sowie weitere Einsätze können auch in anderen, zur Vermittlung der Ausbildungsinhalte geeigneten Einrichtungen durchgeführt werden.

(3) Die Pflichteinsätze nach Absatz 1 sowie der Pflichteinsatz in der pädiatrischen Versorgung nach Absatz 2 sollen vor der Zwischenprüfung nach § 6 Absatz 5 durchgeführt werden.

(4) [1] Der Vertiefungseinsatz soll beim Träger der praktischen Ausbildung in einem der Bereiche, in denen bereits ein Pflichteinsatz stattgefunden hat, durchgeführt werden. [2] Der Vertiefungseinsatz im Bereich des Pflichteinsatzes nach Absatz 1 Nummer 3 kann auf den Bereich der ambulanten Langzeitpflege ausgerichtet werden. [3] Insgesamt soll der überwiegende Teil der praktischen Ausbildung beim Träger der praktischen Ausbildung stattfinden. [4] Das Nähere regelt die Ausbildungs- und Prüfungsverordnung nach § 56 Absatz 1.

(5) [1] Die Geeignetheit von Einrichtungen nach den Absätzen 1 und 2 zur Durchführung von Teilen der praktischen Ausbildung bestimmt sich nach den jeweiligen landesrechtlichen Regelungen, wobei ein angemessenes Verhältnis von Auszubildenden zu Pflegefachkräften gewährleistet sein muss. [2] Die zuständige Landesbehörde kann im Falle von Rechtsverstößen einer Einrichtung die Durchführung der Ausbildung untersagen.

(6) [1] Die Länder können durch Landesrecht bestimmen, dass eine Ombudsstelle zur Beilegung von Streitigkeiten zwischen der oder dem Auszubildenden und dem Träger der praktischen Ausbildung eingerichtet wird. [2] Die Ombudsstelle kann bei der zuständigen Stelle nach § 26 Absatz 4 eingerichtet werden.

§ 8 Träger der praktischen Ausbildung. (1) [1] Der Träger der praktischen Ausbildung trägt die Verantwortung für die Durchführung der praktischen Ausbildung einschließlich ihrer Organisation. [2] Er schließt mit der oder dem Auszubildenden einen Ausbildungsvertrag.

(2) Träger der praktischen Ausbildung können ausschließlich Einrichtungen nach § 7 Absatz 1 sein,

---

[1)] § 7 Abs. 6 Satz 1 geänd., Satz 2 angef. mWv 16.12.2023 durch G v. 12.12.2023 (BGBl. 2023 I Nr. 359).

[2)] **beck-online, Module Arbeitsrecht Nr. 695.**

[3)] **Aichberger, SGB Nr. 11.**

1. die eine Pflegeschule selbst betreiben oder
2. die mit mindestens einer Pflegeschule einen Vertrag über die Durchführung des theoretischen und praktischen Unterrichts geschlossen haben.

(3) Der Träger der praktischen Ausbildung hat über Vereinbarungen mit den weiteren an der praktischen Ausbildung beteiligten Einrichtungen zu gewährleisten, dass

1. die vorgeschriebenen Einsätze der praktischen Ausbildung in den weiteren an der praktischen Ausbildung beteiligten Einrichtungen durchgeführt werden können und
2. die Ausbildung auf der Grundlage eines Ausbildungsplans zeitlich und sachlich gegliedert so durchgeführt werden kann, dass das Ausbildungsziel in der vorgesehenen Zeit erreicht werden kann.

(4) [1] Die Aufgaben des Trägers der praktischen Ausbildung nach Absatz 3 können von einer Pflegeschule wahrgenommen werden, wenn Trägeridentität besteht oder soweit der Träger der praktischen Ausbildung die Wahrnehmung der Aufgaben durch Vereinbarung auf die Pflegeschule übertragen hat. [2] Die Pflegeschule kann in diesem Rahmen auch zum Abschluss des Ausbildungsvertrages für den Träger der praktischen Ausbildung bevollmächtigt werden.

(5) [1] Auszubildende sind für die gesamte Dauer der Ausbildung Arbeitnehmer im Sinne von § 5 des Betriebsverfassungsgesetzes[1)] oder von § 4 des Bundespersonalvertretungsgesetzes[2)] des Trägers der praktischen Ausbildung. [2] Träger der praktischen Ausbildung bleibt auch in den Fällen des Absatzes 4 die Einrichtung nach den Absätzen 1 und 2.

§ 9[3)] Mindestanforderungen an Pflegeschulen. (1) Pflegeschulen müssen folgende Mindestanforderungen erfüllen:

1. hauptberufliche Leitung der Schule durch eine pädagogisch qualifizierte Person mit einer abgeschlossenen Hochschulausbildung auf Master- oder vergleichbarem Niveau,
2. Nachweis einer im Verhältnis zur Zahl der Ausbildungsplätze angemessenen Zahl fachlich und pädagogisch qualifizierter Lehrkräfte mit entsprechender, insbesondere pflegepädagogischer, abgeschlossener Hochschulausbildung auf Master- oder vergleichbarem Niveau für die Durchführung des theoretischen Unterrichts sowie mit entsprechender, insbesondere pflegepädagogischer, abgeschlossener Hochschulausbildung für die Durchführung des praktischen Unterrichts,
3. Vorhandensein der für die Ausbildung erforderlichen Räume und Einrichtungen sowie ausreichender Lehr- und Lernmittel, die den Auszubildenden kostenlos zur Verfügung zu stellen sind.

(2) [1] Das Verhältnis nach Absatz 1 Nummer 2 soll für die hauptberuflichen Lehrkräfte mindestens einer Vollzeitstelle auf 20 Ausbildungsplätze entsprechen. [2] Eine geringere Anzahl von hauptberuflichen Lehrkräften ist nur vorübergehend zulässig.

---

1) Nr. **570**.
2) Nr. **572**.
3) § 9 Abs. 3 Satz 2 geänd. mWv 1.11.2025 durch G v. 28.10.2025 (BGBl. 2025 I Nr. 259).

(3) [1]Die Länder können durch Landesrecht das Nähere zu den Mindestanforderungen nach den Absätzen 1 und 2 bestimmen und weitere, auch darüber hinausgehende Anforderungen festlegen. [2]Sie können für die Lehrkräfte für die Durchführung des theoretischen Unterrichts nach Absatz 1 Nummer 2 befristet bis zum 31. Dezember 2035 regeln, inwieweit die erforderliche Hochschulausbildung nicht oder nur für einen Teil der Lehrkräfte auf Master- oder vergleichbarem Niveau vorliegen muss.

§ 10[1)] Gesamtverantwortung der Pflegeschule. (1) [1]Die Pflegeschule trägt die Gesamtverantwortung für die Koordination des Unterrichts mit der praktischen Ausbildung. [2]Sie prüft, ob der Ausbildungsplan für die praktische Ausbildung den Anforderungen des schulinternen Curriculums entspricht. [3]Ist dies nicht der Fall, ist der Träger der praktischen Ausbildung zur Anpassung des Ausbildungsplans verpflichtet.

(2) [1]Die Pflegeschule überprüft anhand des von den Auszubildenden schriftlich oder elektronisch zu führenden Ausbildungsnachweises, ob die praktische Ausbildung gemäß dem Ausbildungsplan durchgeführt wird. [2]Die an der praktischen Ausbildung beteiligten Einrichtungen unterstützen die Pflegeschule bei der Durchführung der von dieser zu leistenden Praxisbegleitung.

§ 11[2)] Voraussetzungen für den Zugang zur Ausbildung. (1) Voraussetzung für den Zugang zu der Ausbildung zur Pflegefachfrau oder zum Pflegefachmann ist

1. der mittlere Schulabschluss oder ein anderer als gleichwertig anerkannter Abschluss oder
2. der Hauptschulabschluss oder ein anderer als gleichwertig anerkannter Abschluss, zusammen mit dem Nachweis
   a) einer erfolgreich abgeschlossenen Berufsausbildung von mindestens zweijähriger Dauer,

   [Buchst. b bis 31.12.2026:]

   b) einer erfolgreich abgeschlossenen landesrechtlich geregelten Assistenz- oder Helferausbildung in der Pflege von mindestens einjähriger Dauer, die die von der Arbeits- und Sozialministerkonferenz 2012 und von der Gesundheitsministerkonferenz 2013 als Mindestanforderungen beschlossenen „Eckpunkte für die in Länderzuständigkeit liegenden Ausbildungen zu Assistenz- und Helferberufen in der Pflege“ (BAnz AT 17.02.2016 B3) erfüllt,

   [Buchst. b ab 1.1.2027:]

   b) einer erfolgreich abgeschlossenen Ausbildung nach dem Pflegefachassistenzgesetz oder einer Ausbildung nach § 50 des Pflegefachassistenzgesetzes oder

   [Buchst. c bis 31.12.2026:]

   c) einer bis zum 31. Dezember 2019 begonnenen, erfolgreich abgeschlossenen landesrechtlich geregelten Ausbildung in der Krankenpflegehilfe oder Altenpflegehilfe von mindestens einjähriger Dauer oder

   d) ***[ab 1.1.2027:** c)**]*** einer auf der Grundlage des Krankenpflegegesetzes vom 4. Juni 1985 (BGBl. I S. 893), das durch Artikel 18 des Gesetzes vom

---

[1)] § 10 Abs. 2 Satz 1 geänd. mWv 16.12.2023 durch G v. 12.12.2023 (BGBl. 2023 I Nr. 359).

[2)] § 11 Abs. 1 Nr. 2 Buchst. b neu gef., Buchst. c aufgeh., bish. Buchst. d wird Buchst. c mWv 1.1.2027 durch G v. 28.10.2025 (BGBl. 2025 I Nr. 259).

16. Juli 2003 (BGBl. I S. 1442) aufgehoben worden ist, erteilten Erlaubnis als Krankenpflegehelferin oder Krankenpflegehelfer,

oder

3. der erfolgreiche Abschluss einer sonstigen zehnjährigen allgemeinen Schulbildung.

(2) § 2 Nummer 2 bis 4 findet entsprechende Anwendung.

§ 12[1)] Anrechnung gleichwertiger Ausbildungen. (1) [1] Die zuständige Behörde kann auf Antrag eine andere erfolgreich abgeschlossene Ausbildung oder erfolgreich abgeschlossene Teile einer Ausbildung im Umfang ihrer Gleichwertigkeit bis zu zwei Dritteln der Dauer einer Ausbildung nach § 6 Absatz 1 Satz 1 anrechnen. [2] Das Erreichen des Ausbildungsziels darf durch die Anrechnung nicht gefährdet werden.

(2) Ausbildungen ***[bis 31.12.2026:***, die die von der Arbeits- und Sozialministerkonferenz 2012 und von der Gesundheitsministerkonferenz 2013 als Mindestanforderungen beschlossenen „Eckpunkte für die in Länderzuständigkeit liegenden Ausbildungen zu Assistenz- und Helferberufen in der Pflege" (BAnz AT 17.02.2016 B3) erfüllen,***][ab 1.1.2027:*** *nach dem Pflegefachassistenzgesetz****]*** sind auf Antrag auf ein Drittel der Dauer der Ausbildung nach § 6 Absatz 1 Satz 1 anzurechnen.

§ 13 Anrechnung von Fehlzeiten. (1) Auf die Dauer der Ausbildung werden angerechnet:

1. Urlaub, einschließlich Bildungsurlaub oder Ferien,
2. Fehlzeiten wegen Krankheit oder aus anderen, von der Auszubildenden oder dem Auszubildenden nicht zu vertretenden Gründen
   a) bis zu 10 Prozent der Stunden des theoretischen und praktischen Unterrichts sowie
   b) bis zu 10 Prozent der Stunden der praktischen Ausbildung

   nach Maßgabe der Ausbildungs- und Prüfungsverordnung,
3. Fehlzeiten aufgrund mutterschutzrechtlicher Beschäftigungsverbote bei Auszubildenden, die einschließlich der Fehlzeiten nach Nummer 2 eine Gesamtdauer von 14 Wochen nicht überschreiten.

(2) [1] Auf Antrag kann die zuständige Behörde auch über Absatz 1 hinausgehende Fehlzeiten berücksichtigen, wenn eine besondere Härte vorliegt und das Erreichen des Ausbildungsziels durch die Anrechnung nicht gefährdet wird. [2] Ist eine Anrechnung der Fehlzeiten nicht möglich, kann die Ausbildungsdauer entsprechend verlängert werden.

(3) Freistellungsansprüche nach dem Betriebsverfassungsgesetz[2)], dem Bundespersonalvertretungsgesetz[3)] oder den Landespersonalvertretungsgesetzen bleiben unberührt.

[1)] § 12 Abs. 2 geänd. mWv 1.1.2027 durch G v. 28.10.2025 (BGBl. 2025 I Nr. 259).

[2)] Nr. **570**.

[3)] Nr. **572**.

§ 14[1)] Ausbildung im Rahmen von Modellvorhaben nach § 63 Absatz 3c oder § 64d des Fünften Buches Sozialgesetzbuch[2)]. (1) [1]Zur zeitlich befristeten Erprobung von Ausbildungsangeboten, die der Weiterentwicklung des nach diesem Gesetz geregelten Berufes im Rahmen von Modellvorhaben nach § 63 Absatz 3c oder § 64d des Fünften Buches Sozialgesetzbuch[2)] dienen, können über die in § 5 beschriebenen Aufgaben hinausgehende erweiterte Kompetenzen zur Ausübung heilkundlicher Tätigkeiten vermittelt werden. [2]Dabei darf die Erreichung des Ausbildungsziels nicht gefährdet sein.

(2) Soweit die Ausbildung nach Absatz 1 über die in diesem Gesetz und die in der Ausbildungs- und Prüfungsverordnung nach § 56 Absatz 1 geregelten Ausbildungsinhalte hinausgeht, werden die Ausbildungsinhalte in gesonderten schulinternen Curricula der Pflegeschulen und Ausbildungsplänen der Träger der praktischen Ausbildung festgelegt.

(3) [1]Die schulinternen Curricula und Ausbildungspläne nach Absatz 2 sind gemeinsam vom Bundesministerium für Familie, Senioren, Frauen und Jugend und vom Bundesministerium für Gesundheit zu genehmigen. [2]Die Genehmigung setzt voraus, dass sich die erweiterte Ausbildung auf ein vereinbartes Modellvorhaben nach § 63 Absatz 3c oder § 64d des Fünften Buches Sozialgesetzbuch[2)] bezieht und die Ausbildung geeignet ist, die zur Durchführung dieses Modellvorhabens erforderliche Qualifikation zu vermitteln.

(4) [1]Abweichend von Absatz 3 Satz 2 kann die Fachkommission nach § 53 für die zusätzliche Ausbildung standardisierte Module entwickeln, die gemeinsam vom Bundesministerium für Familie, Senioren, Frauen und Jugend und vom Bundesministerium für Gesundheit auch ohne Vorliegen eines vereinbarten Modellvorhabens nach § 63 Absatz 3c oder § 64d des Fünften Buches Sozialgesetzbuch[2)] genehmigt werden können. [2]Die Genehmigung der standardisierten Module erfolgt einmalig; Änderungen bedürfen einer erneuten Genehmigung.

(5) Die Ausbildungsdauer nach § 6 Absatz 1 Satz 1 ist nach Maßgabe der genehmigten schulinternen Curricula und Ausbildungspläne entsprechend zu verlängern.

(6) Die staatliche Abschlussprüfung erstreckt sich auch auf die mit der zusätzlichen Ausbildung erworbenen erweiterten Kompetenzen.

(7) [1]Die Absätze 1 bis 5 gelten entsprechend für Personen, die bereits zur Führung der Berufsbezeichnung nach § 1 berechtigt sind. [2]Die erworbenen erweiterten Kompetenzen werden zum Abschluss des Ausbildungsangebots staatlich geprüft.

§ 14a[3)] Standardisierte Kompetenzbeschreibungen für heilkundliche Aufgaben. [1]Die Fachkommission nach § 53 kann mit empfehlender Wirkung standardisierte Beschreibungen für die erforderlichen fachlichen und personalen Kompetenzen zur eigenverantwortlichen Ausübung von heilkundlichen Aufgaben (standardisierte Kompetenzbeschreibungen) entwickeln, soweit diese Kompetenzen nicht bereits im Rahmen der Ausbildung nach § 5 vermittelt

---

[1)] § 14 Überschrift, Abs. 1 Satz 1, Abs. 3 Satz 2, Abs. 4 Satz 1 geänd. mWv 20.7.2021 durch G v. 11.7.2021 (BGBl. I S. 2754); Abs. 7 Satz 1 geänd. mWv 16.12.2023 durch G v. 12.12.2023 (BGBl. 2023 I Nr. 359).

[2)] **beck-online, Module Arbeitsrecht Nr. 695.**

[3)] § 14a eingef. mWv 1.1.2026 durch G v. 22.12.2025 (BGBl. 2025 I Nr. 371).

werden. [2]Dazu gehören insbesondere standardisierte Beschreibungen der nach § 37 Absatz 2 Satz 2 und Absatz 3 Satz 2 Nummer 6 bis 9 zu vermittelnden Kompetenzen. [3]Die standardisierten Kompetenzbeschreibungen nach den Sätzen 1 und 2 können gemeinsam vom Bundesministerium für Bildung, Familie, Senioren, Frauen und Jugend und vom Bundesministerium für Gesundheit genehmigt werden. [4]Änderungen der standardisierten Kompetenzbeschreibungen bedürfen einer erneuten Genehmigung. [5]Die standardisierten Kompetenzbeschreibungen sollen in geeigneten Abständen an den medizinischen und pflegewissenschaftlichen Fortschritt angepasst werden.

§ 15[1)] Modellvorhaben zur Weiterentwicklung des Pflegeberufs.

(1) [1]Zur zeitlich befristeten Erprobung von Konzepten zur Durchführung der schulischen und praktischen Ausbildung können die Länder im Einvernehmen mit dem Bundesministerium für Familie, Senioren, Frauen und Jugend und dem Bundesministerium für Gesundheit Abweichungen von den §§ 6, 7 und 10 und den Vorschriften der Ausbildungs- und Prüfungsverordnung nach § 56 Absatz 1, die sich nicht auf Inhalte oder Prüfungsvorgaben beziehen, zulassen, sofern das Erreichen der Ausbildungsziele nach § 5 nicht gefährdet wird und die Vereinbarkeit der Ausbildung mit der Richtlinie 2005/36/EG[2)] des Europäischen Parlaments und des Rates vom 7. September 2005 über die Anerkennung von Berufsqualifikationen (ABl. L 255 vom 30.9.2005, S. 22; L 271 vom 16.10.2007, S. 18), die zuletzt durch den Delegierten Beschluss (EU) 2016/790 (ABl. L 134 vom 24.5.2016, S. 135) geändert worden ist, gewährleistet ist. [2]Dabei können Teile des theoretischen Unterrichts nach § 6 Absatz 2 als Fernunterricht erteilt werden. [3]Von der Abweichung von § 7 Absatz 1 kann auch die Festlegung der als Träger der praktischen Ausbildung im Sinne des § 8 Absatz 2 in Betracht kommenden Einrichtungen erfasst sein.

(2) Die Zulassung als Modellvorhaben setzt voraus, dass

1. das Erprobungsziel beschrieben wird und erkennen lässt, welche qualitativen Verbesserungen für die Pflegeausbildung unter Beachtung der berufsfeldspezifischen Anforderungen erwartet werden,
2. eine sachgerecht begleitende und abschließende wissenschaftliche Evaluierung des Modellvorhabens gewährleistet ist und
3. die Laufzeit des Modellvorhabens fünf Jahre nicht überschreitet und eine Verlängerung um höchstens zwei Jahre anhand der Evaluierungsergebnisse zu begründen ist.

Abschnitt 2. Ausbildungsverhältnis

§ 16[3)] Ausbildungsvertrag. (1) Zwischen dem Träger der praktischen Ausbildung und der oder dem Auszubildenden ist ein Ausbildungsvertrag nach Maßgabe der Vorschriften dieses Abschnitts zu schließen.

(2) Der Ausbildungsvertrag muss mindestens Folgendes enthalten:

[1)] § 15 Abs. 1 Satz 3 angef. mWv 1.1.2026 durch G v. 28.10.2025 (BGBl. 2025 I Nr. 259).

[2)] **beck-online, Module Arbeitsrecht Nr. 873.**

[3)] § 16 Abs. 2 Nr. 10, 11 geänd., Nr. 12 angef. mWv 16.12.2023 durch G v. 12.12.2023 (BGBl. 2023 I Nr. 359); Abs. 1 geänd., Abs. 3 neu gef., Abs. 5 Satz 1 und Abs. 6 Satz 1 geänd. mWv 1.11.2025 durch G v. 28.10.2025 (BGBl. 2025 I Nr. 259).

1. die Bezeichnung des Berufs, zu dem nach den Vorschriften dieses Gesetzes ausgebildet wird sowie den gewählten Vertiefungseinsatz einschließlich einer Ausrichtung nach § 7 Absatz 4 Satz 2,
2. den Beginn und die Dauer der Ausbildung,
3. Angaben über die der Ausbildung zugrunde liegende Ausbildungs- und Prüfungsverordnung,
4. eine Darstellung der inhaltlichen und zeitlichen Gliederung der praktischen Ausbildung (Ausbildungsplan),
5. die Verpflichtung der Auszubildenden oder des Auszubildenden zum Besuch der Ausbildungsveranstaltungen der Pflegeschule,
6. die Dauer der regelmäßigen täglichen oder wöchentlichen praktischen Ausbildungszeit,
7. die Dauer der Probezeit,
8. Angaben über Zahlung und Höhe der Ausbildungsvergütung einschließlich des Umfangs etwaiger Sachbezüge nach § 19 Absatz 2,
9. die Dauer des Urlaubs,
10. die Voraussetzungen, unter denen der Ausbildungsvertrag gekündigt werden kann, einschließlich eines Hinweises auf die Möglichkeit der Vertragsverlängerung nach § 21 Absatz 2,
11. einen in allgemeiner Form gehaltenen Hinweis auf die dem Ausbildungsvertrag gegebenenfalls zugrunde liegenden tariflichen Bestimmungen, Betriebs- oder Dienstvereinbarungen sowie auf die Rechte als Arbeitnehmer im Sinne von § 5 des Betriebsverfassungsgesetzes[1)] oder von § 4 des Bundespersonalvertretungsgesetzes[2)] des Trägers der praktischen Ausbildung und
12. die Form des Ausbildungsnachweises nach § 17 Satz 2 Nummer 3.

(3) [1] Der Abschluss des Ausbildungsvertrages bedarf der Textform. [2] Die Vertragsabfassung und den Empfangsnachweis hat der Träger der praktischen Ausbildung nach Ablauf des Jahres, in dem das Ausbildungsverhältnis beendet wurde, drei Jahre lang aufzubewahren.

(4) Auf den Ausbildungsvertrag sind, soweit sich aus seinem Wesen und Zweck sowie aus diesem Gesetz nichts anderes ergibt, die für Arbeitsverträge geltenden Rechtsvorschriften und Rechtsgrundsätze anzuwenden.

(5) [1] Änderungen des Ausbildungsvertrages bedürfen der Textform. [2] Auch eine Änderung des Vertiefungseinsatzes ist bis zu dessen Beginn jederzeit in beiderseitigem Einverständnis möglich. [3] Die Absätze 2 bis 4 gelten entsprechend.

(6) [1] Der Ausbildungsvertrag bedarf zu seiner Wirksamkeit im Falle des § 8 Absatz 2 Nummer 2 der Zustimmung der Pflegeschule in Textform. [2] Liegt die Zustimmung bei Vertragsschluss nicht vor, ist sie unverzüglich durch den Träger der praktischen Ausbildung einzuholen. [3] Hierauf ist der oder die Auszubildende und sind bei minderjährigen Auszubildenden auch deren gesetzliche Vertreter hinzuweisen.

[1)] Nr. **570**.
[2)] Nr. **572**.

§ 17[1)] Pflichten der Auszubildenden. [1]Die oder der Auszubildende hat sich zu bemühen, die in § 5 genannten Kompetenzen zu erwerben, die erforderlich sind, um das Ausbildungsziel zu erreichen. [2]Sie oder er ist insbesondere verpflichtet,

1. an den vorgeschriebenen Ausbildungsveranstaltungen der Pflegeschule teilzunehmen,
2. die ihr oder ihm im Rahmen der Ausbildung übertragenen Aufgaben sorgfältig auszuführen,
3. einen schriftlichen oder elektronischen Ausbildungsnachweis zu führen,
4. die für Beschäftigte in den Einrichtungen nach § 7 geltenden Bestimmungen über die Schweigepflicht einzuhalten und über Geschäftsgeheimnisse Stillschweigen zu wahren und
5. die Rechte der zu pflegenden Menschen zu achten.

§ 18 Pflichten des Trägers der praktischen Ausbildung. (1) Der Träger der praktischen Ausbildung ist verpflichtet,

1. die Ausbildung in einer durch ihren Zweck gebotenen Form auf der Grundlage des Ausbildungsplans zeitlich und sachlich gegliedert so durchzuführen, dass das Ausbildungsziel in der vorgesehenen Zeit erreicht werden kann,
2. zu gewährleisten, dass die nach § 16 Absatz 2 Nummer 4 vereinbarten Einsätze der praktischen Ausbildung durchgeführt werden können,
3. sicherzustellen, dass die nach § 6 Absatz 3 Satz 3 zu gewährleistende Praxisanleitung der oder des Auszubildenden im Umfang von mindestens 10 Prozent der während eines Einsatzes zu leistenden praktischen Ausbildungszeit stattfindet,
4. der oder dem Auszubildenden kostenlos die Ausbildungsmittel einschließlich der Fachbücher, Instrumente und Apparate zur Verfügung zu stellen, die zur praktischen Ausbildung und zum Ablegen der staatlichen Abschlussprüfung erforderlich sind, und
5. die Auszubildende oder den Auszubildenden für die Teilnahme an Ausbildungsveranstaltungen der Pflegeschule und für die Teilnahme an Prüfungen freizustellen und bei der Gestaltung der Ausbildung auf die erforderlichen Lern- und Vorbereitungszeiten Rücksicht zu nehmen.

(2) Der oder dem Auszubildenden dürfen nur Aufgaben übertragen werden, die dem Ausbildungszweck und dem Ausbildungsstand entsprechen; die übertragenen Aufgaben müssen den physischen und psychischen Kräften der Auszubildenden angemessen sein.

§ 19 Ausbildungsvergütung. (1) [1]Der Träger der praktischen Ausbildung hat der oder dem Auszubildenden für die gesamte Dauer der Ausbildung eine angemessene Ausbildungsvergütung zu zahlen. [2]Die oder der Auszubildende steht den zur Berufsausbildung Beschäftigten im Sinne sozialversicherungsrechtlicher Bestimmungen gleich.

(2) [1]Sachbezüge können in der Höhe der Werte, die durch Rechtsverordnung nach § 17 Absatz 1 Satz 1 Nummer 4 des Vierten Buches Sozialgesetz-

---

[1)] § 17 Satz 2 Nr. 3 geänd. mWv 16.12.2023 durch G v. 12.12.2023 (BGBl. 2023 I Nr. 359); Satz 2 Nr. 4 geänd. mWv 1.11.2025 durch G v. 28.10.2025 (BGBl. 2025 I Nr. 259).

buch[1]) bestimmt sind, angerechnet werden; sie dürfen jedoch 75 Prozent der Bruttovergütung nicht überschreiten. [2]Kann die oder der Auszubildende aus berechtigtem Grund Sachbezüge nicht abnehmen, so sind diese nach den Sachbezugswerten abzugelten. [3]Eine Anrechnung von Sachbezügen ist nur zulässig, soweit dies im Ausbildungsvertrag vereinbart worden ist.

(3) Eine über die vereinbarte regelmäßige tägliche oder wöchentliche Ausbildungszeit hinausgehende Beschäftigung ist nur ausnahmsweise zulässig und besonders zu vergüten oder in Freizeit auszugleichen.

§ 20 Probezeit. [1]Das Ausbildungsverhältnis beginnt mit der Probezeit. [2]Die Probezeit beträgt sechs Monate, sofern sich aus tarifvertraglichen Regelungen keine andere Dauer ergibt.

§ 21[2]) Ende des Ausbildungsverhältnisses. (1) Das Ausbildungsverhältnis endet unabhängig vom Zeitpunkt der staatlichen Abschlussprüfung mit Ablauf der Ausbildungszeit.

(2) Besteht die oder der Auszubildende die staatliche Prüfung nicht oder kann sie oder er ohne eigenes Verschulden die staatliche Prüfung nicht vor Ablauf der Ausbildung ablegen, so verlängert sich das Ausbildungsverhältnis auf Verlangen in Textform gegenüber dem Träger der praktischen Ausbildung bis zur nächstmöglichen Wiederholungsprüfung, höchstens jedoch um ein Jahr.

§ 22[3]) Kündigung des Ausbildungsverhältnisses. (1) Während der Probezeit kann das Ausbildungsverhältnis von jedem Vertragspartner jederzeit ohne Einhaltung einer Kündigungsfrist gekündigt werden.

(2) Nach der Probezeit kann das Ausbildungsverhältnis nur gekündigt werden

1. von jedem Vertragspartner ohne Einhalten einer Kündigungsfrist bei Vorliegen eines wichtigen Grundes oder
2. von der oder dem Auszubildenden mit einer Kündigungsfrist von vier Wochen.

(3) [1]Die Kündigung muss schriftlich erfolgen; die elektronische Form ist ausgeschlossen. [2]Bei einer Kündigung durch den Träger der praktischen Ausbildung ist das Benehmen mit der Pflegeschule herzustellen. [3]In den Fällen des Absatzes 2 Nummer 1 sind die Kündigungsgründe anzugeben.

(4) [1]Eine Kündigung aus einem wichtigen Grund ist unwirksam, wenn die ihr zugrunde liegenden Tatsachen der kündigungsberechtigten Person länger als 14 Tage bekannt sind. [2]Ist ein vorgesehenes Güteverfahren vor einer außergerichtlichen Stelle eingeleitet, so wird bis zu dessen Beendigung der Lauf dieser Frist gehemmt.

§ 23 Beschäftigung im Anschluss an das Ausbildungsverhältnis. Wird die oder der Auszubildende im Anschluss an das Ausbildungsverhältnis beschäftigt, ohne dass hierüber ausdrücklich etwas vereinbart worden ist, so gilt ein Arbeitsverhältnis auf unbestimmte Zeit als begründet.

---

[1]) Nr. **694**.

[2]) § 21 Abs. 2 geänd. mWv 1.11.2025 durch G v. 28.10.2025 (BGBl. 2025 I Nr. 259).

[3]) § 22 Abs. 2 Nr. 1, Abs. 3 Satz 1 geänd. mWv 1.11.2025 durch G v. 28.10.2025 (BGBl. 2025 I Nr. 259).

§ 24 Nichtigkeit von Vereinbarungen. (1) Eine Vereinbarung, die zu Ungunsten der oder des Auszubildenden von den übrigen Vorschriften dieses Abschnitts abweicht, ist nichtig.

(2) [1] Eine Vereinbarung, durch die die oder der Auszubildende für die Zeit nach Beendigung des Ausbildungsverhältnisses in der Ausübung ihrer oder seiner beruflichen Tätigkeit beschränkt wird, ist nichtig. [2] Dies gilt nicht, wenn die oder der Auszubildende innerhalb der letzten drei Monate des Ausbildungsverhältnisses für die Zeit nach dessen Beendigung ein Arbeitsverhältnis eingeht.

(3) Nichtig ist auch eine Vereinbarung über

1. die Verpflichtung der oder des Auszubildenden, für die praktische Ausbildung eine Entschädigung oder für die Teilnahme am theoretischen und praktischen Unterricht an der Pflegeschule eine Vergütung oder ein Schulgeld zu zahlen,
2. Vertragsstrafen,
3. den Ausschluss oder die Beschränkung von Schadensersatzansprüchen und
4. die Festsetzung der Höhe eines Schadensersatzes in Pauschalbeträgen.

[§ 25 bis 31.12.2026:]

§ 25 Ausschluss der Geltung von Vorschriften dieses Abschnitts. Die §§ 16 bis 24 finden keine Anwendung auf Auszubildende, die Diakonissen, Diakonieschwestern oder Mitglieder geistlicher Gemeinschaften sind.

[§ 25 ab 1.1.2027:]

§ 25[1] ***Ausschluss der Geltung von Vorschriften dieses Abschnitts.*** *Die §§ 16 bis 24 finden keine Anwendung auf Auszubildende, die Diakonissen, Diakonieschwestern oder Mitglieder geistlicher Gemeinschaften sind, auf Soldatinnen und Soldaten der Bundeswehr sowie auf Beschäftigte, die die Ausbildung im Rahmen eines bei der Bundeswehr bestehenden Dienst- oder Arbeitsverhältnisses absolvieren.*

Abschnitt 3. Finanzierung der beruflichen Ausbildung in der Pflege

§ 26[2] [3] **Grundsätze der Finanzierung.** (1) Mit dem Ziel,

1. bundesweit eine wohnortnahe qualitätsgesicherte Ausbildung sicherzustellen,
2. eine ausreichende Zahl qualifizierter Pflegefachfrauen und Pflegefachmänner auszubilden,
3. Nachteile im Wettbewerb zwischen ausbildenden und nicht ausbildenden Einrichtungen zu vermeiden,
4. die Ausbildung in kleineren und mittleren Einrichtungen zu stärken und
5. wirtschaftliche Ausbildungsstrukturen zu gewährleisten,

werden die Kosten der Pflegeausbildung nach den Teilen 2 und 5 durch Ausgleichsfonds nach Maßgabe von § 26 Absatz 2 bis § 36 finanziert.

(2) Die Ausgleichsfonds werden auf Landesebene organisiert und verwaltet.

(3) An der Finanzierung der Ausgleichsfonds nehmen teil:

1. Krankenhäuser nach § 7 Absatz 1 Nummer 1,

---

[1] § 25 neu gef. mWv 1.1.2027 durch G v. 28.10.2025 (BGBl. 2025 I Nr. 259).
[2] Inkrafttreten gem. Art. 15 Abs. 2 G v. 17.7.2017 (BGBl. I S. 2581) am 1.1.2019.
[3] § 26 Abs. 1 abschl. Satzteil geänd. mWv 1.1.2024 durch G v. 12.12.2023 (BGBl. 2023 I Nr. 359).

2. stationäre und ambulante Pflegeeinrichtungen nach § 7 Absatz 1 Nummer 2 und 3,
3. das jeweilige Land,
4. die soziale Pflegeversicherung und die private Pflege-Pflichtversicherung.

(4) [1] Die zuständige Stelle im Land ermittelt den erforderlichen Finanzierungsbedarf nach § 32 und erhebt Umlagebeträge bei den Einrichtungen nach § 33 Absatz 3 und 4. [2] Sie verwaltet die eingehenden Beträge nach § 33 Absatz 1 einschließlich der Beträge aus Landesmitteln nach § 33 Absatz 1 Nummer 3 sowie der Beträge nach § 33 Absatz 1 Nummer 4 als Sondervermögen und zahlt Ausgleichszuweisungen an die Träger der praktischen Ausbildung und die Pflegeschulen aus.

(5) Finanzierungs- und Abrechnungszeitraum ist jeweils das Kalenderjahr.

(6) [1] Das jeweilige Land bestimmt die zuständige Stelle nach Absatz 4 und kann ergänzende Regelungen erlassen. [2] Es bestimmt ebenfalls die zuständige Behörde nach § 30 Absatz 1 sowie eine weitere Behörde, die die Vertreter des Landes nach § 36 Absatz 2 entsendet. [3] Die zuständige Stelle unterliegt der Rechtsaufsicht des zuständigen Landesministeriums. [4] Die Aufgaben der zuständigen Stelle nach Absatz 4 können im Wege der Beleihung auf eine zur Wahrnehmung dieser Aufgaben geeignete juristische Person des Privatrechts, die die Gewähr für eine sachgerechte Aufgabenerledigung bietet, übertragen werden. [5] Diese Aufgabenübertragung kann mit Auflagen verbunden werden und ist widerruflich. [6] Satz 3 gilt entsprechend.

(7) Die Bestimmung der zuständigen Stelle kann länderübergreifend erfolgen.

§ 27[1) 2)] Ausbildungskosten. (1) [1] Kosten der Ausbildung sind die Mehrkosten der Ausbildungsvergütungen und die Kosten der praktischen Ausbildung einschließlich der Kosten der Praxisanleitung. [2] Zu den Ausbildungskosten gehören auch die Betriebskosten der Pflegeschulen nach § 6 Absatz 2 einschließlich der Kosten der Praxisbegleitung. [3] Nicht zu den Ausbildungskosten gehören die Investitionskosten. [4] Investitionskosten sind Aufwendungen für Maßnahmen einschließlich Kapitalkosten, die dazu bestimmt sind, die für den jeweiligen Betrieb notwendigen Gebäude und sonstigen abschreibungsfähigen Anlagegüter herzustellen, anzuschaffen, wiederzubeschaffen oder zu ergänzen.

(2) [1] Bei der Ermittlung der Mehrkosten der Ausbildungsvergütung sind Personen, die nach Teil 2 dieses Gesetzes in der Pflege ausgebildet werden, in Krankenhäusern und in stationären Pflegeeinrichtungen im Verhältnis 9,5 zu 1 auf die Stelle einer voll ausgebildeten Pflegefachkraft anzurechnen; bei ambulanten Pflegeeinrichtungen erfolgt eine Anrechnung im Verhältnis von 14 zu 1. [2] Die Anrechnung nach Satz 1 erfolgt nicht für Personen im ersten Ausbildungsdrittel.

(3) Zu den Kosten der Ausbildung gehören auch die Kosten der zusätzlichen Ausbildung nach § 14.

§ 28[1)] Umlageverfahren. (1) Die Finanzierung der Ausgleichsfonds durch Krankenhäuser und ambulante und stationäre Pflegeeinrichtungen erfolgt über

---

[1)] Inkrafttreten gem. Art. 15 Abs. 2 G v. 17.7.2017 (BGBl. I S. 2581) am 1.1.2019.

[2)] § 27 Abs. 2 Satz 2 angef. mWv 1.1.2019 durch G v. 9.8.2019 (BGBl. I S. 1202); Abs. 1 Satz 1 geänd., Abs. 3 angef. mWv 1.1.2024 durch G v. 12.12.2023 (BGBl. 2023 I Nr. 359).

landesweite Umlageverfahren nach Maßgabe des Absatzes 2 und der §§ 29 bis 35.

(2) Die an den Umlageverfahren teilnehmenden Krankenhäuser können die auf sie entfallenden Umlagebeträge zusätzlich zu den Entgelten oder Vergütungen für ihre Leistungen als Ausbildungszuschläge erheben; für ambulante und stationäre Pflegeeinrichtungen sind die auf sie entfallenden Umlagebeträge in der Vergütung der allgemeinen Pflegeleistungen (§ 84 Absatz 1, § 89 des Elften Buches Sozialgesetzbuch[1]) berücksichtigungsfähig.

§ 29[2) 3)] Ausbildungsbudget, Grundsätze. (1) [1]Die Träger der praktischen Ausbildung und die Pflegeschulen erhalten für einen zukünftigen Zeitraum (Finanzierungszeitraum) ein Ausbildungsbudget zur Finanzierung der Ausbildungskosten. [2]Das Ausbildungsbudget des Trägers der praktischen Ausbildung umfasst auch die Ausbildungskosten der weiteren an der praktischen Ausbildung beteiligten Einrichtungen nach § 8 Absatz 3; es setzt sich zusammen aus den voraussichtlichen Mehrkosten der Ausbildungsvergütung und aus den Kosten der praktischen Ausbildung je Auszubildender oder je Auszubildendem.

(2) [1]Das Ausbildungsbudget soll die Kosten der Ausbildung bei wirtschaftlicher Betriebsgröße und wirtschaftlicher Betriebsführung decken. [2]Die Bezahlung tarifvertraglich vereinbarter Vergütungen sowie entsprechender Vergütungen nach kirchlichen Arbeitsrechtsregelungen kann nicht als unwirtschaftlich abgelehnt werden. [3]Grundlage des Ausbildungsbudgets sind die Ausbildungszahlen, die an die zuständige Stelle gemeldet werden, ebenso wie die Höhe der Mehrkosten der Ausbildungsvergütung. [4]Mehrkosten der Ausbildungsvergütungen dürfen nicht unangemessen sein; sie können nicht als unangemessen beanstandet werden, soweit ihnen tarifvertraglich vereinbarte Ausbildungsvergütungen sowie entsprechende Vergütungen nach kirchlichen Arbeitsrechtsregelungen zugrunde liegen.

(3) [1]Die für den Finanzierungszeitraum zu erwartenden Kostenentwicklungen sind zu berücksichtigen. [2]Die Ausbildung in der Region darf nicht gefährdet werden. [3]Soweit eine Pflegeschule in der Region erforderlich ist, zum Beispiel weil die Entfernungen und Fahrzeiten zu anderen Pflegeschulen nicht zumutbar sind, können auch langfristig höhere Finanzierungsbeträge vorgesehen werden. [4]Die Parteien nach § 31 Absatz 1 können Strukturverträge schließen, die den Ausbau, die Schließung oder die Zusammenlegung von Pflegeschulen finanziell unterstützen und zu wirtschaftlichen Ausbildungsstrukturen führen. [5]§ 27 Absatz 1 Satz 3 gilt entsprechend.

(4) Soweit Ausbildungskosten nach anderen Vorschriften aufgebracht werden, ist dies bei der Festlegung des Ausbildungsbudgets mindernd zu berücksichtigen.

(5) [1]Das Ausbildungsbudget erfolgt als Pauschalbudget nach § 30. [2]Es wird als Individualbudget vereinbart, wenn dies das jeweilige Land oder die Parteien nach Absatz 6 übereinstimmend bis zum 15. Januar des Vorjahres des Finanzierungszeitraums in Textform erklären. [3]Diese Erklärungen können auch nur für die Finanzierung der Träger der praktischen Ausbildung, die Finanzierung der

---

1) **Aichberger, SGB Nr. 11.**

2) Inkrafttreten gem. Art. 15 Abs. 2 G v. 17.7.2017 (BGBl. I S. 2581) am 1.1.2019.

3) § 29 Abs. 5 Satz 3 neu gef. mWv 1.1.2024 durch G v. 12.12.2023 (BGBl. 2023 I Nr. 359); Abs. 5 Satz 2 geänd. mWv 1.11.2025 durch G v. 28.10.2025 (BGBl. 2025 I Nr. 259).

Pflegeschulen oder die Finanzierung der zusätzlichen Ausbildung nach § 14, auch in Verbindung mit § 37 Absatz 5, abgegeben werden.

(6) [1] Die Erklärungen der Parteien nach Absatz 5 erfolgen für die Finanzierung der Träger der praktischen Ausbildung von den Parteien nach § 30 Absatz 1 Satz 1 und für die Finanzierung der Pflegeschulen von den Parteien nach § 30 Absatz 1 Satz 2. [2] Eine ausdrückliche Enthaltungserklärung ist zulässig. [3] Ist eine der Parteien durch mehrere Vertreter vertreten, gilt die Erklärung der Partei dann als abgegeben, wenn entsprechende Erklärungen von der jeweiligen Mehrheit der Vertreter dieser Partei abgegeben worden sind.

(7) [1] Das Land und die Parteien sind an ihre Erklärungen für den folgenden Finanzierungszeitraum gebunden. [2] Darüber hinaus gelten die Erklärungen nach Absatz 5 bis zu einer abweichenden Erklärung fort. [3] Die abweichenden Erklärungen können ebenfalls bis zum 15. Januar des Vorjahres des jeweiligen Finanzierungszeitraumes abgegeben werden.

§ 30[1) 2)] Pauschalbudgets. (1) [1] Die zuständige Behörde des Landes, die Landeskrankenhausgesellschaft, die Vereinigungen der Träger der ambulanten oder stationären Pflegeeinrichtungen im Land, die Landesverbände der Kranken- und Pflegekassen sowie der Landesausschuss des Verbandes der privaten Krankenversicherung legen durch gemeinsame Vereinbarungen Pauschalen zu den Kosten der praktischen Ausbildung einschließlich der Kosten für die zusätzliche Ausbildung nach § 14, auch in Verbindung mit § 37 Absatz 5, fest; sie können jeweils gesonderte Pauschalen festlegen. [2] Die gemeinsame Vereinbarung der Pauschalen zu den Ausbildungskosten der Pflegeschulen wird von der zuständigen Behörde des Landes, den Landesverbänden der Kranken- und Pflegekassen, dem Landesausschuss des Verbandes der privaten Krankenversicherung sowie von Interessenvertretungen der öffentlichen und der privaten Pflegeschulen auf Landesebene getroffen. [3] Keiner Pauschalierung zugänglich sind die Mehrkosten der Ausbildungsvergütung.

(2) Kommt eine Vereinbarung bis zum 30. April des Vorjahres des Finanzierungszeitraums nicht zustande, entscheidet auf Antrag einer Vertragspartei die Schiedsstelle nach § 36 innerhalb von sechs Wochen.

(3) [1] Die Pauschalen sind alle zwei Jahre anzupassen. [2] Kommt bis zum 30. Juni des Vorjahres des hierauf folgenden Finanzierungszeitraums eine neue Vereinbarung weder durch Vereinbarung noch durch Schiedsspruch zustande, gilt die bisherige Pauschalvereinbarung fort. [3] Abweichend von Satz 1 kann die Pauschalvereinbarung von jedem der Beteiligten mit Wirkung für alle bis zum 1. Januar des Vorjahres des Finanzierungszeitraums gekündigt werden.

(4) [1] Der Träger der praktischen Ausbildung und die Pflegeschule teilen der zuständigen Stelle die voraussichtliche Zahl der Ausbildungsverhältnisse beziehungsweise die voraussichtlichen Schülerzahlen sowie die voraussichtlichen Mehrkosten der Ausbildungsvergütung und das sich daraus ergebende Gesamtbudget mit. [2] Dabei ist auch die Höhe der voraussichtlich für jeden Auszubildenden anfallenden Ausbildungsvergütung mitzuteilen. [3] Die angenommenen Ausbildungs- oder Schülerzahlen werden näher begründet. [4] Die zuständige Stelle setzt auf Grundlage der Mitteilungen nach den Sätzen 1 bis 3 das Aus-

---

1) Inkrafttreten gem. Art. 15 Abs. 2 G v. 17.7.2017 (BGBl. I S. 2581) am 1.1.2019.

2) § 30 Abs. 1 Satz 1 neu gef. mWv 1.1.2024 durch G v. 12.12.2023 (BGBl. 2023 I Nr. 359).

bildungsbudget fest; sie weist unangemessene Ausbildungsvergütungen und unplausible Ausbildungs- und Schülerzahlen zurück.

(5) Erfolgt eine Mitteilung nach Absatz 4 Satz 1 bis 3 nicht oder nicht vollständig innerhalb von für die Mitteilung vorgegebenen Fristen oder wurden bestimmte Angaben in der Mitteilung nach Absatz 4 Satz 4 zurückgewiesen und werden die zurückgewiesenen Angaben nicht fristgerecht nachträglich mitgeteilt, nimmt die zuständige Stelle eine Schätzung vor.

§ 31[1] Individualbudgets. (1) [1] Werden die Ausbildungsbudgets nach § 29 Absatz 5 Satz 2 und 3 individuell vereinbart, sind Parteien der Budgetverhandlung

1. der Träger der praktischen Ausbildung oder die Pflegeschule,
2. die zuständige Behörde des Landes und
3. die Kranken- und Pflegekassen oder deren Arbeitsgemeinschaften, soweit auf sie im Jahr vor Beginn der Budgetverhandlungen mehr als 5 Prozent der Belegungs- und Berechnungstage oder der betreuten Pflegebedürftigen bei ambulanten Pflegediensten bei einem der kooperierenden Träger der praktischen Ausbildung entfallen.

[2] Pflegeschulen und Träger der praktischen Ausbildung können vereinbaren, dass das Ausbildungsbudget des Trägers der praktischen Ausbildung die Ausbildungskosten der Pflegeschule mit umfasst und vom Träger der praktischen Ausbildung mit verhandelt werden.

(2) [1] Die Verhandlungen nach Absatz 1 sind zügig zu führen. [2] Vor Beginn der Verhandlungen hat der Träger der praktischen Ausbildung den Beteiligten rechtzeitig Nachweise und Begründungen insbesondere über Anzahl der voraussichtlich belegten Ausbildungsplätze und die Ausbildungskosten vorzulegen sowie im Rahmen der Verhandlungen zusätzliche Auskünfte zu erteilen, soweit diese erforderlich sind und nicht außer Verhältnis stehen. [3] Satz 2 gilt für die Pflegeschulen entsprechend.

(3) Kommt eine Vereinbarung über ein Ausbildungsbudget für den Finanzierungszeitraum nicht innerhalb von zwei Monaten nach Vorlage von Verhandlungsunterlagen zustande, entscheidet auf Antrag einer Vertragspartei die Schiedsstelle nach § 36 innerhalb von sechs Wochen.

(4) [1] Die Parteien nach Absatz 1 teilen der zuständigen Stelle gemeinsam die Höhe der vereinbarten oder der von der Schiedsstelle nach Absatz 3 festgesetzten Ausbildungsbudgets und den jeweiligen Träger der praktischen Ausbildung mit. [2] Dabei geben sie die Zahl der Ausbildungsplätze sowie die voraussichtlichen Mehrkosten der Ausbildungsvergütung unter Mitteilung der Höhe der voraussichtlich für jeden Auszubildenden anfallenden Ausbildungsvergütung an, die der Vereinbarung oder der Festsetzung zugrunde gelegt worden sind. [3] Die zuständige Stelle weist unangemessene Ausbildungsvergütungen zurück.

(5) Erfolgt eine Mitteilung nach Absatz 4 Satz 1 und 2 nicht oder nicht vollständig innerhalb von für die Mitteilung vorgegebenen Fristen oder wurden bestimmte Angaben in der Mitteilung nach Absatz 4 Satz 3 zurückgewiesen und werden die zurückgewiesenen Angaben nicht fristgerecht nachträglich mitgeteilt, nimmt die zuständige Stelle eine Schätzung vor.

---

[1] Inkrafttreten gem. Art. 15 Abs. 2 G v. 17.7.2017 (BGBl. I S. 2581) am 1.1.2019.

§ 32[1) 2)] **Höhe des Finanzierungsbedarfs; Verwaltungskosten.** (1) [1]Die zuständige Stelle ermittelt für den jeweiligen Finanzierungszeitraum die Höhe des Finanzierungsbedarfs für die Pflegeausbildung im Land aus

1. der Summe aller Ausbildungsbudgets eines Landes nach den §§ 30 und 31,
2. einem Aufschlag auf diese Summen von 3 Prozent zur Bildung einer Liquiditätsreserve, die die erforderlichen Mittel abdeckt für in der Meldung des Ausbildungsbudgets nach § 30 Absatz 4 und nach § 31 Absatz 4 noch nicht berücksichtigte Ausbildungsverhältnisse sowie für Forderungsausfälle und Zahlungsverzüge.

[2]Schätzungen nach § 30 Absatz 5 und § 31 Absatz 5 stehen den bei der Ermittlung des Finanzierungsbedarfs festgesetzten oder vereinbarten Ausbildungsbudgets gleich.

(2) [1]Die zuständige Stelle erhebt als Ausgleich für anfallende Verwaltungs- und Vollstreckungskosten 0,6 Prozent der sich aus Absatz 1 Nummer 1 ergebenden Summe (Verwaltungskostenpauschale). [2]Die Verwaltungskostenpauschale wird dem Betrag nach Absatz 1 als Aufschlag hinzugerechnet. [3]Sie wird beim Finanzierungsbedarf und im Ausgleichsfonds gesondert ausgewiesen.

§ 33[1) 3)] **Aufbringung des Finanzierungsbedarfs; Verordnungsermächtigung.** (1) Der nach § 32 ermittelte Finanzierungsbedarf wird durch die Erhebung von Umlagebeträgen und Zahlungen nach § 26 Absatz 3 nach folgenden Anteilen aufgebracht:

1. 57,2380 Prozent durch Einrichtungen nach § 7 Absatz 1 Nummer 1,
2. 30,2174 Prozent durch Einrichtungen nach § 7 Absatz 1 Nummer 2 und 3,
3. 8,9446 Prozent durch das Land und
4. 3,6 Prozent durch Direktzahlung der sozialen Pflegeversicherung, wobei die private Pflege-Pflichtversicherung der sozialen Pflegeversicherung 10 Prozent ihrer Direktzahlung erstattet.

(2) [1]Die Zahlungen nach Absatz 1 Nummer 1 und 2 werden als monatlicher Teilbetrag an die zuständige Stelle abgeführt. [2]Soweit einer zur Zahlung eines Umlagebetrages verpflichteten Einrichtung infolge der praktischen Ausbildung eine Ausgleichszuweisung nach § 34 zusteht, kann die zuständige Stelle die Beträge miteinander verrechnen.

(3) [1]Der von den Trägern der Einrichtungen nach § 7 Absatz 1 Nummer 1 zu zahlende Anteil kann als Teilbetrag des Ausbildungszuschlags je voll- und teilstationärem Fall nach § 17a Absatz 5 Satz 1 Nummer 2 des Krankenhausfinanzierungsgesetzes[4)] oder als eigenständiger Ausbildungszuschlag je voll- und teilstationärem Fall aufgebracht werden. [2]Vereinbart wird die Höhe des Zuschlags oder des Teilbetrages durch die Vertragsparteien nach § 18 Absatz 1 Satz 2 des Krankenhausfinanzierungsgesetzes. [3]Die Vertragsparteien teilen der zuständigen Stelle gemeinsam die Höhe des vereinbarten Zuschlags oder des

---

[1)] Inkrafttreten gem. Art. 15 Abs. 2 G v. 17.7.2017 (BGBl. I S. 2581) am 1.1.2019.

[2)] § 32 Abs. 2 Satz 2 neu gef., Satz 3 angef. mWv 1.1.2024 durch G v. 12.12.2023 (BGBl. 2023 I Nr. 359).

[3)] § 33 Abs. 5 Satz 3 geänd. mWv 1.1.2020 durch G v. 19.5.2020 (BGBl. I S. 1018); Abs. 6 Satz 2 geänd. mWv 1.1.2024 durch G v. 12.12.2023 (BGBl. 2023 I Nr. 359); Abs. 4 Satz 4 geänd., Abs. 5 Satz 1 neu gef., Satz 2 eingef., bisher Sätze 2 und 3 werden Sätze 3 und 4 mWv 1.11.2025 durch G v. 28.10.2025 (BGBl. 2025 I Nr. 259).

[4)] **Aichberger, SGB Nr. 5/20.**

Teilbetrages mit, die diesen Zuschlag als Umlagebetrag gegenüber den Einrichtungen nach Absatz 1 Nummer 1 festsetzt.

(4) [1] Der von den Trägern der Einrichtungen nach § 7 Absatz 1 Nummer 2 und 3 zu zahlende Anteil nach Absatz 1 Nummer 2 wird über Ausbildungszuschläge aufgebracht. [2] Die zuständige Stelle setzt gegenüber jeder Einrichtung den jeweils zu entrichtenden Umlagebetrag fest. [3] Dafür wird der Anteil nach Absatz 1 Nummer 2 auf die Sektoren „voll- und teilstationär" und „ambulant" im Verhältnis der in diesen Sektoren beschäftigten Pflegefachkräfte aufgeschlüsselt. [4] Einzelheiten zu dem Verfahren, einschließlich der Festlegung, welche Pflegefachkräfte in einem Sektor berücksichtigt werden, werden durch eine Umlageordnung nach § 56 Absatz 3 Nummer 3 festgelegt. [5] Die Länder können ergänzende Regelungen erlassen.

(5) [1] Die Zahlung nach Absatz 1 Nummer 3 erfolgt je Finanzierungszeitraum als Einmalzahlung zwei Monate vor Fälligkeit der ersten Ausgleichszahlung. [2] Die Zahlung nach Absatz 1 Nummer 4 erfolgt je Finanzierungszeitraum als Einmalzahlung einen Monat vor Fälligkeit der ersten Ausgleichszahlung. [3] Die Direktzahlung der sozialen Pflegeversicherung sowie die Erstattung der privaten Pflege-Pflichtversicherung nach Absatz 1 Nummer 4 werden aus Mitteln des Ausgleichsfonds nach § 65 des Elften Buches Sozialgesetzbuch[1] oder an den Ausgleichsfonds erbracht. [4] § 45c Absatz 8 des Elften Buches Sozialgesetzbuch gilt entsprechend.

(6) [1] Die in § 30 Absatz 1 Satz 1 genannten Beteiligten auf Landesebene vereinbaren die erforderlichen Verfahrensregelungen im Zusammenhang mit der Einzahlung der Finanzierungsmittel und den in Rechnung zu stellenden Zuschlägen. [2] Hierzu gehören insbesondere Vorgaben zur Verzinsung ausstehender Einzahlungen, die mit einem Zinssatz von 8 Prozent über dem Basiszinssatz nach § 247 Absatz 1 des Bürgerlichen Gesetzbuchs[2] zu verzinsen sind, oder Einzelheiten zur Abweichung von dem Zeitpunkt der Einzahlung einschließlich der Möglichkeit von anteiligen Einzahlungen nach Absatz 1 Nummer 3, sofern die Liquidität des Ausgleichsfonds zum Zeitpunkt der Auszahlung der Ausgleichszuweisung im entsprechenden Finanzierungszeitraum weiterhin sichergestellt ist. [3] Kommt eine Vereinbarung nicht zustande, entscheidet die Schiedsstelle nach § 36 auf Antrag eines Beteiligten.

(7) [1] Gegen den Festsetzungs- und Zahlungsbescheid der zuständigen Stelle nach den Absätzen 3 und 4 ist der Verwaltungsrechtsweg gegeben. [2] Widerspruch und Klage haben keine aufschiebende Wirkung.

(8) [1] Die Bundesregierung prüft alle drei Jahre, erstmals 2023, die Notwendigkeit und Höhe einer Anpassung des Prozentsatzes der Direktzahlung der sozialen Pflegeversicherung nach Absatz 1 Nummer 4. [2] Die Bundesregierung legt den gesetzgebenden Körperschaften des Bundes einen Bericht über das Ergebnis und die tragenden Gründe vor. [3] Die Bundesregierung wird ermächtigt, durch Rechtsverordnung mit Zustimmung des Bundesrates

1. nach Vorlage des Berichts unter Berücksichtigung etwaiger Stellungnahmen der gesetzgebenden Körperschaften des Bundes den Prozentsatz nach Absatz 1 Nummer 4 zum 1. Januar des Folgejahres anzupassen und

[1] **Aichberger, SGB Nr. 11.**
[2] Nr. **50.**

2. bei Anpassung des Prozentsatzes nach Absatz 1 Nummer 4 auch den Prozentsatz nach Absatz 1 Nummer 2 anzupassen, so dass die Summe der Prozentsätze nach Absatz 1 Nummer 2 und 4 unverändert bleibt.

[4] Rechtsverordnungen nach Satz 3 sind dem Bundestag zuzuleiten. [5] Die Zuleitung erfolgt vor der Zuleitung an den Bundesrat. [6] Die Rechtsverordnungen können durch Beschluss des Bundestages geändert oder abgelehnt werden. [7] Der Beschluss des Bundestages wird der Bundesregierung zugeleitet. [8] Hat sich der Bu ndestag nach Ablauf von drei Sitzungswochen seit Eingang der Rechtsverordnung nicht mit ihr befasst, so wird die unveränderte Rechtsverordnung dem Bundesrat zugeleitet.

§ 34[1) 2)] Ausgleichszuweisungen. (1) [1] Die Ausgleichszuweisungen erfolgen an den Träger der praktischen Ausbildung und an die Pflegeschule in monatlichen Beiträgen entsprechend dem nach § 29 festgesetzten Ausbildungsbudget durch die zuständige Stelle. [2] Die Ausgleichszuweisungen sind zweckgebunden für die Ausbildung zu verwenden. [3] Bestehen begründete Zweifel an der zweckgebundenen Verwendung der Ausgleichszuweisungen oder an der Geeignetheit einer Einrichtung im Sinne des § 7 Absatz 5, kann die Ausgleichszuweisung vorläufig bis zur Entscheidung über die Geeignetheit ausgesetzt werden. [4] Die Verpflichtungen des Trägers der praktischen Ausbildung bleiben unberührt. [5] Abweichungen zwischen der Zahl der Ausbildungsplätze, die der Meldung nach § 30 Absatz 4 oder der Budgetvereinbarung nach § 31 zugrunde gelegt worden ist, und der tatsächlichen Anzahl der Ausbildungsplätze teilt der Träger der praktischen Ausbildung der zuständigen Stelle mit; er beziffert die aufgrund der Abweichung anfallenden Mehr- oder Minderausgaben. [6] Minderausgaben sind bei den monatlichen Ausgleichszuweisungen vollständig zu berücksichtigen; Mehrausgaben sind zu berücksichtigen, soweit die Liquiditätsreserve dies zulässt. [7] Entsprechende Mitteilungspflichten haben die Pflegeschulen.

(2) Der Träger der praktischen Ausbildung hat die in den Ausgleichszuweisungen enthaltenen Kosten der übrigen Kooperationspartner und im Falle des § 31 Absatz 1 Satz 2 der Pflegeschulen auf Grundlage der Kooperationsverträge und im Falle von Individualbudgets nach § 31 unter Berücksichtigung der vereinbarten Ausbildungsbudgets an diese weiterzuleiten.

(3) [1] Die Pflegeschule stellt Auszubildenden, soweit sie ***[bis 31.12.2026:*** nach § 81 des Dritten Buches Sozialgesetzbuch[3)] oder nach § 16 des Zweiten Buches Sozialgesetzbuch[4)] in Verbindung mit § 81 des Dritten Buches Sozialgesetzbuch***][ab 1.1.2027:*** *nach den §§ 81 oder 82 des Dritten Buches Sozialgesetzbuch****]*** gefördert werden, unbeschadet von § 24 Absatz 3 Nummer 1 zweite Alternative, Lehrgangskosten in angemessener Höhe in Rechnung. [2] Die Leistungen für Lehrgangskosten sind gemäß § 83 Absatz 2 Satz 1 des Dritten Buches Sozialgesetzbuch an die Pflegeschule als Träger der Maßnahme auszuzahlen. [3] Leistungen zur Finanzierung der Ausbildung, wie beispielsweise Fördermittel nach dem Dritten Kapitel des Dritten Buches Sozialgesetzbuch, sind vom Auszah-

---

[1)] Inkrafttreten gem. Art. 15 Abs. 2 G v. 17.7.2017 (BGBl. I S. 2581) am 1.1.2019.

[2)] § 34 Abs. 2 geänd. mWv 1.1.2024 durch G v. 12.12.2023 (BGBl. 2023 I Nr. 359); Abs. 1 neu gef. mWv 1.11.2025, Abs. 3 Satz 1 geänd. mWv 1.1.2027 durch G v. 28.10.2025 (BGBl. 2025 I Nr. 259).

[3)] Nr. **700**.

[4)] Nr. **692**.

lungsberechtigten anzugeben und werden, soweit sie nicht bereits im Rahmen des Ausbildungsbudgets nach § 29 Absatz 4 berücksichtigt worden sind, mit der Ausgleichszuweisung verrechnet.

(4) [1] Ein Anspruch auf Ausgleichszuweisungen besteht nur, soweit bezüglich der begünstigten ausbildenden Einrichtung ein rechtskräftiger Umlagebescheid nach § 33 Absatz 3 Satz 3 oder nach § 33 Absatz 4 Satz 2 besteht. [2] Erfolgt eine Kostenschätzung nach § 30 Absatz 5 oder nach § 31 Absatz 5 ist die Ausgleichszuweisung auf diese Kostenschätzung begrenzt, auch wenn die erforderlichen Angaben nach § 30 Absatz 4 Satz 1 bis 3 oder nach § 31 Absatz 4 Satz 1 und 2 der zuständigen Stelle nachträglich mitgeteilt werden. [3] Bis zum Vorliegen aller erforderlichen Angaben wird die Ausgleichszuweisung ausgesetzt. [4] § 34 Absatz 6 erster Teilsatz gilt entsprechend.

(5) [1] Nach Ablauf des Finanzierungszeitraums haben der Träger der praktischen Ausbildung und die Pflegeschule der zuständigen Stelle eine Abrechnung über die Einnahmen aus den Ausgleichszahlungen und die im Ausbildungsbudget vereinbarten Ausbildungskosten vorzulegen. [2] Für gezahlte pauschale Anteile kann lediglich ein Nachweis und eine Abrechnung darüber gefordert werden, dass die Grundvoraussetzungen, wie zum Beispiel die Zahl der Ausbildungsverträge, im Abrechnungszeitraum vorgelegen haben.

(6) [1] Überschreiten die tatsächlichen Ausgaben aufgrund gestiegener Ausbildungszahlen die Höhe der Ausgleichszuweisungen, werden diese Mehrausgaben bei der auf die Abrechnung folgenden Festlegung oder Vereinbarung des Ausbildungsbudgets nach den §§ 30, 31 berücksichtigt; dies gilt nicht, soweit diese Mehrausgaben bereits nach Absatz 1 finanziert wurden. [2] Überzahlungen aufgrund gesunkener Ausbildungszahlen sind unverzüglich an die zuständige Stelle zurückzuzahlen. [3] Das Nähere zum Prüfverfahren wird durch Landesrecht bestimmt, soweit nicht das Bundesministerium für Familie, Senioren, Frauen und Jugend und das Bundesministerium für Gesundheit von der Ermächtigung nach § 56 Absatz 3 Nummer 4 Gebrauch machen.

§ 35[1)] Rechnungslegung der zuständigen Stelle. (1) Nach Ablauf des Finanzierungszeitraumes und nach der Abrechnung nach § 34 Absatz 5 und 6 erfolgt eine Rechnungslegung der zuständigen Stelle über die als Ausgleichsfonds und im Rahmen des Umlageverfahrens verwalteten Mittel.

(2) Bei der Rechnungslegung ermittelte Überschüsse oder Defizite werden bei dem nach § 32 ermittelten Finanzierungsbedarf in dem auf die Rechnungslegung folgenden Erhebungs- und Abrechnungsjahr berücksichtigt.

§ 36[1)] Schiedsstelle; Verordnungsermächtigung. (1) Die Landesverbände der Kranken- und Pflegekassen, die Vereinigungen der Träger der ambulanten oder stationären Pflegeeinrichtungen im Land, die Landeskrankenhausgesellschaften und Vertreter des Landes bilden für jedes Land eine Schiedsstelle.

(2) [1] Die Schiedsstellen bestehen aus einem neutralen Vorsitzenden, aus drei Vertretern der Kranken- und Pflegekassen, aus zwei Vertretern der Krankenhäuser, einem Vertreter der ambulanten Pflegedienste und einem Vertreter der stationären Pflegeeinrichtungen sowie aus einem Vertreter des Landes. [2] Der Schiedsstelle gehört auch ein von dem Landesausschuss des Verbandes der Privaten Krankenversicherung bestellter Vertreter an, der auf die Zahl der Ver-

[1)] Inkrafttreten gem. Art. 15 Abs. 2 G v. 17.7.2017 (BGBl. I S. 2581) am 1.1.2019.

treter der Krankenkassen angerechnet wird. [3]Die Vertreter der Kranken- und Pflegekassen und deren Stellvertreter werden von den Landesverbänden der Kranken- und Pflegekassen, die Vertreter der Krankenhäuser und deren Stellvertreter werden von der Landeskrankenhausgesellschaft, die Vertreter der Pflegeeinrichtungen und deren Stellvertreter werden von den Landesverbänden der Pflegeeinrichtungen, die Vertreter des Landes und ihre Stellvertreter werden vom Land bestellt. [4]Der Vorsitzende und sein Stellvertreter werden von den beteiligten Organisationen gemeinsam bestellt; kommt eine Einigung nicht zustande, entscheidet das Los.

(3) [1]Bei Schiedsverfahren zu den Pauschalen der Pflegeschulen nach § 30 oder den individuellen Ausbildungsbudgets der Pflegeschulen nach § 31 treten an die Stelle der Vertreter der Krankenhäuser und des Vertreters der ambulanten Pflegedienste und des Vertreters der stationären Pflegeeinrichtungen vier Vertreter der Interessen der Pflegeschulen auf Landesebene. [2]Sie werden von den Landesverbänden der Interessenvertretungen der Schulen bestellt. [3]Die Sitzverteilung erfolgt entsprechend dem Verhältnis der Schulen in öffentlicher und in privater Trägerschaft. [4]Sind sowohl Schulen in öffentlicher als auch in privater Trägerschaft in dem Ausbildungsbereich der Pflege tätig, ist eine Vertretung beider in der Schiedsstellenbesetzung zu gewährleisten.

(4) [1]Die Mitglieder der Schiedsstellen führen ihr Amt als Ehrenamt. [2]Sie sind in Ausübung ihres Amtes an Weisungen nicht gebunden. [3]Jedes Mitglied hat eine Stimme. [4]Die Entscheidungen werden mit der Mehrheit der Mitglieder getroffen; ergibt sich keine Mehrheit, gibt die Stimme des Vorsitzenden den Ausschlag.

(5) [1]Die Landesregierungen werden ermächtigt, durch Rechtsverordnung das Nähere über

1. die Bestellung, die Amtsdauer und die Amtsführung der Mitglieder der Schiedsstelle sowie die ihnen zu gewährende Erstattung der Barauslagen und Entschädigung für Zeitaufwand der Mitglieder der Schiedsstelle,
2. die Führung der Geschäfte der Schiedsstelle,
3. das Verfahren und die Verfahrensgebühren

zu bestimmen; sie können diese Ermächtigung durch Rechtsverordnung auf oberste Landesbehörden übertragen. [2]Die Kosten der Schiedsstelle werden anteilig der Sitzverteilung nach den Absätzen 2 und 3 von den Rechtsträgern der Parteien nach den Absätzen 1 und 3 getragen.

(6) [1]Gegen die Entscheidung der Schiedsstelle ist der Verwaltungsrechtsweg gegeben. [2]Ein Vorverfahren findet nicht statt; die Klage hat keine aufschiebende Wirkung.

Teil 3. Hochschulische Pflegeausbildung

§ 37[1)] Ausbildungsziele. (1) Die primärqualifizierende Pflegeausbildung an Hochschulen befähigt zur unmittelbaren Tätigkeit an zu pflegenden Menschen aller Altersstufen und verfolgt gegenüber der beruflichen Pflegeausbildung nach Teil 2 ein erweitertes Ausbildungsziel.

[1)] § 37 Abs. 2 Satz 2 angef., Abs. 3 Satz 2 Nr. 4, 5 geänd., Nr. 6–9 angef. mWv 1.1.2025 durch G v. 12.12.2023 (BGBl. 2023 I Nr. 359); Abs. 2 Satz 2 neu gef., Abs. 3 Satz 2 Nr. 6, 7 und 9 geänd. mWv 1.1.2026 durch G v. 22.12.2025 (BGBl. 2025 I Nr. 371).

(2) [1] Die hochschulische Ausbildung zur Pflegefachfrau oder zum Pflegefachmann vermittelt die für die selbstständige umfassende und prozessorientierte Pflege von Menschen aller Altersstufen nach § 5 Absatz 2 in akut und dauerhaft stationären sowie ambulanten Pflegesituationen erforderlichen fachlichen und personalen Kompetenzen auf wissenschaftlicher Grundlage und Methodik. [2] Sie vermittelt zusätzlich die zur eigenverantwortlichen Wahrnehmung von heilkundlichen Aufgaben bei besonderen Versorgungsbedarfen in den Bereichen diabetische Stoffwechsellage, chronische Wunden und Demenz erforderlichen fachlichen und personalen Kompetenzen auf wissenschaftlicher Grundlage und Methodik.

(3) [1] Die hochschulische Ausbildung umfasst die in § 5 Absatz 3 beschriebenen Kompetenzen der beruflichen Pflegeausbildung. [2] Sie befähigt darüber hinaus insbesondere

1. zur Steuerung und Gestaltung hochkomplexer Pflegeprozesse auf der Grundlage wissenschaftsbasierter oder wissenschaftsorientierter Entscheidungen,
2. vertieftes Wissen über Grundlagen der Pflegewissenschaft, des gesellschaftlich-institutionellen Rahmens des pflegerischen Handelns sowie des normativ-institutionellen Systems der Versorgung anzuwenden und die Weiterentwicklung der gesundheitlichen und pflegerischen Versorgung dadurch maßgeblich mitzugestalten,
3. sich Forschungsgebiete der professionellen Pflege auf dem neuesten Stand der gesicherten Erkenntnisse erschließen und forschungsgestützte Problemlösungen wie auch neue Technologien in das berufliche Handeln übertragen zu können sowie berufsbezogene Fort- und Weiterbildungsbedarfe zu erkennen,
4. sich kritisch-reflexiv und analytisch sowohl mit theoretischem als auch praktischem Wissen auseinandersetzen und wissenschaftsbasiert innovative Lösungsansätze zur Verbesserung im eigenen beruflichen Handlungsfeld entwickeln und implementieren zu können,
5. an der Entwicklung von Qualitätsmanagementkonzepten, Leitlinien und Expertenstandards mitzuwirken,
6. zur eigenverantwortlichen Wahrnehmung von heilkundlichen Aufgaben in den in Absatz 2 Satz 2 genannten Bereichen in Pflege- und Therapieprozessen auch bei hochkomplexen Pflegebedarfen von Menschen aller Altersstufen unter Einbezug von deren Bezugspersonen und in Zusammenarbeit mit den behandelnden Ärztinnen und Ärzten,
7. zur Integration der eigenverantwortlich wahrgenommenen heilkundlichen Aufgaben in den in Absatz 2 Satz 2 genannten Bereichen in den Pflege- und Therapieprozess aus einer pflegerischen Perspektive sowie dazu, die so gewonnenen Erkenntnisse im interprofessionellen Team argumentativ zu vertreten und die subjektiven Vorstellungen zu diesen Aufgaben zu reflektieren,
8. zur Verabreichung von Infusionstherapie und Injektionen sowie zur Verordnung von und Versorgung mit Medizinprodukten und Hilfsmitteln in den in Absatz 2 Satz 2 genannten Bereichen und
9. zur Auseinandersetzung mit einem professionellen Berufs- und Rollenverständnis in Bezug auf die eigenverantwortliche Wahrnehmung von heilkundlichen Aufgaben in den in Absatz 2 Satz 2 genannten Bereichen sowie den damit zusammenhängenden fachlichen, wirtschaftlichen, rechtlichen und

ethischen Fragestellungen, die sich aus dem Anspruch einer prozesshaften Bearbeitung und einer am zu pflegenden Menschen ausgerichteten Pflege ergeben.

(4) [1] Die Hochschule kann im Rahmen der ihr obliegenden Ausgestaltung des Studiums die Vermittlung zusätzlicher Kompetenzen vorsehen. [2] Das Erreichen des Ausbildungsziels darf hierdurch nicht gefährdet werden.

(5) § 5 Absatz 4 und § 14 gelten entsprechend.

§ 38[1)] Durchführung des Studiums. (1) [1] Das Studium dauert mindestens drei Jahre. [2] Es ist ein duales Studium und umfasst theoretische und praktische Lehrveranstaltungen an staatlichen oder staatlich anerkannten Hochschulen anhand eines modularen Curriculums sowie Praxiseinsätze in Einrichtungen nach § 7.

(2) [1] Die Studiengangskonzepte unterliegen der Überprüfung durch die zuständige Landesbehörde im Akkreditierungsverfahren. [2] Wesentliche Änderungen der Studiengangskonzepte nach Abschluss des Akkreditierungsverfahrens unterliegen ebenfalls der Überprüfung durch die zuständigen Landesbehörden.

(3) [1] Die Praxiseinsätze gliedern sich in Pflichteinsätze, einen Vertiefungseinsatz sowie weitere Einsätze. [2] Sie werden auf der Grundlage eines Ausbildungsplans durchgeführt, der vom Träger des praktischen Teils der hochschulischen Pflegeausbildung nach § 38a nach den Maßgaben der Hochschule für jede studierende Person zu erstellen ist. [3] Wesentlicher Bestandteil der Praxiseinsätze ist die von den Einrichtungen im Umfang von mindestens 10 Prozent der während eines Einsatzes zu leistenden praktischen Ausbildungszeit zu gewährleistende Praxisanleitung. [4] Die Hochschule unterstützt die Praxiseinsätze durch die von ihr zu gewährleistende Praxisbegleitung. [5] Auf der Grundlage einer Genehmigung der zuständigen Behörde kann ein geringer Anteil der Praxiseinsätze durch praktische Lerneinheiten an der Hochschule oder beim Träger des praktischen Teils der hochschulischen Pflegeausbildung ersetzt werden.

(4) [1] Die Hochschule trägt die Gesamtverantwortung für die Koordination der theoretischen und praktischen Lehrveranstaltungen mit den Praxiseinsätzen. [2] Sie schließt einen Kooperationsvertrag mit einem Träger des praktischen Teils der hochschulischen Ausbildung nach § 38a, um die Durchführung der Praxiseinsätze sicherzustellen. [3] Die Hochschule prüft, ob der Ausbildungsplan für den praktischen Teil den Anforderungen des modularen Curriculums entspricht. [4] Ist dies nicht der Fall, ist der Träger des praktischen Teils der hochschulischen Ausbildung nach § 38a verpflichtet, den Ausbildungsplan so anzupassen, dass er dem modularen Curriculum entspricht.

(5) Die im Rahmen einer erfolgreich abgeschlossenen Pflegeausbildung nach Teil 2 oder nach dem Krankenpflegegesetz[2)] in der bis zum 31. Dezember 2019 geltenden Fassung oder dem Altenpflegegesetz[3)] in der Fassung der Bekanntmachung vom 25. August 2003 (BGBl. I S. 1690) in der bis zum 31. Dezember

---

[1)] § 38 Abs. 3 Satz 4 neu gef. mWv 16.12.2023, Abs. 1 Satz 2 geänd., Abs. 3 Satz 2 eingef., bish. Sätze 2–4 werden Sätze 3–5 und neuer Satz 3 geänd., Abs. 4 Satz 2 neu gef., Sätze 3, 4 angef. mWv 1.1.2024 durch G v. 12.12.2023 (BGBl. 2023 I Nr. 359); Abs. 3 Satz 5 neu gef. mWv 1.1.2026 durch G v. 28.10.2025 (BGBl. 2025 I Nr. 259).

[2)] **beck-online, Module Arbeitsrecht Nr. 416a.**

[3)] **beck-online, Module Arbeitsrecht Nr. 416b.**

2019 geltenden Fassung erworbenen Kompetenzen und Fähigkeiten sollen als gleichwertige Leistungen auf das Studium angerechnet werden.

(6) [1]Die weitere Ausgestaltung des Studiums obliegt den Hochschulen. [2]Sie beachtet die Vorgaben der Richtlinie 2005/36/EG[1)].

§ 38a[2)] Träger des praktischen Teils der hochschulischen Pflegeausbildung. (1) [1]Der Träger des praktischen Teils der hochschulischen Pflegeausbildung übernimmt auf Grundlage des mit der Hochschule getroffenen Kooperationsvertrags die Verantwortung für die Organisation und Durchführung der Praxiseinsätze. [2]Er hat über Vereinbarungen mit den weiteren, am praktischen Teil der hochschulischen Pflegeausbildung beteiligten Einrichtungen zu gewährleisten, dass die Praxiseinsätze auf Grundlage des Ausbildungsplans zeitlich und sachlich gegliedert so durchgeführt werden können, dass das Ausbildungsziel in der vorgesehenen Zeit erreicht werden kann.

(2) Träger des praktischen Teils der hochschulischen Pflegeausbildung im Sinne von Absatz 1 können ausschließlich Einrichtungen nach § 7 Absatz 1 sein,

1. die eine Hochschule selbst betreiben oder
2. die mit mindestens einer Hochschule einen Kooperationsvertrag über die Durchführung der theoretischen und praktischen Lehrveranstaltungen geschlossen haben.

(3) [1]Die Aufgaben des Trägers des praktischen Teils der hochschulischen Pflegeausbildung nach Absatz 1 können von einer Hochschule wahrgenommen werden, wenn Trägeridentität besteht oder soweit der Träger des praktischen Teils der hochschulischen Pflegeausbildung die Wahrnehmung der Aufgaben durch Vertrag mit der Hochschule auf diese übertragen hat. [2]Die Hochschule kann für die Aufgaben nach Satz 1 auch zum Abschluss des Ausbildungsvertrages nach § 38b für den Träger des praktischen Teils der hochschulischen Pflegeausbildung bevollmächtigt werden.

§ 38b[3)] Ausbildungsvertrag zur hochschulischen Pflegeausbildung.

(1) [1]Zwischen dem Träger des praktischen Teils der hochschulischen Pflegeausbildung und der oder dem Studierenden wird ein Ausbildungsvertrag zur hochschulischen Pflegeausbildung über die sich aus dem akkreditierten Studiengangskonzept ergebende gesamte Dauer der hochschulischen Pflegeausbildung geschlossen. [2]Die Vorschriften von Teil 2 Abschnitt 2 finden mit der Maßgabe entsprechend Anwendung, dass der Ausbildungsvertrag zur hochschulischen Pflegeausbildung erst wirksam wird, wenn die oder der Studierende dem Träger des praktischen Teils der hochschulischen Pflegeausbildung eine schriftliche oder elektronische Studienplatzzusage einer Hochschule, mit der der Träger des praktischen Teils der hochschulischen Pflegeausbildung einen Kooperationsvertrag nach § 38 Absatz 4 Satz 2 abgeschlossen hat, vorlegt.

(2) Der Träger des praktischen Teils der hochschulischen Pflegeausbildung hat der oder dem Studierenden während der gesamten Dauer des Vertragsverhältnisses eine angemessene monatliche Vergütung zu zahlen.

[1)] **beck-online, *Module Arbeitsrecht* Nr. 873.**

[2)] § 38a eingef. mWv 1.1.2024 durch G v. 12.12.2023 (BGBl. 2023 I Nr. 359).

[3)] § 38b eingef. mWv 1.1.2024 durch G v. 12.12.2023 (BGBl. 2023 I Nr. 359).

(3) Studierende sind während der gesamten Dauer des Vertragsverhältnisses Arbeitnehmer im Sinne von § 5 des Betriebsverfassungsgesetzes[1] oder von § 4 des Bundespersonalvertretungsgesetzes[2] des Trägers des praktischen Teils der hochschulischen Pflegeausbildung.

§ 39[3] Abschluss des Studiums, staatliche Prüfung zur Erlangung der Berufszulassung. (1) [1]Das Studium schließt mit der Verleihung des akademischen Grades durch die Hochschule ab. [2]Die Hochschule überprüft das Erreichen der Ausbildungsziele nach § 37.

(2) [1]Die Überprüfung der Kompetenzen nach § 5, nach § 37 und erforderlichenfalls nach § 14 erfolgt nach Absatz 1 Satz 2 im Rahmen von Modulprüfungen. [2]Bundesweit einheitliche Rahmenvorgaben regelt die Ausbildungs- und Prüfungsverordnung nach § 56 Absatz 1.

(3) [1]Die Hochschule legt mit Zustimmung der zuständigen Landesbehörde die Module nach Absatz 2 Satz 1 fest. [2]Die hochschulische Prüfung nach Absatz 1 Satz 2 umfasst auch die staatliche Prüfung zur Erlangung der Berufszulassung.

(4) [1]Die Modulprüfungen nach Absatz 2 Satz 1 werden unter dem gemeinsamen Vorsitz von Hochschule und Landesbehörde durchgeführt. [2]Die zuständige Landesbehörde kann die Hochschule beauftragen, den Vorsitz auch für die zuständige Landesbehörde wahrzunehmen.

§ 39a[4] Finanzierung der hochschulischen Pflegeausbildung. (1) [1]Mit dem Ziel,

1. bundesweit die hochschulische Pflegeausbildung zu stärken,
2. eine ausreichende Zahl hochschulisch qualifizierter Pflegefachfrauen und Pflegefachmänner auszubilden,
3. Nachteile im Wettbewerb zwischen ausbildenden und nicht ausbildenden Einrichtungen zu vermeiden,
4. die Ausbildung in kleineren und mittleren Einrichtungen zu stärken und
5. wirtschaftliche Ausbildungsstrukturen zu gewährleisten,

werden die Kosten der Ausbildungsvergütung und des praktischen Teils der hochschulischen Pflegeausbildung einschließlich der Kosten der Praxisanleitung durch Ausgleichsfonds nach Maßgabe der Absätze 2 und 3 finanziert. [2]Nicht zu den Kosten des praktischen Teils der hochschulischen Pflegeausbildung gehören Investitionskosten im Sinne von § 27 Absatz 1 Satz 4.

(2) Die für die Kosten der Lehrveranstaltungen einschließlich der Betriebskosten der Hochschulen und die Kosten der Praxisbegleitung geltenden Regelungen bleiben unberührt; eine Finanzierung über die Ausgleichsfonds erfolgt insoweit nicht.

(3) [1]Die Finanzierung durch Ausgleichsfonds erfolgt in entsprechender Anwendung von § 26 Absatz 2 bis 7 sowie der §§ 28 bis 36. [2]An die Stelle der Mehrkosten der Ausbildungsvergütung treten die Kosten der Ausbildungsvergütung. [3]An die Stelle des Trägers der praktischen Ausbildung tritt der Träger des praktischen Teils der hochschulischen Pflegeausbildung. [4]An die Stelle der

[1] Nr. **570**.
[2] Nr. **572**.
[3] § 39 Abs. 2 Satz 1 neu gef. mWv 1.1.2024 durch G v. 12.12.2023 (BGBl. 2023 I Nr. 359).
[4] § 39a eingef. mWv 1.1.2024 durch G v. 12.12.2023 (BGBl. 2023 I Nr. 359).

Kosten der praktischen Ausbildung treten die Kosten des praktischen Teils der hochschulischen Pflegeausbildung.

(4) Die vorstehenden Bestimmungen gelten auch in den Fällen des § 14 in Verbindung mit § 37 Absatz 5.

Teil 4. Anerkennung ausländischer Berufsabschlüsse; Zuständigkeiten; Fachkommission; Statistik und Verordnungsermächtigungen; Bußgeldvorschriften

Abschnitt 1. Außerhalb des Geltungsbereichs des Gesetzes erworbene Berufsabschlüsse

§ 40[1)] Gleichwertigkeit und Anerkennung von Ausbildungen.

(1) Eine außerhalb des Geltungsbereichs dieses Gesetzes und außerhalb eines Mitgliedstaats der Europäischen Union oder eines anderen Vertragsstaates des Abkommens über den Europäischen Wirtschaftsraum oder der Schweiz erworbene abgeschlossene Ausbildung erfüllt die Voraussetzungen des § 2 Nummer 1, wenn die Gleichwertigkeit des Ausbildungsstandes gegeben ist.

(2) [1] Der Ausbildungsstand ist als gleichwertig anzusehen, wenn die Ausbildung der antragstellenden Person in dem Beruf, für den die Anerkennung beantragt wird, keine wesentlichen Unterschiede gegenüber der in diesem Gesetz und in der Ausbildungs- und Prüfungsverordnung für diesen Beruf geregelten Ausbildung aufweist. [2] Wesentliche Unterschiede im Sinne des Satzes 1 liegen vor, wenn

1. die Ausbildung der antragstellenden Person hinsichtlich der beruflichen Tätigkeit Themenbereiche oder Bereiche der praktischen Ausbildung umfasst, die sich wesentlich von denen unterscheiden, die nach diesem Gesetz und der Ausbildungs- und Prüfungsverordnung für die Pflegeberufe vorgeschrieben sind, oder
2. der Beruf der Pflegefachfrau oder des Pflegefachmanns, der Beruf der Gesundheits- und Kinderkrankenpflegerin oder des Gesundheits- und Kinderkrankenpflegers oder der Beruf der Altenpflegerin oder des Altenpflegers eine oder mehrere reglementierte Tätigkeiten umfasst, die im Herkunftsstaat der antragstellenden Person nicht Bestandteil des Berufs sind, der dem der Pflegefachfrau oder des Pflegefachmanns, der Gesundheits- und Kinderkrankenpflegerin oder des Gesundheits- und Kinderkrankenpflegers oder der Altenpflegerin oder des Altenpflegers entspricht, und wenn sich die Ausbildung für die jeweiligen Tätigkeiten auf Themenbereiche oder Bereiche der praktischen Ausbildung nach diesem Gesetz und der Ausbildungs- und Prüfungsverordnung für die Pflegeberufe beziehen, die sich wesentlich von denen unterscheiden, die von der Ausbildung der antragstellenden Person abgedeckt sind, und

die antragstellende Person diese Unterschiede nicht durch Kenntnisse und Fähigkeiten ausgleichen kann, die sie im Rahmen ihrer tatsächlichen und rechtmäßigen Ausübung des Berufs der Pflegefachfrau oder des Pflegefachmanns, der Gesundheits- und Kinderkrankenpflegerin oder des Gesundheits- und Kinderkrankenpflegers oder der Altenpflegerin oder des Altenpflegers in

---

1) § 40 Abs. 3 Satz 4 angef., Abs. 3a eingef. mWv 16.12.2023 durch G v. 12.12.2023 (BGBl. 2023 I Nr. 359); Abs. 3 Satz 5 angef. mWv 1.1.2027 durch G v. 28.10.2025 (BGBl. 2025 I Nr. 259).

Voll- oder Teilzeit oder durch lebenslanges Lernen erworben hat, sofern die durch lebenslanges Lernen erworbenen Kenntnisse und Fähigkeiten von einer dafür in dem jeweiligen Staat zuständigen Stelle formell als gültig anerkannt wurden; dabei ist nicht entscheidend, in welchem Staat diese Kenntnisse und Fähigkeiten erworben worden sind. [3] Themenbereiche oder Bereiche der praktischen Ausbildung unterscheiden sich wesentlich, wenn die nachgewiesene Ausbildung der antragstellenden Person wesentliche inhaltliche Abweichungen hinsichtlich der Kenntnisse und Fähigkeiten aufweist, die eine wesentliche Voraussetzung für die Ausübung des Berufs der Pflegefachfrau oder des Pflegefachmanns, der Gesundheits- und Kinderkrankenpflegerin oder des Gesundheits- und Kinderkrankenpflegers oder der Altenpflegerin oder des Altenpflegers in Deutschland sind; Satz 2 letzter Teilsatz gilt entsprechend.

(3) [1] Ist die Gleichwertigkeit des Ausbildungsstandes nach Absatz 2 nicht gegeben oder kann sie nur mit unangemessenem zeitlichen oder sachlichen Aufwand festgestellt werden, weil die erforderlichen Unterlagen und Nachweise aus Gründen, die nicht in der antragstellenden Person liegen, von dieser nicht vorgelegt werden können, ist ein gleichwertiger Kenntnisstand nachzuweisen. [2] Dieser Nachweis wird durch eine Kenntnisprüfung, die sich auf den Inhalt der staatlichen Abschlussprüfung erstreckt, oder einen höchstens dreijährigen Anpassungslehrgang erbracht, der mit einer Prüfung über den Inhalt des Anpassungslehrgangs abschließt. [3] Die antragstellende Person hat das Recht, zwischen der Kenntnisprüfung und dem Anpassungslehrgang zu wählen. [4] Die zuständige Behörde soll bei der Prüfung der Gleichwertigkeit des Ausbildungsstandes vorhandene Informationen über die Berufsqualifikation der antragstellenden Person, insbesondere in Form von Mustergutachten der Gutachtenstelle für Gesundheitsberufe, berücksichtigen. ***[Satz 5 ab 1.1.2027:]*** *[5] Die zuständige Behörde kann auf Antrag ergänzend zur Prüfung der Gleichwertigkeit des Ausbildungsstandes nach Absatz 2 die Prüfung der Gleichwertigkeit des Ausbildungsstandes nach § 25 des Pflegefachassistenzgesetzes durchführen; das Pflegefachassistenzgesetz bleibt unberührt.*

(3a) [1] Verzichtet die antragstellende Person endgültig auf die Prüfung der Gleichwertigkeit des Ausbildungsstandes durch die zuständige Stelle, ist ein gleichwertiger Kenntnisstand nachzuweisen. [2] Absatz 3 Satz 2 und 3 gelten entsprechend. [3] Die antragstellende Person ist über die Rechtsfolgen des Verzichts nach Satz 1 und die Wahlmöglichkeiten nach Absatz 3 Satz 3 aufzuklären.

(4) Das Berufsqualifikationsfeststellungsgesetz[1)] findet mit Ausnahme des § 17 keine Anwendung.

(5) Die Länder können vereinbaren, dass die Aufgaben nach den §§ 40 und 41 von einem anderen Land oder einer gemeinsamen Einrichtung wahrgenommen werden.

§ 41[2)] Gleichwertigkeit entsprechender Ausbildungen. (1) [1] Für Personen, die eine Erlaubnis nach den §§ 1, 58 Absatz 1 oder 2 beantragen, gilt die

---

[1)] **beck-online, Module Arbeitsrecht Nr. 415b.**

[2)] § 41 Überschrift, Abs. 1 neu gef., Abs. 2 Sätze 1, 4, Abs. 3 Satz 1, Abs. 4 Nr. 1, 2 geänd. mWv 16.12.2023 durch G v. 12.12.2023 (BGBl. 2023 I Nr. 359); Abs. 1 Satz 1 geänd., Abs. 2 aufgeh., bish. Abs. 3 wird Abs. 2 und Sätze 1 und 2 geänd., neuer Abs. 3 eingef., Abs. 4 und 5 aufgeh., bish. Abs. 6 und 7 werden Abs. 4 und 5 und jeweils geänd. mWv 1.1.2026 durch G v. 28.10.2025 (BGBl. 2025 I Nr. 259).

Voraussetzung des § 2 Nummer 1 als erfüllt, wenn aus einem Europäischen Berufsausweis oder aus einem in einem Mitgliedstaat der Europäischen Union oder einem anderen Vertragsstaat des Abkommens über den Europäischen Wirtschaftsraum oder der Schweiz erworbenen Ausbildungsnachweis hervorgeht, dass die antragstellende Person eine Pflegeausbildung, die den Mindestanforderungen des Artikels 31 in Verbindung mit dem Anhang V Nummer 5.2.1. der Richtlinie 2005/36/EG[1)] entspricht, erworben hat und dies durch Vorlage eines im Anhang V Nummer 5.2.2. der Richtlinie 2005/36/EG aufgeführten und nach dem dort genannten Stichtag ausgestellten Ausbildungsnachweis eines der übrigen Mitgliedstaaten der Europäischen Union nachweist. [2] Satz 1 gilt entsprechend für im Anhang V Nummer 5.2.2. der Richtlinie 2005/36/EG aufgeführte und nach dem 31. Dezember 1992 ausgestellte Ausbildungsnachweise eines anderen Vertragsstaates des Abkommens über den Europäischen Wirtschaftsraum oder der Schweiz. [3] Gleichwertig zu den in Satz 1 genannten Ausbildungsnachweisen sind nach einem der im Anhang V Nummer 5.2.2. der Richtlinie 2005/36/EG aufgeführten Stichtage von den übrigen Mitgliedstaaten der Europäischen Union oder anderen Vertragsstaaten des Abkommens über den Europäischen Wirtschaftsraum oder der Schweiz ausgestellte Ausbildungsnachweise der Pflegefachfrau oder des Pflegefachmanns, die den für den betreffenden Staat im Anhang V Nummer 5.2.2. der Richtlinie 2005/36/EG aufgeführten Bezeichnungen nicht entsprechen, aber mit einer Bescheinigung der zuständigen Behörde oder Stelle des Staates darüber vorgelegt werden, dass sie eine Ausbildung abschließen, die den Mindestanforderungen des Artikels 31 in Verbindung mit dem Anhang V Nummer 5.2.1. der Richtlinie 2005/36/EG entspricht und den für diesen Staat im Anhang V Nummer 5.2.2. der Richtlinie 2005/36/EG genannten Nachweisen gleichsteht. [4] Inhaber eines bulgarischen Befähigungsnachweises für den Beruf des „фелдшер" („Feldscher") haben keinen Anspruch auf Anerkennung ihres beruflichen Befähigungsnachweises in anderen Mitgliedstaaten im Rahmen dieses Absatzes. [5] Der Anhang V Nummer 5.2.2. der Richtlinie 2005/36/EG findet im Rahmen dieses Gesetzes in seiner jeweils geltenden Fassung Anwendung.

(2) [1] § 40 Absatz 2 und 3 gilt entsprechend für antragstellende Personen, die ihre Ausbildung in einem anderen Mitgliedstaat der Europäischen Union oder einem anderen Vertragsstaat des Abkommens über den Europäischen Wirtschaftsraum oder der Schweiz abgeschlossen haben und nicht unter Absatz 1 oder § 42 fallen, sowie antragstellende Personen, die über einen Ausbildungsnachweis als Pflegefachfrau oder Pflegefachmann, Gesundheits- und Kinderkrankenpflegerin oder Gesundheits- und Kinderkrankenpfleger oder Altenpflegerin oder Altenpfleger aus einem Staat, der nicht Mitgliedstaat der Europäischen Union oder Vertragsstaat des Abkommens über den Europäischen Wirtschaftsraum oder der Schweiz (Drittstaat) ist, verfügen, der in einem anderen Mitgliedstaat der Europäischen Union oder einem anderen Vertragsstaat des Abkommens über den Europäischen Wirtschaftsraum oder der Schweiz anerkannt wurde. [2] Zum Ausgleich der festgestellten wesentlichen Unterschiede haben die antragstellenden Personen in einem höchstens dreijährigen Anpassungslehrgang oder einer Eignungsprüfung, die sich auf die festgestellten wesentlichen Unterschiede erstrecken, nachzuweisen, dass sie über die zur Aus-

[1)] **beck-online, Module Arbeitsrecht Nr. 873.**

übung des Berufs der Pflegefachfrau oder des Pflegefachmanns, der Gesundheits- und Kinderkrankenpflegerin oder des Gesundheits- und Kinderkrankenpflegers oder der Altenpflegerin oder des Altenpflegers in Deutschland erforderlichen Kenntnisse und Fähigkeiten verfügen. [3] Sie haben das Recht, zwischen dem Anpassungslehrgang und der Eignungsprüfung zu wählen.

(3) Für antragstellende Personen, die über einen Ausbildungsnachweis verfügen, der dem in Artikel 11 Buchstabe a der Richtlinie 2005/36/EG genannten Niveau entspricht, gelten die Absätze 1 und 2 sowie § 40 mit der Maßgabe, dass die erforderliche Ausgleichsmaßnahme aus einer Eignungsprüfung besteht.

(4) Die Absätze 1 bis 3 gelten entsprechend für den Europäischen Berufsausweis für den Beruf der Pflegefachfrau oder des Pflegefachmanns sowie für den Fall der Einführung eines Europäischen Berufsausweises für den Beruf der Gesundheits- und Kinderkrankenpflegerin oder des Gesundheits- und Kinderkrankenpflegers und für den Beruf der Altenpflegerin oder des Altenpflegers.

(5) Die Absätze 1 bis 4 gelten entsprechend für Drittstaatsdiplome, für deren Anerkennung sich nach dem Recht der Europäischen Union eine Gleichstellung ergibt.

§ 42[1)] Erlaubnis bei Vorlage von Nachweisen anderer EWR-Vertragsstaaten. (1) [1] Antragstellenden Personen, die die Voraussetzungen nach § 2 Nummer 2 bis 4 erfüllen und eine Erlaubnis nach den §§ 1, 58 Absatz 1 oder 2 aufgrund der Vorlage eines Ausbildungsnachweises beantragen,

1. der von der früheren Tschechoslowakei verliehen wurde und die Aufnahme des Berufs der Krankenschwester oder des Krankenpflegers, die für die allgemeine Pflege verantwortlich sind, gestattet oder aus dem hervorgeht, dass die Ausbildung zum Beruf der Krankenschwester oder des Krankenpflegers, die für die allgemeine Pflege verantwortlich sind, im Falle der Tschechischen Republik oder der Slowakei vor dem 1. Januar 1993 begonnen wurde, oder
2. der von der früheren Sowjetunion verliehen wurde und die Aufnahme des Berufs der Krankenschwester oder des Krankenpflegers, die für die allgemeine Pflege verantwortlich sind, gestattet oder aus dem hervorgeht, dass die Ausbildung zum Beruf der Krankenschwester oder des Krankenpflegers, die für die allgemeine Pflege verantwortlich sind, im Falle Estlands vor dem 20. August 1991, im Falle Lettlands vor dem 21. August 1991, im Falle Litauens vor dem 11. März 1990 begonnen wurde, oder
3. der vom früheren Jugoslawien verliehen wurde und die Aufnahme des Berufs der Krankenschwester oder des Krankenpflegers, die für die allgemeine Pflege verantwortlich sind, gestattet oder aus dem hervorgeht, dass die Ausbildung zum Beruf der Krankenschwester oder des Krankenpflegers, die für die allgemeine Pflege verantwortlich sind, im Falle Sloweniens vor dem 25. Juni 1991, im Falle Kroatiens vor dem 8. Oktober 1991 begonnen wurde,

ist die Erlaubnis zu erteilen, wenn die zuständigen Behörden der jeweiligen Mitgliedstaaten bescheinigen, dass dieser Ausbildungsnachweis hinsichtlich der Aufnahme und Ausübung des Berufs der Krankenschwester oder des Kranken-

---

[1)] § 42 Abs. 1 Satz 1 einl. Satzteil, Nr. 3, Abs. 2, Abs. 3 Satz 1 einl. Satzteil, Abs. 4 Satz 1 geänd. mWv 16.12.2023 durch G v. 12.12.2023 (BGBl. 2023 I Nr. 359); Abs. 3 und 5 neu gef., Abs. 6 angef. mWv 1.11.2025, Abs. 1 Satz 1, Abs. 2, Abs. 3 einl. Satzteil, Abs. 4 Satz 1, Abs. 5 und 6 geänd. mWv 1.1.2026 durch G v. 28.10.2025 (BGBl. 2025 I Nr. 259).

pflegers, die für die allgemeine Pflege verantwortlich sind, in ihrem Hoheitsgebiet die gleiche Gültigkeit hat wie der von ihnen verliehene Ausbildungsnachweis und eine von den gleichen Behörden ausgestellte Bescheinigung darüber vorgelegt wird, dass die betreffende Person in den fünf Jahren vor Ausstellung der Bescheinigung mindestens drei Jahre ununterbrochen tatsächlich und rechtmäßig die Tätigkeit der Krankenschwester oder des Krankenpflegers, die für die allgemeine Pflege verantwortlich sind, in ihrem Hoheitsgebiet ausgeübt hat. [2]Die Tätigkeit muss die volle Verantwortung für die Planung, die Organisation und die Ausführung der Krankenpflege des Patienten umfasst haben.

(2) Antragstellende Personen, die die Voraussetzungen nach § 2 Nummer 2 bis 4 erfüllen und die eine Erlaubnis nach den §§ 1, 58 Absatz 1 oder 2 aufgrund der Vorlage eines Ausbildungsnachweises beantragen, der in Polen für Krankenschwestern und Krankenpfleger verliehen worden ist, deren Ausbildung vor dem 1. Mai 2004 abgeschlossen wurde und den Mindestanforderungen an die Berufsausbildung gemäß Artikel 31 der Richtlinie 2005/36/EG[1] nicht genügte, ist die Erlaubnis zu erteilen, wenn ihm ein Bakkalaureat-Diplom beigefügt ist, das auf der Grundlage eines Aufstiegsfortbildungsprogramms erworben wurde, das in einem der in Artikel 33 Absatz 3 Buchstabe b Doppelbuchstabe i oder Doppelbuchstabe ii der Richtlinie 2005/36/EG genannten Gesetze enthalten ist.

(3) Antragstellende Personen, die die Erlaubnis nach den §§ 1, 58 Absatz 1 oder 2 aufgrund einer in Rumänien absolvierten Ausbildung im Beruf der Krankenschwester oder des Krankenpflegers für die allgemeine Pflege beantragen, die den Mindestanforderungen an die Berufsausbildung des Artikels 31 der Richtlinie 2005/36/EG nicht genügt, erhalten die Erlaubnis, wenn sie die Voraussetzungen nach § 2 Nummer 2 bis 4 erfüllen und

1. über ein
   a) „Certificat de competențe profesionale de asistent medical generalist“ mit einer postsekundären Ausbildung an einer „școală postliceală“, dem eine Bescheinigung beigefügt ist, dass die Ausbildung vor dem 1. Januar 2007 begonnen wurde,
   b) „Diplomă de absolvire de asistent medical generalist“ mit einer Hochschulausbildung von kurzer Dauer, dem eine Bescheinigung beigefügt ist, dass die Ausbildung vor dem 1. Oktober 2003 begonnen wurde, oder
   c) „Diplomă de licență de asistent medical generalist“ mit einer Hochschulausbildung von langer Dauer, dem eine Bescheinigung beigefügt ist, dass die Ausbildung vor dem 1. Oktober 2003 begonnen wurde,

   verfügen, dem eine Bescheinigung beigefügt ist, aus der hervorgeht, dass die antragstellenden Personen während der letzten fünf Jahre vor Ausstellung der Bescheinigung mindestens drei Jahre lang den Beruf der Krankenschwester oder des Krankenpflegers für die allgemeine Pflege in Rumänien ununterbrochen tatsächlich und rechtmäßig ausgeübt haben und dabei die volle Verantwortung für die Planung, die Organisation und die Ausführung der Krankenpflege der Patienten hatten, oder
2. über einen in Nummer 1 Buchstabe b oder c genannten Ausbildungsnachweis verfügen und diesem der nach Artikel 33a Absatz 2 Buchstabe b der

[1] **beck-online, Module Arbeitsrecht Nr. 873.**

Richtlinie 2005/36/EG auf der Grundlage eines speziellen Aufstiegsfortbildungsprogramms erworbene Ausbildungsnachweis beigefügt ist, oder

3. über Nachweise der postsekundären Ausbildung und über den Ausbildungsnachweis des speziellen Aufstiegsfortbildungsprogramms nach Artikel 33a Absatz 2 Buchstabe c der Richtlinie 2005/36/EG verfügen.

(4) [1] Antragstellende Personen, die nicht unter die Absätze 1 bis 3 fallen, die Voraussetzungen nach § 2 Nummer 2 bis 4 erfüllen und eine Erlaubnis nach den §§ 1, 58 Absatz 1 oder 2 aufgrund der Vorlage eines vor dem nach § 41 Absatz 1 in Verbindung mit Anhang V Nummer 5.2.2. der Richtlinie 2005/36/EG genannten Stichtag ausgestellten Ausbildungsnachweises eines der übrigen Mitgliedstaaten der Europäischen Union beantragen, ist die Erlaubnis zu erteilen, auch wenn dieser Ausbildungsnachweis nicht alle Anforderungen an die Ausbildung nach Artikel 31 der Richtlinie 2005/36/EG erfüllt, sofern dem Antrag eine Bescheinigung darüber beigefügt ist, dass der Inhaber während der letzten fünf Jahre vor Ausstellung der Bescheinigung mindestens drei Jahre lang ununterbrochen tatsächlich und rechtmäßig den Beruf der Pflegefachfrau oder des Pflegefachmanns ausgeübt hat. [2] Absatz 1 Satz 2 gilt entsprechend.

(5) Bei antragstellenden Personen, für die die Absätze 1, 2, 3 Nummer 1 oder Absatz 4 gilt und die die dort genannten Voraussetzungen mit Ausnahme der geforderten Dauer der Berufserfahrung erfüllen, wird das Anerkennungsverfahren nach § 41 Absatz 2 durchgeführt.

(6) Anerkennungen von rumänischen Qualifikationen als Krankenschwester oder Krankenpfleger für die allgemeine Pflege, die vor dem 3. März 2024 entweder gemäß § 41 Absatz 2 oder auf der Grundlage des Krankenpflegegesetzes in der am 31. Dezember 2019 geltenden Fassung erteilt wurden, behalten ihre Gültigkeit, wenn im Fall dieser Personen die Anforderungen nach Artikel 33a der Richtlinie 2005/36/EG in der am 1. Januar 2007 geltenden Fassung oder nach Artikel 33a der Richtlinie 2005/36/EG in der am 17. Januar 2014 geltenden Fassung nicht erfüllt werden.

§ 43 Feststellungsbescheid. [1] Wird die Voraussetzung nach § 2 Nummer 1 auf eine Ausbildung gestützt, die außerhalb des Geltungsbereichs dieses Gesetzes abgeschlossen worden ist, soll die Gleichwertigkeit der Berufsqualifikation nach den Regelungen dieses Abschnitts vor den Voraussetzungen nach § 2 Nummer 2 bis 4 geprüft werden. [2] Auf Antrag ist der antragstellenden Person ein gesonderter Bescheid über die Feststellung ihrer Berufsqualifikation zu erteilen.

Abschnitt 2. Erbringen von Dienstleistungen

§ 44[1] Dienstleistungserbringende Personen. (1) [1] Staatsangehörige eines Mitgliedstaates der Europäischen Union, eines Vertragsstaates des Abkommens über den Europäischen Wirtschaftsraum oder der Schweiz, die zur Ausübung des Berufes der Pflegefachfrau oder des Pflegefachmanns, der Gesundheits- und Kinderkrankenpflegerin oder des Gesundheits- und Kinderkrankenpflegers

[1] § 44 Abs. 2 Satz 1 Nr. 2 geänd. mWv 4.3.2021 durch G v. 24.2.2021 (BGBl. I S. 274); Abs. 1 Satz 1 neu gef., Satz 2 geänd., Abs. 2 Satz 1 neu gef., Abs. 4 geänd. mWv 16.12.2023 durch G v. 12.12.2023 (BGBl. 2023 I Nr. 359); Abs. 1 Sätze 1 und 2 geänd., Abs. 2 aufgeh., bish. Abs. 3 wird Abs. 2, bish. Abs. 4 und 5 werden Abs. 3 und 4 und jeweils geänd. mWv 1.1.2026 durch G v. 28.10.2025 (BGBl. 2025 I Nr. 259).

oder der Altenpflegerin oder des Altenpflegers in einem anderen Mitgliedstaat der Europäischen Union, einem anderen Vertragsstaat des Europäischen Wirtschaftsraumes oder der Schweiz aufgrund einer nach deutschen Rechtsvorschriften abgeschlossenen Ausbildung oder aufgrund eines den Anforderungen des § 41 Absatz 1 entsprechenden Ausbildungsnachweises berechtigt sind und in einem dieser Staaten rechtmäßig niedergelassen sind, dürfen als dienstleistungserbringende Personen im Sinne des Artikels 57 des Vertrages über die Arbeitsweise der Europäischen Union[1)] (ABl. C 202 vom 7.6.2016, S. 1) vorübergehend und gelegentlich ihren Beruf im Geltungsbereich dieses Gesetzes ausüben. [2] Sie führen die Berufsbezeichnung nach den §§ 1, 58 Absatz 1 oder 2 ohne Erlaubnis und dürfen die Tätigkeiten nach § 4 Absatz 2 ausüben.

(2) [1] Der vorübergehende und gelegentliche Charakter der Dienstleistungserbringung wird im Einzelfall beurteilt. [2] In die Beurteilung sind Dauer, Häufigkeit, regelmäßige Wiederkehr und Kontinuität der Dienstleistung einzubeziehen.

(3) Die Berechtigung nach Absatz 1 besteht nicht, wenn die Voraussetzungen für eine Rücknahme oder einen Widerruf, die sich auf die Tatbestände nach § 2 Nummer 2 oder Nummer 3 beziehen, zwar vorliegen, die Rücknahme oder der Widerruf jedoch nicht vollzogen werden kann, da die betroffene Person keine deutsche Erlaubnis zum Führen der Berufsbezeichnung besitzt.

(4) Die Absätze 1 bis 3 sowie die §§ 45 bis 48 gelten entsprechend für Drittstaaten und Drittstaatsangehörige, soweit sich hinsichtlich der Anerkennung von Ausbildungsnachweisen nach dem Recht der Europäischen Union eine Gleichstellung ergibt.

§ 45[2)] Rechte und Pflichten. Dienstleistungserbringende Personen haben beim Erbringen der Dienstleistung im Geltungsbereich dieses Gesetzes die gleichen Rechte und Pflichten wie Personen mit einer Erlaubnis nach § 1 oder § 58 Absatz 1 oder Absatz 2.

§ 46[3)] Meldung der dienstleistungserbringenden Person an die zuständige Behörde. (1) [1] Wer beabsichtigt, im Sinne des § 44 Absatz 1 Dienstleistungen zu erbringen, hat dies der zuständigen Behörde vorher schriftlich zu melden. [2] Die Meldung ist einmal jährlich zu erneuern, wenn die dienstleistungserbringende Person beabsichtigt, während des betreffenden Jahres vorübergehend und gelegentlich Dienstleistungen im Geltungsbereich dieses Gesetzes zu erbringen. [3] Wird die Meldung nach Satz 1 mittels eines Europäischen Berufsausweises vorgenommen, ist abweichend von Satz 2 die Meldung 18 Monate nach Ausstellung des Europäischen Berufsausweises zu erneuern.

(2) [1] Bei der erstmaligen Meldung oder bei wesentlichen Änderungen hat die dienstleistungserbringende Person folgende Dokumente vorzulegen:
1. einen Staatsangehörigkeitsnachweis,
2. einen Berufsqualifikationsnachweis,

[1)] **beck-online, Module Arbeitsrecht Nr. 850.**
[2)] § 45 geänd. mWv 16.12.2023 durch G v. 12.12.2023 (BGBl. 2023 I Nr. 359).
[3)] § 46 Abs. 2 Satz 1 Nr. 3 *Buchst.* b geänd. mWv 4.3.2021 durch G v. 24.2.2021 (BGBl. I S. 274); Abs. 1 Satz 1 geänd., Abs. 2 Satz 1 Nr. 3 neu gef., Abs. 3 aufgeh., bish. Abs. 4 wird Abs. 3 mWv 1.1. 2026 durch G v. 28.10.2025 (BGBl. 2025 I Nr. 259).

3. im Fall der Dienstleistungserbringung nach § 44 Absatz 1 eine Bescheinigung über die rechtmäßige Niederlassung im Beruf der Pflegefachfrau oder des Pflegefachmanns, der Gesundheits- und Kinderkrankenpflegerin oder des Gesundheits- und Kinderkrankenpflegers oder der Altenpflegerin oder des Altenpflegers in einem anderen Mitgliedstaat, die sich darauf erstreckt, dass der dienstleistungserbringenden Person die Ausübung dieser Tätigkeit zum Zeitpunkt der Vorlage der Bescheinigung nicht, auch nicht vorübergehend, untersagt ist und keine Vorstrafen vorliegen und
4. eine Erklärung der dienstleistungserbringenden Person, dass sie über die zur Erbringung der Dienstleistung erforderlichen Kenntnisse der deutschen Sprache verfügt.

[2] Die für die Ausübung der Dienstleistung erforderlichen Kenntnisse der deutschen Sprache müssen vorhanden sein.

(3) Sofern eine vorherige Meldung wegen der Dringlichkeit des Tätigwerdens nicht möglich ist, hat die Meldung unverzüglich nach Erbringen der Dienstleistung zu erfolgen.

§ 47[1)] Bescheinigungen der zuständigen Behörde. [1] Einer oder einem Staatsangehörigen eines Mitgliedstaates der Europäischen Union oder eines Vertragsstaates des Abkommens über den Europäischen Wirtschaftsraum oder der Schweiz, die oder der im Geltungsbereich dieses Gesetzes den Beruf der Pflegefachfrau oder des Pflegefachmanns, der Gesundheits- und Kinderkrankenpflegerin oder des Gesundheits- und Kinderkrankenpflegers oder der Altenpflegerin oder des Altenpflegers auf Grund einer Erlaubnis nach § 1 oder § 58 Absatz 1 oder Absatz 2 ausübt, ist auf Antrag für Zwecke der Dienstleistungserbringung in einem anderen Mitgliedstaat der Europäischen Union oder einem anderen Vertragsstaat des Abkommens über den Europäischen Wirtschaftsraum oder der Schweiz eine Bescheinigung darüber auszustellen, dass sie oder er

1. als Pflegefachfrau oder Pflegefachmann, als Gesundheits- und Kinderkrankenpflegerin oder Gesundheits- und Kinderkrankenpfleger oder als Altenpflegerin oder Altenpfleger rechtmäßig niedergelassen ist und ihr oder ihm die Ausübung des Berufs nicht, auch nicht vorübergehend, untersagt ist,
2. über die zur Ausübung der jeweiligen Tätigkeit erforderliche berufliche Qualifikation verfügt.

[2] Gleiches gilt für Drittstaaten und Drittstaatsangehörige, soweit sich hinsichtlich der Anerkennung von Ausbildungsnachweisen nach dem Recht der Europäischen Union eine Gleichstellung ergibt.

§ 48[2)] Verwaltungszusammenarbeit bei Dienstleistungserbringung.

(1) Wird gegen die Pflichten nach § 45 verstoßen, so hat die zuständige Behörde unverzüglich die zuständige Behörde des Niederlassungsmitgliedstaates dieser dienstleistungserbringenden Person hierüber zu unterrichten.

(2) Im Falle von berechtigten Zweifeln sind die zuständigen Behörden berechtigt, für jede Dienstleistungserbringung von den zuständigen Behörden des Niederlassungsmitgliedstaates Informationen über die Rechtmäßigkeit der

---

[1)] § 47 Satz 1 einl. Satzteil geänd. mWv 16.12.2023 durch G v. 12.12.2023 (BGBl. 2023 I Nr. 359).
[2)] § 48 Abs. 3 geänd. mWv 16.12.2023 durch G v. 12.12.2023 (BGBl. 2023 I Nr. 359).

Niederlassung sowie darüber anzufordern, ob berufsbezogene disziplinarische oder strafrechtliche Sanktionen vorliegen.

(3) Auf Anforderung der zuständigen Behörden eines Mitgliedstaates der Europäischen Union oder eines Vertragsstaates des Abkommens über den Europäischen Wirtschaftsraum oder der Schweiz haben die zuständigen Behörden in Deutschland nach Artikel 56 der Richtlinie 2005/36/EG[1] der anfordernden Behörde Folgendes zu übermitteln:

1. alle Informationen über die Rechtmäßigkeit der Niederlassung und die gute Führung der dienstleistungserbringenden Person sowie
2. Informationen darüber, dass keine berufsbezogenen disziplinarischen oder strafrechtlichen Sanktionen vorliegen.

Abschnitt 2a.[2] Partielle Berufsausübung

§ 48a[3] Erlaubnis zur partiellen Berufsausübung. (1) Eine Erlaubnis zur partiellen Berufsausübung ist auf Antrag zu erteilen, wenn

1. die antragstellende Person ohne Einschränkung qualifiziert ist, in einem anderen Mitgliedstaat der Europäischen Union, in einem anderen Vertragsstaat des Abkommens über den Europäischen Wirtschaftsraum oder in der Schweiz eine berufliche Tätigkeit auszuüben, die der Tätigkeit eines Berufs nach diesem Gesetz nur partiell entspricht,
2. die Unterschiede zwischen der in einem anderen Mitgliedstaat der Europäischen Union, in einem anderen Vertragsstaat des Abkommens über den Europäischen Wirtschaftsraum oder der Schweiz rechtmäßig ausgeübten beruflichen Tätigkeit und den Tätigkeiten, die unter denjenigen in diesem Gesetz geregelten Beruf, für den eine Erlaubnis zur partiellen Berufsausübung angestrebt wird, fallen, so wesentlich sind, dass die Anwendung von Anpassungsmaßnahmen nach § 40 Absatz 3 der Anforderung an die antragstellende Person gleichkäme, die vollständige Ausbildung nach diesem Gesetz zu absolvieren,
3. die rechtmäßig ausgeübte berufliche Tätigkeit nach Nummer 1 eine oder mehrere der vorbehaltenen Aufgaben nach § 4 umfasst und
4. die Voraussetzungen nach § 2 Nummer 2 bis 4 vorliegen.

(2) Eine Erlaubnis zur partiellen Berufsausübung darf nicht erteilt werden, wenn

1. der Patientenschutz oder der Schutz der öffentlichen Gesundheit der Erteilung entgegensteht oder
2. eine automatische Anerkennung der Berufsqualifikation möglich ist.

(3) Eine Erlaubnis zur partiellen Berufsausübung ist auf die Tätigkeiten zu beschränken, in denen die antragstellende Person eine Qualifikation nach Absatz 1 Nummer 1 und 3 nachgewiesen hat.

---

[1] **beck-online, Module Arbeitsrecht Nr. 873.**

[2] Abschnitt 2a (§§ 48a, 48b) eingef. mWv 16.12.2023 durch G v. 12.12.2023 (BGBl. 2023 I Nr. 359).

[3] § 48a eingef. mWv 16.12.2023 durch G v. 12.12.2023 (BGBl. 2023 I Nr. 359); Abs. 1 Nr. 3 geänd. mWv 1.1.2026 durch G v. 22.12.2025 (BGBl. 2025 I Nr. 371).

(4) Die berufliche Tätigkeit wird unter der Berufsbezeichnung des Staates, in dem die Qualifikation nach Absatz 1 Nummer 1 erworben wurde, ausgeübt und mit dem Hinweis auf

1. den Namen dieses Staates und
2. die Tätigkeit, auf die die Erlaubnis zur partiellen Berufsausübung beschränkt ist.

(5) [1] Personen mit einer Erlaubnis zur partiellen Berufsausübung haben im Umfang dieser Erlaubnis die gleichen Rechte und Pflichten wie eine Person mit einer Erlaubnis zum Führen der Berufsbezeichnung nach § 1. [2] Sie dürfen insbesondere eine oder mehrere vorbehaltene Tätigkeiten nach § 4 ausüben, soweit sie in den Umfang der Erlaubnis zur partiellen Berufsausübung fallen.

(6) § 3 gilt für die Erlaubnis zur partiellen Berufsausübung entsprechend.

§ 48b[1)] Dienstleistungserbringung im Rahmen einer partiellen Berufsausübung. (1) [1] Für die Erbringung von vorübergehenden und gelegentlichen Dienstleistungen im Sinne von Artikel 57 des Vertrages über die Arbeitsweise der Europäischen Union im Rahmen einer partiellen Berufsausübung bedarf es einer Genehmigung durch die zuständige Behörde. [2] Die Genehmigung wird auf Antrag erteilt, wenn:

1. die antragstellende Person eine Staatsangehörige oder ein Staatsangehöriger eines Mitgliedstaates der Europäischen Union, eines Vertragsstaates des Abkommens über den Europäischen Wirtschaftsraum oder der Schweiz ist,
2. die antragstellende Person in einem anderen Mitgliedstaat der Europäischen Union, in einem anderen Vertragsstaat des Abkommens über den Europäischen Wirtschaftsraum oder in der Schweiz zur Ausübung des Berufs, dessen Tätigkeit der Tätigkeit in einem der Berufe nach diesem Gesetz nur partiell entspricht, rechtmäßig niedergelassen ist und
   a) dieser Beruf in diesem Mitgliedstaat der Europäischen Union, in diesem Vertragsstaat des Abkommens über den Europäischen Wirtschaftsraum oder in der Schweiz reglementiert ist oder
   b) dieser Beruf in diesem Mitgliedstaat der Europäischen Union, in diesem Vertragsstaat des Abkommens über den Europäischen Wirtschaftsraum oder in der Schweiz nicht reglementiert ist und die antragstellende Person diesen Beruf während der vorhergehenden zehn Jahre mindestens ein Jahr lang in einem oder in mehreren Mitgliedstaaten der Europäischen Union, in einem oder mehreren Vertragsstaaten des Abkommens über den Europäischen Wirtschaftsraum oder in der Schweiz rechtmäßig ausgeübt hat, und
3. die Voraussetzungen nach § 48a Absatz 1 Nummer 1 bis 4 vorliegen.

(2) [1] Personen mit einer Genehmigung zur Dienstleistungserbringung im Rahmen einer partiellen Berufsausübung haben beim Erbringen der Dienstleistung in Deutschland im Umfang dieser Genehmigung die gleichen Rechte und Pflichten wie eine Person mit einer Erlaubnis zum Führen der Berufsbezeichnung nach § 1. [2] Sie dürfen insbesondere eine oder mehrere der vorbehaltenen Aufgaben nach § 4 ausüben, soweit sie in den Umfang der Geneh-

---

[1)] § 48b eingef. mWv 16.12.2023 durch G v. 12.12.2023 (BGBl. 2023 I Nr. 359); Abs. 3 geänd. mWv 1.1.2026 durch G v. 28.10.2025 (BGBl. 2025 I Nr. 259); Abs. 2 Satz 2 geänd. mWv 1.1.2026 durch G v. 22.12.2025 (BGBl. 2025 I Nr. 371).

migung zur Dienstleistungserbringung im Rahmen einer partiellen Berufsausübung fallen.

(3) Die §§ 3, 44 Absatz 2 und 3, § 46 Absatz 1, 2 und 4, § 48 Absatz 1 und 2, § 48a Absatz 2 Nummer 1, Absatz 3 und 4, § 50 Absatz 1 und 2 sowie § 51 gelten entsprechend.

Abschnitt 3. Aufgaben und Zuständigkeiten

§ 49 Zuständige Behörden. Die Länder bestimmen die zur Durchführung dieses Gesetzes zuständigen Behörden.

§ 50[1] Unterrichtungspflichten. (1) Die zuständigen Behörden des Landes, in dem der Beruf der Pflegefachfrau oder des Pflegefachmanns, der Gesundheits- und Kinderkrankenpflegerin oder des Gesundheits- und Kinderkrankenpflegers oder der Altenpflegerin oder des Altenpflegers ausgeübt wird oder zuletzt ausgeübt worden ist, unterrichten die zuständigen Behörden des Herkunftsmitgliedstaates über das Vorliegen strafrechtlicher Sanktionen, über die Rücknahme, den Widerruf und die Anordnung des Ruhens der Erlaubnis, über die Untersagung der Ausübung der Tätigkeit und über Tatsachen, die eine dieser Sanktionen oder Maßnahmen rechtfertigen würden; dabei sind die Vorschriften zum Schutz personenbezogener Daten einzuhalten.

(2) Erhalten die zuständigen Behörden der Länder Auskünfte von den zuständigen Behörden der Aufnahmemitgliedstaaten, die sich auf die Ausübung des Berufs der Pflegefachfrau oder des Pflegefachmanns, der Gesundheits- und Kinderkrankenpflegerin oder des Gesundheits- und Kinderkrankenpflegers oder der Altenpflegerin oder des Altenpflegers auswirken könnten, so prüfen sie die Richtigkeit der Sachverhalte, befinden über Art und Umfang der durchzuführenden Prüfungen und unterrichten den Aufnahmemitgliedstaat über die Konsequenzen, die aus den übermittelten Auskünften zu ziehen sind.

(3) [1]Das Bundesministerium für Familie, Senioren, Frauen und Jugend und das Bundesministerium für Gesundheit benennen nach Mitteilung der Länder gemeinsam die Behörden und Stellen, die für die Ausstellung oder Entgegennahme der in der Richtlinie 2005/36/EG[2] genannten Ausbildungsnachweise und sonstigen Unterlagen oder Informationen zuständig sind, sowie die Behörden und Stellen, die die Anträge annehmen und Entscheidungen treffen können, die im Zusammenhang mit dieser Richtlinie stehen. [2]Sie unterrichten die anderen Mitgliedstaaten und die Europäische Kommission unverzüglich über die Benennung.

(4) Die für die Entscheidungen nach diesem Gesetz zuständigen Behörden und Stellen übermitteln dem Bundesministerium für Familie, Senioren, Frauen und Jugend und dem Bundesministerium für Gesundheit statistische Aufstellungen über die getroffenen Entscheidungen, die die Europäische Kommission für den nach Artikel 60 Absatz 1 der Richtlinie 2005/36/EG erforderlichen Bericht benötigt, zur Weiterleitung an die Kommission.

§ 51[3] Vorwarnmechanismus. (1) Die jeweils zuständige Stelle unterrichtet die zuständigen Behörden der anderen Mitgliedstaaten der Europäischen Uni-

[1] § 50 Abs. 1 und 2 geänd. mWv 1.1.2026 durch G v. 28.10.2025 (BGBl. 2025 I Nr. 259).
[2] **beck-online, Module Arbeitsrecht Nr. 873.**
[3] § 51 Abs. 1 Nr. 1 geänd. mWv 16.12.2023 durch G v. 12.12.2023 (BGBl. 2023 I Nr. 359).

on, der anderen Vertragsstaaten des Abkommens über den Europäischen Wirtschaftsraum und der Schweiz über

1. den Widerruf oder die Rücknahme der Erlaubnis nach § 1 oder § 58 Absatz 1 oder Absatz 2, die sofort vollziehbar oder unanfechtbar sind,
2. den Verzicht auf die Erlaubnis,
3. das Verbot der Ausübung des Berufs der Pflegefachfrau oder des Pflegefachmanns, der Gesundheits- und Kinderkrankenpflegerin oder des Gesundheits- und Kinderkrankenpflegers oder der Altenpflegerin oder des Altenpflegers durch unanfechtbare gerichtliche Entscheidung oder
4. das vorläufige Berufsverbot durch gerichtliche Entscheidung.

(2) [1] Die Mitteilung nach Absatz 1 (Warnmitteilung) enthält folgende Angaben:

1. die zur Identifizierung der betroffenen Person erforderlichen Angaben, insbesondere Name, Vorname, Geburtsdatum und Geburtsort,
2. Beruf der betroffenen Person,
3. Angaben über die Behörde oder das Gericht, die oder das die Entscheidung getroffen hat,
4. Umfang der Entscheidung oder des Verzichts und
5. Zeitraum, in dem die Entscheidung oder der Verzicht gilt.

[2] Die Warnmitteilung erfolgt unverzüglich, spätestens jedoch drei Tage nach Eintritt der Unanfechtbarkeit einer Entscheidung nach Absatz 1 Nummer 1 oder Nummer 3, nach Bekanntgabe einer Entscheidung nach Absatz 1 Nummer 4 oder nach einem Verzicht nach Absatz 1 Nummer 2. [3] Sie ist über das durch die Verordnung (EU) Nr. 1024/2012 des Europäischen Parlaments und des Rates vom 25. Oktober 2012 über die Verwaltungszusammenarbeit mit Hilfe des Binnenmarkt-Informationssystems und zur Aufhebung der Entscheidung 2008/49/EG der Kommission (ABl. L 316 vom 14.11.2012, S. 1) eingerichtete Binnenmarkt-Informationssystem (IMI) zu übermitteln. [4] Zeitgleich mit der Warnmitteilung unterrichtet die Stelle, die die Warnmitteilung getätigt hat, die betroffene Person über die Warnmitteilung und deren Inhalt schriftlich unter Beifügung einer Rechtsbehelfsbelehrung. [5] Wird ein Rechtsbehelf gegen die Warnmitteilung eingelegt, ergänzt die Stelle, die die Warnmitteilung getätigt hat, die Warnmitteilung um einen entsprechenden Hinweis.

(3) [1] Im Fall der Aufhebung einer in Absatz 1 genannten Entscheidung oder eines Widerrufs des Verzichts unterrichtet jeweils die zuständige Stelle die zuständigen Behörden der anderen Mitgliedstaaten der Europäischen Union, der anderen Vertragsstaaten des Abkommens über den Europäischen Wirtschaftsraum und der Schweiz unverzüglich unter Angabe des Datums über die Aufhebung der Entscheidung oder den Widerruf des Verzichts. [2] Die zuständige Stelle unterrichtet die zuständigen Behörden der anderen Mitgliedstaaten der Europäischen Union, der anderen Vertragsstaaten des Abkommens über den Europäischen Wirtschaftsraum und der Schweiz ebenfalls unverzüglich über jede Änderung des nach Absatz 2 Satz 1 Nummer 5 angegebenen Zeitraums. [3] Die zuständige Stelle löscht Warnmitteilungen nach Absatz 1 im IMI unverzüglich, spätestens jedoch drei Tage nach Aufhebung der Entscheidung oder Widerruf des Verzichts.

(4) [1] Wird gerichtlich festgestellt, dass eine Person, die die Erteilung der Erlaubnis oder die Feststellung der Gleichwertigkeit ihrer Berufsqualifikation

nach diesem Gesetz beantragt hat, dabei gefälschte Berufsqualifikationsnachweise verwendet hat, unterrichtet die zuständige Stelle die zuständigen Behörden der anderen Mitgliedstaaten der Europäischen Union, der anderen Vertragsstaaten des Abkommens über den Europäischen Wirtschaftsraum und der Schweiz über die Identität dieser Person, insbesondere über Name, Vorname, Geburtsdatum und Geburtsort, und den Umstand, dass diese Person gefälschte Berufsqualifikationsnachweise verwendet hat. [2]Die Unterrichtung erfolgt unverzüglich, spätestens jedoch drei Tage nach Unanfechtbarkeit der Feststellung über das IMI. [3]Absatz 2 Satz 4 und 5 gilt für die Unterrichtung nach Satz 1 entsprechend.

(5) Ergänzend zu den Absätzen 1 bis 4 ist die Durchführungsverordnung (EU) 2015/983 der Kommission vom 24. Juni 2015 betreffend das Verfahren zur Ausstellung des Europäischen Berufsausweises und die Anwendung des Vorwarnmechanismus gemäß der Richtlinie 2005/36/EG[1)] des Europäischen Parlaments und des Rates (ABl. L 159 vom 25.6.2015, S. 27) in der jeweils geltenden Fassung zu beachten.

§ 52[2)] Weitere Aufgaben der jeweils zuständigen Behörden. (1) Die Entscheidung, ob die Erlaubnis erteilt wird, die Berufsbezeichnung nach § 1 oder § 58 Absatz 1 oder Absatz 2 zu führen, trifft die zuständige Behörde des Landes, in dem die antragstellende Person die Prüfung abgelegt hat.

(1a) [1]Die Entscheidung nach § 48a trifft die zuständige Behörde des Landes, in dem die partielle Berufsausübung vorgenommen werden soll. [2]Die Entscheidung nach § 48b trifft die zuständige Behörde des Landes, in dem die Dienstleistung erbracht werden soll oder erbracht worden ist.

(2) Die Entscheidungen über den Zugang zur Ausbildung nach § 11, die Anrechnung gleichwertiger Ausbildungen und die Anrechnung von Fehlzeiten trifft die zuständige Behörde des Landes, in dem die Ausbildung durchgeführt wird oder dem Antrag entsprechend durchgeführt werden soll.

(3) [1]Die Meldung der dienstleistungserbringenden Person nach § 46 nimmt die zuständige Behörde des Landes entgegen, in dem die Dienstleistung erbracht werden soll oder erbracht worden ist. [2]Sie fordert die Informationen nach § 46 Absatz 2 an.

(4) [1]Die Informationen nach § 48 Absatz 3 werden durch die zuständige Behörde des Landes übermittelt, in dem der Beruf der Pflegefachfrau oder des Pflegefachmanns, der Gesundheits- und Kinderkrankenpflegerin oder des Gesundheits- und Kinderkrankenpflegers oder der Altenpflegerin oder des Altenpflegers ausgeübt wird oder zuletzt ausgeübt worden ist. [2]Die Unterrichtung des Herkunftsmitgliedstaates gemäß § 48 Absatz 1 erfolgt durch die zuständige Behörde des Landes, in dem die Dienstleistung erbracht wird oder erbracht worden ist.

(5) Die Bescheinigungen nach § 46 Absatz 2 Satz 1 Nummer 3 stellt die zuständige Behörde des Landes aus, in dem die antragstellende Person den Beruf der Pflegefachfrau oder des Pflegefachmanns, der Gesundheits- und Kinderkrankenpflegerin oder des Gesundheits- und Kinderkrankenpflegers oder der Altenpflegerin oder des Altenpflegers ausübt.

[1)] ***beck-online, Module Arbeitsrecht Nr. 873.***

[2)] § 52 Abs. 1 geänd., Abs. 1a eingef. mWv 16.12.2023 durch G v. 12.12.2023 (BGBl. 2023 I Nr. 359).

Abschnitt 4. Fachkommission, Beratung, Aufbau unterstützender Angebote und Forschung

§ 53[1)] **Fachkommission; Erarbeitung von Rahmenplänen.** (1) Zur Erarbeitung eines Rahmenlehrplans und eines Rahmenausbildungsplans für die Pflegeausbildung nach Teil 2 sowie zur Wahrnehmung der weiteren ihr nach diesem Gesetz zugewiesenen Aufgaben wird eine Fachkommission eingerichtet.

(2) [1] Die Rahmenpläne der Fachkommission haben empfehlende Wirkung und sollen kontinuierlich, mindestens alle fünf Jahre, durch die Fachkommission auf ihre Aktualität überprüft und gegebenenfalls angepasst werden. [2] Sie sind dem Bundesministerium für Familie, Senioren, Frauen und Jugend und dem Bundesministerium für Gesundheit zur Prüfung der Vereinbarkeit mit diesem Gesetz vorzulegen, erstmals bis zum 1. Juli 2019.

(3) [1] Die Fachkommission besteht aus pflegefachlich, pflegepädagogisch und pflegewissenschaftlich für die Aufgaben nach Absatz 1 ausgewiesenen Expertinnen und Experten. [2] Sie wird vom Bundesministerium für Familie, Senioren, Frauen und Jugend und vom Bundesministerium für Gesundheit für die Dauer von jeweils fünf Jahren eingesetzt. [3] Die Berufung der Mitglieder erfolgt durch das Bundesministerium für Familie, Senioren, Frauen und Jugend und das Bundesministerium für Gesundheit im Benehmen mit den Ländern.

(4) [1] Die Fachkommission gibt sich eine Geschäftsordnung, die der Zustimmung des Bundesministeriums für Familie, Senioren, Frauen und Jugend und des Bundesministeriums für Gesundheit bedarf. [2] Das Bundesministerium für Familie, Senioren, Frauen und Jugend und das Bundesministerium für Gesundheit, die oder der Bevollmächtigte der Bundesregierung für Pflege sowie jeweils eine Vertreterin oder ein Vertreter der Gesundheitsministerkonferenz, der Arbeits- und Sozialministerkonferenz und der Kultusministerkonferenz können an den Sitzungen der Fachkommission teilnehmen.

(5) [1] Die Fachkommission wird bei der Erfüllung ihrer Aufgaben durch eine Geschäftsstelle, die beim Bundesinstitut für Berufsbildung angesiedelt ist, unterstützt. [2] Die Fachaufsicht über die Geschäftsstelle üben das Bundesministerium für Familie, Senioren, Frauen und Jugend und das Bundesministerium für Gesundheit gemeinsam aus.

§ 54[2)] **Beratung; Aufbau unterstützender Angebote und Forschung.** Das Bundesinstitut für Berufsbildung übernimmt die Aufgabe der Beratung und Information zur Pflegeausbildung nach diesem Gesetz nach Weisung des Bundesministeriums für Bildung, Familie, Senioren, Frauen und Jugend und des Bundesministeriums für Gesundheit sowie, auch zur Unterstützung der Arbeit der Fachkommission, die Aufgabe der Forschung zur Pflegeausbildung nach diesem Gesetz und zum Pflegeberuf im Auftrag des Bundesministeriums für Bildung, Familie, Senioren, Frauen und Jugend und des Bundesministeriums für Gesundheit.

---

1) Inkrafttreten gem. Art. 15 Abs. 1 G v. 17.7.2017 (BGBl. I S. 2581) am 25.7.2017.
2) § 54 neu gef. mWv 1.11.2025 durch G v. 28.10.2025 (BGBl. 2025 I Nr. 259).

Abschnitt 5. Statistik und Verordnungsermächtigung

§ 55[1) 2)] **Statistik; Verordnungsermächtigung.** (1) [1]Das Bundesministerium für Familie, Senioren, Frauen und Jugend und das Bundesministerium für Gesundheit werden ermächtigt, für Zwecke dieses Gesetzes, gemeinsam durch Rechtsverordnung mit Zustimmung des Bundesrates jährliche Erhebungen über die bei der zuständigen Stelle nach § 26 Absatz 4 zur Erfüllung der Aufgaben nach Teil 2 Abschnitt 3, auch in Verbindung mit § 39a Absatz 3 oder § 59 Absatz 1, jeweils vorliegenden Daten als Bundesstatistik anzuordnen und das Verfahren zur Ermittlung und Erhebung der Daten nach § 62 zu regeln. [2]Die Statistik kann folgende Sachverhalte umfassen:

1. die Träger der praktischen Ausbildung, die Träger des praktischen Teils der hochschulischen Pflegeausbildung, die jeweils weiteren an der Ausbildung beteiligten Einrichtungen sowie die Pflegeschulen,
2. die in der beruflichen oder hochschulischen Ausbildung befindlichen Personen nach Geschlecht, Geburtsjahr,***[ab 1.1.2027:** Staatsangehörigkeit, Vorbildung,**]*** Beginn und Ende der Ausbildung, Grund der Beendigung der Ausbildung, Weiterbildung oder Umschulung,
3. die Ausbildungsvergütungen.

[3]Auskunftspflichtig sind die zuständigen Stellen gegenüber den statistischen Ämtern der Länder.

(2) Die Befugnis der Länder, zusätzliche, von Absatz 1 nicht erfasste Erhebungen über Sachverhalte des Pflege- oder Gesundheitswesens als Landesstatistik anzuordnen, bleibt unberührt.

§ 56[1) 3)] **Ausbildungs- und Prüfungsverordnung, Finanzierung; Verordnungsermächtigungen.** (1) [1]Das Bundesministerium für Familie, Senioren, Frauen und Jugend und das Bundesministerium für Gesundheit werden ermächtigt, gemeinsam durch Rechtsverordnung mit Zustimmung des Bundesrates in einer Ausbildungs- und Prüfungsverordnung Folgendes zu regeln:

1. die Mindestanforderungen an die Ausbildung nach den Teilen 2, 3 und 5, einschließlich der Zwischenprüfung nach § 6 Absatz 5, die Berücksichtigung digitaler Lehrformate sowie genderspezifische Kompetenzvermittlung,
2. das Nähere über die staatliche Prüfung nach § 2 Nummer 1, auch in Verbindung mit § 58 Absatz 3, oder nach § 14 Absatz 6 in Verbindung mit § 2 Nummer 1 oder nach § 14 Absatz 7 in Verbindung mit § 2 Nummer 1, jeweils auch in Verbindung mit § 58 Absatz 3 und § 59 Absatz 1, einschließlich der Prüfung nach § 39, auch in Verbindung mit § 37 Absatz 5, hierzu zählen insbesondere jeweils die konkrete Anzahl der prüfenden Personen in der jeweiligen Prüfungssituation, die Voraussetzungen zum Bestehen der

---

[1)] Inkrafttreten gem. Art. 15 Abs. 1 G v. 17.7.2017 (BGBl. I S. 2581) am 25.7.2017.

[2)] § 55 Abs. 1 Satz 1 geänd. mWv 16.12.2023, Abs. 1 Satz 1 geänd., Satz 2 Nr. 1 neu gef., Nr. 2 geänd. mWv 1.1.2024 durch G v. 12.12.2023 (BGBl. 2023 I Nr. 359); Abs. 1 Satz 2 Nr. 2 geänd. mWv 1.1.2027 durch G v. 28.10.2025 (BGBl. 2025 I Nr. 259).

[3)] § 56 Abs. 5 Satz 2 angef. mWv 1.3.2020 durch G v. 15.8.2019 (BGBl. I S. 1307); Abs. 1 Satz 1 Nr. 3 und 4 geänd. mWv 1.1.2020 durch G v. 19.5.2020 (BGBl. I S. 1018); Abs. 1 Satz 1 neu gef., Sätze 2–5 aufgeh., bish. Sätze 6, 7 werden Sätze 2, 3, Abs. 2 neu gef., Abs. 2a eingef. mWv 16.12.2023, Abs. 3 einl. *Satzteil*, Nr. 1, 2 geänd., Nr. 3 neu gef., abschl. Satzteil geänd. mWv 1.1.2024 durch G v. 12.12.2023 (BGBl. 2023 I Nr. 359); Abs. 1 Satz 1 Nr. 3 geänd. mWv 1.11.2025, Abs. 2 Satz 1 Nr. 4 geänd. mWv 1.1.2026 durch G v. 28.10.2025 (BGBl. 2025 I Nr. 259).

Prüfung, die Rolle der oder des Vorsitzenden des Prüfungsausschusses und die Urkunde für die Erlaubnis nach § 1 oder § 58 Absatz 1 oder Absatz 2,

3. das Nähere zur Gliederung, einschließlich der Stundenverteilung, und Durchführung der praktischen Ausbildung nach § 6 Absatz 3, einschließlich der Anrechnung von im Ausland durchgeführten Einsätzen, und über die Kooperationsvereinbarungen nach § 6 Absatz 4, auch in Verbindung mit § 59 Absatz 1,
4. das Nähere zur Errichtung, Zusammensetzung, Aufwandsentschädigung und Konkretisierung der Aufgaben der Fachkommission nach § 53, auch in Verbindung mit § 59 Absatz 1,
5. das Nähere zu den Aufgaben der Geschäftsstelle nach § 53, auch in Verbindung mit § 59 Absatz 1, und
6. das Nähere zu den Aufgaben des Bundesinstituts für Berufsbildung nach § 54, auch in Verbindung mit § 59 Absatz 1.

[2] Hinsichtlich Satz 1 Nummer 1 und 2 erfolgt der Erlass der Rechtsverordnung im Benehmen, hinsichtlich Satz 1 Nummer 5 und 6 im Einvernehmen mit dem Bundesministerium für Bildung und Forschung. [3] Hinsichtlich Satz 1 Nummer 6 erfolgt der Erlass der Rechtsverordnung zudem im Benehmen mit dem Bundesministerium der Finanzen.

(2) [1] In der Rechtsverordnung nach Absatz 1 ist für Inhaberinnen und Inhaber von Ausbildungsnachweisen, die eine Erlaubnis nach § 2 in Verbindung mit den §§ 40, 41 oder 42 beantragen, Folgendes zu regeln:

1. das Verfahren bei der Prüfung der Voraussetzungen des § 2 Nummer 2 und 3, insbesondere die Vorlage der von der antragstellenden Person vorzulegenden Nachweise und die Ermittlung durch die zuständige Behörde entsprechend Artikel 50 Absatz 1 bis 3 in Verbindung mit Anhang VII der Richtlinie 2005/36/EG[1)],
2. die Pflicht von Inhaberinnen und Inhabern von Ausbildungsnachweisen, nach Maßgabe des Artikels 52 Absatz 1 der Richtlinie 2005/36/EG die Berufsbezeichnung des Aufnahmemitgliedstaates zu führen und deren etwaige Abkürzung zu verwenden,
3. die Fristen für die Erteilung der Erlaubnis,
4. die Regelungen zur Durchführung und zum Inhalt der Anpassungsmaßnahmen nach § 40 Absatz 3 Satz 2 und § 41 Absatz 2 Satz 2, das Nähere zu den Prüfungen, zur konkreten Anzahl der prüfenden Personen in der jeweiligen Prüfungssituation, zum Bestehen der Prüfung und zur Rolle der oder des Vorsitzenden des Prüfungsausschusses und
5. das Verfahren bei der Ausstellung eines Europäischen Berufsausweises.

[2] Zudem ist in der Rechtsverordnung nach Absatz 1 das Verfahren über die Voraussetzungen zur Dienstleistungserbringung gemäß den §§ 44 bis 48 zu regeln.

(2a) In der Rechtsverordnung nach Absatz 1 ist für Berufsangehörige, die einen Antrag nach § 48a oder nach § 48b stellen, Folgendes zu regeln:

1. das Verfahren und das Nähere zu den Voraussetzungen der partiellen Berufsausübung, insbesondere

---

[1)] beck-online, Module Arbeitsrecht Nr. 873.

a) die Fristen für die Erteilung der Erlaubnis zur partiellen Berufsausübung nach § 48a,

b) das Verfahren bei der Prüfung der Voraussetzungen des § 48a, insbesondere die von der antragstellenden Person vorzulegenden Nachweise und die Ermittlung durch die zuständige Behörde entsprechend Artikel 50 Absatz 1 bis 3a in Verbindung mit Anhang VII der Richtlinie 2005/36/EG,

c) die Urkunde für die Erlaubnis zur partiellen Berufsausübung nach § 48a und

2. das Verfahren und das Nähere zu den Voraussetzungen der Dienstleistungserbringung im Rahmen einer partiellen Berufsausübung.

(3) Das Bundesministerium für Familie, Senioren, Frauen und Jugend und das Bundesministerium für Gesundheit werden ermächtigt, gemeinsam und im Benehmen mit dem Bundesministerium der Finanzen durch Rechtsverordnung mit Zustimmung des Bundesrates Vorschriften zu erlassen über die Finanzierung der beruflichen Ausbildung in der Pflege nach Teil 2 Abschnitt 3 und Teil 5 sowie der hochschulischen Pflegeausbildung nach § 39a; dies betrifft insbesondere

1. die nähere Bestimmung der Ausbildungskosten nach den §§ 27 und 39a,
2. das Verfahren der Ausbildungsbudgets einschließlich der Vereinbarung der Pauschalen und Individualbudgets nach den §§ 29 bis 31 sowie der Möglichkeit von Schätzungen durch die zuständige Stelle,
3. die Aufbringung des Finanzierungsbedarfs einschließlich der Höhe der Verwaltungskostenpauschale nach § 32 Absatz 2 sowie der Zahl- und Umlageverfahren nach § 33 Absatz 2 bis 7,
4. die Erbringung und Weiterleitung der Ausgleichszuweisungen nach § 34 Absatz 1 bis 3, die Verrechnung nach § 34 Absatz 4, die Abrechnung, Zurückzahlung und nachträgliche Berücksichtigung nach § 34 Absatz 5 und 6,
5. die Rechnungslegung der zuständigen Stelle nach § 35

einschließlich der erforderlichen Vorgaben zum Erheben, Verarbeiten und Nutzen personenbezogener Daten und zum Datenschutz, soweit es für das Verfahren zur Finanzierung der beruflichen und hochschulischen Ausbildung in der Pflege erforderlich ist.

(4) Der Spitzenverband Bund der Kranken- und Pflegekassen, der Verband der Privaten Krankenversicherung, die Vereinigungen der Träger der Pflegeeinrichtungen auf Bundesebene und die Deutsche Krankenhausgesellschaft vereinbaren spätestens bis drei Monate nach Verkündung dieses Gesetzes im Benehmen mit den Ländern Vorschläge für die Regelungsinhalte nach Absatz 3 Nummer 1 bis 5.

(5) [1] Abweichungen durch Landesrecht von den Regelungen des Verwaltungsverfahrens in der auf Grundlage der Absätze 1 bis 3 erlassenen Rechtsverordnung sind ausgeschlossen. [2] Abweichend von Satz 1 können die Länder Abweichungen von den durch Rechtsverordnung im Falle des § 81a des Aufenthaltsgesetzes[1)] erlassenen Fristenregelungen vorsehen.

[1)] **beck-online, Module Arbeitsrecht Nr. 760.**

Abschnitt 6. Bußgeldvorschriften

§ 57[1)] Bußgeldvorschriften. (1) Ordnungswidrig handelt, wer
1. ohne Erlaubnis nach § 1, § 58 Absatz 1 oder Absatz 2 eine dort genannte Berufsbezeichnung führt,
2. entgegen § 4 Absatz 1, auch in Verbindung mit § 58 Absatz 3, als selbstständig erwerbstätige Person eine dort genannte Aufgabe durchführt,
3. entgegen § 4 Absatz 3, auch in Verbindung mit § 58 Absatz 3, einer dort genannten Person eine dort genannte Aufgabe zur Durchführung gegenüber Dritten überträgt oder die Durchführung der Aufgabe durch diese Person gegenüber Dritten duldet.

(2) Die Ordnungswidrigkeit kann in den Fällen des Absatzes 1 Nummer 2 und 3 mit einer Geldbuße bis zu zehntausend Euro, in den übrigen Fällen mit einer Geldbuße bis zu dreitausend Euro geahndet werden.

Teil 5. Besondere Vorschriften über die Berufsabschlüsse in der Gesundheits- und Kinderkrankenpflege sowie in der Altenpflege

§ 58[2)] Führen der Berufsbezeichnungen in der Gesundheits- und Kinderkrankenpflege sowie in der Altenpflege. (1) Wer die Berufsbezeichnung „Gesundheits- und Kinderkrankenpflegerin" oder „Gesundheits- und Kinderkrankenpfleger" führen will, bedarf der Erlaubnis.

(2) Wer die Berufsbezeichnung „Altenpflegerin" oder „Altenpfleger" führen will, bedarf der Erlaubnis.

(3) Die §§ 2 bis 4a sind entsprechend anzuwenden.

§ 59 Gemeinsame Vorschriften; Wahlrecht der Auszubildenden.

(1) Die Regelungen in Teil 2, § 52 Absatz 1 und 2 sowie Teil 4 Abschnitt 4 gelten entsprechend nach Maßgabe der Absätze 2 bis 5 sowie der §§ 60 und 61.

(2) Ist im Ausbildungsvertrag ein Vertiefungseinsatz im speziellen Bereich der pädiatrischen Versorgung vereinbart, kann sich die oder der Auszubildende für das letzte Ausbildungsdrittel entscheiden, statt die bisherige Ausbildung nach Teil 2 fortzusetzen, eine Ausbildung zur Gesundheits- und Kinderkrankenpflegerin oder zum Gesundheits- und Kinderkrankenpfleger nach Maßgabe des § 60 mit dem Ziel durchzuführen, eine Erlaubnis nach § 58 Absatz 1 zu erhalten.

(3) Ist im Ausbildungsvertrag ein Vertiefungseinsatz im Bereich der allgemeinen Langzeitpflege in stationären Einrichtungen oder der allgemeinen ambulanten Akut- und Langzeitpflege mit der Ausrichtung auf den Bereich der ambulanten Langzeitpflege vereinbart, kann sich die oder der Auszubildende für das letzte Ausbildungsdrittel entscheiden, statt die bisherige Ausbildung nach Teil 2 fortzusetzen, eine Ausbildung zur Altenpflegerin oder zum Altenpfleger nach Maßgabe des § 61 mit dem Ziel durchzuführen, eine Erlaubnis nach § 58 Absatz 2 zu erhalten.

(4) [1]Der Träger der praktischen Ausbildung stellt sicher, dass die oder der Auszubildende vor Ausübung des Wahlrechts die in § 7 Absatz 3 benannten

---

[1)] § 57 Abs. 1 Nr. 1 geänd. mWv 16.12.2023 durch G v. 12.12.2023 (BGBl. 2023 I Nr. 359).
[2)] § 58 Abs. 3 geänd. mWv 1.1.2026 durch G v. 22.12.2025 (BGBl. 2025 I Nr. 371).

Einsätze jeweils mindestens zur Hälfte absolviert hat. [2] Er stellt darüber hinaus nach Ausübung des Wahlrechts die Durchführung der jeweiligen gewählten Ausbildung nach § 60 oder § 61 selbst oder über Kooperationsverträge nach § 6 Absatz 4 mit anderen Einrichtungen und Pflegeschulen sicher.

(5) [1] Das Wahlrecht nach Absatz 2 oder Absatz 3 soll vier Monate und kann frühestens sechs Monate vor Beginn des letzten Ausbildungsdrittels gegenüber dem Träger der praktischen Ausbildung ausgeübt werden. [2] Besteht ein Wahlrecht, muss der Ausbildungsvertrag nach § 16 Angaben zum Wahlrecht und zum Zeitpunkt der Ausübung enthalten. [3] Wird das Wahlrecht ausgeübt, ist der Ausbildungsvertrag nach § 16 entsprechend anzupassen.

§ 60 Ausbildung zur Gesundheits- und Kinderkrankenpflegerin oder zum Gesundheits- und Kinderkrankenpfleger; Ausbildungsziel und Durchführung der Ausbildung. (1) Wählt die oder der Auszubildende nach § 59 Absatz 2, eine Ausbildung zur Gesundheits- und Kinderkrankenpflegerin oder zum Gesundheits- und Kinderkrankenpfleger durchzuführen, gilt § 5 für die weitere Ausbildung mit der Maßgabe, dass die Kompetenzvermittlung speziell zur Pflege von Kindern und Jugendlichen erfolgt.

(2) [1] Die praktische Ausbildung des letzten Ausbildungsdrittels ist in Bereichen der Versorgung von Kindern und Jugendlichen durchzuführen. [2] Der theoretische und praktische Unterricht des letzten Ausbildungsdrittels ist am Ausbildungsziel des Absatzes 1 auszurichten.

§ 61 Ausbildung zur Altenpflegerin oder zum Altenpfleger; Ausbildungsziel und Durchführung der Ausbildung. (1) Wählt die oder der Auszubildende nach § 59 Absatz 3, eine Ausbildung zur Altenpflegerin oder zum Altenpfleger durchzuführen, gilt § 5 für die weitere Ausbildung mit der Maßgabe, dass die Kompetenzvermittlung speziell zur Pflege alter Menschen erfolgt.

(2) [1] Die praktische Ausbildung des letzten Ausbildungsdrittels ist in Bereichen der Versorgung von alten Menschen durchzuführen. [2] Der theoretische und praktische Unterricht des letzten Ausbildungsdrittels ist am Ausbildungsziel des Absatzes 1 auszurichten.

§ 62 Überprüfung der Vorschriften über die Berufsabschlüsse in der Gesundheits- und Kinderkrankenpflege sowie in der Altenpflege.

(1) [1] Das Bundesministerium für Familie, Senioren, Frauen und Jugend und das Bundesministerium für Gesundheit ermitteln bis zum 31. Dezember 2025, welcher Anteil der Auszubildenden das Wahlrecht nach § 59 Absatz 2 einerseits und nach § 59 Absatz 3 andererseits ausgeübt hat. [2] Das Bundesministerium für Familie, Senioren, Frauen und Jugend und das Bundesministerium für Gesundheit berichten dem Deutschen Bundestag bis zum 31. Dezember 2025, welcher Anteil der Auszubildenden das Wahlrecht nach § 59 Absatz 2 einerseits und nach § 59 Absatz 3 andererseits ausgeübt hat. [3] Der Bericht soll für den Fall, dass der jeweilige Anteil geringer als 50 Prozent ist, Vorschläge zur Anpassung des Gesetzes enthalten.

(2) Die zuständigen Stellen nach § 26 Absatz 4 erheben für jedes Ausbildungsjahr zum Zweck der Evaluierung nach Absatz 1 die folgenden Angaben und übermitteln sie an das Bundesministerium für Familie, Senioren, Frauen und Jugend und das Bundesministerium für Gesundheit:

1. die Zahl der in der Ausbildung befindlichen Personen, getrennt nach Wahl des Vertiefungseinsatzes,
2. die Zahl der Personen nach § 59 Absatz 2, die das Wahlrecht ausüben,
3. die Zahl der Personen nach § 59 Absatz 3, die das Wahlrecht ausüben.

Teil 6. Anwendungs- und Übergangsvorschriften

§ 63[1)] Nichtanwendbarkeit des Berufsbildungsgesetzes[2)]. Für die Ausbildung nach diesem Gesetz findet das Berufsbildungsgesetz mit Ausnahme von § 53 Absatz 5 Satz 1 und § 54 dieses Gesetzes in Verbindung mit § 90 Absatz 3a des Berufsbildungsgesetzes und der Regelungen zur Übertragung weiterer Forschungsaufgaben nach § 90 Absatz 2 Satz 3 in Verbindung mit § 96 Absatz 2 Satz 1 des Berufsbildungsgesetzes keine Anwendung.

§ 64[3)] Fortgeltung der Berufsbezeichnung. [1]Eine Erlaubnis zum Führen der Berufsbezeichnung nach dem Krankenpflegegesetz[4)] in der am 31. Dezember 2019 geltenden Fassung oder nach dem Altenpflegegesetz[5)] in der am 31. Dezember 2019 geltenden Fassung bleibt durch dieses Gesetz unberührt. [2]Sie gilt zugleich als Erlaubnis nach § 1 Satz 1. [3]Die die Erlaubnis nach § 1 Satz 1 betreffenden Vorschriften sind entsprechend anzuwenden.

§ 64a[6)] Anspruch auf die Wahl einer anderen Berufsbezeichnung.

(1) [1]Wer die Voraussetzungen der Erlaubnis zum Führen der Berufsbezeichnung „Pflegefachfrau" oder „Pflegefachmann" erfüllt, kann statt dieser die Erlaubnis zum Führen der Berufsbezeichnung „Pflegefachperson" beantragen. [2]Die die Erlaubnis nach § 1 betreffenden Vorschriften sind entsprechend anzuwenden. [3]Ist eine Urkunde für die Erlaubnis zum Führen der Berufsbezeichnung „Pflegefachfrau" oder „Pflegefachmann" bereits ausgestellt worden, ist diese auf die neue Berufsbezeichnung abzuändern.

(2) [1]Wer die Voraussetzungen der Erlaubnis zum Führen der Berufsbezeichnung „Altenpflegerin" oder „Altenpfleger" erfüllt, kann statt dieser die Erlaubnis zum Führen der Berufsbezeichnung „Altenpflegefachperson" beantragen. [2]Die die Erlaubnis nach § 1 betreffenden Vorschriften sind entsprechend anzuwenden. [3]Ist eine Urkunde für die Erlaubnis zum Führen der Berufsbezeichnung „Altenpflegerin" oder „Altenpfleger" bereits ausgestellt worden, ist diese auf die neue Berufsbezeichnung abzuändern.

(3) [1]Wer die Voraussetzungen der Erlaubnis zum Führen der Berufsbezeichnung „Gesundheits- und Kinderkrankenpflegerin" oder „Gesundheits- und Kinderkrankenpfleger" erfüllt, kann statt dieser die Erlaubnis zum Führen der Berufsbezeichnung „Gesundheits- und Kinderkrankenpflegefachperson" beantragen. [2]Die die Erlaubnis nach § 1 betreffenden Vorschriften sind entsprechend anzuwenden. [3]Ist eine Urkunde für die Erlaubnis zum Führen der Berufsbezeichnung „Gesundheits- und Kinderkrankenpflegerin" oder „Ge-

---

1) § 63 neu gef. mWv 1.11.2025 durch G v. 28.10.2025 (BGBl. 2025 I Nr. 259).
2) Nr. **415**.
3) § 64 Sätze 2, 3 geänd. mWv 16.12.2023 durch G v. 12.12.2023 (BGBl. 2023 I Nr. 359).
4) **beck-online, Module Arbeitsrecht Nr. 416a.**
5) **beck-online, Module Arbeitsrecht Nr. 416b.**
6) § 64a eingef. mWv 16.12.2023 durch G v. 12.12.2023 (BGBl. 2023 I Nr. 359).

sundheits- und Kinderkrankenpfleger" bereits ausgestellt worden, ist diese auf die neue Berufsbezeichnung abzuändern.

(4) [1] Wer die Voraussetzungen der Erlaubnis zum Führen der Berufsbezeichnung „Gesundheits- und Krankenpflegerin" oder „Gesundheits- und Krankenpfleger" erfüllt, kann statt dieser die Erlaubnis zum Führen der Berufsbezeichnung „Gesundheits- und Krankenpflegefachperson" beantragen. [2] Die die Erlaubnis nach § 1 betreffenden Vorschriften sind entsprechend anzuwenden. [3] Ist eine Urkunde für die Erlaubnis zum Führen der Berufsbezeichnung „Gesundheits- und Krankenpflegerin" oder „Gesundheits- und Krankenpfleger" bereits ausgestellt worden, ist diese auf die neue Berufsbezeichnung abzuändern.

§ 65 Weitergeltung staatlicher Anerkennungen von Schulen; Bestandsschutz. (1) Schulen, die am 31. Dezember 2019 nach den Vorschriften des Krankenpflegegesetzes[1)] in der am 31. Dezember 2019 geltenden Fassung staatlich anerkannt sind, gelten weiterhin als staatlich anerkannt nach § 6 Absatz 2, wenn die Anerkennung nicht nach Maßgabe des Absatzes 3 widerrufen wird.

(2) Altenpflegeschulen, die am 31. Dezember 2019 nach den Vorschriften des Altenpflegegesetzes[2)] in der am 31. Dezember 2019 geltenden Fassung staatlich anerkannt sind, gelten weiterhin als staatlich anerkannt nach § 6 Absatz 2, wenn die Anerkennung nicht nach Maßgabe des Absatzes 3 widerrufen wird.

(3) [1] Staatliche Anerkennungen von Schulen nach Absatz 1 oder von Altenpflegeschulen nach Absatz 2 sind zu widerrufen, falls das Vorliegen der Voraussetzungen nach § 9 Absatz 1 und 2 nicht bis zum 31. Dezember 2029 nachgewiesen wird. [2] Am 31. Dezember 2019 bestehende staatliche Schulen nach den Vorschriften des Krankenpflegegesetzes in der am 31. Dezember 2019 geltenden Fassung oder nach den Vorschriften des Altenpflegegesetzes in der am 31. Dezember 2019 geltenden Fassung setzen die Voraussetzungen nach § 9 Absatz 1 und 2 bis zum 31. Dezember 2029 um. [3] § 9 Absatz 3 bleibt unberührt.

(4) Die Voraussetzungen des § 9 Absatz 1 Nummer 1 und 2 gelten als erfüllt, wenn als Schulleitung oder Lehrkräfte Personen eingesetzt werden, die am 31. Dezember 2019

1. eine staatliche oder staatlich anerkannte (Kinder-)Krankenpflegeschule oder eine staatliche oder staatlich anerkannte Altenpflegeschule rechtmäßig leiten,
2. als Lehrkräfte an einer staatlichen oder staatlich anerkannten (Kinder-)Krankenpflegeschule oder an einer staatlichen oder staatlich anerkannten Altenpflegeschule rechtmäßig unterrichten,
3. über die Qualifikation zur Leitung oder zur Tätigkeit als Lehrkraft an einer staatlichen oder staatlich anerkannten (Kinder-)Krankenpflegeschule oder an einer staatlichen oder staatlich anerkannten Altenpflegeschule verfügen oder
4. an einer Weiterbildung zur Leitung einer staatlichen oder staatlich anerkannten Altenpflegeschule oder zur Lehrkraft teilnehmen und diese bis zum 31. Dezember 2020 erfolgreich abschließen.

[1)] **beck-online, Module Arbeitsrecht Nr. 416a.**
[2)] **beck-online, Module Arbeitsrecht Nr. 416b.**

§ 66[1] **Übergangsvorschriften für begonnene Ausbildungen nach dem Krankenpflegegesetz**[2] **oder dem Altenpflegegesetz**[3]**.** (1) [1]Eine Ausbildung

1. zur Gesundheits- und Krankenpflegerin oder zum Gesundheits- und Krankenpfleger oder
2. zur Gesundheits- und Kinderkrankenpflegerin oder zum Gesundheits- und Kinderkrankenpfleger,

die vor Ablauf des 31. Dezember 2019 begonnen wurde, kann bis zum 31. Dezember 2024 auf der Grundlage der Vorschriften des Krankenpflegegesetzes in der am 31. Dezember 2019 geltenden Fassung abgeschlossen werden. [2]Nach Abschluss der Ausbildung erhält die antragstellende Person, wenn die Voraussetzungen des § 2 Nummer 2 bis 4 vorliegen, die Erlaubnis, die Berufsbezeichnung „Gesundheits- und Krankenpflegerin" oder „Gesundheits- und Krankenpfleger" oder die Bezeichnung „Gesundheits- und Kinderkrankenpflegerin" oder „Gesundheits- und Kinderkrankenpfleger" zu führen. [3]Die Möglichkeit der Überleitung einer vor Außerkrafttreten des Krankenpflegegesetzes nach den Vorschriften des Krankenpflegegesetzes begonnenen Ausbildung in die neue Pflegeausbildung nach Teil 2 bleibt hiervon unberührt; das Nähere regeln die Länder.

(2) [1]Eine Ausbildung zur Altenpflegerin oder zum Altenpfleger, die vor Ablauf des 31. Dezember 2019 begonnen wurde, kann bis zum 31. Dezember 2024 auf der Grundlage der Vorschriften des Altenpflegegesetzes, einschließlich der darin enthaltenen Kostenregelungen, in der am 31. Dezember 2019 geltenden Fassung abgeschlossen werden. [2]Nach Abschluss der Ausbildung erhält die antragstellende Person, wenn die Voraussetzungen des § 2 Nummer 2 bis 4 vorliegen, die Erlaubnis, die Berufsbezeichnung „Altenpflegerin" oder „Altenpfleger" zu führen. [3]Die Möglichkeit der Überleitung einer vor Außerkrafttreten des Altenpflegegesetzes nach den Vorschriften des Altenpflegegesetzes begonnenen Ausbildung in die neue Pflegeausbildung nach Teil 2 bleibt hiervon unberührt; das Nähere regeln die Länder.

(3) Für die Finanzierung der Ausbildung nach Absatz 1 Satz 1 gilt § 17a des Krankenhausfinanzierungsgesetzes[4] in der am 31. Dezember 2018 geltenden Fassung.

§ 66a[5] **Übergangsvorschrift für die Anerkennung ausländischer Berufsabschlüsse.** (1) Die Entscheidung über einen Antrag auf Anerkennung einer außerhalb des Geltungsbereichs dieses Gesetzes und außerhalb eines Mitgliedstaates der Europäischen Union oder eines anderen Vertragsstaates des Abkommens über den Europäischen Wirtschaftsraum oder der Schweiz erworbenen abgeschlossenen Berufsausbildung kann noch bis zum 31. Dezember 2024 auf der Grundlage der Vorschriften des Krankenpflegegesetzes[2] in der am 31. Dezember 2019 geltenden Fassung oder auf der Grundlage der Vorschriften des Altenpflegegesetzes[3] in der am 31. Dezember 2019 geltenden Fassung getroffen werden.

---

[1] Inkrafttreten gem. Art. 15 Abs. 2 G v. 17.7.2017 (BGBl. I S. 2581) am 1.1.2019.

[2] **beck-online, Module Arbeitsrecht Nr. 416a.**

[3] **beck-online, Module Arbeitsrecht Nr. 416b.**

[4] **Aichberger, SGB Nr. 5/20.**

[5] § 66a eingef. mWv 1.1.2020 durch G v. 13.1.2020 (BGBl. I S. 66); Abs. 2 geänd. mWv 16.12. 2023 durch G v. 12.12.2023 (BGBl. 2023 I Nr. 359).

(2) Für Entscheidungen über einen Antrag auf Anerkennung einer in einem anderen Mitgliedstaat der Europäischen Union oder einem anderen Vertragsstaat des Abkommens über den Europäischen Wirtschaftsraum oder der Schweiz erworbenen oder anerkannten abgeschlossenen Berufsausbildung gilt Absatz 1 entsprechend, soweit nicht die Voraussetzungen nach § 41 Absatz 1 erfüllt sind.

§ 66b[1] Übergangsvorschriften und Zahlung einer Vergütung für begonnene hochschulische Pflegeausbildungen nach Teil 3 dieses Gesetzes in der am 31. Dezember 2023 geltenden Fassung. (1) Eine hochschulische Pflegeausbildung, die auf Grundlage von Teil 3 dieses Gesetzes in der am 31. Dezember 2023 geltenden Fassung begonnen wurde, kann bis zum 31. Dezember 2028 auf dieser Grundlage abgeschlossen werden.

(2) [1] Eine studierende Person, die eine hochschulische Pflegeausbildung auf Grundlage von Teil 3 dieses Gesetzes in der am 31. Dezember 2023 geltenden Fassung begonnen hat und gemäß Absatz 1 fortsetzt, hat gegenüber der Einrichtung nach § 7 Absatz 1, bei der der überwiegende Teil ihrer Praxiseinsätze stattfindet, einen Anspruch auf Abschluss eines Vertrages in Textform für die sich aus dem akkreditierten Studiengangskonzept ergebende weitere Dauer der hochschulischen Pflegeausbildung. [2] Durch den Vertrag wird die Einrichtung nach Satz 1 zur Zahlung einer angemessenen Vergütung an die studierende Person verpflichtet.

(3) [1] Der Vertrag nach Absatz 2 muss mindestens Folgendes enthalten:

1. den Beginn des Vertragsverhältnisses und den Zeitpunkt, zu dem das Vertragsverhältnis endet,
2. Vereinbarungen über Zahlung und Höhe einer angemessenen Vergütung für die gesamte weitere Dauer der hochschulischen Pflegeausbildung einschließlich des Umfangs etwaiger Sachbezüge,
3. die Voraussetzungen, unter denen der Vertrag gekündigt werden kann, einschließlich eines Hinweises auf die Möglichkeit der Vertragsverlängerung entsprechend § 21 Absatz 2,
4. einen in allgemeiner Form gehaltenen Hinweis auf die dem Vertrag gegebenenfalls zugrunde liegenden tariflichen Bestimmungen, Betriebs- oder Dienstvereinbarungen.

[2] § 16 Absatz 3 bis 5, § 17, auch in Verbindung mit § 37 Absatz 3, § 19 Absatz 2 und 3 sowie die §§ 21 bis 25 gelten entsprechend. [3] Studierende Personen nach Absatz 2 stehen den zur Berufsausbildung Beschäftigten im Sinne sozialversicherungsrechtlicher Bestimmungen gleich.

(4) Die durch die Zahlung einer nach Absatz 2 Satz 2 vertraglich vereinbarten Vergütung entstehenden Kosten der Einrichtung nach § 7 Absatz 1, bei der der überwiegende Teil der Praxiseinsätze der studierenden Person stattfindet, werden im Finanzierungsverfahren nach § 39a berücksichtigt.

§ 66c[2] Übergangsvorschrift für begonnene hochschulische Pflegeausbildungen nach Teil 3 dieses Gesetzes in der am 31. Dezember 2024 geltenden Fassung. Eine hochschulische Pflegeausbildung, die auf Grundlage

[1] § 66b eingef. mWv *1.1.2024* durch G v. 12.12.2023 (BGBl. 2023 I Nr. 359); Abs. 2 Satz 1 geänd. mWv 1.11.2025 durch G v. 28.10.2025 (BGBl. 2025 I Nr. 259).
[2] § 66c neu gef. mWv 1.1.2025 durch G v. 12.12.2023 (BGBl. 2023 I Nr. 359).

von Teil 3 dieses Gesetzes in der am 31. Dezember 2024 geltenden Fassung begonnen wurde, kann bis zum 31. Dezember 2029 auf dieser Grundlage abgeschlossen werden.

§ 66d[1] Überleitung von begonnenen hochschulischen Pflegeausbildungen nach Teil 3 dieses Gesetzes in der am 31. Dezember 2023 oder in der am 31. Dezember 2024 geltenden Fassung. [1] Die Möglichkeit der Überleitung bereits auf Grundlage von Teil 3 dieses Gesetzes in der am 31. Dezember 2023 oder in der am 31. Dezember 2024 geltenden Fassung begonnener hochschulischer Pflegeausbildungen in eine hochschulische Pflegeausbildung auf Grundlage von Teil 3 dieses Gesetzes in der geltenden Fassung bleibt unberührt. [2] Das Nähere regeln die Länder.

§ 66e[2] Übergangsvorschrift für Personen, die bereits über eine Erlaubnis zum Führen der Berufsbezeichnung nach § 1 Satz 2 verfügen.

[1] Personen, die bereits über eine Erlaubnis zum Führen der Berufsbezeichnung nach § 1 Satz 2 verfügen, können die Kompetenzen nach § 37 Absatz 2 Satz 2 ebenfalls erwerben. [2] Für den gesonderten Erwerb der Kompetenzen nach § 37 Absatz 2 Satz 2 finden die Vorschriften von Teil 3 dieses Gesetzes in der geltenden Fassung entsprechende Anwendung. [3] Die gesondert erworbenen Kompetenzen werden zum Ende des Studienangebots staatlich geprüft.

§ 67 Kooperationen von Hochschulen und Pflegeschulen. (1) [1] Bestehende Kooperationen von Hochschulen mit Schulen auf der Grundlage von § 4 Absatz 6 des Krankenpflegegesetzes[3] oder mit Altenpflegeschulen auf der Grundlage von § 4 Absatz 6 des Altenpflegegesetzes[4] können auf Antrag zur Durchführung der hochschulischen Pflegeausbildung nach Teil 3 bis zum 31. Dezember 2031 fortgeführt werden. [2] Kooperiert die Hochschule bei den Lehrveranstaltungen mit einer Schule nach Satz 1, stellt sie sicher, dass die Ausbildungsziele erreicht werden. [3] Eine Kooperation kann nur erfolgen, wenn der Anteil der Lehrveranstaltungen an der Hochschule deutlich überwiegt. [4] Die Schule nach Satz 1 kann die Praxisbegleitung anteilig übernehmen.

(2) Neue Kooperationen von Hochschulen und Pflegeschulen können auf Antrag unter Beachtung der weiteren Maßgaben des Absatzes 1 zugelassen werden, soweit dies zur Förderung der hochschulischen Pflegeausbildung nach Teil 3 erforderlich ist.

§ 68 Evaluierung[5]. (1) Das Bundesministerium für Familie, Senioren, Frauen und Jugend und das Bundesministerium für Gesundheit evaluieren bis zum 31. Dezember 2027 die Wirkung des § 11 Absatz 1 Nummer 3 auf wissenschaftlicher Grundlage.

(2) Das Bundesministerium für Familie, Senioren, Frauen und Jugend und das Bundesministerium für Gesundheit evaluieren bis zum 31. Dezember 2029 die Wirkung der §§ 53 und 54 auf wissenschaftlicher Grundlage.

(3) Das Bundesministerium für Familie, Senioren, Frauen und Jugend und das Bundesministerium für Gesundheit überprüfen bis zum 31. Dezember 2029

---

[1] § 66d eingef. mWv 1.1.2025 durch G v. 12.12.2023 (BGBl. 2023 I Nr. 359).
[2] § 66e neu gef. mWv 1.1.2026 durch G v. 22.12.2025 (BGBl. 2025 I Nr. 371).
[3] **beck-online, Module Arbeitsrecht Nr. 416a.**
[4] **beck-online, Module Arbeitsrecht Nr. 416b.**
[5] § 68 Abs. 1 und Abs. 4 geänd. mWv 1.11.2025 durch G v. 28.10.2025 (BGBl. 2025 I Nr. 259).

die Wirkung des § 67 auf wissenschaftlicher Grundlage im Rahmen einer umfassenden Evaluierung der hochschulischen Ausbildung.

(4) Das Bundesministerium für Familie, Senioren, Frauen und Jugend und das Bundesministerium für Gesundheit evaluieren bis zum 31. Dezember 2029 die Wirkungen des Teils 2 Abschnitt 3 auf wissenschaftlicher Grundlage.

418. Gesetz zur Förderung der beruflichen Aufstiegsfortbildung (Aufstiegsfortbildungsförderungsgesetz – AFBG)

In der Fassung der Bekanntmachung vom 12. August 2020[1)]
(BGBl. I S. 1936)

FNA 2212-4

zuletzt geänd. durch Art. 15 G zur Stärkung der Aus- und Weiterbildungsförderung v. 17.7.2023 (BGBl. 2023 I Nr. 191)

Erster Abschnitt. Förderungsfähige Maßnahmen

§ 1 Ziel der Förderung. [1] Ziel der individuellen Förderung nach diesem Gesetz ist es, Teilnehmerinnen und Teilnehmern an Maßnahmen der beruflichen Aufstiegsfortbildung durch Beiträge zu den Kosten der Maßnahme und zum Lebensunterhalt finanziell zu unterstützen. [2] Leistungen zum Lebensunterhalt werden gewährt, soweit die dafür erforderlichen Mittel anderweitig nicht zur Verfügung stehen.

§ 2 Anforderungen an förderfähige Maßnahmen beruflicher Aufstiegsfortbildungen. (1) [1] Förderfähig ist die Teilnahme an Fortbildungsmaßnahmen öffentlicher und privater Träger, die in einer fachlichen Richtung gezielt auf folgende Fortbildungsziele vorbereiten:

1. Fortbildungsabschlüsse zu öffentlich-rechtlich geregelten Prüfungen auf der Grundlage
   a) der §§ 53 bis 53d und 54 des Berufsbildungsgesetzes,
   b) der §§ 42 bis 42d, 42f, 45 und 51a der Handwerksordnung oder
   c) der nach § 122 Absatz 2 bis 4 der Handwerksordnung weiter anzuwendenden Prüfungsregelungen,
2. gleichwertige Fortbildungsabschlüsse nach bundes- oder landesrechtlichen Regelungen oder
3. gleichwertige Fortbildungsabschlüsse an anerkannten Ergänzungsschulen auf der Grundlage staatlich genehmigter Prüfungsordnungen.

[2] Liegen keine bundes- oder landesrechtlichen Regelungen vor, ist auch die Teilnahme an Fortbildungsmaßnahmen förderfähig, die auf gleichwertige Fortbildungsabschlüsse nach den Weiterbildungsempfehlungen der Deutschen Krankenhausgesellschaft vorbereiten.

(2) [1] Maßnahmen, deren Durchführung nicht öffentlich-rechtlichen Vorschriften unterliegt, müssen nach der Dauer der Maßnahme, der Gestaltung des Lehrplans, den Unterrichtsmethoden, der Ausbildung und Berufserfahrung der Lehrkräfte und den Lehrgangsbedingungen eine erfolgreiche berufliche Fortbildung erwarten lassen. [2] Dies wird in der Regel angenommen, sofern keine Umstände vorliegen, die der Eignung der Maßnahme zur Vorbereitung auf die Abschlussprüfung nach Absatz 1 entgegenstehen.

[1)] Neubekanntmachung des AFBG idF v. 15.6.2016 (BGBl. I S. 1450) in der ab 1.8.2020 geltenden Fassung

(3) [1] Maßnahmen sind förderfähig

1. in Vollzeitform, wenn
   a) sie mindestens 400 Unterrichtsstunden umfassen (Mindestdauer),
   b) sie innerhalb von 36 Kalendermonaten abgeschlossen werden (maximaler Vollzeit-Zeitrahmen) und
   c) in der Regel in jeder Woche an vier Werktagen mindestens 25 Unterrichtsstunden stattfinden (Vollzeit-Fortbildungsdichte);
2. in Teilzeitform, wenn
   a) sie mindestens 400 Unterrichtsstunden umfassen (Mindestdauer),
   b) sie innerhalb von 48 Kalendermonaten abgeschlossen werden (maximaler Teilzeit-Zeitrahmen) und
   c) im Durchschnitt mindestens 18 Unterrichtsstunden je Monat stattfinden (Teilzeit-Fortbildungsdichte).

[2] Abweichend von Satz 1 Nummer 2 Buchstabe a und b sind Maßnahmen, die auf Fortbildungsabschlüsse zu öffentlich-rechtlich geregelten Prüfungen auf Grundlage des § 53b des Berufsbildungsgesetzes oder des § 42b der Handwerksordnung sowie auf gleichwertige Fortbildungsabschlüsse vorbereiten, in Teilzeitform förderfähig, wenn sie mindestens 200 Unterrichtsstunden umfassen und innerhalb von 36 Kalendermonaten abgeschlossen werden.

(4) [1] Jeweils 45 Minuten einer Lehrveranstaltung gelten als Unterrichtsstunde. [2] Förderfähige Unterrichtsstunden sind physische und virtuelle Präsenzlehrveranstaltungen, deren Inhalte in der Prüfungsregelung verbindlich vorgegeben sind. [3] In förderfähigen Unterrichtsstunden müssen die nach den Fortbildungsregelungen und Lehrplänen vorgesehenen beruflichen Fertigkeiten, Kenntnisse und Fähigkeiten durch hierzu qualifizierte Lehrkräfte planmäßig geordnet vermittelt werden. [4] Förderfähig ist nur die für das Erreichen des jeweiligen Fortbildungsziels angemessene Anzahl von Unterrichtsstunden. [5] Zusätzlich werden die im Lehrplan des Bildungsträgers verbindlich vorgesehenen Klausurenkurse und Prüfungssimulationen mit bis zu 10 Prozent der nach diesem Gesetz förderfähigen Gesamtstunden der Unterrichtsstunden, höchstens aber 50 Stunden, als förderfähig anerkannt.

(5) [1] Die Maßnahmen können aus mehreren selbstständigen Abschnitten (Maßnahmeabschnitte) bestehen. [2] Ein Maßnahmeabschnitt liegt insbesondere dann vor, wenn er auf eine eigenständige Prüfung vorbereitet oder mit seinem Ende eine verbindliche Versetzungsentscheidung erfolgt. [3] Besteht eine Maßnahme aus mehreren Maßnahmeabschnitten, müssen innerhalb des jeweiligen maximalen Zeitrahmens alle Maßnahmeabschnitte der Lehrgangskonzeption abgeschlossen sein. [4] § 11 Absatz 2 gilt entsprechend. [5] Die Fortbildungsdichte wird für jeden Maßnahmeabschnitt gesondert bestimmt.

(6) [1] Bei vollzeitschulischen Maßnahmen, die mindestens zwei Fachschuljahre umfassen, ist die Vollzeit-Fortbildungsdichte auch dann erreicht, wenn in 70 Prozent der Wochen eines Maßnahmeabschnitts an vier Werktagen mindestens 25 Unterrichtsstunden stattfinden. [2] Ferienwochen zusammenhängender Ferienabschnitte mit mindestens zwei Ferientagen bleiben bei vollzeitschulischen Maßnahmen außer Betracht.

(7) Individuelle Verkürzungen der Maßnahme durch Anrechnung bereits absolvierter Aus- oder Fortbildungen bleiben außer Betracht.

(8) Die Absätze 3 bis 7 gelten auch für den von dem Teilnehmer oder der Teilnehmerin gewählten Lehrgangsablauf.

§ 2a Anforderungen an Träger der Maßnahmen. [1]Der Träger muss für die Durchführung der Fortbildungsmaßnahme geeignet sein. [2]Die Eignung liegt vor, wenn es sich um einen öffentlichen Träger oder eine Einrichtung handelt, die unter staatlicher Aufsicht steht oder staatlich anerkannt ist, oder durch ein Zertifikat nachgewiesen wird, dass der Träger oder die Einrichtung

1. nach der Akkreditierungs- und Zulassungsverordnung Arbeitsförderung vom 2. April 2012 (BGBl. I S. 504) anerkannt worden ist oder
2. ein System zur Sicherung der Qualität anwendet und

auch im Übrigen keine Umstände vorliegen, die der Eignung des Trägers oder der Einrichtung entgegenstehen.

§ 3[1)] Ausschluss der Förderung. [1]Die Teilnahme an einer Maßnahme wird nach diesem Gesetz nicht gefördert, wenn

1. für den beantragten Bewilligungszeitraum bereits Leistungen nach dem Bundesausbildungsförderungsgesetz bewilligt worden sind, es sei denn, der Teilnehmer oder die Teilnehmerin hat für den Bewilligungszeitraum noch keine Leistungen nach dem Bundesausbildungsförderungsgesetz erhalten und hat für diesen Bewilligungszeitraum auf Leistungen nach dem Bundesausbildungsförderungsgesetz verzichtet,
2. für sie Arbeitslosengeld bei beruflicher Weiterbildung nach dem Dritten Buch Sozialgesetzbuch oder nach § 6 Absatz 1 des Beruflichen Rehabilitierungsgesetzes geleistet wird,
3. Arbeitslosengeld bei Arbeitslosigkeit nach dem Dritten Buch Sozialgesetzbuch geleistet wird und es sich um eine Maßnahme in Vollzeitform handelt,
4. ein Gründungszuschuss nach den §§ 93 und 94 des Dritten Buches Sozialgesetzbuch geleistet wird und es sich um eine Maßnahme in Vollzeitform handelt ***[bis 31.3.2024:*** oder***][ab 1.4.2024:,]***
5. Leistungen zur Rehabilitation nach den für einen Rehabilitationsträger im Sinne des Neunten Buches Sozialgesetzbuch geltenden Vorschriften erbracht werden ***[bis 31.3.2024:.][ab 1.4.2024: oder]***

[Nr. 6 ab 1.4.2024:]

6. Qualifizierungsgeld nach dem Dritten Buch Sozialgesetzbuch geleistet wird.

[2]Der Anspruch auf Förderung nach diesem Gesetz ist auf die Leistungen zum Lebensunterhalt beschränkt, wenn die Kosten der Maßnahme nach dem Dritten Buch Sozialgesetzbuch für Personen ohne Vorbeschäftigungszeit übernommen werden.

§ 4 Fernunterrichtslehrgänge. [1]Förderung als Teilzeitmaßnahme wird für die Teilnahme an einem Fernunterrichtslehrgang geleistet, wenn der Lehrgang nach § 12 des Fernunterrichtsschutzgesetzes zugelassen ist oder, ohne unter die Bestimmungen des Fernunterrichtsschutzgesetzes zu fallen, von einem öffentlich-rechtlichen Träger veranstaltet wird und die Voraussetzungen des § 2 erfüllt werden. [2]Die Mindestdauer nach § 2 Absatz 3 und die Förderungshöchstdauer

[1)] § 3 Satz 1 Nr. 4 und 5 geänd., Nr. 6 angef. mWv 1.4.2024 durch G v. 17.7.2023 (BGBl. 2023 I Nr. 191).

nach § 11 Absatz 1 und 2 sind nach der Anzahl der durchschnittlich für die Bearbeitung der Fernlehrbriefe benötigten Zeitstunden und der Anzahl der für Präsenzphasen vorgesehenen Unterrichtsstunden zu bemessen.

§ 4a Mediengestützte Lehrgänge. (1) Eine Maßnahme, die teilweise unter Einsatz mediengestützter Kommunikation durchgeführt wird und die nicht als Fernunterricht nach § 12 des Fernunterrichtsschutzgesetzes zulassungspflichtig ist, wird gefördert, wenn sie durch Präsenzunterricht ergänzt wird und regelmäßige Leistungskontrollen durchgeführt werden.

(2) Zu mediengestützter Kommunikation zählen Unterrichtsformen, die auf einer Online-Lernplattform durchgeführt werden und bei denen der Lernprozess von der Lehrkraft aktiv gesteuert und der Lernfortschritt regelmäßig von ihr kontrolliert wird.

(3) Die Mindestdauer nach § 2 Absatz 3 und die Förderungshöchstdauer nach § 11 Absatz 1 und 2 bemessen sich bei diesen Maßnahmen nach der Anzahl der Unterrichtsstunden, die für den Präsenzunterricht vorgesehen sind, zuzüglich der Anzahl der Stunden, die für die mediengestützte Kommunikation vorgesehen sind.

§ 5 Fortbildung im In- und Ausland. (1) Förderfähig ist vorbehaltlich des Absatzes 2 die Teilnahme an Maßnahmen, die im Inland durchgeführt werden.

(2) Die Teilnahme an Maßnahmen, die vollständig oder teilweise in anderen Mitgliedstaaten der Europäischen Union durchgeführt werden, wird gefördert, wenn sie auf der Grundlage von Vereinbarungen der in den jeweiligen Mitgliedstaaten für die Fortbildungsprüfungen zuständigen Stellen durchgeführt wird.

§ 6 Förderfähige Fortbildung, Fortbildungsplan. (1) Förderung wird für die gezielte Vorbereitung auf Fortbildungsziele im Sinne von § 2 Absatz 1 und für die Teilnahme an Maßnahmen im Sinne dieses Gesetzes geleistet.

(2) [1] Wurde bereits ein Fortbildungsziel im Sinne von § 2 Absatz 1 gefördert, so wird die Vorbereitung auf ein weiteres Fortbildungsziel im Sinne von § 2 Absatz 1 gefördert, wenn das angestrebte Fortbildungsziel auf dem bereits erreichten Fortbildungsziel aufbaut. [2] Dies ist insbesondere dann gegeben, wenn ein Fortbildungsziel auf der nächsten Fortbildungsstufe im Sinne des § 53a des Berufsbildungsgesetzes oder des § 42a der Handwerksordnung angestrebt wird.

(3) [1] Abweichend von Absatz 2 kann die Vorbereitung auf ein weiteres Fortbildungsziel auch dann gefördert werden, wenn besondere Umstände des Einzelfalls dies rechtfertigen. [2] Besondere Umstände sind insbesondere dann gegeben, wenn ein wichtiger Grund der Ausübung desjenigen Berufs entgegensteht, zu dem die zuletzt nach diesem Gesetz geförderte Fortbildung qualifiziert hat, oder wenn das weitere Fortbildungsziel für die Berufsausübung in fachlicher Hinsicht erforderlich ist.

(4) [1] Besteht eine Maßnahme aus mehreren Maßnahmeabschnitten, so sind diese im ersten Förderantrag in einem Fortbildungsplan anzugeben. [2] In den Fällen des Satzes 1 umfasst die Förderung vorbehaltlich des § 2 Absatz 3 alle Maßnahmeabschnitte, die als Teile der im Fortbildungsplan genannten Fortbildungsprüfung anerkannt werden. [3] Es können auch Maßnahmeabschnitte, die mit einer eigenständigen Fortbildungsprüfung abschließen, gefördert werden, wenn sie zugleich zur Befreiung von einem oder mehreren Teilen der im

Fortbildungsplan genannten Fortbildungsprüfung eines übergeordneten Fortbildungsziels führen.

(5) Die Teilnahme an einem Maßnahmeabschnitt, der von dem Fortbildungsplan abweicht, wird nur gefördert, wenn der Maßnahmeabschnitt

1. inhaltlich einem im Fortbildungsplan angegebenen Maßnahmeabschnitt entspricht oder
2. einen im Fortbildungsplan angegebenen Maßnahmeabschnitt, der nicht mehr angeboten wird, weitgehend ersetzt

und die geänderte Gesamtmaßnahme weiterhin die Fördervoraussetzungen des § 2 Absatz 3 erfüllt und die Förderungshöchstdauer nach § 11 Absatz 1 und 2 nicht überschritten wird.

§ 7 Kündigung, Abbruch, Unterbrechung und Wiederholung.

(1) Abweichend von § 11 Absatz 3 Satz 2 endet die Förderung, wenn die Maßnahme vor dem Ablauf der vertraglichen Dauer vom Teilnehmer oder der Teilnehmerin abgebrochen oder vom Träger gekündigt wurde.

(2) Wird nach einem Abbruch aus wichtigem Grund oder nach einer Kündigung des Trägers, die der Teilnehmer oder die Teilnehmerin nicht zu vertreten hat, eine Maßnahme mit demselben Fortbildungsziel unverzüglich nach Wegfall des wichtigen Grundes oder der Beendigung der Maßnahme infolge der Kündigung wieder aufgenommen, wird der Teilnehmer oder die Teilnehmerin hierfür erneut gefördert.

(3) Förderung für eine Maßnahme, die auf ein anderes Fortbildungsziel vorbereitet, wird geleistet, wenn für die Aufgabe des früheren Fortbildungsziels ein wichtiger Grund maßgebend war.

(3a) [1] Nach Unterbrechung einer Maßnahme wegen Krankheit, Schwangerschaft oder aus anderem wichtigen Grund wird die Förderung bei Wiederaufnahme fortgesetzt. [2] Während der Unterbrechungsphase besteht vorbehaltlich Absatz 4 Satz 1 kein Anspruch auf Förderung.

(4) [1] Solange die Teilnahme an der Maßnahme wegen Krankheit oder Schwangerschaft unterbrochen wird, wird die Förderung bei Krankheit bis zu drei Monate und bei Schwangerschaft bis zu vier Monate weitergeleistet. [2] Solange die Fortsetzung einer Maßnahme durch von dem Teilnehmer oder der Teilnehmerin nicht zu vertretende Wartezeiten, die acht Wochen überschreiten, nicht möglich ist, gilt die Maßnahme als unterbrochen.

(4a) [1] Der Abbruch oder die Unterbrechung einer Maßnahme aus wichtigem Grund bedürfen der ausdrücklichen Erklärung. [2] Die Erklärung wirkt nur insoweit auf einen vor dem Eingang bei der zuständigen Behörde liegenden Zeitpunkt zurück, wie sie ohne schuldhaftes Zögern erfolgt ist.

(5) Die Wiederholung einer gesamten Maßnahme wird nur einmal gefördert, wenn

1. die besonderen Umstände des Einzelfalles dies rechtfertigen und
2. eine zumutbare Möglichkeit nicht besteht, Fortbildungsstoff im Rahmen einer Verlängerung der Förderungshöchstdauer nach § 11 Absatz 2 Satz 1 nachzuholen.

(6) In den Fällen der Absätze 2 und 5 sollen bereits absolvierte Maßnahmeabschnitte berücksichtigt werden.

(7) Die Absätze 1, 2, 4, 4a und 5 gelten für Maßnahmeabschnitte entsprechend.

(8) Wechselt der Teilnehmer oder die Teilnehmerin unter Beibehaltung des früheren Fortbildungsziels die Fortbildungsstätte, so gelten die Absätze 5 bis 7 entsprechend.

Zweiter Abschnitt. Persönliche Voraussetzungen

§ 8[1)] Staatsangehörigkeit. (1) Förderung wird geleistet

1. Deutschen im Sinne des Grundgesetzes,
2. Unionsbürgern, die ein Recht auf Daueraufenthalt im Sinne des Freizügigkeitsgesetzes/EU besitzen, sowie anderen Ausländern, die eine Niederlassungserlaubnis oder eine Erlaubnis zum Daueraufenthalt nach dem Aufenthaltsgesetz besitzen,
3. Ehegatten, Lebenspartnern und Kindern von Unionsbürgern, die unter den Voraussetzungen des § 3 Absatz 1 und 3 des Freizügigkeitsgesetzes/EU gemeinschaftsrechtlich freizügigkeitsberechtigt sind oder denen diese Rechte als Kinder nur deshalb nicht zustehen, weil sie 21 Jahre oder älter sind und von ihren Eltern oder deren Ehegatten oder Lebenspartnern keinen Unterhalt erhalten,
4. Unionsbürgern, die Ehegatte, Lebenspartner oder Kind eines Deutschen oder einer Deutschen sind, unter den Voraussetzungen des § 2 Absatz 2 des Freizügigkeitsgesetzes/EU freizügigkeitsberechtigt sind und ihren ständigen Wohnsitz im Inland haben,
5. Unionsbürgern, die vor dem Beginn der Fortbildung im Inland in einem Beschäftigungsverhältnis gestanden haben, dessen Gegenstand mit dem der Fortbildung in inhaltlichem Zusammenhang steht,
6. Staatsangehörigen eines anderen Vertragsstaates des Abkommens über den Europäischen Wirtschaftsraum unter den Voraussetzungen der Nummern 2 bis 5,
7. Ausländern, die ihren gewöhnlichen Aufenthalt im Inland haben und die außerhalb des Bundesgebiets als Flüchtlinge im Sinne des Abkommens über die Rechtsstellung der Flüchtlinge vom 28. Juli 1951 (BGBl. 1953 II S. 559) anerkannt und im Gebiet der Bundesrepublik Deutschland nicht nur vorübergehend zum Aufenthalt berechtigt sind,
8. heimatlosen Ausländern im Sinne des Gesetzes über die Rechtsstellung heimatloser Ausländer im Bundesgebiet in der im Bundesgesetzblatt Teil III, Gliederungsnummer 243-1, veröffentlichten bereinigten Fassung, zuletzt geändert durch Artikel 7 des Gesetzes vom 30. Juli 2004 (BGBl. I S. 1950).

(2) Anderen Ausländern wird Förderung geleistet, wenn sie ihren ständigen Wohnsitz im Inland haben und

1. eine Aufenthaltserlaubnis nach den §§ 22, 23 Absatz 1, 2 oder 4, den §§ 23a, 25 Absatz 1 oder 2, den §§ 25a, 25b, 28, 37, 38 Absatz 1 Nummer 2, den §§ 104a, 104c oder als Ehegatte, Lebenspartner oder Kind eines Ausländers mit Niederlassungserlaubnis eine Aufenthaltserlaubnis nach § 30 oder den §§ 32 bis 34 des Aufenthaltsgesetzes besitzen,

---

[1)] § 8 Abs. 1 Nr. 3 geänd. mWv 24.11.2020 durch G v. 12.11.2020 (BGBl. I S. 2416); Abs. 2 Nr. 1 geänd. mWv 28.12.2022 durch G v. 19.12.2022 (BGBl. I S. 2632).

2. eine Aufenthaltserlaubnis nach § 25 Absatz 3, 4 Satz 2 oder Absatz 5, § 31 des Aufenthaltsgesetzes oder als Ehegatte, Lebenspartner oder Kind eines Ausländers mit Aufenthaltserlaubnis eine Aufenthaltserlaubnis nach § 30, den §§ 32 bis 34 oder § 36a des Aufenthaltsgesetzes besitzen und sich seit mindestens 15 Monaten in Deutschland ununterbrochen rechtmäßig, gestattet oder geduldet aufhalten.

(2a) Geduldeten Ausländern (§ 60a des Aufenthaltsgesetzes), die ihren ständigen Wohnsitz im Inland haben, wird Förderung geleistet, wenn sie sich seit mindestens 15 Monaten ununterbrochen rechtmäßig, gestattet oder geduldet im Bundesgebiet aufhalten.

(3) [1] Im Übrigen wird Ausländern Förderung geleistet, wenn sie selbst sich vor Beginn der Maßnahme insgesamt drei Jahre im Inland

1. aufgehalten haben und
2. rechtmäßig erwerbstätig waren.

[2] Als Erwerbstätigkeit gilt auch die Zeit in einem Berufsausbildungsverhältnis in einem nach dem Berufsbildungsgesetz und der Handwerksordnung anerkannten Ausbildungsberuf oder einem vergleichbaren Berufsausbildungsverhältnis.

(4) Teilnehmer, die nach Absatz 1 oder 2 als Ehegatten oder Lebenspartner persönlich förderungsberechtigt sind, verlieren den Anspruch auf Förderung nicht dadurch, dass sie dauernd getrennt leben oder die Ehe oder Lebenspartnerschaft aufgelöst worden ist, wenn sie sich weiterhin rechtmäßig in Deutschland aufhalten.

(5) Rechts- und Verwaltungsvorschriften, nach denen anderen Ausländern Förderung zu leisten ist, bleiben unberührt.

§ 9 Vorqualifikation der Teilnehmer und Teilnehmerinnen. (1) Der Teilnehmer oder die Teilnehmerin muss vor Beginn der Maßnahme über die nach der jeweiligen Fortbildungsordnung für die Prüfungszulassung erforderliche berufliche Vorqualifikation verfügen.

(2) [1] Förderung wird auch geleistet, wenn ein Abschluss, der für die Zulassung zur Prüfung nach der jeweiligen Fortbildungsordnung erforderlich ist, im Rahmen eines strukturierten, von der zuständigen Prüfstelle anerkannten Programmes bis zum letzten Unterrichtstag einer im Übrigen förderfähigen Maßnahme erworben werden soll. [2] Besteht die Maßnahme aus mehreren Maßnahmeabschnitten, muss der Abschluss bis zum letzten Unterrichtstag des ersten Maßnahmeabschnitts erworben werden. [3] Es genügt bei mehreren Maßnahmeabschnitten der Erwerb vor Beginn des zweiten Maßnahmeabschnitts, wenn der erforderliche Abschluss durch die Prüfung über den ersten Maßnahmeabschnitt erworben wird. [4] Ein Abschluss im Sinne des Satzes 1 ist:

1. ein Abschluss in einem nach § 4 des Berufsbildungsgesetzes oder nach § 25 der Handwerksordnung anerkannten Ausbildungsberuf oder in einem vergleichbaren bundes- oder landesrechtlich geregelten Beruf oder
2. ein Fortbildungsabschluss im Sinne des § 2 Absatz 1.

[5] Die Förderung wird hinsichtlich des nach Satz 1 zu erwerbenden Abschlusses unter dem Vorbehalt der Einstellung und Rückforderung geleistet. [6] Vor dem Erwerb eines für die Prüfungszulassung erforderlichen Abschlusses nach Satz 4 Nummer 1 ist eine Förderung mit einem Unterhaltsbeitrag nach § 10 Absatz 2 ausgeschlossen.

(3) Förderung wird auch geleistet, wenn die Berufspraxis, die für die Prüfungszulassung zusätzlich zu einem Abschluss erforderlich ist, noch bis zum letzten Unterrichtstag der Maßnahme erworben werden kann und die konkrete Möglichkeit hierzu nachgewiesen wird.

(4) [1] Förderung wird auch geleistet, wenn der Teilnehmer oder die Teilnehmerin bei Antragstellung als höchsten Hochschulabschluss bereits über einen Bachelorabschluss oder einen diesem vergleichbaren Hochschulabschluss verfügt. [2] Förderung wird nicht geleistet, wenn der Teilnehmer oder die Teilnehmerin bereits einen staatlichen oder staatlich anerkannten höheren Hochschulabschluss als die in Satz 1 genannten oder einen nach dem Hochschulrecht der Länder als gleichwertig anerkannten sonstigen Abschluss erworben hat. [3] Die Förderung endet mit Ablauf des Monats des Erwerbs eines höheren Hochschulabschlusses, wenn dieser vor dem letzten Unterrichtstag der Fortbildungsmaßnahme erworben wird.

(5) Bereits erworbene privatrechtlich zertifizierte Fortbildungsabschlüsse stehen einer Förderung nicht entgegen.

§ 9a Regelmäßige Teilnahme; Teilnahmenachweis. (1) [1] Der Teilnehmer oder die Teilnehmerin hat regelmäßig an der geförderten Maßnahme teilzunehmen. [2] Die Leistungen des Teilnehmers oder der Teilnehmerin müssen erwarten lassen, dass er oder sie die Maßnahme erfolgreich abschließt. [3] Dies wird in der Regel angenommen, solange er oder sie die Maßnahme zügig und ohne Unterbrechung absolviert und er oder sie sich um einen erfolgreichen Abschluss bemüht. [4] Eine regelmäßige Teilnahme liegt vor, wenn die Teilnahme an 70 Prozent der Präsenzstunden und bei Fernunterrichtslehrgängen (§ 4) oder bei mediengestützten Lehrgängen (§ 4a) an 70 Prozent der Leistungskontrollen nachgewiesen wird. [5] Die Förderung wird hinsichtlich der regelmäßigen Teilnahme an der Maßnahme unter dem Vorbehalt der Einstellung und Rückforderung geleistet.

(2) [1] Der Teilnehmer oder die Teilnehmerin hat sechs Monate nach Beginn, zum Ende und bei Abbruch der Maßnahme einen Nachweis des Bildungsträgers über die regelmäßige Teilnahme vorzulegen. [2] Bei längeren Maßnahmen, bei Maßnahmen mit mehreren Maßnahmeabschnitten oder in besonderen Fällen können darüber hinaus weitere Teilnahmenachweise gefordert werden.

(Fortsetzung nächstes Blatt)

(3) Der Teilnehmer oder die Teilnehmerin hat bei Fernunterrichtslehrgängen (§ 4) oder bei mediengestützten Lehrgängen (§ 4a) die regelmäßige Teilnahme am Präsenzunterricht und die regelmäßige Bearbeitung der bei solchen Maßnahmen regelmäßig durchzuführenden Leistungskontrollen nachzuweisen.

Dritter Abschnitt. Leistungen

§ 10 Umfang der Förderung. (1) [1] Während der Teilnahme an einer Maßnahme wird ein Beitrag zu den Kosten der Lehrveranstaltung (Maßnahmebeitrag) geleistet. [2] Soweit für denselben Zweck Leistungen aus öffentlichen Mitteln, vom Arbeitgeber oder von Fördereinrichtungen bezogen werden, wird der Maßnahmebeitrag nach den um diese Leistungen geminderten Kosten bemessen.

(2) [1] Bei Maßnahmen in Vollzeitform im Sinne des § 2 Absatz 3 Satz 1 Nummer 1 wird darüber hinaus ein Beitrag zur Deckung des Unterhaltsbedarfs (Unterhaltsbeitrag) geleistet. [2] Als monatlicher Unterhaltsbedarf gilt für einen Teilnehmer oder eine Teilnehmerin der Bedarfssatz nach § 13 Absatz 1 Nummer 1 und Absatz 2 Nummer 2 und § 13a des Bundesausbildungsförderungsgesetzes[1)]. [3] Der Unterhaltsbedarf erhöht sich für den Teilnehmer oder die Teilnehmerin um 60 Euro, für den jeweiligen Ehegatten oder Lebenspartner um 235 Euro und für jedes Kind, für das er oder sie einen Anspruch auf Kindergeld nach dem Einkommensteuergesetz[2)] oder dem Bundeskindergeldgesetz[3)] hat, um 235 Euro. [4] Auf den Unterhaltsbedarf sind Einkommen und Vermögen des Antragstellers oder der Antragstellerin und Einkommen des jeweiligen Ehegatten oder Lebenspartners in dieser Reihenfolge anzurechnen.

(3) Alleinerziehende, die in einem Haushalt mit Kindern, die das vierzehnte Lebensjahr noch nicht vollendet haben, oder mit behinderten Kindern leben, erhalten bei Voll- und Teilzeitmaßnahmen bis zum Ablauf des Monats, in dem planmäßig der letzte Unterricht abgehalten wird, einen Kinderbetreuungszuschlag in Höhe von 150 Euro für jeden Monat je Kind.

§ 11 Förderungsdauer. (1) Eine Teilnahme an Maßnahmen in Vollzeitform wird bis zur Dauer von 24 Kalendermonaten, in Teilzeitform nach § 2 Absatz 3 Satz 1 Nummer 2 bis zur Dauer von 48 Kalendermonaten und in Teilzeitform nach § 2 Absatz 3 Satz 2 bis zur Dauer von 36 Kalendermonaten gefördert (Förderungshöchstdauer).

(2) [1] Abweichend von Absatz 1 wird die Förderungshöchstdauer angemessen verlängert, sofern

1. dies gerechtfertigt ist durch
   a) eine Schwangerschaft,
   b) die Erziehung und Pflege eines Kindes bis zur Vollendung des vierzehnten Lebensjahres,
   c) die Betreuung eines behinderten Kindes,
   d) eine Behinderung oder schwere Krankheit des Teilnehmers oder der Teilnehmerin,

---

[1)] **Sartorius Nr. 420.**

[2)] **beck-online, Module Arbeitsrecht Nr. 331.**

[3)] Auszugsweise abgedruckt unter Nr. **332**.

e) die Pflege eines oder einer pflegebedürftigen nahen Angehörigen nach § 7 Absatz 3 des Pflegezeitgesetzes[1)], der oder die nach den §§ 14 und 15 des Elften Buches Sozialgesetzbuch[2)] mindestens in den Pflegegrad 3 eingestuft ist,

2. andere besondere Umstände des Einzelfalles dies rechtfertigen oder
3. die längere Dauer der Vorbereitung auf das Fortbildungsziel rechtlich vorgeschrieben ist.

[2] In den Fällen der Nummern 1 und 2 darf die Förderungshöchstdauer längstens um zwölf Kalendermonate verlängert werden.

(3) [1] Der Unterhaltsbeitrag und der Kinderbetreuungszuschlag werden von Beginn des Monats an geleistet, in dem mit dem Unterricht tatsächlich begonnen wird, frühestens jedoch vom Beginn des Antragsmonats an. [2] Diese Leistungen enden mit Ablauf des Monats, in dem planmäßig der letzte Unterricht abgehalten wird; für Teilnehmer und Teilnehmerinnen, die sich nachweislich und unverzüglich zur Prüfung angemeldet haben, werden diese Leistungen auf Antrag bis zum Ablauf des Monats gewährt, in dem der letzte Prüfungstag liegt, jedoch höchstens für drei weitere Monate (Prüfungsvorbereitungsphase).

(4) Liegt bei Maßnahmen in Vollzeitform zwischen zwei Maßnahmeabschnitten nur ein Monat, so gilt der neue Abschnitt als bereits zu Beginn dieses Monats aufgenommen.

§ 12 Förderungsart. (1) [1] Der Maßnahmebeitrag nach § 10 Absatz 1 besteht aus einem Anspruch auf

1. Förderung der Lehrgangs- und Prüfungsgebühren bis zu einem Gesamtbetrag von 15 000 Euro und
2. Förderung der Erstellung der fachpraktischen Arbeit in der Meisterprüfung des Handwerks sowie vergleichbarer Arbeiten in anderen Wirtschaftsbereichen bis zur Hälfte der notwendigen dem Teilnehmer oder der Teilnehmerin entstandenen Materialkosten, höchstens jedoch bis zu einem Gesamtbetrag von 2 000 Euro.

[2] Der Maßnahmebeitrag nach Satz 1 wird in Höhe von 50 Prozent als Zuschuss geleistet. [3] Darüber hinaus besteht der Maßnahmebeitrag vorbehaltlich Absatz 4 aus einem Anspruch auf Abschluss eines Darlehensvertrags mit der Kreditanstalt für Wiederaufbau nach Maßgabe des § 13.

(2) [1] Der Unterhaltsbeitrag nach § 10 Absatz 2 Satz 1 einschließlich der in § 10 Absatz 2 Satz 3 genannten Erhöhungsbeträge wird ebenso wie der Kinderbetreuungszuschlag nach § 10 Absatz 3 in voller Höhe als Zuschuss geleistet. [2] Die Zuschüsse nach Satz 1 werden bis zum Ablauf desjenigen Monats gewährt, in dem planmäßig der letzte Unterrichtstag abgehalten wird.

(3) Während der Prüfungsvorbereitungsphase nach § 11 Absatz 3 Satz 2 zweiter Halbsatz besteht für den Unterhaltsbeitrag einschließlich der Erhöhungsbeträge sowie für den Kinderbetreuungszuschlag vorbehaltlich Absatz 4 ein Anspruch auf Abschluss eines Darlehensvertrags mit der Kreditanstalt für Wiederaufbau nach Maßgabe des § 13.

---

1) Nr. **409**.
2) **Aichberger, SGB Nr. 11.**

(4) [1] Der Teilnehmer oder die Teilnehmerin kann den Abschluss eines Darlehensvertrags innerhalb von drei Monaten verlangen. [2] Die Frist beginnt mit dem auf die Bekanntgabe des Bescheids folgenden Monat.

§ 13 Darlehensbedingungen. (1) [1] Die Kreditanstalt für Wiederaufbau hat auf Verlangen des Antragstellers oder der Antragstellerin mit diesem oder dieser einen privatrechtlichen Vertrag über ein Darlehen in der im Bescheid angegebenen Höhe zu schließen. [2] Der Darlehensvertrag kann auch über einen von dem Antragsteller oder der Antragstellerin bestimmten geringeren, durch Hundert teilbaren Betrag geschlossen werden. [3] Soweit das im Bescheid angegebene Darlehen geändert wird, wird der Vertrag entsprechend angepasst. [4] Im Falle einer Änderung zugunsten des Antragstellers oder der Antragstellerin gilt dies nur, soweit dieser oder diese es verlangt. [5] Zu Unrecht gezahlte Darlehensbeträge sind unverzüglich an die Kreditanstalt für Wiederaufbau zurückzuzahlen. [6] Der Darlehensvertrag muss die in den Absätzen 2 bis 7 und § 13b Absatz 1 bis 3 genannten Bedingungen enthalten.

(2) [1] Das Darlehen nach Absatz 1 ist zu verzinsen. [2] Als Zinssatz gilt jeweils für sechs Monate – vorbehaltlich des Gleichbleibens der Rechtslage – der European Interbank Offered Rate (EURIBOR) für die Geldbeschaffung von ersten Adressaten in den Teilnehmerstaaten der Europäischen Währungsunion mit einer Laufzeit von sechs Monaten nach dem Stand vom 1. April und 1. Oktober, zuzüglich eines Verwaltungskostenaufschlags in Höhe von 1 vom Hundert. [3] Fallen die in Satz 2 genannten Stichtage nicht auf einen Tag, an dem ein EURIBOR-Satz ermittelt wird, so gilt der nächste festgelegte EURIBOR-Satz. [4] Ab dem Beginn der Rückzahlungspflicht nach Absatz 5 ist auf Verlangen des Darlehensnehmers oder der Darlehensnehmerin zum 1. April oder 1. Oktober eines Jahres für die restliche Laufzeit des Darlehens, längstens für zehn Jahre, ein Festzins zu vereinbaren. [5] Die Festzinsvereinbarung muss einen Monat im Voraus verlangt werden. [6] Im Falle des Satzes 4 gilt – vorbehaltlich des Gleichbleibens der Rechtslage – der Zinssatz für Bankschuldverschreibungen mit einer der Dauer der Zinsfestschreibung entsprechenden Laufzeit, zuzüglich eines Verwaltungskostenaufschlags in Höhe von bis zu 1 vom Hundert. [7] Ab Beginn der Rückzahlungspflicht nach Absatz 5 erhöhen sich die Zinssätze nach den Sätzen 2 und 6 um einen Risikozuschlag in Höhe von bis zu 0,7 vom Hundert.

(3) Das Darlehen ist während der Dauer der Maßnahme und einer anschließenden Karenzzeit von zwei Jahren, längstens jedoch während eines Zeitraums von sechs Jahren, für den Darlehensnehmer oder die Darlehensnehmerin zins- und tilgungsfrei.

(4) [1] Das Darlehen nach § 12 Absatz 1 ist mit Ausnahme der Kosten für die Prüfungsgebühr bis zu der im Bescheid angegebenen Höhe, in der Regel höchstens bis zu einem Betrag von 4 000 Euro unbar in einem Betrag zu zahlen. [2] Die Erstattung der Prüfungsgebühr erfolgt nach Maßgabe des § 24 Absatz 1 Satz 4. [3] Über die Auszahlung höherer Darlehen trifft die Kreditanstalt für Wiederaufbau mit dem Darlehensnehmer oder der Darlehensnehmerin eine Vereinbarung unter Berücksichtigung der Fälligkeit der Lehrgangsgebühren.

(5) [1] Das Darlehen ist nach Ablauf der Karenzzeit innerhalb von zehn Jahren – vorbehaltlich des Gleichbleibens der Rechtslage – in monatlichen Raten von grundsätzlich mindestens 128 Euro zurückzuzahlen. [2] Die Kreditanstalt für Wiederaufbau kann die Zahlung für jeweils drei aufeinanderfolgende Monate

in einem Betrag geltend machen, es sei denn, der Darlehensnehmer oder die Darlehensnehmerin verlangt eine monatliche Ratenzahlung. [3]Die Rückzahlungsraten sind bei monatlicher Zahlungsweise jeweils am Ende des Monats, bei vierteljährlicher Zahlungsweise jeweils am Ende des dritten Monats zu leisten. [4]Der Rückzahlungsbetrag wird von der Kreditanstalt für Wiederaufbau im Lastschrifteinzugsverfahren eingezogen. [5]Das Darlehen kann auch in Teilbeträgen vorzeitig zurückgezahlt werden.

(6) 30 Tage vor dem Beginn der Rückzahlung teilt die Kreditanstalt für Wiederaufbau dem Darlehensnehmer oder der Darlehensnehmerin – unbeschadet der Fälligkeit der ersten Rückzahlungsrate nach Absatz 3 – die Höhe der Darlehensschuld, die zu diesem Zeitpunkt geltende Zinsregelung, die Höhe der monatlichen Rückzahlungsrate und den Tilgungszeitraum mit.

(7) Mit dem Tod des Darlehensnehmers oder der Darlehensnehmerin erlischt die verbliebene Darlehensschuld einschließlich etwaiger Kosten und Zinsen.

(8) [1]Mit der Eröffnung des gerichtlichen Insolvenzverfahrens über das Vermögen einer natürlichen Person oder nach der Abweisung des Antrags auf Eröffnung des Insolvenzverfahrens mangels Masse werden die Darlehensrestschuld und Zinsschuld zur sofortigen Rückzahlung fällig. [2]Die Absätze 3, 5 und 6 sowie § 13b finden keine Anwendung.

§ 13a Einkommensabhängige Rückzahlung. [1]Von der Verpflichtung zur Rückzahlung ist der Darlehensnehmer oder die Darlehensnehmerin auf seinen oder ihren Antrag durch die Kreditanstalt für Wiederaufbau freizustellen, soweit das Einkommen monatlich den Betrag nach § 18a Absatz 1 und 2 des Bundesausbildungsförderungsgesetzes[1)] nicht übersteigt. [2]Sofern der übersteigende Betrag geringer ist als die monatlich zurückzuzahlende Mindestrate von 128 Euro, ist die Rückzahlungsrate auf den übersteigenden Betrag zu reduzieren. [3]Die Freistellung ist in diesen Fällen auf die Differenz zwischen dem übersteigenden Betrag und der Mindestrate beschränkt. [4]§ 18a Absatz 3 und 4 des Bundesausbildungsförderungsgesetzes ist entsprechend anzuwenden. [5]Eine Freistellung von der Verpflichtung zur Rückzahlung kann für längstens fünf Jahre erfolgen.

§ 13b Erlass und Stundung. (1) Hat der Darlehensnehmer oder die Darlehensnehmerin die Fortbildungsprüfung bestanden, werden ihm oder ihr gegen Vorlage des Prüfungszeugnisses 50 Prozent des zu diesem Zeitpunkt noch nicht fällig gewordenen Darlehens für die Lehrgangs- und Prüfungsgebühren nach § 12 Absatz 1 Satz 1 Nummer 1 erlassen.

(2) [1]Hat der Darlehensnehmer oder die Darlehensnehmerin innerhalb von drei Jahren nach Beendigung der Maßnahme im Inland ein Unternehmen oder eine freiberufliche Existenz gegründet oder übernommen oder einen bestehenden Gewerbebetrieb erweitert und trägt er oder sie dafür überwiegend die unternehmerische Verantwortung, so wird auf Antrag und gegen Vorlage der erforderlichen Nachweise das bis zu diesem Zeitpunkt noch nicht fällig gewordene, auf die Lehrgangs- und Prüfungsgebühren entfallende Restdarlehen nach § 12 Absatz 1 Satz 1 Nummer 1 in voller Höhe erlassen, wenn er oder sie

1. die Fortbildungsprüfung bestanden hat und

[1)] **Sartorius Nr. 420.**

2. das Unternehmen, die freiberufliche Existenz oder den erweiterten Gewerbebetrieb mit der Absicht, dieses Unternehmen, diese Existenz oder diesen Gewerbebetrieb als Haupterwerb zu betreiben, mindestens drei Jahre führt.

[2]Darlehensraten und Zinsen, die in den ersten drei Jahren nach der Existenzgründung fällig sind, werden auf Antrag des Darlehensnehmers oder der Darlehensnehmerin gestundet. [3]Wenn die Voraussetzungen für einen Erlass nach Satz 1 nach Ablauf der drei Jahre nicht vorliegen, sind die gestundeten Darlehensraten und die auf sie angefallenen vereinbarten Zinsen zurückzuzahlen.

(3) [1]Für jeden Monat, für den der Darlehensnehmer oder die Darlehensnehmerin glaubhaft macht, dass

1. sein oder ihr Einkommen den Betrag nach § 18a Absatz 1 des Bundesausbildungsförderungsgesetzes[1)] nicht übersteigt und
2. er oder sie
   a) ein Kind, das das vierzehnte Lebensjahr noch nicht vollendet hat, erzieht oder
   b) ein behindertes Kind betreut oder
   c) einen pflegebedürftigen nahen Angehörigen oder eine pflegebedürftige nahe Angehörige nach § 7 Absatz 3 des Pflegezeitgesetzes[2)], der oder die nach den §§ 14 und 15 des Elften Buches Sozialgesetzbuch[3)] mindestens in den Pflegegrad 3 eingestuft ist, pflegt, werden auf Antrag die Darlehensrate und die Zinsen nach § 13 Absatz 5 längstens für einen Zeitraum von zwölf Monaten gestundet.

[2]Der Darlehensnehmer oder die Darlehensnehmerin ist verpflichtet, während der Dauer der Stundung jede nach dem Zeitpunkt der Antragstellung eintretende Änderung der Verhältnisse nach Satz 1 Nummer 1 und 2 der Kreditanstalt für Wiederaufbau schriftlich oder elektronisch mitzuteilen. [3]Kommt der Darlehensnehmer oder die Darlehensnehmerin dieser Verpflichtung nicht nach, gerät er oder sie mit jeder zu Unrecht gestundeten Rate auch ohne Mahnung in Verzug. [4]Nach Ablauf des Stundungszeitraums werden auf Antrag die gestundeten Raten erlassen, soweit der Darlehensnehmer oder die Darlehensnehmerin nachweist, dass zum Zeitpunkt der Antragstellung die Voraussetzungen des Satzes 1 Nummer 1 und 2 noch gegeben sind. [5]Kind des Darlehensnehmers oder der Darlehensnehmerin ist ein Kind, für das er oder sie einen Anspruch auf Kindergeld nach dem Einkommensteuergesetz[4)] oder dem Bundeskindergeldgesetz[5)] hat, soweit das Kind das vierzehnte Lebensjahr noch nicht vollendet hat, sowie Kinder im Sinne des § 32 Absatz 4 Nummer 3 des Einkommensteuergesetzes oder des § 2 Absatz 2 Nummer 3 des Bundeskindergeldgesetzes[6)].

(4) Über den Antrag des Darlehensnehmers oder der Darlehensnehmerin auf Stundung und Erlass entscheidet in den Fällen der Absätze 1 bis 3 die Kreditanstalt für Wiederaufbau.

[1)] **Sartorius Nr. 420.**
[2)] Nr. **409**.
[3)] **Aichberger, SGB Nr. 11.**
[4)] **beck-online, Module Arbeitsrecht Nr. 331.**
[5)] Auszugsweise abgedruckt unter Nr. **332**.
[6)] Nr. **332**.

§ 14 Kreditanstalt für Wiederaufbau. (1) [1] Bis zum Ende des vierten Jahres nach Beginn der Darlehensrückzahlung wird der Kreditanstalt für Wiederaufbau auf Verlangen die Darlehens- und Zinsschuld eines Darlehensnehmers oder einer Darlehensnehmerin erstattet, von dem oder von der eine termingerechte Zahlung nicht zu erwarten ist. [2] Dies ist insbesondere der Fall, wenn

1. der Darlehensnehmer oder die Darlehensnehmerin die Rückzahlungsrate für sechs aufeinanderfolgende Monate nicht geleistet hat oder für diesen Zeitraum mit einem Betrag in Höhe des Vierfachen der monatlichen Rückzahlungsrate im Rückstand ist,
2. der Darlehensvertrag von der Kreditanstalt für Wiederaufbau entsprechend den geltenden Bestimmungen wirksam gekündigt worden ist,
3. die Rückzahlung des Darlehens infolge der Erwerbs- oder Arbeitsunfähigkeit oder einer Erkrankung des Darlehensnehmers oder der Darlehensnehmerin von mehr als einem Jahr Dauer nachhaltig erschwert oder unmöglich geworden ist,
4. der Darlehensnehmer oder die Darlehensnehmerin zahlungsunfähig geworden ist oder Hilfe zum Lebensunterhalt nach dem Zwölften Buch Sozialgesetzbuch[1)] oder Leistungen zur Sicherung des Lebensunterhalts nach dem Zweiten Buch Sozialgesetzbuch[2)] erhält oder
5. der Aufenthalt des Darlehensnehmers oder der Darlehensnehmerin seit mehr als sechs Monaten nicht ermittelt werden konnte.

[3] Mit der Zahlung nach Satz 1 geht der Anspruch aus dem Darlehensvertrag auf den Bund über.

(2) [1] Der Kreditanstalt für Wiederaufbau werden jeweils zum 30. März, 30. Juni, 30. September und 30. Dezember eines Jahres erstattet:

1. Zinsen, von deren Zahlung der Darlehensnehmer oder die Darlehensnehmerin nach § 13 Absatz 3 freigestellt ist,
2. Beträge, die sie nach § 13b erlassen hat,
3. Beträge, die ihr nach Absatz 1 zu erstatten sind,
4. Zinsen für die nach § 13b gestundeten Rückzahlungsraten in Höhe des nach § 13 Absatz 2 Satz 2 geltenden EURIBOR-Satzes,
5. Darlehensforderungen, die wegen des Todes des Darlehensnehmers oder der Darlehensnehmerin nach § 13 Absatz 7 erloschen sind.

[2] Wird ein Darlehen mit einem festen Zinssatz nach § 13 Absatz 5 Satz 5 vorzeitig zurückgezahlt, erhält die Kreditanstalt für Wiederaufbau eine Vorfälligkeitsentschädigung in Höhe des ihr entstandenen Wiederanlageschadens.

(3) Für die Verwaltung und Einziehung der Darlehen nach § 18 erhält die Kreditanstalt für Wiederaufbau neben den notwendigen Kosten der Rechtsverfolgung jeweils für zwölf Monate eine Verwaltungskostenpauschale in Höhe von 2,5 vom Hundert des Restdarlehens, höchstens jedoch 128 Euro.

§ 15 Aufrechnung. Mit einem Anspruch auf Erstattung von Zuschüssen kann gegen den Anspruch auf entsprechende Leistungen in voller Höhe aufgerechnet werden.

---

1) **Aichberger, SGB Nr. 12.**
2) Auszugsweise abgedruckt unter Nr. **692**.

§ 16 Rückzahlungspflicht. (1) Haben die Voraussetzungen für die Leistung des Unterhaltsbeitrages an keinem Tag des Kalendermonats vorgelegen, für den er gezahlt worden ist, so ist außer in den Fällen der §§ 44 bis 50 des Zehnten Buches Sozialgesetzbuch[1] insoweit der Bewilligungsbescheid aufzuheben und der Unterhaltsbeitrag zu erstatten, als der Teilnehmer oder die Teilnehmerin, der jeweilige Ehegatte oder Lebenspartner Einkommen erzielt hat, das bei der Bewilligung nicht berücksichtigt worden ist; Regelanpassungen gesetzlicher Renten und Versorgungsbezüge bleiben hierbei außer Betracht.

(2) Soweit Leistungen nach diesem Gesetz unter dem Vorbehalt der Rückforderung gewährt wurden und der entsprechende Vorbehalt greift, ist der Bewilligungsbescheid insoweit aufzuheben und der Teilnehmer oder die Teilnehmerin hat die erhaltenen Leistungen insoweit zu erstatten.

(3) [1] Weist der Teilnehmer oder die Teilnehmerin in einem Nachweis des Bildungsträgers nicht die regelmäßige Teilnahme an der Maßnahme nach und kann die regelmäßige Teilnahme bis zum Ende der Maßnahme nicht mehr erreicht werden, so ist der Bewilligungsbescheid aufzuheben und der Teilnehmer oder die Teilnehmerin hat die erhaltenen Leistungen zu erstatten. [2] Hat der Teilnehmer oder die Teilnehmerin die Maßnahme aus wichtigem Grund abgebrochen und bis zum Abbruch regelmäßig an der Maßnahme teilgenommen, so ist der Bewilligungsbescheid nur in dem Umfang aufzuheben und der Teilnehmer oder die Teilnehmerin hat den Maßnahmebeitrag nur in dem Umfang zu erstatten, in dem die Lehrgangs- und Prüfungsgebühren noch nicht fällig geworden sind.

(4) [1] Weist der Teilnehmer oder die Teilnehmerin nach sechs Monaten oder in einem weiteren Nachweis des Bildungsträgers nach § 9a Absatz 2 Satz 2 während der Maßnahme nicht die regelmäßige Teilnahme nach, kann diese aber bis zum Ende der Maßnahme noch erreicht werden, erfolgt die Aufhebung des Bewilligungsbescheides insgesamt erst, wenn auch in einem weiteren Teilnahmenachweis des Bildungsträgers die regelmäßige Teilnahme nicht erreicht wird. [2] Die zuständige Behörde weist den Teilnehmer oder die Teilnehmerin in Textform auf den nächsten Vorlagezeitpunkt und die Folge eines erneut nicht erfolgreichen Teilnahmenachweises hin.

(5) Besteht eine Vollzeitmaßnahme aus mehreren Maßnahmeabschnitten und wird der Bewilligungsbescheid insgesamt aufgehoben, ist der Unterhaltsbeitrag nur für die Maßnahmeabschnitte zu erstatten, an denen der Teilnehmer oder die Teilnehmerin nicht regelmäßig teilgenommen hat.

Vierter Abschnitt. Einkommens- und Vermögensanrechnung

§ 17[2] Einkommens- und Vermögensanrechnung. (1) [1] Für die Anrechnung des Einkommens und des Vermögens nach § 10 Absatz 2 gelten – mit Ausnahme des § 29 des Bundesausbildungsförderungsgesetzes[3] und der Ermächtigungen zum Erlass von Rechtsverordnungen in § 21 Absatz 3 Satz 1 Nummer 4 des Bundesausbildungsförderungsgesetzes – in der jeweils anzuwendenden Fassung die Abschnitte IV und V des Bundesausbildungsförderungsgesetzes und die Verordnung zur Bezeichnung der als Einkommen geltenden

[1] Nr. **699**.

[2] § 17 Abs. 1 Satz 1 neu gef. mWv 24.11.2021 durch G v. 22.11.2021 (BGBl. I S. 4906).

[3] **Sartorius Nr. 420.**

sonstigen Einnahmen nach § 21 Absatz 3 Satz 1 Nummer 4 des Bundesausbildungsförderungsgesetzes mit der Maßgabe entsprechend, dass an die Stelle des Amtes für Ausbildungsförderung die für dieses Gesetz zuständige Behörde tritt und dass in den Fällen des § 24 Absatz 2 und 3 des Bundesausbildungsförderungsgesetzes über den Antrag ohne Vorbehalt der Rückforderung entschieden wird. [2] § 11 Absatz 4 des Bundesausbildungsförderungsgesetzes ist entsprechend anzuwenden.

(2) Als Ehegatte oder Lebenspartner im Sinne dieses Gesetzes gilt der nicht dauerhaft getrennt lebende Ehegatte oder Lebenspartner, sofern dieses Gesetz nichts anderes bestimmt.

§ 17a Freibeträge vom Vermögen. (1) Von dem Vermögen bleiben anrechnungsfrei

1. für den Teilnehmer oder die Teilnehmerin selbst 45 000 Euro,
2. für den jeweiligen Ehegatten oder Lebenspartner 2 300 Euro,
3. für jedes Kind des Teilnehmers oder der Teilnehmerin 2 300 Euro.

(2) Zur Vermeidung unbilliger Härten kann ein weiterer Teil des Vermögens anrechnungsfrei bleiben.

Fünfter Abschnitt. Organisation

§ 18 Übergegangene Darlehensforderungen. Die nach § 14 Absatz 1 auf den Bund übergegangenen Darlehensforderungen werden von der Kreditanstalt für Wiederaufbau verwaltet und eingezogen.

Sechster Abschnitt. Verfahren

§ 19[1)] Antrag. (1) [1] Über die Förderungsleistung einschließlich der Höhe der Darlehenssumme entscheidet die zuständige Behörde auf schriftlichen oder elektronischen Antrag. [2] Maßnahmebeitrag und Unterhaltsbeitrag müssen spätestens bis zum Ende der Maßnahme, bei mehreren in sich selbstständigen Abschnitten bis zum Ende des jeweiligen Maßnahmeabschnittes beantragt werden.

(2) Soweit für die Erhebung der für Entscheidungen nach diesem Gesetz erforderlichen Tatsachen Vordrucke vorgesehen sind, sind diese zu benutzen.

§ 19a Örtliche Zuständigkeit. [1] Für die Entscheidung über die Förderungsleistungen ist die von den Ländern für die Durchführung dieses Gesetzes bestimmte Behörde des Bezirks zuständig, in dem der Teilnehmer oder die Teilnehmerin bei Antragstellung seinen oder ihren ständigen Wohnsitz hat. [2] Hat der Teilnehmer oder die Teilnehmerin im Inland keinen ständigen Wohnsitz, so ist die Behörde zuständig, in deren Bezirk die Fortbildungsstätte liegt.

§ 19b (weggefallen)

§ 20 Mitteilungspflicht. [1] Die Kreditanstalt für Wiederaufbau unterrichtet die zuständige Behörde über den Abschluss eines Darlehensvertrages nach § 13 Absatz 1. [2] Die zuständige Behörde unterrichtet in diesen Fällen die Kredit-

---

1) § 19 Abs. 1 Satz 1 neu gef. mWv 22.7.2022 durch G v. 15.7.2022 (BGBl. I S. 1150).

anstalt für Wiederaufbau über Änderungen des Bescheids, die zu einer Verringerung der Leistungen nach diesem Gesetz führen.

§ 21 Auskunftspflichten. (1) [1] Die Träger der Maßnahmen sind verpflichtet, den zuständigen Behörden auf Verlangen alle Auskünfte zu erteilen und Urkunden vorzulegen sowie die Besichtigung der Fortbildungsstätte zu gestatten, soweit die Durchführung dieses Gesetzes es erfordert. [2] Sie sind verpflichtet, für die Förderung relevante Veränderungen ihres Geschäftsbetriebs und der Maßnahme, das Einstellen eines Lehrgangs, den Nichtantritt, die vorzeitige Beendigung, die nicht regelmäßige Teilnahme, den Abbruch der Maßnahme durch den Teilnehmer oder die Teilnehmerin oder eine Kündigung der Maßnahme vor Ablauf der vertraglichen Dauer nach § 7 Absatz 1 den zuständigen Behörden unverzüglich mitzuteilen, sobald ihnen diese Umstände bekannt werden.

(2) § 60 Absatz 1 Satz 1 und Absatz 2 des Ersten Buches Sozialgesetzbuch[1)] gilt entsprechend für denjenigen oder diejenige, der oder die Leistungen zu erstatten hat und den jeweiligen Ehegatten oder Lebenspartner des Antragstellers oder der Antragstellerin.

(3) [1] Öffentliche und nicht öffentliche Stellen dürfen personenbezogene Daten, die zur Durchführung dieses Gesetzes erforderlich sind, den für die Durchführung dieses Gesetzes zuständigen Behörden auf deren Verlangen übermitteln, soweit hierdurch schutzwürdige Belange der betroffenen Person oder der betroffenen Personen nicht beeinträchtigt werden oder das öffentliche Interesse das Geheimhaltungsinteresse der betroffenen Person oder der betroffenen Personen überwiegt. [2] Die Übermittlung unterbleibt, wenn dem besondere gesetzliche Verwendungsregelungen entgegenstehen.

(4) Soweit dies zur Durchführung dieses Gesetzes erforderlich ist, hat

1. der jeweilige Arbeitgeber auf Verlangen dem Teilnehmer oder der Teilnehmerin und dem jeweiligen Ehegatten oder Lebenspartner sowie der zuständigen Behörde eine Bescheinigung über den Arbeitslohn und den als Lohnsteuerabzugsmerkmal mitgeteilten Freibetrag auszustellen,
2. die jeweilige Zusatzversorgungseinrichtung des öffentlichen Dienstes oder öffentlich-rechtliche Zusatzversorgungseinrichtung auf Verlangen der zuständigen Behörde Auskünfte über die von ihr geleistete Alters- und Hinterbliebenenversorgung des Teilnehmers oder der Teilnehmerin und des jeweiligen Ehegatten oder Lebenspartners zu erteilen.

(5) Die zuständige Behörde kann den in den Absätzen 1 bis 3 bezeichneten Institutionen und Personen eine angemessene Frist zur Erteilung von Auskünften und Vorlage von Urkunden setzen.

§ 22 Ersatzpflicht des Ehegatten oder Lebenspartners. [1] Hat der Ehegatte oder Lebenspartner des Teilnehmers oder der Teilnehmerin die Leistung von Förderung an diesen oder diese dadurch herbeigeführt, dass er oder sie vorsätzlich oder grob fahrlässig falsche oder unvollständige Angaben gemacht oder eine Anzeige nach § 21 Absatz 2 unterlassen hat, so hat er oder sie den zu Unrecht geleisteten Förderungsbetrag zu ersetzen. [2] Der Betrag ist vom Zeitpunkt der zu Unrecht erfolgten Leistung an mit 3 vom Hundert über dem

---

[1)] Nr. **691**.

Basiszinssatz nach § 247 des Bürgerlichen Gesetzbuchs[1)] für das Jahr zu verzinsen.

§ 23 Bescheid. (1) [1] Entscheidungen nach diesem Gesetz sind dem Antragsteller oder der Antragstellerin schriftlich oder elektronisch mitzuteilen (Bescheid). [2] In dem Bescheid über den ersten Förderantrag für eine Maßnahme wird dem Grunde nach über die Förderung der Maßnahme einschließlich aller Maßnahmeabschnitte des nach § 6 Absatz 4 Satz 1 vorzulegenden Fortbildungsplans entschieden und der maximale Zeitrahmen nach § 2 Absatz 3 festgesetzt.

(2) [1] In dem Bescheid sind anzugeben:
1. die Höhe des Zuschussanteils zum Maßnahmebeitrag nach § 12 Absatz 1 Satz 2,
2. die Höhe des Maßnahmedarlehens nach § 12 Absatz 1 Satz 1 und 3,
3. die Dauer der Zins- und Tilgungsfreiheit nach § 13 Absatz 3,
4. die Frist nach § 12 Absatz 4, bis zu der der Abschluss eines Darlehensvertrags verlangt werden kann,
5. das Ende der Förderungshöchstdauer nach § 11 und
6. der Zeitpunkt zur Vorlage des Teilnahmenachweises sowie die Rechtsfolgen der Nichtvorlage und der nicht regelmäßigen Teilnahme nach § 9a.

[2] Bei Maßnahmen in Vollzeitform sind zusätzlich anzugeben:
1. die Höhe des Unterhaltsbeitrages nach § 12 Absatz 2 Satz 1,
2. die Höhe des Erhöhungsbetrages für Kinder nach § 10 Absatz 2 Satz 3,
3. die Höhe des Einkommens des Teilnehmers oder der Teilnehmerin, des jeweiligen Ehegatten oder Lebenspartners sowie die Höhe des Vermögens des Teilnehmers oder der Teilnehmerin nach § 17,
4. die Höhe der bei der Ermittlung des Einkommens berücksichtigten Steuern und Abzüge zur Abgeltung der Aufwendungen für die soziale Sicherung nach § 17,
5. die Höhe der gewährten Freibeträge nach den §§ 17 und 17a,
6. die Höhe der auf den Bedarf angerechneten Beträge vom Einkommen und Vermögen des Teilnehmers oder der Teilnehmerin sowie vom Einkommen des jeweiligen Ehegatten oder Lebenspartners nach § 10 Absatz 2 Satz 4 und § 17.

[3] Bei Alleinerziehenden ist zusätzlich der Zuschuss für den Kinderbetreuungszuschlag nach § 10 Absatz 3 anzugeben.
[4] Bei Gewährung einer Förderung für die Prüfungsvorbereitungsphase ist zusätzlich anzugeben:
1. die Höhe des Unterhaltsdarlehens sowie
2. bei Alleinerziehenden die Höhe des Darlehens für den Kinderbetreuungszuschlag nach § 12 Absatz 3.

(3) [1] Besteht eine Maßnahme aus mehreren Maßnahmeabschnitten, kann die Förderung auf einen oder mehrere Maßnahmeabschnitte beschränkt werden (Bewilligungszeitraum). [2] Auch in diesem Fall erfolgt die Förderung nach § 9a Absatz 1 Satz 5 unter dem Vorbehalt der regelmäßigen Teilnahme an der

---
1) Nr. **50**.

Maßnahme einschließlich aller Maßnahmeabschnitte des nach § 6 Absatz 4 Satz 1 vorzulegenden Fortbildungsplans.

(4) [1] Auf Antrag hat die zuständige Behörde vorab zu entscheiden, ob für die Teilnahme an einer Maßnahme nach fachlicher Richtung, Fortbildungsziel, zeitlicher und inhaltlicher Gestaltung und Art des Trägers dem Grunde nach die Förderungsvoraussetzungen vorliegen. [2] Die zuständige Behörde ist an die Entscheidung nicht mehr gebunden, wenn mit der Maßnahme nicht binnen eines Jahres nach Antragstellung begonnen wird.

§ 24 Zahlweise. (1) [1] Der Zuschuss für den Unterhaltsbeitrag nach § 12 Absatz 2 und der Zuschuss für die Kinderbetreuung nach § 10 Absatz 3 und § 12 Absatz 2 sind unbar monatlich im Voraus zu zahlen. [2] Der Zuschussanteil zum Maßnahmebeitrag nach § 12 Absatz 1 Satz 2 kann bis zu der im Bescheid angegebenen Höhe, höchstens bis zu einem Betrag von 5 000 Euro, in einem Betrag gezahlt werden. [3] Die nach § 19 zuständige Stelle kann unter Berücksichtigung der Fälligkeit der Lehrgangsgebühren die Auszahlung eines höheren Betrages bewilligen. [4] Der Maßnahmebeitrag für die Prüfungsgebühr und der Förderbetrag für die Erstellung der fachpraktischen Arbeit nach § 12 Absatz 1 Satz 1 Nummer 2 werden erst bei Fälligkeit und gegen Vorlage der Rechnungen oder des Gebührenbescheids bis zu zwei Jahren nach Ende der Maßnahme ausgezahlt. [5] Die Auszahlung der Bankdarlehen erfolgt nach Maßgabe des § 13 durch die Kreditanstalt für Wiederaufbau.

(2) Der monatliche Zuschuss für den Unterhaltsbeitrag und der Zuschuss für die Kinderbetreuung nach § 10 Absatz 3 und § 12 Absatz 2 werden bei Restbeträgen bis zu 0,49 Euro auf volle Euro abgerundet und bei Restbeträgen ab 0,50 Euro auf volle Euro aufgerundet.

(3) Monatliche Zuschussbeträge unter 10 Euro werden nicht geleistet.

(4) Können bei der erstmaligen Antragstellung für einen Bewilligungszeitraum die Feststellungen, die für eine Entscheidung über einen vollständigen Antrag erforderlich sind, nicht innerhalb von sechs Kalenderwochen getroffen werden oder können Zahlungen nicht innerhalb von zehn Kalenderwochen geleistet werden, so werden unter dem Vorbehalt der Rückforderung geleistet:

1. der Zuschuss für den voraussichtlichen Unterhaltsbeitrag für vier Monate und
2. der Zuschuss zum Maßnahmebeitrag, soweit der Teilnehmer oder die Teilnehmerin die Fälligkeit der Kosten der Lehrveranstaltung nachweist.

§ 25 Änderung des Bescheides. [1] Ändert sich ein für die Leistung der Förderung maßgeblicher Umstand, so wird der Bescheid geändert

1. zugunsten des Teilnehmers oder der Teilnehmerin vom Beginn des Monats, in dem die Änderung eingetreten ist, rückwirkend jedoch höchstens für die drei Monate vor dem Monat, in dem sie der zuständigen Behörde mitgeteilt wurde,
2. zuungunsten des Teilnehmers oder der Teilnehmerin vom Beginn des Monats, der auf den Eintritt der Änderung folgt,

wenn diese Änderung zu einer Erhöhung oder Minderung des Unterhaltsbeitrages oder des Maßnahmebeitrags um wenigstens 10 Euro führt. [2] Nicht als Änderung im Sinne des Satzes 1 gelten Regelanpassungen gesetzlicher Renten und Versorgungsbezüge. [3] § 48 des Zehnten Buches Sozialgesetzbuch[1)] findet keine Anwendung; Erstattungen richten sich nach § 50 des Zehnten Buches Sozialgesetzbuch[1)]. [4] Abweichend von Satz 1 wird der Bescheid vom Beginn des Bewilligungszeitraums geändert, wenn in den Fällen des § 22 Absatz 2 und des § 24 Absatz 3 des Bundesausbildungsförderungsgesetzes[2)] eine Änderung des Einkommens des Teilnehmers oder der Teilnehmerin, des jeweiligen Ehegatten oder Lebenspartners oder in den Fällen des § 25 Absatz 6 des Bundesausbildungsförderungsgesetzes eine Änderung des Freibetrags eingetreten ist.

§ 26 Rechtsweg. Für öffentlich-rechtliche Streitigkeiten nach diesem Gesetz ist der Verwaltungsrechtsweg, für Streitigkeiten aus dem Darlehensvertrag der ordentliche Rechtsweg gegeben.

§ 27 Statistik. (1) Über die Förderung nach diesem Gesetz werden eine halbjährliche und eine jährliche Bundesstatistik durchgeführt.

(2) Die Statistik erfasst zur Mitte des Jahres für das vorausgegangene Kalenderhalbjahr und jährlich für das vorausgegangene Kalenderjahr die Zahl der Geförderten (Erst- und Folgegeförderte), der Anträge und Bewilligungen (Erst- und Folgebewilligungen), der Ablehnungen, der Abbrüche und Unterbrechungen, der bewilligten und ausgezahlten Darlehen sowie Zahl und Höhe der nach § 13a gewährten Freistellungen und der nach § 13b gewährten Darlehenserlasse und Stundungen und für jeden Geförderten folgende Erhebungsmerkmale:

1. von dem Teilnehmer oder der Teilnehmerin: Geschlecht, Geburtsjahr, Staatsangehörigkeit, Art des ersten berufsqualifizierenden Ausbildungsabschlusses und der beruflichen Vorqualifikation, vorhandene Hochschulabschlüsse, Fortbildungsziel und Fortbildungsstufe, Fortbildungsstätte nach Art und rechtlicher Stellung, Monat und Jahr des Beginns und des Endes der Förderungshöchstdauer, Art, Höhe und Zusammensetzung des Maßnahmebeitrages nach § 12 Absatz 1,
2. von dem Teilnehmer oder der Teilnehmerin an Maßnahmen in Vollzeitform zusätzlich: Familienstand, Unterhaltsberechtigtenverhältnis der Kinder, Höhe und Zusammensetzung des monatlichen Gesamtbedarfs des Teilnehmers oder der Teilnehmerin, auf den Bedarf anzurechnende Beträge vom Einkommen und Vermögen des Teilnehmers oder der Teilnehmerin, Monat und Jahr des Beginns und Endes des Bewilligungszeitraums sowie Art, Zusammensetzung und Höhe des Unterhaltsbeitrages während der Maßnahme nach § 12 Absatz 2 sowie während der Prüfungsvorbereitungsphase nach § 12 Absatz 3, gegliedert nach Monaten, Höhe und Zusammensetzung des Einkommens nach § 21 und den Freibetrag nach § 23 Absatz 1 Satz 2 sowie, wenn eine Vermögensanrechnung erfolgt, die Höhe des Vermögens nach § 27 und des Härtefreibetrages nach § 29 Absatz 3 des Bundesausbildungsförderungsgesetzes[2)],
3. von alleinerziehenden Teilnehmern und Teilnehmerinnen zusätzlich: Art, Höhe und Zusammensetzung des Kinderbetreuungszuschlags,
4. von dem jeweiligen Ehegatten oder Lebenspartner des Teilnehmers oder der Teilnehmerin an Maßnahmen in Vollzeitform: Höhe und Zusammensetzung des Einkommens und des Freibetrags vom Einkommen und der vom Ein-

[1)] Nr. **699**.
[2)] **Sartorius Nr. 420.**

kommen auf den Bedarf des Teilnehmers oder der Teilnehmerin anzurechnende Betrag.

(3) Hilfsmerkmale sind Name und Anschrift der zuständigen Behörden.

(4) [1] Für die Durchführung der Statistik besteht Auskunftspflicht. [2] Auskunftspflichtig sind die zuständigen Behörden und die Kreditanstalt für Wiederaufbau.

[§ 27a bis 30.11.2021:]

§ 27a Anwendung des Sozialgesetzbuches. Soweit dieses Gesetz keine abweichenden Regelungen enthält, finden die §§ 1 bis 3, 11 bis 17, 30 bis 67 des Ersten Buches Sozialgesetzbuch [1)] und das Zehnte Buch Sozialgesetzbuch [2)] Anwendung; wird eine Leistung auf das Konto des Teilnehmers bei einem Kreditinstitut überwiesen, gilt bei fehlender Deckung des Kontos § 850k Absatz 6 der Zivilprozessordnung[3)] entsprechend.

[§ 27a ab 1.12.2021:]

§ 27a[4)] Anwendung des Sozialgesetzbuches. *Soweit dieses Gesetz keine abweichenden Regelungen enthält, sind die §§ 1 bis 3, 11 bis 17, 30 bis 67 des Ersten Buches Sozialgesetzbuch [1)] und das Zehnte Buch Sozialgesetzbuch[2)] anzuwenden.*

Siebter Abschnitt. Aufbringung der Mittel

§ 28 Aufbringung der Mittel. (1) Die Ausgaben nach diesem Gesetz einschließlich der Erstattung an die Kreditanstalt für Wiederaufbau nach § 14 Absatz 2 werden vom Bund zu 78 vom Hundert und von den Ländern zu 22 vom Hundert getragen.

(2) Die Kreditanstalt für Wiederaufbau führt 22 vom Hundert des von ihr nach § 18 für den Bund eingezogenen Darlehensbetrages an das Land ab, in dem der Darlehensnehmer oder die Darlehensnehmerin seinen oder ihren Wohnsitz hat.

Achter Abschnitt. Bußgeld-, Übergangs- und Schlussvorschriften

§ 29 Bußgeldvorschriften. (1) Ordnungswidrig handelt, wer vorsätzlich oder fahrlässig

1. entgegen § 21 Absatz 1 eine Auskunft nicht, nicht richtig, nicht vollständig oder nicht rechtzeitig erteilt, eine Urkunde nicht, nicht richtig, nicht vollständig oder nicht rechtzeitig vorlegt oder eine Mitteilung nicht, nicht richtig, nicht vollständig oder nicht rechtzeitig macht oder
2. entgegen § 60 Absatz 1 Satz 1 des Ersten Buches Sozialgesetzbuch[1)], auch in Verbindung mit § 21 Absatz 2, eine Angabe oder eine Änderungsmitteilung nicht, nicht richtig, nicht vollständig oder nicht rechtzeitig macht oder eine Beweisurkunde nicht, nicht richtig, nicht vollständig oder nicht rechtzeitig vorlegt.

[1)] Nr. **691**.
[2)] Auszugsweise abgedruckt unter Nr. **699**.
[3)] Nr. **320**.
[4)] § 27a neu gef. mWv 1.12.2021 durch G v. 22.11.2020 (BGBl. I S. 2466).

(2) Die Ordnungswidrigkeit kann mit einer Geldbuße bis zu dreitausend Euro geahndet werden.

§ 30 Übergangsvorschriften. (1) Für Maßnahmen der beruflichen Aufstiegsfortbildung, die bis zum Ablauf des 31. Juli 2020 abgeschlossen worden sind, sind die Vorschriften dieses Gesetzes in der bis zum Ablauf des 31. Juli 2020 geltenden Fassung weiterhin anzuwenden.

(2) Für Maßnahmen der beruflichen Aufstiegsfortbildung, die vor dem 31. Juli 2020 begonnen, aber noch nicht abgeschlossen worden sind, sind die Vorschriften dieses Gesetzes in der bis zum Ablauf des 31. Juli 2020 geltenden Fassung mit Ausnahme der §§ 10, 12 und 17a weiterhin anzuwenden.

(3) § 2 Absatz 1 in der bis zum Ablauf des 31. Juli 2020 geltenden Fassung ist auf Fortbildungsabschlüsse zu öffentlich-rechtlich geregelten Prüfungen auf Grundlage

1. der §§ 53 und 54 des Berufsbildungsgesetzes[1] in der bis zum Ablauf des 31. Dezember 2019 geltenden Fassung sowie
2. der §§ 42 und 42a der Handwerksordnung[2] in der bis zum Ablauf des 31. Dezember 2019 geltenden Fassung

solange anzuwenden, bis für den jeweiligen Fortbildungsabschluss neue Prüfungsregelungen auf der Grundlage der §§ 53 bis 53d oder 54 des Berufsbildungsgesetzes in der ab dem 1. Januar 2020 geltenden Fassung sowie der §§ 42 bis 42d oder 42f der Handwerksordnung[2] in der ab dem 1. Januar 2020 geltenden Fassung erlassen worden sind.

(4) Für Stundungs- und Erlassanträge, die ab dem 1. August 2020 bei der Kreditanstalt für Wiederaufbau eingehen, ist § 13b in der ab dem 1. August 2020 geltenden Fassung anzuwenden.

---

[1] Nr. **415**.
[2] Nr. **107**.

419. Gesetz zum Schutz der Teilnehmer am Fernunterricht (Fernunterrichtsschutzgesetz – FernUSG)[1)]

Vom 4. Dezember 2000[2)]
(BGBl. I S. 1670)

FNA 2211-4

zuletzt geänd. durch Art. 3 G zur Änd. des BGB und des EGBGB in Umsetzung der RL (EU) 2019/2161 und zur Aufhebung der VO zur Übertragung der Zuständigkeit für die Durchführung der VO (EG) Nr. 2006/2004 auf das Bundesministerium der Justiz und für Verbraucherschutz v. 10.8.2021 (BGBl. I S. 3483)

– Auszug –[3)]

§ 1 Anwendungsbereich. (1) Fernunterricht im Sinne dieses Gesetzes ist die auf vertraglicher Grundlage erfolgende, entgeltliche Vermittlung von Kenntnissen und Fähigkeiten, bei der

1. der Lehrende und der Lernende ausschließlich oder überwiegend räumlich getrennt sind und
2. der Lehrende oder sein Beauftragter den Lernerfolg überwachen.

(2) Dieses Gesetz findet auch auf unentgeltlichen Fernunterricht Anwendung, soweit dies ausdrücklich vorgesehen ist.

2. Abschnitt. Veranstaltung von Fernunterricht

§ 12 Zulassung von Fernlehrgängen. (1) [1] Fernlehrgänge bedürfen der Zulassung. [2] Das gleiche gilt für wesentliche Änderungen zugelassener Fernlehrgänge. [3] Keiner Zulassung bedürfen Fernlehrgänge, die nach Inhalt und Ziel ausschließlich der Freizeitgestaltung oder der Unterhaltung dienen. [4] Der Vertrieb von Fernlehrgängen nach Satz 3 ist der zuständigen Behörde anzuzeigen.

(2) [1] Die Zulassung eines Fernlehrgangs ist außer in den in § 13 Abs. 1 genannten Fällen insbesondere zu versagen, wenn

1. der Fernlehrgang nicht zur Erreichung des vom Veranstalter angegebenen Lehrgangsziels geeignet ist oder
2. Inhalt oder Zielsetzung des Fernlehrgangs gegen die öffentliche Sicherheit oder Ordnung verstoßen oder
3. der Veranstalter nicht den Nachweis erbringt, dass eine vollständige, zutreffende und den gesetzlichen Bestimmungen entsprechende Unterrichtung des Teilnehmers (§ 16) rechtzeitig vor Abgabe des Vertragsangebots vorgesehen ist, oder
4. die Ausgestaltung der vom Veranstalter vorgesehenen Vertragsbedingungen den gesetzlichen Anforderungen nicht entspricht.

[1)] **Amtl. Anm.:** Dieses Gesetz dient der Umsetzung der Richtlinie 97/7/EG des Europäischen Parlaments und des Rates vom 20. Mai 1997 über den Verbraucherschutz bei Vertragsabschlüssen im Fernabsatz (ABl. EG Nr. L 144 S. 19).

[2)] Neubekanntmachung des FernUSG vom 24.8.1976 (BGBl. I S. 2525) in der ab 30.6.2000 geltenden Fassung.

[3)] Vollständig wiedergegeben in **beck-online, Module Arbeitsrecht.**

[2] Das Landesrecht kann weitere Versagungsgründe vorsehen und die näheren Einzelheiten über Inhalt und Umfang der Versagungsgründe nach Satz 1 bestimmen.

(3) [1] Ein Fernlehrgang, dessen Lehrmaterial noch nicht vollständig vorliegt, soll vorläufig zugelassen werden, wenn

1. eine auf das Lehrgangsziel hinführende Lehrgangsplanung abgeschlossen ist,
2. die fertiggestellten Teile des Fernlehrgangs die Annahme rechtfertigen, dass nach Fertigstellung des Fernlehrgangs keine Versagungsgründe nach Absatz 2 Satz 1 Nr. 1 und 2, nach Landesrecht (Absatz 2 Satz 2) und nach § 13 Abs. 1 vorliegen werden,
3. der Veranstalter auf Grund seiner bisherigen Tätigkeit als Veranstalter oder auf Grund einer anderen Tätigkeit Gewähr dafür bietet, dass das Fernlehrmaterial den gesetzlichen Anforderungen entsprechend innerhalb angemessener Zeit fertiggestellt sein wird, und
4. keine Versagungsgründe nach Absatz 2 Satz 1 Nr. 3 und 4 vorliegen.

[2] Die vorläufige Zulassung wird unter der Bedingung erteilt, dass das restliche Fernlehrmaterial innerhalb zu bestimmender Fristen vorgelegt wird; die Fristen sind so zu bestimmen, dass eine ordnungsgemäße Durchführung des Fernlehrgangs gewährleistet ist.

(4) [1] Die Zulassung kann befristet, unter Bedingungen erteilt und mit Auflagen verbunden werden, die dem Schutz des Teilnehmers und der ordnungsgemäßen Durchführung dieses Gesetzes durch die zuständige Behörde dienen. [2] Nachträgliche Auflagen sind zulässig. [3] Änderungen der tatsächlichen Umstände, die für die Zulassung maßgebend sind, hat der Veranstalter unverzüglich mitzuteilen.

§ 12a[1] Einheitliche Stelle, Genehmigungsfiktion. (1) Die Verfahren nach § 12 Absatz 1 können über eine einheitliche Stelle abgewickelt werden.

(2) Hat die zuständige Behörde nicht innerhalb einer Frist von drei Monaten entschieden, gilt die Zulassung als erteilt.

§ 13[2] Zulassung berufsbildender Fernlehrgänge. (1) Bei berufsbildenden Fernlehrgängen ist außer in den in § 12 Abs. 2 Satz 1 genannten Fällen die Zulassung nur zu versagen, wenn der Fernlehrgang nach Inhalt, Dauer oder Ziel und nach der Art seiner Durchführung mit den Zielen der beruflichen Bildung nach dem Berufsbildungsgesetz[3] in der jeweils geltenden Fassung oder nach anderen Rechtsvorschriften der beruflichen Bildung nicht übereinstimmt oder diesen Vorschriften nicht entspricht, soweit sie eine entsprechende Anwendung auf den Fernunterricht zulassen.

(2) [1] Das Bundesministerium für Bildung, Forschung kann durch Rechtsverordnung, die der Zustimmung des Bundesrates bedarf, den näheren Inhalt und Umfang der Versagungsgründe nach Absatz 1 bestimmen, soweit die Fernlehrgänge berufliche Bildung vermitteln, die Gegenstand bundesrechtlicher Regelungen, insbesondere des Berufsbildungsgesetzes, ist. [2] Im übrigen bestimmt das Landesrecht Inhalt und Umfang der Versagungsgründe nach Absatz 1.

---

[1] § 12a eingef. mWv 9.11.2011 durch G v. 2.11.2011 (BGBl. I S. 2170).
[2] § 13 Abs. 1 geänd. mWv 1.4.2005 durch G v. 23.3.2005 (BGBl. I S. 931).
[3] Nr. **415**.

§ 14 Rücknahme und Widerruf. (1) Die Zulassung eines Fernlehrgangs ist zurückzunehmen, wenn bei der Erteilung einer der in § 12 Abs. 2 und § 13 Abs. 1 genannten Versagungsgründe vorgelegen hat oder die Voraussetzungen des § 12 Abs. 3 Satz 1 nicht gegeben waren.

(2) [1]Die Zulassung ist zu widerrufen, wenn einer der in § 12 Abs. 2 und § 13 Abs. 1 genannten Versagungsgründe nachträglich eingetreten ist oder die Voraussetzungen des § 12 Abs. 3 Satz 1 nachträglich weggefallen sind. [2]Sie kann widerrufen werden, wenn der Veranstalter einer ihm auferlegten Pflicht nicht nachkommt. [3]Vor dem Widerruf ist dem Veranstalter Gelegenheit zu geben, Abhilfe zu schaffen.

(3) Ist nach Abschluss des Fernunterrichtsvertrags die Zulassung erloschen, widerrufen oder zurückgenommen worden und hat der Teilnehmer den Fernunterrichtsvertrag nicht gekündigt (§ 7 Abs. 2), so bedarf der Veranstalter für die Erfüllung des Vertrags keiner Zulassung.

§ 15 Unentgeltliche berufsbildende Fernlehrgänge. (1) Fernlehrgänge, die auf vertraglicher Grundlage unentgeltlich durchgeführt werden und berufliche Bildung vermitteln, die Gegenstand bundesrechtlicher Regelungen, insbesondere des Berufsbildungsgesetzes[1)], ist, können vom Bundesinstitut für Berufsbildung auf Antrag als geeignet anerkannt werden.

(2) [1]Ein Fernlehrgang nach Absatz 1 ist anzuerkennen, wenn die in § 12 Abs. 2 Satz 1 Nr. 1 und 2 und § 13 Abs. 1 genannten Versagungsgründe nicht vorliegen. [2]Ein Fernlehrgang nach Absatz 1 gilt als anerkannt, wenn er nach § 12 Abs. 1 zugelassen worden ist.

(3) [1]§ 12 Abs. 1 Satz 2 und Abs. 4 und § 14 Abs. 1 und 2 gelten entsprechend. [2]Das Erlöschen, die Rücknahme und der Widerruf einer Anerkennung sind bekannt zu machen.

(4) Ist ein Fernlehrgang nach Absatz 1 als geeignet anerkannt worden, so ist die Zulassung dieses Fernlehrgangs nach § 12 Abs. 1 nur zu versagen, wenn einer der in § 12 Abs. 2 Satz 1 Nr. 3 und 4 genannten Versagungsgründe vorliegt.

§ 16[2)] Werbung mit Informationsmaterial. (1) [1]Der Veranstalter hat bei geschäftlicher Werbung für Fernlehrgänge durch Übermittlung von Informationsmaterial einen vollständigen Überblick über die Vertragsbedingungen und die Anforderungen an den Teilnehmer zu geben. [2]Das Informationsmaterial muß insbesondere einen vollständigen Überblick über die in Artikel 246a § 1 Absatz 1 Satz 1 Nummer 1, ***[bis 27.5.2022:*** 4 bis 7 und 11***][ab 28.5.2022:** 5 bis 10 und 14]* des Einführungsgesetzes zum Bürgerlichen Gesetzbuche[3)] genannten Angaben, über die Gültigkeitsdauer des Angebots und über das Widerrufsrecht des Teilnehmers enthalten.

(2) Ist ein Fernlehrgang nur vorläufig zugelassen, so muss dies in dem Informationsmaterial deutlich gekennzeichnet sein.

[1)] Nr. **415**.

[2)] § 16 Abs. 1 Satz 2 geänd. mWv 13.6.2014 durch G v. 20.9.2013 (BGBl. I S. 3642); Abs. 1 Satz 2 geänd. mWv 28.5.2022 durch G v. 10.8.2021 (BGBl. I S. 3483).

[3)] **beck-online, Module Arbeitsrecht Nr. 51.**

(3) Die Anerkennung eines unentgeltlichen berufsbildenden Fernlehrgangs nach § 15 Abs. 1 darf nicht zur geschäftlichen Werbung für Fernlehrgänge verwendet werden.

§ 17[1)] Vertreter, Berater. [1]Der Veranstalter oder seine Beauftragten dürfen zum Zweck der Werbung oder der Beratung über Fernlehrgänge des Veranstalters Personen nur dann aufsuchen, wenn diese

1. vorher Informationsmaterial, das den Anforderungen des § 16 entspricht, erhalten und
2. nach Erhalt des Informationsmaterials schriftlich darum gebeten haben.

[2]Für eine Beratung nach Satz 1 sollen der Veranstalter oder seine Beauftragten die erforderliche Eignung besitzen.

§ 18 Ergänzende Fernlehrgänge. [1]Auf Fernlehrgänge, deren Lehrgangsziel ausschließlich in der unselbständigen Ergänzung anderer, in sich abgeschlossener selbständiger Bildungsangebote besteht und die sich nur zu einer Nutzung in Verbindung mit anderen Bildungsangeboten eignen, finden die §§ 12 bis 14, 16 und 17 keine Anwendung. [2]Der Vertrieb dieser Fernlehrgänge ist der zuständigen Behörde anzuzeigen.

3. Abschnitt. Organisation; Auskunftspflicht; Ordnungswidrigkeiten

§ 19[2)] Zentralstelle; Zulassungsentscheidung. (1) Soweit die Länder die Zulassung von Fernlehrgängen einer Zentralstelle übertragen, kann dieser nach Landesrecht die Aufgabe übertragen werden, ein jährlich zu veröffentlichendes Verzeichnis der zugelassenen Fernlehrgänge zu führen.

(2) [1]Bei berufsbildenden Fernlehrgängen (§ 13 Abs. 1) trifft die zuständige Behörde die Entscheidung darüber, ob Versagungsgründe nach § 12 Abs. 2 Satz 1 Nr. 1 bis 3 und § 13 Abs. 1 vorliegen und ob die Zulassungsvoraussetzung nach § 12 Abs. 3 Satz 1 Nr. 1 und 2 erfüllt ist, unter Berücksichtigung der Ergebnisse der Forschung und Planung auf dem Gebiet der beruflichen Bildung. [2]Das Landesrecht kann vorsehen, dass die zuständige Behörde die Entscheidung nach Satz 1 im Benehmen mit dem Bundesinstitut für Berufsbildung zu treffen hat. [3]Das Landesrecht kann in diesem Falle bestimmen, dass die zuständige Behörde vor der Entscheidung nach Satz 1 eine schriftliche oder elektronische Stellungnahme des Bundesinstituts für Berufs-

(Fortsetzung nächstes Blatt)

[1)] § 17 Abs. 2 Satz 2 aufgeh., bish. Satz 1 wird alleiniger Wortlaut mWv 1.8.2002 durch G v. 23.7. 2002 (BGBl. I S. 2850); Abs. 2 aufgeh. mWv 13.6.2014 durch G v. 20.9.2013 (BGBl. I S. 3642).

[2)] § 19 Abs. 2 Satz 3 geänd. mWv 5.4.2017 durch G v. 29.3.2017 (BGBl. I S. 626).

bildung einzuholen und, falls sie beabsichtigt, von der Stellungnahme abzuweichen, dem Bundesinstitut für Berufsbildungsforschung unter Angabe der Gründe für die beabsichtigte Entscheidung erneut Gelegenheit zu einer Stellungnahme zu geben hat.

§ 20 Auskunftspflicht. (1) [1] Der Veranstalter ist verpflichtet, der zuständigen Behörde und, sofern das Landesrecht nach § 19 Abs. 2 eine Entscheidung im Benehmen mit dem Bundesinstitut für Berufsbildung vorsieht, in den in dieser Vorschrift genannten Fällen auch dem Bundesinstitut für Berufsbildung auf Verlangen die zur Durchführung der Aufgaben dieser Behörden erforderlichen Auskünfte zu erteilen, die dafür notwendigen Unterlagen vollständig und fristgemäß vorzulegen und zum Zweck der Überprüfung der Einhaltung von Pflichten des Veranstalters nach § 2 Abs. 1 innerhalb der Geschäftszeit Besichtigungen der Betriebsgrundstücke und Geschäftsräume zu dulden, die der Veranstaltung von Fernunterricht einschließlich begleitendem Unterricht dienen. [2] Die Auskunftspflicht erstreckt sich auch auf bereits zugelassene Fernlehrgänge. [3] Die Auskünfte sind wahrheitsgemäß, vollständig, fristgemäß und, soweit nichts anderes bestimmt ist, unentgeltlich zu geben.

(2) Der Auskunftspflichtige kann die Auskunft auf solche Fragen verweigern, deren Beantwortung ihm selbst oder einem seiner in § 383 Abs. 1 Nr. 1 bis 3 der Zivilprozeßordnung[1)] bezeichneten Angehörigen die Gefahr zuziehen würde, wegen einer Straftat oder einer Ordnungswidrigkeit verfolgt zu werden.

(3) [1] Einzelangaben über persönliche oder sachliche Verhältnisse, die für Erhebungen und Untersuchungen der Behörden nach Absatz 1 Satz 1 gemacht werden, sind, soweit durch Rechtsvorschrift nichts anderes bestimmt ist, von diesen Behörden geheimzuhalten. [2] Die §§ 93, 97, 105 Abs. 1, § 111 Abs. 5 in Verbindung mit § 105 Abs. 1 sowie § 116 Abs. 1 der Abgabenordnung[2)] vom 16. März 1976 (BGBl. I S. 613) gelten insoweit nicht. [3] Veröffentlichungen dieser Behörden dürfen keine Einzelangaben über Veranstalter enthalten. [4] Eine Zusammenfassung von Angaben mehrerer Auskunftspflichtiger ist keine Einzelangabe im Sinne dieses Absatzes.

§ 21[3)] Ordnungswidrigkeiten. (1) Ordnungswidrig handelt, wer vorsätzlich oder fahrlässig

1. als Veranstalter einen Fernlehrgang, der nicht nach § 12 Abs. 1 Satz 1 oder dessen wesentliche Änderung nicht nach § 12 Abs. 1 Satz 2 zugelassen ist, vertreibt oder vertreiben läßt,
2. entgegen § 12 Abs. 1 Satz 4 den Vertrieb eines Fernlehrgangs, der nach Inhalt und Ziel ausschließlich der Freizeitgestaltung oder der Unterhaltung dient, oder entgegen § 18 Satz 2 den Vertrieb eines ergänzenden Fernlehrgangs nach § 18 Satz 1 nicht anzeigt,
3. a) entgegen § 16 Abs. 1 als Veranstalter Informationsmaterial übermittelt, das keinen vollständigen Überblick über die Vertragsbedingungen und die Anforderungen an den Teilnehmer gibt,

---

1) **beck-online, Module Arbeitsrecht Nr. 320.**
2) **Steuergesetze Nr. 800.**
3) § 21 Abs. 1 Nr. 4 geänd. mWv 13.6.2014 durch G v. 20.9.2013 (BGBl. I S. 3642).

b) entgegen § 16 Abs. 2 als Veranstalter in dem Informationsmaterial nicht deutlich kennzeichnet, dass der Fernlehrgang nur vorläufig zugelassen ist,

c) entgegen § 16 Abs. 3 als Veranstalter die Anerkennung eines unentgeltlichen berufsbildenden Fernlehrgangs nach § 15 Abs. 1 zur geschäftlichen Werbung für Fernlehrgänge verwendet,

4. entgegen § 17 Satz 1 zum Zweck der Werbung, Beratung oder des Vertragsabschlusses Personen aufsucht oder

5. entgegen § 20 Abs. 1 eine Auskunft nicht, nicht rechtzeitig, nicht richtig oder nicht vollständig erteilt, Unterlagen nicht, nicht rechtzeitig oder nicht vollständig vorlegt oder eine Besichtigung nicht duldet.

(2) Die Ordnungswidrigkeit kann in den Fällen des Absatzes 1 Nr. 1, 3 und 4 mit einer Geldbuße bis zu 10 000 Euro, in den Fällen des Absatzes 1 Nr. 2 und 5 mit einer Geldbuße bis zu 1 000 Euro geahndet werden.

4. Abschnitt. Übergangsvorschriften; Änderung von Bundesgesetzen; Schlußvorschriften

§ 22 (weggefallen)

§ 23 (weggefallen)

§ 27[1)] Übergangsvorschrift. (1) Auf Fernunterrichtsverträge, die vor dem 30. Juni 2000 abgeschlossen worden sind, ist dieses Gesetz in der bis dahin geltenden Fassung anzuwenden.

(2) Informationsmaterial, das vor dem 1. Oktober 2000 hergestellt wurde und das § 3 Abs. 2 und 3 nicht genügt, darf bis zum 31. März 2001 verwendet werden.

(3) [1] § 17 ist in der seit dem 1. August 2002 geltenden Fassung auf Verträge anzuwenden, die nach dem 1. August 2002 abgeschlossen worden sind. [2] Die Vorschrift findet auch auf Verträge Anwendung, die nach dem 1. Dezember 2001 abgeschlossen worden und zugleich Haustürgeschäfte sind.

1) § 27 Abs. 3 angef. mWv 1.8.2002 durch G v. 23.7.2002 (BGBl. I S. 2850).

420. Gesetz zum Schutze der arbeitenden Jugend (Jugendarbeitsschutzgesetz – JArbSchG)

Vom 12. April 1976
(BGBl. I S. 965)

FNA 8051-10

zuletzt geänd. durch Art. 53 Viertes BürokratieentlastungsG v. 23.10.2024 (BGBl. 2024 I Nr. 323)

Inhaltsübersicht[1)]

[1)] Inhaltsübersicht redaktionell an Änderung mWv 14.12.2011 durch G v. 7.12.2011 (BGBl. I S. 2592); mWv 1.1.2020 durch G v. 12.12.2019 (BGBl. I S. 2522); mWv 1.1.2025 durch G v. 23.10. 2024 (BGBl. 2024 I Nr. 323) angepasst.

Der Bundestag hat mit Zustimmung des Bundesrates das folgende Gesetz beschlossen:

Erster Abschnitt. Allgemeine Vorschriften

§ 1[1] **Geltungsbereich** (1) Dieses Gesetz gilt in der Bundesrepublik Deutschland und in der ausschließlichen Wirtschaftszone für die Beschäftigung von Personen, die noch nicht 18 Jahre alt sind,

1. in der Berufsausbildung,

2. als Arbeitnehmer oder Heimarbeiter,

[1] § 1 Abs. 1 geänd. mWv 1.8.2013 durch G v. 20.4.2013 (BGBl. I S. 868).

3. mit sonstigen Dienstleistungen, die der Arbeitsleistung von Arbeitnehmern oder Heimarbeitern ähnlich sind,
4. in einem der Berufsausbildung ähnlichen Ausbildungsverhältnis.

(2) Dieses Gesetz gilt nicht

1. für geringfügige Hilfeleistungen, soweit sie gelegentlich
   a) aus Gefälligkeit,
   b) auf Grund familienrechtlicher Vorschriften,
   c) in Einrichtungen der Jugendhilfe,
   d) in Einrichtungen zur Eingliederung Behinderter

   erbracht werden,
2. für die Beschäftigung durch die Personensorgeberechtigten im Familienhaushalt.

§ 1a[1)] Formvorgaben. [1] Soweit in diesem Gesetz schriftliche Handlungen vorgesehen sind, können diese auch in Textform erfolgen. [2] Dies gilt nicht für § 6 Absatz 4 Satz 1 und § 21a Absatz 2.

§ 2[2)] Kind, Jugendlicher. (1) Kind im Sinne dieses Gesetzes ist, wer noch nicht 15 Jahre alt ist.

(2) Jugendlicher im Sinne dieses Gesetzes ist, wer 15, aber noch nicht 18 Jahre alt ist.

(3) Auf Jugendliche, die der Vollzeitschulpflicht unterliegen, finden die für Kinder geltenden Vorschriften Anwendung.

§ 3 Arbeitgeber. Arbeitgeber im Sinne dieses Gesetzes ist, wer ein Kind oder einen Jugendlichen gemäß § 1 beschäftigt.

§ 4 Arbeitszeit. (1) Tägliche Arbeitszeit ist die Zeit vom Beginn bis zum Ende der täglichen Beschäftigung ohne die Ruhepausen (§ 11).

(2) Schichtzeit ist die tägliche Arbeitszeit unter Hinzurechnung der Ruhepausen (§ 11).

(3) [1] Im Bergbau unter Tage gilt die Schichtzeit als Arbeitszeit. [2] Sie wird gerechnet vom Betreten des Förderkorbes bei der Einfahrt bis zum Verlassen des Förderkorbes bei der Ausfahrt oder vom Eintritt des einzelnen Beschäftigten in das Stollenmundloch bis zu seinem Wiederaustritt.

(4) [1] Für die Berechnung der wöchentlichen Arbeitszeit ist als Woche die Zeit von Montag bis einschließlich Sonntag zugrunde zu legen. [2] Die Arbeitszeit, die an einem Werktag infolge eines gesetzlichen Feiertags ausfällt, wird auf die wöchentliche Arbeitszeit angerechnet.

(5) Wird ein Kind oder ein Jugendlicher von mehreren Arbeitgebern beschäftigt, so werden die Arbeits- und Schichtzeiten sowie die Arbeitstage zusammengerechnet.

[1)] § 1a eingef. mWv 1.1.2025 durch G v. 23.10.2024 (BGBl. 2024 I Nr. 323).
[2)] § 2 Abs. 1 und 2 geänd., Abs. 3 neu gef. durch G v. 24.2.1997 (BGBl. I S. 311).

Zweiter Abschnitt. Beschäftigung von Kindern

§ 5[1)] Verbot der Beschäftigung von Kindern. (1) Die Beschäftigung von Kindern (§ 2 Abs. 1) ist verboten.

(2) [1] Das Verbot des Absatzes 1 gilt nicht für die Beschäftigung von Kindern

1. zum Zwecke der Beschäftigungs- und Arbeitstherapie,
2. im Rahmen des Betriebspraktikums während der Vollzeitschulpflicht,
3. in Erfüllung einer richterlichen Weisung.

[2] Auf die Beschäftigung finden § 7 Satz 1 Nr. 2 und die §§ 9 bis 46 entsprechende Anwendung.

(3) [1] Das Verbot des Absatzes 1 gilt ferner nicht für die Beschäftigung von Kindern über 13 Jahre mit Einwilligung des Personensorgeberechtigten, soweit die Beschäftigung leicht und für Kinder geeignet ist. [2] Die Beschäftigung ist leicht, wenn sie auf Grund ihrer Beschaffenheit und der besonderen Bedingungen, unter denen sie ausgeführt wird,

1. die Sicherheit, Gesundheit und Entwicklung der Kinder,
2. ihren Schulbesuch, ihre Beteiligung an Maßnahmen zur Berufswahlvorbereitung oder Berufsausbildung, die von der zuständigen Stelle anerkannt sind, und
3. ihre Fähigkeit, dem Unterricht mit Nutzen zu folgen,

nicht nachteilig beeinflußt. [3] Die Kinder dürfen nicht mehr als zwei Stunden täglich, in landwirtschaftlichen Familienbetrieben nicht mehr als drei Stunden täglich, nicht zwischen 18 und 8 Uhr, nicht vor dem Schulunterricht und nicht während des Schulunterrichts beschäftigt werden. [4] Auf die Beschäftigung finden die §§ 15 bis 31 entsprechende Anwendung.

(4) [1] Das Verbot des Absatzes 1 gilt ferner nicht für die Beschäftigung von Jugendlichen (§ 2 Abs. 3) während der Schulferien für höchstens vier Wochen im Kalenderjahr. [2] Auf die Beschäftigung finden die §§ 8 bis 31 entsprechende Anwendung.

(4a) Die Bundesregierung hat durch Rechtsverordnung mit Zustimmung des Bundesrates die Beschäftigung nach Absatz 3 näher zu bestimmen.

(4b) Der Arbeitgeber unterrichtet die Personensorgeberechtigten der von ihm beschäftigten Kinder über mögliche Gefahren sowie über alle zu ihrer Sicherheit und ihrem Gesundheitsschutz getroffenen Maßnahmen.

(5) Für Veranstaltungen kann die Aufsichtsbehörde Ausnahmen gemäß § 6 bewilligen.

§ 6[2)] Behördliche Ausnahmen für Veranstaltungen. (1) [1] Die Aufsichtsbehörde kann auf Antrag bewilligen, daß

1. bei Theatervorstellungen Kinder über sechs Jahre bis zu vier Stunden täglich in der Zeit von 10 bis 23 Uhr,

---

[1)] § 5 bish. Abs. 4 wird Abs. 5, neuer Abs. 4 eingef. durch G v. 15.10.1984 (BGBl. I S. 1277), Abs. 1, Abs. 2 Satz 2, Abs. 3 neu gef., Abs. 4 Satz 1 geänd., Abs. 4a und 4b eingef. durch G v. 24.2.1997 (BGBl. I S. 311).

[2)] § 6 Überschrift geänd. durch G v. 24.2.1997 (BGBl. I S. 311).

2. bei Musikaufführungen und anderen Aufführungen, bei Werbeveranstaltungen sowie bei Aufnahmen im Rundfunk (Hörfunk und Fernsehen), auf Ton- und Bildträger sowie bei Film- und Fotoaufnahmen
   a) Kinder über drei bis sechs Jahre bis zu zwei Stunden täglich in der Zeit von 8 bis 17 Uhr,
   b) Kinder über sechs Jahre bis zu drei Stunden täglich in der Zeit von 8 bis 22 Uhr

gestaltend mitwirken und an den erforderlichen Proben teilnehmen. [2] Eine Ausnahme darf nicht bewilligt werden für die Mitwirkung in Kabaretts, Tanz-

(Fortsetzung nächstes Blatt)

lokalen und ähnlichen Betrieben sowie auf Vergnügungsparks, Kirmessen, Jahrmärkten und bei ähnlichen Veranstaltungen, Schaustellungen oder Darbietungen.

(2) Die Aufsichtsbehörde darf nach Anhörung des zuständigen Jugendamtes die Beschäftigung nur bewilligen, wenn

1. die Personensorgeberechtigten in die Beschäftigung schriftlich eingewilligt haben,
2. der Aufsichtsbehörde eine nicht länger als vor drei Monaten ausgestellte ärztliche Bescheinigung vorgelegt wird, nach der gesundheitliche Bedenken gegen die Beschäftigung nicht bestehen,
3. die erforderlichen Vorkehrungen und Maßnahmen zum Schutze des Kindes gegen Gefahren für Leben und Gesundheit sowie zur Vermeidung einer Beeinträchtigung der körperlichen oder seelisch-geistigen Entwicklung getroffen sind,
4. Betreuung und Beaufsichtigung des Kindes bei der Beschäftigung sichergestellt sind,
5. nach Beendigung der Beschäftigung eine ununterbrochene Freizeit von mindestens 14 Stunden eingehalten wird,
6. das Fortkommen in der Schule nicht beeinträchtigt wird.

(3) Die Aufsichtsbehörde bestimmt,

1. wie lange, zu welcher Zeit und an welchem Tage das Kind beschäftigt werden darf,
2. Dauer und Lage der Ruhepausen,
3. die Höchstdauer des täglichen Aufenthalts an der Beschäftigungsstätte.

(4) [1] Die Entscheidung der Aufsichtsbehörde ist dem Arbeitgeber schriftlich bekanntzugeben. [2] Er darf das Kind erst nach Empfang des Bewilligungsbescheides beschäftigen.

§ 7[1)] Beschäftigung von nicht vollzeitschulpflichtigen Kindern. [1] Kinder, die der Vollzeitschulpflicht nicht mehr unterliegen, dürfen

1. im Berufsausbildungsverhältnis,
2. außerhalb eines Berufsausbildungsverhältnisses nur mit leichten und für sie geeigneten Tätigkeiten bis zu sieben Stunden täglich und 35 Stunden wöchentlich

beschäftigt werden. [2] Auf die Beschäftigung finden die §§ 8 bis 46 entsprechende Anwendung.

Dritter Abschnitt.[2)] Beschäftigung Jugendlicher

Erster Titel. Arbeitszeit und Freizeit

§ 8[3)] Dauer der Arbeitszeit. (1) Jugendliche dürfen nicht mehr als acht Stunden täglich und nicht mehr als 40 Stunden wöchentlich beschäftigt werden.

[1)] § 7 neu gef. durch G v. 24.2.1997 (BGBl. I S. 311).
[2)] Überschrift geänd. durch G v. 24.2.1997 (BGBl. I S. 311).
[3)] § 8 Abs. 2a eingef. durch G v. 15.10.1984 (BGBl. I S. 1277).

(2) [1]Wenn in Verbindung mit Feiertagen an Werktagen nicht gearbeitet wird, damit die Beschäftigten eine längere zusammenhängende Freizeit haben, so darf die ausfallende Arbeitszeit auf die Werktage von fünf zusammenhängenden, die Ausfalltage einschließenden Wochen nur dergestalt verteilt werden, daß die Wochenarbeitszeit im Durchschnitt dieser fünf Wochen 40 Stunden nicht überschreitet. [2]Die tägliche Arbeitszeit darf hierbei achteinhalb Stunden nicht überschreiten.

(2a) Wenn an einzelnen Werktagen die Arbeitszeit auf weniger als acht Stunden verkürzt ist, können Jugendliche an den übrigen Werktagen derselben Woche achteinhalb Stunden beschäftigt werden.

(3) In der Landwirtschaft dürfen Jugendliche über 16 Jahre während der Erntezeit nicht mehr als neun Stunden täglich und nicht mehr als 85 Stunden in der Doppelwoche beschäftigt werden.

§ 9[1)] **Berufsschule.** (1) [1]Der Arbeitgeber hat den Jugendlichen für die Teilnahme am Berufsschulunterricht freizustellen. [2]Er darf den Jugendlichen nicht beschäftigen

1. vor einem vor 9 Uhr beginnenden Unterricht; dies gilt auch für Personen, die über 18 Jahre alt und noch berufsschulpflichtig sind,
2. an einem Berufsschultag mit mehr als fünf Unterrichtsstunden von mindestens je 45 Minuten, einmal in der Woche,
3. in Berufsschulwochen mit einem planmäßigen Blockunterricht von mindestens 25 Stunden an mindestens fünf Tagen; zusätzliche betriebliche Ausbildungsveranstaltungen bis zu zwei Stunden wöchentlich sind zulässig.

(2) Auf die Arbeitszeit des Jugendlichen werden angerechnet

1. Berufsschultage nach Absatz 1 Satz 2 Nummer 2 mit der durchschnittlichen täglichen Arbeitszeit,
2. Berufsschulwochen nach Absatz 1 Satz 2 Nummer 3 mit der durchschnittlichen wöchentlichen Arbeitszeit,
3. im Übrigen die Unterrichtszeit einschließlich der Pausen und der notwendigen Wegezeiten zwischen Berufsschule und Ausbildungsstätte.

(3) Ein Entgeltausfall darf durch den Besuch der Berufsschule nicht eintreten.

§ 10[2)] **Prüfungen und außerbetriebliche Ausbildungsmaßnahmen.**

(1) Der Arbeitgeber hat den Jugendlichen

1. für die Teilnahme an Prüfungen und Ausbildungsmaßnahmen, die auf Grund öffentlich-rechtlicher oder vertraglicher Bestimmungen außerhalb der Ausbildungsstätte durchzuführen sind,
2. an dem Arbeitstag, der der schriftlichen Abschlußprüfung unmittelbar vorangeht,

freizustellen.

[1)] § 9 Abs. 1 Satz 2 Nr. 2 neu gef. durch G v. 15.10.1984 (BGBl. I S. 1277), Abs. 1 Satz 2 Nr. 1 geänd., Abs. 4 aufgeh. durch G v. 24.2.1997 (BGBl. I S. 311); Abs. 2 neu gef. mWv 1.1.2020 durch G v. 12.12.2019 (BGBl. I S. 2522); Abs. 2 Nr. 3 geänd. mWv 1.8.2024 durch G v. 19.7.2024 (BGBl. 2024 I Nr. 246).

[2)] § 10 Abs. 2 Satz 1 einl. Satzteil und Nr. 2 geänd. mWv 1.1.2020 durch G v. 12.12.2019 (BGBl. I S. 2522); Abs. 2 Satz 1 Nr. 1 geänd. mWv 1.8.2024 durch G v. 19.7.2024 (BGBl. 2024 I Nr. 246).

(2) [1] Auf die Arbeitszeit des Jugendlichen werden angerechnet

1. die Freistellung nach Absatz 1 Nr. 1 mit der Zeit der Teilnahme einschließlich der Pausen und der notwendigen Wegezeiten zwischen Teilnahmeort und Ausbildungsstätte,
2. die Freistellung nach Absatz 1 Nr. 2 mit der durchschnittlichen täglichen Arbeitszeit.

[2] Ein Entgeltausfall darf nicht eintreten.

§ 11[1)] Ruhepausen, Aufenthaltsräume. (1) [1] Jugendlichen müssen im voraus feststehende Ruhepausen von angemessener Dauer gewährt werden. [2] Die Ruhepausen müssen mindestens betragen

1. 30 Minuten bei einer Arbeitszeit von mehr als viereinhalb bis zu sechs Stunden,
2. 60 Minuten bei einer Arbeitszeit von mehr als sechs Stunden.

[3] Als Ruhepause gilt nur eine Arbeitsunterbrechung von mindestens 15 Minuten.

(2) [1] Die Ruhepausen müssen in angemessener zeitlicher Lage gewährt werden, frühestens eine Stunde nach Beginn und spätestens eine Stunde vor Ende der Arbeitszeit. [2] Länger als viereinhalb Stunden hintereinander dürfen Jugendliche nicht ohne Ruhepause beschäftigt werden.

(3) Der Aufenthalt während der Ruhepausen in Arbeitsräumen darf den Jugendlichen nur gestattet werden, wenn die Arbeit in diesen Räumen während dieser Zeit eingestellt ist und auch sonst die notwendige Erholung nicht beeinträchtigt wird.

(4) Absatz 3 gilt nicht für den Bergbau unter Tage.

§ 12[2)] Schichtzeit. Bei der Beschäftigung Jugendlicher darf die Schichtzeit (§ 4 Abs. 2) 10 Stunden, im Bergbau unter Tage 8 Stunden, im Gaststättengewerbe, in der Landwirtschaft, in der Tierhaltung, auf Bau- und Montagestellen 11 Stunden nicht überschreiten.

§ 13 Tägliche Freizeit. Nach Beendigung der täglichen Arbeitszeit dürfen Jugendliche nicht vor Ablauf einer ununterbrochenen Freizeit von mindestens 12 Stunden beschäftigt werden.

§ 14[3)] Nachtruhe. (1) Jugendliche dürfen nur in der Zeit von 6 bis 20 Uhr beschäftigt werden.

(2) Jugendliche über 16 Jahre dürfen

1. im Gaststätten- und Schaustellergewerbe bis 22 Uhr,
2. in mehrschichtigen Betrieben bis 23 Uhr,
3. in der Landwirtschaft ab 5 Uhr oder bis 21 Uhr,
4. in Bäckereien und Konditoreien ab 5 Uhr

[1)] § 11 Abs. 3 aufgeh., bish. Abs. 4 und 5 werden Abs. 3 und 4, Abs. 4 neu gef. durch G v. 15.10. 1984 (BGBl. I S. 1277).

[2)] § 12 geänd. durch G v. 15.10.1984 (BGBl. I S. 1277).

[3)] § 14 Abs. 1, 4, 5 Satz 1 und 2 geänd., Abs. 2 und 3 neu gef. durch G v. 15.10.1984 (BGBl. I S. 1277); Abs. 6 und 7 Satz 1 und 2 neu gef. mWv 1.7.2005 durch G v. 21.6.2005 (BGBl. I S. 1666); Abs. 7 Satz 4 angef. mWv 23.7.2021 durch G v. 16.7.2021 (BGBl. I S. 2970).

beschäftigt werden.

(3) Jugendliche über 17 Jahre dürfen in Bäckereien ab 4 Uhr beschäftigt werden.

(4) An dem einem Berufsschultag unmittelbar vorangehenden Tag dürfen Jugendliche auch nach Absatz 2 Nr. 1 bis 3 nicht nach 20 Uhr beschäftigt werden, wenn der Berufsschulunterricht am Berufsschultag vor 9 Uhr beginnt.

(5) [1] Nach vorheriger Anzeige an die Aufsichtsbehörde dürfen in Betrieben, in denen die übliche Arbeitszeit aus verkehrstechnischen Gründen nach 20 Uhr endet, Jugendliche bis 21 Uhr beschäftigt werden, soweit sie hierdurch unnötige Wartezeiten vermeiden können. [2] Nach vorheriger Anzeige an die Aufsichtsbehörde dürfen ferner in mehrschichtigen Betrieben Jugendliche über 16 Jahre ab 5.30 Uhr oder bis 23.30 Uhr beschäftigt werden, soweit sie hierdurch unnötige Wartezeiten vermeiden können.

(6) [1] Jugendliche dürfen in Betrieben, in denen die Beschäftigten in außergewöhnlichem Grade der Einwirkung von Hitze ausgesetzt sind, in der warmen Jahreszeit ab 5 Uhr beschäftigt werden. [2] Die Jugendlichen sind berechtigt, sich vor Beginn der Beschäftigung und danach in regelmäßigen Zeitabständen arbeitsmedizinisch untersuchen zu lassen. [3] Die Kosten der Untersuchungen hat der Arbeitgeber zu tragen, sofern er diese nicht kostenlos durch einen Betriebsarzt oder einen überbetrieblichen Dienst von Betriebsärzten anbietet.

(7) [1] Jugendliche dürfen bei Musikaufführungen, Theatervorstellungen und anderen Aufführungen, bei Aufnahmen im Rundfunk (Hörfunk und Fernsehen), auf Ton- und Bildträger sowie bei Film- und Fotoaufnahmen bis 23 Uhr gestaltend mitwirken. [2] Eine Mitwirkung ist nicht zulässig bei Veranstaltungen, Schaustellungen oder Darbietungen, bei denen die Anwesenheit Jugendlicher nach den Vorschriften des Jugendschutzgesetzes[1)] verboten ist. [3] Nach Beendigung der Tätigkeit dürfen Jugendliche nicht vor Ablauf einer ununterbrochenen Freizeit von mindestens 14 Stunden beschäftigt werden. [4] Die Sätze 1 bis 3 gelten entsprechend auch für die Tätigkeit von Jugendlichen als Sportler im Rahmen von Sportveranstaltungen.

(Fortsetzung nächstes Blatt)

[1)] **Sartorius Nr. 400.**

§ 15[1)] Fünf-Tage-Woche. [1]Jugendliche dürfen nur an fünf Tagen in der Woche beschäftigt werden. [2]Die beiden wöchentlichen Ruhetage sollen nach Möglichkeit aufeinander folgen.

§ 16[2)] Samstagsruhe. (1) An Samstagen dürfen Jugendliche nicht beschäftigt werden.

(2) [1]Zulässig ist die Beschäftigung Jugendlicher an Samstagen nur

1. in Krankenanstalten sowie in Alten-, Pflege- und Kinderheimen,
2. in offenen Verkaufsstellen, in Betrieben mit offenen Verkaufsstellen, in Bäckereien und Konditoreien, im Friseurhandwerk und im Marktverkehr,
3. im Verkehrswesen,
4. in der Landwirtschaft und Tierhaltung,
5. im Familienhaushalt,
6. im Gaststätten- und Schaustellergewerbe,
7. bei Musikaufführungen, Theatervorstellungen und anderen Aufführungen, bei Aufnahmen im Rundfunk (Hörfunk und Fernsehen), auf Ton- und Bildträger sowie bei Film- und Fotoaufnahmen,
8. bei außerbetrieblichen Ausbildungsmaßnahmen,
9. beim Sport,
10. im ärztlichen Notdienst,
11. in Reparaturwerkstätten für Kraftfahrzeuge.

[2]Mindestens zwei Samstage im Monat sollen beschäftigungsfrei bleiben.

(3) [1]Werden Jugendliche am Samstag beschäftigt, ist ihnen die Fünf-Tage-Woche (§ 15) durch Freistellung an einem anderen berufsschulfreien Arbeitstag derselben Woche sicherzustellen. [2]In Betrieben mit einem Betriebsruhetag in der Woche kann die Freistellung auch an diesem Tage erfolgen, wenn die Jugendlichen an diesem Tage keinen Berufsschulunterricht haben.

(4) Können Jugendliche in den Fällen des Absatzes 2 Nr. 2 am Samstag nicht acht Stunden beschäftigt werden, kann der Unterschied zwischen der tatsächlichen und der nach § 8 Abs. 1 höchstzulässigen Arbeitszeit an dem Tage bis 13 Uhr ausgeglichen werden, an dem die Jugendlichen nach Absatz 3 Satz 1 freizustellen sind.

§ 17[3)] Sonntagsruhe. (1) An Sonntagen dürfen Jugendliche nicht beschäftigt werden.

(2) [1]Zulässig ist die Beschäftigung Jugendlicher an Sonntagen nur

1. in Krankenanstalten sowie in Alten-, Pflege- und Kinderheimen,
2. in der Landwirtschaft und Tierhaltung mit Arbeiten, die auch an Sonn- und Feiertagen naturnotwendig vorgenommen werden müssen,
3. im Familienhaushalt, wenn der Jugendliche in die häusliche Gemeinschaft aufgenommen ist,
4. im Schaustellergewerbe,

[1)] § 15 Satz 2 neu gef. durch G v. 24.2.1997 (BGBl. I S. 311).

[2)] § 16 Abs. 2 Satz 1 Nr. 4 und Nr. 10, Abs. 4 geänd., Abs. 2 Satz 1 Nr. 11 eingef. durch G v. 15.10. 1984 (BGBl. I S. 1277).

[3)] § 17 Abs. 2 Satz 1 Nr. 2 geänd., Abs. 2 Satz 1 Nr. 8 neu gef. durch G v. 15.10.1984 (BGBl. I S. 1277)

5. bei Musikaufführungen, Theatervorstellungen und anderen Aufführungen sowie bei Direktsendungen im Rundfunk (Hörfunk und Fernsehen),
6. beim Sport,
7. im ärztlichen Notdienst,
8. im Gaststättengewerbe.

²Jeder zweite Sonntag soll, mindestens zwei Sonntage im Monat müssen beschäftigungsfrei bleiben.

(3) ¹Werden Jugendliche am Sonntag beschäftigt, ist ihnen die Fünf-Tage-Woche (§ 15) durch Freistellung an einem anderen berufsschulfreien Arbeitstag derselben Woche sicherzustellen. ²In Betrieben mit einem Betriebsruhetag in der Woche kann die Freistellung auch an diesem Tage erfolgen, wenn die Jugendlichen an diesem Tage keinen Berufsschulunterricht haben.

§ 18[1)] Feiertagsruhe. (1) Am 24. und 31. Dezember nach 14 Uhr und an gesetzlichen Feiertagen dürfen Jugendliche nicht beschäftigt werden.

(Fortsetzung nächstes Blatt)

[1)] § 18 Abs. 2 geänd. durch G v. 15.10.1984 (BGBl. I S. 1277).

(2) Zulässig ist die Beschäftigung Jugendlicher an gesetzlichen Feiertagen in den Fällen des § 17 Abs. 2, ausgenommen am 25. Dezember, am 1. Januar, am ersten Osterfeiertag und am 1. Mai.

(3) [1] Für die Beschäftigung an einem gesetzlichen Feiertag, der auf einen Werktag fällt, ist der Jugendliche an einem anderen berufsschulfreien Arbeitstag derselben oder der folgenden Woche freizustellen. [2] In Betrieben mit einem Betriebsruhetag in der Woche kann die Freistellung auch an diesem Tage erfolgen, wenn die Jugendlichen an diesem Tage keinen Berufsschulunterricht haben.

§ 19 Urlaub. (1) Der Arbeitgeber hat Jugendlichen für jedes Kalenderjahr einen bezahlten Erholungsurlaub zu gewähren.

(2) [1] Der Urlaub beträgt jährlich

1. mindestens 30 Werktage, wenn der Jugendliche zu Beginn des Kalenderjahres noch nicht 16 Jahre alt ist,
2. mindestens 27 Werktage, wenn der Jugendliche zu Beginn des Kalenderjahres noch nicht 17 Jahre alt ist,
3. mindestens 25 Werktage, wenn der Jugendliche zu Beginn des Kalenderjahres noch nicht 18 Jahre alt ist.

[2] Jugendliche, die im Bergbau unter Tage beschäftigt werden, erhalten in jeder Altersgruppe einen zusätzlichen Urlaub von drei Werktagen.

(3) [1] Der Urlaub soll Berufsschülern in der Zeit der Berufsschulferien gegeben werden. [2] Soweit er nicht in den Berufsschulferien gegeben wird, ist für jeden Berufsschultag, an dem die Berufsschule während des Urlaubs besucht wird, ein weiterer Urlaubstag zu gewähren.

(4) [1] Im übrigen gelten für den Urlaub der Jugendlichen § 3 Abs. 2, §§ 4 bis 12 und § 13 Abs. 3 des Bundesurlaubsgesetzes[1)]. [2] Der Auftraggeber oder Zwischenmeister hat jedoch abweichend von § 12 Nr. 1 des Bundesurlaubsgesetzes den jugendlichen Heimarbeitern für jedes Kalenderjahr einen bezahlten Erholungsurlaub entsprechend Absatz 2 zu gewähren; das Urlaubsentgelt der jugendlichen Heimarbeiter beträgt bei einem Urlaub von 30 Werktagen 11,6 vom Hundert, bei einem Urlaub von 27 Werktagen 10,3 vom Hundert und bei einem Urlaub von 25 Werktagen 9,5 vom Hundert.

§ 20[2)] Binnenschiffahrt. (1) In der Binnenschiffahrt gelten folgende Abweichungen:

1. Abweichend von § 12 darf die Schichtzeit Jugendlicher über 16 Jahre während der Fahrt bis auf 14 Stunden täglich ausgedehnt werden, wenn ihre Arbeitszeit sechs Stunden täglich nicht überschreitet. Ihre tägliche Freizeit kann abweichend von § 13 der Ausdehnung der Schichtzeit entsprechend bis auf 10 Stunden verkürzt werden.
2. Abweichend von § 14 Abs. 1 dürfen Jugendliche über 16 Jahre während der Fahrt bis 22 Uhr beschäftigt werden.
3. Abweichend von §§ 15, 16 Abs. 1, § 17 Abs. 1 und § 18 Abs. 1 dürfen Jugendliche an jedem Tag der Woche beschäftigt werden, jedoch nicht am

---

1) Nr. **134**.

2) § 20 Nr. 2 neu gef. durch G v. 15. 10. 1984 (BGBl. I S. 1277); bish. Wortlaut wird Abs. 1, Abs. 2 und 3 angef. mWv 1. 1. 2017 durch G v. 11. 11. 2016 (BGBl. I S. 2500).

24. Dezember, an den Weihnachtsfeiertagen, am 31. Dezember, am 1. Januar, an den Osterfeiertagen und am 1. Mai. Für die Beschäftigung an einem Samstag, Sonntag und an einem gesetzlichen Feiertag, der auf einen Werktag fällt, ist ihnen je ein freier Tag zu gewähren. Diese freien Tage sind den Jugendlichen in Verbindung mit anderen freien Tagen zu gewähren, spätestens, wenn ihnen 10 freie Tage zustehen.

(2) [1] In der gewerblichen Binnenschifffahrt hat der Arbeitgeber Aufzeichnungen nach Absatz 3 über die tägliche Arbeits- oder Freizeit jedes Jugendlichen zu führen, um eine Kontrolle der Einhaltung der §§ 8 bis 21 a dieses Gesetzes zu ermöglichen. [2] Die Aufzeichnungen sind in geeigneten Zeitabständen, spätestens bis zum nächsten Monatsende, gemeinsam vom Arbeitgeber oder seinem Vertreter und von dem Jugendlichen zu prüfen und zu bestätigen. [3] Im Anschluss müssen die Aufzeichnungen für mindestens zwölf Monate an Bord aufbewahrt werden und dem Jugendlichen ist eine Kopie der bestätigten Aufzeichnungen auszuhändigen. [4] Der Jugendliche hat die Kopien daraufhin zwölf Monate für eine Kontrolle bereitzuhalten.

(3) Die Aufzeichnungen nach Absatz 2 müssen mindestens folgende Angaben enthalten:

1. Name des Schiffes,
2. Name des Jugendlichen,
3. Name des verantwortlichen Schiffsführers,
4. Datum des jeweiligen Arbeits- oder Ruhetages,
5. für jeden Tag der Beschäftigung, ob es sich um einen Arbeits- oder um einen Ruhetag handelt sowie
6. Beginn und Ende der täglichen Arbeitszeit oder der täglichen Freizeit.

§ 21[1)] Ausnahmen in besonderen Fällen. (1) Die §§ 8 und 11 bis 18 finden keine Anwendung auf die Beschäftigung Jugendlicher mit vorübergehenden und unaufschiebbaren Arbeiten in Notfällen, soweit erwachsene Beschäftigte nicht zur Verfügung stehen.

(2) Wird in den Fällen des Absatzes 1 über die Arbeitszeit des § 8 hinaus Mehrarbeit geleistet, so ist sie durch entsprechende Verkürzung der Arbeitszeit innerhalb der folgenden drei Wochen auszugleichen.

§ 21 a[2)] Abweichende Regelungen. (1) In einem Tarifvertrag oder auf Grund eines Tarifvertrages in einer Betriebsvereinbarung kann zugelassen werden

1. abweichend von den §§ 8, 15, 16 Abs. 3 und 4, § 17 Abs. 3 und § 18 Abs. 3 die Arbeitszeit bis zu neun Stunden täglich, 44 Stunden wöchentlich und bis zu fünfeinhalb Tagen in der Woche anders zu verteilen, jedoch nur unter Einhaltung einer durchschnittlichen Wochenarbeitszeit von 40 Stunden in einem Ausgleichszeitraum von zwei Monaten,
2. abweichend von § 11 Abs. 1 Satz 2 Nr. 2 und Abs. 2 die Ruhepausen bis zu 15 Minuten zu kürzen und die Lage der Pausen anders zu bestimmen,

---

[1)] § 21 Abs. 3 aufgeh. durch G v. 15. 10. 1984 (BGBl. I S. 1277), Abs. 1 Nr. 2 geänd. durch G v. 24. 2. 1997 (BGBl. I S. 311).

[2)] § 21 a eingef. durch G v. 15. 10. 1984 (BGBl. I S. 1277).

3. abweichend von § 12 die Schichtzeit mit Ausnahme des Bergbaus unter Tage bis zu einer Stunde täglich zu verlängern,
4. abweichend von § 16 Abs. 1 und 2 Jugendliche an 26 Samstagen im Jahr oder an jedem Samstag zu beschäftigen, wenn statt dessen der Jugendliche an einem anderen Werktag derselben Woche von der Beschäftigung freigestellt wird,
5. abweichend von den §§ 15, 16 Abs. 3 und 4, § 17 Abs. 3 und § 18 Abs. 3 Jugendliche bei einer Beschäftigung an einem Samstag oder an einem Sonn- oder Feiertag unter vier Stunden an einem anderen Arbeitstag derselben oder der folgenden Woche vor- oder nachmittags von der Beschäftigung freizustellen,
6. abweichend von § 17 Abs. 2 Satz 2 Jugendliche im Gaststätten- und Schaustellergewerbe sowie in der Landwirtschaft während der Saison oder der Erntezeit an drei Sonntagen im Monat zu beschäftigen.

(2) Im Geltungsbereich eines Tarifvertrages nach Absatz 1 kann die abweichende tarifvertragliche Regelung im Betrieb eines nicht tarifgebundenen Arbeitgebers durch Betriebsvereinbarung oder, wenn ein Betriebsrat nicht besteht, durch schriftliche Vereinbarung zwischen dem Arbeitgeber und dem Jugendlichen übernommen werden.

(3) Die Kirchen und die öffentlich-rechtlichen Religionsgesellschaften können die in Absatz 1 genannten Abweichungen in ihren Regelungen vorsehen.

§ 21 b[1] **Ermächtigung.** Das Bundesministerium für Arbeit und Soziales kann im Interesse der Berufsausbildung oder der Zusammenarbeit von Jugendlichen und Erwachsenen durch Rechtsverordnung mit Zustimmung des Bundesrates Ausnahmen von den Vorschriften

1. des § 8, der §§ 11 und 12, der §§ 15 und 16, des § 17 Abs. 2 und 3 sowie des § 18 Abs. 3 im Rahmen des § 21 a Abs. 1,
2. des § 14, jedoch nicht vor 5 Uhr und nicht nach 23 Uhr, sowie
3. des § 17 Abs. 1 und des § 18 Abs. 1 an höchstens 26 Sonn- und Feiertagen im Jahr

zulassen, soweit eine Beeinträchtigung der Gesundheit oder der körperlichen oder seelisch-geistigen Entwicklung der Jugendlichen nicht zu befürchten ist.

Zweiter Titel.[2] Beschäftigungsverbote und -beschränkungen

§ 22[3] [4] **Gefährliche Arbeiten.** (1) Jugendliche dürfen nicht beschäftigt werden

---

[1] § 21 b eingef. durch G v. 15. 10. 1984 (BGBl. I S. 1277); geänd. mWv 28. 11. 2003 durch VO v. 25. 11. 2003 (BGBl. I S. 2304); geänd. mWv 8. 11. 2006 durch VO v. 31. 10. 2006 (BGBl. I S. 2407).

[2] Überschrift geänd. durch G v. 24. 2. 1997 (BGBl. I S. 311).

[3] § 22 neu gef. durch G v. 24. 2. 1997 (BGBl. I S. 311); Abs. 1 Nr. 6 und 7 geänd., Abs. 2 Satz 2 neu gef. mWv 1. 4. 2016 durch G v. 3. 3. 2016 (BGBl. I S. 369).

[4] Die Änderung durch G v. 3. 3. 2016 (BGBl. I S. 369) dient gleichzeitig der Umsetzung der Richtlinie 2014/27/EU des Europäischen Parlaments und des Rates vom 26. Februar 2014 zur Änderung der Richtlinien 92/58/EWG, 92/85/EWG, 94/33/EG und 98/24/EG des Rates sowie der Richtlinie 2004/37/EG des Europäischen Parlaments und des Rates zwecks ihrer Anpassung an die Verordnung (EG) Nr. 1272/2008 über die Einstufung, Kennzeichnung und Verpackung von Stoffen und Gemischen (ABl. L 65 vom 5.3.2014, S. 1).

1. mit Arbeiten, die ihre physische oder psychische Leistungsfähigkeit übersteigen,
2. mit Arbeiten, bei denen sie sittlichen Gefahren ausgesetzt sind,
3. mit Arbeiten, die mit Unfallgefahren verbunden sind, von denen anzunehmen ist, daß Jugendliche sie wegen mangelnden Sicherheitsbewußtseins oder mangelnder Erfahrung nicht erkennen oder nicht abwenden können,
4. mit Arbeiten, bei denen ihre Gesundheit durch außergewöhnliche Hitze oder Kälte oder starke Nässe gefährdet wird,
5. mit Arbeiten, bei denen sie schädlichen Einwirkungen von Lärm, Erschütterungen oder Strahlen ausgesetzt sind,
6. mit Arbeiten, bei denen sie schädlichen Einwirkungen von Gefahrstoffen im Sinne der Gefahrstoffverordnung[1)] ausgesetzt sind,
7. mit Arbeiten, bei denen sie schädlichen Einwirkungen von biologischen Arbeitsstoffen im Sinne der Biostoffverordnung[2)] ausgesetzt sind.

(2) [1] Absatz 1 Nr. 3 bis 7 gilt nicht für die Beschäftigung Jugendlicher, soweit
1. dies zur Erreichung ihres Ausbildungszieles erforderlich ist,
2. ihr Schutz durch die Aufsicht eines Fachkundigen gewährleistet ist und
3. der Luftgrenzwert bei gefährlichen Stoffen (Absatz 1 Nr. 6) unterschritten wird.

[2] Satz 1 findet keine Anwendung auf gezielte Tätigkeiten mit biologischen Arbeitsstoffen der Risikogruppen 3 und 4 im Sinne der Biostoffverordnung sowie auf nicht gezielte Tätigkeiten, die nach der Biostoffverordnung der Schutzstufe 3 oder 4 zuzuordnen sind.

(3) Werden Jugendliche in einem Betrieb beschäftigt, für den ein Betriebsarzt oder eine Fachkraft für Arbeitssicherheit verpflichtet ist, muß ihre betriebsärztliche oder sicherheitstechnische Betreuung sichergestellt sein.

§ 23 Akkordarbeit; tempoabhängige Arbeiten. (1) Jugendliche dürfen nicht beschäftigt werden
1. mit Akkordarbeit und sonstigen Arbeiten, bei denen durch ein gesteigertes Arbeitstempo ein höheres Entgelt erzielt werden kann,
2. in einer Arbeitsgruppe mit erwachsenen Arbeitnehmern, die mit Arbeiten nach Nummer 1 beschäftigt werden,
3. mit Arbeiten, bei denen ihr Arbeitstempo nicht nur gelegentlich vorgeschrieben, vorgegeben oder auf andere Weise erzwungen wird.

(2) Absatz 1 Nr. 2 gilt nicht für die Beschäftigung Jugendlicher,
1. soweit dies zur Erreichung ihres Ausbildungszieles erforderlich ist oder
2. wenn sie eine Berufsausbildung für diese Beschäftigung abgeschlossen haben

und ihr Schutz durch die Aufsicht eines Fachkundigen gewährleistet ist.

§ 24 Arbeiten unter Tage. (1) Jugendliche dürfen nicht mit Arbeiten unter Tage beschäftigt werden.

(2) Absatz 1 gilt nicht für die Beschäftigung Jugendlicher über 16 Jahre,

---

1) **beck-online, Module Arbeitsrecht Nr. 397.**
2) **beck-online, Module Arbeitsrecht Nr. 388.**

1. soweit dies zur Erreichung ihres Ausbildungszieles erforderlich ist,
2. wenn sie eine Berufsausbildung für die Beschäftigung unter Tage abgeschlossen haben oder
3. wenn sie an einer von der Bergbehörde genehmigten Ausbildungsmaßnahme für Bergjungarbeiter teilnehmen oder teilgenommen haben

und ihr Schutz durch die Aufsicht eines Fachkundigen gewährleistet ist.

§ 25[1)] Verbot der Beschäftigung durch bestimmte Personen. (1) [1] Personen, die

1. wegen eines Verbrechens zu einer Freiheitsstrafe von mindestens zwei Jahren,
2. wegen einer vorsätzlichen Straftat, die sie unter Verletzung der ihnen als Arbeitgeber, Ausbildender oder Ausbilder obliegenden Pflichten zum Nachteil von Kindern oder Jugendlichen begangen haben, zu einer Freiheitsstrafe von mehr als drei Monaten,
3. wegen einer Straftat nach den §§ 109h, 171, 174 bis 184l, 225, 232 bis 233a des Strafgesetzbuches[2)],
4. wegen einer Straftat nach dem Betäubungsmittelgesetz[3)],
5. wegen einer Straftat nach dem Konsumcannabisgesetz oder nach dem Medizinal-Cannabisgesetz oder
6. wegen einer Straftat nach dem Jugendschutzgesetz wenigstens zweimal

rechtskräftig verurteilt worden sind, dürfen Jugendliche nicht beschäftigen sowie im Rahmen eines Rechtsverhältnisses im Sinne des § 1 nicht beaufsichtigen, nicht anweisen, nicht ausbilden und nicht mit der Beaufsichtigung, Anweisung oder Ausbildung von Jugendlichen beauftragt werden. [2] Eine Verurteilung bleibt außer Betracht, wenn seit dem Tage ihrer Rechtskraft fünf Jahre verstrichen sind. [3] Die Zeit, in welcher der Täter auf behördliche Anordnung in einer Anstalt verwahrt worden ist, wird nicht eingerechnet.

(2) [1] Das Verbot des Absatzes 1 Satz 1 gilt auch für Personen, gegen die wegen einer Ordnungswidrigkeit nach § 58 Abs. 1 bis 4 wenigstens dreimal eine Geldbuße rechtskräftig festgesetzt worden ist. [2] Eine Geldbuße bleibt außer Betracht, wenn seit dem Tage ihrer rechtskräftigen Festsetzung fünf Jahre verstrichen sind.

(3) Das Verbot des Absatzes 1 und 2 gilt nicht für die Beschäftigung durch die Personensorgeberechtigten.

[1)] § 25 Abs. 1 Satz 1 Nr. 3 geänd. durch G v. 31.5.1994 (BGBl. I S. 1168) und G v. 1.7.1997 (BGBl. I S. 1607), Abs. 1 Satz 1 Nr. 4 und 5 geänd. durch G v. 31.5.1994 (BGBl. I S. 1168), Abs. 1 Satz 1 Nr. 3 neu gef. durch G v. 26.1.1998 (BGBl. I S. 164); Abs. 1 Satz 1 Nr. 3 geänd. mWv 1.4.2004 durch G v. 27.12.2003 (BGBl. I S. 3007); Abs. 1 Satz 1 Nr. 3 geänd. mWv 19.2.2005 durch G v. 11.2.2005 (BGBl. I S. 239); Abs. 1 Nr. 3 geänd. mWv 5.11.2008 durch G v. 31.10.2008 (BGBl. I S. 2149); Abs. 1 Satz 1 Nr. 3 geänd. mWv 27.1.2015 durch G v. 21.1.2015 (BGBl. I S. 10); Abs. 1 Satz 1 Nr. 3 geänd. mWv 10.11.2016 durch G v. 4.11.2016 (BGBl. I S. 2460); Abs. 1 Satz 1 Nr. 3 geänd. mWv 1.1.2021 durch G v. 9.10.2020 (BGBl. I S. 2075); Abs. 1 Satz 1 Nr. 3 geänd. mWv 1.7.2021 durch G v. 16.6.2021 (BGBl. I S. 1810); Abs. 1 Satz 1 Nr. 4 geänd., Nr. 5 neu gef., Nr. 6 angef. mWv 1.4.2024 durch G v. 27.3.2024 (BGBl. 2024 I Nr. 109).

[2)] **Habersack Nr. 85.**

[3)] **Sartorius Nr. 275.**

§ 26[1] **Ermächtigungen.** Das Bundesministerium für Arbeit und Soziales kann zum Schutze der Jugendlichen gegen Gefahren für Leben und Gesundheit sowie zur Vermeidung einer Beeinträchtigung der körperlichen oder seelisch-geistigen Entwicklung durch Rechtsverordnung[2] mit Zustimmung des Bundesrates

1. die für Kinder, die der Vollzeitschulpflicht nicht mehr unterliegen, geeigneten und leichten Tätigkeiten nach § 7 Satz 1 Nr. 2 und die Arbeiten nach § 22 Abs. 1 und den §§ 23 und 24 näher bestimmen,
2. über die Beschäftigungsverbote in den §§ 22 bis 25 hinaus die Beschäftigung Jugendlicher in bestimmten Betriebsarten oder mit bestimmten Arbeiten verbieten oder beschränken, wenn sie bei diesen Arbeiten infolge ihres Entwicklungsstandes in besonderem Maße Gefahren ausgesetzt sind oder wenn das Verbot oder die Beschränkung der Beschäftigung infolge der technischen Entwicklung oder neuer arbeitsmedizinischer oder sicherheitstechnischer Erkenntnisse notwendig ist.

§ 27 Behördliche Anordnungen und Ausnahmen. (1) [1]Die Aufsichtsbehörde kann in Einzelfällen feststellen, ob eine Arbeit unter die Beschäftigungsverbote oder -beschränkungen der §§ 22 bis 24 oder einer Rechtsverordnung nach § 26 fällt. [2]Sie kann in Einzelfällen die Beschäftigung Jugendlicher mit bestimmten Arbeiten über die Beschäftigungsverbote und -beschränkungen der §§ 22 bis 24 und einer Rechtsverordnung nach § 26 hinaus verbieten oder beschränken, wenn diese Arbeiten mit Gefahren für Leben, Gesundheit oder für die körperliche oder seelisch-geistige Entwicklung der Jugendlichen verbunden sind.

(2) Die zuständige Behörde kann

1. den Personen, die die Pflichten, die ihnen kraft Gesetzes zugunsten der von ihnen beschäftigten, beaufsichtigten, angewiesenen oder auszubildenden Kinder und Jugendlichen obliegen, wiederholt oder gröblich verletzt haben,
2. den Personen, gegen die Tatsachen vorliegen, die sie in sittlicher Beziehung zur Beschäftigung, Beaufsichtigung, Anweisung oder Ausbildung von Kindern und Jugendlichen ungeeignet erscheinen lassen,

verbieten, Kinder und Jugendliche zu beschäftigen oder im Rahmen eines Rechtsverhältnisses im Sinne des § 1 zu beaufsichtigen, anzuweisen oder auszubilden.

(3) Die Aufsichtsbehörde kann auf Antrag Ausnahmen von § 23 Abs. 1 Nr. 2 und 3 für Jugendliche über 16 Jahre bewilligen,

1. wenn die Art der Arbeit oder das Arbeitstempo eine Beeinträchtigung der Gesundheit oder der körperlichen oder seelisch-geistigen Entwicklung des Jugendlichen nicht befürchten lassen und
2. wenn eine nicht länger als vor drei Monaten ausgestellte ärztliche Bescheinigung vorgelegt wird, nach der gesundheitliche Bedenken gegen die Beschäftigung nicht bestehen.

(Fortsetzung nächstes Blatt)

---

[1] § 26 Nr. 1 neu gef. durch G v. 24.2.1997 (BGBl. I S. 311); geänd. mWv 28.11.2003 durch VO v. 25.11.2003 (BGBl. I S. 2304); geänd. mWv 8.11.2006 durch VO v. 31.10.2006 (BGBl. I S. 2407).

[2] Siehe hierzu die VO über das Verbot der Beschäftigung von Personen unter 18 Jahren mit sittlich gefährdenden Tätigkeiten (Nr. **420a**).

Dritter Titel.[1] Sonstige Pflichten des Arbeitgebers

§ 28[2] Menschengerechte Gestaltung der Arbeit. (1) [1]Der Arbeitgeber hat bei der Einrichtung und der Unterhaltung der Arbeitsstätte einschließlich der Maschinen, Werkzeuge und Geräte und bei der Regelung der Beschäftigung die Vorkehrungen und Maßnahmen zu treffen, die zum Schutze der Jugendlichen gegen Gefahren für Leben und Gesundheit sowie zur Vermeidung einer Beeinträchtigung der körperlichen oder seelisch-geistigen Entwicklung der Jugendlichen erforderlich sind. [2]Hierbei sind das mangelnde Sicherheitsbewußtsein, die mangelnde Erfahrung und der Entwicklungsstand der Jugendlichen zu berücksichtigen und die allgemein anerkannten sicherheitstechnischen und arbeitsmedizinischen Regeln sowie die sonstigen gesicherten arbeitswissenschaftlichen Erkenntnisse zu beachten.

(2) Das Bundesministerium für Arbeit und Soziales kann durch Rechtsverordnung mit Zustimmung des Bundesrates bestimmen, welche Vorkehrungen und Maßnahmen der Arbeitgeber zur Erfüllung der sich aus Absatz 1 ergebenden Pflichten zu treffen hat.

(3) Die Aufsichtsbehörde kann in Einzelfällen anordnen, welche Vorkehrungen und Maßnahmen zur Durchführung des Absatzes 1 oder einer vom Bundesministerium für Arbeit und Soziales gemäß Absatz 2 erlassenen Verordnung zu treffen sind.

§ 28 a[3] Beurteilung der Arbeitsbedingungen. [1]Vor Beginn der Beschäftigung Jugendlicher und bei wesentlicher Änderung der Arbeitsbedingungen hat der Arbeitgeber die mit der Beschäftigung verbundenen Gefährdungen Jugendlicher zu beurteilen. [2]Im übrigen gelten die Vorschriften des Arbeitsschutzgesetzes[4].

§ 29[5] Unterweisung über Gefahren. (1) [1]Der Arbeitgeber hat die Jugendlichen vor Beginn der Beschäftigung und bei wesentlicher Änderung der Arbeitsbedingungen über die Unfall- und Gesundheitsgefahren, denen sie bei der Beschäftigung ausgesetzt sind, sowie über die Einrichtungen und Maßnahmen zur Abwendung dieser Gefahren zu unterweisen. [2]Er hat die Jugendlichen vor der erstmaligen Beschäftigung an Maschinen oder gefährlichen Arbeitsstellen oder mit Arbeiten, bei denen sie mit gesundheitsgefährdenden Stoffen in Berührung kommen, über die besonderen Gefahren dieser Arbeiten sowie über das bei ihrer Verrichtung erforderliche Verhalten zu unterweisen.

(2) Die Unterweisungen sind in angemessenen Zeitabständen, mindestens aber halbjährlich, zu wiederholen.

(3) Der Arbeitgeber beteiligt die Betriebsärzte und die Fachkräfte für Arbeitssicherheit an der Planung, Durchführung und Überwachung der für die Sicherheit und den Gesundheitsschutz bei der Beschäftigung Jugendlicher geltenden Vorschriften.

---

[1] Überschrift geänd. durch G v. 24. 2. 1997 (BGBl. I S. 311).

[2] § 28 Abs. 2 und 3 geänd. mWv 28. 11. 2003 durch VO v. 25. 11. 2003 (BGBl. I S. 2304); Abs. 2 und 3 geänd. mWv 8. 11. 2006 durch VO v. 31. 10. 2006 (BGBl. I S. 2407).

[3] § 28 a eingef. durch G v. 24. 2. 1997 (BGBl. I S. 311).

[4] Nr. **370**.

[5] § 29 Abs. 1 Satz 1 geänd., Abs. 3 eingef. durch G v. 24. 2. 1997 (BGBl. I S. 311).

§ 30 Häusliche Gemeinschaft. (1) Hat der Arbeitgeber einen Jugendlichen in die häusliche Gemeinschaft aufgenommen, so muß er

1. ihm eine Unterkunft zur Verfügung stellen und dafür sorgen, daß sie so beschaffen, ausgestattet und belegt ist und so benutzt wird, daß die Gesundheit des Jugendlichen nicht beeinträchtigt wird, und
2. ihm bei einer Erkrankung, jedoch nicht über die Beendigung der Beschäftigung hinaus, die erforderliche Pflege und ärztliche Behandlung zuteil werden lassen, soweit diese nicht von einem Sozialversicherungsträger geleistet wird.

(2) Die Aufsichtsbehörde kann im Einzelfall anordnen, welchen Anforderungen die Unterkunft (Absatz 1 Nr. 1) und die Pflege bei Erkrankungen (Absatz 1 Nr. 2) genügen müssen.

§ 31[1] Züchtigungsverbot; Verbot der Abgabe von Alkohol und Tabak. (1) Wer Jugendliche beschäftigt oder im Rahmen eines Rechtsverhältnisses im Sinne des § 1 beaufsichtigt, anweist oder ausbildet, darf sie nicht körperlich züchtigen.

(2) [1] Wer Jugendliche beschäftigt, muß sie vor körperlicher Züchtigung und Mißhandlung und vor sittlicher Gefährdung durch andere bei ihm Beschäftigte und durch Mitglieder seines Haushalts an der Arbeitsstätte und in seinem Hause schützen. ***[Satz 2 bis 31. 12. 2017:]*** [2] Er darf Jugendlichen keine Tabakwaren und andere nikotinhaltige Erzeugnisse und deren Behältnisse, Jugendlichen unter 16 Jahren keine alkoholischen Getränke und Jugendlichen über 16 Jahre keinen Branntwein geben. ***[Satz 2 ab 1. 1. 2018:]*** *[2] Soweit deren Abgabe nach § 9 Absatz 1 oder § 10 Absatz 1 und 4 des Jugendschutzgesetzes[2] verboten ist, darf der Arbeitgeber Jugendlichen keine alkoholischen Getränke, Tabakwaren oder anderen dort genannten Erzeugnisse geben.* ***[Satz 3 bis 31. 12. 2017:]*** [3] Das Abgabeverbot in Satz 2 für Tabakwaren und andere nikotinhaltige Erzeugnisse und deren Behältnisse gilt auch für nikotinfreie Erzeugnisse, wie elektronische Zigaretten oder elektronische Shishas, in denen Flüssigkeit durch ein elektronisches Heizelement verdampft und die entstehenden Aerosole mit dem Mund eingeatmet werden, sowie für deren Behältnisse.

Vierter Titel.[3] Gesundheitliche Betreuung

§ 32[4] Erstuntersuchung. (1) Ein Jugendlicher, der in das Berufsleben eintritt, darf nur beschäftigt werden, wenn

1. er innerhalb der letzten vierzehn Monate von einem Arzt untersucht worden ist (Erstuntersuchung) und
2. dem Arbeitgeber eine von diesem Arzt ausgestellte Bescheinigung vorliegt.

(2) Absatz 1 gilt nicht für eine nur geringfügige oder eine nicht länger als zwei Monate dauernde Beschäftigung mit leichten Arbeiten, von denen keine gesundheitlichen Nachteile für den Jugendlichen zu befürchten sind.

---

[1] § 31 Abs. 2 Satz 2 neu gef. mWv 1. 8. 2013 durch G v. 20. 4. 2013 (BGBl. I S. 868); Abs. 2 Satz 2 geänd., Satz 3 angef. mWv 1. 4. 2016 durch G v. 3. 3. 2016 (BGBl. I S. 369); Abs. 2 Satz 2 neu gef., Satz 3 aufgeh. mWv 1. 1. 2018 durch G v. 10. 3. 2017 (BGBl. I S. 420).

[2] **Sartorius Nr. 400.**

[3] Überschrift geänd. durch G v. 24. 2. 1997 (BGBl. I S. 311).

[4] § 32 Abs. 1 Nr. 1 geänd. durch G v. 15. 10. 1984 (BGBl. I S. 1277).

§ 33[1)] Erste Nachuntersuchung. (1) [1]Ein Jahr nach Aufnahme der ersten Beschäftigung hat sich der Arbeitgeber die Bescheinigung eines Arztes darüber vorlegen zu lassen, daß der Jugendliche nachuntersucht worden ist (erste Nachuntersuchung). [2]Die Nachuntersuchung darf nicht länger als drei Monate zurückliegen. [3]Der Arbeitgeber soll den Jugendlichen neun Monate nach Aufnahme der ersten Beschäftigung nachdrücklich auf den Zeitpunkt, bis zu dem der Jugendliche ihm die ärztliche Bescheinigung nach Satz 1 vorzulegen hat, hinweisen und ihn auffordern, die Nachuntersuchung bis dahin durchführen zu lassen.

(2) [1]Legt der Jugendliche die Bescheinigung nicht nach Ablauf eines Jahres vor, hat ihn der Arbeitgeber innerhalb eines Monats unter Hinweis auf das Beschäftigungsverbot nach Absatz 3 schriftlich aufzufordern, ihm die Bescheinigung vorzulegen. [2]Je eine Durchschrift des Aufforderungsschreibens hat der Arbeitgeber dem Personensorgeberechtigten und dem Betriebs- oder Personalrat zuzusenden.

(3) Der Jugendliche darf nach Ablauf von 14 Monaten nach Aufnahme der ersten Beschäftigung nicht weiterbeschäftigt werden, solange er die Bescheinigung nicht vorgelegt hat.

§ 34 Weitere Nachuntersuchungen. [1]Nach Ablauf jedes weiteren Jahres nach der ersten Nachuntersuchung kann sich der Jugendliche erneut nachuntersuchen lassen (weitere Nachuntersuchungen). [2]Der Arbeitgeber soll ihn auf diese Möglichkeit rechtzeitig hinweisen und darauf hinwirken, daß der Jugendliche ihm die Bescheinigung über die weitere Nachuntersuchung vorlegt.

§ 35 Außerordentliche Nachuntersuchung. (1) Der Arzt soll eine außerordentliche Nachuntersuchung anordnen, wenn eine Untersuchung ergibt, daß

1. ein Jugendlicher hinter dem seinem Alter entsprechenden Entwicklungsstand zurückgeblieben ist,
2. gesundheitliche Schwächen oder Schäden vorhanden sind,
3. die Auswirkungen der Beschäftigung auf die Gesundheit oder Entwicklung des Jugendlichen noch nicht zu übersehen sind.

(2) Die in § 33 Abs. 1 festgelegten Fristen werden durch die Anordnung einer außerordentlichen Nachuntersuchung nicht berührt.

§ 36 Ärztliche Untersuchungen und Wechsel des Arbeitgebers. Wechselt der Jugendliche den Arbeitgeber, so darf ihn der neue Arbeitgeber erst beschäftigen, wenn ihm die Bescheinigung über die Erstuntersuchung (§ 32 Abs. 1) und, falls seit der Aufnahme der Beschäftigung ein Jahr vergangen ist, die Bescheinigung über die erste Nachuntersuchung (§ 33) vorliegen.

§ 37[2)] Inhalt und Durchführung der ärztlichen Untersuchungen.

(1) Die ärztlichen Untersuchungen haben sich auf den Gesundheits- und Entwicklungsstand und die körperliche Beschaffenheit, die Nachuntersuchun-

---

[1)] § 33 Abs. 2 Satz 2 geänd. durch G v. 24.4.1986 (BGBl. I S. 560).

[2)] § 37 Abs. 2 Nr. 2 und Abs. 3 Nr. 3 geänd. mWv 25.7.2015 durch G v. 17.7.2015 (BGBl. I S. 1368).

gen außerdem auf die Auswirkungen der Beschäftigung auf Gesundheit und Entwicklung des Jugendlichen zu erstrecken.

(2) Der Arzt hat unter Berücksichtigung der Krankheitsvorgeschichte des Jugendlichen auf Grund der Untersuchungen zu beurteilen,

1. ob die Gesundheit oder die Entwicklung des Jugendlichen durch die Ausführung bestimmter Arbeiten oder durch die Beschäftigung während bestimmter Zeiten gefährdet wird,
2. ob besondere der Gesundheit dienende Maßnahmen einschließlich Maßnahmen zur Verbesserung des Impfstatus erforderlich sind,
3. ob eine außerordentliche Nachuntersuchung (§ 35 Abs. 1) erforderlich ist.

(3) Der Arzt hat schriftlich festzuhalten:

1. den Untersuchungsbefund,
2. die Arbeiten, durch deren Ausführung er die Gesundheit oder die Entwicklung des Jugendlichen für gefährdet hält,
3. die besonderen der Gesundheit dienenden Maßnahmen einschließlich Maßnahmen zur Verbesserung des Impfstatus,
4. die Anordnung einer außerordentlichen Nachuntersuchung (§ 35 Abs. 1).

§ 38 Ergänzungsuntersuchung. Kann der Arzt den Gesundheits- und Entwicklungsstand des Jugendlichen nur beurteilen, wenn das Ergebnis einer Ergänzungsuntersuchung durch einen anderen Arzt oder einen Zahnarzt vorliegt, so hat er die Ergänzungsuntersuchung zu veranlassen und ihre Notwendigkeit schriftlich zu begründen.

§ 39[1] Mitteilung, Bescheinigung. (1) Der Arzt hat dem Personensorgeberechtigten schriftlich mitzuteilen:

1. das wesentliche Ergebnis der Untersuchung,
2. die Arbeiten, durch deren Ausführung er die Gesundheit oder die Entwicklung des Jugendlichen für gefährdet hält,
3. die besonderen der Gesundheit dienenden Maßnahmen einschließlich Maßnahmen zur Verbesserung des Impfstatus,
4. die Anordnung einer außerordentlichen Nachuntersuchung (§ 35 Abs. 1).

(2) Der Arzt hat eine für den Arbeitgeber bestimmte Bescheinigung darüber auszustellen, daß die Untersuchung stattgefunden hat und darin die Arbeiten zu vermerken, durch deren Ausführung er die Gesundheit oder die Entwicklung des Jugendlichen für gefährdet hält.

§ 40 Bescheinigung mit Gefährdungsvermerk. (1) Enthält die Bescheinigung des Arztes (§ 39 Abs. 2) einen Vermerk über Arbeiten, durch deren Ausführung er die Gesundheit oder die Entwicklung des Jugendlichen für gefährdet hält, so darf der Jugendliche mit solchen Arbeiten nicht beschäftigt werden.

(2) Die Aufsichtsbehörde kann die Beschäftigung des Jugendlichen mit den in der Bescheinigung des Arztes (§ 39 Abs. 2) vermerkten Arbeiten im Ein-

[1] § 39 Abs. 1 Nr. 3 geänd. mWv 25.7.2015 durch G v. 17.7.2015 (BGBl. I S. 1368).

vernehmen mit einem Arzt zulassen und die Zulassung mit Auflagen verbinden.

§ 41 Aufbewahren der ärztlichen Bescheinigungen. (1) Der Arbeitgeber hat die ärztlichen Bescheinigungen bis zur Beendigung der Beschäftigung, längstens jedoch bis zur Vollendung des 18. Lebensjahres des Jugendlichen aufzubewahren und der Aufsichtsbehörde sowie der Berufsgenossenschaft auf Verlangen zur Einsicht vorzulegen oder einzusenden.

(2) Scheidet der Jugendliche aus dem Beschäftigungsverhältnis aus, so hat ihm der Arbeitgeber die Bescheinigungen auszuhändigen.

§ 42 Eingreifen der Aufsichtsbehörde. Die Aufsichtsbehörde hat, wenn die dem Jugendlichen übertragenen Arbeiten Gefahren für seine Gesundheit befürchten lassen, dies dem Personensorgeberechtigten und dem Arbeitgeber mitzuteilen und den Jugendlichen aufzufordern, sich durch einen von ihr ermächtigten Arzt untersuchen zu lassen.

§ 43 Freistellung für Untersuchungen. [1] Der Arbeitgeber hat den Jugendlichen für die Durchführung der ärztlichen Untersuchungen nach diesem Abschnitt freizustellen. [2] Ein Entgeltausfall darf hierdurch nicht eintreten.

§ 44 Kosten der Untersuchungen. Die Kosten der Untersuchungen trägt das Land.

§ 45 Gegenseitige Unterrichtung der Ärzte. (1) Die Ärzte, die Untersuchungen nach diesem Abschnitt vorgenommen haben, müssen, wenn der Personensorgeberechtigte und der Jugendliche damit einverstanden sind,

1. dem staatlichen Gewerbearzt,
2. dem Arzt, der einen Jugendlichen nach diesem Abschnitt nachuntersucht,

auf Verlangen die Aufzeichnungen über die Untersuchungsbefunde zur Einsicht aushändigen.

(2) Unter den Voraussetzungen des Absatzes 1 kann der Amtsarzt des Gesundheitsamtes einem Arzt, der einen Jugendlichen nach diesem Abschnitt untersucht, Einsicht in andere in seiner Dienststelle vorhandene Unterlagen über Gesundheit und Entwicklung des Jugendlichen gewähren.

§ 46[1] Ermächtigungen. (1) Das Bundesministerium für Arbeit und Soziales kann zum Zwecke einer gleichmäßigen und wirksamen gesundheitlichen Betreuung durch Rechtsverordnung mit Zustimmung des Bundesrates Vorschriften[2] über die Durchführung der ärztlichen Untersuchungen und über die für die Aufzeichnungen der Untersuchungsbefunde, die Bescheinigungen und Mitteilungen zu verwendenden Vordrucke erlassen.

(2) *Die Landesregierung* kann durch Rechtsverordnung

1. zur Vermeidung von mehreren Untersuchungen innerhalb eines kurzen Zeitraumes aus verschiedenen Anlässen bestimmen, daß die Untersuchungen nach den §§ 32 bis 34 zusammen mit Untersuchungen nach anderen Vor-

---

[1] § 46 Abs. 1 geänd. mWv 28.11.2003 durch VO v. 25.11.2003 (BGBl. I S. 2304); Abs. 1 geänd. mWv 8.11.2006 durch VO v. 31.10.2006 (BGBl. I S. 2407).

[2] Siehe die Jugendarbeitsschutzuntersuchungsverordnung (Nr. **420b**).

schriften durchzuführen sind, und hierbei von der Frist des § 32 Abs. 1 Nr. 1 bis zu drei Monaten abweichen,

2. zur Vereinfachung der Abrechnung
   a) Pauschbeträge für die Kosten der ärztlichen Untersuchungen im Rahmen der geltenden Gebührenordnungen festsetzen,
   b) Vorschriften über die Erstattung der Kosten beim Zusammentreffen mehrerer Untersuchungen nach Nummer 1 erlassen.

Vierter Abschnitt. Durchführung des Gesetzes

Erster Titel. Aushänge und Verzeichnisse

§ 47[1] Bekanntgabe des Gesetzes und der Aufsichtsbehörde. Arbeitgeber, die regelmäßig mindestens einen Jugendlichen beschäftigen, haben eine Kopie dieses Gesetzes und die Anschrift der zuständigen Aufsichtsbehörde den Arbeitnehmern über die im Betrieb oder in der Dienststelle übliche Informations- und Kommunikationstechnik zur Verfügung zu stellen oder an geeigneter Stelle im Betrieb oder in der Dienststelle zur Einsicht auszulegen oder auszuhängen.

§ 48[2] Information über Arbeitszeit und Pausen. Arbeitgeber, die regelmäßig mindestens drei Jugendliche beschäftigen, haben eine Information über Beginn und Ende der regelmäßigen täglichen Arbeitszeit und der Pausen der Jugendlichen den Arbeitnehmern über die im Betrieb oder in der Dienststelle übliche Informations- und Kommunikationstechnik zur Verfügung zu stellen oder an geeigneter Stelle im Betrieb oder in der Dienststelle zur Einsicht auszulegen oder auszuhängen.

§ 49 Verzeichnisse der Jugendlichen. Arbeitgeber haben Verzeichnisse der bei ihnen beschäftigten Jugendlichen unter Angabe des Vor- und Familiennamens, des Geburtsdatums und der Wohnanschrift zu führen, in denen das Datum des Beginns der Beschäftigung bei ihnen, bei einer Beschäftigung unter Tage auch das Datum des Beginns dieser Beschäftigung, enthalten ist.

§ 50 Auskunft; Vorlage der Verzeichnisse. (1) Der Arbeitgeber ist verpflichtet, der Aufsichtsbehörde auf Verlangen

1. die zur Erfüllung ihrer Aufgaben erforderlichen Angaben wahrheitsgemäß und vollständig zu machen,
2. die Verzeichnisse gemäß § 49, die Unterlagen, aus denen Name, Beschäftigungsart und -zeiten der Jugendlichen sowie Lohn- und Gehaltszahlungen ersichtlich sind, und alle sonstigen Unterlagen, die sich auf die nach Nummer 1 zu machenden Angaben beziehen, zur Einsicht vorzulegen oder einzusenden.

(2) Die Verzeichnisse und Unterlagen sind mindestens bis zum Ablauf von zwei Jahren nach der letzten Eintragung aufzubewahren.

---

[1] § 47 neu gef. mWv 1.1.2025 durch G v. 23.10.2024 (BGBl. 2024 I Nr. 323).
[2] § 48 neu gef. mWv 1.1.2025 durch G v. 23.10.2024 (BGBl. 2024 I Nr. 323).

Zweiter Titel. Aufsicht

§ 51 Aufsichtsbehörde; Besichtigungsrechte und Berichtspflicht.

(1) [1]Die Aufsicht über die Ausführung dieses Gesetzes und der auf Grund dieses Gesetzes erlassenen Rechtsverordnungen obliegt der nach Landesrecht zuständigen Behörde (Aufsichtsbehörde). [2]Die Landesregierung kann durch Rechtsverordnung die Aufsicht über die Ausführung dieser Vorschriften in Familienhaushalten auf gelegentliche Prüfungen beschränken.

(2) [1]Die Beauftragten der Aufsichtsbehörde sind berechtigt, die Arbeitsstätten während der üblichen Betriebs- und Arbeitszeit zu betreten und zu besichtigen; außerhalb dieser Zeit oder wenn sich die Arbeitsstätten in einer Wohnung befinden, dürfen sie nur zur Verhütung von dringenden Gefahren für die öffentliche Sicherheit und Ordnung betreten und besichtigt werden. [2]Der Arbeitgeber hat das Betreten und Besichtigen der Arbeitsstätten zu gestatten. [3]Das Grundrecht der Unverletzlichkeit der Wohnung (Artikel 13 des Grundgesetzes[1)]) wird insoweit eingeschränkt.

(3) Die Aufsichtsbehörden haben im Rahmen der Jahresberichte nach § 139b Abs. 3 der Gewerbeordnung[2)] über ihre Aufsichtstätigkeit gemäß Absatz 1 zu berichten.

§ 52[3)] *(aufgehoben)*

§ 53[4)] **Mitteilung über Verstöße.** [1]Die Aufsichtsbehörde teilt schwerwiegende Verstöße gegen die Vorschriften dieses Gesetzes oder gegen die auf Grund dieses Gesetzes erlassenen Rechtsverordnungen der nach dem Berufsbildungsgesetz[5)] oder der Handwerksordnung[6)] zuständigen Stelle mit. [2]Die zuständige Agentur für Arbeit erhält eine Durchschrift dieser Mitteilung.

§ 54[7)] **Ausnahmebewilligungen.** (1) [1]Ausnahmen, die die Aufsichtsbehörde nach diesem Gesetz oder den auf Grund dieses Gesetzes erlassenen Rechtsverordnungen bewilligen kann, sind zu befristen. [2]Die Ausnahmebewilligungen können

1. mit einer Bedingung erlassen werden,
2. mit einer Auflage oder mit einem Vorbehalt der nachträglichen Aufnahme, Änderung oder Ergänzung einer Auflage verbunden werden und
3. jederzeit widerrufen werden.

(2) Ausnahmen können nur für einzelne Beschäftigte, einzelne Betriebe oder einzelne Teile des Betriebs bewilligt werden.

(3) Ist eine Ausnahme für einen Betrieb oder einen Teil des Betriebs bewilligt worden, so hat der Arbeitgeber eine Kopie der Bewilligung den Arbeitnehmern über die im Betrieb oder in der Dienststelle übliche Informations- und Kommunikationstechnik zur Verfügung zu stellen oder an geeigneter Stelle im Betrieb oder in der Dienststelle zur Einsicht auszulegen oder auszuhängen.

---

1) **beck-online, Module Arbeitsrecht Nr. 10.**
2) Nr. **106**.
3) § 52 aufgeh. mWv 14.12.2011 durch G v. 7.12.2011 (BGBl. I S. 2592).
4) § 53 Satz 2 geänd. mWv 1.1.2004 durch G v. 23.12.2003 (BGBl. I S. 2848).
5) Nr. **415**.
6) Auszugsweise abgedruckt unter Nr. **107**.
7) § 54 Abs. 3 geänd. mWv 1.1.2025 durch G v. 23.10.2024 (BGBl. 2024 I Nr. 323).

Dritter Titel. Ausschüsse für Jugendarbeitsschutz

§ 55[1)] Bildung des Landesausschusses für Jugendarbeitsschutz.

(1) Bei der von der Landesregierung bestimmten obersten Landesbehörde kann ein Landesausschuss für Jugendarbeitsschutz gebildet werden.

(2) Dem Landesausschuß gehören als Mitglieder an:

1. je sechs Vertreter der Arbeitgeber und der Arbeitnehmer,
2. ein Vertreter des Landesjugendringes,
3. ein von der Bundesagentur für Arbeit benannter Vertreter und je ein Vertreter des Landesjugendamtes, der für das Gesundheitswesen zuständigen obersten Landesbehörde und der für die berufsbildenden Schulen zuständigen obersten Landesbehörde und
4. ein Arzt.

(3) Die Mitglieder des Landesausschusses werden von der von der Landesregierung bestimmten obersten Landesbehörde berufen, die Vertreter der Arbeitgeber und Arbeitnehmer auf Vorschlag der auf Landesebene bestehenden Arbeitgeberverbände und Gewerkschaften, der Arzt auf Vorschlag der Landesärztekammer, die übrigen Vertreter auf Vorschlag der in Absatz 2 Nr. 2 und 3 genannten Stellen.

(4) [1] Die Tätigkeit im Landesausschuß ist ehrenamtlich. [2] Für bare Auslagen und für Entgeltausfall ist, soweit eine Entschädigung nicht von anderer Seite gewährt wird, eine angemessene Entschädigung zu zahlen, deren Höhe nach Landesrecht oder von der von der Landesregierung bestimmten obersten Landesbehörde festgesetzt wird.

(5) Die Mitglieder können nach Anhören der an ihrer Berufung beteiligten Stellen aus wichtigem Grund abberufen werden.

(6) [1] Die Mitglieder haben Stellvertreter. [2] Die Absätze 2 bis 5 gelten für die Stellvertreter entsprechend.

(7) [1] Der Landesausschuß wählt aus seiner Mitte einen Vorsitzenden und dessen Stellvertreter. [2] Der Vorsitzende und sein Stellvertreter sollen nicht derselben Mitgliedergruppe angehören.

(8) [1] Der Landesausschuß gibt sich eine Geschäftsordnung. [2] Die Geschäftsordnung kann die Bildung von Unterausschüssen vorsehen und bestimmen, daß ihnen ausnahmsweise nicht nur Mitglieder des Landesausschusses angehören. [3] Absatz 4 Satz 2 gilt für die Unterausschüsse hinsichtlich der Entschädigung entsprechend. [4] An den Sitzungen des Landesausschusses und der Unterausschüsse können Vertreter der beteiligten obersten Landesbehörden teilnehmen.

§ 56[2)] Bildung des Ausschusses für Jugendarbeitsschutz bei der Aufsichtsbehörde. (1) [1] Bei der Aufsichtsbehörde kann ein Ausschuss für Jugendarbeitsschutz gebildet werden. [2] In Städten, in denen mehrere Aufsichtsbehörden ihren Sitz haben, kann ein gemeinsamer Ausschuss für Jugendarbeitsschutz gebildet werden. [3] In Ländern, in denen nicht mehr als zwei Aufsichtsbehörden

---

1) § 55 Abs. 2 Nr. 3 geänd. mWv 1.1.2005 durch G v. 24.12.2003 (BGBl. I S. 2954); Abs. 1 neu gef. mWv 23.7.2021 durch G v. 16.7.2021 (BGBl. I S. 2970).

2) § 56 Abs. 1 neu gef. mWv 23.7.2021 durch G v. 16.7.2021 (BGBl. I S. 2970).

eingerichtet sind, kann der Landesausschuss für Jugendarbeitsschutz die Aufgaben dieses Ausschusses übernehmen.

(2) Dem Ausschuß gehören als Mitglieder an:
1. je sechs Vertreter der Arbeitgeber und der Arbeitnehmer,
2. ein Vertreter des im Bezirk der Aufsichtsbehörde wirkenden Jugendringes,
3. je ein Vertreter eines Arbeits-, Jugend- und Gesundheitsamtes,
4. ein Arzt und ein Lehrer an einer berufsbildenden Schule.

(3) [1] Die Mitglieder des Jugendarbeitsschutzausschusses werden von der Aufsichtsbehörde berufen, die Vertreter der Arbeitgeber und Arbeitnehmer auf Vorschlag der im Aufsichtsbezirk bestehenden Arbeitgeberverbände und Gewerkschaften, der Arzt auf Vorschlag der Ärztekammer, der Lehrer auf Vorschlag der nach Landesrecht zuständigen Behörde, die übrigen Vertreter auf Vorschlag der in Absatz 2 Nr. 2 und 3 genannten Stellen. [2] § 55 Abs. 4 bis 8 gilt mit der Maßgabe entsprechend, daß die Entschädigung von der Aufsichtsbehörde mit Genehmigung der von der Landesregierung bestimmten obersten Landesbehörde festgesetzt wird.

§ 57 Aufgaben der Ausschüsse. (1) [1] Der Landesausschuß berät die oberste Landesbehörde in allen allgemeinen Angelegenheiten des Jugendarbeitsschutzes und macht Vorschläge für die Durchführung dieses Gesetzes. [2] Er klärt über Inhalt und Ziel des Jugendarbeitsschutzes auf.

(2) Die oberste Landesbehörde beteiligt den Landesausschuß in Angelegenheiten von besonderer Bedeutung, insbesondere vor Erlaß von Rechtsvorschriften zur Durchführung dieses Gesetzes.

(3) Der Landesausschuß hat über seine Tätigkeit im Zusammenhang mit dem Bericht der Aufsichtsbehörden nach § 51 Abs. 3 zu berichten.

(4) [1] Der Ausschuß für Jugendarbeitsschutz bei der Aufsichtsbehörde berät diese in allen allgemeinen Angelegenheiten des Jugendarbeitsschutzes und macht dem Landesausschuß Vorschläge für die Durchführung dieses Gesetzes. [2] Er klärt über Inhalt und Ziel des Jugendarbeitsschutzes auf.

Fünfter Abschnitt. Straf- und Bußgeldvorschriften

§ 58[1] Bußgeld- und Strafvorschriften. (1) Ordnungswidrig handelt, wer als Arbeitgeber vorsätzlich oder fahrlässig

1. entgegen § 5 Abs. 1, auch in Verbindung mit § 2 Abs. 3, ein Kind oder einen Jugendlichen, der der Vollzeitschulpflicht unterliegt, beschäftigt,
2. entgegen § 5 Abs. 3 Satz 1 oder Satz 3, jeweils auch in Verbindung mit § 2 Abs. 3, ein Kind über 13 Jahre oder einen Jugendlichen, der der Vollzeitschulpflicht unterliegt, in anderer als der zugelassenen Weise beschäftigt,
3. *(aufgehoben)*

---

[1] § 58 Abs. 1 Nr. 11 geänd. durch G v. 15.10.1984 (BGBl. I S. 277); Abs. 1 Nr. 1 und 2 geänd., Nr. 3 aufgeh., Nr. 4 neu gef., Abs. 3 neu gef., Abs. 4 geänd. durch G v. 24.2.1997 (BGBl. I S. 311), Abs. 4 geänd. mWv 1.1.2002 durch G v. 21.12.2000 (BGBl. I S. 1983); Abs. 1 Nr. 6 und 21 geänd. mWv 1.4.2016 durch G v. 3.3.2016 (BGBl. I S. 369); Abs. 1 Nr. 21 geänd. mWv 1.1.2018 durch G v. 10.3.2017 (BGBl. I S. 420); Abs. 1 Nr. 6 neu gef. mWv 1.1.2020 durch G v. 12.12.2019 (BGBl. I S. 2522); Abs. 4 geänd. mWv 1.1.2021 durch G v. 22.12.2020 (BGBl. I S. 3334).

4. entgegen § 7 Satz 1 Nr. 2, auch in Verbindung mit einer Rechtsverordnung nach § 26 Nr. 1, ein Kind, das der Vollzeitschulpflicht nicht mehr unterliegt, in anderer als der zugelassenen Weise beschäftigt,
5. entgegen § 8 einen Jugendlichen über die zulässige Dauer der Arbeitszeit hinaus beschäftigt,
6. entgegen § 9 Absatz 1 einen Jugendlichen beschäftigt oder nicht freistellt,
7. entgegen § 10 Abs. 1 einen Jugendlichen für die Teilnahme an Prüfungen oder Ausbildungsmaßnahmen oder an dem Arbeitstag, der der schriftlichen Abschlußprüfung unmittelbar vorangeht, nicht freistellt,
8. entgegen § 11 Abs. 1 oder 2 Ruhepausen nicht, nicht mit der vorgeschriebenen Mindestdauer oder nicht in der vorgeschriebenen zeitlichen Lage gewährt,
9. entgegen § 12 einen Jugendlichen über die zulässige Schichtzeit hinaus beschäftigt,
10. entgegen § 13 die Mindestfreizeit nicht gewährt,
11. entgegen § 14 Abs. 1 einen Jugendlichen außerhalb der Zeit von 6 bis 20 Uhr oder entgegen § 14 Abs. 7 Satz 3 vor Ablauf der Mindestfreizeit beschäftigt,
12. entgegen § 15 einen Jugendlichen an mehr als fünf Tagen in der Woche beschäftigt,
13. entgegen § 16 Abs. 1 einen Jugendlichen an Samstagen beschäftigt oder entgegen § 16 Abs. 3 Satz 1 den Jugendlichen nicht freistellt,
14. entgegen § 17 Abs. 1 einen Jugendlichen an Sonntagen beschäftigt oder entgegen § 17 Abs. 2 Satz 2 Halbsatz 2 oder Abs. 3 Satz 1 den Jugendlichen nicht freistellt,
15. entgegen § 18 Abs. 1 einen Jugendlichen am 24. oder 31. Dezember nach 14 Uhr oder an gesetzlichen Feiertagen beschäftigt oder entgegen § 18 Abs. 3 nicht freistellt,
16. entgegen § 19 Abs. 1, auch in Verbindung mit Abs. 2 Satz 1 oder 2, oder entgegen § 19 Abs. 3 Satz 2 oder Abs. 4 Satz 2 Urlaub nicht oder nicht mit der vorgeschriebenen Dauer gewährt,
17. entgegen § 21 Abs. 2 die geleistete Mehrarbeit durch Verkürzung der Arbeitszeit nicht ausgleicht,
18. entgegen § 22 Abs. 1, auch in Verbindung mit einer Rechtsverordnung nach § 26 Nr. 1, einen Jugendlichen mit den dort genannten Arbeiten beschäftigt,
19. entgegen § 23 Abs. 1, auch in Verbindung mit einer Rechtsverordnung nach § 26 Nr. 1, einen Jugendlichen mit Arbeiten mit Lohnanreiz, in einer Arbeitsgruppe mit Erwachsenen, deren Entgelt vom Ergebnis ihrer Arbeit abhängt, oder mit tempoabhängigen Arbeiten beschäftigt,
20. entgegen § 24 Abs. 1, auch in Verbindung mit einer Rechtsverordnung nach § 26 Nr. 1, einen Jugendlichen mit Arbeiten unter Tage beschäftigt,
21. entgegen § 31 Abs. 2 Satz 2 einem Jugendlichen ein dort genanntes Getränk, Tabakwaren oder ein dort genanntes Erzeugnis gibt,
22. entgegen § 32 Abs. 1 einen Jugendlichen ohne ärztliche Bescheinigung über die Erstuntersuchung beschäftigt,
23. entgegen § 33 Abs. 3 einen Jugendlichen ohne ärztliche Bescheinigung über die erste Nachuntersuchung weiterbeschäftigt,

24. entgegen § 36 einen Jugendlichen ohne Vorlage der erforderlichen ärztlichen Bescheinigungen beschäftigt,
25. entgegen § 40 Abs. 1 einen Jugendlichen mit Arbeiten beschäftigt, durch deren Ausführung der Arzt nach der von ihm erteilten Bescheinigung die Gesundheit oder die Entwicklung des Jugendlichen für gefährdet hält,
26. einer Rechtsverordnung nach
    a) § 26 Nr. 2 oder
    b) § 28 Abs. 2

    zuwiderhandelt, soweit sie für einen bestimmten Tatbestand auf diese Bußgeldvorschrift verweist,
27. einer vollziehbaren Anordnung der Aufsichtsbehörde nach § 6 Abs. 3, § 27 Abs. 1 Satz 2 oder Abs. 2, § 28 Abs. 3 oder § 30 Abs. 2 zuwiderhandelt,
28. einer vollziehbaren Auflage der Aufsichtsbehörde nach § 6 Abs. 1, § 14 Abs. 7, § 27 Abs. 3 oder § 40 Abs. 2, jeweils in Verbindung mit § 54 Abs. 1, zuwiderhandelt,
29. einer vollziehbaren Anordnung oder Auflage der Aufsichtsbehörde auf Grund einer Rechtsverordnung nach § 26 Nr. 2 oder § 28 Abs. 2 zuwiderhandelt, soweit die Rechtsverordnung für einen bestimmten Tatbestand auf die Bußgeldvorschrift verweist.

(2) Ordnungswidrig handelt, wer vorsätzlich oder fahrlässig entgegen § 25 Abs. 1 Satz 1 oder Abs. 2 Satz 1 einen Jugendlichen beschäftigt, beaufsichtigt, anweist oder ausbildet, obwohl ihm dies verboten ist, oder einen anderen, dem dies verboten ist, mit der Beaufsichtigung, Anweisung oder Ausbildung eines Jugendlichen beauftragt.

(3) [1] Absatz 1 Nr. 4, 6 bis 29 und Absatz 2 gelten auch für die Beschäftigung von Kindern (§ 2 Abs. 1) oder Jugendlichen, die der Vollzeitschulpflicht unterliegen (§ 2 Abs. 3), nach § 5 Abs. 2. [2] Absatz 1 Nr. 6 bis 29 und Absatz 2 gelten auch für die Beschäftigung von Kindern, die der Vollzeitschulpflicht nicht mehr unterliegen, nach § 7.

(4) Die Ordnungswidrigkeit kann mit einer Geldbuße bis zu dreißigtausend Euro geahndet werden.

(5) [1] Wer vorsätzlich eine in Absatz 1, 2 oder 3 bezeichnete Handlung begeht und dadurch ein Kind, einen Jugendlichen oder im Falle des Absatzes 1 Nr. 6 eine Person, die noch nicht 21 Jahre alt ist, in ihrer Gesundheit oder Arbeitskraft gefährdet, wird mit Freiheitsstrafe bis zu einem Jahr oder mit Geldstrafe bestraft. [2] Ebenso wird bestraft, wer eine in Absatz 1, 2 oder 3 bezeichnete Handlung beharrlich wiederholt.

(6) Wer in den Fällen des Absatzes 5 Satz 1 die Gefahr fahrlässig verursacht, wird mit Freiheitsstrafe bis zu sechs Monaten oder mit Geldstrafe bis zu einhundertachtzig Tagessätzen bestraft.

§ 59[1] Bußgeldvorschriften. (1) Ordnungswidrig handelt, wer als Arbeitgeber vorsätzlich oder fahrlässig

[1] § 59 Abs. 1 Nr. 2 geänd. durch G v. 15.10.1984 (BGBl. I S. 1277), Abs. 3 geänd. mWv 1.1.2002 durch G v. 21.12.2000 (BGBl. I S. 1983); Abs. 1 Nr. 2a und 2b eingef. mWv 1.1.2017 durch G v. 11.11.2016 (BGBl. I S. 2500); Abs. 3 geänd. mWv 1.1.2021 durch G v. 22.12.2020 (BGBl. I S. 3334); Abs. 1 Nr. 7, 8 und 12 geänd. mWv 1.1.2025 durch G v. 23.10.2024 (BGBl. 2024 I Nr. 323).

1. entgegen § 6 Abs. 4 Satz 2 ein Kind vor Erhalt des Bewilligungsbescheides beschäftigt,
2. entgegen § 11 Abs. 3 den Aufenthalt in Arbeitsräumen gestattet,
2a. entgegen § 20 Absatz 2 Satz 1 eine Aufzeichnung nicht oder nicht richtig führt,
2b. entgegen § 20 Absatz 2 Satz 3 eine Aufzeichnung nicht oder nicht mindestens zwölf Monate aufbewahrt,
3. entgegen § 29 einen Jugendlichen über Gefahren nicht, nicht richtig oder nicht rechtzeitig unterweist,
4. entgegen § 33 Abs. 2 Satz 1 einen Jugendlichen nicht oder nicht rechtzeitig zur Vorlage einer ärztlichen Bescheinigung auffordert,
5. entgegen § 41 die ärztliche Bescheinigung nicht aufbewahrt, vorlegt, einsendet oder aushändigt,
6. entgegen § 43 Satz 1 einen Jugendlichen für ärztliche Untersuchungen nicht freistellt,
7. entgegen § 47 eine Kopie des Gesetzes oder die Anschrift der zuständigen Aufsichtsbehörde nicht, nicht richtig oder nicht vollständig zur Verfügung stellt und nicht, nicht richtig oder nicht vollständig auslegt und nicht, nicht richtig oder nicht vollständig aushängt,
8. entgegen § 48 eine Information nicht, nicht richtig oder nicht vollständig zur Verfügung stellt und nicht, nicht richtig oder nicht vollständig auslegt und nicht, nicht richtig oder nicht vollständig aushängt,
9. entgegen § 49 ein Verzeichnis nicht oder nicht in der vorgeschriebenen Weise führt,
10. entgegen § 50 Abs. 1 Angaben nicht, nicht richtig oder nicht vollständig macht oder Verzeichnisse oder Unterlagen nicht vorlegt oder einsendet oder entgegen § 50 Abs. 2 Verzeichnisse oder Unterlagen nicht oder nicht vorschriftsmäßig aufbewahrt,
11. entgegen § 51 Abs. 2 Satz 2 das Betreten oder Besichtigen der Arbeitsstätten nicht gestattet,
12. entgegen § 54 Abs. 3 eine Kopie nicht, nicht richtig oder nicht vollständig zur Verfügung stellt und nicht, nicht richtig oder nicht vollständig auslegt und nicht, nicht richtig oder nicht vollständig aushängt.

(2) Absatz 1 Nr. 2 bis 6 gilt auch für die Beschäftigung von Kindern (§ 2 Abs. 1 und 3) nach § 5 Abs. 2 Satz 1.

(3) Die Ordnungswidrigkeit kann mit einer Geldbuße bis zu fünftausend Euro geahndet werden.

§ 60 Verwaltungsvorschriften für die Verfolgung und Ahndung von Ordnungswidrigkeiten. Der Bundesminister für Arbeit und Sozialordnung kann mit Zustimmung des Bundesrates allgemeine Verwaltungsvorschriften für die Verfolgung und Ahndung von Ordnungswidrigkeiten nach §§ 58 und 59 durch die Verwaltungsbehörde (§ 35 des Gesetzes über Ordnungswidrigkeiten[1]) und über die Erteilung einer Verwarnung (§§ 56, 58 Abs. 2 des Gesetzes über Ordnungswidrigkeiten) wegen einer Ordnungswidrigkeit nach §§ 58 und 59 erlassen.

[1] **Habersack Nr. 94.**

Sechster Abschnitt. Schlußvorschriften

§ 61[1] **Beschäftigung von Jugendlichen auf Kauffahrteischiffen.** Für die Beschäftigung von Jugendlichen als Besatzungsmitglieder auf Kauffahrteischiffen im Sinne des § 3 des Seearbeitsgesetzes[2] gilt anstelle dieses Gesetzes das Seearbeitsgesetz.

(Fortsetzung nächstes Blatt)

---

[1] § 61 neu gef. mWv 1.8.2013 durch G v. 20.4.2013 (BGBl. I S. 868).
[2] Nr. **114**.

§ 62[1] **Beschäftigung im Vollzug einer Freiheitsentziehung.** (1) Die Vorschriften dieses Gesetzes gelten für die Beschäftigung Jugendlicher (§ 2 Abs. 2) im Vollzuge einer gerichtlich angeordneten Freiheitsentziehung entsprechend, soweit es sich nicht nur um gelegentliche, geringfügige Hilfeleistungen handelt und soweit in den Absätzen 2 bis 4 nichts anderes bestimmt ist.

(2) Im Vollzug einer gerichtlich angeordneten Freiheitsentziehung finden § 19, §§ 47 bis 50 keine Anwendung.

(3) Die §§ 13, 14, 15, 16, 17 und 18 Abs. 1 und 2 gelten im Vollzug einer gerichtlich angeordneten Freiheitsentziehung nicht für die Beschäftigung jugendlicher Anstaltsinsassen mit der Zubereitung und Ausgabe der Anstaltsverpflegung.

(4) § 18 Abs. 1 und 2 gilt nicht für die Beschäftigung jugendlicher Anstaltsinsassen in landwirtschaftlichen Betrieben der Vollzugsanstalten mit Arbeiten, die auch an Sonn- und Feiertagen naturnotwendig vorgenommen werden müssen.

§§ 63–70 *(Änderungen von Gesetzen und Verordnungen)*

§ 71[2] *(aufgehoben)*

§ 72[3] **Inkrafttreten.** (1) Dieses Gesetz tritt am 1. Mai 1976 in Kraft.

(2) Zum gleichen Zeitpunkt treten außer Kraft:

1. das Jugendschutzgesetz v. 30. April 1938 (Reichsgesetzbl. I S. 437), zuletzt geändert durch das Zuständigkeitslockerungsgesetz vom 10. März 1975 (Bundesgesetzbl. I S. 685),
2. das Jugendarbeitsschutzgesetz v. 9. August 1960 (Bundesgesetzbl. I S. 665), zuletzt geändert durch Artikel 244 des Einführungsgesetzes zum Strafgesetzbuch vom 2. März 1974 (Bundesgesetzbl. I S. 469),
3. die auf § 80 Nr. 3 des Bundesbeamtengesetzes gestützten Rechtsvorschriften.

(3) [1]Die auf Grund des § 37 Abs. 2 und des § 53 des Jugendarbeitsschutzgesetzes vom 9. August 1960, des § 20 Abs. 1 des Jugendschutzgesetzes vom 30. April 1938 und des § 120e der Gewerbeordnung[4] erlassenen Vorschriften bleiben unberührt. [2]Sie können, soweit sie den Geltungsbereich dieses Gesetzes betreffen, durch Rechtsverordnungen auf Grund des § 26 oder des § 46 geändert oder aufgehoben werden.

(4) Vorschriften in Rechtsverordnungen, die durch § 69 dieses Gesetzes geändert werden, können vom Bundesministerium für Arbeit und Soziales im Rahmen der bestehenden Ermächtigungen geändert oder aufgehoben werden.

(5) Verweisungen auf Vorschriften des Jugendarbeitsschutzgesetzes vom 9. August 1960 gelten als Verweisungen auf die entsprechenden Vorschriften dieses Gesetzes oder der auf Grund dieses Gesetzes erlassenen Rechtsverordnungen.

---

[1] § 62 Abs. 2 geänd., Abs. 4 Satz 1 aufgeh. durch G v. 15.10.1984 (BGBl. I S. 1277).

[2] § 71 aufgeh. mWv 1.1.2020 durch G v. 12.12.2019 (BGBl. I S. 2522).

[3] § 72 Abs. 4 geänd. mWv 28.11.2003 durch VO v. 25.11.2003 (BGBl. I S. 2304); Abs. 4 geänd. mWv 8.11.2006 durch VO v. 31.10.2006 (BGBl. I S. 2407).

[4] Auszugsweise abgedruckt unter Nr. **106**.

420b. Verordnung über die ärztlichen Untersuchungen nach dem Jugendarbeitsschutzgesetz (Jugendarbeitsschutzuntersuchungsverordnung – JArbSchUV)

Vom 16. Oktober 1990

(BGBl. I S. 2221)

FNA 8051-1-5

geänd. durch Art. 19 VO zur Entlastung der Bürgerinnen und Bürger, der Wirtschaft sowie der Verwaltung von Bürokratie v. 11.12.2024 (BGBl. 2024 I Nr. 411)

Auf Grund des § 46 Abs. 1 und des § 72 Abs. 3 Satz 2 des Jugendarbeitsschutzgesetzes[1)] vom 12. April 1976 (BGBl. I S. 965) verordnet der Bundesminister für Arbeit und Sozialordnung:

§ 1 Durchführung der Untersuchungen. (1) Der Arzt, der einen Jugendlichen nach den §§ 32 bis 35 oder nach § 42 des Jugendarbeitsschutzgesetzes[1)] untersucht, hat unter Berücksichtigung der Krankheitsvorgeschichte des Jugendlichen auf Grund der Untersuchungen zu beurteilen, ob dessen Gesundheit und Entwicklung durch die Ausführung bestimmter Arbeiten oder durch die Beschäftigung während bestimmter Zeiten gefährdet wird, ob eine außerordentliche Nachuntersuchung oder eine Ergänzungsuntersuchung erforderlich ist oder ob besondere der Gesundheit dienende Maßnahmen nötig sind (§ 37 Jugendarbeitsschutzgesetz).

(2) Als Tag der Untersuchung (§ 32 Abs. 1 Nr. 1, § 33 Abs. 1 und § 34 Jugendarbeitsschutzgesetz) gilt der Tag der abschließenden Beurteilung.

§ 2 Untersuchungsberechtigungsschein. Die Kosten einer Untersuchung werden vom Land (§ 44 Jugendarbeitsschutzgesetz[1)]) nur erstattet, wenn der Arzt der Kostenforderung einen von der nach Landesrecht zuständigen Stelle ausgegebenen Untersuchungsberechtigungsschein beifügt.

§ 3[2)] Erhebungsbogen. [1] Zur Vorbereitung einer Untersuchung nach § 32 Abs. 1 des Jugendarbeitsschutzgesetzes[1)] (Erstuntersuchung) erhält der Jugendliche von der nach Landesrecht zuständigen Stelle einen Erhebungsbogen nach dem Muster der Anlage 1, zur Vorbereitung einer Untersuchung nach § 33 Abs. 1, §§ 34, 35 Abs. 1 oder § 42 des Jugendarbeitsschutzgesetzes (Nachuntersuchung) einen Erhebungsbogen nach dem Muster der Anlage 1a. [2] Der Erhebungsbogen soll, vom Personensorgeberechtigten ausgefüllt und von diesem und dem Jugendlichen unterschrieben, dem Arzt bei der Untersuchung vorgelegt werden.

§ 4[3)] Untersuchungsbogen. (1) Für die Aufzeichnung der Ergebnisse einer Erstuntersuchung hat der Arzt einen Untersuchungsbogen nach dem Muster der Anlage 2, für die Aufzeichnung der Ergebnisse einer Nachuntersuchung einen Untersuchungsbogen nach dem Muster der Anlage 2a zu verwenden.

[1)] Nr. **420**.
[2)] § 3 Satz 1 geänd. mWv 1.1.2025 durch VO v. 11.12.2024 (BGBl. 2024 I Nr. 411).
[3)] § 4 Abs. 1 geänd. mWv 1.1.2025 durch VO v. 11.12.2024 (BGBl. 2024 I Nr. 411).

(2) Der Arzt hat die Untersuchungsbogen 10 Jahre aufzubewahren.

§ 5[1] Ärztliche Mitteilung an den Personensorgeberechtigten. Für die ärztliche Mitteilung an den Personensorgeberechtigten nach § 39 Abs. 1 des Jugendarbeitsschutzgesetzes[2] hat der Arzt bei einer Erstuntersuchung und bei einer Nachuntersuchung einen Vordruck nach dem Muster der Anlage 3 zu verwenden.

§ 6[3] Ärztliche Bescheinigung für den Arbeitgeber. Für die ärztliche Bescheinigung für den Arbeitgeber nach § 39 Abs. 2 des Jugendarbeitsschutzgesetzes[2] hat der Arzt bei einer Erstuntersuchung und bei einer Nachuntersuchung einen Vordruck nach dem Muster der Anlage 4 zu verwenden.

§ 7[4] Übermittlung von Unterlagen. Bei der Übermittlung von Unterlagen nach den in dieser Verordnung vorgesehenen Mustern sind die in den Mustern vorgesehenen Unterschriften in schriftlicher Form zu leisten oder mit einer qualifizierten elektronischen Signatur zu versehen.

§ 8 Inkrafttreten, abgelöste Vorschrift. [1] Diese Verordnung tritt am ersten Tage des auf die Verkündung[5] folgenden vierten Kalendermonats in Kraft. [2] Gleichzeitig tritt die Verordnung über die ärztlichen Untersuchungen nach dem Jugendarbeitsschutzgesetz vom 2. Oktober 1961 (BGBl. I S. 1789), geändert durch Verordnung vom 5. September 1968 (BGBl. I S. 1013), außer Kraft.

Anlagen
(hier nicht wiedergegeben)

[1] § 5 geänd. mWv 1.1.2025 durch VO v. 11.12.2024 (BGBl. 2024 I Nr. 411).
[2] Nr. **420**.
[3] § 6 geänd. mWv 1.1.2025 durch VO v. 11.12.2024 (BGBl. 2024 I Nr. 411).
[4] § 7 neu gef. mWv 1.1.2025 durch VO v. 11.12.2024 (BGBl. 2024 I Nr. 411).
[5] Verkündet am 25.10.1990.

421. Verordnung über den Kinderarbeitsschutz (Kinderarbeitsschutzverordnung – KindArbSchV)

Vom 23. Juni 1998 (BGBl. I S. 1508)

BGBl. III/FNA 8051-10-2

§ 1 Beschäftigungsverbot. Kinder über 13 Jahre und vollzeitschulpflichtige Jugendliche dürfen nicht beschäftigt werden, soweit nicht das Jugendarbeitsschutzgesetz und § 2 dieser Verordnung Ausnahmen vorsehen.

§ 2 Zulässige Beschäftigungen. (1) Kinder über 13 Jahre und vollzeitschulpflichtige Jugendliche dürfen nur beschäftigt werden

1. mit dem Austragen von Zeitungen, Zeitschriften, Anzeigenblättern und Werbeprospekten,
2. in privaten und landwirtschaftlichen Haushalten mit
   a) Tätigkeiten in Haushalt und Garten,
   b) Botengängen,
   c) der Betreuung von Kindern und anderen zum Haushalt gehörenden Personen,
   d) Nachhilfeunterricht,
   e) der Betreuung von Haustieren,
   f) Einkaufstätigkeiten mit Ausnahme des Einkaufs von alkoholischen Getränken und Tabakwaren,
3. in landwirtschaftlichen Betrieben mit Tätigkeiten bei
   a) der Ernte und der Feldbestellung,
   b) der Selbstvermarktung landwirtschaftlicher Erzeugnisse,
   c) der Versorgung von Tieren,
4. mit Handreichungen beim Sport,
5. mit Tätigkeiten bei nichtgewerblichen Aktionen und Veranstaltungen der Kirchen, Religionsgemeinschaften, Verbände, Vereine und Parteien,

wenn die Beschäftigung nach § 5 Abs. 3 des Jugendarbeitsschutzgesetzes leicht und für sie geeignet ist.

(2) Eine Beschäftigung mit Arbeiten nach Absatz 1 ist nicht leicht und für Kinder über 13 Jahre und vollzeitschulpflichtige Jugendliche nicht geeignet, wenn sie insbesondere

1. mit einer manuellen Handhabung von Lasten verbunden ist, die regelmäßig das maximale Lastgewicht von 7,5 kg oder gelegentlich das maximale Lastgewicht von 10 kg überschreiten; manuelle Hand-

habung in diesem Sinne ist jedes Befördern oder Abstützen einer Last durch menschliche Kraft, unter anderem das Heben, Absetzen, Schieben, Ziehen, Tragen und Bewegen einer Last,

2. infolge einer ungünstigen Körperhaltung physisch belastend ist oder
3. mit Unfallgefahren, insbesondere bei Arbeiten an Maschinen und bei der Betreuung von Tieren, verbunden ist, von denen anzunehmen ist, daß Kinder über 13 Jahre und vollzeitschulpflichtige Jugendliche sie wegen mangelnden Sicherheitsbewußtseins oder mangelnder Erfahrung nicht erkennen oder nicht abwenden können.

Satz 1 Nr. 1 gilt nicht für vollzeitschulpflichtige Jugendliche.

(3) Die zulässigen Beschäftigungen müssen im übrigen den Schutzvorschriften des Jugendarbeitsschutzgesetzes entsprechen.

§ 3 Behördliche Befugnisse. Die Aufsichtsbehörde kann im Einzelfall feststellen, ob die Beschäftigung nach § 2 zulässig ist.

§ 4 Inkrafttreten. Diese Verordnung tritt am ersten Tage des auf die Verkündung folgenden Kalendermonats in Kraft.

422. Gesetz zur Förderung von Jugendfreiwilligendiensten (Jugendfreiwilligendienstegesetz – JFDG)[1)]

Vom 16. Mai 2008
(BGBl. I S. 842)

FNA 2160-3

zuletzt geänd. durch Art. 1, Art. 2 Freiwilligen-TeilzeitG v. 23.5.2024 (BGBl. 2024 I Nr. 170)

§ 1 Fördervoraussetzungen. (1) [1]Jugendfreiwilligendienste fördern die Bildungsfähigkeit der Jugendlichen und gehören zu den besonderen Formen des bürgerschaftlichen Engagements. [2]Ein Jugendfreiwilligendienst wird gefördert, wenn die in den §§ 2 bis 8 genannten Voraussetzungen erfüllt sind und der Dienst von einem nach § 10 zugelassenen Träger durchgeführt wird. [3]Die Förderung dient dazu, die Härten und Nachteile zu beseitigen, die mit der Ableistung des Jugendfreiwilligendienstes im Sinne dieses Gesetzes verbunden sind.

(2) Jugendfreiwilligendienste im Sinne des Gesetzes sind das freiwillige soziale Jahr (FSJ) und das freiwillige ökologische Jahr (FÖJ).

§ 2[2)] Freiwillige. (1) [1]Freiwillige im Sinne dieses Gesetzes sind Personen, die

1. die Vollzeitschulpflicht erfüllt haben, aber das 27. Lebensjahr noch nicht vollendet haben,
2. einen freiwilligen Dienst leisten ohne Erwerbsabsicht, außerhalb einer Berufsausbildung und vergleichbar
   a) einer Vollzeitbeschäftigung oder
   b) einer Teilzeitbeschäftigung von mehr als 20 Stunden pro Woche,
3. sich auf Grund einer Vereinbarung nach § 11 zur Leistung des freiwilligen Dienstes für eine Zeit von mindestens sechs Monaten und höchstens 24 Monaten verpflichtet haben und
4. für den Dienst nur folgende Geld- und Sachleistungen erhalten dürfen:
   a) ein angemessenes Taschengeld,
   b) unentgeltliche Unterkunft, Verpflegung und Arbeitskleidung oder entsprechende Geldersatzleistungen sowie
   c) Mobilitätszuschläge oder entsprechende Sachleistungen.

[2]Angemessen ist ein monatliches Taschengeld, das 8 Prozent der in der allgemeinen Rentenversicherung monatlich geltenden Beitragsbemessungsgrenze nicht übersteigt. [3]Bei einem freiwilligen Dienst vergleichbar einer Teilzeitbeschäftigung ist das Taschengeld zu kürzen.

(2) Als Freiwillige gelten auch Personen, die durch einen nach § 10 zugelassenen Träger des Jugendfreiwilligendienstes darauf vorbereitet werden, einen Jugendfreiwilligendienst im Ausland zu leisten (Vorbereitungsdienst), für den Vorbereitungsdienst nur Leistungen erhalten, die dieses Gesetz vorsieht, und

---

[1)] Verkündet als Art. 1 G v. 16.5.2008 (BGBl. I S. 842); Inkrafttreten gem. Art. 3 dieses G am 1.6.2008.

[2)] § 2 Abs. 1 neu gef., Abs. 2 geänd. mWv 11.5.2019 durch G v. 6.5.2019 (BGBl. I S. 644); Abs. 1 Satz 1 Nr. 2 und 4, Sätze 2 und 3 neu gef. mWv 29.5.2024 durch G v. 23.5.2024 (BGBl. 2024 I Nr. 170).

neben dem Vorbereitungsdienst keine Tätigkeit gegen Entgelt ausüben sowie die Voraussetzungen des Absatzes 1 Nummer 1 und 3 erfüllen.

§ 3[1)] Freiwilliges soziales Jahr. (1) Das freiwillige soziale Jahr wird als überwiegend praktische Hilfstätigkeit, die an Lernzielen orientiert ist, in gemeinwohlorientierten Einrichtungen geleistet, insbesondere in Einrichtungen der Wohlfahrtspflege, in Einrichtungen der Kinder- und Jugendhilfe, einschließlich der Einrichtungen für außerschulische Jugendbildung und Einrichtungen für Jugendarbeit, in Einrichtungen der Gesundheitspflege, in Einrichtungen der Kultur und Denkmalpflege oder in Einrichtungen des Sports.

(2) [1] Das freiwillige soziale Jahr wird pädagogisch begleitet. [2] Die pädagogische Begleitung wird von einer zentralen Stelle eines nach § 10 zugelassenen Trägers des Jugendfreiwilligendienstes sichergestellt mit dem Ziel, soziale, kulturelle und interkulturelle Kompetenzen zu vermitteln und das Verantwortungsbewusstsein für das Gemeinwohl zu stärken.

§ 4[2)] Freiwilliges ökologisches Jahr. (1) Das freiwillige ökologische Jahr wird als überwiegend praktische Hilfstätigkeit, die an Lernzielen orientiert ist, in geeigneten Stellen und Einrichtungen geleistet, die im Bereich des Natur- und Umweltschutzes einschließlich der Bildung zur Nachhaltigkeit tätig sind.

(2) [1] Das freiwillige ökologische Jahr wird pädagogisch begleitet. [2] Die pädagogische Begleitung wird von einer zentralen Stelle eines nach § 10 zugelassenen Trägers des Jugendfreiwilligendienstes sichergestellt mit dem Ziel, soziale, kulturelle und interkulturelle Kompetenzen zu vermitteln und das Verantwortungsbewusstsein für das Gemeinwohl zu stärken. [3] Im freiwilligen ökologischen Jahr sollen insbesondere der nachhaltige Umgang mit Natur und Umwelt gestärkt und Umweltbewusstsein entwickelt werden, um ein kompetentes Handeln für Natur und Umwelt zu fördern.

§ 5[3)] Jugendfreiwilligendienste im Inland. (1) [1] Das freiwillige soziale Jahr und das freiwillige ökologische Jahr im Inland werden in der Regel für eine Dauer von zwölf zusammenhängenden Monaten geleistet. [2] Die Mindestdauer bei demselben nach § 10 anerkannten Träger beträgt sechs Monate, der Dienst kann bis zu der Gesamtdauer von insgesamt 18 Monaten verlängert werden. [3] Der Träger kann den Jugendfreiwilligendienst im Rahmen des pädagogischen Gesamtkonzepts auch unterbrochen zur Ableistung in Abschnitten anbieten, wenn ein Abschnitt mindestens drei Monate dauert.

(2) [1] Die pädagogische Begleitung umfasst die an Lernzielen orientierte fachliche Anleitung der Freiwilligen durch die Einsatzstelle, die individuelle Betreuung durch pädagogische Kräfte des Trägers und durch die Einsatzstelle sowie die Seminararbeit. [2] Es werden ein Einführungs-, ein Zwischen- und ein Abschlussseminar durchgeführt, deren Mindestdauer je fünf Tage beträgt. [3] Die Gesamtdauer der Seminare beträgt bezogen auf eine zwölfmonatige Teilnahme am Jugendfreiwilligendienst mindestens 25 Tage. [4] Wird ein Dienst über den Zeitraum von zwölf Monaten hinaus vereinbart oder verlängert, erhöht sich die Zahl der Seminartage um mindestens einen Tag je Monat der Verlänge-

---

1) § 3 Abs. 1 geänd. mWv 11.5.2019 durch G v. 6.5.2019 (BGBl. I S. 644).

2) § 4 Abs. 1 geänd. mWv 11.5.2019 durch G v. 6.5.2019 (BGBl. I S. 644).

3) § 5 Abs. 3 Satz 3 angef. mWv 11.5.2019 durch G v. 6.5.2019 (BGBl. I S. 644); Abs. 2 Sätze 5-7 neu gef., Sätze 8 und 9 angef. mWv 29.5.2024 durch G v. 23.5.2024 (BGBl. 2024 I Nr. 170).

rung. [5] Die Teilnahme an den Seminaren ist Pflicht. [6] Die Seminarzeit gilt als Dienstzeit. [7] An den Seminartagen gilt die regelmäßige Dienstzeit des jeweiligen Tages als geleistet. [8] Fallen Seminartage auf Tage, die ansonsten für die an dem Seminar teilnehmende Person in der Einsatzstelle dienstfrei wären, so erhält die teilnehmende Person die gleiche Anzahl an dienstfreien Tagen als Ersatz. [9] Die Freiwilligen wirken an der inhaltlichen Gestaltung und der Durchführung der Seminare mit.

(3) [1] Bis zu einer Höchstdauer von insgesamt 18 Monaten können ein freiwilliges soziales Jahr und ein freiwilliges ökologisches Jahr mit einer Mindestdienstdauer von sechs Monaten nacheinander geleistet werden. [2] In diesem Fall richtet sich die Zahl der Seminartage für jeden einzelnen Dienst nach Absatz 2. [3] Auf die Gesamtdauer ist ein Bundesfreiwilligendienst nach dem Bundesfreiwilligendienstgesetz[1)] anzurechnen.

(4) [1] Zur Durchführung des Jugendfreiwilligendienstes nach diesem Gesetz schließen zugelassene Träger und Einsatzstellen eine vertragliche Vereinbarung. [2] Die Vereinbarung legt fest, in welcher Weise Träger und Einsatzstellen die Ziele des Dienstes, insbesondere soziale Kompetenz, Persönlichkeitsbildung sowie die Förderung der Bildungs- und Beschäftigungsfähigkeit der Freiwilligen gemeinsam verfolgen.

§ 6[2)] Jugendfreiwilligendienst im Ausland. (1) Ein freiwilliges soziales Jahr oder ein freiwilliges ökologisches Jahr im Sinne dieses Gesetzes kann auch im Ausland geleistet werden.

(2) [1] Der Jugendfreiwilligendienst im Ausland wird als Dienst gemäß § 2 Abs. 1 Nr. 1 und ausschließlich ununterbrochen geleistet. [2] § 5 gilt entsprechend, soweit keine abweichenden Regelungen für den Jugendfreiwilligendienst im Ausland vorgesehen sind. [3] Zum freiwilligen sozialen Jahr im Ausland gehört insbesondere auch der Dienst für Frieden und Versöhnung. [4] Der Jugendfreiwilligendienst im Ausland wird nach Maßgabe der Nummern 1 bis 3 pädagogisch begleitet:

1. Die pädagogische Begleitung wird von einem nach § 10 zugelassenen Träger sichergestellt,
2. zur Vorbereitung auf den Jugendfreiwilligendienst und während des Dienstes im Ausland erfolgt die pädagogische Begleitung in Form von Bildungsmaßnahmen (Seminaren oder pädagogischen Veranstaltungen), durch fachliche Anleitung durch die Einsatzstelle und die individuelle Betreuung durch pädagogische Kräfte der Einsatzstelle oder des Trägers; die Freiwilligen wirken an der inhaltlichen Gestaltung und Durchführung der Bildungsmaßnahmen mit,
3. die Gesamtdauer der Bildungsmaßnahmen beträgt, bezogen auf eine zwölfmonatige Teilnahme am Jugendfreiwilligendienst im Ausland, mindestens fünf Wochen.

[5] Die pädagogische Begleitung soll in der Weise erfolgen, dass jeweils in der Bundesrepublik Deutschland vorbereitende Veranstaltungen von mindestens vierwöchiger Dauer und nachbereitende Veranstaltungen von mindestens einwöchiger Dauer stattfinden. [6] Falls der Träger ein Zwischenseminar im Ausland

---

[1)] Nr. **422a**.

[2)] § 6 Abs. 2 Satz 1 geänd., Abs. 3 Satz 3 neu gef., Satz 4 angef. mWv 11.5.2019 durch G v. 6.5. 2019 (BGBl. I S. 644).

sicherstellen kann, das regelmäßig bis zu zwei Wochen dauern kann, verkürzen sich die vorbereitenden Veranstaltungen entsprechend. [7] Die Teilnahme an den Bildungsmaßnahmen gilt als Dienstzeit. [8] Die Teilnahme ist Pflicht.

(3) [1] Der Dienst muss nach Maßgabe des § 11 Abs. 1 mit dem Träger vereinbart und gestaltet werden. [2] § 11 Abs. 2 findet keine Anwendung. [3] Die Höchstdauer der Entsendung beträgt 18 Monate. [4] Für die Zahl zusätzlicher Seminartage gilt § 5 Absatz 2 Satz 3 und 4 entsprechend.

§ 7[1)] Kombinierter Jugendfreiwilligendienst. [1] Ein kombinierter Jugendfreiwilligendienst im In- und Ausland kann vom Träger angeboten werden, wenn insgesamt eine Dauer von 18 zusammenhängenden Monaten nicht überschritten wird und die Einsatzabschnitte im In- und Ausland jeweils mindestens drei Monate dauern. [2] Der Dienst ist für den Gesamtzeitraum nach § 11 Abs. 1 mit dem Träger zu vereinbaren und zu gestalten. [3] § 11 Abs. 2 findet keine Anwendung. [4] Die pädagogische Begleitung soll nach Maßgabe des § 6 erfolgen; Zwischenseminare können auch im Inland stattfinden. [5] § 5 Abs. 2 gilt für kürzer oder länger als zwölf Monate dauernde Dienste entsprechend.

§ 8[2)] Zeitliche Ausnahmen. Der Jugendfreiwilligendienst nach den §§ 5, 6 und 7 kann ausnahmsweise bis zu einer Dauer von 24 Monaten geleistet werden, wenn dies im Rahmen eines besonderen pädagogischen Konzepts begründet ist.

[§ 9 bis 31.12.2024:]

§ 9[3)] Förderung. Die Förderung des freiwilligen sozialen Jahres und des freiwilligen ökologischen Jahres richtet sich nach folgenden Rechtsnormen:

1. § 3 der Verordnung über Sonderurlaub für Bundesbeamte und Richter im Bundesdienst[4)] (Sonderurlaub),
2. § 2 Abs. 1 Nr. 8 des Arbeitsgerichtsgesetzes[5)] (Zuständigkeit von Gerichten),
3. § 32 Abs. 4 Satz 1 Nr. 2 Buchstabe b und d des Einkommensteuergesetzes[6)] (Berücksichtigung von Kindern),
4. § 265 Abs. 2 Satz 3 Nr. 2 des Gesetzes über den Lastenausgleich (Lastenausgleich),
5. § 27 Abs. 2 Satz 2 Nr. 1, § 150 Absatz 2 Satz 1 Nummer 2, § 344 Abs. 2 des Dritten Buches Sozialgesetzbuch[7)] (Arbeitsförderung),
6. § 20 Abs. 3 Satz 1 Nr. 2 des Vierten Buches Sozialgesetzbuch[8)] (Gesamtsozialversicherungsbeitrag),
7. § 67 Abs. 3 Satz 1 Nr. 2 Buchstabe b und c, § 82 Abs. 2 Satz 2 des Siebten Buches Sozialgesetzbuch[9)] (Gesetzliche Unfallversicherung),

---

[1)] § 7 Satz 1 neu gef. mWv 11.5.2019 durch G v. 6.5.2019 (BGBl. I S. 644).

[2)] § 8 Satz 1 geänd., Satz 2 aufgeh. mWv 11.5.2019 durch G v. 6.5.2019 (BGBl. I S. 644).

[3)] § 9 Nr. 5 geänd. mWv 1.4.2012 durch G v. 20.12.2011 (BGBl. I S. 2854); Nr. 12 geänd. mWv 11.5.2019 durch G v. 6.5.2019 (BGBl. I S. 644); Nr. 8 neu gef. mWv 1.1.2024 durch G v. 12.12.2019 (BGBl. I S. 2652).

[4)] **Sartorius Nr. 173.**

[5)] Nr. **660**.

[6)] **beck-online, Module Arbeitsrecht Nr. 331.**

[7)] Nr. **700**.

[8)] Nr. **694**.

[9)] Nr. **697**.

8. § 87 Absatz 4 Nummer 2 des Vierzehnten Buches Sozialgesetzbuch[1],
9. § 2 Abs. 2 Satz 1 Nr. 2 Buchstabe b und d des Bundeskindergeldgesetzes[2] (Kindergeld),
10. § 10 Abs. 1 des Vierten Buches Sozialgesetzbuch[3] (Beschäftigungsort),
11. § 7 Abs. 1 Satz 1 Nr. 2, § 10 Abs. 2 Nr. 3 des Fünften Buches Sozialgesetzbuch[4] (Krankenversicherung),
12. § 6 Absatz 1b Satz 5, § 48 Abs. 4 Satz 1 Nr. 2 Buchstabe b und c des Sechsten Buches Sozialgesetzbuch[5] (Rentenversicherung),
13. § 25 Abs. 2 Nr. 3 des Elften Buches Sozialgesetzbuch[6] (Pflegeversicherung),
14. § 1 Abs. 1 Nr. 2 Buchstabe h der Verordnung über den Ausgleich gemeinwirtschaftlicher Leistungen im Straßenpersonenverkehr (Ermäßigungen im Straßenpersonenverkehr),
15. § 1 Abs. 1 Nr. 2 Buchstabe h der Verordnung über den Ausgleich gemeinwirtschaftlicher Leistungen im Eisenbahnverkehr (Ermäßigungen im Eisenbahnverkehr),
16. § 14c des Gesetzes über den Zivildienst der Kriegsdienstverweigerer[7] (Anerkannte Kriegsdienstverweigerer).

[§ 9 ab 1.1.2025:]
§ 9[8] *(aufgehoben)*

§ 10 Träger. (1) Als Träger des freiwilligen sozialen Jahres im Inland im Sinne dieses Gesetzes sind zugelassen:
1. die Verbände, die in der Bundesarbeitsgemeinschaft der freien Wohlfahrtspflege zusammengeschlossen sind, und ihre Untergliederungen,
2. Religionsgemeinschaften mit dem Status einer öffentlich-rechtlichen Körperschaft und
3. die Gebietskörperschaften sowie nach näherer Bestimmung der Länder sonstige Körperschaften des öffentlichen Rechts.

(2) Als weitere Träger des freiwilligen sozialen Jahres im Inland und als Träger des freiwilligen ökologischen Jahres im Inland im Sinne dieses Gesetzes kann die zuständige Landesbehörde solche Einrichtungen zulassen, die für eine den Bestimmungen der §§ 2, 3 oder 4 und 5 entsprechende Durchführung Gewähr bieten.

(3) [1] Als Träger des freiwilligen sozialen Jahres im Ausland oder als Träger des freiwilligen ökologischen Jahres im Ausland im Sinne dieses Gesetzes werden juristische Personen zugelassen, die
1. Maßnahmen im Sinne der §§ 6 oder 7 durchführen und Freiwillige für einen Dienst im Ausland vorbereiten, entsenden und betreuen,

[1] **Aichberger, SGB Nr. 14.**
[2] Nr. 332.
[3] Nr. 694.
[4] Nr. 695.
[5] Nr. 696.
[6] **Aichberger, SGB Nr. 11.**
[7] **beck-online, Module Arbeitsrecht Nr. 156c.**
[8] § 9 aufgeh. mWv 1.1.2025 durch G v. 23.5.2024 (BGBl. 2024 I Nr. 170).

2. Gewähr dafür bieten, dass sie auf Grund ihrer nachgewiesenen Auslandserfahrungen ihre Aufgabe auf Dauer erfüllen und den ihnen nach dem Gesetz obliegenden Verpflichtungen nachkommen,
3. ausschließlich und unmittelbar steuerbegünstigten Zwecken im Sinne der §§ 51 bis 68 der Abgabenordnung[1)] dienen und
4. ihren Sitz in der Bundesrepublik Deutschland haben.

[2] Über die Zulassung eines Trägers des freiwilligen sozialen Jahres im Ausland und über die Zulassung eines Trägers des freiwilligen ökologischen Jahres im Ausland entscheidet die zuständige Landesbehörde.

(4) [1] Die zuständige Landesbehörde hat die Zulassung von Trägern im Sinne dieses Gesetzes zu widerrufen, wenn eine der in Absatz 2 oder 3 genannten Voraussetzungen nicht mehr vorliegt. [2] Die Zulassung kann auch aus anderen wichtigen Gründen widerrufen werden, insbesondere, wenn eine Auflage nicht erfüllt worden ist. [3] Durch den Widerruf oder die Rücknahme der Zulassung werden die Rechte der Freiwilligen nach diesem Gesetz nicht berührt.

(5) Bestehende Zulassungen von Trägern nach dem Gesetz zur Förderung eines freiwilligen sozialen Jahres[2)] oder nach dem Gesetz zur Förderung eines freiwilligen ökologischen Jahres[3)] bleiben unberührt.

§ 11[4)] Vereinbarung, Bescheinigung, Zeugnis. (1) [1] Der zugelassene Träger des Jugendfreiwilligendienstes und die oder der Freiwillige schließen vor Beginn des Jugendfreiwilligendienstes eine schriftliche Vereinbarung ab. [2] Sie muss enthalten:

1. Vor- und Familienname, Geburtsdatum und Anschrift der oder des Freiwilligen,
2. die Bezeichnung des Trägers des Jugendfreiwilligendienstes und der Einsatzstelle,
3. die Angabe des Zeitraumes, für den die oder der Freiwillige sich zum Jugendfreiwilligendienst verpflichtet hat, sowie Regelungen für den Fall der vorzeitigen Beendigung des Dienstes,
4. die Erklärung, dass die Bestimmungen dieses Gesetzes während der Durchführung des Jugendfreiwilligendienstes einzuhalten sind,
5. die Angabe des Zulassungsbescheides des Trägers oder der gesetzlichen Zulassung,
6. Angaben zur Art und Höhe der Geld- und Sachleistungen,
7. die Angabe der Anzahl der Urlaubstage und
8. die Ziele des Dienstes und die wesentlichen der Zielerreichung dienenden Maßnahmen.

(2) [1] Die Vereinbarung nach Absatz 1 kann auch als gemeinsame Vereinbarung zwischen dem zugelassenen Träger, der Einsatzstelle und der oder dem Freiwilligen geschlossen werden, in der die Einsatzstelle die Geld- und Sachleistungen auf eigene Rechnung übernimmt. [2] Der Träger haftet für die Erfül-

---

1) **Steuergesetze Nr. 800.**
2) **beck-online, Module Arbeitsrecht Nr. 424.**
3) **beck-online, Module Arbeitsrecht Nr. 423.**
4) § 11 Abs. 1 Satz 2 Nr. 6 und Abs. 2 Satz 1 geänd. mWv 29.5.2024 durch G v. 23.5.2024 (BGBl. 2024 I Nr. 170).

lung dieser Pflichten gegenüber der oder dem Freiwilligen und Dritten wie ein selbstschuldnerischer Bürge.

(3) [1] Der Träger stellt der Freiwilligen oder dem Freiwilligen nach Abschluss des Dienstes eine Bescheinigung aus. [2] Absatz 1 Satz 2 Nr. 4 und 5 gilt entsprechend; außerdem muss die Bescheinigung den Zeitraum des Dienstes enthalten.

(4) [1] Bei Beendigung des Jugendfreiwilligendienstes kann die Freiwillige oder der Freiwillige von dem Träger ein schriftliches Zeugnis über die Art und Dauer des Jugendfreiwilligendienstes fordern. [2] Die Einsatzstelle soll bei der Zeugniserstellung angemessen beteiligt werden; im Falle des § 11 Abs. 2 ist das Zeugnis im Einvernehmen mit der Einsatzstelle zu erstellen. [3] Das Zeugnis ist auf Verlangen auf die Leistungen und die Führung während der Dienstzeit zu erstrecken. [4] Dabei sind in das Zeugnis berufsqualifizierende Merkmale des Jugendfreiwilligendienstes aufzunehmen.

§ 12[1)] Datenschutz. ***[Satz 1 bis 31.12.2024:]*** [1] Der Träger des Jugendfreiwilligendienstes darf personenbezogene Daten nach § 11 Abs. 1 Satz 2 verarbeiten, soweit dies für die Förderung nach § 9 in Verbindung mit den dort genannten Vorschriften erforderlich ist. ***[Satz 1 ab 1.1.2025:]*** *[1] Die Einsatzstellen, Zentralstellen und Träger des Jugendfreiwilligendienstes dürfen personenbezogene Daten nach § 11 Absatz 1 Satz 2 verarbeiten, soweit dies für die Durchführung dieses Gesetzes erforderlich ist.* [2] Die Daten sind nach Abwicklung des Jugendfreiwilligendienstes zu löschen.

§ 13[2)] Anwendung arbeitsrechtlicher und arbeitsschutzrechtlicher Bestimmungen. [1] Für eine Tätigkeit im Rahmen eines Jugendfreiwilligendienstes im Sinne dieses Gesetzes sind die Arbeitsschutzbestimmungen und das Jugendarbeitsschutzgesetz entsprechend anzuwenden. [2] Für Schäden bei der Ausübung ihrer Tätigkeit haften Freiwillige nur wie Arbeitnehmerinnen und Arbeitnehmer.

§ 13a[3)] Urlaub. (1) [1] Freiwillige haben Anspruch auf Erholungsurlaub.

(2) [1] Bei Freiwilligen, die das 18. Lebensjahr vollendet haben, beträgt der Anspruch auf Erholungsurlaub bei einer Dienstdauer von zwölf Monaten und einer Verteilung der regelmäßigen Dienstzeit auf fünf Werktage in der Kalenderwoche mindestens 20 Werktage. [2] Ist die regelmäßige Dienstzeit auf mehr oder weniger als fünf Tage in der Kalenderwoche verteilt, ist der Urlaubsanspruch nach Satz 1 entsprechend umzurechnen. [3] Bei Freiwilligen, die das 18. Lebensjahr noch nicht vollendet haben, richtet sich der Anspruch auf Erholungsurlaub nach § 19 Absatz 2 des Jugendarbeitsschutzgesetzes[4)].

(3) Bei einer kürzeren oder längeren Dienstdauer als zwölf Monate verringert oder erhöht sich der Urlaubsanspruch nach Absatz 1 für jeden vollen Monat um ein Zwölftel. Bruchteile von Urlaubstagen, die mindestens einen halben Tag ergeben, werden auf volle Urlaubstage aufgerundet.

[1)] § 12 Satz 1 geänd. mWv 26.11.2019 durch G v. 20.11.2019 (BGBl. I S. 1626); Satz 1 neu gef. mWv 1.1.2025 durch G v. 23.5.2024 (BGBl. 2024 I Nr. 170).

[2)] § 13 neu gef. mWv 29.5.2024 durch G v. 23.5.2024 (BGBl. 2024 I Nr. 170).

[3)] § 13a eingef. mWv 29.5.2024 durch G v. 23.5.2024 (BGBl. 2024 I Nr. 170).

[4)] Nr. **420**.

(4) Während des Urlaubs sind die den Freiwilligen nach der Vereinbarung zustehenden Geld- und Sachleistungen weiter zu gewähren.

(5) Kann der Urlaub wegen Beendigung des Dienstes ganz oder teilweise nicht mehr gewährt werden, ist er abzugelten.

[§ 14 bis 31.12.2024:]

§ 14[1] **Übergangsregelung.** Für Personen, die Leistungen nach dem Soldatenversorgungsgesetz[2] in Verbindung mit dem Bundesversorgungsgesetz erhalten, gilt § 9 Nummer 8 in der bis zum 31. Dezember 2023 geltenden Fassung weiter.

§ 15[3] *(aufgehoben)*

---

[1] § 14 angef. mWv 1.1.2024 und aufgeh. mWv 1.1.2025 durch G v. 20.8.2021 (BGBl. I S. 3932).
[2] Auszugsweise abgedruckt unter Nr. **156b**.
[3] § 15 aufgeh. mWv 11.5.2019 durch G v. 6.5.2019 (BGBl. I S. 644).

422a. Gesetz über den Bundesfreiwilligendienst (Bundesfreiwilligendienstgesetz – BFDG)[1)]

Vom 28. April 2011
(BGBl. I S. 687)

FNA 2173-2

zuletzt geänd. durch Art. 3, Art. 4 Freiwilligen-Teilzeitgesetz v. 23.5.2024 (BGBl. 2024 I Nr. 170)

§ 1[2)] Aufgaben des Bundesfreiwilligendienstes. [1] Im Bundesfreiwilligendienst engagieren sich Personen für das Allgemeinwohl, insbesondere im sozialen, ökologischen und kulturellen Bereich sowie im Bereich des Sports, der Integration und des Zivil- und Katastrophenschutzes. [2] Der Bundesfreiwilligendienst fördert das lebenslange Lernen.

§ 2[3)] Freiwillige. [1] Freiwillige im Sinne dieses Gesetzes sind Personen, die
1. die Vollzeitschulpflicht erfüllt haben,
2. einen freiwilligen Dienst leisten ohne Erwerbsabsicht, außerhalb einer Berufsausbildung und vergleichbar
   a) einer Vollzeitbeschäftigung oder
   b) einer Teilzeitbeschäftigung von mehr als 20 Stunden pro Woche,
3. sich auf Grund einer Vereinbarung nach § 8 zur Leistung eines Bundesfreiwilligendienstes für eine Zeit von mindestens sechs Monaten und höchstens 24 Monaten verpflichtet haben und
4. für den Dienst nur folgende Geld- und Sachleistungen erhalten dürfen:
   a) ein angemessenes Taschengeld,
   b) unentgeltliche Unterkunft, Verpflegung und Arbeitskleidung oder entsprechende Geldersatzleistungen sowie
   c) Mobilitätszuschläge oder entsprechende Sachleistungen.

[2] Angemessen ist ein monatliches Taschengeld, das 8 Prozent der in der allgemeinen Rentenversicherung monatlich geltenden Beitragsbemessungsgrenze nicht übersteigt und dem Taschengeld anderer Personen entspricht, die einen Jugendfreiwilligendienst nach dem Jugendfreiwilligendienstegesetz leisten und eine vergleichbare Tätigkeit in derselben Einsatzstelle ausüben. [3] Bei einem freiwilligen Dienst vergleichbar einer Teilzeitbeschäftigung ist das Taschengeld zu kürzen.

§ 3[4)] Einsatzbereiche, Dauer. (1) [1] Der Bundesfreiwilligendienst wird als überwiegend praktische Hilfstätigkeit in gemeinwohlorientierten Einrichtungen geleistet, insbesondere in Einrichtungen der Kinder- und Jugendhilfe, einschließlich der Einrichtungen für außerschulische Jugendbildung und für Ju-

---

[1)] Verkündet als Art. 1 G v. 28.4.2011 (BGBl. I S. 687); Inkrafttreten gem. Art. 18 Abs. 1 dieses G am 3.5.2011, mit Ausnahme von § 17 Abs. 3, der gem. Art. 18 Abs. 2 dieses G am 1.7.2011 in Kraft getreten ist.

[2)] § 1 Satz 1 geänd. mWv 29.5.2024 durch G v. 23.5.2024 (BGBl. 2024 I Nr. 170).

[3)] § 2 Nr. 2 neu gef., Nr. 4 Buchst. a–c geänd., Buchst. d aufgeh. mWv 11.5.2019 durch G v. 6.5. 2019 (BGBl. I S. 644); Nr. 2, 4 neu gef., Sätze 2, 3 angef. mWv 29.5.2024 durch G v. 23.5.2024 (BGBl. 2024 I Nr. 170).

[4)] § 3 Abs. 1 Satz 1 geänd. mWv 29.5.2024 durch G v. 23.5.2024 (BGBl. 2024 I Nr. 170).

gendarbeit, in Einrichtungen der Wohlfahrts-, Gesundheits- und Altenpflege, der Behindertenhilfe, der Kultur und Denkmalpflege, des Sports, der Integration, des Zivil- und Katastrophenschutzes und in Einrichtungen, die im Bereich des Umweltschutzes einschließlich des Naturschutzes und der Bildung zur Nachhaltigkeit tätig sind. 2 Der Bundesfreiwilligendienst ist arbeitsmarktneutral auszugestalten.

(2) 1 Der Bundesfreiwilligendienst wird in der Regel für eine Dauer von zwölf zusammenhängenden Monaten geleistet. 2 Der Dienst dauert mindestens sechs Monate und höchstens 18 Monate. 3 Er kann ausnahmsweise bis zu einer Dauer von 24 Monaten verlängert werden, wenn dies im Rahmen eines besonderen pädagogischen Konzepts begründet ist. 4 Im Rahmen eines pädagogischen Gesamtkonzepts ist auch eine Ableistung in zeitlich getrennten Abschnitten möglich, wenn ein Abschnitt mindestens drei Monate dauert. 5 Die Gesamtdauer aller Abschnitte sowie mehrerer geleisteter Bundesfreiwilligendienste darf bis zum 27. Lebensjahr die zulässige Gesamtdauer nach den Sätzen 2 und 3 nicht überschreiten, danach müssen zwischen jedem Ableisten der nach den Sätzen 2 und 3 zulässigen Gesamtdauer fünf Jahre liegen; auf das Ableisten der Gesamtdauer ist ein Jugendfreiwilligendienst nach dem Jugendfreiwilligendienstegesetz anzurechnen.

§ 4[1)] Pädagogische Begleitung. (1) Der Bundesfreiwilligendienst wird pädagogisch begleitet mit dem Ziel, soziale, ökologische, kulturelle und interkulturelle Kompetenzen zu vermitteln und das Verantwortungsbewusstsein für das Gemeinwohl zu stärken.

(2) Die Freiwilligen erhalten von den Einsatzstellen fachliche Anleitung.

(3) 1 Während des Bundesfreiwilligendienstes finden Seminare statt, für die Teilnahmepflicht besteht. 2 Die Seminarzeit gilt als Dienstzeit. 3 An den Seminartagen gilt die regelmäßige Dienstzeit des jeweiligen Tages als geleistet. 4 Fallen Seminartage auf Tage, die ansonsten für die an dem Seminar teilnehmende Person in der Einsatzstelle dienstfrei wären, so erhält die teilnehmende Person die gleiche Anzahl an dienstfreien Tagen als Ersatz. 5 Die Gesamtdauer der Seminare beträgt bei einer zwölfmonatigen Teilnahme am Bundesfreiwilligendienst mindestens 25 Tage; Freiwillige, die das 27. Lebensjahr vollendet haben, nehmen in angemessenem Umfang an den Seminaren teil. 6 Wird ein Dienst über den Zeitraum von zwölf Monaten hinaus vereinbart oder verlängert, erhöht sich die Zahl der Seminartage für jeden weiteren Monat um mindestens einen Tag. 7 Bei einem kürzeren Dienst als zwölf Monate verringert sich die Zahl der Seminartage für jeden Monat um zwei Tage. 8 Die Freiwilligen wirken an der inhaltlichen Gestaltung und der Durchführung der Seminare mit.

(4) 1 Die Freiwilligen nehmen im Rahmen der Seminare nach Absatz 3 an einem fünftägigen Seminar zur politischen Bildung teil. 2 In diesem Seminar darf die Behandlung politischer Fragen nicht auf die Darlegung einer einseitigen Meinung beschränkt werden. 3 Das Gesamtbild des Unterrichts ist so zu gestalten, dass die Dienstleistenden nicht zugunsten oder zuungunsten einer bestimmten politischen Richtung beeinflusst werden.

[1)] § 4 Abs. 3 Sätze 3, 4 eingef., bish. Sätze 3–6 werden Sätze 5–8 mWv 29.5.2024 durch G v. 23.5. 2024 (BGBl. 2024 I Nr. 170).

(5) Die Seminare, insbesondere das Seminar zur politischen Bildung, können gemeinsam für Freiwillige und Personen, die Jugendfreiwilligendienste oder freiwilligen Wehrdienst leisten, durchgeführt werden.

§ 5 Anderer Dienst im Ausland. Die bestehenden Anerkennungen sowie die Möglichkeit neuer Anerkennungen von Trägern, Vorhaben und Einsatzplänen des Anderen Dienstes im Ausland nach § 14b Absatz 3 des Zivildienstgesetzes[1)] bleiben unberührt.

§ 6 Einsatzstellen. (1) Die Freiwilligen leisten den Bundesfreiwilligendienst in einer dafür anerkannten Einsatzstelle.

(2) [1] Eine Einsatzstelle kann auf ihren Antrag von der zuständigen Bundesbehörde anerkannt werden, wenn sie

1. Aufgaben insbesondere in Einrichtungen der Kinder- und Jugendhilfe, einschließlich der Einrichtungen für außerschulische Jugendbildung und für Jugendarbeit, in Einrichtungen der Wohlfahrts-, Gesundheits- und Altenpflege, der Behindertenhilfe, der Kultur und Denkmalpflege, des Sports, der Integration, des Zivil- und Katastrophenschutzes und in Einrichtungen, die im Bereich des Umweltschutzes einschließlich des Naturschutzes und der Bildung zur Nachhaltigkeit tätig sind, wahrnimmt,
2. die Gewähr bietet, dass Beschäftigung, Leitung und Betreuung der Freiwilligen den Bestimmungen dieses Gesetzes entsprechen sowie
3. die Freiwilligen persönlich und fachlich begleitet und für deren Leitung und Betreuung qualifiziertes Personal einsetzt.

[2] Die Anerkennung wird für bestimmte Plätze ausgesprochen. [3] Sie kann mit Auflagen verbunden werden.

(3) Die am 1. April 2011 nach § 4 des Zivildienstgesetzes[1)] anerkannten Beschäftigungsstellen und Dienstplätze des Zivildienstes gelten als anerkannte Einsatzstellen und -plätze nach Absatz 2.

(4) [1] Die Anerkennung ist zurückzunehmen oder zu widerrufen, wenn eine der in Absatz 2 genannten Voraussetzungen nicht vorgelegen hat oder nicht mehr vorliegt. [2] Sie kann auch aus anderen wichtigen Gründen widerrufen werden, insbesondere, wenn eine Auflage nicht oder nicht innerhalb der gesetzten Frist erfüllt worden ist.

(5) [1] Die Einsatzstelle kann mit der Erfüllung von gesetzlichen oder sich aus der Vereinbarung ergebenden Aufgaben mit deren Einverständnis einen Träger oder eine Zentralstelle beauftragen. [2] Dies ist im Vorschlag nach § 8 Absatz 1 festzuhalten.

§ 7 Zentralstellen. (1) [1] Träger und Einsatzstellen können Zentralstellen bilden. [2] Die Zentralstellen tragen dafür Sorge, dass die ihnen angehörenden Träger und Einsatzstellen ordnungsgemäß an der Durchführung des Bundesfreiwilligendienstes mitwirken. [3] Das Bundesministerium für Familie, Senioren, Frauen und Jugend bestimmt durch Rechtsverordnung, die nicht der Zustimmung des Bundesrates bedarf, Mindestanforderungen für die Bildung einer Zentralstelle, insbesondere hinsichtlich der für die Bildung einer Zentralstelle erforderlichen Zahl, Größe und geografischen Verteilung der Einsatzstellen und Träger.

[1)] **beck-online, Module Arbeitsrecht Nr. 156c.**

(2) Für Einsatzstellen und Träger, die keinem bundeszentralen Träger angehören, richtet die zuständige Bundesbehörde auf deren Wunsch eine eigene Zentralstelle ein.

(3) Jede Einsatzstelle ordnet sich einer oder mehreren Zentralstellen zu.

(4) Die Zentralstellen können den ihnen angeschlossenen Einsatzstellen Auflagen erteilen, insbesondere zum Anschluss an einen Träger sowie zur Gestaltung und Organisation der pädagogischen Begleitung der Freiwilligen.

(5) [1] Die zuständige Behörde teilt den Zentralstellen nach Inkrafttreten des jährlichen Haushaltsgesetzes bis möglichst zum 31. Januar eines jeden Jahres mit, wie viele Plätze im Bereich der Zuständigkeit der jeweiligen Zentralstelle ab August des Jahres besetzt werden können. [2] Die Zentralstellen nehmen die regional angemessene Verteilung dieser Plätze auf die ihnen zugeordneten Träger und Einsatzstellen in eigener Verantwortung vor. [3] Sie können die Zuteilung von Plätzen mit Auflagen verbinden.

§ 8[1)] Vereinbarung. (1) [1] Der Bund und die oder der Freiwillige schließen vor Beginn des Bundesfreiwilligendienstes auf gemeinsamen Vorschlag der oder des Freiwilligen und der Einsatzstelle eine schriftliche Vereinbarung ab. [2] Die Vereinbarung muss enthalten:

1. Vor- und Familienname, Geburtstag und Anschrift der oder des Freiwilligen, bei Minderjährigen die Anschrift der Erziehungsberechtigten sowie die Einwilligung des gesetzlichen Vertreters,
2. die Bezeichnung der Einsatzstelle und, sofern diese einem Träger angehört, die Bezeichnung des Trägers,
3. die Angabe des Zeitraumes, für den die oder der Freiwillige sich zum Bundesfreiwilligendienst verpflichtet sowie eine Regelung zur vorzeitigen Beendigung des Dienstverhältnisses,
4. den Hinweis, dass die Bestimmungen dieses Gesetzes während der Durchführung des Bundesfreiwilligendienstes einzuhalten sind,
5. Angaben zur Art und Höhe der Geld- und Sachleistungen sowie
6. die Angabe der Anzahl der Urlaubstage und der Seminartage.

(2) [1] Die Einsatzstelle kann mit der Erfüllung von gesetzlichen oder sich aus der Vereinbarung ergebenden Aufgaben einen Träger oder eine Zentralstelle beauftragen. [2] Dies ist im Vorschlag nach Absatz 1 festzuhalten.

(3) [1] Die Einsatzstelle legt den Vorschlag in Absprache mit der Zentralstelle, der sie angeschlossen ist, der zuständigen Bundesbehörde vor. [2] Die Zentralstelle stellt sicher, dass ein besetzbarer Platz nach § 7 Absatz 5 zur Verfügung steht. [3] Die zuständige Bundesbehörde unterrichtet die Freiwillige oder den Freiwilligen sowie die Einsatzstelle, gegebenenfalls den Träger und die Zentralstelle, über den Abschluss der Vereinbarung oder teilt ihnen die Gründe mit, die dem Abschluss einer Vereinbarung entgegenstehen.

§ 9 Haftung. (1) [1] Für Schäden, die die oder der Freiwillige vorsätzlich oder fahrlässig herbeigeführt hat, haftet der Bund, wenn die schädigende Handlung auf sein Verlangen vorgenommen worden ist. [2] Insoweit kann die oder der

[1)] § 8 Abs. 1 Satz 2 Nr. 2 aufgeh., bish. Nr. 3–7 werden Nr. 2–6 mWv 11.5.2019 durch G v. 6.5. 2019 (BGBl. I S. 644).

Freiwillige verlangen, dass der Bund sie oder ihn von Schadensersatzansprüchen der oder des Geschädigten freistellt.

(2) Für Schäden bei der Ausübung ihrer Tätigkeit haften Freiwillige nur wie Arbeitnehmerinnen und Arbeitnehmer.

§ 10 Beteiligung der Freiwilligen. [1] Die Freiwilligen wählen Sprecherinnen und Sprecher, die ihre Interessen gegenüber den Einsatzstellen, Trägern, Zentralstellen und der zuständigen Bundesbehörde vertreten. [2] Das Bundesministerium für Familie, Senioren, Frauen und Jugend regelt die Einzelheiten zum Wahlverfahren durch Rechtsverordnung, die nicht der Zustimmung des Bundesrates bedarf.

§ 11 Bescheinigung, Zeugnis. (1) [1] Die Einsatzstelle stellt der oder dem Freiwilligen nach Abschluss des Dienstes eine Bescheinigung über den geleisteten Dienst aus. [2] Eine Zweitausfertigung der Bescheinigung ist der zuständigen Bundesbehörde zuzuleiten.

(2) [1] Bei Beendigung des freiwilligen Dienstes erhält die oder der Freiwillige von der Einsatzstelle ein schriftliches Zeugnis über die Art und Dauer des freiwilligen Dienstes. [2] Das Zeugnis ist auf die Leistungen und die Führung während der Dienstzeit zu erstrecken. [3] Dabei sind in das Zeugnis berufsqualifizierende Merkmale des Bundesfreiwilligendienstes aufzunehmen.

§ 12[1)] Datenschutz. [1] Die Einsatzstellen, Zentralstellen und Träger dürfen personenbezogene Daten nach § 8 Absatz 1 Satz 2 verarbeiten, soweit dies für die Durchführung dieses Gesetzes erforderlich ist. [2] Die Daten sind nach Abwicklung des Bundesfreiwilligendienstes zu löschen.

§ 13[2)] Anwendung arbeitsrechtlicher, arbeitsschutzrechtlicher und sonstiger Bestimmungen. (1) Für eine Tätigkeit im Rahmen eines Bundesfreiwilligendienstes im Sinne dieses Gesetzes sind die Arbeitsschutzbestimmungen und das Jugendarbeitsschutzgesetz[3)] entsprechend anzuwenden.

(2) [1] Soweit keine ausdrückliche sozialversicherungsrechtliche Regelung vorhanden ist, finden auf den Bundesfreiwilligendienst die sozialversicherungsrechtlichen Bestimmungen entsprechende Anwendung, die für die Jugendfreiwilligendienste nach dem Jugendfreiwilligendienstegesetz[4)] gelten. ***[Satz 2 bis 31.12.2024:]*** [2] Im Übrigen sind folgende Vorschriften entsprechend anzuwenden:

1. § 3 der Sonderurlaubsverordnung[5)],
2. § 87 Absatz 4 Nummer 2 des Vierzehnten Buches Sozialgesetzbuch[6)],
3. § 1 Absatz 1 Nummer 2 Buchstabe h der Verordnung über den Ausgleich gemeinwirtschaftlicher Leistungen im Straßenpersonenverkehr,
4. § 1 Absatz 1 Nummer 2 Buchstabe h der Verordnung über den Ausgleich gemeinwirtschaftlicher Leistungen im Eisenbahnverkehr.

[1)] § 12 Satz 1 geänd. mWv 26.11.2019 durch G v. 20.11.2019 (BGBl. I S. 1626).

[2)] § 13 Abs. 2 Satz 2 Nr. 2 neu gef. mWv 1.1.2024 durch G v. 12.12.2019 (BGBl. I S. 2652); Abs. 1 neu gef. mWv 29.5.2024, Abs. 2 Satz 2 aufgeh. mWv 1.1.2025 durch G v. 23.5.2024 (BGBl. 2024 I Nr. 170).

[3)] Nr. **420**.

[4)] Nr. **422**.

[5)] **Sartorius Nr. 173.**

[6)] **Aichberger, SGB Nr. 14.**

§ 13a[1] Urlaub. (1) Freiwillige haben Anspruch auf Erholungsurlaub.

(2) [1] Bei Freiwilligen, die das 18. Lebensjahr vollendet haben, beträgt der Anspruch auf Erholungsurlaub bei einer Dienstdauer von zwölf Monaten und einer Verteilung der regelmäßigen Dienstzeit auf fünf Werktage in der Kalenderwoche mindestens 20 Werktage. [2] Ist die regelmäßige Dienstzeit auf mehr oder weniger als fünf Tage in der Kalenderwoche verteilt, ist der Urlaubsanspruch nach Satz 1 entsprechend umzurechnen. [3] Bei Freiwilligen, die das 18. Lebensjahr noch nicht vollendet haben, richtet sich der Anspruch auf Erholungsurlaub nach § 19 Absatz 2 des Jugendarbeitsschutzgesetzes[2].

(3) [1] Bei einer kürzeren oder längeren Dienstdauer als zwölf Monate verringert oder erhöht sich der Urlaubsanspruch nach Absatz 1 für jeden vollen Monat um ein Zwölftel. [2] Bruchteile von Urlaubstagen, die mindestens einen halben Tag ergeben, werden auf volle Urlaubstage aufgerundet.

(4) Während des Urlaubs sind die den Freiwilligen nach der Vereinbarung zustehenden Geld- und Sachleistungen weiter zu gewähren.

(5) Kann der Urlaub wegen Beendigung des Dienstes ganz oder teilweise nicht mehr gewährt werden, ist er abzugelten.

§ 14 Zuständige Bundesbehörde. (1) [1] Dieses Gesetz wird, soweit es nichts anderes bestimmt, in bundeseigener Verwaltung ausgeführt. [2] Die Durchführung wird dem Bundesamt für den Zivildienst als selbstständiger Bundesoberbehörde übertragen, welche die Bezeichnung „Bundesamt für Familie und zivilgesellschaftliche Aufgaben“ (Bundesamt) erhält und dem Bundesministerium für Familie, Senioren, Frauen und Jugend untersteht.

(2) Dem Bundesamt können weitere Aufgaben übertragen werden.

§ 15 Beirat für den Bundesfreiwilligendienst. (1) [1] Bei dem Bundesministerium für Familie, Senioren, Frauen und Jugend wird ein Beirat für den Bundesfreiwilligendienst gebildet. [2] Der Beirat berät das Bundesministerium für Familie, Senioren, Frauen und Jugend in Fragen des Bundesfreiwilligendienstes.

(2) Dem Beirat gehören an:

1. bis zu sieben Bundessprecherinnen oder Bundessprecher der Freiwilligen,
2. bis zu sieben Vertreterinnen oder Vertreter der Zentralstellen,
3. je eine Vertreterin oder ein Vertreter der evangelischen Kirche und der katholischen Kirche,
4. je eine Vertreterin oder ein Vertreter der Gewerkschaften und der Arbeitgeberverbände,
5. vier Vertreterinnen oder Vertreter der Länder und
6. eine Vertreterin oder ein Vertreter der kommunalen Spitzenverbände.

(3) [1] Das Bundesministerium für Familie, Senioren, Frauen und Jugend beruft die Mitglieder des Beirats in der Regel für die Dauer von vier Jahren. [2] Die in Absatz 2 genannten Stellen sollen hierzu Vorschläge machen. [3] Die Mitglieder nach Absatz 2 Nummer 1 sind für die Dauer ihrer Dienstzeit zu berufen. [4] Für jedes Mitglied wird eine persönliche Stellvertretung berufen.

---

[1] § 13a eingef. mWv 29.5.2024 durch G v. 23.5.2024 (BGBl. 2024 I Nr. 170).
[2] Nr. **420**.

(4) Die Sitzungen des Beirats werden von der oder dem von der Bundesministerin oder dem Bundesminister für Familie, Senioren, Frauen und Jugend dafür benannten Vertreterin oder Vertreter einberufen und geleitet.

§ 16 Übertragung von Aufgaben. [1] Die Einsatzstellen, Zentralstellen und Träger können mit ihrem Einverständnis mit der Wahrnehmung von Aufgaben beauftragt werden. [2] Die hierdurch entstehenden Kosten können in angemessenem Umfang erstattet werden.

§ 17[1] Kosten. (1) [1] Soweit die Freiwilligen Unterkunft, Verpflegung und Arbeitskleidung oder entsprechende Geldersatzleistungen, Mobilitätszuschläge oder entsprechende Sachleistungen erhalten, erbringen die Einsatzstellen diese Leistungen auf ihre Kosten für den Bund. [2] Sie tragen die ihnen aus der Beschäftigung der Freiwilligen entstehenden Verwaltungskosten.

(2) [1] Für den Bund zahlen die Einsatzstellen den Freiwilligen das Taschengeld, soweit ein Taschengeld vereinbart ist. [2] Für die Einsatzstellen gelten die Melde-, Beitragsnachweis- und Zahlungspflichten des Sozialversicherungsrechts. [3] Die Einsatzstellen tragen die Kosten der pädagogischen Begleitung der Freiwilligen.

(3) [1] Den Einsatzstellen wird der Aufwand für das Taschengeld, die Sozialversicherungsbeiträge, die gesetzlich geregelten Zuschüsse zu Beiträgen zur Kranken- und Pflegeversicherung sowie zu einer berufsständischen Versorgungseinrichtung und die pädagogische Begleitung im Rahmen der im Haushaltsplan vorgesehenen Mittel erstattet; das Bundesministerium für Familie, Senioren, Frauen und Jugend legt im Einvernehmen mit dem Bundesministerium der Finanzen einheitliche Obergrenzen für die Erstattung fest. [2] Der Zuschuss für den Aufwand für die pädagogische Begleitung wird nach den für das freiwillige soziale Jahr im Inland geltenden Richtlinien des Bundes festgesetzt.

[§ 18 bis 31.12.2024:]

§ 18[2] Übergangsregelung aus Anlass des Gesetzes zur Regelung des Sozialen Entschädigungsrechts. Für Personen, die Leistungen nach dem Soldatenversorgungsgesetz[3] in der Fassung der Bekanntmachung vom 16. September 2009 (BGBl. I S. 3054), das zuletzt durch Artikel 19 des Gesetzes vom 4. August 2019 (BGBl. I S. 1147) geändert worden ist, in Verbindung mit dem Bundesversorgungsgesetz in der Fassung der Bekanntmachung vom 22. Januar 1982 (BGBl. I S. 21), das zuletzt durch Artikel 1 der Verordnung vom 13. Juni 2019 (BGBl. I S. 793) geändert worden ist, erhalten, gelten die Vorschriften des § 13 Absatz 2 Satz 2 Nummer 2 in der am 31. Dezember 2023 geltenden Fassung weiter.

[§ 18 ab 1.1.2025:]

§ 18[4] *(aufgehoben)*

---

[1] § 17 Abs. 1 Satz 1, Abs. 3 Satz 1 geänd. mWv 29.5.2024 durch G v. 23.5.2024 (BGBl. 2024 I Nr. 170).

[2] § 18 neu gef. mWv 1.1.2024 durch G v. 12.12.2019 (BGBl. I S. 2652).

[3] Auszugsweise abgedruckt unter Nr. **156b**.

[4] § 18 aufgeh. mWv 1.1.2025 durch G v. 20.8.2021 (BGBl. I S. 3932).

[§ 18 ab 1.1.2024:]

[§ 19 ab 1.1.2024:]
§ 19 (aufgehoben)

[illegible]

F. Schwerbehindertenschutz

440. Sozialgesetzbuch Neuntes Buch – Rehabilitation und Teilhabe von Menschen mit Behinderungen – (Neuntes Buch Sozialgesetzbuch – SGB IX)[1)]

Vom 23. Dezember 2016

(BGBl. I S. 3234)

FNA 860-9-3

zuletzt geänd. durch Art. 13 Zweites BetriebsrentenstärkungsG v. 16.1.2026 (BGBl. 2026 I Nr. 14)

– Auszug –[2)]

Teil 1. Regelungen für Menschen mit Behinderungen und von Behinderung bedrohte Menschen

Kapitel 1. Allgemeine Vorschriften

§ 1 Selbstbestimmung und Teilhabe am Leben in der Gesellschaft.

[1] Menschen mit Behinderungen oder von Behinderung bedrohte Menschen erhalten Leistungen nach diesem Buch und den für die Rehabilitationsträger geltenden Leistungsgesetzen, um ihre Selbstbestimmung und ihre volle, wirksame und gleichberechtigte Teilhabe am Leben in der Gesellschaft zu fördern, Benachteiligungen zu vermeiden oder ihnen entgegenzuwirken. [2] Dabei wird den besonderen Bedürfnissen von Frauen und Kindern mit Behinderungen und von Behinderung bedrohter Frauen und Kinder sowie Menschen mit seelischen Behinderungen oder von einer solchen Behinderung bedrohter Menschen Rechnung getragen.

§ 2 Begriffsbestimmungen. (1) [1] Menschen mit Behinderungen sind Menschen, die körperliche, seelische, geistige oder Sinnesbeeinträchtigungen haben, die sie in Wechselwirkung mit einstellungs- und umweltbedingten Barrieren an der gleichberechtigten Teilhabe an der Gesellschaft mit hoher Wahrscheinlichkeit länger als sechs Monate hindern können. [2] Eine Beeinträchtigung nach Satz 1 liegt vor, wenn der Körper- und Gesundheitszustand von dem für das Lebensalter typischen Zustand abweicht. [3] Menschen sind von Behinderung bedroht, wenn eine Beeinträchtigung nach Satz 1 zu erwarten ist.

(2) Menschen sind im Sinne des Teils 3 schwerbehindert, wenn bei ihnen ein Grad der Behinderung von wenigstens 50 vorliegt und sie ihren Wohnsitz, ihren gewöhnlichen Aufenthalt oder ihre Beschäftigung auf einem Arbeitsplatz im Sinne des § 156 rechtmäßig im Geltungsbereich dieses Gesetzbuches haben.

[1)] Verkündet als Art. 1 BundesteilhabeG v. 23.12.2016 (BGBl. I S. 3234); Inkrafttreten gem. Art. 26 Abs. 1 dieses G am 1.1.2018, mit Ausnahme von Teil 2 Kapitel 1–7 (§§ 90–122) sowie Kapitel 9–11 (§§ 135–150), die gem. Abs. 4 Nr. 1 dieses G mit Ausnahme von § 94 Absatz 1 am 1.1.2020 in Kraft getreten sind.

[2)] Vollständig wiedergegeben in **beck-online, Module Arbeitsrecht.**

(3) Schwerbehinderten Menschen gleichgestellt werden sollen Menschen mit Behinderungen mit einem Grad der Behinderung von weniger als 50, aber wenigstens 30, bei denen die übrigen Voraussetzungen des Absatzes 2 vorliegen, wenn sie infolge ihrer Behinderung ohne die Gleichstellung einen geeigneten Arbeitsplatz im Sinne des § 156 nicht erlangen oder nicht behalten können (gleichgestellte behinderte Menschen).

§ 3 Vorrang von Prävention. (1) Die Rehabilitationsträger und die Integrationsämter wirken bei der Aufklärung, Beratung, Auskunft und Ausführung von Leistungen im Sinne des Ersten Buches[1] sowie im Rahmen der Zusammenarbeit mit den Arbeitgebern nach § 167 darauf hin, dass der Eintritt einer Behinderung einschließlich einer chronischen Krankheit vermieden wird.

(2) Die Rehabilitationsträger nach § 6 Absatz 1 Nummer 1 bis 4 und 6 und ihre Verbände wirken bei der Entwicklung und Umsetzung der Nationalen Präventionsstrategie nach den Bestimmungen der §§ 20d bis 20g des Fünften Buches[2] mit, insbesondere mit der Zielsetzung der Vermeidung von Beeinträchtigungen bei der Teilhabe am Leben in der Gesellschaft.

(3) Bei der Erbringung von Leistungen für Personen, deren berufliche Eingliederung auf Grund gesundheitlicher Einschränkungen besonders erschwert ist, arbeiten die Krankenkassen mit der Bundesagentur für Arbeit und mit den kommunalen Trägern der Grundsicherung für Arbeitsuchende nach § 20a des Fünften Buches[2] eng zusammen.

§ 4 Leistungen zur Teilhabe. (1) Die Leistungen zur Teilhabe umfassen die notwendigen Sozialleistungen, um unabhängig von der Ursache der Behinderung

1. die Behinderung abzuwenden, zu beseitigen, zu mindern, ihre Verschlimmerung zu verhüten oder ihre Folgen zu mildern,
2. Einschränkungen der Erwerbsfähigkeit oder Pflegebedürftigkeit zu vermeiden, zu überwinden, zu mindern oder eine Verschlimmerung zu verhüten sowie den vorzeitigen Bezug anderer Sozialleistungen zu vermeiden oder laufende Sozialleistungen zu mindern,
3. die Teilhabe am Arbeitsleben entsprechend den Neigungen und Fähigkeiten dauerhaft zu sichern oder
4. die persönliche Entwicklung ganzheitlich zu fördern und die Teilhabe am Leben in der Gesellschaft sowie eine möglichst selbständige und selbstbestimmte Lebensführung zu ermöglichen oder zu erleichtern.

(2) [1]Die Leistungen zur Teilhabe werden zur Erreichung der in Absatz 1 genannten Ziele nach Maßgabe dieses Buches und der für die zuständigen Leistungsträger geltenden besonderen Vorschriften neben anderen Sozialleistungen erbracht. [2]Die Leistungsträger erbringen die Leistungen im Rahmen der für sie geltenden Rechtsvorschriften nach Lage des Einzelfalles so vollständig, umfassend und in gleicher Qualität, dass Leistungen eines anderen Trägers möglichst nicht erforderlich werden.

(3) [1]Leistungen für Kinder mit Behinderungen oder von Behinderung bedrohte Kinder werden so geplant und gestaltet, dass nach Möglichkeit Kinder nicht von ihrem sozialen Umfeld getrennt und gemeinsam mit Kindern ohne

---

[1] Nr. **691**.
[2] **beck-online, Module Arbeitsrecht Nr. 695.**

Behinderungen betreut werden können. [2]Dabei werden Kinder mit Behinderungen alters- und entwicklungsentsprechend an der Planung und Ausgestaltung der einzelnen Hilfen beteiligt und ihre Sorgeberechtigten intensiv in Planung und Gestaltung der Hilfen einbezogen.

(4) Leistungen für Mütter und Väter mit Behinderungen werden gewährt, um diese bei der Versorgung und Betreuung ihrer Kinder zu unterstützen.

§ 5 Leistungsgruppen. Zur Teilhabe am Leben in der Gesellschaft werden erbracht:
1. Leistungen zur medizinischen Rehabilitation,
2. Leistungen zur Teilhabe am Arbeitsleben,
3. unterhaltssichernde und andere ergänzende Leistungen,
4. Leistungen zur Teilhabe an Bildung und
5. Leistungen zur sozialen Teilhabe.

§ 6[1] Rehabilitationsträger. (1) Träger der Leistungen zur Teilhabe (Rehabilitationsträger) können sein:
1. die gesetzlichen Krankenkassen für Leistungen nach § 5 Nummer 1 und 3,
2. die Bundesagentur für Arbeit für Leistungen nach § 5 Nummer 2 und 3,
3. die Träger der gesetzlichen Unfallversicherung für Leistungen nach § 5 Nummer 1 bis 3 und 5; für Versicherte nach § 2 Absatz 1 Nummer 8 des Siebten Buches[2] die für diese zuständigen Unfallversicherungsträger für Leistungen nach § 5 Nummer 1 bis 5,
4. die Träger der gesetzlichen Rentenversicherung für Leistungen nach § 5 Nummer 1 bis 3, der Träger der Alterssicherung der Landwirte für Leistungen nach § 5 Nummer 1 und 3,

[Nr. 5 bis 31.12.2024:]

5. die Träger der Sozialen Entschädigung für Leistungen nach § 5 Nummer 1 bis 5,

[Nr. 5 ab 1.1.2025:]

5. *die Träger der Sozialen Entschädigung und der Träger der Soldatenentschädigung für Leistungen nach § 5 Nummer 1 bis 5*
6. die Träger der öffentlichen Jugendhilfe für Leistungen nach § 5 Nummer 1, 2, 4 und 5 sowie
7. die Träger der Eingliederungshilfe für Leistungen nach § 5 Nummer 1, 2, 4 und 5.

(2) Die Rehabilitationsträger nehmen ihre Aufgaben selbständig und eigenverantwortlich wahr.

[Abs. 3 bis 31.12.2024:]

(3) [1]Die Bundesagentur für Arbeit ist auch Rehabilitationsträger für die Leistungen zur Teilhabe am Arbeitsleben für erwerbsfähige Leistungsberechtigte

---

[1] § 6 Abs. 3 Satz 6 geänd. mWv 1.1.2018 durch G v. 17.7.2017 (BGBl. I S. 2541); Abs. 1 Nr. 5 geänd. mWv 1.1.2024 durch G v. 12.12.2019 (BGBl. I S. 2652); Abs. 3 Sätze 3–5 neu gef., Sätze 6 und 7 aufgeh. mWv 1.1.2022 durch G v. 2.6.2021 (BGBl. I S. 1387); Abs. 1 Nr. 5 neu gef. mWv 1.1. 2025 durch G v. 20.8.2021 (BGBl. I S. 3932); Abs. 3 aufgeh. mWv 1.1.2025 durch G v. 22.12.2023 (BGBl. 2023 I Nr. 412).

[2] Nr. **697**.

mit Behinderungen im Sinne des Zweiten Buches, sofern nicht ein anderer Rehabilitationsträger zuständig ist. [2] Die Zuständigkeit der Jobcenter nach § 6d des Zweiten Buches[1)] für die Leistungen zur beruflichen Teilhabe von Menschen mit Behinderungen nach § 16 Absatz 1 des Zweiten Buches bleibt unberührt. [3] Die Bundesagentur für Arbeit stellt den Rehabilitationsbedarf fest. [4] Sie beteiligt das zuständige Jobcenter nach § 19 Absatz 1 Satz 2 und berät das Jobcenter zu den von ihm zu erbringenden Leistungen zur Teilhabe am Arbeitsleben nach § 16 Absatz 1 Satz 3 des Zweiten Buches. [5] Das Jobcenter entscheidet über diese Leistungen innerhalb der in Kapitel 4 genannten Fristen.

§ 7 Vorbehalt abweichender Regelungen. (1) [1] Die Vorschriften im Teil 1 gelten für die Leistungen zur Teilhabe, soweit sich aus den für den jeweiligen Rehabilitationsträger geltenden Leistungsgesetzen nichts Abweichendes ergibt. [2] Die Zuständigkeit und die Voraussetzungen für die Leistungen zur Teilhabe richten sich nach den für den jeweiligen Rehabilitationsträger geltenden Leistungsgesetzen. [3] Das Recht der Eingliederungshilfe im Teil 2 ist ein Leistungsgesetz im Sinne der Sätze 1 und 2.

(2) [1] Abweichend von Absatz 1 gehen die Vorschriften der Kapitel 2 bis 4 den für die jeweiligen Rehabilitationsträger geltenden Leistungsgesetzen vor. [2] Von den Vorschriften in Kapitel 4 kann durch Landesrecht nicht abgewichen werden.

§ 8 Wunsch- und Wahlrecht der Leistungsberechtigten. (1) [1] Bei der Entscheidung über die Leistungen und bei der Ausführung der Leistungen zur Teilhabe wird berechtigten Wünschen der Leistungsberechtigten entsprochen. [2] Dabei wird auch auf die persönliche Lebenssituation, das Alter, das Geschlecht, die Familie sowie die religiösen und weltanschaulichen Bedürfnisse der Leistungsberechtigten Rücksicht genommen; im Übrigen gilt § 33 des Ersten Buches[2)]. [3] Den besonderen Bedürfnissen von Müttern und Vätern mit Behinderungen bei der Erfüllung ihres Erziehungsauftrages sowie den besonderen Bedürfnissen von Kindern mit Behinderungen wird Rechnung getragen.

(2) [1] Sachleistungen zur Teilhabe, die nicht in Rehabilitationseinrichtungen auszuführen sind, können auf Antrag der Leistungsberechtigten als Geldleistungen erbracht werden, wenn die Leistungen hierdurch voraussichtlich bei gleicher Wirksamkeit wirtschaftlich zumindest gleichwertig ausgeführt werden können. [2] Für die Beurteilung der Wirksamkeit stellen die Leistungsberechtigten dem Rehabilitationsträger geeignete Unterlagen zur Verfügung. [3] Der Rehabilitationsträger begründet durch Bescheid, wenn er den Wünschen des Leistungsberechtigten nach den Absätzen 1 und 2 nicht entspricht.

(3) Leistungen, Dienste und Einrichtungen lassen den Leistungsberechtigten möglichst viel Raum zu eigenverantwortlicher Gestaltung ihrer Lebensumstände und fördern ihre Selbstbestimmung.

(4) Die Leistungen zur Teilhabe bedürfen der Zustimmung der Leistungsberechtigten.

[1)] Nr. **692**.
[2)] Nr. **691**.

Kapitel 2. Einleitung der Rehabilitation von Amts wegen

§ 9[1)] Vorrangige Prüfung von Leistungen zur Teilhabe. (1) [1] Werden bei einem Rehabilitationsträger Sozialleistungen wegen oder unter Berücksichtigung einer Behinderung oder einer drohenden Behinderung beantragt oder erbracht, prüft dieser unabhängig von der Entscheidung über diese Leistungen, ob Leistungen zur Teilhabe voraussichtlich zur Erreichung der Ziele nach den §§ 1 und 4 erfolgreich sein können. [2] Er prüft auch, ob hierfür weitere Rehabilitationsträger im Rahmen ihrer Zuständigkeit zur Koordinierung der Leistungen zu beteiligen sind. [3] Werden Leistungen zur Teilhabe nach den Leistungsgesetzen nur auf Antrag erbracht, wirken die Rehabilitationsträger nach § 12 auf eine Antragstellung hin.

(2) [1] Leistungen zur Teilhabe haben Vorrang vor Rentenleistungen, die bei erfolgreichen Leistungen zur Teilhabe nicht oder voraussichtlich erst zu einem späteren Zeitpunkt zu erbringen wären. [2] Dies gilt während des Bezuges einer Rente entsprechend.

(3) [1] Absatz 1 ist auch anzuwenden, um durch Leistungen zur Teilhabe Pflegebedürftigkeit zu vermeiden, zu überwinden, zu mindern oder eine Verschlimmerung zu verhüten. [2] Die Aufgaben der Pflegekassen als Träger der sozialen Pflegeversicherung bei der Sicherung des Vorrangs von Rehabilitation vor Pflege nach den §§ 18a und 31 des Elften Buches[2)] bleiben unberührt.

(4) Absatz 1 gilt auch für die Jobcenter *[bis 31.12.2024:* im Rahmen ihrer Zuständigkeit für Leistungen zur beruflichen Teilhabe nach § 6 Absatz 3*]* mit der Maßgabe, dass sie mögliche Rehabilitationsbedarfe erkennen und auf eine Antragstellung beim voraussichtlich zuständigen Rehabilitationsträger hinwirken sollen.

§ 10 Sicherung der Erwerbsfähigkeit. (1) [1] Soweit es im Einzelfall geboten ist, prüft der zuständige Rehabilitationsträger gleichzeitig mit der Einleitung einer Leistung zur medizinischen Rehabilitation, während ihrer Ausführung und nach ihrem Abschluss, ob durch geeignete Leistungen zur Teilhabe am Arbeitsleben die Erwerbsfähigkeit von Menschen mit Behinderungen oder von Behinderung bedrohten Menschen erhalten, gebessert oder wiederhergestellt werden kann. [2] Er beteiligt die Bundesagentur für Arbeit nach § 54.

(2) Wird während einer Leistung zur medizinischen Rehabilitation erkennbar, dass der bisherige Arbeitsplatz gefährdet ist, wird mit den Betroffenen sowie dem zuständigen Rehabilitationsträger unverzüglich geklärt, ob Leistungen zur Teilhabe am Arbeitsleben erforderlich sind.

(3) Bei der Prüfung nach den Absätzen 1 und 2 wird zur Klärung eines Hilfebedarfs nach Teil 3 auch das Integrationsamt beteiligt.

(4) [1] Die Rehabilitationsträger haben in den Fällen nach den Absätzen 1 und 2 auf eine frühzeitige Antragstellung im Sinne von § 12 nach allen in Betracht kommenden Leistungsgesetzen hinzuwirken und den Antrag ungeachtet ihrer Zuständigkeit für Leistungen zur Teilhabe am Arbeitsleben entgegenzunehmen. [2] Soweit es erforderlich ist, beteiligen sie unverzüglich die zuständigen Rehabilitationsträger zur Koordinierung der Leistungen nach Kapitel 4.

---

1) § 9 Abs. 4 geänd. mWv 1.1.2025 durch G v. 22.12.2023 (BGBl. 2023 I Nr. 412).
2) **Aichberger, SGB Nr. 11.**

(5) [1]Die Rehabilitationsträger wirken auch in den Fällen der Hinzuziehung durch Arbeitgeber infolge einer Arbeitsplatzgefährdung nach § 167 Absatz 2 Satz 4 auf eine frühzeitige Antragstellung auf Leistungen zur Teilhabe nach allen in Betracht kommenden Leistungsgesetzen hin. [2]Absatz 4 Satz 2 gilt entsprechend.

§ 11[1)] Förderung von Modellvorhaben zur Stärkung der Rehabilitation, Verordnungsermächtigung. (1) Das Bundesministerium für Arbeit und Soziales fördert im Rahmen der für diesen Zweck zur Verfügung stehenden Haushaltsmittel im Aufgabenbereich der Grundsicherung für Arbeitsuchende und der gesetzlichen Rentenversicherung Modellvorhaben, die den Vorrang von Leistungen zur Teilhabe nach § 9 und die Sicherung der Erwerbsfähigkeit nach § 10 unterstützen.

(2) [1]Das Nähere regeln Förderrichtlinien des Bundesministeriums für Arbeit und Soziales. [2]Die Förderdauer der Modellvorhaben beträgt fünf Jahre. [3]Die Förderrichtlinien enthalten ein Datenschutzkonzept.

(3) Das Bundesministerium für Arbeit und Soziales kann durch Rechtsverordnung ohne Zustimmung des Bundesrates regeln, ob und inwieweit die Jobcenter nach § 6d des Zweiten Buches[2)], die Bundesagentur für Arbeit und die Träger der gesetzlichen Rentenversicherung bei der Durchführung eines Modellvorhabens nach Absatz 1 von den für sie geltenden Leistungsgesetzen sachlich und zeitlich begrenzt abweichen können.

(4) [1]Die zuwendungsrechtliche und organisatorische Abwicklung der Modellvorhaben nach Absatz 1 erfolgt durch die Deutsche Rentenversicherung Knappschaft-Bahn-See unter der Aufsicht des Bundesministeriums für Arbeit und Soziales. [2]Die Aufsicht erstreckt sich auch auf den Umfang und die Zweckmäßigkeit der Modellvorhaben. [3]Die Ausgaben, welche der Deutschen Rentenversicherung Knappschaft-Bahn-See aus der Abwicklung der Modellvorhaben entstehen, werden aus den Haushaltsmitteln nach Absatz 1 vom Bund erstattet. [4]Das Nähere ist durch Verwaltungsvereinbarung zu regeln.

(5) [1]Das Bundesministerium für Arbeit und Soziales untersucht die Wirkungen der Modellvorhaben. [2]Das Bundesministerium für Arbeit und Soziales kann Dritte mit diesen Untersuchungen beauftragen.

Kapitel 3. Erkennung und Ermittlung des Rehabilitationsbedarfs

§ 12[3)] Maßnahmen zur Unterstützung der frühzeitigen Bedarfserkennung. (1) [1]Die Rehabilitationsträger stellen durch geeignete Maßnahmen sicher, dass ein Rehabilitationsbedarf frühzeitig erkannt und auf eine Antragstellung der Leistungsberechtigten hingewirkt wird. [2]Die Rehabilitationsträger unterstützen die frühzeitige Erkennung des Rehabilitationsbedarfs insbesondere durch die Bereitstellung und Vermittlung von geeigneten barrierefreien Informationsangeboten über

1. Inhalte und Ziele von Leistungen zur Teilhabe,
2. die Möglichkeit der Leistungsausführung als Persönliches Budget,
3. das Verfahren zur Inanspruchnahme von Leistungen zur Teilhabe und

---

[1)] § 11 Überschrift geänd., Abs. 4 neu gef., Abs. 5 angef. mWv 1.1.2018 durch G v. 17.7.2017 (*BGBl. I S. 2509*).

[2)] Nr. **692**.

[3)] § 12 Abs. 2 geänd. mWv 1.1.2025 durch G v. 22.12.2023 (BGBl. 2023 I Nr. 412).

4. Angebote der Beratung, einschließlich der ergänzenden unabhängigen Teilhabeberatung nach § 32.

[3] Die Rehabilitationsträger benennen Ansprechstellen, die Informationsangebote nach Satz 2 an Leistungsberechtigte, an Arbeitgeber und an andere Rehabilitationsträger vermitteln. [4] Für die Zusammenarbeit der Ansprechstellen gilt § 15 Absatz 3 des Ersten Buches[1)] entsprechend.

(2) Absatz 1 gilt auch für Jobcenter *[bis **31.12.2024:** im Rahmen ihrer Zuständigkeit für Leistungen zur beruflichen Teilhabe nach § 6 Absatz 3]*, für die Integrationsämter in Bezug auf Leistungen und sonstige Hilfen für schwerbehinderte Menschen nach Teil 3 und für die Pflegekassen als Träger der sozialen Pflegeversicherung nach dem Elften Buch.

(3) [1] Die Rehabilitationsträger, Integrationsämter und Pflegekassen können die Informationsangebote durch ihre Verbände und Vereinigungen bereitstellen und vermitteln lassen. [2] Die Jobcenter können die Informationsangebote durch die Bundesagentur für Arbeit bereitstellen und vermitteln lassen.

§ 13 Instrumente zur Ermittlung des Rehabilitationsbedarfs. (1) [1] Zur einheitlichen und überprüfbaren Ermittlung des individuellen Rehabilitationsbedarfs verwenden die Rehabilitationsträger systematische Arbeitsprozesse und standardisierte Arbeitsmittel (Instrumente) nach den für sie geltenden Leistungsgesetzen. [2] Die Instrumente sollen den von den Rehabilitationsträgern vereinbarten Grundsätzen für Instrumente zur Bedarfsermittlung nach § 26 Absatz 2 Nummer 7 entsprechen. [3] Die Rehabilitationsträger können die Entwicklung von Instrumenten durch ihre Verbände und Vereinigungen wahrnehmen lassen oder Dritte mit der Entwicklung beauftragen.

(2) Die Instrumente nach Absatz 1 Satz 1 gewährleisten eine individuelle und funktionsbezogene Bedarfsermittlung und sichern die Dokumentation und Nachprüfbarkeit der Bedarfsermittlung, indem sie insbesondere erfassen,

1. ob eine Behinderung vorliegt oder einzutreten droht,
2. welche Auswirkung die Behinderung auf die Teilhabe der Leistungsberechtigten hat,
3. welche Ziele mit Leistungen zur Teilhabe erreicht werden sollen und
4. welche Leistungen im Rahmen einer Prognose zur Erreichung der Ziele voraussichtlich erfolgreich sind.

(3) Das Bundesministerium für Arbeit und Soziales untersucht die Wirkung der Instrumente nach Absatz 1 und veröffentlicht die Untersuchungsergebnisse bis zum 31. Dezember 2019.

(4) Auf Vorschlag der Rehabilitationsträger nach § 6 Absatz 1 Nummer 6 und 7 und mit Zustimmung der zuständigen obersten Landesbehörden kann das Bundesministerium für Arbeit und Soziales die von diesen Rehabilitationsträgern eingesetzten Instrumente im Sinne von Absatz 1 in die Untersuchung nach Absatz 3 einbeziehen.

Kapitel 4. Koordinierung der Leistungen

§ 14 Leistender Rehabilitationsträger. (1) [1] Werden Leistungen zur Teilhabe beantragt, stellt der Rehabilitationsträger innerhalb von zwei Wochen

[1)] Nr. **691**.

nach Eingang des Antrages bei ihm fest, ob er nach dem für ihn geltenden Leistungsgesetz für die Leistung zuständig ist; bei den Krankenkassen umfasst die Prüfung auch die Leistungspflicht nach § 40 Absatz 4 des Fünften Buches[1]. [2] Stellt er bei der Prüfung fest, dass er für die Leistung insgesamt nicht zuständig ist, leitet er den Antrag unverzüglich dem nach seiner Auffassung zuständigen Rehabilitationsträger zu und unterrichtet hierüber den Antragsteller. [3] Muss für eine solche Feststellung die Ursache der Behinderung geklärt werden und ist diese Klärung in der Frist nach Satz 1 nicht möglich, soll der Antrag unverzüglich dem Rehabilitationsträger zugeleitet werden, der die Leistung ohne Rücksicht auf die Ursache der Behinderung erbringt. [4] Wird der Antrag bei der Bundesagentur für Arbeit gestellt, werden bei der Prüfung nach den Sätzen 1 und 2 keine Feststellungen nach § 11 Absatz 2a Nummer 1 des Sechsten Buches[2] und § 22 Absatz 2 des Dritten Buches[3] getroffen.

(2) [1] Wird der Antrag nicht weitergeleitet, stellt der Rehabilitationsträger den Rehabilitationsbedarf anhand der Instrumente zur Bedarfsermittlung nach § 13 unverzüglich und umfassend fest und erbringt die Leistungen (leistender Rehabilitationsträger). [2] Muss für diese Feststellung kein Gutachten eingeholt werden, entscheidet der leistende Rehabilitationsträger innerhalb von drei Wochen nach Antragseingang. [3] Ist für die Feststellung des Rehabilitationsbedarfs ein Gutachten erforderlich, wird die Entscheidung innerhalb von zwei Wochen nach Vorliegen des Gutachtens getroffen. [4] Wird der Antrag weitergeleitet, gelten die Sätze 1 bis 3 für den Rehabilitationsträger, an den der Antrag weitergeleitet worden ist, entsprechend; die Frist beginnt mit dem Antragseingang bei diesem Rehabilitationsträger. [5] In den Fällen der Anforderung einer gutachterlichen Stellungnahme bei der Bundesagentur für Arbeit nach § 54 gilt Satz 3 entsprechend.

(3) Ist der Rehabilitationsträger, an den der Antrag nach Absatz 1 Satz 2 weitergeleitet worden ist, nach dem für ihn geltenden Leistungsgesetz für die Leistung insgesamt nicht zuständig, kann er den Antrag im Einvernehmen mit dem nach seiner Auffassung zuständigen Rehabilitationsträger an diesen weiterleiten, damit von diesem als leistendem Rehabilitationsträger über den

(Fortsetzung nächstes Blatt)

[1] **beck-online, Module Arbeitsrecht Nr. 695.**
[2] **beck-online, Module Arbeitsrecht Nr. 696.**
[3] Nr. **700**.

Antrag innerhalb der bereits nach Absatz 2 Satz 4 laufenden Fristen entschieden wird und unterrichtet hierüber den Antragsteller.

(4) [1] Die Absätze 1 bis 3 gelten sinngemäß, wenn der Rehabilitationsträger Leistungen von Amts wegen erbringt. [2] Dabei tritt an die Stelle des Tages der Antragstellung der Tag der Kenntnis des voraussichtlichen Rehabilitationsbedarfs.

(5) Für die Weiterleitung des Antrages ist § 16 Absatz 2 Satz 1 des Ersten Buches[1)] nicht anzuwenden, wenn und soweit Leistungen zur Teilhabe bei einem Rehabilitationsträger beantragt werden.

§ 15 Leistungsverantwortung bei Mehrheit von Rehabilitationsträgern. (1) [1] Stellt der leistende Rehabilitationsträger fest, dass der Antrag neben den nach seinem Leistungsgesetz zu erbringenden Leistungen weitere Leistungen zur Teilhabe umfasst, für die er nicht Rehabilitationsträger nach § 6 Absatz 1 sein kann, leitet er den Antrag insoweit unverzüglich dem nach seiner Auffassung zuständigen Rehabilitationsträger zu. [2] Dieser entscheidet über die weiteren Leistungen nach den für ihn geltenden Leistungsgesetzen in eigener Zuständigkeit und unterrichtet hierüber den Antragsteller.

(2) [1] Hält der leistende Rehabilitationsträger für die umfassende Feststellung des Rehabilitationsbedarfs nach § 14 Absatz 2 die Feststellungen weiterer Rehabilitationsträger für erforderlich und liegt kein Fall nach Absatz 1 vor, fordert er von diesen Rehabilitationsträgern die für den Teilhabeplan nach § 19 erforderlichen Feststellungen unverzüglich an und berät diese nach § 19 trägerübergreifend. [2] Die Feststellungen binden den leistenden Rehabilitationsträger bei seiner Entscheidung über den Antrag, wenn sie innerhalb von zwei Wochen nach Anforderung oder im Fall der Begutachtung innerhalb von zwei Wochen nach Vorliegen des Gutachtens beim leistenden Rehabilitationsträger eingegangen sind. [3] Anderenfalls stellt der leistende Rehabilitationsträger den Rehabilitationsbedarf nach allen in Betracht kommenden Leistungsgesetzen umfassend fest.

(3) [1] Die Rehabilitationsträger bewilligen und erbringen die Leistungen nach den für sie jeweils geltenden Leistungsgesetzen im eigenen Namen, wenn im Teilhabeplan nach § 19 dokumentiert wurde, dass

1. die erforderlichen Feststellungen nach allen in Betracht kommenden Leistungsgesetzen von den zuständigen Rehabilitationsträgern getroffen wurden,
2. auf Grundlage des Teilhabeplans eine Leistungserbringung durch die nach den jeweiligen Leistungsgesetzen zuständigen Rehabilitationsträger sichergestellt ist und
3. die Leistungsberechtigten einer nach Zuständigkeiten getrennten Leistungsbewilligung und Leistungserbringung nicht aus wichtigem Grund widersprechen.

[2] Anderenfalls entscheidet der leistende Rehabilitationsträger über den Antrag in den Fällen nach Absatz 2 und erbringt die Leistungen im eigenen Namen.

(4) [1] In den Fällen der Beteiligung von Rehabilitationsträgern nach den Absätzen 1 bis 3 ist abweichend von § 14 Absatz 2 innerhalb von sechs Wochen nach Antragseingang zu entscheiden. [2] Wird eine Teilhabeplankonferenz nach § 20 durchgeführt, ist innerhalb von zwei Monaten nach Antragseingang zu

---

[1)] Nr. **691**.

entscheiden. [3]Die Antragsteller werden von dem leistenden Rehabilitationsträger über die Beteiligung von Rehabilitationsträgern sowie über die für die Entscheidung über den Antrag maßgeblichen Zuständigkeiten und Fristen unverzüglich unterrichtet.

§ 16[1)] Erstattungsansprüche zwischen Rehabilitationsträgern.

(1) Hat ein leistender Rehabilitationsträger nach § 14 Absatz 2 Satz 4 Leistungen erbracht, für die ein anderer Rehabilitationsträger insgesamt zuständig ist, erstattet der zuständige Rehabilitationsträger die Aufwendungen des leistenden Rehabilitationsträgers nach den für den leistenden Rehabilitationsträger geltenden Rechtsvorschriften.

(2) [1]Hat ein leistender Rehabilitationsträger nach § 15 Absatz 3 Satz 2 Leistungen im eigenen Namen erbracht, für die ein beteiligter Rehabilitationsträger zuständig ist, erstattet der beteiligte Rehabilitationsträger die Aufwendungen des leistenden Rehabilitationsträgers nach den Rechtsvorschriften, die den nach § 15 Absatz 2 eingeholten Feststellungen zugrunde liegen. [2]Hat ein beteiligter Rehabilitationsträger die angeforderten Feststellungen nicht oder nicht rechtzeitig nach § 15 Absatz 2 beigebracht, erstattet der beteiligte Rehabilitationsträger die Aufwendungen des leistenden Rehabilitationsträgers nach den Rechtsvorschriften, die der Leistungsbewilligung zugrunde liegen.

(3) [1]Der Erstattungsanspruch nach den Absätzen 1 und 2 umfasst die nach den jeweiligen Leistungsgesetzen entstandenen Leistungsaufwendungen und eine Verwaltungskostenpauschale in Höhe von 5 Prozent der erstattungsfähigen Leistungsaufwendungen. [2]Eine Erstattungspflicht nach Satz 1 besteht nicht, soweit Leistungen zu Unrecht von dem leistenden Rehabilitationsträger erbracht worden sind und er hierbei grob fahrlässig oder vorsätzlich gehandelt hat.

(4) [1]Für unzuständige Rehabilitationsträger ist § 105 des Zehnten Buches[2)] nicht anzuwenden, wenn sie eine Leistung erbracht haben,

1. ohne den Antrag an den zuständigen Rehabilitationsträger nach § 14 Absatz 1 Satz 2 weiterzuleiten oder
2. ohne einen weiteren zuständigen Rehabilitationsträger nach § 15 zu beteiligen,

es sei denn, die Rehabilitationsträger vereinbaren Abweichendes. [2]Hat ein Rehabilitationsträger von der Weiterleitung des Antrages abgesehen, weil zum Zeitpunkt der Prüfung nach § 14 Absatz 1 Satz 3 Anhaltspunkte für eine Zuständigkeit auf Grund der Ursache der Behinderung bestanden haben, bleibt § 105 des Zehnten Buches[2)] unberührt.

(5) [1]Hat der leistende Rehabilitationsträger in den Fällen des § 18 Aufwendungen für selbstbeschaffte Leistungen nach dem Leistungsgesetz eines nach § 15 beteiligten Rehabilitationsträgers zu erstatten, kann er von dem beteiligten Rehabilitationsträger einen Ausgleich verlangen, soweit dieser durch die Erstattung nach § 18 Absatz 4 Satz 2 von seiner Leistungspflicht befreit wurde. [2]Hat ein beteiligter Rehabilitationsträger den Eintritt der Erstattungspflicht für selbstbeschaffte Leistungen zu vertreten, umfasst der Ausgleich den gesamten

[1)] § 16 Abs. 6 geänd. mWv 1.1.2024 durch G v. 12.12.2019 (BGBl. I S. 2652); Abs. 6 neu gef. mWv 1.1.2025 durch G v. 20.8.2021 (BGBl. I S. 3932).

[2)] **beck-online, Module Arbeitsrecht Nr. 699.**

Erstattungsbetrag abzüglich des Betrages, der sich aus der bei anderen Rehabilitationsträgern eingetretenen Leistungsbefreiung ergibt.

[Abs. 6 bis 31.12.2024:]

(6) Für den Erstattungsanspruch des Trägers der Eingliederungshilfe, der öffentlichen Jugendhilfe und der ***[bis 31.12.2023:*** Kriegsopferfürsorge***][ab 1.1.2024:*** *Sozialen Entschädigung]* gilt § 108 Absatz 2 des Zehnten Buches[1)] entsprechend.

[Abs. 6 ab 1.1.2025:]

(6) Für den Erstattungsanspruch des Trägers der Eingliederungshilfe, der öffentlichen Jugendhilfe, der Sozialen Entschädigung und der Soldatenentschädigung gilt § 108 Absatz 2 des Zehnten Buches[1)] entsprechend.

§ 17 Begutachtung. (1) [1] Ist für die Feststellung des Rehabilitationsbedarfs ein Gutachten erforderlich, beauftragt der leistende Rehabilitationsträger unverzüglich einen geeigneten Sachverständigen. [2] Er benennt den Leistungsberechtigten in der Regel drei möglichst wohnortnahe Sachverständige, soweit nicht gesetzlich die Begutachtung durch einen sozialmedizinischen Dienst vorgesehen ist. [3] Haben sich Leistungsberechtigte für einen benannten Sachverständigen entschieden, wird dem Wunsch Rechnung getragen.

(2) [1] Der Sachverständige nimmt eine umfassende sozialmedizinische, bei Bedarf auch psychologische Begutachtung vor und erstellt das Gutachten innerhalb von zwei Wochen nach Auftragserteilung. [2] Das Gutachten soll den von den Rehabilitationsträgern vereinbarten einheitlichen Grundsätzen zur Durchführung von Begutachtungen nach § 25 Absatz 1 Nummer 4 entsprechen. [3] Die in dem Gutachten getroffenen Feststellungen zum Rehabilitationsbedarf werden den Entscheidungen der Rehabilitationsträger zugrunde gelegt. [4] Die gesetzlichen Aufgaben der Gesundheitsämter, des Medizinischen Dienstes der Krankenversicherung nach § 275 des Fünften Buches[2)] und die gutachterliche Beteiligung der Bundesagentur für Arbeit nach § 54 bleiben unberührt.

(3) [1] Hat der leistende Rehabilitationsträger nach § 15 weitere Rehabilitationsträger beteiligt, setzt er sich bei seiner Entscheidung über die Beauftragung eines geeigneten Sachverständigen mit den beteiligten Rehabilitationsträgern über Anlass, Ziel und Umfang der Begutachtung ins Benehmen. [2] Die beteiligten Rehabilitationsträger informieren den leistenden Rehabilitationsträger unverzüglich über die Notwendigkeit der Einholung von Gutachten. [3] Die in dem Gutachten getroffenen Feststellungen zum Rehabilitationsbedarf werden in den Teilhabeplan nach § 19 einbezogen. [4] Absatz 2 Satz 3 gilt entsprechend.

(4) Die Rehabilitationsträger stellen sicher, dass sie Sachverständige beauftragen können, bei denen keine Zugangs- und Kommunikationsbarrieren bestehen.

§ 18[3)] Erstattung selbstbeschaffter Leistungen. (1) Kann über den Antrag auf Leistungen zur Teilhabe nicht innerhalb einer Frist von zwei Monaten ab Antragseingang bei dem leistenden Rehabilitationsträger entschieden werden,

---

[1)] **beck-online, Module Arbeitsrecht Nr. 699.**

[2)] Nr. **695**.

[3)] § 18 Abs. 7 geänd. mWv 1.1.2024 durch G v. 12.12.2019 (BGBl. I S. 2652); Abs. 7 neu gef. mWv 1.1.2025 durch G v. 20.8.2021 (BGBl. I S. 3932).

teilt er den Leistungsberechtigten vor Ablauf der Frist die Gründe hierfür schriftlich mit (begründete Mitteilung).

(2) [1] In der begründeten Mitteilung ist auf den Tag genau zu bestimmen, bis wann über den Antrag entschieden wird. [2] In der begründeten Mitteilung kann der leistende Rehabilitationsträger die Frist von zwei Monaten nach Absatz 1 nur in folgendem Umfang verlängern:

1. um bis zu zwei Wochen zur Beauftragung eines Sachverständigen für die Begutachtung infolge einer nachweislich beschränkten Verfügbarkeit geeigneter Sachverständiger,
2. um bis zu vier Wochen, soweit von dem Sachverständigen die Notwendigkeit für einen solchen Zeitraum der Begutachtung schriftlich bestätigt wurde und
3. für die Dauer einer fehlenden Mitwirkung der Leistungsberechtigten, wenn und soweit den Leistungsberechtigten nach § 66 Absatz 3 des Ersten Buches[1)] schriftlich eine angemessene Frist zur Mitwirkung gesetzt wurde.

(3) [1] Erfolgt keine begründete Mitteilung, gilt die beantragte Leistung nach Ablauf der Frist als genehmigt. [2] Die beantragte Leistung gilt auch dann als genehmigt, wenn der in der Mitteilung bestimmte Zeitpunkt der Entscheidung über den Antrag ohne weitere begründete Mitteilung des Rehabilitationsträgers abgelaufen ist.

(4) [1] Beschaffen sich Leistungsberechtigte eine als genehmigt geltende Leistung selbst, ist der leistende Rehabilitationsträger zur Erstattung der Aufwendungen für selbstbeschaffte Leistungen verpflichtet. [2] Mit der Erstattung gilt der Anspruch der Leistungsberechtigten auf die Erbringung der selbstbeschafften Leistungen zur Teilhabe als erfüllt. [3] Der Erstattungsanspruch umfasst auch die Zahlung von Abschlägen im Umfang fälliger Zahlungsverpflichtungen für selbstbeschaffte Leistungen.

(5) Die Erstattungspflicht besteht nicht,

1. wenn und soweit kein Anspruch auf Bewilligung der selbstbeschafften Leistungen bestanden hätte und
2. die Leistungsberechtigten dies wussten oder infolge grober Außerachtlassung der allgemeinen Sorgfalt nicht wussten.

(6) [1] Konnte der Rehabilitationsträger eine unaufschiebbare Leistung nicht rechtzeitig erbringen oder hat er eine Leistung zu Unrecht abgelehnt und sind dadurch Leistungsberechtigten für die selbstbeschaffte Leistung Kosten entstanden, sind diese vom Rehabilitationsträger in der entstandenen Höhe zu erstatten, soweit die Leistung notwendig war. [2] Der Anspruch auf Erstattung richtet sich gegen den Rehabilitationsträger, der zum Zeitpunkt der Selbstbeschaffung über den Antrag entschieden hat. [3] Lag zum Zeitpunkt der Selbstbeschaffung noch keine Entscheidung vor, richtet sich der Anspruch gegen den leistenden Rehabilitationsträger.

[Abs. 7 bis 31.12.2024:]

(7) Die Absätze 1 bis 5 gelten nicht für die Träger der Eingliederungshilfe, der öffentlichen Jugendhilfe und der ***[bis 31.12.2023:*** Kriegsopferfürsorge***][ab***

---

1) Nr. **691**.

***1.1.2024:** Sozialen Entschädigung, soweit dieser Leistungen zur Teilhabe nach § 62 Satz 1 Nummer 1 bis 3 des Vierzehnten Buches[1] erbringt].*

[Abs. 7 ab 1.1.2025:]

(7) Die Absätze 1 bis 5 gelten nicht für die Träger der Eingliederungshilfe, der öffentlichen Jugendhilfe, der Sozialen Entschädigung, soweit dieser Leistungen zur Teilhabe nach § 62 Satz 1 Nummer 1 bis 3 des Vierzehnten Buches erbringt, sowie der Soldatenentschädigung, soweit dieser Leistungen nach den Kapiteln 4 und 5 des Soldatenentschädigungsgesetzes erbringt.

§ 19[2] **Teilhabeplan.** (1) [1]Soweit Leistungen verschiedener Leistungsgruppen oder mehrerer Rehabilitationsträger erforderlich sind, ist der leistende Rehabilitationsträger dafür verantwortlich, dass er und die nach § 15 beteiligten Rehabilitationsträger im Benehmen miteinander und in Abstimmung mit den Leistungsberechtigten die nach dem individuellen Bedarf voraussichtlich erforderlichen Leistungen hinsichtlich Ziel, Art und Umfang funktionsbezogen feststellen und schriftlich oder elektronisch so zusammenstellen, dass sie nahtlos ineinandergreifen. [2]Soweit zum Zeitpunkt der Antragstellung nach § 14 Leistungen nach dem Zweiten Buch[3] beantragt sind oder erbracht werden, beteiligt der leistende Rehabilitationsträger das zuständige Jobcenter wie in den Fällen nach Satz 1.

(2) [1]Der leistende Rehabilitationsträger erstellt in den Fällen nach Absatz 1 einen Teilhabeplan innerhalb der für die Entscheidung über den Antrag maßgeblichen Frist. [2]Der Teilhabeplan dokumentiert

1. den Tag des Antragseingangs beim leistenden Rehabilitationsträger und das Ergebnis der Zuständigkeitsklärung und Beteiligung nach den §§ 14 und 15,
2. die Feststellungen über den individuellen Rehabilitationsbedarf auf Grundlage der Bedarfsermittlung nach § 13,
3. die zur individuellen Bedarfsermittlung nach § 13 eingesetzten Instrumente,
4. die gutachterliche Stellungnahme der Bundesagentur für Arbeit nach § 54,
5. die Einbeziehung von Diensten und Einrichtungen bei der Leistungserbringung,
6. erreichbare und überprüfbare Teilhabeziele und deren Fortschreibung,
7. die Berücksichtigung des Wunsch- und Wahlrechts nach § 8, insbesondere im Hinblick auf die Ausführung von Leistungen durch ein Persönliches Budget,
8. die Dokumentation der einvernehmlichen, umfassenden und trägerübergreifenden Feststellung des Rehabilitationsbedarfs in den Fällen nach § 15 Absatz 3 Satz 1,
9. die Ergebnisse der Teilhabeplankonferenz nach § 20,
10. die Erkenntnisse aus den Mitteilungen der nach § 22 einbezogenen anderen öffentlichen Stellen,

---

[1] **Aichberger, SGB Nr. 14.**

[2] § 19 Abs. 1 geänd. mWv 1.1.2018 durch G v. 17.7.2017 (BGBl. I S. 2541); Abs. 1 Satz 2 angef., Abs. 2 Satz 2 Nr. 10 und 11 geänd., Nr. 12 angef. mWv 1.1.2022 durch G v. 2.6.2021 (BGBl. I S. 1387).

[3] Nr. **692**.

11. die besonderen Belange pflegender Angehöriger bei der Erbringung von Leistungen der medizinischen Rehabilitation und
12. die Leistungen zur Eingliederung in Arbeit nach dem Zweiten Buch, soweit das Jobcenter nach Absatz 1 Satz 2 zu beteiligen ist.

[3] Wenn Leistungsberechtigte die Erstellung eines Teilhabeplans wünschen und die Voraussetzungen nach Absatz 1 nicht vorliegen, ist Satz 2 entsprechend anzuwenden.

(3) [1] Der Teilhabeplan wird entsprechend dem Verlauf der Rehabilitation angepasst und darauf ausgerichtet, den Leistungsberechtigten unter Berücksichtigung der Besonderheiten des Einzelfalles eine umfassende Teilhabe am Leben in der Gesellschaft zügig, wirksam, wirtschaftlich und auf Dauer zu ermöglichen. [2] Dabei sichert der leistende Rehabilitationsträger durchgehend das Verfahren. [3] Die Leistungsberechtigten können von dem leistenden Rehabilitationsträger Einsicht in den Teilhabeplan oder die Erteilung von Ablichtungen nach § 25 des Zehnten Buches[1)] verlangen.

(4) [1] Die Rehabilitationsträger legen den Teilhabeplan bei der Entscheidung über den Antrag zugrunde. [2] Die Begründung der Entscheidung über die beantragten Leistungen nach § 35 des Zehnten Buches[1)] soll erkennen lassen, inwieweit die im Teilhabeplan enthaltenen Feststellungen bei der Entscheidung berücksichtigt wurden.

(5) [1] Ein nach § 15 beteiligter Rehabilitationsträger kann das Verfahren nach den Absätzen 1 bis 3 anstelle des leistenden Rehabilitationsträgers durchführen, wenn die Rehabilitationsträger dies in Abstimmung mit den Leistungsberechtigten vereinbaren. [2] Die Vorschriften über die Leistungsverantwortung der Rehabilitationsträger nach den §§ 14 und 15 bleiben hiervon unberührt.

(6) Setzen unterhaltssichernde Leistungen den Erhalt von anderen Leistungen zur Teilhabe voraus, gelten die Leistungen im Verhältnis zueinander nicht als Leistungen verschiedener Leistungsgruppen im Sinne von Absatz 1.

§ 20[2)] Teilhabeplankonferenz. (1) [1] Mit Zustimmung der Leistungsberechtigten kann der für die Durchführung des Teilhabeplanverfahrens nach § 19 verantwortliche Rehabilitationsträger zur gemeinsamen Beratung der Feststellungen zum Rehabilitationsbedarf eine Teilhabeplankonferenz durchführen. [2] Die Leistungsberechtigten, die beteiligten Rehabilitationsträger und die Jobcenter können dem nach § 19 verantwortlichen Rehabilitationsträger die Durchführung einer Teilhabeplankonferenz vorschlagen. [3] Von dem Vorschlag auf Durchführung einer Teilhabeplankonferenz kann nur abgewichen werden, wenn eine Einwilligung nach § 23 Absatz 2 nicht erteilt wurde oder Einvernehmen der beteiligten Leistungsträger besteht, dass

1. der zur Feststellung des Rehabilitationsbedarfs maßgebliche Sachverhalt schriftlich ermittelt werden kann oder
2. der Aufwand zur Durchführung nicht in einem angemessenen Verhältnis zum Umfang der beantragten Leistung steht.

(2) [1] Wird von dem Vorschlag der Leistungsberechtigten auf Durchführung einer Teilhabeplankonferenz abgewichen, sind die Leistungsberechtigten über

---

[1)] Nr. **699**.

[2)] § 20 Abs. 1 Satz 3 einl. Satzteil, Nr. 1 und 2 geänd., Nr. 3 aufgeh., Abs. 3 Satz 2 geänd. mWv 1.1.2022 durch G v. 2.6.2021 (BGBl. I S. 1387).

die dafür maßgeblichen Gründe zu informieren und hierzu anzuhören. [2] Von dem Vorschlag der Leistungsberechtigten auf Durchführung einer Teilhabeplankonferenz kann nicht abgewichen werden, wenn Leistungen an Mütter und Väter mit Behinderungen bei der Versorgung und Betreuung ihrer Kinder beantragt wurden.

(3) [1] An der Teilhabeplankonferenz nehmen Beteiligte nach § 12 des Zehnten Buches[1)] sowie auf Wunsch der Leistungsberechtigten die Bevollmächtigten und Beistände nach § 13 des Zehnten Buches[1)] sowie sonstige Vertrauenspersonen teil. [2] Auf Wunsch oder mit Zustimmung der Leistungsberechtigten können Rehabilitationsdienste und Rehabilitationseinrichtungen sowie sonstige beteiligte Leistungserbringer an der Teilhabeplankonferenz teilnehmen. [3] Vor der Durchführung einer Teilhabeplankonferenz sollen die Leistungsberechtigten auf die Angebote der ergänzenden unabhängigen Teilhabeberatung nach § 32 besonders hingewiesen werden.

(4) Wird eine Teilhabeplankonferenz nach Absatz 1 auf Wunsch und mit Zustimmung der Leistungsberechtigten eingeleitet, richtet sich die Frist zur Entscheidung über den Antrag nach § 15 Absatz 4.

§ 21[2)] Besondere Anforderungen an das Teilhabeplanverfahren. [1] Ist der Träger der Eingliederungshilfe der für die Durchführung des Teilhabeplanverfahrens verantwortliche Rehabilitationsträger, gelten für ihn die Vorschriften für die Gesamtplanung ergänzend; dabei ist das Gesamtplanverfahren ein Gegenstand des Teilhabeplanverfahrens. [2] Ist der Träger der öffentlichen Jugendhilfe der für die Durchführung des Teilhabeplans verantwortliche Rehabilitationsträger, gelten für ihn die Vorschriften für den Hilfeplan nach den §§ 36, 36b und 37c des Achten Buches[3)] ergänzend. ***[Satz 3 ab 1.1.2024:]*** *[3] Ist der Träger der Sozialen Entschädigung der für die Durchführung des Teilhabeplanverfahrens verantwortliche Rehabilitationsträger, gelten für ihn die Vorschriften für das Fallmanagement nach § 30 des Vierzehnten Buches[4)] ergänzend.* ***[Satz 4 ab 1.1.2025:]*** *[4] Ist der Träger der Soldatenentschädigung der für die Durchführung des Teilhabeplanverfahrens verantwortliche Rehabilitationsträger, gelten für ihn die Vorschriften für das Fallmanagement nach dem Soldatenentschädigungsgesetz ergänzend.*

§ 22[5)] Einbeziehung anderer öffentlicher Stellen. (1) Der für die Durchführung des Teilhabeplanverfahrens verantwortliche Rehabilitationsträger bezieht unter Berücksichtigung der Interessen der Leistungsberechtigten andere öffentliche Stellen in die Erstellung des Teilhabeplans in geeigneter Art und Weise ein, soweit dies zur Feststellung des Rehabilitationsbedarfs erforderlich ist.

(2) [1] Bestehen im Einzelfall Anhaltspunkte für eine Pflegebedürftigkeit nach dem Elften Buch, wird die zuständige Pflegekasse mit Zustimmung des Leistungsberechtigten vom für die Durchführung des Teilhabeplanverfahrens verantwortlichen Rehabilitationsträger informiert und muss am Teilhabeplanverfahren

---

[1)] Nr. **699**.

[2)] § 21 Satz 3 angef. mWv 1.1.2024 durch G v. 12.12.2019 (BGBl. I S. 2652); Satz 2 geänd. mWv 10.6.2021 durch G v. 3.6.2021 (BGBl. I S. 1444); Satz 4 angef. mWv 1.1.2025 durch G v. 20.8.2021 (BGBl. I S. 3932).

[3)] **beck-online, Module Arbeitsrecht Nr. 494a.**

[4)] **Aichberger, SGB Nr. 14.**

[5)] § 22 Abs. 4 (früherer Abs. 5) neu gef. mWv 1.1.2023 durch G v. 4.5.2021 (BGBl. I S. 882, aufgeh. 2022 S. 959); Abs. 3 Satz 2 geänd., Abs. 4 aufgeh., bish. Abs. 5 wird Abs. 4 mWv 1.1.2022 durch G v. 2.6.2021 (BGBl. I S. 1387); Abs. 4 neu gef. mWv 1.1.2023 durch G v. 24.6.2022 (BGBl. I S. 959).

beratend teilnehmen, soweit dies für den Rehabilitationsträger zur Feststellung des Rehabilitationsbedarfs erforderlich und nach den für die zuständige Pflegekasse geltenden Grundsätzen der Datenverwendung zulässig ist. 2 Die §§ 18a und 31 des Elften Buches[1] bleiben unberührt.

(3) 1 Die Integrationsämter sind bei der Durchführung des Teilhabeplanverfahrens zu beteiligen, soweit sie Leistungen für schwerbehinderte Menschen nach Teil 3 erbringen. 2 Das zuständige Integrationsamt kann das Teilhabeplanverfahren nach § 19 Absatz 5 anstelle des leistenden Rehabilitationsträgers durchführen, wenn die Rehabilitationsträger und das Integrationsamt sowie das nach § 19 Absatz 1 Satz 2 zu beteiligende Jobcenter dies in Abstimmung mit den Leistungsberechtigten vereinbaren.

[Abs. 4 bis 31.12.2022:]

(4) Bestehen im Einzelfall Anhaltspunkte für einen Betreuungsbedarf nach § 1896 Absatz 1 des Bürgerlichen Gesetzbuches[2], informiert der für die Durchführung des Teilhabeplanverfahrens verantwortliche Rehabilitationsträger mit Zustimmung der Leistungsberechtigten die zuständige Betreuungsbehörde über die Erstellung des Teilhabeplans, soweit dies zur Vermittlung anderer Hilfen, bei denen kein Betreuer bestellt wird, erforderlich ist.

[Abs. 4 ab 1.1.2023:]

(4) 1 Bestehen im Einzelfall Anhaltspunkte für einen Betreuungsbedarf nach § 1814 Absatz 1 des Bürgerlichen Gesetzbuchs[2], wird die zuständige Betreuungsbehörde mit Zustimmung des Leistungsberechtigten vom für die Durchführung des Teilhabeplanverfahrens verantwortlichen Rehabilitationsträger informiert. 2 Der Betreuungsbehörde werden in diesen Fällen die Ergebnisse der bisherigen Ermittlungen und Gutachten mit dem Zweck mitgeteilt, dass diese dem Leistungsberechtigten andere Hilfen, bei denen kein Betreuer bestellt wird, vermitteln kann. 3 Auf Vorschlag der Betreuungsbehörde kann sie mit Zustimmung des Leistungsberechtigten am Teilhabeplanverfahren beratend teilnehmen.

§ 23[3] Verantwortliche Stelle für den Sozialdatenschutz. (1) Der für die Durchführung des Teilhabeplanverfahrens verantwortliche Rehabilitationsträger ist bei der Erstellung des Teilhabeplans und bei der Durchführung der Teilhabeplankonferenz Verantwortlicher für die Verarbeitung von Sozialdaten nach § 67 Absatz 4 des Zehnten Buches[4] sowie Stelle im Sinne von § 35 Absatz 1 des Ersten Buches[5].

(2) 1 Vor Durchführung einer Teilhabeplankonferenz hat der nach Absatz 1 Verantwortliche die Einwilligung der Leistungsberechtigten im Sinne von § 67b Absatz 2 des Zehnten Buches[6] einzuholen, wenn und soweit anzunehmen ist, dass im Rahmen der Teilhabeplankonferenz Sozialdaten verarbeitet werden, deren Erforderlichkeit für die Erstellung des Teilhabeplans zum Zeitpunkt der Durchführung der Teilhabeplankonferenz nicht abschließend bewertet werden kann. 2 Nach Durchführung der Teilhabeplankonferenz ist die

---

[1] **Aichberger, SGB Nr. 11.**

[2] **beck-online, Module Arbeitsrecht Nr. 50.**

[3] § 23 Abs. 1 neu gef., Abs. 2 Satz 1 geänd., Satz 2 neu gef. mWv 26.11.2019 durch G v. 20.11.2019 (BGBl. I S. 1626).

[4] Nr. **699**.

[5] Nr. **691**.

[6] **beck-online, Module Arbeitsrecht Nr. 699.**

Speicherung, Veränderung, Nutzung, Übermittlung oder Einschränkung der Verarbeitung von Sozialdaten im Sinne von Satz 1 nur zulässig, soweit dies für die Erstellung des Teilhabeplans erforderlich ist.

(3) Die datenschutzrechtlichen Vorschriften des Ersten und des Zehnten Buches sowie der jeweiligen Leistungsgesetze der Rehabilitationsträger bleiben bei der Zuständigkeitsklärung und bei der Erstellung des Teilhabeplans unberührt.

§ 24 Vorläufige Leistungen. [1] Die Bestimmungen dieses Kapitels lassen die Verpflichtung der Rehabilitationsträger zur Erbringung vorläufiger Leistungen nach den für sie jeweils geltenden Leistungsgesetzen unberührt. [2] Vorläufig erbrachte Leistungen binden die Rehabilitationsträger nicht bei der Feststellung des Rehabilitationsbedarfs nach diesem Kapitel. [3] Werden Leistungen zur Teilhabe beantragt, ist § 43 des Ersten Buches[1)] nicht anzuwenden.

Kapitel 9. Leistungen zur medizinischen Rehabilitation

§ 44 Stufenweise Wiedereingliederung. Können arbeitsunfähige Leistungsberechtigte nach ärztlicher Feststellung ihre bisherige Tätigkeit teilweise ausüben und können sie durch eine stufenweise Wiederaufnahme ihrer Tätigkeit voraussichtlich besser wieder in das Erwerbsleben eingegliedert werden, sollen die medizinischen und die sie ergänzenden Leistungen mit dieser Zielrichtung erbracht werden.

Kapitel 10. Leistungen zur Teilhabe am Arbeitsleben

§ 49[2)] Leistungen zur Teilhabe am Arbeitsleben, Verordnungsermächtigung. (1) Zur Teilhabe am Arbeitsleben werden die erforderlichen Leistungen erbracht, um die Erwerbsfähigkeit von Menschen mit Behinderungen oder von Behinderung bedrohter Menschen entsprechend ihrer Leistungsfähigkeit zu erhalten, zu verbessern, herzustellen oder wiederherzustellen und ihre Teilhabe am Arbeitsleben möglichst auf Dauer zu sichern.

(2) Frauen mit Behinderungen werden gleiche Chancen im Erwerbsleben zugesichert, insbesondere durch in der beruflichen Zielsetzung geeignete, wohnortnahe und auch in Teilzeit nutzbare Angebote.

(3) Die Leistungen zur Teilhabe am Arbeitsleben umfassen insbesondere

1. Hilfen zur Erhaltung oder Erlangung eines Arbeitsplatzes einschließlich Leistungen zur Aktivierung und beruflichen Eingliederung,
2. eine Berufsvorbereitung einschließlich einer wegen der Behinderung erforderlichen Grundausbildung,
3. die individuelle betriebliche Qualifizierung im Rahmen Unterstützter Beschäftigung,
4. die berufliche Anpassung und Weiterbildung, auch soweit die Leistungen einen zur Teilnahme erforderlichen schulischen Abschluss einschließen,
5. die berufliche Ausbildung, auch soweit die Leistungen in einem zeitlich nicht überwiegenden Abschnitt schulisch durchgeführt werden,

---

[1)] Nr. **691**.

[2)] § 49 Abs. 8 Sätze 2 und 4 geänd. mWv 6.12.2019 durch G v. 30.11.2019 (BGBl. I S. 1948); Abs. 8 Satz 1 Nr. 2a eingef., Nr. 4 neu gef. mWv 14.6.2023 durch G v. 6.6.2023 (BGBl. 2023 I Nr. 146).

6. die Förderung der Aufnahme einer selbständigen Tätigkeit durch die Rehabilitationsträger nach § 6 Absatz 1 Nummer 2 bis 5 und
7. sonstige Hilfen zur Förderung der Teilhabe am Arbeitsleben, um Menschen mit Behinderungen eine angemessene und geeignete Beschäftigung oder eine selbständige Tätigkeit zu ermöglichen und zu erhalten.

(4) [1] Bei der Auswahl der Leistungen werden Eignung, Neigung, bisherige Tätigkeit sowie Lage und Entwicklung auf dem Arbeitsmarkt angemessen berücksichtigt. [2] Soweit erforderlich, wird dabei die berufliche Eignung abgeklärt oder eine Arbeitserprobung durchgeführt; in diesem Fall werden die Kosten nach Absatz 7, Reisekosten nach § 73 sowie Haushaltshilfe und Kinderbetreuungskosten nach § 74 übernommen.

(5) Die Leistungen werden auch für Zeiten notwendiger Praktika erbracht.

(6) [1] Die Leistungen umfassen auch medizinische, psychologische und pädagogische Hilfen, soweit diese Leistungen im Einzelfall erforderlich sind, um die in Absatz 1 genannten Ziele zu erreichen oder zu sichern und Krankheitsfolgen zu vermeiden, zu überwinden, zu mindern oder ihre Verschlimmerung zu verhüten. [2] Leistungen sind insbesondere

1. Hilfen zur Unterstützung bei der Krankheits- und Behinderungsverarbeitung,
2. Hilfen zur Aktivierung von Selbsthilfepotentialen,
3. die Information und Beratung von Partnern und Angehörigen sowie von Vorgesetzten und Kollegen, wenn die Leistungsberechtigten dem zustimmen,
4. die Vermittlung von Kontakten zu örtlichen Selbsthilfe- und Beratungsmöglichkeiten,
5. Hilfen zur seelischen Stabilisierung und zur Förderung der sozialen Kompetenz, unter anderem durch Training sozialer und kommunikativer Fähigkeiten und im Umgang mit Krisensituationen,
6. das Training lebenspraktischer Fähigkeiten,
7. das Training motorischer Fähigkeiten,
8. die Anleitung und Motivation zur Inanspruchnahme von Leistungen zur Teilhabe am Arbeitsleben und
9. die Beteiligung von Integrationsfachdiensten im Rahmen ihrer Aufgabenstellung (§ 193).

(7) Zu den Leistungen gehört auch die Übernahme

1. der erforderlichen Kosten für Unterkunft und Verpflegung, wenn für die Ausführung einer Leistung eine Unterbringung außerhalb des eigenen oder des elterlichen Haushalts wegen Art oder Schwere der Behinderung oder zur Sicherung des Erfolges der Teilhabe am Arbeitsleben notwendig ist sowie
2. der erforderlichen Kosten, die mit der Ausführung einer Leistung in unmittelbarem Zusammenhang stehen, insbesondere für Lehrgangskosten, Prüfungsgebühren, Lernmittel, Leistungen zur Aktivierung und beruflichen Eingliederung.

(8) [1] Leistungen nach Absatz 3 Nummer 1 und 7 umfassen auch

1. die Kraftfahrzeughilfe nach der Kraftfahrzeughilfe-Verordnung[1)],

---

[1)] **beck-online, Module Arbeitsrecht Nr. 698a.**

2. den Ausgleich für unvermeidbare Verdienstausfälle des Leistungsberechtigten oder einer erforderlichen Begleitperson wegen Fahrten der An- und Abreise zu einer Bildungsmaßnahme und zur Vorstellung bei einem Arbeitgeber, bei einem Träger oder einer Einrichtung für Menschen mit Behinderungen, durch die Rehabilitationsträger nach § 6 Absatz 1 Nummer 2 bis 5,

2a. die Kosten eines Jobcoachings,

3. die Kosten einer notwendigen Arbeitsassistenz für schwerbehinderte Menschen als Hilfe zur Erlangung eines Arbeitsplatzes,

4. die Kosten für Hilfsmittel, die wegen Art oder Schwere der Behinderung erforderlich sind

   a) zur Berufsausübung,

   b) zur Teilhabe an einer Leistung zur Teilhabe am Arbeitsleben,

   c) zur Erhöhung der Sicherheit auf dem Weg vom und zum Arbeitsplatz oder

   d) zur Erhöhung der Sicherheit am Arbeitsplatz selbst,

   es sei denn, dass eine Verpflichtung des Arbeitgebers besteht oder solche Leistungen als medizinische Leistung erbracht werden können,

5. die Kosten technischer Arbeitshilfen, die wegen Art oder Schwere der Behinderung zur Berufsausübung erforderlich sind und

6. die Kosten der Beschaffung, der Ausstattung und der Erhaltung einer behinderungsgerechten Wohnung in angemessenem Umfang.

[2] Die Leistung nach Satz 1 Nummer 3 wird für die Dauer von bis zu drei Jahren bewilligt und in Abstimmung mit dem Rehabilitationsträger nach § 6 Absatz 1 Nummer 1 bis 5 durch das Integrationsamt nach § 185 Absatz 5 ausgeführt. [3] Der Rehabilitationsträger erstattet dem Integrationsamt seine Aufwendungen. [4] Der Anspruch nach § 185 Absatz 5 bleibt unberührt.

(9) Die Bundesregierung kann durch Rechtsverordnung mit Zustimmung des Bundesrates Näheres über Voraussetzungen, Gegenstand und Umfang der Leistungen der Kraftfahrzeughilfe zur Teilhabe am Arbeitsleben regeln.

§ 50 Leistungen an Arbeitgeber. (1) Die Rehabilitationsträger nach § 6 Absatz 1 Nummer 2 bis 5 können Leistungen zur Teilhabe am Arbeitsleben auch an Arbeitgeber erbringen, insbesondere als

1. Ausbildungszuschüsse zur betrieblichen Ausführung von Bildungsleistungen,
2. Eingliederungszuschüsse,
3. Zuschüsse für Arbeitshilfen im Betrieb und

(Fortsetzung nächstes Blatt)

4. teilweise oder volle Kostenerstattung für eine befristete Probebeschäftigung.

(2) Die Leistungen können unter Bedingungen und Auflagen erbracht werden.

(3) [1] Ausbildungszuschüsse nach Absatz 1 Nummer 1 können für die gesamte Dauer der Maßnahme geleistet werden. [2] Die Ausbildungszuschüsse sollen bei Ausbildungsmaßnahmen die monatlichen Ausbildungsvergütungen nicht übersteigen, die von den Arbeitgebern im letzten Ausbildungsjahr gezahlt wurden.

(4) [1] Eingliederungszuschüsse nach Absatz 1 Nummer 2 betragen höchstens 50 Prozent der vom Arbeitgeber regelmäßig gezahlten Entgelte, soweit sie die tariflichen Arbeitsentgelte oder, wenn eine tarifliche Regelung nicht besteht, die für vergleichbare Tätigkeiten ortsüblichen Arbeitsentgelte im Rahmen der Beitragsbemessungsgrenze in der Arbeitsförderung nicht übersteigen. [2] Die Eingliederungszuschüsse sollen im Regelfall für höchstens ein Jahr gezahlt werden. [3] Soweit es für die Teilhabe am Arbeitsleben erforderlich ist, können die Eingliederungszuschüsse um bis zu 20 Prozentpunkte höher festgelegt und bis zu einer Förderungshöchstdauer von zwei Jahren gezahlt werden. [4] Werden die Eingliederungszuschüsse länger als ein Jahr gezahlt, sind sie um mindestens 10 Prozentpunkte zu vermindern, entsprechend der zu erwartenden Zunahme der Leistungsfähigkeit der Leistungsberechtigten und den abnehmenden Eingliederungserfordernissen gegenüber der bisherigen Förderungshöhe. [5] Bei der Berechnung der Eingliederungszuschüsse nach Satz 1 wird auch der Anteil des Arbeitgebers am Gesamtsozialversicherungsbeitrag berücksichtigt. [6] Eingliederungszuschüsse sind zurückzuzahlen, wenn die Arbeitsverhältnisse während des Förderungszeitraums oder innerhalb eines Zeitraums, der der Förderungsdauer entspricht, längstens jedoch von einem Jahr, nach dem Ende der Leistungen beendet werden. [7] Der Eingliederungszuschuss muss nicht zurückgezahlt werden, wenn

1. die Leistungsberechtigten die Arbeitsverhältnisse durch Kündigung beenden oder das Mindestalter für den Bezug der gesetzlichen Altersrente erreicht haben oder
2. die Arbeitgeber berechtigt waren, aus wichtigem Grund ohne Einhaltung einer Kündigungsfrist oder aus Gründen, die in der Person oder dem Verhalten des Arbeitnehmers liegen, oder aus dringenden betrieblichen Erfordernissen, die einer Weiterbeschäftigung in diesem Betrieb entgegenstehen, zu kündigen.

[8] Die Rückzahlung ist auf die Hälfte des Förderungsbetrages, höchstens aber den im letzten Jahr vor der Beendigung des Beschäftigungsverhältnisses gewährten Förderungsbetrag begrenzt; nicht geförderte Nachbeschäftigungszeiten werden anteilig berücksichtigt.

§ 51 ***Einrichtungen der beruflichen Rehabilitation.*** (1) [1] Leistungen werden durch Berufsbildungswerke, Berufsförderungswerke und vergleichbare Einrichtungen der beruflichen Rehabilitation ausgeführt, wenn Art oder Schwere der Behinderung der Leistungsberechtigten oder die Sicherung des Erfolges die besonderen Hilfen dieser Einrichtungen erforderlich machen. [2] Die Einrichtung muss

1. eine erfolgreiche Ausführung der Leistung erwarten lassen nach Dauer, Inhalt und Gestaltung der Leistungen, nach der Unterrichtsmethode, Aus-

bildung und Berufserfahrung der Leitung und der Lehrkräfte sowie nach der Ausgestaltung der Fachdienste,

2. angemessene Teilnahmebedingungen bieten und behinderungsgerecht sein, insbesondere auch die Beachtung der Erfordernisse des Arbeitsschutzes und der Unfallverhütung gewährleisten,
3. den Teilnehmenden und den von ihnen zu wählenden Vertretungen angemessene Mitwirkungsmöglichkeiten an der Ausführung der Leistungen bieten sowie
4. die Leistung nach den Grundsätzen der Wirtschaftlichkeit und Sparsamkeit, insbesondere zu angemessenen Vergütungssätzen, ausführen.

[3] Die zuständigen Rehabilitationsträger vereinbaren hierüber gemeinsame Empfehlungen nach den §§ 26 und 37.

(2) [1] Werden Leistungen zur beruflichen Ausbildung in Einrichtungen der beruflichen Rehabilitation ausgeführt, sollen die Einrichtungen bei Eignung der Leistungsberechtigten darauf hinwirken, dass diese Ausbildung teilweise auch in Betrieben und Dienststellen durchgeführt wird. [2] Die Einrichtungen der beruflichen Rehabilitation unterstützen die Arbeitgeber bei der betrieblichen Ausbildung und bei der Betreuung der auszubildenden Jugendlichen mit Behinderungen.

§ 52 Rechtsstellung der Teilnehmenden. [1] Werden Leistungen in Einrichtungen der beruflichen Rehabilitation ausgeführt, werden die Teilnehmenden nicht in den Betrieb der Einrichtungen eingegliedert. [2] Sie sind keine Arbeitnehmer im Sinne des Betriebsverfassungsgesetzes[1)] und wählen zu ihrer Mitwirkung besondere Vertreter. [3] Bei der Ausführung werden die arbeitsrechtlichen Grundsätze über den Persönlichkeitsschutz, die Haftungsbeschränkung sowie die gesetzlichen Vorschriften über den Arbeitsschutz, den Schutz vor Diskriminierungen in Beschäftigung und Beruf, den Erholungsurlaub und die Gleichberechtigung von Männern und Frauen entsprechend angewendet.

§ 53 Dauer von Leistungen. (1) [1] Leistungen werden für die Zeit erbracht, die vorgeschrieben oder allgemein üblich ist, um das angestrebte Teilhabeziel zu erreichen. [2] Eine Förderung kann darüber hinaus erfolgen, wenn besondere Umstände dies rechtfertigen.

(2) [1] Leistungen zur beruflichen Weiterbildung sollen in der Regel bei ganztägigem Unterricht nicht länger als zwei Jahre dauern, es sei denn, dass das Teilhabeziel nur über eine länger andauernde Leistung erreicht werden kann oder die Eingliederungsaussichten nur durch eine länger andauernde Leistung wesentlich verbessert werden. [2] Abweichend von Satz 1 erster Teilsatz sollen Leistungen zur beruflichen Weiterbildung, die zu einem Abschluss in einem allgemein anerkannten Ausbildungsberuf führen und für die eine allgemeine Ausbildungsdauer von mehr als zwei Jahren vorgeschrieben ist, nicht länger als zwei Drittel der üblichen Ausbildungszeit dauern.

§ 54 Beteiligung der Bundesagentur für Arbeit. [1] Die Bundesagentur für Arbeit nimmt auf Anforderung eines anderen Rehabilitationsträgers gutachterlich Stellung zu Notwendigkeit, Art und Umfang von Leistungen unter Be-

---

1) Nr. 570.

rücksichtigung arbeitsmarktlicher Zweckmäßigkeit. [2]Dies gilt auch, wenn sich die Leistungsberechtigten in einem Krankenhaus oder einer Einrichtung der medizinischen oder der medizinisch-beruflichen Rehabilitation aufhalten.

§ 55 Unterstützte Beschäftigung. (1) [1]Ziel der Unterstützten Beschäftigung ist es, Leistungsberechtigten mit besonderem Unterstützungsbedarf eine angemessene, geeignete und sozialversicherungspflichtige Beschäftigung zu ermöglichen und zu erhalten. [2]Unterstützte Beschäftigung umfasst eine individuelle betriebliche Qualifizierung und bei Bedarf Berufsbegleitung.

(2) [1]Leistungen zur individuellen betrieblichen Qualifizierung erhalten Menschen mit Behinderungen insbesondere, um sie für geeignete betriebliche Tätigkeiten zu erproben, auf ein sozialversicherungspflichtiges Beschäftigungsverhältnis vorzubereiten und bei der Einarbeitung und Qualifizierung auf einem betrieblichen Arbeitsplatz zu unterstützen. [2]Die Leistungen umfassen auch die Vermittlung von berufsübergreifenden Lerninhalten und Schlüsselqualifikationen sowie die Weiterentwicklung der Persönlichkeit der Menschen mit Behinderungen. [3]Die Leistungen werden vom zuständigen Rehabilitationsträger nach § 6 Absatz 1 Nummer 2 bis 5 für bis zu zwei Jahre erbracht, soweit sie wegen Art oder Schwere der Behinderung erforderlich sind. [4]Sie können bis zu einer Dauer von weiteren zwölf Monaten verlängert werden, wenn auf Grund der Art oder Schwere der Behinderung der gewünschte nachhaltige Qualifizierungserfolg im Einzelfall nicht anders erreicht werden kann und hinreichend gewährleistet ist, dass eine weitere Qualifizierung zur Aufnahme einer sozialversicherungspflichtigen Beschäftigung führt.

(3) [1]Leistungen der Berufsbegleitung erhalten Menschen mit Behinderungen insbesondere, um nach Begründung eines sozialversicherungspflichtigen Beschäftigungsverhältnisses die zu dessen Stabilisierung erforderliche Unterstützung und Krisenintervention zu gewährleisten. [2]Die Leistungen werden bei Zuständigkeit eines Rehabilitationsträgers nach § 6 Absatz 1 Nummer 3 oder 5 von diesem, im Übrigen von dem Integrationsamt im Rahmen seiner Zuständigkeit erbracht, solange und soweit sie wegen Art oder Schwere der Behinderung zur Sicherung des Beschäftigungsverhältnisses erforderlich sind.

(4) Stellt der Rehabilitationsträger während der individuellen betrieblichen Qualifizierung fest, dass voraussichtlich eine anschließende Berufsbegleitung erforderlich ist, für die ein anderer Leistungsträger zuständig ist, beteiligt er diesen frühzeitig.

(5) [1]Die Unterstützte Beschäftigung kann von Integrationsfachdiensten oder anderen Trägern durchgeführt werden. [2]Mit der Durchführung kann nur beauftragt werden, wer über die erforderliche Leistungsfähigkeit verfügt, um seine Aufgaben entsprechend den individuellen Bedürfnissen der Menschen mit Behinderungen erfüllen zu können. [3]Insbesondere müssen die Beauftragten

1. über Fachkräfte verfügen, die eine geeignete Berufsqualifikation, eine psychosoziale oder arbeitspädagogische Zusatzqualifikation und eine ausreichende Berufserfahrung besitzen,
2. in der Lage sein, den Menschen mit Behinderungen geeignete individuelle betriebliche Qualifizierungsplätze zur Verfügung zu stellen und ihre berufliche Eingliederung zu unterstützen,
3. über die erforderliche räumliche und sächliche Ausstattung verfügen sowie

4. ein System des Qualitätsmanagements im Sinne des § 37 Absatz 2 Satz 1 anwenden.

(6) [1] Zur Konkretisierung und Weiterentwicklung der in Absatz 5 genannten Qualitätsanforderungen vereinbaren die Rehabilitationsträger nach § 6 Absatz 1 Nummer 2 bis 5 sowie die Bundesarbeitsgemeinschaft der Integrationsämter und Hauptfürsorgestellen im Rahmen der Bundesarbeitsgemeinschaft für Rehabilitation eine gemeinsame Empfehlung. [2] Die gemeinsame Empfehlung kann auch Ausführungen zu möglichen Leistungsinhalten und zur Zusammenarbeit enthalten. [3] § 26 Absatz 4, 6 und 7 sowie § 27 gelten entsprechend.

§ 56 Leistungen in Werkstätten für behinderte Menschen. Leistungen in anerkannten Werkstätten für behinderte Menschen (§ 219) werden erbracht, um die Leistungs- oder Erwerbsfähigkeit der Menschen mit Behinderungen zu erhalten, zu entwickeln, zu verbessern oder wiederherzustellen, die Persönlichkeit dieser Menschen weiterzuentwickeln und ihre Beschäftigung zu ermöglichen oder zu sichern.

§ 57 Leistungen im Eingangsverfahren und im Berufsbildungsbereich.

(1) Leistungen im Eingangsverfahren und im Berufsbildungsbereich einer anerkannten Werkstatt für behinderte Menschen erhalten Menschen mit Behinderungen

1. im Eingangsverfahren zur Feststellung, ob die Werkstatt die geeignete Einrichtung für die Teilhabe des Menschen mit Behinderungen am Arbeitsleben ist sowie welche Bereiche der Werkstatt und welche Leistungen zur Teilhabe am Arbeitsleben für die Menschen mit Behinderungen in Betracht kommen, und um einen Eingliederungsplan zu erstellen;
2. im Berufsbildungsbereich, wenn die Leistungen erforderlich sind, um die Leistungs- oder Erwerbsfähigkeit des Menschen mit Behinderungen so weit wie möglich zu entwickeln, zu verbessern oder wiederherzustellen und erwartet werden kann, dass der Mensch mit Behinderungen nach Teilnahme an diesen Leistungen in der Lage ist, wenigstens ein Mindestmaß wirtschaftlich verwertbarer Arbeitsleistung im Sinne des § 219 zu erbringen.

(2) [1] Die Leistungen im Eingangsverfahren werden für drei Monate erbracht. [2] Die Leistungsdauer kann auf bis zu vier Wochen verkürzt werden, wenn während des Eingangsverfahrens im Einzelfall festgestellt wird, dass eine kürzere Leistungsdauer ausreichend ist.

(3) [1] Die Leistungen im Berufsbildungsbereich werden für zwei Jahre erbracht. [2] Sie werden in der Regel zunächst für ein Jahr bewilligt. [3] Sie werden für ein weiteres Jahr bewilligt, wenn auf Grund einer fachlichen Stellungnahme, die rechtzeitig vor Ablauf des Förderzeitraums nach Satz 2 abzugeben ist, angenommen wird, dass die Leistungsfähigkeit des Menschen mit Behinderungen weiterentwickelt oder wiedergewonnen werden kann.

(4) [1] Zeiten der individuellen betrieblichen Qualifizierung im Rahmen einer Unterstützten Beschäftigung nach § 55 werden zur Hälfte auf die Dauer des Berufsbildungsbereichs angerechnet. [2] Allerdings dürfen die Zeiten individueller betrieblicher Qualifizierung und die Zeiten des Berufsbildungsbereichs insgesamt nicht mehr als 36 Monate betragen.

§ 58 Leistungen im Arbeitsbereich. (1) [1]Leistungen im Arbeitsbereich einer anerkannten Werkstatt für behinderte Menschen erhalten Menschen mit Behinderungen, bei denen wegen Art oder Schwere der Behinderung

1. eine Beschäftigung auf dem allgemeinen Arbeitsmarkt einschließlich einer Beschäftigung in einem Inklusionsbetrieb (§ 215) oder
2. eine Berufsvorbereitung, eine individuelle betriebliche Qualifizierung im Rahmen Unterstützter Beschäftigung, eine berufliche Anpassung und Weiterbildung oder eine berufliche Ausbildung (§ 49 Absatz 3 Nummer 2 bis 6)

nicht, noch nicht oder noch nicht wieder in Betracht kommt und die in der Lage sind, wenigstens ein Mindestmaß wirtschaftlich verwertbarer Arbeitsleistung zu erbringen. [2]Leistungen im Arbeitsbereich werden im Anschluss an Leistungen im Berufsbildungsbereich (§ 57) oder an entsprechende Leistungen bei einem anderen Leistungsanbieter (§ 60) erbracht; hiervon kann abgewichen werden, wenn der Mensch mit Behinderungen bereits über die für die in Aussicht genommene Beschäftigung erforderliche Leistungsfähigkeit verfügt, die er durch eine Beschäftigung auf dem allgemeinen Arbeitsmarkt erworben hat. [3]Die Leistungen sollen in der Regel längstens bis zum Ablauf des Monats erbracht werden, in dem das für die Regelaltersrente im Sinne des Sechsten Buches[1)] erforderliche Lebensalter erreicht wird.

(2) Die Leistungen im Arbeitsbereich sind gerichtet auf

1. die Aufnahme, Ausübung und Sicherung einer der Eignung und Neigung des Menschen mit Behinderungen entsprechenden Beschäftigung,
2. die Teilnahme an arbeitsbegleitenden Maßnahmen zur Erhaltung und Verbesserung der im Berufsbildungsbereich erworbenen Leistungsfähigkeit und zur Weiterentwicklung der Persönlichkeit sowie
3. die Förderung des Übergangs geeigneter Menschen mit Behinderungen auf den allgemeinen Arbeitsmarkt durch geeignete Maßnahmen.

(3) [1]Die Werkstätten erhalten für die Leistungen nach Absatz 2 vom zuständigen Rehabilitationsträger angemessene Vergütungen, die den Grundsätzen der Wirtschaftlichkeit, Sparsamkeit und Leistungsfähigkeit entsprechen. [2]Die Vergütungen berücksichtigen

1. alle für die Erfüllung der Aufgaben und der fachlichen Anforderungen der Werkstatt notwendigen Kosten sowie
2. die mit der wirtschaftlichen Betätigung der Werkstatt in Zusammenhang stehenden Kosten, soweit diese unter Berücksichtigung der besonderen Verhältnisse in der Werkstatt und der dort beschäftigten Menschen mit Behinderungen nach Art und Umfang über die in einem Wirtschaftsunternehmen üblicherweise entstehenden Kosten hinausgehen.

[3]Können die Kosten der Werkstatt nach Satz 2 Nummer 2 im Einzelfall nicht ermittelt werden, kann eine Vergütungspauschale für diese werkstattspezifischen Kosten der wirtschaftlichen Betätigung der Werkstatt vereinbart werden.

(4) [1]Bei der Ermittlung des Arbeitsergebnisses der Werkstatt nach § 12 Absatz 4 der Werkstättenverordnung[2)] werden die Auswirkungen der Vergütungen

---

[1)] Auszugsweise abgedruckt unter Nr. **696**.

[2)] Nr. **443**.

auf die Höhe des Arbeitsergebnisses dargestellt. [2] Dabei wird getrennt ausgewiesen, ob sich durch die Vergütung Verluste oder Gewinne ergeben. [3] Das Arbeitsergebnis der Werkstatt darf nicht zur Minderung der Vergütungen nach Absatz 3 verwendet werden.

§ 59 Arbeitsförderungsgeld. (1) [1] Die Werkstätten für behinderte Menschen erhalten von dem zuständigen Rehabilitationsträger zur Auszahlung an die im Arbeitsbereich beschäftigten Menschen mit Behinderungen zusätzlich zu den Vergütungen nach § 58 Absatz 3 ein Arbeitsförderungsgeld. [2] Das Arbeitsförderungsgeld beträgt monatlich 52 Euro für jeden im Arbeitsbereich beschäftigten Menschen mit Behinderungen, dessen Arbeitsentgelt zusammen mit dem Arbeitsförderungsgeld den Betrag von 351 Euro nicht übersteigt. [3] Ist das Arbeitsentgelt höher als 299 Euro, beträgt das Arbeitsförderungsgeld monatlich den Differenzbetrag zwischen dem Arbeitsentgelt und 351 Euro.

(2) Das Arbeitsförderungsgeld bleibt bei Sozialleistungen, deren Zahlung von anderen Einkommen abhängig ist, als Einkommen unberücksichtigt.

§ 60[1] Andere Leistungsanbieter. (1) Menschen mit Behinderungen, die Anspruch auf Leistungen nach den §§ 57 und 58 haben, können diese auch bei einem anderen Leistungsanbieter in Anspruch nehmen.

(2) Die Vorschriften für Werkstätten für behinderte Menschen gelten mit folgenden Maßgaben für andere Leistungsanbieter:

1. sie bedürfen nicht der förmlichen Anerkennung,
2. sie müssen nicht über eine Mindestplatzzahl und die für die Erbringung der Leistungen in Werkstätten erforderliche räumliche und sächliche Ausstattung verfügen,
3. sie können ihr Angebot auf Leistungen nach § 57 oder § 58 oder Teile solcher Leistungen beschränken,
4. sie sind nicht verpflichtet, Menschen mit Behinderungen Leistungen nach § 57 oder § 58 zu erbringen, wenn und solange die Leistungsvoraussetzungen vorliegen,
5. eine dem Werkstattrat vergleichbare Vertretung wird ab fünf Wahlberechtigten gewählt. Sie besteht bei bis zu 20 Wahlberechtigten aus einem Mitglied,
6. eine Frauenbeauftragte wird ab fünf wahlberechtigten Frauen gewählt, eine Stellvertreterin ab 20 wahlberechtigten Frauen,
7. die Regelungen zur Anrechnung von Aufträgen auf die Ausgleichsabgabe und zur bevorzugten Vergabe von Aufträgen durch die öffentliche Hand sind nicht anzuwenden und
8. erbringen sie Leistungen nach den §§ 57 oder 58 ausschließlich in betrieblicher Form, soll ein besserer als der in § 9 Absatz 3 der Werkstättenverordnung[2] für den Berufsbildungsbereich oder für den Arbeitsbereich in einer Werkstatt für behinderte Menschen festgelegte Personalschlüssel angewendet werden.

---

[1] § 60 Abs. 2 Nr. 5 und 6 geänd., Nr. 7 angef. mWv 1.1.2020 durch G v. 30.11.2019 (BGBl. I S. 1948); Abs. 2 Nr. 6 und 7 geänd., Nr. 8 angef. mWv 1.1.2020 durch G v. 10.12.2019 (BGBl. I S. 2135).

[2] Nr. **443**.

(3) Eine Verpflichtung des Leistungsträgers, Leistungen durch andere Leistungsanbieter zu ermöglichen, besteht nicht.

(4) Für das Rechtsverhältnis zwischen dem anderen Leistungsanbieter und dem Menschen mit Behinderungen gilt § 221 entsprechend.

§ 61[1)] **Budget für Arbeit.** (1) Menschen mit Behinderungen, die Anspruch auf Leistungen nach § 58 haben und denen von einem privaten oder öffentlichen Arbeitgeber ein sozialversicherungspflichtiges Arbeitsverhältnis mit einer tarifvertraglichen oder ortsüblichen Entlohnung angeboten wird, erhalten mit Abschluss dieses Arbeitsvertrages als Leistungen zur Teilhabe am Arbeitsleben ein Budget für Arbeit.

(2) [1] Das Budget für Arbeit umfasst einen Lohnkostenzuschuss an den Arbeitgeber zum Ausgleich der Leistungsminderung des Beschäftigten und die Aufwendungen für die wegen der Behinderung erforderliche Anleitung und Begleitung am Arbeitsplatz. [2] Der Lohnkostenzuschuss beträgt bis zu 75 Prozent des vom Arbeitgeber regelmäßig gezahlten Arbeitsentgelts. [3] Dauer und Umfang der Leistungen bestimmen sich nach den Umständen des Einzelfalles.

(3) Ein Lohnkostenzuschuss ist ausgeschlossen, wenn zu vermuten ist, dass der Arbeitgeber die Beendigung eines anderen Beschäftigungsverhältnisses veranlasst hat, um durch die ersatzweise Einstellung eines Menschen mit Behinderungen den Lohnkostenzuschuss zu erhalten.

(4) Die am Arbeitsplatz wegen der Behinderung erforderliche Anleitung und Begleitung kann von mehreren Leistungsberechtigten gemeinsam in Anspruch genommen werden.

(5) Eine Verpflichtung des Leistungsträgers, Leistungen zur Beschäftigung bei privaten oder öffentlichen Arbeitgebern zu ermöglichen, besteht nicht.

§ 61a[2)] **Budget für Ausbildung.** (1) Menschen mit Behinderungen, die Anspruch auf Leistungen nach § 57 oder § 58 haben und denen von einem privaten oder öffentlichen Arbeitgeber ein sozialversicherungspflichtiges Ausbildungsverhältnis in einem anerkannten Ausbildungsberuf oder in einem Ausbildungsgang nach § 66 des Berufsbildungsgesetzes[3)] oder § 42r der Handwerksordnung[4)] angeboten wird, erhalten mit Abschluss des Vertrages über dieses Ausbildungsverhältnis als Leistungen zur Teilhabe am Arbeitsleben ein Budget für Ausbildung.

(2) [1] Das Budget für Ausbildung umfasst

1. die Erstattung der angemessenen Ausbildungsvergütung einschließlich des Anteils des Arbeitgebers am Gesamtsozialversicherungsbeitrag und des Beitrags zur Unfallversicherung nach Maßgabe des Siebten Buches,
2. die Aufwendungen für die wegen der Behinderung erforderliche Anleitung und Begleitung am Ausbildungsplatz und in der Berufsschule sowie
3. die erforderlichen Fahrkosten.

[1)] § 61 Abs. 2 Satz 2 neu gef., Satz 4 aufgeh. mWv 14.6.2023 durch G v. 6.6.2023 (BGBl. 2023 I Nr. 146).

[2)] § 61a eingef. mWv 1.1.2020 durch G v. 10.12.2019 (BGBl. I S. 2135); Abs. 1 Satz 1 geänd., Satz 2 aufgeh., Abs. 2 Satz 1 neu gef., Sätze 2 und 3 aufgeh., bish. Satz 4 wird Satz 2, neuer Satz 3 angef., Abs. 5 Satz 1 geänd., Satz 2 angef. mWv 1.1.2022 durch G v. 2.6.2021 (BGBl. I S. 1387); Abs. 5 Satz 2 geänd. mWv 14.6.2023 durch G v. 6.6.2023 (BGBl. 2023 I Nr. 146).

[3)] Nr. **415**.

[4)] Nr. **107**.

[2] Ist wegen Art oder Schwere der Behinderung der Besuch einer Berufsschule am Ort des Ausbildungsplatzes nicht möglich, so kann der schulische Teil der Ausbildung in Einrichtungen der beruflichen Rehabilitation erfolgen; die entstehenden Kosten werden ebenfalls vom Budget für Ausbildung gedeckt. [3] Vor dem Abschluss einer Vereinbarung mit einer Einrichtung der beruflichen Rehabilitation ist dem zuständigen Leistungsträger das Angebot mit konkreten Angaben zu den entstehenden Kosten zur Bewilligung vorzulegen.

(3) [1] Das Budget für Ausbildung wird erbracht, solange es erforderlich ist, längstens bis zum erfolgreichen Abschluss der Ausbildung. [2] Zeiten eines Budgets für Ausbildung werden auf die Dauer des Eingangsverfahrens und des Berufsbildungsbereiches in Werkstätten für behinderte Menschen nach § 57 Absatz 2 und 3 angerechnet, sofern der Mensch mit Behinderungen in der Werkstatt für behinderte Menschen oder bei einem anderen Leistungsanbieter seine berufliche Bildung in derselben Fachrichtung fortsetzt.

(4) Die wegen der Behinderung erforderliche Anleitung und Begleitung kann von mehreren Leistungsberechtigten gemeinsam in Anspruch genommen werden.

(5) [1] Die Bundesagentur für Arbeit soll den Menschen mit Behinderungen bei der Suche nach einem geeigneten Ausbildungsplatz im Sinne von Absatz 1 unterstützen. [2] Dies umfasst im Fall des Absatzes 2 Satz 2 auch die Unterstützung bei der Suche nach einer geeigneten Einrichtung der beruflichen Rehabilitation.

§ 62 Wahlrecht des Menschen mit Behinderungen. (1) Auf Wunsch des Menschen mit Behinderungen werden die Leistungen nach den §§ 57 und 58 von einer nach § 225 anerkannten Werkstatt für behinderte Menschen, von dieser zusammen mit einem oder mehreren anderen Leistungsanbietern oder von einem oder mehreren anderen Leistungsanbietern erbracht.

(2) Werden Teile einer Leistung im Verantwortungsbereich einer Werkstatt für behinderte Menschen oder eines anderen Leistungsanbieters erbracht, so bedarf die Leistungserbringung der Zustimmung des unmittelbar verantwortlichen Leistungsanbieters.

§ 63[1] Zuständigkeit nach den Leistungsgesetzen. (1) Die Leistungen im Eingangsverfahren und im Berufsbildungsbereich einer anerkannten Werkstatt für behinderte Menschen erbringen

1. die Bundesagentur für Arbeit, soweit nicht einer der in den Nummern 2 bis 4 genannten Träger zuständig ist,
2. die Träger der Unfallversicherung im Rahmen ihrer Zuständigkeit für durch Arbeitsunfälle Verletzte und von Berufskrankheiten Betroffene,
3. die Träger der Rentenversicherung unter den Voraussetzungen der §§ 11 bis 13 des Sechsten Buches[2] ***[bis 31.12.2024:*** und***][ab 1.1.2025:,]***
4. die Träger der ***[bis 31.12.2023:*** Kriegsopferfürsorge unter den Voraussetzungen der §§ 26 und 26a des Bundesversorgungsgesetzes[3]***][ab 1.1.2024:*** *Sozia-*

---

[1] § 63 Abs. 3 Satz 1 geänd. mWv 1.1.2020 durch G v. 10.12.2019 (BGBl. I S. 2135); Abs. 1 Nr. 4 und Abs. 2 Nr. 2 geänd. mWv 1.1.2024 durch G v. 12.12.2019 (BGBl. I S. 2652); Abs. 3 Satz 1 geänd., Satz 2 neu gef. mWv 1.1.2022 durch G v. 2.6.2021 (BGBl. I S. 1387); Abs. 1 Nr. 3 und 4 geänd., Nr. 5 angef., Abs. 2 Nr. 2a eingef. mWv 1.1.2025 durch G v. 20.8.2021 (BGBl. I S. 3932).

[2] **beck-online, Module Arbeitsrecht Nr. 696.**

[3] **Aichberger, SGB Nr. 20/10.**

len Entschädigung unter den Voraussetzungen der §§ 63 und 64 des Vierzehnten Buches[1)] ***][bis 31.12.2024:.][ab 1.1.2025:** und]*

[Nr. 5 ab 1.1.2025:]

5. der Träger der Soldatenentschädigung unter den Voraussetzungen des Kapitels 4 des Soldatenentschädigungsgesetzes.

(2) Die Leistungen im Arbeitsbereich einer anerkannten Werkstatt für behinderte Menschen erbringen

1. die Träger der Unfallversicherung im Rahmen ihrer Zuständigkeit für durch Arbeitsunfälle Verletzte und von Berufskrankheiten Betroffene,
2. die Träger der ***[bis 31.12.2023:*** Kriegsopferfürsorge unter den Voraussetzungen des § 27d Absatz 1 Nummer 3 des Bundesversorgungsgesetzes***][ab 1.1.2024:*** *Sozialen Entschädigung unter den Voraussetzungen des § 63 des Vierzehnten Buches**]***,

[Nr. 2a ab 1.1.2025:]

2a. der Träger der Soldatenentschädigung unter den Voraussetzungen des Kapitels 4 des Soldatenentschädigungsgesetzes,

3. die Träger der öffentlichen Jugendhilfe unter den Voraussetzungen des § 35a des Achten Buches[2)] und
4. im Übrigen die Träger der Eingliederungshilfe unter den Voraussetzungen des § 99.

(3) [1] Absatz 1 gilt auch für die Leistungen zur beruflichen Bildung bei einem anderen Leistungsanbieter sowie für die Leistung des Budgets für Ausbildung an Menschen mit Behinderungen, die Anspruch auf Leistungen nach § 57 haben. [2] Absatz 2 gilt auch für die Leistungen zur Beschäftigung bei einem anderen Leistungsanbieter, für die Leistung des Budgets für Ausbildung an Menschen mit Behinderungen, die Anspruch auf Leistungen nach § 58 haben und die keinen Anspruch auf Leistungen nach § 57 haben, sowie für die Leistung des Budgets für Arbeit.

Kapitel 14. Beteiligung der Verbände und Träger

§ 85 Klagerecht der Verbände. [1] Werden Menschen mit Behinderungen in ihren Rechten nach diesem Buch verletzt, können an ihrer Stelle und mit ihrem Einverständnis Verbände klagen, die nach ihrer Satzung Menschen mit Behinderungen auf Bundes- oder Landesebene vertreten und nicht selbst am Prozess beteiligt sind. [2] In diesem Fall müssen alle Verfahrensvoraussetzungen wie bei einem Rechtsschutzersuchen durch den Menschen mit Behinderungen selbst vorliegen.

---

1) **Aichberger, SGB Nr. 14.**
2) **beck-online, Module Arbeitsrecht Nr. 494a.**

Teil 2.[1)] Besondere Leistungen zur selbstbestimmten Lebensführung für Menschen mit Behinderungen (Eingliederungshilferecht)

Kapitel 4.[1)] Teilhabe am Arbeitsleben

§ 111[2)] **Leistungen zur Beschäftigung.** (1) Leistungen zur Beschäftigung umfassen

1. Leistungen im Arbeitsbereich anerkannter Werkstätten für behinderte Menschen nach den §§ 58 und 62,
2. Leistungen bei anderen Leistungsanbietern nach den §§ 60 und 62,
3. Leistungen bei privaten und öffentlichen Arbeitgebern nach § 61 sowie
4. Leistungen für ein Budget für Ausbildung nach § 61a.

(2) [1]Leistungen nach Absatz 1 umfassen auch Gegenstände und Hilfsmittel, die wegen der gesundheitlichen Beeinträchtigung zur Aufnahme oder Fortsetzung der Beschäftigung erforderlich sind. [2]Voraussetzung für eine Hilfsmittelversorgung ist, dass der Leistungsberechtigte das Hilfsmittel bedienen kann. [3]Die Versorgung mit Hilfsmitteln schließt eine notwendige Unterweisung im Gebrauch und eine notwendige Instandhaltung oder Änderung ein. [4]Die Ersatzbeschaffung des Hilfsmittels erfolgt, wenn sie infolge der körperlichen Entwicklung der Leistungsberechtigten notwendig ist oder wenn das Hilfsmittel aus anderen Gründen ungeeignet oder unbrauchbar geworden ist.

(3) Zu den Leistungen nach Absatz 1 Nummer 1 und 2 gehört auch das Arbeitsförderungsgeld nach § 59.

Teil 3. Besondere Regelungen zur Teilhabe schwerbehinderter Menschen (Schwerbehindertenrecht)

Kapitel 1. Geschützter Personenkreis

§ 151 Geltungsbereich. (1) Die Regelungen dieses Teils gelten für schwerbehinderte und diesen gleichgestellte behinderte Menschen.

(2) [1]Die Gleichstellung behinderter Menschen mit schwerbehinderten Menschen (§ 2 Absatz 3) erfolgt auf Grund einer Feststellung nach § 152 auf Antrag des behinderten Menschen durch die Bundesagentur für Arbeit. [2]Die Gleichstellung wird mit dem Tag des Eingangs des Antrags wirksam. [3]Sie kann befristet werden.

(3) Auf gleichgestellte behinderte Menschen werden die besonderen Regelungen für schwerbehinderte Menschen mit Ausnahme des § 208 und des Kapitels 13 angewendet.

(4) [1]Schwerbehinderten Menschen gleichgestellt sind auch behinderte Jugendliche und junge Erwachsene (§ 2 Absatz 1) während der Zeit ihrer Berufsausbildung in Betrieben und Dienststellen oder einer beruflichen Orientierung, auch wenn der Grad der Behinderung weniger als 30 beträgt oder ein Grad der

---

[1)] Teil 2 Kapitel 1–7 (§§ 90–122) sowie Kapitel 9–11 (§§ 135–150) sind mit Ausnahme von § 94 *Absatz 1, der am 1.1.2018 in Kraft* getreten ist, am **1.1.2020** in Kraft getreten, vgl. Anm. am Titel.

[2)] § 111 Abs. 1 Nr. 2 und 3 geänd., Nr. 4 angef. mWv 1.1.2022 durch G v. 2.6.2021 (BGBl. I S. 1387).

Behinderung nicht festgestellt ist. 2 Der Nachweis der Behinderung wird durch eine Stellungnahme der Agentur für Arbeit oder durch einen Bescheid über Leistungen zur Teilhabe am Arbeitsleben erbracht. 3 Die Gleichstellung gilt nur für Leistungen des Integrationsamtes im Rahmen der beruflichen Orientierung und der Berufsausbildung im Sinne des § 185 Absatz 3 Nummer 2 Buchstabe c.

§ 152[1)] Feststellung der Behinderung, Ausweise. (1) 1 Auf Antrag des behinderten Menschen stellen die für die Durchführung des Vierzehnten Buches[2)] zuständigen Behörden das Vorliegen einer Behinderung und den Grad der Behinderung zum Zeitpunkt der Antragstellung fest. 2 Auf Antrag kann festgestellt werden, dass ein Grad der Behinderung oder gesundheitliche Merkmale bereits zu einem früheren Zeitpunkt vorgelegen haben, wenn dafür ein besonderes Interesse glaubhaft gemacht wird. 3 Beantragt eine erwerbstätige Person die Feststellung der Eigenschaft als schwerbehinderter Mensch (§ 2 Absatz 2), gelten die in § 14 Absatz 2 Satz 2 und 3 sowie § 17 Absatz 1 Satz 1 und Absatz 2 Satz 1 genannten Fristen sowie § 60 Absatz 1 des Ersten Buches[3)] entsprechend. 4 Die Auswirkungen auf die Teilhabe am Leben in der Gesellschaft werden als Grad der Behinderung nach Zehnergraden abgestuft festgestellt. 5 Eine Feststellung ist nur zu treffen, wenn ein Grad der Behinderung von wenigstens 20 vorliegt. 6 Durch Landesrecht kann die Zuständigkeit abweichend von Satz 1 geregelt werden.

(2) 1 Feststellungen nach Absatz 1 sind nicht zu treffen, wenn eine Feststellung über das Vorliegen einer Behinderung und den Grad einer auf ihr beruhenden Erwerbsminderung schon in einem Rentenbescheid, einer entsprechenden Verwaltungs- oder Gerichtsentscheidung oder einer vorläufigen Bescheinigung der für diese Entscheidungen zuständigen Dienststellen getroffen worden ist, es sei denn, dass der behinderte Mensch ein Interesse an anderweitiger Feststellung nach Absatz 1 glaubhaft macht. 2 Eine Feststellung nach Satz 1 gilt zugleich als Feststellung des Grades der Behinderung.

(3) 1 Liegen mehrere Beeinträchtigungen der Teilhabe am Leben in der Gesellschaft vor, so wird der Grad der Behinderung nach den Auswirkungen der Beeinträchtigungen in ihrer Gesamtheit unter Berücksichtigung ihrer wechselseitigen Beziehungen festgestellt. 2 Für diese Entscheidung gilt Absatz 1, es sei denn, dass in einer Entscheidung nach Absatz 2 eine Gesamtbeurteilung bereits getroffen worden ist.

(4) Sind neben dem Vorliegen der Behinderung weitere gesundheitliche Merkmale Voraussetzung für die Inanspruchnahme von Nachteilsausgleichen, so treffen die zuständigen Behörden die erforderlichen Feststellungen im Verfahren nach Absatz 1.

(5) 1 Auf Antrag des behinderten Menschen stellen die zuständigen Behörden auf Grund einer Feststellung der Behinderung einen Ausweis über die Eigenschaft als schwerbehinderter Mensch, den Grad der Behinderung sowie im Falle des Absatzes 4 über weitere gesundheitliche Merkmale aus. 2 Der Ausweis dient dem Nachweis für die Inanspruchnahme von Leistungen und sonstigen Hilfen, die schwerbehinderten Menschen nach diesem Teil oder nach anderen Vorschriften zustehen. 3 Die

---

1) § 152 Abs. 1 Satz 1 geänd., Sätze 4 und 7 aufgeh., bish. Sätze 5 und 6 werden Sätze 4 und 5 mWv 1.1. 2024 durch G v. 12.12.2019 (BGBl. I S. 2652, aufgeh. durch G v. 6.6.2023, BGBl. 2023 I Nr. 146); Abs. 1 Satz 1 geänd., Satz 4 aufgeh., bish. Sätze 5-7 werden Sätze 4-6 mWv 1.1.2024 durch G v. 6.6.2023 (BGBl. 2023 I Nr. 146).

2) **Aichberger, SGB Nr. 14.**

3) Nr. **691**.

Gültigkeitsdauer des Ausweises soll befristet werden. [4] Er wird eingezogen, sobald der gesetzliche Schutz schwerbehinderter Menschen erloschen ist. [5] Der Ausweis wird berichtigt, sobald eine Neufeststellung unanfechtbar geworden ist.

§ 153[1)] Verordnungsermächtigung. (1) Die Bundesregierung wird ermächtigt, durch Rechtsverordnung mit Zustimmung des Bundesrates nähere Vorschriften zu erlassen über

1. das Format, die Gestaltung und die Gültigkeit der Ausweise nach § 152 Absatz 5,
2. das Format, die Ausstellung, die Gestaltung und die Gültigkeit von Ausweisen für Menschen mit Behinderungen nach dem gemeinsamen einheitlichen Muster der Europäischen Union,
3. das entsprechende Verwaltungsverfahren sowie
4. die Anerkennung der Ausweise nach Nummer 2, die von einem anderen Mitgliedstaat ausgestellt worden sind.

(2) Das Bundesministerium für Arbeit und Soziales wird ermächtigt, durch Rechtsverordnung mit Zustimmung des Bundesrates die Grundsätze aufzustellen, die für die Bewertung des Grades der Behinderung, die Kriterien für die Bewertung der Hilflosigkeit und die Voraussetzungen für die Vergabe von Merkzeichen maßgebend sind, die nach Bundesrecht im Schwerbehindertenausweis einzutragen sind.

§ 153a[2)] Sachverständigenbeirat, Verfahren. (1) [1] Beim Bundesministerium für Arbeit und Soziales wird ein unabhängiger „Sachverständigenbeirat Versorgungsmedizinische Begutachtung" gebildet. [2] Der Beirat berät das Bundesministerium für Arbeit und Soziales zu allen versorgungsärztlichen Angelegenheiten und bereitet die Fortentwicklung der in der Versorgungsmedizin-Verordnung enthaltenen Versorgungsmedizinischen Grundsätze vor, die bei der Begutachtung im Schwerbehindertenrecht und im Sozialen Entschädigungsrecht verbindlich anzuwenden sind. [3] Dies geschieht teilhabeorientiert auf der Grundlage des aktuellen Standes der medizinischen Wissenschaft und der Medizintechnik unter Berücksichtigung versorgungsmedizinischer Erfordernisse.

(2) [1] Für den Beirat benennen die Länder, der Deutsche Behindertenrat und das Bundesministerium für Arbeit und Soziales jeweils sieben Personen, darunter jeweils mindestens vier Ärztinnen und Ärzte, die versorgungsmedizinisch oder wissenschaftlich besonders qualifiziert sind. [2] Eine der vom Bundesministerium für Arbeit und Soziales zu benennenden Personen ist ein Vertreter oder eine Vertreterin aus dem versorgungsmedizinischen ärztlich-gutachterlichen Bereich der Bundeswehr. [3] Das Bundesministerium für Arbeit und Soziales beruft die benannten Personen als Mitglieder in den Beirat.

(3) [1] Die Mitglieder des Beirates werden für die Dauer von vier Jahren berufen. [2] Die Mitgliedschaft im Beirat ist ein persönliches Ehrenamt, das keine Vertretung zulässt. [3] Die Mitglieder des Beirates unterliegen keinerlei Weisungen, üben ihre Tätigkeit unabhängig aus und sind nur ihrem Gewissen verantwortlich. [4] Scheidet ein Mitglied aus, erfolgt für dieses Mitglied eine Neuberufung für den restlichen Zeitraum der Berufungsperiode. [5] Der Beirat bestimmt durch Wahl aus seiner Mitte den Vorsitz sowie die Stellvertretung des Vorsitzes und gibt sich eine Geschäftsordnung. [6] Die Geschäftsführung des

---

[1)] § 153 Abs. 1 neu gef. mWv 22.1.2026 durch G v. 16.1.2026 (BGBl. 2026 I Nr. 14).
[2)] § 153a eingef. mWv 14.6.2023 durch G v. 6.6.2023 (BGBl. 2023 I Nr. 146).

Beirates wird vom Bundesministerium für Arbeit und Soziales ausgeübt, welches zu den Sitzungen einlädt und im Einvernehmen mit dem vorsitzenden Mitglied die Tagesordnung festlegt.

(4) [1] Die Beschlüsse des Beirates werden mit einfacher Mehrheit der berufenen Mitglieder gefasst. [2] Zu den Beratungen des Beirates können externe Sachverständige hinzugezogen werden. [3] Es können Arbeitsgruppen gebildet werden.

Kapitel 2. Beschäftigungspflicht der Arbeitgeber

§ 154 Pflicht der Arbeitgeber zur Beschäftigung schwerbehinderter Menschen. (1) [1] Private und öffentliche Arbeitgeber (Arbeitgeber) mit jahresdurchschnittlich monatlich mindestens 20 Arbeitsplätzen im Sinne des § 156 haben auf wenigstens 5 Prozent der Arbeitsplätze schwerbehinderte Menschen zu beschäftigen. [2] Dabei sind schwerbehinderte Frauen besonders zu berücksichtigen. [3] Abweichend von Satz 1 haben Arbeitgeber mit jahresdurchschnittlich monatlich weniger als 40 Arbeitsplätzen jahresdurchschnittlich je Monat einen schwerbehinderten Menschen, Arbeitgeber mit jahresdurchschnittlich monatlich weniger als 60 Arbeitsplätzen jahresdurchschnittlich je Monat zwei schwerbehinderte Menschen zu beschäftigen.

(2) Als öffentliche Arbeitgeber im Sinne dieses Teils gelten

1. jede oberste Bundesbehörde mit ihren nachgeordneten Dienststellen, das Bundespräsidialamt, die Verwaltungen des Deutschen Bundestages und des Bundesrates, das Bundesverfassungsgericht, die obersten Gerichtshöfe des Bundes, der Bundesgerichtshof jedoch zusammengefasst mit dem Generalbundesanwalt, sowie das Bundeseisenbahnvermögen,
2. jede oberste Landesbehörde und die Staats- und Präsidialkanzleien mit ihren nachgeordneten Dienststellen, die Verwaltungen der Landtage, die Rechnungshöfe (Rechnungskammern), die Organe der Verfassungsgerichtsbarkeit der Länder und jede sonstige Landesbehörde, zusammengefasst jedoch diejenigen Behörden, die eine gemeinsame Personalverwaltung haben,
3. jede sonstige Gebietskörperschaft und jeder Verband von Gebietskörperschaften,
4. jede sonstige Körperschaft, Anstalt oder Stiftung des öffentlichen Rechts.

§ 155 Beschäftigung besonderer Gruppen schwerbehinderter Menschen. (1) Im Rahmen der Erfüllung der Beschäftigungspflicht sind in angemessenem Umfang zu beschäftigen:

1. schwerbehinderte Menschen, die nach Art oder Schwere ihrer Behinderung im Arbeitsleben besonders betroffen sind, insbesondere solche,
   a) die zur Ausübung der Beschäftigung wegen ihrer Behinderung nicht nur vorübergehend einer besonderen Hilfskraft bedürfen oder
   b) deren Beschäftigung infolge ihrer Behinderung nicht nur vorübergehend mit außergewöhnlichen Aufwendungen für den Arbeitgeber verbunden ist oder
   c) die infolge ihrer Behinderung nicht nur vorübergehend offensichtlich nur eine wesentlich verminderte Arbeitsleistung erbringen können oder

d) bei denen ein Grad der Behinderung von wenigstens 50 allein infolge geistiger oder seelischer Behinderung oder eines Anfallsleidens vorliegt oder

e) die wegen Art oder Schwere der Behinderung keine abgeschlossene Berufsbildung im Sinne des Berufsbildungsgesetzes[1] haben,

2. schwerbehinderte Menschen, die das 50. Lebensjahr vollendet haben.

(2) [1] Arbeitgeber mit Stellen zur beruflichen Bildung, insbesondere für Auszubildende, haben im Rahmen der Erfüllung der Beschäftigungspflicht einen angemessenen Anteil dieser Stellen mit schwerbehinderten Menschen zu besetzen. [2] Hierüber ist mit der zuständigen Interessenvertretung im Sinne des § 176 und der Schwerbehindertenvertretung zu beraten.

§ 156 Begriff des Arbeitsplatzes. (1) Arbeitsplätze im Sinne dieses Teils sind alle Stellen, auf denen Arbeitnehmerinnen und Arbeitnehmer, Beamtinnen und Beamte, Richterinnen und Richter sowie Auszubildende und andere zu ihrer beruflichen Bildung Eingestellte beschäftigt werden.

(2) Als Arbeitsplätze gelten nicht die Stellen, auf denen beschäftigt werden:

1. behinderte Menschen, die an Leistungen zur Teilhabe am Arbeitsleben nach § 49 Absatz 3 Nummer 4 in Betrieben oder Dienststellen teilnehmen,
2. Personen, deren Beschäftigung nicht in erster Linie ihrem Erwerb dient, sondern vorwiegend durch Beweggründe karitativer oder religiöser Art bestimmt ist, und Geistliche öffentlich-rechtlicher Religionsgemeinschaften,
3. Personen, deren Beschäftigung nicht in erster Linie ihrem Erwerb dient und die vorwiegend zu ihrer Heilung, Wiedereingewöhnung oder Erziehung erfolgt,
4. Personen, die an Arbeitsbeschaffungsmaßnahmen nach dem Dritten Buch teilnehmen,
5. Personen, die nach ständiger Übung in ihre Stellen gewählt werden,
6. Personen, deren Arbeits-, Dienst- oder sonstiges Beschäftigungsverhältnis wegen Wehr- oder Zivildienst, Elternzeit, unbezahlten Urlaubs, wegen Bezuges einer Rente auf Zeit oder bei Altersteilzeitarbeit in der Freistellungsphase (Verblockungsmodell) ruht, solange für sie eine Vertretung eingestellt ist.

(3) Als Arbeitsplätze gelten ferner nicht Stellen, die nach der Natur der Arbeit oder nach den zwischen den Parteien getroffenen Vereinbarungen nur auf die Dauer von höchstens acht Wochen besetzt sind, sowie Stellen, auf denen Beschäftigte weniger als 18 Stunden wöchentlich beschäftigt werden.

§ 157 Berechnung der Mindestzahl von Arbeitsplätzen und der Pflichtarbeitsplatzzahl. (1) [1] Bei der Berechnung der Mindestzahl von Arbeitsplätzen und der Zahl der Arbeitsplätze, auf denen schwerbehinderte Menschen zu beschäftigen sind (§ 154), zählen Stellen, auf denen Auszubildende beschäftigt werden, nicht mit. [2] Das Gleiche gilt für Stellen, auf denen Rechts- oder Studienreferendarinnen und -referendare beschäftigt werden, die einen Rechtsanspruch auf Einstellung haben.

---

[1] Nr. **415**.

(2) Bei der Berechnung sich ergebende Bruchteile von 0,5 und mehr sind aufzurunden, bei Arbeitgebern mit jahresdurchschnittlich weniger als 60 Arbeitsplätzen abzurunden.

§ 158[1)] Anrechnung Beschäftigter auf die Zahl der Pflichtarbeitsplätze für schwerbehinderte Menschen. (1) Ein schwerbehinderter Mensch, der auf einem Arbeitsplatz im Sinne des § 156 Absatz 1 oder Absatz 2 Nummer 1 oder 4 beschäftigt wird, wird auf einen Pflichtarbeitsplatz für schwerbehinderte Menschen angerechnet.

(2) [1]Ein schwerbehinderter Mensch, der in Teilzeitbeschäftigung kürzer als betriebsüblich, aber nicht weniger als 18 Stunden wöchentlich beschäftigt wird, wird auf einen Pflichtarbeitsplatz für schwerbehinderte Menschen angerechnet. [2]Bei Herabsetzung der wöchentlichen Arbeitszeit auf weniger als 18 Stunden infolge von Altersteilzeit oder Teilzeitberufsausbildung gilt Satz 1 entsprechend. [3]Wird ein schwerbehinderter Mensch weniger als 18 Stunden wöchentlich beschäftigt, lässt die Bundesagentur für Arbeit die Anrechnung auf einen dieser Pflichtarbeitsplätze zu, wenn die Teilzeitbeschäftigung wegen Art oder Schwere der Behinderung notwendig ist.

(3) Ein schwerbehinderter Mensch, der im Rahmen einer Maßnahme zur Förderung des Übergangs aus der Werkstatt für behinderte Menschen auf den allgemeinen Arbeitsmarkt (§ 5 Absatz 4 Satz 1 der Werkstättenverordnung[2)]) beschäftigt wird, wird auch für diese Zeit auf die Zahl der Pflichtarbeitsplätze angerechnet.

(4) Ein schwerbehinderter Arbeitgeber wird auf einen Pflichtarbeitsplatz für schwerbehinderte Menschen angerechnet.

(5) Der Inhaber eines Bergmannsversorgungsscheins wird, auch wenn er kein schwerbehinderter oder gleichgestellter behinderter Mensch im Sinne des § 2 Absatz 2 oder 3 ist, auf einen Pflichtarbeitsplatz angerechnet.

§ 159[3)] Mehrfachanrechnung. (1) [1]Die Bundesagentur für Arbeit kann die Anrechnung eines schwerbehinderten Menschen, besonders eines schwerbehinderten Menschen im Sinne des § 155 Absatz 1 auf mehr als einen Pflichtarbeitsplatz, höchstens drei Pflichtarbeitsplätze für schwerbehinderte Menschen zulassen, wenn dessen Teilhabe am Arbeitsleben auf besondere Schwierigkeiten stößt. [2]Satz 1 gilt auch für schwerbehinderte Menschen im Anschluss an eine Beschäftigung in einer Werkstatt für behinderte Menschen und für teilzeitbeschäftigte schwerbehinderte Menschen im Sinne des § 158 Absatz 2.

(2) [1]Ein schwerbehinderter Mensch, der beruflich ausgebildet wird, wird auf zwei Pflichtarbeitsplätze für schwerbehinderte Menschen angerechnet. [2]Satz 1 gilt auch während der Zeit einer Ausbildung im Sinne des § 51 Absatz 2, die in einem Betrieb oder einer Dienststelle durchgeführt wird. [3]Die Bundesagentur für Arbeit kann die Anrechnung auf drei Pflichtarbeitsplätze für schwerbehinderte Menschen zulassen, wenn die Vermittlung in eine berufliche Ausbildungsstelle wegen Art oder Schwere der Behinderung auf besondere Schwierigkeiten stößt. [4]Bei Übernahme in ein Arbeits- oder Beschäftigungsverhältnis durch den ausbildenden oder einen anderen Arbeitgeber im Anschluss an eine

[1)] § 158 Abs. 2 Satz 2 geänd. mWv 10.6.2021 durch G v. 2.6.2021 (BGBl. I S. 1387).
[2)] Nr. **443**.
[3)] § 159 Abs. 2a eingef. mWv 1.1.2024 durch G v. 6.6.2023 (BGBl. 2023 I Nr. 146).

abgeschlossene Ausbildung wird der schwerbehinderte Mensch im ersten Jahr der Beschäftigung auf zwei Pflichtarbeitsplätze angerechnet; Absatz 1 bleibt unberührt.

[Abs. 2a ab 1.1.2024:]

(2a) Ein schwerbehinderter Mensch, der unmittelbar vorher in einer Werkstatt für behinderte Menschen oder bei einem anderen Leistungsanbieter beschäftigt war oder ein Budget für Arbeit erhält, wird in den ersten zwei Jahren der Beschäftigung auf zwei Pflichtarbeitsplätze angerechnet; Absatz 1 bleibt unberührt.

(3) Bescheide über die Anrechnung eines schwerbehinderten Menschen auf mehr als drei Pflichtarbeitsplätze für schwerbehinderte Menschen, die vor dem 1. August 1986 erlassen worden sind, gelten fort.

§ 160[1)] Ausgleichsabgabe. (1) [1] Solange Arbeitgeber die vorgeschriebene Zahl schwerbehinderter Menschen nicht beschäftigen, entrichten sie für jeden unbesetzten Pflichtarbeitsplatz für schwerbehinderte Menschen eine Ausgleichsabgabe. [2] Die Zahlung der Ausgleichsabgabe hebt die Pflicht zur Beschäftigung schwerbehinderter Menschen nicht auf. [3] Die Ausgleichsabgabe wird auf der Grundlage einer jahresdurchschnittlichen Beschäftigungsquote ermittelt.

(2) [1] Die Ausgleichsabgabe beträgt je unbesetztem Pflichtarbeitsplatz

1. ***[bis 31.12.2023:*** 125***][ab 1.1.2024:*** *140****]*** Euro bei einer jahresdurchschnittlichen Beschäftigungsquote von 3 Prozent bis weniger als dem geltenden Pflichtsatz,
2. ***[bis 31.12.2023:*** 220***][ab 1.1.2024:*** *245****]*** Euro bei einer jahresdurchschnittlichen Beschäftigungsquote von 2 Prozent bis weniger als 3 Prozent,

[Nr. 3 bis 31.12.2023:]

3. 320 Euro bei einer jahresdurchschnittlichen Beschäftigungsquote von weniger als 2 Prozent.

[Nr. 3 ab 1.1.2024:]

3. 360 Euro bei einer jahresdurchschnittlichen Beschäftigungsquote von mehr als 0 Prozent bis weniger als 2 Prozent,

[Nr. 4 ab 1.1.2024:]

4. 720 Euro bei einer jahresdurchschnittlichen Beschäftigungsquote von 0 Prozent.

[Satz 2 bis 31.12.2023:] [2] Abweichend von Satz 1 beträgt die Ausgleichsabgabe je unbesetztem Pflichtarbeitsplatz für schwerbehinderte Menschen

1. für Arbeitgeber mit jahresdurchschnittlich weniger als 40 zu berücksichtigenden Arbeitsplätzen bei einer jahresdurchschnittlichen Beschäftigung von weniger als einem schwerbehinderten Menschen 125 Euro und
2. für Arbeitgeber mit jahresdurchschnittlich weniger als 60 zu berücksichtigenden Arbeitsplätzen bei einer jahresdurchschnittlichen Beschäftigung von weniger als zwei schwerbehinderten Menschen 125 Euro und bei einer jahresdurchschnittlichen Beschäftigung von weniger als einem schwerbehinderten Menschen 220 Euro.

[Satz 2 ab 1.1.2024:] *[2] Abweichend von Satz 1 beträgt die Ausgleichsabgabe je unbesetztem Pflichtarbeitsplatz für schwerbehinderte Menschen*

[1)] § 160 Abs. 2 Satz 1 Nr. 1 und 2 geänd., Nr. 3 neu gef., Nr. 4 angef., Satz 2 neu gef. mWv 1.1. 2024 durch G v. 6.6.2023 (BGBl. 2023 I Nr. 146).

1. *für Arbeitgeber mit jahresdurchschnittlich weniger als 40 zu berücksichtigenden Arbeitsplätzen bei einer jahresdurchschnittlichen Beschäftigung von weniger als einem schwerbehinderten Menschen 140 Euro und bei einer jahresdurchschnittlichen Beschäftigung von null schwerbehinderten Menschen 210 Euro und*
2. *für Arbeitgeber mit jahresdurchschnittlich weniger als 60 zu berücksichtigenden Arbeitsplätzen bei einer jahresdurchschnittlichen Beschäftigung von weniger als zwei schwerbehinderten Menschen 140 Euro, bei einer jahresdurchschnittlichen Beschäftigung von weniger als einem schwerbehinderten Menschen 245 Euro und bei einer jahresdurchschnittlichen Beschäftigung von null schwerbehinderten Menschen 410 Euro.*

(3)[1)] [1]Die Ausgleichsabgabe erhöht sich entsprechend der Veränderung der Bezugsgröße nach § 18 Absatz 1 des Vierten Buches[2)]. [2]Sie erhöht sich zum 1. Januar eines Kalenderjahres, wenn sich die Bezugsgröße seit der letzten Neubestimmung der Beträge der Ausgleichsabgabe um wenigstens 10 Prozent erhöht hat. [3]Die Erhöhung der Ausgleichsabgabe erfolgt, indem der Faktor für die Veränderung der Bezugsgröße mit dem jeweiligen Betrag der Ausgleichsabgabe vervielfältigt wird. [4]Die sich ergebenden Beträge sind auf den nächsten durch fünf teilbaren Betrag abzurunden. [5]Das Bundesministerium für Arbeit und Soziales gibt den Erhöhungsbetrag und die sich nach Satz 3 ergebenden Beträge der Ausgleichsabgabe im Bundesanzeiger bekannt.

(4) [1]Die Ausgleichsabgabe zahlt der Arbeitgeber jährlich zugleich mit der Erstattung der Anzeige nach § 163 Absatz 2 an das für seinen Sitz zuständige Integrationsamt. [2]Ist ein Arbeitgeber mehr als drei Monate im Rückstand, erlässt das Integrationsamt einen Feststellungsbescheid über die rückständigen Beträge und zieht diese ein. [3]Für rückständige Beträge der Ausgleichsabgabe erhebt das Integrationsamt nach dem 31. März Säumniszuschläge nach Maßgabe des § 24 Absatz 1 des Vierten Buches[2)]; für ihre Verwendung gilt Absatz 5 entsprechend. [4]Das Integrationsamt kann in begründeten Ausnahmefällen von der Erhebung von Säumniszuschlägen absehen. [5]Widerspruch und Anfechtungsklage gegen den Feststellungsbescheid haben keine aufschiebende Wirkung. [6]Gegenüber privaten Arbeitgebern wird die Zwangsvollstreckung nach den Vorschriften über das Verwaltungszwangsverfahren durchgeführt. [7]Bei öffentlichen Arbeitgebern wendet sich das Integrationsamt an die Aufsichtsbehörde, gegen deren Entscheidung es die Entscheidung der obersten Bundes- oder Landesbehörde anrufen kann. [8]Die Ausgleichsabgabe wird nach Ablauf des Kalenderjahres, das auf den Eingang der Anzeige bei der Bundesagentur für Arbeit folgt, weder nachgefordert noch erstattet.

(5) [1]Die Ausgleichsabgabe darf nur für besondere Leistungen zur Förderung der Teilhabe schwerbehinderter Menschen am Arbeitsleben einschließlich begleitender Hilfe im Arbeitsleben (§ 185 Absatz 1 Nummer 3) verwendet

---

[1)] Gemäß der Bek. über die Anpassung der Ausgleichsabgabe, der Eigenbeteiligung für die unentgeltliche Beförderung, der übernahmefähigen Kinderbetreuungskosten und der Finanzierung der Werkstatträte Deutschland v. 19.11.2020 (BAnz AT 30.11.2020 B1) erhöhen sich die monatlichen Sätze der Ausgleichsabgabe ab dem 1. Januar 2021 wie folgt:

bisheriger Satz	neuer Satz
125 Euro	140 Euro
220 Euro	245 Euro
320 Euro	360 Euro

[2)] Nr. **694**.

werden, soweit Mittel für denselben Zweck nicht von anderer Seite zu leisten sind oder geleistet werden. [2] Aus dem Aufkommen an Ausgleichsabgabe dürfen persönliche und sächliche Kosten der Verwaltung und Kosten des Verfahrens nicht bestritten werden. [3] Das Integrationsamt gibt dem Beratenden Ausschuss für behinderte Menschen bei dem Integrationsamt (§ 186) auf dessen Verlangen eine Übersicht über die Verwendung der Ausgleichsabgabe.

(6) [1] Die Integrationsämter leiten den in der Rechtsverordnung nach § 162 bestimmten Prozentsatz des Aufkommens an Ausgleichsabgabe an den Ausgleichsfonds (§ 161) weiter. [2] Zwischen den Integrationsämtern wird ein Ausgleich herbeigeführt. [3] Der auf das einzelne Integrationsamt entfallende Anteil am Aufkommen an Ausgleichsabgabe bemisst sich nach dem Mittelwert aus dem Verhältnis der Wohnbevölkerung im Zuständigkeitsbereich des Integrationsamtes zur Wohnbevölkerung im Geltungsbereich dieses Gesetzbuches und dem Verhältnis der Zahl der im Zuständigkeitsbereich des Integrationsamtes in den Betrieben und Dienststellen beschäftigungspflichtiger Arbeitgeber auf Arbeitsplätzen im Sinne des § 156 beschäftigten und der bei den Agenturen für Arbeit arbeitslos gemeldeten schwerbehinderten und diesen gleichgestellten behinderten Menschen zur entsprechenden Zahl der schwerbehinderten und diesen gleichgestellten behinderten Menschen im Geltungsbereich dieses Gesetzbuchs.

(7) [1] Die bei den Integrationsämtern verbleibenden Mittel der Ausgleichsabgabe werden von diesen gesondert verwaltet. [2] Die Rechnungslegung und die formelle Einrichtung der Rechnungen und Belege regeln sich nach den Bestimmungen, die für diese Stellen allgemein maßgebend sind.

(8) Für die Verpflichtung zur Entrichtung einer Ausgleichsabgabe (Absatz 1) gelten hinsichtlich der in § 154 Absatz 2 Nummer 1 genannten Stellen der Bund und hinsichtlich der in § 154 Absatz 2 Nummer 2 genannten Stellen das Land als ein Arbeitgeber.

§ 161[1)] Ausgleichsfonds. ***[ab 1.1.2024:*** *(1)]* [1] Zur besonderen Förderung der Einstellung und Beschäftigung schwerbehinderter Menschen auf Arbeitsplätzen und zur Förderung von ***[bis 31.12.2023:*** Einrichtungen und ***]***Maßnahmen, die den Interessen mehrerer Länder auf dem Gebiet der Förderung der Teilhabe schwerbehinderter Menschen am Arbeitsleben dienen, ist beim Bundesministerium für Arbeit und Soziales als zweckgebundene Vermögensmasse ein Ausgleichsfonds für überregionale Vorhaben zur Teilhabe schwerbehinderter Menschen am Arbeitsleben gebildet. [2] Das Bundesministerium für Arbeit und Soziales verwaltet den Ausgleichsfonds.

[Abs. 2 ab 1.1.2024:]

(2) Abweichend von § 160 Absatz 5 Satz 1 dürfen sich Vorhaben, die aus dem Ausgleichsfonds finanziert werden, auch auf die Förderung der Ausbildung von nicht schwerbehinderten Jugendlichen und jungen Erwachsenen erstrecken, wenn diese Personen Leistungen zur Teilhabe am Arbeitsleben erhalten.

[Abs. 3 ab 1.1.2024:]

(3) Abweichend von § 160 Absatz 5 Satz 2 werden bei Vorhaben, die aus dem Ausgleichsfonds gefördert werden, auch die dabei anfallenden Administrationskosten aus dem Ausgleichsfonds finanziert.

[1)] § 161 Abs. 1 geänd., Abs. 2 und 3 angef. mWv 1.1.2024 durch G v. 6.6.2023 (BGBl. 2023 I Nr. 146).

§ 162[1] **Verordnungsermächtigungen.** Die Bundesregierung wird ermächtigt, durch Rechtsverordnung mit Zustimmung des Bundesrates

1. die Pflichtquote nach § 154 Absatz 1 nach dem jeweiligen Bedarf an Arbeitsplätzen für schwerbehinderte Menschen zu ändern, jedoch auf höchstens 10 Prozent zu erhöhen oder bis auf 4 Prozent herabzusetzen; dabei kann die Pflichtquote für öffentliche Arbeitgeber höher festgesetzt werden als für private Arbeitgeber,
2. nähere Vorschriften über die Verwendung der Ausgleichsabgabe nach § 160 Absatz 5 und die Gestaltung des Ausgleichsfonds nach § 161, die Verwendung der Mittel durch ihn für die Förderung der Teilhabe schwerbehinderter Menschen am Arbeitsleben und das Vergabe- und Verwaltungsverfahren des Ausgleichsfonds zu erlassen,
3. in der Rechtsverordnung nach Nummer 2
   a) den Anteil des an den Ausgleichsfonds weiterzuleitenden Aufkommens an Ausgleichsabgabe entsprechend den erforderlichen Aufwendungen zur Erfüllung der Aufgaben des Ausgleichsfonds und der Integrationsämter ***[bis 31.12.2023: ,][ab 1.1.2024:*** *sowie]*
   b) den Ausgleich zwischen den Integrationsämtern auf Vorschlag der Länder oder einer Mehrheit der Länder abweichend von § 160 Absatz 6 Satz 3 ***[bis 31.12.2023:*** sowie***]***

   [Buchst. c bis 31.12.2023:]

   c) die Zuständigkeit für die Förderung von Einrichtungen nach § 30 der Schwerbehinderten-Ausgleichsabgabeverordnung[2] abweichend von § 41 Absatz 2 Nummer 1 dieser Verordnung und von Inklusionsbetrieben und -abteilungen abweichend von § 41 Absatz 1 Nummer 3 dieser Verordnung

   zu regeln,
4. die Ausgleichsabgabe bei Arbeitgebern, die über weniger als 30 Arbeitsplätze verfügen, für einen bestimmten Zeitraum allgemein oder für einzelne Bundesländer herabzusetzen oder zu erlassen, wenn die Zahl der unbesetzten Pflichtarbeitsplätze für schwerbehinderte Menschen die Zahl der zu beschäftigenden schwerbehinderten Menschen so erheblich übersteigt, dass die Pflichtarbeitsplätze für schwerbehinderte Menschen dieser Arbeitgeber nicht in Anspruch genommen zu werden brauchen.

Kapitel 3. Sonstige Pflichten der Arbeitgeber; Rechte der schwerbehinderten Menschen

§ 163 Zusammenwirken der Arbeitgeber mit der Bundesagentur für Arbeit und den Integrationsämtern. (1) Die Arbeitgeber haben, gesondert für jeden Betrieb und jede Dienststelle, ein Verzeichnis der bei ihnen beschäftigten schwerbehinderten, ihnen gleichgestellten behinderten Menschen und sonstigen anrechnungsfähigen Personen laufend zu führen und dieses den Vertretern oder Vertreterinnen der Bundesagentur für Arbeit und des Integrationsamtes, die für den Sitz des Betriebes oder der Dienststelle zuständig sind, auf Verlangen vorzulegen.

---

[1] § 162 Nr. 3 Buchst. a und b geänd., Buchst c aufgeh. mWv 1.1.2024 durch G v. 6.6.2023 (BGBl. 2023 I Nr. 146).

[2] Nr. **442**.

(2) [1] Die Arbeitgeber haben der für ihren Sitz zuständigen Agentur für Arbeit einmal jährlich bis spätestens zum 31. März für das vorangegangene Kalenderjahr, aufgegliedert nach Monaten, die Daten anzuzeigen, die zur Berechnung des Umfangs der Beschäftigungspflicht, zur Überwachung ihrer Erfüllung und der Ausgleichsabgabe notwendig sind. [2] Der Anzeige sind das nach Absatz 1 geführte Verzeichnis sowie eine Kopie der Anzeige und des Verzeichnisses zur Weiterleitung an das für ihren Sitz zuständige Integrationsamt beizufügen. [3] Dem Betriebs-, Personal-, Richter-, Staatsanwalts- und Präsidialrat, der Schwerbehindertenvertretung und dem Inklusionsbeauftragten des Arbeitgebers ist je eine Kopie der Anzeige und des Verzeichnisses zu übermitteln.

(3) Zeigt ein Arbeitgeber die Daten bis zum 30. Juni nicht, nicht richtig oder nicht vollständig an, erlässt die Bundesagentur für Arbeit nach Prüfung in tatsächlicher sowie in rechtlicher Hinsicht einen Feststellungsbescheid über die zur Berechnung der Zahl der Pflichtarbeitsplätze für schwerbehinderte Menschen und der besetzten Arbeitsplätze notwendigen Daten.

(4) Die Arbeitgeber, die Arbeitsplätze für schwerbehinderte Menschen nicht zur Verfügung zu stellen haben, haben die Anzeige nur nach Aufforderung durch die Bundesagentur für Arbeit im Rahmen einer repräsentativen Teilerhebung zu erstatten, die mit dem Ziel der Erfassung der in Absatz 1 genannten Personengruppen, aufgegliedert nach Bundesländern, alle fünf Jahre durchgeführt wird.

(5) Die Arbeitgeber haben der Bundesagentur für Arbeit und dem Integrationsamt auf Verlangen die Auskünfte zu erteilen, die zur Durchführung der besonderen Regelungen zur Teilhabe schwerbehinderter und ihnen gleichgestellter behinderter Menschen am Arbeitsleben notwendig sind.

(6) [1] Für das Verzeichnis und die Anzeige des Arbeitgebers sind die mit der Bundesarbeitsgemeinschaft der Integrationsämter und Hauptfürsorgestellen abgestimmten Vordrucke der Bundesagentur für Arbeit zu verwenden. [2] Die Bundesagentur für Arbeit soll zur Durchführung des Anzeigeverfahrens in Abstimmung mit der Bundesarbeitsgemeinschaft ein elektronisches Übermittlungsverfahren zulassen.

(Fortsetzung nächstes Blatt)

(7) Die Arbeitgeber haben den Beauftragten der Bundesagentur für Arbeit und des Integrationsamtes auf Verlangen Einblick in ihren Betrieb oder ihre Dienststelle zu geben, soweit es im Interesse der schwerbehinderten Menschen erforderlich ist und Betriebs- oder Dienstgeheimnisse nicht gefährdet werden.

(8) Die Arbeitgeber haben die Vertrauenspersonen der schwerbehinderten Menschen (§ 177 Absatz 1 Satz 1 bis 3 und § 180 Absatz 1 bis 5) unverzüglich nach der Wahl und ihren Inklusionsbeauftragten für die Angelegenheiten der schwerbehinderten Menschen (§ 181 Satz 1) unverzüglich nach der Bestellung der für den Sitz des Betriebes oder der Dienststelle zuständigen Agentur für Arbeit und dem Integrationsamt zu benennen.

§ 164 Pflichten des Arbeitgebers und Rechte schwerbehinderter Menschen. (1) [1] Die Arbeitgeber sind verpflichtet zu prüfen, ob freie Arbeitsplätze mit schwerbehinderten Menschen, insbesondere mit bei der Agentur für Arbeit arbeitslos oder arbeitsuchend gemeldeten schwerbehinderten Menschen, besetzt werden können. [2] Sie nehmen frühzeitig Verbindung mit der Agentur für Arbeit auf. [3] Die Bundesagentur für Arbeit oder ein Integrationsfachdienst schlägt den Arbeitgebern geeignete schwerbehinderte Menschen vor. [4] Über die Vermittlungsvorschläge und vorliegende Bewerbungen von schwerbehinderten Menschen haben die Arbeitgeber die Schwerbehindertenvertretung und die in § 176 genannten Vertretungen unmittelbar nach Eingang zu unterrichten. [5] Bei Bewerbungen schwerbehinderter Richterinnen und Richter wird der Präsidialrat unterrichtet und gehört, soweit dieser an der Ernennung zu beteiligen ist. [6] Bei der Prüfung nach Satz 1 beteiligen die Arbeitgeber die Schwerbehindertenvertretung nach § 178 Absatz 2 und hören die in § 176 genannten Vertretungen an. [7] Erfüllt der Arbeitgeber seine Beschäftigungspflicht nicht und ist die Schwerbehindertenvertretung oder eine in § 176 genannte Vertretung mit der beabsichtigten Entscheidung des Arbeitgebers nicht einverstanden, ist diese unter Darlegung der Gründe mit ihnen zu erörtern. [8] Dabei wird der betroffene schwerbehinderte Mensch angehört. [9] Alle Beteiligten sind vom Arbeitgeber über die getroffene Entscheidung unter Darlegung der Gründe unverzüglich zu unterrichten. [10] Bei Bewerbungen schwerbehinderter Menschen ist die Schwerbehindertenvertretung nicht zu beteiligen, wenn der schwerbehinderte Mensch die Beteiligung der Schwerbehindertenvertretung ausdrücklich ablehnt.

(2) [1] Arbeitgeber dürfen schwerbehinderte Beschäftigte nicht wegen ihrer Behinderung benachteiligen. [2] Im Einzelnen gelten hierzu die Regelungen des Allgemeinen Gleichbehandlungsgesetzes[1)].

(3) [1] Die Arbeitgeber stellen durch geeignete Maßnahmen sicher, dass in ihren Betrieben und Dienststellen wenigstens die vorgeschriebene Zahl schwerbehinderter Menschen eine möglichst dauerhafte behinderungsgerechte Beschäftigung finden kann. [2] Absatz 4 Satz 2 und 3 gilt entsprechend.

(4) [1] Die schwerbehinderten Menschen haben gegenüber ihren Arbeitgebern Anspruch auf

1. Beschäftigung, bei der sie ihre Fähigkeiten und Kenntnisse möglichst voll verwerten und weiterentwickeln können,
2. bevorzugte Berücksichtigung bei innerbetrieblichen Maßnahmen der beruflichen Bildung zur Förderung ihres beruflichen Fortkommens,

---

1) Nr. **91**.

3. Erleichterungen im zumutbaren Umfang zur Teilnahme an außerbetrieblichen Maßnahmen der beruflichen Bildung,
4. behinderungsgerechte Einrichtung und Unterhaltung der Arbeitsstätten einschließlich der Betriebsanlagen, Maschinen und Geräte sowie der Gestaltung der Arbeitsplätze, des Arbeitsumfelds, der Arbeitsorganisation und der Arbeitszeit, unter besonderer Berücksichtigung der Unfallgefahr,
5. Ausstattung ihres Arbeitsplatzes mit den erforderlichen technischen Arbeitshilfen

unter Berücksichtigung der Behinderung und ihrer Auswirkungen auf die Beschäftigung. [2] Bei der Durchführung der Maßnahmen nach Satz 1 Nummer 1, 4 und 5 unterstützen die Bundesagentur für Arbeit und die Integrationsämter die Arbeitgeber unter Berücksichtigung der für die Beschäftigung wesentlichen Eigenschaften der schwerbehinderten Menschen. [3] Ein Anspruch nach Satz 1 besteht nicht, soweit seine Erfüllung für den Arbeitgeber nicht zumutbar oder mit unverhältnismäßigen Aufwendungen verbunden wäre oder soweit die staatlichen oder berufsgenossenschaftlichen Arbeitsschutzvorschriften oder beamtenrechtliche Vorschriften entgegenstehen.

(5) [1] Die Arbeitgeber fördern die Einrichtung von Teilzeitarbeitsplätzen. [2] Sie werden dabei von den Integrationsämtern unterstützt. [3] Schwerbehinderte Menschen haben einen Anspruch auf Teilzeitbeschäftigung, wenn die kürzere Arbeitszeit wegen Art oder Schwere der Behinderung notwendig ist; Absatz 4 Satz 3 gilt entsprechend.

§ 165 Besondere Pflichten der öffentlichen Arbeitgeber. [1] Die Dienststellen der öffentlichen Arbeitgeber melden den Agenturen für Arbeit frühzeitig nach einer erfolglosen Prüfung zur internen Besetzung des Arbeitsplatzes frei werdende und neu zu besetzende sowie neue Arbeitsplätze (§ 156). [2] Mit dieser Meldung gilt die Zustimmung zur Veröffentlichung der Stellenangebote als erteilt. [3] Haben schwerbehinderte Menschen sich um einen solchen Arbeitsplatz beworben oder sind sie von der Bundesagentur für Arbeit oder einem von dieser beauftragten Integrationsfachdienst vorgeschlagen worden, werden sie zu einem Vorstellungsgespräch eingeladen. [4] Eine Einladung ist entbehrlich, wenn die fachliche Eignung offensichtlich fehlt. [5] Einer Inklusionsvereinbarung nach § 166 bedarf es nicht, wenn für die Dienststellen dem § 166 entsprechende Regelungen bereits bestehen und durchgeführt werden.

§ 166 Inklusionsvereinbarung. (1) [1] Die Arbeitgeber treffen mit der Schwerbehindertenvertretung und den in § 176 genannten Vertretungen in Zusammenarbeit mit dem Inklusionsbeauftragten des Arbeitgebers (§ 181) eine verbindliche Inklusionsvereinbarung. [2] Auf Antrag der Schwerbehindertenvertretung wird unter Beteiligung der in § 176 genannten Vertretungen hierüber verhandelt. [3] Ist eine Schwerbehindertenvertretung nicht vorhanden, steht das Antragsrecht den in § 176 genannten Vertretungen zu. [4] Der Arbeitgeber oder die Schwerbehindertenvertretung kann das Integrationsamt einladen, sich an den Verhandlungen über die Inklusionsvereinbarung zu beteiligen. [5] Das Integrationsamt soll dabei insbesondere darauf hinwirken, dass unterschiedliche Auffassungen überwunden werden. [6] Der Agentur für Arbeit und dem Integrationsamt, die für den Sitz des Arbeitgebers zuständig sind, wird die Vereinbarung übermittelt.

(2) [1] Die Vereinbarung enthält Regelungen im Zusammenhang mit der Eingliederung schwerbehinderter Menschen, insbesondere zur Personalplanung, Arbeitsplatzgestaltung, Gestaltung des Arbeitsumfelds, Arbeitsorganisation, Arbeitszeit sowie Regelungen über die Durchführung in den Betrieben und Dienststellen. [2] Dabei ist die gleichberechtigte Teilhabe schwerbehinderter Menschen am Arbeitsleben bei der Gestaltung von Arbeitsprozessen und Rahmenbedingungen von Anfang an zu berücksichtigen. [3] Bei der Personalplanung werden besondere Regelungen zur Beschäftigung eines angemessenen Anteils von schwerbehinderten Frauen vorgesehen.

(3) In der Vereinbarung können insbesondere auch Regelungen getroffen werden

1. zur angemessenen Berücksichtigung schwerbehinderter Menschen bei der Besetzung freier, frei werdender oder neuer Stellen,
2. zu einer anzustrebenden Beschäftigungsquote, einschließlich eines angemessenen Anteils schwerbehinderter Frauen,
3. zu Teilzeitarbeit,
4. zur Ausbildung behinderter Jugendlicher,
5. zur Durchführung der betrieblichen Prävention (betriebliches Eingliederungsmanagement) und zur Gesundheitsförderung,
6. über die Hinzuziehung des Werks- oder Betriebsarztes auch für Beratungen über Leistungen zur Teilhabe sowie über besondere Hilfen im Arbeitsleben.

(4) In den Versammlungen schwerbehinderter Menschen berichtet der Arbeitgeber über alle Angelegenheiten im Zusammenhang mit der Eingliederung schwerbehinderter Menschen.

§ 167[1)] Prävention. (1) Der Arbeitgeber schaltet bei Eintreten von personen-, verhaltens- oder betriebsbedingten Schwierigkeiten im Arbeits- oder sonstigen Beschäftigungsverhältnis, die zur Gefährdung dieses Verhältnisses führen können, möglichst frühzeitig die Schwerbehindertenvertretung und die in § 176 genannten Vertretungen sowie das Integrationsamt ein, um mit ihnen alle Möglichkeiten und alle zur Verfügung stehenden Hilfen zur Beratung und mögliche finanzielle Leistungen zu erörtern, mit denen die Schwierigkeiten beseitigt werden können und das Arbeits- oder sonstige Beschäftigungsverhältnis möglichst dauerhaft fortgesetzt werden kann.

(2) [1] Sind Beschäftigte innerhalb eines Jahres länger als sechs Wochen ununterbrochen oder wiederholt arbeitsunfähig, klärt der Arbeitgeber mit der zuständigen Interessenvertretung im Sinne des § 176, bei schwerbehinderten Menschen außerdem mit der Schwerbehindertenvertretung, mit Zustimmung und Beteiligung der betroffenen Person die Möglichkeiten, wie die Arbeitsunfähigkeit möglichst überwunden werden und mit welchen Leistungen oder Hilfen erneuter Arbeitsunfähigkeit vorgebeugt und der Arbeitsplatz erhalten werden kann (betriebliches Eingliederungsmanagement). [2] Beschäftigte können zusätzlich eine Vertrauensperson eigener Wahl hinzuziehen. [3] Soweit erforderlich, wird der Werks- oder Betriebsarzt hinzugezogen. [4] Die betroffene Person oder ihr gesetzlicher Vertreter ist zuvor auf die Ziele des betrieblichen Eingliederungsmanagements sowie auf Art und Umfang der hierfür erhobenen und

---

[1)] § 167 Abs. 2 Satz 2 eingef., bish. Sätze 2–7 werden Sätze 3–8 mWv 10.6.2021 durch G v. 2.6. 2021 (BGBl. I S. 1387).

verwendeten Daten hinzuweisen. [5]Kommen Leistungen zur Teilhabe oder begleitende Hilfen im Arbeitsleben in Betracht, werden vom Arbeitgeber die Rehabilitationsträger oder bei schwerbehinderten Beschäftigten das Integrationsamt hinzugezogen. [6]Diese wirken darauf hin, dass die erforderlichen Leistungen oder Hilfen unverzüglich beantragt und innerhalb der Frist des § 14 Absatz 2 Satz 2 erbracht werden. [7]Die zuständige Interessenvertretung im Sinne des § 176, bei schwerbehinderten Menschen außerdem die Schwerbehindertenvertretung, können die Klärung verlangen. [8]Sie wachen darüber, dass der Arbeitgeber die ihm nach dieser Vorschrift obliegenden Verpflichtungen erfüllt.

(3) Die Rehabilitationsträger und die Integrationsämter können Arbeitgeber, die ein betriebliches Eingliederungsmanagement einführen, durch Prämien oder einen Bonus fördern.

Kapitel 4. Kündigungsschutz

§ 168 Erfordernis der Zustimmung. Die Kündigung des Arbeitsverhältnisses eines schwerbehinderten Menschen durch den Arbeitgeber bedarf der vorherigen Zustimmung des Integrationsamtes.

§ 169 Kündigungsfrist. Die Kündigungsfrist beträgt mindestens vier Wochen.

§ 170[1)] Antragsverfahren. (1) [1]Die Zustimmung zur Kündigung beantragt der Arbeitgeber bei dem für den Sitz des Betriebes oder der Dienststelle zuständigen Integrationsamt schriftlich oder elektronisch. [2]Der Begriff des Betriebes und der Begriff der Dienststelle im Sinne dieses Teils bestimmen sich nach dem Betriebsverfassungsgesetz[2)] und dem Personalvertretungsrecht.

(2) Das Integrationsamt holt eine Stellungnahme des Betriebsrates oder Personalrates und der Schwerbehindertenvertretung ein und hört den schwerbehinderten Menschen an.

(3) Das Integrationsamt wirkt in jeder Lage des Verfahrens auf eine gütliche Einigung hin.

§ 171 Entscheidung des Integrationsamtes. (1) Das Integrationsamt soll die Entscheidung, falls erforderlich, auf Grund mündlicher Verhandlung, innerhalb eines Monats vom Tag des Eingangs des Antrages an treffen.

(2) [1]Die Entscheidung wird dem Arbeitgeber und dem schwerbehinderten Menschen zugestellt. [2]Der Bundesagentur für Arbeit wird eine Abschrift der Entscheidung übersandt.

(3) Erteilt das Integrationsamt die Zustimmung zur Kündigung, kann der Arbeitgeber die Kündigung nur innerhalb eines Monats nach Zustellung erklären.

(4) Widerspruch und Anfechtungsklage gegen die Zustimmung des Integrationsamtes zur Kündigung haben keine aufschiebende Wirkung.

(5) [1]In den Fällen des § 172 Absatz 1 Satz 1 und Absatz 3 gilt Absatz 1 mit der Maßgabe, dass die Entscheidung innerhalb eines Monats vom Tag des Eingangs des Antrages an zu treffen ist. [2]Wird innerhalb dieser Frist eine

---

1) § 170 Abs. 1 Satz 1 geänd. mWv 1.1.2018 durch G v. 17.7.2017 (BGBl. I S. 2541).
2) Nr. **570**.

Entscheidung nicht getroffen, gilt die Zustimmung als erteilt. [3] Die Absätze 3 und 4 gelten entsprechend.

§ 172 Einschränkungen der Ermessensentscheidung. (1) [1] Das Integrationsamt erteilt die Zustimmung bei Kündigungen in Betrieben und Dienststellen, die nicht nur vorübergehend eingestellt oder aufgelöst werden, wenn zwischen dem Tag der Kündigung und dem Tag, bis zu dem Gehalt oder Lohn gezahlt wird, mindestens drei Monate liegen. [2] Unter der gleichen Voraussetzung soll es die Zustimmung auch bei Kündigungen in Betrieben und Dienststellen erteilen, die nicht nur vorübergehend wesentlich eingeschränkt werden, wenn die Gesamtzahl der weiterhin beschäftigten schwerbehinderten Menschen zur Erfüllung der Beschäftigungspflicht nach § 154 ausreicht. [3] Die Sätze 1 und 2 gelten nicht, wenn eine Weiterbeschäftigung auf einem anderen Arbeitsplatz desselben Betriebes oder derselben Dienststelle oder auf einem freien Arbeitsplatz in einem anderen Betrieb oder einer anderen Dienststelle desselben Arbeitgebers mit Einverständnis des schwerbehinderten Menschen möglich und für den Arbeitgeber zumutbar ist.

(2) Das Integrationsamt soll die Zustimmung erteilen, wenn dem schwerbehinderten Menschen ein anderer angemessener und zumutbarer Arbeitsplatz gesichert ist.

(3) Ist das Insolvenzverfahren über das Vermögen des Arbeitgebers eröffnet, soll das Integrationsamt die Zustimmung erteilen, wenn

1. der schwerbehinderte Mensch in einem Interessenausgleich namentlich als einer der zu entlassenden Arbeitnehmer bezeichnet ist (§ 125 der Insolvenzordnung[1]),
2. die Schwerbehindertenvertretung beim Zustandekommen des Interessenausgleichs gemäß § 178 Absatz 2 beteiligt worden ist,
3. der Anteil der nach dem Interessenausgleich zu entlassenden schwerbehinderten Menschen an der Zahl der beschäftigten schwerbehinderten Menschen nicht größer ist als der Anteil der zu entlassenden übrigen Arbeitnehmer an der Zahl der beschäftigten übrigen Arbeitnehmer und
4. die Gesamtzahl der schwerbehinderten Menschen, die nach dem Interessenausgleich bei dem Arbeitgeber verbleiben sollen, zur Erfüllung der Beschäftigungspflicht nach § 154 ausreicht.

§ 173[2] Ausnahmen. (1) [1] Die Vorschriften dieses Kapitels gelten nicht für schwerbehinderte Menschen,

1. deren Arbeitsverhältnis zum Zeitpunkt des Zugangs der Kündigungserklärung ohne Unterbrechung noch nicht länger als sechs Monate besteht oder
2. die auf Stellen im Sinne des § 156 Absatz 2 Nummer 2 bis 5 beschäftigt werden oder
3. deren Arbeitsverhältnis durch Kündigung beendet wird, sofern sie
   a) das 58. Lebensjahr vollendet haben und Anspruch auf eine Abfindung, Entschädigung oder ähnliche Leistung auf Grund eines Sozialplanes haben oder

---

[1] Nr. **327**.
[2] § 173 Abs 1 neu gef. mWv 1.1.2018 durch G v. 17.7.2017 (BGBl. I S. 2541).

b) Anspruch auf Knappschaftsausgleichsleistung nach dem Sechsten Buch oder auf Anpassungsgeld für entlassene Arbeitnehmer des Bergbaus haben.

[2] Satz 1 Nummer 3 (Buchstabe a und b) finden Anwendung, wenn der Arbeitgeber ihnen die Kündigungsabsicht rechtzeitig mitgeteilt hat und sie der beabsichtigten Kündigung bis zu deren Ausspruch nicht widersprechen.

(2) Die Vorschriften dieses Kapitels finden ferner bei Entlassungen, die aus Witterungsgründen vorgenommen werden, keine Anwendung, sofern die Wiedereinstellung der schwerbehinderten Menschen bei Wiederaufnahme der Arbeit gewährleistet ist.

(3) Die Vorschriften dieses Kapitels finden ferner keine Anwendung, wenn zum Zeitpunkt der Kündigung die Eigenschaft als schwerbehinderter Mensch nicht nachgewiesen ist oder das Versorgungsamt nach Ablauf der Frist des § 152 Absatz 1 Satz 3 eine Feststellung wegen fehlender Mitwirkung nicht treffen konnte.

(4) Der Arbeitgeber zeigt Einstellungen auf Probe und die Beendigung von Arbeitsverhältnissen schwerbehinderter Menschen in den Fällen des Absatzes 1 Nummer 1 unabhängig von der Anzeigepflicht nach anderen Gesetzen dem Integrationsamt innerhalb von vier Tagen an.

§ 174 Außerordentliche Kündigung. (1) Die Vorschriften dieses Kapitels gelten mit Ausnahme von § 169 auch bei außerordentlicher Kündigung, soweit sich aus den folgenden Bestimmungen nichts Abweichendes ergibt.

(2) [1] Die Zustimmung zur Kündigung kann nur innerhalb von zwei Wochen beantragt werden; maßgebend ist der Eingang des Antrages bei dem Integrationsamt. [2] Die Frist beginnt mit dem Zeitpunkt, in dem der Arbeitgeber von den für die Kündigung maßgebenden Tatsachen Kenntnis erlangt.

(3) [1] Das Integrationsamt trifft die Entscheidung innerhalb von zwei Wochen vom Tag des Eingangs des Antrages an. [2] Wird innerhalb dieser Frist eine Entscheidung nicht getroffen, gilt die Zustimmung als erteilt.

(4) Das Integrationsamt soll die Zustimmung erteilen, wenn die Kündigung aus einem Grund erfolgt, der nicht im Zusammenhang mit der Behinderung steht.

(5) Die Kündigung kann auch nach Ablauf der Frist des § 626 Absatz 2 Satz 1 des Bürgerlichen Gesetzbuchs[1)] erfolgen, wenn sie unverzüglich nach Erteilung der Zustimmung erklärt wird.

(6) Schwerbehinderte Menschen, denen lediglich aus Anlass eines Streiks oder einer Aussperrung fristlos gekündigt worden ist, werden nach Beendigung des Streiks oder der Aussperrung wieder eingestellt.

§ 175 Erweiterter Beendigungsschutz. [1] Die Beendigung des Arbeitsverhältnisses eines schwerbehinderten Menschen bedarf auch dann der vorherigen Zustimmung des Integrationsamtes, wenn sie im Falle des Eintritts einer teilweisen Erwerbsminderung, der Erwerbsminderung auf Zeit, der Berufsunfähigkeit oder der Erwerbsunfähigkeit auf Zeit ohne Kündigung erfolgt. [2] Die Vorschriften dieses Kapitels über die Zustimmung zur ordentlichen Kündigung gelten entsprechend.

[1)] Nr. **50**.

Kapitel 5. Betriebs-, Personal-, Richter-, Staatsanwalts- und Präsidialrat, Schwerbehindertenvertretung, Inklusionsbeauftragter des Arbeitgebers

§ 176 Aufgaben des Betriebs-, Personal-, Richter-, Staatsanwalts- und Präsidialrates. [1] Betriebs-, Personal-, Richter-, Staatsanwalts- und Präsidialrat fördern die Eingliederung schwerbehinderter Menschen. [2] Sie achten insbesondere darauf, dass die dem Arbeitgeber nach den §§ 154, 155 und 164 bis 167 obliegenden Verpflichtungen erfüllt werden; sie wirken auf die Wahl der Schwerbehindertenvertretung hin.

§ 177 Wahl und Amtszeit der Schwerbehindertenvertretung. (1) [1] In Betrieben und Dienststellen, in denen wenigstens fünf schwerbehinderte Menschen nicht nur vorübergehend beschäftigt sind, werden eine Vertrauensperson und wenigstens ein stellvertretendes Mitglied gewählt, das die Vertrauensperson im Falle der Verhinderung vertritt. [2] Ferner wählen bei Gerichten, denen mindestens fünf schwerbehinderte Richter oder Richterinnen angehören, diese einen Richter oder eine Richterin zu ihrer Schwerbehindertenvertretung. [3] Satz 2 gilt entsprechend für Staatsanwälte oder Staatsanwältinnen, soweit für sie eine besondere Personalvertretung gebildet wird. [4] Betriebe oder Dienststellen, die die Voraussetzungen des Satzes 1 nicht erfüllen, können für die Wahl mit räumlich nahe liegenden Betrieben des Arbeitgebers oder gleichstufigen Dienststellen derselben Verwaltung zusammengefasst werden; soweit erforderlich, können Gerichte unterschiedlicher Gerichtszweige und Stufen zusammengefasst werden. [5] Über die Zusammenfassung entscheidet der Arbeitgeber im Benehmen mit dem für den Sitz der Betriebe oder Dienststellen einschließlich Gerichten zuständigen Integrationsamt.

(2) Wahlberechtigt sind alle in dem Betrieb oder der Dienststelle beschäftigten schwerbehinderten Menschen.

(3) [1] Wählbar sind alle in dem Betrieb oder der Dienststelle nicht nur vorübergehend Beschäftigten, die am Wahltag das 18. Lebensjahr vollendet haben und dem Betrieb oder der Dienststelle seit sechs Monaten angehören; besteht der Betrieb oder die Dienststelle weniger als ein Jahr, so bedarf es für die Wählbarkeit nicht der sechsmonatigen Zugehörigkeit. [2] Nicht wählbar ist, wer kraft Gesetzes dem Betriebs-, Personal-, Richter-, Staatsanwalts- oder Präsidialrat nicht angehören kann.

(4) In Dienststellen der Bundeswehr sind auch schwerbehinderte Soldatinnen und Soldaten wahlberechtigt und auch Soldatinnen und Soldaten wählbar.

(5) [1] Die regelmäßigen Wahlen finden alle vier Jahre in der Zeit vom 1. Oktober bis 30. November statt. [2] Außerhalb dieser Zeit finden Wahlen statt, wenn

1. das Amt der Schwerbehindertenvertretung vorzeitig erlischt und ein stellvertretendes Mitglied nicht nachrückt,
2. die Wahl mit Erfolg angefochten worden ist oder
3. eine Schwerbehindertenvertretung noch nicht gewählt ist.

[3] Hat außerhalb des für die regelmäßigen Wahlen festgelegten Zeitraumes eine Wahl der Schwerbehindertenvertretung stattgefunden, wird die Schwerbehindertenvertretung in dem auf die Wahl folgenden nächsten Zeitraum der regelmäßigen Wahlen neu gewählt. [4] Hat die Amtszeit der Schwerbehindertenvertretung zum Beginn des für die regelmäßigen Wahlen festgelegten Zeitraums

noch nicht ein Jahr betragen, wird die Schwerbehindertenvertretung im übernächsten Zeitraum für regelmäßige Wahlen neu gewählt.

(6) [1] Die Vertrauensperson und das stellvertretende Mitglied werden in geheimer und unmittelbarer Wahl nach den Grundsätzen der Mehrheitswahl gewählt. [2] Im Übrigen sind die Vorschriften über die Wahlanfechtung, den Wahlschutz und die Wahlkosten bei der Wahl des Betriebs-, Personal-, Richter-, Staatsanwalts- oder Präsidialrates sinngemäß anzuwenden. [3] In Betrieben und Dienststellen mit weniger als 50 wahlberechtigten schwerbehinderten Menschen wird die Vertrauensperson und das stellvertretende Mitglied im vereinfachten Wahlverfahren gewählt, sofern der Betrieb oder die Dienststelle nicht aus räumlich weit auseinanderliegenden Teilen besteht. [4] Ist in einem Betrieb oder einer Dienststelle eine Schwerbehindertenvertretung nicht gewählt, so kann das für den Betrieb oder die Dienststelle zuständige Integrationsamt zu einer Versammlung schwerbehinderter Menschen zum Zwecke der Wahl eines Wahlvorstandes einladen.

(7) [1] Die Amtszeit der Schwerbehindertenvertretung beträgt vier Jahre. [2] Sie beginnt mit der Bekanntgabe des Wahlergebnisses oder, wenn die Amtszeit der bisherigen Schwerbehindertenvertretung noch nicht beendet ist, mit deren Ablauf. [3] Das Amt erlischt vorzeitig, wenn die Vertrauensperson es niederlegt, aus dem Arbeits-, Dienst- oder Richterverhältnis ausscheidet oder die Wählbarkeit verliert. [4] Scheidet die Vertrauensperson vorzeitig aus dem Amt aus, rückt das mit der höchsten Stimmenzahl gewählte stellvertretende Mitglied für den Rest der Amtszeit nach; dies gilt für das stellvertretende Mitglied entsprechend. [5] Auf Antrag eines Viertels der wahlberechtigten schwerbehinderten Menschen kann der Widerspruchsausschuss bei dem Integrationsamt (§ 202) das Erlöschen des Amtes einer Vertrauensperson wegen grober Verletzung ihrer Pflichten beschließen.

(8) In Betrieben gilt § 21a des Betriebsverfassungsgesetzes[1)] entsprechend.

§ 178[2)] Aufgaben der Schwerbehindertenvertretung. (1) [1] Die Schwerbehindertenvertretung fördert die Eingliederung schwerbehinderter Menschen in den Betrieb oder die Dienststelle, vertritt ihre Interessen in dem Betrieb oder der Dienststelle und steht ihnen beratend und helfend zur Seite. [2] Sie erfüllt ihre Aufgaben insbesondere dadurch, dass sie

1. darüber wacht, dass die zugunsten schwerbehinderter Menschen geltenden Gesetze, Verordnungen, Tarifverträge, Betriebs- oder Dienstvereinbarungen und Verwaltungsanordnungen durchgeführt, insbesondere auch die dem Arbeitgeber nach den §§ 154, 155 und 164 bis 167 obliegenden Verpflichtungen erfüllt werden,
2. Maßnahmen, die den schwerbehinderten Menschen dienen, insbesondere auch präventive Maßnahmen, bei den zuständigen Stellen beantragt,
3. Anregungen und Beschwerden von schwerbehinderten Menschen entgegennimmt und, falls sie berechtigt erscheinen, durch Verhandlung mit dem Arbeitgeber auf eine Erledigung hinwirkt; sie unterrichtet die schwerbehinderten Menschen über den Stand und das Ergebnis der Verhandlungen.

---

1) Nr. **570**.
2) § 178 Abs. 5 geänd. mWv 15.6.2021 durch G v. 9.6.2021 (BGBl. I S. 1614).

[3]Die Schwerbehindertenvertretung unterstützt Beschäftigte auch bei Anträgen an die nach § 152 Absatz 1 zuständigen Behörden auf Feststellung einer Behinderung, ihres Grades und einer Schwerbehinderung sowie bei Anträgen auf Gleichstellung an die Agentur für Arbeit. [4]In Betrieben und Dienststellen mit in der Regel mehr als 100 beschäftigten schwerbehinderten Menschen kann sie nach Unterrichtung des Arbeitgebers das mit der höchsten Stimmenzahl gewählte stellvertretende Mitglied zu bestimmten Aufgaben heranziehen. [5]Ab jeweils 100 weiteren beschäftigten schwerbehinderten Menschen kann jeweils auch das mit der nächsthöheren Stimmenzahl gewählte Mitglied herangezogen werden. [6]Die Heranziehung zu bestimmten Aufgaben schließt die Abstimmung untereinander ein.

(2) [1]Der Arbeitgeber hat die Schwerbehindertenvertretung in allen Angelegenheiten, die einen einzelnen oder die schwerbehinderten Menschen als Gruppe berühren, unverzüglich und umfassend zu unterrichten und vor einer Entscheidung anzuhören; er hat ihr die getroffene Entscheidung unverzüglich mitzuteilen. [2]Die Durchführung oder Vollziehung einer ohne Beteiligung nach Satz 1 getroffenen Entscheidung ist auszusetzen, die Beteiligung ist innerhalb von sieben Tagen nachzuholen; sodann ist endgültig zu entscheiden. [3]Die Kündigung eines schwerbehinderten Menschen, die der Arbeitgeber ohne eine Beteiligung nach Satz 1 ausspricht, ist unwirksam. [4]Die Schwerbehindertenvertretung hat das Recht auf Beteiligung am Verfahren nach § 164 Absatz 1 und beim Vorliegen von Vermittlungsvorschlägen der Bundesagentur für Arbeit nach § 164 Absatz 1 oder von Bewerbungen schwerbehinderter Menschen das Recht auf Einsicht in die entscheidungsrelevanten Teile der Bewerbungsunterlagen und Teilnahme an Vorstellungsgesprächen.

(3) [1]Der schwerbehinderte Mensch hat das Recht, bei Einsicht in die über ihn geführte Personalakte oder ihn betreffende Daten des Arbeitgebers die Schwerbehindertenvertretung hinzuzuziehen. [2]Die Schwerbehindertenvertretung bewahrt über den Inhalt der Daten Stillschweigen, soweit sie der schwerbehinderte Mensch nicht von dieser Verpflichtung entbunden hat.

(4) [1]Die Schwerbehindertenvertretung hat das Recht, an allen Sitzungen des Betriebs-, Personal-, Richter-, Staatsanwalts- oder Präsidialrates und deren Ausschüssen sowie des Arbeitsschutzausschusses beratend teilzunehmen; sie kann beantragen, Angelegenheiten, die einzelne oder die schwerbehinderten Menschen als Gruppe besonders betreffen, auf die Tagesordnung der nächsten Sitzung zu setzen. [2]Erachtet sie einen Beschluss des Betriebs-, Personal-, Richter-, Staatsanwalts- oder Präsidialrates als eine erhebliche Beeinträchtigung wichtiger Interessen schwerbehinderter Menschen oder ist sie entgegen Absatz 2 Satz 1 nicht beteiligt worden, wird auf ihren Antrag der Beschluss für die Dauer von einer Woche vom Zeitpunkt der Beschlussfassung an ausgesetzt; die Vorschriften des Betriebsverfassungsgesetzes[1)] und des Personalvertretungsrechts über die Aussetzung von Beschlüssen gelten entsprechend. [3]Durch die Aussetzung wird eine Frist nicht verlängert. [4]In den Fällen des § 21e Absatz 1 und 3 des Gerichtsverfassungsgesetzes[2)] ist die Schwerbehindertenvertretung, außer in Eilfällen, auf Antrag einer betroffenen schwerbehinderten Richterin oder eines schwerbehinderten Richters vor dem Präsidium des Gerichtes zu hören.

[1)] Nr. **570**.
[2)] Nr. **665**.

(5) Die Schwerbehindertenvertretung wird zu Besprechungen nach § 74 Absatz 1 des Betriebsverfassungsgesetzes, § 65 des Bundespersonalvertretungsgesetzes[1)] sowie den entsprechenden Vorschriften des sonstigen Personalvertretungsrechts zwischen dem Arbeitgeber und den in Absatz 4 genannten Vertretungen hinzugezogen.

(6) [1] Die Schwerbehindertenvertretung hat das Recht, mindestens einmal im Kalenderjahr eine Versammlung schwerbehinderter Menschen im Betrieb oder in der Dienststelle durchzuführen. [2] Die für Betriebs- und Personalversammlungen geltenden Vorschriften finden entsprechende Anwendung.

(7) Sind in einer Angelegenheit sowohl die Schwerbehindertenvertretung der Richter und Richterinnen als auch die Schwerbehindertenvertretung der übrigen Bediensteten beteiligt, so handeln sie gemeinsam.

(8) Die Schwerbehindertenvertretung kann an Betriebs- und Personalversammlungen in Betrieben und Dienststellen teilnehmen, für die sie als Schwerbehindertenvertretung zuständig ist, und hat dort ein Rederecht, auch wenn die Mitglieder der Schwerbehindertenvertretung nicht Angehörige des Betriebes oder der Dienststelle sind.

§ 179 Persönliche Rechte und Pflichten der Vertrauenspersonen der schwerbehinderten Menschen. (1) Die Vertrauenspersonen führen ihr Amt unentgeltlich als Ehrenamt.

(2) Die Vertrauenspersonen dürfen in der Ausübung ihres Amtes nicht behindert oder wegen ihres Amtes nicht benachteiligt oder begünstigt werden; dies gilt auch für ihre berufliche Entwicklung.

(3) [1] Die Vertrauenspersonen besitzen gegenüber dem Arbeitgeber die gleiche persönliche Rechtsstellung, insbesondere den gleichen Kündigungs-, Versetzungs- und Abordnungsschutz, wie ein Mitglied des Betriebs-, Personal-, Staatsanwalts- oder Richterrates. [2] Das stellvertretende Mitglied besitzt während der Dauer der Vertretung und der Heranziehung nach § 178 Absatz 1 Satz 4 und 5 die gleiche persönliche Rechtsstellung wie die Vertrauensperson, im Übrigen die gleiche Rechtsstellung wie Ersatzmitglieder der in Satz 1 genannten Vertretungen.

(4) [1] Die Vertrauenspersonen werden von ihrer beruflichen Tätigkeit ohne Minderung des Arbeitsentgelts oder der Dienstbezüge befreit, wenn und soweit es zur Durchführung ihrer Aufgaben erforderlich ist. [2] Sind in den Betrieben und Dienststellen in der Regel wenigstens 100 schwerbehinderte Menschen beschäftigt, wird die Vertrauensperson auf ihren Wunsch freigestellt; weitergehende Vereinbarungen sind zulässig. [3] Satz 1 gilt entsprechend für die Teilnahme der Vertrauensperson und des mit der höchsten Stimmenzahl gewählten stellvertretenden Mitglieds sowie in den Fällen des § 178 Absatz 1 Satz 5 auch des jeweils mit der nächsthöheren Stimmenzahl gewählten weiteren stellvertretenden Mitglieds an Schulungs- und Bildungsveranstaltungen, soweit diese Kenntnisse vermitteln, die für die Arbeit der Schwerbehindertenvertretung erforderlich sind.

(5) [1] Freigestellte Vertrauenspersonen dürfen von inner- oder außerbetrieblichen Maßnahmen der Berufsförderung nicht ausgeschlossen werden. [2] Innerhalb eines Jahres nach Beendigung ihrer Freistellung ist ihnen im Rahmen der Möglichkeiten des Betriebes oder der Dienststelle Gelegenheit zu geben, eine

---

[1)] Nr. **572**.

wegen der Freistellung unterbliebene berufliche Entwicklung in dem Betrieb oder der Dienststelle nachzuholen. [3] Für Vertrauenspersonen, die drei volle aufeinander folgende Amtszeiten freigestellt waren, erhöht sich der genannte Zeitraum auf zwei Jahre.

(6) Zum Ausgleich für ihre Tätigkeit, die aus betriebsbedingten oder dienstlichen Gründen außerhalb der Arbeitszeit durchzuführen ist, haben die Vertrauenspersonen Anspruch auf entsprechende Arbeits- oder Dienstbefreiung unter Fortzahlung des Arbeitsentgelts oder der Dienstbezüge.

(7) [1] Die Vertrauenspersonen sind verpflichtet,

1. ihnen wegen ihres Amtes anvertraute oder sonst bekannt gewordene fremde Geheimnisse, namentlich zum persönlichen Lebensbereich gehörende Geheimnisse, nicht zu offenbaren und
2. ihnen wegen ihres Amtes bekannt gewordene und vom Arbeitgeber ausdrücklich als geheimhaltungsbedürftig bezeichnete Betriebs- oder Geschäftsgeheimnisse nicht zu offenbaren und nicht zu verwerten.

[2] Diese Pflichten gelten auch nach dem Ausscheiden aus dem Amt. [3] Sie gelten nicht gegenüber der Bundesagentur für Arbeit, den Integrationsämtern und den Rehabilitationsträgern, soweit deren Aufgaben den schwerbehinderten Menschen gegenüber es erfordern, gegenüber den Vertrauenspersonen in den Stufenvertretungen (§ 180) sowie gegenüber den in § 79 Absatz 1 des Betriebsverfassungsgesetzes[1)] und den in den entsprechenden Vorschriften des Personalvertretungsrechts genannten Vertretungen, Personen und Stellen.

(8) [1] Die durch die Tätigkeit der Schwerbehindertenvertretung entstehenden Kosten trägt der Arbeitgeber; für öffentliche Arbeitgeber gelten die Kostenregelungen für Personalvertretungen entsprechend. [2] Das Gleiche gilt für die durch die Teilnahme der stellvertretenden Mitglieder an Schulungs- und Bildungsveranstaltungen nach Absatz 4 Satz 3 entstehenden Kosten. [3] Satz 1 umfasst auch eine Bürokraft für die Schwerbehindertenvertretung in erforderlichem Umfang.

(9) Die Räume und der Geschäftsbedarf, die der Arbeitgeber dem Betriebs-, Personal-, Richter-, Staatsanwalts- oder Präsidialrat für dessen Sitzungen, Sprechstunden und laufende Geschäftsführung zur Verfügung stellt, stehen für die gleichen Zwecke auch der Schwerbehindertenvertretung zur Verfügung, soweit ihr hierfür nicht eigene Räume und sächliche Mittel zur Verfügung gestellt werden.

§ 180[2)] Konzern-, Gesamt-, Bezirks- und Hauptschwerbehindertenvertretung. (1) [1] Ist für mehrere Betriebe eines Arbeitgebers ein Gesamtbetriebsrat oder für den Geschäftsbereich mehrerer Dienststellen ein Gesamtpersonalrat errichtet, wählen die Schwerbehindertenvertretungen der einzelnen Betriebe oder Dienststellen eine Gesamtschwerbehindertenvertretung. [2] Ist eine Schwerbehindertenvertretung nur in einem der Betriebe oder in einer der Dienststellen gewählt, nimmt sie die Rechte und Pflichten der Gesamtschwerbehindertenvertretung wahr.

(2) [1] Ist für mehrere Unternehmen ein Konzernbetriebsrat errichtet, wählen die Gesamtschwerbehindertenvertretungen eine Konzernschwerbehindertenvertretung. [2] Besteht ein Konzernunternehmen nur aus einem Betrieb, für den eine

[1)] Nr. **570**.
[2)] § 180 Abs. 6 Satz 3 neu gef. mWv 24.12.2025 durch G v. 22.12.2025 (BGBl. 2025 I Nr. 355).

Schwerbehindertenvertretung gewählt ist, hat sie das Wahlrecht wie eine Gesamtschwerbehindertenvertretung.

(3) [1] Für den Geschäftsbereich mehrstufiger Verwaltungen, bei denen ein Bezirks- oder Hauptpersonalrat gebildet ist, gilt Absatz 1 sinngemäß mit der Maßgabe, dass bei den Mittelbehörden von deren Schwerbehindertenvertretung und den Schwerbehindertenvertretungen der nachgeordneten Dienststellen eine Bezirksschwerbehindertenvertretung zu wählen ist. [2] Bei den obersten Dienstbehörden ist von deren Schwerbehindertenvertretung und den Bezirksschwerbehindertenvertretungen des Geschäftsbereichs eine Hauptschwerbehindertenvertretung zu wählen; ist die Zahl der Bezirksschwerbehindertenvertretungen niedriger als zehn, sind auch die Schwerbehindertenvertretungen der nachgeordneten Dienststellen wahlberechtigt.

(4) [1] Für Gerichte eines Zweiges der Gerichtsbarkeit, für die ein Bezirks- oder Hauptrichterrat gebildet ist, gilt Absatz 3 entsprechend. [2] Sind in einem Zweig der Gerichtsbarkeit bei den Gerichten der Länder mehrere Schwerbehindertenvertretungen nach § 177 zu wählen und ist in diesem Zweig kein Hauptrichterrat gebildet, ist in entsprechender Anwendung von Absatz 3 eine Hauptschwerbehindertenvertretung zu wählen. [3] Die Hauptschwerbehindertenvertretung nimmt die Aufgabe der Schwerbehindertenvertretung gegenüber dem Präsidialrat wahr.

(5) Für jede Vertrauensperson, die nach den Absätzen 1 bis 4 neu zu wählen ist, wird wenigstens ein stellvertretendes Mitglied gewählt.

(6) [1] Die Gesamtschwerbehindertenvertretung vertritt die Interessen der schwerbehinderten Menschen in Angelegenheiten, die das Gesamtunternehmen oder mehrere Betriebe oder Dienststellen des Arbeitgebers betreffen und von den Schwerbehindertenvertretungen der einzelnen Betriebe oder Dienststellen nicht geregelt werden können, sowie die Interessen der schwerbehinderten Menschen, die in einem Betrieb oder einer Dienststelle tätig sind, für die eine Schwerbehindertenvertretung nicht gewählt ist; dies umfasst auch Verhandlungen und den Abschluss entsprechender Inklusionsvereinbarungen. [2] Satz 1 gilt entsprechend für die Konzern-, Bezirks- und Hauptschwerbehindertenvertretung sowie für die Schwerbehindertenvertretung der obersten Dienstbehörde, wenn bei einer mehrstufigen Verwaltung Stufenvertretungen nicht gewählt sind. [3] Die nach Satz 2 zuständige Schwerbehindertenvertretung ist auch in Angelegenheiten, die einen einzelnen oder die schwerbehinderten Menschen als Gruppe berühren und über die eine übergeordnete Dienststelle entscheidet, zuständig; sie gibt der Schwerbehindertenvertretung der Dienststelle, die den schwerbehinderten Menschen beschäftigt, Gelegenheit zur Äußerung. [4] Satz 3 gilt nicht in den Fällen, in denen der Personalrat der Beschäftigungsbehörde zu beteiligen ist.

(7) § 177 Absatz 3 bis 8, § 178 Absatz 1 Satz 4 und 5, Absatz 2, 4, 5 und 7 und § 179 gelten entsprechend, § 177 Absatz 5 mit der Maßgabe, dass die Wahl der Gesamt- und Bezirksschwerbehindertenvertretungen in der Zeit vom 1. Dezember bis 31. Januar, die der Konzern- und Hauptschwerbehindertenvertretungen in der Zeit vom 1. Februar bis 31. März stattfindet, § 177 Absatz 6 mit der Maßgabe, dass bei den Wahlen zu überörtlichen Vertretungen der zweite Halbsatz des Satzes 3 nicht gilt.

(8) § 178 Absatz 6 gilt für die Durchführung von Versammlungen der Vertrauens- und der Bezirksvertrauenspersonen durch die Gesamt-, Bezirks- oder Hauptschwerbehindertenvertretung entsprechend.

§ 181 Inklusionsbeauftragter des Arbeitgebers. [1] Der Arbeitgeber bestellt einen Inklusionsbeauftragten, der ihn in Angelegenheiten schwerbehinderter Menschen verantwortlich vertritt; falls erforderlich, können mehrere Inklusionsbeauftragte bestellt werden. [2] Der Inklusionsbeauftragte soll nach Möglichkeit selbst ein schwerbehinderter Mensch sein. [3] Der Inklusionsbeauftragte achtet vor allem darauf, dass dem Arbeitgeber obliegende Verpflichtungen erfüllt werden.

§ 182 Zusammenarbeit. (1) Arbeitgeber, Inklusionsbeauftragter des Arbeitgebers, Schwerbehindertenvertretung und Betriebs-, Personal-, Richter-, Staatsanwalts- oder Präsidialrat arbeiten zur Teilhabe schwerbehinderter Menschen am Arbeitsleben in dem Betrieb oder der Dienststelle eng zusammen.

(2) [1] Die in Absatz 1 genannten Personen und Vertretungen, die mit der Durchführung dieses Teils beauftragten Stellen und die Rehabilitationsträger unterstützen sich gegenseitig bei der Erfüllung ihrer Aufgaben. [2] Vertrauensperson und Inklusionsbeauftragter des Arbeitgebers sind Verbindungspersonen zur Bundesagentur für Arbeit und zu dem Integrationsamt.

§ 183 Verordnungsermächtigung. Die Bundesregierung wird ermächtigt, durch Rechtsverordnung mit Zustimmung des Bundesrates nähere Vorschriften über die Vorbereitung und Durchführung der Wahl der Schwerbehindertenvertretung und ihrer Stufenvertretungen zu erlassen.

Kapitel 6. Durchführung der besonderen Regelungen zur Teilhabe schwerbehinderter Menschen

§ 184 Zusammenarbeit der Integrationsämter und der Bundesagentur für Arbeit. (1) Soweit die besonderen Regelungen zur Teilhabe schwerbehinderter Menschen am Arbeitsleben nicht durch freie Entschließung der Arbeitgeber erfüllt werden, werden sie

1. in den Ländern von dem Amt für die Sicherung der Integration schwerbehinderter Menschen im Arbeitsleben (Integrationsamt) und
2. von der Bundesagentur für Arbeit

in enger Zusammenarbeit durchgeführt.

(2) Die den Rehabilitationsträgern nach den geltenden Vorschriften obliegenden Aufgaben bleiben unberührt.

§ 185[1] Aufgaben des Integrationsamtes. (1) [1] Das Integrationsamt hat folgende Aufgaben:

1. die Erhebung und Verwendung der Ausgleichsabgabe,
2. den Kündigungsschutz,
3. die begleitende Hilfe im Arbeitsleben,
4. die zeitweilige Entziehung der besonderen Hilfen für schwerbehinderte Menschen (§ 200).

---

[1] § 185 Abs. 5 Satz 2 angef. mWv 13.12.2019, Abs. 3 Nr. 6 geänd. mWv 1.1.2020 durch G v. 10.12.2019 (BGBl. I S. 2135); Abs. 9 angef. mWv 1.1.2024 durch G v. 6.6.2023 (BGBl. 2023 I Nr. 146).

[2] Die Integrationsämter werden so ausgestattet, dass sie ihre Aufgaben umfassend und qualifiziert erfüllen können. [3] Hierfür wird besonders geschultes Personal mit Fachkenntnissen des Schwerbehindertenrechts eingesetzt.

(2) [1] Die begleitende Hilfe im Arbeitsleben wird in enger Zusammenarbeit mit der Bundesagentur für Arbeit und den übrigen Rehabilitationsträgern durchgeführt. [2] Sie soll dahingehend wirken, dass die schwerbehinderten Menschen in ihrer sozialen Stellung nicht absinken, auf Arbeitsplätzen beschäftigt werden, auf denen sie ihre Fähigkeiten und Kenntnisse voll verwerten und weiterentwickeln können sowie durch Leistungen der Rehabilitationsträger und Maßnahmen der Arbeitgeber befähigt werden, sich am Arbeitsplatz und im Wettbewerb mit nichtbehinderten Menschen zu behaupten. [3] Dabei gelten als Arbeitsplätze auch Stellen, auf denen Beschäftigte befristet oder als Teilzeitbeschäftigte in einem Umfang von mindestens 15 Stunden, in Inklusionsbetrieben mindestens zwölf Stunden wöchentlich beschäftigt werden. [4] Die begleitende Hilfe im Arbeitsleben umfasst auch die nach den Umständen des Einzelfalles notwendige psychosoziale Betreuung schwerbehinderter Menschen. [5] Das Integrationsamt kann bei der Durchführung der begleitenden Hilfen im Arbeitsleben Integrationsfachdienste einschließlich psychosozialer Dienste freier gemeinnütziger Einrichtungen und Organisationen beteiligen. [6] Das Integrationsamt soll außerdem darauf Einfluss nehmen, dass Schwierigkeiten im Arbeitsleben verhindert oder beseitigt werden; es führt hierzu auch Schulungs- und Bildungsmaßnahmen für Vertrauenspersonen, Inklusionsbeauftragte der Arbeitgeber, Betriebs-, Personal-, Richter-, Staatsanwalts- und Präsidialräte durch. [7] Das Integrationsamt benennt in enger Abstimmung mit den Beteiligten des örtlichen Arbeitsmarktes Ansprechpartner, die in Handwerks- sowie in Industrie- und Handelskammern für die Arbeitgeber zur Verfügung stehen, um sie über Funktion und Aufgaben der Integrationsfachdienste aufzuklären, über Möglichkeiten der begleitenden Hilfe im Arbeitsleben zu informieren und Kontakt zum Integrationsfachdienst herzustellen.

(3) Das Integrationsamt kann im Rahmen seiner Zuständigkeit für die begleitende Hilfe im Arbeitsleben aus den ihm zur Verfügung stehenden Mitteln auch Geldleistungen erbringen, insbesondere

1. an schwerbehinderte Menschen
   a) für technische Arbeitshilfen,
   b) zum Erreichen des Arbeitsplatzes,
   c) zur Gründung und Erhaltung einer selbständigen beruflichen Existenz,
   d) zur Beschaffung, Ausstattung und Erhaltung einer behinderungsgerechten Wohnung,
   e) zur Teilnahme an Maßnahmen zur Erhaltung und Erweiterung beruflicher Kenntnisse und Fertigkeiten und
   f) in besonderen Lebenslagen,
2. an Arbeitgeber
   a) zur behinderungsgerechten Einrichtung von Arbeits- und Ausbildungsplätzen für schwerbehinderte Menschen,
   b) für Zuschüsse zu Gebühren, insbesondere Prüfungsgebühren, bei der Berufsausbildung besonders betroffener schwerbehinderter Jugendlicher und junger Erwachsener,
   c) für Prämien und Zuschüsse zu den Kosten der Berufsausbildung behinderter Jugendlicher und junger Erwachsener, die für die Zeit der Berufsaus-

bildung schwerbehinderten Menschen nach § 151 Absatz 4 gleichgestellt worden sind,

d) für Prämien zur Einführung eines betrieblichen Eingliederungsmanagements und

e) für außergewöhnliche Belastungen, die mit der Beschäftigung schwerbehinderter Menschen im Sinne des § 155 Absatz 1 Nummer 1 Buchstabe a bis d, von schwerbehinderten Menschen im Anschluss an eine Beschäftigung in einer anerkannten Werkstatt für behinderte Menschen oder im Sinne des § 158 Absatz 2 verbunden sind, vor allem, wenn ohne diese Leistungen das Beschäftigungsverhältnis gefährdet würde,

3. an Träger von Integrationsfachdiensten einschließlich psychosozialer Dienste freier gemeinnütziger Einrichtungen und Organisationen sowie an Träger von Inklusionsbetrieben,

4. zur Durchführung von Aufklärungs-, Schulungs- und Bildungsmaßnahmen,

5. nachrangig zur beruflichen Orientierung,

6. zur Deckung eines Teils der Aufwendungen für ein Budget für Arbeit oder eines Teils der Aufwendungen für ein Budget für Ausbildung.

(4) Schwerbehinderte Menschen haben im Rahmen der Zuständigkeit des Integrationsamtes aus den ihm aus der Ausgleichsabgabe zur Verfügung stehenden Mitteln Anspruch auf Übernahme der Kosten einer Berufsbegleitung nach § 55 Absatz 3.

(5) [1] Schwerbehinderte Menschen haben im Rahmen der Zuständigkeit des Integrationsamtes für die begleitende Hilfe im Arbeitsleben aus den ihm aus der Ausgleichsabgabe zur Verfügung stehenden Mitteln Anspruch auf Übernahme der Kosten einer notwendigen Arbeitsassistenz. [2] Der Anspruch richtet sich auf die Übernahme der vollen Kosten, die für eine als notwendig festgestellte Arbeitsassistenz entstehen.

(6) [1] Verpflichtungen anderer werden durch die Absätze 3 bis 5 nicht berührt. [2] Leistungen der Rehabilitationsträger nach § 6 Absatz 1 Nummer 1 bis 5 dürfen, auch wenn auf sie ein Rechtsanspruch nicht besteht, nicht deshalb versagt werden, weil nach den besonderen Regelungen für schwerbehinderte Menschen entsprechende Leistungen vorgesehen sind; eine Aufstockung durch Leistungen des Integrationsamtes findet nicht statt.

(7) [1] Die §§ 14, 15 Absatz 1, die §§ 16 und 17 gelten sinngemäß, wenn bei dem Integrationsamt eine Leistung zur Teilhabe am Arbeitsleben beantragt wird. [2] Das Gleiche gilt, wenn ein Antrag bei einem Rehabilitationsträger gestellt und der Antrag von diesem nach § 16 Absatz 2 des Ersten Buches[1)] an das Integrationsamt weitergeleitet worden ist. [3] Ist die unverzügliche Erbringung einer Leistung zur Teilhabe am Arbeitsleben erforderlich, so kann das Integrationsamt die Leistung vorläufig erbringen. [4] Hat das Integrationsamt eine Leistung erbracht, für die ein anderer Träger zuständig ist, so erstattet dieser die auf die Leistung entfallenden Aufwendungen.

(8) [1] Auf Antrag führt das Integrationsamt seine Leistungen zur begleitenden Hilfe im Arbeitsleben als Persönliches Budget aus. [2] § 29 gilt entsprechend.

[1)] Nr. **691**.

[Abs. 9 ab 1.1.2024:]

(9) Ein Antrag auf eine Leistung, auf die ein Anspruch besteht (Absätze 4 und 5), gilt sechs Wochen nach Eingang als genehmigt, wenn

1. das Integrationsamt bis dahin nicht über den Antrag entschieden hat und

2. die beantragte Leistung nach Art und Umfang im Antrag genau bezeichnet ist.

§ 185a[1] Einheitliche Ansprechstellen für Arbeitgeber. (1) Einheitliche Ansprechstellen für Arbeitgeber informieren, beraten und unterstützen Arbeitgeber bei der Ausbildung, Einstellung und Beschäftigung von schwerbehinderten Menschen.

(2) [1] Die Einheitlichen Ansprechstellen für Arbeitgeber werden als begleitende Hilfe im Arbeitsleben aus Mitteln der Ausgleichsabgabe finanziert. [2] Sie haben die Aufgabe,

1. Arbeitgeber anzusprechen und diese für die Ausbildung, Einstellung und Beschäftigung von schwerbehinderten Menschen zu sensibilisieren,
2. Arbeitgebern als trägerunabhängiger Lotse bei Fragen zur Ausbildung, Einstellung, Berufsbegleitung und Beschäftigungssicherung von schwerbehinderten Menschen zur Verfügung zu stehen und
3. Arbeitgeber bei der Stellung von Anträgen bei den zuständigen Leistungsträgern zu unterstützen.

(3) [1] Die Einheitlichen Ansprechstellen für Arbeitgeber sind flächendeckend einzurichten. [2] Sie sind trägerunabhängig.

(4) Die Einheitlichen Ansprechstellen für Arbeitgeber sollen

1. für Arbeitgeber schnell zu erreichen sein,
2. über fachlich qualifiziertes Personal verfügen, das mit den Regelungen zur Teilhabe schwerbehinderter Menschen sowie der Beratung von Arbeitgebern und ihren Bedürfnissen vertraut ist, sowie
3. in der Region gut vernetzt sein.

(5) [1] Die Integrationsämter beauftragen die Integrationsfachdienste oder andere geeignete Träger, als Einheitliche Ansprechstellen für Arbeitgeber tätig zu werden. [2] Die Integrationsämter wirken darauf hin, dass die Einheitlichen Ansprechstellen für Arbeitgeber flächendeckend zur Verfügung stehen und mit Dritten, die aufgrund ihres fachlichen Hintergrunds über eine besondere Betriebsnähe verfügen, zusammenarbeiten.

§ 186 Beratender Ausschuss für behinderte Menschen bei dem Integrationsamt. (1) [1] Bei jedem Integrationsamt wird ein Beratender Ausschuss für behinderte Menschen gebildet, der die Teilhabe der behinderten Menschen am Arbeitsleben fördert, das Integrationsamt bei der Durchführung der besonderen Regelungen für schwerbehinderte Menschen zur Teilhabe am Arbeitsleben unterstützt und bei der Vergabe der Mittel der Ausgleichsabgabe mitwirkt. [2] Soweit die Mittel der Ausgleichsabgabe zur institutionellen Förderung verwendet werden, macht der Beratende Ausschuss Vorschläge für die Entscheidungen des Integrationsamtes.

(2) Der Ausschuss besteht aus zehn Mitgliedern, und zwar aus

[1] § 185a eingef. mWv 1.1.2022 durch G v. 2.6.2021 (BGBl. I S. 1387).

1. zwei Mitgliedern, die die Arbeitnehmerinnen und Arbeitnehmer vertreten,
2. zwei Mitgliedern, die die privaten und öffentlichen Arbeitgeber vertreten,
3. vier Mitgliedern, die die Organisationen behinderter Menschen vertreten,
4. einem Mitglied, das das jeweilige Land vertritt,
5. einem Mitglied, das die Bundesagentur für Arbeit vertritt.

(3) [1] Für jedes Mitglied ist eine Stellvertreterin oder ein Stellvertreter zu berufen. [2] Mitglieder und Stellvertreterinnen oder Stellvertreter sollen im Bezirk des Integrationsamtes ihren Wohnsitz haben.

(Fortsetzung nächstes Blatt)

(4) [1] Das Integrationsamt beruft auf Vorschlag

1. der Gewerkschaften des jeweiligen Landes zwei Mitglieder,
2. der Arbeitgeberverbände des jeweiligen Landes ein Mitglied,
3. der zuständigen obersten Landesbehörde oder der von ihr bestimmten Behörde ein Mitglied,
4. der Organisationen behinderter Menschen des jeweiligen Landes, die nach der Zusammensetzung ihrer Mitglieder dazu berufen sind, die behinderten Menschen in ihrer Gesamtheit zu vertreten, vier Mitglieder.

[2] Die zuständige oberste Landesbehörde oder die von ihr bestimmte Behörde und die Bundesagentur für Arbeit berufen je ein Mitglied.

§ 187 Aufgaben der Bundesagentur für Arbeit. (1) Die Bundesagentur für Arbeit hat folgende Aufgaben:

1. die Berufsberatung, Ausbildungsvermittlung und Arbeitsvermittlung schwerbehinderter Menschen einschließlich der Vermittlung von in Werkstätten für behinderte Menschen Beschäftigten auf den allgemeinen Arbeitsmarkt,
2. die Beratung der Arbeitgeber bei der Besetzung von Ausbildungs- und Arbeitsplätzen mit schwerbehinderten Menschen,
3. die Förderung der Teilhabe schwerbehinderter Menschen am Arbeitsleben auf dem allgemeinen Arbeitsmarkt, insbesondere von schwerbehinderten Menschen,
   a) die wegen Art oder Schwere ihrer Behinderung oder sonstiger Umstände im Arbeitsleben besonders betroffen sind (§ 155 Absatz 1),
   b) die langzeitarbeitslos im Sinne des § 18 des Dritten Buches[1)] sind,
   c) die im Anschluss an eine Beschäftigung in einer anerkannten Werkstatt für behinderte Menschen, bei einem anderen Leistungsanbieter (§ 60) oder einem Inklusionsbetrieb eingestellt werden,
   d) die als Teilzeitbeschäftigte eingestellt werden oder
   e) die zur Aus- oder Weiterbildung eingestellt werden,
4. im Rahmen von Arbeitsbeschaffungsmaßnahmen die besondere Förderung schwerbehinderter Menschen,
5. die Gleichstellung, deren Widerruf und Rücknahme,
6. die Durchführung des Anzeigeverfahrens (§ 163 Absatz 2 und 4),
7. die Überwachung der Erfüllung der Beschäftigungspflicht,
8. die Zulassung der Anrechnung und der Mehrfachanrechnung (§ 158 Absatz 2, § 159 Absatz 1 und 2),
9. die Erfassung der Werkstätten für behinderte Menschen, ihre Anerkennung und die Aufhebung der Anerkennung.

(2) [1] Die Bundesagentur für Arbeit übermittelt dem Bundesministerium für Arbeit und Soziales jährlich die Ergebnisse ihrer Förderung der Teilhabe schwerbehinderter Menschen am Arbeitsleben auf dem allgemeinen Arbeitsmarkt nach dessen näherer Bestimmung und fachlicher Weisung. [2] Zu den Ergebnissen gehören Angaben über die Zahl der geförderten Arbeitgeber und schwerbehinderten Menschen, die insgesamt aufgewandten Mittel und die

---

[1)] Nr. **700**.

durchschnittlichen Förderungsbeträge. [3]Die Bundesagentur für Arbeit veröffentlicht diese Ergebnisse.

(3) [1]Die Bundesagentur für Arbeit führt befristete überregionale und regionale Arbeitsmarktprogramme zum Abbau der Arbeitslosigkeit schwerbehinderter Menschen, besonderer Gruppen schwerbehinderter Menschen, insbesondere schwerbehinderter Frauen, sowie zur Förderung des Ausbildungsplatzangebots für schwerbehinderte Menschen durch, die ihr durch Verwaltungsvereinbarung gemäß § 368 Absatz 3 Satz 2 und Absatz 4 des Dritten Buches unter Zuweisung der entsprechenden Mittel übertragen werden. [2]Über den Abschluss von Verwaltungsvereinbarungen mit den Ländern ist das Bundesministerium für Arbeit und Soziales zu unterrichten.

(4) Die Bundesagentur für Arbeit richtet zur Durchführung der ihr in diesem Teil und der ihr im Dritten Buch zur Teilhabe behinderter und schwerbehinderter Menschen am Arbeitsleben übertragenen Aufgaben in allen Agenturen für Arbeit besondere Stellen ein; bei der personellen Ausstattung dieser Stellen trägt sie dem besonderen Aufwand bei der Beratung und Vermittlung des zu betreuenden Personenkreises sowie bei der Durchführung der sonstigen Aufgaben nach Absatz 1 Rechnung.

(5) Im Rahmen der Beratung der Arbeitgeber nach Absatz 1 Nummer 2 hat die Bundesagentur für Arbeit

1. dem Arbeitgeber zur Besetzung von Arbeitsplätzen geeignete arbeitslose oder arbeitssuchende schwerbehinderte Menschen unter Darlegung der Leistungsfähigkeit und der Auswirkungen der jeweiligen Behinderung auf die angebotene Stelle vorzuschlagen,
2. ihre Fördermöglichkeiten aufzuzeigen, soweit möglich und erforderlich, auch die entsprechenden Hilfen der Rehabilitationsträger und der begleitenden Hilfe im Arbeitsleben durch die Integrationsämter.

§ 188 Beratender Ausschuss für behinderte Menschen bei der Bundesagentur für Arbeit. (1) Bei der Zentrale der Bundesagentur für Arbeit wird ein Beratender Ausschuss für behinderte Menschen gebildet, der die Teilhabe der behinderten Menschen am Arbeitsleben durch Vorschläge fördert und die Bundesagentur für Arbeit bei der Durchführung der in diesem Teil und im Dritten Buch zur Teilhabe behinderter und schwerbehinderter Menschen am Arbeitsleben übertragenen Aufgaben unterstützt.

(2) Der Ausschuss besteht aus elf Mitgliedern, und zwar aus

1. zwei Mitgliedern, die die Arbeitnehmerinnen und Arbeitnehmer vertreten,
2. zwei Mitgliedern, die die privaten und öffentlichen Arbeitgeber vertreten,
3. fünf Mitgliedern, die die Organisationen behinderter Menschen vertreten,
4. einem Mitglied, das die Integrationsämter vertritt,
5. einem Mitglied, das das Bundesministerium für Arbeit und Soziales vertritt.

(3) Für jedes Mitglied ist eine Stellvertreterin oder ein Stellvertreter zu berufen.

(4) [1]Der Vorstand der Bundesagentur für Arbeit beruft die Mitglieder, die Arbeitnehmer und Arbeitgeber vertreten, auf Vorschlag ihrer Gruppenvertreter im Verwaltungsrat der Bundesagentur für Arbeit. [2]Er beruft auf Vorschlag der Organisationen behinderter Menschen, die nach der Zusammensetzung ihrer Mitglieder dazu berufen sind, die behinderten Menschen in ihrer Gesamtheit

auf Bundesebene zu vertreten, die Mitglieder, die Organisationen der behinderten Menschen vertreten. [3] Auf Vorschlag der Bundesarbeitsgemeinschaft der Integrationsämter und Hauptfürsorgestellen beruft er das Mitglied, das die Integrationsämter vertritt, und auf Vorschlag des Bundesministeriums für Arbeit und Soziales das Mitglied, das dieses vertritt.

§ 189 Gemeinsame Vorschriften. (1) [1] Die Beratenden Ausschüsse für behinderte Menschen (§§ 186, 188) wählen aus den ihnen angehörenden Mitgliedern von Seiten der Arbeitnehmer, Arbeitgeber oder Organisationen behinderter Menschen jeweils für die Dauer eines Jahres eine Vorsitzende oder einen Vorsitzenden und eine Stellvertreterin oder einen Stellvertreter. [2] Die Gewählten dürfen nicht derselben Gruppe angehören. [3] Die Gruppen stellen in regelmäßig jährlich wechselnder Reihenfolge die Vorsitzende oder den Vorsitzenden und die Stellvertreterin oder den Stellvertreter. [4] Die Reihenfolge wird durch die Beendigung der Amtszeit der Mitglieder nicht unterbrochen. [5] Scheidet die Vorsitzende oder der Vorsitzende oder die Stellvertreterin oder der Stellvertreter aus, wird sie oder er neu gewählt.

(2) [1] Die Beratenden Ausschüsse für behinderte Menschen sind beschlussfähig, wenn wenigstens die Hälfte der Mitglieder anwesend ist. [2] Die Beschlüsse und Entscheidungen werden mit einfacher Stimmenmehrheit getroffen.

(3) [1] Die Mitglieder der Beratenden Ausschüsse für behinderte Menschen üben ihre Tätigkeit ehrenamtlich aus. [2] Ihre Amtszeit beträgt vier Jahre.

§ 190 Übertragung von Aufgaben. (1) [1] Die Landesregierung oder die von ihr bestimmte Stelle kann die Verlängerung der Gültigkeitsdauer der Ausweise nach § 152 Absatz 5, für die eine Feststellung nach § 152 Absatz 1 nicht zu treffen ist, auf andere Behörden übertragen. [2] Im Übrigen kann sie andere Behörden zur Aushändigung der Ausweise heranziehen.

(2) Die Landesregierung oder die von ihr bestimmte Stelle kann Aufgaben und Befugnisse des Integrationsamtes nach diesem Teil auf örtliche Fürsorgestellen übertragen oder die Heranziehung örtlicher Fürsorgestellen zur Durchführung der den Integrationsämtern obliegenden Aufgaben bestimmen.

§ 191[1)] Verordnungsermächtigung. Die Bundesregierung wird ermächtigt, durch Rechtsverordnung mit Zustimmung des Bundesrates das Nähere über die Voraussetzungen des Anspruchs nach § 49 Absatz 8 Nummer 3 und § 185 Absatz 5 sowie über die Dauer und Ausführung der Leistungen zu regeln.

Kapitel 7. Integrationsfachdienste

§ 192 Begriff und Personenkreis. (1) Integrationsfachdienste sind Dienste Dritter, die bei der Durchführung der Maßnahmen zur Teilhabe schwerbehinderter Menschen am Arbeitsleben beteiligt werden.

(2) Schwerbehinderte Menschen im Sinne des Absatzes 1 sind insbesondere

1. schwerbehinderte Menschen mit einem besonderen Bedarf an arbeitsbegleitender Betreuung,
2. schwerbehinderte Menschen, die nach zielgerichteter Vorbereitung durch die Werkstatt für behinderte Menschen am Arbeitsleben auf dem allgemeinen

[1)] § 191 geänd. mWv 13.12.2019 durch G v. 10.12.2019 (BGBl. I S. 2135).

Arbeitsmarkt teilhaben sollen und dabei auf aufwendige, personalintensive, individuelle arbeitsbegleitende Hilfen angewiesen sind sowie
3. schwerbehinderte Schulabgänger, die für die Aufnahme einer Beschäftigung auf dem allgemeinen Arbeitsmarkt auf die Unterstützung eines Integrationsfachdienstes angewiesen sind.

(3) Ein besonderer Bedarf an arbeits- und berufsbegleitender Betreuung ist insbesondere gegeben bei schwerbehinderten Menschen mit geistiger oder seelischer Behinderung oder mit einer schweren Körper-, Sinnes- oder Mehrfachbehinderung, die sich im Arbeitsleben besonders nachteilig auswirkt und allein oder zusammen mit weiteren vermittlungshemmenden Umständen (Alter, Langzeitarbeitslosigkeit, unzureichende Qualifikation, Leistungsminderung) die Teilhabe am Arbeitsleben auf dem allgemeinen Arbeitsmarkt erschwert.

(4) [1] Der Integrationsfachdienst kann im Rahmen der Aufgabenstellung nach Absatz 1 auch zur beruflichen Eingliederung von behinderten Menschen, die nicht schwerbehindert sind, tätig werden. [2] Hierbei wird den besonderen Bedürfnissen seelisch behinderter oder von einer seelischen Behinderung bedrohter Menschen Rechnung getragen.

§ 193[1)] Aufgaben. (1) Die Integrationsfachdienste können zur Teilhabe schwerbehinderter Menschen am Arbeitsleben (Aufnahme, Ausübung und Sicherung einer möglichst dauerhaften Beschäftigung) beteiligt werden, indem sie
1. die schwerbehinderten Menschen beraten, unterstützen und auf geeignete Arbeitsplätze vermitteln,
2. die Arbeitgeber informieren, beraten und ihnen Hilfe leisten.

(2) Zu den Aufgaben des Integrationsfachdienstes gehört es,
1. die Fähigkeiten der zugewiesenen schwerbehinderten Menschen zu bewerten und einzuschätzen und dabei ein individuelles Fähigkeits-, Leistungs- und Interessenprofil zur Vorbereitung auf den allgemeinen Arbeitsmarkt in enger Kooperation mit den schwerbehinderten Menschen, dem Auftraggeber und der abgebenden Einrichtung der schulischen oder beruflichen Bildung oder Rehabilitation zu erarbeiten,
2. die Bundesagentur für Arbeit auf deren Anforderung bei der Berufsorientierung und Berufsberatung in den Schulen einschließlich der auf jeden einzelnen Jugendlichen bezogenen Dokumentation der Ergebnisse zu unterstützen,
3. die betriebliche Ausbildung schwerbehinderter, insbesondere seelisch und lernbehinderter, Jugendlicher zu begleiten,
4. geeignete Arbeitsplätze (§ 156) auf dem allgemeinen Arbeitsmarkt zu erschließen,
5. die schwerbehinderten Menschen auf die vorgesehenen Arbeitsplätze vorzubereiten,
6. die schwerbehinderten Menschen, solange erforderlich, am Arbeitsplatz oder beim Training der berufspraktischen Fähigkeiten am konkreten Arbeitsplatz zu begleiten,

---

1) § 193 Abs. 2 Nr. 9 neu gef. mWv 1.1.2022 durch G v. 2.6.2021 (BGBl. I S. 1387).

7. mit Zustimmung des schwerbehinderten Menschen die Mitarbeiter im Betrieb oder in der Dienststelle über Art und Auswirkungen der Behinderung und über entsprechende Verhaltensregeln zu informieren und zu beraten,
8. eine Nachbetreuung, Krisenintervention oder psychosoziale Betreuung durchzuführen sowie

[Nr. 9 bis 31.12.2021:]

9. als Ansprechpartner für die Arbeitgeber zur Verfügung zu stehen, über die Leistungen für die Arbeitgeber zu informieren und für die Arbeitgeber diese Leistungen abzuklären,

[Nr. 9 ab 1.1.2022:]

9. *als Einheitliche Ansprechstellen für Arbeitgeber zur Verfügung zu stehen, über die Leistungen für die Arbeitgeber zu informieren und für die Arbeitgeber diese Leistungen abzuklären,*
10. in Zusammenarbeit mit den Rehabilitationsträgern und den Integrationsämtern die für den schwerbehinderten Menschen benötigten Leistungen zu klären und bei der Beantragung zu unterstützen.

§ 194 Beauftragung und Verantwortlichkeit. (1) [1]Die Integrationsfachdienste werden im Auftrag der Integrationsämter oder der Rehabilitationsträger tätig. [2]Diese bleiben für die Ausführung der Leistung verantwortlich.

(2) Im Auftrag legt der Auftraggeber in Abstimmung mit dem Integrationsfachdienst Art, Umfang und Dauer des im Einzelfall notwendigen Einsatzes des Integrationsfachdienstes sowie das Entgelt fest.

(3) Der Integrationsfachdienst arbeitet insbesondere mit

1. den zuständigen Stellen der Bundesagentur für Arbeit,
2. dem Integrationsamt,
3. dem zuständigen Rehabilitationsträger, insbesondere den Berufshelfern der gesetzlichen Unfallversicherung,
4. dem Arbeitgeber, der Schwerbehindertenvertretung und den anderen betrieblichen Interessenvertretungen,
5. der abgebenden Einrichtung der schulischen oder beruflichen Bildung oder Rehabilitation mit ihren begleitenden Diensten und internen Integrationsfachkräften oder -diensten zur Unterstützung von Teilnehmenden an Leistungen zur Teilhabe am Arbeitsleben,
6. den Handwerks-, den Industrie- und Handelskammern sowie den berufsständigen Organisationen,
7. wenn notwendig, auch mit anderen Stellen und Personen,

eng zusammen.

(4) [1]Näheres zur Beauftragung, Zusammenarbeit, fachlichen Leitung, Aufsicht sowie zur Qualitätssicherung und Ergebnisbeobachtung wird zwischen dem Auftraggeber und dem Träger des Integrationsfachdienstes vertraglich geregelt. [2]Die Vereinbarungen sollen im Interesse finanzieller Planungssicherheit auf eine Dauer von mindestens drei Jahren abgeschlossen werden.

(5) Die Integrationsämter wirken darauf hin, dass die berufsbegleitenden und psychosozialen Dienste bei den von ihnen beauftragten Integrationsfachdiensten konzentriert werden.

§ 195 Fachliche Anforderungen. (1) Die Integrationsfachdienste müssen

1. nach der personellen, räumlichen und sächlichen Ausstattung in der Lage sein, ihre gesetzlichen Aufgaben wahrzunehmen,
2. über Erfahrungen mit dem zu unterstützenden Personenkreis (§ 192 Absatz 2) verfügen,
3. mit Fachkräften ausgestattet sein, die über eine geeignete Berufsqualifikation, eine psychosoziale oder arbeitspädagogische Zusatzqualifikation und ausreichende Berufserfahrung verfügen, sowie
4. rechtlich oder organisatorisch und wirtschaftlich eigenständig sein.

(2) [1] Der Personalbedarf eines Integrationsfachdienstes richtet sich nach den konkreten Bedürfnissen unter Berücksichtigung der Zahl der Betreuungs- und Beratungsfälle, des durchschnittlichen Betreuungs- und Beratungsaufwands, der Größe des regionalen Einzugsbereichs und der Zahl der zu beratenden Arbeitgeber. [2] Den besonderen Bedürfnissen besonderer Gruppen schwerbehinderter Menschen, insbesondere schwerbehinderter Frauen, und der Notwendigkeit einer psychosozialen Betreuung soll durch eine Differenzierung innerhalb des Integrationsfachdienstes Rechnung getragen werden.

(3) [1] Bei der Stellenbesetzung des Integrationsfachdienstes werden schwerbehinderte Menschen bevorzugt berücksichtigt. [2] Dabei wird ein angemessener Anteil der Stellen mit schwerbehinderten Frauen besetzt.

§ 196 Finanzielle Leistungen. (1) [1] Die Inanspruchnahme von Integrationsfachdiensten wird vom Auftraggeber vergütet. [2] Die Vergütung für die Inanspruchnahme von Integrationsfachdiensten kann bei Beauftragung durch das Integrationsamt aus Mitteln der Ausgleichsabgabe erbracht werden.

(Fortsetzung nächstes Blatt)

(2) Die Bezahlung tarifvertraglich vereinbarter Vergütungen sowie entsprechender Vergütungen nach kirchlichen Arbeitsrechtsregelungen kann bei der Beauftragung von Integrationsfachdiensten nicht als unwirtschaftlich abgelehnt werden.

(3) [1] Die Bundesarbeitsgemeinschaft der Integrationsämter und Hauptfürsorgestellen vereinbart mit den Rehabilitationsträgern nach § 6 Absatz 1 Nummer 2 bis 5 unter Beteiligung der maßgeblichen Verbände, darunter der Bundesarbeitsgemeinschaft, in der sich die Integrationsfachdienste zusammengeschlossen haben, eine gemeinsame Empfehlung zur Inanspruchnahme der Integrationsfachdienste durch die Rehabilitationsträger, zur Zusammenarbeit und zur Finanzierung der Kosten, die dem Integrationsfachdienst bei der Wahrnehmung der Aufgaben der Rehabilitationsträger entstehen. [2] § 26 Absatz 7 und 8 gilt entsprechend.

§ 197[1)] Ergebnisbeobachtung. (1) [1] Der Integrationsfachdienst dokumentiert Verlauf und Ergebnis der jeweiligen Bemühungen um die Förderung der Teilhabe am Arbeitsleben. [2] Er erstellt jährlich eine zusammenfassende Darstellung der Ergebnisse und legt diese den Auftraggebern nach deren näherer gemeinsamer Maßgabe vor. [3] Diese Zusammenstellung soll insbesondere geschlechtsdifferenzierte Angaben enthalten zu

1. den Zu- und Abgängen an Betreuungsfällen im Kalenderjahr,
2. dem Bestand an Betreuungsfällen,
3. der Zahl der abgeschlossenen Fälle, differenziert nach Aufnahme einer Ausbildung, einer befristeten oder unbefristeten Beschäftigung, einer Beschäftigung in einem Integrationsprojekt oder in einer Werkstatt für behinderte Menschen.

(2) Der Integrationsfachdienst dokumentiert auch die Ergebnisse seiner Bemühungen zur Unterstützung der Bundesagentur für Arbeit und die Begleitung der betrieblichen Ausbildung nach § 193 Absatz 2 Nummer 2 und 3 unter Einbeziehung geschlechtsdifferenzierter Daten und Besonderheiten sowie der Art der Behinderung.

§ 198 Verordnungsermächtigung. (1) Das Bundesministerium für Arbeit und Soziales wird ermächtigt, durch Rechtsverordnung mit Zustimmung des Bundesrates das Nähere über den Begriff und die Aufgaben des Integrationsfachdienstes, die für sie geltenden fachlichen Anforderungen und die finanziellen Leistungen zu regeln.

(2) Vereinbaren die Bundesarbeitsgemeinschaft der Integrationsämter und Hauptfürsorgestellen und die Rehabilitationsträger nicht innerhalb von sechs Monaten, nachdem das Bundesministerium für Arbeit und Soziales sie dazu aufgefordert hat, eine gemeinsame Empfehlung nach § 196 Absatz 3 oder ändern sie die unzureichend gewordene Empfehlung nicht innerhalb dieser Frist, kann das Bundesministerium für Arbeit und Soziales Regelungen durch Rechtsverordnung mit Zustimmung des Bundesrates erlassen.

[1)] § 197 Abs. 2 geänd. mWv 6.12.2019 durch G v. 30.11.2019 (BGBl. I S. 1948).

Kapitel 8. Beendigung der Anwendung der besonderen Regelungen zur Teilhabe schwerbehinderter und gleichgestellter behinderter Menschen

§ 199 Beendigung der Anwendung der besonderen Regelungen zur Teilhabe schwerbehinderter Menschen. (1) Die besonderen Regelungen für schwerbehinderte Menschen werden nicht angewendet nach dem Wegfall der Voraussetzungen nach § 2 Absatz 2; wenn sich der Grad der Behinderung auf weniger als 50 verringert, jedoch erst am Ende des dritten Kalendermonats nach Eintritt der Unanfechtbarkeit des die Verringerung feststellenden Bescheides.

(2) [1]Die besonderen Regelungen für gleichgestellte behinderte Menschen werden nach dem Widerruf oder der Rücknahme der Gleichstellung nicht mehr angewendet. [2]Der Widerruf der Gleichstellung ist zulässig, wenn die Voraussetzungen nach § 2 Absatz 3 in Verbindung mit § 151 Absatz 2 weggefallen sind. [3]Er wird erst am Ende des dritten Kalendermonats nach Eintritt seiner Unanfechtbarkeit wirksam.

(3) Bis zur Beendigung der Anwendung der besonderen Regelungen für schwerbehinderte Menschen und ihnen gleichgestellte behinderte Menschen werden die behinderten Menschen dem Arbeitgeber auf die Zahl der Pflichtarbeitsplätze für schwerbehinderte Menschen angerechnet.

§ 200 Entziehung der besonderen Hilfen für schwerbehinderte Menschen. (1) [1]Einem schwerbehinderten Menschen, der einen zumutbaren Arbeitsplatz ohne berechtigten Grund zurückweist oder aufgibt oder sich ohne berechtigten Grund weigert, an einer Maßnahme zur Teilhabe am Arbeitsleben teilzunehmen, oder sonst durch sein Verhalten seine Teilhabe am Arbeitsleben schuldhaft vereitelt, kann das Integrationsamt im Benehmen mit der Bundesagentur für Arbeit die besonderen Hilfen für schwerbehinderte Menschen zeitweilig entziehen. [2]Dies gilt auch für gleichgestellte behinderte Menschen.

(2) [1]Vor der Entscheidung über die Entziehung wird der schwerbehinderte Mensch gehört. [2]In der Entscheidung wird die Frist bestimmt, für die sie gilt. [3]Die Frist läuft vom Tag der Entscheidung an und beträgt nicht mehr als sechs Monate. [4]Die Entscheidung wird dem schwerbehinderten Menschen bekannt gegeben.

Kapitel 9. Widerspruchsverfahren

§ 201 Widerspruch. (1) [1]Den Widerspruchsbescheid nach § 73 der Verwaltungsgerichtsordnung[1)] erlässt bei Verwaltungsakten der Integrationsämter und bei Verwaltungsakten der örtlichen Fürsorgestellen (§ 190 Absatz 2) der Widerspruchsausschuss bei dem Integrationsamt (§ 202). [2]Des Vorverfahrens bedarf es auch, wenn den Verwaltungsakt ein Integrationsamt erlassen hat, das bei einer obersten Landesbehörde besteht.

(Fortsetzung nächstes Blatt)

[1)] **beck-online, Module Arbeitsrecht Nr. 663.**

(2) Den Widerspruchsbescheid nach § 85 des Sozialgerichtsgesetzes[1)] erlässt bei Verwaltungsakten, welche die Bundesagentur für Arbeit auf Grund dieses Teils erlässt, der Widerspruchsausschuss der Bundesagentur für Arbeit.

§ 202 Widerspruchsausschuss bei dem Integrationsamt. (1) Bei jedem Integrationsamt besteht ein Widerspruchsausschuss aus sieben Mitgliedern, und zwar aus zwei Mitgliedern, die schwerbehinderte Arbeitnehmer oder Arbeitnehmerinnen sind, zwei Mitgliedern, die Arbeitgeber sind, einem Mitglied, das das Integrationsamt vertritt, einem Mitglied, das die Bundesagentur für Arbeit vertritt, einer Vertrauensperson schwerbehinderter Menschen.

(2) Für jedes Mitglied wird ein Stellvertreter oder eine Stellvertreterin berufen.

(3) [1] Das Integrationsamt beruft auf Vorschlag der Organisationen behinderter Menschen des jeweiligen Landes die Mitglieder, die Arbeitnehmer sind, auf Vorschlag der jeweils für das Land zuständigen Arbeitgeberverbände die Mitglieder, die Arbeitgeber sind, sowie die Vertrauensperson. [2] Die zuständige oberste Landesbehörde oder die von ihr bestimmte Behörde beruft das Mitglied, das das Integrationsamt vertritt. [3] Die Bundesagentur für Arbeit beruft das Mitglied, das sie vertritt. [4] Entsprechendes gilt für die Berufung des Stellvertreters oder der Stellvertreterin des jeweiligen Mitglieds.

(4) [1] In Kündigungsangelegenheiten schwerbehinderter Menschen, die bei einer Dienststelle oder in einem Betrieb beschäftigt sind, der zum Geschäftsbereich des Bundesministeriums der Verteidigung gehört, treten an die Stelle der Mitglieder, die Arbeitgeber sind, Angehörige des öffentlichen Dienstes. [2] Dem Integrationsamt werden ein Mitglied und sein Stellvertreter oder seine Stellvertreterin von den von der Bundesregierung bestimmten Bundesbehörden benannt. [3] Eines der Mitglieder, die schwerbehinderte Arbeitnehmer oder Arbeitnehmerinnen sind, muss dem öffentlichen Dienst angehören.

(5) [1] Die Amtszeit der Mitglieder der Widerspruchsausschüsse beträgt vier Jahre. [2] Die Mitglieder der Ausschüsse üben ihre Tätigkeit unentgeltlich aus.

§ 203 Widerspruchsausschüsse der Bundesagentur für Arbeit. (1) Die Bundesagentur für Arbeit richtet Widerspruchsausschüsse ein, die aus sieben Mitgliedern bestehen, und zwar aus zwei Mitgliedern, die schwerbehinderte Arbeitnehmer oder Arbeitnehmerinnen sind, zwei Mitgliedern, die Arbeitgeber sind, einem Mitglied, das das Integrationsamt vertritt, einem Mitglied, das die Bundesagentur für Arbeit vertritt, einer Vertrauensperson schwerbehinderter Menschen.

(2) Für jedes Mitglied wird ein Stellvertreter oder eine Stellvertreterin berufen.

(3) [1] Die Bundesagentur für Arbeit beruft

1. die Mitglieder, die Arbeitnehmer oder Arbeitnehmerinnen sind, auf Vorschlag der jeweils zuständigen Organisationen behinderter Menschen, der im Benehmen mit den jeweils zuständigen Gewerkschaften, die für die Vertretung der Arbeitnehmerinteressen wesentliche Bedeutung haben, gemacht wird,

---

1) Nr. **680**.

2. die Mitglieder, die Arbeitgeber sind, auf Vorschlag der jeweils zuständigen Arbeitgeberverbände, soweit sie für die Vertretung von Arbeitgeberinteressen wesentliche Bedeutung haben, sowie
3. das Mitglied, das die Bundesagentur für Arbeit vertritt, und
4. die Vertrauensperson.

[2] Die zuständige oberste Landesbehörde oder die von ihr bestimmte Behörde beruft das Mitglied, das das Integrationsamt vertritt. [3] Entsprechendes gilt für die Berufung des Stellvertreters oder der Stellvertreterin des jeweiligen Mitglieds.

(4) § 202 Absatz 5 gilt entsprechend.

§ 204 Verfahrensvorschriften. (1) Für den Widerspruchsausschuss bei dem Integrationsamt (§ 202) und die Widerspruchsausschüsse bei der Bundesagentur für Arbeit (§ 203) gilt § 189 Absatz 1 und 2 entsprechend.

(2) Im Widerspruchsverfahren nach Kapitel 4 werden der Arbeitgeber und der schwerbehinderte Mensch vor der Entscheidung gehört; in den übrigen Fällen verbleibt es bei der Anhörung des Widerspruchsführers.

(3) [1] Die Mitglieder der Ausschüsse können wegen Besorgnis der Befangenheit abgelehnt werden. [2] Über die Ablehnung entscheidet der Ausschuss, dem das Mitglied angehört.

Kapitel 10. Sonstige Vorschriften

§ 205 Vorrang der schwerbehinderten Menschen. Verpflichtungen zur bevorzugten Einstellung und Beschäftigung bestimmter Personenkreise nach anderen Gesetzen entbinden den Arbeitgeber nicht von der Verpflichtung zur Beschäftigung schwerbehinderter Menschen nach den besonderen Regelungen für schwerbehinderte Menschen.

§ 206 Arbeitsentgelt und Dienstbezüge. (1) [1] Bei der Bemessung des Arbeitsentgelts und der Dienstbezüge aus einem bestehenden Beschäftigungsverhältnis werden Renten und vergleichbare Leistungen, die wegen der Behinderung bezogen werden, nicht berücksichtigt. [2] Die völlige oder teilweise Anrechnung dieser Leistungen auf das Arbeitsentgelt oder die Dienstbezüge ist unzulässig.

(2) Absatz 1 gilt nicht für Zeiträume, in denen die Beschäftigung tatsächlich nicht ausgeübt wird und die Vorschriften über die Zahlung der Rente oder der vergleichbaren Leistung eine Anrechnung oder ein Ruhen vorsehen, wenn Arbeitsentgelt oder Dienstbezüge gezahlt werden.

§ 207 Mehrarbeit. Schwerbehinderte Menschen werden auf ihr Verlangen von Mehrarbeit freigestellt.

§ 208 Zusatzurlaub. (1) [1] Schwerbehinderte Menschen haben Anspruch auf einen bezahlten zusätzlichen Urlaub von fünf Arbeitstagen im Urlaubsjahr; verteilt sich die regelmäßige Arbeitszeit des schwerbehinderten Menschen auf mehr oder weniger als fünf Arbeitstage in der Kalenderwoche, erhöht oder vermindert sich der Zusatzurlaub entsprechend. [2] Soweit tarifliche, betriebliche oder sonstige Urlaubsregelungen für schwerbehinderte Menschen einen längeren Zusatzurlaub vorsehen, bleiben sie unberührt.

(2) [1] Besteht die Schwerbehinderteneigenschaft nicht während des gesamten Kalenderjahres, so hat der schwerbehinderte Mensch für jeden vollen Monat der im Beschäftigungsverhältnis vorliegenden Schwerbehinderteneigenschaft einen Anspruch auf ein Zwölftel des Zusatzurlaubs nach Absatz 1 Satz 1. [2] Bruchteile von Urlaubstagen, die mindestens einen halben Tag ergeben, sind auf volle Urlaubstage aufzurunden. [3] Der so ermittelte Zusatzurlaub ist dem Erholungsurlaub hinzuzurechnen und kann bei einem nicht im ganzen Kalenderjahr bestehenden Beschäftigungsverhältnis nicht erneut gemindert werden.

(3) Wird die Eigenschaft als schwerbehinderter Mensch nach § 152 Absatz 1 und 2 rückwirkend festgestellt, finden auch für die Übertragbarkeit des Zusatzurlaubs in das nächste Kalenderjahr die dem Beschäftigungsverhältnis zugrunde liegenden urlaubsrechtlichen Regelungen Anwendung.

§ 209 Nachteilsausgleich. (1) Die Vorschriften über Hilfen für behinderte Menschen zum Ausgleich behinderungsbedingter Nachteile oder Mehraufwendungen (Nachteilsausgleich) werden so gestaltet, dass sie unabhängig von der Ursache der Behinderung der Art oder Schwere der Behinderung Rechnung tragen.

(2) Nachteilsausgleiche, die auf Grund bisher geltender Rechtsvorschriften erfolgen, bleiben unberührt.

§ 210 Beschäftigung schwerbehinderter Menschen in Heimarbeit. (1) Schwerbehinderte Menschen, die in Heimarbeit beschäftigt oder diesen gleichgestellt sind (§ 1 Absatz 1 und 2 des Heimarbeitsgesetzes[1)]) und in der Hauptsache für den gleichen Auftraggeber arbeiten, werden auf die Arbeitsplätze für schwerbehinderte Menschen dieses Auftraggebers angerechnet.

(2) [1] Für in Heimarbeit beschäftigte und diesen gleichgestellte schwerbehinderte Menschen wird die in § 29 Absatz 2 des Heimarbeitsgesetzes festgelegte Kündigungsfrist von zwei Wochen auf vier Wochen erhöht; die Vorschrift des § 29 Absatz 7 des Heimarbeitsgesetzes ist sinngemäß anzuwenden. [2] Der besondere Kündigungsschutz schwerbehinderter Menschen im Sinne des Kapitels 4 gilt auch für die in Satz 1 genannten Personen.

(3) [1] Die Bezahlung des zusätzlichen Urlaubs der in Heimarbeit beschäftigten oder diesen gleichgestellten schwerbehinderten Menschen erfolgt nach den für die Bezahlung ihres sonstigen Urlaubs geltenden Berechnungsgrundsätzen. [2] Sofern eine besondere Regelung nicht besteht, erhalten die schwerbehinderten Menschen als zusätzliches Urlaubsgeld 2 Prozent des in der Zeit vom 1. Mai des vergangenen bis zum 30. April des laufenden Jahres verdienten Arbeitsentgelts ausschließlich der Unkostenzuschläge.

(4) [1] Schwerbehinderte Menschen, die als fremde Hilfskräfte eines Hausgewerbetreibenden oder eines Gleichgestellten beschäftigt werden (§ 2 Absatz 6 des Heimarbeitsgesetzes) können auf Antrag eines Auftraggebers auch auf dessen Pflichtarbeitsplätze für schwerbehinderte Menschen angerechnet werden, wenn der Arbeitgeber in der Hauptsache für diesen Auftraggeber arbei-

---

1) Nr. **450**.

tet. [2] Wird einem schwerbehinderten Menschen im Sinne des Satzes 1, dessen Anrechnung die Bundesagentur für Arbeit zugelassen hat, durch seinen Arbeitgeber gekündigt, weil der Auftraggeber die Zuteilung von Arbeit eingestellt oder die regelmäßige Arbeitsmenge erheblich herabgesetzt hat, erstattet der Auftraggeber dem Arbeitgeber die Aufwendungen für die Zahlung des regelmäßigen Arbeitsverdienstes an den schwerbehinderten Menschen bis zur rechtmäßigen Beendigung seines Arbeitsverhältnisses.

(5) Werden fremde Hilfskräfte eines Hausgewerbetreibenden oder eines Gleichgestellten (§ 2 Absatz 6 des Heimarbeitsgesetzes) einem Auftraggeber gemäß Absatz 4 auf seine Arbeitsplätze für schwerbehinderte Menschen angerechnet, erstattet der Auftraggeber die dem Arbeitgeber nach Absatz 3 entstehenden Aufwendungen.

(6) Die den Arbeitgeber nach § 163 Absatz 1 und 5 treffenden Verpflichtungen gelten auch für Personen, die Heimarbeit ausgeben.

§ 211 Schwerbehinderte Beamtinnen und Beamte, Richterinnen und Richter, Soldatinnen und Soldaten. (1) Die besonderen Vorschriften und Grundsätze für die Besetzung der Beamtenstellen sind unbeschadet der Geltung dieses Teils auch für schwerbehinderte Beamtinnen und Beamte so zu gestalten, dass die Einstellung und Beschäftigung schwerbehinderter Menschen gefördert und ein angemessener Anteil schwerbehinderter Menschen unter den Beamten und Beamtinnen erreicht wird.

(2) Absatz 1 gilt für Richterinnen und Richter entsprechend.

(3) [1] Für die persönliche Rechtsstellung schwerbehinderter Soldatinnen und Soldaten gelten die §§ 2, 152, 176 bis 182, 199 Absatz 1 sowie die §§ 206, 208, 209 und 228 bis 230. [2] Im Übrigen gelten für Soldatinnen und Soldaten die Vorschriften über die persönliche Rechtsstellung der schwerbehinderten Menschen, soweit sie mit den Besonderheiten des Dienstverhältnisses vereinbar sind.

§ 212 Unabhängige Tätigkeit. Soweit zur Ausübung einer unabhängigen Tätigkeit eine Zulassung erforderlich ist, soll schwerbehinderten Menschen, die eine Zulassung beantragen, bei fachlicher Eignung und Erfüllung der sonstigen gesetzlichen Voraussetzungen die Zulassung bevorzugt erteilt werden.

§ 213 Geheimhaltungspflicht. (1) Die Beschäftigten der Integrationsämter, der Bundesagentur für Arbeit, der Rehabilitationsträger sowie der von diesen Stellen beauftragten Integrationsfachdienste und die Mitglieder der Ausschüsse und des Beirates für die Teilhabe von Menschen mit Behinderungen (§ 86) und ihre Stellvertreterinnen oder Stellvertreter sowie zur Durchführung ihrer Aufgaben hinzugezogene Sachverständige sind verpflichtet,

1. über ihnen wegen ihres Amtes oder Auftrages bekannt gewordene persönliche Verhältnisse und Angelegenheiten von Beschäftigten auf Arbeitsplätzen für schwerbehinderte Menschen, die ihrer Bedeutung oder ihrem Inhalt nach einer vertraulichen Behandlung bedürfen, Stillschweigen zu bewahren und
2. ihnen wegen ihres Amtes oder Auftrages bekannt gewordene und vom Arbeitgeber ausdrücklich als geheimhaltungsbedürftig bezeichnete Be-

triebs- oder Geschäftsgeheimnisse nicht zu offenbaren und nicht zu verwerten.

(2) [1] Diese Pflichten gelten auch nach dem Ausscheiden aus dem Amt oder nach Beendigung des Auftrages. [2] Sie gelten nicht gegenüber der Bundesagentur für Arbeit, den Integrationsämtern und den Rehabilitationsträgern, soweit deren Aufgaben gegenüber schwerbehinderten Menschen es erfordern, gegenüber der Schwerbehindertenvertretung sowie gegenüber den in § 79 Absatz 1 des Betriebsverfassungsgesetzes[1)] und den in den entsprechenden Vorschriften des Personalvertretungsrechts genannten Vertretungen, Personen und Stellen.

§ 214 Statistik. (1) [1] Über schwerbehinderte Menschen wird alle zwei Jahre eine Bundesstatistik durchgeführt. [2] Sie umfasst die folgenden Erhebungsmerkmale:

1. die Zahl der schwerbehinderten Menschen mit gültigem Ausweis,
2. die schwerbehinderten Menschen nach Geburtsjahr, Geschlecht, Staatsangehörigkeit und Wohnort,
3. Art, Ursache und Grad der Behinderung.

(2) Hilfsmerkmale sind:

1. Name, Anschrift, Telefonnummer und Adresse für elektronische Post der nach Absatz 3 Satz 2 auskunftspflichtigen Behörden,
2. Name und Kontaktdaten der für Rückfragen zur Verfügung stehenden Personen,
3. die Signiernummern für das Versorgungsamt und für das Berichtsland.

(3) [1] Für die Erhebung besteht Auskunftspflicht. [2] Auskunftspflichtig sind die nach § 152 Absatz 1 und 5 zuständigen Behörden. [3] Die Angaben zu Absatz 2 Nummer 2 sind freiwillig.

Kapitel 11. Inklusionsbetriebe

§ 215 Begriff und Personenkreis. (1) Inklusionsbetriebe sind rechtlich und wirtschaftlich selbständige Unternehmen oder unternehmensinterne oder von öffentlichen Arbeitgebern im Sinne des § 154 Absatz 2 geführte Betriebe oder Abteilungen zur Beschäftigung schwerbehinderter Menschen auf dem allgemeinen Arbeitsmarkt, deren Teilhabe an einer sonstigen Beschäftigung auf dem allgemeinen Arbeitsmarkt auf Grund von Art oder Schwere der Behinderung oder wegen sonstiger Umstände voraussichtlich trotz Ausschöpfens aller Fördermöglichkeiten und des Einsatzes von Integrationsfachdiensten auf besondere Schwierigkeiten stößt.

(2) Schwerbehinderte Menschen nach Absatz 1 sind insbesondere

1. schwerbehinderte Menschen mit geistiger oder seelischer Behinderung oder mit einer schweren Körper-, Sinnes- oder Mehrfachbehinderung, die sich im Arbeitsleben besonders nachteilig auswirkt und allein oder zusammen mit weiteren vermittlungshemmenden Umständen die Teilhabe am allgemeinen Arbeitsmarkt außerhalb eines Inklusionsbetriebes erschwert oder verhindert,
2. schwerbehinderte Menschen, die nach zielgerichteter Vorbereitung in einer Werkstatt für behinderte Menschen oder in einer psychiatrischen Einrich-

---

[1)] Nr. **570**.

tung für den Übergang in einen Betrieb oder eine Dienststelle auf dem allgemeinen Arbeitsmarkt in Betracht kommen und auf diesen Übergang vorbereitet werden sollen,

3. schwerbehinderte Menschen nach Beendigung einer schulischen Bildung, die nur dann Aussicht auf eine Beschäftigung auf dem allgemeinen Arbeitsmarkt haben, wenn sie zuvor in einem Inklusionsbetrieb an berufsvorbereitenden Bildungsmaßnahmen teilnehmen und dort beschäftigt und weiterqualifiziert werden, sowie
4. schwerbehinderte Menschen, die langzeitarbeitslos im Sinne des § 18 des Dritten Buches[1] sind.

(3) [1] Inklusionsbetriebe beschäftigen mindestens 30 Prozent schwerbehinderte Menschen im Sinne von Absatz 1. [2] Der Anteil der schwerbehinderten Menschen soll in der Regel 50 Prozent nicht übersteigen.

(4) Auf die Quoten nach Absatz 3 wird auch die Anzahl der psychisch kranken beschäftigten Menschen angerechnet, die behindert oder von Behinderung bedroht sind und deren Teilhabe an einer sonstigen Beschäftigung auf dem allgemeinen Arbeitsmarkt auf Grund von Art oder Schwere der Behinderung oder wegen sonstiger Umstände auf besondere Schwierigkeiten stößt.

§ 216[2] Aufgaben. [1] Die Inklusionsbetriebe bieten den schwerbehinderten Menschen Beschäftigung, Maßnahmen der betrieblichen Gesundheitsförderung und arbeitsbegleitende Betreuung an, soweit erforderlich auch Maßnahmen der beruflichen Weiterbildung oder Gelegenheit zur Teilnahme an entsprechenden außerbetrieblichen Maßnahmen sowie geeignete Maßnahmen zur Vorbereitung auf eine Beschäftigung in einem Inklusionsbetrieb. [2] Satz 1 gilt entsprechend für psychisch kranke Menschen im Sinne des § 215 Absatz 4.

§ 217 Finanzielle Leistungen. (1) Inklusionsbetriebe können aus Mitteln der Ausgleichsabgabe Leistungen für Aufbau, Erweiterung, Modernisierung und Ausstattung einschließlich einer betriebswirtschaftlichen Beratung und für besonderen Aufwand erhalten.

(2) Die Finanzierung von Leistungen nach § 216 Satz 2 erfolgt durch den zuständigen Rehabilitationsträger.

§ 218 Verordnungsermächtigung. Das Bundesministerium für Arbeit und Soziales wird ermächtigt, durch Rechtsverordnung mit Zustimmung des Bundesrates das Nähere über den Begriff und die Aufgaben der Inklusionsbetriebe, die für sie geltenden fachlichen Anforderungen, die Aufnahmevoraussetzungen und die finanziellen Leistungen zu regeln.

Kapitel 12. Werkstätten für behinderte Menschen

§ 219 Begriff und Aufgaben der Werkstatt für behinderte Menschen.

(1) [1] Die Werkstatt für behinderte Menschen ist eine Einrichtung zur Teilhabe behinderter Menschen am Arbeitsleben im Sinne des Kapitels 10 des Teils 1 und zur Eingliederung in das Arbeitsleben. [2] Sie hat denjenigen behinderten Menschen, die wegen Art oder Schwere der Behinderung nicht, noch nicht

[1] Nr. **700**.
[2] § 216 Satz 1 geänd. mWv 14.6.2023 durch G v. 6.6.2023 (BGBl. 2023 I Nr. 146).

oder noch nicht wieder auf dem allgemeinen Arbeitsmarkt beschäftigt werden können,

1. eine angemessene berufliche Bildung und eine Beschäftigung zu einem ihrer Leistung angemessenen Arbeitsentgelt aus dem Arbeitsergebnis anzubieten und
2. zu ermöglichen, ihre Leistungs- oder Erwerbsfähigkeit zu erhalten, zu entwickeln, zu erhöhen oder wiederzugewinnen und dabei ihre Persönlichkeit weiterzuentwickeln.

[3] Sie fördert den Übergang geeigneter Personen auf den allgemeinen Arbeitsmarkt durch geeignete Maßnahmen. [4] Sie verfügt über ein möglichst breites Angebot an Berufsbildungs- und Arbeitsplätzen sowie über qualifiziertes Personal und einen begleitenden Dienst. [5] Zum Angebot an Berufsbildungs- und Arbeitsplätzen gehören ausgelagerte Plätze auf dem allgemeinen Arbeitsmarkt. [6] Die ausgelagerten Arbeitsplätze werden zum Zwecke des Übergangs und als dauerhaft ausgelagerte Plätze angeboten.

(2) [1] Die Werkstatt steht allen behinderten Menschen im Sinne des Absatzes 1 unabhängig von Art oder Schwere der Behinderung offen, sofern erwartet werden kann, dass sie spätestens nach Teilnahme an Maßnahmen im Berufsbildungsbereich wenigstens ein Mindestmaß wirtschaftlich verwertbarer Arbeitsleistung erbringen werden. [2] Dies ist nicht der Fall bei behinderten Menschen, bei denen trotz einer der Behinderung angemessenen Betreuung eine erhebliche Selbst- oder Fremdgefährdung zu erwarten ist oder das Ausmaß der erforderlichen Betreuung und Pflege die Teilnahme an Maßnahmen im Berufsbildungsbereich oder sonstige Umstände ein Mindestmaß wirtschaftlich verwertbarer Arbeitsleistung im Arbeitsbereich dauerhaft nicht zulassen.

(3) [1] Behinderte Menschen, die die Voraussetzungen für eine Beschäftigung in einer Werkstatt nicht erfüllen, sollen in Einrichtungen oder Gruppen betreut und gefördert werden, die der Werkstatt angegliedert sind. [2] Die Betreuung und Förderung kann auch gemeinsam mit den Werkstattbeschäftigten in der Werkstatt erfolgen. [3] Die Betreuung und Förderung soll auch Angebote zur Orientierung auf Beschäftigung enthalten.

§ 220[1)] Aufnahme in die Werkstätten für behinderte Menschen.

(1) [1] Anerkannte Werkstätten nehmen diejenigen behinderten Menschen aus ihrem Einzugsgebiet auf, die die Aufnahmevoraussetzungen gemäß § 219 Absatz 2 erfüllen, wenn Leistungen durch die Rehabilitationsträger gewährleistet sind; die Möglichkeit zur Aufnahme in eine andere anerkannte Werkstatt nach Maßgabe des § 104 oder entsprechender Regelungen bleibt unberührt. [2] Die Aufnahme erfolgt unabhängig von

1. der Ursache der Behinderung,
2. der Art der Behinderung, wenn in dem Einzugsgebiet keine besondere Werkstatt für behinderte Menschen für diese Behinderungsart vorhanden ist, und
3. der Schwere der Behinderung, der Minderung der Leistungsfähigkeit und einem besonderen Bedarf an Förderung, begleitender Betreuung oder Pflege.

[1)] § 220 Abs. 3 geänd. mWv 1.1.2020 durch G v. 10.12.2019 (BGBl. I S. 2135); Abs. 1 Satz 1 geänd. mWv 10.6.2021 durch G v. 2.6.2021 (BGBl. I S. 1387).

(2) Behinderte Menschen werden in der Werkstatt beschäftigt, solange die Aufnahmevoraussetzungen nach Absatz 1 vorliegen.

(3) Leistungsberechtigte Menschen mit Behinderungen, die aus einer Werkstatt für behinderte Menschen auf den allgemeinen Arbeitsmarkt übergegangen sind oder bei einem anderen Leistungsanbieter oder mit Hilfe des Budgets für Arbeit oder des Budgets für Ausbildung am Arbeitsleben teilnehmen, haben einen Anspruch auf Aufnahme in eine Werkstatt für behinderte Menschen.

§ 221[1)] Rechtsstellung und Arbeitsentgelt behinderter Menschen.

(1) Behinderte Menschen im Arbeitsbereich anerkannter Werkstätten stehen, wenn sie nicht Arbeitnehmer sind, zu den Werkstätten in einem arbeitnehmerähnlichen Rechtsverhältnis, soweit sich aus dem zugrunde liegenden Sozialleistungsverhältnis nichts anderes ergibt.

(2) [1] Die Werkstätten zahlen aus ihrem Arbeitsergebnis an die im Arbeitsbereich beschäftigten behinderten Menschen ein Arbeitsentgelt, das sich aus einem Grundbetrag in Höhe des Ausbildungsgeldes, das die Bundesagentur für Arbeit nach den für sie geltenden Vorschriften behinderten Menschen im Berufsbildungsbereich leistet, und einem leistungsangemessenen Steigerungsbetrag zusammensetzt. [2] Der Steigerungsbetrag bemisst sich nach der individuellen Arbeitsleistung der behinderten Menschen, insbesondere unter Berücksichtigung von Arbeitsmenge und Arbeitsgüte.

(3) Der Inhalt des arbeitnehmerähnlichen Rechtsverhältnisses wird unter Berücksichtigung des zwischen den behinderten Menschen und dem Rehabilitationsträger bestehenden Sozialleistungsverhältnisses durch Werkstattverträge zwischen den behinderten Menschen und dem Träger der Werkstatt näher geregelt.

(4) Hinsichtlich der Rechtsstellung der Teilnehmer an Maßnahmen im Eingangsverfahren und im Berufsbildungsbereich gilt § 52 entsprechend.

(5) Ist ein volljähriger behinderter Mensch gemäß Absatz 1 in den Arbeitsbereich einer anerkannten Werkstatt für behinderte Menschen im Sinne des § 219 aufgenommen worden und war er zu diesem Zeitpunkt geschäftsunfähig, so gilt der von ihm geschlossene Werkstattvertrag in Ansehung einer bereits bewirkten Leistung und deren Gegenleistung, soweit diese in einem angemessenen Verhältnis zueinander stehen, als wirksam.

(6) War der volljährige behinderte Mensch bei Abschluss eines Werkstattvertrages geschäftsunfähig, so kann der Träger einer Werkstatt das Werkstattverhältnis nur unter den Voraussetzungen für gelöst erklären, unter denen ein wirksamer Vertrag seitens des Trägers einer Werkstatt gekündigt werden kann.

(7) Die Lösungserklärung durch den Träger einer Werkstatt bedarf der schriftlichen Form und ist zu begründen.

§ 222 Mitbestimmung, Mitwirkung, Frauenbeauftragte. (1) [1] Die in § 221 Absatz 1 genannten behinderten Menschen bestimmen und wirken unabhängig von ihrer Geschäftsfähigkeit durch Werkstatträte in den ihre Interessen berührenden Angelegenheiten der Werkstatt mit. [2] Die Werkstatträte berücksichtigen die Interessen der im Eingangsverfahren und im Berufsbildungsbereich der Werkstätten tätigen behinderten Menschen in angemessener

---

[1)] § 221 Abs. 2 Satz 1 geänd. mWv 1.8.2019 durch G v. 8.7.2019 (BGBl. I S. 1025).

und geeigneter Weise, solange für diese eine Vertretung nach § 52 nicht besteht.

(2) Ein Werkstattrat wird in Werkstätten gewählt; er setzt sich aus mindestens drei Mitgliedern zusammen.

(3) Wahlberechtigt zum Werkstattrat sind alle in § 221 Absatz 1 genannten behinderten Menschen; von ihnen sind die behinderten Menschen wählbar, die am Wahltag seit mindestens sechs Monaten in der Werkstatt beschäftigt sind.

(4) [1] Die Werkstätten für behinderte Menschen unterrichten die Personen, die behinderte Menschen gesetzlich vertreten oder mit ihrer Betreuung beauftragt sind, einmal im Kalenderjahr in einer Eltern- und Betreuerversammlung in angemessener Weise über die Angelegenheiten der Werkstatt, auf die sich die Mitwirkung erstreckt, und hören sie dazu an. [2] In den Werkstätten kann im Einvernehmen mit dem Träger der Werkstatt ein Eltern- und Betreuerbeirat errichtet werden, der die Werkstatt und den Werkstattrat bei ihrer Arbeit berät und durch Vorschläge und Stellungnahmen unterstützt.

(5) [1] Behinderte Frauen im Sinne des § 221 Absatz 1 wählen in jeder Werkstatt eine Frauenbeauftragte und eine Stellvertreterin. [2] In Werkstätten mit mehr als 700 wahlberechtigten Frauen wird eine zweite Stellvertreterin gewählt, in Werkstätten mit mehr als 1 000 wahlberechtigten Frauen werden bis zu drei Stellvertreterinnen gewählt.

§ 223 Anrechnung von Aufträgen auf die Ausgleichsabgabe. (1) [1] Arbeitgeber, die durch Aufträge an anerkannte Werkstätten für behinderte Menschen zur Beschäftigung behinderter Menschen beitragen, können 50 Prozent des auf die Arbeitsleistung der Werkstatt entfallenden Rechnungsbetrages solcher Aufträge (Gesamtrechnungsbetrag abzüglich Materialkosten) auf die Ausgleichsabgabe anrechnen. [2] Dabei wird die Arbeitsleistung des Fachpersonals zur Arbeits- und Berufsförderung berücksichtigt, nicht hingegen die Arbeitsleistung sonstiger nichtbehinderter Arbeitnehmerinnen und Arbeitnehmer. [3] Bei Weiterveräußerung von Erzeugnissen anderer anerkannter Werkstätten für behinderte Menschen wird die von diesen erbrachte Arbeitsleistung berücksichtigt. [4] Die Werkstätten bestätigen das Vorliegen der Anrechnungsvoraussetzungen in der Rechnung.

(2) Voraussetzung für die Anrechnung ist, dass

1. die Aufträge innerhalb des Jahres, in dem die Verpflichtung zur Zahlung der Ausgleichsabgabe entsteht, von der Werkstatt für behinderte Menschen ausgeführt und vom Auftraggeber bis spätestens 31. März des Folgejahres vergütet werden und
2. es sich nicht um Aufträge handelt, die Träger einer Gesamteinrichtung an Werkstätten für behinderte Menschen vergeben, die rechtlich unselbständige Teile dieser Einrichtung sind.

(3) Bei der Vergabe von Aufträgen an Zusammenschlüsse anerkannter Werkstätten für behinderte Menschen gilt Absatz 2 entsprechend.

§ 224[1] Vergabe von Aufträgen durch die öffentliche Hand. (1) [1] Aufträge der öffentlichen Hand, die von anerkannten Werkstätten für behinderte Menschen ausgeführt werden können, werden bevorzugt diesen Werkstätten angeboten; zudem können Werkstätten für behinderte Menschen nach Maßgabe der allgemeinen Verwaltungsvorschriften nach Satz 2 beim Zuschlag und den Zuschlagskriterien bevorzugt werden. [2] Die Bundesregierung erlässt mit Zustimmung des Bundesrates allgemeine Verwaltungsvorschriften zur Vergabe von Aufträgen durch die öffentliche Hand.

(2) Absatz 1 gilt auch für Inklusionsbetriebe.

§ 225[2] Anerkennungsverfahren. [1] Werkstätten für behinderte Menschen, die eine Vergünstigung im Sinne dieses Kapitels in Anspruch nehmen wollen, bedürfen der Anerkennung. [2] Die Entscheidung über die Anerkennung trifft auf Antrag die Bundesagentur für Arbeit im Einvernehmen mit dem Träger der Eingliederungshilfe. [3] Die Bundesagentur für Arbeit führt ein Verzeichnis der anerkannten Werkstätten für behinderte Menschen. [4] In dieses Verzeichnis werden auch Zusammenschlüsse anerkannter Werkstätten für behinderte Menschen aufgenommen.

§ 226 Blindenwerkstätten. Die §§ 223 und 224 sind auch zugunsten von auf Grund des Blindenwarenvertriebsgesetzes anerkannten Blindenwerkstätten anzuwenden.

§ 227 Verordnungsermächtigungen. (1) Die Bundesregierung bestimmt durch Rechtsverordnung mit Zustimmung des Bundesrates das Nähere über den Begriff und die Aufgaben der Werkstatt für behinderte Menschen, die Aufnahmevoraussetzungen, die fachlichen Anforderungen, insbesondere hinsichtlich der Wirtschaftsführung, sowie des Begriffs und der Verwendung des Arbeitsergebnisses sowie das Verfahren zur Anerkennung als Werkstatt für behinderte Menschen.

(2) [1] Das Bundesministerium für Arbeit und Soziales bestimmt durch Rechtsverordnung mit Zustimmung des Bundesrates im Einzelnen die Errichtung, Zusammensetzung und Aufgaben des Werkstattrats, die Fragen, auf die sich Mitbestimmung und Mitwirkung erstrecken, einschließlich Art und Umfang der Mitbestimmung und Mitwirkung, die Vorbereitung und Durchführung der Wahl, einschließlich der Wahlberechtigung und der Wählbarkeit, die Amtszeit sowie die Geschäftsführung des Werkstattrats einschließlich des Erlasses einer Geschäftsordnung und der persönlichen Rechte und Pflichten der Mitglieder des Werkstattrats und der Kostentragung. [2] In der Rechtsverordnung werden auch Art und Umfang der Beteiligung von Frauenbeauftragten, die Vorbereitung und Durchführung der Wahl einschließlich der Wahlberechtigung und der Wählbarkeit, die Amtszeit, die persönlichen Rechte und die Pflichten der Frauenbeauftragten und ihrer Stellvertreterinnen sowie die Kostentragung geregelt. [3] Die Rechtsverordnung kann darüber hinaus bestimmen, dass die in ihr getroffenen Regelungen keine Anwendung auf Religionsgemeinschaften und ihre Einrichtungen finden, soweit sie eigene gleichwertige Regelungen getroffen haben.

---

[1] § 224 Abs. 1 Satz 1 geänd., Satz 2 neu gef. mWv 10.6.2021 durch G v. 2.6.2021 (BGBl. I S. 1387).

[2] § 225 Satz 2 geänd. mWv 1.1.2018 durch G v. 17.7.2017 (BGBl. I S. 2541).

Kapitel 14. Straf-, Bußgeld- und Schlussvorschriften

§ 237a Strafvorschriften. (1) Mit Freiheitsstrafe bis zu zwei Jahren oder mit Geldstrafe wird bestraft, wer entgegen § 179 Absatz 7 Satz 1 Nummer 2, auch in Verbindung mit Satz 2 oder § 180 Absatz 7, ein Betriebs- oder Geschäftsgeheimnis verwertet.

(2) Die Tat wird nur auf Antrag verfolgt.

§ 237b Strafvorschriften. (1) Mit Freiheitsstrafe bis zu einem Jahr oder mit Geldstrafe wird bestraft, wer entgegen § 179 Absatz 7 Satz 1, auch in Verbindung mit Satz 2 oder § 180 Absatz 7, ein dort genanntes Geheimnis offenbart.

(2) Handelt der Täter gegen Entgelt oder in der Absicht, sich oder einen anderen zu bereichern oder einen anderen zu schädigen, so ist die Strafe Freiheitsstrafe bis zu zwei Jahren oder Geldstrafe.

(3) Die Tat wird nur auf Antrag verfolgt.

§ 238[1] Bußgeldvorschriften. (1) Ordnungswidrig handelt, wer vorsätzlich oder fahrlässig

[Nr. 1 aufgeh. ab 1.1.2024:]

1. entgegen § 154 Absatz 1 Satz 1, auch in Verbindung mit einer Rechtsverordnung nach § 162 Nummer 1, oder entgegen § 154 Absatz 1 Satz 3 einen schwerbehinderten Menschen nicht beschäftigt,
2. entgegen § 163 Absatz 1 ein Verzeichnis nicht, nicht richtig, nicht vollständig oder nicht in der vorgeschriebenen Weise führt oder nicht oder nicht rechtzeitig vorlegt,
3. entgegen § 163 Absatz 2 Satz 1 oder Absatz 4 eine Anzeige nicht, nicht richtig, nicht vollständig, nicht in der vorgeschriebenen Weise oder nicht rechtzeitig erstattet,
4. entgegen § 163 Absatz 5 eine Auskunft nicht, nicht richtig, nicht vollständig oder nicht rechtzeitig erteilt,
5. entgegen § 163 Absatz 7 Einblick in den Betrieb oder die Dienststelle nicht oder nicht rechtzeitig gibt,
6. entgegen § 163 Absatz 8 eine dort bezeichnete Person nicht oder nicht rechtzeitig benennt,
7. entgegen § 164 Absatz 1 Satz 4 oder 9 eine dort bezeichnete Vertretung oder einen Beteiligten nicht, nicht richtig, nicht vollständig oder nicht rechtzeitig unterrichtet oder
8. entgegen § 178 Absatz 2 Satz 1 erster Halbsatz die Schwerbehindertenvertretung nicht, nicht richtig, nicht vollständig oder nicht rechtzeitig unterrichtet oder nicht oder nicht rechtzeitig anhört.

(2) Die Ordnungswidrigkeit kann mit einer Geldbuße bis zu zehntausend Euro geahndet werden.

(3) Verwaltungsbehörde im Sinne des § 36 Absatz 1 Nummer 1 des Gesetzes über Ordnungswidrigkeiten[2] ist die Bundesagentur für Arbeit.

---

[1] § 238 Abs. 1 Nr 1 aufgeh. mWv 1.1.2024 durch G v. 6.6.2023 (BGBl. 2023 I Nr. 146).
[2] **Habersack Nr. 94.**

(4) [1] Die Geldbußen fließen in die Kasse der Verwaltungsbehörde, die den Bußgeldbescheid erlassen hat. [2] § 66 des Zehnten Buches[1)] gilt entsprechend.

(5) [1] Die nach Absatz 4 Satz 1 zuständige Kasse trägt abweichend von § 105 Absatz 2 des Gesetzes über Ordnungswidrigkeiten die notwendigen Auslagen. [2] Sie ist auch ersatzpflichtig im Sinne des § 110 Absatz 4 des Gesetzes über Ordnungswidrigkeiten.

§ 239 Stadtstaatenklausel. (1) [1] Der Senat der Freien und Hansestadt Hamburg wird ermächtigt, die Schwerbehindertenvertretung für Angelegenheiten, die mehrere oder alle Dienststellen betreffen, in der Weise zu regeln, dass die Schwerbehindertenvertretungen aller Dienststellen eine Gesamtschwerbehindertenvertretung wählen. [2] Für die Wahl gilt § 177 Absatz 2, 3, 6 und 7 entsprechend.

(2) § 180 Absatz 6 Satz 1 gilt entsprechend.

§ 240 Sonderregelung für den Bundesnachrichtendienst und den Militärischen Abschirmdienst. (1) Für den Bundesnachrichtendienst gilt dieses Gesetz mit folgenden Abweichungen:

1. Der Bundesnachrichtendienst gilt vorbehaltlich der Nummer 3 als einheitliche Dienststelle.
2. [1] Für den Bundesnachrichtendienst gelten die Pflichten zur Vorlage des nach § 163 Absatz 1 zu führenden Verzeichnisses, zur Anzeige nach § 163 Absatz 2 und zur Gewährung von Einblick nach § 163 Absatz 7 nicht. [2] Die Anzeigepflicht nach § 173 Absatz 4 gilt nur für die Beendigung von Probearbeitsverhältnissen.
3. [1] Als Dienststelle im Sinne des Kapitels 5 gelten auch Teile und Stellen des Bundesnachrichtendienstes, die nicht zu seiner Zentrale gehören. [2] § 177 Absatz 1 Satz 4 und 5 sowie § 180 sind nicht anzuwenden. [3] In den Fällen des § 180 Absatz 6 ist die Schwerbehindertenvertretung der Zentrale des Bundesnachrichtendienstes zuständig. [4] Im Falle des § 177 Absatz 6 Satz 4 lädt der Leiter oder die Leiterin der Dienststelle ein. [5] Die Schwerbehindertenvertretung ist in den Fällen nicht zu beteiligen, in denen die Beteiligung der Personalvertretung nach dem Bundespersonalvertretungsgesetz[2)] ausgeschlossen ist. [6] Der Leiter oder die Leiterin des Bundesnachrichtendienstes kann anordnen, dass die Schwerbehindertenvertretung nicht zu beteiligen ist, Unterlagen nicht vorgelegt oder Auskünfte nicht erteilt werden dürfen, wenn und soweit dies aus besonderen nachrichtendienstlichen Gründen geboten ist. [7] Die Rechte und Pflichten der Schwerbehindertenvertretung ruhen, wenn die Rechte und Pflichten der Personalvertretung ruhen. [8] § 179 Absatz 7 Satz 3 ist nach Maßgabe der Sicherheitsbestimmungen des Bundesnachrichtendienstes anzuwenden. [9] § 182 Absatz 2 gilt nur für die in § 182 Absatz 1 genannten Personen und Vertretungen der Zentrale des Bundesnachrichtendienstes.
4. [1] Im Widerspruchsausschuss bei dem Integrationsamt (§ 202) und in den Widerspruchsausschüssen bei der Bundesagentur für Arbeit (§ 203) treten in Angelegenheiten schwerbehinderter Menschen, die beim Bundesnachrichtendienst beschäftigt sind, an die Stelle der Mitglieder, die Arbeitnehmer

---

[1)] Nr. **699**.
[2)] Nr. **572**.

oder Arbeitnehmerinnen und Arbeitgeber sind (§ 202 Absatz 1 und § 203 Absatz 1), Angehörige des Bundesnachrichtendienstes, an die Stelle der Schwerbehindertenvertretung die Schwerbehindertenvertretung der Zentrale des Bundesnachrichtendienstes. [2] Sie werden dem Integrationsamt und der Bundesagentur für Arbeit vom Leiter oder von der Leiterin des Bundesnachrichtendienstes benannt. [3] Die Mitglieder der Ausschüsse müssen nach den dafür geltenden Bestimmungen ermächtigt sein, Kenntnis von Verschlusssachen des in Betracht kommenden Geheimhaltungsgrades zu erhalten.

5. Über Rechtsstreitigkeiten, die auf Grund dieses Buches im Geschäftsbereich des Bundesnachrichtendienstes entstehen, entscheidet im ersten und letzten Rechtszug der oberste Gerichtshof des zuständigen Gerichtszweiges.

(2) Der Militärische Abschirmdienst mit seinem Geschäftsbereich gilt als einheitliche Dienststelle.

§ 241[1)] Übergangsregelung. (1) Abweichend von § 154 Absatz 1 beträgt die Pflichtquote für die in § 154 Absatz 2 Nummer 1 und 4 genannten öffentlichen Arbeitgeber des Bundes weiterhin 6 Prozent, wenn sie am 31. Oktober 1999 auf mindestens 6 Prozent der Arbeitsplätze schwerbehinderte Menschen beschäftigt hatten.

(2) Eine auf Grund des Schwerbehindertengesetzes[2)] getroffene bindende Feststellung über das Vorliegen einer Behinderung, eines Grades der Behinderung und das Vorliegen weiterer gesundheitlicher Merkmale gelten als Feststellungen nach diesem Buch.

(3) Die nach § 56 Absatz 2 des Schwerbehindertengesetzes erlassenen allgemeinen Richtlinien sind bis zum Erlass von allgemeinen Verwaltungsvorschriften nach § 224 weiter anzuwenden, auch auf Inklusionsbetriebe.

(4) Auf Erstattungen nach Kapitel 13 dieses Teils ist § 231 für bis zum 31. Dezember 2004 entstandene Fahrgeldausfälle in der bis zu diesem Zeitpunkt geltenden Fassung anzuwenden.

(5) Soweit noch keine Verordnung nach § 153 Absatz 2 erlassen ist, gelten die Maßstäbe des § 30 Absatz 1 des Bundesversorgungsgesetzes[3)] und der auf Grund des § 30 Absatz 16 des Bundesversorgungsgesetzes erlassenen Rechtsverordnungen entsprechend.

(6) Bestehende Integrationsvereinbarungen im Sinne des § 83 in der bis zum 30. Dezember 2016 geltenden Fassung gelten als Inklusionsvereinbarungen fort.

(7) [1] Die nach § 22 in der am 31. Dezember 2017 geltenden Fassung bis zu diesem Zeitpunkt errichteten gemeinsamen Servicestellen bestehen längstens bis zum 31. Dezember 2018. [2] Für die Aufgaben der nach Satz 1 im Jahr 2018 bestehenden gemeinsamen Servicestellen gilt § 22 in der am 31. Dezember 2017 geltenden Fassung entsprechend.

[1)] § 241 Abs. 6 neu gef., Abs. 8 angef. mWv 1.1.2018 durch G v. 17.7.2017 (BGBl. I S. 2541); Abs. 9 angef. mWv 1.8.2019 durch G v. 8.7.2019 (BGBl. I S. 1025); Abs. 10 angef. mWv 1.1.2024 durch G v. 12.12.2019 (BGBl. I S. 2652); Abs. 3 geänd. mWv 10.6.2021 durch G v. 2.6.2021 (BGBl. I S. 1387); Abs. 10 aufgeh. mWv 1.1.2025 durch G v. 20.8.2021 (BGBl. I S. 3932); Abs. 9 neu gef. mWv 1.1.2024 durch G v. 6.6.2023 (BGBl. 2023 I Nr. 146).

[2)] **beck-online, Module Arbeitsrecht Nr. 440b.**

[3)] **Aichberger, SGB Nr. 20/10.**

(8) Bis zum 31. Dezember 2019 treten an die Stelle der Träger der Eingliederungshilfe als Rehabilitationsträger im Sinne dieses Buches die Träger der Sozialhilfe nach § 3 des Zwölften Buches[1], soweit sie zur Erbringung von Leistungen der Eingliederungshilfe für Menschen mit Behinderungen nach § 8 Nummer 4 des Zwölften Buches bestimmt sind.

[Abs. 9 bis 31.12.2023:]

(9) § 221 Absatz 2 Satz 1 ist mit folgender Maßgabe anzuwenden:

1. Ab dem 1. August 2019 beträgt der Grundbetrag mindestens 80 Euro monatlich.
2. Ab dem 1. Januar 2020 beträgt der Grundbetrag mindestens 89 Euro monatlich.
3. Ab dem 1. Januar 2021 beträgt der Grundbetrag mindestens 99 Euro monatlich.
4. Ab dem 1. Januar 2022 bis zum 31. Dezember 2022 beträgt der Grundbetrag mindestens 109 Euro monatlich.

[Abs. 9 ab 1.1.2024:]

(9) Das Inkrafttreten der bei einer Beschäftigungsquote von 0 Prozent zu zahlenden Ausgleichsabgabe gilt nicht als Neubestimmung der Ausgleichsabgabe im Sinne des § 160 Absatz 3 Satz 2.

[Abs. 10 vom 1.1.2024 bis 31.12.2024:]

(10) Für Personen, die Leistungen nach dem Soldatenversorgungsgesetz[2] in der Fassung der Bekanntmachung vom 16. September 2009 (BGBl. I S. 3054), das zuletzt durch Artikel 19 des Gesetzes vom 4. August 2019 (BGBl. I S. 1147) geändert worden ist, in Verbindung mit dem Bundesversorgungsgesetz in der Fassung der Bekanntmachung vom 22. Januar 1982 (BGBl. I S. 21), das zuletzt durch Artikel 1 der Verordnung vom 13. Juni 2019 (BGBl. I S. 793) geändert worden ist, erhalten, gelten die Vorschriften des § 6 Absatz 1 Nummer 5, des § 16 Absatz 6, des § 18 Absatz 7, des § 63 Absatz 1 Nummer 4 und Absatz 2 Nummer 2, des § 64 Absatz 1 Nummer 1 und Absatz 2 Satz 2, des § 65 Absatz 1 Nummer 4, Absatz 2 Nummer 4, Absatz 5 Nummer 2, Absatz 6 und 7, des § 66 Absatz 1 Satz 4, der §§ 69, 70 Absatz 1, des § 71 Absatz 1 Satz 1, des § 152 Absatz 1 Satz 1 und 4, des § 228 Absatz 4 Nummer 2 und des § 241 Absatz 5 in der am 31. Dezember 2023 geltenden Fassung weiter.

---

[1] **Aichberger, SGB Nr. 12.**
[2] Auszugsweise abgedruckt unter Nr. **156b**.

441. Wahlordnung Schwerbehindertenvertretungen (SchwbVWO)

In der Fassung der Bekanntmachung vom 23. April 1990[1]
(BGBl. I S. 811)

FNA 871-1-5

zuletzt geänd. durch Art. 1 Erste ÄndVO v. 18.3.2022 (BGBl. I S. 477)

Inhaltsübersicht[2]

---

[1] Neubekanntmachung der Wahlordnung Schwerbehindertengesetz v. 22.7.1975 (BGBl. I S. 1965) in der ab 1.5.1990 geltenden Fassung.

[2] Inhaltsübersicht geänd. mWv 1.10.2000 durch G v. 29.9.2000 (BGBl. I S. 1394), geänd. mWv 1.7.2001 durch G v. 19.6.2001 (BGBl. I S. 1046); geänd. mWv 10.6.2021 durch G v. 2.6.2021 (BGBl. I S. 1387); geänd. mWv 20.3.2022 durch VO v. 18.3.2022 (BGBl. I S. 477).

Erster Teil. Wahl der Schwerbehindertenvertretung in Betrieben und Dienststellen

Erster Abschnitt. Vorbereitung der Wahl

§ 1[1] Bestellung des Wahlvorstandes. (1) Spätestens acht Wochen vor Ablauf ihrer Amtszeit bestellt die Schwerbehindertenvertretung einen Wahlvorstand aus drei volljährigen in dem Betrieb oder der Dienststelle Beschäftigten und einen oder eine von ihnen als Vorsitzenden oder Vorsitzende.

(2) [1] Ist in dem Betrieb oder der Dienststelle eine Schwerbehindertenvertretung nicht vorhanden, werden der Wahlvorstand und dessen Vorsitzender oder Vorsitzende in einer Versammlung der schwerbehinderten und diesen gleichgestellten behinderten Menschen (Wahlberechtigte) gewählt. [2] Zu dieser Versammlung können drei Wahlberechtigte oder der Betriebs- oder Personalrat einladen. [3] Das Recht des Integrationsamtes, zu einer solchen Versammlung einzuladen (§ 177 Absatz 6 Satz 4 des Neunten Buches Sozialgesetzbuch[2]), bleibt unberührt.

§ 2[3] Aufgaben des Wahlvorstandes. (1) [1] Der Wahlvorstand bereitet die Wahl vor und führt sie durch. [2] Er kann volljährige in dem Betrieb oder der Dienststelle Beschäftigte als Wahlhelfer oder Wahlhelferin zu seiner Unterstützung bei der Durchführung der Stimmabgabe und bei der Stimmenzählung bestellen.

(2) [1] Die Beschlüsse des Wahlvorstandes werden mit einfacher Stimmenmehrheit seiner Mitglieder gefaßt. [2] Über jede Sitzung des Wahlvorstandes ist eine Niederschrift aufzunehmen, die mindestens den Wortlaut der gefaßten Beschlüsse enthält. [3] Die Niederschrift ist von dem Vorsitzenden oder der Vorsitzenden und einem weiteren Mitglied des Wahlvorstandes zu unterzeichnen.

(3) Der Wahlvorstand hat die Wahl unverzüglich einzuleiten; sie soll innerhalb von sechs Wochen, spätestens jedoch eine Woche vor dem Tage stattfinden, an dem die Amtszeit der Schwerbehindertenvertretung abläuft.

(4) Der Wahlvorstand beschließt nach Erörterung mit der Schwerbehindertenvertretung, dem Betriebs- oder Personalrat und dem Arbeitgeber, wie viele stellvertretende Mitglieder der Schwerbehindertenvertretung in dem Betrieb oder der Dienststelle zu wählen sind.

(Fortsetzung nächstes Blatt)

---

[1] § 1 Abs. 1 und 2 geänd. mWv 1.7.2001 durch G v. 19.6.2001 (BGBl. I S. 1046); Abs. 2 Satz 3 geänd. mWv 1.1.2018 durch G v. 23.12.2016 (BGBl. I S. 3234).

[2] Nr. **440**.

[3] § 2 Abs. 1 Satz 2, Abs. 2 Satz 3, Abs. 4, Abs. 5 und 6 geänd. mWv 1.7.2001 durch G v. 19.6.2001 (BGBl. I S. 1046).

(5) Der Wahlvorstand soll dafür sorgen, daß ausländische Wahlberechtigte rechtzeitig über das Wahlverfahren, die Aufstellung der Liste der Wahlberechtigten, die Wahlvorschläge, den Wahlvorgang und die Stimmabgabe in geeigneter Weise unterrichtet werden.

(6) [1]Der Arbeitgeber unterstützt den Wahlvorstand bei der Erfüllung seiner Aufgaben. [2]Er gibt ihm insbesondere alle für die Anfertigung der Liste der Wahlberechtigten erforderlichen Auskünfte und stellt die notwendigen Unterlagen zur Verfügung.

§ 3[1)] Liste der Wahlberechtigten. (1) [1]Der Wahlvorstand stellt eine Liste der Wahlberechtigten auf. [2]Die Wahlberechtigten sollen mit Familienname, Vorname, erforderlichenfalls Geburtsdatum sowie Betrieb oder Dienststelle in alphabetischer Reihenfolge aufgeführt werden.

(2) Die Liste der Wahlberechtigten oder eine Abschrift ist unverzüglich nach Einleitung der Wahl bis zum Abschluß der Stimmabgabe an geeigneter Stelle zur Einsicht auszulegen.

§ 4[2)] Einspruch gegen die Liste der Wahlberechtigten. (1) Wer wahlberechtigt oder in dem Betrieb oder der Dienststelle beschäftigt ist und ein berechtigtes Interesse an einer ordnungsgemäßen Wahl glaubhaft macht, kann innerhalb von zwei Wochen nach Erlass des Wahlausschreibens beim Wahlvorstand schriftlich Einspruch gegen die Richtigkeit der Liste der Wahlberechtigten einlegen.

(2) [1]Über Einsprüche nach Absatz 1 entscheidet der Wahlvorstand unverzüglich. [2]Hält er den Einspruch für begründet, berichtigt er die Liste der Wahlberechtigten. [3]Der Person, die den Einspruch eingelegt hat, wird die Entscheidung des Wahlvorstandes unverzüglich mitgeteilt; die Entscheidung muss ihr spätestens am Tag vor dem Beginn der Stimmabgabe zugehen.

(3) [1]Nach Ablauf der Einspruchsfrist soll der Wahlvorstand die Liste der Wahlberechtigten nochmals auf ihre Vollständigkeit hin überprüfen. [2]Im übrigen kann nach Ablauf der Einspruchsfrist die Liste der Wahlberechtigten nur bei Schreibfehlern, offenbaren Unrichtigkeiten, in Erledigung rechtzeitig eingelegter Einsprüche oder bei Eintritt oder Ausscheiden eines Wahlberechtigten bis zum Tage vor dem Beginn der Stimmabgabe berichtigt oder ergänzt werden.

§ 5[3)] Wahlausschreiben. (1) [1]Spätestens sechs Wochen vor dem Wahltage erläßt der Wahlvorstand ein Wahlausschreiben, das von dem

---

1) § 3 Überschrift und Abs. 2 geänd. durch G v. 19. 6. 2001 (BGBl. I S. 1046).

2) § 4 Überschrift geänd., Abs. 1 und 2 neugef., Abs. 3 geänd. durch G v. 19. 6. 2001 (BGBl. I S. 1046).

3) § 5 Abs. 1 Satz 1 und Satz 2 Nr. 4 bis 8 geänd. durch G v. 19. 6. 2001 (BGBl. I S. 1046).

oder der Vorsitzenden und mindestens einem weiteren Mitglied des Wahlvorstandes zu unterschreiben ist. [2]Es muß enthalten:

1. das Datum seines Erlasses,
2. die Namen der Mitglieder des Wahlvorstandes,
3. die Voraussetzungen der Wählbarkeit zur Schwerbehindertenvertretung,
4. den Hinweis, wo und wann die Liste der Wahlberechtigten und diese Verordnung zur Einsicht ausliegen,
5. den Hinweis, dass nur wählen kann, wer in die Liste der Wahlberechtigten eingetragen ist und dass Einsprüche gegen die Richtigkeit der Liste der Wahlberechtigten nur vor Ablauf von zwei Wochen seit dem Erlaß des Wahlausschreibens beim Wahlvorstand schriftlich eingelegt werden können; der letzte Tag der Frist ist anzugeben,
6. die Zahl der zu wählenden stellvertretenden Mitglieder,
7. den Hinweis, daß Schwerbehindertenvertretung und stellvertretende Mitglieder in zwei getrennten Wahlgängen gewählt werden und daß sich aus den Wahlvorschlägen ergeben muß, wer als Schwerbehindertenvertretung und wer als Stellvertreter vorgeschlagen wird,
8. den Hinweis, daß Wahlberechtigte sowohl einen Wahlvorschlag für die Wahl der Schwerbehindertenvertretung als auch für die Wahl des stellvertretenden Mitglieds unterzeichnen können und daß ein Bewerber oder eine Bewerberin sowohl als Schwerbehindertenvertretung als auch als stellvertretendes Mitglied vorgeschlagen werden kann,
9. die Aufforderung, Wahlvorschläge innerhalb von zwei Wochen nach Erlaß des Wahlausschreibens beim Wahlvorstand einzureichen; der letzte Tag der Frist ist anzugeben,
10. die Mindestzahl von Wahlberechtigten, von denen ein Wahlvorschlag unterzeichnet sein muß (§ 6 Abs. 2 Satz 1),
11. den Hinweis, daß die Stimmabgabe an die Wahlvorschläge gebunden ist und daß nur solche Wahlvorschläge berücksichtigt werden dürfen, die fristgerecht (Nummer 9) eingereicht sind,
12. die Bestimmung des Ortes, an dem die Wahlvorschläge bis zum Abschluß der Stimmabgabe durch Aushang oder in sonst geeigneter Weise bekanntgegeben werden,
13. Ort, Tag und Zeit der Stimmabgabe,
14. den Hinweis auf die Möglichkeit der schriftlichen Stimmabgabe (§ 11 Abs. 1), falls der Wahlvorstand nicht die schriftliche Stimmabgabe beschlossen hat (§ 11 Abs. 2),

15. den Ort und die Zeit der Stimmauszählung und der Sitzung des Wahlvorstandes, in der das Wahlergebnis abschließend festgestellt wird,
16. den Ort, an dem Einsprüche, Wahlvorschläge und sonstige Erklärungen gegenüber dem Wahlvorstand abzugeben sind (Anschrift des Wahlvorstandes).

(2) Eine Abschrift oder ein Abdruck des Wahlausschreibens ist vom Tage seines Erlasses bis zum Wahltag an einer oder mehreren geeigneten, den Wahlberechtigten zugänglichen Stellen vom Wahlvorstand auszuhängen und in gut lesbarem Zustand zu erhalten.

§ 6[1] **Wahlvorschläge.** (1) [1]Die Wahlberechtigten können innerhalb von zwei Wochen seit Erlaß des Wahlausschreibens schriftliche Vorschläge beim Wahlvorstand einreichen. [2]Es können ein Bewerber oder eine Bewerberin als Schwerbehindertenvertretung und ein Bewerber oder eine Bewerberin als stellvertretendes Mitglied vorgeschlagen werden. [3]Hat der Wahlvorstand die Wahl mehrerer stellvertretender Mitglieder beschlossen, können entsprechend viele Bewerber oder Bewerberinnen dafür benannt werden. [4]Ein Bewerber oder eine Bewerberin kann sowohl als Schwerbehindertenvertretung als auch als Stellvertreter vorgeschlagen werden.

(2) [1]Jeder Wahlvorschlag muß von einem Zwanzigstel der Wahlberechtigten, mindestens jedoch von drei Wahlberechtigten unterzeichnet sein. [2]Familienname, Vorname, Geburtsdatum, Art der Beschäftigung sowie erforderlichenfalls Betrieb oder Dienststelle der Bewerber oder Bewerberinnen sind anzugeben. [3]Dem Wahlvorschlag ist die schriftliche Zustimmung der Bewerber oder Bewerberinnen beizufügen.

(3) [1]Eine Person, die sich bewirbt, kann nur auf einem Wahlvorschlag benannt werden, es sei denn, sie ist in einem Wahlvorschlag als Schwerbehindertenvertretung und in einem anderen Wahlvorschlag als stellvertretendes Mitglied benannt. [2]Der Wahlvorstand fordert eine Person, die mit ihrer schriftlichen Zustimmung auf mehreren Wahlvorschlägen für dasselbe Amt benannt ist, auf, innerhalb von drei Arbeitstagen zu erklären, auf welchem der Wahlvorschläge sie benannt bleiben will. [3]Wird diese Erklärung nicht fristgerecht abgegeben, wird der Bewerber oder die Bewerberin von sämtlichen Wahlvorschlägen gestrichen.

(4) [1]Die Unterschrift eines Wahlberechtigten zählt nur auf einem Wahlvorschlag. [2]Der Wahlvorstand hat einen Wahlberechtigten, der mehrere Wahlvorschläge unterzeichnet hat, schriftlich gegen Empfangsbestätigung aufzufordern, binnen drei Arbeitstagen seit dem Zugang der Aufforderung zu erklären, welche Unterschrift er aufrechter-

---

[1] § 6 Abs. 1 Satz 2, 3 und 4, Abs. 2 Satz 2 und 3 geänd., Abs. 3 neugef. durch G v. 19. 6. 2001 (BGBl. I S. 1046).

hält. [3]Gibt der Wahlberechtigte diese Erklärung nicht fristgerecht ab, zählt seine Unterschrift auf keinem Wahlvorschlag.

§ 7[1)] Nachfrist für Wahlvorschläge. (1) [1]Ist nach Ablauf der in § 6 Abs. 1 genannten Frist kein gültiger Wahlvorschlag für die Wahl der Schwerbehindertenvertretung eingegangen, hat dies der Wahlvorstand sofort in der gleichen Weise bekanntzumachen wie das Wahlausschreiben und eine Nachfrist von einer Woche für die Einreichung von Wahlvorschägen zu setzen. [2]In der Bekanntmachung ist darauf hinzuweisen, daß die Wahl nur stattfinden kann, wenn innerhalb der Nachfrist mindestens ein gültiger Wahlvorschlag eingereicht wird.

(2) Gehen innerhalb der Nachfrist gültige Wahlvorschläge für die Wahl der Schwerbehindertenvertretung nicht ein, hat der Wahlvorstand sofort bekanntzumachen, daß die Wahl nicht stattfindet.

(3) Absatz 1 Satz 1 gilt entsprechend, wenn für die Wahl der stellvertretenden Mitglieder kein gültiger Wahlvorschlag eingeht oder wenn die Zahl der für dieses Amt gültig vorgeschlagenen Bewerber oder Bewerberinnen nicht der vom Wahlvorstand beschlossenen Zahl der stellvertretenden Mitglieder entspricht.

§ 8[2)] Bekanntmachung der Bewerber und Bewerberinnen. Der Wahlvorstand macht spätestens eine Woche vor Beginn der Stimmabgabe die Namen der Bewerber und Bewerberinnen aus gültigen Wahlvorschlägen in alphabetischer Reihefolge, getrennt nach Bewerbungen für die Schwerbehindertenvertretung und als stellvertretendes Mitglied, bis zum Abschluss der Stimmabgabe in gleicher Weise bekannt wie das Wahlausschreiben.

Zweiter Abschnitt. Durchführung der Wahl

§ 9[3)] Stimmabgabe. (1) Wer wahlberechtigt ist, kann seine Stimme nur für eine Person abgeben, die rechtswirksam als Bewerber oder Bewerberin vorgeschlagen ist.

(2) [1]Das Wahlrecht wird durch Abgabe eines Stimmzettels in einem Wahlumschlag ausgeübt. [2]Auf dem Stimmzettel sind die Personen, die sich für das Amt der Schwerbehindertenvertretung und als stellvertretendes Mitglied bewerben, getrennt in alphabetischer Reihenfolge unter Angabe von Familienname, Vorname, Geburtsdatum und Art der Beschäftigung aufgeführt. [3]Die Stimmzettel müssen sämtlich die glei-

---

[1)] § 7 Abs. 3 geänd. durch G v. 19. 6. 2001 (BGBl. I S. 1046).

[2)] § 8 neugef. durch G v. 19. 6. 2001 (BGBl. I S. 1046).

[3)] § 9 Abs. 1, Abs. 2 Satz 2, Abs. 4 neugef., Abs. 3, Abs. 5 geänd. durch G v. 19. 6. 2001 (BGBl. I S. 1046).

che Größe, Farbe, Beschaffenheit und Beschriftung haben. [4]Das gleiche gilt für die Wahlumschläge.

(3) Werden mehrere stellvertretende Mitglieder gewählt, soll der Stimmzettel einen Hinweis darauf enthalten, wie viele Bewerber oder Bewerberinnen im Höchstfall angekreuzt werden dürfen.

(4) [1]Bei der Stimmabgabe wird durch Ankreuzen an der im Stimmzettel jeweils vorgesehenen Stelle die von dem Wählenden gewählte Person für das Amt der Schwerbehindertenvertretung und der Stellvertretung gekennzeichnet. [2]Werden mehrere stellvertretende Mitglieder gewählt, können Bewerber oder Bewerberinnen in entsprechender Anzahl angekreuzt werden.

(5) Stimmzettel, auf denen mehr als die zulässige Anzahl der Bewerber und Bewerberinnen angekreuzt oder die mit einem besonderen Merkmal versehen sind oder aus denen sich der Wille des Wählers oder der Wählerin nicht zweifelsfrei ergibt, sind ungültig.

§ 10[1)] Wahlvorgang. (1) [1]Der Wahlvorstand hat geeignete Vorkehrungen für die unbeobachtete Kennzeichnung der Stimmzettel im Wahlraum zu treffen und für die Bereitstellung einer Wahlurne oder mehrerer Wahlurnen zu sorgen. [2]Die Wahlurne muß vom Wahlvorstand verschlossen und so eingerichtet sein, daß die eingeworfenen Wahlumschläge nicht herausgenommen werden können, ohne daß die Urne geöffnet wird.

(2) Während der Wahl müssen immer mindestens zwei Mitglieder des Wahlvorstandes im Wahlraum anwesend sein; sind Wahlhelfer oder Wahlhelferin bestellt (§ 2 Abs. 1 Satz 2), genügt die Anwesenheit eines Mitgliedes des Wahlvorstandes und eines Wahlhelfers oder einer Wahlhelferin.

(3) [1]Der Wähler oder die Wählerin händigt den Wahlumschlag, in den der Stimmzettel eingelegt ist, dem mit der Entgegennahme der Wahlumschläge betrauten Mitglied des Wahlvorstandes aus, wobei der Name des Wählers oder der Wählerin angegeben wird. [2]Der Wahlumschlag ist in Gegenwart des Wählers oder der Wählerin in die Wahlurne einzuwerfen, nachdem die Stimmabgabe in der Liste der Wahlberechtigten vermerkt worden ist.

(4) [1]Wer infolge seiner Behinderung bei der Stimmabgabe beeinträchtigt ist, bestimmt eine Person, die ihm bei der Stimmabgabe behilflich sein soll, und teilt dies dem Wahlvorstand mit. [2]Personen, die sich bei der Wahl bewerben, Mitglieder des Wahlvorstandes sowie Wahlhelfer und Wahlhelferinnen dürfen nicht als Person nach Satz 1 bestimmt werden. [3]Die Hilfeleistung beschränkt sich auf die Erfüllung der Wünsche

---

[1)] § 10 Abs. 2 2. Halbsatz, Abs. 3, Abs. 4 Satz 4 und 5 geänd., Abs. 4 Satz 1 bis 3 neugef. durch G v. 19. 6. 2001 (BGBl. I S. 1046).

des Wählers oder der Wählerin zur Stimmabgabe; die nach Satz 1 bestimmte Person darf gemeinsam mit dem Wähler oder der Wählerin die Wahlzelle aufsuchen. 4 Die nach Satz 1 bestimmte Person ist zur Geheimhaltung der Kenntnisse verpflichtet, die sie bei der Hilfeleistung von der Wahl einer anderen Person erlangt hat. 5 Die Sätze 1 bis 4 gelten entsprechend für des Lesens unkündige Wähler und Wählerinnen.

(5) Nach Abschluß der Wahl ist die Wahlurne zu versiegeln, wenn die Stimmenzählung nicht unmittelbar nach Beendigung der Wahl durchgeführt wird.

§ 11[1] Schriftliche Stimmabgabe. (1) 1 Der Wahlvorstand übergibt oder übersendet den Wahlberechtigten, die an der persönlichen Stimmabgabe verhindert sind, auf deren Verlangen

1. das Wahlausschreiben,
2. den Stimmzettel und den Wahlumschlag,
3. eine vorgedruckte Erklärung, die der Wähler oder die Wählerin abgibt,
4. einen größeren Freiumschlag, der die Anschrift des Wahlvorstandes und als Absender Namen und Anschrift der wahlberechtigten Person sowie den Vermerk „Schriftliche Stimmabgabe" trägt.

2 In der Erklärung nach Nummer 3 versichert der Wähler oder die Wählerin gegenüber dem Wahlvorstand, dass er oder sie den Stimmzettel persönlich gekennzeichnet hat oder unter den Voraussetzungen des § 10 Abs. 4 durch eine andere Person hat kennzeichnen lassen. 3 Der Wahlvorstand soll zusätzlich zu den Unterlagen nach den Nummern 1 bis 4 ein Merkblatt über die schriftliche Stimmabgabe übersenden oder übergeben. 4 Er vermerkt die Übergabe oder Übersendung der Unterlagen in der Liste der Wahlberechtigten.

(2) 1 Der Wahlvorstand kann die schriftliche Stimmabgabe beschließen. 2 Für diesen Fall sind die in Absatz 1 bezeichneten Unterlagen den Wahlberechtigten unaufgefordert zu übersenden.

(3) 1 Die Stimmabgabe erfolgt in der Weise, dass der Wähler oder die Wählerin

1. den Stimmzettel unbeobachtet persönlich kennzeichnet und in den Wahlumschlag einlegt,
2. die vorgedruckte Erklärung unter Angabe des Ortes und des Datums unterschreibt und
3. den Wahlumschlag und die unterschriebene, vorgedruckte Erkärung in dem Freiumschlag verschließt und diesen so rechtzeitig an den Wahlvorstand absendet oder übergibt, daß er vor Abschluß der Wahl vorliegt.

---

[1] § 11 Abs. 1 neugef., Abs. 3 geänd. durch G v. 19. 6. 2001 (BGBl. I S. 1046).

[2]Der Wähler oder die Wählerin kann unter den Voraussetzungen des § 10 Abs. 4 die in den Nummern 1 bis 3 bezeichneten Tätigkeiten durch eine andere Person verrichten lassen.

§ 12[1)] Behandlung der schriftlich abgegebenen Stimmen.

(1) [1]Unmittelbar vor Abschluß der Wahl öffnet der Wahlvorstand in öffentlicher Sitzung die bis zu diesem Zeitpunkt eingegangenen Freiumschläge und entnimmt ihnen die Wahlumschläge sowie die vorgedruckten Erklärungen. [2]Ist die schriftliche Stimmabgabe ordnungsgemäß erfolgt (§ 11), legt der Wahlvorstand die Wahlumschläge nach Vermerk der Stimmabgabe in der Liste der Wahlberechtigten ungeöffnet in die Wahlurne.

(2) [1]Verspätet eingehende Freiumschläge hat der Wahlvorstand mit einem Vermerk über den Zeitpunkt des Eingangs ungeöffnet zu den Wahlunterlagen zu nehmen. [2]Sie sind einen Monat nach Bekanntgabe des Wahlergebnisses ungeöffnet zu vernichten, wenn die Wahl nicht angefochten ist.

§ 13[2)] Feststellung des Wahlergebnisses. (1) Unverzüglich nach Abschluß der Wahl nimmt der Wahlvorstand öffentlich die Auszählung der Stimmen vor und stellt das Ergebnis fest.

(2) [1]Gewählt für das Amt der Schwerbehindertenvertretung oder als stellvertretendes Mitglied ist der Bewerber oder die Bewerberin, der oder die jeweils die meisten Stimmen erhalten hat. [2]Bei Stimmengleichheit entscheidet das Los.

(3) [1]Werden mehrere stellvertretende Mitglieder gewählt, ist als zweites stellvertretendes Mitglied der Bewerber oder die Bewerberin mit der zweithöchsten Stimmenzahl gewählt. [2]Entsprechendes gilt für die Wahl weiterer stellvertretender Mitglieder. [3]Für die Wahl und die Reihenfolge stellvertretender Mitglieder gilt Absatz 2 Satz 2 entsprechend.

(4) [1]Der Wahlvorstand fertigt eine Niederschrift des Wahlergebnisses, die von dem oder der Vorsitzenden sowie mindestens einem weiteren Mitglied des Wahlvorstandes unterschrieben wird. [2]Die Niederschrift muß die Zahl der abgegebenen gültigen und ungültigen Stimmzettel, die auf jeden Bewerber und jede Bewerberin entfallenen Stimmenzahlen sowie die Namen der gewählten Bewerber und Bewerberinnen enthalten.

§ 14[3)] Benachrichtigung der Gewählten und Annahme der Wahl. (1) [1]Der Wahlvorstand benachrichtigt die für das Amt der

---

1) § 12 Abs. 1 Satz 2 geänd. durch G v. 19. 6. 2001 (BGBl. I S. 1046).

2) § 13 Abs. 2 Satz 1, Abs. 3, Abs. 4 Satz 1 neugef., Satz 2 geänd. durch G v. 19. 6. 2001 (BGBl. I S. 1046).

3) § 14 neugef. durch G v. 19. 6. 2001 (BGBl. I S. 1046).

Schwerbehindertenvertretung oder als stellvertretendes Mitglied Gewählten unverzüglich schriftlich gegen Empfangsbestätigung von ihrer Wahl. 2 Erklärt eine gewählte Person nicht innerhalb von drei Arbeitstagen nach Zugang der Benachrichtigung dem Wahlvorstand ihre Ablehnung der Wahl, ist diese angenommen.

(2) 1 Wird eine Wahl abgelehnt, tritt an die Stelle der Person, die abgelehnt hat, der Bewerber oder die Bewerberin für das Amt der Schwerbehindertenvertretung oder als stellvertretendes Mitglied mit der nächsthöheren Stimmenzahl. 2 Satz 1 gilt für die Wahl mehrerer stellvertretender Mitglieder mit der Maßgabe, dass jeweils der Bewerber oder die Bewerberin mit der nächsthöheren Stimmenzahl nachrückt.

§ 15[1)] Bekanntmachung der Gewählten. Sobald die Namen der Personen, die das Amt der Schwerbehindertenvertretung oder des stellvertretenden Mitglieds innehaben, endgültig feststehen, hat der Wahlvorstand sie durch zweiwöchigen Aushang in gleicher Weise wie das Wahlausschreiben bekanntzumachen (§ 5 Abs. 2) sowie unverzüglich dem Arbeitgeber und dem Betriebs- oder Personalrat mitzuteilen.

§ 16 Aufbewahrung der Wahlunterlagen. Die Wahlunterlagen, insbesondere die Niederschriften, Bekanntmachungen und Stimmzettel, werden von der Schwerbehindertenvertretung mindestens bis zur Beendigung der Wahlperiode aufbewahrt.

§ 17[2)] Nachwahl des stellvertretenden Mitglieds. 1 Scheidet das einzige stellvertretende Mitglied aus oder ist ein stellvertretendes Mitglied noch nicht gewählt, bestellt die Schwerbehindertenvertretung unverzüglich einen Wahlvorstand. 2 Der Wahlvorstand hat die Wahl eines oder mehrerer Stellvertreter für den Rest der Amtszeit der Schwerbehindertenvertretung unverzüglich einzuleiten. 3 Im übrigen gelten die §§ 1 bis 16 entsprechend.

Dritter Abschnitt. Vereinfachtes Wahlverfahren

§ 18 Voraussetzungen. Besteht der Betrieb oder die Dienststelle nicht aus räumlich weiter auseinanderliegenden Teilen und sind dort weniger als fünfzig Wahlberechtigte beschäftigt, ist die Schwerbehindertenvertretung in einem vereinfachten Wahlverfahren nach Maßgabe der folgenden Vorschriften zu wählen.

§ 19[3)] Vorbereitung der Wahl. (1) Spätestens drei Wochen vor Ablauf ihrer Amtszeit lädt die Schwerbehindertenvertretung die Wahl-

---

1) § 15 geänd. durch G v. 19. 6. 2001 (BGBl. I S. 1046).
2) § 17 Überschrift und Satz 1 geänd. durch G v. 19. 6. 2001 (BGBl. I S. 1046).
3) § 19 Abs. 2 geänd. durch G v. 19. 6. 2001 (BGBl. I S. 1046).

berechtigten durch Aushang oder sonst in geeigneter Weise zur Wahlversammlung ein.

(2) Ist in dem Betrieb oder der Dienststelle eine Schwerbehindertenvertretung nicht vorhanden, können drei Wahlberechtigte, der Betriebs- oder Personalrat oder das Integrationsamt zur Wahlversammlung einladen.

§ 20[1)] Durchführung der Wahl. (1) [1] Die Wahlversammlung wird von einer Person geleitet, die mit einfacher Stimmenmehrheit gewählt wird (Wahlleitung). [2] Die Wahlversammlung kann zur Unterstützung der Wahlleitung Wahlhelfer oder Wahlhelferinnen bestimmen.

(2) [1] Die Wahlversammlung beschließt mit einfacher Stimmenmehrheit, wie viele stellvertretende Mitglieder zu wählen sind. [2] Die Schwerbehindertenvertretung und ein oder mehrere stellvertretende Mitglieder werden in getrennten Wahlgängen gewählt; mehrere stellvertretende Mitglieder werden in einem gemeinsamen Wahlgang gewählt. [3] Jede Person, die wahlberechtigt ist, kann Personen zur Wahl der Schwerbehindertenvertretung und ihrer stellvertretenden Mitglieder vorschlagen.

(3) [1] Das Wahlrecht wird durch Abgabe eines Stimmzettels in einem Wahlumschlag ausgeübt. [2] Auf dem Stimmzettel sind von der Wahlleitung die vorgeschlagenen Personen in alphabetischer Reihenfolge unter Angabe von Familienname und Vorname aufzuführen; die Stimmzettel und Wahlumschläge müssen sämtlich die gleiche Größe, Farbe, Beschaffenheit und Beschriftung haben. [3] Die Wahlleitung verteilt die Stimmzettel und trifft Vorkehrungen, daß die Wähler und Wählerinnen ihre Stimme unbeobachtet abgeben können; § 9 Abs. 4 gilt entsprechend. [4] Der Wähler oder die Wählerin übergibt den Wahlumschlag, in den der Stimmzettel eingelegt ist, der Wahlleitung. [5] Diese legt den Wahlumschlag in Gegenwart des Wählers oder der Wählerin ungeöffnet in einen dafür bestimmten Behälter und hält den Namen des Wählers oder der Wählerin in einer Liste fest. [6] Unverzüglich nach Beendigung der Wahlhandlung zählt er öffentlich die Stimmen aus und stellt das Ergebnis fest.

(4) § 13 Abs. 2 und 3 sowie die §§ 14 bis 16 gelten entsprechend.

(5) [1] Die Wahlversammlung der Schwerbehindertenvertretung kann im vereinfachten Wahlverfahren mittels Video- und Telefonkonferenz erfolgen, wenn sichergestellt ist, dass Dritte vom Inhalt der Sitzung keine Kenntnis nehmen können. [2] Eine Aufzeichnung ist unzulässig. [3] Für die Ausübung des Wahlrechts durch Stimmabgabe bei der Wahl der Schwerbehindertenvertretung und ihrer stellvertretenden Mitglieder gilt § 11 entsprechend.

§ 21[2)] Nachwahl des stellvertretenden Mitglieds. [1] Scheidet das einzige stellvertretende Mitglied aus oder ist ein stellvertretendes Mitglied noch nicht gewählt, lädt die Schwerbehindertenvertretung die Wahlberechtigten unverzüglich zur Wahlversammlung zur Wahl eines oder mehrerer stellvertretender Mitglieder ein. [2] Im übrigen gelten die §§ 18 bis 20 entsprechend.

[1)] § 20 Abs. 1 neu gef., Abs. 2 Sätze 1, 2 und 3, Abs. 3 Sätze 2, 3, 4 und 5 geänd. mWv 1.7.2001 durch G v. 19.6.2001 (BGBl. I S. 1046); Abs. 5 angef. mWv 20.3.2022 durch VO v. 18.3.2022 (BGBl. I S. 477).

[2)] § 21 Überschrift geänd., Satz 1 neu gef. mWv 1.7.2001 durch G v. 19.6.2001 (BGBl. I S. 1046).

Zweiter Teil.[1] Wahl der Konzern-, Gesamt-, Bezirks- und Hauptschwerbehindertenvertretung in Betrieben und Dienststellen

§ 22[2] Wahlverfahren. (1) [1]Konzern-, Gesamt-, Bezirks- und Hauptschwerbehindertenvertretung werden durch schriftliche Stimmabgabe gewählt (§§ 11, 12). [2]Im übrigen sind § 1 Abs. 1, §§ 2 bis 5, 7 bis 10 und 13 bis 17 sinngemäß anzuwenden. [3]§ 1 Abs. 2 findet sinngemäß mit der Maßgabe Anwendung, daß sich die Wahlberechtigten auch in sonst geeigneter Weise über die Bestellung eines Wahlvorstandes einigen können. [4]§ 6 findet sinngemäß mit der Maßgabe Anwendung, daß bei weniger als fünf Wahlberechtigten die Unterzeichnung eines Wahlvorschlages durch einen Wahlberechtigten ausreicht.

(2) [1]Bei nur zwei Wahlberechtigten bestimmen diese im beiderseitigen Einvernehmen abweichend von Absatz 1 die Konzern-, Gesamt-, Bezirks- oder Hauptschwerbehindertenvertretung. [2]Kommt eine Einigung nicht zustande, entscheidet das Los.

(3) [1]Sofern rechtzeitig vor Ablauf der Amtszeit der Konzern-, Gesamt-, Bezirks- oder Hauptschwerbehindertenvertretung eine Versammlung nach § 180 Absatz 8 des Neunten Buches Sozialgesetzbuch[3] stattfindet, kann die Wahl abweichend von Absatz 1 im Rahmen dieser Versammlung durchgeführt werden. [2]§ 20 findet entsprechende Anwendung.

Dritter Teil.[4] Wahl der Schwerbehindertenvertretung, Bezirks- und Hauptschwerbehindertenvertretung der schwerbehinderten Staatsanwälte und Staatsanwältinnen

§ 23[5] Wahlverfahren. Für die Wahl der Schwerbehindertenvertretung, der Bezirks- und Hauptschwerbehindertenvertretung der schwerbehinderten Staatsanwälte und Staatsanwältinnen in den Fällen des § 177 Absatz 1 Satz 3 des Neunten Buches Sozialgesetzbuch[3] gelten die Vorschriften des Ersten und Zweiten Teils entsprechend.

Vierter Teil.[4] Wahl der Schwerbehindertenvertretung, Bezirks- und Hauptschwerbehindertenvertretung der schwerbehinderten Richter und Richterinnen

§ 24[6] Vorbereitung der Wahl der Schwerbehindertenvertretung der Richter und Richterinnen. (1) [1]Spätestens acht Wochen vor Ablauf ihrer Amtszeit lädt die Schwerbehindertenvertretung der schwerbehinderten Richter und Richterinnen die Wahlberechtigten schriftlich oder durch Aushang zu

---

[1] Überschrift geänd. mWv 1.10.2000 durch G v. 29.9.2000 (BGBl. I S. 1394).

[2] § 22 Abs. 1, Abs. 2, Abs. 3 geänd. mWv 1.10.2000 durch G v. 29.9.2000 (BGBl. I S. 1394); Abs. 3 geänd. mWv 1.7.2001 durch G v. 19.6.2001 (BGBl. I S. 1046); Abs. 3 Satz 1 geänd. mWv 1.1.2018 durch G v. 23.12.2016 (BGBl. I S. 3234).

[3] Nr. **440**.

[4] Überschrift geänd. mWv 1.7.2001 durch G v. 19.6.2001 (BGBl. I S. 1046).

[5] § 23 geänd. mWv 1.7.2001 durch G v. 19.6.2001 (BGBl. I S. 1046); geänd. mWv 1.1.2018 durch G v. 23.12.2016 (BGBl. I S. 3234).

[6] § 24 Überschrift, Abs. 1 Satz 1 und Satz 2 Nr. 3 und Abs. 2 Sätze 1 und 2 geänd. mWv 1.7.2001 durch G v. 19.6.2001 (BGBl. I S. 1046); Abs. 2 Satz 2 geänd. mWv 1.1.2018 durch G v. 23.12.2016 (BGBl. I S. 3234).

einer Wahlversammlung ein. [2]Die Einladung muß folgende Angaben enthalten:

1. die Voraussetzungen der Wählbarkeit zur Schwerbehindertenvertretung,
2. den Hinweis über eine für Zwecke der Wahl erfolgte Zusammenfassung von Gerichten,
3. den Hinweis, wo und wann die Liste der Wahlberechtigten und diese Verordnung zur Einsicht ausliegen,
4. Ort, Tag und Zeit der Wahlversammlung.

(2) [1]Ist in dem Gericht eine Schwerbehindertenvertretung der schwerbehinderten Richter und Richterinnen nicht vorhanden, laden drei wahlberechtigte Richter und Richterinnen, der Richterrat oder der Präsidialrat zu der Wahlversammlung ein. [2]Das Recht des Integrationsamtes, zu einer solchen Versammlung einzuladen (§ 177 Absatz 6 Satz 4 des Neunten Buches Sozialgesetzbuch[1)]), bleibt unberührt.

§ 25[2)] **Durchführung der Wahl.** (1) Die Wahlversammlung beschließt unter dem Vorsitz des oder der lebensältesten Wahlberechtigten das Wahlverfahren und die Anzahl der stellvertretenden Mitglieder der Schwerbehindertenvertretung.

(2) [1]Die Leitung der Wahlversammlung hat die Gewählten unverzüglich von ihrer Wahl zu benachrichtigen. [2]§ 14 Abs. 1 Satz 2 und Abs. 2 sowie die §§ 15 und 16 gelten entsprechend.

§ 26[3)] **Nachwahl des stellvertretenden Mitglieds.** [1]Scheidet das einzige stellvertretende Mitglied vorzeitig aus dem Amt aus oder ist ein stellvertretendes Mitglied noch nicht gewählt, lädt die Schwerbehindertenvertretung der schwerbehinderten Richter und Richterinnen unverzüglich zur Wahlversammlung zur Wahl eines oder mehrerer stellvertretender Mitglieder für den Rest ihrer Amtszeit ein. [2]Im übrigen gelten die §§ 24 und 25 entsprechend.

§ 27[4)] **Wahl der Bezirks- und Hauptschwerbehindertenvertretung der schwerbehinderten Richter und Richterinnen.** Für die Wahl der Bezirks- und Hauptschwerbehindertenvertretung der schwerbehinderten Richter und Richterinnen gelten die §§ 24 bis 26 entsprechend.

Fünfter Teil. Schlußvorschriften

§ 28[5)] *(aufgehoben)*

§ 29 (Inkrafttreten)

[1)] Nr. **440**.
[2)] § 25 Abs. 1 und 2 geänd. mWv 1.7.2001 durch G v. 19.6.2001 (BGBl. I S. 1046).
[3)] § 26 Überschrift geänd., Satz 1 neu gef. mWv 1.7.2001 durch G v. 19.6.2001 (BGBl. I S. 1046).
[4)] § 27 Überschrift, Satz 1 geänd. mWv 1.7.2001 durch G v. 19.6.2001 (BGBl. I S. 1046).
[5)] § 28 aufgeh. mWv 20.3.2022 durch VO v. 18.3.2022 (BGBl. I S. 477).

442. Schwerbehinderten-Ausgleichsabgabeverordnung – SchwbAV[1)]

Vom 28. März 1988
(BGBl. I S. 484)

FNA 871-1-14

zuletzt geänd. durch Art. 1 Sechste VO zur Änd. der Schwerbehinderten-AusgleichsabgabeVO v. 24.11.2023 (BGBl. 2023 I Nr. 323)

Inhaltsübersicht[2)]

---

1) Änderungen vor dem 1.1.1999 sind nicht in Fußnoten nachgewiesen.

2) Inhaltsübersicht geänd. mWv. 1.10.2000 durch G v. 29.9.2000 (BGBl. I S. 1394); geänd. mWv 1.7.2001 durch G v. 19.6.2001 (BGBl. I S. 1046); geänd. mWv 1.7.2003 durch VO v. 24.6.2003 (BGBl. I S. 1000); geänd. mWv 1.1.2004 durch VO v. 16.1.2004 (BGBl. I S. 77); geänd. mWv 1.5. 2004 durch G v. 23.4.2004 (BGBl. I S. 606); geänd. mWv 8.11.2006 durch VO v. 31.10.2006 (BGBl. I S. 2407); geänd. mWv 1.1.2024 durch G v. 6.6.2023 (BGBl. 2023 I Nr. 146).

Auf Grund des § 11 Abs. 3 Satz 3, § 12 Abs. 2 und § 33 Abs. 2 Satz 5 des Schwerbehindertengesetzes[1)] in der Fassung der Bekanntmachung vom 26. August 1986 (BGBl. I S. 1421) sowie des Artikels 12 Abs. 2 des Gesetzes zur Erleichterung des Übergangs vom Arbeitsleben in den Ruhestand vom 13. April 1984 (BGBl. I S. 601) verordnet die Bundesregierung mit Zustimmung des Bundesrates:

Erster Abschnitt.[2)] *(aufgehoben)*

§§ 1–13[2)] *(aufgehoben)*

Zweiter Abschnitt.[3)] Förderung der Teilhabe schwerbehinderter Menschen am Arbeitsleben aus Mitteln der Ausgleichsabgabe durch die Integrationsämter

§ 14[4)] **Verwendungszwecke.** (1) Die Integrationsämter haben die ihnen zur Verfügung stehenden Mittel der Ausgleichsabgabe einschließlich der Zinsen, der Tilgungsbeträge aus Darlehen, der zurückgezahlten Zuschüsse sowie der unverbrauchten Mittel des Vorjahres zu verwenden für folgende Leistungen:

[1)] **beck-online, Module Arbeitsrecht Nr. 440b.**

[2)] Erster Abschnitt (§§ 1 bis 13) aufgeh. mWv. 1.10.2000 durch G v. 29.9.2000 (BGBl. I S. 1394).

[3)] Überschrift geänd. mWv 1.7.2001 durch G v. 19.6.2001 (BGBl. I S. 1046).

[4)] § 14 Abs. 1, Abs. 1 Nrn. 1, 2, 3 und 4, Abs. 3 geänd. mWv 1.7.2001 durch G v. 19.6.2001 (BGBl. I S. 1046); Abs. 1 Nr. 4 geänd. mWv 1.7.2003 durch VO v. 24.6.2003 (BGBl. I S. 1000); Abs. 3 geänd. mWv 1.1.2004 durch VO v. 16.1.2004 (BGBl. I S. 77); Abs. 1 Nr. 4 geänd. mWv 8.11. 2006 durch VO v. 31.10.2006 (BGBl. I S. 2407); Abs. 1 Nr. 3 und 4 geänd., Nr. 5 angef. mWv 1.8. 2016 durch G v. 26.7.2016 (BGBl. I S. 1824); Abs. 1 Nr. 4 und Nr. 5 geänd., Nr. 6 angef. mWv 1.1. 2018 durch G v. 23.12.2016 (BGBl. I S. 3234); Abs. 1 Nr. 6 geänd. mWv 1.1.2020 durch G v. 10.12. 2019 (BGBl. I S. 2135); Abs. 1 Nr. 5 und 6 geänd., Nr. 7 angef. mWv 1.3.2020 durch VO v. 6.7.2020 (BGBl. I S. 1595); Abs. 1 Nr. 2 geänd. mWv 1.1.2022 durch G v. 2.6.2021 (BGBl. I S. 1387); Abs. 1 Nr. 3 und 7 aufgeh., Nr. 5 und 6, Abs. 3 geänd. mWv 1.1.2024 durch G v. 6.6.2023 (BGBl. 2023 I Nr. 146).

1. Leistungen zur Förderung des Arbeits- und Ausbildungsplatzangebots für schwerbehinderte Menschen,
2. Leistungen zur begleitenden Hilfe im Arbeitsleben, einschließlich der Durchführung von Aufklärungs-, Schulungs- und Bildungsmaßnahmen sowie der Information, Beratung und Unterstützung von Arbeitgebern (Einheitliche Ansprechstellen für Arbeitgeber),
3. *(aufgehoben)*
4. Leistungen zur Durchführung von Forschungs- und Modellvorhaben auf dem Gebiet der Teilhabe schwerbehinderter Menschen am Arbeitsleben, sofern ihnen ausschließlich oder überwiegend regionale Bedeutung zukommt oder beim Bundesministerium für Arbeit und Soziales beantragte Mittel aus dem Ausgleichsfonds nicht erbracht werden konnten,
5. Maßnahmen der beruflichen Orientierung und
6. Leistungen zur Deckung eines Teils der Aufwendungen für ein Budget für Arbeit oder für ein Budget für Ausbildung.

(2) Die Mittel der Ausgleichsabgabe sind vorrangig für die Förderung nach Absatz 1 Nr. 1 und 2 zu verwenden.

(3) Die Integrationsämter können sich an der Förderung von Vorhaben nach § 41 Absatz 1 Nummer 4 bis 6 durch den Ausgleichsfonds beteiligen.

1. Unterabschnitt.[1] Leistungen zur Förderung des Arbeits- und Ausbildungsplatzangebots für schwerbehinderte Menschen

§ 15[2] Leistungen an Arbeitgeber zur Schaffung von Arbeits- und Ausbildungsplätzen für schwerbehinderte Menschen. (1) [1] Arbeitgeber können Darlehen oder Zuschüsse bis zur vollen Höhe der entstehenden notwendigen Kosten zu den Aufwendungen für folgende Maßnahmen erhalten:

1. die Schaffung neuer geeigneter, erforderlichenfalls behinderungsgerecht ausgestatteter Arbeitsplätze in Betrieben oder Dienststellen für schwerbehinderte Menschen,
   a) die ohne Beschäftigungspflicht oder über die Beschäftigungspflicht hinaus (§ 154 des Neunten Buches Sozialgesetzbuch[3]) eingestellt werden sollen,
   b) die im Rahmen der Erfüllung der besonderen Beschäftigungspflicht gegenüber im Arbeits- und Berufsleben besonders betroffenen schwerbehinderten Menschen (§ 154 Absatz 1 Satz 2 und § 155 des Neunten Buches Sozialgesetzbuch[3]) eingestellt werden sollen,
   c) die nach einer längerfristigen Arbeitslosigkeit von mehr als 12 Monaten eingestellt werden sollen,
   d) die im Anschluß an eine Beschäftigung in einer anerkannten Werkstatt für behinderte Menschen eingestellt werden sollen oder
   e) die zur Durchführung von Maßnahmen der besonderen Fürsorge und Förderung nach § 164 Absatz 3 Satz 1, Absatz 4 Satz 1 Nummer 1, 4 und 5 und Absatz 5 Satz 1 des Neunten Buches Sozialgesetzbuch[3] auf einen neu

---

[1] Überschrift geänd. mWv 1.7.2001 durch G v. 19.6.2001 (BGBl. I S. 1046).

[2] § 15 Abs. 1 Satz 1 Nr. 1 Buchst. b und e geänd. mWv 1.10.2000 durch G v. 29.9.2000 (BGBl. I S. 1394), Überschrift, Abs. 1 Satz 1, Satz 1 Nr. 1, Nr. 1 Buchst. a, b, d und e, Nr. 2, Satz 2, Abs. 3 geänd. mWv 1.7.2001 durch G v. 19.6.2001 (BGBl. I S. 1046); Abs. 1 Nr. 1 Buchst. a, b und e, Nr. 2 geänd. mWv 1.1.2018 durch G v. 23.12.2016 (BGBl. I S. 3234).

[3] Nr. **440**.

zu schaffenden Arbeitsplatz umgesetzt werden sollen oder deren Beschäftigungsverhältnis ohne Umsetzung auf einen neu zu schaffenden Arbeitsplatz enden würde,

2. die Schaffung neuer geeigneter, erforderlichenfalls behinderungsgerecht ausgestatteter Ausbildungsplätze und Plätze zur sonstigen beruflichen Bildung für schwerbehinderte Menschen, insbesondere zur Teilnahme an Leistungen zur Teilhabe am Arbeitsleben nach § 49 Absatz 3 Nummer 4 des Neunten Buches Sozialgesetzbuch[1], in Betrieben oder Dienststellen,

wenn gewährleistet wird, daß die geförderten Plätze für einen nach Lage des Einzelfalles zu bestimmenden langfristigen Zeitraum schwerbehinderten Menschen vorbehalten bleiben. [2] Leistungen können auch zu den Aufwendungen erbracht werden, die durch die Ausbildung schwerbehinderter Menschen im Gebrauch der nach Satz 1 geförderten Gegenstände entstehen.

(2) [1] Leistungen sollen nur erbracht werden, wenn sich der Arbeitgeber in einem angemessenen Verhältnis an den Gesamtkosten beteiligt. [2] Sie können nur erbracht werden, soweit Mittel für denselben Zweck nicht von anderer Seite zu erbringen sind oder erbracht werden. [3] Art und Höhe der Leistung bestimmen sich nach den Umständen des Einzelfalles. [4] Darlehen sollen mit jährlich 10 vom Hundert getilgt werden; von der Tilgung kann im Jahr der Auszahlung und dem darauf folgenden Kalenderjahr abgesehen werden. [5] Auch von der Verzinsung kann abgesehen werden.

(3) Die behinderungsgerechte Ausstattung von Arbeits- und Ausbildungsplätzen und die Einrichtung von Teilzeitarbeitsplätzen können, wenn Leistungen nach Absatz 1 nicht erbracht werden, nach den Vorschriften über die begleitende Hilfe im Arbeitsleben (§ 26) gefördert werden.

§ 16[2] Arbeitsmarktprogramme für schwerbehinderte Menschen. Die Integrationsämter können der Bundesagentur für Arbeit Mittel der Ausgleichsabgabe zur Durchführung befristeter regionaler Arbeitsmarktprogramme

(Fortsetzung nächstes Blatt)

---

[1] Nr. **440**.

[2] § 16 Abs. 2 aufgeh. mWv 1.10.2000 durch G v. 29.9.2000 (BGBl. I S. 1394), Überschrift, bish. Abs. 1 wird alleiniger Wortlaut und geänd. mWv 1.7.2001 durch G v. 19.6.2001 (BGBl. I S. 1046); geänd. mWv 1.1.2004 durch G v. 23.12.2003 (BGBl. I S. 2848); geänd. mWv 1.1.2004 durch VO v. 16.1.2004 (BGBl. I S. 77); geänd. mWv 1.1.2018 durch G v. 23.12.2016 (BGBl. I S. 3234).

für schwerbehinderte Menschen gemäß § 187 Absatz 3 des Neunten Buches Sozialgesetzbuch[1] zuweisen.

2. Unterabschnitt.[2] Leistungen zur begleitenden Hilfe im Arbeitsleben

§ 17[3] Leistungsarten. (1) [1]Leistungen zur begleitenden Hilfe im Arbeitsleben können erbracht werden

1. an schwerbehinderte Menschen
   a) für technische Arbeitshilfen (§ 19),
   b) zum Erreichen des Arbeitsplatzes (§ 20),
   c) zur Gründung und Erhaltung einer selbständigen beruflichen Existenz (§ 21),
   d) zur Beschaffung, Ausstattung und Erhaltung einer behinderungsgerechten Wohnung (§ 22),
   e) *(aufgehoben)*
   f) zur Teilnahme an Maßnahmen zur Erhaltung und Erweiterung beruflicher Kenntnisse und Fertigkeiten (§ 24) und
   g) in besonderen Lebenslagen (§ 25),
2. an Arbeitgeber
   a) zur behinderungsgerechten Einrichtung von Arbeits- und Ausbildungsplätzen für schwerbehinderte Menschen (§ 26),
   b) für Zuschüsse zu den Gebühren bei der Berufsausbildung besonders betroffener schwerbehinderter Jugendlicher und junger Erwachsener (§ 26a),
   c) für Prämien und Zuschüsse zu den Kosten der Berufsausbildung behinderter Jugendlicher und junger Erwachsener (§ 26 b),
   d) für Prämien zur Einführung eines betrieblichen Eingliederungsmanagements (§ 26c) und
   e) bei außergewöhnlichen Belastungen (§ 27),
3. an Träger von Integrationsfachdiensten zu den Kosten ihrer Inanspruchnahme (§ 27a) einschließlich freier gemeinnütziger Einrichtungen und Organisationen zu den Kosten einer psychosozialen Betreuung schwerbehinderter Menschen (§ 28) sowie an Träger von Inklusionsbetrieben (§ 28a),
4. zur Durchführung von Aufklärungs-, Schulungs- und Bildungsmaßnahmen (§ 29).

[2]Daneben können solche Leistungen unter besonderen Umständen an Träger sonstiger Maßnahmen erbracht werden, die dazu dienen und geeignet sind, die Teilhabe schwerbehinderter Menschen am Arbeitsleben auf dem allgemeinen

---

[1] **beck-online, Module Arbeitsrecht Nr. 440.**

[2] Überschrift geänd. mWv 1.7.2001 durch G v. 19.6.2001 (BGBl. I S. 1046).

[3] § 17 Abs. 1 Satz 1 Nr. 1 neu gef., Nr. 3 geänd. und Abs. 1a angef. mWv 1.10.2000 durch G v. 29.9.2000 (BGBl. I S. 1394), Abs. 1 Satz 1, Satz 1 Nr. 1, Nr. 2 Buchst. a, Satz 2, Abs. 1a, Abs. 2 Satz 1 geänd., Abs. 1 Satz 1 Nr. 1 Buchst. d, Nr. 3 neu gef., Abs. 1 Satz 1 Nr. 1 Buchst. e aufgeh. mWv 1.7. 2001 durch G v. 19.6.2001 (BGBl. I S. 1046); Abs. 1 Nr. 3 geänd. mWv 1.1.2004 durch VO v. 16.1. 2004 (BGBl. I S. 77); Abs. 1 Satz 1 Nr. 2 Buchst. a geänd., Buchst. b bis d eingef., bish. Buchst. b wird Buchst. e mWv 1.5.2004 durch G v. 23.4.2004 (BGBl. I S. 606); Abs. 1b eingef., Abs. 2 Satz 1 geänd. mWv 30.12.2008 durch G v. 22.12.2008 (BGBl. I S. 2959); Abs. 1 Satz 1 Nr. 3, Abs. 1b geänd. mWv 1.1.2018 durch G v. 23.12.2016 (BGBl. I S. 3234).

Arbeitsmarkt (Aufnahme, Ausübung oder Sicherung einer möglichst dauerhaften Beschäftigung) zu ermöglichen, zu erleichtern oder zu sichern.

(1a) [1] Schwerbehinderte Menschen haben im Rahmen der Zuständigkeit des Integrationsamtes für die begleitende Hilfe im Arbeitsleben aus den ihm aus der Ausgleichsabgabe zur Verfügung stehenden Mitteln Anspruch auf Übernahme der Kosten einer notwendigen Arbeitsassistenz.

(1b) Schwerbehinderte Menschen haben im Rahmen der Zuständigkeit des Integrationsamtes aus den ihm aus der Ausgleichsabgabe zur Verfügung stehenden Mitteln Anspruch auf Übernahme der Kosten einer Berufsbegleitung nach § 55 Absatz 3 des Neunten Buches Sozialgesetzbuch[1)].

(2) [1] Andere als die in Absatz 1 bis 1b genannten Leistungen, die der Teilhabe schwerbehinderter Menschen am Arbeitsleben nicht oder nur mittelbar dienen, können nicht erbracht werden. [2] Insbesondere können medizinische Maßnahmen sowie Urlaubs- und Freizeitmaßnahmen nicht gefördert werden.

§ 18[2)] Leistungsvoraussetzungen. (1) [1] Leistungen nach § 17 Abs. 1 bis 1b dürfen nur erbracht werden, soweit Leistungen für denselben Zweck nicht von einem Rehabilitationsträger, vom Arbeitgeber oder von anderer Seite zu erbringen sind oder, auch wenn auf sie ein Rechtsanspruch nicht besteht, erbracht werden. [2] Der Nachrang der Träger der Sozialhilfe gemäß § 2 des Zwölften Buches Sozialgesetzbuch[3)] und das Verbot der Aufstockung von Leistungen der Rehabilitationsträger durch Leistungen der Integrationsämter (§ 185 Absatz 6 Satz 2 letzter Halbsatz des Neunten Buches Sozialgesetzbuch[1)]) und die Möglichkeit der Integrationsämter, Leistungen der begleitenden Hilfe im Arbeitsleben vorläufig zu erbringen (§ 185 Absatz 7 Satz 3 des Neunten Buches Sozialgesetzbuch), bleiben unberührt.

(2) Leistungen an schwerbehinderte Menschen zur begleitenden Hilfe im Arbeitsleben können erbracht werden,

1. wenn die Teilhabe am Arbeitsleben auf dem allgemeinen Arbeitsmarkt unter Berücksichtigung von Art oder Schwere der Behinderung auf besondere Schwierigkeiten stößt und durch die Leistungen ermöglicht, erleichtert oder gesichert werden kann und
2. wenn es dem schwerbehinderten Menschen wegen des behinderungsbedingten Bedarfs nicht zuzumuten ist, die erforderlichen Mittel selbst aufzubringen. In den übrigen Fällen sind seine Einkommensverhältnisse zu berücksichtigen.

(3) [1] Die Leistungen können als einmalige oder laufende Leistungen erbracht werden. [2] Laufende Leistungen können in der Regel nur befristet erbracht werden. [3] Leistungen können wiederholt erbracht werden.

[1)] **beck-online, Module Arbeitsrecht Nr. 440.**

[2)] § 18 Abs. 1 Satz 1, Abs. 2 Satz 1 Nrn. 1 und 2 geänd., Abs. 1 Satz 2 neu gef. mWv 1.7.2001 durch G v. 19.6.2001 (BGBl. I S. 1046); Abs. 1 Satz 2 geänd. mWv 1.1.2005 durch G v. 27.12.2003 (BGBl. I S. 3022); Abs. 1 Satz 2 neu gef. mWv 1.5.2004 durch G v. 23.4.2004 (BGBl. I S. 606); Abs. 1 Satz 1 geänd. mWv 30.12.2008 durch G v. 22.12.2008 (BGBl. I S. 2959); Abs. 1 Satz 2 geänd. mWv 1.1.2018 durch G v. 23.12.2016 (BGBl. I S. 3234).

[3)] **Aichberger, SGB Nr. 12.**

I.[1] Leistungen an schwerbehinderte Menschen

§ 19[2] **Technische Arbeitshilfen.** [1] Für die Beschaffung technischer Arbeitshilfen, ihre Wartung, Instandsetzung und die Ausbildung des schwerbehinderten Menschen im Gebrauch können die Kosten bis zur vollen Höhe übernommen werden. [2] Gleiches gilt für die Ersatzbeschaffung und die Beschaffung zur Anpassung an die technische Weiterentwicklung.

§ 20[3] **Hilfen zum Erreichen des Arbeitsplatzes.** Schwerbehinderte Menschen können Leistungen zum Erreichen des Arbeitsplatzes nach Maßgabe der Kraftfahrzeughilfe-Verordnung[4] vom 28. September 1987 (BGBl. I S. 2251) erhalten.

§ 21[5] **Hilfen zur Gründung und Erhaltung einer selbständigen beruflichen Existenz.** (1) Schwerbehinderte Menschen können Darlehen oder Zinszuschüsse zur Gründung und zur Erhaltung einer selbständigen beruflichen Existenz erhalten, wenn

1. sie die erforderlichen persönlichen und fachlichen Voraussetzungen für die Ausübung der Tätigkeit erfüllen,
2. sie ihren Lebensunterhalt durch die Tätigkeit voraussichtlich auf Dauer im wesentlichen sicherstellen können und
3. die Tätigkeit unter Berücksichtigung von Lage und Entwicklung des Arbeitsmarkts zweckmäßig ist.

(2) [1] Darlehen sollen mit jährlich 10 vom Hundert getilgt werden. [2] Von der Tilgung kann im Jahr der Auszahlung und dem darauffolgenden Kalenderjahr abgesehen werden. [3] Satz 2 gilt, wenn Darlehen verzinslich gegeben werden, für die Verzinsung.

(3) Sonstige Leistungen zur Deckung von Kosten des laufenden Betriebs können nicht erbracht werden.

(4) Die §§ 17 bis 20 und die §§ 22 bis 27 sind zugunsten von schwerbehinderten Menschen, die eine selbständige Tätigkeit ausüben oder aufzunehmen beabsichtigen, entsprechend anzuwenden.

§ 22[6] **Hilfen zur Beschaffung, Ausstattung und Erhaltung einer behinderungsgerechten Wohnung.** (1) Schwerbehinderte Menschen können Leistungen erhalten

1. zur Beschaffung von behinderungsgerechtem Wohnraum im Sinne des § 16 des Wohnraumförderungsgesetzes[7],
2. zur Anpassung von Wohnraum und seiner Ausstattung an die besonderen behinderungsbedingten Bedürfnisse und

---

[1] Überschrift geänd. mWv 1.7.2001 durch G v. 19.6.2001 (BGBl. I S. 1046).
[2] § 19 Satz 1 geänd. mWv 1.7.2001 durch G v. 19.6.2001 (BGBl. I S. 1046).
[3] § 20 geänd. mWv 1.7.2001 durch G v. 19.6.2001 (BGBl. I S. 1046).
[4] **beck-online, Module Arbeitsrecht Nr. 698a.**
[5] § 21 Überschrift neu gef. mWv 1.10.2000 durch G v. 29.9.2000 (BGBl. I S. 1394), Abs. 1 und 4 geänd. mWv 1.7.2001 durch G v. 19.6.2001 (BGBl. I S. 1046); Abs. 4 geänd. mWv 1.1.2004 durch VO v. 16.1.2004 (BGBl. I S. 77).
[6] § 22 Abs. 1 und 3 geänd. mWv 1.7.2001 durch G v. 19.6.2001 (BGBl. I S. 1046), Abs. 1 Nr. 1 geänd. mWv 1.1.2002 durch G v. 13.9.2001 (BGBl. I S. 2376).
[7] **Sartorius Nr. 355.**

3. zum Umzug in eine behinderungsgerechte oder erheblich verkehrsgünstiger zum Arbeitsplatz gelegene Wohnung.

(2) [1] Leistungen könne als Zuschüsse, Zinszuschüsse oder Darlehen erbracht werden. [2] Höhe, Tilgung und Verzinsung bestimmen sich nach den Umständen des Einzelfalls.

(3) Leistungen von anderer Seite sind nur insoweit anzurechnen, als sie schwerbehinderten Menschen für denselben Zweck wegen der Behinderung zu erbringen sind oder erbracht werden.

§ 23[1)] *(aufgehoben)*

§ 24[2)] **Hilfen zur Teilnahme an Maßnahmen zur Erhaltung und Erweiterung beruflicher Kenntnisse und Fertigkeiten.** [1] Schwerbehinderte Menschen, die an inner- oder außerbetrieblichen Maßnahmen der beruflichen Bildung zur Erhaltung und Erweiterung ihrer beruflichen Kenntnisse und Fertigkeiten oder zur Anpassung an die technische Entwicklung teilnehmen, vor allem an besonderen Fortbildungs- und Anpassungsmaßnahmen, die nach Art, Umfang und Dauer den Bedürfnissen dieser schwerbehinderten Menschen entsprechen, können Zuschüsse bis zur Höhe der ihnen durch die Teilnahme an diesen Maßnahmen entstehenden Aufwendungen erhalten. [2] Hilfen können auch zum beruflichen Aufstieg erbracht werden.

§ 25[3)] **Hilfen in besonderen Lebenslagen.** Andere Leistungen zur begleitenden Hilfe im Arbeitsleben als die in den §§ 19 bis 24 geregelten Leistungen können an schwerbehinderte Menschen erbracht werden, wenn und soweit sie unter Berücksichtigung von Art oder Schwere der Behinderung erforderlich sind, um die Teilhabe am Arbeitsleben auf dem allgemeinen Arbeitsmarkt zu ermöglichen, zu erleichtern oder zu sichern.

II. Leistungen an Arbeitgeber

§ 26[4)] **Leistungen zur behinderungsgerechten Einrichtung von Arbeits- und Ausbildungsplätzen für schwerbehinderte Menschen.**

(1) [1] Arbeitgeber können Darlehen oder Zuschüsse bis zur vollen Höhe der entstehenden notwendigen Kosten für folgende Maßnahmen erhalten:

1. die behinderungsgerechte Einrichtung und Unterhaltung der Arbeitsstätten einschließlich der Betriebsanlagen, Maschinen und Geräte,
2. die Einrichtung von Teilzeitarbeitsplätzen für schwerbehinderte Menschen, insbesondere wenn eine Teilzeitbeschäftigung mit einer Dauer auch von weniger als 18 Stunden, wenigstens aber 15 Stunden, wöchentlich wegen Art oder Schwere der Behinderung notwendig ist,

---

[1)] § 23 aufgeh. mWv 1.7.2001 durch G v. 19.6.2001 (BGBl. I S. 1046).

[2)] § 24 Satz 1 geänd. mWv 1.7.2001 durch G v. 19.6.2001 (BGBl. I S. 1046).

[3)] § 25 Überschrift geänd. mWv 1.10.2000 durch G v. 29.9.2000 (BGBl. I S. 1394); § 25 geänd. mWv 1.7.2001 durch G v. 19.6.2001 (BGBl. I S. 1046).

[4)] § 26 Abs. 2 geänd. mWv 1.10.2000 durch G v. 29.9.2000 (BGBl. I S. 1394), Überschrift, Abs. 1 Nrn. 2, 3, und 4, Abs. 2 geänd. mWv 1.7.2001 durch G v. 19.6.2001 (BGBl. I S. 1046); Abs. 2 geänd. mWv 1.1.2018 durch G v. 23.12.2016 (BGBl. I S. 3234).

3. die Ausstattung von Arbeits- oder Ausbildungsplätzen mit notwendigen technischen Arbeitshilfen, deren Wartung und Instandsetzung sowie die Ausbildung des schwerbehinderten Menschen im Gebrauch der nach den Nummern 1 bis 3 geförderten Gegenstände,
4. sonstige Maßnahmen, durch die eine möglichst dauerhafte behinderungsgerechte Beschäftigung schwerbehinderter Menschen in Betrieben oder Dienststellen ermöglicht, erleichtert oder gesichert werden kann.

[2] Gleiches gilt für Ersatzbeschaffungen oder Beschaffungen zur Anpassung an die technische Weiterentwicklung.

(2) Art und Höhe der Leistung bestimmen sich nach den Umständen des Einzelfalls, insbesondere unter Berücksichtigung, ob eine Verpflichtung des Arbeitgebers zur Durchführung von Maßnahmen nach Absatz 1 gemäß § 164 Absatz 3 Satz 1, Absatz 4 Satz 1 Nummer 4 und 5 und Absatz 5 Satz 1 des Neunten Buches Sozialgesetzbuch[1)] besteht und erfüllt wird sowie ob schwerbehinderte Menschen ohne Beschäftigungspflicht oder über die Beschäftigungspflicht hinaus (§ 154 des Neunten Buches Sozialgesetzbuch[1)]) oder im Rahmen der Erfüllung der besonderen Beschäftigungspflicht gegenüber bei der Teilhabe am Arbeitsleben besonders betroffenen schwerbehinderten Menschen (§ 154 Absatz 1 Satz 2 und § 155 des Neunten Buches Sozialgesetzbuch[1)]) beschäftigt werden.

(3) § 15 Abs. 2 Satz 1 und 2 gilt entsprechend.

§ 26a[2)] Zuschüsse zu den Gebühren bei der Berufsausbildung besonders betroffener schwerbehinderter Jugendlicher und junger Erwachsener. Arbeitgeber, die ohne Beschäftigungspflicht (§ 154 Absatz 1 des Neunten Buches Sozialgesetzbuch[1)]) besonders betroffene schwerbehinderte Menschen zur Berufsausbildung einstellen, können Zuschüsse zu den Gebühren, insbesondere Prüfungsgebühren bei der Berufsausbildung, erhalten.

§ 26b[3)] Prämien und Zuschüsse zu den Kosten der Berufsausbildung behinderter Jugendlicher und junger Erwachsener. Arbeitgeber können Prämien und Zuschüsse zu den Kosten der Berufsausbildung behinderter Jugendlicher und junger Erwachsener erhalten, die für die Zeit der Berufsausbildung schwerbehinderten Menschen nach § 151 Absatz 4 des Neunten Buches Sozialgesetzbuch[1)] gleichgestellt sind.

§ 26c[4)] Prämien zur Einführung eines betrieblichen Eingliederungsmanagements. Arbeitgeber können zur Einführung eines betrieblichen Eingliederungsmanagements Prämien erhalten.

§ 27[5)] Leistungen bei außergewöhnlichen Belastungen. (1) [1] Arbeitgeber können Zuschüsse zur Abgeltung außergewöhnlicher Belastungen erhalten, die mit der Beschäftigung eines schwerbehinderten Menschen verbunden sind, der

---

[1)] Nr. **440**.

[2)] § 26a eingef. mWv 1.5.2004 durch G v. 23.4.2004 (BGBl. I S. 606); geänd. mWv 1.1.2018 durch G v. 23.12.2016 (BGBl. I S. 3234).

[3)] § 26b eingef. mWv 1.5.2004 durch G v. 23.4.2004 (BGBl. I S. 606); geänd. mWv 1.1.2018 durch G v. 23.12.2016 (BGBl. I S. 3234); geänd. mWv 6.12.2019 durch G v. 30.11.2019 (BGBl. I S. 1948).

[4)] § 26c eingef. mWv 1.5.2004 durch G v. 23.4.2004 (BGBl. I S. 606).

[5)] § 27 Abs. 1 geänd. mWv 1.10.2000 durch G v. 29.9.2000 (BGBl. I S. 1394), Abs. 1 und 2 geänd. mWv 1.7.2001 durch G v. 19.6.2001 (BGBl. I S. 1046); Abs. 1 Satz 1 geänd., Satz 2 angef. mWv 1.5. →

nach Art oder Schwere seiner Behinderung im Arbeits- und Berufsleben besonders betroffen ist (§ 155 Absatz 1 Nummer 1 Buchstabe a bis d des Neunten Buches Sozialgesetzbuch[1]) oder im Anschluss an eine Beschäftigung in einer anerkannten Werkstatt für behinderte Menschen oder bei einem anderen Leistungsanbieter im Sinne des § 60 des Neunten Buches Sozialgesetzbuch oder in Teilzeit (§ 158 Absatz 2 des Neunten Buches Sozialgesetzbuch) beschäftigt wird, vor allem, wenn ohne diese Leistungen das Beschäftigungsverhältnis gefährdet würde. [2]Leistungen nach Satz 1 können auch in Probebeschäftigungen und Praktika erbracht werden, die ein in einer Werkstatt für behinderte Menschen beschäftigter schwerbehinderter Mensch im Rahmen von Maßnahmen zur Förderung des Übergangs auf den allgemeinen Arbeitsmarkt (§ 5 Abs. 4 der Werkstättenverordnung[2]) absolviert, wenn die dem Arbeitgeber entstehenden außergewöhnlichen Belastungen nicht durch die in dieser Zeit erbrachten Leistungen der Rehabilitationsträger abgedeckt werden.

(2) Außergewöhnliche Belastungen sind überdurchschnittlich hohe finanzielle Aufwendungen oder sonstige Belastungen, die einem Arbeitgeber bei der Beschäftigung eines schwerbehinderten Menschen auch nach Ausschöpfung aller Möglichkeiten entstehen und für die die Kosten zu tragen für den Arbeitgeber nach Art oder Höhe unzumutbar ist.

(3) Für die Zuschüsse zu notwendigen Kosten nach Absatz 2 gilt § 26 Abs. 2 entsprechend.

(4) Die Dauer des Zuschusses bestimmt sich nach den Umständen des Einzelfalls.

III. Sonstige Leistungen

§ 27a[3] Leistungen an Integrationsfachdienste. *(1)* Träger von Integrationsfachdiensten im Sinne des Kapitels 7 des Teils 3 des Neunten Buches Sozialgesetzbuch[4] können Leistungen nach § 196 des Neunten Buches Sozialgesetzbuch[1] zu den durch ihre Inanspruchnahme entstehenden notwendigen Kosten erhalten.

[Abs. 2 ab 1.1.2022:]

(2) [1] Die Länder legen dem Bundesministerium für Arbeit und Soziales jährlich zum 30. Juni einen Bericht über die Beauftragung der Integrationsfachdienste oder anderer geeigneter Träger als Einheitliche Ansprechstellen für Arbeitgeber vor. [2] Sie berichten auch über deren Aktivitäten in diesem Zusammenhang sowie über die Verwendung der Mittel, die ab dem 30. Juni 2022 nach § 36 nicht mehr an den Ausgleichsfonds abzuführen sind, für diesen Zweck. [3] Der Bericht kann auch gesammelt durch die Bundesarbeitsgemeinschaft der Integrationsämter und Hauptfürsorgestellen erfolgen.

(Fortsetzung der Anm. von voriger Seite)
2004 durch G v. 23.4.2004 (BGBl. I S. 606); Abs. 1 Satz 1 neu gef. mWv 1.1.2018 durch G v. 23.12. 2016 (BGBl. I S. 3234).

[1] Nr. **440**.

[2] Nr. **443**.

[3] § 27a eingef. mWv 1.7.2001 durch G v. 19.6.2001 (BGBl. I S. 1046); geänd. mWv 1.1.2018 durch G v. 23.12.2016 (BGBl. I S. 3234); Abs. 2 angef. mWv 1.1.2022 durch G v. 2.6.2021 (BGBl. I S. 1387).

[4] Auszugsweise abgedruckt unter Nr. **440**.

§ 28[1)] Leistungen zur Durchführung der psychosozialen Betreuung schwerbehinderter Menschen. (1) Freie gemeinnützige Träger psychosozialer Dienste, die das Integrationsamt an der Durchführung der ihr obliegenden Aufgabe der im Einzelfall erforderlichen psychosozialen Betreuung schwerbehinderter Menschen unter Fortbestand ihrer Verantwortlichkeit beteiligt, können Leistungen zu den daraus entstehenden notwendigen Kosten erhalten.

(2) [1] Leistungen nach Absatz 1 setzen voraus, daß

1. der psychosoziale Dienst nach seiner personellen, räumlichen und sächlichen Ausstattung zur Durchführung von Maßnahmen der psychosozialen Betreuung geeignet ist, insbesondere mit Fachkräften ausgestattet ist, die über eine geeignete Berufsqualifikation, eine psychosoziale Zusatzqualifikation und ausreichende Berufserfahrung verfügen, und
2. die Maßnahmen
   a) nach Art, Umfang und Dauer auf die Aufnahme, Ausübung oder Sicherung einer möglichst dauerhaften Beschäftigung schwerbehinderter Menschen auf dem allgemeinen Arbeitsmarkt ausgerichtet und dafür geeignet sind,
   b) nach den Grundsätzen der Wirtschaftlichkeit und Sparsamkeit durchgeführt werden, insbesondere die Kosten angemessen sind, und
   c) aufgrund einer Vereinbarung zwischen dem Integrationsamt und dem Träger des psychosozialen Dienstes durchgeführt werden.

[2] Leistungen können gleichermaßen für Maßnahmen für schwerbehinderte Menschen erbracht werden, die diesen Dienst unter bestimmten, in der Vereinbarung näher zu regelnden Voraussetzungen im Einvernehmen mit dem Integrationsamt unmittelbar in Anspruch nehmen.

(3) [1] Leistungen sollen in der Regel bis zur vollen Höhe der notwendigen Kosten erbracht werden, die aus der Beteiligung an den im Einzelfall erforderlichen Maßnahmen entstehen. [2] Das Nähere über die Höhe der zu übernehmenden Kosten, ihre Erfassung, Darstellung und Abrechnung bestimmt sich nach der Vereinbarung zwischen des Integrationsamtes und dem Träger des psychosozialen Dienstes gemäß Absatz 2 Satz 1 Nr. 2 Buchstabe c.

§ 28a[2)] Leistungen an Inklusionsbetriebe. Inklusionsbetriebe im Sinne des Kapitels 11 des Teils 3 des Neunten Buches Sozialgesetzbuch[3)] können Leistungen für Aufbau, Erweiterung, Modernisierung und Ausstattung einschließlich einer betriebswirtschaftlichen Beratung und besonderen Aufwand erhalten.

§ 29[4)] Leistungen zur Durchführung von Aufklärungs-, Schulungs- und Bildungsmaßnahmen. (1) [1] Die Durchführung von Schulungs- und Bildungsmaßnahmen für Vertrauenspersonen schwerbehinderter Menschen, Beauftragte der Arbeitgeber, Betriebs-, Personal-, Richter-, Staatsanwalts- und

---

[1)] § 28 Überschrift, Abs. 1, Abs. 2 Satz 1 Nr. 2 Buchst. a und c , Satz 2, Abs. 3 Satz 2 geänd. mWv 1.7.2001 durch G v. 19.6.2001 (BGBl. I S. 1046).

[2)] § 28a neu gef. mWv 1.1.2018 durch G v. 23.12.2016 (BGBl. I S. 3234).

[3)] Auszugsweise abgedruckt unter Nr. **440**.

[4)] § 29 Abs. 1 Satz 1 geänd. mWv 1.10.2000 durch G v. 29.9.2000 (BGBl. I S. 1394), Abs. 1, Abs. 2 Sätze 1 und 2 geänd. mWv 1.7.2001 durch G v. 19.6.2001 (BGBl. I S. 1046); Abs. 2 Satz 2 geänd. mWv 1.5.2004 durch G v. 23.4.2004 (BGBl. I S. 606); Abs. 1 Satz 1, Abs. 2 Satz 2 geänd. mWv 1.1. 2018 durch G v. 23.12.2016 (BGBl. I S. 3234).

Präsidialräte sowie die Mitglieder der Stufenvertretungen wird gefördert, wenn es sich um Veranstaltungen der Integrationsämter im Sinne des § 185 Absatz 2 Satz 6 des Neunten Buches Sozialgesetzbuch[1] handelt. [2]Die Durchführung von Maßnahmen im Sinne des Satzes 1 durch andere Träger kann gefördert werden, wenn die Maßnahmen erforderlich und die Integrationsämter an ihrer inhaltlichen Gestaltung maßgeblich beteiligt sind.

(2) [1]Aufklärungsmaßnahmen sowie Schulungs- und Bildungsmaßnahmen für andere als in Absatz 1 genannte Personen, die die Teilhabe schwerbehinderter Menschen am Arbeitsleben zum Gegenstand haben, können gefördert werden. [2]Dies gilt auch für die Qualifizierung des nach § 185 Absatz 1 des Neunten Buches Sozialgesetzbuch[1] einzusetzenden Personals sowie für notwendige Informationsschriften und -veranstaltungen über Rechte, Pflichten, Leistungen und sonstige Eingliederungshilfen sowie Nachteilsausgleiche nach dem Neunten Buch Sozialgesetzbuch[2] und anderen Vorschriften.

3. Unterabschnitt.[3] *(aufgehoben)*

§§ 30–34[4] *(aufgehoben)*

Dritter Abschnitt. Ausgleichsfonds

1. Unterabschnitt. Gestaltung des Ausgleichsfonds

§ 35[5] **Rechtsform.** [1]Der Ausgleichsfonds für überregionale Vorhaben zur Teilhabe schwerbehinderter Menschen am Arbeitsleben (Ausgleichsfonds) ist ein nicht rechtsfähiges Sondervermögen des Bundes mit eigener Wirtschafts- und Rechnungsführung. [2]Er ist von den übrigen Vermögen des Bundes, seinen Rechten und Verbindlichkeiten getrennt zu halten. [3]Für Verbindlichkeiten, die das Bundesministerium für Arbeit und Soziales als Verwalter des Ausgleichsfonds eingeht, haftet nur der Ausgleichsfonds; der Ausgleichsfonds haftet nicht für die sonstigen Verbindlichkeiten des Bundes.

§ 36[6] **Weiterleitung der Mittel an den Ausgleichsfonds.** [1]Die Integrationsämter leiten zum 30. Juni eines jeden Jahres 18 vom Hundert des im Zeitraum vom 1. Juni des vorangegangenen Jahres bis zum 31. Mai des Jahres eingegangenen Aufkommens an Ausgleichsabgabe an den Ausgleichsfonds weiter. [2]Sie teilen dem Bundesministerium für Arbeit und Soziales zum 30. Juni eines jeden Jahres das Aufkommen an Ausgleichsabgabe für das vorangegangene Kalenderjahr auf der Grundlage des bis zum 31. Mai des Jahres tatsächlich an die Integrationsämter gezahlten Aufkommens mit. [3]Sie teilen zum 31. Januar

---

[1] Nr. **440**.

[2] Auszugsweise abgedruckt unter Nr. **440**.

[3] 3. Unterabschnitt (§§ 30–34) aufgeh. mWv 1.1.2024 durch G v. 6.6.2023 (BGBl. 2023 I Nr. 146).

[4] §§ 30–34 aufgeh. mWv 1.1.2024 durch G v. 6.6.2023 (BGBl. 2023 I Nr. 146)

[5] § 35 Sätze 1 und 3 geänd. mWv 1.7.2001 durch G v. 19.6.2001 (BGBl. I S. 1046); Satz 3 geänd. mWv 1.7.2003 durch VO v. 24.6.2003 (BGBl. I S. 1000); Satz 3 geänd. mWv 8.11.2006 durch VO v. 31.10.2006 (BGBl. I S. 2407).

[6] § 36 neu gef. mWv 1.1.2005 durch VO v. 16.1.2004 (BGBl. I S. 77); Sätze 2 und 3 geänd. mWv 8.11.2006 durch VO v. 31.10.2006 (BGBl. I S. 2407); Satz 1 geänd. mWv 30.12.2008 durch G v. *22.12.2008 (BGBl. I S. 2959)*; Satz 4 angef. mWv 1.3.2020 durch VO v. 6.7.2020 (BGBl. I S. 1595); Satz 1 geänd. mWv 1.1.2022 durch G v. 2.6.2021 (BGBl. I S. 1387); Satz 4 geänd. mWv 29.6.2021 durch VO v. 28.6.2021 (BAnz AT 28.06.2021 V2).

eines jeden Jahres das Aufkommen an Ausgleichsabgabe für das vorvergangene Kalenderjahr dem Bundesministerium für Arbeit und Soziales mit. [4] Abweichend von Satz 1 leiten die Integrationsämter zum 30. Juni 2020 10 Prozent des im Zeitraum vom 1. Juni 2019 bis zum 31. Mai 2020 eingegangenen Aufkommens an Ausgleichsabgabe und zum 30. Juni 2021 10 Prozent des im Zeitraum vom 1. Juni 2020 bis zum 31. Mai 2021 eingegangenen Aufkommens an Ausgleichsabgabe an den Ausgleichsfonds weiter.

§ 37 Anwendung der Vorschriften der Bundeshaushaltsordnung. Für den Ausgleichsfonds gelten die Bundeshaushaltsordnung sowie die zu ihrer Ergänzung und Durchführung erlassenen Vorschriften entsprechend, soweit die Vorschriften dieser Verordnung nichts anderes bestimmen.

§ 38 Aufstellung eines Wirtschaftsplans. (1) Für jedes Kalenderjahr (Wirtschaftsjahr) ist ein Wirtschaftsplan aufzustellen.

(2) [1] Der Wirtschaftsplan enthält alle im Wirtschaftsjahr

1. zu erwartenden Einnahmen,
2. voraussichtlich zu leistenden Ausgaben und
3. voraussichtlich benötigten Verpflichtungsermächtigungen.

[2] Zinsen, Tilgungsbeträge aus Darlehen, zurückgezahlte Zuschüsse sowie unverbrauchte Mittel des Vorjahres fließen dem Ausgleichsfonds als Einnahmen zu.

(3) Der Wirtschaftsplan ist in Einnahmen und Ausgaben auszugleichen.

(4) Die Ausgaben sind gegenseitig deckungsfähig.

(5) Die Ausgaben sind übertragbar.

§ 39[1)] Feststellung des Wirtschaftsplans. [1] Das Bundesministerium für Arbeit und Soziales stellt im Benehmen mit dem Bundesministerium der Finanzen und im Einvernehmen mit dem Beirat für die Teilhabe behinderter Menschen (Beirat) den Wirtschaftsplan fest. [2] § 1 der Bundeshaushaltsordnung[2)] findet keine Anwendung.

§ 40[3)] Ausführung des Wirtschaftsplans. (1) [1] Bei der Vergabe der Mittel des Ausgleichsfonds sind die jeweils gültigen Allgemeinen Nebenbestimmungen für Zuwendungen des Bundes zugrunde zu legen. [2] Von ihnen kann im Einvernehmen mit dem Bundesministerium der Finanzen abgewichen werden.

(2) Verpflichtungen, die in Folgejahren zu Ausgaben führen, dürfen nur eingegangen werden, wenn die Finanzierung der Ausgaben durch das Aufkommen an Ausgleichsabgabe gesichert ist.

(3) [1] Überschreitungen der Ausgabeansätze sind nur zulässig, wenn

1. hierfür ein unvorhergesehenes und unabweisbares Bedürfnis besteht und

---

1) § 39 geänd. mWv 1.7.2001 durch G v. 19.6.2001 (BGBl. I S. 1046); Satz 1 geänd. mWv 1.7.2003 durch VO v. 24.6.2003 (BGBl. I S. 1000); Satz 1 geänd. mWv 8.11.2006 durch VO v. 31.10.2006 (BGBl. I S. 2407).

2) **Sartorius Nr. 700.**

3) § 40 Abs. 1 Satz 2, Abs. 3 Satz 3 geänd. mWv 1.7.2001 durch G v. 19.6.2001 (BGBl. I S. 1046); Abs. 3 Satz 3 geänd. mWv 1.7.2003 durch VO v. 24.6.2003 (BGBl. I S. 1000); Abs. 3 Satz 3 geänd. mWv 28.11.2003 durch VO v. 25.11.2003 (BGBl. I S. 2304); Abs. 3 Satz 3 geänd. mWv 8.11.2006 durch VO v. 31.10.2006 (BGBl. I S. 2407).

2. entsprechende Einnahmeerhöhungen vorliegen.

²Außerplanmäßige Ausgaben sind nur zulässig, wenn

1. hierfür ein unvorhergesehenes und unabweisbares Bedürfnis besteht und
2. Beträge in gleicher Höhe bei anderen Ausgabeansätzen eingespart werden oder entsprechende Einnahmeerhöhungen vorliegen.

³Die Entscheidung hierüber trifft das Bundesministerium für Arbeit und Soziales im Benehmen mit dem Bundesministerium der Finanzen und im Einvernehmen mit dem Beirat.

(4) Bis zur bestimmungsmäßigen Verwendung sind die Ausgabemittel verzinslich anzulegen.

2. Unterabschnitt.[1] Förderung der Teilhabe schwerbehinderter Menschen am Arbeitsleben aus Mitteln des Ausgleichsfonds

§ 41[2] Verwendungszwecke. (1) Die Mittel aus dem Ausgleichsfonds sind zu verwenden für

1. Zuweisungen an die Bundesagentur für Arbeit zur besonderen Förderung der Teilhabe schwerbehinderter Menschen am Arbeitsleben, insbesondere durch Eingliederungszuschüsse und Zuschüsse zur Ausbildungsvergütung nach dem Dritten Buch Sozialgesetzbuch[3], und zwar ab 2009 jährlich in Höhe von 16 vom Hundert des Aufkommens an Ausgleichsabgabe,
2. befristete überregionale Programme zum Abbau der Arbeitslosigkeit schwerbehinderter Menschen, besonderer Gruppen von schwerbehinderten Menschen (§ 155 des Neunten Buches Sozialgesetzbuch[4]) oder schwerbehinderter Frauen sowie zur Förderung des Ausbildungsplatzangebots für schwerbehinderte Menschen,
3. *(aufgehoben)*
4. überregionale Modellvorhaben zur Weiterentwicklung der Förderung der Teilhabe schwerbehinderter Menschen am Arbeitsleben, insbesondere durch betriebliches Eingliederungsmanagement, und der Förderung der Ausbildung schwerbehinderter Jugendlicher,
5. die Entwicklung technischer Arbeitshilfen und
6. Aufklärungs-, Fortbildungs- und Forschungsmaßnahmen auf dem Gebiet der Teilhabe schwerbehinderter Menschen am Arbeitsleben, sofern diesen Maßnahmen überregionale Bedeutung zukommt.

(2) Die Mittel des Ausgleichsfonds sind vorrangig für die Eingliederung schwerbehinderter Menschen in den allgemeinen Arbeitsmarkt zu verwenden.

(3) Der Ausgleichsfonds kann sich an der Förderung von Forschungs- und Modellvorhaben durch die Integrationsämter nach § 14 Abs. 1 Nr. 4 beteiligen,

---

[1] Überschrift geänd. mWv 1.7.2001 durch G v. 19.6.2001 (BGBl. I S. 1046).

[2] § 41 neu gef. mWv 1.1.2004 durch VO v. 16.1.2004 (BGBl. I S. 77); Abs. 1 Nr. 1 geänd. mWv 1.1.2004 durch G v. 23.4.2004 (BGBl. I S. 606); Abs. 1 Nr. 1 geänd. mWv 30.12.2008 durch G v. 22.12.2008 (BGBl. I S. 2959); Abs. 1 Nr. 2 geänd. mWv 1.1.2018 durch G v. 23.12.2016 (BGBl. I S. 3234); Abs. 1 Nr. 3 und Abs. 4 aufgeh. mWv 1.1.2024 durch G v. 6.6.2023 (BGBl. 2023 I Nr. 146).

[3] Nr. **700**.

[4] Nr. **440**.

sofern diese Vorhaben auch für andere Länder oder den Bund von Bedeutung sein können.

3. Unterabschnitt. Verfahren zur Vergabe der Mittel des Ausgleichsfonds

§ 42[1)] **Anmeldeverfahren und Anträge.** [1]Leistungen aus dem Ausgleichsfonds sind vom Träger der Maßnahme beim Bundesministerium für Arbeit und Soziales zu beantragen. [2]Das Bundesministerium für Arbeit und Soziales leitet die Anträge mit seiner Stellungnahme dem Beirat zu.

§ 43[2)] **Vorschlagsrecht des Beirats.** (1) [1]Der Beirat nimmt zu den Anträgen Stellung. [2]Die Stellungnahme hat einen Vorschlag zu enthalten, ob, in welcher Art und Höhe sowie unter welchen Bedingungen und Auflagen Mittel des Ausgleichsfonds vergeben werden sollen.

(2) Der Beirat kann unabhängig vom Vorliegen oder in Abwandlung eines schriftlichen oder elektronischen Antrags Vorhaben zur Förderung vorschlagen.

§ 44[3)] **Entscheidung.** (1) Das Bundesministerium für Arbeit und Soziales entscheidet über die Anträge aufgrund der Vorschläge des Beirats durch schriftlichen oder elektronischen Bescheid.

(2) Der Beirat ist über die getroffene Entscheidung zu unterrichten.

§ 45[4)] **Vorhaben des Bundesministeriums für Arbeit und Soziales.** Für Vorhaben des Bundesministeriums für Arbeit und Soziales, die dem Beirat zur Stellungnahme zuzuleiten sind, gelten die §§ 43 und 44 entsprechend.

Vierter Abschnitt. Schlußvorschriften

§ 46[5)] **Übergangsvorschrift.** [1]Leistungen zur Förderung von Einrichtungen, die vor dem 1. Januar 2024 beantragt worden sind, können weiter erbracht werden. [2]Die §§ 30 bis 34 und 41 Absatz 4 in der bis zum 31. Dezember 2023 geltenden Fassung sind auf diese Leistungen weiter anzuwenden.

[1)] § 42 Satz 1 aufgeh., bish. Sätze 2 und 3 werden Sätze 1 und 2, neuer Satz 1 neu gef., neuer Satz 2 geänd. mWv 1.7.2001 durch G v. 19.6.2001 (BGBl. I S. 1046); Satz 2 geänd. mWv 1.7.2003 durch VO v. 24.6.2003 (BGBl. I S. 1000); Satz 1 geänd. mWv 28.11.2003 durch VO v. 25.11.2003 (BGBl. I S. 2304); Satz 1 geänd. mWv 1.1.2004 durch VO v. 16.1.2004 (BGBl. I S. 77); Satz 1 geänd. mWv 5.11.2005 durch VO v. 2.11.2005 (BGBl. I S. 3119); Sätze 1 und 2 geänd. mWv 8.11.2006 durch VO v. 31.10.2006 (BGBl. I S. 2407); Satz 1 geänd. mWv 5.4.2017 durch G v. 29.3.2017 (BGBl. I S. 626); Satz 1 neu gef. mWv 1.1.2024 durch G v. 6.6.2023 (BGBl. 2023 I Nr. 146).

[2)] § 43 Abs. 2 geänd. mWv 5.4.2017 durch G v. 29.3.2017 (BGBl. I S. 626).

[3)] § 44 Abs. 1 geänd. mWv 1.7.2001 durch G v. 19.6.2001 (BGBl. I S. 1046); Abs. 1 geänd. mWv 1.7.2003 durch VO v. 24.6.2003 (BGBl. I S. 1000); Abs. 1 geänd. mWv 8.11.2006 durch VO v. 31.10.2006 (BGBl. I S. 2407); Abs. 1 geänd. mWv 5.4.2017 durch G v. 29.3.2017 (BGBl. I S. 626).

[4)] § 45 Überschrift und Wortlaut geänd. mWv 1.7.2001 durch G v. 19.6.2001 (BGBl. I S. 1046); geänd. mWv 1.7.2003 durch VO v. 24.6.2003 (BGBl. I S. 1000); Überschrift geänd. mWv 28.11.2003 durch VO v. 25.11.2003 (BGBl. I S. 2304); Überschr. und Wortlaut geänd. mWv 8.11.2006 durch VO v. 31.10.2006 (BGBl. I S. 2407).

[5)] § 46 neu gef. mWv 1.1.2024 durch G v. 6.6.2023 (BGBl. 2023 I Nr. 146); Satz 1 geänd. mWv 1.1.2024 durch VO v. 24.11.2023 (BGBl. 2023 I Nr. 323).

§ 47 Inkrafttreten, Außerkrafttreten. [1] Diese Verordnung tritt am Tage nach der Verkündung[1)] in Kraft. [2] Gleichzeitig tritt die Ausgleichsabgabeverordnung Schwerbehindertengesetz vom 8. August 1978 (BGBl. I S. 1228), zuletzt geändert durch § 12 der Kraftfahrzeughilfe-Verordnung[2)] vom 28. September 1987 (BGBl. I S. 2251), außer Kraft.

[1)] Verkündet am 7. April 1988.
[2)] **beck-online, Module Arbeitsrecht Nr. 698a.**

443. Werkstättenverordnung (WVO)[1)][2)]

Vom 13. August 1980
(BGBl. I S. 1365)

FNA 871-1-7

zuletzt geänd. durch Art. 13 TeilhabestärkungsG v. 2.6.2021 (BGBl. I S. 1387)

Auf Grund des § 55 Abs. 3 des Schwerbehindertengesetzes[3)] in der Fassung der Bekanntmachung vom 8. Oktober 1979 (BGBl. I S. 1649) verordnet die Bundesregierung mit Zustimmung des Bundesrates:

Erster Abschnitt.[4)] Fachliche Anforderungen an die Werkstatt für behinderte Menschen

§ 1[5)] Grundsatz der einheitlichen Werkstatt. (1) Die Werkstatt für behinderte Menschen (Werkstatt) hat zur Erfüllung ihrer gesetzlichen Aufgaben die Voraussetzungen dafür zu schaffen, daß sie die behinderten Menschen im Sinne des § 219 Absatz 2 des Neunten Buches Sozialgesetzbuch[6)] aus ihrem Einzugsgebiet aufnehmen kann.

(2) Der unterschiedlichen Art der Behinderung und ihren Auswirkungen soll innerhalb der Werkstatt durch geeignete Maßnahmen, insbesondere durch Bildung besonderer Gruppen im Berufsbildungs- und Arbeitsbereich, Rechnung getragen werden.

§ 2[7)] Fachausschuß. (1) [1] Bei jeder Werkstatt ist ein Fachausschuß zu bilden. [2] Ihm gehören in gleicher Zahl an
1. Vertreter der Werkstatt,
2. Vertreter der Bundesagentur für Arbeit,
3. Vertreter des nach Landesrecht bestimmten Trägers der Eingliederungshilfe.

[3] Kommt die Zuständigkeit eines anderen Rehabilitationsträgers zur Erbringung von Leistungen zur Teilhabe am Arbeitsleben und ergänzende Leistungen in Betracht, soll der Fachausschuß zur Mitwirkung an der Stellungnahme auch Vertreter dieses Trägers hinzuziehen. [4] Er kann auch andere Personen zur Beratung hinzuziehen und soll, soweit erforderlich, Sachverständige hören.

(1a) [1] Ein Tätigwerden des Fachausschusses unterbleibt, soweit ein Teilhabeplanverfahren nach den §§ 19 bis 23 des Neunten Buches Sozialgesetzbuch[6)]

[1)] Änderungen vor dem 1.1.2000 sind nicht in Fußnoten nachgewiesen.
[2)] Überschrift geänd. mWv 1.7.2001 durch G v. 19.6.2001 (BGBl. I S. 1046).
[3)] **beck-online, Module Arbeitsrecht Nr. 440b.**
[4)] Überschr. geänd. mWv 1.7.2001 durch G v. 19.6.2001 (BGBl. I S. 1046).
[5)] § 1 Abs. 1 und 2 geänd. mWv 1.7.2001 durch G v. 19.6.2001 (BGBl. I S. 1046); Abs. 1 geänd. mWv 1.1.2018 durch G v. 23.12.2016 (BGBl. I S. 3234).
[6)] Nr. **440**.
[7)] § 2 Satz 3 geänd. mWv 1.7.2001 durch G v. 19.6.2001 (BGBl. I S. 1046); Satz 2 Nr. 2 geänd. mWv 1.1.2004 durch G v. 23.12.2003 (BGBl. I S. 2848); bish. Wortlaut wird Abs. 1 und Abs. 2 angef. mWv 1.5.2004 durch G v. 23.4.2004 (BGBl. I S. 606); Abs. 1 Satz 2 Nr. 3 geänd. mWv 5.11.2005 durch VO v. 2.11.2005 (BGBl. I S. 3119); Abs. 2 geänd. mWv 30.12.2008 durch G v. 22.12.2008 (BGBl. I S. 2959); Abs. 1a eingef., Abs. 2 geänd. mWv 1.1.2018 durch G v. 23.12.2016 (BGBl. I S. 3234); Abs. 1a Satz 2 angef. mWv 1.1.2020 durch G v. 30.11.2019 (BGBl. I S. 1948); Abs. 1 Satz 2 Nr. 3 neu gef. mWv 10.6.2021 durch G v. 2.6.2021 (BGBl. I S. 1387).

durchgeführt wird. 2 Dies gilt entsprechend, wenn ein Gesamtplanverfahren durchgeführt wird.

(2) Der Fachausschuss gibt vor der Aufnahme des behinderten Menschen in die Werkstatt gegenüber dem im Falle einer Aufnahme zuständigen Rehabilitationsträger eine Stellungnahme ab, ob der behinderte Mensch für seine Teilhabe am Arbeitsleben und zu seiner Eingliederung in das Arbeitsleben Leistungen einer Werkstatt für behinderte Menschen benötigt oder ob andere Leistungen zur Teilhabe am Arbeitsleben in Betracht kommen, insbesondere Leistungen der Unterstützten Beschäftigung nach § 55 des Neunten Buches Sozialgesetzbuch[1].

§ 3[2] Eingangsverfahren. (1) 1 Die Werkstatt führt im Benehmen mit dem zuständigen Rehabilitationsträger Eingangsverfahren durch. 2 Aufgabe des Eingangsverfahrens ist es festzustellen, ob die Werkstatt die geeignete Einrichtung zur Teilhabe behinderter Menschen am Arbeitsleben und zur Eingliederung in das Arbeitsleben im Sinne des § 219 des Neunten Buches Sozialgesetzbuch[1] ist, sowie welche Bereiche der Werkstatt und welche Leistungen zur Teilhabe am Arbeitsleben und ergänzende Leistungen oder Leistungen zur Eingliederung in das Arbeitsleben in Betracht kommen und einen Eingliederungsplan zu erstellen.

(2) 1 Das Eingangsverfahren dauert drei Monate. 2 Es kann auf eine Dauer von bis zu vier Wochen verkürzt werden, wenn während des Eingangsverfahrens im Einzelfall festgestellt wird, dass eine kürzere Dauer ausreichend ist.

(3) Zum Abschluß des Eingangsverfahrens gibt der Fachausschuß auf Vorschlag des Trägers der Werkstatt und nach Anhörung des behinderten Menschen, gegebenenfalls auch seines gesetzlichen Vertreters, unter Würdigung aller Umstände des Einzelfalles, insbesondere der Persönlichkeit des behinderten Menschen und seines Verhaltens während des Eingangsverfahrens eine Stellungnahme gemäß Absatz 1 gegenüber dem zuständigen Rehabilitationsträger ab.

(4) 1 Kommt der Fachausschuß zu dem Ergebnis, daß die Werkstatt für behinderte Menschen nicht geeignet ist, soll er zugleich eine Empfehlung aussprechen, welche andere Einrichtung oder sonstige Maßnahmen und welche anderen Leistungen zur Teilhabe für den behinderten Menschen in Betracht kommen. 2 Er soll sich auch dazu äußern, nach welcher Zeit eine Wiederholung des Eingangsverfahrens zweckmäßig ist und welche Maßnahmen und welche anderen Leistungen zur Teilhabe in der Zwischenzeit durchgeführt werden sollen.

§ 4[3] Berufsbildungsbereich. (1) 1 Die Werkstatt führt im Benehmen mit dem im Berufsbildungsbereich und dem im Arbeitsbereich zuständigen Rehabilitations-

(Fortsetzung nächstes Blatt)

---

[1] Nr. **440**.

[2] § 3 Abs. 2 neu gef. durch G v. 29.9.2000 (BGBl. I S. 1394), Abs. 1 und 2 neu gef., Abs. 3 Sätze 1 und 2, Abs. 4 Sätze 1 und 2 geänd. mWv 1.7.2001 durch G v. 19.6.2001 (BGBl. I S. 1046); Abs. 2 neu gef., Abs. 3 Satz 2 aufgeh. mWv 1.5.2004 durch G v. 23.4.2004 (BGBl. I S. 606); Abs. 1 Satz 2 geänd. mWv 1.1.2018 durch G v. 23.12.2016 (BGBl. I S. 3234).

[3] § 4 Überschrift, Abs. 1, Abs. 6 Sätze 1 und 2 neu gef., Abs. 2, Abs. 4 Satz 2 geänd. mWv 1.7.2001 durch G v. 19.6.2001 (BGBl. I S. 1046); Abs. 6 Satz 3 eingef., bish. Satz 3 wird Satz 4 mWv 1.5.2004 durch G v. 23.4.2004 (BGBl. I S. 606); Abs. 1 Satz 2, Abs. 6 Satz 1 Nr. 3 und Satz 3 geänd. mWv 1.1.2018 durch G v. 23.12.2016 (BGBl. I S. 3234).

träger Maßnahmen im Berufsbildungsbereich (Einzelmaßnahmen und Lehrgänge) zur Verbesserung der Teilhabe am Arbeitsleben unter Einschluss angemessener Maßnahmen zur Weiterentwicklung der Persönlichkeit des behinderten Menschen durch. [2] Sie fördert die behinderten Menschen so, dass sie spätestens nach Teilnahme an Maßnahmen des Berufsbildungsbereichs in der Lage sind, wenigstens ein Mindestmaß wirtschaftlich verwertbarer Arbeitsleistung im Sinne des § 219 Absatz 2 des Neunten Buches Sozialgesetzbuch[1)] zu erbringen.

(2) Das Angebot an Leistungen zur Teilhabe am Arbeitsleben soll möglichst breit sein, um Art und Schwere der Behinderung, der unterschiedlichen Leistungsfähigkeit, Entwicklungsmöglichkeit sowie Eignung und Neigung der behinderten Menschen soweit wie möglich Rechnung zu tragen.

(3) Die Lehrgänge sind in einen Grund- und einen Aufbaukurs von in der Regel je zwölfmonatiger Dauer zu gliedern.

(4) [1] Im Grundkurs sollen Fertigkeiten und Grundkenntnisse verschiedener Arbeitsabläufe vermittelt werden, darunter manuelle Fertigkeiten im Umgang mit verschiedenen Werkstoffen und Werkzeugen und Grundkenntnisse über Werkstoffe und Werkzeuge. [2] Zugleich sollen das Selbstwertgefühl des behinderten Menschen und die Entwicklung des Sozial- und Arbeitsverhaltens gefördert sowie Schwerpunkte der Eignung und Neigung festgestellt werden.

(5) Im Aufbaukurs sollen Fertigkeiten mit höherem Schwierigkeitsgrad, insbesondere im Umgang mit Maschinen, und vertiefte Kenntnisse über Werkstoffe und Werkzeuge vermittelt sowie die Fähigkeit zu größerer Ausdauer und Belastung und zur Umstellung auf unterschiedliche Beschäftigungen im Arbeitsbereich geübt werden.

(6) [1] Rechtzeitig vor Beendigung einer Maßnahme im Sinne des Absatzes 1 Satz 1 hat der Fachausschuss gegenüber dem zuständigen Rehabilitationsträger eine Stellungnahme dazu abzugeben, ob

1. die Teilnahme an einer anderen oder weiterführenden beruflichen Bildungsmaßnahme oder
2. eine Wiederholung der Maßnahme im Berufsbildungsbereich oder
3. eine Beschäftigung im Arbeitsbereich der Werkstatt oder auf dem allgemeinen Arbeitsmarkt einschließlich einem Inklusionsbetrieb (§ 215 des Neunten Buches Sozialgesetzbuch)

zweckmäßig erscheint. [2] Das Gleiche gilt im Falle des vorzeitigen Abbruchs oder Wechsels der Maßnahme im Berufsbildungsbereich sowie des Ausscheidens aus der Werkstatt. [3] Hat der zuständige Rehabilitationsträger die Leistungen für ein Jahr bewilligt (§ 57 Absatz 3 Satz 2 des Neunten Buches Sozialgesetzbuch), gibt der Fachausschuss ihm gegenüber rechtzeitig vor Ablauf dieses Jahres auch eine fachliche Stellungnahme dazu ab, ob die Leistungen für ein weiteres Jahr bewilligt werden sollen (§ 57 Absatz 3 Satz 3 des Neunten Buches Sozialgesetzbuch). [4] Im übrigen gilt § 3 Abs. 3 entsprechend.

§ 5[2)] Arbeitsbereich. (1) Die Werkstatt soll über ein möglichst breites Angebot an Arbeitsplätzen verfügen, um Art und Schwere der Behinderung, der unterschied-

---

[1)] **beck-online, Module Arbeitsrecht Nr. 440.**

[2)] § 5 Abs. 1, Abs. 2 Satz 1, Abs. 4 Satz 1 und 2 geänd., Abs. 4 Satz 3 angef. durch G v. 29.9.2000 (BGBl. I S. 1394), Abs. 1, Abs. 2 Satz 2, Abs. 3, Abs. 4 Sätze 1 und 2 geänd., Abs. 5 angef. mWv 1.7.2001 durch G v. 19.6.2001 (BGBl. I S. 1046); Abs. 4 Satz 3 geänd. mWv 1.1.2004 durch G v. 23.12.2003 (BGBl. I S. 2848).

lichen Leistungsfähigkeit, Entwicklungsmöglichkeit sowie Eignung und Neigung der behinderten Menschen soweit wie möglich Rechnung zu tragen.

(2) [1] Die Arbeitsplätze sollen in ihrer Ausstattung soweit wie möglich denjenigen auf dem allgemeinen Arbeitsmarkt entsprechen. [2] Bei der Gestaltung der Plätze und der Arbeitsabläufe sind die besonderen Bedürfnisse der behinderten Menschen soweit wie möglich zu berücksichtigen, um sie in die Lage zu versetzen, wirtschaftlich verwertbare Arbeitsleistungen zu erbringen. [3] Die Erfordernisse zur Vorbereitung für eine Vermittlung auf den allgemeinen Arbeitsmarkt sind zu beachten.

(3) Zur Erhaltung und Erhöhung der im Berufsbildungsbereich erworbenen Leistungsfähigkeit und zur Weiterentwicklung der Persönlichkeit der behinderten Menschen sind arbeitsbegleitend geeignete Maßnahmen durchzuführen.

(4) [1] Der Übergang von behinderten Menschen auf den allgemeinen Arbeitsmarkt ist durch geeignete Maßnahmen zu fördern, insbesondere auch durch die Einrichtung einer Übergangsgruppe mit besonderen Förderangeboten, Entwicklung individueller Förderpläne sowie Ermöglichung von Trainingsmaßnahmen, Betriebspraktika und durch eine zeitweise Beschäftigung auf ausgelagerten Arbeitsplätzen. [2] Dabei hat die Werkstatt die notwendige arbeitsbegleitende Betreuung in der Übergangsphase sicherzustellen und darauf hinzuwirken, daß der zuständige Rehabilitationsträger seine Leistungen und nach dem Ausscheiden des behinderten Menschen aus der Werkstatt das Integrationsamt, gegebenenfalls unter Beteiligung eines Integrationsfachdienstes, die begleitende Hilfe im Arbeits- und Berufsleben erbringen. [3] Die Werkstatt hat die Bundesagentur für Arbeit bei der Durchführung der vorbereitenden Maßnahmen in die Bemühungen zur Vermittlung auf den allgemeinen Arbeitsmarkt einzubeziehen.

(5) [1] Der Fachausschuss wird bei der Planung und Durchführung von Maßnahmen nach den Absätzen 3 und 4 beteiligt. [2] Er gibt auf Vorschlag des Trägers der Werkstatt oder des zuständigen Rehabilitationsträgers in regelmäßigen Abständen, wenigstens einmal jährlich, gegenüber dem zuständigen Rehabilitationsträger eine Stellungnahme dazu ab, welche behinderten Menschen für einen Übergang auf den allgemeinen Arbeitsmarkt in Betracht kommen und welche übergangsfördernden Maßnahmen dazu erforderlich sind. [3] Im Übrigen gilt § 3 Abs. 3 entsprechend.

§ 6[1)] Beschäftigungszeit. (1) [1] Die Werkstatt hat sicherzustellen, daß die behinderten Menschen im Berufsbildungs- und Arbeitsbereich wenigstens 35 und höchstens 40 Stunden wöchentlich beschäftigt werden können. [2] Die Stundenzahlen umfassen Erholungspausen und Zeiten der Teilnahme an Maßnahmen im Sinne des § 5 Abs. 3.

(2) Einzelnen behinderten Menschen ist eine kürzere Beschäftigungszeit zu ermöglichen, wenn es wegen Art oder Schwere der Behinderung oder zur Erfüllung des Erziehungsauftrages notwendig erscheint.

(Fortsetzung nächstes Blatt)

1) § 6 Abs. 1 Satz 1, Abs. 2 geänd. mWv 1.7.2001 durch G v. 19.6.2001 (BGBl. I S. 1046).

§ 7 Größe der Werkstatt. (1) Die Werkstatt soll in der Regel über mindestens 120 Plätze verfügen.

(2) Die Mindestzahl nach Absatz 1 gilt als erfüllt, wenn der Werkstattverbund im Sinne des § 15, dem die Werkstatt angehört, über diese Zahl von Plätzen verfügt.

§ 8[1] Bauliche Gestaltung, Ausstattung, Standort. (1) [1]Die bauliche Gestaltung und die Ausstattung der Werkstatt müssen der Aufgabenstellung der Werkstatt als einer Einrichtung zur Teilhabe behinderter Menschen am Arbeitsleben und zur Eingliederung in das Arbeitsleben und den in *[bis 31. 12. 2017:* § 136*]* *[ab 1. 1. 2018: § 219]* des Neunten Buches Sozialgesetzbuch und im Ersten Abschnitt dieser Verordnung gestellten Anforderungen Rechnung tragen. [2]Die Erfordernisse des Arbeitsschutzes und der Unfallverhütung sowie zur Vermeidung baulicher und technischer Hindernisse sind zu beachten.

(2) Bei der Wahl des Standorts ist auf die Einbindung in die regionale Wirtschafts- und Beschäftigungsstruktur Rücksicht zu nehmen.

(3) Das Einzugsgebiet muß so bemessen sein, daß die Werkstatt für die behinderten Menschen mit öffentlichen oder sonstigen Verkehrsmitteln in zumutbarer Zeit erreichbar ist.

(4) Die Werkstatt hat im Benehmen mit den zuständigen Rehabilitationsträgern, soweit erforderlich, einen Fahrdienst zu organisieren.

§ 9[2] Werkstattleiter, Fachpersonal zur Arbeits- und Berufsförderung. (1) Die Werkstatt muß über die Fachkräfte verfügen, die erforderlich sind, um ihre Aufgaben entsprechend den jeweiligen Bedürfnissen der behinderten Menschen, insbesondere unter Berücksichtigung der Notwendigkeit einer individuellen Förderung von behinderten Menschen, erfüllen zu können.

(2) [1]Der Werkstattleiter soll in der Regel über einen Fachhochschulabschluß im kaufmännischen oder technischen Bereich oder einen gleichwertigen Bildungsstand, über ausreichende Berufserfahrung und eine sonderpädagogische Zusatzqualifikation verfügen. [2]Entsprechende Berufsqualifikationen aus dem sozialen Bereich reichen aus, wenn die zur Leitung einer Werkstatt erforderlichen Kenntnisse und Fähigkeiten im kaufmännischen und technischen Bereich anderweitig erworben worden sind. [3]Die sonderpädagogische Zusatzqualifikation kann in angemessener Zeit durch Teilnahme an geeigneten Fortbildungsmaßnahmen nachgeholt werden.

(3) [1]Die Zahl der Fachkräfte zur Arbeits- und Berufsförderung im Berufsbildungsbereich- und Arbeitsbereich richtet sich nach der Zahl und der Zusammensetzung der behinderten Menschen sowie der Art der Beschäftigung und der technischen Ausstattung des Arbeitsbereichs. [2]Das Zahlenverhältnis von Fachkräften zu behinderten Menschen soll im Berufsbildungsbereich 1:6, im Arbeitsbereich 1:12 betragen. [3]Die Fachkräfte sollen in der Regel Facharbeiter, Gesellen oder Meister mit einer mindestens zweijährigen Berufserfahrung in Industrie oder Handwerk sein; sie müssen pädagogisch geeignet sein und über eine sonder-

---

[1] § 8 Abs. 1 Satz 1, Abs. 3 und 4 geänd. mWv 1. 7. 2001 durch G v. 19. 6. 2001 (BGBl. I S. 1046); Abs. 1 Satz 1 geänd. mWv 1. 1. 2018 durch G v. 23. 12. 2016 (BGBl. I S. 3234).

[2] § 9 Abs. 1, Abs. 3 Sätze 1, 2 und 4, Abs. 4 geänd. mWv 1. 7. 2001 durch G v. 19. 6. 2001 (BGBl. I S. 1046).

pädagogische Zusatzqualifikation verfügen. [4] Entsprechende Berufsqualifikationen aus dem pädagogischen oder sozialen Bereich reichen aus, wenn die für eine Tätigkeit als Fachkraft erforderlichen sonstigen Kenntnisse und Fähigkeiten für den Berufsbildungs- und Arbeitsbereich anderweitig erworben worden sind. [5] Absatz 2 Satz 3 gilt entsprechend.

(4) Zur Durchführung des Eingangsverfahrens sollen Fachkräfte des Berufsbildungsbereichs und der begleitenden Dienste eingesetzt werden, sofern der zuständige Rehabilitationsträger keine höheren Anforderungen stellt.

§ 10[1)] Begleitende Dienste. (1) [1] Die Werkstatt muß zur pädagogischen, sozialen und medizinischen Betreuung der behinderten Menschen über begleitende Dienste verfügen, die den Bedürfnissen der behinderten Menschen gerecht werden. [2] Eine erforderliche psychologische Betreuung ist sicherzustellen. [3] § 9 Abs. 1 gilt entsprechend.

(2) Für je 120 behinderte Menschen sollen in der Regel ein Sozialpädagoge oder ein Sozialarbeiter zur Verfügung stehen, darüber hinaus im Einvernehmen mit den zuständigen Rehabilitationsträgern pflegerische, therapeutische und nach Art und Schwere der Behinderung sonst erforderliche Fachkräfte.

(3) Die besondere ärztliche Betreuung der behinderten Menschen in der Werkstatt und die medizinische Beratung des Fachpersonals der Werkstatt durch einen Arzt, der möglichst auch die an einen Betriebsarzt zu stellenden Anforderungen erfüllen soll, müssen vertraglich sichergestellt sein.

§ 11 Fortbildung. Die Werkstatt hat dem Fachpersonal nach den §§ 9 und 10 Gelegenheit zur Teilnahme an Fortbildungsmaßnahmen zu geben.

§ 12[2)] Wirtschaftsführung. (1) [1] Die Werkstatt muß nach betriebswirtschaftlichen Grundsätzen organisiert sein. [2] Sie hat nach kaufmännischen Grundsätzen Bücher zu führen und eine Betriebsabrechnung in Form einer Kostenstellenrechnung zu erstellen. [3] Sie soll einen Jahresabschluß erstellen. [4] Zusätzlich sind das Arbeitsergebnis, seine Zusammensetzung im Einzelnen gemäß Absatz 4 und seine Verwendung auszuweisen. [5] Die Buchführung, die Betriebsabrechnung und der Jahresabschluß einschließlich der Ermittlung des Arbeitsergebnisses, seine Zusammensetzung im Einzelnen gemäß Absatz 4 und seiner Verwendung sind in angemessenen Zeitabständen in der Regel von einer Person zu prüfen, die als Prüfer bei durch Bundesgesetz vorgeschriebenen Prüfungen des Jahresabschlusses (Abschlußprüfer) juristischer Personen zugelassen ist. [6] Weitergehende handelsrechtliche und abweichende haushaltsrechtliche Vorschriften über Rechnungs-, Buchführungs- und Aufzeichnungspflichten sowie Prüfungspflichten bleiben unberührt. [7] Über den zu verwendenden Kontenrahmen, die Gliederung des Jahresabschlusses, die Kostenstellenrechnung und die Zeitabstände zwischen den Prüfungen der Rechnungslegung ist mit den zuständigen Rehabilitationsträgern Einvernehmen herzustellen.

(2) Die Werkstatt muß über einen Organisations- und Stellenplan mit einer Funktionsbeschreibung des Personals verfügen.

---

1) § 10 Abs. 1 Satz 1, Abs. 2 und 3 geänd. mWv 1. 7. 2001 durch G v. 19. 6. 2001 (BGBl. I S. 1046).

2) § 12 Abs. 3 geänd. durch G v. 29. 9. 2000 (BGBl. I S. 1394); Abs. 1 Sätze 4, 5 und 7, Abs. 3, Abs. 4 Sätze 1 und 2 geänd., Abs. 4 Satz 3 neu gef., Abs. 5 Nrn. 1, 2 und 3 geänd., Abs. 6 angef. mWv 1. 7. 2001 durch G v. 19. 6. 2001 (BGBl. I S. 1046); Abs. 3, Abs. 4 Sätze 1 und 3, Abs. 5 Satz 1 Nr. 1 und 2, Abs. 6 Satz 1 geänd. mWv 1. 1. 2018 durch G v. 23. 12. 2016 (BGBl. I S. 3234).

(3) Die Werkstatt muß wirtschaftliche Arbeitsergebnisse anstreben, um an die im Arbeitsbereich beschäftigten behinderten Menschen ein ihrer Leistung angemessenes Arbeitsentgelt im Sinne des ***[bis 31. 12. 2017:*** § 136 Abs. 1 Satz 2 und § 138***]*** ***[ab 1. 1. 2018:*** *§ 219 Absatz 1 Satz 2 und § 221****]*** des Neunten Buches Sozialgesetzbuch zahlen zu können.

(4) [1] Arbeitsergebnis im Sinne des ***[bis 31. 12. 2017:*** § 138***]*** ***[ab 1. 1. 2018:*** *§ 221****]*** des Neunten Buches Sozialgesetzbuch und der Vorschriften dieser Verordnung ist die Differenz aus den Erträgen und den notwendigen Kosten des laufenden Betriebs im Arbeitsbereich der Werkstatt. [2] Die Erträge setzen sich zusammen aus den Umsatzerlösen, Zins- und sonstigen Erträgen aus der wirtschaftlichen Tätigkeit und den von den Rehabilitationsträgern erbrachten Kostensätzen. [3] Notwendige Kosten des laufenden Betriebs sind die Kosten nach ***[bis 31. 12. 2017:*** § 41 Abs. 3 Satz 3 und 4***]*** ***[ab 1. 1. 2018:*** *§ 58 Absatz 3 Satz 2 und 3****]*** des Neunten Buches Sozialgesetzbuch im Rahmen der getroffenen Vereinbarungen sowie die mit der wirtschaftlichen Betätigung der Werkstatt in Zusammenhang stehenden notwendigen Kosten, die auch in einem Wirtschaftsunternehmen üblicherweise entstehen und infolgedessen nach ***[bis 31. 12. 2017:*** § 41 Abs. 3***]*** ***[ab 1. 1. 2018:*** *§ 58 Absatz 3****]*** des Neunten Buches Sozialgesetzbuch von den Rehabilitationsträgern nicht übernommen werden, nicht hingegen die Kosten für die Arbeitsentgelte nach ***[bis 31. 12. 2017:*** § 138 Abs. 2***]*** ***[ab 1. 1. 2018:*** *§ 221 Absatz 2****]*** des Neunten Buches Sozialgesetzbuch und das Arbeitsförderungsgeld nach ***[bis 31. 12. 2017:*** § 43***]*** ***[ab 1. 1. 2018:*** *§ 59****]*** des Neunten Buches Sozialgesetzbuch.

(5) [1] Das Arbeitsergebnis darf nur für Zwecke der Werkstatt verwendet werden, und zwar für

1. die Zahlung der Arbeitsentgelte nach ***[bis 31. 12. 2017:*** § 138 Abs. 2***]*** ***[ab 1. 1. 2018:*** *§ 221 Absatz 2****]*** des Neunten Buches Sozialgesetzbuch, in der Regel im Umfang von mindestens 70 vom Hundert des Arbeitsergebnisses,
2. die Bildung einer zum Ausgleich von Ertragsschwankungen notwendigen Rücklage, höchstens eines Betrages, der zur Zahlung der Arbeitsentgelte nach ***[bis 31. 12. 2017:*** § 138***]*** ***[ab 1. 1. 2018:*** *§ 221****]*** des Neunten Buches Sozialgesetzbuch für sechs Monate erforderlich ist,
3. Ersatz- und Modernisierungsinvestitionen in der Werkstatt, soweit diese Kosten nicht aus den Rücklagen auf Grund von Abschreibung des Anlagevermögens für solche Investitionen, aus Leistungen der Rehabilitationsträger oder aus sonstigen Einnahmen zu decken sind oder gedeckt werden. Kosten für die Schaffung und Ausstattung neuer Werk- und Wohnstättenplätze dürfen aus dem Arbeitsergebnis nicht bestritten werden.

[2] Abweichende handelsrechtliche Vorschriften über die Bildung von Rücklagen bleiben unberührt.

(6) [1] Die Werkstatt legt die Ermittlung des Arbeitsergebnisses nach Absatz 4 und dessen Verwendung nach Absatz 5 gegenüber den beiden Anerkennungsbehörden nach ***[bis 31. 12. 2017:*** § 142 Satz 2***]*** ***[ab 1. 1. 2018:*** *§ 225 Satz 2****]*** des Neunten Buches Sozialgesetzbuch auf deren Verlangen offen. [2] Diese sind berech-

tigt, die Angaben durch Einsicht in die nach Absatz 1 zu führenden Unterlagen zu überprüfen.

§ 13[1)] **Abschluß von schriftlichen Verträgen.** (1) [1]Die Werkstätten haben mit den im Arbeitsbereich beschäftigten behinderten Menschen, soweit auf sie die für einen Arbeitsvertrag geltenden Rechtsvorschriften oder Rechtsgrundsätze nicht anwendbar sind, Werkstattverträge in schriftlicher Form abzuschließen, in denen das arbeitnehmerähnliche Rechtsverhältnis zwischen der Werkstatt und dem behinderten Menschen näher geregelt wird. [2]Über die Vereinbarungen sind die zuständigen Rehabilitationsträger zu unterrichten.

(2) In den Verträgen nach Absatz 1 ist auch die Zahlung des Arbeitsentgelts im Sinne des ***[bis 31. 12. 2017:*** § 136 Abs. 1 Satz 2 und § 138***]*** ***[ab 1. 1. 2018:*** *§ 219 Absatz 1 Satz 2 und § 221****]*** des Neunten Buches Sozialgesetzbuch an die im Arbeitsbereich beschäftigten behinderten Menschen aus dem Arbeitsergebnis näher zu regeln.

§ 14[2)] **Mitbestimmung, Mitwirkung, Frauenbeauftragte.** Die Werkstatt hat den Menschen mit Behinderungen im Sinne des § 13 Absatz 1 Satz 1 eine angemessene Mitbestimmung und Mitwirkung durch Werkstatträte sowie den Frauenbeauftragten eine angemessene Interessenvertretung zu ermöglichen.

§ 15 Werkstattverbund.[3)] (1) Mehrere Werkstätten desselben Trägers oder verschiedener Träger innerhalb eines Einzugsgebietes im Sinne des § 8 Abs. 3 oder mit räumlich zusammenhängenden Einzugsgebieten können zur Erfüllung der Aufgaben einer Werkstatt und der an sie gestellten Anforderungen eine Zusammenarbeit vertraglich vereinbaren (Werkstattverbund).

(2) Ein Werkstattverbund ist anzustreben, wenn im Einzugsgebiet einer Werkstatt zusätzlich eine besondere Werkstatt im Sinne des ***[bis 31. 12. 2017:*** § 137 Abs. 1 Satz 2 Nr. 2***]*** ***[ab 1. 1. 2018:*** *§ 220 Absatz 1 Satz 2 Nummer 2****]*** des Neunten Buches Sozialgesetzbuch für behinderte Menschen mit einer bestimmten Art der Behinderung vorhanden ist.

§ 16 Formen der Werkstatt. Die Werkstatt kann eine teilstationäre Einrichtung oder ein organisatorisch selbständiger Teil einer stationären Einrichtung (Anstalt, Heim oder gleichartige Einrichtung) oder eines Unternehmens sein.

Zweiter Abschnitt.[4)] Verfahren zur Anerkennung als Werkstatt für behinderte Menschen

§ 17[5)] **Anerkennungsfähige Einrichtungen.** (1) [1]Als Werkstätten können nur solche Einrichtungen anerkannt werden, die die im ***[bis 31. 12. 2017:*** § 136***]*** ***[ab 1. 1. 2018:*** *§ 219****]*** des Neunten Buches Sozialgesetzbuch und im Ersten Abschnitt dieser Verordnung gestellten Anforderungen erfüllen. [2]Von Anforde-

---

[1)] § 13 Abs. 1 Satz 1 neu gef. durch G v. 29. 9. 2000 (BGBl. I S. 1394), Abs. 1 Satz 1, Abs. 2 geänd., Abs. 1 Satz 2 neu gef. mWv 1. 7. 2001 durch G v. 19. 6. 2001 (BGBl. I S. 1046); Abs. 2 geänd. mWv 1. 1. 2018 durch G v. 23. 12. 2016 (BGBl. I S. 3234).

[2)] § 14 neu gef. mWv 30. 12. 2016 durch G v. 23. 12. 2016 (BGBl. I S. 3234).

[3)] § 15 Abs. 2 geänd. durch G v. 29. 9. 2000 (BGBl. I S. 1394) und G v. 19. 6. 2001 (BGBl. I S. 1046); Abs. 2 geänd. mWv 1. 1. 2018 durch G v. 23. 12. 2016 (BGBl. I S. 3234).

[4)] Überschr. geänd. durch G v. 19. 6. 2000 (BGBl. I S. 1046).

[5)] § 17 Abs. 1 Satz 1 geänd. durch G v. 19. 6. 2001 (BGBl. I S. 1046); Abs. 1 Satz 1 geänd. mWv 1. 1. 2018 durch G v. 23. 12. 2016 (BGBl. I S. 3234).

rungen, die nicht zwingend vorgeschrieben sind, sind Ausnahmen zuzulassen, wenn ein besonderer sachlicher Grund im Einzelfall eine Abweichung rechtfertigt.

(2) Als Werkstätten können auch solche Einrichtungen anerkannt werden, die Teil eines Werkstattverbundes sind und die Anforderungen nach Absatz 1 nicht voll erfüllen, wenn der Werkstattverbund die Anforderungen erfüllt.

(3) [1] Werkstätten im Aufbau, die die Anforderungen nach Absatz 1 noch nicht voll erfüllen, aber bereit und in der Lage sind, die Anforderungen in einer vertretbaren Anlaufzeit zu erfüllen, können unter Auflagen befristet anerkannt werden. [2] Abweichend von § 7 genügt es, wenn im Zeitpunkt der Entscheidung über den Antrag auf Anerkennung wenigstens 60 Plätze vorhanden sind, sofern gewährleistet ist, daß die Werkstatt im Endausbau, spätestens nach 5 Jahren, die Voraussetzungen des § 7 erfüllt.

§ 18[1)] Antrag. (1) [1] Die Anerkennung ist vom Träger der Werkstatt schriftlich oder elektronisch zu beantragen. [2] Der Antragsteller hat nachzuweisen, daß die Voraussetzungen für die Anerkennung vorliegen.

(2) [1] Die Entscheidung über den Antrag ergeht schriftlich oder elektronisch. [2] Eine Entscheidung soll innerhalb von 3 Monaten seit Antragstellung getroffen werden.

(3) Die Anerkennung erfolgt mit der Auflage, im Geschäftsverkehr auf die Anerkennung als Werkstatt für behinderte Menschen hinzuweisen.

Dritter Abschnitt. Schlußvorschriften

§ 19 Vorläufige Anerkennung. Vorläufige Anerkennungen, die vor Inkrafttreten dieser Verordnung von der Bundesanstalt für Arbeit ausgesprochen worden sind, behalten ihre Wirkung bis zur Unanfechtbarkeit der Entscheidung über den neuen Antrag auf Anerkennung, wenn dieser Antrag innerhalb von 3 Monaten nach Inkrafttreten dieser Verordnung gestellt wird.

[§ 20 bis 31.12.2017:]

§ 20[2)3)] Abweichende Regelungen für Werkstätten im Beitrittsgebiet. Für Werkstätten in dem in Artikel 3 des Einigungsvertrages genannten Gebiet gilt diese Verordnung mit folgenden Abweichungen:

1. Die Vorschriften des § 9 Abs. 2 Satz 3 und Abs. 3 Satz 5 gelten für die von dem Bundesland für die Aufgabenerfüllung in dem betreffenden Einzugsgebiet vorgesehene anerkannte Werkstatt (Werkstatt des Einzugsgebietes) mit der Maßgabe, daß der Werkstattleiter und wenigstens ein Drittel der Fachkräfte zur Arbeits- und Berufsförderung bis zum 31. Dezember 1995, ein weiteres Drittel bis zum 31. Dezember 1998 und das letzte Drittel spätestens bis zum 31. De-

---

[1)] § 18 Abs. 2 geänd. durch G v. 19.6.2000 (BGBl. I S. 1046); Abs. 2 geänd. mWv 27.3.2002 durch G v. 23.3.2002 (BGBl. I S. 1130); Abs. 2 aufgeh., bish. Abs. 3 und 4 werden Abs. 2 und 3 mWv 1.1.2004 durch G v. 23.12.2003 (BGBl. I S. 2848); Abs. 1 Satz 1, Abs. 2 Satz 1geänd. mWv 5.4.2017 durch G v. 29.3.2017 (BGBl. I S. 626).

[2)] § 20 Satz 1 Nr. 2 Buchst. b, Nr. 3 Buchst. b und c geänd. durch G v. 19.6.2001 (BGBl. I S. 1046).

[3)] § 20 **aufgeh. mWv 1.1.2018** durch G v. 23.12.2016 (BGBl. I S. 3234).

zember 2001 über die sonderpädagogische Zusatzqualifikation verfügen müssen.

2. Die sonderpädagogische Zusatzqualifikation nach § 9 Abs. 2 und 3 braucht nicht nachgeholt zu werden von Personen, die vor dem 1. Januar 1993
   a) das 50. Lebensjahr vollendet haben und
   b) zehn Jahre in einer Werkstatt für behinderte Menschen oder einer anderen Einrichtung für behinderte Menschen in entsprechender Funktion tätig waren.
3. § 17 ist mit folgenden Maßgaben anzuwenden:
   a) Werkstätten, die in der Zeit vom 1. Juli 1990 bis 31. Dezember 1992 unter Auflagen befristet bis zum 31. Dezember 1992 anerkannt worden sind, bleiben bis zum 30. Juni 1993 vorläufig anerkannt, wenn der Antrag auf Verlängerung der Anerkennung unter Darlegung, inwieweit die Anforderungen und erteilten Auflagen inzwischen erfüllt werden, spätestens bis zum 31. Dezember 1992 gestellt wird und über diesen Antrag vor dem 30. Juni 1993 nicht unanfechtbar entschieden worden ist.
   b) Werkstätten im Sinne des Buchstabens a können, auch wenn die Voraussetzungen nach Absatz 3 nicht erfüllt werden, über den 30. Juni 1993 hinaus vorübergehend unter Auflagen befristet anerkannt werden, bis die von dem Bundesland für die Aufgabenerfüllung in dem betreffenden Einzugsgebiet vorgesehene anerkannte Werkstatt (Werkstatt des Einzugsgebietes) die behinderten Menschen der vorübergehend anerkannten Werkstatt voraussichtlich aufnehmen kann, längstens aber bis zum 30. Juni 1995. Durch die Auflagen ist sicherzustellen, daß die in § 136 des Neunten Buches Sozialgesetzbuch[1] und im Ersten Abschnitt dieser Verordnung gestellten Anforderungen soweit wie in der Übergangszeit möglich und wirtschaftlich vertretbar erfüllt werden.
   c) Werkstätten im Sinne des Buchstabens a, die nach Buchstabe b vorübergehend anerkannt worden sind, können über den 30. Juni 1995 hinaus um jeweils ein weiteres Jahr vorläufig anerkannt werden, wenn die Werkstatt des Einzugsgebietes die behinderten Menschen der vorübergehend anerkannten Werkstatt zu diesem Zeitpunkt noch nicht aufnehmen kann.
   d) Bei der Verlängerung der Anerkennung von Werkstätten im Sinne des Buchstabens a nach § 17 Abs. 3 rechnet die in dem dortigen Satz 2 bestimmte Fünfjahresfrist vom Erlaß der Entscheidung über den Verlängerungsantrag an.

§ 21 Inkrafttreten. Diese Verordnung tritt am Tage nach der Verkündung[2] in Kraft.

---

[1] Nr. **698**.
[2] Verkündet am 20.8.1980.

444. Werkstätten-Mitwirkungsverordnung (WMVO)

Vom 25. Juni 2001

(BGBl. I S. 1297)

FNA 860-9-1

zuletzt geänd. durch Art. 1 VO zur Änd. der Werkstätten-MitwirkungsVO und der Versorgungsmedizin-VO v. 19.6.2023 (BGBl. 2023 I Nr. 158)

Auf Grund des § 144 Abs. 2 des Neunten Buches Sozialgesetzbuch – Rehabilitation und Teilhabe behinderter Menschen –[1] (Artikel 1 des Gesetzes vom 19. Juni 2001, BGBl. I S. 1046, 1047) verordnet das Bundesministerium für Arbeit und Sozialordnung:

Inhaltsübersicht[2] [3]

---

[1] Auszugsweise abgedruckt unter Nr. **440**.

[2] Inhaltsübersicht geänd. mWv 30.12.2016 sowie nichtamtlich an die Änderungen angepasst durch G v. 23.12.2016 (BGBl. I S. 3234); geänd. mWv 10.6.2021 durch G v. 2.6.2021 (BGBl. I S. 1387); geänd. mWv 20.3.2022 durch VO v. 18.3.2022 (BGBl. I S. 476).

[3] Inhaltsübersicht nichtamtlich an die Änderung durch durch G v. 10.7.2020 (BGBl. I S. 1657) angepasst.

Abschnitt 1. Anwendungsbereich, Errichtung, Zusammensetzung und Aufgaben des Werkstattrats

§ 1[1)] Anwendungsbereich (1) Diese Verordnung gilt für die Mitbestimmung und die Mitwirkung der in § 221 Absatz 1 des Neunten Buches Sozialgesetzbuch[2)] genannten Menschen mit Behinderungen (Werkstattbeschäftigte) in Werkstattangelegenheiten und die Interessenvertretung der in Werkstätten beschäftigten behinderten Frauen durch Frauenbeauftragte.

(2) Diese Verordnung findet keine Anwendung auf Religionsgemeinschaften und ihre Einrichtungen, soweit sie eigene gleichwertige Regelungen getroffen haben.

§ 2 Errichtung von Werkstatträten. (1) Ein Werkstattrat wird in Werkstätten gewählt.

(2) Rechte und Pflichten der Werkstatt sind solche des Trägers der Werkstatt.

§ 3[3)] Zahl der Mitglieder des Werkstattrats. (1) Der Werkstattrat besteht in Werkstätten mit in der Regel

1. bis zu 200 Wahlberechtigten aus drei Mitgliedern,
2. 201 bis 400 Wahlberechtigten aus fünf Mitgliedern,
3. 401 bis 700 Wahlberechtigten aus sieben Mitgliedern,
4. 701 bis 1 000 Wahlberechtigten aus neun Mitgliedern,
5. 1 001 bis 1 500 Wahlberechtigten aus elf Mitgliedern und
6. mehr als 1 500 Wahlberechtigten aus 13 Mitgliedern.

[1)] § 1 Abs. 1 neu gef. mWv 30.12.2016 durch G v. 23.12.2016 (BGBl. I S. 3234, geänd. durch G v. 17.7.2017, BGBl. I S. 2541); Abs. 1 geänd. mWv 1.1.2018 durch G v. 17.7.2017 (BGBl. I S. 2541).

[2)] Nr. **440**.

[3)] § 3 Abs. 1 neu gef. mWv 30.12.2016 durch G v. 23.12.2016 (BGBl. I S. 3234).

(2) Die Geschlechter sollen entsprechend ihrem zahlenmäßigen Verhältnis vertreten sein.

§ 4[1)] Allgemeine Aufgaben des Werkstattrats. (1) [1]Der Werkstattrat hat folgende allgemeine Aufgaben:

1. darüber zu wachen, dass die zugunsten der Werkstattbeschäftigten geltenden Gesetze, Verordnungen, Unfallverhütungsvorschriften und mit der Werkstatt getroffenen Vereinbarungen durchgeführt werden, vor allem, dass
   a) die auf das besondere arbeitnehmerähnliche Rechtsverhältnis zwischen den Werkstattbeschäftigten und der Werkstatt anzuwendenden arbeitsrechtlichen Vorschriften und Grundsätze, insbesondere über Beschäftigungszeit einschließlich Teilzeitbeschäftigung sowie der Erholungspausen und Zeiten der Teilnahme an Maßnahmen zur Erhaltung und Erhöhung der Leistungsfähigkeit und zur Weiterentwicklung der Persönlichkeit des Werkstattbeschäftigten, Urlaub, Entgeltfortzahlung im Krankheitsfall, Entgeltzahlung an Feiertagen, Mutterschutz, Elternzeit, Persönlichkeitsschutz und Haftungsbeschränkung,
   b) die in dem besonderen arbeitnehmerähnlichen Rechtsverhältnis aufgrund der Fürsorgepflicht geltenden Mitwirkungs- und Beschwerderechte und
   c) die Werkstattverträge

   von der Werkstatt beachtet werden;
2. Maßnahmen, die dem Betrieb der Werkstatt und den Werkstattbeschäftigten dienen, bei der Werkstatt zu beantragen;
3. Anregungen und Beschwerden von Werkstattbeschäftigten entgegenzunehmen und, falls sie berechtigt erscheinen, durch Verhandlungen mit der Werkstatt auf eine Erledigung hinzuwirken; er hat die betreffenden Werkstattbeschäftigten über den Stand und das Ergebnis der Verhandlungen zu unterrichten.

[2]Dabei hat er vor allem die Interessen besonders betreuungs- und förderungsbedürftiger Werkstattbeschäftigter zu wahren und die Durchsetzung der tatsächlichen Gleichstellung von Frauen und Männern zu fördern.

(2) [1]Werden in Absatz 1 Nr. 1 genannte Angelegenheiten zwischen der Werkstatt und einem oder einer Werkstattbeschäftigten erörtert, so nimmt auf dessen oder deren Wunsch ein Mitglied des Werkstattrats an der Erörterung teil. [2]Es ist verpflichtet, über Inhalt und Gegenstand der Erörterung Stillschweigen zu bewahren, soweit es von dem oder der Werkstattbeschäftigten im Einzelfall nicht von dieser Verpflichtung entbunden wird.

(3) Der Werkstattrat berücksichtigt die Interessen der im Eingangsverfahren und im Berufsbildungsbereich tätigen behinderten Menschen in angemessener und geeigneter Weise, solange für diese eine Vertretung nach § 52 des Neunten Buches Sozialgesetzbuch[2)] nicht besteht.

§ 5[3)] Mitwirkung und Mitbestimmung. (1) Der Werkstattrat hat in folgenden Angelegenheiten ein Mitwirkungsrecht:

[1)] § 4 Abs. 3 geänd. mWv 1.1.2018 durch G v. 23.12.2016 (BGBl. I S. 3234).
[2)] Nr. **440**.
[3)] § 5 neu gef. mWv 30.12.2016 durch G v. 23.12.2016 (BGBl. I S. 3234).

1. Darstellung und Verwendung des Arbeitsergebnisses, insbesondere Höhe der Grund- und Steigerungsbeträge, unter Darlegung der dafür maßgeblichen wirtschaftlichen und finanziellen Verhältnisse auch in leichter Sprache,
2. Regelungen über die Verhütung von Arbeitsunfällen und Berufskrankheiten sowie über den Gesundheitsschutz im Rahmen der gesetzlichen Vorschriften oder der Unfallverhütungsvorschriften,
3. Weiterentwicklung der Persönlichkeit und Förderung des Übergangs auf den allgemeinen Arbeitsmarkt,
4. Gestaltung von Arbeitsplätzen, Arbeitskleidung, Arbeitsablauf und Arbeitsumgebung, Einführung neuer Arbeitsverfahren,
5. dauerhafte Umsetzung Beschäftigter im Arbeitsbereich auf einen anderen Arbeitsplatz, wenn die Betroffenen eine Mitwirkung des Werkstattrates wünschen,
6. Planung von Neu-, Um- und Erweiterungsbauten sowie neuer technischer Anlagen, Einschränkung, Stilllegung oder Verlegung der Werkstatt oder wesentlicher Teile der Werkstatt, grundlegende Änderungen der Werkstattorganisation und des Werkstattzwecks.

(2) Der Werkstattrat hat in folgenden Angelegenheiten ein Mitbestimmungsrecht:

1. Ordnung und Verhalten der Werkstattbeschäftigten im Arbeitsbereich einschließlich Aufstellung und Änderung einer Werkstattordnung,
2. Beginn und Ende der täglichen Arbeitszeit, Pausen, Zeiten für die Erhaltung und Erhöhung der Leistungsfähigkeit und zur Weiterentwicklung der Persönlichkeit, Verteilung der Arbeitszeit auf die einzelnen Wochentage und die damit zusammenhängende Regelung des Fahrdienstes, vorübergehende Verkürzung oder Verlängerung der üblichen Arbeitszeit,
3. Arbeitsentgelte, insbesondere Aufstellung und Änderung von Entlohnungsgrundsätzen, Festsetzung der Steigerungsbeträge und vergleichbarer leistungsbezogener Entgelte, Zeit, Ort und Art der Auszahlung sowie Gestaltung der Arbeitsentgeltbescheinigungen,
4. Grundsätze für den Urlaubsplan,
5. Verpflegung,
6. Einführung und Anwendung technischer Einrichtungen, die dazu bestimmt sind, das Verhalten oder die Leistung der Werkstattbeschäftigten zu überwachen,
7. Grundsätze für die Fort- und Weiterbildung,
8. Gestaltung von Sanitär- und Aufenthaltsräumen und
9. soziale Aktivitäten der Werkstattbeschäftigten.

(3) [1] Die Werkstatt hat den Werkstattrat in den Angelegenheiten, in denen er ein Mitwirkungsrecht oder ein Mitbestimmungsrecht hat, vor Durchführung der Maßnahme rechtzeitig, umfassend und in angemessener Weise zu unterrichten und anzuhören. [2] Beide Seiten haben auf ein Einvernehmen hinzuwirken. Lässt sich Einvernehmen nicht herstellen, kann jede Seite die Vermittlungsstelle anrufen.

(4) In Angelegenheiten der Mitwirkung nach Absatz 1 entscheidet die Werkstatt unter Berücksichtigung des Einigungsvorschlages endgültig.

(5) Kommt in Angelegenheiten der Mitbestimmung nach Absatz 2 keine Einigung zustande und handelt es sich nicht um Angelegenheiten, die nur einheitlich für Arbeitnehmer und Werkstattbeschäftigte geregelt werden können und die Gegenstand einer Vereinbarung mit dem Betriebs- oder Personalrat oder einer sonstigen Mitarbeitervertretung sind oder sein sollen, entscheidet die Vermittlungsstelle endgültig.

(6) [1] Soweit Angelegenheiten im Sinne von Absatz 1 oder 2 nur einheitlich für Arbeitnehmer und Werkstattbeschäftigte geregelt werden können und soweit sie Gegenstand einer Vereinbarung mit dem Betriebs- oder Personalrat oder einer sonstigen Mitarbeitervertretung sind oder sein sollen, haben die Beteiligten auf eine einvernehmliche Regelung hinzuwirken. [2] Die ergänzende Vereinbarung besonderer behindertenspezifischer Regelungen zwischen Werkstattrat und Werkstatt bleiben unberührt. [3] Unberührt bleiben auch weitergehende, einvernehmlich vereinbarte Formen der Beteiligung in den Angelegenheiten des Absatzes 1.

§ 6[1)] Vermittlungsstelle. (1) [1] Die Vermittlungsstelle besteht aus einem oder einer unparteiischen, in Werkstattangelegenheiten erfahrenen Vorsitzenden, auf den oder die sich Werkstatt und Werkstattrat einigen müssen, und aus je einem von der Werkstatt und vom Werkstattrat benannten Beisitzer oder einer Beisitzerin. [2] Kommt eine Einigung nicht zustande, so schlagen die Werkstatt und der Werkstattrat je eine Person als Vorsitzenden oder Vorsitzende vor; durch Los wird entschieden, wer als Vorsitzender oder Vorsitzende tätig wird.

(2) [1] Die Vermittlungsstelle hat unverzüglich tätig zu werden. [2] Sie entscheidet nach mündlicher Beratung mit Stimmenmehrheit. [3] Die Beschlüsse der Vermittlungsstelle sind schriftlich niederzulegen und von dem Vorsitzenden oder der Vorsitzenden zu unterschreiben oder in elektronischer Form niederzulegen und von dem Vorsitzenden oder der Vorsitzenden mit seiner oder ihrer qualifizierten elektronischen Signatur zu versehen. [4] Werkstatt und Werkstattrat können weitere Einzelheiten des Verfahrens vor der Vermittlungsstelle vereinbaren.

(3) [1] Der Einigungsvorschlag der Vermittlungsstelle ersetzt in den Angelegenheiten nach § 5 Absatz 1 sowie in den Angelegenheiten nach § 5 Absatz 2, die nur einheitlich für Arbeitnehmer und Werkstattbeschäftigte geregelt werden können, nicht die Entscheidung der Werkstatt. [2] Bis dahin ist die Durchführung der Maßnahme auszusetzen. [3] Das gilt auch in den Fällen des § 5 Absatz 5 und 6. [4] Fasst die Vermittlungsstelle in den Angelegenheiten nach § 5 Absatz 1 innerhalb von zwölf Tagen keinen Beschluss für einen Einigungsvorschlag, gilt die Entscheidung der Werkstatt.

§ 7 Unterrichtungsrechte des Werkstattrats. (1) Der Werkstattrat ist in folgenden Angelegenheiten zu unterrichten:

1. Beendigung des arbeitnehmerähnlichen Rechtsverhältnisses zur Werkstatt, Versetzungen und Umsetzungen,
2. Verlauf und Ergebnis der Eltern- und Betreuerversammlung,

[1)] § 6 Abs. 2 Satz 1, Abs. 3 neu gef. mWv 30.12.2016 durch G v. 23.12.2016 (BGBl. I S. 3234); Abs. 2 Satz 3 neu gef. mWv 18.6.2021 durch G v. 14.6.2021 (BGBl. I S. 1762).

3. Einstellung, Versetzung und Umsetzung des Fachpersonals (Angehörige der begleitenden Dienste und die Fachkräfte zur Arbeits- und Berufsförderung) und des sonstigen Personals der Werkstatt.

(2) [1] Die Werkstatt hat den Werkstattrat in den Angelegenheiten, in denen er ein Unterrichtungsrecht hat, rechtzeitig und umfassend unter Vorlage der erforderlichen Unterlagen zu unterrichten. [2] Die in den Fällen des Absatzes 1 Nr. 1 einzuholende Stellungnahme des Fachausschusses und die in diesem Rahmen erfolgende Anhörung des oder der Werkstattbeschäftigten bleiben unberührt.

§ 8[1)] Zusammenarbeit. (1) [1] Die Werkstatt, ihr Betriebs- oder Personalrat oder ihre sonstige Mitarbeitervertretung, die Schwerbehindertenvertretung, die Vertretung der Teilnehmer an Maßnahmen im Eingangsverfahren und im Berufsbildungsbereich nach § 52 des Neunten Buches Sozialgesetzbuch[2)], ein nach § 222 Abs. 4 Satz 2 des Neunten Buches Sozialgesetzbuch[2)] errichteter Eltern- und Betreuerbeirat, die Frauenbeauftragte und der Werkstattrat arbeiten im Interesse der Werkstattbeschäftigten vertrauensvoll zusammen. [2] Die Werkstatt, die Frauenbeauftragte und der Werkstattrat können hierbei die Unterstützung der in der Werkstatt vertretenen Behindertenverbände und Gewerkschaften sowie der Verbände, denen die Werkstatt angehört, in Anspruch nehmen.

(2) [1] Werkstatt und Werkstattrat sollen in der Regel einmal im Monat zu einer Besprechung zusammentreten. [2] Sie haben über strittige Fragen mit dem ernsten Willen zur Einigung zu verhandeln und Vorschläge für die Beilegung von Meinungsverschiedenheiten zu machen.

§ 9 Werkstattversammlung. [1] Der Werkstattrat führt mindestens einmal im Kalenderjahr eine Versammlung der Werkstattbeschäftigten durch. [2] Die in der Werkstatt für Versammlungen der Arbeitnehmer geltenden Vorschriften finden entsprechende Anwendung; Teil- sowie Abteilungsversammlungen sind zulässig. [3] Der Werkstattrat kann im Einvernehmen mit der Werkstatt in Werkstattangelegenheiten erfahrene Personen sowie behinderte Menschen, die an Maßnahmen im Eingangsverfahren oder im Berufsbildungsbereich teilnehmen, einladen.

Abschnitt 2. Wahl des Werkstattrats

Unterabschnitt 1. Wahlberechtigung und Wählbarkeit; Zeitpunkt der Wahlen

§ 10 Wahlberechtigung. Wahlberechtigt sind alle Werkstattbeschäftigten, soweit sie keine Arbeitnehmer sind.

§ 11 Wählbarkeit. [1] Wählbar sind alle Wahlberechtigten, die am Wahltag seit mindestens sechs Monaten in der Werkstatt beschäftigt sind. [2] Zeiten des Eingangsverfahrens und der Teilnahme an Maßnahmen im Berufsbildungsbereich werden angerechnet.

[1)] § 8 Abs. 1 Satz 1 geänd. mWv 1.1.2018 durch G v. 23.12.2016 (BGBl. I S. 3234); Abs. 1 Sätze 1 und 2 geänd. mWv 10.6.2021 durch G v. 2.6.2021 (BGBl. I S. 1387).

[2)] Nr. **440**.

§ 12 Zeitpunkt der Wahlen zum Werkstattrat. (1) [1]Die regelmäßigen Wahlen zum Werkstattrat finden alle vier Jahre in der Zeit vom 1. Oktober bis 30. November statt, erstmals im Jahre 2001. [2]Außerhalb dieser Zeit finden Wahlen statt, wenn

1. die Gesamtzahl der Mitglieder nach Eintreten sämtlicher Ersatzmitglieder unter die vorgeschriebene Zahl der Werkstattratmitglieder gesunken ist,
2. der Werkstattrat mit der Mehrheit seiner Mitglieder seinen Rücktritt beschlossen hat,
3. die Wahl des Werkstattrats mit Erfolg angefochten worden ist oder
4. ein Werkstattrat noch nicht gewählt ist.

(2) [1]Hat außerhalb des für die regelmäßigen Wahlen festgelegten Zeitraumes eine Wahl zum Werkstattrat stattgefunden, so ist er in dem auf die Wahl folgenden nächsten Zeitraum der regelmäßigen Wahlen neu zu wählen. [2]Hat die Amtszeit des Werkstattrats zu Beginn des für die nächsten regelmäßigen Wahlen festgelegten Zeitraumes noch nicht ein Jahr betragen, ist der Werkstattrat in dem übernächsten Zeitraum der regelmäßigen Wahlen neu zu wählen.

Unterabschnitt 2. Vorbereitung der Wahl

§ 13[1)] Bestellung des Wahlvorstandes. (1) [1]Spätestens zehn Wochen vor Ablauf seiner Amtszeit bestellt der Werkstattrat einen Wahlvorstand aus drei Wahlberechtigten oder sonstigen der Werkstatt angehörenden Personen und einen oder eine von ihnen als Vorsitzenden oder Vorsitzende. [2]Dem Wahlvorstand muss mindestens eine wahlberechtigte Frau angehören.

(2) [1]Ist in der Werkstatt ein Werkstattrat nicht vorhanden, werden der Wahlvorstand und dessen Vorsitzender oder Vorsitzende in einer Versammlung der Wahlberechtigten gewählt. [2]Die Werkstatt fördert die Wahl; sie hat zu dieser Versammlung einzuladen. [3]Unabhängig davon können drei Wahlberechtigte einladen.

§ 14 Aufgaben des Wahlvorstandes. (1) [1]Der Wahlvorstand bereitet die Wahl vor und führt sie durch. [2]Die Werkstatt hat dem Wahlvorstand auf dessen Wunsch aus den Angehörigen des Fachpersonals eine Person seines Vertrauens zur Verfügung zu stellen, die ihn bei der Vorbereitung und Durchführung der Wahl unterstützt. [3]Der Wahlvorstand kann in der Werkstatt Beschäftigte als Wahlhelfer oder Wahlhelferinnen zu seiner Unterstützung bei der Durchführung der Stimmabgabe und bei der Stimmenzählung bestellen. [4]Die Mitglieder des Wahlvorstandes, die Vertrauensperson und die Wahlhelfer und Wahlhelferinnen haben die gleichen persönlichen Rechte und Pflichten wie die Mitglieder des Werkstattrats (§ 37). [5]Die Vertrauensperson nimmt ihre Aufgabe unabhängig von Weisungen der Werkstatt wahr.

(2) [1]Die Beschlüsse des Wahlvorstandes werden mit Stimmenmehrheit seiner Mitglieder gefasst. [2]Über jede Sitzung des Wahlvorstandes ist eine Niederschrift aufzunehmen, die mindestens den Wortlaut der gefassten Beschlüsse enthält. [3]Die Niederschrift ist von dem Vorsitzenden oder der Vorsitzenden und einem weiteren Mitglied des Wahlvorstandes oder der Vertrauensperson zu unterzeichnen.

[1)] § 13 Abs. 1 Satz 2 angef. mWv 30.12.2016 durch G v. 23.12.2016 (BGBl. I S. 3234).

(3) Der Wahlvorstand hat die Wahl unverzüglich einzuleiten; sie soll spätestens eine Woche vor dem Tag stattfinden, an dem die Amtszeit des Werkstattrats abläuft.

(4) [1] Die Werkstatt unterstützt den Wahlvorstand bei der Erfüllung seiner Aufgaben. [2] Sie gibt ihm insbesondere alle für die Anfertigung der Liste der Wahlberechtigten erforderlichen Auskünfte und stellt die notwendigen Unterlagen zur Verfügung.

§ 15 Erstellung der Liste der Wahlberechtigten. [1] Der Wahlvorstand stellt eine Liste der Wahlberechtigten auf. [2] Die Wahlberechtigten sollen mit dem Familiennamen und dem Vornamen, erforderlichenfalls dem Geburtsdatum, in alphabetischer Reihenfolge aufgeführt werden.

§ 16 Bekanntmachung der Liste der Wahlberechtigten. Die Liste der Wahlberechtigten oder eine Abschrift ist unverzüglich nach Einleitung der Wahl bis zum Abschluss der Stimmabgabe an geeigneter Stelle zur Einsicht auszulegen.

§ 17 Einspruch gegen die Liste der Wahlberechtigten. (1) Wahlberechtigte und sonstige Beschäftigte, die ein berechtigtes Interesse an einer ordnungsgemäßen Wahl glaubhaft machen, können innerhalb von zwei Wochen seit Erlass des Wahlausschreibens (§ 18) beim Wahlvorstand Einspruch gegen die Richtigkeit der Liste der Wahlberechtigten einlegen.

(2) [1] Über Einsprüche nach Absatz 1 entscheidet der Wahlvorstand unverzüglich. [2] Hält er den Einspruch für begründet, berichtigt er die Liste der Wahlberechtigten. [3] Der Person, die den Einspruch eingelegt hat, wird die Entscheidung unverzüglich mitgeteilt; die Entscheidung muss ihr spätestens am Tag vor der Stimmabgabe zugehen.

(3) [1] Nach Ablauf der Einspruchsfrist soll der Wahlvorstand die Liste der Wahlberechtigten nochmals auf ihre Vollständigkeit hin überprüfen. [2] Im Übrigen kann nach Ablauf der Einspruchsfrist die Liste der Wahlberechtigten nur bei Schreibfehlern, offenbaren Unrichtigkeiten, in Erledigung rechtzeitig eingelegter Einsprüche oder bei Eintritt oder Ausscheiden eines Wahlberechtigten oder einer Wahlberechtigten bis zum Tage vor dem Beginn der Stimmabgabe berichtigt oder ergänzt werden.

§ 18 Wahlausschreiben. (1) [1] Spätestens sechs Wochen vor dem Wahltag erlässt der Wahlvorstand ein Wahlausschreiben, das von dem oder der Vorsitzenden und mindestens einem weiteren Mitglied des Wahlvorstandes zu unterschreiben ist. [2] Es muss enthalten:

1. das Datum seines Erlasses,
2. die Namen und Fotos der Mitglieder des Wahlvorstandes,
3. die Voraussetzungen der Wählbarkeit zum Werkstattrat,
4. den Hinweis, wo und wann die Liste der Wahlberechtigten und diese Verordnung zur Einsicht ausliegen,
5. den Hinweis, dass nur wählen kann, wer in die Liste der Wahlberechtigten eingetragen ist, und dass Einsprüche gegen die Liste der Wahlberechtigten *nur vor* Ablauf von zwei Wochen seit dem Erlass des Wahlausschreibens beim Wahlvorstand schriftlich oder zur Niederschrift eingelegt werden können; der letzte Tag der Frist ist anzugeben,

6. die Aufforderung, Wahlvorschläge innerhalb von zwei Wochen nach Erlass des Wahlausschreibens beim Wahlvorstand einzureichen; der letzte Tag der Frist ist anzugeben,
7. die Mindestzahl von Wahlberechtigten, von denen ein Wahlvorschlag unterstützt werden muss (§ 19 Satz 2),
8. den Hinweis, dass die Stimmabgabe an die Wahlvorschläge gebunden ist und dass nur solche Wahlvorschläge berücksichtigt werden dürfen, die fristgerecht (Nummer 6) eingereicht sind,
9. die Bestimmung des Ortes, an dem die Wahlvorschläge bis zum Abschluss der Stimmabgabe durch Aushang oder in sonst geeigneter Weise bekannt gegeben werden,
10. Ort, Tag und Zeit der Stimmabgabe,
11. den Ort und die Zeit der Stimmauszählung und der Sitzung des Wahlvorstandes, in der das Wahlergebnis abschließend festgestellt wird,
12. den Ort, an dem Einsprüche, Wahlvorschläge und sonstige Erklärungen gegenüber dem Wahlvorstand abzugeben sind.

(2) Eine Abschrift oder ein Abdruck des Wahlausschreibens ist vom Tag seines Erlasses bis zum Wahltag an einer oder mehreren geeigneten, den Wahlberechtigten zugänglichen Stellen vom Wahlvorstand auszuhängen.

§ 19 Wahlvorschläge. [1] Die Wahlberechtigten können innerhalb von zwei Wochen seit Erlass des Wahlausschreibens Vorschläge beim Wahlvorstand einreichen. [2] Jeder Wahlvorschlag muss von mindestens drei Wahlberechtigten unterstützt werden. [3] Der Wahlvorschlag bedarf der Zustimmung des Vorgeschlagenen oder der Vorgeschlagenen. [4] Der Wahlvorstand entscheidet über die Zulassung zur Wahl.

§ 20 Bekanntmachung der Bewerber und Bewerberinnen. Spätestens eine Woche vor Beginn der Stimmabgabe und bis zum Abschluss der Stimmabgabe macht der Wahlvorstand die Namen und Fotos oder anderes Bildmaterial der Bewerber und Bewerberinnen aus zugelassenen Wahlvorschlägen in alphabetischer Reihenfolge in gleicher Weise bekannt wie das Wahlausschreiben (§ 18 Abs. 2).

Unterabschnitt 3. Durchführung der Wahl

§ 21[1)] Stimmabgabe. (1) Der Werkstattrat wird in geheimer und unmittelbarer Wahl nach den Grundsätzen der Mehrheitswahl gewählt.

(2) [1] Wer wahlberechtigt ist, kann seine Stimme nur für rechtswirksam vorgeschlagene Bewerber oder Bewerberinnen abgeben. [2] Jeder Wahlberechtigte und jede Wahlberechtigte hat so viele Stimmen, wie Mitglieder des Werkstattrats gewählt werden. [3] Der Stimmzettel muss einen Hinweis darauf enthalten, wie viele Bewerber im Höchstfall gewählt werden dürfen. [4] Für jeden Bewerber oder jede Bewerberin kann nur eine Stimme abgegeben werden.

(3) [1] Das Wahlrecht wird durch Abgabe eines Stimmzettels in einem Wahlumschlag ausgeübt. [2] Auf dem Stimmzettel sind die Bewerber in alphabetischer Reihenfolge unter Angabe von Familienname und Vorname, erforderlichenfalls des Geburtsdatums, sowie mit Foto oder anderem Bildmaterial aufzuführen.

[1)] § 21 Abs. 6 angef. mWv 20.3.2022 durch VO v. 18.3.2022 (BGBl. I S. 476).

[3]Die Stimmzettel müssen sämtlich die gleiche Größe, Farbe, Beschaffenheit und Beschriftung haben. [4]Das Gleiche gilt für die Wahlumschläge.

(4) [1]Bei der Stimmabgabe wird durch Ankreuzen an der im Stimmzettel jeweils vorgesehenen Stelle die von dem Wählenden oder von der Wählenden gewählte Person gekennzeichnet. [2]Stimmzettel, auf denen mehr als die zulässige Anzahl der Bewerber oder Bewerberinnen gekennzeichnet ist oder aus denen sich der Wille des Wählenden oder der Wählenden nicht zweifelsfrei ergibt, sind ungültig.

(5) Ist für mehr als die Hälfte der Wahlberechtigten infolge ihrer Behinderung eine Stimmabgabe durch Abgabe eines Stimmzettels nach den Absätzen 3 und 4 überwiegend nicht möglich, kann der Wahlvorstand eine andere Form der Ausübung des Wahlrechts beschließen.

(6) Der Wahlvorstand kann beschließen, dass die Wahl auch als Briefwahl durchgeführt wird.

§ 22 Wahlvorgang. (1) [1]Der Wahlvorstand hat geeignete Vorkehrungen für die unbeobachtete Kennzeichnung der Stimmzettel im Wahlraum zu treffen und für die Bereitstellung einer Wahlurne zu sorgen. [2]Die Wahlurne muss vom Wahlvorstand verschlossen und so eingerichtet sein, dass die eingeworfenen Stimmzettel nicht herausgenommen werden können, ohne dass die Urne geöffnet wird.

(2) [1]Während der Wahl müssen immer mindestens zwei Mitglieder des Wahlvorstandes im Wahlraum anwesend sein. [2]Sind Wahlhelfer oder Wahlhelferinnen bestellt (§ 14 Abs. 1 Satz 3), genügt die Anwesenheit eines Mitgliedes des Wahlvorstandes und eines Wahlhelfers oder einer Wahlhelferin.

(3) Der gekennzeichnete und in den Wahlumschlag gelegte Stimmzettel ist in die hierfür bereitgestellte Wahlurne einzuwerfen, nachdem die Stimmabgabe von einem Mitglied des Wahlvorstandes oder einem Wahlhelfer oder einer Wahlhelferin in der Liste der Wahlberechtigten vermerkt worden ist.

(4) [1]Wer infolge seiner Behinderung bei der Stimmabgabe beeinträchtigt ist, bestimmt eine Person seines Vertrauens, die ihm bei der Stimmabgabe

(Fortsetzung nächstes Blatt)

behilflich sein soll, und teilt dies dem Wahlvorstand mit. [2] Personen, die sich bei der Wahl bewerben, Mitglieder des Wahlvorstandes, Vertrauenspersonen im Sinne des § 14 Abs. 1 Satz 2 sowie Wahlhelfer und Wahlhelferinnen dürfen nicht zur Hilfeleistung herangezogen werden. [3] Die Hilfeleistung beschränkt sich auf die Erfüllung der Wünsche des Wählers oder der Wählerin zur Stimmabgabe; die Vertrauensperson darf gemeinsam mit dem Wähler oder der Wählerin die Wahlkabine aufsuchen. [4] Die Vertrauensperson ist zur Geheimhaltung der Kenntnisse von der Wahl einer anderen Person verpflichtet, die sie bei der Hilfeleistung erlangt hat. [5] Die Sätze 1 bis 4 gelten entsprechend für Wähler und Wählerinnen, die des Lesens unkundig sind.

(5) Nach Abschluss der Wahl ist die Wahlurne zu versiegeln, wenn die Stimmenauszählung nicht unmittelbar nach der Beendigung der Wahl durchgeführt wird.

§ 23 Feststellung des Wahlergebnisses. (1) Unverzüglich nach Abschluss der Wahl nimmt der Wahlvorstand öffentlich die Auszählung der Stimmen vor und stellt das Ergebnis fest.

(2) [1] Gewählt sind die Bewerber und Bewerberinnen, die die meisten Stimmen erhalten haben. [2] Bei Stimmengleichheit entscheidet das Los.

(3) [1] Der Wahlvorstand fertigt über das Ergebnis eine Niederschrift, die von dem Vorsitzenden oder der Vorsitzenden und mindestens einem weiteren Mitglied des Wahlvorstandes unterschrieben wird. [2] Die Niederschrift muss die Zahl der abgegebenen gültigen und ungültigen Stimmzettel, die auf jeden Bewerber oder jede Bewerberin entfallenen Stimmenzahlen sowie die Namen der gewählten Bewerber und Bewerberinnen enthalten.

§ 24 Benachrichtigung der Gewählten und Annahme der Wahl.

(1) [1] Der Wahlvorstand benachrichtigt die zum Werkstattrat Gewählten unverzüglich von ihrer Wahl. [2] Erklärt eine gewählte Person nicht innerhalb von drei Arbeitstagen nach Zugang der Benachrichtigung dem Wahlvorstand ihre Ablehnung der Wahl, ist sie angenommen.

(2) Lehnt eine gewählte Person die Wahl ab, tritt an ihre Stelle der Bewerber oder die Bewerberin mit der nächsthöchsten Stimmenzahl.

§ 25 Bekanntmachung der Gewählten. Sobald die Namen der Mitglieder des Werkstattrats endgültig feststehen, macht der Wahlvorstand sie durch zweiwöchigen Aushang in gleicher Weise wie das Wahlausschreiben bekannt (§ 18 Abs. 2) und teilt sie unverzüglich der Werkstatt mit.

§ 26 Aufbewahrung der Wahlunterlagen. Die Wahlunterlagen, insbesondere die Niederschriften, Bekanntmachungen und Stimmzettel, werden vom Werkstattrat mindestens bis zum Ende der Wahlperiode aufbewahrt.

§ 27 Wahlanfechtung. (1) Die Wahl kann beim Arbeitsgericht angefochten werden, wenn gegen wesentliche Vorschriften über das Wahlrecht, die Wählbarkeit oder das Wahlverfahren verstoßen worden ist und eine Berichtigung nicht erfolgt ist, es sei denn, dass durch den Verstoß das Wahlergebnis nicht geändert oder beeinflusst werden konnte.

(2) [1] Zur Anfechtung berechtigt sind mindestens drei Wahlberechtigte oder die Werkstatt. [2] Die Wahlanfechtung ist nur binnen einer Frist von zwei Wochen, vom Tag der Bekanntgabe des Wahlergebnisses an gerechnet, zulässig.

§ 28 Wahlschutz und Wahlkosten. (1) [1] Niemand darf die Wahl des Werkstattrats behindern. [2] Insbesondere dürfen Werkstattbeschäftigte in der Ausübung des aktiven und passiven Wahlrechts nicht beschränkt werden.

(2) Niemand darf die Wahl des Werkstattrats durch Zufügung oder Androhung von Nachteilen oder durch Gewährung oder Versprechen von Vorteilen beeinflussen.

(3) [1] Die Kosten der Wahl trägt die Werkstatt. [2] Versäumnis von Beschäftigungszeit, die zur Ausübung des Wahlrechts, zur Betätigung im Wahlvorstand oder zur Tätigkeit als Wahlhelfer oder Wahlhelferin erforderlich ist, berechtigt die Werkstatt nicht zur Minderung des Arbeitsentgeltes. [3] Die Ausübung der genannten Tätigkeiten steht der Beschäftigung als Werkstattbeschäftigter gleich.

Abschnitt 3. Amtszeit des Werkstattrats

§ 29 Amtszeit des Werkstattrats. [1] Die regelmäßige Amtszeit des Werkstattrats beträgt vier Jahre. [2] Die Amtszeit beginnt mit der Bekanntgabe des Wahlergebnisses oder, wenn die Amtszeit des bisherigen Werkstattrats noch nicht beendet ist, mit deren Ablauf. [3] Die Amtszeit des außerhalb des regelmäßigen Wahlzeitraumes gewählten Werkstattrats endet mit der Bekanntgabe des Wahlergebnisses des nach § 12 Abs. 2 neu gewählten Werkstattrats, spätestens jedoch am 30. November des maßgebenden Wahljahres. [4] Im Falle des § 12 Abs. 1 Satz 2 Nr. 1 und 2 endet die Amtszeit des bestehenden Werkstattrats mit der Bekanntgabe des Wahlergebnisses des neu gewählten Werkstattrats.

§ 30 Erlöschen der Mitgliedschaft im Werkstattrat; Ersatzmitglieder.

(1) Die Mitgliedschaft im Werkstattrat erlischt durch

1. Ablauf der Amtszeit,
2. Niederlegung des Amtes,
3. Ausscheiden aus der Werkstatt,
4. Beendigung des arbeitnehmerähnlichen Rechtsverhältnisses.

(2) [1] Scheidet ein Mitglied aus dem Werkstattrat aus, so rückt ein Ersatzmitglied nach. [2] Dies gilt entsprechend für die Stellvertretung eines zeitweilig verhinderten Mitgliedes des Werkstattrats.

(3) [1] Die Ersatzmitglieder werden der Reihe nach aus den nicht gewählten Bewerbern und Bewerberinnen der Vorschlagsliste entnommen. [2] Die Reihenfolge bestimmt sich nach der Höhe der erreichten Stimmenzahlen. [3] Bei Stimmengleichheit entscheidet das Los.

Abschnitt 4. Geschäftsführung des Werkstattrats

§ 31 Vorsitz des Werkstattrats. (1) Der Werkstattrat wählt aus seiner Mitte den Vorsitzenden oder die Vorsitzende und die ihn oder sie vertretende Person.

(2) [1]Der Vorsitzende oder die Vorsitzende oder im Falle der Verhinderung die ihn oder sie vertretende Person vertritt den Werkstattrat im Rahmen der von diesem gefassten Beschlüsse. [2]Zur Entgegennahme von Erklärungen, die dem Werkstattrat gegenüber abzugeben sind, ist der Vorsitzende oder die Vorsitzende oder im Falle der Verhinderung die ihn oder sie vertretende Person berechtigt.

§ 32[1)] Einberufung der Sitzungen. (1) Innerhalb einer Woche nach dem Wahltag beruft der Vorsitzende oder die Vorsitzende des Wahlvorstandes den neu gewählten Werkstattrat zu der nach § 31 Abs. 1 vorgeschriebenen Wahl ein und leitet die Sitzung.

(2) [1]Die weiteren Sitzungen beruft der Vorsitzende oder die Vorsitzende des Werkstattrats ein, setzt die Tagesordnung fest und leitet die Verhandlung. [2]Der Vorsitzende oder die Vorsitzende hat die Mitglieder des Werkstattrats und die Frauenbeauftragte rechtzeitig unter Mitteilung der Tagesordnung zu laden.

(3) Der Vorsitzende oder die Vorsitzende hat eine Sitzung einzuberufen und den Gegenstand, dessen Beratung beantragt wird, auf die Tagesordnung zu setzen, wenn dies von der Werkstatt beantragt wird.

(4) Die Werkstatt nimmt an den Sitzungen, die auf ihr Verlangen anberaumt sind, und an den Sitzungen, zu denen sie ausdrücklich eingeladen worden ist, teil.

§ 33[2)] Sitzungen des Werkstattrats. (1) [1]Die Sitzungen des Werkstattrats finden in der Regel während der Beschäftigungszeit statt. [2]Der Werkstattrat hat bei der Ansetzung der Sitzungen auf die Arbeitsabläufe in der Werkstatt Rücksicht zu nehmen. [3]Die Werkstatt ist vom Zeitpunkt der Sitzung vorher zu verständigen. [4]Die Sitzungen des Werkstattrats sind nicht öffentlich. [5]Sie finden als Präsenzsitzung statt.

(1a) [1]Abweichend von Absatz 1 Satz 5 kann die Teilnahme an einer Sitzung des Werkstattrats mittels Video- und Telefonkonferenz erfolgen, wenn

1. die Voraussetzungen für eine solche Teilnahme in der Geschäftsordnung unter Sicherung des Vorrangs der Präsenzsitzung festgelegt sind,
2. nicht mindestens ein Viertel der Mitglieder des Werkstattrats binnen einer von dem Vorsitzenden oder der Vorsitzenden zu bestimmenden Frist diesem oder dieser gegenüber widerspricht und
3. sichergestellt ist, dass Dritte vom Inhalt der Sitzung keine Kenntnis nehmen können.

[2]Eine Aufzeichnung der Sitzung ist unzulässig.

(1b) Erfolgt die Sitzung des Werkstattrats mit der zusätzlichen Möglichkeit der Teilnahme mittels Video- und Telefonkonferenz, gilt auch eine Teilnahme vor Ort als erforderlich.

---

1) § 32 Abs. 2 Satz 2 geänd. mWv 30.12.2016 durch G v. 23.12.2016 (BGBl. I S. 3234).

2) § 33 Abs. 1 Satz 5 angef., Abs. 1a und 1b eingef., mWv 18.6.2021 durch G v. 14.6.2021 (BGBl. I S. 1762).

(2) [1]Der Werkstattrat kann die Vertrauensperson (§ 39 Abs. 3) und, wenn und soweit er es für erforderlich hält, ein Mitglied des Betriebs- oder Personalrats oder einer sonstigen Mitarbeitervertretung, eine Schreibkraft oder, nach näherer Vereinbarung mit der Werkstatt, einen Beauftragten oder eine Beauftragte einer in der Werkstatt vertretenen Gewerkschaft auf Antrag eines Viertels der Mitglieder des Werkstattrats, einen Vertreter oder eine Vertreterin eines Verbandes im Sinne des § 8 Abs. 1 oder sonstige Dritte zu seinen Sitzungen hinzuziehen. [2]Für sie gelten die Geheimhaltungspflicht sowie die Offenbarungs- und Verwertungsverbote gemäß § 37 Abs. 6 entsprechend.

§ 34[1)] Beschlüsse des Werkstattrats. (1) [1]Die Beschlüsse des Werkstattrats werden mit der Mehrheit der Stimmen der anwesenden Mitglieder gefasst. [2]Mitglieder des Werkstattrats, die mittels Video- und Telefonkonferenz an der Beschlussfassung teilnehmen, gelten als anwesend. [3]Bei Stimmengleichheit ist ein Antrag abgelehnt.

(2) Der Werkstattrat ist beschlussfähig, wenn mindestens die Hälfte seiner Mitglieder an der Beschlussfassung teilnimmt; Stellvertretung durch Ersatzmitglieder ist zulässig.

§ 35[2)] Sitzungsniederschrift. [1]Über die Sitzungen des Werkstattrats ist eine Sitzungsniederschrift aufzunehmen, die mindestens den Wortlaut der Beschlüsse und die Stimmenmehrheit, mit der sie gefasst wurden, enthält. [2]Die Niederschrift ist von dem Vorsitzenden oder von der Vorsitzenden und einem weiteren Mitglied oder der Vertrauensperson (§ 39 Abs. 3) zu unterzeichnen. [3]Ihr ist eine Anwesenheitsliste beizufügen. [4]Nimmt ein Mitglied des Werkstattrats mittels Video- und Telefonkonferenz an der Sitzung teil, so hat es seine Teilnahme gegenüber dem Vorsitzenden oder der Vorsitzenden in Textform zu bestätigen. [5]Die Bestätigung ist der Niederschrift beizufügen. [6]Hat die Werkstatt an der Sitzung teilgenommen, so ist ihr der entsprechende Teil der Niederschrift abschriftlich auszuhändigen.

§ 36 Geschäftsordnung des Werkstattrats. Der Werkstattrat kann sich für seine Arbeit eine schriftliche Geschäftsordnung geben, in der weitere Bestimmungen über die Geschäftsführung getroffen werden.

§ 37[3)] Persönliche Rechte und Pflichten der Mitglieder des Werkstattrats. (1) Die Mitglieder des Werkstattrats führen ihr Amt unentgeltlich als Ehrenamt.

(2) Sie dürfen in der Ausübung ihres Amtes nicht behindert oder wegen ihres Amtes nicht benachteiligt oder begünstigt werden; dies gilt auch für ihre berufliche Entwicklung.

(3) [1]Sie sind von ihrer Tätigkeit ohne Minderung des Arbeitsentgeltes zu befreien, wenn und soweit es zur Durchführung ihrer Aufgaben erforderlich ist. [2]Die Werkstattratstätigkeit steht der Werkstattbeschäftigung gleich. [3]In Werkstätten mit wenigstens 200 Wahlberechtigten ist der Vorsitzende oder die Vor-

---

1) § Abs. 1 Satz 2 eingef., bish. Satz 2 wird Satz 3 mWv 18.6.2021 durch G v. 14.6.2021 (BGBl. I S. 1762).

2) § 35 Sätze 4 und 5 eingef., bish. Satz 4 wird Satz 6 mWv 18.6.2021 durch G v. 14.6.2021 (BGBl. I S. 1762).

3) § 37 Abs. 3 Satz 3, Abs. 4 Satz 2 geänd. mWv 30.12.2016 durch G v. 23.12.2016 (BGBl. I S. 3234).

sitzende des Werkstattrats auf Verlangen von der Tätigkeit freizustellen, in Werkstätten mit mehr als 700 Wahlberechtigten auch die Stellvertretung. [4]Die Befreiung nach den Sätzen 1 und 3 erstreckt sich nicht auf Maßnahmen nach § 5 Abs. 3 der Werkstättenverordnung[1)].

(4) [1]Absatz 3 Satz 1 gilt entsprechend für die Teilnahme an Schulungs- und Bildungsveranstaltungen, soweit diese Kenntnisse vermitteln, die für die Arbeit des Werkstattrats erforderlich sind. [2]Unbeschadet von Satz 1 hat jedes Mitglied des Werkstattrats während seiner regelmäßigen Amtszeit Anspruch auf Freistellung ohne Minderung des Arbeitsentgeltes für insgesamt 15 Tage zur Teilnahme an solchen Schulungs- und Bildungsveranstaltungen; der Anspruch erhöht sich für Werkstattbeschäftigte, die erstmals das Amt eines Mitgliedes des Werkstattrats übernehmen, auf 20 Tage.

(5) [1]Bei Streitigkeiten in Angelegenheiten der Absätze 3 und 4 kann die Vermittlungsstelle angerufen werden. [2]§ 6 Abs. 2 und 3 gilt entsprechend. [3]Der Rechtsweg zu den Arbeitsgerichten bleibt unberührt.

(6) [1]Die Mitglieder des Werkstattrats sind verpflichtet,

1. über ihnen wegen ihres Amtes bekannt gewordene persönliche Verhältnisse und Angelegenheiten von Werkstattbeschäftigten, die ihrer Bedeutung oder ihrem Inhalt nach einer vertraulichen Behandlung bedürfen, Stillschweigen zu bewahren und
2. ihnen wegen ihres Amtes bekannt gewordene und von der Werkstatt ausdrücklich als geheimhaltungsbedürftig bezeichnete Betriebs- und Geschäftsgeheimnisse nicht zu offenbaren und nicht zu verwerten.

[2]Die Pflichten gelten auch nach dem Ausscheiden aus dem Amt. [3]Sie gelten nicht gegenüber den Mitgliedern des Werkstattrats und der Vertrauensperson (§ 39 Abs. 3) sowie im Verfahren vor der Vermittlungsstelle.

§ 38 Sprechstunden. (1) [1]Der Werkstattrat kann während der Beschäftigungszeit Sprechstunden einrichten. [2]Zeit und Ort sind mit der Werkstatt zu vereinbaren.

(2) [1]Versäumnis von Beschäftigungszeit, die zum Besuch der Sprechstunden oder durch sonstige Inanspruchnahme des Werkstattrats erforderlich ist, berechtigt die Werkstatt nicht zur Minderung des Arbeitsentgeltes der Werkstattbeschäftigten. [2]Diese Zeit steht der Werkstattbeschäftigung gleich.

§ 39[2)] Kosten und Sachaufwand des Werkstattrats. (1) [1]Die durch die Tätigkeit des Werkstattrats entstehenden Kosten trägt die Werkstatt. [2]Das Gleiche gilt für die Kosten, die durch die Teilnahme an Schulungs- und Bildungsveranstaltungen nach § 37 Absatz 4 oder durch die Interessenvertretung auf Landesebene entstehen.

(2) Für die Sitzungen, die Sprechstunden und die laufende Geschäftsführung hat die Werkstatt in erforderlichem Umfang Räume, sächliche Mittel und eine Bürokraft zur Verfügung zu stellen.

(3) [1]Die Werkstatt hat dem Werkstattrat auf dessen Wunsch eine Person seines Vertrauens zur Verfügung zu stellen, die ihn bei seiner Tätigkeit unter-

---

[1)] Nr. 443.

[2)] § 39 Abs. 1 Satz 2 neu gef., Abs. 3 Satz 1 geänd. mWv 30.12.2016 durch G v. 23.12.2016 (BGBl. I S. 3234); Abs. 1 Satz 2 geänd., Abs. 4 angef. mWv 17.7.2020 durch G v. 10.7.2020 (BGBl. I S. 1657); Abs. 4 Satz 2 geänd. mWv 24.6.2023 durch VO v. 19.6.2023 (BGBl. 2023 I Nr. 158).

stützt. [2]Die Vertrauensperson nimmt ihre Aufgabe unabhängig von Weisungen der Werkstatt wahr. [3]Die Werkstatt hat sie bei der Erfüllung ihrer Aufgabe zu fördern. [4]Für die Vertrauensperson gilt § 37 entsprechend.

(4) [1]Die Kosten, die durch die Interessenvertretung der Werkstatträte auf Bundesebene entstehen, trägt der nach § 63 Absatz 2 des Neunten Buches Sozialgesetzbuch[1)] zuständige Träger.[2)] [2]Dieser überweist jeweils zum 1. Februar eines jeden Jahres 1,81 Euro für jeden Werkstattbeschäftigten, der sich am 1. Januar dieses Jahres in seiner Zuständigkeit befindet, an die Interessenvertretung der Werkstatträte auf Bundesebene. [3]Gleichzeitig unterrichtet er die Interessenvertretung über die Berechnungsgrundlagen seiner Zahlung. [4]Die Interessenvertretung der Werkstatträte auf Bundesebene leitet jährlich zum 30. Juni jedem zuständigen Träger einen Bericht über die Verwendung der im Vorjahr insgesamt erhaltenen Mittel zu. [5]Sie erörtert diese Berichte auf Verlangen mit den zuständigen Trägern oder deren überregionaler Vertretung. [6]Der Betrag nach Satz 2 erhöht sich in entsprechender Anwendung des § 160 Absatz 3 Satz 1 bis 3 des Neunten Buches Sozialgesetzbuch[1)] jeweils zu dem Zeitpunkt, zu dem die nächste Neubestimmung der Beträge der Ausgleichsabgabe erfolgt. [7]Die sich ergebenden Beträge sind auf zwei Nachkommastellen kaufmännisch zu runden. [8]Das Bundesministerium für Arbeit und Soziales gibt den Erhöhungsbetrag und die sich nach Satz 7 ergebenden Beträge im Bundesanzeiger bekannt.

Abschnitt 4a.[3)] Frauenbeauftragte und Stellvertreterinnen

§ 39a[4)] Aufgaben und Rechtsstellung. (1) [1]Die Frauenbeauftragte vertritt die Interessen der in der Werkstatt beschäftigten behinderten Frauen gegenüber der Werkstattleitung, insbesondere in den Bereichen Gleichstellung von Frauen und Männern, Vereinbarkeit von Familie und Beschäftigung sowie Schutz vor körperlicher, sexueller und psychischer Belästigung oder Gewalt. [2]Werkstattleitung und Frauenbeauftragte sollen in der Regel einmal im Monat zu einer Besprechung zusammentreten.

(2) [1]Über Maßnahmen, die Auswirkungen in den in Absatz 1 genannten Bereichen haben können, unterrichtet die Werkstattleitung die Frauenbeauftragte rechtzeitig, umfassend und in angemessener Weise. [2]Beide Seiten erörtern diese Maßnahmen mit dem Ziel des Einvernehmens. [3]Lässt sich ein Einvernehmen nicht herstellen, kann jede Seite die Vermittlungsstelle anrufen. [4]Die Werkstatt entscheidet unter Berücksichtigung des Einigungsvorschlages endgültig.

(3) Die Frauenbeauftragte hat das Recht, an den Sitzungen des Werkstattrates und an den Werkstattversammlungen (§ 9) teilzunehmen und dort zu sprechen.

(4) [1]Die Stellvertreterinnen vertreten die Frauenbeauftragte im Verhinderungsfall. [2]Darüber hinaus kann die Frauenbeauftragte ihre Stellvertreterinnen zu bestimmten Aufgaben heranziehen.

[1)] Nr. **440**.

[2)] Siehe hierzu ua die Bek. über die Anpassung der Ausgleichsabgabe, der Eigenbeteiligung für die unentgeltliche Beförderung, der übernahmefähigen Kinderbetreuungskosten und der Finanzierung der Werkstatträte Deutschland v. 19.11.2020 (BAnz AT 30.11.2020 B1).

[3)] Abschnitt 4a (§§ 39a–39c) eingef. mWv 30.12.2016 durch G v. 23.12.2016 (BGBl. I S. 3234).

[4)] § 39a eingef. mWv 30.12.2016 durch G v. 23.12.2016 (BGBl. I S. 3234); Abs. 5 Satz 5 neu gef., Abs. 6 angef. mWv 24.6.2023 durch VO v. 19.6.2023 (BGBl. 2023 I Nr. 158).

(5) [1]Die Frauenbeauftragte und ihre Stellvertreterinnen sind von ihrer Tätigkeit ohne Minderung des Arbeitsentgeltes zu befreien, wenn und soweit es zur Durchführung ihrer Aufgaben erforderlich ist. [2]Die Tätigkeit steht der Werkstattbeschäftigung gleich. [3]In Werkstätten mit mehr als 200 wahlberechtigten Frauen ist die Frauenbeauftragte auf Verlangen von der Tätigkeit freizustellen, in Werkstätten mit mehr als 700 wahlberechtigten Frauen auch die erste Stellvertreterin. [4]Die Befreiung nach den Sätzen 1 und 3 erstreckt sich nicht auf Maßnahmen nach § 5 Absatz 3 der Werkstättenverordnung[1)]. [5]Im Übrigen gelten § 37 Absatz 1 und 2, 4 bis 6 sowie die §§ 38 und 39 Absatz 1 bis 3 für die Frauenbeauftragte und die Stellvertreterinnen entsprechend.

(6) [1]Die Kosten, die durch die Interessenvertretung der Frauenbeauftragten auf Bundesebene entstehen, trägt der nach § 63 Absatz 2 des Neunten Buches Sozialgesetzbuch[2)] zuständige Träger. [2]Dieser überweist jeweils zum 1. Februar eines jeden Jahres 1,81 Euro für jeden Werkstattbeschäftigten, der sich am 1. Januar dieses Jahres in seiner Zuständigkeit befindet, an die Interessenvertretung der Frauenbeauftragten auf Bundesebene. [3]Gleichzeitig unterrichtet er die Interessenvertretung über die Berechnungsgrundlagen seiner Zahlung. [4]Die Interessenvertretung der Frauenbeauftragten auf Bundesebene leitet jährlich zum 30. Juni jedem zuständigen Träger einen Bericht über die Verwendung der im Vorjahr insgesamt erhaltenen Mittel zu. [5]Sie erörtert diese Berichte auf Verlangen mit den zuständigen Trägern oder deren überregionaler Vertretung. [6]Der Betrag nach Satz 2 erhöht sich in entsprechender Anwendung des § 160 Absatz 3 Satz 1 bis 3 des Neunten Buches Sozialgesetzbuch[2)] jeweils zu dem Zeitpunkt, zu dem die nächste Neubestimmung der Beträge der Ausgleichsabgabe erfolgt. [7]Die sich ergebenden Beträge sind auf zwei Nachkommastellen kaufmännisch zu runden. [8]Das Bundesministerium für Arbeit und Soziales gibt den Erhöhungsbetrag und die sich nach Satz 7 ergebenden Beträge im Bundesanzeiger bekannt.

§ 39b[3)] Wahlen und Amtszeit. (1) [1]Die Wahlen der Frauenbeauftragten und der Stellvertreterinnen sollen zusammen mit den Wahlen zum Werkstattrat stattfinden. [2]Wahlberechtigt sind alle Frauen, die auch zum Werkstattrat wählen dürfen (§ 10). Wählbar sind alle Frauen, die auch in den Werkstattrat gewählt werden können (§ 11).

(2) [1]Wird zeitgleich der Werkstattrat gewählt, soll der Wahlvorstand für die Wahl des Werkstattrates auch die Wahl der Frauenbeauftragten und ihrer Stellvertreterinnen vorbereiten und durchführen. [2]Anderenfalls beruft die Werkstatt eine Versammlung der wahlberechtigten Frauen ein, in der ein Wahlvorstand und dessen Vorsitzende gewählt werden. [3]Auch drei wahlberechtigte Frauen können zu dieser Versammlung einladen. [4]Für die Vorbereitung und Durchführung der Wahl gelten die §§ 14 bis 28 entsprechend.

(3) [1]Für die Amtszeit der Frauenbeauftragten und ihrer Stellvertreterinnen gilt § 29 entsprechend. [2]Das Amt der Frauenbeauftragten und ihrer Stellvertreterinnen erlischt mit Ablauf der Amtszeit, Niederlegung des Amtes, Ausscheiden aus der Werkstatt, Beendigung des arbeitnehmerähnlichen Rechtsverhältnisses oder erfolgreicher Wahlanfechtung.

---

1) Nr. **443**.
2) Nr. **440**.
3) Abschnitt 4a (§§ 39a–39c) eingef. mWv 30.12.2016 durch G v. 23.12.2016 (BGBl. I S. 3234).

§ 39c[1] **Vorzeitiges Ausscheiden.** (1) Scheidet die Frauenbeauftragte vor dem Ablauf der Amtszeit aus dem Amt aus, wird die erste Stellvertreterin zur Frauenbeauftragten.

(2) [1] Scheidet eine Stellvertreterin vorzeitig aus ihrem Amt aus, rückt die nächste Stellvertreterin beziehungsweise aus der Vorschlagsliste die Bewerberin mit der nächsthöheren Stimmenzahl nach. [2] Bei Stimmengleichheit entscheidet das Los.

(3) Können die Ämter der Frauenbeauftragten und der Stellvertreterinnen aus der Vorschlagsliste nicht mehr besetzt werden, erfolgt eine außerplanmäßige Wahl der Frauenbeauftragten und der Stellvertreterinnen.

(4) [1] Hat außerhalb des für die regelmäßigen Wahlen festgelegten Zeitraumes eine Wahl zu den Ämtern der Frauenbeauftragten und ihrer Stellvertreterinnen stattgefunden, so sind sie in dem auf die Wahl folgenden nächsten Zeitraum der regelmäßigen Wahlen neu zu wählen. [2] Hat die Amtszeit zu Beginn des für die nächsten regelmäßigen Wahlen festgelegten Zeitraumes noch nicht ein Jahr betragen, sind die Frauenbeauftragte und ihre Stellvertreterinnen in dem übernächsten Zeitraum der regelmäßigen Wahlen neu zu wählen.

Abschnitt 5. Schlussvorschriften

§ 40 Amtszeit der bestehenden Werkstatträte. [1] Die Amtszeit der zum Zeitpunkt des Inkrafttretens dieser Verordnung bereits bestehenden Werkstatträte endet am Tag der Bekanntgabe des Wahlergebnisses der erstmaligen regelmäßigen Wahl eines Werkstattrats nach den Bestimmungen dieser Verordnung, spätestens jedoch am 30. November 2001. [2] § 13 gilt entsprechend.

§ 40a[2] *(aufgehoben)*

§ 40b[3] *(aufgehoben)*

§ 41 Inkrafttreten. Diese Verordnung tritt am 1. Juli 2001 in Kraft.

---

[1] *Abschnitt 4a (§§ 39a–39c)* eingef. mWv 30.12.2016 durch G v. 23.12.2016 (BGBl. I S. 3234).
[2] § 40a aufgeh. mWv 1.7.2021 durch G v. 10.7.2020 (BGBl. I S. 1657).
[3] § 40b aufgeh. mWv 20.3.2022 durch VO v. 18.3.2022 (BGBl. I S. 476).

G. Heimarbeitsschutz

450. Heimarbeitsgesetz[1) 2)]

Vom 14. März 1951
(BGBl. I S. 191)

FNA 804-1

zuletzt geänd. durch Art. 51 Viertes BürokratieentlastungsG v. 23.10.2024 (BGBl. 2024 I Nr. 323)

Erster Abschnitt. Allgemeine Vorschriften

§ 1 Geltungsbereich. (1) In Heimarbeit Beschäftigte sind
a) die Heimarbeiter (§ 2 Abs. 1);
b) die Hausgewerbetreibenden (§ 2 Abs. 2).

(2) [1]Ihnen können, wenn dieses wegen ihrer Schutzbedürftigkeit gerechtfertigt erscheint, gleichgestellt werden
a) Personen, die in der Regel allein oder mit ihren Familienangehörigen (§ 2 Abs. 5) in eigener Wohnung oder selbstgewählter Betriebsstätte eine sich in regelmäßigen Arbeitsvorgängen wiederholende Arbeit im Auftrage eines anderen gegen Entgelt ausüben, ohne daß ihre Tätigkeit als gewerblich anzusehen oder daß der Auftraggeber ein Gewerbetreibender oder Zwischenmeister (§ 2 Abs. 3) ist;
b) Hausgewerbetreibende, die mit mehr als zwei fremden Hilfskräften (§ 2 Abs. 6) oder Heimarbeitern (§ 2 Abs. 1) arbeiten;
c) andere im Lohnauftrag arbeitende Gewerbetreibende, die infolge ihrer wirtschaftlichen Abhängigkeit eine ähnliche Stellung wie Hausgewerbetreibende einnehmen;
d) Zwischenmeister (§ 2 Abs. 3).

[2]Für die Feststellung der Schutzbedürftigkeit ist das Ausmaß der wirtschaftlichen Abhängigkeit maßgebend. [3]Dabei sind insbesondere die Zahl der fremden Hilfskräfte, die Abhängigkeit von einem oder mehreren Auftraggebern, die Möglichkeiten des unmittelbaren Zugangs zum Absatzmarkt, die Höhe und die Art der Eigeninvestitionen sowie der Umsatz zu berücksichtigen.

(3) [1]Die Gleichstellung erstreckt sich, wenn in ihr nichts anderes bestimmt ist, auf die allgemeinen Schutzvorschriften und die Vorschriften über die Entgeltregelung, den Entgeltschutz und die Auskunftspflicht über Entgelte (Dritter, Sechster, Siebenter und Achter Abschnitt). [2]Die Gleichstellung kann auf einzelne dieser Vorschriften beschränkt oder auf weitere Vorschriften des Gesetzes ausgedehnt werden. [3]Sie kann für bestimmte Personengruppen oder

---

[1)] Im Gebiet der ehem. DDR ist das HeimarbeitsG ab 1. Juli 1991 anzuwenden (vgl. Einigungsvertrag vom 31.8.1990, BGBl. II S. 889/1021).

Siehe hierzu auch die Erste DVO (Nr. **450a**) betr. das Gleichstellungsverfahren, die Errichtung und das Verfahren der Heimarbeits- und Entgeltausschüsse sowie die Durchführung der allgemeinen Schutzvorschriften.

[2)] Änderungen vor dem 11.10.1995 sind nicht in Fußnoten nachgewiesen.

Gewerbezweige oder Beschäftigungsarten allgemein oder räumlich begrenzt ergehen; auch bestimmte einzelne Personen können gleichgestellt werden.

(4) [1] Die Gleichstellung erfolgt durch widerrufliche Entscheidung des zuständigen Heimarbeitsausschusses (§ 4) nach Anhörung der Beteiligten. [2] Sie ist vom Vorsitzenden zu unterschreiben und bedarf der Zustimmung der zuständigen Arbeitsbehörde (§ 3 Abs. 1) und der Veröffentlichung im Wortlaut an der von der zuständigen Arbeitsbehörde bestimmten Stelle. [3] Sie tritt am Tage nach der Veröffentlichung in Kraft, wenn in ihr nicht ein anderer Zeitpunkt bestimmt ist. [4] Die Veröffentlichung kann unterbleiben, wenn die Gleichstellung nur bestimmte einzelne Personen betrifft; in diesem Falle ist in der Gleichstellung der Zeitpunkt ihres Inkrafttretens festzusetzen.

(5) [1] Besteht ein Heimarbeitsausschuß für den Gewerbezweig oder die Beschäftigungsart nicht, so entscheidet über die Gleichstellung die zuständige Arbeitsbehörde nach Anhörung der Beteiligten. [2] Die Entscheidung ergeht unter Mitwirkung der zuständigen Gewerkschaften und Vereinigungen der Auftraggeber, soweit diese zur Mitwirkung bereit sind. [3] Die Vorschriften des Absatzes 4 über die Veröffentlichung und das Inkrafttreten finden entsprechende Anwendung.

(6) Gleichgestellte haben bei Entgegennahme von Heimarbeit auf Befragen des Auftraggebers ihre Gleichstellung bekanntzugeben.

§ 2[1)] Begriffe. (1) [1] Heimarbeiter im Sinne dieses Gesetzes ist, wer in selbstgewählter Arbeitsstätte (eigener Wohnung oder selbstgewählter Betriebsstätte) allein oder mit seinen Familienangehörigen (Absatz 5) im Auftrag von Gewerbetreibenden oder Zwischenmeistern erwerbsmäßig arbeitet, jedoch die Verwertung der Arbeitsergebnisse dem unmittelbar oder mittelbar auftraggebenden Gewerbetreibenden überläßt. [2] Beschafft der Heimarbeiter die Roh- und Hilfsstoffe selbst, so wird hierdurch seine Eigenschaft als Heimarbeiter nicht beeinträchtigt.

(2) [1] Hausgewerbetreibender im Sinne dieses Gesetzes ist, wer in eigener Arbeitsstätte (eigener Wohnung oder Betriebsstätte) mit nicht mehr als zwei fremden Hilfskräften (Absatz 6) oder Heimarbeitern (Absatz 1) im Auftrag von Gewerbetreibenden oder Zwischenmeistern Waren herstellt, bearbeitet oder verpackt, wobei er selbst wesentlich am Stück mitarbeitet, jedoch die Verwertung der Arbeitsergebnisse dem unmittelbar oder mittelbar auftraggebenden Gewerbetreibenden überläßt. [2] Beschafft der Hausgewerbetreibende die Roh- und Hilfsstoffe selbst oder arbeitet er vorübergehend unmittelbar für den Absatzmarkt, so wird hierdurch seine Eigenschaft als Hausgewerbetreibender nicht beeinträchtigt.

(3) Zwischenmeister im Sinne dieses Gesetzes ist, wer, ohne Arbeitnehmer zu sein, die ihm von Gewerbetreibenden übertragene Arbeit an Heimarbeiter oder Hausgewerbetreibende weitergibt.

(4) Die Eigenschaft als Heimarbeiter, Hausgewerbetreibender und Zwischenmeister ist auch dann gegeben, wenn Personen, Personenvereinigungen oder Körperschaften des privaten oder öffentlichen Rechts, welche die Her-

---

[1)] § 2 Abs. 5 Buchstabe a, b geänd., Buchstabe c aufgeh. durch G v. 16.12.1997 (BGBl. I S. 2942), neuer Buchst. a eingef., bish. Buchst. a wird Buchst. b und geänd., bish. Buchst. b wird Buchst. c mWv 1.8.2001 durch G v. 16.2.2001 (BGBl I S. 266); Abs. 5 Buchst. b geänd., Buchst. c neu gef. mWv 26.11.2015 durch G v. 20.11.2015 (BGBl. I S. 2010).

stellung, Bearbeitung oder Verpackung von Waren nicht zum Zwecke der Gewinnerzielung betreiben, die Auftraggeber sind.

(5) Als Familienangehörige im Sinne dieses Gesetzes gelten, wenn sie Mitglieder der häuslichen Gemeinschaft sind:

a) Ehegatten und Lebenspartner der in Heimarbeit Beschäftigten (§ 1 Abs. 1) oder der nach § 1 Abs. 2 Buchstabe a Gleichgestellten;

b) Personen, die mit dem in Heimarbeit Beschäftigten oder nach § 1 Abs. 2 Buchstabe a Gleichgestellten oder deren Ehegatten oder Lebenspartner bis zum dritten Grade verwandt oder verschwägert sind;

c) Mündel, Betreute und Pflegekinder des in Heimarbeit Beschäftigten oder nach § 1 Absatz 2 Buchstabe a Gleichgestellten oder deren Ehegatten oder Lebenspartner sowie Mündel, Betreute und Pflegekinder des Ehegatten oder Lebenspartners des in Heimarbeit Beschäftigten oder nach § 1 Absatz 2 Buchstabe a Gleichgestellten.

(6) Fremde Hilfskraft im Sinne dieses Gesetzes ist, wer als Arbeitnehmer eines Hausgewerbetreibenden oder nach § 1 Abs. 2 Buchstaben b und c Gleichgestellten in deren Arbeitsstätte beschäftigt ist.

Zweiter Abschnitt. Zuständige Arbeitsbehörde, Heimarbeitsausschüsse

§ 3[1)] Zuständige Arbeitsbehörde. (1) [1] Zuständige Arbeitsbehörde im Sinne dieses Gesetzes ist die Oberste Arbeitsbehörde des Landes. [2] Für Angelegenheiten (§§ 1, 4, 5, 11, 19 und 22), die nach Umfang, Auswirkung oder Bedeutung den Zuständigkeitsbereich mehrerer Länder umfassen, wird die Zuständigkeit durch die Obersten Arbeitsbehörden der beteiligten Länder nach näherer Vereinbarung gemeinsam im Einvernehmen mit dem Bundesministerium für Arbeit und Soziales wahrgenommen. [3] Betrifft eine Angelegenheit nach Umfang, Auswirkung oder Bedeutung das gesamte Bundesgebiet oder kommt eine Vereinbarung nach Satz 2 nicht zustande, so ist das Bundesministerium für Arbeit und Soziales zuständig.

(2) [1] Den Obersten Arbeitsbehörden der Länder und den von ihnen bestimmten Stellen obliegt die Aufsicht über die Durchführung dieses Gesetzes. [2] Die Vorschriften des § 139b der Gewerbeordnung[2)] über die Aufsicht gelten für die Befugnisse der mit der Aufsicht über die Durchführung dieses Gesetzes beauftragten Stellen auch hinsichtlich der Arbeitsstätten der in Heimarbeit Beschäftigten entsprechend.

§ 4[3)] Heimarbeitsausschüsse. (1) [1] Die zuständige Arbeitsbehörde errichtet zur Wahrnehmung der in den §§ 1, 10, 11, 18 und 19 genannten Aufgaben Heimarbeitsausschüsse für die Gewerbezweige und Beschäftigungsarten, in denen Heimarbeit in nennenswertem Umfang geleistet wird. [2] Erfordern die

---

1) § 3 Abs. 1 Sätze 2 und 3 geänd. mWv 28.11.2003 durch VO v. 25.11.2003 (BGBl. I S. 2304); Abs. 1 Satz 2 und 3 geänd. mWv 8.11.2006 durch VO v. 31.10.2006 (BGBl. I S. 2407).

2) Nr. **106**.

3) § 4 Abs. 3 Satz 4 angef. mWv 29.5.2020 und aufgeh. mWv 1.7.2021 durch G v. 20.5.2020 (BGBl. I S. 1055, geänd. BGBl. I S. 2691); Abs. 3 Sätze 4 und 5 [im BGBl. als „Sätze 5 und 6" bezeichnet] angef. mWv 12.12.2021 durch G v. 10.12.2021 (BGBl. I S. 5162); Abs. 3 Satz 4 geänd., Satz 5 aufgeh. mWv 17.9.2022 durch G v. 16.9.2022 (BGBl. I S. 1454).

unterschiedlichen Verhältnisse innerhalb eines Gewerbezweiges gesonderte Regelungen auf einzelnen Gebieten, so sind zu diesem Zweck jeweils besondere Heimarbeitsausschüsse zu errichten. [3]Die Heimarbeitsausschüsse können innerhalb ihres sachlichen Zuständigkeitsbereichs Unterausschüsse bilden, wenn dies erforderlich erscheint. [4]Für Heimarbeit, für die nach den Sätzen 1 und 2 dieses Absatzes Heimarbeitsausschüsse nicht errichtet werden, ist ein gemeinsamer Heimarbeitsausschuß zu errichten.

(2) [1]Der Heimarbeitsausschuß besteht aus je drei Beisitzern aus Kreisen der Auftraggeber und Beschäftigten seines Zuständigkeitsbereichs und einem von der zuständigen Arbeitsbehörde bestimmten Vorsitzenden. [2]Weitere sachkundige Personen können zugezogen werden; sie haben kein Stimmrecht. [3]Die Beisitzer haben Stellvertreter, für die Satz 1 entsprechend gilt.

(3) [1]Der Heimarbeitsausschuß ist beschlußfähig, wenn außer dem Vorsitzenden mindestens mehr als die Hälfte der Beisitzer anwesend sind. [2]Die Beschlüsse des Heimarbeitsausschusses bedürfen der Mehrheit der Stimmen seiner anwesenden Mitglieder. [3]Bei der Beschlußfassung hat sich der Vorsitzende zunächst der Stimme zu enthalten; kommt eine Stimmenmehrheit nicht zustande, so übt nach weiterer Beratung der Vorsitzende sein Stimmrecht aus. [4]Bis zum Ablauf des 7. April 2023 können auf Vorschlag des Vorsitzenden die Teilnahme an Sitzungen des Heimarbeitsausschusses sowie die Beschlussfassung auch mittels einer Video- und Telefonkonferenz erfolgen, wenn

1. kein Beisitzer diesem Verfahren unverzüglich widerspricht und
2. sichergestellt ist, dass Dritte vom Inhalt der Sitzung keine Kenntnis nehmen können.

(4) [1]Der Heimarbeitsausschuß kann sonstige Bestimmungen über die Geschäftsführung in einer schriftlichen Geschäftsordnung treffen. [2]Für die Beschlußfassung über die Geschäftsordnung gilt Absatz 3.

§ 5 Beisitzer. (1) [1]Als Beisitzer oder Stellvertreter werden von der zuständigen Arbeitsbehörde geeignete Personen unter Berücksichtigung der Gruppen der Beschäftigten (§ 1 Abs. 1 und 2) auf Grund von Vorschlägen der fachlich und räumlich zuständigen Gewerkschaften und Vereinigungen der Auftraggeber oder, soweit solche nicht bestehen oder keine Vorschläge einreichen, auf Grund von Vorschlägen der Zusammenschlüsse von Gewerkschaften und von Vereinigungen von Arbeitgebern (Spitzenorganisationen) für die Dauer von drei Jahren berufen. [2]Soweit eine Spitzenorganisation keine Vorschläge einreicht, werden die Beisitzer oder Stellvertreter dieser Seite nach Anhörung geeigneter Personen aus den Kreisen der Auftraggeber oder Beschäftigten des Zuständigkeitsbereichs, für den der Heimarbeitsausschuß errichtet ist, berufen.

(2) Auf die Voraussetzungen für das Beisitzeramt, die Besonderheiten für Beisitzer aus Kreisen der Auftraggeber und der Beschäftigten, die Ablehnung des Beisitzeramtes und den Schutz der Beschäftigtenbeisitzer finden die für die ehrenamtlichen Richter der Arbeitsgerichte geltenden Vorschriften mit den sich aus Absatz 3 ergebenden Abweichungen entsprechend Anwendung.

(3) [1]Wird das Fehlen einer Voraussetzung für die Berufung nachträglich bekannt oder fällt eine Voraussetzung nachträglich fort oder verletzt ein Beisitzer gröblich seine Amtspflichten, so kann ihn die zuständige Arbeitsbehörde seines Amtes entheben. [2]Über die Berechtigung zur Ablehnung des Beisitzeramtes entscheidet die zuständige Arbeitsbehörde.

(4) [1]Das Amt des Beisitzers ist ein Ehrenamt. [2]Die Beisitzer erhalten eine angemessene Entschädigung für den ihnen aus der Wahrnehmung ihrer Tätigkeit erwachsenden Verdienstausfall und Aufwand sowie Ersatz der Fahrkosten entsprechend den für die ehrenamtlichen Richter der Arbeitsgerichte geltenden Vorschriften. [3]Die Entschädigung und die erstattungsfähigen Fahrkosten setzt im Einzelfall der Vorsitzende des Heimarbeitsausschusses fest.

Dritter Abschnitt. Allgemeine Schutzvorschriften

§ 6[1)] Listenführung. [1]Wer Heimarbeit ausgibt oder weitergibt, hat jeden, den er mit Heimarbeit beschäftigt oder dessen er sich zur Weitergabe von Heimarbeit bedient, in Listen auszuweisen. [2]Diese sind halbjährlich der Obersten Arbeitsbehörde des Landes oder der von ihr bestimmten Stelle zu übermitteln.

§ 7[2)] Mitteilungspflicht. Wer erstmalig Personen mit Heimarbeit beschäftigen will, hat dies der Obersten Arbeitsbehörde des Landes oder der von ihr bestimmten Stelle mitzuteilen.

§ 7a Unterrichtungspflicht. [1]Wer Heimarbeit ausgibt oder weitergibt, hat die Personen, die die Arbeit entgegennehmen, vor Aufnahme der Beschäftigung über die Art und Weise der zu verrichtenden Arbeit, die Unfall- und Gesundheitsgefahren, denen diese bei der Beschäftigung ausgesetzt sind, sowie über die Maßnahmen und Einrichtungen zur Abwendung dieser Gefahren zu unterrichten. [2]Der Auftraggeber hat sich von der Person, die von ihm Arbeit entgegennimmt, schriftlich bestätigen zu lassen, daß sie entsprechend dieser Vorschrift unterrichtet worden ist.

§ 8 Entgeltverzeichnisse. (1) [1]Wer Heimarbeit ausgibt oder abnimmt, hat in den Räumen der Ausgabe und Abnahme Entgeltverzeichnisse und Nachweise über die sonstigen Vertragsbedingungen offen auszulegen. [2]Soweit Musterbücher Verwendung finden, sind sie den Entgeltverzeichnissen beizufügen. [3]Wird Heimarbeit den Beschäftigten in die Wohnung oder Betriebsstätte gebracht, so hat der Auftraggeber dafür zu sorgen, daß das Entgeltverzeichnis zur Einsichtnahme vorgelegt wird.

(2) [1]Die Entgeltverzeichnisse müssen die Entgelte für jedes einzelne Arbeitsstück enthalten. [2]Die Preise für mitzuliefernde Roh- und Hilfsstoffe sind besonders auszuweisen. [3]Können die Entgelte für das einzelne Arbeitsstück nicht aufgeführt werden, so ist eine zuverlässige und klare Berechnungsgrundlage einzutragen.

(3) [1]Bei Vorliegen einer Entgeltregelung gemäß den §§ 17 bis 19 ist diese auszulegen. [2]Hierbei ist für die Übersichtlichkeit dadurch zu sorgen, daß nur der Teil der Entgeltregelung ausgelegt wird, der für die Beschäftigten in Betracht kommt.

(4) Die Vorschriften der Absätze 1 bis 3 gelten nicht für neue Muster, die als Einzelstücke erst auszuarbeiten sind.

[1)] § 6 Sätze 2 und 4 aufgeh., bish. Satz 3 wird Satz 2 mWv 26.11.2019 durch G v. 20.11.2019 (BGBl. I S. 1626); Satz 2 geänd. mWv 1.1.2025 durch G v. 23.10.2024 (BGBl. 2024 I Nr. 323).

[2)] § 7 Satz 2 aufgeh. mWv 26.11.2019 durch G v. 20.11.2019 (BGBl. I S. 1626).

§ 9 Entgeltbelege. (1) [1] Wer Heimarbeit ausgibt oder weitergibt, hat den Personen, welche die Arbeit entgegennehmen, auf seine Kosten Entgeltbücher für jeden Beschäftigten (§ 1 Abs. 1 und 2) auszuhändigen. [2] In die Entgeltbücher, die bei den Beschäftigten verbleiben, sind bei jeder Ausgabe und Abnahme von Arbeit ihre Art und ihr Umfang, die Entgelte und die Tage der Ausgabe und der Lieferung einzutragen. [3] Diese Vorschrift gilt nicht für neue Muster, die als Einzelstücke erst auszuarbeiten sind.

(Fortsetzung nächstes Blatt)

(2) An Stelle von Entgeltbüchern (Absatz) können auch Entgelt- oder Arbeitszettel mit den zu einer ordnungsmäßigen Sammlung geeigneten Heften ausgegeben werden, falls die Oberste Arbeitsbehörde des Landes oder die von ihr bestimmte Stelle dieses genehmigt hat.

(3) Die in Heimarbeit Beschäftigten haben für die ordnungsmäßige Aufbewahrung der Entgeltbelege zu sorgen. Sie haben sie den von der Obersten Arbeitsbehörde des Landes bestimmten Stellen auf Verlangen vorzulegen. Diese Verpflichtung gilt auch für die Auftraggeber, in deren Händen sich die Entgeltbelege befinden.

Vierter Abschnitt. Arbeitszeitschutz

§ 10 Schutz vor Zeitversäumnis. Wer Heimarbeit ausgibt oder abnimmt, hat dafür zu sorgen, daß unnötige Zeitversäumnis bei der Ausgabe oder Abnahme vermieden wird. Die Oberste Arbeitsbehörde des Landes oder die von ihr bestimmte Stelle kann im Benehmen mit dem Heimarbeitsausschuß die zur Vermeidung unnötiger Zeitversäumnis bei der Abfertigung erforderlichen Maßnahmen anordnen. Bei Anordnungen gegenüber einem einzelnen Auftraggeber kann die Beteiligung des Heimarbeitsausschusses unterbleiben.

§ 11[1] Verteilung der Heimarbeit. (1) Wer Heimarbeit an mehrere in Heimarbeit Beschäftigte ausgibt, soll die Arbeitsmenge auf die Beschäftigten gleichmäßig unter Berücksichtigung ihrer und ihrer Mitarbeiter Leistungsfähigkeit verteilen.

(2) Der Heimarbeitsausschuß kann zur Beseitigung von Mißständen, die durch ungleichmäßige Verteilung der Heimarbeit entstehen, für einzelne Gewerbezweige oder Arten von Heimarbeit die Arbeitsmenge festsetzen, die für einen bestimmten Zeitraum auf einen Entgeltbeleg (§ 9) ausgegeben werden darf. Die Arbeitsmenge ist so zu bemessen, daß sie durch eine vollwertige Arbeitskraft ohne Hilfskräfte in der für vergleichbare Betriebsarbeiter üblichen Arbeitszeit bewältigt werden kann. Für jugendliche Heimarbeiter ist eine Arbeitsmenge festzusetzen, die von vergleichbaren jugendlichen Betriebsarbeitern in der für sie üblichen Arbeitszeit bewältigt werden kann. Die Festsetzung erfolgt durch widerrufliche Entscheidung nach Anhörung der Beteiligten. Sie ist vom Vorsitzenden zu unterschreiben und bedarf der Zustimmung der zuständigen Arbeitsbehörde und der Veröffentlichung im Wortlaut an der von der zuständigen Arbeitsbehörde bestimmten Stelle. Sie tritt am Tage nach der Veröffentlichung in Kraft, wenn in ihr nicht ein anderer Zeitpunkt bestimmt ist. Die Vorschriften des § 8 Abs. 1 über die Auslegung und Vorlegung von Entgeltverzeichnissen gelten entsprechend.

---

[1] § 11 Abs. 4 Satz 1 geänd. mWv 1. 1. 2004 durch G v. 23. 12. 2003 (BGBl. I S. 2848).

(3) Soweit für einzelne Gewerbezweige oder Arten von Heimarbeit Bestimmungen nach Absatz *2* getroffen sind, darf an einen in Heimarbeit Beschäftigten eine größere Menge nicht ausgegeben werden. Die Ausgabe einer größeren Menge ist zulässig, wenn Hilfskräfte (Familienangehörige oder fremde Hilfskräfte) zur Mitarbeit herangezogen werden. Für diese Hilfskräfte sind dann weitere Entgeltbelege nach § 9 auszustellen.

(4) Aus wichtigen Gründen, insbesondere wenn nach Auskunft der Agentur für Arbeit geeignete unbeschäftigte Heimarbeiter und Hausgewerbetreibende nicht oder nicht in ausreichender Zahl vorhanden sind oder wenn besondere persönliche Verhältnisse eines in Heimarbeit Beschäftigten es rechtfertigen, kann der Vorsitzende des Heimarbeitsausschusses einem Auftraggeber die Ausgabe größerer Arbeitsmengen auf einen Entgeltbeleg gestatten. Die Erlaubnis kann jeweils nur für einen bestimmten Zeitraum, der sechs Monate nicht überschreiten darf, erteilt werden.

Fünfter Abschnitt. Gefahrenschutz (Arbeitsschutz und öffentlicher Gesundheitsschutz)

§ 12[1)] Grundsätze des Gefahrenschutzes. (1) Die Arbeitsstätten der in Heimarbeit Beschäftigten einschließlich der Maschinen, Werkzeuge und Geräte müssen so beschaffen, eingerichtet und unterhalten und Heimarbeit muß so ausgeführt werden, daß keine Gefahren für Leben, Gesundheit und Sittlichkeit der Beschäftigten und ihrer Mitarbeiter sowie für die öffentliche Gesundheit im Sinne des § 14 entstehen.

(2) Werden von Hausgewerbetreibenden oder Gleichgestellten fremde Hilfskräfte beschäftigt, so gelten auch die sonstigen Vorschriften über den Betriebsschutz und die sich daraus ergebenden Verpflichtungen des Arbeitgebers seinen Arbeitnehmern gegenüber.

§ 13[2)] Arbeitsschutz. (1) Die Bundesregierung kann mit Zustimmung des Bundesrates für einzelne Gewerbezweige oder bestimmte Arten von Beschäftigungen oder Arbeitsstätten Rechtsverordnungen zur Durchführung des Arbeitsschutzes durch die in Heimarbeit Beschäftigten und ihre Auftraggeber erlassen.

(2) Die Bundesregierung kann mit Zustimmung des Bundesrates Heimarbeit, die mit erheblichen Gefahren für Leben, Gesundheit oder

[1)] § 12 Abs. 1 neugef. durch G v. 29. 10. 1974 (BGBl. I S. 2879).

[2)] § 13 Abs. 2 und 3 aufgeh., bish. Abs. 4 wird Abs. 2 durch G v. 29. 10. 1974 (BGBl. I S. 2879).

Sittlichkeit der Beschäftigten verbunden ist, durch Rechtsverordnung verbieten.

§ 14 Schutz der öffentlichen Gesundheit. (1) Die Bundesregierung kann mit Zustimmung des Bundesrates für einzelne Gewerbezweige oder bestimmte Arten von Beschäftigungen oder Arbeitsstätten Rechtsverordnungen zum Schutze der Öffentlichkeit gegen gemeingefährliche und übertragbare Krankheiten und gegen Gefahren, die beim Verkehr mit Arznei-, Heil- und Betäubungsmitteln, Giften, Lebens- und Genußmitteln sowie Bedarfsgegenständen entstehen können, erlassen.

(2) Die Polizeibehörde kann im Benehmen mit dem Gewerbeaufsichtsamt und dem Gesundheitsamt für einzelne Arbeitsstätten Verfügungen zur Durchführung des öffentlichen Gesundheitsschutzes im Sinne des Absatzes 1 treffen, insbesondere zur Verhütung von Gefahren für die öffentliche Gesundheit, die sich bei der Herstellung, Verarbeitung oder Verpackung von Lebens- und Genußmitteln ergeben.

(3) Die Bundesregierung kann mit Zustimmung des Bundesrates Heimarbeit, die mit erheblichen Gefahren für die öffentliche Gesundheit im Sinne des Absatzes 1 verbunden ist, durch Rechtsverordnung verbieten.

§ 15 Anzeigepflicht. Wer Heimarbeit ausgibt, für die zur Durchführung des Gefahrenschutzes besondere Vorschriften gelten, hat dem Gewerbeaufsichtsamt und der Polizeibehörde Namen und Arbeitsstätte der von ihm mit Heimarbeit Beschäftigten anzuzeigen.

§ 16 Durchführungspflicht. (1) Wer Heimarbeit ausgibt oder weitergibt, hat dafür zu sorgen, daß Leben oder Gesundheit der in der Heimarbeit Beschäftigten durch technische Arbeitsmittel und Arbeitsstoffe, die er ihnen zur Verwendung überläßt, nicht gefährdet werden.

(2) Die zur Durchführung des Gefahrenschutzes erforderlichen Maßnahmen, die sich auf Räume oder Betriebseinrichtungen beziehen, hat der zu treffen, der die Räume und Betriebseinrichtungen unterhält.

§ 16a Anordnungen. [1]Das Gewerbeaufsichtsamt kann in Einzelfällen anordnen, welche Maßnahmen zur Durchführung der §§ 12, 13 und 16 sowie der auf § 13 und § 34 Abs. 2 gestützten Rechtsverordnungen zu treffen sind. [2]Neben den auf Grund von § 3 Abs. 2 bestimmten Stellen nimmt das Gewerbeaufsichtsamt die Aufsichtsbefugnisse nach § 139 b der Gewerbeordnung[1)] wahr.

Sechster Abschnitt. Entgeltregelung

§ 17 Tarifverträge, Entgeltregelungen. (1) Als Tarifverträge gelten auch schriftliche Vereinbarungen zwischen Gewerkschaften einerseits und Auftraggebern oder deren Vereinigungen andererseits über Inhalt, Abschluß oder Beendigung von Vertragsverhältnissen der in Heimarbeit Beschäftigten oder Gleichgestellten mit ihren Auftraggebern.

[1)] **Sartorius Nr. 800.**

(2) Entgeltregelungen im Sinne dieses Gesetzes sind Tarifverträge, bindende Festsetzungen von Entgelten und sonstigen Vertragsbedingungen (§ 19) und von Mindestarbeitsbedingungen für fremde Hilfskräfte (§ 22).

§ 18 Aufgaben des Heimarbeitsausschusses auf dem Gebiete der Entgeltregelung. Der Heimarbeitsausschuß hat die Aufgaben:

a) auf das Zustandekommen von Tarifverträgen hinzuwirken;

b) zur Vermeidung und Beendigung von Gesamtstreitigkeiten zwischen den in § 17 Abs. 1 genannten Parteien diesen auf Antrag einer Partei Vorschläge für den Abschluß eines Tarifvertrages zu unterbreiten; wird ein schriftlich abgefaßter Vorschlag von allen Parteien durch Erklärung gegenüber dem Heimarbeitsausschuß angenommen, so hat er die Wirkung eines Tarifvertrages;

c) bindende Festsetzungen für Entgelte und sonstige Vertragsbedingungen nach Maßgabe des § 19 zu treffen.

§ 19[1] Bindende Festsetzungen. (1) [1]Bestehen Gewerkschaften oder Vereinigungen der Auftraggeber für den Zuständigkeitsbereich eines Heimarbeitsausschusses nicht oder umfassen sie nur eine Minderheit der Auftraggeber oder Beschäftigten, so kann der Heimarbeitsausschuß nach Anhörung der Auftraggeber und Beschäftigten, für die eine Regelung getroffen werden soll, Entgelte und sonstige Vertragsbedingungen mit bindender Wirkung für alle Auftraggeber und Beschäftigten seines Zuständigkeitsbereichs festsetzen, wenn unzulängliche Entgelte gezahlt werden oder die sonstigen Vertragsbedingungen unzulänglich sind. [2]Als unzulänglich sind insbesondere Entgelte und sonstige Vertragsbedingungen anzusehen, die unter Berücksichtigung der sozialen und wirtschaftlichen Eigenart der Heimarbeit unter den tarifvertraglichen Löhnen oder sonstigen durch Tarifvertrag festgelegten Arbeitsbedingungen für gleiche oder gleichwertige Betriebsarbeit liegen. [3]Soweit im Zuständigkeitsbereich eines Heimarbeitsausschusses Entgelte und sonstige Vertragsbedingungen für Heimarbeit derselben Art tarifvertraglich vereinbart sind, sollen in der bindenden Festsetzung keine für die Beschäftigten günstigeren Entgelte oder sonstigen Vertragsbedingungen festgesetzt werden.

(2) [1]Die bindende Festsetzung bedarf der Zustimmung der zuständigen Arbeitsbehörde und der Veröffentlichung im Wortlaut an der von der zuständigen Arbeitsbehörde bestimmten Stelle. [2]Der persönliche Geltungsbereich der bindenden Festsetzung ist unter Berücksichtigung der Vorschriften des § 1 zu bestimmen. [3]Sie tritt am Tage nach der Veröffentlichung in Kraft, wenn in ihr nicht ein anderer Zeitpunkt bestimmt ist. [4]Beabsichtigt die zuständige Arbeitsbehörde die Zustimmung zu einer bindenden Festsetzung insbesondere wegen Unzulänglichkeit der Entgelte oder der sonstigen Vertragsbedingungen (Absatz 1 Satz 2) zu versagen, so hat sie dies dem Heimarbeitsausschuß unter Angabe von Gründen mitzuteilen und ihm vor ihre Entscheidung über die Zustimmung Gelegenheit zu geben, die bindende Festsetzung zu ändern.

(3) [1]Die bindende Festsetzung hat die Wirkung eines allgemeinverbindlichen Tarifvertrages und ist in das beim Bundesministerium für Arbeit und So-

[1] § 19 Abs. 5 geänd. durch G v. 11. 10. 1995 (BGBl. I S. 1250); Abs. 3 Satz 1 geänd. mWv 28. 11. 2003 durch VO v. 25. 11. 2003 (BGBl. I S. 2304); Abs. 3 Satz 1 geänd. mWv 8. 11. 2006 durch VO v. 31. 10. 2006 (BGBl. I S. 2407).

ziales geführte Tarifregister einzutragen. [2]Von den Vorschriften einer bindenden Festsetzung kann nur zugunsten des Beschäftigten abgewichen werden. [3]Ein Verzicht auf Rechte, die auf Grund einer bindenden Festsetzung eines[1)] Beschäftigten entstanden sind, ist nur in einem von der Obersten Arbeitsbehörde des Landes oder der von ihr bestimmten Stelle gebilligten Vergleich zulässig. [4]Die Verwirkung solcher Rechte ist ausgeschlossen. [5]Ausschlußfristen für ihre Geltendmachung können nur durch eine bindende Festsetzung vorgesehen werden; das gleiche gilt für die Abkürzung von Verjährungsfristen. [6]Im übrigen gelten für die bindende Festsetzung die gesetzlichen Vorschriften über den Tarifvertrag sinngemäß, soweit sich aus dem Fehlen der Vertragsparteien nicht etwas anderes ergibt.

(4) [1]Der Heimarbeitsausschuß kann nach Anhörung der Auftraggeber und Beschäftigten bindende Festsetzungen ändern oder aufheben. [2]Die Absätze 1 bis 3 gelten entsprechend.

(5) Die Absätze 1 bis 4 gelten entsprechend für die Festsetzung von vermögenswirksamen Leistungen im Sinne des Fünften Vermögensbildungsgesetzes.

§ 20 Art der Entgelte. [1]Die Entgelte für Heimarbeit sind in der Regel als Stückentgelte, und zwar möglichst auf der Grundlage von Stückzeiten zu regeln. [2]Ist dieses nicht möglich, so sind Zeitentgelte festzusetzen, die der Stückentgeltberechnung im Einzelfall zugrunde gelegt werden können.

§ 21 Entgeltregelung für Zwischenmeister, Mithaftung des Auftraggebers. (1) Für Zwischenmeister, die nach § 1 Abs. 2 Buchstabe d den in Heimarbeit Beschäftigten gleichgestellt sind, können im Verhältnis zu ihren Auftraggebern durch Entgeltregelungen gemäß den §§ 17 bis 19 Zuschläge festgelegt werden.

(2) Zahlt ein Auftraggeber an einen Zwischenmeister ein Entgelt, von dem er weiß oder den Umständen nach wissen muß, daß es zur Zahlung der in der Entgeltregelung festgelegten Entgelte an die Beschäftigten nicht ausreicht, oder zahlt er an einen Zwischenmeister, dessen Unzuverlässigkeit er kennt oder kennen muß, so haftet er neben dem Zwischenmeister für diese Entgelte.

§ 22 Mindestarbeitsbedingungen für fremde Hilfskräfte. (1) [1]Für fremde Hilfskräfte, die von Hausgewerbetreibenden oder Gleichgestellten beschäftigt werden, können Mindestarbeitsbedingungen festgesetzt werden. [2]Voraussetzung ist, daß die Entgelte der Hausgewerbetreibenden oder Gleichgestellten durch eine Entgeltregelung (§§ 17 bis 19) festgelegt sind.

(2) [1]Für die Festsetzung gilt § 19 entsprechend mit der Maßgabe, daß an die Stelle der Heimarbeitsausschüsse Entgeltausschüsse für fremde Hilfskräfte der Heimarbeit treten. [2]Für die Auslegung der Mindestarbeitsbedingungen gilt § 8 Abs. 3 entsprechend.

(3) [1]Die Entgeltausschüsse werden im Bedarfsfall durch die zuständige Arbeitsbehörde errichtet. [2]Für ihre Zusammensetzung und das Verfahren vor ihnen gelten § 4 Absätze 2 bis 4 und § 5 entsprechend. [3]Die Beisitzer und Stellvertreter sind aus Kreisen der beteiligten Arbeitnehmer einerseits sowie der Hausgewerbetreibenden und Gleichgestellten andererseits auf Grund von Vor-

---

[1)] Richtig wohl: „einem“.

schlägen der fachlich und räumlich zuständigen Gewerkschaften und Vereinigungen der Hausgewerbetreibenden oder Gleichgestellten, soweit solche nicht bestehen oder keine Vorschläge einreichen, nach Anhörung der Beteiligten jeweils zu berufen.

Siebenter Abschnitt. Entgeltschutz

§ 23 Entgeltprüfung. (1) Die Oberste Arbeitsbehörde des Landes hat für eine wirksame Überwachung der Entgelte und sonstigen Vertragsbedingungen durch Entgeltprüfer Sorge zu tragen.

(Fortsetzung nächste Seite)

(2) Die Entgeltprüfer haben die Innehaltung der Vorschriften des Dritten Abschnittes dieses Gesetzes und der gemäß den §§ 17 bis 19, 21 und 22 geregelten Entgelte und sonstigen Vertragsbedingungen zu überwachen sowie auf Antrag bei der Errechnung der Stückentgelte Berechnungshilfe zu leisten.

(3) Die Oberste Arbeitsbehörde des Landes kann die Aufgaben der Entgeltprüfer anderen Stellen übertragen, insbesondere für Bezirke, in denen Heimarbeit nur in geringem Umfange geleistet wird.

§ 24 Aufforderung zur Nachzahlung der Minderbeträge. [1] Hat ein Auftraggeber oder Zwischenmeister einem in Heimarbeit Beschäftigten oder einem Gleichgestellten ein Entgelt gezahlt, das niedriger ist als das in einer Entgeltregelung gemäß den §§ 17 bis 19 festgesetzte oder das in § 29 Abs. 5 oder 6 bestimmte, so kann ihn die Oberste Arbeitsbehörde des Landes oder die von ihr bestimmte Stelle auffordern, innerhalb einer in der Aufforderung festzusetzenden Frist den Minderbetrag nachzuzahlen und den Zahlungsnachweis vorzulegen. [2] Satz 1 gilt entsprechend für sonstige Vertragsbedingungen, die gemäß den §§ 17 bis 19 festgesetzt sind und die Geldleistungen an einen in Heimarbeit Beschäftigten oder einen Gleichgestellten zum Inhalt haben. [3] Die Oberste Arbeitsbehörde des Landes soll von einer Maßnahme nach Satz 1 absehen, wenn glaubhaft gemacht worden ist, daß ein Gleichgestellter im Falle des § 1 Abs. 6 nicht oder wahrheitswidrig geantwortet hat.

§ 25 Klagebefugnis der Länder. [1] Das Land, vertreten durch die Oberste Arbeitsbehörde oder die von ihr bestimmte Stelle, kann im eigenen Namen den Anspruch auf Nachzahlung des Minderbetrages an den Berechtigten gerichtlich geltend machen. [2] Das Urteil wirkt auch für und gegen den in Heimarbeit Beschäftigten oder den Gleichgestellten. [3] § 24 Satz 3 gilt entsprechend.

§ 26 Entgeltschutz für fremde Hilfskräfte. (1) Hat ein Hausgewerbetreibender oder Gleichgestellter einer fremden Hilfskraft ein Entgelt gezahlt, das niedriger ist als das durch Mindestarbeitsbedingungen (§ 22) festgesetzte, so gelten die Vorschriften der §§ 24 und 25 über die Aufforderung zur Nachzahlung der Minderbeträge und über die Klagebefugnis der Länder sinngemäß.

(2) [1] Das gleiche gilt, wenn ein Hausgewerbetreibender oder Gleichgestellter eine fremde Hilfskraft nicht nach der einschlägigen tariflichen Regelung entlohnt. [2] Voraussetzung ist, daß die Entgelte des Hausgewerbetreibenden oder Gleichgestellten durch eine Entgeltregelung (§§ 17 bis 19) festgelegt sind.

§ 27 Pfändungsschutz. Für das Entgelt, das den in Heimarbeit Beschäftigten oder den Gleichgestellten gewährt wird, gelten die Vorschriften über den Pfändungsschutz für Vergütungen, die auf Grund eines Arbeits- oder Dienstverhältnisses geschuldet werden, entsprechend.

Achter Abschnitt. Auskunfts- und Aufklärungspflicht über Entgelte

§ 28 (1) [1] Auftraggeber, Zwischenmeister, Beschäftigte und fremde Hilfskräfte haben den mit der Entgeltfestsetzung oder Entgeltprüfung beauftragten Stellen auf Verlangen Auskunft über alle die Entgelte berührenden Fragen zu erteilen und hierbei auch außer den Entgeltbelegen (§ 9) Arbeitsstücke, Stoffproben und sonstige Unterlagen für die Entgeltfestsetzung oder Entgeltprüfung vorzulegen. [2] Die mit der Entgeltfestsetzung oder Entgeltprüfung beauftragten Stellen können Erhebungen über Arbeitszeiten für einzelne Arbeitsstücke anstellen oder anstellen lassen.

(2) Der in Heimarbeit Beschäftigte und Gleichgestellte kann von seinem Auftraggeber verlangen, daß ihm die Berechnung und Zusammensetzung seines Entgelts erläutert wird.

Neunter Abschnitt. Kündigung

§ 29[1] **Allgemeiner Kündigungsschutz.** (1) Das Beschäftigungsverhältnis eines in Heimarbeit Beschäftigten kann beiderseits an jedem Tag für den Ablauf des folgenden Tages gekündigt werden.

(2) Wird ein in Heimarbeit Beschäftigter von einem Auftraggeber oder Zwischenmeister länger als vier Wochen beschäftigt, so kann das Beschäftigungsverhältnis beiderseits nur mit einer Frist von zwei Wochen gekündigt werden.

(3) [1] Wird ein in Heimarbeit Beschäftigter überwiegend von einem Auftraggeber oder Zwischenmeister beschäftigt, so kann das Beschäftigungsverhältnis mit einer Frist von vier Wochen zum Fünfzehnten oder zum Ende eines Kalendermonats gekündigt werden. [2] Während einer vereinbarten Probezeit, längstens für die Dauer von sechs Monaten, beträgt die Kündigungsfrist zwei Wochen.

(4) Unter der in Absatz 3 Satz 1 genannten Voraussetzung beträgt die Frist für eine Kündigung durch den Auftraggeber oder Zwischenmeister, wenn das Beschäftigungsverhältnis

1. zwei Jahre bestanden hat, einen Monat zum Ende eines Kalendermonats,
2. fünf Jahre bestanden hat, zwei Monate zum Ende eines Kalendermonats,
3. acht Jahre bestanden hat, drei Monate zum Ende eines Kalendermonats,
4. zehn Jahre bestanden hat, vier Monate zum Ende eines Kalendermonats,
5. zwölf Jahre bestanden hat, fünf Monate zum Ende eines Kalendermonats,
6. fünfzehn Jahre bestanden hat, sechs Monate zum Ende eines Kalendermonats,
7. zwanzig Jahre bestanden hat, sieben Monate zum Ende eines Kalendermonats.

---

[1] § 29 Abs. 4 Satz 2 aufgeh. mWv 1.1.2019 durch G v. 18.12.2018 (BGBl. I S. 2651).

(5) § 622 Abs. 4 bis 6 des Bürgerlichen Gesetzbuches[1] gilt entsprechend.

(6) Für die Kündigung aus wichtigem Grund gilt § 626 des Bürgerlichen Gesetzbuches[1] entsprechend.

(7) [1] Für die Dauer der Kündigungsfrist nach den Absätzen 2 bis 5 hat der Beschäftigte auch bei Ausgabe einer geringeren Arbeitsmenge Anspruch auf Arbeitsentgelt in Höhe von einem Zwölftel bei einer Kündigungsfrist von zwei Wochen, zwei Zwölfteln bei einer Kündigungsfrist von vier Wochen, drei Zwölfteln bei einer Kündigungsfrist von einem Monat, vier Zwölfteln bei einer Kündigungsfrist von zwei Monaten, sechs Zwölfteln bei einer Kündigungsfrist von drei Monaten, acht Zwölfteln bei einer Kündigungsfrist von vier Monaten, zehn Zwölfteln bei einer Kündigungsfrist von fünf Monaten, zwölf Zwölfteln bei einer Kündigungsfrist von sechs Monaten und vierzehn Zwölfteln bei einer Kündigungsfrist von sieben Monaten des Gesamtbetrages, den er in den dem Zugang der Kündigung vorausgegangenen 24 Wochen als Entgelt erhalten hat. [2] Bei Entgelterhöhungen während des Berechnungszeitraums oder der Kündigungsfrist ist von dem erhöhten Entgelt auszugehen. [3] Zeiten des Bezugs von Krankengeld oder Kurzarbeitergeld sind in den Berechnungszeitraum nicht mit einzubeziehen.

(8) [1] Absatz 7 gilt entsprechend, wenn ein Auftraggeber oder Zwischenmeister die Arbeitsmenge, die er mindestens ein Jahr regelmäßig an einen Beschäftigten, auf den die Voraussetzungen der Absätze 2, 3, 4 oder 5 zutreffen, ausgegeben hat, um mindestens ein Viertel verringert, es sei denn, daß die Verringerung auf einer Festsetzung gemäß § 11 Abs. 2 beruht. [2] Hat das Beschäftigungsverhältnis im Falle des Absatzes 2 ein Jahr noch nicht erreicht, so ist von der während der Dauer des Beschäftigungsverhältnisses ausgegebenen Arbeitsmenge auszugehen. [3] Die Sätze 1 und 2 finden keine Anwendung, wenn die Verringerung der Arbeitsmenge auf rechtswirksam eingeführter Kurzarbeit beruht.

(9) Teilt ein Auftraggeber einem Zwischenmeister, der überwiegend für ihn Arbeit weitergibt, eine künftige Herabminderung der regelmäßig zu verteilenden Arbeitsmenge nicht rechtzeitig mit, so kann dieser vom Auftraggeber Ersatz der durch Einhaltung der Kündigungsfrist verursachten Aufwendungen insoweit verlangen, als während der Kündigungsfrist die Beschäftigung wegen des Verhaltens des Auftraggebers nicht möglich war.

§ 29a Kündigungsschutz im Rahmen der Betriebsverfassung. (1) [1] Die Kündigung des Beschäftigungsverhältnisses eines in Heimarbeit beschäftigten Mitglieds eines Betriebsrats oder einer Jugend- und Auszubildendenvertretung ist unzulässig, es sei denn, daß Tatsachen vorliegen, die einen Arbeitgeber zur Kündigung eines Arbeitsverhältnisses aus wichtigem Grund ohne Einhaltung einer Kündigungsfrist berechtigen würden, und daß die nach § 103 des Betriebsverfassungsgesetzes[2] erforderliche Zustimmung vorliegt oder durch gerichtliche Entscheidung ersetzt ist. [2] Nach Beendigung der Amtszeit ist die Kündigung innerhalb eines Jahres, jeweils vom Zeitpunkt der Beendigung der Amtszeit an gerechnet, unzulässig, es sei denn, daß Tatsachen vorliegen, die einen Arbeitgeber zur Kündigung eines Arbeitsverhältnisses aus wichtigem Grund ohne Einhaltung einer Kündigungsfrist berechtigen wür-

[1] Nr. **50**.
[2] Nr. **570**.

den; dies gilt nicht, wenn die Beendigung der Mitgliedschaft auf einer gerichtlichen Entscheidung beruht.

(2) [1] Die Kündigung eines in Heimarbeit beschäftigten Mitglieds eines Wahlvorstands ist vom Zeitpunkt seiner Bestellung an, die Kündigung eines in Heimarbeit beschäftigten Wahlbewerbers vom Zeitpunkt der Aufstellung des Wahlvorschlags an jeweils bis zur Bekanntgabe des Wahlergebnisses unzulässig, es sei denn, daß Tatsachen vorliegen, die einen Arbeitgeber zur Kündigung eines Arbeitsverhältnisses aus wichtigem Grund ohne Einhaltung einer Kündigungsfrist berechtigen würden, und daß die nach § 103 des Betriebsverfassungsgesetzes erforderliche Zustimmung vorliegt oder durch eine gerichtliche Entscheidung ersetzt ist. [2] Innerhalb von sechs Monaten nach Bekanntgabe des Wahlergebnisses ist die Kündigung unzulässig, es sei denn, daß Tatsachen vorliegen, die einen Arbeitgeber zur Kündigung eines Arbeitsverhält-nisses aus wichtigem Grund ohne Einhaltung einer Kündigungsfrist berechtigen würden; dies gilt nicht für Mitglieder des Wahlvorstands, wenn dieser nach § 18 Abs. 1 des Betriebsverfassungsgesetzes durch gerichtliche Entscheidung durch einen anderen Wahlvorstand ersetzt worden ist.

(3) Wird die Vergabe von Heimarbeit eingestellt, so ist die Kündigung des Beschäftigungsverhältnisses der in den Absätzen 1 und 2 genannten Personen frühestens zum Zeitpunkt der Einstellung der Vergabe zulässig, es sei denn, daß die Kündigung zu einem früheren Zeitpunkt durch zwingende betriebliche Erfordernisse bedingt ist.

Zehnter Abschnitt. Ausgabeverbot

§ 30 Verbot der Ausgabe von Heimarbeit. Die Oberste Arbeitsbehörde des Landes oder die von ihr bestimmte Stelle kann einer Person, die

1. in den letzten fünf Jahren wiederholt wegen eines Verstoßes gegen die Vorschriften dieses Gesetzes rechtskräftig verurteilt oder mit Geldbuße belegt worden ist,
2. der Obersten Arbeitsbehörde des Landes oder der von ihr bestimmten Stelle falsche Angaben gemacht oder falsche Unterlagen vorgelegt hat, um sich der Pflicht zur Nachzahlung von Minderbeträgen (§ 24) zu entziehen, oder
3. der Aufforderung der Obersten Arbeitsbehörde des Landes oder der von ihr bestimmten Stelle zur Nachzahlung von Minderbeträgen (§ 24) wiederholt nicht nachgekommen ist oder die Minderbeträge nach Aufforderung zwar nachgezahlt, jedoch weiter zu niedrige Entgelte gezahlt hat,

die Aus- und Weitergabe von Heimarbeit verbieten.

Elfter Abschnitt. Straftaten und Ordnungswidrigkeiten

§ 31 Ausgabe verbotener Heimarbeit. (1) Wer Heimarbeit, die nach einer zur Durchführung des Gefahrenschutzes erlassenen Rechtsvorschrift (§ 13 Abs. 2, § 14 Abs. 3, § 34 Abs. 2 Satz 2) verboten ist, ausgibt oder weitergibt, wird mit Freiheitsstrafe bis zu einem Jahr oder mit Geldstrafe bestraft.

(2) Handelt der Täter fahrlässig, so ist die Strafe Freiheitsstrafe bis zu sechs Monaten oder Geldstrafe bis zu einhundertachtzig Tagessätzen.

§ 32[1)] Straftaten und Ordnungswidrigkeiten im Bereich des Arbeits- und Gefahrenschutzes. (1) [1] Ordnungswidrig handelt, wer, abgesehen von den Fällen des § 31, vorsätzlich oder fahrlässig

1. einer zur Durchführung des Gefahrenschutzes erlassenen Rechtsvorschrift (§§ 13, 14 Abs. 1, 3, § 34 Abs. 2 Satz 2), soweit sie für einen bestimmten Tatbestand auf diese Bußgeldvorschrift verweist, oder
2. einer vollziehbaren Verfügung nach § 14 Abs. 2 oder § 16a

zuwiderhandelt. [2] Die in Satz 1 Nr. 1 vorgeschriebene Verweisung ist nicht erforderlich, soweit die dort genannten Rechtsvorschriften vor Inkrafttreten dieses Gesetzes erlassen sind.

(2) Die Ordnungswidrigkeit kann mit einer Geldbuße bis zu zehntausend Euro geahndet werden.

(3) Wer vorsätzlich eine der in Absatz 1 bezeichneten Handlungen begeht und dadurch in Heimarbeit Beschäftigte in ihrer Arbeitskraft oder Gesundheit gefährdet, wird mit Freiheitsstrafe bis zu einem Jahr oder mit Geldstrafe bestraft.

(4) Wer in den Fällen des Absatzes 3 die Gefahr fahrlässig verursacht, wird mit Freiheitsstrafe bis zu sechs Monaten oder mit Geldstrafe bis zu einhundertachtzig Tagessätzen bestraft.

§ 32a[2)] Sonstige Ordnungswidrigkeiten. (1) Ordnungswidrig handelt, wer vorsätzlich oder fahrlässig einem nach § 30 ergangenen vollziehbaren Verbot der Ausgabe oder Weitergabe von Heimarbeit zuwiderhandelt.

(2) Ordnungswidrig handelt auch, wer vorsätzlich oder fahrlässig

1. einer Vorschrift über die Listenführung (§ 6), die Mitteilung oder Anzeige von Heimarbeit (§§ 7, 15), die Unterrichtungspflicht (§ 7a), die Offenlegung der Entgeltverzeichnisse (§ 8), die Entgeltbelege (§ 9) oder die Auskunftspflicht über die Entgelte (§ 28 Abs. 1) zuwiderhandelt,
2. einer vollziehbaren Anordnung zum Schutze der Heimarbeiter vor Zeitversäumnis (§ 10) zuwiderhandelt,
3. einer Regelung zur Verteilung der Heimarbeit nach § 11 Abs. 2 zuwiderhandelt, soweit sie für einen bestimmten Tatbestand auf diese Bußgeldvorschrift verweist oder
4. als in Heimarbeit Beschäftigter (§ 1 Abs. 1) oder diesem Gleichgestellter (§ 1 Abs. 2) duldet, daß ein mitarbeitender Familienangehöriger eine Zuwiderhandlung nach § 32 begeht.

(3) Die Ordnungswidrigkeit nach Absatz 1 kann mit einer Geldbuße bis zu zehntausend Euro, die Ordnungswidrigkeit nach Absatz 2 mit einer Geldbuße bis zu zweitausendfünfhundert Euro geahndet werden.

[1)] § 32 Abs. 2 geänd. mWv 1.1.2002 durch G v. 21.12.2000 (BGBl. I S. 1983).

[2)] § 32a Abs. 3 geänd. mWv 1.1.2002 durch G v. 21.12.2000 (BGBl. I S. 1983).

Zwölfter Abschnitt. Schlußvorschriften

§ 33[1] Durchführungsvorschriften. (1) Das Bundesministerium für Arbeit und Soziales wird ermächtigt, mit Zustimmung des Bundesrates und nach Anhörung der Spitzenverbände der Gewerkschaften und der Vereinigungen der Arbeitgeber die zur Durchführung dieses Gesetzes erforderlichen Rechtsverordnungen zu erlassen über

a) das Verfahren bei der Gleichstellung (§ 1 Abs. 2 bis 5);

b) die Errichtung von Heimarbeitsausschüssen und von Entgeltausschüssen für fremde Hilfskräfte der Heimarbeit und das Verfahren vor ihnen (§§ 4, 5, 11, 18 bis 22);

c) Form, Inhalt und Einsendung der Listen und der Anzeige bei erstmaliger Ausgabe von Heimarbeit (§§ 6 und 7);

d) Form, Inhalt, Ausgabe und Aufbewahrung von Entgeltbelegen (§ 9).

(2) Das Bundesministerium für Arbeit und Soziales kann mit Zustimmung des Bundesrates und nach Anhörung der Spitzenverbände der Gewerkschaften und der Vereinigung der Arbeitgeber allgemeine Verwaltungsvorschriften für die Durchführung dieses Gesetzes erlassen.

§ 34 Inkrafttreten. (1) Das Gesetz tritt einen Monat nach seiner Verkündung[2], der § 33 am Tage nach der Verkündung in Kraft.

(2) [1] Mit dem Inkrafttreten dieses Gesetzes treten das Gesetz über die Heimarbeit in der Fassung der Bekanntmachung vom 30. Oktober 1939 (Reichsgesetzbl. I S. 2145) und die Verordnung zur Durchführung des Gesetzes über die Heimarbeit vom 30. Oktober 1939 (Reichsgesetzbl. I S. 2152) außer Kraft. [2] Die auf Grund der bisherigen gesetzlichen Vorschriften zur Durchführung des Gefahrenschutzes erlassenen Verordnungen bleiben mit der Maßgabe in Kraft, daß anstelle der in ihnen erwähnten Vorschriften des Gesetzes über die Heimarbeit in der Fassung vom 30. Oktober 1939 und des Hausarbeitsgesetzes in der Fassung vom 30. Juni 1923 (Reichsgesetzbl. S. 472/730) die entsprechenden Vorschriften dieses Gesetzes treten.

---

[1] § 33 Abs. 1 erster Halbsatz und Abs. 2 geänd. mWv 28.11.2003 durch VO v. 25.11.2003 (BGBl. I S. 2304); Abs. 1 einl. Satzteil und Abs. 2 geänd. mWv 8.11.2006 durch VO v. 31.10.2006 (BGBl. I S. 2407).

[2] Verkündet am 21.3.1951.

450 a. Erste Rechtsverordnung zur Durchführung des Heimarbeitsgesetzes[1)]

In der Fassung der Bekanntmachung vom 27. Januar 1976
(BGBl. I S. 221)

FNA 804-1-1

zuletzt geänd. durch Art. 435 Neunte ZuständigkeitsanpassungsVO v. 31. 10. 2006 (BGBl. I S. 2407)

Erster Abschnitt. Verfahren bei der Gleichstellung

§ 1 Verfahren bei der Gleichstellung. (1) [1]Über die Gleichstellung entscheidet der für den Gewerbezweig oder die Beschäftigungsart der gleichzustellenden Einzelperson oder Personengruppe zuständige Heimarbeitsausschuß (§ 4 Abs. 1 HAG[2)]). [2]Im übrigen entscheidet der gemeinsame Heimarbeitsausschuß (§ 4 Abs. 1 Satz 4 HAG[2)]).

(2) [1]In der Entscheidung über die Gleichstellung sind der räumliche, sachliche und persönliche Geltungsbereich sowie der Zeitpunkt des Beginns der Gleichstellung anzugeben. [2]Die Gleichstellung kann auch befristet und unter Auflagen oder Bedingungen erfolgen.

(3) Im übrigen richtet sich das Verfahren der Gleichstellung, ihrer Änderung oder ihres Widerrufs sowie das Verfahren der Herausnahme einzelner Personen aus einer Gleichstellung von Personengruppen nach den §§ 5 und 7.

Zweiter Abschnitt. Errichtung von Heimarbeitsausschüssen

§ 2 Bekanntmachung der Errichtung von Heimarbeitsausschüssen. [1]Die Errichtung des Heimarbeitsausschusses ist an einer von der zuständigen Arbeitsbehörde jeweils zu bestimmenden Stelle bekanntzumachen. [2]Der räumliche, sachliche und persönliche Zuständigkeitsbereich des Heimarbeitsausschusses ist dabei anzugeben.

§ 3 Vorsitzender. (1) Der Vorsitzende darf nicht Auftraggeber, Zwischenmeister, in Heimarbeit Beschäftigter oder Gleichgestellter sein.

(2) [1]Vor Bestimmung des Vorsitzenden des Heimarbeitsausschusses soll die zuständige Arbeitsbehörde die Zusammenschlüsse von Gewerkschaften und von Vereinigungen der Arbeitgeber (Spitzenorganisationen) hören. [2]Soweit die Oberste Arbeitsbehörde des Landes den Vorsitzenden bestimmt, genügt die Anhörung der bezirklichen Untergliederungen der Spitzenorganisationen, soweit solche für den Bereich des Landes bestehen.

[1)] Die Rechtsverordnung ist auf Grund des § 33 Abs. 1 des Heimarbeitsgesetzes erlassen worden.
[2)] Nr. **450**.

(3) [1]Der Vorsitzende vertritt den Heimarbeitsausschuß im Rahmen der gefaßten Beschlüsse. [2]Er hat dem Heimarbeitsausschuß in wichtigen Angelegenheiten über das von ihm Veranlaßte Mitteilung zu machen. [3]Der Vorsitzende ist berechtigt, Erklärungen und Auskünfte, die dem Heimarbeitsausschuß gegenüber abzugeben sind, entgegenzunehmen.

§ 4 Beisitzer. (1) [1]Die zuständige Arbeitsbehörde beruft als Beisitzer des Heimarbeitsausschusses je drei Vertreter der in Heimarbeit Beschäftigten und der Auftraggeber und mindestens je drei Stellvertreter. [2]Für den Fall der Verhinderung der Vertreter und Stellvertreter kann sie weitere Stellvertreter bestellen.

(2) Als Beisitzer oder Stellvertreter sollen Personen berufen werden, die besondere Kenntnisse und Erfahrungen in der Heimarbeit desjenigen Gewerbezweiges oder derjenigen Beschäftigungsart besitzen, für die der Heimarbeitsausschuß errichtet wird.

(3) [1]Der Heimarbeitsausschuß soll sich im angemessenen Verhältnis aus Vertretern der Gruppen der in Heimarbeit Beschäftigten (§ 1 Abs. 1 und 2 HAG[1)]) sowie der Auftraggeber zusammensetzen. [2]Minderheiten sollen in billiger Weise berücksichtigt werden.

(4) [1]Reicht eine zuständige Gewerkschaft oder Vereinigung der Auftraggeber keine geeigneten Vorschläge für die Berufung der Beisitzer oder Stellvertreter ein, so ist ihr eine angemessene Frist zur Einreichung von Vorschlägen zu setzen. [2]Ist diese Frist abgelaufen, ohne daß geeignete Vorschläge bei der zuständigen Arbeitsbehörde eingegangen sind, oder besteht eine zuständige Gewerkschaft oder Vereinigung der Auftraggeber nicht, so ist die zuständige Spitzenorganisation zur Einreichung von Vorschlägen aufzufordern. [3]Die Berufung der Beisitzer oder Stellvertreter nach Anhörung geeigneter Personen aus den Kreisen der Auftraggeber oder Beschäftigten des Zuständigkeitsbereichs, für den der Heimarbeitsausschuß errichtet ist (§ 5 Abs. 1 Satz 2 HAG[1)]), soll nur erfolgen, nachdem der zuständigen Spitzenorganisation eine angemessene Frist zur Einreichung von Vorschlägen gesetzt und diese abgelaufen ist,

(Fortsetzung nächste Seite)

---

1) Nr. **450**.

ohne daß geeignete Vorschläge bei der zuständigen Arbeitsbehörde eingegangen sind.

(5) Sind die Beisitzer gemäß Absatz 4 Satz 2 auf Vorschlag der Spitzenorganisation zu bestellen, so sind diese Vorschläge für Heimarbeitsausschüsse, die von den Obersten Arbeitsbehörden der Länder errichtet werden, von den bezirklichen Untergliederungen der Spitzenorganisationen einzuholen, soweit solche für den Bereich des Landes bestehen.

Dritter Abschnitt. Verfahren vor den Heimarbeitsausschüssen

§ 5 Verfahren vor den Heimarbeitsausschüssen allgemein. (1) Die Sitzungen des Heimarbeitsausschusses sind nicht öffentlich. Der Heimarbeitsausschuß kann bestimmte Personen zulassen. Die Vertreter der zuständigen Arbeitsbehörde, im Falle des § 7 Abs. 3 Satz 4 auch die Vertreter der gleichgeordneten Wirtschaftsbehörde sind berechtigt, an den Sitzungen mit beratender Stimme teilzunehmen.

(2) Der Heimarbeitsausschuß wird durch den Vorsitzenden einberufen. Auf Antrag der zuständigen Arbeitsbehörde oder von mindestens drei Beisitzern hat der Vorsitzende den Heimarbeitsausschuß innerhalb einer angemessenen Frist einzuberufen.

(3) Der Vorsitzende legt im Benehmen mit den Beisitzern den Tagungsort, den Tagungsbeginn und die Tagesordnung fest. Ist ein Beisitzer an der Teilnahme an einer Sitzung des Heimarbeitsausschusses verhindert, so hat er dies rechtzeitig vor der Sitzung dem Vorsitzenden unter Angabe der Gründe mitzuteilen; der Vorsitzende hat für den verhinderten Beisitzer einen der Stellvertreter der Seite einzuladen, der der verhinderte Beisitzer angehört.

(4) Die Beschlüsse des Heimarbeitsausschusses sind schriftlich niederzulegen und von den Mitgliedern des Ausschusses, die bei dem Beschluß mitgewirkt haben, zu unterschreiben. Ist ein Mitglied verhindert, seine Unterschrift zu leisten, so ist dies von dem ältesten Mitglied der Seite, der das verhinderte Mitglied angehört, unter dem Beschluß zu vermerken.

(5) Über jede Sitzung des Heimarbeitsausschusses ist eine Niederschrift anzufertigen, die das Ergebnis der Beratungen sowie den Wortlaut der Beschlüsse und die Stimmenmehrheit, mit der sie gefaßt sind, enthalten muß. Bei Beschlüssen über Gleichstellungen sind in der Niederschrift außerdem die für die Schutzbedürftigkeit (§ 1 Abs. 2 Satz 2 und 3 HAG) als maßgebend anerkannten Umstände im einzelnen darzulegen. Bei Beschlüssen über die Änderung von Entgelten und sonstigen Vertragsbedingungen ist außerdem in der Niederschrift festzuhalten, welcher Tarifvertrag für gleiche oder gleichwertige Betriebsarbeit zugrunde

gelegt wurde. Fehlt ein solcher Tarifvertrag, so sind in der Niederschrift die Vergleichsmaßstäbe festzuhalten, die der Heimarbeitsausschuß seiner Entscheidung zugrunde gelegt hat. Bei Beschlüssen über die Bildung von Unterausschüssen (§ 4 Abs. 1 Satz 3 HAG) sind in der Niederschrift die Befugnisse und Zusammensetzung der Unterausschüsse festzuhalten. Die Niederschrift ist vom Vorsitzenden zu unterschreiben und den Beisitzern oder Stellvertretern, die an der Sitzung teilgenommen haben, innerhalb einer Frist von drei Wochen, gerechnet vom Beginn des Tages der Sitzung an, zuzuleiten. Die Beisitzer oder Stellvertreter können schriftliche Einwendungen gegen die Niederschrift erheben. Einwendungen sind fristgerecht erhoben, wenn sie bis zum Ablauf einer Frist von vier Wochen, gerechnet vom Beginn des Tages der Sitzung an, beim Vorsitzenden eingehen; sie sind der Niederschrift beizufügen und den übrigen Beisitzern oder Stellvertretern bekanntzugeben.

(6) Über die Notwendigkeit der Hinzuziehung von Sachkundigen (§ 4 Abs. 2 Satz 2 HAG) beschließt der Heimarbeitsausschuß im Einzelfall. Der Vorsitzende kann einen solchen Beschluß schriftlich herbeiführen, wenn dies wegen Eilbedürftigkeit erforderlich ist. In dem Beschluß sollen die Fragen festgelegt werden, zu denen der Sachkundige angehört werden soll. Dem Sachkundigen sind die Fragen rechtzeitig schriftlich mitzuteilen. Der Sachkundige hat nur zu den Tagesordnungspunkten ein Teilnahmerecht an der Sitzung des Heimarbeitsausschusses, zu denen er angehört werden soll. Der Vorsitzende bestimmt die Person des Sachkundigen; er soll dabei Anregungen der Beisitzer nach Möglichkeit berücksichtigen. Über die Notwendigkeit, Erhebungen über Arbeitszeiten für einzelne Arbeitsstücke anzustellen oder anstellen zu lassen (§ 28 HAG), beschließt der Heimarbeitsausschuß im Einzelfall. Die Sätze 2 bis 6 gelten entsprechend.

(7) Sind mit der Hinzuziehung von Sachkundigen oder mit der Erhebung über Arbeitszeiten Kosten verbunden, so hat der Heimarbeitsausschuß bei seiner Beschlußfassung darauf zu achten, daß der Kostenaufwand in einem angemessenen Verhältnis zu der Notwendigkeit und dem Umfang der Maßnahmen steht.

§ 6 Beteiligung des Heimarbeitsausschusses. Ist die Oberste Arbeitsbehörde des Landes oder die von ihr bestimmte Stelle verpflichtet, sich mit dem Heimarbeitsausschuß ins Benehmen zu setzen (§ 10 Satz 2 HAG), so ist der Vorsitzende des Heimarbeitsausschusses rechtzeitig von der beabsichtigten Maßnahme zu verständigen. Die Maßnahme soll erst erfolgen, nachdem der Heimarbeitsausschuß durch einen Beschluß (§ 4 Abs. 3 HAG) seine Stellungnahme festgelegt und der Arbeitsbehörde mitgeteilt hat. Der Beschluß des Heimarbeitsausschusses kann schriftlich herbeigeführt werden.

§ 7[1] Zustimmungsverfahren. (1) [1]Trifft der Heimarbeitsausschuß Entscheidungen, die der Zustimmung der zuständigen Arbeitsbehörde bedürfen (§ 1 Abs. 4, § 11 Abs. 2, § 19 Abs. 2 HAG[2]), so hat er unter geeigneter Bekanntgabe den in Heimarbeit Beschäftigten und den Auftraggebern, die von der Entscheidung berührt werden, sowie den zuständigen Gewerkschaften und Vereinigungen der Auftraggeber und, falls die Zustimmung nur das Bundesministerium für Arbeit und Soziales zu erteilen hat (§ 3 Abs. 1 Satz 3 HAG[2]), auch den Obersten Arbeitsbehörden der Länder Gelegenheit zur schriftlichen Stellungnahme innerhalb einer festzusetzenden angemessenen Frist zu geben. [2]Werden schriftliche Einwendungen fristgerecht erhoben, ist eine öffentliche und mündliche Verhandlung über diese Einwendungen anzusetzen. [3]Erachtet der Ausschuß die Einwendungen für begründet, so hat er unter Aufhebung seiner früheren Beschlüsse eine neue Entscheidung zu treffen; auf diese Entscheidung findet Satz 1 Anwendung.

(2) [1]Absatz 1 gilt nicht bei Gleichstellung einzelner Personen. [2]Der Heimarbeitsausschuß hat in diesem Falle vor seiner Entscheidung den Gleichzustellenden sowie die zuständige Arbeitsbehörde des Landes, in dem der Gleichzustellende seinen Wohnsitz oder seine Niederlassung hat, zur Stellungnahme innerhalb einer angemessenen Frist aufzufordern.

(3) [1]Der Heimarbeitsausschuß hat die Zustimmung der zuständigen Arbeitsbehörde schriftlich zu beantragen. [2]Dem Antrag sind die Niederschriften der Sitzungen, in denen über die zustimmungsbedürftige Entscheidung beraten wurde, beizufügen; das gleiche gilt für fristgerecht eingegangene Einwendungen (§ 5 Abs. 5). [3]Ist das Bundesministerium für Arbeit und Soziales zuständig (§ 3 Abs. 1 Satz 3 HAG[2]), so hat der Heimarbeitsausschuß die Niederschriften auch den Obersten Arbeitsbehörden der Länder zuzuleiten. [4]Betrifft eine Gleichstellung nicht nur bestimmte einzelne Personen, so soll die zuständige Arbeitsbehörde vor ihrer Entscheidung über die Zustimmung die gleichgeordnete Wirtschaftsbehörde zur Stellungnahme auffordern.

Vierter Abschnitt. Errichtung von Entgeltausschüssen für fremde Hilfskräfte der Heimarbeit und das Verfahren vor ihnen

§ 8 Entgeltausschüsse. (1) [1]Für die Errichtung der Entgeltausschüsse für fremde Hilfskräfte der Heimarbeit gelten die Vorschriften des Zweiten Abschnittes sinngemäß mit der Maßgabe, daß die Beisitzer je zur Hälfte aus Kreisen der Hausgewerbetreibenden und Gleichgestellten sowie der fremden Hilfskräfte (§ 2 Abs. 6 HAG[2]) berufen werden. [2]Die Berufung der Beisitzer nach Anhörung der Beteiligten (§ 22 Abs. 3 Satz 3 HAG[2]) soll nur erfolgen, wenn zuständige Gewerkschaften oder Vereinigungen der Hausgewerbetreibenden oder Gleichgestellten nicht bestehen oder innerhalb einer von der zuständigen Arbeitsbehörde gesetzten angemessenen Frist keine geeigneten Vorschläge eingereicht haben.

[1] § 7 Abs. 1 Satz 1 und Abs. 3 Satz 3 geänd. mWv 28. 11. 2003 durch VO v. 25. 11. 2003 (BGBl. I S. 2304); Abs. 1 Satz 1 und Abs. 3 Satz 3 geänd. mWv 8. 11. 2006 durch VO v. 31. 10. 2006 (BGBl. I S. 2407).

[2] Nr. **450**.

(2) Für das Verfahren vor den Entgeltausschüssen für fremde Hilfskräfte der Heimarbeit gelten die §§ 5 und 7 sinngemäß.

Fünfter Abschnitt. Durchführung der allgemeinen Schutzvorschriften

§ 9 Listenführung. (1) Die nach § 6 HAG[1] zu führenden Listen sind aufzugliedern nach

1. in Heimarbeit Beschäftigten (§ 1 Abs. 1 HAG[1]),
2. Gleichgestellten nach § 1 Abs. 2 Buchstaben a bis c HAG[1],
3. gleichgestellten und nicht gleichgestellten Zwischenmeistern (§ 1 Abs. 2 Buchstabe d, § 2 Abs. 3 HAG[1]).

(2) In den Listen sind mindestens anzugeben:

1. der Vor- und Zuname des Beschäftigten,
2. das Geburtsdatum,
3. die genaue Anschrift seiner Wohnung oder Betriebsstätte einschließlich der Postleitzahl,
4. die Art der Beschäftigung,
5. der Zeitpunkt der erstmaligen Beschäftigung,
6. der Zeitpunkt des endgültigen Ausscheidens.

(3) [1]Die Listen müssen alle Personen (Absatz 1) ausweisen, die innerhalb eines Kalenderhalbjahres beschäftigt werden. [2]Für jedes neue Kalenderhalbjahr sind neue Listen anzulegen. [3]In diese sind aus den alten Listen die Namen der Personen zu übertragen, deren Heimarbeits- oder sonstiges Vertragsverhältnis zu Beginn dieses Kalenderhalbjahres nicht rechtswirksam beendet ist. [4]Die alten Listen sind bis zum Ablauf des Kalenderjahres, das auf das Jahr ihrer Anlegung folgt, aufzubewahren.

(4) [1]Die Oberste Arbeitsbehörde soll Muster für Listen vorschreiben. [2]Sie kann außerdem Termine festsetzen, zu denen ihr oder der von ihr bestimmten Stelle die Listen eingesandt werden müssen.

(5) Das Beschaffen und Ausfüllen der Listen obliegt denjenigen, die Heimarbeit ausgeben oder weitergeben.

§ 10 Führen von Entgeltbüchern. (1) [1]Entgeltbeleg im Sinne der §§ 9, 11 und 28 HAG[1] ist in der Regel ein Entgeltbuch, das die in § 12 vor-

(Fortsetzung nächste Seite)

[1] Nr. **450**.

geschriebenen Angaben enthält. Die Oberste Arbeitsbehörde des Landes kann Muster für Entgeltbücher vorschreiben.

(2) Die Beschaffung und Ausfüllung der Entgeltbücher obliegt, unbeschadet der Vorschrift des § 12 Abs. 2, den Personen, die die Heimarbeit ausgeben oder weitergeben.

(3) Jedem in Heimarbeit Beschäftigten oder Gleichgestellten (§ 1 Abs. 1 und 2 HAG) ist spätestens bei der ersten Abrechnung ein Entgeltbuch auszuhändigen.

(4) Ist der in Heimarbeit Beschäftigte oder Gleichgestellte für mehrere Auftraggeber tätig, so hat jeder Auftraggeber ein besonderes Entgeltbuch auszustellen.

§ 11 Genehmigung von Entgelt- oder Arbeitszetteln. (1) Die Ausgabe der in § 9 Abs. 2 HAG vorgesehenen Entgelt- oder Arbeitszettel darf nur genehmigt werden, wenn ihre Verwendung einen wesentlichen Vorteil für den Geschäftsverkehr bietet.

(2) Entgelt- oder Arbeitszettel dürfen nur in Form von Abreißzetteln, die mit fortlaufender Blattbezifferung in einem Durchschreibeblock mit abtrennbarer Titelseite zusammengefaßt und mit Schreibmaschine, Tinte, Tintenstift oder Kopierstift auszufertigen sind, verwendet werden. Die Titelseite des Blocks entspricht der ersten Seite des Entgeltbuches; auf ihr sind daher die Angaben nach § 12 Abs. 1 einzutragen. Für jede Person, die Heimarbeit entgegennimmt, ist ein besonderer Block zu verwenden. Das nach § 9 Abs. 2 HAG vorgeschriebene Sammelheft (Entgeltheft) muß einen festen Umschlag haben. Es bildet mit der einzufügenden Titelseite, den nachfolgenden Druckseiten (§ 12 Abs. 5) und den einzelnen der Nummernfolge nach einzulegenden Entgeltzetteln des Blocks den vorgeschriebenen Entgeltbeleg.

(3) Wer nach Absatz 2 bei der Ausgabe oder Weitergabe von Heimarbeit Entgeltzettel verwendet, ist verpflichtet, die Durchschläge der Entgeltzettel in den Durchschreibeblöcken oder in Sammelheften (Schnellheftern usw.) aufzubewahren.

(4) Leistungs-, Abrechnungs-, Liefer- oder ähnliche Zettel, die neben den Entgeltbelegen geführt werden, unterliegen keiner Beschränkung und bedürfen nicht der Genehmigung. Die ordnungsgemäße Führung der Entgeltbelege darf durch solche Zettel nicht beeinträchtigt werden. Können die Angaben über die Art der Arbeit und ihrer Teilarbeiten oder sonstige Angaben aus Raummangel nicht vollständig in den Entgeltbeleg eingetragen werden, so kann dieser durch Zettel ergänzt werden (Ergänzungszettel). Die Ergänzungszettel, für die die Vorschriften des Absatzes 2 Satz 1, des Absatzes 3 und des § 9 Abs. 3 HAG gelten, sind im Entgeltbeleg mit Nummern und einem kurzen Hinweis auf den Inhalt aufzuführen.

§ 12 Form und Inhalt der Entgeltbelege. (1) Die Entgeltbücher und die von der Obersten Arbeitsbehörde des Landes oder der von ihr bestimmten Stelle zugelassenen Entgeltzettel und Entgelthefte müssen außer den im § 9 Abs. 1 HAG geforderten Angaben folgendes enthalten:

a) Vor- und Zuname, Geburtsdatum, Art der Beschäftigung und Gewerbezweig, Wohnung und Arbeitsstätte des Entgeltbuchinhabers;

b) Vor- und Zuname, Firma, Gewerbezweig sowie Betriebsstätte oder Firmensitz dessen, der Heimarbeit ausgibt oder weitergibt;

c) die Zahl der regelmäßigen Mitarbeiter, getrennt nach

aa) Familienangehörigen, deren Namen und Geburtsdaten anzugeben sind,

bb) fremden Hilfskräften,

cc) Heimarbeitern.

(2) Die Eintragungen nach den Buchstaben a und b des Absatzes 1 obliegen dem Auftraggeber, die nach Buchstabe c dem Heimarbeiter, Hausgewerbetreibenden oder Gleichgestellten.

(3) Zuschläge und sonstige neben dem Entgelt gezahlte und auf einem Rechtsanspruch beruhende Geldleistungen sind gesondert auszuweisen. Erscheinen für einzelne Gewerbezweige oder Beschäftigungsarten weitere Angaben im Entgeltbeleg zweckmäßig, so kann die zuständige Arbeitsbehörde die Aufnahme solcher Angaben in den Entgeltbeleg anordnen.

(4) Die zuständige Arbeitsbehörde kann für einen oder mehrere Gewerbezweige oder Beschäftigungsarten die Führung einheitlicher Entgeltbelege vorschreiben.

(5) Die zuständige Arbeitsbehörde kann anordnen, daß einzelne Vorschriften des Gesetzes über die Heimarbeit oder stichwortartige Hinweise auf Zweck und Ziel des Gesetzes, die auf die einzelnen Seiten verteilt werden können, in den Entgeltbeleg aufgenommen werden. Auch Hinweise auf Vorschriften sonstiger Gesetze und Verordnungen können einbezogen werden.

(6) Die zuständigen Arbeitsbehörden haben die nach den Absätzen 3 bis 5 erlassenen Vorschriften öffentlich bekanntzumachen.

§ 13 Aufbewahrung von Entgeltbelegen. (1) Abgeschlossene Entgeltbelege sind bis zum Ablauf des dritten Kalenderjahres, das auf das Jahr der letzten Eintragung folgt, von den in Heimarbeit Beschäftigten oder Gleichgestellten aufzubewahren. Sie sind auf Verlangen vorzulegen (§ 9 Abs. 3 HAG).

(2) Absatz 1 gilt im Falle des § 11 Abs. 3 entsprechend für den Auftraggeber.

H. Datenschutz

489. Verordnung (EU) 2016/679 des Europäischen Parlaments und des Rates vom 27. April 2016 zum Schutz natürlicher Personen bei der Verarbeitung personenbezogener Daten, zum freien Datenverkehr und zur Aufhebung der Richtlinie 95/46/EG (Datenschutz-Grundverordnung)

(Text von Bedeutung für den EWR)

(ABl. L 119 S. 1, ber. L 314 S. 72, 2018 L 127 S. 2 und 2021 L 74 S. 35)

Celex-Nr. 3 2016 R 0679

– Auszug –[1]

DAS EUROPÄISCHE PARLAMENT UND DER RAT DER EUROPÄISCHEN UNION –

gestützt auf den Vertrag über die Arbeitsweise der Europäischen Union, insbesondere auf Artikel 16,

auf Vorschlag der Europäischen Kommission,

nach Zuleitung des Entwurfs des Gesetzgebungsakts an die nationalen Parlamente,

nach Stellungnahme des Europäischen Wirtschafts- und Sozialausschusses[2],

nach Stellungnahme des Ausschusses der Regionen[3],

gemäß dem ordentlichen Gesetzgebungsverfahren[4],

in Erwägung nachstehender Gründe:

(1)–(154) …

(155) Im Recht der Mitgliedstaaten oder in Kollektivvereinbarungen (einschließlich „Betriebsvereinbarungen“) können spezifische Vorschriften für die Verarbeitung personenbezogener Beschäftigtendaten im Beschäftigungskontext vorgesehen werden, und zwar insbesondere Vorschriften über die Bedingungen, unter denen personenbezogene Daten im Beschäftigungskontext auf der Grundlage der Einwilligung des Beschäftigten verarbeitet werden dürfen, über die Verarbeitung dieser Daten für Zwecke der Einstellung, der Erfüllung des Arbeitsvertrags einschließlich der Erfüllung von durch Rechtsvorschriften oder durch Kollektivvereinbarungen festgelegten Pflichten, des Managements, der Planung und der Organisation der Arbeit, der Gleichheit und Diversität am Arbeits-

[1] Vollständig wiedergegeben in **beck-online, Module Arbeitsrecht.**

[2] **Amtl. Anm.:** ABl. C 229 vom 31.7.2012, S. 90.

[3] **Amtl. Anm.:** ABl. C 391 vom 18.12.2012, S. 127.

[4] **Amtl. Anm.:** Standpunkt des Europäischen Parlaments vom 12. März 2014 (noch nicht im Amtsblatt veröffentlicht) und Standpunkt des Rates in erster Lesung vom 8. April 2016 (noch nicht im Amtsblatt veröffentlicht). Standpunkt des Europäischen Parlaments vom 14. April 2016.

platz, der Gesundheit und Sicherheit am Arbeitsplatz sowie für Zwecke der Inanspruchnahme der mit der Beschäftigung zusammenhängenden individuellen oder kollektiven Rechte und Leistungen und für Zwecke der Beendigung des Beschäftigungsverhältnisses.

(156)–(173) ...

HABEN FOLGENDE VERORDNUNG ERLASSEN:

Kapitel II. Grundsätze

Art. 9 Verarbeitung besonderer Kategorien personenbezogener Daten. (1) Die Verarbeitung personenbezogener Daten, aus denen die rassische und ethnische Herkunft, politische Meinungen, religiöse oder weltanschauliche Überzeugungen oder die Gewerkschaftszugehörigkeit hervorgehen, sowie die Verarbeitung von genetischen Daten, biometrischen Daten zur eindeutigen Identifizierung einer natürlichen Person, Gesundheitsdaten oder Daten zum Sexualleben oder der sexuellen Orientierung einer natürlichen Person ist untersagt.

(2) Absatz 1 gilt nicht in folgenden Fällen:

a) Die betroffene Person hat in die Verarbeitung der genannten personenbezogenen Daten für einen oder mehrere festgelegte Zwecke ausdrücklich eingewilligt, es sei denn, nach Unionsrecht oder dem Recht der Mitgliedstaaten kann das Verbot nach Absatz 1 durch die Einwilligung der betroffenen Person nicht aufgehoben werden,

b) die Verarbeitung ist erforderlich, damit der Verantwortliche oder die betroffene Person die ihm bzw. ihr aus dem Arbeitsrecht und dem Recht der sozialen Sicherheit und des Sozialschutzes erwachsenden Rechte ausüben und seinen bzw. ihren diesbezüglichen Pflichten nachkommen kann, soweit dies nach Unionsrecht oder dem Recht der Mitgliedstaaten oder einer Kollektivvereinbarung nach dem Recht der Mitgliedstaaten, das geeignete Garantien für die Grundrechte und die Interessen der betroffenen Person vorsieht, zulässig ist,

c) die Verarbeitung ist zum Schutz lebenswichtiger Interessen der betroffenen Person oder einer anderen natürlichen Person erforderlich und die betroffene Person ist aus körperlichen oder rechtlichen Gründen außerstande, ihre Einwilligung zu geben,

d) die Verarbeitung erfolgt auf der Grundlage geeigneter Garantien durch eine politisch, weltanschaulich, religiös oder gewerkschaftlich ausgerichtete Stiftung, Vereinigung oder sonstige Organisation ohne Gewinnerzielungsabsicht im Rahmen ihrer rechtmäßigen Tätigkeiten und unter der Voraussetzung, dass sich die Verarbeitung ausschließlich auf die Mitglieder oder ehemalige Mitglieder der Organisation oder auf Personen, die im Zusammenhang mit deren Tätigkeitszweck regelmäßige Kontakte mit ihr unterhalten, bezieht und die personenbezogenen Daten nicht ohne Einwilligung der betroffenen Personen nach außen offengelegt werden,

(Fortsetzung nächstes Blatt)

e) die Verarbeitung bezieht sich auf personenbezogene Daten, die die betroffene Person offensichtlich öffentlich gemacht hat,

f) die Verarbeitung ist zur Geltendmachung, Ausübung oder Verteidigung von Rechtsansprüchen oder bei Handlungen der Gerichte im Rahmen ihrer justiziellen Tätigkeit erforderlich,

g) die Verarbeitung ist auf der Grundlage des Unionsrechts oder des Rechts eines Mitgliedstaats, das in angemessenem Verhältnis zu dem verfolgten Ziel steht, den Wesensgehalt des Rechts auf Datenschutz wahrt und angemessene und spezifische Maßnahmen zur Wahrung der Grundrechte und Interessen der betroffenen Person vorsieht, aus Gründen eines erheblichen öffentlichen Interesses erforderlich,

h) die Verarbeitung ist für Zwecke der Gesundheitsvorsorge oder der Arbeitsmedizin, für die Beurteilung der Arbeitsfähigkeit des Beschäftigten, für die medizinische Diagnostik, die Versorgung oder Behandlung im Gesundheits- oder Sozialbereich oder für die Verwaltung von Systemen und Diensten im Gesundheits- oder Sozialbereich auf der Grundlage des Unionsrechts oder des Rechts eines Mitgliedstaats oder aufgrund eines Vertrags mit einem Angehörigen eines Gesundheitsberufs und vorbehaltlich der in Absatz 3 genannten Bedingungen und Garantien erforderlich,

i) die Verarbeitung ist aus Gründen des öffentlichen Interesses im Bereich der öffentlichen Gesundheit, wie dem Schutz vor schwerwiegenden grenzüberschreitenden Gesundheitsgefahren oder zur Gewährleistung hoher Qualitäts- und Sicherheitsstandards bei der Gesundheitsversorgung und bei Arzneimitteln und Medizinprodukten, auf der Grundlage des Unionsrechts oder des Rechts eines Mitgliedstaats, das angemessene und spezifische Maßnahmen zur Wahrung der Rechte und Freiheiten der betroffenen Person, insbesondere des Berufsgeheimnisses, vorsieht, erforderlich, oder

j) die Verarbeitung ist auf der Grundlage des Unionsrechts oder des Rechts eines Mitgliedstaats, das in angemessenem Verhältnis zu dem verfolgten Ziel steht, den Wesensgehalt des Rechts auf Datenschutz wahrt und angemessene und spezifische Maßnahmen zur Wahrung der Grundrechte und Interessen der betroffenen Person vorsieht, für im öffentlichen Interesse liegende Archivzwecke, für wissenschaftliche oder historische Forschungszwecke oder für statistische Zwecke gemäß Artikel 89 Absatz 1 erforderlich.

(3) Die in Absatz 1 genannten personenbezogenen Daten dürfen zu den in Absatz 2 Buchstabe h genannten Zwecken verarbeitet werden, wenn diese Daten von Fachpersonal oder unter dessen Verantwortung verarbeitet werden und dieses Fachpersonal nach dem Unionsrecht oder dem Recht eines Mitgliedstaats oder den Vorschriften nationaler zuständiger Stellen dem Berufsgeheimnis unterliegt, oder wenn die Verarbeitung durch eine andere Person erfolgt, die ebenfalls nach dem Unionsrecht oder dem Recht eines Mitgliedstaats oder den Vorschriften nationaler zuständiger Stellen einer Geheimhaltungspflicht unterliegt.

(4) Die Mitgliedstaaten können zusätzliche Bedingungen, einschließlich Beschränkungen, einführen oder aufrechterhalten, soweit die Verarbeitung von genetischen, biometrischen oder Gesundheitsdaten betroffen ist.

Kapitel IV. Verantwortlicher und Auftragsverarbeiter

Abschnitt 4. Datenschutzbeauftragter

Art. 37[1] **Benennung eines Datenschutzbeauftragten.** (1) Der Verantwortliche und der Auftragsverarbeiter benennen auf jeden Fall einen Datenschutzbeauftragten, wenn

a) die Verarbeitung von einer Behörde oder öffentlichen Stelle durchgeführt wird, mit Ausnahme von Gerichten, soweit sie im Rahmen ihrer justiziellen Tätigkeit handeln,

b) die Kerntätigkeit des Verantwortlichen oder des Auftragsverarbeiters in der Durchführung von Verarbeitungsvorgängen besteht, welche aufgrund ihrer Art, ihres Umfangs und/oder ihrer Zwecke eine umfangreiche regelmäßige und systematische Überwachung von betroffenen Personen erforderlich machen, oder

c) die Kerntätigkeit des Verantwortlichen oder des Auftragsverarbeiters in der umfangreichen Verarbeitung besonderer Kategorien von Daten gemäß Artikel 9 oder von personenbezogenen Daten über strafrechtliche Verurteilungen und Straftaten gemäß Artikel 10 besteht.

(2) Eine Unternehmensgruppe darf einen gemeinsamen Datenschutzbeauftragten ernennen, sofern von jeder Niederlassung aus der Datenschutzbeauftragte leicht erreicht werden kann.

(3) Falls es sich bei dem Verantwortlichen oder dem Auftragsverarbeiter um eine Behörde oder öffentliche Stelle handelt, kann für mehrere solcher Behörden oder Stellen unter Berücksichtigung ihrer Organisationsstruktur und ihrer Größe ein gemeinsamer Datenschutzbeauftragter benannt werden.

(4) [1] In anderen als den in Absatz 1 genannten Fällen können der Verantwortliche oder der Auftragsverarbeiter oder Verbände und andere Vereinigungen, die Kategorien von Verantwortlichen oder Auftragsverarbeitern vertreten, einen Datenschutzbeauftragten benennen; falls dies nach dem Recht der Union oder der Mitgliedstaaten vorgeschrieben ist, müssen sie einen solchen benennen. [2] Der Datenschutzbeauftragte kann für derartige Verbände und andere Vereinigungen, die Verantwortliche oder Auftragsverarbeiter vertreten, handeln.

(5) Der Datenschutzbeauftragte wird auf der Grundlage seiner beruflichen Qualifikation und insbesondere des Fachwissens benannt, das er auf dem Gebiet des Datenschutzrechts und der Datenschutzpraxis besitzt, sowie auf der Grundlage seiner Fähigkeit zur Erfüllung der in Artikel 39 genannten Aufgaben.

(6) Der Datenschutzbeauftragte kann Beschäftigter des Verantwortlichen oder des Auftragsverarbeiters sein oder seine Aufgaben auf der Grundlage eines Dienstleistungsvertrags erfüllen.

(7) Der Verantwortliche oder der Auftragsverarbeiter veröffentlicht die Kontaktdaten des Datenschutzbeauftragten und teilt diese Daten der Aufsichtsbehörde mit.

---

[1] Art. 37 Abs. 1 Buchst. a ber. ABl. 2018 Nr. L 127 S. 2.

Art. 38 Stellung des Datenschutzbeauftragten. (1) Der Verantwortliche und der Auftragsverarbeiter stellen sicher, dass der Datenschutzbeauftragte ordnungsgemäß und frühzeitig in alle mit dem Schutz personenbezogener Daten zusammenhängenden Fragen eingebunden wird.

(2) Der Verantwortliche und der Auftragsverarbeiter unterstützen den Datenschutzbeauftragten bei der Erfüllung seiner Aufgaben gemäß Artikel 39, indem sie die für die Erfüllung dieser Aufgaben erforderlichen Ressourcen und den Zugang zu personenbezogenen Daten und Verarbeitungsvorgängen sowie die zur Erhaltung seines Fachwissens erforderlichen Ressourcen zur Verfügung stellen.

(3) [1] Der Verantwortliche und der Auftragsverarbeiter stellen sicher, dass der Datenschutzbeauftragte bei der Erfüllung seiner Aufgaben keine Anweisungen bezüglich der Ausübung dieser Aufgaben erhält. [2] Der Datenschutzbeauftragte darf von dem Verantwortlichen oder dem Auftragsverarbeiter wegen der Erfüllung seiner Aufgaben nicht abberufen oder benachteiligt werden. [3] Der Datenschutzbeauftragte berichtet unmittelbar der höchsten Managementebene des Verantwortlichen oder des Auftragsverarbeiters.

(4) Betroffene Personen können den Datenschutzbeauftragten zu allen mit der Verarbeitung ihrer personenbezogenen Daten und mit der Wahrnehmung ihrer Rechte gemäß dieser Verordnung im Zusammenhang stehenden Fragen zu Rate ziehen.

(5) Der Datenschutzbeauftragte ist nach dem Recht der Union oder der Mitgliedstaaten bei der Erfüllung seiner Aufgaben an die Wahrung der Geheimhaltung oder der Vertraulichkeit gebunden.

(6) [1] Der Datenschutzbeauftragte kann andere Aufgaben und Pflichten wahrnehmen. [2] Der Verantwortliche oder der Auftragsverarbeiter stellt sicher, dass derartige Aufgaben und Pflichten nicht zu einem Interessenkonflikt führen.

Art. 39 Aufgaben des Datenschutzbeauftragten. (1) Dem Datenschutzbeauftragten obliegen zumindest folgende Aufgaben:

a) Unterrichtung und Beratung des Verantwortlichen oder des Auftragsverarbeiters und der Beschäftigten, die Verarbeitungen durchführen, hinsichtlich ihrer Pflichten nach dieser Verordnung sowie nach sonstigen Datenschutzvorschriften der Union bzw. der Mitgliedstaaten;

b) Überwachung der Einhaltung dieser Verordnung, anderer Datenschutzvorschriften der Union bzw. der Mitgliedstaaten sowie der Strategien des Verantwortlichen oder des Auftragsverarbeiters für den Schutz personenbezogener Daten einschließlich der Zuweisung von Zuständigkeiten, der Sensibilisierung und Schulung der an den Verarbeitungsvorgängen beteiligten Mitarbeiter und der diesbezüglichen Überprüfungen;

c) Beratung – auf Anfrage – im Zusammenhang mit der Datenschutz-Folgenabschätzung und Überwachung ihrer Durchführung gemäß Artikel 35;

d) Zusammenarbeit mit der Aufsichtsbehörde;

e) Tätigkeit als Anlaufstelle für die Aufsichtsbehörde in mit der Verarbeitung zusammenhängenden Fragen, einschließlich der vorherigen Konsultation gemäß Artikel 36, und gegebenenfalls Beratung zu allen sonstigen Fragen.

(2) Der Datenschutzbeauftragte trägt bei der Erfüllung seiner Aufgaben dem mit den Verarbeitungsvorgängen verbundenen Risiko gebührend Rechnung, wobei er die Art, den Umfang, die Umstände und die Zwecke der Verarbeitung berücksichtigt.

Kapitel IX. Vorschriften für besondere Verarbeitungssituationen

Art. 88[1)] Datenverarbeitung im Beschäftigungskontext. (1) Die Mitgliedstaaten können durch Rechtsvorschriften oder durch Kollektivvereinbarungen spezifischere Vorschriften zur Gewährleistung des Schutzes der Rechte und Freiheiten hinsichtlich der Verarbeitung personenbezogener Beschäftigtendaten im Beschäftigungskontext, insbesondere für Zwecke der Einstellung, der Erfüllung des Arbeitsvertrags einschließlich der Erfüllung von durch Rechtsvorschriften oder durch Kollektivvereinbarungen festgelegten Pflichten, des Managements, der Planung und der Organisation der Arbeit, der Gleichheit und Diversität am Arbeitsplatz, der Gesundheit und Sicherheit am Arbeitsplatz, des Schutzes des Eigentums der Arbeitgeber oder der Kunden sowie für Zwecke der Inanspruchnahme der mit der Beschäftigung zusammenhängenden individuellen oder kollektiven Rechte und Leistungen und für Zwecke der Beendigung des Beschäftigungsverhältnisses vorsehen.

(2) Diese Vorschriften umfassen geeignete und besondere Maßnahmen zur Wahrung der menschlichen Würde, der berechtigten Interessen und der Grundrechte der betroffenen Person, insbesondere im Hinblick auf die Transparenz der Verarbeitung, die Übermittlung personenbezogener Daten innerhalb einer Unternehmensgruppe oder einer Gruppe von Unternehmen, die eine gemeinsame Wirtschaftstätigkeit ausüben, und die Überwachungssysteme am Arbeitsplatz.

(3) Jeder Mitgliedstaat teilt der Kommission bis zum 25. Mai 2018 die Rechtsvorschriften, die er aufgrund von Absatz 1 erlässt, sowie unverzüglich alle späteren Änderungen dieser Vorschriften mit.

Art. 91 Bestehende Datenschutzvorschriften von Kirchen und religiösen Vereinigungen oder Gemeinschaften. (1) Wendet eine Kirche oder eine religiöse Vereinigung oder Gemeinschaft in einem Mitgliedstaat zum Zeitpunkt des Inkrafttretens dieser Verordnung umfassende Regeln zum Schutz natürlicher Personen bei der Verarbeitung an, so dürfen diese Regeln weiter angewandt werden, sofern sie mit dieser Verordnung in Einklang gebracht werden.

(2) Kirchen und religiöse Vereinigungen oder Gemeinschaften, die gemäß Absatz 1 umfassende Datenschutzregeln anwenden, unterliegen der Aufsicht durch eine unabhängige Aufsichtsbehörde, die spezifischer Art sein kann, sofern sie die in Kapitel VI niedergelegten Bedingungen erfüllt.

---

1) Art. 88 Abs. 1 und 2 ber. ABl. 2018 Nr. L 127 S. 2.

490. Bundesdatenschutzgesetz (BDSG)[1]

Vom 30. Juni 2017
(BGBl. I S. 2097)

FNA 204-4

zuletzt geänd. durch Art. 7 G zur Durchführung der VO (EU) 2022/2065 v. 6.5.2024 (BGBl. 2024 I Nr. 149)

Inhaltsübersicht[2]

---

[1] Verkündet als Art. 1 des Datenschutz-Anpassungs- und -UmsetzungsG EU v. 30.6.2017 (BGBl. I S. 2097); Inkrafttreten gem. Art. 8 Abs. 1 dieses G am 25.5.2018.

[2] Inhaltsübersicht geänd. mWv 26.11.2019 durch G v. 20.11.2019 (BGBl. I S. 1626).

(Fortsetzung nächstes Blatt)

Teil 1. Gemeinsame Bestimmungen

Kapitel 1. Anwendungsbereich und Begriffsbestimmungen

§ 1[1)] **Anwendungsbereich des Gesetzes.** (1) [1]Dieses Gesetz gilt für die Verarbeitung personenbezogener Daten durch

1. öffentliche Stellen des Bundes,
2. öffentliche Stellen der Länder, soweit der Datenschutz nicht durch Landesgesetz geregelt ist und soweit sie
   a) Bundesrecht ausführen oder

[1)] § 1 Abs. 4 Satz 2 Nr. 3, Abs. 6 Satz 1 geänd. mWv 26.11.2019 durch G v. 20.11.2019 (BGBl. I S. 1626).

b) als Organe der Rechtspflege tätig werden und es sich nicht um Verwaltungsangelegenheiten handelt.

[2] Für nichtöffentliche Stellen gilt dieses Gesetz für die ganz oder teilweise automatisierte Verarbeitung personenbezogener Daten sowie die nicht automatisierte Verarbeitung personenbezogener Daten, die in einem Dateisystem gespeichert sind oder gespeichert werden sollen, es sei denn, die Verarbeitung durch natürliche Personen erfolgt zur Ausübung ausschließlich persönlicher oder familiärer Tätigkeiten.

(2) [1] Andere Rechtsvorschriften des Bundes über den Datenschutz gehen den Vorschriften dieses Gesetzes vor. [2] Regeln sie einen Sachverhalt, für den dieses Gesetz gilt, nicht oder nicht abschließend, finden die Vorschriften dieses Gesetzes Anwendung. [3] Die Verpflichtung zur Wahrung gesetzlicher Geheimhaltungspflichten oder von Berufs- oder besonderen Amtsgeheimnissen, die nicht auf gesetzlichen Vorschriften beruhen, bleibt unberührt.

(3) Die Vorschriften dieses Gesetzes gehen denen des Verwaltungsverfahrensgesetzes[1)] vor, soweit bei der Ermittlung des Sachverhalts personenbezogene Daten verarbeitet werden.

(4) [1] Dieses Gesetz findet Anwendung auf öffentliche Stellen. [2] Auf nichtöffentliche Stellen findet es Anwendung, sofern

1. der Verantwortliche oder Auftragsverarbeiter personenbezogene Daten im Inland verarbeitet,
2. die Verarbeitung personenbezogener Daten im Rahmen der Tätigkeiten einer inländischen Niederlassung des Verantwortlichen oder Auftragsverarbeiters erfolgt oder
3. der Verantwortliche oder Auftragsverarbeiter zwar keine Niederlassung in einem Mitgliedstaat der Europäischen Union oder in einem anderen Vertragsstaat des Abkommens über den Europäischen Wirtschaftsraum hat, er aber in den Anwendungsbereich der Verordnung (EU) 2016/679[2)] des Europäischen Parlaments und des Rates vom 27. April 2016 zum Schutz natürlicher Personen bei der Verarbeitung personenbezogener Daten, zum freien Datenverkehr und zur Aufhebung der Richtlinie 95/46/EG[3)] (Datenschutz-Grundverordnung) (ABl. L 119 vom 4.5.2016, S. 1; L 314 vom 22.11.2016, S. 72; L 127 vom 23.5.2018, S. 2) in der jeweils geltenden Fassung fällt.

[3] Sofern dieses Gesetz nicht gemäß Satz 2 Anwendung findet, gelten für den Verantwortlichen oder Auftragsverarbeiter nur die §§ 8 bis 21, 39 bis 44.

(5) Die Vorschriften dieses Gesetzes finden keine Anwendung, soweit das Recht der Europäischen Union, im Besonderen die Verordnung (EU) 2016/679 in der jeweils geltenden Fassung, unmittelbar gilt.

(6) [1] Bei Verarbeitungen zu Zwecken gemäß Artikel 2 der Verordnung (EU) 2016/679 stehen die Vertragsstaaten des Abkommens über den Europäischen Wirtschaftsraum den Mitgliedstaaten der Europäischen Union gleich. [2] Andere Staaten gelten insoweit als Drittstaaten.

[1)] **Sartorius Nr. 100.**
[2)] Auszugsweise abgedruckt unter Nr. **489**.
[3)] **beck-online, Module Arbeitsrecht Nr. 488.**

(7) [1] Bei Verarbeitungen zu Zwecken gemäß Artikel 1 Absatz 1 der Richtlinie (EU) 2016/680 des Europäischen Parlaments und des Rates vom 27. April 2016 zum Schutz natürlicher Personen bei der Verarbeitung personenbezogener Daten durch die zuständigen Behörden zum Zwecke der Verhütung, Ermittlung, Aufdeckung oder Verfolgung von Straftaten oder der Strafvollstreckung sowie zum freien Datenverkehr und zur Aufhebung des Rahmenbeschlusses 2008/977/JI des Rates (ABl. L 119 vom 4.5.2016, S. 89) stehen die bei der Umsetzung, Anwendung und Entwicklung des Schengen-Besitzstands assoziierten Staaten den Mitgliedstaaten der Europäischen Union gleich. [2] Andere Staaten gelten insoweit als Drittstaaten.

(8) Für Verarbeitungen personenbezogener Daten durch öffentliche Stellen im Rahmen von nicht in die Anwendungsbereiche der Verordnung (EU) 2016/679 und der Richtlinie (EU) 2016/680 fallenden Tätigkeiten finden die Verordnung (EU) 2016/679 und die Teile 1 und 2 dieses Gesetzes entsprechend Anwendung, soweit nicht in diesem Gesetz oder einem anderen Gesetz Abweichendes geregelt ist.

§ 2 Begriffsbestimmungen. (1) Öffentliche Stellen des Bundes sind die Behörden, die Organe der Rechtspflege und andere öffentlich-rechtlich organisierte Einrichtungen des Bundes, der bundesunmittelbaren Körperschaften, der Anstalten und Stiftungen des öffentlichen Rechts sowie deren Vereinigungen ungeachtet ihrer Rechtsform.

(2) Öffentliche Stellen der Länder sind die Behörden, die Organe der Rechtspflege und andere öffentlich-rechtlich organisierte Einrichtungen eines Landes, einer Gemeinde, eines Gemeindeverbandes oder sonstiger der Aufsicht des Landes unterstehender juristischer Personen des öffentlichen Rechts sowie deren Vereinigungen ungeachtet ihrer Rechtsform.

(3) [1] Vereinigungen des privaten Rechts von öffentlichen Stellen des Bundes und der Länder, die Aufgaben der öffentlichen Verwaltung wahrnehmen, gelten ungeachtet der Beteiligung nichtöffentlicher Stellen als öffentliche Stellen des Bundes, wenn

1. sie über den Bereich eines Landes hinaus tätig werden oder
2. dem Bund die absolute Mehrheit der Anteile gehört oder die absolute Mehrheit der Stimmen zusteht.

[2] Andernfalls gelten sie als öffentliche Stellen der Länder.

(4) [1] Nichtöffentliche Stellen sind natürliche und juristische Personen, Gesellschaften und andere Personenvereinigungen des privaten Rechts, soweit sie nicht unter die Absätze 1 bis 3 fallen. [2] Nimmt eine nichtöffentliche Stelle hoheitliche Aufgaben der öffentlichen Verwaltung wahr, ist sie insoweit öffentliche Stelle im Sinne dieses Gesetzes.

(5) [1] Öffentliche Stellen des Bundes gelten als nichtöffentliche Stellen im Sinne dieses Gesetzes, soweit sie als öffentlich-rechtliche Unternehmen am Wettbewerb teilnehmen. [2] Als nichtöffentliche Stellen im Sinne dieses Gesetzes gelten auch öffentliche Stellen der Länder, soweit sie als öffentlich-rechtliche Unternehmen am Wettbewerb teilnehmen, Bundesrecht ausführen und der Datenschutz nicht durch Landesgesetz geregelt ist.

Kapitel 2. Rechtsgrundlagen der Verarbeitung personenbezogener Daten

§ 3 Verarbeitung personenbezogener Daten durch öffentliche Stellen.

Die Verarbeitung personenbezogener Daten durch eine öffentliche Stelle ist zulässig, wenn sie zur Erfüllung der in der Zuständigkeit des Verantwortlichen liegenden Aufgabe oder in Ausübung öffentlicher Gewalt, die dem Verantwortlichen übertragen wurde, erforderlich ist.

§ 4[1] Videoüberwachung öffentlich zugänglicher Räume. (1) [1]Die Beobachtung öffentlich zugänglicher Räume mit optisch-elektronischen Einrichtungen (Videoüberwachung) ist nur zulässig, soweit sie

1. zur Aufgabenerfüllung öffentlicher Stellen,
2. zur Wahrnehmung des Hausrechts oder
3. zur Wahrnehmung berechtigter Interessen für konkret festgelegte Zwecke

erforderlich ist und keine Anhaltspunkte bestehen, dass schutzwürdige Interessen der betroffenen Personen überwiegen. [2]Bei der Videoüberwachung von

1. öffentlich zugänglichen großflächigen Anlagen, wie insbesondere Sport-, Versammlungs- und Vergnügungsstätten, Einkaufszentren oder Parkplätzen, oder
2. Fahrzeugen und öffentlich zugänglichen großflächigen Einrichtungen des öffentlichen Schienen-, Schiffs- und Busverkehrs

gilt der Schutz von Leben, Gesundheit oder Freiheit von dort aufhältigen Personen als ein besonders wichtiges Interesse.

(2) Der Umstand der Beobachtung und der Name und die Kontaktdaten des Verantwortlichen sind durch geeignete Maßnahmen zum frühestmöglichen Zeitpunkt erkennbar zu machen.

(3) [1]Die Speicherung oder Verwendung von nach Absatz 1 erhobenen Daten ist zulässig, wenn sie zum Erreichen des verfolgten Zwecks erforderlich ist und keine Anhaltspunkte bestehen, dass schutzwürdige Interessen der betroffenen Personen überwiegen. [2]Absatz 1 Satz 2 gilt entsprechend. [3]Für einen anderen Zweck dürfen sie nur weiterverarbeitet werden, soweit dies zur Abwehr von Gefahren für die staatliche und öffentliche Sicherheit sowie zur Verfolgung von Straftaten erforderlich ist.

(4) [1]Werden durch Videoüberwachung erhobene Daten einer bestimmten Person zugeordnet, so besteht die Pflicht zur Information der betroffenen Person über die Verarbeitung gemäß den Artikeln 13 und 14 der Verordnung (EU) 2016/679[2]. [2]§ 32 gilt entsprechend.

(5) Die Daten sind unverzüglich zu löschen, wenn sie zur Erreichung des Zwecks nicht mehr erforderlich sind oder schutzwürdige Interessen der betroffenen Personen einer weiteren Speicherung entgegenstehen.

---

[1] § 4 Abs. 1 Satz 1 abschl. Satzteil, Abs. 3 Satz 1 und Abs. 5 geänd. mWv 26.11.2019 durch G v. 20.11.2019 (BGBl. I S. 1626).

[2] Auszugsweise abgedruckt unter Nr. **489**.

Kapitel 3. Datenschutzbeauftragte öffentlicher Stellen

§ 5 Benennung. (1) [1]Öffentliche Stellen benennen eine Datenschutzbeauftragte oder einen Datenschutzbeauftragten. [2]Dies gilt auch für öffentliche Stellen nach § 2 Absatz 5, die am Wettbewerb teilnehmen.

(2) Für mehrere öffentliche Stellen kann unter Berücksichtigung ihrer Organisationsstruktur und ihrer Größe eine gemeinsame Datenschutzbeauftragte oder ein gemeinsamer Datenschutzbeauftragter benannt werden.

(3) Die oder der Datenschutzbeauftragte wird auf der Grundlage ihrer oder seiner beruflichen Qualifikation und insbesondere ihres oder seines Fachwissens benannt, das sie oder er auf dem Gebiet des Datenschutzrechts und der Datenschutzpraxis besitzt, sowie auf der Grundlage ihrer oder seiner Fähigkeit zur Erfüllung der in § 7 genannten Aufgaben.

(4) Die oder der Datenschutzbeauftragte kann Beschäftigte oder Beschäftigter der öffentlichen Stelle sein oder ihre oder seine Aufgaben auf der Grundlage eines Dienstleistungsvertrags erfüllen.

(5) Die öffentliche Stelle veröffentlicht die Kontaktdaten der oder des Datenschutzbeauftragten und teilt diese Daten der oder dem Bundesbeauftragten für den Datenschutz und die Informationsfreiheit mit.

§ 6 Stellung. (1) Die öffentliche Stelle stellt sicher, dass die oder der Datenschutzbeauftragte ordnungsgemäß und frühzeitig in alle mit dem Schutz personenbezogener Daten zusammenhängenden Fragen eingebunden wird.

(2) Die öffentliche Stelle unterstützt die Datenschutzbeauftragte oder den Datenschutzbeauftragten bei der Erfüllung ihrer oder seiner Aufgaben gemäß § 7, indem sie die für die Erfüllung dieser Aufgaben erforderlichen Ressourcen und den Zugang zu personenbezogenen Daten und Verarbeitungsvorgängen sowie die zur Erhaltung ihres oder seines Fachwissens erforderlichen Ressourcen zur Verfügung stellt.

(3) [1]Die öffentliche Stelle stellt sicher, dass die oder der Datenschutzbeauftragte bei der Erfüllung ihrer oder seiner Aufgaben keine Anweisungen bezüglich der Ausübung dieser Aufgaben erhält. [2]Die oder der Datenschutzbeauftragte berichtet unmittelbar der höchsten Leitungsebene der öffentlichen Stelle. [3]Die oder der Datenschutzbeauftragte darf von der öffentlichen Stelle wegen der Erfüllung ihrer oder seiner Aufgaben nicht abberufen oder benachteiligt werden.

(4) [1]Die Abberufung der oder des Datenschutzbeauftragten ist nur in entsprechender Anwendung des § 626 des Bürgerlichen Gesetzbuchs[1)] zulässig. [2]Die Kündigung des Arbeitsverhältnisses ist unzulässig, es sei denn, dass Tatsachen vorliegen, welche die öffentliche Stelle zur Kündigung aus wichtigem Grund ohne Einhaltung einer Kündigungsfrist berechtigen. [3]Nach dem Ende der Tätigkeit als Datenschutzbeauftragte oder als Datenschutzbeauftragter ist die Kündigung des Arbeitsverhältnisses innerhalb eines Jahres unzulässig, es sei denn, dass die öffentliche Stelle zur Kündigung aus wichtigem Grund ohne Einhaltung einer Kündigungsfrist berechtigt ist.

(5) [1]Betroffene Personen können die Datenschutzbeauftragte oder den Datenschutzbeauftragten zu allen mit der Verarbeitung ihrer personenbezogenen

---

[1)] Auszugsweise abgedruckt unter Nr. **50**.

Daten und mit der Wahrnehmung ihrer Rechte gemäß der Verordnung (EU) 2016/679[1)], diesem Gesetz sowie anderen Rechtsvorschriften über den Datenschutz im Zusammenhang stehenden Fragen zu Rate ziehen. [2]Die oder der Datenschutzbeauftragte ist zur Verschwiegenheit über die Identität der betroffenen Person sowie über Umstände, die Rückschlüsse auf die betroffene Person zulassen, verpflichtet, soweit sie oder er nicht davon durch die betroffene Person befreit wird.

(6) [1]Wenn die oder der Datenschutzbeauftragte bei ihrer oder seiner Tätigkeit Kenntnis von Daten erhält, für die der Leitung oder einer bei der öffentlichen Stelle beschäftigten Person aus beruflichen Gründen ein Zeugnisverweigerungsrecht zusteht, steht dieses Recht auch der oder dem Datenschutzbeauftragten und den ihr oder ihm unterstellten Beschäftigten zu. [2]Über die Ausübung dieses Rechts entscheidet die Person, der das Zeugnisverweigerungsrecht aus beruflichen Gründen zusteht, es sei denn, dass diese Entscheidung in absehbarer Zeit nicht herbeigeführt werden kann. [3]Soweit das Zeugnisverweigerungsrecht der oder des Datenschutzbeauftragten reicht, unterliegen ihre oder seine Akten und andere Dokumente einem Beschlagnahmeverbot.

§ 7 Aufgaben. (1) [1]Der oder dem Datenschutzbeauftragten obliegen neben den in der Verordnung (EU) 2016/679[1)] genannten Aufgaben zumindest folgende Aufgaben:

1. Unterrichtung und Beratung der öffentlichen Stelle und der Beschäftigten, die Verarbeitungen durchführen, hinsichtlich ihrer Pflichten nach diesem Gesetz und sonstigen Vorschriften über den Datenschutz, einschließlich der zur Umsetzung der Richtlinie (EU) 2016/680 erlassenen Rechtsvorschriften;
2. Überwachung der Einhaltung dieses Gesetzes und sonstiger Vorschriften über den Datenschutz, einschließlich der zur Umsetzung der Richtlinie (EU) 2016/680 erlassenen Rechtsvorschriften, sowie der Strategien der öffentlichen Stelle für den Schutz personenbezogener Daten, einschließlich der Zuweisung von Zuständigkeiten, der Sensibilisierung und der Schulung der an den Verarbeitungsvorgängen beteiligten Beschäftigten und der diesbezüglichen Überprüfungen;
3. Beratung im Zusammenhang mit der Datenschutz-Folgenabschätzung und Überwachung ihrer Durchführung gemäß § 67 dieses Gesetzes;
4. Zusammenarbeit mit der Aufsichtsbehörde;
5. Tätigkeit als Anlaufstelle für die Aufsichtsbehörde in mit der Verarbeitung zusammenhängenden Fragen, einschließlich der vorherigen Konsultation gemäß § 69 dieses Gesetzes, und gegebenenfalls Beratung zu allen sonstigen Fragen.

[2]Im Fall einer oder eines bei einem Gericht bestellten Datenschutzbeauftragten beziehen sich diese Aufgaben nicht auf das Handeln des Gerichts im Rahmen seiner justiziellen Tätigkeit.

---

1) Auszugsweise abgedruckt unter Nr. **489**.

(2) [1] Die oder der Datenschutzbeauftragte kann andere Aufgaben und Pflichten wahrnehmen. [2] Die öffentliche Stelle stellt sicher, dass derartige Aufgaben und Pflichten nicht zu einem Interessenkonflikt führen.

(3) Die oder der Datenschutzbeauftragte trägt bei der Erfüllung ihrer oder seiner Aufgaben dem mit den Verarbeitungsvorgängen verbundenen Risiko gebührend Rechnung, wobei sie oder er die Art, den Umfang, die Umstände und die Zwecke der Verarbeitung berücksichtigt.

Kapitel 4. Die oder der Bundesbeauftragte für den Datenschutz und die Informationsfreiheit

§ 8 Errichtung. (1) [1] Die oder der Bundesbeauftragte für den Datenschutz und die Informationsfreiheit (Bundesbeauftragte) ist eine oberste Bundesbehörde. [2] Der Dienstsitz ist Bonn.

(2) Die Beamtinnen und Beamten der oder des Bundesbeauftragten sind Beamtinnen und Beamte des Bundes.

(3) [1] Die oder der Bundesbeauftragte kann Aufgaben der Personalverwaltung und Personalwirtschaft auf andere Stellen des Bundes übertragen, soweit hierdurch die Unabhängigkeit der oder des Bundesbeauftragten nicht beeinträchtigt wird. [2] Diesen Stellen dürfen personenbezogene Daten der Beschäftigten übermittelt werden, soweit deren Kenntnis zur Erfüllung der übertragenen Aufgaben erforderlich ist.

§ 9[1)] Zuständigkeit. (1) [1] Die oder der Bundesbeauftragte ist zuständig für die Aufsicht über die öffentlichen Stellen des Bundes, auch soweit sie als öffentlich-rechtliche Unternehmen am Wettbewerb teilnehmen, sowie über Unternehmen, soweit diese für die geschäftsmäßige Erbringung von Telekommunikationsdienstleistungen Daten von natürlichen oder juristischen Personen verarbeiten und sich die Zuständigkeit nicht bereits aus § 29 des Telekommunikation-Digitale-Dienste-Datenschutz-Gesetzes ergibt. [2] Die Vorschriften dieses Kapitels gelten auch für Auftragsverarbeiter, soweit sie nichtöffentliche Stellen sind, bei denen dem Bund die Mehrheit der Anteile gehört oder die Mehrheit der Stimmen zusteht und der Auftraggeber eine öffentliche Stelle des Bundes ist.

(2) Die oder der Bundesbeauftragte ist nicht zuständig für die Aufsicht über die von den Bundesgerichten im Rahmen ihrer justiziellen Tätigkeit vorgenommenen Verarbeitungen.

§ 10 Unabhängigkeit. (1) [1] Die oder der Bundesbeauftragte handelt bei der Erfüllung ihrer oder seiner Aufgaben und bei der Ausübung ihrer oder seiner Befugnisse völlig unabhängig. [2] Sie oder er unterliegt weder direkter noch indirekter Beeinflussung von außen und ersucht weder um Weisung noch nimmt sie oder er Weisungen entgegen.

(2) Die oder der Bundesbeauftragte unterliegt der Rechnungsprüfung durch den Bundesrechnungshof, soweit hierdurch ihre oder seine Unabhängigkeit nicht beeinträchtigt wird.

[1)] § 9 Abs. 1 Satz 1 neu gef. mWv 26.11.2019 durch G v. 20.11.2019 (BGBl. I S. 1626); Abs. 1 Satz 1 geänd. mWv 1.12.2021 durch G v. 23.6.2021 (BGBl. I S. 1858, ber. 2022 S. 1045).; Abs. 1 Satz 1 geänd. mWv 14.5.2024 durch G v. 6.5.2024 (BGBl. 2024 I Nr. 149)

§ 11 Ernennung und Amtszeit. (1) [1]Der Deutsche Bundestag wählt ohne Aussprache auf Vorschlag der Bundesregierung die Bundesbeauftragte oder den Bundesbeauftragten mit mehr als der Hälfte der gesetzlichen Zahl seiner Mitglieder. [2]Die oder der Gewählte ist von der Bundespräsidentin oder dem Bundespräsidenten zu ernennen. [3]Die oder der Bundesbeauftragte muss bei ihrer oder seiner Wahl das 35. Lebensjahr vollendet haben. [4]Sie oder er muss über die für die Erfüllung ihrer oder seiner Aufgaben und Ausübung ihrer oder seiner Befugnisse erforderliche Qualifikation, Erfahrung und Sachkunde insbesondere im Bereich des Schutzes personenbezogener Daten verfügen. [5]Insbesondere muss die oder der Bundesbeauftragte über durch einschlägige Berufserfahrung erworbene Kenntnisse des Datenschutzrechts verfügen und die Befähigung zum Richteramt oder höheren Verwaltungsdienst haben.

(2) [1]Die oder der Bundesbeauftragte leistet vor der Bundespräsidentin oder dem Bundespräsidenten folgenden Eid: „Ich schwöre, dass ich meine Kraft dem Wohle des deutschen Volkes widmen, seinen Nutzen mehren, Schaden von ihm wenden, das Grundgesetz[1)] und die Gesetze des Bundes wahren und verteidigen, meine Pflichten gewissenhaft erfüllen und Gerechtigkeit gegen jedermann üben werde. So wahr mir Gott helfe.“ [2]Der Eid kann auch ohne religiöse Beteuerung geleistet werden.

(3) [1]Die Amtszeit der oder des Bundesbeauftragten beträgt fünf Jahre. [2]Einmalige Wiederwahl ist zulässig.

§ 12[2)] Amtsverhältnis. (1) Die oder der Bundesbeauftragte steht nach Maßgabe dieses Gesetzes zum Bund in einem öffentlich-rechtlichen Amtsverhältnis.

(2) [1]Das Amtsverhältnis beginnt mit der Aushändigung der Ernennungsurkunde. [2]Es endet mit dem Ablauf der Amtszeit oder mit dem Rücktritt. [3]Die Bundespräsidentin oder der Bundespräsident enthebt auf Vorschlag der Präsidentin oder des Präsidenten des Bundestages die Bundesbeauftragte ihres oder den Bundesbeauftragten seines Amtes, wenn die oder der Bundesbeauftragte eine schwere Verfehlung begangen hat oder die Voraussetzungen für die Wahrnehmung ihrer oder seiner Aufgaben nicht mehr erfüllt. [4]Im Fall der Beendigung des Amtsverhältnisses oder der Amtsenthebung erhält die oder der Bundesbeauftragte eine von der Bundespräsidentin oder dem Bundespräsidenten vollzogene Urkunde. [5]Eine Amtsenthebung wird mit der Aushändigung der Urkunde wirksam. [6]Endet das Amtsverhältnis mit Ablauf der Amtszeit, ist die oder der Bundesbeauftragte verpflichtet, auf Ersuchen der Präsidentin oder des Präsidenten des Bundestages die Geschäfte bis zur Ernennung einer Nachfolgerin oder eines Nachfolgers für die Dauer von höchstens sechs Monaten weiterzuführen.

(3) [1]Die Leitende Beamtin oder der Leitende Beamte nimmt die Rechte der oder des Bundesbeauftragten wahr, wenn die oder der Bundesbeauftragte an der Ausübung ihres oder seines Amtes verhindert ist oder wenn ihr oder sein Amtsverhältnis endet und sie oder er nicht zur Weiterführung der Geschäfte verpflichtet ist. [2]§ 10 Absatz 1 ist entsprechend anzuwenden.

(4) [1]Die oder der Bundesbeauftragte erhält vom Beginn des Kalendermonats an, in dem das Amtsverhältnis beginnt, bis zum Schluss des Kalendermonats, in dem das Amtsverhältnis endet, im Fall des Absatzes 2 Satz 6 bis zum Ende des

---

[1)] Auszugsweise abgedruckt unter Nr. **10**.

[2)] § 12 Abs. 5 angef. mWv 1.6.2023 und aufgeh. mWv 1.1.2025 durch G v. 22.12.2023 (BGBl. 2023 I Nr. 414).

Monats, in dem die Geschäftsführung endet, Amtsbezüge in Höhe der Besoldungsgruppe B 11 sowie den Familienzuschlag entsprechend Anlage V des Bundesbesoldungsgesetzes. [2]Das Bundesreisekostengesetz und das Bundesumzugskostengesetz sind entsprechend anzuwenden. [3]Im Übrigen sind § 12 Absatz 6 sowie die §§ 13 bis 20 und 21a Absatz 5 des Bundesministergesetzes mit den Maßgaben anzuwenden, dass an die Stelle der vierjährigen Amtszeit in § 15 Absatz 1 des Bundesministergesetzes eine Amtszeit von fünf Jahren tritt. [4]Abweichend von Satz 3 in Verbindung mit den §§ 15 bis 17 und 21a Absatz 5 des Bundesministergesetzes berechnet sich das Ruhegehalt der oder des Bundesbeauftragten unter Hinzurechnung der Amtszeit als ruhegehaltsfähige Dienstzeit in entsprechender Anwendung des Beamtenversorgungsgesetzes, wenn dies günstiger ist und die oder der Bundesbeauftragte sich unmittelbar vor ihrer oder seiner Wahl zur oder zum Bundesbeauftragten als Beamtin oder Beamter oder als Richterin oder Richter mindestens in dem letzten gewöhnlich vor Erreichen der Besoldungsgruppe B 11 zu durchlaufenden Amt befunden hat.

[Abs. 5 bis 31.12.2024:]

(5) Zur Abmilderung der Folgen der gestiegenen Verbraucherpreise werden der oder dem Bundesbeauftragten in entsprechender Anwendung des § 14 Absatz 4 bis 8 des Bundesbesoldungsgesetzes die folgenden Sonderzahlungen gewährt:

1. für den Monat Juni 2023 eine einmalige Sonderzahlung in Höhe von 1 240 Euro sowie
2. für die Monate Juli 2023 bis Februar 2024 eine monatliche Sonderzahlung in Höhe von jeweils 220 Euro.

§ 13 Rechte und Pflichten. (1) [1]Die oder der Bundesbeauftragte sieht von allen mit den Aufgaben ihres oder seines Amtes nicht zu vereinbarenden Handlungen ab und übt während ihrer oder seiner Amtszeit keine andere mit ihrem oder seinem Amt nicht zu vereinbarende entgeltliche oder unentgeltliche Tätigkeit aus. [2]Insbesondere darf die oder der Bundesbeauftragte neben ihrem oder seinem Amt kein anderes besoldetes Amt, kein Gewerbe und keinen Beruf ausüben und weder der Leitung oder dem Aufsichtsrat oder Verwaltungsrat eines auf Erwerb gerichteten Unternehmens noch einer Regierung oder einer gesetzgebenden Körperschaft des Bundes oder eines Landes angehören. [3]Sie oder er darf nicht gegen Entgelt außergerichtliche Gutachten abgeben.

(2) [1]Die oder der Bundesbeauftragte hat der Präsidentin oder dem Präsidenten des Bundestages Mitteilung über Geschenke zu machen, die sie oder er in Bezug auf das Amt erhält. [2]Die Präsidentin oder der Präsident des Bundestages entscheidet über die Verwendung der Geschenke. [3]Sie oder er kann Verfahrensvorschriften erlassen.

(3) [1]Die oder der Bundesbeauftragte ist berechtigt, über Personen, die ihr oder ihm in ihrer oder seiner Eigenschaft als Bundesbeauftragte oder Bundesbeauftragter Tatsachen anvertraut haben, sowie über diese Tatsachen selbst das Zeugnis zu verweigern. [2]Dies gilt auch für die Mitarbeiterinnen und Mitarbeiter der oder des Bundesbeauftragten mit der Maßgabe, dass über die Ausübung dieses Rechts die oder der Bundesbeauftragte entscheidet. [3]Soweit das Zeugnisverweigerungsrecht der oder des Bundesbeauftragten reicht, darf die Vorlegung oder Auslieferung von Akten oder anderen Dokumenten von ihr oder ihm nicht gefordert werden.

(4) [1] Die oder der Bundesbeauftragte ist, auch nach Beendigung ihres oder seines Amtsverhältnisses, verpflichtet, über die ihr oder ihm amtlich bekanntgewordenen Angelegenheiten Verschwiegenheit zu bewahren. [2] Dies gilt nicht für Mitteilungen im dienstlichen Verkehr oder über Tatsachen, die offenkundig sind oder ihrer Bedeutung nach keiner Geheimhaltung bedürfen. [3] Die oder der Bundesbeauftragte entscheidet nach pflichtgemäßem Ermessen, ob und inwieweit sie oder er über solche Angelegenheiten vor Gericht oder außergerichtlich aussagt oder Erklärungen abgibt; wenn sie oder er nicht mehr im Amt ist, ist die Genehmigung der oder des amtierenden Bundesbeauftragten erforderlich. [4] Unberührt bleibt die gesetzlich begründete Pflicht, Straftaten anzuzeigen und bei einer Gefährdung der freiheitlichen demokratischen Grundordnung für deren Erhaltung einzutreten. [5] Für die Bundesbeauftragte oder den Bundesbeauftragten und ihre oder seine Mitarbeiterinnen und Mitarbeiter gelten die §§ 93, 97 und 105 Absatz 1, § 111 Absatz 5 in Verbindung mit § 105 Absatz 1 sowie § 116 Absatz 1 der Abgabenordnung nicht. [6] Satz 5 findet keine Anwendung, soweit die Finanzbehörden die Kenntnis für die Durchführung eines Verfahrens wegen einer Steuerstraftat sowie eines damit zusammenhängenden Steuerverfahrens benötigen, an deren Verfolgung ein zwingendes öffentliches Interesse besteht, oder soweit es sich um vorsätzlich falsche Angaben der oder des Auskunftspflichtigen oder der für sie oder ihn tätigen Personen handelt. [7] Stellt die oder der Bundesbeauftragte einen Datenschutzverstoß fest, ist sie oder er befugt, diesen anzuzeigen und die betroffene Person hierüber zu informieren.

(5) [1] Die oder der Bundesbeauftragte darf als Zeugin oder Zeuge aussagen, es sei denn, die Aussage würde

1. dem Wohl des Bundes oder eines Landes Nachteile bereiten, insbesondere Nachteile für die Sicherheit der Bundesrepublik Deutschland oder ihre Beziehungen zu anderen Staaten, oder
2. Grundrechte verletzen.

[2] Betrifft die Aussage laufende oder abgeschlossene Vorgänge, die dem Kernbereich exekutiver Eigenverantwortung der Bundesregierung zuzurechnen sind oder sein könnten, darf die oder der Bundesbeauftragte nur im Benehmen mit der Bundesregierung aussagen. [3] § 28 des Bundesverfassungsgerichtsgesetzes bleibt unberührt.

(6) Die Absätze 3 und 4 Satz 5 bis 7 gelten entsprechend für die öffentlichen Stellen, die für die Kontrolle der Einhaltung der Vorschriften über den Datenschutz in den Ländern zuständig sind.

§ 14 Aufgaben. (1) [1] Die oder der Bundesbeauftragte hat neben den in der Verordnung (EU) 2016/679 genannten Aufgaben die Aufgaben,

1. die Anwendung dieses Gesetzes und sonstiger Vorschriften über den Datenschutz, einschließlich der zur Umsetzung der Richtlinie (EU) 2016/680 erlassenen Rechtsvorschriften, zu überwachen und durchzusetzen,
2. die Öffentlichkeit für die Risiken, Vorschriften, Garantien und Rechte im Zusammenhang mit der Verarbeitung personenbezogener Daten zu sensibilisieren und sie darüber aufzuklären, wobei spezifische Maßnahmen für Kinder besondere Beachtung finden,
3. den Deutschen Bundestag und den Bundesrat, die Bundesregierung und andere Einrichtungen und Gremien über legislative und administrative

Maßnahmen zum Schutz der Rechte und Freiheiten natürlicher Personen in Bezug auf die Verarbeitung personenbezogener Daten zu beraten,
4. die Verantwortlichen und die Auftragsverarbeiter für die ihnen aus diesem Gesetz und sonstigen Vorschriften über den Datenschutz, einschließlich den zur Umsetzung der Richtlinie (EU) 2016/680 erlassenen Rechtsvorschriften, entstehenden Pflichten zu sensibilisieren,
5. auf Anfrage jeder betroffenen Person Informationen über die Ausübung ihrer Rechte aufgrund dieses Gesetzes und sonstiger Vorschriften über den Datenschutz, einschließlich der zur Umsetzung der Richtlinie (EU) 2016/680 erlassenen Rechtsvorschriften, zur Verfügung zu stellen und gegebenenfalls zu diesem Zweck mit den Aufsichtsbehörden in anderen Mitgliedstaaten zusammenzuarbeiten,
6. sich mit Beschwerden einer betroffenen Person oder Beschwerden einer Stelle, einer Organisation oder eines Verbandes gemäß Artikel 55 der Richtlinie (EU) 2016/680 zu befassen, den Gegenstand der Beschwerde in angemessenem Umfang zu untersuchen und den Beschwerdeführer innerhalb einer angemessenen Frist über den Fortgang und das Ergebnis der Untersuchung zu unterrichten, insbesondere, wenn eine weitere Untersuchung oder Koordinierung mit einer anderen Aufsichtsbehörde notwendig ist,
7. mit anderen Aufsichtsbehörden zusammenzuarbeiten, auch durch Informationsaustausch, und ihnen Amtshilfe zu leisten, um die einheitliche Anwendung und Durchsetzung dieses Gesetzes und sonstiger Vorschriften über den Datenschutz, einschließlich der zur Umsetzung der Richtlinie (EU) 2016/680 erlassenen Rechtsvorschriften, zu gewährleisten,
8. Untersuchungen über die Anwendung dieses Gesetzes und sonstiger Vorschriften über den Datenschutz, einschließlich der zur Umsetzung der Richtlinie (EU) 2016/680 erlassenen Rechtsvorschriften, durchzuführen, auch auf der Grundlage von Informationen einer anderen Aufsichtsbehörde oder einer anderen Behörde,
9. maßgebliche Entwicklungen zu verfolgen, soweit sie sich auf den Schutz personenbezogener Daten auswirken, insbesondere die Entwicklung der Informations- und Kommunikationstechnologie und der Geschäftspraktiken,
10. Beratung in Bezug auf die in § 69 genannten Verarbeitungsvorgänge zu leisten und
11. Beiträge zur Tätigkeit des Europäischen Datenschutzausschusses zu leisten.

[2]Im Anwendungsbereich der Richtlinie (EU) 2016/680 nimmt die oder der Bundesbeauftragte zudem die Aufgabe nach § 60 wahr.

(2) [1]Zur Erfüllung der in Absatz 1 Satz 1 Nummer 3 genannten Aufgabe kann die oder der Bundesbeauftragte zu allen Fragen, die im Zusammenhang mit dem Schutz personenbezogener Daten stehen, von sich aus oder auf Anfrage Stellungnahmen an den Deutschen Bundestag oder einen seiner Ausschüsse, den Bundesrat, die Bundesregierung, sonstige Einrichtungen und Stellen sowie an die Öffentlichkeit richten. [2]Auf Ersuchen des Deutschen Bundestages, eines seiner Ausschüsse oder der Bundesregierung geht die oder der Bundesbeauftragte ferner Hinweisen auf Angelegenheiten und Vorgänge des Datenschutzes bei den öffentlichen Stellen des Bundes nach.

(3) Die oder der Bundesbeauftragte erleichtert das Einreichen der in Absatz 1 Satz 1 Nummer 6 genannten Beschwerden durch Maßnahmen wie etwa die Bereitstellung eines Beschwerdeformulars, das auch elektronisch ausgefüllt werden kann, ohne dass andere Kommunikationsmittel ausgeschlossen werden.

(4) [1] Die Erfüllung der Aufgaben der oder des Bundesbeauftragten ist für die betroffene Person unentgeltlich. [2] Bei offenkundig unbegründeten oder, insbesondere im Fall von häufiger Wiederholung, exzessiven Anfragen kann die oder der Bundesbeauftragte eine angemessene Gebühr auf der Grundlage der Verwaltungskosten verlangen oder sich weigern, aufgrund der Anfrage tätig zu werden. [3] In diesem Fall trägt die oder der Bundesbeauftragte die Beweislast für den offenkundig unbegründeten oder exzessiven Charakter der Anfrage.

§ 15 Tätigkeitsbericht. [1] Die oder der Bundesbeauftragte erstellt einen Jahresbericht über ihre oder seine Tätigkeit, der eine Liste der Arten der gemeldeten Verstöße und der Arten der getroffenen Maßnahmen, einschließlich der verhängten Sanktionen und der Maßnahmen nach Artikel 58 Absatz 2 der Verordnung (EU) 2016/679[1)], enthalten kann. [2] Die oder der Bundesbeauftragte übermittelt den Bericht dem Deutschen Bundestag, dem Bundesrat und der Bundesregierung und macht ihn der Öffentlichkeit, der Europäischen Kommission und dem Europäischen Datenschutzausschuss zugänglich.

§ 16[2)] Befugnisse. (1) [1] Die oder der Bundesbeauftragte nimmt im Anwendungsbereich der Verordnung (EU) 2016/679[1)] die Befugnisse gemäß Artikel 58 der Verordnung (EU) 2016/679 wahr. [2] Kommt die oder der Bundesbeauftragte zu dem Ergebnis, dass Verstöße gegen die Vorschriften über den Datenschutz oder sonstige Mängel bei der Verarbeitung personenbezogener Daten vorliegen, teilt sie oder er dies der zuständigen Rechts- oder Fachaufsichtsbehörde mit und gibt dieser vor der Ausübung der Befugnisse des Artikels 58 Absatz 2 Buchstabe b bis g, i und j der Verordnung (EU) 2016/679 gegenüber dem Verantwortlichen Gelegenheit zur Stellungnahme innerhalb einer angemessenen Frist. [3] Von der Einräumung der Gelegenheit zur Stellungnahme kann abgesehen werden, wenn eine sofortige Entscheidung wegen Gefahr im Verzug oder im öffentlichen Interesse notwendig erscheint oder ihr ein zwingendes öffentliches Interesse entgegensteht. [4] Die Stellungnahme soll auch eine Darstellung der Maßnahmen enthalten, die aufgrund der Mitteilung der oder des Bundesbeauftragten getroffen worden sind.

(2) [1] Stellt die oder der Bundesbeauftragte bei Datenverarbeitungen durch öffentliche Stellen des Bundes zu Zwecken außerhalb des Anwendungsbereichs der Verordnung (EU) 2016/679 Verstöße gegen die Vorschriften dieses Gesetzes oder gegen andere Vorschriften über den Datenschutz oder sonstige Mängel bei der Verarbeitung oder Nutzung personenbezogener Daten fest, so beanstandet sie oder er dies gegenüber der zuständigen obersten Bundesbehörde und fordert diese zur Stellungnahme innerhalb einer von ihr oder ihm zu bestimmenden Frist auf. [2] Die oder der Bundesbeauftragte kann von einer Beanstandung absehen oder auf eine Stellungnahme verzichten, insbesondere wenn es sich um unerhebliche oder inzwischen beseitigte Mängel handelt.

[1)] Auszugsweise abgedruckt unter Nr. **489**.

[2)] § 16 Abs. 3 Satz 1 Nr. 1 geänd., Abs. 4 Satz 2 angef. mWv 26.11.2019 durch G v. 20.11.2019 (BGBl. I S. 1626).

[3] Die Stellungnahme soll auch eine Darstellung der Maßnahmen enthalten, die aufgrund der Beanstandung der oder des Bundesbeauftragten getroffen worden sind. [4] Die oder der Bundesbeauftragte kann den Verantwortlichen auch davor warnen, dass beabsichtigte Verarbeitungsvorgänge voraussichtlich gegen in diesem Gesetz enthaltene und andere auf die jeweilige Datenverarbeitung anzuwendende Vorschriften über den Datenschutz verstoßen.

(3) [1] Die Befugnisse der oder des Bundesbeauftragten erstrecken sich auch auf

1. von ihrer oder seiner Aufsicht unterliegenden Stellen erlangte personenbezogene Daten über den Inhalt und die näheren Umstände des Brief-, Post- und Fernmeldeverkehrs und
2. personenbezogene Daten, die einem besonderen Amtsgeheimnis, insbesondere dem Steuergeheimnis nach § 30 der Abgabenordnung[1)], unterliegen.

[2] Das Grundrecht des Brief-, Post- und Fernmeldegeheimnisses des Artikels 10 des Grundgesetzes[2)] wird insoweit eingeschränkt.

(4) [1] Die öffentlichen Stellen des Bundes sind verpflichtet, der oder dem Bundesbeauftragten und ihren oder seinen Beauftragten

1. jederzeit Zugang zu den Grundstücken und Diensträumen, einschließlich aller Datenverarbeitungsanlagen und -geräte, sowie zu allen personenbezogenen Daten und Informationen, die zur Erfüllung ihrer oder seiner Aufgaben notwendig sind, zu gewähren und
2. alle Informationen, die für die Erfüllung ihrer oder seiner Aufgaben erforderlich sind, bereitzustellen.

[2] Für nichtöffentliche Stellen besteht die Verpflichtung des Satzes 1 Nummer 1 nur während der üblichen Betriebs- und Geschäftszeiten.

(5) [1] Die oder der Bundesbeauftragte wirkt auf die Zusammenarbeit mit den öffentlichen Stellen, die für die Kontrolle der Einhaltung der Vorschriften über den Datenschutz in den Ländern zuständig sind, sowie mit den Aufsichtsbehörden nach § 40 hin. [2] § 40 Absatz 3 Satz 1 zweiter Halbsatz gilt entsprechend.

Kapitel 5. Vertretung im Europäischen Datenschutzausschuss, zentrale Anlaufstelle, Zusammenarbeit der Aufsichtsbehörden des Bundes und der Länder in Angelegenheiten der Europäischen Union

§ 17 Vertretung im Europäischen Datenschutzausschuss, zentrale Anlaufstelle. (1) [1] Gemeinsamer Vertreter im Europäischen Datenschutzausschuss und zentrale Anlaufstelle ist die oder der Bundesbeauftragte (gemeinsamer Vertreter). [2] Als Stellvertreterin oder Stellvertreter des gemeinsamen Vertreters wählt der Bundesrat eine Leiterin oder einen Leiter der Aufsichtsbehörde eines Landes (Stellvertreter). [3] Die Wahl erfolgt für fünf Jahre. [4] Mit dem Ausscheiden aus dem Amt als Leiterin oder Leiter der Aufsichtsbehörde eines Landes endet zugleich die Funktion als Stellvertreter. [5] Wiederwahl ist zulässig.

(2) Der gemeinsame Vertreter überträgt in Angelegenheiten, die die Wahrnehmung einer Aufgabe betreffen, für welche die Länder allein das Recht zur Gesetzgebung haben, oder welche die Einrichtung oder das Verfahren von

---

1) **Steuergesetze Nr. 800.**
2) Auszugsweise abgedruckt unter Nr. **10**.

Landesbehörden betreffen, dem Stellvertreter auf dessen Verlangen die Verhandlungsführung und das Stimmrecht im Europäischen Datenschutzausschuss.

§ 18 Verfahren der Zusammenarbeit der Aufsichtsbehörden des Bundes und der Länder. (1) [1]Die oder der Bundesbeauftragte und die Aufsichtsbehörden der Länder (Aufsichtsbehörden des Bundes und der Länder) arbeiten in Angelegenheiten der Europäischen Union mit dem Ziel einer einheitlichen Anwendung der Verordnung (EU) 2016/679[1)] und der Richtlinie (EU) 2016/680 zusammen. [2]Vor der Übermittlung eines gemeinsamen Standpunktes an die Aufsichtsbehörden der anderen Mitgliedstaaten, die Europäische Kommission oder den Europäischen Datenschutzausschuss geben sich die Aufsichtsbehörden des Bundes und der Länder frühzeitig Gelegenheit zur Stellungnahme. [3]Zu diesem Zweck tauschen sie untereinander alle zweckdienlichen Informationen aus. [4]Die Aufsichtsbehörden des Bundes und der Länder beteiligen die nach den Artikeln 85 und 91 der Verordnung (EU) 2016/679 eingerichteten spezifischen Aufsichtsbehörden, sofern diese von der Angelegenheit betroffen sind.

(2) [1]Soweit die Aufsichtsbehörden des Bundes und der Länder kein Einvernehmen über den gemeinsamen Standpunkt erzielen, legen die federführende Behörde oder in Ermangelung einer solchen der gemeinsame Vertreter und sein Stellvertreter einen Vorschlag für einen gemeinsamen Standpunkt vor. [2]Einigen sich der gemeinsame Vertreter und sein Stellvertreter nicht auf einen Vorschlag für einen gemeinsamen Standpunkt, legt in Angelegenheiten, die die Wahrnehmung von Aufgaben betreffen, für welche die Länder allein das Recht der Gesetzgebung haben, oder welche die Einrichtung oder das Verfahren von Landesbehörden betreffen, der Stellvertreter den Vorschlag für einen gemeinsamen Standpunkt fest. [3]In den übrigen Fällen fehlenden Einvernehmens nach Satz 2 legt der gemeinsame Vertreter den Standpunkt fest. [4]Der nach den Sätzen 1 bis 3 vorgeschlagene Standpunkt ist den Verhandlungen zu Grunde zu legen, wenn nicht die Aufsichtsbehörden von Bund und Ländern einen anderen Standpunkt mit einfacher Mehrheit beschließen. [5]Der Bund und jedes Land haben jeweils eine Stimme. [6]Enthaltungen werden nicht gezählt.

(3) [1]Der gemeinsame Vertreter und dessen Stellvertreter sind an den gemeinsamen Standpunkt nach den Absätzen 1 und 2 gebunden und legen unter Beachtung dieses Standpunktes einvernehmlich die jeweilige Verhandlungsführung fest. [2]Sollte ein Einvernehmen nicht erreicht werden, entscheidet in den in § 18 Absatz 2 Satz 2 genannten Angelegenheiten der Stellvertreter über die weitere Verhandlungsführung. [3]In den übrigen Fällen gibt die Stimme des gemeinsamen Vertreters den Ausschlag.

§ 19[2)] Zuständigkeiten. (1) [1]Federführende Aufsichtsbehörde eines Landes im Verfahren der Zusammenarbeit und Kohärenz nach Kapitel VII der Verordnung (EU) 2016/679[1)] ist die Aufsichtsbehörde des Landes, in dem der Verantwortliche oder der Auftragsverarbeiter seine Hauptniederlassung im Sinne des Artikels 4 Nummer 16 der Verordnung (EU) 2016/679 oder seine einzige Niederlassung in der Europäischen Union im Sinne des Artikels 56 Absatz 1 der Verordnung (EU) 2016/679 hat. [2]Im Zuständigkeitsbereich der

---

[1)] Auszugsweise abgedruckt unter Nr. **489**.

[2)] § 19 Abs. 2 Satz 4 angef. mWv 26.11.2019 durch G v. 20.11.2019 (BGBl. I S. 1626).

oder des Bundesbeauftragten gilt Artikel 56 Absatz 1 in Verbindung mit Artikel 4 Nummer 16 der Verordnung (EU) 2016/679 entsprechend. [3] Besteht über die Federführung kein Einvernehmen, findet für die Festlegung der federführenden Aufsichtsbehörde das Verfahren des § 18 Absatz 2 entsprechende Anwendung.

(2) [1] Die Aufsichtsbehörde, bei der eine betroffene Person Beschwerde eingereicht hat, gibt die Beschwerde an die federführende Aufsichtsbehörde nach Absatz 1, in Ermangelung einer solchen an die Aufsichtsbehörde eines Landes ab, in dem der Verantwortliche oder der Auftragsverarbeiter eine Niederlassung hat. [2] Wird eine Beschwerde bei einer sachlich unzuständigen Aufsichtsbehörde eingereicht, gibt diese, sofern eine Abgabe nach Satz 1 nicht in Betracht kommt, die Beschwerde an die Aufsichtsbehörde am Wohnsitz des Beschwerdeführers ab. [3] Die empfangende Aufsichtsbehörde gilt als die Aufsichtsbehörde nach Maßgabe des Kapitels VII der Verordnung (EU) 2016/679, bei der die Beschwerde eingereicht worden ist, und kommt den Verpflichtungen aus Artikel 60 Absatz 7 bis 9 und Artikel 65 Absatz 6 der Verordnung (EU) 2016/679 nach. [4] Im Zuständigkeitsbereich der oder des Bundesbeauftragten gibt die Aufsichtsbehörde, bei der eine Beschwerde eingereicht wurde, diese, sofern eine Abgabe nach Absatz 1 nicht in Betracht kommt, an den Bundesbeauftragten oder die Bundesbeauftragte ab.

Kapitel 6. Rechtsbehelfe

§ 20 Gerichtlicher Rechtsschutz. (1) [1] Für Streitigkeiten zwischen einer natürlichen oder einer juristischen Person und einer Aufsichtsbehörde des Bundes oder eines Landes über Rechte gemäß Artikel 78 Absatz 1 und 2 der Verordnung (EU) 2016/679[1)] sowie § 61 ist der Verwaltungsrechtsweg gegeben. [2] Satz 1 gilt nicht für Bußgeldverfahren.

(2) Die Verwaltungsgerichtsordnung[2)] ist nach Maßgabe der Absätze 3 bis 7 anzuwenden.

(3) Für Verfahren nach Absatz 1 Satz 1 ist das Verwaltungsgericht örtlich zuständig, in dessen Bezirk die Aufsichtsbehörde ihren Sitz hat.

(4) In Verfahren nach Absatz 1 Satz 1 ist die Aufsichtsbehörde beteiligungsfähig.

(5) [1] Beteiligte eines Verfahrens nach Absatz 1 Satz 1 sind

1. die natürliche oder juristische Person als Klägerin oder Antragstellerin und
2. die Aufsichtsbehörde als Beklagte oder Antragsgegnerin.

[2] § 63 Nummer 3 und 4 der Verwaltungsgerichtsordnung bleibt unberührt.

(6) Ein Vorverfahren findet nicht statt.

(7) Die Aufsichtsbehörde darf gegenüber einer Behörde oder deren Rechtsträger nicht die sofortige Vollziehung gemäß § 80 Absatz 2 Satz 1 Nummer 4 der Verwaltungsgerichtsordnung anordnen.

§ 21 Antrag der Aufsichtsbehörde auf gerichtliche Entscheidung bei angenommener Rechtswidrigkeit eines Beschlusses der Europäischen Kommission. (1) Hält eine Aufsichtsbehörde einen Angemessenheitsbeschluss

---

1) Auszugsweise abgedruckt unter Nr. **489**.
2) Auszugsweise abgedruckt unter Nr. **663**.

der Europäischen Kommission, einen Beschluss über die Anerkennung von Standardschutzklauseln oder über die Allgemeingültigkeit von genehmigten Verhaltensregeln, auf dessen Gültigkeit es für eine Entscheidung der Aufsichtsbehörde ankommt, für rechtswidrig, so hat die Aufsichtsbehörde ihr Verfahren auszusetzen und einen Antrag auf gerichtliche Entscheidung zu stellen.

(2) [1] Für Verfahren nach Absatz 1 ist der Verwaltungsrechtsweg gegeben. [2] Die Verwaltungsgerichtsordnung[1)] ist nach Maßgabe der Absätze 3 bis 6 anzuwenden.

(3) Über einen Antrag der Aufsichtsbehörde nach Absatz 1 entscheidet im ersten und letzten Rechtszug das Bundesverwaltungsgericht.

(4) [1] In Verfahren nach Absatz 1 ist die Aufsichtsbehörde beteiligungsfähig. [2] An einem Verfahren nach Absatz 1 ist die Aufsichtsbehörde als Antragstellerin beteiligt; § 63 Nummer 3 und 4 der Verwaltungsgerichtsordnung bleibt unberührt. [3] Das Bundesverwaltungsgericht kann der Europäischen Kommission Gelegenheit zur Äußerung binnen einer zu bestimmenden Frist geben.

(5) Ist ein Verfahren zur Überprüfung der Gültigkeit eines Beschlusses der Europäischen Kommission nach Absatz 1 bei dem Gerichtshof der Europäischen Union anhängig, so kann das Bundesverwaltungsgericht anordnen, dass die Verhandlung bis zur Erledigung des Verfahrens vor dem Gerichtshof der Europäischen Union auszusetzen sei.

(6) [1] In Verfahren nach Absatz 1 ist § 47 Absatz 5 Satz 1 und Absatz 6 der Verwaltungsgerichtsordnung entsprechend anzuwenden. [2] Kommt das Bundesverwaltungsgericht zu der Überzeugung, dass der Beschluss der Europäischen Kommission nach Absatz 1 gültig ist, so stellt es dies in seiner Entscheidung fest. [3] Andernfalls legt es die Frage nach der Gültigkeit des Beschlusses gemäß Artikel 267 des Vertrags über die Arbeitsweise der Europäischen Union[2)] dem Gerichtshof der Europäischen Union zur Entscheidung vor.

Teil 2. Durchführungsbestimmungen für Verarbeitungen zu Zwecken gemäß Artikel 2 der Verordnung (EU) 2016/679

Kapitel 1. Rechtsgrundlagen der Verarbeitung personenbezogener Daten

Abschnitt 1. Verarbeitung besonderer Kategorien personenbezogener Daten und Verarbeitung zu anderen Zwecken

§ 22[3)] Verarbeitung besonderer Kategorien personenbezogener Daten. (1) Abweichend von Artikel 9 Absatz 1 der Verordnung (EU) 2016/679[4)] ist die Verarbeitung besonderer Kategorien personenbezogener Daten im Sinne des Artikels 9 Absatz 1 der Verordnung (EU) 2016/679 zulässig

1. durch öffentliche und nichtöffentliche Stellen, wenn sie

[1)] Auszugsweise abgedruckt unter Nr. **663**.

[2)] Auszugsweise abgedruckt unter Nr. **850**.

[3)] § 22 Abs. 1 Nr. 1 Buchst. b und c geänd., Buchst. d angef., Nr. 2 neu gef., abschl. Satzteil angef. mWv 26.11.2019 durch G v. 20.11.2019 (BGBl. I S. 1626).

[4)] Auszugsweise abgedruckt unter Nr. **489**.

a) erforderlich ist, um die aus dem Recht der sozialen Sicherheit und des Sozialschutzes erwachsenden Rechte auszuüben und den diesbezüglichen Pflichten nachzukommen,

b) zum Zweck der Gesundheitsvorsorge, für die Beurteilung der Arbeitsfähigkeit des Beschäftigten, für die medizinische Diagnostik, die Versorgung oder Behandlung im Gesundheits- oder Sozialbereich oder für die Verwaltung von Systemen und Diensten im Gesundheits- und Sozialbereich oder aufgrund eines Vertrags der betroffenen Person mit einem Angehörigen eines Gesundheitsberufs erforderlich ist und diese Daten von ärztlichem Personal oder durch sonstige Personen, die einer entsprechenden Geheimhaltungspflicht unterliegen, oder unter deren Verantwortung verarbeitet werden,

c) aus Gründen des öffentlichen Interesses im Bereich der öffentlichen Gesundheit, wie des Schutzes vor schwerwiegenden grenzüberschreitenden Gesundheitsgefahren oder zur Gewährleistung hoher Qualitäts- und Sicherheitsstandards bei der Gesundheitsversorgung und bei Arzneimitteln und Medizinprodukten erforderlich ist; ergänzend zu den in Absatz 2 genannten Maßnahmen sind insbesondere die berufsrechtlichen und strafrechtlichen Vorgaben zur Wahrung des Berufsgeheimnisses einzuhalten, oder

d) aus Gründen eines erheblichen öffentlichen Interesses zwingend erforderlich ist,

2. durch öffentliche Stellen, wenn sie

a) zur Abwehr einer erheblichen Gefahr für die öffentliche Sicherheit erforderlich ist,

b) zur Abwehr erheblicher Nachteile für das Gemeinwohl oder zur Wahrung erheblicher Belange des Gemeinwohls zwingend erforderlich ist oder

c) aus zwingenden Gründen der Verteidigung oder der Erfüllung über- oder zwischenstaatlicher Verpflichtungen einer öffentlichen Stelle des Bundes auf dem Gebiet der Krisenbewältigung oder Konfliktverhinderung oder für humanitäre Maßnahmen erforderlich ist

und soweit die Interessen des Verantwortlichen an der Datenverarbeitung in den Fällen der Nummer 1 Buchstabe d und der Nummer 2 die Interessen der betroffenen Person überwiegen.

(2) [1] In den Fällen des Absatzes 1 sind angemessene und spezifische Maßnahmen zur Wahrung der Interessen der betroffenen Person vorzusehen. [2] Unter Berücksichtigung des Stands der Technik, der Implementierungskosten und der Art, des Umfangs, der Umstände und der Zwecke der Verarbeitung sowie der unterschiedlichen Eintrittswahrscheinlichkeit und Schwere der mit der Verarbeitung verbundenen Risiken für die Rechte und Freiheiten natürlicher Personen können dazu insbesondere gehören:

1. technisch organisatorische Maßnahmen, um sicherzustellen, dass die Verarbeitung gemäß der Verordnung (EU) 2016/679 erfolgt,
2. Maßnahmen, die gewährleisten, dass nachträglich überprüft und festgestellt werden kann, ob und von wem personenbezogene Daten eingegeben, verändert oder entfernt worden sind,
3. Sensibilisierung der an Verarbeitungsvorgängen Beteiligten,

4. Benennung einer oder eines Datenschutzbeauftragten,
5. Beschränkung des Zugangs zu den personenbezogenen Daten innerhalb der verantwortlichen Stelle und von Auftragsverarbeitern,
6. Pseudonymisierung personenbezogener Daten,
7. Verschlüsselung personenbezogener Daten,
8. Sicherstellung der Fähigkeit, Vertraulichkeit, Integrität, Verfügbarkeit und Belastbarkeit der Systeme und Dienste im Zusammenhang mit der Verarbeitung personenbezogener Daten, einschließlich der Fähigkeit, die Verfügbarkeit und den Zugang bei einem physischen oder technischen Zwischenfall rasch wiederherzustellen,
9. zur Gewährleistung der Sicherheit der Verarbeitung die Einrichtung eines Verfahrens zur regelmäßigen Überprüfung, Bewertung und Evaluierung der Wirksamkeit der technischen und organisatorischen Maßnahmen oder
10. spezifische Verfahrensregelungen, die im Fall einer Übermittlung oder Verarbeitung für andere Zwecke die Einhaltung der Vorgaben dieses Gesetzes sowie der Verordnung (EU) 2016/679 sicherstellen.

§ 23 Verarbeitung zu anderen Zwecken durch öffentliche Stellen.

(1) Die Verarbeitung personenbezogener Daten zu einem anderen Zweck als zu demjenigen, zu dem die Daten erhoben wurden, durch öffentliche Stellen im Rahmen ihrer Aufgabenerfüllung ist zulässig, wenn
1. offensichtlich ist, dass sie im Interesse der betroffenen Person liegt und kein Grund zu der Annahme besteht, dass sie in Kenntnis des anderen Zwecks ihre Einwilligung verweigern würde,
2. Angaben der betroffenen Person überprüft werden müssen, weil tatsächliche Anhaltspunkte für deren Unrichtigkeit bestehen,
3. sie zur Abwehr erheblicher Nachteile für das Gemeinwohl oder einer Gefahr für die öffentliche Sicherheit, die Verteidigung oder die nationale Sicherheit, zur Wahrung erheblicher Belange des Gemeinwohls oder zur Sicherung des Steuer- und Zollaufkommens erforderlich ist,
4. sie zur Verfolgung von Straftaten oder Ordnungswidrigkeiten, zur Vollstreckung oder zum Vollzug von Strafen oder Maßnahmen im Sinne des § 11 Absatz 1 Nummer 8 des Strafgesetzbuchs[1] oder von Erziehungsmaßregeln oder Zuchtmitteln im Sinne des Jugendgerichtsgesetzes[2] oder zur Vollstreckung von Geldbußen erforderlich ist,
5. sie zur Abwehr einer schwerwiegenden Beeinträchtigung der Rechte einer anderen Person erforderlich ist oder
6. sie der Wahrnehmung von Aufsichts- und Kontrollbefugnissen, der Rechnungsprüfung oder der Durchführung von Organisationsuntersuchungen des Verantwortlichen dient; dies gilt auch für die Verarbeitung zu Ausbildungs- und Prüfungszwecken durch den Verantwortlichen, soweit schutzwürdige Interessen der betroffenen Person dem nicht entgegenstehen.

---

[1] **Schönfelder Nr. 85.**
[2] **Schönfelder Nr. 89.**

(2) Die Verarbeitung besonderer Kategorien personenbezogener Daten im Sinne des Artikels 9 Absatz 1 der Verordnung (EU) 2016/679[1)] zu einem anderen Zweck als zu demjenigen, zu dem die Daten erhoben wurden, ist zulässig, wenn die Voraussetzungen des Absatzes 1 und ein Ausnahmetatbestand nach Artikel 9 Absatz 2 der Verordnung (EU) 2016/679 oder nach § 22 vorliegen.

§ 24 Verarbeitung zu anderen Zwecken durch nichtöffentliche Stellen. (1) Die Verarbeitung personenbezogener Daten zu einem anderen Zweck als zu demjenigen, zu dem die Daten erhoben wurden, durch nichtöffentliche Stellen ist zulässig, wenn

1. sie zur Abwehr von Gefahren für die staatliche oder öffentliche Sicherheit oder zur Verfolgung von Straftaten erforderlich ist oder
2. sie zur Geltendmachung, Ausübung oder Verteidigung zivilrechtlicher Ansprüche erforderlich ist,

sofern nicht die Interessen der betroffenen Person an dem Ausschluss der Verarbeitung überwiegen.

(2) Die Verarbeitung besonderer Kategorien personenbezogener Daten im Sinne des Artikels 9 Absatz 1 der Verordnung (EU) 2016/679[1)] zu einem anderen Zweck als zu demjenigen, zu dem die Daten erhoben wurden, ist zulässig, wenn die Voraussetzungen des Absatzes 1 und ein Ausnahmetatbestand nach Artikel 9 Absatz 2 der Verordnung (EU) 2016/679 oder nach § 22 vorliegen.

§ 25 Datenübermittlungen durch öffentliche Stellen. (1) [1] Die Übermittlung personenbezogener Daten durch öffentliche Stellen an öffentliche Stellen ist zulässig, wenn sie zur Erfüllung der in der Zuständigkeit der übermittelnden Stelle oder des Dritten, an den die Daten übermittelt werden, liegenden Aufgaben erforderlich ist und die Voraussetzungen vorliegen, die eine Verarbeitung nach § 23 zulassen würden. [2] Der Dritte, an den die Daten übermittelt werden, darf diese nur für den Zweck verarbeiten, zu dessen Erfüllung sie ihm übermittelt werden. [3] Eine Verarbeitung für andere Zwecke ist unter den Voraussetzungen des § 23 zulässig.

(2) [1] Die Übermittlung personenbezogener Daten durch öffentliche Stellen an nichtöffentliche Stellen ist zulässig, wenn

1. sie zur Erfüllung der in der Zuständigkeit der übermittelnden Stelle liegenden Aufgaben erforderlich ist und die Voraussetzungen vorliegen, die eine Verarbeitung nach § 23 zulassen würden,
2. der Dritte, an den die Daten übermittelt werden, ein berechtigtes Interesse an der Kenntnis der zu übermittelnden Daten glaubhaft darlegt und die betroffene Person kein schutzwürdiges Interesse an dem Ausschluss der Übermittlung hat oder
3. es zur Geltendmachung, Ausübung oder Verteidigung rechtlicher Ansprüche erforderlich ist

und der Dritte sich gegenüber der übermittelnden öffentlichen Stelle verpflichtet hat, die Daten nur für den Zweck zu verarbeiten, zu dessen Erfüllung sie

---

[1)] Auszugsweise abgedruckt unter Nr. **489**.

ihm übermittelt werden. [2]Eine Verarbeitung für andere Zwecke ist zulässig, wenn eine Übermittlung nach Satz 1 zulässig wäre und die übermittelnde Stelle zugestimmt hat.

(3) Die Übermittlung besonderer Kategorien personenbezogener Daten im Sinne des Artikels 9 Absatz 1 der Verordnung (EU) 2016/679[1)] ist zulässig, wenn die Voraussetzungen des Absatzes 1 oder 2 und ein Ausnahmetatbestand nach Artikel 9 Absatz 2 der Verordnung (EU) 2016/679 oder nach § 22 vorliegen.

Abschnitt 2. Besondere Verarbeitungssituationen

§ 26[2)] Datenverarbeitung für Zwecke des Beschäftigungsverhältnisses.

(1) [1]Personenbezogene Daten von Beschäftigten dürfen für Zwecke des Beschäftigungsverhältnisses verarbeitet werden, wenn dies für die Entscheidung über die Begründung eines Beschäftigungsverhältnisses oder nach Begründung des Beschäftigungsverhältnisses für dessen Durchführung oder Beendigung oder zur Ausübung oder Erfüllung der sich aus einem Gesetz oder einem Tarifvertrag, einer Betriebs- oder Dienstvereinbarung (Kollektivvereinbarung) ergebenden Rechte und Pflichten der Interessenvertretung der Beschäftigten erforderlich ist. [2]Zur Aufdeckung von Straftaten dürfen personenbezogene Daten von Beschäftigten nur dann verarbeitet werden, wenn zu dokumentierende tatsächliche Anhaltspunkte den Verdacht begründen, dass die betroffene Person im Beschäftigungsverhältnis eine Straftat begangen hat, die Verarbeitung zur Aufdeckung erforderlich ist und das schutzwürdige Interesse der oder des Beschäftigten an dem Ausschluss der Verarbeitung nicht überwiegt, insbesondere Art und Ausmaß im Hinblick auf den Anlass nicht unverhältnismäßig sind.

(2) [1]Erfolgt die Verarbeitung personenbezogener Daten von Beschäftigten auf der Grundlage einer Einwilligung, so sind für die Beurteilung der Freiwilligkeit der Einwilligung insbesondere die im Beschäftigungsverhältnis bestehende Abhängigkeit der beschäftigten Person sowie die Umstände, unter denen die Einwilligung erteilt worden ist, zu berücksichtigen. [2]Freiwilligkeit kann insbesondere vorliegen, wenn für die beschäftigte Person ein rechtlicher oder wirtschaftlicher Vorteil erreicht wird oder Arbeitgeber und beschäftigte Person gleichgelagerte Interessen verfolgen. [3]Die Einwilligung hat schriftlich oder elektronisch zu erfolgen, soweit nicht wegen besonderer Umstände eine andere Form angemessen ist. [4]Der Arbeitgeber hat die beschäftigte Person über den Zweck der Datenverarbeitung und über ihr Widerrufsrecht nach Artikel 7 Absatz 3 der Verordnung (EU) 2016/679[1)] in Textform aufzuklären.

(3) [1]Abweichend von Artikel 9 Absatz 1 der Verordnung (EU) 2016/679 ist die Verarbeitung besonderer Kategorien personenbezogener Daten im Sinne des Artikels 9 Absatz 1 der Verordnung (EU) 2016/679 für Zwecke des Beschäftigungsverhältnisses zulässig, wenn sie zur Ausübung von Rechten oder zur Erfüllung rechtlicher Pflichten aus dem Arbeitsrecht, dem Recht der sozialen Sicherheit und des Sozialschutzes erforderlich ist und kein Grund zu der Annahme besteht, dass das schutzwürdige Interesse der betroffenen Person an dem Ausschluss der Verarbeitung überwiegt. [2]Absatz 2 gilt auch für die Einwilligung in die Verarbeitung besonderer Kategorien personenbezogener

---

1) Auszugsweise abgedruckt unter Nr. **489**.
2) § 26 Abs. 2 Satz 3 geänd. mWv 26.11.2019 durch G v. 20.11.2019 (BGBl. I S. 1626).

Daten; die Einwilligung muss sich dabei ausdrücklich auf diese Daten beziehen. [3] § 22 Absatz 2 gilt entsprechend.

(4) [1] Die Verarbeitung personenbezogener Daten, einschließlich besonderer Kategorien personenbezogener Daten von Beschäftigten für Zwecke des Beschäftigungsverhältnisses, ist auf der Grundlage von Kollektivvereinbarungen zulässig. [2] Dabei haben die Verhandlungspartner Artikel 88 Absatz 2 der Verordnung (EU) 2016/679 zu beachten.

(5) Der Verantwortliche muss geeignete Maßnahmen ergreifen, um sicherzustellen, dass insbesondere die in Artikel 5 der Verordnung (EU) 2016/679 dargelegten Grundsätze für die Verarbeitung personenbezogener Daten eingehalten werden.

(6) Die Beteiligungsrechte der Interessenvertretungen der Beschäftigten bleiben unberührt.

(7) Die Absätze 1 bis 6 sind auch anzuwenden, wenn personenbezogene Daten, einschließlich besonderer Kategorien personenbezogener Daten, von Beschäftigten verarbeitet werden, ohne dass sie in einem Dateisystem gespeichert sind oder gespeichert werden sollen.

(8) [1] Beschäftigte im Sinne dieses Gesetzes sind:

(Fortsetzung nächstes Blatt)

1. Arbeitnehmerinnen und Arbeitnehmer, einschließlich der Leiharbeitnehmerinnen und Leiharbeitnehmer im Verhältnis zum Entleiher,
2. zu ihrer Berufsbildung Beschäftigte,
3. Teilnehmerinnen und Teilnehmer an Leistungen zur Teilhabe am Arbeitsleben sowie an Abklärungen der beruflichen Eignung oder Arbeitserprobung (Rehabilitandinnen und Rehabilitanden),
4. in anerkannten Werkstätten für behinderte Menschen Beschäftigte,
5. Freiwillige, die einen Dienst nach dem Jugendfreiwilligendienstegesetz[1] oder dem Bundesfreiwilligendienstgesetz[2] leisten,
6. Personen, die wegen ihrer wirtschaftlichen Unselbständigkeit als arbeitnehmerähnliche Personen anzusehen sind; zu diesen gehören auch die in Heimarbeit Beschäftigten und die ihnen Gleichgestellten,
7. Beamtinnen und Beamte des Bundes, Richterinnen und Richter des Bundes, Soldatinnen und Soldaten sowie Zivildienstleistende.

[2] Bewerberinnen und Bewerber für ein Beschäftigungsverhältnis sowie Personen, deren Beschäftigungsverhältnis beendet ist, gelten als Beschäftigte.

§ 27 Datenverarbeitung zu wissenschaftlichen oder historischen Forschungszwecken und zu statistischen Zwecken. (1) [1] Abweichend von Artikel 9 Absatz 1 der Verordnung (EU) 2016/679 ist die Verarbeitung besonderer Kategorien personenbezogener Daten im Sinne des Artikels 9 Absatz 1 der Verordnung (EU) 2016/679 auch ohne Einwilligung für wissenschaftliche oder historische Forschungszwecke oder für statistische Zwecke zulässig, wenn die Verarbeitung zu diesen Zwecken erforderlich ist und die Interessen des Verantwortlichen an der Verarbeitung die Interessen der betroffenen Person an einem Ausschluss der Verarbeitung erheblich überwiegen. [2] Der Verantwortliche sieht angemessene und spezifische Maßnahmen zur Wahrung der Interessen der betroffenen Person gemäß § 22 Absatz 2 Satz 2 vor.

(2) [1] Die in den Artikeln 15, 16, 18 und 21 der Verordnung (EU) 2016/679 vorgesehenen Rechte der betroffenen Person sind insoweit beschränkt, als diese Rechte voraussichtlich die Verwirklichung der Forschungs- oder Statistikzwecke unmöglich machen oder ernsthaft *beinträchtigen*[3] und die Beschränkung für die Erfüllung der Forschungs- oder Statistikzwecke notwendig ist. [2] Das Recht auf Auskunft gemäß Artikel 15 der Verordnung (EU) 2016/679 besteht darüber hinaus nicht, wenn die Daten für Zwecke der wissenschaftlichen Forschung erforderlich sind und die Auskunftserteilung einen unverhältnismäßigen Aufwand erfordern würde.

(3) [1] Ergänzend zu den in § 22 Absatz 2 genannten Maßnahmen sind zu wissenschaftlichen oder historischen Forschungszwecken oder zu statistischen Zwecken verarbeitete besondere Kategorien personenbezogener Daten im Sinne des Artikels 9 Absatz 1 der Verordnung (EU) 2016/679 zu anonymisieren, sobald dies nach dem Forschungs- oder Statistikzweck möglich ist, es sei denn, berechtigte Interessen der betroffenen Person stehen dem entgegen. [2] Bis dahin sind die Merkmale gesondert zu speichern, mit denen Einzel-

[1] Nr. **422**.
[2] Nr. **422a**.
[3] Richtig wohl: „beeinträchtigen".

angaben über persönliche oder sachliche Verhältnisse einer bestimmten oder bestimmbaren Person zugeordnet werden können. [3] Sie dürfen mit den Einzelangaben nur zusammengeführt werden, soweit der Forschungs- oder Statistikzweck dies erfordert.

(4) Der Verantwortliche darf personenbezogene Daten nur veröffentlichen, wenn die betroffene Person eingewilligt hat oder dies für die Darstellung von Forschungsergebnissen über Ereignisse der Zeitgeschichte unerlässlich ist.

§ 28 Datenverarbeitung zu im öffentlichen Interesse liegenden Archivzwecken. (1) [1] Abweichend von Artikel 9 Absatz 1 der Verordnung (EU) 2016/679 ist die Verarbeitung besonderer Kategorien personenbezogener Daten im Sinne des Artikels 9 Absatz 1 der Verordnung (EU) 2016/679 zulässig, wenn sie für im öffentlichen Interesse liegende Archivzwecke erforderlich ist. [2] Der Verantwortliche sieht angemessene und spezifische Maßnahmen zur Wahrung der Interessen der betroffenen Person gemäß § 22 Absatz 2 Satz 2 vor.

(2) Das Recht auf Auskunft der betroffenen Person gemäß Artikel 15 der Verordnung (EU) 2016/679 besteht nicht, wenn das Archivgut nicht durch den Namen der Person erschlossen ist oder keine Angaben gemacht werden, die das Auffinden des betreffenden Archivguts mit vertretbarem Verwaltungsaufwand ermöglichen.

(3) [1] Das Recht auf Berichtigung der betroffenen Person gemäß Artikel 16 der Verordnung (EU) 2016/679 besteht nicht, wenn die personenbezogenen Daten zu Archivzwecken im öffentlichen Interesse verarbeitet werden. [2] Bestreitet die betroffene Person die Richtigkeit der personenbezogenen Daten, ist ihr die Möglichkeit einer Gegendarstellung einzuräumen. [3] Das zuständige Archiv ist verpflichtet, die Gegendarstellung den Unterlagen hinzuzufügen.

(4) Die in Artikel 18 Absatz 1 Buchstabe a, b und d, den Artikeln 20 und 21 der Verordnung (EU) 2016/679 vorgesehenen Rechte bestehen nicht, soweit diese Rechte voraussichtlich die Verwirklichung der im öffentlichen Interesse liegenden Archivzwecke unmöglich machen oder ernsthaft beeinträchtigen und die Ausnahmen für die Erfüllung dieser Zwecke erforderlich sind.

§ 29 Rechte der betroffenen Person und aufsichtsbehördliche Befugnisse im Fall von Geheimhaltungspflichten. (1) [1] Die Pflicht zur Information der betroffenen Person gemäß Artikel 14 Absatz 1 bis 4 der Verordnung (EU) 2016/679 besteht ergänzend zu den in Artikel 14 Absatz 5 der Verordnung (EU) 2016/679 genannten Ausnahmen nicht, soweit durch ihre Erfüllung Informationen offenbart würden, die ihrem Wesen nach, insbesondere wegen der überwiegenden berechtigten Interessen eines Dritten, geheim gehalten werden müssen. [2] Das Recht auf Auskunft der betroffenen Person gemäß Artikel 15 der Verordnung (EU) 2016/679 besteht nicht, soweit durch die Auskunft Informationen offenbart würden, die nach einer Rechtsvorschrift oder ihrem Wesen nach, insbesondere wegen der überwiegenden berechtigten Interessen eines Dritten, geheim gehalten werden müssen. [3] Die Pflicht zur Benachrichtigung gemäß Artikel 34 der Verordnung (EU) 2016/679 besteht ergänzend zu der in Artikel 34 Absatz 3 der Verordnung (EU) 2016/679 genannten Ausnahme nicht, soweit durch die Benachrichtigung Informationen offenbart würden, die nach einer Rechtsvorschrift oder ihrem

Wesen nach, insbesondere wegen der überwiegenden berechtigten Interessen eines Dritten, geheim gehalten werden müssen. [4] Abweichend von der Ausnahme nach Satz 3 ist die betroffene Person nach Artikel 34 der Verordnung (EU) 2016/679 zu benachrichtigen, wenn die Interessen der betroffenen Person, insbesondere unter Berücksichtigung drohender Schäden, gegenüber dem Geheimhaltungsinteresse überwiegen.

(2) Werden Daten Dritter im Zuge der Aufnahme oder im Rahmen eines Mandatsverhältnisses an einen Berufsgeheimnisträger übermittelt, so besteht die Pflicht der übermittelnden Stelle zur Information der betroffenen Person gemäß Artikel 13 Absatz 3 der Verordnung (EU) 2016/679 nicht, sofern nicht das Interesse der betroffenen Person an der Informationserteilung überwiegt.

(3) [1] Gegenüber den in § 203 Absatz 1, 2a und 3 des Strafgesetzbuchs[1)] genannten Personen oder deren Auftragsverarbeitern bestehen die Untersuchungsbefugnisse der Aufsichtsbehörden gemäß Artikel 58 Absatz 1 Buchstabe e und f der Verordnung (EU) 2016/679 nicht, soweit die Inanspruchnahme der Befugnisse zu einem Verstoß gegen die Geheimhaltungspflichten dieser Personen führen würde. [2] Erlangt eine Aufsichtsbehörde im Rahmen einer Untersuchung Kenntnis von Daten, die einer Geheimhaltungspflicht im Sinne des Satzes 1 unterliegen, gilt die Geheimhaltungspflicht auch für die Aufsichtsbehörde.

§ 30 Verbraucherkredite. (1) Eine Stelle, die geschäftsmäßig personenbezogene Daten, die zur Bewertung der Kreditwürdigkeit von Verbrauchern genutzt werden dürfen, zum Zweck der Übermittlung erhebt, speichert oder verändert, hat Auskunftsverlangen von Darlehensgebern aus anderen Mitgliedstaaten der Europäischen Union genauso zu behandeln wie Auskunftsverlangen inländischer Darlehensgeber.

(2) [1] Wer den Abschluss eines Verbraucherdarlehensvertrags oder eines Vertrags über eine entgeltliche Finanzierungshilfe mit einem Verbraucher infolge einer Auskunft einer Stelle im Sinne des Absatzes 1 ablehnt, hat den Verbraucher unverzüglich hierüber sowie über die erhaltene Auskunft zu unterrichten. [2] Die Unterrichtung unterbleibt, soweit hierdurch die öffentliche Sicherheit oder Ordnung gefährdet würde. [3] § 37 bleibt unberührt.

§ 31 Schutz des Wirtschaftsverkehrs bei Scoring und Bonitätsauskünften. (1) Die Verwendung eines Wahrscheinlichkeitswerts über ein bestimmtes zukünftiges Verhalten einer natürlichen Person zum Zweck der Entscheidung über die Begründung, Durchführung oder Beendigung eines Vertragsverhältnisses mit dieser Person (Scoring) ist nur zulässig, wenn

1. die Vorschriften des Datenschutzrechts eingehalten wurden,
2. die zur Berechnung des Wahrscheinlichkeitswerts genutzten Daten unter Zugrundelegung eines wissenschaftlich anerkannten mathematisch-statistischen Verfahrens nachweisbar für die Berechnung der Wahrscheinlichkeit des bestimmten Verhaltens erheblich sind,
3. für die Berechnung des Wahrscheinlichkeitswerts nicht ausschließlich Anschriftendaten genutzt wurden und

---

[1)] **Schönfelder Nr. 85.**

4. im Fall der Nutzung von Anschriftendaten die betroffene Person vor Berechnung des Wahrscheinlichkeitswerts über die vorgesehene Nutzung dieser Daten unterrichtet worden ist; die Unterrichtung ist zu dokumentieren.

(2) [1] Die Verwendung eines von Auskunfteien ermittelten Wahrscheinlichkeitswerts über die Zahlungsfähig- und Zahlungswilligkeit einer natürlichen Person ist im Fall der Einbeziehung von Informationen über Forderungen nur zulässig, soweit die Voraussetzungen nach Absatz 1 vorliegen und nur solche Forderungen über eine geschuldete Leistung, die trotz Fälligkeit nicht erbracht worden ist, berücksichtigt werden,

1. die durch ein rechtskräftiges oder für vorläufig vollstreckbar erklärtes Urteil festgestellt worden sind oder für die ein Schuldtitel nach § 794 der Zivilprozessordnung[1)] vorliegt,
2. die nach § 178 der Insolvenzordnung[2)] festgestellt und nicht vom Schuldner im Prüfungstermin bestritten worden sind,
3. die der Schuldner ausdrücklich anerkannt hat,
4. bei denen
   a) der Schuldner nach Eintritt der Fälligkeit der Forderung mindestens zweimal schriftlich gemahnt worden ist,
   b) die erste Mahnung mindestens vier Wochen zurückliegt,
   c) der Schuldner zuvor, jedoch frühestens bei der ersten Mahnung, über eine mögliche Berücksichtigung durch eine Auskunftei unterrichtet worden ist und
   d) der Schuldner die Forderung nicht bestritten hat oder
5. deren zugrunde liegendes Vertragsverhältnis aufgrund von Zahlungsrückständen fristlos gekündigt werden kann und bei denen der Schuldner zuvor über eine mögliche Berücksichtigung durch eine Auskunftei unterrichtet worden ist.

[2] Die Zulässigkeit der Verarbeitung, einschließlich der Ermittlung von Wahrscheinlichkeitswerten, von anderen bonitätsrelevanten Daten nach allgemeinem Datenschutzrecht bleibt unberührt.

Kapitel 2. Rechte der betroffenen Person

§ 32 Informationspflicht bei Erhebung von personenbezogenen Daten bei der betroffenen Person. (1) Die Pflicht zur Information der betroffenen Person gemäß Artikel 13 Absatz 3 der Verordnung (EU) 2016/679 besteht ergänzend zu der in Artikel 13 Absatz 4 der Verordnung (EU) 2016/679 genannten Ausnahme dann nicht, wenn die Erteilung der Information über die beabsichtigte Weiterverarbeitung

1. eine Weiterverarbeitung analog gespeicherter Daten betrifft, bei der sich der Verantwortliche durch die Weiterverarbeitung unmittelbar an die betroffene Person wendet, der Zweck mit dem ursprünglichen Erhebungszweck gemäß der Verordnung (EU) 2016/679 vereinbar ist, die Kommunikation mit der betroffenen Person nicht in digitaler Form erfolgt und das

---

1) Nr. 320.
2) **beck-online, Module Arbeitsrecht Nr. 327.**

Interesse der betroffenen Person an der Informationserteilung nach den Umständen des Einzelfalls, insbesondere mit Blick auf den Zusammenhang, in dem die Daten erhoben wurden, als gering anzusehen ist,

2. im Fall einer öffentlichen Stelle die ordnungsgemäße Erfüllung der in der Zuständigkeit des Verantwortlichen liegenden Aufgaben im Sinne des Artikels 23 Absatz 1 Buchstabe a bis e der Verordnung (EU) 2016/679 gefährden würde und die Interessen des Verantwortlichen an der Nichterteilung der Information die Interessen der betroffenen Person überwiegen,
3. die öffentliche Sicherheit oder Ordnung gefährden oder sonst dem Wohl des Bundes oder eines Landes Nachteile bereiten würde und die Interessen des Verantwortlichen an der Nichterteilung der Information die Interessen der betroffenen Person überwiegen,
4. die Geltendmachung, Ausübung oder Verteidigung rechtlicher Ansprüche beeinträchtigen würde und die Interessen des Verantwortlichen an der Nichterteilung der Information die Interessen der betroffenen Person überwiegen oder
5. eine vertrauliche Übermittlung von Daten an öffentliche Stellen gefährden würde.

(2) [1] Unterbleibt eine Information der betroffenen Person nach Maßgabe des Absatzes 1, ergreift der Verantwortliche geeignete Maßnahmen zum Schutz der berechtigten Interessen der betroffenen Person, einschließlich der Bereitstellung der in Artikel 13 Absatz 1 und 2 der Verordnung (EU) 2016/679 genannten Informationen für die Öffentlichkeit in präziser, transparenter, verständlicher und leicht zugänglicher Form in einer klaren und einfachen Sprache. [2] Der Verantwortliche hält schriftlich fest, aus welchen Gründen er von einer Information abgesehen hat. [3] Die Sätze 1 und 2 finden in den Fällen des Absatzes 1 Nummer 4 und 5 keine Anwendung.

(3) Unterbleibt die Benachrichtigung in den Fällen des Absatzes 1 wegen eines vorübergehenden Hinderungsgrundes, kommt der Verantwortliche der Informationspflicht unter Berücksichtigung der spezifischen Umstände der Verarbeitung innerhalb einer angemessenen Frist nach Fortfall des Hinderungsgrundes, spätestens jedoch innerhalb von zwei Wochen, nach.

§ 33 Informationspflicht, wenn die personenbezogenen Daten nicht bei der betroffenen Person erhoben wurden. (1) Die Pflicht zur Information der betroffenen Person gemäß Artikel 14 Absatz 1, 2 und 4 der Verordnung (EU) 2016/679 besteht ergänzend zu den in Artikel 14 Absatz 5 der Verordnung (EU) 2016/679 und der in § 29 Absatz 1 Satz 1 genannten Ausnahme nicht, wenn die Erteilung der Information

1. im Fall einer öffentlichen Stelle
   a) die ordnungsgemäße Erfüllung der in der Zuständigkeit des Verantwortlichen liegenden Aufgaben im Sinne des Artikels 23 Absatz 1 Buchstabe a bis e der Verordnung (EU) 2016/679 gefährden würde oder
   b) die öffentliche Sicherheit oder Ordnung gefährden oder sonst dem Wohl des Bundes oder eines Landes Nachteile bereiten würde

und deswegen das Interesse der betroffenen Person an der Informationserteilung zurücktreten muss,

2. im Fall einer nichtöffentlichen Stelle
   a) die Geltendmachung, Ausübung oder Verteidigung zivilrechtlicher Ansprüche beeinträchtigen würde oder die Verarbeitung Daten aus zivilrechtlichen Verträgen beinhaltet und der Verhütung von Schäden durch Straftaten dient, sofern nicht das berechtigte Interesse der betroffenen Person an der Informationserteilung überwiegt, oder
   b) die zuständige öffentliche Stelle gegenüber dem Verantwortlichen festgestellt hat, dass das Bekanntwerden der Daten die öffentliche Sicherheit oder Ordnung gefährden oder sonst dem Wohl des Bundes oder eines Landes Nachteile bereiten würde; im Fall der Datenverarbeitung für Zwecke der Strafverfolgung bedarf es keiner Feststellung nach dem ersten Halbsatz.

(2) [1] Unterbleibt eine Information der betroffenen Person nach Maßgabe des Absatzes 1, ergreift der Verantwortliche geeignete Maßnahmen zum Schutz der berechtigten Interessen der betroffenen Person, einschließlich der Bereitstellung der in Artikel 14 Absatz 1 und 2 der Verordnung (EU) 2016/679 genannten Informationen für die Öffentlichkeit in präziser, transparenter, verständlicher und leicht zugänglicher Form in einer klaren und einfachen Sprache. [2] Der Verantwortliche hält schriftlich fest, aus welchen Gründen er von einer Information abgesehen hat.

(3) Bezieht sich die Informationserteilung auf die Übermittlung personenbezogener Daten durch öffentliche Stellen an Verfassungsschutzbehörden, den Bundesnachrichtendienst, den Militärischen Abschirmdienst und, soweit die Sicherheit des Bundes berührt wird, andere Behörden des Bundesministeriums der Verteidigung, ist sie nur mit Zustimmung dieser Stellen zulässig.

§ 34 Auskunftsrecht der betroffenen Person. (1) Das Recht auf Auskunft der betroffenen Person gemäß Artikel 15 der Verordnung (EU) 2016/679 besteht ergänzend zu den in § 27 Absatz 2, § 28 Absatz 2 und § 29 Absatz 1 Satz 2 genannten Ausnahmen nicht, wenn

1. die betroffene Person nach § 33 Absatz 1 Nummer 1, 2 Buchstabe b oder Absatz 3 nicht zu informieren ist, oder
2. die Daten
   a) nur deshalb gespeichert sind, weil sie aufgrund gesetzlicher oder satzungsmäßiger Aufbewahrungsvorschriften nicht gelöscht werden dürfen, oder
   b) ausschließlich Zwecken der Datensicherung oder der Datenschutzkontrolle dienen

   und die Auskunftserteilung einen unverhältnismäßigen Aufwand erfordern würde sowie eine Verarbeitung zu anderen Zwecken durch geeignete technische und organisatorische Maßnahmen ausgeschlossen ist.

(2) [1] Die Gründe der Auskunftsverweigerung sind zu dokumentieren. [2] Die Ablehnung der Auskunftserteilung ist gegenüber der betroffenen Person zu begründen, soweit nicht durch die Mitteilung der tatsächlichen und rechtlichen Gründe, auf die die Entscheidung gestützt wird, der mit der Auskunftsverweigerung verfolgte Zweck gefährdet würde. [3] Die zum Zweck der Auskunftserteilung an die betroffene Person und zu deren Vorbereitung gespeicherten Daten dürfen nur für diesen Zweck sowie für Zwecke der Daten-

schutzkontrolle verarbeitet werden; für andere Zwecke ist die Verarbeitung nach Maßgabe des Artikels 18 der Verordnung (EU) 2016/679 einzuschränken.

(3) [1] Wird der betroffenen Person durch eine öffentliche Stelle des Bundes keine Auskunft erteilt, so ist sie auf ihr Verlangen der oder dem Bundesbeauftragten zu erteilen, soweit nicht die jeweils zuständige oberste Bundesbehörde im Einzelfall feststellt, dass dadurch die Sicherheit des Bundes oder eines Landes gefährdet würde. [2] Die Mitteilung der oder des Bundesbeauftragten an die betroffene Person über das Ergebnis der datenschutzrechtlichen Prüfung darf keine Rückschlüsse auf den Erkenntnisstand des Verantwortlichen zulassen, sofern dieser nicht einer weitergehenden Auskunft zustimmt.

(4) Das Recht der betroffenen Person auf Auskunft über personenbezogene Daten, die durch eine öffentliche Stelle weder automatisiert verarbeitet noch nicht automatisiert verarbeitet und in einem Dateisystem gespeichert werden, besteht nur, soweit die betroffene Person Angaben macht, die das Auffinden der Daten ermöglichen, und der für die Erteilung der Auskunft erforderliche Aufwand nicht außer Verhältnis zu dem von der betroffenen Person geltend gemachten Informationsinteresse steht.

§ 35 Recht auf Löschung. (1) [1] Ist eine Löschung im Fall nicht automatisierter Datenverarbeitung wegen der besonderen Art der Speicherung nicht oder nur mit unverhältnismäßig hohem Aufwand möglich und ist das Interesse der betroffenen Person an der Löschung als gering anzusehen, besteht das Recht der betroffenen Person auf und die Pflicht des Verantwortlichen zur Löschung personenbezogener Daten gemäß Artikel 17 Absatz 1 der Verordnung (EU) 2016/679[1)] ergänzend zu den in Artikel 17 Absatz 3 der Verordnung (EU) 2016/679 genannten Ausnahmen nicht. [2] In diesem Fall tritt an die Stelle einer Löschung die Einschränkung der Verarbeitung gemäß Artikel 18 der Verordnung (EU) 2016/679. [3] Die Sätze 1 und 2 finden keine Anwendung, wenn die personenbezogenen Daten unrechtmäßig verarbeitet wurden.

(2) [1] Ergänzend zu Artikel 18 Absatz 1 Buchstabe b und c der Verordnung (EU) 2016/679 gilt Absatz 1 Satz 1 und 2 entsprechend im Fall des Artikels 17 Absatz 1 Buchstabe a und d der Verordnung (EU) 2016/679, solange und soweit der Verantwortliche Grund zu der Annahme hat, dass durch eine Löschung schutzwürdige Interessen der betroffenen Person beeinträchtigt würden. [2] Der Verantwortliche unterrichtet die betroffene Person über die Einschränkung der Verarbeitung, sofern sich die Unterrichtung nicht als unmöglich erweist oder einen unverhältnismäßigen Aufwand erfordern würde.

(3) Ergänzend zu Artikel 17 Absatz 3 Buchstabe b der Verordnung (EU) 2016/679 gilt Absatz 1 entsprechend im Fall des Artikels 17 Absatz 1 Buchstabe a der Verordnung (EU) 2016/679, wenn einer Löschung satzungsgemäße oder vertragliche Aufbewahrungsfristen entgegenstehen.

§ 36 Widerspruchsrecht. Das Recht auf Widerspruch gemäß Artikel 21 Absatz 1 der Verordnung (EU) 2016/679[1)] gegenüber einer öffentlichen Stelle besteht nicht, soweit an der Verarbeitung ein zwingendes öffentliches Interesse besteht, das die Interessen der betroffenen Person überwiegt, oder eine Rechtsvorschrift zur Verarbeitung verpflichtet.

[1)] Auszugsweise abgedruckt unter Nr. **489**.

§ 37 Automatisierte Entscheidungen im Einzelfall einschließlich Profiling.

(1) Das Recht gemäß Artikel 22 Absatz 1 der Verordnung (EU) 2016/679[1)], keiner ausschließlich auf einer automatisierten Verarbeitung beruhenden Entscheidung unterworfen zu werden, besteht über die in Artikel 22 Absatz 2 Buchstabe a und c der Verordnung (EU) 2016/679 genannten Ausnahmen hinaus nicht, wenn die Entscheidung im Rahmen der Leistungserbringung nach einem Versicherungsvertrag ergeht und

1. dem Begehren der betroffenen Person stattgegeben wurde oder
2. die Entscheidung auf der Anwendung verbindlicher Entgeltregelungen für Heilbehandlungen beruht und der Verantwortliche für den Fall, dass dem Antrag nicht vollumfänglich stattgegeben wird, angemessene Maßnahmen zur Wahrung der berechtigten Interessen der betroffenen Person trifft, wozu mindestens das Recht auf Erwirkung des Eingreifens einer Person seitens des Verantwortlichen, auf Darlegung des eigenen Standpunktes und auf Anfechtung der Entscheidung zählt; der Verantwortliche informiert die betroffene Person über diese Rechte spätestens zum Zeitpunkt der Mitteilung, aus der sich ergibt, dass dem Antrag der betroffenen Person nicht vollumfänglich stattgegeben wird.

(2) [1] Entscheidungen nach Absatz 1 dürfen auf der Verarbeitung von Gesundheitsdaten im Sinne des Artikels 4 Nummer 15 der Verordnung (EU) 2016/679 beruhen. [2] Der Verantwortliche sieht angemessene und spezifische Maßnahmen zur Wahrung der Interessen der betroffenen Person gemäß § 22 Absatz 2 Satz 2 vor.

Kapitel 3. Pflichten der Verantwortlichen und Auftragsverarbeiter

§ 38[2)] Datenschutzbeauftragte nichtöffentlicher Stellen. (1) [1] Ergänzend zu Artikel 37 Absatz 1 Buchstabe b und c der Verordnung (EU) 2016/679[1)] benennen der Verantwortliche und der Auftragsverarbeiter eine Datenschutzbeauftragte oder einen Datenschutzbeauftragten, soweit sie in der Regel mindestens 20 Personen ständig mit der automatisierten Verarbeitung personenbezogener Daten beschäftigen. [2] Nehmen der Verantwortliche oder der Auftragsverarbeiter Verarbeitungen vor, die einer Datenschutz-Folgenabschätzung nach Artikel 35 der Verordnung (EU) 2016/679 unterliegen, oder verarbeiten sie personenbezogene Daten geschäftsmäßig zum Zweck der Übermittlung, der anonymisierten Übermittlung oder für Zwecke der Markt- oder Meinungsforschung, haben sie unabhängig von der Anzahl der mit der Verarbeitung beschäftigten Personen eine Datenschutzbeauftragte oder einen Datenschutzbeauftragten zu benennen.

(2) § 6 Absatz 4, 5 Satz 2 und Absatz 6 finden Anwendung, § 6 Absatz 4 jedoch nur, wenn die Benennung einer oder eines Datenschutzbeauftragten verpflichtend ist.

§ 39 Akkreditierung. [1] Die Erteilung der Befugnis, als Zertifizierungsstelle gemäß Artikel 43 Absatz 1 Satz 1 der Verordnung (EU) 2016/679[1)] tätig zu werden, erfolgt durch die für die datenschutzrechtliche Aufsicht über die Zertifizierungsstelle zuständige Aufsichtsbehörde des Bundes oder der Länder auf der Grundlage einer Akkreditierung durch die Deutsche Akkreditierungsstelle. [2] § 2 Absatz 3 Satz 2, § 4 Absatz 3 und § 10 Absatz 1 Satz 1 Nummer 3 des Akkreditierungsstellengesetzes finden mit der Maßgabe Anwen-

(Fortsetzung nächstes Blatt)

---

1) Auszugsweise abgedruckt unter Nr. **489**.
2) § 38 Abs. 1 Satz 1 geänd. mWv 26.11.2019 durch G v. 20.11.2019 (BGBl. I S. 1626).

dung, dass der Datenschutz als ein dem Anwendungsbereich des § 1 Absatz 2 Satz 2 unterfallender Bereich gilt.

Kapitel 4. Aufsichtsbehörde für die Datenverarbeitung durch nichtöffentliche Stellen

§ 40 Aufsichtsbehörden der Länder. (1) Die nach Landesrecht zuständigen Behörden überwachen im Anwendungsbereich der Verordnung (EU) 2016/679 bei den nichtöffentlichen Stellen die Anwendung der Vorschriften über den Datenschutz.

(2) [1] Hat der Verantwortliche oder Auftragsverarbeiter mehrere inländische Niederlassungen, findet für die Bestimmung der zuständigen Aufsichtsbehörde Artikel 4 Nummer 16 der Verordnung (EU) 2016/679 entsprechende Anwendung. [2] Wenn sich mehrere Behörden für zuständig oder für unzuständig halten oder wenn die Zuständigkeit aus anderen Gründen zweifelhaft ist, treffen die Aufsichtsbehörden die Entscheidung gemeinsam nach Maßgabe des § 18 Absatz 2. [3] § 3 Absatz 3 und 4 des Verwaltungsverfahrensgesetzes[1)] findet entsprechende Anwendung.

(3) [1] Die Aufsichtsbehörde darf die von ihr gespeicherten Daten nur für Zwecke der Aufsicht verarbeiten; hierbei darf sie Daten an andere Aufsichtsbehörden übermitteln. [2] Eine Verarbeitung zu einem anderen Zweck ist über Artikel 6 Absatz 4 der Verordnung (EU) 2016/679 hinaus zulässig, wenn

1. offensichtlich ist, dass sie im Interesse der betroffenen Person liegt und kein Grund zu der Annahme besteht, dass sie in Kenntnis des anderen Zwecks ihre Einwilligung verweigern würde,
2. sie zur Abwehr erheblicher Nachteile für das Gemeinwohl oder einer Gefahr für die öffentliche Sicherheit oder zur Wahrung erheblicher Belange des Gemeinwohls erforderlich ist oder
3. sie zur Verfolgung von Straftaten oder Ordnungswidrigkeiten, zur Vollstreckung oder zum Vollzug von Strafen oder Maßnahmen im Sinne des § 11 Absatz 1 Nummer 8 des Strafgesetzbuchs[2)] oder von Erziehungsmaßregeln oder Zuchtmitteln im Sinne des Jugendgerichtsgesetzes[3)] oder zur Vollstreckung von Geldbußen erforderlich ist.

[3] Stellt die Aufsichtsbehörde einen Verstoß gegen die Vorschriften über den Datenschutz fest, so ist sie befugt, die betroffenen Personen hierüber zu unterrichten, den Verstoß anderen für die Verfolgung oder Ahndung zuständigen Stellen anzuzeigen sowie bei schwerwiegenden Verstößen die Gewerbeaufsichtsbehörde zur Durchführung gewerberechtlicher Maßnahmen zu unterrichten. [4] § 13 Absatz 4 Satz 4 bis 7 gilt entsprechend.

(4) [1] Die der Aufsicht unterliegenden Stellen sowie die mit deren Leitung beauftragten Personen haben einer Aufsichtsbehörde auf Verlangen die für die Erfüllung ihrer Aufgaben erforderlichen Auskünfte zu erteilen. [2] Der Auskunftspflichtige kann die Auskunft auf solche Fragen verweigern, deren Beantwortung ihn selbst oder einen der in § 383 Absatz 1 Nummer 1 bis 3 der

---

1) **Sartorius Nr. 100.**
2) **Schönfelder Nr. 85.**
3) **Schönfelder Nr. 89.**

Zivilprozessordnung[1] bezeichneten Angehörigen der Gefahr strafgerichtlicher Verfolgung oder eines Verfahrens nach dem Gesetz über Ordnungswidrigkeiten[2] aussetzen würde. [3] Der Auskunftspflichtige ist darauf hinzuweisen.

(5) [1] Die von einer Aufsichtsbehörde mit der Überwachung der Einhaltung der Vorschriften über den Datenschutz beauftragten Personen sind befugt, zur Erfüllung ihrer Aufgaben Grundstücke und Geschäftsräume der Stelle zu betreten und Zugang zu allen Datenverarbeitungsanlagen und -geräten zu erhalten. [2] Die Stelle ist insoweit zur Duldung verpflichtet. [3] § 16 Absatz 4 gilt entsprechend.

(6) [1] Die Aufsichtsbehörden beraten und unterstützen die Datenschutzbeauftragten mit Rücksicht auf deren typische Bedürfnisse. [2] Sie können die Abberufung der oder des Datenschutzbeauftragten verlangen, wenn sie oder er die zur Erfüllung ihrer oder seiner Aufgaben erforderliche Fachkunde nicht besitzt oder im Fall des Artikels 38 Absatz 6 der Verordnung (EU) 2016/679 ein schwerwiegender Interessenkonflikt vorliegt.

(7) Die Anwendung der Gewerbeordnung[3] bleibt unberührt.

Kapitel 5. Sanktionen

§ 41 Anwendung der Vorschriften über das Bußgeld- und Strafverfahren. (1) [1] Für Verstöße nach Artikel 83 Absatz 4 bis 6 der Verordnung (EU) 2016/679 gelten, soweit dieses Gesetz nichts anderes bestimmt, die Vorschriften des Gesetzes über Ordnungswidrigkeiten[2] sinngemäß. [2] Die §§ 17, 35 und 36 des Gesetzes über Ordnungswidrigkeiten finden keine Anwendung. [3] § 68 des Gesetzes über Ordnungswidrigkeiten findet mit der Maßgabe Anwendung, dass das Landgericht entscheidet, wenn die festgesetzte Geldbuße den Betrag von einhunderttausend Euro übersteigt.

(2) [1] Für Verfahren wegen eines Verstoßes nach Artikel 83 Absatz 4 bis 6 der Verordnung (EU) 2016/679 gelten, soweit dieses Gesetz nichts anderes bestimmt, die Vorschriften des Gesetzes über Ordnungswidrigkeiten und der allgemeinen Gesetze über das Strafverfahren, namentlich der Strafprozessordnung[4] und des Gerichtsverfassungsgesetzes[5], entsprechend. [2] Die §§ 56 bis 58, 87, 88, 99 und 100 des Gesetzes über Ordnungswidrigkeiten finden keine Anwendung. [3] § 69 Absatz 4 Satz 2 des Gesetzes über Ordnungswidrigkeiten findet mit der Maßgabe Anwendung, dass die Staatsanwaltschaft das Verfahren nur mit Zustimmung der Aufsichtsbehörde, die den Bußgeldbescheid erlassen hat, einstellen kann.

§ 42 Strafvorschriften. (1) Mit Freiheitsstrafe bis zu drei Jahren oder mit Geldstrafe wird bestraft, wer wissentlich nicht allgemein zugängliche personenbezogene Daten einer großen Zahl von Personen, ohne hierzu berechtigt zu sein,

1. einem Dritten übermittelt oder

---

[1] **beck-online, Module Arbeitsrecht Nr. 320.**
[2] **Schönfelder Nr. 94.**
[3] Auszugsweise abgedruckt unter Nr. **106**.
[4] **Schönfelder Nr. 90.**
[5] Auszugsweise abgedruckt unter Nr. **665**.

2. auf andere Art und Weise zugänglich macht

und hierbei gewerbsmäßig handelt.

(2) Mit Freiheitsstrafe bis zu zwei Jahren oder mit Geldstrafe wird bestraft, wer personenbezogene Daten, die nicht allgemein zugänglich sind,

1. ohne hierzu berechtigt zu sein, verarbeitet oder
2. durch unrichtige Angaben erschleicht

und hierbei gegen Entgelt oder in der Absicht handelt, sich oder einen anderen zu bereichern oder einen anderen zu schädigen.

(3) [1] Die Tat wird nur auf Antrag verfolgt. [2] Antragsberechtigt sind die betroffene Person, der Verantwortliche, die oder der Bundesbeauftragte und die Aufsichtsbehörde.

(4) Eine Meldung nach Artikel 33 der Verordnung (EU) 2016/679 oder eine Benachrichtigung nach Artikel 34 Absatz 1 der Verordnung (EU) 2016/679 darf in einem Strafverfahren gegen den Meldepflichtigen oder Benachrichtigenden oder seine in § 52 Absatz 1 der Strafprozessordnung[1)] bezeichneten Angehörigen nur mit Zustimmung des Meldepflichtigen oder Benachrichtigenden verwendet werden.

§ 43 Bußgeldvorschriften. (1) Ordnungswidrig handelt, wer vorsätzlich oder fahrlässig

1. entgegen § 30 Absatz 1 ein Auskunftsverlangen nicht richtig behandelt oder
2. entgegen § 30 Absatz 2 Satz 1 einen Verbraucher nicht, nicht richtig, nicht vollständig oder nicht rechtzeitig unterrichtet.

(2) Die Ordnungswidrigkeit kann mit einer Geldbuße bis zu fünfzigtausend Euro geahndet werden.

(3) Gegen Behörden und sonstige öffentliche Stellen im Sinne des § 2 Absatz 1 werden keine Geldbußen verhängt.

(4) Eine Meldung nach Artikel 33 der Verordnung (EU) 2016/679 oder eine Benachrichtigung nach Artikel 34 Absatz 1 der Verordnung (EU) 2016/679 darf in einem Verfahren nach dem Gesetz über Ordnungswidrigkeiten[2)] gegen den Meldepflichtigen oder Benachrichtigenden oder seine in § 52 Absatz 1 der Strafprozessordnung[1)] bezeichneten Angehörigen nur mit Zustimmung des Meldepflichtigen oder Benachrichtigenden verwendet werden.

Kapitel 6. Rechtsbehelfe

§ 44 Klagen gegen den Verantwortlichen oder Auftragsverarbeiter.

(1) [1] Klagen der betroffenen Person gegen einen Verantwortlichen oder einen Auftragsverarbeiter wegen eines Verstoßes gegen datenschutzrechtliche Bestimmungen im Anwendungsbereich der Verordnung (EU) 2016/679 oder der darin enthaltenen Rechte der betroffenen Person können bei dem Gericht des Ortes erhoben werden, an dem sich eine Niederlassung des Verantwortlichen oder Auftragsverarbeiters befindet. [2] Klagen nach Satz 1 kön-

---

1) **Schönfelder Nr. 90.**
2) **Schönfelder Nr. 94.**

nen auch bei dem Gericht des Ortes erhoben werden, an dem die betroffene Person ihren gewöhnlichen Aufenthaltsort hat.

(2) Absatz 1 gilt nicht für Klagen gegen Behörden, die in Ausübung ihrer hoheitlichen Befugnisse tätig geworden sind.

(3) [1] Hat der Verantwortliche oder Auftragsverarbeiter einen Vertreter nach Artikel 27 Absatz 1 der Verordnung (EU) 2016/679 benannt, gilt dieser auch als bevollmächtigt, Zustellungen in zivilgerichtlichen Verfahren nach Absatz 1 entgegenzunehmen. [2] § 184 der Zivilprozessordnung[1)] bleibt unberührt.

Teil 3. Bestimmungen für Verarbeitungen zu Zwecken gemäß Artikel 1 Absatz 1 der Richtlinie (EU) 2016/680

Kapitel 1. Anwendungsbereich, Begriffsbestimmungen und allgemeine Grundsätze für die Verarbeitung personenbezogener Daten

§ 45 Anwendungsbereich. [1] Die Vorschriften dieses Teils gelten für die Verarbeitung personenbezogener Daten durch die für die Verhütung, Ermittlung, Aufdeckung, Verfolgung oder Ahndung von Straftaten oder Ordnungswidrigkeiten zuständigen öffentlichen Stellen, soweit sie Daten zum Zweck der Erfüllung dieser Aufgaben verarbeiten. [2] Die öffentlichen Stellen gelten dabei als Verantwortliche. [3] Die Verhütung von Straftaten im Sinne des Satzes 1 umfasst den Schutz vor und die Abwehr von Gefahren für die öffentliche Sicherheit. [4] Die Sätze 1 und 2 finden zudem Anwendung auf diejenigen öffentlichen Stellen, die für die Vollstreckung von Strafen, von Maßnahmen im Sinne des § 11 Absatz 1 Nummer 8 des Strafgesetzbuchs[2)], von Erziehungsmaßregeln oder Zuchtmitteln im Sinne des Jugendgerichtsgesetzes[3)] und von Geldbußen zuständig sind. [5] Soweit dieser Teil Vorschriften für Auftragsverarbeiter enthält, gilt er auch für diese.

§ 46 Begriffsbestimmungen. Es bezeichnen die Begriffe:

1. „personenbezogene Daten" alle Informationen, die sich auf eine identifizierte oder identifizierbare natürliche Person (betroffene Person) beziehen; als identifizierbar wird eine natürliche Person angesehen, die direkt oder indirekt, insbesondere mittels Zuordnung zu einer Kennung wie einem Namen, zu einer Kennnummer, zu Standortdaten, zu einer Online-Kennung oder zu einem oder mehreren besonderen Merkmalen, die Ausdruck der physischen, physiologischen, genetischen, psychischen, wirtschaftlichen, kulturellen oder sozialen Identität dieser Person sind, identifiziert werden kann;
2. „Verarbeitung" jeden mit oder ohne Hilfe automatisierter Verfahren ausgeführten Vorgang oder jede solche Vorgangsreihe im Zusammenhang mit personenbezogenen Daten wie das Erheben, das Erfassen, die Organisation, das Ordnen, die Speicherung, die Anpassung, die Veränderung, das Auslesen, das Abfragen, die Verwendung, die Offenlegung durch

[1)] **beck-online, Module Arbeitsrecht Nr. 320.**
[2)] **Schönfelder Nr. 85.**
[3)] **Schönfelder Nr. 89.**

Übermittlung, Verbreitung oder eine andere Form der Bereitstellung, den Abgleich, die Verknüpfung, die Einschränkung, das Löschen oder die Vernichtung;

3. „Einschränkung der Verarbeitung" die Markierung gespeicherter personenbezogener Daten mit dem Ziel, ihre künftige Verarbeitung einzuschränken;
4. „Profiling" jede Art der automatisierten Verarbeitung personenbezogener Daten, bei der diese Daten verwendet werden, um bestimmte persönliche Aspekte, die sich auf eine natürliche Person beziehen, zu bewerten, insbesondere um Aspekte der Arbeitsleistung, der wirtschaftlichen Lage, der Gesundheit, der persönlichen Vorlieben, der Interessen, der Zuverlässigkeit, des Verhaltens, der Aufenthaltsorte oder der Ortswechsel dieser natürlichen Person zu analysieren oder vorherzusagen;
5. „Pseudonymisierung" die Verarbeitung personenbezogener Daten in einer Weise, in der die Daten ohne Hinzuziehung zusätzlicher Informationen nicht mehr einer spezifischen betroffenen Person zugeordnet werden können, sofern diese zusätzlichen Informationen gesondert aufbewahrt werden und technischen und organisatorischen Maßnahmen unterliegen, die gewährleisten, dass die Daten keiner betroffenen Person zugewiesen werden können;
6. „Dateisystem" jede strukturierte Sammlung personenbezogener Daten, die nach bestimmten Kriterien zugänglich sind, unabhängig davon, ob diese Sammlung zentral, dezentral oder nach funktionalen oder geografischen Gesichtspunkten geordnet geführt wird;
7. „Verantwortlicher" die natürliche oder juristische Person, Behörde, Einrichtung oder andere Stelle, die allein oder gemeinsam mit anderen über die Zwecke und Mittel der Verarbeitung von personenbezogenen Daten entscheidet;
8. „Auftragsverarbeiter" eine natürliche oder juristische Person, Behörde, Einrichtung oder andere Stelle, die personenbezogene Daten im Auftrag des Verantwortlichen verarbeitet;
9. „Empfänger" eine natürliche oder juristische Person, Behörde, Einrichtung oder andere Stelle, der personenbezogene Daten offengelegt werden, unabhängig davon, ob es sich bei ihr um einen Dritten handelt oder nicht; Behörden, die im Rahmen eines bestimmten Untersuchungsauftrags nach dem Unionsrecht oder anderen Rechtsvorschriften personenbezogene Daten erhalten, gelten jedoch nicht als Empfänger; die Verarbeitung dieser Daten durch die genannten Behörden erfolgt im Einklang mit den geltenden Datenschutzvorschriften gemäß den Zwecken der Verarbeitung;
10. „Verletzung des Schutzes personenbezogener Daten" eine Verletzung der Sicherheit, die zur unbeabsichtigten oder unrechtmäßigen Vernichtung, zum Verlust, zur Veränderung oder zur unbefugten Offenlegung von oder zum unbefugten Zugang zu personenbezogenen Daten geführt hat, die verarbeitet wurden;
11. „genetische Daten" personenbezogene Daten zu den ererbten oder erworbenen genetischen Eigenschaften einer natürlichen Person, die eindeutige Informationen über die Physiologie oder die Gesundheit dieser

Person liefern, insbesondere solche, die aus der Analyse einer biologischen Probe der Person gewonnen wurden;

12. „biometrische Daten" mit speziellen technischen Verfahren gewonnene personenbezogene Daten zu den physischen, physiologischen oder verhaltenstypischen Merkmalen einer natürlichen Person, die die eindeutige Identifizierung dieser natürlichen Person ermöglichen oder bestätigen, insbesondere Gesichtsbilder oder daktyloskopische Daten;

13. „Gesundheitsdaten" personenbezogene Daten, die sich auf die körperliche oder geistige Gesundheit einer natürlichen Person, einschließlich der Erbringung von Gesundheitsdienstleistungen, beziehen und aus denen Informationen über deren Gesundheitszustand hervorgehen;

14. „besondere Kategorien personenbezogener Daten"
    a) Daten, aus denen die rassische oder ethnische Herkunft, politische Meinungen, religiöse oder weltanschauliche Überzeugungen oder die Gewerkschaftszugehörigkeit hervorgehen,
    b) genetische Daten,
    c) biometrische Daten zur eindeutigen Identifizierung einer natürlichen Person,
    d) Gesundheitsdaten und
    e) Daten zum Sexualleben oder zur sexuellen Orientierung;

15. „Aufsichtsbehörde" eine von einem Mitgliedstaat gemäß Artikel 41 der Richtlinie (EU) 2016/680 eingerichtete unabhängige staatliche Stelle;

16. „internationale Organisation" eine völkerrechtliche Organisation und ihre nachgeordneten Stellen sowie jede sonstige Einrichtung, die durch eine von zwei oder mehr Staaten geschlossene Übereinkunft oder auf der Grundlage einer solchen Übereinkunft geschaffen wurde;

17. „Einwilligung" jede freiwillig für den bestimmten Fall, in informierter Weise und unmissverständlich abgegebene Willensbekundung in Form einer Erklärung oder einer sonstigen eindeutigen bestätigenden Handlung, mit der die betroffene Person zu verstehen gibt, dass sie mit der Verarbeitung der sie betreffenden personenbezogenen Daten einverstanden ist.

§ 47 Allgemeine Grundsätze für die Verarbeitung personenbezogener Daten. Personenbezogene Daten müssen

1. auf rechtmäßige Weise und nach Treu und Glauben verarbeitet werden,
2. für festgelegte, eindeutige und rechtmäßige Zwecke erhoben und nicht in einer mit diesen Zwecken nicht zu vereinbarenden Weise verarbeitet werden,
3. dem Verarbeitungszweck entsprechen, für das Erreichen des Verarbeitungszwecks erforderlich sein und ihre Verarbeitung nicht außer Verhältnis zu diesem Zweck stehen,
4. sachlich richtig und erforderlichenfalls auf dem neuesten Stand sein; dabei *sind alle angemessenen* Maßnahmen zu treffen, damit personenbezogene Daten, die im Hinblick auf die Zwecke ihrer Verarbeitung unrichtig sind, unverzüglich gelöscht oder berichtigt werden,

5. nicht länger als es für die Zwecke, für die sie verarbeitet werden, erforderlich ist, in einer Form gespeichert werden, die die Identifizierung der betroffenen Personen ermöglicht, und
6. in einer Weise verarbeitet werden, die eine angemessene Sicherheit der personenbezogenen Daten gewährleistet; hierzu gehört auch ein durch geeignete technische und organisatorische Maßnahmen zu gewährleistender Schutz vor unbefugter oder unrechtmäßiger Verarbeitung, unbeabsichtigtem Verlust, unbeabsichtigter Zerstörung oder unbeabsichtigter Schädigung.

Kapitel 2. Rechtsgrundlagen der Verarbeitung personenbezogener Daten

§ 48 Verarbeitung besonderer Kategorien personenbezogener Daten. (1) Die Verarbeitung besonderer Kategorien personenbezogener Daten ist nur zulässig, wenn sie zur Aufgabenerfüllung unbedingt erforderlich ist.

(2) [1] Werden besondere Kategorien personenbezogener Daten verarbeitet, sind geeignete Garantien für die Rechtsgüter der betroffenen Personen vorzusehen. [2] Geeignete Garantien können insbesondere sein

1. spezifische Anforderungen an die Datensicherheit oder die Datenschutzkontrolle,
2. die Festlegung von besonderen Aussonderungsprüffristen,
3. die Sensibilisierung der an Verarbeitungsvorgängen Beteiligten,
4. die Beschränkung des Zugangs zu den personenbezogenen Daten innerhalb der verantwortlichen Stelle,
5. die von anderen Daten getrennte Verarbeitung,
6. die Pseudonymisierung personenbezogener Daten,
7. die Verschlüsselung personenbezogener Daten oder
8. spezifische Verfahrensregelungen, die im Fall einer Übermittlung oder Verarbeitung für andere Zwecke die Rechtmäßigkeit der Verarbeitung sicherstellen.

§ 49 Verarbeitung zu anderen Zwecken. [1] Eine Verarbeitung personenbezogener Daten zu einem anderen Zweck als zu demjenigen, zu dem sie erhoben wurden, ist zulässig, wenn es sich bei dem anderen Zweck um einen der in § 45 genannten Zwecke handelt, der Verantwortliche befugt ist, Daten zu diesem Zweck zu verarbeiten, und die Verarbeitung zu diesem Zweck erforderlich und verhältnismäßig ist. [2] Die Verarbeitung personenbezogener Daten zu einem anderen, in § 45 nicht genannten Zweck ist zulässig, wenn sie in einer Rechtsvorschrift vorgesehen ist.

§ 50 Verarbeitung zu archivarischen, wissenschaftlichen und statistischen Zwecken. [1] Personenbezogene Daten dürfen im Rahmen der in § 45 genannten Zwecke in archivarischer, wissenschaftlicher oder statistischer Form verarbeitet werden, wenn hieran ein öffentliches Interesse besteht und geeignete Garantien für die Rechtsgüter der betroffenen Personen vorgesehen werden. [2] Solche Garantien können in einer so zeitnah wie möglich erfolgenden Anonymisierung der personenbezogenen Daten, in Vorkehrungen gegen ihre unbefugte Kenntnisnahme durch Dritte oder in ihrer räumlich und organisatorisch von den sonstigen Fachaufgaben getrennten Verarbeitung bestehen.

§ 51 Einwilligung. (1) Soweit die Verarbeitung personenbezogener Daten nach einer Rechtsvorschrift auf der Grundlage einer Einwilligung erfolgen kann, muss der Verantwortliche die Einwilligung der betroffenen Person nachweisen können.

(2) Erfolgt die Einwilligung der betroffenen Person durch eine schriftliche Erklärung, die noch andere Sachverhalte betrifft, muss das Ersuchen um Einwilligung in verständlicher und leicht zugänglicher Form in einer klaren und einfachen Sprache so erfolgen, dass es von den anderen Sachverhalten klar zu unterscheiden ist.

(3) [1] Die betroffene Person hat das Recht, ihre Einwilligung jederzeit zu widerrufen. [2] Durch den Widerruf der Einwilligung wird die Rechtmäßigkeit der aufgrund der Einwilligung bis zum Widerruf erfolgten Verarbeitung nicht berührt. [3] Die betroffene Person ist vor Abgabe der Einwilligung hiervon in Kenntnis zu setzen.

(4) [1] Die Einwilligung ist nur wirksam, wenn sie auf der freien Entscheidung der betroffenen Person beruht. [2] Bei der Beurteilung, ob die Einwilligung freiwillig erteilt wurde, müssen die Umstände der Erteilung berücksichtigt werden. [3] Die betroffene Person ist auf den vorgesehenen Zweck der Verarbeitung hinzuweisen. [4] Ist dies nach den Umständen des Einzelfalles erforderlich oder verlangt die betroffene Person dies, ist sie auch über die Folgen der Verweigerung der Einwilligung zu belehren.

(5) Soweit besondere Kategorien personenbezogener Daten verarbeitet werden, muss sich die Einwilligung ausdrücklich auf diese Daten beziehen.

§ 52 Verarbeitung auf Weisung des Verantwortlichen. Jede einem Verantwortlichen oder einem Auftragsverarbeiter unterstellte Person, die Zugang zu personenbezogenen Daten hat, darf diese Daten ausschließlich auf Weisung des Verantwortlichen verarbeiten, es sei denn, dass sie nach einer Rechtsvorschrift zur Verarbeitung verpflichtet ist.

§ 53 Datengeheimnis. [1] Mit Datenverarbeitung befasste Personen dürfen personenbezogene Daten nicht unbefugt verarbeiten (Datengeheimnis). [2] Sie sind bei der Aufnahme ihrer Tätigkeit auf das Datengeheimnis zu verpflichten. [3] Das Datengeheimnis besteht auch nach der Beendigung ihrer Tätigkeit fort.

§ 54 Automatisierte Einzelentscheidung. (1) Eine ausschließlich auf einer automatischen Verarbeitung beruhende Entscheidung, die mit einer nachteiligen Rechtsfolge für die betroffene Person verbunden ist oder sie erheblich beeinträchtigt, ist nur zulässig, wenn sie in einer Rechtsvorschrift vorgesehen ist.

(2) Entscheidungen nach Absatz 1 dürfen nicht auf besonderen Kategorien personenbezogener Daten beruhen, sofern nicht geeignete Maßnahmen zum Schutz der Rechtsgüter sowie der berechtigten Interessen der betroffenen Personen getroffen wurden.

(3) Profiling, das zur Folge hat, dass betroffene Personen auf der Grundlage von besonderen Kategorien personenbezogener Daten diskriminiert werden, ist verboten.

Kapitel 3. Rechte der betroffenen Person

§ 55 Allgemeine Informationen zu Datenverarbeitungen. Der Verantwortliche hat in allgemeiner Form und für jedermann zugänglich Informationen zur Verfügung zu stellen über

1. die Zwecke der von ihm vorgenommenen Verarbeitungen,
2. die im Hinblick auf die Verarbeitung ihrer personenbezogenen Daten bestehenden Rechte der betroffenen Personen auf Auskunft, Berichtigung, Löschung und Einschränkung der Verarbeitung,
3. den Namen und die Kontaktdaten des Verantwortlichen und der oder des Datenschutzbeauftragten,
4. das Recht, die Bundesbeauftragte oder den Bundesbeauftragten anzurufen, und
5. die Erreichbarkeit der oder des Bundesbeauftragten.

§ 56 Benachrichtigung betroffener Personen. (1) Ist die Benachrichtigung betroffener Personen über die Verarbeitung sie betreffender personenbezogener Daten in speziellen Rechtsvorschriften, insbesondere bei verdeckten Maßnahmen, vorgesehen oder angeordnet, so hat diese Benachrichtigung zumindest die folgenden Angaben zu enthalten:

1. die in § 55 genannten Angaben,
2. die Rechtsgrundlage der Verarbeitung,
3. die für die Daten geltende Speicherdauer oder, falls dies nicht möglich ist, die Kriterien für die Festlegung dieser Dauer,
4. gegebenenfalls die Kategorien von Empfängern der personenbezogenen Daten sowie
5. erforderlichenfalls weitere Informationen, insbesondere, wenn die personenbezogenen Daten ohne Wissen der betroffenen Person erhoben wurden.

(2) In den Fällen des Absatzes 1 kann der Verantwortliche die Benachrichtigung insoweit und solange aufschieben, einschränken oder unterlassen, wie andernfalls

1. die Erfüllung der in § 45 genannten Aufgaben,
2. die öffentliche Sicherheit oder
3. Rechtsgüter Dritter

gefährdet würden, wenn das Interesse an der Vermeidung dieser Gefahren das Informationsinteresse der betroffenen Person überwiegt.

(3) Bezieht sich die Benachrichtigung auf die Übermittlung personenbezogener Daten an Verfassungsschutzbehörden, den Bundesnachrichtendienst, den Militärischen Abschirmdienst und, soweit die Sicherheit des Bundes berührt wird, andere Behörden des Bundesministeriums der Verteidigung, ist sie nur mit Zustimmung dieser Stellen zulässig.

(4) Im Fall der Einschränkung nach Absatz 2 gilt § 57 Absatz 7 entsprechend.

§ 57 Auskunftsrecht. (1) [1]Der Verantwortliche hat betroffenen Personen auf Antrag Auskunft darüber zu erteilen, ob er sie betreffende Daten verarbeitet. [2]Betroffene Personen haben darüber hinaus das Recht, Informationen zu erhalten über

1. die personenbezogenen Daten, die Gegenstand der Verarbeitung sind, und die Kategorie, zu der sie gehören,
2. die verfügbaren Informationen über die Herkunft der Daten,
3. die Zwecke der Verarbeitung und deren Rechtsgrundlage,
4. die Empfänger oder die Kategorien von Empfängern, gegenüber denen die Daten offengelegt worden sind, insbesondere bei Empfängern in Drittstaaten oder bei internationalen Organisationen,
5. die für die Daten geltende Speicherdauer oder, falls dies nicht möglich ist, die Kriterien für die Festlegung dieser Dauer,
6. das Bestehen eines Rechts auf Berichtigung, Löschung oder Einschränkung der Verarbeitung der Daten durch den Verantwortlichen,
7. das Recht nach § 60, die Bundesbeauftragte oder den Bundesbeauftragten anzurufen, sowie
8. Angaben zur Erreichbarkeit der oder des Bundesbeauftragten.

(2) Absatz 1 gilt nicht für personenbezogene Daten, die nur deshalb verarbeitet werden, weil sie aufgrund gesetzlicher Aufbewahrungsvorschriften nicht gelöscht werden dürfen oder die ausschließlich Zwecken der Datensicherung oder der Datenschutzkontrolle dienen, wenn die Auskunftserteilung einen unverhältnismäßigen Aufwand erfordern würde und eine Verarbeitung zu anderen Zwecken durch geeignete technische und organisatorische Maßnahmen ausgeschlossen ist.

(3) Von der Auskunftserteilung ist abzusehen, wenn die betroffene Person keine Angaben macht, die das Auffinden der Daten ermöglichen, und deshalb der für die Erteilung der Auskunft erforderliche Aufwand außer Verhältnis zu dem von der betroffenen Person geltend gemachten Informationsinteresse steht.

(4) Der Verantwortliche kann unter den Voraussetzungen des § 56 Absatz 2 von der Auskunft nach Absatz 1 Satz 1 absehen oder die Auskunftserteilung nach Absatz 1 Satz 2 teilweise oder vollständig einschränken.

(5) Bezieht sich die Auskunftserteilung auf die Übermittlung personenbezogener Daten an Verfassungsschutzbehörden, den Bundesnachrichtendienst, den Militärischen Abschirmdienst und, soweit die Sicherheit des Bundes berührt wird, andere Behörden des Bundesministeriums der Verteidigung, ist sie nur mit Zustimmung dieser Stellen zulässig.

(6) [1]Der Verantwortliche hat die betroffene Person über das Absehen von oder die Einschränkung einer Auskunft unverzüglich schriftlich zu unterrichten. [2]Dies gilt nicht, wenn bereits die Erteilung dieser Informationen eine Gefährdung im Sinne des § 56 Absatz 2 mit sich bringen würde. [3]Die Unterrichtung nach Satz 1 ist zu begründen, es sei denn, dass die Mitteilung

der Gründe den mit dem Absehen von oder der Einschränkung der Auskunft verfolgten Zweck gefährden würde.

(7) [1] Wird die betroffene Person nach Absatz 6 über das Absehen von oder die Einschränkung der Auskunft unterrichtet, kann sie ihr Auskunftsrecht auch über die Bundesbeauftragte oder den Bundesbeauftragten ausüben. [2] Der Verantwortliche hat die betroffene Person über diese Möglichkeit sowie darüber zu unterrichten, dass sie gemäß § 60 die Bundesbeauftragte oder den Bundesbeauftragten anrufen oder gerichtlichen Rechtsschutz suchen kann. [3] Macht die betroffene Person von ihrem Recht nach Satz 1 Gebrauch, ist die Auskunft auf ihr Verlangen der oder dem Bundesbeauftragten zu erteilen, soweit nicht die zuständige oberste Bundesbehörde im Einzelfall feststellt, dass dadurch die Sicherheit des Bundes oder eines Landes gefährdet würde. [4] Die oder der Bundesbeauftragte hat die betroffene Person zumindest darüber zu unterrichten, dass alle erforderlichen Prüfungen erfolgt sind oder eine Überprüfung durch sie stattgefunden hat. [5] Diese Mitteilung kann die Information enthalten, ob datenschutzrechtliche Verstöße festgestellt wurden. [6] Die Mitteilung der oder des Bundesbeauftragten an die betroffene Person darf keine Rückschlüsse auf den Erkenntnisstand des Verantwortlichen zulassen, sofern dieser keiner weitergehenden Auskunft zustimmt. [7] Der Verantwortliche darf die Zustimmung nur insoweit und solange verweigern, wie er nach Absatz 4 von einer Auskunft absehen oder sie einschränken könnte. [8] Die oder der Bundesbeauftragte hat zudem die betroffene Person über ihr Recht auf gerichtlichen Rechtsschutz zu unterrichten.

(8) Der Verantwortliche hat die sachlichen oder rechtlichen Gründe für die Entscheidung zu dokumentieren.

§ 58 Rechte auf Berichtigung und Löschung sowie Einschränkung der Verarbeitung. (1) [1] Die betroffene Person hat das Recht, von dem Verantwortlichen unverzüglich die Berichtigung sie betreffender unrichtiger Daten zu verlangen. [2] Insbesondere im Fall von Aussagen oder Beurteilungen betrifft die Frage der Richtigkeit nicht den Inhalt der Aussage oder Beurteilung. [3] Wenn die Richtigkeit oder Unrichtigkeit der Daten nicht festgestellt werden kann, tritt an die Stelle der Berichtigung eine Einschränkung der Verarbeitung. [4] In diesem Fall hat der Verantwortliche die betroffene Person zu unterrichten, bevor er die Einschränkung wieder aufhebt. [5] Die betroffene Person kann zudem die Vervollständigung unvollständiger personenbezogener Daten verlangen, wenn dies unter Berücksichtigung der Verarbeitungszwecke angemessen ist.

(2) Die betroffene Person hat das Recht, von dem Verantwortlichen unverzüglich die Löschung sie betreffender Daten zu verlangen, wenn deren Verarbeitung unzulässig ist, deren Kenntnis für die Aufgabenerfüllung nicht mehr erforderlich ist oder diese zur Erfüllung einer rechtlichen Verpflichtung gelöscht werden müssen.

(3) [1] Anstatt die personenbezogenen Daten zu löschen, kann der Verantwortliche deren Verarbeitung einschränken, wenn

1. Grund zu der Annahme besteht, dass eine Löschung schutzwürdige Interessen einer betroffenen Person beeinträchtigen würde,
2. die Daten zu Beweiszwecken in Verfahren, die Zwecken des § 45 dienen, weiter aufbewahrt werden müssen oder

3. eine Löschung wegen der besonderen Art der Speicherung nicht oder nur mit unverhältnismäßigem Aufwand möglich ist.

[2] In ihrer Verarbeitung nach Satz 1 eingeschränkte Daten dürfen nur zu dem Zweck verarbeitet werden, der ihrer Löschung entgegenstand.

(4) Bei automatisierten Dateisystemen ist technisch sicherzustellen, dass eine Einschränkung der Verarbeitung eindeutig erkennbar ist und eine Verarbeitung für andere Zwecke nicht ohne weitere Prüfung möglich ist.

(5) [1] Hat der Verantwortliche eine Berichtigung vorgenommen, hat er einer Stelle, die ihm die personenbezogenen Daten zuvor übermittelt hat, die Berichtigung mitzuteilen. [2] In Fällen der Berichtigung, Löschung oder Einschränkung der Verarbeitung nach den Absätzen 1 bis 3 hat der Verantwortliche Empfängern, denen die Daten übermittelt wurden, diese Maßnahmen mitzuteilen. [3] Der Empfänger hat die Daten zu berichtigen, zu löschen oder ihre Verarbeitung einzuschränken.

(6) [1] Der Verantwortliche hat die betroffene Person über ein Absehen von der Berichtigung oder Löschung personenbezogener Daten oder über die an deren Stelle tretende Einschränkung der Verarbeitung schriftlich zu unterrichten. [2] Dies gilt nicht, wenn bereits die Erteilung dieser Informationen eine Gefährdung im Sinne des § 56 Absatz 2 mit sich bringen würde. [3] Die Unterrichtung nach Satz 1 ist zu begründen, es sei denn, dass die Mitteilung der Gründe den mit dem Absehen von der Unterrichtung verfolgten Zweck gefährden würde.

(7) § 57 Absatz 7 und 8 findet entsprechende Anwendung.

§ 59 Verfahren für die Ausübung der Rechte der betroffenen Person.

(1) [1] Der Verantwortliche hat mit betroffenen Personen unter Verwendung einer klaren und einfachen Sprache in präziser, verständlicher und leicht zugänglicher Form zu kommunizieren. [2] Unbeschadet besonderer Formvorschriften soll er bei der Beantwortung von Anträgen grundsätzlich die für den Antrag gewählte Form verwenden.

(2) Bei Anträgen hat der Verantwortliche die betroffene Person unbeschadet des § 57 Absatz 6 und des § 58 Absatz 6 unverzüglich schriftlich darüber in Kenntnis zu setzen, wie verfahren wurde.

(3) [1] Die Erteilung von Informationen nach § 55, die Benachrichtigungen nach den §§ 56 und 66 und die Bearbeitung von Anträgen nach den §§ 57 und 58 erfolgen unentgeltlich. [2] Bei offenkundig unbegründeten oder exzessiven Anträgen nach den §§ 57 und 58 kann der Verantwortliche entweder eine angemessene Gebühr auf der Grundlage der Verwaltungskosten verlangen oder sich weigern, aufgrund des Antrags tätig zu werden. [3] In diesem Fall muss der Verantwortliche den offenkundig unbegründeten oder exzessiven Charakter des Antrags belegen können.

(4) Hat der Verantwortliche begründete Zweifel an der Identität einer betroffenen Person, die einen Antrag nach den §§ 57 oder 58 gestellt hat, kann er von ihr zusätzliche Informationen anfordern, die zur Bestätigung ihrer Identität erforderlich sind.

§ 60 Anrufung der oder des Bundesbeauftragten. (1) [1] Jede betroffene Person kann sich unbeschadet anderweitiger Rechtsbehelfe mit einer Beschwerde an die Bundesbeauftragte oder den Bundesbeauftragten wenden, wenn sie der Auffassung ist, bei der Verarbeitung ihrer personenbezogenen Daten durch öffentliche Stellen zu den in § 45 genannten Zwecken in ihren Rechten verletzt worden zu sein. [2] Dies gilt nicht für die Verarbeitung von personenbezogenen Daten durch Gerichte, soweit diese die Daten im Rahmen ihrer justiziellen Tätigkeit verarbeitet haben. [3] Die oder der Bundesbeauftragte hat die betroffene Person über den Stand und das Ergebnis der Beschwerde zu unterrichten und sie hierbei auf die Möglichkeit gerichtlichen Rechtsschutzes nach § 61 hinzuweisen.

(2) [1] Die oder der Bundesbeauftragte hat eine bei ihr oder ihm eingelegte Beschwerde über eine Verarbeitung, die in die Zuständigkeit einer Aufsichtsbehörde in einem anderen Mitgliedstaat der Europäischen Union fällt, unverzüglich an die zuständige Aufsichtsbehörde des anderen Staates weiterzuleiten. [2] Sie oder er hat in diesem Fall die betroffene Person über die Weiterleitung zu unterrichten und ihr auf deren Ersuchen weitere Unterstützung zu leisten.

§ 61 Rechtsschutz gegen Entscheidungen der oder des Bundesbeauftragten oder bei deren oder dessen Untätigkeit. (1) Jede natürliche oder juristische Person kann unbeschadet anderer Rechtsbehelfe gerichtlich gegen eine verbindliche Entscheidung der oder des Bundesbeauftragten vorgehen.

(2) Absatz 1 gilt entsprechend zugunsten betroffener Personen, wenn sich die oder der Bundesbeauftragte mit einer Beschwerde nach § 60 nicht befasst oder die betroffene Person nicht innerhalb von drei Monaten nach Einlegung der Beschwerde über den Stand oder das Ergebnis der Beschwerde in Kenntnis gesetzt hat.

Kapitel 4. Pflichten der Verantwortlichen und Auftragsverarbeiter

§ 62 Auftragsverarbeitung. (1) [1] Werden personenbezogene Daten im Auftrag eines Verantwortlichen durch andere Personen oder Stellen verarbeitet, hat der Verantwortliche für die Einhaltung der Vorschriften dieses Gesetzes und anderer Vorschriften über den Datenschutz zu sorgen. [2] Die Rechte der betroffenen Personen auf Auskunft, Berichtigung, Löschung, Einschränkung der Verarbeitung und Schadensersatz sind in diesem Fall gegenüber dem Verantwortlichen geltend zu machen.

(2) Ein Verantwortlicher darf nur solche Auftragsverarbeiter mit der Verarbeitung personenbezogener Daten beauftragen, die mit geeigneten technischen und organisatorischen Maßnahmen sicherstellen, dass die Verarbeitung im Einklang mit den gesetzlichen Anforderungen erfolgt und der Schutz der Rechte der betroffenen Personen gewährleistet wird.

(3) [1] Auftragsverarbeiter dürfen ohne vorherige schriftliche Genehmigung des Verantwortlichen keine weiteren Auftragsverarbeiter hinzuziehen. [2] Hat der Verantwortliche dem Auftragsverarbeiter eine allgemeine Genehmigung zur Hinzuziehung weiterer Auftragsverarbeiter erteilt, hat der Auftragsverarbeiter den Verantwortlichen über jede beabsichtigte Hinzuziehung oder Ersetzung zu informieren. [3] Der Verantwortliche kann in diesem Fall die Hinzuziehung oder Ersetzung untersagen.

(4) [1] Zieht ein Auftragsverarbeiter einen weiteren Auftragsverarbeiter hinzu, so hat er diesem dieselben Verpflichtungen aus seinem Vertrag mit dem Verantwortlichen nach Absatz 5 aufzuerlegen, die auch für ihn gelten, soweit diese Pflichten für den weiteren Auftragsverarbeiter nicht schon aufgrund anderer Vorschriften verbindlich sind. [2] Erfüllt ein weiterer Auftragsverarbeiter diese Verpflichtungen nicht, so haftet der ihn beauftragende Auftragsverarbeiter gegenüber dem Verantwortlichen für die Einhaltung der Pflichten des weiteren Auftragsverarbeiters.

(5) [1] Die Verarbeitung durch einen Auftragsverarbeiter hat auf der Grundlage eines Vertrags oder eines anderen Rechtsinstruments zu erfolgen, der oder das den Auftragsverarbeiter an den Verantwortlichen bindet und der oder das den Gegenstand, die Dauer, die Art und den Zweck der Verarbeitung, die Art der personenbezogenen Daten, die Kategorien betroffener Personen und die Rechte und Pflichten des Verantwortlichen festlegt. [2] Der Vertrag oder das andere Rechtsinstrument haben insbesondere vorzusehen, dass der Auftragsverarbeiter

1. nur auf dokumentierte Weisung des Verantwortlichen handelt; ist der Auftragsverarbeiter der Auffassung, dass eine Weisung rechtswidrig ist, hat er den Verantwortlichen unverzüglich zu informieren;
2. gewährleistet, dass die zur Verarbeitung der personenbezogenen Daten befugten Personen zur Vertraulichkeit verpflichtet werden, soweit sie keiner angemessenen gesetzlichen Verschwiegenheitspflicht unterliegen;
3. den Verantwortlichen mit geeigneten Mitteln dabei unterstützt, die Einhaltung der Bestimmungen über die Rechte der betroffenen Person zu gewährleisten;
4. alle personenbezogenen Daten nach Abschluss der Erbringung der Verarbeitungsleistungen nach Wahl des Verantwortlichen zurückgibt oder löscht und bestehende Kopien vernichtet, wenn nicht nach einer Rechtsvorschrift eine Verpflichtung zur Speicherung der Daten besteht;
5. dem Verantwortlichen alle erforderlichen Informationen, insbesondere die gemäß § 76 erstellten Protokolle, zum Nachweis der Einhaltung seiner Pflichten zur Verfügung stellt;
6. Überprüfungen, die von dem Verantwortlichen oder einem von diesem beauftragten Prüfer durchgeführt werden, ermöglicht und dazu beiträgt;
7. die in den Absätzen 3 und 4 aufgeführten Bedingungen für die Inanspruchnahme der Dienste eines weiteren Auftragsverarbeiters einhält;
8. alle gemäß § 64 erforderlichen Maßnahmen ergreift und
9. unter Berücksichtigung der Art der Verarbeitung und der ihm zur Verfügung stehenden Informationen den Verantwortlichen bei der Einhaltung der in den §§ 64 bis 67 und § 69 genannten Pflichten unterstützt.

(6) Der Vertrag im Sinne des Absatzes 5 ist schriftlich oder elektronisch abzufassen.

(7) Ein Auftragsverarbeiter, der die Zwecke und Mittel der Verarbeitung unter Verstoß gegen diese Vorschrift bestimmt, gilt in Bezug auf diese Verarbeitung als Verantwortlicher.

§ 63 Gemeinsam Verantwortliche. [1] Legen zwei oder mehr Verantwortliche gemeinsam die Zwecke und die Mittel der Verarbeitung fest, gelten sie als gemeinsam Verantwortliche. [2] Gemeinsam Verantwortliche haben ihre jeweiligen Aufgaben und datenschutzrechtlichen Verantwortlichkeiten in transparenter Form in einer Vereinbarung festzulegen, soweit diese nicht bereits in Rechtsvorschriften festgelegt sind. [3] Aus der Vereinbarung muss insbesondere hervorgehen, wer welchen Informationspflichten nachzukommen hat und wie und gegenüber wem betroffene Personen ihre Rechte wahrnehmen können. [4] Eine entsprechende Vereinbarung hindert die betroffene Person nicht, ihre Rechte gegenüber jedem der gemeinsam Verantwortlichen geltend zu machen.

§ 64 Anforderungen an die Sicherheit der Datenverarbeitung.

(1) [1] Der Verantwortliche und der Auftragsverarbeiter haben unter Berücksichtigung des Stands der Technik, der Implementierungskosten, der Art, des Umfangs, der Umstände und der Zwecke der Verarbeitung sowie der Eintrittswahrscheinlichkeit und der Schwere der mit der Verarbeitung verbundenen Gefahren für die Rechtsgüter der betroffenen Personen die erforderlichen technischen und organisatorischen Maßnahmen zu treffen, um bei der Verarbeitung personenbezogener Daten ein dem Risiko angemessenes Schutzniveau zu gewährleisten, insbesondere im Hinblick auf die Verarbeitung besonderer Kategorien personenbezogener Daten. [2] Der Verantwortliche hat hierbei die einschlägigen Technischen Richtlinien und Empfehlungen des Bundesamtes für Sicherheit in der Informationstechnik zu berücksichtigen.

(2) [1] Die in Absatz 1 genannten Maßnahmen können unter anderem die Pseudonymisierung und Verschlüsselung personenbezogener Daten umfassen, soweit solche Mittel in Anbetracht der Verarbeitungszwecke möglich sind. [2] Die Maßnahmen nach Absatz 1 sollen dazu führen, dass

1. die Vertraulichkeit, Integrität, Verfügbarkeit und Belastbarkeit der Systeme und Dienste im Zusammenhang mit der Verarbeitung auf Dauer sichergestellt werden und
2. die Verfügbarkeit der personenbezogenen Daten und der Zugang zu ihnen bei einem physischen oder technischen Zwischenfall rasch wiederhergestellt werden können.

(3) [1] Im Fall einer automatisierten Verarbeitung haben der Verantwortliche und der Auftragsverarbeiter nach einer Risikobewertung Maßnahmen zu ergreifen, die Folgendes bezwecken:

1. Verwehrung des Zugangs zu Verarbeitungsanlagen, mit denen die Verarbeitung durchgeführt wird, für Unbefugte (Zugangskontrolle),
2. Verhinderung des unbefugten Lesens, Kopierens, Veränderns oder Löschens von Datenträgern (Datenträgerkontrolle),
3. Verhinderung der unbefugten Eingabe von personenbezogenen Daten sowie der unbefugten Kenntnisnahme, Veränderung und Löschung von gespeicherten personenbezogenen Daten (Speicherkontrolle),
4. Verhinderung der Nutzung automatisierter Verarbeitungssysteme mit Hilfe von Einrichtungen zur Datenübertragung durch Unbefugte (Benutzerkontrolle),
5. Gewährleistung, dass die zur Benutzung eines automatisierten Verarbeitungssystems Berechtigten ausschließlich zu den von ihrer Zugangs-

berechtigung umfassten personenbezogenen Daten Zugang haben (Zugriffskontrolle),

6. Gewährleistung, dass überprüft und festgestellt werden kann, an welche Stellen personenbezogene Daten mit Hilfe von Einrichtungen zur Datenübertragung übermittelt oder zur Verfügung gestellt wurden oder werden können (Übertragungskontrolle),
7. Gewährleistung, dass nachträglich überprüft und festgestellt werden kann, welche personenbezogenen Daten zu welcher Zeit und von wem in automatisierte Verarbeitungssysteme eingegeben oder verändert worden sind (Eingabekontrolle),
8. Gewährleistung, dass bei der Übermittlung personenbezogener Daten sowie beim Transport von Datenträgern die Vertraulichkeit und Integrität der Daten geschützt werden (Transportkontrolle),
9. Gewährleistung, dass eingesetzte Systeme im Störungsfall wiederhergestellt werden können (Wiederherstellbarkeit),
10. Gewährleistung, dass alle Funktionen des Systems zur Verfügung stehen und auftretende Fehlfunktionen gemeldet werden (Zuverlässigkeit),
11. Gewährleistung, dass gespeicherte personenbezogene Daten nicht durch Fehlfunktionen des Systems beschädigt werden können (Datenintegrität),
12. Gewährleistung, dass personenbezogene Daten, die im Auftrag verarbeitet werden, nur entsprechend den Weisungen des Auftraggebers verarbeitet werden können (Auftragskontrolle),
13. Gewährleistung, dass personenbezogene Daten gegen Zerstörung oder Verlust geschützt sind (Verfügbarkeitskontrolle),
14. Gewährleistung, dass zu unterschiedlichen Zwecken erhobene personenbezogene Daten getrennt verarbeitet werden können (Trennbarkeit).

[2] Ein Zweck nach Satz 1 Nummer 2 bis 5 kann insbesondere durch die Verwendung von dem Stand der Technik entsprechenden Verschlüsselungsverfahren erreicht werden.

§ 65 Meldung von Verletzungen des Schutzes personenbezogener Daten an die oder den Bundesbeauftragten. (1) [1] Der Verantwortliche hat eine Verletzung des Schutzes personenbezogener Daten unverzüglich und möglichst innerhalb von 72 Stunden, nachdem sie ihm bekannt geworden ist, der oder dem Bundesbeauftragten zu melden, es sei denn, dass die Verletzung voraussichtlich keine Gefahr für die Rechtsgüter natürlicher Personen mit sich gebracht hat. [2] Erfolgt die Meldung an die Bundesbeauftragte oder den Bundesbeauftragten nicht innerhalb von 72 Stunden, so ist die Verzögerung zu begründen.

(2) Ein Auftragsverarbeiter hat eine Verletzung des Schutzes personenbezogener Daten unverzüglich dem Verantwortlichen zu melden.

(3) Die Meldung nach Absatz 1 hat zumindest folgende Informationen zu enthalten:

1. *eine Beschreibung* der Art der Verletzung des Schutzes personenbezogener Daten, die, soweit möglich, Angaben zu den Kategorien und der ungefähren Anzahl der betroffenen Personen, zu den betroffenen Kategorien per-

sonenbezogener Daten und zu der ungefähren Anzahl der betroffenen personenbezogenen Datensätze zu enthalten hat,

2. den Namen und die Kontaktdaten der oder des Datenschutzbeauftragten oder einer sonstigen Person oder Stelle, die weitere Informationen erteilen kann,
3. eine Beschreibung der wahrscheinlichen Folgen der Verletzung und
4. eine Beschreibung der von dem Verantwortlichen ergriffenen oder vorgeschlagenen Maßnahmen zur Behandlung der Verletzung und der getroffenen Maßnahmen zur Abmilderung ihrer möglichen nachteiligen Auswirkungen.

(4) Wenn die Informationen nach Absatz 3 nicht zusammen mit der Meldung übermittelt werden können, hat der Verantwortliche sie unverzüglich nachzureichen, sobald sie ihm vorliegen.

(5) [1] Der Verantwortliche hat Verletzungen des Schutzes personenbezogener Daten zu dokumentieren. [2] Die Dokumentation hat alle mit den Vorfällen zusammenhängenden Tatsachen, deren Auswirkungen und die ergriffenen Abhilfemaßnahmen zu umfassen.

(6) Soweit von einer Verletzung des Schutzes personenbezogener Daten personenbezogene Daten betroffen sind, die von einem oder an einen Verantwortlichen in einem anderen Mitgliedstaat der Europäischen Union übermittelt wurden, sind die in Absatz 3 genannten Informationen dem dortigen Verantwortlichen unverzüglich zu übermitteln.

(7) § 42 Absatz 4 findet entsprechende Anwendung.

(8) Weitere Pflichten des Verantwortlichen zu Benachrichtigungen über Verletzungen des Schutzes personenbezogener Daten bleiben unberührt.

§ 66 Benachrichtigung betroffener Personen bei Verletzungen des Schutzes personenbezogener Daten. (1) Hat eine Verletzung des Schutzes personenbezogener Daten voraussichtlich eine erhebliche Gefahr für Rechtsgüter betroffener Personen zur Folge, so hat der Verantwortliche die betroffenen Personen unverzüglich über den Vorfall zu benachrichtigen.

(2) Die Benachrichtigung nach Absatz 1 hat in klarer und einfacher Sprache die Art der Verletzung des Schutzes personenbezogener Daten zu beschreiben und zumindest die in § 65 Absatz 3 Nummer 2 bis 4 genannten Informationen und Maßnahmen zu enthalten.

(3) Von der Benachrichtigung nach Absatz 1 kann abgesehen werden, wenn

1. der Verantwortliche geeignete technische und organisatorische Sicherheitsvorkehrungen getroffen hat und diese Vorkehrungen auf die von der Verletzung des Schutzes personenbezogener Daten betroffenen Daten angewandt wurden; dies gilt insbesondere für Vorkehrungen wie Verschlüsselungen, durch die die Daten für unbefugte Personen unzugänglich gemacht wurden;
2. der Verantwortliche durch im Anschluss an die Verletzung getroffene Maßnahmen sichergestellt hat, dass aller Wahrscheinlichkeit nach keine erhebliche Gefahr im Sinne des Absatzes 1 mehr besteht, oder

3. dies mit einem unverhältnismäßigen Aufwand verbunden wäre; in diesem Fall hat stattdessen eine öffentliche Bekanntmachung oder eine ähnliche Maßnahme zu erfolgen, durch die die betroffenen Personen vergleichbar wirksam informiert werden.

(4) [1] Wenn der Verantwortliche die betroffenen Personen über eine Verletzung des Schutzes personenbezogener Daten nicht benachrichtigt hat, kann die oder der Bundesbeauftragte förmlich feststellen, dass ihrer oder seiner Auffassung nach die in Absatz 3 genannten Voraussetzungen nicht erfüllt sind. [2] Hierbei hat sie oder er die Wahrscheinlichkeit zu berücksichtigen, dass die Verletzung eine erhebliche Gefahr im Sinne des Absatzes 1 zur Folge hat.

(5) Die Benachrichtigung der betroffenen Personen nach Absatz 1 kann unter den in § 56 Absatz 2 genannten Voraussetzungen aufgeschoben, eingeschränkt oder unterlassen werden, soweit nicht die Interessen der betroffenen Person aufgrund der von der Verletzung ausgehenden erheblichen Gefahr im Sinne des Absatzes 1 überwiegen.

(6) § 42 Absatz 4 findet entsprechende Anwendung.

§ 67 Durchführung einer Datenschutz-Folgenabschätzung. (1) Hat eine Form der Verarbeitung, insbesondere bei Verwendung neuer Technologien, aufgrund der Art, des Umfangs, der Umstände und der Zwecke der Verarbeitung voraussichtlich eine erhebliche Gefahr für die Rechtsgüter betroffener Personen zur Folge, so hat der Verantwortliche vorab eine Abschätzung der Folgen der vorgesehenen Verarbeitungsvorgänge für die betroffenen Personen durchzuführen.

(2) Für die Untersuchung mehrerer ähnlicher Verarbeitungsvorgänge mit ähnlich hohem Gefahrenpotential kann eine gemeinsame Datenschutz-Folgenabschätzung vorgenommen werden.

(3) Der Verantwortliche hat die Datenschutzbeauftragte oder den Datenschutzbeauftragten an der Durchführung der Folgenabschätzung zu beteiligen.

(4) Die Folgenabschätzung hat den Rechten der von der Verarbeitung betroffenen Personen Rechnung zu tragen und zumindest Folgendes zu enthalten:
1. eine systematische Beschreibung der geplanten Verarbeitungsvorgänge und der Zwecke der Verarbeitung,
2. eine Bewertung der Notwendigkeit und Verhältnismäßigkeit der Verarbeitungsvorgänge in Bezug auf deren Zweck,
3. eine Bewertung der Gefahren für die Rechtsgüter der betroffenen Personen und
4. die Maßnahmen, mit denen bestehenden Gefahren abgeholfen werden soll, einschließlich der Garantien, der Sicherheitsvorkehrungen und der Verfahren, durch die der Schutz personenbezogener Daten sichergestellt und die Einhaltung der gesetzlichen Vorgaben nachgewiesen werden sollen.

(5) *Soweit* erforderlich, hat der Verantwortliche eine Überprüfung durchzuführen, ob die Verarbeitung den Maßgaben folgt, die sich aus der Folgenabschätzung ergeben haben.

§ 68 Zusammenarbeit mit der oder dem Bundesbeauftragten. Der Verantwortliche hat mit der oder dem Bundesbeauftragten bei der Erfüllung ihrer oder seiner Aufgaben zusammenzuarbeiten.

§ 69 Anhörung der oder des Bundesbeauftragten. (1) [1]Der Verantwortliche hat vor der Inbetriebnahme von neu anzulegenden Dateisystemen die Bundesbeauftragte oder den Bundesbeauftragten anzuhören, wenn

1. aus einer Datenschutz-Folgenabschätzung nach § 67 hervorgeht, dass die Verarbeitung eine erhebliche Gefahr für die Rechtsgüter der betroffenen Personen zur Folge hätte, wenn der Verantwortliche keine Abhilfemaßnahmen treffen würde, oder
2. die Form der Verarbeitung, insbesondere bei der Verwendung neuer Technologien, Mechanismen oder Verfahren, eine erhebliche Gefahr für die Rechtsgüter der betroffenen Personen zur Folge hat.

[2]Die oder der Bundesbeauftragte kann eine Liste der Verarbeitungsvorgänge erstellen, die der Pflicht zur Anhörung nach Satz 1 unterliegen.

(2) [1]Der oder dem Bundesbeauftragten sind im Fall des Absatzes 1 vorzulegen:

1. die nach § 67 durchgeführte Datenschutz-Folgenabschätzung,
2. gegebenenfalls Angaben zu den jeweiligen Zuständigkeiten des Verantwortlichen, der gemeinsam Verantwortlichen und der an der Verarbeitung beteiligten Auftragsverarbeiter,
3. Angaben zu den Zwecken und Mitteln der beabsichtigten Verarbeitung,
4. Angaben zu den zum Schutz der Rechtsgüter der betroffenen Personen vorgesehenen Maßnahmen und Garantien und
5. Name und Kontaktdaten der oder des Datenschutzbeauftragten.

[2]Auf Anforderung sind ihr oder ihm zudem alle sonstigen Informationen zu übermitteln, die sie oder er benötigt, um die Rechtmäßigkeit der Verarbeitung sowie insbesondere die in Bezug auf den Schutz der personenbezogenen Daten der betroffenen Personen bestehenden Gefahren und die diesbezüglichen Garantien bewerten zu können.

(3) [1]Falls die oder der Bundesbeauftragte der Auffassung ist, dass die geplante Verarbeitung gegen gesetzliche Vorgaben verstoßen würde, insbesondere weil der Verantwortliche das Risiko nicht ausreichend ermittelt oder keine ausreichenden Abhilfemaßnahmen getroffen hat, kann sie oder er dem Verantwortlichen und gegebenenfalls dem Auftragsverarbeiter innerhalb eines Zeitraums von sechs Wochen nach Einleitung der Anhörung schriftliche Empfehlungen unterbreiten, welche Maßnahmen noch ergriffen werden sollten. [2]Die oder der Bundesbeauftragte kann diese Frist um einen Monat verlängern, wenn die geplante Verarbeitung besonders komplex ist. [3]Sie oder er hat in diesem Fall innerhalb eines Monats nach Einleitung der Anhörung den Verantwortlichen und gegebenenfalls den Auftragsverarbeiter über die Fristverlängerung zu informieren.

(4) [1]Hat die beabsichtigte Verarbeitung erhebliche Bedeutung für die Aufgabenerfüllung des Verantwortlichen und ist sie daher besonders dringlich, kann er mit der Verarbeitung nach Beginn der Anhörung, aber vor Ablauf der in Absatz 3 Satz 1 genannten Frist beginnen. [2]In diesem Fall sind die Empfehlungen der oder des Bundesbeauftragten im Nachhinein zu berücksichti-

gen und sind die Art und Weise der Verarbeitung daraufhin gegebenenfalls anzupassen.

§ 70 Verzeichnis von Verarbeitungstätigkeiten. (1) [1] Der Verantwortliche hat ein Verzeichnis aller Kategorien von Verarbeitungstätigkeiten zu führen, die in seine Zuständigkeit fallen. [2] Dieses Verzeichnis hat die folgenden Angaben zu enthalten:

1. den Namen und die Kontaktdaten des Verantwortlichen und gegebenenfalls des gemeinsam mit ihm Verantwortlichen sowie den Namen und die Kontaktdaten der oder des Datenschutzbeauftragten,
2. die Zwecke der Verarbeitung,
3. die Kategorien von Empfängern, gegenüber denen die personenbezogenen Daten offengelegt worden sind oder noch offengelegt werden sollen,
4. eine Beschreibung der Kategorien betroffener Personen und der Kategorien personenbezogener Daten,
5. gegebenenfalls die Verwendung von Profiling,
6. gegebenenfalls die Kategorien von Übermittlungen personenbezogener Daten an Stellen in einem Drittstaat oder an eine internationale Organisation,
7. Angaben über die Rechtsgrundlage der Verarbeitung,
8. die vorgesehenen Fristen für die Löschung oder die Überprüfung der Erforderlichkeit der Speicherung der verschiedenen Kategorien personenbezogener Daten und
9. eine allgemeine Beschreibung der technischen und organisatorischen Maßnahmen gemäß § 64.

(2) Der Auftragsverarbeiter hat ein Verzeichnis aller Kategorien von Verarbeitungen zu führen, die er im Auftrag eines Verantwortlichen durchführt, das Folgendes zu enthalten hat:

1. den Namen und die Kontaktdaten des Auftragsverarbeiters, jedes Verantwortlichen, in dessen Auftrag der Auftragsverarbeiter tätig ist, sowie gegebenenfalls der oder des Datenschutzbeauftragten,
2. gegebenenfalls Übermittlungen von personenbezogenen Daten an Stellen in einem Drittstaat oder an eine internationale Organisation unter Angabe des Staates oder der Organisation und
3. eine allgemeine Beschreibung der technischen und organisatorischen Maßnahmen gemäß § 64.

(3) Die in den Absätzen 1 und 2 genannten Verzeichnisse sind schriftlich oder elektronisch zu führen.

(4) Verantwortliche und Auftragsverarbeiter haben auf Anforderung ihre Verzeichnisse der oder dem Bundesbeauftragten zur Verfügung zu stellen.

§ 71 Datenschutz durch Technikgestaltung und datenschutzfreundliche Voreinstellungen. (1) [1] Der Verantwortliche hat sowohl zum Zeitpunkt der Festlegung der Mittel für die Verarbeitung als auch zum Zeitpunkt der Verarbeitung selbst angemessene Vorkehrungen zu treffen, die geeignet sind, die Datenschutzgrundsätze wie etwa die Datensparsamkeit wirksam umzusetzen, und die sicherstellen, dass die gesetzlichen Anforderungen eingehalten und die Rechte der betroffenen Personen geschützt werden. [2] Er hat hierbei den Stand der Technik, die Implementierungskosten und die Art, den Umfang, die Umstände und die Zwecke der Verarbeitung sowie die unterschiedliche Eintrittswahrscheinlichkeit und Schwere der mit der Verarbeitung verbundenen Gefahren für die Rechtsgüter der betroffenen Personen zu berücksichtigen. [3] Insbesondere sind die Verarbeitung personenbezogener Daten und die Auswahl und Gestaltung von Datenverarbeitungssystemen an dem Ziel auszurichten, so wenig personenbezogene Daten wie möglich zu verarbeiten. [4] Personenbezogene Daten sind zum frühestmöglichen Zeitpunkt zu anonymisieren oder zu pseudonymisieren, soweit dies nach dem Verarbeitungszweck möglich ist.

(2) [1] Der Verantwortliche hat geeignete technische und organisatorische Maßnahmen zu treffen, die sicherstellen, dass durch Voreinstellungen grundsätzlich nur solche personenbezogenen Daten verarbeitet werden können, deren Verarbeitung für den jeweiligen bestimmten Verarbeitungszweck erforderlich ist. [2] Dies betrifft die Menge der erhobenen Daten, den Umfang ihrer Verarbeitung, ihre Speicherfrist und ihre Zugänglichkeit. [3] Die Maßnahmen müssen insbesondere gewährleisten, dass die Daten durch Voreinstellungen nicht automatisiert einer unbestimmten Anzahl von Personen zugänglich gemacht werden können.

§ 72 Unterscheidung zwischen verschiedenen Kategorien betroffener Personen. [1] Der Verantwortliche hat bei der Verarbeitung personenbezogener Daten so weit wie möglich zwischen den verschiedenen Kategorien betroffener Personen zu unterscheiden. [2] Dies betrifft insbesondere folgende Kategorien:

1. Personen, gegen die ein begründeter Verdacht besteht, dass sie eine Straftat begangen haben,
2. Personen, gegen die ein begründeter Verdacht besteht, dass sie in naher Zukunft eine Straftat begehen werden,
3. verurteilte Straftäter,
4. Opfer einer Straftat oder Personen, bei denen bestimmte Tatsachen darauf hindeuten, dass sie Opfer einer Straftat sein könnten, und
5. andere Personen wie insbesondere Zeugen, Hinweisgeber oder Personen, die mit den in den Nummern 1 bis 4 genannten Personen in Kontakt oder Verbindung stehen.

§ 73 Unterscheidung zwischen Tatsachen und persönlichen Einschätzungen. [1] Der Verantwortliche hat bei der Verarbeitung so weit wie möglich danach zu unterscheiden, ob personenbezogene Daten auf Tatsachen oder auf persönlichen Einschätzungen beruhen. [2] Zu diesem Zweck soll er, soweit dies im Rahmen der jeweiligen Verarbeitung möglich und angemessen ist, Beurteilungen, die auf persönlichen Einschätzungen beruhen, als solche kenntlich machen. [3] Es muss außerdem feststellbar sein, welche Stelle die Unterlagen führt, die der auf einer persönlichen Einschätzung beruhenden Beurteilung zugrunde liegen.

§ 74 Verfahren bei Übermittlungen. (1) [1] Der Verantwortliche hat angemessene Maßnahmen zu ergreifen, um zu gewährleisten, dass personenbezogene Daten, die unrichtig oder nicht mehr aktuell sind, nicht übermittelt oder sonst zur Verfügung gestellt werden. [2] Zu diesem Zweck hat er, soweit dies mit angemessenem Aufwand möglich ist, die Qualität der Daten vor ihrer Übermittlung oder Bereitstellung zu überprüfen. [3] Bei jeder Übermittlung personenbezogener Daten hat er zudem, soweit dies möglich und angemessen ist, Informationen beizufügen, die es dem Empfänger gestatten, die Richtigkeit, die Vollständigkeit und die Zuverlässigkeit der Daten sowie deren Aktualität zu beurteilen.

(2) [1] Gelten für die Verarbeitung von personenbezogenen Daten besondere Bedingungen, so hat bei Datenübermittlungen die übermittelnde Stelle den Empfänger auf diese Bedingungen und die Pflicht zu ihrer Beachtung hinzuweisen. [2] Die Hinweispflicht kann dadurch erfüllt werden, dass die Daten entsprechend markiert werden.

(3) Die übermittelnde Stelle darf auf Empfänger in anderen Mitgliedstaaten der Europäischen Union und auf Einrichtungen und sonstige Stellen, die nach den Kapiteln 4 und 5 des Titels V des Dritten Teils des Vertrags über die Arbeitsweise der Europäischen Union errichtet wurden, keine Bedingungen anwenden, die nicht auch für entsprechende innerstaatliche Datenübermittlungen gelten.

§ 75 Berichtigung und Löschung personenbezogener Daten sowie Einschränkung der Verarbeitung. (1) Der Verantwortliche hat personenbezogene Daten zu berichtigen, wenn sie unrichtig sind.

(2) Der Verantwortliche hat personenbezogene Daten unverzüglich zu löschen, wenn ihre Verarbeitung unzulässig ist, sie zur Erfüllung einer rechtlichen Verpflichtung gelöscht werden müssen oder ihre Kenntnis für seine Aufgabenerfüllung nicht mehr erforderlich ist.

(3) [1] § 58 Absatz 3 bis 5 ist entsprechend anzuwenden. [2] Sind unrichtige personenbezogene Daten oder personenbezogene Daten unrechtmäßig übermittelt worden, ist auch dies dem Empfänger mitzuteilen.

(4) Unbeschadet in Rechtsvorschriften festgesetzter Höchstspeicher- oder Löschfristen hat der Verantwortliche für die Löschung von personenbezogenen Daten oder eine regelmäßige Überprüfung der Notwendigkeit ihrer Speicherung angemessene Fristen vorzusehen und durch verfahrensrechtliche Vorkehrungen sicherzustellen, dass diese Fristen eingehalten werden.

§ 76 Protokollierung. (1) In automatisierten Verarbeitungssystemen haben Verantwortliche und Auftragsverarbeiter mindestens die folgenden Verarbeitungsvorgänge zu protokollieren:

1. Erhebung,
2. Veränderung,
3. Abfrage,
4. Offenlegung einschließlich Übermittlung,
5. Kombination und
6. Löschung.

(2) Die Protokolle über Abfragen und Offenlegungen müssen es ermöglichen, die Begründung, das Datum und die Uhrzeit dieser Vorgänge und so weit wie möglich die Identität der Person, die die personenbezogenen Daten

abgefragt oder offengelegt hat, und die Identität des Empfängers der Daten festzustellen.

(3) Die Protokolle dürfen ausschließlich für die Überprüfung der Rechtmäßigkeit der Datenverarbeitung durch die Datenschutzbeauftragte oder den Datenschutzbeauftragten, die Bundesbeauftragte oder den Bundesbeauftragten und die betroffene Person sowie für die Eigenüberwachung, für die Gewährleistung der Integrität und Sicherheit der personenbezogenen Daten und für Strafverfahren verwendet werden.

(4) Die Protokolldaten sind am Ende des auf deren Generierung folgenden Jahres zu löschen.

(5) Der Verantwortliche und der Auftragsverarbeiter haben die Protokolle der oder dem Bundesbeauftragten auf Anforderung zur Verfügung zu stellen.

§ 77 Vertrauliche Meldung von Verstößen. Der Verantwortliche hat zu ermöglichen, dass ihm vertrauliche Meldungen über in seinem Verantwortungsbereich erfolgende Verstöße gegen Datenschutzvorschriften zugeleitet werden können.

Kapitel 5. Datenübermittlungen an Drittstaaten und an internationale Organisationen

§ 78 Allgemeine Voraussetzungen. (1) Die Übermittlung personenbezogener Daten an Stellen in Drittstaaten oder an internationale Organisationen ist bei Vorliegen der übrigen für Datenübermittlungen geltenden Voraussetzungen zulässig, wenn

1. die Stelle oder internationale Organisation für die in § 45 genannten Zwecke zuständig ist und
2. die Europäische Kommission gemäß Artikel 36 Absatz 3 der Richtlinie (EU) 2016/680 einen Angemessenheitsbeschluss gefasst hat.

(2) [1] Die Übermittlung personenbezogener Daten hat trotz des Vorliegens eines Angemessenheitsbeschlusses im Sinne des Absatzes 1 Nummer 2 und des zu berücksichtigenden öffentlichen Interesses an der Datenübermittlung zu unterbleiben, wenn im Einzelfall ein datenschutzrechtlich angemessener und die elementaren Menschenrechte wahrender Umgang mit den Daten beim Empfänger nicht hinreichend gesichert ist oder sonst überwiegende schutzwürdige Interessen einer betroffenen Person entgegenstehen. [2] Bei seiner Beurteilung hat der Verantwortliche maßgeblich zu berücksichtigen, ob der Empfänger im Einzelfall einen angemessenen Schutz der übermittelten Daten garantiert.

(3) [1] Wenn personenbezogene Daten, die aus einem anderen Mitgliedstaat der Europäischen Union übermittelt oder zur Verfügung gestellt wurden, nach Absatz 1 übermittelt werden sollen, muss diese Übermittlung zuvor von der zuständigen Stelle des anderen Mitgliedstaats genehmigt werden. [2] Übermittlungen ohne vorherige Genehmigung sind nur dann zulässig, wenn die Übermittlung erforderlich ist, um eine unmittelbare und ernsthafte Gefahr für die öffentliche Sicherheit eines Staates oder für die wesentlichen Interessen eines Mitgliedstaats abzuwehren, und die vorherige Genehmigung nicht rechtzeitig eingeholt werden kann. [3] Im Fall des Satzes 2 ist die Stelle des

anderen Mitgliedstaats, die für die Erteilung der Genehmigung zuständig gewesen wäre, unverzüglich über die Übermittlung zu unterrichten.

(4) [1] Der Verantwortliche, der Daten nach Absatz 1 übermittelt, hat durch geeignete Maßnahmen sicherzustellen, dass der Empfänger die übermittelten Daten nur dann an andere Drittstaaten oder andere internationale Organisationen weiterübermittelt, wenn der Verantwortliche diese Übermittlung zuvor genehmigt hat. [2] Bei der Entscheidung über die Erteilung der Genehmigung hat der Verantwortliche alle maßgeblichen Faktoren zu berücksichtigen, insbesondere die Schwere der Straftat, den Zweck der ursprünglichen Übermittlung und das in dem Drittstaat oder der internationalen Organisation, an das oder an die die Daten weiterübermittelt werden sollen, bestehende Schutzniveau für personenbezogene Daten. [3] Eine Genehmigung darf nur dann erfolgen, wenn auch eine direkte Übermittlung an den anderen Drittstaat oder die andere internationale Organisation zulässig wäre. [4] Die Zuständigkeit für die Erteilung der Genehmigung kann auch abweichend geregelt werden.

§ 79 Datenübermittlung bei geeigneten Garantien. (1) Liegt entgegen § 78 Absatz 1 Nummer 2 kein Beschluss nach Artikel 36 Absatz 3 der Richtlinie (EU) 2016/680 vor, ist eine Übermittlung bei Vorliegen der übrigen Voraussetzungen des § 78 auch dann zulässig, wenn

1. in einem rechtsverbindlichen Instrument geeignete Garantien für den Schutz personenbezogener Daten vorgesehen sind oder
2. der Verantwortliche nach Beurteilung aller Umstände, die bei der Übermittlung eine Rolle spielen, zu der Auffassung gelangt ist, dass geeignete Garantien für den Schutz personenbezogener Daten bestehen.

(2) [1] Der Verantwortliche hat Übermittlungen nach Absatz 1 Nummer 2 zu dokumentieren. [2] Die Dokumentation hat den Zeitpunkt der Übermittlung, die Identität des Empfängers, den Grund der Übermittlung und die übermittelten personenbezogenen Daten zu enthalten. [3] Sie ist der oder dem Bundesbeauftragten auf Anforderung zur Verfügung zu stellen.

(3) [1] Der Verantwortliche hat die Bundesbeauftragte oder den Bundesbeauftragten zumindest jährlich über Übermittlungen zu unterrichten, die aufgrund einer Beurteilung nach Absatz 1 Nummer 2 erfolgt sind. [2] In der Unterrichtung kann er die Empfänger und die Übermittlungszwecke angemessen kategorisieren.

§ 80 Datenübermittlung ohne geeignete Garantien. (1) Liegt entgegen § 78 Absatz 1 Nummer 2 kein Beschluss nach Artikel 36 Absatz 3 der Richtlinie (EU) 2016/680 vor und liegen auch keine geeigneten Garantien im Sinne des § 79 Absatz 1 vor, ist eine Übermittlung bei Vorliegen der übrigen Voraussetzungen des § 78 auch dann zulässig, wenn die Übermittlung erforderlich ist

1. zum Schutz lebenswichtiger Interessen einer natürlichen Person,
2. zur Wahrung berechtigter Interessen der betroffenen Person,
3. zur Abwehr einer gegenwärtigen und erheblichen Gefahr für die öffentliche Sicherheit eines Staates,
4. im Einzelfall für die in § 45 genannten Zwecke oder

5. im Einzelfall zur Geltendmachung, Ausübung oder Verteidigung von Rechtsansprüchen im Zusammenhang mit den in § 45 genannten Zwecken.

(2) Der Verantwortliche hat von einer Übermittlung nach Absatz 1 abzusehen, wenn die Grundrechte der betroffenen Person das öffentliche Interesse an der Übermittlung überwiegen.

(3) Für Übermittlungen nach Absatz 1 gilt § 79 Absatz 2 entsprechend.

§ 81 Sonstige Datenübermittlung an Empfänger in Drittstaaten.

(1) Verantwortliche können bei Vorliegen der übrigen für die Datenübermittlung in Drittstaaten geltenden Voraussetzungen im besonderen Einzelfall personenbezogene Daten unmittelbar an nicht in § 78 Absatz 1 Nummer 1 genannte Stellen in Drittstaaten übermitteln, wenn die Übermittlung für die Erfüllung ihrer Aufgaben unbedingt erforderlich ist und

1. im konkreten Fall keine Grundrechte der betroffenen Person das öffentliche Interesse an einer Übermittlung überwiegen,
2. die Übermittlung an die in § 78 Absatz 1 Nummer 1 genannten Stellen wirkungslos oder ungeeignet wäre, insbesondere weil sie nicht rechtzeitig durchgeführt werden kann, und
3. der Verantwortliche dem Empfänger die Zwecke der Verarbeitung mitteilt und ihn darauf hinweist, dass die übermittelten Daten nur in dem Umfang verarbeitet werden dürfen, in dem ihre Verarbeitung für diese Zwecke erforderlich ist.

(2) Im Fall des Absatzes 1 hat der Verantwortliche die in § 78 Absatz 1 Nummer 1 genannten Stellen unverzüglich über die Übermittlung zu unterrichten, sofern dies nicht wirkungslos oder ungeeignet ist.

(3) Für Übermittlungen nach Absatz 1 gilt § 79 Absatz 2 und 3 entsprechend.

(4) Bei Übermittlungen nach Absatz 1 hat der Verantwortliche den Empfänger zu verpflichten, die übermittelten personenbezogenen Daten ohne seine Zustimmung nur für den Zweck zu verarbeiten, für den sie übermittelt worden sind.

(5) Abkommen im Bereich der justiziellen Zusammenarbeit in Strafsachen und der polizeilichen Zusammenarbeit bleiben unberührt.

Kapitel 6. Zusammenarbeit der Aufsichtsbehörden

§ 82 Gegenseitige Amtshilfe. (1) [1] Die oder der Bundesbeauftragte hat den Datenschutzaufsichtsbehörden in anderen Mitgliedstaaten der Europäischen Union Informationen zu übermitteln und Amtshilfe zu leisten, soweit dies für eine einheitliche Umsetzung und Anwendung der Richtlinie (EU) 2016/680 erforderlich ist. [2] Die Amtshilfe betrifft insbesondere Auskunftsersuchen und aufsichtsbezogene Maßnahmen, beispielsweise Ersuchen um Konsultation oder um Vornahme von Nachprüfungen und Untersuchungen.

(2) Die oder der Bundesbeauftragte hat alle geeigneten Maßnahmen zu ergreifen, um Amtshilfeersuchen unverzüglich und spätestens innerhalb eines Monats nach deren Eingang nachzukommen.

(3) Die oder der Bundesbeauftragte darf Amtshilfeersuchen nur ablehnen, wenn

1. sie oder er für den Gegenstand des Ersuchens oder für die Maßnahmen, die sie oder er durchführen soll, nicht zuständig ist oder
2. ein Eingehen auf das Ersuchen gegen Rechtsvorschriften verstoßen würde.

(4) [1] Die oder der Bundesbeauftragte hat die ersuchende Aufsichtsbehörde des anderen Staates über die Ergebnisse oder gegebenenfalls über den Fortgang der Maßnahmen zu informieren, die getroffen wurden, um dem Amtshilfeersuchen nachzukommen. [2] Sie oder er hat im Fall des Absatzes 3 die Gründe für die Ablehnung des Ersuchens zu erläutern.

(5) Die oder der Bundesbeauftragte hat die Informationen, um die sie oder er von der Aufsichtsbehörde des anderen Staates ersucht wurde, in der Regel elektronisch und in einem standardisierten Format zu übermitteln.

(6) Die oder der Bundesbeauftragte hat Amtshilfeersuchen kostenfrei zu erledigen, soweit sie oder er nicht im Einzelfall mit der Aufsichtsbehörde des anderen Staates die Erstattung entstandener Ausgaben vereinbart hat.

(7) [1] Ein Amtshilfeersuchen der oder des Bundesbeauftragten hat alle erforderlichen Informationen zu enthalten; hierzu gehören insbesondere der Zweck und die Begründung des Ersuchens. [2] Die auf das Ersuchen übermittelten Informationen dürfen ausschließlich zu dem Zweck verwendet werden, zu dem sie angefordert wurden.

Kapitel 7. Haftung und Sanktionen

§ 83 Schadensersatz und Entschädigung. (1) [1] Hat ein Verantwortlicher einer betroffenen Person durch eine Verarbeitung personenbezogener Daten, die nach diesem Gesetz oder nach anderen auf ihre Verarbeitung anwendbaren Vorschriften rechtswidrig war, einen Schaden zugefügt, ist er oder sein Rechtsträger der betroffenen Person zum Schadensersatz verpflichtet. [2] Die Ersatzpflicht entfällt, soweit bei einer nicht automatisierten Verarbeitung der Schaden nicht auf ein Verschulden des Verantwortlichen zurückzuführen ist.

(2) Wegen eines Schadens, der nicht Vermögensschaden ist, kann die betroffene Person eine angemessene Entschädigung in Geld verlangen.

(3) Lässt sich bei einer automatisierten Verarbeitung personenbezogener Daten nicht ermitteln, welche von mehreren beteiligten Verantwortlichen den Schaden verursacht hat, so haftet jeder Verantwortliche beziehungsweise sein Rechtsträger.

(4) Hat bei der Entstehung des Schadens ein Verschulden der betroffenen Person mitgewirkt, ist § 254 des Bürgerlichen Gesetzbuchs[1)] entsprechend anzuwenden.

(5) Auf die Verjährung finden die für unerlaubte Handlungen geltenden Verjährungsvorschriften des Bürgerlichen Gesetzbuchs[2)] entsprechende Anwendung.

[1)] Nr. **50**.
[2)] Auszugsweise abgedruckt unter Nr. **50**.

§ 84 Strafvorschriften. Für Verarbeitungen personenbezogener Daten durch öffentliche Stellen im Rahmen von Tätigkeiten nach § 45 Satz 1, 3 oder 4 findet § 42 entsprechende Anwendung.

Teil 4. Besondere Bestimmungen für Verarbeitungen im Rahmen von nicht in die Anwendungsbereiche der Verordnung (EU) 2016/679 und der Richtlinie (EU) 2016/680 fallenden Tätigkeiten

§ 85 Verarbeitung personenbezogener Daten im Rahmen von nicht in die Anwendungsbereiche der Verordnung (EU) 2016/679 und der Richtlinie (EU) 2016/680 fallenden Tätigkeiten. (1) [1] Die Übermittlung personenbezogener Daten an einen Drittstaat oder an über- oder zwischenstaatliche Stellen oder internationale Organisationen im Rahmen von nicht in die Anwendungsbereiche der Verordnung (EU) 2016/679[1)] und der Richtlinie (EU) 2016/680 fallenden Tätigkeiten ist über die bereits gemäß der Verordnung (EU) 2016/679 zulässigen Fälle hinaus auch dann zulässig, wenn sie zur Erfüllung eigener Aufgaben aus zwingenden Gründen der Verteidigung oder zur Erfüllung über- oder zwischenstaatlicher Verpflichtungen einer öffentlichen Stelle des Bundes auf dem Gebiet der Krisenbewältigung oder Konfliktverhinderung oder für humanitäre Maßnahmen erforderlich ist. [2] Der Empfänger ist darauf hinzuweisen, dass die übermittelten Daten nur zu dem Zweck verwendet werden dürfen, zu dem sie übermittelt wurden.

(2) Für Verarbeitungen im Rahmen von nicht in die Anwendungsbereiche der Verordnung (EU) 2016/679 und der Richtlinie (EU) 2016/680 fallenden Tätigkeiten durch Dienststellen im Geschäftsbereich des Bundesministeriums der Verteidigung gilt § 16 Absatz 4 nicht, soweit das Bundesministerium der Verteidigung im Einzelfall feststellt, dass die Erfüllung der dort genannten Pflichten die Sicherheit des Bundes gefährden würde.

(3) [1] Für Verarbeitungen im Rahmen von nicht in die Anwendungsbereiche der Verordnung (EU) 2016/679 und der Richtlinie (EU) 2016/680 fallenden Tätigkeiten durch öffentliche Stellen des Bundes besteht keine Informationspflicht gemäß Artikel 13 Absatz 1 und 2 der Verordnung (EU) 2016/679, wenn

1. es sich um Fälle des § 32 Absatz 1 Nummer 1 bis 3 handelt oder
2. durch ihre Erfüllung Informationen offenbart würden, die nach einer Rechtsvorschrift oder ihrem Wesen nach, insbesondere wegen der überwiegenden berechtigten Interessen eines Dritten, geheim gehalten werden müssen, und deswegen das Interesse der betroffenen Person an der Erteilung der Information zurücktreten muss.

[2] Ist die betroffene Person in den Fällen des Satzes 1 nicht zu informieren, besteht auch kein Recht auf Auskunft. [3] § 32 Absatz 2 und § 33 Absatz 2 finden keine Anwendung.

§ 86[2)] Verarbeitung personenbezogener Daten für Zwecke staatlicher Auszeichnungen und Ehrungen. (1) [1] Zur Vorbereitung und Durchführung staatlicher Verfahren bei Auszeichnungen und Ehrungen dürfen sowohl die zuständigen als auch andere öffentliche und nichtöffentliche Stellen die dazu

---

1) Auszugsweise abgedruckt unter Nr. **489**.
2) § 86 angef. mWv 26.11.2019 durch G v. 20.11.2019 (BGBl. I S. 1626).

erforderlichen personenbezogenen Daten, einschließlich besonderer Kategorien personenbezogener Daten im Sinne des Artikels 9 Absatz 1 der Verordnung (EU) 2016/679[1)], auch ohne Kenntnis der betroffenen Person verarbeiten. [2] Für nichtöffentliche Stellen gilt insoweit § 1 Absatz 8 entsprechend. [3] Eine Verarbeitung der personenbezogenen Daten nach Satz 1 für andere Zwecke ist nur mit Einwilligung der betroffenen Person zulässig.

(2) Soweit eine Verarbeitung ausschließlich für die in Absatz 1 Satz 1 genannten Zwecke erfolgt, sind die Artikel 13 bis 16, 19 und 21 der Verordnung (EU) 2016/679 nicht anzuwenden.

(3) Bei der Verarbeitung besonderer Kategorien personenbezogener Daten im Sinne des Artikels 9 Absatz 1 der Verordnung (EU) 2016/679 sieht der Verantwortliche angemessene und spezifische Maßnahmen zur Wahrung der Rechte der betroffenen Person gemäß § 22 Absatz 2 vor.

1) Auszugsweise abgedruckt unter Nr. **489**.

491. Übersicht zu den Datenschutzgesetzen der Länder[1)]

Baden-Württemberg

Landesdatenschutzgesetz (LDSG) vom 12. Juni 2018 (GBl. S. 173), zuletzt geänd. durch G v. 10.2.2026 (GBl. Nr. 19, 45).

Bayern

Bayerisches Datenschutzgesetz (BayDSG) vom 15. Mai 2018 (GVBl. S. 230), zuletzt geänd. durch G v. 25.7.2025 (GVBl. S. 254).

Berlin

Gesetz zum Schutz personenbezogener Daten in der Berliner Verwaltung (Berliner Datenschutzgesetz – BlnDSG) vom 13. Juni 2018 (GVBl. S. 418), zuletzt geänd. durch G v. 23.2.2026 (GVBl. S. 78).

Brandenburg

Gesetz zum Schutz personenbezogener Daten im Land Brandenburg (Brandenburgisches Datenschutzgesetz – BbgDSG) vom 8. Mai 2018 (GVBl. I Nr. 7), geänd. durch G v. 5.3.2024 (GVBl. I Nr. 9).

Bremen

Bremisches Ausführungsgesetz zur EU-Datenschutz-Grundverordnung (BremDSGVOAG) vom 8. Mai 2018 (Brem.GBl. S. 131).

Hamburg

Hamburgisches Datenschutzgesetz (HmbDSG) vom 18. Mai 2018 (HmbGVBl. S. 145), zuletzt geänd. durch G v. 29.11.2024 (HmbGVBl. S. 615).

Hessen

Hessisches Datenschutz- und Informationsfreiheitsgesetz (HDSIG) vom 3. Mai 2018 (GVBl. S. 82), zuletzt geänd. durch G v. 16.12.2025 (GVBl. Nr. 110).

Mecklenburg-Vorpommern

Datenschutzgesetz für das Land Mecklenburg-Vorpommern (Landesdatenschutzgesetz – DSG M-V) vom 22. Mai 2018 (GVOBl. M-V S. 193, 194).

Niedersachsen

Niedersächsisches Datenschutzgesetz (NDSG) vom 16. Mai 2018 (Nds. GVBl. S. 66, 67), zuletzt geänd. durch G v. 8.2.2024 (Nds. GVBl. Nr. 9).

Nordrhein-Westfalen

Datenschutzgesetz Nordrhein-Westfalen (DSG NRW) vom 17. Mai 2018 (GV. NRW. S. 244), geänd. durch G v. 18.11.2025 (GV. NRW. S. 988).

[1)] Die Übersicht ist nichtamtlich. Die Vorschriften sind vollständig wiedergegeben in **beck-online, Module Arbeitsrecht.**

Rheinland-Pfalz

Landesdatenschutzgesetz (LDSG) vom 8. Mai 2018 (GVBl. S. 93), geänd. durch G v. 11.2.2026 (GVBl. S. 40).

Saarland

Saarländisches Datenschutzgesetz vom 16. Mai 2018 (Amtsbl. I S. 254), geänd. durch G v. 27.8.2025 (Amtsbl. I S. 854).

Sachsen

Gesetz zum Schutz der informationellen Selbstbestimmung im Freistaat Sachsen (Sächsisches Datenschutzgesetz – SächsDSG) vom 25. August 2003 (SächsGVBl. S. 330), zuletzt geänd. durch G v. 22.8.2019 (SächsGVBl. S. 663).

Sachsen-Anhalt

Gesetz zur Ausfüllung der Verordnung (EU) 2016/679 und zur Anpassung des allgemeinen Datenschutzrechts in Sachsen-Anhalt (Datenschutz-Grundverordnungs-Ausfüllungsgesetz Sachsen-Anhalt - DSAG LSA) vom 18. Februar 2020 (GVBl. LSA S. 25), geänd. durch G v. 20.3.2020 (GVBl. LSA S. 64).

Schleswig-Holstein

Schleswig-Holsteinisches Gesetz zum Schutz personenbezogener Daten (Landesdatenschutzgesetz – LDSG) vom 2. Mai 2018 (GVOBl. Schl.-H. S. 162).

Thüringen

Thüringer Datenschutzgesetz (ThürDSG) vom 6. Juni 2018 (GVBl. S. 229), geänd. durch G v. 2.7.2024 (GVBl. S. 206).

492. Übersicht zu den Sicherheitsüberprüfungsgesetzen von Bund und Ländern[1)]

Bund

Gesetz über die Voraussetzungen und das Verfahren von Sicherheitsüberprüfungen des Bundes (Sicherheitsüberprüfungsgesetz - SÜG) vom 20. April 1994 (BGBl. I S. 867), zuletzt geänd. durch G v. 9.1.2026 (BGBl. 2026 I Nr. 7).

Luftsicherheitsgesetz (LuftSiG) vom 11. Januar 2005 (BGBl. I S. 78), zuletzt geänd. durch G v. 11.3.2026 (BGBl. 2026 I Nr. 68).

Verordnung für die Überprüfung der Zuverlässigkeit zum Schutz gegen Entwendung oder erhebliche Freisetzung radioaktiver Stoffe nach dem Atomgesetz (Atomrechtliche Zuverlässigkeitsüberprüfungs-Verordnung - AtZüV) vom 1. Juli 1999 (BGBl. I S. 1525), zuletzt geänd. durch VO v. 11.12. 2024 (BGBl. 2024 I Nr. 411).

Baden-Württemberg

Gesetz über die Sicherheitsüberprüfung aus Gründen des Geheimschutzes (Landessicherheitsüberprüfungsgesetz - LSÜG) vom 12. Februar 1996 (GBl. S. 159), zuletzt geänd. durch G v. 18.11.2025 (GBl. Nr. 120).

Gesetz über Sicherheitsmaßnahmen in Häfen in Baden-Württemberg (Hafensicherheitsgesetz - HafenSiG) vom 6. Mai 2008 (GBl. S. 121), zuletzt geänd. durch VO v. 25.1.2012 (GBl. S. 65).

Bayern

Gesetz über die Voraussetzungen und das Verfahren von Sicherheitsüberprüfungen des Freistaates Bayern - Bayerisches Sicherheitsüberprüfungsgesetz - (BaySÜG) vom 27. Dezember 1996 (GVBl S. 509), zuletzt geänd. durch G v. 24.7.2020 (GVBl. S. 350).

Berlin

Gesetz über die Voraussetzungen und das Verfahren von Sicherheitsüberprüfungen im Land Berlin (Berliner Sicherheitsüberprüfungsgesetz - BSÜG) idF der Bek. vom 25. Juni 2001 (GVBl. S. 243), zuletzt geänd. durch G v. 13.6.2018 (GVBl. S. 418).

Brandenburg

Gesetz über die Voraussetzungen und das Verfahren von Sicherheitsüberprüfungen im Land Brandenburg (Brandenburgisches Sicherheitsüberprüfungsgesetz - BbgSÜG) vom 30. Juli 2001 (GVBl. I S. 12), zuletzt geänd. durch G v. 19.6.2024 (GVBl. I Nr. 23).

[1)] Die Übersicht ist nichtamtlich. Die Vorschriften sind vollständig wiedergegeben in **beck-online, Module Arbeitsrecht.**

Bremen

Gesetz über die Voraussetzungen und das Verfahren von Sicherheitsüberprüfungen des Landes Bremen (Bremisches Sicherheitsüberprüfungsgesetz - BremSÜG) vom 30. Juni 1998 (Brem.GBl. S. 185), zuletzt geänd. durch Bek. v. 2.9.2025 (Brem.GBl. S. 674).

Hamburg

Gesetz über die Voraussetzungen und das Verfahren von Sicherheitsüberprüfungen und den Umgang mit eingestuften Geheimnissen der Freien und Hansestadt Hamburg (Hamburgisches Sicherheitsüberprüfungs- und Geheimschutzgesetz – HmbSÜGG) vom 25. Mai 1999 (HmbGVBl. S. 82), zuletzt geänd. durch G v. 22.1.2025 (HmbGVBl. S. 192, 207).

Hamburgisches Hafensicherheitsgesetz (HmbHafenSG) vom 11. Mai 2021 (HmbGVBl. S. 311).

Hessen

Hessisches Sicherheitsüberprüfungs- und Verschlusssachengesetz (HSÜVG) vom 19. Dezember 2014 (GVBl. S. 364), geänd. durch G v. 11.12.2019 (GVBl. S. 406).

Mecklenburg-Vorpommern

Gesetz über die Voraussetzungen und das Verfahren von Sicherheitsüberprüfungen im Lande Mecklenburg-Vorpommern (Sicherheitsüberprüfungsgesetz - SÜG M-V) vom 22. Januar 1998 (GVOBl. M-V S. 114, ber. S. 195), zuletzt geänd. durch G v. 25.4.2016 (GVOBl. M-V S. 203).

Niedersachsen

Niedersächsisches Gesetz über die Voraussetzungen und das Verfahren der Sicherheitsüberprüfungen von Personen im Rahmen des Geheimschutzes (Niedersächsisches Sicherheitsüberprüfungsgesetz - Nds. SÜG -) idF der Bek. vom 30. März 2004 (Nds. GVBl. S. 128), zuletzt geänd. durch G v. 16.1.2009 (Nds. GVBl. S. 2).

Niedersächsisches Hafensicherheitsgesetz (NHafenSG) idF der Bek. vom 16. Februar 2009 (Nds. GVBl. S. 15), geänd. durch G v. 20.5.2019 (Nds. GVBl. S. 88).

Nordrhein-Westfalen

Gesetz über die Voraussetzungen und das Verfahren von Sicherheitsüberprüfungen des Landes Nordrhein-Westfalen und den Schutz von Verschlusssachen (Sicherheitsüberprüfungsgesetz Nordrhein-Westfalen - SÜG NRW) vom 23. Februar 2022 (GV. NRW. S. 233), geänd. durch G v. 18.11.2025 (GV. NRW. S. 988).

Gesetz über die Sicherheit in Häfen und Hafenanlagen im Land Nordrhein-Westfalen (Hafensicherheitsgesetz - HaSiG) vom 17. Dezember 2015 (GV. NRW. S. 910), zuletzt geänd. durch G v. 1.2.2022 (GV. NRW. S. 122).

Rheinland-Pfalz

Landessicherheitsüberprüfungsgesetz (LSÜG) vom 8. März 2000 (GVBl. S. 70), zuletzt geänd. durch G v. 20.12.2024 (GVBl. S. 473).

Landesgesetz über die Sicherheit in Hafenanlagen und Häfen (LHafSiG) vom 6. Oktober 2006 (GVBl. S. 338), zuletzt geänd. durch G v. 8.4.2022 (GVBl. S. 118).

Saarland

Saarländisches Sicherheitsüberprüfungsgesetz vom 7. Juli 2021 (Amtsbl. I S. 2141).

Sachsen

Gesetz über die Voraussetzungen und das Verfahren von Sicherheitsüberprüfungen im Freistaat Sachsen (Sächsisches Sicherheitsüberprüfungsgesetz - SächsSÜG) vom 19. Februar 2004 (SächsGVBl. S. 44), zuletzt geänd. durch G v. 22.7.2024 (SächsGVBl. S. 706).

Sachsen-Anhalt

Sicherheitsüberprüfungs- und Geheimschutzgesetz (SÜG-LSA) vom 26. Januar 2006 (GVBl. LSA S. 14), zuletzt geänd. durch G v. 21.10.2020 (GVBl. LSA S. 596).

Schleswig-Holstein

Gesetz über die Voraussetzungen und das Verfahren von Sicherheitsüberprüfungen im Land Schleswig-Holstein (Landessicherheitsüberprüfungsgesetz - LSÜG) vom 10. Dezember 2003 (GVOBl. Schl.-H. S. 651, ber. 2004 S. 290), zuletzt geänd. durch VO v. 16.1.2019 (GVOBl. Schl.-H. S. 30).

Gesetz zur Verbesserung der Sicherheit in den schleswig-holsteinischen Häfen (Hafensicherheitsgesetz - HaSiG) vom 7.1.2008 (GVOBl. Schl.-H. S. 18), geänd. durch VO v. 16.3.2015 (GVOBl. Schl.-H. S. 96).

Thüringen

Thüringer Sicherheitsüberprüfungsgesetz (ThürSÜG) vom 17. März 2003 (GVBl. S. 185), zuletzt geänd. durch G v. 6.6.2018 (GVBl. S. 229).

[illegible]

Saarland

[illegible]

Sachsen

[illegible]

Sachsen-Anhalt

[illegible]

Schleswig-Holstein

[illegible]

[illegible]

Thüringen

[illegible]

493. Gesetz über genetische Untersuchungen bei Menschen (Gendiagnostikgesetz – GenDG)

Vom 31. Juli 2009

(BGBl. I S. 2529, ber. 2009 S. 3672)

FNA 2121-63

zuletzt geänd. durch Art. 15 Abs. 4 G zur Reform des Vormundschafts- und Betreuungsrechts v. 4.5. 2021 (BGBl. I S. 882)

– Auszug –[1]

Abschnitt 1. Allgemeine Vorschriften

§ 3 Begriffsbestimmungen. Im Sinne dieses Gesetzes

1.–11. …

12. sind Beschäftigte
    a) Arbeitnehmerinnen und Arbeitnehmer,
    b) die zu ihrer Berufsbildung Beschäftigten,
    c) Teilnehmer an Leistungen zur Teilhabe am Arbeitsleben sowie an Abklärungen der beruflichen Eignung oder Arbeitserprobung (Rehabilitanden),
    d) die in anerkannten Werkstätten für behinderte Menschen Beschäftigten,
    e) Personen, die nach dem Jugendfreiwilligendienstegesetz[2] beschäftigt werden,
    f) Personen, die wegen ihrer wirtschaftlichen Unselbstständigkeit als arbeitnehmerähnliche Personen anzusehen sind; zu diesen gehören auch die in Heimarbeit Beschäftigten und die ihnen Gleichgestellten,
    g) Bewerberinnen und Bewerber für ein Beschäftigungsverhältnis sowie Personen, deren Beschäftigungsverhältnis beendet ist,
13. sind Arbeitgeber (Arbeitgeberinnen und Arbeitgeber) natürliche oder juristische Personen oder rechtsfähige Personengesellschaften, die Personen nach Nummer 12 beschäftigen, bei in Heimarbeit Beschäftigten und den ihnen Gleichgestellten die Auftraggeber oder Zwischenmeister oder bei Beschäftigten, die einem Dritten zur Arbeitsleistung überlassen werden, auch die Dritten.

§ 4 Benachteiligungsverbot. (1) Niemand darf wegen seiner oder der genetischen Eigenschaften einer genetisch verwandten Person, wegen der Vornahme oder Nichtvornahme einer genetischen Untersuchung oder Analyse bei sich oder einer genetisch verwandten Person oder wegen des Ergebnisses einer solchen Untersuchung oder Analyse benachteiligt werden.

(2) [1] Die Geltung von Benachteiligungsverboten oder Geboten der Gleichbehandlung nach anderen Vorschriften und Grundsätzen wird durch dieses Gesetz

---

[1] Vollständig wiedergegeben in **beck-online, Module Arbeitsrecht.**

[2] Nr. **422.**

nicht berührt. [2]Dies gilt auch für öffentlich-rechtliche Vorschriften, die dem Schutz bestimmter Personengruppen dienen.

Abschnitt 5. Genetische Untersuchungen im Arbeitsleben

§ 19 Genetische Untersuchungen und Analysen vor und nach Begründung des Beschäftigungsverhältnisses. Der Arbeitgeber darf von Beschäftigten weder vor noch nach Begründung des Beschäftigungsverhältnisses

1. die Vornahme genetischer Untersuchungen oder Analysen verlangen oder
2. die Mitteilung von Ergebnissen bereits vorgenommener genetischer Untersuchungen oder Analysen verlangen, solche Ergebnisse entgegennehmen oder verwenden.

§ 20 Genetische Untersuchungen und Analysen zum Arbeitsschutz.

(1) Im Rahmen arbeitsmedizinischer Vorsorgeuntersuchungen dürfen weder

1. genetische Untersuchungen oder Analysen vorgenommen werden noch
2. die Mitteilung von Ergebnissen bereits vorgenommener genetischer Untersuchungen oder Analysen verlangt, solche Ergebnisse entgegengenommen oder verwendet werden.

(2) [1]Abweichend von Absatz 1 sind im Rahmen arbeitsmedizinischer Vorsorgeuntersuchungen diagnostische genetische Untersuchungen durch Genproduktanalyse zulässig, soweit sie zur Feststellung genetischer Eigenschaften erforderlich sind, die für schwerwiegende Erkrankungen oder schwerwiegende gesundheitliche Störungen, die bei einer Beschäftigung an einem bestimmten Arbeitsplatz oder mit einer bestimmten Tätigkeit entstehen können, ursächlich oder mitursächlich sind. [2]Als Bestandteil arbeitsmedizinischer Vorsorgeuntersuchungen sind genetische Untersuchungen nachrangig zu anderen Maßnahmen des Arbeitsschutzes.

(3) [1]Die Bundesregierung kann durch Rechtsverordnung mit Zustimmung des Bundesrates regeln, dass abweichend von den Absätzen 1 und 2 im Rahmen arbeitsmedizinischer Vorsorgeuntersuchungen diagnostische genetische Untersuchungen durch zytogenetische und molekulargenetische Analysen bei bestimmten gesundheitsgefährdenden Tätigkeiten von Beschäftigten vorgenommen werden dürfen, soweit nach dem allgemein anerkannten Stand der Wissenschaft und Technik

1. dadurch genetische Eigenschaften festgestellt werden können, die für bestimmte, in der Rechtsverordnung zu bezeichnende schwerwiegende Erkrankungen oder schwerwiegende gesundheitliche Störungen, die bei einer Beschäftigung an einem bestimmten Arbeitsplatz oder mit einer bestimmten Tätigkeit entstehen können, ursächlich oder mitursächlich sind,
2. die Wahrscheinlichkeit, dass die Erkrankung oder gesundheitliche Störung bei der Beschäftigung an dem bestimmten Arbeitsplatz oder mit der bestimmten Tätigkeit entsteht, hoch ist und
3. die jeweilige genetische Untersuchung eine geeignete und die für die Beschäftigte oder den Beschäftigten schonendste Untersuchungsmethode ist, um die genetischen Eigenschaften festzustellen.

(Fortsetzung nächstes Blatt)

[2] Absatz 2 Satz 2 gilt entsprechend.

(4) Die §§ 7 bis 16 gelten entsprechend.

§ 21 Arbeitsrechtliches Benachteiligungsverbot. (1) [1] Der Arbeitgeber darf Beschäftigte bei einer Vereinbarung oder Maßnahme, insbesondere bei der Begründung des Beschäftigungsverhältnisses, beim beruflichen Aufstieg, bei einer Weisung oder der Beendigung des Beschäftigungsverhältnisses nicht wegen ihrer oder der genetischen Eigenschaften einer genetisch verwandten Person benachteiligen. [2] Dies gilt auch, wenn sich Beschäftigte weigern, genetische Untersuchungen oder Analysen bei sich vornehmen zu lassen oder die Ergebnisse bereits vorgenommener genetischer Untersuchungen oder Analysen zu offenbaren.

(2) Die §§ 15 und 22 des Allgemeinen Gleichbehandlungsgesetzes[1)] gelten entsprechend.

Abschnitt 6. Allgemein anerkannter Stand der Wissenschaft und Technik

Abschnitt 7. Straf- und Bußgeldvorschriften

§ 26[2)] Bußgeldvorschriften. (1) Ordnungswidrig handelt, wer

1. entgegen § 7 Absatz 1 oder 2, auch in Verbindung mit § 17 Absatz 4 Satz 2, oder entgegen § 17 Absatz 4 Satz 1 oder § 20 Absatz 1 Nummer 1 eine genetische Untersuchung oder Analyse vornimmt,

1a. entgegen § 13 Absatz 1 Satz 1 oder Absatz 2, jeweils auch in Verbindung mit § 17 Absatz 5, eine genetische Probe verwendet,

1b. entgegen § 13 Absatz 1 Satz 2, auch in Verbindung mit § 17 Absatz 5, eine genetische Probe nicht oder nicht rechtzeitig vernichtet,

2. entgegen § 16 Absatz 2 Satz 1 mit einer genetischen Reihenuntersuchung beginnt oder

3. einer Rechtsverordnung nach § 6 oder einer vollziehbaren Anordnung auf Grund einer solchen Rechtsverordnung zuwiderhandelt, soweit die Rechtsverordnung für einen bestimmten Tatbestand auf diese Bußgeldvorschrift verweist.

(2) Die Ordnungswidrigkeit kann mit einer Geldbuße bis zu fünfzigtausend Euro geahndet werden.

(3) Die Absätze 1 und 2 sind nicht anzuwenden, soweit die Verordnung (EU) 2016/679[3)] des Europäischen Parlaments und des Rates vom 27. April 2016 zum Schutz natürlicher Personen bei der Verarbeitung personenbezogener Daten, zum freien Datenverkehr und zur Aufhebung der Richtlinie 95/46/EG (Datenschutz-Grundverordnung) (ABl. L 119 vom 4.5.2016, S. 1; L 314 vom 22.11.2016, S. 72; L 127 vom 23.5.2018, S. 2) in der jeweils geltenden Fassung unmittelbar gilt.

[1)] Nr. **91**.

[2)] § 26 neu gef. mWv 26.11.2019 durch G v. 20.11.2019 (BGBl. I S. 1626).

[3)] Auszugsweise abgedruckt unter Nr. **489**.

494. Gesetz über das Zentralregister und das Erziehungsregister (Bundeszentralregistergesetz – BZRG)

In der Fassung der Bekanntmachung vom 21. September 1984[1)]
(BGBl. I S. 1229; 1985 I S. 195)

FNA 312-7

zuletzt geänd. durch Art. 10 GEAS-AnpassungsG v. 23.4.2026 (BGBl. 2026 I Nr. 111)

– Auszug –[2)]

Zweiter Teil. Das Zentralregister

Dritter Abschnitt.[3)] Auskunft aus dem Register

1. Führungszeugnis

§ 30a[4)] Antrag auf ein erweitertes Führungszeugnis. (1) Einer Person wird auf Antrag ein erweitertes Führungszeugnis erteilt,

1. wenn die Erteilung in gesetzlichen Bestimmungen unter Bezugnahme auf diese Vorschrift vorgesehen ist oder
2. wenn dieses Führungszeugnis benötigt wird für
   a) eine berufliche oder ehrenamtliche Beaufsichtigung, Betreuung, Erziehung oder Ausbildung Minderjähriger oder
   b) eine Tätigkeit, die in einer Buchstabe a vergleichbaren Weise geeignet ist, Kontakt zu Minderjährigen aufzunehmen.

(2) [1]Wer einen Antrag auf Erteilung eines erweiterten Führungszeugnisses stellt, hat eine schriftliche Aufforderung vorzulegen, in der die Person, die das erweiterte Führungszeugnis von der antragstellenden Person verlangt, bestätigt, dass die Voraussetzungen nach Absatz 1 vorliegen. [2]Im Übrigen gilt § 30 entsprechend.

(3) [1]Die Daten aus einem erweiterten Führungszeugnis dürfen von der entgegennehmenden Stelle nur verarbeitet werden, soweit dies zur Prüfung der Eignung der Person für eine Tätigkeit, die Anlass zu der Vorlage des Führungszeugnisses gewesen ist, erforderlich ist. [2]Die Daten sind vor dem Zugriff Unbefugter zu schützen. [3]Sie sind unverzüglich zu löschen, wenn die Person die Tätigkeit, die Anlass zu der Vorlage des Führungszeugnisses gewesen ist, nicht ausübt. [4]Die Daten sind spätestens sechs Monate nach der letztmaligen Ausübung der Tätigkeit zu löschen.

[1)] Neubekanntmachung des BZRG v. 18.3.1971 (BGBl. I S. 243) in der ab 31.1.1985 geltenden Fassung.

[2)] Vollständig wiedergegeben in **beck-online, Module Arbeitsrecht.**

[3)] 3. Abschnitt Überschrift geänd. mWv 27.4.2012 durch G v. 15.12.2011 (BGBl. I S. 2714).

[4)] § 30a eingef. mWv 1.5.2010 durch G v. 16.7.2009 (BGBl. I S. 1952); Abs. 1 Nr. 2 Buchst. a aufgeh., bish. Buchst. b und c werden Buchst. a und b und geänd., Abs. 2 Satz 1 geänd. mWv 29.7.2017 durch G v. 18.7.2017 (BGBl. I S. 2732); Abs. 3 angef. mWv 9.12.2022 durch G v. 4.12.2022 (BGBl. I S. 2146).

§ 30b[1] Europäisches Führungszeugnis. (1) [1] Sofern der Mitgliedstaat eine Übermittlung nach seinem Recht vorsieht, wird in das Führungszeugnis nach § 30 oder § 30a Absatz 1 die Mitteilung über Eintragungen in den Strafregistern anderer Mitgliedstaaten der Europäischen Union vollständig und in der übermittelten Sprache (Europäisches Führungszeugnis) für die folgenden Personen aufgenommen:

1. für Personen, die die Staatsangehörigkeit eines anderen Mitgliedstaates der Europäischen Union besitzen, sowie
2. für Drittstaatsangehörige.

[2] Nicht aufgenommen werden Entscheidungen deutscher Gerichte. [3] § 30 gilt entsprechend.

(1a) [1] Absatz 1 gilt entsprechend für die Mitteilung über Eintragungen im Strafregister eines Partnerstaates zu dessen Staatsangehörigen. [2] Partnerstaat nach Satz 1 ist ein Drittstaat, mit dem die Europäische Union in einem Abkommen den elektronischen Austausch von Strafregisterinformationen vereinbart hat.

(2) Ersuchen der Registerbehörde um Übermittlung der nach Absatz 1 in das Führungszeugnis zusätzlich aufzunehmenden Eintragungen für ein Europäisches Führungszeugnis von Personen, die die Staatsangehörigkeit eines anderen Mitgliedstaates der Europäischen Union besitzen, sind an den Herkunftsmitgliedstaat zu richten.

(3) Ersuchen der Registerbehörde um Übermittlung der nach Absatz 1 oder Absatz 1a in das Führungszeugnis zusätzlich aufzunehmenden Eintragungen für ein Führungszeugnis von Drittstaatsangehörigen sind zu richten

1. im Fall des Absatzes 1 unter Nutzung von ECRIS-TCN an die in diesem System ausgewiesenen Mitgliedstaaten der Europäischen Union und
2. im Fall des Absatzes 1a an den jeweiligen Partnerstaat, dessen Staatsangehörigkeit die Person besitzt.

(4) [1] Das Führungszeugnis soll spätestens 20 Werktage nach der Übermittlung der Ersuchen der Registerbehörde erteilt werden. [2] Haben die Mitgliedstaaten oder hat der Partnerstaat keine Auskunft aus ihrem Strafregister erteilt, ist hierauf im Führungszeugnis hinzuweisen.

§§ 30c, 31 *(hier nicht wiedergegeben)*

§ 32[2] Inhalt des Führungszeugnisses. (1) [1] In das Führungszeugnis werden die in den §§ 4 bis 16 bezeichneten Eintragungen aufgenommen. [2] Soweit in Absatz 2 Nr. 3 bis 9 hiervon Ausnahmen zugelassen werden, gelten diese nicht

---

[1] § 30b neu gef. mWv 17.7.2020 durch G v. 10.7.2020 (BGBl. I S. 1648); Abs. 1a eingef., Abs. 3 neu gef., Abs. 4 Satz 2 geänd. mWv 9.12.2022 durch G v. 4.12.2022 (BGBl. I S. 2146).

[2] § 32 Abs. 2 Nr. 10 aufgeh. durch G v. 12.9.1990 (BGBl. I S. 2002); Abs. 1 Satz 2 angef. durch G v. 26.1.1998 (BGBl. I S. 160); Abs. 2 Nr. 10 eingef., Abs. 3 Nr. 3 neu gef., Nr. 4 angef. mWv 1.10. 2002 durch G v. 23.4.2002 (BGBl. I S. 1406); Abs. 2 Nr. 11 geänd., Nr. 12 angef. mWv 28.8.2002 durch G v. 21.8.2002 (BGBl. I S. 3344); Abs. 5 angef. mWv 1.5.2010 durch G v. 16.7.2009 (BGBl. I S. 1952); Abs. 5 geänd. mWv 27.1.2015 durch G v. 21.1.2015 (BGBl. I S. 10); Abs. 5 geänd. mWv 15.10.2016 durch G v. 11.10.2016 (BGBl. I S. 2226); Abs. 5 geänd. mWv 10.11.2016 durch G v. 4.11.2016 (BGBl. I S. 2460); Abs. 3 Nr. 2, Abs. 4 Nr. 2 Buchst. b und abschl. Satzteil geänd. mWv 29.7.2017 durch G v. 18.7.2017 (BGBl. I S. 2732); Abs. 5 geänd. mWv 1.1.2021 durch G v. 9.10. 2020 (BGBl. I S. 2075); Abs. 5 geänd. mWv 1.7.2022 durch G v. 16.6.2021 (BGBl. I S. 1810); Abs. 2 Nr. 10 geänd. mWv 1.10.2022 durch G v. 10.8.2021 (BGBl. I S. 3420); Abs. 2 Nr. 3, Nr. 6 Buchst. a und b, Nr. 7 geänd. mWv 1.4.2024 durch G v. 27.3.2024 (BGBl. 2024 I Nr. 109).

bei Verurteilungen wegen einer Straftat nach den §§ 174 bis 180 oder 182 des Strafgesetzbuches[1)].

(2) Nicht aufgenommen werden

1. die Verwarnung mit Strafvorbehalt nach § 59 des Strafgesetzbuchs,
2. der Schuldspruch nach § 27 des Jugendgerichtsgesetzes[2)],
3. Verurteilungen, durch die auf Jugendstrafe von nicht mehr als zwei Jahren erkannt worden ist, wenn die Vollstreckung der Strafe oder eines Strafrestes gerichtlich oder im Gnadenwege zur Bewährung ausgesetzt oder nach § 35 des Betäubungsmittelgesetzes[3)] – auch in Verbindung mit § 39 des Konsumcannabisgesetzes oder § 30 des Medizinal-Cannabisgesetzes – zurückgestellt und diese Entscheidung nicht widerrufen worden ist,
4. Verurteilungen, durch die auf Jugendstrafe erkannt worden ist, wenn der Strafmakel gerichtlich oder im Gnadenwege als beseitigt erklärt und die Beseitigung nicht widerrufen worden ist,
5. Verurteilungen, durch die auf
   a) Geldstrafe von nicht mehr als neunzig Tagessätzen,
   b) Freiheitsstrafe oder Strafarrest von nicht mehr als drei Monaten

   erkannt worden ist, wenn im Register keine weitere Strafe eingetragen ist,
6. Verurteilungen, durch die auf Freiheitsstrafe von nicht mehr als zwei Jahren erkannt worden ist, wenn die Vollstreckung der Strafe oder eines Strafrestes
   a) nach § 35 oder § 36 des Betäubungsmittelgesetzes – auch in Verbindung mit § 39 des Konsumcannabisgesetzes oder § 30 des Medizinal-Cannabisgesetzes – zurückgestellt oder zur Bewährung ausgesetzt oder
   b) nach § 56 oder § 57 des Strafgesetzbuchs zur Bewährung ausgesetzt worden ist und sich aus dem Register ergibt, daß der Verurteilte die Tat oder bei Gesamtstrafen alle oder den ihrer Bedeutung nach überwiegenden Teil der Taten auf Grund einer Betäubungsmittelabhängigkeit begangen hat,

   diese Entscheidungen nicht widerrufen worden sind und im Register keine weitere Strafe eingetragen ist,
7. Verurteilungen, durch die neben Jugendstrafe oder Freiheitsstrafe von nicht mehr als zwei Jahren die Unterbringung in einer Entziehungsanstalt angeordnet worden ist, wenn die Vollstreckung der Strafe, des Strafrestes oder der Maßregel nach § 35 des Betäubungsmittelgesetzes – auch in Verbindung mit § 39 des Konsumcannabisgesetzes oder § 30 des Medizinal-Cannabisgesetzes – zurückgestellt worden ist und im übrigen die Voraussetzungen der Nummer 3 oder 6 erfüllt sind,
8. Verurteilungen, durch die Maßregeln der Besserung und Sicherung, Nebenstrafen oder Nebenfolgen allein oder in Verbindung miteinander oder in Verbindung mit Erziehungsmaßregeln oder Zuchtmitteln angeordnet worden sind,
9. Verurteilungen, bei denen die Wiederaufnahme des gesamten Verfahrens vermerkt ist; ist die Wiederaufnahme nur eines Teils des Verfahrens angeordnet, so ist im Führungszeugnis darauf hinzuweisen,

---

1) **Habersack Nr. 85.**
2) **Habersack Nr. 89.**
3) **Sartorius Nr. 275.**

10. abweichende Personendaten gemäß § 5 Abs. 1 Nr. 1 und die Angabe nach § 5 Absatz 1 Nummer 8,
11. Eintragungen nach den §§ 10 und 11,
12. die vorbehaltene Sicherungsverwahrung, falls von der Anordnung der Sicherungsverwahrung rechtskräftig abgesehen worden ist.

(3) In ein Führungszeugnis für Behörden (§ 30 Abs. 5, § 31) sind entgegen Absatz 2 auch aufzunehmen

1. Verurteilungen, durch die eine freiheitsentziehende Maßregel der Besserung und Sicherung angeordnet worden ist,
2. Eintragungen nach § 10, wenn die Entscheidung oder der Verzicht nicht länger als zehn Jahre zurückliegt,
3. Eintragungen nach § 11, wenn die Entscheidung oder Verfügung nicht länger als fünf Jahre zurückliegt,
4. abweichende Personendaten gemäß § 5 Abs. 1 Nr. 1, sofern unter diesen Daten Eintragungen erfolgt sind, die in ein Führungszeugnis für Behörden aufzunehmen sind.

(4) In ein Führungszeugnis für Behörden (§ 30 Abs. 5, § 31) sind ferner die in Absatz 2 Nr. 5 bis 9 bezeichneten Verurteilungen wegen Straftaten aufzunehmen, die

1. bei oder in Zusammenhang mit der Ausübung eines Gewerbes oder dem Betrieb einer sonstigen wirtschaftlichen Unternehmung oder
2. bei der Tätigkeit in einem Gewerbe oder einer sonstigen wirtschaftlichen Unternehmung
   a) von einem Vertreter oder Beauftragten im Sinne des § 14 des Strafgesetzbuchs oder
   b) von einer Person, die in einer Rechtsvorschrift ausdrücklich als verantwortlich bezeichnet ist,

begangen worden sind, wenn das Führungszeugnis für die in § 149 Abs. 2 Satz 1 Nr. 1 der Gewerbeordnung bezeichneten Entscheidungen bestimmt ist.

(5) Soweit in Absatz 2 Nummer 3 bis 9 Ausnahmen für die Aufnahme von Eintragungen zugelassen werden, gelten diese nicht bei einer Verurteilung wegen einer Straftat nach den §§ 171, 180a, 181a, 183 bis 184g, 184i bis 184l, 201a Absatz 3, den §§ 225, 232 bis 233a, 234, 235 oder § 236 des Strafgesetzbuchs, wenn ein erweitertes Führungszeugnis nach § 30a oder § 31 Absatz 2 erteilt wird.

Sechster Abschnitt. Begrenzung von Offenbarungspflichten des Verurteilten

§ 53[1] Offenbarungspflicht bei Verurteilungen. (1) Verurteilte dürfen sich als unbestraft bezeichnen und brauchen den der Verurteilung zugrunde liegenden Sachverhalt nicht zu offenbaren, wenn die Verurteilung

1. nicht in das Führungszeugnis oder nur in ein Führungszeugnis nach § 32 Abs. 3, 4 aufzunehmen oder
2. zu tilgen ist.

---

[1] § 53 Abs. 1 einl. Satzteil und Abs. 2 geänd. mWv 29.7.2017 durch G v. 18.7.2017 (BGBl. I S. 2732).

(2) Soweit Gerichte oder Behörden ein Recht auf unbeschränkte Auskunft haben, können Verurteilte ihnen gegenüber keine Rechte aus Absatz 1 Nr. 1 herleiten, falls sie hierüber belehrt werden.

Dritter Teil. Das Erziehungsregister

§ 64[1] Begrenzung von Offenbarungspflichten der betroffenen Person.

(1) Eintragungen in das Erziehungsregister und die ihnen zugrunde liegenden Sachverhalte braucht die betroffene Person nicht zu offenbaren.

(2) Soweit Gerichte oder Behörden ein Recht auf Auskunft aus dem Erziehungsregister haben, kann die betroffene Person ihnen gegenüber keine Rechte aus Absatz 1 herleiten, falls sie hierüber belehrt wird.

---

[1] § 64 Abs. 1 und 2 geänd. mWv 29.7.2017 durch G v. 18.7.2017 (BGBl. I S. 2732); Überschrift geänd. mWv 26.11.2019 durch G v. 20.11.2019 (BGBl. I S. 1626).

494a. Sozialgesetzbuch (SGB) Achtes Buch (VIII) Kinder- und Jugendhilfe

In der Fassung der Bekanntmachung vom 11. September 2012[1)]
(BGBl. I S. 2022)

FNA 860-8

zuletzt geänd. durch Art. 8, Art. 9 GEAS-Anpassungsgesetz v. 23.4.2026 (BGBl. 2026 I Nr. 111)

– Auszug –[2)]

Drittes Kapitel. Andere Aufgaben der Jugendhilfe

Zweiter Abschnitt. Schutz von Kindern und Jugendlichen in Familienpflege und in Einrichtungen

§ 45[3)] Erlaubnis für den Betrieb einer Einrichtung. (1) [1]Der Träger einer Einrichtung,[4)] nach § 45a bedarf für den Betrieb der Einrichtung der Erlaubnis. [2]Einer Erlaubnis bedarf nicht, wer

1. eine Jugendfreizeiteinrichtung, eine Jugendbildungseinrichtung, eine Jugendherberge oder ein Schullandheim betreibt,
2. ein Schülerheim betreibt, das landesgesetzlich der Schulaufsicht untersteht,
3. eine Einrichtung betreibt, die außerhalb der Jugendhilfe liegende Aufgaben für Kinder oder Jugendliche wahrnimmt, wenn für sie eine entsprechende gesetzliche Aufsicht besteht oder im Rahmen des Hotel- und Gaststättengewerbes der Aufnahme von Kindern oder Jugendlichen dient.

(2) [1]Die Erlaubnis ist zu erteilen, wenn das Wohl der Kinder und Jugendlichen in der Einrichtung gewährleistet ist. [2]Dies ist in der Regel anzunehmen, wenn

1. der Träger die für den Betrieb der Einrichtung erforderliche Zuverlässigkeit besitzt,
2. die dem Zweck und der Konzeption der Einrichtung entsprechenden räumlichen, fachlichen, wirtschaftlichen und personellen Voraussetzungen für den Betrieb erfüllt sind und durch den Träger gewährleistet werden,
3. die gesellschaftliche und sprachliche Integration und ein gesundheitsförderliches Lebensumfeld in der Einrichtung unterstützt werden sowie die gesund-

[1)] Neubekanntmachung des SGB VIII idF der Bek. v. 14.12.2006 (BGBl. I S. 3134) in der ab 1.1. 2012 geltenden Fassung.

[2)] Vollständig wiedergegeben in **beck-online, Module Arbeitsrecht.**

[3)] § 45 Abs. 2 Satz 2 Nr. 2 geänd. mWv 25.7.2015 durch G v. 17.7.2015 (BGBl. I S. 1368); Abs. 6 Sätze 2 und 4 geänd. mWv 1.1.2020 durch G v. 23.12.2016 (BGBl. I S. 3234, geänd. durch G v. 17.7. 2017, BGBl. I S. 2541); Abs. 6 Sätze 2, 4 und 5 neu gef. mWv 1.1.2020 durch G v. 30.11.2019 (BGBl. I S. 1948); Abs. 1 Satz 1 geänd., Abs. 2 Satz 2 Nr. 1 eingef., bish. Nr. 1 wird Nr. 2 und geänd., bish. Nr. 2 wird Nr. 3, bish. Nr. 3 wird Nr. 4 und neu gef., Satz 3 angef., Abs. 3 Nr. 1, Abs. 4 Satz 2, Abs. 6 Satz 3 geänd., Abs. 7 neu gef. mWv 10.6.2021 durch G v. 3.6.2021 (BGBl. I S. 1444).

[4)] Zeichensetzung amtlich.

heitliche Vorsorge und die medizinische Betreuung der Kinder und Jugendlichen nicht erschwert werden sowie

4. zur Sicherung der Rechte und des Wohls von Kindern und Jugendlichen in der Einrichtung die Entwicklung, Anwendung und Überprüfung eines Konzepts zum Schutz vor Gewalt, geeignete Verfahren der Selbstvertretung und Beteiligung sowie der Möglichkeit der Beschwerde in persönlichen Angelegenheiten innerhalb und außerhalb der Einrichtung gewährleistet werden.

[3] Die nach Satz 2 Nummer 1 erforderliche Zuverlässigkeit besitzt ein Träger insbesondere dann nicht, wenn er

1. in der Vergangenheit nachhaltig gegen seine Mitwirkungs- und Meldepflichten nach den §§ 46 und 47 verstoßen hat,
2. Personen entgegen eines behördlichen Beschäftigungsverbotes nach § 48 beschäftigt oder
3. wiederholt gegen behördliche Auflagen verstoßen hat.

(3) Zur Prüfung der Voraussetzungen hat der Träger der Einrichtung mit dem Antrag

1. die Konzeption der Einrichtung vorzulegen, die auch Auskunft über Maßnahmen zur Qualitätsentwicklung und -sicherung sowie zur ordnungsgemäßen Buch- und Aktenführung in Bezug auf den Betrieb der Einrichtung gibt, sowie
2. im Hinblick auf die Eignung des Personals nachzuweisen, dass die Vorlage und Prüfung von aufgabenspezifischen Ausbildungsnachweisen sowie von Führungszeugnissen nach § 30 Absatz 5 und § 30a Absatz 1 des Bundeszentralregistergesetzes[1] sichergestellt sind; Führungszeugnisse sind von dem Träger der Einrichtung in regelmäßigen Abständen erneut anzufordern und zu prüfen.

(4)–(7) …

Fünftes Kapitel. Träger der Jugendhilfe, Zusammenarbeit, Gesamtverantwortung

Erster Abschnitt. Träger der öffentlichen Jugendhilfe

§ 72 Mitarbeiter, Fortbildung. (1) [1] Die Träger der öffentlichen Jugendhilfe sollen bei den Jugendämtern und Landesjugendämtern hauptberuflich nur Personen beschäftigen, die sich für die jeweilige Aufgabe nach ihrer Persönlichkeit eignen und eine dieser Aufgabe entsprechende Ausbildung erhalten haben (Fachkräfte) oder auf Grund besonderer Erfahrungen in der sozialen Arbeit in der Lage sind, die Aufgabe zu erfüllen. [2] Soweit die jeweilige Aufgabe dies erfordert, sind mit ihrer Wahrnehmung nur Fachkräfte oder Fachkräfte mit entsprechender Zusatzausbildung zu betrauen. [3] Fachkräfte verschiedener Fachrichtungen sollen zusammenwirken, soweit die jeweilige Aufgabe dies erfordert.

(2) Leitende Funktionen des Jugendamts oder des Landesjugendamts sollen in der Regel nur Fachkräften übertragen werden.

[1] Nr. 494.

(3) Die Träger der öffentlichen Jugendhilfe haben Fortbildung und Praxisberatung der Mitarbeiter des Jugendamts und des Landesjugendamts sicherzustellen.

§ 72a[1] Tätigkeitsausschluss einschlägig vorbestrafter Personen.

(1) [1]Die Träger der öffentlichen Jugendhilfe dürfen für die Wahrnehmung der Aufgaben in der Kinder- und Jugendhilfe keine Person beschäftigen oder vermitteln, die rechtskräftig wegen einer Straftat nach den §§ 171, 174 bis 174c, 176 bis 180a, 181a, 182 bis 184g, 184i, 184j, 184k, 184l, 201a Absatz 3, den §§ 225, 232 bis 233a, 234, 235 oder 236 des Strafgesetzbuchs[2] verurteilt worden ist. [2]Zu diesem Zweck sollen sie sich bei der Einstellung oder Vermittlung und in regelmäßigen Abständen von den betroffenen Personen ein Führungszeugnis nach § 30 Absatz 5 und § 30a Absatz 1 des Bundeszentralregistergesetzes[3] vorlegen lassen.

(2) Die Träger der öffentlichen Jugendhilfe sollen durch Vereinbarungen mit den Trägern der freien Jugendhilfe sowie mit Vereinen im Sinne des § 54 sicherstellen, dass diese keine Person, die wegen einer Straftat nach Absatz 1 Satz 1 rechtskräftig verurteilt worden ist, hauptamtlich beschäftigen.

(3) [1]Die Träger der öffentlichen Jugendhilfe sollen sicherstellen, dass unter ihrer Verantwortung keine neben- oder ehrenamtlich tätige Person, die wegen einer Straftat nach Absatz 1 Satz 1 rechtskräftig verurteilt worden ist, in Wahrnehmung von Aufgaben der Kinder- und Jugendhilfe Kinder oder Jugendliche beaufsichtigt, betreut, erzieht oder ausbildet oder einen vergleichbaren Kontakt hat. [2]Hierzu sollen die Träger der öffentlichen Jugendhilfe über die Tätigkeiten entscheiden, die von den in Satz 1 genannten Personen auf Grund von Art, Intensität und Dauer des Kontakts dieser Personen mit Kindern und Jugendlichen nur nach Einsichtnahme in das Führungszeugnis nach Absatz 1 Satz 2 wahrgenommen werden dürfen.

(4) [1]Die Träger der öffentlichen Jugendhilfe sollen durch Vereinbarungen mit den Trägern der freien Jugendhilfe sowie mit Vereinen im Sinne des § 54 sicherstellen, dass unter deren Verantwortung keine neben- oder ehrenamtlich tätige Person, die wegen einer Straftat nach Absatz 1 Satz 1 rechtskräftig verurteilt worden ist, in Wahrnehmung von Aufgaben der Kinder- und Jugendhilfe Kinder oder Jugendliche beaufsichtigt, betreut, erzieht oder ausbildet oder einen vergleichbaren Kontakt hat. [2]Hierzu sollen die Träger der öffentlichen Jugendhilfe mit den Trägern der freien Jugendhilfe Vereinbarungen über die Tätigkeiten schließen, die von den in Satz 1 genannten Personen auf Grund von Art, Intensität und Dauer des Kontakts dieser Personen mit Kindern und Jugendlichen nur nach Einsichtnahme in das Führungszeugnis nach Absatz 1 Satz 2 wahrgenommen werden dürfen.

---

[1] § 72a Abs. 1 Satz 1 geänd. mWv 27.1.2015 durch G v. 21.1.2015 (BGBl. I S. 10); Abs. 1 Satz 1 geänd. mWv 15.10.2016 durch G v. 11.10.2016 (BGBl. I S. 2226); Abs. 1 Satz 1 geänd. mWv 10.11. 2016 durch G v. 4.11.2016 (BGBl. I S. 2460); Abs. 1 Satz 1 geänd. mWv 1.1.2021 durch G v. 9.10. 2020 (BGBl. I S. 2075); Abs. 2 geänd. mWv 1.1.2023 durch G v. 4.5.2021 (BGBl. I S. 882); Abs. 1 Satz 1 geänd., Abs. 5 neu gef. mWv 10.6.2021 durch G v. 3.6.2021 (BGBl. I S. 1444); Abs. 1 Satz 1 geänd. mWv 1.7.2021 durch G v. 16.6.2021 (BGBl. I S. 1810); Abs. 5 neu gef. mWv 9.12.2022 durch G v. 4.12.2022 (BGBl. I S. 2146).

[2] **Habersack Nr. 85.**

[3] Nr. **494**.

(5) [1] Die Träger der öffentlichen und freien Jugendhilfe dürfen von den nach den Absätzen 3 und 4 eingesehenen Daten nur folgende Daten erheben und speichern:

1. den Umstand der Einsichtnahme,
2. das Datum des Führungszeugnisses und
3. die Information, ob die das Führungszeugnis betreffende Person wegen einer der folgenden Straftaten rechtskräftig verurteilt worden ist:
   a) wegen einer in Absatz 1 Satz 1 genannten Straftat oder
   b) wegen einer nicht in Absatz 1 Satz 1 genannten Straftat, die die Person als ungeeignet im Umgang mit Kindern und Jugendlichen erscheinen lässt.

[2] Die Träger der öffentlichen und freien Jugendhilfe dürfen die gespeicherten Daten nur verarbeiten, soweit dies erforderlich ist, um die Eignung einer Person für diejenige Tätigkeit, die Anlass zu der Einsichtnahme in das Führungszeugnis gewesen ist, zu prüfen. [3] Die Daten sind vor dem Zugriff Unbefugter zu schützen. [4] Sie sind unverzüglich zu löschen, wenn die Person eine Tätigkeit nach Absatz 3 Satz 2 oder Absatz 4 Satz 2 nicht ausübt. [5] Die Daten sind spätestens sechs Monate nach der letztmaligen Ausübung einer solchen Tätigkeit zu löschen.

J. Sonstiger Arbeitsschutz

495. Gesetz zur Regelung der Rechtsverhältnisse der Prostituierten (Prostitutionsgesetz – ProstG)[1]

Vom 20. Dezember 2001
(BGBl. I S. 3983)

FNA 402-39

geänd. durch Art. 2 G zur Regulierung des Prostitutionsgewerbes v. 21. 10. 2016 (BGBl. I S. 2372)

§ 1 [Rechtswirksame Forderung] [1] Sind sexuelle Handlungen gegen ein vorher vereinbartes Entgelt vorgenommen worden, so begründet diese Vereinbarung eine rechtswirksame Forderung. [2] Das Gleiche gilt, wenn sich eine Person, insbesondere im Rahmen eines Beschäftigungsverhältnisses, für die Erbringung derartiger Handlungen gegen ein vorher vereinbartes Entgelt für eine bestimmte Zeitdauer bereithält.

§ 2 [Abtretung der Forderung; Geltendmachung] [1] Die Forderung kann nicht abgetreten und nur im eigenen Namen geltend gemacht werden. [2] Gegen eine Forderung gemäß § 1 Satz 1 kann nur die vollständige, gegen eine Forderung nach § 1 Satz 2 auch die teilweise Nichterfüllung, soweit sie die vereinbarte Zeitdauer betrifft, eingewendet werden. [3] Mit Ausnahme des Erfüllungseinwandes gemäß des § 362 des Bürgerlichen Gesetzbuchs[2] und der Einrede der Verjährung sind weitere Einwendungen und Einreden ausgeschlossen.

[§ 3 bis 30. 6. 2017:]

§ 3 [Beschäftigung im Sinne des Sozialversicherungsrechts] Bei Prostituierten steht das eingeschränkte Weisungsrecht im Rahmen einer abhängigen Tätigkeit der Annahme einer Beschäftigung im Sinne des Sozialversicherungsrechts nicht entgegen.

[§ 3 ab 1. 7. 2017:]

§ 3[3] [Beschäftigung im Sinne des Sozialversicherungsrechts] *(1) Weisungen, die das Ob, die Art oder das Ausmaß der Erbringung sexueller Dienstleistungen vorschreiben, sind unzulässig.*

(2) Bei Prostituierten steht das eingeschränkte Weisungsrecht im Rahmen einer abhängigen Tätigkeit nicht der Annahme einer Beschäftigung im Sinne des Sozialversicherungsrechts entgegen.

---

[1] Verkündet als Art. 1 Gesetz zur Regelung der Rechtsverhältnisse der Prostituierten (Prostitutionsgesetz - ProstG) v. 20. 12. 2001 (BGBl. I S. 3983); Inkrafttreten gem. Art. 3 dieses G am 1. 1. 2002.

[2] **beck-online, Module Arbeitsrecht Nr. 50.**

[3] § 3 neu gef. mWv 1. 7. 2017 durch G v. 21. 10. 2016 (BGBl. I S. 2372).

K. Infektionsschutz

497. Gesetz zur Verhütung und Bekämpfung von Infektionskrankheiten beim Menschen (Infektionsschutzgesetz – IfSG)[1)]

Vom 20. Juli 2000
(BGBl. I S. 1045)

FNA 2126-13

zuletzt geänd. durch Art. 3 Abs. 1 G zur Änd. des TiergesundheitsG, TierarzneimittelG und des Tiergesundheitsrechtlichen BußgeldG v. 4.3.2026 (BGBl. 2026 I Nr. 60)

– Auszug –[2)]

4. Abschnitt. Verhütung übertragbarer Krankheiten

§ 20[3)] Schutzimpfungen und andere Maßnahmen der spezifischen Prophylaxe. (1)–(7) …

(8) [1] Folgende Personen, die nach dem 31. Dezember 1970 geboren sind, müssen entweder einen nach den Maßgaben von Satz 2 ausreichenden Impfschutz gegen Masern oder ab der Vollendung des ersten Lebensjahres eine Immunität gegen Masern aufweisen:

1. Personen, die in einer Gemeinschaftseinrichtung nach § 33 Nummer 1 bis 3 betreut werden,
2. Personen, die bereits vier Wochen
   a) in einer Gemeinschaftseinrichtung nach § 33 Nummer 4 betreut werden oder
   b) in einer Einrichtung nach § 36 Absatz 1 Nummer 4 untergebracht sind, und
3. Personen, die in Einrichtungen nach § 23 Absatz 3 Satz 1, § 33 Nummer 1 bis 4 oder § 36 Absatz 1 Nummer 4 tätig sind.

[2] Ein ausreichender Impfschutz gegen Masern besteht, wenn ab der Vollendung des ersten Lebensjahres mindestens eine Schutzimpfung und ab der Vollendung

---

[1)] Verkündet als Art. 1 SeuchenrechtsneuordnungsG v. 20.7.2000 (BGBl. I S. 1045); Inkrafttreten gem. Art. 5 Abs. 1 Satz 1 dieses G am 1.1.2001 mit Ausnahme von §§ 37 und 38, die gem. Art. 5 Abs. 2 dieses G am 26.7.2000 in Kraft getreten sind.

[2)] Vollständig wiedergegeben in **beck-online, Module Arbeitsrecht.**

[3)] § 20 Abs. 2 Sätze 2, 4 und 5, Abs. 4 Satz 1, Abs. 6 Satz 1 und Abs. 7 Satz 1 geänd. mWv 28.11.2003 durch VO v. 25.11.2003 (BGBl. I S. 2304); Abs. 2 Sätze 2, 4 und 5, Abs. 4 Satz 1, Abs. 6 Satz 1 und Abs. 7 Satz 1 geänd. mWv 8.11.2006 durch VO v. 31.10.2006 (BGBl. I S. 2407); Abs. 5 Sätze 2–4 angef. mWv 11.5.2019 durch G v. 6.5.2019 (BGBl. I S. 646); Abs. 4 aufgeh. mWv 16.8.2019 durch G v. 9.8.2019 (BGBl. I S. 1202); Abs. 1, 4, 6 Satz 2 neu gef., Abs. 6 Satz 3 aufgeh., bish. Satz 4 wird Satz 3, Abs. 7 Satz 3 aufgeh., Abs. 8–14 angef. mWv 1.3.2020 durch G v. 10.2.2020 (BGBl. I S. 148); Abs. 12 Satz 5 geänd. mWv 19.11.2020 durch G v. 18.11.2020 (BGBl. I S. 2397); Abs. 2a eingef., Abs. 10 Sätze 1, 2, Abs. 11 Satz 1 Nr. 2 geänd. mWv 31.3.2021 durch G v. 29.3.2021 (BGBl. I S. 370); Abs. 9 Sätze 2–5 neu gef., Abs. 9a eingef., Abs. 10, 11 und Abs. 12 Sätze 2–6 neu gef., Satz 7 angef. mWv 12.12.2021 durch G v. 10.12.2021 (BGBl. I S. 5162); Abs. 9 Satz 2, Abs. 9a Satz 2, Abs. 10 Satz 2, Abs. 11 Satz 2, Abs. 12 Sätze 2, 7 geänd., Satz 8 angef. mWv 17.9.2022 durch G v. 16.9.2022 (BGBl. I S. 1454).

des zweiten Lebensjahres mindestens zwei Schutzimpfungen gegen Masern bei der betroffenen Person durchgeführt wurden. [3] Satz 1 gilt auch, wenn zur Erlangung von Impfschutz gegen Masern ausschließlich Kombinationsimpfstoffe zur Verfügung stehen, die auch Impfstoffkomponenten gegen andere Krankheiten enthalten. [4] Satz 1 gilt nicht für Personen, die auf Grund einer medizinischen Kontraindikation nicht geimpft werden können.

(9) [1] Personen, die in Gemeinschaftseinrichtungen nach § 33 Nummer 1 bis 3 betreut oder in Einrichtungen nach § 23 Absatz 3 Satz 1, § 33 Nummer 1 bis 4 oder § 36 Absatz 1 Nummer 4 tätig werden sollen, haben der Leitung der jeweiligen Einrichtung vor Beginn ihrer Betreuung oder ihrer Tätigkeit folgenden Nachweis vorzulegen:

1. eine Impfdokumentation nach § 22 Absatz 1 und 2 oder ein ärztliches Zeugnis, auch in Form einer Dokumentation nach § 26 Absatz 2 Satz 4 des Fünften Buches Sozialgesetzbuch[1)], darüber, dass bei ihnen ein nach den Maßgaben von Absatz 8 Satz 2 ausreichender Impfschutz gegen Masern besteht,
2. ein ärztliches Zeugnis darüber, dass bei ihnen eine Immunität gegen Masern vorliegt oder sie aufgrund einer medizinischen Kontraindikation nicht geimpft werden können oder
3. eine Bestätigung einer staatlichen Stelle oder der Leitung einer anderen in Absatz 8 Satz 1 genannten Einrichtung darüber, dass ein Nachweis nach Nummer 1 oder Nummer 2 bereits vorgelegen hat.

[2] Wenn der Nachweis nach Satz 1 von einer Person, die auf Grund einer nach Satz 8 zugelassenen Ausnahme oder nach Satz 9 in Gemeinschaftseinrichtungen nach § 33 Nummer 1 bis 3 betreut oder in Einrichtungen nach § 23 Absatz 3 Satz 1, § 33 Nummer 1 bis 4 oder § 36 Absatz 1 Nummer 4 beschäftigt oder tätig werden darf, nicht vorgelegt wird oder wenn Zweifel an der Echtheit oder inhaltlichen Richtigkeit des vorgelegten Nachweises bestehen, hat die Leitung der jeweiligen Einrichtung unverzüglich das Gesundheitsamt, in dessen Bezirk sich die Einrichtung befindet, darüber zu benachrichtigen und dem Gesundheitsamt personenbezogene Angaben zu übermitteln. [3] Die oberste Landesgesundheitsbehörde oder die von ihr bestimmte Stelle kann bestimmen, dass

1. der Nachweis nach Satz 1 nicht der Leitung der jeweiligen Einrichtung, sondern dem Gesundheitsamt oder einer anderen staatlichen Stelle gegenüber zu erbringen ist,
2. die Benachrichtigung nach Satz 2 nicht durch die Leitung der jeweiligen Einrichtung, sondern durch die nach Nummer 1 bestimmte Stelle zu erfolgen hat,
3. die Benachrichtigung nach Satz 2 nicht gegenüber dem Gesundheitsamt, in dessen Bezirk sich die jeweilige Einrichtung befindet, sondern gegenüber einer anderen staatlichen Stelle zu erfolgen hat.

[4] Die Behörde, die für die Erteilung der Erlaubnis nach § 43 Absatz 1 des Achten Buches Sozialgesetzbuch[2)] zuständig ist, kann bestimmen, dass vor dem Beginn der Tätigkeit im Rahmen der Kindertagespflege der Nachweis nach Satz 1 ihr gegenüber zu erbringen ist; in diesen Fällen hat die Benachrichtigung nach Satz 2 durch sie zu erfolgen. [5] Eine Benachrichtigungspflicht nach Satz 2

[1)] **beck-online, Module Arbeitsrecht Nr. 695.**
[2)] **beck-online, Module Arbeitsrecht Nr. 494a.**

besteht nicht, wenn der Leitung der jeweiligen Einrichtung oder der anderen nach Satz 3 Nummer 2 oder Satz 4 bestimmten Stelle bekannt ist, dass das Gesundheitsamt oder die andere nach Satz 3 Nummer 3 bestimmte Stelle über den Fall bereits informiert ist. [6] Eine Person, die ab der Vollendung des ersten Lebensjahres keinen Nachweis nach Satz 1 vorlegt, darf nicht in Gemeinschaftseinrichtungen nach § 33 Nummer 1 bis 3 betreut oder in Einrichtungen nach § 23 Absatz 3 Satz 1, § 33 Nummer 1 bis 4 oder § 36 Absatz 1 Nummer 4 beschäftigt werden. [7] Eine Person, die über keinen Nachweis nach Satz 1 verfügt oder diesen nicht vorlegt, darf in Einrichtungen nach § 23 Absatz 3 Satz 1, § 33 Nummer 1 bis 4 oder § 36 Absatz 1 Nummer 4 nicht tätig werden. [8] Die oberste Landesgesundheitsbehörde oder die von ihr bestimmte Stelle kann allgemeine Ausnahmen von den Sätzen 6 und 7 zulassen, wenn das Paul-Ehrlich-Institut auf seiner Internetseite einen Lieferengpass zu allen Impfstoffen mit einer Masernkomponente, die für das Inverkehrbringen in Deutschland zugelassen oder genehmigt sind, bekannt gemacht hat; parallel importierte und parallel vertriebene Impfstoffe mit einer Masernkomponente bleiben unberücksichtigt. [9] Eine Person, die einer gesetzlichen Schulpflicht unterliegt, darf in Abweichung von Satz 6 in Gemeinschaftseinrichtungen nach § 33 Nummer 3 betreut werden.

(9a) [1] Sofern sich ergibt, dass ein Impfschutz gegen Masern erst zu einem späteren Zeitpunkt möglich ist oder vervollständigt werden kann oder ein Nachweis nach Absatz 9 Satz 1 Nummer 2 seine Gültigkeit auf Grund Zeitablaufs verliert, haben Personen, die in Gemeinschaftseinrichtungen nach § 33 Nummer 1 bis 3 betreut werden oder in Einrichtungen nach § 23 Absatz 3 Satz 1, § 33 Nummer 1 bis 4 oder § 36 Absatz 1 Nummer 4 tätig sind, der Leitung der jeweiligen Einrichtung einen Nachweis nach Absatz 9 Satz 1 innerhalb eines Monats, nachdem es ihnen möglich war, einen Impfschutz gegen Masern zu erlangen oder zu vervollständigen, oder innerhalb eines Monats nach Ablauf der Gültigkeit des bisherigen Nachweises nach Absatz 9 Satz 1 Nummer 2 vorzulegen. [2] Wenn der Nachweis nach Satz 1 nicht innerhalb dieses Monats vorgelegt wird oder wenn Zweifel an der Echtheit oder inhaltlichen Richtigkeit des vorgelegten Nachweises bestehen, hat die Leitung der jeweiligen Einrichtung unverzüglich das Gesundheitsamt, in dessen Bezirk sich die jeweilige Einrichtung befindet, darüber zu benachrichtigen und dem Gesundheitsamt personenbezogene Angaben zu übermitteln. [3] Absatz 9 Satz 3 gilt entsprechend.

(10) [1] Personen, die am 1. März 2020 bereits in Gemeinschaftseinrichtungen nach § 33 Nummer 1 bis 3 betreut wurden und noch werden oder in Einrichtungen nach § 23 Absatz 3 Satz 1, § 33 Nummer 1 bis 4 oder § 36 Absatz 1 Nummer 4 tätig waren und noch sind, haben der Leitung der jeweiligen Einrichtung einen Nachweis nach Absatz 9 Satz 1 bis zum Ablauf des 31. Juli 2022 vorzulegen. [2] Wenn der Nachweis nach Absatz 9 Satz 1 nicht bis zum Ablauf des 31. Juli 2022 vorgelegt wird oder wenn Zweifel an der Echtheit oder inhaltlichen Richtigkeit des vorgelegten Nachweises bestehen, hat die Leitung der jeweiligen Einrichtung unverzüglich das Gesundheitsamt, in dessen Bezirk sich die Einrichtung befindet, darüber zu benachrichtigen und dem Gesundheitsamt personenbezogene Angaben zu übermitteln. [3] Absatz 9 Satz 3 und 4 findet entsprechende Anwendung.

(11)–(14) …

§ 23[1] Nosokomiale Infektionen; Resistenzen; Rechtsverordnungen durch die Länder. (1) [1] Beim Robert Koch-Institut wird eine Kommission für Infektionsprävention in medizinischen Einrichtungen und in Einrichtungen und Unternehmen der Pflege und Eingliederungshilfe eingerichtet. [2] Die Kommission gibt sich eine Geschäftsordnung, die der Zustimmung des Bundesministeriums für Gesundheit bedarf. [3] Die Kommission erstellt Empfehlungen zur Prävention nosokomialer und weiterer Infektionen sowie zu betrieblich-organisatorischen und baulich-funktionellen Maßnahmen der Hygiene in Krankenhäusern, anderen medizinischen Einrichtungen und Einrichtungen und Unternehmen der Pflege und Eingliederungshilfe. [4] Sie erstellt zudem Empfehlungen zu Kriterien und Verfahren zur Einstufung von Einrichtungen als Einrichtungen für ambulantes Operieren. [5] Die Empfehlungen der Kommission werden unter Berücksichtigung aktueller infektionsepidemiologischer Auswertungen stetig weiterentwickelt und vom Robert Koch-Institut veröffentlicht. [6] Die Mitglieder der Kommission werden vom Bundesministerium für Gesundheit im Benehmen mit den obersten Landesgesundheitsbehörden unter Berücksichtigung des gesamten Aufgabenspektrums berufen. [7] Vertreter des Bundesministeriums für Gesundheit, der obersten Landesgesundheitsbehörden und des Robert Koch-Institutes nehmen mit beratender Stimme an den Sitzungen teil.

(2) [1] Beim Robert Koch-Institut wird eine Kommission Antiinfektiva, Resistenz und Therapie eingerichtet. [2] Die Kommission gibt sich eine Geschäftsordnung, die der Zustimmung des Bundesministeriums für Gesundheit bedarf. [3] Die Kommission erstellt Empfehlungen mit allgemeinen Grundsätzen für Diagnostik und antimikrobielle Therapie, insbesondere bei Infektionen mit resistenten Krankheitserregern. [4] Die Empfehlungen der Kommission werden unter Berücksichtigung aktueller infektionsepidemiologischer Auswertungen stetig weiterentwickelt und vom Robert Koch-Institut veröffentlicht. [5] Die Mitglieder der Kommission werden vom Bundesministerium für Gesundheit im Benehmen mit den obersten Landesgesundheitsbehörden berufen. [6] Vertreter des Bundesministeriums für Gesundheit, der obersten Landesgesundheitsbehörden, des Robert Koch-Institutes und des Bundesinstitutes für Arzneimittel und Medizinprodukte nehmen mit beratender Stimme an den Sitzungen teil.

(3) [1] Die Leiter folgender Einrichtungen haben sicherzustellen, dass die nach dem Stand der medizinischen Wissenschaft erforderlichen Maßnahmen getroffen werden, um nosokomiale Infektionen zu verhüten und die Weiterverbreitung von Krankheitserregern, insbesondere solcher mit Resistenzen, zu vermeiden:

1. Krankenhäuser,

---

[1] § 23 neu gef. mWv 4.8.2011 durch G v. 28.7.2011 (BGBl. I S. 1622); Abs. 8 Satz 2 Nr. 3 geänd. mWv 1.1.2016 durch G v. 10.12.2015 (BGBl. I S. 2229); Abs. 8 Satz 1 geänd. mWv 15.7.2016 durch G v. 8.7.2016 (BGBl. I S. 1594); Abs. 1 Satz 4 eingef., bish. Sätze 4–6 werden Sätze 5–7, Abs. 4 Sätze 1 und 2 geänd., Abs. 4a eingef. mWv 25.7.2017 durch G v. 17.7.2017 (BGBl. I S. 2615); Abs. 3 Satz 1 Nr. 8 und 9 geänd., Nr. 10 und 11 angef., Abs. 5 Satz 1 Nr. 6 und 7 geänd., Nr. 8 angef., Abs. 6a eingef., Abs. 7 aufgeh. mWv 1.1.2019 durch G v. 11.12.2018 (BGBl. I S. 2394); Abs. 3 Satz 1 Nr. 10 und 11 geänd., Nr. 12 angef., Abs. 5 Satz 1 Nr. 7 und 8 geänd., Nr. 9 angef., Abs. 8 Satz 3 eingef., bish. Satz 3 wird Satz 4 mWv 1.3.2020 durch G v. 10.2.2020 (BGBl. I S. 148); Abs. 1 neu gef., Abs. 3 *Satz 1 Nr. 8 geänd., Nr. 11 aufgeh.*, bish. Nr. 12 wird Nr. 11 und neu gef., Abs. 5 Satz 1 Nr. 8 aufgeh., bish. Nr. 9 wird Nr. 8 und neu gef., Abs. 6a aufgeh. mWv 17.9.2022 durch G v. 16.9.2022 (BGBl. I S. 1454).

2. Einrichtungen für ambulantes Operieren,
3. Vorsorge- oder Rehabilitationseinrichtungen, in denen eine den Krankenhäusern vergleichbare medizinische Versorgung erfolgt,
4. Dialyseeinrichtungen,
5. Tageskliniken,
6. Entbindungseinrichtungen,
7. Behandlungs- oder Versorgungseinrichtungen, die mit einer der in den Nummern 1 bis 6 genannten Einrichtungen vergleichbar sind,
8. Arztpraxen, Zahnarztpraxen, psychotherapeutische Praxen,
9. Praxen sonstiger humanmedizinischer Heilberufe,
10. Einrichtungen des öffentlichen Gesundheitsdienstes, in denen medizinische Untersuchungen, Präventionsmaßnahmen oder ambulante Behandlungen durchgeführt werden,
11. Rettungsdienste und Einrichtungen des Zivil- und Katastrophenschutzes.

[2] Die Einhaltung des Standes der medizinischen Wissenschaft auf diesem Gebiet wird vermutet, wenn jeweils die veröffentlichten Empfehlungen der Kommission für Krankenhaushygiene und Infektionsprävention beim Robert Koch-Institut und der Kommission Antiinfektiva, Resistenz und Therapie beim Robert Koch-Institut beachtet worden sind.

(4) [1] Die Leiter von Einrichtungen nach Absatz 3 Satz 1 Nummer 1 bis 3 haben sicherzustellen, dass die nach Absatz 4a festgelegten nosokomialen Infektionen und das Auftreten von Krankheitserregern mit speziellen Resistenzen und Multiresistenzen fortlaufend in einer gesonderten Niederschrift aufgezeichnet, bewertet und sachgerechte Schlussfolgerungen hinsichtlich erforderlicher Präventionsmaßnahmen gezogen werden und dass die erforderlichen Präventionsmaßnahmen dem Personal mitgeteilt und umgesetzt werden. [2] Darüber hinaus haben die Leiter sicherzustellen, dass die nach Absatz 4a festgelegten Daten zu Art und Umfang des Antibiotika-Verbrauchs fortlaufend in zusammengefasster Form aufgezeichnet, unter Berücksichtigung der lokalen Resistenzsituation bewertet und sachgerechte Schlussfolgerungen hinsichtlich des Einsatzes von Antibiotika gezogen werden und dass die erforderlichen Anpassungen des Antibiotikaeinsatzes dem Personal mitgeteilt und umgesetzt werden. [3] Die Aufzeichnungen nach den Sätzen 1 und 2 sind zehn Jahre nach deren Anfertigung aufzubewahren. [4] Dem zuständigen Gesundheitsamt ist auf Verlangen Einsicht in die Aufzeichnungen, Bewertungen und Schlussfolgerungen zu gewähren.

(4a) [1] Das Robert Koch-Institut hat entsprechend den jeweiligen epidemiologischen Erkenntnissen die nach Absatz 4 zu erfassenden nosokomialen Infektionen und Krankheitserreger mit speziellen Resistenzen und Multiresistenzen sowie Daten zu Art und Umfang des Antibiotikaverbrauchs festzulegen. [2] Die Festlegungen hat es in einer Liste im Bundesgesundheitsblatt zu veröffentlichen. [3] Die Liste ist an den aktuellen Stand anzupassen.

(5) [1] Die Leiter folgender Einrichtungen haben sicherzustellen, dass innerbetriebliche Verfahrensweisen zur Infektionshygiene in Hygieneplänen festgelegt sind:

1. Krankenhäuser,
2. Einrichtungen für ambulantes Operieren,
3. Vorsorge- oder Rehabilitationseinrichtungen,

4. Dialyseeinrichtungen,
5. Tageskliniken,
6. Entbindungseinrichtungen,
7. Behandlungs- oder Versorgungseinrichtungen, die mit einer der in den Nummern 1 bis 6 genannten Einrichtungen vergleichbar sind,
8. Rettungsdienste und Einrichtungen des Zivil- und Katastrophenschutzes.

[2] Die Landesregierungen können durch Rechtsverordnung vorsehen, dass Leiter von Zahnarztpraxen sowie Leiter von Arztpraxen und Praxen sonstiger humanmedizinischer Heilberufe, in denen invasive Eingriffe vorgenommen werden, sicherzustellen haben, dass innerbetriebliche Verfahrensweisen zur Infektionshygiene in Hygieneplänen festgelegt sind. [3] Die Landesregierungen können die Ermächtigung durch Rechtsverordnung auf andere Stellen übertragen.

(6) [1] Einrichtungen nach Absatz 5 Satz 1 unterliegen der infektionshygienischen Überwachung durch das Gesundheitsamt. [2] Einrichtungen nach Absatz 5 Satz 2 können durch das Gesundheitsamt infektionshygienisch überwacht werden.

(7) *(aufgehoben)*

(8) [1] Die Landesregierungen haben durch Rechtsverordnung für Krankenhäuser, Einrichtungen für ambulantes Operieren, Vorsorge- oder Rehabilitationseinrichtungen, in denen eine den Krankenhäusern vergleichbare medizinische Versorgung erfolgt, sowie für Dialyseeinrichtungen und Tageskliniken die jeweils erforderlichen Maßnahmen zur Verhütung, Erkennung, Erfassung und Bekämpfung von nosokomialen Infektionen und Krankheitserregern mit Resistenzen zu regeln. [2] Dabei sind insbesondere Regelungen zu treffen über

1. hygienische Mindestanforderungen an Bau, Ausstattung und Betrieb der Einrichtungen,
2. Bestellung, Aufgaben und Zusammensetzung einer Hygienekommission,
3. die erforderliche personelle Ausstattung mit Hygienefachkräften und Krankenhaushygienikern und die Bestellung von hygienebeauftragten Ärzten einschließlich bis längstens zum 31. Dezember 2019 befristeter Übergangsvorschriften zur Qualifikation einer ausreichenden Zahl geeigneten Fachpersonals,
4. Aufgaben und Anforderungen an Fort- und Weiterbildung der in der Einrichtung erforderlichen Hygienefachkräfte, Krankenhaushygieniker und hygienebeauftragten Ärzte,
5. die erforderliche Qualifikation und Schulung des Personals hinsichtlich der Infektionsprävention,
6. Strukturen und Methoden zur Erkennung von nosokomialen Infektionen und resistenten Erregern und zur Erfassung im Rahmen der ärztlichen und pflegerischen Dokumentationspflicht,
7. die zur Erfüllung ihrer jeweiligen Aufgaben erforderliche Einsichtnahme der in Nummer 4 genannten Personen in Akten der jeweiligen Einrichtung einschließlich der Patientenakten,
8. die Information des Personals über Maßnahmen, die zur Verhütung und Bekämpfung von nosokomialen Infektionen und Krankheitserregern mit Resistenzen erforderlich sind,

9. die klinisch-mikrobiologisch und klinisch-pharmazeutische Beratung des ärztlichen Personals,
10. die Information von aufnehmenden Einrichtungen und niedergelassenen Ärzten bei der Verlegung, Überweisung oder Entlassung von Patienten über Maßnahmen, die zur Verhütung und Bekämpfung von nosokomialen Infektionen und von Krankheitserregern mit Resistenzen erforderlich sind.

[3] Für Rettungsdienste können die Landesregierungen erforderliche Maßnahmen nach den Sätzen 1 und 2 regeln. [4] Die Landesregierungen können die Ermächtigung durch Rechtsverordnung auf andere Stellen übertragen.

§ 23a[1)] Personenbezogene Daten über den Impf- und Serostatus von Beschäftigten. [1] Soweit es zur Erfüllung von Verpflichtungen aus § 23 Absatz 3 in Bezug auf übertragbare Krankheiten erforderlich ist, darf der Arbeitgeber personenbezogene Daten eines Beschäftigten über dessen Impf- und Serostatus verarbeiten, um über die Begründung eines Beschäftigungsverhältnisses oder über die Art und Weise einer Beschäftigung zu entscheiden. [2] Dies gilt nicht in Bezug auf übertragbare Krankheiten, die im Rahmen einer leitliniengerechten Behandlung nach dem Stand der medizinischen Wissenschaft nicht mehr übertragen werden können. [3] § 22 Absatz 2 des Bundesdatenschutzgesetzes[2)] gilt entsprechend. [4] Die Bestimmungen des allgemeinen Datenschutzrechts bleiben unberührt.

5. Abschnitt. Bekämpfung übertragbarer Krankheiten

§ 28[3)] Schutzmaßnahmen. (1) [1] Werden Kranke, Krankheitsverdächtige, Ansteckungsverdächtige oder Ausscheider festgestellt oder ergibt sich, dass ein Verstorbener krank, krankheitsverdächtig oder Ausscheider war, so trifft die zuständige Behörde die notwendigen Schutzmaßnahmen, insbesondere die in den §§ 28a, 28b und 29 bis 31 genannten, soweit und solange es zur Verhinderung der Verbreitung übertragbarer Krankheiten erforderlich ist; sie kann insbesondere Personen verpflichten, den Ort, an dem sie sich befinden, nicht oder nur unter bestimmten Bedingungen zu verlassen oder von ihr bestimmte Orte oder öffentliche Orte nicht oder nur unter bestimmten Bedingungen zu betreten. [2] Unter den Voraussetzungen von Satz 1 kann die zuständige Behörde Veranstaltungen oder sonstige Ansammlungen von Menschen beschränken oder verbieten und Badeanstalten oder in § 33 genannte Gemeinschaftseinrichtungen oder Teile davon schließen. [3] Eine Heilbehandlung darf nicht angeordnet werden. [4] Die Grundrechte der körperlichen Unversehrtheit (Artikel 2 Absatz 2 Satz 1 des Grundgesetzes[4)]), der Freiheit der Person (Artikel 2 Absatz 2 Satz 2

[1)] § 23a neu gef. mWv 25.7.2017 durch G v. 17.7.2017 (BGBl. I S. 2615); Satz 1 geänd. mWv 26.11.2019 durch G v. 20.11.2019 (BGBl. I S. 1626); Satz 1 neu gef., Satz 2 eingef., bish. Satz 2 wird Satz 3 mWv 23.5.2020 durch G v. 19.5.2020 (BGBl. I S. 1018); Satz 3 neu gef., Satz 4 angef. mWv 17.9.2022 durch G v. 16.9.2022 (BGBl. I S. 1454).

[2)] Nr. **490**.

[3)] § 28 Abs. 2 eingef., bish. Abs. 2 wird Abs. 3 und geänd. mWv 25.7.2015 durch G v. 17.7.2015 (BGBl. I S. 1368); Abs. 2 geänd. mWv 1.3.2020 durch G v. 10.2.2020 (BGBl. I S. 148); Abs. 1 neu gef. mWv 28.3.2020 durch G v. 27.3.2020 (BGBl. I S. 587); Abs. 1 Sätze 1 und 4 geänd. mWv 19.11.2020 durch G v. 18.11.2020 (BGBl. I S. 2397); Abs. 1 Satz 1 geänd. mWv 24.11.2021 durch G v. 22.11.2021 (BGBl. I S. 4906); Abs. 1 Satz 1 geänd. mWv 24.9.2022 durch G v. 16.9.2022 (BGBl. I S. 1454).

[4)] Nr. **10**.

des Grundgesetzes[1]), der Versammlungsfreiheit (Artikel 8 des Grundgesetzes[1]), der Freizügigkeit (Artikel 11 Absatz 1 des Grundgesetzes[1]) und der Unverletzlichkeit der Wohnung (Artikel 13 Absatz 1 des Grundgesetzes[2]) werden insoweit eingeschränkt.

(2) Wird festgestellt, dass eine Person in einer Gemeinschaftseinrichtung an Masern erkrankt, dessen verdächtig oder ansteckungsverdächtig ist, kann die zuständige Behörde Personen, die weder einen Impfschutz, der den Empfehlungen der Ständigen Impfkommission entspricht, noch eine Immunität gegen Masern durch ärztliches Zeugnis nachweisen können, die in § 34 Absatz 1 Satz 1 und 2 genannten Verbote erteilen, bis eine Weiterverbreitung der Krankheit in der Gemeinschaftseinrichtung nicht mehr zu befürchten ist.

(3) Für Maßnahmen nach den Absätzen 1 und 2 gilt § 16 Abs. 5 bis 8, für ihre Überwachung außerdem § 16 Abs. 2 entsprechend.

§ 28a[3] Besondere Schutzmaßnahmen zur Verhinderung der Verbreitung der Coronavirus-Krankheit-2019 (COVID-19) bei epidemischer Lage von nationaler Tragweite. (1) Notwendige Schutzmaßnahmen im Sinne des § 28 Absatz 1 Satz 1 und 2 zur Verhinderung der Verbreitung der Coronavirus-Krankheit-2019 (COVID-19) können für die Dauer der Feststellung einer epidemischen Lage von nationaler Tragweite nach § 5 Absatz 1 Satz 1 durch den Deutschen Bundestag insbesondere sein

1. Anordnung eines Abstandsgebots im öffentlichen Raum,
2. Verpflichtung zum Tragen einer Mund-Nasen-Bedeckung (Maskenpflicht),
3. Verpflichtung zur Vorlage eines Impf-, Genesenen- oder Testnachweises nach § 22a Absatz 1 bis 3,
4. Ausgangs- oder Kontaktbeschränkungen im privaten sowie im öffentlichen Raum,
5. Verpflichtung zur Erstellung und Anwendung von Hygienekonzepten für Betriebe, Einrichtungen oder Angebote mit Publikumsverkehr,
6. Untersagung oder Beschränkung von Freizeitveranstaltungen und ähnlichen Veranstaltungen,
7. Untersagung oder Beschränkung des Betriebs von Einrichtungen, die der Freizeitgestaltung zuzurechnen sind,
8. Untersagung oder Beschränkung von Kulturveranstaltungen oder des Betriebs von Kultureinrichtungen,
9. Untersagung oder Beschränkung von Sportveranstaltungen und der Sportausübung,

---

[1] Nr. **10**.

[2] **beck-online, Module Arbeitsrecht Nr. 10.**

[3] § 28a eingef. mWv 19.11.2020 durch G v. 18.11.2020 (BGBl. I S. 2397); Abs. 3 Sätze 1, 8 geänd., Satz 12 eingef., bish. Satz 12 wird Satz 13 mWv 31.3.2021 durch G v. 29.3.2021 (BGBl. I S. 370); Abs. 1 Nr. 2a eingef., Abs. 3 Sätze 2–8 neu gef., Sätze 9–13 aufgeh., Abs. 7 Satz 1 geänd., Satz 2 angef. mWv 15.9.2021 durch G v. 10.9.2021 (BGBl. I S. 4147); Abs. 1 Nr. 2a geänd., Abs. 7 neu gef., Abs. 8–10 angef. mWv 24.11.2021 durch G v. 22.11.2021 (BGBl. I S. 4906); Abs. 7 Satz 2 geänd., Abs. 8 Satz 1 neu gef., Satz 2 eingef., bish. Satz 2 wird Satz 3, Abs. 9 Satz 1 geänd. mWv 12.12.2021 durch G v. 10.12.2021 (BGBl. I S. 5162); Abs. 7, 8 neu gef., Abs. 9 aufgeh., Abs. 10 neu gef. mWv 19.3.2022 durch G v. 18.3.2022 (BGBl. I S. 466); Abs. 1 bish. Nr. 2a wird Nr. 3 und neu gef., *bish. Nr.* 3–17 *werden Nr.* 4–18, Abs. 2 Satz 1 Nr. 1–3, Satz 2, Abs. 3 Satz 2, Abs. 4 Satz 1, Abs. 7 Satz 1 Nr. 1 Buchst. a, Nr. 2 Buchst. a, Abs. 8 Satz 1 Nr. 3, Abs. 10 Sätze 1 und 2 geänd. mWv 17.9. 2022, Überschrift geänd., Abs. 7–10 aufgeh. mWv 1.10.2022 durch G v. 16.9.2022 (BGBl. I S. 1454).

10. umfassendes oder auf bestimmte Zeiten beschränktes Verbot der Alkoholabgabe oder des Alkoholkonsums auf bestimmten öffentlichen Plätzen oder in bestimmten öffentlich zugänglichen Einrichtungen,
11. Untersagung von oder Erteilung von Auflagen für das Abhalten von Veranstaltungen, Ansammlungen, Aufzügen, Versammlungen sowie religiösen oder weltanschaulichen Zusammenkünften,
12. Untersagung oder Beschränkung von Reisen; dies gilt insbesondere für touristische Reisen,
13. Untersagung oder Beschränkung von Übernachtungsangeboten,
14. Untersagung oder Beschränkung des Betriebs von gastronomischen Einrichtungen,
15. Schließung oder Beschränkung von Betrieben, Gewerben, Einzel- oder Großhandel,
16. Untersagung oder Beschränkung des Betretens oder des Besuchs von Einrichtungen des Gesundheits- oder Sozialwesens,
17. Schließung von Gemeinschaftseinrichtungen im Sinne von § 33, Hochschulen, außerschulischen Einrichtungen der Erwachsenenbildung oder ähnlichen Einrichtungen oder Erteilung von Auflagen für die Fortführung ihres Betriebs oder
18. Anordnung der Verarbeitung der Kontaktdaten von Kunden, Gästen oder Veranstaltungsteilnehmern, um nach Auftreten einer Infektion mit dem Coronavirus SARS-CoV-2 mögliche Infektionsketten nachverfolgen und unterbrechen zu können.

(2) [1]Die Anordnung der folgenden Schutzmaßnahmen nach Absatz 1 in Verbindung mit § 28 Absatz 1 ist nur zulässig, soweit auch bei Berücksichtigung aller bisher getroffenen anderen Schutzmaßnahmen eine wirksame Eindämmung der Verbreitung der Coronavirus-Krankheit-2019 (COVID-19) erheblich gefährdet wäre:

1. Untersagung von Versammlungen oder Aufzügen im Sinne von Artikel 8 des Grundgesetzes[1)] und von religiösen oder weltanschaulichen Zusammenkünften nach Absatz 1 Nummer 11,
2. Anordnung einer Ausgangsbeschränkung nach Absatz 1 Nummer 4, nach der das Verlassen des privaten Wohnbereichs nur zu bestimmten Zeiten oder zu bestimmten Zwecken zulässig ist, und
3. Untersagung des Betretens oder des Besuchs von Einrichtungen im Sinne von Absatz 1 Nummer 16, wie zum Beispiel Alten- oder Pflegeheimen, Einrichtungen der Behindertenhilfe, Entbindungseinrichtungen oder Krankenhäusern für enge Angehörige von dort behandelten, gepflegten oder betreuten Personen.

[2]Schutzmaßnahmen nach Absatz 1 Nummer 16 dürfen nicht zur vollständigen Isolation von einzelnen Personen oder Gruppen führen; ein Mindestmaß an sozialen Kontakten muss gewährleistet bleiben.

(3) [1]Entscheidungen über Schutzmaßnahmen zur Verhinderung der Verbreitung der Coronavirus-Krankheit-2019 (COVID-19) nach Absatz 1 in Verbindung mit § 28 Absatz 1, nach § 28 Absatz 1 Satz 1 und 2 und den §§ 29 bis 32 sind insbesondere an dem Schutz von Leben und Gesundheit und der

---

[1)] Nr. **10**.

Funktionsfähigkeit des Gesundheitssystems auszurichten; dabei sind absehbare Änderungen des Infektionsgeschehens durch ansteckendere, das Gesundheitssystem stärker belastende Virusvarianten zu berücksichtigen. [2] Zum präventiven Infektionsschutz können insbesondere die in Absatz 1 Nummer 1, 2, 3, 5 und 18 genannten Schutzmaßnahmen ergriffen werden. [3] Weitergehende Schutzmaßnahmen sollen unter Berücksichtigung des jeweiligen regionalen und überregionalen Infektionsgeschehens mit dem Ziel getroffen werden, eine drohende Überlastung der regionalen und überregionalen stationären Versorgung zu vermeiden. [4] Wesentlicher Maßstab für die weitergehenden Schutzmaßnahmen ist insbesondere die Anzahl der in Bezug auf die Coronavirus-Krankheit-2019 (COVID-19) in ein Krankenhaus aufgenommenen Personen je 100 000 Einwohner innerhalb von sieben Tagen. [5] Weitere Indikatoren wie die unter infektionsepidemiologischen Aspekten differenzierte Anzahl der Neuinfektionen mit dem Coronavirus SARS-CoV-2 je 100 000 Einwohner innerhalb von sieben Tagen, die verfügbaren intensivmedizinischen Behandlungskapazitäten und die Anzahl der gegen die Coronavirus-Krankheit-2019 (COVID-19) geimpften Personen sollen bei der Bewertung des Infektionsgeschehens berücksichtigt werden. [6] Die Landesregierungen können im Rahmen der Festlegung der Schutzmaßnahmen unter Berücksichtigung der jeweiligen stationären Versorgungskapazitäten in einer Rechtsverordnung nach § 32 Schwellenwerte für die Indikatoren nach den Sätzen 4 und 5 festsetzen; entsprechend können die Schutzmaßnahmen innerhalb eines Landes regional differenziert werden. [7] Das Robert Koch-Institut veröffentlicht im Internet unter https://www.rki.de/covid-19-trends werktäglich nach Altersgruppen differenzierte und mindestens auf einzelne Länder und auf das Bundesgebiet bezogene Daten zu Indikatoren nach den Sätzen 4 und 5. [8] Die Länder können die Indikatoren nach den Sätzen 4 und 5 landesweit oder regional differenziert auch statt bezogen auf 100 000 Einwohner bezogen auf das Land oder die jeweilige Region als Maßstab verwenden.

(4) [1] Im Rahmen der Kontaktdatenerhebung nach Absatz 1 Nummer 18 dürfen von den Verantwortlichen nur personenbezogene Angaben sowie Angaben zum Zeitraum und zum Ort des Aufenthaltes erhoben und verarbeitet werden, soweit dies zur Nachverfolgung von Kontaktpersonen zwingend notwendig ist. [2] Die Verantwortlichen haben sicherzustellen, dass eine Kenntnisnahme der erfassten Daten durch Unbefugte ausgeschlossen ist. [3] Die Daten dürfen nicht zu einem anderen Zweck als der Aushändigung auf Anforderung an die nach Landesrecht für die Erhebung der Daten zuständigen Stellen verwendet werden und sind vier Wochen nach Erhebung zu löschen. [4] Die zuständigen Stellen nach Satz 3 sind berechtigt, die erhobenen Daten anzufordern, soweit dies zur Kontaktnachverfolgung nach § 25 Absatz 1 erforderlich ist. [5] Die Verantwortlichen nach Satz 1 sind in diesen Fällen verpflichtet, den zuständigen Stellen nach Satz 3 die erhobenen Daten zu übermitteln. [6] Eine Weitergabe der übermittelten Daten durch die zuständigen Stellen nach Satz 3 oder eine Weiterverwendung durch diese zu anderen Zwecken als der Kontaktnachverfolgung ist ausgeschlossen. [7] Die den zuständigen Stellen nach Satz 3 übermittelten Daten sind von diesen unverzüglich irreversibel zu löschen, sobald die Daten für die Kontaktnachverfolgung nicht mehr benötigt werden.

(5) [1] Rechtsverordnungen, die nach § 32 in Verbindung mit § 28 Absatz 1 und § *28*a *Absatz 1 erlassen* werden, sind mit einer allgemeinen Begründung zu

versehen und zeitlich zu befristen. [2]Die Geltungsdauer beträgt grundsätzlich vier Wochen; sie kann verlängert werden.

(6) [1]Schutzmaßnahmen nach Absatz 1 in Verbindung mit § 28 Absatz 1, nach § 28 Absatz 1 Satz 1 und 2 und nach den §§ 29 bis 31 können auch kumulativ angeordnet werden, soweit und solange es für eine wirksame Verhinderung der Verbreitung der Coronavirus-Krankheit-2019 (COVID-19) erforderlich ist. [2]Bei Entscheidungen über Schutzmaßnahmen zur Verhinderung der Verbreitung der Coronavirus-Krankheit-2019 (COVID-19) sind soziale, gesellschaftliche und wirtschaftliche Auswirkungen auf den Einzelnen und die Allgemeinheit einzubeziehen und zu berücksichtigen, soweit dies mit dem Ziel einer wirksamen Verhinderung der Verbreitung der Coronavirus-Krankheit-2019 (COVID-19) vereinbar ist. [3]Einzelne soziale, gesellschaftliche oder wirtschaftliche Bereiche, die für die Allgemeinheit von besonderer Bedeutung sind, können von den Schutzmaßnahmen ausgenommen werden, soweit ihre Einbeziehung zur Verhinderung der Verbreitung der Coronavirus-Krankheit-2019 (COVID-19) nicht zwingend erforderlich ist.

§ 28b[1)] Besondere Schutzmaßnahmen zur Verhinderung der Verbreitung der Coronavirus-Krankheit-2019 (COVID-19) unabhängig von einer epidemischen Lage von nationaler Tragweite bei saisonal hoher Dynamik. (1) [1]Unabhängig von einer durch den Deutschen Bundestag nach § 5 Absatz 1 Satz 1 festgestellten epidemischen Lage von nationaler Tragweite gilt zur Verhinderung der Verbreitung der Coronavirus-Krankheit-2019 (COVID-19) und zur Gewährleistung der Funktionsfähigkeit des Gesundheitssystems oder der sonstigen Kritischen Infrastrukturen in der Zeit vom 1. Oktober 2022 bis zum 7. April 2023:

1. Fahrgäste in Verkehrsmitteln des öffentlichen Personenfernverkehrs, die das 14. Lebensjahr vollendet haben, sind verpflichtet, eine Atemschutzmaske (FFP2 oder vergleichbar) zu tragen,
2. das Kontroll- und Servicepersonal und das Fahr- und Steuerpersonal in Verkehrsmitteln des öffentlichen Personenfernverkehrs, soweit tätigkeitsbedingt physische Kontakte zu anderen Personen bestehen, sowie Fahrgäste in Verkehrsmitteln des öffentlichen Personenfernverkehrs, die das sechste, aber noch nicht das 14. Lebensjahr vollendet haben, sind verpflichtet, eine medizinische Gesichtsmaske (Mund-Nasen-Schutz) oder eine Atemschutzmaske (FFP2 oder vergleichbar) zu tragen,
3. die folgenden Einrichtungen dürfen nur von Personen betreten werden, die eine Atemschutzmaske (FFP2 oder vergleichbar) tragen sowie einen Testnachweis nach § 22a Absatz 3 vorlegen:
   a) Krankenhäuser und Rehabilitationseinrichtungen, in denen eine den Krankenhäusern vergleichbare medizinische Versorgung erfolgt,
   b) voll- oder teilstationäre Einrichtungen zur Betreuung und Unterbringung älterer, behinderter oder pflegebedürftiger Menschen und vergleichbare Einrichtungen;

   Beschäftigte in diesen Einrichtungen müssen einen Testnachweis nach § 22a Absatz 3 abweichend von § 22a Absatz 3 mindestens dreimal pro Kalenderwoche vorlegen,

---

[1)] § 28b neu gef. mWv 24.9.2022 durch G v. 16.9.2022 (BGBl. I S. 1454).

4. in folgenden Einrichtungen oder Unternehmen dürfen in der Pflege nur Personen tätig werden, die eine Atemschutzmaske (FFP2 oder vergleichbar) tragen sowie mindestens dreimal pro Kalenderwoche einen Testnachweis nach § 22a Absatz 3 vorlegen:
   a) ambulante Pflegedienste, die ambulante Intensivpflege in Einrichtungen, Wohngruppen oder sonstigen gemeinschaftlichen Wohnformen oder in der eigenen Häuslichkeit der pflegebedürftigen Person erbringen sowie
   b) ambulante Pflegedienste und Unternehmen, die vergleichbare Dienstleistungen wie voll- oder teilstationäre Einrichtungen zur Betreuung und Unterbringung älterer, behinderter oder pflegebedürftiger Menschen erbringen; Angebote zur Unterstützung im Alltag im Sinne von § 45a Absatz 1 Satz 2 des Elften Buches Sozialgesetzbuch[1] zählen nicht zu diesen Dienstleistungen. Gleiches gilt für Personen, die diese Leistungen im Rahmen eines Persönlichen Budgets nach § 29 des Neunten Buches Sozialgesetzbuch[2] erbringen,
5. die folgenden Einrichtungen dürfen von Patienten und Besuchern nur betreten werden, wenn sie eine Atemschutzmaske (FFP2 oder vergleichbar) tragen:
   a) Arztpraxen, Zahnarztpraxen, psychotherapeutische Praxen,
   b) Praxen sonstiger humanmedizinischer Heilberufe,
   c) Einrichtungen für ambulantes Operieren,
   d) Dialyseeinrichtungen,
   e) Tageskliniken,
   f) Behandlungs- oder Versorgungseinrichtungen, die mit einer der in den Buchstaben a bis e genannten Einrichtungen vergleichbar sind,
   g) Einrichtungen des öffentlichen Gesundheitsdienstes, in denen medizinische Untersuchungen, Präventionsmaßnahmen oder ambulante Behandlungen durchgeführt werden,
   h) Rettungsdienste.

[2] Die Bundesregierung wird ermächtigt, durch Rechtsverordnung ohne Zustimmung des Bundesrates anzuordnen, dass Fluggäste sowie Service- und Steuerpersonal in den Verkehrsmitteln des Luftverkehrs verpflichtet sind, eine Atemschutzmaske (FFP2 oder vergleichbar) oder eine medizinische Gesichtsmaske (Mund-Nasen-Schutz) zu tragen. [3] Eine Atemschutzmaske (FFP2 oder vergleichbar) oder eine medizinische Gesichtsmaske (Mund-Nasen-Schutz) muss nicht getragen werden von

1. Kindern, die das sechste Lebensjahr noch nicht vollendet haben,
2. Personen, die ärztlich bescheinigt auf Grund einer gesundheitlichen Beeinträchtigung, einer ärztlich bescheinigten chronischen Erkrankung oder einer Behinderung keine Atemschutzmaske oder medizinische Gesichtsmaske tragen können, und
3. gehörlosen und schwerhörigen Menschen und Personen, die mit ihnen kommunizieren, sowie ihren Begleitpersonen.

[4] Beförderer sind verpflichtet, die Einhaltung der Verpflichtungen nach Satz 1 Nummer 1 und 2 sowie auf Grund einer Rechtsverordnung nach Satz 2 durch

[1] **Aichberger, SGB Nr. 11.**
[2] **beck-online, Module Arbeitsrecht Nr. 440.**

stichprobenhafte Kontrollen zu überwachen; Einrichtungen und Unternehmen nach Satz 1 Nummer 3 bis 5 sind verpflichtet, die Einhaltung der Verpflichtungen nach Satz 1 Nummer 3 bis 5 durch stichprobenhafte Kontrollen zu überwachen. [5] Personen, die die Verpflichtungen nach Satz 1 oder auf Grund einer Rechtsverordnung nach Satz 2 nicht erfüllen, können von der Beförderung oder dem Betreten der Einrichtung oder des Unternehmens ausgeschlossen werden. [6] Die Verpflichtung zum Tragen einer Atemschutzmaske (FFP2 oder vergleichbar) nach Satz 1 Nummer 3 bis 5 gilt nicht, wenn die Erbringung oder Entgegennahme einer medizinischen oder vergleichbaren Behandlung dem Tragen einer Atemschutzmaske entgegensteht, sowie für in den Einrichtungen und Unternehmen behandelte, betreute, untergebrachte oder gepflegte Personen in den für ihren dauerhaften Aufenthalt bestimmten Räumlichkeiten. [7] Die Verpflichtung zur Vorlage eines Testnachweises nach Satz 1 Nummer 3 und 4 gilt nicht für Personen, die in oder von den in Satz 1 Nummer 3 und 4 genannten Einrichtungen und Unternehmen behandelt, betreut, untergebracht oder gepflegt werden. [8] Bei Personen, die in einer oder einem in Satz 1 Nummer 4 genannten Einrichtung oder Unternehmen tätig sind und die ihre Tätigkeit von ihrer Wohnung aus antreten, kann die dem Testnachweis zugrundeliegende Testung abweichend von § 22a Absatz 3 auch durch Antigen-Tests zur Eigenanwendung ohne Überwachung erfolgen. [9] Die Landesregierungen werden ermächtigt, durch Rechtsverordnung weitere Personengruppen von der Nachweispflicht eines Testes nach Satz 1 Nummer 3 und 4 auszunehmen. [10] Die Landesregierungen können die Ermächtigung durch Rechtsverordnung auf andere Stellen übertragen.

(2) [1] Soweit dies zur Verhinderung der Verbreitung der Coronavirus-Krankheit-2019 (COVID-19) und zur Gewährleistung der Funktionsfähigkeit des Gesundheitssystems oder der sonstigen Kritischen Infrastrukturen erforderlich ist, können in der Zeit vom 1. Oktober 2022 bis zum 7. April 2023 folgende Maßnahmen notwendige Schutzmaßnahmen im Sinne des § 28 Absatz 1 Satz 1 und 2 sein:

1. die Verpflichtung zum Tragen einer medizinischen Gesichtsmaske (Mund-Nasen-Schutz) oder einer Atemschutzmaske (FFP2 oder vergleichbar)
   a) in öffentlich zugänglichen Innenräumen, in denen sich mehrere Personen aufhalten,
   b) in Verkehrsmitteln des öffentlichen Personennahverkehrs für Fahrgäste,
   c) in Obdachlosenunterkünften und Einrichtungen zur gemeinschaftlichen Unterbringung von Asylbewerbern, vollziehbar Ausreisepflichtigen, Flüchtlingen und Spätaussiedlern,
2. die Verpflichtung zum Tragen einer medizinischen Gesichtsmaske (Mund-Nasen-Schutz) für das Kontroll- und Servicepersonal und das Fahr- und Steuerpersonal in Verkehrsmitteln des öffentlichen Personennahverkehrs, soweit tätigkeitsbedingt physische Kontakte zu anderen Personen bestehen,
3. die Verpflichtung zur Testung auf das Vorliegen einer Infektion mit dem Coronavirus SARS-CoV-2 in
   a) Einrichtungen zur gemeinschaftlichen Unterbringung von Asylbewerbern, vollziehbar Ausreisepflichtigen, Flüchtlingen und Spätaussiedlern, Obdachlosen- und Wohnungslosenunterkünften sowie sonstigen Massenunterkünften,
   b) Schulen, Kindertageseinrichtungen und

c) Justizvollzugsanstalten, Abschiebungshafteinrichtungen, Maßregelvollzugseinrichtungen sowie anderen Abteilungen oder Einrichtungen, wenn und soweit dort dauerhaft freiheitsentziehende Unterbringungen erfolgen, insbesondere psychiatrische Krankenhäuser, Heime der Jugendhilfe und für Senioren.

[2] Absatz 1 Satz 3 gilt entsprechend. [3] Bei Freizeit-, Kultur- und Sportveranstaltungen, in Freizeit- und Kultureinrichtungen sowie in gastronomischen Einrichtungen und bei der Sportausübung ist vorzusehen, dass Personen, die über einen Testnachweis nach § 22a Absatz 3 verfügen, von der Verpflichtung zum Tragen einer Atemschutzmaske (FFP2 oder vergleichbar) oder einer medizinischen Gesichtsmaske (Mund-Nasen-Schutz) ausgenommen sind. [4] Den Personen, die über einen Testnachweis nach § 22a Absatz 3 verfügen, können Personen gleichgestellt werden, die über einen Impfnachweis nach § 22a Absatz 1 verfügen und bei denen die letzte Einzelimpfung höchstens drei Monate zurückliegt, und Personen, die über einen Genesenennachweis nach § 22a Absatz 2 verfügen. [5] Das Hausrecht der Betreiber oder Veranstalter, entsprechende Zugangsvoraussetzungen festzulegen, bleibt unberührt.

(3) [1] Soweit dies zur Verhinderung der Verbreitung der Coronavirus-Krankheit-2019 (COVID-19) und zur Aufrechterhaltung eines geregelten Präsenz-Unterrichtsbetriebs erforderlich ist, kann in der Zeit vom 1. Oktober 2022 bis zum 7. April 2023 für folgende Personen die Verpflichtung zum Tragen einer medizinischen Gesichtsmaske (Mund-Nasen-Schutz) eine notwendige Schutzmaßnahme im Sinne des § 28 Absatz 1 Satz 1 und 2 sein:

1. Kinder und Schülerinnen und Schüler ab dem fünften Schuljahr in Schulen und Kinderhorten, in sonstigen Ausbildungseinrichtungen, in Heimen und in Ferienlagern und
2. Beschäftigte in Schulen und Kinderhorten, in sonstigen Ausbildungseinrichtungen, in Heimen, in Ferienlagern, in Kindertageseinrichtungen sowie in einer nach § 43 Absatz 1 des Achten Buches Sozialgesetzbuch[1)] erlaubnispflichtigen Kindertagespflege.

[2] Bei der Entscheidung über Schutzmaßnahmen nach Satz 1 sind insbesondere das Recht auf schulische Bildung, auf soziale Teilhabe und die sonstigen besonderen Belange von Kindern und Jugendlichen zu berücksichtigen. [3] Absatz 1 Satz 3 gilt entsprechend.

(4) [1] Unabhängig von einer durch den Deutschen Bundestag nach § 5 Absatz 1 Satz 1 festgestellten epidemischen Lage von nationaler Tragweite können in einem Land oder in einer oder mehreren konkret zu benennenden Gebietskörperschaften eines Landes in der Zeit vom 1. Oktober 2022 bis zum 7. April 2023 zusätzlich zu den in den Absätzen 2 und 3 genannten Maßnahmen folgende Maßnahmen notwendige Schutzmaßnahmen im Sinne des § 28 Absatz 1 Satz 1 und 2 sein, sofern in dem Land oder in der oder den konkret zu benennenden Gebietskörperschaften eine konkrete Gefahr für die Funktionsfähigkeit des Gesundheitssystems oder der sonstigen Kritischen Infrastrukturen besteht und das Parlament des betroffenen Landes dies für das Land oder eine oder mehrere konkret zu benennende Gebietskörperschaften festgestellt hat:

1. die Verpflichtung zum Tragen einer medizinischen Gesichtsmaske (Mund-Nasen-Schutz) oder einer Atemschutzmaske (FFP2 oder vergleichbar) bei

---

1) beck-online, Module Arbeitsrecht Nr. 494a.

Veranstaltungen im Außenbereich, soweit ein Abstand von 1,5 Metern regelmäßig nicht eingehalten werden kann,

2. die Verpflichtung zum Tragen einer medizinischen Gesichtsmaske (Mund-Nasen-Schutz) oder einer Atemschutzmaske (FFP2 oder vergleichbar) für Veranstaltungen in öffentlich zugänglichen Innenräumen,
3. die Verpflichtung für den Groß- und Einzelhandel, für Betriebe, Einrichtungen, Gewerbe sowie Angebote und Veranstaltungen aus dem Freizeit-, Kultur- und Sportbereich für öffentlich zugängliche Innenräume, in denen sich mehrere Personen aufhalten, Hygienekonzepte zu erstellen, die die Bereitstellung von Desinfektionsmitteln sowie Maßnahmen zur Vermeidung unnötiger Kontakte und Lüftungskonzepte vorsehen können,
4. die Anordnung eines Abstandsgebots mit einem Abstand von 1,5 Metern (Mindestabstand) im öffentlichen Raum, insbesondere in öffentlich zugänglichen Innenräumen,
5. die Festlegung von Personenobergrenzen für Veranstaltungen in öffentlich zugänglichen Innenräumen.

[2] Absatz 1 Satz 3 gilt entsprechend. [3] Die Feststellung nach Satz 1 gilt als aufgehoben, sofern das Parlament in dem betroffenen Land nicht spätestens drei Monate nach der Feststellung nach Satz 1 die Feststellung erneut trifft; dies gilt entsprechend, sofern das Parlament in dem betroffenen Land nicht spätestens drei Monate nach der erneuten Feststellung erneut die Feststellung trifft.

(5) [1] Rechtsverordnungen, die nach § 32 in Verbindung mit § 28 Absatz 1 und den Absätzen 2 bis 4 erlassen werden, sind mit einer allgemeinen Begründung zu versehen. [2] Schutzmaßnahmen nach den Absätzen 2 bis 4 in Verbindung mit § 28 Absatz 1 und nach § 28 Absatz 1 Satz 1 und 2 und nach den §§ 29 bis 31 können jeweils auch kumulativ angeordnet werden. [3] Individuelle Schutzmaßnahmen gegenüber Kranken, Krankheitsverdächtigen, Ansteckungsverdächtigen oder Ausscheidern nach § 28 Absatz 1 Satz 1 sowie die Schließung von Einrichtungen und Betrieben im Einzelfall nach § 28 Absatz 1 Satz 1 und 2 bleiben unberührt. [4] Bei Entscheidungen über Schutzmaßnahmen sind soziale, gesellschaftliche und wirtschaftliche Auswirkungen auf den Einzelnen und die Allgemeinheit einzubeziehen und zu berücksichtigen, soweit dies mit der Erreichung der in Absatz 6 genannten Ziele vereinbar ist. [5] Die besonderen Belange von Kindern und Jugendlichen sind zu berücksichtigen.

(6) Entscheidungen über Schutzmaßnahmen nach den Absätzen 2 bis 4 sind insbesondere am Schutz von Leben und Gesundheit durch Verhinderung einer Vielzahl schwerer Krankheitsverläufe, am Schutz vulnerabler Personengruppen und der Funktionsfähigkeit des Gesundheitssystems und der sonstigen Kritischen Infrastrukturen auszurichten.

(7) [1] Eine konkrete Gefahr für die Funktionsfähigkeit des Gesundheitssystems oder der sonstigen Kritischen Infrastrukturen besteht, wenn aufgrund eines besonders starken Anstiegs von Indikatoren nach Satz 2 erster Halbsatz oder deren Stagnation auf einem sehr hohen Niveau oder bei einem versorgungsrelevanten Rückgang der stationären Kapazitäten davon auszugehen ist, dass es im Gesundheitssystem oder in den sonstigen Kritischen Infrastrukturen zu einem schwerwiegenden Sach- oder Personalmangel oder einer Überlastung der Kapazitäten kommt. [2] Indikatoren hierfür sind das Abwassermonitoring, die Anzahl der Neuinfektionen mit dem Coronavirus SARS-CoV-2 je 100 000 Einwohner innerhalb von sieben Tagen, die Surveillance-Systeme des Robert

Koch-Instituts für respiratorische Atemwegserkrankungen, die Anzahl der in Bezug auf die Coronavirus-Krankheit-2019 (COVID-19) in einem Krankenhaus aufgenommenen Personen je 100 000 Einwohner innerhalb von sieben Tagen; ebenso sind die verfügbaren stationären Versorgungskapazitäten zu berücksichtigen. 3 Absehbare Änderungen des Infektionsgeschehens durch ansteckendere, das Gesundheitssystem stärker belastende Virusvarianten sind zu berücksichtigen. 4 Die Landesregierungen können im Rahmen der Festlegung der Schutzmaßnahmen nach den Absätzen 2 bis 4 in einer Rechtsverordnung nach § 32 Schwellenwerte für die Indikatoren nach Satz 2 festsetzen; entsprechend können die Schutzmaßnahmen innerhalb eines Landes regional differenziert werden. 5 Die Landesregierungen können die Ermächtigung durch Rechtsverordnung auf andere Stellen übertragen.

(8) Die Bundesregierung wird ermächtigt, durch Rechtsverordnung ohne Zustimmung des Bundesrates

1. die Verpflichtungen nach Absatz 1 ganz oder teilweise auszusetzen,
2. abweichend von Absatz 2 Satz 4 die Zeit, die die letzte Einzelimpfung höchstens zurückliegen darf, zu regeln.

6. Abschnitt.[1] Infektionsschutz bei bestimmten Einrichtungen, Unternehmen und Personen

§ 33[2] Gemeinschaftseinrichtungen. Gemeinschaftseinrichtungen im Sinne dieses Gesetzes sind Einrichtungen, in denen überwiegend minderjährige Personen betreut werden; dazu gehören insbesondere:

1. Kindertageseinrichtungen und Kinderhorte,
2. die nach § 43 Absatz 1 des Achten Buches Sozialgesetzbuch[3] erlaubnispflichtige Kindertagespflege,
3. Schulen und sonstige Ausbildungseinrichtungen,
4. Heime und
5. Ferienlager.

§ 35[4] Infektionsschutz in Einrichtungen und Unternehmen der Pflege und Eingliederungshilfe, Verordnungsermächtigung. (1) 1 Folgende Einrichtungen und Unternehmen haben sicherzustellen, dass die nach dem Stand der medizinischen Wissenschaft und der Pflegewissenschaft erforderlichen Maßnahmen getroffen werden, um Infektionen zu verhüten und die Weiterverbreitung von Krankheitserregern zu vermeiden:

1. vollstationäre Einrichtungen zur Betreuung und Unterbringung älterer, behinderter oder pflegebedürftiger Menschen oder vergleichbare Einrichtungen,
2. teilstationäre Einrichtungen zur Betreuung und Unterbringung älterer, behinderter oder pflegebedürftiger Menschen oder vergleichbare Einrichtungen,

---

[1] Überschrift 6. Abschnitt neu gef. mWv 25.7.2017 durch G v. 17.7.2017 (BGBl. I S. 2615).
[2] § 33 neu gef. mWv *1.3.2020* durch G v. 10.2.2020 (BGBl. I S. 148).
[3] **beck-online, Module Arbeitsrecht Nr. 494a.**
[4] § 35 neu gef. mWv 17.9.2022 durch G v. 16.9.2022 (BGBl. I S. 1454).

3. ambulante Pflegedienste und Unternehmen, die den Einrichtungen nach Nummer 1 oder Nummer 2 vergleichbare Dienstleistungen anbieten; Angebote zur Unterstützung im Alltag im Sinne von § 45a Absatz 1 Satz 2 des Elften Buches Sozialgesetzbuch[1)] zählen nicht zu den Dienstleistungen, die mit Angeboten in Einrichtungen nach Nummer 1 oder Nummer 2 vergleichbar sind.

[2] Die Einhaltung des Standes der medizinischen Wissenschaft oder der Pflegewissenschaft im Hinblick auf die Infektionsprävention im Rahmen der Durchführung medizinischer oder pflegerischer Maßnahmen wird vermutet, wenn jeweils die veröffentlichten Empfehlungen der Kommission für Infektionsprävention in medizinischen Einrichtungen und in Einrichtungen und Unternehmen der Pflege und Eingliederungshilfe nach § 23 Absatz 1 beachtet worden sind. [3] Die in Satz 1 genannten Einrichtungen und Unternehmen müssen in Hygieneplänen innerbetriebliche Verfahrensweisen zur Infektionshygiene festlegen und unterliegen der infektionshygienischen Überwachung durch das Gesundheitsamt. [4] Die infektionshygienische Überwachung von ambulanten Pflegediensten, die ambulante Intensivpflege erbringen, erstreckt sich auch auf Orte, an denen die Intensivpflege erbracht wird. [5] Die ambulanten Pflegedienste nach Satz 4 haben dem Gesundheitsamt auf dessen Anforderung die Namen und Kontaktdaten der von ihnen versorgten Personen und der vertretungsberechtigten Personen mitzuteilen. [6] In den in Satz 1 Nummer 1 und 2 genannten Einrichtungen haben die Einrichtungsleitungen für den Zeitraum vom 1. Oktober 2022 bis einschließlich 7. April 2023 eine oder mehrere verantwortliche Personen zur Sicherstellung der Einhaltung der in Satz 7 genannten Anforderungen, Abläufe und Maßnahmen zu benennen; die Benennung setzt die Zustimmung der betreffenden Personen voraus. [8] Die benannten Personen stellen sicher,

1. dass Hygieneanforderungen unter Berücksichtigung der Empfehlungen nach Satz 2 und der Hygienepläne nach Satz 3 eingehalten werden,
2. dass festgelegte Organisations- und Verfahrensabläufe im Zusammenhang mit dem
   a) Impfen von Bewohnern sowie Gästen gegen das Coronavirus SARS-CoV-2, insbesondere die regelmäßige Kontrolle des Impfstatus sowie die organisatorische und praktische Unterstützung von Impfungen durch niedergelassene Ärzte und mobile Impfteams und
   b) Testen von Bewohnern sowie Gästen, von in der Einrichtung tätigen Personen und von Besuchern auf das Coronavirus SARS-CoV-2 gemäß dem einrichtungsspezifischen Testkonzept und unter Berücksichtigung der Teststrategie der Bundesregierung, der Empfehlungen des Robert Koch-Instituts für Pflegeeinrichtungen und Einrichtungen der Eingliederungshilfe sowie landesspezifischer Vorgaben und der Vorgaben der Coronavirus-Testverordnung beachtet werden sowie
3. dass Maßnahmen zur Unterstützung der Versorgung von Bewohnern von vollstationären Pflegeeinrichtungen mit antiviralen COVID-19-Arzneimitteln, insbesondere die Benachrichtigung von behandelnden Ärzten im Fall eines positiven Testergebnisses von Bewohnern auf das Coronavirus SARS-

[1)] **Aichberger, SGB Nr. 11.**

CoV-2 sowie die Bevorratung von antiviralen COVID-19-Arzneimitteln in der jeweiligen Einrichtung vorgesehen werden.

[9] Der Qualitätsausschuss Pflege nach § 113b des Elften Buches Sozialgesetzbuch erstellt in Abstimmung mit dem Bundesministerium für Gesundheit bis zum 15. Oktober 2022 pflegefachlich orientierte Grundlagen und Verfahrenshinweise für die Sicherstellung der Einhaltung der in Satz 7 genannten Anforderungen, Abläufe und Maßnahmen durch nach Satz 7 in voll- und teilstationären Pflegeeinrichtungen benannte Personen. [10] Unter Berücksichtigung dieser Grundlagen und Verfahrenshinweise legen die voll- und teilstationären Pflegeeinrichtungen ihre Organisations- und Verfahrensabläufe nach Satz 7 bis zum 1. November 2022 fest und dokumentieren in diesen Festlegungen auch die Benennung nach Satz 6. [11] Die Umsetzung der in Satz 7 genannten Anforderungen, Abläufe und Maßnahmen gemäß den Grundlagen und Verfahrenshinweisen des Qualitätsausschusses Pflege nach Satz 8 von den voll- und teilstationären Pflegeeinrichtungen in Verantwortung der nach Satz 6 zu benennenden Personen sind zu dokumentieren. [12] Das Gesundheitsamt überwacht, ob die Leitungen der Einrichtungen nach Satz 1 Nummer 1 und 2 Personen nach Satz 6 benannt haben. [13] Es überwacht auch, ob voll- und teilstationäre Pflegeeinrichtungen die in Satz 7 genannten Anforderungen, Abläufe und Maßnahmen entsprechend den nach Satz 8 erstellten Grundlagen und Verfahrenshinweisen umsetzen und die Festlegungen nach Satz 9 getroffen haben.

(2) [1] Soweit es zur Erfüllung von Verpflichtungen nach Absatz 1 in Bezug auf übertragbare Krankheiten erforderlich ist, darf der Arbeitgeber personenbezogene Daten eines Beschäftigten über dessen Impf- und Serostatus verarbeiten, um über die Begründung eines Beschäftigungsverhältnisses oder über die Art und Weise einer Beschäftigung zu entscheiden. [2] Dies gilt nicht in Bezug auf übertragbare Krankheiten, die im Rahmen einer leitliniengerechten Behandlung nach dem Stand der medizinischen Wissenschaft nicht mehr übertragen werden können. [3] § 22 Absatz 2 des Bundesdatenschutzgesetzes[1)] gilt entsprechend. [4] Die Bestimmungen des allgemeinen Datenschutzrechts bleiben unberührt.

(3) [1] Die Landesregierungen haben durch Rechtsverordnung für die in Absatz 1 Satz 1 Nummer 1 genannten Einrichtungen die jeweils erforderlichen Maßnahmen zur Verhütung, Erkennung, Erfassung und Bekämpfung von übertragbaren Krankheiten zu regeln. [2] Dabei sind insbesondere Regelungen zu treffen über

1. hygienische Mindestanforderungen an Bau, Ausstattung und Betrieb der Einrichtungen,
2. die erforderliche personelle Ausstattung mit hygienebeauftragten Pflegefachkräften oder Hygienefachkräften,
3. Aufgaben und Anforderungen an Fort- und Weiterbildung der in der Einrichtung erforderlichen hygienebeauftragten Pflegefachkräfte oder Hygienefachkräfte,
4. die erforderliche Qualifikation und Schulung des Personals hinsichtlich der Infektionsprävention,
5. die Information des Personals über Maßnahmen, die zur Verhütung und Bekämpfung von übertragbaren Krankheiten erforderlich sind.

[1)] Nr. **490**.

[3] Die Landesregierungen können die Ermächtigung durch Rechtsverordnung auf andere Stellen übertragen.

(4) Die Leiter von in Absatz 1 Satz 1 Nummer 1 und 2 genannten Einrichtungen haben das Gesundheitsamt, in dessen Bezirk sich die Einrichtung befindet, unverzüglich zu benachrichtigen und die nach diesem Gesetz erforderlichen krankheits- und personenbezogenen Angaben zu machen, wenn eine in der Einrichtung tätige oder untergebrachte Person an Skabies erkrankt ist oder bei ihr der Verdacht besteht, dass sie an Skabies erkrankt ist.

(5) [1] Personen, die in einer in Absatz 1 Satz 1 Nummer 1 und 2 genannten Einrichtung aufgenommen werden sollen, haben der Leitung der Einrichtung vor oder unverzüglich nach ihrer Aufnahme ein ärztliches Zeugnis darüber vorzulegen, dass bei ihnen keine Anhaltspunkte für das Vorliegen einer ansteckungsfähigen Lungentuberkulose vorhanden sind. [2] Bei der erstmaligen Aufnahme darf die Erhebung der Befunde, die dem ärztlichen Zeugnis zugrunde liegt, nicht länger als sechs Monate zurückliegen, bei einer erneuten Aufnahme darf sie nicht länger als zwölf Monate zurückliegen.

(6) [1] Die in Absatz 1 Satz 1 Nummer 1 und 2 genannten voll- und teilstationären Einrichtungen, die zugelassene Pflegeeinrichtungen im Sinne von § 72 des Elften Buches Sozialgesetzbuch sind, sind verpflichtet, dem Robert Koch-Institut monatlich Angaben zum Anteil der Personen, die gegen das Coronavirus SARS-CoV-2 geimpft sind, jeweils bezogen auf die Personen, die in der Einrichtung beschäftigt sind oder behandelt, betreut oder gepflegt werden oder untergebracht sind, in anonymisierter Form zu übermitteln. [2] Haben sich die nach Satz 1 zu übermittelnden Angaben in einem Monat gegenüber dem Vormonat nicht geändert, übermittelt die Einrichtung die vereinfachte Meldung, dass keine Änderungen im Vergleich zum Vormonat vorliegen. [3] In diesen Fällen werden die Daten des Vormonats durch das Robert Koch-Institut fortgeschrieben. [4] Soweit es zur Erfüllung der Pflichten nach den Sätzen 1 und 2 erforderlich ist, darf die Leitung der in Satz 1 genannten Einrichtungen zu diesem Zweck personenbezogene Daten einschließlich Daten zum Impfstatus in Bezug auf die Coronavirus-Krankheit-2019 (COVID-19) verarbeiten. [5] Die Daten nach Satz 4 dürfen auch zur Beurteilung der Gefährdungslage in der Einrichtung im Hinblick auf die Coronavirus-Krankheit-2019 (COVID-19) verarbeitet werden, solange und soweit dies erforderlich ist. [6] § 22 Absatz 2 des Bundesdatenschutzgesetzes gilt entsprechend. [7] Bestehen zum Zeitpunkt des Inkrafttretens dieser Regelung bereits landesrechtliche Meldeverfahren, die auf bisherigem Bundesrecht beruhen und die zu den durch das Robert Koch-Institut nach Satz 1 zu erhebenden Daten anschlussfähig sind, bleiben die landesrechtlichen Meldeverfahren von der Änderung unberührt, wenn die Länder nach Kreisen und kreisfreien Städten aufgeschlüsselte Daten direkt an das Robert Koch-Institut übermitteln; insoweit entfällt die Meldepflicht nach Satz 1. [8] Das Robert Koch-Institut führt die ihm übermittelten Daten zusammen und übermittelt sie monatlich in anonymisierter Form dem Bundesministerium für Gesundheit sowie den Ländern bezogen auf Länder- und Kreisebene. [9] Die nach den Sätzen 4 und 5 erhobenen Daten sind spätestens am Ende des sechsten Monats nach ihrer Erhebung zu löschen; die Bestimmungen des allgemeinen Datenschutzrechts bleiben unberührt. [10] Die nach Satz 1 zu übermittelnden Angaben werden letztmalig für den Monat April 2023 erhoben.

8. Abschnitt. Gesundheitliche Anforderungen an das Personal beim Umgang mit Lebensmitteln

§ 42[1)] Tätigkeits- und Beschäftigungsverbote. (1) [1] Personen, die

1. an Typhus abdominalis, Paratyphus, Cholera, Shigellenruhr, Salmonellose, einer anderen infektiösen Gastroenteritis oder Virushepatitis A oder E erkrankt oder dessen verdächtig sind,
2. an infizierten Wunden oder an Hautkrankheiten erkrankt sind, bei denen die Möglichkeit besteht, dass deren Krankheitserreger über Lebensmittel übertragen werden können,
3. die Krankheitserreger Shigellen, Salmonellen, enterohämorrhagische Escherichia coli oder Choleravibrionen ausscheiden,

dürfen nicht tätig sein oder beschäftigt werden

a) beim Herstellen, Behandeln oder Inverkehrbringen der in Absatz 2 genannten Lebensmittel, wenn sie dabei mit diesen in Berührung kommen, oder

b) in Küchen von Gaststätten und sonstigen Einrichtungen mit oder zur Gemeinschaftsverpflegung.

[2] Satz 1 gilt entsprechend für Personen, die mit Bedarfsgegenständen, die für die dort genannten Tätigkeiten verwendet werden, so in Berührung kommen, dass eine Übertragung von Krankheitserregern auf die Lebensmittel im Sinne des Absatzes 2 zu befürchten ist. [3] Die Sätze 1 und 2 gelten nicht für den privaten hauswirtschaftlichen Bereich.

(2) Lebensmittel im Sinne des Absatzes 1 sind

1. Fleisch, Geflügelfleisch und Erzeugnisse daraus
2. Milch und Erzeugnisse auf Milchbasis
3. Fische, Krebse oder Weichtiere und Erzeugnisse daraus
4. Eiprodukte
5. Säuglings- und Kleinkindernahrung
6. Speiseeis und Speiseeishalberzeugnisse
7. Backwaren mit nicht durchgebackener oder durcherhitzter Füllung oder Auflage
8. Feinkost-, Rohkost- und Kartoffelsalate, Marinaden, Mayonnaisen, andere emulgierte Soßen, Nahrungshefen
9. Sprossen und Keimlinge zum Rohverzehr sowie Samen zur Herstellung von Sprossen und Keimlingen zum Rohverzehr.

(3) Personen, die in amtlicher Eigenschaft, auch im Rahmen ihrer Ausbildung, mit den in Absatz 2 bezeichneten Lebensmitteln oder mit Bedarfsgegenständen im Sinne des Absatzes 1 Satz 2 in Berührung kommen, dürfen ihre Tätigkeit nicht ausüben, wenn sie an einer der in Absatz 1 Nr. 1 genannten Krankheiten erkrankt oder dessen verdächtig sind, an einer der in Absatz 1 Nr. 2 genannten Krankheiten erkrankt sind oder die in Absatz 1 Nr. 3 genannten Krankheitserreger ausscheiden.

[1)] § 42 Abs. 5 Satz 1 geänd. mWv 28.11.2003 durch VO v. 25.11.2003 (BGBl. I S. 2304); Abs. 5 Satz 1 geänd. mWv 8.11.2006 durch VO v. 31.10.2006 (BGBl. I S. 2407); Abs. 2 Nr. 8 geänd., Nr. 9 angef. mWv 29.3.2013 durch G v. 21.3.2013 (BGBl. I S. 566).

(4) Das Gesundheitsamt kann Ausnahmen von den Verboten nach dieser Vorschrift zulassen, wenn Maßnahmen durchgeführt werden, mit denen eine Übertragung der aufgeführten Erkrankungen und Krankheitserreger verhütet werden kann.

(5) [1] Das Bundesministerium für Gesundheit wird ermächtigt, durch Rechtsverordnung mit Zustimmung des Bundesrates den Kreis der in Absatz 1 Nr. 1 und 2 genannten Krankheiten, der in Absatz 1 Nr. 3 genannten Krankheitserreger und der in Absatz 2 genannten Lebensmittel einzuschränken, wenn epidemiologische Erkenntnisse dies zulassen, oder zu erweitern, wenn dies zum Schutz der menschlichen Gesundheit vor einer Gefährdung durch Krankheitserreger erforderlich ist. [2] In dringenden Fällen kann zum Schutz der Bevölkerung die Rechtsverordnung ohne Zustimmung des Bundesrates erlassen werden. [3] Eine auf der Grundlage des Satzes 2 erlassene Verordnung tritt ein Jahr nach ihrem Inkrafttreten außer Kraft; ihre Geltungsdauer kann mit Zustimmung des Bundesrates verlängert werden.

§ 43[1)] Belehrung, Bescheinigung des Gesundheitsamtes. (1) [1] Personen dürfen gewerbsmäßig die in § 42 Abs. 1 bezeichneten Tätigkeiten erstmalig nur dann ausüben und mit diesen Tätigkeiten erstmalig nur dann beschäftigt werden, wenn durch eine nicht mehr als drei Monate alte Bescheinigung des Gesundheitsamtes oder eines vom Gesundheitsamt beauftragten Arztes nachgewiesen ist, dass sie

1. über die in § 42 Abs. 1 genannten Tätigkeitsverbote und über die Verpflichtungen nach den Absätzen 2, 4 und 5 vom Gesundheitsamt oder von einem durch das Gesundheitsamt beauftragten Arzt belehrt wurden und
2. nach der Belehrung im Sinne der Nummer 1 in Textform erklärt haben, dass ihnen keine Tatsachen für ein Tätigkeitsverbot bei ihnen bekannt sind.

[2] Liegen Anhaltspunkte vor, dass bei einer Person Hinderungsgründe nach § 42 Abs. 1 bestehen, so darf die Bescheinigung erst ausgestellt werden, wenn durch ein ärztliches Zeugnis nachgewiesen ist, dass Hinderungsgründe nicht oder nicht mehr bestehen.

(2) Treten bei Personen nach Aufnahme ihrer Tätigkeit Hinderungsgründe nach § 42 Abs. 1 auf, sind sie verpflichtet, dies ihrem Arbeitgeber oder Dienstherrn unverzüglich mitzuteilen.

(3) Werden dem Arbeitgeber oder Dienstherrn Anhaltspunkte oder Tatsachen bekannt, die ein Tätigkeitsverbot nach § 42 Abs. 1 begründen, so hat dieser unverzüglich die zur Verhinderung der Weiterverbreitung der Krankheitserreger erforderlichen Maßnahmen einzuleiten.

(4) [1] Der Arbeitgeber hat Personen, die eine der in § 42 Abs. 1 Satz 1 oder 2 genannten Tätigkeiten ausüben, nach Aufnahme ihrer Tätigkeit und im Weiteren alle zwei Jahre über die in § 42 Abs. 1 genannten Tätigkeitsverbote und über die Verpflichtung nach Absatz 2 zu belehren. [2] Die Teilnahme an der Belehrung ist zu dokumentieren. [3] Die Sätze 1 und 2 finden für Dienstherren entsprechende Anwendung.

[1)] § 43 Abs. 7 geänd. mWv 28.11.2003 durch VO v. 25.11.2003 (BGBl. I S. 2304); Abs. 7 geänd. mWv 8.11.2006 durch VO v. 31.10.2006 (BGBl. I S. 2407); Abs. 4 Satz 1 geänd. mWv 4.8.2011 durch G v. 28.7.2011 (BGBl. I S. 1622); Abs. 1 Satz 1 Nr. 1, 2, Abs. 7 geänd. mWv 1.3.2020 durch G v. 10.2.2020 (BGBl. I S. 148).

(5) [1] Die Bescheinigung nach Absatz 1 und die letzte Dokumentation der Belehrung nach Absatz 4 sind beim Arbeitgeber aufzubewahren. [2] Der Arbeitgeber hat die Nachweise nach Satz 1 und, sofern er eine in § 42 Abs. 1 bezeichnete Tätigkeit selbst ausübt, die ihn betreffende Bescheinigung nach Absatz 1 Satz 1 an der Betriebsstätte verfügbar zu halten und der zuständigen Behörde und ihren Beauftragten auf Verlangen vorzulegen. [3] Bei Tätigkeiten an wechselnden Standorten genügt die Vorlage einer beglaubigten Abschrift oder einer beglaubigten Kopie.

(6) [1] Im Falle der Geschäftsunfähigkeit oder der beschränkten Geschäftsfähigkeit treffen die Verpflichtungen nach Absatz 1 Satz 1 Nr. 2 und Absatz 2 denjenigen, dem die Sorge für die Person zusteht. [2] Die gleiche Verpflichtung trifft auch den Betreuer, soweit die Sorge für die Person zu seinem Aufgabenkreis gehört. [3] Die den Arbeitgeber oder Dienstherrn betreffenden Verpflichtungen nach dieser Vorschrift gelten entsprechend für Personen, die die in § 42 Abs. 1 genannten Tätigkeiten selbständig ausüben.

(7) Das Bundesministerium für Gesundheit wird ermächtigt, durch Rechtsverordnung mit Zustimmung des Bundesrates Untersuchungen und weitergehende Anforderungen vorzuschreiben oder Anforderungen einzuschränken, wenn Rechtsakte der Europäischen Union dies erfordern.

12. Abschnitt.[1)] Entschädigung in besonderen Fällen

§ 56[2)] Entschädigung. (1) [1] Wer auf Grund dieses Gesetzes als Ausscheider, Ansteckungsverdächtiger, Krankheitsverdächtiger oder als sonstiger Träger von Krankheitserregern im Sinne von § 31 Satz 2 Verboten in der Ausübung seiner bisherigen Erwerbstätigkeit unterliegt oder unterworfen wird und dadurch einen Verdienstausfall erleidet, erhält eine Entschädigung in Geld. [2] Das Gleiche gilt für eine Person, die nach § 30, auch in Verbindung mit § 32, abgesondert wird oder sich auf Grund einer nach § 36 Absatz 8 Satz 1 Nummer 1 erlassenen Rechtsverordnung absondert. [3] Eine Entschädigung in Geld kann auch einer Person gewährt werden, wenn diese sich bereits vor der Anordnung einer Absonderung nach § 30 oder eines beruflichen Tätigkeitsverbots nach § 31

[1)] Bish. 12. Abschnitt (§§ 56-68) wird 12. Abschnitt (§§ 56-67) mWv 31.3.2021 durch G v. 29.3.2021 (BGBl. I S. 370).

[2)] § 56 Abs. 8 Satz 1 Nr. 4 sowie Abs. 9 Sätze 1 und 2 geänd. mWv 1.1.2004 durch G v. 23.12.2003 (BGBl. I S. 2848); Abs. 8 Satz 1 Nr. 4 geänd. sowie Abs. 9 Satz 2 aufgeh., bish. Satz 1 wird alleiniger Wortlaut und geänd. mWv 1.1.2005 durch G v. 24.12.2003 (BGBl. I S. 2954); Abs. 3 Satz 2 sowie Abs. 9 geänd. mWv 1.1.2007 durch G v. 24.4.2006 (BGBl. I S. 926); Abs. 1 Satz 3 angef. mWv 1.3.2020 durch G v. 10.2.2020 (BGBl. I S. 148); Abs. 1a eingef., Abs. 2 Satz 4 angef. mWv 30.3.2020 durch G v. 27.3.2020 (BGBl. I S. 587); Abs. 1 Satz 2, Abs. 7 Satz 2 geänd., Abs. 11 Satz 1 neu gef. mWv 23.5.2020 durch G v. 19.5.2020 (BGBl. I S. 1018); Abs. 1a Satz 1 neu gef., Sätze 3, 4 geänd., Abs. 2 Satz 4 neu gef. mWv 30.3.2020 durch G v. 19.6.2020 (BGBl. I S. 1385); Abs. 1 Satz 3 geänd., Satz 4 angef., Abs. 1a Satz 1 Nr. 1 geänd. mWv 19.11.2020 durch G v. 18.11.2020 (BGBl. I S. 2397); Abs. 1a Satz 1 Nr. 1 geänd. mWv 16.12.2020 durch G v. 21.12.2020 (BGBl. I S. 3136); Abs. 1 Satz 2 neu gef., Satz 3 eingef., bish. Sätze 3, 4 werden Sätze 4, 5, neuer Satz 5 geänd., Abs. 1a Satz 1 einl. Satzteil und Nr. 1 geänd., Abs. 2 Sätze 3, 4 neu gef., Satz 5 angef., Abs. 3 neu gef, Abs. 5 Satz 2 eingef., bish. Sätze 2, 3 werden Sätze 3, 4, Abs. 9 Satz 2 angef., Abs. 11 Satz 1 neu gef., Sätze 2, 3 eingef., bish. Sätze 2, 3 werden Sätze 4, 5 mWv 31.3.2021 durch G v. 29.3.2021 (BGBl. I S. 370); Abs. 1a Satz 1 Nr. 1 geänd. mWv 23.4.2021 durch G v. 28.5.2021 (BGBl. I S. 1174); Abs. 1 Satz 3 geänd., Abs. 1a Satz 5 angef. mWv 24.11.2021 durch G v. 22.11.2021 (BGBl. I S. 4906); Abs. 2 Satz 5 geänd., Abs. 11 Satz 6 angef. mWv 12.12.2021 durch G v. 10.12.2021 (BGBl. I S. 5162); Abs. 1a Satz 5 geänd. mWv 19.3.2022 durch G v. 18.3.2022 (BGBl. I S. 473); Abs. 9 Satz 2 eingef., bish. Satz 2 wird Satz 3, Abs. 11 Satz 6 geänd. mWv 17.9.2022 durch G v. 16.9.2022 (BGBl. I S. 1454).

vorsorglich abgesondert oder vorsorglich bestimmte berufliche Tätigkeiten ganz oder teilweise nicht ausgeübt hat und dadurch einen Verdienstausfall erleidet, wenn eine Anordnung einer Absonderung nach § 30 oder eines beruflichen Tätigkeitsverbots nach § 31 bereits zum Zeitpunkt der vorsorglichen Absonderung oder der vorsorglichen Nichtausübung beruflicher Tätigkeiten hätte erlassen werden können. [4] Eine Entschädigung nach den Sätzen 1 und 2 erhält nicht, wer durch Inanspruchnahme einer Schutzimpfung oder anderen Maßnahme der spezifischen Prophylaxe, die gesetzlich vorgeschrieben ist oder im Bereich des gewöhnlichen Aufenthaltsorts des Betroffenen öffentlich empfohlen wurde, oder durch Nichtantritt einer vermeidbaren Reise in ein bereits zum Zeitpunkt der Abreise eingestuftes Risikogebiet ein Verbot in der Ausübung seiner bisherigen Tätigkeit oder eine Absonderung hätte vermeiden können. [5] Eine Reise ist im Sinne des Satzes 4 vermeidbar, wenn zum Zeitpunkt der Abreise keine zwingenden und unaufschiebbaren Gründe für die Reise vorlagen.

(1a) [1] Sofern der Deutsche Bundestag nach § 5 Absatz 1 Satz 1 eine epidemische Lage von nationaler Tragweite festgestellt hat, erhält eine erwerbstätige Person eine Entschädigung in Geld, wenn

1. Einrichtungen zur Betreuung von Kindern, Schulen oder Einrichtungen für Menschen mit Behinderungen zur Verhinderung der Verbreitung von Infektionen oder übertragbaren Krankheiten auf Grund dieses Gesetzes vorübergehend geschlossen werden oder deren Betreten, auch aufgrund einer Absonderung, untersagt wird, oder wenn von der zuständigen Behörde aus Gründen des Infektionsschutzes Schul- oder Betriebsferien angeordnet oder verlängert werden, die Präsenzpflicht in einer Schule aufgehoben oder der Zugang zum Kinderbetreuungsangebot eingeschränkt wird oder eine behördliche Empfehlung vorliegt, vom Besuch einer Einrichtung zur Betreuung von Kindern, einer Schule oder einer Einrichtung für Menschen mit Behinderungen abzusehen,[1)],
2. die erwerbstätige Person ihr Kind, das das zwölfte Lebensjahr noch nicht vollendet hat oder behindert und auf Hilfe angewiesen ist, in diesem Zeitraum selbst beaufsichtigt, betreut oder pflegt, weil sie keine anderweitige zumutbare Betreuungsmöglichkeit sicherstellen kann, und
3. die erwerbstätige Person dadurch einen Verdienstausfall erleidet.

[2] Anspruchsberechtigte haben gegenüber der zuständigen Behörde, auf Verlangen des Arbeitgebers auch diesem gegenüber, darzulegen, dass sie in diesem Zeitraum keine zumutbare Betreuungsmöglichkeit für das Kind sicherstellen können. [3] Ein Anspruch besteht nicht, soweit eine Schließung ohnehin wegen der Schul- oder Betriebsferien erfolgen würde. [4] Im Fall, dass das Kind in Vollzeitpflege nach § 33 des Achten Buches Sozialgesetzbuch[2)] in den Haushalt aufgenommen wurde, steht der Anspruch auf Entschädigung den Pflegeeltern zu. [5] Der Anspruch nach Satz 1 besteht in Bezug auf die dort genannten Maßnahmen auch unabhängig von einer durch den Deutschen Bundestag nach § 5 Absatz 1 Satz 1 festgestellten epidemischen Lage von nationaler Tragweite, soweit diese zur Verhinderung der Verbreitung der Coronavirus-Krankheit-2019 (COVID-19) im Zeitraum bis zum Ablauf des 23. September 2022 erfolgen.

[1)] Zeichensetzung amtlich.
[2)] **beck-online, Module Arbeitsrecht Nr. 494a.**

(2) [1] Die Entschädigung bemisst sich nach dem Verdienstausfall. [2] Für die ersten sechs Wochen wird sie in Höhe des Verdienstausfalls gewährt. [3] Vom Beginn der siebenten Woche an wird die Entschädigung abweichend von Satz 2 in Höhe von 67 Prozent des der erwerbstätigen Person entstandenen Verdienstausfalls gewährt; für einen vollen Monat wird höchstens ein Betrag von 2 016 Euro gewährt. [4] Im Fall des Absatzes 1a wird die Entschädigung von Beginn an in der in Satz 3 bestimmten Höhe gewährt. [5] Für jede erwerbstätige Person wird die Entschädigung nach Satz 4 für die Dauer der vom Deutschen Bundestag nach § 5 Absatz 1 Satz 1 festgestellten epidemischen Lage von nationaler Tragweite und für den in Absatz 1a Satz 5 genannten Zeitraum unabhängig von der Anzahl der Kinder für längstens zehn Wochen pro Jahr gewährt, für eine erwerbstätige Person, die ihr Kind allein beaufsichtigt, betreut oder pflegt, längstens für 20 Wochen pro Jahr.

(3) [1] Als Verdienstausfall gilt das Arbeitsentgelt, das dem Arbeitnehmer bei der für ihn maßgebenden regelmäßigen Arbeitszeit zusteht, vermindert um Steuern und Beiträge zur Sozialversicherung sowie zur Arbeitsförderung oder entsprechende Aufwendungen zur sozialen Sicherung in angemessenem Umfang (Netto-Arbeitsentgelt). [2] Bei der Ermittlung des Arbeitsentgelts sind die Regelungen des § 4 Absatz 1, 1a und 4 des Entgeltfortzahlungsgesetzes[1)] entsprechend anzuwenden. [3] Für die Berechnung des Verdienstausfalls ist die Netto-Entgeltdifferenz in entsprechender Anwendung des § 106 des Dritten Buches Sozialgesetzbuch[2)] zu bilden. [4] Der Betrag erhöht sich um das Kurzarbeitergeld und um das Zuschuss-Wintergeld, auf das der Arbeitnehmer Anspruch hätte, wenn er nicht aus den in Absatz 1 genannten Gründen an der Arbeitsleistung verhindert wäre. [5] Satz 1 gilt für die Berechnung des Verdienstausfalls bei den in Heimarbeit Beschäftigten und bei Selbständigen entsprechend mit der Maßgabe, dass bei den in Heimarbeit Beschäftigten das im Durchschnitt des letzten Jahres vor Einstellung der verbotenen Tätigkeit oder vor der Absonderung verdiente monatliche Arbeitsentgelt und bei Selbständigen ein Zwölftel des Arbeitseinkommens (§ 15 des Vierten Buches Sozialgesetzbuch[3)]) aus der entschädigungspflichtigen Tätigkeit zugrunde zu legen ist.

(4) [1] Bei einer Existenzgefährdung können den Entschädigungsberechtigten die während der Verdienstausfallzeiten entstehenden Mehraufwendungen auf Antrag in angemessenem Umfang von der zuständigen Behörde erstattet werden. [2] Selbständige, deren Betrieb oder Praxis während der Dauer einer Maßnahme nach Absatz 1 ruht, erhalten neben der Entschädigung nach den Absätzen 2 und 3 auf Antrag von der zuständigen Behörde Ersatz der in dieser Zeit weiterlaufenden nicht gedeckten Betriebsausgaben in angemessenem Umfang.

(5) [1] Bei Arbeitnehmern hat der Arbeitgeber für die Dauer des Arbeitsverhältnisses, längstens für sechs Wochen, die Entschädigung für die zuständige Behörde auszuzahlen. [2] Abweichend von Satz 1 hat der Arbeitgeber die Entschädigung nach Absatz 1a für die in Absatz 2 Satz 5 genannte Dauer auszuzahlen. [3] Die ausgezahlten Beträge werden dem Arbeitgeber auf Antrag von der zuständigen Behörde erstattet. [4] Im Übrigen wird die Entschädigung von der zuständigen Behörde auf Antrag gewährt.

[1)] Nr. **215**.
[2)] Nr. **700**.
[3)] Nr. **694**.

(6) [1] Bei Arbeitnehmern richtet sich die Fälligkeit der Entschädigungsleistungen nach der Fälligkeit des aus der bisherigen Tätigkeit erzielten Arbeitsentgelts. [2] Bei sonstigen Entschädigungsberechtigten ist die Entschädigung jeweils zum Ersten eines Monats für den abgelaufenen Monat zu gewähren.

(7) [1] Wird der Entschädigungsberechtigte arbeitsunfähig, so bleibt der Entschädigungsanspruch in Höhe des Betrages, der bei Eintritt der Arbeitsunfähigkeit an den Berechtigten auszuzahlen war, bestehen. [2] Ansprüche, die Entschädigungsberechtigten wegen des durch die Arbeitsunfähigkeit bedingten Verdienstausfalls auf Grund anderer gesetzlicher Vorschriften oder eines privaten Versicherungsverhältnisses zustehen, gehen insoweit auf das entschädigungspflichtige Land über.

(8) [1] Auf die Entschädigung sind anzurechnen

1. Zuschüsse des Arbeitgebers, soweit sie zusammen mit der Entschädigung den tatsächlichen Verdienstausfall übersteigen,
2. das Netto-Arbeitsentgelt und das Arbeitseinkommen nach Absatz 3 aus einer Tätigkeit, die als Ersatz der verbotenen Tätigkeit ausgeübt wird, soweit es zusammen mit der Entschädigung den tatsächlichen Verdienstausfall übersteigt,
3. der Wert desjenigen, das der Entschädigungsberechtigte durch Ausübung einer anderen als der verbotenen Tätigkeit zu erwerben böswillig unterlässt, soweit es zusammen mit der Entschädigung den tatsächlichen Verdienstausfall übersteigt,
4. das Arbeitslosengeld in der Höhe, in der diese Leistung dem Entschädigungsberechtigten ohne Anwendung der Vorschriften über das Ruhen des Anspruchs auf Arbeitslosengeld bei Sperrzeit nach dem Dritten Buch Sozialgesetzbuch sowie des § 66 des Ersten Buches Sozialgesetzbuch[1)] in der jeweils geltenden Fassung hätten gewährt werden müssen.

[2] Liegen die Voraussetzungen für eine Anrechnung sowohl nach Nummer 3 als auch nach Nummer 4 vor, so ist der höhere Betrag anzurechnen.

(9) [1] Der Anspruch auf Entschädigung geht insoweit, als dem Entschädigungsberechtigten Arbeitslosengeld oder Kurzarbeitergeld für die gleiche Zeit zu gewähren ist, auf die Bundesagentur für Arbeit über. [2] Die bei der Gewährung von Kurzarbeitergeld auf die Bundesagentur für Arbeit übergegangenen Entschädigungsansprüche können auf der Grundlage von Vereinbarungen der Bundesagentur für Arbeit mit den Ländern in einem pauschalierten Verfahren geltend gemacht werden. [3] Das Eintreten eines Tatbestandes nach Absatz 1 oder Absatz 1a unterbricht nicht den Bezug von Arbeitslosengeld oder Kurzarbeitergeld, wenn die weiteren Voraussetzungen nach dem Dritten Buch Sozialgesetzbuch erfüllt sind.

(10) Ein auf anderen gesetzlichen Vorschriften beruhender Anspruch auf Ersatz des Verdienstausfalls, der dem Entschädigungsberechtigten durch das Verbot der Ausübung seiner Erwerbstätigkeit oder durch die Absonderung erwachsen ist, geht insoweit auf das zur Gewährung der Entschädigung verpflichtete Land über, als dieses dem Entschädigungsberechtigten nach diesem Gesetz Leistungen zu gewähren hat.

---

1) Nr. **691**.

(11) [1]Die Anträge nach Absatz 5 sind innerhalb einer Frist von zwei Jahren nach Einstellung der verbotenen Tätigkeit, dem Ende der Absonderung oder nach dem Ende der vorübergehenden Schließung, der Untersagung des Betretens, der Schul- oder Betriebsferien, der Aufhebung der Präsenzpflicht, der Einschränkung des Kinderbetreuungsangebotes oder der Aufhebung der Empfehlung nach Absatz 1a Satz 1 Nummer 1 bei der zuständigen Behörde zu stellen. [2]Die Landesregierungen werden ermächtigt, durch Rechtsverordnung zu bestimmen, dass der Antrag nach Absatz 5 Satz 3 und 4 nach amtlich vorgeschriebenem Verfahren durch Datenfernübertragung zu übermitteln ist und das nähere Verfahren zu bestimmen. [3]Die zuständige Behörde kann zur Vermeidung unbilliger Härten auf eine Übermittlung durch Datenfernübertragung verzichten. [4]Dem Antrag ist von Arbeitnehmern eine Bescheinigung des Arbeitgebers und von den in Heimarbeit Beschäftigten eine Bescheinigung des Auftraggebers über die Höhe des in dem nach Absatz 3 für sie maßgeblichen Zeitraum verdienten Arbeitsentgelts und der gesetzlichen Abzüge, von Selbständigen eine Bescheinigung des Finanzamtes über die Höhe des letzten beim Finanzamt nachgewiesenen Arbeitseinkommens beizufügen. [5]Ist ein solches Arbeitseinkommen noch nicht nachgewiesen oder ist ein Unterschiedsbetrag nach Absatz 3 zu errechnen, so kann die zuständige Behörde die Vorlage anderer oder weiterer Nachweise verlangen. [6]Die Frist nach Satz 1 verlängert sich in den Fällen des Absatzes 9 bei der Gewährung von Kurzarbeitergeld auf vier Jahre.

(12) Die zuständige Behörde hat auf Antrag dem Arbeitgeber einen Vorschuss in der voraussichtlichen Höhe des Erstattungsbetrages, den in Heimarbeit Beschäftigten und Selbständigen in der voraussichtlichen Höhe der Entschädigung zu gewähren.

§ 57[1)] Verhältnis zur Sozialversicherung und zur Arbeitsförderung.

(1) [1]Für Personen, denen eine Entschädigung nach § 56 Abs. 1 zu gewähren ist, besteht eine Versicherungspflicht in der gesetzlichen Rentenversicherung fort. [2]Bemessungsgrundlage für Beiträge sind

1. bei einer Entschädigung nach § 56 Abs. 2 Satz 2 das Arbeitsentgelt, das der Verdienstausfallentschädigung nach § 56 Abs. 3 vor Abzug von Steuern und Beitragsanteilen zur Sozialversicherung oder entsprechender Aufwendungen zur sozialen Sicherung zugrunde liegt,
2. bei einer Entschädigung nach § 56 Abs. 2 Satz 3 80 vom Hundert des dieser Entschädigung zugrunde liegenden Arbeitsentgelts oder Arbeitseinkommens.

[3]Das entschädigungspflichtige Land trägt die Beiträge zur gesetzlichen Rentenversicherung allein. [4]Zahlt der Arbeitgeber für die zuständige Behörde die Entschädigung aus, gelten die Sätze 2 und 3 entsprechend; die zuständige Behörde hat ihm auf Antrag die entrichteten Beiträge zu erstatten. [5]Die Erstattung umfasst auch Beiträge, die nach § 172 des Sechsten Buches Sozialgesetzbuch[2)] vom Arbeitgeber entrichtet wurden.

(2) [1]Für Personen, denen nach § 56 Absatz 1 Satz 2 eine Entschädigung zu gewähren ist, besteht eine Versicherungspflicht in der gesetzlichen Kranken-

[1)] § 57 Abs. 6 angef. mWv 30.3.2020 durch G v. 27.3.2020 (BGBl. I S. 587); Abs. 2 Satz 1 neu gef. mWv 19.11.2020 durch G v. 18.11.2020 (BGBl. I S. 2397); Abs. 1 Satz 5 angef., Abs. 2 Satz 2 geänd. mWv 24.11.2021 durch G v. 22.11.2021 (BGBl. I S. 4906).

[2)] **beck-online, Module Arbeitsrecht Nr. 696.**

versicherung, in der sozialen Pflegeversicherung und nach dem Dritten Buch Sozialgesetzbuch sowie eine Pflicht zur Leistung der aufgrund der Teilnahme an den Ausgleichsverfahren nach § 1 oder § 12 des Aufwendungsausgleichsgesetzes[1)] und nach § 358 des Dritten Buches Sozialgesetzbuch[2)] zu entrichtenden Umlagen fort. [2]Absatz 1 Satz 2 bis 4 gilt entsprechend; die Erstattung umfasst auch Beiträge, die nach § 249b des Fünften Buches Sozialgesetzbuch[3)] vom Arbeitgeber entrichtet wurden.

(3) [1]In der gesetzlichen Unfallversicherung wird, wenn es für den Berechtigten günstiger ist, der Berechnung des Jahresarbeitsverdienstes für Zeiten, in denen dem Verletzten im Jahr vor dem Arbeitsunfall eine Entschädigung nach § 56 Abs. 1 zu gewähren war, das Arbeitsentgelt oder Arbeitseinkommen zugrunde gelegt, das seinem durchschnittlichen Arbeitsentgelt oder Arbeitseinkommen in den mit Arbeitsentgelt oder Arbeitseinkommen belegten Zeiten dieses Zeitraums entspricht. [2]§ 82 Abs. 3 des Siebten Buches Sozialgesetzbuch[4)] gilt entsprechend. [3]Die durch die Anwendung des Satzes 1 entstehenden Mehraufwendungen werden den Versicherungsträgern von der zuständigen Behörde erstattet.

(4) In der Krankenversicherung werden die Leistungen nach dem Arbeitsentgelt berechnet, das vor Beginn des Anspruchs auf Entschädigung gezahlt worden ist.

(5) Zeiten, in denen nach Absatz 1 eine Versicherungspflicht nach dem Dritten Buch Sozialgesetzbuch fortbesteht, bleiben bei der Feststellung des Bemessungszeitraums für einen Anspruch auf Arbeitslosengeld nach dem Dritten Buch Sozialgesetzbuch außer Betracht.

(6) Wird eine Entschädigung nach § 56 Absatz 1a gewährt, gelten die Absätze 1, 2 und 5 entsprechend mit der Maßgabe, dass sich die Bemessungsgrundlage für die Beiträge nach Absatz 1 Satz 2 Nummer 2 bestimmt.

§ 58[5)] Aufwendungserstattung. [1]Entschädigungsberechtigte im Sinne des § 56 Absatz 1 und 1a, die der Pflichtversicherung in der gesetzlichen Kranken-, Renten- sowie der sozialen Pflegeversicherung nicht unterliegen, haben gegenüber dem nach § 66 Absatz 1 Satz 1 zur Zahlung verpflichteten Land einen Anspruch auf Erstattung ihrer Aufwendungen für soziale Sicherung in angemessenem Umfang. [2]In den Fällen, in denen sie Netto-Arbeitsentgelt und Arbeitseinkommen aus einer Tätigkeit beziehen, die als Ersatz der verbotenen Tätigkeit ausgeübt wird, mindert sich der Anspruch nach Satz 1 in dem Verhältnis dieses Einkommens zur ungekürzten Entschädigung.

---

1) Nr. **220**.
2) Nr. **700**.
3) **beck-online, Module Arbeitsrecht Nr. 695.**
4) **beck-online, Module Arbeitsrecht Nr. 697.**
5) § 58 Satz 1 geänd. mWv 30.3.2020 durch G v. 27.3.2020 (BGBl. I S. 587); Satz 1 geänd. mWv 19.11.2020 durch G v. 18.11.2020 (BGBl. I S. 2397).

13. Abschnitt.[1] Rechtsweg und Kosten

§ 68[2] **Rechtsweg.** (1) [1] Für Streitigkeiten über Ansprüche nach den §§ 56 bis 58 und 65 gegen das nach § 66 Absatz 1 zur Zahlung verpflichtete Land ist der Verwaltungsrechtsweg gegeben. [2] Der Verwaltungsrechtsweg ist auch gegeben, soweit andere Ansprüche wegen Entschädigung für Maßnahmen aufgrund dieses Gesetzes geltend gemacht werden. [3] Artikel 14 Absatz 3 Satz 4 und Artikel 34 Satz 3 des Grundgesetzes[3] bleiben unberührt.

(1a) Für Streitigkeiten über Ansprüche nach einer auf Grund des § 20i Absatz 3 Satz 2 Nummer 1 Buchstabe a, auch in Verbindung mit Nummer 2, des Fünften Buches Sozialgesetzbuch[4] sowie des § 5 Absatz 2 Satz 1 Nummer 4 Buchstabe c und f erlassenen Rechtsverordnung ist der Verwaltungsrechtsweg gegeben.

[Abs. 2 bis 31.12.2023:]

(2) [1] Für öffentlich-rechtliche Streitigkeiten in Angelegenheiten der §§ 60 bis 63 Abs. 1 ist der Rechtsweg vor den Sozialgerichten gegeben. [2] Soweit das Sozialgerichtsgesetz[5] besondere Vorschriften für die Kriegsopferversorgung enthält, gelten diese auch für Streitigkeiten nach Satz 1.

[Abs. 3 bis 31.12.2023:]

(3) [1] Absatz 2 gilt nicht, soweit Versorgung entsprechend den Vorschriften der Kriegsopferfürsorge nach den §§ 25 bis 27j des Bundesversorgungsgesetzes[6] gewährt wird. [2] Insoweit ist der Rechtsweg vor den Verwaltungsgerichten gegeben.

14. Abschnitt.[7] Straf- und Bußgeldvorschriften

§ 73[8] **Bußgeldvorschriften.** (1) *(aufgehoben)*

---

[1] Bish. 13. Abschnitt (§ 69) wird 13. Abschnitt (§§ 68, 69) und Überschrift neu gef. mWv 31.3.2021 durch G v. 29.3.2021 (BGBl. I S. 370).

[2] § 68 Abs. 2, 3 aufgeh. mWv 1.1.2024 durch G v. 12.12.2019 (BGBl. I S. 2652); Abs. 1 neu gef. mWv 19.11.2020 durch G v. 18.11.2020 (BGBl. I S. 2397); Abs. 1 neu gef., Abs. 1a eingef. mWv 31.3.2021 durch G v. 29.3.2021 (BGBl. I S. 370); Abs. 1 Sätze 2 und 3 angef. mWv 17.9.2022 durch G v. 16.9.2022 (BGBl. I S. 1454).

[3] **beck-online, Module Arbeitsrecht Nr. 10.**

[4] **beck-online, Module Arbeitsrecht Nr. 695.**

[5] Nr. **680**.

[6] **Aichberger, SGB Nr. 20/10.**

[7] 14. Abschnitt (§§ 70–72) aufgeh., bish. 15. Abschnitt wird 14. Abschnitt und Überschrift neu gef. mWv 23.5.2020 durch G v. 19.5.2020 (BGBl. I S. 1018).

[8] § 73 Abs. 1 Nr. 9 neu gef., Nr. 9a und 9b eingef., Nr. 10 geänd., Nr. 10a eingef., Nr. 24 und Abs. 2 geänd. mWv 4.8.2011 durch G v. 28.7.2011 (BGBl. I S. 1622); Abs. 1 Nr. 3–6 und Nr. 11 geänd. mWv 29.3.2013 durch G v. 21.3.2013 (BGBl. I S. 566); Abs. 1 Nr. 11a und 17a eingef., Abs. 2 geänd. mWv 25.7.2015 durch G v. 17.7.2015 (BGBl. I S. 1368); Abs. 1 eingef., bish. Abs. 1 wird Abs. 1a und Nr. 1 neu gef., Nr. 2 aufgeh., Nr. 13 geänd., Nr. 16a eingef., Nr. 17 und 19 geänd., Nr. 22a eingef., Nr. 24 und Abs. 2 geänd. mWv 25.7.2017 durch G v. 17.7.2017 (BGBl. I S. 2615); Abs. 1a Nr. 3 bis 5 neu gef., Nr. 19 geänd. mWv 1.1.2019 durch G v. 11.12.2018 (BGBl. I S. 2394); Abs. 1a Nr. 7a–7d eingef., Abs. 2 geänd. mWv 1.3.2020 durch G v. 10.2.2020 (BGBl. I S. 148); Abs. 1a Nr. 1 eingef., bish. Nr. 1 wird Nr. 2, Nr. 24 geänd. mWv 28.3.2020 durch G v. 27.3.2020 (BGBl. I S. 587); Abs. 1a Nr. 1, 6 und 24 geänd. mWv 23.5.2020 durch G v. 19.5.2020 (BGBl. I S. 1018); *Abs. 1a Nr. 1, 2* geänd., Nr. 8 aufgeh., Nr. 19 neu gef., Nr. 24 geänd. mWv 19.11.2020 durch G v. 18.11.2020 (BGBl. I S. 2397); Abs. 1 aufgeh., Abs. 1a Nr. 8 neu gef., Nr. 22b eingef., Nr. 24 geänd. mWv 31.3.2021 durch G v. 29.3.2021 (BGBl. I S. 370); Abs. 1a Nr. 11b–11m eingef., →

(1a) Ordnungswidrig handelt, wer vorsätzlich oder fahrlässig

1. einer vollziehbaren Anordnung nach § 5 Absatz 2 Satz 1 Nummer 6 Buchstabe b zuwiderhandelt,
2. entgegen § 6 oder § 7, jeweils auch in Verbindung mit § 14 Absatz 8 Satz 2, 3, 4 oder 5 oder einer Rechtsverordnung nach § 15 Absatz 1 oder 3, eine Meldung nicht, nicht richtig, nicht vollständig, nicht in der vorgeschriebenen Weise oder nicht rechtzeitig macht,

2a. entgegen § 13 Absatz 5 Satz 1, auch in Verbindung mit einer Rechtsverordnung nach Satz 3 Nummer 1, oder entgegen § 13 Absatz 7 Satz 1 in Verbindung mit einer Rechtsverordnung nach Satz 4 Nummer 1 bis 3 oder 4 eine dort genannte Angabe nicht, nicht richtig, nicht vollständig, nicht in der vorgeschriebenen Weise oder nicht rechtzeitig übermittelt,

3. entgegen § 15a Absatz 2 Satz 1, § 16 Absatz 2 Satz 3, auch in Verbindung mit § 25 Absatz 2 Satz 1 oder 2 zweiter Halbsatz oder einer Rechtsverordnung nach § 17 Absatz 4 Satz 1, oder entgegen § 29 Absatz 2 Satz 3, auch in Verbindung mit einer Rechtsverordnung nach § 32 Satz 1, eine Auskunft nicht, nicht richtig, nicht vollständig oder nicht rechtzeitig erteilt,
4. entgegen § 15a Absatz 2 Satz 1, § 16 Absatz 2 Satz 3, auch in Verbindung mit § 25 Absatz 2 Satz 1 oder 2 zweiter Halbsatz oder einer Rechtsverordnung nach § 17 Absatz 4 Satz 1, eine Unterlage nicht, nicht richtig, nicht vollständig oder nicht rechtzeitig vorlegt,
5. entgegen § 15a Absatz 3 Satz 2, § 16 Absatz 2 Satz 2, auch in Verbindung mit § 25 Absatz 2 Satz 1 oder einer Rechtsverordnung nach § 17 Absatz 4 Satz 1, oder entgegen § 51 Satz 2 ein Grundstück, einen Raum, eine Anlage, eine Einrichtung, ein Verkehrsmittel oder einen sonstigen Gegenstand nicht zugänglich macht,
6. einer vollziehbaren Anordnung nach § 17 Abs. 1, auch in Verbindung mit einer Rechtsverordnung nach Abs. 4 Satz 1, § 17 Abs. 3 Satz 1, § 25 Absatz 3 Satz 1 oder 2, auch in Verbindung mit § 29 Abs. 2 Satz 2, dieser auch in Verbindung mit einer Rechtsverordnung nach § 32 Satz 1, § 25 Absatz 4 Satz 2, § 28 Absatz 1 Satz 1 oder Satz 2, § 30 Absatz 1 Satz 2 oder § 31, jeweils auch in Verbindung mit einer Rechtsverordnung nach § 32 Satz 1, oder § 34 Abs. 8 oder 9 zuwiderhandelt,
7. entgegen § 18 Abs. 1 Satz 1 ein Mittel oder ein Verfahren anwendet,

7a. entgegen § 20 Absatz 9 Satz 2, Absatz 9a Satz 2, Absatz 10 Satz 2 oder Absatz 11 Satz 2 eine Benachrichtigung nicht, nicht richtig, nicht vollständig oder nicht rechtzeitig vornimmt,

---

(Fortsetzung der Anm. von voriger Seite)
Nr. 24 geänd. mWv 23.4.2021 durch G v. 22.4.2021 (BGBl. I S. 802); Abs. 1a Nr. 24 geänd. mWv 15.9.2021 durch G v. 10.9.2021 (BGBl. I S. 4147); Abs. 1a Nr. 11b–11e neu gef., Nr. 11f–11m aufgeh. mWv 24.11.2021 durch G v. 22.11.2021 (BGBl. I S. 4906); Abs. 1a Nr. 7a–7d neu gef., Nr. 7e–7h eingef., Nr. 24, Abs. 2 geänd. mWv 12.12.2021, Abs. 1a Nr. 7e–7h aufgeh., Abs. 2 geänd. mWv 1.1.2023 durch G v. 10.12.2021 (BGBl. I S. 5162); Abs. 1a Nr. 11b–11d aufgeh., bish. Nr. 11e wird Nr. 11b und geänd. mWv 20.3.2022 durch G v. 18.3.2022 (BGBl. I S. 466); Abs. 1a Nr. 2a, 16b eingef., Nr. 17 geänd., Nr. 18 neu gef., Nr. 24 geänd. mWv 17.9.2022, Abs. 1a Nr. 11b neu gef., Nr. 11c, 11d eingef., Nr. 24 geänd. mWv 24.9.2022 durch G v. 16.9.2022 (BGBl. I S. 1454); Abs. 1a Nr. 24 geänd. mWv 9.12.2022 durch G v. 4.12.2022 (BGBl. I S. 2150).

7b. einer vollziehbaren Anordnung nach § 20 Absatz 9 Satz 3 Nummer 3, auch in Verbindung mit Absatz 9a Satz 3, Absatz 10 Satz 3 oder Absatz 11 Satz 3, oder nach § 20 Absatz 12 Satz 4, auch in Verbindung mit Absatz 13, zuwiderhandelt,
7c. entgegen § 20 Absatz 9 Satz 6 oder Satz 7 eine Person betreut oder beschäftigt oder in einer dort genannten Einrichtung tätig wird,
7d. entgegen § 20 Absatz 12 Satz 1, auch in Verbindung mit Absatz 13, einen Nachweis nicht, nicht richtig, nicht vollständig oder nicht rechtzeitig vorlegt,
8. entgegen § 22 Absatz 1 eine Schutzimpfung nicht, nicht richtig, nicht vollständig oder nicht rechtzeitig dokumentiert,
9. entgegen § 23 Absatz 4 Satz 1 nicht sicherstellt, dass die dort genannten Infektionen und das Auftreten von Krankheitserregern aufgezeichnet oder die Präventionsmaßnahmen mitgeteilt oder umgesetzt werden,
9a. entgegen § 23 Absatz 4 Satz 2 nicht sicherstellt, dass die dort genannten Daten aufgezeichnet oder die Anpassungen mitgeteilt oder umgesetzt werden,
9b. entgegen § 23 Absatz 4 Satz 3 eine Aufzeichnung nicht oder nicht mindestens zehn Jahre aufbewahrt,
10. entgegen § 23 Absatz 4 Satz 4 Einsicht nicht gewährt,
10a. entgegen § 23 Absatz 5 Satz 1, auch in Verbindung mit einer Rechtsverordnung nach § 23 Absatz 5 Satz 2, nicht sicherstellt, dass die dort genannten Verfahrensweisen festgelegt sind,
11. entgegen § 25 Absatz 4 Satz 1 eine Untersuchung nicht gestattet,
11a. einer vollziehbaren Anordnung nach § 28 Absatz 2, auch in Verbindung mit einer Rechtsverordnung nach § 32 Satz 1, zuwiderhandelt,
11b. entgegen § 28b Absatz 1 Satz 1 Nummer 1 oder Nummer 2 eine dort genannte Maske nicht trägt,
11c. entgegen § 28b Absatz 1 Satz 1 Nummer 3 oder 5 eine Einrichtung betritt,
11d. entgegen § 28b Absatz 1 Satz 1 Nummer 4 Buchstabe a oder Buchstabe b Satzteil vor Satz 2 in einer Einrichtung oder einem Unternehmen tätig wird,
12. entgegen § 29 Abs. 2 Satz 3, auch in Verbindung mit einer Rechtsverordnung nach § 32 Satz 1, Zutritt nicht gestattet,
13. entgegen § 29 Abs. 2 Satz 3, auch in Verbindung mit Satz 4 oder einer Rechtsverordnung nach § 32 Satz 1, § 49 Absatz 1 Satz 1, § 50 Satz 1 oder 2 oder § 50a Absatz 1 Satz 1 eine Anzeige nicht, nicht richtig, nicht vollständig oder nicht rechtzeitig erstattet,
14. entgegen § 34 Abs. 1 Satz 1, auch in Verbindung mit Satz 2 oder Abs. 3, eine dort genannte Tätigkeit ausübt, einen Raum betritt, eine Einrichtung benutzt oder an einer Veranstaltung teilnimmt,
15. ohne Zustimmung nach § 34 Abs. 2 einen Raum betritt, eine Einrichtung benutzt oder an einer Veranstaltung teilnimmt,
16. entgegen § 34 Abs. 4 für die Einhaltung der dort genannten Verpflichtungen nicht sorgt,
16a. entgegen § 34 Absatz 5 Satz 1 oder § 43 Absatz 2 eine Mitteilung nicht, nicht richtig, nicht vollständig oder nicht rechtzeitig macht,

16b. entgegen § 34 Absatz 5a Satz 1 oder § 43 Absatz 4 Satz 1 eine Belehrung nicht, nicht richtig, nicht vollständig oder nicht rechtzeitig durchführt,

17. entgegen § 34 Abs. 6 Satz 1, auch in Verbindung mit Satz 2, entgegen § 35 Absatz 4 oder § 36 Absatz 3a das Gesundheitsamt nicht, nicht richtig, nicht vollständig oder nicht rechtzeitig benachrichtigt,

17a. entgegen § 34 Absatz 10a Satz 1 einen Nachweis nicht oder nicht rechtzeitig erbringt,

18. entgegen § 35 Absatz 1 Satz 7 die Einhaltung der dort genannten Anforderungen, Verfahrens- und Organisationsabläufe oder Maßnahmen nicht sicherstellt, entgegen § 35 Absatz 1 Satz 9 Festlegungen nicht erstellt oder entgegen § 35 Absatz 1 Satz 10 Dokumentationspflichten nicht nachkommt,

19. entgegen § 36 Absatz 5 Satz 1 oder Satz 3, Absatz 6 Satz 2 erster Halbsatz, Absatz 7 Satz 2 erster Halbsatz oder Absatz 10 Satz 2 eine ärztliche Untersuchung nicht duldet,

20. entgegen § 43 Abs. 1 Satz 1, auch in Verbindung mit einer Rechtsverordnung nach Abs. 7, eine Person beschäftigt,

21. entgegen § 43 Abs. 5 Satz 2 einen Nachweis oder eine Bescheinigung nicht oder nicht rechtzeitig vorlegt,

22. einer vollziehbaren Auflage nach § 47 Abs. 3 Satz 1 zuwiderhandelt,

22a. entgegen § 50a Absatz 2, auch in Verbindung mit einer Rechtsverordnung nach § 50a Absatz 4 Nummer 1, Polioviren oder dort genanntes Material nicht oder nicht rechtzeitig vernichtet,

22b entgegen § 50a Absatz 3 Satz 1, auch in Verbindung mit einer Rechtsverordnung nach § 50a Absatz 4 Nummer 2, Polioviren oder dort genanntes Material besitzt,

23. entgegen § 51 Satz 2 ein Buch oder eine sonstige Unterlage nicht oder nicht rechtzeitig vorlegt, Einsicht nicht gewährt oder eine Prüfung nicht duldet oder

24. einer Rechtsverordnung nach § 5 Absatz 2 Satz 1 Nummer 4 Buchstabe c bis f oder g oder Nummer 8 Buchstabe c, § 13 Absatz 3 Satz 8 oder Absatz 4 Satz 2, § 17 Absatz 4 Satz 1 oder Absatz 5 Satz 1, § 20 Abs. 6 Satz 1 oder Abs. 7 Satz 1, § 23 Absatz 8 Satz 1 oder Satz 2, § 28b Absatz 1 Satz 2, § 32 Satz 1, § 35 Absatz 3 Satz 1 oder Satz 2, § 36 Absatz 8 Satz 1 oder Satz 4, jeweils auch in Verbindung mit Satz 5, Absatz 10 Satz 1 Nummer 1 oder Nummer 1a, jeweils auch in Verbindung mit Satz 3, Nummer 2 oder Nummer 3, § 38 Absatz 1 Satz 1 Nummer 4 oder Absatz 2 Satz 1 Nummer 5 oder § 53 Absatz 1 Nummer 2 oder einer vollziehbaren Anordnung auf Grund einer solchen Rechtsverordnung zuwiderhandelt, soweit die Rechtsverordnung für einen bestimmten Tatbestand auf diese Bußgeldvorschrift verweist.

(2) Die Ordnungswidrigkeit kann in den Fällen des Absatzes 1a Nummer 7a bis 7d, 8, 9b, 11a, 17a und 21 mit einer Geldbuße bis zu zweitausendfünfhundert Euro, in den übrigen Fällen mit einer Geldbuße bis zu fünfundzwanzigtausend Euro geahndet werden.

VI.
Tarif- und Schlichtungsrecht

A. Tarifrecht

504. Tarifvertragsgesetz (TVG)[1)]

In der Fassung der Bekanntmachung vom 25. August 1969[2)]
(BGBl. I S. 1323)

FNA 802-1

zuletzt geänd. durch Art. 7 TariftreueG v. 27.4.2026 (BGBl. 2026 I Nr. 119)

§ 1 Inhalt und Form des Tarifvertrages. (1) Der Tarifvertrag regelt die Rechte und Pflichten der Tarifvertragsparteien und enthält Rechtsnormen, die den Inhalt, den Abschluß und die Beendigung von Arbeitsverhältnissen sowie betriebliche und betriebsverfassungsrechtliche Fragen ordnen können.

(2) Tarifverträge bedürfen der Schriftform.

§ 2 Tarifvertragsparteien. (1) Tarifvertragsparteien sind Gewerkschaften, einzelne Arbeitgeber sowie Vereinigungen von Arbeitgebern.

(2) Zusammenschlüsse von Gewerkschaften und von Vereinigungen von Arbeitgebern (Spitzenorganisationen) können im Namen der ihnen angeschlossenen Verbände Tarifverträge abschließen, wenn sie eine entsprechende Vollmacht haben.

(3) Spitzenorganisationen können selbst Parteien eines Tarifvertrages sein, wenn der Abschluß von Tarifverträgen zu ihren satzungsgemäßen Aufgaben gehört.

(4) In den Fällen der Absätze 2 und 3 haften sowohl die Spitzenorganisationen wie die ihnen angeschlossenen Verbände für die Erfüllung der gegenseitigen Verpflichtungen der Tarifvertragsparteien.

§ 3 Tarifgebundenheit. (1) Tarifgebunden sind die Mitglieder der Tarifvertragsparteien und der Arbeitgeber, der selbst Partei des Tarifvertrages ist.

(2) Rechtsnormen des Tarifvertrages über betriebliche und betriebsverfassungsrechtliche Fragen gelten für alle Betriebe, deren Arbeitgeber tarifgebunden ist.

(3) Die Tarifgebundenheit bleibt bestehen, bis der Tarifvertrag endet.

---

1) Für das Gebiet der ehem. DDR gilt das TVG mit folgender Maßgabe:

Bis zum Abschluss eines neuen Tarifvertrages ist der geltende Rahmenkollektivvertrag oder Tarifvertrag mit allen Nachträgen und Zusatzvereinbarungen weiter anzuwenden, soweit eine Registrierung entsprechend dem Arbeitsgesetzbuch erfolgt ist. Der Rahmenkollektivvertrag oder Tarifvertrag tritt ganz oder teilweise außer Kraft, wenn für denselben Geltungsbereich oder Teile desselben ein neuer Tarifvertrag in Kraft tritt. Bestimmungen bisheriger Rahmenkollektivverträge oder Tarifverträge, die im neuen Tarifvertrag nicht aufgehoben oder ersetzt sind, gelten weiter.

Rationalisierungsschutzabkommen, die vor dem 1. Juli 1990 abgeschlossen und registriert worden sind, treten ohne Nachwirkung am 31. Dezember 1990 außer Kraft; soweit Arbeitnehmer bis zum 31. Dezember 1990 die Voraussetzungen der Rationalisierungsschutzabkommen erfüllt haben, bleiben deren Ansprüche und Rechte vorbehaltlich neuer tarifvertraglicher Regelungen unberührt. Die Regelungen des Artikels 20 des Vertrages und der dazu ergangenen Anlagen bleiben unberührt.

Vgl. Einigungsvertrag (auszugsweise abgedruckt unter Nr. **10a**).

2) Neubekanntmachung des TVG idF v. 9.4.1949 (WiGBl. S. 55) in der ab 1.9.1969 geltenden Fassung.

§ 4 Wirkung der Rechtsnormen. (1) [1]Die Rechtsnormen des Tarifvertrages, die den Inhalt, den Abschluß oder die Beendigung von Arbeitsverhältnissen ordnen, gelten unmittelbar und zwingend zwischen den beiderseits Tarifgebundenen, die unter den Geltungsbereich des Tarifvertrages fallen. [2]Diese Vorschrift gilt entsprechend für Rechtsnormen des Tarifvertrages über betriebliche und betriebsverfassungsrechtliche Fragen.

(2) Sind im Tarifvertrag gemeinsame Einrichtungen der Tarifvertragsparteien vorgesehen und geregelt (Lohnausgleichskassen, Urlaubskassen usw.), so gelten diese Regelungen auch unmittelbar und zwingend für die Satzung dieser Einrichtung und das Verhältnis der Einrichtung zu den tarifgebundenen Arbeitgebern und Arbeitnehmern.

(3) Abweichende Abmachungen sind nur zulässig, soweit sie durch den Tarifvertrag gestattet sind oder eine Änderung der Regelungen zugunsten des Arbeitnehmers enthalten.

(4) [1]Ein Verzicht auf entstandene tarifliche Rechte ist nur in einem von den Tarifvertragsparteien gebilligten Vergleich zulässig. [2]Die Verwirkung von tariflichen Rechten ist ausgeschlossen. [3]Ausschlußfristen für die Geltendmachung tariflicher Rechte können nur im Tarifvertrag vereinbart werden.

(5) Nach Ablauf des Tarifvertrages gelten seine Rechtsnormen weiter, bis sie durch eine andere Abmachung ersetzt werden.

§ 4a[1)] Tarifkollision. (1) Zur Sicherung der Schutzfunktion, Verteilungsfunktion, Befriedungsfunktion sowie Ordnungsfunktion von Rechtsnormen des Tarifvertrags werden Tarifkollisionen im Betrieb vermieden.

(2) [1]Der Arbeitgeber kann nach § 3 an mehrere Tarifverträge unterschiedlicher Gewerkschaften gebunden sein. [2]Soweit sich die Geltungsbereiche nicht inhaltsgleicher Tarifverträge verschiedener Gewerkschaften überschneiden (kollidierende Tarifverträge), sind im Betrieb nur die Rechtsnormen des Tarifvertrags derjenigen Gewerkschaft anwendbar, die zum Zeitpunkt des Abschlusses des zuletzt abgeschlossenen kollidierenden Tarifvertrags im Betrieb die meisten in einem Arbeitsverhältnis stehenden Mitglieder hat (Mehrheitstarifvertrag); wurden beim Zustandekommen des Mehrheitstarifvertrags die Interessen von Arbeitnehmergruppen, die auch von dem nach dem ersten Halbsatz nicht anzuwendenden Tarifvertrag erfasst werden, nicht ernsthaft und wirksam berücksichtigt, sind auch die Rechtsnormen dieses Tarifvertrags anwendbar. [3]Kollidieren die Tarifverträge erst zu einem späteren Zeitpunkt, ist dieser für die Mehrheitsfeststellung maßgeblich. [4]Als Betriebe gelten auch ein Betrieb nach § 1 Absatz 1 Satz 2 des Betriebsverfassungsgesetzes[2)] und ein durch Tarifvertrag nach § 3 Absatz 1 Nummer 1 bis 3 des Betriebsverfassungsgesetzes errichteter Betrieb, es sei denn, dies steht den Zielen des Absatzes 1 offensichtlich entgegen. [5]Dies ist insbesondere der Fall, wenn die Betriebe von Tarifvertragsparteien unterschiedlichen Wirtschaftszweigen oder deren Wertschöpfungsketten zugeordnet worden sind.

(3) Für Rechtsnormen eines Tarifvertrags über eine betriebsverfassungsrechtliche Frage nach § 3 Absatz 1 und § 117 Absatz 2 des Betriebsverfassungs-

---

[1)] § 4a eingef. mWv 10.7.2015 durch G v. 3.7.2015 (BGBl. I S. 1130); Abs. 2 Satz 2 geänd. mWv 1.1.2019 durch G v. 18.12.2018 (BGBl. I S. 2651).

[2)] Nr. **570**.

gesetzes gilt Absatz 2 Satz 2 nur, wenn diese betriebsverfassungsrechtliche Frage bereits durch Tarifvertrag einer anderen Gewerkschaft geregelt ist.

(4) [1] Eine Gewerkschaft kann vom Arbeitgeber oder von der Vereinigung der Arbeitgeber die Nachzeichnung der Rechtsnormen eines mit ihrem Tarifvertrag kollidierenden Tarifvertrags verlangen. [2] Der Anspruch auf Nachzeichnung beinhaltet den Abschluss eines die Rechtsnormen des kollidierenden Tarifvertrags enthaltenden Tarifvertrags, soweit sich die Geltungsbereiche und Rechtsnormen der Tarifverträge überschneiden. [3] Die Rechtsnormen eines nach Satz 1 nachgezeichneten Tarifvertrags gelten unmittelbar und zwingend, soweit der Tarifvertrag der nachzeichnenden Gewerkschaft nach Absatz 2 Satz 2 nicht zur Anwendung kommt.

(5) [1] Nimmt ein Arbeitgeber oder eine Vereinigung von Arbeitgebern mit einer Gewerkschaft Verhandlungen über den Abschluss eines Tarifvertrags auf, ist der Arbeitgeber oder die Vereinigung von Arbeitgebern verpflichtet, dies rechtzeitig und in geeigneter Weise bekanntzugeben. [2] Eine andere Gewerkschaft, zu deren satzungsgemäßen Aufgaben der Abschluss eines Tarifvertrags nach Satz 1 gehört, ist berechtigt, dem Arbeitgeber oder der Vereinigung von Arbeitgebern ihre Vorstellungen und Forderungen mündlich vorzutragen.

§ 5[1) 2)] Allgemeinverbindlichkeit. (1) [1] Das Bundesministerium für Arbeit und Soziales kann einen Tarifvertrag im Einvernehmen mit einem aus je drei Vertretern der Spitzenorganisationen der Arbeitgeber und der Arbeitnehmer bestehenden Ausschuss (Tarifausschuss) auf gemeinsamen Antrag der Tarifvertragsparteien für allgemeinverbindlich erklären, wenn die Allgemeinverbindlicherklärung im öffentlichen Interesse geboten erscheint. [2] Die Allgemeinverbindlicherklärung erscheint in der Regel im öffentlichen Interesse geboten, wenn

1. der Tarifvertrag in seinem Geltungsbereich für die Gestaltung der Arbeitsbedingungen überwiegende Bedeutung erlangt hat oder
2. die Absicherung der Wirksamkeit der tarifvertraglichen Normsetzung gegen die Folgen wirtschaftlicher Fehlentwicklung eine Allgemeinverbindlicherklärung verlangt.

(1a) [1] Das Bundesministerium für Arbeit und Soziales kann einen Tarifvertrag über eine gemeinsame Einrichtung zur Sicherung ihrer Funktionsfähigkeit im Einvernehmen mit dem Tarifausschuss auf gemeinsamen Antrag der Tarifvertragsparteien für allgemeinverbindlich erklären, wenn der Tarifvertrag die Einziehung von Beiträgen und die Gewährung von Leistungen durch eine gemeinsame Einrichtung mit folgenden Gegenständen regelt:

1. den Erholungsurlaub, ein Urlaubsgeld oder ein zusätzliches Urlaubsgeld,
2. eine betriebliche Altersversorgung im Sinne des Betriebsrentengesetzes,

---

[1)] § 5 Abs. 1 Satz 1, Abs. 3, Abs. 5 Satz 1, Abs. 6 geänd. mWv 28.11.2003 durch VO v. 25.11.2003 (BGBl. I S. 2304); Abs. 1 Satz 1, Abs. 3, Abs. 5 Satz 1 und Abs. 6 geänd. mWv 8.11.2006 durch VO v. 31.10.2006 (BGBl. I S. 2407); Abs. 1 neu gef., Abs. 1a eingef., Abs. 4 Satz 2 und Abs. 7 Satz 2 angef. mWv 16.8.2014 durch G v. 11.8.2014 (BGBl. I S. 1348); Abs. 2 Satz 2 angef. mWv 29.5.2020 durch G v. 20.5.2020 (BGBl. I S. 1055).

[2)] § 5 Abs. 1–5 und 7 idF d. Bek. 25.8.1969 ist mit dem GG vereinbar, soweit er sich auf Rechtsnormen bezieht, die den Inhalt von Arbeitsverhältnissen ordnen (BVerfGE v. 24.5.1977, BGBl. I S. 1547).

3. die Vergütung der Auszubildenden oder die Ausbildung in überbetrieblichen Bildungsstätten,
4. eine zusätzliche betriebliche oder überbetriebliche Vermögensbildung der Arbeitnehmer,
5. Lohnausgleich bei Arbeitszeitausfall, Arbeitszeitverkürzung oder Arbeitszeitverlängerung.

[2] Der Tarifvertrag kann alle mit dem Beitragseinzug und der Leistungsgewährung in Zusammenhang stehenden Rechte und Pflichten einschließlich der dem Verfahren zugrunde liegenden Ansprüche der Arbeitnehmer und Pflichten der Arbeitgeber regeln. [3] § 7 Absatz 2 des Arbeitnehmer-Entsendegesetzes[1)] findet entsprechende Anwendung.

(2) [1] Vor der Entscheidung über den Antrag ist Arbeitgebern und Arbeitnehmern, die von der Allgemeinverbindlicherklärung betroffen werden würden, den am Ausgang des Verfahrens interessierten Gewerkschaften und Vereinigungen der Arbeitgeber sowie den obersten Arbeitsbehörden der Länder, auf deren Bereich sich der Tarifvertrag erstreckt, Gelegenheit zur schriftlichen Stellungnahme sowie zur Äußerung in einer mündlichen und öffentlichen Verhandlung zu geben. [2] In begründeten Fällen kann das Bundesministerium für Arbeit und Soziales eine Teilnahme an der Verhandlung mittels Video- oder Telefonkonferenz vorsehen.

(3) Erhebt die oberste Arbeitsbehörde eines beteiligten Landes Einspruch gegen die beantragte Allgemeinverbindlicherklärung, so kann das Bundesministerium für Arbeit und Soziales dem Antrag nur mit Zustimmung der Bundesregierung stattgeben.

(4) [1] Mit der Allgemeinverbindlicherklärung erfassen die Rechtsnormen des Tarifvertrages in seinem Geltungsbereich auch die bisher nicht tarifgebundenen Arbeitgeber und Arbeitnehmer. [2] Ein nach Absatz 1a für allgemeinverbindlich erklärter Tarifvertrag ist vom Arbeitgeber auch dann einzuhalten, wenn er nach § 3 an einen anderen Tarifvertrag gebunden ist.

(5) [1] Das Bundesministerium für Arbeit und Soziales kann die Allgemeinverbindlicherklärung eines Tarifvertrages im Einvernehmen mit dem in Absatz 1 genannten Ausschuß aufheben, wenn die Aufhebung im öffentlichen Interesse geboten erscheint. [2] Die Absätze 2 und 3 gelten entsprechend. [3] Im übrigen endet die Allgemeinverbindlichkeit eines Tarifvertrages mit dessen Ablauf.

(6) Das Bundesministerium für Arbeit und Soziales kann der obersten Arbeitsbehörde eines Landes für einzelne Fälle das Recht zur Allgemeinverbindlicherklärung sowie zur Aufhebung der Allgemeinverbindlichkeit übertragen.

(7) [1] Die Allgemeinverbindlicherklärung und die Aufhebung der Allgemeinverbindlichkeit bedürfen der öffentlichen Bekanntmachung. [2] Die Bekanntmachung umfasst auch die von der Allgemeinverbindlicherklärung erfassten Rechtsnormen des Tarifvertrages.

§ 6[2)] Tarifregister. Bei dem Bundesministerium für Arbeit und Soziales wird ein Tarifregister geführt, in das der Abschluss, die Änderung und die Aufhebung der Tarifverträge, der Beginn und die Beendigung der Allgemeinver-

---

[1)] Nr. **506**.
[2)] § 6 neu gef. mWv 1.5.2026 durch G v. 27.4.2026 (BGBl. 2026 I Nr. 119).

bindlichkeit sowie der Beginn und die Beendigung der verbindlichen Erstreckung von tariflichen Arbeitsbedingungen in einer Rechtsverordnung eingetragen werden.

§ 7[1)] Übersendungs- und Mitteilungspflicht. (1) [1] Die Tarifvertragsparteien sind verpflichtet, dem Bundesministerium für Arbeit und Soziales innerhalb eines Monats nach Abschluß kostenfrei die Urschrift oder eine beglaubigte Abschrift sowie zwei weitere Abschriften eines jeden Tarifvertrages und seiner Änderungen zu übersenden; sie haben ihm das Außerkrafttreten eines jeden Tarifvertrages innerhalb eines Monats mitzuteilen. [2] Sie sind ferner verpflichtet, den obersten Arbeitsbehörden der Länder, auf deren Bereich sich der Tarifvertrag erstreckt, innerhalb eines Monats nach Abschluß kostenfrei je drei Abschriften des Tarifvertrages und seiner Änderungen zu übersenden und auch das Außerkrafttreten des Tarifvertrages innerhalb eines Monats mitzuteilen. [3] Erfüllt eine Tarifvertragspartei die Verpflichtungen, so werden die übrigen Tarifvertragsparteien davon befreit.

(2) [1] Ordnungswidrig handelt, wer vorsätzlich oder fahrlässig entgegen Absatz 1 einer Übersendungs- oder Mitteilungspflicht nicht, unrichtig, nicht vollständig oder nicht rechtzeitig genügt. [2] Die Ordnungswidrigkeit kann mit einer Geldbuße geahndet werden.

(3) Verwaltungsbehörde im Sinne des § 36 Abs. 1 Nr. 1 des Gesetzes über Ordnungswidrigkeiten[2)] ist die Behörde, der gegenüber die Pflicht nach Absatz 1 zu erfüllen ist.

§ 8[3)] Bekanntgabe des Tarifvertrags. Der Arbeitgeber ist verpflichtet, die im Betrieb anwendbaren Tarifverträge sowie rechtskräftige Beschlüsse nach § 99 des Arbeitsgerichtsgesetzes[4)] über den nach § 4a Absatz 2 Satz 2 anwendbaren Tarifvertrag im Betrieb bekanntzumachen.

§ 9 Feststellung der Rechtswirksamkeit. Rechtskräftige Entscheidungen der Gerichte für Arbeitssachen, die in Rechtsstreitigkeiten zwischen Tarifvertragsparteien aus dem Tarifvertrag oder über das Bestehen oder Nichtbestehen des Tarifvertrages ergangen sind, sind in Rechtsstreitigkeiten zwischen tarifgebundenen Parteien sowie zwischen diesen und Dritten für die Gerichte und Schiedsgerichte bindend.

§ 10[5)] Tarifvertrag und Tarifordnungen. (1) Mit dem Inkrafttreten eines Tarifvertrages treten Tarifordnungen, die für den Geltungsbereich des Tarifvertrages oder Teile desselben erlassen worden sind, außer Kraft, mit Ausnahme solcher Bestimmungen, die durch den Tarifvertrag nicht geregelt worden sind.

(2) Das Bundesministerium für Arbeit und Soziales kann Tarifordnungen aufheben; die Aufhebung bedarf der öffentlichen Bekanntmachung.

[1)] § 7 Abs. 1 Satz 1 erster Halbsatz geänd. mWv 28.11.2003 durch VO v. 25.11.2003 (BGBl. I S. 2304); Abs. 1 Satz 1 erster Halbs. geänd. mWv 8.11.2006 durch VO v. 31.10.2006 (BGBl. I S. 2407).

[2)] **Habersack Nr. 94.**

[3)] § 8 neu gef. mWv 10.7.2015 durch G v. 3.7.2015 (BGBl. I S. 1130).

[4)] Nr. **660.**

[5)] § 10 Abs. 2 geänd. mWv 28.11.2003 durch VO v. 25.11.2003 (BGBl. I S. 2304); Abs. 2 geänd. mWv 8.11.2006 durch VO v. 31.10.2006 (BGBl. I S. 2407); Abs. 1, 2 erster Halbs. geänd. mWv 15.12.2010 durch G v. 8.12.2010 (BGBl. I S. 1864).

§ 11[1)] **Durchführungsbestimmungen.** Das Bundesministerium für Arbeit und Soziales kann unter Mitwirkung der Spitzenorganisationen der Arbeitgeber und der Arbeitnehmer die zur Durchführung des Gesetzes erforderlichen Verordnungen[2)] erlassen, insbesondere über

1. die Errichtung und die Führung des Tarifregisters und des Tarifarchivs;
2. das Verfahren bei der Allgemeinverbindlicherklärung von Tarifverträgen und der Aufhebung von Tarifordnungen und Anordnungen, die öffentlichen Bekanntmachungen bei der Antragsstellung, der Erklärung und Beendigung der Allgemeinverbindlichkeit und der Aufhebung von Tarifordnungen und Anordnungen sowie die hierdurch entstehenden Kosten;
3. den in § 5 genannten Ausschuß.

§ 12 Spitzenorganisationen. [1] Spitzenorganisationen im Sinne dieses Gesetzes sind – unbeschadet der Regelung in § 2 – diejenigen Zusammenschlüsse von Gewerkschaften oder von Arbeitgebervereinigungen, die für die Vertretung der Arbeitnehmer- oder der Arbeitgeberinteressen im Arbeitsleben des Bundesgebietes wesentliche Bedeutung haben. [2] Ihnen stehen gleich Gewerkschaften und Arbeitgebervereinigungen, die keinem solchen Zusammenschluß angehören, wenn sie die Voraussetzungen des letzten Halbsatzes in Satz 1 erfüllen.

§ 12a Arbeitnehmerähnliche Personen. (1) Die Vorschriften dieses Gesetzes gelten entsprechend

1. für Personen, die wirtschaftlich abhängig und vergleichbar einem Arbeitnehmer sozial schutzbedürftig sind (arbeitnehmerähnliche Personen), wenn sie auf Grund von Dienst- oder Werkverträgen für andere Personen tätig sind, die geschuldeten Leistungen persönlich und im wesentlichen ohne Mitarbeit von Arbeitnehmern erbringen und
   a) überwiegend für eine Person tätig sind oder
   b) ihnen von einer Person im Durchschnitt mehr als die Hälfte des Entgelts zusteht, das ihnen für ihre Erwerbstätigkeit insgesamt zusteht; ist dies nicht voraussehbar, so sind für die Berechnung, soweit im Tarifvertrag nichts anderes vereinbart ist, jeweils die letzten sechs Monate, bei kürzerer Dauer der Tätigkeit dieser Zeitraum, maßgebend,
2. für die in Nummer 1 genannten Personen, für die die arbeitnehmerähnlichen Personen tätig sind, sowie für die zwischen ihnen und den arbeitnehmerähnlichen Personen durch Dienst- oder Werkverträge begründeten Rechtsverhältnisse.

(2) Mehrere Personen, für die arbeitnehmerähnliche Personen tätig sind, gelten als eine Person, wenn diese mehreren Personen nach der Art eines Konzerns (§ 18 des Aktiengesetzes[3)]) zusammengefaßt sind oder zu einer

---

[1)] § 11 geänd. mWv 28.11.2003 durch VO v. 25.11.2003 (BGBl. I S. 2304); geänd. mWv 8.11.2006 durch VO v. 31.10.2006 (BGBl. I S. 2407).

[2)] Siehe hierzu die VO zur Durchführung des TVG (Nr. **504a**).

[3)] Nr. **567**.

zwischen ihnen bestehenden Organisationsgemeinschaft oder nicht nur vorübergehenden Arbeitsgemeinschaft gehören.

(3) Die Absätze 1 und 2 finden auf Personen, die künstlerische, schriftstellerische oder journalistische Leistungen erbringen, sowie auf Personen, die an der Erbringung, insbesondere der technischen Gestaltung solcher Leistungen unmittelbar mitwirken, auch dann Anwendung, wenn ihnen abweichend von Absatz 1 Nr. 1 Buchstabe b erster Halbsatz von einer Person im Durchschnitt mindestens ein Drittel des Entgelts zusteht, das ihnen für ihre Erwerbstätigkeit insgesamt zusteht.

(4) Die Vorschrift findet keine Anwendung auf Handelsvertreter im Sinne des § 84 des Handelsgesetzbuchs[1].

§ 12b[2] *(aufgehoben)*

§ 13[3] **Inkrafttreten.** (1) Dieses Gesetz tritt mit seiner Verkündung in Kraft.[4]

(2) Tarifverträge, die vor dem Inkrafttreten dieses Gesetzes abgeschlossen sind, unterliegen diesem Gesetz.

(3) § 4a ist nicht auf Tarifverträge anzuwenden, die am 10. Juli 2015 gelten.

---

[1] Nr. **105**.

[2] § 12b aufgeh. mWv 16.8.2014 durch G v. 11.8.2014 (BGBl. I S. 1348).

[3] § 13 Abs. 3 angef. mWv 10.7.2015 durch G v. 3.7.2015 (BGBl. I S. 1130).

[4] **Amtl. Anm.:** Die Vorschrift betrifft das Inkrafttreten des Gesetzes in der Fassung vom 9. April 1949 (Gesetzblatt der Verwaltung des Vereinigten Wirtschaftsgebietes S. 55). Der Zeitpunkt des Inkrafttretens der späteren Änderungen und Ergänzungen ergibt sich aus den in der vorangestellten Bekanntmachung bezeichneten Vorschriften.

504a. Verordnung zur Durchführung des Tarifvertragsgesetzes[1)]

In der Fassung der Bekanntmachung vom 16. Januar 1989[2)]
(BGBl. I S. 76)

FNA 802-1-3

zuletzt geänd. durch Art. 1 Dritte ÄndVO v. 25.6.2021 (BGBl. I S. 2146)

Erster Abschnitt. Tarifausschuß

§ 1[3)] [Besetzung] [1] Das Bundesministerium für Arbeit und Soziales errichtet den in § 5 des Tarifvertragsgesetzes[4)] vorgesehenen Ausschuß (Tarifausschuß). [2] Es bestellt für die Dauer von vier Jahren je drei Vertreter der Spitzenorganisationen der Arbeitgeber und der Arbeitnehmer als Mitglieder sowie mindestens je drei weitere als stellvertretende Mitglieder auf Grund von Vorschlägen dieser Organisationen.

§ 2[5)] [Leitung, Öffentlichkeit und Beschlussfähigkeit] (1) [1] Die Verhandlungen und Beratungen des Tarifausschusses leitet ein Beauftragter des Bundesministeriums für Arbeit und Soziales. [2] Die Verhandlungen sind öffentlich, die Beratungen nicht öffentlich.

(2) [1] Der Tarifausschuß ist beschlußfähig, wenn alle Mitglieder anwesend sind. [2] Wer an den Verhandlungen oder Beratungen mittels Video- oder Telefonkonferenz teilnimmt, gilt als anwesend.

§ 3[6)] [Wirksamkeit der Beschlüsse, Form] (1) [1] Die Beschlüsse des Tarifausschusses bedürfen der Stimmen der Mehrheit seiner Mitglieder. [2] Der Beauftragte des Bundesministeriums für Arbeit und Soziales hat kein Stimmrecht.

(2) [1] Die Beschlüsse des Tarifausschusses sind schriftlich niederzulegen und von den Mitgliedern, die bei dem Beschluß mitgewirkt haben, zu unterschreiben. [2] Ist ein Mitglied verhindert, seine Unterschrift beizufügen, so ist dies von dem lebensältesten Mitglied der Seite, der das verhinderte Mitglied angehört, unter dem Beschluß zu vermerken.

(3) [1] Nimmt ein Mitglied mittels Video- oder Telefonkonferenz an der Beratung des Tarifausschusses teil, so übermittelt das Bundesministerium für Arbeit und Soziales ihm den Beschluss auf elektronischem Wege in Textform im Rahmen der Beratung des Tarifausschusses. [2] Das Mitglied bestätigt die

---

1) Diese VO wurde erlassen auf Grund von § 11 des Tarifvertragsgesetzes (Nr. **504**).

2) Neubekanntmachung der TVGDV v. 20.2.1970 (BGBl. I S. 193) in der seit 23.12.1988 geltenden Fassung.

3) § 1 Satz 1 und 2 geänd. mWv 28.11.2003 durch VO v. 25.11.2003 (BGBl. I S. 2304); Satz 1 geänd. mWv 8.11.2006 durch VO v. 31.10.2006 (BGBl. I S. 2407); Satz 1 geänd. mWv 1.7.2021 durch VO v. 25.6.2021 (BGBl. I S. 2146) .

4) Nr. **504**.

5) § 2 Abs. 1 Satz 1 geänd. mWv 28.11.2003 durch VO v. 25.11.2003 (BGBl. I S. 2304); Abs. 1 Satz 1 geänd. mWv 8.11.2006 durch VO v. 31.10.2006 (BGBl. I S. 2407); Abs. 2 Satz 2 angef. mWv 1.7.2021 durch VO v. 25.6.2021 (BGBl. I S. 2146).

6) § 3 Abs. 1 Satz 2 geänd. mWv 28.11.2003 durch VO v. 25.11.2003 (BGBl. I S. 2304); Abs. 1 Satz 2 geänd. mWv 8.11.2006 durch VO v. 31.10.2006 (BGBl. I S. 2407); Abs. 3 angef. mWv 1.7.2021 durch VO v. 25.6.2021 (BGBl. I S. 2146).

Beschlussfassung abweichend von Absatz 2 Satz 1 auf elektronischem Wege in Textform vor Abschluss der Beratung.

Zweiter Abschnitt. Allgemeinverbindlicherklärung und Aufhebung der Allgemeinverbindlichkeit

§ 4[1)] [Antrag; Bekanntmachung] (1) [1]Das Bundesministerium für Arbeit und Soziales macht einen Antrag auf Allgemeinverbindlicherklärung eines Tarifvertrages im Bundesanzeiger bekannt und weist in der Bekanntmachung darauf hin, daß die Allgemeinverbindlicherklärung mit Rückwirkung ergehen kann. [2]Es bestimmt dabei eine Frist, während der zu dem Antrag schriftlich Stellung genommen werden kann. [3]Die Frist soll mindestens drei Wochen vom Tage der Bekanntmachung an gerechnet betragen. [4]Das Bundesministerium für Arbeit und Soziales teilt den Tarifvertragsparteien und den obersten Arbeitsbehörden der Länder, auf deren Bereich sich der Tarifvertrag erstreckt, den Wortlaut der Bekanntmachung mit.

(2) Abweichend von den Vorschriften des Absatzes 1 kann das Bundesministerium für Arbeit und Soziales einen Antrag auf Allgemeinverbindlicherklärung abweisen, wenn die Voraussetzungen des § 5 Absatz 1 des Tarifvertragsgesetzes[2)] offensichtlich nicht vorliegen.

§ 5 [Anspruch auf Abschrift des Tarifvertrags] [1]Ist ein Antrag auf Allgemeinverbindlicherklärung bekanntgemacht worden, so können Arbeitgeber und Arbeitnehmer, die von der Allgemeinverbindlicherklärung betroffen werden würden, von einer der Tarifvertragsparteien eine Abschrift des Tarifvertrages gegen Erstattung der Selbstkosten verlangen. [2]Ist die Allgemeinverbindlicherklärung eines Änderungstarifvertrages beantragt worden, so ist auch eine Abschrift des geänderten Tarifvertrages zu übersenden. [3]Selbstkosten sind die Papier- und Vervielfältigungs- oder Druckkosten sowie das Übersendungsporto.

§ 6[3)] [Einberufung des Tarifausschusses] (1) [1]Das Bundesministerium für Arbeit und Soziales beruft den Tarifausschuß zu einer Verhandlung über den Antrag auf Allgemeinverbindlicherklärung ein und macht den Zeitpunkt der Verhandlung im Bundesanzeiger bekannt. [2]Der Zeitpunkt der Verhandlung muß nach Ablauf der Frist zur Stellungnahme (§ 4 Absatz 1 Satz 2) liegen.

(2) Das Bundesministerium für Arbeit und Soziales gibt den Mitgliedern des Tarifausschusses von den Stellungnahmen Kenntnis.

(3) [1]Den in § 5 Absatz 2 des Tarifvertragsgesetzes[2)] Genannten ist in der Verhandlung Gelegenheit zur Äußerung zu geben; der Tarifausschuß kann Äußerungen anderer zulassen. [2]Die Äußerung in der Verhandlung setzt eine vorherige schriftliche Stellungnahme nicht voraus.

---

1) § 4 Abs. 1 Satz 1, 2, 4 und Abs. 2 geänd. mWv 28.11.2003 durch VO v. 25.11.2003 (BGBl. I S. 2304); Abs. 1 Satz 1 und 4, Abs. 2 geänd. mWv 8.11.2006 durch VO v. 31.10.2006 (BGBl. I S. 2407); Abs. 2 geänd. mWv 1.7.2021 durch VO v. 25.6.2021 (BGBl. I S. 2146).

2) Nr. **504**.

3) § 6 Abs. 1 Satz 1 und Abs. 2 geänd. mWv 28.11.2003 durch VO v. 25.11.2003 (BGBl. I S. 2304); Abs. 1 Satz 1, Abs. 2 geänd. mWv 8.11.2006 durch VO v. 31.10.2006 (BGBl. I S. 2407); Abs. 1 Satz 2 und Abs. 3 Satz 1 geänd. mWv 1.7.2021 durch VO v. 25.6.2021 (BGBl. I S. 2146).

§ 6a[1] **[Video- oder Telefonkonferenz]** (1) [1]Das Bundesministerium für Arbeit und Soziales kann eine Teilnahme der in § 5 Absatz 2 des Tarifvertragsgesetzes[2] Genannten, der Antragsteller, der Mitglieder des Tarifausschusses und weiterer Personen an der Verhandlung mittels Video- oder Telefonkonferenz vorsehen, wenn

1. die jeweilige Person einwilligt und
2. die Teilnahme mittels Video- oder Telefonkonferenz für die Durchführung des Verfahrens zweckdienlich ist.

[2]Das Bundesministerium für Arbeit und Soziales kann die Teilnahme einer Person mittels Video- oder Telefonkonferenz auch auf deren Vorschlag hin zulassen. [3]Der Vorschlag muss dem Bundesministerium für Arbeit und Soziales in der Regel spätestens zwei Werktage vor der Verhandlung mitgeteilt werden.

(2) [1]Sofern der Deutsche Bundestag nach § 5 Absatz 1 Satz 1 des Infektionsschutzgesetzes[3] eine epidemische Lage von nationaler Tragweite festgestellt hat, kann das Bundesministerium für Arbeit und Soziales die in Absatz 1 Satz 1 Genannten mit Ausnahme der Mitglieder des Tarifausschusses auf eine Teilnahme an der Verhandlung mittels Video- oder Telefonkonferenz verweisen. [2]Macht das Bundesministerium für Arbeit und Soziales von dieser Möglichkeit Gebrauch, so hat es darauf in der Bekanntmachung nach § 6 Absatz 1 Satz 1 hinzuweisen. [3]In dieser Bekanntmachung fordert das Bundesministerium für Arbeit und Soziales dazu auf, sich spätestens zwei Werktage vor dem Tag, an dem die Verhandlung stattfindet, mit den für die Teilnahme erforderlichen Kontaktdaten anzumelden.

(3) [1]Das Bundesministerium für Arbeit und Soziales teilt den betreffenden Personen rechtzeitig vor Beginn der Verhandlung mit, dass ihre Teilnahme mittels Video- oder Telefonkonferenz erfolgt. [2]Die betreffenden Personen versichern vor Beginn der Verhandlung in Textform, dass sie nicht angemeldeten Personen keinen Zugang zur Video- oder Telefonkonferenz verschaffen und keine technischen Aufzeichnungen der Verhandlung vornehmen.

§ 7[4] **[Einvernehmen]** [1]Die Allgemeinverbindlicherklärung bedarf des Einvernehmens mit dem Tarifausschuß. [2]Mit der Allgemeinverbindlicherklärung bestimmt das Bundesministerium für Arbeit und Soziales im Benehmen mit dem Tarifausschuß den Zeitpunkt des Beginns der Allgemeinverbindlichkeit. [3]Dieser liegt, sofern es sich nicht um die Erneuerung oder Änderung eines bereits für allgemeinverbindlich erklärten Tarifvertrages handelt, in aller Regel nicht vor dem Tage der Bekanntmachung des Antrages.

§ 8[5] **[Bekanntgabe der Entscheidung]** [1]Das Bundesministerium für Arbeit und Soziales teilt seine Entscheidung über den Antrag den Tarifvertragsparteien, im Falle der Ablehnung auch den Mitgliedern des Tarifausschusses, die bei der Verhandlung über den Antrag mitgewirkt haben, mit. [2]Die ablehnende Entscheidung ist zu begründen.

---

[1] § 6a eingef. mWv 1.7.2021 durch VO v. 25.6.2021 (BGBl. I S. 2146).

[2] Nr. **504**.

[3] **beck-online, Module Arbeitsrecht Nr. 497.**

[4] § 7 Satz 2 geänd. mWv 28.11.2003 durch VO v. 25.11.2003 (BGBl. I S. 2304); Satz 2 geänd. mWv 8.11.2006 durch VO v. 31.10.2006 (BGBl. I S. 2407).

[5] § 8 Satz 1 geänd. mWv 28.11.2003 durch VO v. 25.11.2003 (BGBl. I S. 2304); Satz 1 geänd. mWv 8.11.2006 durch VO v. 31.10.2006 (BGBl. I S. 2407).

§ 9 [Anspruch auf Abschrift des Tarifvertrags; Auslegepflicht]

(1) [1] Arbeitgeber und Arbeitnehmer, für die der Tarifvertrag infolge der Allgemeinverbindlicherklärung verbindlich ist, können von einer der Tarifvertragsparteien eine Abschrift des Tarifvertrages gegen Erstattung der Selbstkosten verlangen. [2] § 5 Satz 2 und 3 gilt entsprechend.

(2) Die in Absatz 1 genannten Arbeitgeber haben die für allgemeinverbindlich erklärten Tarifverträge an geeigneter Stelle im Betrieb auszulegen.

§ 10[1)] [Aufhebung der Allgemeinverbindlichkeit] [1] Erwägt das Bundesministerium für Arbeit und Soziales die Aufhebung der Allgemeinverbindlichkeit eines Tarifvertrages, so gibt es den Tarifvertragsparteien und den obersten Arbeitsbehörden der Länder, auf deren Bereich sich der Tarifvertrag erstreckt, innerhalb einer bestimmten Frist Gelegenheit zur schriftlichen Stellungnahme. [2] § 4 Absatz 1 und die §§ 6 bis 8 gelten sinngemäß.

§ 11[2)] [Bekanntmachung] [1] Die Allgemeinverbindlicherklärung, die Rücknahme oder Ablehnung des Antrages auf Allgemeinverbindlicherklärung, die Aufhebung der Allgemeinverbindlichkeit sowie Mitteilungen der Tarifvertragsparteien über das Außerkrafttreten und über die Änderung allgemeinverbindlicher Tarifverträge werden vom Bundesministerium für Arbeit und Soziales im Bundesanzeiger bekanntgemacht. [2] Die Mitteilung über das Außerkrafttreten eines allgemeinverbindlichen Tarifvertrages braucht nicht bekanntgemacht zu werden, wenn der Tarifvertrag nur für eine bestimmte Zeit abgeschlossen war und diese Tatsache mit der Allgemeinverbindlicherklärung bekanntgemacht worden ist.

§ 12[3)] [Übertragung der Allgemeinverbindlicherklärung] [1] Das Bundesministerium für Arbeit und Soziales kann der obersten Arbeitsbehörde eines Landes für dessen Bereich das Recht zur Allgemeinverbindlicherklärung oder zur Aufhebung der Allgemeinverbindlichkeit eines Tarifvertrages mit regional begrenztem Geltungsbereich übertragen. [2] Die Vorschriften der §§ 1 bis 11 gelten sinngemäß.

Dritter Abschnitt. Aufhebung von Tarifordnungen und Anordnungen

§ 13[4)] [Anhörung] [1] Das Bundesministerium für Arbeit und Soziales soll vor der Aufhebung einer Tarifordnung oder einer Anordnung (§ 10 Absatz 2 des Tarifvertragsgesetzes[5)]) die obersten Arbeitsbehörden der Länder, auf deren Bereich sich die Tarifordnung oder Anordnung erstreckt, sowie den Tarifausschuß hören. [2] Es macht die Aufhebung im Bundesanzeiger bekannt.

[1)] § 10 Satz 1 geänd. mWv 28.11.2003 durch VO v. 25.11.2003 (BGBl. I S. 2304); Satz 1 geänd. mWv 8.11.2006 durch VO v. 31.10.2006 (BGBl. I S. 2407); Satz 2 geänd. mWv 1.7.2021 durch VO v. 25.6.2021 (BGBl. I S. 2146).

[2)] § 11 Satz 1 geänd. mWv 28.11.2003 durch VO v. 25.11.2003 (BGBl. I S. 2304); Satz 1 geänd. mWv 8.11.2006 durch VO v. 31.10.2006 (BGBl. I S. 2407).

[3)] § 12 Satz 1 geänd. mWv 28.11.2003 durch VO v. 25.11.2003 (BGBl. I S. 2304); Satz 1 geänd. mWv 8.11.2006 durch VO v. 31.10.2006 (BGBl. I S. 2407).

[4)] § 13 Satz 1 und 2 geänd. mWv 28.11.2003 durch VO v. 25.11.2003 (BGBl. I S. 2304); Satz 1 geänd. mWv 8.11.2006 durch VO v. 31.10.2006 (BGBl. I S. 2407); Satz 1 geänd. mWv 1.7.2021 durch VO v. 25.6.2021 (BGBl. I S. 2146).

[5)] Nr. **504**.

Vierter Abschnitt. Tarifregister

§ 14[1)] [Eintragung] (1) [1]Beim Bundesministerium für Arbeit und Soziales kann ein Tarifarchiv auch in elektronischer Form geführt werden. [2]Die Pflicht zur Übersendung von Tarifverträgen ist auch erfüllt, wenn ein Tarifvertrag als elektronisches Dokument eingereicht wird. [3]Dem elektronischen Dokument ist eine Erklärung beizufügen, dass das elektronisch eingereichte Dokument mit der Urschrift des Tarifvertrages oder seinen Änderungen übereinstimmt, und die Erklärung ist mit einer qualifizierten elektronischen Signatur zu versehen oder mittels Versandart nach § 5 Absatz 5 des De-Mail-Gesetzes zu übersenden. [4]In Schriftform vorliegende Tarifverträge werden seitens des Bundesministeriums für Arbeit und Soziales in eine elektronische, im Volltext durchsuchbare Form umgewandelt.

(2) Bei der Eintragung des Abschlusses von Tarifverträgen in das Tarifregister werden die Tarifverträge durch die Angabe der Tarifvertragsparteien, des Geltungsbereichs sowie des Zeitpunktes ihres Abschlusses und ihres Inkrafttretens bezeichnet.

§ 15[2)] [Benachrichtigung der Tarifpartner] (1) Das Bundesministerium für Arbeit und Soziales benachrichtigt die Tarifvertragsparteien von der Eintragung der Allgemeinverbindlicherklärung, der Aufhebung der Allgemeinverbindlichkeit sowie von der Eintragung ihrer Mitteilungen über das Außerkrafttreten und über die Änderung allgemeinverbindlicher Tarifverträge.

(2) Die Bekanntmachungen nach § 4 Absatz 1 und § 11 sollen im Tarifregister vermerkt werden.

§ 16[3)] [Einsicht; Auskunft] [1]Die Einsicht des Tarifregisters sowie der registrierten Tariverträge ist jedem gestattet. [2]Das Bundesministerium für Arbeit und Soziales erteilt auf Anfrage Auskunft über die Eintragungen. [3]Die Einsichtnahme ist einzuschränken oder zu verwehren, wenn Anhaltspunkte dafür bestehen, dass der betreffende Tarifvertrag Betriebs- und Geschäftsgeheimnisse oder personenbezogene Daten beinhaltet.

Fünfter Abschnitt. Kosten

§ 17 [Kostenfreiheit] Das Verfahren bei der Allgemeinverbindlicherklärung und bei der Beendigung der Allgemeinverbindlichkeit von Tarifverträgen ist kostenfrei.

Sechster Abschnitt. Schlußbestimmungen

§ 18 (Inkrafttreten, Außerkrafttreten)

[1)] § 14 Abs. 1 eingef., bish. Wortlaut wird Abs. 2 mWv 1.4.2014 durch VO v. 11.3.2014 (BGBl. I S. 263); Abs. 1 Satz 3 geänd. mWv 29.7.2017 durch G v. 18.7.2017 (BGBl. I S. 2745).

[2)] § 15 Abs. 1 geänd. mWv 28.11.2003 durch VO v. 25.11.2003 (BGBl. I S. 2304); Abs. 1 geänd. mWv 8.11.2006 durch VO v. 31.10.2006 (BGBl. I S. 2407); Abs. 2 geänd. mWv 1.7.2021 durch VO v. 25.6.2021 (BGBl. I S. 2146).

[3)] § 16 Satz 2 geänd. mWv 28.11.2003 durch VO v. 25.11.2003 (BGBl. I S. 2304); Satz 2 geänd. mWv 8.11.2006 durch VO v. 31.10.2006 (BGBl. I S. 2407); Satz 3 angef. mWv 1.4.2014 durch VO v. 11.3.2014 (BGBl. I S. 263).

---

[1] § 14 [illegible] mWv 1.1.2014 [illegible] S. 2745.
[2] [illegible]
[3] [illegible] 2014 [illegible] S. 203.

504b. Gesetz zur Sicherung der Sozialkassenverfahren im Baugewerbe (Sozialkassenverfahrensicherungsgesetz – SokaSiG)[1) 2)]

Vom 16. Mai 2017

(BGBl. I S. 1210)

FNA 802-6

– Auszug –

§ 1 Berufsbildung im Baugewerbe. (1) Mit Ausnahme der §§ 6, 10, 12, 13, 14 Absatz 2 und des § 15 gelten die Rechtsnormen des Tarifvertrags über die Berufsbildung im Baugewerbe vom 10. Dezember 2014 in der aus der Anlage 1[2)] ersichtlichen Fassung in seinem Geltungsbereich für alle Arbeitgeber und Arbeitnehmer für den Zeitraum vom 1. Januar 2015 bis zur Beendigung des Tarifvertrags, soweit die jeweilige Rechtsnorm des Tarifvertrags nicht auf den Rahmentarifvertrag für die Angestellten und Poliere des Baugewerbes verweist.

(2) Für den Zeitraum vom 1. Juli 2013 bis zum 31. Dezember 2014 gelten die Rechtsnormen des Tarifvertrags über die Berufsbildung im Baugewerbe vom 29. Januar 1987 in der aus der Anlage 2[2)] ersichtlichen Fassung mit Ausnahme der §§ 6, 10, 12, 13, 14 Absatz 2 und des § 15 in seinem Geltungsbereich für alle Arbeitgeber und Arbeitnehmer, soweit die jeweilige Rechtsnorm des Tarifvertrags nicht auf den Rahmentarifvertrag für die Angestellten und Poliere des Baugewerbes verweist.

(3) Für den Zeitraum vom 1. September 2010 bis zum 30. Juni 2013 gelten die Rechtsnormen des Tarifvertrags über die Berufsbildung im Baugewerbe vom 29. Januar 1987 in der aus der Anlage 3[2)] ersichtlichen Fassung mit Ausnahme der §§ 6, 10, 12, 13, 14 Absatz 2 und des § 15 in seinem Geltungsbereich für alle Arbeitgeber und Arbeitnehmer, soweit die jeweilige Rechtsnorm des Tarifvertrags nicht auf den Rahmentarifvertrag für die Angestellten und Poliere des Baugewerbes verweist.

(4) Für den Zeitraum vom 1. Januar 2010 bis zum 31. August 2010 gelten die Rechtsnormen des Tarifvertrags über die Berufsbildung im Baugewerbe vom 29. Januar 1987 in der aus der Anlage 4[2)] ersichtlichen Fassung mit Ausnahme der §§ 6, 10, 12, 13, 14 Absatz 2 und des § 15 in seinem Geltungsbereich für alle Arbeitgeber und Arbeitnehmer, soweit die jeweilige Rechtsnorm des Tarifvertrags nicht auf den Rahmentarifvertrag für die Angestellten und Poliere des Baugewerbes verweist.

(5) Für den Zeitraum vom 1. August 2008 bis zum 31. Dezember 2009 gelten die Rechtsnormen des Tarifvertrags über die Berufsbildung im Baugewerbe vom 29. Januar 1987 in der aus der Anlage 5[2)] ersichtlichen Fassung mit Ausnahme der §§ 6, 10, 12, 13, 14 Absatz 2 und des § 15 in seinem Geltungsbereich für alle

[1)] **Amtl. Anm.:** Die Anlagen zum Sozialkassenverfahrensicherungsgesetz werden als Anlageband zu dieser Ausgabe des Bundesgesetzblatts ausgegeben. Innerhalb des Abonnements werden Anlagebände auf Anforderung gemäß den Bezugsbedingungen des Verlags übersandt. Außerhalb des Abonnements erfolgt die Lieferung gegen Kostenerstattung.

[2)] Anlagen hier nicht wiedergegeben.

Arbeitgeber und Arbeitnehmer, soweit die jeweilige Rechtsnorm des Tarifvertrags nicht auf den Rahmentarifvertrag für die Angestellten und Poliere des Baugewerbes verweist.

(6) Für den Zeitraum vom 1. Oktober 2007 bis zum 31. Juli 2008 gelten die Rechtsnormen des Tarifvertrags über die Berufsbildung im Baugewerbe vom 29. Januar 1987 in der aus der Anlage 6[1)] ersichtlichen Fassung mit Ausnahme der §§ 6, 10, 12, 13, 14 Absatz 2 und des § 15 in seinem Geltungsbereich für alle Arbeitgeber und Arbeitnehmer, soweit die jeweilige Rechtsnorm des Tarifvertrags nicht auf den Rahmentarifvertrag für die Angestellten und Poliere des Baugewerbes verweist.

(7) Für den Zeitraum vom 1. Januar 2006 bis zum 30. September 2007 gelten die Rechtsnormen des Tarifvertrags über die Berufsbildung im Baugewerbe vom 29. Januar 1987 in der aus der Anlage 7[1)] ersichtlichen Fassung mit Ausnahme der §§ 6, 10, 12, 13, 14 Absatz 2 und des § 15 in seinem Geltungsbereich für alle Arbeitgeber und Arbeitnehmer, soweit die jeweilige Rechtsnorm des Tarifvertrags nicht auf den Rahmentarifvertrag für die Angestellten und Poliere des Baugewerbes verweist.

§ 2 Zusätzliche Altersversorgung im Baugewerbe. (1) Die Rechtsnormen des Tarifvertrags über eine zusätzliche Altersversorgung im Baugewerbe vom 5. Juni 2014 gelten in der aus der Anlage 8 ersichtlichen Fassung in seinem Geltungsbereich für alle Arbeitgeber und Arbeitnehmer für den Zeitraum vom 1. September 2016 bis zur Beendigung des Tarifvertrags.

(2) Für den Zeitraum vom 1. Januar 2016 bis zum 31. August 2016 gelten die Rechtsnormen des Tarifvertrags über eine zusätzliche Altersversorgung im Baugewerbe vom 5. Juni 2014 in der aus der Anlage 9[1)] ersichtlichen Fassung in seinem Geltungsbereich für alle Arbeitgeber und Arbeitnehmer.

(3) Für den Zeitraum vom 1. Januar 2008 bis zum 31. Dezember 2015 gelten die Rechtsnormen des Tarifvertrags über Rentenbeihilfen im Baugewerbe vom 31. Oktober 2002 in der aus der Anlage 10[1)] ersichtlichen Fassung in seinem Geltungsbereich für alle Arbeitgeber und Arbeitnehmer.

(4) Für den Zeitraum vom 1. Januar 2006 bis zum 31. Dezember 2007 gelten die Rechtsnormen des Tarifvertrags über Rentenbeihilfen im Baugewerbe in der aus der Anlage 11[1)] ersichtlichen Fassung vom 31. Oktober 2002 in seinem Geltungsbereich für alle Arbeitgeber und Arbeitnehmer.

§ 3 Urlaubsregelungen für das Baugewerbe. (1) Die Rechtsnormen des § 3 Nummer 1.1, 1.2, 5.1, 5.2, 5.3 und 6, des § 4 Nummer 6, der §§ 6 bis 8, des § 11 Nummer 2 sowie des § 14 des Bundesrahmentarifvertrags für das Baugewerbe vom 4. Juli 2002 gelten in der aus der Anlage 12[1)] ersichtlichen Fassung in seinem Geltungsbereich für alle Arbeitgeber und Arbeitnehmer für den Zeitraum vom 1. Januar 2017 bis zur Beendigung des Tarifvertrags.

(2) Für den Zeitraum vom 1. Januar 2015 bis zum 31. Dezember 2016 gelten die Rechtsnormen des § 3 Nummer 1.1, 1.2, 5.1, 5.2, 5.3 und 6, des § 4 Nummer 6, der §§ 6 bis 8, des § 11 Nummer 2 sowie des § 14 des Bundesrahmentarifvertrags für das Baugewerbe vom 4. Juli 2002 in der aus

---

[1)] Anlagen hier nicht wiedergegeben.

der Anlage 13 ersichtlichen Fassung in seinem Geltungsbereich für alle Arbeitgeber und Arbeitnehmer.

(3) Für den Zeitraum vom 1. Januar 2013 bis zum 31. Dezember 2014 gelten die Rechtsnormen des § 3 Nummer 1.1, 1.2, 5.1, 5.2, 5.3 und 6, des § 4 Nummer 6, der §§ 6 bis 8, des § 11 Nummer 2 sowie des § 14 des Bundesrahmentarifvertrags für das Baugewerbe vom 4. Juli 2002 in der aus der Anlage 14 ersichtlichen Fassung in seinem Geltungsbereich für alle Arbeitgeber und Arbeitnehmer.

(4) Für den Zeitraum vom 1. Juli 2012 bis zum 31. Dezember 2012 gelten die Rechtsnormen des § 3 Nummer 1.1, 1.2, 5.1, 5.2, 5.3 und 6, des § 4 Nummer 6, der §§ 6 bis 8, des § 12 Nummer 2 sowie des § 15 des Bundesrahmentarifvertrags für das Baugewerbe vom 4. Juli 2002 in der aus der Anlage 15 ersichtlichen Fassung in seinem Geltungsbereich für alle Arbeitgeber und Arbeitnehmer.

(5) Für den Zeitraum vom 1. Oktober 2007 bis zum 30. Juni 2012 gelten die Rechtsnormen des § 3 Nummer 1.1, 1.2, 5.1, 5.2, 5.3 und 6, des § 4 Nummer 6, der §§ 6 bis 8, des § 12 Nummer 2 sowie des § 15 des Bundesrahmentarifvertrags für das Baugewerbe vom 4. Juli 2002 in der aus der Anlage 16 ersichtlichen Fassung in seinem Geltungsbereich für alle Arbeitgeber und Arbeitnehmer.

(6) Für den Zeitraum vom 1. Juni 2006 bis zum 30. September 2007 gelten die Rechtsnormen des § 3 Nummer 1.1, 1.2, 5.1, 5.2, 5.3 und 6, des § 4 Nummer 6, der §§ 6 bis 8, des § 12 Nummer 2 sowie des § 15 des Bundesrahmentarifvertrags für das Baugewerbe vom 4. Juli 2002 in der aus der Anlage 17 ersichtlichen Fassung in seinem Geltungsbereich für alle Arbeitgeber und Arbeitnehmer.

(7) Für den Zeitraum vom 1. Januar 2006 bis zum 31. Mai 2006 gelten die Rechtsnormen des § 3 Nummer 1.1, 1.2, 5.1, 5.2, 5.3 und 6, des § 4 Nummer 6, der §§ 6 bis 8, des § 12 Nummer 2 sowie des § 15 des Bundesrahmentarifvertrags für das Baugewerbe vom 4. Juli 2002 in der aus der Anlage 18 ersichtlichen Fassung in seinem Geltungsbereich für alle Arbeitgeber und Arbeitnehmer.

(8) Die Absätze 1 bis 7 finden auch auf Arbeitsverhältnisse zwischen einem im Ausland ansässigen Arbeitgeber und seinen im Inland beschäftigten Arbeitnehmern Anwendung, soweit die tarifvertraglichen Rechtsnormen, auf die in den Absätzen 1 bis 7 verwiesen wird, Arbeitsbedingungen im Sinne des § 5 Satz 1 Nummer 1, Nummer 2 oder Nummer 3 des Arbeitnehmer-Entsendegesetzes[1] zum Gegenstand haben.

§ 4 Urlaubsregelung für das Baugewerbe in Bayern. (1) Die Rechtsnormen des Tarifvertrags Urlaubsregelung für die gewerblichen Arbeitnehmer im Baugewerbe in Bayern gelten in der aus der Anlage 19 ersichtlichen Fassung vom 10. Dezember 2014 in seinem Geltungsbereich für alle Arbeitgeber und Arbeitnehmer für den Zeitraum vom 1. Januar 2015 bis zur Beendigung des Tarifvertrags.

(2) Für den Zeitraum vom 1. Januar 2013 bis zum 31. Dezember 2014 gelten die Rechtsnormen des Tarifvertrags Urlaubsregelung für die gewerb-

[1] Nr. **506**.

lichen Arbeitnehmer im Baugewerbe in Bayern in der aus der Anlage 20 ersichtlichen Fassung vom 17. Dezember 2012 in seinem Geltungsbereich für alle Arbeitgeber und Arbeitnehmer.

(3) Für den Zeitraum vom 1. Oktober 2007 bis zum 31. Dezember 2012 gelten die Rechtsnormen des Tarifvertrags Urlaubsregelung für die gewerblichen Arbeitnehmer im Baugewerbe in Bayern in der aus der Anlage 21 ersichtlichen Fassung vom 20. August 2007 in seinem Geltungsbereich für alle Arbeitgeber und Arbeitnehmer.

(4) Für den Zeitraum vom 1. Juni 2006 bis zum 30. September 2007 gelten die Rechtsnormen des Tarifvertrags Urlaubsregelung für die gewerblichen Arbeitnehmer im Baugewerbe in Bayern in der aus der Anlage 22 ersichtlichen Fassung vom 19. Mai 2006 in seinem Geltungsbereich für alle Arbeitgeber und Arbeitnehmer.

(5) Für den Zeitraum vom 1. Januar 2006 bis zum 31. Mai 2006 gelten die Rechtsnormen des Tarifvertrags Urlaubsregelung für die gewerblichen Arbeitnehmer im Baugewerbe in Bayern in der aus der Anlage 23 ersichtlichen Fassung vom 29. Juli 2005 in seinem Geltungsbereich für alle Arbeitgeber und Arbeitnehmer.

§ 5 Berufsbildungsverfahren im Berliner Baugewerbe. Die Rechtsnormen des Tarifvertrags über das Verfahren für die Berufsbildung im Berliner Baugewerbe gelten in der aus der Anlage 24 ersichtlichen Fassung vom 10. Dezember 2002 in seinem Geltungsbereich für alle Arbeitgeber und Arbeitnehmer für den Zeitraum vom 1. Januar 2006 bis zur Beendigung des Tarifvertrags.

§ 6 Sozialaufwandserstattung. Die Rechtsnormen des Tarifvertrags über Sozialaufwandserstattung im Berliner Baugewerbe – gewerbliche Arbeitnehmer – gelten in der aus der Anlage 25 ersichtlichen Fassung vom 17. Dezember 2002 in seinem Geltungsbereich für alle Arbeitgeber und Arbeitnehmer für den Zeitraum vom 1. Januar 2006 bis zur Beendigung des Tarifvertrags.

§ 7 Sozialkassenverfahren im Baugewerbe. (1) Die Rechtsnormen des Tarifvertrags über das Sozialkassenverfahren im Baugewerbe vom 3. Mai 2013 gelten in der aus der Anlage 26 ersichtlichen Fassung in seinem Geltungsbereich für alle Arbeitgeber und Arbeitnehmer für den Zeitraum vom 1. Januar 2016 bis zur Beendigung des Tarifvertrags.

(2) Für den Zeitraum vom 1. Januar 2015 bis zum 31. Dezember 2015 gelten die Rechtsnormen des Tarifvertrags über das Sozialkassenverfahren im Baugewerbe vom 3. Mai 2013 in der aus der Anlage 27 ersichtlichen Fassung in seinem Geltungsbereich für alle Arbeitgeber und Arbeitnehmer.

(3) Für den Zeitraum vom 1. Januar 2014 bis zum 31. Dezember 2014 gelten die Rechtsnormen des Tarifvertrags über das Sozialkassenverfahren im Baugewerbe vom 3. Mai 2013 in der aus der Anlage 28 ersichtlichen Fassung in seinem Geltungsbereich für alle Arbeitgeber und Arbeitnehmer.

(4) Für den Zeitraum vom 1. Juli 2013 bis zum 31. Dezember 2013 gelten *die Rechtsnormen* des Tarifvertrags über das Sozialkassenverfahren im Baugewerbe in der aus der Anlage 29 ersichtlichen Fassung vom 3. Mai 2013 in seinem Geltungsbereich für alle Arbeitgeber und Arbeitnehmer.

(5) Für den Zeitraum vom 1. Januar 2013 bis zum 30. Juni 2013 gelten die Rechtsnormen des Tarifvertrags über das Sozialkassenverfahren im Baugewerbe vom 18. Dezember 2009 in der aus der Anlage 30 ersichtlichen Fassung in seinem Geltungsbereich für alle Arbeitgeber und Arbeitnehmer.

(6) Für den Zeitraum vom 1. Januar 2012 bis zum 31. Dezember 2012 gelten die Rechtsnormen des Tarifvertrags über das Sozialkassenverfahren im Baugewerbe vom 18. Dezember 2009 in der aus der Anlage 31 ersichtlichen Fassung in seinem Geltungsbereich für alle Arbeitgeber und Arbeitnehmer.

(7) Für den Zeitraum vom 1. Januar 2010 bis zum 31. Dezember 2011 gelten die Rechtsnormen des Tarifvertrags über das Sozialkassenverfahren im Baugewerbe in der aus der Anlage 32 ersichtlichen Fassung vom 18. Dezember 2009 in seinem Geltungsbereich für alle Arbeitgeber und Arbeitnehmer.

(8) Für den Zeitraum vom 1. Januar 2008 bis zum 31. Dezember 2009 gelten die Rechtsnormen des Tarifvertrags über das Sozialkassenverfahren im Baugewerbe vom 20. Dezember 1999 in der aus der Anlage 33 ersichtlichen Fassung in seinem Geltungsbereich für alle Arbeitgeber und Arbeitnehmer.

(9) Für den Zeitraum vom 1. Oktober 2007 bis zum 31. Dezember 2007 gelten die Rechtsnormen des Tarifvertrags über das Sozialkassenverfahren im Baugewerbe vom 20. Dezember 1999 in der aus der Anlage 34 ersichtlichen Fassung in seinem Geltungsbereich für alle Arbeitgeber und Arbeitnehmer.

(10) Für den Zeitraum vom 1. Januar 2006 bis zum 30. September 2007 gelten die Rechtsnormen des Tarifvertrags über das Sozialkassenverfahren im Baugewerbe vom 20. Dezember 1999 in der aus der Anlage 35 ersichtlichen Fassung in seinem Geltungsbereich für alle Arbeitgeber und Arbeitnehmer.

(11) Die Absätze 1 bis 10 finden auch auf Arbeitsverhältnisse zwischen einem im Ausland ansässigen Arbeitgeber und seinen im Inland beschäftigten Arbeitnehmern Anwendung, soweit die tarifvertraglichen Rechtsnormen, auf die in den Absätzen 1 bis 10 verwiesen wird, Arbeitsbedingungen im Sinne des § 5 Satz 1 Nummer 3 des Arbeitnehmer-Entsendegesetzes[1] zum Gegenstand haben.

§ 8 Meldeverfahren im Berliner Baugewerbe. Die Rechtsnormen des Tarifvertrags über zusätzliche Angaben im arbeitnehmerbezogenen Meldeverfahren im Berliner Baugewerbe gelten in der aus der Anlage 36 ersichtlichen Fassung vom 19. Mai 2006 in seinem Geltungsbereich für alle Arbeitgeber und Arbeitnehmer für den Zeitraum vom 1. Januar 2007 bis zur Beendigung des Tarifvertrags.

§ 9 Beendigung des Tarifvertrags. (1) Ein Tarifvertrag endet im Sinne dieses Gesetzes, wenn er gekündigt, aufgehoben, geändert oder durch einen anderen Tarifvertrag ganz oder teilweise abgelöst wird.

(2) Die oberste Arbeitsbehörde des Bundes macht die Beendigung des Tarifvertrags im Bundesanzeiger bekannt.

§ 10 Anwendungsbereich. (1) Die tarifvertraglichen Rechtsnormen, auf die in den §§ 1 bis 8 verwiesen wird, gelten nicht für Betriebe und selbständige Betriebsabteilungen, die die Maßgaben der Anlage 37 erfüllen.

---

[1] Nr. **506**.

(2) Arbeitnehmer im Sinne der §§ 1 bis 8 sind die unter den persönlichen Geltungsbereich des jeweiligen Tarifvertrags fallenden Personen.

§ 11 Geltung der tarifvertraglichen Rechtsnormen. Die tarifvertraglichen Rechtsnormen, auf die in den §§ 1 bis 8 verwiesen wird, gelten unabhängig davon, ob die Tarifverträge wirksam abgeschlossen wurden.

§ 12 Zivilrechtliche Durchsetzung. Auf die Verpflichtung zur Zahlung von Beiträgen zum Urlaubskassenverfahren an die Urlaubs- und Lohnausgleichskasse der Bauwirtschaft findet Abschnitt 5 des Arbeitnehmer-Entsendegesetzes entsprechende Anwendung.

§ 13 Verhältnis zur Allgemeinverbindlichkeit nach dem Tarifvertragsgesetz. Die Allgemeinverbindlichkeit tarifvertraglicher Rechtsnormen nach dem Tarifvertragsgesetz bleibt unberührt.

§ 14 Inkrafttreten. Dieses Gesetz tritt am Tag nach der Verkündung in Kraft.

505. Gesetz zur Regelung eines allgemeinen Mindestlohns (Mindestlohngesetz – MiLoG)[1)]

Vom 11. August 2014
(BGBl. I S. 1348)

FNA 802-5

zuletzt geänd. durch Art. 6 G zur Modernisierung und Digitalisierung der Schwarzarbeitsbekämpfung v. 22.12.2025 (BGBl. 2025 I Nr. 369)

Inhaltsübersicht

Abschnitt 1. Festsetzung des allgemeinen Mindestlohns

Unterabschnitt 1. Inhalt des Mindestlohns

§ 1[2)] Mindestlohn. (1) Jede Arbeitnehmerin und jeder Arbeitnehmer hat Anspruch auf Zahlung eines Arbeitsentgelts mindestens in Höhe des Mindestlohns durch den Arbeitgeber.

[1)] Verkündet als Art. 1 TarifautonomiestärkungsG v. 11.8.2014 (BGBl. I S. 1348); Inkrafttreten gem. Art. 15 Abs. 1 dieses G am 16.8.2014.

[2)] § 1 Abs. 3 Satz 2 aufgeh. mWv 30.7.2020 durch G v. 10.7.2020 (BGBl. I S. 1657); Abs. 2 Satz 1 neu gef. mWv 1.7.2022 durch G v. 28.6.2022 (BGBl. I S. 969).

(2) [1]Die Höhe des Mindestlohns beträgt ab dem 1. Oktober 2022 brutto 12 Euro je Zeitstunde.[1)][2)] [2]Die Höhe des Mindestlohns kann auf Vorschlag einer ständigen Kommission der Tarifpartner (Mindestlohnkommission) durch Rechtsverordnung der Bundesregierung geändert werden.

(3) Die Regelungen des Arbeitnehmer-Entsendegesetzes[3)], des Arbeitnehmerüberlassungsgesetzes[4)] und der auf ihrer Grundlage erlassenen Rechtsverordnungen gehen den Regelungen dieses Gesetzes vor, soweit die Höhe der auf ihrer Grundlage festgesetzten Branchenmindestlöhne die Höhe des Mindestlohns nicht unterschreitet.

§ 2 Fälligkeit des Mindestlohns. (1) [1]Der Arbeitgeber ist verpflichtet, der Arbeitnehmerin oder dem Arbeitnehmer den Mindestlohn

1. zum Zeitpunkt der vereinbarten Fälligkeit,
2. spätestens am letzten Bankarbeitstag (Frankfurt am Main) des Monats, der auf den Monat folgt, in dem die Arbeitsleistung erbracht wurde,

zu zahlen. [2]Für den Fall, dass keine Vereinbarung über die Fälligkeit getroffen worden ist, bleibt § 614 des Bürgerlichen Gesetzbuchs[5)] unberührt.

(2) [1]Abweichend von Absatz 1 Satz 1 sind bei Arbeitnehmerinnen und Arbeitnehmern die über die vertraglich vereinbarte Arbeitszeit hinausgehenden und auf einem schriftlich vereinbarten Arbeitszeitkonto eingestellten Arbeitsstunden spätestens innerhalb von zwölf Kalendermonaten nach ihrer monatlichen Erfassung durch bezahlte Freizeitgewährung oder Zahlung des Mindestlohns auszugleichen, soweit der Anspruch auf den Mindestlohn für die geleisteten Arbeitsstunden nach § 1 Absatz 1 nicht bereits durch Zahlung des verstetigten Arbeitsentgelts erfüllt ist. [2]Im Falle der Beendigung des Arbeitsverhältnisses hat der Arbeitgeber nicht ausgeglichene Arbeitsstunden spätestens in dem auf die Beendigung des Arbeitsverhältnisses folgenden Kalendermonat auszugleichen. [3]Die auf das Arbeitszeitkonto eingestellten Arbeitsstunden dürfen monatlich jeweils 50 Prozent der vertraglich vereinbarten Arbeitszeit nicht übersteigen.

(3) [1]Die Absätze 1 und 2 gelten nicht für Wertguthabenvereinbarungen im Sinne des Vierten Buches Sozialgesetzbuch[6)]. [2]Satz 1 gilt entsprechend für eine im Hinblick auf den Schutz der Arbeitnehmerinnen und Arbeitnehmer vergleichbare ausländische Regelung.

§ 3 Unabdingbarkeit des Mindestlohns. [1]Vereinbarungen, die den Anspruch auf Mindestlohn unterschreiten oder seine Geltendmachung beschränken oder ausschließen, sind insoweit unwirksam. [2]Die Arbeitnehmerin oder der Arbeitnehmer kann auf den entstandenen Anspruch nach § 1 Absatz 1 nur durch gerichtlichen Vergleich verzichten; im Übrigen ist ein Verzicht ausgeschlossen. [3]Die Verwirkung des Anspruchs ist ausgeschlossen.

[1)] Der Mindestlohn beträgt gemäß der Vierten Mindestlohnanpassungsverordnung (Nr. **505d**) **mWv 1.1.2024** 12,41 Euro brutto und **mWv 1.1.2025** 12,82 Euro brutto je Zeitstunde.

[2)] Der Mindestlohn beträgt gemäß der Fünften Mindestlohnanpassungsverordnung v. 5.11.2025 (BGBl. 2025 I Nr. 268; 2025 I Nr. 312) **mWv 1.1.2026** 13,90 Euro brutto je Zeitstunde und **mWv 1.1.2027** 14,60 Euro brutto je Zeitstunde.

[3)] Nr. **506**.

[4)] *Nr. **730**.*

[5)] Nr. **50**.

[6)] Auszugsweise abgedruckt unter Nr. **694**.

Unterabschnitt 2. Mindestlohnkommission

§ 4 Aufgabe und Zusammensetzung. (1) Die Bundesregierung errichtet eine ständige Mindestlohnkommission, die über die Anpassung der Höhe des Mindestlohns befindet.

(2) [1]Die Mindestlohnkommission wird alle fünf Jahre neu berufen. [2]Sie besteht aus einer oder einem Vorsitzenden, sechs weiteren stimmberechtigten ständigen Mitgliedern und zwei Mitgliedern aus Kreisen der Wissenschaft ohne Stimmrecht (beratende Mitglieder).

§ 5 Stimmberechtigte Mitglieder. (1) [1]Die Bundesregierung beruft je drei stimmberechtigte Mitglieder auf Vorschlag der Spitzenorganisationen der Arbeitgeber und der Arbeitnehmer aus Kreisen der Vereinigungen von Arbeitgebern und Gewerkschaften. [2]Die Spitzenorganisationen der Arbeitgeber und Arbeitnehmer sollen jeweils mindestens eine Frau und einen Mann als stimmberechtigte Mitglieder vorschlagen. [3]Werden auf Arbeitgeber- oder auf Arbeitnehmerseite von den Spitzenorganisationen mehr als drei Personen vorgeschlagen, erfolgt die Auswahl zwischen den Vorschlägen im Verhältnis zur Bedeutung der jeweiligen Spitzenorganisationen für die Vertretung der Arbeitgeber- oder Arbeitnehmerinteressen im Arbeitsleben des Bundesgebietes. [4]Übt eine Seite ihr Vorschlagsrecht nicht aus, werden die Mitglieder dieser Seite durch die Bundesregierung aus Kreisen der Vereinigungen von Arbeitgebern oder Gewerkschaften berufen.

(2) Scheidet ein Mitglied aus, wird nach Maßgabe des Absatzes 1 Satz 1 und 4 ein neues Mitglied berufen.

§ 6 Vorsitz. (1) Die Bundesregierung beruft die Vorsitzende oder den Vorsitzenden auf gemeinsamen Vorschlag der Spitzenorganisationen der Arbeitgeber und der Arbeitnehmer.

(2) [1]Wird von den Spitzenorganisationen kein gemeinsamer Vorschlag unterbreitet, beruft die Bundesregierung jeweils eine Vorsitzende oder einen Vorsitzenden auf Vorschlag der Spitzenorganisationen der Arbeitgeber und der Arbeitnehmer. [2]Der Vorsitz wechselt zwischen den Vorsitzenden nach jeder Beschlussfassung nach § 9. [3]Über den erstmaligen Vorsitz entscheidet das Los. [4]§ 5 Absatz 1 Satz 3 und 4 gilt entsprechend.

(3) Scheidet die Vorsitzende oder der Vorsitzende aus, wird nach Maßgabe der Absätze 1 und 2 eine neue Vorsitzende oder ein neuer Vorsitzender berufen.

§ 7 Beratende Mitglieder. (1) [1]Die Bundesregierung beruft auf Vorschlag der Spitzenorganisationen der Arbeitgeber und Arbeitnehmer zusätzlich je ein beratendes Mitglied aus Kreisen der Wissenschaft. [2]Die Bundesregierung soll darauf hinwirken, dass die Spitzenorganisationen der Arbeitgeber und Arbeitnehmer eine Frau und einen Mann als beratendes Mitglied vorschlagen. [3]Das beratende Mitglied soll in keinem Beschäftigungsverhältnis stehen zu

1. einer Spitzenorganisation der Arbeitgeber oder Arbeitnehmer,
2. einer Vereinigung der Arbeitgeber oder einer Gewerkschaft oder
3. einer Einrichtung, die von den in der Nummer 1 oder Nummer 2 genannten Vereinigungen getragen wird.

[4]§ 5 Absatz 1 Satz 3 und 4 und Absatz 2 gilt entsprechend.

(2) [1] Die beratenden Mitglieder unterstützen die Mindestlohnkommission insbesondere bei der Prüfung nach § 9 Absatz 2 durch die Einbringung wissenschaftlichen Sachverstands. [2] Sie haben das Recht, an den Beratungen der Mindestlohnkommission teilzunehmen.

§ 8 Rechtsstellung der Mitglieder. (1) Die Mitglieder der Mindestlohnkommission unterliegen bei der Wahrnehmung ihrer Tätigkeit keinen Weisungen.

(2) Die Tätigkeit der Mitglieder der Mindestlohnkommission ist ehrenamtlich.

(3) [1] Die Mitglieder der Mindestlohnkommission erhalten eine angemessene Entschädigung für den ihnen bei der Wahrnehmung ihrer Tätigkeit erwachsenden Verdienstausfall und Aufwand sowie Ersatz der Fahrtkosten entsprechend den für ehrenamtliche Richterinnen und Richter der Arbeitsgerichte geltenden Vorschriften. [2] Die Entschädigung und die erstattungsfähigen Fahrtkosten setzt im Einzelfall die oder der Vorsitzende der Mindestlohnkommission fest.

§ 9[1)] Beschluss der Mindestlohnkommission. (1) [1] Die Mindestlohnkommission hat über eine Anpassung der Höhe des Mindestlohns bis zum 30. Juni 2023 mit Wirkung zum 1. Januar 2024 zu beschließen. [2] Danach hat die Mindestlohnkommission alle zwei Jahre über Anpassungen der Höhe des Mindestlohns zu beschließen.

(2) [1] Die Mindestlohnkommission prüft im Rahmen einer Gesamtabwägung, welche Höhe des Mindestlohns geeignet ist, zu einem angemessenen Mindestschutz der Arbeitnehmerinnen und Arbeitnehmer beizutragen, faire und funktionierende Wettbewerbsbedingungen zu ermöglichen sowie Beschäftigung nicht zu gefährden. [2] Die Mindestlohnkommission orientiert sich bei der Festsetzung des Mindestlohns nachlaufend an der Tarifentwicklung.

(3) Die Mindestlohnkommission hat ihren Beschluss schriftlich zu begründen.

(4) Die Mindestlohnkommission evaluiert laufend die Auswirkungen des Mindestlohns auf den Schutz der Arbeitnehmerinnen und Arbeitnehmer, die Wettbewerbsbedingungen und die Beschäftigung in Bezug auf bestimmte Branchen und Regionen sowie die Produktivität und stellt ihre Erkenntnisse der Bundesregierung in einem Bericht alle zwei Jahre gemeinsam mit ihrem Beschluss zur Verfügung.

§ 10[2)] Verfahren der Mindestlohnkommission. (1) Die Mindestlohnkommission ist beschlussfähig, wenn mindestens die Hälfte ihrer stimmberechtigten Mitglieder anwesend ist.

(2) [1] Die Beschlüsse der Mindestlohnkommission werden mit einfacher Mehrheit der Stimmen der anwesenden Mitglieder gefasst. [2] Bei der Beschlussfassung hat sich die oder der Vorsitzende zunächst der Stimme zu enthalten. [3] Kommt eine Stimmenmehrheit nicht zustande, macht die oder der Vorsitzende einen Vermittlungsvorschlag. [4] Kommt nach Beratung über den Vermittlungsvorschlag keine Stimmenmehrheit zustande, übt die oder der Vorsitzende ihr oder sein Stimmrecht aus.

[1)] *§ 9 Abs. 1 Satz 1, Abs. 4 geänd.* mWv 1.7.2022 durch G v. 28.6.2022 (BGBl. I S. 969).

[2)] § 10 Abs. 4 Satz 2 eingef., bish. Satz 2 wird Satz 3 mWv 29.5.2020 durch G v. 20.5.2020 (BGBl. I S. 1055).

(3) [1]Die Mindestlohnkommission kann Spitzenorganisationen der Arbeitgeber und Arbeitnehmer, Vereinigungen von Arbeitgebern und Gewerkschaften, öffentlich-rechtliche Religionsgesellschaften, Wohlfahrtsverbände, Verbände, die wirtschaftliche und soziale Interessen organisieren, sowie sonstige von der Anpassung des Mindestlohns Betroffene vor Beschlussfassung anhören. [2]Sie kann Informationen und fachliche Einschätzungen von externen Stellen einholen.

(4) [1]Die Sitzungen der Mindestlohnkommission sind nicht öffentlich; der Inhalt ihrer Beratungen ist vertraulich. [2]Die Teilnahme an Sitzungen der Mindestlohnkommission sowie die Beschlussfassung können in begründeten Ausnahmefällen auf Vorschlag der oder des Vorsitzenden mittels einer Videokonferenz erfolgen, wenn

1. kein Mitglied diesem Verfahren unverzüglich widerspricht und
2. sichergestellt ist, dass Dritte vom Inhalt der Sitzung keine Kenntnis nehmen können.

[3]Die übrigen Verfahrensregelungen trifft die Mindestlohnkommission in einer Geschäftsordnung.

§ 11 Rechtsverordnung. (1) [1]Die Bundesregierung kann die von der Mindestlohnkommission vorgeschlagene Anpassung des Mindestlohns durch Rechtsverordnung ohne Zustimmung des Bundesrates für alle Arbeitgeber sowie Arbeitnehmerinnen und Arbeitnehmer verbindlich machen. [2]Die Rechtsverordnung tritt am im Beschluss der Mindestlohnkommission bezeichneten Tag, frühestens aber am Tag nach Verkündung in Kraft. [3]Die Rechtsverordnung gilt, bis sie durch eine neue Rechtsverordnung abgelöst wird.

(2) [1]Vor Erlass der Rechtsverordnung erhalten die Spitzenorganisationen der Arbeitgeber und Arbeitnehmer, die Vereinigungen von Arbeitgebern und Gewerkschaften, die öffentlich-rechtlichen Religionsgesellschaften, die Wohlfahrtsverbände sowie die Verbände, die wirtschaftliche und soziale Interessen organisieren, Gelegenheit zur schriftlichen Stellungnahme. [2]Die Frist zur Stellungnahme beträgt drei Wochen; sie beginnt mit der Bekanntmachung des Verordnungsentwurfs.

§ 12 Geschäfts- und Informationsstelle für den Mindestlohn; Kostenträgerschaft. (1) [1]Die Mindestlohnkommission wird bei der Durchführung ihrer Aufgaben von einer Geschäftsstelle unterstützt. [2]Die Geschäftsstelle untersteht insoweit fachlich der oder dem Vorsitzenden der Mindestlohnkommission.

(2) Die Geschäftsstelle wird bei der Bundesanstalt für Arbeitsschutz und Arbeitsmedizin als selbständige Organisationeinheit eingerichtet.

(3) Die Geschäftsstelle informiert und berät als Informationsstelle für den Mindestlohn Arbeitnehmerinnen und Arbeitnehmer sowie Unternehmen zum Thema Mindestlohn.

(4) Die durch die Tätigkeit der Mindestlohnkommission und der Geschäftsstelle anfallenden Kosten trägt der Bund.

Abschnitt 2. Zivilrechtliche Durchsetzung

§ 13 Haftung des Auftraggebers. § 14 des Arbeitnehmer-Entsendegesetzes[1)] findet entsprechende Anwendung.

Abschnitt 3. Kontrolle und Durchsetzung durch staatliche Behörden

§ 14 Zuständigkeit. Für die Prüfung der Einhaltung der Pflichten eines Arbeitgebers nach § 20 sind die Behörden der Zollverwaltung zuständig.

§ 15[2)] Befugnisse der Behörden der Zollverwaltung und anderer Behörden; Mitwirkungspflichten des Arbeitgebers. [1]Die §§ 2 bis 7, 13, 14, 15 bis 20, 22 und 23 des Schwarzarbeitsbekämpfungsgesetzes[3)] sind entsprechend anzuwenden mit der Maßgabe, dass

1. die dort genannten Behörden auch Einsicht in Arbeitsverträge, Niederschriften nach § 2 des Nachweisgesetzes[4)] und andere Geschäftsunterlagen nehmen können, die mittelbar oder unmittelbar Auskunft über die Einhaltung des Mindestlohns nach § 20 geben, und
2. die nach § 5 Absatz 1 des Schwarzarbeitsbekämpfungsgesetzes zur Mitwirkung Verpflichteten diese Unterlagen vorzulegen haben.

[2]Entsandte Arbeitnehmerinnen und Arbeitnehmer können im Rahmen der Prüfungen nach dem Schwarzarbeitsbekämpfungsgesetz auch nach dem Abschluss der Entsendung kontaktiert werden.

§ 16[5)] Meldepflicht. (1) [1]Ein Arbeitgeber mit Sitz im Ausland, der eine Arbeitnehmerin oder einen Arbeitnehmer oder mehrere Arbeitnehmerinnen oder Arbeitnehmer in den in § 2a des Schwarzarbeitsbekämpfungsgesetzes[3)] genannten Wirtschaftsbereichen oder Wirtschaftszweigen im Anwendungsbereich dieses Gesetzes beschäftigt, ist verpflichtet, vor Beginn jeder Werk- oder Dienstleistung eine schriftliche Anmeldung in deutscher Sprache bei der zuständigen Behörde der Zollverwaltung ***[bis 28.6.2026:*** nach Absatz 6***]*** vorzulegen, die die für die Prüfung wesentlichen Angaben enthält. [2]Wesentlich sind die Angaben über

1. den Familiennamen, ***[bis 28.6.2026:*** den Vornamen und das Geburtsdatum***]*** ***[ab 29.6.2026:*** *den Vornamen, das Geburtsdatum, die Staatsangehörigkeit und Kontaktdaten****]*** der von ihm im Geltungsbereich dieses Gesetzes beschäftigten Arbeitnehmerinnen und Arbeitnehmer,
2. den Beginn und die voraussichtliche Dauer der Beschäftigung,

---

[1)] Nr. **506**.

[2)] § 15 Satz 1 einl. Satzteil geänd., Satz 2 neu gef. mWv 30.12.2025 durch G v. 22.12.2025 (BGBl. 2025 I Nr. 369).

[3)] Nr. **110**.

[4)] Nr. **90**.

[5)] § 16 Abs. 1 Satz 2 Nr. 5 geänd., Nr. 6 eingef., bish. Nr. 6 wird Nr. 7, Abs. 2 neu gef., Abs. 3 Satz 1 einl. Satzteil geänd., Nr. 6 eingef., bish. Nr. 6 wird Nr. 7 und geänd., Abs. 4 aufgeh., bish. Abs. 5 und 6 werden Abs. 4 und 5 mWv 1.7.2023 durch G v. 28.6.2023 (BGBl. 2023 I Nr. 172); *Abs. 1 Sätze 1 und 2 Nr. 1* geänd., Nr. 5 neu gef., Nr. 6 geänd., Nr. 7 neu gef., Nr. 8 angef., Abs. 2 Satz 1 einl. Satzteil und Abs. 3 Satz 1 Nr. 1 geänd., Nr. 7 eingef., bish. Nr. 7 wird Nr. 8, Abs. 4 Nr. 1 neu gef., Abs. 5 geänd. mWv 29.6.2026 durch G v. 22.12.2025 (BGBl. 2025 I Nr. 369).

3. den Ort der Beschäftigung,
4. den Ort im Inland, an dem die nach § 17 erforderlichen Unterlagen bereitgehalten werden,

[Nr. 5 bis 28.6.2026:]

5. den Familiennamen, den Vornamen, das Geburtsdatum und die Anschrift in Deutschland der oder des verantwortlich Handelnden,

[Nr. 5 ab 29.6.2026:]

5. *den Familiennamen, den Vornamen und die Anschrift in Deutschland einer oder eines Zustellungsbevollmächtigten,*
6. die Branche, in die die Arbeitnehmerinnen und Arbeitnehmer entsandt werden sollen, ***[bis 28.6.2026:*** und***]***

[Nr. 7 bis 28.6.2026:]

7. den Familiennamen, den Vornamen und die Anschrift in Deutschland einer oder eines Zustellungsbevollmächtigten, soweit diese oder dieser nicht mit der oder dem in Nummer 5 genannten verantwortlich Handelnden identisch ist.

[Nr. 7 ab 29.6.2026:]

7. *die Tätigkeit oder die Position der im Geltungsbereich dieses Gesetzes beschäftigten Arbeitnehmerinnen oder Arbeitnehmer für die Dauer der Beschäftigung und*

[Nr. 8 ab 29.6.2026:]

8. *den Familiennamen, den Vornamen oder die Firma sowie die Anschrift des Auftraggebers.*

[3] Änderungen bezüglich dieser Angaben hat der Arbeitgeber im Sinne des Satzes 1 unverzüglich zu melden.

(2) [1] Abweichend von Absatz 1 ist ein Arbeitgeber mit Sitz in einem anderen Mitgliedstaat ***[bis 28.6.2026:*** der Europäischen Union oder des Europäischen Wirtschaftsraums***][ab 29.6.2026:*** *der Europäischen Union, des Europäischen Wirtschaftsraums oder des Vereinigten Königreichs Großbritannien und Nordirland****]*** verpflichtet, der zuständigen Behörde der Zollverwaltung vor Beginn der Beschäftigung einer Kraftfahrerin oder eines Kraftfahrers für die Durchführung von Güter- oder Personenbeförderungen im Inland nach § 36 Absatz 1 des Arbeitnehmer-Entsendegesetzes[1)] eine Anmeldung mit folgenden Angaben elektronisch zuzuleiten:

1. die Identität des Unternehmens, sofern diese verfügbar ist in Form der Nummer der Gemeinschaftslizenz,
2. den Familiennamen und den Vornamen sowie die Anschrift im Niederlassungsstaat eines oder einer Zustellungsbevollmächtigten,
3. den Familiennamen, den Vornamen, das Geburtsdatum, die Anschrift und die Führerscheinnummer der Kraftfahrerin oder des Kraftfahrers,
4. den Beginn des Arbeitsvertrags der Kraftfahrerin oder des Kraftfahrers und das auf diesen Vertrag anwendbare Recht,
5. den voraussichtlichen Beginn und das voraussichtliche Ende der Beschäftigung der Kraftfahrerin oder des Kraftfahrers im Inland,
6. die amtlichen Kennzeichen der für die Beschäftigung im Inland einzusetzenden Kraftfahrzeuge,

---

1) Nr. **506**.

7. ob es sich bei den von der Kraftfahrerin oder dem Kraftfahrer zu erbringenden Verkehrsdienstleistungen um Güterbeförderung oder Personenbeförderung und grenzüberschreitende Beförderung oder Kabotage handelt;

die Anmeldung ist mittels der elektronischen Schnittstelle des Binnenmarkt-Informationssystems nach Artikel 1 in Verbindung mit Artikel 5 Buchstabe a der Verordnung (EU) Nr. 1024/2012 des Europäischen Parlaments und des Rates vom 25. Oktober 2012 über die Verwaltungszusammenarbeit mit Hilfe des Binnenmarkt-Informationssystems und zur Aufhebung der Entscheidung 2008/49/EG der Kommission („IMI-Verordnung") (ABl. L 316 vom 14.11. 2012, S. 1), die zuletzt durch die Verordnung (EU) 2020/1055 (ABl. L 249 vom 31.7.2020, S. 17) geändert worden ist, zuzuleiten. [2]Absatz 1 Satz 3 gilt entsprechend.

(3) [1]Überlässt ein Verleiher mit Sitz im Ausland eine Arbeitnehmerin oder einen Arbeitnehmer oder mehrere Arbeitnehmerinnen oder Arbeitnehmer zur Arbeitsleistung einem Entleiher, hat der Verleiher in den in § 2a des Schwarzarbeitsbekämpfungsgesetzes genannten Wirtschaftsbereichen oder Wirtschaftszweigen unter den Voraussetzungen des Absatzes 1 Satz 1 vor Beginn jeder Werk- oder Dienstleistung der zuständigen Behörde der Zollverwaltung eine schriftliche Anmeldung in deutscher Sprache mit folgenden Angaben zuzuleiten:

1. den Familiennamen, ***[bis 28.6.2026:*** den Vornamen und das Geburtsdatum***]*** ***[ab 29.6.2026:*** *den Vornamen, das Geburtsdatum, die Staatsangehörigkeit und Kontaktdaten****]*** der überlassenen Arbeitnehmerinnen und Arbeitnehmer,
2. den Beginn und die Dauer der Überlassung,
3. den Ort der Beschäftigung,
4. den Ort im Inland, an dem die nach § 17 erforderlichen Unterlagen bereitgehalten werden,
5. den Familiennamen, den Vornamen und die Anschrift in Deutschland einer oder eines Zustellungsbevollmächtigten des Verleihers,
6. die Branche, in die die Arbeitnehmerinnen und Arbeitnehmer entsandt werden sollen,

[Nr. 7 ab 29.6.2026:]

7. *die Tätigkeit oder die Position der im Geltungsbereich dieses Gesetzes beschäftigten Arbeitnehmerinnen und Arbeitnehmer für die Dauer der Beschäftigung und*
7. ***[ab 29.6.2026:*** *8.****]*** den Familiennamen, den Vornamen oder die Firma sowie die Anschrift des Entleihers.

[2]Absatz 1 Satz 3 gilt entsprechend.

(4) Das Bundesministerium der Finanzen kann durch Rechtsverordnung im Einvernehmen mit dem Bundesministerium für Arbeit und Soziales ohne Zustimmung des Bundesrates bestimmen,

[Nr. 1 bis 28.6.2026:]

1. dass, auf welche Weise und unter welchen technischen und organisatorischen Voraussetzungen eine Anmeldung, eine Änderungsmeldung und die Versicherung abweichend von Absatz 1 Satz 1 und 3, Absatz 2 und 3 Satz 1 und 2 und Absatz 4 elektronisch übermittelt werden kann,

[Nr. 1 ab 29.6.2026:]

1. *dass, auf welche Weise und unter welchen technischen und organisatorischen Voraussetzungen eine Anmeldung oder eine Änderungsmeldung abweichend von Absatz 1 Satz 1 und 3, Absatz 2 und 3 Satz 1 und 2 elektronisch übermittelt werden kann,*
2. unter welchen Voraussetzungen eine Änderungsmeldung ausnahmsweise entfallen kann, und
3. wie das Meldeverfahren vereinfacht oder abgewandelt werden kann, sofern die entsandten Arbeitnehmerinnen und Arbeitnehmer im Rahmen einer regelmäßig wiederkehrenden Werk- oder Dienstleistung eingesetzt werden oder sonstige Besonderheiten der zu erbringenden Werk- oder Dienstleistungen dies erfordern.

(5) Das Bundesministerium der Finanzen kann durch Rechtsverordnung ohne Zustimmung des Bundesrates die zuständige Behörde nach Absatz 1 Satz 1 ***[ab 29.6.2026:****, Absatz 2 Satz 1* ***]*** und Absatz 3 Satz 1 bestimmen.

§ 17[1] Erstellen und Bereithalten von Dokumenten. (1) [1] Ein Arbeitgeber, der Arbeitnehmerinnen und Arbeitnehmer nach § 8 Absatz 1 des Vierten Buches Sozialgesetzbuch[2] oder in den in § 2a des Schwarzarbeitsbekämpfungsgesetzes[3] genannten Wirtschaftsbereichen oder Wirtschaftszweigen beschäftigt, ist verpflichtet, Beginn, Ende und Dauer der täglichen Arbeitszeit dieser Arbeitnehmerinnen und Arbeitnehmer spätestens bis zum Ablauf des siebten auf den Tag der Arbeitsleistung folgenden Kalendertages aufzuzeichnen und diese Aufzeichnungen mindestens zwei Jahre beginnend ab dem für die Aufzeichnung maßgeblichen Zeitpunkt aufzubewahren. [2] Satz 1 gilt entsprechend für einen Entleiher, dem ein Verleiher eine Arbeitnehmerin oder einen Arbeitnehmer oder mehrere Arbeitnehmerinnen oder Arbeitnehmer zur Arbeitsleistung in einem der in § 2a des Schwarzarbeitsbekämpfungsgesetzes genannten Wirtschaftszweige überlässt. [3] Satz 1 gilt nicht für Beschäftigungsverhältnisse nach § 8a des Vierten Buches Sozialgesetzbuch[2].

(2) [1] Arbeitgeber im Sinne des Absatzes 1 haben die für die Kontrolle der Einhaltung der Verpflichtungen nach § 20 in Verbindung mit § 2 erforderlichen Unterlagen im Inland in deutscher Sprache für die gesamte Dauer der tatsächlichen Beschäftigung der Arbeitnehmerinnen und Arbeitnehmer im Geltungsbereich dieses Gesetzes, mindestens für die Dauer der gesamten Werk- oder Dienstleistung, insgesamt jedoch nicht länger als zwei Jahre, bereitzuhalten. [2] Auf Verlangen der Prüfbehörde sind die Unterlagen auch am Ort der Beschäftigung bereitzuhalten.

(2a) [1] Abweichend von Absatz 2 hat der Arbeitgeber mit Sitz in einem anderen Mitgliedstaat der Europäischen Union oder des Europäischen Wirtschaftsraums sicherzustellen, dass der Kraftfahrerin oder dem Kraftfahrer, die oder der von ihm für die Durchführung von Güter- oder Personenbeförderungen im Inland nach § 36 Absatz 1 des Arbeitnehmer-Entsendegesetzes[4] beschäftigt wird, die folgenden Unterlagen als Schriftstück oder in einem elektronischen Format zur Verfügung stehen:

---

[1] § 17 Abs. 2a und 2b eingef., Abs. 3 geänd. mWv 1.7.2023 durch G v. 28.6.2023 (BGBl. 2023 I Nr. 172).

[2] Nr. **694**.

[3] Nr. **110**.

[4] Nr. **506**.

1. eine Kopie der nach § 16 Absatz 2 zugeleiteten Anmeldung,
2. die Nachweise über die Beförderungen, insbesondere elektronische Frachtbriefe oder die in Artikel 8 Absatz 3 der Verordnung (EG) Nr. 1072/2009 des Europäischen Parlaments und des Rates vom 21. Oktober 2009 über gemeinsame Regeln für den Zugang zum Markt des grenzüberschreitenden Güterkraftverkehrs (ABl. L 300 vom 14.11.2009, S. 72), die zuletzt durch die Verordnung (EU) 2020/1055 (ABl. L 249 vom 31.7.2020, S. 17) geändert worden ist, genannten Belege und
3. alle Aufzeichnungen des Fahrtenschreibers, insbesondere die in Artikel 34 Absatz 6 Buchstabe f und Absatz 7 der Verordnung (EU) Nr. 165/2014 des Europäischen Parlaments und des Rates vom 4. Februar 2014 über Fahrtenschreiber im Straßenverkehr, zur Aufhebung der Verordnung (EWG) Nr. 3821/85 des Rates über das Kontrollgerät im Straßenverkehr und zur Änderung der Verordnung (EG) Nr. 561/2006 des Europäischen Parlaments und des Rates zur Harmonisierung bestimmter Sozialvorschriften im Straßenverkehr (ABl. L 60 vom 28.2.2014, S. 1; L 93 vom 9.4.2015, S. 103; L 246 vom 23.9.2015, S. 11), die zuletzt durch die Verordnung (EU) 2020/1054 (ABl. L 249 vom 31.7.2020, S. 1) geändert worden ist, genannten Ländersymbole der Mitgliedstaaten, in denen sich der Kraftfahrer oder die Kraftfahrerin bei grenzüberschreitenden Beförderungen und Kabotagebeförderungen aufgehalten hat, oder die Aufzeichnungen nach § 1 Absatz 6 Satz 1 und 2 der Fahrpersonalverordnung[1] vom 27. Juni 2005 (BGBl. I S. 1882), die zuletzt durch Artikel 1 der Verordnung vom 8. August 2017 (BGBl. I S. 3158) geändert worden ist.

[2] Die Kraftfahrerin oder der Kraftfahrer hat im Falle einer Beschäftigung im Inland nach § 36 Absatz 1 des Arbeitnehmer-Entsendegesetzes die ihm oder ihr nach Satz 1 zur Verfügung gestellten Unterlagen mit sich zu führen und den Behörden der Zollverwaltung auf Verlangen als Schriftstück oder in einem elektronischen Format vorzulegen; liegt keine Beschäftigung im Inland nach § 36 Absatz 1 des Arbeitnehmer-Entsendegesetzes vor, gilt die Pflicht nach dem ersten Halbsatz nur im Rahmen einer auf der Straße vorgenommenen Kontrolle für die Unterlagen nach Satz 1 Nummer 2 und 3.

(2b) [1] Nach Beendigung der Beschäftigung der Kraftfahrerin oder des Kraftfahrers im Inland nach § 36 Absatz 1 des Arbeitnehmer-Entsendegesetzes hat der Arbeitgeber mit Sitz in einem anderen Mitgliedstaat der Europäischen Union oder des Europäischen Wirtschaftsraums den Behörden der Zollverwaltung auf Verlangen über die mit dem Binnenmarkt-Informationssystem verbundene elektronische Schnittstelle folgende Unterlagen innerhalb von acht Wochen ab dem Tag des Verlangens zu übermitteln:

1. Kopien der Unterlagen nach Absatz 2a Satz 1 Nummer 2 und 3,
2. Unterlagen über die Entlohnung der Kraftfahrerin oder des Kraftfahrers einschließlich der Zahlungsbelege,
3. den Arbeitsvertrag oder gleichwertige Unterlagen im Sinne des Artikels 3 Absatz 1 der Richtlinie 91/533/EWG[2] des Rates vom 14. Oktober 1991 über die Pflicht des Arbeitgebers zur Unterrichtung des Arbeitnehmers über

[1] Nr. **356a**.
[2] **beck-online, Module Arbeitsrecht Nr. 879.**

die für seinen Arbeitsvertrag oder sein Arbeitsverhältnis geltenden Bedingungen (ABl. L 288 vom 18.10.1991, S. 32) und

4. Unterlagen über die Zeiterfassung, die sich auf die Arbeit der Kraftfahrerin oder des Kraftfahrers beziehen, insbesondere die Aufzeichnungen des Fahrtenschreibers.

[2] Die Behörden der Zollverwaltung dürfen die Unterlagen nach Satz 1 nur für den Zeitraum der Beschäftigung nach § 36 Absatz 1 des Arbeitnehmer-Entsendegesetzes verlangen, der zum Zeitpunkt des Verlangens beendet ist.
[3] Soweit eine Anmeldung nach § 16 Absatz 2 nicht zugeleitet wurde, obwohl eine Beschäftigung im Inland nach § 36 Absatz 1 des Arbeitnehmer-Entsendegesetzes vorliegt, hat der Arbeitgeber mit Sitz in einem anderen Mitgliedstaat der Europäischen Union oder des Europäischen Wirtschaftsraums den Behörden der Zollverwaltung auf Verlangen die Unterlagen nach Satz 1 außerhalb der mit dem Binnenmarkt-Informationssystem verbundenen elektronischen Schnittstelle als Schriftstück oder in einem elektronischen Format zu übermitteln.

(3) Das Bundesministerium für Arbeit und Soziales kann durch Rechtsverordnung ohne Zustimmung des Bundesrates die Verpflichtungen des Arbeitgebers, des Verleihers oder eines Entleihers nach § 16 und den Absätzen 1 und 2 hinsichtlich bestimmter Gruppen von Arbeitnehmerinnen und Arbeitnehmern oder der Wirtschaftsbereiche oder den Wirtschaftszweigen einschränken oder erweitern.

(4) Das Bundesministerium der Finanzen kann durch Rechtsverordnung im Einvernehmen mit dem Bundesministerium für Arbeit und Soziales ohne Zustimmung des Bundesrates bestimmen, wie die Verpflichtung des Arbeitgebers, die tägliche Arbeitszeit bei ihm beschäftigter Arbeitnehmerinnen und Arbeitnehmer aufzuzeichnen und diese Aufzeichnungen aufzubewahren, vereinfacht oder abgewandelt werden kann, sofern Besonderheiten der zu erbringenden Werk- oder Dienstleistungen oder Besonderheiten des jeweiligen Wirtschaftsbereiches oder Wirtschaftszweiges dies erfordern.

§ 18[1)] Zusammenarbeit der in- und ausländischen Behörden.

(1) [1] Die Behörden der Zollverwaltung unterrichten die zuständigen örtlichen Landesfinanzbehörden über Meldungen nach § 16 Absatz 1 und 3. [2] Auf die Informationen zu den Meldungen nach § 16 Absatz 2 können die Landesfinanzbehörden über das Binnenmarkt-Informationssystem zugreifen.

(2) [1] Die Behörden der Zollverwaltung und die übrigen in § 2 des Schwarzarbeitsbekämpfungsgesetzes[2)] genannten Behörden dürfen nach Maßgabe der datenschutzrechtlichen Vorschriften auch mit Behörden anderer Vertragsstaaten des Abkommens über den Europäischen Wirtschaftsraum zusammenarbeiten, die diesem Gesetz entsprechende Aufgaben durchführen oder für die Bekämpfung illegaler Beschäftigung zuständig sind oder Auskünfte geben können, ob ein Arbeitgeber seine Verpflichtungen nach § 20 erfüllt. [2] Die Regelungen über die internationale Rechtshilfe in Strafsachen bleiben hiervon unberührt.

[1)] § 18 Abs. 1 Satz 2 angef. mWv 1.7.2023 durch G v. 28.6.2023 (BGBl. 2023 I Nr. 172).
[2)] Nr. **110**.

(3) Die Behörden der Zollverwaltung unterrichten das Gewerbezentralregister über rechtskräftige Bußgeldentscheidungen nach § 21 Absatz 1 bis 3, sofern die Geldbuße mehr als zweihundert Euro beträgt.

§ 19[1] Ausschluss von der Vergabe öffentlicher Aufträge. (1) Von der Teilnahme an einem Wettbewerb um einen Liefer-, Bau- oder Dienstleistungsauftrag der in §§ 99 und 100 des Gesetzes gegen Wettbewerbsbeschränkungen[2] genannten Auftraggeber sollen Bewerberinnen oder Bewerber für eine angemessene Zeit bis zur nachgewiesenen Wiederherstellung ihrer Zuverlässigkeit ausgeschlossen werden, die wegen eines Verstoßes nach § 21 Absatz 1 Nummer 1 bis 10, 12 und 13 oder Absatz 2 mit einer Geldbuße von wenigstens zweitausendfünfhundert Euro belegt worden sind.

(2) Die für die Verfolgung oder Ahndung der Ordnungswidrigkeiten nach § 21 Absatz 1 Nummer 1 bis 10, 12 und 13 oder Absatz 2 zuständigen Behörden dürfen öffentlichen Auftraggebern nach § 99 des Gesetzes gegen Wettbewerbsbeschränkungen und solchen Stellen, die von öffentlichen Auftraggebern zugelassene Präqualifikationsverzeichnisse oder Unternehmer- und Lieferantenverzeichnisse führen, auf Verlangen die erforderlichen Auskünfte geben.

(3) [1] Öffentliche Auftraggeber nach Absatz 2 fordern im Rahmen ihrer Tätigkeit beim Wettbewerbsregister Auskünfte über rechtskräftige Bußgeldentscheidungen wegen einer Ordnungswidrigkeit nach § 21 Absatz 1 Nummer 1 bis 10, 12 und 13 oder Absatz 2 an oder verlangen von Bewerberinnen oder Bewerbern eine Erklärung, dass die Voraussetzungen für einen Ausschluss nach Absatz 1 nicht vorliegen. [2] Im Falle einer Erklärung der Bewerberin oder des Bewerbers können öffentliche Auftraggeber nach Absatz 2 jederzeit zusätzlich Auskünfte des Wettbewerbsregisters anfordern.

(4) Bei Aufträgen ab einer Höhe von 30 000 Euro fordert der öffentliche Auftraggeber nach Absatz 2 für die Bewerberin oder den Bewerber, die oder der den Zuschlag erhalten soll, vor der Zuschlagserteilung eine Auskunft aus dem Wettbewerbsregister an.

(5) Vor der Entscheidung über den Ausschluss ist die Bewerberin oder der Bewerber zu hören.

§ 20 Pflichten des Arbeitgebers zur Zahlung des Mindestlohns. Arbeitgeber mit Sitz im In- oder Ausland sind verpflichtet, ihren im Inland beschäftigten Arbeitnehmerinnen und Arbeitnehmern ein Arbeitsentgelt mindestens in Höhe des Mindestlohns nach § 1 Absatz 2 spätestens zu dem in § 2 Absatz 1 Satz 1 Nummer 2 genannten Zeitpunkt zu zahlen.

§ 21[3] Bußgeldvorschriften. (1) Ordnungswidrig handelt, wer vorsätzlich oder fahrlässig

---

[1] § 19 Abs. 1 und 2 geänd. mWv 18.4.2016 durch G v. 17.2.2016 (BGBl. I S. 203); Abs. 3 Sätze 1, 2 sowie Abs. 4 geänd. mWv 1.6.2022 durch G v. 18.7.2017 (BGBl. I S. 2739, geänd. durch G v. 18.1. 2021, BGBl. I S. 2) iVm Bek. v. 18.10.2021 (BAnz AT 29.10.2021 B3) und Bek. v. 16.2.2022 (BGBl. I S. 306); Abs. 1, 2 und 3 Satz 1 geänd. mWv 1.7.2023 durch G v. 28.6.2023 (BGBl. 2023 I Nr. 172); Abs. 1, 2 und 3 Satz 1 geänd. mWv 30.12.2025 durch G v. 22.12.2025 (BGBl. 2025 I Nr. 369).

[2] **beck-online, Module Arbeitsrecht Nr. 509.**

[3] *§ 21 Abs. 5 geänd. mWv 1.7.2017* durch G v. 13.4.2017 (BGBl. I S. 872); Abs. 1 Nr. 1–3 geänd. mWv 18.7.2019 durch G v. 11.7.2019 (BGBl. I S. 1066); Abs. 1 Nr. 4 und 5 geänd., Nr. 6 aufgeh., bish. Nr. 7 und 8 werden Nr. 6 und 7 und neue Nr. 7 geänd., Nr. 8–10 eingef., bish. Nr. 9 wird →

1. entgegen § 15 in Verbindung mit § 5 Absatz 1 Satz 1 Nummer 1 des Schwarzarbeitsbekämpfungsgesetzes[1)] eine Prüfung nicht duldet oder bei einer Prüfung nicht mitwirkt,
2. entgegen § 15 in Verbindung mit § 5 Absatz 1 Satz 1 Nummer 2 des Schwarzarbeitsbekämpfungsgesetzes das Betreten eines Grundstücks oder Geschäftsraums nicht duldet,
3. entgegen § 15 in Verbindung mit § 5 Absatz 1 Satz 1 Nummer 3 Buchstabe a des Schwarzarbeitsbekämpfungsgesetzes eine dort genannte Auskunft nicht, nicht richtig, nicht vollständig, nicht in der vorgeschriebenen Weise oder nicht rechtzeitig erteilt,
4. entgegen § 15 in Verbindung mit § 5 Absatz 1 Satz 1 Nummer 3 Buchstabe b des Schwarzarbeitsbekämpfungsgesetzes eine dort genannte Unterlage nicht, nicht richtig, nicht vollständig oder nicht rechtzeitig bereitstellt oder nicht, nicht richtig, nicht vollständig oder nicht rechtzeitig vorlegt,
5. entgegen § 15 in Verbindung mit § 5 Absatz 1 Satz 1 Nummer 4 des Schwarzarbeitsbekämpfungsgesetzes die Einsicht in eine dort genannte Unterlage nicht, nicht richtig oder nicht rechtzeitig ermöglicht,
6. entgegen § 16 Absatz 1 Satz 1, Absatz 2 Satz 1 oder Absatz 3 Satz 1 eine Anmeldung nicht, nicht richtig, nicht vollständig, nicht in der vorgeschriebenen Weise oder nicht rechtzeitig vorlegt oder nicht, nicht richtig, nicht vollständig, nicht in der vorgeschriebenen Weise oder nicht rechtzeitig zuleitet,
7. entgegen § 16 Absatz 1 Satz 3, auch in Verbindung mit Absatz 2 Satz 2 oder Absatz 3 Satz 2, eine Änderungsmeldung nicht, nicht richtig, nicht vollständig, nicht in der vorgeschriebenen Weise oder nicht rechtzeitig macht,
8. entgegen § 17 Absatz 1 Satz 1, auch in Verbindung mit Satz 2, eine Aufzeichnung nicht, nicht richtig, nicht vollständig oder nicht rechtzeitig erstellt oder nicht oder nicht mindestens zwei Jahre aufbewahrt,
9. entgegen § 17 Absatz 2 eine Unterlage nicht, nicht richtig, nicht vollständig oder nicht in der vorgeschriebenen Weise bereithält,
10. entgegen § 17 Absatz 2a Satz 1 nicht sicherstellt, dass die dort genannten Unterlagen zur Verfügung stehen,
11. entgegen § 17 Absatz 2a Satz 2 eine Unterlage nicht, nicht richtig, nicht vollständig, nicht in der vorgeschriebenen Weise oder nicht rechtzeitig vorlegt,
12. entgegen § 17 Absatz 2b Satz 1 oder 3 eine Unterlage nicht, nicht richtig, nicht vollständig, nicht in der vorgeschriebenen Weise oder nicht rechtzeitig übermittelt oder
13. entgegen § 20 das dort genannte Arbeitsentgelt nicht oder nicht rechtzeitig zahlt.

(2) Ordnungswidrig handelt, wer Werk- oder Dienstleistungen in erheblichem Umfang ausführen lässt, indem er als Unternehmer einen anderen Unter-

---

(Fortsetzung der Anm. von voriger Seite)
Nr. 11, Abs. 3 geänd. mWv 1.7.2023 durch G v. 28.6.2023 (BGBl. 2023 I Nr. 172); Abs. 1 Nr. 1 und 2 geänd., Nr. 3–5 eingef., bish. Nr. 3 aufgeh., bish. Nr. 4–11 werden Nr. 6–13, Abs. 3 neu gef. mWv 30.12.2025 durch G v. 22.12.2025 (BGBl. 2025 I Nr. 369).

1) Nr. **110**.

nehmer beauftragt, von dem er weiß oder fahrlässig nicht weiß, dass dieser bei der Erfüllung dieses Auftrags

1. entgegen § 20 das dort genannte Arbeitsentgelt nicht oder nicht rechtzeitig zahlt oder
2. einen Nachunternehmer einsetzt oder zulässt, dass ein Nachunternehmer tätig wird, der entgegen § 20 das dort genannte Arbeitsentgelt nicht oder nicht rechtzeitig zahlt.

(3) Die Ordnungswidrigkeit kann in den Fällen des Absatzes 1 Nummer 13 und des Absatzes 2 mit einer Geldbuße bis zu fünfhunderttausend Euro, in den Fällen des Absatzes 1 Nummer 8 mit einer Geldbuße bis zu fünfzigtausend Euro und in den übrigen Fällen mit einer Geldbuße bis zu dreißigtausend Euro geahndet werden.

(4) Verwaltungsbehörden im Sinne des § 36 Absatz 1 Nummer 1 des Gesetzes über Ordnungswidrigkeiten[1] sind die in § 14 genannten Behörden jeweils für ihren Geschäftsbereich.

(5) Für die Vollstreckung zugunsten der Behörden des Bundes und der bundesunmittelbaren juristischen Personen des öffentlichen Rechts sowie für die Vollziehung des Vermögensarrestes nach § 111e der Strafprozessordnung[2] in Verbindung mit § 46 des Gesetzes über Ordnungswidrigkeiten durch die in § 14 genannten Behörden gilt das Verwaltungs-Vollstreckungsgesetz des Bundes[3].

Abschnitt 4. Schlussvorschriften

§ 22 Persönlicher Anwendungsbereich. (1) [1] Dieses Gesetz gilt für Arbeitnehmerinnen und Arbeitnehmer. [2] Praktikantinnen und Praktikanten im Sinne des § 26 des Berufsbildungsgesetzes[4] gelten als Arbeitnehmerinnen und Arbeitnehmer im Sinne dieses Gesetzes, es sei denn, dass sie

1. ein Praktikum verpflichtend auf Grund einer schulrechtlichen Bestimmung, einer Ausbildungsordnung, einer hochschulrechtlichen Bestimmung oder im Rahmen einer Ausbildung an einer gesetzlich geregelten Berufsakademie leisten,
2. ein Praktikum von bis zu drei Monaten zur Orientierung für eine Berufsausbildung oder für die Aufnahme eines Studiums leisten,
3. ein Praktikum von bis zu drei Monaten begleitend zu einer Berufs- oder Hochschulausbildung leisten, wenn nicht zuvor ein solches Praktikumsverhältnis mit demselben Ausbildenden bestanden hat, oder
4. an einer Einstiegsqualifizierung nach § 54a des Dritten Buches Sozialgesetzbuch[5] oder an einer Berufsausbildungsvorbereitung nach §§ 68 bis 70 des Berufsbildungsgesetzes teilnehmen.

[3] Praktikantin oder Praktikant ist unabhängig von der Bezeichnung des Rechtsverhältnisses, wer sich nach der tatsächlichen Ausgestaltung und Durchführung des Vertragsverhältnisses für eine begrenzte Dauer zum Erwerb praktischer

---

[1] **Habersack Nr. 94.**
[2] **Habersack Nr. 90.**
[3] ***Sartorius Nr. 100.***
[4] Nr. **415**.
[5] Nr. **700**.

Kenntnisse und Erfahrungen einer bestimmten betrieblichen Tätigkeit zur Vorbereitung auf eine berufliche Tätigkeit unterzieht, ohne dass es sich dabei um eine Berufsausbildung im Sinne des Berufsbildungsgesetzes oder um eine damit vergleichbare praktische Ausbildung handelt.

(2) Personen im Sinne von § 2 Absatz 1 und 2 des Jugendarbeitsschutzgesetzes[1] ohne abgeschlossene Berufsausbildung gelten nicht als Arbeitnehmerinnen und Arbeitnehmer im Sinne dieses Gesetzes.

(3) Von diesem Gesetz nicht geregelt wird die Vergütung von zu ihrer Berufsausbildung Beschäftigten sowie ehrenamtlich Tätigen.

(4) [1] Für Arbeitsverhältnisse von Arbeitnehmerinnen und Arbeitnehmern, die unmittelbar vor Beginn der Beschäftigung langzeitarbeitslos im Sinne des § 18 Absatz 1 des Dritten Buches Sozialgesetzbuch waren, gilt der Mindestlohn in den ersten sechs Monaten der Beschäftigung nicht. [2] Die Bundesregierung hat den gesetzgebenden Körperschaften zum 1. Juni 2016 darüber zu berichten, inwieweit die Regelung nach Satz 1 die Wiedereingliederung von Langzeitarbeitslosen in den Arbeitsmarkt gefördert hat, und eine Einschätzung darüber abzugeben, ob diese Regelung fortbestehen soll.

§ 23 Evaluation. Dieses Gesetz ist im Jahr 2020 zu evaluieren.

§ 24 *(außer Kraft)*[2]

---

[1] Nr. **420**.

[2] § 24 ist gem. Art. 15 Abs. 2 G v. 11.8.2014 (BGBl. I S. 1348) mit Ablauf des 31.12.2017 außer Kraft getreten.

505b. Verordnung über Meldepflichten nach dem Mindestlohngesetz, dem Arbeitnehmer-Entsendegesetz und dem Arbeitnehmerüberlassungsgesetz (Mindestlohnmeldeverordnung – MiLoMeldV)

Vom 26. November 2014

(BGBl. I S. 1825)

FNA 802-5-3

zuletzt geänd. durch Art. 19 Abs. 6 G zur Modernisierung und Digitalisierung der Schwarzarbeitsbekämpfung v. 22.12.2025 (BGBl. 2025 I Nr. 369)

Auf Grund des § 16 Absatz 5 Nummer 2 und 3 des Mindestlohngesetzes[1] vom 11. August 2014 (BGBl. I S. 1348), des § 18 Absatz 5 Nummer 2 und 3 des Arbeitnehmer-Entsendegesetzes[2] vom 20. April 2009 (BGBl. I S. 799) und des § 17b Absatz 3 Nummer 2 und 3 des Arbeitnehmerüberlassungsgesetzes[3], der durch Artikel 1 Nummer 3 des Gesetzes vom 20. Juli 2011 (BGBl. I S. 1506) eingefügt worden ist, verordnet das Bundesministerium der Finanzen im Einvernehmen mit dem Bundesministerium für Arbeit und Soziales:

§ 1[4] Meldungen. (1) [1]Der Arbeitgeber mit Sitz im Ausland soll die Meldungen nach § 16 Absatz 1 des Mindestlohngesetzes[1] und § 18 Absatz 1 des Arbeitnehmer-Entsendegesetzes[2] elektronisch übermitteln. [2]Für die elektronische Übermittlung hat er das Internetportal zu nutzen, das die Zollverwaltung zur Verfügung stellt. [3]Abweichend von den Sätzen 1 und 2 haben Arbeitgeber mit Sitz in einem anderen Mitgliedstaat der Europäischen Union oder des Europäischen Wirtschaftsraums, die Kraftfahrerinnen oder Kraftfahrer nach *§ 36 Absatz 1 des Arbeitgeber-Entsendegesetzes*[5] im Inland beschäftigen, die Anmeldung mittels der elektronischen Schnittstelle des Binnenmarkt-Informationssystems nach Artikel 1 in Verbindung mit Artikel 5 Buchstabe a der Verordnung (EU) Nr. 1024/2012 des Europäischen Parlaments und des Rates vom 25. Oktober 2012 über die Verwaltungszusammenarbeit mit Hilfe des Binnenmarkt-Informationssystems und zur Aufhebung der Entscheidung 2008/49/EG der Kommission („IMI-Verordnung") (ABl. L 316 vom 14.11. 2012, S. 1), die zuletzt durch die Verordnung (EU) 2020/1055 (ABl. L 249 vom 31.7.2020, S. 17) geändert worden ist, zuzuleiten.

(2) Absatz 1 gilt entsprechend für Verleiher bei Meldungen
1. nach § 16 Absatz 3 des Mindestlohngesetzes,
2. nach § 18 Absatz 3 des Arbeitnehmer-Entsendegesetzes und
3. nach § 17b Absatz 1 des Arbeitnehmerüberlassungsgesetzes[3].

(3) [1]Bei der elektronischen Übermittlung nach Absatz 1 Satz 1 und 2 sowie Absatz 2 hat die Zollverwaltung Verfahren einzusetzen, die dem jeweiligen

---

[1] Nr. **505**.
[2] Nr. **506**.
[3] Nr. **730**.
[4] § 1 neu gef. mWv 1.1.2017 durch VO v. 31.10.2016 (BGBl. I S. 2494); Abs. 1 Satz 1 geänd., Satz 3 angef., Abs. 2 neu gef., Abs. 3 Satz 1 geänd. mWv 1.7.2023 durch G v. 28.6.2023 (BGBl. 2023 I Nr. 172).
[5] Richtig wohl: „§ 36 Absatz 1 des Arbeitnehmer-Entsendegesetzes (Nr. **506**)".

Stand der Technik entsprechen sowie die Vertraulichkeit und Integrität der Daten gewährleisten. [2]Bei Nutzung allgemein zugänglicher Netze sind die Daten über das Internetportal Ende-zu-Ende zu verschlüsseln. [3]Jede Meldung sowie die darin enthaltenen Datensätze sind systemseitig mit einem eindeutigen Kennzeichen zur Identifizierung zu versehen.

§ 2 Abwandlung der Anmeldung[1)]. (1) Abweichend von der Meldepflicht nach § 16 Absatz 1 Satz 1 und 2 des Mindestlohngesetzes[2)] und § 18 Absatz 1 Satz 1 und 2 des Arbeitnehmer-Entsendegesetzes[3)] ist in den Fällen, in denen ein Arbeitgeber mit Sitz im Ausland Arbeitnehmerinnen und Arbeitnehmer

1. an einem Beschäftigungsort
   a) zumindest teilweise vor 6 Uhr oder nach 22 Uhr oder
   b) in Schichtarbeit,
2. an mehreren Beschäftigungsorten am selben Tag oder
3. in ausschließlich mobiler Tätigkeit

beschäftigt, eine Einsatzplanung vorzulegen.

(2) [1]In den Fällen des Absatzes 1 Nummer 1 und 2 hat der Arbeitgeber in der Einsatzplanung folgende Angaben zu machen:

1. den Familiennamen, den Vornamen, das Geburtsdatum, die Staatsangehörigkeit und die Kontaktdaten der von ihm beschäftigten Arbeitnehmerinnen und Arbeitnehmer,
2. den Beginn und die voraussichtliche Dauer der Beschäftigung,
3. den Ort der Beschäftigung, wobei die Angaben die Ortsbezeichnung, die Postleitzahl und, soweit vorhanden, den Straßennamen sowie die Hausnummer enthalten müssen und der Einsatz der Arbeitnehmerinnen und Arbeitnehmer am Beschäftigungsort durch die Angabe von Datum und Uhrzeiten zu konkretisieren ist,
4. den Ort im Inland, an dem die nach § 17 Absatz 2 des *Mindestlohngesetztes*[2) 4)] und § 19 Absatz 2 des Arbeitnehmer-Entsendegesetzes erforderlichen Unterlagen bereitgehalten werden,
5. den Familiennamen, den Vornamen, und die Anschrift in Deutschland einer oder eines Zustellungsbevollmächtigten,
6. die Branche, in die die Arbeitnehmerinnen und Arbeitnehmer entsandt werden sollen,
7. die Tätigkeit oder die Position der beschäftigten Arbeitnehmerinnen oder Arbeitnehmer für die Dauer der Beschäftigung und
8. den Familiennamen, den Vornamen oder die Firma sowie die Anschrift der Auftraggeber.

[2]Die Einsatzplanung kann einen Zeitraum von bis zu drei Monaten umfassen.

(3) [1]In den Fällen des Absatzes 1 Nummer 3 hat der Arbeitgeber in der Einsatzplanung folgende Angaben zu machen:

[1)] § 2 Abs. 4 Satz 4 angef., Abs. 5 geänd. mWv 1.7.2023 durch G v. 28.6.2023 (BGBl. 2023 I Nr. 172); Abs. 2–5 neu gef. mWv 30.12.2025 durch G v. 22.12.2025 (BGBl. 2025 I Nr. 369).

[2)] Nr. **505**.

[3)] Nr. **506**.

[4)] Richtig wohl: „Mindestlohngesetzes".

1. den Familiennamen, den Vornamen, das Geburtsdatum, die Staatsangehörigkeit und die Kontaktdaten der von ihm voraussichtlich eingesetzten Arbeitnehmerinnen und Arbeitnehmer unter Angabe der voraussichtlichen Anzahl der Einsätze in Deutschland während des angemeldeten Beschäftigungszeitraums,
2. den Beginn und das voraussichtliche Ende der Werk- oder Dienstleistung,
3. den Ort im Inland, an dem die nach § 17 Absatz 2 des *Mindestlohngesetztes*[1) 2)] und § 19 Absatz 2 des Arbeitnehmer-Entsendegesetzes erforderlichen Unterlagen bereitgehalten werden,
4. die Branche, in die die Arbeitnehmerinnen und Arbeitnehmer entsandt werden sollen,
5. die Tätigkeit oder die Position der beschäftigten Arbeitnehmerinnen oder Arbeitnehmer für die Dauer der Beschäftigung und
6. den Familiennamen, den Vornamen oder die Firma sowie die Anschrift der Auftraggeber.

[2] Die Einsatzplanung kann je nach Auftragssicherheit einen Zeitraum von bis zu sechs Monaten umfassen. [3] Sofern die Unterlagen im Ausland bereitgehalten werden, ist der Einsatzplanung eine Versicherung beizufügen, dass die Unterlagen auf Anforderung der Behörden der Zollverwaltung für die Prüfung in deutscher Sprache im Inland bereitgestellt werden. [4] Diesen Unterlagen sind auch Angaben zu den im gemeldeten Zeitraum tatsächlich erbrachten Werk- oder Dienstleistungen sowie den jeweiligen Auftraggebern beizufügen.

(4) [1] Bei einer ausschließlich mobilen Tätigkeit im Sinne des Absatzes 1 Nummer 3 handelt es sich um eine Tätigkeit, die nicht an Beschäftigungsorte gebunden ist. [2] Eine ausschließlich mobile Tätigkeit liegt insbesondere bei der Zustellung von Briefen, Paketen und Druckerzeugnissen, der Abfallsammlung, der Straßenreinigung, dem Winterdienst, dem Gütertransport und der Personenbeförderung vor. [3] Das Erbringen ambulanter Pflegeleistungen wird einer ausschließlich mobilen Tätigkeit gleichgestellt. [4] Abweichend von Satz 2 gelten die Beförderung von Gütern oder Personen im Straßenverkehrssektor für Arbeitgeber mit Sitz in einem anderen Mitgliedstaat der Europäischen Union oder des Europäischen Wirtschaftsraums, die eine Entsendung im Sinne des Abschnitts 9 Unterabschnitt 2 des Arbeitnehmer-Entsendegesetzes darstellen, nicht als ausschließlich mobile Tätigkeit im Sinne des Absatzes 1 Nummer 3.

(5) [1] Bei einer ausschließlich mobilen Tätigkeit im Sinne des Absatzes 1 Nummer 3 handelt es sich um eine Tätigkeit, die nicht an Beschäftigungsorte gebunden ist. [2] Eine ausschließlich mobile Tätigkeit liegt insbesondere bei der Zustellung von Briefen, Paketen und Druckerzeugnissen, der Abfallsammlung, der Straßenreinigung, dem Winterdienst, dem Gütertransport und der Personenbeförderung vor. [3] Das Erbringen ambulanter Pflegeleistungen wird einer ausschließlich mobilen Tätigkeit gleichgestellt. [4] Abweichend von Satz 2 gelten die Beförderung von Gütern oder Personen im Straßenverkehrssektor für Arbeitgeber mit Sitz in einem anderen Mitgliedstaat der Europäischen Union oder des Europäischen Wirtschaftsraums, die eine Entsendung im Sinne des Abschnitts 9 Unterabschnitt 2 des Arbeitnehmer-Entsendegesetzes darstellen, nicht als ausschließlich mobile Tätigkeit im Sinne des Absatzes 1 Nummer 3.

---

1) Nr. **505**.
2) Richtig wohl: „Mindestlohngesetzes".

§ 3 Änderungsmeldung[1]**.** (1) Eine Abweichung der Beschäftigung von den in der gemeldeten Einsatzplanung nach § 2 Absatz 2 gemachten Angaben müssen Arbeitgeber oder Verleiher entgegen § 16 Absatz 1 Satz 3 und Absatz 3 Satz 2 des Mindestlohngesetzes[2], § 18 Absatz 1 Satz 3 und Absatz 3 Satz 2 des Arbeitnehmer-Entsendegesetzes[3] und § 17b Absatz 1 Satz 2 des Arbeitnehmerüberlassungsgesetzes[4] nur melden, wenn der Einsatz am gemeldeten Ort um mindestens acht Stunden verschoben wird.

(2) Eine Abweichung der Beschäftigung von den in der gemeldeten Einsatzplanung nach § 2 Absatz 3 gemachten Angaben müssen Arbeitgeber oder Verleiher entgegen § 16 Absatz 1 Satz 3 und Absatz 3 Satz 2 des Mindestlohngesetzes, § 18 Absatz 1 Satz 3 und Absatz 3 Satz 2 des Arbeitnehmer-Entsendegesetzes und § 17b Absatz 1 Satz 2 des Arbeitnehmerüberlassungsgesetzes nicht melden.

§ 4[5] **Inkrafttreten, Außerkrafttreten.** [1] Diese Verordnung tritt am 1. Januar 2015 in Kraft. [2] Gleichzeitig tritt die Arbeitnehmer-Entsendegesetz-Meldeverordnung[6] vom 10. September 2010 (BGBl. I S. 1304) außer Kraft.

---

[1] § 3 Abs. 1 und 2 geänd. mWv 1.7.2023 durch G v. 28.6.2023 (BGBl. 2023 I Nr. 172).

[2] Nr. **505**.

[3] Nr. **506**.

[4] Nr. **730**.

[5] *Früherer § 4 wird § 5 mWv 1.1.2017; neuer § 4 aufgeh., bish. § 5 wird wieder § 4 mWv 1.7.* 2017 durch VO v. 31.10.2016 (BGBl. I S. 2494).

[6] **beck-online, Module Arbeitsrecht Nr. 506(1).**

505c. Verordnung zu den Dokumentationspflichten nach den §§ 16 und 17 des Mindestlohngesetzes und den §§ 18 und 19 des Arbeitnehmer-Entsendegesetzes in Bezug auf bestimmte Arbeitnehmergruppen (Mindestlohndokumentationspflichtenverordnung – MiLoDokV)

Vom 29. Juli 2015
(BAnz AT 31.07.2015 V1)

FNA 802-5-5

zuletzt geänd. durch Art. 1, 2 Erste ÄndVO v. 15.12.2023 (BGBl. 2023 I Nr. 372)

Auf Grund des § 17 Absatz 3 des Mindestlohngesetzes[1] vom 11. August 2014 (BGBl. I S. 1348) und des § 19 Absatz 3 des Arbeitnehmer-Entsendegesetzes[2] vom 20. April 2009 (BGBl. I S. 799), der durch Artikel 6 Nummer 12 Buchstabe c des Gesetzes vom 11. August 2014 (BGBl. I S. 1348) angefügt worden ist, verordnet das Bundesministerium für Arbeit und Soziales:

§ 1[3] [Pflichten nach §§ 16 und 17 des Mindestlohngesetzes[1]] (1) [1] Die Pflicht zur Abgabe einer schriftlichen Anmeldung nach § 16 Absatz 1 oder 3 des Mindestlohngesetzes,[4] sowie die Pflicht zum Erstellen und Bereithalten von Dokumenten nach § 17 Absatz 1 und 2 des Mindestlohngesetzes werden vorbehaltlich des Absatzes 3 dahingehend eingeschränkt, dass sie nicht gelten für Arbeitnehmer und Arbeitnehmerinnen, deren verstetigtes regelmäßiges Monatsentgelt brutto ***[bis 31.12.2024:*** 4 319 Euro***][ab 1.1.2025:*** *4 461 Euro]* überschreitet. [2] Für die Ermittlung des verstetigten Monatsentgelts sind ungeachtet ihrer Anrechenbarkeit auf den gesetzlichen Mindestlohnanspruch nach den §§ 1 und 20 des Mindestlohngesetzes sämtliche verstetigte monatliche Zahlungen des Arbeitgebers zu berücksichtigen, die regelmäßiges monatliches Arbeitsentgelt sind. [3] Satz 1 und Satz 2 gelten entsprechend für Arbeitnehmer und Arbeitnehmerinnen, deren verstetigtes regelmäßiges Monatsentgelt brutto ***[bis 31.12.2024:*** 2 879 Euro***][ab 1.1.2025:*** *2 974 Euro]* überschreitet, wenn der Arbeitgeber dieses Monatsentgelt für die letzten vollen zwölf Monate nachweislich gezahlt hat; Zeiten ohne Anspruch auf Arbeitsentgelt bleiben bei der Berechnung des Zeitraums von zwölf Monaten unberücksichtigt.

(2) Die in Absatz 1 Satz 1 genannten Pflichten nach § 16 Absatz 1 und 3 und § 17 Absatz 1 und 2 des Mindestlohngesetzes sowie die entsprechenden Pflichten nach § 18 Absatz 1 und 3 und nach § 19 Absatz 1 und 2 des Arbeitnehmer-Entsendegesetzes[2] werden vorbehaltlich des Absatzes 3 dahingehend eingeschränkt, dass sie nicht gelten für im Betrieb des Arbeitgebers arbeitende Ehegatten, eingetragene Lebenspartner, Kinder und Eltern des Arbeitgebers oder, wenn der Arbeitgeber eine juristische Person oder eine rechtsfähige

[1] Nr. **505**.
[2] Nr. **506**.
[3] § 1 Abs. 1 Sätze 1 und 3 geänd. mWv 1.10.2022 durch G v. 28.6.2022 (BGBl. I S. 969); Abs. 1 Satz 1 und Abs. 2 geänd. mWv 1.7.2023 durch G v. 28.6.2023 (BGBl. 2023 I Nr. 172); Abs. 1 Sätze 1 und 3 geänd. mWv 1.1.2024 und mWv 1.1.2025 durch VO v. 15.12.2023 (BGBl. 2023 I Nr. 372).
[4] Zeichensetzung amtlich.

Personengesellschaft ist, des vertretungsberechtigten Organs der juristischen Person oder eines Mitglieds eines solchen Organs oder eines vertretungsberechtigten Gesellschafters der rechtsfähigen Personengesellschaft.

(3) In Bezug auf die in Absatz 1 oder 2 genannten Arbeitnehmer und Arbeitnehmerinnen hat deren Arbeitgeber diejenigen Unterlagen im Inland in deutscher Sprache bereit zu halten, aus denen sich die Erfüllung der in Absatz 1 oder 2 genannten Voraussetzungen ergibt.

§ 2 [Inkrafttreten; Außerkrafttreten] [1] Diese Verordnung tritt am 1. August 2015 in Kraft. [2] Gleichzeitig tritt die Mindestlohndokumentationspflichten-Verordnung vom 18. Dezember 2014 (BAnz AT 29.12.2014 V1) außer Kraft.

505d. Vierte Verordnung zur Anpassung der Höhe des Mindestlohns (Vierte Mindestlohnanpassungsverordnung – MiLoV4)

Vom 24. November 2023

(BGBl. 2023 I Nr. 321)

FNA 802-5-6-4

Auf Grund des § 11 des Mindestlohngesetzes[1] vom 11. August 2014 (BGBl. I S. 1348) verordnet die Bundesregierung:

§ 1 Höhe des Mindestlohns. Der Mindestlohn beträgt

1. ab 1. Januar 2024 12,41 Euro brutto je Zeitstunde,
2. ab 1. Januar 2025 12,82 Euro brutto je Zeitstunde.

§ 2 Inkrafttreten. Diese Verordnung tritt am 1. Januar 2024 in Kraft.

---

[1] Nr. **505**.

506. Gesetz über zwingende Arbeitsbedingungen für grenzüberschreitend entsandte und für regelmäßig im Inland beschäftigte Arbeitnehmer und Arbeitnehmerinnen (Arbeitnehmer-Entsendegesetz – AEntG)

Vom 20. April 2009
(BGBl. I S. 799)

FNA 810-20

zuletzt geänd. durch Art. 5a G zur Änd. des ProduktsicherheitsG und weiterer produktsicherheitsrechtlicher Vorschriften v. 3.2.2026 (BGBl. 2026 I Nr. 29)

Der Bundestag hat mit der Mehrheit seiner Mitglieder und mit Zustimmung des Bundesrates das folgende Gesetz beschlossen:

Abschnitt 1. Zielsetzung

§ 1[1] Zielsetzung. [1] Ziele des Gesetzes sind die Schaffung und Durchsetzung angemessener Mindestarbeitsbedingungen für grenzüberschreitend entsandte und für regelmäßig im Inland beschäftigte Arbeitnehmer und Arbeitnehmerinnen sowie die Gewährleistung fairer und funktionierender Wettbewerbsbedingungen durch die Erstreckung der Rechtsnormen von Branchentarifverträgen. [2] Dadurch sollen zugleich sozialversicherungspflichtige Beschäftigung erhalten und die Ordnungs- und Befriedungsfunktion der Tarifautonomie gewahrt werden.

Abschnitt 2. Allgemeine Arbeitsbedingungen

§ 2[2] Allgemeine Arbeitsbedingungen. (1) Die in Rechts- oder Verwaltungsvorschriften enthaltenen Regelungen über folgende Arbeitsbedingungen sind auch auf Arbeitsverhältnisse zwischen einem im Ausland ansässigen Arbeitgeber und seinen im Inland beschäftigten Arbeitnehmern und Arbeitnehmerinnen zwingend anzuwenden:

1. die Entlohnung einschließlich der Überstundensätze ohne die Regelungen über die betriebliche Altersversorgung,
2. der bezahlte Mindestjahresurlaub,
3. die Höchstarbeitszeiten, Mindestruhezeiten und Ruhepausenzeiten,
4. die Bedingungen für die Überlassung von Arbeitskräften, insbesondere durch Leiharbeitsunternehmen,
5. die Sicherheit, der Gesundheitsschutz und die Hygiene am Arbeitsplatz, einschließlich der Anforderungen an die Unterkünfte von Arbeitnehmern und Arbeitnehmerinnen, wenn sie vom Arbeitgeber für Arbeitnehmer und Arbeitnehmerinnen, die von ihrem regelmäßigen Arbeitsplatz entfernt ein-

[1] § 1 Satz 1 geänd. mWv 16.8.2014 durch G v. 11.8.2014 (BGBl. I S. 1348).

[2] § 2 neu gef. mWv 30.7.2020 durch G v. 10.7.2020 (BGBl. I S. 1657); Abs. 1 Nr. 3 neu gef. mWv 1.7.2023 durch G v. 28.6.2023 (BGBl. 2023 I Nr. 172).

gesetzt werden, unmittelbar oder mittelbar, entgeltlich oder unentgeltlich zur Verfügung gestellt werden,

6. die Schutzmaßnahmen im Zusammenhang mit den Arbeits- und Beschäftigungsbedingungen von Schwangeren und Wöchnerinnen, Kindern und Jugendlichen,
7. die Gleichbehandlung der Geschlechter sowie andere Nichtdiskriminierungsbestimmungen und
8. die Zulagen oder die Kostenerstattung zur Deckung der Reise-, Unterbringungs- und Verpflegungskosten für Arbeitnehmer und Arbeitnehmerinnen, die aus beruflichen Gründen von ihrem Wohnort entfernt sind.

(2) Ein Arbeitgeber mit Sitz im Ausland beschäftigt einen Arbeitnehmer oder eine Arbeitnehmerin auch dann im Inland, wenn er ihn oder sie einem Entleiher mit Sitz im Ausland oder im Inland überlässt und der Entleiher den Arbeitnehmer oder die Arbeitnehmerin im Inland beschäftigt.

(3) Absatz 1 Nummer 8 gilt für Arbeitgeber mit Sitz im Ausland, wenn der Arbeitnehmer oder die Arbeitnehmerin

1. zu oder von seinem oder ihrem regelmäßigen Arbeitsort im Inland reisen muss oder
2. von dem Arbeitgeber von seinem oder ihrem regelmäßigen Arbeitsort im Inland vorübergehend zu einem anderen Arbeitsort geschickt wird.

§ 2a[1)] Gegenstand der Entlohnung. [1] Entlohnung im Sinne von § 2 Absatz 1 Nummer 1 sind alle Bestandteile der Vergütung, die der Arbeitnehmer oder die Arbeitnehmerin vom Arbeitgeber in Geld oder als Sachleistung für die geleistete Arbeit erhält. [2] Zur Entlohnung zählen insbesondere die Grundvergütung, einschließlich Entgeltbestandteilen, die an die Art der Tätigkeit, Qualifikation und Berufserfahrung der Arbeitnehmer und Arbeitnehmerinnen und die Region anknüpfen, sowie Zulagen, Zuschläge und Gratifikationen, einschließlich Überstundensätzen. [3] Die Entlohnung umfasst auch Regelungen zur Fälligkeit der Entlohnung einschließlich Ausnahmen und deren Voraussetzungen.

§ 2b[2)] Anrechenbarkeit von Entsendezulagen. (1) [1] Erhält der Arbeitnehmer oder die Arbeitnehmerin vom Arbeitgeber mit Sitz im Ausland eine Zulage für die Zeit der Arbeitsleistung im Inland (Entsendezulage), kann diese auf die Entlohnung nach § 2 Absatz 1 Nummer 1 angerechnet werden. [2] Dies gilt nicht, soweit die Entsendezulage zur Erstattung von Kosten gezahlt wird, die infolge der Entsendung tatsächlich entstanden sind (Entsendekosten). [3] Als Entsendekosten gelten insbesondere Reise-, Unterbringungs- und Verpflegungskosten.

(2) Legen die für das Arbeitsverhältnis geltenden Arbeitsbedingungen nicht fest, welche Bestandteile einer Entsendezulage als Erstattung von Entsendekosten gezahlt werden oder welche Bestandteile einer Entsendezulage Teil der Entlohnung sind, wird unwiderleglich vermutet, dass die gesamte Entsendezulage als Erstattung von Entsendekosten gezahlt wird.

---

1) § 2a eingef. mWv 30.7.2020 durch G v. 10.7.2020 (BGBl. I S. 1657).
2) § 2b eingef. mWv 30.7.2020 durch G v. 10.7.2020 (BGBl. I S. 1657).

Abschnitt 3. Tarifvertragliche Arbeitsbedingungen

§ 3[1)] **Tarifvertragliche Arbeitsbedingungen.** [1] Die Rechtsnormen eines bundesweiten Tarifvertrages finden unter den Voraussetzungen der §§ 4 bis 6 auch auf Arbeitsverhältnisse zwischen einem Arbeitgeber mit Sitz im Ausland und seinen im räumlichen Geltungsbereich dieses Tarifvertrages beschäftigten Arbeitnehmern und Arbeitnehmerinnen zwingend Anwendung, wenn

1. der Tarifvertrag für allgemeinverbindlich erklärt ist oder
2. eine Rechtsverordnung nach § 7 oder § 7a vorliegt.

[2] § 2 Absatz 2 gilt entsprechend. [3] Eines bundesweiten Tarifvertrages bedarf es nicht, soweit Arbeitsbedingungen im Sinne des § 5 Nummer 2, 3 oder 4 Gegenstand tarifvertraglicher Regelungen sind, die zusammengefasst räumlich den gesamten Geltungsbereich dieses Gesetzes abdecken.

§ 4[2)] **Branchen.** (1) § 3 Satz 1 Nummer 2 gilt für Tarifverträge

1. des Bauhauptgewerbes oder des Baunebengewerbes im Sinne der Baubetriebe-Verordnung vom 28. Oktober 1980 (BGBl. I S. 2033), zuletzt geändert durch die Verordnung vom 26. April 2006 (BGBl. I S. 1085), in der jeweils geltenden Fassung einschließlich der Erbringung von Montageleistungen auf Baustellen außerhalb des Betriebssitzes,
2. der Gebäudereinigung,
3. für Briefdienstleistungen,
4. für Sicherheitsdienstleistungen,
5. für Bergbauspezialarbeiten auf Steinkohlebergwerken,
6. für Wäschereidienstleistungen im Objektkundengeschäft,
7. der Abfallwirtschaft einschließlich Straßenreinigung und Winterdienst,
8. für Aus- und Weiterbildungsdienstleistungen nach dem Zweiten oder Dritten Buch Sozialgesetzbuch und
9. für Schlachten und Fleischverarbeitung.

(2) § 3 Satz 1 Nummer 2 gilt darüber hinaus für Tarifverträge aller anderen als der in Absatz 1 genannten Branchen, wenn die Erstreckung der Rechtsnormen des Tarifvertrages im öffentlichen Interesse geboten erscheint, um die in § 1 genannten Gesetzesziele zu erreichen und dabei insbesondere einem Verdrängungswettbewerb über die Lohnkosten entgegen zu wirken.

§ 5[3)] **Arbeitsbedingungen.** [1] Gegenstand eines Tarifvertrages nach § 3 können sein

1. Mindestentgeltsätze, die nach Art der Tätigkeit, Qualifikation der Arbeitnehmer und Arbeitnehmerinnen und Regionen differieren können, ein-

---

[1)] § 3 Satz 1 geänd. mWv 16.8.2014 durch G v. 11.8.2014 (BGBl. I S. 1348); Satz 2 geänd. mWv 18.7.2019 durch G v. 11.7.2019 (BGBl. I S. 1066); Satz 1 geänd., Satz 2 eingef., bish. Satz 2 wird Satz 3 mWv 30.7.2020 durch G v. 10.7.2020 (BGBl. I S. 1657).

[2)] § 4 Nr. 7 und 8 geänd., Nr. 9 angef. mWv 29.5.2014 durch G v. 24.5.2014 (BGBl. I S. 538); Überschrift geänd., Abs. 2 angef. mWv 16.8.2014 durch G v. 11.8.2014 (BGBl. I S. 1348); Abs. 1 einl. Satzteil und Abs. 2 geänd. mWv 30.7.2020 durch G v. 10.7.2020 (BGBl. I S. 1657).

[3)] § 5 Satz 2 angef. mWv 16.8.2014 durch G v. 11.8.2014 (BGBl. I S. 1348); Satz 1 Nr. 3 geänd., Nr. 4 eingef., bish. Nr. 4 wird Nr. 5 mWv 18.7.2019 durch G v. 11.7.2019 (BGBl. I S. 1066); Satz 1 Nr. 1, 4 und 5 geänd., Nr. 1a eingef. mWv 30.7.2020 durch G v. 10.7.2020 (BGBl. I S. 1657).

schließlich der Überstundensätze, wobei die Differenzierung nach Art der Tätigkeit und Qualifikation insgesamt bis zu drei Stufen umfassen kann,

1a. die über Nummer 1 hinausgehenden Entlohnungsbestandteile nach § 2 Absatz 1 Nummer 1,

2. die Dauer des Erholungsurlaubs, das Urlaubsentgelt oder ein zusätzliches Urlaubsgeld,

3. die Einziehung von Beiträgen und die Gewährung von Leistungen im Zusammenhang mit Urlaubsansprüchen nach Nummer 2 durch eine gemeinsame Einrichtung der Tarifvertragsparteien, wenn sichergestellt ist, dass der ausländische Arbeitgeber nicht gleichzeitig zu Beiträgen zu der gemeinsamen Einrichtung der Tarifvertragsparteien und zu einer vergleichbaren Einrichtung im Staat seines Sitzes herangezogen wird und das Verfahren der gemeinsamen Einrichtung der Tarifvertragsparteien eine Anrechnung derjenigen Leistungen vorsieht, die der ausländische Arbeitgeber zur Erfüllung des gesetzlichen, tarifvertraglichen oder einzelvertraglichen Urlaubsanspruchs seines Arbeitnehmers oder seiner Arbeitnehmerin bereits erbracht hat,

4. die Anforderungen an die Unterkünfte von Arbeitnehmern und Arbeitnehmerinnen, wenn sie vom Arbeitgeber für Arbeitnehmer und Arbeitnehmerinnen, die von ihrem regelmäßigen Arbeitsplatz entfernt eingesetzt werden, unmittelbar oder mittelbar, entgeltlich oder unentgeltlich zur Verfügung gestellt werden, und

5. Arbeitsbedingungen im Sinne des § 2 Nr. 3 bis 8.

[2] Die Arbeitsbedingungen nach Satz 1 Nummer 1 bis 3 umfassen auch Regelungen zur Fälligkeit entsprechender Ansprüche einschließlich hierzu vereinbarter Ausnahmen und deren Voraussetzungen.

§ 6[1)] Besondere Regelungen. (1) Im Falle eines Tarifvertrages nach § 4 Absatz 1 Nr. 1 findet dieser Abschnitt Anwendung, wenn der Betrieb oder die selbstständige Betriebsabteilung überwiegend Bauleistungen gemäß § 101 Abs. 2 des Dritten Buches Sozialgesetzbuch erbringt.

(2) Im Falle eines Tarifvertrages nach § 4 Absatz 1 Nr. 2 findet dieser Abschnitt Anwendung, wenn der Betrieb oder die selbstständige Betriebsabteilung überwiegend Gebäudereinigungsleistungen erbringt.

(3) Im Falle eines Tarifvertrages nach § 4 Absatz 1 Nr. 3 findet dieser Abschnitt Anwendung, wenn der Betrieb oder die selbstständige Betriebsabteilung überwiegend gewerbs- oder geschäftsmäßig Briefsendungen für Dritte befördert.

(4) Im Falle eines Tarifvertrages nach § 4 Absatz 1 Nr. 4 findet dieser Abschnitt Anwendung, wenn der Betrieb oder die selbstständige Betriebsabteilung überwiegend Dienstleistungen des Bewachungs- und Sicherheitsgewerbes

---

1) § 6 Abs. 1 Satz 2 und Abs. 2 geänd. mWv 1.4.2012 durch G v. 20.12.2011 (BGBl. I S. 2854); Abs. 8 geänd. mWv 1.6.2012 durch G v. 24.2.2012 (BGBl. I S. 212); Abs. 10 angef. mWv 29.5.2014 durch G v. 24.5.2014 (BGBl. I S. 538); Abs. 2–6, Abs. 7 Satz 1, Abs. 8, Abs. 9 Satz 1 und Abs. 10 Satz 1 geänd. mWv 16.8.2014 durch G v. 11.8.2014 (BGBl. I S. 1348); Abs. 7 Satz 2 und Abs. 9 Satz 2 geänd. mWv 1.1.2018 durch G v. 23.12.2016 (BGBl. I S. 3234); Abs. 1 Satz 2 geänd. mWv 18.7.2019 durch G v. 11.7.2019 (BGBl. I S. 1066); Abs. 1 aufgeh., Abs. 2 wird Abs. 1 und geänd., Abs. 3–7 werden Abs. 2–6, Abs. 8 wird Abs. 7 und geänd., Abs. 9 und 10 werden Abs. 8 und 9, Abs. 10 angef. mWv 30.7.2020 durch G v. 10.7.2020 (BGBl. I S. 1657).

oder Kontroll- und Ordnungsdienste erbringt, die dem Schutz von Rechtsgütern aller Art, insbesondere von Leben, Gesundheit oder Eigentum dienen.

(5) Im Falle eines Tarifvertrages nach § 4 Absatz 1 Nr. 5 findet dieser Abschnitt Anwendung, wenn der Betrieb oder die selbstständige Betriebsabteilung im Auftrag eines Dritten überwiegend auf inländischen Steinkohlebergwerken Grubenräume erstellt oder sonstige untertägige bergbauliche Spezialarbeiten ausführt.

(6) [1]Im Falle eines Tarifvertrages nach § 4 Absatz 1 Nr. 6 findet dieser Abschnitt Anwendung, wenn der Betrieb oder die selbstständige Betriebsabteilung gewerbsmäßig überwiegend Textilien für gewerbliche Kunden sowie öffentlich-rechtliche oder kirchliche Einrichtungen wäscht, unabhängig davon, ob die Wäsche im Eigentum der Wäscherei oder des Kunden steht. [2]Dieser Abschnitt findet keine Anwendung auf Wäschereidienstleistungen, die von Werkstätten für behinderte Menschen im Sinne des § 219 des Neunten Buches Sozialgesetzbuch erbracht werden.

(7) Im Falle eines Tarifvertrages nach § 4 Absatz 1 Nr. 7 findet dieser Abschnitt Anwendung, wenn der Betrieb oder die selbstständige Betriebsabteilung überwiegend Abfälle im Sinne des § 3 Absatz 1 Satz 1 des Kreislaufwirtschaftsgesetzes sammelt, befördert, lagert, behandelt, beseitigt oder verwertet oder Dienstleistungen des Kehrens und Reinigens öffentlicher Verkehrsflächen und Schnee- und Eisbeseitigung von öffentlichen Verkehrsflächen einschließlich Streudienste erbringt.

(8) [1]Im Falle eines Tarifvertrages nach § 4 Absatz 1 Nr. 8 findet dieser Abschnitt Anwendung, wenn der Betrieb oder die selbstständige Betriebsabteilung überwiegend Aus- und Weiterbildungsmaßnahmen nach dem Zweiten oder Dritten Buch Sozialgesetzbuch durchführt. [2]Ausgenommen sind Einrichtungen der beruflichen Rehabilitation im Sinne des § 51 Absatz 1 Satz 1 des Neunten Buches Sozialgesetzbuch.

(9) [1]Im Falle eines Tarifvertrages nach § 4 Absatz 1 Nr. 9 findet dieser Abschnitt Anwendung in Betrieben und selbstständigen Betriebsabteilungen, in denen überwiegend geschlachtet oder Fleisch verarbeitet wird (Betriebe der Fleischwirtschaft) sowie in Betrieben und selbstständigen Betriebsabteilungen, die ihre Arbeitnehmer und Arbeitnehmerinnen überwiegend in Betrieben der Fleischwirtschaft einsetzen. [2]Das Schlachten umfasst dabei alle Tätigkeiten des Schlachtens und Zerlegens von Tieren mit Ausnahme von Fischen. [3]Die Verarbeitung umfasst alle Tätigkeiten der Weiterverarbeitung von beim Schlachten gewonnenen Fleischprodukten zur Herstellung von Nahrungsmitteln sowie deren Portionierung und Verpackung. [4]Nicht erfasst ist die Verarbeitung, wenn die Behandlung, die Portionierung oder die Verpackung beim Schlachten gewonnener Fleischprodukte direkt auf Anforderung des Endverbrauchers erfolgt.

(10) Bestimmt ein Tarifvertrag nach den Absätzen 1 bis 9 den Begriff des Betriebs oder der selbstständigen Betriebsabteilung, ist diese Begriffsbestimmung maßgeblich.

§ 7[1)] Rechtsverordnung für die Fälle des § 4 Absatz 1. (1) [1] Auf gemeinsamen Antrag der Parteien eines Tarifvertrages im Sinne von § 4 Absatz 1 sowie §§ 5 und 6 kann das Bundesministerium für Arbeit und Soziales durch Rechtsverordnung ohne Zustimmung des Bundesrates bestimmen, dass die Rechtsnormen dieses Tarifvertrages auf alle unter seinen Geltungsbereich fallenden und nicht an ihn gebundenen Arbeitgeber sowie Arbeitnehmer und Arbeitnehmerinnen Anwendung finden, wenn dies im öffentlichen Interesse geboten erscheint, um die in § 1 genannten Gesetzesziele zu erreichen. [2] Satz 1 gilt nicht für tarifvertragliche Arbeitsbedingungen nach § 5 Satz 1 Nummer 1a.

(2) [1] Kommen in einer Branche mehrere Tarifverträge mit zumindest teilweise demselben fachlichen Geltungsbereich zur Anwendung, hat der Verordnungsgeber bei seiner Entscheidung nach Absatz 1 im Rahmen einer Gesamtabwägung ergänzend zu den in § 1 genannten Gesetzeszielen die Repräsentativität der jeweiligen Tarifverträge zu berücksichtigen. [2] Bei der Feststellung der Repräsentativität ist vorrangig abzustellen auf

1. die Zahl der von den jeweils tarifgebundenen Arbeitgebern beschäftigten unter den Geltungsbereich des Tarifvertrages fallenden Arbeitnehmer und Arbeitnehmerinnen,
2. die Zahl der jeweils unter den Geltungsbereich des Tarifvertrages fallenden Mitglieder der Gewerkschaft, die den Tarifvertrag geschlossen hat.

(3) Liegen für mehrere Tarifverträge Anträge auf Allgemeinverbindlicherklärung vor, hat der Verordnungsgeber mit besonderer Sorgfalt die von einer Auswahlentscheidung betroffenen Güter von Verfassungsrang abzuwägen und die widerstreitenden Grundrechtsinteressen zu einem schonenden Ausgleich zu bringen.

(4) Vor Erlass der Rechtsverordnung gibt das Bundesministerium für Arbeit und Soziales den in den Geltungsbereich der Rechtsverordnung fallenden Arbeitgebern sowie Arbeitnehmern und Arbeitnehmerinnen, den Parteien des Tarifvertrages sowie in den Fällen des Absatzes 2 den Parteien anderer Tarifverträge und paritätisch besetzten Kommissionen, die auf der Grundlage kirchlichen Rechts Arbeitsbedingungen für den Bereich kirchlicher Arbeitgeber zumindest teilweise im Geltungsbereich der Rechtsverordnung festlegen, Gelegenheit zur schriftlichen Stellungnahme innerhalb von drei Wochen ab dem Tag der Bekanntmachung des Entwurfs der Rechtsverordnung.

(5) [1] Wird in einer Branche nach § 4 Absatz 1 erstmals ein Antrag nach Absatz 1 gestellt, wird nach Ablauf der Frist nach Absatz 4 der Ausschuss nach § 5 Absatz 1 Satz 1 des Tarifvertragsgesetzes (Tarifausschuss) befasst. [2] Stimmen mindestens vier Ausschussmitglieder für den Antrag oder gibt der Tarifausschuss innerhalb von zwei Monaten keine Stellungnahme ab, kann eine Rechtsverordnung nach Absatz 1 erlassen werden. [3] Stimmen zwei oder drei Ausschussmitglieder für den Antrag, kann eine Rechtsverordnung nur von der Bundesregierung erlassen werden. [4] Die Sätze 1 bis 3 gelten nicht für Tarifverträge nach § 4 Absatz 1 Nummer 1 bis 8.

[1)] § 7 *Überschrift* geänd., Abs. 1 neu gef., Abs. 4 geänd., Abs. 5 Satz 1 neu gef., Sätze 2 und 4 geänd. mWv 16.8.2014 durch G v. 11.8.2014 (BGBl. I S. 1348); Abs. 1 Satz 2 angef. mWv 30.7.2020 durch G v. 10.7.2020 (BGBl. I S. 1657).

§ 7a[1)] Rechtsverordnung für die Fälle des § 4 Absatz 2. (1) [1]Auf gemeinsamen Antrag der Parteien eines Tarifvertrages im Sinne von § 4 Absatz 2 und § 5 kann das Bundesministerium für Arbeit und Soziales durch Rechtsverordnung ohne Zustimmung des Bundesrates bestimmen, dass die Rechtsnormen dieses Tarifvertrages auf alle unter seinen Geltungsbereich fallenden und nicht an ihn gebundenen Arbeitgeber sowie Arbeitnehmer und Arbeitnehmerinnen Anwendung finden, wenn dies im öffentlichen Interesse geboten erscheint, um die in § 1 genannten Gesetzesziele zu erreichen und dabei insbesondere einem Verdrängungswettbewerb über die Lohnkosten entgegenzuwirken. [2]Satz 1 gilt nicht für tarifvertragliche Arbeitsbedingungen nach § 5 Satz 1 Nummer 1a. [3]Eine Rechtsverordnung, deren Geltungsbereich die Pflegebranche (§ 10) erfasst, erlässt das Bundesministerium für Arbeit und Soziales im Einvernehmen mit dem Bundesministerium für Gesundheit ohne Zustimmung des Bundesrates. [4]Im Fall einer Rechtsverordnung nach Satz 3 sind auch die in Absatz 1a genannten Voraussetzungen zu erfüllen und die in § 11 Absatz 2 genannten Gesetzesziele zu berücksichtigen.

(1a) [1]Vor Abschluss eines Tarifvertrages nach Absatz 1, dessen Geltungsbereich die Pflegebranche erfasst, gibt das Bundesministerium für Arbeit und Soziales auf gemeinsame Mitteilung der Tarifvertragsparteien bekannt, dass Verhandlungen über einen derartigen Tarifvertrag aufgenommen worden sind. [2]Religionsgesellschaften, in deren Bereichen paritätisch besetzte Kommissionen zur Festlegung von Arbeitsbedingungen auf der Grundlage kirchlichen Rechts für den Bereich kirchlicher Arbeitgeber in der Pflegebranche gebildet sind, können dem Bundesministerium für Arbeit und Soziales innerhalb von drei Wochen ab der Bekanntmachung jeweils eine in ihrem Bereich gebildete Kommission benennen, die von den Tarifvertragsparteien zu dem voraussichtlichen Inhalt des Tarifvertrages angehört wird. [3]Die Anhörung erfolgt mündlich, wenn dies die jeweilige Kommission verlangt oder die Tarifvertragsparteien verlangen. [4]Der Antrag nach Absatz 1 erfordert die schriftliche Zustimmung von mindestens zwei nach Satz 2 benannten Kommissionen. [5]Diese Kommissionen müssen in den Bereichen von Religionsgesellschaften gebildet sein, in deren Bereichen insgesamt mindestens zwei Drittel aller in der Pflegebranche im Bereich von Religionsgesellschaften beschäftigten Arbeitnehmer beschäftigt sind. [6]Mit der Zustimmung einer Kommission werden etwaige Mängel im Zusammenhang mit deren Anhörung geheilt.

(2) § 7 Absatz 2 und 3 findet entsprechende Anwendung.

(3) [1]Vor Erlass der Rechtsverordnung gibt das Bundesministerium für Arbeit und Soziales den in den Geltungsbereich der Rechtsverordnung fallenden und den möglicherweise von ihr betroffenen Arbeitgebern sowie Arbeitnehmern und Arbeitnehmerinnen, den Parteien des Tarifvertrages sowie allen am Ausgang des Verfahrens interessierten Gewerkschaften, Vereinigungen der Arbeitgeber und paritätisch besetzten Kommissionen, die auf der Grundlage kirchlichen Rechts Arbeitsbedingungen für den Bereich kirchlicher Arbeitgeber festlegen, Gelegenheit zur schriftlichen Stellungnahme innerhalb von drei Wochen ab dem Tag der Bekanntmachung des Entwurfs der Rechtsverordnung. [2]Die

---

[1)] § 7a eingef. mWv 16.8.2014 durch G v. 11.8.2014 (BGBl. I S. 1348); Abs. 1 Sätze 2 und 3 angef., Abs. 1a eingef., Abs. 3 Satz 3 angef. mWv 29.11.2019 durch G v. 22.11.2019 (BGBl. I S. 1756); Abs. 1 Satz 1 geänd., Satz 2 eingef., bish. Sätze 2 und 3 werden Sätze 3 und 4 mWv 30.7.2020 durch G v. 10.7.2020 (BGBl. I S. 1657); Abs. 1 Satz 4 geänd. mWv 1.7.2023 durch G v. 28.6.2023 (BGBl. 2023 I Nr. 172).

Gelegenheit zur Stellungnahme umfasst insbesondere auch die Frage, inwieweit eine Erstreckung der Rechtsnormen des Tarifvertrages geeignet ist, die in § 1 genannten Gesetzesziele zu erfüllen und dabei insbesondere einem Verdrängungswettbewerb über die Lohnkosten entgegenzuwirken. [3]Soweit der Geltungsbereich der Rechtsverordnung die Pflegebranche erfasst, umfasst die Gelegenheit zur Stellungnahme insbesondere auch die Frage, inwieweit eine Erstreckung der Rechtsnormen des Tarifvertrages geeignet ist, die in § 11 Absatz 2 genannten Gesetzesziele zu erfüllen.

(4) [1]Wird ein Antrag nach Absatz 1 gestellt, wird nach Ablauf der Frist nach Absatz 3 der Ausschuss nach § 5 Absatz 1 Satz 1 des Tarifvertragsgesetzes (Tarifausschuss) befasst. [2]Stimmen mindestens vier Ausschussmitglieder für den Antrag oder gibt der Tarifausschuss innerhalb von zwei Monaten keine Stellungnahme ab, kann eine Rechtsverordnung nach Absatz 1 erlassen werden. [3]Stimmen zwei oder drei Ausschussmitglieder für den Antrag, kann eine Rechtsverordnung nur von der Bundesregierung erlassen werden.

§ 8[1)] Pflichten des Arbeitgebers zur Gewährung von Arbeitsbedingungen. (1) [1]Arbeitgeber mit Sitz im In- oder Ausland, die unter den Geltungsbereich eines für allgemeinverbindlich erklärten Tarifvertrages nach § 3 Satz 1 Nummer 1 oder einer Rechtsverordnung nach § 7 oder § 7a fallen, sind verpflichtet, ihren Arbeitnehmern und Arbeitnehmerinnen mindestens die in dem Tarifvertrag für den Beschäftigungsort vorgeschriebenen Arbeitsbedingungen zu gewähren sowie einer gemeinsamen Einrichtung der Tarifvertragsparteien die ihr nach § 5 Nr. 3 zustehenden Beiträge zu leisten. [2]Satz 1 gilt unabhängig davon, ob die entsprechende Verpflichtung kraft Tarifbindung nach § 3 des Tarifvertragsgesetzes oder kraft Allgemeinverbindlicherklärung nach § 5 des Tarifvertragsgesetzes oder aufgrund einer Rechtsverordnung nach § 7 oder oder § 7a besteht.

(2) Ein Arbeitgeber ist verpflichtet, einen Tarifvertrag nach § 3 Satz 1 Nummer 1, soweit er Arbeitsbedingungen nach § 5 Satz 1 Nummer 2 bis 4 enthält, sowie einen Tarifvertrag, der durch Rechtsverordnung nach § 7 oder § 7a auf nicht an ihn gebundene Arbeitgeber sowie Arbeitnehmer und Arbeitnehmerinnen erstreckt wird, auch dann einzuhalten, wenn er nach § 3 des Tarifvertragsgesetzes oder kraft Allgemeinverbindlicherklärung nach § 5 des Tarifvertragsgesetzes an einen anderen Tarifvertrag gebunden ist.

(3) Wird ein Leiharbeitnehmer oder eine Leiharbeitnehmerin vom Entleiher mit Tätigkeiten beschäftigt, die in den Geltungsbereich eines Tarifvertrages nach § 3 Satz 1 Nummer 1, soweit er Arbeitsbedingungen nach § 5 Satz 1 Nummer 2 bis 4 enthält, oder einer Rechtsverordnung nach § 7 oder § 7a fallen, hat der Verleiher zumindest die in diesem Tarifvertrag oder in dieser Rechtsverordnung vorgeschriebenen Arbeitsbedingungen zu gewähren sowie die der gemeinsamen Einrichtung nach diesem Tarifvertrag zustehenden Beiträge zu leisten; dies gilt auch dann, wenn der Betrieb des Entleihers nicht in den fachlichen Geltungsbereich dieses Tarifvertrages oder dieser Rechtsverordnung fällt.

[1)] § 8 Abs. 1 Sätze 1 und 2 geänd., Abs. 2 neu gef., Abs. 3 geänd. mWv 16.8.2014 durch G v. 11.8. 2014 (BGBl. I S. 1348); Abs. 1 Satz 1, Abs. 2 und 3 geänd. mWv 30.7.2020 durch G v. 10.7.2020 (BGBl. I S. 1657).

§ 9[1)] Verzicht, Verwirkung. [1] Ein Verzicht auf den aufgrund einer Rechtsverordnung nach § 7 oder § 7a entstandenen Anspruch der Arbeitnehmer und Arbeitnehmerinnen auf Mindestentgeltsätze nach § 5 Satz 1 Nummer 1 ist nur durch gerichtlichen Vergleich zulässig; im Übrigen ist ein Verzicht ausgeschlossen. [2] Die Verwirkung des in Satz 1 genannten Anspruchs ist ausgeschlossen. [3] Ausschlussfristen für die Geltendmachung des in Satz 1 genannten Anspruchs können ausschließlich in dem der Rechtsverordnung nach § 7 oder § 7a zugrunde liegenden Tarifvertrag geregelt werden; die Frist muss mindestens sechs Monate betragen.

Abschnitt 4. Arbeitsbedingungen in der Pflegebranche

§ 10[2)] Anwendungsbereich. [1] Dieser Abschnitt findet Anwendung auf die Pflegebranche. [2] Diese umfasst Betriebe und selbstständige Betriebsabteilungen, die überwiegend ambulante, teilstationäre oder stationäre Pflegeleistungen oder ambulante Krankenpflegeleistungen für Pflegebedürftige erbringen (Pflegebetriebe). [3] Pflegebedürftig sind Personen, die gesundheitlich bedingte Beeinträchtigungen der Selbständigkeit oder der Fähigkeiten aufweisen, deshalb vorübergehend oder auf Dauer der Hilfe durch andere bedürfen und körperliche, kognitive oder psychische Beeinträchtigungen oder gesundheitlich bedingte Belastungen oder Anforderungen nicht selbständig kompensieren oder bewältigen können. [4] Keine Pflegebetriebe im Sinne des Satzes 2 sind Einrichtungen, in denen die Leistungen zur medizinischen Vorsorge, zur medizinischen Rehabilitation, zur Teilhabe am Arbeitsleben oder am Leben in der Gemeinschaft, die schulische Ausbildung oder die Erziehung kranker oder behinderter Menschen im Vordergrund des Zweckes der Einrichtung stehen, sowie Krankenhäuser.

§ 11[3)] Rechtsverordnung. (1) Das Bundesministerium für Arbeit und Soziales kann durch Rechtsverordnung ohne Zustimmung des Bundesrates bestimmen, dass die von der nach § 12 errichteten Kommission vorgeschlagenen Arbeitsbedingungen nach § 5 Nr. 1 und 2 auf alle Arbeitgeber sowie Arbeitnehmer und Arbeitnehmerinnen, die unter den Geltungsbereich einer Empfehlung nach § 12a Absatz 2 fallen, Anwendung finden.

(2) Das Bundesministerium für Arbeit und Soziales hat bei seiner Entscheidung nach Absatz 1 neben den in § 1 genannten Gesetzeszielen die Sicherstellung der Qualität der Pflegeleistung sowie den Auftrag kirchlicher und sonstiger Träger der freien Wohlfahrtspflege nach § 11 Abs. 2 des Elften Buches Sozialgesetzbuch zu berücksichtigen.

(3) Vor Erlass einer Rechtsverordnung gibt das Bundesministerium für Arbeit und Soziales den in den Geltungsbereich der Rechtsverordnung fallenden Arbeitgebern und Arbeitnehmern und Arbeitnehmerinnen sowie den Parteien von Tarifverträgen, die zumindest teilweise in den fachlichen Geltungsbereich der Rechtsverordnung fallen, und paritätisch besetzten Kommissionen, die auf der Grundlage kirchlichen Rechts Arbeitsbedingungen für den Bereich kirchlicher Arbeitgeber in der Pflegebranche festlegen, Gelegenheit zur schriftlichen

---

1) § 9 neu gef. mWv 30.7.2020 durch G v. 10.7.2020 (BGBl. I S. 1657).
2) § 10 Satz 3 neu gef. mWv 29.11.2019 durch G v. 22.11.2019 (BGBl. I S. 1756).
3) § 11 Abs. 1 geänd. mWv 29.11.2019 durch G v. 22.11.2019 (BGBl. I S. 1756).

Stellungnahme innerhalb von drei Wochen ab dem Tag der Bekanntmachung des Entwurfs der Rechtsverordnung.

§ 12[1] Berufung der Kommission. (1) Das Bundesministerium für Arbeit und Soziales beruft eine ständige Kommission, die über Empfehlungen zur Festlegung von Arbeitsbedingungen nach § 12a Absatz 2 beschließt.

(2) [1] Die Kommission wird für die Dauer von fünf Jahren berufen. [2] Das Bundesministerium für Arbeit und Soziales kann die Dauer der Berufung verlängern, wenn die Kommission bereits Beratungen über neue Empfehlungen begonnen, jedoch noch keinen Beschluss über diese Empfehlungen gefasst hat. [3] Die neue Berufung erfolgt in diesem Fall unverzüglich nach der Beschlussfassung, spätestens jedoch drei Monate nach Ablauf der fünfjährigen Dauer der Berufung.

(3) [1] Die Kommission besteht aus acht Mitgliedern. [2] Die Mitglieder nehmen ihre Tätigkeit in der Kommission ehrenamtlich wahr. [3] Sie sind an Weisungen nicht gebunden.

(4) [1] Das Bundesministerium für Arbeit und Soziales benennt acht geeignete Personen als ordentliche Mitglieder sowie acht geeignete Personen als deren Stellvertreter unter Berücksichtigung von Vorschlägen vorschlagsberechtigter Stellen. [2] Vorschlagsberechtigte Stellen sind

1. Tarifvertragsparteien in der Pflegebranche, wobei
   a) in der Pflegebranche tarifzuständige Gewerkschaften oder Zusammenschlüsse von Gewerkschaften sowie
   b) in der Pflegebranche tarifzuständige Vereinigungen von Arbeitgebern oder Zusammenschlüsse von Vereinigungen von Arbeitgebern

   jeweils für zwei ordentliche Mitglieder und zwei Stellvertreter vorschlagsberechtigt sind, und
2. die Dienstnehmerseite und die Dienstgeberseite paritätisch besetzter Kommissionen, die auf der Grundlage kirchlichen Rechts Arbeitsbedingungen für den Bereich kirchlicher Arbeitgeber in der Pflegebranche festlegen, wobei
   a) die Dienstnehmerseite sowie
   b) die Dienstgeberseite

   jeweils für zwei ordentliche Mitglieder und zwei Stellvertreter vorschlagsberechtigt sind.

[3] Vorschlagsberechtigte Stellen, die derselben der in Satz 2 Nummer 1 Buchstabe a bis Nummer 2 Buchstabe b genannten Gruppen angehören, können gemeinsame Vorschläge abgeben.

(5) [1] Das Bundesministerium für Arbeit und Soziales fordert innerhalb einer von ihm zu bestimmenden angemessenen Frist zur Abgabe von Vorschlägen auf. [2] Nach Fristablauf zugehende Vorschläge sind nicht zu berücksichtigen. [3] Das Bundesministerium für Arbeit und Soziales prüft die Vorschläge und kann verlangen, dass für die Prüfung relevante Umstände innerhalb einer von ihm zu bestimmenden angemessenen Frist mitgeteilt und glaubhaft gemacht werden. [4] Nach Fristablauf mitgeteilte oder glaubhaft gemachte Umstände sind nicht zu berücksichtigen.

---

[1] § 12 neu gef. mWv 29.11.2019 durch G v. 22.11.2019 (BGBl. I S. 1756).

(6) [1]Überschreitet die Zahl der Vorschläge die Zahl der auf die jeweilige in Absatz 4 Satz 2 genannte Gruppe entfallenden Sitze in der Kommission, entscheidet das Bundesministerium für Arbeit und Soziales, welchen Vorschlägen zu folgen ist. [2]Bei dieser Entscheidung sind zu berücksichtigen

1. im Falle mehrerer Vorschläge von in der Pflegebranche tarifzuständigen Gewerkschaften oder Zusammenschlüssen von Gewerkschaften: deren Repräsentativität,
2. im Falle mehrerer Vorschläge von in der Pflegebranche tarifzuständigen Vereinigungen von Arbeitgebern oder Zusammenschlüssen von Vereinigungen von Arbeitgebern: die Abbildung der Vielfalt von freigemeinnützigen, öffentlichen und privaten Trägern sowie gleichermaßen die Repräsentativität der jeweiligen Vereinigung bzw. des jeweiligen Zusammenschlusses.

[3]Die Repräsentativität einer Gewerkschaft oder eines Zusammenschlusses von Gewerkschaften beurteilt sich nach der Zahl der als Arbeitnehmer in der Pflegebranche beschäftigten Mitglieder der jeweiligen Gewerkschaft oder des jeweiligen Zusammenschlusses und der diesem Zusammenschluss angehörenden Gewerkschaften. [4]Die Repräsentativität einer Vereinigung von Arbeitgebern beurteilt sich nach der Zahl der in der Pflegebranche beschäftigten Arbeitnehmer, deren Arbeitgeber Mitglieder der jeweiligen Vereinigung von Arbeitgebern sind und nach der Art ihrer Mitgliedschaft tarifgebunden sein können. [5]Die Repräsentativität eines Zusammenschlusses von Vereinigungen von Arbeitgebern beurteilt sich nach der Zahl der in der Pflegebranche beschäftigten Arbeitnehmer, deren Arbeitgeber

1. Mitglieder des Zusammenschlusses sind und nach der Art ihrer Mitgliedschaft tarifgebunden sein können oder
2. Mitglieder der diesem Zusammenschluss angehörenden Vereinigungen von Arbeitgebern sind und nach der Art ihrer Mitgliedschaft sowie der Mitgliedschaft der jeweiligen Vereinigung von Arbeitgebern tarifgebunden sein können.

[6]Bei gemeinsamen Vorschlägen im Sinne des Absatzes 4 Satz 3 sind die auf die vorschlagsberechtigten Stellen entfallenden maßgeblichen Arbeitnehmerzahlen zu addieren.

(7) [1]Scheidet ein ordentliches Mitglied oder ein Stellvertreter aus, benennt das Bundesministerium für Arbeit und Soziales eine andere geeignete Person. [2]War das Bundesministerium für Arbeit und Soziales mit der Benennung des ausgeschiedenen ordentlichen Mitglieds oder des Stellvertreters dem Vorschlag einer vorschlagsberechtigten Stelle oder, im Falle eines gemeinsamen Vorschlags nach Absatz 4 Satz 3, vorschlagsberechtigter Stellen gefolgt, so erfolgt auch die neue Benennung unter Berücksichtigung deren Vorschlags. [3]Schlägt die Stelle oder schlagen die Stellen innerhalb einer von dem Bundesministerium für Arbeit und Soziales zu bestimmenden angemessenen Frist keine geeignete Person vor, so entscheidet das Bundesministerium für Arbeit und Soziales über die Benennung. [4]Absatz 5 Satz 3 und 4 gilt entsprechend.

(8) Klagen gegen die Benennung von Mitgliedern durch das Bundesministerium für Arbeit und Soziales haben keine aufschiebende Wirkung.

§ 12a[1] Empfehlung von Arbeitsbedingungen. (1) [1] Auf Antrag einer vorschlagsberechtigten Stelle im Sinne des § 12 Absatz 4 Satz 2 nimmt die Kommission Beratungen auf. [2] Hat das Bundesministerium für Arbeit und Soziales bekannt gegeben, dass Verhandlungen über einen Tarifvertrag im Sinne des § 7a Absatz 1a Satz 1 aufgenommen worden sind, so können drei Viertel der Mitglieder der Gruppen nach § 12 Absatz 4 Satz 2 Nummer 2 Buchstabe a und b gemeinsam verlangen, dass Beratungen über neue Empfehlungen frühestens vier Monate nach Ablauf der Frist für die Benennung von Kommissionen nach § 7a Absatz 1a Satz 2 aufgenommen oder fortgesetzt werden.

(2) [1] Die Kommission beschließt Empfehlungen zur Festlegung von Arbeitsbedingungen nach § 5 Satz 1 Nummer 1 oder 2. [2] Dabei berücksichtigt die Kommission die in den §§ 1 und 11 Absatz 2 genannten Ziele. [3] Empfohlene Mindestentgeltsätze sollen nach der Art der Tätigkeit oder der Qualifikation der Arbeitnehmer differenzieren. [4] Empfehlungen sollen sich auf eine Dauer von mindestens 24 Monaten beziehen. [5] Die Kommission kann eine Ausschlussfrist empfehlen, die den Anforderungen des § 9 Satz 3 entspricht. [6] Empfehlungen sind schriftlich zu begründen.

(3) [1] Ein Beschluss der Kommission kommt zustande, wenn mindestens drei Viertel der Mitglieder

1. der Gruppen nach § 12 Absatz 4 Satz 2 Nummer 1 Buchstabe a und b,
2. der Gruppen nach § 12 Absatz 4 Satz 2 Nummer 2 Buchstabe a und b,
3. der Gruppen nach § 12 Absatz 4 Satz 2 Nummer 1 Buchstabe a und Nummer 2 Buchstabe a sowie
4. der Gruppen nach § 12 Absatz 4 Satz 2 Nummer 1 Buchstabe b und Nummer 2 Buchstabe b

anwesend sind und zustimmen. [2] Ordentliche Mitglieder können durch ihre jeweiligen Stellvertreter vertreten werden.

(4) [1] Die Sitzungen der Kommission werden von einem oder einer nicht stimmberechtigten Beauftragten des Bundesministeriums für Arbeit und Soziales geleitet. [2] Sie sind nicht öffentlich. [3] Der Inhalt ihrer Beratungen ist vertraulich. [4] Die Kommission zieht regelmäßig nicht stimmberechtigte Vertreter des Bundesministeriums für Arbeit und Soziales und des Bundesministeriums für Gesundheit zu den Sitzungen hinzu. [5] Näheres ist in der Geschäftsordnung der Kommission zu regeln.

(5) Die Teilnahme an Sitzungen der Kommission sowie die Beschlussfassung können in begründeten Ausnahmefällen mittels einer Video- oder Telefonkonferenz erfolgen, wenn

1. kein Mitglied der Kommission diesem Verfahren unverzüglich widerspricht,
2. der oder die Beauftragte des Bundesministeriums für Arbeit und Soziales diesem Verfahren nicht unverzüglich widerspricht und
3. sichergestellt ist, dass Dritte vom Inhalt der Sitzung keine Kenntnis nehmen können.

§ 13[2] Rechtsfolgen. [1] Die Regelungen einer Rechtsverordnung nach § 7a gehen den Regelungen einer Rechtsverordnung nach § 11 vor, soweit sich die

---

[1] § 12a eingef. mWv 29.11.2019 durch G v. 22.11.2019 (BGBl. I S. 1756); Abs. 5 angef. mWv 12.12.2021 durch G v. 10.12.2021 (BGBl. I S. 5162).

[2] § 13 neu gef. mWv 29.11.2019 durch G v. 22.11.2019 (BGBl. I S. 1756).

Geltungsbereiche der Rechtsverordnungen überschneiden. [2] Unbeschadet des Satzes 1 steht eine Rechtsverordnung nach § 11 für die Anwendung der §§ 8 und 9 sowie der Abschnitte 5 und 6 einer Rechtsverordnung nach § 7 gleich.

Abschnitt 4a.[1)] Arbeitsbedingungen im Gewerbe des grenzüberschreitenden Straßentransports von Euro-Bargeld

§ 13a[1)] **Gleichstellung.** Die Verordnung (EU) Nr. 1214/2011 des Europäischen Parlaments und des Rates vom 16. November 2011 über den gewerbsmäßig grenzüberschreitenden Straßentransport von Euro-Bargeld zwischen den Mitgliedstaaten des Euroraums (ABl. L 316 vom 29.11.2011, S. 1) steht für die Anwendung der §§ 8 und 9 sowie der Abschnitte 5 und 6 einer Rechtsverordnung nach § 7 gleich.

Abschnitt 4b.[2)] Zusätzliche Arbeitsbedingungen für länger als zwölf Monate im Inland Beschäftigte von Arbeitgebern mit Sitz im Ausland

§ 13b[2)] **Zusätzliche Arbeitsbedingungen.** (1) [1] Wird ein Arbeitnehmer oder eine Arbeitnehmerin von einem im Ausland ansässigen Arbeitgeber mehr als zwölf Monate im Inland beschäftigt, so finden auf dieses Arbeitsverhältnis nach zwölf Monaten Beschäftigungsdauer im Inland zusätzlich zu den Arbeitsbedingungen nach den Abschnitten 2 bis 4a alle Arbeitsbedingungen Anwendung, die am Beschäftigungsort in Rechts- und Verwaltungsvorschriften und in allgemeinverbindlichen Tarifverträgen vorgeschrieben sind, nicht jedoch

1. die Verfahrens- und Formvorschriften und Bedingungen für den Abschluss oder die Beendigung des Arbeitsverhältnisses, einschließlich nachvertraglicher Wettbewerbsverbote, und
2. die betriebliche Altersversorgung.

[2] § 2 Absatz 2 gilt entsprechend.

(2) [1] Gibt der Arbeitgeber vor Ablauf einer Beschäftigungsdauer im Inland von zwölf Monaten eine Mitteilung ab, verlängert sich der Zeitraum, nach dessen Ablauf die in Absatz 1 genannten zusätzlichen Arbeitsbedingungen für die betroffenen Arbeitnehmer oder Arbeitnehmerinnen gelten, auf 18 Monate. [2] Die Mitteilung muss in Textform nach § 126b des Bürgerlichen Gesetzbuchs gegenüber der zuständigen Behörde der Zollverwaltung in deutscher Sprache erfolgen und folgende Angaben enthalten:

1. Familienname, Vornamen und Geburtsdatum der Arbeitnehmer und Arbeitnehmerinnen,
2. Ort der Beschäftigung im Inland, bei Bauleistungen die Baustelle,
3. die Gründe für die Überschreitung der zwölfmonatigen Beschäftigungsdauer im Inland und
4. die zum Zeitpunkt der Mitteilung anzunehmende voraussichtliche Beschäftigungsdauer im Inland.

---

1) Abschn. 4a (§ 13a) eingef. mWv 30.11.2012 durch G v. 25.11.2012 (BGBl. 2012 II S. 1381).
2) Abschnitt 4b (§§ 13b und 13c) eingef. mWv 30.7.2020 durch G v. 10.7.2020 (BGBl. I S. 1657).

[3] Die zuständige Behörde der Zollverwaltung bestätigt den Eingang der Mitteilung.

(3) Das Bundesministerium der Finanzen kann durch Rechtsverordnung im Einvernehmen mit dem Bundesministerium für Arbeit und Soziales ohne Zustimmung des Bundesrates bestimmen,

1. dass, auf welche Weise und unter welchen technischen und organisatorischen Voraussetzungen eine Mitteilung abweichend von Absatz 2 Satz 2 ausschließlich elektronisch übermittelt werden kann und
2. auf welche Weise der Eingang der Mitteilung durch die zuständige Behörde nach Absatz 2 Satz 3 bestätigt wird.

(4) Das Bundesministerium der Finanzen kann durch Rechtsverordnung ohne Zustimmung des Bundesrates die zuständige Behörde nach Absatz 2 bestimmen.

§ 13c[1)] Berechnung der Beschäftigungsdauer im Inland. (1) Wird der Arbeitnehmer oder die Arbeitnehmerin im Rahmen von Dienst- oder Werkverträgen im Inland beschäftigt, werden zur Berechnung der Beschäftigungsdauer im Inland alle Zeiten berücksichtigt, in denen er oder sie im Rahmen dieser Verträge im Inland beschäftigt wird.

(2) Wird der Arbeitnehmer oder die Arbeitnehmerin in einem Betrieb des Arbeitgebers im Inland oder in einem Unternehmen, das nach § 15 des Aktiengesetzes mit dem Arbeitgeber verbunden ist, im Inland beschäftigt, werden zur Berechnung der Beschäftigungsdauer im Inland alle Zeiten berücksichtigt, in denen er oder sie in dem Betrieb im Inland oder in dem Unternehmen im Inland beschäftigt wird.

(3) [1] Überlässt der im Ausland ansässige Arbeitgeber als Verleiher einen Leiharbeitnehmer oder eine Leiharbeitnehmerin einem Entleiher im Inland, werden zur Berechnung der Beschäftigungsdauer im Inland alle Zeiten berücksichtigt, in denen er oder sie im Rahmen des Überlassungsvertrags im Inland beschäftigt wird. [2] Beschäftigt ein Entleiher mit Sitz im Ausland einen Leiharbeitnehmer oder eine Leiharbeitnehmerin im Inland, gelten die Absätze 1 und 2 entsprechend.

(4) [1] Eine Unterbrechung der Tätigkeiten des Arbeitnehmers oder der Arbeitnehmerin oder des Leiharbeitnehmers oder der Leiharbeitnehmerin im Inland gilt bei der Berechnung der Beschäftigungsdauer im Inland nicht als Beendigung der Beschäftigung im Inland. [2] Zeiten, in denen die Hauptpflichten der Arbeitsvertragsparteien ruhen oder in denen eine Beschäftigung im Ausland stattfindet, werden bei der Berechnung der Beschäftigungsdauer nicht berücksichtigt.

(5) Wird der Arbeitnehmer oder die Arbeitnehmerin im unmittelbaren Anschluss an eine Beschäftigung nach Absatz 1, Absatz 2 oder Absatz 3 weiter gemäß Absatz 1, Absatz 2 oder Absatz 3 im Inland beschäftigt, werden zur Berechnung der Beschäftigungsdauer im Inland die Zeiten der beiden Beschäftigungen zusammengerechnet.

(6) Wird der Arbeitnehmer oder die Arbeitnehmerin im Inland beschäftigt und handelt es sich nicht um eine Beschäftigung nach Absatz 1, Absatz 2 oder

---

1) § 13c eingef. mWv 30.7.2020 durch G v. 10.7.2020 (BGBl. I S. 1657); Abs. 8 angef. mWv 1.7.2023 durch G v. 28.6.2023 (BGBl. 2023 I Nr. 172).

Absatz 3, so werden zur Berechnung der Beschäftigungsdauer im Inland alle Zeiten berücksichtigt, in denen er oder sie ununterbrochen im Inland beschäftigt wird.

(7) [1] Ersetzt der Arbeitgeber oder der in Absatz 3 Satz 2 genannte Entleiher mit Sitz im Ausland den im Inland beschäftigten Arbeitnehmer oder die im Inland beschäftigte Arbeitnehmerin durch einen anderen Arbeitnehmer oder eine andere Arbeitnehmerin, der oder die die gleiche Tätigkeit am gleichen Ort ausführt, wird die Beschäftigungsdauer des ersetzten Arbeitnehmers oder der ersetzten Arbeitnehmerin zu der Beschäftigungsdauer des ersetzenden Arbeitnehmers oder der ersetzenden Arbeitnehmerin hinzugerechnet. [2] Die gleiche Tätigkeit im Sinne von Satz 1 liegt vor, wenn der Arbeitnehmer oder die Arbeitnehmerin im Wesentlichen dieselben Aufgaben wie der Arbeitnehmer oder die Arbeitnehmerin wahrnimmt, den oder die er oder sie ersetzt, und wenn diese Aufgaben

1. im Rahmen derselben Dienst- oder Werkverträge ausgeführt werden,
2. bei Tätigkeit in einem Betrieb oder verbundenen Unternehmen des Arbeitgebers in demselben Betrieb oder demselben Unternehmen im Inland ausgeführt werden oder
3. als Leiharbeitnehmer oder Leiharbeitnehmerin bei demselben Entleiher mit Sitz im Inland ausgeführt werden.

[3] Der Arbeitnehmer oder die Arbeitnehmerin übt die Tätigkeit am gleichen Ort im Sinne von Satz 1 aus, wenn er oder sie

1. an derselben Anschrift oder in unmittelbarer Nähe derselben Anschrift wie der Arbeitnehmer oder die Arbeitnehmerin tätig ist, den oder die er oder sie ersetzt, oder
2. im Rahmen derselben Dienst- oder Werkverträge wie der Arbeitnehmer oder die Arbeitnehmerin, den oder die er oder sie ersetzt, an anderen für diese Dienst- oder Werkverträge vorgegebenen Anschriften tätig ist.

(8) Wird ein Arbeitnehmer oder eine Arbeitnehmerin von einem Arbeitgeber mit Sitz in einem anderen Mitgliedstaat der Europäischen Union oder des Europäischen Wirtschaftsraums als Fahrer oder Fahrerin oder Beifahrer oder Beifahrerin (Kraftfahrer oder Kraftfahrerin) nach § 36 Absatz 1 im Inland beschäftigt, werden zur Berechnung der Beschäftigungsdauer im Inland die Zeiten dieser Beschäftigung

1. abweichend von Absatz 5 nicht mit den Zeiten einer unmittelbar anschließenden Beschäftigung im Inland zusammengerechnet,
2. abweichend von Absatz 7 nicht mit den Beschäftigungszeiten des ersetzten Kraftfahrers oder der ersetzten Kraftfahrerin zusammengerechnet.

Abschnitt 5. Zivilrechtliche Durchsetzung

§ 14 Haftung des Auftraggebers. [1] Ein Unternehmer, der einen anderen Unternehmer mit der Erbringung von Werk- oder Dienstleistungen beauftragt, haftet für die Verpflichtungen dieses Unternehmers, eines Nachunternehmers oder eines von dem Unternehmer oder einem Nachunternehmer beauftragten Verleihers zur Zahlung des Mindestentgelts an Arbeitnehmer oder Arbeitnehmerinnen oder zur Zahlung von Beiträgen an eine gemeinsame Einrichtung der Tarifvertragsparteien nach § 8 wie ein Bürge, der auf die Einrede der

Vorausklage verzichtet hat. [2] Das Mindestentgelt im Sinne des Satzes 1 umfasst nur den Betrag, der nach Abzug der Steuern und der Beiträge zur Sozialversicherung und zur Arbeitsförderung oder entsprechender Aufwendungen zur sozialen Sicherung an Arbeitnehmer oder Arbeitnehmerinnen auszuzahlen ist (Nettoentgelt).

§ 15[1)] Gerichtsstand. [1] Arbeitnehmer und Arbeitnehmerinnen, die von Arbeitgebern mit Sitz im Ausland im Geltungsbereich dieses Gesetzes beschäftigt sind oder waren, können eine auf den Zeitraum der Beschäftigung im Geltungsbereich dieses Gesetzes bezogene Klage auf Erfüllung der Verpflichtungen nach den §§ 2, 8, 13b oder 14 auch vor einem deutschen Gericht für Arbeitssachen erheben. [2] Diese Klagemöglichkeit besteht auch für eine gemeinsame Einrichtung der Tarifvertragsparteien nach § 5 Satz 1 Nummer 3 in Bezug auf die ihr zustehenden Beiträge.

§ 15a[2)] Unterrichtungspflichten des Entleihers bei grenzüberschreitender Arbeitnehmerüberlassung. (1) Bevor ein Entleiher mit Sitz im Ausland einen Leiharbeitnehmer oder eine Leiharbeitnehmerin im Inland beschäftigt, unterrichtet er den Verleiher hierüber in Textform nach § 126b des Bürgerlichen Gesetzbuchs[3)].

(2) [1] Bevor ein Entleiher mit Sitz im In- oder Ausland einen Leiharbeitnehmer oder eine Leiharbeitnehmerin eines im Ausland ansässigen Verleihers im Inland beschäftigt, unterrichtet der Entleiher den Verleiher in Textform nach § 126b des Bürgerlichen Gesetzbuchs[3)] über die wesentlichen Arbeitsbedingungen, die im Betrieb des Entleihers für einen vergleichbaren Arbeitnehmer oder eine vergleichbare Arbeitnehmerin des Entleihers gelten, einschließlich der Entlohnung. [2] Die Unterrichtungspflicht gilt nicht, wenn die Voraussetzungen für ein Abweichen vom Gleichstellungsgrundsatz nach § 8 Absatz 2 und 4 Satz 2 des Arbeitnehmerüberlassungsgesetzes[4)] vorliegen. [3] § 13 des Arbeitnehmerüberlassungsgesetzes bleibt unberührt.

Abschnitt 6. Kontrolle und Durchsetzung durch staatliche Behörden

§ 16[5)] Zuständigkeit. Für die Prüfung der Einhaltung der Pflichten eines Arbeitgebers nach § 8, soweit sie sich auf die Gewährung von Arbeitsbedingungen nach § 5 Satz 1 Nummer 1 bis 4 beziehen, sind die Behörden der Zollverwaltung zuständig.

§ 17[6)] Befugnisse der Behörden der Zollverwaltung und anderer Behörden. [1] Die §§ 2, 3 bis 7, 13, 14, 15 bis 20, 22 und 23 des Schwarzarbeitsbekämpfungsgesetzes[7)] sind entsprechend anzuwenden mit der Maßgabe, dass

---

1) § 15 Satz 1 neu gef., Satz 2 geänd. mWv 30.7.2020 durch G v. 10.7.2020 (BGBl. I S. 1657).

2) § 15a eingef. mWv 30.7.2020 durch G v. 10.7.2020 (BGBl. I S. 1657).

3) Nr. **50**.

4) Nr. **730**.

5) § 16 geänd. mWv 16.8.2014 durch G v. 11.8.2014 (BGBl. I S. 1348); geänd. mWv 18.7.2019 durch G v. *11.7.2019 (BGBl. I S. 1066)*.

6) § 17 Satz 1 Nr. 1 und 2 geänd., Nr. 3 angef., Satz 3 geänd., Satz 5 angef. mWv 18.7.2019 durch G v. 11.7.2019 (BGBl. I S. 1066); Satz 4 geänd. mWv 26.11.2019 durch G v. 20.11.2019 (BGBl. I →

1. die dort genannten Behörden auch Einsicht in Arbeitsverträge, Niederschriften nach § 2 des Nachweisgesetzes[1)] und andere Geschäftsunterlagen nehmen können, die mittelbar oder unmittelbar Auskunft über die Einhaltung der Arbeitsbedingungen nach § 8 geben,
2. die nach § 5 Abs. 1 des Schwarzarbeitsbekämpfungsgesetzes zur Mitwirkung Verpflichteten diese Unterlagen vorzulegen haben, und
3. die Behörden der Zollverwaltung zur Prüfung von Arbeitsbedingungen nach § 5 Satz 1 Nummer 4 befugt sind, bei einer dringenden Gefahr für die öffentliche Sicherheit und Ordnung die vom Arbeitgeber zur Verfügung gestellten Unterkünfte für Arbeitnehmer und Arbeitnehmerinnen zu jeder Tages- und Nachtzeit zu betreten.

[2]Entsandte Arbeitnehmer und Arbeitnehmerinnen können im Rahmen der Prüfungen nach dem Schwarzarbeitsbekämpfungsgesetz auch nach dem Abschluss der Entsendung kontaktiert werden. [3]Für die Datenverarbeitung, die dem in § 16 genannten Zweck oder der Zusammenarbeit mit den Behörden des Europäischen Wirtschaftsraums nach § 20 Abs. 2 dient, findet § 67 Absatz 3 Nummer 4 des Zehnten Buches Sozialgesetzbuch[2)] keine Anwendung. [4]Das Grundrecht der Unverletzlichkeit der Wohnung (Artikel 13 des Grundgesetzes[3)]) wird durch Satz 1 Nummer 3 eingeschränkt.

§ 18[4)] Meldepflicht. (1) [1]Soweit Arbeitsbedingungen auf das Arbeitsverhältnis Anwendung finden, deren Einhaltung nach § 16 von den Behörden der Zollverwaltung kontrolliert wird, ist ein Arbeitgeber mit Sitz im Ausland, der einen Arbeitnehmer oder eine Arbeitnehmerin oder mehrere Arbeitnehmer oder Arbeitnehmerinnen innerhalb des Geltungsbereichs dieses Gesetzes beschäftigt, verpflichtet, vor Beginn jeder Werk- oder Dienstleistung eine schriftliche Anmeldung in deutscher Sprache bei der zuständigen Behörde der Zollverwaltung vorzulegen, die die für die Prüfung wesentlichen Angaben enthält. [2]Wesentlich sind die Angaben über

1. Familienname, ***[bis 28.6.2026:*** Vornamen und Geburtsdatum***][ab 29.6.2026:*** *Vornamen, Geburtsdatum, Staatsangehörigkeit und Kontaktdaten****]*** der von ihm im Geltungsbereich dieses Gesetzes beschäftigten Arbeitnehmer und Arbeitnehmerinnen,
2. Beginn und voraussichtliche Dauer der Beschäftigung,
3. Ort der Beschäftigung, bei Bauleistungen die Baustelle,

(Fortsetzung der Anm. von voriger Seite)
S. 1626); Satz 1 einl. Satzteil geänd., Satz 2 neu gef., Satz 3 aufgeh., bish. Sätze 4 und 5 werden Sätze 3 und 4 mWv 30.12.2025 durch G v. 22.12.2025 (BGBl. 2025 I Nr. 369).

[7)] Nr. **110**.

[1)] Nr. **90**.

[2)] Nr. **699**.

[3)] **beck-online, Module Arbeitsrecht Nr. 10.**

[4)] § 18 Abs. 1 Satz 1 geänd. mWv 16.8.2014 durch G v. 11.8.2014 (BGBl. I S. 1348); Abs. 1 Satz 1 geänd. mWv 18.7.2019 durch G v. 11.7.2019 (BGBl. I S. 1066); Abs. 1 Satz 1 geänd. mWv 30.7.2020 durch G v. 10.7.2020 (BGBl. I S. 1657); Abs. 2 neu gef., Abs. 3 Satz 1 einl. Satzteil und Nr. 7 geänd., Abs. 4 aufgeh., bish. Abs. 5 und 6 werden Abs. 4 und 5 mWv 1.7.2023 durch G v. 28.6.2023 (BGBl. 2023 I Nr. 172); Abs. 1 Satz 2 Nr. 1 geänd., Nr. 5 neu gef., Nr. 6 geänd., Nr. 7 neu gef., Nr. 8 eingef., Abs. 2 Satz 1 einl. Satzteil, Abs. 3 Satz 1 Nr. 1 und 6 geänd., Nr. 7 eingef., bish. Nr. 7 wird Nr. 8, Abs. 4 Nr. 1 neu gef., Abs. 5 geänd. mWv 29.6.2026 durch G v. 22.12.2025 (BGBl. 2025 I Nr. 369).

4. Ort im Inland, an dem die nach § 19 erforderlichen Unterlagen bereitgehalten werden,

[Nr. 5 bis 28.6.2026:]

5. Familienname, Vornamen, Geburtsdatum und Anschrift in Deutschland des oder der verantwortlich Handelnden,

[Nr. 5 ab 29.6.2026:]

5. Familienname, Vornamen und Anschrift in Deutschland eines oder einer Zustellungsbevollmächtigten,

6. Branche, in die die Arbeitnehmer und Arbeitnehmerinnen entsandt werden sollen, ***[bis 28.6.2026:*** und***]***

[Nr. 7 bis 28.6.2026:]

7. Familienname, Vornamen und Anschrift in Deutschland eines oder einer Zustellungsbevollmächtigten, soweit dieser oder diese nicht mit dem oder der in Nummer 5 genannten verantwortlich Handelnden identisch ist.

[Nr. 7 ab 29.6.2026:]

7. die Tätigkeit oder die Position der im Geltungsbereich dieses Gesetzes beschäftigten Arbeitnehmer und Arbeitnehmerinnen für die Dauer der Beschäftigung und

[Nr. 8 ab 29.6.2026:]

8. den Familiennamen, den Vornamen oder die Firma sowie die Anschrift des Auftraggebers.

3 Änderungen bezüglich dieser Angaben hat der Arbeitgeber im Sinne des Satzes 1 unverzüglich zu melden.

(2) 1 Abweichend von Absatz 1 ist ein Arbeitgeber mit Sitz in einem anderen Mitgliedstaat ***[bis 28.6.2026:*** der Europäischen Union oder des Europäischen Wirtschaftsraums***][ab 29.6.2026:*** *der Europäischen Union, des Europäischen Wirtschaftsraums oder des Vereinigten Königreichs Großbritannien und Nordirland****]*** verpflichtet, der zuständigen Behörde der Zollverwaltung vor Beginn der Beschäftigung eines Kraftfahrers oder einer Kraftfahrerin für die Durchführung von Güter- oder Personenbeförderungen im Inland nach § 36 Absatz 1 eine Anmeldung mit folgenden Angaben elektronisch zuzuleiten:

1. Identität des Unternehmens, sofern diese verfügbar ist in Form der Nummer der Gemeinschaftslizenz,
2. Familienname und Vorname sowie Anschrift im Niederlassungsstaat eines oder einer Zustellungsbevollmächtigten,
3. Familienname, Vorname, Geburtsdatum, Anschrift und Führerscheinnummer des Kraftfahrers oder der Kraftfahrerin,
4. Beginn des Arbeitsvertrags des Kraftfahrers oder der Kraftfahrerin und das auf diesen Vertrag anwendbare Recht,
5. voraussichtlicher Beginn und voraussichtliches Ende der Beschäftigung des Kraftfahrers oder der Kraftfahrerin im Inland,
6. amtliche Kennzeichen der für die Beschäftigung im Inland einzusetzenden Kraftfahrzeuge,
7. ob es sich bei den von dem Kraftfahrer oder der Kraftfahrerin zu erbringenden Verkehrsdienstleistungen um Güterbeförderung oder Personenbeförderung und grenzüberschreitende Beförderung oder Kabotage handelt;

die Anmeldung ist mittels der elektronischen Schnittstelle des Binnenmarkt-Informationssystems nach Artikel 1 in Verbindung mit Artikel 5 Buchstabe a der Verordnung (EU) Nr. 1024/2012 des Europäischen Parlaments und des Rates vom 25. Oktober 2012 über die Verwaltungszusammenarbeit mit Hilfe des Binnenmarkt-Informationssystems und zur Aufhebung der Entscheidung 2008/49/EG der Kommission („IMI-Verordnung") (ABl. L 316 vom 14.11. 2012, S. 1), die zuletzt durch die Verordnung (EU) 2020/1055 (ABl. L 249 vom 31.7.2020, S. 17) geändert worden ist, zuzuleiten. [2]Absatz 1 Satz 3 gilt entsprechend.

(3) [1]Überlässt ein Verleiher mit Sitz im Ausland einen Arbeitnehmer oder eine Arbeitnehmerin oder mehrere Arbeitnehmer oder Arbeitnehmerinnen zur Arbeitsleistung einem Entleiher, hat der Verleiher unter den Voraussetzungen des Absatzes 1 Satz 1 vor Beginn jeder Werk- oder Dienstleistung der zuständigen Behörde der Zollverwaltung eine schriftliche Anmeldung in deutscher Sprache mit folgenden Angaben zuzuleiten:

1. Familienname, ***[bis 28.6.2026:*** Vornamen und Geburtsdatum***][ab 29.6.2026:*** *Vornamen, Geburtsdatum, Staatsangehörigkeit und Kontaktdaten]* der überlassenen Arbeitnehmer und Arbeitnehmerinnen,
2. Beginn und Dauer der Überlassung,
3. Ort der Beschäftigung, bei Bauleistungen die Baustelle,
4. Ort im Inland, an dem die nach § 19 erforderlichen Unterlagen bereitgehalten werden,
5. Familienname, Vornamen und Anschrift in Deutschland eines oder einer Zustellungsbevollmächtigten des Verleihers,
6. Branche, in die die Arbeitnehmer und Arbeitnehmerinnen entsandt werden sollen,***[bis 28.6.2026:*** und*]*

[Nr. 7 ab 29.6.2026:]

7. *Tätigkeit oder Position der im Geltungsbereich dieses Gesetzes beschäftigten Arbeitnehmer und Arbeitnehmerinnen für die Dauer der Beschäftigung und*
7. ***[ab 29.6.2026:*** *8.]* Familienname, Vornamen oder Firma sowie Anschrift des Entleihers.

[2]Absatz 1 Satz 3 gilt entsprechend.

(4) Das Bundesministerium der Finanzen kann durch Rechtsverordnung im Einvernehmen mit dem Bundesministerium für Arbeit und Soziales ohne Zustimmung des Bundesrates bestimmen,

[Nr. 1 bis 28.6.2026:]

1. dass, auf welche Weise und unter welchen technischen und organisatorischen Voraussetzungen eine Anmeldung, Änderungsmeldung und Versicherung abweichend von Absatz 1 Satz 1 und 3, Absatz 2 und 3 Satz 1 und 2 und Absatz 4 elektronisch übermittelt werden kann,

[Nr. 1 ab 29.6.2026:]

1. *in welchem Fall, auf welche Weise und unter welchen technischen und organisatorischen Voraussetzungen eine Anmeldung oder eine Änderungsmeldung abweichend von Absatz 1 Satz 1 und 3, Absatz 2 und 3 Satz 1 und 2 elektronisch übermittelt werden kann,*
2. unter welchen Voraussetzungen eine Änderungsmeldung ausnahmsweise entfallen kann, und
3. wie das Meldeverfahren vereinfacht oder abgewandelt werden kann, sofern die entsandten Arbeitnehmer und Arbeitnehmerinnen im Rahmen einer regelmäßig wiederkehrenden Werk- oder Dienstleistung eingesetzt werden

oder sonstige Besonderheiten der zu erbringenden Werk- oder Dienstleistungen dies erfordern.

(5) Das Bundesministerium der Finanzen kann durch Rechtsverordnung ohne Zustimmung des Bundesrates die zuständige Behörde nach Absatz 1 Satz 1 ***[ab 29.6.2026:**, Absatz 2 Satz 1]* und Absatz 3 Satz 1 bestimmen.

§ 19[1)] Erstellen und Bereithalten von Dokumenten. (1) [1] Soweit Arbeitsbedingungen auf das Arbeitsverhältnis anzuwenden sind, deren Einhaltung nach § 16 von den Behörden der Zollverwaltung kontrolliert wird, ist der Arbeitgeber verpflichtet, Beginn, Ende und Dauer der täglichen Arbeitszeit der Arbeitnehmer und Arbeitnehmerinnen und, soweit stundenbezogene Zuschläge zu gewähren sind, unter Angabe des jeweiligen Zuschlags Beginn, Ende und Dauer der Arbeitszeit, die einen Anspruch auf den Zuschlag begründet, spätestens bis zum Ablauf des siebten auf den Tag der Arbeitsleistung folgenden Kalendertages aufzuzeichnen und diese Aufzeichnungen mindestens zwei Jahre beginnend ab dem für die Aufzeichnung maßgeblichen Zeitpunkt aufzubewahren. [2] Satz 1 gilt entsprechend für einen Entleiher, dem ein Verleiher einen Arbeitnehmer oder eine Arbeitnehmerin oder mehrere Arbeitnehmer oder Arbeitnehmerinnen zur Arbeitsleistung überlässt.

(2) [1] Jeder Arbeitgeber ist verpflichtet, die für die Kontrolle von Arbeitsbedingungen, deren Einhaltung nach § 16 von den Behörden der Zollverwaltung kontrolliert wird, erforderlichen Unterlagen im Inland für die gesamte Dauer der tatsächlichen Beschäftigung der Arbeitnehmer und Arbeitnehmerinnen im Geltungsbereich dieses Gesetzes, mindestens für die Dauer der gesamten Werk- oder Dienstleistung, insgesamt jedoch nicht länger als zwei Jahre in deutscher Sprache bereitzuhalten. [2] Auf Verlangen der Prüfbehörde sind die Unterlagen auch am Ort der Beschäftigung bereitzuhalten, bei Bauleistungen auf der Baustelle.

(2a) [1] Abweichend von Absatz 2 hat der Arbeitgeber mit Sitz in einem anderen Mitgliedstaat der Europäischen Union oder des Europäischen Wirtschaftsraums sicherzustellen, dass dem Kraftfahrer oder der Kraftfahrerin, der oder die von ihm für die Durchführung von Güter- oder Personenbeförderungen im Inland nach § 36 Absatz 1 beschäftigt wird, die folgenden Unterlagen als Schriftstück oder in einem elektronischen Format zur Verfügung stehen:

1. eine Kopie der nach § 18 Absatz 2 zugeleiteten Anmeldung,
2. die Nachweise über die Beförderungen, insbesondere elektronische Frachtbriefe oder die in Artikel 8 Absatz 3 der Verordnung (EG) Nr. 1072/2009 des Europäischen Parlaments und des Rates vom 21. Oktober 2009 über gemeinsame Regeln für den Zugang zum Markt des grenzüberschreitenden Güterkraftverkehrs (ABl. L 300 vom 14.11.2009, S. 72), die zuletzt durch die Verordnung (EU) 2020/1055 (ABl. L 249 vom 31.7.2020, S. 17) geändert worden ist, genannten Belege und
3. alle Aufzeichnungen des Fahrtenschreibers, insbesondere die in Artikel 34 Absatz 6 Buchstabe f und Absatz 7 der Verordnung (EU) Nr. 165/2014 des

---

1) § 19 Abs. 1 Satz 1 neu gef., Abs. 2 Satz 1 geänd., Abs. 3 und 4 angef. mWv 16.8.2014 durch G v. 11.8.2014 (BGBl. I S. 1348); Abs. 1 Satz 1, Abs. 2 Satz 1 geänd. mWv 18.7.2019 durch G v. 11.7. 2019 (BGBl. I S. 1066); Abs. 1 Satz 1 neu gef., Abs. 2 Satz 1 und Abs. 4 geänd. mWv 30.7.2020 durch G v. 10.7.2020 (BGBl. I S. 1657); Abs. 2a und 2b eingef., Abs. 3 geänd. mWv 1.7.2023 durch G v. 28.6.2023 (BGBl. 2023 I Nr. 172).

Europäischen Parlaments und des Rates vom 4. Februar 2014 über Fahrtenschreiber im Straßenverkehr, zur Aufhebung der Verordnung (EWG) Nr. 3821/85 des Rates über das Kontrollgerät im Straßenverkehr und zur Änderung der Verordnung (EG) Nr. 561/2006 des Europäischen Parlaments und des Rates zur Harmonisierung bestimmter Sozialvorschriften im Straßenverkehr (ABl. L 60 vom 28.2.2014, S. 1; L 93 vom 9.4.2015, S. 103; L 246 vom 23.9.2015, S. 11), die zuletzt durch die Verordnung (EU) 2020/1054 (ABl. L 249 vom 31.7.2020, S. 1) geändert worden ist, genannten Ländersymbole der Mitgliedstaaten, in denen sich der Kraftfahrer oder die Kraftfahrerin bei grenzüberschreitenden Beförderungen und Kabotagebeförderungen aufgehalten hat, oder die Aufzeichnungen nach § 1 Absatz 6 Satz 1 und 2 der Fahrpersonalverordnung[1] vom 27. Juni 2005 (BGBl. I S. 1882), die zuletzt durch Artikel 1 der Verordnung vom 8. August 2017 (BGBl. I S. 3158) geändert worden ist.

[2]Der Kraftfahrer oder die Kraftfahrerin hat im Falle einer Beschäftigung im Inland nach § 36 Absatz 1 die ihm oder ihr nach Satz 1 zur Verfügung gestellten Unterlagen mit sich zu führen und den Behörden der Zollverwaltung auf Verlangen als Schriftstück oder in einem elektronischen Format vorzulegen; liegt keine Beschäftigung im Inland nach § 36 Absatz 1 vor, gilt die Pflicht nach dem ersten Halbsatz nur im Rahmen einer auf der Straße vorgenommenen Kontrolle für die Unterlagen nach Satz 1 Nummer 2 und 3.

(2b) [1] Nach Beendigung eines Beschäftigungszeitraums des Kraftfahrers oder der Kraftfahrerin im Inland nach § 36 Absatz 1 hat der Arbeitgeber mit Sitz in einem anderen Mitgliedstaat der Europäischen Union oder des Europäischen Wirtschaftsraums den Behörden der Zollverwaltung auf Verlangen über die mit dem Binnenmarkt-Informationssystem verbundene elektronische Schnittstelle folgende Unterlagen innerhalb von acht Wochen ab dem Tag des Verlangens zu übermitteln:

1. Kopien der Unterlagen nach Absatz 2a Satz 1 Nummer 2 und 3,
2. Unterlagen über die Entlohnung des Kraftfahrers oder der Kraftfahrerin einschließlich der Zahlungsbelege,
3. den Arbeitsvertrag oder gleichwertige Unterlagen im Sinne des Artikels 3 Absatz 1 der Richtlinie 91/533/EWG[2] des Rates vom 14. Oktober 1991 über die Pflicht des Arbeitgebers zur Unterrichtung des Arbeitnehmers über die für seinen Arbeitsvertrag oder sein Arbeitsverhältnis geltenden Bedingungen (ABl. L 288 vom 18.10.1991, S. 32) und
4. Unterlagen über die Zeiterfassung, die sich auf die Arbeit des Kraftfahrers oder der Kraftfahrerin beziehen, insbesondere die Aufzeichnungen des Fahrtenschreibers.

[2]Die Behörden der Zollverwaltung dürfen die Unterlagen nach Satz 1 nur für den Zeitraum der Beschäftigung nach § 36 Absatz 1 verlangen, der zum Zeitpunkt des Verlangens beendet ist.

[3]Soweit eine Anmeldung nach § 18 Absatz 2 nicht zugeleitet wurde, obwohl eine Beschäftigung im Inland nach § 36 Absatz 1 vorliegt, hat der Arbeitgeber mit Sitz in einem anderen Mitgliedstaat der Europäischen Union oder des Europäischen Wirtschaftsraums den Behörden der Zollverwaltung auf Verlan-

[1] Nr. **356a.**
[2] **beck-online, Module Arbeitsrecht Nr. 879.**

gen die Unterlagen nach Satz 1 außerhalb der mit dem Binnenmarkt-Informationssystem verbundenen elektronischen Schnittstelle als Schriftstück oder in einem elektronischen Format zu übermitteln.

(3) Das Bundesministerium für Arbeit und Soziales kann durch Rechtsverordnung ohne Zustimmung des Bundesrates die Verpflichtungen des Arbeitgebers, des Verleihers oder eines Entleihers nach § 18 und den Absätzen 1 und 2 hinsichtlich einzelner Branchen oder Gruppen von Arbeitnehmern und Arbeitnehmerinnen einschränken.

(4) Das Bundesministerium der Finanzen kann durch Rechtsverordnung im Einvernehmen mit dem Bundesministerium für Arbeit und Soziales ohne Zustimmung des Bundesrates bestimmen, wie die Verpflichtung des Arbeitgebers, die tägliche sowie die zuschlagsbezogene Arbeitszeit bei ihm beschäftigter Arbeitnehmer und Arbeitnehmerinnen aufzuzeichnen und diese Aufzeichnungen aufzubewahren, vereinfacht oder abgewandelt werden kann, sofern Besonderheiten der zu erbringenden Werk- oder Dienstleistungen oder Besonderheiten der Branche dies erfordern.

§ 20[1)] Zusammenarbeit der in- und ausländischen Behörden.

(1) [1]Die Behörden der Zollverwaltung unterrichten die zuständigen örtlichen Landesfinanzbehörden über Meldungen nach § 18 Abs. 1 und 3. [2]Auf die Informationen zu den Meldungen nach § 18 Absatz 2 können die Landesfinanzbehörden über das Binnenmarkt-Informationssystem zugreifen.

(2) [1]Die Behörden der Zollverwaltung und die übrigen in § 2 des Schwarzarbeitsbekämpfungsgesetzes[2)] genannten Behörden dürfen nach Maßgabe der datenschutzrechtlichen Vorschriften auch mit Behörden anderer Vertragsstaaten des Abkommens über den Europäischen Wirtschaftsraum zusammenarbeiten, die diesem Gesetz entsprechende Aufgaben durchführen oder für die Bekämpfung illegaler Beschäftigung zuständig sind oder Auskünfte geben können, ob ein Arbeitgeber seine Verpflichtungen nach § 8 erfüllt. [2]Die Regelungen über die internationale Rechtshilfe in Strafsachen bleiben hiervon unberührt.

(3) Die Behörden der Zollverwaltung unterrichten das Gewerbezentralregister über rechtskräftige Bußgeldentscheidungen nach § 23 Abs. 1 bis 3, sofern die Geldbuße mehr als zweihundert Euro beträgt.

§ 21[3)] Ausschluss von der Vergabe öffentlicher Aufträge. (1) [1]Von der Teilnahme an einem Wettbewerb um einen Liefer-, Bau- oder Dienstleistungsauftrag der in §§ 99 und 100 des Gesetzes gegen Wettbewerbsbeschränkungen[4)] genannten Auftraggeber sollen Bewerber oder Bewerberinnen für eine angemessene Zeit bis zur nachgewiesenen Wiederherstellung ihrer Zuverlässigkeit ausgeschlossen werden, die wegen eines Verstoßes nach § 23 Absatz 1 Nummer 1 bis 11 und 13 oder Absatz 2 mit einer Geldbuße von wenigstens zweitausendfünfhundert Euro belegt worden sind. [2]Das Gleiche gilt auch schon

---

[1)] § 20 Abs. 1 geänd., Abs. 4 aufgeh. mWv 16.8.2014 durch G v. 11.8.2014 (BGBl. I S. 1348); Abs. 1 Satz 2 angef. mWv 1.7.2023 durch G v. 28.6.2023 (BGBl. 2023 I Nr. 172).

[2)] Nr. **110**.

[3)] § 21 Abs. 1 und 2 geänd. mWv 18.4.2016 durch G v. 17.2.2016 (BGBl. I S. 203); Abs. 3 Sätze 1 und 2, Abs. 4 geänd. mWv 1.6.2022 durch G v. 18.7.2017 (BGBl. I S. 2739, geänd. BGBl. I 2021 S. 2 iVm BAnz AT 29.10.2021 B3 und iVm Bek. v. 16.2.2022, BGBl. I S. 306); Abs. 1 Satz 1, Abs. 2 und *Abs. 3 Satz 1* geänd. mWv 1.7.2023 durch G v. 28.6.2023 (BGBl. 2023 I Nr. 172); Abs. 1 Satz 1, Abs. 2, Abs. 3 Satz 1 geänd. mWv 30.12.2025 durch G v. 22.12.2025 (BGBl. 2025 I Nr. 369).

[4)] **beck-online, Module Arbeitsrecht Nr. 509.**

vor Durchführung eines Bußgeldverfahrens, wenn im Einzelfall angesichts der Beweislage kein vernünftiger Zweifel an einer schwerwiegenden Verfehlung im Sinne des Satzes 1 besteht.

(2) Die für die Verfolgung oder Ahndung der Ordnungswidrigkeiten nach § 23 Absatz 1 Nummer 1 bis 11 und 13 oder Absatz 2 zuständigen Behörden dürfen öffentlichen Auftraggebern nach § 99 des Gesetzes gegen Wettbewerbsbeschränkungen und solchen Stellen, die von öffentlichen Auftraggebern zugelassene Präqualifikationsverzeichnisse oder Unternehmer- und Lieferantenverzeichnisse führen, auf Verlangen die erforderlichen Auskünfte geben.

(3) [1] Öffentliche Auftraggeber nach Absatz 2 fordern im Rahmen ihrer Tätigkeit beim Wettbewerbsregister Auskünfte über rechtskräftige Bußgeldentscheidungen wegen einer Ordnungswidrigkeit nach § 23 Absatz 1 Nummer 1 bis 11 und 13 oder Absatz 2 an oder verlangen von Bewerbern oder Bewerberinnen eine Erklärung, dass die Voraussetzungen für einen Ausschluss nach Absatz 1 nicht vorliegen. [2] Im Falle einer Erklärung des Bewerbers oder der Bewerberin können öffentliche Auftraggeber nach Absatz 2 jederzeit zusätzlich Auskünfte des Wettbewerbsregisters anfordern.

(4) Bei Aufträgen ab einer Höhe von 30 000 Euro fordert der öffentliche Auftraggeber nach Absatz 2 für den Bewerber oder die Bewerberin, der oder die den Zuschlag erhalten soll, vor der Zuschlagserteilung eine Auskunft aus dem Wettbewerbsregister an.

(5) Vor der Entscheidung über den Ausschluss ist der Bewerber oder die Bewerberin zu hören.

§ 22[1)] *(aufgehoben)*

§ 23[2)] **Bußgeldvorschriften.** (1) Ordnungswidrig handelt, wer vorsätzlich oder fahrlässig

1. entgegen § 8 Abs. 1 Satz 1 oder Abs. 3 eine Arbeitsbedingung, deren Einhaltung nach § 16 von den Behörden der Zollverwaltung geprüft wird, nicht oder nicht rechtzeitig gewährt oder einen Beitrag nicht oder nicht rechtzeitig leistet,
2. entgegen § 17 Satz 1 in Verbindung mit § 5 Abs. 1 Satz 1 Nummer 1 des Schwarzarbeitsbekämpfungsgesetzes[3)] eine Prüfung nicht duldet oder bei einer Prüfung nicht mitwirkt,
3. entgegen § 17 Satz 1 in Verbindung mit § 5 Abs. 1 Satz 1 Nummer 2 des Schwarzarbeitsbekämpfungsgesetzes das Betreten eines Grundstücks oder Geschäftsraums nicht duldet,

---

[1)] § 22 aufgeh. mWv 16.8.2014 durch G v. 11.8.2014 (BGBl. I S. 1348).

[2)] § 23 Abs. 1 Nr. 1 und 7 geänd., Nr. 8 neu gef., Abs. 2 Nr. 1 und 2 geänd., Abs. 5 Sätze 1 und 3 aufgeh., bish. Satz 2 wird alleiniger Wortlaut und geänd. mWv 16.8.2014 durch G v. 11.8.2014 (BGBl. I S. 1348); Abs. 5 geänd. mWv 1.7.2017 durch G v. 13.4.2017 (BGBl. I S. 872); Abs. 1 Nr. 2, 3 und 4 geänd. mWv 18.7.2019 durch G v. 11.7.2019 (BGBl. I S. 1066); Abs. 1 Nr. 1, Abs. 2 Nr. 1 und 2 geänd. mWv 30.7.2020 durch G v. 10.7.2020 (BGBl. I S. 1657); Abs. 1 Nr. 5 und 6 geänd., Nr. 7 aufgeh., bish. Nr. 8 und 9 werden Nr. 7 und 8 und jeweils geänd., Nr. 9–11 angef. mWv 1.7. 2023 durch G v. 28.6.2023 (BGBl. 2023 I Nr. 172); Abs. 1 Nr. 2 geänd., Nr. 4–6 eingef., bish. Nr. aufgeh., bish. Nr. 5–11 werden Nr. 7–13, Abs. 3 geänd. mWv 30.12.2025 durch G v. 22.12.2025 (BGBl. 2025 I Nr. 369).

[3)] Nr. **110**.

4. entgegen § 17 Satz 1 in Verbindung mit § 5 Absatz 1 Satz 1 Nummer 3 Buchstabe a des Schwarzarbeitsbekämpfungsgesetzes eine dort genannte Auskunft nicht, nicht richtig, nicht vollständig, nicht in der vorgeschriebenen Weise oder nicht rechtzeitig erteilt,
5. entgegen § 17 Satz 1 in Verbindung mit § 5 Absatz 1 Satz 1 Nummer 3 Buchstabe b des Schwarzarbeitsbekämpfungsgesetzes eine dort genannte Unterlage nicht, nicht richtig, nicht vollständig oder nicht rechtzeitig bereitstellt oder nicht, nicht richtig, nicht vollständig oder nicht rechtzeitig vorlegt,
6. entgegen § 17 Satz 1 in Verbindung mit § 5 Absatz 1 Satz 1 Nummer 4 des Schwarzarbeitsbekämpfungsgesetzes die Einsicht in eine dort genannte Unterlage nicht, nicht richtig oder nicht rechtzeitig ermöglicht,
7. entgegen § 18 Absatz 1 Satz 1, Absatz 2 Satz 1 oder Absatz 3 Satz 1 eine Anmeldung nicht, nicht richtig, nicht vollständig, nicht in der vorgeschriebenen Weise oder nicht rechtzeitig vorlegt oder nicht, nicht richtig, nicht vollständig, nicht in der vorgeschriebenen Weise oder nicht rechtzeitig zuleitet,
8. entgegen § 18 Absatz 1 Satz 3, auch in Verbindung mit Absatz 2 Satz 2 oder Absatz 3 Satz 2, eine Änderungsmeldung nicht, nicht richtig, nicht vollständig, nicht in der vorgeschriebenen Weise oder nicht rechtzeitig macht,
9. entgegen § 19 Absatz 1 Satz 1, auch in Verbindung mit Satz 2, eine Aufzeichnung nicht, nicht richtig, nicht vollständig oder nicht rechtzeitig erstellt oder nicht oder nicht mindestens zwei Jahre aufbewahrt,
10. entgegen § 19 Absatz 2 eine Unterlage nicht, nicht richtig, nicht vollständig oder nicht in der vorgeschriebenen Weise bereithält,
11. entgegen § 19 Absatz 2a Satz 1 nicht sicherstellt, dass die dort genannten Unterlagen zur Verfügung stehen,
12. entgegen § 19 Absatz 2a Satz 2 eine Unterlage nicht, nicht richtig, nicht vollständig, nicht in der vorgeschriebenen Weise oder nicht rechtzeitig vorlegt oder
13. entgegen § 19 Absatz 2b Satz 1 oder 3 eine Unterlage nicht, nicht richtig, nicht vollständig, nicht in der vorgeschriebenen Weise oder nicht rechtzeitig übermittelt.

(2) Ordnungswidrig handelt, wer Werk- oder Dienstleistungen in erheblichem Umfang ausführen lässt, indem er als Unternehmer einen anderen Unternehmer beauftragt, von dem er weiß oder fahrlässig nicht weiß, dass dieser bei der Erfüllung dieses Auftrags

1. entgegen § 8 Abs. 1 Satz 1 oder Abs. 3 eine Arbeitsbedingung, deren Einhaltung nach § 16 von den Behörden der Zollverwaltung geprüft wird, nicht oder nicht rechtzeitig gewährt oder einen Beitrag nicht oder nicht rechtzeitig leistet oder
2. einen Nachunternehmer einsetzt oder zulässt, dass ein Nachunternehmer tätig wird, der entgegen § 8 Abs. 1 Satz 1 oder Abs. 3 eine Arbeitsbedingung, deren Einhaltung nach § 16 von den Behörden der Zollverwaltung geprüft wird, nicht oder nicht rechtzeitig gewährt oder einen Beitrag nicht oder nicht rechtzeitig leistet.

(3) Die Ordnungswidrigkeit kann in den Fällen des Absatzes 1 Nr. 1 und des Absatzes 2 mit einer Geldbuße bis zu fünfhunderttausend Euro, in den Fällen

des Absatzes 1 Nummer 9 mit einer Geldbuße bis zu fünfzigtausend Euro, in den übrigen Fällen mit einer Geldbuße bis zu dreißigtausend Euro geahndet werden.

(4) Verwaltungsbehörden im Sinne des § 36 Abs. 1 Nr. 1 des Gesetzes über Ordnungswidrigkeiten[1] sind die in § 16 genannten Behörden jeweils für ihren Geschäftsbereich.

(5) Für die Vollstreckung zugunsten der Behörden des Bundes und der bundesunmittelbaren juristischen Personen des öffentlichen Rechts sowie für die Vollziehung des Vermögensarrestes nach § 111e der Strafprozessordnung[2] in Verbindung mit § 46 des Gesetzes über Ordnungswidrigkeiten durch die in § 16 genannten Behörden gilt das Verwaltungs-Vollstreckungsgesetz[3] des Bundes.

Abschnitt 7.[4] Grenzüberschreitende Durchsetzung

§ 24[4] Anwendungsbereich. [1] Dieser Abschnitt regelt die Behandlung von Ersuchen eines anderen Mitgliedstaats oder an einen anderen Mitgliedstaat der Europäischen Union oder des Europäischen Wirtschaftsraums nach Maßgabe von Kapitel VI der Richtlinie 2014/67/EU des Europäischen Parlaments und des Rates vom 15. Mai 2014 zur Durchsetzung der Richtlinie 96/71/EG über die Entsendung von Arbeitnehmern im Rahmen der Erbringung von Dienstleistungen und zur Änderung der Verordnung (EU) Nr. 1024/2012 über die Verwaltungszusammenarbeit mit Hilfe des Binnenmarkt-Informationssystems („IMI-Verordnung") (ABl. L 159 vom 28.5.2014, S. 11) um

1. die Zustellung von Dokumenten oder die Vollstreckung von finanziellen Verwaltungssanktionen oder Geldbußen einschließlich Gebühren und Zuschlägen, die einem Arbeitgeber mit Sitz im Inland auferlegt wurden wegen des Verstoßes gegen die auf die Entsendung von Arbeitnehmern und Arbeitnehmerinnen anzuwendenden Rechtsvorschriften eines anderen Mitgliedstaats der Europäischen Union oder des Europäischen Wirtschaftsraums in einem anderen Mitgliedstaat der Europäischen Union oder des Europäischen Wirtschaftsraums (eingehende Ersuchen),
2. die Zustellung von Dokumenten oder die Vollstreckung von Geldbußen, die einem Arbeitgeber mit Sitz in einem anderen Mitgliedstaat der Europäischen Union oder des Europäischen Wirtschaftsraums auferlegt wurden wegen des Verstoßes gegen die auf die Entsendung von Arbeitnehmern und Arbeitnehmerinnen im Inland anzuwendenden Rechtsvorschriften (ausgehende Ersuchen).

[2] Regelungen zur Behandlung von Ersuchen um Zustellung von Dokumenten oder um Vollstreckung von finanziellen Verwaltungssanktionen oder Geldbußen in anderen Gesetzen oder völkerrechtlichen Verträgen gehen vor.

§ 25[4] Zuständigkeit. (1) Zentrale Behörde im Sinne dieses Abschnitts ist die Bundesstelle Vollstreckung Zoll beim Hauptzollamt Hannover.

---

[1] **Habersack Nr. 94.**
[2] **Habersack Nr. 90.**
[3] **Sartorius Nr. 112.**
[4] Abschnitt 7 (§§ 24–30) eingef. mWv 1.7.2023 durch G v. 28.6.2023 (BGBl. 2023 I Nr. 172).

(2) [1]Die für die Zustellung und Vollstreckung im Inland zuständigen Behörden (Vollstreckungsbehörden) im Sinne dieses Abschnitts sind für eingehende Ersuchen die nach § 23 Absatz 4 zuständigen Stellen. [2]Für ausgehende Ersuchen gilt die jeweilige Zuständigkeit.

(3) Die zentrale Behörde und die Vollstreckungsbehörden stellen sich die Informationen, die zur Bearbeitung eingehender und ausgehender Ersuchen erforderlich sind, unverzüglich wechselseitig zur Verfügung.

§ 26[1)] Binnenmarkt-Informationssystem. Für die grenzüberschreitende Bearbeitung eingehender und ausgehender Ersuchen verwendet die zentrale Behörde das Binnenmarkt-Informationssystem nach der Verordnung (EU) Nr. 1024/2012.

§ 27[1)] Inhalt ausgehender Ersuchen. Ausgehende Ersuchen müssen mindestens folgende Angaben enthalten:

1. Name und Anschrift des Vollstreckungsschuldners oder Empfängers sowie weitere Daten, soweit diese zur Identifizierung des Vollstreckungsschuldners oder Empfängers erforderlich sind,
2. eine Zusammenfassung des Sachverhalts und der Umstände des Verstoßes, der Art der Zuwiderhandlung und der einschlägigen geltenden Vorschriften,
3. das Original der zu vollstreckenden Entscheidung, um deren Zustellung oder Vollstreckung ersucht wird, oder eine beglaubigte Abschrift hiervon und alle sonstigen relevanten Informationen oder Dokumente auch gerichtlicher Art bezüglich der zugrunde liegenden Geldbuße,
4. Name, Anschrift und sonstige Kontaktdaten
   a) der für die Entscheidung über die Geldbuße zuständigen Stelle und
   b) der zuständigen Stelle, bei der weitere Informationen über die Geldbuße oder die Möglichkeiten zur Anfechtung der Zahlungsverpflichtung oder der einschlägigen Entscheidung eingeholt werden können, falls diese Stelle nicht mit der in Buchstabe a genannten Stelle identisch ist,
5. im Fall eines Ersuchens um die Zustellung von Dokumenten den Gegenstand der Zustellung und die Frist für die Erledigung der Zustellung,
6. im Fall eines Ersuchens um die Vollstreckung einer Verwaltungssanktion oder Geldbuße
   a) das Datum, an dem die Entscheidung rechtskräftig wurde,
   b) eine Angabe der Art und der Höhe der Verwaltungssanktion oder der Geldbuße,
   c) alle für das Vollstreckungsverfahren sachdienlichen Daten, einschließlich der Information, ob und gegebenenfalls wie die Entscheidung dem oder den Betroffenen zugestellt wurde und ob es sich um eine Versäumnisentscheidung handelt,
   d) eine Bestätigung der ersuchenden Behörde, dass gegen die Verwaltungssanktion oder die Geldbuße keine weiteren Rechtsmittel eingelegt werden können, sowie
   e) die dem Ersuchen zugrunde liegende Forderung und deren verschiedene Bestandteile.

[1)] Abschnitt 7 (§§ 24–30) eingef. mWv 1.7.2023 durch G v. 28.6.2023 (BGBl. 2023 I Nr. 172).

§ 28[1)] Behandlung ausgehender Ersuchen. (1) [1] Ausgehende Ersuchen werden von der Vollstreckungsbehörde nach Prüfung der Voraussetzungen nach den Absätzen 2 und 3 erstellt. [2] Sie werden durch die zentrale Behörde an die zuständige Behörde eines anderen Mitgliedstaats der Europäischen Union oder des Europäischen Wirtschaftsraums weitergeleitet.

(2) [1] Die zuständige Behörde eines anderen Mitgliedstaats der Europäischen Union oder des Europäischen Wirtschaftsraums kann um die Zustellung aller Dokumente ersucht werden, die für die Festsetzung einer Geldbuße wegen eines Verstoßes gegen die auf die Entsendung von Arbeitnehmern und Arbeitnehmerinnen im Inland anzuwendenden Rechtsvorschriften oder deren Vollstreckung erforderlich sind. [2] Ein Zustellungsersuchen nach Satz 1 darf nur dann erfolgen, wenn es der inländischen Vollstreckungsbehörde nicht möglich ist, das betreffende Dokument selbst zuzustellen.

(3) Die zuständige Behörde eines anderen Mitgliedstaats der Europäischen Union oder des Europäischen Wirtschaftsraums kann um Vollstreckung einer Geldbuße wegen eines Verstoßes gegen die auf die Entsendung von Arbeitnehmern und Arbeitnehmerinnen im Inland anzuwendenden Rechtsvorschriften ersucht werden, wenn

1. die Voraussetzungen einer Vollstreckung im Inland gegeben wären,
2. die Vollstreckung im Inland nicht möglich ist und
3. die zu vollstreckende Geldbuße nicht angefochten ist oder nicht mehr angefochten werden kann.

(4) Die zentrale Behörde informiert die zuständige Behörde des anderen Mitgliedstaats der Europäischen Union oder des Europäischen Wirtschaftsraums unverzüglich, wenn

1. ein außerordentlicher Rechtsbehelf gegen die zu vollstreckende Bußgeldentscheidung oder in Bezug auf das hierdurch rechtskräftig abgeschlossene Bußgeldverfahren eingelegt wird oder
2. die inländische Vollstreckungsbehörde das ausgehende Ersuchen ändert oder zurücknimmt.

(5) Wurde die zuständige Behörde eines anderen Mitgliedstaats der Europäischen Union oder des Europäischen Wirtschaftsraums um Vollstreckung ersucht, ist die Vollstreckung im Inland erst wieder zulässig, soweit das Ersuchen zurückgenommen worden ist oder soweit die ersuchte Behörde die Vollstreckung verweigert hat.

§ 29[1)] Behandlung eingehender Ersuchen. (1) [1] Die zentrale Behörde leitet eingehende Ersuchen unverzüglich an die Vollstreckungsbehörde weiter. [2] Die zentrale Behörde teilt der ersuchenden Behörde jeweils unverzüglich mit, wenn eine der in den Absätzen 2 bis 4 genannten Maßnahmen durchgeführt wurde. [3] In diese Mitteilung ist insbesondere das Datum einer Zustellung nach Absatz 3 aufzunehmen.

(2) [1] Die Vollstreckungsbehörde ergreift die erforderlichen Maßnahmen zur Zustellung oder Vollstreckung der gemäß Absatz 1 Satz 1 weitergeleiteten Ersuchen und informiert die zentrale Behörde hierüber jeweils unverzüglich. [2] Die Entscheidung über eine finanzielle Verwaltungssanktion oder Geldbuße,

---

[1)] Abschnitt 7 (§§ 24–30) eingef. mWv 1.7.2023 durch G v. 28.6.2023 (BGBl. 2023 I Nr. 172).

um deren Zustellung oder Vollstreckung ersucht wird, ist wie eine behördliche Bußgeldentscheidung gemäß § 23 Absatz 1 bis 3 zuzustellen und zu vollstrecken. [3] Die Bundesrepublik Deutschland verzichtet gegenüber dem ersuchenden Mitgliedstaat der Europäischen Union oder des Europäischen Wirtschaftsraums auf jegliche Erstattung der Kosten der Zustellungs- und Vollstreckungshilfe nach diesem Gesetz.

(3) Die Vollstreckungsbehörde ergreift unverzüglich, spätestens jedoch innerhalb eines Monats nach Eingang des Ersuchens bei der zentralen Behörde, alle Maßnahmen, die erforderlich sind, um dem Arbeitgeber mit Sitz im Inland alle Dokumente zuzustellen, die mit einer Entscheidung über eine finanzielle Verwaltungssanktion oder Geldbuße oder mit deren Vollstreckung zusammenhängen.

(4) Erlangt die Vollstreckungsbehörde Kenntnis davon, dass gegen die zu vollstreckende Entscheidung oder in Bezug auf das hierdurch rechtskräftig abgeschlossene Bußgeldverfahren in dem ersuchenden Mitgliedstaat der Europäischen Union oder des Europäischen Wirtschaftsraums vom betroffenen Arbeitgeber oder von einer betroffenen Partei ein außerordentlicher Rechtsbehelf eingelegt wurde, setzt sie das Vollstreckungsverfahren bis zur Entscheidung über den außerordentlichen Rechtsbehelf aus.

(5) [1] Die Forderungen werden in Euro vollstreckt. [2] Wenn der finanziellen Verwaltungssanktion oder der Geldbuße eine andere Währung zugrunde liegt, ist der geltende Wechselkurs der Europäischen Zentralbank zum Zeitpunkt der Festsetzung der finanziellen Verwaltungssanktion oder der Geldbuße maßgeblich. [3] Der Erlös der Vollstreckung fließt in die Bundeskasse, wenn eine Verwaltungsbehörde des Bundes als Vollstreckungsbehörde tätig ist, anderenfalls in die jeweilige Landeskasse.

(6) [1] Die Einlegung von Rechtsmitteln gegen die Zustellung oder Vollstreckung einer finanziellen Verwaltungssanktion oder einer Geldbuße bestimmt sich nach den inländischen Zustellungs- und Vollstreckungsregelungen. [2] Rechtsmittel gegen die Entscheidung, die der Zustellung oder der Vollstreckung zugrunde liegt, richten sich nach den Rechtsvorschriften des ersuchenden Mitgliedstaats der Europäischen Union oder des Europäischen Wirtschaftsraums.

§ 30[1)] Ablehnung eingehender Ersuchen. (1) Die ersuchte Vollstreckungsbehörde oder die zentrale Behörde kann ein eingehendes Ersuchen ablehnen, wenn

1. das Ersuchen nicht die für ausgehende Ersuchen geforderten Angaben gemäß § 27 enthält oder
2. das Ersuchen offenkundig nicht mit der zugrunde liegenden Entscheidung übereinstimmt.

(2) Die ersuchte Vollstreckungsbehörde oder die zentrale Behörde kann ein eingehendes Ersuchen um Vollstreckung darüber hinaus ablehnen, wenn

1. die voraussichtlichen Kosten oder Mittel der Vollstreckung zur Höhe der zu vollstreckenden Verwaltungssanktion oder Geldbuße offensichtlich außer Verhältnis stehen,

[1)] Abschnitt 7 (§§ 24–30) eingef. mWv 1.7.2023 durch G v. 28.6.2023 (BGBl. 2023 I Nr. 172).

2. die zu vollstreckende Verwaltungssanktion oder die Geldbuße oder ihr Gegenwert in Euro weniger als 350 Euro beträgt oder
3. die Vollstreckung mit Grundrechten des oder der Betroffenen oder mit sonstigen verfassungsrechtlichen Rechtsgrundsätzen zum Schutz des oder der Betroffenen nicht vereinbar wäre.

(3) [1] Die Vollstreckungsbehörde teilt die Ablehnung eines eingehenden Ersuchens einschließlich ihrer Begründung unverzüglich der zentralen Behörde mit. [2] Die zentrale Behörde informiert unverzüglich die ersuchende Behörde. [3] Vor der Ablehnung eines eingehenden Ersuchens nach Absatz 1 Nummer 1 oder 2 gibt die zentrale Behörde der ersuchenden Behörde mit einer Frist von einem Monat die Gelegenheit zur Übermittlung der fehlenden Angaben oder zur Vervollständigung des Ersuchens.

Abschnitt 8.[1] Arbeits- und Sozialrechtliche Beratung

§ 31[2] Leistungsanspruch. (1) Der Deutsche Gewerkschaftsbund hat für den Aufbau und die Unterhaltung von Beratungsstellen zu arbeits- und sozialrechtlichen Themen sowie für die in diesem Zusammenhang erfolgende Entwicklung und Bereitstellung von Fortbildungsangeboten und Informationsmaterialien einen kalenderjährlichen Anspruch in Höhe von bis zu 4,2 Millionen Euro aus Mitteln des Bundes.

(2) Der Anspruch besteht nur, wenn die Beratung
1. sich an Unionsbürgerinnen und Unionsbürger richtet, die im Rahmen der Arbeitnehmerfreizügigkeit oder als grenzüberschreitend entsandte Arbeitnehmerinnen und Arbeitnehmer im Inland beschäftigt sind, beschäftigt werden sollen oder beschäftigt waren,
2. für die Beratenen unentgeltlich erbracht wird und
3. keine Mitgliedschaft der Beratenen in einer Gewerkschaft voraussetzt.

(3) [1] Beschäftigten aus Drittstaaten erteilen die Beratungsstellen nach Absatz 1 Informationen über bestehende passende Angebote anderer zuständiger Beratungsstellen und verweisen die Drittstaatsangehörigen an diese Beratungsstellen. [2] Entsandte Drittstaatsangehörige können in die Beratung einbezogen werden, wenn ein direkter Sachzusammenhang zu einem von den Beratungsstellen nach den Absätzen 1 und 2 bearbeiteten Fall besteht. [3] Ein direkter Sachzusammenhang besteht insbesondere dann, wenn Drittstaatsangehörige und Unionsbürgerinnen oder Unionsbürger vom selben Arbeitgeber entsandt werden.

(4) [1] Der Anspruch besteht der Höhe nach nur, soweit der Deutsche Gewerkschaftsbund einen Eigenanteil zur Finanzierung der Beratungsstellen in Höhe von einem Neuntel der bewilligten Summe leistet. [2] Die Höhe des Eigenanteils wird durch den Leistungsberechtigten im Antrag kenntlich gemacht und direkt in die Finanzierung der Beratungsstellen eingebracht. [3] Wird

---

[1] Früherer Abschnitt 6a (§§ 23a und 23b) eingef. mWv 30.7.2020 durch G v. 10.7.2020 (BGBl. I S. 1657); bish. Abschnitt 6a wird Abschnitt 8, bish. §§ 23a–23c werden §§ 31–33 mWv 1.7.2023 durch G v. 28.6.2023 (BGBl. 2023 I Nr. 172).

[2] Früherer Abschnitt 6a (§§ 23a und 23b) eingef. mWv 30.7.2020 durch G v. 10.7.2020 (BGBl. I S. 1657); bish. Abschnitt 6a wird Abschnitt 8, bish. §§ 23a wird § 31 mWv 1.7.2023 durch G v. 28.6. 2023 (BGBl. 2023 I Nr. 172); Abs. 1 geänd. mWv 19.2.2026 durch G v. 3.2.2026 (BGBl. 2026 I Nr. 29).

der Eigenanteil nicht in voller Höhe geleistet, reduziert sich die bereits bewilligte Summe auf das Neunfache des geleisteten Eigenanteils.

(5) [1] Zuständige Behörde für die Gewährung der Leistung ist das Bundesministerium für Arbeit und Soziales. [2] Es entscheidet per Verwaltungsakt über den Antrag des Leistungsberechtigten.

(6) [1] Das Bundesministerium für Arbeit und Soziales führt als zahlenmäßige Kontrolle jährlich mindestens zwei Stichprobenprüfungen und eine vertiefte Prüfung der Mittelverwendung durch. [2] Zur sachlichen Kontrolle reicht der Deutsche Gewerkschaftsbund spätestens drei Monate nach Ende des Leistungszeitraumes einen Ergebnisbericht über Maßnahmen und Aktivitäten im Leistungszeitraum ein.

(7) [1] Auf Antrag und nach vorheriger Zustimmung des Bundesministeriums für Arbeit und Soziales kann eine Weiterleitung der erhaltenen Leistung aufgrund eines privatrechtlichen Vertrages an Dritte erfolgen. [2] Der Leistungsberechtigte bleibt für die zweckentsprechende Verwendung der Leistung verantwortlich und nachweispflichtig.

(8) Der Anspruch besteht erstmals für das Kalenderjahr 2021.

(9) Das Beratungs- und Informationsangebot wird bis zum 31. Dezember 2025 durch das Bundesministerium für Arbeit und Soziales evaluiert.

§ 32[1)] Verordnungsermächtigung. Das Bundesministerium für Arbeit und Soziales bestimmt durch Rechtsverordnung, die nicht der Zustimmung des Bundesrates bedarf,

1. das Nähere zur Leistungsgewährung,
2. das Antragsverfahren,
3. die Bedingungen für die Weiterleitung der Leistung an Dritte und das Verfahren zur Weiterleitung der Leistung an Dritte,
4. das Nähere zur Kontrolle der Mittelverwendung.

§ 33[2)] Informationspflicht bei Anwerbung aus dem Ausland. [1] Ein Arbeitgeber mit Sitz im Inland, der mit einem Unionsbürger nach § 31 Absatz 2 Nummer 1 mit Wohnsitz oder gewöhnlichem Aufenthalt im Ausland zur Arbeitsleistung im Inland einen Arbeitsvertrag abschließt, hat diesen spätestens am ersten Tag der Arbeitsleistung in Textform auf die Möglichkeit hinzuweisen, die Dienste der Beratungsstellen nach § 31 in Anspruch zu nehmen, und die aktuellen Kontaktdaten der Beratungsstelle anzugeben. [2] Sofern der Arbeitnehmer dem Arbeitgeber vermittelt wurde und eine Informationspflicht des Vermittlers nach § 299 des Dritten Buches Sozialgesetzbuch[3)] dem Arbeitnehmer gegenüber besteht, entfällt die Hinweispflicht.

(Fortsetzung nächstes Blatt)

[1)] Früherer Abschnitt 6a (§§ 23a und 23b) eingef. mWv 30.7.2020 durch G v. 10.7.2020 (BGBl. I S. 1657); bish. Abschnitt 6a wird Abschnitt 8, bish. §§ 23a–23c werden §§ 31–33 mWv 1.7.2023 durch G v. 28.6.2023 (BGBl. 2023 I Nr. 172).

[2)] Früherer § 23c eingef. mWv 1.8.2022 durch G v. 20.7.2022 (BGBl. I S. 1174); bish. § 23c wird § 33 und Satz 1 geänd. mWv 1.7.2023 durch G v. 28.6.2023 (BGBl. 2023 I Nr. 172).

[3)] Nr. **700**.

Abschnitt 9.[1] Sonderregelungen und Übergangsbestimmungen

Unterabschnitt 1.[2] Sonderregelungen für bestimmte Tätigkeiten von Arbeitnehmern und Arbeitnehmerinnen, die bei Arbeitgebern mit Sitz im Ausland beschäftigt sind

§ 34[3] **Erstmontage- und Einbauarbeiten.** [1] Die Arbeitsbedingungen nach § 2 Absatz 1 Nummer 1 und 2, § 5 Satz 1 Nummer 1 bis 3 und § 13b dieses Gesetzes sowie nach § 20 des Mindestlohngesetzes[4] sind auf Arbeitnehmer und Arbeitnehmerinnen, die von Arbeitgebern mit Sitz im Ausland im Inland beschäftigt werden, nicht anzuwenden, wenn

1. die Arbeitnehmer und Arbeitnehmerinnen Erstmontage- oder Einbauarbeiten erbringen, die
   a) Bestandteil eines Liefervertrages sind,
   b) für die Inbetriebnahme der gelieferten Güter unerlässlich sind und
   c) von Facharbeitern oder Facharbeiterinnen oder angelernten Arbeitern oder Arbeiterinnen des Lieferunternehmens ausgeführt werden sowie
2. die Dauer der Beschäftigung im Inland acht Tage innerhalb eines Jahres nicht übersteigt.

[2] Satz 1 gilt nicht für Bauleistungen im Sinne des § 101 Absatz 2 des Dritten Buches Sozialgesetzbuch[5].

§ 35[6] **Bestimmte Tätigkeiten ohne Leistungsempfänger im Inland.** [1] Die Arbeitsbedingungen nach § 2 Absatz 1 Nummer 1 und 2, § 5 Satz 1 Nummer 1 bis 4 und § 13b dieses Gesetzes sowie nach § 20 des Mindestlohngesetzes[4] sind nicht anzuwenden auf Arbeitnehmer und Arbeitnehmerinnen sowie Leiharbeitnehmer und Leiharbeitnehmerinnen, die von Arbeitgebern oder Entleihern mit Sitz im Ausland vorübergehend im Inland beschäftigt werden und, ohne im Inland Werk- oder Dienstleistungen für ihren Arbeitgeber gegenüber Dritten zu erbringen,

1. für ihren Arbeitgeber Besprechungen oder Verhandlungen im Inland führen, Vertragsangebote erstellen oder Verträge schließen,
2. als Besucher an einer Messeveranstaltung, Fachkonferenz oder Fachtagung teilnehmen, ohne Tätigkeiten nach § 2a Absatz 1 Nummer 7 des Schwarzarbeitsbekämpfungsgesetzes[7] zu erbringen,
3. für ihren Arbeitgeber einen inländischen Unternehmensteil gründen oder
4. als Fachkräfte eines international tätigen Konzerns oder Unternehmens zum Zweck der betrieblichen Weiterbildung im inländischen Konzern- oder Unternehmensteil beschäftigt werden.

---

[1] Bish. Abschnitt 7 wird Abschnitt 9 und Überschrift neu gef. mWv 1.7.2023 durch G v. 28.6.2023 (BGBl. 2023 I Nr. 172).

[2] UAbschnittsüberschrift 1 eingef. mWv 1.7.2023 durch G v. 28.6.2023 (BGBl. 2023 I Nr. 172).

[3] Früherer § 24 neu gef. mWv 30.7.2020 durch G v. 10.7.2020 (BGBl. I S. 1657); bish. § 24 wird § 34 und neu gef. mWv 1.7.2023 durch G v. 28.6.2023 (BGBl. 2023 I Nr. 172).

[4] Nr. **505**.

[5] Nr. **700**.

[6] § 35 eingef. mWv 1.7.2023 durch G v. 28.6.2023 (BGBl. 2023 I Nr. 172); Satz 1 Nr. 2 geänd. mWv 30.12.2025 durch G v. 22.12.2025 (BGBl. 2025 I Nr. 369).

[7] Nr. **110**.

²Vorübergehend ist eine Beschäftigung, wenn der Arbeitnehmer oder die Arbeitnehmerin nicht mehr als 14 Tage ununterbrochen und nicht mehr als 30 Tage innerhalb eines Zeitraums von zwölf Monaten im Inland tätig ist.

Unterabschnitt 2.[1] Sonderregelungen für den Straßenverkehrssektor

§ 36[1] Kraftfahrer und Kraftfahrerinnen, die im Inland von Arbeitgebern mit Sitz im Ausland beschäftigt werden. (1) ¹Die Arbeitsbedingungen nach den §§ 2, 5 und 13b dieses Gesetzes sowie nach § 20 des Mindestlohngesetzes[2] sind auf jene Kraftfahrer oder Kraftfahrerinnen anzuwenden, die von Arbeitgebern mit Sitz im Ausland für die Durchführung von Güter- oder Personenbeförderungen im Inland im Rahmen einer Entsendung nach Artikel 1 Absatz 3 Buchstabe a der Richtlinie 96/71/EG[3] des Europäischen Parlaments und des Rates vom 16. Dezember 1996 über die Entsendung von Arbeitnehmern im Rahmen der Erbringung von Dienstleistungen (ABl. L 18 vom 21.1. 1997, S. 1), die durch die Richtlinie (EU) 2018/957 (ABl. L 173 vom 9.7. 2018, S. 16; L 91 vom 29.3.2019, S. 77) geändert worden ist, beschäftigt werden. ²Im Sinne von Satz 1 im Inland beschäftigt werden Kraftfahrer und Kraftfahrerinnen insbesondere dann, wenn sie

1. auf Grundlage eines Beförderungsvertrags innerstaatliche Beförderungen von Gütern oder Fahrgästen nach der Verordnung (EG) Nr. 1072/2009 oder der Verordnung (EG) Nr. 1073/2009 des Europäischen Parlaments und des Rates vom 21. Oktober 2009 über gemeinsame Regeln für den Zugang zum grenzüberschreitenden Personenkraftverkehrsmarkt und zur Änderung der Verordnung (EG) Nr. 561/2006 (ABl. L 300 vom 14.11.2009, S. 88), die zuletzt durch die Verordnung (EU) Nr. 517/2013 (ABl. L 158 vom 10.6. 2013, S. 1) geändert worden ist, durchführen (Kabotage) oder
2. auf Grundlage eines Beförderungsvertrags eine Beförderung von Gütern oder eine Beförderung von Fahrgästen aus einem anderen Staat als dem Niederlassungsstaat des Arbeitgebers mit Grenzübertritt in einen anderen Staat als dem Niederlassungsstaat des Arbeitgebers durchführen (trilaterale Beförderungen) und sich entweder der Ausgangspunkt oder der Bestimmungsort im Inland befindet.

(2) ¹Die §§ 37 bis 40 gelten nicht für Arbeitgeber mit Sitz in einem Drittstaat. ²Arbeitgeber, mit deren Niederlassungsstaat die Anwendung der Entsendevorschriften im Straßenverkehrssektor in einem völkerrechtlichen Vertrag mit Wirkung für die Bundesrepublik Deutschland geregelt ist, sind entsprechend dieser Regelungen in dem völkerrechtlichen Vertrag zu behandeln.

§ 37[1] Bilaterale Beförderung von Gütern. (1) Nicht als im Inland beschäftigt im Sinne des § 36 Absatz 1 gelten Kraftfahrer und Kraftfahrerinnen, wenn sie ausschließlich bilaterale Beförderungen von Gütern durchführen.

(2) Bilaterale Beförderung von Gütern ist der Transport von Gütern auf Grundlage eines Beförderungsvertrags

---

[1] *UAbschnitt 2 (§§ 36–40)* eingef. mWv 1.7.2023 durch G v. 28.6.2023 (BGBl. 2023 I Nr. 172).
[2] Nr. **505**.
[3] Nr. **890**.

1. vom Niederlassungsmitgliedstaat des Arbeitgebers in einen anderen Mitgliedstaat der Europäischen Union oder des Europäischen Wirtschaftsraums oder in einen Drittstaat oder
2. von einem anderen Mitgliedstaat der Europäischen Union oder des Europäischen Wirtschaftsraums oder von einem Drittstaat in den Niederlassungsmitgliedstaat des Arbeitgebers.

(3) [1] Nicht als im Inland beschäftigt gelten Kraftfahrer und Kraftfahrerinnen abweichend von § 36 Absatz 1 Satz 2 Nummer 2, wenn es sich um die erste trilaterale Beförderung von Gütern im Rahmen einer bilateralen Beförderung nach Absatz 2 handelt. [2] Abweichend von Satz 1 gelten Kraftfahrer und Kraftfahrerinnen auch bei der zweiten trilateralen Beförderung von Gütern im Rahmen einer bilateralen Beförderung nicht als im Inland beschäftigt, wenn diese bilaterale Beförderung
1. in den Niederlassungsmitgliedstaat erfolgt und
2. sich ohne zwischenzeitliche Beförderungen an eine bilaterale Beförderung anschließt, die im Niederlassungsmitgliedstaat begann und während der keine trilaterale Beförderung durchgeführt wurde.

(4) Ab dem Tag, ab dem Kraftfahrzeuge, die in einem Mitgliedstaat der Europäischen Union oder des Europäischen Wirtschaftsraums erstmals zugelassen werden, gemäß Artikel 8 Absatz 1 Unterabsatz 4 der Verordnung (EU) Nr. 165/2014 mit intelligenten Fahrtenschreibern ausgerüstet sein müssen, gelten die Ausnahmeregelungen des Absatzes 3 nur für Kraftfahrer und Kraftfahrerinnen, die Kraftfahrzeuge nutzen, die mit intelligenten Fahrtenschreibern nach den Artikeln 8 bis 10 der Verordnung (EU) Nr. 165/2014 ausgestattet sind.

§ 38[1)] Bilaterale Beförderung von Personen. (1) Nicht als im Inland beschäftigt im Sinne des § 36 Absatz 1 gelten Kraftfahrer und Kraftfahrerinnen, wenn sie ausschließlich bilaterale Beförderungen von Fahrgästen durchführen.

(2) Bilaterale Beförderung von Fahrgästen ist der Transport, bei dem ein Kraftfahrer oder eine Kraftfahrerin
1. Fahrgäste im Niederlassungsmitgliedstaat des Arbeitgebers aufnimmt und in einem anderen Mitgliedstaat der Europäischen Union oder des Europäischen Wirtschaftsraums oder in einem Drittstaat wieder absetzt,
2. Fahrgäste in einem anderen Mitgliedstaat der Europäischen Union oder des Europäischen Wirtschaftsraums oder in einem Drittstaat aufnimmt und sie im Niederlassungsmitgliedstaat des Arbeitgebers wieder absetzt oder
3. Fahrgäste im Niederlassungsmitgliedstaat des Arbeitgebers aufnimmt und wieder absetzt, um örtliche Ausflüge in einen anderen Mitgliedstaat der Europäischen Union oder des Europäischen Wirtschaftsraums oder in einen Drittstaat durchzuführen.

(3) Nicht als im Inland beschäftigt gelten Kraftfahrer und Kraftfahrerinnen abweichend von § 36 Absatz 1 Satz 2 Nummer 2, wenn
1. es sich um die erste trilaterale Beförderung im Rahmen einer bilateralen Beförderung nach Absatz 2 handelt und

---

[1)] UAbschnitt 2 (§§ 36–40) eingef. mWv 1.7.2023 durch G v. 28.6.2023 (BGBl. 2023 I Nr. 172).

2. sie keine Beförderung von Fahrgästen zwischen zwei Orten innerhalb des Durchfuhrmitgliedstaats anbieten.

(4) Ab dem Tag, ab dem Kraftfahrzeuge, die in einem Mitgliedstaat der Europäischen Union oder des Europäischen Wirtschaftsraums erstmals zugelassen werden, gemäß Artikel 8 Absatz 1 Unterabsatz 4 der Verordnung (EU) Nr. 165/2014 mit intelligenten Fahrtenschreibern ausgerüstet sein müssen, gelten die Ausnahmeregelungen des Absatzes 3 nur für Kraftfahrer und Kraftfahrerinnen, die Kraftfahrzeuge nutzen, die mit intelligenten Fahrtenschreibern nach den Artikeln 8 bis 10 der Verordnung (EU) Nr. 165/2014 ausgestattet sind.

§ 39[1)] **Kombinierter Verkehr.** Nicht als im Inland beschäftigt im Sinne von § 36 Absatz 1 gelten Kraftfahrer und Kraftfahrerinnen, wenn sie im kombinierten Verkehr im Sinne der Richtlinie 92/106/EWG des Rates vom 7. Dezember 1992 über die Festlegung gemeinsamer Regeln für bestimmte Beförderungen im kombinierten Güterverkehr zwischen Mitgliedstaaten (ABl. L 368 vom 17.12.1992, S. 38), die zuletzt durch die Richtlinie 2013/22/EU (ABl. L 158 vom 10.6.2013, S. 356) geändert worden ist, die Zu- oder Ablaufstrecke auf der Straße zurücklegen, sofern auf der Teilstrecke, die auf der Straße zurückgelegt wird, ausschließlich bilaterale Beförderungen von Gütern und zusätzliche Beförderungen nach § 37 durchgeführt werden.

§ 40[1)] **Transit.** Nicht als im Inland beschäftigt im Sinne des § 36 Absatz 1 gelten Kraftfahrer und Kraftfahrerinnen eines Arbeitgebers mit Sitz in einem anderen Mitgliedstaat der Europäischen Union oder des Europäischen Wirtschaftsraums, wenn sie das Inland durchfahren, ohne Güter zu beladen oder zu entladen und ohne Fahrgäste aufzunehmen oder abzusetzen (Transit).

Unterabschnitt 3.[2)] Übergangsbestimmungen

§ 41[3)] **Übergangsbestimmungen für Langzeitentsendung.** (1) Die nach § 13b Absatz 1 vorgeschriebenen Arbeitsbedingungen sind frühestens ab dem 30. Juli 2020 anzuwenden.

(2) [1]Für die Berechnung der Beschäftigungsdauer nach § 13b Absatz 1 werden Zeiten der Beschäftigung im Inland vor dem 30. Juli 2020 mitgezählt. [2]Hat die Beschäftigung im Inland vor dem 30. Juli 2020 begonnen, gilt die Mitteilung nach § 13b Absatz 2 als abgegeben.

§ 42[4)] **Übergangsbestimmungen für das Baugewerbe.** Die vor dem 30. Juli 2020 ausgesprochene Allgemeinverbindlicherklärung eines Tarifvertrags im Baugewerbe nach § 4 Absatz 1 Nummer 1, § 6 Absatz 2 steht, soweit sie Arbeitsbedingungen nach § 5 Satz 1 Nummer 1 zum Gegenstand hat, für die Anwendung der §§ 8 und 9 sowie des Abschnitts 5 einer Rechtsverordnung nach § 7 gleich.

[1)] UAbschnitt 2 (§§ 36–40) eingef. mWv 1.7.2023 durch G v. 28.6.2023 (BGBl. 2023 I Nr. 172).

[2)] UAbschnittsüberschrift 3 eingef., bish. §§ 25 und 26 werden §§ 41 und 42, bish. §§ 27 und 28 aufgeh. mWv 1.7.2023 durch G v. 28.6.2023 (BGBl. 2023 I Nr. 172).

[3)] Früherer § 25 eingef. mWv 30.7.2020 durch G v. 10.7.2020 (BGBl. I S. 1657); bish. § 25 wird § 41 mWv 1.7.2023 durch G v. 28.6.2023 (BGBl. 2023 I Nr. 172).

[4)] Früherer § 26 eingef. mWv 30.7.2020 durch G v. 10.7.2020 (BGBl. I S. 1657); bish. § 26 wird § 42 mWv 1.7.2023 durch G v. 28.6.2023 (BGBl. 2023 I Nr. 172).

506a. Zwölfte Verordnung über zwingende Arbeitsbedingungen im Baugewerbe (Zwölfte Bauarbeitsbedingungenverordnung – 12. BauArbbV)[1)]

Vom 23. April 2021
(BAnz AT 30.04.2021 V2)
FNA 810-1-56-12

Auf Grund des § 7 Absatz 1 und 2 in Verbindung mit Absatz 4 des Arbeitnehmer-Entsendegesetzes[2)], dessen Absatz 1 durch Artikel 1 Nummer 7 des Gesetzes vom 10. Juli 2020 (BGBl. I S. 1657) und dessen Absatz 4 durch Artikel 6 Nummer 6 Buchstabe c des Gesetzes vom 11. August 2014 (BGBl. I S. 1348) geändert worden ist, verordnet das Bundesministerium für Arbeit und Soziales, nachdem es den in den Geltungsbereich dieser Verordnung fallenden Arbeitgebern, Arbeitnehmern und Arbeitnehmerinnen, den Parteien des Tarifvertrags nach § 1 Absatz 1 dieser Verordnung, den Parteien von Tarifverträgen in der Branche mit zumindest teilweise demselben fachlichen Geltungsbereich sowie den paritätisch besetzten Kommissionen, die auf der Grundlage kirchlichen Rechts Arbeitsbedingungen für den Bereich kirchlicher Arbeitgeber zumindest teilweise im Geltungsbereich dieser Rechtsverordnung festlegen, Gelegenheit zur schriftlichen Stellungnahme gegeben hat:

§ 1 Zwingende Arbeitsbedingungen. (1) Die in der Anlage 1 zu dieser Verordnung aufgeführten Rechtsnormen des Tarifvertrags zur Regelung der Mindestlöhne im Baugewerbe im Gebiet der Bundesrepublik Deutschland (TV Mindestlohn) vom 29. Januar 2021, abgeschlossen zwischen dem Zentralverband des Deutschen Baugewerbes e.V., Kronenstraße 55 – 58, 10117 Berlin, und dem Hauptverband der Deutschen Bauindustrie e.V., Kurfürstenstraße 129, 10785 Berlin, einerseits sowie der Industriegewerkschaft Bauen-Agrar-Umwelt, Olof-Palme-Straße 19, 60439 Frankfurt am Main, andererseits, finden auf alle nicht an ihn gebundenen Arbeitgeber sowie Arbeitnehmer und Arbeitnehmerinnen Anwendung, die unter seinen am 1. Mai 2021 gültigen Geltungsbereich fallen, wenn der Betrieb oder die selbstständige Betriebsabteilung im Sinne des fachlichen Geltungsbereichs des TV Mindestlohn überwiegend Bauleistungen im Sinne des § 101 Absatz 2 des Dritten Buches Sozialgesetzbuch[3)] erbringt.

(2) Die Rechtsnormen des TV Mindestlohn gelten auch für Arbeitsverhältnisse zwischen einem Arbeitgeber mit Sitz im Ausland und seinen im Geltungsbereich dieser Verordnung beschäftigten Arbeitnehmern und Arbeitnehmerinnen.

(3) Wird ein Leiharbeitnehmer oder eine Leiharbeitnehmerin von einem Entleiher mit Tätigkeiten beschäftigt, die in den Geltungsbereich dieser Verordnung fallen, so hat der Verleiher ihm oder ihr nach § 8 Absatz 3 des Arbeitnehmer-Entsendegesetzes[2)] zumindest die nach dieser Verordnung vor-

---

[1)] Die VO tritt am 31. Dezember 2021 außer Kraft.
[2)] Nr. **506**.
[3)] Nr. **700**.

geschriebenen Arbeitsbedingungen zu gewähren; dies gilt auch dann, wenn der Betrieb des Entleihers nicht in den fachlichen Geltungsbereich dieser Verordnung fällt.

§ 2 Anwendungsausnahmen. (1) Diese Verordnung erstreckt sich nicht auf Betriebe und selbstständige Betriebsabteilungen mit Sitz im Inland nach Absatz 2 und nach Absatz 3, die unter einen der in der Anlage 2 abgedruckten fachlichen Geltungsbereiche der am 1. Januar 2003 geltenden Mantel- oder Rahmentarifverträge der holz- und kunststoffverarbeitenden Industrie, der Sägeindustrie und übrigen Holzbearbeitung, der Steine- und Erden-Industrie, der Mörtelindustrie, der Transportbetonindustrie, der chemischen oder kunststoffverarbeitenden Industrie oder der Metall- und Elektroindustrie fallen.

(2) Absatz 1 gilt für Betriebe und selbstständige Betriebsabteilungen mit Sitz im Inland,

1. die unmittelbar oder mittelbar Mitglied des Hauptverbandes der Holz und Kunststoffe verarbeitenden Industrie und verwandter Industriezweige e.V., der Vereinigung Deutscher Sägewerksverbände e.V., der Sozialpolitischen Arbeitsgemeinschaft Steine und Erden, des Bundesverbandes der Deutschen Mörtelindustrie e.V., des Bundesverbandes der Deutschen Transportbetonindustrie e.V., des Bundesarbeitgeberverbandes Chemie e.V., der Verbände der kunststoffverarbeitenden Industrie oder eines in der Anlage 3 genannten Arbeitgeberverbandes im Gesamtverband der Arbeitgeberverbände der Metall- und Elektro-Industrie e.V. (Gesamtmetall) oder eines ihrer Mitgliedsverbände sind; wurde die Mitgliedschaft bis zum 1. Juli 1999 (Stichtag) erworben, wird unwiderlegbar vermutet, dass die Voraussetzungen des Absatzes 1 erfüllt sind;
2. die
   a) nachweislich als Niederlassung eines Betriebes nach Absatz 1 (Stammbetrieb), der bereits vor dem Stichtag unmittelbar oder mittelbar Mitglied eines der in Nummer 1 genannten Verbände war, nachgegründet worden sind,
   b) überwiegend solche Tätigkeiten ausführen, die zum fachlichen Geltungsbereich der in Absatz 1 genannten Tarifverträge gehören, und
   c) die Mitgliedschaft in einem der in Nummer 1 genannten Verbände erworben haben;

   wenn diese Betriebe nachweislich zu drei Viertel ihrer betrieblichen Arbeitszeit für den Stammbetrieb tätig sind, wird unwiderlegbar vermutet, dass sie unter einen der fachlichen Geltungsbereiche der in Absatz 1 genannten Tarifverträge fallen;
3. die, ohne selbst Mitglied in einem der Verbände nach Nummer 1 zu sein,
   a) nachweislich als Niederlassung eines Stammbetriebs, der bereits vor dem Stichtag unmittelbar oder mittelbar Mitglied eines der in Nummer 1 genannten Verbände war, nachgegründet worden sind,
   b) unter einen der fachlichen Geltungsbereiche der in Absatz 1 genannten Tarifverträge fallen und
   c) zumindest zu drei Viertel der betrieblichen Arbeitszeit für ihren Stammbetrieb tätig sind.

(3) Für Betriebe und selbstständige Betriebsabteilungen mit Sitz im Inland, die bereits seit einem Jahr Fertigbauarbeiten ausführen, gilt die Ausnahme

gemäß Absatz 1, wenn sie unmittelbar oder mittelbar Mitglied eines der in Absatz 2 Nummer 1 genannten Verbände geworden sind.

(4) Diese Verordnung erstreckt sich nicht auf Betriebe und selbstständige Betriebsabteilungen mit Sitz im Inland,

1. die von einem der Rahmentarifverträge für die gewerblichen Arbeitnehmer im Maler- und Lackiererhandwerk in der Bundesrepublik Deutschland beziehungsweise im Saarland oder deren Allgemeinverbindlicherklärung erfasst werden und überwiegend Tätigkeiten ausüben, die im fachlichen Geltungsbereich des Rahmentarifvertrags für die gewerblichen Arbeitnehmer im Maler- und Lackiererhandwerk in der Bundesrepublik Deutschland in der Fassung vom 6. April 2005 beziehungsweise des Rahmentarifvertrags für die gewerblichen Arbeitnehmer des Maler- und Lackiererhandwerks im Saarland in der Fassung vom 6. Dezember 2005 (Anlage 4 Abschnitt I) genannt sind;
2. die ganz oder teilweise Bauwerke, Bauwerksteile oder einzelne Elemente aus Mauerwerk, Beton, Stahlbeton, Eisen, Stahl oder sonstigen Baustoffen, technische Anlagen abbrechen, demontieren, sprengen, Beton schneiden, sägen, bohren, pressen, soweit sie unmittelbar oder mittelbar tarifgebundenes Mitglied im Deutschen Abbruchverband e.V., im Fachverband Betonbohren und -sägen Deutschland e.V. oder im Abbruchverband Nord e.V. sind;
3. die unmittelbar oder mittelbar Mitglied des Bundesverbands Garten-, Landschafts- und Sportplatzbau e.V. sind, vom Bundesrahmentarifvertrag für gewerbliche Arbeitnehmer im Garten-, Landschafts- und Sportplatzbau vom 20. Dezember 1995 erfasst werden und überwiegend folgende Tätigkeiten ausüben:
   a) Herstellen und Unterhalten von Außenanlagen in den Bereichen des privaten und öffentlichen Wohnungsbaues (Hausgärten, Siedlungsgrün, Dach- und Terrassengärten und Ähnliches), der öffentlichen Bauten (Schulen, Krankenhäuser, Verwaltungsgebäude, Kasernen und Ähnliches), des kommunalen Grüns (städtische Freiräume, Grünanlagen, Parks, Friedhöfe und Ähnliches) und des Verkehrsbegleitgrüns (Straßen, Schienenwege, Wasserstraßen, Flugplätze und Ähnliches) sowie von Bauwerksbegrünungen im Außen- und Innenbereich,
   b) Herstellen und Unterhalten von Sport- und Spielplätzen, Außenanlagen an Schwimmbädern, Freizeitanlagen und Ähnlichem, von landschaftsgärtnerischen Sicherungsbauwerken in der Landschaft mit lebenden und nicht lebenden Baustoffen sowie von vegetationstechnischen Baumaßnahmen zur Landschaftspflege und zum Umweltschutz, ferner Drän-, Landgewinnungs- und Rekultivierungsarbeiten,

   wenn im Betrieb oder in der selbstständigen Betriebsabteilung kalenderjährlich mindestens zu 20% der betrieblichen Gesamtarbeitszeit Grünarbeiten ausgeführt werden;
4. die als tarifgebundenes Lohnunternehmen in der Land- und Forstwirtschaft überwiegend landwirtschaftliche Flächen drainieren, soweit sie von dem Bundesrahmentarifvertrag für die Arbeitnehmerinnen und Arbeitnehmer der land- und forstwirtschaftlichen Lohnunternehmen in der Bundesrepublik Deutschland vom 10. Januar 2003 erfasst werden;
5. die unmittelbar oder mittelbar tarifgebundenes Mitglied des Bundesverbands Holz und Kunststoff sind (Mitgliedschaft) und von einem Rahmen- oder Manteltarifvertrag dieses Verbands oder eines seiner Mitgliedsverbände erfasst

werden und überwiegend Tätigkeiten ausüben, die zum in Anlage 4 Abschnitt II aufgeführten fachlichen Geltungsbereich gehören (Fachlichkeit); wurde die Mitgliedschaft bis zum 30. Juni 2014 (Stichtag) erworben, wird unwiderlegbar vermutet, dass überwiegend Tätigkeiten ausgeübt werden, die in Anlage 4 Abschnitt II aufgeführt sind;

6. die unmittelbar oder mittelbar tarifgebundenes Mitglied des Bundesverbands Metall – Vereinigung Deutscher Metallhandwerke sind (Mitgliedschaft) und von einem Mantel- oder Rahmentarifvertrag dieses Verbands oder eines seiner Mitgliedsverbände erfasst werden und überwiegend Tätigkeiten ausüben, die zum in Anlage 4 Abschnitt III aufgeführten fachlichen Geltungsbereich gehören (Fachlichkeit); wurde die Mitgliedschaft bis zum 30. Juni 2014 (Stichtag) erworben, wird unwiderlegbar vermutet, dass überwiegend Tätigkeiten ausgeübt werden, die in Anlage 4 Abschnitt III aufgeführt sind;
7. die unmittelbar oder mittelbar tarifgebundenes Mitglied des Zentralverbands Sanitär Heizung Klima sind (Mitgliedschaft) und von einem Mantel- oder Rahmentarifvertrag dieses Verbands oder eines seiner Mitgliedsverbände erfasst werden und überwiegend Tätigkeiten ausüben, die zum in Anlage 4 Abschnitt IV aufgeführten fachlichen Geltungsbereich gehören (Fachlichkeit); wurde die Mitgliedschaft bis zum 30. Juni 2014 (Stichtag) erworben, wird unwiderlegbar vermutet, dass überwiegend Tätigkeiten ausgeübt werden, die in Anlage 4 Abschnitt IV aufgeführt sind;
8. die unmittelbar oder mittelbar tarifgebundenes Mitglied des Zentralverbands der Deutschen Elektro- und Informationstechnischen Handwerke sind (Mitgliedschaft) und von einem Mantel- oder Rahmentarifvertrag dieses Verbands oder eines seiner Mitgliedsverbände erfasst werden und überwiegend Tätigkeiten ausüben, die zum in Anlage 4 Abschnitt V aufgeführten fachlichen Geltungsbereich gehören (Fachlichkeit); wurde die Mitgliedschaft bis zum 30. Juni 2014 (Stichtag) erworben, wird unwiderlegbar vermutet, dass überwiegend Tätigkeiten ausgeübt werden, die in Anlage 4 Abschnitt V aufgeführt sind.

(5) Diese Verordnung erstreckt sich nicht auf Betriebe und selbstständige Betriebsabteilungen von Arbeitgebern mit Sitz im Ausland, wenn sie überwiegend Tätigkeiten ausüben, die in den vorstehenden Absätzen oder in der Anlage 2 oder Anlage 4 dieser Verordnung aufgeführt sind, soweit aufgrund der Ausübung dieser Tätigkeiten ein in einem vorstehenden Absatz oder in der Anlage 2 oder Anlage 4 genannter fachlicher Geltungsbereich eröffnet ist.

§ 3 Inkrafttreten, Außerkrafttreten. Diese Verordnung tritt am 1. Mai 2021 in Kraft und mit Ablauf des 31. Dezember 2021 außer Kraft.

Anlage 1
(zu § 1 Absatz 1)

Rechtsnormen des Tarifvertrags zur Regelung der Mindestlöhne im Baugewerbe im Gebiet der Bundesrepublik Deutschland (TV Mindestlohn) vom 29. Januar 2021

§ 1 Geltungsbereich. (1) [1] Räumlicher Geltungsbereich: [2] Das Gebiet der Bundesrepublik Deutschland.

(2) [1] Betrieblicher Geltungsbereich: [2] Betriebe, die unter den betrieblichen Geltungsbereich des Bundesrahmentarifvertrags für das Baugewerbe (BRTV) in der jeweils geltenden Fassung (Anhang) fallen.

(3) [1] Persönlicher Geltungsbereich: [2] Gewerbliche Arbeitnehmer (Arbeiter), die eine nach den Vorschriften des Sechsten Buches Sozialgesetzbuch – Gesetzliche Rentenversicherung – [1)]versicherungspflichtige Tätigkeit ausüben. [3] Nicht erfasst werden

1. Schüler an allgemeinbildenden Schulen mit Ausnahme der Schüler an Abendschulen und -kollegs,
2. Schulabgänger, die innerhalb von 12 Monaten nach Beendigung ihrer Schulausbildung bis zu einer Gesamtdauer von 50 Arbeitstagen beschäftigt werden,
3. Arbeitnehmer, soweit sie außerhalb ihrer Arbeitszeit Beförderungsleistungen nach § 5 Nummer 4.4 BRTV übernehmen,
4. gewerbliches Reinigungspersonal, das für Reinigungsarbeiten in Verwaltungs- und Sozialräumen des Betriebs beschäftigt wird.

§ 2 Löhne der Lohngruppen 1 und 2/Mindestlöhne. (1) [1] Der Gesamttarifstundenlohn (GTL) der Lohngruppen 1 und 2 nach § 5 Nummer 3 BRTV setzt sich aus dem Tarifstundenlohn (TL) und dem Bauzuschlag (BZ) zusammen. [2] Der Bauzuschlag beträgt 5,9 % des Tarifstundenlohns. [3] Der Bauzuschlag wird gewährt zum Ausgleich der besonderen Belastungen, denen der Arbeitnehmer insbesondere durch den ständigen Wechsel der Baustelle (2,5 %) und die Abhängigkeit von der Witterung außerhalb der gesetzlichen Schlechtwetterzeit (2,9 %) sowie durch Lohneinbußen in der gesetzlichen Schlechtwetterzeit (0,5 %) ausgesetzt ist. [4] Der Bauzuschlag wird für jede lohnzahlungspflichtige Stunde, nicht jedoch für Leistungslohn-Mehrstunden (Plus-Stunden, Überschussstunden im Akkord), gewährt.

(2) [1] Die Gesamttarifstundenlöhne der Lohngruppen 1 und 2, in dem in Absatz 3 Buchstabe b genannten Gebiet jedoch nur der Gesamttarifstundenlohn der Lohngruppe 1, sind zugleich Mindestlöhne im Sinne des § 2 Nummer 1 des Arbeitnehmer-Entsendegesetzes[2)] für alle von dem persönlichen Geltungsbereich dieses Tarifvertrags erfassten Arbeitnehmer. [2] Höhere Lohnansprüche aufgrund anderer Tarifverträge oder einzelvertraglicher Vereinbarungen bleiben unberührt.

(3) Der Tarifstundenlohn, der Bauzuschlag und der Gesamttarifstundenlohn betragen

a) im Gebiet der Bundesrepublik Deutschland, ausgenommen die Gebiete der Länder Berlin, Brandenburg, Mecklenburg-Vorpommern, Sachsen, Sachsen-Anhalt und Thüringen

	TL Euro	BZ Euro	GTL Euro
Mit Wirkung vom 1. Januar 2021			
Lohngruppe 1	12,13	0,72	12,85
Lohngruppe 2	14,83	0,87	15,70

b) im Gebiet der Länder Brandenburg, Mecklenburg-Vorpommern, Sachsen, Sachsen-Anhalt und Thüringen

	TL Euro	BZ Euro	GTL Euro
Mit Wirkung vom 1. Januar 2021			
Lohngruppe 1	12,13	0,72	12,85

c) im Gebiet des Landes Berlin

	TL Euro	BZ Euro	GTL Euro
Mit Wirkung vom 1. Januar 2021			
Lohngruppe 1	12,13	0,72	12,85
Lohngruppe 2	14,68	0,87	15,55

(4) [1] Der Anspruch auf den Mindestlohn wird spätestens am 15. des Monats fällig, der auf den Monat folgt, für den er zu zahlen ist.
[2] Dies gilt nicht für Betriebe, soweit diese nachweislich eine betriebliche Arbeitszeitflexibilisierung unter den Voraussetzungen des § 3 Nummer 1.4 BRTV durchführen.
[3] Werden Arbeitnehmer auf Arbeitsstellen in verschiedenen Gebieten eingesetzt, für welche der

[1)] Auszugsweise abgedruckt unter Nr. **696**.
[2)] Nr. **506**.

Mindestlohn in unterschiedlicher Höhe zu zahlen ist, so ist die Arbeitszeit getrennt nach diesen Arbeitsstellen monatsbezogen aufzuzeichnen.

(5) Die Ansprüche auf den Mindestlohn verfallen, wenn sie nicht innerhalb von sechs Monaten nach ihrer Fälligkeit gerichtlich geltend gemacht werden.

(6) Für die Geltendmachung des Mindestlohns, welcher nicht ausgezahlt worden ist, sondern dem Ausgleichskonto (§ 3 Nummer 1.43 BRTV) gutzuschreiben war, gilt die gesetzliche regelmäßige Verjährungsfrist.

§ 3 Lohn der Baustelle und Lohn bei auswärtiger Beschäftigung. [1] Es gilt der Mindestlohn der Arbeitsstelle. [2] Auswärts beschäftigte Arbeitnehmer behalten jedoch den Anspruch auf den Mindestlohn ihres Einstellungsortes. [3] Ist der Mindestlohn der auswärtigen Arbeitsstelle höher, so haben sie Anspruch auf diesen Mindestlohn, solange sie auf dieser Arbeitsstelle tätig sind.

Anhang
(zu Anlage 1)

Auszug aus dem Bundesrahmentarifvertrag für das Baugewerbe (BRTV) vom 28. September 2018 in der nach § 1 Absatz 1 der Verordnung maßgeblichen, am 1. Mai 2021 geltenden Fassung:

§ 1 Geltungsbereich. […]

(2) Betrieblicher Geltungsbereich:
Betriebe des Baugewerbes. Das sind alle Betriebe, die unter einen der nachfolgenden Abschnitte I bis IV fallen.

Abschnitt I

Betriebe, die nach ihrer durch die Art der betrieblichen Tätigkeiten geprägten Zweckbestimmung und nach ihrer betrieblichen Einrichtung gewerblich Bauten aller Art erstellen.

Abschnitt II

Betriebe, die, soweit nicht bereits unter Abschnitt I erfasst, nach ihrer durch die Art der betrieblichen Tätigkeiten geprägten Zweckbestimmung und nach ihrer betrieblichen Einrichtung gewerblich bauliche Leistungen erbringen, die – mit oder ohne Lieferung von Stoffen oder Bauteilen – der Erstellung, Instandsetzung, Instandhaltung, Änderung oder Beseitigung von Bauwerken dienen.

Abschnitt III

Betriebe, die soweit nicht bereits unter Abschnitt I oder II erfasst, nach ihrer durch die Art der betrieblichen Tätigkeiten geprägten Zweckbestimmung und nach ihrer betrieblichen Einrichtung – mit oder ohne Lieferung von Stoffen oder Bauteilen – gewerblich sonstige bauliche Leistungen erbringen.

Abschnitt IV

Betriebe, in denen die nachstehend aufgeführten Arbeiten ausgeführt werden:

1. Aufstellen von Gerüsten und Bauaufzügen;
2. Bauten- und Eisenschutzarbeiten;
3. technische Dämm-(Isolier-)Arbeiten, insbesondere solche an technischen Anlagen, soweit nicht unter Abschnitt II oder III erfasst, einschließlich von Dämm-(Isolier-)Arbeiten an und auf Land-, Luft- und Wasserfahrzeugen.
4. Erfasst werden auch solche Betriebe, die im Rahmen eines mit einem oder mehreren Betrieben des Baugewerbes bestehenden Zusammenschlusses – unbeschadet der gewählten Rechtsform – für die angeschlossenen Betriebe des Baugewerbes entweder ausschließlich oder überwiegend die kaufmännische Verwaltung, den Vertrieb, Planungsarbeiten, Laborarbeiten oder Prüfarbeiten übernehmen, oder ausschließlich oder in nicht unerheblichem Umfang (zumindest zu einem Viertel der betrieblichen Arbeitszeit) den Bauhof und/oder die Werkstatt betreiben, soweit diese Betriebe nicht von einem spezielleren Tarifvertrag erfasst werden.

Abschnitt V

Zu den in den Abschnitten I bis III genannten Betrieben gehören z.B. diejenigen, in denen Arbeiten der nachstehend aufgeführten Art ausgeführt werden:

1. Abdichtungsarbeiten gegen Feuchtigkeit;

2. Aptierungs- und Drainierungsarbeiten, wie das Entwässern von Grundstücken und urbar zu machenden Bodenflächen einschließlich der Grabenräumungs- und Faschinierungsarbeiten, des Verlegens von Drainagerohrleitungen sowie des Herstellens von Vorflut- und Schleusenanlagen;
3. Asbestsanierungsarbeiten an Bauwerken und Bauwerksteilen (z.B. Entfernen, Verfestigen, Beschichten von Asbestprodukten);
4. Bautrocknungsarbeiten, d.h. Arbeiten, die unter Einwirkung auf das Gefüge des Mauerwerks der Entfeuchtung dienen, auch unter Verwendung von Kunststoffen oder chemischen Mitteln sowie durch Einbau von Kondensatoren;
5. Beton- und Stahlbetonarbeiten einschließlich Betonschutz- und Betonsanierungsarbeiten sowie Armierungsarbeiten;
6. Bohrarbeiten;
7. Brunnenbauarbeiten;
8. chemische Bodenverfestigungen;
9. Dämm-(Isolier-)Arbeiten (z.B. Wärme-, Kälte-, Schallschutz-, Schallschluck-, Schallverbesserungs-, Schallveredelungsarbeiten) einschließlich Anbringung von Unterkonstruktionen;
10. Erdbewegungsarbeiten (Wegebau-, Meliorations-, Landgewinnungs-, Deichbauarbeiten, Wildbach- und Lawinenverbau, Sportanlagenbau sowie Errichtung von Schallschutzwällen und Seitenbefestigungen an Verkehrswegen);
11. Estricharbeiten (unter Verwendung von Zement, Asphalt, Anhydrit, Magnesit, Gips, Kunststoffen oder ähnlichen Stoffen);
12. Fassadenbauarbeiten;
13. Fertigbauarbeiten: Einbauen oder Zusammenfügen von Fertigbauteilen zur Erstellung, Instandsetzung, Instandhaltung oder Änderung von Bauwerken; ferner das Herstellen von Fertigbauteilen, wenn diese zum überwiegenden Teil durch den Betrieb, einen anderen Betrieb desselben Unternehmens oder innerhalb von Unternehmenszusammenschlüssen – unbeschadet der gewählten Rechtsform – durch den Betrieb mindestens eines beteiligten Gesellschafters zusammengefügt oder eingebaut werden;
14. Feuerungs- und Ofenbauarbeiten;
15. Fliesen-, Platten- und Mosaik-Ansetz- und Verlegearbeiten;
16. Fugarbeiten an Bauwerken, insbesondere Verfugung von Verblendmauerwerk und von Anschlüssen zwischen Einbauteilen und Mauerwerk sowie dauerelastische und dauerplastische Verfugungen aller Art;
17. Glasstahlbetonarbeiten sowie Vermauern und Verlegen von Glasbausteinen;
18. Gleisbauarbeiten;
19. Herstellen von nicht lagerfähigen Baustoffen, wie Beton- und Mörtelmischungen (Transportbeton und Fertigmörtel), wenn mit dem überwiegenden Teil der hergestellten Baustoffe die Baustellen des herstellenden Betriebes, eines anderen Betriebes desselben Unternehmens oder innerhalb von Unternehmenszusammenschlüssen – unbeschadet der gewählten Rechtsform – die Baustellen des Betriebes mindestens eines beteiligten Gesellschafters versorgt werden;
20. Hochbauarbeiten;
21. Holzschutzarbeiten an Bauteilen;
22. Kanalbau-(Sielbau-)Arbeiten;
23. Maurerarbeiten;
24. Rammarbeiten;
25. Rohrleitungsbau-, Rohrleitungstiefbau-, Kabelleitungstiefbauarbeiten und Bodendurchpressungen;
26. Schachtbau- und Tunnelbauarbeiten;
27. Schalungsarbeiten;
28. Schornsteinbauarbeiten;
29. Spreng-, Abbruch- und Enttrümmerungsarbeiten;
30. Stahlbiege- und -flechtarbeiten, soweit sie zur Erbringung anderer baulicher Leistungen des Betriebes ausgeführt werden;
31. Stakerarbeiten;

32. Straßenbauarbeiten (Stein-, Asphalt-, Beton-, Schwarzstraßenbauarbeiten, Fahrbahnmarkierungsarbeiten, ferner Herstellen und Aufbereiten des Mischgutes, sofern mit dem überwiegenden Teil des Mischgutes der Betrieb, ein anderer Betrieb desselben Unternehmens oder innerhalb von Unternehmenszusammenschlüssen – unbeschadet der gewählten Rechtsform – der Betrieb mindestens eines beteiligen Gesellschafters versorgt wird) sowie Pflasterarbeiten aller Art;
33. Straßenwalzarbeiten;
34. Stuck-, Putz-, Gips- und Rabitzarbeiten, einschließlich des Anbringens von Unterkonstruktionen und Putzträgern;
35. Terrazzoarbeiten;
36. Tiefbauarbeiten;
37. Trocken- und Montagebauarbeiten (z.B. Wand- und Deckeneinbau bzw. -verkleidungen, Montage von Baufertigteilen), einschließlich des Anbringens von Unterkonstruktionen und Putzträgern;
38. Verlegen von Bodenbelägen in Verbindung mit anderen baulichen Leistungen;
39. Vermieten von Baumaschinen mit Bedienungspersonal, wenn die Baumaschinen mit Bedienungspersonal zur Erbringung baulicher Leistungen eingesetzt werden;
40. Wärmedämmverbundsystemarbeiten;
41. Wasserwerksbauarbeiten, Wasserhaltungsarbeiten, Wasserbauarbeiten (z.B. Wasserstraßenbau, Wasserbeckenbau, Schleusenanlagenbau);
42. Zimmerarbeiten und Holzbauarbeiten, die im Rahmen des Zimmergewerbes ausgeführt werden.

Abschnitt VI

[1] Betriebe, soweit in ihnen die unter den Abschnitten I bis V genannten Leistungen überwiegend erbracht werden, fallen grundsätzlich als Ganzes unter diesen Tarifvertrag. [2] Betrieb im Sinne dieses Tarifvertrags ist auch eine selbstständige Betriebsabteilung. [3] Als solche gilt auch eine Gesamtheit von Arbeitnehmern, die außerhalb der stationären Betriebsstätte eines nicht von den Abschnitten I bis IV erfassten Betriebes baugewerbliche Arbeiten ausführt.
[4] Werden in Betrieben des Baugewerbes in selbstständigen Abteilungen andere Arbeiten ausgeführt, so werden diese Abteilungen dann nicht von diesem Tarifvertrag erfasst, wenn sie von einem spezielleren Tarifvertrag erfasst werden.

Abschnitt VII

[1] Nicht erfasst werden Betriebe:

1. des Betonwaren und Terrazzowaren herstellenden Gewerbes,
2. des Dachdeckerhandwerks,
3. des Gerüstbaugewerbes, deren Tätigkeit sich überwiegend auf die gewerbliche Erstellung von Gerüsten erstreckt,
4. des Glaserhandwerks,
5. des Herd- und Ofensetzerhandwerks, soweit nicht Arbeiten der in Abschnitt IV oder Abschnitt V aufgeführten Art ausgeführt werden,
6. des Maler- und Lackiererhandwerks, soweit nicht Arbeiten der in Abschnitt IV oder Abschnitt V aufgeführten Art ausgeführt werden,
7. der Naturstein- und Naturwerksteinindustrie, soweit nicht Arbeiten der in Abschnitt I bis V aufgeführten Art ausgeführt werden,
8. der Nassbaggerei, die von dem Rahmentarifvertrag des Nassbaggergewerbes erfasst werden,
9. des Parkettlegerhandwerks,
10. der Säurebauindustrie,
11. des Schreinerhandwerks sowie der holzbe- und -verarbeitenden Industrie, soweit nicht Fertigbau-, Dämm-(Isolier-), Trockenbau- und Montagebauarbeiten oder Zimmerarbeiten ausgeführt werden,
12. des Klempnerhandwerks, des Gas- und Wasserinstallationsgewerbes, des Elektroinstallationsgewerbes, des Zentralheizungsbauer- und Lüftungsbauergewerbes sowie des Klimaanlagenbaues, soweit nicht Arbeiten der in Abschnitt IV oder V aufgeführten Art ausgeführt werden,
13. des Steinmetzhandwerks, soweit die in § 1 Nummer 2.1 des Tarifvertrags über eine überbetriebliche Alters- und Invalidenbeihilfe im Steinmetz- und Steinbildhauerhandwerk vom 1. Dezember 1986 in der Fassung vom 28. August 1992 aufgeführten Tätigkeiten überwiegend ausgeübt werden.

[2] […]

§ 3 Arbeitszeit

1. Allgemeine Regelung

[…]

1.2. Tarifliche Arbeitszeit

[1] In den Monaten Januar bis März und Dezember beträgt die regelmäßige werktägliche Arbeitszeit ausschließlich der Ruhepausen montags bis donnerstags 8 Stunden und freitags 6 Stunden, die wöchentliche Arbeitszeit 38 Stunden (Winterarbeitszeit). [2] In den Monaten April bis November beträgt die regelmäßige werktägliche Arbeitszeit ausschließlich der Ruhepausen montags bis donnerstags 8,5 Stunden und freitags 7 Stunden, die wöchentliche Arbeitszeit 41 Stunden (Sommerarbeitszeit).

[…]

[…]

1.4. Betriebliche Arbeitszeitverteilung in einem zwölfmonatigen Ausgleichszeitraum

1.41. Durchführung

[1] Durch Betriebsvereinbarung oder, wenn kein Betriebsrat besteht, durch einzelvertragliche Vereinbarung kann für einen Zeitraum von zwölf zusammenhängenden Lohnabrechnungszeiträumen (zwölfmonatiger Ausgleichszeitraum) eine von der tariflichen Arbeitszeitverteilung abweichende Verteilung der Arbeitszeit auf die einzelnen Werktage ohne Mehrarbeitszuschlag vereinbart werden, wenn gleichzeitig ein Monatslohn nach Nummer 1.42 gezahlt wird. [2] Aus dieser Betriebsvereinbarung bzw. der einzelvertraglichen Vereinbarung muss sich ergeben, in welcher Form und mit welcher Ankündigungsfrist die jeweilige werktägliche Arbeitszeit festgelegt wird.

[3] Der Arbeitgeber kann innerhalb von zwölf Kalendermonaten 150 Arbeitsstunden vor- und 30 Arbeitsstunden nacharbeiten lassen.

[4] Die Lage und die Verteilung dieser Arbeitsstunden im Ausgleichszeitraum ist im Einvernehmen mit dem Betriebsrat oder, wenn kein Betriebsrat besteht, im Einvernehmen mit dem Arbeitnehmer festzulegen.

1.42. Monatslohn

[1] Bei betrieblicher Arbeitszeitverteilung wird während des gesamten Ausgleichszeitraums unabhängig von der jeweiligen monatlichen Arbeitszeit in den Monaten April bis November ein Monatslohn in Höhe von 178 Gesamttarifstundenlöhnen und in den Monaten Dezember bis März ein Monatslohn in Höhe von 164 Gesamttarifstundenlöhnen gezahlt.

[2] Der Monatslohn mindert sich um den Gesamttarifstundenlohn für diejenigen Arbeitsstunden, welche infolge von Urlaub, Krankheit, Kurzarbeit, Zeiten ohne Entgeltfortzahlung, Zeiten unbezahlter Freistellung und Zeiten unentschuldigten Fehlens ausfallen; er mindert sich auch für diejenigen Ausfallstunden außerhalb der Schlechtwetterzeit, die infolge zwingender Witterungsgründe ausfallen, soweit kein Ausgleich über das Ausgleichskonto erfolgt. [3] Soweit für diese Zeiten eine Vergütung oder Lohnersatzleistung erfolgt, wird diese neben dem verminderten Monatslohn ausgezahlt.

[4] Für die Vergütung von gesetzlichen Wochenfeiertagen und Freistellungstagen nach § 4 Nummer 2 und 3 ist die tarifliche Arbeitszeitverteilung nach Nummer 1.2 maßgeblich; um diesen Betrag mindert sich der Monatslohn.

1.43. Arbeitszeit- und Entgeltkonto (Ausgleichskonto)

[1] Für jeden Arbeitnehmer wird ein individuelles Ausgleichskonto eingerichtet. [2] Auf diesem Ausgleichskonto ist die Differenz zwischen dem Lohn für die tatsächlich geleisteten Arbeitsstunden und dem nach Nummer 1.42 errechneten Monatslohn für jeden Arbeitnehmer gutzuschreiben bzw. zu belasten. [3] Lohn für Leistungslohn-Mehrstunden darf nicht einbehalten und gutgeschrieben werden. [4] Die Frage einer Verzinsung des Guthabens ist betrieblich zu regeln.

[5] Das Arbeitszeitguthaben und der dafür einbehaltene Lohn dürfen zu keinem Zeitpunkt 150 Stunden, die Arbeitszeitschuld und der dafür bereits gezahlte Lohn dürfen zu keinem Zeitpunkt 30 Stunden überschreiten. [6] Wird ein Guthaben für 150 Stunden erreicht, so ist der Lohn für die darüber hinausgehenden Stunden neben dem Monatslohn auszuzahlen.

[7] Auf dem Ausgleichskonto gutgeschriebener Lohn darf nur zum Ausgleich für den Monatslohn bei witterungsbedingtem Arbeitsausfall, am Ende eines Ausgleichszeitraums nach Maßgabe des folgenden Absatzes, bei Ausscheiden des Arbeitnehmers oder im Todesfall ausgezahlt werden.

[8] Das Ausgleichskonto soll nach zwölf Kalendermonaten ausgeglichen sein. [9] Besteht am Ende des Ausgleichszeitraums noch ein Guthaben, so sind die dem Guthaben zugrunde liegenden Vorarbeitsstunden und das dafür gutgeschriebene Arbeitsentgelt unter Anrechnung auf das zuschlagsfreie Vor-

arbeitsvolumen des neuen Ausgleichszeitraums in diesen zu übertragen. [10] Durch freiwillige Betriebsvereinbarung oder einzelvertragliche Vereinbarung kann abweichend vom vorherigen Satz eine Abgeltung des Guthabens am Ende des Ausgleichszeitraums vereinbart werden; die Rechtsfolgen des § 101 Abs. 5 Satz 3 SGB III[1)] sind dabei zu beachten.
[11] Besteht am Ende des Ausgleichszeitraums eine Zeitschuld, so ist diese in den nächsten Ausgleichszeitraum zu übertragen und in diesem auszugleichen. [12] Bei Ausscheiden des Arbeitnehmers sind etwaige Guthaben oder Schulden auszugleichen.

1.44. Absicherung des Ausgleichskontos

[1] Durch den Arbeitgeber ist in geeigneter Weise auf seine Kosten sicherzustellen, dass das Guthaben jederzeit bestimmungsgemäß ausgezahlt werden kann, insbesondere durch Bankbürgschaft, Sperrkonto mit treuhänderischen Pfandrechten oder Hinterlegung bei der Urlaubs- und Lohnausgleichskasse der Bauwirtschaft. [2] Die Absicherung des Guthabens muss, sofern der Betrag nicht nach Abführung von Steuern und Sozialaufwand als Nettolohn zurückgestellt wird, den Bruttolohn und 45 % des Bruttolohns für den Sozialaufwand umfassen. [3] Auf Verlangen einer der Bezirks- oder Landesorganisationen der Tarifvertragsparteien ist dieser gegenüber die Absicherung des Ausgleichskontos nachzuweisen. [4] Erfolgt dieser Nachweis nicht, so ist das Guthaben an den Arbeitnehmer auszuzahlen; die Vereinbarung über die betriebliche Arbeitszeitverteilung tritt zu diesem Zeitpunkt außer Kraft.

[…]

§ 5 Lohn.

[…]

3. Lohngruppen

Es werden die folgenden Lohngruppen festgelegt:

Lohngruppe 1. – Werker/Maschinenwerker –

[1] Tätigkeit:

- einfache Bau- und Montagearbeiten nach Anweisung
- einfache Wartungs- und Pflegearbeiten an Baumaschinen und Geräten nach Anweisung

[2] Regelqualifikation:

keine

[3] Tätigkeitsbeispiele:

- Sortieren und Lagern von Bau- und Bauhilfsstoffen auf der Baustelle
- Pflege und Instandhaltung von Arbeitsmitteln
- Reinigungs- und Aufräumarbeiten
- Helfen beim Auf- und Abrüsten von Baugerüsten und Schalungen
- Mischen von Mörtel und Beton
- Bedienen von einfachen Geräten, z.B. Kompressor, handgeführte Bohr- und Schlaghämmer, Verdichtungsmaschinen (Rüttler), Presslufthammer, einschließlich einfacher Wartungs- und Pflegearbeiten
- Anbringen von zugeschnittenen Gipskarton- und Faserplatten, einschließlich einfacher Unterkonstruktionen und Dämmmaterial, das Anbringen von Dämmplatten (Wärmedämmverbundsystem) einschließlich Auftragen von einfachem Armierungsputz mit Einlegung des Armierungsgewebes
- Helfen beim Einrichten, Sichern und Räumen von Baustellen
- einfache Wartungs- und Pflegearbeiten an Baumaschinen und Geräten
- manuelle Erdarbeiten
- manuelles Graben von Rohr- und Kabelgräben

Lohngruppe 2. – Fachwerker/Maschinisten/Kraftfahrer –

[1] Tätigkeit:

- fachlich begrenzte Arbeiten (Teilleistungen eines Berufsbildes oder angelernte Spezialtätigkeiten) nach Anweisung

[2] Regelqualifikation:

---

1) Nr. **700**.

– baugewerbliche Stufenausbildung in der ersten Stufe
– anerkannte Ausbildung als Maler und Lackierer, Garten- und Landschaftsbauer, Tischler
– anerkannte Ausbildung, deren Berufsbild keine Anwendung für eine baugewerbliche Tätigkeit findet
– Baumaschinistenlehrgang
– anderweitig erworbene gleichwertige Fertigkeiten

[3] Tätigkeitsbeispiele:

1. Asphaltierer (Asphaltabdichter, Asphalteur):
   – Vorbereiten des Untergrunds
   – Erhitzen und Herstellen von Asphalten
   – Aufbringen und Verteilen der Asphaltmasse
2. Baustellen-Magaziner:
   – Lagern von Bau- und Werkstoffen, Werkzeugen und Geräten
   – Bereithalten und Warten der Werkzeuge und Geräte und Schutzausrüstungen
   – Führen von Bestandslisten
3. Betonstahlbieger und Betonstahlflechter (Eisenbieger und Eisenflechter):
   – Lesen von Biege- und Bewehrungsplänen
   – Messen, Anreißen, Schneiden und Biegen
   – Bündeln und Einteilen der Stähle nach Zeichnung
   – Einteilen und Einbauen von Stahlbetonbewehrungen
4. Fertigteilbauer:
   – Herstellen, Abbau und Wartung von Form- und Rahmenkonstruktionen für Fertigteile
   – Einlegen oder Einbauen von Bewehrungen oder Einbauteilen
   – Herstellen von Verbundbauteilen
   – Fertigstellen und Nachbehandeln von Fertigteilen
5. Fuger, Verfuger:
   – Herstellen von Fugenmörtel aller Art
   – Vorbereiten des Baukörpers zum Verfugen
   – Ausführen von Fugarbeiten – auch mit dauerelastischen Fugenmassen – und der erforderlichen Reinigungsarbeiten; Auf- und Abbauen der erforderlichen Arbeits- und Schutzgerüste
6. Gleiswerker:
   – Herstellen des Unterbaus
   – Verlegen von Schwellen und Schienen
7. Mineur:
   – Ausführen von einfachen Verbauarbeiten durch Vortrieb und Verbau im Tunnel-, Schacht- und Stollenbau
   – Ausführen einfacher Beton- und Maurerarbeiten
8. Putzer (Fassadenputzer, Verputzer):
   – Vorbereiten des Untergrunds
   – Herstellen und Aufbereiten der gebräuchlichsten Mörtel
   – Zurichten und Befestigen von Putzträgern
   – Herstellen und Aufbringen von Putzen
   – Oberflächenbearbeitung von Putzen; Auf- und Abbauen der erforderlichen Arbeits- und Schutzgerüste
9. Rabitzer:
   – Herstellen der Unterkonstruktionen
   – Anbringen der Putzträger; Auf- und Abbauen der erforderlichen Arbeits- und Schutzgerüste
10. Rammer (Pfahlrammer):
   – Vorbereiten, Aufstellen, Ansetzen und Abbauen von Rammgeräten
   – Ansetzen, Rammen und Ziehen der Pfähle und Wände

11. Rohrleger:
  – Herstellen von Rohrgräben und Rohrgrabenverkleidungen sowie Verlegen von Rohren
  – Abdichten von Rohrverbindungen
  – Ausführen von einfachen Dichtigkeitsprüfungen
12. Schalungsbauer (Einschaler):
  – Zurichten von Schalungsmaterial und Bearbeiten durch Sägen und Hobeln
  – Herstellen von Schalplatten
  – Zusammenbauen und Aufstellen von Schalungen nach Schalungsplänen sowie Ausschalen
13. Schwarzdeckenbauer:
  – Vorbereiten des Untergrunds
  – Erhitzen von Bindemitteln und Herstellen von Mischgut
  – Einbauen und Verdichten des Mischgutes
  – Oberflächenbehandlung von Schwarzdecken
14. Betonstraßenwerker:
  – Ausführen der gebräuchlichsten Betonstraßenbauarbeiten
  – Herstellen von Betonstraßendecken
15. Schweißer (Gasschweißer, Lichtbogenschweißer):
  – Grundfertigkeiten der Metallbearbeitung, insbesondere Sägen, Feilen und Bohren
  – Ausführen einfacher Schweißarbeiten, autogen und elektrisch
16. Terrazzoleger:
  – Herstellen von Terrazzomischungen
  – Vorbereiten des Untergrundes und Aufteilen der Fläche
  – Einbringen, Verdichten, Schleifen, Polieren und Nachbehandeln von Terrazzo
17. Wasser- und Landschaftsbauer:
  – Herstellen von Uferbefestigungen
  – Herstellen einfacher Dränagen und Wasserführungen
  – Ausführen einfacher Mauer-, Beton- und Pflasterarbeiten
18. Maschinisten:
  – Aufstellen, Einrichten, Bedienen und Warten von kleineren Baumaschinen und Geräten
19. Kraftfahrer:
  – Führen von Kraftfahrzeugen

[…]

4. Lohnanspruch

[…]

4.4

[1] Übernimmt der Arbeitnehmer außerhalb seiner Arbeitszeit mit einem vom Arbeitgeber gestellten Fahrzeug die Beförderung von Arbeitnehmern zur Bau- oder Arbeitsstelle des Betriebes (Hin- und/ oder Rückfahrt), so ist die Vergütung für diese Tätigkeit einzelvertraglich zu regeln.
[2] […]

Anlage 2
(zu § 2 Absatz 1)

Fachliche Geltungsbereiche

Die nach § 2 Absatz 1 maßgebenden fachlichen Geltungsbereiche von Tarifverträgen sind nachstehend abgedruckt. Als Betriebe im Sinne dieser Anlage gelten in jedem Fall auch selbstständige Betriebsabteilungen.

I. Holz- und *kunststoffverarbeitende* Industrie

Für Betriebe, Hilfs- und Nebenbetriebe sowie selbstständige Betriebsabteilungen der holz- und kunststoffverarbeitenden Industrie, des Serienmöbelhandwerks, der Sperrholz-, Faser- und Spanplattenindustrie, Kunststoffprodukte herstellende Betriebe sowie Betriebe, die anstelle oder in Verbindung mit Holz andere Werkstoffe oder Kunststoffe verarbeiten, wie z.B. Betriebe zur Herstellung nachstehender Erzeugnisse einschließlich Vertrieb und Montage:

1. Kasten- und Sitzmöbel aller Art, Polstermöbel, Polstergestelle, Matratzen und Matratzenrahmen, Tische, Kleinmöbel und Beleuchtungskörper,
2. Büro-, Schul-, Industrie- und Labormöbel, Kühlmöbel und -einrichtungen,
3. Holzgehäuse und Holzkästen aller Art, z.B. für Uhren, Rundfunk- und Fernsehapparate, Plattenspieler, Tonbandgeräte, Telefon-, fotografische Apparate, Besteckkästen,
4. Innenausbau, Wohnungs-, Büro-, Industrie- und Ladeneinrichtungen, Bad- und Saunaeinrichtungen, Solarien, Regale, Schiffsinnenausbauten, Verkleidungen und Vertäfelungen aller Art, Herstellung und Montage von Schalldichtungen (zur Dämpfung und Isolierung), akustische Ausbauten und Auskleidung von Räumen,
5. Türen, Tore, Fenster, Rollläden, Jalousien, Rollos, Verdunkelungsanlagen, Klappläden, Treppen, Aufzüge, Fassadenelemente, Raumtrennprodukte, Fertigbau- und andere Bauteile, Zäune aller Art,
6. Holzhäuser, Fertighäuser, Wohnwagen, Hallen, Baracken, Verkaufs- und Messestände, Bühnen, Holzsilos, Gewächshäuser, Frühbeetfenster, Telefonzellen und Ingenieurkonstruktionen,
7. Musikinstrumente, z.B. Klaviere, Flügel, Harmonien, Orgeln, Akkordeons, Musikboxen, Streich-, Blas- und Zupfinstrumente und deren Bestandteile,
8. Särge, Grabkreuze,
9. Holzwerkzeuge, Werkbänke, Hobelbänke, Werkzeugschränke, Schutzvorrichtungen und Arbeitsschutzartikel,
10. Maßstäbe, Rechenschieber, Büro-, Mal-, Schreib-, Zeichengeräte, Webschützen, Spulen, Zigarrenwickelformen, Stiele, Rundstäbe, Spunde und Siebe,
11. Drechsler- und Holzbildhauerarbeiten aller Art, Holz-, Elfenbein- und Bernsteinschnitzereien, Devotionalien, Holzmosaik und Intarsien,
12. Leisten und Rahmen aller Art,
13. Schuhleisten, Schuhspanner, Holzschuhe, Pantoffelhölzer, Absätze und Schuhteile,
14. Haus- und Küchengeräte, Kleiderbügel, Etuis und Behälter aller Art, Spielwaren, sonstige Holz- und Kunststoffwaren,
15. Turn- und Sportgeräte, Kegelbahnen, Segelflugzeuge,
16. Stöcke, Peitschen, Schirmgriffe, optische Brillengestelle,
17. Kabeltrommeln, Kisten, Kistenteile, Paletten, Zigarrenkisten, Koffer und Kofferteile,
18. Fässer, Fassdauben, Fassteile, Packfässer, Kübel und Bottiche,
19. Holzwolle, Holzspankörbe, Holzdraht, Holzstifte, Holzspulen, Holzspäne, Knöpfe,
20. Bürsten, Besen und Pinsel, Bürstenhölzer, Borsten-, Haar- und Faserstoffzurichtereien, Kämme,
21. Natur-, Presskorkwaren, Kronenverschlüsse, Holzmehl, Schicht- und Pressholz,
22. Parketthölzer, Rohfriese, Fußbodendielen, Holzpflaster und Schindeln,
23. Korbmöbel, Korbwaren, Stuhlrohr,
24. Sperrholz-, Holzfaser-, Holzspan- und Kunststoffplatten,
25. Veredelung von Holz- und Schnitzstoffwaren, Polier-, Lackier-, Beiz- und Furnierwerkstätten sowie Betriebe für Vergolderei und Grundierarbeiten,
26. Bau von Fahrzeugen, Fahrzeugteilen und Booten, Holzbiegereien,
27. Herstellung von Modellen aller Art,
28. Verlegung von Parkett und anderen Fußböden,
29. Kunststoffspritzereien und -extrusionen,
30. Folien und sonstige Verpackungen, Kassetten,
31. Schaumstoffe,
32. Rohre, Schläuche, Ummantelungen aus Kunststoff,
33. Boden- und Wandbeläge.
34. Als Nebenbetriebe
    a) Sägewerke,

b) Spalt- und Hobelwerke,

c) Sperrholz-, Spanplatten und Furnierwerke,

d) Holzlagerplätze,

e) Holzimprägnieranlagen.

II. Sägeindustrie und übrige Holzbearbeitung

Für die nachstehenden Betriebe und selbstständigen Betriebsabteilungen der Sägeindustrie, übrigen holzbearbeitenden Industrie und verwandter Wirtschaftszweige

A) Sägewerke, -spaltwerke, Hobelwerke, Holzimprägnierwerke zur Herstellung insbesondere von:
Schnitthölzern, Hobelwaren, Leisten aller Art,
Rohfriesen, Parketthölzern,
Kanteln, Rundstäben, Klötzen,
Holzschindeln,
Schwellen,
Masten, Telegrafenstangen, Pfählen jeglicher Art,
sowie zur Imprägnierung vorstehender und sonstiger Holzbearbeitungs- und -verarbeitungserzeugnisse.

B) Übrige holzbearbeitende Industrie zur Herstellung insbesondere von:
Furnieren,
Tischlerplatten und Ähnliches,
Sperrholz, Spanplatten, Faserplatten, Dämmplatten, Kunststoffplatten, beschichteten und vergüteten Platten aller Art und Paneelen,
Presshölzern,
Schalungsplatten,
Kistenteilen (Einzelteilen einschließlich anderen Verpackungsmaterials), Kisten, Harassen, Containern, Paletten, Kabeltrommeln, Holzfassteilen (Fassdauben), Packfässern, Kübeln, Bottichen, Holzspankörben, Holzspanschachteln und Ähnliches,
Holzzäunen, Holzpflaster,
Holzspänen, Hackschnitzeln,
Holzwolle, Holzdraht, Holzstiften,
vorgefertigten Holzbauteilen, Leimbauteilen und Ähnliches sowie von Bauelementen,
Silos für Landwirtschaft und Industrie, Tribünen, Holzrohren, einfachen Holzkonstruktionen, land-, forst- und gartenwirtschaftlichen Bauteilen sowie deren Montage,
Fertighäusern, Holzhäusern, Baracken, Hallen, Messebauten und deren Montage,
Grabkreuzen und Ähnliches,
Spaltholz, Brennholz, Holzkohle u. Ä.

C) Verwandte Wirtschaftszweige, insbesondere:
Holzhandlungen und Holzimporteure (Rundholz, Schnittholz, Hobelware, Leisten und Ähnliches, Platten, Zäune, Pfähle und andere Holzerzeugnisse jeglicher Art sowie Kunststoffe),
Holzlager- und Holzsammelplätze, Holzumschlagsplätze, auf denen Holz bearbeitet und/oder zugerichtet wird, Handels- und Aufbereitungsbetriebe für Grubenholz, Faserholz, Zellstoffholz, Papierholz und Ähnliches,
Betriebe zur Herstellung von Holzwaren, soweit diese nicht von anderen tariflichen Regelungen erfasst werden.

D) Angeschlossene Nebenbetriebe bzw. Betriebsabteilungen, insbesondere:
Holzbauabteilungen,
Sargfabrikation,
Fenster und Türen,
Kunststoffverwendende und -verarbeitende Abteilungen,
Verpackungsbetriebe.

E) Betriebe oder Betriebsabteilungen, die anstelle von oder in Verbindung mit Holz in vorstehenden Fällen A bis D Kunststoffe oder andere Werkstoffe verarbeiten.

III. Steine- und Erdenindustrie

1. Alle Unternehmen, die Steine, Erden und artverwandte Baustoffe gewinnen, herstellen, be- und verarbeiten oder vertreiben.

2. Alle gemischten Betriebe, sofern sie überwiegend Steine, Erden und artverwandte Baustoffe gewinnen, herstellen, be- und verarbeiten oder vertreiben.

3. Alle selbstständigen Betriebsabteilungen in fachfremden Betrieben, in denen Steine, Erden und artverwandte Baustoffe hergestellt, gewonnen, be- und verarbeitet oder vertrieben werden.
4. Betriebe, die gewerbsmäßig Recycling-Baustoffe aus Baumischabfällen, Straßenaufbruch, Bauschutt oder Bodenaushub herstellen, be- und verarbeiten oder vertreiben.
5. Alle den in den Nummern 1 bis 4 genannten Unternehmen zugehörigen Betriebe.

IV. Transportbeton

Betriebe, die gewerbsmäßig Transportbeton, Werk-Frischmörtel und Werk-Frischestrich herstellen und vertreiben, sowie Betriebe, die Transportbeton mittels Pumpen fördern.

V. Mörtelindustrie

Betriebe, die gewerbsmäßig Werk-Trockenmörtel, Werk-Frischmörtel und Werk-Estrich herstellen und vertreiben.

VI. Chemische Industrie

Für Betriebe und Verkaufsunternehmen der chemischen Industrie und verwandten Industrien einschließlich ihrer Hilfs- und Nebenbetriebe, Forschungsstellen, Verwaltungsstellen, Auslieferungslager und Verkaufsstellen, für Chemie- und Mineralöl-Handelsunternehmen, für Unternehmen des Chemie-Anlagenbaus, für Büros und Unternehmen zur chemisch-technischen Beratung und zur Konstruktion und Instandhaltung chemischer Anlagen sowie für chemische Laboratorien und Untersuchungsanstalten.
Zur chemischen Industrie gehören insbesondere folgende Produktionsgebiete:

1. Grundchemikalien,
2. Stickstoff und Stickstoffverbindungen,
3. Stickstoff- und Phosphordüngemittel und deren Weiterverarbeitung,
4. Verdichten, Verflüssigen und Abfüllen von technischen Gasen, Trockeneis,
5. Natürliche und synthetische Farbstoffe und deren Weiterverarbeitung,
6. Buntstifte und Pastellkreiden,
7. Lösungsmittel und Weichmacher,
8. Lacke, Firnisse, Polituren,
9. Spreng- und Zündstoffe, Munition, Feuerwerk und sonstige Zündwaren, Kollodiumwolle,
10. Arzneimittel einschließlich medizinischem Verbands-, Prothesen- und Nahtmaterial,
11. biochemische und gentechnische Erzeugnisse,
12. Pflanzenschutz-, Schädlingsbekämpfungs- und Desinfektionsmittel,
13. Ätherische Öle und Riechstoffe, chemische Backhilfs- und Konservierungsmittel, Aromastoffe,
14. Fotochemikalien, Fotopapiere, Herstellung und Verwendung von lichtempfindlichem Material wie z.B. Polymerfilm und vorbeschichtete Druckplatten,
15. Filme und deren technische Bearbeitung, fotografische, elektrochemische und magnetische Materialien einschließlich Geräte zur Aufzeichnung, Speicherung, Auswertung und Wiedergabe von Informationen, die im Verbund mit den vorgenannten Produkten vertrieben werden, Kopieren,
16. Chemische Umwandlung von Kohle, Erdgas, Erdöl sowie Erdölprodukten einschließlich Destillation, Raffination, Crackung, Hydrierung, Oxidierung, Vergasung sowie Weiterverarbeitung der Umwandlungsprodukte, Transport, Umschlag und Lagerung von Erdöl und Umwandlungsprodukten,
17. Ruß,
18. Holzverkohlung,
19. Seifen, Waschmittel, Kosmetika,
20. Leime, Kitte, Klebstoffe, Klebebänder, Gelatine,
21. Wachse und Kerzen, Stearin und Olein,
22. Schuh-, Leder- und Fußbodenpflegemittel, Putzmittel,
23. technische Öle und Fette,
24. chemische Hilfsmittel aller Art wie z.B. Textilhilfsmittel, Lederhilfsmittel, Gerbstoffauszüge, Gerbereichemikalien und chemische Hilfsmittel für andere Industrien,

25. Kunststoffe einschließlich Schaumstoffe, Pressmassen und Datenträger sowie deren Weiterverarbeitung,
26. Chemiefasern und deren Weiterverarbeitung im eigenen Betrieb,
27. Chemiefolien einschließlich künstliche Därme, transparentes Material und Magnetbänder sowie deren Bearbeitung,
28. chemisch-technische Artikel wie Glühstrümpfe, chemische Papiere, Gießereihilfsmittel, Elektroden, elektrische und galvanische Kohle, Asbestwaren sowie chemisch-technischer Laborbedarf einschließlich Hilfsmittel zur Analyse und Diagnose, Halbleiterfertigung unter Verwendung chemischer Verfahren und deren Weiterverarbeitung im eigenen Betrieb,
29. elektromagnetische Erzeugnisse und deren Weiterverarbeitung im eigenen Betrieb,
30. Synthetische anorganische Rohstoffe und deren Weiterverarbeitung,
31. chemische Baustoffe, Faserzement, chemische Bautenschutz-, Holzschutz- und Feuerschutzmittel, Dämm- und Isolierstoffe sowie deren Weiterverarbeitung,
32. Imprägnieren, soweit es sich nicht um Nebenarbeiten der Holzindustrie handelt,
33. natürlicher und synthetischer Kautschuk, Latex, Nachfolgeprodukte sowie deren Weiterverarbeitung,
34. Wiedergewinnung von Kautschuk und Vulkanisieren,
35. Linoleum, Kunstleder, Guttapercha- und Balatawaren und ähnliche Stoffe,
36. Nichteisen- und Edelmetalle und deren Weiterverarbeitung im eigenen Betrieb,
37. Ferrolegierungen und Siliziumverbindungen mit Metallen, Schleifmittel, synthetische Edelsteine,
38. Gasschutz- und Atemschutzgeräte,
39. Dach- und Dichtungsbahnen und deren Weiterverarbeitung,
40. chemische Büroartikel wie Farbbänder, Kohlepapier, Dauerschablonen, Tinten und Tuschen,
41. Naturharzverarbeitung,
42. Holzverzuckerung,
43. Tierkörperverwertung,
44. Kernchemie einschließlich Herstellung, Aufarbeitung und Entsorgung von Brennelementen und Brennstoffen,
45. Urankonzentrate,
46. Anwendung von Umwelttechnologien einschließlich Entsorgung von Abfällen durch biologische, chemische, physikalische und thermische Behandlung, Entsorgungsanlagen für Sonderabfälle, Wiederverwertung und Rückgewinnung von Reststoffen wie z.B. Pyrolyse,
47. chemische Synthese jeder Art.

VII. Kunststoffverarbeitende Industrie

Für Betriebe der Kunststoffbe- und -verarbeitenden Industrie einschließlich ihrer Hilfs- und Nebenbetriebe, Werkstätten und Zweigniederlassungen.

VIII. Metall- und Elektroindustrie

Für alle Betriebe der Eisen-, Metall- und Elektroindustrie. Darunter fallen – ohne Rücksicht auf die verarbeiteten Grundstoffe – insbesondere folgende Fachzweige:

1. Eisen- und Stahlerzeugung (einschließlich -halbzeugwerke), NE-Metallerzeugung (einschließlich -halbzeugwerke), Eisen-, Stahl- und Tempergießereien, NE-Metallgießerei, Ziehereien und Kaltwalzwerke, Stahlverformung, Oberflächenveredelung und Härtung, Schlosserei, Schweißerei, Schleiferei und Schmiederei, Stahl- und Leichtmetallbau, Maschinenbau, Straßenfahrzeugbau, Schiffbau, Luftfahrzeugbau, Elektrotechnik, Feinmechanik und Optik, Herstellung und Reparatur von Uhren, Herstellung von Eisen-, Blech- und Metallwaren,
   nur soweit sie aus Metall gefertigt sind:
   Herstellung von Musikinstrumenten, Sportgeräten, Spiel- und Schmuckwaren,
2. Metall-Filterbau, Elektronik, Steuerungs-, Regel- und Messtechnik, Verfahrenstechnik, Atomphysik, Kerntechnik und Strahlentechnik,
3. Verwaltungen, Niederlassungen, Forschungs- und Entwicklungsbetriebe, Konstruktionsbüros, *Montagestellen sowie alle Hilfs- und* Nebenbetriebe vorgenannter Fachzweige und Betriebe, die über keine eigene Produktionsstätte verfügen, jedoch Montagen ausführen, die dem fachlichen Geltungsbereich entsprechen.

Für alle außerbetrieblichen Arbeitsstellen (Montagen) der Eisen-, Metall- und Elektroindustrie einschließlich des Fahrleitungs-, Freileitungs-, Ortsnetz- und Kabelbaues mit Ausnahme des Zentralheizungs- und Lüftungsbaues sowie der Arbeitsstellen auf Schiffen auf Fahrt.

Anlage 3
(zu § 2 Absatz 2)

Liste der Mitgliedsverbände von Gesamtmetall in der Fassung vom 1. Februar 2006

Verband der Bayerischen Metall- und Elektro-Industrie e.V.

BayMe – Bayerischer Unternehmensverband Metall und Elektro e.V.

METALL NRW, Verband der Metall- und Elektro-Industrie Nordrhein-Westfalen e.V.

Verband der Sächsischen Metall- und Elektroindustrie e.V.

Verband der Metall- und Elektroindustrie in Berlin und Brandenburg e.V.

Verband der Metall- und Elektro-Industrie in Thüringen e.V.

Verband der Metall- und Elektro-Unternehmen Hessen e.V.

NORDMETALL, Verband der Metall- und Elektro-Industrie e.V.

Verband der Metall- und Elektroindustrie Sachsen-Anhalt e.V.

SÜDWESTMETALL, Verband der Metall- und Elektroindustrie Baden-Württemberg e.V.

Verband der Metallindustriellen Niedersachsens e.V.

METALL UNTERWESER, Verband der Metall- und Elektro-Industrie e.V.

NORD-WEST-METALL, Verband der Metallindustriellen des Nordwestlichen Niedersachsens e.V.

PFALZMETALL, Verband der Pfälzischen Metall- und Elektroindustrie e.V.

Verband der Metall- und Elektroindustrie Rheinland-Rheinhessen e.V.

Verband der Metall- und Elektroindustrie des Saarlandes e.V.

Unternehmensverband Saarland e.V., Gruppe der Mitglieder aus der Branche der Metall- und Elektroindustrie

Verband der Metall- und Elektroindustrie Osnabrück-Emsland e.V.

Unternehmensverband Südwest e.V., Unternehmen der Metall- und Elektroindustrie

Allgemeiner Arbeitgeberverband Thüringen e.V., Gruppe Metall- und Elektroindustrie

AGV Nord – Allgemeiner Verband der Wirtschaft Norddeutschlands e.V., Fachgruppe Metall und Elektro

Anlage 4
(zu § 2 Absatz 4 Nummer 1, 5 bis 8)

Fachliche Geltungsbereiche

Die nach § 2 Absatz 4 Nummer 1 sowie Nummer 5 bis 8 maßgebenden fachlichen Geltungsbereiche sind nachstehend abgedruckt. Als Betrieb im Sinne dieser Anlage gelten auch selbstständige Betriebsabteilungen.

Abschnitt I. Maler- und Lackiererhandwerk

1. Alle Betriebe des Maler- und Lackiererhandwerks. Dies sind Betriebe und selbstständige Betriebsabteilungen, die Maler-, Lackierer-, Tüncher-, Weißbinder-, Schildermaler-, Fahrzeug- und Metalllackierer-, Gerüstbau-, Entrostungs- und Eisenanstrich-, Wärmedämmverbundsystem-, Betonschutz-, Oberflächensanierungs-, Asbestbeschichtungs-, Fahrbahnmarkierungs- sowie Bodenbeschichtungs- und -belagsarbeiten ausführen. Mit Betonschutz- und Oberflächensanierungsarbeiten sind nicht gemeint Arbeiten zur Beseitigung statisch bedeutsamer Betonschäden; mit Asbestbeschichtungen sind nicht gemeint Arbeiten, die im Zusammenhang mit anderen Asbestsanierungsarbeiten erfolgen. Zu den Bodenbeschichtungs- und -belagsarbeiten gehören nicht das Verlegen von Bodenbelägen in Verbindung mit anderen baulichen Leistungen sowie Estrich-, Fliesen-, Platten-, Mosaikansetz- und -verlege- und Terrazzoarbeiten.
2. Die in Absatz 1 genannten Betriebe und selbstständigen Betriebsabteilungen fallen grundsätzlich als Ganzes unter diesen Tarifvertrag. Von diesem Tarifvertrag werden auch selbstständige Betriebsabteilungen in fachfremden Betrieben erfasst, soweit sie Arbeiten der in Absatz 1 genannten Art ausführen.

3. Werden in Betrieben nach Absatz 1 in selbstständigen Abteilungen andere Arbeiten ausgeführt, so werden diese Abteilungen dann nicht von diesem Tarifvertrag erfasst, wenn ein speziellerer Tarifvertrag sie in seinen Geltungsbereich einbezieht.
4. Nicht erfasst werden Betriebe des Baugewerbes. Dies gilt nicht für Betriebe bzw. selbstständige Betriebsabteilungen, die Arbeiten im Sinne der Absätze 5 bis 7 ausführen und unter den dort genannten Voraussetzungen von diesem Tarifvertrag erfasst werden.
5. Nicht erfasst werden
   a) Entrostungs- und Eisenanstricharbeiten,
   b) Asbestbeschichtungsarbeiten

   ausführende Betriebe bzw. selbstständige Betriebsabteilungen, die mittelbar oder unmittelbar Mitglied des Hauptverbandes der Deutschen Bauindustrie e.V. oder des Zentralverbandes des Deutschen Baugewerbes e.V. sind.
6. Betriebe bzw. selbstständige Betriebsabteilungen, die
   a) Wärmedämmverbundsystemarbeiten,
   b) Betonschutz- und Oberflächensanierungsarbeiten,
   c) Bodenbeschichtungs- und -belagsarbeiten oder
   d) Fahrbahnmarkierungsarbeiten

   überwiegend bzw. zusammen mit anderen in Absatz 1 genannten Tätigkeiten überwiegend ausüben, werden nur erfasst, wenn sie mittelbar oder unmittelbar Mitglied des Hauptverbandes Farbe, Gestaltung, Bautenschutz – Bundesinnungsverband des deutschen Maler- und Lackiererhandwerks sind.
7. Putz-, Stuck- und dazugehörige Hilfsarbeiten ausführende Betriebe bzw. selbstständige Betriebsabteilungen, die ihren Sitz in den Handwerkskammerbezirken Wiesbaden, Rhein-Main, Mainz, Erfurt, Suhl, Gera, Coburg, Oberfranken, Mittelfranken und Unterfranken haben, werden dann von diesem Tarifvertrag erfasst, wenn
   a) die Putz-, Stuck- und dazugehörigen Hilfsarbeiten arbeitszeitlich nicht überwiegend ausgeführt werden und
   b) ohne Berücksichtigung der Putz-, Stuck- und dazugehörigen Hilfsarbeiten von den verbleibenden Tätigkeiten der arbeitszeitliche Anteil der Tätigkeiten, die zum Geltungsbereich dieses Tarifvertrages rechnen, den Anteil der Tätigkeiten, die zum Baugewerbe rechnen, überwiegen.
8. Nicht erfasst werden Betriebe und selbstständige Betriebsabteilungen des Gerüstbaugewerbes, deren Tätigkeit sich überwiegend auf die gewerbliche Erstellung von Gerüsten erstreckt.

Abschnitt II. Tischler- und Schreinerhandwerk

Alle Betriebe und ihnen gleich stehende Betriebsabteilungen der Anlage A Nummer 27 (Tischler/Schreinerhandwerk), Anlage B Abschnitt 2 Nummer 24 (Einbau von genormten Baufertigteilen) und der Anlage B Abschnitt 2 Nummer 50 (Bestattungsgewerbe) der Handwerksordnung[1] (HwO[1]), soweit diese Tätigkeiten zu mindestens 20 % – wenn arbeitszeitlich überwiegend Holztreppen hergestellt oder diese selbst hergestellten Erzeugnisse eingebaut werden, zu mindestens 50 % – der Arbeitszeit der gewerblichen Arbeitnehmer von einschlägig im Berufsfeld Holz fachlich qualifizierten Arbeitnehmern (Tischler-/Schreinergesellen, Holzmechaniker oder gleichwertige Qualifikation sowie Holzfachwerker) ausgeführt oder von einer in demselben Berufsfeld besonders qualifizierten Person (Tischler-/Schreinermeister, Holzingenieur oder gleichwertige Qualifikation sowie Tischler/Schreiner mit einer Ausübungsberechtigung nach den §§ 7a, 7b HwO[2] oder einer Ausnahmebewilligung nach § 8 HwO[2]) geleitet oder überwacht werden. Ist der Betriebsinhaber Tischler-/Schreinergeselle oder Holzmechaniker und arbeitet arbeitszeitlich überwiegend wie ein gewerblicher Arbeitnehmer, ist dessen Arbeitszeit bei der Berechnung des Arbeitszeitanteils der gewerblichen Arbeitnehmer nach Satz 1 zu berücksichtigen.

Darunter fallen insbesondere Betriebe und selbstständige Betriebsabteilungen, die folgende Tätigkeiten ausüben:

– Möbel und Inneneinrichtungen für und Innenausbau von z.B. Läden, Gaststätten, Büros, Hotels, Schulen, Krankenhäusern, Kindergärten, Banken, sowie Spiel- und Sportgeräte, Gehäuse, Vorrichtungen und Modelle, Messebauten, Innen- und Außentüren, Fenster, Treppen, Böden, Trenn-

[1] Auszugsweise abgedruckt unter Nr. **107**.
[2] **beck-online, Module Arbeitsrecht Nr. 107.**

wände, Wand- und Deckenverkleidungen, Fassaden abschließende Bauelemente, Wintergärten, Trockenbauten, Fahrzeug ein- und -ausbauten planen, konstruieren, rationell fertigen, montieren, einbauen oder instand halten unter Verwendung unterschiedlicher Materialien wie insbesondere von Holz, Holzwerkstoffen, Kunststoffen, Glas, Metall, Stein, Werkstoffen für den Trockenbau, Belag- und Verbundwerkstoffen,

– Produkte und Objekte einbauen, montieren, instand halten, warten oder restaurieren,
– Montagefertige Teile und Erzeugnisse, insbesondere Rollläden, Schattierungs- und Belüftungssysteme, Schließ- und Schutzsysteme für Bauelemente, Anbauten und Wintergärten einbauen, montieren und instand halten,
– Dienst- und Serviceleistungen ausführen wie Schlüssel- und Notdienste, Bestattungen und Überführung Verstorbener durchführen, Hinterbliebene beraten, Trauerfeiern organisieren oder Behördengänge abwickeln.

Abschnitt III. Metallbauerhandwerk

Betriebe des Metallbauerhandwerks; darunter fallen Betriebe, die Stahl- und Metallbaukonstruktionen, Fördersysteme, Konstruktionen des Anlagenbaus sowie Schließ- und Sicherungssysteme entwerfen, planen, herstellen, montieren, in Betrieb nehmen, umbauen und instand halten unter Einbeziehung von steuerungstechnischen Systemen und deren Schnittstellen. Das sind Betriebe, die insbesondere

1. Verbindungen an Bauwerken und Konstruktionen unter Berücksichtigung von Befestigungsverfahren, Befestigungselementen, lösbaren und unlösbaren Befestigungssystemen, insbesondere Schweiß- und Klebeverbindungen sowie des Montageuntergrunds planen und herstellen,
2. Metallarbeiten entwerfen, zeichnerisch darstellen, modellieren, berechnen, herstellen, montieren und instand halten,
3. Schmiedetechniken, insbesondere manuelles und maschinelles Schmieden und Treiben ausführen,
4. Anlagen und Bauteile unter Berücksichtigung des Denkmalschutzes restaurieren und rekonstruieren,
5. Metalloberflächen schützen, farblich gestalten und veredeln,
6. Befestigungstechniken, insbesondere unter Berücksichtigung bautechnischer Erfordernisse und des Denkmalschutzes ausführen,
7. Spiel- und Sportgeräte, Gehäuse, Vorrichtungen, Messebauten, Innen- und Außentüren, Fenster, Treppen, Böden, Trennwände, Wand- und Deckenverkleidungen, Fassaden abschließende Bauelemente und Wintergärten planen, konstruieren, fertigen, einbauen oder instand halten.

Abschnitt IV. Installateur- und Heizungsbauer, Klempner-, Ofen- und Luftheizungsbauer sowie Behälter- und Apparatebauer-Handwerk

Betriebe des Installateur- und Heizungsbauer-, Klempner-, Ofen- und Luftheizungsbauer sowie Behälter- und Apparatebauer-Handwerks; darunter fallen insbesondere Betriebe, die folgende Tätigkeiten ausführen:

1. Planung und Bau von Rohrleitungsanlagen, ausgenommen Fernleitungen, aus allen zugelassenen Werkstoffen für Gase, Wasser, Abwasser, und chemische Flüssigkeiten,
2. Verlegung und Anschluss von Rohren für Tankstellen,
3. Eindeckung von Dachflächen und Verkleidung von Decken- und Wandflächen mit Blech, Metall-Verbundwerkstoffen und Kunststoffen, einschließlich des Anbringens aller funktionsbedingten Schichten sowie der Trag- und Befestigungskonstruktionen,
4. Ausführung von Arbeiten aus Stabstahl, Profilstahl, Blech, Metall-Verbundwerkstoffen und Kunststoffen an Bauwerken, insbesondere an Anlagen zur Innen- und Außenentwässerung,
5. Entwurf und Herstellung von gebrauchs- und kunsthandwerklichen Gegenständen sowie von Bauteilen aus Blech, Metall-Verbundwerkstoffen und Kunststoffen, insbesondere von Verkleidungen für Rohrleitungen und Behälter, von Leitungen für lufttechnische Anlagen und für Förder- und Transportanlagen,
6. Planung und Herstellung von Rohren, Rohrleitungen und Formstücken für feste, flüssige und gasförmige Stoffe im gesamten Druck- und Temperaturbereich,
7. Planung und Bau von Kaminen für offenes Feuer,
8. Planung und Bau von Kachelgrundöfen, von Kachelherden und von transportablen keramischen Dauerbrandöfen und Herden.

Abschnitt V. Elektrohandwerk

Alle Betriebe oder selbstständigen Betriebsabteilungen, die mit der handwerksmäßigen Installation, Wartung oder Instandhaltung von elektro- und informationstechnischen Anlagen und Geräten einschließlich elektrischer Antriebe, Leitungen, Kommunikations- und Datennetze sowie mit dem Fahrleitungs-, Freileitungs-, Ortsnetz- und Kabelbau befasst sind bzw. – bezogen auf diese Tätigkeiten – entsprechende Dienstleistungen einschließlich damit zusammenhängender baulicher Nebenpflichten im Sinne von § 5 HwO[1)] anbieten, sofern dem Betrieb nicht nachgewiesen wird, dass die baulichen Tätigkeiten inklusive dieser baulichen Nebenpflichten kalenderjährlich mehr als 50 % der betrieblichen Gesamtarbeitszeit betragen.

Bauliche Nebenpflichten im Sinne von § 5 HwO[1)] können insbesondere im Zusammenhang mit folgenden elektrohandwerklichen Dienstleistungen anfallen:

1. Kabel- und Leitungsinstallationen innerhalb und außerhalb von Gebäuden,
2. Photovoltaik- und Solarmontagen auf Gebäuden und Freiflächen,
3. Öffentlichen Beleuchtungsinstallationen bzw. Elektroinstallationen auf Masten,
4. Erstellung und Montage von Anlagen zur Energieerzeugung,
5. Erstellung und Montage von Infrastruktur E-Mobilität einschließlich Energieverteilernetze,
6. Erstellung und Montage von Kabel- und Leitungstrassen einschließlich ihrer Trägersysteme in und außerhalb von Gebäuden,
7. Erstellung und Montage von elektrischen Brandschutzsystemen,
8. Erstellung und Montage von Kabelschächten und -kanälen, Legen von Erdkabeln,
9. Erstellung und Montage elektrotechnischer Fertigteilbauten (z.B. Trafo- und Netzverteilstationen),
10. Geothermie- und Luftwärmepumpeninstallationen,
11. Fahrweg-Elektrotechnik einschließlich Signalanlagen und sonstiger Elektroinstallationen (z.B. Weichenheizungen),
12. Verkehrsleit- und Signaltechnik,
13. Erstellung und Montage elektrischer Licht- und Werbeanlagen an und außerhalb von Gebäuden,
14. Elektroinstallationen im Laden- und Einrichtungsbau,
15. Modernisierung von Elektrospeicher-Heizanlagen,
16. Installation elektrischer Fußbodenheizungen,
17. Elektroinstallationen bei Blockheizkraftwerken, Brennstoffzellen und Batteriespeicheranlagen.

[1)] **beck-online, Module Arbeitsrecht Nr. 107.**

506 b. Verordnung über zwingende Arbeitsbedingungen für Sicherheitsdienstleistungen (Sicherheitsdienstleistungsarbeitsbedingungenverordnung – SicherheitArbbV)[1]

Vom 5. Mai 2011
(BAnz. S. 1692)
FNA 810-1-69-1

Auf Grund des § 7 Absatz 1, 2, 4 und 5 Satz 1 und 2 des Arbeitnehmer-Entsendegesetzes[2] vom 20. April 2009 (BGBl. I S. 799) verordnet das Bundesministerium für Arbeit und Soziales, nachdem es den in den Geltungsbereich der Verordnung fallenden Arbeitgebern, Arbeitnehmern und Arbeitnehmerinnen, den Parteien des Tarifvertrags nach § 1 Satz 1 dieser Verordnung den Parteien von Tarifverträgen in der Branche mit zumindest teilweise demselben fachlichen Geltungsbereich Gelegenheit zur schriftlichen Stellungnahme gegeben hat:

§ 1 Zwingende Arbeitsbedingungen. [1] Die in der Anlage zu dieser Verordnung aufgeführten Rechtsnormen des Tarifvertrags zur Regelung der Mindestlöhne für Sicherheitsdienstleistungen vom 11. Februar 2011, abgeschlossen zwischen dem Bundesverband Deutscher Wach- und Sicherheitsunternehmen e.V., Norsk-Data-Straße 3, 61352 Bad Homburg, einerseits, und der Vereinten Dienstleistungsgewerkschaft – ver.di, Paula-Thiede-Ufer 10, 10179 Berlin, andererseits, finden auf alle unter seinen Geltungsbereich fallenden und nicht an ihn gebundenen Arbeitgeber sowie Arbeitnehmer und Arbeitnehmerinnen Anwendung, wenn der Betrieb oder die selbstständige Betriebsabteilung überwiegend Dienstleistungen des Bewachungs- und Sicherheitsgewerbes oder Kontroll- und Ordnungsdienste erbringt, die dem Schutz von Rechtsgütern aller Art, insbesondere von Leben, Gesundheit und Eigentum dienen. [2] Die Rechtsnormen des Tarifvertrags gelten auch für Arbeitsverhältnisse zwischen einem Arbeitgeber mit Sitz im Ausland und seinen im Geltungsbereich der Verordnung beschäftigten Arbeitnehmer und Arbeitnehmerinnen. [3] Wird ein Leiharbeitnehmer oder eine Leiharbeitnehmerin von einem Entleiher mit Tätigkeiten beschäftigt, die in den Geltungsbereich dieser Verordnung fallen, so hat der Verleiher ihm oder ihr nach § 8 Absatz 3 des Arbeitsnehmer-Entsendegesetzes[2] zumindest die nach dieser Verordnung vorgeschriebenen Arbeitsbedingungen zu gewähren.

§ 2 Inkrafttreten, Außerkrafttreten. Diese Verordnung tritt am 1. Juni 2011 in Kraft und am 31. Dezember 2013 außer Kraft.

---

[1] Die VO **tritt mit Ablauf des 31. 12. 2013 außer Kraft**, vgl. § 2.
[2] Nr. **506**.

Anlage
(zu § 1)

Rechtsnormen des Tarifvertrags zur Regelung der Mindestlöhne für Sicherheitsdienstleistungen vom 11. Februar 2011

§ 1 Geltungsbereich. [1] Dieser Tarifvertrag gilt

räumlich:	für die Bundesrepublik Deutschland;
fachlich:	für alle Betriebe und selbstständigen Betriebsabteilungen, die Sicherheitsdienstleistungen für Dritte durchführen;
persönlich:	für alle in diesen Bereichen beschäftigten Arbeitnehmer mit Ausnahme der Auszubildenden.

[2] Alle personenbezogenen Begriffe in diesem Vertrag gelten für Männer und Frauen gleichermaßen.

§ 2 Mindestlöhne. (1) Die Stundenlöhne für Sicherheitsmitarbeiter im Objektschutz-/Separatwachdienst betragen:

Bundesland	ab 1. Juni 2011	ab 1. März 2012	ab 1. Januar 2013
Baden-Württemberg	8,60 €	8,75 €	8,90 €
Bayern	8,14 €	8,28 €	8,42 €
Nordrhein-Westfalen	7,95 €	8,09 €	8,23 €
Hessen	7,50 €	7,63 €	7,76 €
Niedersachsen	7,26 €	7,38 €	7,50 €
Bremen	7,16 €	7,33 €	7,50 €
Hamburg	7,12 €	7,31 €	7,50 €
Berlin, Brandenburg, Mecklenburg-Vorpommern, Rheinland-Pfalz, Saarland, Schleswig-Holstein, Sachsen, Sachsen-Anhalt, Thüringen	6,53 €	7,00 €	7,50 €

(2) [1] Die Stundenlöhne gemäß Absatz 1 stellen zugleich die untersten Vergütungen für alle unter den Geltungsbereich nach § 1 fallenden Arbeitnehmer dar. [2] Ansprüche auf höhere Stundenlöhne bleiben unberührt.

§ 3 Arbeitsortprinzip. [1] Hinsichtlich des in diesem TV Mindestlohn festgelegten Mindestlohnes ist auf den jeweiligen Ort der Erbringung der Arbeitsleistung abzustellen. [2] Der Ort der Erbringung der Arbeitsleistung unterliegt der Aufzeichnungspflicht.

§ 4 Fälligkeit der Vergütungsansprüche. [1] Die Abrechnung der Vergütung erfolgt monatlich. [2] Die Entgeltperiode ist der Kalendermonat. [3] Die Abrechnung und Auszahlung ist spätestens bis zum 15. des Folgemonats vorzunehmen.

506c. Zwölfte Verordnung über zwingende Arbeitsbedingungen für das Maler- und Lackiererhandwerk (12. Malerarbeitsbedingungenverordnung – 12. MalerArbbV)[1]

Vom 24. Juli 2025
(BGBl. 2025 I Nr. 179)

FNA 810-1-59-12

Das Bundesministerium für Arbeit und Soziales verordnet aufgrund des § 7 Absatz 1, 2 und 4 des Arbeitnehmer-Entsendegesetzes[2] vom 20. April 2009 (BGBl. I S. 799), das zuletzt durch Artikel 1 des Gesetzes vom 28. Juni 2023 (BGBl. 2023 I Nr. 172) geändert worden ist, nachdem es den in den Geltungsbereich dieser Verordnung fallenden Arbeitgebern, Arbeitnehmerinnen und Arbeitnehmern, den Parteien des Tarifvertrags nach § 1 Absatz 1 dieser Verordnung, den Parteien von Tarifverträgen in der Branche mit zumindest teilweise demselben fachlichen Geltungsbereich sowie den paritätisch besetzten Kommissionen, die auf der Grundlage kirchlichen Rechts Arbeitsbedingungen für den Bereich kirchlicher Arbeitgeber zumindest teilweise im Geltungsbereich dieser Verordnung festlegen, Gelegenheit zur schriftlichen Stellungnahme gegeben hat:

§ 1 Zwingende Arbeitsbedingungen. Die in der Anlage zu dieser Verordnung aufgeführten Rechtsnormen des Tarifvertrags zur Regelung eines Mindestlohnes für gewerbliche Arbeitnehmer im Maler- und Lackiererhandwerk (TV Mindestlohn) vom 28. April 2025, abgeschlossen zwischen dem Bundesverband Farbe, Gestaltung, Bautenschutz – Bundesinnungsverband des deutschen Maler- und Lackiererhandwerks und der Maler- und Lackiererinnung des Saarlandes einerseits sowie der Industriegewerkschaft Bauen-Agrar-Umwelt andererseits, finden auf alle nicht an den TV Mindestlohn gebundenen Arbeitgeber sowie Arbeitnehmerinnen und Arbeitnehmer Anwendung, die unter den Geltungsbereich der am 1. August 2025 geltenden Fassung des TV Mindestlohn fallen, wenn der Betrieb oder die selbstständige Betriebsabteilung nach dem fachlichen Geltungsbereich des TV Mindestlohn überwiegend Bauleistungen im Sinne des § 101 Absatz 2 des Dritten Buches Sozialgesetzbuch[3] erbringt.

§ 2 Außerkrafttreten. Diese Verordnung tritt mit Ablauf des 30. Juni 2027 außer Kraft.

§ 3 Inkrafttreten. Diese Verordnung tritt am 1. August 2025 in Kraft.

---

[1] Die VO tritt **mit Ablauf des 30. Juni 2027 außer Kraft**; vgl § 2.
[2] Nr. **506**.
[3] Nr. **700**.

Anlage
(zu § 1)

Rechtsnormen des Tarifvertrags zur Regelung eines Mindestlohnes für gewerbliche Arbeitnehmer im Maler- und Lackiererhandwerk (TV Mindestlohn) vom 28. April 2025

§ 1 Geltungsbereich. (1) **Räumlicher Geltungsbereich.** Das Gebiet der Bundesrepublik Deutschland.

(2) **Betrieblicher Geltungsbereich.**

1. Alle Betriebe des Maler- und Lackiererhandwerks. Dies sind Betriebe und selbständige Betriebsabteilungen, die Maler-, Lackierer-, Tüncher-, Weißbinder-, Schildermaler-, Fahrzeug- und Metalllackierer-, Gerüstbau-, Entrostungs- und Eisenanstrich-, Wärmedämmverbundsystem-, Betonschutz-, Oberflächensanierungs-, Asbestbeschichtungs-, Fahrbahnmarkierungs- sowie Bodenbeschichtungs- und -belagsarbeiten ausführen. Mit Betonschutz- und Oberflächensanierungsarbeiten sind nicht gemeint Arbeiten zur Beseitigung statisch bedeutsamer Betonschäden; mit Asbestbeschichtungen sind nicht gemeint Arbeiten, die im Zusammenhang mit anderen Asbestsanierungsarbeiten erfolgen. Zu den Bodenbeschichtungs- und -belagsarbeiten gehören nicht das Verlegen von Bodenbelägen in Verbindung mit anderen baulichen Leistungen sowie Estrich-, Fliesen-, Platten-, Mosaikansetz- und -verlege und Terrazzoarbeiten.
2. Die in Absatz 1 genannten Betriebe und selbständigen Betriebsabteilungen fallen grundsätzlich als Ganzes unter diesen Tarifvertrag. Von diesem Tarifvertrag werden auch selbständige Betriebsabteilungen in fachfremden Betrieben erfasst, soweit sie Arbeiten der in Absatz 1 genannten Art ausführen.
3. Werden in Betrieben nach Absatz 1 in selbständigen Abteilungen andere Arbeiten ausgeführt, so werden diese Abteilungen dann nicht von diesem Tarifvertrag erfasst, wenn ein speziellerer Tarifvertrag sie in seinen Geltungsbereich einbezieht.
4. Nicht erfasst werden Betriebe des Baugewerbes. Dies gilt nicht für Betriebe bzw. selbständige Betriebsabteilungen, die Arbeiten im Sinne der Absätze 5 bis 7 ausführen und unter den dort genannten Voraussetzungen von diesem Tarifvertrag erfasst werden.
5. Nicht erfasst werden:

   a) Entrostungs- und Eisenanstricharbeiten,

   b) Asbestbeschichtungsarbeiten

   ausführende Betriebe bzw. selbstständige Betriebsabteilungen, die mittelbar oder unmittelbar Mitglied des Hauptverbandes der deutschen Bauindustrie e. V. oder des Zentralverbandes des deutschen Baugewerbes e. V. sind.
6. Betriebe bzw. selbständige Betriebsabteilungen, die

   a) Wärmedämmverbundsystemarbeiten,

   b) Betonschutz- und Oberflächensanierungsarbeiten,

   c) Bodenbeschichtungs- und -belagsarbeiten oder

   d) Fahrbahnmarkierungsarbeiten

   überwiegend bzw. zusammen mit anderen in Abs. 1 genannten Tätigkeiten überwiegend ausüben, werden nur erfasst, wenn sie mittelbar oder unmittelbar Mitglied des Bundesverbandes Farbe, Gestaltung, Bautenschutz – Bundesinnungsverband des deutschen Maler- und Lackiererhandwerks sind.
7. Putz-, Stuck und dazugehörige Hilfsarbeiten ausführende Betriebe bzw. selbständige Betriebsabteilungen, die ihren Sitz in den Handwerkskammerbezirken Wiesbaden, Rhein-Main, Mainz, Erfurt, Suhl, Gera, Coburg, Oberfranken, Mittelfranken und Unterfranken haben, werden dann von diesem Tarifvertrag erfasst, wenn

   a) die Putz-, Stuck- und dazugehörigen Hilfsarbeiten arbeitszeitlich nicht überwiegend ausgeführt werden, und

   b) ohne Berücksichtigung der Putz-, Stuck- und dazugehörigen Hilfsarbeiten von den verbleibenden Tätigkeiten der arbeitszeitliche Anteil der Tätigkeiten, die zum Geltungsbereich dieses Tarifvertrages rechnen, den Anteil der Tätigkeiten, die zum Baugewerbe rechnen, überwiegen.
8. Nicht erfasst werden Betriebe und selbständige Betriebsabteilungen des Gerüstbaugewerbes, deren Tätigkeit sich überwiegend auf die gewerbliche Erstellung von Gerüsten erstreckt.

9. Nicht erfasst werden Betriebe und selbständige Betriebsabteilungen des Maler- und Lackiererhandwerks, die arbeitszeitlich überwiegend Fahrzeug- und Metalllackiererarbeiten, wie Kfz-Lackierungsarbeiten, ausführen, die in stationären Werkstätten ausgeführt werden und nicht im Zusammenhang mit Maler- und Lackiererarbeiten an Gebäuden stehen. Werden außerhalb der Lackierwerkstätte weitere eigenständige Arbeiten des Maler- und Lackiererhandwerks insbesondere auf Baustellen ausgeführt, werden sie mit den in diesem Teil des Betriebes beschäftigten Arbeitnehmern erfasst.

(3) **Persönlicher Geltungsbereich.** [1] Gewerbliche Arbeitnehmer, die eine nach den Vorschriften des Sechsten Buches Sozialgesetzbuch – Gesetzliche Rentenversicherung –[1)] (SGB VI[1)]) versicherungspflichtige Tätigkeit ausüben.
[2] Nicht erfasst werden:

a) Fahrzeug- und Metalllackierer, die in stationären Werkstätten tätig sind,

b) Personen, die nachweislich
 – Schüler einer allgemeinbildenden, weiterführenden Schule oder – im Rahmen ihrer Erstausbildung – einer berufsvorbereitenden Schule sind, oder
 – aufgrund einer Schul-, Ausbildungs- oder Studienverordnung ein Praktikum absolvieren oder
 – innerhalb von 12 Monaten nach Beendigung ihrer Schulausbildung bis zu einer Gesamtdauer von 50 Arbeitstagen zum Zwecke der Berufsfindung beschäftigt sind,

c) gewerbliches Reinigungspersonal und anderes gewerbefremdes Hilfspersonal, das ausschließlich in den Verwaltungs-, Verkaufs- und Sozialräumen des Betriebs tätig ist.

§ 2 Mindestlohn.

1. Der Mindestlohn nach Nr. 2 ist Lohn im Sinne des § 5 Nr. 1 AEntG[2)] für alle von dem persönlichen Geltungsbereich dieses Tarifvertrages erfassten „gelernten Arbeitnehmer (Gesellen)". Höhere Lohnansprüche aufgrund anderer Tarifverträge, betrieblicher oder einzelvertraglicher Vereinbarungen bleiben unberührt.
2. Für „gelernte Arbeitnehmer (Gesellen)" beträgt der Branchen-Mindestlohn:

a) mit Wirkung zum 1. Juli 2025	15,55 €
b) mit Wirkung zum 1. Juli 2026	16,13 €

[Nummer 3 ist von der Verordnung nicht umfasst und daher nicht abgedruckt.]

4. „Gelernte Arbeitnehmer (Gesellen)" sind Arbeitnehmer, die für das Maler- und Lackiererhandwerk oder ein anderes Handwerk einschlägige handwerkliche Tätigkeiten, insbesondere die im Anhang beschriebenen Tätigkeiten des Maler- und Lackiererhandwerks, ausführen.
„Ungelernte Arbeitnehmer" arbeiten demgegenüber unter Aufsicht und Anleitung (insbesondere von Gesellen bzw. Vorarbeitern) und führen einfache Hilfstätigkeiten aus.
Bei Arbeitnehmern, die über:
a) den Gesellenbrief im Maler- und Lackiererhandwerk oder einen vergleichbaren anderen Ausbildungsabschluss oder
b) einen staatlich anerkannten Berufsabschluss bzw. einen entsprechenden Nachweis (Zertifikat) aus dem Ausland, der zu Maler- und Lackiererarbeiten qualifiziert,

verfügen, wird vorausgesetzt, dass sie Tätigkeiten im Sinne des Satzes 1 ausüben.

§ 3 Fälligkeit des Branchen-Mindestlohnes.

1. Der Anspruch auf den Mindestlohn nach § 2 Nr. 2 wird spätestens zum 15. des Monats fällig, der dem Monat folgt, für den der Mindestlohn zu zahlen ist.
2. Nr. 1 gilt nicht für die Entgeltansprüche der Arbeitnehmer, die nachweislich über ein Arbeitszeitkonto unter den Voraussetzungen des § 9 Nr. 1 – 8 Satz 1 des Rahmentarifvertrags für die gewerblichen Arbeitnehmer im Maler- und Lackiererhandwerk (RTV)[3)] erfasst werden, soweit ein Ausgleich der erworbenen Mindestlohnansprüche zu einem späteren Zeitpunkt in Form von Freizeit erfolgt und für diese Mindestlohnansprüche ein wertgleicher und vollständiger Zeitausgleich innerhalb der tariflich festgelegten Ausgleichszeiträume gewährleistet ist. In diesen Fällen ist ein

---

[1)] Auszugsweise abgedruckt unter Nr. **696**.
[2)] Nr. **506**.
[3)] **Amtl. Anm.:** Auszugsweise abgedruckt als Anhang 2.

Lohn auf der Basis von 40 Stunden die Woche (montags bis freitags 8 Stunden) bei Teilzeit auf Basis der vereinbarten regelmäßigen wöchentlichen Arbeitszeit zu zahlen, der spätestens bis zum 15. des Monats fällig wird, der dem Monat folgt, für den er zu zahlen ist.

3. Ansprüche auf den Mindestlohn verfallen, wenn sie nicht innerhalb von 12 Monaten nach ihrer Fälligkeit gerichtlich geltend gemacht werden.

4. Für die Geltendmachung des Mindestlohnes, welcher nicht ausgezahlt worden ist, sondern dem Arbeitszeitkonto (Nr. 2) gutzuschreiben war, gilt die gesetzliche Verjährung.

Anhang 1
(zu § 2 Nummer 4 Satz 1 der Anlage)

Tätigkeitsbeispiele für Facharbeiten im Sinne § 2 Nr. 4 Satz 1

Maler
- Prüfen, Bewerten und Vorbereiten von Untergründen
- Herstellen, Bearbeiten, Behandeln und Gestalten von Oberflächen, insbesondere:
  - Be- und Entschichten insbesondere durch mechanische, thermische, physikalische und chemische Verfahren
  - Ausführung von Spachtel- und Glättarbeiten
  - Ausführung von Dämm- und Isolierarbeiten, insb. Wärmedämmverbundsysteme (WDVS) einschließlich Schlussbeschichtung
  - Tapezier-, Verlege-, Klebe- und Spannarbeiten insb. für Decken-, Wand- und Bodengestaltung
  - Be- und Verarbeiten von Trenn- und Dämmschichten sowie Unterlagen
  - Be- und Verarbeitung textiler Werkstoffe
  - Ausführung von Dekorationsarbeiten insbesondere in Räumen und an Fassaden
  - Ausführung von Holz- und Bautenschutzarbeiten insb. gegen klimatische Belastungen und Biotische Angriffe
  - Ausführung von Hydrophobierungen, Imprägnierungen und Festigungen
  - Bauwerksabdichtungen insbesondere mit bituminösen, zement- oder kunststoffgebundenen Abdichtungsmitteln, Dichtungsbahnen und anderen Dichtstoffen,
  - Anwenden von Entrostungs- und Korrosionsschutzverfahren an Bauwerken und Objekten insbesondere an Brücken, Kränen und Strommasten,
  - Herstellen von metallischen Überzügen insbesondere durch Metallspritzen, Duplex- und Schmelztauchverfahren
  - Durchführung von Ausbauarbeiten insb. Herstellen von Innenflächen aus Putz, Gips, Leichtbaustoffen zur Vorbereitung der Beschichtung
  - Ausführung von Montagearbeiten insb. Aus- und Einbau von Systemelemente
  - Ausführung von Schutzbeschichtungen insb. Brandschutzbeschichtungen und Auskleidungen mit Beschichtungsmitteln,
  - Betonschutz- und instandsetzungsarbeiten
  - Straßenmarkierungsarbeiten
  - Baufugentechnik insb. Anwendung von Systeme und Techniken zur Abdichtung, Instandhaltung und Sanierung von Bauteil-, Dehnungs- und Anschlussfugen an Gebäuden und Objekten im Innen- und Außenbereich, sowie Glasversiegelung
- Pflegen und Konservieren von Oberflächen
  - Entwerfen und Umsetzen von kommunikativer und dekorativer Gestaltung insbesondere Schriften, Zeichen, Ornamente, bildliche Darstellungen, Signets und Symbole
  - Ausführung von Lasur- und Beiztechniken
  - Ausführung von Blattmetall- und Bronzetechniken
  - Ausführung von Fassmal- und Verzierungstechniken, Dekorationsmalerei, Schmuck- und Imitationstechniken
  - Ausführung von Sgraffito, Stuckmarmor, Stucculustro und sonstiger Putzgestaltung einschließlich der Verarbeitung von Steinersatzmassen und Beton,

– Durchführung von Instandsetzungsarbeiten insbesondere Konservierung, Restaurierung, Rekonstruktion und Konsolidierung
– Ausführung von Instandhaltungsmaßnahmen an Bauwerken und Objekten
– Auf- und Abbauen von Arbeits- und Schutzgerüsten sowie von Arbeitsbühnen

Anhang 2
(zu § 3 Nummer 2 der Anlage)

Auszug aus dem Rahmentarifvertrag (RTV) für die gewerblichen Arbeitnehmer im Maler- und Lackiererhandwerk in der nach § 1 Satz 1 der Verordnung maßgeblichen, am 1. August 2025 geltenden Fassung

§ 9 Arbeitszeitkonto.

1. Zur Vermeidung von witterungsbedingten Kündigungen (§ 46) kann vereinbart werden, dass ein Arbeitszeitkonto geführt wird. Auf dem Arbeitszeitkonto wird die abweichend von der regelmäßigen wöchentlichen Arbeitszeit geleistete Arbeitszeit erfasst:

   a) Gutstunden (vorgearbeitete Arbeitszeit) bzw.

   b) Minusstunden (nachzuarbeitende Arbeitszeit).

2. Die im Rahmen des Arbeitszeitkontos (Nr. 3) über die regelmäßige wöchentliche Arbeitszeit hinaus gearbeitete Arbeitszeit ist zuschlagsfrei.
   Für die über die regelmäßigen, werktäglichen Arbeitszeiten hinaus gearbeiteten Stunden sind die Grenzen des Arbeitszeitgesetzes[1] einzuhalten; insbesondere die Einhaltung der täglichen Arbeitszeit von höchstens 10 Stunden (§ 7 Abs. 1 Nr. 1 des Arbeitszeitgesetzes).

3. Das Arbeitszeitkonto darf höchstens 170 Gutstunden bzw. 30 Minusstunden aufweisen. Ab der 171. Stunde ist die Vergütung für mehrgearbeitete Stunden mit der nächsten Lohnzahlung und mit Mehrarbeitszuschlag (§ 36) auszuzahlen.

4. Der jeweils aktuelle Stand des Arbeitszeitkontos (Gut- bzw. Minusstunden) ist mit der monatlichen Lohnabrechnung (§ 34 Nr. 5) separat nachzuweisen.

5. Die Gutstunden des Arbeitszeitkontos sind grundsätzlich zum 31. März eines jeden Kalenderjahres auszugleichen (auf „Null" zu stellen); für Gutstunden, die bis zum Stichtag nicht durch Freizeit ausgeglichen werden, ist die Vergütung mit Mehrarbeitszuschlag (§ 36) auszuzahlen.

6. Scheidet der Arbeitnehmer aus dem Betrieb aus, ist das Arbeitszeitkonto auszugleichen. Für Gutstunden, die bis zum Ausscheiden nicht durch Freizeit ausgeglichen werden, ist die Vergütung mit Mehrarbeitszuschlag (§ 36) mit der abschließenden Lohnzahlung auszuzahlen. Beim Tod des Arbeitnehmers sind Guthaben an die Erben auszuzahlen; bei mehreren Anspruchsberechtigten kann der Arbeitgeber mit befreiender Wirkung an einen Erbberechtigten zahlen.

7. Bei Sonn-, Feiertags- und Nachtarbeit sind die Zuschläge für Sonn-, Feiertags- und Nachtarbeit (§ 36) mit der nächsten Lohnzahlung auszuzahlen; alternativ ist möglich, die Zuschläge in Zeit dem Arbeitszeitkonto gutzuschreiben.

8. Der Arbeitgeber hat in geeigneter Weise dafür zu sorgen, dass Guthaben jederzeit bestimmungsgemäß ausgezahlt werden können.

[…]

---

[1] Nr. **350**.

506d. Zwölfte Verordnung über zwingende Arbeitsbedingungen im Dachdeckerhandwerk (12. Dachdeckerarbeitsbedingungenverordnung – 12. DachdArbbV)[1]

Vom 20. Februar 2024
(BGBl. 2024 I Nr. 56)

FNA 810-1-58-12

Auf Grund des § 7 Absatz 1 und 2 in Verbindung mit Absatz 4 des Arbeitnehmer-Entsendegesetzes[2], dessen Absatz 1 durch Artikel 1 Nummer 7 des Gesetzes vom 10. Juli 2020 (BGBl. I S. 1657) und dessen Absatz 4 durch Artikel 6 Nummer 6 Buchstabe c des Gesetzes vom 11. August 2014 (BGBl. I S. 1348) geändert worden ist, verordnet das Bundesministerium für Arbeit und Soziales, nachdem es den in den Geltungsbereich dieser Verordnung fallenden Arbeitgebern, Arbeitnehmerinnen und Arbeitnehmern, den Parteien des Tarifvertrags nach § 1 Absatz 1 dieser Verordnung, den Parteien von Tarifverträgen in der Branche mit zumindest teilweise demselben fachlichen Geltungsbereich sowie den paritätisch besetzten Kommissionen, die auf der Grundlage kirchlichen Rechts Arbeitsbedingungen für den Bereich kirchlicher Arbeitgeber zumindest teilweise im Geltungsbereich dieser Rechtsverordnung festlegen, Gelegenheit zur schriftlichen Stellungnahme gegeben hat:

§ 1 Zwingende Arbeitsbedingungen. (1) Die in der Anlage zu dieser Verordnung aufgeführten Rechtsnormen des Tarifvertrags zur Regelung eines Mindestlohns im Dachdeckerhandwerk – Dach-, Wand- und Abdichtungstechnik – im Gebiet der Bundesrepublik Deutschland vom 15. September 2023 (TV Mindestlohn), abgeschlossen zwischen dem Zentralverband des Deutschen Dachdeckerhandwerks – Fachverband Dach-, Wand- und Abdichtungstechnik – e.V., Fritz-Reuter-Straße 1, 50968 Köln, einerseits sowie der Industriegewerkschaft Bauen-Agrar-Umwelt, Bundesvorstand, Olof-Palme-Straße 19, 60439 Frankfurt am Main, andererseits, finden auf alle nicht an ihn gebundenen Arbeitgeber sowie Arbeitnehmerinnen und Arbeitnehmer Anwendung, die unter seinen am 1. März 2024 gültigen Geltungsbereich fallen, wenn der Betrieb oder die selbstständige Betriebsabteilung im Sinne des fachlichen Geltungsbereichs des TV Mindestlohn überwiegend Bauleistungen im Sinne des § 101 Absatz 2 des Dritten Buches Sozialgesetzbuch[3] erbringt.

(2) Die Rechtsnormen des TV Mindestlohn finden auch auf Arbeitsverhältnisse zwischen einem Arbeitgeber mit Sitz im Ausland und seinen im Geltungsbereich dieser Verordnung beschäftigten Arbeitnehmerinnen und Arbeitnehmer Anwendung.

(3) Wird eine Leiharbeitnehmerin oder ein Leiharbeitnehmer von einem Entleiher mit Tätigkeiten beschäftigt, die in den Geltungsbereich dieser Verordnung fallen, so hat der Verleiher ihr oder ihm nach § 8 Absatz 3 des Arbeitnehmer-Entsendegesetzes[2] zumindest die nach dieser Verordnung vor-

[1] Die VO **tritt mit Ablauf des 31.12.2025 außer Kraft**, vgl. § 3.
[2] Nr. **506**.
[3] Nr. **700**.

geschriebenen Arbeitsbedingungen zu gewähren; dies gilt auch dann, wenn der Betrieb des Entleihers nicht in den fachlichen Geltungsbereich dieser Verordnung fällt.

§ 2 Anwendungsausnahmen. Diese Verordnung findet keine Anwendung auf Gesamtheiten von Arbeitnehmerinnen und Arbeitnehmern im Sinne des § 1 Nummer 2 Satz 4 des Rahmentarifvertrags für gewerbliche Arbeitnehmer im Dachdeckerhandwerk – Dach-, Wand- und Abdichtungstechnik – (RTV) – in der aus dem Anhang zur Anlage ersichtlichen Fassung,

1. deren Arbeitgeber anderweitig tarifvertraglich gebunden sind oder
2. die bei Arbeitgebern mit Sitz im Ausland beschäftigt sind.

§ 3 Inkrafttreten, Außerkrafttreten. Diese Verordnung tritt am 1. März 2024 in Kraft und mit Ablauf des 31. Dezember 2025 außer Kraft.

Anlage
(zu § 1 Absatz 1)

Rechtsnormen des Tarifvertrages zur Regelung eines Mindestlohnes im Dachdeckerhandwerk – Dach-, Wand- und Abdichtungstechnik – im Gebiet der Bundesrepublik Deutschland (TV Mindestlohn) vom 15. September 2023

§ 1 Geltungsbereich. 1. **Räumlicher Geltungsbereich.** Das Gebiet der Bundesrepublik Deutschland.

2. **Betrieblicher Geltungsbereich.** Betriebe, die unter den betrieblichen Geltungsbereich des Rahmentarifvertrages für gewerbliche Arbeitnehmer im Dachdeckerhandwerk – Dach-, Wand- und Abdichtungstechnik – in der jeweils geltenden Fassung fallen.

3. **Persönlicher Geltungsbereich.** [1] Gewerbliche Arbeitnehmer (Arbeiter), die eine nach den Vorschriften des Sechsten Buches Sozialgesetzbuch – Gesetzliche Rentenversicherung – (SGB VI)[1)] versicherungspflichtige Tätigkeit ausüben.
[2] Nicht erfasst werden:

a) Schüler an allgemeinbildenden Schulen mit Ausnahme der Schüler an Abendschulen und -kollegs,
b) Personen, die nachweislich aufgrund einer Schul-, Ausbildungs- oder Studienverordnung ein Praktikum absolvieren,
c) Schulabgänger, die innerhalb von 12 Monaten nach Beendigung ihrer Schulausbildung bis zu einer Gesamtdauer von 70 Arbeitstagen beschäftigt werden,
d) Gewerbliches Reinigungspersonal, das für Reinigungsarbeiten in Verwaltungs- und Sozialräumen des Betriebes beschäftigt wird,
e) Gewerbliche Arbeitnehmer, die ausschließlich am Betriebssitz beschäftigt werden (ausgenommen ist der Bereich der Vorfertigung).

§ 2 Mindestlöhne. 1. Die Mindestlöhne betragen

a) für ungelernte Arbeitnehmer/Mindestlohn 1

ab dem 1. Januar 2024	13,90 Euro
ab dem 1. Januar 2025	14,35 Euro

b) für gelernte Arbeitnehmer (Gesellen)/Mindestlohn 2

ab dem 1. Januar 2024	15,60 Euro
ab dem 1. Januar 2025	16,00 Euro

2. [1] Gelernte Arbeitnehmer im Sinne der Ziff. 1 Buchst. b) sind Arbeitnehmer, die überwiegend fachlich qualifizierte Arbeiten des Dachdeckerhandwerks ausführen. [2] Arbeitnehmer, die über

1) Auszugsweise abgedruckt unter Nr. **696**.

a) den Gesellenbrief im Dachdeckerhandwerk, Zimmerer- oder Klempnerhandwerk,

b) einen diesem gleichgestellten staatlich anerkannten inländischen oder ausländischen Berufsabschluss bzw. einen entsprechenden Nachweis, der zur Ausführung von Dachdeckerarbeiten qualifiziert,

verfügen, haben Anspruch auf den Mindestlohn 2. [3]Ungelernte Arbeitnehmer im Sinne der Ziff. 1 Buchst. a) sind Arbeitnehmer, die überwiegend Hilfs- und Vorbereitungstätigkeiten ausführen. [4]Hierzu gehören das Anreichen von Materialien sowie das Ein- und Ausräumen und das Reinigen von Baustellen.

3. Höhere Lohnansprüche aufgrund anderer Tarifverträge oder einzelvertraglicher Vereinbarungen bleiben unberührt.

4. [1]Der Anspruch auf den Mindestlohn für die im Kalendermonat geleisteten Stunden wird spätestens zum 15. [2]des Monats fällig, der auf den Monat folgt, für den er zu zahlen ist. [3]Dies gilt nicht für Betriebe, soweit diese nachweislich eine betriebliche Arbeitszeitflexibilisierung unter den Voraussetzungen des § 4 Nr. 3 RTV mit Ausnahme der Nummern 3.3.5 und 3.4.2 für gewerbliche Arbeitnehmer durchführen. [4]Weitergehende Pflichten für inländische Arbeitgeber auf Grund einer Allgemeinverbindlichkeitserklärung des RTV bleiben hiervon unberührt.

5. [1]Für die Geltendmachung von Ansprüchen auf den Mindestlohn gilt die gesetzliche regelmäßige Verjährungsfrist. [2]Dies gilt auch für die Geltendmachung des Mindestlohnes, welcher nicht ausgezahlt worden ist, sondern dem Ausgleichskonto (§ 4 Ziff. 3.3 RTV) gutzuschreiben war.

Anhang
(zu § 1 Absatz 1)

Auszug aus dem Rahmentarifvertrag für gewerbliche Arbeitnehmer im Dachdeckerhandwerk – Dach-, Wand- und Abdichtungstechnik (RTV) vom 27. November 1990, zuletzt geändert durch Tarifvertrag vom 28. Oktober 2022, in der nach § 1 Absatz 1 der Verordnung maßgeblichen, am 1. März 2024 geltenden Fassung

§ 1 Geltungsbereich. […]

Betrieblicher Geltungsbereich:

[1]Alle Betriebe und selbstständige Betriebsabteilungen des Dachdeckerhandwerks. [2]Betriebe des Dachdeckerhandwerks fallen grundsätzlich als Ganzes unter diesen Tarifvertrag. [3]Betrieb im Sinne dieses Tarifvertrags ist auch eine selbstständige Betriebsabteilung. [4]Als solches gilt auch eine Gesamtheit von Arbeitnehmern, die außerhalb der stationären Betriebsstätte eines nicht vom Geltungsbereich erfassten Betriebs Tätigkeiten des Dachdeckerhandwerks ausführen.

[…]

§ 4 Arbeitszeitverteilung/Arbeitszeitausgleich. […]

3. Betriebliche Arbeitszeitverteilung in einem zwölfmonatigen Ausgleichszeitraum

3.1 Durchführung

3.1.1 Durch Betriebsvereinbarung oder, wenn kein Betriebsrat besteht, durch einzelvertragliche Vereinbarung kann eine von der tariflichen Arbeitszeit nach § 3 Ziff. 2 und 3 abweichende Verteilung der Arbeitszeit auf einzelne Werktage vereinbart werden, wobei nur die ersten 150 Stunden zuschlagsfrei sind. Voraussetzung ist, dass dies innerhalb von 12 zusammenhängenden Lohnabrechnungszeiträumen (Ausgleichszeitraum) erfolgt und gleichzeitig ein Monatslohn nach § 4 Ziff. 2 und 3 gezahlt wird. Aus der Vereinbarung muss sich ergeben, in welchem Umfang, in welcher Form und mit welcher Ankündigungsfrist die jeweilige werktägliche Arbeitszeit festgelegt wird.

3.1.2 In die Arbeitszeitverteilung darf der Samstag nicht regelmäßig mit einbezogen werden.

3.1.3 Der Arbeitgeber kann innerhalb des Ausgleichszeitraums bis zu 150 Arbeitsstunden vorarbeiten lassen. Die Anzahl, Lage und die Verteilung dieser Arbeitsstunden im Ausgleichszeitraum ist im Einvernehmen mit dem Betriebsrat, sofern kein Betriebsrat besteht, im Einvernehmen mit dem Arbeitnehmer, festzulegen.

3.2 Monatslohn/regelmäßige monatliche Arbeitszeit

Bei betrieblicher Arbeitszeitverteilung gemäß § 4 Nr. 3.1 wird während des gesamten Ausgleichszeitraums unabhängig von der tatsächlichen monatlichen Arbeitszeit in den Monaten Mai – November ein Monatslohn in Höhe von 174 Effektivstundenlöhnen und in den Monaten Dezember – April ein Monatslohn in Höhe von 162 Effektivstundenlöhnen gezahlt. Die vorgenannten Stundenzahlen entsprechen zugleich der regelmäßigen monatlichen Arbeitszeit.

3.3 Arbeitszeitkonto (Ausgleichskonto)

3.3.1 Für jeden Arbeitnehmer wird ein individuelles Ausgleichskonto eingerichtet. Auf diesem Ausgleichskonto ist die Differenz zwischen der regelmäßigen monatlichen Arbeitszeit und den tatsächlich geleisteten Stunden für jeden Arbeitnehmer gutzuschreiben bzw. zu belasten. Zeiten, in denen ohne Arbeitsleistung Vergütung oder Vergütungsersatz gezahlt wird, bleiben bei der Bestimmung der Plus- und Minusstunden außer Betracht (z.B. Krankheit, Urlaub, Ausfallgeld, Saison-Kurzarbeitergeld). Von der regelmäßigen monatlichen Arbeitszeit sind daher Zeiten abzuziehen, für die Vergütung oder Vergütungsersatz ohne Arbeitsleistung gezahlt wurde. Es ist die Arbeitszeit in Abzug zu bringen, die ohne die Arbeitsverhinderung geleistet worden wäre. Bei gesetzlichen Wochenfeiertagen, am 24. Dezember, sofern dieser auf einen Arbeitstag fällt, und bei Freistellungstagen gem. § 14 sind für jeden Ausfalltag 8 Stunden während der Sommerarbeitszeit bzw. 7,5 Stunden in der Winterarbeitszeit abzuziehen. Der so ermittelte Differenzbetrag ist mit der tatsächlich geleisteten Arbeitszeit zu vergleichen und die Differenz in das Arbeitszeitkonto einzustellen.

3.3.2 Die monatlichen Plus- und Minusstunden sind neben den saldierten und den kumulierten Gesamt-Gut- bzw. -Minusstunden des Arbeitszeitkontos auf der monatlichen Lohnabrechnung gesondert auszuweisen.

3.3.3 Das Arbeitszeitguthaben und der dafür einbehaltene Lohn dürfen zu keinem Zeitpunkt 150 Stunden überschreiten. Wird ein Guthaben von 150 Stunden erreicht, so ist der Lohn für die darüber hinausgehenden Stunden neben dem Monatslohn auszuzahlen.

3.3.4 Auf dem Ausgleichskonto gutgeschriebener Lohn darf nur zum Ausgleich des Monatslohns, bei witterungsbedingtem Arbeitsausfall, in der gesetzlichen Schlechtwetterzeit bei Arbeitsausfall auch aus wirtschaftlichen Gründen, bei Ausscheiden des Arbeitnehmers oder im Todesfall des Arbeitnehmers ausgezahlt werden.

3.3.5 Die Meldung der Guthabenstunden an die Lohnausgleichskasse für das Dachdeckerhandwerk ist im Sozialkassentarifvertrag geregelt. Wird das Arbeitsverhältnis beendet und nimmt der Arbeitnehmer innerhalb von 10 Werktagen eine Tätigkeit im Dachdeckerhandwerk wieder auf, ist auf Verlangen des Arbeitnehmers der Bruttoentgeltbetrag nebst dem Arbeitgeberanteil an den Kosten für den Sozialaufwand für die zu diesem Zeitpunkt bestehenden Stundenguthaben mit Ende des Arbeitsverhältnisses an die Kasse zu überweisen. Nimmt der Arbeitnehmer wieder eine Tätigkeit im Dachdeckerhandwerk auf, erhält der neue Arbeitgeber von der Kasse für die Gewährung der Stunden aus dem Arbeitszeitkonto eine Entschädigung für die gewährte Freistellung. Um die Arbeitszeitkontenstunden dem Lohn des neuen Arbeitsverhältnisses anzupassen, wird der bei der Kasse hinterlegte Entgeltbetrag durch den aktuellen Bruttolohn geteilt.

3.3.6 Das Ausgleichskonto soll nach 12 Monaten ausgeglichen sein. Besteht am Ende des Ausgleichszeitraumes noch ein Zeitguthaben, so sind die dem Guthaben zugrunde liegenden Vorarbeitsstunden und das dafür gutgeschriebene Arbeitsentgelt unter Anrechnung auf das zuschlagsfreie Vorarbeitsvolumen des neuen Ausgleichszeitraumes in diesen zu übertragen.

3.4 Absicherung des Ausgleichskontos

3.4.1 Durch den Arbeitgeber ist in geeigneter Weise auf seine Kosten sicherzustellen, dass das Zeitguthaben jederzeit bestimmungsgemäß ausgezahlt werden kann.

3.4.2 Wird ein Antrag auf Insolvenz gestellt oder liegt ein sonstiges Ereignis i.S.d. Tarifvertrages über das Sozialkassenverfahren vor, wandelt sich das Zeitguthaben des Arbeitnehmers in einen Entgeltanspruch um. Weitere Einzelheiten dazu regelt § 8a des Tarifvertrages über das Sozialkassenverfahren im Dachdeckerhandwerk in der jeweils geltenden Fassung.

3.5 Kündigung

In Betrieben ohne Betriebsrat kann die einzelvertragliche Vereinbarung mit einer Frist von zwei Monaten zum Ende des Ausgleichszeitraums gekündigt werden. Die Regelungen des Arbeitsverhältnisses bleiben im Übrigen unberührt.

[…]

506e. Sechste Verordnung über eine Lohnuntergrenze in der Arbeitnehmerüberlassung[1)]

Vom 23. Oktober 2024
(BGBl. 2024 I Nr. 333)

FNA 810-31-3-6

Auf Grund des § 3a Absatz 2 in Verbindung mit Absatz 1, 3 und 5 des Arbeitnehmerüberlassungsgesetzes[2)], dessen Absätze 1, 2 und 3 durch Artikel 7 Nummer 1 des Gesetzes vom 11. August 2014 (BGBl. I S. 1348) geändert worden sind, verordnet das Bundesministerium für Arbeit und Soziales, nachdem es Verleihern und Leiharbeitnehmerinnen und Leiharbeitnehmern sowie den Gewerkschaften und Vereinigungen von Arbeitgebern, die im Geltungsbereich der Verordnung zumindest teilweise tarifzuständig sind, Gelegenheit zur schriftlichen Stellungnahme gegeben hat und der in § 5 Absatz 1 Satz 1 des Tarifvertragsgesetzes[3)] genannte Ausschuss befasst war:

§ 1 Geltungsbereich. [1] Diese Verordnung findet Anwendung auf alle Arbeitgeber, die als Verleiher Dritten (Entleiher) Arbeitnehmerinnen und Arbeitnehmer (Leiharbeitnehmerinnen und Leiharbeitnehmer) im Rahmen ihrer wirtschaftlichen Tätigkeit zur Arbeitsleistung überlassen. [2] Diese Verordnung findet auf Arbeitsverhältnisse zwischen einem im Ausland ansässigen Verleiher und seinen im Inland beschäftigten Arbeitnehmerinnen und Arbeitnehmern ebenso Anwendung.

§ 2 Lohnuntergrenze. (1) Verleiher sind verpflichtet, ihren Leiharbeitnehmerinnen und Leiharbeitnehmern mindestens das in Absatz 2 genannte Bruttoentgelt als Mindeststundenentgelt im Sinne von § 3a des Arbeitnehmerüberlassungsgesetzes[2)] zu zahlen (Mindeststundenentgelt).

(2) Das Mindeststundenentgelt beträgt:

vom 1. November 2024 bis zum 28. Februar 2025:	14,00 Euro
vom 1. März 2025 bis zum 30. September 2025:	14,53 Euro

(3) Höhere Entgeltansprüche aufgrund von anderen Tarifverträgen, betrieblichen oder einzelvertraglichen Vereinbarungen bleiben unberührt.

(4) [1] Der Anspruch auf das Mindeststundenentgelt wird spätestens am 15. Bankarbeitstag (Referenzort ist Frankfurt am Main) des Monats fällig, der auf den Monat folgt, für den das Mindestentgelt zu zahlen ist. [2] Satz 1 gilt nicht für die über die regelmäßige monatliche Arbeitszeit hinaus entstandenen Arbeitsstunden, wenn eine tarifvertragliche Regelung zur Arbeitszeitflexibilisierung mit einem Arbeitszeitkonto besteht. [3] Das Arbeitszeitkonto darf höchstens 200 Plusstunden umfassen. [4] Zur Beschäftigungssicherung kann das Arbeitszeitkonto bei saisonalen Schwankungen bis zu 230 Plusstunden umfassen. [5] Beträgt das Arbeitszeitguthaben mehr als 150 Plusstunden, ist der Verleiher verpflichtet, die

---

1) Die VO tritt mit Ablauf des 30. September 2025 außer Kraft, vgl. § 3.
2) Nr. **730**.
3) Nr. **504**.

über 150 Stunden hinausgehenden Plusstunden einschließlich der darauf entfallenden Sozialversicherungsabgaben gegen Insolvenz zu sichern und die Insolvenzsicherung der Leiharbeitnehmerin oder dem Leiharbeitnehmer nachzuweisen. [6] Ohne diesen Nachweis darf das Arbeitszeitguthaben höchstens 150 Plusstunden umfassen. [7] Bei Teilzeitbeschäftigten wird die Obergrenze der Arbeitszeitkonten im Verhältnis zur arbeitsvertraglich vereinbarten Arbeitszeit angepasst. [8] Teilzeitbeschäftigung liegt vor, wenn die arbeitsvertraglich vereinbarte Arbeitszeit weniger als 35 Wochenstunden beträgt. [9] Auf Verlangen der Leiharbeitnehmerin oder des Leiharbeitnehmers werden Stunden ausbezahlt, die über 105 Plusstunden im Arbeitszeitkonto hinausgehen. [10] Bei Teilzeitbeschäftigten richtet sich die Anzahl der Plusstunden anteilig nach der jeweils arbeitsvertraglich vereinbarten Arbeitszeit.

§ 3 Inkrafttreten, Außerkrafttreten. Diese Verordnung tritt am 1. November 2024 in Kraft und mit Ablauf des 30. September 2025 außer Kraft.

506f. Zehnte Verordnung über zwingende Arbeitsbedingungen in der Gebäudereinigung (Zehnte Gebäudereinigungsarbeitsbedingungenverordnung – 10. GebäudeArbbV)[1]

Vom 23. Januar 2025
(BGBl. 2025 I Nr. 22)

FNA 810-1-63-10

Auf Grund des § 7 Absatz 1 und 2 in Verbindung mit Absatz 4 des Arbeitnehmer-Entsendegesetzes[2], dessen Absatz 1 durch Artikel 1 Nummer 7 des Gesetzes vom 10. Juli 2020 (BGBl. I S. 1657) und dessen Absatz 4 durch Artikel 6 Nummer 6 Buchstabe c des Gesetzes vom 11. August 2014 (BGBl. I S. 1348) geändert worden ist, verordnet das Bundesministerium für Arbeit und Soziales, nachdem es den in den Geltungsbereich dieser Verordnung fallenden Arbeitgebern, Arbeitnehmerinnen und Arbeitnehmern, den Parteien des Tarifvertrags nach § 1 Absatz 1 dieser Verordnung, den Parteien von Tarifverträgen in der Branche mit zumindest teilweise demselben fachlichen Geltungsbereich sowie den paritätisch besetzten Kommissionen, die auf der Grundlage kirchlichen Rechts Arbeitsbedingungen für den Bereich kirchlicher Arbeitgeber zumindest teilweise im Geltungsbereich dieser Rechtsverordnung festlegen, Gelegenheit zur schriftlichen Stellungnahme gegeben hat:

§ 1 Zwingende Arbeitsbedingungen. (1) Die in der Anlage zu dieser Verordnung aufgeführten Rechtsnormen des Tarifvertrags zur Regelung der Mindestlöhne für gewerbliche Arbeitnehmer in der Gebäudereinigung im Gebiet der Bundesrepublik Deutschland vom 15. November 2024 (TV Mindestlohn), abgeschlossen zwischen dem Bundesinnungsverband des Gebäudereiniger-Handwerks einerseits sowie der Industriegewerkschaft Bauen-Agrar-Umwelt, Bundesvorstand, andererseits, finden auf alle nicht an den TV Mindestlohn gebundenen Arbeitgeber sowie Arbeitnehmerinnen und Arbeitnehmer Anwendung, die unter seinen am 1. Februar 2025 gültigen Geltungsbereich fallen, wenn der Betrieb oder die selbstständige Betriebsabteilung nach dem fachlichen Geltungsbereich des TV Mindestlohn überwiegend Gebäudereinigungsleistungen erbringt.

(2) Die in der Anlage zu dieser Rechtsverordnung aufgeführten Rechtsnormen gelten auch für Arbeitsverhältnisse zwischen einem Arbeitgeber mit Sitz im Ausland und seinen im Geltungsbereich dieser Verordnung beschäftigten Arbeitnehmerinnen und Arbeitnehmern.

(3) Wird eine Leiharbeitnehmerin oder ein Leiharbeitnehmer von einem Entleiher mit Tätigkeiten beschäftigt, die in den Geltungsbereich dieser Verordnung fallen, so hat der Verleiher ihr oder ihm nach § 8 Absatz 3 des Arbeitnehmer-Entsendegesetzes[2] zumindest die nach dieser Verordnung vorgeschriebenen Arbeitsbedingungen zu gewähren; dies gilt auch dann, wenn der

---

[1] Die VO tritt **mit Ablauf des 31.12.2026** außer Kraft; vgl. § 2.
[2] Nr. **506**.

Betrieb des Entleihers nicht in den fachlichen Geltungsbereich dieser Verordnung fällt.

§ 2 Inkrafttreten, Außerkrafttreten. Diese Verordnung tritt am 1. Februar 2025 in Kraft und mit Ablauf des 31. Dezember 2026 außer Kraft.

Anlage
(zu § 1 Absatz 1)

Rechtsnormen des Tarifvertrags zur Regelung der Mindestlöhne für gewerbliche Arbeitnehmer[1] in der Gebäudereinigung im Gebiet der Bundesrepublik Deutschland (TV Mindestlohn) vom 15. November 2024

§ 1 Geltungsbereich. 1. **Räumlicher Geltungsbereich.** Das Gebiet der Bundesrepublik Deutschland.

2. **Betrieblicher Geltungsbereich.** Betriebe, die unter den betrieblichen Geltungsbereich des Rahmentarifvertrages für die gewerblichen Beschäftigten in der Gebäudereinigung (RTV Gebäudereinigung)[2] in der jeweils geltenden Fassung fallen.

3. **Persönlicher Geltungsbereich.** Gewerbliche Arbeitnehmer, die eine nach den Vorschriften des Sechsten Buches Sozialgesetzbuch – Gesetzliche Rentenversicherung –[3] (SGB VI[3]) versicherungspflichtige Tätigkeit ausüben, einschließlich derjenigen, die gemäß § 8 des Vierten Buches Sozialgesetzbuch – Gemeinsame Vorschriften für die Sozialversicherung –[4] (SGB IV[5]) eine geringfügige Beschäftigung ausüben.

§ 2 Mindestlöhne. Die Mindestlöhne betragen bundeseinheitlich

Lohngruppen	ab 01.01.2025	ab 01.01.2026
1	14,25 €	15,00 €
6	17,65 €	18,40 €

1. Zu den Lohngruppen 1 und 6 gehören folgende Tätigkeiten:
   Lohngruppe 1
   Innen- und Unterhaltsreinigungsarbeiten, insbesondere Reinigung, pflegende und schützende Behandlung von Innenbauteilen an Bauwerken aller Art und Verkehrsmitteln, wie z.B. Bussen, Bahnen, Flugzeugen und Schiffen (mit Ausnahme der Reinigung von Autos in Autowaschanlagen und Autohäusern), Gebäudeeinrichtungen, haustechnischen Anlagen, technischen Geräten sowie von Ausstattungen in Räumen, wie z.B. Möbel, Mobiliar und Bodenbelägen aller Art, maschinellen Einrichtungen sowie Beseitigung von Produktionsrückständen; Reinigung von Verkehrs- und Freiflächen einschließlich der Durchführung des Winterdienstes; Innenglasreinigung – soweit diese nicht in typischer Weise mit Glasreinigungstechnik ausgeführt wird – wie z.B. bei Glasreinigung von Mobiliar, Vitrinen und Glastüren (Beseitigung von Griffspuren).
   Lohngruppe 6
   Glas- und Fassadenreinigungsarbeiten, insbesondere Reinigung, pflegende und schützende Behandlung von Glasflächen (mit Ausnahme der Innenraumglasflächen gemäß Lohngruppe 1) und Außenbauteilen an Bauwerken aller Art und Verkehrsmitteln, wie z.B. Bussen, Bahnen, Flugzeugen und Schiffen (mit Ausnahme der Reinigung von Autos in Autowaschanlagen und Autohäusern); Reinigung und Pflege von Verkehrsanlagen (z.B. Verkehrsampeln, Mautanlagen) und Verkehrseinrichtungen (z.B. Verkehrsschilder) sowie von Außenbeleuchtungsanlagen; Gebäudereiniger-Gesellen, die nach Inkrafttreten des Rahmentarifvertrages, gültig ab 1. November 2019 neu eingestellt werden.
2. Der Anspruch auf den Mindestlohn der Lohngruppe 1 steht auch den Arbeitnehmern mindestens zu, die gemäß des Rahmentarifvertrages Gebäudereinigung in der jeweils gültigen Fassung aufgrund ihrer Tätigkeiten in die Lohngruppen 2, 3 oder 4, der Anspruch auf den Mindestlohn der Lohngruppe 6 auch denjenigen Arbeitnehmern, die gemäß Rahmentarifvertrag Gebäudereinigung in

---

[1] **Amtl. Anm.:** Sämtliche Personenbezeichnungen gelten gleichermaßen für jedwedes Geschlecht.

[2] **Amtl. Anm.:** Ein Auszug aus dem Rahmentarifvertrag (RTV) ist im Anhang zu dieser Anlage abgedruckt.

[3] *Auszugsweise abgedruckt unter Nr.* **696**.

[4] Nr. **694**.

[5] Auszugsweise abgedruckt unter Nr. **694**.

der jeweils gültigen Fassung aufgrund ihrer Tätigkeiten in die Lohngruppen 7 oder höher, einzugruppieren sind. Höhere Lohnansprüche aufgrund anderer Tarifverträge, betrieblicher oder einzelvertraglicher Vereinbarungen bleiben im Übrigen unberührt.

3. Der Anspruch auf den Mindestlohn wird spätestens zum 15. des Monats fällig, der dem Monat folgt, für den der Mindestlohn zu zahlen ist. Dies gilt nicht für den Mindestlohnanspruch, der nachweislich auf die in ein nach § 4 RTV geführtes Arbeitszeitkonto eingestellten Stunden entfällt.

4. Der Anspruch auf den Mindestlohn verfällt, wenn er nicht innerhalb von sechs Monaten nach seiner Fälligkeit gerichtlich geltend gemacht wird. Für die Geltendmachung des Mindestlohnes, welcher nicht ausgezahlt worden ist, sondern dem Jahresarbeitszeitkonto (§ 4 Ziff. 2 RTV) gutzuschreiben war, gilt die gesetzliche regelmäßige Verjährungsfrist.

§ 3 Geringfügig Beschäftigte der Lohngruppe 1 – Monatslohn. 1. Bei geringfügig Beschäftigten (§ 8 Absatz 1 Nummer 1 SGB IV[1]) der Lohngruppe 1 mit einer gleichbleibenden wöchentlichen Arbeitszeit kann unabhängig von der jeweiligen monatlichen Arbeitszeit ein verstetigter Monatslohn gezahlt werden.

Der Monatslohn berechnet sich nach der Formel:

Stundenlohn × Wochenarbeitszeit : 5 × 261 : 12.

2. Zuschläge für Nacht-, Sonn- und Feiertagsarbeit, zusätzliches Urlaubsgeld, Erschwerniszuschläge sowie sonstige, von der geleisteten Arbeitszeit unabhängige tarifliche, arbeitsvertragliche oder in Betriebsvereinbarungen vereinbarte Ansprüche sind gesondert zu vergüten und in der Lohnabrechnung auszuweisen.

3. [1] In der monatlichen Lohnabrechnung ist die gleichbleibende wöchentliche Arbeitszeit gemäß Ziffer 1 gesondert auszuweisen. [2] Ein Ausweis in der Lohnabrechnung ist auch in den Fällen vorzunehmen, in denen die individuelle Arbeitszeit nach Ziffer 1 ausnahmsweise überschritten wird.

Anhang
(zur Anlage)

Auszug aus dem Rahmentarifvertrag für die gewerblichen Beschäftigten in der Gebäudereinigung vom 31. Oktober 2019 (RTV Gebäudereinigung), in der nach § 1 Absatz 1 der Verordnung maßgeblichen, am 1. Februar 2025 geltenden Fassung

§ 1 Geltungsbereich. […]

II. Betrieblich

[1] Alle Betriebe, die folgende, der Gebäudereinigung zuzurechnenden Tätigkeiten ausüben:

1. Reinigung, pflegende und schützende Nachbehandlung von Außenbauteilen an Bauwerken aller Art,
2. Reinigung, pflegende und schützende Behandlung von Innenbauteilen an Bauwerken aller Art, Gebäudeeinrichtungen, haustechnischen Anlagen, technischen Geräten sowie von Ausstattungen in Räumen wie z.B. Möbel, Mobiliar und Bodenbelägen aller Art und Verglasungen,
3. Reinigung und Pflege von maschinellen Einrichtungen sowie Beseitigung von Produktionsrückständen,
4. Reinigung und Pflege von Verkehrsmitteln wie z.B. Bussen, Bahnen, Flugzeugen und Schiffen (mit Ausnahme der Reinigung von Autos in Autowaschanlagen und Autohäusern), Verkehrsanlagen, -einrichtungen und Beleuchtungsanlagen,
5. Reinigung von Verkehrs- und Freiflächen einschließlich der Durchführung des Winterdienstes, soweit diese Tätigkeiten nicht durch Gesetz, Rechtsverordnung oder Satzung der Kommune bzw. dem Stadtstaat übertragen sind,
6. Durchführung von Dekontaminationsmaßnahmen,
7. Durchführung von Desinfektionsmaßnahmen sowie von Arbeiten der Raumhygiene.

[2] Die Betriebe fallen, soweit von ihnen oder in ihnen Gebäudereinigungsleistungen überwiegend erbracht werden, als Ganzes unter diesen Tarifvertrag. [3] Betriebe im Sinne dieses Tarifvertrages sind auch selbständige Betriebsabteilungen. [4] Als selbständige Betriebsabteilung gilt auch eine Gesamtheit von Arbeitnehmern eines nicht von den Ziffern 1 bis 7 erfassten Betriebes, die außerhalb ihres Betriebes die dort genannten Tätigkeiten ausführt. […]

---

[1] Nr. **694**.

§ 4 Arbeitszeitflexibilisierung. 1. [1] Durch Betriebsvereinbarung oder, wenn kein Betriebsrat besteht, durch einzelvertragliche Vereinbarung kann für die gewerblich Beschäftigten, die in den Lohngruppen 6 bis 9 eingruppiert sind, vereinbart werden, dass für einen Zeitraum von zwölf zusammenhängenden Monaten (Ausgleichszeitraum) Mehrarbeit oder ausfallende Arbeitszeit durch Verkürzung oder Verlängerung der festgelegten Arbeitszeit an anderen Werktagen ausgeglichen wird. [2] In der Vereinbarung ist zu bestimmen, in welcher Form und mit welcher Ankündigungsfrist die jeweilige werktägliche Arbeitszeit festgelegt wird.

2. Der Arbeitgeber kann innerhalb von zwölf Kalendermonaten 150 Arbeitsstunden vorarbeiten und 30 Arbeitsstunden nacharbeiten lassen (Jahresarbeitszeitkonto).

3. [1] Den Beschäftigten ist bei Anwendung des Jahresarbeitszeitkontos unabhängig von der tatsächlichen monatlichen Arbeitszeit ein gleich bleibender Monatslohn zu zahlen.
[2] Dieser berechnet sich nach der Formel: Stundenlohn × Jahresarbeitszeit : 12.
[3] Der Monatslohn mindert sich um den Lohn für die Arbeitsstunden, die in Folge von Kurzarbeit, Zeiten ohne Entgeltfortzahlung sowie Zeiten unbezahlter Freistellung ausfallen.

4. [1] Für die Beschäftigten wird ein individuelles Ausgleichskonto eingerichtet. [2] Auf diesem Ausgleichskonto ist die Differenz zwischen dem Lohn für die tatsächlich geleisteten Arbeitsstunden und dem nach Ziffer 3 errechneten Monatslohn für jeden Arbeitnehmer gutzuschreiben bzw. zu belasten.

5. [1] Das Arbeitszeitguthaben und der dafür einbehaltene Lohn dürfen zu keinem Zeitpunkt 150 Stunden, die Arbeitszeitschuld und der dafür bereits gezahlte Lohn dürfen zu keinem Zeitpunkt 30 Stunden überschreiten. [2] Wird ein Guthaben für 150 Stunden erreicht, so ist der Lohn für die darüber hinausgehenden Stunden neben dem Monatslohn auszuzahlen.

6. Auf dem Ausgleichskonto gutgeschriebener Lohn darf nur zum Ausgleich für den Monatslohn, am Ende eines Ausgleichszeitraumes nach Maßgabe des folgenden Absatzes, bei Ausscheiden von Beschäftigten oder im Todesfall ausgezahlt werden.

7. [1] Das Ausgleichskonto soll nach zwölf Kalendermonaten ausgeglichen sein. [2] Besteht am Ende des Ausgleichszeitraumes noch ein Guthaben, so sind die dem Guthaben zugrunde liegenden Vorarbeitsstunden und das dafür gutgeschriebene Arbeitsentgelt unter Anrechnung auf das Vorarbeitsvolumen des neuen Ausgleichszeitraumes in diesen zu übertragen. [3] Abweichend vom vorherigen Satz kann auch eine Abgeltung des Guthabens am Ende des Ausgleichszeitraumes durch Betriebsvereinbarung oder, sofern kein Betriebsrat besteht, einzelvertraglich vereinbart werden.

8. [1] Besteht am Ende des Ausgleichszeitraumes eine Zeitschuld, so ist diese in den nächsten Ausgleichszeitraum zu übertragen und in diesem auszugleichen. [2] Bei Ausscheiden von Beschäftigten sind etwaige Guthaben oder Schulden auszugleichen.

9. [1] Durch den Arbeitgeber ist auf seine Kosten durch geeignete Mittel sicherzustellen, dass das Guthaben jederzeit bestimmungsgemäß ausgezahlt werden kann und die steuerlichen und sozialversicherungsrechtlichen Pflichten erfüllt werden können. [2] Bilanzielle Rückstellungen sowie zwischen Konzernunternehmen (§ 18 Aktiengesetz[1)]) begründete Einstandspflichten, wie z.B. Bürgschaften, Patronatserklärungen oder Schuldbeitritte, stellen keine geeigneten Sicherungsmittel dar. [3] Auf Verlangen einer der Tarifvertragsparteien ist dieser gegenüber die Absicherung des Ausgleichskontos nachzuweisen. [4] Erfolgt dieser Nachweis nicht, so ist das Guthaben an die Beschäftigten auszuzahlen; die Vereinbarung über die Arbeitszeitverteilung im Ausgleichszeitraum tritt zu diesem Zeitpunkt außer Kraft.

§ 8 Lohn und Eingruppierung. […]

3. Lohngruppen

3.1 Eingruppierungsgrundsätze

3.1.1 Beschäftigte werden aufgrund ihrer überwiegenden Tätigkeit in eine Lohngruppe dieses Tarifvertrages eingruppiert. Für die Eingruppierung ist die tatsächlich ausgeübte Tätigkeit maßgebend.

3.1.2 Üben Beschäftigte überwiegend Tätigkeiten aus, die nicht den Lohngruppen 1 bis 9 zugeordnet werden können, so ist ihnen für die Zeit, in der sie Tätigkeiten nach den Lohngruppen 1 bis 9 durchführen, der nach diesen Lohngruppen zustehende Lohn zu zahlen.

3.1.3 Üben Beschäftigte überwiegend Tätigkeiten einer höheren Lohngruppe aus, so sind sie nach drei Monaten in die höhere Lohngruppe einzugruppieren.

3.1.4 Tätigkeiten einer höheren Lohngruppe sind im Übrigen entsprechend ihrem zeitlichem Anteil nach der höheren Lohngruppe zu entlohnen.

[1)] Nr. **567**.

Lohngruppen

Lohngruppe 1

Innen- und Unterhaltsreinigungsarbeiten, insbesondere Reinigung, pflegende und schützende Behandlung von Innenbauteilen an Bauwerken aller Art und Verkehrsmitteln wie z.B. Bussen, Bahnen, Flugzeugen und Schiffen (mit Ausnahme der Reinigung von Autos in Autowaschanlagen und Autohäusern), Gebäudeeinrichtungen, haustechnischen Anlagen, technischen Geräten sowie von Ausstattungen in Räumen wie z.B. Möbel, Mobiliar und Bodenbelägen aller Art, maschinellen Einrichtungen sowie Beseitigung von Produktionsrückständen; Reinigung von Verkehrs- und Freiflächen einschließlich der Durchführung des Winterdienstes; Innenglasreinigung – soweit diese nicht in typischer Weise mit Glasreinigungstechnik ausgeführt wird – wie z.B. bei Glasreinigung von Mobiliar, Vitrinen und Glastüren (Beseitigung von Griffspuren).

Lohngruppe 2

Innen- und Unterhaltsreinigungsarbeiten in OP-, Isolier-, Intensiv-, Dialyse-Räumen sowie TBC-Krankenstationen und Isotopenlabors (qualifizierte Innen- und Unterhaltsreinigungsarbeiten).

Lohngruppe 3

Innen- und Unterhaltsreinigungsarbeiten, die eine zusätzliche, anerkannte Qualifizierung erfordern (Desinfektoren, Strahlenschutz-, Gift- und Umweltschutz-Beauftragte).

Lohngruppe 4

Bauschlussreinigungsarbeiten und Vorarbeitende[1] in der Innen- und Unterhaltsreinigung.

Lohngruppe 5

Entfällt

Lohngruppe 6

Glas- und Fassadenreinigungsarbeiten, insbesondere Reinigung, pflegende und schützende Behandlung von Glasflächen (mit Ausnahme der Innenraumglasflächen gemäß Lohngruppe 1) und Außenbauteilen an Bauwerken aller Art und Verkehrsmitteln wie z.B. Bussen, Bahnen, Flugzeugen und Schiffen (mit Ausnahme der Reinigung von Autos in Autowaschanlagen und Autohäusern); Reinigung und Pflege von Verkehrsanlagen (z.B. Verkehrsampeln, Mautanlagen) und Verkehrseinrichtungen (z.B. Verkehrsschilder) sowie von Außenbeleuchtungsanlagen; Gebäudereiniger-Gesellinnen und Gebäudereiniger-Gesellen, die nach Inkrafttreten dieses Rahmentarifvertrages neu eingestellt werden.

Lohngruppe 7

Tätigkeiten, für die Kenntnisse und Fertigkeiten erforderlich sind, die durch eine mindestens dreijährige Berufsausbildung vermittelt werden.

Lohngruppe 8

Gesellinnen und Gesellen mit Ausbildereignungsprüfung, denen die Verantwortung für die Lehrlingsausbildung übertragen worden ist.

Lohngruppe 9

Fachvorarbeitende[1] in der Glas- und Außenreinigung.

[…]

---

[1] **Amtl. Anm.:** Das sind Beschäftigte, die vom Arbeitgeber schriftlich zu Fachvor- bzw. Vorarbeitenden ernannt worden sind.

506g. Achte Verordnung über zwingende Arbeitsbedingungen für die Abfallwirtschaft einschließlich Straßenreinigung und Winterdienst (Achte Abfallarbeitsbedingungenverordnung – 8. AbfallArbbV)[1)]

Vom 19. Dezember 2019

(BAnz AT 27.12.2019 V1)

Auf Grund des § 7 Absatz 1 und 2 in Verbindung mit Absatz 4 des Arbeitnehmer-Entsendegesetzes[2)], dessen Absätze 1 und 4 durch Artikel 6 Nummer 6 Buchstabe b und c des Gesetzes vom 11. August 2014 (BGBl. I S. 1348) geändert worden sind, verordnet das Bundesministerium für Arbeit und Soziales, nachdem es den in den Geltungsbereich dieser Verordnung fallenden Arbeitgebern, Arbeitnehmern und Arbeitnehmerinnen, den Parteien des Tarifvertrags nach § 1 Satz 1 dieser Verordnung, den Parteien von Tarifverträgen in der Branche mit zumindest teilweise demselben fachlichen Geltungsbereich sowie den paritätisch besetzten Kommissionen, die auf der Grundlage kirchlichen Rechts Arbeitsbedingungen für den Bereich kirchlicher Arbeitgeber zumindest teilweise im Geltungsbereich dieser Rechtsverordnung festlegen, Gelegenheit zur schriftlichen Stellungnahme gegeben hat:

§ 1 Zwingende Arbeitsbedingungen. (1) Die in der Anlage zu dieser Verordnung aufgeführten Rechtsnormen des Mindestlohntarifvertrags für die Branche Abfallwirtschaft vom 7. Januar 2009 in der Fassung der Änderungstarifverträge vom 12. August 2009, 19. August 2010, 16. Juni 2011, 6. März 2012, 15. Oktober 2012, 24. Juni 2014, 19. Mai 2015 und 29. Mai 2019, abgeschlossen zwischen der Vereinigung der kommunalen Arbeitgeberverbände, Leipziger Straße 51, 10117 Berlin, und dem BDE Bundesverband der Deutschen Entsorgungs-, Wasser- und Rohstoffwirtschaft e.V., Von-der-Heydt-Straße 2, 10785 Berlin, einerseits sowie ver.di – Vereinte Dienstleistungsgewerkschaft, Paula-Thiede-Ufer 10, 10179 Berlin, andererseits, finden auf alle unter seinen Geltungsbereich fallenden und nicht an ihn gebundenen Arbeitgeber sowie Arbeitnehmer und Arbeitnehmerinnen Anwendung, wenn der Betrieb oder die selbstständige Betriebsabteilung überwiegend Abfälle im Sinne des § 3 Absatz 1 Satz 1 des Kreislaufwirtschaftsgesetzes[3)] sammelt, befördert, lagert, beseitigt oder verwertet oder Dienstleistungen des Kehrens und Reinigens öffentlicher Verkehrsflächen und Schnee- und Eisbeseitigung von öffentlichen Verkehrsflächen einschließlich Streudienste erbringt.

(2) Die Rechtsnormen des Tarifvertrags gelten auch für Arbeitsverhältnisse zwischen einem Arbeitgeber mit Sitz im Ausland und seinen im Geltungsbereich der Verordnung beschäftigten Arbeitnehmern und Arbeitnehmerinnen.

(3) Wird ein Leiharbeitnehmer oder eine Leiharbeitnehmerin von einem Entleiher mit Tätigkeiten beschäftigt, die in den Geltungsbereich dieser Verordnung fallen, so hat der Verleiher ihm oder ihr nach § 8 Absatz 3 des

---

[1)] Die VO tritt am 30. September 2022 außer Kraft.

[2)] Nr. **506**.

[3)] **beck-online, Module Arbeitsrecht Nr. 162.**

Arbeitnehmer-Entsendegesetzes[1] zumindest die nach dieser Verordnung vorgeschriebenen Arbeitsbedingungen zu gewähren; dies gilt auch dann, wenn der Betrieb des Entleihers nicht in den fachlichen Geltungsbereich dieser Verordnung fällt.

§ 2 Inkrafttreten, Außerkrafttreten. Diese Verordnung tritt am 1. Januar 2020 in Kraft und am 30. September 2022 außer Kraft.

Anlage
(zu § 1 Absatz 1)

Rechtsnormen des Mindestlohntarifvertrags für die Branche Abfallwirtschaft vom 7. Januar 2009 in der Fassung der Änderungstarifverträge vom 12. August 2009, 19. August 2010, 16. Juni 2011, 6. März 2012, 15. Oktober 2012, 24. Juni 2014, 19. Mai 2015 und 29. Mai 2019

§ 1 Geltungsbereich. (1) Räumlicher Geltungsbereich
Dieser Tarifvertrag gilt für das Gebiet der Bundesrepublik Deutschland.

(2) Betrieblicher Geltungsbereich
[1] Dieser Tarifvertrag gilt für die Branche Abfallwirtschaft. [2] Diese umfasst alle Betriebe oder selbständigen Betriebsabteilungen, die überwiegend gewerbs- oder geschäftsmäßig Abfälle sammeln, befördern, lagern, behandeln, verwerten oder beseitigen und/oder öffentliche Verkehrsflächen reinigen.
Protokollerklärung
Das Reinigen öffentlicher Verkehrsflächen im Sinne des Tarifvertrags umfasst ausschließlich die Reinigung und den Winterdienst, das Kehren und Reinigen sowie die Schnee- und Eisbeseitigung einschließlich Streudienste von dem öffentlichen Verkehr gewidmeten Straßen, Wegen und Plätzen, soweit dies durch Gesetz, Rechtsverordnung oder Satzung der Kommune übertragen ist. Entsprechendes gilt für die Stadtstaaten.

(3) Persönlicher Geltungsbereich
Dieser Tarifvertrag gilt für Arbeitnehmerinnen und Arbeitnehmer, die in Betrieben oder selbständigen Betriebsabteilungen im Sinne des Absatzes 2 tätig sind.

§ 2 Mindestlohn. (1) Der Mindestlohn beträgt mit Wirkung ab dem 1. Oktober 2019 10,00 Euro je Stunde, ab dem 1. Oktober 2020 10,25 Euro je Stunde und ab dem 1. Oktober 2021 10,45 Euro je Stunde.

(2) [1] Der Anspruch auf den Mindestlohn wird spätestens am letzten Werktag des Monats fällig, der auf den Monat folgt, für den der Mindestlohn zu zahlen ist. [2] Wenn in einem Betrieb Arbeitszeitkonten eingerichtet sind, können die Arbeitsstunden, die bei einer Arbeitnehmerin oder einem Arbeitnehmer 165 Stunden in einem Kalendermonat überschreiten, auf das jeweilige Arbeitszeitkonto gebucht werden. [3] Diese Arbeitsstunden sind innerhalb eines Zeitraumes von sechs Kalendermonaten nach dem Kalendermonat ihrer Entstehung zu entgelten oder durch bezahlte Arbeitsbefreiung auszugleichen. [4] Für Altersteilzeit gelten die gesetzlichen Bestimmungen zum Wertguthabenauf- und abbau.

(3) Höhere Entgeltansprüche aufgrund anderer Tarifverträge, betrieblicher oder einzelvertraglicher Vereinbarungen bleiben unberührt.

[1] Nr. **506**.

[bis 30. 9. 2017]

506 h. Zweite Verordnung über zwingende Arbeitsbedingungen für Wäschereidienstleistungen im Objektkundengeschäft

Vom 27. Januar 2014
(BAnz AT 31.01.2014 V1)

810-1-66-2

Auf Grund des § 7 Absatz 1 und 2 in Verbindung mit Absatz 4 des Arbeitnehmer-Entsendegesetzes[1] vom 20. April 2009 (BGBl. I S. 799) verordnet das Bundesministerium für Arbeit und Soziales, nachdem es den in den Geltungsbereich der Verordnung fallenden Arbeitgebern, Arbeitnehmern und Arbeitnehmerinnen, den Parteien des Tarifvertrags nach § 1 Satz 1 dieser Verordnung sowie den Parteien von Tarifverträgen in der Branche mit zumindest teilweise demselben fachlichen Geltungsbereich Gelegenheit zur schriftlichen Stellungnahme gegeben hat.

§ 1 Zwingende Arbeitsbedingungen. [1] Die in der Anlage zu dieser Verordnung aufgeführten Rechtsnormen des Mindestlohn-Tarifvertrags für Wäschereidienstleistungen im Objektkundengeschäft vom 25. September 2013, abgeschlossen zwischen dem Industrieverband Textil Service – intex – e.V., Mainzer Landstraße 55, 60329 Frankfurt am Main, der Tarifpolitischen Arbeitsgemeinschaft Textilreinigung (TATEX) im Deutschen Textilreinigungsverband e.V., In der Raste 12, 53129 Bonn, einerseits, sowie der Industriegewerkschaft Metall – Vorstand, Wilhelm-Leuschner-Straße 79, 60329 Frankfurt am Main, andererseits, finden auf alle unter seinen Geltungsbereich fallenden und nicht an ihn gebundenen Arbeitgeber sowie Arbeitnehmer und Arbeitnehmerinnen Anwendung, wenn der Betrieb oder die selbständige Betriebsabteilung gewerbsmäßig überwiegend Textilien für gewerbliche Kunden sowie öffentlich-rechtliche oder kirchliche Einrichtungen wäscht; dies gilt unabhängig davon, ob die Wäsche im Eigentum der Wäscherei oder des Kunden steht. [2] Die Rechtsnormen des Tarifvertrags gelten auch für Arbeitsverhältnisse zwischen einem Arbeitgeber mit Sitz im Ausland und seinen im Geltungsbereich dieser Verordnung beschäftigten Arbeitnehmern und Arbeitnehmerinnen. [3] Wird ein Leiharbeitnehmer oder eine Leiharbeitnehmerin von einem Entleiher mit Tätigkeiten beschäftigt, die in den Geltungsbereich dieser Verordnung fallen, so hat der Verleiher ihm oder ihr nach § 8 Absatz 3 des Arbeitnehmer-Entsendegesetzes zumindest die nach dieser Verordnung vorgeschriebenen Arbeitsbedingungen zu gewähren.

§ 2 Anwendungsausnahmen. Die Verordnung findet keine Anwendung auf Wäschereidienstleistungen, die von Werkstätten für behinderte Menschen im Sinne des § 136 des Neunten Buches Sozialgesetzbuch[2] erbracht werden.

---

[1] Nr. **506**.
[2] Nr. **698**.

§ 3 Inkrafttreten, Außerkrafttreten. Diese Verordnung tritt am 1. Februar 2014 in Kraft und am 30. September 2017 außer Kraft.

Anlage
(zu § 1)

Rechtsnormen des Mindestlohn-Tarifvertrags für Wäschereidienstleistungen im Objektkundengeschäft

vom 25. September 2013

§ 1 Geltungsbereich.
Räumlich:
Für die Bundesrepublik Deutschland.
Fachlich:
Betriebe oder selbständige Betriebsabteilungen, deren Umsatz überwiegend auf das Waschen von Textilien für gewerbliche Kunden sowie öffentlich-rechtliche oder kirchliche Einrichtungen entfällt (Objektkundengeschäft), unabhängig davon, ob die Wäsche im Eigentum der Wäscherei oder des Kunden steht, soweit das Objektkundengeschäft prägend ist.
Das ist der Fall, wenn mehr als 50 % des Umsatzes auf das Objektkundengeschäft entfällt.
Persönlich:
Für alle Arbeitnehmerinnen und Arbeitnehmer.

§ 2 Mindeststundenlohn.

1. Der folgende Mindestlohn je Stunde ist zugleich Entgelt im Sinne des § 5 Nummer 1 des Arbeitnehmer-Entsendegesetzes[1)] für alle vom persönlichen Geltungsbereich dieses Tarifvertrags erfassten Arbeitnehmerinnen und Arbeitnehmer.
2. Der Mindestlohn je Stunde beträgt in den Bundesländern Berlin, Brandenburg, Mecklenburg-Vorpommern, Sachsen, Sachsen-Anhalt und Thüringen:

ab 1. Dezember 2013	7,50 €
ab 1. Oktober 2014	8,00 €
ab 1. Juli 2016	8,75 €

3. Der Mindestlohn je Stunde beträgt in den Bundesländern Baden-Württemberg, Bayern, Bremen, Hamburg, Hessen, Niedersachsen, Nordrhein-Westfalen, Rheinland-Pfalz, Saarland und Schleswig-Holstein:

ab 1. Dezember 2013	8,25 €
ab 1. Oktober 2014	8,50 €
ab 1. Juli 2016	8,75 €

---

1) Nr. **506**.

§ 3 Weitere Bestimmungen.

1. Es gilt der Mindestlohn des Arbeitsortes. Auswärts beschäftigte Arbeitnehmer behalten jedoch den Anspruch auf das Entgelt ihres Einstellungsortes, soweit dieses höher ist.
2. Der Abrechnungszeitraum für den Mindestlohn ist jeweils der Kalendermonat. Der Anspruch auf den Mindestlohn wird spätestens am 15. des Folgemonats fällig.
3. § 3 Nummer 2 gilt nicht für Entgeltansprüche, die im Rahmen einer Arbeitszeitflexibilisierung aufgrund Betriebsvereinbarung oder Individualvereinbarung nach folgenden Maßgaben in ein Arbeitszeitkonto eingestellt werden. Die von der regelmäßigen tariflichen oder individuell vereinbarten wöchentlichen Arbeitszeit abweichend erbrachten Arbeitsstunden werden auf ein Arbeitszeitkonto gebucht. Innerhalb eines Ausgleichszeitraums von bis zu zwölf Monaten ist ein auf dem Arbeitszeitkonto vorhandenes Guthaben durch Freizeitausgleich zu erfüllen oder auszubezahlen. Das Arbeitszeitkonto darf höchstens 160 Gutstunden bzw. Minusstunden umfassen.
   Bei Führung eines Arbeitszeitkontos erhalten Arbeitnehmer zum 15. des Folgemonats ein verstetigtes Monatseinkommen auf der Basis von 40 Stunden die Woche, bei Teilzeit auf Basis der vereinbarten regelmäßigen wöchentlichen Arbeitszeit.

[bis 31. 3. 2015]

506 i. Dritte Verordnung über zwingende Arbeitsbedingungen für Bergbauspezialarbeiten auf Steinkohlenbergwerken (Dritte Bergbauspezialarbeitenarbeitsbedingungenverordnung – 3. BergbauArbbV)[1)]

Vom 22. November 2013
(BAnz AT 27. 11. 2013 V1)

Auf Grund des § 7 Absatz 1 und 2 in Verbindung mit Absatz 4 des Arbeitnehmer-Entsendegesetzes[2)] vom 20. April 2009 (BGBl. I S. 799) verordnet das Bundesministerium für Arbeit und Soziales, nachdem es den in den Geltungsbereich der Verordnung fallenden Arbeitgebern, Arbeitnehmern und Arbeitnehmerinnen, den Parteien des Tarifvertrages nach § 1 Satz 1 dieser Verordnung sowie den Parteien von Tarifverträgen in der Branche mit zumindest teilweise demselben fachlichen Geltungsbereich Gelegenheit zur schriftlichen Stellungnahme gegeben hat:

§ 1 Zwingende Arbeitsbedingungen. [1] Die in der Anlage zu dieser Verordnung aufgeführten Rechtsnormen des Tarifvertrages zur Regelung der Mindestbedingungen für die Arbeitnehmer der Bergbau-Spezialgesellschaften im deutschen Steinkohlenbergbau vom 19. März 2013 in der Fassung des Änderungstarifvertrages vom 16. August 2013, abgeschlossen zwischen der Vereinigung der Bergbau-Spezialgesellschaften e.V., Sandstraße 107 – 135, 45473 Mülheim an der Ruhr, und der Industriegewerkschaft Bergbau, Chemie, Energie, Königsworther Platz 6, 30167 Hannover, finden auf alle unter seinen Geltungsbereich fallenden und nicht an ihn gebundenen Arbeitgeber sowie Arbeitnehmer und Arbeitnehmerinnen Anwendung, wenn der Betrieb oder die selbständige Betriebsabteilung im Auftrag eines Dritten überwiegend auf inländischen Steinkohlenbergwerken Grubenräume erstellt oder sonstige untertägige bergbauliche Spezialarbeiten ausführt. [2] Die Rechtsnormen des Tarifvertrages gelten auch für Arbeitsverhältnisse zwischen einem Arbeitgeber mit Sitz im Ausland und seinen im Geltungsbereich dieser Verordnung beschäftigten Arbeitnehmern und Arbeitnehmerinnen. [3] Wird ein Leiharbeitnehmer oder eine Leiharbeitnehmerin von einem Entleiher mit Tätigkeiten beschäftigt, die in den Geltungsbereich dieser Verordnung fallen, so hat der Verleiher ihm oder ihr nach § 8 Absatz 3 des Arbeitnehmer-Entsendegesetzes[2)] zumindest die nach dieser Verordnung vorgeschriebenen Arbeitsbedingungen zu gewähren.

[1)] Die VO tritt am 31. März 2015 außer Kraft.
[2)] Nr. **506**.

§ 2 Inkrafttreten, Außerkrafttreten. Diese Verordnung tritt am 1. Dezember 2013 in Kraft und am 31. März 2015 außer Kraft.

Anlage
(zu § 1)

Rechtsnormen des Tarifvertrages zur Regelung der Mindestbedingungen für die Arbeitnehmer der Bergbau-Spezialgesellschaften im deutschen Steinkohlenbergbau vom 19. März 2013 in der Fassung des Änderungstarifvertrages vom 16. August 2013

§ 1 Geltungsbereich. Dieser Tarifvertrag hat Geltung

a) In sachlicher und räumlicher Hinsicht:
für Betriebe und selbständige Betriebsabteilungen, soweit sie im Bereich des deutschen Steinkohlenbergbaus der Bundesrepublik Deutschland vertikale und horizontale Grubenräume erstellen oder sonstige untertägige bergbauliche Spezialarbeiten im Auftrag des Bergwerksbetreibers ausführen.
Der sachliche Geltungsbereich erstreckt sich nicht auf den Abbau bzw. die Gewinnung von Steinkohle.

b) In persönlicher Hinsicht:
für alle gewerblichen Arbeitnehmer unter Tage, die unter Buchstabe a genannte Tätigkeiten ausüben.

§ 2 Mindestlöhne. 1. Die Tarifstundenlöhne der Tarifgruppen 1 und 2 sind zugleich Mindestlöhne für alle von dem persönlichen Geltungsbereich dieses Tarifvertrages erfassten Arbeitnehmer.

2. Höhere Lohnansprüche aufgrund anderer Tarifverträge oder einzelvertraglicher Vereinbarungen bleiben unberührt.

3. Der Tarifstundenlohn beträgt:

	Stundenlohn ab 1. April 2013 in €
Tarifgruppe I	11,92
Tarifgruppe II	13,24

4. Der Anspruch auf den Mindestlohn wird spätestens am 15. des Monats fällig, der auf den Monat folgt, für den er zu zahlen ist.

§ 3 Zusätzliches Urlaubsgeld.

1. Arbeitnehmer erhalten ein zusätzliches Urlaubsgeld.
2. Das volle zusätzliche Urlaubsgeld beträgt 156,– €. Teilzeitbeschäftigte erhalten das zusätzliche Urlaubsgeld anteilig entsprechend ihrer Beschäftigung.

3. Das zusätzliche Urlaubsgeld wird unter Berücksichtigung der Abzüge restlos in einer Summe bei Antritt des Tarifurlaubs gezahlt und mit den laufenden Bezügen des Auszahlungsmonats verrechnet. Wird der Urlaub nicht zusammenhängend genommen, so wird das zusätzliche Urlaubsgeld bei Antritt des Teilurlaubs gewährt, mit dem mindestens eine Gesamturlaubszeit von 14 Kalendertagen zwischen dem jeweils letzten Arbeitstag vor und dem ersten Arbeitstag nach dem Urlaub erreicht wird.
4. Bei Beginn oder Beendigung des Beschäftigungsverhältnisses während des Kalenderjahres besteht Anspruch auf ein Zwölftel des zusätzlichen Urlaubsgeldes für jeden vollen Monat des Bestehens des Beschäftigungsverhältnisses.

§ 4 Urlaubsanspruch. 1. Der Arbeitnehmer hat in jedem Kalenderjahr Anspruch auf 33 Arbeitstage bezahlten Erholungsurlaub.

2. [1] Arbeitnehmer, deren Arbeitsverhältnis während des Kalenderjahres beginnt oder endet, haben Anspruch auf 1/12 des Jahresurlaubs für jeden vollen Monat des Bestehens des Arbeitsverhältnisses. [2] Dies gilt nur für den über den gesetzlichen Mindesturlaubsanspruch von 20 Arbeitstagen hinausgehenden Teil des tariflichen Urlaubsanspruchs von 33 Tagen. [3] Ergibt sich bei der Berechnung des Urlaubs ein Bruchteil eines Urlaubstages, so wird der Bruchteil auf einen vollen Tag aufgerundet.

3. Arbeitnehmer, die wegen Zuerkennung des Knappschaftsruhegeldes oder des Altersruhegeldes aus dem Arbeitsverhältnis ausscheiden, erhalten für das Kalenderjahr, in dem sie zuletzt gearbeitet haben, den vollen Jahresurlaub.

4. [1] Der Urlaub dient der Erholung. [2] Er ist möglichst zusammenhängend zu gewähren. [3] Eine Abgeltung ist grundsätzlich ebenso wenig zulässig wie ein Verzicht auf Urlaub. [4] Kann der Urlaub wegen Beendigung des Arbeitsverhältnisses ganz oder zum Teil nicht mehr gewährt werden, so ist er abzugelten.

5. [1] Hatte der Arbeitnehmer ein Urlaubsjahr aus von ihm nicht zu vertretenen Gründen tatsächlich nicht die Möglichkeit, seinen Anspruch auf Urlaub ganz oder teilweise auszuüben, so ist der Urlaub spätestens 15 Monate nach Ablauf des Urlaubsjahres zu gewähren und zu nehmen. [2] Danach verfällt der Urlaubsanspruch. [3] Im Übrigen kann der Urlaub auf das nächste Kalenderjahr nur übertragen werden, wenn außergewöhnliche betriebliche oder persönliche Gründe dies erfordern.

Anhang

Anhang

zum Tarifvertrag zur Regelung der Mindestbedingungen

Tarifgruppe 1. – Werker/Hauer

Tätigkeit:
einfache bergmännische Arbeiten nach Anweisung
Tätigkeitsbeispiele:
Strebhauer

– Einbringen von Sturzversatz
– Überwachen des Strebausbau-Bestands einschließlich Ausführen von Kleinreparaturen

- Abbohren und/oder Tränken des Kohlenstoßes
- Arbeiten auf der Böschung in Streben der steilen und stark geneigten Lagerung
- Fahren einer Blasmaschine
- Setzen von Dämmen am Streckensaum
- Instandhalten einschließlich Verlängern oder Verkürzen von Fördermitteln im erweiterten Strebbereich (Wartungsschicht)
- Test- und Entspannungsbohrungen
- Ausrauben von Streben

Hauer im Streckenausbau, Transportarbeiter
- Einbringen von Ankerausbau
- Ausrauben von Strecken
- Fahren eines Senkschaufelladers in Gesteinsstrecken
- Senken von Hand in Abbaustrecken unter besonders schwierigen Bedingungen
- Transportarbeiten unter besonders schwierigen Bedingungen für Betriebspunkte mit umfangreichen Materialmengen im Abbau, in Streckenvortrieben, Raubbetrieben, Auf- oder Abhauen oder an zentralen Materialumschlagsstellen

Maschinenhauer
- Maschinentechnische Spezialfacharbeiten wie:
  Instandhalten und Reparieren von Blindschachteinrichtungen, Schachtbeschickungsanlagen oder automatischen Ladestellen
- Aufmessen oder Verlegen schwieriger Rohrleitungsführungen
- Maschinentechnische Facharbeiten in Flöz- oder Ausrichtungsbetrieben wie:
  Instandhalten und Reparieren maschinentechnischer Anlagen auf der Gewinnungs- oder Wartungsschicht eines Abbaubetriebes
- Verlängern, Verkürzen, Instandhalten von Fördermitteln im erweiterten Strebbereich
- Einbauen, Montieren und Demontieren maschinentechnischer Anlagen
- Instandhalten und Reparieren von Streckentransport- und -fördermitteln, Vortriebs- und Lademaschinen
- Hochwertige und/oder schwierige maschinentechnische Spezialfacharbeiten wie: Instandhalten und Reparieren von automatischen Blindschachteinrichtungen, automatischen Schachtbeschickungsanlagen, Dieselmotoren oder Lokomotiven

Elektrohauer
- Elektrotechnische Spezialfacharbeiten wie:
  Instandhalten und Reparieren von Fernmeldeanlagen, Signalanlagen oder Akkumulatoren und deren Ladeanlagen
- Elektrotechnische Facharbeiten in Flöz- oder Ausrichtungsbetrieben wie:
  Instandhalten und Reparieren elektrotechnischer Anlagen auf der Gewinnungs- oder Wartungsschicht eines Abbaubetriebes, Einrichten oder Rauben elektrotechnischer Anlagen oder Instandhalten und Reparieren elektrotechnischer Anlagen in Aus- oder Vorrichtungsbetrieben
- Hochwertige und/oder schwierige elektrotechnische Spezialfacharbeiten wie:
  Instandhalten und Reparieren von Blindschachthäspeln, Schachtbeschickungsanlagen oder Lokomotiven
- Arbeiten in der Funk- und Fernwirktechnik

Bohrhauer
- Herstellen von Spezialbohrungen wie:
  Untersuchungsbohrungen (insbesondere Kernen), Bohrungen für Gasabsaugung und zur Wasserlösung oder Ziel- und Erweiterungsbohrungen
- Aufstellen und Ausrichten der Bohreinrichtung, Regulieren des Andrucks und Überwachen der Bohrarbeit für die unter Schlüsselnummer 094 genannten Spezialbohrungen

Stapelzimmerhauer
- Instandhalten von Förderblindschächten einschließlich Auswechseln von Ausbau- und Einbauteilen im Rahmen der Unterhaltung einschließlich Transport von sperrigem Material

Lokomotivfahrer, Einschienenhängebahn-Lokfahrer

- Fahren einer Lokomotive in der Material-, Personen- und Produktenförderung auf einer Hauptfördersohle mit gleichzeitig überwiegend gleisgebundener Produktenförderung oder bei besonders schwierigen Transportarbeiten
- Fahren einer Einschienenhängebahn-Lok
- Fahren einer Einschienenhängebahn-Lok bei besonders schwierigen Transportarbeiten im Abbaubereich

Vorarbeiter im Gleisbau

- Zuteilen von Arbeiten an eine Senk-, Gleisbau- oder Gleisreparaturkolonne und mitarbeitend überwachen
  Ortsälteste gemäß § 52 der Bergverordnung für die Steinkohlenbergwerke fallen nicht hierunter, es sei denn, sie werden von der Werksleitung gleichzeitig als Kolonnenführer oder Aufsichtshauer eingesetzt

Hauer für Erweiterungsarbeiten

- Erweitern oder Durchbauen von Gesteins- oder Flözstrecken und sonstigen Grubenbauen
- Fahren eines Senkschaufelladers in Abbaustrecken

Schachtzimmerhauer

- Instandhalten von Tagesschächten einschließlich Transport von sperrigem Material
- Instandhalten von Blindschächten bei gleichzeitigem Instandsetzen von Blindschachtabschnitten

Tarifgruppe 2. – Hauer/Facharbeiter mit Spezialkenntnissen

Tätigkeit:

- *fachliche Arbeiten, die Spezialkenntnisse und mehrjährige Berufserfahrung voraussetzen, welche weitgehend selbständig durchgeführt werden*

Tätigkeitsbeispiele:
Hauer in der Aus- und Vorrichtung

- Auffahren von Abbaustrecken
- Auffahren von Auf- oder Abhauen
- Auffahren von Gesteins- oder Flözstrecken
- Herstellen von Großräumen
- Abteufen von Tages- oder Blindschächten, Aufbrechen von Blindschachttürmen
- Durchbauen von verdrückten Schächten
- Fahren einer Streckenvortriebsmaschine

Maschinenhauer

- Selbständiges Ausführen schwieriger maschinentechnischer Facharbeiten in Flöz- oder Ausrichtungsbetrieben wie:
  Instandhalten und Reparieren maschinentechnischer Anlagen auf der Gewinnungs- oder Wartungsschicht eines Abbaubetriebes
- Einbauen, Montieren und Demontieren maschinentechnischer Anlagen
- Instandhalten und Reparieren von Streckentransport und -fördermitteln, Vortriebs- und Lademaschinen

Elektrohauer

- Selbständiges Ausführen schwieriger elektrotechnischer Facharbeiten in Flöz- und Ausrichtungsbetrieben wie:
  Instandhalten und Reparieren elektrotechnischer Anlagen auf der Gewinnungs- oder Wartungsschicht eines Abbaubetriebes
- Einrichten oder Rauben elektrotechnischer Anlagen
- Instandhalten und Reparieren elektrotechnischer Anlagen in Aus- und Vorrichtungsbetrieben

Kolonnenführer (Förderung, Transport und Unterhaltung)

- Zuteilen von Arbeiten an eine Arbeitsgruppe in der Förderung, im Transport, in der Unterhaltung oder Instandhaltung (Wartungsschicht) oder beim Ausrauben von Strecken und mitarbeitend überwachen

506j. Siebte Verordnung über zwingende Arbeitsbedingungen für die Pflegebranche (Siebte Pflegearbeitsbedingungenverordnung – 7. PflegeArbbV)[1]

Vom 3. März 2026
(BGBl. 2026 I Nr. 58)

FNA 810-1-68-7

Das Bundesministerium für Arbeit und Soziales verordnet aufgrund des § 11 des Arbeitnehmer-Entsendegesetzes[2] vom 20. April 2009 (BGBl. I S. 799), das zuletzt durch Artikel 5a des Gesetzes vom 3. Februar 2026 (BGBl. 2026 I Nr. 29) geändert worden ist, nachdem es den in den Geltungsbereich dieser Rechtsverordnung fallenden Arbeitgebern und Arbeitnehmerinnen und Arbeitnehmern sowie den Parteien von Tarifverträgen, die zumindest teilweise in den fachlichen Geltungsbereich dieser Rechtsverordnung fallen, und den paritätisch besetzten Kommissionen, die auf der Grundlage kirchlichen Rechts Arbeitsbedingungen für den Bereich kirchlicher Arbeitgeber in der Pflegebranche festlegen, Gelegenheit zur schriftlichen Stellungnahme gegeben hat:

§ 1 Geltungsbereich. (1) [1]Diese Verordnung gilt für Pflegebetriebe. [2]Dies sind Betriebe und selbstständige Betriebsabteilungen, die überwiegend ambulante, teilstationäre oder stationäre Pflegeleistungen oder ambulante Krankenpflegeleistungen für Pflegebedürftige im Sinne des § 10 Satz 3 des Arbeitnehmer-Entsendegesetzes[2] erbringen. [3]Pflegebetriebe im Sinne des Satzes 1 sind auch Betreuungsdienste nach § 71 Absatz 1a des Elften Buches Sozialgesetzbuch[3]. [4]Keine Pflegebetriebe im Sinne des Satzes 1 sind Einrichtungen, in denen die Leistungen zur medizinischen Vorsorge, zur medizinischen Rehabilitation, zur Teilhabe am Arbeitsleben oder am Leben in der Gemeinschaft, die schulische Ausbildung oder die Erziehung kranker oder behinderter Menschen im Vordergrund des Zweckes der Einrichtung stehen, sowie Krankenhäuser.

(2) [1]Diese Verordnung gilt vorbehaltlich der Absätze 3 und 4 für alle Arbeitnehmerinnen und Arbeitnehmer in Pflegebetrieben. [2]Sie gilt nicht für

1. Auszubildende nach dem Berufsbildungsgesetz[4],
2. Auszubildende und Studierende nach dem Pflegeberufegesetz[5],
3. Auszubildende in einer landesrechtlich geregelten Ausbildung zu einem Assistenz- und Helferberuf in der Pflege sowie
4. Auszubildende nach dem Pflegefachassistenzgesetz vom 28. Oktober 2025 (BGBl. 2025 I Nr. 259, S. 2).

(3) Diese Verordnung gilt nicht für Arbeitnehmerinnen und Arbeitnehmer in Pflegebetrieben in folgenden Bereichen:

---

[1] Die Verordnug **tritt am 1.7.2026 in Kraft und mit Ablauf des 30.9.2028 außer Kraft**, vgl. §§ 6 und 7.
[2] Nr. **506**.
[3] **Aichberger, SGB Nr. 11.**
[4] Nr. **415**.
[5] Nr. **416**.

1. Verwaltung,
2. Haustechnik,
3. Küche,
4. hauswirtschaftliche Versorgung,
5. Gebäudereinigung,
6. Empfangs- und Sicherheitsdienst,
7. Garten- und Geländepflege,
8. Wäscherei sowie
9. Logistik.

(4) Abweichend von Absatz 3 gilt diese Verordnung für Arbeitnehmerinnen und Arbeitnehmer in den in Absatz 3 genannten Bereichen, soweit sie im Rahmen der von ihnen auszuübenden Tätigkeiten in einem Umfang von mindestens 25 Prozent ihrer vereinbarten Arbeitszeit gemeinsam mit Bezieherinnen und Beziehern von Pflegeleistungen tagesstrukturierend, aktivierend, betreuend oder pflegend tätig werden.

(5) Diese Verordnung gilt für das Gebiet der Bundesrepublik Deutschland.

§ 2 Mindestentgelt. (1) [1] Das Mindestentgelt beträgt
1. ab dem 1. Juli 2026: 16,52 Euro brutto je Stunde,
2. ab dem 1. Juli 2027: 16,95 Euro brutto je Stunde.

[2] Für Pflegekräfte mit einer mindestens einjährigen Ausbildung und einer entsprechenden Tätigkeit beträgt das Mindestentgelt abweichend von Satz 1
1. ab dem 1. Juli 2026: 17,80 Euro brutto je Stunde,
2. ab dem 1. Juli 2027: 18,26 Euro brutto je Stunde.

[3] Für Pflegefachkräfte beträgt das Mindestentgelt abweichend von den Sätzen 1 und 2
1. ab dem 1. Juli 2026: 21,03 Euro brutto je Stunde,
2. ab dem 1. Juli 2027: 21,58 Euro brutto je Stunde.

(2) [1] Pflegekräfte mit einer mindestens einjährigen Ausbildung im Sinne des Absatzes 1 Satz 2 sind diejenigen Arbeitnehmerinnen und Arbeitnehmer, die eine Ausbildung zur Pflegefachassistenz, zu einem Assistenz- und Helferberuf oder eine vergleichbare Ausbildung in der Pflege abgeschlossen haben, wobei die Ausbildungsdauer mindestens den Vorgaben der Nummer 2 der Eckpunkte für die in Länderzuständigkeit liegenden Ausbildungen zu Assistenz- und Helferberufen in der Pflege (BAnz AT 17.02.2016 B3) entspricht. [2] Die Ausbildung kann im Ausland abgeschlossen worden sein. [3] Eine entsprechende Tätigkeit liegt vor, wenn die Arbeitnehmerin oder der Arbeitnehmer jedenfalls auch Tätigkeiten nach Nummer 1 Buchstabe g der in Satz 1 genannten Eckpunkte auf Anweisung des Arbeitgebers durchführt.

(3) Pflegefachkräfte im Sinne des Absatzes 1 Satz 3 sind Arbeitnehmerinnen und Arbeitnehmer, die über eine Qualifikation verfügen, die sie zur Ausübung von Tätigkeiten gemäß § 4 des Pflegeberufegesetzes[1] berechtigt.

[1] Nr. **416**.

(4) Das Mindestentgelt nach Absatz 1 wird auch für Wegezeiten zwischen mehreren aufzusuchenden Patientinnen oder Patienten sowie gegebenenfalls zwischen diesen und den Geschäftsräumen des Pflegebetriebs gezahlt.

(5) [1] Für Zeiten des Bereitschaftsdienstes wird ein Mindestentgelt gemäß den nachstehenden Grundsätzen gezahlt. [2] Die monatlich gezahlte Bruttovergütung geteilt durch die geleisteten Arbeitsstunden einschließlich der Bereitschaftsstunden muss stets mindestens die jeweilige Höhe des allgemeinen gesetzlichen Mindestlohns nach § 1 Absatz 2 Satz 1 des Mindestlohngesetzes[1)] in Verbindung mit der auf der Grundlage des § 11 Absatz 1 Satz 2 des Mindestlohngesetzes jeweils erlassenen Verordnung erreichen. [3] Bereitschaftsdienste leisten Arbeitnehmerinnen und Arbeitnehmer, die sich auf Anordnung des Arbeitgebers außerhalb ihrer regelmäßigen Arbeitszeit an einer vom Arbeitgeber bestimmten Stelle aufhalten, um im Bedarfsfall die Arbeit aufzunehmen, wenn zu erwarten ist, dass zwar Arbeit anfällt, erfahrungsgemäß aber die Zeit ohne Arbeitsleistung mindestens 75 Prozent beträgt. [4] Sie sind im Dienstplan zu hinterlegen. [5] Zum Zwecke der Entgeltberechnung kann die Zeit des Bereitschaftsdienstes einschließlich der geleisteten Arbeit auf der Grundlage einer kollektivrechtlichen oder einer schriftlichen einzelvertraglichen Regelung zu mindestens 40 Prozent als Arbeitszeit bewertet werden. [6] Zeiten des Bereitschaftsdienstes, deren Umfang über 64 Stunden im Kalendermonat hinausgeht, werden mit dem Mindestentgelt nach Absatz 1 vergütet. [7] Dies gilt auch, wenn die Arbeitsleistung innerhalb eines Bereitschaftsdienstes mehr als 25 Prozent umfasst.

(6) [1] Von dieser Verordnung werden Zeiten der Rufbereitschaft nicht erfasst. [2] Rufbereitschaft im Sinne des Satzes 1 leisten Arbeitnehmerinnen und Arbeitnehmer, die sich auf Anordnung des Arbeitgebers außerhalb der regelmäßigen Arbeitszeit an einer dem Arbeitgeber anzuzeigenden Stelle aufhalten, um auf Abruf die Arbeit aufzunehmen. [3] Das Vorliegen von Rufbereitschaft in diesem Sinne wird nicht dadurch ausgeschlossen, dass Arbeitnehmerinnen und Arbeitnehmer vom Arbeitgeber mit einem Mobiltelefon oder einem vergleichbaren technischen Hilfsmittel ausgestattet sind. [4] Im Falle einer Arbeitsaufnahme wird die geleistete Arbeitszeit einschließlich der hierfür erforderlichen Wegezeiten mindestens in Höhe des Mindestentgelts nach Absatz 1 vergütet.

(7) Die Vorschriften des Arbeitszeitgesetzes[2)] bleiben unberührt.

§ 3 Fälligkeit. (1) [1] Das Mindestentgelt nach § 2 Absatz 1 wird für die vertraglich vereinbarte Arbeitszeit spätestens am letzten Bankarbeitstag des Kalendermonats fällig, in dem die Arbeitsleistung zu erbringen war. [2] Im Übrigen wird das Mindestentgelt spätestens am letzten Bankarbeitstag des jeweiligen Folgekalendermonats fällig.

(2) [1] Über die vertraglich vereinbarte Arbeitszeit hinausgehende Arbeitsstunden können abweichend von Absatz 1 auf der Grundlage schriftlicher einzelvertraglicher oder kollektivrechtlicher Vereinbarungen bis zu einer Gesamthöhe von 225 Arbeitsstunden in ein Arbeitszeitkonto eingestellt werden. [2] Im Falle einer Überschreitung der in Satz 1 genannten Obergrenze gilt für die Fälligkeit des Anspruchs auf Vergütung dieser Arbeitsstunden die jeweilige Regelung nach Absatz 1. [3] Der Ausgleich dieser Arbeitsstunden kann durch Auszahlung

---

[1)] Nr. **505**.
[2)] Nr. **350**.

des darauf entfallenden Mindestentgelts oder durch bezahlte Freizeitgewährung erfolgen.

(3) [1] Die Obergrenze von 225 Arbeitsstunden nach Absatz 2 Satz 1 gilt nicht, wenn der Ausgleich der über die vertraglich vereinbarte Arbeitszeit hinausgehenden Arbeitsstunden zum Ende eines Ausgleichszeitraums mit einer Länge von höchstens 16 Monaten in einer Arbeitszeitkontenvereinbarung vereinbart ist. [2] Der Anspruch auf die Vergütung von Arbeitsstunden, die in ein Arbeitszeitkonto eingestellt wurden und nicht innerhalb des Ausgleichszeitraums nach Satz 1 ausgeglichen wurden, wird mit Ablauf des für diese Arbeitsstunden geltenden Ausgleichszeitraums fällig.

(4) Vereinbarungen über Wertguthaben auf der Grundlage des Altersteilzeitgesetzes[1)], der §§ 7b und 7e des Vierten Buches Sozialgesetzbuch[2)] oder einer im Hinblick auf den Schutz der Arbeitnehmerinnen und Arbeitnehmer vergleichbaren ausländischen Regelung bleiben unberührt.

(5) Im Falle der Beendigung des Arbeitsverhältnisses hat der Arbeitgeber die zum Zeitpunkt der Beendigung nicht ausgeglichenen Arbeitsstunden spätestens in dem auf die Beendigung des Arbeitsverhältnisses folgenden Kalendermonat abzugelten.

(6) Die Vorschriften des Arbeitszeitgesetzes[3)] bleiben unberührt.

§ 4 Mehrurlaub. (1) [1] Die Arbeitnehmerin oder der Arbeitnehmer hat Anspruch auf zusätzlichen bezahlten Erholungsurlaub, der, ausgehend von einer jahresdurchschnittlichen Verteilung der regelmäßigen wöchentlichen Arbeitszeit auf fünf Tage, je Kalenderjahr neun Tage beträgt (Mehrurlaub). [2] Verteilt sich die regelmäßige Arbeitszeit im Jahresdurchschnitt auf mehr oder weniger als fünf Tage in der Woche, erhöht oder verringert sich der Anspruch auf Mehrurlaub entsprechend.

(2) [1] Soweit tarifliche, betriebliche, arbeitsvertragliche oder sonstige Regelungen insgesamt einen über den gesetzlichen Erholungsurlaub hinausgehenden Anspruch auf bezahlten Urlaub vorsehen, entsteht der Anspruch auf Mehrurlaub nicht. [2] Gesetzlicher Erholungsurlaub ist der bezahlte Urlaub nach dem Bundesurlaubsgesetz[4)] sowie nach anderen Gesetzen.

(3) Im Übrigen gelten für den Mehrurlaub die gesetzlichen Bestimmungen.

§ 5 Ausschlussfrist. Die Ansprüche auf das Mindestentgelt verfallen, wenn sie nicht innerhalb von zwölf Monaten nach ihrer Fälligkeit in Textform geltend gemacht werden.

§ 6 Außerkrafttreten. Diese Verordnung tritt mit Ablauf des 30. September 2028 außer Kraft.

§ 7 Inkrafttreten. Diese Verordnung tritt am 1. Juli 2026 in Kraft.

---

1) Nr. **721**.
2) Nr. **694**.
3) Nr. **350**.
4) Nr. **134**.

506k. Sechste Verordnung über zwingende Arbeitsbedingungen für Aus- und Weiterbildungsdienstleistungen nach dem Zweiten oder Dritten Buch Sozialgesetzbuch (Sechste Aus- und Weiterbildungsdienstleistungenarbeitsbedingungenverordnung – 6. AusbDienstLArbbV)[1)]

Vom 24. Januar 2023
(BGBl. I Nr. 22)

FNA 810-1-70-6

Auf Grund des § 7 Absatz 1 und 2 in Verbindung mit Absatz 4 des Arbeitnehmer-Entsendegesetzes[2)], dessen Absatz 1 durch Artikel 1 Nummer 7 des Gesetzes vom 10. Juli 2020 (BGBl. I S. 1657) und dessen Absatz 4 durch Artikel 6 Nummer 6 Buchstabe c des Gesetzes vom 11. August 2014 (BGBl. I S. 1348) geändert worden ist, verordnet das Bundesministerium für Arbeit und Soziales, nachdem es den in den Geltungsbereich dieser Verordnung fallenden Arbeitgebern, Arbeitnehmerinnen und Arbeitnehmern, den Parteien des Tarifvertrags nach § 1 Absatz 1 dieser Verordnung, den Parteien von Tarifverträgen in der Branche mit zumindest teilweise demselben fachlichen Geltungsbereich sowie den paritätisch besetzten Kommissionen, die auf der Grundlage kirchlichen Rechts Arbeitsbedingungen für den Bereich kirchlicher Arbeitgeber zumindest teilweise im Geltungsbereich dieser Rechtsverordnung festlegen, Gelegenheit zur schriftlichen Stellungnahme gegeben hat:

§ 1 Zwingende Arbeitsbedingungen. (1) Die in der Anlage zu dieser Verordnung aufgeführten Rechtsnormen des Tarifvertrags Nr. 7 zur Regelung des Mindestlohns für pädagogisches Personal vom 27. Juli 2022, abgeschlossen zwischen der Zweckgemeinschaft des Bundesverbandes der Träger beruflicher Bildung, einerseits, sowie ver.di – Vereinte Dienstleistungsgewerkschaft und der Gewerkschaft Erziehung und Wissenschaft (GEW), andererseits, finden auf alle nicht an ihn gebundenen Arbeitgeber sowie Arbeitnehmerinnen und Arbeitnehmer Anwendung, die unter seinen am 1. Februar 2023 gültigen Geltungsbereich fallen, wenn der Betrieb oder die selbstständige Betriebsabteilung im Sinne des fachlichen Geltungsbereichs des Tarifvertrags überwiegend Aus- und Weiterbildungsmaßnahmen nach dem Zweiten[3)] oder Dritten Buch Sozialgesetzbuch[4)] erbringt.

(2) Die Rechtsnormen des Tarifvertrags gelten auch für Arbeitsverhältnisse zwischen einem Arbeitgeber mit Sitz im Ausland und seinen im Geltungsbereich dieser Verordnung beschäftigten Arbeitnehmerinnen und Arbeitnehmern.

[1)] Die VO tritt mit Ablauf des 31. Dezember 2026 außer Kraft; vgl. § 2.
[2)] Nr. **506**.
[3)] Nr. **692**.
[4)] Nr. **700**.

(3) Wird eine Leiharbeitnehmerin oder ein Leiharbeitnehmer von einem Entleiher mit Tätigkeiten beschäftigt, die in den Geltungsbereich dieser Verordnung fallen, so hat der Verleiher ihr oder ihm nach § 8 Absatz 3 des Arbeitnehmer-Entsendegesetzes[1)] zumindest die nach dieser Verordnung vorgeschriebenen Arbeitsbedingungen zu gewähren; dies gilt auch dann, wenn der Betrieb des Entleihers nicht in den fachlichen Geltungsbereich dieser Verordnung fällt.

§ 2 Inkrafttreten, Außerkrafttreten. Diese Verordnung tritt am 1. Februar 2023 in Kraft und am 31. Dezember 2026 außer Kraft.

Anlage
(zu § 1 Absatz 1)

Rechtsnormen des Tarifvertrags Nr. 7 zur Regelung des Mindestlohns für pädagogisches Personal vom 27. Juli 2022

§ 1 Geltungsbereich. Dieser Tarifvertrag gilt

1. räumlich im gesamten Gebiet der Bundesrepublik Deutschland;
2. fachlich für Betriebe oder selbständige Betriebsabteilungen von Trägern der beruflichen Bildung, soweit diese Betriebe oder selbständigen Betriebsabteilungen überwiegend Aus- und Weiterbildungsdienstleistungen nach dem Zweiten oder Dritten Buch Sozialgesetzbuch erbringen. Ausgenommen sind Einrichtungen der beruflichen Rehabilitation im Sinne des § 51 Absatz 1 Satz 1 des Neunten Buches Sozialgesetzbuch[2)];
3. persönlich für alle Arbeitnehmerinnen und Arbeitnehmer im pädagogischen Bereich mit Ausnahme von Praktikanten und Praktikantinnen (auch im Anerkennungsjahr).
   Arbeitnehmerinnen und Arbeitnehmer im pädagogischen Bereich sind mit der Aus- und Weiterbildung, Vermittlung oder Betreuung von Teilnehmern und Teilnehmerinnen betraut.

§ 2 Regelungsgegenstände. (1) [1] Dieser Tarifvertrag regelt ausschließlich die Mindeststundenentgelte und den jährlichen Urlaubsanspruch. [2] Er enthält zudem eine Öffnungsklausel für die Entgeltumwandlung nach dem Gesetz zur Verbesserung der betrieblichen Altersversorgung[3)] (BetrAVG). [3] Für andere Regelungsgegenstände ist die Vereinbarung eines tariflichen Anspruchs aus diesem Tarifvertrag ausdrücklich nicht gewollt.

(2) Für die Arbeitnehmerinnen und Arbeitnehmer günstigere Regelungen bleiben unberührt.

§ 3 Entgelt. (1) Das Mindeststundenentgelt (brutto) beträgt in Gruppe 1

–	ab dem 1. Januar 2023	17,87 Euro,
–	ab dem 1. Januar 2024	18,58 Euro,
–	ab dem 1. Januar 2025	19,37 Euro und
–	ab dem 1. Januar 2026	20,24 Euro.

(2) [1] Arbeitnehmerinnen und Arbeitnehmer haben Anspruch auf das Mindeststundenentgelt der Gruppe 2, sofern sie über eine der in der Anlage „Qualifikationen – Gruppe 2" abschließend aufgeführten formalen Qualifikationen verfügen. [2] Die Anlage ist insofern Bestandteil dieses Tarifvertrages. [3] Der Anspruch auf das Mindeststundenentgelt der Gruppe 2 besteht auch dann, wenn sich durch den Erwerb einer der maßgeblichen Qualifikationen die konkret auszuübende Tätigkeit nicht ändert. [4] Er besteht auch bei Abschlüssen, die im Ausland erworben und im Inland als den in der Anlage aufgeführten Abschlüssen entsprechend anerkannt wurden. [5] Das Mindeststundenentgelt (brutto) beträgt in Gruppe 2

–	ab dem 1. Januar 2023	18,41 Euro,
–	ab dem 1. Januar 2024	19,15 Euro,
–	ab dem 1. Januar 2025	19,96 Euro und
–	ab dem 1. Januar 2026	20,86 Euro.

---

1) Nr. **506**.
2) Nr. **440**.
3) Nr. **180**.

(3) Der Anspruch auf das Mindeststundenentgelt wird spätestens am 15. des Monats fällig, der auf den Monat folgt, für den das Mindestentgelt zu zahlen ist.

(4) [1] Bei Vereinbarung eines verstetigten Monatsentgelts, das sich nach der Formel Mindeststundenentgelt x vereinbarte regelmäßige Wochenarbeitszeit × 4,348 berechnet, gilt Absatz 3 nicht für die über die regelmäßige monatliche Arbeitszeit hinaus entstandenen Arbeitsstunden, wenn eine Regelung zur Arbeitszeitflexibilisierung mit einem Arbeitszeitkonto besteht. [2] Das Arbeitszeitkonto darf höchstens 100 Plusstunden umfassen. [3] Plusstunden auf dem Arbeitszeitkonto sind innerhalb eines Zeitraums von zwölf Monaten nach dem Kalendermonat ihrer Entstehung abzugelten oder durch bezahlte Arbeitsbefreiung auszugleichen. [4] Plusstunden, die zum Zeitpunkt der Beendigung eines Arbeitsverhältnisses noch bestehen, sind abzugelten.

§ 4 Öffnungsklausel Altersvorsorge; Entgeltumwandlung. [1] Entsprechend der §§ 20 und 1a BetrAVG[1)] wird die Entgeltumwandlung zugelassen. [2] Die Durchführung des Anspruchs der Arbeitnehmerin und des Arbeitnehmers auf Entgeltumwandlung wird durch Tarifvertrag, Betriebsvereinbarung oder individualrechtlich geregelt.

§ 5 Urlaub. [1] Die Arbeitnehmerin und der Arbeitnehmer haben unter Fortzahlung des Arbeitsentgelts Anspruch auf Jahresurlaub; Urlaubsjahr ist das Kalenderjahr. [2] Unter Zugrundelegung einer Fünf-Tage-Woche beträgt der Urlaubsanspruch 29 Arbeitstage; der volle Urlaubsanspruch entsteht erstmalig nach einem ununterbrochenen Arbeitsverhältnis von sechs Monaten. [3] Verteilt sich die regelmäßige Arbeitszeit im Jahresdurchschnitt auf mehr oder weniger als fünf Tage in der Woche, erhöht oder verringert sich der Urlaubsanspruch entsprechend.

Anhang
(zu § 3 Absatz 2 der Anlage)

„Qualifikationen – Gruppe 2" zum TV Mindestlohn pädagogisches Personal Nr. 7

1. Die im Folgenden aufgeführten formalen Qualifikationen (Abschlüsse) auf Grundlage von Rechtsverordnungen zur Regelung der beruflichen Fortbildung nach § 53 Absatz 1 des Berufsbildungsgesetzes (BBiG)[2)] oder § 42 Absatz 1 der Handwerksordnung[3)] (HwO[4)]); außer Regelungen für die Meisterprüfungen.
   - Geprüfter Fachkaufmann oder geprüfte Fachkauffrau:
     - Geprüfter Bilanzbuchhalter oder geprüfte Bilanzbuchhalterin,
     - Geprüfter Controller oder geprüfte Controllerin,
   - Geprüfter Personalfachkaufmann oder geprüfte Personalfachkauffrau;
   - Fachwirte aller Fachrichtungen oder Fachwirtinnen aller Fachrichtungen;
   - Operative Professional (Geprüfter oder Geprüfte):
     - Geprüfter IT-Berater oder geprüfte IT-Beraterin – (Certified IT Business Consultant),
     - Geprüfter IT-Entwickler oder geprüfte IT-Entwicklerin – (Certified IT Systems Manager),
     - Geprüfter IT-Ökonom oder geprüfte IT-Ökonomin – (Certified IT Marketing Manager),
     - Geprüfter IT-Projektleiter oder geprüfte IT-Projektleiterin – (Certified IT Business Manager);
   - Geprüfter Aus- und Weiterbildungspädagoge oder geprüfte Aus- und Weiterbildungspädagogin,
   - Geprüfter Pharmareferent oder geprüfte Pharmareferentin,
   - Geprüfter Prozessmanager Elektrotechnik oder geprüfte Prozessmanagerin Elektrotechnik,
   - Geprüfter Prozessmanager Mikrotechnologie oder geprüfte Prozessmanagerin Mikrotechnologie,
   - Geprüfter Prozessmanager Produktionstechnologie oder geprüfte Prozessmanagerin Produktionstechnologie,
   - Verkaufsleiter im Lebensmittelhandwerk oder Verkaufsleiterin im Lebensmittelhandwerk,
   - Geprüfter Berufspädagoge oder geprüfte Berufspädagogin,
   - Geprüfter Betriebswirt oder geprüfte Betriebswirtin,

[1)] Nr. **180**.
[2)] Nr. **415**.
[3)] Nr. **107**.
[4)] Auszugsweise abgedruckt unter Nr. **107**.

- Geprüfter Betriebswirt nach der Handwerksordnung[1] oder geprüfte Betriebswirtin nach der Handwerksordnung[1],
- Geprüfter Technischer Betriebswirt oder geprüfte Technische Betriebswirtin;
- Geprüfter Strategischer Professional oder geprüfte Strategische Professional:
  - Geprüfter Informatiker oder geprüfte Informatikerin – (Certified IT Technical Engineer),
  - Geprüfter Wirtschaftsinformatiker oder geprüfte Wirtschaftsinformatikerin – (Certified IT Business Engineer);

2. Die im Folgenden aufgeführten formalen Qualifikationen (Abschlüsse) auf der Grundlage landesrechtlich geregelter Weiterbildung an Fachschulen (Rahmenvereinbarung über Fachschulen, Beschluss der Kultusministerkonferenz)
   - Staatlich geprüfter Agrarbetriebswirt oder staatlich geprüfte Agrarbetriebswirtin (in allen Fachrichtungen),
   - Staatlich geprüfter Wirtschafter oder staatlich geprüfte Wirtschafterin (in allen Fachrichtungen),
   - Staatlich geprüfter Gestalter oder staatlich geprüfte Gestalterin (in allen Fachrichtungen),
   - Staatlich geprüfter Techniker oder staatlich geprüfte Technikerin (in allen Fachrichtungen),
   - Staatlich geprüfter Betriebswirt oder staatlich geprüfte Betriebswirtin beziehungsweise staatlich geprüfter hauswirtschaftlicher Betriebsleiter oder staatlich geprüfte hauswirtschaftliche Betriebsleiterin (in allen Fachrichtungen),
   - Staatlich anerkannter Erzieher oder staatlich anerkannte Erzieherin beziehungsweise staatlich anerkannter Heilerziehungspfleger oder staatlich anerkannte Heilerziehungspflegerin,
   - Staatlich anerkannter Heilpädagoge oder staatlich anerkannte Heilpädagogin;
3. Die im Folgenden aufgeführten formalen Qualifikationen (Abschlüsse) auf der Grundlage von Rechtsverordnungen nach § 45 Absatz 1 sowie § 51a Absatz 2 HwO[2] über die Anforderungen in der Meisterprüfung in einem Gewerbe der Anlage A beziehungsweise B zur HwO[1]
   - Meister aller Fachrichtungen oder Meisterinnen aller Fachrichtungen;
4. Die im Folgenden aufgeführten formale Qualifikationen (Abschlüsse) auf der Grundlage der Fortgeltung bestehender Regelungen bei handwerklichen Meisterprüfungen nach § 122 HwO[2]
   - Meister aller Fachrichtungen oder Meisterinnen aller Fachrichtungen;
5. Die im Folgenden aufgeführten formalen Qualifikationen (Abschlüsse) auf der Grundlage von Rechtsverordnungen über die Anforderungen in Meisterprüfungen nach § 53 BBiG[3] beziehungsweise § 42 Absatz 1 HwO[2]
   - Meister aller Fachrichtungen oder Meisterinnen aller Fachrichtungen;
6. Die im Folgenden aufgeführten beruflichen Fortbildungsqualifikationen aller zuständigen Stellen nach § 54 BBiG[3]
   - Fachwirte, Meister und Techniker aller Fachrichtungen oder Fachwirtinnen, Meisterinnen und Technikerinnen aller Fachrichtungen; Geprüfte Berufsspezialisten aller Fachrichtungen oder Berufsspezialistinnen; Bachelor Professional in; Master Professional in
7. Staatlich anerkannte akademische Grade
   Bachelor, Master, Magister, Diplom, Staatsexamen und denen Gleichgestellte, Doktoratsebene.

---

[1] *Auszugsweise abgedruckt* unter Nr. **107**.
[2] Nr. **107**.
[3] Nr. **415**.

506l. Neunte Verordnung über zwingende Arbeitsbedingungen im Gerüstbauerhandwerk (Neunte Gerüstbauerarbeitsbedingungenverordnung – 9. GerüstbauerArbbV)[1)]

Vom 17. Dezember 2025
(BGBl. 2025 I Nr. 332)

FNA 810-1-71-9

Das Bundesministerium für Arbeit und Soziales verordnet aufgrund des § 7 Absatz 1, 2 und 4 des Arbeitnehmer-Entsendegesetzes[2)] vom 20. April 2009 (BGBl. I S. 799), das zuletzt durch Artikel 1 des Gesetzes vom 28. Juni 2023 (BGBl. 2023 I Nr. 172) geändert worden ist, nachdem es den in den Geltungsbereich dieser Verordnung fallenden Arbeitgebern, Arbeitnehmerinnen und Arbeitnehmern, den Parteien des Tarifvertrags nach § 1 Absatz 1 dieser Verordnung, den Parteien von Tarifverträgen in der Branche mit zumindest teilweise demselben fachlichen Geltungsbereich sowie den paritätisch besetzten Kommissionen, die auf der Grundlage kirchlichen Rechts Arbeitsbedingungen für den Bereich kirchlicher Arbeitgeber zumindest teilweise im Geltungsbereich dieser Verordnung festlegen, Gelegenheit zur schriftlichen Stellungnahme gegeben hat:

§ 1 Zwingende Arbeitsbedingungen. Die in der Anlage zu dieser Verordnung aufgeführten Rechtsnormen des Tarifvertrags zur Regelung eines Mindestlohnes im Gerüstbauerhandwerk im Gebiet der Bundesrepublik Deutschland (TV Mindestlohn) vom 25. September 2025, abgeschlossen zwischen dem Bundesverband Gerüstbau e.V. und der Bundesinnung für das Gerüstbauer-Handwerk einerseits sowie der Industriegewerkschaft Bauen-Agrar-Umwelt andererseits, finden auf alle nicht an den TV Mindestlohn gebundenen Arbeitgeber sowie Arbeitnehmerinnen und Arbeitnehmer Anwendung, die unter den Geltungsbereich der am 1. Januar 2026 geltenden Fassung des TV Mindestlohn fallen, wenn der Betrieb oder die selbstständige Betriebsabteilung nach dem fachlichen Geltungsbereich des TV Mindestlohn überwiegend Bauleistungen im Sinne des § 101 Absatz 2 des Dritten Buches Sozialgesetzbuch[3)] erbringt.

§ 2 Außerkrafttreten. Diese Verordnung tritt mit Ablauf des 31. Dezember 2027 außer Kraft.

§ 3 Inkrafttreten. Diese Verordnung tritt am 1. Januar 2026 in Kraft.

---

1) Die VO tritt gem. § 3 mit Ablauf des 31.12.2027 außer Kraft, vgl. § 2..
2) Nr. **506**.
3) Nr. **700**.

Anlage
(zu § 1)

Rechtsnormen des Tarifvertrags zur Regelung eines Mindestlohnes im Gerüstbauerhandwerk im Gebiet der Bundesrepublik Deutschland (TV Mindestlohn) vom 25. September 2025

§ 1 Geltungsbereich

1. Räumlicher Geltungsbereich

Das Gebiet der Bundesrepublik Deutschland.

2. Betrieblicher Geltungsbereich

Abschnitt I

a) Betriebe des Gerüstbauer-Handwerks. Das sind alle Betriebe, die nach ihrer durch die Art der betrieblichen Tätigkeit geprägten Zweckbestimmung mit eigenem oder fremdem Material gewerblich Gerüste erstellen. Erfasst werden insbesondere auch Betriebe, die gewerblich Gerüstmaterial bereitstellen oder gewerblich die Gerüstbaulogistik (insbesondere Lagerung, Wartung und Reparatur, Ladung oder Transport von Gerüstmaterial) übernehmen. Als Gerüste gelten alle Arten von Arbeits-, Schutz- und Traggerüsten, Fahrgerüste und Sonderkonstruktionen der Rüsttechnik.

b) Erfasst werden auch solche Betriebe, die im Rahmen eines mit Betrieben des Gerüstbauer-Handwerks bestehenden Zusammenschlusses – unbeschadet der gewählten Rechtsform – ausschließlich oder überwiegend für die angeschlossenen Betriebe des Gerüstbauer-Handwerks die kaufmännische und/oder organisatorische Verwaltung, den Transport von Gerüstmaterial, den Vertrieb, Planungsarbeiten, Laborarbeiten oder Prüfarbeiten übernehmen, soweit diese Betriebe nicht von einem spezielleren Tarifvertrag erfasst werden.

Abschnitt II

[1] Ein Betrieb, soweit in ihm die unter Abschnitt I beschriebenen Leistungen überwiegend erbracht werden, fällt grundsätzlich als Ganzes unter diesen Tarifvertrag. [2] Betrieb im Sinne dieses Tarifvertrages ist auch eine selbstständige Betriebsabteilung. [3] Als solche gilt auch eine Gesamtheit von Arbeitnehmern, die außerhalb der stationären Betriebsstätte eines nicht von Abschnitt I erfassten Betriebes Arbeiten des Gerüstbauer-Handwerks ausführt. [4] Werden in einem Betrieb des Gerüstbauer-Handwerks in selbstständigen Betriebsabteilungen andere Arbeiten ausgeführt, so werden diese Abteilungen dann nicht von diesem Tarifvertrag erfasst, wenn sie von einem anderen Tarifvertrag erfasst werden.

Abschnitt III

Nicht erfasst werden Betriebe und selbstständige Betriebsabteilungen, die als Betriebe des Baugewerbes durch den Bundesrahmentarifvertrag für das Baugewerbe erfasst werden, Betriebe und selbstständige Betriebsabteilungen des Maler-, Lackierer- und Dachdeckerhandwerks sowie Betriebe, die ausschließlich Hersteller oder Händler sind.

3. Persönlicher Geltungsbereich

[1] Gewerbliche Arbeitnehmer (Arbeiter), die eine nach den Vorschriften des Sechsten Buches Sozialgesetzbuch – Gesetzliche Rentenversicherung –[1] (SGB VI[1]) versicherungspflichtige Tätigkeit ausüben,
[2] Nicht erfasst werden:

a) Personen, die nachweislich aufgrund einer Schul-, Ausbildungs- oder Studienverordnung ein Praktikum absolvieren,

b) Schüler an allgemeinbildenden Schulen mit Ausnahme der Schüler an Abendschulen und -kollegs,

c) Schulabgänger die innerhalb von 12 Monaten nach Beendigung ihrer Schulausbildung bis zu einer Gesamtdauer von 50 Arbeitstagen beschäftigt werden,

d) Arbeitnehmer, die ausschließlich auf dem Lagerplatz im Betrieb oder stationär im Betrieb tätig sind,

e) das Reinigungspersonal, das für Reinigungsarbeiten in Verwaltungs- und Sozialräumen des Betriebes beschäftigt wird,

---

[1] Auszugsweise abgedruckt unter Nr. **696**.

f) Personen, die an einer Einstiegsqualifikation nach § 54a des Dritten Buches[1)] Sozialgesetzbuches oder an einer Berufsausbildungsvorbereitung nach §§ 68 bis 70 des Berufsbildungsgesetzes[2)] teilnehmen.

§ 2 Mindestlohn. 1. [1] Der Mindestlohn beträgt ab

1. Januar 2026 14,35 Euro,

1. Januar 2027 14,90 Euro.

[2] Höhere Lohnansprüche auf Grund anderer Tarifverträge oder einzelvertraglicher Vereinbarungen bleiben unberührt.

2. [1] Der Anspruch auf den Mindestlohn für die im Kalendermonat geleisteten Stunden wird spätestens zum 15. des Monats fällig, der dem Monat folgt, für den der Mindestlohn zu zahlen ist.
[2] Dies gilt nicht für den Mindestlohnanspruch, der auf die in ein Arbeitszeitkonto eingestellten Stunden entfällt, soweit das Arbeitszeitkonto nach den folgenden Bestimmungen geführt wird:
[3] Durch Betriebsvereinbarung oder, wenn kein Betriebsrat besteht, durch einzelvertragliche Vereinbarung wird für einen Zeitraum von höchstens 12 Monaten (Ausgleichszeitraum) eine von der tariflichen Arbeitszeitverteilung abweichende Verteilung der Arbeitszeit auf die einzelnen Werktage ohne Mehrarbeitszuschlag durchgeführt. [4] In die Arbeitszeitverteilung darf der Samstag nicht regelmäßig mit einbezogen werden.
[5] Das Arbeitszeitguthaben auf dem Arbeitszeitkonto und der dafür einbehaltene Lohn dürfen zu keinem Zeitpunkt 150 Stunden, die Arbeitszeitschuld und der dafür bereits gezahlte Lohn dürfen zu keinem Zeitpunkt 30 Stunden überschreiten.
[6] Bei betrieblicher Arbeitszeitverteilung wird während des gesamten Ausgleichszeitraums unabhängig von der tatsächlichen monatlichen Arbeitszeit bei Vollzeitbeschäftigten in den Monaten Mai bis November ein Monatslohn in Höhe von 174 Stundenlöhnen und in den Monaten Dezember bis April ein Monatslohn in Höhe von 162 Stundenlöhnen oder monatlich durchgängig mindestens ein Monatslohn in Höhe von 169 Stundenlöhnen gezahlt, der entsprechend Satz 1 fällig ist.
[7] Sofern die eingestellten Stunden während des Ausgleichszeitraumes durch Auszahlung ausgeglichen werden, erfolgt dies in Höhe des aktuellen Mindestlohnes zum Zeitpunkt der Auszahlung.
[8] Die monatlichen Plus- und Minusstunden sind neben den saldierten und den kumulierten Gesamt-Gut- bzw. Minusstunden des Arbeitszeitkontos mit der monatlichen Lohnabrechnung gesondert auszuweisen. [9] Zeiten, in denen ohne Arbeitsleistung Vergütung oder Vergütungsersatz gezahlt wird, bleiben bei der Bestimmung der Plus- und Minusstunden außer Betracht.
[10] Von der regelmäßigen monatlichen Arbeitszeit sind daher Zeiten abzuziehen, für die Vergütung oder Vergütungsersatz ohne Arbeitsleistung gezahlt wurde. [11] Es ist die Arbeitszeit in Abzug zu bringen, die ohne die Arbeitsverhinderung geleistet worden wäre.
[12] Am Ende des Ausgleichszeitraumes ist das Arbeitszeitkonto abzurechnen. [13] Besteht zu diesem Zeitpunkt ein Zeitguthaben, kann dieses entweder zur Auszahlung gebracht werden oder unter Anrechnung auf das zuschlagsfreie Vorarbeitsvolumen in den nächsten Ausgleichszeitraum übertragen und dort ausgeglichen werden. [14] Die Auszahlung der Gutstunden erfolgt mit einem Mehrarbeitszuschlag von 25 %.
[15] Das Arbeitszeitkonto ist gegen Insolvenz abzusichern.
[16] In Betrieben ohne Betriebsrat kann die einzelvertragliche Vereinbarung mit einer Frist von zwei Monaten zum Ende des Ausgleichszeitraumes gekündigt werden.

3. Ansprüche auf den Mindestlohn verfallen, wenn sie nicht innerhalb von zwölf Monaten nach ihrer Fälligkeit gerichtlich geltend gemacht werden.

[1)] Nr. **700**.
[2)] Nr. **415**.

506m. Vierte Verordnung über zwingende Arbeitsbedingungen im Steinmetz- und Steinbildhauerhandwerk (Vierte Steinmetzarbeitsbedingungenverordnung – 4. SteinmetzArbbV)[1]

Vom 25. Oktober 2021
(BAnz AT 29.10.2021 V1)

FNA 810-1-72-4

Auf Grund des § 7 Absatz 1 und 2 in Verbindung mit Absatz 4 des Arbeitnehmer-Entsendegesetzes[2], dessen Absatz 1 durch Artikel 1 Nummer 7 des Gesetzes vom 10. Juli 2020 (BGBl. I S. 1657) und dessen Absatz 4 durch Artikel 6 Nummer 6 Buchstabe c des Gesetzes vom 11. August 2014 (BGBl. I S. 1348) geändert worden ist, verordnet das Bundesministerium für Arbeit und Soziales, nachdem es den in den Geltungsbereich dieser Verordnung fallenden Arbeitgebern, Arbeitnehmerinnen und Arbeitnehmern, den Parteien des Tarifvertrags nach § 1 Absatz 1 dieser Verordnung, den Parteien von Tarifverträgen in der Branche mit zumindest teilweise demselben fachlichen Geltungsbereich sowie den paritätisch besetzten Kommissionen, die auf der Grundlage kirchlichen Rechts Arbeitsbedingungen für den Bereich kirchlicher Arbeitgeber zumindest teilweise im Geltungsbereich dieser Rechtsverordnung festlegen, Gelegenheit zur schriftlichen Stellungnahme gegeben hat:

§ 1 Zwingende Arbeitsbedingungen. (1) Die in der Anlage zu dieser Verordnung aufgeführten Rechtsnormen des Tarifvertrags zur Regelung eines Mindestlohns im Steinmetz- und Steinbildhauerhandwerk vom 14. Juni 2021 (TV Mindestlohn), abgeschlossen zwischen dem Bundesverband Deutscher Steinmetze/Bundesinnungsverband des Deutschen Steinmetz- und Steinbildhauerhandwerks, Weißkirchener Weg 16, 60439 Frankfurt am Main, einerseits, sowie der Industriegewerkschaft Bauen-Agrar-Umwelt, Bundesvorstand, Olof-Palme-Straße 19, 60439 Frankfurt am Main, andererseits, finden auf alle nicht an ihn gebundenen Arbeitgeber sowie Arbeitnehmerinnen und Arbeitnehmer Anwendung, die unter seinen am 1. November 2021 gültigen Geltungsbereich fallen, wenn der Betrieb oder die selbstständige Betriebsabteilung überwiegend Bauleistungen im Sinne des § 101 Absatz 2 des Dritten Buches Sozialgesetzbuch[3] erbringt.

(2) Die Rechtsnormen des TV Mindestlohn gelten auch für Arbeitsverhältnisse zwischen einem Arbeitgeber mit Sitz im Ausland und seinen im Geltungsbereich dieser Verordnung beschäftigten Arbeitnehmerinnen und Arbeitnehmern.

(3) Wird eine Leiharbeitnehmerin oder ein Leiharbeitnehmer von einem Entleiher mit Tätigkeiten beschäftigt, die in den Geltungsbereich dieser Verordnung fallen, so hat der Verleiher ihr oder ihm nach § 8 Absatz 3 des

[1] Die VO tritt gem. § 2 mit Ablauf des 30.9.2023 außer Kraft.
[2] Nr. **506**.
[3] Nr. **700**.

Arbeitnehmer-Entsendegesetzes[1] zumindest die nach dieser Verordnung vorgeschriebenen Arbeitsbedingungen zu gewähren; dies gilt auch dann, wenn der Betrieb des Entleihers nicht in den fachlichen Geltungsbereich dieser Verordnung fällt.

§ 2 Inkrafttreten, Außerkrafttreten. Diese Verordnung tritt am 1. November 2021 in Kraft und mit Ablauf des 30. September 2023 außer Kraft.

Anlage
(zu § 1 Absatz 1)

Rechtsnormen des Tarifvertrags zur Regelung eines Mindestlohns im Steinmetz- und Steinbildhauerhandwerk vom 14. Juni 2021 (TV Mindestlohn)

§ 1 Geltungsbereich

1. Räumlicher Geltungsbereich:

Das Gebiet der Bundesrepublik Deutschland.

2. Betrieblicher Geltungsbereich

2.1

[1] Alle Betriebe des Steinmetz- und Steinbildhauerhandwerks.

[2] Dies sind die Betriebe und selbstständige Betriebsabteilungen, die unter anderem manuell oder maschinell die folgenden Tätigkeiten ausüben:

– Herstellen und Bearbeiten von Natur- und Betonwerkstein, Bekleidungen und Belägen,
– Verlegen und Versetzen von Natursteinprodukten und Produkten aus Verbundwerkstoffen, soweit sie teilweise aus Naturstein bestehen, sowie – wenn diese Tätigkeiten nicht arbeitszeitlich überwiegend ausgeübt werden – Verlegen und Versetzen von Produkten aus anderen Materialien,
– Restaurierungen und Antragsarbeiten in natürlichem und künstlichem Stein,
– Reinigungs- und Imprägnierungsarbeiten sowie Konservierungsarbeiten,
– Garten- und Landschaftsgestaltung in Natur- und Betonwerkstein,
– alle im Rahmen des Grabmalherstellens,-bearbeitens und -versetzens anfallenden Arbeiten sowie
– alle Bildhauerarbeiten, einschließlich der künstlerischen.

[3] Betriebe, die die vorgenannten Tätigkeiten ausüben, werden erfasst, sofern sie überwiegend Steinmetzarbeiten im Sinne der Baubetriebe-Verordnung[2] ausführen.

2.2

[1] Betriebe, die unter Nummer 2.1 fallen, werden grundsätzlich als Ganzes erfasst. [2] Werden in diesen Betrieben in selbstständigen Betriebsabteilungen fachfremde Arbeiten ausgeführt, so werden diese Abteilungen dann nicht erfasst, wenn sie von einem spezielleren Tarifvertrag erfasst werden.

2.3

Nicht erfasst werden Betriebe des

a) Baugewerbes,
b) Betonsteinhandwerks und Betonsteingewerbes,
c) Garten-, Landschafts- und Sportplatzbaues und
d) Betriebe und Betriebsabteilungen der Natursteinwerkstein-Industrie, die Naturwerkstein gewinnen und/oder überwiegend industriell be- oder verarbeiten.

2.4

[1] Nicht erfasst werden Betriebe des Betonstein- und Terrazzoherstellerhandwerks. [2] Für Betriebe und selbstständige Betriebsabteilungen mit Sitz im Inland gilt Satz 1, solange diese von dem Tarifvertrag über eine Zusatzrente im Betonstein- und Terrazzoherstellerhandwerk vom 13. Dezember 2010 (TV TZR Betonsteinhandwerk-Ost) erfasst werden.

---

[1] Nr. **506**.
[2] Nr. **704**.

3. Persönlicher Geltungsbereich:

[1] Gewerbliche Arbeitnehmer (Arbeiter), die eine nach den Vorschriften des Sechsten Buches[1)] Sozialgesetzbuch – Gesetzliche Rentenversicherung – (SGB VI[1)]) versicherungspflichtige Tätigkeit ausüben.
[2] Nicht erfasst werden:

a) Schüler an allgemeinbildenden Schulen mit Ausnahme der Schüler an Abendschulen und -kollegs.

b) Schulabgänger, die innerhalb von zwölf Monaten nach Beendigung ihrer Schulausbildung bis zu einer Gesamtdauer von 50 Arbeitstagen beschäftigt werden.

c) Gewerbliches Reinigungspersonal, das ausschließlich für die Durchführung und Aufrechterhaltung von Sauberkeit, Ordnung und Sicherheit beschäftigt ist.

§ 2 Mindestlohn. (1) Dieser Mindestlohn ist Lohn im Sinne des § 5 Nummer 1 des Arbeitnehmer-Entsendegesetzes[2)] für alle von dem persönlichen Geltungsbereich dieses Tarifvertrags erfassten Arbeitnehmer.

(2) Der Mindestlohn beträgt:

a) mit Wirkung vom 1. August 2021 12,85 Euro
b) mit Wirkung vom 1. August 2022 13,35 Euro

(3) Höhere Lohnansprüche auf Grund anderer Tarifverträge oder einzelvertraglicher Vereinbarungen bleiben unberührt.

§ 3 Fälligkeit des Mindestlohnes. (1) Der Anspruch auf den Mindestlohn wird spätestens zum 15. des Monats fällig, der dem Monat folgt, für den der Mindestlohn zu zahlen ist.

(2) [1] Absatz 1 gilt nicht für die Entgeltansprüche der Arbeitnehmer, die nachweislich über ein Arbeitszeitkonto unter den Voraussetzungen des § 3 Nummer 2 des Rahmentarifvertrags für die gewerblichen Arbeitnehmer im Steinmetz- und Steinbildhauerhandwerk (RTV) erfasst werden, soweit ein Ausgleich der erworbenen Mindestlohnansprüche zu einem späteren Zeitpunkt in Form von Freizeit erfolgt und für diese Mindestlohnansprüche ein wertgleicher und vollständiger Zeitausgleich innerhalb der tariflich festgelegten Ausgleichszeiträume gewährleistet ist. [2] In diesen Fällen ist ein Lohn auf der Basis von 39 Stunden die Woche (montags bis freitags 7,8 Stunden), bei Teilzeit auf Basis der vereinbarten regelmäßigen wöchentlichen Arbeitszeit zu zahlen, der spätestens zum 15. des Monats fällig wird, der dem Monat folgt, für den er zu zahlen ist.

(3) [1] Die Ausschlussfristen nach § 16 RTV gelten nicht für Ansprüche auf den Mindestlohn. [2] Es gilt die gesetzliche Verjährung.

Anhang
(zur Anlage)

Auszug aus dem Rahmentarifvertrag für die gewerblichen Arbeitnehmer im Steinmetz- und Steinbildhauerhandwerk (RTV) vom 24. Mai 2000, zuletzt geändert durch Tarifvertrag vom 2. Dezember 2009, in der nach § 1 Absatz 1 der Verordnung maßgeblichen, am 1. November 2021 geltenden Fassung:

§ 3 Arbeitszeit

2. Arbeitszeitkonto und flexible Arbeitszeit

2.1

[1] In Betrieben kann vereinbart werden, zur flexiblen Arbeitszeitgestaltung ein Arbeitszeitkonto zu führen. [2] Das Arbeitszeitkonto dient in der Regel dazu, witterungsbedingte Kündigungen (§ 4) zu vermeiden.
[3] Auf dem Arbeitszeitkonto wird die abweichend von der regelmäßigen wöchentlichen Arbeitszeit geleistete Arbeitszeit erfasst:

a) Gutstunden (vorgearbeitete Arbeitszeit) bzw.

b) Minusstunden (nachzuarbeitende Arbeitszeit).

[1)] Auszugsweise abgedruckt unter Nr. **696**.
[2)] Nr. **506**.

2.2

[1] Wöchentlich können bis zu sechs Stunden zuschlagsfrei vorgearbeitet werden. [2] Darüber hinaus geleistete Gutstunden sind zuschlagspflichtig (§ 3 Nummer 4); der Arbeitnehmer kann dann wählen, ob der Zuschlag in Zeit dem Arbeitszeitkonto gutgeschrieben oder mit der nächsten Lohnzahlung ausgezahlt wird.

2.3

[1] Das Arbeitszeitkonto darf höchstens 136 Gutstunden bzw. 20 Minusstunden aufweisen. [2] Ab der 137. Stunde ist die Vergütung für mehrgearbeitete Stunden mit der nächsten Lohnzahlung und mit Mehrarbeitszuschlag (§ 3 Nummer 4) auszuzahlen.

2.4

Der jeweils aktuelle Stand des Arbeitszeitkontos (Gut- bzw. Minusstunden) ist mit der monatlichen Lohnabrechnung (§ 5) separat nachzuweisen.

2.5

Die Gutstunden des Arbeitszeitkontos sind grundsätzlich zum 31. März eines jeden Kalenderjahres auszugleichen (auf Null zu stellen); für Gutstunden, die bis zum Stichtag nicht durch Freizeit ausgeglichen werden, ist die Vergütung mit Mehrarbeitszuschlag (§ 3 Nummer 4) auszuzahlen.

2.6

[1] Scheidet der Arbeitnehmer aus dem Betrieb aus, ist das Arbeitszeitkonto auszugleichen. [2] Für Gutstunden, die bis zum Ausscheiden nicht durch Freizeit ausgeglichen werden, ist die Vergütung mit Mehrarbeitszuschlag (§ 3 Nummer 4) mit der letzten Lohnzahlung auszuzahlen. [3] Beim Tode des Arbeitnehmers sind Guthaben an die Erben auszuzahlen; bei mehreren Anspruchsberechtigten kann der Arbeitgeber mit befreiender Wirkung an einen Erbberechtigten zahlen.

2.7

Bei Sonn-, Feiertags- und Nachtarbeit sind die Zuschläge für Sonn-, Feiertags- und Nachtarbeit (§ 3 Nummer 4) mit der nächsten Lohnzahlung auszuzahlen; alternativ ist möglich, die Zuschläge in Zeit dem Arbeitszeitkonto gutzuschreiben.

2.8

[1] Durch den Arbeitgeber ist in geeigneter Weise auf seine Kosten sicherzustellen, dass das Guthaben jederzeit bestimmungsgemäß ausgezahlt werden kann, insbesondere durch Bankbürgschaft, Versicherung, Sperrkonto mit treuhänderischen Pfandrechten oder Hinterlegung bei einer geeigneten Einrichtung der Tarifvertragsparteien.
[2] Die Absicherung des Guthabens muss, sofern der Betrag nicht nach Abführung von Steuern und Sozialaufwand als Nettolohn zurückgestellt wird, den Bruttolohn und 23 Prozent des Bruttolohnes für den Sozialaufwand umfassen. [3] Auf Verlangen der betrieblichen Interessenvertretung oder des Arbeitnehmers ist diesen gegenüber die Absicherung des Ausgleichskontos nachzuweisen. [4] Erfolgt dieser Nachweis nicht, so ist das Guthaben an den Arbeitnehmer auszuzahlen; die Vereinbarung über die betriebliche Arbeitszeitverteilung tritt zu diesem Zeitpunkt außer Kraft.

2.9

Ansprüche aus dem Arbeitszeitkonto unterliegen den Ausschlussfristen entsprechend ihrer Fälligkeit.

506n. Zweite Verordnung über zwingende Arbeitsbedingungen in der Fleischwirtschaft (Zweite Fleischwirtschaftsarbeitsbedingungenverordnung – 2. FleischWArbbV)[1)]

Vom 21. Dezember 2021

(BAnz AT 30.12.2021 V1)

FNA 810-1-73-2

Auf Grund des § 7 Absatz 1 und 2 in Verbindung mit Absatz 4 des Arbeitnehmer-Entsendegesetzes[2)], dessen Absatz 1 durch Artikel 1 Nummer 7 des Gesetzes vom 10. Juli 2020 (BGBl. I S. 1657) und dessen Absatz 4 durch Artikel 6 Nummer 6 Buchstabe c des Gesetzes vom 11. August 2014 (BGBl. I S. 1348) geändert worden ist, verordnet das Bundesministerium für Arbeit und Soziales, nachdem es den in den Geltungsbereich dieser Verordnung fallenden Arbeitgebern, Arbeitnehmerinnen und Arbeitnehmern, den Parteien des Tarifvertrags nach § 1 Absatz 1 dieser Verordnung, den Parteien von Tarifverträgen in der Branche mit zumindest teilweise demselben fachlichen Geltungsbereich sowie den paritätisch besetzten Kommissionen, die auf der Grundlage kirchlichen Rechts Arbeitsbedingungen für den Bereich kirchlicher Arbeitgeber zumindest teilweise im Geltungsbereich dieser Rechtsverordnung festlegen, Gelegenheit zur schriftlichen Stellungnahme gegeben hat:

§ 1 Zwingende Arbeitsbedingungen. (1) [1]Die in der Anlage zu dieser Verordnung aufgeführten Rechtsnormen des Bundeseinheitlichen Tarifvertrags zur Regelung der Mindestbedingungen für Arbeitnehmer in der Fleischwirtschaft der Bundesrepublik Deutschland (TV Mindestbedingungen) vom 27. Mai 2021, abgeschlossen zwischen dem Arbeitgeberverband der Bayrischen Ernährungswirtschaft (abe) e.V., dem Arbeitgeberverband der Ernährungsindustrie Baden-Württemberg e.V., dem Arbeitgeberverband der Ernährungsindustrie Nordrhein-Westfalen, dem Arbeitgeberverband Ernährung Genuss Hessen/Rheinland-Pfalz/Saarland e.V., dem Arbeitgeberverband Nahrung und Genuss Thüringen e.V., dem Nordernährung AGV, Ernährungsindustrie Hamburg/Schleswig-Holstein/Mecklenburg-Vorpommern e.V., dem Sächsischen Arbeitgeberverband Nahrung und Genuss e.V., dem Verband der Ernährungswirtschaft Niedersachsen/Bremen/Sachsen-Anhalt e.V., Arbeitgebervereinigung und der Wirtschaftsvereinigung der Ernährungsindustrie in Berlin und Brandenburg e.V., einerseits, sowie der Gewerkschaft Nahrung-Genuss-Gaststätten, Hauptverwaltung, andererseits, finden auf alle nicht an ihn gebundenen Arbeitgeber sowie Arbeitnehmerinnen und Arbeitnehmer Anwendung, die unter seinen am 1. Januar 2022 gültigen Geltungsbereich fallen, wenn im Betrieb oder in der selbstständigen Betriebsabteilung überwiegend geschlachtet oder Fleisch verarbeitet wird (Betriebe der Fleischwirtschaft) oder wenn der Betrieb oder die selbstständige Betriebsabteilung ihre Arbeitnehmerinnen und Arbeitnehmer überwiegend in der Fleischwirtschaft einsetzt. [2]Das Schlachten umfasst dabei alle Tätigkeiten des Schlachtens und Zerlegens von Tieren mit Ausnahme

---

[1)] Die VO tritt gem. § 2 mit Ablauf des 30. November 2024 außer Kraft.

[2)] Nr. **506**.

von Fischen. [3] Die Verarbeitung umfasst alle Tätigkeiten der Weiterverarbeitung von beim Schlachten gewonnenen Fleischprodukten zur Herstellung von Nahrungsmitteln sowie deren Portionierung und Verpackung. [4] Nicht erfasst ist die Verarbeitung, wenn die Behandlung, die Portionierung oder die Verpackung beim Schlachten gewonnener Fleischprodukte direkt auf Anordnung des Endverbrauchers erfolgt.

(2) Die Rechtsnormen des TV Mindestbedingungen gelten auch für Arbeitsverhältnisse zwischen einem Arbeitgeber mit Sitz im Ausland und seinen im Geltungsbereich dieser Verordnung beschäftigten Arbeitnehmerinnen und Arbeitnehmern.

(3) Wird eine Leiharbeitnehmerin oder ein Leiharbeitnehmer von einem Entleiher mit Tätigkeiten beschäftigt, die in den Geltungsbereich dieser Verordnung fallen, so hat der Verleiher ihr oder ihm nach § 8 Absatz 3 des Arbeitnehmer-Entsendegesetzes[1)] zumindest die nach dieser Verordnung vorgeschriebenen Arbeitsbedingungen zu gewähren; dies gilt auch dann, wenn der Betrieb des Entleihers nicht in den fachlichen Geltungsbereich dieser Verordnung fällt.

(4) Diese Verordnung findet über die Einschränkung des § 1 Nummer 2 Buchstabe b des TV Mindestbedingungen hinaus keine Anwendung auf Betriebe und selbstständige Betriebsabteilungen des Fleischerhandwerks.

§ 2 Inkrafttreten, Außerkrafttreten. Diese Verordnung tritt am 1. Januar 2022 in Kraft und mit Ablauf des 30. November 2024 außer Kraft.

Anlage
(zu § 1 Absatz 1)

Rechtsnormen des Bundeseinheitlichen Tarifvertrags zur Regelung der Mindestbedingungen für Arbeitnehmer in der Fleischwirtschaft der Bundesrepublik Deutschland (TV Mindestbedingungen)

vom 27. Mai 2021

§ 1 Geltungsbereich.

1. Räumlicher Geltungsbereich:
für das Gebiet der Bundesrepublik Deutschland.

2. Betrieblicher Geltungsbereich:

a) Alle Betriebe und selbstständige Betriebsabteilungen der Fleischwirtschaft. Dies sind Betriebe, in denen
– Schweine und Rinder geschlachtet und/oder zerlegt werden,
– Geflügel jeder Art geschlachtet und/oder zerlegt wird,
– überwiegend Fleisch und Fleischwaren jeder Art verarbeitet, portioniert und/oder verpackt werden.
Hierzu zählen auch Betriebe und selbstständige Betriebsabteilungen, die ihre Arbeitnehmer in Betrieben oder Betriebsabteilungen der Fleischwirtschaft einsetzen (Dienstleister der Fleischwirtschaft). Soweit diese Betriebe in den Geltungsbereich eines nach den §§ 7, 7a des Arbeitnehmer-Entsendegesetzes[1)] erstreckten Tarifvertrags fallen, hat jener Tarifvertrag Vorrang.

b) Nicht erfasst werden Betriebsstätten, die zum Fleischerhandwerk gemäß der Definition des § 2 Absatz 2 des Gesetzes zur Sicherung von Arbeitnehmerrechten in der Fleischwirtschaft[2)] gehören.

3. Persönlicher Geltungsbereich

[1)] Nr. **506**.
[2)] Nr. **508**.

Alle Arbeitnehmerinnen und Arbeitnehmer, insbesondere solche, die eine nach den Vorschriften des Sechsten Buches[1] Sozialgesetzbuch – Gesetzliche Rentenversicherung – versicherungspflichtige Tätigkeit ausüben, einschließlich derjenigen, die gemäß § 8 des Vierten Buches Sozialgesetzbuch – Gemeinsame Vorschriften für die Sozialversicherung –[2] eine geringfügige Beschäftigung ausüben. Dies sind auch Arbeitnehmer von Dienstleistern der Fleischwirtschaft, soweit sie in Betrieben oder selbstständigen Betriebsabteilungen der Fleischwirtschaft eingesetzt werden.
Ausgenommen sind:

a) Auszubildende im Sinne des Berufsbildungsgesetzes[3],

b) Praktikanten gemäß § 22 Absatz 1 Satz 2 des Mindestlohngesetzes[4].

§ 2 Mindestlöhne.

1. Der Mindestlohn gemäß diesem Tarifvertrag ist Entgelt im Sinne des § 5 Absatz 1 Nummer 1 des Arbeitnehmer-Entsendegesetzes[5]. Höhere Entgeltansprüche aufgrund anderer Tarifverträge, betrieblicher oder einzelvertraglicher Vereinbarungen bleiben unberührt.
2. Die Mindestlöhne je Stunde betragen ab dem Zeitpunkt der Allgemeinverbindlichkeitserklärung dieses Tarifvertrags durch das Bundesministerium für Arbeit und Soziales bundeseinheitlich 10,80 Euro,

ab dem 1. Januar 2022:	11 Euro,
ab dem 1. Dezember 2022:	11,50 Euro,
ab dem 1. Dezember 2023:	12,30 Euro.

3. Der Anspruch auf das Mindestentgelt wird spätestens zum 15. des Monats fällig, der auf den Monat folgt, für den das Mindestentgelt zu zahlen ist.

§ 3 Ausschlussfristen. Für alle Ansprüche aus diesem Tarifvertrag gilt eine Ausschlussfrist von sechs Monaten ab Fälligkeit des Anspruchs.

---

[1] Auszugsweise abgedruckt unter Nr. **696**.
[2] Nr. **694**.
[3] Nr. **415**.
[4] Nr. **505**.
[5] Nr. **506**.

[bis 31. 12. 2017:]

506 p. Verordnung über zwingende Arbeitsbedingungen in der Land- und Forstwirtschaft sowie im Gartenbau (Landwirtschaftsarbeitsbedingungenverordnung – LandwArbbV)[1)]

VO d. BMAS v. 18. 12. 2014
(BAnz AT 19. 12. 2014 V1)

810-1-75-1

Auf Grund des § 7 a Absatz 1 und 4 in Verbindung mit Absatz 2 und 3 und § 7 Absatz 2 des Arbeitnehmer-Entsendegesetzes[2)], von denen § 7 a durch Artikel 6 Nummer 7 des Gesetzes vom 11. August 2014 (BGBl. I S. 1348) eingefügt worden ist, verordnet das Bundesministerium für Arbeit und Soziales, nachdem es den in den Geltungsbereich dieser Verordnung fallenden und den möglicherweise von ihr betroffenen Arbeitgebern, Arbeitnehmern und Arbeitnehmerinnen, den Parteien des Tarifvertrags nach § 1 Satz 1 dieser Verordnung sowie allen am Ausgang des Verfahrens interessierten Gewerkschaften, Vereinigungen der Arbeitgeber und paritätisch besetzten Kommissionen, die auf der Grundlage kirchlichen Rechts Arbeitsbedingungen für den Bereich kirchlicher Arbeitgeber festlegen, Gelegenheit zur schriftlichen Stellungnahme gegeben hat und der Tarifausschuss befasst war:

§ 1 Zwingende Arbeitsbedingungen. [1] Die in der Anlage zu dieser Verordnung aufgeführten Rechtsnormen des Tarifvertrags zur Regelung der Mindestentgelte für Arbeitnehmer in der Land- und Forstwirtschaft sowie im Gartenbau der Bundesrepublik Deutschland (TV Mindestentgelt) vom 29. August 2014, abgeschlossen zwischen dem Gesamtverband der Deutschen Land- und Forstwirtschaftlichen Arbeitgeberverbände e.V., Claire-Waldoff-Straße 7, 10117 Berlin, und der Arbeitsgemeinschaft der gärtnerischen Arbeitgeberverbände e.V., Godesberger Allee 142 – 148, 53175 Bonn, einerseits, sowie der Industriegewerkschaft Bauen – Agrar – Umwelt, Bundesvorstand, Olof-Palme-Straße 19, 60439 Frankfurt am Main, andererseits, finden auf alle nicht an ihn gebundenen Arbeitgeber sowie Arbeitnehmer und Arbeitnehmerinnen Anwendung, wenn der Betrieb oder die selbstständige Betriebsabteilung überwiegend Tätigkeiten erbringt, die unter den Geltungsbereich dieses Tarifvertrags fallen. [2] Die Rechtsnormen des Tarifvertrags gelten auch für Arbeitsverhältnisse zwischen einem Arbeitgeber mit Sitz im Ausland und seinen im Geltungsbereich dieser Verordnung beschäftigten Arbeitnehmern und Arbeitnehmerinnen. [3] Wird ein Leiharbeitnehmer oder eine Leiharbeitnehmerin von einem Entleiher mit Tätigkeiten beschäftigt, die in den Geltungsbereich dieser Verordnung fallen, so hat der Verleiher ihm oder ihr nach § 8 Absatz 3 des Arbeitnehmer-Entsendegesetzes[2)] zumindest die nach dieser

---

[1)] Die VO **tritt am 31. 12. 2017 außer Kraft**, vgl. § 2.
[2)] Nr. **506**.

Verordnung vorgeschriebenen Arbeitsbedingungen zu gewähren; dies gilt auch dann, wenn der Betrieb des Entleihers nicht in den fachlichen Geltungsbereich dieser Verordnung fällt.

§ 2 Inkrafttreten, Außerkrafttreten. Diese Verordnung tritt am 1. Januar 2015 in Kraft und am 31. Dezember 2017 außer Kraft.

Anlage
(zu § 1)

Rechtsnormen des Tarifvertrags zur Regelung der Mindestentgelte für Arbeitnehmer in der Land- und Forstwirtschaft sowie im Gartenbau der Bundesrepublik Deutschland (TV Mindestentgelt) vom 29. August 2014

§ 1 Geltungsbereich.

1. Räumlicher Geltungsbereich
   Das Gebiet der Bundesrepublik Deutschland.
2. Betrieblicher Geltungsbereich
   Betriebe und selbstständige Betriebsabteilungen, die arbeitszeitlich überwiegend landwirtschaftliche, gartenbauliche oder forstwirtschaftliche Tätigkeiten verrichten. Dazu gehören insbesondere
   - die Gewinnung pflanzlicher und tierischer Erzeugnisse einschließlich deren Aufbereitung für die Rohstoffmärkte, die Tierhaltung sowie die Erbringung mit der Landwirtschaft, dem Gartenbau und der kommerziellen Jagd verbundener Dienstleistungen,
   - die Erzeugung von Stammholz, die Gewinnung von wild wachsenden Erzeugnissen des Waldes, die Erzeugung bzw. Gewinnung geringfügig bearbeiteter Erzeugnisse wie Brennholz, Holzkohle oder Industrieholz sowie die Erbringung mit der Forstwirtschaft und der Holzgewinnung verbundener Dienstleistungen,
   - die Nutzung der Fischereiressourcen aus dem Meer-, Brack- und Süßwasser (einschließlich Aquakulturen) zum Zwecke des Fischfangs und des Sammelns von Krusten- und Weichtieren und anderen organischen Meeresprodukten sowie die Erbringung mit der Fischerei und Aquakultur verbundener Dienstleistungen; ausgenommen sind die große Hochseefischerei und die mit ihr verbundenen Dienstleistungen.

   Als Betriebe und selbstständige Betriebsabteilungen im Sinne von Absatz 1 gelten alle Betriebe und selbstständigen Betriebsabteilungen, für die die Sozialversicherung für Landwirtschaft, Forsten und Gartenbau gemäß § 123 Absatz 1 Nummer 1 bis 5 und 7 sowie § 131 des Siebten Buches[1] Sozialgesetzbuch zuständig ist oder zuständig wäre, wenn der Betrieb oder die selbstständige Betriebsabteilung ihren Sitz in der Bundesrepublik Deutschland hätte.

---

[1] **NipperdeyDirekt (online) Nr. 697.**

Ausgenommen sind Betriebe und selbstständige Betriebsabteilungen, die unter den fachlichen Geltungsbereich des Bundesrahmentarifvertrags für gewerbliche Arbeitnehmer im Garten-, Landschafts- und Sportplatzbau in der Bundesrepublik Deutschland in der Fassung vom 5. März 2007 fallen.

3. Persönlicher Geltungsbereich
Alle Arbeitnehmer gemäß § 22 Absatz 1 des Mindestlohngesetzes (MiLoG[1]) mit Ausnahme der Personen im Sinne von § 2 Absatz 1 und 2 des Jugendarbeitsschutzgesetzes[2], die Schüler oder Schülerinnen an allgemeinbildenden Schulen sind.

§ 2 Mindestentgelte.

1. Das Mindestentgelt beträgt mit Wirkung ab 1. Januar 2015 7,40 Euro je Stunde, mit Wirkung ab 1. Januar 2016 8,00 Euro je Stunde, mit Wirkung ab 1. Januar 2017 8,60 Euro je Stunde und mit Wirkung ab 1. November 2017 9,10 Euro je Stunde.
Für die Zeit bis zum 31. Dezember 2016 beträgt das Mindestentgelt für Arbeiten, die an Arbeitsorten in den Bundesländern Berlin, Brandenburg, Mecklenburg-Vorpommern, Sachsen, Sachsen-Anhalt oder Thüringen ausgeübt werden, abweichend von Satz 1 mit Wirkung ab 1. Januar 2015 7,20 Euro je Stunde und mit Wirkung ab 1. Januar 2016 7,90 Euro je Stunde.
2. Es gilt das Mindestentgelt des jeweiligen Arbeitsortes. Auswärts beschäftigte Arbeitnehmer behalten jedoch den Anspruch auf das Mindestentgelt ihres Einstellungsortes. Ist das Mindestentgelt des auswärtigen Arbeitsortes höher, so haben sie während der Tätigkeit an diesem Arbeitsort Anspruch auf dieses höhere Mindestentgelt.
3. [Diese Vorschrift wird von der Verordnung nicht erfasst und ist daher nicht abgedruckt.]
4. Der Anspruch auf das Mindestentgelt wird spätestens zum letzten Bankarbeitstag (Frankfurt am Main) des Kalendermonats fällig, der dem Kalendermonat folgt, für den das Mindestentgelt zu zahlen ist. Ein Hinausschieben der Fälligkeit ist nur aufgrund einer gültigen tarifvertraglichen Arbeitszeitflexibilisierung in den Grenzen von § 2 Absatz 2 MiLoG[1] zulässig.

---

[1] Nr. **505**.
[2] Nr. **420**.

506 q. Zweite Verordnung über zwingende Arbeitsbedingungen in der Textil- und Bekleidungsindustrie (Zweite Textilarbeitsbedingungenverordnung – 2. TextilArbbV)[1)]

Vom 27. November 2015
(BAnz AT 30.11.2015 V1)
FNA 810-1-76-2

Auf Grund des § 7 a Absatz 1 und 4 in Verbindung mit Absatz 2 und 3 und § 7 Absatz 2 des Arbeitnehmer-Entsendegesetzes[2)], von denen § 7 a durch Artikel 6 Nummer 7 des Gesetzes vom 11. August 2014 (BGBl. I S. 1348) eingefügt worden ist, verordnet das Bundesministerium für Arbeit und Soziales, nachdem es den in den Geltungsbereich dieser Verordnung fallenden und den möglicherweise von ihr betroffenen Arbeitgebern, Arbeitnehmern und Arbeitnehmerinnen, den Parteien des Tarifvertrags nach § 1 Satz 1 dieser Verordnung sowie allen am Ausgang des Verfahrens interessierten Gewerkschaften, Vereinigungen der Arbeitgeber und paritätisch besetzten Kommissionen, die auf der Grundlage kirchlichen Rechts Arbeitsbedingungen für den Bereich kirchlicher Arbeitgeber festlegen, Gelegenheit zur schriftlichen Stellungnahme gegeben hat sowie der Tarifausschuss befasst war:

§ 1 Zwingende Arbeitsbedingungen. [1]Die in der Anlage 1 zu dieser Verordnung aufgeführten Rechtsnormen des Tarifvertrags zur Regelung der Mindestentgelte für Arbeitnehmer in der Textil- und Bekleidungsindustrie der Bundesrepublik Deutschland vom 19. August 2015, abgeschlossen zwischen dem Gesamtverband der deutschen Textil- und Modeindustrie e.V., Arbeitgeberverbund, Reinhardtstraße 12–14, 10117 Berlin, einerseits und der Industriegewerkschaft Metall, Vorstand, Wilhelm-Leuschner-Straße 79, 60519 Frankfurt am Main, andererseits, finden auf alle nicht an ihn gebundenen Arbeitgeber sowie Arbeitnehmer und Arbeitnehmerinnen Anwendung, wenn der Betrieb oder die selbstständige Betriebsabteilung überwiegend Tätigkeiten erbringt, die unter den Geltungsbereich dieses Tarifvertrags fallen. [2]Die Rechtsnormen des Tarifvertrags gelten auch für Arbeitsverhältnisse zwischen einem Arbeitgeber mit Sitz im Ausland und seinen im Geltungsbereich dieser Verordnung beschäftigten Arbeitnehmern und Arbeitnehmerinnen. [3]Wird ein Leiharbeitnehmer oder eine Leiharbeitnehmerin von einem Entleiher mit Tätigkeiten beschäftigt, die in den Geltungsbereich dieser Verordnung fallen, so hat der Verleiher ihm oder ihr nach § 8 Absatz 3 des Arbeitnehmer-Entsendegesetzes[2)] zumindest die nach dieser Verordnung vorgeschriebenen Arbeitsbedingungen zu gewähren; dies gilt auch dann, wenn

[1)] Diese VO tritt am 31. Dezember 2017 außer Kraft.
[2)] Nr. **506**.

der Betrieb des Entleihers nicht in den fachlichen Geltungsbereich dieser Verordnung fällt.

§ 2 Inkrafttreten, Außerkrafttreten. (1) [1] Diese Verordnung tritt am 1. Dezember 2015 in Kraft. [2] Gleichzeitig tritt die Textilarbeitsbedingungenverordnung vom 29. Dezember 2014 (BAnz AT 31.12.2014 V1) außer Kraft.

(2) Diese Verordnung tritt am 31. Dezember 2017 außer Kraft.

Anlage
(zu § 1)

Rechtsnormen des Tarifvertrags zur Regelung der Mindestentgelte für Arbeitnehmer in der Textil- und Bekleidungsindustrie der Bundesrepublik Deutschland vom 19. August 2015

§ 1 Geltungsbereich. Dieser Tarifvertrag gilt:

Räumlich:	für das Gebiet der Bundesrepublik Deutschland.
Fachlich:	für alle Betriebe und selbstständigen Betriebsabteilungen einschließlich Verkaufseinrichtungen der Textil- und Bekleidungsindustrie.
Persönlich:	für alle gewerblichen Arbeitnehmerinnen und Arbeitnehmer mit Ausnahme von Personen im Sinne von § 2 Absatz 1 und 2 des Jugendarbeitsschutzgesetzes[1)] ohne abgeschlossene Berufsausbildung.

§ 2 Mindeststundenlohn. [1] Es gilt das im Mindestlohngesetz festgelegte Mindestentgelt je Stunde.

[2] Für die Bundesländer Sachsen, Thüringen, Sachsen-Anhalt, Mecklenburg-Vorpommern und Brandenburg sowie Berlin-Ost beträgt der Mindeststundenlohn hiervon abweichend:

ab dem 1. Januar 2015	7,50 Euro
ab dem 1. Januar 2016	8,25 Euro
ab dem 1. November 2016	8,75 Euro
ab dem 1. Januar 2017	die gegebenenfalls gesetzlich neu festgesetzte Höhe, mindestens aber 8,75 Euro.

[3] In den übrigen Bundesländern gilt ab dem 1. Januar 2015 der gesetzliche Mindestlohn.

[4] Im Übrigen gilt der Mindestlohn des Arbeitsorts. [5] Auswärts beschäftigte Arbeitnehmer behalten jedoch den Anspruch auf das Entgelt ihres Einstellungsorts, soweit dieses höher ist.

---

1) Nr. **420**.

§ 3 Weitere Bestimmungen. 1. Höhere Ansprüche aufgrund anderer Tarifverträge oder einzelvertraglicher Vereinbarungen bleiben unberührt.

2. [1] Der Abrechnungszeitraum für den Mindestlohn ist jeweils der Kalendermonat. [2] Der Anspruch auf den Mindestlohn wird spätestens am 15. des Folgemonats fällig.

3. [1] Abweichend von Nummer 2 können Arbeitsstunden, die über die individuelle regelmäßige wöchentliche Arbeitszeit hinaus geleistet und in ein auf einer Betriebsvereinbarung oder auf einer schriftlichen individuellen Vereinbarung beruhendes Arbeitszeitkonto eingestellt werden, innerhalb eines bis zu 12 Monate betragenden Ausgleichszeitraums nach ihrer monatlichen Erfassung durch bezahlte Freizeitgewährung oder Bezahlung ausgeglichen werden, soweit der Anspruch auf das Arbeitsentgelt für die geleisteten Arbeitsstunden nach § 2 nicht bereits durch Zahlung eines verstetigten Arbeitsentgelts erfüllt ist.
[2] Arbeitgeber und Betriebsrat können in einer freiwilligen Betriebsvereinbarung vereinbaren, dass am Ende des Ausgleichszeitraums bestehende Minus- und Pluszeiten auf den nächsten Ausgleichszeitraum einmalig übertragen werden.
[3] Für alle Betriebe und selbständigen Betriebsabteilungen, einschließlich Verkaufseinrichtungen der Textilindustrie kann die vorgenannte einmalige Übertragung bestehender Minus- und Pluszeiten auf den nächsten Ausgleichszeitraum auch durch Arbeitgeber und Arbeitnehmer vereinbart werden. [4] Die Vereinbarung über die Übertragung durch Arbeitgeber und Arbeitnehmer muss schriftlich erfolgen.
[5] Wird keine Übertragung des Zeitguthabens vereinbart, sind etwaige Zeitguthaben abzugelten.
[6] Im Falle der Beendigung des Arbeitsverhältnisses werden etwaige Arbeitszeitguthaben oder Arbeitszeitschulden ausgeglichen. [7] Der Ausgleich erfolgt vorrangig in Zeit.

4. [1] Die Nummern 2 und 3 gelten nicht für Wertguthabenvereinbarungen im Sinne des Vierten Buches Sozialgesetzbuch und nicht für Altersteilzeitarbeitsverhältnisse im Sinne des Altersteilzeitgesetzes und/oder im Sinne der für die Textil- und Bekleidungsindustrie jeweils geltenden Tarifverträge zur Förderung der Altersteilzeit. [2] Satz 1 gilt entsprechend für eine im Hinblick auf den Schutz der Arbeitnehmerinnen und Arbeitnehmer vergleichbare ausländische Regelung.

5. Für die Vergütungsansprüche aus Arbeitszeitkonten oder Urlaubsabgeltung ist mindestens der im Zeitpunkt des Ausgleichs bzw. der Abgeltung geltende Mindestlohn maßgebend.

506r. Zweite Verordnung über zwingende Arbeitsbedingungen für Geld- und Wertdienste (Zweite Geld- und Wertdienstearbeitsbedingungenverordnung – GeldWertArbbV2)[1)]

Vom 22. September 2017

(BAnz AT 29.09.2017 V1)

Auf Grund des § 7 Absatz 1 und 2 in Verbindung mit Absatz 4 des Arbeitnehmer-Entsendegesetzes, dessen Absatz 1 und Absatz 4 durch Artikel 6 Nummer 6 Buchstabe b und c des Gesetzes vom 11. August 2014 (BGBl. I S. 1348) geändert worden ist, verordnet das Bundesministerium für Arbeit und Soziales, nachdem es den in den Geltungsbereich dieser Verordnung fallenden Arbeitgebern, Arbeitnehmern und Arbeitnehmerinnen, den Parteien des Tarifvertrags nach § 1 Satz 1 dieser Verordnung, den Parteien von Tarifverträgen in der Branche mit zumindest teilweise demselben fachlichen Geltungsbereich sowie den paritätisch besetzten Kommissionen, die auf der Grundlage kirchlichen Rechts Arbeitsbedingungen für den Bereich kirchlicher Arbeitgeber zumindest teilweise im Geltungsbereich dieser Rechtsverordnung festlegen, Gelegenheit zur schriftlichen Stellungnahme gegeben hat:

§ 1 Zwingende Arbeitsbedingungen. [1] Die in der Anlage zu dieser Verordnung aufgeführten Rechtsnormen des Bundeslohntarifvertrags für Geld- und Wertdienste in der Bundesrepublik Deutschland vom 1. Februar 2017, abgeschlossen zwischen der Bundesvereinigung Deutscher Geld- und Wertdienste e. V., Norsk-Data-Straße 3, 61352 Bad Homburg, einerseits, und der Vereinten Dienstleistungsgewerkschaft – ver.di, Bundesvorstand, Paula-Thiede-Ufer 10, 10179 Berlin, andererseits, finden auf alle nicht an ihn gebundenen Arbeitgeber sowie Arbeitnehmer und Arbeitnehmerinnen Anwendung, die unter seinen am 1. Oktober 2017 gültigen Geltungsbereich fallen, wenn der Betrieb oder die selbstständige Betriebsabteilung überwiegend Dienstleistungen des Bewachungs- und Sicherheitsgewerbes oder Kontroll- und Ordnungsdienste erbringt, die dem Schutz von Rechtsgütern aller Art, insbesondere von Leben, Gesundheit oder Eigentum dienen. [2] Die Rechtsnormen des Tarifvertrags gelten auch für Arbeitsverhältnisse zwischen einem Arbeitgeber mit Sitz im Ausland und seinen im Geltungsbereich dieser Verordnung beschäftigten Arbeitnehmern und Arbeitnehmerinnen. [3] Wird ein Leiharbeitnehmer oder eine Leiharbeitnehmerin von einem Entleiher mit Tätigkeiten beschäftigt, die in den Geltungsbereich dieser Verordnung fallen, so hat der Verleiher ihm oder ihr nach § 8 Absatz 3 des Arbeitnehmer-Entsendegesetzes[2)] zumindest die nach dieser Verordnung vorgeschriebenen Arbeits-

---

[1)] Die VO **tritt mit Ablauf des 31.12.2018 außer Kraft**, vgl. § 2.

[2)] Nr. **506**.

bedingungen zu gewähren; dies gilt auch dann, wenn der Betrieb des Entleihers nicht in den fachlichen Geltungsbereich dieser Verordnung fällt.

§ 2 Inkrafttreten, Außerkrafttreten. Diese Verordnung tritt am 1. Oktober 2017 in Kraft und am 31. Dezember 2018 außer Kraft.

Anlage
(zu § 1 Satz 1)

Rechtsnormen des Bundeslohntarifvertrags für Geld- und Wertdienste in der Bundesrepublik Deutschland vom 1. Februar 2017

§ 1 Geltungsbereich. [1] Dieser Tarifvertrag gilt

räumlich: für die Bundesrepublik Deutschland,

fachlich: für alle Betriebe bzw. selbstständigen Betriebsabteilungen, die Geld- und Wertdienste in der Geldbearbeitung und/oder als Geld- und Werttransporte durchführen,

persönlich: für alle in diesen Bereichen beschäftigten gewerblichen Arbeitnehmer und für die im Transport und in der Geld- und Wertbearbeitung operativ tätigen betrieblichen Angestellten (wie Einsatzleiter, Schichtleiter, Disponenten).

[2] Alle personenbezogenen Begriffe in diesem Vertrag gelten für Männer und Frauen gleichermaßen.

§ 2 Stundenlöhne. Die Stundenlöhne[1)] für Sicherheitsmitarbeiter betragen:

a) Mobile Dienstleistung:
Geld- und Werttransport

Bundesland	ab 1. März 2017	ab 1. Januar 2018
Nordrhein-Westfalen	16,13 €	16,53 €
Niedersachsen	15,23 €	15,63 €
Baden-Württemberg	14,88 €	15,33 €
Bayern	14,88 €	15,33 €
Bremen	14,56 €	15,01 €
Hamburg	14,56 €	15,01 €
Hessen	14,56 €	15,01 €
Rheinland-Pfalz	13,47 €	14,02 €

[1)] **Amtl. Anm.:** Die nicht vom Geltungszeitraum der Verordnung erfassten Stundenlöhne sind nicht mit abgedruckt.

Bundesland	ab 1. März 2017	ab 1. Januar 2018
Saarland	13,47 €	14,02 €
Schleswig-Holstein	12,35 €	12,90 €
Berlin	11,94 €	12,64 €
Brandenburg	11,94 €	12,64 €
Mecklenburg-Vorpommern	11,94 €	12,64 €
Sachsen	11,94 €	12,64 €
Sachsen-Anhalt	11,94 €	12,64 €
Thüringen	11,94 €	12,64 €

b) Stationäre Dienstleistung:
Geldbearbeitung

Bundesland	ab 1. März 2017	ab 1. Januar 2018
Bayern	13,24 €	13,56 €
Hessen	13,24 €	13,56 €
Nordrhein-Westfalen	13,24 €	13,56 €
Baden-Württemberg	12,69 €	13,02 €
Bremen	12,69 €	13,02 €
Hamburg	12,69 €	13,02 €
Niedersachsen	12,69 €	13,02 €
Rheinland-Pfalz	10,51 €	10,91 €
Saarland	10,51 €	10,91 €
Schleswig-Holstein	10,51 €	10,91 €
Berlin	9,88 €	10,38 €
Brandenburg	9,88 €	10,38 €
Mecklenburg-Vorpommern	9,88 €	10,38 €
Sachsen	9,88 €	10,38 €
Sachsen-Anhalt	9,88 €	10,38 €
Thüringen	9,88 €	10,38 €

(§ 2 Buchstabe c und § 3 werden von der Verordnung nicht erfasst und sind daher nicht abgedruckt.)

§ 4 Fälligkeit der Vergütungsansprüche. [1] Die Abrechnung der Entgelte erfolgt monatlich. [2] Die Entgeltperiode ist der Kalendermonat. [3] Die Abrechnung und Auszahlung ist im Folgemonat bis spätestens zum 15. vorzunehmen. [4] (§ 4 Satz 4 wird von der Verordnung ausgenommen und ist daher nicht abgedruckt.) [5] Günstigere Regelungen bleiben unberührt.

§ 5 Arbeitsortprinzip.

1. Die Tarifvertragsparteien sind sich einig, dass der Ort der Erbringung der Arbeitsleistung für die mobile Dienstleistung im Tarifsinne für inländische Unternehmen der Ort ist, an dem die Arbeit aufgenommen und beendet wird.
2. Die Tarifvertragsparteien sind sich einig, dass für die stationäre Dienstleistung in der Geldbearbeitung Ort der Erbringung der Arbeitsleistung der Ort ist, an dem die Arbeit im Geldbearbeitungszentrum aufgenommen und beendet wird.

506s. Vierte Verordnung über zwingende Arbeitsbedingungen für Sicherheitskräfte an Verkehrsflughäfen (Vierte Verkehrsflughäfen-Sicherheitskräftearbeitsbedingungenverordnung – 4. VFlughSiKArbbV)[1]

Vom 17. Dezember 2025
(BGBl. 2025 I Nr. 334)

FNA 810-20-8

Das Bundesministerium für Arbeit und Soziales verordnet aufgrund des § 7 Absatz 1, 2 und 4 des Arbeitnehmer-Entsendegesetzes[2] vom 20. April 2009 (BGBl. I S. 799), das zuletzt durch Artikel 1 des Gesetzes vom 28. Juni 2023 (BGBl. 2023 I Nr. 172) geändert worden ist, nachdem es den in den Geltungsbereich dieser Verordnung fallenden Arbeitgebern, Arbeitnehmerinnen und Arbeitnehmern, den Parteien des Tarifvertrags nach § 1 Absatz 1 dieser Verordnung, den Parteien von Tarifverträgen in der Branche mit zumindest teilweise demselben fachlichen Geltungsbereich sowie den paritätisch besetzten Kommissionen, die auf der Grundlage kirchlichen Rechts Arbeitsbedingungen für den Bereich kirchlicher Arbeitgeber zumindest teilweise im Geltungsbereich dieser Verordnung festlegen, Gelegenheit zur schriftlichen Stellungnahme gegeben hat:

§ 1 Zwingende Arbeitsbedingungen. Die in der Anlage zu dieser Verordnung aufgeführten Rechtsnormen des Entgelttarifvertrags für Sicherheitskräfte an Verkehrsflughäfen vom 8. April 2025, abgeschlossen zwischen dem Bundesverband der Luftsicherheitsunternehmen e.V. einerseits sowie ver.di – Vereinte Dienstleistungsgewerkschaft andererseits, finden auf alle nicht an ihn gebundenen Arbeitgeber sowie Arbeitnehmerinnen und Arbeitnehmer Anwendung, die unter den Geltungsbereich der am 1. Januar 2026 geltenden Fassung des Tarifvertrags fallen, wenn der Betrieb oder die selbstständige Betriebsabteilung nach dem fachlichen Geltungsbereich des Tarifvertrags überwiegend Dienstleistungen des Bewachungs- und Sicherheitsgewerbes oder Kontroll- oder Ordnungsdienste erbringt, die dem Schutz von Rechtsgütern aller Art, insbesondere von Leben, Gesundheit oder Eigentum dienen.

§ 2 Anwendungsausnahmen. Diese Verordnung findet keine Anwendung auf die Arbeitnehmerinnen und Arbeitnehmer im Geltungsbereich des Entgelttarifvertrags für Sicherheitskräfte an Verkehrsflughäfen vom 8. April 2025

1. der Entgeltgruppe I,
2. der Entgeltgruppe III bei Tätigkeiten außerhalb der Flughäfen und der Flächen auf dem Betriebsgelände der Flughäfen, die in Verantwortung der Flughafenbetreiber zugangskontrolliert sind,
3. der Entgeltgruppe V.

---

[1] Die VO **tritt mit Ablauf des 31.12 2026 außer Kraft**, vgl. § 3.
[2] Nr. **506**.

§ 3 Außerkrafttreten. Diese Verordnung tritt mit Ablauf des 31. Dezember 2026 außer Kraft.

§ 4 Inkrafttreten. Diese Verordnung tritt am 1. Januar 2026 in Kraft.

Anlage 1
(zu § 1)

Rechtsnormen des Entgelttarifvertrags für Sicherheitskräfte an Verkehrsflughäfen vom 8. April 2025

§ 1 Geltungsbereich. 1. Dieser Tarifvertrag gilt

räumlich

für alle Flughäfen und Flächen, auf denen das Luftsicherheitsgesetz (LuftSiG)[1] Anwendung findet; dies gilt nicht für Flächen, auf denen keine Kontrollmittel oder Kontrollverfahren nach

– Nummer 6.2.1.5 (Fracht und Post) Buchstaben b und e oder c oder
– Nummer 8.1.2.3 (Bordvorräte) Buchstaben c und e oder Buchstabe d oder
– Nummer 9.1.2.3 (Flughafenlieferungen) Buchstaben c und e oder Buchstabe d

des Anhangs zur Durchführungsverordnung (EU) 2015/1998 eingesetzt bzw. durchgeführt werden,

fachlich

für alle Sicherheitsunternehmen, die Sicherheitsmaßnahmen nach dem LuftSiG oder Service- und Fluggastdienste durchführen,

persönlich

für alle Beschäftigten, die den Vorgaben des Kapitel 11 – Einstellung und Schulung von Personal – des Anhanges zur Durchführungsverordnung (EU) 2015/1998 unterliegen, die Beschäftigten in den Entgeltgruppen IV und V dieses Tarifvertrags sowie die operativ tätigen betrieblichen Angestellten mit Ausnahme der Beschäftigten im Sinne des § 5 Absatz 3 des BetrVG[2].

2. [1] Aus Gründen der vereinfachten Lesbarkeit wurde eine geschlechtsneutrale Formulierung genutzt. [2] An den Stellen, an denen dies nicht möglich war, wurde die männliche Schreibweise verwendet. [3] Es sind jedoch immer alle Geschlechter im Sinne der Gleichbehandlung angesprochen. [4] [Nummer 3 ist von der Verordnung nicht umfasst und daher nicht abgedruckt.]

§ 2 Entgeltstruktur. 1.–3. [Die Nummern 1 bis 3 sind von der Verordnung nicht umfasst und daher nicht abgedruckt.]

4. [1] Die Stundenentgelte in den Entgeltgruppen II bis IV sind zugleich Mindestentgelte im Sinne des § 5 Satz 1 Nummer 1 Arbeitnehmer-Entsendegesetz[3]. [2] [Nummer 4 Satz 2 ist von der Verordnung nicht umfasst und daher nicht abgedruckt.]

§ 3 Entgeltgruppen

Entgeltgruppe II

Luftsicherheitskontrollpersonal (LSKP) mit einer der Kompetenzen nach Nummer 11.2.3.1, 11.2.3.2 oder 11.2.3.3 sowie optional der zusätzlichen Kompetenz nach Nummer 11.2.3.4 oder 11.2.3.5. nur in Verbindung mit einer der Kompetenzen nach Nummer 11.2.3.1 bis 11.2.3.3 des Anhangs zur Durchführungsverordnung (EU) 2015/1998 für Sicherheitsdienstleistungen nach §§ 8, 9, 9a LuftSiG[1] als Luftsicherheitskontrollpersonal (LSKP), nach erfolgreich bestandener behördlicher Prüfung mit entsprechender Tätigkeit.

Entgeltgruppe III

Luftsicherheitskontrollpersonal (LSKP) mit Kompetenzen nach Nummer 11.2.3.5 des Anhangs der Durchführungsverordnung (EU) 2015/1998 sowie Sicherheitspersonal für Sicherheitsdienstleistungen nach §§ 8, 9, 9a LuftSiG, mit entsprechender Tätigkeit (z.B.: Bordkartenkontrolle, Profiling (Interviewing), Sicherung der Grenze zum sicherheitsempfindlichen Bereich gemäß § 8 LuftSiG gegen unberechtigten Zutritt, Flugzeugbewachung, Dokumentenkontrolle, Bewachung von Flächen, auf

---

[1] ***beck-online*, *Module Arbeitsrecht* Nr. 492a (2).**
[2] Nr. **570**.
[3] Nr. **506**.

denen Kontrollmittel oder Kontrollverfahren gem. des Anhangs zur Durchführungsverordnung (EU) 2015/1998 eingesetzt bzw. durchgeführt werden).

Entgeltgruppe IV

[1] Anderes Personal mit qualifizierten Servicetätigkeiten und Fluggastdiensten, die eine luftsicherheitsspezifische gemäß Durchführungsverordnung (EU) 2015/1998 und/oder eine flughafenspezifische Ausbildung von mindestens 25 Unterrichtseinheiten (à 45 Minuten) im Jahr voraussetzt, mit entsprechender Tätigkeit.
[2] [Die Entgeltgruppen I und V sind von der Verordnung nicht umfasst und daher nicht abgedruckt.]
[3] [Die §§ 4 bis 10 sind von der Verordnung nicht umfasst und daher nicht abgedruckt.]

§ 11 Ausschlussfristen.

1. Ansprüche aus dem Arbeitsverhältnis verfallen, wenn sie nicht innerhalb einer Ausschlussfrist von sechs Monaten nach Fälligkeit von den Beschäftigten oder vom Arbeitgeber in Textform geltend gemacht werden.
2. Lehnt die Gegenpartei den Anspruch ab, so verfällt dieser, wenn er nicht innerhalb von sechs Monaten nach der Ablehnung gerichtlich geltend gemacht wird.
3. Von dieser Ausschlussfrist werden Schadensersatzansprüche, die auf vorsätzlichen oder grob fahrlässigen Handlungen beruhen, nicht erfasst. Dies gilt auch für den Anspruch von Beschäftigten auf den gesetzlichen Mindestlohn. Über den Mindestlohn hinausgehende Vergütungsansprüche von Beschäftigten unterliegen weiterhin den tarifvertraglich geltenden Ausschlussfristen. [§§ 12 bis 15 sind von der Verordnung nicht umfasst und daher nicht abgedruckt.]

Anhang
(zu § 2 der Anlage)

Auszug aus der Anlage 1 zum Entgelttarifvertrag für Sicherheitskräfte an Verkehrsflughäfen vom 8. April 2025

Stundenentgelte ab dem 1. Mai 2025

Entgeltgruppe	Stundenentgelt in €
Entgeltgruppe II	23,09
Entgeltgruppe III Alle Flughäfen und für Flächen auf dem Betriebsgelände der Flughäfen, die in Verantwortung der Flughafenbetreiber zugangskontrolliert sind	21,24
Entgeltgruppe IV	17,21

Stundenentgelte ab dem 1. April 2026

Entgeltgruppe	Stundenentgelt in €
Entgeltgruppe II	24,09
Entgeltgruppe III Alle Flughäfen und für Flächen auf dem Betriebsgelände der Flughäfen, die in Verantwortung der Flughafenbetreiber zugangskontrolliert sind	22,24
Entgeltgruppe IV	18,21

[Die Entgeltgruppen I, III bei Tätigkeiten außerhalb der Flughäfen und der Flächen auf dem Betriebsgelände der Flughäfen, die in Verantwortung der Flughafenbetreiber zugangskontrolliert sind, und V sind von der Verordnung ausgenommen und daher nicht abgedruckt.]

508. Gesetz zur Sicherung von Arbeitnehmerrechten in der Fleischwirtschaft (GSA Fleisch)[1)]

Vom 17. Juli 2017
(BGBl. I S. 2541, 2572)

FNA 810-21

zuletzt geänd. durch Art. 9 G zur Modernisierung und Digitalisierung der Schwarzarbeitsbekämpfung v. 22.12.2025 (BGBl. 2025 I Nr. 369)

Der Bundestag hat mit Zustimmung des Bundesrates das folgende Gesetz beschlossen:

§ 1[2)] Zielsetzung. Ziele des Gesetzes sind die Sicherung von Rechten und Ansprüchen der Arbeitnehmerinnen und Arbeitnehmer, der Arbeits- und Gesundheitsschutz sowie die Verhinderung von Umgehungen der Pflicht zur Zahlung von Sozialversicherungsbeiträgen durch die Beauftragung von Nachunternehmern in der Fleischwirtschaft.

§ 2[3)] Geltungsbereich. (1) [1] Dieses Gesetz gilt für die Fleischwirtschaft. [2] Zur Fleischwirtschaft im Sinne dieses Gesetzes gehören Betriebe im Sinne von § 6 Absatz 9 des Arbeitnehmer-Entsendegesetzes[4)].

(2) [1] Die §§ 6 bis 6b finden auf das Fleischerhandwerk keine Anwendung. [2] Zum Fleischerhandwerk im Sinne dieses Gesetzes gehören Unternehmer der Fleischwirtschaft, die in der Regel nicht mehr als 49 Personen tätig werden lassen und

1. ihre Tätigkeiten nach § 1 Absatz 2 der Handwerksordnung[5)] handwerksmäßig betreiben und in die Handwerksrolle des zulassungspflichtigen Handwerks oder in das Verzeichnis des zulassungsfreien Handwerks oder handwerksähnlichen Gewerbes eingetragen sind oder
2. juristische Personen oder rechtsfähige Personengesellschaften sind, deren Mitglieder oder Gesellschafter ausschließlich Unternehmer im Sinne des Satzes 2 Nummer 1 sind.

[3] Bei der Bestimmung der Anzahl der in der Regel tätigen Personen nach Satz 2 sind auch die bei Nachunternehmern tätigen Arbeitnehmerinnen und Arbeitnehmer, Leiharbeitnehmerinnen und Leiharbeitnehmer sowie Selbstständige mitzuzählen. [4] Nicht berücksichtigt werden bei der Bestimmung der Anzahl der in der Regel tätigen Personen nach Satz 2 solche Personen, die ausschließlich mit dem Verkauf und damit in unmittelbarem Zusammenhang stehenden Tätigkeiten befasst sind, sowie Auszubildende in der Ausbildung zur Fachverkäuferin oder zum Fachverkäufer im Lebensmittelhandwerk mit Schwerpunkt Fleischwirtschaft.

[1)] Verkündet als Art. 30 G v. 17.7.2017 (BGBl. I S. 2541); Inkrafttreten gem. Art. 31 Abs. 1 dieses G am 25.7.2017.

[2)] § 1 geänd. mWv 1.1.2021 durch G v. 22.12.2020 (BGBl. I S. 3334).

[3)] § 2 geänd. mWv 30.7.2020 durch G v. 10.7.2020 (BGBl. I S. 1657); Abs. 2 angef. mWv 1.1.2021 durch G v. 22.12.2020 (BGBl. I S. 3334).

[4)] Nr. **506**.

[5)] Nr. **107**.

§ 3[1] **Haftung für Sozialversicherungsbeiträge.** (1) § 28e Absatz 3a, Absatz 3b Satz 1, Absatz 3c Satz 1, Absatz 3e, Absatz 3f Satz 1 und 2 und Absatz 4 des Vierten Buches Sozialgesetzbuch[2] gilt für Unternehmer der Fleischwirtschaft, die andere Unternehmer mit Tätigkeiten des Schlachtens oder der Fleischverarbeitung im Sinne des § 6 Absatz 9 Satz 2 bis 4 des Arbeitnehmer-Entsendegesetzes[3] beauftragen, mit der Maßgabe entsprechend, dass der Nachweis entsprechend § 28e Absatz 3b Satz 1 des Vierten Buches Sozialgesetzbuch[2] ausschließlich durch eine Unbedenklichkeitsbescheinigung der zuständigen Einzugsstelle für den Nachunternehmer oder den von diesem beauftragten Verleiher entsprechend § 28e Absatz 3f Satz 1 und 2 des Vierten Buches Sozialgesetzbuch[2] erbracht werden kann.

(2) § 150 Absatz 3 des Siebten Buches Sozialgesetzbuch[4] gilt, soweit er die entsprechende Geltung von in Absatz 1 genannten Vorschriften des Vierten Buches Sozialgesetzbuch[5] anordnet, entsprechend für Unternehmer der Fleischwirtschaft.

§ 4[6] **Arbeitsmittel, Schutzkleidung und persönliche Schutzausrüstung.** (1) Der Arbeitgeber hat Arbeitnehmerinnen und Arbeitnehmern Arbeitsmittel, die aus Hygienegründen oder Gründen der Arbeitssicherheit vorgeschriebene besondere Arbeitskleidung (Schutzkleidung) und persönliche Schutzausrüstung unentgeltlich zur Verfügung zu stellen und instand zu halten.

(2) Eine Vereinbarung, durch die Arbeitnehmerinnen und Arbeitnehmer verpflichtet werden, Arbeitsmittel, Schutzkleidung oder persönliche Schutzausrüstung auf eigene Kosten zu beschaffen oder instand zu halten, ist unwirksam.

§ 5 Berechnung und Zahlung des Arbeitsentgelts, Aufrechnungsverbot. (1) Das Arbeitsentgelt ist in Euro zu berechnen und auszuzahlen.

(2) Die Aufrechnung gegenüber dem unpfändbaren Teil des Arbeitsentgelts ist unzulässig.

§ 6[7] **Erstellen von Dokumenten.** (1) Die Pflichten zum Erstellen von Dokumenten nach § 17 Absatz 1 des Mindestlohngesetzes[8], § 19 Absatz 1 des Arbeitnehmer-Entsendegesetzes[3] und § 17c Absatz 1 des Arbeitnehmerüberlassungsgesetzes[9] werden dahingehend abgewandelt, dass Arbeitgeber und Entleiher verpflichtet sind, den Beginn der täglichen Arbeitszeit der Arbeitnehmerinnen und Arbeitnehmer sowie Leiharbeitnehmerinnen und Leiharbeitnehmer jeweils unmittelbar bei Arbeitsaufnahme sowie Ende und Dauer der täglichen Arbeitszeit jeweils am Tag der Arbeitsleistung elektronisch und manipulationssicher aufzuzeichnen und diese Aufzeichnung elektronisch aufzubewahren.

(2) [1] Die tägliche Arbeitszeit im Sinne des Absatzes 1 umfasst auch Zeiten, die die Arbeitnehmerin oder der Arbeitnehmer für Vor- und Nachbereitungs-

---

[1] § 3 Abs. 1 geänd. mWv 30.7.2020 durch G v. 10.7.2020 (BGBl. I S. 1657).
[2] Nr. **694**.
[3] Nr. **506**.
[4] **beck-online, Module Arbeitsrecht Nr. 697.**
[5] Auszugsweise abgedruckt unter Nr. **694**.
[6] § 4 Abs. 1 und 2 geänd. mWv 1.1.2021 durch G v. 22.12.2020 (BGBl. I S. 3334).
[7] § 6 bish. Wortlaut wird Abs. 1, Satz 1 geänd. und Satz 2 aufgeh., Abs. 2 angef. mWv 1.1.2021 *durch G v. 22.12.2020 (BGBl. I S. 3334).*
[8] Nr. **505**.
[9] Nr. **730**.

handlungen im Betrieb benötigt, soweit diese fremdnützig sind und nicht zugleich der Befriedigung eines eigenen Bedürfnisses der Arbeitnehmerin oder des Arbeitnehmers dienen. [2] Zeiten für Vor- und Nachbereitungshandlungen nach Satz 1 sind insbesondere Zeiten, die die Arbeitnehmerin oder der Arbeitnehmer jeweils einschließlich der hierfür erforderlichen innerbetrieblichen Wegezeiten benötigt für

1. das Auf- und Abrüsten von Arbeitsmitteln einschließlich der Entgegennahme und des Abgebens der Arbeitsmittel (Rüstzeiten),
2. das An- oder Ablegen der Arbeitskleidung einschließlich der Entgegennahme und des Abgebens der Arbeitskleidung (Umkleidezeiten), wenn das Tragen einer bestimmten Arbeitskleidung vom Arbeitgeber angeordnet wird oder gesetzlich vorgeschrieben ist und das Umkleiden im Betrieb erfolgt, und
3. das Waschen vor Beginn oder nach Beendigung der Arbeit (Waschzeiten), wenn das Waschen aus hygienischen oder gesundheitlichen Gründen notwendig ist.

§ 6a[1)] Einschränkungen des Einsatzes von Fremdpersonal. (1) [1] Ein Unternehmer muss einen Betrieb oder, im Fall des Absatzes 3 Satz 2, eine übergreifende Organisation, in dem oder in der geschlachtet wird, Schlachtkörper zerlegt werden oder Fleisch verarbeitet wird, als alleiniger Inhaber führen. [2] Die gemeinsame Führung eines Betriebes oder einer übergreifenden Organisation durch zwei oder mehrere Unternehmer ist unzulässig.

(2) [1] Der Inhaber darf im Bereich der Schlachtung einschließlich der Zerlegung von Schlachtkörpern sowie im Bereich der Fleischverarbeitung Arbeitnehmerinnen und Arbeitnehmer nur im Rahmen von mit ihm bestehenden Arbeitsverhältnissen tätig werden lassen. [2] Er darf in diesen Bereichen keine Selbstständigen tätig werden lassen. [3] Ein Dritter darf in diesen Bereichen keine Arbeitnehmerinnen und Arbeitnehmer und keine Selbstständigen tätig werden lassen und keine Leiharbeitnehmerinnen und Leiharbeitnehmer in diese Bereiche überlassen.

(3) [1] Inhaber ist, wer über die Nutzung der Betriebsmittel und den Einsatz des Personals entscheidet. [2] Wenn aufgrund der räumlichen oder funktionalen Einbindung des Betriebes in eine übergreifende Organisation die Arbeitsabläufe in dem Betrieb inhaltlich oder zeitlich im Wesentlichen vorgegeben sind, ist Inhaber, wer die übergreifende Organisation führt.

(4) Eine übergreifende Organisation ist ein überbetrieblicher, nicht notwendig räumlich zusammenhängender Produktionsverbund, in dem ein Unternehmer die Arbeitsabläufe im Bereich der Schlachtung einschließlich der Zerlegung von Schlachtkörpern oder im Bereich der Fleischverarbeitung inhaltlich oder zeitlich im Wesentlichen vorgibt.

[1)] § 6a eingef. mWv 1.1.2021, Abs. 2 Satz 1 geänd., Satz 3 neu gef., Abs. 3 eingef., bish. Abs. 3 und 4 werden Abs. 4 und 5 mWv 1.4.2021, Abs. 3 aufgeh., bish. Abs. 4 und 5 werden Abs. 3 und 4 mWv 1.4.2024 durch G v. 22.12.2020 (BGBl. I S. 3334).

§ 6b[1] Prüfung und Befugnisse der Behörden der Zollverwaltung.

(1) Die Prüfung der Einhaltung der Vorgaben des § 6a obliegt den Behörden der Zollverwaltung.

(2) Die §§ 2, 3 bis 7, 13, 14, 15 bis 20, 22 und 23 des Schwarzarbeitsbekämpfungsgesetzes[2] sind entsprechend anzuwenden mit der Maßgabe, dass

1. die dortigen Befugnisse, Duldungs- und Mitwirkungspflichten auch gegenüber Inhabern im Sinne des § 6a Absatz 3 sowie Personen, welche die Nutzung eines Betriebes oder einer übergreifenden Organisation gestatten, Anwendung finden,
2. die dort genannten Behörden auch Einsicht in Arbeitsverträge, Niederschriften nach § 2 des Nachweisgesetzes[3], Satzungen, Gesellschaftsverträge und andere Geschäftsunterlagen nehmen können, die mittelbar oder unmittelbar Auskunft über die Einhaltung der Vorgaben nach § 6a geben, und
3. die nach § 5 Absatz 1 des Schwarzarbeitsbekämpfungsgesetzes, auch in Verbindung mit Nummer 1, zur Mitwirkung Verpflichteten die Unterlagen nach Nummer 2 vorzulegen haben.

§ 7[4] Bußgeldvorschriften. (1) Ordnungswidrig handelt, wer einem anderen die Nutzung eines Betriebes oder einer übergreifenden Organisation, in dem oder in der geschlachtet wird, Schlachtkörper zerlegt werden oder Fleisch verarbeitet wird, ganz oder teilweise gestattet und weiß oder wenigstens fahrlässig nicht weiß, dass der andere

1. entgegen § 6a Absatz 1 Satz 1 den Betrieb oder die übergreifende Organisation nicht richtig führt,
2. entgegen § 6a Absatz 2 Satz 1 eine Arbeitnehmerin oder einen Arbeitnehmer tätig werden lässt oder
3. entgegen § 6a Absatz 2 Satz 2 einen Selbstständigen tätig werden lässt.

(2) Ordnungswidrig handelt, wer vorsätzlich oder fahrlässig

1. entgegen § 3 Absatz 1 in Verbindung mit § 28e Absatz 3c Satz 1 des Vierten Buches Sozialgesetzbuch[5] eine Mitteilung nicht, nicht richtig, nicht vollständig oder nicht rechtzeitig macht,
2. entgegen § 6 in Verbindung mit § 17 Absatz 1 Satz 1, auch in Verbindung mit Satz 2, des Mindestlohngesetzes[6], § 19 Absatz 1 Satz 1, auch in Verbindung mit Satz 2, des Arbeitnehmer-Entsendegesetzes[7] oder § 17c Absatz 1 des Arbeitnehmerüberlassungsgesetzes[8] eine Aufzeichnung nicht, nicht richtig, nicht vollständig, nicht in der vorgeschriebenen Weise oder nicht recht-

---

[1] § 6b eingef. mWv 1.1.2021, Abs. 1 neu gef. mWv 1.4.2021, Abs. 1 Satz 2 aufgeh. mWv 1.4.2024 durch G v. 22.12.2020 (BGBl. I S. 3334); Abs. 2 einl. Satzteil geänd. mWv 30.12.2025 durch G v. 22.12.2025 (BGBl. 2025 I Nr. 369).

[2] Nr. **110**.

[3] Nr. **90**.

[4] § 7 neu gef. mWv 1.1.2021, Abs. 1 Nr. 2 und 3 geänd, Nr. 4 angef., Abs. 2 Nr. 5 und 6 geänd., Nr. 7–9 angef., Abs. 3 neu gef., Abs. 4 Nr. 1 und 2 geänd., Nr. 3 angef. mWv 1.4.2021, Abs. 1 Nr. 2 und 3 geänd., Nr. 4 aufgeh., Abs. 2 Nr. 5 und Nr. 6 geänd., Nr. 7–9 aufgeh., Abs. 3 neu gef., Abs. 4 Nr. 1 und 2 geänd., Nr. 3 aufgeh. mWv 1.4.2024 durch G v. 22.12.2020 (BGBl. I S. 3334); Abs. 3 geänd. mWv 30.12.2025 durch G v. 22.12.2025 (BGBl. 2025 I Nr. 369).

[5] Nr. **694**.

[6] Nr. **505**.

[7] Nr. **506**.

[8] Nr. **730**.

zeitig erstellt oder nicht, nicht vollständig, nicht in der vorgeschriebenen Weise oder nicht mindestens zwei Jahre aufbewahrt,

3. entgegen § 6a Absatz 1 Satz 1 einen Betrieb oder eine übergreifende Organisation nicht richtig führt,
4. entgegen § 6a Absatz 2 Satz 1 eine Arbeitnehmerin oder einen Arbeitnehmer tätig werden lässt,
5. entgegen § 6a Absatz 2 Satz 2 einen Selbstständigen tätig werden lässt oder
6. entgegen § 6a Absatz 2 Satz 3 eine Arbeitnehmerin oder einen Arbeitnehmer oder einen Selbstständigen tätig werden lässt oder eine Leiharbeitnehmerin oder einen Leiharbeitnehmer überlässt..[1)]

(3) Die Ordnungswidrigkeit kann in den Fällen des Absatzes 1 sowie des Absatzes 2 Nummer 3 bis 6 mit einer Geldbuße bis zu fünfhunderttausend Euro, in den übrigen Fällen mit einer Geldbuße bis zu fünfzigtausend Euro geahndet werden.

(4) Verwaltungsbehörden im Sinne des § 36 Absatz 1 Nummer 1 des Gesetzes über Ordnungswidrigkeiten[2)] sind

1. in den Fällen der Absätze 1 und 2 Nummer 2 bis 6 die Behörden der Zollverwaltung jeweils für ihren Geschäftsbereich und
2. in den Fällen des Absatzes 2 Nummer 1 der Versicherungsträger.

§ 8[3)] Evaluation. Das Bundesministerium für Arbeit und Soziales wird die Regelung zur Einschränkung des Einsatzes von Fremdpersonal in der Fleischwirtschaft einschließlich der Einschränkung des Anwendungsbereichs der Regelung für das Fleischerhandwerk im Jahr 2023 evaluieren.

---

1) Zeichensetzung amtlich.
2) **Habersack Nr. 94.**
3) § 8 angef. mWv 1.1.2021 durch G v. 22.12.2020 (BGBl. I S. 3334).

510. Übersicht der Landesgesetze über Tariftreue[1)]

Baden-Württemberg

Tariftreue- und Mindestlohngesetz für öffentliche Aufträge in Baden-Württemberg (Landestariftreue- und Mindestlohngesetz - LTMG) vom 16. April 2013 (GBl. S. 50), zuletzt geänd. durch G v. 21.11.2017 (GBl. S. 597).

Verordnung des Wirtschaftsministeriums zur Feststellung der repräsentativen Tarifverträge im öffentlichen Personenverkehr vom 20. Juni 2013 (GBl. S. 155).

Berlin

Berliner Ausschreibungs- und Vergabegesetz (BerlAVG) vom 22. April 2020 (GVBl. S. 276).

Mindestlohngesetz für das Land Berlin (Landesmindestlohngesetz) vom 18. Dezember 2013 (GVBl. S. 922), zuletzt geänd. durch G v. 15.11.2025 (GVBl. S. 571).

Brandenburg

Brandenburgisches Gesetz über Mindestanforderungen für die Vergabe von öffentlichen Aufträgen (Brandenburgisches Vergabegesetz - BbgVergG) vom 29. September 2016 (GVBl. I Nr. 21), zuletzt geänd. durch G v. 13.4.2021 (GVBl. I Nr. 9).

Bremen

Bremisches Gesetz zur Sicherung von Tariftreue, Sozialstandards und Wettbewerb bei öffentlicher Auftragsvergabe (Tariftreue- und Vergabegesetz) vom 24. November 2009 (Brem.GBl. S. 476), zuletzt geänd. durch Bek. v. 2.9.2025 (Brem.GBl. S. 674).

Hamburg

Hamburgisches Vergabegesetz (HmbVgG) vom 13. Februar 2006 (HmbGVBl. S. 57), zuletzt geänd. durch G v. 5.3.2025 (HmbGVBl. S. 268).

Hessen

Hessisches Vergabe- und Tariftreuegesetz (HVTG) vom 12. Juli 2021 (GVBl. S. 338).

Verordnung über den Beirat zur Feststellung der Repräsentativität von Tarifverträgen und deren entgeltrelevanter Bestandteile vom 29. September 2015 (GVBl. S. 380), zuletzt geänd. durch VO v. 7.9.2020 (GVBl. S. 586).

Mecklenburg-Vorpommern

Tariftreue- und Vergabegesetz Mecklenburg-Vorpommern (TVgG M-V) vom 18. Dezember 2023 (GVOBl. M-V S. 934).

[1)] Die Übersicht ist nichtamtlich. Die Vorschriften sind vollständig wiedergegeben in **beck-online, Module Arbeitsrecht.**

Niedersachsen

Niedersächsisches Gesetz zur Sicherung von Tariftreue und Wettbewerb bei der Vergabe öffentlicher Aufträge (Niedersächsisches Tariftreue- und Vergabegesetz - NTVergG) vom 31. Oktober 2013 (Nds. GVBl. S. 259), zuletzt geänd. durch G v. 20.11.2019 (Nds. GVBl. S. 354).

Nordrhein-Westfalen

Gesetz über die Sicherung von Tariftreue und Mindestlohn bei der Vergabe öffentlicher Aufträge (Tariftreue- und Vergabegesetz Nordrhein-Westfalen – TVgG NRW) vom 22. März 2018 (GV. NRW. S. 172).

Rheinland-Pfalz

Landesgesetz zur Gewährleistung von Tariftreue und Mindestentgelt bei öffentlichen Auftragsvergaben (Landestariftreuegesetz - LTTG -) vom 1. Dezember 2010 (GVBl. S. 426), zuletzt geänd. durch G v. 26.11.2019 (GVBl. S. 333).

Saarland

Gesetz über die Sicherung von Sozialstandards, Tariftreue und fairen Löhnen bei der Vergabe öffentlicher Aufträge im Saarland (Saarländisches Tariftreue- und Fairer-Lohn-Gesetz – STFLG –) vom 8. Dezember 2021 (Amtsbl. I S. 2688).

Sachsen

Gesetz über die Vergabe öffentlicher Aufträge im Freistaat Sachsen (Sächsisches Vergabegesetz - SächsVergabeG) vom 14. Februar 2013 (SächsGVBl. S. 109).

Sachsen-Anhalt

Gesetz des Landes Sachsen-Anhalt zur Sicherung von Tariftreue, Sozialstandards und Wettbewerb bei der Vergabe öffentlicher Aufträge (Tariftreue- und Vergabegesetz Sachsen-Anhalt - TVergG LSA) vom 7. Dezember 2022 (GVBl. LSA S. 367), geänd. durch G v. 1.10.2025 (GVBl. LSA S. 741).

Schleswig-Holstein

Vergabegesetz Schleswig-Holstein (VGSH) vom 8. Februar 2019 (GVOBl. Schl.-H. S. 40), geänd. durch G v. 22.11.2024 (GVOBl. Schl.-H. S. 801).

Thüringen

Thüringer Gesetz über die Vergabe öffentlicher Aufträge (Thüringer Vergabegesetz - ThürVgG -) idF der Bek. vom 23. Januar 2020 (GVBl. S. 29), geänd. durch G v. 16.11.2023 (GVBl. S. 331).

515. Gesetz zur Sicherung der Tariftreue bei der Vergabe und Ausführung öffentlicher Aufträge und Konzessionen des Bundes (Bundestariftreuegesetz – BTTG)[1]

Vom 27. April 2026
(BGBl. 2026 I Nr. 119)

FNA 703-15

Inhaltsübersicht

§ 1 Anwendungsbereich. (1) [1]Dieses Gesetz gilt mit Ausnahme des § 14 ab einem geschätzten Auftragswert oder Vertragswert von 50 000 Euro ohne Umsatzsteuer für die Vergabe und Ausführung öffentlicher Bau- und Dienstleistungsaufträge im Sinne von § 103 Absatz 1, 3 und 4 des Gesetzes gegen Wettbewerbsbeschränkungen[2] sowie für die Vergabe und Ausführung von Konzessionen im Sinne von § 105 Absatz 1 des Gesetzes gegen Wettbewerbsbeschränkungen, wenn diese öffentlichen Aufträge oder Konzessionen vergeben werden

1. durch den Bund;
2. durch öffentliche Auftraggeber im Sinne des § 99 Nummer 2 des Gesetzes gegen Wettbewerbsbeschränkungen, Sektorenauftraggeber im Sinne des § 100 Absatz 1 Nummer 1 des Gesetzes gegen Wettbewerbsbeschränkungen in Verbindung mit § 99 Nummer 2 des Gesetzes gegen Wettbewerbsbeschränkungen und Konzessionsgeber im Sinne des § 101 Absatz 1 Nummer 1 des Gesetzes gegen Wettbewerbsbeschränkungen in Verbindung mit § 99 Nummer 2 des Gesetzes gegen Wettbewerbsbeschränkungen, sofern der Bund die Beteiligung überwiegend verwaltet oder die sonstige Finanzierung überwiegend gewährt hat oder über die Leitung überwiegend die Aufsicht

[1] Verkündet als Art. 1 G v. 27.4.2026 (BGBl. 2026 I Nr. 119); Inkrafttreten gem. Art. 10 Abs. 1 dieses G am 1.5.2026, mit Ausnahme von § 8 Abs. 5, der gem. Art. 10 Abs. 3 dieses G am 1.1.2028 in Kraft tritt.

[2] **beck-online, Module Arbeitsrecht Nr. 509.**

ausübt oder die Mitglieder des zur Geschäftsführung oder zur Aufsicht berufenen Organs überwiegend bestimmt hat;

3. durch Sektorenauftraggeber im Sinne des § 100 Absatz 1 Nummer 2 des Gesetzes gegen Wettbewerbsbeschränkungen und Konzessionsgeber im Sinne des § 101 Absatz 1 Nummer 3 des Gesetzes gegen Wettbewerbsbeschränkungen, sofern der Bund auf sie einen beherrschenden Einfluss ausübt; ein beherrschender Einfluss liegt vor, wenn der Bund unmittelbar oder mittelbar die Mehrheit des gezeichneten Kapitals des Auftraggebers besitzt oder über die Mehrheit der mit den Anteilen des Auftraggebers verbundenen Stimmrechte verfügt oder mehr als die Hälfte der Mitglieder des Verwaltungs-, Leitungs- oder Aufsichtsorgans des Auftraggebers bestellen kann;
4. durch öffentliche Auftraggeber im Sinne des § 99 Nummer 4 des Gesetzes gegen Wettbewerbsbeschränkungen, sofern der Bund die Mittel überwiegend bewilligt hat;
5. im Rahmen der Organleihe für den Bund;
6. durch Auftraggeber im Sinne von § 98 des Gesetzes gegen Wettbewerbsbeschränkungen, die nach den Nummern 2 bis 5 dem Bund zuzurechnen und bei entsprechender Anwendung der Nummern 2 bis 5 gleichzeitig einem Land zuzurechnen sind.

[2] Die Rechtsvorschriften zur Schätzung des Auftragswertes in den aufgrund des § 113 Satz 2 Nummer 1 des Gesetzes gegen Wettbewerbsbeschränkungen jeweils erlassenen Rechtsverordnungen sind entsprechend anzuwenden.

(2) Dieses Gesetz gilt nicht

1. für die Vergabe und Ausführung verteidigungs- oder sicherheitsspezifischer öffentlicher Aufträge im Sinne von § 104 des Gesetzes gegen Wettbewerbsbeschränkungen;
2. für die Vergabe und Ausführung öffentlicher Aufträge sowie Konzessionen durch ein Land im Rahmen der Auftragsverwaltung für den Bund und
3. für Vergabeverfahren über öffentliche Aufträge sowie Konzessionen zur Deckung von Bedarfen der Bundeswehr, die bis zum 31. Dezember 2032 eingeleitet worden sind.

(3) Dieses Gesetz gilt mit Ausnahme des § 14 nur, soweit die jeweilige Leistung zur Ausführung des öffentlichen Auftrags oder der Konzession innerhalb der Bundesrepublik Deutschland erbracht wird.

(4) Dieses Gesetz findet keine Anwendung, soweit das Gesetz gegen Wettbewerbsbeschränkungen oder andere Rechtsvorschriften des Bundes Ausnahmen von der Anwendbarkeit des Teils 4 des Gesetzes gegen Wettbewerbsbeschränkungen vorsehen.

(5) [1] Liegt der geschätzte Auftrags- oder Vertragswert öffentlicher Bau- und Dienstleistungsaufträge oder Konzessionen unterhalb der in § 106 Absatz 2 des Gesetzes gegen Wettbewerbsbeschränkungen in Bezug genommenen Schwellenwerte, so gilt dieses Gesetz nur, soweit die betroffenen Auftraggeber oder Konzessionsgeber nach den maßgeblichen vergabe- oder haushaltsrechtlichen Vorgaben des Bundes oder der Länder zur Durchführung eines Vergabeverfahrens verpflichtet sind. [2] Abweichend von Satz 1 gilt dieses Gesetz entsprechend *für Direktaufträge ab einem geschätzten Auftragswert von 100 000 Euro ohne* Umsatzsteuer der Sicherheitsbehörden für Bau- und Dienstleistungen, welche unmittelbar der Zivilen Verteidigung, der Inneren Sicherheit, dem Katastro-

phenschutz oder nachrichtendienstlichen Zwecken dienen. [3] § 129 Absatz 2 des Gesetzes gegen Wettbewerbsbeschränkungen gilt für Vergabeverfahren nach Satz 1 entsprechend.

(6) Auf Rahmenvereinbarungen im Sinne des § 103 Absatz 5 des Gesetzes gegen Wettbewerbsbeschränkungen ist dieses Gesetz entsprechend anwendbar.

(7) [1] Sollen öffentliche Aufträge oder Konzessionen gemeinsam mit Auftraggebern der Länder oder anderer Staaten vergeben werden, soll mit diesen eine Einigung über die Einhaltung der Bestimmungen dieses Gesetzes angestrebt werden. [2] Kommt keine Einigung zustande, kann von den Bestimmungen dieses Gesetzes abgewichen werden.

§ 2 Begriffsbestimmungen. (1) Bundesauftraggeber im Sinne dieses Gesetzes sind Auftraggeber im Sinne des § 98 des Gesetzes gegen Wettbewerbsbeschränkungen[1)] öffentlicher Aufträge, Rahmenvereinbarungen und Konzessionen, die in den Anwendungsbereich nach § 1 fallen.

(2) Auftragnehmer im Sinne dieses Gesetzes sind die Auftragnehmer und Konzessionsnehmer der Bundesauftraggeber.

§ 3 Tariftreueversprechen. (1) Bundesauftraggeber geben einem Auftragnehmer als Ausführungsbedingung verbindlich vor, dass er den zur Leistungserbringung eingesetzten Arbeitnehmerinnen und Arbeitnehmern für die Dauer, in der sie in Ausführung des öffentlichen Auftrags oder der Konzession tätig sind, mindestens die Arbeitsbedingungen gewähren muss, die die jeweils einschlägige Rechtsverordnung nach § 5 festsetzt.

(2) [1] Bundesauftraggeber geben einem Auftragnehmer als Ausführungsbedingung verbindlich vor, von Nachunternehmern und von dem Auftragnehmer oder von Nachunternehmern beauftragten Verleihern zu verlangen und durch geeignete Maßnahmen sicherzustellen, dass die Nachunternehmer und von dem Auftragnehmer oder von Nachunternehmern beauftragte Verleiher ihre Pflichten nach § 4 Absatz 1 und 3 erfüllen. [2] Nicht als Nachunternehmer gelten unmittelbare und mittelbare Zulieferer im Sinne von § 2 Absatz 5 Satz 2 Nummer 2 und 3 in Verbindung mit den Absätzen 7 und 8 des Lieferkettensorgfaltspflichtengesetzes[2)], soweit der Zulieferer keine eigene Verpflichtung des Auftragnehmers erfüllt. [3] Verleiher im Sinne dieses Gesetzes sind solche nach § 1 Absatz 1 des Arbeitnehmerüberlassungsgesetzes[3)].

§ 4 Anspruch auf Gewährung der verbindlichen Arbeitsbedingungen. (1) [1] Arbeitgeber sind verpflichtet, ihren zur Leistungserbringung eingesetzten Arbeitnehmerinnen und Arbeitnehmern für die Dauer, in der diese in Ausführung des öffentlichen Auftrags oder der Konzession tätig sind, mindestens die einschlägigen, in einer Rechtsverordnung nach § 5 für die betroffene Branche festgesetzten Arbeitsbedingungen zu gewähren. [2] Wird eine Leiharbeitnehmerin oder ein Leiharbeitnehmer vom Auftragnehmer oder einem Nachunternehmer zur Leistungserbringung eingesetzt und dabei mit Tätigkeiten beschäftigt, die in den Geltungsbereich einer Rechtsverordnung nach § 5 fallen, hat der Verleiher mindestens die in dieser Rechtsverordnung vorgeschriebenen Arbeitsbedingungen zu gewähren.

[1)] **beck-online, Module Arbeitsrecht Nr. 509.**
[2)] Nr. **125**.
[3)] Nr. **730**.

(2) [1] Ein Verzicht auf Ansprüche der Arbeitnehmerinnen und Arbeitnehmer sowie der Leiharbeitnehmerinnen und Leiharbeitnehmer nach Absatz 1 ist nur in einem von den Tarifvertragsparteien gebilligten Vergleich zulässig. [2] Die Verwirkung von Ansprüchen nach Absatz 1 ist ausgeschlossen. [3] Ausschlussfristen für die Geltendmachung der Ansprüche nach Absatz 1 können ausschließlich in dem der Rechtsverordnung nach § 5 zugrunde liegenden Tarifvertrag geregelt werden.

(3) [1] Arbeitgeber sind verpflichtet, die Arbeitnehmerinnen und Arbeitnehmer sowie die Leiharbeitnehmerinnen und Leiharbeitnehmer, die sie im Geltungsbereich einer Rechtsverordnung nach § 5 zur Leistungserbringung einsetzen, spätestens am 15. des auf den Tag der ersten Tätigkeit in Ausführung des Auftrags oder der Konzession folgenden Monats schriftlich oder in Textform darüber zu informieren, dass sie einen Anspruch auf die einschlägigen Arbeitsbedingungen haben. [2] Die Bundesauftraggeber stellen Auftragnehmern einen Vordruck für die Erfüllung der Pflicht nach Satz 1 zur Verfügung.

§ 5 Rechtsverordnung zur Festsetzung der verbindlichen Arbeitsbedingungen; Verordnungsermächtigung. (1) [1] Das Bundesministerium für Arbeit und Soziales wird ermächtigt, durch Rechtsverordnung ohne Zustimmung des Bundesrates auf Antrag einer Gewerkschaft oder einer Vereinigung von Arbeitgebern die für die Ausführung öffentlicher Aufträge und Konzessionen geltenden Arbeitsbedingungen eines von der Antragstellerin mit einer Gewerkschaft beziehungsweise einer Vereinigung von Arbeitgebern abgeschlossenen Tarifvertrags festzusetzen, es sei denn, ein öffentliches Interesse am Erlass der Rechtsverordnung ist ausnahmsweise nicht gegeben. [2] Arbeitsbedingungen nach Satz 1 sind

1. die Entlohnung im Sinne des § 2 Absatz 1 Nummer 1 in Verbindung mit § 2a des Arbeitnehmer-Entsendegesetzes[1)],
2. der bezahlte Mindestjahresurlaub im Sinne des § 2 Absatz 1 Nummer 2 des Arbeitnehmer-Entsendegesetzes sowie
3. die Höchstarbeitszeiten, Mindestruhezeiten und Ruhepausenzeiten im Sinne des § 2 Absatz 1 Nummer 3 des Arbeitnehmer-Entsendegesetzes.

[3] Soweit eine tarifliche Arbeitsbedingung gemäß Satz 2 in eine Rechtsverordnung übernommen wird, bleibt die Arbeitsbedingung unverändert. [4] Die Arbeitsbedingungen nach Satz 2 Nummer 2 und 3 dürfen nicht für Aufträge oder Konzessionen festgesetzt werden, für die eine Auftragsdauer von nicht mehr als zwei Monaten vereinbart oder geschätzt worden ist. [5] Satz 4 gilt bei Einsatz von Nachunternehmern oder Verleihern entsprechend für die vereinbarte oder geschätzte Dauer des Unterauftrags und bei losweiser Vergabe entsprechend für die vereinbarte oder geschätzte Dauer des Loses. [6] Das Bundesministerium für Arbeit und Soziales hat bei seiner Entscheidung im Rahmen einer Gesamtabwägung die Stellungnahmen nach Absatz 4 und die Empfehlungen nach § 6 Absatz 2 zu berücksichtigen. [7] Das Bundesministerium für Arbeit und Soziales bestimmt unter Beachtung des Grundsatzes der Gleichbehandlung in der Rechtsverordnung, die Arbeitsbedingungen welcher Tarifverträge für Auftragnehmer, Nachunternehmer und Verleiher mit Sitz im Ausland räumlich einschlägig sind.

[1)] Nr. **506**.

(1a) Wird in einer Branche erstmals ein Antrag nach Absatz 1 Satz 1 gestellt, erlässt das Bundesministerium für Arbeit und Soziales die Rechtsverordnung im Benehmen mit dem Bundesministerium für Wirtschaft und Energie.

(2) [1]Sind in einer Branche Arbeitsbedingungen nach Absatz 1 Satz 2 in mehreren Tarifverträgen mit unterschiedlichen räumlichen Geltungsbereichen geregelt, sollen die in den Tarifverträgen geregelten Arbeitsbedingungen in einer Rechtsverordnung zusammengefasst werden. [2]Die von einer Rechtsverordnung erfassten Arbeitsbedingungen veröffentlicht das Bundesministerium für Arbeit und Soziales im Internet.

(3) [1]Liegen Anträgen nach Absatz 1 nicht inhaltsgleiche Tarifverträge verschiedener Tarifvertragsparteien mit sich überschneidenden räumlichen, fachlichen und persönlichen Geltungsbereichen zugrunde, setzt das Bundesministerium für Arbeit und Soziales die Arbeitsbedingungen des repräsentativeren Tarifvertrags in einer Rechtsverordnung nach Berücksichtigung der Stellungnahmen nach Absatz 4 und der Empfehlungen nach § 6 Absatz 2 fest. [2]§ 7 Absatz 2 Satz 2 und Absatz 3 des Arbeitnehmer-Entsendegesetzes ist entsprechend anzuwenden.

(4) [1]Vor Erlass der Rechtsverordnung gibt das Bundesministerium für Arbeit und Soziales den in den Geltungsbereich fallenden Arbeitgebern sowie Arbeitnehmerinnen und Arbeitnehmern, den Parteien der Tarifverträge mit sich überschneidenden räumlichen, fachlichen und persönlichen Geltungsbereichen sowie den Spitzenorganisationen im Sinne des § 12 des Tarifvertragsgesetzes[1)] und den paritätisch besetzten Kommissionen, die auf der Grundlage kirchlichen Rechts Arbeitsbedingungen für den Bereich kirchlicher Arbeitgeber festlegen, Gelegenheit zur schriftlichen Stellungnahme innerhalb von drei Wochen ab dem Tag der Bekanntmachung des Entwurfs der Rechtsverordnung. [2]Die zur Stellungnahme Berechtigten können die Empfehlung der Clearingstelle nach § 6 Absatz 2 verlangen.

(5) [1]Hat das Bundesministerium für Arbeit und Soziales eine Rechtsverordnung nach Absatz 1 erlassen, kann ein Antrag nach Absatz 1 für einen Tarifvertrag einer anderen Tarifvertragspartei, dessen Geltungsbereich sich mit dem räumlichen, fachlichen und persönlichen Geltungsbereich der Rechtsverordnung überschneidet, erst nach Ablauf von sechs Monaten ab Verkündung der Rechtsverordnung gestellt werden. [2]Absatz 4 ist bei einem Antrag nach Satz 1 entsprechend anzuwenden.

(6) Werden die in einer Rechtsverordnung nach Absatz 1 festgesetzten Arbeitsbedingungen durch einen nachfolgenden Tarifvertrag derselben Tarifvertragsparteien geändert, macht das Bundesministerium für Arbeit und Soziales die geänderten Arbeitsbedingungen im Bundesanzeiger bekannt.

(7) Eine nach dieser Vorschrift erlassene Rechtsverordnung gilt, sofern nichts anderes geregelt ist, bis zum Zeitpunkt ihrer Aufhebung durch das Bundesministerium für Arbeit und Soziales nach § 7 fort.

§ 6 Clearingstelle; Verordnungsermächtigung. (1) Das Bundesministerium für Arbeit und Soziales errichtet eine Clearingstelle, die aus je drei Vertreterinnen beziehungsweise Vertretern der Spitzenorganisationen der Arbeitgeber und der Arbeitnehmer nach § 12 des Tarifvertragsgesetzes[1)] besteht.

[1)] Nr. **504**.

(2) Die Clearingstelle gibt auf Verlangen der zur Stellungnahme Berechtigten nach § 5 Absatz 4 Satz 2 eine Empfehlung darüber ab, ob und mit welchem Inhalt eine Rechtsverordnung nach § 5 erlassen werden soll.

(3) [1] Ein Beschluss über eine Empfehlung der Clearingstelle kommt mit der Mehrheit der Stimmen ihrer Mitglieder zustande. [2] Kommt ein mehrheitlicher Beschluss nicht zustande, kann die Clearingstelle mehrere Empfehlungen abgeben.

(4) Das Bundesministerium für Arbeit und Soziales wird ermächtigt, durch Rechtsverordnung ohne Zustimmung des Bundesrates die näheren Einzelheiten, einschließlich der Errichtung der Clearingstelle, der Bestellung ihrer Mitglieder und der Beschlussfassung durch die Clearingstelle, zu regeln.

§ 7 Aufhebung der festgesetzten Arbeitsbedingungen. (1) Das Bundesministerium für Arbeit und Soziales hebt eine nach § 5 erlassene Rechtsverordnung auf, soweit

1. ein Antrag auf Festsetzung von Arbeitsbedingungen eines Tarifvertrags vorliegt, dessen Geltungsbereich sich mit dem Geltungsbereich eines Tarifvertrags überschneidet, dessen Arbeitsbedingungen in einer Rechtsverordnung nach § 5 festgesetzt sind, und
2. der Tarifvertrag, der Gegenstand des Antrags ist, nach § 5 Absatz 5 Satz 2 in Verbindung mit § 5 Absatz 4 als der repräsentativere Tarifvertrag festgestellt wird.

(2) Das Bundesministerium für Arbeit und Soziales hebt eine nach § 5 erlassene Rechtsverordnung auf, soweit die in der Rechtsverordnung festgesetzten Arbeitsbedingungen nicht mehr Gegenstand des Tarifvertrags oder eines nachfolgenden Tarifvertrags sind.

(3) Das Bundesministerium für Arbeit und Soziales hebt eine Rechtsverordnung auf, soweit die Aufhebung im öffentlichen Interesse geboten erscheint.

§ 8 Kontrollen; Verordnungsermächtigung. (1) Es wird eine Prüfstelle Bundestariftreue bei der Deutschen Rentenversicherung Knappschaft-Bahn-See eingerichtet; dadurch entstehende Kosten werden ihr vom Bund erstattet.

(2) [1] Die Prüfstelle Bundestariftreue kontrolliert, ob ein Auftragnehmer sein Tariftreueversprechen nach § 3 wahrt und ein Arbeitgeber seine Pflichten nach § 4 Absatz 1 und 3 erfüllt, wenn der Prüfstelle Bundestariftreue hinreichende Anhaltspunkte für einen Verstoß eines Auftragnehmers gegen die Einhaltung des Tariftreueversprechens nach § 3 oder für einen Verstoß eines Arbeitgebers gegen die Einhaltung seiner Pflichten nach § 4 Absatz 1 und 3 vorliegen, insbesondere aufgrund von Hinweisen von Arbeitnehmerinnen und Arbeitnehmern sowie sonstiger Dritter. [2] Die Bundesauftraggeber teilen der Prüfstelle Bundestariftreue ihnen vorliegende oder bekanntgewordene Anhaltspunkte im Sinne des Satzes 1 unverzüglich mit.

(3) [1] Die Bundesauftraggeber sind verpflichtet, der Prüfstelle Bundestariftreue diejenigen Vergabeunterlagen über vergebene öffentliche Aufträge und Konzessionen zu übermitteln, die für eine Kontrolle nach Absatz 2 erforderlich sind. [2] Die Prüfstelle Bundestariftreue teilt den Bundesauftraggebern das Ergebnis ihrer Kontrollen mit und spricht eine Handlungsempfehlung aus.

(4) [1] Die Bundesauftraggeber sowie die Prüfstelle Bundestariftreue dürfen personenbezogene Daten verarbeiten, soweit dies zur Durchführung von Kon-

trollen nach den Absätzen 2 und 3 erforderlich ist. [2] Dies umfasst auch die Übermittlung der für die Kontrolle erforderlichen personenbezogenen Daten zwischen den Bundesauftraggebern und der Prüfstelle Bundestariftreue.

[Abs. 5 ab 1.1.2028:]

(5)[1] Für die Anforderung des Nachweises über das an einen in Ausführung eines öffentlichen Auftrags tätigen Arbeitnehmer gezahlte Arbeitsentgelt und die Anzahl der jeweils darin enthaltenen Steuertage und Sozialversicherungstage kann die Prüfstelle Bundestariftreue auch das in § 108c des Vierten Buches Sozialgesetzbuch[2] vorgesehene Verfahren zur elektronischen Abfrage und Übermittlung von Entgeltbescheinigungsdaten nutzen, soweit dies zur Durchführung von Kontrollen nach den Absätzen 2 und 3 erforderlich ist.

(6) Das Bundesministerium für Arbeit und Soziales wird ermächtigt, durch Rechtsverordnung ohne Zustimmung des Bundesrates die näheren Einzelheiten in Bezug auf die Organisation, die Aufgaben, die Art und Weise der Durchführung der Kontrollen und die vertraglich durch die Bundesauftraggeber zu vereinbarenden Kontrollrechte der Prüfstelle Bundestariftreue zu bestimmen.

§ 9 Nachweispflicht. Der Bundesauftraggeber verpflichtet den Auftragnehmer, mittels geeigneter Unterlagen zu dokumentieren, dass der Auftragnehmer sein Tariftreueversprechen nach § 3 einhält, und die Unterlagen auf Anforderung der Prüfstelle Bundestariftreue vorzulegen.

§ 10 Zertifizierungsverfahren; Verordnungsermächtigung. (1) [1] Die Pflichten zum Nachweis der Einhaltung des Tariftreueversprechens nach § 9 gelten nicht für Auftragnehmer, wenn diese jeweils ein geeignetes Zertifikat einer der in den Vergabeverordnungen genannten Präqualifizierungsstellen vorlegen. [2] Das Zertifikat erhalten Auftragnehmer, Nachunternehmer oder Verleiher, die nach § 3 Absatz 1 des Tarifvertragsgesetzes[3] tarifgebunden sind oder die an eine kirchliche Arbeitsvertragsrichtlinie gebunden sind. [3] Soweit deren Tarifverträge oder deren kirchliche Arbeitsvertragsrichtlinien zuungunsten der Arbeitnehmerinnen und Arbeitnehmer von der einschlägigen Rechtsverordnung abweichen, wird das Zertifikat mit dem Ausweis der Abweichung erteilt. [4] Andere Auftragnehmer, Nachunternehmer oder Verleiher erhalten das Zertifikat, wenn sie nachweisen, dass sie ihren Arbeitnehmerinnen und Arbeitnehmern mindestens Arbeitsbedingungen der einschlägigen Rechtsverordnung nach § 5 gewähren.

(2) [1] Ein Auftragnehmer kann die Pflicht zur Sicherstellung nach § 3 Absatz 2 Satz 1 insbesondere dadurch erfüllen, dass er sich von Nachunternehmern oder von dem Auftragnehmer oder von Nachunternehmern beauftragten Verleihern ein Zertifikat im Sinne des Absatzes 1 vorlegen lässt. [2] Die Zertifizierung nach Absatz 1 lässt das Kontrollrecht der Prüfstelle Bundestariftreue nach § 8 Absatz 2 unberührt.

(3) Das Bundesministerium für Arbeit und Soziales wird ermächtigt, durch Rechtsverordnung ohne Zustimmung des Bundesrates näher zu bestimmen, welche Anforderungen an die Eignung eines Zertifikates nach Absatz 1 zu

---

[1] § 8 Abs. 5 tritt gem. Art. 10 Abs. 3 TariftreueG v. 27.4.2026 (BGBl. 2026 I Nr. 119) am 1.1.2028 in Kraft.

[2] **beck-online, Module Arbeitsrecht Nr. 694.**

[3] Nr. **504**.

stellen sind und wie das Verfahren zur Ausstellung des Zertifikats durchzuführen ist.

§ 11 Zivilrechtliche Sanktionen. (1) [1]Der Bundesauftraggeber soll mit dem Auftragnehmer eine angemessene Vertragsstrafe in Höhe von maximal 1 Prozent, bei mehreren Verstößen maximal 10 Prozent des Auftragswertes, vereinbaren; diese ist verwirkt, wenn die Prüfstelle Bundestariftreue einen Verstoß nach § 13 festgestellt hat. [2]Der Bundesauftraggeber muss die verwirkte Vertragsstrafe nach Satz 1 nicht vor Ende der Auftragsausführung geltend machen.

(2) Der Bundesauftraggeber soll mit dem Auftragnehmer für Fälle des Absatzes 1 ein Recht zur außerordentlichen fristlosen Kündigung des Auftragsverhältnisses vereinbaren.

§ 12 Nachunternehmerhaftung. [1]Ein Auftragnehmer, der zur Ausführung des Bau- oder Dienstleistungsauftrags oder der Konzession einen anderen Unternehmer mit der Erbringung von Leistungen beauftragt, haftet für die Erfüllung der Zahlungspflicht nach § 4 Absatz 1 in Verbindung mit § 5 Absatz 1 Satz 2 Nummer 1 dieses Unternehmers, weiterer Nachunternehmer oder eines von dem Unternehmer oder einem Nachunternehmer beauftragten Verleihers wie ein selbstschuldnerischer Bürge. [2]Die Entlohnung nach § 5 Absatz 1 Satz 2 Nummer 1 umfasst für die Haftung des Auftragnehmers im Sinne des Satzes 1 nur den Betrag, der nach Abzug der Steuern und der Beiträge zur Sozialversicherung und zur Arbeitsförderung oder entsprechender Aufwendungen zur sozialen Sicherung an Arbeitnehmerinnen oder Arbeitnehmer auszuzahlen ist (Nettoentgelt). [3]Die Haftung nach Satz 1 entfällt, soweit und solange der Auftragnehmer die Einhaltung der einschlägigen Rechtsverordnung nach § 5 durch den Nachunternehmer oder den von diesem beauftragten Verleiher mittels einer Zertifizierung nach § 10 Absatz 1 nachweist und wenn nicht über das Vermögen des Nachunternehmers oder eines von diesem beauftragten Verleihers das Insolvenzverfahren eröffnet ist.

§ 13 Feststellung von Verstößen. (1) Die Prüfstelle Bundestariftreue stellt durch Verwaltungsakt einen Verstoß fest, wenn

1. ein Arbeitgeber in erheblichem Maße gegen seine Pflichten nach § 4 Absatz 1 oder 3 verstoßen hat,
2. ein Auftragnehmer in erheblichem Maße
   a) gegen seine Pflicht gemäß § 3 Absatz 2 verstoßen hat oder
   b) gegen eine in § 9 genannte Pflicht verstoßen hat.

(2) [1]Die Feststellung eines Verstoßes nach Absatz 1 erfolgt nur, wenn der Verstoß durch vorsätzliches oder fahrlässiges Verhalten einer natürlichen Person verursacht wurde, das dem Arbeitgeber oder dem Auftragnehmer zuzurechnen ist. [2]Ein Zurechnungszusammenhang im Sinne des Satzes 1 besteht, wenn die natürliche Person als Verantwortliche für die Leitung des Unternehmens des Arbeitgebers oder Auftragnehmers gehandelt hat, wozu auch die Überwachung der Geschäftsführung oder die sonstige Ausübung von Kontrollbefugnissen in leitender Stellung gehört.

(3) Die Feststellung eines Verstoßes nach Absatz 1 ist ausgeschlossen, wenn seit Ende der Leistungspflicht drei Jahre verstrichen sind.

(4) [1]Vor Erhebung der Anfechtungsklage sind die Rechtmäßigkeit und Zweckmäßigkeit eines Verwaltungsakts nach Absatz 1 in einem Vorverfahren

zu überprüfen. [2] Die Behörde, die den Verwaltungsakt erlassen hat, ist auch für die Entscheidung über den Widerspruch zuständig.

§ 14 Fakultativer Ausschlussgrund. (1) [1] Auftraggeber nach § 98 des Gesetzes gegen Wettbewerbsbeschränkungen[1)] sollen unter Berücksichtigung des Grundsatzes der Verhältnismäßigkeit ein Unternehmen zu jedem Zeitpunkt des Vergabeverfahrens von der Teilnahme an einem Vergabeverfahren ausschließen, wenn nach § 13 Absatz 1 ein Verstoß unanfechtbar festgestellt wurde. [2] § 125 des Gesetzes gegen Wettbewerbsbeschränkungen gilt entsprechend.

(2) Wenn ein Unternehmen, bei dem der Ausschlussgrund nach Absatz 1 Satz 1 vorliegt, keine oder keine ausreichenden Selbstreinigungsmaßnahmen nach § 125 des Gesetzes gegen Wettbewerbsbeschränkungen ergriffen hat, darf das Unternehmen höchstens drei Jahre ab Beendigung des durch den Verwaltungsakt im Sinne des Absatzes 1 festgestellten Verstoßes von der Teilnahme an Vergabeverfahren ausgeschlossen werden.

§ 15 Gerichtsstand. Arbeitnehmerinnen und Arbeitnehmer, die von Arbeitgebern mit Sitz im Ausland im Anwendungsbereich dieses Gesetzes beschäftigt sind oder waren, können eine auf den Zeitraum der Beschäftigung im Anwendungsbereich dieses Gesetzes bezogene Klage auf Erfüllung der Verpflichtungen nach § 4 Absatz 1 und 3 sowie § 12 und entsprechender Ersatzansprüche auch vor einem deutschen Gericht für Arbeitssachen erheben.

§ 16 Übergangsregelung. Dieses Gesetz berührt keine Vergabeverfahren, die bis zum 1. Mai 2026 eingeleitet worden sind.

[1)] **beck-online, Module Arbeitsrecht Nr. 509.**

B. Schlichtungsrecht

520. Kontrollratsgesetz Nr. 35 betr. Ausgleichs- und Schiedsverfahren in Arbeitsstreitigkeiten[1)]

Vom 20. August 1946

(Amtsbl. des Kontrollrats S. 174)

Zum Zwecke der Verhütung und der Schlichtung von Streitigkeiten, die zwischen Arbeitgebern und Arbeitnehmern oder deren Organisationen entstehen, erläßt der Kontrollrat das folgende Gesetz:

Art. I (1) [1] Die beteiligten Parteien können das zur Verhütung oder Schlichtung von Arbeitsstreitigkeiten einzuhaltende Verfahren vereinbaren.[2)] [2] Dieses Verfahren kann in einem Tarifvertrage festgelegt werden.

(2) Die beteiligten Parteien können sich auch der Dienste der gemäß Art. III dieses Gesetzes errichteten offiziellen Organe bedienen.

Art. II (1) Wenn eine Arbeitsstreitigkeit, die nicht der Zuständigkeit der Arbeitsgerichte unterliegt, weder im Ausgleichs- noch in einem anderen vereinbarten Verfahren beigelegt worden ist, so können die beteiligten Parteien diese der deutschen Provinzial- oder Landesarbeitsbehörde zur Unterbreitung vor dem gemäß Art. IV dieses Gesetzes errichteten Schiedsausschuß übergeben.

(2) Berührt die Streitigkeit die Interessen der Alliierten Besatzung, so kann der Befehlshaber der betreffenden Zone die deutsche Provinzial- oder Landesarbeitsbehörde anweisen, den Parteien die Unterbreitung der Streitigkeit vor dem Schiedsgericht aufzugeben.

Art. III Jede deutsche Provinzial- oder Landesarbeitsbehörde bestellt aus ihrem Personal eine oder mehrere geeignete Personen für folgenden Aufgabenkreis:

a) Fragen über Arbeitsbeziehungen gemeinsam mit Arbeitgebern und Arbeitnehmern oder deren Organisationen zu beraten;

---

1) Das Gesetz ist für das Gebiet des Landes Baden durch Art. 2 des Gesetzes Nr. A–1 der All. Hohen Kommission für Deutschland vom 9. 2. 1950 (ABl. der AHK vom 17. 2. 1950 S. 103) außer Kraft gesetzt worden. (Bad. SchlichtungsG, vgl. Nr. 521), ebenso in Berlin (Ges. v. 11. 9. 1958, GVBl. S. 866).

2) Vgl. dazu die Schlichtungs- und Schiedsvereinbarung für die Metallindustrie vom 1. 1. 1980, vereinbart von den metallindustriellen Arbeitgeberverbänden und der IG Metall (abgedruckt in RdA 1980 S. 165); daneben gibt es zahlreiche weitere Schlichtungsvereinbarungen.

b) die Schaffung eines vereinbarten Verfahrens zum Abschluß von Tarifverträgen und eines Verfahrens zur Schlichtung von Arbeitsstreitigkeiten zwischen Arbeitgebern und Arbeitnehmern oder ihren Organisationen zu fördern;

c) unter Zustimmung der streitigen Parteien als Vermittler mit dem Ziele einzugreifen, die Arbeitsstreitigkeiten durch Ausgleich mittels Schiedsverfahrens zu schlichten.

Art. IV Die Schiedsausschüsse sind von jeder deutschen Provinzial- oder Landesarbeitsbehörde zu errichten.

Art. V Der Schiedsausschuß besteht aus einem Vorsitzenden und einer gleichen Anzahl von Beisitzern, bis zu fünf von jeder Seite, als Vertreter der Arbeitgeber und Arbeitnehmer.

Art. VI (1) Der Vorsitzende des Schiedsausschusses wird von der deutschen Provinzial- oder Landesarbeitsbehörde aus einer zu diesem Behuf gemäß Abs. 2 dieses Artikels aufgestellten Vorsitzenden-Liste ausgewählt und bestellt.

(2) Die Vorsitzendenliste wird von der deutschen Provinzial- oder Landesarbeitsbehörde aufgestellt und soll aus Personen bestehen, die

a) anerkannt demokratische Grundsätze haben,

b) in Fragen der Produktion, Arbeit und Arbeitsbeziehungen eine ausreichende Sachkunde besitzen,

c) sowohl für die Vertreter der Gewerkschaften wie die der Arbeitgeber annehmbar sind.

(3) [1]Die Vorsitzenden-Listen der Schiedsausschüsse werden für die Dauer von drei Jahren aufgestellt. [2]Die darin benannten Personen kommen für eine Wiederernennung in Betracht, falls sie noch die Erfordernisse des Abs. 2 dieses Artikels erfüllen.

Art. VII (1) [1]Die Beisitzer der Schiedsausschüsse werden von der deutschen Provinzial- oder Landesarbeitsbehörde aus den zu diesem Behuf aufgestellten Beisitzerlisten ausgewählt und bestellt. [2]Die Listen sollen genügend sachkundige Personen in der Reihenfolge ihrer Berufszugehörigkeit enthalten.

(2) Die deutschen Provinzial- oder Landesarbeitsbehörden stellen zwei Beisitzer-Listen auf:

a) Die *Arbeitnehmer*-Liste ist auf Grund der Vorschläge der Gewerkschaften oder Gewerkschaftsverbände aufzustellen;

b) die Arbeitgeber-Liste ist auf Grund der Vorschläge der Arbeitgeber oder der anerkannten Arbeitgeberverbände aufzustellen.

Art. VIII Die Unterbreitung einer Streitigkeit zur Schlichtung durch den Schiedsausschuß darf, falls nicht die Voraussetzungen des Art. II Abs. 2 vorliegen, nur unter Zustimmung der streitigen Parteien erfolgen.

Art. IX (1) Die deutsche Provinzial-oder Landesarbeitsbehörde setzt die von den Schiedsausschüssen anzuwendenden Verfahrensregeln fest.

(2) Der Vorsitzende des Schiedsausschusses muß unparteiisch, von den beiden streitigen Parteien unabhängig und von ihnen gebilligt sein. Beisitzer bedürfen der Billigung der Partei, deren Interessen sie vertreten. Wurde eine Streitigkeit dem Schiedsverfahren in Anwendung des Art. II Abs. 2 dieses Gesetzes zugewiesen, bedarf die Ernennung des Vorsitzenden oder der Beisitzer nicht der obigen Billigung.

(3) Die Schiedsausschüsse können Zeugen und Sachverständige vernehmen und andere ihnen erforderlich erscheinende Beweise erheben. Sie können die zuständigen Gerichte um eidliche Vernehmungen ersuchen, die sie für notwendig erachten.

(4) Die streitigen Parteien sind vor der Fällung des Schiedsspruchs von dem Schiedsausschuß zu hören; im übrigen ist dieser an Formvorschriften über Beweisaufnahmen nicht gebunden.

(5) Die Entscheidungen der Schiedsausschüsse ergehen mit einfacher Mehrheit. Die Schiedssprüche sind schriftlich niederzulegen.

Art. X (1) Mit den in Abs. 2 dieses Artikels vorgesehenen Ausnahmen bindet ein von einem Schiedsausschuß gefällter Schiedsspruch die streitigen Parteien nur dann, wenn beide Parteien seine Annahme erklären.

(2) Schiedssprüche haben bindende Wirkung unter den Parteien,

a) wenn diese vor Fällung des Schiedsspruches seine Annahme vereinbart haben, oder

b) wenn eine Streitigkeit dem Schiedsverfahren in Anwendung des Art. II Abs. 2 dieses Gesetzes zugewiesen wurde.

(3) Ein die Parteien bindender Schiedsspruch hat die Wirkung eines Tarifvertrages; dieser wirkt nur zwischen den streitigen Parteien.

Art. XI (1) Kein Schiedsspruch eines ordnungsmäßig errichteten Schiedsausschusses kann von einer deutschen Behörde aufgehoben werden, es sei denn, daß ein Schiedsspruch gegen eine gesetzliche Bestimmung der Alliierten Kontrollbehörde oder der Militärregierung verstößt, oder im Widerspruch zu den Zielen der alliierten Besetzung steht oder bei dessen Zustandekommen Betrug oder andere Gesetzesverletzungen mitgewirkt haben.

(2) Die Zonenbefehlshaber haben das Recht, in ihrer Zone die Schiedssprüche nachzuprüfen, um sich davon zu überzeugen, daß sie nicht den Bestimmungen und den in diesem Gesetz dargelegten Zielen widersprechen.

Art. XII Die Alliierte Kommandantur in Berlin wird beauftragt, die notwendigen Maßnahmen zur Einführung von Ausgleichs- und Schiedsverfahren in Berlin gemäß den Grundsätzen dieses Gesetzes zu treffen.

Art. XIII Sämtliche deutschen gesetzlichen Bestimmungen, die mit diesem Gesetz unvereinbar sind, werden aufgehoben oder in Übereinstimmung mit den Bestimmungen dieses Gesetzes geändert.

Art. XIV Dieses Gesetz tritt mit dem Tage seiner Verkündung[1] in Kraft.

[1] Verkündet am 31. 8. 1946.

523. Zweite Durchführungsverordnung zum Kontrollratsgesetz Nr. 35 über das Verfahren vor den Schiedsausschüssen[1)]

Vom 17. Juli 1948[2)]

(GVOBl. Schl.-H. S. 200)

GS Schl.-H. II 803-0-1

Aufgrund des Artikels IV des Kontrollratsgesetzes Nr. 35 vom 28. 8. 1946 über Ausgleichs- und Schiedsverfahren in Arbeitsstreitigkeiten (Amtsbl. Mil.Reg. Nr. 13 S. 296) wird verordnet:

§ 1 [Zulässigkeit] In Streitigkeiten zwischen Arbeitgebern und Arbeitnehmern, die aus dem Beschäftigungsverhältnis der Arbeitnehmer entstehen, und deren Beilegung durch eine Vereinbarung grundsätzlich Sache der streitenden Parteien ist, ist ein Verfahren vor dem behördlichen Schiedsausschuß zulässig, wenn

a) die streitenden Parteien vereinbart haben, ihre Streitigkeit vor einen behördlichen Schiedsausschuß zu bringen oder

b)[3)]

§ 2 [Voraussetzungen] Vor Beginn des Verfahrens vor dem Schiedsausschuß ist sicherzustellen, daß

a. der Vorsitzende des Schiedsausschusses allen streitenden Parteien genehm ist,

b. die Arbeitgeberbeisitzer des Schiedsausschusses der Arbeitgeberseite, die Arbeitnehmerbeisitzer der Arbeitnehmerseite genehm sind,

c. die am Streit beteiligten Parteien klar bezeichnet sind, und

d. die Parteien dem Schiedsausschuß klare Angaben über den Gegenstand und das Ausmaß der Streitigkeit machen, und die Streitpunkte genau bezeichnen, über die der Schiedsausschuß einen Schiedsspruch fällen soll.

§ 3 [Anerkennung] [1]Vor dem Eintritt in die Verhandlung vor dem Schiedsausschuß sollen die streitenden Parteien darüber befragt werden, ob sie bereit sind, den Schiedsspruch als für sie bindend anzuerkennen. [2]Die Verneinung dieser Frage bildet aber kein Hindernis für die Durchführung des Verfahrens.

§ 4 [Mündliches Verfahren] (1) [1]In Streitigkeiten nach § 1 a ist das Verfahren vor dem Schiedsausschuß mündlich. [2]Zur Vorbereitung der mündlichen Verhandlung ist den streitenden Parteien nahezulegen, dem Schiedsaus-

---

[1)] Die DVO beruht auf einer Vereinbarung der Länder der ehem. britischen Zone, sie hat also für die gesamte britischen Zone Geltung. Siehe auch die gleichlautende Zweite Durchführungsverordnung zum Kontrollratsgesetz Nr. 35. Vorschriften für das Verfahren vor den Schiedsausschüssen (**Nordrhein-Westfalen**, Arbeit und Sozialpolitik 1948 Nr. 18 S. 15).

[2)] **Amtl. Anm.:** Anlage zum Ges. v. 5. 4. 1971, GVOBl. 1971 S. 182.

[3)] **Amtl. Anm.:** Gegenstandslos durch Beendigung des Besatzungsregimes; vgl. Protokoll v. 23. 10. 1954, BGBl. II 1955.

schuß Schriftsätze vorzulegen, aus denen sich ihre Stellung zu den einzelnen Punkten des Streitfalles ergibt. [3]Schriftstücke oder andere Unterlagen, welche die Parteien zur Stützung ihrer Ausführungen dem Schiedsausschuß unterbreiten wollen, können entweder dem einleitenden Schriftsatz beigefügt oder dem Schiedsausschuß in der mündlichen Verhandlung unterbreitet werden.

(2) An Formvorschriften ist die mündliche Verhandlung nicht gebunden.

§ 5 [Beweismittel] [1]Dem Schiedsausschuß steht es frei, alle Beweismittel anzufordern und entgegenzunehmen, die er zur Klärung der strittigen Fragen für erheblich und nötig hält. [2]Die Beweismittel brauchen sich nicht auf solche zu beschränken, die von den streitenden Parteien beigebracht werden.

§ 6.[1)]

§ 7 [Gütliche Einigung] [1]Der Schiedsausschuß hat in erster Linie zu versuchen, die Streitigkeit durch eine gütliche Einigung der streitenden Parteien beizulegen. [2]Diese Einigung der Parteien ist in jeder Lage des Verfahrens anzustreben.

§ 8 [Ermittlung des Sachverhalts] [1]Der Schiedsausschuß hat vor allem den wahren Sachverhalt, der der Streitigkeit zugrunde liegt, zu ermitteln. [2]Zunächst hat er durch Anhörung der streitenden Parteien alle Streitfragen und die für ihre Beurteilung wesentlichen Verhältnisse zu klären. [3]Die Parteien können auch während der Verhandlung weitere Streitpunkte dem Schiedsausschuß zur Beilegung unterbreiten.

§ 9 [Einigung] [1]Kommt im Laufe der Verhandlung eine Einigung der streitenden Parteien zustande, so ist sie ihrem Wortlaut nach niederzuschreiben und von den Parteien oder ihren Vertretern zu unterschreiben. [2]In diesem Falle erübrigt sich die Abgabe eines Schiedsspruchs; die Aufgabe des Schiedsausschusses ist als beendet anzusehen.

§ 10 [Schiedsspruch bei Nichteinigung] (1) [1]Ist keine Einigung der streitenden Parteien zu erzielen, so ist über die strittigen Punkte ein Schiedsspruch durch den Schiedsausschuß abzugeben. [2]Für das Zustandekommen des Schiedsspruches genügt Stimmenmehrheit der Ausschußmitglieder.

(2) [1]Kann für einen bestimmten Vorschlag keine Stimmenmehrheit erreicht werden, so hat der Vorsitzende des Schiedsausschusses jedes Ausschußmitglied aufzufordern, seine Absicht zwecks Bekanntgabe an die Parteien zu Protokoll zu geben. [2]Die Ansichten sind mit der eigenen Ansicht des Vorsitzenden zu einem Bericht zusammenzufassen, der den Parteien zu übermitteln ist.

(3) Den Parteien steht es nach Erhalt des Ausschußberichtes frei, irgendeinen der hierin enthaltenen Lösungsvorschläge anzunehmen oder sie alle zu verwerfen oder neue Verhandlungen unter sich aufzunehmen oder die Einsetzung eines neuen Schiedsausschusses zu verlangen.

§ 11 [Protokollierung] Lehnt ein Ausschußmitglied es ab, seine Ansicht *bekanntzugeben*, so ist diese Tatsache zu Protokoll zu nehmen.

[1)] **Amtl. Anm.:** Gegenstandslos infolge Aufhebung d. bezogenen Vorschrift; vgl. § 1 Buchst. b.

§ 12 [Beachtung von Kollektivvereinbarungen] Der Schiedsausschuß hat bei seinem Schiedsspruch die für den Inhalt von Kollektivvereinbarungen geltenden Bestimmungen zu beachten, insbesondere diejenigen, …[1] welche die Regelung der Arbeitszeit betreffen.

§ 13 [Stimmenmehrheit] [1]Der mit Stimmenmehrheit der Ausschußmitglieder zustande gekommene Schiedsspruch gilt als Schiedsspruch des gesamten Schiedsausschusses. [2]Er ist als solcher den streitenden Parteien bekanntzugeben.

§ 14 [Geheimhaltung] Über die Beratungen der Ausschußmitglieder während des Schiedsverfahrens darf - abgesehen von dem in den §§ 10 und 11 Gesagten - nichts bekanntgegeben werden, es sei denn, daß zwischen allen Ausschußmitgliedern etwas anderes vereinbart worden ist.

§ 15 [Schriftform] [1]Der Schiedsspruch ist vor seiner Verkündung schriftlich niederzulegen und von allen Ausschußmitgliedern zu unterschreiben. [2]Er ist den streitenden Parteien in seinem Wortlaut bekanntzugeben, eine Abschrift des Schiedsspruches ist ihnen auszuhändigen.

§ 16[2] [Bindungswirkung] Soweit sich die Parteien vor Beginn des Schiedsverfahrens oder während seines Verlaufs bereit erklärt haben, den ergehenden Schiedsspruch als bindend anzuerkennen, … soll der Schiedsspruch die Feststellung enthalten, daß er … für die Parteien bindend ist.

§ 17 [Hinweis bei fehlender Bindungswirkung] (1) Soweit sich die Parteien nicht bereit erklärt haben, den ergehenden Schiedsspruch als bindend anzuerkennen, soll der Schiedsspruch den Hinweis enthalten, daß die Annahme oder Ablehnung des Schiedsspruches den Parteien überlassen bleibt.

(2) In diesem Falle soll der Vorsitzende des Schiedsausschusses bei der Verkündung des Schiedsspruches die Parteien ausdrücklich darauf aufmerksam machen, daß auf ihnen nun die Verantwortung ruht, den Streitfall durch Annahme des Schiedsspruches oder durch eine andere Vereinbarung beizulegen.

§ 18 [Persönlicher Geltungsbereich] Ein von den Parteien angenommener oder sie nach § 16 bindender Schiedsspruch wirkt nur zwischen den streitenden Parteien.

§ 19 [Beendigung des Verfahrens] (1) Mit der Abgabe des Schiedsspruches ist das Verfahren vor dem Schiedsausschuß beendet.

(2) Sofern die Parteien übereinstimmend darauf antragen, kann der Schiedsausschuß auch noch angerufen werden, um eine Auslegung seines Schiedsspruches im Sinne einer authentischen Interpretation zu geben.

§ 20.[3]

---

[1] **Amtl. Anm.:** Auslassung gegenstandslos.
[2] **Amtl. Anm.:** Auslassung gegenstandslos
[3] **Amtl. Anm.:** Aufhebungsvorschrift.

VII.
Gewerkschaften und Arbeitgeberverbände, Wirtschaftskammern, Handwerksinnungen, Handwerkskammern, Arbeitnehmerkammern, Industrie- und Handelskammern

540. Gesetz zur Regelung des öffentlichen Vereinsrechts (Vereinsgesetz)

Vom 5. August 1964
(BGBl. I S. 593)

FNA 2180-1

zuletzt geänd. durch Art. 5 60. G zur Änd. des Strafgesetzbuches v. 30.11.2020 (BGBl. I S. 2600)

– Auszug –[1)]

Vierter Abschnitt. Sondervorschriften

§ 16[2)] Arbeitnehmer- und Arbeitgebervereinigungen. (1) [1] Verbote nach § 3 Abs. 1 oder Verfügungen nach § 8 Abs. 2 Satz 1 gegen Vereinigungen, die den Schutz des Übereinkommens Nr. 87 der Internationalen Arbeitsorganisation vom 9. Juli 1948 über die Vereinigungsfreiheit und den Schutz des Vereinigungsrechts (Bundesgesetzbl. 1956 II S. 2072) genießen, werden erst wirksam, wenn das Gericht ihre Rechtmäßigkeit bestätigt hat. [2] § 3 Abs. 4 und § 8 Abs. 2 Satz 3 und 4 sind nicht anzuwenden.

(2) [1] Die Verbotsbehörde legt dem nach § 48 Abs. 2 und 3, § 50 Abs. 1 Nr. 2 der Verwaltungsgerichtsordnung zuständigen Gericht ihre schriftlich oder elektronisch mit einer dauerhaft überprüfbaren Signatur nach § 37 Abs. 4 des Verwaltungsverfahrensgesetzes[3)] abgefaßte und begründete Entscheidung vor. [2] Das Gericht stellt sie der Vereinigung und ihren darin benannten nichtgebietlichen Teilorganisationen mit eigener Rechtspersönlichkeit (§ 3 Abs. 3 Satz 2) zu. [3] Beteiligt am Verfahren sind die Verbotsbehörde, die Vereinigung und ihre in der Entscheidung benannten nichtgebietlichen Teilorganisationen mit eigener Rechtspersönlichkeit sowie die nach § 63 Nr. 3 und 4 der Verwaltungsgerichtsordnung Beteiligten.

(3) Versagt das Gericht die Bestätigung, so hebt es in dem Urteil zugleich das Verbot oder die Verfügung auf.

(4) [1] Auf Antrag der Verbotsbehörde kann das Gericht die nötigen einstweiligen Anordnungen treffen, insbesondere die Beschlagnahme des Vereinsvermögens verfügen. [2] Betätigungsverbote und Beschlagnahmeanordnungen hat das Gericht entsprechend § 3 Abs. 4 Satz 2 bekanntzumachen.

[1)] Vollständig wiedergegeben in **beck-online, Module Arbeitsrecht.**

[2)] § 16 Abs. 2 Satz 1 geänd. durch G v. 17.12.1990 (BGBl. I S. 2809); Abs. 2 Satz 1 geänd. mWv 1.2.2003 durch G v. 21.8.2002 (BGBl. I S. 3322).

[3)] **Sartorius Nr. 100.**

542. Gesetz zur vorläufigen Regelung des Rechts der Industrie- und Handelskammern[1)]

Vom 18. Dezember 1956
(BGBl. I S. 920)

BGBl. III/FNA 701-1

zuletzt geänd. durch Art. 1 Zweites G zur Änd. des G zur vorläufigen Regelung des Rechts der Industrie- und Handelskammern v. 7.8.2021 (BGBl. I S. 3306)

– Auszug –[2)]

§ 1[3)] [Aufgaben und Befugnisse] (1) [1]Die Industrie- und Handelskammern haben, soweit nicht die Zuständigkeit der Organisationen des Handwerks nach Maßgabe der Handwerksordnung oder die Zuständigkeit der Kammern der freien Berufe in Bezug auf die Berufspflichten ihrer Mitglieder gegeben ist, die Aufgaben:

[1)] Zum Industrie- und HandelskammernG haben die Länder ua folgende Vorschriften erlassen:
- **Baden-Württemberg:** Industrie- und HandelskammernG v. 27.1.1958 (GBl. S. 77), zuletzt geänd. durch VO v. 23.2.2017 (GBl. S. 99)
- **Bayern:** Industrie- und Handelskammern-AusführungsG – AGIHKG v. 25.3.1958 (BayRS V S. 3), zuletzt geänd. durch V v. 26.3.2019 (GVBl. S. 98); VO über die Abgrenzung der Bezirke der Industrie- und Handelskammern – BezVIHK v. 15.12.1972 (BayRS V S. 4), zuletzt geänd. durch V v. 28.11.2012 (GVBl S. 656)
- **Berlin:** Industrie- und HandelskammernG – IHKG idF der Bek. v. 21.3.1967 (GVBl. S. 511), zuletzt geänd. durch G v. 22.6.1983 (GVBl. S. 933)
- **Brandenburg:** Industrie- und Handelskammern-AusführungsG – AGIHKG v. 13.9.1991 (GVBl. S. 440), geänd. durch G v. 26.11.1998 (GVBl. I S. 218)
- **Bremen:** Industrie- und HandelskammernG v. 6.5.1958 (Brem.GBl. S. 47), zuletzt geänd. durch Bek. v. 20.10.2020 (Brem.GBl. S. 1172)
- **Hessen:** Hessisches Industrie- und HandelskammernG v. 6.11.1957 (GVBl. I S. 147), zuletzt geänd. durch G v. 28.9.2014 (GVBl. S. 218)
- **Mecklenburg-Vorpommern:** Industrie- und HandelskammernG – IHKG v. 18.2.1992 (GVOBl. M-V S. 98)
- **Niedersachsen:** Industrie- und Handelskammern-AusführungsG v. 9.5.2012 (Nds. GVBl. S. 98)
- **Nordrhein-Westfalen:** Industrie- und HandelskammernG – IHKG v. 23.7.1957 (GV. NRW. S. 187, ber. S. 228), zuletzt geänd. durch G v. 22.3.2018 (GV. NRW. S. 172)
- **Rheinland-Pfalz:** Industrie- und Handelskammern-AusführungsG v. 24.2.1958 (GVBl. S. 43), zuletzt geänd. durch G v. 12.10.1999 (GVBl. S. 325)
- **Saarland:** Industrie- und HandelskammernG v. 23.3.1960 (Amtsbl. S. 261), zuletzt geänd. durch G v. 15.2.2006 (Amtsbl. S. 474)
- **Sachsen:** Industrie- und Handelskammern-AusführungsG – SächsIHKG v. 18.11.1991 (SächsGVBl. S. 380), zuletzt geänd. durch G v. 5.12.2017 (SächsGVBl. S. 658)
- **Sachsen-Anhalt:** Industrie- und HandelskammernG – AGIHKG v. 10.6.1991 (GVBl. LSA S. 103), zuletzt geänd. durch G v. 18.11.2005 (GVBl. LSA S. 698)
- **Schleswig-Holstein:** Industrie- und HandelskammernG v. 11.11.2020 (GVOBl. Schl.-H. S. 806)
- **Thüringen:** Industrie- und Handelskammern-AusführungsG – ThürAGIHKG v. 7.12.1993 (GVBl. S. 757), geänd. durch G v. 4.4.2019 (GVBl. S. 61); VO zur Einteilung der Kammerbezirke der Industrie- und Handelskammern v. 30.6.1994 (GVBl. S. 937).

[2)] Vollständig wiedergegeben in **beck-online, Module Arbeitsrecht.**

[3)] § 1 Abs. 2 neu gef. durch G v. 14.8.1969 (BGBl. I S. 1112); Abs. 4a eingef. durch G v. 23.7.1998 (BGBl. I S. 1887); Abs. 3a, 3b eingef., Abs. 4a aufgeh. mWv 18.12.2008 durch G v. 11.12.2008 (BGBl. I S. 2418); Abs. 2 Satz 2 angef. mWv 1.1.2021 durch G v. 22.12.2020 (BGBl. I S. 3256); Abs. 1 neu gef., Abs. 2 Satz 2 aufgeh., Abs. 2a eingef., Abs. 5 neu gef. mWv 12.8.2021 durch G v. 7.8.2021 (BGBl. I S. 3306).

1. das Gesamtinteresse der ihnen zugehörigen Gewerbetreibenden ihres Bezirks, einschließlich der Gesamtverantwortung der gewerblichen Wirtschaft, die auch Ziele einer nachhaltigen Entwicklung umfassen kann, auf regionaler, nationaler, europäischer und internationaler Ebene wahrzunehmen,
2. für die Förderung der gewerblichen Wirtschaft ihres Bezirks zu wirken,
3. für die Wahrung von Anstand und Sitte der ehrbaren Kaufleute, einschließlich deren sozialer und gesellschaftlicher Verantwortung, zu wirken

und dabei stets die wirtschaftlichen Interessen einzelner Gewerbezweige oder Betriebe abwägend und ausgleichend zu berücksichtigen. [2] Im Rahmen ihrer Aufgaben haben die Industrie- und Handelskammern insbesondere

1. durch Vorschläge, Gutachten und Berichte die Behörden zu unterstützen und zu beraten,
2. das Recht, zu den im Gesamtinteresse der ihnen zugehörigen Gewerbetreibenden liegenden wirtschaftspolitischen Angelegenheiten ihres Bezirks in behördlichen oder gerichtlichen Verfahren sowie gegenüber der Öffentlichkeit Stellung zu nehmen.

[3] Bei der Wahrnehmung ihrer Aufgaben haben die Industrie- und Handelskammern den angemessenen Minderheitenschutz zu gewährleisten,

1. indem im Rahmen der Kommunikation auf abweichende Positionen hingewiesen wird und
2. abweichende Stellungnahmen in zumutbarer Form öffentlich zugänglich gemacht werden.

(2) Die Industrie- und Handelskammern können Anlagen und Einrichtungen, die der Förderung der gewerblichen Wirtschaft oder einzelner Gewerbezweige dienen, begründen, unterhalten und unterstützen sowie Maßnahmen zur Förderung und Durchführung der kaufmännischen und gewerblichen Berufsbildung unter Beachtung der geltenden Rechtsvorschriften, insbesondere des Berufsbildungsgesetzes[1)], treffen.

(2a) [1] Die Industrie- und Handelskammern können allein oder zusammen mit anderen Kammern für die gewerbliche Wirtschaft Maßnahmen zur Förderung der außergerichtlichen Streitbeilegung treffen, insbesondere Schiedsgerichte und andere Einrichtungen der alternativen Konfliktlösung begründen, unterhalten und unterstützen. [2] § 111 Absatz 2 des Arbeitsgerichtsgesetzes[2)] bleibt unberührt. [3] Die Industrie- und Handelskammern können zudem die ihnen zugehörigen Gewerbetreibenden ihres Bezirks zu Fragen der Früherkennung von Unternehmenskrisen und deren Bewältigung beraten.

(3) Den Industrie- und Handelskammern obliegt die Ausstellung von Ursprungszeugnissen und anderen dem Wirtschaftsverkehr dienenden Bescheinigungen, soweit nicht Rechtsvorschriften diese Aufgaben anderen Stellen zuweisen.

(3a) [1] Die Länder können durch Gesetz den Industrie- und Handelskammern die Aufgaben einer einheitlichen Stelle im Sinne des Verwaltungsverfahrensgesetzes[3)] übertragen. [2] Das Gesetz regelt, welche Aufgabenbereiche von der Zuweisung erfasst sind. [3] Dabei kann das Gesetz vorsehen, dass die Industrie-

---

1) *Nr.* **415**.
2) Nr. **660**.
3) **Sartorius Nr. 100.**

und Handelskammern auch für nicht Kammerzugehörige tätig werden. [4] Das Gesetz regelt auch die Aufsicht.

(3b) Die Länder können den Industrie- und Handelskammern durch Gesetz ermöglichen, sich an Einrichtungen zu beteiligen, die die Aufgaben einer einheitlichen Stelle im Sinne des Verwaltungsverfahrensgesetzes erfüllen.

(4) Weitere Aufgaben können den Industrie- und Handelskammern durch Gesetz oder Rechtsverordnung übertragen werden.

(4a) *(aufgehoben)*

(5) [1] Nicht zu den Aufgaben nach Absatz 1 Satz 1 Nummer 1 gehören die grundrechtlich geschützten Aufgabenbereiche der Vereinigungen im Sinne des Artikels 9 Absatz 3 Satz 1 des Grundgesetzes[1)], insbesondere die Aufgabenbereiche der Tarifpartner sowie die arbeitsgerichtliche Vertretung von Unternehmen. [2] Zudem sind Stellungnahmen ausgeschlossen zu sozial- und arbeitsmarktpolitischen Fragen, soweit diese in der ausschließlichen Entscheidungszuständigkeit der Gremien der sozialen Selbstverwaltung liegen.

§§ 2, 3 *(hier nicht wiedergegeben)*

§ 4[2)] [Beschlussfassung] (1) Die Organe der Industrie- und Handelskammer sind

1. die Vollversammlung,
2. das Präsidium,
3. der Präsident,
4. der Hauptgeschäftsführer und
5. der Berufsbildungsausschuss im Rahmen der in § 79 Berufsbildungsgesetz[3)] genannten Aufgaben.

(2) [1] Über die Angelegenheiten der Industrie- und Handelskammer beschließt, soweit nicht die Satzung etwas anderes bestimmt, die Vollversammlung. [2] Der ausschließlichen Beschlußfassung durch die Vollversammlung unterliegen

1. die Satzung,
2. die Wahl-, Beitrags-, Sonderbeitrags- und Gebührenordnung,
3. die Feststellung des Wirtschaftsplans,
4. die Festsetzung des Maßstabes für die Beiträge und Sonderbeiträge,
5. die Erteilung der Entlastung,
6. die Übertragung von Aufgaben auf andere Industrie- und Handelskammern, die Übernahme dieser Aufgaben, die Bildung von öffentlich-rechtlichen Zusammenschlüssen und die Beteiligung hieran (§ 10) sowie die Beteiligung an Einrichtungen nach § 1 Abs. 3b,

---

[1)] Nr. **10**.

[2)] § 4 Satz 3 eingef. durch G v. 14.8.1969 (BGBl. I S. 1112); Satz 2 Nrn. 4 und 5 geänd., Nr. 6 angef. durch G v. 23.7.1998 (BGBl. I S. 1887); Satz 3 geänd. mWv 1.4.2005 durch G v. 23.3.2005 (BGBl. I S. 931); Satz 2 Nr. 5 und 6 geänd., Nr. 7 sowie Satz 4 angef. mWv 14.9.2007, Satz 2 Nr. 3 geänd., Nr. 8 angef. mWv 1.1.2008 durch G v. 7.9.2007 (BGBl. I S. 2246); Satz 2 Nr. 6 neu gef. mWv 18.12.2008 durch G v. 11.12.2008 (BGBl. I S. 2418); Satz 4 geänd. mWv 1.4.2012 durch G v. 22.12.2011 (BGBl. I S. 3044); Abs. 1 eingef., bish. Wortlaut wird Abs. 2 und Satz 2 Nr. 7 und 8 geänd., Nr. 9 angef., Satz 3 aufgeh., bish. Satz 4 wird Satz 3 mWv 12.8.2021 durch G v. 7.8.2021 (BGBl. I S. 3306).

[3)] Nr. **415**.

7. die Art und Weise der öffentlichen Bekanntmachung,
8. die Satzung gemäß § 3 Abs. 7a (Finanzstatut) und
9. Fragen, die für die gewerbliche Wirtschaft ihres Bezirks oder die Arbeit der Industrie- und Handelskammer von grundsätzlicher Bedeutung sind.

[3] Soweit nach Satz 2 Nr. 7 die elektronische Verkündung von Satzungsrecht vorgesehen ist, hat diese im Bundesanzeiger zu erfolgen.

§ 5[1)] [Mitglieder der Vollversammlung] (1) Die Mitglieder der Vollversammlung werden von den Kammerzugehörigen gewählt.

(2) [1] Wählbar sind natürliche Personen, die das Kammerwahlrecht auszuüben berechtigt sind, am Wahltag volljährig sind und entweder selbst Kammerzugehörige sind oder allein oder zusammen mit anderen zur gesetzlichen Vertretung einer kammerzugehörigen juristischen Person, Handelsgesellschaft oder Personenmehrheit befugt sind. [2] Wählbar sind auch besonders bestellte Bevollmächtigte und in das Handelsregister eingetragene Prokuristen von Kammerzugehörigen.

(3) [1] Soweit personenbezogene Daten in den Wählerlisten für die Wahl zur Vollversammlung verarbeitet werden, bestehen das Recht auf Auskunft der betroffenen Person nach Artikel 15 Absatz 1 Buchstabe c der Verordnung (EU) 2016/679[2)] des Europäischen Parlaments und des Rates vom 27. April 2016 zum Schutz natürlicher Personen bei der Verarbeitung personenbezogener Daten, zum freien Datenverkehr und zur Aufhebung der Richtlinie 95/46/EG (Datenschutz-Grundverordnung) (ABl. L 119 vom 4.5.2016, S. 1; L 314 vom 22.11.2016, S. 72; L 127 vom 23.5.2018, S. 2) in der jeweils geltenden Fassung und die Mitteilungspflicht der verantwortlichen Stelle nach Artikel 19 Satz 2 der Verordnung (EU) 2016/679 in der jeweils geltenden Fassung nicht. [2] Das Recht auf Erhalt einer Kopie nach Artikel 15 Absatz 3 der Verordnung (EU) 2016/679 in der jeweils geltenden Fassung wird dadurch erfüllt, dass die betroffene Person Einsicht in die Wählerlisten nehmen kann.

(4) [1] Das Nähere über die Ausübung des aktiven und passiven Wahlrechts, über die Durchführung der Wahl sowie über Dauer und vorzeitige Beendigung der Mitgliedschaft zur Vollversammlung regelt die Wahlordnung. [2] Sie muß Bestimmungen über die Aufteilung der Kammerzugehörigen in besondere Wahlgruppen sowie die Zahl der diesen zugeordneten Sitze in der Vollversammlung enthalten und dabei die wirtschaftlichen Besonderheiten des Kammerbezirks sowie die gesamtwirtschaftliche Bedeutung der Gewerbegruppen berücksichtigen.

§ 6 [Präsident] (1) Die Vollversammlung wählt aus ihrer Mitte den Präsidenten (Präses) und die von der Satzung zu bestimmende Zahl von weiteren Mitgliedern des Präsidiums.

(2) [1] Der Präsident (Präses) ist der Vorsitzende des Präsidiums. [2] Er beruft die Vollversammlung ein und führt in ihr den Vorsitz.

[1)] § 5 Abs. 2 Satz 1 geänd. durch G v. 31.7.1974 (BGBl. I S. 1713); Abs. 2 Satz 1, Abs. 3 Sätze 1 und 2 geänd. mWv 14.9.2007 durch G v. 7.9.2007 (BGBl. I S. 2246); Abs. 3 eingef., bish. Abs. 3 wird Abs. 4 mWv 26.11.2019 durch G v. 20.11.2019 (BGBl. I S. 1626).

[2)] Nr. **489**.

§ 7 [Hauptgeschäftsführer] (1) Die Vollversammlung bestellt den Hauptgeschäftsführer.

(2) Präsident (Präses) und Hauptgeschäftsführer vertreten nach näherer Bestimmung der Satzung die Industrie- und Handelskammer rechtsgeschäftlich und gerichtlich.

§ 8[1)] [Ausschüsse] Werden bei den Industrie- und Handelskammern zur Durchführung anderer als der in § 79 des Berufsbildungsgesetzes[2)] genannten Aufgaben Ausschüsse gebildet, so kann die Satzung bestimmen, daß in diese Ausschüsse auch Personen berufen werden, die nach § 5 Abs. 2 nicht wählbar sind.

§ 9[3)] [Datenschutz] (1) [1]Die Industrie- und Handelskammern erheben die Daten nach § 14 Absatz 8 Satz 1 Nummer 1 in Verbindung mit Satz 2 der Gewerbeordnung[4)] sowie der Rechtsverordnung nach § 14 Absatz 14 der Gewerbeordnung[4)] ***[ab unbestimmt:** sowie die Identifikationsnummer nach dem Identifikationsnummerngesetz]* bei den Kammerzugehörigen oder öffentlichen Stellen, soweit diese Daten ihnen nicht von der zuständigen Behörde übermittelt worden sind. [2]Bei nichtöffentlichen Stellen und aus allgemein zugänglichen Quellen dürfen Industrie- und Handelskammern die Daten nach § 14 Absatz 8 Satz 1 Nummer 1 in Verbindung mit Satz 2 der Gewerbeordnung[4)] sowie der Rechtsverordnung nach § 14 Absatz 14 der Gewerbeordnung[4)] erheben, wenn

1. die zu erfüllende Verwaltungsaufgabe ihrer Art nach oder im Einzelfall eine solche Erhebung erforderlich macht,
2. die Erhebung bei der betroffenen Person einen unverhältnismäßigen Aufwand erfordern würde oder keinen Erfolg verspricht oder
3. es sich um Daten aus allgemein zugänglichen Quellen handelt.

[3]Die Sätze 1 und 2 gelten für Daten über angebotene Waren und Dienstleistungen sowie über die Betriebsgrößen entsprechend. [4]Werden die Daten bei den Kammerzugehörigen erhoben, sind auskunftspflichtig die Inhaber oder diejenigen, die allein oder zusammen mit anderen zur gesetzlichen Vertretung einer kammerzugehörigen juristischen Person, Handelsgesellschaft oder Personenmehrheit befugt sind. [5]Auskunftspflichtig sind auch besonders bestellte Bevollmächtigte und in das Handelsregister eingetragene Prokuristen von Kammerzugehörigen.

(2) Die Industrie- und Handelskammern und ihre Gemeinschaftseinrichtungen, die öffentliche Stellen im Sinne des § 2 Absatz 2 des Bundesdatenschutz-

---

[1)] § 8 neu gef. durch G v. 14.8.1969 (BGBl. I S. 1112); geänd. mWv 1.4.2005 durch G v. 23.3.2005 (BGBl. I S. 931).

[2)] Nr. **415**.

[3)] § 9 neu gef. durch G v. 21.12.1992 (BGBl. I S. 2133); Abs. 1 und 3 neu gef., Abs. 4 Sätze 1 und 2 geänd. durch G v. 23.11.1994 (BGBl. I S. 3475); Abs. 1 Satz 3 neu gef., Satz 4 angef., Abs. 2–4 neu gef., Abs. 3a eingef., Abs. 5 aufgeh., Abs. 6 Satz 2 angef. mWv 14.9.2007 durch G v. 7.9.2007 (BGBl. I S. 2246); Abs. 1 Satz 1 geänd. mWv 18.12.2008 durch G v. 11.12.2008 (BGBl. I S. 2418); Abs. 1 Satz 1 geänd. mWv 15.7.2011 durch G v. 11.7.2011 (BGBl. I S. 1341); Abs. 4 Satz 3 geänd. mWv 5.4.2017 durch G v. 29.3.2017 (BGBl. I S. 626); Abs. 1 Sätze 1 und 2 neu gef., Satz 3 eingef., bish. Sätze 3 und 4 werden Sätze 4 und 5 und neuer Satz 4 geänd., Abs. 2–6 neu gef., Abs. 7 angef. mWv 26.11.2019 durch G v. 20.11.2019 (BGBl. I S. 1626); Abs. 1 Satz 1, Abs. 4 Satz 1 und Abs. 5 Satz 1 geänd. mit noch unbestimmtem Inkrafttreten durch G v. 28.3.2021 (BGBl. I S. 591).

[4)] **beck-online, Module Arbeitsrecht Nr. 106.**

gesetzes[1] sind, erheben zur Feststellung der Kammerzugehörigkeit und zur Festsetzung der Beiträge der Kammerzugehörigen Angaben zur Gewerbesteuerveranlagung, wie sie auch zur Feststellung der Kammerzugehörigkeit im Sinne des § 2 Absatz 1 erforderlich sind, sowie die nach § 3 Absatz 3 erforderlichen Bemessungsgrundlagen bei den Finanzbehörden.

(3) [1] Die Industrie- und Handelskammern und ihre Gemeinschaftseinrichtungen, die öffentliche Stellen im Sinne des § 2 Absatz 2 des Bundesdatenschutzgesetzes sind, verarbeiten die in den Absätzen 1 und 2 genannten Daten, soweit dies zur Erfüllung der ihnen nach diesem Gesetz übertragenen Aufgaben erforderlich ist. [2] Andere als die in Satz 1 genannten Daten verarbeiten sie nur, soweit eine andere Rechtsvorschrift dies erlaubt oder anordnet.

(4) [1] Die Industrie- und Handelskammern übermitteln die in Absatz 1 genannten Daten an andere Industrie- und Handelskammern auf Ersuchen oder durch automatisiertes Abrufverfahren, soweit dies für die Erfüllung der ihnen nach diesem Gesetz übertragenen Aufgaben erforderlich ist ***[ab unbestimmt:** und gesetzliche Regelungen dies nicht ausschließen]*. [2] Die beteiligten Industrie- und Handelskammern haben zu gewährleisten, dass die Zulässigkeit des Abrufverfahrens kontrolliert werden kann. [3] Hierzu haben sie schriftlich festzulegen:

1. den Anlass und Zweck des Abrufverfahrens,
2. die Stelle, an die übermittelt wird,
3. die Art der zu übermittelnden Daten,
4. die erforderlichen technischen und organisatorischen Maßnahmen nach Maßgabe der datenschutzrechtlichen Vorschriften.

[4] Die Verantwortung für die Zulässigkeit des einzelnen Abrufs trägt die Stelle, an die übermittelt wird. [5] Die speichernde Stelle prüft die Zulässigkeit der Abrufe nur, wenn dazu Anlass besteht. [6] Sie hat zu gewährleisten, dass die Übermittlung personenbezogener und sonstiger Daten zumindest durch geeignete Stichprobenverfahren festgestellt und überprüft werden kann. [7] Wird ein Gesamtbestand dieser Daten abgerufen oder übermittelt (Stapelverarbeitung), so bezieht sich die Gewährleistung der Feststellung und Überprüfung nur auf die Zulässigkeit des Abrufes oder der Übermittlung des Gesamtbestandes.

(5) [1] Die Industrie- und Handelskammern dürfen zur Förderung von Geschäftsabschlüssen und zu anderen dem Wirtschaftsverkehr dienenden Zwecken die in Absatz 1 genannten Daten an nicht-öffentliche Stellen übermitteln, sofern ***[ab unbestimmt:** gesetzliche Regelungen dies nicht ausschließen,]* der betroffene Kammerzugehörige der Übermittlung nicht widersprochen hat und der Empfänger der Daten sich gegenüber der übermittelnden öffentlichen Stelle verpflichtet hat, die Daten nur für den Zweck zu verarbeiten, zu dessen Erfüllung sie ihm übermittelt werden. [2] Auf die Möglichkeit, der Übermittlung der Daten an nicht-öffentliche Stellen zu widersprechen, sind die Kammerzugehörigen unbeschadet der weiteren Vorgaben der Verordnung (EU) 2016/679[2] des Europäischen Parlaments und des Rates vom 27. April 2016 zum Schutz natürlicher Personen bei der Verarbeitung personenbezogener Daten, zum freien Datenverkehr und zur Aufhebung der Richtlinie 95/46/EG (Datenschutz-Grundverordnung) (ABl. L 119 vom 4.5.2016, S. 1; L 314 vom 22.11.2016, S. 72; L 127 vom 23.5.2018, S. 2) in der jeweils geltenden Fassung

---

[1] Nr. **490**.
[2] Nr. **489**.

vor der ersten Übermittlung schriftlich oder elektronisch hinzuweisen. [3] Daten über Zugehörige anderer Kammern hat die Industrie- und Handelskammer nach Übermittlung an die nicht-öffentliche Stelle unverzüglich zu löschen, soweit sie nicht zur Erfüllung der ihr nach diesem Gesetz übertragenen Aufgaben erforderlich sind. [4]

(6) [1] An Bewerber und Kandidaten für die Wahl zur Vollversammlung nach § 5 dürfen zum Zweck der Wahlbewerbung durch die Bewerber und der Wahlwerbung durch die Kandidaten Name, Firma, Anschrift, E-Mail-Adresse und Wirtschaftszweig über Wahlberechtigte aus ihrer jeweiligen Wahlgruppe übermittelt werden, sofern der Empfänger der Daten sich gegenüber der übermittelnden öffentlichen Stelle verpflichtet hat, die Daten nur für den Zweck zu verarbeiten, zu dessen Erfüllung sie ihm übermittelt werden. [2] Bewerber und Kandidaten haben die übermittelten Daten nach der Durchführung der Wahl unverzüglich zu löschen.

(7) Für das Verändern, Einschränken der Verarbeitung oder Löschen der nach den Absätzen 1 und 2 erhobenen Daten sowie die Übermittlung der Daten nach Absatz 1 an öffentliche Stellen gelten unbeschadet der Verordnung (EU) 2016/679 die Datenschutzgesetze der Länder.

§ 10[1)] Aufgabenübertragung und öffentlich-rechtlicher Zusammenschluss. (1) [1] Industrie- und Handelskammern können Aufgaben, die ihnen auf Grund von Gesetz oder Rechtsverordnung obliegen, einvernehmlich einer anderen Industrie- und Handelskammer übertragen oder zur Erfüllung dieser Aufgaben untereinander öffentlich-rechtliche Zusammenschlüsse bilden oder sich daran beteiligen. [2] § 1 Abs. 3b bleibt unberührt.

(2) [1] Die Rechtsverhältnisse des öffentlich-rechtlichen Zusammenschlusses werden durch Satzung geregelt. [2] Diese muss bestimmen, welche Aufgaben durch den öffentlich-rechtlichen Zusammenschluss wahrgenommen werden. [3] Die Erstsatzung bedarf der Zustimmung der Vollversammlungen der beteiligten Industrie- und Handelskammern. [4] Diese haben die Erstsatzung in der für ihre Bekanntmachungen vorgeschriebenen Form zu veröffentlichen.

(3) Die Aufgabenübertragung auf Industrie- und Handelskammern oder auf öffentlich-rechtliche Zusammenschlüsse mit Sitz in einem anderen Bundesland sowie die Beteiligung an solchen Zusammenschlüssen ist zulässig, soweit nicht die für die beteiligten Kammern oder Zusammenschlüsse geltenden besonderen Rechtsvorschriften dies ausschließen oder beschränken.

(4) Die Regelungen dieses Gesetzes in § 1 Abs. 3a, § 3 Absatz 1, 2, 6, 7a und 8, § 4 Absatz 2 Satz 1 und 2 Nummer 1 bis 5 und 7 bis 9 sowie in den §§ 6 und 7 sind auf öffentlich-rechtliche Zusammenschlüsse entsprechend anzuwenden.

§ 10a[2)] [Aufgabe der Deutschen Industrie- und Handelskammer]

(1) [1] Die Deutsche Industrie- und Handelskammer hat die Aufgabe,

---

[1)] § 10 eingef. mWv 18.12.2008 durch G v. 11.12.2008 (BGBl. I S. 2418); Abs. 4 geänd. mWv 1.8. 2013 durch G v. 25.7.2013 (BGBl. I S. 2749); Abs. 4 geänd. mWv 12.8.2021 durch G v. 7.8.2021 (BGBl. I S. 3306).

[2)] § 10a eingef. mWv 12.8.2021 durch G v. 7.8.2021 (BGBl. I S. 3306).

1. das Gesamtinteresse der den Industrie- und Handelskammern zugehörigen Gewerbetreibenden in der Bundesrepublik Deutschland auf nationaler, europäischer und internationaler Ebene wahrzunehmen,
2. für die Förderung der gewerblichen Wirtschaft zu wirken

und dabei stets die wirtschaftlichen Interessen der einzelnen Regionen, Gewerbezweige oder Betriebe abwägend und ausgleichend zu berücksichtigen. [2] § 1 Absatz 1 und 5 gilt entsprechend.

(2) [1] Die Deutsche Industrie- und Handelskammer koordiniert und fördert das Netzwerk der deutschen Auslandshandelskammern, Delegiertenbüros und Repräsentanzen der deutschen Wirtschaft als Instrument der Außenwirtschaftsförderung der Bundesrepublik Deutschland. [2] Sie kann Vertretungen in anderen Staaten gründen und unterhalten, soweit dies zur Wahrnehmung ihrer Aufgaben erforderlich ist.

(3) [1] Die Deutsche Industrie- und Handelskammer unterstützt und fördert die Zusammenarbeit und den regelmäßigen Erfahrungsaustausch der Industrie- und Handelskammern zur Wahrnehmung deren Aufgaben, insbesondere insoweit Aufgaben ganz oder teilweise einer bundeseinheitlichen Umsetzung oder zentralen Erledigung bedürfen oder der Umsetzung von Unionsrecht dienen. [2] Hoheitliche Aufgaben, die der Industrie- und Handelskammer als zuständiger Stelle nach dem Berufsbildungsgesetz zugewiesen sind, gehören nicht zu den Aufgaben der Deutschen Industrie- und Handelskammer.

(4) Zur Förderung der Aufgabenwahrnehmung der Industrie- und Handelskammern kann die Deutsche Industrie- und Handelskammer

1. auf Bundesebene die Funktion der gemeinsamen Stelle für die den Industrie- und Handelskammern auf Grund der nach Maßgabe des § 1 Absatz 3a und 4 übertragenen Aufgaben wahrnehmen,
2. eine Rechnungsprüfungsstelle für die Industrie- und Handelskammern für die Prüfung nach § 12 Absatz 1 Nummer 7 durch Satzung einrichten und unterhalten sowie
3. eine Einrichtung zur außergerichtlichen Beilegung von Streitigkeiten der gewerblichen Wirtschaft im In- oder Ausland, insbesondere einen Schiedsgerichtshof, durch Satzung errichten und unterhalten.

(5) [1] Innerhalb ihrer Verbandskompetenz kann die Deutsche Industrie- und Handelskammer zur Erfüllung ihrer Aufgaben Gesellschaften oder sonstige Vereinigungen gründen sowie sich an Gesellschaften, sonstigen Vereinigungen, Zusammenschlüssen oder Einrichtungen beteiligen oder diese unterstützen. [2] Entstehende Gewinne sind zur Aufgabenerfüllung einzusetzen. [3] Die Deutsche Industrie- und Handelskammer kann Kooperationen im Bereich der gewerblichen Wirtschaft unterstützen, koordinieren und für die Industrie- und Handelskammern Projekte von bundespolitischer Bedeutung durchführen. [4] Zur Förderung und Durchführung der kaufmännischen und gewerblichen Berufsbildung unterstützt sie die Umsetzung der Empfehlungen des Hauptausschusses beim Bundesinstitut für Berufsbildung und die Industrie- und Handelskammern beim Erfüllen der ihnen durch Gesetz übertragenen Aufgaben im Rahmen des Berufsbildungsgesetzes.

(6) Die Deutsche Industrie- und Handelskammer und das Bundesministerium für Wirtschaft und Energie berichten dem Bundestag jeweils zur Mitte einer Legislaturperiode des Bundestages über die wesentlichen Entwicklungen und Perspektiven der Deutschen Industrie- und Handelskammer, der Indus-

trie- und Handelskammern und des Netzwerkes der deutschen Auslandshandelskammern.

(7) Der Deutschen Industrie- und Handelskammer können durch Gesetz oder auf Grund eines Gesetzes weitere Aufgaben übertragen werden.

(8) [1] Industrie- und Handelskammern können nach § 10 der Deutschen Industrie- und Handelskammer Aufgaben übertragen, soweit die Vollversammlung der Deutschen Industrie- und Handelskammer zustimmt. [2] Die Übertragung von Aufgaben als zuständige Stelle nach dem Berufsbildungsgesetz ist ausgeschlossen.

§ 10b[1)] [Körperschaftsstatus der Deutschen Industrie- und Handelskammer] (1) [1] Die Deutsche Industrie- und Handelskammer ist eine Körperschaft des öffentlichen Rechts. [2] Sie führt ein Dienstsiegel und hat Dienstherreneigenschaft. [3] Sie wird nach § 13c errichtet. [4] Die Deutsche Industrie- und Handelskammer hat ihren Sitz in Berlin.

(2) [1] Mitglieder der Deutschen Industrie- und Handelskammer sind die Industrie- und Handelskammern. [2] Die Deutsche Industrie- und Handelskammer kann durch Satzung den deutschen Auslandshandelskammern die Möglichkeit einer außerordentlichen Mitgliedschaft einräumen.

(3) [1] Die Kosten ihrer Errichtung und Tätigkeit werden nach näherer Bestimmung einer Beitragsordnung durch Beiträge, Umlagen und Sonderbeiträge von den Industrie- und Handelskammern getragen. [2] Außerordentliche Mitglieder nehmen nicht an der Kostentragung nach Satz 1 teil. [3] Die Deutsche Industrie- und Handelskammer kann für die Inanspruchnahme besonderer Anlagen und Einrichtungen oder Tätigkeiten nach näherer Bestimmung einer Gebührenordnung Gebühren erheben und den Ersatz von Auslagen verlangen. [4] Darüber hinaus kann sie auch Entgelte verlangen. [5] Sie ist berechtigt, zur Wahrnehmung ihrer Aufgaben Zuwendungen zu erhalten und zu gewähren.

(4) [1] Die Deutsche Industrie- und Handelskammer ist zur Wirtschaftlichkeit und Sparsamkeit verpflichtet. [2] Der Bundesrechnungshof prüft ihre Haushalts- und Wirtschaftsführung. [3] Die Deutsche Industrie- und Handelskammer hat sicherzustellen, dass auch in den Fällen des § 10a Absatz 5 Prüfungs- oder Unterrichtungsrechte des Bundesrechnungshofes bestehen.

(5) [1] Die Deutsche Industrie- und Handelskammer ist berechtigt, abweichend von den Bestimmungen der Bundeshaushaltsordnung einen Wirtschaftsplan aufzustellen, die Bücher nach den Regeln der kaufmännischen Buchführung zu führen und einen Jahresabschluss sowie einen Lagebericht nach handelsrechtlichen Grundsätzen zu erstellen. [2] Das Nähere ist nach Maßgabe des § 105 Absatz 1 der Bundeshaushaltsordnung[2)] durch Satzung zu regeln.

§ 10c[3)] [Organe der Deutschen Industrie- und Handelskammer]

(1) Für die Organe der Deutschen Industrie- und Handelskammer gilt § 4 Absatz 1 Nummer 1 bis 4 entsprechend.

(2) [1] Die Industrie- und Handelskammern bilden die Vollversammlung der Deutschen Industrie- und Handelskammer. [2] Das Nähere regelt die Satzung,

---

[1)] § 10b eingef. mWv 12.8.2021 durch G v. 7.8.2021 (BGBl. I S. 3306).

[2)] **Sartorius Nr. 700.**

[3)] § 10c eingef. mWv 12.8.2021 durch G v. 7.8.2021 (BGBl. I S. 3306).

einschließlich der Rechte der außerordentlichen Mitglieder. [3]Die außerordentlichen Mitglieder haben kein Stimmrecht.

(3) [1]Die Vollversammlung beschließt, soweit die Satzung nicht etwas anderes bestimmt, über die Angelegenheiten der Deutschen Industrie- und Handelskammer. [2]Der ausschließlichen Beschlussfassung durch die Vollversammlung unterliegen

1. die Satzung,
2. Satzungen nach § 10a Absatz 4,
3. die Übernahme von Aufgaben nach § 10a Absatz 8,
4. die Finanzierung der Deutschen *Industrie*[1)] und Handelskammer und deren satzungsrechtliche Grundlagen nach § 10b Absatz 3,
5. die Satzung nach § 10b Absatz 5 Satz 2,
6. die Feststellung des Wirtschaftsplans und des Jahresabschlusses nach § 10b Absatz 5 sowie die Erteilung der Entlastung,
7. die Satzung nach § 11a Absatz 3 Satz 3 und
8. Fragen, die für die gewerbliche Wirtschaft oder die Arbeit der Deutschen Industrie- und Handelskammer, insbesondere bei der Ermittlung des Gesamtinteresses nach § 10a Absatz 1 unter Berücksichtigung der Beschlusslage in den Industrie- und Handelskammern, von grundsätzlicher Bedeutung sind.

(4) [1]Das Präsidium der Deutschen Industrie- und Handelskammer besteht aus dem Präsidenten und bis zu 32 weiteren Mitgliedern aus den Regionen. [2]Die weiteren Mitglieder des Präsidiums werden nach näherer Bestimmung der Satzung durch die Industrie- und Handelskammern bestimmt. [3]Die Satzung kann unterschiedliche Stimmrechte innerhalb des Präsidiums vorsehen. [4]Dabei kann auch eine regionale Verteilung Berücksichtigung finden. [5]Das Präsidium ermittelt im Rahmen der Beschlüsse der Vollversammlung das Gesamtinteresse im Sinne des § 10a Absatz 1, soweit dies satzungsgemäß nicht durch die Vollversammlung erfolgt ist oder ein Beschluss der Vollversammlung nicht rechtzeitig zu erlangen ist. [6]Die Satzung regelt die weiteren Aufgaben des Präsidiums.

(5) [1]Die Vollversammlung wählt den Präsidenten sowie aus den Reihen des Präsidiums die Vizepräsidenten. [2]Der Präsident ist der Vorsitzende des Präsidiums und der Vollversammlung und beruft jeweils ihre Sitzungen ein. [3]Präsident und Mitglied des Präsidiums können nur nach § 5 Absatz 2 wählbare Personen sein, die auch Mitglied der Vollversammlung einer Industrie- und Handelskammer sein müssen. [4]Das Nähere regelt die Satzung nach Absatz 3 Satz 2 Nummer 1.

(6) [1]Die Satzung kann zusätzlich ein geschäftsführendes Präsidium als weiteres Organ vorsehen. [2]Dazu sind die Aufgaben und die Zusammensetzung in der Satzung zu regeln.

(7) [1]Der Hauptgeschäftsführer wird auf Vorschlag des Präsidiums durch die Vollversammlung bestellt. [2]Er führt die Geschäfte der Deutschen Industrie- und Handelskammer, ist Dienstvorgesetzter und Vorgesetzter der Mitarbeiter und vertritt die Deutsche Industrie- und Handelskammer arbeitsrechtlich. [3]Der

[1)] Richtig wohl: „Industrie-".

Hauptgeschäftsführer kann durch die Vollversammlung abberufen werden; das Nähere bestimmt die Satzung.

(8) Präsident und Hauptgeschäftsführer vertreten nach näherer Bestimmung der Satzung die Deutsche Industrie- und Handelskammer rechtsgeschäftlich und gerichtlich.

(9) § 8 gilt entsprechend.

§ 11[1)] **[Aufsicht]** (1) [1]Die Industrie- und Handelskammern unterliegen der Aufsicht des Landes darüber, daß sie sich bei Ausübung ihrer Tätigkeit im Rahmen der für sie geltenden Rechtsvorschriften (einschließlich der Satzung, der Wahl-, Beitrags-, Sonderbeitrags- und Gebührenordnung) halten. [2]Die Aufsicht über den öffentlich-rechtlichen Zusammenschluss wird durch die Aufsichtsbehörde des Landes ausgeübt, in dem der Zusammenschluss seinen Sitz hat. [3]§ 1 Abs. 3a Satz 4 bleibt unberührt.

(2) Die Beschlüsse der Vollversammlung über

1. die Satzung nach § 3 Abs. 7a Satz 2,
2. die Satzung nach § 4 Satz 2 Nr. 1,
3. die Wahl-, Beitrags-, Sonderbeitrags- und Gebührenordnung,
4. die Übertragung von Aufgaben an eine andere Industrie- und Handelskammer und die Übernahme dieser Aufgaben,

4a. die Übertragung von Aufgaben an die Deutsche Industrie- und Handelskammer,

5. die Bildung öffentlich-rechtlicher Zusammenschlüsse oder die Beteiligung an solchen (§ 10) sowie
6. einen 0,8 vom Hundert der Bemessungsgrundlagen nach § 3 Abs. 3 Satz 6 übersteigenden Umlagesatz

bedürfen der Genehmigung durch die Aufsichtsbehörde, des Landes.

(2a) Die Satzung nach § 10 Abs. 2 sowie Änderungen der Satzung bedürfen der Genehmigung durch die Aufsichtsbehörde des Landes, in dem der Zusammenschluss seinen Sitz hat, sowie durch die Aufsichtsbehörden der beteiligten Kammern.

(2b) Die Aufgabenübertragung durch eine Industrie- und Handelskammer auf andere Industrie- und Handelskammern oder auf öffentlich-rechtliche Zusammenschlüsse mit Sitz in einem anderen Bundesland sowie die Beteiligung an solchen Zusammenschlüssen bedürfen der Genehmigung der Aufsichtsbehörden der übertragenden und der übernehmenden Kammer; im Falle der Übertragung auf einen öffentlich-rechtlichen Zusammenschluss ist zusätzlich die Genehmigung der für diesen zuständigen Aufsichtsbehörde erforderlich.

(3) Rechtsvorschriften, die diesem Gesetz widersprechen, werden aufgehoben; Abschnitt I des Gesetzes zur Erhaltung und Hebung der Kaufkraft vom 24. März 1934 (Reichsgesetzbl. I S. 235) und die Verordnung über die Rechnungslegung und Rechnungsprüfung während des Krieges vom 5. Juli 1940 (Reichsgesetzbl. II S. 139) finden auf die Industrie- und Handelskammern keine Anwendung.

[1)] § 11 Abs. 2 neu gef. durch G v. 21.12.1992 (BGBl. I S. 2133); Abs. 2 geänd. durch G v. 23.7. 1998 (BGBl. I S. 1887); Abs. 2 geänd. mWv 1.1.2008 durch G v. 7.9.2007 (BGBl. I S. 2246); Abs. 1 Sätze 2 und 3 angef., Abs. 2 neu gef., Abs. 2a, 2b eingef. mWv 18.12.2008 durch G v. 11.12.2008 (BGBl. I S. 2418); Abs. 2 Nr. 4a eingef. mWv 12.8.2021 durch G v. 7.8.2021 (BGBl. I S. 3306).

§ 11a[1] **[Aufsicht über die Deutsche Industrie- und Handelskammer]**

(1) [1] Die Deutsche Industrie- und Handelskammer unterliegt in entsprechender Anwendung des § 11 Absatz 1 Satz 1 der Aufsicht des Bundesministeriums für Wirtschaft und Energie. [2] Abweichende Regelungen durch oder auf Grund anderer Gesetze bleiben hiervon unberührt. [3] Der Genehmigung durch die Aufsichtsbehörde bedürfen die Beschlüsse über

1. eine Satzung nach § 10a Absatz 4 Nummer 2 und 3,
2. die Übernahme von Aufgaben nach § 10a Absatz 8,
3. die Beitragsordnung und die Gebührenordnung nach § 10b Absatz 3,
4. die Satzung nach § 10b Absatz 5 Satz 2,
5. die Satzung nach § 10c Absatz 3 Satz 2 Nummer 1 und
6. die Satzung nach Absatz 3 Satz 3.

(2) Bekanntmachungen der Deutschen Industrie- und Handelskammer sind im Bundesanzeiger zu veröffentlichen.

(3) [1] Die Industrie- und Handelskammern sowie ihre Kammerzugehörigen haben gegenüber der Deutschen Industrie- und Handelskammer einen Anspruch auf Unterlassung, soweit die Deutsche Industrie- und Handelskammer die gesetzlichen Kompetenzen nach § 10a überschreitet oder eines ihrer Organe gegen einen Beschluss der Vollversammlung verstößt. [2] Über die Klage entscheidet im ersten Rechtszug das für den Sitz der Deutschen Industrie- und Handelskammer örtlich zuständige Verwaltungsgericht. [3] Durch Satzung der Deutschen Industrie- und Handelskammer ist ein Beschwerdeverfahren mit einem Beschwerdeausschuss einzurichten.

§ 12[2] **[Landesrechtliche Ergänzungsvorschriften]** (1) Durch Landesrecht können ergänzende Vorschriften erlassen werden über

1. die Errichtung und Auflösung von Industrie- und Handelskammern sowie von öffentlich-rechtlichen Zusammenschlüssen,
2. die Änderung der Bezirke bestehender Industrie- und Handelskammern,
3. die für die Ausübung der Befugnisse des § 11 Abs. 1 und 2 zuständigen Behörden,
4. die Aufsichtsmittel, welche erforderlich sind, um die Ausübung der Befugnisse gemäß § 11 Abs. 1 und 2 zu ermöglichen,
5. die Verpflichtung der Steuerveranlagungsbehörden zur Mitteilung der für die Festsetzung der Beiträge erforderlichen Unterlagen an die Industrie- und Handelskammern,
6. die Verpflichtung der Behörden zur Amtshilfe bei Einziehung und Beitreibung von Abgaben (§ 3 Abs. 8),
7. die Prüfung des Jahresabschlusses der Industrie- und Handelskammern,
8. die Befugnis der Industrie- und Handelskammern zur Führung eines Dienstsiegels.

(2) Vor der Entscheidung über Maßnahmen nach Absatz 1 Nr. 1 und 2 sind die Kammerzugehörigen gemäß § 2 Abs. 1 zu hören.

---

[1] § 11a eingef. mWv 12.8.2021 durch G v. 7.8.2021 (BGBl. I S. 3306).

[2] *§ 12 Abs. 1 Nr. 7 neu gef.* mWv 1.1.2008 durch G v. 7.9.2007 (BGBl. I S. 2246); Abs. 1 Nr. 1, Nr. 7 geänd. mWv 18.12.2008 durch G v. 11.12.2008 (BGBl. I S. 2418); Abs. 1 Nr. 8 geänd., Nr. 9 aufgeh. mWv 1.8.2013 durch G v. 25.7.2013 (BGBl. I S. 2749).

553. Gesetz über die Arbeitnehmerkammer im Lande Bremen

Vom 28. März 2000
(GBl. S. 83)

Sa BremR 70–c–1

zuletzt geänd. durch Nr. 2 iVm Anl. 4 Bek. über die Änd. von Zuständigkeiten v. 20.10.2020 (Brem.GBl. S. 1172)

Der Senat verkündet das nachstehende von der Bügerschaft (Landtag) beschlossene Gesetz:

Kapitel 1. Allgemeine Vorschriften

§ 1 Rechtsform und Sitz. [1] Die Arbeitnehmerkammer ist eine Körperschaft des öffentlichen Rechts. [2] Sie hat ihren Sitz in Bremen.

§ 2 Kammeraufgaben. (1) Aufgaben der Kammer sind:

1. Wahrnehmung und Förderung des Gesamtinteresses der kammerzugehörigen Arbeitnehmer (Kammerzugehörige), insbesondere ihrer wirtschaftlichen, beruflichen, sozialen oder die Gleichberechtigung der Geschlechter fördernden Belange im Einklang mit dem Allgemeinwohl,
2. Maßnahmen zur Förderung und Durchführung der beruflichen sowie der allgemeinen und politischen Weiterbildung der Kammerzugehörigen zu treffen,
3. die Unterstützung des Senats, des Magistrats der Stadt Bremerhaven, der Behörden und Gerichte durch Anregungen, Vorschläge, Stellungsnahmen und Gutachten.

(2) Im Rahmen ihrer Aufgaben nach Absatz 1 berücksichtigt die Kammer auch Belange des Umweltschutzes, des Verbraucherschutzes, der Integration von Ausländer und kulturelle Interessen der Kammerzugehörigen.

(3) Die Kammer erstattet jährlich einen Bericht über die wirtschaftliche, soziale, ökologische und kulturelle Lage der Kammerzugehörigen im Lande Bremen (Jahresbericht).

(4) Durch Gesetz oder Rechtsverordnung des Senats können der Kammer weitere Aufgaben im Rahmen des Absatzes 1 (Selbstverwaltungsaufgaben) sowie staatliche Aufgaben (Auftragsangelegenheiten) übertragen werden.

(5) [1] Ausschließliche Zuständigkeiten anderer Stellen bleiben unberührt. [2] Der Kammer und von ihr geschaffenen Einrichtungen ist es verwehrt, mit gleichgerichteten Unternehmen der Gewerkschaften oder der freien Wirtschaft in größerem Umfang in Wettbewerb zu treten, als es zur Erfüllung ihrer durch Gesetz und Satzung festgelegten Aufgaben erforderlich ist.

§ 3 Anhörungsrechte. Auf die Kammer finden die Vorschriften des Gesetzes betreffend die Anhörung der Kammern der gewerblichen Wirtschaft und der Landwirtschaft durch die Bremische Bürgerschaft entsprechend Anwendung.

§ 4[1)] Kammerzugehörigkeit. (1) [1] Zugehörige der Kammer sind alle im Lande Bremen tätigen Arbeitnehmer sowie die zu ihrer Berufsausbildung Beschäftigten. [2] Als Arbeitnehmer gelten auch die in Heimarbeit Beschäftigten und die ihnen Gleichgestellten im Sinne des Heimarbeitsgesetzes[2)] sowie sonstige Personen, die wegen ihrer wirtschaftlichen Unselbständigkeit als arbeitnehmerähnliche Personen anzusehen sind. [3] Als Arbeitnehmer gelten nicht in Betrieben einer juristischen Person oder einer Personengesamtheit Personen, die kraft Gesetzes, Satzung oder Gesellschaftsvertrags allein oder als Mitglieder des Vertretungsorgans zur Vertretung der juristischen Person oder der Personengesamtheit berufen sind. [4] Handelsvertreter gelten nur dann als Arbeitnehmer, wenn die Voraussetzungen des § 5 Abs. 3 Satz 1 des Arbeitsgerichtsgesetzes[3)] vorliegen.

(2) [1] Die Zugehörigkeit beginnt für Personen, die als Arbeitnehmer im Sinne des Absatz 1 gelten, mit Eintritt der dort genannten Voraussetzungen, und endet, wenn diese Voraussetzungen nicht mehr vorliegen. [2] Die Zugehörigkeit endet nicht, wenn nach Beendigung des Arbeitsverhältnisses Sozialleistungen mit Entgeltersatzcharakter beansprucht werden können, oder wenn für die Dauer einer Sperrfrist oder der Anrechnung von Abfindungen oder anderweitigen Einkünften eine solche Leistung vorübergehend nicht beansprucht werden kann. [3] Dies gilt entsprechend, wenn die Bezugsdauer einer derartigen Leistung erschöpft ist und eine andere vergleichbare Leistung oder Arbeitslosengeld II (ALG II) beansprucht werden kann.

(3) [1] Ein Arbeitnehmer ist im Lande Bremen tätig, wenn er

1. in eine im Lande Bremen ansässige Betriebsstätte eingegliedert ist oder
2. ohne in eine außerhalb des Landes Bremen ansässige Betriebsstätte eingegliedert zu sein, überwiegend von einer im Lande Bremen ansässigen Betriebsstätte angewiesen wird, oder
3. in einer Dienststelle oder einem Dienststellenbestandteil im Lande Bremen tätig ist.

(Fortsetzung nächstes Blatt)

[1)] § 4 Abs. 2 Satz 3 neu gef. mWv 27.6.2006 durch G v. 20.6.2006 (Brem.GBl. S. 291).
[2)] Nr. **450**.
[3)] Nr. **660**.

[2] Seeleute sind im Sinne dieses Gesetzes im Lande Bremen tätig, wenn sich

1. der Sitz der Reederei, der Partenreederei, des Korrespondentenreeders oder des Vertragsreeders im Lande Bremen befindet oder
2. der Heimathafen des Schiffes sich im Lande Bremen befindet und das Schiff die Bundesflagge führt.

Kapitel 2. Kammerselbstverwaltung

Abschnitt 1

§ 5 Kammerorgane. Die Selbstverwaltung der Kammer obliegt:

1. der Vollversammlung,
2. dem Vorstand,
3. der Rechnungsprüfungskommission.

§ 6 Pflichten der Mitglieder der Kammerorgane. (1) [1] Die Mitglieder der Kammerorgane sind der Gesamtheit der Kammerzugehörigen verpflichtet und bei der Wahrnehmung ihres Amtes an Gesetz und Satzung, nicht aber an Aufträge und Weisungen Dritter gebunden. [2] Zur Erfüllung der in § 2 genannten Kammeraufgaben arbeiten sie in den Organen vertrauensvoll zusammen.

(2) [1] Auf die Mitglieder der Kammerorgane findet § 20 des Bremischen Verwaltungsverfahrensgesetzes entsprechende Anwendung. [2] Die Mitglieder der in § 5 genannten Organe nehmen ihre Aufgabe ehrenamtlich wahr und haben über alle Mitteilungen, Tatsachen und Verhandlungen, die ihrer Natur nach vertraulich sind oder ausdrücklich als vertraulich bezeichnet werden, Verschwiegenheit zu bewahren. [3] Diese Verpflichtung erlischt nicht durch Ausscheiden aus den Kammerorganen.

(3) [1] Die Haftung der Mitglieder der Kammerorgane richtet sich bei Verletzung einer ihnen einem Dritten gegenüber obliegenden Amtspflicht nach § 839 des Bürgerlichen Gesetzbuches und Artikel 34 des Grundgesetzes. [2] Sie haften für den Schaden, der der Kammer aus einer vorsätzlichen oder grob fahrlässigen Verletzung der ihnen obliegenden Pflichten entsteht. [3] Auf Ersatz des Schadens aus einer Pflichtverletzung kann die Kammer nicht im voraus, auf einen entstandenen Schadensersatzanspruch nur durch Beschluss der Vollversammlung verzichten.

(4) [1] Die Mitglieder des Vorstandes und der Rechnungsprüfungskommission haben jeweils zum Schluss des Haushalts- und Rechnungsjahres, spätestens jedoch in der auf die Vorlage der in § 19 Satz 2 genannten Unterlagen folgenden Sitzung der Vollversammlung um

Entlastung nachzusuchen. [2]Eine Beschlussfassung hierüber darf erst nach Vorlage des Berichts der Rechnungsprüfungskommission (§ 12 Abs. 2) erfolgen.

Abschnitt 2

§ 7 Aufgaben der Vollversammlung. (1) [1]Die Vollversammlung beschließt über alle Angelegenheiten der Kammer von grundsätzlicher Bedeutung, bestimmt die Richtlinien zur Durchführung der gesetzlichen Aufgaben der Kammer und überwacht die Durchführung ihrer Beschlüsse, soweit die Satzung oder dieses Gesetz nichts anderes bestimmen. [2]Der ausschließlichen Beschlussfassung der Vollversammlung unterliegen:

1. die Satzung,
2. die Wahl, Abwahl (§ 10 Abs. 4) und Entlastung der Mitglieder des Vorstandes sowie die Feststellung des Wegfalls der Wählbarkeit nach § 8 Abs. 2,
3. die Wahl, Abwahl und Entlastung des Hauptgeschäftsführers sowie die Wahl weiterer Geschäftsführer,
4. die Auswahl des öffentlich bestellten Wirtschaftsprüfers für die Prüfung des Jahresabschlusses der Kammer,
5. der Kammerbeitrag sowie der Wirtschaftsplan,
6. die Entgegennahme des Jahresberichtes, des Jahresabschlusses und des Berichtes der Rechnungsprüfungskommission,
7. der Erwerb, die Veräußerung und die dingliche Belastung von Grundstücken sowie die Aufnahme von nicht im gleichen Haushaltsjahr rückzahlbaren Darlehen, die ein Zehntel des Beitragsaufkommens des letzten abgeschlossenen Haushaltsjahres übersteigen,
8. Haushaltsmaßnahmen nach § 18 Abs. 4,
9. die Errichtung, Unterhaltung und Unterstützung von Gesellschaften des privaten und öffentlichen Rechts sowie die Beteiligung an solchen Gesellschaften,
10. die Bildung von Ausschüssen, die Wahl von Ausschussmitgliedern und die Wahl sowie die Entlastung der Mitglieder der Rechnungsprüfungskommission,
11. die Haushalts-, Kassen- und Rechnungslegungsordnung, die Beitragsordnung, die Gebührenordnung und die Wahlordnung,
12. die Feststellung, dass bei einem Mitglied der Vollversammlung oder einem Stellvertreter die Voraussetzungen der Wählbarkeit (§ 8 Abs. 2) *zum Zeitpunkt* der Wahl nicht vorgelegen haben oder nachträglich entfallen sind,

13. die Geschäftsordnung der Vollversammlung und die Bestätigung der Geschäftsordnung des Vorstandes,
14. die Aufwandsentschädigungen für die Mitglieder der in § 5 genannten Kammerorgane und der Ausschüsse,
15. beitragspflichtige Mitgliedschaften der Kammer.

(2) [1]Soweit die Satzung oder das Gesetz nichts anderes bestimmt, erfolgt die Beschlussfassung der Vollversammlung mit einfacher Mehrheit der abstimmenden Mitglieder. [2]Bei Stimmengleichheit entscheidet die Stimme des Vorsitzenden. [3]Abweichend hiervon bedarf die Beschlussfassung nach Absatz 1 Nrn. 1 und 8 einer Mehrheit von zwei Dritteln der Mitglieder der Vollversammlung.

§ 8 Zusammensetzung der Vollversammlung. (1) [1]Die Vollversammlung besteht aus 35 Mitgliedern. [2]Für jedes Mitglied sind ein erster und ein zweiter Stellvertreter zu wählen, die im Verhinderungsfall und im Falle des Ausscheidens der Mitglieder der Reihenfolge nach einzutreten haben. [3]Auf die Stellvertreter finden die für Mitglieder geltenden Vorschriften entsprechende Anwendung.

(2) [1]Zur Vollversammlung sind alle Arbeitnehmer wählbar, die das 18. Lebensjahr vollendet haben und mit Ausnahme hauptberuflich Beschäftigter der in § 9 Abs. 2 genannten Organisationen seit mindestens einem Jahr die Kammerzugehörigkeit besitzen. [2]Abweichend von Satz 1 ist nicht wählbar

1. derjenige, für den zur Besorgung aller seiner Angelegenheiten ein Betreuer nicht nur durch einstweilige Anordnung bestellt ist; dies gilt auch, wenn der Aufgabenkreis des Betreuers die in § 1896 Abs. 4 und § 1905 des Bürgerlichen Gesetzbuches bezeichneten Aufgaben nicht erfasst,
2. wer aufgrund Richterspruchs nicht die Fähigkeit besitzt, öffentliche Ämter zu bekleiden und Rechte aus öffentlichen Wahlen zu erlangen oder
3. wer Arbeitnehmer der Kammer oder einer ihrer Einrichtungen ist.

(3) [1]Die Vollversammlung wird auf sechs Jahre gewählt. [2]Die Mitgliedschaft in der Vollversammlung endet durch Tod, durch Verzicht, durch Wegfall der Wählbarkeit oder mit dem Zusammentritt einer neuen Vollversammlung. [3]Mit der Beendigung der Mitgliedschaft in der Vollversammlung endet zugleich auch die Mitgliedschaft in den übrigen Organen der Kammer.

(4) Die Amtszeit der in § 5 genannten Kammerorgane endet mit der Neuwahl entsprechender Organe durch die Vollversammlung.

§ 9 Wahl der Vollversammlungsmitglieder und Stellvertreter.

(1) [1]Die Kammerzugehörigen wählen die Mitglieder der Vollversammlung und ihre Stellvertreter nach Maßgabe der Wahlordnung in allgemeiner, unmittelbarer, freier, gleicher und geheimer Wahl aufgrund von Listenwahlvorschlägen der in Absatz 2 genannten Organisationen. [2]Nicht wahlberechtigt sind Kammerzugehörige, die nach § 8 Abs. 2 Satz 2 Nr. 1 und 2 nicht wählbar sind.

(2) Wahlvorschläge können

1. von Gewerkschaften, die über eine Verwaltung der Organisation im Lande Bremen verfügen, und
2. von selbständigen Vereinigungen von Arbeitnehmern (Arbeitnehmervereinigungen) eingereicht werden, die
   a) dauernd oder für längere Zeit wirtschaftliche, berufliche oder soziale Interessen von Kammerzugehörigen verfolgen,
   b) einen Sitz im Lande Bremen haben und
   c) nach dem Gesamtbild der tatsächlichen Verhältnisse, insbesondere nach Umfang und Festigkeit ihrer Organisation, nach der Zahl ihrer Mitglieder und nach ihrem Hervortreten in der Öffentlichkeit eine ausreichende Gewähr für die Ernsthaftigkeit ihrer Zielsetzung bieten.

(3) [1]Arbeitnehmervereinigungen im Sinne von Absatz 2 müssen ein schriftliches Programm und eine schriftliche Satzung haben. [2]Das Programm einer Arbeitnehmervereinigung muss die Bereitschaft erkennen lassen, die Interessen ihrer Mitglieder durch Mitwirkung in einer Arbeitnehmerkammer wahrzunehmen. [3]Die Satzung einer Arbeitnehmervereinigung muss sicherstellen, dass in der Vereinigung nur Kammerzugehörige, und, wenn im Namen oder der Kurzbezeichnung eine bestimmte Personengruppe genannt wird, nur dieser Personengruppe angehörende Arbeitnehmer maßgebenden Einfluss haben. [4]Die Satzung muss außerdem Bestimmungen enthalten über:

1. Name sowie Kurzbezeichnung, sofern eine solche verwandt wird, sowie Sitz und Tätigkeitsgebiet der Vereinigung,
2. Aufnahme und Austritt der Mitglieder,
3. Rechte und Pflichten der Mitglieder,
4. Zusammensetzung und Befugnisse des Vorstandes und der übrigen Organe und
5. Voraussetzungen, Form und Frist der Einberufung der Mitgliederversammlung sowie Beurkundung der Beschlüsse.

(4) Der Name und die Kurzbezeichnung einer Arbeitnehmervereinigung dürfen nicht geeignet sein, einen Irrtum über Art, Umfang und Zwecksetzung der Vereinigung herbeizuführen.

(5) [1]Die in Absatz 2 genannten Organisationen dürfen jeweils nur einen Wahlvorschlag einreichen. [2]Ein Wahlvorschlag muss von 300 Wahlberechtigten persönlich und handschriftlich unterzeichnet sein und soll die regionalen, beruflichen und mitgliederbezogenen Besonderheiten der jeweiligen Organisation sowie deren Anteil an Männern und Frauen angemessen berücksichtigen. [3]Ein Wahlvorschlag darf nicht mehr als je 35 Bewerber für Mitglieder sowie für deren ersten und zweiten Stellvertreter enthalten; hiervon dürfen jeweils nicht mehr als ein Drittel hauptberuflich Beschäftigte der jeweils vorschlagenden Organisation sein. [4]Im Wahlvorschlag sind die Bewerber mit Familiennamen, Vornamen, Geburtsnamen, Beruf sowie mit ihrem Beschäftigungsbetrieb und dessen Anschrift aufzuführen. [5]Jeder Bewerber darf nur in einem Wahlvorschlag benannt werden. [6]Außerdem ist die Erklärung jedes Bewerbers beizufügen, dass er zur Annahme der Wahl bereit ist und dass ihm keine Tatsachen bekannt sind, die seine Wählbarkeit ausschließen.

(6) [1]Die Wahl erfolgt schriftlich (Briefwahl). [2]Die zu vergebenden Sitze werden im Verhältnis der gültigen Stimmen, die auf jeden einzelnen Wahlvorschlag entfallen, aufgrund des Verfahrens der mathematischen Proportion nach Hare/Niemeyer verteilt. [3]Die Gesamtzahl der zu verteilenden Sitze, vervielfacht mit der Zahl der Stimmen, die ein Wahlvorschlag erhalten hat, wird durch die Gesamtzahl der Stimmen aller zu berücksichtigenden Wahlvorschläge geteilt. [4]Jeder Wahlvorschlag erhält zunächst so viele Sitze, wie ganze Zahlen auf ihn entfallen. [5]Danach zu vergebende Sitze sind den Wahlvorschlägen in der Reihenfolge der höchsten Zahlenbruchteile, die sich nach der Berechnung nach Satz 3 ergeben, zuzuteilen. [6]Bei gleichen Zahlenbruchteilen entscheidet das vom Hauptwahlleiter zu ziehende Los. [7]Entfallen auf einen Wahlvorschlag mehr Sitze als Bewerber genannt sind, so bleiben diese Sitze unbesetzt.

(7) [1]Das Nähere, insbesondere die Bildung und Aufgaben der Wahlorgane, die Einreichung, Prüfung, Zulassung und Veröffentlichung von Wahlvorschlägen, die Durchführung der Wahl, die Wahlprüfung sowie die erforderlichen Nachweise, regelt die Wahlordnung. [2]In der Wahlordnung kann bestimmt werden, dass die Wahlhandlung entfällt, wenn nur ein gültiger Wahlvorschlag eingereicht wird oder mit allen eingereichten gültigen Wahlvorschlägen nur so viele Bewerber vorgeschlagen werden, wie Mitglieder der Vollversammlung zu wählen sind (Friedenswahl).

(8) [1]Das Land, die Stadtgemeinden und die Arbeitgeber sind verpflichtet, bei der Vorbereitung der Wahl unentgeltlich mitzuwirken. [2]Die Arbeitgeber sind insbesondere verpflichtet, von den Wahlorganen herausgegebene Bekanntmachungen und Hinweise auszuhängen, auf

Verlangen der Wahlorgane erforderliche Auskünfte zu erteilen, deren Richtigkeit zu versichern sowie erforderliche Unterlagen zur Verfügung zu stellen, Wahlunterlagen an die Wahlberechtigten auszuhändigen und die Abgabe der Wahlbriefe in den Betrieben zu ermöglichen. [3]Im Übrigen trägt die Arbeitnehmerkammer die Kosten der Wahl. [4]Die Mitglieder der Wahlorgane üben ihre Tätigkeit ehrenamtlich aus. [5]Sie dürfen bei der Ausübung des Ehrenamtes weder benachteiligt noch behindert werden und haben hierbei Anspruch auf Freistellung von der Arbeit.

Abschnitt 3

§ 10 Vorstand. (1) Der Vorstand besteht aus dem Präsidenten, zwei Stellvertretern (Vizepräsidenten) und zwei oder vier Beisitzern, die für die Dauer ihrer Amtszeit der Geschäftsführung, der Rechnungsprüfungskommission oder einem Ausschuss nicht angehören dürfen.

(2) [1]Der Vorstand setzt sich aus den in der Vollversammlung vertretenen Organisationen entsprechend ihrer jeweiligen Mitgliederzahl in der Vollversammlung zusammen. [2]Die Wahl des Vorstandes erfolgt in geheimer Abstimmung jeweils in der ersten Sitzung zu Beginn der Amtszeit der Vollversammlung. [3]Die Mitglieder des Vorstandes werden von der Vollversammlung aus ihrer Mitte in getrennten Wahlgängen gewählt. [4]Für die Wahl des Präsidenten ist eine Zweidrittel-Stimmenmehrheit der Mitglieder der Vollversammlung, für die Wahl der übrigen Mitglieder des Vorstandes die Stimmenmehrheit der Mitglieder der Vollversammlung erforderlich. [5]Kommen die erforderlichen Mehrheiten nicht zustande, so ist die Wahl frühestens eine Woche nach dem ersten Wahlgang zu wiederholen. [6]Bei Wiederholung der Wahl genügt die Mehrheit der abgegebenen Stimmen.

(3) [1]§ 8 Abs. 3 gilt für die Amtszeit der Mitglieder des Vorstandes entsprechend. [2]Bei vorzeitigem Ausscheiden eines Vorstandsmitgliedes erfolgt eine außerordentliche Neuwahl des Nachfolgers für die restliche Amtszeit. [3]Bis zur Neuwahl des Nachfolgers führt das bisherige Mitglied des Vorstandes seine Geschäfte weiter.

(4) Absatz 3 Satz 2 und 3 findet keine Anwendung, wenn die Vollversammlung einem Mitglied des Vorstandes dadurch das Misstrauen ausspricht, dass sie mit der Mehrheit ihrer Mitglieder für ihn einen Nachfolger wählt; im Falle des Präsidenten bedarf es hierfür jedoch einer Mehrheit von Zweidritteln der Mitglieder der Vollversammlung.

§ 11 Aufgaben des Vorstandes. (1) Dem Vorstand obliegt die Beschlussfassung über alle Kammerangelegenheiten, soweit diese nicht *durch dieses Gesetz* oder die Satzung ausschließlich der Vollversammlung oder anderen Kammerorganen vorbehalten sind, sowie

1. die Vorbereitung der Beratung und Beschlussfassung der Vollversammlung sowie die Überwachung der Ausführung dieser Beschlüsse,
2. die Festlegung der Grundsätze zur Geschäftsführung der Kammer und die Überwachung der Einhaltung der Organbeschlüsse durch die Geschäftsführung und
3. die Wahrnehmung der ihm von der Vollversammlung übertragenen Aufgaben.

(2) [1] Der Vorstand fasst seine Beschlüsse mit Stimmenmehrheit. [2] Bei Stimmengleichheit gibt die Stimme des Präsidenten den Ausschlag. [3] In dringenden Fällen können die Geschäfte von dem Präsidenten wahrgenommen werden; § 13 Abs. 2 findet Anwendung. [4] Dem Vorstand ist hierüber unverzüglich Bericht zu erstatten.

Abschnitt 4

§ 12 Rechnungsprüfungskommission. (1) [1] Die Rechnungsprüfungskommission ist ein unabhängiges Kammerorgan mit umfassenden Prüfungs- und Auskunftsrechten gegenüber der Geschäftsführung, die insoweit von ihrer Schweigepflicht entbunden ist. [2] Sie besteht aus drei von der Vollversammlung gewählten Mitgliedern der Vollversammlung. [3] Näheres, insbesondere die Berücksichtigung auch kleinerer in der Vollversammlung vertretenen Organisationen bei der Bildung der Rechnungsprüfungskommission, regelt die Haushalts-, Kassen- und Rechnungslegungsordnung.

(2) [1] Der Rechnungsprüfungskommission obliegt die Rechnungsprüfung der Kammer. [2] Sie legt der Vollversammlung einen schriftlichen Bericht zum Jahresabschluss des Hauptgeschäftsführers, zu dem Ergebnis der Prüfung des Jahresabschlusses durch einen öffentlich bestellten Wirtschaftsprüfer, zu Ausnahmen gemäß § 18 Abs. 4 und zu den Entlastungsanträgen von Vorstand und Hauptgeschäftsführer vor. [3] Die Vollversammlung kann die Rechnungsprüfungskommission darüber hinaus jederzeit mit der Durchführung von weiteren Prüfungen beauftragen. [4] § 111 der Landeshaushaltsordnung bleibt unberührt.

(3) [1] Die Rechnungsprüfungskommission erstattet bei Feststellung von Unregelmäßigkeiten und wirtschaftlichen Risiken Berichte an den Vorstand, die Vollversammlung und den Hauptgeschäftsführer, von denen sie jederzeit zu hören ist. [2] Auf Antrag der Rechnungsprüfungskommission beschließt die Vollversammlung in Fällen des Satzes 1 über die Beauftragung eines öffentlich bestellten Wirtschaftsprüfers mit der Durchführung von Prüfungen. [3] Die Rechnungsprüfungskommission ist in allen Fällen des Satzes 1 durch den Hauptgeschäftsführer unverzüglich über die eingeleiteten Maßnahmen und deren Ergebnis zu unterrichten.

Abschnitt 5

§ 13 Präsident. (1) [1]Der Präsident ist der Vorsitzende der Vollversammlung und des Vorstandes. [2]Er beruft die Vollversammlung und den Vorstand ein und führt in ihnen den Vorsitz.

(2) Der Präsident wird im Falle seiner Verhinderung nach Maßgabe der Satzung durch einen Vizepräsidenten oder ein anderes Vorstandsmitglied vertreten.

Abschnitt 6

§ 14 Ausschüsse. (1) Für die Dauer ihrer Amtszeit kann die Vollversammlung zur Beratung des Vorstandes und der Vollversammlung ständige und nicht ständige Ausschüsse bilden.

(2) [1]Die Ausschussmitglieder werden von der Vollversammlung gewählt. [2]Zu Ausschussmitgliedern können auch sachverständige Personen gewählt werden, die nicht der Kammer angehören; für sie gilt § 6 Abs. 2 entsprechend.

(3) Die Ausschüsse wählen aus ihrer Mitte je einen Vorsitzenden und dessen Stellvertreter, die Mitglieder der Vollversammlung sein sollen.

(4) [1]Die Ausschüsse können Anträge an den Vorstand und, falls dieser die Anträge ablehnt, an die Vollversammlung richten. [2]Die Vorsitzenden der Ausschüsse sind bei der Behandlung der Anträge ihrer Ausschüsse im Vorstand und in der Vollversammlung zu hören.

Kapitel 3. Verwaltung der Kammer

§ 15 Geschäftsführung. (1) Die Geschäftsführung besteht aus dem Hauptgeschäftsführer und, soweit bestellt, den weiteren Geschäftsführern.

(2) [1]Der Hauptgeschäftsführer wird auf Vorschlag des Vorstandes von der Vollversammlung mit einer Mehrheit von zwei Drittel der abgegebenen Stimmen gewählt. [2]Kommt diese Mehrheit nicht zustande, so ist die Wahl frühestens eine Woche nach dem ersten Wahlgang zu wiederholen. [3]Bei Wiederholung der Wahl genügt die Mehrheit der abgegebenen Stimmen. [4]Für die Wahl weiterer Geschäftsführer genügt die einfache Mehrheit der abgegebenen Stimmen. [5]Der Hauptgeschäftsführer sowie die anderen Mitglieder der Geschäftsführung dürfen einem Organ nach § 5 nicht angehören.

(3) [1]Der Hauptgeschäftsführer führt die Geschäfte der Kammer nach Maßgabe der vom Vorstand aufgestellten Grundsätze und leitet die Geschäftsführung. [2]Der Hauptgeschäftsführer sowie die anderen Mitglieder der Geschäftsführung sind berechtigt, mit beratender Stimme an den Sitzungen des Vorstandes, der Vollversammlung und der Ausschüsse teilzunehmen. [3]Erheben der Hauptgeschäftsführer oder andere Mitglieder der Geschäftsführung gegen eine vorgesehene Beschlussfassung des Vorstands, der Vollversammlung oder eines Ausschusses Bedenken, sind diese in das Sitzungsprotokoll aufzunehmen. [4]Über- und außerplanmäßige Ausgaben bedürfen der Einwilligung des Hauptgeschäftsführers nach Maßgabe der Haushalts-, Kassen- und Rechnungslegungsordnung. [5]§ 6 Abs. 4 gilt für den Hauptgeschäftsführer entsprechend.

§ 16 Kammerbedienstete. (1) Auf die Dienstverhältnisse der Arbeitnehmer der Kammer finden die für die Arbeitnehmer der Freien Hansestadt Bremen jeweils geltenden gesetzlichen und tariflichen Vorschriften Anwendung.

(2) [1]Alle Dienstverhältnisse sind durch schriftliche Verträge zu regeln. [2]Den Anstellungsvertrag des Hauptgeschäftsführers unterzeichnen der Präsident und ein Vizepräsident; die Anstellungsverträge der übrigen Mitglieder der Geschäftsführung unterzeichnen der Präsident und der Hauptgeschäftsführer; die Anstellungsverträge der weiteren Arbeitnehmer unterzeichnet der Hauptgeschäftsführer allein.

(3) [1]Der Vorstand ist Dienstvorgesetzter des Hauptgeschäftsführers. [2]Dienstvorgesetzter aller übrigen Arbeitnehmer der Kammer ist der Hauptgeschäftsführer. [3]Im Falle seiner Verhinderung übt sein Stellvertreter seine Befugnisse aus.

§ 17 Vertretung. (1) [1]Der Präsident und der Hauptgeschäftsführer vertreten die Kammer rechtsgeschäftlich und gerichtlich. [2]Sie sind dabei an die Beschlüsse des Vorstandes und der Vollversammlung gebunden. [3]Der Präsident kann nach Maßgabe der Satzung durch einen Vizepräsidenten oder ein anderes Vorstandsmitglied und der Hauptgeschäftsführer durch seinen Stellvertreter vertreten werden.

(2) Die Vertretungsregelung des Absatz 1 gilt für alle Urkunden, durch welche die Kammer vermögensrechtlich verpflichtet wird sowie für alle Gesetzesvorschläge, Stellungnahmen und Gutachten der Kammer nach § 2 Abs. 1 Nr. 3, soweit die Satzung nichts anderes bestimmt.

(3) [1]Für die laufenden Geschäfte der Verwaltung ist der Hauptgeschäftsführer allein vertretungsberechtigt. [2]Mit Zustimmung des Vorstandes kann der Hauptgeschäftsführer einzelne Aufgaben der Ge-

schäftsbereiche anderen Mitgliedern der Geschäftsführung zur Erledigung übertragen. 3 Das Nähere regelt die Satzung.

Kapitel 4. Das Haushaltswesen

§ 18 Haushaltswesen. (1) Das Haushalts- und Rechnungsjahr ist das Kalenderjahr.

(2) 1 Die Kammer hat jährlich einen Wirtschaftsplan aufzustellen. 2 Dieser besteht aus dem Erfolgsplan, dem Vermögensplan und der Stellenübersicht. 3 Die Kammer hat die Grundsätze der Wirtschaftlichkeit und Sparsamkeit zu beachten. 4 Sie führt ihre Rechnung nach den Regeln der kaufmännischen doppelten Buchführung. 5 Auf den Jahresabschluss sind die allgemeinen Vorschriften, die Vorschriften über die Bilanz, die Gewinn- und Verlustrechnung und den Anhang sowie die Vorschriften über Ansätze und Bewertung für große Kapitalgesellschaften im Dritten Buch des Handelsgesetzbuches sinngemäß anzuwenden.

(3) 1 Der Wirtschaftsplan darf keine höheren Gesamtausgaben enthalten, als durch Einnahmen gedeckt sind. 2 Die Gesamthöhe der Kredite ist so zu begrenzen, dass der jährliche Schuldendienst (Zinsen und Tilgung) ein Zehntel des Beitragsaufkommens des letzten abgeschlossenen Haushaltsjahres nicht übersteigt. 3 Zuschüsse und sonstige Drittmittel zur anteiligen Finanzierung von Projekten und anderen Kammeraufgaben dürfen nur bis zur Höhe von einem Drittel des Beitragsaufkommens des letzten abgeschlossenen Haushaltsjahres eingeworben werden.

(4) Ausnahmen von Absatz 3 Satz 2 und 3 sind nur im Falle eines unvorhergesehenen und unabweisbaren Bedürfnisses oder zur Abwendung außergewöhnlicher wirtschaftlicher Gefahren für die Funktionsfähigkeit der Kammer zulässig; sie bedürfen zu ihrer Wirksamkeit der gesonderten Zustimmung der Vollversammlung nach vorhergehender gutachtlicher Stellungnahme der Rechnungsprüfungskommission.

(5) 1 Die Vorschriften der Landeshaushaltsordnung bleiben im übrigen unberührt. 2 Näheres regelt die Haushalts-, Kassen- und Rechnungslegungsordnung.

§ 19 Jahresabschluss. 1 Der Hauptgeschäftsführer stellt spätestens bis zum 30. April eines jeden Kalenderjahres den Jahresabschluss für das vergangene Jahr auf. 2 Er legt den Jahresabschluss und das Ergebnis der Prüfung des Jahresabschlusses durch einen öffentlich bestellten Wirtschaftsprüfer sowie die geprüften und testierten Jahresabschlüsse von Gesellschaften im Sinne von § 7 Abs. 1 Nr. 9 unverzüglich der Rechnungsprüfungskommission, dem Vorstand und der Vollversammlung vor.

§ 20 Beiträge. (1) Zur Deckung ihres Finanzbedarfs erhebt die Kammer von den Kammerzugehörigen Beiträge nach Maßgabe der Beitragsordnung und der Beitragseinziehungsverordnung.

(2) [1] Die Bemessungsgrundlage für die Beiträge ist jeweils der Arbeitslohn, der einem beitragspflichtigen Kammerzugehörigen aus einem die Beitragspflicht begründenden Arbeitsverhältnis für Zeiträume gezahlt wird, während derer Beitragspflicht besteht oder bestand. [2] Die Beitragsordnung trifft nähere Bestimmungen insbesondere zur Beitragspflicht und Beitragsfestsetzung. [3] In der Beitragsordnung können Höchstbeiträge oder Höchstbeträge der Bemessungsgrundlage bestimmt werden.

(3) [1] Der Arbeitgeber des Beitragspflichtigen hat die Beiträge bei jeder Lohnzahlung vom Arbeitslohn einzubehalten. [2] Er haftet für die Beiträge in entsprechender Anwendung des § 42d des Einkommensteuergesetzes[1)]. [3] Unterbliebene Abzüge darf er nur bei der Lohnzahlung für den nächsten Lohnzahlungszeitraum nachholen, es sei denn, dass die Beiträge ohne ein Verschulden des Arbeitgebers nicht einbehalten worden sind. [4] Die Beiträge sind vom Arbeitgeber an die in Absatz 4 bezeichneten Behörden abzuführen.

(4) Die Beiträge werden von den Behörden der Finanzverwaltung eingezogen und an die Kammer nach Abzug eines Verwaltungskostenbeitrages von 4 vom Hundert der Beiträge abgeführt.

(5) Zu Unrecht gezahlte Beiträge werden erstattet; die Bestandskraft einer Beitragsanmeldung durch den Arbeitgeber steht der Erstattung nicht entgegen.

(6) Der Anspruch auf die Beiträge und der Anspruch auf Erstattung zu Unrecht gezahlter Beiträge verjähren mit Ablauf des dritten Kalenderjahres, das auf die Entstehung der Ansprüche folgt.

(7) Die Aufsichtsbehörde kann durch Rechtsverordnung nähere Bestimmungen zur Ermittlung der Beitragshöhe und zum Arbeitslohn (Absatz 3) treffen und im Einvernehmen mit dem Senator für Finanzen das Beitragsverfahren regeln (Beitragseinziehungsverordnung).

§ 21 Gebühren. (1) [1] Für die Inanspruchnahme von Sonderleistungen erhebt die Kammer Gebühren und im Falle der Säumnis Säumniszuschläge nach Maßgabe der Gebührenordnung. [2] Die Gebührenordnung kann sich auf Grundsätze zur Bestimmung der Gebühren beschränken und die Bestimmung der Höhe der einzelnen Gebühren im Rahmen dieser Grundsätze dem Vorstand der Kammer übertragen.

(2) Die Gebühren können im Wege der Amtshilfe durch die Behörden der Finanzverwaltung eingezogen werden.

Kapitel 5. Satzung

§ 22 Satzung. (1) Die Satzung der Kammer muss Vorschriften enthalten über:

1. die Zuständigkeiten der Vollversammlung, des Vorstandes, des Präsidenten und des Hauptgeschäftsführers,

---

1) beck-online, Module Arbeitsrecht Nr. 331.

2. die Einberufung, Beschlussfähigkeit und Beschlussfassung der Vollversammlung, des Vorstandes und der Ausschüsse der Vollversammlung sowie deren Bildung,
3. die Bekanntmachungen der Kammer,
4. das Verfahren bei Satzungsänderungen,
5. das Verfahren beim Erlass oder der Änderung sonstiger Vorschriften, welche der Beschlussfassung der Vollversammlung unterliegen,
6. die Gewährung von Aufwandsentschädigungen an die Mitglieder der Vollversammlung, des Vorstandes, der Ausschüsse sowie der Rechnungsprüfungskommission,
7. das Haushalts-, Kassen- und Rechnungswesen,
8. die Erstellung einer mittelfristigen Finanzplanung und deren Übermittlung an die Vollversammlung,
9. die Übertragung der Prüfung des Jahresabschlusses sowie der Prüfung in den Fällen des § 12 Abs. 3 auf einen öffentlich bestellten Wirtschaftsprüfer.

(2) Die Satzung darf keine Bestimmung enthalten, die mit den in diesem Gesetz bezeichneten Aufgaben der Kammer oder sonstigen Rechtsvorschriften nicht vereinbar sind.

Kapitel 6. Kammeraufsicht

§ 23[1] Aufsicht. (1) Die Senatorin für Wirtschaft, Arbeit und Europa führt die Aufsicht (Rechtsaufsicht) über die Kammer.

(2) Der Genehmigung der Aufsichtsbehörde bedürfen Beschlüsse der Vollsammlung über:
1. die Satzung und die Änderung der Satzung,
2. die Gebührenordnung,
3. die Beitragordnung sowie die Festsetzung des Kammerbeitrages,
4. die Haushalts-, Kassen- und Rechnungslegungsordnung,
5. die Wahlordnung.

(Fortsetzung nächstes Blatt)

[1] *§ 23 Abs. 1* geänd. durch Geschäftsverteilung mWv 13.12.2011, vgl. Bek. v. 24.1.2012 (Brem.GBl. S. 24); Abs. 1 geänd. durch Geschäftsverteilung mWv 11.11.2019, vgl. Bek. v. 20.10.2020 (Brem.GBl. S. 1172).

(3) Die Aufsichtsbehörde kann von der Kammer jederzeit Auskunft über ihre Angelegenheiten verlangen.

(4) Die Aufsichtsbehörde kann Beschlüsse von Organen der Kammer, die das Recht verletzen, mit der Wirkung beanstanden, dass

1. die Beschlüsse nicht ausgeführt werden dürfen und
2. Maßnahmen, die aufgrund des beanstandeten Beschlusses bereits getroffen worden sind, binnen einer angemessenen festzusetzenden Frist rückgängig zu machen sind.

Kapitel 7. Ordnungswidrigkeiten

§ 24 Ordnungswidrigkeiten. (1) Ordnungswidrig handelt, wer als Arbeitgeber

1. die Beiträge der bei ihm beschäftigten beitragspflichtigen Kammerzugehörigen nicht einbehält,
2. die einbehaltenen Beiträge nicht an die für die Einziehung zuständigen Behörden abführt oder
3. die für die Einziehung erforderlichen Auskünfte nicht erteilt.

(2) Die in Absatz 1 genannten Ordnungswidrigkeiten können mit einer Geldbuße geahndet werden; § 17 des Ordnungswidrigkeitengesetzes ist sinngemäß anzuwenden.

(3) [1] Zuständige Verwaltungsbehörde für die Verfolgung und Ahndung der Ordnungswidrigkeiten ist in den Fällen des § 24 Abs. 1 Nrn. 1 bis 3 die für die Verfolgung und Ahndung von Steuerordnungswidrigkeiten zuständige Finanzbehörde, im Übrigen die Kammer, wenn sich die Ordnungswidrigkeit gegen sie richtet. [2] Die Geldbußen stehen der Kammer zu; sie werden durch die Behörden der Finanzverwaltung eingezogen und nach Abzug eines Verwaltungskostenbeitrages von 4 vom Hundert an die Kammer abgeführt.

Kapitel 8. Übergangsvorschriften und Schlussbestimmungen

§ 25 Benachteiligungs- und Behinderungsverbot. [1] Die Mitglieder der in § 5 bezeichneten Organe dürfen weder in noch wegen der Übernahme oder der Ausübung dieser Ehrenämter benachteiligt oder behindert werden. [2] Im Rahmen der Beschlüsse der Kammer haben sie Anspruch auf Freistellung von der Arbeit zum Zweck der Ausübung von Ehrenämtern.

§ 26 Personen-, Dienst- und Funktionsbezeichnungen. [1]Soweit dieses Gesetz auf natürliche Personen Bezug nimmt, gilt es für weibliche und männliche Personen in gleicher Weise. [2]Dienst- und Funktionsbezeichnungen werden von Frauen in der weiblichen Sprachform geführt.

§ 27 Übergangsregelungen. (1) Die Kammer tritt mit Wirkung vom 1. Januar 2001 die Gesamtrechtsnachfolge der nach dem Gesetz über die Arbeitnehmerkammern im Lande Bremen vom 3. Juli 1956 (SaBremR 70-c-1) errichteten Arbeitnehmerkammern (Angestellten- und Arbeiterkammer) an.

(2) [1]Die Kündigung eines Beschäftigungsverhältnisses eines Arbeitnehmers durch die Arbeiterkammer oder die Angestelltenkammer oder durch die Kammer wegen des Übergangs der Rechtsverhältnisse ist unwirksam. [2]Das Recht zur Kündigung des Arbeitsverhältnisses aus anderen Gründen bleibt unberührt.

(3) [1]Die Mitglieder der Vollversammlungen von Arbeiterkammer und Angestelltenkammer bilden zu dem in Absatz 1 genannten Zeitpunkt die Gründungsvollversammlung, die Mitglieder der Vorstände den Gründungsvorstand der Kammer. [2]Die Amtszeit der Gründungsvollversammlung endet mit dem Zusammentritt der bis zum 31. Dezember 2002 zu wählenden Vollversammlung der Kammer, die Amtszeit des Gründungsvorstandes mit der Wahl eines Vorstandes.

(4) Die Geschäftsführer der Arbeiterkammer und der Angestelltenkammer nehmen die Geschäftsführung der Kammer nach den Grundsätzen der Gesamtgeschäftsführung (§ 125 Abs. 2 des Handelsgesetzbuches) bis zur Wahl eines Hauptgeschäftsführers wahr.

(5) [1]Die Gründungsvollversammlung legt der Aufsichtsbehörde bis zum 30. Juni 2001 eine Satzung der Kammer zur Genehmigung vor. [2]Sie wählt unverzüglich die Mitglieder der Rechnungsprüfungskommission und bildet die Ausschüsse. [3]Der Gründungsvorstand gibt sich unverzüglich eine Geschäftsordnung, die von der Gründungsvollversammlung zu bestätigen ist. [4]Im Übrigen gelten für Gründungsvollversammlung, Gründungsvorstand und die Mitglieder aller sonstigen Organe der Kammer und ihrer Organisation die Vorschriften dieses Gesetzes.

(6) Die gewählten Frauenbeauftragten, Personalvertretungen und Vertreter der Schwerbehinderten der Arbeiterkammer und der Angestelltenkammer nehmen bis zum Ende ihrer Amtszeit ihre Aufgaben in der Kammer gemeinschaftlich wahr.

(7) Befristet bis zum 31. Dezember 2002 kann die Aufsichtsbehörde auf Antrag der Kammer einzelne Ausnahmen auf dem Gebiet des Haushalts- und Rechnungswesens von diesem Gesetz zulassen, soweit

dieses zur Förderung des Zusammenschlusses der bisherigen Arbeitnehmerkammern erforderlich ist.

(8) Vor Inkrafttreten dieses Gesetzes geschlossene Vereinbarungen nach § 1 Abs. 7 des in § 28 Satz 2 genannten Gesetzes bleiben unberührt.

§ 28 Inkrafttreten. [1] Dieses Gesetz tritt am 1. Januar 2001 in Kraft. [2] Gleichzeitig tritt das Gesetz über die Arbeitnehmerkammern im Lande Bremen vom 3. Juli 1956 (SaBremR 70-c-1), zuletzt geändert durch Gesetz vom 22. Dezember 1998 (Brem.GBl. S. 371), außer Kraft.

554. Gesetz über die Arbeitskammer des Saarlandes[1)]

Vom 8. April 1992

(Amtsbl. S. 590, ber. S. 627, 858)

Gesetz Nr. 1290 / BS Saar Nr. 700-3

zuletzt geänd. durch Art. 18 Saarländisches DigitalisierungsG v. 8.12.2021 (Amtsbl. I S. 2629)

Der Landtag des Saarlandes hat folgendes Gesetz beschlossen, das hiermit verkündet wird:

§ 1 Rechtsform und Sitz. (1) [1]Die Arbeitskammer des Saarlandes ist eine Körperschaft des öffentlichen Rechts. [2]Sie besitzt Dienstherrenfähigkeit und führt ein öffentliches Siegel.

(2) Die Arbeitskammer des Saarlandes hat ihren Sitz in Saarbrücken.

§ 2 Aufgaben. (1) [1]Die Arbeitskammer des Saarlandes hat die Aufgabe, als öffentlich-rechtliche Vertretung der im Saarland beschäftigten Arbeitnehmer und Arbeitnehmerinnen gemäß Artikel 59 der Verfassung des Saarlandes[2)] die allgemeinen wirtschaftlichen, ökologischen, sozialen und kulturellen Interessen der Arbeitnehmer und Arbeitnehmerinnen wahrzunehmen und die auf die Hebung der wirtschaftlichen, ökologischen, sozialen und kulturellen Lage der Arbeitnehmer und Arbeitnehmerinnen abzielenden Bestrebungen zu fördern. [2]Sie kann hierbei die wissenschaftliche Forschung zur Unterstützung heranziehen.

(2) Die Arbeitskammer des Saarlandes hat durch Vorschläge, Gutachten und Berichte die Regierung des Saarlandes, Behörden, Körperschaften und Anstalten des öffentlichen Rechts, Gewerkschaften und sonstige selbständige Vereinigungen von Arbeitnehmern und Arbeitnehmerinnen mit sozial- oder berufspolitischer Zwecksetzung, die für das Arbeitsleben im Saarland eine wesentliche Bedeutung haben, zu unterstützen sowie zu beraten und dabei das Allgemeinwohl zu berücksichtigen.

(3) Die Arbeitskammer des Saarlandes kann mit Zustimmung der Aufsichtsbehörde Einrichtungen, die der Förderung der wirtschaftlichen, ökologischen, sozialen und kulturellen Interessen der Arbeitnehmer und Arbeitnehmerinnen dienen, gründen, unterhalten und unterstützen.

(4) [1]Die Arbeitskammer des Saarlandes kann außerdem für Arbeitnehmer und Arbeitnehmerinnen Maßnahmen zur Förderung der beruflichen, der politischen und der allgemeinen Bildung, der Beschäftigung, der Kultur, der Gesundheit, des Verbraucherschutzes, der Gleichberechtigung von Frauen und Männern, der Integration von Ausländern und Ausländerinnen, der grenzüberschreitenden Zusammenarbeit mit den Nachbarregionen (Saar-Lor-Lux) und der Armutsvermeidung initiieren und durchführen. [2]Sie arbeitet dabei mit anderen zuständigen Körperschaften und Behörden zusammen.

(5) [1]Die Arbeitskammer des Saarlandes hat der Regierung des Saarlandes jedes Jahr spätestens bis zum 30. Juni einen Jahresbericht über die wirtschaftliche, ökologische, soziale und kulturelle Lage der Arbeitnehmer und Arbeitneh-

---

[1)] Änderungen vor dem 1.1.2005 sind nicht in Fußnoten nachgewiesen.
[2)] Nr. 22.

merinnen vorzulegen. [2] Hierzu ist die Arbeitskammer des Saarlandes berechtigt, bei den Arbeitnehmern und Arbeitnehmerinnen Umfragen durchzuführen und Daten in anonymisierter Form zu erheben.

(6) Vor Einbringung von Gesetzen durch die Regierung des Saarlandes und vor dem Erlaß von Rechtsverordnungen und Verwaltungsvorschriften, die die Interessen der Arbeitnehmer und Arbeitnehmerinnen unmittelbar berühren, ist der Arbeitskammer des Saarlandes Gelegenheit zur Stellungnahme zu geben.

§ 3 Kammerzugehörigkeit. (1) Der Arbeitskammer des Saarlandes gehören die im Saarland beschäftigten Arbeitnehmer und Arbeitnehmerinnen an.

(2) [1] Arbeitnehmer und Arbeitnehmerinnen im Sinne dieses Gesetzes sind Arbeiter, Arbeiterinnen und Angestellte sowie die zu ihrer Berufsausbildung Beschäftigten. [2] Als Arbeitnehmer und Arbeitnehmerinnen im Sinne dieses Gesetzes gelten nicht:

a) in Betrieben einer juristischen Person die Mitglieder des Organs, das zur gesetzlichen Vertretung der juristischen Person berufen ist;
b) die Gesellschafter einer offenen Handelsgesellschaft oder die Mitglieder einer anderen Personengesamtheit in deren Betrieben;
c) die leitenden Angestellten, wenn sie zur selbständigen Einstellung und Entlassung von im Betrieb oder in der Betriebsabteilung beschäftigten Arbeitnehmern und Arbeitnehmerinnen berechtigt sind oder wenn ihnen Generalvollmacht oder Prokura erteilt ist;
d) Personen, deren Beschäftigung nicht in erster Linie ihrem Erwerb dient, sondern vorwiegend durch Beweggründe karitativer oder religiöser Art bestimmt ist;
e) Personen, deren Beschäftigung nicht in erster Linie ihrem Erwerb dient und die vorwiegend zu ihrer Heilung, Wiedereingewöhnung, sittlichen Besserung oder Erziehung beschäftigt werden;
f) Verwandte und Verschwägerte ersten Grades, die in häuslicher Gemeinschaft mit dem Arbeitgeber/der Arbeitgeberin leben.

(3) Absatz 2 Satz 2 findet keine Anwendung auf Vorstandsmitglieder, gesetzliche Vertreter/Vertreterinnen sowie leitende Angestellte von Berufsorganisationen der Arbeitnehmer und Arbeitnehmerinnen.

§ 4 Organe. Organe der Arbeitskammer des Saarlandes sind
(1) die Vertreterversammlung
(2) der Vorstand

§ 5 Aufgaben der Vertreterversammlung. (1) *[1]* [1] Die Vertreterversammlung bestimmt die Richtlinien zur Durchführung der gesetzlichen Aufgaben der Arbeitskammer des Saarlandes und überwacht die Durchführung der Beschlüsse. [2] Sie beschließt über alle Fragen, die von grundsätzlicher Bedeutung sind.

[2] Insbesondere obliegen ihr als vorbehaltene Aufgaben die

a) Beschlußfassung über die Ausführung der nach § 2 vorgesehenen Aufgaben und zu treffenden Maßnahmen
b) Feststellung des Haushalts- und des Stellenplans
c) Bestellung eines Innenrevisors/einer Innenrevisorin

d) Bestellung der Prüfungskommission zur Prüfung der Jahresrechnung und die Entgegennahme der geprüften Jahresrechnung
e) Wahl und die Abwahl des Vorstandes
f) Entlastung des Vorstandes
g) Wahl und die Abwahl des Hauptgeschäftsführers/der Hauptgeschäftsführerin
h) Entlastung des Hauptgeschäftsführers/der Hauptgeschäftsführerin
i) Bildung von Ausschüssen und die Wahl der Ausschußmitglieder
j) Festsetzung der Kammerbeiträge
k) Beschlußfassung über den Jahresbericht an die Regierung
l) Zustimmung zu Stellungnahmen von grundsätzlicher Bedeutung
m) Beschlußfassung über Erwerb, Veräußerung oder Belastung von Grundstücken
n) Beschlußfassung über Errichtung, Unterhaltung und Unterstützung von Einrichtungen
o) Beschlußfassung über die Auflösung von Einrichtungen
p) Verabschiedung einer Geschäftsordnung der Vertreterversammlung
q) Zustimmung zur Geschäftsordnung des Vorstandes
r) Erlaß der Satzung der Arbeitskammer des Saarlandes
s) Festsetzung der Entschädigung für die Mitglieder der Vertreterversammlung
t) Bestimmung der Vertretung der Arbeitskammer des Saarlandes in Körperschaften und Institutionen im Einvernehmen mit dem Hauptgeschäftsführer/der Hauptgeschäftsführerin

(2) Die Vertreterversammlung ist berechtigt, sonstige Aufgaben und die Vorbereitung vorbehaltener Aufgaben dem Vorstand zu übertragen.

(3) Näheres zur Arbeitsweise der Vertreterversammlung regelt die Satzung der Arbeitskammer des Saarlandes.

§ 6 Zusammensetzung der Vertreterversammlung. (1) [1]Die Vertreterversammlung der Arbeitskammer des Saarlandes besteht aus 42 Mitgliedern. [2]Jedes Mitglied hat einen Ersten und Zweiten Stellvertreter/eine Erste und Zweite Stellvertreterin.

(2) Die Amtsperiode der Vertreterversammlung beträgt sechs Jahre; sie beginnt mit dem ersten Zusammentreten der Vertreterversammlung, jedoch nicht vor Ablauf der Amtsperiode der bisherigen Vertreterversammlung.

(3) [1]Als Mitglied der Vertreterversammlung kann gewählt werden, wer gemäß § 3 Abs. 1 Mitglied der Arbeitskammer des Saarlandes und in einem im Saarland gelegenen Betrieb mindestens ein Jahr beschäftigt ist sowie das achtzehnte Lebensjahr vollendet hat. [2]Nicht gewählt werden kann, wer aufgrund einer psychischen Krankheit oder einer geistigen oder seelischen Behinderung unter Betreuung gestellt worden ist oder wer infolge strafgerichtlicher Verurteilung die Fähigkeit verloren hat, öffentliche Ämter zu bekleiden und Rechte aus öffentlichen Wahlen zu erlangen, sowie wer im Dienste der Arbeitskammer des Saarlandes steht.

§ 7 Wahl der Mitglieder der Vertreterversammlung. (1) [1]Der Landtag des Saarlandes wählt die Mitglieder der Vertreterversammlung und deren Stellvertreter/Stellvertreterinnen. [2]Die Wahl erfolgt auf Vorschlag der Gewerkschaften und auf andere Vorschläge von Arbeitnehmern und Arbeitnehmerinnen, die gemäß § 3 Mitglieder der Arbeitskammer des Saarlandes sind. [3] Bei den Gewerkschaften, die Spitzenorganisationen im Sinne des § 2 Abs. 2 des Tarifvertraggesetzes[1)] angehören, ist die Spitzenorganisation vorschlagsberechtigt. [4] Die Vorschlagslisten müssen für die Vorgeschlagenen folgende Angaben enthalten: Namen, Vornamen, Geburtsdatum, Beruf, Anschrift und Arbeitgeber. [5] Männer und Frauen sollen ausgewogen berücksichtigt sein.

(2) Die Vorschlagslisten der Gewerkschaften haben die dreifache Anzahl von Arbeitnehmern und Arbeitnehmerinnen zu enthalten, wie Mitglieder der Vertreterversammlung zu wählen sind.

(3) [1] Andere Vorschlagslisten haben mindestens die Hälfte, höchstens jedoch die dreifache Anzahl von Arbeitnehmern und Arbeitnehmerinnen zu enthalten, wie Mitglieder der Vertreterversammlung zu wählen sind. [2] Andere Vorschlagslisten müssen von mindestens 1200 Arbeitnehmern und Arbeitnehmerinnen durch Unterschriften unterstützt werden. [3] Abs. 1 Satz 3 gilt für die Unterstützungsunterschriften entsprechend.

(4) [1] Der Landtag des Saarlandes wählt die Mitglieder der Vertreterversammlung und deren Stellvertreter/Stellvertreterinnen aus den in den Vorschlagslisten benannten Arbeitnehmern und Arbeitnehmerinnen, dabei hat er die einzelnen Wirtschaftszweige angemessen zu berücksichtigen. [2] Liegen mehrere Vorschlagslisten vor, so sind die Mitglieder und deren Stellvertreter/Stellvertreterinnen anteilmäßig, jedoch unter billiger Berücksichtigung der Minderheiten, zu wählen.

(5) Treten bei einem Mitglied der Vertreterversammlung oder einem Stellvertreter/einer Stellvertreterin Umstände ein, die eine Wahl ausschließen, so scheiden sie aus der Vertreterversammlung aus; die Feststellung trifft die Vertreterversammlung.

(6) Beim Ausscheiden eines Mitgliedes oder eines Stellvertreters/einer Stellvertreterin ist für den Rest der Amtsperiode aus den Vorschlagslisten ein Nachfolger/eine Nachfolgerin zu wählen.

§ 8 Stellung der Mitglieder der Vertreterversammlung. [1] Die Mitglieder der Vertreterversammlung führen die ihnen übertragenen Aufgaben ehrenamtlich aus. [2] Die Arbeitskammer des Saarlandes erstattet ihnen ihre baren Auslagen und Ersatz für entgangenen Arbeitsverdienst oder einen Pauschalbetrag für Zeitverlust. [3] Das Nähere bestimmt die Vertreterversammlung; der Beschluß der Vertreterversammlung bedarf der Genehmigung der Aufsichtsbehörde.

[4] Sie dürfen weder wegen der Übernahme noch in der Ausübung des Ehrenamtes benachteiligt oder behindert werden.

§ 9[2)] Sitzungsbestimmungen der Vertreterversammlung. (1) [1] Die Vertreterversammlung ist von dem/der Vorsitzenden der Vertreterversammlung mindestens halbjährlich einzuberufen. [2] Außerordentliche Sitzungen sind einzuberufen, wenn ein Drittel der Mitglieder der Vertreterversammlung es verlangt.

(2) [1] Die Tagesordnung ist den Mitgliedern vor der Sitzung schriftlich oder elektronisch mitzuteilen. [2] Verhandlungsgegenstände, die durch Beschluß der

---

[1)] Nr. **504**.

[2)] § 9 Abs. 2 Satz 1 geänd. mWv 17.12.2021 durch G v. 8.12.2021 (Amtsbl. I S. 2629).

Vertreterversammlung als dringlich erklärt werden, können ohne vorherige Mitteilung verhandelt werden. [3]Das Nähere regelt die Satzung.

(3) [1]Die Aufsichtsbehörde ist zu den Sitzungen einzuladen. [2]Sie ist jederzeit zu hören.

§ 10 Beschlüsse der Vertreterversammlung. (1) Die Vertreterversammlung ist beschlußfähig, wenn nach ordnungsgemäßer Einladung mindestens die Hälfte der Mitglieder anwesend ist.

(2) Die Beschlüsse der Vertreterversammlung werden, soweit das Gesetz nicht etwas anderes bestimmt, mit Stimmenmehrheit gefaßt.

§ 11 Einsetzung von Ausschüssen. (1) [1]Die Vertreterversammlung kann zur Vorbereitung der Verhandlungsgegenstände und der Berichterstattung Ausschüsse einsetzen, deren Mitglieder von der Vertreterversammlung der Arbeitskammer des Saarlandes zu wählen sind. [2]Der Aufgabenbereich und die Zusammensetzung der Ausschüsse werden durch Satzung festgelegt.

(2) Die Satzung kann vorsehen, daß bis zu einem Viertel der Ausschußmitglieder auch sachverständige Personen, die nicht Mitglieder der Vertreterversammlung sind, gewählt werden können.

(3) [1]Die Ausschüsse können Anträge an den Vorstand und, falls dieser die Anträge ablehnt, an die Vertreterversammlung richten. [2]Die Vorsitzenden der Ausschüsse sind bei der Behandlung der Anträge im Vorstand zu hören.

§ 12 Vorstand. (1) [1]Die Vertreterversammlung wählt aus ihrer Mitte den Vorstand. [2]Der Vorstand besteht aus dem/der Vorsitzenden, dem/der Ersten, dem/der Zweiten Stellvertreter/Stellvertreterin und vier weiteren Beisitzern/Beisitzerinnen. [3]Für die Wahl des/der Vorsitzenden, des/der Ersten und Zweiten Stellvertreters/Stellvertreterin ist eine Zweidrittelmehrheit erforderlich; im übrigen ist die einfache Mehrheit ausreichend.

(2) [1]Der/die Vorsitzende leitet die Sitzungen der Vertreterversammlung. [2]Er/sie wird durch die Stellvertreter/Stellvertreterinnen in ihrer Reihenfolge vertreten. [3]Der Vorstand überwacht die Geschäftsführung des Hauptgeschäftsführers/der Hauptgeschäftsführerin. [4]Er beschließt über die Angelegenheiten der Arbeitskammer des Saarlandes, die nicht durch Gesetz oder Satzung der Vertreterversammlung oder dem Hauptgeschäftsführer/der Hauptgeschäftsführerin übertragen sind. [5]Der Vorstand bereitet die Beratung der Vertreterversammlung vor und überwacht die Ausführung der Beschlüsse.

(3) *[1]* [1]Der Geschäftsführer/die Geschäftsführerin wird durch den Vorstand bestellt und abberufen. [2]Er/sie vertritt den Hauptgeschäftsführer/die Hauptgeschäftsführerin bei Verhinderung bzw. gemäß besonderer Beauftragung.

[2] Auf Vorschlag des Hauptgeschäftsführers/der Hauptgeschäftsführerin bestellt und entläßt der Vorstand auch die Abteilungsleiter/Abteilungsleiterinnen der Arbeitskammer des Saarlandes.

(4) [1]Der Vorstand entscheidet über Inhalt und Beendigung der Anstellungsverträge des Hauptgeschäftsführers/der Hauptgeschäftsführerin, des Geschäftsführers/der Geschäftsführerin und der Abteilungsleiter/Abteilungsleiterinnen. [2]Die Verträge sind von dem Vorsitzenden/der Vorsitzenden und den Stellvertretern/Stellvertreterinnen zu unterzeichnen.

(5) Das Nähere bestimmt die Satzung der Arbeitskammer des Saarlandes.

§ 13 Hauptgeschäftsführer/Hauptgeschäftsführerin. (1) [1]Die Vertreterversammlung wählt den Hauptgeschäftsführer/die Hauptgeschäftsführerin der Arbeitskammer des Saarlandes. [2]Die Amtszeit beträgt acht Jahre. [3]Abwahl und Wiederwahl sind zulässig. [4]Die Amtszeit endet mit Vollendung des 65. Lebensjahres des Amtsinhabers/der Amtsinhaberin.

(2) [1]Die Wahl des Hauptgeschäftsführers/der Hauptgeschäftsführerin findet frühestens sechs Monate vor Ablauf der Amtszeit des/der bisherigen Amtsinhabers/Amtsinhaberin statt; sie soll spätestens drei Monate vor Ablauf der Amtszeit vorgenommen sein. [2]Scheidet ein Amtsinhaber/eine Amtsinhaberin vorzeitig aus, so soll die Neuwahl innerhalb von drei Monaten stattfinden, nachdem die Vertreterversammlung das Ausscheiden des/der bisherigen Amtsinhabers/Amtsinhaberin bestätigt hat. [3]Die Vertreterversammlung ist unverzüglich einzuberufen.

(3) [1]Der Hauptgeschäftsführer/die Hauptgeschäftsführerin wird auf Vorschlag des Vorstandes von der Vertreterversammlung mit einer Mehrheit von drei Vierteln der anwesenden Stimmberechtigten gewählt. [2]Kommt diese Mehrheit nicht zustande, so ist die Wahl frühestens eine Woche nach dem ersten Wahlgang zu wiederholen. [3]Bei Wiederholung der Wahl genügt die Mehrheit der abgegebenen Stimmen. [4]Bei Abwahl des Hauptgeschäftsführers/der Hauptgeschäftsführerin ist ebenfalls eine Mehrheit von drei Vierteln der anwesenden Stimmberechtigten erforderlich.

(4) Die Wahl bzw. die Abwahl des Hauptgeschäftsführers/der Hauptgeschäftsführerin ist der Aufsichtsbehörde anzuzeigen.

§ 14[1)] Aufgaben des Hauptgeschäftsführers/der Hauptgeschäftsführerin. (1) [1]Der Hauptgeschäftsführer/die Hauptgeschäftsführerin und der Vorsitzende/die Vorsitzende des Vorstandes, im Verhinderungsfall die Stellvertreter/Stellvertreterinnen vertreten die Arbeitskammer des Saarlandes gemeinschaftlich nach außen. [2]Sie sind dabei an die Beschlüsse der Vertreterversammlung und des Vorstandes gebunden.

(2) [1]Für die laufenden Geschäfte der Verwaltung der Arbeitskammer des Saarlandes ist der Hauptgeschäftsführer/die Hauptgeschäftsführerin verantwortlich und alleinvertretungsberechtigt. [2]Er/sie kann mit Zustimmung des Vorstandes einzelne Aufgaben oder Geschäftsbereiche dem Geschäftsführer/der Geschäftsführerin zur Erledigung übertragen. [3]Das Nähere regelt die Satzung der Arbeitskammer des Saarlandes.

(3) [1]Der Hauptgeschäftsführer/die Hauptgeschäftsführerin ist hauptamtlicher Bediensteter/hauptamtliche Bedienstete der Arbeitskammer des Saarlandes. [2]Er/sie kann nicht der Vertreterversammlung angehören.

(4) [1]Der Hauptgeschäftsführer/die Hauptgeschäftsführerin ist Dienstvorgesetzter/Dienstvorgesetzte der Bediensteten der Arbeitskammer des Saarlandes. [2]Einstellungen und Entlassungen erfolgen im Einvernehmen mit dem Vorsitzenden/der Vorsitzenden des Vorstandes; § 12 Abs. 3 bleibt unberührt. [3]Er/sie hat für die Erledigung der Geschäfte und für die Regelung des Geschäftsganges einen Geschäftsverteilungsplan aufzustellen. [4]Dieser bedarf der Genehmigung des Vorstandes; gleiches gilt für Änderungen des Geschäftsverteilungsplanes.

[1)] § 14 Abs. 5 Satz 3 neu gef. mWv 17.12.2021 durch G v. 8.12.2021 (Amtsbl. I S. 2629).

(5) [1] Der Hauptgeschäftsführer/die Hauptgeschäftsführerin und der Geschäftsführer/die Geschäftsführerin nehmen an den Sitzungen der Vertreterversammlung, des Vorstandes der Vertreterversammlung und der Ausschüsse mit beratender Stimme teil.

[2] Sie haben dabei Gründe, die einem beabsichtigten Beschluß entgegenstehen, vorzutragen. [3] Wird der Beschluss trotzdem gefasst, sind die Einwendungen in die Niederschrift aufzunehmen, die auch in elektronischer Form erfolgen kann.

§ 15[1)] Beiträge. (1) [1] Zur Erfüllung ihrer Aufgaben erhebt die Arbeitskammer des Saarlandes von den in einem im Saarland gelegenen Betrieb beschäftigten Arbeitnehmern und Arbeitnehmerinnen Beiträge. [2] Die Arbeitgeber/innen sind verpflichtet, die Beiträge von dem Arbeitnehmer und der Arbeitnehmerin einzubehalten und abzuführen.

(2) Die Vertreterversammlung setzt die Höhe der Beiträge fest; der Beschluß bedarf der Genehmigung der Aufsichtsbehörde.

(3) Das Verfahren über die Erhebung der Beiträge regelt das Ministerium für Wirtschaft und Arbeit im Einvernehmen mit dem Ministerium der Finanzen und Bundesangelegenheiten durch Rechtsverordnung.[2)]

(4) [1] Arbeitnehmer und Arbeitnehmerinnen, mit Ausnahme der zu ihrer Berufsausbildung Beschäftigten, die nicht gemäß Absatz 1 zur Zahlung von Beiträgen verpflichtet sind, können freiwillig Beiträge zahlen. [2] Das Verfahren über die Erhebung freiwilliger Beiträge regelt die Satzung.

§ 16 Haushaltsplan und Rechnungsprüfung. (1) [1] Der Hauptgeschäftsführer/die Hauptgeschäftsführerin stellt den Haushaltsplan auf. [2] Hierbei sind die Grundsätze der Wirtschaftlichkeit und Sparsamkeit zu beachten. [3] Die Vertreterversammlung stellt den Haushaltsplan fest.

(2) [1] Der Hauptgeschäftsführer/die Hauptgeschäftsführerin stellt spätestens bis zum 30. März die Jahresrechnung für das vergangene Jahr auf. [2] Er/sie leitet die Jahresrechnung unverzüglich der Prüfungskommission zu.

(3) [1] Unbeschadet des Prüfungsrechtes des Rechnungshofes des Saarlandes bei landesunmittelbaren juristischen Personen des öffentlichen Rechts gemäß § 111 der Landeshaushaltsordnung erfolgt die Rechnungsprüfung durch die Prüfungskommission der Arbeitskammer des Saarlandes. [2] Die Prüfungskommission besteht aus einem/einer öffentlich bestellten Wirtschaftsprüfer/Wirtschaftsprüferin und drei von der Vertreterversammlung bestellten Mitgliedern der Vertreterversammlung. [3] Er/sie kann durch die anderen Mitglieder der Prüfungskommission nicht überstimmt werden.

(4) [1] Der Bericht über die Prüfung der Jahresrechnung ist der Vertreterversammlung vorzulegen. [2] Der Bericht über die Rechnungsprüfung und der Beschluß über die Entlastung mit den notwendigen Unterlagen sind der Aufsichtsbehörde bis zum 30. September des folgenden Jahres vorzulegen.

(5) Im übrigen gelten für die Aufstellung und die Ausführung des Haushaltsplanes und für die Rechnungsprüfung die für die staatliche Haushaltsführung geltenden gesetzlichen Bestimmungen und Vorschriften entsprechend.

(Fortsetzung nächstes Blatt)

---

1) § 15 Abs. 3 geänd. mWv 7.4.2006 durch G v. 15.2.2006 (Amtsbl. S. 474).

2) Siehe die VO über die Erhebung von Beiträgen für die Arbeitskammer des Saarlandes idF der Bek. v. 20.1.1977 (Amtsbl. S. 190), zuletzt geänd. durch VO v. 26.11.2015 (Amtsbl. I S. 963)..

§ 17[1] Aufsicht. (1) Das Ministerium für Wirtschaft und Arbeit führt die Aufsicht über die Arbeitskammer des Saarlandes.

(2) Der Genehmigung der Aufsichtsbehörde bedürfen Beschlüsse der Vertreterversammlung über
a) die Stellung der Mitglieder der Vertreterversammlung
b) die Satzung und die Änderung der Satzung
c) die Festsetzung der Beitragshöhe.

(3) Die Aufsichtsbehörde kann jederzeit von der Arbeitskammer des Saarlandes Aufschluß über ihre Angelegenheiten verlangen.

(4) Die Aufsichtsbehörde kann Beschlüsse von Organen der Arbeitskammer des Saarlandes, die das Recht verletzen, mit der Wirkung beanstanden, daß
a) die Beschlüsse nicht ausgeführt werden dürfen
b) Maßnahmen, die auf Grund des beanstandeten Beschlusses bereits getroffen worden sind, binnen einer angemessen festgesetzten Frist rückgängig zu machen sind.

§ 18[2] Träger der Akademie für Arbeit und Sozialwesen. [1]Die Arbeitskammer des Saarlandes und das Saarland tragen gemeinsam die Akademie für Arbeit und Sozialwesen des Saarlandes als Anstalt des öffentlichen Rechts. [2]Das Ministerium für Wirtschaft und Arbeit regelt im Einvernehmen mit dem Ministerium der Finanzen und dem Ministerium für Bildung, Kultur und Wissenschaft das Nähere durch Rechtsverordnung; anderen Stellen kann das Recht eingeräumt werden, an der Förderung der Einrichtung mitzuwirken. [3]Die Bezeichnung der Einrichtung kann geändert werden.

§ 19[3] Durchführungsverordnung. Das Ministerium für Wirtschaft und Arbeit erläßt die zur Durchführung dieses Gesetzes erforderlichen Rechtsverordnungen, soweit nichts anderes bestimmt ist.

§ 20 [Ordnungswidrigkeiten] (1) Ordnungswidrig handelt, wer als Arbeitgeber/in
1. die Beiträge der beschäftigen beitragspflichtigen Arbeitnehmer und Arbeitnehmerinnen nicht einbehält,
2. die einbehaltenen Beiträge nicht an die für die Einziehung zuständigen Behörden abführt,
3. die für die Einziehung erforderlichen Auskünfte nicht erteilt.

(2) Die Ordnungswidrigkeit kann mit einer Geldbuße bis zu zehntausend Euro geahndet werden.

(3) [1]Verwaltungsbehörde im Sinne des § 36 Abs. 1 Nr. 1 des Gesetzes über Ordnungswidrigkeiten[4] ist die Arbeitskammer des Saarlandes. [2]Wird gegen den Bußgeldbescheid Einspruch eingelegt, nimmt der Vorstand die weiteren Aufgaben der Verwaltungsbehörde (§ 69 des Gesetzes über Ordnungswidrigkeiten[4]) wahr. [3]Die Geldbußen fließen in die Kasse der Arbeitskammer des Saarlandes.

---

[1] § 17 Abs. 1 geänd. mWv 7. 4. 2006 durch G v. 15. 2. 2006 (Amtsbl. S. 474).
[2] § 18 Satz 2 geänd. mWv 7. 4. 2006 durch G v. 15. 2. 2006 (Amtsbl. S. 474).
[3] § 19 geänd. mWv 7. 4. 2006 durch G v. 15. 2. 2006 (Amtsbl. S. 474).
[4] **Schönfelder Nr. 94.**

§ 21 Aufhebung. [1]Das Gesetz über die Arbeitskammer des Saarlandes, Gesetz Nr. 846, vom 5. Juli 1967 in der Fassung der Bekanntmachung vom 8. April 1983 wird aufgehoben. [2]Unberührt bleiben die aufgrund dieses Gesetzes erworbenen Ansprüche auf Versorgungsleistungen der Präsidiumsmitglieder.

§ 22 Übergangsregelung. (1) Bis zum Zusammentreten einer neugewählten Vertreterversammlung bleibt der bisherige Vorstand im Amt; er kann gegebenenfalls durch Nachwahl ergänzt werden.

(2) [1]Ämter und Aufgaben des Präsidiums erlöschen, unbeschadet bestehender dienstvertraglicher Vereinbarungen, mit dem Inkrafttreten dieses Gesetzes. [2]Bis zur Bestellung des Hauptgeschäftsführers/der Hauptgeschäftsführerin werden dessen/deren Aufgabe durch den bisherigen Vizepräsidenten wahrgenommen, der hierfür seine bisherige Amtsbezeichnung weiterführen kann.

§ 23 Inkrafttreten. Dieses Gesetz tritt am 1. Juli 1992 in Kraft.

VIII.
Mitbestimmungsrecht

560. Gesetz über die Mitbestimmung der Arbeitnehmer (Mitbestimmungsgesetz – MitbestG)

Vom 4. Mai 1976
(BGBl. I S. 1153)

FNA 801-8

zuletzt geänd. durch Art. 17 G zur Ergänzung und Änd. der Regelungen für die gleichberechtigte Teilhabe von Frauen an Führungspositionen in der Privatwirtschaft und im öffentlichen Dienst v. 7.8. 2021 (BGBl. I S. 3311)

Erster Teil. Geltungsbereich

§ 1[1] **Erfaßte Unternehmen.** (1) In Unternehmen, die
1. in der Rechtsform einer Aktiengesellschaft, einer Kommanditgesellschaft auf Aktien, einer Gesellschaft mit beschränkter Haftung oder einer Genossenschaft betrieben werden und
2. in der Regel mehr als 2 000 Arbeitnehmer beschäftigen,

haben die Arbeitnehmer ein Mitbestimmungsrecht nach Maßgabe dieses Gesetzes.

(2) Dieses Gesetz ist nicht anzuwenden auf die Mitbestimmung in Organen von Unternehmen, in denen die Arbeitnehmer nach
1. dem Gesetz über die Mitbestimmung der Arbeitnehmer in den Aufsichtsräten und Vorständen der Unternehmen des Bergbaus und der Eisen und Stahl erzeugenden Industrie[2] vom 21. Mai 1951 (Bundesgesetzbl. I S. 347) – Montan-Mitbestimmungsgesetz –, oder
2. dem Gesetz zur Ergänzung des Gesetzes über die Mitbestimmung der Arbeitnehmer in den Aufsichtsräten und Vorständen der Unternehmen des Bergbaus und der Eisen und Stahl erzeugenden Industrie[3] vom 7. August 1956 (Bundesgesetzbl. I S. 707) – Mitbestimmungsergänzungsgesetz –

ein Mitbestimmungsrecht haben.

(3) Die Vertretung der Arbeitnehmer in den Aufsichtsräten von Unternehmen, in denen die Arbeitnehmer nicht nach Absatz 1 oder nach den in Absatz 2 bezeichneten Gesetzen ein Mitbestimmungsrecht haben, bestimmt sich nach den Vorschriften des Drittelbeteiligungsgesetzes[4] (BGBl. 2004 I S. 974).

(4) [1] Dieses Gesetz ist nicht anzuwenden auf Unternehmen, die unmittelbar und überwiegend
1. politischen, koalitionspolitischen, konfessionellen, karitativen, erzieherischen, wissenschaftlichen oder künstlerischen Bestimmungen oder
2. Zwecken der Berichterstattung oder Meinungsäußerung, auf die Artikel 5 Abs. 1 Satz 2 des Grundgesetzes[5] anzuwenden ist,

---

[1] § 1 Abs. 2 Nr. 1 und 2, Abs. 3 geänd. mWv 28.7.2001 durch G v. 23.7.2001 (BGBl. I S. 1852); Abs. 1 Nr. 1 geänd. mWv 27. 3. 2002 durch G v. 23.3.2002 (BGBl. I S. 1130); Abs. 3 geänd. mWv 1.7.2004 durch G v. 18.5.2004 (BGBl. I S. 974); Abs. 1 Nr. 1 geänd. mWv 18.8.2006 durch G v. 14.8.2006 (BGBl. I S. 1911).

[2] Nr. **561**.

[3] Nr. **562**.

[4] Nr. **564**.

dienen. ²Dieses Gesetz ist nicht anzuwenden auf Religionsgemeinschaften und ihre karitativen und erzieherischen Einrichtungen unbeschadet deren Rechtsform.

§ 2[1] **Anteilseigner.** Anteilseigner im Sinne dieses Gesetzes sind je nach der Rechtsform der in § 1 Abs. 1 Nr. 1 bezeichneten Unternehmen Aktionäre, Gesellschafter oder Mitglieder einer Genossenschaft.

§ 3[2] **Arbeitnehmer und Betrieb.** (1) ¹Arbeitnehmer im Sinne dieses Gesetzes sind

1. die in § 5 Abs. 1 des Betriebsverfassungsgesetzes[3] bezeichneten Personen mit Ausnahme der in § 5 Abs. 3 des Betriebsverfassungsgesetzes bezeichneten leitenden Angestellten,
2. die in § 5 Abs. 3 des Betriebsverfassungsgesetzes bezeichneten leitenden Angestellten.

²Keine Arbeitnehmer im Sinne dieses Gesetzes sind die in § 5 Abs. 2 des Betriebsverfassungsgesetzes bezeichneten Personen.

(2) ¹Betriebe im Sinne dieses Gesetzes sind solche des Betriebsverfassungsgesetzes. ²§ 4 Abs. 2 des Betriebsverfassungsgesetzes ist anzuwenden.

§ 4 Kommanditgesellschaft. (1) ¹Ist ein in § 1 Abs. 1 Nr. 1 bezeichnetes Unternehmen persönlich haftender Gesellschafter einer Kommanditgesellschaft und hat die Mehrheit der Kommanditisten dieser Kommanditgesellschaft, berechnet nach der Mehrheit der Anteile oder der Stimmen, die Mehrheit der Anteile oder der Stimmen in dem Unternehmen des persönlich haftenden Gesellschafters inne, so gelten für die Anwendung dieses Gesetzes auf den persönlich haftenden Gesellschafter die Arbeitnehmer der Kommanditgesellschaft als Arbeitnehmer des persönlich haftenden Gesellschafters, sofern nicht der persönlich haftende Gesellschafter einen eigenen Geschäftsbetrieb mit in der Regel mehr als 500 Arbeitnehmern hat. ²Ist die Kommanditgesellschaft persönlich haftender Gesellschafter einer anderen Kommanditgesellschaft, so gelten auch deren Arbeitnehmer als Arbeitnehmer des in § 1 Abs. 1 Nr. 1 bezeichneten Unternehmens. ³Dies gilt entsprechend, wenn sich die Verbindung von Kommanditgesellschaften in dieser Weise fortsetzt.

(2) Das Unternehmen kann von der Führung der Geschäfte der Kommanditgesellschaft nicht ausgeschlossen werden.

§ 5 Konzern. (1) ¹Ist ein in § 1 Abs. 1 Nr. 1 bezeichnetes Unternehmen herrschendes Unternehmen eines Konzerns (§ 18 Abs. 1 des Aktiengesetzes[4]), so gelten für die Anwendung dieses Gesetzes auf das herrschende Unternehmen die Arbeitnehmer der Konzernunternehmen als Arbeitnehmer des herrschenden Unternehmens. ²Dies gilt auch für die Arbeitnehmer eines in § 1 Abs. 1 Nr. 1 bezeichneten Unternehmens, das persönlich haftender Gesellschafter

---

[5] Nr. **10**.

[1] § 2 geänd. mWv 27.3.2002 durch G v. 23.3.2002 (BGBl. I S. 1130); geänd. mWv 18.8.2006 durch G v. 14.8.2006 (BGBl. I S. 1911).

[2] § 3 neu gef. mWv 28.7.2001 durch G v. 23.7.2001 (BGBl. I S. 1852).

[3] Nr. **570**.

[4] Nr. **567**.

eines abhängigen Unternehmens (§ 18 Abs. 1 des Aktiengesetzes) in der Rechtsform einer Kommanditgesellschaft ist.

(2) [1] Ist eine Kommanditgesellschaft, bei der für die Anwendung dieses Gesetzes auf den persönlich haftenden Gesellschafter die Arbeitnehmer der Kommanditgesellschaft nach § 4 Abs. 1 als Arbeitnehmer des persönlich haftenden Gesellschafters gelten, herrschendes Unternehmen eines Konzerns (§ 18 Abs. 1 des Aktiengesetzes), so gelten für die Anwendung dieses Gesetzes auf den persönlich haftenden Gesellschafter der Kommanditgesellschaft die Arbeitnehmer der Konzernunternehmen als Arbeitnehmer des persönlich haftenden Gesellschafters. [2] Absatz 1 Satz 2 sowie § 4 Abs. 2 sind entsprechend anzuwenden.

(3) Stehen in einem Konzern die Konzernunternehmen unter der einheitlichen Leitung eines anderen als eines in Absatz 1 oder 2 bezeichneten Unternehmens, beherrscht aber die Konzernleitung über ein in Absatz 1 oder 2 bezeichnetes Unternehmen oder über mehrere solcher Unternehmen andere Konzernunternehmen, so gelten die in Absatz 1 oder 2 bezeichneten und der Konzernleitung am nächsten stehenden Unternehmen, über die die Konzernleitung andere Konzernunternehmen beherrscht, für die Anwendung dieses Gesetzes als herrschende Unternehmen.

Zweiter Teil. Aufsichtsrat

Erster Abschnitt. Bildung und Zusammensetzung

§ 6[1)] Grundsatz. (1) Bei den in § 1 Abs. 1 bezeichneten Unternehmen ist ein Aufsichtsrat zu bilden, soweit sich dies nicht schon aus anderen gesetzlichen Vorschriften ergibt.

(2) [1] Die Bildung und die Zusammensetzung des Aufsichtsrats sowie die Bestellung und die Abberufung seiner Mitglieder bestimmen sich nach den §§ 7 bis 24 dieses Gesetzes und, soweit sich dies nicht schon aus anderen gesetzlichen Vorschriften ergibt, nach § 96 Absatz 4, den §§ 97 bis 101 Abs. 1 und 3 und den §§ 102 bis 106 des Aktiengesetzes[2)] mit der Maßgabe, daß die Wählbarkeit eines Prokuristen als Aufsichtsratsmitglied der Arbeitnehmer nur ausgeschlossen ist, wenn dieser dem zur gesetzlichen Vertretung des Unternehmens befugten Organ unmittelbar unterstellt und zur Ausübung der Prokura für den gesamten Geschäftsbereich des Organs ermächtigt ist. [2] Andere gesetzliche Vorschriften und Bestimmungen der Satzung (des Gesellschaftsvertrags, des Statuts) über die Zusammensetzung des Aufsichtsrats sowie über die Bestellung und die Abberufung seiner Mitglieder bleiben unberührt, soweit Vorschriften dieses Gesetzes dem nicht entgegenstehen.

(3) [1] Auf Genossenschaften sind die §§ 100, 101 Abs. 1 und 3 und die §§ 103 und 106 des Aktiengesetzes nicht anzuwenden. [2] Auf die Aufsichtsratsmitglieder der Arbeitnehmer ist § 9 Abs. 2 des Genossenschaftsgesetzes[3)] nicht anzuwenden.

[1)] § 6 Abs. 3 Sätze 1 und 2 geänd. mWv 18.8.2006 durch G v. 14.8.2006 (BGBl. I S. 1911); Abs. 2 Satz 1 geänd. mWv 1.5.2015 durch G v. 24.4.2015 (BGBl. I S. 642).

[2)] Nr. **567**.

[3)] **Habersack Nr. 53.**

§ 7[1]) Zusammensetzung des Aufsichtsrats. (1) [1]Der Aufsichtsrat eines Unternehmens

1. mit in der Regel nicht mehr als 10 000 Arbeitnehmern setzt sich zusammen aus je sechs Aufsichtsratsmitgliedern der Anteilseigner und der Arbeitnehmer;
2. mit in der Regel mehr als 10 000, jedoch nicht mehr als 20 000 Arbeitnehmern setzt sich zusammen aus je acht Aufsichtsratsmitgliedern der Anteilseigner und der Arbeitnehmer;
3. mit in der Regel mehr als 20 000 Arbeitnehmern setzt sich zusammen aus je zehn Aufsichtsratsmitgliedern der Anteilseigner und der Arbeitnehmer.

[2]Bei den in Satz 1 Nr. 1 bezeichneten Unternehmen kann die Satzung (der Gesellschaftsvertrag) bestimmen, daß Satz 1 Nr. 2 oder 3 anzuwenden ist. [3]Bei den in Satz 1 Nr. 2 bezeichneten Unternehmen kann die Satzung (der Gesellschaftsvertrag) bestimmen, daß Satz 1 Nr. 3 anzuwenden ist.

(2) Unter den Aufsichtsratsmitgliedern der Arbeitnehmer müssen sich befinden

1. in einem Aufsichtsrat, dem sechs Aufsichtsratsmitglieder der Arbeitnehmer angehören, vier Arbeitnehmer des Unternehmens und zwei Vertreter von Gewerkschaften;
2. in einem Aufsichtsrat, dem acht Aufsichtsratsmitglieder der Arbeitnehmer angehören, sechs Arbeitnehmer des Unternehmens und zwei Vertreter von Gewerkschaften;
3. in einem Aufsichtsrat, dem zehn Aufsichtsratsmitglieder der Arbeitnehmer angehören, sieben Arbeitnehmer des Unternehmens und drei Vertreter von Gewerkschaften.

(3) [1]Unter den Aufsichtsratsmitgliedern der Arbeitnehmer eines in § 1 Absatz 1 genannten, börsennotierten Unternehmens müssen im Fall des § 96 Absatz 2 Satz 3 des Aktiengesetzes[2]) Frauen und Männer jeweils mit einem Anteil von mindestens 30 Prozent vertreten sein. [2]Satz 1 gilt auch für ein nicht börsennotiertes Unternehmen mit Mehrheitsbeteiligung des Bundes im Sinne des § 393a Absatz 1 des Aktiengesetzes[3]) oder des § 77a Absatz 1 des Gesetzes betreffend die Gesellschaften mit beschränkter Haftung[4]).

(4) [1]Die in Absatz 2 bezeichneten Arbeitnehmer des Unternehmens müssen das 18. Lebensjahr vollendet haben und ein Jahr dem Unternehmen angehören. [2]Auf die einjährige Unternehmensangehörigkeit werden Zeiten der Angehörigkeit zu einem anderen Unternehmen, dessen Arbeitnehmer nach diesem Gesetz an der Wahl von Aufsichtsratsmitgliedern des Unternehmens teilnehmen, angerechnet. [3]Diese Zeiten müssen unmittelbar vor dem Zeitpunkt liegen, ab dem die Arbeitnehmer zur Wahl von Aufsichtsratsmitgliedern des Unternehmens berechtigt sind. [4]Die weiteren Wählbarkeits-

---

[1]) § 7 Abs. 3 neu gef. mWv 27.3.2002 durch G v. 23.3.2002 (BGBl. I S. 1130); Abs. 1 Sätze 2 und 3 geänd. mWv 18.8.2006 durch G v. 14.8.2006 (BGBl. I S. 1911); Abs. 3 eingef., bish. Abs. 3 und 4 werden Abs. 4 und 5 mWv 1.5.2015 durch G v. 24.4.2015 (BGBl. I S. 642); Abs. 3 Satz 2 angef. mWv 12.8.2021 durch G v. 7.8.2021 (BGBl. I S. 3311).

[2]) Nr. **567**.

[3]) **beck-online, Module Arbeitsrecht Nr. 567.**

[4]) **Habersack Nr. 52.**

voraussetzungen des § 8 Abs. 1 des Betriebsverfassungsgesetzes[1] müssen erfüllt sein.

(5) Die in Absatz 2 bezeichneten Gewerkschaften müssen in dem Unternehmen selbst oder in einem anderen Unternehmen vertreten sein, dessen Arbeitnehmer nach diesem Gesetz an der Wahl von Aufsichtsratsmitgliedern des Unternehmens teilnehmen.

Zweiter Abschnitt. Bestellung der Aufsichtsratsmitglieder

Erster Unterabschnitt. Aufsichtsratsmitglieder der Anteilseigner

§ 8[2] [Aufsichtsratsmitglieder der Anteilseigner] (1) Die Aufsichtsratsmitglieder der Anteilseigner werden durch das nach Gesetz, Satzung oder Gesellschaftsvertrag zur Wahl von Mitgliedern des Aufsichtsrats befugte Organ (Wahlorgan) und, soweit gesetzliche Vorschriften dem nicht entgegenstehen, nach Maßgabe der Satzung oder des Gesellschaftsvertrags bestellt.

(2) § 101 Abs. 2 des Aktiengesetzes[3] bleibt unberührt.

Zweiter Unterabschnitt. Aufsichtsratsmitglieder der Arbeitnehmer, Grundsatz

§ 9[4] [Aufsichtsratsmitglieder der Arbeitnehmer, Grundsatz] (1) Die Aufsichtsratsmitglieder der Arbeitnehmer (§ 7 Abs. 2) eines Unternehmens mit in der Regel mehr als 8 000 Arbeitnehmern werden durch Delegierte gewählt, sofern nicht die wahlberechtigten Arbeitnehmer die unmittelbare Wahl beschließen.

(2) Die Aufsichtsratsmitglieder der Arbeitnehmer (§ 7 Abs. 2) eines Unternehmens mit in der Regel nicht mehr als 8 000 Arbeitnehmern werden in unmittelbarer Wahl gewählt, sofern nicht die wahlberechtigten Arbeitnehmer die Wahl durch Delegierte beschließen.

(3) [1] Zur Abstimmung darüber, ob die Wahl durch Delegierte oder unmittelbar erfolgen soll, bedarf es eines Antrags, der von einem Zwanzigstel der wahlberechtigten Arbeitnehmer des Unternehmens unterzeichnet sein muß. [2] Die Abstimmung ist geheim. [3] Ein Beschluß nach Absatz 1 oder 2 kann nur unter Beteiligung von mindestens der Hälfte der wahlberechtigten Arbeitnehmer und nur mit der Mehrheit der abgegebenen Stimmen gefaßt werden.

---

[1] Nr. **570**.
[2] § 8 Abs. 1 geänd. mWv 18. 8. 2006 durch G v. 14. 8. 2006 (BGBl. I S. 1911).
[3] Nr. **567**.
[4] § 9 geänd. durch G v. 26. 6. 1990 (BGBl. I S. 1206).

Dritter Unterabschnitt.[1] Wahl der Aufsichtsratsmitglieder der Arbeitnehmer durch Delegierte

§ 10[2] Wahl der Delegierten. (1) In jedem Betrieb des Unternehmens wählen die Arbeitnehmer in geheimer Wahl und nach den Grundsätzen der Verhältniswahl Delegierte.

(2) [1] Wahlberechtigt für die Wahl von Delegierten sind die Arbeitnehmer des Unternehmens, die das 18. Lebensjahr vollendet haben. [2] § 7 Satz 2 des Betriebsverfassungsgesetzes[3] gilt entsprechend.

(3) Zu Delegierten wählbar sind die in Absatz 2 Satz 1 bezeichneten Arbeitnehmer, die die weiteren Wählbarkeitsvoraussetzungen des § 8 des Betriebsverfassungsgesetzes erfüllen.

(4) [1] Wird für einen Wahlgang nur ein Wahlvorschlag gemacht, so gelten die darin aufgeführten Arbeitnehmer in der angegebenen Reihenfolge als gewählt. [2] § 11 Abs. 2 ist anzuwenden.

§ 11[4] Errechnung der Zahl der Delegierten. (1) [1] In jedem Betrieb entfällt auf je 90 wahlberechtigte Arbeitnehmer ein Delegierter. [2] Ergibt die Errechnung nach Satz 1 in einem Betrieb mehr als

1. 25 Delegierte, so vermindert sich die Zahl der zu wählenden Delegierten auf die Hälfte; diese Delegierten erhalten je zwei Stimmen;
2. 50 Delegierte, so vermindert sich die Zahl der zu wählenden Delegierten auf ein Drittel; diese Delegierten erhalten je drei Stimmen;
3. 75 Delegierte, so vermindert sich die Zahl der zu wählenden Delegierten auf ein Viertel; diese Delegierten erhalten je vier Stimmen;
4. 100 Delegierte, so vermindert sich die Zahl der zu wählenden Delegierten auf ein Fünftel; diese Delegierten erhalten je fünf Stimmen;
5. 125 Delegierte, so vermindert sich die Zahl der zu wählenden Delegierten auf ein Sechstel; diese Delegierten erhalten je sechs Stimmen;
6. 150 Delegierte, so vermindert sich die Zahl der zu wählenden Delegierten auf ein Siebtel; diese Delegierten erhalten je sieben Stimmen.

[3] Bei der Errechnung der Zahl der Delegierten werden Teilzahlen voll gezählt, wenn sie mindestens die Hälfte der vollen Zahl betragen.

(2) [1] Unter den Delegierten müssen in jedem Betrieb die in § 3 Abs. 1 Nr. 1 bezeichneten Arbeitnehmer und die leitenden Angestellten entsprechend ihrem zahlenmäßigen Verhältnis vertreten sein. [2] Sind in einem Betrieb mindestens neun Delegierte zu wählen, so entfällt auf die in § 3 Abs. 1 Nr. 1 bezeichneten Arbeitnehmer und die leitenden Angestellten mindestens je ein

---

[1] Überschrift Dritter Unterabschnitt geänd. durch G v. 26. 6. 1990 (BGBl. I S. 1206).

[2] § 10 Überschrift, Abs. 1 Satz 1, Abs. 2 Satz 1, Abs. 3 und 4 geänd. durch G v. 26. 6. 1990 (BGBl. I S. 1206), Abs. 1 Satz 2, Abs. 2 aufgeh., bish. Abs. 1 Satz 1 wird alleiniger Wortlaut und geänd., bish. Abs. 3 bis 5 werden Abs. 2 bis 4, neuer Abs. 2 Satz 2 angef., neuer Abs. 2 bish. Wortlaut wird Satz 1, neuer Abs. 3 geänd. mWv 28. 7. 2001 durch G v. 23. 7. 2001 (BGBl. I S. 1852).

[3] Nr. **570**.

[4] § 11 neu gef. durch G v. 26. 6. 1990 (BGBl. I S. 1206); Abs. 2 Satz 1 aufgeh., Abs. 2 bish. *Sätze 2 bis 4 werden Sätze 1 bis 3*, Abs. 1 Satz 2, Abs. 2 neue Sätze 1 bis 3, Abs. 3 geänd., Abs. 5 neu gef. mWv. 28. 7. 2001 durch G v. 23. 7. 2001 (BGBl. I S. 1852); Abs. 1 Satz 1 und Abs. 4 geänd., Abs. 1 Satz 2 neu gef. mWv 27. 3. 2002 durch G v. 23. 3. 2002 (BGBl. I S. 1130).

Delegierter; dies gilt nicht, soweit in dem Betrieb nicht mehr als fünf in § 3 Abs. 1 Nr. 1 bezeichnete Arbeitnehmer oder leitende Angestellte wahlberechtigt sind. [3] Soweit auf die in § 3 Abs. 1 Nr. 1 bezeichneten Arbeitnehmer und die leitenden Angestellten lediglich nach Satz 2 Delegierte entfallen, vermehrt sich die nach Absatz 1 errechnete Zahl der Delegierten des Betriebs entsprechend.

(3) [1] Soweit nach Absatz 2 auf die in § 3 Abs. 1 Nr. 1 bezeichneten Arbeitnehmer und die leitenden Angestellten eines Betriebs nicht mindestens je ein Delegierter entfällt, gelten diese für die Wahl der Delegierten als Arbeitnehmer des Betriebs der Hauptniederlassung des Unternehmens. [2] Soweit nach Absatz 2 und nach Satz 1 auf die in § 3 Abs. 1 Nr. 1 bezeichneten Arbeitnehmer und die leitenden Angestellten des Betriebs der Hauptniederlassung nicht mindestens je ein Delegierter entfällt, gelten diese für die Wahl der Delegierten als Arbeitnehmer des nach der Zahl der wahlberechtigten Arbeitnehmer größten Betriebs des Unternehmens.

(4) Entfällt auf einen Betrieb oder auf ein Unternehmen, dessen Arbeitnehmer nach diesem Gesetz an der Wahl von Aufsichtsratsmitgliedern des Unternehmens teilnehmen, kein Delegierter, so ist Absatz 3 entsprechend anzuwenden.

(5) Die Eigenschaft eines Delegierten als Delegierter der Arbeitnehmer nach § 3 Abs. 1 Nr. 1 oder § 3 Abs. 1 Nr. 2 bleibt bei einem Wechsel der Eigenschaft als Arbeitnehmer nach § 3 Abs. 1 Nr. 1 oder § 3 Abs. 1 Nr. 2 erhalten.

§ 12[1)] Wahlvorschläge für Delegierte. (1) [1] Zur Wahl der Delegierten können die wahlberechtigten Arbeitnehmer des Betriebs Wahlvorschläge machen. [2] Jeder Wahlvorschlag muss von einem Zwanzigstel oder 50 der jeweils wahlberechtigten in § 3 Abs. 1 Nr. 1 bezeichneten Arbeitnehmer oder der leitenden Angestellten des Betriebs unterzeichnet sein.

(2) Jeder Wahlvorschlag soll mindestens doppelt so viele Bewerber enthalten, wie in dem Wahlgang Delegierte zu wählen sind.

§ 13[2)] Amtszeit der Delegierten. (1) [1] Die Delegierten werden für eine Zeit gewählt, die der Amtszeit der von ihnen zu wählenden Aufsichtsratsmitglieder entspricht. [2] Sie nehmen die ihnen nach den Vorschriften dieses Gesetzes zustehenden Aufgaben und Befugnisse bis zur Einleitung der Neuwahl der Aufsichtsratsmitglieder der Arbeitnehmer wahr.

(2) In den Fällen des § 9 Abs. 1 endet die Amtszeit der Delegierten, wenn

1. die wahlberechtigten Arbeitnehmer nach § 9 Abs. 1 die unmittelbare Wahl beschließen;
2. das Unternehmen nicht mehr die Voraussetzungen für die Anwendung des § 9 Abs. 1 erfüllt, es sei denn, die wahlberechtigten Arbeitnehmer beschließen, daß die Amtszeit bis zu dem in Absatz 1 genannten Zeitpunkt fortdauern soll; § 9 Abs. 3 ist entsprechend anzuwenden.

---

1) § 12 Überschrift, Abs. 1 Sätze 1 und 2, Abs. 2 geänd. durch G v. 26. 6. 1990 (BGBl. I S. 1206), Abs. 1 Satz 2 neu gef. mWv 28. 7. 2001 durch G v. 23. 7. 2001 (BGBl. I S. 1852); Abs. 1 Satz 2 geänd. mWv 1. 7. 2005 durch G v. 8. 6. 2005 (BGBl. I S. 1530).

2) § 13 und Abs. 4 geänd. durch G v. 26. 6. 1990 (BGBl. I S. 1206).

(3) In den Fällen des § 9 Abs. 2 endet die Amtszeit der Delegierten, wenn die wahlberechtigten Arbeitnehmer die unmittelbare Wahl beschließen; § 9 Abs. 3 ist anzuwenden.

(4) Abweichend von Absatz 1 endet die Amtszeit der Delegierten eines Betriebs, wenn nach Eintreten aller Ersatzdelegierten des Wahlvorschlags, dem die zu ersetzenden Delegierten angehören, die Gesamtzahl der Delegierten des Betriebs unter die im Zeitpunkt ihrer Wahl vorgeschriebene Zahl der auf den Betrieb entfallenden Delegierten gesunken ist.

§ 14[1)] Vorzeitige Beendigung der Amtszeit oder Verhinderung von Delegierten. (1) Die Amtszeit eines Delegierten endet vor dem in § 13 bezeichneten Zeitpunkt

1. durch Niederlegung des Amtes,
2. durch Beendigung der Beschäftigung des Delegierten in dem Betrieb, dessen Delegierter er ist,
3. durch Verlust der Wählbarkeit.

(2) [1] Endet die Amtszeit eines Delegierten vorzeitig oder ist er verhindert, so tritt an seine Stelle ein Ersatzdelegierter. [2] Die Ersatzdelegierten werden der Reihe nach aus den nicht gewählten Arbeitnehmern derjenigen Wahlvorschläge entnommen, denen die zu ersetzenden Delegierten angehören.

§ 15[2)] Wahl der unternehmensangehörigen Aufsichtsratsmitglieder der Arbeitnehmer. (1) [1] Die Delegierten wählen die Aufsichtsratsmitglieder, die nach § 7 Abs. 2 Arbeitnehmer des Unternehmens sein müssen, geheim und nach den Grundsätzen der Verhältniswahl für die Zeit, die im Gesetz oder in der Satzung (im Gesellschaftsvertrag) für die durch das Wahlorgan der Anteilseigner zu wählenden Mitglieder des Aufsichtsrats bestimmt ist. [2] Dem Aufsichtsrat muss ein leitender Angestellter angehören.

(2) [1] Die Wahl erfolgt auf Grund von Wahlvorschlägen. [2] Jeder Wahlvorschlag für

1. Aufsichtsratsmitglieder der Arbeitnehmer nach § 3 Abs. 1 Nr. 1 muss von einem Fünftel oder 100 der wahlberechtigten Arbeitnehmer des Unternehmens unterzeichnet sein;
2. das Aufsichtsratsmitglied der leitenden Angestellten wird auf Grund von Abstimmungsvorschlägen durch Beschluß der wahlberechtigten leitenden Angestellten aufgestellt. Jeder Abstimmungsvorschlag muß von einem Zwanzigstel oder 50 der wahlberechtigten leitenden Angestellten unterzeichnet sein. Der Beschluß wird in geheimer Abstimmung gefaßt. Jeder leitende Angestellte hat so viele Stimmen, wie für den Wahlvorschlag nach Absatz 3 Satz 2 Bewerber zu benennen sind. In den Wahlvorschlag ist die

---

1) § 14 neu gef. durch G v. 26. 6. 1990 (BGBl. I S. 1206).

2) § 15 Abs. 1 , Abs. 3 Sätze 1 und 2 geänd. durch G v. 26. 6. 1990 (BGBl. I S. 1206); Abs. 1 Satz 2 angef., Abs. 1 bish. Wortlaut wird Satz 1, Abs. 2 und 3 aufgeh., bish. Abs. 4 und 5 werden Abs. 2 und 3, neuer Abs. 2 Satz 2 Nr. 1, neuer Abs. 3 neu gef., Abs. 2 Satz 2 Nr. 2 aufgeh., Abs. 2 Satz 2 bish. Nr. 3 wird Nr. 2 und geänd. mWv 28. 7. 2001 durch G v. 23. 7. 2001 (BGBl. I S. 1852); Abs. 2 Satz 2 Nr. 2 Satz 3 geänd., Abs. 2 Satz 2 Nr. 2 Sätze 4 und 5 neu gef., Abs. 2 Satz 2 Nr. 2 Satz 6 aufgeh. mWv 27. 3. 2002 durch G v. 23. 3. 2002 (BGBl. I S. 1130); Abs. 1 Satz 1 geänd. mWv 18. 8. 2006 durch G v. 14. 8. 2006 (BGBl. I S. 1911).

nach Absatz 3 Satz 2 vorgeschriebene Anzahl von Bewerbern in der Reihenfolge der auf sie entfallenden Stimmenzahlen aufzunehmen.

(3) [1] Abweichend von Absatz 1 findet Mehrheitswahl statt, soweit nur ein Wahlvorschlag gemacht wird. [2] In diesem Fall muss der Wahlvorschlag doppelt so viele Bewerber enthalten, wie Aufsichtsratsmitglieder auf die Arbeitnehmer nach § 3 Abs. 1 Nr. 1 und auf die leitenden Angestellten entfallen.

§ 16[1)] Wahl der Vertreter von Gewerkschaften in den Aufsichtsrat. (1) Die Delegierten wählen die Aufsichtsratsmitglieder, die nach § 7 Abs. 2 Vertreter von Gewerkschaften sind, in geheimer Wahl und nach den Grundsätzen der Verhältniswahl für die in § 15 Abs. 1 bestimmte Zeit.

(2) [1] Die Wahl erfolgt auf Grund von Wahlvorschlägen der Gewerkschaften, die in dem Unternehmen selbst oder in einem anderen Unternehmen vertreten sind, dessen Arbeitnehmer nach diesem Gesetz an der Wahl von Aufsichtsratsmitgliedern des Unternehmens teilnehmen. [2] Wird nur ein Wahlvorschlag gemacht, so findet abweichend von Absatz 1 Mehrheitswahl statt. [3] In diesem Falle muß der Wahlvorschlag mindestens doppelt so viele Bewerber enthalten, wie Vertreter von Gewerkschaften in den Aufsichtsrat zu wählen sind.

§ 17[2)] Ersatzmitglieder. (1) [1] In jedem Wahlvorschlag kann zusammen mit jedem Bewerber für diesen ein Ersatzmitglied des Aufsichtsrats vorgeschlagen werden. [2] Für einen Bewerber, der Arbeiternehmer nach § 3 Abs. 1 Nr. 1 ist, kann nur ein Arbeitnehmer nach § 3 Abs. 1 Nr. 1 und für einen leitenden Angestellten nach § 3 Abs. 1 Nr. 2 nur ein leitender Angestellter als Ersatzmitglied vorgeschlagen werden. [3] Ein Bewerber kann nicht zugleich als Ersatzmitglied vorgeschlagen werden.

(2) Wird ein Bewerber als Aufsichtsratsmitglied gewählt, so ist auch das zusammen mit ihm vorgeschlagene Ersatzmitglied gewählt.

(3) Im Fall des § 96 Absatz 2 Satz 3 des Aktiengesetzes[3)] ist das Nachrücken eines Ersatzmitgliedes ausgeschlossen, wenn dadurch der Anteil von Frauen und Männern unter den Aufsichtsratsmitgliedern der Arbeitnehmer nicht mehr den Vorgaben des § 7 Absatz 3 entspricht; § 18 a Absatz 2 Satz 2 gilt entsprechend.

Vierter Unterabschnitt. Unmittelbare Wahl der Aufsichtsratsmitglieder der Arbeitnehmer

§ 18[4)] [Unmittelbare Wahl] [1] Sind nach § 9 die Aufsichtsratsmitglieder der Arbeitnehmer in unmittelbarer Wahl zu wählen, so sind die Arbeitnehmer des Unternehmens, die das 18. Lebensjahr vollendet haben, wahlberechtigt. [2] § 7 Satz 2 des Betriebsverfassungsgesetzes[5)] gilt entsprechend. [3] Für die Wahl sind

---

1) § 16 Abs. 1 geänd. durch G v. 26. 6. 1990 (BGBl. I S. 1206), Abs. 1 geänd. mWv 28. 7. 2001 durch G v. 23. 7. 2001 (BGBl. I S. 1852); Abs. 2 Satz 2 geänd. mWv 1. 5. 2015 durch G v. 24. 4. 2015 (BGBl. I S. 642).

2) § 17 Abs. 1 Satz 2 geänd. mWv 28. 7. 2001 durch G v. 23. 7. 2001 (BGBl. I S. 1852); Abs. 3 angef. mWv 1. 5. 2015 durch G v. 24. 4. 2015 (BGBl. I S. 642).

3) Nr. **567**.

4) § 18 Satz 2 geänd. durch G v. 26. 6. 1990 (BGBl. I S. 1206), Satz 2 eingef., bish. Satz 2 wird Satz 3 und geänd. mWv 28. 7. 2001 durch G v. 23. 7. 2001 (BGBl. I S. 1852).

5) Nr. **570**.

die §§ 15 bis 17 mit der Maßgabe anzuwenden, daß an die Stelle der Delegierten die wahlberechtigten Arbeitnehmer des Unternehmens treten.

Fünfter Unterabschnitt.[1] Nichterreichen des Geschlechteranteils durch die Wahl

§ 18 a[1] [Nichterreichen des Geschlechteranteils] (1) Ergibt im Fall des § 96 Absatz 2 Satz 3 des Aktiengesetzes[2] die Auszählung der Stimmen und ihre Verteilung auf die Bewerber, dass die Vorgaben des § 7 Absatz 3 nicht erreicht worden sind, ist folgendes Geschlechterverhältnis für die Aufsichtsratssitze der Arbeitnehmer herzustellen:

1. in Aufsichtsräten nach § 7 Absatz 2 Nummer 1 und 2 müssen unter den Aufsichtsratsmitgliedern der Arbeitnehmer nach § 3 Absatz 1 Nummer 1 jeweils mindestens eine Frau und mindestens ein Mann und unter den Aufsichtsratsmitgliedern der Gewerkschaften jeweils eine Frau und ein Mann vertreten sein;
2. in einem Aufsichtsrat nach § 7 Absatz 2 Nummer 3 müssen unter den Aufsichtsratsmitgliedern der Arbeitnehmer nach § 3 Absatz 1 Nummer 1 mindestens zwei Frauen und mindestens zwei Männer und unter den Aufsichtsratsmitgliedern der Gewerkschaften eine Frau und ein Mann vertreten sein.

(2) [1] Um die Verteilung der Geschlechter nach Absatz 1 zu erreichen, ist die Wahl derjenigen Bewerber um einen Aufsichtsratssitz der Arbeitnehmer unwirksam, deren Geschlecht in dem jeweiligen Wahlgang nach der Verteilung der Stimmen auf die Bewerber mehrheitlich vertreten ist und die

1. bei einer Mehrheitswahl in dem jeweiligen Wahlgang nach der Reihenfolge der auf die Bewerber entfallenden Stimmenzahlen die niedrigsten Stimmenzahlen erhalten haben oder
2. bei einer Verhältniswahl in dem jeweiligen Wahlgang nach der Reihenfolge der auf die Bewerber entfallenden Höchstzahlen die niedrigsten Höchstzahlen erhalten haben.

[2] Die durch unwirksame Wahl nach Satz 1 nicht besetzten Aufsichtsratssitze werden im Wege der gerichtlichen Ersatzbestellung nach § 104 des Aktiengesetzes[2] oder der Nachwahl besetzt.

Sechster Unterabschnitt.[3] Weitere Vorschriften über das Wahlverfahren sowie über die Bestellung und Abberufung von Aufsichtsratsmitgliedern

§ 19[4] Bekanntmachung der Mitglieder des Aufsichtsrats. [1] Das zur gesetzlichen Vertretung des Unternehmens befugte Organ hat die Namen der Mitglieder und der Ersatzmitglieder des Aufsichtsrats unverzüglich nach ihrer Bestellung in den Betrieben des Unternehmens bekanntzumachen und im

---

[1] Fünfter Unterabschnitt (§ 18 a) eingef. mWv 1. 5. 2015 durch G v. 24. 4. 2015 (BGBl. I S. 642).

[2] Nr. **567**.

[3] Bish. Fünfter Unterabschnitt wird Sechster Unterabschnitt mWv 1. 5. 2015 durch G v. 24. 4. 2015 (BGBl. I S. 642).

[4] *§ 19 Sätze 1 und 2 geänd.* mWv 27. 3. 2002 durch G v. 23. 3. 2002 (BGBl. I S. 1130); Satz 1 geänd. mWv 1. 7. 2004 durch G v. 18. 5. 2004 (BGBl. I S. 974); Satz 1 geänd. mWv 1. 4. 2012 durch G v. 22. 12. 2011 (BGBl. I S. 3044).

Bundesanzeiger zu veröffentlichen. [2] Nehmen an der Wahl der Aufsichtsratsmitglieder des Unternehmens auch die Arbeitnehmer eines anderen Unternehmens teil, so ist daneben das zur gesetzlichen Vertretung des anderen Unternehmens befugte Organ zur Bekanntmachung in seinen Betrieben verpflichtet.

§ 20 Wahlschutz und Wahlkosten. (1) [1] Niemand darf die Wahlen nach den §§ 10, 15, 16 und 18 behindern. [2] Insbesondere darf niemand in der Ausübung des aktiven und passiven Wahlrechts beschränkt werden.

(2) Niemand darf die Wahlen durch Zufügung oder Androhung von Nachteilen oder durch Gewährung oder Versprechen von Vorteilen beeinflussen.

(3) [1] Die Kosten der Wahlen trägt das Unternehmen. [2] Versäumnis von Arbeitszeit, die zur Ausübung des Wahlrechts oder der Betätigung im Wahlvorstand erforderlich ist, berechtigt den Arbeitgeber nicht zur Minderung des Arbeitsentgelts.

§ 21[1)] Anfechtung der Wahl von Delegierten. (1) Die Wahl der Delegierten eines Betriebs kann beim Arbeitsgericht angefochten werden, wenn gegen wesentliche Vorschriften über das Wahlrecht, die Wählbarkeit oder das Wahlverfahren verstoßen worden und eine Berichtigung nicht erfolgt ist, es sei denn, daß durch den Verstoß das Wahlergebnis nicht geändert oder beeinflußt werden konnte.

(2) [1] Zur Anfechtung berechtigt sind

1. mindestens drei wahlberechtigte Arbeitnehmer des Betriebs,
2. der Betriebsrat,
3. der Sprecherausschuss,
4. das zur gesetzlichen Vertretung des Unternehmens befugte Organ.

[2] Die Anfechtung ist nur binnen einer Frist von zwei Wochen, vom Tage der Bekanntgabe des Wahlergebnisses an gerechnet, zulässig.

§ 22[2)] Anfechtung der Wahl von Aufsichtsratsmitgliedern der Arbeitnehmer. (1) Die Wahl eines Aufsichtsratsmitglieds oder eines Ersatzmitglieds der Arbeitnehmer kann beim Arbeitsgericht angefochten werden, wenn gegen wesentliche Vorschriften über das Wahlrecht, die Wählbarkeit oder das Wahlverfahren verstoßen worden und eine Berichtigung nicht erfolgt ist, es sei denn, daß durch den Verstoß das Wahlergebnis nicht geändert oder beeinflußt werden konnte.

(2) [1] Zur Anfechtung berechtigt sind

1. mindestens drei wahlberechtigte Arbeitnehmer des Unternehmens,
2. der Gesamtbetriebsrat des Unternehmens oder, wenn in dem Unternehmen nur ein Betriebsrat besteht, der Betriebsrat sowie, wenn das Unternehmen

---

[1)] § 21 Überschrift, Abs. 1 geänd. durch G v. 26. 6. 1990 (BGBl. I S. 1206); Abs. 2 Nr. 3 eingef., bish. Nr. 3 wird Nr. 4 mWv 27. 3. 2002 durch G v. 23. 3. 2002 (BGBl. I S. 1130).

[2)] § 22 Abs. 2 Nr. 3 und 5 eingef., bish. Nr. 3 wird Nr. 4, bish. Nrn. 4 und 5 werden Nrn. 6 und 7 mWv 27. 3. 2002 durch G v. 23. 3. 2002 (BGBl. I S. 1130); Abs. 2 Satz 2 geänd. mWv 1. 7. 2004 durch G v. 18. 5. 2004 (BGBl. I S. 974); Abs. 2 Satz 2 geänd. mWv 1. 4. 2012 durch G v. 22. 12. 2011 (BGBl. I S. 3044).

herrschendes Unternehmen eines Konzerns ist, der Konzernbetriebsrat, soweit ein solcher besteht,

3. der Gesamt- oder Unternehmenssprecherausschuss des Unternehmens oder, wenn in dem Unternehmen nur ein Sprecherausschuss besteht, der Sprecherausschuss sowie, wenn das Unternehmen herrschendes Unternehmen eines Konzerns ist, der Konzernsprecherausschuss, soweit ein solcher besteht,
4. der Gesamtbetriebsrat eines anderen Unternehmens, dessen Arbeitnehmer nach diesem Gesetz an der Wahl der Aufsichtsratsmitglieder des Unternehmens teilnehmen, oder, wenn in dem anderen Unternehmen nur ein Betriebsrat besteht, der Betriebsrat,
5. der Gesamt- oder Unternehmenssprecherausschuss eines anderen Unternehmens, dessen Arbeitnehmer nach diesem Gesetz an der Wahl der Aufsichtsratsmitglieder des Unternehmens teilnehmen, oder, wenn in dem anderen Unternehmen nur ein Sprecherausschuss besteht, der Sprecherausschuss,
6. jede nach § 16 Abs. 2 vorschlagsberechtigte Gewerkschaft,
7. das zur gesetzlichen Vertretung des Unternehmens befugte Organ.

[2] Die Anfechtung ist nur binnen einer Frist von zwei Wochen, vom Tage der Veröffentlichung im Bundesanzeiger an gerechnet, zulässig.

§ 23[1)] Abberufung von Aufsichtsratsmitgliedern der Arbeitnehmer.

(1) [1] Ein Aufsichtsratsmitglied der Arbeitnehmer kann vor

(Fortsetzung nächste Seite)

[1)] § 23 Abs. 2 Sätze 1 und 2 neu gef. durch G v. 26. 6. 1990 (BGBl. I S. 1206), Abs. 1 Satz 2 Nr. 2, Abs. 2 Satz 1, Abs. 3 Satz 1 aufgeh., Abs. 1 Satz 2 bish. Nrn. 3 und 4 werden Nrn. 2 und 3, Abs. 2 bish. Sätze 2 und 3 werden Sätze 1 und 2, Abs. 3 bish. Sätze 2 und 3 werden Sätze 1 und 2, Abs. 1 Satz 2 Nr. 1, neue Nr. 2, Abs. 2 neuer Satz 1, Abs. 3 neuer Satz 1 geänd., Abs. 2 neuer Satz 2, Abs. 3 neuer Satz 2 neu gef. mWv 28. 7. 2001 durch G v. 23. 7. 2001 (BGBl. I S. 1852).

Ablauf der Amtszeit auf Antrag abberufen werden. [2] Antragsberechtigt sind für die Abberufung eines

1. Aufsichtsratsmitglieds der Arbeitnehmer nach § 3 Abs. 1 Nr. 1 drei Viertel der wahlberechtigten Arbeitnehmer nach § 3 Abs. 1 Nr. 1,
2. Aufsichtsratsmitglieds der leitenden Angestellten drei Viertel der wahlberechtigten leitenden Angestellten,
3. Aufsichtsratsmitglieds, das nach § 7 Abs. 2 Vertreter einer Gewerkschaft ist, die Gewerkschaft, die das Mitglied vorgeschlagen hat.

(2) [1] Ein durch Delegierte gewähltes Aufsichtsratsmitglied wird durch Beschluß der Delegierten abberufen. [2] Dieser Beschluss wird in geheimer Abstimmung gefasst; er bedarf einer Mehrheit von drei Vierteln der abgegebenen Stimmen.

(3) [1] Ein von den Arbeitnehmern unmittelbar gewähltes Aufsichtsratsmitglied wird durch Beschluß der wahlberechtigten Arbeitnehmer abberufen. [2] Dieser Beschluss wird in geheimer, unmittelbarer Abstimmung gefasst; er bedarf einer Mehrheit von drei Vierteln der abgegebenen Stimmen.

(4) Die Absätze 1 bis 3 sind für die Abberufung von Ersatzmitgliedern entsprechend anzuwenden.

§ 24[1)] Verlust der Wählbarkeit und Änderung der Zuordnung unternehmensangehöriger Aufsichtsratsmitglieder. (1) Verliert ein Aufsichtsratsmitglied, das nach § 7 Abs. 2 Arbeitnehmer des Unternehmens sein muß, die Wählbarkeit, so erlischt sein Amt.

(2) Die Änderung der Zuordnung eines Aufsichtsratsmitglieds zu den in § 3 Abs. 1 Nr. 1 oder § 3 Abs. 1 Nr. 2 genannten Arbeitnehmern führt nicht zum Erlöschen seines Amtes.

Dritter Abschnitt. Innere Ordnung, Rechte und Pflichten des Aufsichtsrats

§ 25[2)] Grundsatz. (1) [1] Die innere Ordnung, die Beschlußfassung sowie die Rechte und Pflichten des Aufsichtsrats bestimmen sich nach den §§ 27 bis 29, den §§ 31 und 32 und, soweit diese Vorschriften dem nicht entgegenstehen,

1. für Aktiengesellschaften und Kommanditgesellschaften auf Aktien nach dem Aktiengesetz,
2. für Gesellschaften mit beschränkter Haftung nach § 90 Abs. 3, 4 und 5 Satz 1 und 2, den §§ 107 bis 116, 118 Abs. 3, § 125 Abs. 3 und 4 und den §§ 170, 171 und 268 Abs. 2 des Aktiengesetzes,
3. für Genossenschaften nach dem Genossenschaftsgesetz[3)].

[2] § 4 Abs. 2 des Gesetzes über die Überführung der Anteilsrechte an der Volkswagenwerk Gesellschaft mit beschränkter Haftung in private Hand vom

---

[1)] § 24 Überschrift geänd., Abs. 2 neu gef. mWv 28. 7. 2001 durch G v. 23. 7. 2001 (BGBl. I S. 1852).

[2)] § 25 Abs. 1 Nr. 2 geänd. mWv 27. 3. 2002 durch G v. 23. 3. 2002 (BGBl. I S. 1130); Abs. 1 Nr. 2 geänd. mWv 1. 7. 2004 durch G v. 18. 5. 2004 (BGBl. I S. 974); Abs. 1 Satz 1 Nr. 3 neu gef., Abs. 2 geänd. mWv 18. 8. 2006 durch G v. 14. 8. 2006 (BGBl. I S. 1911); Abs. 1 Satz 1 Nr. 2 geänd. mWv 1. 9. 2009 durch G v. 30. 7. 2009 (BGBl. I S. 2479).

[3)] **Schönfelder Nr. 53.**

21. Juli 1960 (Bundesgesetzbl. I S. 585), zuletzt geändert durch das Zweite Gesetz zur Änderung des Gesetzes über die Überführung der Anteilsrechte an der Volkswagenwerk Gesellschaft mit beschränkter Haftung in private Hand vom 31. Juli 1970 (Bundesgesetzbl. I S. 1149), bleibt unberührt.

(2) Andere gesetzliche Vorschriften und Bestimmungen der Satzung (des Gesellschaftsvertrags) oder der Geschäftsordnung des Aufsichtsrats über die innere Ordnung, die Beschlußfassung sowie die Rechte und Pflichten des Aufsichtsrats bleiben unberührt, soweit Absatz 1 dem nicht entgegensteht.

§ 26 Schutz von Aufsichtsratsmitgliedern vor Benachteiligung. [1] Aufsichtsratsmitglieder der Arbeitnehmer dürfen in der Ausübung ihrer Tätigkeit nicht gestört oder behindert werden. [2] Sie dürfen wegen ihrer Tätigkeit im Aufsichtsrat eines Unternehmens, dessen Arbeitnehmer sie sind oder als dessen Arbeitnehmer sie nach § 4 oder § 5 gelten, nicht benachteiligt werden. [3] Dies gilt auch für ihre berufliche Entwicklung.

§ 27 Vorsitz im Aufsichtsrat. (1) Der Aufsichtsrat wählt mit einer Mehrheit von zwei Dritteln der Mitglieder, aus denen er insgesamt zu bestehen hat, aus seiner Mitte einen Aufsichtsratsvorsitzenden und einen Stellvertreter.

(2) [1] Wird bei der Wahl des Aufsichtsratsvorsitzenden oder seines Stellvertreters die nach Absatz 1 erforderliche Mehrheit nicht erreicht, so findet für die Wahl des Aufsichtsratsvorsitzenden und seines Stellvertreters ein zweiter Wahlgang statt. [2] In diesem Wahlgang wählen die Aufsichtsratsmitglieder der Anteilseigner den Aufsichtsratsvorsitzenden und die Aufsichtsratsmitglieder der Arbeitnehmer den Stellvertreter jeweils mit der Mehrheit der abgegebenen Stimmen.

(3) Unmittelbar nach der Wahl des Aufsichtsratsvorsitzenden und seines Stellvertreters bildet der Aufsichtsrat zur Wahrnehmung der in § 31 Abs. 3 Satz 1 bezeichneten Aufgabe einen Ausschuß, dem der Aufsichtsratsvorsitzende, sein Stellvertreter sowie je ein von den Aufsichtsratsmitgliedern der Arbeitnehmer und von den Aufsichtsratsmitgliedern der Anteilseigner mit der Mehrheit der abgegebenen Stimmen gewähltes Mitglied angehören.

§ 28 Beschlußfähigkeit. [1] Der Aufsichtsrat ist nur beschlußfähig, wenn mindestens die Hälfte der Mitglieder, aus denen er insgesamt zu bestehen hat, an der Beschlußfassung teilnimmt. [2] § 108 Abs. 2 Satz 4 des Aktiengesetzes[1)] ist anzuwenden.

§ 29 Abstimmungen. (1) Beschlüsse des Aufsichtsrats bedürfen der Mehrheit der abgegebenen Stimmen, soweit nicht in Absatz 2 und in den §§ 27, 31 und 32 etwas anderes bestimmt ist.

(2) [1] Ergibt eine Abstimmung im Aufsichtsrat Stimmengleichheit, so hat bei einer erneuten Abstimmung über denselben Gegenstand, wenn auch sie Stimmengleichheit ergibt, der Aufsichtsratsvorsitzende zwei Stimmen. [2] § 108 Abs. 3 des Aktiengesetzes[1)] ist auch auf die Abgabe der zweiten Stimme anzuwenden. [3] Dem Stellvertreter steht die zweite Stimme nicht zu.

(Fortsetzung nächste Seite)

[1)] Nr. **567**.

Dritter Teil. Gesetzliches Vertretungsorgan

§ 30 Grundsatz. Die Zusammensetzung, die Rechte und Pflichten des zur gesetzlichen Vertretung des Unternehmens befugten Organs sowie die Bestellung seiner Mitglieder bestimmen sich nach den für die Rechtsform des Unternehmens geltenden Vorschriften, soweit sich aus den §§ 31 bis 33 nichts anderes ergibt.

§ 31 Bestellung und Widerruf. (1) [1]Die Bestellung der Mitglieder des zur gesetzlichen Vertretung des Unternehmens befugten Organs und der Widerruf der Bestellung bestimmen sich nach den §§ 84 und 85 des Aktiengesetzes[1)], soweit sich nicht aus den Absätzen 2 bis 5 etwas anderes ergibt. [2]Dies gilt nicht für Kommanditgesellschaften auf Aktien.

(2) Der Aufsichtsrat bestellt die Mitglieder des zur gesetzlichen Vertretung des Unternehmens befugten Organs mit einer Mehrheit, die mindestens zwei Drittel der Stimmen seiner Mitglieder umfaßt.

(3) [1]Kommt eine Bestellung nach Absatz 2 nicht zustande, so hat der in § 27 Abs. 3 bezeichnete Ausschuß des Aufsichtsrats innerhalb eines Monats nach der Abstimmung, in der die in Absatz 2 vorgeschriebene Mehrheit nicht erreicht worden ist, dem Aufsichtsrat einen Vorschlag für die Bestellung zu machen; dieser Vorschlag schließt andere Vorschläge nicht aus. [2]Der Aufsichtsrat bestellt die Mitglieder des zur gesetzlichen Vertretung des Unternehmens befugten Organs mit der Mehrheit der Stimmen seiner Mitglieder.

(4) [1]Kommt eine Bestellung nach Absatz 3 nicht zustande, so hat bei einer erneuten Abstimmung der Aufsichtsratsvorsitzende zwei Stimmen; Absatz 3 Satz 2 ist anzuwenden. [2]Auf die Abgabe der zweiten Stimme ist § 108 Abs. 3 des Aktiengesetzes[1)] anzuwenden. [3]Dem Stellvertreter steht die zweite Stimme nicht zu.

(5) Die Absätze 2 bis 4 sind für den Widerruf der Bestellung eines Mitglieds des zur gesetzlichen Vertretung des Unternehmens befugten Organs entsprechend anzuwenden.

§ 32[2)] Ausübung von Beteiligungsrechten. (1) [1]Die einem Unternehmen, in dem die Arbeitnehmer nach diesem Gesetz ein Mitbestimmungsrecht haben, auf Grund von Beteiligungen an einem anderen Unternehmen, in dem die Arbeitnehmer nach diesem Gesetz ein Mitbestimmungsrecht haben, zustehenden Rechte bei der Bestellung, dem Widerruf der Bestellung oder der Entlastung von Verwaltungsträgern sowie bei der Beschlußfassung über die Auflösung oder Umwandlung des anderen Unternehmens, den Abschluß von Unternehmensverträgen (§§ 291, 292 des Aktiengesetzes[1)]) mit dem anderen Unternehmen, über dessen Fortsetzung nach seiner Auflösung oder über die Übertragung seines Vermögens können durch das zur gesetzlichen Vertretung des Unternehmens befugte Organ nur auf Grund von Beschlüssen des Aufsichtsrats ausgeübt werden. [2]Diese Beschlüsse bedürfen nur der Mehrheit der Stimmen der Aufsichtsratsmitglieder der Anteilseigner; sie sind für das zur gesetzlichen Vertretung des Unternehmens befugte Organ verbindlich.

[1)] Nr. **567**.

[2)] § 32 Abs. 1 Satz 1 geänd. durch G v. 28. 10. 1994 (BGBl. I S. 3210).

(2) Absatz 1 ist nicht anzuwenden, wenn die Beteiligung des Unternehmens an dem anderen Unternehmen weniger als ein Viertel beträgt.

§ 33[1] **Arbeitsdirektor.** (1) [1]Als gleichberechtigtes Mitglied des zur gesetzlichen Vertretung des Unternehmens befugten Organs wird ein Arbeitsdirektor bestellt. [2]Dies gilt nicht für Kommanditgesellschaften auf Aktien.

(2) [1]Der Arbeitsdirektor hat wie die übrigen Mitglieder des zur gesetzlichen Vertretung des Unternehmens befugten Organs seine Aufgaben im engsten Einvernehmen mit dem Gesamtorgan auszuüben. [2]Das Nähere bestimmt die Geschäftsordnung.

(3) Bei Genossenschaften ist auf den Arbeitsdirektor § 9 Abs. 2 des Genossenschaftsgesetzes[2] nicht anzuwenden.

Vierter Teil. Seeschiffahrt

§ 34[3] **[Schiffe]** (1) Die Gesamtheit der Schiffe eines Unternehmens gilt für die Anwendung dieses Gesetzes als ein Betrieb.

(2) [1]Schiffe im Sinne dieses Gesetzes sind Kauffahrteischiffe, die nach dem Flaggenrechtsgesetz die Bundesflagge führen. [2]Schiffe, die in der Regel binnen 48 Stunden nach dem Auslaufen an den Sitz eines Landbetriebs zurückkehren, gelten als Teil dieses Landbetriebs.

(3) Leitende Angestellte im Sinne des § 3 Abs. 1 Nr. 2 dieses Gesetzes sind in einem in Absatz 1 bezeichneten Betrieb nur die Kapitäne.

(4) Die Arbeitnehmer eines in Absatz 1 bezeichneten Betriebs nehmen an einer Abstimmung nach § 9 nicht teil und bleiben für die Errechnung der für die Antragstellung und für die Beschlußfassung erforderlichen Zahl von Arbeitnehmern außer Betracht.

(5) [1]Werden die Aufsichtsratsmitglieder der Arbeitnehmer durch Delegierte gewählt, so werden abweichend von § 10 in einem in Absatz 1 bezeichneten Betrieb keine Delegierten gewählt. [2]Abweichend von § 15 Abs. 1 nehmen die Arbeitnehmer dieses Betriebs unmittelbar an der Wahl der Aufsichtsratsmitglieder der Arbeitnehmer teil mit der Maßgabe, daß die Stimme eines dieser Arbeitnehmer als ein Neunzigstel der Stimme eines Delegierten zu zählen ist; § 11 Abs. 1 Satz 3 ist entsprechend anzuwenden.

Fünfter Teil. Übergangs- und Schlußvorschriften

§ 35[4] *(aufgehoben)*

---

[1] § 33 Abs. 3 geänd. mWv 18. 8. 2006 durch G v. 14. 8. 2006 (BGBl. I S. 1911).

[2] **Schönfelder Nr. 53.**

[3] § 34 Abs. 5 neu gef. durch G v. 26. 6. 1990 (BGBl. I S. 1206), Abs. 3, Abs. 5 Satz 2 Nr. 1 geänd., Abs. 5 Satz 2 Nr. 2, Abs. 6 aufgeh. mWv 28. 7. 2001 durch G v. 23. 7. 2001 (BGBl. I S. 1852); Abs. 5 Satz 2 geänd. mWv 1. 7. 2004 durch G v. 18. 5. 2004 (BGBl. I S. 974).

[4] § 35 aufgeh. mWv 28. 7. 2001 durch G v. 23. 7. 2001 (BGBl. I S. 1852).

§ 36[1] Verweisungen. (1) Soweit in anderen Vorschriften auf Vorschriften des Betriebsverfassungsgesetzes 1952 über die Vertretung der Arbeitnehmer in den Aufsichtsräten von Unternehmen verwiesen wird, gelten diese Verweisungen für die in § 1 Abs. 1 dieses Gesetzes bezeichneten Unternehmen als Verweisungen auf dieses Gesetz.

(2) Soweit in anderen Vorschriften für das Gesetz über die Mitbestimmung der Arbeitnehmer in den Aufsichtsräten und Vorständen der Unternehmen des Bergbaus und der Eisen und Stahl erzeugenden Industrie[2] vom 21. Mai 1951 (Bundesgesetzbl. I S. 347) die Bezeichnung „Mitbestimmungsgesetz" verwendet wird, tritt an ihre Stelle die Bezeichnung „Montan-Mitbestimmungsgesetz".

§ 37[3] Erstmalige Anwendung des Gesetzes auf ein Unternehmen.

(1) [1]Andere als die in § 97 Abs. 2 Satz 2 des Aktiengesetzes[4] bezeichneten Bestimmungen der Satzung (des Gesellschaftsvertrags), die mit den Vorschriften dieses Gesetzes nicht vereinbar sind, treten mit dem in § 97 Abs. 2 Satz 2 des Aktiengesetzes bezeichneten Zeitpunkt oder, im Falle einer gerichtlichen Entscheidung, mit dem in § 98 Abs. 4 Satz 2 des Aktiengesetzes bezeichneten Zeitpunkt außer Kraft. [2]Eine Hauptversammlung (Gesellschafterversammlung, Generalversammlung), die bis zu diesem Zeitpunkt stattfindet, kann an Stelle der außer Kraft tretenden Satzungsbestimmungen mit einfacher Mehrheit neue Satzungsbestimmungen beschließen.

(2) Die §§ 25 bis 29, 31 bis 33 sind erstmalig anzuwenden, wenn der Aufsichtsrat nach den Vorschriften dieses Gesetzes zusammengesetzt ist.

(3) [1]Die Bestellung eines vor dem Inkrafttreten dieses Gesetzes bestellten Mitglieds des zur gesetzlichen Vertretung befugten Organs eines Unternehmens, auf das dieses Gesetz bereits bei seinem Inkrafttreten anzuwenden ist, kann, sofern die Amtszeit dieses Mitglieds nicht aus anderen Gründen früher endet, nach Ablauf von fünf Jahren seit dem Inkrafttreten dieses Gesetzes von dem nach diesem Gesetz gebildeten Aufsichtsrat jederzeit widerrufen werden. [2]Für den Widerruf bedarf es der Mehrheit der abgegebenen Stimmen der Aufsichtsratsmitglieder, aller Stimmen der Aufsichtsratsmitglieder der Anteilseigner oder aller Stimmen der Aufsichtsratsmitglieder der Arbeitnehmer. [3]Für die Ansprüche aus dem Anstellungsvertrag gelten die allgemeinen Vorschriften. [4]Bis zum Widerruf bleiben für diese Mitglieder Satzungsbestimmungen über die Amtszeit abweichend von Absatz 1 Satz 1 in Kraft. [5]Diese Vorschriften sind entsprechend anzuwenden, wenn dieses Gesetz auf ein Unternehmen erst nach dem Zeitpunkt des Inkrafttretens dieses Gesetzes erstmalig anzuwenden ist.

(4) Absatz 3 gilt nicht für persönlich haftende Gesellschafter einer Kommanditgesellschaft auf Aktien.

§ 38[5] *(aufgehoben)*

---

[1] § 36 Abs. 2 geänd. mWv 28.7.2001 durch G v. 23.7.2001 (BGBl. I S. 1852).
[2] Nr. **561**.
[3] § 37 Abs. 1 Satz 2 geänd. mWv 27.3.2002 durch G v. 23.3.2002 (BGBl. I S. 1130); Abs. 1 Satz 1 geänd. mWv 18.8.2006 durch G v. 14.8.2006 (BGBl. I S. 1911).
[4] Nr. **567**.
[5] § 38 aufgeh. mWv 28.7.2001 durch G v. 23.7.2001 (BGBl. I S. 1852).

§ 39[1)] Ermächtigung zum Erlaß von Rechtsverordnungen. Die Bundesregierung wird ermächtigt, durch Rechtsverordnung[2)] Vorschriften über das Verfahren für die Wahl und die Abberufung von Aufsichtsratsmitgliedern der Arbeitnehmer zu erlassen, insbesondere über

1. die Vorbereitung der Wahl oder Abstimmung, die Bestellung der Wahlvorstände und Abstimmungsvorstände sowie die Aufstellung der Wählerlisten,
2. die Abstimmungen darüber, ob die Wahl der Aufsichtsratsmitglieder in unmittelbarer Wahl oder durch Delegierte erfolgen soll,
3. die Frist für die Einsichtnahme in die Wählerlisten und die Erhebung von Einsprüchen,
4. die Errechnung der Zahl der Aufsichtsratsmitglieder der Arbeitnehmer sowie ihre Verteilung auf die in § 3 Abs. 1 Nr. 1 bezeichneten Arbeitnehmer, die leitenden Angestellten und die Gewerkschaftsvertreter sowie das Verfahren zur Berücksichtigung der Geschlechter,
5. die Errechnung der Zahl der Delegierten,
6. die Wahlvorschläge und die Frist für ihre Einreichung,
7. die Ausschreibung der Wahl oder der Abstimmung und die Fristen für die Bekanntmachung des Ausschreibens,
8. die Teilnahme von Arbeitnehmern eines in § 34 Abs. 1 bezeichneten Betriebs an Wahlen und Abstimmungen,
9. die Stimmabgabe,
10. die Feststellung des Ergebnisses der Wahl oder der Abstimmung und die Fristen für seine Bekanntmachung,
11. die Aufbewahrung der Wahlakten und der Abstimmungsakten.

§ 40[3)] Übergangsregelung. (1) Auf Wahlen von Aufsichtsratsmitgliedern der Arbeitnehmer, die bis einschließlich 31. März 2022 abgeschlossen sind, ist dieses Gesetz in der bis zum 11. August 2021 geltenden Fassung anzuwenden.

(2) Eine Wahl von Aufsichtsratsmitgliedern der Arbeitnehmer gilt als abgeschlossen, wenn die Bekanntmachung der Mitglieder des Aufsichtsrates nach § 19 Satz 1 durch das zur gesetzlichen Vertretung des Unternehmens befugte Organ erfolgt ist.

§ 41 Inkrafttreten. Dieses Gesetz tritt am 1. Juli 1976 in Kraft.

[1)] § 39 Nr. 2, Nr. 5 geänd. durch G v. 26.6.1990 (BGBl. I S. 1206), Nrn. 2, 4 und 5 geänd. mWv 28.7.2001 durch G v. 23.7.2001 (BGBl. I S. 1852); Nr. 4 geänd. mWv 1.5.2015 durch G v. 24.4.2015 (BGBl. I S. 642).

[2)] Siehe die Erste WahlO zum MitbestimmungsG (Nr. **560a**), die Zweite WahlO zum MitbestimmungsG (Nr. **560b**) und die Dritte WahlO zum MitbestimmungsG (Nr. **560c**).

[3)] § 40 neu gef. mWv 1.5.2015 durch G v. 24.4.2015 (BGBl. I S. 642); Abs. 1 neu gef., Abs. 2 aufgeh., bish. Abs. 3 wird Abs. 2 mWv 12.8.2021 durch G v. 7.8.2021 (BGBl. I S. 3311).

560a. Erste Wahlordnung zum Mitbestimmungsgesetz (1. WOMitbestG)

Vom 27. Mai 2002
(BGBl. I S. 1682)

FNA 801-8-4

zuletzt geänd. durch Art. 18 G zur Ergänzung und Änd. der Regelungen für die gleichberechtigte Teilhabe von Frauen an Führungspositionen in der Privatwirtschaft und im öffentlichen Dienst v. 7.8. 2021 (BGBl. I S. 3311)

Auf Grund des § 39 des Mitbestimmungsgesetzes[1] vom 4. Mai 1976 (BGBl. I S. 1153) verordnet die Bundesregierung:

Inhaltsübersicht[2]

---

[1] Nr. **560**.

[2] Inhaltsübersicht geänd. mWv 2.9.2015 durch VO v. 26.8.2015 (BGBl. I S. 1443); geänd. mWv 12.8.2021 durch G v. 7.8.2021 (BGBl. I S. 3311).

§ 1 Geltungsbereich. (1) [1] Besteht ein Unternehmen, in dem die Arbeitnehmerinnen und Arbeitnehmer nach § 1 Abs. 1 des Gesetzes[1)] ein Mitbestimmungsrecht haben, aus einem Betrieb, so bestimmen sich die Wahl und die Abberufung der Aufsichtsratsmitglieder der Arbeitnehmer dieses Unternehmens nach den Vorschriften dieser Verordnung. [2] Nehmen an der Wahl oder an der Abberufung nach § 4 oder § 5 des Gesetzes auch die Arbeitnehmerinnen und Arbeitnehmer anderer Unternehmen teil, so bestimmt sie sich nach den Vorschriften der Dritten Wahlordnung zum Mitbestimmungsgesetz[2)].

(2) Die Wahl der Aufsichtsratsmitglieder der Arbeitnehmer bestimmt sich nach den Vorschriften des Teils 1.

(3) Die Abberufung von Aufsichtsratsmitgliedern der Arbeitnehmer bestimmt sich nach den Vorschriften des Teils 2.

(Fortsetzung nächstes Blatt)

[1)] Nr. **560**.
[2)] Nr. **560c**.

Teil 1. Wahl der Aufsichtsratsmitglieder der Arbeitnehmer

Kapitel 1. Einleitung der Wahl, Abstimmung über die Art der Wahl, Wahlvorschläge

Abschnitt 1. Einleitung der Wahl

§ 2[1] Bekanntmachung des Unternehmens. (1) [1] Das Unternehmen macht spätestens 19 Wochen vor dem voraussichtlichen Beginn der Amtszeit der zu wählenden Aufsichtsratsmitglieder der Arbeitnehmer bekannt, dass Aufsichtsratsmitglieder der Arbeitnehmer zu wählen sind. [2] In der Bekanntmachung ist ferner anzugeben:

1. der voraussichtliche Beginn der Amtszeit der zu wählenden Aufsichtsratsmitglieder der Arbeitnehmer;
2. die Zahl der zu wählenden Aufsichtsratsmitglieder der Arbeitnehmer;
3. bei einem börsennotierten Unternehmen der Anteil, mit dem Frauen und Männer nach § 96 Absatz 2 Satz 1 des Aktiengesetzes[2] jeweils mindestens im Aufsichtsrat vertreten sein müssen;
4. bei einem börsennotierten Unternehmen, ob der Geschlechteranteil nach § 96 Absatz 2 Satz 1 des Aktiengesetzes[2] gemäß § 96 Absatz 2 Satz 2 des Aktiengesetzes[2] vom Aufsichtsrat insgesamt zu erfüllen ist (Gesamterfüllung) oder ob der Gesamterfüllung nach § 96 Absatz 2 Satz 3 des Aktiengesetzes[2] widersprochen wurde, mit der Folge, dass der Geschlechteranteil für diese Wahl von der Anteilseignerseite und der Seite der Arbeitnehmer getrennt zu erfüllen ist (Getrennterfüllung);
5. die Zahl der in dem Unternehmen in der Regel beschäftigten Arbeitnehmerinnen und Arbeitnehmer.

[3] Nehmen die Arbeitnehmerinnen und Arbeitnehmer des Unternehmens auch an der Wahl von Aufsichtsratsmitgliedern anderer Unternehmen teil (§§ 50, 51) und beginnt die Amtszeit dieser Aufsichtsratsmitglieder nicht mehr als zwölf Monate vor oder nach dem Beginn der Amtszeit der nach dieser Verordnung zu wählenden Aufsichtsratsmitglieder, so ist auch dies in der Bekanntmachung anzugeben.

(2) [1] Die Bekanntmachung kann durch Aushang an einer oder mehreren geeigneten, den Wahlberechtigten zugänglichen Stellen im Betrieb und durch Einsatz der im Unternehmen vorhandenen Informations- und Kommunikationstechnik erfolgen. [2] Der Einsatz der Informations- und Kommunikationstechnik ist nur zulässig, wenn der Adressatenkreis dieser Bekanntmachungsform von der Bekanntmachung Kenntnis erlangen kann und Vorkehrungen getroffen sind, damit nur das Unternehmen Änderungen der Bekanntmachung vornehmen kann.

(3) Gleichzeitig mit der Bekanntmachung übersendet das Unternehmen eine Kopie der Bekanntmachung

1. dem Betriebsrat und dem Sprecherausschuss,

---

[1] § 2 Abs. 1 Satz 2 Nr. 3 und 4 eingef., bish. Nr. 3 wird Nr. 5 mWv 2. 9. 2015 durch VO v. 26. 8. 2015 (BGBl. I S. 1443).
[2] Nr. **567**.

2. den in dem Unternehmen vertretenen Gewerkschaften,
3. den nach § 117 Abs. 2 Satz 1 des Betriebsverfassungsgesetzes[1] durch Tarifvertrag errichteten Vertretungen für im Flugbetrieb beschäftigte Arbeitnehmerinnen und Arbeitnehmer des Unternehmens.

§ 3 Betriebswahlvorstand. Die rechtzeitige Einleitung und die Durchführung der Wahl sowie die Feststellung des Wahlergebnisses obliegen dem Betriebswahlvorstand.

§ 4 Bildung des Betriebswahlvorstands. [1]Der Betriebswahlvorstand wird unverzüglich nach der in § 2 bezeichneten Bekanntmachung gebildet. [2]Die Geschlechter sollen entsprechend ihrem zahlenmäßigen Verhältnis vertreten sein.

§ 5 Zusammensetzung des Betriebswahlvorstands. (1) [1]Der Betriebswahlvorstand besteht aus drei Mitgliedern. [2]Der Betriebsrat kann die Zahl der Mitglieder erhöhen, wenn dies zur ordnungsgemäßen Durchführung der Wahl erforderlich ist. [3]Der Betriebswahlvorstand muss aus einer ungeraden Zahl von Mitgliedern bestehen. [4]Mitglieder des Betriebswahlvorstands können nur Wahlberechtigte des Betriebs sein.

(2) Im Betriebswahlvorstand sollen die in § 3 Abs. 1 Nr. 1 des Gesetzes[2] bezeichneten Arbeitnehmer und die leitenden Angestellten angemessen vertreten sein. [2]Dem Betriebswahlvorstand muss, wenn in dem Betrieb mindestens fünf wahlberechtigte leitende Angestellte beschäftigt sind, mindestens ein leitender Angestellter angehören.

(3) Für jedes Mitglied des Betriebswahlvorstands kann für den Fall seiner Verhinderung ein Ersatzmitglied bestellt werden.

(4) Der Betriebsrat bestellt die Mitglieder des Betriebswahlvorstands, die in § 3 Abs. 1 Nr. 1 des Gesetzes bezeichnete Arbeitnehmer sind. [2]Besteht kein Betriebsrat, so werden die in Satz 1 bezeichneten Mitglieder des Betriebswahlvorstands in einer Betriebsversammlung mit der Mehrheit der abgegebenen Stimmen gewählt.

(5) [1]Die auf die leitenden Angestellten entfallenden Mitglieder werden von dem für den Betrieb zuständigen Sprecherausschuss bestellt. [2]Besteht kein Sprecherausschuss, so werden die in Satz 1 bezeichneten Mitglieder des Betriebswahlvorstands in einer Versammlung der leitenden Angestellten des Betriebs mit der Mehrheit der abgegebenen Stimmen gewählt.

§ 6 Mitteilungspflicht. Der Betriebswahlvorstand teilt unverzüglich nach seiner Bildung dem Unternehmen und den im Unternehmen vertretenen Gewerkschaften schriftlich die Namen seiner Mitglieder und seine Anschrift mit.

§ 7 Geschäftsführung des Betriebswahlvorstands. (1) Der Betriebswahlvorstand wählt aus seiner Mitte eine Vorsitzende oder einen Vorsitzenden und mindestens eine Stellvertreterin oder einen Stellvertreter.

---

[1] Nr. **570**.
[2] Nr. **560**.

(2) [1] Der Betriebswahlvorstand kann sich eine schriftliche Geschäftsordnung geben. [2] Er kann Wahlberechtigte als Wahlhelferinnen und Wahlhelfer zu seiner Unterstützung heranziehen.

(3) [1] Der Betriebswahlvorstand fasst seine Beschlüsse mit einfacher Stimmenmehrheit seiner Mitglieder. Über jede Sitzung des Betriebswahlvorstands ist eine Niederschrift aufzunehmen, die mindestens den Wortlaut der Beschlüsse enthält; bei Beschlüssen über die Eintragung von Arbeitnehmerinnen und Arbeitnehmern in die Wählerliste als in § 3 Abs. 1 Nr. 1 des Gesetzes[1)] bezeichnete Arbeitnehmer oder als leitende Angestellte ist in der Niederschrift auch zu vermerken, ob sie ohne Gegenstimme gefasst worden sind. [3] Mitglieder des Betriebswahlvorstands, gegen deren Stimmen ein Beschluss gefasst worden ist, können verlangen, dass in der Niederschrift ihre abweichende Meinung vermerkt wird. [4] Die Niederschrift ist von der oder dem Vorsitzenden und einem weiteren Mitglied des Betriebswahlvorstands zu unterzeichnen; dies gilt auch für Bekanntmachungen, Ausschreiben und weitere Niederschriften des Betriebswahlvorstands.

(4) [1] Bekanntmachungen des Betriebswahlvorstands können durch Aushang und durch den Einsatz der im Unternehmen vorhandenen Informations- und Kommunikationstechnik erfolgen. [2] Der Aushang erfolgt an einer oder mehreren geeigneten, den Wahlberechtigten zugänglichen Stellen im Betrieb. [3] Er ist in gut lesbarem Zustand zu erhalten. [4] Der Einsatz der Informations- und Kommunikationstechnik ist nur zulässig, wenn der Adressatenkreis dieser Bekanntmachungsform von der Bekanntmachung Kenntnis erlangen kann und Vorkehrungen getroffen sind, damit nur der Betriebswahlvorstand Änderungen der Bekanntmachung vornehmen kann.

(5) Das Unternehmen hat den Betriebswahlvorstand bei der Erfüllung seiner Aufgaben zu unterstützen und ihm den erforderlichen Geschäftsbedarf zur Verfügung zu stellen.

(6) Der Betriebswahlvorstand soll dafür sorgen, dass ausländische Arbeitnehmerinnen und Arbeitnehmer, die der deutschen Sprache nicht mächtig sind, rechtzeitig über den Anlass der Wahl, das Wahlverfahren, die Abstimmungen, die Aufstellung der Wählerliste und der Wahlvorschläge, den Wahlvorgang und die Stimmabgabe in geeigneter Weise unterrichtet werden.

§ 8 Wählerliste. (1) [1] Der Betriebswahlvorstand stellt unverzüglich nach seiner Bildung eine Liste der Wahlberechtigten des Betriebs (Wählerliste) auf, getrennt nach den in § 3 Abs. 1 Nr. 1 des Gesetzes[1)] bezeichneten Arbeitnehmern und den leitenden Angestellten. [2] Die Wahlberechtigten sollen in alphabetischer Reihenfolge mit Familienname, Vorname und Geburtsdatum aufgeführt werden. [3] Das Aufstellen der Wählerliste kann durch Einsatz der im Unternehmen vorhandenen Informations- und Kommunikationstechnik erfolgen, wenn Vorkehrungen getroffen sind, damit nur der Betriebswahlvorstand Änderungen in der Wählerliste vornehmen kann.

(2) [1] Jedes Mitglied des Betriebswahlvorstands ist verpflichtet darauf hinzuwirken, dass die Wahlberechtigten in der Wählerliste in zutreffender Weise in Arbeitnehmer nach § 3 Abs. 1 Nr. 1 des Gesetzes und leitende Angestellte eingeteilt werden. [2] Die Mitglieder des Betriebswahlvorstands sollen hierüber um

---

[1)] Nr. **560**.

eine Beschlussfassung ohne Gegenstimme bemüht sein. [3] Hat der Betriebswahlvorstand hierüber ausschließlich Beschlüsse ohne Gegenstimme gefasst, so ist § 10 nicht anzuwenden.

(3) [1] Das Unternehmen hat dem Betriebswahlvorstand alle für die Anfertigung der Wählerliste erforderlichen Auskünfte zu erteilen und die erforderlichen Unterlagen zur Verfügung zu stellen. [2] Es hat den Betriebswahlvorstand insbesondere bei der Einteilung in Arbeitnehmer nach § 3 Abs. 1 Nr. 1 des Gesetzes und leitende Angestellte zu unterstützen. [3]

(4) Der Betriebswahlvorstand berichtigt oder ergänzt die Wählerliste unverzüglich, wenn eine Arbeitnehmerin oder ein Arbeitnehmer

1. in den Betrieb eintritt oder aus ihm ausscheidet,
2. das 18. Lebensjahr vollendet oder
3. die Eigenschaft als in § 3 Abs. 1 Nr. 1 des Gesetzes bezeichneter Arbeitnehmer oder leitender Angestellter wechselt,

oder wenn sich in sonstiger Weise die Voraussetzungen, auf denen eine Eintragung in der Wählerliste beruht, ändern.

(5) An Wahlen und Abstimmungen können nur Arbeitnehmerinnen und Arbeitnehmer teilnehmen, die in der Wählerliste eingetragen sind.

§ 9 Bekanntmachung über die Bildung des Betriebswahlvorstands und die Wählerliste. (1) [1] Die Einsichtnahme in die Wählerliste, das Gesetz und diese Verordnung ist unverzüglich bis zum Abschluss der Wahl der Aufsichtsratsmitglieder der Arbeitnehmer zu ermöglichen. [2] Die zur Einsichtnahme bestimmte Wählerliste soll die Geburtsdaten der Wahlberechtigten nicht enthalten. [3] Die Einsichtnahme kann durch Auslegung an geeigneter Stelle im Betrieb und durch den Einsatz der im Unternehmen vorhandenen Informations- und Kommunikationstechnik ermöglicht werden.

(2) [1] Der Betriebswahlvorstand macht gleichzeitig mit der Ermöglichung der Einsichtnahme in die Wählerliste die Namen seiner Mitglieder und seine Anschrift bekannt. [2] Die Bekanntmachung erfolgt vom Tag ihres Erlasses bis zum Abschluss der Wahl der Aufsichtsratsmitglieder der Arbeitnehmer. [3] Der Betriebswahlvorstand vermerkt auf der Bekanntmachung den ersten und den letzten Tag dieses Zeitraums. [4] In der Bekanntmachung ist ferner anzugeben:

1. das Datum ihres Erlasses;
2. wo und wie die Wahlberechtigten in die Wählerliste, das Gesetz und diese Verordnung Einsicht nehmen können;
3. dass Einsprüche gegen die Richtigkeit der Wählerliste nur innerhalb von einer Woche seit Erlass der Bekanntmachung schriftlich beim Betriebswahlvorstand eingelegt werden können; der letzte Tag der Frist ist anzugeben;
4. dass Einsprüche gegen Berichtigungen und Ergänzungen der Wählerliste nur innerhalb von einer Woche seit der Berichtigung oder der Ergänzung eingelegt werden können;
5. dass an Wahlen und Abstimmungen nur Arbeitnehmerinnen und Arbeitnehmer teilnehmen können, die in der Wählerliste eingetragen sind.

(3) Hat der Betriebswahlvorstand bei der Aufstellung der Wählerliste nach § 8 Abs. 1 über die Eintragung der Wahlberechtigten als in § 3 Abs. 1 Nr. 1 des Gesetzes[1)] bezeichnete Arbeitnehmer oder leitende Angestellte nicht ausschließlich Beschlüsse ohne Gegenstimme gefasst, so muss die Bekanntmachung nach Absatz 2 auch die folgenden Angaben enthalten:

1. dass jede Arbeitnehmerin und jeder Arbeitnehmer innerhalb von einer Woche seit Erlass der Bekanntmachung schriftlich vom Betriebswahlvorstand die Änderung der eigenen Eintragung als in § 3 Abs. 1 Nr. 1 des Gesetzes bezeichneter Arbeitnehmer oder leitender Angestellter in der Wählerliste verlangen kann; der letzte Tag der Frist ist anzugeben;
2. dass dem Änderungsverlangen nach Nummer 1 zu entsprechen ist, wenn ein Mitglied des Betriebswahlvorstands dem Verlangen zustimmt;
3. dass gegen die Richtigkeit der Wählerliste nur Einspruch eingelegt werden kann, soweit nicht nach Nummer 1 eine Änderung der Wählerliste verlangt werden kann.

§ 10 Änderungsverlangen. (1) Jede Arbeitnehmerin und jeder Arbeitnehmer kann innerhalb von einer Woche seit Erlass der Bekanntmachung nach § 9 Abs. 2 und 3 schriftlich vom Betriebswahlvorstand verlangen, dass die eigene Eintragung in der Wählerliste als in § 3 Abs. 1 Nr. 1 des Gesetzes[1)] bezeichneter Arbeitnehmer oder leitender Angestellter geändert wird.

(2) [1] Dem Änderungsverlangen nach Absatz 1 ist zu entsprechen, wenn ein Mitglied des Betriebswahlvorstands dem Verlangen zustimmt. [2] Eine Zustimmung nach Satz 1 kann nur innerhalb einer Woche nach Ablauf der in Absatz 1 bestimmten Frist erteilt werden; sie ist schriftlich gegenüber dem Betriebswahlvorstand zu erklären.

(3) Gegen die Änderung der Eintragung nach Absatz 2 kann das Arbeitsgericht von einem Mitglied des Betriebswahlvorstands, das dem Änderungsverlangen nicht zugestimmt hat, angerufen werden.

§ 11 Einsprüche gegen die Richtigkeit der Wählerliste. (1) [1] Gegen die Richtigkeit der Wählerliste kann Einspruch eingelegt werden, soweit nicht nach § 10 Abs. 1 eine Änderung der Eintragung als in § 3 Abs. 1 Nr. 1 des Gesetzes[1)] bezeichneter Arbeitnehmer oder leitender Angestellter in der Wählerliste verlangt werden kann. [2] Einsprüche gegen die Richtigkeit der Wählerliste können nur innerhalb von einer Woche seit Erlass der Bekanntmachung nach § 9 Abs. 2 und 3 schriftlich beim Betriebswahlvorstand eingelegt werden. [3] Einsprüche gegen Berichtigungen und Ergänzungen der Wählerliste können nur innerhalb von einer Woche seit der Berichtigung oder der Ergänzung eingelegt werden.

(2) [1] Über Einsprüche nach Absatz 1 ist unverzüglich zu entscheiden. [2] Ist ein Einspruch begründet, so wird die Wählerliste berichtigt. [3] Der Betriebswahlvorstand teilt die Entscheidung der Person, die den Einspruch eingelegt hat, unverzüglich schriftlich mit.

[1)] Nr. **560**.

Abschnitt 2. Abstimmung über die Art der Wahl

§ 12 Bekanntmachung. (1) [1] In einem Unternehmen mit in der Regel insgesamt nicht mehr als 8 000 Arbeitnehmerinnen und Arbeitnehmern erlässt der Betriebswahlvorstand unverzüglich nach Ablauf der in § 10 Abs. 1 bestimmten Frist eine Bekanntmachung. [2] Ist nach § 10 Abs. 1 die Änderung der Wählerliste verlangt worden, so wird die Bekanntmachung unverzüglich nach Ablauf der in § 10 Abs. 2 Satz 2 bestimmten Frist erlassen. [3] Die Bekanntmachung muss folgende Angaben enthalten:

1. das Datum ihres Erlasses;
2. dass die Aufsichtsratsmitglieder der Arbeitnehmer in unmittelbarer Wahl gewählt werden, wenn nicht die Wahlberechtigten die Wahl durch Delegierte beschließen;
3. die Mindestzahl der Wahlberechtigten, von denen ein Antrag auf Abstimmung darüber, dass die Wahl der Aufsichtsratsmitglieder der Arbeitnehmer durch Delegierte erfolgen soll, unterzeichnet sein muss;
4. dass ein Antrag nur innerhalb von zwei Wochen seit Erlass der Bekanntmachung schriftlich beim Betriebswahlvorstand eingereicht werden kann; der letzte Tag der Frist ist anzugeben;
5. die Mindestzahl der Wahlberechtigten, deren Beteiligung an der Abstimmung erforderlich ist;
6. dass ein Beschluss über die Wahl der Aufsichtsratsmitglieder der Arbeitnehmer durch Delegierte nur mit der Mehrheit der abgegebenen Stimmen gefasst werden kann;
7. die Anschrift des Betriebswahlvorstands.

[4] Sind nach den Vorschriften dieser Verordnung Delegierte bereits gewählt, deren Amtszeit bei Beginn der Amtszeit der zu wählenden Aufsichtsratsmitglieder der Arbeitnehmer noch nicht beendet ist, so muss die Bekanntmachung die in Absatz 2 Satz 2 bezeichneten Angaben enthalten.

(2) [1] In einem Unternehmen mit in der Regel insgesamt mehr als 8 000 Arbeitnehmerinnen und Arbeitnehmern erlässt der Betriebswahlvorstand zu dem in Absatz 1 Satz 1 und 2 bestimmten Zeitpunkt eine Bekanntmachung. [2] Sie muss folgende Angaben enthalten:

1. das Datum ihres Erlasses;
2. dass die Aufsichtsratsmitglieder der Arbeitnehmer durch Delegierte gewählt werden, wenn nicht die Wahlberechtigten die unmittelbare Wahl beschließen;
3. die Mindestzahl der Wahlberechtigten, von denen ein Antrag auf Abstimmung darüber, dass die Aufsichtsratsmitglieder der Arbeitnehmer in unmittelbarer Wahl gewählt werden sollen, unterzeichnet sein muss;
4. dass ein Antrag nur innerhalb von zwei Wochen seit Erlass der Bekanntmachung schriftlich beim Betriebswahlvorstand eingereicht werden kann; der letzte Tag der Frist ist anzugeben;
5. die Mindestzahl der Wahlberechtigten, deren Beteiligung an der Abstimmung erforderlich ist;
6. dass ein Beschluss über die unmittelbare Wahl der Aufsichtsratsmitglieder der Arbeitnehmer nur mit der Mehrheit der abgegebenen Stimmen gefasst werden kann;

7. die Anschrift des Betriebswahlvorstands.

[3] Die Sätze 1 und 2 sind auch anzuwenden, wenn nach den Vorschriften dieser Verordnung Delegierte bereits gewählt sind, deren Amtszeit bei Beginn der Amtszeit der zu wählenden Aufsichtsratsmitglieder der Arbeitnehmer noch nicht beendet ist.

(3) [1] Die Bekanntmachung durch den Betriebswahlvorstand erfolgt bis zum Erlass des Wahlausschreibens nach § 37 oder § 53. [2] Der Betriebswahlvorstand vermerkt auf der Bekanntmachung den ersten und den letzten Tag dieses Zeitraums.

(4) Der Betriebswahlvorstand übersendet die Bekanntmachung unverzüglich nach ihrem Erlass dem Unternehmen und den im Unternehmen vertretenen Gewerkschaften.

§ 13 Antrag auf Abstimmung. (1) [1] In einem Unternehmen mit in der Regel insgesamt nicht mehr als 8 000 Arbeitnehmerinnen und Arbeitnehmern kann ein Antrag auf Abstimmung darüber, dass die Wahl der Aufsichtsratsmitglieder der Arbeitnehmer durch Delegierte erfolgen soll, gestellt werden. [2] Wenn die in § 12 Abs. 1 Satz 4 bezeichneten Voraussetzungen vorliegen, ist Absatz 2 anzuwenden.

(2) In einem Unternehmen mit in der Regel insgesamt mehr als 8 000 Arbeitnehmerinnen und Arbeitnehmern kann ein Antrag auf Abstimmung darüber, dass die Aufsichtsratsmitglieder der Arbeitnehmer in unmittelbarer Wahl gewählt werden sollen, gestellt werden; dies gilt auch, wenn die in § 12 Abs. 2 Satz 3 bezeichneten Voraussetzungen vorliegen.

(3) [1] Ein Antrag auf Abstimmung ist innerhalb von zwei Wochen seit Erlass der Bekanntmachung nach § 12 schriftlich beim Betriebswahlvorstand einzureichen. [2] Der Betriebswahlvorstand prüft unverzüglich nach Eingang eines Antrags dessen Gültigkeit.

(4) Ein Antrag auf Abstimmung ist gültig, wenn er von mindestens einem Zwanzigstel der Wahlberechtigten unterzeichnet und fristgerecht eingereicht worden ist.

(5) Ist ein Antrag ungültig, so teilt der Betriebswahlvorstand dies dem Antragsvertreter oder, wenn ein solcher nicht benannt ist, der oder dem an erster Stelle Unterzeichnenden schriftlich mit.

§ 14 Abstimmungsauschreiben. (1) [1] Liegt ein gültiger Antrag nach § 13 vor, so erlässt der Betriebswahlvorstand unverzüglich ein Abstimmungsausschreiben. [2] Die Abstimmung soll innerhalb von zwei Wochen seit Erlass des Abstimmungsausschreibens stattfinden.

(2) Das Abstimmungsausschreiben muss folgende Angaben enthalten:

1. das Datum seines Erlasses;
2. den Inhalt des Antrags;
3. dass an der Abstimmung nur Arbeitnehmerinnen und Arbeitnehmer teilnehmen können, die in der Wählerliste eingetragen sind;
4. die Mindestzahl der Wahlberechtigten, deren Beteiligung an der Abstimmung erforderlich ist;

5. dass der Beschluss nur mit der Mehrheit der abgegebenen Stimmen gefasst werden kann;
6. Ort, Tag und Zeit der Stimmabgabe und der öffentlichen Stimmauszählung;
7. den Hinweis auf die Möglichkeit der schriftlichen Stimmabgabe sowie die Betriebsteile und Kleinstbetriebe, für die schriftliche Stimmabgabe nach § 18 Abs. 3 Nr. 1 beschlossen ist und ob die schriftliche Stimmabgabe nach § 18 Abs. 3 Nr. 2 beschlossen worden ist;
8. dass Einsprüche und sonstige Erklärungen gegenüber dem Betriebswahlvorstand abzugeben sind;
9. die Anschrift des Betriebswahlvorstands.

(3) [1] Der Betriebswahlvorstand macht das Abstimmungsausschreiben am Tag seines Erlasses bis zum Abschluss der Stimmabgabe bekannt und vermerkt auf dem Abstimmungsausschreiben den ersten und den letzten Tag der Bekanntmachung. [2] § 12 Abs. 4 ist entsprechend anzuwenden.

§ 15[1)] Stimmabgabe. (1) [1] Die Stimmzettel für die Abstimmung dürfen nur den Antrag und die Frage an die Abstimmungsberechtigten enthalten, ob sie für oder gegen den Antrag stimmen. [2] Soll die Stimme für den Antrag abgegeben werden, so ist das vorgedruckte „Ja", andernfalls das vorgedruckte „Nein" anzukreuzen. [3] Die Stimmzettel für die Abstimmung müssen sämtlich die gleiche Größe, Farbe, Beschaffenheit und Beschriftung haben.

(2) Stimmzettel, die mit einem besonderen Merkmal versehen sind oder aus denen sich ein eindeutiger Wille nicht ergibt oder die andere als die in Absatz 1 bezeichneten Angaben, einen Zusatz oder sonstige Änderungen enthalten, sind ungültig.

§ 16[2)] Abstimmungsvorgang. (1) [1] Der Betriebswahlvorstand hat geeignete Vorkehrungen für die unbeobachtete Kennzeichnung der Stimmzettel im Wahlraum zu treffen und für die Bereitstellung einer Wahlurne oder mehrerer Wahlurnen zu sorgen. [2] Die Wahlurne muss vom Betriebswahlvorstand verschlossen und so eingerichtet sein, dass die eingeworfenen Stimmzettel nicht herausgenommen werden können, ohne dass die Urne geöffnet wird.

(2) Während der Abstimmung müssen mindestens zwei Mitglieder des Betriebswahlvorstands im Wahlraum anwesend sein; sind Wahlhelferinnen und Wahlhelfer bestellt, so genügt die Anwesenheit eines Mitglieds des Betriebswahlvorstands und einer Wahlhelferin oder eines Wahlhelfers.

(3) [1] Die abstimmende Person kennzeichnet ihren Stimmzettel unbeobachtet und faltet ihn in der Weise, dass ihre Stimme nicht erkennbar ist. [2] Danach gibt sie ihren Namen an und wirft den gefalteten Stimmzettel in die Wahlurne, nachdem die Stimmabgabe in der Wählerliste vermerkt worden ist.

(4) [1] Wer infolge seiner Behinderung bei der Stimmabgabe beeinträchtigt ist, kann eine Person seines Vertrauens bestimmen, die ihm bei der Stimmabgabe behilflich sein soll, und teilt dies dem Betriebswahlvorstand mit. [2] Personen, die sich bei der Wahl bewerben, Mitglieder des Betriebswahlvorstands sowie Wahl-

---

1) § 15 Abs. 1 Satz 3 letzter Halbs. aufgeh. mWv 13. 10. 2005 durch VO v. 10. 10. 2005 (BGBl. I S. 2927).

2) § 16 Abs. 1 Satz 2 geänd., Abs. 3 neu gef. mWv 13. 10. 2005 durch VO v. 10. 10. 2005 (BGBl. I S. 2927).

helferinnen und Wahlhelfer dürfen nicht zur Hilfeleistung herangezogen werden. [3] Die Hilfeleistung beschränkt sich auf die Erfüllung der Wünsche der Wählerin oder des Wählers zur Stimmabgabe; die Person des Vertrauens darf gemeinsam mit der Wählerin oder dem Wähler die Wahlzelle aufsuchen. [4] Sie ist zur Geheimhaltung der Kenntnisse verpflichtet, die sie bei der Hilfeleistung zur Stimmabgabe erlangt hat. [5] Die Sätze 1 bis 4 gelten entsprechend für des Lesens unkundige Wählerinnen und Wähler.

(5) [1] Wird die Stimmabgabe unterbrochen oder wird das Abstimmungsergebnis nicht unmittelbar nach Abschluss der Stimmabgabe festgestellt, so hat der Betriebswahlvorstand für die Zwischenzeit die Wahlurne so zu verschließen und aufzubewahren, dass der Einwurf oder die Entnahme von Stimmzetteln ohne Beschädigung des Verschlusses unmöglich ist. [2] Bei Wiedereröffnung der Abstimmung oder bei Entnahme der Stimmzettel zur Stimmauszählung hat sich der Betriebswahlvorstand davon zu überzeugen, dass der Verschluss unversehrt ist.

§ 17[1] *(aufgehoben)*

§ 18 Voraussetzungen der schriftlichen Stimmabgabe. (1) [1] Abstimmungsberechtigten, die im Zeitpunkt der Abstimmung wegen Abwesenheit vom Betrieb verhindert sind, ihre Stimme persönlich abzugeben, hat der Betriebswahlvorstand auf ihr Verlangen

1. das Abstimmungsausschreiben,
2. den Stimmzettel und den Wahlumschlag,
3. eine vorgedruckte, von der abstimmenden Person abzugebende Erklärung, in der gegenüber dem Betriebswahlvorstand zu versichern ist, dass der Stimmzettel persönlich gekennzeichnet worden ist, sowie
4. einen größeren Freiumschlag, der die Anschrift des Betriebswahlvorstands und als Absender den Namen und die Anschrift des Abstimmungsberechtigten sowie den Vermerk „"Schriftliche Stimmabgabe" trägt,

auszuhändigen oder zu übersenden. [2] Der Betriebswahlvorstand soll den Abstimmungsberechtigten ferner ein Merkblatt über die Art und Weise der schriftlichen Stimmabgabe (§ 19 Abs. 1) aushändigen oder übersenden. [3] Der Betriebswahlvorstand vermerkt die Aushändigung oder die Übersendung der Unterlagen in der Wählerliste.

(2) Abstimmungsberechtigte, von denen dem Betriebswahlvorstand bekannt ist, dass sie im Zeitpunkt der Abstimmung nach der Eigenart ihres Beschäftigungsverhältnisses voraussichtlich nicht im Betrieb anwesend sein werden (insbesondere im Außendienst, mit Telearbeit und in Heimarbeit Beschäftigte), erhalten die in Absatz 1 bezeichneten Unterlagen, ohne dass es eines Verlangens der Abstimmungsberechtigten bedarf.

(3) [1] Der Betriebswahlvorstand kann die schriftliche Stimmabgabe beschließen

1. für Betriebsteile und Kleinstbetriebe, die räumlich weit vom Hauptbetrieb entfernt sind,
2. für den Betrieb, wenn die Mehrheit der Abstimmungsberechtigten zur schriftlichen Stimmabgabe nach Absatz 2 berechtigt ist und die verbleibende Minderheit nicht mehr als insgesamt 25 Abstimmungsberechtigte ausmacht.

---

[1] § 17 aufgeh. mWv 2. 9. 2015 durch VO v. 26. 8. 2015 (BGBl. I S. 1443).

[2] Absatz 2 ist entsprechend anzuwenden.

§ 19[1)] Verfahren bei der schriftlichen Stimmabgabe. (1) Die Stimmabgabe erfolgt in der Weise, dass die abstimmende Person

1. den Stimmzettel unbeobachtet persönlich kennzeichnet und so faltet und in dem zugehörigen Wahlumschlag verschließt, dass die Stimmabgabe erst nach Auseinanderfalten des Stimmzettels erkennbar ist;
2. die vorgedruckte Erklärung unter Angabe des Orts und des Datums unterschreibt und
3. den Wahlumschlag und die unterschriebene vorgedruckte Erklärung in dem Freiumschlag verschließt und diesen Wahlbrief so rechtzeitig an den Betriebswahlvorstand absendet oder übergibt, dass er vor Abschluss der Stimmabgabe vorliegt.

(2) [1] Unmittelbar vor Abschluss der Stimmabgabe öffnet der Betriebswahlvorstand in öffentlicher Sitzung die bis zu diesem Zeitpunkt eingegangenen Wahlbriefe und entnimmt ihnen die Wahlumschläge sowie die vorgedruckten Erklärungen. [2] Ist die schriftliche Stimmabgabe ordnungsgemäß erfolgt, so vermerkt der Betriebswahlvorstand die Stimmabgabe in der Wählerliste, öffnet die Wahlumschläge und legt die Stimmzettel in die Wahlurne. [3] Befinden sich in einem Wahlumschlag mehrere gekennzeichnete Stimmzettel, werden sie in dem Wahlumschlag in die Wahlurne gelegt.

(3) [1] Verspätet eingehende Wahlbriefe nimmt der Betriebswahlvorstand mit einem Vermerk über den Zeitpunkt des Eingangs ungeöffnet zu den Wahlunterlagen. [2] Die Wahlbriefe sind einen Monat nach Bekanntgabe des Ergebnisses der Wahl der Aufsichtsratsmitglieder der Arbeitnehmer ungeöffnet zu vernichten, wenn die Wahl nicht angefochten worden ist.

§ 20[2)] Öffentliche Stimmauszählung. (1) Unverzüglich nach Abschluss der Stimmabgabe zählt der Betriebswahlvorstand öffentlich die Stimmen aus.

(2) Nach Öffnung der Wahlurne entnimmt der Betriebswahlvorstand die Stimmzettel und stellt fest, wie viele Stimmen für und wie viele Stimmen gegen den Antrag abgegeben worden sind.

(3) [1] Bei der Auszählung ist die Gültigkeit der Stimmzettel zu prüfen. [2] Befindet sich ein Wahlumschlag mit mehreren gekennzeichneten Stimmzetteln in der Wahlurne, werden die Stimmen einfach gezählt, wenn sie vollständig übereinstimmen, andernfalls sind sie ungültig.

§ 21[3)] Abstimmungsniederschrift. Nachdem das Abstimmungsergebnis ermittelt ist, stellt der Betriebswahlvorstand in einer Niederschrift fest:

1. die Zahl der insgesamt abgegebenen Stimmen;
2. die Zahl der gültigen Stimmen;

[1)] § 19 Abs. 1 Nr. 1 neu gef., Abs. 2 Satz 2 geänd., Satz 3 angef. mWv 13. 10. 2005 durch VO v. 10. 10. 2005 (BGBl. I S. 2927).

[2)] § 20 Abs. 2 geänd., Abs. 3 Satz 2 neu gef. mWv 13. 10. 2005 durch VO v. 10. 10. 2005 (BGBl. I S. 2927); Abs. 4 aufgeh. mWv 2. 9. 2015 durch VO v. 26. 8. 2015 (BGBl. I S. 1443).

[3)] *§ 21 Nr. 1 aufgeh., bish. Nrn. 2 bis 9 werden Nrn. 1 bis 8* mWv 13. 10. 2005 durch VO v. 10. 10. 2005 (BGBl. I S. 2927); Nr. 1 aufgeh., bish. Nr. 2–8 werden Nr. 1–7 mWv 2. 9. 2015 durch VO v. 26. 8. 2015 (BGBl. I S. 1443).

3. die Zahl der ungültigen Stimmen;
4. die Zahl der für den Antrag abgegebenen Stimmen;
5. die Zahl der gegen den Antrag abgegebenen Stimmen;
6. das Abstimmungsergebnis;
7. besondere während der Abstimmung eingetretene Zwischenfälle oder sonstige Ereignisse.

§ 22 Bekanntmachung des Abstimmungsergebnisses. Der Betriebswahlvorstand macht das Abstimmungsergebnis für die Dauer von zwei Wochen in gleicher Weise wie das Abstimmungsausschreiben bekannt.

Abschnitt 3. Verteilung der Sitze, Wahlvorschläge

Unterabschnitt 1. Verteilung der Sitze der unternehmensangehörigen Aufsichtsratsmitglieder der Arbeitnehmer

§ 23 Verteilung der Sitze der unternehmensangehörigen Aufsichtsratsmitglieder der Arbeitnehmer. (1) Der Betriebswahlvorstand stellt die Verteilung der Sitze der unternehmensangehörigen Aufsichtsratsmitglieder der Arbeitnehmer auf die in § 3 Abs. 1 Nr. 1 des Gesetzes[1)] bezeichneten Arbeitnehmer und die leitenden Angestellten fest.

(2) [1] Die Errechnung der auf die in § 3 Abs. 1 Nr. 1 des Gesetzes bezeichneten Arbeitnehmer und die leitenden Angestellten entfallenden Aufsichtsratsmitglieder erfolgt nach den Grundsätzen der Verhältniswahl. [2] Hierzu werden die Zahlen der in § 3 Abs. 1 Nr. 1 des Gesetzes bezeichneten Arbeitnehmer und der leitenden Angestellten des Unternehmens in einer Reihe nebeneinander gestellt und beide durch 1, 2, 3, 4 usw. geteilt. [3] Die ermittelten Teilzahlen sind nacheinander reihenweise unter den Zahlen der ersten Reihe aufzuführen, bis höhere Teilzahlen, als aus früheren Reihen für die Zuweisung von Sitzen in Betracht kommen, nicht mehr entstehen. [4] Unter den so gefundenen Teilzahlen werden so viele Höchstzahlen ausgesondert und der Größe nach geordnet, wie unternehmensangehörige Aufsichtsratsmitglieder der Arbeitnehmer zu wählen sind. [5] Die in § 3 Abs. 1 Nr. 1 des Gesetzes bezeichneten Arbeitnehmer und die leitenden Angestellten erhalten jeweils so viele Aufsichtsratssitze zugeteilt, wie Höchstzahlen auf sie entfallen. [6] Wenn die niedrigste in Betracht kommende Höchstzahl auf die in § 3 Abs. 1 Nr. 1 des Gesetzes bezeichneten Arbeitnehmer und die leitenden Angestellten zugleich entfällt, entscheidet das Los darüber, wem der Sitz zufällt.

(3) Würde nach Absatz 2 auf die leitenden Angestellten nicht mindestens ein Sitz entfallen, so erhalten sie einen Sitz; die Zahl der Sitze der in § 3 Abs. 1 Nr. 1 des Gesetzes bezeichneten Arbeitnehmer vermindert sich entsprechend.

Unterabschnitt 2. Wahlvorschläge

§ 24[2)] Bekanntmachung über die Einreichung von Wahlvorschlägen. (1) [1] Der Betriebswahlvorstand erlässt gleichzeitig mit der Bekanntmachung nach § 12 eine Bekanntmachung über die Einreichung von Wahlvorschlägen für die

---

[1)] Nr. **560**.

[2)] § 24 Abs. 1 Satz 2 Nr. 4–7 eingef., bish. Nr. 4–11 werden Nr. 8–15, Nr. 16 eingef., bish. Nr. 12–14 werden Nr. 17–19 mWv 2. 9. 2015 durch VO v. 26. 8. 2015 (BGBl. I S. 1443).

Wahl der Aufsichtsratsmitglieder der Arbeitnehmer. [2] Die Bekanntmachung muss folgende Angaben enthalten:

1. das Datum ihres Erlasses;
2. wo und wie die Wahlberechtigten in die Wählerliste, das Gesetz und diese Verordnung Einsicht nehmen können;
3. die Zahl der zu wählenden Aufsichtsratsmitglieder der Arbeitnehmer, getrennt nach Aufsichtsratsmitgliedern der in § 3 Abs. 1 Nr. 1 des Gesetzes[1)] bezeichneten Arbeitnehmer, Aufsichtsratsmitgliedern der leitenden Angestellten und Aufsichtsratsmitgliedern, die Vertreterinnen oder Vertreter von Gewerkschaften sind;
4. bei börsennotierten Unternehmen, ob zur Erreichung des Geschlechteranteils nach § 96 Absatz 2 Satz 1 des Aktiengesetzes[2)] für die Wahl die Gesamterfüllung oder die Getrennterfüllung gilt;
5. bei börsennotierten Unternehmen im Fall der Gesamterfüllung, die zur Erreichung des Geschlechteranteils nach § 96 Absatz 2 Satz 1 und 4 des Aktiengesetzes[2)] erforderliche Anzahl an Frauen und Männern im Aufsichtsrat;
6. bei börsennotierten Unternehmen im Fall der Getrennterfüllung, die zur Erreichung des Geschlechteranteils nach § 7 Absatz 3 des Gesetzes[3)] in Verbindung mit § 96 Absatz 2 Satz 4 des Aktiengesetzes[2)] erforderliche Anzahl an Frauen und Männern unter den Aufsichtsratsmitgliedern der Arbeitnehmer;
7. im Fall der Nummer 6, wenn der Geschlechteranteil nach § 7 Absatz 3 des Gesetzes bei der Wahl nicht erreicht wurde, dass § 18 a des Gesetzes anzuwenden ist und der Geschlechteranteil im Wege der gerichtlichen Ersatzbestellung nach § 104 des Aktiengesetzes[2)] oder der Nachwahl hergestellt wird;
8. dass Wahlvorschläge für die Wahl der Aufsichtsratsmitglieder der Arbeitnehmer beim Betriebswahlvorstand innerhalb von sechs Wochen seit Erlass dieser Bekanntmachung schriftlich eingereicht werden können; der letzte Tag der Frist ist anzugeben;
9. die Mindestzahl der wahlberechtigten in § 3 Abs. 1 Nr. 1 des Gesetzes bezeichneten Arbeitnehmer, von denen ein Wahlvorschlag für Aufsichtsratsmitglieder der in § 3 Abs. 1 Nr. 1 des Gesetzes bezeichneten Arbeitnehmer unterzeichnet sein muss;
10. dass der Wahlvorschlag der leitenden Angestellten auf Grund von Abstimmungsvorschlägen durch Beschluss der wahlberechtigten leitenden Angestellten in geheimer Abstimmung aufgestellt wird und dass hierüber eine gesonderte Bekanntmachung erlassen wird;
11. dass ein Wahlvorschlag für Aufsichtsratsmitglieder, die Vertreterinnen oder Vertreter von Gewerkschaften sind, nur von einer im Unternehmen vertretenen Gewerkschaft eingereicht werden kann;
12. dass, soweit für die Aufsichtsratsmitglieder der in § 3 Abs. 1 Nr. 1 des Gesetzes bezeichneten Arbeitnehmer oder die Aufsichtsratsmitglieder der

1) Nr. **560**.
2) Nr. **567**.
3) Nr. **560 a**.

leitenden Angestellten nur ein Wahlvorschlag gemacht wird, die Anzahl der Bewerberinnen und Bewerber in diesem Wahlvorschlag doppelt so hoch sein muss wie die Zahl der Aufsichtsratsmitglieder, die auf die in § 3 Abs. 1 Nr. 1 des Gesetzes bezeichneten Arbeitnehmer oder die leitenden Angestellten entfällt;

13. dass, soweit für die Aufsichtsratsmitglieder, die Vertreterinnen oder Vertreter von Gewerkschaften sind, nur ein Wahlvorschlag gemacht wird, die Anzahl der Bewerberinnen und Bewerber in diesem Wahlvorschlag mindestens doppelt so hoch sein muss wie die Zahl der zu wählenden Vertreterinnen und Vertreter von Gewerkschaften;
14. dass in jedem Wahlvorschlag für jede Bewerberin oder für jeden Bewerber jeweils ein Ersatzmitglied des Aufsichtsrats vorgeschlagen werden kann und dass für eine Bewerberin oder einen Bewerber, die oder der ein in § 3 Abs. 1 Nr. 1 des Gesetzes bezeichneter Arbeitnehmer ist, nur ein in § 3 Abs. 1 Nr. 1 des Gesetzes bezeichneter Arbeitnehmer und für einen leitenden Angestellten nur ein leitender Angestellter als Ersatzmitglied vorgeschlagen werden kann;
15. dass bei Wahl eines Aufsichtsratsmitglieds auch das zusammen mit ihm vorgeschlagene Ersatzmitglied gewählt ist;
16. bei börsennotierten Unternehmen, dass das Nachrücken eines Ersatzmitglieds, dessen Wahl nach dem 31. Dezember 2015 erfolgt ist, ausgeschlossen ist, wenn dadurch der Geschlechteranteil nach § 7 Absatz 3 des Gesetzes nicht mehr eingehalten würde;
17. wo und wie die Wahlberechtigten von den Wahlvorschlägen Kenntnis erlangen können;
18. dass Einsprüche und sonstige Erklärungen gegenüber dem Betriebswahlvorstand abzugeben sind;
19. die Anschrift des Betriebswahlvorstands.

(2) Der Betriebswahlvorstand kann die Bekanntmachungen nach Absatz 1 und § 12 in einer Bekanntmachung zusammenfassen.

(3) [1] Der Betriebswahlvorstand macht die Bekanntmachung am Tag ihres Erlasses bis zum Abschluss der Wahl der Aufsichtsratsmitglieder bekannt. [2] Der Betriebswahlvorstand vermerkt auf der Bekanntmachung den ersten und den letzten Tag der Bekanntmachung.

(4) Der Betriebswahlvorstand übersendet die Bekanntmachung unverzüglich nach ihrem Erlass dem Unternehmen und den im Unternehmen vertretenen Gewerkschaften.

§ 25 Wahlvorschläge der in § 3 Abs. 1 Nr. 1 des Gesetzes[1)] bezeichneten Arbeitnehmer. (1) [1] Zur Wahl der Aufsichtsratsmitglieder der in § 3 Abs. 1 Nr. 1 des Gesetzes bezeichneten Arbeitnehmer können die wahlberechtigten in § 3 Abs. 1 Nr. 1 des Gesetzes bezeichneten Arbeitnehmer Wahlvorschläge machen. [2] Jeder Wahlvorschlag muss von einem Fünftel oder 100 der wahlberechtigten in § 3 Abs. 1 Nr. 1 des Gesetzes bezeichneten Arbeitnehmer unterzeichnet sein.

[1)] Nr. **560**.

(2) Die Wahlvorschläge sind innerhalb von sechs Wochen seit Erlass der Bekanntmachung über die Einreichung von Wahlvorschlägen beim Betriebswahlvorstand schriftlich einzureichen.

(3) Wird für einen Wahlgang nur ein Wahlvorschlag eingereicht, so muss die Anzahl der Bewerberinnen und Bewerber in diesem Wahlvorschlag doppelt so hoch sein wie die Zahl der in diesem Wahlgang zu wählenden Aufsichtsratsmitglieder.

(4) Wahlgang im Sinne dieses Kapitels ist

1. die Wahl der Aufsichtsratsmitglieder der in § 3 Abs. 1 Nr. 1 des Gesetzes bezeichneten Arbeitnehmer,
2. die Wahl der Aufsichtsratsmitglieder der leitenden Angestellten,
3. die Wahl der Aufsichtsratsmitglieder, die Vertreterinnen oder Vertreter von Gewerkschaften sind.

(5) [1] In jedem Wahlvorschlag sind die Bewerberinnen und Bewerber in erkennbarer Reihenfolge unter fortlaufender Nummer und unter Angabe von Familienname, Vorname, Geburtsdatum und Art der Beschäftigung aufzuführen. [2] Die schriftliche Zustimmung der Bewerberinnen und Bewerber zur Aufnahme in den Wahlvorschlag und ihre schriftliche Versicherung, dass sie im Fall ihrer Wahl die Wahl annehmen werden, sind beizufügen.

(6) [1] Für jeden Wahlvorschlag soll eine oder einer der Unterzeichnenden als Vorschlagsvertreter bestimmt werden. [2] Dieser ist berechtigt und verpflichtet, dem Betriebswahlvorstand die zur Beseitigung von Beanstandungen erforderlichen Erklärungen abzugeben sowie Erklärungen und Entscheidungen des Betriebswahlvorstands entgegenzunehmen. [3] Ist kein Vorschlagsvertreter ausdrücklich bestimmt worden, so wird die oder der an erster Stelle Unterzeichnende als Vorschlagsvertreter angesehen.

(7) [1] Die Unterschrift eines Wahlberechtigten zählt nur auf einem Wahlvorschlag. [2] Hat ein Wahlberechtigter mehrere Wahlvorschläge unterzeichnet, so hat er auf Aufforderung des Betriebswahlvorstands innerhalb einer angemessenen Frist, spätestens jedoch innerhalb von drei Arbeitstagen, zu erklären, welche Unterschrift er aufrechterhält. [3] Unterbleibt die fristgerechte Erklärung, so wird sein Name auf dem zuerst eingereichten Wahlvorschlag gezählt und auf den übrigen Wahlvorschlägen gestrichen; sind mehrere Wahlvorschläge, die von demselben Wahlberechtigten unterzeichnet sind, gleichzeitig eingereicht worden, so entscheidet das Los darüber, auf welchem Wahlvorschlag die Unterschrift gilt.

(8) [1] Eine Bewerberin oder ein Bewerber kann nur auf einem Wahlvorschlag vorgeschlagen werden. [2] Ist der Name dieser Person mit ihrer schriftlichen Zustimmung (Absatz 5 Satz 2) auf mehreren Wahlvorschlägen aufgeführt, so hat sie auf Aufforderung des Betriebswahlvorstands innerhalb von drei Arbeitstagen zu erklären, welche Bewerbung sie aufrechterhält. [3] Unterbleibt die fristgerechte Erklärung, so ist die Bewerberin oder der Bewerber auf sämtlichen Wahlvorschlägen zu streichen.

§ 26 Wahlvorschläge der Gewerkschaften. (1) Zur Wahl von Aufsichtsratsmitgliedern, die Vertreterinnen oder Vertreter von Gewerkschaften sind, können die in dem Unternehmen vertretenen Gewerkschaften Wahlvorschläge machen.

(2) [1] Jeder Wahlvorschlag einer Gewerkschaft muss von einer hierzu bevollmächtigten beauftragten Person dieser Gewerkschaft unterzeichnet sein. [2] § 25 Abs. 2, 4, 5 und 8 ist entsprechend anzuwenden. [3] Wird nur ein Wahlvorschlag eingereicht, so muss die Anzahl der Bewerberinnen und Bewerber mindestens doppelt so hoch sein wie die Zahl der zu wählenden Vertreterinnen und Vertreter von Gewerkschaften.

(3) [1] § 25 Abs. 6 ist entsprechend anzuwenden. [2] Die in Absatz 2 Satz 1 bezeichnete beauftragte Person gilt als Vorschlagsvertreter. [3] Die Gewerkschaft kann eine andere als die in Absatz 2 Satz 1 bezeichnete Person als Vorschlagsvertreter benennen.

§ 27 Wahlvorschläge für Ersatzmitglieder. (1) [1] In jedem Wahlvorschlag kann für jede Bewerberin oder für jeden Bewerber jeweils ein Ersatzmitglied des Aufsichtsrats vorgeschlagen werden. [2] Für eine Bewerberin oder einen Bewerber, die oder der ein in § 3 Abs. 1 Nr. 1 des Gesetzes[1)] bezeichneter Arbeitnehmer ist, kann nur ein in § 3 Abs. 1 Nr. 1 des Gesetzes bezeichneter Arbeitnehmer und für einen leitenden Angestellten nur ein leitender Angestellter als Ersatzmitglied vorgeschlagen werden. [3] Für jede Bewerberin oder für jeden Bewerber kann jeweils nur ein Ersatzmitglied vorgeschlagen werden. [4] Eine Bewerberin oder ein Bewerber kann nicht sowohl als Mitglied als auch als Ersatzmitglied des Aufsichtsrats vorgeschlagen werden. [5] § 25 Abs. 8 ist entsprechend anzuwenden.

(2) [1] Jedes vorgeschlagene Ersatzmitglied ist in dem Wahlvorschlag unter Angabe von Familienname, Vorname, Geburtsdatum und Art der Beschäftigung neben der Bewerberin oder dem Bewerber aufzuführen, für die oder für den es als Ersatzmitglied des Aufsichtsrats vorgeschlagen wird. [2] In dem Wahlvorschlag ist kenntlich zu machen, wer als Mitglied und wer als Ersatzmitglied des Aufsichtsrats vorgeschlagen wird. [3] § 25 Abs. 5 Satz 2 ist entsprechend anzuwenden.

Unterabschnitt 3. Zusätzliche Vorschriften für den Wahlvorschlag der leitenden Angestellten

§ 28[2)] Bekanntmachung über die Abstimmung für den Wahlvorschlag der leitenden Angestellten. (1) [1] Der Betriebswahlvorstand erlässt gleichzeitig mit der Bekanntmachung nach § 12 eine Bekanntmachung über die Abstimmung für den Wahlvorschlag der leitenden Angestellten. [2] Die Bekanntmachung muss folgende Angaben enthalten:

1. das Datum ihres Erlasses;
2. die Zahl der Bewerberinnen und Bewerber, die der Wahlvorschlag der leitenden Angestellten enthalten muss;
3. bei börsennotierten Unternehmen im Fall der Gesamterfüllung, die zur Erreichung des Geschlechteranteils nach § 96 Absatz 2 Satz 1 und 4 des Aktiengesetzes[3)] erforderliche Anzahl an Frauen und Männern im Aufsichtsrat;
4. bei börsennotierten Unternehmen im Fall der Getrennterfüllung, die zur Erreichung des Geschlechteranteils nach § 7 Absatz 3 des Gesetzes[1)] in Ver-

---

[1)] Nr. **560**.

[2)] § 28 Abs. 1 Satz 2 Nr. 3 und 4 eingef., bish. Nr. 3–8 werden Nr. 5–10, Nr. 11 eingef., bish. Nr. 9–13 werden Nr. 12–16 mWv 2. 9. 2015 durch VO v. 26. 8. 2015 (BGBl. I S. 1443).

[3)] Nr. **567**.

bindung mit § 96 Absatz 2 Satz 4 des Aktiengesetzes[1] erforderliche Anzahl an Frauen und Männern unter den Aufsichtsratsmitgliedern der Arbeitnehmer;

5. dass der Wahlvorschlag der leitenden Angestellten auf Grund von Abstimmungsvorschlägen durch Beschluss der wahlberechtigten leitenden Angestellten in geheimer Abstimmung aufgestellt wird;
6. dass in jedem Abstimmungsvorschlag für jede Bewerberin oder für jeden Bewerber jeweils ein Ersatzmitglied des Aufsichtsrats vorgeschlagen werden kann;
7. die Mindestzahl der wahlberechtigten leitenden Angestellten, von denen ein Abstimmungsvorschlag für die Abstimmung der leitenden Angestellten unterzeichnet sein muss;
8. die Zahl der Bewerberinnen und Bewerber, die jeder leitende Angestellte in der Abstimmung ankreuzen kann;
9. dass als Bewerberinnen und Bewerber nach der Reihenfolge der auf sie entfallenden Stimmenzahlen nur so viele leitende Angestellte in den Wahlvorschlag aufgenommen werden, wie er insgesamt Bewerberinnen und Bewerber enthalten muss, und dass bei Stimmengleichheit das Los entscheidet;
10. dass die in den Abstimmungsvorschlägen zusammen mit den Gewählten aufgeführten Ersatzmitglieder in den Wahlvorschlag der leitenden Angestellten als Ersatzmitglieder des Aufsichtsrats aufgenommen werden;
11. bei börsennotierten Unternehmen, dass das Nachrücken eines Ersatzmitglieds, dessen Wahl nach dem 31. Dezember 2015 erfolgt ist, ausgeschlossen ist, wenn dadurch der Geschlechteranteil nach § 7 Absatz 3 des Gesetzes nicht mehr eingehalten würde;
12. den Zeitpunkt, bis zu dem Abstimmungsvorschläge für die Abstimmung der leitenden Angestellten beim Betriebswahlvorstand eingereicht werden können;
13. die Anschrift des Betriebswahlvorstands;
14. wo und wie die Abstimmungsberechtigten von den Abstimmungsvorschlägen Kenntnis erlangen können;
15. Ort, Tag und Zeit der Stimmabgabe und der öffentlichen Stimmauszählung;
16. den Hinweis auf die Möglichkeit der schriftlichen Stimmabgabe sowie die Betriebsteile und Kleinstbetriebe, für die schriftliche Stimmabgabe nach § 45 Abs. 3 Nr. 1 beschlossen ist und ob die schriftliche Stimmabgabe nach § 45 Abs. 3 Nr. 2 beschlossen worden ist.

(2) Der Betriebswahlvorstand kann die Bekanntmachungen nach Absatz 1, § 12 und § 24 in einer Bekanntmachung zusammenfassen.

(3) § 24 Abs. 3 und 4 ist entsprechend anzuwenden.

§ 29[2] **Abstimmungsvorschläge der leitenden Angestellten.** (1) [1]Für den Beschluss über den Wahlvorschlag der leitenden Angestellten können die wahlberechtigten leitenden Angestellten Abstimmungsvorschläge machen; in diesen sollen Frauen und Männer vertreten sein. [2]Jeder Abstimmungsvorschlag muss

---

[1] Nr. 567.

[2] § 29 Abs. 1 Satz 1 geänd. mWv 2. 9. 2015 durch VO v. 26. 8. 2015 (BGBl. I S. 1443).

von einem Zwanzigstel oder 50 der wahlberechtigten leitenden Angestellten unterzeichnet sein. [3] Abstimmungsvorschläge sind innerhalb einer vom Betriebswahlvorstand zu bestimmenden Frist beim Betriebswahlvorstand schriftlich einzureichen. [4] Die Frist soll zwei Wochen betragen. [5] Sie beginnt mit dem Erlass der Bekanntmachung nach § 28.

(2) [1] In jedem Abstimmungsvorschlag kann für jede Bewerberin oder für jeden Bewerber jeweils ein leitender Angestellter als Ersatzmitglied des Aufsichtsrats vorgeschlagen werden. [2] § 27 Abs. 1 Satz 3 bis 5 ist entsprechend anzuwenden.

(3) [1] In jedem Abstimmungsvorschlag sind die Bewerberinnen und Bewerber in erkennbarer Reihenfolge unter fortlaufender Nummer und unter Angabe von Familienname, Vorname, Geburtsdatum und Art der Beschäftigung aufzuführen. [2] Die schriftliche Zustimmung der Bewerberinnen und Bewerber zur Aufnahme in den Abstimmungsvorschlag sowie die schriftliche Versicherung, dass sie im Fall ihrer Wahl die Wahl annehmen werden, sind beizufügen. [3] Ein Ersatzmitglied ist in dem Abstimmungsvorschlag neben der Bewerberin oder dem Bewerber aufzuführen, für die oder für den es als Ersatzmitglied vorgeschlagen wird. [4] In dem Abstimmungsvorschlag ist kenntlich zu machen, wer als Bewerberin oder Bewerber und wer als Ersatzmitglied vorgeschlagen wird. [5] Auf Ersatzmitglieder sind die Sätze 1 und 2 entsprechend anzuwenden.

(4) Der Betriebswahlvorstand prüft die Abstimmungsvorschläge und macht die gültigen Abstimmungsvorschläge bis zu dem Tag bekannt, an dem der Wahlvorschlag der leitenden Angestellten vorliegt; § 24 Abs. 3 ist entsprechend anzuwenden.

(5) Ist nach Ablauf der nach Absatz 1 vom Betriebswahlvorstand bestimmten Frist kein gültiger Abstimmungsvorschlag eingereicht, so macht der Betriebswahlvorstand dies unverzüglich in gleicher Weise bekannt wie Abstimmungsvorschläge und fordert unter Hinweis auf den bevorstehenden Ablauf der zur Einreichung von Wahlvorschlägen bestimmten Frist erneut dazu auf, Abstimmungsvorschläge einzureichen.

§ 30[1)] Abstimmung der leitenden Angestellten. (1) Der Betriebswahlvorstand setzt den Tag der Abstimmung der leitenden Angestellten so fest, dass der Wahlvorschlag der leitenden Angestellten spätestens sieben Wochen seit Erlass der Bekanntmachung nach § 24 vorliegt.

(2) [1] Jeder Abstimmungsberechtigte kann insgesamt so viele Bewerberinnen und Bewerber ankreuzen, wie der Wahlvorschlag der leitenden Angestellten insgesamt Bewerberinnen und Bewerber enthalten muss. [2] Eine gesonderte Stimmabgabe für ein Ersatzmitglied des Aufsichtsrats ist nicht zulässig. [3] Die Stimmabgabe erfolgt durch Abgabe von Stimmzetteln.

(3) [1] Der Betriebswahlvorstand hat die Bewerberinnen und Bewerber auf den Stimmzetteln unter Angabe von Familienname, Vorname und Art der Beschäftigung untereinander in alphabetischer Reihenfolge aufzuführen. [2] Das für eine Bewerberin oder für einen Bewerber vorgeschlagene Ersatzmitglied ist auf den Stimmzetteln neben der Bewerberin oder dem Bewerber aufzuführen; Satz 1 ist entsprechend anzuwenden. [3] Die Stimmzettel sollen die Angabe enthalten, wie

---

[1)] § 30 Abs. 2 Satz 3, Abs. 5 Satz 4 geänd., Abs. 3 Satz 4 letzter Halbs. aufgeh., Abs. 5 Satz 6 neu gef. mWv 13. 10. 2005 durch VO v. 10. 10. 2005 (BGBl. I S. 2927); Abs. 5 Satz 8 aufgeh. mWv 2. 9. 2015 durch VO v. 26. 8. 2015 (BGBl. I S. 1443).

viele Bewerberinnen und Bewerber jeder Abstimmungsberechtigte insgesamt ankreuzen kann. [4] Die Stimmzettel müssen sämtlich die gleiche Größe, Farbe, Beschaffenheit und Beschriftung haben.

(4) [1] Die abstimmende Person kennzeichnet die von ihr Gewählten durch Ankreuzen an den im Stimmzettel hierfür vorgesehenen Stellen. [2] Ungültig sind Stimmzettel,

1. in denen mehr Bewerberinnen und Bewerber angekreuzt sind, als die abstimmende Person Stimmen hat,
2. aus denen sich ein eindeutiger Wille nicht ergibt,
3. die mit einem besonderen Merkmal versehen sind,
4. die andere als die in Absatz 3 bezeichneten Angaben, einen Zusatz oder sonstige Änderungen enthalten.

(5) [1] Die Abstimmung der leitenden Angestellten wird vom Betriebswahlvorstand durchgeführt. [2] Auf den Abstimmungsvorgang und die schriftliche Stimmabgabe sind die §§ 16 bis 19 anzuwenden. [3] Unverzüglich nach Abschluss der Stimmabgabe zählt der Betriebswahlvorstand öffentlich die Stimmen aus. [4] Nach Öffnung der Wahlurne entnimmt er die Stimmzettel und zählt die auf jede Bewerberin und jeden Bewerber entfallenden Stimmen zusammen. [5] Dabei ist die Gültigkeit der Stimmzettel zu prüfen. [6] Befindet sich ein Wahlumschlag mit mehreren gekennzeichneten Stimmzetteln in der Wahlurne, werden die Stimmen einfach gezählt, wenn sie vollständig übereinstimmen, andernfalls sind sie ungültig. [7] Ist auf einem Stimmzettel eine Bewerberin oder ein Bewerber mehrfach angekreuzt, so zählt dies als eine Stimme.

(6) [1] Als Bewerberinnen und Bewerber sind nach der Reihenfolge der auf sie entfallenden Stimmenzahlen nur so viele leitende Angestellte in den Wahlvorschlag aufgenommen, wie er insgesamt Bewerberinnen und Bewerber enthalten muss. [2] Bei Stimmengleichheit entscheidet das Los.

(7) Ist eine Bewerberin oder ein Bewerber in den Wahlvorschlag der leitenden Angestellten aufgenommen, so ist das in dem Abstimmungsvorschlag neben dieser Bewerberin oder diesem Bewerber aufgeführte Ersatzmitglied als deren oder als dessen Ersatzmitglied in den Wahlvorschlag der leitenden Angestellten aufgenommen.

(8) Nach Abschluss der Stimmauszählung macht der Betriebswahlvorstand das Abstimmungsergebnis und die Namen der in den Wahlvorschlag Aufgenommenen für die Dauer von zwei Wochen bekannt; § 24 Abs. 3 ist entsprechend anzuwenden.

§ 31[1)] Abstimmungsniederschrift. Nach Abschluss der Abstimmung stellt der Betriebswahlvorstand in einer Niederschrift fest:

1. die Zahl der insgesamt abgegebenen Stimmen;
2. die Zahl der gültigen Stimmen;
3. die Zahl der ungültigen Stimmen;
4. die Zahlen der auf die einzelnen Bewerberinnen oder Bewerber entfallenden Stimmen;

[1)] *§ 31 Nr. 1 aufgeh., bish. Nrn. 2* bis 8 werden Nrn. 1 bis 7 mWv 13. 10. 2005 durch VO v. 10. 10. 2005 (BGBl. I S. 2927); Nr. 1 aufgeh., bish. Nr. 2–7 werden Nr. 1–6 mWv 2. 9. 2015 durch VO v. 26. 8. 2015 (BGBl. I S. 1443).

5. die Namen der in den Wahlvorschlag aufgenommenen Bewerberinnen und Bewerber und Ersatzmitglieder;
6. besondere während der Abstimmung eingetretene Zwischenfälle oder sonstige Ereignisse.

Unterabschnitt 4. Prüfung und Bekanntmachung der Wahlvorschläge

§ 32 Prüfung der Wahlvorschläge. (1) Der Betriebswahlvorstand bestätigt dem Vorschlagsvertreter schriftlich den Zeitpunkt der Einreichung des Wahlvorschlags.

(2) [1] Der Betriebswahlvorstand bezeichnet den Wahlvorschlag, wenn er nicht mit einem Kennwort versehen ist, mit Familienname und Vorname der an erster Stelle benannten Bewerberin oder des an erster Stelle benannten Bewerbers. [2] Er hat unverzüglich den Wahlvorschlag zu prüfen und bei Ungültigkeit oder Beanstandung den Vorschlagsvertreter schriftlich unter Angabe der Gründe zu unterrichten.

§ 33[1)] Ungültige Wahlvorschläge. (1) Ungültig sind Wahlvorschläge,
1. die nicht fristgerecht eingereicht worden sind,
2. auf denen die Bewerberinnen und Bewerber nicht in erkennbarer Reihenfolge aufgeführt sind,
3. die nicht die in § 24 Absatz 1 Satz 2 Nummer 12 und 13 bezeichnete Zahl von Bewerberinnen und Bewerbern enthalten,
4. der in § 3 Abs. 1 Nr. 1 des Gesetzes[2)] bezeichneten Arbeitnehmer, wenn sie bei der Einreichung nicht die erforderliche Zahl von Unterschriften aufweisen,
5. der Gewerkschaften, wenn sie nicht von einer hierzu bevollmächtigten beauftragten Person unterzeichnet sind.

(2) Wahlvorschläge,
1. in denen die Bewerberinnen und Bewerber nicht in der in § 25 Abs. 5 Satz 1 bestimmten Weise bezeichnet sind,
2. denen die schriftliche Zustimmung und Versicherung der Bewerberinnen und Bewerber nach § 25 Abs. 5 Satz 2 nicht beigefügt sind,
3. die infolge von Streichungen gemäß § 25 Abs. 7 nicht mehr die erforderliche Zahl von Unterschriften aufweisen,

sind ungültig, wenn der Betriebswahlvorstand sie beanstandet hat und die Mängel nicht innerhalb von drei Arbeitstagen seit der Beanstandung beseitigt worden sind.

§ 34 Nachfrist für Wahlvorschläge. (1) [1] Ist nach Ablauf der für die Einreichung von Wahlvorschlägen bestimmten Frist für einen in § 25 Abs. 4 Nr. 1 und 3 bezeichneten Wahlgang kein gültiger Wahlvorschlag eingereicht, so erlässt der Betriebswahlvorstand unverzüglich eine Bekanntmachung und setzt eine Nachfrist von einer Woche für die Einreichung von Wahlvorschlägen fest. [2] Die Bekanntmachung muss folgende Angaben enthalten:

[1)] § 33 Abs. 1 Nr. 3 geänd. mWv 2. 9. 2015 durch VO v. 26. 8. 2015 (BGBl. I S. 1443).
[2)] Nr. **560**.

1. das Datum ihres Erlasses;
2. dass für den Wahlgang kein gültiger Wahlvorschlag eingereicht worden ist;
3. dass Wahlvorschläge innerhalb einer Nachfrist von einer Woche seit Erlass der Bekanntmachung schriftlich eingereicht werden können; der letzte Tag der Frist ist anzugeben;
4. dass der Wahlgang nur stattfinden kann, wenn mindestens ein gültiger Wahlvorschlag eingereicht wird;
5. dass, soweit kein gültiger Wahlvorschlag eingereicht wird, die fehlenden Aufsichtsratsmitglieder durch das Gericht bestellt werden können.

(2) Wird bis zum Ablauf der Nachfrist für einen Wahlgang kein gültiger Wahlvorschlag eingereicht, so macht der Betriebswahlvorstand unverzüglich bekannt, dass der Wahlgang nicht stattfindet.

(3) Für Bekanntmachungen nach den Absätzen 1 und 2 ist § 24 Abs. 3 und 4 anzuwenden.

§ 35 Bekanntmachung der Wahlvorschläge. (1) Sind für einen Wahlgang, in dem mehrere Aufsichtsratsmitglieder der Arbeitnehmer zu wählen sind, mehrere Wahlvorschläge eingereicht, so ermittelt der Betriebswahlvorstand durch das Los nach Ablauf der in § 25 Abs. 2, § 33 Abs. 2 und § 34 Abs. 1 Satz 1 bezeichneten Fristen die Reihenfolge der Ordnungsnummern, die den eingereichten Wahlvorschlägen zugeteilt werden (Wahlvorschlag 1, 2 usw.).

(2) Spätestens zwei Wochen vor dem ersten Tag der Stimmabgabe macht der Betriebswahlvorstand die gültigen Wahlvorschläge, nach Wahlgängen getrennt, bekannt; § 24 Abs. 3 und 4 ist entsprechend anzuwenden.

Abschnitt 4. Anzuwendende Vorschriften

§ 36 Anzuwendende Vorschriften. (1) Sind die Aufsichtsratsmitglieder der Arbeitnehmer in unmittelbarer Wahl zu wählen, so richtet sich das weitere Wahlverfahren nach den Vorschriften des Kapitels 2.

(2) Sind die Aufsichtsratsmitglieder der Arbeitnehmer durch Delegierte zu wählen, so richtet sich das weitere Wahlverfahren nach den Vorschriften des Kapitels 3.

Kapitel 2. Unmittelbare Wahl der Aufsichtsratsmitglieder der Arbeitnehmer

Abschnitt 1. Wahlausschreiben

§ 37[1] Wahlausschreiben. [1] Steht fest, dass die Aufsichtsratsmitglieder der Arbeitnehmer in unmittelbarer Wahl zu wählen sind, so erlässt der Betriebswahlvorstand ein Wahlausschreiben. [2] Es muss folgende Angaben enthalten:
1. das Datum seines Erlasses;
2. dass die Aufsichtsratsmitglieder der Arbeitnehmer von allen Wahlberechtigten in unmittelbarer Wahl zu wählen sind;

---

[1] § 37 Nr. 9–12 eingef., bish. Nr. 9 und 10 werden Nr. 13 und 14 mWv 2. 9. 2015 durch VO v. 26. 8. 2015 (BGBl. I S. 1443).

3. dass an der Wahl und an Abstimmungen nur Arbeitnehmerinnen und Arbeitnehmer teilnehmen können, die in der Wählerliste eingetragen sind;
4. den Zeitpunkt, bis zu dem Wahlvorschläge eingereicht werden können;
5. dass die Stimmabgabe an Wahlvorschläge gebunden ist und dass nur solche Wahlvorschläge berücksichtigt werden dürfen, die fristgerecht eingereicht sind;
6. wo und wie die Wahlberechtigten von den Wahlvorschlägen Kenntnis erlangen können;
7. Ort, Tag und Zeit der Stimmabgabe für die Wahl der Aufsichtsratsmitglieder der Arbeitnehmer und der öffentlichen Stimmauszählung;
8. den Hinweis auf die Möglichkeit der schriftlichen Stimmabgabe sowie die Betriebsteile und Kleinstbetriebe, für die schriftliche Stimmabgabe nach § 45 Abs. 3 Nr. 1 beschlossen ist und ob die schriftliche Stimmabgabe nach § 45 Abs. 3 Nr. 2 beschlossen worden ist;
9. bei börsennotierten Unternehmen, ob zur Erreichung des Geschlechteranteils nach § 96 Absatz 2 Satz 1 des Aktiengesetzes[1] für die Wahl die Gesamterfüllung oder die Getrennterfüllung gilt;
10. bei börsennotierten Unternehmen im Fall der Gesamterfüllung, die zur Erreichung des Geschlechteranteils nach § 96 Absatz 2 Satz 1 und 4 des Aktiengesetzes[1] erforderliche Anzahl an Frauen und Männern im Aufsichtsrat;
11. bei börsennotierten Unternehmen im Fall der Getrennterfüllung, die zur Erreichung des Geschlechteranteils nach § 7 Absatz 3 des Gesetzes[2] in Verbindung mit § 96 Absatz 2 Satz 4 des Aktiengesetzes[1] erforderliche Anzahl an Frauen und Männern unter den Aufsichtsratsmitgliedern der Arbeitnehmer;
12. im Fall der Nummer 11, wenn der Geschlechteranteil nach § 7 Absatz 3 des Gesetzes bei der Wahl nicht erreicht wurde, dass § 18 a des Gesetzes anzuwenden ist und der Geschlechteranteil im Wege der gerichtlichen Ersatzbestellung nach § 104 des Aktiengesetzes[1] oder der Nachwahl hergestellt wird;
13. dass Einsprüche, Anträge, Wahlvorschläge und sonstige Erklärungen gegenüber dem Betriebswahlvorstand abzugeben sind;
14. die Anschrift des Betriebswahlvorstands.

[3] Für die Bekanntmachung ist § 24 Abs. 3 und 4 entsprechend anzuwenden.

Abschnitt 2. Durchführung der Wahl

Unterabschnitt 1. Wahl mehrerer Aufsichtsratsmitglieder der Arbeitnehmer in einem Wahlgang auf Grund mehrerer Wahlvorschläge

§ 38[3] Stimmabgabe, Wahlvorgang. (1) [1] Sind in einem Wahlgang mehrere Aufsichtsratsmitglieder der Arbeitnehmer zu wählen und liegen für diesen Wahl-

---

[1] Nr. **567**.

[2] Nr. **560**.

[3] § 38 Abs. 1 Satz 2, Abs. 2 Satz 4 geänd., Abs. 2 Satz 3 letzter Halbs. aufgeh. mWv 13. 10. 2005 durch VO v. 10. 10. 2005 (BGBl. I S. 2927); Abs. 3 Satz 2 geänd. mWv 2. 9. 2015 durch VO v. 26. 8. 2015 (BGBl. I S. 1443).

gang mehrere gültige Wahlvorschläge vor, so kann die Wählerin ihre und der Wähler seine Stimme nur für einen dieser Wahlvorschläge abgeben. [2] Die Stimmabgabe erfolgt durch Abgabe von Stimmzetteln. [3] Der Begriff des Wahlgangs im Sinne dieses Kapitels bestimmt sich nach § 25 Abs. 4.

(2) [1] Der Betriebswahlvorstand hat die Wahlvorschläge auf den Stimmzetteln nach der Reihenfolge der Ordnungsnummern sowie unter Angabe der an erster und zweiter Stelle benannten Bewerberinnen und Bewerber mit Familienname, Vorname und Art der Beschäftigung untereinander aufzuführen; bei Wahlvorschlägen, die mit einem Kennwort versehen sind, ist auch das Kennwort anzugeben. [2] Die Stimmzettel sollen die Angabe enthalten, dass nur ein Wahlvorschlag angekreuzt werden kann. [3] Die Stimmzettel, die für denselben Wahlgang Verwendung finden, müssen sämtlich die gleiche Größe, Farbe, Beschaffenheit und Beschriftung haben. [4] Die Stimmzettel, die für einen Wahlgang Verwendung finden, müssen sich von den für die anderen Wahlgänge vorgesehenen Stimmzetteln in der Farbe unterscheiden.

(3) [1] Die Wählerin kennzeichnet den von ihr und der Wähler den von ihm gewählten Wahlvorschlag durch Ankreuzen an der im Stimmzettel hierfür vorgesehenen Stelle. [2] Für den Wahlvorgang ist § 16 entsprechend anzuwenden; die Stimmabgabe ist in der Wählerliste für jeden Wahlgang gesondert zu vermerken.

(4) Ungültig sind Stimmzettel,

1. in denen mehr als ein Wahlvorschlag angekreuzt ist,
2. aus denen sich ein eindeutiger Wille nicht ergibt,
3. die mit einem besonderen Merkmal versehen sind,
4. die andere als die in Absatz 2 bezeichneten Angaben, einen Zusatz oder sonstige Änderungen enthalten.

§ 39[1)] Öffentliche Stimmauszählung. (1) Unverzüglich nach Abschluss der Stimmabgabe zählt der Betriebswahlvorstand öffentlich die Stimmen aus.

(2) Nach Öffnung der Wahlurne entnimmt der Betriebswahlvorstand die Stimmzettel und zählt für jeden Wahlgang gesondert die auf jeden Wahlvorschlag entfallenden Stimmen zusammen.

(3) [1] Bei der Auszählung ist die Gültigkeit der Stimmzettel zu prüfen. [2] Befindet sich ein Wahlumschlag mit mehreren gekennzeichneten Stimmzetteln in der Wahlurne, werden die Stimmen einfach gezählt, wenn sie vollständig übereinstimmen, andernfalls sind sie ungültig.

§ 40[2)] Verteilung der Stimmenzahlen. (1) [1] Die in dem Wahlgang den einzelnen Wahlvorschlägen zugefallenen Stimmenzahlen werden in einer Reihe nebeneinander gestellt und sämtlich durch 1, 2, 3, 4 usw. geteilt. [2] Die ermittelten Teilzahlen sind nacheinander reihenweise unter den Zahlen der ersten Reihe aufzuführen, bis höhere Teilzahlen, als aus früheren Reihen für die Zuweisung von Sitzen in Betracht kommen, nicht mehr entstehen. [3] Unter den so gefundenen Teilzahlen werden so viele Höchstzahlen ausgesondert und der Größe nach geordnet, wie in dem Wahlgang Aufsichtsratsmitglieder zu wählen sind. [4] Jeder

---

1) § 39 Abs. 2 geänd., Abs. 3 Satz 2 neu gef. mWv 13. 10. 2005 durch VO v. 10. 10. 2005 (BGBl. I S. 2927); Abs. 4 aufgeh. mWv 2. 9. 2015 durch VO v. 26. 8. 2015 (BGBl. I S. 1443).

2) § 40 Überschrift neu gef., Abs. 4 aufgeh. mWv 2. 9. 2015 durch VO v. 26. 8. 2015 (BGBl. I S. 1443).

Wahlvorschlag erhält so viele Sitze zugeteilt, wie Höchstzahlen auf ihn entfallen. [5] Wenn die niedrigste in Betracht kommende Höchstzahl auf mehrere Wahlvorschläge zugleich entfällt, so entscheidet das Los darüber, welchem Wahlvorschlag dieser Sitz zufällt.

(2) Wenn ein Wahlvorschlag insgesamt weniger Bewerberinnen und Bewerber enthält, als Höchstzahlen auf ihn entfallen, so gehen die überschüssigen Sitze auf die folgenden Höchstzahlen der anderen Wahlvorschläge desselben Wahlgangs über.

(3) Die Reihenfolge der Bewerberinnen und Bewerber innerhalb der einzelnen Wahlvorschläge bestimmt sich nach der Reihenfolge ihrer Benennung.

Unterabschnitt 2. Wahl mehrerer Aufsichtsratsmitglieder der Arbeitnehmer in einem Wahlgang auf Grund nur eines Wahlvorschlags

§ 41[1] **Stimmabgabe, Wahlvorgang.** (1) [1] Sind in einem Wahlgang mehrere Aufsichtsratsmitglieder der Arbeitnehmer zu wählen und liegt für diesen Wahlgang nur ein gültiger Wahlvorschlag vor, so kann die Wählerin ihre und der Wähler seine Stimme nur für die in dem Wahlvorschlag aufgeführten Bewerberinnen und Bewerber abgeben. [2] Eine gesonderte Stimmabgabe für ein Ersatzmitglied des Aufsichtsrats ist nicht zulässig. [3] Die Stimmabgabe erfolgt durch Abgabe von Stimmzetteln.

(2) [1] Der Betriebswahlvorstand hat die Bewerberinnen und Bewerber auf den Stimmzetteln unter Angabe von Familienname, Vorname und Art der Beschäftigung untereinander in der Reihenfolge aufzuführen, in der sie in dem Wahlvorschlag benannt sind. [2] Das für eine Bewerberin oder für einen Bewerber vorgeschlagene Ersatzmitglied ist auf den Stimmzetteln neben der Bewerberin oder dem Bewerber aufzuführen; Satz 1 ist entsprechend anzuwenden. [3] Die Stimmzettel sollen die Angabe enthalten, wie viele Bewerberinnen und Bewerber die Wählerin oder der Wähler insgesamt ankreuzen kann. § 38 Abs. 2 Satz 3 und 4 ist anzuwenden.

(3) [1] Die Wählerin kennzeichnet die von ihr und der Wähler die von ihm Gewählten durch Ankreuzen an den im Stimmzettel hierfür vorgesehenen Stellen. [2] Es dürfen nicht mehr Bewerberinnen und Bewerber angekreuzt werden, als in dem Wahlgang Aufsichtsratsmitglieder zu wählen sind. [3] § 38 Abs. 3 Satz 2 ist entsprechend anzuwenden.

(4) Ungültig sind Stimmzettel,

1. in denen mehr Bewerberinnen und Bewerber angekreuzt sind, als in dem Wahlgang Aufsichtsratsmitglieder zu wählen sind,
2. aus denen sich ein eindeutiger Wille nicht ergibt,
3. die mit einem besonderen Merkmal versehen sind,
4. die andere als die in Absatz 2 bezeichneten Angaben, einen Zusatz oder sonstige Änderungen enthalten.

§ 42[2] **Öffentliche Stimmauszählung.** (1) Unverzüglich nach Abschluss der Stimmabgabe zählt der Betriebswahlvorstand öffentlich die Stimmen aus.

---

[1] § 41 Abs. 1 Satz 3 geänd. mWv 13. 10. 2005 durch VO v. 10. 10. 2005 (BGBl. I S. 2927).

[2] § 42 Abs. 2 Satz 1 geänd. mWv 13. 10. 2005 durch VO v. 10. 10. 2005 (BGBl. I S. 2927); Abs. 3 aufgeh. mWv 2. 9. 2015 durch VO v. 26. 8. 2015 (BGBl. I S. 1443).

(2) [1] Nach Öffnung der Wahlurne entnimmt der Betriebswahlvorstand die Stimmzettel und zählt für jeden Wahlgang gesondert die auf jede Bewerberin oder jeden Bewerber entfallenden Stimmen zusammen. [2] § 39 Abs. 3 ist anzuwenden. [3] Ist auf einem Stimmzettel eine Bewerberin oder ein Bewerber mehrfach angekreuzt, so zählt dies als eine Stimme.

§ 43[1)] Verteilung der Stimmen auf die Bewerberinnen und Bewerber. [1] Der Betriebswahlvorstand bestimmt so viele Bewerberinnen und Bewerber, wie in dem Wahlgang Aufsichtsratsmitglieder zu wählen sind, nach der Reihenfolge der auf sie entfallenden Stimmenzahlen. [2] Bei Stimmengleichheit entscheidet das Los.

Unterabschnitt 3. Wahl nur eines Aufsichtsratsmitglieds der Arbeitnehmer in einem Wahlgang

§ 44 Wahl nur eines Aufsichtsratsmitglieds der Arbeitnehmer in einem Wahlgang. (1) [1] Ist in einem Wahlgang nur ein Aufsichtsratsmitglied der Arbeitnehmer zu wählen, so kann die Wählerin ihre und der Wähler seine Stimme nur für eine der vorgeschlagenen Bewerberinnen oder einen der vorgeschlagenen Bewerber abgeben. [2] § 41 Abs. 1 Satz 2 und 3 ist anzuwenden.

(2) [1] Liegt nur ein gültiger Wahlvorschlag vor, so hat der Betriebswahlvorstand die Bewerberinnen und Bewerber auf den Stimmzetteln unter Angabe von Familienname, Vorname und Art der Beschäftigung untereinander in der Reihenfolge aufzuführen, in der sie in dem Wahlvorschlag benannt sind. [2] Liegen mehrere gültige Wahlvorschläge vor, so hat der Betriebswahlvorstand die Bewerberinnen und Bewerber auf den Stimmzetteln unter Angabe von Familienname, Vorname, Art der Beschäftigung und Kennwort des Wahlvorschlags untereinander in alphabetischer Reihenfolge aufzuführen. [3] § 41 Abs. 2 Satz 2 bis 4 ist anzuwenden.

(3) [1] Die Wählerin kennzeichnet die von ihr und der Wähler die von ihm gewählte Person durch Ankreuzen an der im Stimmzettel hierfür vorgesehenen Stelle. [2] Es darf nicht mehr als eine Bewerberin oder ein Bewerber angekreuzt werden. [3] § 38 Abs. 3 Satz 2, § 41 Abs. 4 und die §§ 42 und 43 sind anzuwenden.

Unterabschnitt 4. Schriftliche Stimmabgabe

§ 45 Voraussetzungen. (1) [1] Einem Wahlberechtigten, der im Zeitpunkt der Wahl wegen Abwesenheit vom Betrieb verhindert ist, seine Stimme persönlich abzugeben, hat der Betriebswahlvorstand auf sein Verlangen

1. das Wahlausschreiben,
2. für jeden Wahlgang, an dem er teilzunehmen berechtigt ist, gesondert
   a) die Wahlvorschläge,
   b) den Stimmzettel und den Wahlumschlag,
3. eine vorgedruckte, von der Wählerin oder dem Wähler abzugebende Erklärung, in der gegenüber dem Betriebswahlvorstand zu versichern ist, dass der Stimmzettel persönlich gekennzeichnet worden ist, sowie

---

1) § 43 Überschrift neu gef., Satz 1 geänd., Satz 3 aufgeh. mWv 2. 9. 2015 durch VO v. 26. 8. 2015 (BGBl. I S. 1443).

4. einen größeren Freiumschlag, der die Anschrift des Betriebswahlvorstands und als Absender den Namen und die Anschrift des Wahlberechtigten sowie den Vermerk „Schriftliche Stimmabgabe" trägt,

auszuhändigen oder zu übersenden. [2] Der Betriebswahlvorstand soll dem Wahlberechtigten ferner ein Merkblatt über die Art und Weise der schriftlichen Stimmabgabe (§ 46 Abs. 1) aushändigen oder übersenden. [3] Der Betriebswahlvorstand vermerkt die Aushändigung oder die Übersendung der Unterlagen für jeden Wahlgang gesondert in der Wählerliste.

(2) Wahlberechtigte, von denen dem Betriebswahlvorstand bekannt ist, dass sie im Zeitpunkt der Wahl nach der Eigenart ihres Beschäftigungsverhältnisses voraussichtlich nicht im Betrieb anwesend sein werden (insbesondere im Außendienst, mit Telearbeit und in Heimarbeit Beschäftigte), erhalten die in Absatz 1 bezeichneten Unterlagen, ohne dass es eines Verlangens der Wahlberechtigten bedarf.

(3) [1] Der Betriebswahlvorstand kann die schriftliche Stimmabgabe beschließen

1. für Betriebsteile und Kleinstbetriebe, die räumlich weit vom Hauptbetrieb entfernt sind,
2. für den Betrieb, wenn die Mehrheit der Wahlberechtigten zur schriftlichen Stimmabgabe nach Absatz 2 berechtigt ist und die verbleibende Minderheit nicht mehr als insgesamt 25 Wahlberechtigte ausmacht.

[2] Absatz 2 ist entsprechend anzuwenden.

§ 46[1)] Verfahren bei der Stimmabgabe. (1) Die Stimmabgabe erfolgt in der Weise, dass die Wählerin oder der Wähler

1. die Stimmzettel unbeobachtet persönlich kennzeichnet und so faltet und in den zugehörigen Wahlumschlägen verschließt, dass die Stimmabgabe erst nach Auseinanderfalten der Stimmzettel erkennbar ist;
2. die vorgedruckte Erklärung unter Angabe des Orts und des Datums unterschreibt und
3. die Wahlumschläge und die unterschriebene vorgedruckte Erklärung in dem Freiumschlag verschließt und diesen Wahlbrief so rechtzeitig an den Betriebswahlvorstand absendet oder übergibt, dass er vor Abschluss der Stimmabgabe vorliegt.

(2) [1] Unmittelbar vor Abschluss der Stimmabgabe öffnet der Betriebswahlvorstand in öffentlicher Sitzung die bis zu diesem Zeitpunkt eingegangenen Wahlbriefe und entnimmt ihnen die Wahlumschläge sowie die vorgedruckten Erklärungen. [2] Ist die schriftliche Stimmabgabe ordnungsgemäß erfolgt, so vermerkt der Betriebswahlvorstand die Stimmabgabe für jeden Wahlgang gesondert in der Wählerliste, öffnet die Wahlumschläge und legt die Stimmzettel in die Wahlurne. [3] Befinden sich in einem Wahlumschlag mehrere gekennzeichnete Stimmzettel, werden sie in dem Wahlumschlag in die Wahlurne gelegt.

(3) [1] Verspätet eingehende Wahlbriefe nimmt der Betriebswahlvorstand mit einem Vermerk über den Zeitpunkt des Eingangs ungeöffnet zu den Wahlunterlagen. [2] Die Wahlbriefe sind einen Monat nach Bekanntgabe des Ergebnisses der

---

[1)] § 46 Abs. 1 Nr. 1 neu gef., Abs. 2 Satz 2 geänd., Satz 3 angef. mWv 13. 10. 2005 durch VO v. 10. 10. 2005 (BGBl. I S. 2927).

Wahl der Aufsichtsratsmitglieder der Arbeitnehmer ungeöffnet zu vernichten, wenn die Wahl nicht angefochten worden ist.

Unterabschnitt 5.[1] Ermittlung der Gewählten, Wahlniederschrift, Benachrichtigungen

§ 46 a[2] Ermittlung der Gewählten bei nicht börsennotierten Unternehmen. (1) In nicht börsennotierten Unternehmen sind in einem Wahlgang nach § 38, einem Wahlgang nach § 41 und in einem Wahlgang nach § 44 so viele Bewerberinnen und Bewerber gewählt, wie Aufsichtsratsmitglieder in dem jeweiligen Wahlgang zu wählen sind.

(2) Mit der Wahl einer Bewerberin oder eines Bewerbers ist auch das in dem Wahlvorschlag neben der oder dem Gewählten aufgeführte Ersatzmitglied des Aufsichtsrats gewählt.

§ 46 b[3] Ermittlung der Gewählten bei börsennotierten Unternehmen im Fall der Gesamterfüllung. (1) In börsennotierten Unternehmen sind im Fall der Gesamterfüllung in einem Wahlgang nach § 38, einem Wahlgang nach § 41 und in einem Wahlgang nach § 44 so viele Bewerberinnen und Bewerber gewählt, wie Aufsichtsratsmitglieder in dem jeweiligen Wahlgang zu wählen sind.

(2) Mit der Wahl einer Bewerberin oder eines Bewerbers ist auch das in dem Wahlvorschlag neben der oder dem Gewählten aufgeführte Ersatzmitglied des Aufsichtsrats gewählt.

§ 46 c[4] Ermittlung der Gewählten bei börsennotierten Unternehmen im Fall der Getrennterfüllung. (1) Sind in börsennotierten Unternehmen im Fall der Getrennterfüllung die Höchstzahlen nach § 40 der Größe nach auf die Bewerberinnen und Bewerber verteilt und die Zahlen der auf die einzelnen Bewerberinnen und Bewerber entfallenden Stimmen nach den §§ 43 und 44 Absatz 3 Satz 3 ermittelt, stellt der Betriebswahlvorstand fest, ob bei der Wahl der Geschlechteranteil nach § 7 Absatz 3 des Gesetzes[5] in Verbindung mit § 96 Absatz 2 Satz 4 des Aktiengesetzes[6] eingehalten worden ist.

(2) Ist der Geschlechteranteil nach § 7 Absatz 3 des Gesetzes bei der Wahl eingehalten, sind in einem Wahlgang nach § 38, einem Wahlgang nach § 41 und in einem Wahlgang nach § 44 so viele Bewerberinnen und Bewerber gewählt, wie Aufsichtsratsmitglieder in dem jeweiligen Wahlgang zu wählen sind.

(3) [1] Ist der Geschlechteranteil nach § 7 Absatz 3 des Gesetzes bei der Wahl nicht eingehalten, sind in einem Wahlgang nach § 38 und in einem Wahlgang nach § 41 nur diejenigen Bewerberinnen und Bewerber als Aufsichtsratsmitglieder gewählt, deren Wahl nicht nach § 18 a Absatz 2 Satz 1 des Gesetzes unwirksam ist. [2] In einem Wahlgang nach § 44 ist die Bewerberin oder der Bewerber mit den meisten Stimmen als Aufsichtsratsmitglied der Arbeitnehmer gewählt.

---

[1] 5. UAbschnitt neu gef. mWv 2. 9. 2015 durch VO v. 26. 8. 2015 (BGBl. I S. 1443).
[2] § 46 a eingef. mWv 2. 9. 2015 durch VO v. 26. 8. 2015 (BGBl. I S. 1443).
[3] § 46 b eingef. mWv 2. 9. 2015 durch VO v. 26. 8. 2015 (BGBl. I S. 1443).
[4] § 46 c eingef. mWv 2. 9. 2015 durch VO v. 26. 8. 2015 (BGBl. I S. 1443).
[5] Nr. **560**.
[6] Nr. **567**.

(4) Mit der Wahl einer Bewerberin oder eines Bewerbers ist auch das in dem Wahlvorschlag neben der oder dem Gewählten aufgeführte Ersatzmitglied des Aufsichtsrats gewählt.

§ 47[1)] Wahlniederschrift. (1) Nachdem ermittelt ist, wer gewählt ist, stellt der Betriebswahlvorstand in einer Niederschrift für jeden Wahlgang gesondert fest:

1. die Zahl der insgesamt abgegebenen Stimmen;
2. die Zahl der gültigen Stimmen;
3. die Zahl der ungültigen Stimmen;
4. bei Verhältniswahl die Zahlen der auf die einzelnen Wahlvorschläge entfallenden Stimmen, die berechneten Höchstzahlen und ihre Verteilung auf die Wahlvorschläge;
5. bei Mehrheitswahl die Zahlen der auf die einzelnen Bewerberinnen oder Bewerber entfallenden Stimmen;
6. die Namen der gewählten Aufsichtsratsmitglieder;
7. die Namen der für die einzelnen Aufsichtsratsmitglieder gewählten Ersatzmitglieder;
8. besondere während der Wahl eingetretene Zwischenfälle oder sonstige Ereignisse.

(2) Der Betriebswahlvorstand stellt bei börsennotierten Unternehmen im Fall der Getrennterfüllung in der Niederschrift zusätzlich fest,

1. ob der Geschlechteranteil nach § 7 Absatz 3 des Gesetzes[2)] bei der Wahl erreicht worden ist;
2. die Anzahl der Sitze, die aufgrund des Nichterreichens des Geschlechteranteils nach § 7 Absatz 3 des Gesetzes nicht besetzt worden sind, und ihre Zuordnung zu den Aufsichtsratsmitgliedern der in § 3 Absatz 1 Nummer 1 des Gesetzes bezeichneten Arbeitnehmer und den Aufsichtsratsmitgliedern der Gewerkschaften.

§ 48[3)] Bekanntmachung des Wahlergebnisses, Benachrichtigung der Gewählten. (1) Der Betriebswahlvorstand macht das Wahlergebnis und die Namen der Gewählten unverzüglich für die Dauer von zwei Wochen bekannt.

(2) Gleichzeitig benachrichtigt der Betriebswahlvorstand die Gewählten schriftlich von ihrer Wahl und übermittelt die Bekanntmachung nach Absatz 1 dem Unternehmen und den im Unternehmen vertretenen Gewerkschaften.

(3) Ist bei börsennotierten Unternehmen im Fall der Getrennterfüllung der Geschlechteranteil nach § 7 Absatz 3 des Gesetzes[2)] bei der Wahl nicht erreicht worden, informiert der Betriebswahlvorstand die Adressaten der Absätze 1 und 2 zusätzlich

1. über die Anzahl der Sitze, die aufgrund des Nichterreichens des Geschlechteranteils nach § 7 Absatz 3 des Gesetzes nicht besetzt worden sind, und ihre Zuordnung zu den Aufsichtsratsmitgliedern der in § 3 Absatz 1 Nummer 1

---

1) § 47 Nr. 1 aufgeh., bish. Nrn. 2 bis 10 werden Nrn. 1 bis 9 mWv 13. 10. 2005 durch VO v. 10. 10. 2005 (BGBl. I S. 2927); Abs. 1 Nr. 1 aufgeh., bish. Nr. 2–9 werden Nr. 1–8, Abs. 2 angef. mWv 2. 9. 2015 durch VO v. 26. 8. 2015 (BGBl. I S. 1443).

2) Nr. **560**.

3) § 48 Abs. 3 angef. mWv 2. 9. 2015 durch VO v. 26. 8. 2015 (BGBl. I S. 1443).

des Gesetzes bezeichneten Arbeitnehmer und den Aufsichtsratsmitgliedern der Gewerkschaften und

2. darüber, dass diese nach § 18 a Absatz 2 des Gesetzes nicht besetzten Aufsichtsratssitze im Wege der gerichtlichen Ersatzbestellung nach § 104 des Aktiengesetzes[1] oder der Nachwahl zu besetzen sind.

§ 49 Aufbewahrung der Wahlakten. [1] Der Betriebswahlvorstand übergibt die Wahlakten dem Unternehmen. [2] Das Unternehmen bewahrt die Wahlakten mindestens für die Dauer von fünf Jahren auf.

Kapitel 3. Wahl der Aufsichtsratsmitglieder der Arbeitnehmer durch Delegierte

Abschnitt 1. Wahl der Delegierten

Unterabschnitt 1. Delegierte mit Mehrfachmandat

§ 50 Keine Wahl von Delegierten nach diesem Unterabschnitt, wenn in dem Unternehmen für die Wahl von Aufsichtsratsmitgliedern anderer Unternehmen Delegierte mit Mehrfachmandat gewählt werden. (1) Sind die Aufsichtsratsmitglieder der Arbeitnehmer des Unternehmens durch Delegierte zu wählen und nehmen die Arbeitnehmerinnen und Arbeitnehmer auch an der Wahl der Aufsichtsratsmitglieder der Arbeitnehmer anderer Unternehmen durch Delegierte teil und hat der Betriebswahlvorstand nach § 55 der Dritten Wahlordnung zum Mitbestimmungsgesetz[2] beschlossen, dass die in dem Unternehmen für die Wahl der Aufsichtsratsmitglieder eines anderen Unternehmens zu wählenden Delegierten auch die nach den Vorschriften dieses Abschnitts zu wählenden Aufsichtsratsmitglieder der Arbeitnehmer wählen, so findet eine Wahl von Delegierten nach den Vorschriften dieses Abschnitts nicht statt.

(2) [1] Der Betriebswahlvorstand erlässt hierüber eine Bekanntmachung. [2] § 24 Abs. 3 und 4 ist anzuwenden.

§ 51 Delegierte, die zugleich für die Wahl von Aufsichtsratsmitgliedern anderer Unternehmen gewählt werden. [1] Nehmen die Arbeitnehmerinnen und Arbeitnehmer des Unternehmens auch an der Wahl der Aufsichtsratsmitglieder der Arbeitnehmer anderer Unternehmen teil und beginnt die Amtszeit der Aufsichtsratsmitglieder der anderen Unternehmen nicht später als zwölf Monate nach dem Beginn der Amtszeit der nach den Vorschriften dieses Kapitels zu wählenden Aufsichtsratsmitglieder, so kann der Betriebswahlvorstand beschließen, dass die zu wählenden Delegierten auch an der Wahl der Aufsichtsratsmitglieder der Arbeitnehmer der anderen Unternehmen teilnehmen, sofern auch diese durch Delegierte gewählt werden. [2] Der Beschluss kann nur vor Erlass des Wahlausschreibens für die Wahl der Delegierten gefasst werden.

Unterabschnitt 2. Einleitung der Wahl

§ 52 Errechnung der Zahl der Delegierten. (1) Der Betriebswahlvorstand errechnet die Zahl der zu wählenden Delegierten sowie ihre Verteilung auf die

---

[1] Nr. 567.
[2] Nr. 560 c.

in § 3 Abs. 1 Nr. 1 des Gesetzes[1)] bezeichneten Arbeitnehmer und die leitenden Angestellten.

(2) [1] Zur Errechnung der Zahl der Delegierten wird die Zahl der Wahlberechtigten durch 90 geteilt. [2] Teilzahlen werden voll gezählt, wenn sie mindestens die Hälfte der vollen Zahl betragen.

(3) [1] Die Errechnung der auf die in § 3 Abs. 1 Nr. 1 des Gesetzes bezeichneten Arbeitnehmer und leitenden Angestellten entfallenden Delegierten erfolgt nach den Grundsätzen der Verhältniswahl. [2] Hierzu werden die Zahlen der in § 3 Abs. 1 Nr. 1 des Gesetzes bezeichneten Arbeitnehmer und der leitenden Angestellten in einer Reihe nebeneinander gestellt und beide durch 1, 2, 3, 4 usw. geteilt. [3] Die ermittelten Teilzahlen sind nacheinander reihenweise unter den Zahlen der ersten Reihe aufzuführen, bis höhere Teilzahlen, als aus früheren Reihen für die Zuweisung von Sitzen in Betracht kommen, nicht mehr entstehen. [4] Unter den so gefundenen Teilzahlen werden so viele Höchstzahlen ausgesondert und der Größe nach geordnet, wie Delegierte zu wählen sind. [5] Die in § 3 Abs. 1 Nr. 1 des Gesetzes bezeichneten Arbeitnehmer und die leitenden Angestellten erhalten jeweils so viele Delegierte zugeteilt, wie Höchstzahlen auf sie entfallen. [6] Wenn die niedrigste in Betracht kommende Höchstzahl auf die in § 3 Abs. 1 Nr. 1 des Gesetzes bezeichneten Arbeitnehmer und die leitenden Angestellten zugleich entfällt, entscheidet das Los darüber, wem der Delegierte zufällt.

(4) Ergibt die Errechnung nach Absatz 3 für die in § 3 Abs. 1 Nr. 1 des Gesetzes bezeichneten Arbeitnehmer oder die leitenden Angestellten mehr als

1. 25 Delegierte, so vermindert sich die Zahl der zu wählenden Delegierten der in § 3 Abs. 1 Nr. 1 des Gesetzes bezeichneten Arbeitnehmer oder der leitenden Angestellten auf die Hälfte; diese Delegierten erhalten je zwei Stimmen;
2. 50 Delegierte, so vermindert sich die Zahl der zu wählenden Delegierten der in § 3 Abs. 1 Nr. 1 des Gesetzes bezeichneten Arbeitnehmer oder der leitenden Angestellten auf ein Drittel; diese Delegierten erhalten je drei Stimmen;
3. 75 Delegierte, so vermindert sich die Zahl der zu wählenden Delegierten der in § 3 Abs. 1 Nr. 1 des Gesetzes bezeichneten Arbeitnehmer oder der leitenden Angestellten auf ein Viertel; diese Delegierten erhalten je vier Stimmen;
4. 100 Delegierte, so vermindert sich die Zahl der zu wählenden Delegierten der in § 3 Abs. 1 Nr. 1 des Gesetzes bezeichneten Arbeitnehmer oder der leitenden Angestellten auf ein Fünftel; diese Delegierten erhalten je fünf Stimmen;
5. 125 Delegierte, so vermindert sich die Zahl der zu wählenden Delegierten der in § 3 Abs. 1 Nr. 1 des Gesetzes bezeichneten Arbeitnehmer oder der leitenden Angestellten auf ein Sechstel; diese Delegierten erhalten je sechs Stimmen;
6. 150 Delegierte, so vermindert sich die Zahl der zu wählenden Delegierten der in § 3 Abs. 1 Nr. 1 des Gesetzes bezeichneten Arbeitnehmer oder der leitenden Angestellten auf ein Siebtel; diese Delegierten erhalten je sieben Stimmen.

Teilzahlen werden voll gezählt, wenn sie mindestens die Hälfte der vollen Zahl betragen.

(5) [1] Auf die in § 3 Abs. 1 Nr. 1 des Gesetzes bezeichneten Arbeitnehmer und die leitenden Angestellten entfällt mindestens je ein Delegierter; dies gilt nicht,

---

1) Nr. **560**.

soweit nicht mehr als fünf in § 3 Abs. 1 Nr. 1 des Gesetzes bezeichnete Arbeitnehmer oder leitende Angestellte wahlberechtigt sind. [2] Soweit auf die in § 3 Abs. 1 Nr. 1 des Gesetzes bezeichneten Arbeitnehmer und die leitenden Angestellten lediglich nach Satz 1 Delegierte entfallen, vermehrt sich die Zahl der Delegierten entsprechend.

§ 53 Wahlausschreiben für die Wahl der Delegierten. (1) [1] Steht fest, dass die Aufsichtsratsmitglieder der Arbeitnehmer durch Delegierte zu wählen sind, so erlässt der Betriebswahlvorstand ein Wahlausschreiben für die Wahl der Delegierten. [2] Es muss folgende Angaben enthalten:

1. das Datum seines Erlasses;
2. dass die Aufsichtsratsmitglieder der Arbeitnehmer durch Delegierte zu wählen sind;
3. ob der Betriebswahlvorstand nach § 51 beschlossen hat, dass die zu wählenden Delegierten auch an der Wahl der Aufsichtsratsmitglieder der Arbeitnehmer anderer Unternehmen teilnehmen sollen; die anderen Unternehmen sind anzugeben;
4. dass an der Wahl und an Abstimmungen nur Arbeitnehmerinnen und Arbeitnehmer teilnehmen können, die in der Wählerliste eingetragen sind;
5. dass die Delegierten von allen Wahlberechtigten gewählt werden;
6. die Zahl der zu wählenden Delegierten, getrennt nach Delegierten der in § 3 Abs. 1 Nr. 1 des Gesetzes[1)] bezeichneten Arbeitnehmer und Delegierten der leitenden Angestellten;
7. dass Wahlvorschläge für die Wahl der Delegierten innerhalb von zwei Wochen seit Erlass des Wahlausschreibens schriftlich beim Betriebswahlvorstand eingereicht werden können; der letzte Tag der Frist ist anzugeben;
8. die Mindestzahl der wahlberechtigten in § 3 Abs. 1 Nr. 1 des Gesetzes bezeichneten Arbeitnehmer, von denen ein Wahlvorschlag für Delegierte der in § 3 Abs. 1 Nr. 1 des Gesetzes bezeichneten Arbeitnehmer unterzeichnet sein muss;
9. die Mindestzahl der wahlberechtigten leitenden Angestellten, von denen ein Wahlvorschlag für Delegierte der leitenden Angestellten unterzeichnet sein muss;
10. dass die Anzahl der Bewerberinnen und Bewerber in jedem Wahlvorschlag mindestens doppelt so hoch sein soll wie die Zahl der in dem Wahlgang zu wählenden Delegierten;
11. dass die Stimmabgabe an Wahlvorschläge gebunden ist und dass nur solche Wahlvorschläge berücksichtigt werden dürfen, die fristgerecht beim Betriebswahlvorstand eingereicht sind;
12. dass, wenn für einen Wahlgang nur ein gültiger Wahlvorschlag eingereicht wird, so viele der darin aufgeführten Bewerberinnen und Bewerber in der angegebenen Reihenfolge als gewählt gelten, wie in dem Wahlgang Delegierte zu wählen sind;
13. wo und wie die Wahlberechtigten von den Wahlvorschlägen Kenntnis erlangen können;

---

1) Nr. **560**.

14. Ort, Tag und Zeit der Stimmabgabe für die Wahl der Delegierten;
15. den Ort und die Zeit der öffentlichen Stimmauszählung;
16. den Hinweis auf die Möglichkeit der schriftlichen Stimmabgabe sowie die Betriebsteile und Kleinstbetriebe, für die schriftliche Stimmabgabe nach § 63 Abs. 3 Nr. 1 beschlossen ist und ob die schriftliche Stimmabgabe nach § 63 Abs. 3 Nr. 2 beschlossen worden ist;
17. dass Einsprüche, Anträge, Wahlvorschläge für die Wahl der Delegierten und sonstige Erklärungen gegenüber dem Betriebswahlvorstand abzugeben sind;
18. die Anschrift des Betriebswahlvorstands.

[3] Für die Bekanntmachung des Wahlausschreibens ist § 24 Abs. 3 und 4 entsprechend anzuwenden.

(2) Wahlgang im Sinne dieses Abschnitts ist
1. die Wahl der Delegierten der in § 3 Abs. 1 Nr. 1 des Gesetzes bezeichneten Arbeitnehmer,
2. die Wahl der Delegierten der leitenden Angestellten.

Unterabschnitt 3. Wahlvorschläge für Delegierte

§ 54[1)] Einreichung von Wahlvorschlägen. (1) [1] Zur Wahl der Delegierten können die Wahlberechtigten Wahlvorschläge machen. [2] Jeder Wahlvorschlag für Delegierte
1. der in § 3 Abs. 1 Nr. 1 des Gesetzes[2)] bezeichneten Arbeitnehmer muss von einem Zwanzigstel oder 50 der wahlberechtigten in § 3 Abs. 1 Nr. 1 des Gesetzes bezeichneten Arbeitnehmer,
2. der leitenden Angestellten muss von einem Zwanzigstel oder 50 der wahlberechtigten leitenden Angestellten

unterzeichnet sein. [3] Die Wahlvorschläge sind innerhalb von zwei Wochen seit Erlass des Wahlausschreibens für die Wahl der Delegierten beim Betriebswahlvorstand schriftlich einzureichen. [4] Die Anzahl der Bewerberinnen und Bewerber in jedem Wahlvorschlag soll mindestens doppelt so hoch sein wie die Zahl der in dem Wahlgang zu wählenden Delegierten.

(2) [1] In jedem Wahlvorschlag sind die Bewerberinnen und Bewerber in erkennbarer Reihenfolge unter fortlaufender Nummer und unter Angabe von Familienname, Vorname, Geburtsdatum und Art der Beschäftigung aufzuführen. [2] Die schriftliche Zustimmung der Bewerberinnen und Bewerber zur Aufnahme in den Wahlvorschlag und ihre schriftliche Versicherung, dass sie im Fall ihrer Wahl die Wahl annehmen werden, sind beizufügen.

(3) [1] Für jeden Wahlvorschlag soll eine oder einer der Unterzeichnenden als Vorschlagsvertreter bezeichnet werden. [2] Dieser ist berechtigt und verpflichtet, dem Betriebswahlvorstand die zur Beseitigung von Beanstandungen erforderlichen Erklärungen abzugeben sowie Erklärungen und Entscheidungen des Betriebswahlvorstands entgegenzunehmen. [3] Ist kein Vorschlagsvertreter ausdrücklich bestimmt worden, so wird die oder der an erster Stelle Unterzeichnende als Vorschlagsvertreter angesehen.

---

1) § 54 Abs. 1 Satz 2 Nrn. 1 und 2 geänd. mWv 13. 10. 2005 durch VO v. 10. 10. 2005 (BGBl. I S. 2927).
2) Nr. **560**.

(4) [1] Die Unterschrift eines Wahlberechtigten zählt nur auf einem Wahlvorschlag. [2] Hat ein Wahlberechtigter mehrere Wahlvorschläge unterzeichnet, so hat er auf Aufforderung des Betriebswahlvorstands innerhalb einer angemessenen Frist, spätestens jedoch innerhalb von drei Arbeitstagen, zu erklären, welche Unterschrift er aufrechterhält. [3] Unterbleibt die fristgerechte Erklärung, so wird sein Name auf dem zuerst eingereichten Wahlvorschlag gezählt und auf den übrigen Wahlvorschlägen gestrichen; sind mehrere Wahlvorschläge, die von demselben Wahlberechtigten unterzeichnet sind, gleichzeitig eingereicht worden, so entscheidet das Los darüber, auf welchem Wahlvorschlag die Unterschrift gilt.

(5) [1] Eine Bewerberin oder ein Bewerber kann nur auf einem Wahlvorschlag vorgeschlagen werden. [2] Ist der Name dieser Person mit ihrer schriftlichen Zustimmung (Absatz 2 Satz 2) auf mehreren Wahlvorschlägen aufgeführt, so hat sie auf Aufforderung des Betriebswahlvorstands innerhalb von drei Arbeitstagen zu erklären, welche Bewerbung sie aufrechterhält. [3] Unterbleibt die fristgerechte Erklärung, so ist die Bewerberin oder der Bewerber auf sämtlichen Wahlvorschlägen zu streichen.

§ 55 Prüfung der Wahlvorschläge. (1) Der Betriebswahlvorstand bestätigt dem Vorschlagsvertreter schriftlich den Zeitpunkt der Einreichung des Wahlvorschlags.

(2) [1] Der Betriebswahlvorstand bezeichnet den Wahlvorschlag, wenn er nicht mit einem Kennwort versehen ist, mit Familienname und Vorname der an erster Stelle benannten Bewerberin oder des an erster Stelle benannten Bewerbers. [2] Er hat unverzüglich den Wahlvorschlag zu prüfen und bei Ungültigkeit oder Beanstandung den Vorschlagsvertreter schriftlich unter Angabe der Gründe zu unterrichten.

§ 56 Ungültige Wahlvorschläge. (1) Ungültig sind Wahlvorschläge,

1. die nicht fristgerecht eingereicht worden sind,
2. auf denen die Bewerberinnen und Bewerber nicht in erkennbarer Reihenfolge aufgeführt sind,
3. die bei der Einreichung nicht die erforderliche Zahl von Unterschriften aufweisen.

(2) Wahlvorschläge,

1. in denen die Bewerberinnen und Bewerber nicht in der in § 54 Abs. 2 Satz 1 bestimmten Weise bezeichnet sind,
2. denen die schriftliche Zustimmung und Versicherung der Bewerberinnen und Bewerber nach § 54 Abs. 2 Satz 2 nicht beigefügt sind,
3. die infolge von Streichungen gemäß § 54 Abs. 4 nicht mehr die erforderliche Zahl von Unterschriften aufweisen,

sind ungültig, wenn der Betriebswahlvorstand sie beanstandet hat und die Mängel nicht innerhalb von drei Arbeitstagen seit der Beanstandung beseitigt worden sind.

§ 57 Nachfrist für Wahlvorschläge. (1) [1] Ist nach Ablauf der für die Einreichung von Wahlvorschlägen bestimmten Frist für einen Wahlgang kein gültiger Wahlvorschlag eingereicht, so erlässt der Betriebswahlvorstand unverzüglich eine

Bekanntmachung und setzt eine Nachfrist von einer Woche für die Einreichung von Wahlvorschlägen fest. [2] Die Bekanntmachung muss folgende Angaben enthalten:

1. das Datum ihres Erlasses;
2. dass für den Wahlgang kein gültiger Wahlvorschlag eingereicht worden ist;
3. dass Wahlvorschläge innerhalb einer Nachfrist von einer Woche seit Erlass der Bekanntmachung schriftlich beim Betriebswahlvorstand eingereicht werden können; der letzte Tag der Frist ist anzugeben.

(2) Wird bis zum Ablauf der Nachfrist für einen Wahlgang kein gültiger Wahlvorschlag eingereicht, so macht der Betriebswahlvorstand unverzüglich bekannt, dass der Wahlgang nicht stattfindet.

(3) Für Bekanntmachungen nach den Absätzen 1 und 2 ist § 24 Abs. 3 und 4 anzuwenden.

§ 58 Bekanntmachung der Wahlvorschläge. (1) [1] Sind für einen Wahlgang mehrere Wahlvorschläge eingereicht, so ermittelt der Betriebswahlvorstand durch das Los nach Ablauf der in § 54 Abs. 1 Satz 3, § 56 Abs. 2 und § 57 Abs. 1 Satz 1 bezeichneten Fristen die Reihenfolge der Ordnungsnummern, die den eingereichten Wahlvorschlägen zugeteilt werden (Wahlvorschlag 1, 2 usw.). [2] Die Vorschlagsvertreter sind zu der Losentscheidung rechtzeitig einzuladen.

(2) [1] Spätestens zwei Wochen vor dem ersten Tag der Stimmabgabe macht der Betriebswahlvorstand die gültigen Wahlvorschläge, nach Wahlgängen getrennt, in gleicher Weise bekannt wie das Wahlausschreiben für die Wahl der Delegierten. [2] Liegt für einen Wahlgang nur ein gültiger Wahlvorschlag vor, so weist der Betriebswahlvorstand in der Bekanntmachung darauf hin, dass so viele der darin aufgeführten Bewerberinnen und Bewerber in der angegebenen Reihenfolge als gewählt gelten, wie in dem Wahlgang Delegierte zu wählen sind.

Unterabschnitt 4. Wahl von Delegierten in einem Wahlgang auf Grund mehrerer Wahlvorschläge

§ 59[1)] Stimmabgabe, Wahlvorgang. (1) [1] Liegen für einen Wahlgang mehrere gültige Wahlvorschläge vor, so kann die Wählerin ihre und der Wähler seine Stimme nur für einen dieser Wahlvorschläge abgeben. [2] Die Stimmabgabe erfolgt durch Abgabe von Stimmzetteln.

(2) [1] Der Betriebswahlvorstand hat die Wahlvorschläge auf den Stimmzetteln nach der Reihenfolge der Ordnungsnummern sowie unter Angabe der an erster und zweiter Stelle benannten Bewerberinnen und Bewerber mit Familienname, Vorname und Art der Beschäftigung untereinander aufzuführen; bei Wahlvorschlägen, die mit einem Kennwort versehen sind, ist auch das Kennwort anzugeben. [2] Die Stimmzettel sollen die Angabe enthalten, dass nur ein Wahlvorschlag angekreuzt werden kann. [3] Die Stimmzettel, die für denselben Wahlgang Verwendung finden, müssen sämtlich die gleiche Größe, Farbe, Beschaffenheit und Beschriftung haben. [4] Die Stimmzettel, die für einen Wahlgang Verwendung finden, müssen sich von den für die anderen Wahlgänge vorgesehenen Stimmzetteln in der Farbe unterscheiden.

[1)] § 59 Abs. 1 Satz 2, Abs. 2 Sätze 3 und 4 geänd. mWv 13. 10. 2005 durch VO v. 10. 10. 2005 (BGBl. I S. 2927); Abs. 3 Satz 2 geänd. mWv 2. 9. 2015 durch VO v. 26. 8. 2015 (BGBl. I S. 1443).

(3) [1]Die Wählerin kennzeichnet die von ihr und der Wähler den von ihm gewählten Wahlvorschlag durch Ankreuzen an der im Stimmzettel hierfür vorgesehenen Stelle. [2]Für den Wahlvorgang ist § 16 entsprechend anzuwenden; die Stimmabgabe ist in der Wählerliste für jeden Wahlgang gesondert zu vermerken.

(4) Ungültig sind Stimmzettel,

1. in denen mehr als ein Wahlvorschlag angekreuzt ist,
2. aus denen sich ein eindeutiger Wille nicht ergibt,
3. die mit einem besonderen Merkmal versehen sind,
4. die andere als die in Absatz 2 bezeichneten Angaben, einen Zusatz oder sonstige Änderungen enthalten.

§ 60[1)] Öffentliche Stimmauszählung. (1) Unverzüglich nach Abschluss der Stimmabgabe zählt der Betriebswahlvorstand öffentlich die Stimmen aus.

(2) Nach Öffnung der Wahlurne entnimmt der Betriebswahlvorstand die Stimmzettel und zählt für jeden Wahlgang gesondert die auf jeden Wahlvorschlag entfallenden Stimmen zusammen.

(3) [1]Bei der Auszählung ist die Gültigkeit der Stimmzettel zu prüfen. [2]Befindet sich ein Wahlumschlag mit mehreren gekennzeichneten Stimmzetteln in der Wahlurne, werden die Stimmen einfach gezählt, wenn sie vollständig übereinstimmen, andernfalls sind sie ungültig.

§ 61 Ermittlung der Gewählten. (1) [1]Die in dem Wahlgang den einzelnen Wahlvorschlägen zugefallenen Stimmenzahlen werden in einer Reihe nebeneinander gestellt und sämtlich durch 1, 2, 3, 4 usw. geteilt. [2]Die ermittelten Teilzahlen sind nacheinander reihenweise unter den Zahlen der ersten Reihe aufzuführen, bis höhere Teilzahlen, als aus früheren Reihen für die Zuweisung von Sitzen in Betracht kommen, nicht mehr entstehen. [3]Unter den so gefundenen Teilzahlen werden so viele Höchstzahlen ausgesondert und der Größe nach geordnet, wie in dem Wahlgang Delegierte zu wählen sind. [4]Jeder Wahlvorschlag erhält so viele Sitze zugeteilt, wie Höchstzahlen auf ihn entfallen. [5]Wenn die niedrigste in Betracht kommende Höchstzahl auf mehrere Wahlvorschläge zugleich entfällt, so entscheidet das Los darüber, welchem Wahlvorschlag dieser Sitz zufällt.

(2) Wenn ein Wahlvorschlag insgesamt weniger Bewerberinnen und Bewerber enthält, als Höchstzahlen auf ihn entfallen, so gehen die überschüssigen Sitze auf die folgenden Höchstzahlen der anderen Wahlvorschläge desselben Wahlgangs über.

(3) Die Reihenfolge der Bewerberinnen und Bewerber innerhalb der einzelnen Wahlvorschläge bestimmt sich nach der Reihenfolge ihrer Benennung.

Unterabschnitt 5. Ermittlung von Delegierten bei Vorliegen nur eines Wahlvorschlags für einen Wahlgang

§ 62 Ermittlung von Delegierten bei Vorliegen nur eines Wahlvorschlags für einen Wahlgang. (1) Liegt für einen Wahlgang nur ein gültiger Wahlvorschlag vor, so gelten so viele der darin aufgeführten Bewerberinnen und

---

1) § 60 Abs. 2 geänd., Abs. 3 Satz 2 neu gef. mWv 13. 10. 2005 durch VO v. 10. 10. 2005 (BGBl. I S. 2927); Abs. 4 aufgeh. mWv 2. 9. 2015 durch VO v. 26. 8. 2015 (BGBl. I S. 1443).

Bewerber in der im Wahlvorschlag angegebenen Reihenfolge als gewählt, wie Delegierte in dem Wahlgang zu wählen sind.

(2) Der Betriebswahlvorstand stellt unverzüglich nach Abschluss der Wahl der Delegierten fest, welche Delegierte nach Absatz 1 als gewählt gelten.

Unterabschnitt 6. Schriftliche Stimmabgabe

§ 63 Voraussetzungen. (1) [1] Einem Wahlberechtigten, der im Zeitpunkt der Wahl wegen Abwesenheit vom Betrieb verhindert ist, seine Stimme persönlich abzugeben, hat der Betriebswahlvorstand auf sein Verlangen

1. das Wahlausschreiben,
2. für jeden Wahlgang, an dem er teilzunehmen berechtigt ist, gesondert
   a) die Wahlvorschläge,
   b) den Stimmzettel und den Wahlumschlag,
3. eine vorgedruckte, von der Wählerin oder dem Wähler abzugebende Erklärung, in der gegenüber dem Betriebswahlvorstand zu versichern ist, dass der Stimmzettel persönlich gekennzeichnet worden ist, sowie
4. einen größeren Freiumschlag, der die Anschrift des Betriebswahlvorstands und als Absender den Namen und die Anschrift des Wahlberechtigten sowie den Vermerk „Schriftliche Stimmabgabe" trägt,

auszuhändigen oder zu übersenden. [2] Der Betriebswahlvorstand soll dem Wahlberechtigten ferner ein Merkblatt über die Art und Weise der schriftlichen Stimmabgabe (§ 64 Abs. 1) aushändigen oder übersenden. [3] Der Betriebswahlvorstand vermerkt die Aushändigung oder die Übersendung der Unterlagen für jeden Wahlgang gesondert in der Wählerliste.

(2) Wahlberechtigte, von denen dem Betriebswahlvorstand bekannt ist, dass sie im Zeitpunkt der Wahl nach der Eigenart ihres Beschäftigungsverhältnisses voraussichtlich nicht im Betrieb anwesend sein werden (insbesondere im Außendienst, mit Telearbeit und in Heimarbeit Beschäftigte), erhalten die in Absatz 1 bezeichneten Unterlagen, ohne dass es eines Verlangens des Wahlberechtigten bedarf.

(3) Der Betriebswahlvorstand kann die schriftliche Stimmabgabe beschließen

1. für Betriebsteile und Kleinstbetriebe, die räumlich weit vom Hauptbetrieb entfernt sind,
2. für den Betrieb, wenn die Mehrheit der Wahlberechtigten zur schriftlichen Stimmabgabe nach Absatz 2 berechtigt ist und die verbleibende Minderheit nicht mehr als insgesamt 25 Wahlberechtigte ausmacht.

Absatz 2 ist entsprechend anzuwenden.

§ 64[1)] Verfahren bei der Stimmabgabe. (1) Die Stimmabgabe erfolgt in der Weise, dass die Wählerin oder der Wähler

1. die Stimmzettel unbeobachtet persönlich kennzeichnet und so faltet und in den zugehörigen Wahlumschlägen verschließt, dass die Stimmabgabe erst nach Auseinanderfalten der Stimmzettel erkennbar ist;

[1)] § 64 Abs. 1 Nr. 1 neu gef., Abs. 2 Satz 2 geänd., Satz 3 angef. mWv 13. 10. 2005 durch VO v. 10. 10. 2005 (BGBl. I S. 2927).

2. die vorgedruckte Erklärung unter Angabe des Orts und des Datums unterschreibt und
3. die Wahlumschläge und die unterschriebene vorgedruckte Erklärung in dem Freiumschlag verschließt und diesen Wahlbrief so rechtzeitig an den Betriebswahlvorstand absendet oder übergibt, dass er vor Abschluss der Stimmabgabe vorliegt.

(2) [1] Unmittelbar vor Abschluss der Stimmabgabe öffnet er Betriebswahlvorstand in öffentlicher Sitzung die bis zu diesem Zeitpunkt eingegangenen Wahlbriefe und entnimmt ihnen die Wahlumschläge sowie die vorgedruckten Erklärungen. [2] Ist die schriftliche Stimmabgabe ordnungsgemäß erfolgt, so vermerkt der Betriebswahlvorstand die Stimmabgabe für jeden Wahlgang gesondert in der Wählerliste, öffnet die Wahlumschläge und legt die Stimmzettel in die Wahlurne. [3] Befinden sich in einem Wahlumschlag mehrere gekennzeichnete Stimmzettel, werden sie in dem Wahlumschlag in die Wahlurne gelegt.

(3) [1] Verspätet eingehende Wahlbriefe nimmt der Betriebswahlvorstand mit einem Vermerk über den Zeitpunkt des Eingangs ungeöffnet zu den Wahlunterlagen. [2] Die Wahlbriefe sind einen Monat nach Bekanntgabe des Ergebnisses der Wahl der Aufsichtsratsmitglieder der Arbeitnehmer ungeöffnet zu vernichten, wenn die Wahl nicht angefochten worden ist.

Unterabschnitt 7. Wahlniederschrift, Benachrichtigungen

§ 65[1] Wahlniederschrift. Nachdem ermittelt ist, wer als Delegierter gewählt ist, stellt der Betriebswahlvorstand in einer Niederschrift für jeden Wahlgang gesondert fest:

1. die Zahl der insgesamt abgegebenen Stimmen;
2. die Zahl der gültigen Stimmen;
3. die Zahl der ungültigen Stimmen;
4. die Zahlen der auf die einzelnen Wahlvorschläge entfallenden Stimmen, die berechneten Höchstzahlen und ihre Verteilung auf die Wahlvorschläge;
5. den Wahlvorschlag, dessen Bewerberinnen und Bewerber als gewählt gelten (§ 62);
6. für jeden Wahlvorschlag gesondert die Namen und Anschriften
   a) der gewählten Delegierten,
   b) der Ersatzdelegierten
   in der Reihenfolge ihrer Benennung;
7. besondere während der Wahl eingetretene Zwischenfälle oder sonstige Ereignisse.

§ 66 Bekanntmachung des Wahlergebnisses, Benachrichtigung der Gewählten. (1) Der Betriebswahlvorstand macht das Wahlergebnis und die Namen der Gewählten unverzüglich für die Dauer von zwei Wochen bekannt.

[1] *§ 65 Nr. 1 aufgeh., bish. Nrn. 2 bis 9 werden Nrn. 1 bis 8 mWv 13. 10. 2005 durch VO v. 10. 10. 2005 (BGBl. I S. 2927); Nr. 1 aufgeh., bish. Nr. 2–8 werden Nr. 1–7 mWv 2. 9. 2015 durch VO v. 26. 8. 2015 (BGBl. I S. 1443).*

(2) [1]Gleichzeitig benachrichtigt der Betriebswahlvorstand die Gewählten schriftlich von ihrer Wahl. [2]Haben die Delegierten nach § 51 ein Mehrfachmandat, so ist dies in der Benachrichtigung anzugeben.

Unterabschnitt 8. Ausnahme

§ 67 Ausnahme. Die Vorschriften der Unterabschnitte 1 bis 7 sind nicht anzuwenden, wenn nach den Vorschriften dieser Verordnung oder, unter den in § 50 Abs. 1 bezeichneten Voraussetzungen, nach den Vorschriften der Dritten Wahlordnung zum Mitbestimmungsgesetz[1)] Delegierte bereits gewählt sind, deren Amtszeit bei Beginn der Amtszeit der zu wählenden Aufsichtsratsmitglieder der Arbeitnehmer noch nicht beendet ist (§ 13 des Gesetzes[2)]).

Abschnitt 2. Wahl der Aufsichtsratsmitglieder der Arbeitnehmer durch die Delegierten

Unterabschnitt 1. Delegiertenversammlung, Delegiertenliste

§ 68 Delegiertenversammlung. (1) [1]Die Delegierten wählen die Aufsichtsratsmitglieder der Arbeitnehmer in einer Versammlung (Delegiertenversammlung). [2]Sie wird vom Betriebswahlvorstand geleitet.

(2) [1]Der Betriebswahlvorstand bestimmt den Tag der Delegiertenversammlung. [2]Sie soll spätestens vier Wochen nach der Wahl der Delegierten stattfinden. [3]Sind in dem Unternehmen keine Delegierte zu wählen (§ 50), so soll die Delegiertenversammlung spätestens vier Wochen vor dem Beginn der Amtszeit der zu wählenden Aufsichtsratsmitglieder der Arbeitnehmer stattfinden.

§ 69 Delegiertenliste. (1) Der Betriebswahlvorstand stellt eine Liste der Delegierten (Delegiertenliste), getrennt nach Delegierten der in § 3 Abs. 1 Nr. 1 des Gesetzes[2)] bezeichneten Arbeitnehmer und der leitenden Angestellten auf. § 8 Abs. 1 Satz 2 und 3 und Abs. 5 ist entsprechend anzuwenden.

(2) Hinter dem Namen jedes Delegierten ist zu vermerken, wie viele Stimmen er hat.

(3) [1]Die Einsichtnahme in die Delegiertenliste, das Gesetz und diese Verordnung ist in der Delegiertenversammlung bis zum Abschluss der Stimmabgabe zu ermöglichen. [2]Die zur Einsichtnahme bestimmte Delegiertenliste soll die Geburtsdaten der Delegierten nicht enthalten. [3]Die Einsichtnahme kann durch Auslegung und durch Einsatz der im Unternehmen vorhandenen Informations- und Kommunikationstechnik ermöglicht werden.

§ 70 Einsprüche gegen die Richtigkeit der Delegiertenliste. (1) Einsprüche gegen die Richtigkeit der Delegiertenliste können vor Beginn der Stimmabgabe beim Betriebswahlvorstand eingelegt werden.

(2) [1]Über Einsprüche nach Absatz 1 entscheidet der Betriebswahlvorstand unverzüglich. [2]Ist ein Einspruch begründet, so berichtigt der Betriebswahlvorstand die Delegiertenliste. [3]Der Betriebswahlvorstand teilt seine Entscheidung der Person, die den Einspruch eingelegt hat, unverzüglich mit.

---

1) Nr. **560 c**.
2) Nr. **560**.

(3) [1] Vor Beginn der Stimmabgabe soll der Betriebswahlvorstand die Delegiertenliste auf ihre Richtigkeit hin überprüfen. [2] Im Übrigen kann die Delegiertenliste nur bei Schreibfehlern, offenbaren Unrichtigkeiten oder in Erledigung rechtzeitig eingelegter Einsprüche bis vor Beginn der Stimmabgabe berichtigt oder ergänzt werden.

Unterabschnitt 2. Mitteilung an die Delegierten

§ 71[1)] Mitteilung an die Delegierten. (1) Der Betriebswahlvorstand teilt jedem Delegierten spätestens zwei Wochen vor dem Tag der Delegiertenversammlung mit:

1. dass an der Wahl und an Abstimmungen nur Delegierte teilnehmen können, die in der Delegiertenliste eingetragen sind;
2. dass die Einsichtnahme in die Delegiertenliste, das Gesetz und diese Verordnung in der Delegiertenversammlung ermöglicht wird;
3. dass Einsprüche gegen die Richtigkeit der Delegiertenliste vor Beginn der Stimmabgabe beim Betriebswahlvorstand eingelegt werden können;
4. dass die Aufsichtsratsmitglieder der Arbeitnehmer von allen Delegierten gewählt werden;
5. wie viele Stimmen dem Delegierten zustehen;
6. dass die Stimmabgabe an Wahlvorschläge gebunden ist;
7. bei börsennotierten Unternehmen, ob zur Erreichung des Geschlechteranteils nach § 96 Absatz 2 Satz 1 des Aktiengesetzes[2)] für die Wahl die Gesamterfüllung oder die Getrennterfüllung gilt;
8. bei börsennotierten Unternehmen im Fall der Gesamterfüllung, die zur Erreichung des Geschlechteranteils nach § 96 Absatz 2 Satz 1 und 4 des Aktiengesetzes[2)] erforderliche Anzahl an Frauen und Männern im Aufsichtsrat;
9. bei börsennotierten Unternehmen im Fall der Getrennterfüllung, die zur Erreichung des Geschlechteranteils nach § 7 Absatz 3 des Gesetzes[3)] in Verbindung mit § 96 Absatz 2 Satz 4 des Aktiengesetzes[2)] erforderliche Anzahl an Frauen und Männern unter den Aufsichtsratsmitgliedern der Arbeitnehmer;
10. im Fall der Nummer 9, wenn der Geschlechteranteil nach § 7 Absatz 3 des Gesetzes bei der Wahl nicht erreicht wurde, dass § 18 a des Gesetzes anzuwenden ist und der Geschlechteranteil im Wege der gerichtlichen Ersatzbestellung nach § 104 des Aktiengesetzes[2)] oder der Nachwahl hergestellt wird;
11. Ort, Tag und Zeit der Delegiertenversammlung und der öffentlichen Stimmauszählung;
12. die Anschrift des Betriebswahlvorstands.

[2] Die Mitteilung erfolgt schriftlich gegen Empfangsbekenntnis oder durch eingeschriebenen Brief.

---

1) § 71 Abs. 1 Satz 1 Nr. 7–10 eingef., bish. Nr. 7 und 8 werden Nr. 11 und 12 mWv 2. 9. 2015 *durch VO v. 26. 8. 2015 (BGBl. I S. 1443).*

2) Nr. **567**.

3) Nr. **560**.

(2) Der Betriebswahlvorstand übersendet Kopien der Mitteilung nach Absatz 1 dem Unternehmen und den im Unternehmen vertretenen Gewerkschaften.

(3) Stellt der Betriebswahlvorstand fest, dass die Amtszeit eines Delegierten

1. durch Niederlegung des Amtes,
2. durch Beendigung der Beschäftigung des Delegierten in dem Betrieb,
3. durch Verlust der Wählbarkeit

vorzeitig beendet (§ 14 Abs. 1 desGesetzes) oder dass er verhindert (§ 14 Abs. 2 Satz 1 desGesetzes) ist, so verständigt er den Ersatzdelegierten (§ 14 Abs. 2 Satz 2 des Gesetzes) in gleicher Weise wie die Delegierten.

(4) Stellt ein Delegierter fest, dass er verhindert ist, so teilt er dies dem Betriebswahlvorstand mit.

Unterabschnitt 3. Wahl mehrerer Aufsichtsratsmitglieder der Arbeitnehmer in einem Wahlgang auf Grund mehrerer Wahlvorschläge

§ 72[1)] Stimmabgabe, Wahlvorgang. (1) [1] Sind in einem Wahlgang mehrere Aufsichtsratsmitglieder der Arbeitnehmer zu wählen und liegen für diesen Wahlgang mehrere gültige Wahlvorschläge vor, so kann der Delegierte seine Stimme nur für einen dieser Wahlvorschläge abgeben. [2] Die Stimmabgabe erfolgt durch Abgabe von Stimmzetteln. [3] Hat ein Delegierter mehrere Stimmen, so gibt er für jede Stimme einen Stimmzettel. [4] Der Begriff des Wahlgangs im Sinne dieses Abschnitts bestimmt sich nach § 25 Abs. 4.

(2) [1] Der Betriebswahlvorstand hat die Wahlvorschläge auf den Stimmzetteln nach der Reihenfolge der Ordnungsnummern sowie unter Angabe der an erster und zweiter Stelle benannten Bewerberinnen und Bewerber mit Familienname, Vorname und Art der Beschäftigung untereinander aufzuführen; bei Wahlvorschlägen, die mit einem Kennwort versehen sind, ist auch das Kennwort anzugeben. [2] Die Stimmzettel sollen die Angabe enthalten, dass der Delegierte nur einen Wahlvorschlag ankreuzen kann. [3] Die Stimmzettel, die für denselben Wahlgang Verwendung finden, müssen sämtlich die gleiche Größe, Farbe, Beschaffenheit und Beschriftung haben; das Gleiche gilt für die Wahlumschläge, wenn Wahlumschläge verwendet werden. [4] Die Stimmzettel und Wahlumschläge, die für einen Wahlgang Verwendung finden, müssen sich von den für die anderen Wahlgänge vorgesehenen Stimmzetteln und Wahlumschlägen in der Farbe unterscheiden.

(3) [1] Der Delegierte kennzeichnet den von ihm gewählten Wahlvorschlag durch Ankreuzen an der im Stimmzettel hierfür vorgesehenen Stelle. [2] Für den Wahlvorgang ist § 16 entsprechend anzuwenden; die Stimmabgabe ist in der Delegiertenliste für jeden Wahlgang und für jede Stimme gesondert zu vermerken.

(4) Ungültig sind Stimmzettel,

1. in denen mehr als ein Wahlvorschlag angekreuzt ist,
2. aus denen sich ein eindeutiger Wille nicht ergibt,

---

1) § 72 Abs. 1 Sätze 2 und 3, Abs. 2 Satz 3 geänd., Abs. 5 angef. mWv 13. 10. 2005 durch VO v. 10. 10. 2005 (BGBl. I S. 2927); Abs. 3 Satz 2 geänd. mWv 2. 9. 2015 durch VO v. 26. 8. 2015 (BGBl. I S. 1443).

3. die mit einem besonderen Merkmal versehen sind,
4. die andere als die in Absatz 2 bezeichneten Angaben, einen Zusatz oder sonstige Änderungen enthalten.

(5) Der Betriebswahlvorstand kann beschließen, § 16 Abs. 3 mit der Maßgabe anzuwenden, dass Stimmzettel ungefaltet und in Wahlumschlägen in die Wahlurne zu werfen sind, wenn das vorgesehene Verfahren der Stimmauszählung ungefaltete Stimmzettel erfordert.

§ 73[1)] Öffentliche Stimmauszählung. (1) Unverzüglich nach Abschluss der Stimmabgabe zählt der Betriebswahlvorstand öffentlich die Stimmen aus.

(2) Nach Öffnung der Wahlurne entnimmt der Betriebswahlvorstand die Stimmzettel und zählt für jeden Wahlgang gesondert die auf jeden Wahlvorschlag entfallenden Stimmen zusammen.

(3) [1] Bei der Auszählung ist die Gültigkeit der Stimmzettel zu prüfen. [2] Werden Wahlumschläge verwendet und befinden sich in einem Wahlumschlag mehrere gekennzeichnete Stimmzettel, so werden sie, wenn sie vollständig übereinstimmen, nur einfach gezählt, andernfalls sind sie ungültig.

§ 74[2)] Verteilung der Stimmenzahlen. (1) [1] Die in dem Wahlgang den einzelnen Wahlvorschlägen zugefallenen Stimmenzahlen werden in einer Reihe nebeneinander gestellt und sämtlich durch 1, 2, 3, 4 usw. geteilt. [2] Die ermittelten Teilzahlen sind nacheinander reihenweise unter den Zahlen der ersten Reihe aufzuführen, bis höhere Teilzahlen, als aus früheren Reihen für die Zuweisung von Sitzen in Betracht kommen, nicht mehr entstehen. [3] Unter den so gefundenen Teilzahlen werden so viele Höchstzahlen ausgesondert und der Größe nach geordnet, wie in dem Wahlgang Aufsichtsratsmitglieder zu wählen sind. [4] Jeder Wahlvorschlag erhält so viele Sitze zugeteilt, wie Höchstzahlen auf ihn entfallen. [5] Wenn die niedrigste in Betracht kommende Höchstzahl auf mehrere Wahlvorschläge zugleich entfällt, so entscheidet das Los darüber, welchem Wahlvorschlag dieser Sitz zufällt.

(2) Wenn ein Wahlvorschlag insgesamt weniger Bewerberinnen und Bewerber enthält, als Höchstzahlen auf ihn entfallen, so gehen die überschüssigen Sitze auf die folgenden Höchstzahlen der anderen Wahlvorschläge desselben Wahlgangs über.

(3) Die Reihenfolge der Bewerberinnen und Bewerber innerhalb der einzelnen Wahlvorschläge bestimmt sich nach der Reihenfolge ihrer Benennung.

Unterabschnitt 4. Wahl mehrerer Aufsichtsratsmitglieder er Arbeitnehmer in einem Wahlgang auf Grund nur eines Wahlvorschlags

§ 75[3)] Stimmabgabe, Wahlvorgang. (1) [1] Sind in einem Wahlgang mehrere Aufsichtsratsmitglieder der Arbeitnehmer zu wählen und liegt für diesen Wahlgang nur ein gültiger Wahlvorschlag vor, so kann der Delegierte seine Stimme

---

1) § 73 Abs. 2, Abs. 3 Satz 2 geänd. mWv 13. 10. 2005 durch VO v. 10. 10. 2005 (BGBl. I S. 2927); Abs. 4 aufgeh. mWv 2. 9. 2015 durch VO v. 26. 8. 2015 (BGBl. I S. 1443).

2) § 74 Überschrift neu gef., Abs. 4 aufgeh. mWv 2. 9. 2015 durch VO v. 26. 8. 2015 (BGBl. I S. 1443).

3) § 75 Abs. 1 Sätze 3 und 4 geänd., Abs. 5 angef. mWv 13. 10. 2005 durch VO v. 10. 10. 2005 (BGBl. I S. 2927).

nur für die in dem Wahlvorschlag aufgeführten Bewerberinnen und Bewerber abgeben. [2] Eine gesonderte Stimmabgabe für ein Ersatzmitglied des Aufsichtsrats ist nicht zulässig. [3] Die Stimmabgabe erfolgt durch Abgabe von Stimmzetteln. [4] Hat ein Delegierter mehrere Stimmen, so gibt er für jede Stimme einen Stimmzettel ab.

(2) [1] Der Betriebswahlvorstand hat die Bewerberinnen und Bewerber auf den Stimmzetteln unter Angabe von Familienname, Vorname und Art der Beschäftigung untereinander in der Reihenfolge aufzuführen, in der sie in dem Wahlvorschlag benannt sind. [2] Das für eine Bewerberin oder für einen Bewerber vorgeschlagene Ersatzmitglied ist auf dem Stimmzettel neben der Bewerberin oder dem Bewerber aufzuführen; Satz 1 ist entsprechend anzuwenden. [3] Die Stimmzettel sollen die Angabe enthalten, wie viele Bewerberinnen und Bewerber der Delegierte ankreuzen kann. [4] § 72 Abs. 2 Satz 3 und 4 ist anzuwenden.

(3) [1] Der Delegierte kennzeichnet die von ihm Gewählten durch Ankreuzen an den im Stimmzettel hierfür vorgesehenen Stellen. [2] Er darf nicht mehr Bewerberinnen und Bewerber ankreuzen, als Aufsichtsratsmitglieder in dem Wahlgang zu wählen sind. [3] § 72 Abs. 3 Satz 2 ist entsprechend anzuwenden.

(4) Ungültig sind Stimmzettel,

1. in denen mehr Bewerberinnen und Bewerber angekreuzt sind, als in dem Wahlgang Aufsichtsratsmitglieder zu wählen sind,
2. aus denen sich ein eindeutiger Wille nicht ergibt,
3. die mit einem besonderen Merkmal versehen sind,
4. die andere als die in Absatz 2 bezeichneten Angaben, einen Zusatz oder sonstige Änderungen enthalten.

(5) § 72 Abs. 5 findet Anwendung.

§ 76[1)] Öffentliche Stimmauszählung. (1) Unverzüglich nach Abschluss der Stimmabgabe zählt der Betriebswahlvorstand öffentlich die Stimmen aus.

(2) [1] Nach Öffnung der Wahlurne entnimmt der Betriebswahlvorstand die Stimmzettel und zählt für jeden Wahlgang gesondert die auf jede Bewerberin oder jeden Bewerber entfallenden Stimmen zusammen. [2] § 73 Abs. 3 ist anzuwenden. [3] Ist auf einem Stimmzettel ein Bewerber mehrfach angekreuzt, so zählt dies als eine Stimme.

§ 77[2)] Verteilung der Stimmen auf die Bewerberinnen und Bewerber. [1] Der Betriebswahlvorstand bestimmt so viele Bewerberinnen und Bewerber, wie in dem Wahlgang Aufsichtsratsmitglieder zu wählen sind, nach der Reihenfolge der auf sie entfallenden Stimmenzahlen. [2] Bei Stimmengleichheit entscheidet das Los.

---

1) § 76 Abs. 2 Satz 1 geänd. mWv 13. 10. 2005 durch VO v. 10. 10. 2005 (BGBl. I S. 2927); Abs. 3 aufgeh. mWv 2. 9. 2015 durch VO v. 26. 8. 2015 (BGBl. I S. 1443).

2) § 77 Überschrift neu gef., Satz 1 geänd., Satz 3 aufgeh. mWv 2. 9. 2015 durch VO v. 26. 8. 2015 (BGBl. I S. 1443).

Unterabschnitt 5. Wahl nur eines Aufsichtsratsmitglieds der Arbeitnehmer in einem Wahlgang

§ 78[1] Wahl nur eines Aufsichtsratsmitglieds der Arbeitnehmer in einem Wahlgang. (1) [1] Ist in einem Wahlgang nur ein Aufsichtsratsmitglied der Arbeitnehmer zu wählen, so kann der Delegierte seine Stimme nur für eine der vorgeschlagenen Bewerberinnen oder einen der vorgeschlagenen Bewerber abgeben. [2] § 75 Abs. 1 Satz 2 bis 4 ist anzuwenden.

(2) [1] Liegt nur ein gültiger Wahlvorschlag vor, so hat der Betriebswahlvorstand die Bewerberinnen und Bewerber auf den Stimmzetteln unter Angabe von Familienname, Vorname und Art der Beschäftigung untereinander in der Reihenfolge aufzuführen, in der sie in dem Wahlvorschlag benannt sind. [2] Liegen mehrere gültige Wahlvorschläge vor, so hat der Betriebswahlvorstand die Bewerberinnen und Bewerber auf den Stimmzetteln unter Angabe von Familienname, Vorname, Art der Beschäftigung und Kennwort des Wahlvorschlags untereinander in alphabetischer Reihenfolge aufzuführen. [3] § 75 Abs. 2 Satz 2 und 3 ist anzuwenden.

(3) [1] Der Delegierte kennzeichnet die von ihm gewählte Bewerberin oder den von ihm gewählten Bewerber durch Ankreuzen an der im Stimmzettel hierfür vorgesehenen Stelle. [2] Er darf nicht mehr als eine Bewerberin oder einen Bewerber ankreuzen. [3] § 72 Abs. 3 Satz 2 und Abs. 5, § 75 Abs. 4 und die §§ 76 und 77 sind anzuwenden.

Unterabschnitt 6.[2] Ermittlung der Gewählten, Wahlniederschrift, Benachrichtigungen

§ 78 a[3] Ermittlung der Gewählten bei nicht börsennotierten Unternehmen. (1) In nicht börsennotierten Unternehmen sind in einem Wahlgang nach § 72, einem Wahlgang nach § 75 und in einem Wahlgang nach § 78 so viele Bewerberinnen und Bewerber gewählt, wie Aufsichtsratsmitglieder in dem jeweiligen Wahlgang zu wählen sind.

(2) Mit der Wahl einer Bewerberin oder eines Bewerbers ist auch das in dem Wahlvorschlag neben der oder dem Gewählten aufgeführte Ersatzmitglied des Aufsichtsrats gewählt.

§ 78 b[4] Ermittlung der Gewählten bei börsennotierten Unternehmen im Fall der Gesamterfüllung. (1) In börsennotierten Unternehmen sind im Fall der Gesamterfüllung in einem Wahlgang nach § 72, einem Wahlgang nach § 75 und in einem Wahlgang nach § 78 so viele Bewerberinnen und Bewerber gewählt, wie Aufsichtsratsmitglieder in dem jeweiligen Wahlgang zu wählen sind.

(2) Mit der Wahl einer Bewerberin oder eines Bewerbers ist auch das in dem Wahlvorschlag neben der oder dem Gewählten aufgeführte Ersatzmitglied des Aufsichtsrats gewählt.

---

[1] § 78 Abs. 3 Satz 3 geänd. mWv 13. 10. 2005 durch VO v. 10. 10. 2005 (BGBl. I S. 2927).
[2] *6. UAbschn. Überschrift* neu gef. mWv 2. 9. 2015 durch VO v. 26. 8. 2015 (BGBl. I S. 1443).
[3] § 78 a eingef. mWv 2. 9. 2015 durch VO v. 26. 8. 2015 (BGBl. I S. 1443).
[4] § 78 b eingef. mWv 2. 9. 2015 durch VO v. 26. 8. 2015 (BGBl. I S. 1443).

§ 78 c[1] **Ermittlung der Gewählten bei börsennotierten Unternehmen im Fall der Getrennterfüllung.** (1) Sind in börsennotierten Unternehmen im Fall der Getrennterfüllung die Höchstzahlen nach § 74 der Größe nach auf die Bewerberinnen und Bewerber verteilt und die Zahlen der auf die einzelnen Bewerberinnen und Bewerber entfallenden Stimmen nach den §§ 77 und 78 Absatz 3 Satz 3 ermittelt, stellt der Betriebswahlvorstand fest, ob bei der Wahl der Geschlechteranteil nach § 7 Absatz 3 des Gesetzes[2] in Verbindung mit § 96 Absatz 2 Satz 4 des Aktiengesetzes[3] eingehalten worden ist.

(2) Ist der Geschlechteranteil nach § 7 Absatz 3 des Gesetzes bei der Wahl eingehalten, sind in einem Wahlgang nach § 72, einem Wahlgang nach § 75 und in einem Wahlgang nach § 78 so viele Bewerberinnen und Bewerber als Aufsichtsratsmitglieder gewählt, wie Aufsichtsratsmitglieder in dem jeweiligen Wahlgang zu wählen sind.

(3) [1] Ist der Geschlechteranteil nach § 7 Absatz 3 des Gesetzes bei der Wahl nicht eingehalten, sind in einem Wahlgang nach § 72 und in einem Wahlgang nach § 75 nur diejenigen Bewerberinnen und Bewerber als Aufsichtsratsmitglieder gewählt, deren Wahl nicht nach § 18 a Absatz 2 Satz 1 des Gesetzes unwirksam ist. [2] In einem Wahlgang nach § 78 ist die Bewerberin oder der Bewerber mit den meisten Stimmen als Aufsichtsratsmitglied der Arbeitnehmer gewählt.

(4) Mit der Wahl einer Bewerberin oder eines Bewerbers ist auch das in dem Wahlvorschlag neben der oder dem Gewählten aufgeführte Ersatzmitglied des Aufsichtsrats gewählt.

§ 79[4] **Wahlniederschrift.** (1) Nachdem ermittelt ist, wer gewählt ist, stellt der Betriebswahlvorstand in einer Niederschrift für jeden Wahlgang gesondert fest:

1. die Zahl der insgesamt abgegebenen Stimmen;
2. die Zahl der gültigen Stimmen;
3. die Zahl der ungültigen Stimmen;
4. bei Verhältniswahl die Zahlen der auf die einzelnen Wahlvorschläge entfallenden Stimmen, die berechneten Höchstzahlen und ihre Verteilung auf die Wahlvorschläge;
5. bei Mehrheitswahl die Zahlen der auf die einzelnen Bewerberinnen oder Bewerber entfallenden Stimmen;
6. die Namen der gewählten Aufsichtsratsmitglieder;
7. die Namen der für die einzelnen Aufsichtsratsmitglieder gewählten Ersatzmitglieder;
8. besondere während der Wahl eingetretene Zwischenfälle oder sonstige Ereignisse.

(2) Der Betriebswahlvorstand stellt bei börsennotierten Unternehmen im Fall der Getrennterfüllung in der Niederschrift zusätzlich fest,

---

[1] § 78 c eingef. mWv 2. 9. 2015 durch VO v. 26. 8. 2015 (BGBl. I S. 1443).

[2] Nr. **560**.

[3] Nr. **567**.

[4] § 79 Nr. 1 aufgeh., bish. Nrn. 2 bis 10 werden Nrn. 1 bis 9 mWv 13. 10. 2005 durch VO v. 10. 10. 2005 (BGBl. I S. 2927); Abs. 1 Nr. 1 aufgeh., bish. Nr. 2–9 werden Nr. 1–8, Abs. 2 angef. mWv 2. 9. 2015 durch VO v. 26. 8. 2015 (BGBl. I S. 1443).

1. ob der Geschlechteranteil nach § 7 Absatz 3 des Gesetzes[1)] bei der Wahl erreicht worden ist;
2. die Anzahl der Sitze, die aufgrund des Nichterreichens des Geschlechteranteils nach § 7 Absatz 3 des Gesetzes nicht besetzt worden sind, und ihre Zuordnung zu den Aufsichtsratsmitgliedern der in § 3 Absatz 1 Nummer 1 des Gesetzes bezeichneten Arbeitnehmer und den Aufsichtsratsmitgliedern der Gewerkschaften.

§ 80[2)] Bekanntmachung des Wahlergebnisses, Benachrichtigung der Gewählten. (1) [1] Der Betriebswahlvorstand gibt das Wahlergebnis und die Namen der Gewählten in der Delegiertenversammlung bekannt. [2] Er macht das Wahlergebnis und die Namen der Gewählten unverzüglich für die Dauer von zwei Wochen im Betrieb bekannt.

(2) Gleichzeitig benachrichtigt der Betriebswahlvorstand die Gewählten schriftlich von ihrer Wahl und übermittelt die Bekanntmachung nach Absatz 1 dem Unternehmen und den im Unternehmen vertretenen Gewerkschaften.

(3) Ist bei börsennotierten Unternehmen der Geschlechteranteil nach § 7 Absatz 3 des Gesetzes[1)] bei der Wahl nicht erreicht worden, informiert der Betriebswahlvorstand die Adressaten der Absätze 1 und 2 zusätzlich

1. über die Anzahl der Sitze, die aufgrund des Nichterreichens des Geschlechteranteils nach § 7 Absatz 3 des Gesetzes nicht besetzt worden sind, und ihre Zuordnung zu den Aufsichtsratsmitgliedern der in § 3 Absatz 1 Nummer 1 des Gesetzes bezeichneten Arbeitnehmer und den Aufsichtsratsmitgliedern der Gewerkschaften und
2. darüber, dass diese nach § 18 a Absatz 2 des Gesetzes nicht besetzten Aufsichtsratssitze im Wege der gerichtlichen Ersatzbestellung nach § 104 des Aktiengesetzes[3)] oder der Nachwahl zu besetzen sind.

§ 81 Aufbewahrung der Wahlakten. [1] Der Betriebswahlvorstand übergibt die Wahlakten dem Unternehmen. [2] Das Unternehmen bewahrt die Wahlakten mindestens für die Dauer von fünf Jahren auf.

Teil 2. Abberufung von Aufsichtsratsmitgliedern der Arbeitnehmer

Kapitel 1. Gemeinsame Vorschriften

§ 82 Einleitung des Abberufungsverfahrens. (1) Ein Antrag auf Abberufung eines Aufsichtsratsmitglieds der Arbeitnehmer nach § 23 Abs. 1 des Gesetzes[1)] ist schriftlich beim Betriebsrat einzureichen.

(2) Unverzüglich nach Eingang eines Antrags auf Abberufung wird der Betriebswahlvorstand gebildet, es sei denn, der Antrag entspricht offensichtlich nicht den in § 23 Abs. 1 Satz 2 des Gesetzes bezeichneten Erfordernissen.

(3) [1] Für die Aufgaben, die Bildung, die Zusammensetzung und die Geschäftsführung des Betriebswahlvorstands sind die §§ 3 bis 7 entsprechend anzuwenden;

[1)] *Nr.* ***560.***
[2)] § 80 Abs. 3 angef. mWv 2. 9. 2015 durch VO v. 26. 8. 2015 (BGBl. I S. 1443).
[3)] Nr. **567.**

die Mitteilung nach § 6 muss auch den Inhalt des Antrags auf Abberufung enthalten. [2] Das Unternehmen hat dem Betriebswahlvorstand die bei der Wahl des Aufsichtsratsmitglieds, dessen Abberufung beantragt wird, entstandenen Wahlakten zu übergeben.

§ 83 Liste der antragsberechtigten Arbeitnehmerinnen und Arbeitnehmer. [1] Wird die Abberufung eines unternehmensangehörigen Aufsichtsratsmitglieds der Arbeitnehmer beantragt, so wird unverzüglich nach der Bildung des Betriebswahlvorstands eine Liste der Wahlberechtigten aufgestellt, die nach § 23 Abs. 1 Satz 2 des Gesetzes[1)] für die Abberufung dieses Aufsichtsratsmitglieds antragsberechtigt sind. [2] Die §§ 8 bis 11 sind entsprechend anzuwenden; die Bekanntmachung nach § 9 Abs. 2 und 3 muss auch den Inhalt des Antrags auf Abberufung enthalten.

§ 84 Prüfung des Antrags auf Abberufung. (1) [1] Der Betriebswahlvorstand prüft unverzüglich nach Ablauf der in § 83 Satz 2, § 10 Abs. 1 bestimmten Frist die Gültigkeit des Antrags auf Abberufung. [2] Ist nach § 83 Satz 2, § 10 Abs. 1 die Änderung der Liste der antragsberechtigten Arbeitnehmerinnen und Arbeitnehmer verlangt worden, so prüft der Betriebswahlvorstand die Gültigkeit des Antrags unverzüglich nach Ablauf der in § 83 Satz 2, § 10 Abs. 2 Satz 2 bestimmten Frist.

(2) [1] Ist ein Antrag ungültig, so teilt der Betriebswahlvorstand dies dem Antragsvertreter oder, wenn ein solcher nicht benannt ist, der oder dem an erster Stelle Unterzeichnenden schriftlich mit. [2] Der Betriebswahlvorstand macht die Mitteilung für die Dauer von zwei Wochen bekannt.

§ 85 Anzuwendende Vorschriften. (1) Liegt ein gültiger Antrag vor, so stellt der Betriebswahlvorstand fest, ob das Aufsichtsratsmitglied, dessen Abberufung beantragt ist, in unmittelbarer Wahl oder durch Delegierte gewählt worden ist.

(2) Ist das Aufsichtsratsmitglied, dessen Abberufung beantragt ist, in unmittelbarer Wahl gewählt worden, so richtet sich das weitere Abberufungsverfahren nach den Vorschriften des Kapitels 2.

(3) Ist das Aufsichtsratsmitglied, dessen Abberufung beantragt ist, durch Delegierte gewählt worden, so richtet sich das weitere Abberufungsverfahren nach den Vorschriften des Kapitels 3.

Kapitel 2. Abstimmung über die Abberufung eines in unmittelbarer Wahl gewählten Aufsichtsratsmitglieds der Arbeitnehmer

§ 86 Abberufungsausschreiben, Wählerliste. (1) [1] Der Betriebswahlvorstand erlässt unverzüglich ein Abberufungsausschreiben. [2] Die Abstimmung soll innerhalb von vier Wochen seit Erlass des Abberufungsausschreibens stattfinden.

(2) [1] Das Abberufungsausschreiben muss folgende Angaben enthalten:
1. das Datum seines Erlasses;
2. den Inhalt des Antrags;
3. die Bezeichnung der antragstellenden Person;

---

1) Nr. **560**.

4. die Zahl der Arbeitnehmerinnen und Arbeitnehmer, die den Antrag unterzeichnet haben;
5. dass an der Abstimmung nur Arbeitnehmerinnen und Arbeitnehmer teilnehmen können, die in der Wählerliste eingetragen sind;
6. dass der Beschluss über die Abberufung einer Mehrheit von drei Vierteln der abgegebenen Stimmen bedarf;
7. Ort, Tag und Zeit der Stimmabgabe und der öffentlichen Stimmauszählung;
8. den Hinweis auf die Möglichkeit der schriftlichen Stimmabgabe sowie die Betriebsteile und Kleinstbetriebe für die schriftliche Stimmabgabe nach § 87 Abs. 1 in Verbindung mit § 18 Abs. 3 Nr. 1 beschlossen ist und ob die schriftliche Stimmabgabe nach § 87 Abs. 1 in Verbindung mit § 18 Abs. 3 Nr. 2 beschlossen worden ist;
9. wo und wie die Abstimmungsberechtigten von der Wählerliste, dem Gesetz und dieser Verordnung Einsicht nehmen können;
10. dass Einsprüche und sonstige Erklärungen gegenüber dem Betriebswahlvorstand abzugeben sind;
11. die Anschrift des Betriebswahlvorstands.

[2] Für die Bekanntmachung des Abberufungsausschreibens ist § 24 Abs. 3 und 4 entsprechend anzuwenden.

(3) [1] Für die Abberufung wird unverzüglich eine Liste der Abstimmungsberechtigten des Betriebs (Wählerliste) aufgestellt. [2] Die §§ 8, 9 und 11 sind entsprechend anzuwenden mit der Maßgabe, dass abweichend von § 8 Abs. 1 Satz 1 eine Trennung der Wählerliste nicht erforderlich ist.

§ 87 Abstimmung, Abstimmungsergebnis, Akten. (1) Für die Abstimmung sind die §§ 16 bis 21 anzuwenden.

(2) Der Betriebswahlvorstand übermittelt das Abstimmungsergebnis schriftlich

1. dem Aufsichtsratsmitglied, über dessen Abberufung abgestimmt worden ist,
2. der Gewerkschaft, die einen Antrag auf Abberufung gestellt hat (§ 23 Abs. 1 Satz 2 Nr. 3 des Gesetzes[1)]),
3. dem Unternehmen

und macht es für die Dauer von zwei Wochen in gleicher Weise wie das Abberufungsausschreiben bekannt.

(3) Auf die im Zusammenhang mit einem Antrag auf Abberufung entstandenen Akten ist § 49 entsprechend anzuwenden.

Kapitel 3. Abstimmung über die Abberufung eines durch Delegierte gewählten Aufsichtsratsmitglieds der Arbeitnehmer

§ 88 Delegiertenliste. [1] Der Betriebswahlvorstand stellt für die Abberufung unverzüglich eine Liste der Delegierten (Delegiertenliste) auf. [2] § 8 Abs. 1 Satz 2 und 3, Abs. 3 und 5, § 69 Abs. 2 und 3 und § 70 sind entsprechend anzuwenden.

---

1) Nr. **560**.

§ 89 Delegiertenversammlung, Mitteilung des Betriebswahlvorstands an die Delegierten. (1) [1]Die Delegierten stimmen über den Antrag auf Abberufung in einer Versammlung (Delegiertenversammlung) ab. [2]Die Delegiertenversammlung soll innerhalb von sechs Wochen nach der Feststellung, dass ein gültiger Antrag auf Abberufung eines durch Delegierte gewählten Aufsichtsratsmitglieds der Arbeitnehmer vorliegt, stattfinden.

(2) [1]Der Betriebswahlvorstand beruft die Delegierten schriftlich gegen Empfangsbekenntnis oder durch eingeschriebenen Brief zur Delegiertenversammlung ein; § 71 Abs. 2 bis 4 ist entsprechend anzuwenden. [2]Die Mitteilung nach Satz 1 soll den Delegierten spätestens zwei Wochen vor der Delegiertenversammlung übersandt werden.

(3) Die Mitteilung muss folgende Angaben enthalten:

1. den Inhalt des Antrags;
2. die Bezeichnung der antragstellenden Person;
3. die Zahl der Arbeitnehmerinnen und Arbeitnehmer, die den Antrag auf Abberufung unterzeichnet haben;
4. dass an der Abstimmung nur Delegierte teilnehmen können, die in der Delegiertenliste eingetragen sind;
5. dass die Einsichtnahme in die Delegiertenliste, das Gesetz und diese Verordnung in der Delegiertenversammlung ermöglicht wird;
6. dass Einsprüche gegen die Richtigkeit der Delegiertenliste vor Beginn der Stimmabgabe beim Betriebswahlvorstand eingelegt werden können;
7. dass der Beschluss über die Abberufung einer Mehrheit von drei Vierteln der abgegebenen Stimmen bedarf;
8. wie viele Stimmen dem Delegierten zustehen;
9. Ort, Tag und Zeit der Delegiertenversammlung und der öffentlichen Stimmauszählung;
10. die Anschrift des Betriebswahlvorstands.

§ 90[1)] Abstimmung, Abstimmungsergebnis, Akten. Für die Abstimmung, das Abstimmungsergebnis und die Aufbewahrung der Akten sind die §§ 15, 16, 20, 21 und 72 Absatz 1 Satz 3 und 4, Absatz 2 Satz 3 und Absatz 5 sowie die §§ 73, 80 und 87 Abs. 2 und 3 entsprechend anzuwenden.

Kapitel 4. Ersatzmitglieder

§ 91 Ersatzmitglieder. Für die Abberufung von Ersatzmitgliedern (§ 23 Abs. 4 des Gesetzes[2)]) sind die Vorschriften der Kapitel 1 bis 3 entsprechend anzuwenden.

[1)] § 90 geänd. mWv 13.10.2005 durch VO v. 10.10.2005 (BGBl. I S. 2927); geänd. mWv 2.9.2015 durch VO v. 26.8.2015 (BGBl. I S. 1443).

[2)] Nr. **560**.

Teil 3.[1] Unternehmen mit Mehrheitsbeteiligung des Bundes

§ 91a[1] Geschlechteranteil in nicht börsennotierten Unternehmen.

Für nicht börsennotierte Unternehmen mit Mehrheitsbeteiligung des Bundes im Sinne des § 393a Absatz 1 des Aktiengesetzes[2] oder des § 77a Absatz 1 des Gesetzes betreffend die Gesellschaften mit beschränkter Haftung[3] gelten die Regelungen dieser Wahlordnung zum Geschlechteranteil bei börsennotierten Unternehmen entsprechend.

Teil 4.[4] Übergangs- und Schlussvorschriften

§ 92 Erstmalige Anwendung des Gesetzes auf ein Unternehmen.

(1) Bei der erstmaligen Anwendung des Gesetzes auf ein Unternehmen hat das Unternehmen die in § 2 bezeichnete Bekanntmachung unverzüglich nach der in § 97 Abs. 1 des Aktiengesetzes[5] bezeichneten Bekanntmachung über die Zusammensetzung des Aufsichtsrats zu erlassen.

(2) [1] Der Betriebswahlvorstand wird unverzüglich nach der in § 2 bezeichneten Bekanntmachung gebildet. [2] Unverzüglich nach der Bildung des Betriebswahlvorstands ist die Wählerliste aufzustellen; die §§ 8 bis 11 sind anzuwenden.

(3) Abweichend von § 12 Abs. 1 Satz 1 und 2 soll der Betriebswahlvorstand die in den §§ 12, 24 und 28 bezeichneten Bekanntmachungen 15 Wochen vor dem voraussichtlichen Beginn der Amtszeit der zu wählenden Aufsichtsratsmitglieder der Arbeitnehmer erlassen.

§ 93 Berechnung von Fristen. [1] Für die Berechnung der in dieser Verordnung bestimmten Fristen sind die §§ 186 bis 193 des Bürgerlichen Gesetzbuchs[6] entsprechend anzuwenden. [2] Arbeitstage im Sinne dieser Verordnung sind die Wochentage Montag bis Freitag mit Ausnahme der gesetzlichen Feiertage.

§ 94[7] Übergangsregelung. Auf Wahlen von Aufsichtsratsmitgliedern der Arbeitnehmer, die bis einschließlich 31. März 2022 abgeschlossen sind, ist diese Verordnung in der bis zum 11. August 2021 geltenden Fassung anzuwenden.

§ 95 Inkrafttreten, Außerkrafttreten. [1] Diese Verordnung tritt am Tag nach der Verkündung[8] in Kraft. [2] Gleichzeitig tritt die Erste Wahlordnung zum Mitbestimmungsgesetz vom 23. Juni 1977 (BGBl. I S. 861), geändert durch Artikel 1 der Verordnung vom 9. November 1990 (BGBl. I S. 2487), außer Kraft.

---

[1] Teil 3 (§ 91a) eingef. mWv 12.8.2021 durch G v. 7.8.2021 (BGBl. I S. 3311).
[2] **beck-online, Module Arbeitsrecht Nr. 567.**
[3] **Habersack Nr. 52.**
[4] Bish. Teil 3 wird Teil 4 mWv 12.8.2021 durch G v. 7.8.2021 (BGBl. I S. 3311).
[5] Nr. **567**.
[6] Nr. **50**.
[7] § 94 neu gef. mWv 12.8.2021 durch G v. 7.8.2021 (BGBl. I S. 3311).
[8] Verkündet am 31.5.2002.

560b. Zweite Wahlordnung zum Mitbestimmungsgesetz (2. WOMitbestG)

Vom 27. Mai 2002
(BGBl. I S. 1708)

FNA 801-8-5

zuletzt geänd. durch Art. 19 G zur Ergänzung und Änd. der Regelungen für die gleichberechtigte Teilhabe von Frauen an Führungspositionen in der Privatwirtschaft und im öffentlichen Dienst v. 7.8. 2021 (BGBl. I S. 3311)

Auf Grund des § 39 des Mitbestimmungsgesetzes[1)] vom 4. Mai 1976 (BGBl. I S. 1153) verordnet die Bundesregierung:

Inhaltsübersicht[2)]

[1)] Nr. **560**.

[2)] Inhaltsübersicht geänd. mWv 2.9.2015 durch VO v. 26.8.2015 (BGBl. I S. 1443); geänd. mWv 12.8.2021 durch G v. 7.8.2021 (BGBl. I S. 3311).

§ 1 Geltungsbereich. (1) [1] Besteht ein Unternehmen, in dem die Arbeitnehmerinnen und Arbeitnehmer nach § 1 Abs. 1 des Gesetzes[1] ein Mitbestimmungsrecht haben, aus mehreren Betrieben, so bestimmen sich die Wahl und die Abberufung der Aufsichtsratsmitglieder der Arbeitnehmer dieses Unternehmens nach den Vorschriften dieser Verordnung. [2] Nehmen an der Wahl

[1] Nr. **560**.

oder an der Abberufung nach § 4 oder § 5 des Gesetzes auch die Arbeitnehmerinnen und Arbeitnehmer anderer Unternehmen teil, so bestimmt sie sich nach den Vorschriften der Dritten Wahlordnung zum Mitbestimmungsgesetz.[1)]

(2) Die Wahl der Aufsichtsratsmitglieder der Arbeitnehmer bestimmt sich nach den Vorschriften des Teils 1.

(3) Die Abberufung von Aufsichtsratsmitgliedern der Arbeitnehmer bestimmt sich nach den Vorschriften des Teils 2.

(4) Nehmen an der Wahl oder an der Abberufung auch Arbeitnehmerinnen und Arbeitnehmer eines in § 34 Abs. 1 des Gesetzes bezeichneten Betriebs (Seebetrieb) teil, so sind außerdem die Vorschriften des Teils 3 anzuwenden.

Teil 1. Wahl der Aufsichtsratsmitglieder der Arbeitnehmer

Kapitel 1. Einleitung der Wahl, Abstimmung über die Art der Wahl, Wahlvorschläge

Abschnitt 1. Einleitung der Wahl

§ 2[2)] Bekanntmachung des Unternehmens. (1) [1] Das Unternehmen macht spätestens 23 Wochen vor dem voraussichtlichen Beginn der Amtszeit der zu wählenden Aufsichtsratsmitglieder der Arbeitnehmer bekannt, dass Aufsichtsratsmitglieder der Arbeitnehmer zu wählen sind. [2] In der Bekanntmachung ist ferner anzugeben:

1. der voraussichtliche Beginn der Amtszeit der zu wählenden Aufsichtsratsmitglieder der Arbeitnehmer;
2. die Zahl der zu wählenden Aufsichtsratsmitglieder der Arbeitnehmer;
3. bei einem börsennotierten Unternehmen der Anteil, mit dem Frauen und Männer nach § 96 Absatz 2 Satz 1 des Aktiengesetzes jeweils mindestens im Aufsichtsrat vertreten sein müssen;
4. bei einem börsennotierten Unternehmen, ob der Geschlechteranteil nach § 96 Absatz 2 Satz 1 des Aktiengesetzes gemäß § 96 Absatz 2 Satz 2 des Aktiengesetzes vom Aufsichtsrat insgesamt zu erfüllen ist (Gesamterfüllung) oder ob der Gesamterfüllung nach § 96 Absatz 2 Satz 3 des Aktiengesetzes widersprochen wurde, mit der Folge, dass der Geschlechteranteil für diese Wahl von der Anteilseignerseite und der Seite der Arbeitnehmer getrennt zu erfüllen ist (Getrennterfüllung);
5. die Anschriften der Betriebe des Unternehmens. Die Angabe der Anschriften der Betriebe des Unternehmens kann entfallen, soweit die Anschriften im Fall des Absatzes 1 Satz 3 bereits bekannt gemacht worden sind;
6. die Zahl der in dem Unternehmen in der Regel beschäftigten Arbeitnehmerinnen und Arbeitnehmer.

[3] Nehmen die Arbeitnehmerinnen und Arbeitnehmer des Unternehmens auch an der Wahl von Aufsichtsratsmitgliedern anderer Unternehmen teil (§ 54, 55) und beginnt die Amtszeit dieser Aufsichtsratsmitglieder nicht mehr als zwölf Monate vor oder nach dem Beginn der Amtszeit der nach dieser Verordnung

---

1) Nr. **560c**.

2) § 2 Abs. 1 Satz 2 Nr. 3 und 4 eingef., bish. Nr. 3 und 4 werden Nr. 5 und 6 mWv 2.9.2015 durch VO v. 26.8.2015 (BGBl. I S. 1443).

zu wählenden Aufsichtsratsmitglieder, so ist auch dies in der Bekanntmachung anzugeben.

(2) [1]Die Bekanntmachung kann durch Aushang an einer oder mehreren geeigneten, den Wahlberechtigten zugänglichen Stellen in den Betrieben des Unternehmens und durch Einsatz der im Unternehmen vorhandenen Informations- und Kommunikationstechnik erfolgen. [2]Der Einsatz der Informations- und Kommunikationstechnik ist nur zulässig, wenn der Adressatenkreis dieser Bekanntmachungsform von der Bekanntmachung Kenntnis erlangen kann und Vorkehrungen getroffen sind, damit nur das Unternehmen Änderungen der Bekanntmachung vornehmen kann.

(3) Gleichzeitig mit der Bekanntmachung in den Betrieben übersendet das Unternehmen eine Kopie der Bekanntmachung

1. dem Gesamtbetriebsrat und dem Gesamtsprecherausschuss (Unternehmenssprecherausschuss),
2. den Betriebsräten und Sprecherausschüssen,
3. den in dem Unternehmen vertretenen Gewerkschaften,
4. den nach § 117 Abs. 2 Satz 1 des Betriebsverfassungsgesetzes[1] durch Tarifvertrag errichteten Vertretungen für im Flugbetrieb beschäftigte Arbeitnehmerinnen und Arbeitnehmer des Unternehmens.

(Fortsetzung nächstes Blatt)

[1] Nr. **570**.

§ 3 Wahlvorstände. (1) Die rechtzeitige Einleitung und die Durchführung der Wahl sowie die Feststellung des Wahlergebnisses obliegen dem Unternehmenswahlvorstand.

(2) In den einzelnen Betrieben wird die Wahl im Auftrag und nach den Richtlinien des Unternehmenswahlvorstands durch Betriebswahlvorstände durchgeführt.

(3) [1] Die Wahlvorstände werden unverzüglich nach der in § 2 bezeichneten Bekanntmachung gebildet. [2] Die Geschlechter sollen entsprechend ihrem zahlenmäßigen Verhältnis vertreten sein.

§ 4 Zusammensetzung des Unternehmenswahlvorstands. (1) [1] Der Unternehmenswahlvorstand besteht aus drei Mitgliedern. [2] Der Gesamtbetriebsrat kann die Zahl der Mitglieder erhöhen, wenn dies zur ordnungsgemäßen Durchführung der Wahl erforderlich ist. [3] Der Unternehmenswahlvorstand muss aus einer ungeraden Zahl von Mitgliedern bestehen. [4] Mitglieder des Unternehmenswahlvorstands können nur Wahlberechtigte des Unternehmens sein.

(2) [1] Im Unternehmenswahlvorstand sollen die in § 3 Abs. 1 Satz 1 des Gesetzes[1)] bezeichneten Arbeitnehmer und die leitenden Angestellten angemessen vertreten sein. [2] Dem Unternehmenswahlvorstand muss, wenn in dem Unternehmen mindestens fünf wahlberechtigte leitende Angestellte beschäftigt sind, mindestens ein leitender Angestellter angehören.

(3) Für jedes Mitglied des Unternehmenswahlvorstands kann für den Fall seiner Verhinderung ein Ersatzmitglied bestellt werden.

(4) [1] Der Gesamtbetriebsrat bestellt die Mitglieder des Unternehmenswahlvorstands, die in § 3 Abs. 1 Nr. 1 des Gesetzes bezeichnete Arbeitnehmer sind. [2] Besteht kein Gesamtbetriebsrat, so werden diese Mitglieder des Unternehmenswahlvorstands

1. vom Betriebsrat des nach der Zahl der Wahlberechtigten größten Betriebs, in dem ein Betriebsrat besteht, bestellt oder,
2. falls in keinem Betrieb ein Betriebsrat besteht, in einer Versammlung der in § 3 Abs. 1 Nr. 1 des Gesetzes bezeichneten Arbeitnehmer des nach der Zahl der Wahlberechtigten größten Betriebs mit der Mehrheit der abgegebenen Stimmen gewählt.

[3] Besteht auch eine nach § 117 Abs. 2 Satz 1 des Betriebsverfassungsgesetzes[2)] durch Tarifvertrag errichtete Vertretung für im Flugbetrieb beschäftigte Arbeitnehmerinnen und Arbeitnehmer, so erfolgt die Bestellung gemeinsam mit dieser Vertretung.

(5) [1] Der Gesamtsprecherausschuss (Unternehmenssprecherausschuss) bestellt die auf die leitenden Angestellten entfallenden Mitglieder des Unternehmenswahlvorstands. [2] Besteht kein Gesamtsprecherausschuss (Unternehmenssprecherausschuss), so werden diese Mitglieder des Unternehmenswahlvorstands

1. vom Sprecherausschuss des nach der Zahl der wahlberechtigten leitenden Angestellten größten Betriebs, in dem ein Sprecherausschuss besteht, bestellt oder,

---

1) Nr. **560**.
2) Nr. **570**.

2. falls in keinem Betrieb ein Sprecherausschuss besteht, in einer Versammlung der leitenden Angestellten des nach der Zahl der wahlberechtigten leitenden Angestellten größten Betriebs mit der Mehrheit der abgegebenen Stimmen gewählt.

§ 5 Zusammensetzung des Betriebswahlvorstands. (1) [1] Der Betriebswahlvorstand besteht aus drei Mitgliedern. [2] Der Betriebsrat kann die Zahl der Mitglieder erhöhen, wenn dies zur ordnungsgemäßen Durchführung der Wahl erforderlich ist. [3] Der Betriebswahlvorstand muss aus einer ungeraden Zahl von Mitgliedern bestehen. [4] Mitglieder des Betriebswahlvorstands können nur Wahlberechtigte des Betriebs sein.

(2) [1] Im Betriebswahlvorstand sollen die in § 3 Abs. 1 Nr. 1 des Gesetzes[1)] bezeichneten Arbeitnehmer und die leitenden Angestellten angemessen vertreten sein. [2] Dem Betriebswahlvorstand muss, wenn in dem Betrieb mindestens fünf wahlberechtigte leitende Angestellte beschäftigt sind, mindestens ein leitender Angestellter angehören.

(3) Für jedes Mitglied des Betriebswahlvorstands kann für den Fall seiner Verhinderung ein Ersatzmitglied bestellt werden.

(4) [1] Der Betriebsrat bestellt die Mitglieder des Betriebswahlvorstands, die in § 3 Abs. 1 Nr. 1 des Gesetzes bezeichnete Arbeitnehmer sind. [2] Besteht kein Betriebsrat, so werden die in Satz 1 bezeichneten Mitglieder des Betriebswahlvorstands in einer Betriebsversammlung mit der Mehrheit der abgegebenen Stimmen gewählt.

(5) [1] Die auf die leitenden Angestellten entfallenden Mitglieder werden von dem für den Betrieb zuständigen Sprecherausschuss bestellt. [2] Besteht kein Sprecherausschuss, so werden die in Satz 1 bezeichneten Mitglieder des Betriebswahlvorstands in einer Versammlung der leitenden Angestellten des Betriebs mit der Mehrheit der abgegebenen Stimmen gewählt.

(6) [1] Ist für einen Betrieb mit nicht mehr als 45 Wahlberechtigten innerhalb von zwei Wochen nach der in § 2 bezeichneten Bekanntmachung kein Betriebswahlvorstand gebildet, so beauftragt der Unternehmenswahlvorstand für diesen Betrieb den Betriebswahlvorstand eines anderen Betriebs des Unternehmens mit der Wahrnehmung der Aufgaben des Betriebswahlvorstands. [2] Der beauftragte Betriebswahlvorstand kann beschließen, dass in dem Betrieb, für den kein Betriebswahlvorstand gebildet worden ist, die Stimmabgabe bei den in Kapitel 1 und Kapitel 2 bezeichneten Abstimmungen und Wahlen schriftlich erfolgt. [3] Im Fall des Satzes 2 erhalten die Wahlberechtigten dieses Betriebs die in § 19 Abs. 1 bezeichneten Unterlagen für die schriftliche Stimmabgabe, ohne dass es eines Verlangens bedarf; die in den §§ 15 und 39 bezeichneten Ausschreiben sind um folgende Angaben zu ergänzen:

1. dass für den Betrieb die schriftliche Stimmabgabe beschlossen ist;
2. den Zeitpunkt, bis zu dem die Wahlbriefe beim Betriebswahlvorstand eingegangen sein müssen.

§ 6 Mitteilungspflicht. (1) Der Unternehmenswahlvorstand teilt unverzüglich nach seiner Bildung dem Unternehmen, den im Unternehmen vertretenen

---

1) Nr. **560**.

Gewerkschaften und den Betriebswahlvorständen schriftlich die Namen seiner Mitglieder und seine Anschrift mit.

(2) Jeder Betriebswahlvorstand teilt unverzüglich nach seiner Bildung dem Unternehmenswahlvorstand schriftlich die Namen seiner Mitglieder und seine Anschrift mit.

§ 7 Geschäftsführung der Wahlvorstände. (1) Jeder Wahlvorstand wählt aus seiner Mitte eine Vorsitzende oder einen Vorsitzenden und mindestens eine Stellvertreterin oder einen Stellvertreter.

(2) [1] Der Wahlvorstand kann sich eine schriftliche Geschäftsordnung geben. [2] Der Unternehmenswahlvorstand kann Wahlberechtigte des Unternehmens, der Betriebswahlvorstand kann Wahlberechtigte des Betriebs als Wahlhelferinnen und Wahlhelfer zu seiner Unterstützung heranziehen.

(3) [1] Der Wahlvorstand fasst seine Beschlüsse mit einfacher Stimmenmehrheit seiner Mitglieder. [2] Über jede Sitzung des Wahlvorstands ist eine Niederschrift aufzunehmen, die mindestens den Wortlaut der Beschlüsse enthält; bei Beschlüssen des Betriebswahlvorstands über die Eintragung von Arbeitnehmerinnen und Arbeitnehmern in die Wählerliste als in § 3 Abs. 1 Nr. 1 des Gesetzes[1)] bezeichnete Arbeitnehmer oder als leitende Angestellte ist in der Niederschrift auch zu vermerken, ob sie ohne Gegenstimme gefasst worden sind. [3] Mitglieder des Wahlvorstands, gegen deren Stimmen ein Beschluss gefasst worden ist, können verlangen, dass in der Niederschrift ihre abweichende Meinung vermerkt wird. [4] Die Niederschrift ist von der oder dem Vorsitzenden und einem weiteren Mitglied des Wahlvorstands zu unterzeichnen; dies gilt auch für Bekanntmachungen, Ausschreiben und weitere Niederschriften des Wahlvorstands.

(4) [1] Bekanntmachungen des Wahlvorstands können durch Aushang und durch den Einsatz der im Betrieb vorhandenen Informations- und Kommunikationstechnik erfolgen. [2] Der Aushang erfolgt an einer oder mehreren geeigneten, den Wahlberechtigten zugänglichen Stellen im Betrieb. [3] Er ist in gut lesbarem Zustand zu erhalten. [4] Der Einsatz der Informations- und Kommunikationstechnik ist nur zulässig, wenn der Adressatenkreis dieser Bekanntmachungsform von der Bekanntmachung Kenntnis erlangen kann und Vorkehrungen getroffen sind, damit nur der Wahlvorstand Änderungen der Bekanntmachung vornehmen kann.

(5) Das Unternehmen hat die Wahlvorstände bei der Erfüllung ihrer Aufgaben zu unterstützen und ihnen den erforderlichen Geschäftsbedarf zur Verfügung zu stellen.

(6) Die Wahlvorstände sollen dafür sorgen, dass ausländische Arbeitnehmerinnen und Arbeitnehmer, die der deutschen Sprache nicht mächtig sind, rechtzeitig über den Anlass der Wahl, das Wahlverfahren, die Abstimmungen, die Aufstellung der Wählerliste und der Wahlvorschläge, den Wahlvorgang und die Stimmabgabe in geeigneter Weise unterrichtet werden.

§ 8 Wählerliste. (1) [1] Der Betriebswahlvorstand stellt unverzüglich nach seiner Bildung eine Liste der Wahlberechtigten des Betriebs (Wählerliste) auf, getrennt nach den in § 3 Abs. 1 Nr. 1 des Gesetzes[1)] bezeichneten Arbeitnehmern und den leitenden Angestellten. [2] Die Wahlberechtigten sollen in alphabetischer Rei-

---

[1)] Nr. **560**.

henfolge mit Familienname, Vorname und Geburtsdatum aufgeführt werden. [3] Das Aufstellen der Wählerliste kann durch Einsatz der im Betrieb vorhandenen Informations- und Kommunikationstechnik erfolgen, wenn Vorkehrungen getroffen sind, damit nur der Wahlvorstand Änderungen in der Wählerliste vornehmen kann.

(2) [1] Jedes Mitglied des Betriebswahlvorstands ist verpflichtet darauf hinzuwirken, dass die Wahlberechtigten in der Wählerliste in zutreffender Weise in Arbeitnehmer nach § 3 Abs. 1 Nr. 1 des Gesetzes und leitende Angestellte eingeteilt werden. [2] Die Mitglieder des Betriebswahlvorstands sollen hierüber um eine Beschlussfassung ohne Gegenstimme bemüht sein. [3] Hat der Betriebswahlvorstand hierüber ausschließlich Beschlüsse ohne Gegenstimme gefasst, so ist § 10 nicht anzuwenden.

(3) [1] Das Unternehmen hat den Betriebswahlvorständen alle für die Anfertigung der Wählerliste erforderlichen Auskünfte zu erteilen und die erforderlichen Unterlagen zur Verfügung zu stellen. [2] Es hat die Betriebswahlvorstände insbesondere bei der Einteilung in Arbeitnehmer nach § 3 Abs. 1 Nr. 1 des Gesetzes und leitende Angestellte zu unterstützen.

(4) Der Betriebswahlvorstand berichtigt oder ergänzt die Wählerliste unverzüglich, wenn eine Arbeitnehmerin oder ein Arbeitnehmer

1. in den Betrieb eintritt oder aus ihm ausscheidet,
2. das 18. Lebensjahr vollendet oder
3. die Eigenschaft als in § 3 Abs. 1 Nr. 1 des Gesetzes bezeichneter Arbeitnehmer oder leitender Angestellter wechselt,

oder wenn sich in sonstiger Weise die Voraussetzungen, auf denen eine Eintragung in der Wählerliste beruht, ändern.

(5) An Wahlen und Abstimmungen können nur Arbeitnehmerinnen und Arbeitnehmer teilnehmen, die in der Wählerliste eingetragen sind.

§ 9 Bekanntmachung über die Bildung der Wahlvorstände und die Wählerliste. (1) [1] Die Einsichtnahme in die Wählerliste, das Gesetz[1)] und diese Verordnung ist unverzüglich bis zum Abschluss der Wahl der Aufsichtsratsmitglieder der Arbeitnehmer zu ermöglichen. [2] Die zur Einsichtnahme bestimmte Wählerliste soll die Geburtsdaten der Wahlberechtigten nicht enthalten. [3] Die Einsichtnahme kann durch Auslegung an geeigneter Stelle im Betrieb und durch den Einsatz der im Betrieb vorhandenen Informations- und Kommunikationstechnik ermöglicht werden.

(2) [1] Der Betriebswahlvorstand macht gleichzeitig mit der Ermöglichung der Einsichtnahme in die Wählerliste die Namen seiner Mitglieder und seine Anschrift sowie die Anschrift des Unternehmenswahlvorstands bekannt. [2] Die Bekanntmachung erfolgt vom Tag ihres Erlasses bis zum Abschluss der Wahl der Aufsichtsratsmitglieder der Arbeitnehmer. [3] Der Betriebswahlvorstand vermerkt auf der Bekanntmachung den ersten und den letzten Tag dieses Zeitraums. [4] In der Bekanntmachung ist ferner anzugeben:

1. das Datum ihres Erlasses;
2. wo und wie die Wahlberechtigten in die Wählerliste, das Gesetz und diese Verordnung Einsicht nehmen können;

[1)] Nr. **560**.

3. dass Einsprüche gegen die Richtigkeit der Wählerliste nur innerhalb von einer Woche seit Erlass der Bekanntmachung schriftlich beim Betriebswahlvorstand eingelegt werden können; der letzte Tag der Frist ist anzugeben;
4. dass Einsprüche gegen Berichtigungen und Ergänzungen der Wählerliste nur innerhalb von einer Woche seit der Berichtigung oder der Ergänzung eingelegt werden können;
5. dass an Wahlen und Abstimmungen nur Arbeitnehmerinnen und Arbeitnehmer teilnehmen können, die in der Wählerliste eingetragen sind.

(3) Hat der Betriebswahlvorstand bei der Aufstellung der Wählerliste nach § 8 Abs. 1 über die Eintragung der Wahlberechtigten als in § 3 Abs. 1 Nr. 1 des Gesetzes bezeichnete Arbeitnehmer oder leitende Angestellte nicht ausschließlich Beschlüsse ohne Gegenstimme gefasst, so muss die Bekanntmachung nach Absatz 2 auch die folgenden Angaben enthalten:

1. dass jede Arbeitnehmerin und jeder Arbeitnehmer innerhalb von einer Woche seit Erlass der Bekanntmachung schriftlich vom Betriebswahlvorstand die Änderung der eigenen Eintragung als in § 3 Abs. 1 Nr. 1 des Gesetzes bezeichneter Arbeitnehmer oder leitender Angestellter in der Wählerliste verlangen kann; der letzte Tag der Frist ist anzugeben;
2. dass dem Änderungsverlangen nach Nummer 1 zu entsprechen ist, wenn ein Mitglied des Betriebswahlvorstands dem Verlangen zustimmt;
3. dass gegen die Richtigkeit der Wählerliste nur Einspruch eingelegt werden kann, soweit nicht nach Nummer 1 eine Änderung der Wählerliste verlangt werden kann.

§ 10 Änderungsverlangen. (1) Jede Arbeitnehmerin und jeder Arbeitnehmer kann innerhalb von einer Woche seit Erlass der Bekanntmachung nach § 9 Abs. 2 und 3 schriftlich vom Betriebswahlvorstand verlangen, dass die eigene Eintragung in der Wählerliste als in § 3 Abs. 1 Nr. 1 des Gesetzes[1)] bezeichneter Arbeitnehmer oder leitender Angestellter geändert wird.

(2) [1] Dem Änderungsverlangen nach Absatz 1 ist zu entsprechen, wenn ein Mitglied des Betriebswahlvorstands dem Verlangen zustimmt. [2] Eine Zustimmung nach Satz 1 kann nur innerhalb einer Woche nach Ablauf der in Absatz 1 bestimmten Frist erteilt werden; sie ist schriftlich gegenüber dem Betriebswahlvorstand zu erklären.

(3) Gegen die Änderung der Eintragung nach Absatz 2 kann das Arbeitsgericht von einem Mitglied des Betriebswahlvorstands, das dem Änderungsverlangen nicht zugestimmt hat, angerufen werden.

§ 11 Übersendung der Wählerliste. (1) [1] Der Betriebswahlvorstand übersendet dem Unternehmenswahlvorstand unverzüglich nach Ablauf der in § 10 Abs. 1 bestimmten Frist eine Kopie der Wählerliste und teilt ihm die Zahlen der in der Regel im Betrieb beschäftigten in § 3 Abs. 1 Nr. 1 des Gesetzes[1)] bezeichneten Arbeitnehmer und leitenden Angestellten mit. [2] Ist nach § 10 Abs. 1 die Änderung der Wählerliste verlangt worden, so erfolgt die Übersendung unverzüglich nach Ablauf der in § 10 Abs. 2 Satz 2 bestimmten Frist.

[1)] Nr. **560**.

(2) Der Betriebswahlvorstand teilt Berichtigungen und Ergänzungen der Wählerliste dem Unternehmenswahlvorstand unverzüglich mit.

§ 12 Einsprüche gegen die Richtigkeit der Wählerliste. (1) [1] Gegen die Richtigkeit der Wählerliste kann Einspruch eingelegt werden, soweit nicht nach § 10 Abs. 1 eine Änderung der Eintragung als in § 3 Abs. 1 Nr. 1 des Gesetzes[1)] bezeichneter Arbeitnehmer oder leitender Angestellter in der Wählerliste verlangt werden kann. [2] Einsprüche gegen die Richtigkeit der Wählerliste können nur innerhalb von einer Woche seit Erlass der Bekanntmachung nach § 9 Abs. 2 und 3 schriftlich beim Betriebswahlvorstand eingelegt werden. [3] Einsprüche gegen Berichtigungen und Ergänzungen der Wählerliste können nur innerhalb von einer Woche seit der Berichtigung oder der Ergänzung eingelegt werden.

(2) [1] Über Einsprüche nach Absatz 1 ist unverzüglich zu entscheiden. [2] Ist ein Einspruch begründet, so wird die Wählerliste berichtigt. [3] Der Betriebswahlvorstand teilt die Entscheidung der Person, die den Einspruch eingelegt hat, unverzüglich schriftlich mit.

Abschnitt 2. Abstimmung über die Art der Wahl

§ 13 Bekanntmachung. (1) [1] In einem Unternehmen mit in der Regel insgesamt nicht mehr als 8 000 Arbeitnehmerinnen und Arbeitnehmern erlässt der Unternehmenswahlvorstand unverzüglich nach Übersendung der Wählerlisten eine Bekanntmachung. [2] Die Bekanntmachung muss folgende Angaben enthalten:

1. den für die Bekanntmachung bestimmten Zeitpunkt;
2. dass die Aufsichtsratsmitglieder der Arbeitnehmer in unmittelbarer Wahl gewählt werden, wenn nicht die Wahlberechtigten die Wahl durch Delegierte beschließen;
3. die Mindestzahl der Wahlberechtigten, von denen ein Antrag auf Abstimmung darüber, dass die Wahl der Aufsichtsratsmitglieder der Arbeitnehmer durch Delegierte erfolgen soll, unterzeichnet sein muss;
4. dass ein Antrag nur innerhalb von zwei Wochen seit dem für die Bekanntmachung bestimmten Zeitpunkt schriftlich beim Unternehmenswahlvorstand eingereicht werden kann; der letzte Tag der Frist ist anzugeben;
5. die Mindestzahl der Wahlberechtigten, deren Beteiligung an der Abstimmung erforderlich ist;
6. dass ein Beschluss über die Wahl der Aufsichtsratsmitglieder der Arbeitnehmer durch Delegierte nur mit der Mehrheit der abgegebenen Stimmen gefasst werden kann;
7. die Anschrift des Unternehmenswahlvorstands.

[3] Sind nach den Vorschriften dieser Verordnung Delegierte bereits gewählt, deren Amtszeit bei Beginn der Amtszeit der zu wählenden Aufsichtsratsmitglieder der Arbeitnehmer noch nicht beendet ist, so muss die Bekanntmachung die in Absatz 2 Satz 2 bezeichneten Angaben enthalten.

(2) [1] In einem Unternehmen mit in der Regel insgesamt mehr als 8 000 Arbeitnehmerinnen und Arbeitnehmern erlässt der Unternehmenswahlvorstand

---

1) Nr. **560**.

zu dem in Absatz 1 Satz 1 bestimmten Zeitpunkt eine Bekanntmachung. [2] Sie muss folgende Angaben enthalten:

1. den für die Bekanntmachung bestimmten Zeitpunkt;
2. dass die Aufsichtsratsmitglieder der Arbeitnehmer durch Delegierte gewählt werden, wenn nicht die Wahlberechtigten die unmittelbare Wahl beschließen;
3. die Mindestzahl der Wahlberechtigten, von denen ein Antrag auf Abstimmung darüber, dass die Aufsichtsratsmitglieder der Arbeitnehmer in unmittelbarer Wahl gewählt werden sollen, unterzeichnet sein muss;
4. dass ein Antrag nur innerhalb von zwei Wochen seit dem für die Bekanntmachung bestimmten Zeitpunkt schriftlich beim Unternehmenswahlvorstand eingereicht werden kann; der letzte Tag der Frist ist anzugeben;
5. die Mindestzahl der Wahlberechtigten, deren Beteiligung an der Abstimmung erforderlich ist;
6. dass ein Beschluss über die unmittelbare Wahl der Aufsichtsratsmitglieder der Arbeitnehmer nur mit der Mehrheit der abgegebenen Stimmen gefasst werden kann;
7. die Anschrift des Unternehmenswahlvorstands.

[3] Die Sätze 1 und 2 sind auch anzuwenden, wenn nach den Vorschriften dieser Verordnung Delegierte bereits gewählt sind, deren Amtszeit bei Beginn der Amtszeit der zu wählenden Aufsichtsratsmitglieder der Arbeitnehmer noch nicht beendet ist.

(3) [1] Der Unternehmenswahlvorstand übersendet die Bekanntmachung den Betriebswahlvorständen und teilt ihnen schriftlich den Zeitpunkt mit, von dem ab die Bekanntmachung in den Betrieben zu erfolgen hat. [2] Die Bekanntmachung durch den Betriebswahlvorstand erfolgt bis zu der Bekanntmachung des Wahlausschreibens nach § 39 oder § 59. [3] Der Betriebswahlvorstand vermerkt auf der Bekanntmachung den ersten und den letzten Tag dieses Zeitraums.

(4) Der Unternehmenswahlvorstand übersendet die Bekanntmachung unverzüglich nach ihrem Erlass dem Unternehmen und den im Unternehmen vertretenen Gewerkschaften.

§ 14 Antrag auf Abstimmung. (1) [1] In einem Unternehmen mit in der Regel insgesamt nicht mehr als 8 000 Arbeitnehmerinnen und Arbeitnehmern kann ein Antrag auf Abstimmung darüber, dass die Wahl der Aufsichtsratsmitglieder der Arbeitnehmer durch Delegierte erfolgen soll, gestellt werden. [2] Wenn die in § 13 Abs. 1 Satz 3 bezeichneten Voraussetzungen vorliegen, ist Absatz 2 anzuwenden.

(2) In einem Unternehmen mit in der Regel insgesamt mehr als 8 000 Arbeitnehmerinnen und Arbeitnehmern kann ein Antrag auf Abstimmung darüber, dass die Aufsichtsratsmitglieder der Arbeitnehmer in unmittelbarer Wahl gewählt werden sollen, gestellt werden; dies gilt auch, wenn die in § 13 Abs. 2 Satz 3 bezeichneten Voraussetzungen vorliegen.

(3) [1] Ein Antrag auf Abstimmung ist innerhalb von zwei Wochen seit dem für die Bekanntmachung nach § 13 bestimmten Zeitpunkt schriftlich beim Unternehmenswahlvorstand einzureichen. [2] Der Unternehmenswahlvorstand prüft unverzüglich nach Eingang eines Antrags dessen Gültigkeit.

(4) Ein Antrag auf Abstimmung ist gültig, wenn er von mindestens einem Zwanzigstel der Wahlberechtigten unterzeichnet und fristgerecht eingereicht worden ist.

(5) Ist ein Antrag ungültig, so teilt der Unternehmenswahlvorstand dies dem Antragsvertreter oder, wenn ein solcher nicht benannt ist, der oder dem an erster Stelle Unterzeichnenden schriftlich mit.

§ 15 Abstimmungsausschreiben. (1) [1] Liegt ein gültiger Antrag nach § 14 vor, so erlässt der Unternehmenswahlvorstand unverzüglich ein Abstimmungsausschreiben. [2] Die Abstimmung soll innerhalb von zwei Wochen seit dem für die Bekanntmachung des Abstimmungsausschreibens bestimmten Zeitpunkt stattfinden.

(2) Das Abstimmungsausschreiben muss folgende Angaben enthalten:

1. den für die Bekanntmachung bestimmten Zeitpunkt;
2. den Inhalt des Antrags;
3. dass an der Abstimmung nur Arbeitnehmerinnen und Arbeitnehmer teilnehmen können, die in der Wählerliste eingetragen sind;
4. die Mindestzahl der Wahlberechtigten, deren Beteiligung an der Abstimmung erforderlich ist;
5. dass der Beschluss nur mit der Mehrheit der abgegebenen Stimmen gefasst werden kann;
6. den Tag oder die Tage der Stimmabgabe.

(3) [1] Der Unternehmenswahlvorstand übersendet das Abstimmungsausschreiben den Betriebswahlvorständen und teilt ihnen schriftlich den Zeitpunkt mit, von dem ab das Abstimmungsausschreiben in den Betrieben bekannt zu machen ist. [2] Jeder Betriebswahlvorstand ergänzt das Abstimmungsausschreiben um die folgenden Angaben:

1. Ort und Zeit der Stimmabgabe und der öffentlichen Stimmauszählung;
2. den Hinweis auf die Möglichkeit der schriftlichen Stimmabgabe sowie die Betriebsteile, Kleinstbetriebe und Betriebe, für die schriftliche Stimmabgabe nach § 19 Abs. 3 beschlossen ist;
3. dass Einsprüche und sonstige Erklärungen gegenüber dem Betriebswahlvorstand abzugeben sind;
4. die Anschrift des Betriebswahlvorstands.

(4) [1] Der Betriebswahlvorstand macht das Abstimmungsausschreiben bis zum Abschluss der Stimmabgabe bekannt und vermerkt auf dem Abstimmungsausschreiben den ersten und den letzten Tag der Bekanntmachung. [2] § 13 Abs. 4 ist entsprechend anzuwenden.

§ 16[1] Stimmabgabe. (1) [1] Die Stimmzettel für die Abstimmung dürfen nur den Antrag und die Frage an die Abstimmungsberechtigten enthalten, ob sie für oder gegen den Antrag stimmen. [2] Soll die Stimme für den Antrag abgegeben werden, so ist das vorgedruckte „Ja", andernfalls das vorgedruckte „Nein" an-

[1] § 16 Abs. 1 Satz 3 letzter Satzteil aufgeh., Abs. 2 geänd. mWv 13. 10. 2005 durch VO v. 10. 10. 2005 (BGBl. I S. 2927).

zukreuzen. [3] Die Stimmzettel für die Abstimmung müssen sämtlich die gleiche Größe, Farbe, Beschaffenheit und Beschriftung haben.

(2) Der Unternehmenswahlvorstand übersendet die Stimmzettel rechtzeitig den Betriebswahlvorständen.

(3) Stimmzettel, die mit einem besonderen Merkmal versehen sind oder aus denen sich ein eindeutiger Wille nicht ergibt oder die andere als die in Absatz 1 bezeichneten Angaben, einen Zusatz oder sonstige Änderungen enthalten, sind ungültig.

§ 17[1)] Abstimmungsvorgang. (1) [1] Der Betriebswahlvorstand hat geeignete Vorkehrungen für die unbeobachtete Kennzeichnung der Stimmzettel im Wahlraum zu treffen und für die Bereitstellung einer Wahlurne oder mehrerer Wahlurnen zu sorgen. [2] Die Wahlurne muss vom Betriebswahlvorstand verschlossen und so eingerichtet sein, dass die eingeworfenen Stimmzettel nicht herausgenommen werden können, ohne dass die Urne geöffnet wird.

(2) Während der Abstimmung müssen mindestens zwei Mitglieder des Betriebswahlvorstands im Wahlraum anwesend sein; sind Wahlhelferinnen und Wahlhelfer bestellt, so genügt die Anwesenheit eines Mitglieds des Betriebswahlvorstands und einer Wahlhelferin oder eines Wahlhelfers.

(3) [1] Die abstimmende Person kennzeichnet ihren Stimmzettel unbeobachtet und faltet ihn in der Weise, dass ihre Stimme nicht erkennbar ist. [2] Danach gibt sie ihren Namen an und wirft den gefalteten Stimmzettel in die Wahlurne, nachdem die Stimmabgabe in der Wählerliste vermerkt worden ist.

(4) [1] Wer infolge seiner Behinderung bei der Stimmabgabe beeinträchtigt ist, kann eine Person seines Vertrauens bestimmen, die ihm bei der Stimmabgabe behilflich sein soll, und teilt dies dem Wahlvorstand mit. [2] Personen, die sich bei der Wahl bewerben, Mitglieder des Wahlvorstands sowie Wahlhelferinnen und Wahlhelfer dürfen nicht zur Hilfeleistung herangezogen werden. [3] Die Hilfeleistung beschränkt sich auf die Erfüllung der Wünsche der Wählerin oder des Wählers zur Stimmabgabe; die Person des Vertrauens darf gemeinsam mit der Wählerin oder dem Wähler die Wahlzelle aufsuchen. [4] Sie ist zur Geheimhaltung der Kenntnisse verpflichtet, die sie bei der Hilfeleistung zur Stimmabgabe erlangt hat. [5] Die Sätze 1 bis 4 gelten entsprechend für des Lesens unkundige Wählerinnen und Wähler.

(5) [1] Wird die Stimmabgabe unterbrochen oder erfolgt die Stimmauszählung nicht unmittelbar nach Abschluss der Stimmabgabe, so hat der Betriebswahlvorstand für die Zwischenzeit die Wahlurne so zu verschließen und aufzubewahren, dass der Einwurf oder die Entnahme von Stimmzetteln ohne Beschädigung des Verschlusses unmöglich ist. [2] Bei Wiedereröffnung der Abstimmung oder bei Entnahme der Stimmzettel zur Stimmauszählung hat sich der Betriebswahlvorstand davon zu überzeugen, dass der Verschluss unversehrt ist.

§ 18[2)] *(aufgehoben)*

[1)] § 17 Abs. 1 Satz 2 geänd., Abs. 3 neu gef. mWv 13. 10. 2005 durch VO v. 10. 10. 2005 (BGBl. I S. 2927).

[2)] § 18 aufgeh. mWv 2. 9. 2015 durch VO v. 26. 8. 2015 (BGBl. I S. 1443).

§ 19 Voraussetzungen der schriftlichen Stimmabgabe. (1) [1] Abstimmungsberechtigten, die im Zeitpunkt der Abstimmung wegen Abwesenheit vom Betrieb verhindert sind, ihre Stimme persönlich abzugeben, hat der Betriebswahlvorstand auf ihr Verlangen

1. das Abstimmungsausschreiben,
2. den Stimmzettel und den Wahlumschlag,
3. eine vorgedruckte, von der abstimmenden Person abzugebende Erklärung, in der gegenüber dem Betriebswahlvorstand zu versichern ist, dass der Stimmzettel persönlich gekennzeichnet worden ist, sowie
4. einen größeren Freiumschlag, der die Anschrift des Betriebswahlvorstands und als Absender den Namen und die Anschrift des Abstimmungsberechtigten sowie den Vermerk „Schriftliche Stimmabgabe" trägt,

auszuhändigen oder zu übersenden. [2] Der Betriebswahlvorstand soll den Abstimmungsberechtigten ferner ein Merkblatt über die Art und Weise der schriftlichen Stimmabgabe (§ 19 Abs. 1) aushändigen oder übersenden. [3] Der Betriebswahlvorstand vermerkt die Aushändigung oder die Übersendung der Unterlagen in der Wählerliste.

(2) Abstimmungsberechtigte, von denen dem Betriebswahlvorstand bekannt ist, dass sie im Zeitpunkt der Abstimmung nach der Eigenart ihres Beschäftigungsverhältnisses voraussichtlich nicht im Betrieb anwesend sein werden (insbesondere im Außendienst, mit Telearbeit und in Heimarbeit Beschäftigte), erhalten die in Absatz 1 bezeichneten Unterlagen, ohne dass es eines Verlangens der Abstimmungsberechtigten bedarf.

(3) [1] Der Betriebswahlvorstand kann die schriftliche Stimmabgabe beschließen

1. für Betriebsteile und Kleinstbetriebe, die räumlich weit vom Hauptbetrieb entfernt sind,
2. für Betriebe, in denen die Mehrheit der Abstimmungsberechtigten zur schriftlichen Stimmabgabe nach Absatz 2 berechtigt ist und in denen die verbleibende Minderheit nicht mehr als insgesamt 25 Abstimmungsberechtigte ausmacht.

[2] Absatz 2 ist entsprechend anzuwenden.

(4) Der Unternehmenswahlvorstand übersendet den Betriebswahlvorständen auf Anforderung die in Absatz 1 bezeichneten Unterlagen für die schriftliche Stimmabgabe.

§ 20[1)] Verfahren bei der schriftlichen Stimmabgabe. (1) Die Stimmabgabe erfolgt in der Weise, dass die abstimmende Person

1. den Stimmzettel unbeobachtet persönlich kennzeichnet und so faltet und in dem zugehörigen Wahlumschlag verschließt, dass die Stimmabgabe erst nach Auseinanderfalten des Stimmzettels erkennbar ist;
2. die vorgedruckte Erklärung unter Angabe des Orts und des Datums unterschreibt und
3. den Wahlumschlag und die unterschriebene vorgedruckte Erklärung in dem Freiumschlag verschließt und diesen Wahlbrief so rechtzeitig an den Betriebs-

---

[1)] § 20 Abs. 1 Nr. 1 neu gef., Abs. 2 Satz 2 geänd., Satz 3 angef. mWv 13. 10. 2005 durch VO v. 10. 10. 2005 (BGBl. I S. 2927).

wahlvorstand absendet oder übergibt, dass er vor Abschluss der Stimmabgabe vorliegt.

(2) [1] Unmittelbar vor Abschluss der Stimmabgabe öffnet der Betriebswahlvorstand in öffentlicher Sitzung die bis zu diesem Zeitpunkt eingegangenen Wahlbriefe und entnimmt ihnen die Wahlumschläge sowie die vorgedruckten Erklärungen. [2] Ist die schriftliche Stimmabgabe ordnungsgemäß erfolgt, so vermerkt der Betriebswahlvorstand die Stimmabgabe in der Wählerliste, öffnet die Wahlumschläge und legt die Stimmzettel in die Wahlurne. [3] Befinden sich in einem Wahlumschlag mehrere gekennzeichnete Stimmzettel, werden sie in dem Wahlumschlag in die Wahlurne gelegt.

(3) [1] Verspätet eingehende Wahlbriefe nimmt der Betriebswahlvorstand mit einem Vermerk über den Zeitpunkt des Eingangs ungeöffnet zu den Wahlunterlagen. [2] Die Wahlbriefe sind einen Monat nach Bekanntgabe des Ergebnisses der Wahl der Aufsichtsratsmitglieder der Arbeitnehmer ungeöffnet zu vernichten, wenn die Wahl nicht angefochten worden ist.

§ 21[1)] Öffentliche Stimmauszählung. (1) Unverzüglich nach Abschluss der Stimmabgabe zählt der Betriebswahlvorstand öffentlich die Stimmen aus.

(2) Nach Öffnung der Wahlurne entnimmt der Betriebswahlvorstand die Stimmzettel und stellt fest, wie viele Stimmen für und wie viele Stimmen gegen den Antrag abgegeben worden sind.

(3) [1] Bei der Auszählung ist die Gültigkeit der Stimmzettel zu prüfen. [2] Befindet sich ein Wahlumschlag mit mehreren gekennzeichneten Stimmzetteln in der Wahlurne, werden die Stimmzettel einfach gezählt, wenn sie vollständig übereinstimmen, andernfalls sind sie ungültig.

§ 22[2)] Abstimmungsniederschrift des Betriebswahlvorstands.

(1) Nach der Stimmauszählung stellt der Betriebswahlvorstand in einer Niederschrift fest:

1. die Zahl der insgesamt abgegebenen Stimmen;
2. die Zahl der gültigen Stimmen;
3. die Zahl der ungültigen Stimmen;
4. die Zahl der für den Antrag abgegebenen Stimmen;
5. die Zahl der gegen den Antrag abgegebenen Stimmen;
6. besondere während der Abstimmung eingetretene Zwischenfälle oder sonstige Ereignisse.

(2) Der Betriebswahlvorstand übermittelt unverzüglich dem Unternehmenswahlvorstand eingeschrieben, fernschriftlich oder durch Botin oder Boten die Abstimmungsniederschrift.

[1)] § 21 Abs. 2 geänd., Abs. 3 Satz 2 neu gef. mWv 13. 10. 2005 durch VO v. 10. 10. 2005 (BGBl. I S. 2927); Abs. 4 aufgeh. mWv 2. 9. 2015 durch VO v. 26. 8. 2015 (BGBl. I S. 1443).

[2)] § 22 Abs. 1 Nr. 1 aufgeh., bish. Nrn. 2 bis 8 werden Nrn. 1 bis 7 mWv 13. 10. 2005 durch VO v. 10. 10. 2005 (BGBl. I S. 2927); Abs. 1 Nr. 1 aufgeh., bish. Nr. 2–7 werden Nr. 1–6 mWv 2. 9. 2015 durch VO v. 26. 8. 2015 (BGBl. I S. 1443).

§ 23[1] **Feststellung des Abstimmungsergebnisses, Abstimmungsniederschrift des Unternehmenswahlvorstands.** Der Unternehmenswahlvorstand ermittelt anhand der Abstimmungsniederschriften der Betriebswahlvorstände das Abstimmungsergebnis und stellt in einer Niederschrift fest:

1. die Zahl der insgesamt abgegebenen Stimmen;
2. die Zahl der gültigen Stimmen;
3. die Zahl der ungültigen Stimmen;
4. die Zahl der für den Antrag abgegebenen Stimmen;
5. die Zahl der gegen den Antrag abgegebenen Stimmen;
6. das Abstimmungsergebnis;
7. besondere während der Abstimmung eingetretene Zwischenfälle oder sonstige Ereignisse.

§ 24 Bekanntmachung des Abstimmungsergebnisses. [1]Der Unternehmenswahlvorstand übermittelt das Abstimmungsergebnis den Betriebswahlvorständen. [2]Jeder Betriebswahlvorstand macht das Abstimmungsergebnis für die Dauer von zwei Wochen in gleicher Weise wie das Abstimmungsausschreiben bekannt.

Abschnitt 3. Verteilung der Sitze, Wahlvorschläge

Unterabschnitt 1. Verteilung der Sitze der unternehmensangehörigen Aufsichtsratsmitglieder der Arbeitnehmer

§ 25 Verteilung der Sitze der unternehmensangehörigen Aufsichtsratsmitglieder der Arbeitnehmer. (1) Der Unternehmenswahlvorstand stellt die Verteilung der Sitze der unternehmensangehörigen Aufsichtsratsmitglieder der Arbeitnehmer auf die in § 3 Abs. 1 Nr. 1 des Gesetzes[2] bezeichneten Arbeitnehmer und die leitenden Angestellten fest.

(2) [1]Die Errechnung der auf die in § 3 Abs. 1 Nr. 1 des Gesetzes bezeichneten Arbeitnehmer und die leitenden Angestellten entfallenden Aufsichtsratsmitglieder erfolgt nach den Grundsätzen der Verhältniswahl. [2]Hierzu werden die Zahlen der in § 3 Abs. 1 Nr. 1 des Gesetzes bezeichneten Arbeitnehmer und der leitenden Angestellten des Unternehmens in einer Reihe nebeneinander gestellt und beide durch 1, 2, 3, 4 usw. geteilt. [3]Die ermittelten Teilzahlen sind nacheinander reihenweise unter den Zahlen der ersten Reihe aufzuführen, bis höhere Teilzahlen, als aus früheren Reihen für die Zuweisung von Sitzen in Betracht kommen, nicht mehr entstehen. [4]Unter den so gefundenen Teilzahlen werden so viele Höchstzahlen ausgesondert und der Größe nach geordnet, wie unternehmensangehörige Aufsichtsratsmitglieder der Arbeitnehmer zu wählen sind. [5]Die in § 3 Abs. 1 Nr. 1 des Gesetzes bezeichneten Arbeitnehmer und die leitenden Angestellten erhalten jeweils so viele Aufsichtsratssitze zugeteilt, wie Höchstzahlen auf sie entfallen. [6]Wenn die niedrigste in Betracht kommende Höchstzahl auf die in § 3 Abs. 1 Nr. 1 des Gesetzes bezeichneten Arbeitnehmer und die

---

[1] § 23 Abs. 1 Nr. 1 aufgeh., bish. Nrn. 2 bis 9 werden Nrn. 1 bis 8 mWv 13. 10. 2005 durch VO v. 10. 10. 2005 (BGBl. I S. 2927); Nr. 1 aufgeh., bish. Nr. 2–8 werden Nr. 1–7 mWv 2. 9. 2015 durch VO v. 26. 8. 2015 (BGBl. I S. 1443).

[2] Nr. **560**.

leitenden Angestellten zugleich entfällt, entscheidet das Los darüber, wem der Sitz zufällt.

(3) Würde nach Absatz 2 auf die leitenden Angestellten nicht mindestens ein Sitz entfallen, so erhalten sie einen Sitz; die Zahl der Sitze der in § 3 Abs. 1 Nr. 1 des Gesetzes bezeichneten Arbeitnehmer vermindert sich entsprechend.

Unterabschnitt 2. Wahlvorschläge

§ 26[1] Bekanntmachung über die Einreichung von Wahlvorschlägen. (1) [1] Der Unternehmenswahlvorstand erlässt gleichzeitig mit der Bekanntmachung nach § 13 eine Bekanntmachung über die Einreichung von Wahlvorschlägen für die Wahl der Aufsichtsratsmitglieder der Arbeitnehmer. [2] Die Bekanntmachung muss folgende Angaben enthalten:

1. den für die Bekanntmachung bestimmten Zeitpunkt;
2. die Zahl der zu wählenden Aufsichtsratsmitglieder der Arbeitnehmer, getrennt nach Aufsichtsratsmitgliedern der in § 3 Abs. 1 Nr. 1 des Gesetzes[2] bezeichneten Arbeitnehmer, Aufsichtsratsmitgliedern der leitenden Angestellten und Aufsichtsratsmitgliedern, die Vertreterinnen oder Vertreter von Gewerkschaften sind;
3. bei börsennotierten Unternehmen, ob zur Erreichung des Geschlechteranteils nach § 96 Absatz 2 Satz 1 des Aktiengesetzes für die Wahl die Gesamterfüllung oder die Getrennterfüllung gilt;
4. bei börsennotierten Unternehmen im Fall der Gesamterfüllung, die zur Erreichung des Geschlechteranteils nach § 96 Absatz 2 Satz 1 und 4 des Aktiengesetzes erforderliche Anzahl an Frauen und Männern im Aufsichtsrat;
5. bei börsennotierten Unternehmen im Fall der Getrennterfüllung, die zur Erreichung des Geschlechteranteils nach § 7 Absatz 3 des Gesetzes in Verbindung mit § 96 Absatz 2 Satz 4 des Aktiengesetzes erforderliche Anzahl an Frauen und Männern unter den Aufsichtsratsmitgliedern der Arbeitnehmer;
6. im Fall der Nummer 5, wenn der Geschlechteranteil nach § 7 Absatz 3 des Gesetzes bei der Wahl nicht erreicht wurde, dass § 18 a des Gesetzes anzuwenden ist und der Geschlechteranteil im Wege der gerichtlichen Ersatzbestellung nach § 104 des Aktiengesetzes oder der Nachwahl hergestellt wird;
7. dass Wahlvorschläge für die Wahl der Aufsichtsratsmitglieder der Arbeitnehmer beim Unternehmenswahlvorstand innerhalb von sechs Wochen seit dem für die Bekanntmachung bestimmten Zeitpunkt schriftlich eingereicht werden können; der letzte Tag der Frist ist anzugeben;
8. die Mindestzahl der wahlberechtigten in § 3 Abs. 1 Nr. 1 des Gesetzes bezeichneten Arbeitnehmer, von denen ein Wahlvorschlag für Aufsichtsratsmitglieder der in § 3 Abs. 1 Nr. 1 des Gesetzes bezeichneten Arbeitnehmer unterzeichnet sein muss;
9. dass der Wahlvorschlag der leitenden Angestellten auf Grund von Abstimmungsvorschlägen durch Beschluss der wahlberechtigten leitenden Ange-

---

[1] § 26 Abs. 1 Satz 2 Nr. 3–6 eingef., bish. Nr. 3–10 werden Nr. 7–14, Nr. 15 eingef., bish. Nr. 11 wird Nr. 16 mWv 2. 9. 2015 durch VO v. 26. 8. 2015 (BGBl. I S. 1443).

[2] Nr. **560**.

stellten in geheimer Abstimmung aufgestellt wird, und dass hierüber eine gesonderte Bekanntmachung erlassen wird;

10. dass ein Wahlvorschlag für Aufsichtsratsmitglieder, die Vertreterinnen oder Vertreter von Gewerkschaften sind, nur von einer im Unternehmen vertretenen Gewerkschaft eingereicht werden kann;
11. dass, soweit für die Aufsichtsratsmitglieder der in § 3 Abs. 1 Nr. 1 des Gesetzes bezeichneten Arbeitnehmer oder die Aufsichtsratsmitglieder der leitenden Angestellten nur ein Wahlvorschlag gemacht wird, die Anzahl der Bewerberinnen und Bewerber in diesem Wahlvorschlag doppelt so hoch sein muss wie die Zahl der Aufsichtsratsmitglieder, die auf die in § 3 Abs. 1 Nr. 1 des Gesetzes bezeichneten Arbeitnehmer oder die leitenden Angestellten entfällt;
12. dass, soweit für die Aufsichtsratsmitglieder, die Vertreterinnen oder Vertreter von Gewerkschaften sind, nur ein Wahlvorschlag gemacht wird, die Anzahl der Bewerberinnen und Bewerber in diesem Wahlvorschlag mindestens doppelt so hoch sein muss wie die Zahl der zu wählenden Vertreterinnen und Vertreter von Gewerkschaften;
13. dass in jedem Wahlvorschlag für jede Bewerberin oder für jeden Bewerber jeweils ein Ersatzmitglied des Aufsichtsrats vorgeschlagen werden kann und dass für eine Bewerberin oder einen Bewerber, die oder der ein in § 3 Abs. 1 Nr. 1 des Gesetzes bezeichneter Arbeitnehmer ist, nur ein in § 3 Abs. 1 Nr. 1 des Gesetzes bezeichneter Arbeitnehmer und für einen leitenden Angestellten nur ein leitender Angestellter als Ersatzmitglied vorgeschlagen werden kann;
14. dass bei Wahl eines Aufsichtsratsmitglieds auch das zusammen mit ihm vorgeschlagene Ersatzmitglied gewählt ist;
15. bei börsennotierten Unternehmen, dass das Nachrücken eines Ersatzmitglieds, dessen Wahl nach dem 31. Dezember 2015 erfolgt ist, ausgeschlossen ist, wenn dadurch der Geschlechteranteil nach § 7 Absatz 3 des Gesetzes nicht mehr eingehalten würde;
16. die Anschrift des Unternehmenswahlvorstands.

(2) Der Unternehmenswahlvorstand kann die Bekanntmachungen nach Absatz 1 und § 13 in einer Bekanntmachung zusammenfassen.

(3) [1] Der Unternehmenswahlvorstand übersendet die Bekanntmachung den Betriebswahlvorständen und teilt ihnen schriftlich den Zeitpunkt mit, von dem ab sie in den Betrieben bekannt zu machen ist. [2] Jeder Betriebswahlvorstand ergänzt die Bekanntmachung um die folgenden Angaben:

1. wo und wie die Wahlberechtigten in die Wählerliste, das Gesetz und diese Verordnung Einsicht nehmen können;
2. wo und wie die Wahlberechtigten von den Wahlvorschlägen Kenntnis erlangen können;
3. dass Einsprüche und sonstige Erklärungen gegenüber dem Betriebswahlvorstand abzugeben sind;
4. die Anschrift des Betriebswahlvorstands.

(4) [1] Der Betriebswahlvorstand macht die Bekanntmachung bis zum Abschluss der Wahl der Aufsichtsratsmitglieder bekannt. [2] Der Betriebswahlvorstand ver-

merkt auf der Bekanntmachung den ersten und den letzten Tag der Bekanntmachung.

(5) Der Unternehmenswahlvorstand übersendet die Bekanntmachung unverzüglich nach ihrem Erlass dem Unternehmen und den im Unternehmen vertretenen Gewerkschaften.

§ 27 Wahlvorschläge der in § 3 Abs. 1 Nr. 1 des Gesetzes[1)] bezeichneten Arbeitnehmer. (1) [1] Zur Wahl der Aufsichtsratsmitglieder der in § 3 Abs. 1 Nr. 1 des Gesetzes bezeichneten Arbeitnehmer können die wahlberechtigten in § 3 Abs. 1 Nr. 1 des Gesetzes bezeichneten Arbeitnehmer Wahlvorschläge machen. [2] Jeder Wahlvorschlag muss von einem Fünftel oder 100 der wahlberechtigten in § 3 Abs. 1 Nr. 1 des Gesetzes bezeichneten Arbeitnehmer unterzeichnet sein.

(2) Die Wahlvorschläge sind innerhalb von sechs Wochen seit dem für die Bekanntmachung über die Einreichung von Wahlvorschlägen bestimmten Zeitpunkt beim Unternehmenswahlvorstand schriftlich einzureichen.

(3) Wird für einen Wahlgang nur ein Wahlvorschlag eingereicht, so muss die Anzahl der Bewerberinnen und Bewerber in diesem Wahlvorschlag doppelt so hoch sein wie die Zahl der in diesem Wahlgang zu wählenden Aufsichtsratsmitglieder.

(4) Wahlgang im Sinne dieses Kapitels ist

1. die Wahl der Aufsichtsratsmitglieder der in § 3 Abs. 1 Nr. 1 des Gesetzes bezeichneten Arbeitnehmer,
2. die Wahl der Aufsichtsratsmitglieder der leitenden Angestellten,
3. die Wahl der Aufsichtsratsmitglieder, die Vertreterinnen oder Vertreter von Gewerkschaften sind.

(5) [1] In jedem Wahlvorschlag sind die Bewerberinnen und Bewerber in erkennbarer Reihenfolge unter fortlaufender Nummer und unter Angabe von Familienname, Vorname, Geburtsdatum, Art der Beschäftigung und Betrieb aufzuführen. [2] Die schriftliche Zustimmung der Bewerberinnen und Bewerber zur Aufnahme in den Wahlvorschlag und ihre schriftliche Versicherung, dass sie im Fall ihrer Wahl die Wahl annehmen werden, sind beizufügen.

(6) [1] Für jeden Wahlvorschlag soll eine oder einer der Unterzeichnenden als Vorschlagsvertreter bestimmt werden. [2] Dieser ist berechtigt und verpflichtet, dem Unternehmenswahlvorstand die zur Beseitigung von Beanstandungen erforderlichen Erklärungen abzugeben sowie Erklärungen und Entscheidungen des Unternehmenswahlvorstands entgegenzunehmen. [3] Ist kein Vorschlagsvertreter ausdrücklich bestimmt worden, so wird die oder der an erster Stelle Unterzeichnende als Vorschlagsvertreter angesehen.

(7) [1] Die Unterschrift eines Wahlberechtigten zählt nur auf einem Wahlvorschlag. [2] Hat ein Wahlberechtigter mehrere Wahlvorschläge unterzeichnet, so hat er auf Aufforderung des Unternehmenswahlvorstands innerhalb einer angemessenen Frist, spätestens jedoch innerhalb einer Woche zu erklären, welche Unterschrift er aufrechterhält. [3] Unterbleibt die fristgerechte Erklärung, so wird sein Name auf dem zuerst eingereichten Wahlvorschlag gezählt und auf den übrigen Wahlvorschlägen gestrichen; sind mehrere Wahlvorschläge, die von demselben

---

1) Nr. **560**.

Wahlberechtigten unterzeichnet sind, gleichzeitig eingereicht worden, so entscheidet das Los darüber, auf welchem Wahlvorschlag die Unterschrift gilt.

(8) [1] Eine Bewerberin oder ein Bewerber kann nur auf einem Wahlvorschlag vorgeschlagen werden. [2] Ist der Name dieser Person mit ihrer schriftlichen Zustimmung (Absatz 5 Satz 2) auf mehreren Wahlvorschlägen aufgeführt, so hat sie auf Aufforderung des Unternehmenswahlvorstands innerhalb einer Woche zu erklären, welche Bewerbung sie aufrechterhält. [3] Unterbleibt die fristgerechte Erklärung, so ist die Bewerberin oder der Bewerber auf sämtlichen Wahlvorschlägen zu streichen.

§ 28 Wahlvorschläge der Gewerkschaften. (1) Zur Wahl von Aufsichtsratsmitgliedern, die Vertreterinnen oder Vertreter von Gewerkschaften sind, können die in dem Unternehmen vertretenen Gewerkschaften Wahlvorschläge machen.

(2) [1] Jeder Wahlvorschlag einer Gewerkschaft muss von einer hierzu bevollmächtigten beauftragten Person dieser Gewerkschaft unterzeichnet sein. [2] § 27 Abs. 2, 4, 5 und 8 ist entsprechend anzuwenden. [3] Wird nur ein Wahlvorschlag eingereicht, so muss die Anzahl der Bewerberinnen und Bewerber mindestens doppelt so hoch sein wie die Zahl der zu wählenden Vertreterinnen und Vertreter von Gewerkschaften.

(3) [1] § 27 Abs. 6 ist entsprechend anzuwenden. [2] Die in Absatz 2 Satz 1 bezeichnete beauftragte Person gilt als Vorschlagsvertreter. [3] Die Gewerkschaft kann eine andere als die in Absatz 2 Satz 1 bezeichnete Person als Vorschlagsvertreter benennen.

§ 29 Wahlvorschläge für Ersatzmitglieder. (1) [1] In jedem Wahlvorschlag kann für jede Bewerberin oder für jeden Bewerber jeweils ein Ersatzmitglied des Aufsichtsrats vorgeschlagen werden. [2] Für eine Bewerberin oder einen Bewerber, die oder der ein in § 3 Abs. 1 Nr. 1 des Gesetzes[1)] bezeichneter Arbeitnehmer ist, kann nur ein in § 3 Abs. 1 Nr. 1 des Gesetzes bezeichneter Arbeitnehmer und für einen leitenden Angestellten nur ein leitender Angestellter als Ersatzmitglied vorgeschlagen werden. [3] Für jede Bewerberin oder für jeden Bewerber kann jeweils nur ein Ersatzmitglied vorgeschlagen werden. [4] Eine Bewerberin oder ein Bewerber kann nicht sowohl als Mitglied als auch als Ersatzmitglied des Aufsichtsrats vorgeschlagen werden. [5] § 27 Abs. 8 ist entsprechend anzuwenden.

(2) [1] Jedes vorgeschlagene Ersatzmitglied ist in dem Wahlvorschlag unter Angabe von Familienname, Vorname, Geburtsdatum, Art der Beschäftigung und Betrieb neben der Bewerberin oder dem Bewerber aufzuführen, für die oder für den es als Ersatzmitglied des Aufsichtsrats vorgeschlagen wird. [2] In dem Wahlvorschlag ist kenntlich zu machen, wer als Mitglied und wer als Ersatzmitglied des Aufsichtsrats vorgeschlagen wird. [3] § 27 Abs. 5 Satz 2 ist entsprechend anzuwenden.

[1)] Nr. **560**.

Unterabschnitt 3. Zusätzliche Vorschriften für den Wahlvorschlag der leitenden Angestellten

§ 30[1)] **Bekanntmachung über die Abstimmung für den Wahlvorschlag der leitenden Angestellten.** (1) [1]Der Unternehmenswahlvorstand erlässt gleichzeitig mit der Bekanntmachung nach § 13 eine Bekanntmachung über die Abstimmung für den Wahlvorschlag der leitenden Angestellten. [2]Die Bekanntmachung muss folgende Angaben enthalten:

1. den für die Bekanntmachung bestimmten Zeitpunkt;
2. die Zahl der Bewerberinnen und Bewerber, die der Wahlvorschlag der leitenden Angestellten enthalten muss;
3. bei börsennotierten Unternehmen im Fall der Gesamterfüllung, die zur Erreichung des Geschlechteranteils nach § 96 Absatz 2 Satz 1 und 4 des Aktiengesetzes erforderliche Anzahl an Frauen und Männern im Aufsichtsrat;
4. bei börsennotierten Unternehmen im Fall der Getrennterfüllung, die zur Erreichung des Geschlechteranteils nach § 7 Absatz 3 des Gesetzes in Verbindung mit § 96 Absatz 2 Satz 4 des Aktiengesetzes erforderliche Anzahl an Frauen und Männern unter den Aufsichtsratsmitgliedern der Arbeitnehmer;
5. dass der Wahlvorschlag der leitenden Angestellten auf Grund von Abstimmungsvorschlägen durch Beschluss der wahlberechtigten leitenden Angestellten in geheimer Abstimmung aufgestellt wird;
6. dass in jedem Abstimmungsvorschlag für jede Bewerberin oder für jeden Bewerber jeweils ein Ersatzmitglied des Aufsichtsrats vorgeschlagen werden kann;
7. die Mindestzahl der wahlberechtigten leitenden Angestellten, von denen ein Abstimmungsvorschlag für die Abstimmung der leitenden Angestellten unterzeichnet sein muss;
8. die Zahl der Bewerberinnen und Bewerber, die jeder leitende Angestellte in der Abstimmung ankreuzen kann;
9. dass als Bewerberinnen und Bewerber nach der Reihenfolge der auf sie entfallenden Stimmenzahlen nur so viele leitende Angestellte in den Wahlvorschlag aufgenommen werden, wie er insgesamt Bewerberinnen und Bewerber enthalten muss und dass bei Stimmengleichheit das Los entscheidet;
10. dass die in den Abstimmungsvorschlägen zusammen mit den Gewählten aufgeführten Ersatzmitglieder in den Wahlvorschlag der leitenden Angestellten als Ersatzmitglieder des Aufsichtsrats aufgenommen werden;
11. bei börsennotierten Unternehmen, dass das Nachrücken eines Ersatzmitglieds, dessen Wahl nach dem 31. Dezember 2015 erfolgt ist, ausgeschlossen ist, wenn dadurch der Geschlechteranteil nach § 7 Absatz 3 des Gesetzes nicht mehr eingehalten würde;
12. den Zeitpunkt, bis zu dem Abstimmungsvorschläge für die Abstimmung der leitenden Angestellten beim Unternehmenswahlvorstand eingereicht werden können;
13. die Anschrift des Unternehmenswahlvorstands;

[1)] § 30 Abs. 1 Satz 2 Nr. 3 und 4 eingef., bish. Nr. 3–8 werden Nr. 5–10, Nr. 11 eingef., bish. Nr. 9–12 werden Nr. 12–15 mWv 2. 9. 2015 durch VO v. 26. 8. 2015 (BGBl. I S. 1443).

14. dass die leitenden Angestellten in Briefwahl abstimmen;
15. den Zeitpunkt, bis zu dem die Wahlbriefe beim Unternehmenswahlvorstand eingehen müssen.

(2) Der Unternehmenswahlvorstand kann die Bekanntmachungen nach Absatz 1, § 13 und § 26 in einer Bekanntmachung zusammenfassen.

(3) [1] Der Unternehmenswahlvorstand übersendet die Bekanntmachung den Betriebswahlvorständen und teilt ihnen schriftlich den Zeitpunkt mit, von dem ab sie in den Betrieben bekannt zu machen ist. [2] Jeder Betriebswahlvorstand ergänzt die Bekanntmachung um die Angabe, wo oder wie die Abstimmungsberechtigten von den Abstimmungsvorschlägen Kenntnis erlangen können.

(4) § 26 Abs. 4 und 5 ist entsprechend anzuwenden.

§ 31[1)] Abstimmungsvorschläge der leitenden Angestellten. (1) [1] Für den Beschluss über den Wahlvorschlag der leitenden Angestellten können die wahlberechtigten leitenden Angestellten Abstimmungsvorschläge machen; in diesen sollen Frauen und Männer vertreten sein. [2] Jeder Abstimmungsvorschlag muss von einem Zwanzigstel oder 50 der wahlberechtigten leitenden Angestellten unterzeichnet sein. [3] Abstimmungsvorschläge sind innerhalb einer vom Unternehmenswahlvorstand zu bestimmenden Frist beim Unternehmenswahlvorstand schriftlich einzureichen. [4] Die Frist soll zwei Wochen betragen. [5] Sie beginnt mit dem für die Bekanntmachung nach § 30 bestimmten Zeitpunkt.

(2) [1] In jedem Abstimmungsvorschlag kann für jede Bewerberin oder für jeden Bewerber jeweils ein leitender Angestellter als Ersatzmitglied des Aufsichtsrats vorgeschlagen werden. [2] § 29 Abs. 1 Satz 3 bis 5 ist entsprechend anzuwenden.

(3) [1] In jedem Abstimmungsvorschlag sind die Bewerberinnen und Bewerber in erkennbarer Reihenfolge unter fortlaufender Nummer und unter Angabe von Familienname, Vorname, Geburtsdatum, Art der Beschäftigung und Betrieb aufzuführen. [2] Die schriftliche Zustimmung der Bewerberinnen und Bewerber zur Aufnahme in den Abstimmungsvorschlag sowie die schriftliche Versicherung, dass sie im Fall ihrer Wahl die Wahl annehmen werden, sind beizufügen. [3] Ein Ersatzmitglied ist in dem Abstimmungsvorschlag neben der Bewerberin oder dem Bewerber aufzuführen, für die oder für den es als Ersatzmitglied vorgeschlagen wird. [4] In dem Abstimmungsvorschlag ist kenntlich zu machen, wer als Bewerberin oder Bewerber und wer als Ersatzmitglied vorgeschlagen wird. [5] Auf Ersatzmitglieder sind die Sätze 1 und 2 entsprechend anzuwenden.

(4) [1] Der Unternehmenswahlvorstand prüft die Abstimmungsvorschläge. [2] Er übersendet die gültigen Abstimmungsvorschläge unverzüglich den Betriebswahlvorständen. [3] Jeder Betriebswahlvorstand macht sie bis zu dem Tag bekannt, von dem ab das Abstimmungsergebnis nach § 32 Abs. 9 Satz 2 in dem Betrieb bekannt gemacht wird; § 26 Abs. 4 ist entsprechend anzuwenden.

(5) [1] Ist nach Ablauf der in Absatz 1 bezeichneten Frist kein gültiger Abstimmungsvorschlag eingereicht, so teilt dies der Unternehmenswahlvorstand unverzüglich den Betriebswahlvorständen mit. [2] Jeder Betriebswahlvorstand macht diese Mitteilung in gleicher Weise bekannt wie Abstimmungsvorschläge und fordert unter Hinweis auf den bevorstehenden Ablauf der zur Einreichung von

[1)] § 31 Abs. 1 Satz 1 geänd. mWv 2. 9. 2015 durch VO v. 26. 8. 2015 (BGBl. I S. 1443).

Wahlvorschlägen bestimmten Frist erneut dazu auf, Abstimmungsvorschläge einzureichen.

§ 32[1)] Abstimmung der leitenden Angestellten. (1) Der Unternehmenswahlvorstand setzt den Tag der Abstimmung der leitenden Angestellten so fest, dass der Wahlvorschlag der leitenden Angestellten spätestens acht Wochen seit dem für die Bekanntmachung nach § 26 bestimmten Zeitpunkt vorliegt.

(2) [1]Jeder Abstimmungsberechtigte kann insgesamt so viele Bewerberinnen und Bewerber ankreuzen, wie der Wahlvorschlag der leitenden Angestellten insgesamt Bewerberinnen und Bewerber enthalten muss. [2]Eine gesonderte Stimmabgabe für ein Ersatzmitglied des Aufsichtsrats ist nicht zulässig.

(3) [1]Der Unternehmenswahlvorstand hat die Bewerberinnen und Bewerber auf den Stimmzetteln unter Angabe von Familienname, Vorname, Art der Beschäftigung und Betrieb untereinander in alphabetischer Reihenfolge aufzuführen. [2]Das für eine Bewerberin oder für einen Bewerber vorgeschlagene Ersatzmitglied ist auf den Stimmzetteln neben der Bewerberin oder dem Bewerber aufzuführen; Satz 1 ist entsprechend anzuwenden. [3]Die Stimmzettel sollen die Angabe enthalten, wie viele Bewerberinnen und Bewerber jeder Abstimmungsberechtigte insgesamt ankreuzen kann. [4]Die Stimmzettel müssen sämtlich die gleiche Größe, Farbe, Beschaffenheit und Beschriftung haben; das Gleiche gilt für die Wahlumschläge.

(4) [1]Die abstimmende Person kennzeichnet die von ihr Gewählten durch Ankreuzen an den im Stimmzettel hierfür vorgesehenen Stellen. [2]Ungültig sind Stimmzettel,

1. in denen mehr Bewerberinnen und Bewerber angekreuzt sind, als die abstimmende Person Stimmen hat,
2. aus denen sich ein eindeutiger Wille nicht ergibt,
3. die mit einem besonderen Merkmal versehen sind,
4. die andere als die in Absatz 3 bezeichneten Angaben, einen Zusatz oder sonstige Änderungen enthalten.

(5) [1]Die Abstimmung der leitenden Angestellten wird vom Unternehmenswahlvorstand durchgeführt. [2]Über die Abstimmungsvorschläge stimmen die leitenden Angestellten in Briefwahl ab. [3]Soweit nachfolgend nichts anderes geregelt ist, sind auf die schriftliche Stimmabgabe die §§ 17, 19 und 20 entsprechend anzuwenden.

(6) [1]Unmittelbar nach dem Zeitpunkt, bis zu dem die Wahlbriefe beim Unternehmenswahlvorstand eingehen müssen, zählt der Unternehmenswahlvorstand öffentlich die Stimmen aus. [2]Nach Öffnung der Wahlurne entnimmt er die Stimmzettel den Wahlumschlägen und zählt die auf jede Bewerberin und jeden Bewerber entfallenden Stimmen zusammen. [3]Dabei ist die Gültigkeit der Stimmzettel zu prüfen. [4]Befinden sich in einem Wahlumschlag mehrere gekennzeichnete Stimmzettel, so werden sie, wenn sie vollständig übereinstimmen, nur einfach gezählt, andernfalls sind sie ungültig. [5]Ist auf einem Stimmzettel eine Bewerberin oder ein Bewerber mehrfach angekreuzt, so zählt dies als eine Stimme.

[1)] § 32 Abs. 5 Satz 3 neu gef. mWv 13. 10. 2005 durch VO v. 10. 10. 2005 (BGBl. I S. 2927).

(7) [1] Als Bewerberinnen und Bewerber sind nach der Reihenfolge der auf sie entfallenden Stimmenzahlen nur so viele leitende Angestellte in den Wahlvorschlag aufgenommen, wie er insgesamt Bewerberinnen und Bewerber enthalten muss. [2] Bei Stimmengleichheit entscheidet das Los.

(8) Ist eine Bewerberin oder ein Bewerber in den Wahlvorschlag der leitenden Angestellten aufgenommen, so ist das in dem Abstimmungsvorschlag neben dieser Bewerberin oder diesem Bewerber aufgeführte Ersatzmitglied als deren oder als dessen Ersatzmitglied in den Wahlvorschlag der leitenden Angestellten aufgenommen.

(9) [1] Der Unternehmenswahlvorstand übermittelt das Abstimmungsergebnis und die Namen der in den Wahlvorschlag Aufgenommenen den Betriebswahlvorständen. [2] Jeder Betriebswahlvorstand macht das Abstimmungsergebnis und die Namen der in den Wahlvorschlag Aufgenommenen für die Dauer von zwei Wochen bekannt; § 26 Abs. 4 ist entsprechend anzuwenden.

§ 33 Abstimmungsniederschrift. Nach Abschluss der Abstimmung stellt der Unternehmenswahlvorstand in einer Niederschrift fest:

1. die Zahl der abgegebenen Wahlumschläge;
2. die Zahl der gültigen Stimmen;
3. die Zahl der ungültigen Stimmen;
4. die Zahlen der auf die einzelnen Bewerberinnen oder Bewerber entfallenden Stimmen;
5. die Namen der in den Wahlvorschlag aufgenommenen Bewerberinnen und Bewerber und Ersatzmitglieder;
6. besondere während der Abstimmung eingetretene Zwischenfälle oder sonstige Ereignisse.

Unterabschnitt 4. Prüfung und Bekanntmachung der Wahlvorschläge

§ 34 Prüfung der Wahlvorschläge. (1) Der Unternehmenswahlvorstand bestätigt dem Vorschlagsvertreter schriftlich den Zeitpunkt der Einreichung des Wahlvorschlags.

(2) [1] Der Unternehmenswahlvorstand bezeichnet den Wahlvorschlag, wenn er nicht mit einem Kennwort versehen ist, mit Familienname und Vorname der an erster Stelle benannten Bewerberin oder des an erster Stelle benannten Bewerbers. [2] Er hat unverzüglich den Wahlvorschlag zu prüfen und bei Ungültigkeit oder Beanstandung den Vorschlagsvertreter schriftlich unter Angabe der Gründe zu unterrichten.

§ 35[1)] Ungültige Wahlvorschläge. (1) Ungültig sind Wahlvorschläge,

1. die nicht fristgerecht eingereicht worden sind,
2. auf denen die Bewerberinnen und Bewerber nicht in erkennbarer Reihenfolge aufgeführt sind,
3. die nicht die in § 26 Absatz 1 Satz 2 Nummer 11 und 12 bezeichnete Zahl von Bewerberinnen und Bewerbern enthalten,

---

[1)] § 35 Abs. 1 Nr. 3 geänd. mWv 2. 9. 2015 durch VO v. 26. 8. 2015 (BGBl. I S. 1443).

4. der in § 3 Abs. 1 Nr. 1 des Gesetzes[1)] bezeichneten Arbeitnehmer, wenn sie bei der Einreichung nicht die erforderliche Zahl von Unterschriften aufweisen,
5. der Gewerkschaften, wenn sie nicht von einer hierzu bevollmächtigten beauftragten Person unterzeichnet sind.

(2) Wahlvorschläge,

1. in denen die Bewerberinnen und Bewerber nicht in der in § 27 Abs. 5 Satz 1 bestimmten Weise bezeichnet sind,
2. denen die schriftliche Zustimmung und Versicherung der Bewerberinnen und Bewerber nach § 27 Abs. 5 Satz 2 nicht beigefügt sind,
3. die infolge von Streichungen gemäß § 27 Abs. 7 nicht mehr die erforderliche Zahl von Unterschriften aufweisen,

sind ungültig, wenn der Unternehmenswahlvorstand sie beanstandet hat und die Mängel nicht innerhalb einer Woche seit der Beanstandung beseitigt worden sind.

§ 36 Nachfrist für Wahlvorschläge. (1) [1]Ist nach Ablauf der für die Einreichung von Wahlvorschlägen bestimmten Frist für einen in § 27 Abs. 4 Nr. 1 und 3 bezeichneten Wahlgang kein gültiger Wahlvorschlag eingereicht, so erlässt der Unternehmenswahlvorstand unverzüglich eine Bekanntmachung und setzt eine Nachfrist von einer Woche für die Einreichung von Wahlvorschlägen fest. [2]Die Bekanntmachung muss folgende Angaben enthalten:

1. den für die Bekanntmachung bestimmten Zeitpunkt;
2. dass für den Wahlgang kein gültiger Wahlvorschlag eingereicht worden ist;
3. dass Wahlvorschläge innerhalb einer Nachfrist von einer Woche seit dem für die Bekanntmachung bestimmten Zeitpunkt schriftlich beim Unternehmenswahlvorstand eingereicht werden können; der letzte Tag der Frist ist anzugeben;
4. dass der Wahlgang nur stattfinden kann, wenn mindestens ein gültiger Wahlvorschlag eingereicht wird;
5. dass, soweit kein gültiger Wahlvorschlag eingereicht wird, die fehlenden Aufsichtsratsmitglieder durch das Gericht bestellt werden können.

(2) Wird bis zum Ablauf der Nachfrist für einen Wahlgang kein gültiger Wahlvorschlag eingereicht, so macht der Unternehmenswahlvorstand unverzüglich bekannt, dass der Wahlgang nicht stattfindet.

(3) Für Bekanntmachungen nach den Absätzen 1 und 2 ist § 26 Abs. 3 bis 5 entsprechend anzuwenden.

§ 37 Bekanntmachung der Wahlvorschläge. (1) Sind für einen Wahlgang, in dem mehrere Aufsichtsratsmitglieder der Arbeitnehmer zu wählen sind, mehrere Wahlvorschläge eingereicht, so ermittelt der Unternehmenswahlvorstand durch das Los nach Ablauf der in § 27 Abs. 2, § 35 Abs. 2 und § 36 Abs. 1 Satz 1 bezeichneten Fristen die Reihenfolge der Ordnungsnummern, die den eingereichten Wahlvorschlägen zugeteilt werden (Wahlvorschlag 1, 2 usw.).

---

1) Nr. **560**.

(2) [1] Spätestens zwei Wochen vor dem ersten Tag der Stimmabgabe sind die gültigen Wahlvorschläge in den Betrieben bekannt zu machen. [2] Der Unternehmenswahlvorstand übersendet die gültigen Wahlvorschläge den Betriebswahlvorständen und teilt ihnen schriftlich den Zeitpunkt mit, von dem ab die Wahlvorschläge in den Betrieben bekannt zu machen sind. [3] Jeder Betriebswahlvorstand macht die Wahlvorschläge, nach Wahlgängen getrennt, bekannt; § 26 Abs. 4 und 5 ist entsprechend anzuwenden.

Abschnitt 4. Anzuwendende Vorschriften

§ 38 Anzuwendende Vorschriften. (1) Sind die Aufsichtsratsmitglieder der Arbeitnehmer in unmittelbarer Wahl zu wählen, so richtet sich das weitere Wahlverfahren nach den Vorschriften des Kapitels 2.

(2) Sind die Aufsichtsratsmitglieder der Arbeitnehmer durch Delegierte zu wählen, so richtet sich das weitere Wahlverfahren nach den Vorschriften des Kapitels 3.

Kapitel 2. Unmittelbare Wahl der Aufsichtsratsmitglieder der Arbeitnehmer

Abschnitt 1. Wahlausschreiben

§ 39[1)] Wahlausschreiben. (1) [1] Steht fest, dass die Aufsichtsratsmitglieder der Arbeitnehmer in unmittelbarer Wahl zu wählen sind, so erlässt der Unternehmenswahlvorstand ein Wahlausschreiben. [2] Es muss folgende Angaben enthalten:

1. den für die Bekanntmachung bestimmten Zeitpunkt;
2. dass die Aufsichtsratsmitglieder der Arbeitnehmer von allen Wahlberechtigten in unmittelbarer Wahl zu wählen sind;
3. dass an der Wahl und an Abstimmungen nur Arbeitnehmerinnen und Arbeitnehmer teilnehmen können, die in der Wählerliste eingetragen sind;
4. den Zeitpunkt, bis zu dem Wahlvorschläge eingereicht werden können;
5. dass die Stimmabgabe an Wahlvorschläge gebunden ist und dass nur solche Wahlvorschläge berücksichtigt werden dürfen, die fristgerecht eingereicht sind;
6. den Tag oder die Tage der Stimmabgabe für die Wahl der Aufsichtsratsmitglieder der Arbeitnehmer;
7. bei börsennotierten Unternehmen, ob zur Erreichung des Geschlechteranteils nach § 96 Absatz 2 Satz 1 des Aktiengesetzes für die Wahl die Gesamterfüllung oder die Getrennterfüllung gilt;
8. bei börsennotierten Unternehmen im Fall der Gesamterfüllung, die zur Erreichung des Geschlechteranteils nach § 96 Absatz 2 Satz 1 und 4 des Aktiengesetzes erforderliche Anzahl an Frauen und Männern im Aufsichtsrat;
9. bei börsennotierten Unternehmen im Fall der Getrennterfüllung, die zur Erreichung des Geschlechteranteils nach § 7 Absatz 3 des Gesetzes in Ver-

[1)] § 39 Abs. 1 Satz 2 Nr. 7–10 eingef., bish. Nr. 7 wird Nr. 11 mWv 2. 9. 2015 durch VO v. 26. 8. 2015 (BGBl. I S. 1443).

bindung mit § 96 Absatz 2 Satz 4 des Aktiengesetzes erforderliche Anzahl an Frauen und Männern unter den Aufsichtsratsmitgliedern der Arbeitnehmer;

10. im Fall der Nummer 9, wenn der Geschlechteranteil nach § 7 Absatz 3 des Gesetzes bei der Wahl nicht erreicht wurde, dass § 18 a des Gesetzes anzuwenden ist und der Geschlechteranteil im Wege der gerichtlichen Ersatzbestellung nach § 104 des Aktiengesetzes oder der Nachwahl hergestellt wird;
11. die Anschrift des Unternehmenswahlvorstands.

(2) [1] Der Unternehmenswahlvorstand übersendet das Wahlausschreiben den Betriebswahlvorständen und teilt ihnen schriftlich den Zeitpunkt mit, von dem ab es in den Betrieben bekannt zu machen ist. [2] Jeder Betriebswahlvorstand ergänzt das Wahlausschreiben um die folgenden Angaben:

1. wo und wie die Wahlberechtigten von den Wahlvorschlägen Kenntnis erlangen können;
2. Ort und Zeit der Stimmabgabe und der öffentlichen Stimmauszählung;
3. den Hinweis auf die Möglichkeit der schriftlichen Stimmabgabe sowie die Betriebsteile, Kleinstbetriebe und Betriebe, für die schriftliche Stimmabgabe nach § 49 Abs. 3 beschlossen ist;
4. dass Einsprüche und sonstige Erklärungen gegenüber dem Betriebswahlvorstand abzugeben sind;
5. die Anschrift des Betriebswahlvorstands.

[3] Für die Bekanntmachung des Wahlausschreibens ist § 26 Abs. 4 und 5 entsprechend anzuwenden.

Abschnitt 2. Durchführung der Wahl

Unterabschnitt 1. Wahl mehrerer Aufsichtsratsmitglieder der Arbeitnehmer in einem Wahlgang auf Grund mehrerer Wahlvorschläge

§ 40[1)] Stimmabgabe, Wahlvorgang. (1) [1] Sind in einem Wahlgang mehrere Aufsichtsratsmitglieder der Arbeitnehmer zu wählen und liegen für diesen Wahlgang mehrere gültige Wahlvorschläge vor, so kann die Wählerin ihre und der Wähler seine Stimme nur für einen dieser Wahlvorschläge abgeben. [2] Die Stimmabgabe erfolgt durch Abgabe von Stimmzetteln. [3] Der Begriff des Wahlgangs im Sinne dieses Kapitels bestimmt sich nach § 27 Abs. 4.

(2) [1] Der Unternehmenswahlvorstand hat die Wahlvorschläge auf den Stimmzetteln nach der Reihenfolge der Ordnungsnummern sowie unter Angabe der an erster und zweiter Stelle benannten Bewerberinnen und Bewerber mit Familienname, Vorname, Art der Beschäftigung und Betrieb untereinander aufzuführen; bei Wahlvorschlägen, die mit einem Kennwort versehen sind, ist auch das Kennwort anzugeben. [2] Die Stimmzettel sollen die Angabe enthalten, dass nur ein Wahlvorschlag angekreuzt werden kann. [3] Die Stimmzettel, die für denselben Wahlgang Verwendung finden, müssen sämtlich die gleiche Größe, Farbe, Beschaffenheit und Beschriftung haben. [4] Die Stimmzettel, die für einen Wahlgang

---

[1)] § 40 Abs. 1 Satz 2, Abs. 2 Satz 4, Abs. 3 geänd., Abs. 2 Satz 3 letzter Halbs. aufgeh. mWv 13. 10. 2005 durch VO v. 10. 10. 2005 (BGBl. I S. 2927); Abs. 4 Satz 2 geänd. mWv 2. 9. 2015 durch VO v. 26. 8. 2015 (BGBl. I S. 1443).

Verwendung finden, müssen sich von den für die anderen Wahlgänge vorgesehenen Stimmzetteln in der Farbe unterscheiden.

(3) Der Unternehmenswahlvorstand übersendet die Stimmzettel rechtzeitig den Betriebswahlvorständen.

(4) [1] Die Wählerin kennzeichnet den von ihr und der Wähler den von ihm gewählten Wahlvorschlag durch Ankreuzen an der im Stimmzettel hierfür vorgesehenen Stelle. [2] Für den Wahlvorgang ist § 17 entsprechend anzuwenden; die Stimmabgabe ist in der Wählerliste für jeden Wahlgang gesondert zu vermerken.

(5) Ungültig sind Stimmzettel,

1. in denen mehr als ein Wahlvorschlag angekreuzt ist,
2. aus denen sich ein eindeutiger Wille nicht ergibt,
3. die mit einem besonderen Merkmal versehen sind,
4. die andere als die in Absatz 2 bezeichneten Angaben, einen Zusatz oder sonstige Änderungen enthalten.

§ 41[1)] Öffentliche Stimmauszählung. (1) Unverzüglich nach Abschluss der Stimmabgabe zählt der Betriebswahlvorstand öffentlich die Stimmen aus.

(2) Nach Öffnung der Wahlurne entnimmt der Betriebswahlvorstand die Stimmzettel und zählt für jeden Wahlgang gesondert die auf jeden Wahlvorschlag entfallenden Stimmen zusammen.

(3) [1] Bei der Auszählung ist die Gültigkeit der Stimmzettel zu prüfen. [2] Befindet sich ein Wahlumschlag mit mehreren gekennzeichneten Stimmzetteln in der Wahlurne, werden die Stimmzettel einfach gezählt, wenn sie vollständig übereinstimmen, andernfalls sind sie ungültig.

§ 42[2)] Wahlniederschrift des Betriebswahlvorstands. (1) Nachdem die Stimmen ausgezählt sind, stellt der Betriebswahlvorstand in einer Niederschrift für jeden Wahlgang gesondert fest:

1. die Zahl der insgesamt abgegebenen Stimmen;
2. die Zahl der gültigen Stimmen;
3. die Zahl der ungültigen Stimmen;
4. die Zahlen der auf die einzelnen Wahlvorschläge entfallenden Stimmen;
5. besondere während der Wahl eingetretene Zwischenfälle oder sonstige Ereignisse.

(2) Der Betriebswahlvorstand übermittelt unverzüglich nach der Stimmauszählung dem Unternehmenswahlvorstand eingeschrieben, fernschriftlich oder durch Botin oder Boten die Wahlniederschrift.

(3) Der Betriebswahlvorstand macht das Ergebnis der Stimmauszählung bekannt.

[1)] § 41 Abs. 2 geänd., Abs. 3 Satz 2 neu gef. mWv 13. 10. 2005 durch VO v. 10. 10. 2005 (BGBl. I S. 2927); Abs. 4 aufgeh. mWv 2. 9. 2015 durch VO v. 26. 8. 2015 (BGBl. I S. 1443).

[2)] *§ 42 Abs. 1 Nr. 1 aufgeh., bish.* Nrn. 2 bis 7 werden Nrn. 1 bis 6 mWv 13. 10. 2005 durch VO v. 10. 10. 2005 (BGBl. I S. 2927); Abs. 1 Nr. 1 aufgeh., bish. Nr. 2–6 werden Nr. 1–5 mWv 2. 9. 2015 durch VO v. 26. 8. 2015 (BGBl. I S. 1443).

§ 43[1)] Verteilung der Stimmzahlen. (1) [1] Der Unternehmenswahlvorstand verteilt anhand der Wahlniederschriften der Betriebswahlvorstände die Stimmenzahlen nach folgendem Verfahren: Die in dem Wahlgang den einzelnen Wahlvorschlägen zugefallenen Stimmenzahlen werden in einer Reihe nebeneinander gestellt und sämtlich durch 1, 2, 3, 4 usw. geteilt. [2] Die ermittelten Teilzahlen sind nacheinander reihenweise unter den Zahlen der ersten Reihe aufzuführen, bis höhere Teilzahlen, als aus früheren Reihen für die Zuweisung von Sitzen in Betracht kommen, nicht mehr entstehen. [3] Unter den so gefundenen Teilzahlen werden so viele Höchstzahlen ausgesondert und der Größe nach geordnet, wie in dem Wahlgang Aufsichtsratsmitglieder zu wählen sind. [4] Jeder Wahlvorschlag erhält so viele Sitze zugeteilt, wie Höchstzahlen auf ihn entfallen. [5] Wenn die niedrigste in Betracht kommende Höchstzahl auf mehrere Wahlvorschläge zugleich entfällt, so entscheidet das Los darüber, welchem Wahlvorschlag dieser Sitz zufällt.

(2) Wenn ein Wahlvorschlag insgesamt weniger Bewerberinnen und Bewerber enthält, als Höchstzahlen auf ihn entfallen, so gehen die überschüssigen Sitze auf die folgenden Höchstzahlen der anderen Wahlvorschläge desselben Wahlgangs über.

(3) Die Reihenfolge der Bewerberinnen und Bewerber innerhalb der einzelnen Wahlvorschläge bestimmt sich nach der Reihenfolge ihrer Benennung.

Unterabschnitt 2. Wahl mehrerer Aufsichtsratsmitglieder der Arbeitnehmer in einem Wahlgang auf Grund nur eines Wahlvorschlags

§ 44[2)] Stimmabgabe, Wahlvorgang. (1) [1] Sind in einem Wahlgang mehrere Aufsichtsratsmitglieder der Arbeitnehmer zu wählen und liegt für diesen Wahlgang nur ein gültiger Wahlvorschlag vor, so kann die Wählerin ihre und der Wähler seine Stimme nur für die in dem Wahlvorschlag aufgeführten Bewerberinnen und Bewerber abgeben. [2] Eine gesonderte Stimmabgabe für ein Ersatzmitglied des Aufsichtsrats ist nicht zulässig. [3] Die Stimmabgabe erfolgt durch Abgabe von Stimmzetteln.

(2) [1] Der Unternehmenswahlvorstand hat die Bewerberinnen und Bewerber auf den Stimmzetteln unter Angabe von Familienname, Vorname, Art der Beschäftigung und Betrieb untereinander in der Reihenfolge aufzuführen, in der sie in dem Wahlvorschlag benannt sind. [2] Das für eine Bewerberin oder für einen Bewerber vorgeschlagene Ersatzmitglied ist auf den Stimmzetteln neben der Bewerberin oder dem Bewerber aufzuführen; Satz 1 ist entsprechend anzuwenden. [3] Die Stimmzettel sollen die Angabe enthalten, wie viele Bewerberinnen und Bewerber die Wählerin oder der Wähler insgesamt ankreuzen kann. [4] § 40 Abs. 2 Satz 3 und 4 und Abs. 3 ist anzuwenden.

(3) [1] Die Wählerin kennzeichnet die von ihr und der Wähler die von ihm Gewählten durch Ankreuzen an den im Stimmzettel hierfür vorgesehenen Stellen. [2] Es dürfen nicht mehr Bewerberinnen und Bewerber angekreuzt werden, als in dem Wahlgang Aufsichtsratsmitglieder zu wählen sind. [3] § 40 Abs. 4 Satz 2 ist entsprechend anzuwenden.

(4) Ungültig sind Stimmzettel,

---

1) § 43 Überschrift neu gef., Abs. 1 neu gef., Abs. 2 aufgeh., bish. Abs. 3 und 4 werden Abs. 2 und 3 sowie Abs. 5 aufgeh. mWv 2. 9. 2015 durch VO v. 26. 8. 2015 (BGBl. I S. 1443).

2) § 44 Abs. 1 Satz 3 geänd. mWv 13. 10. 2005 durch VO v. 10. 10. 2005 (BGBl. I S. 2927).

1. in denen mehr Bewerberinnen und Bewerber angekreuzt sind, als in dem Wahlgang Aufsichtsratsmitglieder zu wählen sind,
2. aus denen sich ein eindeutiger Wille nicht ergibt,
3. die mit einem besonderen Merkmal versehen sind,
4. die andere als die in Absatz 2 bezeichneten Angaben, einen Zusatz oder sonstige Änderungen enthalten.

§ 45[1)] Öffentliche Stimmauszählung. (1) Unverzüglich nach Abschluss der Stimmabgabe zählt der Betriebswahlvorstand öffentlich die Stimmen aus.

(2) [1] Nach Öffnung der Wahlurne entnimmt der Betriebswahlvorstand die Stimmzettel und zählt für jeden Wahlgang gesondert die auf jede Bewerberin oder jeden Bewerber entfallenden Stimmen zusammen. [2] § 41 Abs. 3 ist anzuwenden. [3] Ist auf einem Stimmzettel eine Bewerberin oder ein Bewerber mehrfach angekreuzt, so zählt dies als eine Stimme.

§ 46[2)] Wahlniederschrift des Betriebswahlvorstands. [1] Nachdem die Stimmen ausgezählt sind, stellt der Betriebswahlvorstand in einer Niederschrift für jeden Wahlgang gesondert fest:
1. die Zahl der insgesamt abgegebenen Stimmen;
2. die Zahl der gültigen Stimmen;
3. die Zahl der ungültigen Stimmen;
4. die Zahlen der auf die einzelnen Bewerberinnen und Bewerber entfallenden Stimmen;
5. besondere während der Wahl eingetretene Zwischenfälle oder sonstige Ereignisse.

[2] § 42 Abs. 2 und 3 ist anzuwenden.

§ 47[3)] Verteilung der Stimmen auf die Bewerberinnen und Bewerber. [1] Der Unternehmenswahlvorstand ermittelt anhand der Wahlniederschriften der Betriebswahlvorstände die Zahlen der auf die einzelnen Bewerberinnen oder Bewerber entfallenden Stimmen. [2] Es werden so viele Bewerberinnen und Bewerber bestimmt, wie in dem Wahlgang Aufsichtsratsmitglieder zu wählen sind, nach der Reihenfolge der auf sie entfallenden Stimmenzahlen. [3] Bei Stimmengleichheit entscheidet das Los.

Unterabschnitt 3. Wahl nur eines Aufsichtsratsmitglieds der Arbeitnehmer in einem Wahlgang

§ 48 Wahl nur eines Aufsichtsratsmitglieds der Arbeitnehmer in einem Wahlgang. (1) [1] Ist in einem Wahlgang nur ein Aufsichtsratsmitglied der Arbeitnehmer zu wählen, so kann die Wählerin ihre und der Wähler seine Stimme nur

---

1) § 45 Abs. 2 Satz 1 geänd. mWv 13. 10. 2005 durch VO v. 10. 10. 2005 (BGBl. I S. 2927); Abs. 3 aufgeh. mWv 2. 9. 2015 durch VO v. 26. 8. 2015 (BGBl. I S. 1443).

2) § 46 Abs. 1 Nr. 1 aufgeh., bish. Nrn. 2 bis 7 werden Nrn. 1 bis 6 mWv 13. 10. 2005 durch VO v. 10. 10. 2005 (BGBl. I S. 2927); Satz 1 Nr. 1 aufgeh., bish. Nr. 2–6 werden Nr. 1–5 mWv 2. 9. 2015 *durch VO v. 26. 8. 2015 (BGBl. I S. 1443).*

3) § 47 Überschr. neu gef., Satz 2 geänd. und Satz 4 aufgeh. mWv 2. 9. 2015 durch VO v. 26. 8. 2015 (BGBl. I S. 1443).

für eine der vorgeschlagenen Bewerberinnen oder einen der vorgeschlagenen Bewerber abgeben. [2] § 44 Abs. 1 Satz 2 und 3 ist anzuwenden.

(2) [1] Liegt nur ein gültiger Wahlvorschlag vor, so hat der Unternehmenswahlvorstand die Bewerberinnen und Bewerber auf den Stimmzetteln unter Angabe von Familienname, Vorname, Art der Beschäftigung und Betrieb untereinander in der Reihenfolge aufzuführen, in der sie in dem Wahlvorschlag benannt sind. [2] Liegen mehrere gültige Wahlvorschläge vor, so hat der Unternehmenswahlvorstand die Bewerberinnen und Bewerber auf den Stimmzetteln unter Angabe von Familienname, Vorname, Art der Beschäftigung, Betrieb und Kennwort des Wahlvorschlags untereinander in alphabetischer Reihenfolge aufzuführen. [3] § 44 Abs. 2 Satz 2 bis 4 ist anzuwenden.

(3) [1] Die Wählerin kennzeichnet die von ihr und der Wähler die von ihm gewählte Person durch Ankreuzen an der im Stimmzettel hierfür vorgesehenen Stelle. [2] Es darf nicht mehr als eine Bewerberin oder ein Bewerber angekreuzt werden. [3] § 40 Abs. 4 Satz 2, § 44 Abs. 4 und die §§ 45 bis 47 sind anzuwenden.

Unterabschnitt 4. Schriftliche Stimmabgabe

§ 49 Voraussetzungen. (1) [1] Einem Wahlberechtigten, der im Zeitpunkt der Wahl wegen Abwesenheit vom Betrieb verhindert ist, seine Stimme persönlich abzugeben, hat der Betriebswahlvorstand auf sein Verlangen

1. das Wahlausschreiben,
2. für jeden Wahlgang, an dem er teilzunehmen berechtigt ist, gesondert
   a) die Wahlvorschläge,
   b) den Stimmzettel und den Wahlumschlag,
3. eine vorgedruckte, von der Wählerin oder dem Wähler abzugebende Erklärung, in der gegenüber dem Betriebswahlvorstand zu versichern ist, dass der Stimmzettel persönlich gekennzeichnet worden ist, sowie
4. einen größeren Freiumschlag, der die Anschrift des Betriebswahlvorstands und als Absender den Namen und die Anschrift des Wahlberechtigten sowie den Vermerk „Schriftliche Stimmabgabe" trägt,

auszuhändigen oder zu übersenden. [2] Der Betriebswahlvorstand soll dem Wahlberechtigten ferner ein Merkblatt über die Art und Weise der schriftlichen Stimmabgabe (§ 50 Abs. 1) aushändigen oder übersenden. [3] Der Betriebswahlvorstand vermerkt die Aushändigung oder die Übersendung der Unterlagen für jeden Wahlgang gesondert in der Wählerliste.

(2) Wahlberechtigte, von denen dem Betriebswahlvorstand bekannt ist, dass sie im Zeitpunkt der Wahl nach der Eigenart ihres Beschäftigungsverhältnisses voraussichtlich nicht im Betrieb anwesend sein werden (insbesondere im Außendienst, mit Telearbeit und in Heimarbeit Beschäftigte), erhalten die in Absatz 1 bezeichneten Unterlagen, ohne dass es eines Verlangens der Wahlberechtigten bedarf.

(3) [1] Der Betriebswahlvorstand kann die schriftliche Stimmabgabe beschließen

1. für Betriebsteile und Kleinstbetriebe, die räumlich weit vom Hauptbetrieb entfernt sind,
2. für Betriebe, in denen die Mehrheit der Wahlberechtigten zur schriftlichen Stimmabgabe nach Absatz 2 berechtigt ist und in denen die verbleibende Minderheit nicht mehr als insgesamt 25 Wahlberechtigte ausmacht.

[2] Absatz 2 ist entsprechend anzuwenden.

(4) Der Unternehmenswahlvorstand übersendet den Betriebswahlvorständen auf Anforderung die in Absatz 1 bezeichneten Unterlagen für die schriftliche Stimmabgabe.

§ 50[1)] Verfahren bei der Stimmabgabe. (1) Die Stimmabgabe erfolgt in der Weise, dass die Wählerin oder der Wähler

1. die Stimmzettel unbeobachtet persönlich kennzeichnet und so faltet und in den zugehörigen Wahlumschlägen verschließt, dass die Stimmabgabe erst nach Auseinanderfalten der Stimmzettel erkennbar ist;
2. die vorgedruckte Erklärung unter Angabe des Orts und des Datums unterschreibt und
3. die Wahlumschläge und die unterschriebene vorgedruckte Erklärung in dem Freiumschlag verschließt und diesen Wahlbrief so rechtzeitig an den Betriebswahlvorstand absendet oder übergibt, dass er vor Abschluss der Stimmabgabe vorliegt.

(2) [1] Unmittelbar vor Abschluss der Stimmabgabe öffnet der Betriebswahlvorstand in öffentlicher Sitzung die bis zu diesem Zeitpunkt eingegangenen Wahlbriefe und entnimmt ihnen die Wahlumschläge sowie die vorgedruckten Erklärungen. [2] Ist die schriftliche Stimmabgabe ordnungsgemäß erfolgt, so vermerkt der Betriebswahlvorstand die Stimmabgabe für jeden Wahlgang gesondert in der Wählerliste, öffnet die Wahlumschläge und legt die Stimmzettel in die Wahlurne. [3] Befinden sich in einem Wahlumschlag mehrere gekennzeichnete Stimmzettel, werden sie in dem Wahlumschlag in die Wahlurne gelegt.

(3) [1] Verspätet eingehende Wahlbriefe nimmt der Betriebswahlvorstand mit einem Vermerk über den Zeitpunkt des Eingangs ungeöffnet zu den Wahlunterlagen. [2] Die Wahlbriefe sind einen Monat nach Bekanntgabe des Ergebnisses der Wahl der Aufsichtsratsmitglieder der Arbeitnehmer ungeöffnet zu vernichten, wenn die Wahl nicht angefochten worden ist.

Unterabschnitt 5.[2)] Ermittlung der Gewählten, Wahlniederschrift, Benachrichtigungen

§ 50 a[3)] Ermittlung der Gewählten bei nicht börsennotierten Unternehmen. (1) In nicht börsennotierten Unternehmen sind in einem Wahlgang nach § 40, einem Wahlgang nach § 44 und in einem Wahlgang nach § 48 so viele Bewerberinnen und Bewerber gewählt, wie Aufsichtsratsmitglieder in dem jeweiligen Wahlgang zu wählen sind.

(2) Mit der Wahl einer Bewerberin oder eines Bewerbers ist auch das in dem Wahlvorschlag neben der oder dem Gewählten aufgeführte Ersatzmitglied des Aufsichtsrats gewählt.

§ 50 b[3)] Ermittlung der Gewählten bei börsennotierten Unternehmen im Fall der Gesamterfüllung. (1) In börsennotierten Unternehmen sind im Fall der Gesamterfüllung in einem Wahlgang nach § 40, einem Wahlgang nach

---

[1)] § 50 Abs. 1 Nr. 1 neu gef., Abs. 2 Satz 2 geänd., Satz 3 angef. mWv 13. 10. 2005 durch VO v. *10. 10. 2005 (BGBl. I S. 2927).*

[2)] 5. UAbschnitt Überschrift neu gef. mWv 2. 9. 2015 durch VO v. 26. 8. 2015 (BGBl. I S. 1443).

[3)] §§ 50 a–50 c eingef. mWv 2. 9. 2015 durch VO v. 26. 8. 2015 (BGBl. I S. 1443).

§ 44 und in einem Wahlgang nach § 48 so viele Bewerberinnen und Bewerber gewählt, wie Aufsichtsratsmitglieder in dem jeweiligen Wahlgang zu wählen sind.

(2) Mit der Wahl einer Bewerberin oder eines Bewerbers ist auch das in dem Wahlvorschlag neben der oder dem Gewählten aufgeführte Ersatzmitglied des Aufsichtsrats gewählt.

§ 50 c[1] Ermittlung der Gewählten bei börsennotierten Unternehmen im Fall der Getrennterfüllung. (1) Sind in börsennotierten Unternehmen im Fall der Getrennterfüllung die Höchstzahlen nach § 43 der Größe nach auf die Bewerberinnen und Bewerber verteilt und die Zahlen der auf die einzelnen Bewerberinnen und Bewerber entfallenden Stimmen nach den §§ 47 und 48 Absatz 3 Satz 3 ermittelt, stellt der Unternehmenswahlvorstand fest, ob bei der Wahl der Geschlechteranteil nach § 7 Absatz 3 des Gesetzes in Verbindung mit § 96 Absatz 2 Satz 4 des Aktiengesetzes eingehalten worden ist.

(2) Ist der Geschlechteranteil nach § 7 Absatz 3 des Gesetzes bei der Wahl eingehalten, sind in einem Wahlgang nach § 40, einem Wahlgang nach § 44 und in einem Wahlgang nach § 48 so viele Bewerberinnen und Bewerber gewählt, wie Aufsichtsratsmitglieder in dem jeweiligen Wahlgang zu wählen sind.

(3) [1] Ist der Geschlechteranteil nach § 7 Absatz 3 des Gesetzes bei der Wahl nicht eingehalten, sind in einem Wahlgang nach § 40 und in einem Wahlgang nach § 44 nur diejenigen Bewerberinnen und Bewerber als Aufsichtsratsmitglieder gewählt, deren Wahl nicht nach § 18 a Absatz 2 Satz 1 des Gesetzes unwirksam ist. [2] In einem Wahlgang nach § 48 ist die Bewerberin oder der Bewerber mit den meisten Stimmen als Aufsichtsratsmitglied der Arbeitnehmer gewählt.

(4) Mit der Wahl einer Bewerberin oder eines Bewerbers ist auch das in dem Wahlvorschlag neben der oder dem Gewählten aufgeführte Ersatzmitglied des Aufsichtsrats gewählt.

§ 51[2] Wahlniederschrift. (1) Nachdem ermittelt ist, wer gewählt ist, stellt der Unternehmenswahlvorstand in einer Niederschrift für jeden Wahlgang gesondert fest:

1. die Zahl der insgesamt abgegebenen Stimmen;
2. die Zahl der gültigen Stimmen;
3. die Zahl der ungültigen Stimmen;
4. bei Verhältniswahl die Zahlen der auf die einzelnen Wahlvorschläge entfallenden Stimmen, die berechneten Höchstzahlen und ihre Verteilung auf die Wahlvorschläge;
5. bei Mehrheitswahl die Zahlen der auf die einzelnen Bewerberinnen oder Bewerber entfallenden Stimmen;
6. die Namen der gewählten Aufsichtsratsmitglieder;
7. die Namen der für die einzelnen Aufsichtsratsmitglieder gewählten Ersatzmitglieder;

---

[1] §§ 50 a–50 c eingef. mWv 2. 9. 2015 durch VO v. 26. 8. 2015 (BGBl. I S. 1443).

[2] § 51 Abs. 1 Nr. 1 aufgeh., bish. Nrn. 2 bis 10 werden Nrn. 1 bis 9 mWv 13. 10. 2005 durch VO v. 10. 10. 2005 (BGBl. I S. 2927); Abs. 2 angef., Abs. 1 Nr. 1 aufgeh., bish. Nr. 2–9 werden Nr. 1–8 mWv 2. 9. 2015 durch VO v. 26. 8. 2015 (BGBl. I S. 1443).

8. besondere während der Wahl eingetretene Zwischenfälle oder sonstige Ereignisse.

(2) Der Unternehmenswahlvorstand stellt bei börsennotierten Unternehmen im Fall der Getrennterfüllung in der Niederschrift zusätzlich fest,

1. ob der Geschlechteranteil nach § 7 Absatz 3 des Gesetzes bei der Wahl erreicht worden ist;
2. die Anzahl der Sitze, die aufgrund des Nichterreichens des Geschlechteranteils nach § 7 Absatz 3 des Gesetzes nicht besetzt worden sind, und ihre Zuordnung zu den Aufsichtsratsmitgliedern der in § 3 Absatz 1 Nummer 1 des Gesetzes bezeichneten Arbeitnehmer und den Aufsichtsratsmitgliedern der Gewerkschaften.

§ 52[1)] Bekanntmachung des Wahlergebnisses, Benachrichtigung der Gewählten. (1) [1] Der Unternehmenswahlvorstand übermittelt das Wahlergebnis und die Namen der Gewählten den Betriebswahlvorständen. [2] Jeder Betriebswahlvorstand macht das Wahlergebnis und die Namen der Gewählten unverzüglich für die Dauer von zwei Wochen bekannt.

(2) Gleichzeitig benachrichtigt der Unternehmenswahlvorstand die Gewählten schriftlich von ihrer Wahl und übermittelt das Wahlergebnis und die Namen der Gewählten dem Unternehmen und den im Unternehmen vertretenen Gewerkschaften.

(3) Ist bei börsennotierten Unternehmen im Fall der Getrennterfüllung der Geschlechteranteil nach § 7 Absatz 3 des Gesetzes bei der Wahl nicht erreicht worden, informiert der Unternehmenswahlvorstand die Adressaten der Absätze 1 und 2 zusätzlich

1. über die Anzahl der Sitze, die aufgrund des Nichterreichens des Geschlechteranteils nach § 7 Absatz 3 des Gesetzes nicht besetzt worden sind, und ihre Zuordnung zu den Aufsichtsratsmitgliedern der in § 3 Absatz 1 Nummer 1 des Gesetzes bezeichneten Arbeitnehmer und den Aufsichtsratsmitgliedern der Gewerkschaften und
2. darüber, dass diese nach § 18 a Absatz 2 des Gesetzes nicht besetzten Aufsichtsratssitze im Wege der gerichtlichen Ersatzbestellung nach § 104 des Aktiengesetzes oder der Nachwahl zu besetzen sind.

§ 53 Aufbewahrung der Wahlakten. [1] Der Unternehmenswahlvorstand und jeder Betriebswahlvorstand übergeben die Wahlakten dem Unternehmen. [2] Das Unternehmen bewahrt die Wahlakten mindestens für die Dauer von fünf Jahren auf.

---

1) § 52 Abs. 3 angef. mWv 2. 9. 2015 durch VO v. 26. 8. 2015 (BGBl. I S. 1443).

Kapitel 3. Wahl der Aufsichtsratsmitglieder der Arbeitnehmer durch Delegierte

Abschnitt 1. Wahl der Delegierten

Unterabschnitt 1. Delegierte mit Mehrfachmandat

§ 54[1)] Keine Wahl von Delegierten nach diesem Unterabschnitt, wenn in dem Unternehmen für die Wahl von Aufsichtsratsmitgliedern anderer Unternehmen Delegierte mit Mehrfachmandat gewählt werden. (1) Sind die Aufsichtsratsmitglieder der Arbeitnehmer des Unternehmens durch Delegierte zu wählen und nehmen die Arbeitnehmerinnen und Arbeitnehmer auch an der Wahl der Aufsichtsratsmitglieder der Arbeitnehmer anderer Unternehmen durch Delegierte teil und haben die Betriebswahlvorstände nach § 55 der Dritten Wahlordnung zum Mitbestimmungsgesetz[2)] beschlossen, dass die in dem Unternehmen für die Wahl der Aufsichtsratsmitglieder eines anderen Unternehmens zu wählenden Delegierten auch die nach den Vorschriften dieses Abschnitts zu wählenden Aufsichtsratsmitglieder der Arbeitnehmer wählen, so findet eine Wahl von Delegierten nach den Vorschriften dieses Abschnitts nicht statt.

(2) [1] Der Unternehmenswahlvorstand erlässt hierüber eine Bekanntmachung und übersendet sie den Betriebswahlvorständen. [2] § 26 Abs. 4 und 5 ist anzuwenden.

§ 55 Delegierte, die zugleich für die Wahl von Aufsichtsratsmitgliedern anderer Unternehmen gewählt werden. [1] Nehmen die Arbeitnehmerinnen und Arbeitnehmer des Unternehmens auch an der Wahl der Aufsichtsratsmitglieder der Arbeitnehmer anderer Unternehmen teil und beginnt die Amtszeit der Aufsichtsratsmitglieder der anderen Unternehmen nicht später als zwölf Monate nach dem Beginn der Amtszeit der nach den Vorschriften dieses Kapitels zu wählenden Aufsichtsratsmitglieder, so kann der Unternehmenswahlvorstand beschließen, dass die zu wählenden Delegierten auch an der Wahl der Aufsichtsratsmitglieder der Arbeitnehmer der anderen Unternehmen teilnehmen, sofern auch diese durch Delegierte gewählt werden. [2] Der Beschluss kann nur vor Erlass des Wahlausschreibens für die Wahl der Delegierten gefasst werden.

Unterabschnitt 2. Einleitung der Wahl

§ 56 Errechnung der Zahl der Delegierten. (1) Steht fest, dass die Aufsichtsratsmitglieder der Arbeitnehmer durch Delegierte zu wählen sind, so errechnet der Unternehmenswahlvorstand anhand der ihm von den Betriebswahlvorständen zugesandten Wählerlisten für jeden Betrieb gesondert die Zahl der in dem Betrieb zu wählenden Delegierten sowie ihre Verteilung auf die in § 3 Abs. 1 Nr. 1 des Gesetzes[3)] bezeichneten Arbeitnehmer und die leitenden Angestellten.

(2) [1] Zur Errechnung der Zahl der in einem Betrieb zu wählenden Delegierten wird die Zahl der Wahlberechtigten des Betriebs durch 90 geteilt. [2] Teilzahlen werden voll gezählt, wenn sie mindestens die Hälfte der vollen Zahl betragen.

---

1) § 54 Abs. 1 geänd. mWv 13. 10. 2005 durch VO v. 10. 10. 2005 (BGBl. I S. 2927).
2) Nr. **560 c**.
3) Nr. **560**.

(3) [1] Die Errechnung der auf die in § 3 Abs. 1 Nr. 1 des Gesetzes bezeichneten Arbeitnehmer und die leitenden Angestellten entfallenden Delegierten erfolgt nach den Grundsätzen der Verhältniswahl. [2] Hierzu werden die Zahlen der in § 3 Abs. 1 Nr. 1 des Gesetzes bezeichneten Arbeitnehmer und der leitenden Angestellten des Betriebs in einer Reihe nebeneinander gestellt und beide durch 1, 2, 3, 4 usw. geteilt. [3] Die ermittelten Teilzahlen sind nacheinander reihenweise unter den Zahlen der ersten Reihe aufzuführen, bis höhere Teilzahlen, als aus früheren Reihen für die Zuweisung von Sitzen in Betracht kommen, nicht mehr entstehen. [4] Unter den so gefundenen Teilzahlen werden so viele Höchstzahlen ausgesondert und der Größe nach geordnet, wie Delegierte zu wählen sind. [5] Die in § 3 Abs. 1 Nr. 1 des Gesetzes bezeichneten Arbeitnehmer und die leitenden Angestellten erhalten jeweils so viele Delegierte zugeteilt, wie Höchstzahlen auf sie entfallen. [6] Wenn die niedrigste in Betracht kommende Höchstzahl auf die in § 3 Abs. 1 Nr. 1 des Gesetzes bezeichneten Arbeitnehmer und die leitenden Angestellten zugleich entfällt, entscheidet das Los darüber, wem der Delegierte zufällt.

(4) [1] Ergibt die Errechnung nach Absatz 3 in einem Betrieb für die in § 3 Abs. 1 Nr. 1 des Gesetzes bezeichneten Arbeitnehmer oder die leitenden Angestellten mehr als

1. 25 Delegierte, so vermindert sich die Zahl der zu wählenden Delegierten der in § 3 Abs. 1 Nr. 1 des Gesetzes bezeichneten Arbeitnehmer oder der leitenden Angestellten auf die Hälfte; diese Delegierten erhalten je zwei Stimmen;
2. 50 Delegierte, so vermindert sich die Zahl der zu wählenden Delegierten der in § 3 Abs. 1 Nr. 1 des Gesetzes bezeichneten Arbeitnehmer oder der leitenden Angestellten auf ein Drittel; diese Delegierten erhalten je drei Stimmen;
3. 75 Delegierte, so vermindert sich die Zahl der zu wählenden Delegierten der in § 3 Abs. 1 Nr. 1 des Gesetzes bezeichneten Arbeitnehmer oder der leitenden Angestellten auf ein Viertel; diese Delegierten erhalten je vier Stimmen;
4. 100 Delegierte, so vermindert sich die Zahl der zu wählenden Delegierten der in § 3 Abs. 1 Nr. 1 des Gesetzes bezeichneten Arbeitnehmer oder der leitenden Angestellten auf ein Fünftel; diese Delegierten erhalten je fünf Stimmen;
5. 125 Delegierte, so vermindert sich die Zahl der zu wählenden Delegierten der in § 3 Abs. 1 Nr. 1 des Gesetzes bezeichneten Arbeitnehmer oder der leitenden Angestellten auf ein Sechstel; diese Delegierten erhalten je sechs Stimmen;
6. 150 Delegierte, so vermindert sich die Zahl der zu wählenden Delegierten der in § 3 Abs. 1 Nr. 1 des Gesetzes bezeichneten Arbeitnehmer oder der leitenden Angestellten auf ein Siebtel; diese Delegierten erhalten je sieben Stimmen.

[2] Teilzahlen werden voll gezählt, wenn sie mindestens die Hälfte der vollen Zahl betragen.

(5) [1] Sind in einem Betrieb mindestens neun Delegierte zu wählen, so entfällt auf die in § 3 Abs. 1 Nr. 1 des Gesetzes bezeichneten Arbeitnehmer und die leitenden Angestellten mindestens je ein Delegierter; dies gilt nicht, soweit in dem Betrieb nicht mehr als fünf in § 3 Abs. 1 Nr. 1 des Gesetzes bezeichnete Arbeitnehmer oder leitende Angestellte wahlberechtigt sind. [2] Soweit auf die in § 3 Abs. 1 Nr. 1 des Gesetzes bezeichneten Arbeitnehmer und die leitenden Angestellten lediglich nach Satz 1 Delegierte entfallen, vermehrt sich die Zahl der Delegierten des Betriebs entsprechend.

§ 57 Zuordnung von Arbeitnehmerinnen und Arbeitnehmern zu anderen Betrieben. (1) Entfällt nach § 56 auf die in § 3 Abs. 1 Nr. 1 des Gesetzes[1)] bezeichneten Arbeitnehmer oder die leitenden Angestellten eines Betriebs kein Delegierter, so streicht der Unternehmenswahlvorstand diese Arbeitnehmerinnen und Arbeitnehmer in der ihm vorliegenden Kopie der Wählerliste des Betriebs.

(2) [1] Der Unternehmenswahlvorstand stellt fest, ob die nach Absatz 1 aus der Wählerliste eines Betriebs zu streichenden Arbeitnehmerinnen und Arbeitnehmer für die Wahl der Delegierten nach § 11 Abs. 3 und 4 des Gesetzes als Arbeitnehmerinnen und Arbeitnehmer des Betriebs der Hauptniederlassung des Unternehmens oder als Arbeitnehmerinnen und Arbeitnehmer des nach der Zahl der Wahlberechtigten größten Betriebs des Unternehmens gelten. [2] Der Unternehmenswahlvorstand nimmt diese Arbeitnehmerinnen und Arbeitnehmer in die ihm vorliegende Kopie der Wählerliste des Betriebs auf, als dessen Arbeitnehmerinnen und Arbeitnehmer sie für die Wahl der Delegierten gelten. [3] Nach der Zuordnung ist die Zahl der Delegierten der betroffenen Betriebe und ihre Verteilung auf die in § 3 Abs. 1 Nr. 1 des Gesetzes bezeichneten Arbeitnehmer und die leitenden Angestellten neu zu errechnen (§ 56).

§ 58 Mitteilungen des Unternehmenswahlvorstands. (1) Der Unternehmenswahlvorstand teilt jedem Betriebswahlvorstand unverzüglich nach der Errechnung der Zahl der Delegierten (§ 56) oder, falls eine Zuordnung (§ 57 Abs. 2) zu einem anderen Betrieb erfolgt ist, unverzüglich nach der Feststellung über diese Zuordnung mit:

1. dass die Aufsichtsratsmitglieder der Arbeitnehmer durch Delegierte zu wählen sind;
2. einen Beschluss darüber, dass die zu wählenden Delegierten auch an der Wahl der Aufsichtsratsmitglieder der Arbeitnehmer anderer Unternehmen teilnehmen sollen; die anderen Unternehmen sind anzugeben;
3. die Zahl der zu wählenden Delegierten, getrennt nach Delegierten der in § 3 Abs. 1 Nr. 1 des Gesetzes[1)] bezeichneten Arbeitnehmer und der leitenden Angestellten;
4. die Familiennamen und Vornamen der Arbeitnehmerinnen und Arbeitnehmer, die nach § 57 Abs. 1 aus der Wählerliste des Betriebs zu streichen sind, sowie den Betrieb, dem sie zugeordnet sind;
5. die Familiennamen, Vornamen und Geburtsdaten der Arbeitnehmerinnen und Arbeitnehmer, die nach § 57 Abs. 2 Satz 1 und 2 in die Wählerliste des Betriebs aufzunehmen sind, getrennt nach in § 3 Abs. 1 Nr. 1 des Gesetzes bezeichneten Arbeitnehmern und leitenden Angestellten, sowie den Betrieb, aus dessen Wählerliste sie gestrichen worden sind;
6. den Zeitpunkt, bis zu dem jeder Betriebswahlvorstand dem Unternehmenswahlvorstand das Ergebnis der Wahl der Delegierten mitzuteilen hat.

(2) [1] Der Unternehmenswahlvorstand übersendet dem Betriebswahlvorstand eines Betriebs, aus dessen Wählerliste Wahlberechtigte zu streichen sind, unverzüglich eine Kopie seiner Mitteilung (Absatz 1 Nr. 5) an den Betriebswahlvorstand des Betriebs, dem diese Wahlberechtigten zugeordnet sind. [2] Der Betriebs-

---

1) Nr. **560**.

wahlvorstand des Betriebs, aus dessen Wählerliste Wahlberechtigte zu streichen sind, und der Betriebswahlvorstand des Betriebs, dem diese Wahlberechtigten zugeordnet sind, machen die in Absatz 1 Nr. 5 bezeichnete Mitteilung in gleicher Weise bekannt wie das Wahlausschreiben für die Wahl der Delegierten (§ 59).

§ 59 Wahlausschreiben für die Wahl der Delegierten. (1) [1] Unverzüglich nach Eingang der in § 58 bezeichneten Mitteilung erlässt der Betriebswahlvorstand ein Wahlausschreiben für die Wahl der Delegierten. [2] Es muss folgende Angaben enthalten:

1. das Datum seines Erlasses;
2. dass die Aufsichtsratsmitglieder der Arbeitnehmer durch Delegierte zu wählen sind;
3. ob der Unternehmenswahlvorstand nach § 55 beschlossen hat, dass die zu wählenden Delegierten auch an der Wahl der Aufsichtsratsmitglieder der Arbeitnehmer anderer Unternehmen teilnehmen sollen; die anderen Unternehmen sind anzugeben;
4. dass an der Wahl und an Abstimmungen nur Arbeitnehmerinnen und Arbeitnehmer teilnehmen können, die in der Wählerliste eingetragen sind;
5. dass die Delegierten von allen Wahlberechtigten gewählt werden;
6. die Zahl der zu wählenden Delegierten, getrennt nach Delegierten der in § 3 Abs. 1 Nr. 1 des Gesetzes[1)] bezeichneten Arbeitnehmer und Delegierten der leitenden Angestellten;
7. dass Wahlvorschläge für die Wahl der Delegierten innerhalb von zwei Wochen seit Erlass des Wahlausschreibens schriftlich beim Betriebswahlvorstand eingereicht werden können; der letzte Tag der Frist ist anzugeben;
8. die Mindestzahl der wahlberechtigten in § 3 Abs. 1 Nr. 1 des Gesetzes bezeichneten Arbeitnehmer, von denen ein Wahlvorschlag für Delegierte der in § 3 Abs. 1 Nr. 1 des Gesetzes bezeichneten Arbeitnehmer unterzeichnet sein muss;
9. die Mindestzahl der wahlberechtigten leitenden Angestellten, von denen ein Wahlvorschlag für Delegierte der leitenden Angestellten unterzeichnet sein muss;
10. dass die Anzahl der Bewerberinnen und Bewerber in jedem Wahlvorschlag mindestens doppelt so hoch sein soll wie die Zahl der in dem Wahlgang zu wählenden Delegierten;
11. dass die Stimmabgabe an Wahlvorschläge gebunden ist und dass nur solche Wahlvorschläge berücksichtigt werden dürfen, die fristgerecht beim Betriebswahlvorstand eingereicht sind;
12. dass, wenn für einen Wahlgang nur ein gültiger Wahlvorschlag eingereicht wird, so viele der darin aufgeführten Bewerberinnen und Bewerber in der angegebenen Reihenfolge als gewählt gelten, wie in dem Wahlgang Delegierte zu wählen sind;
13. wo und wie die Wahlberechtigten von den Wahlvorschlägen Kenntnis erlangen können;

---

1) Nr. **560**.

14. Ort, Tag und Zeit der Stimmabgabe für die Wahl der Delegierten;
15. den Ort und die Zeit der öffentlichen Stimmauszählung;
16. den Hinweis auf die Möglichkeit der schriftlichen Stimmabgabe sowie die Betriebsteile, Kleinstbetriebe und Betriebe, für die schriftliche Stimmabgabe nach § 69 Abs. 3 beschlossen ist;
17. dass Einsprüche, Anträge, Wahlvorschläge für die Wahl der Delegierten und sonstige Erklärungen gegenüber dem Betriebswahlvorstand abzugeben sind;
18. die Anschrift des Betriebswahlvorstands.

[3] Für die Bekanntmachung des Wahlausschreibens ist § 26 Abs. 4 und 5 entsprechend anzuwenden.

(2) Wahlgang im Sinne dieses Abschnitts ist

1. die Wahl der Delegierten der in § 3 Abs. 1 Nr. 1 des Gesetzes bezeichneten Arbeitnehmer,
2. die Wahl der Delegierten der leitenden Angestellten.

Unterabschnitt 3. Wahlvorschläge für Delegierte

§ 60[1)] Einreichung von Wahlvorschlägen. (1) [1] Zur Wahl der Delegierten können die Wahlberechtigten des Betriebs Wahlvorschläge machen. [2] Jeder Wahlvorschlag für Delegierte

1. der in § 3 Abs. 1 Nr. 1 des Gesetzes[2)] bezeichneten Arbeitnehmer muss von einem Zwanzigstel oder 50 der wahlberechtigten in § 3 Abs. 1 Nr. 1 des Gesetzes bezeichneten Arbeitnehmer,
2. der leitenden Angestellten muss von einem Zwanzigstel oder 50 der wahlberechtigten leitenden Angestellten

des Betriebs unterzeichnet sein. [3] Die Wahlvorschläge sind innerhalb von zwei Wochen seit Erlass des Wahlausschreibens für die Wahl der Delegierten beim Betriebswahlvorstand schriftlich einzureichen. [4] Die Anzahl der Bewerberinnen und Bewerber in jedem Wahlvorschlag soll mindestens doppelt so hoch sein wie die Zahl der in dem Wahlgang zu wählenden Delegierten.

(2) [1] In jedem Wahlvorschlag sind die Bewerberinnen und Bewerber in erkennbarer Reihenfolge unter fortlaufender Nummer und unter Angabe von Familienname, Vorname, Geburtsdatum und Art der Beschäftigung aufzuführen. [2] Die schriftliche Zustimmung der Bewerberinnen und Bewerber zur Aufnahme in den Wahlvorschlag und ihre schriftliche Versicherung, dass sie im Fall ihrer Wahl die Wahl annehmen werden, sind beizufügen.

(3) [1] Für jeden Wahlvorschlag soll eine oder einer der Unterzeichnenden als Vorschlagsvertreter bezeichnet werden. [2] Dieser ist berechtigt und verpflichtet, dem Betriebswahlvorstand die zur Beseitigung von Beanstandungen erforderlichen Erklärungen abzugeben sowie Erklärungen und Entscheidungen des Betriebswahlvorstands entgegenzunehmen. [3] Ist kein Vorschlagsvertreter ausdrücklich bestimmt worden, so wird die oder der an erster Stelle Unterzeichnende als Vorschlagsvertreter angesehen.

[1)] § 60 Abs. 1 Satz 2 Nrn. 1 und 2 geänd. mWv 13. 10. 2005 durch VO v. 10. 10. 2005 (BGBl. I S. 2927).

[2)] Nr. **560**.

(4) [1] Die Unterschrift eines Wahlberechtigten zählt nur auf einem Wahlvorschlag. [2] Hat ein Wahlberechtigter mehrere Wahlvorschläge unterzeichnet, so hat er auf Aufforderung des Betriebswahlvorstands innerhalb einer angemessenen Frist, spätestens jedoch innerhalb von drei Arbeitstagen, zu erklären, welche Unterschrift er aufrechterhält. [3] Unterbleibt die fristgerechte Erklärung, so wird sein Name auf dem zuerst eingereichten Wahlvorschlag gezählt und auf den übrigen Wahlvorschlägen gestrichen; sind mehrere Wahlvorschläge, die von demselben Wahlberechtigten unterzeichnet sind, gleichzeitig eingereicht worden, so entscheidet das Los darüber, auf welchem Wahlvorschlag die Unterschrift gilt.

(5) [1] Eine Bewerberin oder ein Bewerber kann nur auf einem Wahlvorschlag vorgeschlagen werden. [2] Ist der Name dieser Person mit ihrer schriftlichen Zustimmung (Absatz 2 Satz 2) auf mehreren Wahlvorschlägen aufgeführt, so hat sie auf Aufforderung des Betriebswahlvorstands innerhalb von drei Arbeitstagen zu erklären, welche Bewerbung sie aufrechterhält. [3] Unterbleibt die fristgerechte Erklärung, so ist die Bewerberin oder der Bewerber auf sämtlichen Wahlvorschlägen zu streichen.

§ 61 Prüfung der Wahlvorschläge. (1) Der Betriebswahlvorstand bestätigt dem Vorschlagsvertreter schriftlich den Zeitpunkt der Einreichung des Wahlvorschlags.

(2) [1] Der Betriebswahlvorstand bezeichnet den Wahlvorschlag, wenn er nicht mit einem Kennwort versehen ist, mit Familienname und Vorname der an erster Stelle benannten Bewerberin oder des an erster Stelle benannten Bewerbers. [2] Er hat unverzüglich den Wahlvorschlag zu prüfen und bei Ungültigkeit oder Beanstandung den Vorschlagsvertreter schriftlich unter Angabe der Gründe zu unterrichten.

§ 62 Ungültige Wahlvorschläge. (1) Ungültig sind Wahlvorschläge,

1. die nicht fristgerecht eingereicht worden sind,
2. auf denen die Bewerberinnen und Bewerber nicht in erkennbarer Reihenfolge aufgeführt sind,
3. die bei der Einreichung nicht die erforderliche Zahl von Unterschriften aufweisen.

(2) Wahlvorschläge,

1. in denen die Bewerberinnen und Bewerber nicht in der in § 60 Abs. 2 Satz 1 bestimmten Weise bezeichnet sind,
2. denen die schriftliche Zustimmung und Versicherung der Bewerberinnen und Bewerber nach § 60 Abs. 2 Satz 2 nicht beigefügt sind,
3. die infolge von Streichungen gemäß § 60 Abs. 4 nicht mehr die erforderliche Zahl von Unterschriften aufweisen,

sind ungültig, wenn der Betriebswahlvorstand sie beanstandet hat und die Mängel nicht innerhalb von drei Arbeitstagen seit der Beanstandung beseitigt worden sind.

§ 63 Nachfrist für Wahlvorschläge. (1) [1] Ist nach Ablauf der für die Einreichung von Wahlvorschlägen bestimmten Frist für einen Wahlgang kein gültiger Wahlvorschlag eingereicht, so erlässt der Betriebswahlvorstand unverzüglich eine

Bekanntmachung und setzt eine Nachfrist von einer Woche für die Einreichung von Wahlvorschlägen fest. [2] Die Bekanntmachung muss folgende Angaben enthalten:

1. das Datum ihres Erlasses;
2. dass für den Wahlgang kein gültiger Wahlvorschlag eingereicht worden ist;
3. dass Wahlvorschläge innerhalb einer Nachfrist von einer Woche seit Erlass der Bekanntmachung schriftlich beim Betriebswahlvorstand eingereicht werden können; der letzte Tag der Frist ist anzugeben.

(2) Wird bis zum Ablauf der Nachfrist für einen Wahlgang kein gültiger Wahlvorschlag eingereicht, so macht der Betriebswahlvorstand unverzüglich bekannt, dass der Wahlgang nicht stattfindet.

(3) Für Bekanntmachungen nach den Absätzen 1 und 2 ist § 26 Abs. 4 und 5 entsprechend anzuwenden.

§ 64 Bekanntmachung der Wahlvorschläge. (1) [1] Sind für einen Wahlgang mehrere Wahlvorschläge eingereicht, so ermittelt der Betriebswahlvorstand durch das Los nach Ablauf der in § 60 Abs. 1 Satz 3, § 62 Abs. 2 und § 63 Abs. 1 Satz 1 bezeichneten Fristen die Reihenfolge der Ordnungsnummern, die den eingereichten Wahlvorschlägen zugeteilt werden (Wahlvorschlag 1, 2 usw.). [2] Die Vorschlagsvertreter sind zu der Losentscheidung rechtzeitig einzuladen.

(2) [1] Spätestens zwei Wochen vor dem ersten Tag der Stimmabgabe macht der Betriebswahlvorstand die gültigen Wahlvorschläge, nach Wahlgängen getrennt, in gleicher Weise bekannt wie das Wahlausschreiben für die Wahl der Delegierten. [2] Liegt für einen Wahlgang nur ein gültiger Wahlvorschlag vor, so weist der Betriebswahlvorstand in der Bekanntmachung darauf hin, dass so viele der darin aufgeführten Bewerberinnen und Bewerber in der angegebenen Reihenfolge als gewählt gelten, wie in dem Wahlgang Delegierte zu wählen sind.

Unterabschnitt 4. Wahl von Delegierten in einem Wahlgang auf Grund mehrerer Wahlvorschläge

§ 65[1)] Stimmabgabe, Wahlvorgang. (1) [1] Liegen für einen Wahlgang mehrere gültige Wahlvorschläge vor, so kann die Wählerin ihre und der Wähler seine Stimme nur für einen dieser Wahlvorschläge abgeben. [2] Die Stimmabgabe erfolgt durch Abgabe von Stimmzetteln.

(2) [1] Der Betriebswahlvorstand hat die Wahlvorschläge auf den Stimmzetteln nach der Reihenfolge der Ordnungsnummern sowie unter Angabe der an erster und zweiter Stelle benannten Bewerberinnen und Bewerber mit Familienname, Vorname und Art der Beschäftigung untereinander aufzuführen; bei Wahlvorschlägen, die mit einem Kennwort versehen sind, ist auch das Kennwort anzugeben. [2] Die Stimmzettel sollen die Angabe enthalten, dass nur ein Wahlvorschlag angekreuzt werden kann. [3] Die Stimmzettel, die für denselben Wahlgang Verwendung finden, müssen sämtlich die gleiche Größe, Farbe, Beschaffenheit und Beschriftung haben. [4] Die Stimmzettel, die für einen Wahlgang Verwendung finden, müssen sich von den für die anderen Wahlgänge vorgesehenen Stimmzetteln in der Farbe unterscheiden.

---

1) § 65 Abs. 1 Satz 2, Abs. 2 Satz 4 geänd., Abs. 2 Satz 3 letzter Halbs. aufgeh. mWv 13. 10. 2005 durch VO v. 10. 10. 2005 (BGBl. I S. 2927); Abs. 3 Satz 2 geänd. mWv 2. 9. 2015 durch VO v. 26. 8. 2015 (BGBl. I S. 1443).

(3) [1] Die Wählerin kennzeichnet den von ihr und der Wähler den von ihm gewählten Wahlvorschlag durch Ankreuzen an der im Stimmzettel hierfür vorgesehenen Stelle. [2] Für den Wahlvorgang ist § 17 entsprechend anzuwenden; die Stimmabgabe ist in der Wählerliste für jeden Wahlgang gesondert zu vermerken.

(4) Ungültig sind Stimmzettel,

1. in denen mehr als ein Wahlvorschlag angekreuzt ist,
2. aus denen sich ein eindeutiger Wille nicht ergibt,
3. die mit einem besonderen Merkmal versehen sind,
4. die andere als die in Absatz 2 bezeichneten Angaben, einen Zusatz oder sonstige Änderungen enthalten.

§ 66[1)] Öffentliche Stimmauszählung. (1) Unverzüglich nach Abschluss der Stimmabgabe zählt der Betriebswahlvorstand öffentlich die Stimmen aus.

(2) Nach Öffnung der Wahlurne entnimmt der Betriebswahlvorstand die Stimmzettel und zählt für jeden Wahlgang gesondert die auf jeden Wahlvorschlag entfallenden Stimmen zusammen.

(3) [1] Bei der Auszählung ist die Gültigkeit der Stimmzettel zu prüfen. [2] Befindet sich ein Wahlumschlag mit mehreren gekennzeichneten Stimmzetteln in der Wahlurne, werden die Stimmzettel einfach gezählt, wenn sie vollständig übereinstimmen, andernfalls sind sie ungültig.

§ 67 Ermittlung der Gewählten. (1) [1] Die in dem Wahlgang den einzelnen Wahlvorschlägen zugefallenen Stimmenzahlen werden in einer Reihe nebeneinander gestellt und sämtlich durch 1, 2, 3, 4 usw. geteilt. [2] Die ermittelten Teilzahlen sind nacheinander reihenweise unter den Zahlen der ersten Reihe aufzuführen, bis höhere Teilzahlen, als aus früheren Reihen für die Zuweisung von Sitzen in Betracht kommen, nicht mehr entstehen. [3] Unter den so gefundenen Teilzahlen werden so viele Höchstzahlen ausgesondert und der Größe nach geordnet, wie in dem Wahlgang Delegierte zu wählen sind. [4] Jeder Wahlvorschlag erhält so viele Sitze zugeteilt, wie Höchstzahlen auf ihn entfallen. [5] Wenn die niedrigste in Betracht kommende Höchstzahl auf mehrere Wahlvorschläge zugleich entfällt, so entscheidet das Los darüber, welchem Wahlvorschlag dieser Sitz zufällt.

(2) Wenn ein Wahlvorschlag insgesamt weniger Bewerberinnen und Bewerber enthält, als Höchstzahlen auf ihn entfallen, so gehen die überschüssigen Sitze auf die folgenden Höchstzahlen der anderen Wahlvorschläge desselben Wahlgangs über.

(3) Die Reihenfolge der Bewerberinnen und Bewerber innerhalb der einzelnen Wahlvorschläge bestimmt sich nach der Reihenfolge ihrer Benennung.

Unterabschnitt 5. Ermittlung von Delegierten bei Vorliegen nur eines Wahlvorschlags für einen Wahlgang

§ 68 Ermittlung von Delegierten bei Vorliegen nur eines Wahlvorschlags für einen Wahlgang. (1) Liegt für einen Wahlgang nur ein gültiger Wahlvorschlag vor, so gelten so viele der darin aufgeführten Bewerberinnen und

---

[1)] § 66 Abs. 2 geänd., Abs. 3 Satz 2 neu gef. mWv 13. 10. 2005 durch VO v. 10. 10. 2005 (BGBl. I S. 2927); Abs. 4 aufgeh. mWv 2. 9. 2015 durch VO v. 26. 8. 2015 (BGBl. I S. 1443).

Bewerber in der im Wahlvorschlag angegebenen Reihenfolge als gewählt, wie Delegierte in dem Wahlgang zu wählen sind.

(2) Der Betriebswahlvorstand stellt unverzüglich nach Abschluss der Wahl der Delegierten fest, welche Delegierten nach Absatz 1 als gewählt gelten.

Unterabschnitt 6. Schriftliche Stimmabgabe

§ 69 Voraussetzungen. (1) [1] Einem Wahlberechtigten, der im Zeitpunkt der Wahl wegen Abwesenheit vom Betrieb verhindert ist, seine Stimme persönlich abzugeben, hat der Betriebswahlvorstand auf sein Verlangen

1. das Wahlausschreiben,
2. für jeden Wahlgang, an dem er teilzunehmen berechtigt ist, gesondert
   a) die Wahlvorschläge,
   b) den Stimmzettel und den Wahlumschlag,
3. eine vorgedruckte, von der Wählerin oder dem Wähler abzugebende Erklärung, in der gegenüber dem Betriebswahlvorstand zu versichern ist, dass der Stimmzettel persönlich gekennzeichnet worden ist, sowie
4. einen größeren Freiumschlag, der die Anschrift des Betriebswahlvorstands und als Absender den Namen und die Anschrift des Wahlberechtigten sowie den Vermerk „Schriftliche Stimmabgabe" trägt,

auszuhändigen oder zu übersenden. [2] Der Betriebswahlvorstand soll dem Wahlberechtigten ferner ein Merkblatt über die Art und Weise der schriftlichen Stimmabgabe (§ 70 Abs. 1) aushändigen oder übersenden. [3] Der Betriebswahlvorstand vermerkt die Aushändigung oder die Übersendung der Unterlagen für jeden Wahlgang gesondert in der Wählerliste.

(2) Wahlberechtigte, von denen dem Betriebswahlvorstand bekannt ist, dass sie im Zeitpunkt der Wahl nach der Eigenart ihres Beschäftigungsverhältnisses voraussichtlich nicht im Betrieb anwesend sein werden (insbesondere im Außendienst, mit Telearbeit und in Heimarbeit Beschäftigte), sowie Arbeitnehmerinnen und Arbeitnehmer, die dem Betrieb nach § 57 Abs. 2 zugeordnet sind, erhalten die in Absatz 1 bezeichneten Unterlagen, ohne dass es eines Verlangens des Wahlberechtigten bedarf.

(3) [1] Der Betriebswahlvorstand kann die schriftliche Stimmabgabe beschließen

1. für Betriebsteile und Kleinstbetriebe, die räumlich weit vom Hauptbetrieb entfernt sind,
2. für Betriebe, in denen die Mehrheit der Wahlberechtigten zur schriftlichen Stimmabgabe nach Absatz 2 berechtigt ist und in denen die verbleibende Minderheit nicht mehr als insgesamt 25 Wahlberechtigte ausmacht.

[2] Absatz 2 ist entsprechend anzuwenden.

§ 70[1)] Verfahren bei der Stimmabgabe. (1) Die Stimmabgabe erfolgt in der Weise, dass die Wählerin oder der Wähler

1. die Stimmzettel unbeobachtet persönlich kennzeichnet und so faltet und in den zugehörigen Wahlumschlägen verschließt, dass die Stimmabgabe erst nach Auseinanderfalten der Stimmzettel erkennbar ist;

[1)] § 70 Abs. 1 Nr. 1 neu gef., Abs. 2 Satz 2 geänd., Satz 3 angef. mWv 13. 10. 2005 durch VO v. 10. 10. 2005 (BGBl. I S. 2927).

2. die vorgedruckte Erklärung unter Angabe des Orts und des Datums unterschreibt und
3. die Wahlumschläge und die unterschriebene vorgedruckte Erklärung in dem Freiumschlag verschließt und diesen Wahlbrief so rechtzeitig an den Betriebswahlvorstand absendet oder übergibt, dass er vor Abschluss der Stimmabgabe vorliegt.

(2) [1] Unmittelbar vor Abschluss der Stimmabgabe öffnet der Betriebswahlvorstand in öffentlicher Sitzung die bis zu diesem Zeitpunkt eingegangenen Wahlbriefe und entnimmt ihnen die Wahlumschläge sowie die vorgedruckten Erklärungen. [2] Ist die schriftliche Stimmabgabe ordnungsgemäß erfolgt, so vermerkt der Betriebswahlvorstand die Stimmabgabe für jeden Wahlgang gesondert in der Wählerliste, öffnet die Wahlumschläge und legt die Stimmzettel in die Wahlurne. [3] Befinden sich in einem Wahlumschlag mehrere gekennzeichnete Stimmzettel, werden sie in dem Wahlumschlag in die Wahlurne gelegt.

(3) [1] Verspätet eingehende Wahlbriefe nimmt der Betriebswahlvorstand mit einem Vermerk über den Zeitpunkt des Eingangs ungeöffnet zu den Wahlunterlagen. [2] Die Wahlbriefe sind einen Monat nach Bekanntgabe des Ergebnisses der Wahl der Aufsichtsratsmitglieder der Arbeitnehmer ungeöffnet zu vernichten, wenn die Wahl nicht angefochten worden ist.

Unterabschnitt 7. Wahlniederschrift, Benachrichtigungen

§ 71[1)] Wahlniederschrift. (1) Nachdem ermittelt ist, wer als Delegierter gewählt ist, stellt der Betriebswahlvorstand in einer Niederschrift für jeden Wahlgang gesondert fest:
1. die Zahl der insgesamt abgegebenen Stimmen;
2. die Zahl der gültigen Stimmen;
3. die Zahl der ungültigen Stimmen;
4. die Zahlen der auf die einzelnen Wahlvorschläge entfallenden Stimmen, die berechneten Höchstzahlen und ihre Verteilung auf die Wahlvorschläge;
5. den Wahlvorschlag, dessen Bewerberinnen und Bewerber als gewählt gelten (§ 68);
6. für jeden Wahlvorschlag gesondert die Namen und Anschriften
   a) der gewählten Delegierten,
   b) der Ersatzdelegierten

   in der Reihenfolge ihrer Benennung;
7. besondere während der Wahl eingetretene Zwischenfälle oder sonstige Ereignisse.

(2) Der Betriebswahlvorstand übermittelt die Wahlniederschrift unverzüglich dem Unternehmenswahlvorstand eingeschrieben, fernschriftlich oder durch Botin oder Boten.

---

1) § 71 Abs. 1 Nr. 1 aufgeh., bish. Nrn. 2 bis 9 werden Nrn. 1 bis 8 mWv 13. 10. 2005 durch VO v. 10. 10. 2005 (BGBl. I S. 2927); Abs. 1 Nr. 1 aufgeh., bish. Nr. 2–8 werden Nr. 1–7 mWv 2. 9. 2015 durch VO v. 26. 8. 2015 (BGBl. I S. 1443).

§ 72 Bekanntmachung des Wahlergebnisses, Benachrichtigung der Gewählten. (1) Der Betriebswahlvorstand macht das Wahlergebnis und die Namen der Gewählten unverzüglich für die Dauer von zwei Wochen bekannt.

(2) [1] Gleichzeitig benachrichtigt der Betriebswahlvorstand die Gewählten schriftlich von ihrer Wahl. [2] Haben die Delegierten nach § 55 ein Mehrfachmandat, so ist dies in der Benachrichtigung anzugeben.

Unterabschnitt 8. Ausnahme

§ 73 Ausnahme. Die Vorschriften der Unterabschnitte 1 bis 7 sind nicht anzuwenden auf Betriebe, in denen nach den Vorschriften dieser Verordnung oder, unter den in § 54 Abs. 1 bezeichneten Voraussetzungen, nach den Vorschriften der Dritten Wahlordnung zum Mitbestimmungsgesetz[1)] Delegierte bereits gewählt sind, deren Amtszeit bei Beginn der Amtszeit der zu wählenden Aufsichtsratsmitglieder der Arbeitnehmer noch nicht beendet ist (§ 13 des Gesetzes[2)]).

Abschnitt 2. Wahl der Aufsichtsratsmitglieder der Arbeitnehmer durch die Delegierten

Unterabschnitt 1. Delegiertenversammlung, Delegiertenliste

§ 74 Delegiertenversammlung. (1) [1] Die Delegierten wählen die Aufsichtsratmitglieder der Arbeitnehmer in einer Versammlung (Delegiertenversammlung). [2] Sie wird vom Unternehmenswahlvorstand geleitet.

(2) [1] Der Unternehmenswahlvorstand bestimmt den Tag der Delegiertenversammlung. [2] Sie soll spätestens vier Wochen nach dem Zeitpunkt stattfinden, bis zu dem die Betriebswahlvorstände dem Unternehmenswahlvorstand nach § 58 Abs. 1 Nr. 6 die Ergebnisse der Wahl der Delegierten mitzuteilen hatten. [3] Sind in dem Unternehmen keine Delegierten zu wählen (§ 54), so soll die Delegiertenversammlung spätestens vier Wochen vor dem Beginn der Amtszeit der zu wählenden Aufsichtsratsmitglieder der Arbeitnehmer stattfinden.

§ 75 Delegiertenliste. (1) [1] Der Unternehmenswahlvorstand stellt eine Liste der Delegierten (Delegiertenliste), getrennt nach Delegierten der in § 3 Abs. 1 Nr. 1 des Gesetzes[2)] bezeichneten Arbeitnehmer und der leitenden Angestellten auf. [2] § 8 Abs. 1 Satz 2 und 3 und Abs. 5 ist entsprechend anzuwenden.

(2) Hinter dem Namen jedes Delegierten ist zu vermerken, wie viele Stimmen er hat.

(3) [1] Die Einsichtnahme in die Delegiertenliste, das Gesetz und diese Verordnung ist in der Delegiertenversammlung bis zum Abschluss der Stimmabgabe zu ermöglichen. [2] Die zur Einsichtnahme bestimmte Delegiertenliste soll die Geburtsdaten der Delegierten nicht enthalten. [3] Die Einsichtnahme kann durch Auslegung und durch Einsatz der im Betrieb vorhandenen Informations- und Kommunikationstechnik ermöglicht werden.

---

1) Nr. **560 c**.
2) Nr. **560**.

§ 76 Einsprüche gegen die Richtigkeit der Delegiertenliste. (1) Einsprüche gegen die Richtigkeit der Delegiertenliste können vor Beginn der Stimmabgabe beim Unternehmenswahlvorstand eingelegt werden.

(2) [1] Über Einsprüche nach Absatz 1 entscheidet der Unternehmenswahlvorstand unverzüglich. [2] Ist ein Einspruch begründet, so berichtigt der Unternehmenswahlvorstand die Delegiertenliste. [3] Der Unternehmenswahlvorstand teilt seine Entscheidung der Person, die den Einspruch eingelegt hat, unverzüglich mit.

(3) [1] Vor Beginn der Stimmabgabe soll der Unternehmenswahlvorstand die Delegiertenliste auf ihre Richtigkeit hin überprüfen. [2] Im Übrigen kann die Delegiertenliste nur bei Schreibfehlern, offenbaren Unrichtigkeiten oder in Erledigung rechtzeitig eingelegter Einsprüche bis vor Beginn der Stimmabgabe berichtigt oder ergänzt werden.

Unterabschnitt 2. Mitteilung an die Delegierten

§ 77[1)] Mitteilung an die Delegierten. (1) [1] Der Unternehmenswahlvorstand teilt jedem Delegierten spätestens zwei Wochen vor dem Tag der Delegiertenversammlung mit:

1. dass an der Wahl und an Abstimmungen nur Delegierte teilnehmen können, die in der Delegiertenliste eingetragen sind;
2. dass die Einsichtnahme in die Delegiertenliste, das Gesetz[2)] und diese Verordnung in der Delegiertenversammlung ermöglicht wird;
3. dass Einsprüche gegen die Richtigkeit der Delegiertenliste vor Beginn der Stimmabgabe beim Unternehmenswahlvorstand eingelegt werden können;
4. dass die Aufsichtsratsmitglieder der Arbeitnehmer von allen Delegierten gewählt werden;
5. wie viele Stimmen dem Delegierten zustehen;
6. dass die Stimmabgabe an Wahlvorschläge gebunden ist;
7. bei börsennotierten Unternehmen, ob zur Erreichung des Geschlechteranteils nach § 96 Absatz 2 Satz 1 des Aktiengesetzes für die Wahl die Gesamterfüllung oder die Getrennterfüllung gilt;
8. bei börsennotierten Unternehmen im Fall der Gesamterfüllung, die zur Erreichung des Geschlechteranteils nach § 96 Absatz 2 Satz 1 und 4 des Aktiengesetzes erforderliche Anzahl an Frauen und Männern im Aufsichtsrat;
9. bei börsennotierten Unternehmen im Fall der Getrennterfüllung, die zur Erreichung des Geschlechteranteils nach § 7 Absatz 3 des Gesetzes in Verbindung mit § 96 Absatz 2 Satz 4 des Aktiengesetzes erforderliche Anzahl an Frauen und Männern unter den Aufsichtsratsmitgliedern der Arbeitnehmer;
10. im Fall der Nummer 9, wenn der Geschlechteranteil nach § 7 Absatz 3 des Gesetzes bei der Wahl nicht erreicht wurde, dass § 18 a des Gesetzes anzuwenden ist und der Geschlechteranteil im Wege der gerichtlichen Ersatz-

---

1) § 77 Abs. 1 Satz 1 Nr. 7–10 eingef., bish. Nr. 7 und 8 werden Nr. 11 und 12 mWv 2. 9. 2015 durch VO v. 26. 8. 2015 (BGBl. I S. 1443).

2) Nr. **560**.

bestellung nach § 104 des Aktiengesetzes oder der Nachwahl hergestellt wird;

11. Ort, Tag und Zeit der Delegiertenversammlung und der öffentlichen Stimmauszählung;

12. die Anschrift des Unternehmenswahlvorstands.

[2] Die Mitteilung erfolgt schriftlich gegen Empfangsbekenntnis oder durch eingeschriebenen Brief.

(2) Der Unternehmenswahlvorstand übersendet Kopien der Mitteilung nach Absatz 1 den Betriebswahlvorständen, dem Unternehmen und den im Unternehmen vertretenen Gewerkschaften.

(3) Stellt der Unternehmenswahlvorstand fest, dass die Amtszeit eines Delegierten

1. durch Niederlegung des Amtes,
2. durch Beendigung der Beschäftigung des Delegierten in dem Betrieb, dessen Delegierter er ist,
3. durch Verlust der Wählbarkeit

vorzeitig beendet (§ 14 Abs. 1 des Gesetzes) oder dass er verhindert (§ 14 Abs. 2 Satz 1 des Gesetzes) ist, so verständigt er den Ersatzdelegierten (§ 14 Abs. 2 Satz 2 des Gesetzes) in gleicher Weise wie die Delegierten.

(4) [1] Stellt ein Delegierter fest, dass er verhindert ist, so teilt er dies dem Betriebswahlvorstand mit. [2] Stellt ein Betriebswahlvorstand fest, dass die Amtszeit eines Delegierten vorzeitig beendet oder dass er verhindert ist, so teilt er dies dem Unternehmenswahlvorstand mit.

Unterabschnitt 3. Wahl mehrerer Aufsichtsratsmitglieder der Arbeitnehmer in einem Wahlgang auf Grund mehrerer Wahlvorschläge

§ 78[1)] Stimmabgabe, Wahlvorgang. (1) [1] Sind in einem Wahlgang mehrere Aufsichtsratsmitglieder der Arbeitnehmer zu wählen und liegen für diesen Wahlgang mehrere gültige Wahlvorschläge vor, so kann der Delegierte seine Stimme nur für einen dieser Wahlvorschläge abgeben. [2] Die Stimmabgabe erfolgt durch Abgabe von Stimmzetteln. [3] Hat ein Delegierter mehrere Stimmen, so gibt er für jede Stimme einen Stimmzettel ab. [4] Der Begriff des Wahlgangs im Sinne dieses Abschnitts bestimmt sich nach § 27 Abs. 4.

(2) [1] Der Unternehmenswahlvorstand hat die Wahlvorschläge auf den Stimmzetteln nach der Reihenfolge der Ordnungsnummern sowie unter Angabe der an erster und zweiter Stelle benannten Bewerberinnen und Bewerber mit Familienname, Vorname, Art der Beschäftigung und Betrieb untereinander aufzuführen; bei Wahlvorschlägen, die mit einem Kennwort versehen sind, ist auch das Kennwort anzugeben. [2] Die Stimmzettel sollen die Angabe enthalten, dass der Delegierte nur einen Wahlvorschlag ankreuzen kann. [3] Die Stimmzettel, die für denselben Wahlgang Verwendung finden, müssen sämtlich die gleiche Größe, Farbe, Beschaffenheit und Beschriftung haben; das Gleiche gilt für die Wahlumschläge, wenn Wahlumschläge verwendet werden. [4] Die Stimmzettel und Wahlumschläge, die für einen Wahlgang Verwendung finden, müssen sich von

---

[1)] § 78 Abs. 1 Sätze 2 und 3, Abs. 2 Satz 3 geänd., Abs. 5 angef. mWv 13. 10. 2005 durch VO v. 10. 10. 2005 (BGBl. I S. 2927); Abs. 3 Satz 2 geänd. mWv 2. 9. 2015 durch VO v. 26. 8. 2015 (BGBl. I S. 1443).

den für die anderen Wahlgänge vorgesehenen Stimmzetteln und Wahlumschlägen in der Farbe unterscheiden.

(3) [1] Der Delegierte kennzeichnet den von ihm gewählten Wahlvorschlag durch Ankreuzen an der im Stimmzettel hierfür vorgesehenen Stelle. [2] Für den Wahlvorgang ist § 17 entsprechend anzuwenden; die Stimmabgabe ist in der Delegiertenliste für jeden Wahlgang und für jede Stimme gesondert zu vermerken.

(4) Ungültig sind Stimmzettel,

1. in denen mehr als ein Wahlvorschlag angekreuzt ist,
2. aus denen sich ein eindeutiger Wille nicht ergibt,
3. die mit einem besonderen Merkmal versehen sind,
4. die andere als die in Absatz 2 bezeichneten Angaben, einen Zusatz oder sonstige Änderungen enthalten.

(5) Der Unternehmenswahlvorstand kann beschließen, § 17 Abs. 3 mit der Maßgabe anzuwenden, dass Stimmzettel ungefaltet und in Wahlumschlägen in die Wahlurne zu werfen sind, wenn das vorgesehene Verfahren der Stimmauszählung ungefaltete Stimmzettel erfordert.

§ 79[1)] Öffentliche Stimmauszählung. (1) Unverzüglich nach Abschluss der Stimmabgabe zählt der Unternehmenswahlvorstand öffentlich die Stimmen aus.

(2) Nach Öffnung der Wahlurne entnimmt der Unternehmenswahlvorstand die Stimmzettel und zählt für jeden Wahlgang gesondert die auf jeden Wahlvorschlag entfallenden Stimmen zusammen.

(3) [1] Bei der Auszählung ist die Gültigkeit der Stimmzettel zu prüfen. [2] Werden Wahlumschläge verwendet und befinden sich in einem Wahlumschlag mehrere gekennzeichnete Stimmzettel, so werden sie, wenn sie vollständig übereinstimmen, nur einfach gezählt, andernfalls sind sie ungültig.

§ 80[2)] Verteilung der Stimmenzahlen. (1) [1] Die in dem Wahlgang den einzelnen Wahlvorschlägen zugefallenen Stimmenzahlen werden in einer Reihe nebeneinander gestellt und sämtlich durch 1, 2, 3, 4 usw. geteilt. [2] Die ermittelten Teilzahlen sind nacheinander reihenweise unter den Zahlen der ersten Reihe aufzuführen, bis höhere Teilzahlen, als aus früheren Reihen für die Zuweisung von Sitzen in Betracht kommen, nicht mehr entstehen. [3] Unter den so gefundenen Teilzahlen werden so viele Höchstzahlen ausgesondert und der Größe nach geordnet, wie in dem Wahlgang Aufsichtsratsmitglieder zu wählen sind. [4] Jeder Wahlvorschlag erhält so viele Sitze zugeteilt, wie Höchstzahlen auf ihn entfallen. [5] Wenn die niedrigste in Betracht kommende Höchstzahl auf mehrere Wahlvorschläge zugleich entfällt, so entscheidet das Los darüber, welchem Wahlvorschlag dieser Sitz zufällt.

(2) Wenn ein Wahlvorschlag insgesamt weniger Bewerberinnen und Bewerber enthält, als Höchstzahlen auf ihn entfallen, so gehen die überschüssigen Sitze auf

---

1) § 79 Abs. 2, Abs. 3 Satz 2 geänd. mWv 13. 10. 2005 durch VO v. 10. 10. 2005 (BGBl. I S. 2927); Abs. 4 aufgeh. mWv 2. 9. 2015 durch VO v. 26. 8. 2015 (BGBl. I S. 1443).

2) § 80 Überschrift neu gef., Abs. 4 aufgeh. mWv 2. 9. 2015 durch VO v. 26. 8. 2015 (BGBl. I S. 1443).

die folgenden Höchstzahlen der anderen Wahlvorschläge desselben Wahlgangs über.

(3) Die Reihenfolge der Bewerberinnen und Bewerber innerhalb der einzelnen Wahlvorschläge bestimmt sich nach der Reihenfolge ihrer Benennung.

Unterabschnitt 4. Wahl mehrerer Aufsichtsratsmitglieder der Arbeitnehmer in einem Wahlgang auf Grund nur eines Wahlvorschlags

§ 81[1)] **Stimmabgabe, Wahlvorgang.** (1) [1] Sind in einem Wahlgang mehrere Aufsichtsratsmitglieder der Arbeitnehmer zu wählen und liegt für diesen Wahlgang nur ein gültiger Wahlvorschlag vor, so kann der Delegierte seine Stimme nur für die in dem Wahlvorschlag aufgeführten Bewerberinnen und Bewerber abgeben. [2] Eine gesonderte Stimmabgabe für ein Ersatzmitglied des Aufsichtsrats ist nicht zulässig. [3] Die Stimmabgabe erfolgt durch Abgabe von Stimmzetteln. [4] Hat ein Delegierter mehrere Stimmen, so gibt er für jede Stimme einen Stimmzettel ab.

(2) [1] Der Unternehmenswahlvorstand hat die Bewerberinnen und Bewerber auf den Stimmzetteln unter Angabe von Familienname, Vorname, Art der Beschäftigung und Betrieb untereinander in der Reihenfolge aufzuführen, in der sie in dem Wahlvorschlag benannt sind. [2] Das für eine Bewerberin oder für einen Bewerber vorgeschlagene Eratzmitglied ist auf dem Stimmzettel neben der Bewerberin oder dem Bewerber aufzuführen; Satz 1 ist entsprechend anzuwenden. [3] Die Stimmzettel sollen die Angabe enthalten, wie viele Bewerberinnen und Bewerber der Delegierte ankreuzen kann. [4] § 78 Abs. 2 Satz 3 und 4 ist anzuwenden.

(3) [1] Der Delegierte kennzeichnet die von ihm Gewählten durch Ankreuzen an den im Stimmzettel hierfür vorgesehenen Stellen. [2] Er darf nicht mehr Bewerberinnen und Bewerber ankreuzen, als Aufsichtsratsmitglieder in dem Wahlgang zu wählen sind. [3] § 78 Abs. 3 Satz 2 ist entsprechend anzuwenden.

(4) Ungültig sind Stimmzettel,

1. in denen mehr Bewerberinnen und Bewerber angekreuzt sind, als in dem Wahlgang Aufsichtsratsmitglieder zu wählen sind,
2. aus denen sich ein eindeutiger Wille nicht ergibt,
3. die mit einem besonderen Merkmal versehen sind,
4. die andere als die in Absatz 2 bezeichneten Angaben, einen Zusatz oder sonstige Änderungen enthalten.

(5) § 78 Abs. 5 findet Anwendung.

§ 82[2)] **Öffentliche Stimmauszählung.** (1) Unverzüglich nach Abschluss der Stimmabgabe zählt der Unternehmenswahlvorstand öffentlich die Stimmen aus.

(2) [1] Nach Öffnung der Wahlurne entnimmt der Unternehmenswahlvorstand die Stimmzettel und zählt für jeden Wahlgang gesondert die auf jede Bewerberin oder jeden Bewerber entfallenden Stimmen zusammen. [2] § 79 Abs. 3 ist an-

---

[1)] § 81 Abs. 1 Sätze 3 und 4 geänd., Abs. 5 angef. mWv 13. 10. 2005 durch VO v. 10. 10. 2005 (BGBl. I S. 2927).

[2)] § 82 Abs. 2 Satz 1 geänd. mWv 13. 10. 2005 durch VO v. 10. 10. 2005 (BGBl. I S. 2927); Abs. 3 aufgeh. mWv 2. 9. 2015 durch VO v. 26. 8. 2015 (BGBl. I S. 1443).

zuwenden. [3] Ist auf einem Stimmzettel eine Bewerberin oder ein Bewerber mehrfach angekreuzt, so zählt dies als eine Stimme.

§ 83[1)] Verteilung der Stimmen auf die Bewerberinnen und Bewerber. [1] Der Unternehmenswahlvorstand bestimmt so viele Bewerberinnen und Bewerber, wie in dem Wahlgang Aufsichtsratsmitglieder zu wählen sind, nach der Reihenfolge der auf sie entfallenden Stimmenzahlen. [2] Bei Stimmengleichheit entscheidet das Los.

Unterabschnitt 5. Wahl nur eines Aufsichtsratsmitglieds der Arbeitnehmer in einem Wahlgang

§ 84[2)] Wahl nur eines Aufsichtsratsmitglieds der Arbeitnehmer in einem Wahlgang. (1) [1] Ist in einem Wahlgang nur ein Aufsichtsratsmitglied der Arbeitnehmer zu wählen, so kann der Delegierte seine Stimme nur für eine der vorgeschlagenen Bewerberinnen oder einen der vorgeschlagenen Bewerber abgeben. [2] § 81 Abs. 1 Satz 2 bis 4 ist anzuwenden.

(2) [1] Liegt nur ein gültiger Wahlvorschlag vor, so hat der Unternehmenswahlvorstand die Bewerberinnen und Bewerber auf den Stimmzetteln unter Angabe von Familienname, Vorname, Art der Beschäftigung und Betrieb untereinander in der Reihenfolge aufzuführen, in der sie in dem Wahlvorschlag benannt sind. [2] Liegen mehrere gültige Wahlvorschläge vor, so hat der Unternehmenswahlvorstand die Bewerberinnen und Bewerber auf den Stimmzetteln unter Angabe von Familienname, Vorname, Art der Beschäftigung, Betrieb und Kennwort des Wahlvorschlags untereinander in alphabetischer Reihenfolge aufzuführen. [3] § 81 Abs. 2 Satz 2 bis 4 ist anzuwenden.

(3) [1] Der Delegierte kennzeichnet die von ihm gewählte Bewerberin oder den von ihm gewählten Bewerber durch Ankreuzen an der im Stimmzettel hierfür vorgesehenen Stelle. [2] Er darf nicht mehr als eine Bewerberin oder einen Bewerber ankreuzen. [3] § 78 Abs. 3 Satz 2 und Abs. 5, § 81 Abs. 4 und die §§ 82 und 83 sind anzuwenden.

Unterabschnitt 6.[3)] Ermittlung der Gewählten, Wahlniederschrift, Benachrichtigungen

§ 84 a[4)] Ermittlung der Gewählten bei nicht börsennotierten Unternehmen. (1) In nicht börsennotierten Unternehmen sind in einem Wahlgang nach § 78, einem Wahlgang nach § 81 und in einem Wahlgang nach § 84 so viele Bewerberinnen und Bewerber gewählt, wie Aufsichtsratsmitglieder in dem jeweiligen Wahlgang zu wählen sind.

(2) Mit der Wahl einer Bewerberin oder eines Bewerbers ist auch das in dem Wahlvorschlag neben der oder dem Gewählten aufgeführte Ersatzmitglied des Aufsichtsrats gewählt.

§ 84 b[4)] Ermittlung der Gewählten bei börsennotierten Unternehmen im Fall der Gesamterfüllung. (1) In börsennotierten Unternehmen sind im

---

1) § 83 Überschrift neu gef., Satz 1 geänd., Satz 3 aufgeh. mWv 2. 9. 2015 durch VO v. 26. 8. 2015 (BGBl. I S. 1443).

2) *§ 84 Abs. 3 Satz 3* geänd. mWv 13. 10. 2005 durch VO v. 10. 10. 2005 (BGBl. I S. 2927).

3) 6. UAbschnitt Überschrift neu gef. mWv 2. 9. 2015 durch VO v. 26. 8. 2015 (BGBl. I S. 1443).

4) §§ 84 a–84 c eingef. mWv 2. 9. 2015 durch VO v. 26. 8. 2015 (BGBl. I S. 1443).

Fall der Gesamterfüllung in einem Wahlgang nach § 78, einem Wahlgang nach § 81 und in einem Wahlgang nach § 84 so viele Bewerberinnen und Bewerber gewählt, wie Aufsichtsratsmitglieder in dem jeweiligen Wahlgang zu wählen sind.

(2) Mit der Wahl einer Bewerberin oder eines Bewerbers ist auch das in dem Wahlvorschlag neben der oder dem Gewählten aufgeführte Ersatzmitglied des Aufsichtsrats gewählt.

§ 84 c[1)] Ermittlung der Gewählten bei börsennotierten Unternehmen im Fall der Getrennterfüllung. (1) Sind in börsennotierten Unternehmen im Fall der Getrennterfüllung die Höchstzahlen nach § 80 der Größe nach auf die Bewerberinnen und Bewerber verteilt und die Zahlen der auf die einzelnen Bewerberinnen und Bewerber entfallenden Stimmen nach den §§ 83 und 84 Absatz 3 Satz 3 ermittelt, stellt der Hauptwahlvorstand fest, ob bei der Wahl der Geschlechteranteil nach § 7 Absatz 3 des Gesetzes in Verbindung mit § 96 Absatz 2 Satz 4 des Aktiengesetzes eingehalten worden ist.

(2) Ist der Geschlechteranteil nach § 7 Absatz 3 des Gesetzes bei der Wahl eingehalten, sind in einem Wahlgang nach § 78, einem Wahlgang nach § 81 und in einem Wahlgang nach § 84 so viele Bewerberinnen und Bewerber gewählt, wie Aufsichtsratsmitglieder in dem jeweiligen Wahlgang zu wählen sind.

(3) [1]Ist der Geschlechteranteil nach § 7 Absatz 3 des Gesetzes bei der Wahl nicht eingehalten, sind in einem Wahlgang nach § 78 und in einem Wahlgang nach § 81 nur diejenigen Bewerberinnen und Bewerber als Aufsichtsratsmitglieder gewählt, deren Wahl nicht nach § 18 a Absatz 2 Satz 1 des Gesetzes unwirksam ist. [2]In einem Wahlgang nach § 84 ist die Bewerberin oder der Bewerber mit den meisten Stimmen als Aufsichtsratsmitglied der Arbeitnehmer gewählt.

(4) Mit der Wahl einer Bewerberin oder eines Bewerbers ist auch das in dem Wahlvorschlag neben der oder dem Gewählten aufgeführte Ersatzmitglied des Aufsichtsrats gewählt.

§ 85[2)] Wahlniederschrift. (1) Nachdem ermittelt ist, wer gewählt ist, stellt der Unternehmenswahlvorstand in einer Niederschrift für jeden Wahlgang gesondert fest:

1. die Zahl der insgesamt abgegebenen Stimmen;
2. die Zahl der gültigen Stimmen;
3. die Zahl der ungültigen Stimmen;
4. bei Verhältniswahl die Zahlen der auf die einzelnen Wahlvorschläge entfallenden Stimmen, die berechneten Höchstzahlen und ihre Verteilung auf die Wahlvorschläge;
5. bei Mehrheitswahl die Zahlen der auf die einzelnen Bewerberinnen oder Bewerber entfallenden Stimmen;
6. die Namen der gewählten Aufsichtsratsmitglieder;

[1)] §§ 84 a–84 c eingef. mWv 2. 9. 2015 durch VO v. 26. 8. 2015 (BGBl. I S. 1443).

[2)] § 85 Abs. 1 Nr. 1 aufgeh., bish. Nrn. 2 bis 10 werden Nrn. 1 bis 9 mWv 13. 10. 2005 durch VO v. 10. 10. 2005 (BGBl. I S. 2927); Abs. 2 angef., Abs. 1 Nr. 1 aufgeh., bish. Nr. 2–9 werden Nr. 1–8 mWv 2. 9. 2015 durch VO v. 26. 8. 2015 (BGBl. I S. 1443).

7. die Namen der für die einzelnen Aufsichtsratsmitglieder gewählten Ersatzmitglieder;
8. besondere während der Wahl eingetretene Zwischenfälle oder sonstige Ereignisse.

(2) Der Unternehmenswahlvorstand stellt bei börsennotierten Unternehmen im Fall der Getrenntterfüllung in der Niederschrift zusätzlich fest,

1. ob der Geschlechteranteil nach § 7 Absatz 3 des Gesetzes bei der Wahl erreicht worden ist;
2. die Anzahl der Sitze, die aufgrund des Nichterreichens des Geschlechteranteils nach § 7 Absatz 3 des Gesetzes nicht besetzt worden sind, und ihre Zuordnung zu den Aufsichtsratsmitgliedern der in § 3 Absatz 1 Nummer 1 des Gesetzes bezeichneten Arbeitnehmer und den Aufsichtsratsmitgliedern der Gewerkschaften.

§ 86[1] Bekanntmachung des Wahlergebnisses, Benachrichtigung der Gewählten. (1) Der Unternehmenswahlvorstand gibt das Wahlergebnis und die Namen der Gewählten in der Delegiertenversammlung bekannt.

(2) [1] Der Unternehmenswahlvorstand übermittelt das Wahlergebnis und die Namen der Gewählten den Betriebswahlvorständen. [2] Jeder Betriebswahlvorstand macht das Wahlergebnis und die Namen der Gewählten unverzüglich für die Dauer von zwei Wochen bekannt.

(3) Gleichzeitig benachrichtigt der Unternehmenswahlvorstand die Gewählten schriftlich von ihrer Wahl und übermittelt das Wahlergebnis und die Namen der Gewählten dem Unternehmen und den im Unternehmen vertretenen Gewerkschaften.

(4) Ist bei börsennotierten Unternehmen der Geschlechteranteil nach § 7 Absatz 3 des Gesetzes bei der Wahl nicht erreicht worden, informiert der Unternehmenswahlvorstand die Adressaten der Absätze 1 bis 3 zusätzlich

1. über die Anzahl der Sitze, die aufgrund des Nichterreichens des Geschlechteranteils nach § 7 Absatz 3 des Gesetzes nicht besetzt worden sind, und ihre Zuordnung zu den Aufsichtsratsmitgliedern der in § 3 Absatz 1 Nummer 1 des Gesetzes bezeichneten Arbeitnehmer und den Aufsichtsratsmitgliedern der Gewerkschaften und
2. darüber, dass diese nach § 18 a Absatz 2 des Gesetzes nicht besetzten Aufsichtsratssitze im Wege der gerichtlichen Ersatzbestellung nach § 104 des Aktiengesetzes oder der Nachwahl zu besetzen sind.

§ 87 Aufbewahrung der Wahlakten. [1] Der Unternehmenswahlvorstand und jeder Betriebswahlvorstand übergeben die Wahlakten dem Unternehmen. [2] Das Unternehmen bewahrt die Wahlakten mindestens für die Dauer von fünf Jahren auf.

---

[1] § 86 Abs. 4 angef. mWv 2. 9. 2015 durch VO v. 26. 8. 2015 (BGBl. I S. 1443).

Teil 2. Abberufung von Aufsichtsratsmitgliedern der Arbeitnehmer

Kapitel 1. Gemeinsame Vorschriften

§ 88 Einleitung des Abberufungsverfahrens. (1) Ein Antrag auf Abberufung eines Aufsichtsratsmitglieds der Arbeitnehmer nach § 23 Abs. 1 des Gesetzes[1)] ist schriftlich beim Gesamtbetriebsrat einzureichen.

(2) Unverzüglich nach Eingang eines Antrags auf Abberufung wird der Unternehmenswahlvorstand gebildet, es sei denn, der Antrag entspricht offensichtlich nicht den in § 23 Abs. 1 Satz 2 des Gesetzes bezeichneten Erfordernissen.

(3) [1] Für die Aufgaben, die Bildung, die Zusammensetzung und die Geschäftsführung der Wahlvorstände sind die §§ 3 bis 7 entsprechend anzuwenden; die Mitteilung des Unternehmenswahlvorstands nach § 6 muss auch den Inhalt des Antrags auf Abberufung enthalten. [2] Das Unternehmen hat dem Unternehmenswahlvorstand die bei der Wahl des Aufsichtsratsmitglieds, dessen Abberufung beantragt wird, entstandenen Wahlakten zu übergeben.

§ 89 Liste der antragsberechtigten Arbeitnehmerinnen und Arbeitnehmer. [1] Wird die Abberufung eines unternehmensangehörigen Aufsichtsratsmitglieds der Arbeitnehmer beantragt, so wird in jedem Betrieb unverzüglich nach der Bildung des Betriebswahlvorstands eine Liste der Wahlberechtigten aufgestellt, die nach § 23 Abs. 1 Satz 2 des Gesetzes[1)] für die Abberufung dieses Aufsichtsratsmitglieds antragsberechtigt sind. [2] Die §§ 8 bis 12 sind entsprechend anzuwenden; die Bekanntmachung nach § 9 Abs. 2 und 3 muss auch den Inhalt des Antrags auf Abberufung enthalten.

§ 90 Prüfung des Antrags auf Abberufung. (1) Der Unternehmenswahlvorstand prüft unverzüglich nach Übersendung der Listen der antragsberechtigten Arbeitnehmerinnen und Arbeitnehmer die Gültigkeit des Antrags auf Abberufung.

(2) [1] Ist ein Antrag ungültig, so teilt der Unternehmenswahlvorstand dies dem Antragsvertreter oder, wenn ein solcher nicht benannt ist, der oder dem an erster Stelle Unterzeichnenden und den Betriebswahlvorständen schriftlich mit. [2] Jeder Betriebswahlvorstand macht die Mitteilung für die Dauer von zwei Wochen bekannt.

§ 91 Anzuwendende Vorschriften. (1) Liegt ein gültiger Antrag vor, so stellt der Unternehmenswahlvorstand fest, ob das Aufsichtsratsmitglied, dessen Abberufung beantragt ist, in unmittelbarer Wahl oder durch Delegierte gewählt worden ist.

(2) Ist das Aufsichtsratsmitglied, dessen Abberufung beantragt ist, in unmittelbarer Wahl gewählt worden, so richtet sich das weitere Abberufungsverfahren nach den Vorschriften des Kapitels 2.

(3) Ist das Aufsichtsratsmitglied, dessen Abberufung beantragt ist, durch Delegierte gewählt worden, so richtet sich das weitere Abberufungsverfahren nach den Vorschriften des Kapitels 3.

---

1) Nr. **560**.

Kapitel 2. Abstimmung über die Abberufung eines in unmittelbarer Wahl gewählten Aufsichtsratsmitglieds der Arbeitnehmer

§ 92 Abberufungsausschreiben, Wählerliste. (1) [1] Der Unternehmenswahlvorstand erlässt unverzüglich ein Abberufungsausschreiben. [2] Die Abstimmung soll innerhalb von vier Wochen seit dem für die Bekanntmachung des Abberufungsausschreibens bestimmten Zeitpunkt stattfinden.

(2) [1] Das Abberufungsausschreiben muss folgende Angaben enthalten;

1. den für die Bekanntmachung bestimmten Zeitpunkt;
2. den Inhalt des Antrags;
3. die Bezeichnung der antragstellenden Person;
4. die Zahl der Arbeitnehmerinnen und Arbeitnehmer, die den Antrag unterzeichnet haben;
5. dass an der Abstimmung nur Arbeitnehmerinnen und Arbeitnehmer teilnehmen können, die in der Wählerliste eingetragen sind;
6. dass der Beschluss über die Abberufung einer Mehrheit von drei Vierteln der abgegebenen Stimmen bedarf;
7. den Tag oder die Tage der Stimmabgabe.

[2] Für die Bekanntmachung des Abberufungsausschreibens sind § 15 Abs. 3 Nr. 1 bis 3 sowie § 26 Abs. 4 und 5 entsprechend anzuwenden.

(3) [1] In jedem Betrieb wird für die Abberufung unverzüglich eine Liste der Abstimmungsberechtigten des Betriebs (Wählerliste) aufgestellt. [2] Die §§ 8, 9, 11 und 12 sind entsprechend anzuwenden mit der Maßgabe, dass abweichend von § 8 Abs. 1 Satz 1 eine Trennung der Wählerliste nicht erforderlich ist.

§ 93 Abstimmung, Abstimmungsergebnis, Akten. (1) Für die Abstimmung sind die §§ 16 bis 23 anzuwenden.

(2) Der Unternehmenswahlvorstand übermittelt das Abstimmungsergebnis schriftlich

1. den Betriebswahlvorständen,
2. dem Aufsichtsratsmitglied, über dessen Abberufung abgestimmt worden ist,
3. der Gewerkschaft, die einen Antrag auf Abberufung gestellt hat (§ 23 Abs. 1 Satz 2 Nr. 3 des Gesetzes[1]),
4. dem Unternehmen.

§ 90 Abs. 2 Satz 2 ist anzuwenden.

(3) Auf die im Zusammenhang mit einem Antrag auf Abberufung entstandenen Akten ist § 53 entsprechend anzuwenden.

Kapitel 3. Abstimmung über die Abberufung eines durch Delegierte gewählten Aufsichtsratsmitglieds der Arbeitnehmer

§ 94 Delegiertenliste. [1] Der Unternehmenswahlvorstand stellt für die Abberufung unverzüglich eine Liste der Delegierten (Delegiertenliste) auf. [2] § 8 Abs. 1 Satz 2 und 3, Abs. 3 und 5, § 75 Abs. 2 und 3 und § 76 sind entsprechend anzuwenden.

---

[1] Nr. **560**.

§ 95 Delegiertenversammlung, Mitteilung des Unternehmenswahlvorstands an die Delegierten. (1) [1] Die Delegierten stimmen über den Antrag auf Abberufung in einer Versammlung (Delegiertenversammlung) ab. [2] Die Delegiertenversammlung soll innerhalb von sechs Wochen nach der Feststellung, dass ein gültiger Antrag auf Abberufung eines durch Delegierte gewählten Aufsichtsratsmitglieds der Arbeitnehmer vorliegt, stattfinden.

(2) [1] Der Unternehmenswahlvorstand beruft die Delegierten schriftlich gegen Empfangsbekenntnis oder durch eingeschriebenen Brief zur Delegiertenversammlung ein; § 77 Abs. 2 bis 4 ist entsprechend anzuwenden. [2] Die Mitteilung nach Satz 1 soll den Delegierten spätestens zwei Wochen vor der Delegiertenversammlung übersandt werden.

(3) Die Mitteilung muss folgende Angaben enthalten:

1. den Inhalt des Antrags;
2. die Bezeichnung der antragstellenden Person;
3. die Zahl der Arbeitnehmerinnen und Arbeitnehmer, die den Antrag unterzeichnet haben;
4. dass an der Abstimmung nur Delegierte teilnehmen können, die in der Delegiertenliste eingetragen sind;
5. dass die Einsichtnahme in die Delegiertenliste, das Gesetz[1)] und diese Verordnung in der Delegiertenversammlung ermöglicht wird;
6. dass Einsprüche gegen die Richtigkeit der Delegiertenliste vor Beginn der Stimmabgabe beim Unternehmenswahlvorstand eingelegt werden können;
7. dass der Beschluss über die Abberufung einer Mehrheit von drei Vierteln der abgegebenen Stimmen bedarf;
8. wie viele Stimmen dem Delegierten zustehen;
9. Ort, Tag und Zeit der Delegiertenversammlung und der öffentlichen Stimmauszählung;
10. die Anschrift des Unternehmenswahlvorstands.

§ 96[2)] Abstimmung, Abstimmungsergebnis, Akten. Für die Abstimmung, das Abstimmungsergebnis und die Aufbewahrung der Akten sind § 16 Abs. 1 und 3, die §§ 17, 21, 23 und 78 Absatz 1 Satz 3 und 4, Absatz 2 Satz 3 und Absatz 5 sowie die §§ 79, 86 und 93 Abs. 2 und 3 entsprechend anzuwenden.

Kapitel 4. Ersatzmitglieder

§ 97 Ersatzmitglieder. Für die Abberufung von Ersatzmitgliedern (§ 23 Abs. 4 des Gesetzes[1)]) sind die Vorschriften der Kapitel 1 bis 3 entsprechend anzuwenden.

[1)] Nr. **560**.

[2)] § 96 geänd. mWv 13. 10. 2005 durch VO v. 10. 10. 2005 (BGBl. I S. 2927); geänd. mWv 2. 9. 2015 durch VO v. 26. 8. 2015 (BGBl. I S. 1443).

Teil 3. Besondere Vorschriften für die Wahl und die Abberufung der Aufsichtsratsmitglieder der Arbeitnehmer bei Teilnahme von Arbeitnehmerinnen und Arbeitnehmern eines Seebetriebs

Kapitel 1. Wahl der Aufsichtsratsmitglieder der Arbeitnehmer

Abschnitt 1. Einleitung der Wahl, Abstimmung über die Art der Wahl, Wahlvorschläge

§ 98 Einleitung der Wahl. (1) Die in § 2 Abs. 1 Satz 1 bezeichnete Frist wird auf 46 Wochen verlängert.

(2) In der in § 2 bezeichneten Bekanntmachung ist gesondert die Zahl der Arbeitnehmerinnen und Arbeitnehmer anzugeben, die im Seebetrieb (§ 34 Abs. 1 des Gesetzes[1]) beschäftigt sind.

(3) [1] Für den Seebetrieb wird ein Betriebswahlvorstand nicht gebildet. [2] Der Unternehmenswahlvorstand nimmt im Seebetrieb die sich aus dieser Verordnung ergebenden Aufgaben des Betriebswahlvorstands wahr. [3] Für die Anwendung von § 4 Abs. 5 bleibt der Seebetrieb außer Betracht.

(4) [1] Mitteilungen, die im Seebetrieb bekannt zu machen sind, übersendet der Unternehmenswahlvorstand jedem zum Seebetrieb gehörigen Schiff und teilt dabei den Zeitpunkt mit, von dem ab sie auf dem Schiff bekannt zu machen sind. [2] Mitteilungen sind von der Bordvertretung oder, wenn eine solche nicht besteht, vom Kapitän bekannt zu machen. [3] Der erste und der letzte Tag der Bekanntmachung sind auf der Mitteilung zu vermerken.

(5) [1] Der Unternehmenswahlvorstand übersendet jedem zum Seebetrieb gehörigen Schiff eine Kopie der Wählerliste des Seebetriebs, das Gesetz und diese Verordnung. [2] Ihre Einsichtnahme ist von der Bordvertretung oder, wenn eine solche nicht besteht, vom Kapitän zu ermöglichen. [3] Die Einsichtnahme kann durch Auslegung an geeigneter, den Wahlberechtigten zugänglicher Stelle an Bord und durch Einsatz der im Betrieb vorhandenen Informations- und Kommunikationsmittel ermöglicht werden. [4] Außerdem übersendet der Unternehmenswahlvorstand die Wählerliste des Seebetriebs dem Betriebswahlvorstand des Landbetriebs, der für die Heuerverhältnisse der Arbeitnehmerinnen und Arbeitnehmer des Seebetriebs zuständig ist. [5] Dieser Betriebswahlvorstand ermöglicht die Einsichtnahme in die Wählerliste des Seebetriebs in gleicher Weise wie in die in § 8 bezeichnete Wählerliste.

(6) [1] Im Seebetrieb ist § 9 Abs. 2 und 3 nicht anzuwenden. [2] Der Unternehmenswahlvorstand versendet im Seebetrieb gleichzeitig mit der Wählerliste eine Bekanntmachung. [3] Sie muss folgende Angaben enthalten:

1. das Datum ihrer Versendung;
2. die Namen der Mitglieder des Unternehmenswahlvorstands und seine Anschrift;
3. dass die Einsichtnahme in die Wählerliste des Seebetriebs, das Gesetz und diese Verordnung an Bord ermöglicht wird;

---

[1] Nr. **560**.

4. dass die Einsichtnahme in die Wählerliste des Seebetriebs auch in dem Landbetrieb, der für die Heuerverhältnisse der Arbeitnehmerinnen und Arbeitnehmer des Seebetriebs zuständig ist, ermöglicht wird;
5. dass Einsprüche gegen die Richtigkeit der Wählerliste nur innerhalb von vier Wochen seit ihrer Versendung schriftlich beim Unternehmenswahlvorstand eingelegt werden können; der letzte Tag der Frist ist anzugeben;
6. dass Einsprüche gegen Berichtigungen und Ergänzungen der Wählerliste nur innerhalb von vier Wochen seit der Berichtigung oder der Ergänzung eingelegt werden können;
7. dass an der Wahl und an Abstimmungen nur Arbeitnehmerinnen und Arbeitnehmer teilnehmen können, die in der Wählerliste eingetragen sind.

(7) [1] Im Seebetrieb ist § 10 nicht anzuwenden. [2] Abweichend von § 12 Abs. 1 kann im Seebetrieb

1. ein Einspruch gegen die Richtigkeit der Wählerliste innerhalb von vier Wochen seit ihrer Versendung an die Schiffe eingelegt werden;
2. ein Einspruch gegen eine Berichtigung oder Ergänzung der Wählerliste innerhalb von vier Wochen seit der Berichtigung oder der Ergänzung eingelegt werden.

§ 99 Abstimmung über die Art der Wahl. [1] Die Arbeitnehmerinnen und Arbeitnehmer des Seebetriebs nehmen an einer Abstimmung darüber, ob die Wahl durch Delegierte oder unmittelbar erfolgen soll, nicht teil und bleiben für die Errechnung der für die Antragstellung und für die Beschlussfassung erforderlichen Zahlen von Arbeitnehmerinnen und Arbeitnehmern außer Betracht (§ 34 Abs. 4 des Gesetzes[1)]); in der Bekanntmachung nach § 13 und in dem Abstimmungsausschreiben nach § 15 ist hierauf hinzuweisen. [2] Die §§ 13 bis 24 sind auf den Seebetrieb nicht anzuwenden.

§ 100[2)] Bekanntmachung über die Einreichung von Wahlvorschlägen. (1) Die Bekanntmachung nach § 26 Abs. 1 muss im Seebetrieb auch folgende Angaben enthalten:

1. dass die Einsichtnahme in die Wählerliste des Seebetriebs, das Gesetz[1)] und diese Verordnung auf jedem Schiff des Seebetriebs durch die Bordvertretung oder, wenn eine solche nicht besteht, vom Kapitän ermöglicht wird;
2. dass die Einsichtnahme in die Wählerliste des Seebetriebs auch in dem Landbetrieb, der für die Heuerverhältnisse der Arbeitnehmerinnen und Arbeitnehmer des Seebetriebs zuständig ist, ermöglicht wird;
3. dass die Wahlvorschläge auf jedem Schiff des Seebetriebs von der Bordvertretung oder, wenn eine solche nicht besteht, vom Kapitän bekannt gemacht werden.

(2) Die in § 26 Abs. 1 Satz 2 Nummer 7 und in § 27 Abs. 2 bezeichnete Frist für die Einreichung von Wahlvorschlägen wird auf elf Wochen verlängert.

(3) § 26 Abs. 3 Satz 2 und Abs. 4 ist im Seebetrieb nicht anzuwenden; § 26 Abs. 3 Satz 1 gilt entsprechend; § 98 Abs. 4 ist anzuwenden.

[1)] Nr. **560**.

[2)] § 100 Abs. 2 geänd. mWv 2. 9. 2015 durch VO v. 26. 8. 2015 (BGBl. I S. 1443).

(4) [1] Die in § 37 Abs. 2 Satz 1 bezeichnete Mindestfrist für die Bekanntmachung der Wahlvorschläge wird auf drei Wochen verlängert. [2] Ist zu besorgen, dass die in Satz 1 bezeichnete Mindestfrist zwischen dem für die Bekanntmachung der Wahlvorschläge an Bord bestimmten Zeitpunkt und dem Beginn der Stimmabgabe in den Landbetrieben für eine fristgerechte Stimmabgabe der Arbeitnehmerinnen und Arbeitnehmer des Seebetriebs nicht ausreicht, so kann der Unternehmenswahlvorstand diese Mindestfrist auf höchstens fünf Wochen verlängern. [3] Für die Bekanntmachung der Wahlvorschläge im Seebetrieb gilt § 26 Abs. 3 Satz 1 entsprechend und § 98 Abs. 4 ist anzuwenden.

§ 101 Zusätzliche Vorschriften für den Wahlvorschlag der leitenden Angestellten. (1) [1] Die in § 31 Abs. 1 Satz 4 bezeichnete Frist für die Einreichung von Abstimmungsvorschlägen wird auf fünf Wochen verlängert. [2] Der Unternehmenswahlvorstand übersendet jedem Kapitän des Seebetriebs eine Kopie der Bekanntmachung. [3] § 30 Abs. 4 und § 31 Abs. 4 Satz 2 und 3 und Abs. 5 sind im Seebetrieb nicht anzuwenden; § 26 Abs. 5 ist anzuwenden.

(2) Abweichend von § 32 Abs. 1 setzt der Unternehmenswahlvorstand den Tag der Abstimmung der leitenden Angestellten so fest, dass der Wahlvorschlag der leitenden Angestellten innerhalb von 28 Wochen seit dem für die Bekanntmachung nach § 30 bestimmten Zeitpunkt aufgestellt sein kann.

Abschnitt 2. Unmittelbare Wahl der Aufsichtsratsmitglieder der Arbeitnehmer

§ 102 Wahlausschreiben im Seebetrieb. (1) Das Wahlausschreiben nach § 39 Abs. 1 muss im Seebetrieb auch folgende Angaben enthalten:

1. dass die Arbeitnehmerinnen und Arbeitnehmer des Seebetriebs in Briefwahl wählen;
2. den Zeitpunkt, bis zu dem die Wahlbriefe beim Unternehmenswahlvorstand eingehen müssen.

(2) Für die Bekanntmachung des Wahlausschreibens im Seebetrieb ist § 39 Abs. 2 Satz 2 und 3 nicht anzuwenden; § 26 Abs. 5 und § 98 Abs. 4 sind anzuwenden.

§ 103 Stimmabgabe bei der Wahl der Aufsichtratsmitglieder der Arbeitnehmer. (1) Die Arbeitnehmerinnen und Arbeitnehmer des Seebetriebs stimmen bei der Wahl der Aufsichtsratsmitglieder der Arbeitnehmer in Briefwahl ab.

(2) [1] Gleichzeitig mit der Versendung der Wahlvorschläge an die Betriebswahlvorstände (§ 37 Abs. 2 Satz 2) übersendet der Unternehmenswahlvorstand

a) jedem Schiff die zur Stimmabgabe erforderlichen Unterlagen in einer Anzahl, die die Zahl der Regelbesatzung des Schiffes um mindestens 10 vom Hundert übersteigt,

b) allen Arbeitnehmerinnen und Arbeitnehmern des Seebetriebs, von denen ihm bekannt ist, dass sie sich nicht an Bord eines Schiffes befinden, die zur Stimmabgabe erforderlichen Unterlagen sowie eine Kopie des Wahlausschreibens.

[2] Die Bordvertretung oder, wenn eine solche nicht besteht, der Kapitän hat jedem Besatzungsmitglied die zur Stimmabgabe erforderlichen Unterlagen aus-

zuhändigen. [3] Die Wahlbriefe der Besatzungsmitglieder eines Schiffes sollen möglichst gleichzeitig an den Hauptwahlvorstand abgesandt werden.

Abschnitt 3. Wahl der Aufsichtsratsmitglieder der Arbeitnehmer durch Delegierte

§ 104 Wahl der Delegierten. (1) [1] Im Seebetrieb werden Delegierte nicht gewählt. [2] Die §§ 54 bis 73 sind auf den Seebetrieb nicht anzuwenden.

(2) Die Arbeitnehmerinnen und Arbeitnehmer des Seebetriebs nehmen an der Wahl der Aufsichtsratsmitglieder der Arbeitnehmer unmittelbar teil.

§ 105 Wahlausschreiben im Seebetrieb. (1) [1] Steht fest, dass die Aufsichtsratsmitglieder der Arbeitnehmer durch Delegierte zu wählen sind, so erlässt der Unternehmenswahlvorstand ein Wahlausschreiben für den Seebetrieb. [2] Es muss folgende Angaben enthalten:

1. dass die Aufsichtsratsmitglieder der Arbeitnehmer durch Delegierte gewählt werden;
2. dass im Seebetrieb keine Delegierten gewählt werden;
3. dass die Arbeitnehmerinnen und Arbeitnehmer des Seebetriebs an der Wahl der Aufsichtsratsmitglieder der Arbeitnehmer unmittelbar teilnehmen;
4. dass an der Wahl nur Arbeitnehmerinnen und Arbeitnehmer teilnehmen können, die in der Wählerliste des Seebetriebs eingetragen sind;
5. dass die Aufsichtsratsmitglieder der Arbeitnehmer von allen Wahlberechtigten des Seebetriebs gewählt werden;
6. dass die Arbeitnehmerinnen und Arbeitnehmer des Seebetriebs in Briefwahl wählen;
7. dass jeder Wahlberechtigte des Seebetriebs Wahlunterlagen für sämtliche Wahlgänge erhält und dass er seine Stimme für sämtliche Wahlgänge abgeben kann;
8. dass die Stimmabgabe an Wahlvorschläge gebunden ist;
9. dass die Stimme einer Arbeitnehmerin oder eines Arbeitnehmers des Seebetriebs als ein Neunzigstel der Stimme eines Delegierten gezählt wird;
10. den Zeitpunkt, bis zu dem die Wahlbriefe beim Unternehmenswahlvorstand vorliegen müssen;
11. die Anschrift des Unternehmenswahlvorstands.

(2) § 26 Abs. 5, § 39 Abs. 2 Satz 1 und § 98 Abs. 4 sind entsprechend anzuwenden.

§ 106 Stimmabgabe der Arbeitnehmerinnen und Arbeitnehmer des Seebetriebs. (1) [1] Die Arbeitnehmerinnen und Arbeitnehmer des Seebetriebs stimmen bei der Wahl der Aufsichtsratsmitglieder der Arbeitnehmer in Briefwahl ab. [2] Die §§ 49 und 50 sind entsprechend anzuwenden.

(2) [1] Gleichzeitig mit der Versendung der Wahlvorschläge an die Betriebswahlvorstände (§ 37 Abs. 2 Satz 2) übersendet der Unternehmenswahlvorstand jedem Schiff die für die Wahl der Aufsichtsratsmitglieder der Arbeitnehmer erforderlichen Unterlagen; § 103 Abs. 2 ist entsprechend anzuwenden. [2] Die Wahlbriefe müssen bis zum Ablauf des Tages vor der Delegiertenversammlung dem Unternehmenswahlvorstand vorliegen.

(3) [1] Abweichend von § 74 Abs. 2 Satz 2 soll die Delegiertenversammlung sechs Wochen nach der Versendung der zur Stimmabgabe erforderlichen Unterlagen stattfinden. [2] Ist zu besorgen, dass diese Zeit für eine ordnungsgemäße Stimmabgabe der Arbeitnehmerinnen und Arbeitnehmer des Seebetriebs nicht ausreicht, so kann der Unternehmenswahlvorstand sie auf höchstens neun Wochen verlängern.

(4) Die Vorschriften über die Stimmabgabe und den Wahlvorgang (§§ 78, 81 und 84) sind auf die Arbeitnehmerinnen und Arbeitnehmer des Seebetriebs mit folgender Maßgabe entsprechend anzuwenden:

1. An die Stelle der Delegierten treten die Wahlberechtigten des Seebetriebs.
2. Die Wahlumschläge der Wählerinnen und Wähler des Seebetriebs werden in eine gesonderte Wahlurne gelegt.

(5) Die Vorschriften über die Auszählung der Stimmen (§§ 79 und 82) sind auf die Arbeitnehmerinnen und Arbeitnehmer des Seebetriebs mit folgender Maßgabe entsprechend anzuwenden:

1. Die Stimmen der Wählerinnen und Wähler des Seebetriebs werden gesondert ausgezählt.
2. Je 90 dieser Stimmen werden als eine Stimme eines Delegierten gezählt. Werden 90 Stimmen nicht erreicht, so werden mindestens 45 Stimmen als eine Stimme eines Delegierten gezählt. Bei mehr als 90 Stimmen wird ein Rest von mindestens 45 Stimmen als eine Stimme eines Delegierten gezählt. Die so errechneten Stimmenzahlen werden jeweils der Stimmenzahl der von den Delegierten in dem Wahlgang für den Wahlvorschlag abgegebenen Stimmen hinzugezählt.

§ 107[1)] Wahlniederschrift. (1) [1] Für die Wahlniederschrift ist § 85 nicht anzuwenden. [2] Nachdem ermittelt ist, wer gewählt ist, stellt der Unternehmenswahlvorstand in einer Niederschrift für jeden Wahlgang gesondert fest:

1. die Zahl der
   a) von den Delegierten abgegebenen Wahlumschläge,
   b) von den Arbeitnehmerinnen und Arbeitnehmern des Seebetriebs abgegebenen Wahlumschläge;
2. die Zahl der
   a) von den Delegierten abgegebenen gültigen Stimmen,
   b) von den Arbeitnehmerinnen und Arbeitnehmern des Seebetriebs abgegebenen gültigen Stimmen;
3. die Zahl der
   a) von den Delegierten abgegebenen ungültigen Stimmen,
   b) von den Arbeitnehmerinnen und Arbeitnehmern des Seebetriebs abgegebenen ungültigen Stimmen;
4. bei Verhältniswahl
   a) die Zahlen der auf die einzelnen Wahlvorschläge entfallenden Stimmen der Delegierten,

---

1) § 107 Abs. 2 angef. mWv 2. 9. 2015 durch VO v. 26. 8. 2015 (BGBl. I S. 1443).

b) die Zahlen der auf die einzelnen Wahlvorschläge entfallenden Stimmen der Arbeitnehmerinnen und Arbeitnehmer des Seebetriebs und die Umrechnung dieser Stimmen auf Stimmen von Delegierten nach § 106 Abs. 5 Nr. 2,

c) die Summen der auf die einzelnen Wahlvorschläge entfallenden Stimmen der Delegierten und der umgerechneten Stimmen der Arbeitnehmerinnen und Arbeitnehmer des Seebetriebs,

d) die berechneten Höchstzahlen und ihre Verteilung auf die Wahlvorschläge;

5. bei Mehrheitswahl

a) die Zahlen der auf die einzelnen Bewerberinnen oder Bewerber entfallenden Stimmen der Delegierten,

b) die Zahlen der auf die einzelnen Bewerberinnen oder Bewerber entfallenden Stimmen der Arbeitnehmerinnen und Arbeitnehmer des Seebetriebs und die Umrechnung dieser Stimmen auf Stimmen von Delegierten nach § 106 Abs. 5 Nr. 2,

c) die Summen der auf die einzelnen Bewerberinnen oder Bewerber entfallenden Stimmen der Delegierten und der umgerechneten Stimmen der Arbeitnehmerinnen und Arbeitnehmer des Seebetriebs;

6. die Namen der gewählten Aufsichtsratsmitglieder;

7. die Namen der für die einzelnen Aufsichtsratsmitglieder gewählten Ersatzmitglieder;

8. besondere während der Wahl eingetretene Zwischenfälle oder sonstige Ereignisse.

(2) Der Unternehmenswahlvorstand stellt bei börsennotierten Unternehmen im Fall der Getrennterfüllung in der Niederschrift zusätzlich fest,

1. ob der Geschlechteranteil nach § 7 Absatz 3 des Gesetzes bei der Wahl erreicht worden ist;

2. die Anzahl der Sitze, die aufgrund des Nichterreichens des Geschlechteranteils nach § 7 Absatz 3 des Gesetzes nicht besetzt worden sind, und ihre Zuordnung zu den Aufsichtsratsmitgliedern der in § 3 Absatz 1 Nummer 1 des Gesetzes bezeichneten Arbeitnehmer und den Aufsichtsratsmitgliedern der Gewerkschaften.

Kapitel 2. Abberufung der Aufsichtsratsmitglieder der Arbeitnehmer

Abschnitt 1. Gemeinsame Vorschrift

§ 108 Gemeinsame Vorschrift. (1) [1] Für den Seebetrieb wird ein Betriebswahlvorstand nicht gebildet. [2] Der Unternehmenswahlvorstand nimmt im Seebetrieb die sich aus dieser Verordnung ergebenden Aufgaben des Betriebswahlvorstands wahr. [3] Abweichend von § 88 Abs. 3 Satz 1 sind auf den Seebetrieb die §§ 5 und 6 Abs. 2 nicht anzuwenden; für die Anwendung von § 4 Abs. 5 bleibt der Seebetrieb außer Betracht. [4] Im Seebetrieb ist § 98 Abs. 6 Satz 1 entsprechend anzuwenden. [5] § 10 ist nicht anzuwenden.

(2) Für Mitteilungen, die im Seebetrieb bekannt zu machen sind, ist § 98 Abs. 4 anzuwenden.

Abschnitt 2. Abstimmung über die Abberufung eines in unmittelbarer Wahl gewählten Aufsichtsratsmitglieds der Arbeitnehmer

§ 109 Abberufungsausschreiben für den Seebetrieb, Wählerliste. (1) Die in § 92 Abs. 1 Satz 2 bezeichnete Frist wird auf sechs Wochen verlängert.

(2) Das Abberufungsausschreiben nach § 92 muss im Seebetrieb auch die in § 102 Abs. 1 bezeichneten Angaben enthalten.

(3) § 98 Abs. 5 und 7 ist entsprechend anzuwenden.

§ 110 Stimmabgabe. [1] Die Arbeitnehmerinnen und Arbeitnehmer des Seebetriebs stimmen in Briefwahl ab. [2] § 103 Abs. 2 ist entsprechend anzuwenden.

Abschnitt 3. Abstimmung über die Abberufung eines durch Delegierte gewählten Aufsichtsratsmitglieds der Arbeitnehmer

§ 111 Unmittelbare Abstimmung, Wählerliste, Mitteilung an die Delegierten. (1) Die Arbeitnehmerinnen und Arbeitnehmer des Seebetriebs nehmen an der Abstimmung über einen Antrag auf Abberufung unmittelbar teil.

(2) Gleichzeitig mit der in § 94 bezeichneten Delegiertenliste wird eine Liste der Abstimmungsberechtigten des Seebetriebs aufgestellt; § 92 Abs. 3 und § 98 Abs. 5 bis 7 sind entsprechend anzuwenden.

(3) [1] Die in § 95 Abs. 1 Satz 2 bezeichnete Frist wird auf elf Wochen verlängert. [2] § 106 Abs. 3 Satz 2 ist entsprechend anzuwenden mit der Maßgabe, dass der Unternehmenswahlvorstand die Frist auf höchstens 14 Wochen verlängern kann.

§ 112 Abberufungsausschreiben im Seebetrieb. [1] Spätestens acht Wochen vor der Delegiertenversammlung erlässt der Unternehmenswahlvorstand ein Abberufungsausschreiben für den Seebetrieb. [2] § 92 Abs. 2 Satz 1, § 105 Abs. 1 Satz 2 Nr. 3, 6 und 9 bis 11 und Abs. 2 sind entsprechend anzuwenden.

§ 113[1)] Abstimmung, Mitteilung des Abstimmungsergebnisses. [1] Die Arbeitnehmerinnen und Arbeitnehmer des Seebetriebs stimmen in Briefwahl ab. [2] § 103 Abs. 2 ist entsprechend anzuwenden. [3] Die §§ 19, 20 und 96 sind auf die Arbeitnehmer des Seebetriebs mit folgender Maßgabe entsprechend anzuwenden:

1. An die Stelle der Delegierten treten die Wahlberechtigten des Seebetriebs.
2. Die Wahlumschläge dieser Abstimmenden werden in eine gesonderte Urne gelegt.
3. Die Stimmen dieser Abstimmenden werden gesondert ausgezählt.
4. Je 90 dieser Stimmen werden als eine Stimme eines Delegierten gezählt. Werden 90 Stimmen nicht erreicht, so werden mindestens 45 Stimmen als eine Stimme eines Delegierten gezählt. Bei mehr als 90 Stimmen wird ein Rest von mindestens 45 Stimmen als eine Stimme eines Delegierten gezählt.
5. Für die Abstimmungsniederschrift ist § 107 Absatz 1 Satz 2 Nummer 1 bis 3, 5, 6 und 8 entsprechend anzuwenden.

---

1) § 113 Satz 3 Nr. 5 geänd. mWv 2. 9. 2015 durch VO v. 26. 8. 2015 (BGBl. I S. 1443).

Teil 4.[1] Unternehmen mit Mehrheitsbeteiligung des Bundes

§ 113a[1] Geschlechteranteil in nicht börsennotierten Unternehmen.

Für nicht börsennotierte Unternehmen mit Mehrheitsbeteiligung des Bundes im Sinne des § 393a Absatz 1 des Aktiengesetzes[2] oder des § 77a Absatz 1 des Gesetzes betreffend die Gesellschaften mit beschränkter Haftung[3] gelten die Regelungen dieser Wahlordnung zum Geschlechteranteil bei börsennotierten Unternehmen entsprechend.

Teil 5.[4] Übergangs- und Schlussvorschriften

§ 114 Erstmalige Anwendung des Gesetzes[5] auf ein Unternehmen.

(1) Bei der erstmaligen Anwendung des Gesetzes auf ein Unternehmen hat das Unternehmen die in § 2 bezeichnete Bekanntmachung unverzüglich nach der in § 97 Abs. 1 des Aktiengesetzes[6] bezeichneten Bekanntmachung über die Zusammensetzung des Aufsichtsrats zu erlassen.

(2) [1]Die Wahlvorstände werden unverzüglich nach der in § 2 bezeichneten Bekanntmachung gebildet. [2]In jedem Betrieb wird unverzüglich nach der Bildung des Betriebswahlvorstands die Wählerliste aufgestellt; die §§ 8 bis 12 sind anzuwenden.

(3) [1]Abweichend von § 13 Abs. 1 Satz 1 soll der Unternehmenswahlvorstand die in den §§ 13, 26 und 30 bezeichneten Bekanntmachungen 19 Wochen vor dem voraussichtlichen Beginn der Amtszeit der zu wählenden Aufsichtsratsmitglieder der Arbeitnehmer erlassen. [2]Nehmen an der Wahl auch Arbeitnehmerinnen und Arbeitnehmer eines in § 34 Abs. 1 des Gesetzes bezeichneten Betriebs (Seebetrieb) teil, so verlängert sich die in Satz 1 bezeichnete Frist auf 42 Wochen.

§ 115 Berechnung von Fristen. [1]Für die Berechnung der in dieser Verordnung bestimmten Fristen sind die §§ 186 bis 193 des Bürgerlichen Gesetzbuchs[7] entsprechend anzuwenden. [2]Arbeitstage im Sinne dieser Verordnung sind die Wochentage Montag bis Freitag mit Ausnahme der gesetzlichen Feiertage.

§ 116[8] Übergangsregelung. Auf Wahlen von Aufsichtsratsmitgliedern der Arbeitnehmer, die bis einschließlich 31. März 2022 abgeschlossen sind, ist diese Verordnung in der bis zum 11. August 2021 geltenden Fassung anzuwenden.

§ 117 Inkrafttreten, Außerkrafttreten. [1]Diese Verordnung tritt am Tag nach der Verkündung[9] in Kraft. [2]Gleichzeitig tritt die Zweite Wahlordnung zum Mitbestimmungsgesetz vom 23. Juni 1977 (BGBl. I S. 893), geändert

---

[1] Teil 4 (§ 113a) eingef. mWv 12.8.2021 durch G v. 7.8.2021 (BGBl. I S. 3311).
[2] **beck-online, Module Arbeitsrecht Nr. 567.**
[3] **Habersack Nr. 52.**
[4] Bish. Teil 4 wird Teil 5 mWv 12.8.2021 durch G v. 7.8.2021 (BGBl. I S. 3311).
[5] Nr. **560**.
[6] Nr. **567**.
[7] Nr. **50**.
[8] § 116 neu gef. mWv 12.8.2021 durch G v. 7.8.2021 (BGBl. I S. 3311).
[9] Verkündet am 31.5.2002.

durch Artikel 2 der Verordnung vom 9. November 1990 (BGBl. I S. 2487), außer Kraft.

560c. Dritte Wahlordnung zum Mitbestimmungsgesetz (3. WOMitbestG)

Vom 27. Mai 2002

(BGBl. I S. 1741)

FNA 801-8-6

zuletzt geänd. durch Art. 20 G zur Ergänzung und Änd. der Regelungen für die gleichberechtigte Teilhabe von Frauen an Führungspositionen in der Privatwirtschaft und im öffentlichen Dienst v. 7.8. 2021 (BGBl. I S. 3311)

Auf Grund des § 39 des Mitbestimmungsgesetzes[1] vom 4. Mai 1976 (BGBl. I S. 1153) verordnet die Bundesregierung:

Inhaltsübersicht[2]

---

[1] Nr. **560**.

[2] Inhaltsübersicht geänd. mWv 2.9.2015 durch VO v. 26.8.2015 (BGBl. I S. 1443); geänd. mWv 12.8.2021 durch G v. 7.8.2021 (BGBl. I S. 3311).

§ 1 Geltungsbereich. (1) Die Wahl und die Abberufung der Aufsichtsratsmitglieder der Arbeitnehmer eines Unternehmens bestimmen sich nach den Vorschriften dieser Verordnung, wenn an der Wahl oder an der Abberufung nach § 4 oder § 5 des Gesetzes[1)] auch die Arbeitnehmerinnen und Arbeitnehmer anderer Unternehmen teilnehmen, insbesondere weil

---

[1)] Nr. **560**.

1. das Unternehmen persönlich haftender Gesellschafter einer in § 4 Abs. 1 Satz 1 des Gesetzes bezeichneten Kommanditgesellschaft ist,
2. das Unternehmen herrschendes Konzernunternehmen ist oder nach § 5 Abs. 3 des Gesetzes als herrschendes Konzernunternehmen gilt.

(2) Die Wahl der Aufsichtsratsmitglieder der Arbeitnehmer bestimmt sich nach den Vorschriften des Teils 1.

(3) Die Abberufung von Aufsichtsratsmitgliedern der Arbeitnehmer bestimmt sich nach den Vorschriften des Teils 2.

(4) Nehmen an der Wahl oder an der Abberufung auch Arbeitnehmerinnen und Arbeitnehmer eines in § 34 Abs. 1 des Gesetzes bezeichneten Betriebs (Seebetrieb) teil, so sind außerdem die Vorschriften des Teils 3 anzuwenden.

Teil 1. Wahl der Aufsichtsratsmitglieder der Arbeitnehmer

Kapitel 1. Einleitung der Wahl, Abstimmung über die Art der Wahl, Wahlvorschläge

Abschnitt 1. Einleitung der Wahl

§ 2[1)] Bekanntmachung der Unternehmen. (1) [1] Das Unternehmen, in dessen Aufsichtsrat Mitglieder der Arbeitnehmerinnen und Arbeitnehmer zu wählen sind, teilt spätestens 25 Wochen vor dem voraussichtlichen Beginn der Amtszeit der zu wählenden Aufsichtsratsmitglieder der Arbeitnehmer den anderen Unternehmen, deren Arbeitnehmerinnen und Arbeitnehmer nach § 4 oder § 5 des Gesetzes[2)] an der Wahl teilnehmen, schriftlich mit, dass Aufsichtsratsmitglieder der Arbeitnehmer zu wählen sind. [2] In der Mitteilung ist ferner anzugeben:

1. der voraussichtliche Beginn der Amtszeit der zu wählenden Aufsichtsratsmitglieder der Arbeitnehmer;
2. die Zahl der zu wählenden Aufsichtsratsmitglieder der Arbeitnehmer;
3. bei einem börsennotierten Unternehmen der Anteil, mit dem Frauen und Männer nach § 96 Absatz 2 Satz 1 des Aktiengesetzes[3)] jeweils mindestens im Aufsichtsrat vertreten sein müssen;
4. bei einem börsennotierten Unternehmen, ob der Geschlechteranteil nach § 96 Absatz 2 Satz 1 des Aktiengesetzes[3)] gemäß § 96 Absatz 2 Satz 2 des Aktiengesetzes[3)] vom Aufsichtsrat insgesamt zu erfüllen ist (Gesamterfüllung) oder ob der Gesamterfüllung nach § 96 Absatz 2 Satz 3 des Aktiengesetzes[3)] widersprochen wurde, mit der Folge, dass der Geschlechteranteil für diese Wahl von der Anteilseignerseite und der Seite der Arbeitnehmer getrennt zu erfüllen ist (Getrennterfüllung);
5. die Firmen und die Anschriften der Unternehmen, deren Arbeitnehmerinnen und Arbeitnehmer an der Wahl teilnehmen und deren Betriebe, sowie die Zahlen der in diesen Unternehmen und Betrieben in der Regel beschäftigten Arbeitnehmerinnen und Arbeitnehmer.

[1)] § 2 Abs. 1 Satz 2 Nr. 3 und 4 eingef., bish. Nr. 3 wird Nr. 5 mWv 2.9.2015 durch VO v. 26.8. 2015 (BGBl. I S. 1443).

[2)] Nr. **560**.

[3)] Nr. **567**.

(2) [1]Jedes Unternehmen macht die in Absatz 1 bezeichnete Mitteilung unverzüglich bekannt. [2]Die Bekanntmachung kann durch Aushang an einer oder mehreren geeigneten, den Wahlberechtigten zugänglichen Stellen in den Betrieben des Unternehmens und durch Einsatz der im Unternehmen vorhandenen Informations- und Kommunikationstechnik erfolgen. [3]Der Einsatz der Informations- und Kommunikationstechnik ist nur zulässig, wenn der Adressatenkreis dieser Bekanntmachungsform von der Bekanntmachung Kenntnis erlangen kann und Vorkehrungen getroffen sind, damit nur das jeweilige Unternehmen Änderungen der Bekanntmachung vornehmen kann.

(3) [1]Das Unternehmen, in dessen Aufsichtsrat Mitglieder der Arbeitnehmerinnen und Arbeitnehmer zu wählen sind, übersendet die Mitteilung nach Absatz 1 unverzüglich

1. dem Konzernbetriebsrat und dem Konzernsprecherausschuss,
2. den Gesamtbetriebsräten und den Gesamtsprecherausschüssen (Unternehmenssprecherausschüssen),
3. den in den Unternehmen bestehenden Betriebsräten und Sprecherausschüssen,
4. den in den Unternehmen vertretenen Gewerkschaften,
5. den nach § 117 Abs. 2 Satz 1 des Betriebsverfassungsgesetzes[1)] durch Tarifvertrag errichteten Vertretungen für im Flugbetrieb beschäftigte Arbeitnehmerinnen und Arbeitnehmer.

[2]Sind in einem Unternehmen, dessen Arbeitnehmerinnen und Arbeitnehmer an der Wahl der Aufsichtsratsmitglieder nach dieser Verordnung teilnehmen, auch nach der Ersten[2)] oder Zweiten Wahlordnung zum Mitbestimmungsgesetz[3)] Aufsichtsratsmitglieder der Arbeitnehmer zu wählen, ist das Wahlausschreiben für die Wahl der Delegierten noch nicht erlassen und beginnt die Amtszeit dieser Aufsichtsratsmitglieder nicht mehr als zwölf Monate vor oder nach dem Beginn der Amtszeit der nach dieser Verordnung zu wählenden Aufsichtsratsmitglieder, so teilt dieses Unternehmen dies unverzüglich nach der Bekanntmachung nach Absatz 2 den in Satz 1 Nr. 2, 3 und 5 bezeichneten Arbeitnehmervertretungen mit. [3]Satz 2 ist entsprechend anzuwenden, wenn die Arbeitnehmerinnen und Arbeitnehmer eines Unternehmens nach dieser Verordnung an der Wahl von Mitgliedern der Aufsichtsräte mehrerer Unternehmen teilnehmen.

(Fortsetzung nächstes Blatt)

[1)] Nr. **570**.
[2)] Nr. **560a**.
[3)] Nr. **560b**.

§ 3 Wahlvorstände. (1) Die rechtzeitige Einleitung und die Durchführung der Wahl sowie die Feststellung des Wahlergebnisses obliegen dem Hauptwahlvorstand.

(2) In den einzelnen Betrieben jedes Unternehmens wird die Wahl im Auftrag und nach den Richtlinien des Hauptwahlvorstands durch Betriebswahlvorstände durchgeführt.

(3) [1] Die Wahlvorstände werden unverzüglich nach der in § 2 bezeichneten Bekanntmachung gebildet. [2] Die Geschlechter sollen entsprechend ihrem zahlenmäßigen Verhältnis vertreten sein.

§ 4 Zusammensetzung des Hauptwahlvorstands. (1) [1] Der Hauptwahlvorstand besteht aus drei Mitgliedern. [2] Die Arbeitnehmervertretungen, die nach Absatz 4 Mitglieder des Hauptwahlvorstands bestellen, können die Zahl der Mitglieder erhöhen, wenn dies zur ordnungsgemäßen Durchführung der Wahl erforderlich ist. [3] Der Hauptwahlvorstand muss aus einer ungeraden Zahl von Mitgliedern bestehen. [4] Mitglieder des Hauptwahlvorstands können nur Wahlberechtigte von Unternehmen sein, deren Arbeitnehmerinnen und Arbeitnehmer an der Wahl teilnehmen.

(2) [1] Im Hauptwahlvorstand sollen die in § 3 Abs. 1 Nr. 1 des Gesetzes[1)] bezeichneten Arbeitnehmer und die leitenden Angestellten angemessen vertreten sein. [2] Dem Hauptwahlvorstand muss, wenn in den Unternehmen, deren Arbeitnehmerinnen und Arbeitnehmer an der Wahl teilnehmen, insgesamt mindestens fünf wahlberechtigte leitende Angestellte beschäftigt sind, mindestens ein leitender Angestellter angehören.

(3) Für jedes Mitglied des Hauptwahlvorstands kann für den Fall seiner Verhinderung ein Ersatzmitglied bestellt werden.

(4) [1] Der Konzernbetriebsrat bestellt die Mitglieder des Hauptwahlvorstands, die in § 3 Abs. 1 Nr. 1 des Gesetzes bezeichnete Arbeitnehmer sind. [2] Besteht kein Konzernbetriebsrat, so werden diese Mitglieder des Hauptwahlvorstands

1. vom Gesamtbetriebsrat des nach der Zahl der Wahlberechtigten größten Unternehmens, dessen Arbeitnehmerinnen und Arbeitnehmer an der Wahl teilnehmen und in dem ein Betriebsrat besteht, oder, wenn in dem Unternehmen nur ein Betriebsrat besteht, vom Betriebsrat bestellt oder,
2. falls in keinem Unternehmen ein Betriebsrat besteht, in einer Versammlung der in § 3 Abs. 1 Nr. 1 des Gesetzes bezeichneten Arbeitnehmer des nach der Zahl der Wahlberechtigten größten Betriebs der Unternehmen, deren Arbeitnehmerinnen und Arbeitnehmer an der Wahl teilnehmen, mit der Mehrheit der abgegebenen Stimmen gewählt.

[3] Besteht auch eine nach § 117 Abs. 2 Satz 1 des Betriebsverfassungsgesetzes[2)] durch Tarifvertrag errichtete Vertretung für im Flugbetrieb beschäftigte Arbeitnehmerinnen und Arbeitnehmer, so erfolgt die Bestellung gemeinsam mit dieser Vertretung.

(5) [1] Der Konzernsprecherausschuss bestellt die auf die leitenden Angestellten entfallenden Mitglieder des Hauptwahlvorstands. [2] Besteht kein Konzernsprecherausschuss, so werden diese Mitglieder des Hauptwahlvorstands

---

[1)] Nr. **560**.
[2)] Nr. **570**.

1. vom Gesamtsprecherausschuss (Unternehmenssprecherausschuss) des nach der Zahl der wahlberechtigten leitenden Angestellten größten Unternehmens, dessen Arbeitnehmerinnen und Arbeitnehmer an der Wahl teilnehmen und in dem ein Sprecherausschuss besteht, oder, wenn in dem Unternehmen nur ein Sprecherausschuss besteht, vom Sprecherausschuss bestellt oder,
2. falls in keinem Unternehmen ein Sprecherausschuss besteht, in einer Versammlung der leitenden Angestellten des nach der Zahl der wahlberechtigten leitenden Angestellten größten Betriebs der Unternehmen, deren Arbeitnehmerinnen und Arbeitnehmer an der Wahl teilnehmen, mit der Mehrheit der abgegebenen Stimmen gewählt.

§ 5 Zusammensetzung des Betriebswahlvorstands. (1) [1] Der Betriebswahlvorstand besteht aus drei Mitgliedern. [2] Der Betriebsrat kann die Zahl der Mitglieder erhöhen, wenn dies zur ordnungsgemäßen Durchführung der Wahl erforderlich ist. [3] Der Betriebswahlvorstand muss aus einer ungeraden Zahl von Mitgliedern bestehen. [4] Mitglieder des Betriebswahlvorstands können nur Wahlberechtigte des Betriebs sein.

(2) [1] Im Betriebswahlvorstand sollen die in § 3 Abs. 1 Nr. 1 des Gesetzes[1)] bezeichneten Arbeitnehmer und die leitenden Angestellten angemessen vertreten sein. [2] Dem Betriebswahlvorstand muss, wenn in dem Betrieb mindestens fünf wahlberechtigte leitende Angestellte beschäftigt sind, mindestens ein leitender Angestellter angehören.

(3) Für jedes Mitglied des Betriebswahlvorstands kann für den Fall seiner Verhinderung ein Ersatzmitglied bestellt werden.

(4) [1] Der Betriebsrat bestellt die Mitglieder des Betriebswahlvorstands, die in § 3 Abs. 1 Nr. 1 des Gesetzes bezeichnete Arbeitnehmer sind. [2] Besteht kein Betriebsrat, so werden die in Satz 1 bezeichneten Mitglieder des Betriebswahlvorstands in einer Betriebsversammlung mit der Mehrheit der abgegebenen Stimmen gewählt.

(5) [1] Die auf die leitenden Angestellten entfallenden Mitglieder werden von dem für den Betrieb zuständigen Sprecherausschuss bestellt. [2] Besteht kein Sprecherausschuss, so werden die in Satz 1 bezeichneten Mitglieder des Betriebswahlvorstands in einer Versammlung der leitenden Angestellten des Betriebs mit der Mehrheit der abgegebenen Stimmen gewählt.

(6) [1] Ist für einen Betrieb mit nicht mehr als 45 Wahlberechtigten innerhalb von zwei Wochen nach der in § 2 bezeichneten Bekanntmachung kein Betriebswahlvorstand gebildet, so beauftragt der Hauptwahlvorstand für diesen Betrieb den Betriebswahlvorstand eines anderen Betriebs des Unternehmens mit der Wahrnehmung der Aufgaben des Betriebswahlvorstands. [2] Der beauftragte Betriebswahlvorstand kann beschließen, dass in dem Betrieb, für den kein Betriebswahlvorstand gebildet worden ist, die Stimmabgabe bei den in Kapitel 1 und Kapitel 2 bezeichneten Abstimmungen und Wahlen schriftlich erfolgt. [3] Im Fall des Satzes 2 erhalten die Wahlberechtigten dieses Betriebs die in § 19 Abs. 1 bezeichneten Unterlagen für die schriftliche Stimmabgabe, ohne dass es eines Verlangens bedarf; die in den §§ 15 und 39 bezeichneten Ausschreiben sind um folgende Angaben zu ergänzen:

1. dass für den Betrieb die schriftliche Stimmabgabe beschlossen ist;

[1)] Nr. **560**.

2. den Zeitpunkt, bis zu dem die Wahlbriefe beim Betriebswahlvorstand eingegangen sein müssen.

§ 6 Mitteilungspflicht. (1) [1]Der Hauptwahlvorstand teilt unverzüglich nach seiner Bildung den Unternehmen, deren Arbeitnehmerinnen und Arbeitnehmer an der Wahl teilnehmen, den Betriebswahlvorständen und den im Unternehmen vertretenen Gewerkschaften schriftlich die Namen seiner Mitglieder und seine Anschrift mit. [2]Gleichzeitig teilt er den Betriebswahlvorständen mit, welche Gewerkschaften die Mitteilung erhalten haben.

(2) [1]Jeder Betriebswahlvorstand teilt unverzüglich nach seiner Bildung dem Hauptwahlvorstand schriftlich die Namen seiner Mitglieder und seine Anschrift mit. [2]Gleichzeitig teilt er dem Hauptwahlvorstand mit, ob im Betrieb Gewerkschaften vertreten sind, die die Mitteilung nach Absatz 1 nicht erhalten haben.

§ 7 Geschäftsführung der Wahlvorstände. (1) Jeder Wahlvorstand wählt aus seiner Mitte eine Vorsitzende oder einen Vorsitzenden und mindestens eine Stellvertreterin oder einen Stellvertreter.

(2) [1]Der Wahlvorstand kann sich eine schriftliche Geschäftsordnung geben. [2]Der Hauptwahlvorstand kann Wahlberechtigte von Unternehmen, deren Arbeitnehmerinnen und Arbeitnehmer an der Wahl teilnehmen, und der Betriebswahlvorstand kann Wahlberechtigte des Betriebs als Wahlhelferinnen und Wahlhelfer zu seiner Unterstützung heranziehen.

(3) [1]Der Wahlvorstand fasst seine Beschlüsse mit einfacher Stimmenmehrheit seiner Mitglieder. [2]Über jede Sitzung des Wahlvorstands ist eine Niederschrift aufzunehmen, die mindestens den Wortlaut der Beschlüsse enthält; bei Beschlüssen des Betriebswahlvorstands über die Eintragung von Arbeitnehmerinnen und Arbeitnehmern in die Wählerliste als in § 3 Abs. 1 Nr. 1 des Gesetzes[1)] bezeichnete Arbeitnehmer oder als leitende Angestellte ist in der Niederschrift auch zu vermerken, ob sie ohne Gegenstimme gefasst worden sind. [3]Mitglieder des Wahlvorstands, gegen deren Stimmen ein Beschluss gefasst worden ist, können verlangen, dass in der Niederschrift ihre abweichende Meinung vermerkt wird. [4]Die Niederschrift ist von der oder dem Vorsitzenden und einem weiteren Mitglied des Wahlvorstands zu unterzeichnen; dies gilt auch für Bekanntmachungen, Ausschreiben und weitere Niederschriften des Wahlvorstands.

(4) [1]Bekanntmachungen des Wahlvorstands können durch Aushang und durch Einsatz der im Betrieb vorhandenen Informations- und Kommunikationstechnik erfolgen. [2]Der Aushang erfolgt an einer oder mehreren geeigneten, den Wahlberechtigten zugänglichen Stellen im Betrieb. [3]Er ist in gut lesbarem Zustand zu erhalten. [4]Der Einsatz der Informations- und Kommunikationstechnik ist nur zulässig, wenn der Adressatenkreis dieser Bekanntmachungsform von der Bekanntmachung Kenntnis erlangen kann und Vorkehrungen getroffen sind, damit nur der Wahlvorstand Änderungen der Bekanntmachung vornehmen kann.

(5) Die Unternehmen, deren Arbeitnehmerinnen und Arbeitnehmer an der Wahl teilnehmen, haben die Wahlvorstände bei der Erfüllung ihrer Aufgaben zu unterstützen und ihnen den erforderlichen Geschäftsbedarf zur Verfügung zu stellen.

---

1) Nr. **560**.

(6) Die Wahlvorstände sollen dafür sorgen, dass ausländische Arbeitnehmerinnen und Arbeitnehmer, die der deutschen Sprache nicht mächtig sind, rechtzeitig über den Anlass der Wahl, das Wahlverfahren, die Abstimmungen, die Aufstellung der Wählerliste und der Wahlvorschläge, den Wahlvorgang und die Stimmabgabe in geeigneter Weise unterrichtet werden.

§ 8 Wählerliste. (1) [1] Der Betriebswahlvorstand stellt unverzüglich nach seiner Bildung eine Liste der Wahlberechtigten des Betriebs (Wählerliste) auf, getrennt nach den in § 3 Abs. 1 Nr. 1 des Gesetzes[1)] bezeichneten Arbeitnehmern und den leitenden Angestellten. [2] Die Wahlberechtigten sollen in alphabetischer Reihenfolge mit Familienname, Vorname und Geburtsdatum aufgeführt werden. [3] Das Aufstellen der Wählerliste kann durch Einsatz der im Betrieb vorhandenen Informations- und Kommunikationstechnik erfolgen, wenn Vorkehrungen getroffen sind, damit nur der Wahlvorstand Änderungen in der Wählerliste vornehmen kann.

(2) [1] Jedes Mitglied des Betriebswahlvorstands ist verpflichtet darauf hinzuwirken, dass die Wahlberechtigten in der Wählerliste in zutreffender Weise in Arbeitnehmer nach § 3 Abs. 1 Nr. 1 des Gesetzes und leitende Angestellte eingeteilt werden. [2] Die Mitglieder des Betriebswahlvorstands sollen hierüber um eine Beschlussfassung ohne Gegenstimme bemüht sein. [3] Hat der Betriebswahlvorstand hierüber ausschließlich Beschlüsse ohne Gegenstimme gefasst, so ist § 10 nicht anzuwenden.

(3) [1] Das Unternehmen hat den Betriebswahlvorständen alle für die Anfertigung der Wählerliste erforderlichen Auskünfte zu erteilen und die erforderlichen Unterlagen zur Verfügung zu stellen. [2] Es hat die Betriebswahlvorstände insbesondere bei der Einteilung in Arbeitnehmer nach § 3 Abs. 1 Nr. 1 des Gesetzes und leitende Angestellte zu unterstützen.

(4) Der Betriebswahlvorstand berichtigt oder ergänzt die Wählerliste unverzüglich, wenn eine Arbeitnehmerin oder ein Arbeitnehmer

1. in den Betrieb eintritt oder aus ihm ausscheidet,
2. das 18. Lebensjahr vollendet oder
3. die Eigenschaft als in § 3 Abs. 1 Nr. 1 des Gesetzes bezeichneter Arbeitnehmer oder leitender Angestellter wechselt,

oder wenn sich in sonstiger Weise die Voraussetzungen, auf denen eine Eintragung in der Wählerliste beruht, ändern.

(5) An Wahlen und Abstimmungen können nur Arbeitnehmerinnen und Arbeitnehmer teilnehmen, die in der Wählerliste eingetragen sind.

§ 9 Bekanntmachung über die Bildung der Wahlvorstände und die Wählerliste. (1) [1] Die Einsichtnahme in die Wählerliste, das Gesetz und diese Verordnung ist unverzüglich bis zum Abschluss der Wahl der Aufsichtsratsmitglieder der Arbeitnehmer zu ermöglichen. [2] Die zur Einsichtnahme bestimmte Wählerliste soll die Geburtsdaten der Wahlberechtigten nicht enthalten. [3] Die Einsichtnahme kann durch Auslegung an geeigneter Stelle im Betrieb und durch Einsatz der im Betrieb vorhandenen Informations- und Kommunikationstechnik ermöglicht werden.

[1)] Nr. **560**.

(2) [1]Der Betriebswahlvorstand macht gleichzeitig mit der Ermöglichung der Einsichtnahme in die Wählerliste die Namen seiner Mitglieder und seine Anschrift sowie die Anschrift des Hauptwahlvorstands bekannt. [2]Die Bekanntmachung erfolgt vom Tag ihres Erlasses bis zum Abschluss der Wahl der Aufsichtsratsmitglieder der Arbeitnehmer. [3]Der Betriebswahlvorstand vermerkt auf der Bekanntmachung den ersten und den letzten Tag dieses Zeitraums. [4]In der Bekanntmachung ist ferner anzugeben:

1. das Datum ihres Erlasses;
2. wo und wie die Wahlberechtigten in die Wählerliste, das Gesetz und diese Verordnung Einsicht nehmen können;
3. dass Einsprüche gegen die Richtigkeit der Wählerliste nur innerhalb von einer Woche seit Erlass der Bekanntmachung schriftlich beim Betriebswahlvorstand eingelegt werden können; der letzte Tag der Frist ist anzugeben;
4. dass Einsprüche gegen Berichtigungen und Ergänzungen der Wählerliste nur innerhalb von einer Woche seit der Berichtigung oder der Ergänzung eingelegt werden können;
5. dass an Wahlen und Abstimmungen nur Arbeitnehmerinnen und Arbeitnehmer teilnehmen können, die in der Wählerliste eingetragen sind.

(3) Hat der Betriebswahlvorstand bei der Aufstellung der Wählerliste nach § 8 Abs. 1 über die Eintragung der Wahlberechtigten als in § 3 Abs. 1 Nr. 1 des Gesetzes[1)] bezeichnete Arbeitnehmer oder leitende Angestellte nicht ausschließlich Beschlüsse ohne Gegenstimme gefasst, so muss die Bekanntmachung nach Absatz 2 auch die folgenden Angaben enthalten:

1. dass jede Arbeitnehmerin und jeder Arbeitnehmer innerhalb von einer Woche seit Erlass der Bekanntmachung schriftlich vom Betriebswahlvorstand die Änderung der eigenen Eintragung als in § 3 Abs. 1 Nr. 1 des Gesetzes bezeichneter Arbeitnehmer oder leitender Angestellter in der Wählerliste verlangen kann; der letzte Tag der Frist ist anzugeben;
2. dass dem Änderungsverlangen nach Nummer 1 zu entsprechen ist, wenn ein Mitglied des Betriebswahlvorstands dem Verlangen zustimmt;
3. dass gegen die Richtigkeit der Wählerliste nur Einspruch eingelegt werden kann, soweit nicht nach Nummer 1 eine Änderung der Wählerliste verlangt werden kann.

§ 10 Änderungsverlangen. (1) Jede Arbeitnehmerin und jeder Arbeitnehmer kann innerhalb von einer Woche seit Erlass der Bekanntmachung nach § 9 Abs. 2 und 3 schriftlich vom Betriebswahlvorstand verlangen, dass die eigene Eintragung in der Wählerliste als in § 3 Abs. 1 Nr. 1 des Gesetzes[1)] bezeichneter Arbeitnehmer oder leitender Angestellter geändert wird.

(2) [1]Dem Änderungsverlangen nach Absatz 1 ist zu entsprechen, wenn ein Mitglied des Betriebswahlvorstands dem Verlangen zustimmt. [2]Eine Zustimmung nach Satz 1 kann nur innerhalb einer Woche nach Ablauf der in Absatz 1 bestimmten Frist erteilt werden; sie ist schriftlich gegenüber dem Betriebswahlvorstand zu erklären.

---

1) Nr. **560**.

(3) Gegen die Änderung der Eintragung nach Absatz 2 kann das Arbeitsgericht von einem Mitglied des Betriebswahlvorstands, das dem Änderungsverlangen nicht zugestimmt hat, angerufen werden.

§ 11[1)] Übersendung der Wählerliste. (1) [1] Der Betriebswahlvorstand übersendet dem Hauptwahlvorstand unverzüglich nach Ablauf der in § 10 Abs. 1 bestimmten Frist eine Kopie der Wählerliste und teilt ihm die Zahlen der in der Regel im Betrieb beschäftigten in § 3 Abs. 1 Nr. 1 des Gesetzes[2)] bezeichneten Arbeitnehmer und leitenden Angestellten mit. [2] Ist nach § 10 Abs. 1 die Änderung der Wählerliste verlangt worden, so erfolgt die Übersendung unverzüglich nach Ablauf der in § 10 Abs. 2 Satz 2 bestimmten Frist.

(2) Der Betriebswahlvorstand teilt Berichtigungen und Ergänzungen der Wählerliste dem Hauptwahlvorstand unverzüglich mit.

§ 12 Einsprüche gegen die Richtigkeit der Wählerliste. (1) [1] Gegen die Richtigkeit der Wählerliste kann Einspruch eingelegt werden, soweit nicht nach § 10 Abs. 1 eine Änderung der Eintragung als in § 3 Abs. 1 Nr. 1 des Gesetzes[2)] bezeichneter Arbeitnehmer oder leitender Angestellter in der Wählerliste verlangt werden kann. [2] Einsprüche gegen die Richtigkeit der Wählerliste können nur innerhalb von einer Woche seit Erlass der Bekanntmachung nach § 9 Abs. 2 und 3 schriftlich beim Betriebswahlvorstand eingelegt werden. [3] Einsprüche gegen Berichtigungen und Ergänzungen der Wählerliste können nur innerhalb von einer Woche seit der Berichtigung oder der Ergänzung eingelegt werden.

(2) [1] Über Einsprüche nach Absatz 1 ist unverzüglich zu entscheiden. [2] Ist ein Einspruch begründet, so wird die Wählerliste berichtigt. [3] Der Betriebswahlvorstand teilt die Entscheidung der Person, die den Einspruch eingelegt hat, unverzüglich schriftlich mit.

Abschnitt 2. Abstimmung über die Art der Wahl

§ 13 Bekanntmachung. (1) [1] Sind in den Unternehmen, deren Arbeitnehmerinnen und Arbeitnehmer an der Wahl teilnehmen, in der Regel insgesamt nicht mehr als 8 000 Arbeitnehmerinnen und Arbeitnehmer beschäftigt, so erlässt der Hauptwahlvorstand unverzüglich nach Übersendung der Wählerlisten eine Bekanntmachung. [2] Die Bekanntmachung muss folgende Angaben enthalten:

1. den für die Bekanntmachung bestimmten Zeitpunkt;
2. dass die Aufsichtsratsmitglieder der Arbeitnehmer in unmittelbarer Wahl gewählt werden, wenn nicht die Wahlberechtigten die Wahl durch Delegierte beschließen;
3. die Mindestzahl der Wahlberechtigten, von denen ein Antrag auf Abstimmung darüber, dass die Wahl der Aufsichtsratsmitglieder der Arbeitnehmer durch Delegierte erfolgen soll, unterzeichnet sein muss;
4. dass ein Antrag nur innerhalb von zwei Wochen seit dem für die Bekanntmachung bestimmten Zeitpunkt schriftlich beim Hauptwahlvorstand eingereicht werden kann; der letzte Tag der Frist ist anzugeben;

---

1) § 11 Abs. 1 Satz 1 geänd. mWv 13. 10. 2005 durch VO v. 10. 10. 2005 (BGBl. I S. 2927).
2) Nr. **560**.

5. die Mindestzahl der Wahlberechtigten, deren Beteiligung an der Abstimmung erforderlich ist;
6. dass ein Beschluss über die Wahl der Aufsichtsratsmitglieder der Arbeitnehmer durch Delegierte nur mit der Mehrheit der abgegebenen Stimmen gefasst werden kann;
7. die Anschrift des Hauptwahlvorstands.

[3] Sind nach den Vorschriften dieser Verordnung Delegierte bereits gewählt, deren Amtszeit bei Beginn der Amtszeit der zu wählenden Aufsichtsratsmitglieder der Arbeitnehmer noch nicht beendet ist, so muss die Bekanntmachung die in Absatz 2 Satz 2 bezeichneten Angaben enthalten.

(2) [1] Sind in den Unternehmen, deren Arbeitnehmerinnen und Arbeitnehmer an der Wahl teilnehmen, in der Regel insgesamt mehr als 8 000 Arbeitnehmerinnen und Arbeitnehmer beschäftigt, so erlässt der Hauptwahlvorstand zu dem in Absatz 1 Satz 1 bestimmten Zeitpunkt eine Bekanntmachung. [2] Sie muss folgende Angaben enthalten:

1. den für die Bekanntmachung bestimmten Zeitpunkt;
2. dass die Aufsichtsratsmitglieder der Arbeitnehmer durch Delegierte gewählt werden, wenn nicht die Wahlberechtigten die unmittelbare Wahl beschließen;
3. die Mindestzahl der Wahlberechtigten, von denen ein Antrag auf Abstimmung darüber, dass die Aufsichtsratsmitglieder der Arbeitnehmer in unmittelbarer Wahl gewählt werden sollen, unterzeichnet sein muss;
4. dass ein Antrag nur innerhalb von zwei Wochen seit dem für die Bekanntmachung bestimmten Zeitpunkt schriftlich beim Hauptwahlvorstand eingereicht werden kann; der letzte Tag der Frist ist anzugeben;
5. die Mindestzahl der Wahlberechtigten, deren Beteiligung an der Abstimmung erforderlich ist;
6. dass ein Beschluss über die unmittelbare Wahl der Aufsichtsratsmitglieder der Arbeitnehmer nur mit der Mehrheit der abgegebenen Stimmen gefasst werden kann;
7. die Anschrift des Hauptwahlvorstands.

[3] Die Sätze 1 und 2 sind auch anzuwenden, wenn nach den Vorschriften dieser Verordnung Delegierte bereits gewählt sind, deren Amtszeit bei Beginn der Amtszeit der zu wählenden Aufsichtsratsmitglieder der Arbeitnehmer noch nicht beendet ist.

(3) [1] Der Hauptwahlvorstand übersendet die Bekanntmachung den Betriebswahlvorständen und teilt ihnen schriftlich den Zeitpunkt mit, von dem ab die Bekanntmachung in den Betrieben zu erfolgen hat. [2] Die Bekanntmachung durch den Betriebswahlvorstand erfolgt bis zu der Bekanntmachung des Wahlausschreibens nach § 39 oder § 59. [3] Der Betriebswahlvorstand vermerkt auf der Bekanntmachung den ersten und den letzten Tag dieses Zeitraums.

(4) Der Hauptwahlvorstand übersendet die Bekanntmachung unverzüglich nach ihrem Erlass den Unternehmen, deren Arbeitnehmerinnen und Arbeitnehmer an der Wahl teilnehmen, und den in diesen Unternehmen vertretenen Gewerkschaften.

§ 14 Antrag auf Abstimmung. (1) [1] Sind in den Unternehmen, deren Arbeitnehmerinnen und Arbeitnehmer an der Wahl teilnehmen, in der Regel insgesamt nicht mehr als 8 000 Arbeitnehmerinnen und Arbeitnehmer beschäftigt, so kann ein Antrag auf Abstimmung darüber, dass die Wahl der Aufsichtsratsmitglieder der Arbeitnehmer durch Delegierte erfolgen soll, gestellt werden. [2] Wenn die in § 13 Abs. 1 Satz 3 bezeichneten Voraussetzungen vorliegen, ist Absatz 2 anzuwenden.

(2) Sind in den Unternehmen, deren Arbeitnehmerinnen und Arbeitnehmer an der Wahl teilnehmen, in der Regel insgesamt mehr als 8 000 Arbeitnehmerinnen und Arbeitnehmer beschäftigt, so kann ein Antrag auf Abstimmung darüber, dass die Aufsichtsratsmitglieder der Arbeitnehmer in unmittelbarer Wahl gewählt werden sollen, gestellt werden; dies gilt auch, wenn die in § 13 Abs. 2 Satz 3 bezeichneten Voraussetzungen vorliegen.

(3) [1] Ein Antrag auf Abstimmung ist innerhalb von zwei Wochen seit dem für die Bekanntmachung nach § 13 bestimmten Zeitpunkt schriftlich beim Hauptwahlvorstand einzureichen. [2] Der Hauptwahlvorstand prüft unverzüglich nach Eingang eines Antrags dessen Gültigkeit.

(4) Ein Antrag auf Abstimmung ist gültig, wenn er von mindestens einem Zwanzigstel der Wahlberechtigten unterzeichnet und fristgerecht eingereicht worden ist.

(5) Ist ein Antrag ungültig, so teilt der Hauptwahlvorstand dies dem Antragsvertreter oder, wenn ein solcher nicht benannt ist, der oder dem an erster Stelle Unterzeichnenden schriftlich mit.

§ 15 Abstimmungsausschreiben. (1) [1] Liegt ein gültiger Antrag nach § 14 vor, so erlässt der Hauptwahlvorstand unverzüglich ein Abstimmungsausschreiben. [2] Die Abstimmung soll innerhalb von zwei Wochen seit dem für die Bekanntmachung des Abstimmungsschreibens bestimmten Zeitpunkt stattfinden.

(2) Das Abstimmungsausschreiben muss folgende Angaben enthalten:

1. den für die Bekanntmachung bestimmten Zeitpunkt;
2. den Inhalt des Antrags;
3. dass an der Abstimmung nur Arbeitnehmerinnen und Arbeitnehmer teilnehmen können, die in der Wählerliste eingetragen sind;
4. die Mindestzahl der Wahlberechtigten, deren Beteiligung an der Abstimmung erforderlich ist;
5. dass der Beschluss nur mit der Mehrheit der abgegebenen Stimmen gefasst werden kann;
6. den Tag oder die Tage der Stimmabgabe.

(3) [1] Der Hauptwahlvorstand übersendet das Abstimmungsausschreiben den Betriebswahlvorständen und teilt ihnen schriftlich den Zeitpunkt mit, von dem ab das Abstimmungsausschreiben in den Betrieben bekannt zu machen ist. [2] Jeder Betriebswahlvorstand ergänzt das Abstimmungsausschreiben um die folgenden Angaben:

1. Ort und Zeit der Stimmabgabe und der öffentlichen Stimmauszählung;
2. den Hinweis auf die Möglichkeit der schriftlichen Stimmabgabe sowie die Betriebsteile, Kleinstbetriebe und Betriebe, für die schriftliche Stimmabgabe nach § 19 Abs. 3 beschlossen ist;
3. dass Einsprüche und sonstige Erklärungen gegenüber dem Betriebswahlvorstand abzugeben sind;

4. die Anschrift des Betriebswahlvorstands.

(4) [1] Der Betriebswahlvorstand macht das Abstimmungsausschreiben bis zum Abschluss der Stimmabgabe bekannt und vermerkt auf dem Abstimmungsausschreiben den ersten und den letzten Tag der Bekanntmachung. [2] § 13 Abs. 4 ist entsprechend anzuwenden.

§ 16[1)] Stimmabgabe. (1) [1] Die Stimmzettel für die Abstimmung dürfen nur den Antrag und die Frage an die Abstimmungsberechtigten enthalten, ob sie für oder gegen den Antrag stimmen. [2] Soll die Stimme für den Antrag abgegeben werden, so ist das vorgedruckte „Ja", andernfalls das vorgedruckte „Nein" anzukreuzen. [3] Die Stimmzettel für die Abstimmung müssen sämtlich die gleiche Größe, Farbe, Beschaffenheit und Beschriftung haben.

(2) Der Hauptwahlvorstand übersendet die Stimmzettel rechtzeitig den Betriebswahlvorständen.

(3) Stimmzettel, die mit einem besonderen Merkmal versehen sind oder aus denen sich ein eindeutiger Wille nicht ergibt oder die andere als die in Absatz 1 bezeichneten Angaben, einen Zusatz oder sonstige Änderungen enthalten, sind ungültig.

§ 17[2)] Abstimmungsvorgang. (1) [1] Der Betriebswahlvorstand hat geeignete Vorkehrungen für die unbeobachtete Kennzeichnung der Stimmzettel im Wahlraum zu treffen und für die Bereitstellung einer Wahlurne oder mehrerer Wahlurnen zu sorgen. [2] Die Wahlurne muss vom Betriebswahlvorstand verschlossen und so eingerichtet sein, dass die eingeworfenen Stimmzettel nicht herausgenommen werden können, ohne dass die Urne geöffnet wird.

(2) Während der Abstimmung müssen mindestens zwei Mitglieder des Betriebswahlvorstands im Wahlraum anwesend sein; sind Wahlhelferinnen und Wahlhelfer bestellt, so genügt die Anwesenheit eines Mitglieds des Betriebswahlvorstands und einer Wahlhelferin oder eines Wahlhelfers.

(3) [1] Die abstimmende Person kennzeichnet ihren Stimmzettel unbeobachtet und faltet ihn in der Weise, dass ihre Stimme nicht erkennbar ist. [2] Danach gibt sie ihren Namen an und wirft den gefalteten Stimmzettel in die Wahlurne, nachdem die Stimmabgabe in der Wählerliste vermerkt worden ist.

(4) [1] Wer infolge seiner Behinderung bei der Stimmabgabe beeinträchtigt ist, kann eine Person seines Vertrauens bestimmen, die ihm bei der Stimmabgabe behilflich sein soll, und teilt dies dem Wahlvorstand mit. [2] Personen, die sich bei der Wahl bewerben, Mitglieder des Wahlvorstands sowie Wahlhelferinnen und Wahlhelfer dürfen nicht zur Hilfeleistung herangezogen werden. [3] Die Hilfeleistung beschränkt sich auf die Erfüllung der Wünsche der Wählerin oder des Wählers zur Stimmabgabe; die Person des Vertrauens darf gemeinsam mit der Wählerin oder dem Wähler die Wahlzelle aufsuchen. [4] Sie ist zur Geheimhaltung der Kenntnisse verpflichtet, die sie bei der Hilfeleistung zur Stimmabgabe erlangt hat. [5] Die Sätze 1 bis 4 gelten entsprechend für des Lesens unkundige Wählerinnen und Wähler.

[1)] § 16 Abs. 1 Satz 3 letzter Halbs. aufgeh., Abs. 2 geänd. mWv 13. 10. 2005 durch VO v. 10. 10. 2005 (BGBl. I S. 2927).

[2)] § 17 Abs. 1 Satz 2 geänd., Abs. 3 neu gef. mWv 13. 10. 2005 durch VO v. 10. 10. 2005 (BGBl. I S. 2927).

(5) [1] Wird die Stimmabgabe unterbrochen oder erfolgt die Stimmauszählung nicht unmittelbar nach Abschluss der Stimmabgabe, so hat der Betriebswahlvorstand für die Zwischenzeit die Wahlurne so zu verschließen und aufzubewahren, dass der Einwurf oder die Entnahme von Stimmzetteln ohne Beschädigung des Verschlusses unmöglich ist. [2] Bei Wiedereröffnung der Abstimmung oder bei Entnahme der Stimmzettel zur Stimmauszählung hat sich der Betriebswahlvorstand davon zu überzeugen, dass der Verschluss unversehrt ist.

§ 18[1)] *(aufgehoben)*

§ 19 Voraussetzungen der schriftlichen Stimmabgabe. (1) [1] Abstimmungsberechtigten, die im Zeitpunkt der Abstimmung wegen Abwesenheit vom Betrieb verhindert sind, ihre Stimme persönlich abzugeben, hat der Betriebswahlvorstand auf ihr Verlangen

1. das Abstimmungsausschreiben,
2. den Stimmzettel und den Wahlumschlag,
3. eine vorgedruckte, von der abstimmenden Person abzugebende Erklärung, in der gegenüber dem Betriebswahlvorstand zu versichern ist, dass der Stimmzettel persönlich gekennzeichnet worden ist, sowie
4. einen größeren Freiumschlag, der die Anschrift des Betriebswahlvorstands und als Absender den Namen und die Anschrift des Abstimmungsberechtigten sowie den Vermerk „Schriftliche Stimmabgabe" trägt,

auszuhändigen oder zu übersenden. [2] Der Betriebswahlvorstand soll den Abstimmungsberechtigten ferner ein Merkblatt über die Art und Weise der schriftlichen Stimmabgabe (§ 20 Abs. 1) aushändigen oder übersenden. [3] Der Betriebswahlvorstand vermerkt die Aushändigung oder die Übersendung der Unterlagen in der Wählerliste.

(2) Abstimmungsberechtigte, von denen dem Betriebswahlvorstand bekannt ist, dass sie im Zeitpunkt der Abstimmung nach der Eigenart ihres Beschäftigungsverhältnisses voraussichtlich nicht im Betrieb anwesend sein werden (insbesondere im Außendienst, mit Telearbeit und in Heimarbeit Beschäftigte), erhalten die in Absatz 1 bezeichneten Unterlagen, ohne dass es eines Verlangens der Abstimmungsberechtigten bedarf.

(3) [1] Der Betriebswahlvorstand kann die schriftliche Stimmabgabe beschließen

1. für Betriebsteile und Kleinstbetriebe, die räumlich weit vom Hauptbetrieb entfernt sind,
2. für Betriebe, in denen die Mehrheit der Abstimmungsberechtigten zur schriftlichen Stimmabgabe nach Absatz 2 berechtigt ist und in denen die verbleibende Minderheit nicht mehr als insgesamt 25 Abstimmungsberechtigte ausmacht.

[2] Absatz 2 ist entsprechend anzuwenden.

(4) Der Hauptwahlvorstand übersendet den Betriebswahlvorständen auf Anforderung die in Absatz 1 bezeichneten Unterlagen für die schriftliche Stimmabgabe.

---

1) § 18 aufgeh. mWv 2. 9. 2015 durch VO v. 26. 8. 2015 (BGBl. I S. 1443).

§ 20[1] **Verfahren bei der schriftlichen Stimmabgabe.** (1) Die Stimmabgabe erfolgt in der Weise, dass die abstimmende Person

1. den Stimmzettel unbeobachtet persönlich kennzeichnet und so faltet und in dem zugehörigen Wahlumschlag verschließt, dass die Stimmabgabe erst nach Auseinanderfalten des Stimmzettels erkennbar ist;
2. die vorgedruckte Erklärung unter Angabe des Orts und des Datums unterschreibt und
3. den Wahlumschlag und die unterschriebene vorgedruckte Erklärung in dem Freiumschlag verschließt und diesen Wahlbrief so rechtzeitig an den Betriebswahlvorstand absendet oder übergibt, dass er vor Abschluss der Stimmabgabe vorliegt.

(2) [1] Unmittelbar vor Abschluss der Stimmabgabe öffnet der Betriebswahlvorstand in öffentlicher Sitzung die bis zu diesem Zeitpunkt eingegangenen Wahlbriefe und entnimmt ihnen die Wahlumschläge sowie die vorgedruckten Erklärungen. [2] Ist die schriftliche Stimmabgabe ordnungsgemäß erfolgt, so vermerkt der Betriebswahlvorstand die Stimmabgabe in der Wählerliste, öffnet die Wahlumschläge und legt die Stimmzettel in die Wahlurne. [3] Befinden sich in einem Wahlumschlag mehrere gekennzeichnete Stimmzettel, werden sie in dem Wahlumschlag in die Wahlurne gelegt.

(3) [1] Verspätet eingehende Wahlbriefe nimmt der Betriebswahlvorstand mit einem Vermerk über den Zeitpunkt des Eingangs ungeöffnet zu den Wahlunterlagen. [2] Die Wahlbriefe sind einen Monat nach Bekanntgabe des Ergebnisses der Wahl der Aufsichtsratsmitglieder der Arbeitnehmer ungeöffnet zu vernichten, wenn die Wahl nicht angefochten worden ist.

§ 21[2] **Öffentliche Stimmauszählung.** (1) Unverzüglich nach Abschluss der Stimmabgabe zählt der Betriebswahlvorstand öffentlich die Stimmen aus.

(2) Nach Öffnung der Wahlurne entnimmt der Betriebswahlvorstand die Stimmzettel und stellt fest, wie viele Stimmen für und wie viele Stimmen gegen den Antrag abgegeben worden sind.

(3) [1] Bei der Auszählung ist die Gültigkeit der Stimmzettel zu prüfen. [2] Befindet sich ein Wahlumschlag mit mehreren gekennzeichneten Stimmzetteln in der Wahlurne, werden die Stimmzettel einfach gezählt, wenn sie vollständig übereinstimmen, andernfalls sind sie ungültig.

§ 22[3] **Abstimmungsniederschrift des Betriebswahlvorstands.** (1) Nach der Stimmauszählung stellt der Betriebswahlvorstand in einer Niederschrift fest:

1. die Zahl der insgesamt abgegebenen Stimmen;
2. die Zahl der gültigen Stimmen;
3. die Zahl der ungültigen Stimmen;
4. die Zahl der für den Antrag abgegebenen Stimmen;

---

[1] § 20 Abs. 1 Nr. 1 neu gef., Abs. 2 Satz 2 geänd., Satz 3 angef. mWv 13. 10. 2005 durch VO v. 10. 10. 2005 (BGBl. I S. 2927).

[2] § 21 Abs. 2 geänd., Abs. 3 Satz 2 neu gef. mWv 13. 10. 2005 durch VO v. 10. 10. 2005 (BGBl. I S. 2927); Abs. 4 aufgeh. mWv 2. 9. 2015 durch VO v. 26. 8. 2015 (BGBl. I S. 1443).

[3] § 22 Abs. 1 Nr. 1 aufgeh., bish. Nrn. 2 bis 8 werden Nrn. 1 bis 7 mWv 13. 10. 2005 durch VO v. 10. 10. 2005 (BGBl. I S. 2927); Abs. 1 Nr. 1 aufgeh., bish. Nr. 2 bis 7 werden Nr. 1 bis 6 mWv 2. 9. 2015 durch VO v. 26. 8. 2015 (BGBl. I S. 1443).

5. die Zahl der gegen den Antrag abgegebenen Stimmen;
6. besondere während der Abstimmung eingetretene Zwischenfälle oder sonstige Ereignisse.

(2) Der Betriebswahlvorstand übermittelt unverzüglich dem Hauptwahlvorstand eingeschrieben, fernschriftlich oder durch Botin oder Boten die Abstimmungsniederschrift.

§ 23[1)] Feststellung des Abstimmungsergebnisses, Abstimmungsniederschrift des Hauptwahlvorstands. Der Hauptwahlvorstand ermittelt anhand der Abstimmungsniederschriften der Betriebswahlvorstände das Abstimmungsergebnis und stellt in einer Niederschrift fest:
1. die Zahl der insgesamt abgegebenen Stimmen;
2. die Zahl der gültigen Stimmen;
3. die Zahl der ungültigen Stimmen;
4. die Zahl der für den Antrag abgegebenen Stimmen;
5. die Zahl der gegen den Antrag abgegebenen Stimmen;
6. das Abstimmungsergebnis;
7. besondere während der Abstimmung eingetretene Zwischenfälle oder sonstige Ereignisse.

§ 24 Bekanntmachung des Abstimmungsergebnisses. [1]Der Hauptwahlvorstand übermittelt das Abstimmungsergebnis den Betriebswahlvorständen. [2]Jeder Betriebswahlvorstand macht das Abstimmungsergebnis für die Dauer von zwei Wochen in gleicher Weise wie das Abstimmungsausschreiben bekannt.

Abschnitt 3. Verteilung der Sitze, Wahlvorschläge

Unterabschnitt 1. Verteilung der Sitze der unternehmensangehörigen Aufsichtsratsmitglieder der Arbeitnehmer

§ 25 Verteilung der Sitze der unternehmensangehörigen Aufsichtsratsmitglieder der Arbeitnehmer. (1) Der Hauptwahlvorstand stellt die Verteilung der Sitze der unternehmensangehörigen Aufsichtsratsmitglieder der Arbeitnehmer auf die in § 3 Abs. 1 Nr. 1 des Gesetzes[2)] bezeichneten Arbeitnehmer und die leitenden Angestellten fest.

(2) [1]Die Errechnung der auf die in § 3 Abs. 1 Nr. 1 des Gesetzes bezeichneten Arbeitnehmer und die leitenden Angestellten entfallenden Aufsichtsratsmitglieder erfolgt nach den Grundsätzen der Verhältniswahl. [2]Hierzu werden die Zahl der in § 3 Abs. 1 Nr. 1 des Gesetzes bezeichneten Arbeitnehmer und die Zahl der leitenden Angestellten der Unternehmen, deren Arbeitnehmerinnen und Arbeitnehmer an der Wahl teilnehmen, in einer Reihe nebeneinander gestellt und beide durch 1, 2, 3, 4 usw. geteilt. [3]Die ermittelten Teilzahlen sind nacheinander reihenweise unter den Zahlen der ersten Reihe aufzuführen, bis höhere Teilzahlen, als aus früheren Reihen für die Zuweisung von Sitzen in Betracht kommen, nicht mehr entstehen. [4]Unter den so gefundenen Teilzahlen

---

1) § 23 Nr. 1 aufgeh., bish. Nrn. 2 bis 9 werden Nrn. 1 bis 8 mWv 13. 10. 2005 durch VO v. 10. 10. 2005 (BGBl. I S. 2927); Nr. 1 aufgeh., bish. Nr. 2 bis 8 werden Nr. 1 bis 7 mWv 2. 9. 2015 durch VO v. 26. 8. 2015 (BGBl. I S. 1443).

2) Nr. **560**.

werden so viele Höchstzahlen ausgesondert und der Größe nach geordnet, wie unternehmensangehörige Aufsichtsratsmitglieder der Arbeitnehmer zu wählen sind. [5] Die in § 3 Abs. 1 Nr. 1 des Gesetzes bezeichneten Arbeitnehmer und die leitenden Angestellten erhalten jeweils so viele Aufsichtsratssitze zugeteilt, wie Höchstzahlen auf sie entfallen. [6] Wenn die niedrigste in Betracht kommende Höchstzahl auf die in § 3 Abs. 1 Nr. 1 des Gesetzes bezeichneten Arbeitnehmer und die leitenden Angestellten zugleich entfällt, entscheidet das Los darüber, wem der Sitz zufällt.

(3) Würde nach Absatz 2 auf die leitenden Angestellten nicht mindestens ein Sitz entfallen, so erhalten sie einen Sitz; die Zahl der Sitze der in § 3 Abs. 1 Nr. 1 des Gesetzes bezeichneten Arbeitnehmer vermindert sich entsprechend.

Unterabschnitt 2. Wahlvorschläge

§ 26[1)] Bekanntmachung über die Einreichung von Wahlvorschlägen. (1) [1] Der Hauptwahlvorstand erlässt gleichzeitig mit der Bekanntmachung nach § 13 eine Bekanntmachung über die Einreichung von Wahlvorschlägen für die Wahl der Aufsichtsratsmitglieder der Arbeitnehmer. [2] Die Bekanntmachung muss folgende Angaben enthalten:

1. den für die Bekanntmachung bestimmten Zeitpunkt;
2. die Zahl der zu wählenden Aufsichtsratsmitglieder der Arbeitnehmer, getrennt nach Aufsichtsratsmitgliedern der in § 3 Abs. 1 Nr. 1 des Gesetzes[2)] bezeichneten Arbeitnehmer, Aufsichtsratsmitgliedern der leitenden Angestellten und Aufsichtsratsmitgliedern, die Vertreterinnen oder Vertreter von Gewerkschaften sind;
3. bei börsennotierten Unternehmen, ob zur Erreichung des Geschlechteranteils nach § 96 Absatz 2 Satz 1 des Aktiengesetzes[3)] für die Wahl die Gesamterfüllung oder die Getrennterfüllung gilt;
4. bei börsennotierten Unternehmen im Fall der Gesamterfüllung, die zur Erreichung des Geschlechteranteils nach § 96 Absatz 2 Satz 1 und 4 des Aktiengesetzes[3)] erforderliche Anzahl an Frauen und Männern im Aufsichtsrat;
5. bei börsennotierten Unternehmen im Fall der Getrennterfüllung, die zur Erreichung des Geschlechteranteils nach § 7 Absatz 3 des Gesetzes in Verbindung mit § 96 Absatz 2 Satz 4 des Aktiengesetzes[3)] erforderliche Anzahl an Frauen und Männern unter den Aufsichtsratsmitgliedern der Arbeitnehmer;
6. im Fall der Nummer 5, wenn der Geschlechteranteil nach § 7 Absatz 3 des Gesetzes bei der Wahl nicht erreicht wurde, dass § 18a des Gesetzes anzuwenden ist und der Geschlechteranteil im Wege der gerichtlichen Ersatzbestellung nach § 104 des Aktiengesetzes[3)] oder der Nachwahl hergestellt wird;
7. dass Wahlvorschläge für die Wahl der Aufsichtsratsmitglieder der Arbeitnehmer beim Hauptwahlvorstand innerhalb von sechs Wochen seit dem für die

---

[1)] § 26 Abs. 1 Satz 2 Nr. 3 bis 6 eingef., bish. Nr. 3 bis 10 werden Nr. 7 bis 14, Nr. 15 eingef., bish. Nr. 11 wird Nr. 16 mWv 2. 9. 2015 durch VO v. 26. 8. 2015 (BGBl. I S. 1443).

[2)] Nr. **560**.

[3)] Nr. **567**.

Bekanntmachung bestimmten Zeitpunkt schriftlich eingereicht werden können; der letzte Tag der Frist ist anzugeben;

8. die Mindestzahl der wahlberechtigten in § 3 Abs. 1 Nr. 1 des Gesetzes bezeichneten Arbeitnehmer, von denen ein Wahlvorschlag für Aufsichtsratsmitglieder der in § 3 Abs. 1 Nr. 1 des Gesetzes bezeichneten Arbeitnehmer unterzeichnet sein muss;
9. dass der Wahlvorschlag der leitenden Angestellten auf Grund von Abstimmungsvorschlägen durch Beschluss der wahlberechtigten leitenden Angestellten in geheimer Abstimmung aufgestellt wird und dass hierüber eine gesonderte Bekanntmachung erlassen wird;
10. dass ein Wahlvorschlag für Aufsichtsratsmitglieder, die Vertreterinnen oder Vertreter von Gewerkschaften sind, nur von einer Gewerkschaft eingereicht werden kann, die in einem Unternehmen vertreten ist, dessen Arbeitnehmerinnen und Arbeitnehmer an der Wahl teilnehmen;
11. dass, soweit für die Aufsichtsratsmitglieder der in § 3 Abs. 1 Nr. 1 des Gesetzes bezeichneten Arbeitnehmer oder die Aufsichtsratsmitglieder der leitenden Angestellten nur ein Wahlvorschlag gemacht wird, die Anzahl der Bewerberinnen und Bewerber in diesem Wahlvorschlag doppelt so hoch sein muss wie die Zahl der Aufsichtsratsmitglieder, die auf die in § 3 Abs. 1 Nr. 1 des Gesetzes bezeichneten Arbeitnehmer oder die leitenden Angestellten entfällt;
12. dass, soweit für die Aufsichtsratsmitglieder, die Vertreterinnen oder Vertreter von Gewerkschaften sind, nur ein Wahlvorschlag gemacht wird, die Anzahl der Bewerberinnen und Bewerber in diesem Wahlvorschlag mindestens doppelt so hoch sein muss wie die Zahl der zu wählenden Vertreterinnen und Vertreter von Gewerkschaften;
13. dass in jedem Wahlvorschlag für jede Bewerberin oder für jeden Bewerber jeweils ein Ersatzmitglied des Aufsichtsrats vorgeschlagen werden kann und dass für eine Bewerberin oder einen Bewerber, die oder der ein in § 3 Abs. 1 Nr. 1 des Gesetzes bezeichneter Arbeitnehmer ist, nur ein in § 3 Abs. 1 Nr. 1 des Gesetzes bezeichneter Arbeitnehmer und für einen leitenden Angestellten nur ein leitender Angestellter als Ersatzmitglied vorgeschlagen werden kann;
14. dass bei Wahl eines Aufsichtsratsmitglieds auch das zusammen mit ihm vorgeschlagene Ersatzmitglied gewählt ist;
15. bei börsennotierten Unternehmen, dass das Nachrücken eines Ersatzmitglieds, dessen Wahl nach dem 31. Dezember 2015 erfolgt ist, ausgeschlossen ist, wenn dadurch der Geschlechteranteil nach § 7 Absatz 3 des Gesetzes nicht mehr eingehalten würde;
16. die Anschrift des Hauptwahlvorstands.

(2) Der Hauptwahlvorstand kann die Bekanntmachungen nach Absatz 1 und § 13 in einer Bekanntmachung zusammenfassen.

(3) [1] Der Hauptwahlvorstand übersendet die Bekanntmachung den Betriebswahlvorständen und teilt ihnen schriftlich den Zeitpunkt mit, von dem ab sie in den Betrieben bekannt zu machen ist. [2] Jeder Betriebswahlvorstand ergänzt die Bekanntmachung um die folgenden Angaben:

1. wo und wie die Wahlberechtigten in die Wählerliste, das Gesetz und diese Verordnung Einsicht nehmen können;

2. wo und wie die Wahlberechtigten von den Wahlvorschlägen Kenntnis erlangen können;
3. dass Einsprüche und sonstige Erklärungen gegenüber dem Betriebswahlvorstand abzugeben sind;
4. die Anschrift des Betriebswahlvorstands.

(4) [1] Der Betriebswahlvorstand macht die Bekanntmachung bis zum Abschluss der Wahl der Aufsichtsratsmitglieder bekannt. [2] Der Betriebswahlvorstand vermerkt auf der Bekanntmachung den ersten und den letzten Tag der Bekanntmachung.

(5) Der Hauptwahlvorstand übersendet die Bekanntmachung unverzüglich nach ihrem Erlass den Unternehmen, deren Arbeitnehmerinnen und Arbeitnehmer an der Wahl teilnehmen, und den in diesen Unternehmen vertretenen Gewerkschaften.

§ 27 Wahlvorschläge der in § 3 Abs. 1 Nr. 1 des Gesetzes[1)] bezeichneten Arbeitnehmer. (1) [1] Zur Wahl der Aufsichtsratsmitglieder der in § 3 Abs. 1 Nr. 1 des Gesetzes bezeichneten Arbeitnehmer können die wahlberechtigten in § 3 Abs. 1 Nr. 1 des Gesetzes bezeichneten Arbeitnehmer Wahlvorschläge machen. [2] Jeder Wahlvorschlag muss von einem Fünftel oder 100 der wahlberechtigten in § 3 Abs. 1 Nr. 1 des Gesetzes bezeichneten Arbeitnehmer unterzeichnet sein.

(2) Die Wahlvorschläge sind innerhalb von sechs Wochen seit dem für die Bekanntmachung über die Einreichung von Wahlvorschlägen bestimmten Zeitpunkt beim Hauptwahlvorstand schriftlich einzureichen.

(3) Wird für einen Wahlgang nur ein Wahlvorschlag eingereicht, so muss die Anzahl der Bewerberinnen und Bewerber in diesem Wahlvorschlag doppelt so hoch sein wie die Zahl der in dem Wahlgang zu wählenden Aufsichtsratsmitglieder.

(4) Wahlgang im Sinne dieses Kapitels ist

1. die Wahl der Aufsichtsratsmitglieder der in § 3 Abs. 1 Nr. 1 des Gesetzes bezeichneten Arbeitnehmer,
2. die Wahl der Aufsichtsratsmitglieder der leitenden Angestellten,
3. die Wahl der Aufsichtsratsmitglieder, die Vertreterinnen oder Vertreter von Gewerkschaften sind.

(5) [1] In jedem Wahlvorschlag sind die Bewerberinnen und Bewerber in erkennbarer Reihenfolge unter fortlaufender Nummer und unter Angabe von Familienname, Vorname, Geburtsdatum, Art der Beschäftigung, Unternehmen und Betrieb aufzuführen. [2] Die schriftliche Zustimmung der Bewerberinnen und Bewerber zur Aufnahme in den Wahlvorschlag und ihre schriftliche Versicherung, dass sie im Fall ihrer Wahl die Wahl annehmen werden, sind beizufügen.

(6) [1] Für jeden Wahlvorschlag soll eine oder einer der Unterzeichnenden als Vorschlagsvertreter bestimmt werden. [2] Dieser ist berechtigt und verpflichtet, dem Hauptwahlvorstand die zur Beseitigung von Beanstandungen erforderlichen Erklärungen abzugeben sowie Erklärungen und Entscheidungen des Hauptwahlvorstands entgegenzunehmen. [3] Ist kein Vorschlagsvertreter ausdrücklich be-

---

[1)] Nr. 560.

stimmt worden, so wird die oder der an erster Stelle Unterzeichnende als Vorschlagsvertreter angesehen.

(7) [1] Die Unterschrift eines Wahlberechtigten zählt nur auf einem Wahlvorschlag. [2] Hat ein Wahlberechtigter mehrere Wahlvorschläge unterzeichnet, so hat er auf Aufforderung des Hauptwahlvorstands innerhalb einer angemessenen Frist, spätestens jedoch innerhalb einer Woche zu erklären, welche Unterschrift er aufrechterhält. [3] Unterbleibt die fristgerechte Erklärung, so wird sein Name auf dem zuerst eingereichten Wahlvorschlag gezählt und auf den übrigen Wahlvorschlägen gestrichen; sind mehrere Wahlvorschläge, die von demselben Wahlberechtigten unterzeichnet sind, gleichzeitig eingereicht worden, so entscheidet das Los darüber, auf welchem Wahlvorschlag die Unterschrift gilt.

(8) [1] Eine Bewerberin oder ein Bewerber kann nur auf einem Wahlvorschlag vorgeschlagen werden. [2] Ist der Name dieser Person mit ihrer schriftlichen Zustimmung (Absatz 5 Satz 2) auf mehreren Wahlvorschlägen aufgeführt, so hat sie auf Aufforderung des Hauptwahlvorstands innerhalb einer Woche zu erklären, welche Bewerbung sie aufrechterhält. [3] Unterbleibt die fristgerechte Erklärung, so ist die Bewerberin oder der Bewerber auf sämtlichen Wahlvorschlägen zu streichen.

§ 28 Wahlvorschläge der Gewerkschaften. (1) Zur Wahl von Aufsichtsratsmitgliedern, die Vertreterinnen oder Vertreter von Gewerkschaften sind, können die Gewerkschaften Wahlvorschläge machen, die in Unternehmen vertreten sind, deren Arbeitnehmerinnen und Arbeitnehmer an der Wahl teilnehmen.

(2) [1] Jeder Wahlvorschlag einer Gewerkschaft muss von einer hierzu bevollmächtigten beauftragten Person dieser Gewerkschaft unterzeichnet sein. [2] § 27 Abs. 2, 4, 5 und 8 ist entsprechend anzuwenden. [3] Wird nur ein Wahlvorschlag eingereicht, so muss die Anzahl der Bewerberinnen und Bewerber mindestens doppelt so hoch sein wie die Zahl der zu wählenden Vertreterinnen und Vertreter von Gewerkschaften.

(3) [1] § 27 Abs. 6 ist entsprechend anzuwenden. [2] Die in Absatz 2 Satz 1 bezeichnete beauftragte Person gilt als Vorschlagsvertreter. [3] Die Gewerkschaft kann eine andere als die in Absatz 2 Satz 1 bezeichnete Person als Vorschlagsvertreter benennen.

§ 29 Wahlvorschläge für Ersatzmitglieder. (1) [1] In jedem Wahlvorschlag kann für jede Bewerberin oder für jeden Bewerber jeweils ein Ersatzmitglied des Aufsichtsrats vorgeschlagen werden. [2] Für eine Bewerberin oder einen Bewerber, die oder der ein in § 3 Abs. 1 Nr. 1 des Gesetzes[1)] bezeichneter Arbeitnehmer ist, kann nur ein in § 3 Abs. 1 Nr. 1 des Gesetzes bezeichneter Arbeitnehmer und für einen leitenden Angestellten nur ein leitender Angestellter als Ersatzmitglied vorgeschlagen werden. [3] Für jede Bewerberin oder für jeden Bewerber kann jeweils nur ein Ersatzmitglied vorgeschlagen werden. [4] Eine Bewerberin oder ein Bewerber kann nicht sowohl als Mitglied als auch als Ersatzmitglied des Aufsichtsrats vorgeschlagen werden. [5] § 27 Abs. 8 ist entsprechend anzuwenden.

(2) [1] Jedes vorgeschlagene Ersatzmitglied ist in dem Wahlvorschlag unter Angabe von Familienname, Vorname, Geburtsdatum, Art der Beschäftigung, Unternehmen und Betrieb neben der Bewerberin oder dem Bewerber aufzuführen,

---

1) Nr. **560**.

für die oder für den es als Ersatzmitglied des Aufsichtsrats vorgeschlagen wird. [2] In dem Wahlvorschlag ist kenntlich zu machen, wer als Mitglied und wer als Ersatzmitglied des Aufsichtsrats vorgeschlagen wird. [3] § 27 Abs. 5 Satz 2 ist entsprechend anzuwenden.

Unterabschnitt 3. Zusätzliche Vorschriften für den Wahlvorschlag der leitenden Angestellten

§ 30[1)] Bekanntmachung über die Abstimmung für den Wahlvorschlag der leitenden Angestellten. (1) [1] Der Hauptwahlvorstand erlässt gleichzeitig mit der Bekanntmachung nach § 13 eine Bekanntmachung über die Abstimmung für den Wahlvorschlag der leitenden Angestellten. [2] Die Bekanntmachung muss folgende Angaben enthalten:

1. den für die Bekanntmachung bestimmten Zeitpunkt;
2. die Zahl der Bewerberinnen und Bewerber, die der Wahlvorschlag der leitenden Angestellten enthalten muss;
3. bei börsennotierten Unternehmen im Fall der Gesamterfüllung, die zur Erreichung des Geschlechteranteils nach § 96 Absatz 2 Satz 1 und 4 des Aktiengesetzes[2)] erforderliche Anzahl an Frauen und Männern im Aufsichtsrat;
4. bei börsennotierten Unternehmen im Fall der Getrennterfüllung, die zur Erreichung des Geschlechteranteils nach § 7 Absatz 3 des Gesetzes[3)] in Verbindung mit § 96 Absatz 2 Satz 4 des Aktiengesetzes[2)] erforderliche Anzahl an Frauen und Männern unter den Aufsichtsratsmitgliedern der Arbeitnehmer;
5. dass der Wahlvorschlag der leitenden Angestellten auf Grund von Abstimmungsvorschlägen durch Beschluss der wahlberechtigten leitenden Angestellten in geheimer Abstimmung aufgestellt wird;
6. dass in jedem Abstimmungsvorschlag für jede Bewerberin oder für jeden Bewerber jeweils ein Ersatzmitglied des Aufsichtsrats vorgeschlagen werden kann;
7. die Mindestzahl der wahlberechtigten leitenden Angestellten, von denen ein Abstimmungsvorschlag für die Abstimmung der leitenden Angestellten unterzeichnet sein muss;
8. die Zahl der Bewerberinnen und Bewerber, die jeder leitende Angestellte in der Abstimmung ankreuzen kann;
9. dass als Bewerberinnen und Bewerber nach der Reihenfolge der auf sie entfallenden Stimmenzahlen nur so viele leitende Angestellte in den Wahlvorschlag aufgenommen werden, wie er insgesamt Bewerberinnen und Bewerber enthalten muss und dass bei Stimmengleichheit das Los entscheidet;
10. dass die in den Abstimmungsvorschlägen zusammen mit den Gewählten aufgeführten Ersatzmitglieder in den Wahlvorschlag der leitenden Angestellten als Ersatzmitglieder des Aufsichtsrats aufgenommen werden;

---

1) § 30 Abs. 1 Satz 2 Nr. 3 und 4 eingef., bish. Nr. 3 bis 8 werden Nr. 5 bis 10, Nr. 11 eingef., bish. Nr. 9 bis 12 werden Nr. 12 bis 15 mWv 2. 9. 2015 durch VO v. 26. 8. 2015 (BGBl. I S. 1443).

2) Nr. **567**.

3) Nr. **560**.

11. bei börsennotierten Unternehmen, dass das Nachrücken eines Ersatzmitglieds, dessen Wahl nach dem 31. Dezember 2015 erfolgt ist, ausgeschlossen ist, wenn dadurch der Geschlechteranteil nach § 7 Absatz 3 des Gesetzes nicht mehr eingehalten würde;
12. den Zeitpunkt, bis zu dem Abstimmungsvorschläge für die Abstimmung der leitenden Angestellten beim Hauptwahlvorstand eingereicht werden können;
13. die Anschrift des Hauptwahlvorstands;
14. dass die leitenden Angestellten in Briefwahl abstimmen;
15. den Zeitpunkt, bis zu dem die Wahlbriefe beim Hauptwahlvorstand eingehen müssen.

(2) Der Hauptwahlvorstand kann die Bekanntmachungen nach Absatz 1, § 13 und § 26 in einer Bekanntmachung zusammenfassen.

(3) [1] Der Hauptwahlvorstand übersendet die Bekanntmachung den Betriebswahlvorständen und teilt ihnen schriftlich den Zeitpunkt mit, von dem ab sie in den Betrieben bekannt zu machen ist. [2] Jeder Betriebswahlvorstand ergänzt die Bekanntmachung um die Angabe, wo oder wie die Abstimmungsberechtigten von den Abstimmungsvorschlägen Kenntnis erlangen können.

(4) § 26 Abs. 4 und 5 ist entsprechend anzuwenden.

§ 31[1)] Abstimmungsvorschläge der leitenden Angestellten. (1) [1] Für den Beschluss über den Wahlvorschlag der leitenden Angestellten können die wahlberechtigten leitenden Angestellten Abstimmungsvorschläge machen; in diesen sollen Frauen und Männer vertreten sein. [2] Jeder Abstimmungsvorschlag muss von einem Zwanzigstel oder 50 der wahlberechtigten leitenden Angestellten unterzeichnet sein. [3] Abstimmungsvorschläge sind innerhalb einer vom Hauptwahlvorstand zu bestimmenden Frist beim Hauptwahlvorstand schriftlich einzureichen. [4] Die Frist soll zwei Wochen betragen. [5] Sie beginnt mit dem für die Bekanntmachung nach § 30 bestimmten Zeitpunkt.

(2) [1] In jedem Abstimmungsvorschlag kann für jede Bewerberin oder für jeden Bewerber jeweils ein leitender Angestellter als Ersatzmitglied des Aufsichtsrats vorgeschlagen werden. [2] § 29 Abs. 1 Satz 3 bis 5 ist entsprechend anzuwenden.

(3) [1] In jedem Abstimmungsvorschlag sind die Bewerberinnen und Bewerber in erkennbarer Reihenfolge unter fortlaufender Nummer und unter Angabe von Familienname, Vorname, Geburtsdatum, Art der Beschäftigung, Unternehmen und Betrieb aufzuführen. [2] Die schriftliche Zustimmung der Bewerberinnen und Bewerber zur Aufnahme in den Abstimmungsvorschlag sowie die schriftliche Versicherung, dass sie im Fall ihrer Wahl die Wahl annehmen werden, sind beizufügen. [3] Ein Ersatzmitglied ist in dem Abstimmungsvorschlag neben der Bewerberin oder dem Bewerber aufzuführen, für die oder für den es als Ersatzmitglied vorgeschlagen wird. [4] In dem Abstimmungsvorschlag ist kenntlich zu machen, wer als Bewerberin oder Bewerber und wer als Ersatzmitglied vorgeschlagen wird. [5] Auf Ersatzmitglieder sind die Sätze 1 und 2 entsprechend anzuwenden.

(4) [1] Der Hauptwahlvorstand prüft die Abstimmungsvorschläge. [2] Er übersendet die gültigen Abstimmungsvorschläge unverzüglich den Betriebswahlvorständen. [3] Jeder Betriebswahlvorstand macht sie bis zu dem Tag bekannt, von dem ab

1) § 31 Abs. 1 Satz 1 geänd. mWv 2. 9. 2015 durch VO v. 26. 8. 2015 (BGBl. I S. 1443).

das Abstimmungsergebnis nach § 32 Abs. 9 Satz 2 in dem Betrieb bekannt gemacht wird; § 26 Abs. 4 ist entsprechend anzuwenden.

(5) [1] Ist nach Ablauf der in Absatz 1 bezeichneten Frist kein gültiger Abstimmungsvorschlag eingereicht, so teilt dies der Hauptwahlvorstand unverzüglich den Betriebswahlvorständen mit. [2] Jeder Betriebswahlvorstand macht die Mitteilung in gleicher Weise bekannt wie Abstimmungsvorschläge und fordert unter Hinweis auf den bevorstehenden Ablauf der zur Einreichung von Wahlvorschlägen bestimmten Frist erneut dazu auf, Abstimmungsvorschläge einzureichen.

§ 32[1)] Abstimmung der leitenden Angestellten. (1) Der Hauptwahlvorstand setzt den Tag der Abstimmung der leitenden Angestellten so fest, dass der Wahlvorschlag der leitenden Angestellten spätestens neun Wochen seit dem für die Bekanntmachung nach § 26 bestimmten Zeitpunkt vorliegt.

(2) [1] Jeder Abstimmungsberechtigte kann insgesamt so viele Bewerberinnen und Bewerber ankreuzen, wie der Wahlvorschlag der leitenden Angestellten insgesamt Bewerberinnen und Bewerber enthalten muss. [2] Eine gesonderte Stimmabgabe für ein Ersatzmitglied des Aufsichtsrats ist nicht zulässig.

(3) [1] Der Hauptwahlvorstand hat die Bewerberinnen und Bewerber auf den Stimmzetteln unter Angabe von Familienname, Vorname, Art der Beschäftigung, Unternehmen und Betrieb untereinander in alphabetischer Reihenfolge aufzuführen. [2] Das für eine Bewerberin oder für einen Bewerber vorgeschlagene Ersatzmitglied ist auf den Stimmzetteln neben der Bewerberin oder dem Bewerber aufzuführen; Satz 1 ist entsprechend anzuwenden. [3] Die Stimmzettel sollen die Angabe enthalten, wie viele Bewerberinnen und Bewerber jeder Abstimmungsberechtigte insgesamt ankreuzen kann. [4] Die Stimmzettel müssen sämtlich die gleiche Größe, Farbe, Beschaffenheit und Beschriftung haben; das Gleiche gilt für die Wahlumschläge.

(4) [1] Die abstimmende Person kennzeichnet die von ihr Gewählten durch Ankreuzen an den im Stimmzettel hierfür vorgesehenen Stellen. [2] Ungültig sind Stimmzettel,

1. in denen mehr Bewerberinnen und Bewerber angekreuzt sind, als die abstimmende Person Stimmen hat,
2. aus denen sich ein eindeutiger Wille nicht ergibt,
3. die mit einem besonderen Merkmal versehen sind,
4. die andere als die in Absatz 3 bezeichneten Angaben, einen Zusatz oder sonstige Änderungen enthalten.

(5) [1] Die Abstimmung der leitenden Angestellten wird vom Hauptwahlvorstand durchgeführt. [2] Über die Abstimmungsvorschläge stimmen die leitenden Angestellten in Briefwahl ab. [3] Soweit nachfolgend nichts anderes geregelt ist, sind auf die schriftliche Stimmabgabe die §§ 17, 19 und 20 entsprechend anzuwenden.

(6) [1] Unmittelbar nach dem Zeitpunkt, bis zu dem die Wahlbriefe beim Hauptwahlvorstand eingehen müssen, zählt der Hauptwahlvorstand öffentlich die Stimmen aus. [2] Nach Öffnung der Wahlurne entnimmt er die Stimmzettel den Wahlumschlägen und zählt die auf jede Bewerberin und jeden Bewerber entfallenden Stimmen zusammen. [3] Dabei ist die Gültigkeit der Stimmzettel zu

---

1) § 32 Abs. 5 Satz 3 neu gef. mWv 13. 10. 2005 durch VO v. 10. 10. 2005 (BGBl. I S. 2927).

prüfen. [4]Befinden sich in einem Wahlumschlag mehrere gekennzeichnete Stimmzettel, so werden sie, wenn sie vollständig übereinstimmen, nur einfach gezählt, andernfalls sind sie ungültig. [5]Ist auf einem Stimmzettel eine Bewerberin oder ein Bewerber mehrfach angekreuzt, so zählt dies als eine Stimme.

(7) [1]Als Bewerberinnen und Bewerber sind nach der Reihenfolge der auf sie entfallenden Stimmenzahlen nur so viele leitende Angestellte in den Wahlvorschlag aufgenommen, wie er insgesamt Bewerberinnen und Bewerber enthalten muss. [2]Bei Stimmengleichheit entscheidet das Los.

(8) Ist eine Bewerberin oder ein Bewerber in den Wahlvorschlag der leitenden Angestellten aufgenommen, so ist das in dem Abstimmungsvorschlag neben dieser Bewerberin oder diesem Bewerber aufgeführte Ersatzmitglied als deren oder als dessen Ersatzmitglied in den Wahlvorschlag der leitenden Angestellten aufgenommen.

(9) [1]Der Hauptwahlvorstand übermittelt das Abstimmungsergebnis und die Namen der in den Wahlvorschlag Aufgenommenen den Betriebswahlvorständen. [2]Jeder Betriebswahlvorstand macht das Abstimmungsergebnis und die Namen der in den Wahlvorschlag Aufgenommenen für die Dauer von zwei Wochen bekannt; § 26 Abs. 4 ist entsprechend anzuwenden.

§ 33 Abstimmungsniederschrift. Nach Abschluss der Abstimmung stellt der Hauptwahlvorstand in einer Niederschrift fest:

1. die Zahl der abgegebenen Wahlumschläge;
2. die Zahl der gültigen Stimmen;
3. die Zahl der ungültigen Stimmen;
4. die Zahlen der auf die einzelnen Bewerberinnen oder Bewerber entfallenden Stimmen;
5. die Namen der in den Wahlvorschlag aufgenommenen Bewerberinnen und Bewerber und Ersatzmitglieder;
6. besondere während der Abstimmung eingetretene Zwischenfälle oder sonstige Ereignisse.

Unterabschnitt 4. Prüfung und Bekanntmachung der Wahlvorschläge

§ 34 Prüfung der Wahlvorschläge. (1) Der Hauptwahlvorstand bestätigt dem Vorschlagsvertreter schriftlich den Zeitpunkt der Einreichung des Wahlvorschlags.

(2) [1]Der Hauptwahlvorstand bezeichnet den Wahlvorschlag, wenn er nicht mit einem Kennwort versehen ist, mit Familienname und Vorname der an erster Stelle benannten Bewerberin oder des an erster Stelle benannten Bewerbers. [2]Er hat unverzüglich den Wahlvorschlag zu prüfen und bei Ungültigkeit oder Beanstandung den Vorschlagsvertreter schriftlich unter Angabe der Gründe zu unterrichten.

§ 35[1)] Ungültige Wahlvorschläge. (1) Ungültig sind Wahlvorschläge,

1. die nicht fristgerecht eingereicht worden sind,

---

1) § 35 Abs. 1 Nr. 3 geänd. mWv 2. 9. 2015 durch VO v. 26. 8. 2015 (BGBl. I S. 1443).

2. auf denen die Bewerberinnen und Bewerber nicht in erkennbarer Reihenfolge aufgeführt sind,
3. die nicht die in § 26 Abs. 1 Satz 2 Nummer 11 und 12 bezeichnete Zahl von Bewerberinnen und Bewerbern enthalten,
4. der in § 3 Abs. 1 Nr. 1 des Gesetzes[1)] bezeichneten Arbeitnehmer, wenn sie bei der Einreichung nicht die erforderliche Zahl von Unterschriften aufweisen,
5. der Gewerkschaften, wenn sie nicht von einer hierzu bevollmächtigten beauftragten Person unterzeichnet sind.

(2) Wahlvorschläge,

1. in denen die Bewerberinnen und Bewerber nicht in der in § 27 Abs. 5 Satz 1 bestimmten Weise bezeichnet sind,
2. denen die schriftliche Zustimmung und Versicherung der Bewerberinnen und Bewerber nach § 27 Abs. 5 Satz 2 nicht beigefügt sind,
3. die infolge von Streichungen gemäß § 27 Abs. 7 nicht mehr die erforderliche Zahl von Unterschriften aufweisen,

sind ungültig, wenn der Hauptwahlvorstand sie beanstandet hat und die Mängel nicht innerhalb einer Woche seit der Beanstandung beseitigt worden sind.

§ 36 Nachfrist für Wahlvorschläge. (1) [1] Ist nach Ablauf der für die Einreichung von Wahlvorschlägen bestimmten Frist für einen in § 27 Abs. 4 Nr. 1 und 3 bezeichneten Wahlgang kein gültiger Wahlvorschlag eingereicht, so erlässt der Hauptwahlvorstand unverzüglich eine Bekanntmachung und setzt eine Nachfrist von einer Woche für die Einreichung von Wahlvorschlägen fest. [2] Die Bekanntmachung muss folgende Angaben enthalten:

1. den für die Bekanntmachung bestimmten Zeitpunkt;
2. dass für den Wahlgang kein gültiger Wahlvorschlag eingereicht worden ist;
3. dass Wahlvorschläge innerhalb einer Nachfrist von einer Woche seit dem für die Bekanntmachung bestimmten Zeitpunkt schriftlich beim Hauptwahlvorstand eingereicht werden können; der letzte Tag der Frist ist anzugeben;
4. dass der Wahlgang nur stattfinden kann, wenn mindestens ein gültiger Wahlvorschlag eingereicht wird;
5. dass, soweit kein gültiger Wahlvorschlag eingereicht wird, die fehlenden Aufsichtsratsmitglieder durch das Gericht bestellt werden können.

(2) Wird bis zum Ablauf der Nachfrist für einen Wahlgang kein gültiger Wahlvorschlag eingereicht, so macht der Hauptwahlvorstand unverzüglich bekannt, dass der Wahlgang nicht stattfindet.

(3) Für Bekanntmachungen nach den Absätzen 1 und 2 ist § 26 Abs. 3 bis 5 entsprechend anzuwenden.

§ 37 Bekanntmachung der Wahlvorschläge. (1) Sind für einen Wahlgang, in dem mehrere Aufsichtsratsmitglieder der Arbeitnehmer zu wählen sind, mehrere Wahlvorschläge eingereicht, so ermittelt der Hauptwahlvorstand durch das Los nach Ablauf der in § 27 Abs. 2, § 35 Abs. 2 und § 36 Abs. 1 Satz 1

---

1) Nr. **560**.

bezeichneten Fristen die Reihenfolge der Ordnungsnummern, die den eingereichten Wahlvorschlägen zugeteilt werden (Wahlvorschlag 1, 2 usw.).

(2) [1] Spätestens zwei Wochen vor dem ersten Tag der Stimmabgabe sind die gültigen Wahlvorschläge in den Betrieben bekannt zu machen. [2] Der Hauptwahlvorstand übersendet die gültigen Wahlvorschläge den Betriebswahlvorständen und teilt ihnen schriftlich den Zeitpunkt mit, von dem ab die Wahlvorschläge in den Betrieben bekannt zu machen sind. [3] Jeder Betriebswahlvorstand macht die Wahlvorschläge, nach Wahlgängen getrennt, bekannt; § 26 Abs. 4 und 5 ist entsprechend anzuwenden.

Abschnitt 4. Anzuwendende Vorschriften

§ 38 Anzuwendende Vorschriften. (1) Sind die Aufsichtsratsmitglieder der Arbeitnehmer in unmittelbarer Wahl zu wählen, so richtet sich das weitere Wahlverfahren nach den Vorschriften des Kapitels 2.

(2) Sind die Aufsichtsratsmitglieder der Arbeitnehmer durch Delegierte zu wählen, so richtet sich das weitere Wahlverfahren nach den Vorschriften des Kapitels 3.

Kapitel 2. Unmittelbare Wahl der Aufsichtsratsmitglieder der Arbeitnehmer

Abschnitt 1. Wahlausschreiben

§ 39[1)] Wahlausschreiben. (1) [1] Steht fest, dass die Aufsichtsratsmitglieder der Arbeitnehmer in unmittelbarer Wahl zu wählen sind, so erlässt der Hauptwahlvorstand ein Wahlausschreiben. [2] Es muss folgende Angaben enthalten:

1. den für die Bekanntmachung bestimmten Zeitpunkt;
2. dass die Aufsichtsratsmitglieder der Arbeitnehmer von allen Wahlberechtigten in unmittelbarer Wahl zu wählen sind;
3. dass an der Wahl und an Abstimmungen nur Arbeitnehmerinnen und Arbeitnehmer teilnehmen können, die in der Wählerliste eingetragen sind;
4. den Zeitpunkt, bis zu dem Wahlvorschläge eingereicht werden können;
5. dass die Stimmabgabe an Wahlvorschläge gebunden ist und dass nur solche Wahlvorschläge berücksichtigt werden dürfen, die fristgerecht eingereicht sind;
6. den Tag oder die Tage der Stimmabgabe für die Wahl der Aufsichtsratsmitglieder der Arbeitnehmer;
7. bei börsennotierten Unternehmen, ob zur Erreichung des Geschlechteranteils nach § 96 Absatz 2 Satz 1 des Aktiengesetzes[2)] für die Wahl die Gesamterfüllung oder die Getrennterfüllung gilt;
8. bei börsennotierten Unternehmen im Fall der Gesamterfüllung, die zur Erreichung des Geschlechteranteils nach § 96 Absatz 2 Satz 1 und 4 des Aktiengesetzes[2)] erforderliche Anzahl an Frauen und Männern im Aufsichtsrat;

[1)] *§ 39 Abs. 1 Satz 2 Nr. 7 bis 10 eingef.,* bish. Nr. 7 wird Nr. 11 mWv 2. 9. 2015 durch VO v. 26. 8. 2015 (BGBl. I S. 1443).

[2)] Nr. **567**.

9. bei börsennotierten Unternehmen im Fall der Getrenntterfüllung, die zur Erreichung des Geschlechteranteils nach § 7 Absatz 3 des Gesetzes[1] in Verbindung mit § 96 Absatz 2 Satz 4 des Aktiengesetzes[2] erforderliche Anzahl an Frauen und Männern unter den Aufsichtsratsmitgliedern der Arbeitnehmer;
10. im Fall der Nummer 9, wenn der Geschlechteranteil nach § 7 Absatz 3 des Gesetzes bei der Wahl nicht erreicht wurde, dass § 18 a des Gesetzes anzuwenden ist und der Geschlechteranteil im Wege der gerichtlichen Ersatzbestellung nach § 104 des Aktiengesetzes oder der Nachwahl hergestellt wird;
11. die Anschrift des Hauptwahlvorstands.

(2) [1] Der Hauptwahlvorstand übersendet das Wahlausschreiben den Betriebswahlvorständen und teilt ihnen schriftlich den Zeitpunkt mit, von dem ab es in den Betrieben bekannt zu machen ist. [2] Jeder Betriebswahlvorstand ergänzt das Wahlausschreiben um die folgenden Angaben:

1. wo und wie die Wahlberechtigten von den Wahlvorschlägen Kenntnis erlangen können;
2. Ort und Zeit der Stimmabgabe und der öffentlichen Stimmauszählung;
3. den Hinweis auf die Möglichkeit der schriftlichen Stimmabgabe sowie die Betriebsteile, Kleinstbetriebe und Betriebe, für die schriftliche Stimmabgabe nach § 49 Abs. 3 beschlossen ist;
4. dass Einsprüche und sonstige Erklärungen gegenüber dem Betriebswahlvorstand abzugeben sind;
5. die Anschrift des Betriebswahlvorstands.

[3] Für die Bekanntmachung des Wahlausschreibens ist § 26 Abs. 4 und 5 entsprechend anzuwenden.

Abschnitt 2. Durchführung der Wahl

Unterabschnitt 1. Wahl mehrerer Aufsichtsratsmitglieder der Arbeitnehmer in einem Wahlgang auf Grund mehrerer Wahlvorschläge

§ 40[3] Stimmabgabe, Wahlvorgang. (1) [1] Sind in einem Wahlgang mehrere Aufsichtsratsmitglieder der Arbeitnehmer zu wählen und liegen für diesen Wahlgang mehrere gültige Wahlvorschläge vor, so kann die Wählerin ihre und der Wähler seine Stimme nur für einen dieser Wahlvorschläge abgeben. [2] Die Stimmabgabe erfolgt durch Abgabe von Stimmzetteln. [3] Der Begriff des Wahlgangs im Sinne dieses Kapitels bestimmt sich nach § 27 Abs. 4.

(2) [1] Der Hauptwahlvorstand hat die Wahlvorschläge auf den Stimmzetteln nach der Reihenfolge der Ordnungsnummern sowie unter Angabe der an erster und zweiter Stelle benannten Bewerberinnen und Bewerber mit Familienname, Vorname, Art der Beschäftigung, Unternehmen und Betrieb untereinander aufzuführen; bei Wahlvorschlägen, die mit einem Kennwort versehen sind, ist auch das Kennwort anzugeben. [2] Die Stimmzettel sollen die Angabe enthalten, dass

---

[1] Nr. **560**.
[2] Nr. **567**.
[3] § 40 Abs. 1 Satz 2, Abs. 2 Sätze 3 und 4, Abs. 3 geänd. mWv 13. 10. 2005 durch VO v. 10. 10. 2005 (BGBl. I S. 2927); Abs. 4 Satz 2 geänd. mWv 2. 9. 2015 durch VO v. 26. 8. 2015 (BGBl. I S. 1443).

nur ein Wahlvorschlag angekreuzt werden kann. [3] Die Stimmzettel, die für denselben Wahlgang Verwendung finden, müssen sämtlich die gleiche Größe, Farbe, Beschaffenheit und Beschriftung haben. [4] Die Stimmzettel, die für einen Wahlgang Verwendung finden, müssen sich von den für die anderen Wahlgänge vorgesehenen Stimmzetteln in der Farbe unterscheiden.

(3) Der Hauptwahlvorstand übersendet die Stimmzettel rechtzeitig den Betriebswahlvorständen.

(4) [1] Die Wählerin kennzeichnet den von ihr und der Wähler den von ihm gewählten Wahlvorschlag durch Ankreuzen an der im Stimmzettel hierfür vorgesehenen Stelle. [2] Für den Wahlvorgang ist § 17 entsprechend anzuwenden; die Stimmabgabe ist in der Wählerliste für jeden Wahlgang gesondert zu vermerken.

(5) Ungültig sind Stimmzettel,

1. in denen mehr als ein Wahlvorschlag angekreuzt ist,
2. aus denen sich ein eindeutiger Wille nicht ergibt,
3. die mit einem besonderen Merkmal versehen sind,
4. die andere als die in Absatz 2 bezeichneten Angaben, einen Zusatz oder sonstige Änderungen enthalten.

§ 41[1)] Öffentliche Stimmauszählung. (1) Unverzüglich nach Abschluss der Stimmabgabe zählt der Betriebswahlvorstand öffentlich die Stimmen aus.

(2) Nach Öffnung der Wahlurne entnimmt der Betriebswahlvorstand die Stimmzettel und zählt für jeden Wahlgang gesondert die auf jeden Wahlvorschlag entfallenden Stimmen zusammen.

(3) [1] Bei der Auszählung ist die Gültigkeit der Stimmzettel zu prüfen. [2] Befindet sich ein Wahlumschlag mit mehreren gekennzeichneten Stimmzetteln in der Wahlurne, werden die Stimmzettel einfach gezählt, wenn sie vollständig übereinstimmen, andernfalls sind sie ungültig.

§ 42[2)] Wahlniederschrift des Betriebswahlvorstands. (1) Nachdem die Stimmen ausgezählt sind, stellt der Betriebswahlvorstand in einer Niederschrift für jeden Wahlgang gesondert fest:

1. die Zahl der insgesamt abgegebenen Stimmen;
2. die Zahl der gültigen Stimmen;
3. die Zahl der ungültigen Stimmen;
4. die Zahlen der auf die einzelnen Wahlvorschläge entfallenden Stimmen;
5. besondere während der Wahl eingetretene Zwischenfälle oder sonstige Ereignisse.

(2) Der Betriebswahlvorstand übermittelt unverzüglich nach der Stimmauszählung dem Hauptwahlvorstand eingeschrieben, fernschriftlich oder durch Botin oder Boten die Wahlniederschrift.

[1)] § 41 Abs. 2 geänd., Abs. 3 Satz 2 neu gef. mWv 13. 10. 2005 durch VO v. 10. 10. 2005 (BGBl. I S. 2927); Abs. 4 aufgeh. mWv 2. 9. 2015 durch VO v. 26. 8. 2015 (BGBl. I S. 1443).

[2)] *§ 42 Abs. 1 Nr. 1 aufgeh.*, bish. Nrn. 2 bis 7 werden Nrn. 1 bis 6 mWv 13. 10. 2005 durch VO v. 10. 10. 2005 (BGBl. I S. 2927); Abs. 1 Nr. 1 aufgeh., bish. Nr. 2 bis 6 werden Nr. 1 bis 5 mWv 2. 9. 2015 durch VO v. 26. 8. 2015 (BGBl. I S. 1443).

(3) Der Betriebswahlvorstand macht das Ergebnis der Stimmauszählung bekannt.

§ 43[1)] Verteilung der Stimmenzahlen. (1) [1] Der Hauptwahlvorstand verteilt anhand der Wahlniederschriften der Betriebswahlvorstände die Stimmenzahlen nach folgendem Verfahren: Die in dem Wahlgang den einzelnen Wahlvorschlägen zugefallenen Stimmenzahlen werden in einer Reihe nebeneinander gestellt und sämtlich durch 1, 2, 3, 4 usw. geteilt. [2] Die ermittelten Teilzahlen sind nacheinander reihenweise unter den Zahlen der ersten Reihe aufzuführen, bis höhere Teilzahlen, als aus früheren Reihen für die Zuweisung von Sitzen in Betracht kommen, nicht mehr entstehen. [3] Unter den so gefundenen Teilzahlen werden so viele Höchstzahlen ausgesondert und der Größe nach geordnet, wie in dem Wahlgang Aufsichtsratsmitglieder zu wählen sind. [4] Jeder Wahlvorschlag erhält so viele Sitze zugeteilt, wie Höchstzahlen auf ihn entfallen. [5] Wenn die niedrigste in Betracht kommende Höchstzahl auf mehrere Wahlvorschläge zugleich entfällt, so entscheidet das Los darüber, welchem Wahlvorschlag dieser Sitz zufällt.

(2) Wenn ein Wahlvorschlag insgesamt weniger Bewerberinnen und Bewerber enthält, als Höchstzahlen auf ihn entfallen, so gehen die überschüssigen Sitze auf die folgenden Höchstzahlen der anderen Wahlvorschläge desselben Wahlgangs über.

(3) Die Reihenfolge der Bewerberinnen und Bewerber innerhalb der einzelnen Wahlvorschläge bestimmt sich nach der Reihenfolge ihrer Benennung.

Unterabschnitt 2. Wahl mehrerer Aufsichtsratsmitglieder der Arbeitnehmer in einem Wahlgang auf Grund nur eines Wahlvorschlags

§ 44[2)] Stimmabgabe, Wahlvorgang. (1) [1] Sind in einem Wahlgang mehrere Aufsichtsratsmitglieder der Arbeitnehmer zu wählen und liegt für diesen Wahlgang nur ein gültiger Wahlvorschlag vor, so kann die Wählerin ihre und der Wähler seine Stimme nur für die in dem Wahlvorschlag aufgeführten Bewerberinnen und Bewerber abgeben. [2] Eine gesonderte Stimmabgabe für ein Ersatzmitglied des Aufsichtsrats ist nicht zulässig. [3] Die Stimmabgabe erfolgt durch Abgabe von Stimmzetteln.

(2) [1] Der Hauptwahlvorstand hat die Bewerberinnen und Bewerber auf den Stimmzetteln unter Angabe von Familienname, Vorname, Art der Beschäftigung, Unternehmen und Betrieb untereinander in der Reihenfolge aufzuführen, in der sie in dem Wahlvorschlag benannt sind. [2] Das für eine Bewerberin oder für einen Bewerber vorgeschlagene Ersatzmitglied ist auf den Stimmzetteln neben der Bewerberin oder dem Bewerber aufzuführen; Satz 1 ist entsprechend anzuwenden. [3] Die Stimmzettel sollen die Angabe enthalten, wie viele Bewerberinnen und Bewerber die Wählerin oder der Wähler insgesamt ankreuzen kann. [4] § 40 Abs. 2 Satz 3 und 4 und Abs. 3 ist anzuwenden.

(3) [1] Die Wählerin kennzeichnet die von ihr und der Wähler die von ihm Gewählten durch Ankreuzen an den im Stimmzettel hierfür vorgesehenen Stellen. [2] Es dürfen nicht mehr Bewerberinnen und Bewerber angekreuzt werden, als

---

[1)] § 43 Überschrift und Abs. 1 neu gef., Abs. 2 aufgeh., bish. Abs. 3 und 4 werden Abs. 2 und 3, Abs. 5 aufgeh. mWv 2. 9. 2015 durch VO v. 26. 8. 2015 (BGBl. I S. 1443).

[2)] § 44 Abs. 1 Satz 3 geänd. mWv 13. 10. 2005 durch VO v. 10. 10. 2005 (BGBl. I S. 2927).

in dem Wahlgang Aufsichtsratsmitglieder zu wählen sind. [3] § 40 Abs. 4 Satz 2 ist entsprechend anzuwenden.

(4) Ungültig sind Stimmzettel,

1. in denen mehr Bewerberinnen und Bewerber angekreuzt sind, als in dem Wahlgang Aufsichtsratsmitglieder zu wählen sind,
2. aus denen sich ein eindeutiger Wille nicht ergibt,
3. die mit einem besonderen Merkmal versehen sind,
4. die andere als die in Absatz 2 bezeichneten Angaben, einen Zusatz oder sonstige Änderungen enthalten.

§ 45[1)] Öffentliche Stimmauszählung. (1) Unverzüglich nach Abschluss der Stimmabgabe zählt der Betriebswahlvorstand öffentlich die Stimmen aus.

(2) [1] Nach Öffnung der Wahlurne entnimmt der Betriebswahlvorstand die Stimmzettel und zählt für jeden Wahlgang gesondert die auf jede Bewerberin oder jeden Bewerber entfallenden Stimmen zusammen. [2] § 41 Abs. 3 ist anzuwenden. [3] Ist auf einem Stimmzettel eine Bewerberin oder ein Bewerber mehrfach angekreuzt, so zählt dies als eine Stimme.

§ 46[2)] Wahlniederschrift des Betriebswahlvorstands. [1] Nachdem die Stimmen ausgezählt sind, stellt der Betriebswahlvorstand in einer Niederschrift für jeden Wahlgang gesondert fest:

1. die Zahl der insgesamt abgegebenen Stimmen;
2. die Zahl der gültigen Stimmen;
3. die Zahl der ungültigen Stimmen;
4. die Zahlen der auf die einzelnen Bewerberinnen oder Bewerber entfallenden Stimmen;
5. besondere während der Wahl eingetretene Zwischenfälle oder sonstige Ereignisse.

[2] § 42 Abs. 2 und 3 ist anzuwenden.

§ 47[3)] Verteilung der Stimmen auf die Bewerberinnen und Bewerber. [1] Der Hauptwahlvorstand ermittelt anhand der Wahlniederschriften der Betriebswahlvorstände die Zahlen der auf die einzelnen Bewerberinnen oder Bewerber entfallenden Stimmen. [2] Es werden so viele Bewerberinnen und Bewerber bestimmt, wie in dem Wahlgang Aufsichtsratsmitglieder zu wählen sind, nach der Reihenfolge der auf sie entfallenden Stimmenzahlen. [3] Bei Stimmengleichheit entscheidet das Los.

---

1) § 45 Abs. 2 Satz 1 geänd. mWv 13. 10. 2005 durch VO v. 10. 10. 2005 (BGBl. I S. 2927); Abs. 3 aufgeh. mWv 2. 9. 2015 durch VO v. 26. 8. 2015 (BGBl. I S. 1443).

2) § 46 Satz 1 Nr. 1 aufgeh., bish. Nrn. 2 bis 7 werden Nrn. 1 bis 6 mWv 13. 10. 2005 durch VO v. 10. 10. 2005 (BGBl. I S. 2927); Satz 1 Nr. 1 aufgeh., bish. Nr. 2 bis 6 werden Nr. 1 bis 5 mWv 2. 9. *2015 durch VO v. 26. 8. 2015 (BGBl. I S. 1443).*

3) § 47 Überschrift neu gef., Satz 2 geänd., Satz 4 aufgeh. mWv 2. 9. 2015 durch VO v. 26. 8. 2015 (BGBl. I S. 1443).

Unterabschnitt 3. Wahl nur eines Aufsichtsratsmitglieds der Arbeitnehmer in einem Wahlgang

§ 48 Wahl nur eines Aufsichtsratsmitglieds der Arbeitnehmer in einem Wahlgang. (1) [1] Ist in einem Wahlgang nur ein Aufsichtsratsmitglied der Arbeitnehmer zu wählen, so kann die Wählerin ihre und der Wähler seine Stimme nur für eine der vorgeschlagenen Bewerberinnen oder einen der vorgeschlagenen Bewerber abgeben. [2] § 44 Abs. 1 Satz 2 und 3 ist anzuwenden.

(2) [1] Liegt nur ein gültiger Wahlvorschlag vor, so hat der Hauptwahlvorstand die Bewerberinnen und Bewerber auf den Stimmzetteln unter Angabe von Familienname, Vorname, Art der Beschäftigung, Unternehmen und Betrieb untereinander in der Reihenfolge aufzuführen, in der sie in dem Wahlvorschlag benannt sind. [2] Liegen mehrere gültige Wahlvorschläge vor, so hat der Hauptwahlvorstand die Bewerberinnen und Bewerber auf den Stimmzetteln unter Angabe von Familienname, Vorname, Art der Beschäftigung, Unternehmen, Betrieb und Kennwort des Wahlvorschlags untereinander in alphabetischer Reihenfolge aufzuführen. [3] § 44 Abs. 2 Satz 2 bis 4 ist anzuwenden.

(3) [1] Die Wählerin kennzeichnet die von ihr und der Wähler die von ihm gewählte Person durch Ankreuzen an der im Stimmzettel hierfür vorgesehenen Stelle. [2] Es darf nicht mehr als eine Bewerberin oder ein Bewerber angekreuzt werden. [3] § 40 Abs. 4 Satz 2, § 44 Abs. 4 und die §§ 45 bis 47 sind anzuwenden.

Unterabschnitt 4. Schriftliche Stimmabgabe

§ 49 Voraussetzungen. (1) [1] Einem Wahlberechtigten, der im Zeitpunkt der Wahl wegen Abwesenheit vom Betrieb verhindert ist, seine Stimme persönlich abzugeben, hat der Betriebswahlvorstand auf sein Verlangen

1. das Wahlausschreiben,
2. für jeden Wahlgang, an dem er teilzunehmen berechtigt ist, gesondert
   a) die Wahlvorschläge,
   b) den Stimmzettel und den Wahlumschlag,
3. eine vorgedruckte, von der Wählerin oder dem Wähler abzugebende Erklärung, in der gegenüber dem Betriebswahlvorstand zu versichern ist, dass der Stimmzettel persönlich gekennzeichnet worden ist, sowie
4. einen größeren Freiumschlag, der die Anschrift des Betriebswahlvorstands und als Absender den Namen und die Anschrift des Wahlberechtigten sowie den Vermerk „Schriftliche Stimmabgabe" trägt,

auszuhändigen oder zu übersenden. [2] Der Betriebswahlvorstand soll dem Wahlberechtigten ferner ein Merkblatt über die Art und Weise der schriftlichen Stimmabgabe (§ 50 Abs. 1) aushändigen oder übersenden. [3] Der Betriebswahlvorstand vermerkt die Aushändigung oder die Übersendung der Unterlagen für jeden Wahlgang gesondert in der Wählerliste.

(2) Wahlberechtigte, von denen dem Betriebswahlvorstand bekannt ist, dass sie im Zeitpunkt der Wahl nach der Eigenart ihres Beschäftigungsverhältnisses voraussichtlich nicht im Betrieb anwesend sein werden (insbesondere im Außendienst, mit Telearbeit und in Heimarbeit Beschäftigte), erhalten die in Absatz 1 bezeichneten Unterlagen, ohne dass es eines Verlangens der Wahlberechtigten bedarf.

(3) [1] Der Betriebswahlvorstand kann die schriftliche Stimmabgabe beschließen

1. für Betriebsteile und Kleinstbetriebe, die räumlich weit vom Hauptbetrieb entfernt sind,
2. für Betriebe, in denen die Mehrheit der Wahlberechtigten zur schriftlichen Stimmabgabe nach Absatz 2 berechtigt ist und in denen die verbleibende Minderheit nicht mehr als insgesamt 25 Wahlberechtigte ausmacht.

[2] Absatz 2 ist entsprechend anzuwenden.

(4) Der Hauptwahlvorstand übersendet den Betriebswahlvorständen auf Anforderung die in Absatz 1 bezeichneten Unterlagen für die schriftliche Stimmabgabe.

§ 50[1]) Verfahren bei der Stimmabgabe. (1) Die Stimmabgabe erfolgt in der Weise, dass die Wählerin oder der Wähler

1. die Stimmzettel unbeobachtet persönlich kennzeichnet und so faltet und in den zugehörigen Wahlumschlägen verschließt, dass die Stimmabgabe erst nach Auseinanderfalten der Stimmzettel erkennbar ist;
2. die vorgedruckte Erklärung unter Angabe des Orts und des Datums unterschreibt und
3. die Wahlumschläge und die unterschriebene vorgedruckte Erklärung in dem Freiumschlag verschließt und diesen Wahlbrief so rechtzeitig an den Betriebswahlvorstand absendet oder übergibt, dass er vor Abschluss der Stimmabgabe vorliegt.

(2) [1] Unmittelbar vor Abschluss der Stimmabgabe öffnet der Betriebswahlvorstand in öffentlicher Sitzung die bis zu diesem Zeitpunkt eingegangenen Wahlbriefe und entnimmt ihnen die Wahlumschläge sowie die vorgedruckten Erklärungen. [2] Ist die schriftliche Stimmabgabe ordnungsgemäß erfolgt, so vermerkt der Betriebswahlvorstand die Stimmabgabe für jeden Wahlgang gesondert in der Wählerliste, öffnet die Wahlumschläge und legt die Stimmzettel in die Wahlurne. [3] Befinden sich in einem Wahlumschlag mehrere gekennzeichnete Stimmzettel, werden sie in dem Wahlumschlag in die Wahlurne gelegt.

(3) [1] Verspätet eingehende Wahlbriefe nimmt der Betriebswahlvorstand mit einem Vermerk über den Zeitpunkt des Eingangs ungeöffnet zu den Wahlunterlagen. [2] Die Wahlbriefe sind einen Monat nach Bekanntgabe des Ergebnisses der Wahl der Aufsichtsratsmitglieder der Arbeitnehmer ungeöffnet zu vernichten, wenn die Wahl nicht angefochten worden ist.

Unterabschnitt 5.[2]) Ermittlung der Gewählten, Wahlniederschrift, Benachrichtigungen

§ 50 a[3]) Ermittlung der Gewählten bei nicht börsennotierten Unternehmen. (1) In nicht börsennotierten Unternehmen sind in einem Wahlgang nach § 40, einem Wahlgang nach § 44 und in einem Wahlgang nach § 48 so viele Bewerberinnen und Bewerber gewählt, wie Aufsichtsratsmitglieder in dem jeweiligen Wahlgang zu wählen sind.

---

[1]) § 50 Abs. 1 Nr. 1 neu gef., Abs. 2 Satz 2 geänd., Satz 3 angef. mWv 13. 10. 2005 durch VO v. *10. 10. 2005 (BGBl. I S. 2927).*

[2]) Unterabschnitt 5 Überschrift neu gef. mWv 2. 9. 2015 durch VO v. 26. 8. 2015 (BGBl. I S. 1443).

[3]) § 50 a eingef. mWv 2. 9. 2015 durch VO v. 26. 8. 2015 (BGBl. I S. 1443).

(2) Mit der Wahl einer Bewerberin oder eines Bewerbers ist auch das in dem Wahlvorschlag neben der oder dem Gewählten aufgeführte Ersatzmitglied des Aufsichtsrats gewählt.

§ 50 b[1] **Ermittlung der Gewählten bei börsennotierten Unternehmen im Fall der Gesamterfüllung.** (1) In börsennotierten Unternehmen sind im Fall der Gesamterfüllung in einem Wahlgang nach § 40, einem Wahlgang nach § 44 und in einem Wahlgang nach § 48 so viele Bewerberinnen und Bewerber gewählt, wie Aufsichtsratsmitglieder in dem jeweiligen Wahlgang zu wählen sind.

(2) Mit der Wahl einer Bewerberin oder eines Bewerbers ist auch das in dem Wahlvorschlag neben der oder dem Gewählten aufgeführte Ersatzmitglied des Aufsichtsrats gewählt.

§ 50 c[2] **Ermittlung der Gewählten bei börsennotierten Unternehmen im Fall der Getrennterfüllung.** (1) Sind in börsennotierten Unternehmen im Fall der Getrennterfüllung die Höchstzahlen nach § 43 der Größe nach auf die Bewerberinnen und Bewerber verteilt und die Zahlen der auf die einzelnen Bewerberinnen und Bewerber entfallenden Stimmen nach den §§ 47 und 48 Absatz 3 Satz 3 ermittelt, stellt der Hauptwahlvorstand fest, ob bei der Wahl der Geschlechteranteil nach § 7 Absatz 3 des Gesetzes[3] in Verbindung mit § 96 Absatz 2 Satz 4 des Aktiengesetzes[4] eingehalten worden ist.

(2) Ist der Geschlechteranteil nach § 7 Absatz 3 des Gesetzes bei der Wahl eingehalten, sind in einem Wahlgang nach § 40, einem Wahlgang nach § 44 und in einem Wahlgang nach § 48 so viele Bewerberinnen und Bewerber gewählt, wie Aufsichtsratsmitglieder in dem jeweiligen Wahlgang zu wählen sind.

(3) [1] Ist der Geschlechteranteil nach § 7 Absatz 3 des Gesetzes bei der Wahl nicht eingehalten, sind in einem Wahlgang nach § 40 und in einem Wahlgang nach § 44 nur diejenigen Bewerberinnen und Bewerber als Aufsichtsratsmitglieder gewählt, deren Wahl nicht nach § 18 a Absatz 2 Satz 1 des Gesetzes unwirksam ist. [2] In einem Wahlgang nach § 48 ist die Bewerberin oder der Bewerber mit den meisten Stimmen als Aufsichtsratsmitglied der Arbeitnehmer gewählt.

(4) Mit der Wahl einer Bewerberin oder eines Bewerbers ist auch das in dem Wahlvorschlag neben der oder dem Gewählten aufgeführte Ersatzmitglied des Aufsichtsrats gewählt.

§ 51[5] **Wahlniederschrift.** (1) Nachdem ermittelt ist, wer gewählt ist, stellt der Hauptwahlvorstand in einer Niederschrift für jeden Wahlgang gesondert fest:

1. die Zahl der insgesamt abgegebenen Stimmen;
2. die Zahl der gültigen Stimmen;
3. die Zahl der ungültigen Stimmen;

---

[1] § 50 b eingef. mWv 2. 9. 2015 durch VO v. 26. 8. 2015 (BGBl. I S. 1443).

[2] § 50 c eingef. mWv 2. 9. 2015 durch VO v. 26. 8. 2015 (BGBl. I S. 1443).

[3] Nr. **560**.

[4] Nr. **567**.

[5] § 51 Nr. 1 aufgeh., bish. Nrn. 2 bis 10 werden Nrn. 1 bis 9 mWv 13. 10. 2005 durch VO v. 10. 10. 2005 (BGBl. I S. 2927); Abs. 1 Nr. 1 aufgeh., bish. Nr. 2 bis 9 werden Nr. 1 bis 8, Abs. 2 angef. mWv 2. 9. 2015 durch VO v. 26. 8. 2015 (BGBl. I S. 1443).

4. bei Verhältniswahl die Zahlen der auf die einzelnen Wahlvorschläge entfallenden Stimmen, die berechneten Höchstzahlen und ihre Verteilung auf die Wahlvorschläge;
5. bei Mehrheitswahl die Zahlen der auf die einzelnen Bewerberinnen oder Bewerber entfallenden Stimmen;
6. die Namen der gewählten Aufsichtsratsmitglieder;
7. die Namen der für die einzelnen Aufsichtsratsmitglieder gewählten Ersatzmitglieder;
8. besondere während der Wahl eingetretene Zwischenfälle oder sonstige Ereignisse.

(2) Der Hauptwahlvorstand stellt bei börsennotierten Unternehmen im Fall der Getrennterfüllung in der Niederschrift zusätzlich fest,

1. ob der Geschlechteranteil nach § 7 Absatz 3 des Gesetzes[1] bei der Wahl erreicht worden ist;
2. die Anzahl der Sitze, die aufgrund des Nichterreichens des Geschlechteranteils nach § 7 Absatz 3 des Gesetzes nicht besetzt worden sind, und ihre Zuordnung zu den Aufsichtsratsmitgliedern der in § 3 Absatz 1 Nummer 1 des Gesetzes bezeichneten Arbeitnehmer und den Aufsichtsratsmitgliedern der Gewerkschaften.

§ 52[2] Bekanntmachung des Wahlergebnisses, Benachrichtigung der Gewählten. (1) [1]Der Hauptwahlvorstand übermittelt das Wahlergebnis und die Namen der Gewählten den Betriebswahlvorständen. [2]Jeder Betriebswahlvorstand macht das Wahlergebnis und die Namen der Gewählten unverzüglich für die Dauer von zwei Wochen bekannt.

(2) Gleichzeitig benachrichtigt der Hauptwahlvorstand die Gewählten schriftlich von ihrer Wahl und übermittelt das Wahlergebnis und die Namen der Gewählten den Unternehmen, deren Arbeitnehmerinnen und Arbeitnehmer an der Wahl teilgenommen haben, und den in diesen Unternehmen vertretenen Gewerkschaften.

(3) Ist bei börsennotierten Unternehmen im Fall der Getrennterfüllung der Geschlechteranteil nach § 7 Absatz 3 des Gesetzes[1] bei der Wahl nicht erreicht worden, informiert der Hauptwahlvorstand die Adressaten der Absätze 1 und 2 zusätzlich

1. über die Anzahl der Sitze, die aufgrund des Nichterreichens des Geschlechteranteils nach § 7 Absatz 3 des Gesetzes nicht besetzt worden sind, und ihre Zuordnung zu den Aufsichtsratsmitgliedern der in § 3 Absatz 1 Nummer 1 des Gesetzes bezeichneten Arbeitnehmer und den Aufsichtsratsmitgliedern der Gewerkschaften und
2. darüber, dass diese nach § 18 a Absatz 2 des Gesetzes nicht besetzten Aufsichtsratssitze im Wege der gerichtlichen Ersatzbestellung nach § 104 des Aktiengesetzes[3] oder der Nachwahl zu besetzen sind.

---

[1] Nr. **560**.
[2] § 52 Abs. 3 angef. mWv 2. 9. 2015 durch VO v. 26. 8. 2015 (BGBl. I S. 1443).
[3] Nr. **567**.

§ 53 Aufbewahrung der Wahlakten. [1] Der Hauptwahlvorstand und jeder Betriebswahlvorstand übergeben die Wahlakten dem Unternehmen, in dessen Aufsichtsrat die Aufsichtsratsmitglieder der Arbeitnehmer gewählt worden sind. [2] Dieses Unternehmen bewahrt die Wahlakten mindestens für die Dauer von fünf Jahren auf.

Kapitel 3. Wahl der Aufsichtsratsmitglieder der Arbeitnehmer durch Delegierte

Abschnitt 1. Wahl der Delegierten

Unterabschnitt 1. Delegierte mit Mehrfachmandat

§ 54[1)] Keine Wahl von Delegierten, soweit im Rahmen eines anderen Wahlverfahrens bereits Delegierte mit Mehrfachmandat gewählt werden. (1) [1] Sind die Aufsichtsratsmitglieder der Arbeitnehmer durch Delegierte zu wählen, so findet eine Wahl von Delegierten nach den Vorschriften dieses Abschnitts nicht statt, soweit

1. in einem Unternehmen, dessen Arbeitnehmerinnen und Arbeitnehmer an der Wahl von Aufsichtsratsmitgliedern nach dieser Verordnung teilnehmen, Aufsichtsratsmitglieder der Arbeitnehmer nach den Vorschriften der Ersten oder der Zweiten Wahlordnung zum Mitbestimmungsgesetz durch Delegierte gewählt werden und
2. der Betriebswahlvorstand (Unternehmenswahlvorstand) des in Nummer 1 bezeichneten Unternehmens nach § 51 der Ersten Wahlordnung zum Mitbestimmungsgesetz[2)] (§ 55 der Zweiten Wahlordnung zum Mitbestimmungsgesetz[3)]) beschlossen hat, dass die für die Wahl der Aufsichtsratsmitglieder dieses Unternehmens zu wählenden Delegierten auch an der Wahl der Aufsichtsratsmitglieder der Arbeitnehmer nach den Vorschriften dieses Kapitels teilnehmen.

[2] Satz 1 ist entsprechend anzuwenden, wenn die Arbeitnehmerinnen und Arbeitnehmer eines Unternehmens nach dieser Verordnung durch Delegierte an der Wahl von Mitgliedern der Aufsichtsräte mehrerer Unternehmen teilnehmen.

(2) [1] Der Betriebswahlvorstand des in Absatz 1 Satz 1 Nr. 1 bezeichneten Unternehmens erlässt hierüber eine Bekanntmachung; besteht das Unternehmen aus mehreren Betrieben, so erlässt der Hauptwahlvorstand die Bekanntmachung und übersendet sie den Betriebswahlvorständen. [2] § 26 Abs. 4 und 5 ist anzuwenden.

§ 55[4)] Delegierte, die für die Wahl von Aufsichtsratsmitgliedern mehrerer Unternehmen gewählt werden. (1) [1] Sind in einem Unternehmen, dessen Arbeitnehmer an der Wahl der Aufsichtsratsmitglieder nach dieser Verordnung teilnehmen, Aufsichtsratsmitglieder nach den Vorschriften der Ersten[2)] oder der Zweiten Wahlordnung[3)] zu wählen, und beginnt die Amtszeit dieser Aufsichtsratsmitglieder nicht später als zwölf Monate nach dem Beginn der Amtszeit der nach den Vorschriften dieses Kapitels zu wählenden Aufsichtsratsmitglieder, so

---

1) § 54 Abs. 2 Satz 1 geänd. mWv 13. 10. 2005 durch VO v. 10. 10. 2005 (BGBl. I S. 2927).
2) Nr. **560 a**.
3) Nr. **560 b**.
4) § 55 Abs. 1 Satz 1 geänd. mWv 13. 10. 2005 durch VO v. 10. 10. 2005 (BGBl. I S. 2927).

können die Betriebswahlvorstände dieses Unternehmens beschließen, dass die Aufsichtsratsmitglieder der Arbeitnehmer dieses Unternehmens, sofern ihre Wahl durch Delegierte erfolgt, von den nach den Vorschriften dieses Abschnitts zu wählenden Delegierten gewählt werden. [2] Der Beschluss kann nur vor Erlass des Wahlausschreibens für die Wahl der Delegierten gefasst werden.

(2) Absatz 1 ist entsprechend anzuwenden, wenn die Arbeitnehmerinnen und Arbeitnehmer eines Unternehmens nach dieser Verordnung durch Delegierte an der Wahl von Mitgliedern der Aufsichtsräte mehrerer Unternehmen teilnehmen.

Unterabschnitt 2. Einleitung der Wahl

§ 56 Errechnung der Zahl der Delegierten. (1) [1] Steht fest, dass die Aufsichtsratsmitglieder der Arbeitnehmer durch Delegierte zu wählen sind, so teilt der Hauptwahlvorstand dies den Betriebswahlvorständen mit. [2] In der Mitteilung bestimmt der Hauptwahlvorstand den Zeitpunkt, bis zu dem ihm jeder Betriebswahlvorstand das Ergebnis der Wahl der Delegierten mitzuteilen hat.

(2) Jeder Hauptwahlvorstand errechnet anhand der ihm von den Betriebswahlvorständen zugesandten Wählerlisten für jeden Betrieb gesondert die Zahl der in dem Betrieb zu wählenden Delegierten sowie ihre Verteilung auf die in § 3 Abs. 1 Nr. 1 des Gesetzes[1)] bezeichneten Arbeitnehmer und die leitenden Angestellten.

(3) [1] Zur Errechnung der Zahl der in einem Betrieb zu wählenden Delegierten wird die Zahl der Wahlberechtigten des Betriebs durch 90 geteilt. [2] Teilzahlen werden voll gezählt, wenn sie mindestens die Hälfte der vollen Zahl betragen.

(4) [1] Die Errechnung der auf die in § 3 Abs. 1 Nr. 1 des Gesetzes bezeichneten Arbeitnehmer und die leitenden Angestellten entfallenden Delegierten erfolgt nach den Grundsätzen der Verhältniswahl. [2] Hierzu werden die Zahlen der in § 3 Abs. 1 Nr. 1 des Gesetzes bezeichneten Arbeitnehmer und der leitenden Angestellten des Betriebs in einer Reihe nebeneinander gestellt und beide durch 1, 2, 3, 4 usw. geteilt. [3] Die ermittelten Teilzahlen sind nacheinander reihenweise unter den Zahlen der ersten Reihe aufzuführen, bis höhere Teilzahlen, als aus früheren Reihen für die Zuweisung von Sitzen in Betracht kommen, nicht mehr entstehen. [4] Unter den so gefundenen Teilzahlen werden so viele Höchstzahlen ausgesondert und der Größe nach geordnet, wie Delegierte zu wählen sind. [5] Die in § 3 Abs. 1 Nr. 1 des Gesetzes bezeichneten Arbeitnehmer und die leitenden Angestellten erhalten jeweils so viele Delegierte zugeteilt, wie Höchstzahlen auf sie entfallen. [6] Wenn die niedrigste in Betracht kommende Höchstzahl auf die in § 3 Abs. 1 Nr. 1 des Gesetzes bezeichneten Arbeitnehmer und die leitenden Angestellten zugleich entfällt, entscheidet das Los darüber, wem der Delegierte zufällt.

(5) [1] Ergibt die Errechnung nach Absatz 4 in einem Betrieb für die in § 3 Abs. 1 Nr. 1 des Gesetzes bezeichneten Arbeitnehmer oder die leitenden Angestellten mehr als

1. 25 Delegierte, so vermindert sich die Zahl der zu wählenden Delegierten der in § 3 Abs. 1 Nr. 1 des Gesetzes bezeichneten Arbeitnehmer oder der leitenden Angestellten auf die Hälfte; diese Delegierten erhalten je zwei Stimmen;

---

1) Nr. **560**.

2. 50 Delegierte, so vermindert sich die Zahl der zu wählenden Delegierten der in § 3 Abs. 1 Nr. 1 des Gesetzes bezeichneten Arbeitnehmer oder der leitenden Angestellten auf ein Drittel; diese Delegierten erhalten je drei Stimmen;
3. 75 Delegierte, so vermindert sich die Zahl der zu wählenden Delegierten der in § 3 Abs. 1 Nr. 1 des Gesetzes bezeichneten Arbeitnehmer oder der leitenden Angestellten auf ein Viertel; diese Delegierten erhalten je vier Stimmen;
4. 100 Delegierte, so vermindert sich die Zahl der zu wählenden Delegierten der in § 3 Abs. 1 Nr. 1 des Gesetzes bezeichneten Arbeitnehmer oder der leitenden Angestellten auf ein Fünftel; diese Delegierten erhalten je fünf Stimmen;
5. 125 Delegierte, so vermindert sich die Zahl der zu wählenden Delegierten der in § 3 Abs. 1 Nr. 1 des Gesetzes bezeichneten Arbeitnehmer oder der leitenden Angestellten auf ein Sechstel; diese Delegierten erhalten je sechs Stimmen;
6. 150 Delegierte, so vermindert sich die Zahl der zu wählenden Delegierten der in § 3 Abs. 1 Nr. 1 des Gesetzes bezeichneten Arbeitnehmer oder der leitenden Angestellten auf ein Siebtel; diese Delegierten erhalten je sieben Stimmen.

[2] Teilzahlen werden voll gezählt, wenn sie mindestens die Hälfte der vollen Zahl betragen.

(6) [1] Sind in einem Betrieb mindestens neun Delegierte zu wählen, so entfällt auf die in § 3 Abs. 1 Nr. 1 des Gesetzes bezeichneten Arbeitnehmer und die leitenden Angestellten mindestens je ein Delegierter; dies gilt nicht, soweit in dem Betrieb nicht mehr als fünf in § 3 Abs. 1 Nr. 1 des Gesetzes bezeichnete Arbeitnehmer oder leitende Angestellte wahlberechtigt sind. [2] Soweit auf die in § 3 Abs. 1 Nr. 1 des Gesetzes bezeichneten Arbeitnehmer und die leitenden Angestellten lediglich nach Satz 1 Delegierte entfallen, vermehrt sich die Zahl der Delegierten des Betriebs entsprechend.

§ 57 Zuordnung von Arbeitnehmerinnen und Arbeitnehmern zu anderen Betrieben. (1) Entfällt nach § 56 auf die in § 3 Abs. 1 Nr. 1 des Gesetzes[1)] bezeichneten Arbeitnehmer oder die leitenden Angestellten eines Betriebs kein Delegierter, so streicht der Hauptwahlvorstand diese Arbeitnehmerinnen und Arbeitnehmer in der ihm vorliegenden Kopie der Wählerliste des Betriebs.

(2) [1] Der Hauptwahlvorstand stellt fest, ob die nach Absatz 1 aus der Wählerliste eines Betriebs zu streichenden Arbeitnehmerinnen und Arbeitnehmer für die Wahl der Delegierten nach § 11 Abs. 3 und 4 des Gesetzes als Arbeitnehmerinnen und Arbeitnehmer des Betriebs der Hauptniederlassung des Unternehmens oder als Arbeitnehmerinnen und Arbeitnehmer des nach der Zahl der Wahlberechtigten größten Betriebs des Unternehmens gelten. [2] Der Hauptwahlvorstand nimmt diese Arbeitnehmerinnen und Arbeitnehmer in die ihm vorliegende Kopie der Wählerliste des Betriebs auf, als dessen Arbeitnehmerinnen und Arbeitnehmer sie für die Wahl der Delegierten gelten. [3] Nach der Zuordnung ist die Zahl der Delegierten der betroffenen Betriebe und ihre Verteilung auf die in § 3 Abs. 1 Nr. 1 des Gesetzes bezeichneten Arbeitnehmer und die leitenden Angestellten neu zu errechnen (§ 56).

§ 58 Mitteilungen des Hauptwahlvorstands. (1) Der Hauptwahlvorstand teilt jedem Betriebswahlvorstand unverzüglich nach der Errechnung der Zahl der

---

1) Nr. **560**.

Delegierten (§ 56) oder, falls eine Zuordnung (§ 57 Abs. 2) zu einem anderen Betrieb erfolgt ist, unverzüglich nach der Feststellung über diese Zuordnung mit:

1. dass die Aufsichtsratsmitglieder der Arbeitnehmer durch Delegierte zu wählen sind;
2. einen Beschluss darüber, dass die zu wählenden Delegierten auch an der Wahl der Aufsichtsratsmitglieder der Arbeitnehmer anderer Unternehmen teilnehmen sollen; die anderen Unternehmen sind anzugeben;
3. die Zahl der zu wählenden Delegierten, getrennt nach Delegierten der in § 3 Abs. 1 Nr. 1 des Gesetzes[1] bezeichneten Arbeitnehmer und der leitenden Angestellten;
4. die Familiennamen und Vornamen der Arbeitnehmerinnen und Arbeitnehmer, die nach § 57 Abs. 1 aus der Wählerliste des Betriebs zu streichen sind, sowie den Betrieb, dem sie zugeordnet worden sind;
5. die Familiennamen, Vornamen und Geburtsdaten der Arbeitnehmerinnen und Arbeitnehmer, die nach § 57 Abs. 2 Satz 1 und 2 in die Wählerliste des Betriebs aufzunehmen sind, getrennt nach in § 3 Abs. 1 Nr. 1 des Gesetzes bezeichneten Arbeitnehmern und leitenden Angestellten, sowie den Betrieb, aus dessen Wählerliste sie gestrichen worden sind;
6. den Zeitpunkt, bis zu dem jeder Betriebswahlvorstand dem Hauptwahlvorstand das Ergebnis der Wahl der Delegierten mitzuteilen hat.

(2) [1] Der Hauptwahlvorstand übersendet dem Betriebswahlvorstand eines Betriebs, aus dessen Wählerliste Wahlberechtigte zu streichen sind, unverzüglich eine Kopie seiner Mitteilung (Absatz 1 Nr. 5) an den Betriebswahlvorstand des Betriebs, dem diese Wahlberechtigten zugeordnet sind. [2] Der Betriebswahlvorstand des Betriebs, aus dessen Wählerliste Wahlberechtigte zu streichen sind, und der Betriebswahlvorstand des Betriebs, dem diese Wahlberechtigten zugeordnet sind, machen die in Absatz 1 Nr. 5 bezeichnete Mitteilung in gleicher Weise bekannt wie das Wahlausschreiben für die Wahl der Delegierten (§ 59).

§ 59 Wahlausschreiben für die Wahl der Delegierten. (1) [1] Unverzüglich nach Eingang der in § 58 bezeichneten Mitteilung erlässt der Betriebswahlvorstand ein Wahlausschreiben für die Wahl der Delegierten. [2] Es muss folgende Angaben enthalten:

1. das Datum seines Erlasses;
2. dass die Aufsichtsratsmitglieder der Arbeitnehmer durch Delegierte zu wählen sind;
3. ob der Unternehmenswahlvorstand nach § 55 beschlossen hat, dass die zu wählenden Delegierten auch an der Wahl der Aufsichtsratsmitglieder der Arbeitnehmer anderer Unternehmen teilnehmen sollen; die anderen Unternehmen sind anzugeben;
4. dass an der Wahl und an Abstimmungen nur Arbeitnehmerinnen und Arbeitnehmer teilnehmen können, die in der Wählerliste eingetragen sind;
5. dass die Delegierten von allen Wahlberechtigten gewählt werden;

---

[1] Nr. **560**.

6. die Zahl der zu wählenden Delegierten, getrennt nach Delegierten der in § 3 Abs. 1 Nr. 1 des Gesetzes[1] bezeichneten Arbeitnehmer und Delegierten der leitenden Angestellten;
7. dass Wahlvorschläge für die Wahl der Delegierten innerhalb von zwei Wochen seit Erlass des Wahlausschreibens schriftlich beim Betriebswahlvorstand eingereicht werden können; der letzte Tag der Frist ist anzugeben;
8. die Mindestzahl der wahlberechtigten in § 3 Abs. 1 Nr. 1 des Gesetzes bezeichneten Arbeitnehmer, von denen ein Wahlvorschlag für Delegierte der in § 3 Abs. 1 Nr. 1 des Gesetzes bezeichneten Arbeitnehmer unterzeichnet sein muss;
9. die Mindestzahl der wahlberechtigten leitenden Angestellten, von denen ein Wahlvorschlag für Delegierte der leitenden Angestellten unterzeichnet sein muss;
10. dass die Anzahl der Bewerberinnen und Bewerber in jedem Wahlvorschlag mindestens doppelt so hoch sein soll wie die Zahl der in dem Wahlgang zu wählenden Delegierten;
11. dass die Stimmabgabe an Wahlvorschläge gebunden ist und dass nur solche Wahlvorschläge berücksichtigt werden dürfen, die fristgerecht beim Betriebswahlvorstand eingereicht sind;
12. dass, wenn für einen Wahlgang nur ein gültiger Wahlvorschlag eingereicht wird, so viele der darin aufgeführten Bewerberinnen und Bewerber in der angegebenen Reihenfolge als gewählt gelten, wie Delegierte in dem Wahlgang zu wählen sind;
13. wo und wie die Wahlberechtigten von den Wahlvorschlägen Kenntnis erlangen können;
14. Ort, Tag und Zeit der Stimmabgabe für die Wahl der Delegierten;
15. den Ort und die Zeit der öffentlichen Stimmauszählung;
16. den Hinweis auf die Möglichkeit der schriftlichen Stimmabgabe sowie die Betriebsteile, Kleinstbetriebe und Betriebe, für die schriftliche Stimmabgabe nach § 69 Abs. 3 beschlossen ist;
17. dass Einsprüche, Anträge, Wahlvorschläge für die Wahl der Delegierten und sonstige Erklärungen gegenüber dem Betriebswahlvorstand abzugeben sind;
18. die Anschrift des Betriebswahlvorstands.

[3] Für die Bekanntmachung des Wahlausschreibens ist § 26 Abs. 4 und 5 entsprechend anzuwenden.

(2) Wahlgang im Sinne dieses Abschnitts ist

1. die Wahl der Delegierten der in § 3 Abs. 1 Nr. 1 des Gesetzes bezeichneten Arbeitnehmer;
2. die Wahl der Delegierten der leitenden Angestellten.

---

[1] Nr. **560**.

Unterabschnitt 3. Wahlvorschläge für Delegierte

§ 60[1] Einreichung von Wahlvorschlägen. (1) [1] Zur Wahl der Delegierten können die Wahlberechtigten des Betriebs Wahlvorschläge machen. [2] Jeder Wahlvorschlag für Delegierte

1. der in § 3 Abs. 1 Nr. 1 des Gesetzes[2] bezeichneten Arbeitnehmer muss von einem Zwanzigstel oder 50 der wahlberechtigten in § 3 Abs. 1 Nr. 1 des Gesetzes bezeichneten Arbeitnehmer,
2. der leitenden Angestellten muss von einem Zwanzigstel oder 50 der wahlberechtigten leitenden Angestellten

des Betriebs unterzeichnet sein. [3] Die Wahlvorschläge sind innerhalb von zwei Wochen seit Erlass des Wahlausschreibens für die Wahl der Delegierten beim Betriebswahlvorstand schriftlich einzureichen. [4] Die Anzahl der Bewerberinnen und Bewerber in jedem Wahlvorschlag soll mindestens doppelt so hoch sein wie die Zahl der in dem Wahlgang zu wählenden Delegierten.

(2) [1] In jedem Wahlvorschlag sind die Bewerberinnen und Bewerber in erkennbarer Reihenfolge unter fortlaufender Nummer und unter Angabe von Familienname, Vorname, Geburtsdatum und Art der Beschäftigung aufzuführen. [2] Die schriftliche Zustimmung der Bewerberinnen und Bewerber zur Aufnahme in den Wahlvorschlag und ihre schriftliche Versicherung, dass sie im Fall ihrer Wahl die Wahl annehmen werden, sind beizufügen.

(3) [1] Für jeden Wahlvorschlag soll eine oder einer der Unterzeichnenden als Vorschlagsvertreter bezeichnet werden. [2] Dieser ist berechtigt und verpflichtet, dem Betriebswahlvorstand die zur Beseitigung von Beanstandungen erforderlichen Erklärungen abzugeben sowie Erklärungen und Entscheidungen des Betriebswahlvorstands entgegenzunehmen. [3] Ist kein Vorschlagsvertreter ausdrücklich bestimmt worden, so wird die oder der an erster Stelle Unterzeichnende als Vorschlagsvertreter angesehen.

(4) [1] Die Unterschrift eines Wahlberechtigten zählt nur auf einem Wahlvorschlag. [2] Hat ein Wahlberechtigter mehrere Wahlvorschläge unterzeichnet, so hat er auf Aufforderung des Betriebswahlvorstands innerhalb einer angemessenen Frist, spätestens jedoch innerhalb von drei Arbeitstagen, zu erklären, welche Unterschrift er aufrechterhält. [3] Unterbleibt die fristgerechte Erklärung, so wird sein Name auf dem zuerst eingereichten Wahlvorschlag gezählt und auf den übrigen Wahlvorschlägen gestrichen; sind mehrere Wahlvorschläge, die von demselben Wahlberechtigten unterzeichnet sind, gleichzeitig eingereicht worden, so entscheidet das Los darüber, auf welchem Wahlvorschlag die Unterschrift gilt.

(5) [1] Eine Bewerberin oder ein Bewerber kann nur auf einem Wahlvorschlag vorgeschlagen werden. [2] Ist der Name dieser Person mit ihrer schriftlichen Zustimmung (Absatz 2 Satz 2) auf mehreren Wahlvorschlägen aufgeführt, so hat sie auf Aufforderung des Betriebswahlvorstands innerhalb von drei Arbeitstagen zu erklären, welche Bewerbung sie aufrechterhält. [3] Unterbleibt die fristgerechte Erklärung, so ist die Bewerberin oder der Bewerber auf sämtlichen Wahlvorschlägen zu streichen.

---

[1] *§ 60 Abs. 1 Satz 2 Nrn. 1 und 2* geänd. mWv 13. 10. 2005 durch VO v. 10. 10. 2005 (BGBl. I S. 2927).

[2] Nr. **560**.

§ 61 Prüfung der Wahlvorschläge. (1) Der Betriebswahlvorstand bestätigt dem Vorschlagsvertreter schriftlich den Zeitpunkt der Einreichung des Wahlvorschlags.

(2) [1] Der Betriebswahlvorstand bezeichnet den Wahlvorschlag, wenn er nicht mit einem Kennwort versehen ist, mit Familienname und Vorname der an erster Stelle benannten Bewerberin oder des an erster Stelle benannten Bewerbers. [2] Er hat unverzüglich den Wahlvorschlag zu prüfen und bei Ungültigkeit oder Beanstandung den Vorschlagsvertreter schriftlich unter Angabe der Gründe zu unterrichten.

§ 62 Ungültige Wahlvorschläge. (1) Ungültig sind Wahlvorschläge,

1. die nicht fristgerecht eingereicht worden sind,
2. auf denen die Bewerberinnen und Bewerber nicht in erkennbarer Reihenfolge aufgeführt sind,
3. die bei der Einreichung nicht die erforderliche Zahl von Unterschriften aufweisen.

(2) Wahlvorschläge,

1. in denen die Bewerberinnen und Bewerber nicht in der in § 60 Abs. 2 Satz 1 bestimmten Weise bezeichnet sind,
2. denen die schriftliche Zustimmung und Versicherung der Bewerberinnen und Bewerber nach § 60 Abs. 2 Satz 2 nicht beigefügt sind,
3. die infolge von Streichungen gemäß § 60 Abs. 4 nicht mehr die erforderliche Zahl von Unterschriften aufweisen,

sind ungültig, wenn der Betriebswahlvorstand sie beanstandet hat und die Mängel nicht innerhalb von drei Arbeitstagen seit der Beanstandung beseitigt worden sind.

§ 63 Nachfrist für Wahlvorschläge. (1) [1] Ist nach Ablauf der für die Einreichung von Wahlvorschlägen bestimmten Frist für einen Wahlgang kein gültiger Wahlvorschlag eingereicht, so erlässt der Betriebswahlvorstand unverzüglich eine Bekanntmachung und setzt eine Nachfrist von einer Woche für die Einreichung von Wahlvorschlägen fest. [2] Die Bekanntmachung muss folgende Angaben enthalten:

1. das Datum ihres Erlasses;
2. dass für den Wahlgang kein gültiger Wahlvorschlag eingereicht worden ist;
3. dass Wahlvorschläge innerhalb einer Nachfrist von einer Woche seit Erlass der Bekanntmachung schriftlich beim Betriebswahlvorstand eingereicht werden können; der letzte Tag der Frist ist anzugeben.

(2) Wird bis zum Ablauf der Nachfrist für einen Wahlgang kein gültiger Wahlvorschlag eingereicht, so macht der Betriebswahlvorstand unverzüglich bekannt, dass der Wahlgang nicht stattfindet.

(3) Für Bekanntmachungen nach den Absätzen 1 und 2 ist § 26 Abs. 4 und 5 entsprechend anzuwenden.

§ 64 Bekanntmachung der Wahlvorschläge. (1) [1] Sind für einen Wahlgang mehrere Wahlvorschläge eingereicht, so ermittelt der Betriebswahlvorstand durch das Los nach Ablauf der in § 60 Abs. 1 Satz 3, § 62 Abs. 2 und § 63

Abs. 1 Satz 1 bezeichneten Fristen die Reihenfolge der Ordnungsnummern, die den eingereichten Wahlvorschlägen zugeteilt werden (Wahlvorschlag 1, 2 usw.). [2] Die Vorschlagsvertreter sind zu der Losentscheidung rechtzeitig einzuladen.

(2) [1] Spätestens zwei Wochen vor dem ersten Tag der Stimmabgabe macht der Betriebswahlvorstand die gültigen Wahlvorschläge, nach Wahlgängen getrennt, in gleicher Weise bekannt wie das Wahlausschreiben für die Wahl der Delegierten. [2] Liegt für einen Wahlgang nur ein gültiger Wahlvorschlag vor, so weist der Betriebswahlvorstand in der Bekanntmachung darauf hin, dass so viele der darin aufgeführten Bewerberinnen und Bewerber in der angegebenen Reihenfolge als gewählt gelten, wie in dem Wahlgang Delegierte zu wählen sind.

Unterabschnitt 4. Wahl von Delegierten in einem Wahlgang auf Grund mehrerer Wahlvorschläge

§ 65[1)] Stimmabgabe, Wahlvorgang. (1) [1] Liegen für einen Wahlgang mehrere gültige Wahlvorschläge vor, so kann die Wählerin ihre und der Wähler seine Stimme nur für einen dieser Wahlvorschläge abgeben. [2] Die Stimmabgabe erfolgt durch Abgabe von Stimmzetteln.

(2) [1] Der Betriebswahlvorstand hat die Wahlvorschläge auf den Stimmzetteln nach der Reihenfolge der Ordnungsnummern sowie unter Angabe der an erster und zweiter Stelle benannten Bewerberinnen und Bewerber mit Familienname, Vorname und Art der Beschäftigung untereinander aufzuführen; bei Wahlvorschlägen, die mit einem Kennwort versehen sind, ist auch das Kennwort anzugeben. [2] Die Stimmzettel sollen die Angabe enthalten, dass nur ein Wahlvorschlag angekreuzt werden kann. [3] Die Stimmzettel, die für denselben Wahlgang Verwendung finden, müssen sämtlich die gleiche Größe, Farbe, Beschaffenheit und Beschriftung haben. [4] Die Stimmzettel, die für einen Wahlgang Verwendung finden, müssen sich von den für die anderen Wahlgänge vorgesehenen Stimmzetteln in der Farbe unterscheiden.

(3) [1] Die Wählerin kennzeichnet den von ihr und der Wähler den von ihm gewählten Wahlvorschlag durch Ankreuzen an der im Stimmzettel hierfür vorgesehenen Stelle. [2] Für den Wahlvorgang ist § 17 entsprechend anzuwenden; die Stimmabgabe ist in der Wählerliste für jeden Wahlgang gesondert zu vermerken.

(4) Ungültig sind Stimmzettel,

1. in denen mehr als ein Wahlvorschlag angekreuzt ist,
2. aus denen sich ein eindeutiger Wille nicht ergibt,
3. die mit einem besonderen Merkmal versehen sind,
4. die andere als die in Absatz 2 bezeichneten Angaben, einen Zusatz oder sonstige Änderungen enthalten.

§ 66[2)] Öffentliche Stimmauszählung. (1) Unverzüglich nach Abschluss der Stimmabgabe zählt der Betriebswahlvorstand öffentlich die Stimmen aus.

---

1) § 65 Abs. 1 Satz 2, Abs. 2 Sätze 3 und 4 geänd. mWv 13. 10. 2005 durch VO v. 10. 10. 2005 *(BGBl. I S. 2927); Abs. 3 Satz* 2 geänd. mWv 2. 9. 2015 durch VO v. 26. 8. 2015 (BGBl. I S. 1443).

2) § 66 Abs. 2 geänd., Abs. 3 Satz 2 neu gef. mWv 13. 10. 2005 durch VO v. 10. 10. 2005 (BGBl. I S. 2927); Abs. 4 aufgeh. mWv 2. 9. 2015 durch VO v. 26. 8. 2015 (BGBl. I S. 1443).

(2) Nach Öffnung der Wahlurne entnimmt der Betriebswahlvorstand die Stimmzettel und zählt für jeden Wahlgang gesondert die auf jeden Wahlvorschlag entfallenden Stimmen zusammen.

(3) [1] Bei der Auszählung ist die Gültigkeit der Stimmzettel zu prüfen. [2] Befinden sich in einem Wahlumschlag mehrere gekennzeichnete Stimmzettel, so werden sie, wenn sie vollständig übereinstimmen, nur einfach gezählt, andernfalls sind sie ungültig. [3] Befindet sich ein Wahlumschlag mit mehreren gekennzeichneten Stimmzetteln in der Wahlurne, werden die Stimmzettel einfach gezählt, wenn sie vollständig übereinstimmen, andernfalls sind sie ungültig.

§ 67 Ermittlung der Gewählten. (1) [1] Die in dem Wahlgang den einzelnen Wahlvorschlägen zugefallenen Stimmenzahlen werden in einer Reihe nebeneinander gestellt und sämtlich durch 1, 2, 3, 4 usw. geteilt. [2] Die ermittelten Teilzahlen sind nacheinander reihenweise unter den Zahlen der ersten Reihe aufzuführen, bis höhere Teilzahlen, als aus früheren Reihen für die Zuweisung von Sitzen in Betracht kommen, nicht mehr entstehen. [3] Unter den so gefundenen Teilzahlen werden so viele Höchstzahlen ausgesondert und der Größe nach geordnet, wie in dem Wahlgang Delegierte zu wählen sind. [4] Jeder Wahlvorschlag erhält so viele Sitze zugeteilt, wie Höchstzahlen auf ihn entfallen. [5] Wenn die niedrigste in Betracht kommende Höchstzahl auf mehrere Wahlvorschläge zugleich entfällt, so entscheidet das Los darüber, welchem Wahlvorschlag dieser Sitz zufällt.

(2) Wenn ein Wahlvorschlag insgesamt weniger Bewerberinnen und Bewerber enthält, als Höchstzahlen auf ihn entfallen, so gehen die überschüssigen Sitze auf die folgenden Höchstzahlen der anderen Wahlvorschläge desselben Wahlgangs über.

(3) Die Reihenfolge der Bewerberinnen und Bewerber innerhalb der einzelnen Wahlvorschläge bestimmt sich nach der Reihenfolge ihrer Benennung.

Unterabschnitt 5. Ermittlung von Delegierten bei Vorliegen nur eines Wahlvorschlags für einen Wahlgang

§ 68 Ermittlung von Delegierten bei Vorliegen nur eines Wahlvorschlags für einen Wahlgang. (1) Liegt für einen Wahlgang nur ein gültiger Wahlvorschlag vor, so gelten so viele der darin aufgeführten Bewerberinnen und Bewerber in der im Wahlvorschlag angegebenen Reihenfolge als gewählt, wie Delegierte in dem Wahlgang zu wählen sind.

(2) Der Betriebswahlvorstand stellt unverzüglich nach Abschluss der Wahl der Delegierten fest, welche Delegierten nach Absatz 1 als gewählt gelten.

Unterabschnitt 6. Schriftliche Stimmabgabe

§ 69 Voraussetzungen. (1) [1] Einem Wahlberechtigten, der im Zeitpunkt der Wahl wegen Abwesenheit vom Betrieb verhindert ist, seine Stimme persönlich abzugeben, hat der Betriebswahlvorstand auf sein Verlangen

1. das Wahlausschreiben,
2. für jeden Wahlgang, an dem er teilzunehmen berechtigt ist, gesondert
   a) die Wahlvorschläge,
   b) den Stimmzettel und den Wahlumschlag,

3. eine vorgedruckte, von der Wählerin oder dem Wähler abzugebende Erklärung, in der gegenüber dem Betriebswahlvorstand zu versichern ist, dass der Stimmzettel persönlich gekennzeichnet worden ist, sowie
4. einen größeren Freiumschlag, der die Anschrift des Betriebswahlvorstands und als Absender den Namen und die Anschrift des Wahlberechtigten sowie den Vermerk „Schriftliche Stimmabgabe" trägt,

auszuhändigen oder zu übersenden. [2] Der Betriebswahlvorstand soll dem Wahlberechtigten ferner ein Merkblatt über die Art und Weise der schriftlichen Stimmabgabe (§ 70 Abs. 1) aushändigen oder übersenden. [3] Der Betriebswahlvorstand vermerkt die Aushändigung oder die Übersendung der Unterlagen für jeden Wahlgang gesondert in der Wählerliste.

(2) Wahlberechtigte, von denen dem Betriebswahlvorstand bekannt ist, dass sie im Zeitpunkt der Wahl nach der Eigenart ihres Beschäftigungsverhältnisses voraussichtlich nicht im Betrieb anwesend sein werden (insbesondere im Außendienst, mit Telearbeit und in Heimarbeit Beschäftigte), sowie Arbeitnehmerinnen und Arbeitnehmer, die dem Betrieb nach § 57 Abs. 2 zugeordnet sind, erhalten die in Absatz 1 bezeichneten Unterlagen, ohne dass es eines Verlangens des Wahlberechtigten bedarf.

(3) [1] Der Betriebswahlvorstand kann die schriftliche Stimmabgabe beschließen

1. für Betriebsteile und Kleinstbetriebe, die räumlich weit vom Hauptbetrieb entfernt sind,
2. für Betriebe, in denen die Mehrheit der Wahlberechtigten zur schriftlichen Stimmabgabe nach Absatz 2 berechtigt ist und in denen die verbleibende Minderheit nicht mehr als insgesamt 25 Wahlberechtigte ausmacht.

[2] Absatz 2 ist entsprechend anzuwenden.

§ 70[1)] Verfahren bei der Stimmabgabe. (1) Die Stimmabgabe erfolgt in der Weise, dass die Wählerin oder der Wähler

1. die Stimmzettel unbeobachtet persönlich kennzeichnet und so faltet und in den zugehörigen Wahlumschlägen verschließt, dass die Stimmabgabe erst nach Auseinanderfalten der Stimmzettel erkennbar ist;
2. die vorgedruckte Erklärung unter Angabe des Orts und des Datums unterschreibt und
3. die Wahlumschläge und die unterschriebene vorgedruckte Erklärung in dem Freiumschlag verschließt und diesen Wahlbrief so rechtzeitig an den Betriebswahlvorstand absendet oder übergibt, dass er vor Abschluss der Stimmabgabe vorliegt.

(2) [1] Unmittelbar vor Abschluss der Stimmabgabe öffnet der Betriebswahlvorstand in öffentlicher Sitzung die bis zu diesem Zeitpunkt eingegangenen Wahlbriefe und entnimmt ihnen die Wahlumschläge sowie die vorgedruckten Erklärungen. [2] Ist die schriftliche Stimmabgabe ordnungsgemäß erfolgt, so vermerkt der Betriebswahlvorstand die Stimmabgabe für jeden Wahlgang gesondert in der Wählerliste, öffnet die Wahlumschläge und legt die Stimmzettel in die Wahlurne. in die Wahlurne. [3] Befinden sich in einem Wahlumschlag mehrere gekennzeichnete Stimmzettel, werden sie in dem Wahlumschlag in die Wahlurne gelegt.

[1)] § 70 Abs. 1 Nr. 1 neu gef., Abs. 2 Satz 2 geänd., Satz 3 angef. mWv 13. 10. 2005 durch VO v. 10. 10. 2005 (BGBl. I S. 2927).

(3) [1] Verspätet eingehende Wahlbriefe nimmt der Betriebswahlvorstand mit einem Vermerk über den Zeitpunkt des Eingangs ungeöffnet zu den Wahlunterlagen. [2] Die Wahlbriefe sind einen Monat nach Bekanntgabe des Ergebnisses der Wahl der Aufsichtsratsmitglieder der Arbeitnehmer ungeöffnet zu vernichten, wenn die Wahl nicht angefochten worden ist.

Unterabschnitt 7. Wahlniederschrift, Benachrichtigungen

§ 71[1)] **Wahlniederschrift.** (1) Nachdem ermittelt ist, wer als Delegierter gewählt ist, stellt der Betriebswahlvorstand in einer Niederschrift für jeden Wahlgang gesondert fest:

1. die Zahl der insgesamt abgegebenen Stimmen;
2. die Zahl der gültigen Stimmen;
3. die Zahl der ungültigen Stimmen;
4. die Zahlen der auf die einzelnen Wahlvorschläge entfallenden Stimmen, die berechneten Höchstzahlen und ihre Verteilung auf die Wahlvorschläge;
5. den Wahlvorschlag, dessen Bewerberinnen und Bewerber als gewählt gelten (§ 68);
6. für jeden Wahlvorschlag gesondert die Namen und Anschriften
   a) der gewählten Delegierten,
   b) der Ersatzdelegierten
   in der Reihenfolge ihrer Benennung;
7. besondere während der Wahl eingetretene Zwischenfälle oder sonstige Ereignisse.

(2) Der Betriebswahlvorstand übermittelt die Wahlniederschrift unverzüglich dem Hauptwahlvorstand eingeschrieben, fernschriftlich oder durch Botin oder Boten.

§ 72 Bekanntmachung des Wahlergebnisses, Benachrichtigung der Gewählten. (1) Der Betriebswahlvorstand macht das Wahlergebnis und die Namen der Gewählten unverzüglich für die Dauer von zwei Wochen bekannt.

(2) [1] Gleichzeitig benachrichtigt der Betriebswahlvorstand die Gewählten schriftlich von ihrer Wahl. [2] Haben die Delegierten nach § 55 ein Mehrfachmandat, so ist dies in der Benachrichtigung anzugeben.

Unterabschnitt 8. Ausnahme

§ 73 Ausnahme. Die Vorschriften der Unterabschnitte 1 bis 7 sind nicht anzuwenden auf Betriebe, in denen nach den Vorschriften dieser Verordnung oder, unter den in § 54 Abs. 1 bezeichneten Voraussetzungen, nach den Vorschriften der Ersten oder der Zweiten Wahlordnung zum Mitbestimmungsgesetz Delegierte bereits gewählt sind, deren Amtszeit bei Beginn der Amtszeit der zu wählenden Aufsichtsratsmitglieder der Arbeitnehmer noch nicht beendet ist (§ 13 des Gesetzes[2)]).

[1)] § 71 Abs. 1 Nr. 1 aufgeh., bish. Nrn. 2 bis 9 werden Nrn. 1 bis 8 mWv 13. 10. 2005 durch VO v. 10. 10. 2005 (BGBl. I S. 2927); Abs. 1 Nr. 1 aufgeh., bish. Nr. 2 bis 8 werden Nr. 1 bis 7 mWv 2. 9. 2015 durch VO v. 26. 8. 2015 (BGBl. I S. 1443).

[2)] Nr. **560**.

Abschnitt 2. Wahl der Aufsichtsratsmitglieder der Arbeitnehmer durch die Delegierten

Unterabschnitt 1. Delegiertenversammlung, Delegiertenliste

§ 74 Delegiertenversammlung. (1) [1] Die Delegierten wählen die Aufsichtsratsmitglieder der Arbeitnehmer in einer Versammlung (Delegiertenversammlung). [2] Sie wird vom Hauptwahlvorstand geleitet.

(2) [1] Der Hauptwahlvorstand bestimmt den Tag der Delegiertenversammlung. [2] Sie soll spätestens vier Wochen nach dem Zeitpunkt stattfinden, bis zu dem die Betriebswahlvorstände dem Hauptwahlvorstand nach § 58 Abs. 1 Nr. 6 die Ergebnisse der Wahl der Delegierten mitzuteilen hatten. [3] Sind in den Unternehmen, deren Arbeitnehmerinnen und Arbeitnehmer an der Wahl teilnehmen, im Rahmen eines anderen Wahlverfahrens bereits Delegierte mit Mehrfachmandat gewählt worden (§ 54 Abs. 1), so soll die Delegiertenversammlung spätestens vier Wochen vor dem Beginn der Amtszeit der zu wählenden Aufsichtsratsmitglieder der Arbeitnehmer stattfinden.

§ 75 Delegiertenliste. (1) [1] Der Hauptwahlvorstand stellt eine Liste der Delegierten (Delegiertenliste), getrennt nach Delegierten der in § 3 Abs. 1 Nr. 1 des Gesetzes[1)] bezeichneten Arbeitnehmer und der leitenden Angestellten auf. [2] § 8 Abs. 1 Satz 2 und 3 und Abs. 5 ist entsprechend anzuwenden.

(2) Hinter dem Namen jedes Delegierten ist zu vermerken, wie viele Stimmen er hat.

(3) [1] Die Einsichtnahme in die Delegiertenliste, das Gesetz und diese Verordnung ist in der Delegiertenversammlung bis zum Abschluss der Stimmabgabe zu ermöglichen. [2] Die zur Einsichtnahme bestimmte Delegiertenliste soll die Geburtsdaten der Delegierten nicht enthalten. [3] Die Einsichtnahme kann durch Auslegung und durch Einsatz der im Betrieb vorhandenen Informations- und Kommunikationstechnik ermöglicht werden.

§ 76 Einsprüche gegen die Richtigkeit der Delegiertenliste. (1) Einsprüche gegen die Richtigkeit der Delegiertenliste können vor Beginn der Stimmabgabe beim Hauptwahlvorstand eingelegt werden.

(2) [1] Über Einsprüche nach Absatz 1 entscheidet der Hauptwahlvorstand unverzüglich. [2] Ist ein Einspruch begründet, so berichtigt der Hauptwahlvorstand die Delegiertenliste. [3] Der Hauptwahlvorstand teilt seine Entscheidung der Person, die den Einspruch eingelegt hat, unverzüglich mit.

(3) [1] Vor Beginn der Stimmabgabe soll der Hauptwahlvorstand die Delegiertenliste auf ihre Richtigkeit hin überprüfen. [2] Im Übrigen kann die Delegiertenliste nur bei Schreibfehlern, offenbaren Unrichtigkeiten oder in Erledigung rechtzeitig eingelegter Einsprüche bis vor Beginn der Stimmabgabe berichtigt oder ergänzt werden.

[1)] Nr. 560.

Unterabschnitt 2. Mitteilung an die Delegierten

§ 77[1)] Mitteilung an die Delegierten. (1) [1] Der Hauptwahlvorstand teilt jedem Delegierten spätestens zwei Wochen vor dem Tag der Delegiertenversammlung mit:

1. dass an der Wahl und an Abstimmungen nur Delegierte teilnehmen können, die in der Delegiertenliste eingetragen sind;
2. dass die Einsichtnahme in die Delegiertenliste, das Gesetz[2)] und diese Verordnung in der Delegiertenversammlung ermöglicht wird;
3. dass Einsprüche gegen die Richtigkeit der Delegiertenliste vor Beginn der Stimmabgabe beim Hauptwahlvorstand eingelegt werden können;
4. dass die Aufsichtsratsmitglieder der Arbeitnehmer von allen Delegierten gewählt werden;
5. wie viele Stimmen dem Delegierten zustehen;
6. dass die Stimmabgabe an Wahlvorschläge gebunden ist;
7. bei börsennotierten Unternehmen, ob zur Erreichung des Geschlechteranteils nach § 96 Absatz 2 Satz 1 des Aktiengesetzes[3)] für die Wahl die Gesamterfüllung oder die Getrennterfüllung gilt;
8. bei börsennotierten Unternehmen im Fall der Gesamterfüllung, die zur Erreichung des Geschlechteranteils nach § 96 Absatz 2 Satz 1 und 4 des Aktiengesetzes[3)] erforderliche Anzahl an Frauen und Männern im Aufsichtsrat;
9. bei börsennotierten Unternehmen im Fall der Getrennterfüllung, die zur Erreichung des Geschlechteranteils nach § 7 Absatz 3 des Gesetzes in Verbindung mit § 96 Absatz 2 Satz 4 des Aktiengesetzes[3)] erforderliche Anzahl an Frauen und Männern unter den Aufsichtsratsmitgliedern der Arbeitnehmer;
10. im Fall der Nummer 9, wenn der Geschlechteranteil nach § 7 Absatz 3 des Gesetzes bei der Wahl nicht erreicht wurde, dass § 18 a des Gesetzes anzuwenden ist und der Geschlechteranteil im Wege der gerichtlichen Ersatzbestellung nach § 104 des Aktiengesetzes[3)] oder der Nachwahl hergestellt wird;
11. Ort, Tag und Zeit der Delegiertenversammlung und der öffentlichen Stimmauszählung;
12. die Anschrift des Hauptwahlvorstands.

[2] Die Mitteilung erfolgt schriftlich gegen Empfangsbekenntnis oder durch eingeschriebenen Brief.

(2) Der Hauptwahlvorstand übersendet Kopien der Mitteilung nach Absatz 1 den Betriebswahlvorständen, den Unternehmen, deren Arbeitnehmerinnen und Arbeitnehmer an der Wahl teilnehmen, und den in diesen Unternehmen vertretenen Gewerkschaften.

(3) Stellt der Hauptwahlvorstand fest, dass die Amtszeit eines Delegierten

1. durch Niederlegung des Amtes,

---

1) § 77 Abs. 1 Satz 1 Nr. 7 bis 10 eingef., bish. Nr. 7 und 8 werden Nr. 11 und 12 mWv 2. 9. 2015 durch VO v. 26. 8. 2015 (BGBl. I S. 1443).
2) Nr. **560**.
3) Nr. **567**.

2. durch Beendigung der Beschäftigung des Delegierten in dem Betrieb, dessen Delegierter er ist,
3. durch Verlust der Wählbarkeit

vorzeitig beendet (§ 14 Abs. 1 des Gesetzes) oder dass er verhindert (§ 14 Abs. 2 Satz 1 des Gesetzes) ist, so verständigt er den Ersatzdelegierten (§ 14 Abs. 2 Satz 2 des Gesetzes) in gleicher Weise wie die Delegierten.

(4) [1] Stellt ein Delegierter fest, dass er verhindert ist, so teilt er dies dem Betriebswahlvorstand mit. [2] Stellt ein Betriebswahlvorstand fest, dass die Amtszeit eines Delegierten vorzeitig beendet oder dass er verhindert ist, so teilt er dies dem Hauptwahlvorstand mit.

Unterabschnitt 3. Wahl mehrerer Aufsichtsratsmitglieder der Arbeitnehmer in einem Wahlgang auf Grund mehrerer Wahlvorschläge

§ 78[1)] Stimmabgabe, Wahlvorgang. (1) [1] Sind in einem Wahlgang mehrere Aufsichtsratsmitglieder der Arbeitnehmer zu wählen und liegen für diesen Wahlgang mehrere gültige Wahlvorschläge vor, so kann der Delegierte seine Stimme nur für einen dieser Wahlvorschläge abgeben. [2] Die Stimmabgabe erfolgt durch Abgabe von Stimmzetteln. [3] Hat ein Delegierter mehrere Stimmen, so gibt er für jede Stimme einen Stimmzettel. [4] Der Begriff des Wahlgangs im Sinne dieses Abschnitts bestimmt sich nach § 27 Abs. 4.

(2) [1] Der Hauptwahlvorstand hat die Wahlvorschläge auf den Stimmzetteln nach der Reihenfolge der Ordnungsnummern sowie unter Angabe der an erster und zweiter Stelle benannten Bewerberinnen und Bewerber mit Familienname, Vorname, Art der Beschäftigung, Unternehmen und Betrieb untereinander aufzuführen; bei Wahlvorschlägen, die mit einem Kennwort versehen sind, ist auch das Kennwort anzugeben. [2] Die Stimmzettel sollen die Angabe enthalten, dass der Delegierte nur einen Wahlvorschlag ankreuzen kann. [3] Die Stimmzettel, die für denselben Wahlgang Verwendung finden, müssen sämtlich die gleiche Größe, Farbe, Beschaffenheit und Beschriftung haben; das Gleiche gilt für die Wahlumschläge, wenn Wahlumschläge verwendet werden. [4] Die Stimmzettel und Wahlumschläge, die für einen Wahlgang Verwendung finden, müssen sich von den für die anderen Wahlgänge vorgesehenen Stimmzetteln und Wahlumschlägen in der Farbe unterscheiden.

(3) [1] Der Delegierte kennzeichnet den von ihm gewählten Wahlvorschlag durch Ankreuzen an der im Stimmzettel hierfür vorgesehenen Stelle. [2] Für den Wahlvorgang ist § 17 entsprechend anzuwenden; die Stimmabgabe ist in der Delegiertenliste für jeden Wahlgang und für jede Stimme gesondert zu vermerken.

(4) Ungültig sind Stimmzettel,
1. in denen mehr als ein Wahlvorschlag angekreuzt ist,
2. aus denen sich ein eindeutiger Wille nicht ergibt,
3. die mit einem besonderen Merkmal versehen sind,
4. die andere als die in Absatz 2 bezeichneten Angaben, einen Zusatz oder sonstige Änderungen enthalten.

---

1) *§ 78 Abs. 1 Sätze 2 und 3, Abs. 2 Satz 3 geänd., Abs. 5 angef.* mWv 13. 10. 2005 durch VO v. 10. 10. 2005 (BGBl. I S. 2927); Abs. 3 Satz 2 geänd. mWv 2. 9. 2015 durch VO v. 26. 8. 2015 (BGBl. I S. 1443).

(5) Der Hauptwahlvorstand kann beschließen, § 17 Abs. 3 mit der Maßgabe anzuwenden, dass Stimmzettel ungefaltet und in Wahlumschlägen in die Wahlurne zu werfen sind, wenn das vorgesehene Verfahren der Stimmauszählung ungefaltete Stimmzettel erfordert.

§ 79[1)] Öffentliche Stimmauszählung. (1) Unverzüglich nach Abschluss der Stimmabgabe zählt der Hauptwahlvorstand öffentlich die Stimmen aus.

(2) Nach Öffnung der Wahlurne entnimmt der Hauptwahlvorstand die Stimmzettel und zählt für jeden Wahlgang gesondert die auf jeden Wahlvorschlag entfallenden Stimmen zusammen.

(3) [1] Bei der Auszählung ist die Gültigkeit der Stimmzettel zu prüfen. [2] Werden Wahlumschläge verwendet und befinden sich in einem Wahlumschlag mehrere gekennzeichnete Stimmzettel, so werden sie, wenn sie vollständig übereinstimmen, nur einfach gezählt, andernfalls sind sie ungültig.

§ 80[2)] Verteilung der Stimmenzahlen. (1) [1] Die in dem Wahlgang den einzelnen Wahlvorschlägen zugefallenen Stimmenzahlen werden in einer Reihe nebeneinander gestellt und sämtlich durch 1, 2, 3, 4 usw. geteilt. [2] Die ermittelten Teilzahlen sind nacheinander reihenweise unter den Zahlen der ersten Reihe aufzuführen, bis höhere Teilzahlen, als aus früheren Reihen für die Zuweisung von Sitzen in Betracht kommen, nicht mehr entstehen. [3] Unter den so gefundenen Teilzahlen werden so viele Höchstzahlen ausgesondert und der Größe nach geordnet, wie in dem Wahlgang Aufsichtsratsmitglieder zu wählen sind. [4] Jeder Wahlvorschlag erhält so viele Sitze zugeteilt, wie Höchstzahlen auf ihn entfallen. [5] Wenn die niedrigste in Betracht kommende Höchstzahl auf mehrere Wahlvorschläge zugleich entfällt, so entscheidet das Los darüber, welchem Wahlvorschlag dieser Sitz zufällt.

(2) Wenn ein Wahlvorschlag insgesamt weniger Bewerberinnen und Bewerber enthält, als Höchstzahlen auf ihn entfallen, so gehen die überschüssigen Sitze auf die folgenden Höchstzahlen der anderen Wahlvorschläge desselben Wahlgangs über.

(3) Die Reihenfolge der Bewerberinnen und Bewerber innerhalb der einzelnen Wahlvorschläge bestimmt sich nach der Reihenfolge ihrer Benennung.

Unterabschnitt 4. Wahl mehrerer Aufsichtsratsmitglieder der Arbeitnehmer in einem Wahlgang auf Grund nur eines Wahlvorschlags

§ 81[3)] Stimmabgabe, Wahlvorgang. (1) [1] Sind in einem Wahlgang mehrere Aufsichtsratsmitglieder der Arbeitnehmer zu wählen und liegt für diesen Wahlgang nur ein gültiger Wahlvorschlag vor, so kann der Delegierte seine Stimme nur für die in dem Wahlvorschlag aufgeführten Bewerberinnen und Bewerber abgeben. [2] Eine gesonderte Stimmabgabe für ein Ersatzmitglied des Aufsichtsrats ist nicht zulässig. [3] Die Stimmabgabe erfolgt durch Abgabe von Stimmzetteln.

---

1) § 79 Abs. 2, Abs. 3 Satz 2 geänd. mWv 13. 10. 2005 durch VO v. 10. 10. 2005 (BGBl. I S. 2927); Abs. 4 aufgeh. mWv 2. 9. 2015 durch VO v. 26. 8. 2015 (BGBl. I S. 1443).

2) § 80 Überschrift neu gef., Abs. 4 aufgeh. mWv 2. 9. 2015 durch VO v. 26. 8. 2015 (BGBl. I S. 1443).

3) § 81 Abs. 1 Sätze 3 und 4 geänd., Abs. 5 angef. mWv 13. 10. 2005 durch VO v. 10. 10. 2005 (BGBl. I S. 2927).

[4] Hat ein Delegierter mehrere Stimmen, so gibt er für jede Stimme einen Stimmzettel ab.

(2) [1] Der Hauptwahlvorstand hat die Bewerberinnen und Bewerber auf den Stimmzetteln unter Angabe von Familienname, Vorname, Art der Beschäftigung, Unternehmen und Betrieb untereinander in der Reihenfolge aufzuführen, in der sie in dem Wahlvorschlag benannt sind. [2] Das für eine Bewerberin oder für einen Bewerber vorgeschlagene Ersatzmitglied ist auf dem Stimmzettel neben der Bewerberin oder dem Bewerber aufzuführen; Satz 1 ist entsprechend anzuwenden. [3] Die Stimmzettel sollen die Angabe enthalten, wie viele Bewerberinnen und Bewerber der Delegierte ankreuzen kann. [4] § 78 Abs. 2 Satz 3 ist anzuwenden.

(3) [1] Der Delegierte kennzeichnet die von ihm Gewählten durch Ankreuzen an den im Stimmzettel hierfür vorgesehenen Stellen. [2] Er darf nicht mehr Bewerberinnen und Bewerber ankreuzen, als Aufsichtsratsmitglieder in dem Wahlgang zu wählen sind. [3] § 78 Abs. 3 Satz 2 ist entsprechend anzuwenden.

(4) Ungültig sind Stimmzettel,

1. in denen mehr Bewerberinnen und Bewerber angekreuzt sind, als in dem Wahlgang Aufsichtsratsmitglieder zu wählen sind,
2. aus denen sich ein eindeutiger Wille nicht ergibt,
3. die mit einem besonderen Merkmal versehen sind,
4. die andere als die in Absatz 2 bezeichneten Angaben, einen Zusatz oder sonstige Änderungen enthalten.

(5) § 78 Abs. 5 findet Anwendung.

§ 82[1)] Öffentliche Stimmauszählung. (1) Unverzüglich nach Abschluss der Stimmabgabe zählt der Hauptwahlvorstand öffentlich die Stimmen aus.

(2) [1] Nach Öffnung der Wahlurne entnimmt der Hauptwahlvorstand die Stimmzettel und zählt für jeden Wahlgang gesondert die auf jede Bewerberin oder jeden Bewerber entfallenden Stimmen zusammen. [2] § 79 Abs. 3 ist anzuwenden. [3] Ist auf einem Stimmzettel eine Bewerberin oder ein Bewerber mehrfach angekreuzt, so zählt dies als eine Stimme.

§ 83[2)] Verteilung der Stimmen auf die Bewerberinnen und Bewerber. [1] Der Hauptwahlvorstand bestimmt so viele Bewerberinnen und Bewerber, wie in dem Wahlgang Aufsichtsratsmitglieder zu wählen sind, nach der Reihenfolge der auf sie entfallenden Stimmenzahlen. [2] Bei Stimmengleichheit entscheidet das Los.

Unterabschnitt 5. Wahl nur eines Aufsichtsratsmitglieds der Arbeitnehmer in einem Wahlgang

§ 84[3)] Wahl nur eines Aufsichtsratsmitglieds der Arbeitnehmer in einem Wahlgang. (1) [1] Ist in einem Wahlgang nur ein Aufsichtsratsmitglied der Arbeitnehmer zu wählen, so kann der Delegierte seine Stimme nur für eine der

---

1) § 82 Abs. 2 Satz 1 geänd. mWv 13. 10. 2005 durch VO v. 10. 10. 2005 (BGBl. I S. 2927); Abs. 3 aufgeh. mWv 2. 9. 2015 durch VO v. 26. 8. 2015 (BGBl. I S. 1443).

2) § 83 *Überschrift neu gef.*, Satz 1 geänd., Satz 3 aufgeh. mWv 2. 9. 2015 durch VO v. 26. 8. 2015 (BGBl. I S. 1443).

3) § 84 Abs. 3 Satz 3 geänd. mWv 13. 10. 2005 durch VO v. 10. 10. 2005 (BGBl. I S. 2927).

vorgeschlagenen Bewerberinnen oder einen der vorgeschlagenen Bewerber abgeben. [2] § 81 Abs. 1 Satz 2 bis 4 ist anzuwenden.

(2) [1] Liegt nur ein gültiger Wahlvorschlag vor, so hat der Hauptwahlvorstand die Bewerberinnen und Bewerber auf den Stimmzetteln unter Angabe von Familienname, Vorname, Art der Beschäftigung, Unternehmen und Betrieb untereinander in der Reihenfolge aufzuführen, in der sie in dem Wahlvorschlag benannt sind. [2] Liegen mehrere gültige Wahlvorschläge vor, so hat der Hauptwahlvorstand die Bewerberinnen und Bewerber auf den Stimmzetteln unter Angabe von Familienname, Vorname, Art der Beschäftigung, Unternehmen, Betrieb und Kennwort des Wahlvorschlags untereinander in alphabetischer Reihenfolge aufzuführen. [3] § 81 Abs. 2 Satz 2 bis 4 ist anzuwenden.

(3) [1] Der Delegierte kennzeichnet die von ihm gewählte Bewerberin oder den von ihm gewählten Bewerber durch Ankreuzen an der im Stimmzettel hierfür vorgesehenen Stelle. [2] Er darf nicht mehr als eine Bewerberin oder einen Bewerber ankreuzen. [3] § 78 Abs. 3 Satz 2 und Abs. 5, § 81 Abs. 4 und die §§ 82 und 83 sind anzuwenden.

Unterabschnitt 6.[1] Ermittlung der Gewählten, Wahlniederschrift, Benachrichtigungen

§ 84 a[2] Ermittlung der Gewählten bei nicht börsennotierten Unternehmen. (1) In nicht börsennotierten Unternehmen sind in einem Wahlgang nach § 78, einem Wahlgang nach § 81 und in einem Wahlgang nach § 84 so viele Bewerberinnen und Bewerber gewählt, wie Aufsichtsratsmitglieder in dem jeweiligen Wahlgang zu wählen sind.

(2) Mit der Wahl einer Bewerberin oder eines Bewerbers ist auch das in dem Wahlvorschlag neben der oder dem Gewählten aufgeführte Ersatzmitglied des Aufsichtsrats gewählt.

§ 84 b[3] Ermittlung der Gewählten bei börsennotierten Unternehmen im Fall der Gesamterfüllung. (1) In börsennotierten Unternehmen sind im Fall der Gesamterfüllung in einem Wahlgang nach § 78, einem Wahlgang nach § 81 und in einem Wahlgang nach § 84 so viele Bewerberinnen und Bewerber gewählt, wie Aufsichtsratsmitglieder in dem jeweiligen Wahlgang zu wählen sind.

(2) Mit der Wahl einer Bewerberin oder eines Bewerbers ist auch das in dem Wahlvorschlag neben der oder dem Gewählten aufgeführte Ersatzmitglied des Aufsichtsrats gewählt.

§ 84 c[4] Ermittlung der Gewählten bei börsennotierten Unternehmen im Fall der Getrennterfüllung. (1) Sind in börsennotierten Unternehmen im Fall der Getrennterfüllung die Höchstzahlen nach § 80 der Größe nach auf die Bewerberinnen und Bewerber verteilt und die Zahlen der auf die einzelnen Bewerberinnen und Bewerber entfallenden Stimmen nach den §§ 83 und 84 Absatz 3 Satz 3 ermittelt, stellt der Hauptwahlvorstand fest, ob bei der Wahl der

---

[1] Unterabschnitt 6 Überschrift neu gef. mWv 2. 9. 2015 durch VO v. 26. 8. 2015 (BGBl. I S. 1443).
[2] § 84 a eingef. mWv 2. 9. 2015 durch VO v. 26. 8. 2015 (BGBl. I S. 1443).
[3] § 84 b eingef. mWv 2. 9. 2015 durch VO v. 26. 8. 2015 (BGBl. I S. 1443).
[4] § 84 c eingef. mWv 2. 9. 2015 durch VO v. 26. 8. 2015 (BGBl. I S. 1443).

Geschlechteranteil nach § 7 Absatz 3 des Gesetzes[1] in Verbindung mit § 96 Absatz 2 Satz 4 des Aktiengesetzes[2] eingehalten worden ist.

(2) Ist der Geschlechteranteil nach § 7 Absatz 3 des Gesetzes bei der Wahl eingehalten, sind in einem Wahlgang nach § 78, einem Wahlgang nach § 81 und in einem Wahlgang nach § 84 so viele Bewerberinnen und Bewerber gewählt, wie Aufsichtsratsmitglieder in dem jeweiligen Wahlgang zu wählen sind.

(3) [1] Ist der Geschlechteranteil nach § 7 Absatz 3 des Gesetzes bei der Wahl nicht eingehalten, sind in einem Wahlgang nach § 78 und in einem Wahlgang nach § 81 nur diejenigen Bewerberinnen und Bewerber als Aufsichtsratsmitglieder gewählt, deren Wahl nicht nach § 18 a Absatz 2 Satz 1 des Gesetzes unwirksam ist. [2] In einem Wahlgang nach § 84 ist die Bewerberin oder der Bewerber mit den meisten Stimmen als Aufsichtsratsmitglied der Arbeitnehmer gewählt.

(4) Mit der Wahl einer Bewerberin oder eines Bewerbers ist auch das in dem Wahlvorschlag neben der oder dem Gewählten aufgeführte Ersatzmitglied des Aufsichtsrats gewählt.

§ 85[3] Wahlniederschrift. (1) Nachdem ermittelt ist, wer gewählt ist, stellt der Hauptwahlvorstand in einer Niederschrift für jeden Wahlgang gesondert fest:

1. die Zahl der insgesamt abgegebenen Stimmen;
2. die Zahl der gültigen Stimmen;
3. die Zahl der ungültigen Stimmen;
4. bei Verhältniswahl die Zahlen der auf die einzelnen Wahlvorschläge entfallenden Stimmen, die berechneten Höchstzahlen und ihre Verteilung auf die Wahlvorschläge;
5. bei Mehrheitswahl die Zahlen der auf die einzelnen Bewerberinnen oder Bewerber entfallenden Stimmen;
6. die Namen der gewählten Aufsichtsratsmitglieder;
7. die Namen der für die einzelnen Aufsichtsratsmitglieder gewählten Ersatzmitglieder;
8. besondere während der Wahl eingetretene Zwischenfälle oder sonstige Ereignisse.

(2) Der Hauptwahlvorstand stellt bei börsennotierten Unternehmen im Fall der Getrennterfüllung in der Niederschrift zusätzlich fest,

1. ob der Geschlechteranteil nach § 7 Absatz 3 des Gesetzes[1] bei der Wahl erreicht worden ist;
2. die Anzahl der Sitze, die aufgrund des Nichterreichens des Geschlechteranteils nach § 7 Absatz 3 des Gesetzes nicht besetzt worden sind, und ihre Zuordnung zu den Aufsichtsratsmitgliedern der in § 3 Absatz 1 Nummer 1 des Gesetzes bezeichneten Arbeitnehmer und den Aufsichtsratsmitgliedern der Gewerkschaften.

---

[1] Nr. **560**.
[2] Nr. **567**.
[3] § 85 Nr. *1 aufgeh., bish. Nrn.* 2 bis 10 werden Nrn. 1 bis 9 mWv 13. 10. 2005 durch VO v. 10. 10. 2005 (BGBl. I S. 2927); Abs. 1 Nr. 1 aufgeh., bish. Nr. 2 bis 9 werden Nr. 1 bis 8, Abs. 2 angef. mWv 2. 9. 2015 durch VO v. 26. 8. 2015 (BGBl. I S. 1443).

§ 86[1)] Bekanntmachung des Wahlergebnisses, Benachrichtigung der Gewählten. (1) Der Hauptwahlvorstand gibt das Wahlergebnis und die Namen der Gewählten in der Delegiertenversammlung bekannt.

(2) [1]Der Hauptwahlvorstand übermittelt das Wahlergebnis und die Namen der Gewählten den Betriebswahlvorständen. [2]Jeder Betriebswahlvorstand macht das Wahlergebnis und die Namen der Gewählten unverzüglich für die Dauer von zwei Wochen bekannt.

(3) Gleichzeitig benachrichtigt der Hauptwahlvorstand die Gewählten schriftlich von ihrer Wahl und übermittelt das Wahlergebnis und die Namen der Gewählten den Unternehmen, deren Arbeitnehmerinnen und Arbeitnehmer an der Wahl teilgenommen haben, und den in diesen Unternehmen vertretenen Gewerkschaften.

(4) Ist bei börsennotierten Unternehmen der Geschlechteranteil nach § 7 Absatz 3 des Gesetzes[2)] bei der Wahl nicht erreicht worden, informiert der Hauptwahlvorstand die Adressaten der Absätze 1 bis 3 zusätzlich

1. über die Anzahl der Sitze, die aufgrund des Nichterreichens des Geschlechteranteils nach § 7 Absatz 3 des Gesetzes nicht besetzt worden sind, und ihre Zuordnung zu den Aufsichtsratsmitgliedern der in § 3 Absatz 1 Nummer 1 des Gesetzes bezeichneten Arbeitnehmer und den Aufsichtsratsmitgliedern der Gewerkschaften und
2. darüber, dass diese nach § 18 a Absatz 2 des Gesetzes nicht besetzten Aufsichtsratssitze im Wege der gerichtlichen Ersatzbestellung nach § 104 des Aktiengesetzes[3)] oder der Nachwahl zu besetzen sind.

§ 87 Aufbewahrung der Wahlakten. [1]Der Hauptwahlvorstand und jeder Betriebswahlvorstand übergeben die Wahlakten dem Unternehmen, in dessen Aufsichtsrat die Aufsichtsratsmitglieder der Arbeitnehmer gewählt worden sind. [2]Dieses Unternehmen bewahrt die Wahlakten mindestens für die Dauer von fünf Jahren auf.

Teil 2. Abberufung von Aufsichtsratsmitgliedern der Arbeitnehmer

Kapitel 1. Gemeinsame Vorschriften

§ 88 Einleitung des Abberufungsverfahrens. (1) [1]Ein Antrag auf Abberufung eines Aufsichtsratsmitglieds der Arbeitnehmer nach § 23 Abs. 1 des Gesetzes[2)] ist schriftlich beim Konzernbetriebsrat einzureichen. [2]Besteht kein Konzernbetriebsrat, so ist der Antrag beim Gesamtbetriebsrat oder, wenn ein solcher nicht besteht, beim Betriebsrat des Unternehmens einzureichen, dessen Aufsichtsrat das abzuberufende Mitglied angehört. [3]Besteht in diesem Unternehmen kein Betriebsrat, so ist der Antrag beim Gesamtbetriebsrat des nach der Zahl der Wahlberechtigten größten anderen Unternehmens einzureichen, in dem ein Betriebsrat besteht und dessen Arbeitnehmerinnen und Arbeitnehmer nach § 4 oder § 5 des Gesetzes an der Abberufung teilnehmen oder, wenn in dem anderen Unternehmen nur ein Betriebsrat besteht, beim Betriebsrat.

[1)] § 86 Abs. 4 angef. mWv 2. 9. 2015 durch VO v. 26. 8. 2015 (BGBl. I S. 1443).
[2)] Nr. **560**.
[3)] Nr. **567**.

(2) Unverzüglich nach Eingang eines Antrags auf Abberufung wird der Hauptwahlvorstand gebildet, es sei denn, der Antrag entspricht offensichtlich nicht den in § 23 Abs. 1 Satz 2 des Gesetzes bezeichneten Erfordernissen.

(3) [1] Für die Aufgaben, die Bildung, die Zusammensetzung und die Geschäftsführung der Wahlvorstände sind die §§ 3 bis 7 entsprechend anzuwenden; die Mitteilung des Hauptwahlvorstands nach § 6 muss auch den Inhalt des Antrags auf Abberufung enthalten. [2] Dem Hauptwahlvorstand sind die bei der Wahl des Aufsichtsratsmitglieds, dessen Abberufung beantragt wird, entstandenen Wahlakten zu übergeben.

§ 89 Liste der antragsberechtigten Arbeitnehmerinnen und Arbeitnehmer. [1] Wird die Abberufung eines unternehmensangehörigen Aufsichtsratsmitglieds der Arbeitnehmer beantragt, so wird in jedem Betrieb unverzüglich nach der Bildung des Betriebswahlvorstands eine Liste der Wahlberechtigten aufgestellt, die nach § 23 Abs. 1 Satz 2 des Gesetzes[1)] für die Abberufung dieses Aufsichtsratsmitglieds antragsberechtigt sind. [2] Die §§ 8 bis 12 sind entsprechend anzuwenden; die Bekanntmachung nach § 9 Abs. 2 und 3 muss auch den Inhalt des Antrags auf Abberufung enthalten.

§ 90 Prüfung des Antrags auf Abberufung. (1) Der Hauptwahlvorstand prüft unverzüglich nach Übersendung der Listen der antragsberechtigten Arbeitnehmerinnen und Arbeitnehmer die Gültigkeit des Antrags auf Abberufung.

(2) [1] Ist ein Antrag ungültig, so teilt der Hauptwahlvorstand dies dem Antragsvertreter oder, wenn ein solcher nicht benannt ist, der oder dem an erster Stelle Unterzeichnenden und den Betriebswahlvorständen schriftlich mit. [2] Jeder Betriebswahlvorstand macht die Mitteilung für die Dauer von zwei Wochen bekannt.

§ 91 Anzuwendende Vorschriften. (1) Liegt ein gültiger Antrag vor, so stellt der Hauptwahlvorstand fest, ob das Aufsichtsratsmitglied, dessen Abberufung beantragt ist, in unmittelbarer Wahl oder durch Delegierte gewählt worden ist.

(2) Ist das Aufsichtsratsmitglied, dessen Abberufung beantragt ist, in unmittelbarer Wahl gewählt worden, so richtet sich das weitere Abberufungsverfahren nach den Vorschriften des Kapitels 2.

(3) Ist das Aufsichtsratsmitglied, dessen Abberufung beantragt ist, durch Delegierte gewählt worden, so richtet sich das weitere Abberufungsverfahren nach den Vorschriften des Kapitels 3.

Kapitel 2. Abstimmung über die Abberufung eines in unmittelbarer Wahl gewählten Aufsichtsratsmitglieds der Arbeitnehmer

§ 92 Abberufungsausschreiben, Wählerliste. (1) [1] Der Hauptwahlvorstand erlässt unverzüglich ein Abberufungsausschreiben. [2] Die Abstimmung soll innerhalb von vier Wochen seit dem für die Bekanntmachung des Abberufungsausschreibens bestimmten Zeitpunkt stattfinden.

(2) [1] Das Abberufungsausschreiben muss folgende Angaben enthalten:

1. den für die Bekanntmachung bestimmten Zeitpunkt;

---

1) Nr. **560**.

2. den Inhalt des Antrags;
3. die Bezeichnung der antragstellenden Person;
4. die Zahl der Arbeitnehmerinnen und Arbeitnehmer, die den Antrag unterzeichnet haben;
5. dass an der Abstimmung nur Arbeitnehmerinnen und Arbeitnehmer teilnehmen können, die in der Wählerliste eingetragen sind;
6. dass der Beschluss über die Abberufung einer Mehrheit von drei Vierteln der abgegebenen Stimmen bedarf;
7. den Tag oder die Tage der Stimmabgabe.

[2] Für die Bekanntmachung des Abberufungsausschreibens sind § 15 Abs. 3 Nr. 1 bis 3 sowie § 26 Abs. 4 und 5 entsprechend anzuwenden.

(3) [1] In jedem Betrieb wird für die Abberufung unverzüglich eine Liste der Abstimmungsberechtigten des Betriebs (Wählerliste) aufgestellt. [2] Die §§ 8, 9, 11 und 12 sind entsprechend anzuwenden mit der Maßgabe, dass abweichend von § 8 Abs. 1 Satz 1 eine Trennung der Wählerliste nicht erforderlich ist.

§ 93 Abstimmung, Abstimmungsergebnis, Akten. (1) Für die Abstimmung sind die §§ 16 bis 23 anzuwenden.

(2) Der Hauptwahlvorstand übermittelt das Abstimmungsergebnis schriftlich
1. den Betriebswahlvorständen,
2. dem Aufsichtsratsmitglied, über dessen Abberufung abgestimmt worden ist,
3. der Gewerkschaft, die einen Antrag auf Abberufung gestellt hat (§ 23 Abs. 1 Satz 2 Nr. 3 des Gesetzes[1)]),
4. dem Unternehmen.

§ 90 Abs. 2 Satz 2 ist anzuwenden.

(3) Auf die im Zusammenhang mit einem Antrag auf Abberufung entstandenen Akten ist § 53 entsprechend anzuwenden.

Kapitel 3. Abstimmung über die Abberufung eines durch Delegierte gewählten Aufsichtsratsmitglieds der Arbeitnehmer

§ 94 Delegiertenliste. [1] Der Hauptwahlvorstand stellt für die Abberufung unverzüglich eine Liste der Delegierten (Delegiertenliste) auf. [2] § 8 Abs. 1 Satz 2 und 3, Abs. 3 und 5, § 75 Abs. 2 und 3 und § 76 sind entsprechend anzuwenden.

§ 95 Delegiertenversammlung, Mitteilung des Hauptwahlvorstands an die Delegierten. (1) [1] Die Delegierten stimmen über den Antrag auf Abberufung in einer Versammlung (Delegiertenversammlung) ab. [2] Die Delegiertenversammlung soll innerhalb von sechs Wochen nach der Feststellung, dass ein gültiger Antrag auf Abberufung eines durch Delegierte gewählten Aufsichtsratsmitglieds der Arbeitnehmer vorliegt, stattfinden.

(2) [1] Der Hauptwahlvorstand beruft die Delegierten schriftlich gegen Empfangsbekenntnis oder durch eingeschriebenen Brief zur Delegiertenversammlung ein; § 77 Abs. 2 bis 4 ist entsprechend anzuwenden. [2] Die Mitteilung nach Satz 1

1) Nr. **560**.

soll den Delegierten spätestens zwei Wochen vor der Delegiertenversammlung übersandt werden.

(3) Die Mitteilung muss folgende Angaben enthalten:

1. den Inhalt des Antrags;
2. die Bezeichnung der antragstellenden Person;
3. die Zahl der Arbeitnehmerinnen und Arbeitnehmer, die den Antrag unterzeichnet haben;
4. dass an der Abstimmung nur Delegierte teilnehmen können, die in der Delegiertenliste eingetragen sind;
5. dass die Einsichtnahme in die Delegiertenliste, das Gesetz und diese Verordnung in der Delegiertenversammlung ermöglicht wird;
6. dass Einsprüche gegen die Richtigkeit der Delegiertenliste vor Beginn der Stimmabgabe beim Hauptwahlvorstand eingelegt werden können;
7. dass der Beschluss über die Abberufung einer Mehrheit von drei Vierteln der abgegebenen Stimmen bedarf;
8. wie viele Stimmen den Delegierten zustehen;
9. Ort, Tag und Zeit der Delegiertenversammlung und der öffentlichen Stimmauszählung;
10. die Anschrift des Hauptwahlvorstands.

§ 96[1] **Abstimmung, Abstimmungsergebnis, Akten.** Für die Abstimmung, das Abstimmungsergebnis und die Aufbewahrung der Akten sind § 16 Abs. 1 und 3, die §§ 17, 21, 23 und 78 Absatz 1 Satz 3 und 4, Absatz 2 Satz 3 und Absatz 5 sowie die §§ 79, 86 und 93 Abs. 2 und 3 entsprechend anzuwenden.

Kapitel 4. Ersatzmitglieder

§ 97 Ersatzmitglieder. Für die Abberufung von Ersatzmitgliedern (§ 23 Abs. 4 des Gesetzes[2]) sind die Vorschriften der Kapitel 1 bis 3 entsprechend anzuwenden.

Teil 3. Besondere Vorschriften für die Wahl und die Abberufung der Aufsichtsratsmitglieder der Arbeitnehmer bei Teilnahme von Arbeitnehmerinnen und Arbeitnehmern von Seebetrieben

Kapitel 1. Wahl der Aufsichtsratsmitglieder der Arbeitnehmer

Abschnitt 1. Einleitung der Wahl, Abstimmung über die Art der Wahl, Wahlvorschläge

§ 98 Einleitung der Wahl. (1) Die in § 2 Abs. 1 Satz 1 bezeichnete Frist wird auf 50 Wochen verlängert.

---

[1] *§ 96 geänd.* mWv *13. 10.* 2005 durch VO v. 10. 10. 2005 (BGBl. I S. 2927); geänd. mWv 2. 9. 2015 durch VO v. 26. 8. 2015 (BGBl. I S. 1443).

[2] Nr. **560**.

(2) In der in § 2 bezeichneten Bekanntmachung ist gesondert die Zahl der Arbeitnehmerinnen und Arbeitnehmer anzugeben, die in Seebetrieben (§ 34 Abs. 1 des Gesetzes[1)]) beschäftigt sind.

(3) [1] Für einen Seebetrieb wird ein Betriebswahlvorstand nicht bestellt. [2] Der Hauptwahlvorstand nimmt im Seebetrieb die sich aus dieser Verordnung ergebenden Aufgaben des Betriebswahlvorstands wahr. [3] Für die Anwendung von § 4 Abs. 5 bleiben Seebetriebe außer Betracht.

(4) [1] Mitteilungen, die im Seebetrieb bekannt zu machen sind, übersendet der Hauptwahlvorstand jedem zum Seebetrieb gehörigen Schiff und teilt dabei den Zeitpunkt mit, von dem ab sie auf dem Schiff bekannt zu machen sind. [2] Mitteilungen sind von der Bordvertretung oder, wenn eine solche nicht besteht, vom Kapitän bekannt zu machen. [3] Der erste und der letzte Tag der Bekanntmachung sind auf der Mitteilung zu vermerken.

(5) [1] Der Hauptwahlvorstand übersendet jedem zum Seebetrieb gehörigen Schiff eine Kopie der Wählerliste des Seebetriebs, das Gesetz und diese Verordnung. [2] Ihre Einsichtnahme ist von der Bordvertretung oder, wenn eine solche nicht besteht, vom Kapitän zu ermöglichen. [3] Die Einsichtnahme kann durch Auslegung an geeigneter, den Wahlberechtigten zugänglicher Stelle an Bord und durch Einsatz der im Betrieb vorhandenen Informations- und Kommunikationsmittel ermöglicht werden. [4] Außerdem übersendet der Hauptwahlvorstand die Wählerliste des Seebetriebs dem Betriebswahlvorstand des Landbetriebs, der für die Heuerverhältnisse der Arbeitnehmerinnen und Arbeitnehmer des Seebetriebs zuständig ist. [5] Dieser Betriebswahlvorstand ermöglicht die Einsichtnahme in die Wählerliste des Seebetriebs in gleicher Weise wie in die in § 8 bezeichnete Wählerliste.

(6) [1] In Seebetrieben ist § 9 Abs. 2 und 3 nicht anzuwenden. [2] Der Hauptwahlvorstand versendet im Seebetrieb gleichzeitig mit der Wählerliste eine Bekanntmachung. [3] Sie muss folgende Angaben enthalten:

1. das Datum ihrer Versendung;
2. die Namen der Mitglieder des Hauptwahlvorstands und seine Anschrift;
3. dass die Einsichtnahme in die Wählerliste des Seebetriebs, das Gesetz und diese Verordnung an Bord ermöglicht wird;
4. dass die Einsichtnahme in die Wählerliste des Seebetriebs auch in dem Landbetrieb, der für die Heuerverhältnisse der Arbeitnehmerinnen und Arbeitnehmer des Seebetriebs zuständig ist, ermöglicht wird;
5. dass Einsprüche gegen die Richtigkeit der Wählerliste nur innerhalb von vier Wochen seit ihrer Versendung schriftlich beim Hauptwahlvorstand eingelegt werden können; der letzte Tag der Frist ist anzugeben;
6. dass Einsprüche gegen Berichtigungen und Ergänzungen der Wählerliste nur innerhalb von vier Wochen seit der Berichtigung oder der Ergänzung eingelegt werden können;
7. dass an der Wahl und an Abstimmungen nur Arbeitnehmerinnen und Arbeitnehmer teilnehmen können, die in der Wählerliste eingetragen sind.

(7) [1] In Seebetrieben ist § 10 nicht anzuwenden. [2] Abweichend von § 12 Abs. 1 kann im Seebetrieb

---

[1)] Nr. **560**.

1. ein Einspruch gegen die Richtigkeit der Wählerliste innerhalb von vier Wochen seit ihrer Versendung an die Schiffe eingelegt werden;
2. ein Einspruch gegen eine Berichtigung oder Ergänzung der Wählerliste innerhalb von vier Wochen seit der Berichtigung oder der Ergänzung eingelegt werden.

§ 99 Abstimmung über die Art der Wahl. [1] Die Arbeitnehmerinnen und Arbeitnehmer der Seebetriebe nehmen an einer Abstimmung darüber, ob die Wahl durch Delegierte oder unmittelbar erfolgen soll, nicht teil und bleiben für die Errechnung der für die Antragstellung und für die Beschlussfassung erforderlichen Zahlen von Arbeitnehmerinnen und Arbeitnehmern außer Betracht (§ 34 Abs. 4 des Gesetzes[1]); in der Bekanntmachung nach § 13 und in dem Abstimmungsausschreiben nach § 15 ist hierauf hinzuweisen. [2] Die §§ 13 bis 24 sind auf Seebetriebe nicht anzuwenden.

§ 100[2] Bekanntmachung über die Einreichung von Wahlvorschlägen. (1) Die Bekanntmachung nach § 26 Abs. 1 muss in Seebetrieben auch folgende Angaben enthalten:
1. dass die Einsichtnahme in die Wählerliste des Seebetriebs, das Gesetz[1] und diese Verordnung auf jedem Schiff des Seebetriebs durch die Bordvertretung oder, wenn eine solche nicht besteht, vom Kapitän ermöglicht wird;
2. dass die Einsichtnahme in die Wählerliste des Seebetriebs auch in dem Landbetrieb, der für die Heuerverhältnisse der Arbeitnehmerinnen und Arbeitnehmer des Seebetriebs zuständig ist, ermöglicht wird;
3. dass die Wahlvorschläge auf jedem Schiff des Seebetriebs von der Bordvertretung oder, wenn eine solche nicht besteht, vom Kapitän bekannt gemacht werden.

(2) Die in § 26 Abs. 1 Satz 2 Nummer 7 und in § 27 Abs. 2 bezeichnete Frist für die Einreichung von Wahlvorschlägen wird auf 13 Wochen verlängert.

(3) § 26 Abs. 3 Satz 2 und Abs. 4 ist in Seebetrieben nicht anzuwenden; § 26 Abs. 3 Satz 1 gilt entsprechend; § 98 Abs. 4 ist anzuwenden.

(4) [1] Die in § 37 Abs. 2 Satz 1 bezeichnete Mindestfrist für die Bekanntmachung der Wahlvorschläge wird auf drei Wochen verlängert. [2] Ist zu besorgen, dass die in Satz 1 bezeichnete Mindestfrist zwischen dem für die Bekanntmachung der Wahlvorschläge an Bord bestimmten Zeitpunkt und dem Beginn der Stimmabgabe in den Landbetrieben für eine fristgerechte Stimmabgabe der Arbeitnehmerinnen und Arbeitnehmer der Seebetriebe nicht ausreicht, so kann der Hauptwahlvorstand diese Mindestfrist auf höchstens fünf Wochen verlängern. [3] Für die Bekanntmachung der Wahlvorschläge in Seebetrieben gilt § 26 Abs. 3 Satz 1 entsprechend und § 98 Abs. 4 ist anzuwenden.

§ 101 Zusätzliche Vorschriften für den Wahlvorschlag der leitenden Angestellten. (1) [1] Die in § 31 Abs. 1 Satz 4 bezeichnete Frist für die Einreichung von Abstimmungsvorschlägen wird auf fünf Wochen verlängert. [2] Der Hauptwahlvorstand übersendet jedem Kapitän des Seebetriebs eine Kopie der

---

[1] Nr. **560**.
[2] § 100 Abs. 2 geänd. mWv 2. 9. 2015 durch VO v. 26. 8. 2015 (BGBl. I S. 1443).

Bekanntmachung. [3] § 30 Abs. 4 und § 31 Abs. 4 Satz 2 und 3 und Abs. 5 Satz 2 sind in Seebetrieben nicht anzuwenden; § 26 Abs. 5 ist anzuwenden.

(2) Abweichend von § 32 Abs. 1 setzt der Hauptwahlvorstand den Tag der Abstimmung der leitenden Angestellten so fest, dass der Wahlvorschlag der leitenden Angestellten innerhalb von 30 Wochen seit dem für die Bekanntmachung nach § 30 bestimmten Zeitpunkt aufgestellt sein kann; § 26 Abs. 5 ist anzuwenden.

Abschnitt 2. Unmittelbare Wahl der Aufsichtsratsmitglieder der Arbeitnehmer

§ 102 Wahlausschreiben im Seebetrieb. (1) Das Wahlausschreiben nach § 39 Abs. 1 muss in Seebetrieben auch folgende Angaben enthalten:

1. dass die Arbeitnehmerinnen und Arbeitnehmer des Seebetriebs in Briefwahl wählen;
2. den Zeitpunkt, bis zu dem die Wahlbriefe beim Hauptwahlvorstand eingehen müssen.

(2) Für die Bekanntmachung des Wahlausschreibens in Seebetrieben ist § 39 Abs. 2 Satz 2 und 3 nicht anzuwenden; § 26 Abs. 5 und § 98 Abs. 4 sind anzuwenden.

§ 103 Stimmabgabe bei der Wahl der Aufsichtsratsmitglieder der Arbeitnehmer. (1) Die Arbeitnehmerinnen und Arbeitnehmer von Seebetrieben stimmen bei der Wahl der Aufsichtsratsmitglieder der Arbeitnehmer in Briefwahl ab.

(2) [1] Gleichzeitig mit der Versendung der Wahlvorschläge an die Betriebswahlvorstände (§ 37 Abs. 2 Satz 2) übersendet der Hauptwahlvorstand

a) jedem Schiff die zur Stimmabgabe erforderlichen Unterlagen in einer Anzahl, die die Zahl der Regelbesatzung des Schiffes um mindestens 10 vom Hundert übersteigt,

b) allen Arbeitnehmerinnen und Arbeitnehmern des Seebetriebs, von denen ihm bekannt ist, dass sie sich nicht an Bord eines Schiffes befinden, die zur Stimmabgabe erforderlichen Unterlagen sowie eine Kopie des Wahlausschreibens.

[2] Die Bordvertretung oder, wenn eine solche nicht besteht, der Kapitän hat jedem Besatzungsmitglied die zur Stimmabgabe erforderlichen Unterlagen auszuhändigen. [3] Die Wahlbriefe der Besatzungsmitglieder eines Schiffes sollen möglichst gleichzeitig an den Hauptwahlvorstand abgesandt werden.

Abschnitt 3. Wahl der Aufsichtsratsmitglieder der Arbeitnehmer durch Delegierte

§ 104 Wahl der Delegierten. (1) [1] In Seebetrieben werden Delegierte nicht gewählt. [2] Die §§ 54 bis 73 sind auf Seebetriebe nicht anzuwenden.

(2) Die Arbeitnehmerinnen und Arbeitnehmer von Seebetrieben nehmen an der Wahl der Aufsichtsratsmitglieder der Arbeitnehmer unmittelbar teil.

§ 105 Wahlausschreiben in Seebetrieben. (1) [1] Steht fest, dass die Aufsichtsratsmitglieder der Arbeitnehmer durch Delegierte zu wählen sind, so erlässt der

Hauptwahlvorstand ein Wahlausschreiben für Seebetriebe. [2] Es muss folgende Angaben enthalten:

1. dass die Aufsichtsratsmitglieder der Arbeitnehmer durch Delegierte gewählt werden;
2. dass in Seebetrieben keine Delegierten gewählt werden;
3. dass die Arbeitnehmerinnen und Arbeitnehmer der Seebetriebe an der Wahl der Aufsichtsratsmitglieder der Arbeitnehmer unmittelbar teilnehmen;
4. dass an der Wahl nur Arbeitnehmerinnen und Arbeitnehmer teilnehmen können, die in der Wählerliste des Seebetriebs eingetragen sind;
5. dass die Aufsichtsratsmitglieder der Arbeitnehmer von allen Wahlberechtigten des Seebetriebs gewählt werden;
6. dass die Arbeitnehmerinnen und Arbeitnehmer der Seebetriebe in Briefwahl wählen;
7. dass jeder Wahlberechtigte eines Seebetriebs Wahlunterlagen für sämtliche Wahlgänge erhält und dass er seine Stimme für sämtliche Wahlgänge abgeben kann;
8. dass die Stimmabgabe an Wahlvorschläge gebunden ist;
9. dass die Stimme einer Arbeitnehmerin oder eines Arbeitnehmers eines Seebetriebs als ein Neunzigstel der Stimme eines Delegierten gezählt wird;
10. den Zeitpunkt, bis zu dem die Wahlbriefe beim Hauptwahlvorstand vorliegen müssen;
11. die Anschrift des Hauptwahlvorstands.

(2) § 26 Abs. 5, § 39 Abs. 2 Satz 1 und § 98 Abs. 4 sind entsprechend anzuwenden.

§ 106 Stimmabgabe der Arbeitnehmerinnen und Arbeitnehmer von Seebetrieben. (1) [1] Die Arbeitnehmerinnen und Arbeitnehmer von Seebetrieben stimmen bei der Wahl der Aufsichtsratsmitglieder der Arbeitnehmer in Briefwahl ab. [2] Die §§ 49 und 50 sind entsprechend anzuwenden; abweichend von § 49 Abs. 1 Satz 1 Nr. 4 muss der Freiumschlag die Anschrift des Hauptwahlvorstands tragen.

(2) [1] Gleichzeitig mit der Versendung der Wahlvorschläge an die Betriebswahlvorstände (§ 37 Abs. 2 Satz 2) übersendet der Hauptwahlvorstand jedem Schiff die für die Wahl der Aufsichtsratsmitglieder der Arbeitnehmer erforderlichen Unterlagen; § 103 Abs. 2 ist entsprechend anzuwenden. [2] Die Wahlbriefe müssen bis zum Ablauf des Tages vor der Delegiertenversammlung dem Hauptwahlvorstand vorliegen.

(3) [1] Abweichend von § 74 Abs. 2 Satz 2 soll die Delegiertenversammlung sechs Wochen nach der Versendung der zur Stimmabgabe erforderlichen Unterlagen stattfinden. [2] Ist zu besorgen, dass diese Zeit für eine ordnungsgemäße Stimmabgabe der Arbeitnehmerinnen und Arbeitnehmer der Seebetriebe nicht ausreicht, so kann der Hauptwahlvorstand sie auf höchstens zehn Wochen verlängern.

(4) Die Vorschriften über die Stimmabgabe und den Wahlvorgang (§§ 78, 81 und 84) sind auf die Arbeitnehmerinnen und Arbeitnehmer von Seebetrieben *mit folgender Maßgabe* entsprechend anzuwenden:

1. An die Stelle der Delegierten treten die Wahlberechtigten des Seebetriebs.

2. Die Wahlumschläge der Wählerinnen und Wähler der Seebetriebe werden in eine gesonderte Wahlurne gelegt.

(5) Die Vorschriften über die Auszählung der Stimmen (§§ 79 und 82) sind auf die Arbeitnehmerinnen und Arbeitnehmer der Seebetriebe mit folgender Maßgabe entsprechend anzuwenden:

1. Die Stimmen der Wählerinnen und Wähler der Seebetriebe werden gesondert ausgezählt.
2. Je 90 dieser Stimmen werden als eine Stimme eines Delegierten gezählt. Werden 90 Stimmen nicht erreicht, so werden mindestens 45 Stimmen als eine Stimme eines Delegierten gezählt. Bei mehr als 90 Stimmen wird ein Rest von mindestens 45 Stimmen als eine Stimme eines Delegierten gezählt. Die so errechneten Stimmenzahlen werden jeweils der Stimmenzahl der von den Delegierten in dem Wahlgang für den Wahlvorschlag abgegebenen Stimmen hinzugezählt.

§ 107[1)] Wahlniederschrift. (1) [1] Für die Wahlniederschrift ist § 85 nicht anzuwenden. [2] Nachdem ermittelt ist, wer gewählt ist, stellt der Hauptwahlvorstand in einer Niederschrift für jeden Wahlgang gesondert fest:

1. die Zahl der
   a) von den Delegierten abgegebenen Wahlumschläge,
   b) von den Arbeitnehmerinnen und Arbeitnehmern von Seebetrieben abgegebenen Wahlumschläge;
2 die Zahl der
   a) von den Delegierten abgegebenen gültigen Stimmen,
   b) von den Arbeitnehmerinnen und Arbeitnehmern von Seebetrieben abgegebenen gültigen Stimmen;
3. die Zahl der
   a) von den Delegierten abgegebenen ungültigen Stimmen,
   b) von den Arbeitnehmerinnen und Arbeitnehmern von Seebetrieben abgegebenen ungültigen Stimmen;
4. bei Verhältniswahl
   a) die Zahlen der auf die einzelnen Wahlvorschläge entfallenden Stimmen der Delegierten,
   b) die Zahlen der auf die einzelnen Wahlvorschläge entfallenden Stimmen der Arbeitnehmerinnen und Arbeitnehmer von Seebetrieben und die Umrechnung dieser Stimmen auf Stimmen von Delegierten nach § 106 Abs. 5 Nr. 2,
   c) die Summen der auf die einzelnen Wahlvorschläge entfallenden Stimmen der Delegierten und der umgerechneten Stimmen der Arbeitnehmerinnen und Arbeitnehmer von Seebetrieben,
   d) die berechneten Höchstzahlen und ihre Verteilung auf die Wahlvorschläge;
5. bei Mehrheitswahl
   a) die Zahlen der auf die einzelnen Bewerberinnen oder Bewerber entfallenden Stimmen der Delegierten,

---

1) § 107 Abs. 2 angef. mWv 2. 9. 2015 durch VO v. 26. 8. 2015 (BGBl. I S. 1443).

b) die Zahlen der auf die einzelnen Bewerberinnen oder Bewerber entfallenden Stimmen der Arbeitnehmerinnen und Arbeitnehmer von Seebetrieben und die Umrechnung dieser Stimmen auf Stimmen von Delegierten nach § 106 Abs. 5 Nr. 2,

c) die Summen der auf die einzelnen Bewerberinnen oder Bewerber entfallenden Stimmen der Delegierten und der umgerechneten Stimmen der Arbeitnehmerinnen und Arbeitnehmer von Seebetrieben;

6. die Namen der gewählten Aufsichtsratsmitglieder;
7. die Namen der für die einzelnen Aufsichtsratsmitglieder gewählten Ersatzmitglieder;
8. besondere während der Wahl eingetretene Zwischenfälle oder sonstige Ereignisse.

(2) Der Hauptwahlvorstand stellt bei börsennotierten Unternehmen im Fall der Getrennterfüllung in der Niederschrift zusätzlich fest,

1. ob der Geschlechteranteil nach § 7 Absatz 3 des Gesetzes[1)] bei der Wahl erreicht worden ist;
2. die Anzahl der Sitze, die aufgrund des Nichterreichens des Geschlechteranteils nach § 7 Absatz 3 des Gesetzes nicht besetzt worden sind, und ihre Zuordnung zu den Aufsichtsratsmitgliedern der in § 3 Absatz 1 Nummer 1 des Gesetzes bezeichneten Arbeitnehmer und den Aufsichtsratsmitgliedern der Gewerkschaften.

Kapitel 2. Abberufung der Aufsichtsratsmitglieder der Arbeitnehmer

Abschnitt 1. Gemeinsame Vorschrift

§ 108 Gemeinsame Vorschrift. (1) [1] Für einen Seebetrieb wird ein Betriebswahlvorstand nicht gebildet. [2] Der Hauptwahlvorstand nimmt im Seebetrieb die sich aus dieser Verordnung ergebenden Aufgaben des Betriebswahlvorstands wahr. [3] Abweichend von § 88 Abs. 3 Satz 1 sind auf Seebetriebe die §§ 5 und 6 Abs. 2 nicht anzuwenden; für die Anwendung von § 4 Abs. 5 bleiben Seebetriebe außer Betracht. [4] In einem Seebetrieb ist § 98 Abs. 6 Satz 1 entsprechend anzuwenden; § 10 ist nicht anzuwenden.

(2) Für Mitteilungen, die in den Seebetrieben bekannt zu machen sind, ist § 98 Abs. 4 anzuwenden.

Abschnitt 2. Abstimmung über die Abberufung eines in unmittelbarer Wahl gewählten Aufsichtsratsmitglieds der Arbeitnehmer

§ 109 Abberufungsausschreiben für Seebetriebe, Wählerliste. (1) Die in § 92 Abs. 1 Satz 2 bezeichnete Frist wird auf sechs Wochen verlängert.

(2) Das Abberufungsausschreiben nach § 92 muss in Seebetrieben auch die in § 102 Abs. 1 bezeichneten Angaben enthalten.

(3) § 98 Abs. 5 und 7 ist entsprechend anzuwenden.

§ 110 Stimmabgabe. [1] Die Arbeitnehmerinnen und Arbeitnehmer von Seebetrieben stimmen in Briefwahl ab. [2] § 103 Abs. 2 ist entsprechend anzuwenden.

---

1) Nr. 560.

Abschnitt 3. Abstimmung über die Abberufung eines durch Delegierte gewählten Aufsichtsratsmitglieds der Arbeitnehmer

§ 111 Unmittelbare Abstimmung, Wählerliste, Mitteilung an die Delegierten. (1) Die Arbeitnehmerinnen und Arbeitnehmer von Seebetrieben nehmen an der Abstimmung über einen Antrag auf Abberufung unmittelbar teil.

(2) Gleichzeitig mit der in § 94 bezeichneten Delegiertenliste wird eine Liste der Abstimmungsberechtigten der Seebetriebe aufgestellt; § 92 Abs. 3 und § 98 Abs. 5 bis 7 sind entsprechend anzuwenden.

(3) [1]Die in § 95 Abs. 1 Satz 2 bezeichnete Frist wird auf elf Wochen verlängert. [2]§ 106 Abs. 3 Satz 2 ist entsprechend anzuwenden mit der Maßgabe, dass der Hauptwahlvorstand die Frist auf höchstens 14 Wochen verlängern kann.

§ 112 Abberufungsausschreiben in Seebetrieben. [1]Spätestens zehn Wochen vor der Delegiertenversammlung erlässt der Hauptwahlvorstand ein Abberufungsausschreiben für Seebetriebe. [2]§ 92 Abs. 2 Satz 1, § 105 Abs. 1 Satz 2 Nr. 3, 6 und 9 bis 11 und Abs. 2 sind entsprechend anzuwenden.

§ 113[1)] Abstimmung, Mitteilung des Abstimmungsergebnisses. [1]Die Arbeitnehmerinnen und Arbeitnehmer von Seebetrieben stimmen in Briefwahl ab. [2]§ 103 Abs. 2 ist entsprechend anzuwenden. [3]§ 16 Abs. 2 und die §§ 19, 20 und 96 sind auf die Arbeitnehmerinnen und Arbeitnehmer von Seebetrieben mit folgender Maßgabe entsprechend anzuwenden:

1. An die Stelle der Delegierten treten die Wahlberechtigten des Seebetriebs.
2. Die Wahlumschläge dieser Abstimmenden werden in eine gesonderte Wahlurne gelegt.
3. Die Stimmen dieser Abstimmenden werden gesondert ausgezählt.
4. Je 90 dieser Stimmen werden als eine Stimme eines Delegierten gezählt. Werden 90 Stimmen nicht erreicht, so werden mindestens 45 Stimmen als eine Stimme eines Delegierten gezählt. Bei mehr als 90 Stimmen wird ein Rest von mindestens 45 Stimmen als eine Stimme eines Delegierten gezählt.
5. Für die Abstimmungsniederschrift ist § 107 Absatz 1 Satz 2 Nummer 1 bis 3, 5, 6 und 8 entsprechend anzuwenden.

Teil 4.[2)] Unternehmen mit Mehrheitsbeteiligung des Bundes

§ 113a[2)] Geschlechteranteil in nicht börsennotierten Unternehmen.

Für nicht börsennotierte Unternehmen mit Mehrheitsbeteiligung des Bundes im Sinne des § 393a Absatz 1 des Aktiengesetzes[3)] oder des § 77a Absatz 1 des Gesetzes betreffend die Gesellschaften mit beschränkter Haftung[4)] gelten die Regelungen dieser Wahlordnung zum Geschlechteranteil bei börsennotierten Unternehmen entsprechend.

[1)] § 113 Nr. 5 geänd. mWv 2.9.2015 durch VO v. 26.8.2015 (BGBl. I S. 1443).
[2)] Teil 4 (§ 113a) eingef. mWv 12.8.2021 durch G v. 7.8.2021 (BGBl. I S. 3311).
[3)] **beck-online, Module Arbeitsrecht Nr. 567.**
[4)] **Habersack Nr. 52.**

Teil 5.[1] Übergangs- und Schlussvorschriften

§ 114 Erstmalige Anwendung des Gesetzes[2] auf ein Unternehmen.

(1) Bei der erstmaligen Anwendung des Gesetzes auf ein Unternehmen hat das Unternehmen die in § 2 bezeichnete Bekanntmachung unverzüglich nach der in § 97 Abs. 1 des Aktiengesetzes[3] bezeichneten Bekanntmachung über die Zusammensetzung des Aufsichtsrats zu erlassen.

(2) [1] Die Wahlvorstände werden unverzüglich nach der in § 2 bezeichneten Bekanntmachung gebildet. [2] In jedem Betrieb wird unverzüglich nach der Bildung des Betriebswahlvorstands die Wählerliste aufgestellt; die §§ 8 bis 12 sind anzuwenden.

(3) [1] Abweichend von § 13 Abs. 1 Satz 1 soll der Hauptwahlvorstand die in den §§ 13, 26 und 30 bezeichneten Bekanntmachungen 22 Wochen vor dem voraussichtlichen Beginn der Amtszeit der zu wählenden Aufsichtsratsmitglieder der Arbeitnehmer erlassen. [2] Nehmen an der Wahl auch Arbeitnehmerinnen und Arbeitnehmer eines in § 34 Abs. 1 des Gesetzes bezeichneten Betriebs (Seebetrieb) teil, so verlängert sich die in Satz 1 bezeichnete Frist auf 46 Wochen.

§ 115 Berechnung von Fristen. [1] Für die Berechnung der in dieser Verordnung bestimmten Fristen sind die §§ 186 bis 193 des Bürgerlichen Gesetzbuchs[4] entsprechend anzuwenden. [2] Arbeitstage im Sinne dieser Verordnung sind die Wochentage Montag bis Freitag mit Ausnahme der gesetzlichen Feiertage.

§ 116[5] Übergangsregelung. Auf Wahlen von Aufsichtsratsmitgliedern der Arbeitnehmer, die bis einschließlich 31. März 2022 abgeschlossen sind, ist diese Verordnung in der bis zum 11. August 2021 geltenden Fassung anzuwenden.

§ 117 Inkrafttreten, Außerkrafttreten. [1] Diese Verordnung tritt am Tag nach der Verkündung[6] in Kraft. [2] Gleichzeitig tritt die Dritte Wahlordnung zum Mitbestimmungsgesetz vom 23. Juni 1977 (BGBl. I S. 934), geändert durch Artikel 3 der Verordnung vom 9. November 1990 (BGBl. I S. 2487), außer Kraft.

---

[1] Bish. Teil 4 wird Teil 5 mWv 12.8.2021 durch G v. 7.8.2021 (BGBl. I S. 3311).
[2] Nr. **560**.
[3] Nr. **567**.
[4] Nr. **50**.
[5] § *116* neu gef. mWv 12.8.2021 durch G v. 7.8.2021 (BGBl. I S. 3311).
[6] Verkündet am 31.5.2002.

561. Gesetz über die Mitbestimmung der Arbeitnehmer in den Aufsichtsräten und Vorständen der Unternehmen des Bergbaus und der Eisen und Stahl erzeugenden Industrie

Vom 21. Mai 1951
(BGBl. I S. 347)

BGBl. III/FNA 801-2

zuletzt geänd. durch Art. 14 G zur Ergänzung und Änd. der Regelungen für die gleichberechtigte Teilhabe von Frauen an Führungspositionen in der Privatwirtschaft und im öffentlichen Dienst v. 7.8. 2021 (BGBl. I S. 3311)

Erster Teil. Allgemeines

§ 1[1] [Arbeitnehmermitbestimmung in den Aufsichtsräten. Anwendungsbereich] (1) [1]Die Arbeitnehmer haben ein Mitbestimmungsrecht in den Aufsichtsräten und in den zur gesetzlichen Vertretung berufenen Organen nach Maßgabe dieses Gesetzes in

a) den Unternehmen, deren überwiegender Betriebszweck in der Förderung von Steinkohle, Braunkohle oder Eisenerz oder in der Aufbereitung, Verkokung, Verschwelung oder Brikettierung dieser Grundstoffe liegt und deren Betrieb unter der Aufsicht der Bergbehörden steht,

b) den Unternehmen der Eisen und Stahl erzeugenden Industrie in dem Umfang, wie er in Gesetz Nr. 27 der Alliierten Hohen Kommission vom 16. Mai 1950 (Amtsblatt der Alliierten Hohen Kommission für Deutschland S. 299) bezeichnet ist, soweit diese Unternehmen in „Einheitsgesellschaften" im Sinne des Gesetzes Nr. 27 überführt oder in anderer Form weiterbetrieben und nicht liquidiert werden,

c) den Unternehmen, die von einem vorstehend bezeichneten oder nach Gesetz Nr. 27 der Alliierten Hohen Kommission zu liquidierenden Unternehmen abhängig sind, wenn sie die Voraussetzungen nach Buchstabe a erfüllen oder überwiegend Eisen und Stahl erzeugen.

[2]Die Herstellung von Walzwerkserzeugnissen einschließlich Walzdraht, Röhren, Walzen, rollendem Eisenbahnmaterial, Freiformschmiedestücken und Gießereierzeugnissen aus Eisen oder Stahl ist als Erzeugung von Eisen und Stahl im Sinne von Satz 1 Buchstabe b und c anzusehen

1. in einem Unternehmen, dessen Aufsichtsrat am 1. Juli 1981 nach § 4 oder § 9 zusammengesetzt ist, oder
2. in einem anderen Unternehmen nach der Verschmelzung mit einem in Nummer 1 bezeichneten Unternehmen oder nach dem Übergang von Betrieben oder Betriebsteilen eines in Nummer 1 bezeichneten Unternehmens, die die genannten Erzeugnisse herstellen oder Roheisen oder Rohstahl erzeugen, auf das andere Unternehmen, wenn dieses mit dem in Nummer 1 bezeichneten Unternehmen verbunden ist (§ 15 des Aktiengesetzes[2]) und

---

[1] § 1 Abs. 1 Sätze 2 und 3 angef. sowie Abs. 3 und 4 angef. durch G v. 21.5.1981 (BGBl. I S. 441); Abs. 2 geänd. mWv 1.7.2004 durch G v. 18.5.2004 (BGBl. I S. 974).

solange nach der Verschmelzung oder dem Übergang der überwiegende Betriebszweck des anderen Unternehmens die Herstellung der genannten Erzeugnisse oder die Erzeugung von Roheisen oder Rohstahl ist.

3 Satz 2 Nr. 2 gilt entsprechend für die weitere Verschmelzung sowie für den weiteren Übergang von Betrieben oder Betriebsteilen.

(2) Dieses Gesetz findet nur auf diejenigen in Absatz 1 bezeichneten Unternehmen Anwendung, welche in Form einer Aktiengesellschaft oder einer Gesellschaft mit beschränkter Haftung betrieben werden und in der Regel mehr als eintausend Arbeitnehmer beschäftigen oder „Einheitsgesellschaften" sind.

(3) Erfüllt ein Unternehmen die in Absatz 1 bezeichneten Voraussetzungen nicht mehr oder beschäftigt es nicht mehr die nach Absatz 2 erforderliche Zahl von Arbeitnehmern, so sind die Vorschriften dieses Gesetzes über das Mitbestimmungsrecht erst dann nicht mehr anzuwenden, wenn in sechs aufeinanderfolgenden Geschäftsjahren eine dieser Voraussetzungen nicht mehr vorgelegen hat.

(4) 1 Ist ein Unternehmen, dessen Aufsichtsrat nach § 4 oder § 9 zusammenzusetzen ist, herrschendes Unternehmen eines Konzerns (§ 18 Abs. 1 des Aktiengesetzes) und ist für diesen Konzern ein Konzernbetriebsrat errichtet, so gelten für die Anwendung der §§ 4, 6 und 9 auf das herrschende Unternehmen die Arbeitnehmer der Konzernunternehmen als Arbeitnehmer des herrschenden Unternehmens und die in Konzernunternehmen vertretenen Gewerkschaften als im herrschenden Unternehmen vertreten. 2 Liegen die Voraussetzungen des Satzes 1 vor, so tritt für die Anwendung der §§ 6 und 11 auf das herrschende Unternehmen der Konzernbetriebsrat an die Stelle der Betriebsräte.

§ 2 [Vorrang des Montan-Mitbestimmungsgesetzes] Auf die in § 1 bezeichneten Unternehmen finden die Vorschriften des Aktiengesetzes[1], des Gesetzes betreffend die Gesellschaften mit beschränkter Haftung[2], der Berggesetze und des Betriebsverfassungsrechts insoweit keine Anwendung, als sie den Vorschriften dieses Gesetzes widersprechen.

Zweiter Teil. Aufsichtsrat

§ 3[3] [Aufsichtsrat bei GmbH] (1) Betreibt eine Gesellschaft mit beschränkter Haftung ein Unternehmen im Sinne des § 1, so ist nach Maßgabe dieses Gesetzes ein Aufsichtsrat zu bilden.

(2) Auf den Aufsichtsrat, seine Rechte und Pflichten finden die Vorschriften des Aktienrechts sinngemäß Anwendung.

§ 4 [Zusammensetzung. Rechte und Pflichten der Mitglieder]

(1) 1 Der Aufsichtsrat besteht aus elf Mitgliedern. 2 Er setzt sich zusammen aus

a) vier Vertretern der Anteilseigner und einem weiteren Mitglied,

---

[2] Nr. **567**.

[1] Auszugsweise abgedruckt unter Nr. **567**.

[2] **Habersack Nr. 52.**

[3] § 3 Abs. 1 geänd. mWv 1.7.2004 durch G v. 18.5.2004 (BGBl. I S. 974).

b) vier Vertretern der Arbeitnehmer und einem weiteren Mitglied,
c) einem weiteren Mitglied.

(2) Die in Absatz 1 bezeichneten weiteren Mitglieder dürfen nicht
a) Repräsentant einer Gewerkschaft oder einer Vereinigung der Arbeitgeber oder einer Spitzenorganisation dieser Verbände sein oder zu diesen in einem ständigen Dienst- oder Geschäftsbesorgungsverhältnis stehen,
b) im Laufe des letzten Jahres vor der Wahl eine unter Buchstabe a bezeichnete Stellung innegehabt haben,
c) in den Unternehmen als Arbeitnehmer oder Arbeitgeber tätig sein,
d) an dem Unternehmen wirtschaftlich wesentlich interessiert sein.

(3) [1] Alle Aufsichtsratsmitglieder haben die gleichen Rechte und Pflichten. [2] Sie sind an Aufträge und Weisungen nicht gebunden.

§ 5[1)] [Wahl der Vertreter der Anteilseigner] Die in § 4 Abs. 1 Buchstabe a bezeichneten Mitglieder des Aufsichtsrats werden durch das nach Gesetz, Satzung oder Gesellschaftsvertrag zur Wahl von Aufsichtsratsmitgliedern berufene Organ (Wahlorgan) nach Maßgabe der Satzung oder des Gesellschaftsvertrags gewählt oder entsandt.

§ 5a[2)] [Geschlechteranteil] [1] Unter den in § 4 Absatz 1 Buchstabe b bezeichneten Mitgliedern des Aufsichtsrates eines in § 1 genannten, börsennotierten Unternehmens müssen im Fall des § 96 Absatz 2 Satz 3 des Aktiengesetzes[3)] Frauen und Männer jeweils mit einem Anteil von mindestens 30 Prozent vertreten sein. [2] Satz 1 gilt auch für ein nicht börsennotiertes Unternehmen mit Mehrheitsbeteiligung des Bundes im Sinne des § 393a Absatz 1 des Aktiengesetzes[4)] oder des § 77a Absatz 1 des Gesetzes betreffend die Gesellschaften mit beschränkter Haftung[5)].

§ 6[6)] [Wahl der Vertreter der Arbeitnehmer] (1) [1] Unter den in § 4 Abs. 1 Buchstabe b bezeichneten Mitgliedern des Aufsichtsrats müssen sich zwei Arbeitnehmer befinden, die in einem Betriebe des Unternehmens beschäftigt sind. [2] Diese Mitglieder werden durch die Betriebsräte der Betriebe des Unternehmens in geheimer Wahl gewählt und dem Wahlorgan nach Beratung mit den in den Betrieben des Unternehmens vertretenen Gewerkschaften und deren Spitzenorganisationen vorgeschlagen.

(2) [1] Die nach Absatz 1 gewählten Personen sind vor Weiterleitung der Vorschläge an das Wahlorgan innerhalb von zwei Wochen nach der Wahl den Spitzenorganisationen mitzuteilen, denen die in den Betrieben des Unterneh-

---

[1)] § 5 Satz 2 aufgeh. mWv 1.1.1966 durch G v. 6.9.1965 (BGBl. I S. 1185); geänd. mWv 1.5.2015 durch G v. 24.4.2015 (BGBl. I S. 642).

[2)] § 5a eingef. mWv 1.1.2016 durch G v. 24.4.2015 (BGBl. I S. 642); Satz 2 angef. mWv 12.8.2021 durch G v. 7.8.2021 (BGBl. I S. 3311).

[3)] Nr. **567**.

[4)] **beck-online, Module Arbeitsrecht Nr. 567.**

[5)] **Habersack Nr. 52.**

[6)] § 6 Abs. 3 Satz 1 geänd., Abs. 5 eingef., bish. Abs. 5 als Abs. 6 neu gef. durch G v. 21.5.1981, Abs. 2 Satz 3 geänd. durch G v. 26.2.1993 (BGBl. I S. 278); Abs. 1 Sätze 1 und 2, Abs. 5 Satz 1 geänd. mWv 28.7.2001 durch G v. 23.7.2001 (BGBl. I S. 1852); Abs. 2 Satz 3 geänd. mWv 28.11.2003 durch VO v. 25.11.2003 (BGBl. I S. 2304); Abs. 2 Satz 3 erster Halbs. geänd. mWv 8.11.2006 durch VO v. 31.10.2006 (BGBl. I S. 2407); Abs. 6 eingef., bish. Abs. 6 wird Abs. 7 mWv 1.1.2016 durch G v. 24.4.2015 (BGBl. I S. 642).

mens vertretenen Gewerkschaften angehören. [2] Jede Spitzenorganisation kann binnen zwei Wochen nach Zugang der Mitteilung Einspruch bei den Betriebsräten einlegen, wenn der begründete Verdacht besteht, daß ein Vorgeschlagener nicht die Gewähr bietet, zum Wohle des Unternehmens und der gesamten Volkswirtschaft verantwortlich im Aufsichtsrat mitzuarbeiten. [3] Lehnen die Betriebsräte den Einspruch mit einfacher Stimmenmehrheit ab, so können die Betriebsräte oder die Spitzenorganisation, welche den Einspruch eingelegt hat, das Bundesministerium für Arbeit und Soziales anrufen; dieses entscheidet endgültig.

(3) [1] Zwei der in § 4 Abs. 1 Buchstabe b bezeichneten Mitglieder werden von den Spitzenorganisationen nach vorheriger Beratung mit den im Betriebe vertretenen Gewerkschaften den Betriebsräten vorgeschlagen. [2] Die Spitzenorganisationen sind nach dem Verhältnis ihrer Vertretung in den Betrieben vorschlagsberechtigt; sie sollen bei ihren Vorschlägen die innerhalb der Belegschaften bestehenden Minderheiten in angemessener Weise berücksichtigen.

(4) Für das in § 4 Abs. 1 Buchstabe b bezeichnete weitere Mitglied gilt Absatz 3 entsprechend.

(5) [1] Die Mitglieder der Betriebsräte der Betriebe des Unternehmens wählen in geheimer Wahl auf Grund der nach den Absätzen 3 und 4 gemachten Vorschläge die Bewerber und schlagen diese dem Wahlorgan vor. [2] Wird von einer Spitzenorganisation nur ein Bewerber für ein Aufsichtsratsmitglied vorgeschlagen, so bedarf der Vorschlag gegenüber dem Wahlorgan der Mehrheit der Stimmen der Mitglieder der Betriebsräte.

(6) Bei börsennotierten Unternehmen kann im Fall des § 96 Absatz 2 Satz 3 des Aktiengesetzes[1)] ein Vorschlag an das Wahlorgan nur erfolgen, wenn die Vorgaben des § 5a durch eine Wahl nach den Absätzen 1 und 5 erfüllt worden sind.

(7) Das Wahlorgan ist an die Vorschläge der Betriebsräte gebunden.

§ 7[2)] *(aufgehoben)*

§ 8 [Wahl des weiteren Mitglieds. Vermittlungsausschuss] (1) [1] Das in § 4 Abs. 1 Buchstabe c bezeichnete weitere Mitglied des Aufsichtsrats wird durch das Wahlorgan auf Vorschlag der übrigen Aufsichtsratsmitglieder gewählt. [2] Der Vorschlag wird durch diese Aufsichtsratsmitglieder mit Mehrheit aller Stimmen beschlossen. [3] Er bedarf jedoch der Zustimmung von mindestens je drei Mitgliedern, die nach § 5 und die nach § 6 gewählt sind.

(2) [1] Kommt ein Vorschlag nach Absatz 1 nicht zustande oder wird eine vorgeschlagene Person nicht gewählt, so ist ein Vermittlungsausschuß zu bilden, der aus vier Mitgliedern besteht. [2] Je zwei Mitglieder werden von den nach § 5 und den nach § 6 gewählten Aufsichtsratsmitgliedern gewählt.

(3) [1] Der Vermittlungsausschuß schlägt innerhalb eines Monats dem Wahlorgan drei Personen zur Wahl vor, aus denen das Wahlorgan das Aufsichtsratsmitglied wählen soll. [2] Kommt die Wahl auf Grund des Vorschlages des Vermittlungsausschusses aus wichtigen Gründen nicht zustande, insbesondere dann, wenn keiner der Vorgeschlagenen die Gewähr für ein gedeihliches Wirken für das Unternehmen bietet, so muß die Ablehnung durch Beschluß

[1)] Nr. **567**.

[2)] § 7 aufgeh. durch G v. 15.7.1957 (BGBl. I S. 714).

festgestellt werden. [3] Dieser Beschluß muß mit Gründen versehen sein. [4] Über die Berechtigung der Ablehnung der Wahl entscheidet auf Antrag des Vermittlungsausschusses das für das Unternehmen zuständige Oberlandesgericht. [5] Im Falle der Bestätigung der Ablehnung hat der Vermittlungsausschuß dem Wahlorgan drei weitere Personen vorzuschlagen; für diesen zweiten Vorschlag gilt die vorstehende Regelung (Sätze 2 bis 4) entsprechend. [6] Wird die Ablehnung der Wahl von dem Gericht für unberechtigt erklärt, so hat das Wahlorgan einen der Vorgeschlagenen zu wählen. [7] Wird die Ablehnung der Wahl aus dem zweiten Wahlvorschlag von dem Gericht für berechtigt erklärt, oder erfolgt kein Wahlvorschlag, so wählt das Wahlorgan von sich aus das weitere Mitglied.

(4) Wird die in Absatz 2 vorgesehene Anzahl von Mitgliedern des Vermittlungsausschusses nicht gewählt, oder bleiben Mitglieder des Vermittlungsausschusses trotz rechtzeitiger Einladung ohne genügende Entschuldigung einer Sitzung fern, so kann der Vermittlungsausschuß tätig werden, wenn wenigstens zwei Mitglieder mitwirken.

§ 9[1)] [Größerer Aufsichtsrat] (1) [1] Bei Gesellschaften mit einem Nennkapital von mehr als zehn Millionen Euro kann durch Satzung oder Gesellschaftsvertrag bestimmt werden, daß der Aufsichtsrat aus fünfzehn Mitgliedern besteht. [2] Die Vorschriften der §§ 4 bis 8 finden sinngemäß Anwendung mit der Maßgabe, daß die Zahl der gemäß § 6 Abs. 1 und 2 zu wählenden Arbeitnehmer und die Zahl der in § 6 Abs. 3 bezeichneten Vertreter der Arbeitnehmer je drei beträgt.

(2) [1] Bei Gesellschaften mit einem Nennkapital von mehr als fünfundzwanzig Millionen Euro kann durch Satzung oder Gesellschaftsvertrag bestimmt werden, daß der Aufsichtsrat aus einundzwanzig Mitgliedern besteht. [2] Die Vorschriften der §§ 4 bis 8 finden sinngemäß Anwendung mit der Maßgabe, daß die Zahl der in § 4 Abs. 1 Buchstaben a und b bezeichneten weiteren Mitglieder je zwei, die Zahl der gemäß § 6 Abs. 1 und 2 zu wählenden Arbeitnehmer und die Zahl der in § 6 Abs. 3 bezeichneten Vertreter der Arbeitnehmer je vier beträgt.

§ 10[2)] [Beschlussfähigkeit] [1] Der Aufsichtsrat ist beschlußfähig, wenn mindestens die Hälfte der Mitglieder, aus denen er nach diesem Gesetz oder der Satzung insgesamt zu bestehen hat, an der Beschlußfassung teilnimmt. [2] § 108 Abs. 2 Satz 4 des Aktiengesetzes[3)] findet Anwendung.

§ 11[4)] [Abberufung eines Aufsichtsratsmitglieds] (1) Auf die in § 5 bezeichneten Mitglieder des Aufsichtsrats findet § 103 des Aktiengesetzes[3)] Anwendung.

(2) [1] Auf die Abberufung eines in § 6 bezeichneten Mitglieds des Aufsichtsrats durch das Wahlorgan findet Absatz 1 entsprechende Anwendung mit der Maßgabe, daß die Abberufung auf Vorschlag der Betriebsräte der Betriebe des Unternehmens erfolgt. [2] Die Abberufung eines in § 6 Abs. 3 oder 4 bezeichne-

---

[1)] § 9 Abs. 1 Satz 1 und Abs. 2 Satz 1 geänd. durch G v. 9.6.1998 (BGBl. I S. 1242); Abs. 1 Satz 2, Abs. 2 Satz 2 geänd. mWv 28.7.2001 durch G v. 23.7.2001 (BGBl. I S. 1852).

[2)] § 10 Satz 2 neu gef. durch G v. 19.12.1985 (BGBl. I S. 2355).

[3)] Nr. **567**.

[4)] § 11 Abs. 2 neu gef. durch G v. 21.5.1981 (BGBl. I S. 441); Abs. 1 neu gef. durch G v. 19.12. 1985 (BGBl. I S. 2355).

ten Mitglieds kann nur auf Antrag der Spitzenorganisation, die das Mitglied vorgeschlagen hat, von den Betriebsräten vorgeschlagen werden.

(3) Eine Abberufung des in § 8 bezeichneten Mitgliedes des Aufsichtsrats kann auf Antrag von mindestens drei Aufsichtsratsmitgliedern durch das Gericht aus wichtigem Grunde erfolgen.

Dritter Teil. Vorstand

§ 12[1)] **[Bestellung durch Aufsichtsrat]** Die Bestellung der Mitglieder des zur gesetzlichen Vertretung berufenen Organs und der Widerruf ihrer Bestellung erfolgen nach Maßgabe des § 76 Abs. 3 und des § 84 des Aktiengesetzes[2)] durch den Aufsichtsrat.

§ 13 [Arbeitsdirektor] (1) [1] Als gleichberechtigtes Mitglied des zur gesetzlichen Vertretung berufenen Organs wird ein Arbeitsdirektor bestellt. [2] Der Arbeitsdirektor kann nicht gegen die Stimmen der Mehrheit der nach § 6 gewählten Aufsichtsratsmitglieder bestellt werden. [3] Das gleiche gilt für den Widerruf der Bestellung.

(2) [1] Der Arbeitsdirektor hat wie die übrigen Mitglieder des zur gesetzlichen Vertretung berufenen Organs seine Aufgaben im engsten Einvernehmen mit dem Gesamtorgan auszuüben. [2] Das Nähere bestimmt die Geschäftsordnung.

Vierter Teil. Schlußvorschriften

§ 14[3)] **[Ermächtigung zum Erlass von Rechtsverordnungen]** Die Bundesregierung wird ermächtigt, durch Rechtsverordnung Vorschriften zu erlassen über

a) die Anpassung von Satzungen und Gesellschaftsverträgen an die Vorschriften dieses Gesetzes,

b) das Verfahren für die Aufstellung der in § 6 bezeichneten Wahlvorschläge.

[1)] § 12 geänd. durch G v. 19.12.1985 (*BGBl. I S.* 2355).

[2)] *Nr.* ***567***.

[3)] Bish. § 14 aufgeh., bish. § 15 wird § 14 mWv 1.5.2015 durch G v. 24.4.2015 (BGBl. I S. 642).

562. Gesetz zur Ergänzung des Gesetzes über die Mitbestimmung der Arbeitnehmer in den Aufsichtsräten und Vorständen der Unternehmen des Bergbaus und der Eisen und Stahl erzeugenden Industrie

Vom 7. August 1956
(BGBl. I S. 707)

BGBl. III/FNA 801-3

zuletzt geänd. durch Art. 15 G zur Ergänzung und Änd. der Regelungen für die gleichberechtigte Teilhabe von Frauen an Führungspositionen in der Privatwirtschaft und im öffentlichen Dienst v. 7.8. 2021 (BGBl. I S. 3311)

Art. 1. Mitbestimmung in herrschenden Unternehmen

§ 1[1] **[Begriff]** Die Mitbestimmung der Arbeitnehmer in den Aufsichtsräten und den zur gesetzlichen Vertretung berufenen Organen von Unternehmen in der Rechtsform einer Aktiengesellschaft oder einer Gesellschaft mit beschränkter Haftung, die ein Unternehmen beherrschen, in dem die Arbeitnehmer nach den Vorschriften des Gesetzes über die Mitbestimmung der Arbeitnehmer in den Aufsichtsräten und Vorständen der Unternehmen des Bergbaus und der Eisen und Stahl erzeugenden Industrie[2] vom 21. Mai 1951 – Bundesgesetzbl. I S. 347 – (Montan-Mitbestimmungsgesetz) ein Mitbestimmungsrecht haben, regelt sich nach den Vorschriften dieses Gesetzes.

§ 2 [Anwendung des Montan-Mitbestimmungsgesetzes] [1] Liegen bei dem herrschenden Unternehmen nach seinem eigenen überwiegenden Betriebszweck die Voraussetzungen für die Anwendung des Montan-Mitbestimmungsgesetzes[2] vor, so gilt für das herrschende Unternehmen das Montan-Mitbestimmungsgesetz. [2] Dies gilt auch, solange in dem herrschenden Unternehmen das Mitbestimmungsrecht nach § 1 Abs. 3 des Montan-Mitbestimmungsgesetzes fortbesteht.

§ 3[3] **[Unternehmenszweck]** (1) [1] Liegen bei dem herrschenden Unternehmen die Voraussetzungen für die Anwendung des Montan-Mitbestimmungsgesetzes[2] nach § 2 nicht vor, wird jedoch der Unternehmenszweck des Konzerns durch Konzernunternehmen und abhängige Unternehmen gekennzeichnet, die unter das Montan-Mitbestimmungsgesetz fallen, so gelten für das herrschende Unternehmen die §§ 5 bis 13. [2] Ist das herrschende Unternehmen eine Gesellschaft mit beschränkter Haftung, so findet § 3 des Montan-Mitbestimmungsgesetzes entsprechende Anwendung.

(2) [1] Der Unternehmenszweck des Konzerns wird durch die unter das Montan-Mitbestimmungsgesetz fallenden Konzernunternehmen und abhängigen Unternehmen gekennzeichnet, wenn diese Konzernunternehmen und abhängigen Unternehmen insgesamt

---

[1] § 1 geänd. mWv 1.7.2004 durch G v. 18.5.2004 (BGBl. I S. 974).

[2] Nr. **561**.

[3] § 3 Abs. 1 Satz 2, Abs. 2 Satz 1 Nr. 2 geänd. mWv 1.7.2004 durch G v. 18.5.2004 (BGBl. I S. 974).

1. mindestens ein Fünftel der Umsätze sämtlicher Konzernunternehmen und abhängigen Unternehmen erzielen, jeweils vermindert um die in den Umsätzen enthaltenen Kosten für fremdbezogene Roh-, Hilfs- und Betriebsstoffe und für Fremdleistungen, oder
2. in der Regel mehr als ein Fünftel der Arbeitnehmer sämtlicher Konzernunternehmen und abhängigen Unternehmen beschäftigen.

[2] Soweit Konzernunternehmen und abhängige Unternehmen Umsätze erzielen, die nicht auf der Veräußerung selbsterzeugter, bearbeiteter oder verarbeiteter Waren beruhen, ist ein Fünftel der unverminderten Umsätze anzurechnen.

§ 4[1)] [Maßgebliches Umsatzverhältnis] (1) [1] Das nach § 3 maßgebliche Umsatzverhältnis hat der Abschlußprüfer des herrschenden Unternehmens zu ermitteln. [2] Ist der Jahresabschluß des herrschenden Unternehmens nicht auf Grund gesetzlicher Vorschriften durch Abschlußprüfer zu prüfen, so wird das Umsatzverhältnis von einem in entsprechender Anwendung der §§ 318, 319 Absatz 1 bis 4 und § 319b des Handelsgesetzbuchs[2)] sowie des Artikels 5 Absatz 1 der Verordnung (EU) Nr. 537/2014 des Europäischen Parlaments und des Rates vom 16. April 2014 über spezifische Anforderungen an die Abschlussprüfung bei Unternehmen von öffentlichem Interesse und zur Aufhebung des Beschlusses 2005/909/EG der Kommission (ABl. L 158 vom 27.5. 2014, S. 77; L 170 vom 11.6.2014, S. 66) zu bestellenden Prüfer ermittelt.

(2) [1] Der Prüfer hat für jedes Geschäftsjahr vor Ablauf von fünf Monaten nach dessen Ende über das Ergebnis seiner Ermittlungen schriftlich zu berichten. [2] Der Bericht ist den Verwaltungsträgern des herrschenden Unternehmens vorzulegen.

(3) [1] Der Prüfer hat, soweit dies für seine Ermittlungen erforderlich ist, gegenüber sämtlichen Konzernunternehmen und abhängigen Unternehmen die ihm nach § 320 Abs. 1 Satz 2, Abs. 2 des Handelsgesetzbuchs zustehenden Rechte. [2] § 323 des Handelsgesetzbuchs ist anzuwenden.

(4) Hat der Aufsichtsrat Bedenken gegen die von dem Prüfer getroffenen Feststellungen, so hat der Prüfer auf Verlangen des Aufsichtsrats die beanstandeten Feststellungen zu überprüfen und über das Ergebnis zu berichten.

(5) Das zur gesetzlichen Vertretung berufene Organ des herrschenden Unternehmens hat das festgestellte Umsatzverhältnis und die abschließende Stellungnahme des Aufsichtsrats unverzüglich den Betriebsräten (Gesamtbetriebsräten) der Konzernunternehmen und abhängigen Unternehmen sowie den nach § 10d Absatz 2 Satz 1 im Konzern vertretenen Gewerkschaften mitzuteilen.

(6) Die Absätze 1 bis 5 sind nicht anzuwenden, wenn die Voraussetzungen des § 3 Abs. 2 Satz 1 Nr. 2 vorliegen.

[1)] § 4 Abs. 1 Satz 2 geänd. mWv 10.12.2004 durch G v. 4.12.2004 (BGBl. I S. 3166); Abs. 1 Satz 2 geänd. mWv 29.5.2009 durch G v. 25.5.2009 (BGBl. I S. 1102); Abs. 5 geänd. mWv 1.5.2015 durch G v. 24.4.2015 (BGBl. I S. 642); Abs. 1 Satz 2 geänd. mWv 1.7.2021 durch G v. 3.6.2021 (BGBl. I S. 1534).

[2)] **beck-online, Module Arbeitsrecht Nr. 105.**

§ 5[1)] [Zusammensetzung des Aufsichtsrats] (1) [1]Der Aufsichtsrat besteht aus fünfzehn Mitgliedern. [2]Er setzt sich zusammen aus

a) sieben Vertretern der Anteilseigner,

b) sieben Vertretern der Arbeitnehmer,

c) einem weiteren Mitglied.

[3]Bei Unternehmen mit einem Gesellschaftskapital von mehr als fünfundzwanzig Millionen Euro kann durch Satzung oder Gesellschaftsvertrag bestimmt werden, daß der Aufsichtsrat aus einundzwanzig Mitgliedern besteht. [4]In diesem Fall beträgt die Zahl der in Satz 2 Buchstabe a und b bezeichneten Mitglieder je zehn.

(2) Für die Bestellung der in Absatz 1 Satz 2 Buchstabe a genannten Mitglieder gilt § 5 des Montan-Mitbestimmungsgesetzes[2)]; für ihre Abberufung gilt § 103 des Aktiengesetzes[3)].

(3) [1]Auf das in Absatz 1 Satz 2 Buchstabe c genannte Mitglied findet § 4 Abs. 2 des Montan-Mitbestimmungsgesetzes Anwendung. [2]Für seine Bestellung gilt § 8 des Montan-Mitbestimmungsgesetzes, wobei an die Stelle des § 6 des Montan-Mitbestimmungsgesetzes die §§ 6 bis 10i dieses Gesetzes treten; für seine Abberufung gilt § 11 Abs. 3 des Montan-Mitbestimmungsgesetzes.

(4) § 4 Abs. 3 des Montan-Mitbestimmungsgesetzes findet Anwendung.

(5) [1]Arbeitnehmer im Sinne dieses Gesetzes sind die in § 5 Abs. 1 des Betriebsverfassungsgesetzes[4)] bezeichneten Personen. [2]Die in § 5 Abs. 2 des Betriebsverfassungsgesetzes bezeichneten Personen sind keine Arbeitnehmer im Sinne dieses Gesetzes.

(6) [1]Betriebe im Sinne dieses Gesetzes sind solche des Betriebsverfassungsgesetzes. [2]§ 4 Abs. 2 des Betriebsverfassungsgesetzes ist anzuwenden.

§ 5a[5)] [Anteil von Aufsichtsratsmitgliedern] [1]Unter den Aufsichtsratsmitgliedern der Arbeitnehmer eines in § 1 genannten, börsennotierten Unternehmens müssen im Fall des § 96 Absatz 2 Satz 3 des Aktiengesetzes[3)] Frauen und Männer jeweils mit einem Anteil von mindestens 30 Prozent vertreten sein. [2]Satz 1 gilt auch für ein nicht börsennotiertes Unternehmen mit Mehrheitsbeteiligung des Bundes im Sinne des § 393a Absatz 1 des Aktiengesetzes[6)] oder des § 77a Absatz 1 des Gesetzes betreffend die Gesellschaften mit beschränkter Haftung[7)].

§ 6[8)] [Arbeitnehmervertreter] (1) [1]Unter den Aufsichtsratsmitgliedern der Arbeitnehmer müssen sich fünf Arbeitnehmer von Konzernunternehmen und zwei Vertreter von Gewerkschaften befinden. [2]Besteht der Aufsichtsrat aus einundzwanzig Mitgliedern, so müssen sich unter den Aufsichtsratsmitgliedern

---

[1)] § 5 Abs. 1 Satz 3 geänd. durch G v. 9.6.1998 (BGBl. I S. 1242). Abs. 5 Satz 1 geänd, Abs. 5 Sätze 3 und 4 aufgeh., Abs. 6 angef. mWv 28.7.2001 durch G v. 23.7.2001 (BGBl. I S. 1852); Abs. 3 Satz 2 geänd. mWv 1.5.2015 durch G v. 24.4.2015 (BGBl. I S. 642).

[2)] Nr. **561**.

[3)] Nr. **567**.

[4)] Nr. **570**.

[5)] § 5a eingef. mWv 1.5.2015 durch G v. 24.4.2015 (BGBl. I S. 642); Satz 2 angef. mWv 12.8.2021 durch G v. 7.8.2021 (BGBl. I S. 3311).

[6)] **beck-online, Module Arbeitsrecht Nr. 567.**

[7)] **Habersack Nr. 52.**

[8)] § 6 Abs. 2 neu gef. mWv 1.7.2004 durch G v. 18.5.2004 (BGBl. I S. 974).

der Arbeitnehmer sieben Arbeitnehmer von Konzernunternehmen und drei Vertreter von Gewerkschaften befinden.

(2) [1] Die in Absatz 1 bezeichneten Arbeitnehmer müssen das 18. Lebensjahr vollendet haben und ein Jahr einem Konzernunternehmen angehören. [2] Auf die einjährige Angehörigkeit zu einem Konzernunternehmen werden Zeiten der Angehörigkeit zu einem anderen Unternehmen, dessen Arbeitnehmer nach diesem Gesetz an der Wahl von Aufsichtsratsmitgliedern des Konzerns teilnehmen, angerechnet. [3] Diese Zeiten müssen unmittelbar vor dem Zeitpunkt liegen, ab dem die Arbeitnehmer zur Wahl von Aufsichtsratsmitgliedern des Konzerns berechtigt sind. [4] Die weiteren Wählbarkeitsvoraussetzungen des § 8 Abs. 1 des Betriebsverfassungsgesetzes[1)] müssen erfüllt sein.

(3) Die in Absatz 1 bezeichneten Gewerkschaften müssen im Konzern vertreten sein.

§ 7[2)] [Wahl durch Delegierte] (1) [1] Die Aufsichtsratsmitglieder der Arbeitnehmer eines Konzerns mit in der Regel mehr als 8 000 Arbeitnehmern werden durch Delegierte gewählt, sofern nicht die wahlberechtigten Arbeitnehmer die unmittelbare Wahl beschließen. [2] Für die Wahl der Aufsichtsratsmitglieder der Arbeitnehmer durch Delegierte gelten die §§ 8 bis 10g und 10i.

(2) [1] Die Aufsichtsratsmitglieder der Arbeitnehmer eines Konzerns mit in der Regel nicht mehr als 8 000 Arbeitnehmern werden in unmittelbarer Wahl gewählt, sofern nicht die wahlberechtigten Arbeitnehmer die Wahl durch Delegierte beschließen. [2] Für die unmittelbare Wahl der Aufsichtsratsmitglieder der Arbeitnehmer gelten die §§ 10h und 10i.

(3) [1] Zur Abstimmung darüber, ob die Wahl durch Delegierte oder unmittelbar erfolgen soll, bedarf es eines Antrags, der von einem Zwanzigstel der wahlberechtigten Arbeitnehmer des Konzerns unterzeichnet sein muß. [2] Die Abstimmung ist geheim. [3] Ein Beschluß nach Absatz 1 oder 2 kann nur unter Beteiligung von mindestens der Hälfte der wahlberechtigten Arbeitnehmer und nur mit der Mehrheit der abgegebenen Stimmen gefaßt werden.

§ 8[3)] [Wahl der Delegierten] (1) Sind nach § 7 die Aufsichtsratsmitglieder der Arbeitnehmer durch Delegierte zu wählen, so wählen in jedem Betrieb des Konzerns die Arbeitnehmer in geheimer Wahl und nach den Grundsätzen der Verhältniswahl Delegierte.

(2) [1] Wahlberechtigt für die Wahl von Delegierten sind diejenigen Arbeitnehmer der Konzernunternehmen, die das 18. Lebensjahr vollendet haben. [2] § 7 Satz 2 des Betriebsverfassungsgesetzes[1)] gilt entsprechend.

(3) Zu Delegierten wählbar sind die in Absatz 2 Satz 1 bezeichneten Arbeitnehmer, die die weiteren Wählbarkeitsvoraussetzungen des § 8 des Betriebsverfassungsgesetzes erfüllen.

(Fortsetzung nächstes Blatt)

---

1) Nr. **570**.

2) § 7 Abs. 1 Satz 2 und Abs. 2 Satz 2 geänd. mWv 1.5.2015 durch G v. 24.4.2015 (BGBl. I S. 642).

3) § 8 Abs. 1 Satz 2, Abs. 2 aufgeh., bish. Abs. 1 Satz 1 wird alleiniger Wortlaut und geänd., bish. Abs. 3, 4 und 5 werden Abs. 2, 3 und 4, neuer Abs. 2 Satz 2 angef., neuer Abs. 2 bish. Wortlaut wird Satz 1, neuer Abs. 3 geänd., neuer Abs. 4 Satz 2 aufgeh., neuer Abs. 4 bish. Satz 1 wird alleiniger Wortlaut mWv 28.7.2001 durch G v. 23.7.2001 (BGBl. I S. 1852).

(4) Wird für einen Wahlgang nur ein Wahlvorschlag gemacht, so gelten die darin aufgeführten Arbeitnehmer in der angegebenen Reihenfolge als gewählt.

§ 9[1)] [Anzahl der Delegierten] (1) [1] In jedem Betrieb entfällt auf je 90 wahlberechtigte Arbeitnehmer ein Delegierter. [2] Ergibt die Berechnung nach Satz 1 in einem Betrieb mehr als

1. 25 Delegierte, so vermindert sich die Zahl der zu wählenden Delegierten auf die Hälfte; diese Delegierten erhalten je zwei Stimmen;
2. 50 Delegierte, so vermindert sich die Zahl der zu wählenden Delegierten auf ein Drittel; diese Delegierten erhalten je drei Stimmen;
3. 75 Delegierte, so vermindert sich die Zahl der zu wählenden Delegierten auf ein Viertel; diese Delegierten erhalten je vier Stimmen;
4. 100 Delegierte, so vermindert sich die Zahl der zu wählenden Delegierten auf ein Fünftel; diese Delegierten erhalten je fünf Stimmen;
5. 125 Delegierte, so vermindert sich die Zahl der zu wählenden Delegierten auf ein Sechstel; diese Delegierten erhalten je sechs Stimmen;
6. 150 Delegierte, so vermindert sich die Zahl der zu wählenden Delegierten auf ein Siebtel; diese Delegierten erhalten je sieben Stimmen.

[3] Bei der Errechnung der Zahl der Delegierten werden Teilzahlen voll gezählt, wenn sie mindestens die Hälfte der vollen Zahl betragen.

(2) [1] Entfällt auf einen Betrieb kein Delegierter, gelten die Arbeitnehmer dieses Betriebs für die Wahl der Delegierten als Arbeitnehmer des Betriebs der Hauptniederlassung des betreffenden Konzernunternehmens. [2] Soweit auf die Arbeitnehmer des Betriebs der Hauptniederlassung kein Delegierter entfällt, gelten diese für die Wahl der Delegierten als Arbeitnehmer des nach der Zahl der wahlberechtigten Arbeitnehmer größten Betriebs des betreffenden Konzernunternehmens.

(3) [1] Entfällt auf ein Konzernunternehmen kein Delegierter, gelten die Arbeitnehmer dieses Unternehmens für die Wahl der Delegierten als Arbeitnehmer des nach der Zahl der wahlberechtigten Arbeitnehmer größten Betriebs des herrschenden Unternehmens. [2] Soweit auf die Arbeitnehmer des herrschenden Unternehmens kein Delegierter entfällt, gelten diese für die Wahl der Delegierten als Arbeitnehmer des nach der Zahl der wahlberechtigten Arbeitnehmer größten Betriebs der Konzernunternehmen.

§ 10[2)] [Wahlvorschläge] (1) [1] Zur Wahl der Delegierten können die wahlberechtigten Arbeitnehmer des Betriebs Wahlvorschläge machen. [2] Jeder Wahlvorschlag für Delegierte muss von einem Zwanzigstel oder 50 der wahlberechtigten Arbeitnehmer des Betriebs unterzeichnet sein.

(2) Jeder Wahlvorschlag soll mindestens doppelt so viele Bewerber enthalten, wie in dem Wahlgang Delegierte zu wählen sind.

---

1) § 9 Abs. 1 Satz 2 geänd., Abs. 2, 4 und 5 aufgeh., bish. Abs. 3 wird Abs. 2 und neu gef. mWv 28. 7. 2001 durch G v. 23. 7. 2001 (BGBl. I S. 1852); Abs. 1 Satz 1 geänd., Satz 2 neu gef.. Abs. 3 angef. mWv 1. 7. 2004 durch G v. 18. 5. 2004 (BGBl. I S. 974).

2) § 10 Abs. 1 Satz 2 neu gef. mWv 28. 7. 2001 durch G v. 23. 7. 2001 (BGBl. I S. 1852); Abs. 1 Satz 2 geänd. mWv 1. 7. 2005 durch G v. 8. 6. 2005 (BGBl. I S. 1530).

§ 10 a [Amtszeit der Delegierten] (1) [1] Die Delegierten werden für eine Zeit gewählt, die der Amtszeit der von ihnen zu wählenden Aufsichtsratsmitglieder entspricht. [2] Sie nehmen die ihnen nach den Vorschriften dieses Gesetzes zustehenden Aufgaben und Befugnisse bis zur Einleitung der Neuwahl der Aufsichtsratsmitglieder der Arbeitnehmer wahr.

(2) In den Fällen des § 7 Abs. 1 endet die Amtszeit der Delegierten, wenn

1. die wahlberechtigten Arbeitnehmer nach § 7 Abs. 1 die unmittelbare Wahl beschließen;
2. der Konzern nicht mehr die Voraussetzungen für die Anwendung des § 7 Abs. 1 erfüllt, es sei denn, die wahlberechtigten Arbeitnehmer beschließen, daß die Amtszeit bis zu dem in Absatz 1 genannten Zeitpunkt fortdauern soll; § 7 Abs. 3 ist entsprechend anzuwenden.

(3) In den Fällen des § 7 Abs. 2 endet die Amtszeit der Delegierten, wenn die wahlberechtigten Arbeitnehmer die unmittelbare Wahl beschließen; § 7 Abs. 3 ist anzuwenden.

(4) Abweichend von Absatz 1 endet die Amtszeit der Delegierten eines Betriebs, wenn nach Eintreten aller Ersatzdelegierten des Wahlvorschlags, dem die zu ersetzenden Delegierten angehören, die Gesamtzahl der Delegierten des Betriebs unter die im Zeitpunkt ihrer Wahl vorgeschriebene Zahl der auf den Betrieb entfallenden Delegierten gesunken ist.

§ 10 b [Ende der Amtszeit der Delegierten] (1) Die Amtszeit eines Delegierten endet vor dem in § 10 a bezeichneten Zeitpunkt

1. durch Niederlegung des Amtes,
2. durch Beendigung der Beschäftigung des Delegierten in dem Betrieb, dessen Delegierter er ist,
3. durch Verlust der Wählbarkeit.

(2) [1] Endet die Amtszeit eines Delegierten vorzeitig oder ist er verhindert, so tritt an seine Stelle ein Ersatzdelegierter. [2] Die Ersatzdelegierten werden der Reihe nach aus den nicht gewählten Arbeitnehmern derjenigen Wahlvorschläge entnommen, denen die zu ersetzenden Delegierten angehören.

§ 10 c[1)] [Wahl der Arbeitnehmervertreter] (1) Die Delegierten wählen die Aufsichtsratsmitglieder, die nach § 6 Abs. 1 Arbeitnehmer von Konzernunternehmen sein müssen, geheim und nach den Grundsätzen der Verhältniswahl für die Zeit, die im Gesetz oder in der Satzung (im Gesellschaftsvertrag, im Statut) für die durch das Wahlorgan der Anteilseigner zu wählenden Mitglieder des Aufsichtsrats bestimmt ist.

(2) [1] Die Wahl erfolgt aufgrund von Wahlvorschlägen. [2] Jeder Wahlvorschlag muss von einem Fünftel oder 100 der wahlberechtigten Arbeitnehmer des Konzerns unterzeichnet sein.

(3) [1] Abweichend von Absatz 1 findet Mehrheitswahl statt, soweit nur ein Wahlvorschlag gemacht wird. [2] In diesem Fall muss der Wahlvorschlag mindestens doppelt so viele Bewerber enthalten, wie Aufsichtsratsmitglieder auf die Arbeitnehmer entfallen.

[1)] § 10 c Abs. 2 *und 3* aufgeh., bish. Abs. 4 und 5 werden Abs. 2 und 3, neuer Abs. 2 Satz 2, neuer Abs. 3 neu gef. mWv 28. 7. 2001 durch G v. 23. 7. 2001 (BGBl. I S. 1852).

§ 10 d[1] [Wahl der Gewerkschaftsvertreter] (1) Die Delegierten wählen die Aufsichtsratsmitglieder, die nach § 6 Abs. 1 Vertreter von Gewerkschaften sind, in geheimer Wahl und nach den Grundsätzen der Verhältniswahl für die in § 10 c Abs. 1 bestimmte Zeit.

(2) [1] Die Wahl erfolgt aufgrund von Wahlvorschlägen der Gewerkschaften, die im Konzern vertreten sind. [2] Wird nur ein Wahlvorschlag gemacht, so findet abweichend von Absatz 1 Mehrheitswahl statt. [3] In diesem Falle muß der Wahlvorschlag mindestens doppelt so viele Bewerber enthalten, wie Vertreter von Gewerkschaften in den Aufsichtsrat zu wählen sind.

§ 10 e[2] [Ersatzmitglieder des Aufsichtsrats] (1) [1] In jedem Wahlvorschlag kann zusammen mit jedem Bewerber für diesen ein Ersatzmitglied des Aufsichtsrats vorgeschlagen werden. [2] Ein Bewerber kann nicht zugleich als Ersatzmitglied vorgeschlagen werden.

(2) Wird ein Bewerber als Aufsichtsratsmitglied gewählt, so ist auch das zusammen mit ihm vorgeschlagene Ersatzmitglied gewählt.

(3) Im Fall des § 96 Absatz 2 Satz 3 des Aktiengesetzes ist das Nachrücken eines Ersatzmitgliedes ausgeschlossen, wenn dadurch der Anteil von Frauen und Männern unter den Aufsichtsratsmitgliedern der Arbeitnehmer nicht mehr den Vorgaben des § 5 a entspricht; § 10 f Absatz 2 Satz 2 gilt entsprechend.

§ 10 f[3] [Auszählung der Stimmen; Geschlechteranteil] (1) Ergibt im Fall des § 96 Absatz 2 Satz 3 des Aktiengesetzes die Auszählung der Stimmen und ihre Verteilung auf die Bewerber, dass die Vorgaben des § 5 a nicht erreicht worden sind, ist zu gewährleisten, dass unter den Aufsichtsratsmitgliedern der Arbeitnehmer, die Arbeitnehmer von Konzernunternehmen sind, in einem Aufsichtsrat mit 15 Mitgliedern mindestens eine Frau und mindestens ein Mann und in einem Aufsichtsrat mit 21 Mitgliedern mindestens zwei Frauen und mindestens zwei Männer sowie unter den Aufsichtsratsmitgliedern der Gewerkschaften jeweils eine Frau und ein Mann vertreten sind.

(2) [1] Um diese Verteilung der Geschlechter nach Absatz 1 zu erreichen, ist die Wahl derjenigen Bewerber um einen Aufsichtsratssitz der Arbeitnehmer unwirksam, deren Geschlecht in dem jeweiligen Wahlgang nach der Verteilung der Stimmen auf die Bewerber mehrheitlich vertreten ist und die

1. bei einer Mehrheitswahl in dem jeweiligen Wahlgang nach der Reihenfolge der auf die Bewerber entfallenden Stimmenzahlen die niedrigsten Stimmenzahlen erhalten haben oder
2. bei einer Verhältniswahl in dem jeweiligen Wahlgang nach der Reihenfolge der auf die Bewerber entfallenden Höchstzahlen die niedrigsten Höchstzahlen erhalten haben.

[2] Die durch unwirksame Wahl nach Satz 1 nicht besetzten Aufsichtsratssitze werden im Wege der gerichtlichen Ersatzbestellung nach § 104 des Aktiengesetzes oder der Nachwahl besetzt.

---

[1] § 10 d Abs. 1 geänd. mWv 28. 7. 2001 durch G v. 23. 7. 2001 (BGBl. I S. 1852).

[2] § 10 e Abs. 1 Satz 2 aufgeh., bish. Satz 3 wird Satz 2 mWv 28. 7. 2001 durch G v. 23. 7. 2001 (BGBl. I S. 1852); Abs. 3 angef. mWv 1. 5. 2015 durch G v. 24. 4. 2015 (BGBl. I S. 642).

[3] § 10 f eingef. mWv 1. 5. 2015 durch G v. 24. 4. 2015 (BGBl. I S. 642).

§ 10 g[1] [Bekanntmachung des Wahlergebnisses] [1] Das zur gesetzlichen Vertretung berufene Organ des herrschenden Unternehmens hat die Namen der Mitglieder und der Ersatzmitglieder des Aufsichtsrats unverzüglich nach ihrer Bestellung in den Betrieben des Unternehmens bekanntzumachen und im Bundesanzeiger zu veröffentlichen. [2] Daneben ist in jedem abhängigen Konzernunternehmen das zur gesetzlichen Vertretung berufene Organ zur Bekanntmachung in dessen Betrieben verpflichtet.

§ 10 h[2] [Direkte Wahl] [1] Sind nach § 7 die Aufsichtsratsmitglieder der Arbeitnehmer in unmittelbarer Wahl zu wählen, so sind diejenigen Arbeitnehmer der Konzernunternehmen, die das 18. Lebensjahr vollendet haben, wahlberechtigt. [2] § 7 Satz 2 des Betriebsverfassungsgesetzes[3] gilt entsprechend. [3] Für die Wahl sind die §§ 10 c bis 10 g mit der Maßgabe anzuwenden, daß an die Stelle der Delegierten die wahlberechtigten Arbeitnehmer der Konzernunternehmen treten.

§ 10 i[4] [Schiffe] (1) Die Gesamtheit der Schiffe eines Unternehmens gilt für die Anwendung dieses Gesetzes als ein Betrieb.

(2) [1] Schiffe im Sinne dieses Gesetzes sind Kauffahrteischiffe, die nach dem Flaggenrechtsgesetz die Bundesflagge führen. [2] Schiffe, die in der Regel binnen 48 Stunden nach dem Auslaufen an den Sitz eines Landbetriebs zurückkehren, gelten als Teil dieses Landbetriebs.

(3) Die Arbeitnehmer eines in Absatz 1 bezeichneten Betriebs nehmen an einer Abstimmung nach § 7 nicht teil und bleiben für die Errechnung der für die Antragstellung und für die Beschlußfassung erforderlichen Zahlen von Arbeitnehmern außer Betracht.

(4) [1] Werden die Aufsichtsratsmitglieder der Arbeitnehmer durch Delegierte gewählt, so werden abweichend von § 8 in einem in Absatz 1 bezeichneten Betrieb keine Delegierten gewählt. [2] Abweichend von § 10 c Abs. 1 nehmen die Arbeitnehmer dieses Betriebs unmittelbar an der Wahl der Aufsichtsratsmitglieder der Arbeitnehmer teil mit der Maßgabe, dass die Stimme eines dieser Arbeitnehmer als ein Neunzigstel der Stimme eines Delegierten zu zählen ist; § 9 Abs. 1 Satz 3 ist entsprechend anzuwenden.

§ 10 k[5] [Freie Wahl, Kosten] (1) [1] Niemand darf die Wahlen nach den §§ 8, 10 c, 10 d und 10 h behindern. [2] Insbesondere darf niemand in der Ausübung des aktiven und passiven Wahlrechts beschränkt werden.

---

[1] Früherer § 10 f Sätze 1 und 2 geänd. mWv 1. 7. 2004 durch G v. 18. 5. 2004 (BGBl. I S. 974); Satz 1 geänd. mWv 1. 4. 2012 durch G v. 22. 12. 2011 (BGBl. I S. 3044); bish. § 10 f wird § 10 g mWv 1. 5. 2015 durch G v. 24. 4. 2015 (BGBl. I S. 642).

[2] Früherer § 10 g Satz 2 eingef., bish. Satz 2 wird Satz 3 und geänd. mWv 28. 7. 2001 durch G v. 23. 7. 2001 (BGBl. I S. 1852); bish. § 10 g wird § 10 h sowie Satz 3 geänd. mWv 1. 5. 2015 durch G v. 24. 4. 2015 (BGBl. I S. 642).

[3] Nr. **570**.

[4] Früherer § 10 h Abs. 4 Nr. 2, Abs. 5 geänd. mWv 28. 7. 2001 durch G v. 23. 7. 2001 (BGBl. I S. 1852); Abs. 4 Satz 2 neu gef., Abs. 5 aufgeh. mWv 1. 7. 2004 durch G v. 18. 5. 2004 (BGBl. I S. 974); bish. § 10 h wird § 10 i mWv 1. 5. 2015 *durch G* v. 24. 4. 2015 (BGBl. I S. 642).

[5] Bish. § 10 i wird *§ 10 k und* Abs. 1 Satz 1 geänd. mWv 1. 5. 2015 durch G v. 24. 4. 2015 *(BGBl. I S. 642)*.

(2) Niemand darf die Wahlen durch Zufügung oder Androhung von Nachteilen oder durch Gewährung oder Versprechen von Vorteilen beeinflussen.

(3) [1] Die Kosten der Wahlen trägt das herrschende Unternehmen. [2] Versäumnis von Arbeitszeit, die zur Ausübung des Wahlrechts oder der Betätigung im Wahlvorstand erforderlich ist, berechtigt den Arbeitgeber nicht zur Minderung des Arbeitsentgelts.

§ 10l[1)] [Anfechtung der Delegiertenwahl] (1) Die Wahl der Delegierten eines Betriebs kann beim Arbeitsgericht angefochten werden, wenn gegen wesentliche Vorschriften über das Wahlrecht, die Wählbarkeit oder das Wahlverfahren verstoßen worden und eine Berichtigung nicht erfolgt ist, es sei denn, daß durch den Verstoß das Wahlergebnis nicht geändert oder beeinflußt werden konnte.

(2) [1] Zur Anfechtung berechtigt sind

1. mindestens drei wahlberechtigte Arbeitnehmer des Betriebs,
2. der Betriebsrat,
3. der Sprecherausschuss,
4. das zur gesetzlichen Vertretung berufene Organ des Unternehmens.

[2] Die Anfechtung ist nur binnen einer Frist von zwei Wochen, vom Tage der Bekanntgabe des Wahlergebnisses an gerechnet, zulässig.

§ 10m[2)] [Anfechtung der Wahl von Aufsichtsratsmitgliedern] (1) Die Wahl eines Aufsichtsratsmitglieds oder eines Ersatzmitglieds der Arbeitnehmer kann beim Arbeitsgericht angefochten werden, wenn gegen wesentliche Vorschriften über das Wahlrecht, die Wählbarkeit oder das Wahlverfahren verstoßen worden und eine Berichtigung nicht erfolgt ist, es sei denn, daß durch den Verstoß das Wahlergebnis nicht geändert oder beeinflußt werden konnte.

(2) [1] Zur Anfechtung berechtigt sind

1. mindestens drei wahlberechtigte Arbeitnehmer von Konzernunternehmen,
2. der Gesamtbetriebsrat des herrschenden Unternehmens oder, wenn in dem herrschenden Unternehmen nur ein Betriebsrat besteht, der Betriebsrat sowie der Konzernbetriebsrat, soweit ein solcher besteht,
3. der Gesamt- oder Unternehmenssprecherausschuss des herrschenden Unternehmens oder, wenn in dem herrschenden Unternehmen nur ein Sprecherausschuss besteht, der Sprecherausschuss sowie der Konzernsprecherausschuss, soweit ein solcher besteht,
4. der Gesamtbetriebsrat eines anderen Konzernunternehmens oder, wenn in dem anderen Konzernunternehmen nur ein Betriebsrat besteht, der Betriebsrat,

---

[1)] Früherer § 10k Abs. 2 Nr. 3 eingef., bish. Nr. 3 wird Nr. 4 mWv 1. 7. 2004 durch G v. 18. 5. 2004 (BGBl. I S. 974); bish. § 10k wird § 10l mWv 1. 5. 2015 durch G v. 24. 4. 2015 (BGBl. I S. 642).

[2)] Früherer § 10l Abs. 2 Satz 1 neue Nrn. 3 und 5 eingef., bish. Nr. 3 wird Nr. 4, bish. Nrn. 4 und 5 werden Nrn. 6 und 7, Abs. 2 Satz 2 geänd. mWv 1. 7. 2004 durch G v. 18. 5. 2004 (BGBl. I S. 974); Abs. 2 Satz 2 geänd. mWv 1. 4. 2012 durch G v. 22. 12. 2011 (BGBl. I S. 3044); bish. § 10l wird § 10m mWv 1. 5. 2015 durch G v. 24. 4. 2015 (BGBl. I S. 642).

5. der Gesamt- oder Unternehmenssprecherausschuss eines anderen Konzernunternehmens oder, wenn in dem anderen Konzernunternehmen nur ein Sprecherausschuss besteht, der Sprecherausschuss,
6. jede nach § 10 d Abs. 2 vorschlagsberechtigte Gewerkschaft,
7. das zur gesetzlichen Vertretung berufene Organ des herrschenden Unternehmens.

[2] Die Anfechtung ist nur binnen einer Frist von zwei Wochen, vom Tage der Veröffentlichung im Bundesanzeiger an gerechnet, zulässig.

§ 10 n[1)] **[Abberufung eines Aufsichtsratsmitglieds]** (1) [1] Ein Aufsichtsratsmitglied der Arbeitnehmer kann vor Ablauf der Amtszeit auf Antrag abberufen werden. [2] Antragsberechtigt für die Abberufung eines Aufsichtsratsmitglieds, das nach

1. § 6 Abs. 1 Arbeitnehmer eines Konzernunternehmens ist, sind drei Viertel der wahlberechtigten Arbeitnehmer,
2. § 6 Abs. 1 Vertreter einer Gewerkschaft ist, ist die Gewerkschaft, die das Mitglied vorgeschlagen hat.

(2) [1] Ein durch Delegierte gewähltes Aufsichtsratsmitglied wird durch Beschluss der Delegierten abberufen. [2] Dieser Beschluss wird in geheimer Abstimmung gefasst und bedarf einer Mehrheit von drei Vierteln der abgegebenen Stimmen.

(3) [1] Ein von den Arbeitnehmern unmittelbar gewähltes Aufsichtsratsmitglied wird durch Beschluss der wahlberechtigten Arbeitnehmer abberufen. [2] Dieser Beschluss wird in geheimer, unmittelbarer Abstimmung gefasst und bedarf einer Mehrheit von drei Vierteln der abgegebenen Stimmen.

(4) Die Absätze 1 bis 3 sind für die Abberufung von Ersatzmitgliedern entsprechend anzuwenden.

§ 10 o[2)] **[Erlöschen des Amtes]** Verliert ein Aufsichtsratsmitglied, das nach § 6 Abs. 1 Arbeitnehmer eines Konzernunternehmens sein muß, die Wählbarkeit, so erlischt sein Amt.

§ 11 [Beschlussfähigkeit des Aufsichtsrats] [1] Der Aufsichtsrat ist beschlußfähig, wenn mindestens die Hälfte der Mitglieder, aus denen er nach diesem Gesetz oder der Satzung insgesamt zu bestehen hat, an der Beschlußfassung teilnimmt. [2] § 108 Abs. 2 Satz 4 des Aktiengesetzes[3)] findet Anwendung.

§ 12 *(aufgehoben)*

---

1) Früherer § 10 m Abs. 1 Satz 2, Abs. 2 und 3 neu gef. mWv 28. 7. 2001 durch G v. 23. 7. 2001 (BGBl. I S. 1852); bish. § 10 m wird § 10 n mWv 1. 5. 2015 durch G v. 24. 4. 2015 (BGBl. I S. 642).

2) Früherer § 10 n Abs. 2 aufgeh., bish. Abs. 1 wird alleiniger Wortlaut mWv 28. 7. 2001 durch G v. 23. 7. 2001 (BGBl. I S. 1852); bish. § 10 n wird § 10 o mWv 1. 5. 2015 durch G v. 24. 4. 2015 (BGBl. I S. 642).

3) Nr. **567**.

§ 13 [Organvertretung, Bestellung und Widerruf] [1] Für die Bestellung der Mitglieder des zur gesetzlichen Vertretung berufenen Organs und für den Widerruf ihrer Bestellung gelten § 76 Abs. 3 und § 84 des Aktiengesetzes[1)] und § 13 Abs. 1 Satz 1 des Montan-Mitbestimmungsgesetzes[2)]. [2] § 13 Abs. 2 des Montan-Mitbestimmungsgesetzes findet Anwendung.

§ 14 *(aufgehoben)*

§ 15 [Zuständigkeit des Aufsichtsrats] (1) [1] Die einem Unternehmen, in dem die Arbeitnehmer nach dem Montan-Mitbestimmungsgesetz[2)] oder nach § 2 oder § 3 dieses Gesetzes ein Mitbestimmungsrecht haben, auf Grund von Beteiligungen an einem anderen Unternehmen zustehenden Rechte bei der Bestellung, dem Widerruf der Bestellung oder der Entlastung von Verwaltungsträgern sowie bei der Beschlußfassung über die Auflösung oder Umwandlung des anderen Unternehmens, über dessen Fortsetzung nach seiner Auflösung, über die Übertragung seines Vermögens können durch das zur gesetzlichen Vertretung berufene Organ nur auf Grund von Beschlüssen des Aufsichtsrats ausgeübt werden. [2] Diese Beschlüsse bedürfen nur der Mehrheit der Stimmen der nach § 5 des Montan-Mitbestimmungsgesetzes oder der nach § 5 Abs. 2 dieses Gesetzes bestellten Mitglieder; sie sind für das zur gesetzlichen Vertretung berufene Organ verbindlich.

(2) Absatz 1 gilt nicht, wenn die Beteiligung des Unternehmens an dem anderen Unternehmen weniger als ein Viertel beträgt.

§ 16 [Voraussetzung für die Anwendung der §§ 5 bis 13] (1) Die §§ 5 bis 13 sind auf das herrschende Unternehmen erst anzuwenden,

1. wenn in sechs aufeinanderfolgenden Geschäftsjahren der nach § 3 berechnete Anteil der unter das Montan-Mitbestimmungsgesetz[2)] fallenden Unternehmen an den Umsätzen sämtlicher Konzernunternehmen und abhängigen Unternehmen mehr als die Hälfte betragen hat oder
2. wenn auf dieses Unternehmen das Montan-Mitbestimmungsgesetz, nach dem die Arbeitnehmer bisher ein Mitbestimmungsrecht hatten, nicht mehr anwendbar ist.

(2) Die §§ 5 bis 13 sind auf das herrschende Unternehmen nicht mehr anzuwenden, wenn in sechs aufeinanderfolgenden Geschäftsjahren

1. die Voraussetzungen des § 3 nicht mehr vorliegen oder
2. kein Unternehmen, in dem die Arbeitnehmer nach den Vorschriften des Montan-Mitbestimmungsgesetzes ein Mitbestimmungsrecht haben, beherrscht wird.

§ 17[3)] [Ermächtigung] Die Bundesregierung wird ermächtigt, durch Rechtsverordnung Vorschriften über das Verfahren für die Wahl und die Abberufung von Aufsichtsratsmitgliedern der Arbeitnehmer zu erlassen, insbesondere über

---

1) Nr. **567**.
2) Nr. **561**.
3) § 17 Nr. 2, 4 und 5 geänd. mWv 28. 7. 2001 durch G v. 23. 7. 2001 (BGBl. I S. 1852); Nr. 4 und 8 geänd. mWv 1. 5. 2015 durch G v. 24. 4. 2015 (BGBl. I S. 642).

1. die Vorbereitung der Wahl oder Abstimmung, die Bestellung der Wahlvorstände und die Aufstellung der Wählerlisten,
2. die Abstimmungen darüber, ob die Wahl der Aufsichtsratsmitglieder in unmittelbarer Wahl oder durch Delegierte erfolgen soll,
3. die Frist für die Einsichtnahme in die Wählerlisten und die Erhebung von Einsprüchen,
4. die Verteilung der Aufsichtsratsmitglieder der Arbeitnehmer auf diejenigen, die Arbeitnehmer eines Konzernunternehmens sein müssen, und die Gewerkschaftsvertreter sowie das Verfahren zur Berücksichtigung der Geschlechter,
5. die Errechnung der Zahl der Delegierten,
6. die Wahlvorschläge und die Frist für ihre Einreichung,
7. die Ausschreibung der Wahl oder der Abstimmung und die Fristen für die Bekanntmachung des Ausschreibens,
8. die Teilnahme von Arbeitnehmern eines in § 10 i Absatz 1 bezeichneten Betriebs an Wahlen und Abstimmungen,
9. die Stimmabgabe,
10. die Feststellung des Ergebnisses der Wahl oder der Abstimmung und die Fristen für seine Bekanntmachung,
11. die Aufbewahrung der Wahlakten und der Abstimmungsakten.

Art. 2.[1] Anwendung und Änderung des Gesetzes über das Verfahren in Familiensachen und in den Angelegenheiten der freiwilligen Gerichtsbarkeit

§ 18[2] [Anwendung des FamFG] [1] Im Falle des § 8 Abs. 3 Satz 4 des Montan-Mitbestimmungsgesetzes[3] sind auf das Verfahren des Oberlandesgerichts die Vorschriften des Gesetzes über das Verfahren in Familiensachen und in den Angelegenheiten der freiwilligen Gerichtsbarkeit[4] entsprechend anzuwenden. [2] Gegen die Entscheidung des Oberlandesgerichts findet ein Rechtsmittel nicht statt.

§§ 19–20[5] *(aufgehoben)*

Art. 3. Übergangs- und Schlußvorschriften

§ 21 *(gegenstandslose Übergangsvorschrift)*

---

[1] Art. 2 Überschr. geänd. mWv 25. 4. 2006 durch G v. 19. 4. 2006 (BGBl. I S. 866); geänd. mWv 1. 9. 2009 durch G v. 17. 12. 2008 (BGBl. I S. 2586).

[2] § 18 Abs. 1 Satz 1 geänd. mWv 25. 4. 2006 durch G v. 19. 4. 2006 (BGBl. I S. 866); Abs. 1 Satz 1 geänd. mWv 1. 9. 2009 durch G v. 17. 12. 2008 (BGBl. I S. 2586); Abs. 2 aufgeh. mWv 1. 8. 2013 durch G v. 23. 7. 2013 (BGBl. I S. 2586).

[3] *Nr. **561**.*

[4] **Schönfelder Nr. 112.**

[5] §§ 19 und 20 aufgeh. mWv 28. 7. 2001 durch G v. 23. 7. 2001 (BGBl. I S. 1852).

§ 22[1] **[Übergangsregelung]** (1) Auf Wahlen von Aufsichtsratsmitgliedern der Arbeitnehmer, die bis einschließlich 31. März 2022 abgeschlossen sind, ist dieses Gesetz in der bis zum 11. August 2021 geltenden Fassung anzuwenden.

(2) Eine Wahl von Aufsichtsratsmitgliedern der Arbeitnehmer gilt als abgeschlossen, wenn die Bekanntmachung der Mitglieder des Aufsichtsrates nach § 10g Satz 1 durch das zur gesetzlichen Vertretung des herrschenden Unternehmens befugte Organ erfolgt ist.

§ 23 [Inkrafttreten] Dieses Gesetz tritt am Tage nach seiner Verkündung[2] in Kraft.

---

[1] § 22 neu gef. mWv 1.5.2015 durch G v. 24.4.2015 (BGBl. I S. 642); Abs. 1 neu gef., Abs. 2 aufgeh., bish. Abs. 3 wird Abs. 2 mWv 12.8.2021 durch G v. 7.8.2021 (BGBl. I S. 3311).

[2] Verkündet am 8.8.1956.

562a. Wahlordnung zum Mitbestimmungsergänzungsgesetz[1)]

Vom 10. Oktober 2005
(BGBl. I S. 2927)

FNA 801-3-3

zuletzt geänd. durch Art. 16 G zur Ergänzung und Änd. der Regelungen für die gleichberechtigte Teilhabe von Frauen an Führungspositionen in der Privatwirtschaft und im öffentlichen Dienst v. 7.8. 2021 (BGBl. I S. 3311)

Inhaltsübersicht[2)]

[1)] Verkündet als Art. 4 VO zur Änd. der 1. bis 3. WO zum Mitbestimmungsgesetz und zur Neufassung der WO zum Mitbestimmungsergänzungsgesetz v. 10.10.2005 (BGBl. I S. 2927); Inkrafttreten gem. Art. 5 am 13.10.2005. Die VO wurde erlassen auf Grund von § 39 des Mitbestimmungsgesetzes und des § 17 des Mitbestimmungsergänzungsgesetzes.

[2)] Inhaltsübersicht geänd. mWv 2.9.2015 durch VO v. 26.8.2015 (BGBl. I S. 1443); geänd. mWv 12.8.2021 durch G v. 7.8.2021 (BGBl. I S. 3311).

(Fortsetzung nächstes Blatt)

Teil 1. Wahl der Aufsichtsratsmitglieder der Arbeitnehmer

Kapitel 1. Einleitung der Wahl, Abstimmung über die Art der Wahl, Wahlvorschläge

Abschnitt 1. Einleitung der Wahl

§ 1[1] Bekanntmachung der Unternehmen. (1) [1] Das herrschende Unternehmen teilt spätestens 25 Wochen vor dem voraussichtlichen Beginn der Amtszeit der zu wählenden Aufsichtsratsmitglieder der Arbeitnehmer den anderen Konzernunternehmen schriftlich mit, dass Aufsichtsratsmitglieder der Arbeitnehmer zu wählen sind. [2] In der Mitteilung ist ferner anzugeben:

1. der voraussichtliche Beginn der Amtszeit der zu wählenden Aufsichtsratsmitglieder der Arbeitnehmer;
2. die Zahl der zu wählenden Aufsichtsratsmitglieder der Arbeitnehmer;
3. bei einem börsennotierten Unternehmen der Anteil, mit dem Frauen und Männer nach § 96 Absatz 2 Satz 1 des Aktiengesetzes[2] jeweils mindestens im Aufsichtsrat vertreten sein müssen;
4. bei einem börsennotierten Unternehmen, ob der Geschlechteranteil nach § 96 Absatz 2 Satz 1 des Aktiengesetzes[2] gemäß § 96 Absatz 2 Satz 2 des Aktiengesetzes[2] vom Aufsichtsrat insgesamt zu erfüllen ist (Gesamterfüllung) oder ob der Gesamterfüllung nach § 96 Absatz 2 Satz 3 des Aktiengesetzes[2] widersprochen wurde und der Geschlechteranteil für diese Wahl von der Seite der Anteilseigner und der Seite der Arbeitnehmer getrennt zu erfüllen ist (Getrennterfüllung);
5. die Firmen und die Anschriften der Konzernunternehmen und deren Betriebe sowie die Zahlen der in diesen Unternehmen und Betrieben in der Regel beschäftigten Arbeitnehmer.

(2) [1] Jedes Unternehmen macht die in Absatz 1 bezeichnete Mitteilung unverzüglich bekannt. [2] Die Bekanntmachung kann durch Aushang an einer oder mehreren geeigneten, den Wahlberechtigten zugänglichen Stellen in den Betrieben des Unternehmens und durch Einsatz der im Unternehmen vorhandenen Informations- und Kommunikationstechnik erfolgen. [3] Der Einsatz der Informations- und Kommunikationstechnik ist nur zulässig, wenn der Adressatenkreis dieser Bekanntmachungsform von der Bekanntmachung Kenntnis erlangen kann und Vorkehrungen getroffen sind, damit nur das jeweilige Unternehmen Änderungen der Bekanntmachung vornehmen kann.

(3) [1] Das Unternehmen, in dessen Aufsichtsrat Mitglieder der Arbeitnehmer zu wählen sind, übersendet die Mitteilung nach Absatz 1 unverzüglich

1. dem Konzernbetriebsrat,
2. den Gesamtbetriebsräten,
3. den in den Unternehmen bestehenden Betriebsräten,
4. den in den Unternehmen vertretenen Gewerkschaften,

---

[1] § 1 Abs. 1 Satz 2 Nr. 3 und 4 eingef., bish. Nr. 3 wird Nr. 5 mWv 2. 9. 2015 durch VO v. 26. 8. 2015 (BGBl. I S. 1443).

[2] Nr. **567**.

5. den nach § 117 Abs. 2 Satz 1 des Betriebsverfassungsgesetzes[1] durch Tarifvertrag errichteten Vertretungen für im Flugbetrieb beschäftigte Arbeitnehmer.

[2] Nehmen in einem Konzernunternehmen die Arbeitnehmer (Arbeitnehmerinnen und Arbeitnehmer) nach dieser Verordnung an der Wahl von Mitgliedern der Aufsichtsräte mehrerer Unternehmen teil und beginnen die Amtszeiten dieser Aufsichtsratsmitglieder innerhalb eines Zeitraums von höchstens zwölf Monaten, so teilt dieses Unternehmen dies unverzüglich nach der Bekanntmachung nach Absatz 2 den in Satz 1 Nr. 2, 3 und 5 bezeichneten Arbeitnehmervertretungen mit.

§ 2 Wahlvorstände. (1) Die rechtzeitige Einleitung und die Durchführung der Wahl sowie die Feststellung des Wahlergebnisses obliegen dem Hauptwahlvorstand.

(2) In den einzelnen Betrieben jedes Unternehmens wird die Wahl im Auftrag und nach den Richtlinien des Hauptwahlvorstands durch Betriebswahlvorstände durchgeführt.

(3) [1] Die Wahlvorstände werden unverzüglich nach der in § 1 bezeichneten Bekanntmachung gebildet. [2] Die Geschlechter sollen entsprechend ihrem zahlenmäßigen Verhältnis vertreten sein.

§ 3 Zusammensetzung des Hauptwahlvorstands. (1) [1] Der Hauptwahlvorstand besteht aus drei Mitgliedern. [2] Die Arbeitnehmervertretungen, die nach Absatz 3 Mitglieder des Hauptwahlvorstands bestellen, können die Zahl der Mitglieder erhöhen, wenn dies zur ordnungsgemäßen Durchführung der Wahl erforderlich ist. [3] Der Hauptwahlvorstand muss aus einer ungeraden Zahl von Mitgliedern bestehen. [4] Mitglieder des Hauptwahlvorstands können nur Wahlberechtigte von Konzernunternehmen sein.

(2) Für jedes Mitglied des Hauptwahlvorstands kann für den Fall seiner Verhinderung ein Ersatzmitglied bestellt werden.

(3) [1] Der Konzernbetriebsrat bestellt die Mitglieder des Hauptwahlvorstands. [2] Besteht kein Konzernbetriebsrat, so werden diese Mitglieder des Hauptwahlvorstands

1. vom Gesamtbetriebsrat des herrschenden Unternehmens oder, wenn in diesem nur ein Betriebsrat besteht, vom Betriebsrat oder,

2. falls in dem herrschenden Unternehmen kein Betriebsrat besteht, vom Gesamtbetriebsrat des nach der Zahl der Wahlberechtigten größten anderen Konzernunternehmens, in dem ein Betriebsrat besteht, oder, wenn in dem Unternehmen nur ein Betriebsrat besteht, vom Betriebsrat bestellt oder,

3. falls in keinem Unternehmen ein Betriebsrat besteht, in einer Versammlung der in § 5 Abs. 5 des Gesetzes[2] bezeichneten Arbeitnehmer des nach der Zahl der Wahlberechtigten größten Betriebs der Konzernunternehmen mit der Mehrheit der abgegebenen Stimmen gewählt.

---

[1] Nr. **570**.
[2] Nr. **560**.

[3] Besteht auch eine nach § 117 Abs. 2 Satz 1 des Betriebsverfassungsgesetzes[1)] durch Tarifvertrag errichtete Vertretung für im Flugbetrieb beschäftigte Arbeitnehmer, so erfolgt die Bestellung gemeinsam mit dieser Vertretung.

§ 4 Zusammensetzung des Betriebswahlvorstands. (1) [1] Der Betriebswahlvorstand besteht aus drei Mitgliedern. [2] Der Betriebsrat kann die Zahl der Mitglieder erhöhen, wenn dies zur ordnungsgemäßen Durchführung der Wahl erforderlich ist. [3] Der Betriebswahlvorstand muss aus einer ungeraden Zahl von Mitgliedern bestehen. [4] Mitglieder des Betriebswahlvorstands können nur Wahlberechtigte des Betriebs sein.

(2) Für jedes Mitglied des Betriebswahlvorstands kann für den Fall seiner Verhinderung ein Ersatzmitglied bestellt werden.

(3) [1] Der Betriebsrat bestellt die Mitglieder des Betriebswahlvorstands. [2] Besteht kein Betriebsrat, so werden die in Satz 1 bezeichneten Mitglieder des Betriebswahlvorstands in einer Betriebsversammlung mit der Mehrheit der abgegebenen Stimmen gewählt.

(4) [1] Ist für einen Betrieb mit nicht mehr als 45 Wahlberechtigten innerhalb von zwei Wochen nach der in § 1 bezeichneten Bekanntmachung kein Betriebswahlvorstand gebildet, so beauftragt der Hauptwahlvorstand für diesen Betrieb den Betriebswahlvorstand eines anderen Betriebs des Unternehmens mit der Wahrnehmung der Aufgaben des Betriebswahlvorstands. [2] Der beauftragte Betriebswahlvorstand kann beschließen, dass in dem Betrieb, für den kein Betriebswahlvorstand gebildet worden ist, die Stimmabgabe bei den in den Kapiteln 1 und 2 bezeichneten Abstimmungen und Wahlen schriftlich erfolgt. [3] Im Fall des Satzes 2 erhalten die Wahlberechtigten dieses Betriebs die in § 17 Abs. 1 bezeichneten Unterlagen für die schriftliche Stimmabgabe, ohne dass es eines Verlangens bedarf; die in den §§ 13 und 32 bezeichneten Ausschreiben sind um folgende Angaben zu ergänzen:

1. dass für den Betrieb die schriftliche Stimmabgabe beschlossen ist;
2. den Zeitpunkt, bis zu dem die Wahlbriefe beim Betriebswahlvorstand eingegangen sein müssen.

§ 5 Mitteilungspflicht. (1) [1] Der Hauptwahlvorstand teilt unverzüglich nach seiner Bildung den Konzernunternehmen, den Betriebswahlvorständen und den im Unternehmen vertretenen Gewerkschaften schriftlich die Namen seiner Mitglieder und seine Anschrift mit. [2] Gleichzeitig teilt er den Betriebswahlvorständen mit, welche Gewerkschaften die Mitteilung erhalten haben.

(2) [1] Jeder Betriebswahlvorstand teilt unverzüglich nach seiner Bildung dem Hauptwahlvorstand schriftlich die Namen seiner Mitglieder und seine Anschrift mit. [2] Gleichzeitig teilt er dem Hauptwahlvorstand mit, ob im Betrieb Gewerkschaften vertreten sind, die die Mitteilung nach Absatz 1 nicht erhalten haben.

§ 6 Geschäftsführung der Wahlvorstände. (1) Jeder Wahlvorstand wählt aus seiner Mitte einen Vorsitzenden und mindestens einen Stellvertreter.

(2) [1] Der Wahlvorstand kann sich eine schriftliche Geschäftsordnung geben. [2] Der Hauptwahlvorstand kann Wahlberechtigte von Konzernunternehmen und

---

[1)] Nr. **570.**

der Betriebswahlvorstand kann Wahlberechtigte des Betriebs als Wahlhelfer zu seiner Unterstützung heranziehen.

(3) [1] Der Wahlvorstand fasst seine Beschlüsse mit einfacher Stimmenmehrheit seiner Mitglieder. [2] Über jede Sitzung des Wahlvorstands ist eine Niederschrift aufzunehmen, die mindestens den Wortlaut der Beschlüsse enthält. [3] Mitglieder des Wahlvorstands, gegen deren Stimmen ein Beschluss gefasst worden ist, können verlangen, dass in der Niederschrift ihre abweichende Meinung vermerkt wird. [4] Die Niederschrift ist von dem Vorsitzenden und einem weiteren Mitglied des Wahlvorstands zu unterzeichnen; dies gilt auch für Bekanntmachungen, Ausschreiben und weitere Niederschriften des Wahlvorstands.

(4) [1] Bekanntmachungen des Wahlvorstands können durch Aushang und durch Einsatz der im Betrieb vorhandenen Informations- und Kommunikationstechnik erfolgen. [2] Der Aushang erfolgt an einer oder mehreren geeigneten, den Wahlberechtigten zugänglichen Stellen im Betrieb. [3] Er ist in gut lesbarem Zustand zu erhalten. [4] Der Einsatz der Informations- und Kommunikationstechnik ist nur zulässig, wenn der Adressatenkreis dieser Bekanntmachungsform von der Bekanntmachung Kenntnis erlangen kann und Vorkehrungen getroffen sind, damit nur der Wahlvorstand Änderungen der Bekanntmachung vornehmen kann.

(5) Die Konzernunternehmen haben die Wahlvorstände bei der Erfüllung ihrer Aufgaben zu unterstützen und ihnen den erforderlichen Geschäftsbedarf zur Verfügung zu stellen.

(6) Die Wahlvorstände sollen dafür sorgen, dass ausländische Arbeitnehmer, die der deutschen Sprache nicht mächtig sind, rechtzeitig über den Anlass der Wahl, das Wahlverfahren, die Abstimmungen, die Aufstellung der Wählerliste und der Wahlvorschläge, den Wahlvorgang und die Stimmabgabe in geeigneter Weise unterrichtet werden.

§ 7 Wählerliste. (1) [1] Der Betriebswahlvorstand stellt unverzüglich nach seiner Bildung eine Liste der Wahlberechtigten des Betriebs (Wählerliste) auf. [2] Die Wahlberechtigten sollen in alphabetischer Reihenfolge mit Familienname, Vorname und Geburtsdatum aufgeführt werden. [3] Das Aufstellen der Wählerliste kann durch Einsatz der im Betrieb vorhandenen Informations- und Kommunikationstechnik erfolgen, wenn Vorkehrungen getroffen sind, damit nur der Wahlvorstand Änderungen in der Wählerliste vornehmen kann.

(2) Das Unternehmen hat den Betriebswahlvorständen alle für die Anfertigung der Wählerliste erforderlichen Auskünfte zu erteilen und die erforderlichen Unterlagen zur Verfügung zu stellen.

(3) Der Betriebswahlvorstand berichtigt oder ergänzt die Wählerliste unverzüglich, wenn ein Arbeitnehmer

1. in den Betrieb eintritt oder aus ihm ausscheidet,
2. das 18. Lebensjahr vollendetoder

wenn sich in sonstiger Weise die Voraussetzungen, auf denen eine Eintragung in der Wählerliste beruht, ändern.

(4) An Wahlen und Abstimmungen können nur Arbeitnehmer teilnehmen, die in der Wählerliste eingetragen sind.

§ 8 Bekanntmachung über die Bildung der Wahlvorstände und die Wählerliste. (1) [1] Die Einsichtnahme in die Wählerliste, das Gesetz und diese Verordnung ist unverzüglich bis zum Abschluss der Wahl der Aufsichtsratsmitglieder der Arbeitnehmer zu ermöglichen. [2] Die zur Einsichtnahme bestimmte Wählerliste soll die Geburtsdaten der Wahlberechtigten nicht enthalten. [3] Die Einsichtnahme kann durch Auslegung an geeigneter Stelle im Betrieb und durch Einsatz der im Betrieb vorhandenen Informations- und Kommunikationstechnik ermöglicht werden.

(2) [1] Der Betriebswahlvorstand macht gleichzeitig mit der Ermöglichung der Einsichtnahme in die Wählerliste die Namen seiner Mitglieder und seine Anschrift sowie die Anschrift des Hauptwahlvorstands bekannt. [2] Die Bekanntmachung erfolgt vom Tag ihres Erlasses bis zum Abschluss der Wahl der Aufsichtsratsmitglieder der Arbeitnehmer. [3] Der Betriebswahlvorstand vermerkt auf der Bekanntmachung den ersten und den letzten Tag dieses Zeitraums. [4] In der Bekanntmachung ist ferner anzugeben:

1. das Datum ihres Erlasses;
2. wo und wie die Wahlberechtigten in die Wählerliste, das Gesetz und diese Verordnung Einsicht nehmen können;
3. dass Einsprüche gegen die Richtigkeit der Wählerliste nur innerhalb von einer Woche seit Erlass der Bekanntmachung schriftlich beim Betriebswahlvorstand eingelegt werden können; der letzte Tag der Frist ist anzugeben;
4. dass Einsprüche gegen Berichtigungen und Ergänzungen der Wählerliste nur innerhalb von einer Woche seit der Berichtigung oder der Ergänzung eingelegt werden können;
5. dass an Wahlen und Abstimmungen nur Arbeitnehmer teilnehmen können, die in der Wählerliste eingetragen sind.

§ 9 Übersendung der Wählerliste. (1) Der Betriebswahlvorstand übersendet dem Hauptwahlvorstand unverzüglich eine Kopie der Wählerliste und teilt ihm die Zahl der in der Regel im Betrieb beschäftigten Arbeitnehmer mit.

(2) Der Betriebswahlvorstand teilt Berichtigungen und Ergänzungen der Wählerliste dem Hauptwahlvorstand unverzüglich mit.

§ 10 Einsprüche gegen die Richtigkeit der Wählerliste. (1) [1] Gegen die Richtigkeit der Wählerliste kann Einspruch eingelegt werden. [2] Einsprüche gegen die Richtigkeit der Wählerliste können nur innerhalb von einer Woche seit Erlass der Bekanntmachung nach § 8 Abs. 2 schriftlich beim Betriebswahlvorstand eingelegt werden. [3] Einsprüche gegen Berichtigungen und Ergänzungen der Wählerliste können nur innerhalb von einer Woche seit der Berichtigung oder der Ergänzung eingelegt werden.

(2) [1] Über Einsprüche nach Absatz 1 ist unverzüglich zu entscheiden. [2] Ist ein Einspruch begründet, so wird die Wählerliste berichtigt. [3] Der Betriebswahlvorstand teilt die Entscheidung der Person, die den Einspruch eingelegt hat, unverzüglich schriftlich mit.

Abschnitt 2. Abstimmung über die Art der Wahl

§ 11 Bekanntmachung. (1) [1] Sind in den Konzernunternehmen in der Regel insgesamt nicht mehr als 8 000 Arbeitnehmer beschäftigt, so erlässt der Hauptwahlvorstand unverzüglich nach Übersendung der Wählerlisten eine Bekanntmachung. [2] Die Bekanntmachung muss folgende Angaben enthalten:

1. den für die Bekanntmachung bestimmten Zeitpunkt;
2. dass die Aufsichtsratsmitglieder der Arbeitnehmer in unmittelbarer Wahl gewählt werden, wenn nicht die Wahlberechtigten die Wahl durch Delegierte beschließen;
3. die Mindestzahl der Wahlberechtigten, von denen ein Antrag auf Abstimmung darüber, dass die Wahl der Aufsichtsratsmitglieder der Arbeitnehmer durch Delegierte erfolgen soll, unterzeichnet sein muss;
4. dass ein Antrag nur innerhalb von zwei Wochen seit dem für die Bekanntmachung bestimmten Zeitpunkt schriftlich beim Hauptwahlvorstand eingereicht werden kann; der letzte Tag der Frist ist anzugeben;
5. die Mindestzahl der Wahlberechtigten, deren Beteiligung an der Abstimmung erforderlich ist;
6. dass ein Beschluss über die Wahl der Aufsichtsratsmitglieder der Arbeitnehmer durch Delegierte nur mit der Mehrheit der abgegebenen Stimmen gefasst werden kann;
7. die Anschrift des Hauptwahlvorstands.

[3] Sind nach den Vorschriften dieser Verordnung Delegierte bereits gewählt, deren Amtszeit bei Beginn der Amtszeit der zu wählenden Aufsichtsratsmitglieder der Arbeitnehmer noch nicht beendet ist, so muss die Bekanntmachung die in Absatz 2 Satz 2 bezeichneten Angaben enthalten.

(2) [1] Sind in den Konzernunternehmen in der Regel insgesamt mehr als 8 000 Arbeitnehmer beschäftigt, so erlässt der Hauptwahlvorstand zu dem in Absatz 1 Satz 1 bestimmten Zeitpunkt eine Bekanntmachung. [2] Sie muss folgende Angaben enthalten:

1. den für die Bekanntmachung bestimmten Zeitpunkt;
2. dass die Aufsichtsratsmitglieder der Arbeitnehmer durch Delegierte gewählt werden, wenn nicht die Wahlberechtigten die unmittelbare Wahl beschließen;
3. die Mindestzahl der Wahlberechtigten, von denen ein Antrag auf Abstimmung darüber, dass die Aufsichtsratsmitglieder der Arbeitnehmer in unmittelbarer Wahl gewählt werden sollen, unterzeichnet sein muss;
4. dass ein Antrag nur innerhalb von zwei Wochen seit dem für die Bekanntmachung bestimmten Zeitpunkt schriftlich beim Hauptwahlvorstand eingereicht werden kann; der letzte Tag der Frist ist anzugeben;
5. die Mindestzahl der Wahlberechtigten, deren Beteiligung an der Abstimmung erforderlich ist;
6. dass ein Beschluss über die unmittelbare Wahl der Aufsichtsratsmitglieder der Arbeitnehmer nur mit der Mehrheit der abgegebenen Stimmen gefasst werden kann;
7. die Anschrift des Hauptwahlvorstands.

[3] Die Sätze 1 und 2 sind auch anzuwenden, wenn nach den Vorschriften dieser Verordnung Delegierte bereits gewählt sind, deren Amtszeit bei Beginn der Amtszeit der zu wählenden Aufsichtsratsmitglieder der Arbeitnehmer noch nicht beendet ist.

(3) [1] Der Hauptwahlvorstand übersendet die Bekanntmachung den Betriebswahlvorständen und teilt ihnen schriftlich den Zeitpunkt mit, von dem ab die Bekanntmachung in den Betrieben zu erfolgen hat. [2] Die Bekanntmachung durch den Betriebswahlvorstand erfolgt bis zu der Bekanntmachung des Wahl-

ausschreibens nach § 32 oder § 51. [3] Der Betriebswahlvorstand vermerkt auf der Bekanntmachung den ersten und den letzten Tag dieses Zeitraums.

(4) Der Hauptwahlvorstand übersendet die Bekanntmachung unverzüglich nach ihrem Erlass den Konzernunternehmen und den in diesen Unternehmen vertretenen Gewerkschaften.

§ 12 Antrag auf Abstimmung. (1) [1] Sind in den Konzernunternehmen in der Regel insgesamt nicht mehr als 8 000 Arbeitnehmer beschäftigt, so kann ein Antrag auf Abstimmung darüber, dass die Wahl der Aufsichtsratsmitglieder der Arbeitnehmer durch Delegierte erfolgen soll, gestellt werden. [2] Wenn die in § 11 Abs. 1 Satz 3 bezeichneten Voraussetzungen vorliegen, ist Absatz 2 anzuwenden.

(2) Sind in den Konzernunternehmen in der Regel insgesamt mehr als 8 000 Arbeitnehmer beschäftigt, so kann ein Antrag auf Abstimmung darüber, dass die Aufsichtsratsmitglieder der Arbeitnehmer in unmittelbarer Wahl gewählt werden sollen, gestellt werden; dies gilt auch, wenn die in § 11 Abs. 2 Satz 3 bezeichneten Voraussetzungen vorliegen.

(3) [1] Ein Antrag auf Abstimmung ist innerhalb von zwei Wochen seit dem für die Bekanntmachung nach § 11 bestimmten Zeitpunkt schriftlich beim Hauptwahlvorstand einzureichen. [2] Der Hauptwahlvorstand prüft unverzüglich nach Eingang eines Antrags dessen Gültigkeit.

(4) Ein Antrag auf Abstimmung ist gültig, wenn er von mindestens einem Zwanzigstel der Wahlberechtigten unterzeichnet und fristgerecht eingereicht worden ist.

(5) Ist ein Antrag ungültig, so teilt der Hauptwahlvorstand dies dem Antragsvertreter oder, wenn ein solcher nicht benannt ist, dem an erster Stelle Unterzeichnenden schriftlich mit.

§ 13 Abstimmungsausschreiben. (1) [1] Liegt ein gültiger Antrag nach § 12 vor, so erlässt der Hauptwahlvorstand unverzüglich ein Abstimmungsausschreiben. [2] Die Abstimmung soll innerhalb von zwei Wochen seit dem für die Bekanntmachung des Abstimmungsausschreibens bestimmten Zeitpunkt stattfinden.

(2) Das Abstimmungsausschreiben muss folgende Angaben enthalten:

1. den für die Bekanntmachung bestimmten Zeitpunkt;
2. den Inhalt des Antrags;
3. dass an der Abstimmung nur Arbeitnehmer teilnehmen können, die in der Wählerliste eingetragen sind;
4. die Mindestzahl der Wahlberechtigten, deren Beteiligung an der Abstimmung erforderlich ist;
5. dass der Beschluss nur mit der Mehrheit der abgegebenen Stimmen gefasst werden kann;
6. den Tag oder die Tage der Stimmabgabe.

(3) [1] Der Hauptwahlvorstand übersendet das Abstimmungsausschreiben den Betriebswahlvorständen und teilt ihnen schriftlich den Zeitpunkt mit, von dem ab das Abstimmungsausschreiben in den Betrieben bekannt zu machen ist. [2] Jeder Betriebswahlvorstand ergänzt das Abstimmungsausschreiben um die folgenden Angaben:

1. Ort und Zeit der Stimmabgabe und der öffentlichen Stimmauszählung;
2. den Hinweis auf die Möglichkeit der schriftlichen Stimmabgabe sowie die Betriebsteile, Kleinstbetriebe und Betriebe, für die schriftliche Stimmabgabe nach § 17 Abs. 3 beschlossen ist;
3. dass Einsprüche und sonstige Erklärungen gegenüber dem Betriebswahlvorstand abzugeben sind;
4. die Anschrift des Betriebswahlvorstands.

(4) [1] Der Betriebswahlvorstand macht das Abstimmungsausschreiben bis zum Abschluss der Stimmabgabe bekannt und vermerkt auf dem Abstimmungsausschreiben den ersten und den letzten Tag der Bekanntmachung. [2] § 11 Abs. 4 ist entsprechend anzuwenden.

§ 14 Stimmabgabe. (1) [1] Die Stimmzettel für die Abstimmung dürfen nur den Antrag und die Frage an die Abstimmungsberechtigten enthalten, ob sie für oder gegen den Antrag stimmen. [2] Soll die Stimme für den Antrag abgegeben werden, so ist das vorgedruckte „Ja", andernfalls das vorgedruckte „Nein" anzukreuzen. [3] Die Stimmzettel für die Abstimmung müssen sämtlich die gleiche Größe, Farbe, Beschaffenheit und Beschriftung haben.

(2) Der Hauptwahlvorstand übersendet die Stimmzettel rechtzeitig den Betriebswahlvorständen.

(3) Stimmzettel, die mit einem besonderen Merkmal versehen sind oder aus denen sich ein eindeutiger Wille nicht ergibt oder die andere als die in Absatz 1 bezeichneten Angaben, einen Zusatz oder sonstige Änderungen enthalten, sind ungültig.

§ 15 Abstimmungsvorgang. (1) [1] Der Betriebswahlvorstand hat geeignete Vorkehrungen für die unbeobachtete Kennzeichnung der Stimmzettel im Wahlraum zu treffen und für die Bereitstellung einer Wahlurne oder mehrerer Wahlurnen zu sorgen. [2] Die Wahlurne muss vom Betriebswahlvorstand verschlossen und so eingerichtet sein, dass die eingeworfenen Stimmzettel nicht herausgenommen werden können, ohne dass die Urne geöffnet wird.

(2) Während der Abstimmung müssen mindestens zwei Mitglieder des Betriebswahlvorstands im Wahlraum anwesend sein; sind Wahlhelfer bestellt, so genügt die Anwesenheit eines Mitglieds des Betriebswahlvorstands und eines Wahlhelfers.

(3) [1] Die abstimmende Person kennzeichnet ihren Stimmzettel unbeobachtet und faltet ihn in der Weise, dass ihre Stimme nicht erkennbar ist. [2] Danach gibt sie ihren Namen an und wirft den gefalteten Stimmzettel in die Wahlurne, nachdem die Stimmabgabe in der Wählerliste vermerkt worden ist.

(4) [1] Wer infolge seiner Behinderung bei der Stimmabgabe beeinträchtigt ist, kann eine Person seines Vertrauens bestimmen, die ihm bei der Stimmabgabe behilflich sein soll, und teilt dies dem Wahlvorstand mit. [2] Personen, die sich bei der Wahl bewerben, Mitglieder des Wahlvorstands sowie Wahlhelfer dürfen nicht zur Hilfeleistung herangezogen werden. [3] Die Hilfeleistung beschränkt sich auf die Erfüllung der Wünsche des Wählers zur Stimmabgabe; die Person des Vertrauens darf gemeinsam mit dem Wähler die Wahlzelle aufsuchen. [4] Sie ist zur Geheimhaltung der Kenntnisse verpflichtet, die sie bei der Hilfeleistung zur

Stimmabgabe erlangt hat. [5] Die Sätze 1 bis 4 gelten entsprechend für des Lesens unkundige Wähler.

(5) [1] Wird die Stimmabgabe unterbrochen oder erfolgt die Stimmauszählung nicht unmittelbar nach Abschluss der Stimmabgabe, so hat der Betriebswahlvorstand für die Zwischenzeit die Wahlurne so zu verschließen und aufzubewahren, dass der Einwurf oder die Entnahme von Stimmzetteln ohne Beschädigung des Verschlusses unmöglich ist. [2] Bei Wiedereröffnung der Abstimmung oder bei Entnahme der Stimmzettel zur Stimmauszählung hat sich der Betriebswahlvorstand davon zu überzeugen, dass der Verschluss unversehrt ist.

§ 16[1)] *(aufgehoben)*

§ 17 Voraussetzungen der schriftlichen Stimmabgabe. (1) [1] Abstimmungsberechtigten, die im Zeitpunkt der Abstimmung wegen Abwesenheit vom Betrieb verhindert sind, ihre Stimme persönlich abzugeben, hat der Betriebswahlvorstand auf ihr Verlangen

1. das Abstimmungsausschreiben,
2. den Stimmzettel und den Wahlumschlag,
3. eine vorgedruckte, von der abstimmenden Person abzugebende Erklärung, in der gegenüber dem Betriebswahlvorstand zu versichern ist, dass der Stimmzettel persönlich gekennzeichnet worden ist, sowie
4. einen größeren Freiumschlag, der die Anschrift des Betriebswahlvorstands und als Absender den Namen und die Anschrift des Abstimmungsberechtigten sowie den Vermerk „Schriftliche Stimmabgabe" trägt,

auszuhändigen oder zu übersenden. [2] Der Betriebswahlvorstand soll den Abstimmungsberechtigten ferner ein Merkblatt über die Art und Weise der schriftlichen Stimmabgabe (§ 18 Abs. 1) aushändigen oder übersenden. [3] Der Betriebswahlvorstand vermerkt die Aushändigung oder die Übersendung der Unterlagen in der Wählerliste.

(2) Abstimmungsberechtigte, von denen dem Betriebswahlvorstand bekannt ist, dass sie im Zeitpunkt der Abstimmung nach der Eigenart ihres Beschäftigungsverhältnisses voraussichtlich nicht im Betrieb anwesend sein werden (insbesondere im Außendienst, mit Telearbeit und in Heimarbeit Beschäftigte), erhalten die in Absatz 1 bezeichneten Unterlagen, ohne dass es eines Verlangens der Abstimmungsberechtigten bedarf.

(3) [1] Der Betriebswahlvorstand kann die schriftliche Stimmabgabe beschließen

1. für Betriebsteile und Kleinstbetriebe, die räumlich weit vom Hauptbetrieb entfernt sind,
2. für Betriebe, in denen die Mehrheit der Abstimmungsberechtigten zur schriftlichen Stimmabgabe nach Absatz 2 berechtigt ist und in denen die verbleibende Minderheit nicht mehr als insgesamt 25 Abstimmungsberechtigte ausmacht.

[2] Absatz 2 ist entsprechend anzuwenden.

---

1) § 16 aufgeh. mWv 2. 9. 2015 durch VO v. 26. 8. 2015 (BGBl. I S. 1443).

(4) Der Hauptwahlvorstand übersendet den Betriebswahlvorständen auf Anforderung die in Absatz 1 bezeichneten Unterlagen für die schriftliche Stimmabgabe.

§ 18 Verfahren bei der schriftlichen Stimmabgabe. (1) Die Stimmabgabe erfolgt in der Weise, dass die abstimmende Person

1. den Stimmzettel unbeobachtet persönlich kennzeichnet und so faltet und in dem zugehörigen Wahlumschlag verschließt, dass die Stimmabgabe erst nach Auseinanderfalten des Stimmzettels erkennbar ist;
2. die vorgedruckte Erklärung unter Angabe des Orts und des Datums unterschreibt und
3. den Wahlumschlag und die unterschriebene vorgedruckte Erklärung in dem Freiumschlag verschließt und diesen Wahlbrief so rechtzeitig an den Betriebswahlvorstand absendet oder übergibt, dass er vor Abschluss der Stimmabgabe vorliegt.

(2) [1] Unmittelbar vor Abschluss der Stimmabgabe öffnet der Betriebswahlvorstand in öffentlicher Sitzung die bis zu diesem Zeitpunkt eingegangenen Wahlbriefe und entnimmt ihnen die Wahlumschläge sowie die vorgedruckten Erklärungen. [2] Ist die schriftliche Stimmabgabe ordnungsgemäß erfolgt, so vermerkt der Betriebswahlvorstand die Stimmabgabe in der Wählerliste, öffnet die Wahlumschläge und legt die Stimmzettel in die Wahlurne. [3] Befinden sich in einem Wahlumschlag mehrere gekennzeichnete Stimmzettel, werden sie in dem Wahlumschlag in die Wahlurne gelegt.

(3) [1] Verspätet eingehende Wahlbriefe nimmt der Betriebswahlvorstand mit einem Vermerk über den Zeitpunkt des Eingangs ungeöffnet zu den Wahlunterlagen. [2] Die Wahlbriefe sind einen Monat nach Bekanntgabe des Ergebnisses der Wahl der Aufsichtsratsmitglieder der Arbeitnehmer ungeöffnet zu vernichten, wenn die Wahl nicht angefochten worden ist.

§ 19[1)] Öffentliche Stimmauszählung. (1) Unverzüglich nach Abschluss der Stimmabgabe zählt der Betriebswahlvorstand öffentlich die Stimmen aus.

(2) Nach Öffnung der Wahlurne entnimmt der Betriebswahlvorstand die Stimmzettel und stellt fest, wie viele Stimmen für und wie viele Stimmen gegen den Antrag abgegeben worden sind.

(3) [1] Bei der Auszählung ist die Gültigkeit der Stimmzettel zu prüfen. [2] Befindet sich ein Wahlumschlag mit mehreren gekennzeichneten Stimmzetteln in der Wahlurne, werden die Stimmzettel einfach gezählt, wenn sie vollständig übereinstimmen, andernfalls sind sie ungültig.

§ 20[2)] Abstimmungsniederschrift des Betriebswahlvorstands. (1) Nach der Stimmauszählung stellt der Betriebswahlvorstand in einer Niederschrift fest:

1. die Zahl der insgesamt abgegebenen Stimmen;
2. die Zahl der gültigen Stimmen;
3. die Zahl der ungültigen Stimmen;

---

1) § 19 Abs. 4 *aufgeh. mWv 2. 9. 2015* durch VO v. 26. 8. 2015 (BGBl. I S. 1443).

2) § 20 Abs. 1 Nr. 1 aufgeh., bish. Nr. 2–7 werden Nr. 1–6 mWv 2. 9. 2015 durch VO v. 26. 8. 2015 (BGBl. I S. 1443).

4. die Zahl der für den Antrag abgegebenen Stimmen;
5. die Zahl der gegen den Antrag abgegebenen Stimmen;
6. besondere während der Abstimmung eingetretene Zwischenfälle oder sonstige Ereignisse.

(2) Der Betriebswahlvorstand übermittelt unverzüglich dem Hauptwahlvorstand eingeschrieben, fernschriftlich oder durch Boten die Abstimmungsniederschrift.

§ 21[1)] Feststellung des Abstimmungsergebnisses, Abstimmungsniederschrift des Hauptwahlvorstands. Der Hauptwahlvorstand ermittelt anhand der Abstimmungsniederschriften der Betriebswahlvorstände das Abstimmungsergebnis und stellt in einer Niederschrift fest:
1. die Zahl der insgesamt abgegebenen Stimmen;
2. die Zahl der gültigen Stimmen;
3. die Zahl der ungültigen Stimmen;
4. die Zahl der für den Antrag abgegebenen Stimmen;
5. die Zahl der gegen den Antrag abgegebenen Stimmen;
6. das Abstimmungsergebnis;
7. besondere während der Abstimmung eingetretene Zwischenfälle oder sonstige Ereignisse.

§ 22 Bekanntmachung des Abstimmungsergebnisses. [1]Der Hauptwahlvorstand übermittelt das Abstimmungsergebnis den Betriebswahlvorständen. [2]Jeder Betriebswahlvorstand macht das Abstimmungsergebnis für die Dauer von zwei Wochen in gleicher Weise wie das Abstimmungsausschreiben bekannt.

Abschnitt 3. Wahlvorschläge

Unterabschnitt 1. Wahlvorschläge, Prüfung, Bekanntmachung

§ 23[2)] Bekanntmachung über die Einreichung von Wahlvorschlägen. (1) [1]Der Hauptwahlvorstand erlässt gleichzeitig mit der Bekanntmachung nach § 11 eine Bekanntmachung über die Einreichung von Wahlvorschlägen für die Wahl der Aufsichtsratsmitglieder der Arbeitnehmer. [2]Die Bekanntmachung muss folgende Angaben enthalten:
1. den für die Bekanntmachung bestimmten Zeitpunkt;
2. die Zahl der zu wählenden Aufsichtsratsmitglieder der Arbeitnehmer, getrennt nach Aufsichtsratsmitgliedern der Arbeitnehmer und Aufsichtsratsmitgliedern, die Vertreter von Gewerkschaften sind;
3. bei börsennotierten Unternehmen, ob zur Erreichung des Geschlechteranteils nach § 96 Absatz 2 Satz 1 des Aktiengesetzes[3)] für die Wahl die Gesamterfüllung oder die Getrennterfüllung gilt;

[1)] § 21 Nr. 1 aufgeh., bish. Nr. 2–8 werden Nr. 1–7 mWv 2. 9. 2015 durch VO v. 26. 8. 2015 (BGBl. I S. 1443).

[2)] § 23 Abs. 1 Satz 2 Nr. 3–6 eingef., bish. Nr. 3–9 werden Nr. 7–13, Nr. 14 eingef., bish. Nr. 10 wird Nr. 15 mWv 2. 9. 2015 durch VO v. 26. 8. 2015 (BGBl. I S. 1443).

[3)] Nr. **567**.

4. bei börsennotierten Unternehmen im Fall der Gesamterfüllung, die zur Erreichung des Geschlechteranteils nach § 96 Absatz 2 Satz 1 und 4 des Aktiengesetzes[1] erforderliche Anzahl an Frauen und Männern im Aufsichtsrat;
5. bei börsennotierten Unternehmen im Fall der Getrennterfüllung, die zur Erreichung des Geschlechteranteils nach § 5 a des Gesetzes[2] in Verbindung mit § 96 Absatz 2 Satz 4 des Aktiengesetzes[1] erforderliche Anzahl an Frauen und Männern unter den Aufsichtsratsmitgliedern der Arbeitnehmer;
6. im Fall der Nummer 5, wenn der Geschlechteranteil nach § 5 a des Gesetzes bei der Wahl nicht erreicht wurde, dass § 10 f des Gesetzes anzuwenden ist und der Geschlechteranteil im Wege der gerichtlichen Ersatzbestellung nach § 104 des Aktiengesetzes[1] oder der Nachwahl hergestellt wird;
7. dass Wahlvorschläge für die Wahl der Aufsichtsratsmitglieder der Arbeitnehmer beim Hauptwahlvorstand innerhalb von sechs Wochen seit dem für die Bekanntmachung bestimmten Zeitpunkt schriftlich eingereicht werden können; der letzte Tag der Frist ist anzugeben;
8. die Mindestzahl der Wahlberechtigten, von denen ein Wahlvorschlag für Aufsichtsratsmitglieder der Arbeitnehmer unterzeichnet sein muss;
9. dass ein Wahlvorschlag für Aufsichtsratsmitglieder, die Vertreter von Gewerkschaften sind, nur von einer Gewerkschaft eingereicht werden kann, die in einem Konzernunternehmen vertreten ist;
10. dass, soweit für die Aufsichtsratsmitglieder der Arbeitnehmer nur ein Wahlvorschlag gemacht wird, die Anzahl der Bewerber in diesem Wahlvorschlag doppelt so hoch sein muss wie die Zahl der Aufsichtsratsmitglieder, die auf die Arbeitnehmer entfällt;
11. dass, soweit für die Aufsichtsratsmitglieder, die Vertreter von Gewerkschaften sind, nur ein Wahlvorschlag gemacht wird, die Anzahl der Bewerber in diesem Wahlvorschlag mindestens doppelt so hoch sein muss wie die Zahl der zu wählenden Vertreter von Gewerkschaften;
12. dass in jedem Wahlvorschlag für jeden Bewerber ein Ersatzmitglied des Aufsichtsrats vorgeschlagen werden kann;
13. dass bei Wahl eines Aufsichtsratsmitglieds auch das zusammen mit ihm vorgeschlagene Ersatzmitglied gewählt ist;
14. bei börsennotierten Unternehmen, dass das Nachrücken eines Ersatzmitglieds, dessen Wahl nach dem 31. Dezember 2015 erfolgt ist, ausgeschlossen ist, wenn dadurch der Geschlechteranteil nach § 5 a des Gesetzes nicht mehr eingehalten würde;
15. die Anschrift des Hauptwahlvorstands.

(2) Der Hauptwahlvorstand kann die Bekanntmachungen nach Absatz 1 und § 11 in einer Bekanntmachung zusammenfassen.

(3) [1]Der Hauptwahlvorstand übersendet die Bekanntmachung den Betriebswahlvorständen und teilt ihnen schriftlich den Zeitpunkt mit, von dem ab sie in den Betrieben bekannt zu machen ist. [2]Jeder Betriebswahlvorstand ergänzt die Bekanntmachung um die folgenden Angaben:

---

[1] Nr. **567**.
[2] Nr. **562**.

1. wo und wie die Wahlberechtigten in die Wählerliste, das Gesetz und diese Verordnung Einsicht nehmen können;
2. wo und wie die Wahlberechtigten von den Wahlvorschlägen Kenntnis erlangen können;
3. dass Einsprüche und sonstige Erklärungen gegenüber dem Betriebswahlvorstand abzugeben sind;
4. die Anschrift des Betriebswahlvorstands.

(4) [1] Der Betriebswahlvorstand macht die Bekanntmachung bis zum Abschluss der Wahl der Aufsichtsratsmitglieder bekannt. [2] Der Betriebswahlvorstand vermerkt auf der Bekanntmachung den ersten und den letzten Tag der Bekanntmachung.

(5) Der Hauptwahlvorstand übersendet die Bekanntmachung unverzüglich nach ihrem Erlass den Konzernunternehmen und den in diesen Unternehmen vertretenen Gewerkschaften.

§ 24 Wahlvorschläge der Arbeitnehmer. (1) [1] Zur Wahl der Aufsichtsratsmitglieder der Arbeitnehmer können die Wahlberechtigten Wahlvorschläge machen. [2] Jeder Wahlvorschlag muss von einem Fünftel oder 100 der Wahlberechtigten unterzeichnet sein.

(2) Die Wahlvorschläge sind innerhalb von sechs Wochen seit dem für die Bekanntmachung über die Einreichung von Wahlvorschlägen bestimmten Zeitpunkt beim Hauptwahlvorstand schriftlich einzureichen.

(3) Wird für einen Wahlgang nur ein Wahlvorschlag eingereicht, so muss die Anzahl der Bewerber in diesem Wahlvorschlag doppelt so hoch sein wie die Zahl der in dem Wahlgang zu wählenden Aufsichtsratsmitglieder.

(4) Wahlgang im Sinne dieses Kapitels ist

1. die Wahl der Aufsichtsratsmitglieder der Arbeitnehmer,
2. die Wahl der Aufsichtsratsmitglieder, die Vertreter von Gewerkschaften sind.

(5) [1] In jedem Wahlvorschlag sind die Bewerber in erkennbarer Reihenfolge unter fortlaufender Nummer und unter Angabe von Familienname, Vorname, Geburtsdatum, Art der Beschäftigung, Unternehmen und Betrieb aufzuführen. [2] Die schriftliche Zustimmung der Bewerber zur Aufnahme in den Wahlvorschlag und ihre schriftliche Versicherung, dass sie im Fall ihrer Wahl die Wahl annehmen werden, sind beizufügen.

(6) [1] Für jeden Wahlvorschlag soll einer der Unterzeichnenden als Vorschlagsvertreter bestimmt werden. [2] Dieser ist berechtigt und verpflichtet, dem Hauptwahlvorstand die zur Beseitigung von Beanstandungen erforderlichen Erklärungen abzugeben sowie Erklärungen und Entscheidungen des Hauptwahlvorstands entgegenzunehmen. [3] Ist kein Vorschlagsvertreter ausdrücklich bestimmt worden, so wird der an erster Stelle Unterzeichnende als Vorschlagsvertreter angesehen.

(7) [1] Die Unterschrift eines Wahlberechtigten zählt nur auf einem Wahlvorschlag. [2] Hat ein Wahlberechtigter mehrere Wahlvorschläge unterzeichnet, so hat er auf Aufforderung des Hauptwahlvorstands innerhalb einer angemessenen Frist, spätestens jedoch innerhalb einer Woche zu erklären, welche Unterschrift er aufrechterhält. [3] Unterbleibt die fristgerechte Erklärung, so wird sein Name auf dem zuerst eingereichten Wahlvorschlag gezählt und auf den übrigen Wahlvorschlägen gestrichen; sind mehrere Wahlvorschläge, die von demselben Wahl-

berechtigten unterzeichnet sind, gleichzeitig eingereicht worden, so entscheidet das Los darüber, auf welchem Wahlvorschlag die Unterschrift gilt.

(8) [1] Ein Bewerber kann nur auf einem Wahlvorschlag vorgeschlagen werden. [2] Ist sein Name mit seiner schriftlichen Zustimmung (Absatz 5 Satz 2) auf mehreren Wahlvorschlägen aufgeführt, so hat er auf Aufforderung des Hauptwahlvorstands innerhalb einer Woche zu erklären, welche Bewerbung er aufrechterhält. [3] Unterbleibt die fristgerechte Erklärung, so ist der Bewerber auf sämtlichen Wahlvorschlägen zu streichen.

§ 25 Wahlvorschläge der Gewerkschaften. (1) Zur Wahl von Aufsichtsratsmitgliedern, die Vertreter von Gewerkschaften sind, können die Gewerkschaften Wahlvorschläge machen, die in Konzernunternehmen vertreten sind.

(2) [1] Jeder Wahlvorschlag einer Gewerkschaft muss von einem hierzu bevollmächtigten Beauftragten dieser Gewerkschaft unterzeichnet sein. [2] § 24 Abs. 2, 4, 5 und 8 ist entsprechend anzuwenden. [3] Wird nur ein Wahlvorschlag eingereicht, so muss die Anzahl der Bewerber mindestens doppelt so hoch sein wie die Zahl der zu wählenden Vertreter von Gewerkschaften.

(3) [1] § 24 Abs. 6 ist entsprechend anzuwenden. [2] Der in Absatz 2 Satz 1 bezeichnete Beauftragte gilt als Vorschlagsvertreter. [3] Die Gewerkschaft kann einen anderen als den in Absatz 2 Satz 1 bezeichneten Beauftragten als Vorschlagsvertreter benennen.

§ 26 Wahlvorschläge für Ersatzmitglieder. (1) [1] In jedem Wahlvorschlag kann für jeden Bewerber ein Ersatzmitglied des Aufsichtsrats vorgeschlagen werden. [2] Für jeden Bewerber kann nur ein Ersatzmitglied vorgeschlagen werden. [3] Ein Bewerber kann nicht sowohl als Mitglied als auch als Ersatzmitglied des Aufsichtsrats vorgeschlagen werden. [4] § 24 Abs. 8 ist entsprechend anzuwenden.

(2) [1] Jedes vorgeschlagene Ersatzmitglied ist in dem Wahlvorschlag unter Angabe von Familienname, Vorname, Geburtsdatum, Art der Beschäftigung, Unternehmen und Betrieb neben dem Bewerber aufzuführen, für den es als Ersatzmitglied des Aufsichtsrats vorgeschlagen wird. [2] In dem Wahlvorschlag ist kenntlich zu machen, wer als Mitglied und wer als Ersatzmitglied des Aufsichtsrats vorgeschlagen wird. [3] § 24 Abs. 5 Satz 2 ist entsprechend anzuwenden.

Unterabschnitt 2. Prüfung und Bekanntmachung der Wahlvorschläge

§ 27 Prüfung der Wahlvorschläge. (1) Der Hauptwahlvorstand bestätigt dem Vorschlagsvertreter schriftlich den Zeitpunkt der Einreichung des Wahlvorschlags.

(2) [1] Der Hauptwahlvorstand bezeichnet den Wahlvorschlag, wenn er nicht mit einem Kennwort versehen ist, mit Familienname und Vorname des an erster Stelle benannten Bewerbers. [2] Er hat unverzüglich den Wahlvorschlag zu prüfen und bei Ungültigkeit oder Beanstandung den Vorschlagsvertreter schriftlich unter Angabe der Gründe zu unterrichten.

§ 28[1] Ungültige Wahlvorschläge. (1) Ungültig sind Wahlvorschläge,

[1] § 28 Abs. 1 Nr. 3 geänd. mWv 2. 9. 2015 durch VO v. 26. 8. 2015 (BGBl. I S. 1443).

1. die nicht fristgerecht eingereicht worden sind;
2. auf denen die Bewerber nicht in erkennbarer Reihenfolge aufgeführt sind;
3. die nicht die in § 23 Absatz 1 Nummer 10 und 11 bezeichnete Zahl von Bewerbern enthalten;
4. der Arbeitnehmer, wenn sie bei der Einreichung nicht die erforderliche Zahl von Unterschriften aufweisen;
5. der Gewerkschaften, wenn sie nicht von einem hierzu bevollmächtigten Beauftragten unterzeichnet sind.

(2) Wahlvorschläge,

1. in denen die Bewerber nicht in der in § 24 Abs. 5 Satz 1 bestimmten Weise bezeichnet sind;
2. denen die schriftliche Zustimmung und Versicherung der Bewerber nach § 24 Abs. 5 Satz 2 nicht beigefügt sind;
3. die infolge von Streichungen gemäß § 24 Abs. 7 nicht mehr die erforderliche Zahl von Unterschriften aufweisen;

sind ungültig, wenn der Hauptwahlvorstand sie beanstandet hat und die Mängel nicht innerhalb einer Woche seit der Beanstandung beseitigt worden sind.

§ 29 Nachfrist für Wahlvorschläge. (1) [1] Ist nach Ablauf der für die Einreichung von Wahlvorschlägen bestimmten Frist für einen Wahlgang kein gültiger Wahlvorschlag eingereicht, so erlässt der Hauptwahlvorstand unverzüglich eine Bekanntmachung und setzt eine Nachfrist von einer Woche für die Einreichung von Wahlvorschlägen fest. [2] Die Bekanntmachung muss folgende Angaben enthalten:

1. den für die Bekanntmachung bestimmten Zeitpunkt;
2. dass für den Wahlgang kein gültiger Wahlvorschlag eingereicht worden ist;
3. dass Wahlvorschläge innerhalb einer Nachfrist von einer Woche seit dem für die Bekanntmachung bestimmten Zeitpunkt schriftlich beim Hauptwahlvorstand eingereicht werden können; der letzte Tag der Frist ist anzugeben;
4. dass der Wahlgang nur stattfinden kann, wenn mindestens ein gültiger Wahlvorschlag eingereicht wird;
5. dass, soweit kein gültiger Wahlvorschlag eingereicht wird, die fehlenden Aufsichtsratsmitglieder durch das Gericht bestellt werden können.

(2) Wird bis zum Ablauf der Nachfrist für einen Wahlgang kein gültiger Wahlvorschlag eingereicht, so macht der Hauptwahlvorstand unverzüglich bekannt, dass der Wahlgang nicht stattfindet.

(3) Für Bekanntmachungen nach den Absätzen 1 und 2 ist § 23 Abs. 3 bis 5 entsprechend anzuwenden.

§ 30 Bekanntmachung der Wahlvorschläge. (1) Sind für einen Wahlgang, in dem mehrere Aufsichtsratsmitglieder der Arbeitnehmer zu wählen sind, mehrere Wahlvorschläge eingereicht, so ermittelt der Hauptwahlvorstand durch das Los nach Ablauf der in § 24 Abs. 2, § 28 Abs. 2 und § 29 Abs. 1 Satz 1 bezeichneten Fristen die Reihenfolge der Ordnungsnummern, die den eingereichten Wahlvorschlägen zugeteilt werden (Wahlvorschlag 1, 2 usw.).

(2) [1] Spätestens zwei Wochen vor dem ersten Tag der Stimmabgabe sind die gültigen Wahlvorschläge in den Betrieben bekannt zu machen. [2] Der Hauptwahlvorstand übersendet die gültigen Wahlvorschläge den Betriebswahlvorständen und teilt ihnen schriftlich den Zeitpunkt mit, von dem ab die Wahlvorschläge in den Betrieben bekannt zu machen sind. [3] Jeder Betriebswahlvorstand macht die Wahlvorschläge, nach Wahlgängen getrennt, bekannt; § 23 Abs. 4 und 5 ist entsprechend anzuwenden.

Abschnitt 4. Anzuwendende Vorschriften

§ 31 Anzuwendende Vorschriften. (1) Sind die Aufsichtsratsmitglieder der Arbeitnehmer in unmittelbarer Wahl zu wählen, so richtet sich das weitere Wahlverfahren nach den Vorschriften des Kapitels 2. [2] Sind die Aufsichtsratsmitglieder der Arbeitnehmer durch Delegierte zu wählen, so richtet sich das weitere Wahlverfahren nach den Vorschriften des Kapitels 3.

(2) Sind die Aufsichtsratsmitglieder der Arbeitnehmer durch Delegierte zu wählen, so richtet sich das weitere Wahlverfahren nach den Vorschriften des Kapitels 3.

Kapitel 2. Unmittelbare Wahl der Aufsichtsratsmitglieder der Arbeitnehmer

Abschnitt 1. Wahlausschreiben

§ 32[1)] Wahlausschreiben. (1) [1] Steht fest, dass die Aufsichtsratsmitglieder der Arbeitnehmer in unmittelbarer Wahl zu wählen sind, so erlässt der Hauptwahlvorstand ein Wahlausschreiben. [2] Es muss folgende Angaben enthalten:

1. den für die Bekanntmachung bestimmten Zeitpunkt;
2. dass die Aufsichtsratsmitglieder der Arbeitnehmer von allen Wahlberechtigten in unmittelbarer Wahl zu wählen sind;
3. dass an der Wahl und an Abstimmungen nur Arbeitnehmer teilnehmen können, die in der Wählerliste eingetragen sind;
4. den Zeitpunkt, bis zu dem Wahlvorschläge eingereicht werden können;
5. dass die Stimmabgabe an Wahlvorschläge gebunden ist und dass nur solche Wahlvorschläge berücksichtigt werden dürfen, die fristgerecht eingereicht sind;
6. den Tag oder die Tage der Stimmabgabe für die Wahl der Aufsichtsratsmitglieder der Arbeitnehmer;
7. bei börsennotierten Unternehmen, ob zur Erreichung des Geschlechteranteils nach § 96 Absatz 2 Satz 1 des Aktiengesetzes[2)] für die Wahl die Gesamterfüllung oder die Getrennterfüllung gilt;
8. bei börsennotierten Unternehmen im Fall der Gesamterfüllung, die zur Erreichung des Geschlechteranteils nach § 96 Absatz 2 Satz 1 und 4 des Aktiengesetzes[2)] erforderliche Anzahl an Frauen und Männern im Aufsichtsrat;

---

1) § 32 Abs. 1 Satz 2 Nr. 7–10 *eingef., bish.* Nr. 7 *wird* Nr. 11 mWv 2. 9. 2015 *durch* VO v. 26. 8. 2015 (BGBl. I S. 1443).

2) Nr. **567**.

9. bei börsennotierten Unternehmen im Fall der Getrennterfüllung, die zur Erreichung des Geschlechteranteils nach § 5 a des Gesetzes[1] in Verbindung mit § 96 Absatz 2 Satz 4 des Aktiengesetzes[2] erforderliche Anzahl an Frauen und Männern unter den Aufsichtsratsmitgliedern der Arbeitnehmer;
10. im Fall der Nummer 9, wenn der Geschlechteranteil nach § 5 a des Gesetzes bei der Wahl nicht erreicht wurde, dass § 10 f des Gesetzes anzuwenden ist und der Geschlechteranteil im Wege der gerichtlichen Ersatzbestellung nach § 104 des Aktiengesetzes[2] oder der Nachwahl hergestellt wird;
11. die Anschrift des Hauptwahlvorstands.

(2) [1] Der Hauptwahlvorstand übersendet das Wahlausschreiben den Betriebswahlvorständen und teilt ihnen schriftlich den Zeitpunkt mit, von dem ab es in den Betrieben bekannt zu machen ist. [2] Jeder Betriebswahlvorstand ergänzt das Wahlausschreiben um die folgenden Angaben:

1. wo und wie die Wahlberechtigten von den Wahlvorschlägen Kenntnis erlangen können;
2. Ort und Zeit der Stimmabgabe und der öffentlichen Stimmauszählung;
3. den Hinweis auf die Möglichkeit der schriftlichen Stimmabgabe sowie die Betriebsteile, Kleinstbetriebe und Betriebe, für die schriftliche Stimmabgabe nach § 41 Abs. 3 beschlossen ist;
4. dass Einsprüche und sonstige Erklärungen gegenüber dem Betriebswahlvorstand abzugeben sind;
5. die Anschrift des Betriebswahlvorstands.

[3] Für die Bekanntmachung des Wahlausschreibens ist § 23 Abs. 4 und 5 entsprechend anzuwenden.

Abschnitt 2. Durchführung der Wahl

Unterabschnitt 1. Wahl mehrerer Aufsichtsratsmitglieder der Arbeitnehmer in einem Wahlgang auf Grund mehrerer Wahlvorschläge

§ 33[3] Stimmabgabe, Wahlvorgang. (1) [1] Sind in einem Wahlgang mehrere Aufsichtsratsmitglieder der Arbeitnehmer zu wählen und liegen für diesen Wahlgang mehrere gültige Wahlvorschläge vor, so kann der Wähler seine Stimme nur für einen dieser Wahlvorschläge abgeben. [2] Die Stimmabgabe erfolgt durch Abgabe von Stimmzetteln. [3] Der Begriff des Wahlgangs im Sinne dieses Kapitels bestimmt sich nach § 24 Abs. 4.

(2) [1] Der Hauptwahlvorstand hat die Wahlvorschläge auf den Stimmzetteln nach der Reihenfolge der Ordnungsnummern sowie unter Angabe der an erster und zweiter Stelle benannten Bewerber mit Familienname, Vorname, Art der Beschäftigung, Unternehmen und Betrieb untereinander aufzuführen; bei Wahlvorschlägen, die mit einem Kennwort versehen sind, ist auch das Kennwort anzugeben. [2] Die Stimmzettel sollen die Angabe enthalten, dass nur ein Wahlvorschlag angekreuzt werden kann. [3] Die Stimmzettel, die für denselben Wahlgang Verwendung finden, müssen sämtlich die gleiche Größe, Farbe, Beschaffenheit und Beschriftung haben. [4] Die Stimmzettel, die für einen Wahlgang Ver-

---

[1] Nr. **562**.
[2] Nr. **567**.
[3] § 33 Abs. 4 Satz 2 geänd. mWv 2. 9. 2015 durch VO v. 26. 8. 2015 (BGBl. I S. 1443).

wendung finden, müssen sich von den für die anderen Wahlgänge vorgesehenen Stimmzetteln in der Farbe unterscheiden.

(3) Der Hauptwahlvorstand übersendet die Stimmzettel rechtzeitig den Betriebswahlvorständen.

(4) [1] Der Wähler kennzeichnet den von ihm gewählten Wahlvorschlag durch Ankreuzen an der im Stimmzettel hierfür vorgesehenen Stelle. [2] Für den Wahlvorgang ist § 15 entsprechend anzuwenden; die Stimmabgabe ist in der Wählerliste für jeden Wahlgang gesondert zu vermerken.

(5) Ungültig sind Stimmzettel,

1. in denen mehr als ein Wahlvorschlag angekreuzt ist;
2. aus denen sich ein eindeutiger Wille nicht ergibt;
3. die mit einem besonderen Merkmal versehen sind;
4. die andere als die in Absatz 2 bezeichneten Angaben, einen Zusatz oder sonstige Änderungen enthalten.

§ 34[1)] Öffentliche Stimmauszählung. (1) Unverzüglich nach Abschluss der Stimmabgabe zählt der Betriebswahlvorstand öffentlich die Stimmen aus.

(2) Nach Öffnung der Wahlurne entnimmt der Betriebswahlvorstand die Stimmzettel und zählt für jeden Wahlgang gesondert die auf jeden Wahlvorschlag entfallenden Stimmen zusammen.

(3) [1] Bei der Auszählung ist die Gültigkeit der Stimmzettel zu prüfen. [2] Befindet sich ein Wahlumschlag mit mehreren gekennzeichneten Stimmzetteln in der Wahlurne, werden die Stimmzettel einfach gezählt, wenn sie vollständig übereinstimmen, andernfalls sind sie ungültig.

§ 35[2)] Wahlniederschrift des Betriebswahlvorstands. (1) Nachdem die Stimmen ausgezählt sind, stellt der Betriebswahlvorstand in einer Niederschrift für jeden Wahlgang gesondert fest:

1. die Zahl der insgesamt abgegebenen Stimmen;
2. die Zahl der gültigen Stimmen;
3. die Zahl der ungültigen Stimmen;
4. die Zahlen der auf die einzelnen Wahlvorschläge entfallenden Stimmen;
5. besondere während der Wahl eingetretene Zwischenfälle oder sonstige Ereignisse.

(2) Der Betriebswahlvorstand übermittelt unverzüglich nach der Stimmauszählung dem Hauptwahlvorstand eingeschrieben, fernschriftlich oder durch Boten die Wahlniederschrift.

(3) Der Betriebswahlvorstand macht das Ergebnis der Stimmauszählung bekannt.

[1)] *§ 34 Abs. 4 aufgeh. mWv 2. 9. 2015 durch VO v. 26. 8. 2015 (BGBl. I S. 1443).*

[2)] § 35 Abs. 1 Nr. 1 aufgeh., Nr. 2–6 werden Nr. 1–5 mWv 2. 9. 2015 durch VO v. 26. 8. 2015 (BGBl. I S. 1443).

4. einen größeren Freiumschlag, der die Anschrift des Betriebswahlvorstands und als Absender den Namen und die Anschrift des Wahlberechtigten sowie den Vermerk „Schriftliche Stimmabgabe" trägt,

auszuhändigen oder zu übersenden. [2] Der Betriebswahlvorstand soll dem Wahlberechtigten ferner ein Merkblatt über die Art und Weise der schriftlichen Stimmabgabe (§ 42 Abs. 1) aushändigen oder übersenden. [3] Der Betriebswahlvorstand vermerkt die Aushändigung oder die Übersendung der Unterlagen für jeden Wahlgang gesondert in der Wählerliste.

(2) Wahlberechtigte, von denen dem Betriebswahlvorstand bekannt ist, dass sie im Zeitpunkt der Wahl nach der Eigenart ihres Beschäftigungsverhältnisses voraussichtlich nicht im Betrieb anwesend sein werden (insbesondere im Außendienst, mit Telearbeit und in Heimarbeit Beschäftigte), erhalten die in Absatz 1 bezeichneten Unterlagen, ohne dass es eines Verlangens der Wahlberechtigten bedarf.

(3) [1] Der Betriebswahlvorstand kann die schriftliche Stimmabgabe beschließen

1. für Betriebsteile und Kleinstbetriebe, die räumlich weit vom Hauptbetrieb entfernt sind,
2. für Betriebe, in denen die Mehrheit der Wahlberechtigten zur schriftlichen Stimmabgabe nach Absatz 2 berechtigt ist und in denen die verbleibende Minderheit nicht mehr als insgesamt 25 Wahlberechtigte ausmacht.

[2] Absatz 2 ist entsprechend anzuwenden.

(4) Der Hauptwahlvorstand übersendet den Betriebswahlvorständen auf Anforderung die in Absatz 1 bezeichneten Unterlagen für die schriftliche Stimmabgabe.

§ 42 Verfahren bei der Stimmabgabe. (1) Die Stimmabgabe erfolgt in der Weise, dass der Wähler

1. die Stimmzettel unbeobachtet persönlich kennzeichnet und so faltet und in den zugehörigen Wahlumschlägen verschließt, dass die Stimmabgabe erst nach Auseinanderfalten des Stimmzettels erkennbar ist,
2. die vorgedruckte Erklärung unter Angabe des Orts und des Datums unterschreibt und
3. die Wahlumschläge und die unterschriebene vorgedruckte Erklärung in dem Freiumschlag verschließt und diesen Wahlbrief so rechtzeitig an den Betriebswahlvorstand absendet oder übergibt, dass er vor Abschluss der Stimmabgabe vorliegt.

(2) [1] Unmittelbar vor Abschluss der Stimmabgabe öffnet der Betriebswahlvorstand in öffentlicher Sitzung die bis zu diesem Zeitpunkt eingegangenen Wahlbriefe und entnimmt ihnen die Wahlumschläge sowie die vorgedruckten Erklärungen. [2] Ist die schriftliche Stimmabgabe ordnungsgemäß erfolgt, so vermerkt der Betriebswahlvorstand die Stimmabgabe für jeden Wahlgang gesondert in der Wählerliste, öffnet die Wahlumschläge und legt die Stimmzettel in die Wahlurne. [3] Befinden sich in einem Wahlumschlag mehrere gekennzeichnete Stimmzettel, werden sie in dem Wahlumschlag in die Wahlurne gelegt.

(3) [1] Verspätet eingehende Wahlbriefe nimmt der Betriebswahlvorstand mit einem Vermerk über den Zeitpunkt des Eingangs ungeöffnet zu den Wahlunterlagen. [2] Die Wahlbriefe sind einen Monat nach Bekanntgabe des Ergebnisses der

Wahl der Aufsichtsratsmitglieder der Arbeitnehmer ungeöffnet zu vernichten, wenn die Wahl nicht angefochten worden ist.

Unterabschnitt 4.[1] Ermittlung der Gewählten, Wahlniederschrift, Benachrichtigungen

§ 42 a[2] Ermittlung der Gewählten bei nicht börsennotierten Unternehmen. (1) In nicht börsennotierten Unternehmen sind in einem Wahlgang nach § 33 und in einem Wahlgang nach § 37 so viele Bewerber gewählt, wie Aufsichtsratsmitglieder in dem jeweiligen Wahlgang zu wählen sind.

(2) Mit der Wahl eines Bewerbers ist auch das in dem Wahlvorschlag neben dem Gewählten aufgeführte Ersatzmitglied des Aufsichtsrats gewählt.

§ 42 b[3] Ermittlung der Gewählten bei börsennotierten Unternehmen im Fall der Gesamterfüllung. (1) In börsennotierten Unternehmen sind im Fall der Gesamterfüllung in einem Wahlgang nach § 33 und in einem Wahlgang nach § 37 so viele Bewerber gewählt, wie Aufsichtsratsmitglieder in dem jeweiligen Wahlgang zu wählen sind.

(2) Mit der Wahl eines Bewerbers ist auch das in dem Wahlvorschlag neben dem Gewählten aufgeführte Ersatzmitglied des Aufsichtsrats gewählt.

§ 42 c[4] Ermittlung der Gewählten bei börsennotierten Unternehmen im Fall der Getrennterfüllung. (1) Sind in börsennotierten Unternehmen im Fall der Getrennterfüllung die Höchstzahlen nach § 36 der Größe nach auf die Bewerber verteilt und die Zahlen der auf die einzelnen Bewerber entfallenden Stimmen nach § 40 ermittelt, stellt der Hauptwahlvorstand fest, ob bei der Wahl der Geschlechteranteil nach § 5 a des Gesetzes[5] in Verbindung mit § 96 Absatz 2 Satz 4 des Aktiengesetzes[6] eingehalten worden ist.

(2) Ist der Geschlechteranteil nach § 5 a des Gesetzes bei der Wahl eingehalten, sind in einem Wahlgang nach § 33 und in einem Wahlgang nach § 37 so viele Bewerber gewählt, wie Aufsichtsratsmitglieder in dem jeweiligen Wahlgang zu wählen sind.

(3) Ist der Geschlechteranteil nach § 5 a des Gesetzes bei der Wahl nicht eingehalten, sind in einem Wahlgang nach § 33 und in einem Wahlgang nach § 37 nur diejenigen Bewerber als Aufsichtsratsmitglieder gewählt, deren Wahl nicht nach § 10 f Absatz 2 Satz 1 des Gesetzes unwirksam ist.

(4) Mit der Wahl eines Bewerbers ist auch das in dem Wahlvorschlag neben dem Gewählten aufgeführte Ersatzmitglied des Aufsichtsrats gewählt.

§ 43[7] Wahlniederschrift. (1) Nachdem ermittelt ist, wer gewählt ist, stellt der Hauptwahlvorstand in einer Niederschrift für jeden Wahlgang gesondert fest:

1. die Zahl der insgesamt abgegebenen Stimmen;

---

[1] Überschrift neu gef. mWv 2. 9. 2015 durch VO v. 26. 8. 2015 (BGBl. I S. 1443).
[2] § 42 a eingef. mWv 2. 9. 2015 durch VO v. 26. 8. 2015 (BGBl. I S. 1443).
[3] § 42 b eingef. mWv 2. 9. 2015 durch VO v. 26. 8. 2015 (BGBl. I S. 1443).
[4] § 42 c eingef. mWv 2. 9. 2015 durch VO v. 26. 8. 2015 (BGBl. I S. 1443).
[5] Nr. **562**.
[6] Nr. **567**.
[7] § 43 Abs. 2 angef., neuer Abs. 1 Nr. 1 aufgeh., Nr. 2–9 werden Nr. 1–8 mWv 2. 9. 2015 durch VO v. 26. 8. 2015 (BGBl. I S. 1443).

2. die Zahl der gültigen Stimmen;
3. die Zahl der ungültigen Stimmen;
4. bei Verhältniswahl die Zahlen der auf die einzelnen Wahlvorschläge entfallenden Stimmen, die berechneten Höchstzahlen und ihre Verteilung auf die Wahlvorschläge;
5. bei Mehrheitswahl die Zahlen der auf die einzelnen Bewerber entfallenden Stimmen;
6. die Namen der gewählten Aufsichtsratsmitglieder;
7. die Namen der für die einzelnen Aufsichtsratsmitglieder gewählten Ersatzmitglieder;
8. besondere während der Wahl eingetretene Zwischenfälle oder sonstige Ereignisse.

(2) Der Hauptwahlvorstand stellt bei börsennotierten Unternehmen im Fall der Getrennterfüllung in der Niederschrift zusätzlich fest,

1. ob der Geschlechteranteil nach § 5 a des Gesetzes[1] bei der Wahl erreicht worden ist;
2. die Anzahl der Sitze, die aufgrund des Nichterreichens des Geschlechteranteils nach § 5 a des Gesetzes nicht besetzt worden sind, und ihre Zuordnung zu den Aufsichtsratsmitgliedern der Arbeitnehmer, die Arbeitnehmer von Konzernunternehmen sind, und den Aufsichtsratsmitgliedern der Gewerkschaften.

§ 44[2] Bekanntmachung des Wahlergebnisses, Benachrichtigung der Gewählten. (1) [1] Der Hauptwahlvorstand übermittelt das Wahlergebnis und die Namen der Gewählten den Betriebswahlvorständen. [2] Jeder Betriebswahlvorstand macht das Wahlergebnis und die Namen der Gewählten unverzüglich für die Dauer von zwei Wochen bekannt.

(2) Gleichzeitig benachrichtigt der Hauptwahlvorstand die Gewählten schriftlich von ihrer Wahl und übermittelt das Wahlergebnis und die Namen der Gewählten den Unternehmen, deren Arbeitnehmer an der Wahl teilgenommen haben, und den in diesen Unternehmen vertretenen Gewerkschaften.

(3) Ist bei börsennotierten Unternehmen im Fall der Getrennterfüllung der Geschlechteranteil nach § 5 a des Gesetzes[1] durch die Wahl nicht erreicht worden, informiert der Hauptwahlvorstand die Adressaten der Absätze 1 und 2 zusätzlich

1. über die Anzahl der Sitze, die aufgrund des Nichterreichens des Geschlechteranteils nach § 5 a des Gesetzes nicht besetzt worden sind, und ihre Zuordnung zu den Aufsichtsratsmitgliedern der Arbeitnehmer, die Arbeitnehmer von Konzernunternehmen sind, und den Aufsichtsratsmitgliedern der Gewerkschaften und
2. darüber, dass diese nach § 10 f Absatz 2 des Gesetzes nicht besetzten Aufsichtsratssitze im Wege der gerichtlichen Ersatzbestellung nach § 104 des Aktiengesetzes[3] oder der Nachwahl zu besetzen sind.

---

[1] Nr. **562**.
[2] § 44 Abs. 3 angef. mWv 2. 9. 2015 durch VO v. 26. 8. 2015 (BGBl. I S. 1443).
[3] Nr. **567**.

§ 45 Aufbewahrung der Wahlakten. [1] Der Hauptwahlvorstand und jeder Betriebswahlvorstand übergeben die Wahlakten dem Unternehmen, in dessen Aufsichtsrat die Aufsichtsratsmitglieder der Arbeitnehmer gewählt worden sind. [2] Dieses Unternehmen bewahrt die Wahlakten mindestens für die Dauer von fünf Jahren auf.

Kapitel 3. Wahl der Aufsichtsratsmitglieder der Arbeitnehmer durch Delegierte

Abschnitt 1. Wahl der Delegierten

Unterabschnitt 1. Delegierte mit Mehrfachmandat

§ 46 Delegierte, die für die Wahl von Aufsichtsratsmitgliedern mehrerer Unternehmen gewählt werden. [1] Nehmen die Arbeitnehmer eines abhängigen Konzernunternehmens nach dieser Verordnung durch Delegierte an der Wahl von Mitgliedern der Aufsichtsräte mehrerer herrschender Unternehmen teil und beginnen die Amtszeiten dieser Aufsichtsratsmitglieder innerhalb eines Zeitraums von höchstens zwölf Monaten, so können die Betriebswahlvorstände des abhängigen Unternehmens beschließen, dass in diesem Unternehmen für die Teilnahme an den Wahlen von Aufsichtsratsmitgliedern der herrschenden Unternehmen, sofern diese durch Delegierte zu wählen sind, Delegierte nur einmal gewählt werden (Delegierte mit Mehrfachmandat). [2] Der Beschluss kann nur vor Erlass des Wahlausschreibens für die Wahl der Delegierten gefasst werden.

§ 47 Keine Wahl von Delegierten, soweit im Rahmen eines anderen Wahlverfahrens bereits Delegierte mit Mehrfachmandat gewählt werden. (1) Sind die Aufsichtsratsmitglieder der Arbeitnehmer durch Delegierte zu wählen, so findet eine Wahl von Delegierten nicht statt, soweit nach § 46 Satz 1 für die Wahl der Aufsichtsratsmitglieder eines anderen Unternehmens bereits Delegierte mit Mehrfachmandat gewählt werden.

(2) [1] Der Betriebswahlvorstand des in § 46 Satz 1 bezeichneten abhängigen Unternehmens erlässt hierüber eine Bekanntmachung. [2] Besteht das Unternehmen aus mehreren Betrieben, so erlässt der Hauptwahlvorstand die Bekanntmachung und übersendet sie den Betriebswahlvorständen. [3] § 23 Abs. 4 und 5 ist anzuwenden.

Unterabschnitt 2. Einleitung der Wahl

§ 48 Errechnung der Zahl der Delegierten. (1) [1] Steht fest, dass die Aufsichtsratsmitglieder der Arbeitnehmer durch Delegierte zu wählen sind, so teilt der Hauptwahlvorstand dies den Betriebswahlvorständen mit. [2] In der Mitteilung bestimmt der Hauptwahlvorstand den Zeitpunkt, bis zu dem ihm jeder Betriebswahlvorstand das Ergebnis der Wahl der Delegierten mitzuteilen hat.

(2) Jeder Hauptwahlvorstand errechnet anhand der ihm von den Betriebswahlvorständen zugesandten Wählerlisten für jeden Betrieb gesondert die Zahl der in dem Betrieb zu wählenden Delegierten.

(3) [1] Zur Errechnung der Zahl der in einem Betrieb zu wählenden Delegierten wird die Zahl der Wahlberechtigten des Betriebs durch 90 geteilt. [2] Teilzahlen werden voll gezählt, wenn sie mindestens die Hälfte der vollen Zahl betragen.

(4) [1] Ergibt die Errechnung nach Absatz 3 in einem Betrieb mehr als

1. 25 Delegierte, so vermindert sich die Zahl der zu wählenden Delegierten auf die Hälfte; diese Delegierten erhalten je zwei Stimmen;
2. 50 Delegierte, so vermindert sich die Zahl der zu wählenden Delegierten auf ein Drittel; diese Delegierten erhalten je drei Stimmen;
3. 75 Delegierte, so vermindert sich die Zahl der zu wählenden Delegierten auf ein Viertel; diese Delegierten erhalten je vier Stimmen;
4. 100 Delegierte, so vermindert sich die Zahl der zu wählenden Delegierten auf ein Fünftel; diese Delegierten erhalten je fünf Stimmen;
5. 125 Delegierte, so vermindert sich die Zahl der zu wählenden Delegierten auf ein Sechstel; diese Delegierten erhalten je sechs Stimmen;
6. 150 Delegierte, so vermindert sich die Zahl der zu wählenden Delegierten auf ein Siebtel; diese Delegierten erhalten je sieben Stimmen.

[2] Teilzahlen werden voll gezählt, wenn sie mindestens die Hälfte der vollen Zahl betragen.

§ 49 Zuordnung von Arbeitnehmern zu anderen Betrieben. (1) Entfällt nach § 48 auf die Arbeitnehmer eines Betriebs kein Delegierter, so streicht der Hauptwahlvorstand diese Arbeitnehmer in der ihm vorliegenden Kopie der Wählerliste des Betriebs.

(2) [1] Der Hauptwahlvorstand stellt fest, ob die nach Absatz 1 aus der Wählerliste eines Betriebs zu streichenden Arbeitnehmer für die Wahl der Delegierten nach § 9 Abs. 2 des Gesetzes[1)] als Arbeitnehmer des Betriebs der Hauptniederlassung des Unternehmens oder als Arbeitnehmer des nach der Zahl der Wahlberechtigten größten Betriebs des Unternehmens gelten. [2] Der Hauptwahlvorstand nimmt diese Arbeitnehmer in die ihm vorliegende Kopie der Wählerliste des Betriebs auf, als dessen Arbeitnehmer sie für die Wahl der Delegierten gelten. [3] Nach der Zuordnung ist die Zahl der Delegierten der betroffenen Betriebe neu zu errechnen (§ 48).

§ 50 Mitteilungen des Hauptwahlvorstands. (1) Der Hauptwahlvorstand teilt jedem Betriebswahlvorstand unverzüglich nach der Errechnung der Zahl der Delegierten (§ 48) oder, falls eine Zuordnung (§ 49 Abs. 2) zu einem anderen Betrieb erfolgt ist, unverzüglich nach der Feststellung über diese Zuordnung mit:

1. dass die Aufsichtsratsmitglieder der Arbeitnehmer durch Delegierte zu wählen sind;
2. einen Beschluss darüber, dass die zu wählenden Delegierten auch an der Wahl der Aufsichtsratsmitglieder der Arbeitnehmer anderer Unternehmen teilnehmen sollen; die anderen Unternehmen sind anzugeben;
3. die Zahl der zu wählenden Delegierten;
4. die Familiennamen und Vornamen der Arbeitnehmer, die nach § 49 Abs. 1 aus der Wählerliste des Betriebs zu streichen sind, sowie den Betrieb, dem sie zugeordnet worden sind;

---

1) Nr. **560**.

5. die Familiennamen, Vornamen und Geburtsdaten der Arbeitnehmer, die nach § 49 Abs. 2 Satz 1 und 2 in die Wählerliste des Betriebs aufzunehmen sind, sowie den Betrieb, aus dessen Wählerliste sie gestrichen worden sind;
6. den Zeitpunkt, bis zu dem jeder Betriebswahlvorstand dem Hauptwahlvorstand das Ergebnis der Wahl der Delegierten mitzuteilen hat.

(2) [1] Der Hauptwahlvorstand übersendet dem Betriebswahlvorstand eines Betriebs, aus dessen Wählerliste Wahlberechtigte zu streichen sind, unverzüglich eine Kopie seiner Mitteilung (Absatz 1 Nr. 5) an den Betriebswahlvorstand des Betriebs, dem diese Wahlberechtigten zugeordnet sind. [2] Der Betriebswahlvorstand des Betriebs, aus dessen Wählerliste Wahlberechtigte zu streichen sind, und der Betriebswahlvorstand des Betriebs, dem diese Wahlberechtigten zugeordnet sind, machen die in Absatz 1 Nr. 5 bezeichnete Mitteilung in gleicher Weise bekannt wie das Wahlausschreiben für die Wahl der Delegierten (§ 51).

§ 51 Wahlausschreiben für die Wahl der Delegierten. [1] Unverzüglich nach Eingang der in § 50 bezeichneten Mitteilung erlässt der Betriebswahlvorstand ein Wahlausschreiben für die Wahl der Delegierten. [2] Es muss folgende Angaben enthalten:

1. das Datum seines Erlasses;
2. dass die Aufsichtsratsmitglieder der Arbeitnehmer durch Delegierte zu wählen sind;
3. ob die Betriebswahlvorstände nach § 46 beschlossen haben, dass die zu wählenden Delegierten auch an der Wahl der Aufsichtsratsmitglieder der Arbeitnehmer anderer Unternehmen teilnehmen sollen; die anderen Unternehmen sind anzugeben;
4. dass an der Wahl und an Abstimmungen nur Arbeitnehmer teilnehmen können, die in der Wählerliste eingetragen sind;
5. dass die Delegierten von allen Wahlberechtigten gewählt werden;
6. die Zahl der zu wählenden Delegierten;
7. dass Wahlvorschläge für die Wahl der Delegierten innerhalb von zwei Wochen seit Erlass des Wahlausschreibens schriftlich beim Betriebswahlvorstand eingereicht werden können; der letzte Tag der Frist ist anzugeben;
8. die Mindestzahl der Wahlberechtigten, von denen ein Wahlvorschlag für Delegierte unterzeichnet sein muss;
9. dass die Anzahl der Bewerber in jedem Wahlvorschlag mindestens doppelt so hoch sein soll wie die Zahl der zu wählenden Delegierten;
10. dass die Stimmabgabe an Wahlvorschläge gebunden ist und dass nur solche Wahlvorschläge berücksichtigt werden dürfen, die fristgerecht beim Betriebswahlvorstand eingereicht sind;
11. dass, wenn nur ein gültiger Wahlvorschlag eingereicht wird, so viele der darin aufgeführten Bewerber in der angegebenen Reihenfolge als gewählt gelten, wie Delegierte zu wählen sind;
12. wo und wie die Wahlberechtigten von den Wahlvorschlägen Kenntnis erlangen können;
13. Ort, Tag und Zeit der Stimmabgabe für die Wahl der Delegierten;
14. den Ort und die Zeit der öffentlichen Stimmauszählung;

15. den Hinweis auf die Möglichkeit der schriftlichen Stimmabgabe sowie die Betriebsteile, Kleinstbetriebe und Betriebe, für die schriftliche Stimmabgabe nach § 61 Abs. 3 beschlossen ist;
16. dass Einsprüche, Anträge, Wahlvorschläge für die Wahl der Delegierten und sonstige Erklärungen gegenüber dem Betriebswahlvorstand abzugeben sind;
17. die Anschrift des Betriebswahlvorstands.

[3] Für die Bekanntmachung des Wahlausschreibens ist § 23 Abs. 4 und 5 entsprechend anzuwenden.

Unterabschnitt 3. Wahlvorschläge für Delegierte

§ 52 Einreichung von Wahlvorschlägen. (1) [1] Zur Wahl der Delegierten können die Wahlberechtigten des Betriebs Wahlvorschläge machen. [2] Jeder Wahlvorschlag für Delegierte muss von einem Zwanzigstel oder 50 der Wahlberechtigten des Betriebs unterzeichnet sein. [3] Die Wahlvorschläge sind innerhalb von zwei Wochen seit Erlass des Wahlausschreibens für die Wahl der Delegierten beim Betriebswahlvorstand schriftlich einzureichen. [4] Die Anzahl der Bewerber in jedem Wahlvorschlag soll mindestens doppelt so hoch sein wie die Zahl der zu wählenden Delegierten.

(2) [1] In jedem Wahlvorschlag sind die Bewerber in erkennbarer Reihenfolge unter fortlaufender Nummer und unter Angabe von Familienname, Vorname, Geburtsdatum und Art der Beschäftigung aufzuführen. [2] Die schriftliche Zustimmung der Bewerber zur Aufnahme in den Wahlvorschlag und ihre schriftliche Versicherung, dass sie im Fall ihrer Wahl die Wahl annehmen werden, sind beizufügen.

(3) [1] Für jeden Wahlvorschlag soll einer der Unterzeichnenden als Vorschlagsvertreter bezeichnet werden. [2] Dieser ist berechtigt und verpflichtet, dem Betriebswahlvorstand die zur Beseitigung von Beanstandungen erforderlichen Erklärungen abzugeben sowie Erklärungen und Entscheidungen des Betriebswahlvorstands entgegenzunehmen. [3] Ist kein Vorschlagsvertreter ausdrücklich bestimmt worden, so wird der an erster Stelle Unterzeichnende als Vorschlagsvertreter angesehen.

(4) [1] Die Unterschrift eines Wahlberechtigten zählt nur auf einem Wahlvorschlag. [2] Hat ein Wahlberechtigter mehrere Wahlvorschläge unterzeichnet, so hat er auf Aufforderung des Betriebswahlvorstands innerhalb einer angemessenen Frist, spätestens jedoch innerhalb von drei Arbeitstagen, zu erklären, welche Unterschrift er aufrechterhält. [3] Unterbleibt die fristgerechte Erklärung, so wird sein Name auf dem zuerst eingereichten Wahlvorschlag gezählt und auf den übrigen Wahlvorschlägen gestrichen; sind mehrere Wahlvorschläge, die von demselben Wahlberechtigten unterzeichnet sind, gleichzeitig eingereicht worden, so entscheidet das Los darüber, auf welchem Wahlvorschlag die Unterschrift gilt.

(5) [1] Ein Bewerber kann nur auf einem Wahlvorschlag vorgeschlagen werden. [2] Ist sein Name mit seiner schriftlichen Zustimmung (Absatz 2 Satz 2) auf mehreren Wahlvorschlägen aufgeführt, so hat er auf Aufforderung des Betriebswahlvorstands innerhalb von drei Arbeitstagen zu erklären, welche Bewerbung er aufrechterhält. [3] Unterbleibt die fristgerechte Erklärung, so ist der Bewerber auf sämtlichen Wahlvorschlägen zu streichen.

§ 53 Prüfung der Wahlvorschläge. (1) Der Betriebswahlvorstand bestätigt dem Vorschlagsvertreter schriftlich den Zeitpunkt der Einreichung des Wahlvorschlags.

(2) [1] Der Betriebswahlvorstand bezeichnet den Wahlvorschlag, wenn er nicht mit einem Kennwort versehen ist, mit Familienname und Vorname des an erster Stelle benannten Bewerbers. [2] Er hat unverzüglich den Wahlvorschlag zu prüfen und bei Ungültigkeit oder Beanstandung den Vorschlagsvertreter schriftlich unter Angabe der Gründe zu unterrichten.

§ 54 Ungültige Wahlvorschläge. (1) Ungültig sind Wahlvorschläge,
1. die nicht fristgerecht eingereicht worden sind;
2. auf denen die Bewerber nicht in erkennbarer Reihenfolge aufgeführt sind;
3. die bei der Einreichung nicht die erforderliche Zahl von Unterschriften aufweisen.

(2) Wahlvorschläge,
1. in denen die Bewerber nicht in der in § 52 Abs. 2 Satz 1 bestimmten Weise bezeichnet sind;
2. denen die schriftliche Zustimmung und Versicherung der Bewerber nach § 52 Abs. 2 Satz 2 nicht beigefügt sind;
3. die infolge von Streichungen gemäß § 52 Abs. 4 nicht mehr die erforderliche Zahl von Unterschriften aufweisen;

sind ungültig, wenn der Betriebswahlvorstand sie beanstandet hat und die Mängel nicht innerhalb von drei Arbeitstagen seit der Beanstandung beseitigt worden sind.

§ 55 Nachfrist für Wahlvorschläge. (1) [1] Ist nach Ablauf der für die Einreichung von Wahlvorschlägen bestimmten Frist kein gültiger Wahlvorschlag eingereicht, so erlässt der Betriebswahlvorstand unverzüglich eine Bekanntmachung und setzt eine Nachfrist von einer Woche für die Einreichung von Wahlvorschlägen fest. [2] Die Bekanntmachung muss folgende Angaben enthalten:
1. das Datum ihres Erlasses;
2. dass kein gültiger Wahlvorschlag eingereicht worden ist;
3. dass Wahlvorschläge innerhalb einer Nachfrist von einer Woche seit Erlass der Bekanntmachung schriftlich beim Betriebswahlvorstand eingereicht werden können; der letzte Tag der Frist ist anzugeben.

(2) Wird bis zum Ablauf der Nachfrist für einen Wahlgang kein gültiger Wahlvorschlag eingereicht, so macht der Betriebswahlvorstand unverzüglich bekannt, dass die Wahl von Delegierten insoweit nicht stattfindet.

(3) Für Bekanntmachungen nach den Absätzen 1 und 2 ist § 23 Abs. 4 und 5 entsprechend anzuwenden.

§ 56 Bekanntmachung der Wahlvorschläge. (1) [1] Sind mehrere Wahlvorschläge eingereicht, so ermittelt der Betriebswahlvorstand durch das Los nach Ablauf der in § 52 Abs. 1 Satz 3, § 54 Abs. 2 und § 55 Abs. 1 Satz 1 bezeichneten Fristen die Reihenfolge der Ordnungsnummern, die den eingereichten Wahlvorschlägen zugeteilt werden (Wahlvorschlag 1, 2 usw.). [2] Die Vorschlagsvertreter sind zu der Losentscheidung rechtzeitig einzuladen.

(2) [1] Spätestens zwei Wochen vor dem ersten Tag der Stimmabgabe macht der Betriebswahlvorstand die gültigen Wahlvorschläge in gleicher Weise bekannt wie das Wahlausschreiben für die Wahl der Delegierten. [2] Liegt nur ein gültiger Wahlvorschlag vor, so weist der Betriebswahlvorstand in der Bekanntmachung darauf hin, dass so viele der darin aufgeführten Bewerber in der angegebenen Reihenfolge als gewählt gelten, wie Delegierte zu wählen sind.

Unterabschnitt 4. Wahl von Delegierten auf Grund mehrerer Wahlvorschläge

§ 57[1)] Stimmabgabe, Wahlvorgang. (1) [1] Liegen mehrere gültige Wahlvorschläge vor, so kann der Wähler seine Stimme nur für einen dieser Wahlvorschläge abgeben. [2] Die Stimmabgabe erfolgt durch Abgabe von Stimmzetteln.

(2) [1] Der Betriebswahlvorstand hat die Wahlvorschläge auf den Stimmzetteln nach der Reihenfolge der Ordnungsnummern sowie unter Angabe der an erster und zweiter Stelle benannten Bewerber mit Familienname, Vorname und Art der Beschäftigung untereinander aufzuführen; bei Wahlvorschlägen, die mit einem Kennwort versehen sind, ist auch das Kennwort anzugeben. [2] Die Stimmzettel sollen die Angabe enthalten, dass nur ein Wahlvorschlag angekreuzt werden kann. [3] Die Stimmzettel müssen sämtlich die gleiche Größe, Farbe, Beschaffenheit und Beschriftung haben.

(3) [1] Der Wähler kennzeichnet den von ihm gewählten Wahlvorschlag durch Ankreuzen an der im Stimmzettel hierfür vorgesehenen Stelle. [2] Für den Wahlvorgang ist § 15 entsprechend anzuwenden; die Stimmabgabe ist in der Wählerliste zu vermerken.

(4) Ungültig sind Stimmzettel,

1. in denen mehr als ein Wahlvorschlag angekreuzt ist;
2. aus denen sich ein eindeutiger Wille nicht ergibt;
3. die mit einem besonderen Merkmal versehen sind;
4. die andere als die in Absatz 2 bezeichneten Angaben, einen Zusatz oder sonstige Änderungen enthalten.

§ 58[2)] Öffentliche Stimmauszählung. (1) Unverzüglich nach Abschluss der Stimmabgabe zählt der Betriebswahlvorstand öffentlich die Stimmen aus.

(2) Nach Öffnung der Wahlurne entnimmt der Betriebswahlvorstand die Stimmzettel und zählt die auf jeden Wahlvorschlag entfallenden Stimmen zusammen.

(3) [1] Bei der Auszählung ist die Gültigkeit der Stimmzettel zu prüfen. [2] Befindet sich ein Wahlumschlag mit mehreren gekennzeichneten Stimmzetteln in der Wahlurne, werden die Stimmzettel einfach gezählt, wenn sie vollständig übereinstimmen, andernfalls sind sie ungültig.

§ 59 Ermittlung der Gewählten. (1) [1] Die den einzelnen Wahlvorschlägen zugefallenen Stimmenzahlen werden in einer Reihe nebeneinander gestellt und sämtlich durch 1, 2, 3, 4 usw. geteilt. [2] Die ermittelten Teilzahlen sind nacheinander reihenweise unter den Zahlen der ersten Reihe aufzuführen, bis höhere Teilzahlen, als aus früheren Reihen für die Zuweisung von Sitzen in Betracht

---

1) § 57 Abs. 3 Satz 2 geänd. mWv 2. 9. 2015 durch VO v. 26. 8. 2015 (BGBl. I S. 1443).

2) § 58 Abs. 4 aufgeh. mWv 2. 9. 2015 durch VO v. 26. 8. 2015 (BGBl. I S. 1443).

kommen, nicht mehr entstehen. [3] Unter den so gefundenen Teilzahlen werden so viele Höchstzahlen ausgesondert und der Größe nach geordnet, wie Delegierte zu wählen sind. [4] Jeder Wahlvorschlag erhält so viele Sitze zugeteilt, wie Höchstzahlen auf ihn entfallen. [5] Wenn die niedrigste in Betracht kommende Höchstzahl auf mehrere Wahlvorschläge zugleich entfällt, so entscheidet das Los darüber, welchem Wahlvorschlag dieser Sitz zufällt.

(2) Wenn ein Wahlvorschlag weniger Bewerber enthält, als Höchstzahlen auf ihn entfallen, so gehen die überschüssigen Sitze auf die folgenden Höchstzahlen der anderen Wahlvorschläge desselben Wahlgangs über.

(3) Die Reihenfolge der Bewerber innerhalb der einzelnen Wahlvorschläge bestimmt sich nach der Reihenfolge ihrer Benennung.

Unterabschnitt 5. Ermittlung von Delegierten bei Vorliegen nur eines Wahlvorschlags

§ 60 Ermittlung von Delegierten bei Vorliegen nur eines Wahlvorschlags. (1) Liegt nur ein gültiger Wahlvorschlag vor, so gelten so viele der darin aufgeführten Bewerber in der im Wahlvorschlag angegebenen Reihenfolge als gewählt, wie Delegierte zu wählen sind.

(2) Der Betriebswahlvorstand stellt unverzüglich nach Abschluss der Wahl der Delegierten fest, welche Delegierten nach Absatz 1 als gewählt gelten.

Unterabschnitt 6. Schriftliche Stimmabgabe

§ 61 Voraussetzungen. (1) [1] Einem Wahlberechtigten, der im Zeitpunkt der Wahl wegen Abwesenheit vom Betrieb verhindert ist, seine Stimme persönlich abzugeben, hat der Betriebswahlvorstand auf sein Verlangen

1. das Wahlausschreiben,
2. die Wahlvorschläge sowie den Stimmzettel und den Wahlumschlag,
3. eine vorgedruckte, von dem Wähler abzugebende Erklärung, in der gegenüber dem Betriebswahlvorstand zu versichern ist, dass der Stimmzettel persönlich gekennzeichnet worden ist, sowie
4. einen größeren Freiumschlag, der die Anschrift des Betriebswahlvorstands und als Absender den Namen und die Anschrift des Wahlberechtigten sowie den Vermerk „Schriftliche Stimmabgabe" trägt,

auszuhändigen oder zu übersenden. [2] Der Betriebswahlvorstand soll dem Wahlberechtigten ferner ein Merkblatt über die Art und Weise der schriftlichen Stimmabgabe (§ 62) aushändigen oder übersenden. [3] Der Betriebswahlvorstand vermerkt die Aushändigung oder die Übersendung der Unterlagen in der Wählerliste.

(2) Wahlberechtigte, von denen dem Betriebswahlvorstand bekannt ist, dass sie im Zeitpunkt der Wahl nach der Eigenart ihres Beschäftigungsverhältnisses voraussichtlich nicht im Betrieb anwesend sein werden (insbesondere im Außendienst, mit Telearbeit und in Heimarbeit Beschäftigte), sowie Arbeitnehmer, die dem Betrieb nach § 49 Abs. 2 zugeordnet sind, erhalten die in Absatz 1 bezeichneten Unterlagen, ohne dass es eines Verlangens des Wahlberechtigten bedarf.

(3) [1] Der Betriebswahlvorstand kann die schriftliche Stimmabgabe beschließen

1. für Betriebsteile und Kleinstbetriebe, die räumlich weit vom Hauptbetrieb entfernt sind,

2. für Betriebe, in denen die Mehrheit der Wahlberechtigten zur schriftlichen Stimmabgabe nach Absatz 2 berechtigt ist und in denen die verbleibende Minderheit nicht mehr als insgesamt 25 Wahlberechtigte ausmacht.

[2] Absatz 2 ist entsprechend anzuwenden.

§ 62 Verfahren bei der Stimmabgabe. (1) Die Stimmabgabe erfolgt in der Weise, dass der Wähler

1. die Stimmzettel unbeobachtet persönlich kennzeichnet und so faltet und in den zugehörigen Wahlumschlägen verschließt, dass die Stimmabgabe erst nach Auseinanderfalten des Stimmzettels erkennbar ist;
2. die vorgedruckte Erklärung unter Angabe des Orts und des Datums unterschreibt und
3. die Wahlumschläge und die unterschriebene vorgedruckte Erklärung in dem Freiumschlag verschließt und diesen Wahlbrief so rechtzeitig an den Betriebswahlvorstand absendet oder übergibt, dass er vor Abschluss der Stimmabgabe vorliegt.

(2) [1] Unmittelbar vor Abschluss der Stimmabgabe öffnet der Betriebswahlvorstand in öffentlicher Sitzung die bis zu diesem Zeitpunkt eingegangenen Wahlbriefe und entnimmt ihnen die Wahlumschläge sowie die vorgedruckten Erklärungen. [2] Ist die schriftliche Stimmabgabe ordnungsgemäß erfolgt, so vermerkt der Betriebswahlvorstand die Stimmabgabe in der Wählerliste, öffnet die Wahlumschläge und legt die Stimmzettel in die Wahlurne. [3] Befinden sich in einem Wahlumschlag mehrere gekennzeichnete Stimmzettel, werden sie in dem Wahlumschlag in die Wahlurne gelegt.

(3) [1] Verspätet eingehende Wahlbriefe nimmt der Betriebswahlvorstand mit einem Vermerk über den Zeitpunkt des Eingangs ungeöffnet zu den Wahlunterlagen. [2] Die Wahlbriefe sind einen Monat nach Bekanntgabe des Ergebnisses der Wahl der Aufsichtsratsmitglieder der Arbeitnehmer ungeöffnet zu vernichten, wenn die Wahl nicht angefochten worden ist.

Unterabschnitt 7. Wahlniederschrift, Benachrichtigungen

§ 63[1)] Wahlniederschrift. (1) Nachdem ermittelt ist, wer als Delegierter gewählt ist, stellt der Betriebswahlvorstand in einer Niederschrift fest:

1. die Zahl der insgesamt abgegebenen Stimmen;
2. die Zahl der gültigen Stimmen;
3. die Zahl der ungültigen Stimmen;
4. die Zahlen der auf die einzelnen Wahlvorschläge entfallenden Stimmen, die berechneten Höchstzahlen und ihre Verteilung auf die Wahlvorschläge;
5. den Wahlvorschlag, dessen Bewerber als gewählt gelten (§ 60);
6. für jeden Wahlvorschlag gesondert die Namen und Anschriften
   a) der gewählten Delegierten,
   b) der Ersatzdelegierten
   in der Reihenfolge ihrer Benennung;

[1)] § 63 Abs. 1 Nr. 1 aufgeh., bish. Nr. 2–8 werden Nr. 1–7 mWv 2. 9. 2015 durch VO v. 26. 8. 2015 (BGBl. I S. 1443).

7. besondere während der Wahl eingetretene Zwischenfälle oder sonstige Ereignisse.

(2) Der Betriebswahlvorstand übermittelt die Wahlniederschrift unverzüglich dem Hauptwahlvorstand eingeschrieben, fernschriftlich oder durch Boten.

§ 64 Bekanntmachung des Wahlergebnisses, Benachrichtigung der Gewählten. (1) Der Betriebswahlvorstand macht das Wahlergebnis und die Namen der Gewählten unverzüglich für die Dauer von zwei Wochen bekannt.

(2) [1] Gleichzeitig benachrichtigt der Betriebswahlvorstand die Gewählten schriftlich von ihrer Wahl. [2] Haben die Delegierten nach § 46 ein Mehrfachmandat, so ist dies in der Benachrichtigung anzugeben.

Unterabschnitt 8. Ausnahme

§ 65 Ausnahme. Die Vorschriften der Unterabschnitte 1 bis 7 sind nicht anzuwenden auf Betriebe, in denen nach den Vorschriften dieser Verordnung Delegierte bereits gewählt sind, deren Amtszeit bei Beginn der Amtszeit der zu wählenden Aufsichtsratsmitglieder der Arbeitnehmer noch nicht beendet ist (§ 10 a des Gesetzes[1]).

Abschnitt 2. Wahl der Aufsichtsratsmitglieder der Arbeitnehmer durch die Delegierten

Unterabschnitt 1. Delegiertenversammlung, Delegiertenliste

§ 66 Delegiertenversammlung. (1) [1] Die Delegierten wählen die Aufsichtsratsmitglieder der Arbeitnehmer in einer Versammlung (Delegiertenversammlung). [2] Sie wird vom Hauptwahlvorstand geleitet.

(2) [1] Der Hauptwahlvorstand bestimmt den Tag der Delegiertenversammlung. [2] Sie soll spätestens vier Wochen nach dem Zeitpunkt stattfinden, bis zu dem die Betriebswahlvorstände dem Hauptwahlvorstand nach § 50 Abs. 1 Nr. 6 die Ergebnisse der Wahl der Delegierten mitzuteilen hatten. [3] Sind in den Konzernunternehmen im Rahmen eines anderen Wahlverfahrens bereits Delegierte mit Mehrfachmandat gewählt worden (§ 47 Abs. 1), so soll die Delegiertenversammlung spätestens vier Wochen vor dem Beginn der Amtszeit der zu wählenden Aufsichtsratsmitglieder der Arbeitnehmer stattfinden.

§ 67 Delegiertenliste. (1) [1] Der Hauptwahlvorstand stellt eine Liste der Delegierten (Delegiertenliste) auf. [2] § 7 Abs. 1 Satz 2 und 3 sowie Abs. 4 ist entsprechend anzuwenden.

(2) Hinter dem Namen jedes Delegierten ist zu vermerken, wie viele Stimmen er hat.

(3) [1] Die Einsichtnahme in die Delegiertenliste, das Gesetz und diese Verordnung ist in der Delegiertenversammlung bis zum Abschluss der Stimmabgabe zu ermöglichen. [2] Die zur Einsichtnahme bestimmte Delegiertenliste soll die Geburtsdaten der Delegierten nicht enthalten. [3] Die Einsichtnahme kann durch Auslegung und durch Einsatz der im Betrieb vorhandenen Informations- und Kommunikationstechnik ermöglicht werden.

---

[1] Nr. **560**.

§ 68 Einsprüche gegen die Richtigkeit der Delegiertenliste. (1) Einsprüche gegen die Richtigkeit der Delegiertenliste können vor Beginn der Stimmabgabe beim Hauptwahlvorstand eingelegt werden.

(2) [1] Über Einsprüche nach Absatz 1 entscheidet der Hauptwahlvorstand unverzüglich. [2] Ist ein Einspruch begründet, so berichtigt der Hauptwahlvorstand die Delegiertenliste. [3] Der Hauptwahlvorstand teilt seine Entscheidung der Person, die den Einspruch eingelegt hat, unverzüglich mit.

(3) [1] Vor Beginn der Stimmabgabe soll der Hauptwahlvorstand die Delegiertenliste auf ihre Richtigkeit hin überprüfen. [2] Im Übrigen kann die Delegiertenliste nur bei Schreibfehlern, offenbaren Unrichtigkeiten oder in Erledigung rechtzeitig eingelegter Einsprüche bis vor Beginn der Stimmabgabe berichtigt oder ergänzt werden.

Unterabschnitt 2. Mitteilung an die Delegierten

§ 69[1)] Mitteilung an die Delegierten. (1) [1] Der Hauptwahlvorstand teilt jedem Delegierten spätestens zwei Wochen vor dem Tag der Delegiertenversammlung mit:

1. dass an der Wahl und an Abstimmungen nur Delegierte teilnehmen können, die in der Delegiertenliste eingetragen sind;
2. dass die Einsichtnahme in die Delegiertenliste, das Gesetz und diese Verordnung in der Delegiertenversammlung ermöglicht wird;
3. dass Einsprüche gegen die Richtigkeit der Delegiertenliste vor Beginn der Stimmabgabe beim Hauptwahlvorstand eingelegt werden können;
4. dass die Aufsichtsratsmitglieder der Arbeitnehmer von allen Delegierten gewählt werden;
5. wie viele Stimmen dem Delegierten zustehen;
6. dass die Stimmabgabe an Wahlvorschläge gebunden ist;
7. bei börsennotierten Unternehmen, ob zur Erreichung des Geschlechteranteils nach § 96 Absatz 2 Satz 1 des Aktiengesetzes[2)] für die Wahl die Gesamterfüllung oder die Getrennterfüllung gilt;
8. bei börsennotierten Unternehmen im Fall der Gesamterfüllung, die zur Erreichung des Geschlechteranteils nach § 96 Absatz 2 Satz 2 und 4 des Aktiengesetzes[2)] erforderliche Anzahl an Frauen und Männern im Aufsichtsrat;
9. bei börsennotierten Unternehmen im Fall der Getrennterfüllung, die zur Erreichung des Geschlechteranteils nach § 5 a des Gesetzes[3)] in Verbindung mit § 96 Absatz 2 Satz 4 des Aktiengesetzes[2)] erforderliche Anzahl an Frauen und Männern unter den Aufsichtsratsmitgliedern der Arbeitnehmer;
10. im Fall der Nummer 9, wenn der Geschlechteranteil nach § 5 a des Gesetzes bei der Wahl nicht erreicht wurde, dass § 10 f des Gesetzes anzuwenden ist und der Geschlechteranteil im Wege der gerichtlichen Ersatzbestellung nach § 104 des Aktiengesetzes[2)] oder der Nachwahl hergestellt wird;

[1)] § 69 Abs. 1 Satz 1 Nr. 7–10 eingef., bish. Nr. 7 und 8 werden Nr. 11 und 12 mWv 2. 9. 2015 durch VO v. 26. 8. 2015 (BGBl. I S. 1443).

[2)] Nr. **567**.

[3)] Nr. **562**.

11. Ort, Tag und Zeit der Delegiertenversammlung und der öffentlichen Stimmauszählung;
12. die Anschrift des Hauptwahlvorstands.

[2] Die Mitteilung erfolgt schriftlich gegen Empfangsbekenntnis oder durch eingeschriebenen Brief.

(2) Der Hauptwahlvorstand übersendet Kopien der Mitteilung nach Absatz 1 den Betriebswahlvorständen, den Konzernunternehmen und den in diesen Unternehmen vertretenen Gewerkschaften.

(3) Stellt der Hauptwahlvorstand fest, dass die Amtszeit eines Delegierten
1. durch Niederlegung des Amtes,
2. durch Beendigung der Beschäftigung des Delegierten in dem Betrieb, dessen Delegierter er ist,
3. durch Verlust der Wählbarkeit

vorzeitig beendet (§ 10 b Abs. 1 des Gesetzes[1)]) oder dass er verhindert (§ 10 b Abs. 2 Satz 1 des Gesetzes) ist, so verständigt er den Ersatzdelegierten (§ 10 b Abs. 2 Satz 2 des Gesetzes) in gleicher Weise wie die Delegierten.

(4) [1] Stellt ein Delegierter fest, dass er verhindert ist, so teilt er dies dem Betriebswahlvorstand mit. [2] Stellt ein Betriebswahlvorstand fest, dass die Amtszeit eines Delegierten vorzeitig beendet oder dass er verhindert ist, so teilt er dies dem Hauptwahlvorstand mit.

Unterabschnitt 3. Wahl mehrerer Aufsichtsratsmitglieder der Arbeitnehmer in einem Wahlgang auf Grund mehrerer Wahlvorschläge

§ 70[2)] Stimmabgabe, Wahlvorgang. (1) [1] Sind in einem Wahlgang mehrere Aufsichtsratsmitglieder der Arbeitnehmer zu wählen und liegen für diesen Wahlgang mehrere gültige Wahlvorschläge vor, so kann der Delegierte seine Stimme nur für einen dieser Wahlvorschläge abgeben. [2] Die Stimmabgabe erfolgt durch Abgabe von Stimmzetteln. [3] Hat ein Delegierter mehrere Stimmen, so gibt er für jede Stimme einen Stimmzettel ab. [4] Der Begriff des Wahlgangs im Sinne dieses Abschnitts bestimmt sich nach § 24 Abs. 4.

(2) [1] Der Hauptwahlvorstand hat die Wahlvorschläge auf den Stimmzetteln nach der Reihenfolge der Ordnungsnummern sowie unter Angabe der an erster und zweiter Stelle benannten Bewerber mit Familienname, Vorname, Art der Beschäftigung, Unternehmen und Betrieb untereinander aufzuführen; bei Wahlvorschlägen, die mit einem Kennwort versehen sind, ist auch das Kennwort anzugeben. [2] Die Stimmzettel sollen die Angabe enthalten, dass der Delegierte nur einen Wahlvorschlag ankreuzen kann. [3] Die Stimmzettel, die für denselben Wahlgang Verwendung finden, müssen sämtlich die gleiche Größe, Farbe, Beschaffenheit und Beschriftung haben; das Gleiche gilt für die Wahlumschläge, wenn Wahlumschläge verwendet werden. [4] Die Stimmzettel und Wahlumschläge, die für einen Wahlgang Verwendung finden, müssen sich von den für die anderen Wahlgänge vorgesehenen Stimmzetteln und Wahlumschlägen in der Farbe unterscheiden.

(3) [1] Der Delegierte kennzeichnet den von ihm gewählten Wahlvorschlag durch Ankreuzen an der im Stimmzettel hierfür vorgesehenen Stelle. [2] Für den

---

1) Nr. 560.

2) § 70 Abs. 3 Satz 2 geänd. mWv 2. 9. 2015 durch VO v. 26. 8. 2015 (BGBl. I S. 1443).

Wahlvorgang ist § 15 entsprechend anzuwenden; die Stimmabgabe ist in der Delegiertenliste für jeden Wahlgang und für jede Stimme gesondert zu vermerken.

(4) Ungültig sind Stimmzettel,

1. in denen mehr als ein Wahlvorschlag angekreuzt ist;
2. aus denen sich ein eindeutiger Wille nicht ergibt;
3. die mit einem besonderen Merkmal versehen sind;
4. die andere als die in Absatz 2 bezeichneten Angaben, einen Zusatz oder sonstige Änderungen enthalten.

(5) Der Hauptwahlvorstand kann beschließen, § 15 Abs. 3 mit der Maßgabe anzuwenden, dass Stimmzettel ungefaltet und in Wahlumschlägen in die Wahlurne zu werfen sind, wenn das vorgesehene Verfahren der Stimmauszählung ungefaltete Stimmzettel erfordert.

§ 71[1] Öffentliche Stimmauszählung. (1) Unverzüglich nach Abschluss der Stimmabgabe zählt der Hauptwahlvorstand öffentlich die Stimmen aus.

(2) Nach Öffnung der Wahlurne entnimmt der Hauptwahlvorstand die Stimmzettel und zählt für jeden Wahlgang gesondert die auf jeden Wahlvorschlag entfallenden Stimmen zusammen.

(3) [1] Bei der Auszählung ist die Gültigkeit der Stimmzettel zu prüfen. [2] Werden Wahlumschläge verwendet und befinden sich in einem Wahlumschlag mehrere gekennzeichnete Stimmzettel, so werden sie, wenn sie vollständig übereinstimmen, nur einfach gezählt, andernfalls sind sie ungültig.

§ 72[2] Verteilung der Stimmenzahlen. (1) [1] Die in dem Wahlgang den einzelnen Wahlvorschlägen zugefallenen Stimmenzahlen werden in einer Reihe nebeneinander gestellt und sämtlich durch 1, 2, 3, 4 usw. geteilt. [2] Die ermittelten Teilzahlen sind nacheinander reihenweise unter den Zahlen der ersten Reihe aufzuführen, bis höhere Teilzahlen, als aus früheren Reihen für die Zuweisung von Sitzen in Betracht kommen, nicht mehr entstehen. [3] Unter den so gefundenen Teilzahlen werden so viele Höchstzahlen ausgesondert und der Größe nach geordnet, wie in dem Wahlgang Aufsichtsratsmitglieder zu wählen sind. [4] Jeder Wahlvorschlag erhält so viele Sitze zugeteilt, wie Höchstzahlen auf ihn entfallen. [5] Wenn die niedrigste in Betracht kommende Höchstzahl auf mehrere Wahlvorschläge zugleich entfällt, so entscheidet das Los darüber, welchem Wahlvorschlag dieser Sitz zufällt.

(2) Wenn ein Wahlvorschlag weniger Bewerber enthält, als Höchstzahlen auf ihn entfallen, so gehen die überschüssigen Sitze auf die folgenden Höchstzahlen der anderen Wahlvorschläge desselben Wahlgangs über.

(3) Die Reihenfolge der Bewerber innerhalb der einzelnen Wahlvorschläge bestimmt sich nach der Reihenfolge ihrer Benennung.

---

[1] § 71 Abs. 4 aufgeh. mWv 2. 9. 2015 durch VO v. 26. 8. 2015 (BGBl. I S. 1443).

[2] § 72 Überschrift neu gef., Abs. 4 aufgeh. mWv 2. 9. 2015 durch VO v. 26. 8. 2015 (BGBl. I S. 1443).

Unterabschnitt 4. Wahl mehrerer Aufsichtsratsmitglieder der Arbeitnehmer in einem Wahlgang auf Grund nur eines Wahlvorschlags

§ 73 Stimmabgabe, Wahlvorgang. (1) [1] Sind in einem Wahlgang mehrere Aufsichtsratsmitglieder der Arbeitnehmer zu wählen und liegt für diesen Wahlgang nur ein gültiger Wahlvorschlag vor, so kann der Delegierte seine Stimme nur für die in dem Wahlvorschlag aufgeführten Bewerber abgeben. [2] Eine gesonderte Stimmabgabe für ein Ersatzmitglied des Aufsichtsrats ist nicht zulässig. [3] Die Stimmabgabe erfolgt durch Abgabe von Stimmzetteln. [4] Hat ein Delegierter mehrere Stimmen, so gibt er für jede Stimme einen Stimmzettel ab.

(2) [1] Der Hauptwahlvorstand hat die Bewerber auf den Stimmzetteln unter Angabe von Familienname, Vorname, Art der Beschäftigung, Unternehmen und Betrieb untereinander in der Reihenfolge aufzuführen, in der sie in dem Wahlvorschlag benannt sind. [2] Ist zusammen mit dem Bewerber für diesen ein Ersatzmitglied vorgeschlagen worden, so ist das Ersatzmitglied auf dem Stimmzettel neben dem Bewerber aufzuführen; Satz 1 ist entsprechend anzuwenden. [3] Die Stimmzettel sollen die Angabe enthalten, wie viele Bewerber der Delegierte ankreuzen kann. [4] § 70 Abs. 2 Satz 3 ist anzuwenden.

(3) [1] Der Delegierte kennzeichnet die von ihm Gewählten durch Ankreuzen an den im Stimmzettel hierfür vorgesehenen Stellen. [2] Er darf nicht mehr Bewerber ankreuzen, als Aufsichtsratsmitglieder in dem Wahlgang zu wählen sind. [3] § 70 Abs. 3 Satz 2 ist entsprechend anzuwenden.

(4) Ungültig sind Stimmzettel,

1. in denen mehr Bewerber angekreuzt sind, als in dem Wahlgang Aufsichtsratsmitglieder zu wählen sind;
2. aus denen sich ein eindeutiger Wille nicht ergibt;
3. die mit einem besonderen Merkmal versehen sind;
4. die andere als die in Absatz 2 bezeichneten Angaben, einen Zusatz oder sonstige Änderungen enthalten.

(5) § 70 Abs. 5 findet Anwendung.

§ 74[1)] Öffentliche Stimmauszählung. (1) Unverzüglich nach Abschluss der Stimmabgabe zählt der Hauptwahlvorstand öffentlich die Stimmen aus.

(2) [1] Nach Öffnung der Wahlurne entnimmt der Hauptwahlvorstand die Stimmzettel und zählt für jeden Wahlgang gesondert die auf jeden Bewerber entfallenden Stimmen zusammen. [2] § 71 Abs. 3 ist anzuwenden. [3] Ist auf einem Stimmzettel ein Bewerber mehrfach angekreuzt, so zählt dies als eine Stimme.

§ 75[2)] Verteilung der Stimmen auf die Bewerber. [1] Der Hauptwahlvorstand bestimmt so viele Bewerber, wie in dem Wahlgang Aufsichtsratsmitglieder zu wählen sind, nach der Reihenfolge der auf sie entfallenden Stimmenzahlen. [2] Bei Stimmengleichheit entscheidet das Los.

---

1) § 74 Abs. 3 aufgeh. mWv 2. 9. 2015 durch VO v. 26. 8. 2015 (BGBl. I S. 1443).

2) § 75 Überschrift neu gef., Satz 1 geänd., Satz 3 aufgeh. mWv 2. 9. 2015 durch VO v. 26. 8. 2015 (BGBl. I S. 1443).

Unterabschnitt 5.[1] Ermittlung der Gewählten, Wahlniederschrift, Benachrichtigungen

§ 75 a[2] Ermittlung der Gewählten bei nicht börsennotierten Unternehmen. (1) In nicht börsennotierten Unternehmen sind in einem Wahlgang nach § 70 und in einem Wahlgang nach § 73 so viele Bewerber gewählt, wie Aufsichtsratsmitglieder in dem jeweiligen Wahlgang zu wählen sind.

(2) Mit der Wahl eines Bewerbers ist auch das in dem Wahlvorschlag neben dem Gewählten aufgeführte Ersatzmitglied des Aufsichtsrats gewählt.

§ 75 b[2] Ermittlung der Gewählten bei börsennotierten Unternehmen im Fall der Gesamterfüllung. (1) In börsennotierten Unternehmen sind im Fall der Gesamterfüllung in einem Wahlgang nach § 70 und in einem Wahlgang nach § 73 so viele Bewerber gewählt, wie Aufsichtsratsmitglieder in dem jeweiligen Wahlgang zu wählen sind.

(2) Mit der Wahl eines Bewerbers ist auch das in dem Wahlvorschlag neben dem Gewählten aufgeführte Ersatzmitglied des Aufsichtsrats gewählt.

§ 75 c[2] Ermittlung der Gewählten bei börsennotierten Unternehmen im Fall der Getrennterfüllung. (1) Sind in börsennotierten Unternehmen im Fall der Getrennterfüllung die Höchstzahlen nach § 72 der Größe nach auf die Bewerber verteilt und die Zahlen der auf die einzelnen Bewerber entfallenden Stimmen nach § 75 ermittelt, stellt der Hauptwahlvorstand fest, ob bei der Wahl der Geschlechteranteil nach § 5 a des Gesetzes[3] in Verbindung mit § 96 Absatz 2 Satz 4 des Aktiengesetzes[4] eingehalten worden ist.

(2) Ist der Geschlechteranteil nach § 5 a des Gesetzes bei der Wahl eingehalten, sind in einem Wahlgang nach § 70 und in einem Wahlgang nach § 73 so viele Bewerber gewählt, wie Aufsichtsratsmitglieder in dem jeweiligen Wahlgang zu wählen sind.

(3) Ist der Geschlechteranteil nach § 5 a des Gesetzes bei der Wahl nicht eingehalten, sind in einem Wahlgang nach § 70 und in einem Wahlgang nach § 73 nur diejenigen Bewerber als Aufsichtsratsmitglieder gewählt, deren Wahl nach § 10 f Absatz 2 Satz 1 des Gesetzes nicht unwirksam ist.

(4) Mit der Wahl eines Bewerbers ist auch das in dem Wahlvorschlag neben dem Gewählten aufgeführte Ersatzmitglied des Aufsichtsrats gewählt.

§ 76[5] Wahlniederschrift. (1) Nachdem ermittelt ist, wer gewählt ist, stellt der Hauptwahlvorstand in einer Niederschrift für jeden Wahlgang gesondert fest:

1. die Zahl der insgesamt abgegebenen Stimmen;
2. die Zahl der gültigen Stimmen;
3. die Zahl der ungültigen Stimmen;

---

[1] 5. UAbschnitt Überschrift neu gef. mWv 2. 9. 2015 durch VO v. 26. 8. 2015 (BGBl. I S. 1443).

[2] §§ 75 a–75 c eingef. mWv 2. 9. 2015 durch VO v. 26. 8. 2015 (BGBl. I S. 1443).

[3] Nr. **562**.

[4] Nr. **567**.

[5] § 76 Abs. 2 angef., neuer Abs. 1 Nr. 1 aufgeh., bish. Nr. 2–9 werden Nr. 1–8 mWv 2. 9. 2015 durch VO v. 26. 8. 2015 (BGBl. I S. 1443).

4. bei Verhältniswahl die Zahlen der auf die einzelnen Wahlvorschläge entfallenden Stimmen, die berechneten Höchstzahlen und ihre Verteilung auf die Wahlvorschläge;
5. bei Mehrheitswahl die Zahlen der auf die einzelnen Bewerber entfallenden Stimmen;
6. die Namen der gewählten Aufsichtsratsmitglieder;
7. die Namen der für die einzelnen Aufsichtsratsmitglieder gewählten Ersatzmitglieder;
8. besondere während der Wahl eingetretene Zwischenfälle oder sonstige Ereignisse.

(2) Der Hauptwahlvorstand stellt bei börsennotierten Unternehmen im Fall der Getrennterfüllung in der Niederschrift zusätzlich fest,

1. ob der Geschlechteranteil nach § 5 a des Gesetzes[1] bei der Wahl erreicht worden ist;
2. die Anzahl der Sitze, die aufgrund des Nichterreichens des Geschlechteranteils nach § 5 a des Gesetzes nicht besetzt worden sind, und ihre Zuordnung zu den Aufsichtsratsmitgliedern der Arbeitnehmer, die Arbeitnehmer von Konzernunternehmen sind, und den Aufsichtsratsmitgliedern der Gewerkschaften.

§ 77[2] Bekanntmachung des Wahlergebnisses, Benachrichtigung der Gewählten. (1) Der Hauptwahlvorstand gibt das Wahlergebnis und die Namen der Gewählten in der Delegiertenversammlung bekannt.

(2) [1] Der Hauptwahlvorstand übermittelt das Wahlergebnis und die Namen der Gewählten den Betriebswahlvorständen. [2] Jeder Betriebswahlvorstand macht das Wahlergebnis und die Namen der Gewählten unverzüglich für die Dauer von zwei Wochen bekannt.

(3) Gleichzeitig benachrichtigt der Hauptwahlvorstand die Gewählten schriftlich von ihrer Wahl und übermittelt das Wahlergebnis und die Namen der Gewählten den Konzernunternehmen und den in diesen Unternehmen vertretenen Gewerkschaften.

(4) Ist bei börsennotierten Unternehmen der Geschlechteranteil nach § 5 a des Gesetzes[1] bei der Wahl nicht erreicht worden, informiert der Hauptwahlvorstand die Adressaten der Absätze 1 bis 3 zusätzlich

1. über die Anzahl der Sitze, die aufgrund des Nichterreichens des Geschlechteranteils nach § 5 a des Gesetzes nicht besetzt worden sind, und ihre Zuordnung zu den Aufsichtsratsmitgliedern der Arbeitnehmer, die Arbeitnehmer von Konzernunternehmen sind, und den Aufsichtsratsmitgliedern der Gewerkschaften und
2. darüber, dass diese nach § 10 f Absatz 2 des Gesetzes nicht besetzten Aufsichtsratssitze im Wege der gerichtlichen Ersatzbestellung nach § 104 des Aktiengesetzes[3] oder der Nachwahl zu besetzen sind.

§ 78 Aufbewahrung der Wahlakten. [1] Der Hauptwahlvorstand und jeder Betriebswahlvorstand übergeben die Wahlakten dem herrschenden Unterneh-

[1] *Nr.* **562**.
[2] § 77 Abs. 4 angef. mWv 2. 9. 2015 durch VO v. 26. 8. 2015 (BGBl. I S. 1443).
[3] Nr. **567**.

men. [2] Dieses Unternehmen bewahrt die Wahlakten mindestens für die Dauer von fünf Jahren auf.

Teil 2. Abberufung von Aufsichtsratsmitgliedern der Arbeitnehmer

Kapitel 1. Gemeinsame Vorschriften

§ 79[1)] Einleitung des Abberufungsverfahrens. (1) [1] Ein Antrag auf Abberufung eines Aufsichtsratsmitglieds der Arbeitnehmer nach § 10 n Absatz 1 des Gesetzes[2)] ist schriftlich beim Konzernbetriebsrat einzureichen. [2] Besteht kein Konzernbetriebsrat, so ist der Antrag beim Gesamtbetriebsrat oder, wenn ein solcher nicht besteht, beim Betriebsrat des herrschenden Unternehmens einzureichen. [3] Besteht in diesem Unternehmen kein Betriebsrat, so ist der Antrag beim Gesamtbetriebsrat des nach der Zahl der Wahlberechtigten größten anderen Konzernunternehmens einzureichen, in dem ein Betriebsrat besteht, oder, wenn in dem anderen Konzernunternehmen nur ein Betriebsrat besteht, beim Betriebsrat.

(2) Unverzüglich nach Eingang eines Antrags auf Abberufung wird der Hauptwahlvorstand gebildet, es sei denn, der Antrag entspricht offensichtlich nicht den in § 10 n Absatz 1 Satz 2 des Gesetzes bezeichneten Erfordernissen.

(3) [1] Für die Aufgaben, die Bildung, die Zusammensetzung und die Geschäftsführung der Wahlvorstände sind die §§ 2 bis 6 entsprechend anzuwenden; die Mitteilung des Hauptwahlvorstands nach § 5 muss auch den Inhalt des Antrags auf Abberufung enthalten. [2] Dem Hauptwahlvorstand sind die bei der Wahl des Aufsichtsratsmitglieds, dessen Abberufung beantragt wird, entstandenen Wahlakten zu übergeben.

§ 80[3)] Liste der antragsberechtigten Arbeitnehmer. [1] Wird die Abberufung eines unternehmensangehörigen Aufsichtsratsmitglieds der Arbeitnehmer beantragt, so wird in jedem Betrieb unverzüglich nach der Bildung des Betriebswahlvorstands eine Liste der Wahlberechtigten aufgestellt, die nach § 10 n Absatz 1 Satz 2 des Gesetzes[2)] für die Abberufung dieses Aufsichtsratsmitglieds antragsberechtigt sind. [2] Die §§ 7 bis 10 sind entsprechend anzuwenden; die Bekanntmachung nach § 8 Abs. 2 muss auch den Inhalt des Antrags auf Abberufung enthalten.

§ 81 Prüfung des Antrags auf Abberufung. (1) Der Hauptwahlvorstand prüft unverzüglich nach Übersendung der Listen der antragsberechtigten Arbeitnehmer die Gültigkeit des Antrags auf Abberufung.

(2) [1] Ist ein Antrag ungültig, so teilt der Hauptwahlvorstand dies dem Antragsvertreter oder, wenn ein solcher nicht benannt ist, dem an erster Stelle Unterzeichnenden und den Betriebswahlvorständen schriftlich mit. [2] Jeder Betriebswahlvorstand macht die Mitteilung für die Dauer von zwei Wochen bekannt.

---

1) § 79 Abs. 1 Satz 1 und Abs. 2 geänd. mWv 2. 9. 2015 durch VO v. 26. 8. 2015 (BGBl. I S. 1443).
2) Nr. **560**.
3) § 80 Satz 1 geänd. mWv 2. 9. 2015 durch VO v. 26. 8. 2015 (BGBl. I S. 1443).

§ 82 Anzuwendende Vorschriften. (1) Liegt ein gültiger Antrag vor, so stellt der Hauptwahlvorstand fest, ob das Aufsichtsratsmitglied, dessen Abberufung beantragt ist, in unmittelbarer Wahl oder durch Delegierte gewählt worden ist.

(2) Ist das Aufsichtsratsmitglied, dessen Abberufung beantragt ist, in unmittelbarer Wahl gewählt worden, so richtet sich das weitere Abberufungsverfahren nach den Vorschriften des Kapitels 2.

(3) Ist das Aufsichtsratsmitglied, dessen Abberufung beantragt ist, durch Delegierte gewählt worden, so richtet sich das weitere Abberufungsverfahren nach den Vorschriften des Kapitels 3.

Kapitel 2. Abstimmung über die Abberufung eines in unmittelbarer Wahl gewählten Aufsichtsratsmitglieds der Arbeitnehmer

§ 83 Abberufungsausschreiben, Wählerliste. (1) [1] Der Hauptwahlvorstand erlässt unverzüglich ein Abberufungsausschreiben. [2] Die Abstimmung soll innerhalb von vier Wochen seit dem für die Bekanntmachung des Abberufungsausschreibens bestimmten Zeitpunkt stattfinden.

(2) [1] Das Abberufungsausschreiben muss folgende Angaben enthalten:

1. den für die Bekanntmachung bestimmten Zeitpunkt;
2. den Inhalt des Antrags;
3. die Bezeichnung des Antragstellers;
4. die Zahl der Arbeitnehmer, die den Antrag unterzeichnet haben;
5. dass an der Abstimmung nur Arbeitnehmer teilnehmen können, die in der Wählerliste eingetragen sind;
6. dass der Beschluss über die Abberufung einer Mehrheit von drei Vierteln der abgegebenen Stimmen bedarf;
7. den Tag oder die Tage der Stimmabgabe.

[2] Für die Bekanntmachung des Abberufungsausschreibens sind § 13 Abs. 3 Nr. 1 bis 3 sowie § 23 Abs. 3 bis 5 entsprechend anzuwenden.

(3) [1] In jedem Betrieb wird für die Abberufung unverzüglich eine Liste der Abstimmungsberechtigten des Betriebs (Wählerliste) aufgestellt. [2] Die §§ 7 bis 10 sind entsprechend anzuwenden.

§ 84[1)] Abstimmung, Abstimmungsergebnis, Akten. (1) Für die Abstimmung sind die §§ 14 bis 21 anzuwenden.

(2) [1] Der Hauptwahlvorstand übermittelt das Abstimmungsergebnis schriftlich

1. den Betriebswahlvorständen,
2. dem Aufsichtsratsmitglied, über dessen Abberufung abgestimmt worden ist,
3. der Gewerkschaft, die einen Antrag auf Abberufung gestellt hat (§ 10 n Absatz 1 Satz 2 Nummer 2 des Gesetzes[2)]),
4. dem Unternehmen.

[2] § 81 Abs. 2 Satz 2 ist anzuwenden.

---

1) § 84 Abs. 2 Nr. 3 geänd. mWv 2. 9. 2015 durch VO v. 26. 8. 2015 (BGBl. I S. 1443).
2) Nr. **560**.

(3) Auf die im Zusammenhang mit einem Antrag auf Abberufung entstandenen Akten ist § 45 entsprechend anzuwenden.

Kapitel 3. Abstimmung über die Abberufung eines durch Delegierte gewählten Aufsichtsratsmitglieds der Arbeitnehmer

§ 85 Delegiertenliste. [1] Der Hauptwahlvorstand stellt für die Abberufung unverzüglich eine Liste der Delegierten (Delegiertenliste) auf. [2] § 7 Abs. 1 Satz 2 und 3, Abs. 2 und 4, § 67 Abs. 2 und 3 und § 68 sind entsprechend anzuwenden.

§ 86 Delegiertenversammlung, Mitteilung des Hauptwahlvorstands an die Delegierten. (1) [1] Die Delegierten stimmen über den Antrag auf Abberufung in einer Versammlung (Delegiertenversammlung) ab. [2] Die Delegiertenversammlung soll innerhalb von sechs Wochen nach der Feststellung, dass ein gültiger Antrag auf Abberufung eines durch Delegierte gewählten Aufsichtsratsmitglieds der Arbeitnehmer vorliegt, stattfinden.

(2) [1] Der Hauptwahlvorstand beruft die Delegierten schriftlich gegen Empfangsbekenntnis oder durch eingeschriebenen Brief zur Delegiertenversammlung ein; § 69 Abs. 2 bis 4 ist entsprechend anzuwenden. [2] Die Mitteilung nach Satz 1 soll den Delegierten spätestens zwei Wochen vor der Delegiertenversammlung übersandt werden.

(3) Die Mitteilung muss folgende Angaben enthalten:
1. den Inhalt des Antrags;
2. die Bezeichnung des Antragstellers;
3. die Zahl der Arbeitnehmer, die den Antrag unterzeichnet haben;
4. dass an der Abstimmung nur Delegierte teilnehmen können, die in der Delegiertenliste eingetragen sind;
5. dass die Einsichtnahme in die Delegiertenliste, das Gesetz und diese Verordnung in der Delegiertenversammlung ermöglicht wird;
6. dass Einsprüche gegen die Richtigkeit der Delegiertenliste vor Beginn der Stimmabgabe beim Hauptwahlvorstand eingelegt werden können;
7. dass der Beschluss über die Abberufung einer Mehrheit von drei Vierteln der abgegebenen Stimmen bedarf;
8. wie viele Stimmen den Delegierten zustehen;
9. Ort, Tag und Zeit der Delegiertenversammlung und der öffentlichen Stimmauszählung;
10. die Anschrift des Hauptwahlvorstands.

§ 87[1] Abstimmung, Abstimmungsergebnis, Akten. Für die Abstimmung, das Abstimmungsergebnis und die Aufbewahrung der Akten sind § 14 Abs. 1 und 3, die §§ 15, 19, 21 und 70 Absatz 1 Satz 3 und 4, Absatz 2 Satz 3 und Absatz 5 sowie die §§ 71, 77 und 84 Abs. 2 und 3 entsprechend anzuwenden.

---

[1] § 87 geänd. mWv 2. 9. 2015 durch VO v. 26. 8. 2015 (BGBl. I S. 1443).

Kapitel 4. Ersatzmitglieder

§ 88[1)] Ersatzmitglieder. Für die Abberufung von Ersatzmitgliedern (§ 10 n Absatz 4 des Gesetzes[2)]) sind die Vorschriften der Kapitel 1 bis 3 entsprechend anzuwenden.

Teil 3. Besondere Vorschriften für die Wahl und die Abberufung der Aufsichtsratsmitglieder der Arbeitnehmer bei Teilnahme von Arbeitnehmern von Seebetrieben

Kapitel 1. Grundsatz

§ 89[3)] Grundsatz. Nehmen an der Wahl oder an der Abberufung auch Arbeitnehmer eines in § 10 i Absatz 1 des Gesetzes[2)] bezeichneten Betriebs (Seebetrieb) teil, so sind außer den Vorschriften des Teils 1 oder des Teils 2 auch die Vorschriften dieses Teils anzuwenden.

Kapitel 2. Wahl der Aufsichtsratsmitglieder der Arbeitnehmer

Abschnitt 1. Einleitung der Wahl, Abstimmung über die Art der Wahl, Wahlvorschläge

§ 90[4)] Einleitung der Wahl. (1) Die in § 1 Abs. 1 Satz 1 bezeichnete Frist wird auf 50 Wochen verlängert.

(2) In der in § 1 bezeichneten Bekanntmachung ist gesondert die Zahl der Arbeitnehmer anzugeben, die in Seebetrieben (§ 10 i Absatz 1 des Gesetzes[2)]) beschäftigt sind.

(3) [1] Für einen Seebetrieb wird ein Betriebswahlvorstand nicht bestellt. [2] Der Hauptwahlvorstand nimmt im Seebetrieb die sich aus dieser Verordnung ergebenden Aufgaben des Betriebswahlvorstands wahr.

(4) [1] Mitteilungen, die im Seebetrieb bekannt zu machen sind, übersendet der Hauptwahlvorstand jedem zum Seebetrieb gehörigen Schiff und teilt dabei den Zeitpunkt mit, von dem ab sie auf dem Schiff bekannt zu machen sind. [2] Mitteilungen sind von der Bordvertretung oder, wenn eine solche nicht besteht, vom Kapitän bekannt zu machen. [3] Der erste und der letzte Tag der Bekanntmachung sind auf der Mitteilung zu vermerken.

(5) [1] Der Hauptwahlvorstand übersendet jedem zum Seebetrieb gehörigen Schiff eine Kopie der Wählerliste des Seebetriebs, das Gesetz und diese Verordnung. [2] Ihre Einsichtnahme ist von der Bordvertretung oder, wenn eine solche nicht besteht, vom Kapitän zu ermöglichen. [3] Die Einsichtnahme kann durch Auslegung an geeigneter, den Wahlberechtigten zugänglicher Stelle an Bord und durch Einsatz der im Betrieb vorhandenen Informations- und Kommunikationsmittel ermöglicht werden. [4] Außerdem übersendet der Hauptwahlvorstand die Wählerliste des Seebetriebs dem Betriebswahlvorstand des Landbetriebs, der für die Heuerverhältnisse der Arbeitnehmer des Seebetriebs zuständig ist. [5] Dieser

---

1) § 88 geänd. mWv 2. 9. 2015 durch VO v. 26. 8. 2015 (BGBl. I S. 1443).
2) Nr. **560**.
3) § 89 geänd. mWv 2. 9. 2015 durch VO v. 26. 8. 2015 (BGBl. I S. 1443).
4) § 90 Abs. 2 geänd. mWv 2. 9. 2015 durch VO v. 26. 8. 2015 (BGBl. I S. 1443).

Betriebswahlvorstand ermöglicht die Einsichtnahme in die Wählerliste des Seebetriebs in gleicher Weise wie in die in § 7 bezeichnete Wählerliste.

(6) [1] In Seebetrieben ist § 8 Abs. 2 nicht anzuwenden. [2] Der Hauptwahlvorstand versendet im Seebetrieb gleichzeitig mit der Wählerliste eine Bekanntmachung. [3] Sie muss folgende Angaben enthalten:

1. das Datum ihrer Versendung;
2. die Namen der Mitglieder des Hauptwahlvorstands und seine Anschrift;
3. dass die Einsichtnahme in die Wählerliste des Seebetriebs, das Gesetz und diese Verordnung an Bord ermöglicht wird;
4. dass die Einsichtnahme in die Wählerliste des Seebetriebs auch in dem Landbetrieb, der für die Heuerverhältnisse der Arbeitnehmer des Seebetriebs zuständig ist, ermöglicht wird;
5. dass Einsprüche gegen die Richtigkeit der Wählerliste nur innerhalb von vier Wochen seit ihrer Versendung schriftlich beim Hauptwahlvorstand eingelegt werden können; der letzte Tag der Frist ist anzugeben;
6. dass Einsprüche gegen Berichtigungen und Ergänzungen der Wählerliste nur innerhalb von vier Wochen seit der Berichtigung oder der Ergänzung eingelegt werden können;
7. dass an der Wahl und an Abstimmungen nur Arbeitnehmer teilnehmen können, die in der Wählerliste eingetragen sind.

(7) Abweichend von § 10 Abs. 1 kann im Seebetrieb

1. ein Einspruch gegen die Richtigkeit der Wählerliste innerhalb von vier Wochen seit ihrer Versendung an die Schiffe eingelegt werden;
2. ein Einspruch gegen eine Berichtigung oder Ergänzung der Wählerliste innerhalb von vier Wochen seit der Berichtigung oder der Ergänzung eingelegt werden.

§ 91[1)] Abstimmung über die Art der Wahl. [1] Die Arbeitnehmer der Seebetriebe nehmen an einer Abstimmung darüber, ob die Wahl durch Delegierte oder unmittelbar erfolgen soll, nicht teil und bleiben für die Errechnung der für die Antragstellung und für die Beschlussfassung erforderlichen Zahlen von Arbeitnehmern außer Betracht (§ 10 i Absatz 3 des Gesetzes[2)]); in der Bekanntmachung nach § 11 und in dem Abstimmungsausschreiben nach § 13 ist hierauf hinzuweisen. [2] Die §§ 11 bis 22 sind auf Seebetriebe nicht anzuwenden.

§ 92[3)] Bekanntmachung über die Einreichung von Wahlvorschlägen. (1) Die Bekanntmachung nach § 23 Abs. 1 muss in Seebetrieben auch folgende Angaben enthalten:

1. dass die Einsichtnahme in die Wählerliste des Seebetriebs, das Gesetz und diese Verordnung auf jedem Schiff des Seebetriebs durch die Bordvertretung oder, wenn eine solche nicht besteht, vom Kapitän ermöglicht wird;
2. dass die Einsichtnahme in die Wählerliste des Seebetriebs auch in dem Landbetrieb, der für die Heuerverhältnisse der Arbeitnehmer des Seebetriebs zuständig ist, ermöglicht wird;

---

1) § 91 Satz 1 geänd. mWv 2. 9. 2015 durch VO v. 26. 8. 2015 (BGBl. I S. 1443).
2) Nr. **560**.
3) § 92 Abs. 2 geänd. mWv 2. 9. 2015 durch VO v. 26. 8. 2015 (BGBl. I S. 1443).

3. dass die Wahlvorschläge auf jedem Schiff des Seebetriebs von der Bordvertretung oder, wenn eine solche nicht besteht, vom Kapitän bekannt gemacht werden.

(2) Die in § 23 Absatz 1 Satz 2 Nr. 7 und in § 24 Abs. 2 bezeichnete Frist für die Einreichung von Wahlvorschlägen wird auf 13 Wochen verlängert.

(3) § 23 Abs. 3 Satz 2 und Abs. 4 ist in Seebetrieben nicht anzuwenden; § 23 Abs. 3 Satz 1 gilt entsprechend; § 90 Abs. 4 ist anzuwenden.

(4) [1] Die in § 30 Abs. 2 Satz 1 bezeichnete Mindestfrist für die Bekanntmachung der Wahlvorschläge wird auf drei Wochen verlängert. [2] Ist zu besorgen, dass die in Satz 1 bezeichnete Mindestfrist zwischen dem für die Bekanntmachung der Wahlvorschläge an Bord bestimmten Zeitpunkt und dem Beginn der Stimmabgabe in den Landbetrieben für eine fristgerechte Stimmabgabe der Arbeitnehmer der Seebetriebe nicht ausreicht, so kann der Hauptwahlvorstand diese Mindestfrist auf höchstens fünf Wochen verlängern. [3] Für die Bekanntmachung der Wahlvorschläge in Seebetrieben gilt § 23 Abs. 3 Satz 1 entsprechend und § 90 Abs. 4 ist anzuwenden.

Abschnitt 2. Unmittelbare Wahl der Aufsichtsratsmitglieder der Arbeitnehmer

§ 93 Wahlausschreiben im Seebetrieb. (1) Das Wahlausschreiben nach § 32 Abs. 1 muss in Seebetrieben auch folgende Angaben enthalten:

1. dass die Arbeitnehmer des Seebetriebs in Briefwahl wählen;
2. den Zeitpunkt, bis zu dem die Wahlbriefe beim Hauptwahlvorstand eingehen müssen.

(2) Für die Bekanntmachung des Wahlausschreibens in Seebetrieben ist § 32 Abs. 2 Satz 2 und 3 nicht anzuwenden; § 23 Abs. 5 und § 90 Abs. 4 sind anzuwenden.

§ 94 Stimmabgabe bei der Wahl der Aufsichtsratsmitglieder der Arbeitnehmer. (1) Die Arbeitnehmer von Seebetrieben stimmen bei der Wahl der Aufsichtsratsmitglieder der Arbeitnehmer in Briefwahl ab.

(2) [1] Gleichzeitig mit der Versendung der Wahlvorschläge an die Betriebswahlvorstände (§ 30 Abs. 2 Satz 2) übersendet der Hauptwahlvorstand

1. jedem Schiff die zur Stimmabgabe erforderlichen Unterlagen in einer Anzahl, die die Zahl der Regelbesatzung des Schiffes um mindestens 10 vom Hundert übersteigt,
2. allen Arbeitnehmern des Seebetriebs, von denen ihm bekannt ist, dass sie sich nicht an Bord eines Schiffes befinden, die zur Stimmabgabe erforderlichen Unterlagen sowie eine Kopie des Wahlausschreibens.

[2] Die Bordvertretung oder, wenn eine solche nicht besteht, der Kapitän hat jedem Besatzungsmitglied die zur Stimmabgabe erforderlichen Unterlagen auszuhändigen. [3] Die Wahlbriefe der Besatzungsmitglieder eines Schiffes sollen möglichst gleichzeitig an den Hauptwahlvorstand abgesandt werden.

Abschnitt 3. Wahl der Aufsichtsratsmitglieder der Arbeitnehmer durch Delegierte

§ 95 Wahl der Delegierten. (1) [1] In Seebetrieben werden Delegierte nicht gewählt. [2] Die §§ 46 bis 65 sind auf Seebetriebe nicht anzuwenden.

(2) Die Arbeitnehmer von Seebetrieben nehmen an der Wahl der Aufsichtsratsmitglieder der Arbeitnehmer unmittelbar teil.

§ 96 Wahlausschreiben in Seebetrieben. (1) [1] Steht fest, dass die Aufsichtsratsmitglieder der Arbeitnehmer durch Delegierte zu wählen sind, so erlässt der Hauptwahlvorstand ein Wahlausschreiben für Seebetriebe. [2] Es muss folgende Angaben enthalten:

1. dass die Aufsichtsratsmitglieder der Arbeitnehmer durch Delegierte gewählt werden;
2. dass in Seebetrieben keine Delegierten gewählt werden;
3. dass die Arbeitnehmer der Seebetriebe an der Wahl der Aufsichtsratsmitglieder der Arbeitnehmer unmittelbar teilnehmen;
4. dass an der Wahl nur Arbeitnehmer teilnehmen können, die in der Wählerliste des Seebetriebs eingetragen sind;
5. dass die Aufsichtsratsmitglieder der Arbeitnehmer von allen Wahlberechtigten des Seebetriebs gewählt werden;
6. dass die Arbeitnehmer der Seebetriebe in Briefwahl wählen;
7. dass jeder Wahlberechtigte eines Seebetriebs Wahlunterlagen für sämtliche Wahlgänge erhält und dass er seine Stimme für sämtliche Wahlgänge abgeben kann;
8. dass die Stimmabgabe an Wahlvorschläge gebunden ist;
9. dass die Stimme eines Arbeitnehmers eines Seebetriebs als ein Neunzigstel der Stimme eines Delegierten gezählt wird;
10. den Zeitpunkt, bis zu dem die Wahlbriefe beim Hauptwahlvorstand vorliegen müssen;
11. die Anschrift des Hauptwahlvorstands.

(2) § 23 Abs. 5, § 32 Abs. 2 Satz 1 und § 90 Abs. 4 sind entsprechend anzuwenden.

§ 97 Stimmabgabe der Arbeitnehmer von Seebetrieben. (1) [1] Die Arbeitnehmer von Seebetrieben stimmen bei der Wahl der Aufsichtsratsmitglieder der Arbeitnehmer in Briefwahl ab. [2] Die §§ 41 und 42 sind entsprechend anzuwenden; abweichend von § 41 Abs. 1 Satz 1 Nr. 4 muss der Freiumschlag die Anschrift des Hauptwahlvorstands tragen.

(2) [1] Gleichzeitig mit der Versendung der Wahlvorschläge an die Betriebswahlvorstände (§ 30 Abs. 2 Satz 2) übersendet der Hauptwahlvorstand jedem Schiff die für die Wahl der Aufsichtsratsmitglieder der Arbeitnehmer erforderlichen Unterlagen; § 94 Abs. 2 ist entsprechend anzuwenden. [2] Die Wahlbriefe müssen bis zum Ablauf des Tages vor der Delegiertenversammlung dem Hauptwahlvorstand vorliegen.

(3) [1] Abweichend von § 66 Abs. 2 Satz 2 soll die Delegiertenversammlung sechs Wochen nach der Versendung der zur Stimmabgabe erforderlichen Unterlagen stattfinden. [2] Ist zu besorgen, dass diese Zeit für eine ordnungsgemäße

Stimmabgabe der Arbeitnehmer der Seebetriebe nicht ausreicht, so kann der Hauptwahlvorstand sie auf höchstens zehn Wochen verlängern.

(4) Die Vorschriften über die Stimmabgabe und den Wahlvorgang (§§ 70 und 73) sind auf die Arbeitnehmer von Seebetrieben mit folgender Maßgabe entsprechend anzuwenden:

1. An die Stelle der Delegierten treten die Wahlberechtigten des Seebetriebs.
2. Die Stimmzettel der Wähler der Seebetriebe werden in eine gesonderte Wahlurne gelegt.

(5) Die Vorschriften über die Auszählung der Stimmen (§§ 71 und 74) sind auf die Arbeitnehmer der Seebetriebe mit folgender Maßgabe entsprechend anzuwenden:

1. Die Stimmen der Wähler der Seebetriebe werden gesondert ausgezählt.
2. Je 90 dieser Stimmen werden als eine Stimme eines Delegierten gezählt. Werden 90 Stimmen nicht erreicht, so werden mindestens 45 Stimmen als eine Stimme eines Delegierten gezählt. Bei mehr als 90 Stimmen wird ein Rest von mindestens 45 Stimmen als eine Stimme eines Delegierten gezählt. Die so errechneten Stimmenzahlen werden jeweils der Stimmenzahl der von den Delegierten in dem Wahlgang für den Wahlvorschlag abgegebenen Stimmen hinzugezählt.

§ 98[1)] Wahlniederschrift. (1) [1] Für die Wahlniederschrift ist § 76 nicht anzuwenden. [2] Nachdem ermittelt ist, wer gewählt ist, stellt der Hauptwahlvorstand in einer Niederschrift für jeden Wahlgang gesondert fest:

1. die Zahl der
   a) von den Delegierten abgegebenen gültigen Stimmen,
   b) von den Arbeitnehmern von Seebetrieben abgegebenen gültigen Stimmen;
2. die Zahl der
   a) von den Delegierten abgegebenen ungültigen Stimmen,
   b) von den Arbeitnehmern von Seebetrieben abgegebenen ungültigen Stimmen;
3. bei Verhältniswahl
   a) die Zahlen der auf die einzelnen Wahlvorschläge entfallenden Stimmen der Delegierten,
   b) die Zahlen der auf die einzelnen Wahlvorschläge entfallenden Stimmen der Arbeitnehmer von Seebetrieben und die Umrechnung dieser Stimmen auf Stimmen von Delegierten nach § 97 Abs. 5 Nr. 2,
   c) die Summen der auf die einzelnen Wahlvorschläge entfallenden Stimmen der Delegierten und der umgerechneten Stimmen der Arbeitnehmer von Seebetrieben,
   d) die berechneten Höchstzahlen und ihre Verteilung auf die Wahlvorschläge;
4. bei Mehrheitswahl
   a) die Zahlen der auf die einzelnen Bewerber entfallenden Stimmen der Delegierten,

---

1) § 98 Abs. 2 angef. mWv 2. 9. 2015 durch VO v. 26. 8. 2015 (BGBl. I S. 1443).

b) die Zahlen der auf die einzelnen Bewerber entfallenden Stimmen der Arbeitnehmer von Seebetrieben und die Umrechnung dieser Stimmen auf Stimmen von Delegierten nach § 97 Abs. 5 Nr. 2,

c) die Summen der auf die einzelnen Bewerber entfallenden Stimmen der Delegierten und der umgerechneten Stimmen der Arbeitnehmer von Seebetrieben;

5. die Namen der gewählten Aufsichtsratsmitglieder;
6. die Namen der für die einzelnen Aufsichtsratsmitglieder gewählten Ersatzmitglieder;
7. besondere während der Wahl eingetretene Zwischenfälle oder sonstige Ereignisse.

(2) Der Hauptwahlvorstand stellt bei börsennotierten Unternehmen im Fall der Getrennterfüllung in der Niederschrift zusätzlich fest,

1. ob der Geschlechteranteil nach § 5a des Gesetzes[1] bei der Wahl erreicht worden ist;
2. die Anzahl der Sitze, die aufgrund des Nichterreichens des Geschlechteranteils nach § 5a des Gesetzes nicht besetzt worden sind, und ihre Zuordnung zu den Aufsichtsratsmitgliedern der Arbeitnehmer, die Arbeitnehmer von Konzernunternehmen sind, und den Aufsichtsratsmitgliedern der Gewerkschaften.

Kapitel 3. Abberufung der Aufsichtsratsmitglieder der Arbeitnehmer

Abschnitt 1. Gemeinsame Vorschrift

§ 99 Gemeinsame Vorschrift. (1) [1]Für einen Seebetrieb wird ein Betriebswahlvorstand nicht gebildet. [2]Der Hauptwahlvorstand nimmt im Seebetrieb die sich aus dieser Verordnung ergebenden Aufgaben des Betriebswahlvorstands wahr. [3]Abweichend von § 79 Abs. 3 Satz 1 sind auf Seebetriebe die §§ 4 und 5 Abs. 2 nicht anzuwenden. [4]In einem Seebetrieb ist § 90 Abs. 6 Satz 1 entsprechend anzuwenden.

(2) Für Mitteilungen, die in den Seebetrieben bekannt zu machen sind, ist § 90 Abs. 4 anzuwenden.

Abschnitt 2. Abstimmung über die Abberufung eines in unmittelbarer Wahl gewählten Aufsichtsratsmitglieds der Arbeitnehmer

§ 100 Abberufungsausschreiben für Seebetriebe, Wählerliste. (1) Die in § 83 Abs. 1 Satz 2 bezeichnete Frist wird auf sechs Wochen verlängert.

(2) Das Abberufungsausschreiben nach § 83 muss für Seebetriebe auch die in § 93 Abs. 1 bezeichneten Angaben enthalten.

(3) § 90 Abs. 5 und 7 ist entsprechend anzuwenden.

§ 101 Stimmabgabe. [1]Die Arbeitnehmer von Seebetrieben stimmen in Briefwahl ab. [2]§ 94 Abs. 2 ist entsprechend anzuwenden.

---

[1] Nr. **562**.

Abschnitt 3. Abstimmung über die Abberufung eines durch Delegierte gewählten Aufsichtsratsmitglieds der Arbeitnehmer

§ 102 Unmittelbare Abstimmung, Wählerliste, Mitteilung an die Delegierten. (1) Die Arbeitnehmer von Seebetrieben nehmen an der Abstimmung über einen Antrag auf Abberufung unmittelbar teil.

(2) Gleichzeitig mit der in § 85 bezeichneten Delegiertenliste wird eine Liste der Abstimmungsberechtigten der Seebetriebe aufgestellt; § 83 Abs. 3 und § 90 Abs. 5 bis 7 sind entsprechend anzuwenden.

(3) [1] Die in § 86 Abs. 1 Satz 2 bezeichnete Frist wird auf elf Wochen verlängert. [2] § 97 Abs. 3 Satz 2 ist entsprechend anzuwenden mit der Maßgabe, dass der Hauptwahlvorstand die Frist auf höchstens 14 Wochen verlängern kann.

§ 103 Abberufungsausschreiben für Seebetriebe. [1] Spätestens zehn Wochen vor der Delegiertenversammlung erlässt der Hauptwahlvorstand ein Abberufungsausschreiben für Seebetriebe. [2] § 83 Abs. 2 Satz 1, § 96 Abs. 1 Satz 2 Nr. 3, 6 und 9 bis 11 und Abs. 2 sind entsprechend anzuwenden.

§ 104 Abstimmung, Mitteilung des Abstimmungsergebnisses. [1] Die Arbeitnehmer von Seebetrieben stimmen in Briefwahl ab. [2] § 94 Abs. 2 ist entsprechend anzuwenden. [3] § 14 Abs. 2 und die §§ 17, 18 und 87 sind auf die Arbeitnehmer von Seebetrieben mit folgender Maßgabe entsprechend anzuwenden:

1. An die Stelle der Delegierten treten die Wahlberechtigten des Seebetriebs.
2. Die Stimmzettel dieser Abstimmenden werden in eine gesonderte Wahlurne gelegt.
3. Die Stimmen dieser Abstimmenden werden gesondert ausgezählt.
4. Je 90 dieser Stimmen werden als eine Stimme eines Delegierten gezählt. Werden 90 Stimmen nicht erreicht, so werden mindestens 45 Stimmen als eine Stimme eines Delegierten gezählt. Bei mehr als 90 Stimmen wird ein Rest von mindestens 45 Stimmen als eine Stimme eines Delegierten gezählt.
5. Für die Abstimmungsniederschrift ist § 98 Satz 2 Nr. 1 und 2, 4, 5 und 7 entsprechend anzuwenden.

Teil 4.[1] Unternehmen mit Mehrheitsbeteiligung des Bundes

§ 104a[1] Geschlechteranteil in nicht börsennotierten Unternehmen.

Für nicht börsennotierte Unternehmen mit Mehrheitsbeteiligung des Bundes im Sinne des § 393a Absatz 1 des Aktiengesetzes[2] oder des § 77a Absatz 1 des Gesetzes betreffend die Gesellschaften mit beschränkter Haftung[3] gelten die Regelungen dieser Wahlordnung zum Geschlechteranteil bei börsennotierten Unternehmen entsprechend.

---

[1] *Teil 4 (§ 104a) eingef. mWv 12.8.2021 durch G v. 7.8.2021 (BGBl. I S. 3311).*
[2] **beck-online, Module Arbeitsrecht Nr. 567.**
[3] **Habersack Nr. 52.**

Teil 5.[1] Übergangs- und Schlussvorschriften

§ 105[2] Erstmalige Anwendung des Gesetzes auf ein Unternehmen.

(1) Bei der erstmaligen Anwendung des Gesetzes auf ein Unternehmen hat das Unternehmen die in § 1 bezeichnete Bekanntmachung unverzüglich nach der in § 97 Abs. 1 des Aktiengesetzes[3] bezeichneten Bekanntmachung über die Zusammensetzung des Aufsichtsrats zu erlassen.

(2) [1] Die Wahlvorstände werden unverzüglich nach der in § 1 bezeichneten Bekanntmachung gebildet. [2] In jedem Betrieb wird unverzüglich nach der Bildung des Betriebswahlvorstands die Wählerliste aufgestellt; die §§ 7 bis 10 sind anzuwenden.

(3) [1] Abweichend von § 11 Abs. 1 Satz 1 soll der Hauptwahlvorstand die in den §§ 11 und 23 bezeichneten Bekanntmachungen 22 Wochen vor dem voraussichtlichen Beginn der Amtszeit der zu wählenden Aufsichtsratsmitglieder der Arbeitnehmer erlassen. [2] Nehmen an der Wahl auch Arbeitnehmer eines in § 10i Absatz 1 des Gesetzes[4] bezeichneten Betriebs (Seebetrieb) teil, so verlängert sich die in Satz 1 bezeichnete Frist auf 46 Wochen.

§ 106 Berechnung von Fristen. [1] Für die Berechnung der in dieser Verordnung bestimmten Fristen sind die §§ 186 bis 193 des Bürgerlichen Gesetzbuchs[5] entsprechend anzuwenden. [2] Arbeitstage im Sinne dieser Verordnung sind die Wochentage Montag bis Freitag mit Ausnahme der gesetzlichen Feiertage.

§ 107[6] Übergangsregelung. Auf Wahlen von Aufsichtsratsmitgliedern der Arbeitnehmer, die bis einschließlich 31. März 2022 abgeschlossen sind, ist diese Verordnung in der bis zum 11. August 2021 geltenden Fassung anzuwenden.

---

[1] Früherer Teil 4 Überschrift neu gef. mWv 2.9.2015 durch VO v. 26.8.2015 (BGBl. I S. 1443); bish. Teil 4 wird Teil 5 und Überschrift neu gef. mWv 12.8.2021 durch G v. 7.8.2021 (BGBl. I S. 3311).

[2] § 105 Abs. 3 Satz 2 geänd. mWv 2.9.2015 durch VO v. 26.8.2015 (BGBl. I S. 1443).

[3] Nr. **567**.

[4] Nr. **562**.

[5] Nr. **50**.

[6] § 107 neu gef. mWv 12.8.2021 durch G v. 7.8.2021 (BGBl. I S. 3311).

563. Gesetz Nr. 560 über die Einführung der Mitbestimmung der Arbeitnehmer in den Aufsichtsräten und Vorständen der Unternehmen des Bergbaus und der Eisen und Stahl erzeugenden Industrie

Vom 22. Dezember 1956 (ABl. S. 1703),

Zuletzt geändert durch Gesetz vom 23. 7. 2001 (BGBl. I S. 1852)

§ 1 [Grundsatz]. Mit Ablauf des 31. Dezember 1956 gelten im Saarland das Gesetz über die Mitbestimmungen der Arbeitnehmer in den Aufsichtsräten und Vorständen der Unternehmen des Bergbaus und der Eisen und Stahl erzeugenden Industrie vom 21. Mai 1951 – Montan-Mitbestimmungsgesetz – (BGBl. I S. 347)[1] und das Gesetz zur Ergänzung des Gesetzes über die Mitbestimmung der Arbeitnehmer in den Aufsichtsräten und Vorständen der Unternehmen des Bergbaus und der Eisen und Stahl erzeugenden Industrie vom 7. August 1956 (BGBl. I S. 707)[2], soweit in den nachfolgenden Vorschriften nichts anderes bestimmt ist.

§ 2[3] [Abweichende Vorschriften]. Bis auf weiteres gelten im Saarland folgende abweichende Vorsschriften:

1. § 1 des Montan-Mitbestimmungsgesetzes[1] ist in folgender Fassung anzuwenden:

„(1) Die Arbeitnehmer haben ein Mitbestimmungsrecht in den Aufsichtsräten und in den zur gesetzlichen Vertretung berufenen Organen nach Maßgabe dieses Gesetzes in

a) den Unternehmen, deren überwiegender Betriebszweck in der Förderung von Steinkohle, Braunkohle, oder Eisenerz oder in der Aufbereitung, Verkokung, Verschwelung oder Brikettierung dieser Grundstoffe liegt und deren Betrieb unter der Aufsicht der Bergbehörden steht,

b) den Unternehmen, deren überwiegender Betriebszweck in der Erzeugung von Eisen und Stahl besteht. Die Herstellung von Walzwerkserzeugnissen einschließlich Walzdraht, Röhren, Walzen, rollendem Eisenbahnmaterial, Freiformschmiedestücken und Gießereierzeugnissen aus Eisen oder Stahl ist als Erzeugung von Eisen und Stahl anzusehen.

---

[1] „Mitbestimmungsgesetz" in „Montan-Mitbestimmungsgesetz" (Nr. **561**) abgeändert durch § 36 MitbestG (Nr. **560**).

[2] Nr. **562**.

[3] § 2 Nr. 1 Abs. 1 Buchst. b Sätze 2 und 3 sowie Absätze 3 und 4 angef. durch G v. 21. 5. 1981, Nr. 2 aufgeh., bish. Nr. 3 wird Nr. 2 durch G v. 23. 7. 2001 (BGBl. I S. 1852).

1. in einem Unternehmen, dessen Aufsichtsrat am 1. Juli 1981 nach § 4 oder § 9 zusammengesetzt ist, oder
2. in einem anderen Unternehmen nach der Verschmelzung mit einem in Nummer 1 bezeichneten Unternehmen oder nach dem Übergang von Betrieben oder Betriebsteilen eines in Nummer 1 bezeichneten Unternehmens, die die genannten Erzeugnisse herstellen oder Roheisen oder Rohstahl erzeugen, auf das andere Unternehmen, wenn dieses mit dem in Nummer 1 bezeichneten Unternehmen verbunden ist (§ 15 des Aktiengesetzes) und solange nach der Verschmelzung oder dem Übergang der überwiegende Betriebszweck des anderen Unternehmens die Herstellung der genannten Erzeugnisse oder die Erzeugung von Roheisen oder Rohstahl ist.

Satz 2 Nr. 2 gilt entsprechend für die weitere Verschmelzung sowie für den weiteren Übergang von Betrieben oder Betriebsteilen.

(2) Dieses Gesetz findet nur auf diejenigen in Absatz 1 bezeichneten Unternehmen Anwendung, welche in Form einer Aktiengesellschaft, Gesellschaft mit beschränkter Haftung oder einer bergrechtlichen Gewerkschaft mit eigener Rechtspersönlichkeit betrieben werden und in der Regel mehr als eintausend Arbeitnehmer beschäftigen.

(3) Erfüllt ein Unternehmen die in Absatz 1 bezeichneten Voraussetzungen nicht mehr oder beschäftigt es nicht mehr die nach Absatz 2 erforderliche Zahl von Arbeitnehmern, so sind die Vorschriften dieses Gesetzes über das Mitbestimmungsrecht erst dann nicht mehr anzuwenden, wenn in sechs aufeinanderfolgenden Geschäftsjahren[1] eine dieser Voraussetzungen nicht mehr vorgelegen hat.

(4) Ist ein Unternehmen, dessen Aufsichtsrat nach § 4 oder § 9 zusammenzusetzen ist, herrschendes Unternehmen eines Konzerns (§ 18 Abs. 1 des Aktiengesetzes) und ist für diesen Konzern ein Konzernbetriebsrat errichtet, so gelten für die Anwendung der §§ 4, 6 und 9 auf das herrschende Unternehmen die Arbeitnehmer der Konzernunternehmen als Arbeitnehmer des herrschenden Unternehmens und die in Konzernznternehmen vertretenen Gewerkschaften als im herrschenden Unternehmen vertreten. Liegen die Voraussetzungen des Satzes 1 vor, so tritt für die Anwendung der §§ 6 und 11 auf das herrschende Unternehmen der Konzernbetriebsrat an die Stelle der Betriebsräte.

---

[1] Vgl. dazu die Übergangsvorschrift im Ges. v. 21. 5. 1981 (Abs. 1):
Erfüllte ein Unternehmen die in § 1 Abs. 1 des Montan-Mitbestimmungsgesetzes bezeichneten Voraussetzungen vor dem 1. Juli 1981 nicht mehr oder beschäftigte es vor diesem Zeitpunkt nicht mehr die nach § 1 Abs. 2 des Montan-Mitbestimmungsgesetzes erforderliche Zahl von Arbeitnehmern, war jedoch vor dem 1. Juli 1981 nicht nach § 97 oder § 98 des Aktiengesetzes verbindlich festgestellt, daß der Aufsichtsrat nach anderen gesetzlichen Vorschriften als dem zuletzt angewandten Montan-Mitbestimmungsgesetz zusammenzusetzen ist, so beginnt der in § 2 Nr. 1 Abs. 3 bezeichnete Zeitraum mit dem 1. Juli 1981.

2. § 14 des Montan-Mitbestimmungsgesetzes[1] findet keine Anwendung.

§ 3 [Außerkrafttreten von Satzungsbestimmungen]. (1) [1]Bestimmungen der Satzung (des Gesellschaftsvertrages) eines Unternehmens, das unter § 1 des Montan-Mitbestimmungsgesetzes[1] in der Fassung des § 2 Nummer 1 dieses Gesetzes fällt, über die Zusammensetzung der Verwaltungsträger sowie ihre Bestellung und den Widerruf ihrer Bestellung treten mit Beendigung der ersten Hauptversammlung (Gesellschafterversammlung, Gewerkenversammlung) außer Kraft, die nach Inkrafttreten dieses Gesetzes abgehalten wird, spätestens jedoch mit Ablauf von sieben Monaten nach Inkrafttreten dieses Gesetzes. [2]Dies gilt jedoch nur, soweit die Satzung wegen der Anwendung dieses Gesetzes geändert werden muß. [3]Eine Hauptversammlung, die innerhalb dieser Frist stattfindet, kann mit einfacher Stimmenmehrheit neue Bestimmungen an Stelle der außerkrafttretenden beschließen.

(2) Das Amt der bisherigen Aufsichtsratsmitglieder erlischt mit dem in Absatz 1 Satz 1 bezeichneten Zeitpunkt.

§ 4 [Neufassungsermächtigung]. Der Minister für Arbeit und Wohlfahrt wird ermächtigt, die in der Bundesrepublik Deutschland zum Zeitpunkt des Inkrafttretens dieses Gesetzes geltende Fassung des Gesetzes über die Mitbestimmung der Arbeitnehmer in den Aufsichtsräten und Vorständen der Unternehmen des Bergbaus und der Eisen und Stahl erzeugenden Industrie vom 21. Mai 1951 – Mitbestimmungsgesetz – (BGBl. I S. 347)[1] und des Gesetzes zur Ergänzung des Gesetzes über die Mitbestimmung der Arbeitnehmer in den Aufsichtsräten und Vorständen der Unternehmen des Bergbaus und der Eisen und Stahl erzeugenden Industrie vom 7. August 1956 (BGBl. I S. 707)[2] im Amtsblatt bekanntzugeben.[3]

---

[1] „Mitbestimmungsgesetz" in „Montan-Mitbestimmungsgesetz" (Nr. **561**) abgeändert durch § 36 MitbestG (Nr. **560**).

[2] Nr. **562**.

[3] ABl. des Saarlandes S. 1704 ff., 1706 ff.

564. Gesetz über die Drittelbeteiligung der Arbeitnehmer im Aufsichtsrat (Drittelbeteiligungsgesetz – DrittelbG)[1)]

Vom 18. Mai 2004
(BGBl. I S. 974)

FNA 801-14

zuletzt geänd. durch Art. 21 G zur Ergänzung und Änd. der Regelungen für die gleichberechtigte Teilhabe von Frauen an Führungspositionen in der Privatwirtschaft und im öffentlichen Dienst v. 7.8. 2021 (BGBl. I S. 3311)

Teil 1. Geltungsbereich

§ 1[2)] Erfasste Unternehmen. (1) Die Arbeitnehmer haben ein Mitbestimmungsrecht im Aufsichtsrat nach Maßgabe dieses Gesetzes in

1. einer Aktiengesellschaft mit in der Regel mehr als 500 Arbeitnehmern. Ein Mitbestimmungsrecht im Aufsichtsrat besteht auch in einer Aktiengesellschaft mit in der Regel weniger als 500 Arbeitnehmern, die vor dem 10. August 1994 eingetragen worden ist und keine Familiengesellschaft ist. Als Familiengesellschaften gelten solche Aktiengesellschaften, deren Aktionär eine einzelne natürliche Person ist oder deren Aktionäre untereinander im Sinne von § 15 Abs. 1 Nr. 2 bis 8, Abs. 2 der Abgabenordnung[3)] verwandt oder verschwägert sind;
2. einer Kommanditgesellschaft auf Aktien mit in der Regel mehr als 500 Arbeitnehmern. Nummer 1 Satz 2 und 3 gilt entsprechend;
3. einer Gesellschaft mit beschränkter Haftung mit in der Regel mehr als 500 Arbeitnehmern. Die Gesellschaft hat einen Aufsichtsrat zu bilden; seine Zusammensetzung sowie seine Rechte und Pflichten bestimmen sich nach § 90 Abs. 3, 4, 5 Satz 1 und 2, nach den §§ 95 bis 114, 116, 118 Abs. 3, § 125 Abs. 3 und 4 und nach den §§ 170, 171, 268 Abs. 2 des Aktiengesetzes[4)];
4. einem Versicherungsverein auf Gegenseitigkeit mit in der Regel mehr als 500 Arbeitnehmern, wenn dort ein Aufsichtsrat besteht;
5. einer Genossenschaft mit in der Regel mehr als 500 Arbeitnehmern. § 96 Absatz 4 und die §§ 97 bis 99 des Aktiengesetzes sind entsprechend anzuwenden. Die Satzung kann nur eine durch drei teilbare Zahl von Aufsichtsratsmitgliedern festsetzen. Der Aufsichtsrat muss zwei Sitzungen im Kalenderhalbjahr abhalten.

(2) [1] Dieses Gesetz findet keine Anwendung auf

[1)] Verkündet als Art. 1 G v. 18.5.2004 (BGBl. I S. 974); Inkrafttreten gem. Art. 6 Abs. 2 dieses G am 1.7.2004, mit Ausnahme von § 13, der gem. § 6 Abs. 1 dieses G bereits am 28.5.2004 in Kraft getreten ist.

[2)] § 1 Abs. 1 Nr. 5 Sätze 1 und 3 geänd. mWv 18.8.2006 durch G v. 14.8.2006 (BGBl. I S. 1911); Abs. 1 Nr. 3 Satz 2 geänd. mWv 1.9.2009 durch G v. 30.7.2009 (BGBl. I S. 2479); Abs. 1 Nummer 5 Satz 2 geänd. mWv 1.5.2015 durch G v. 24.4.2015 (BGBl. I S. 642).

[3)] **Steuergesetze Nr. 800.**

[4)] Nr. **567**.

1. die in § 1 Abs. 1 des Mitbestimmungsgesetzes[1)], die in § 1 des Montan-Mitbestimmungsgesetzes[2)] und die in den §§ 1 und 3 Abs. 1 des Montan-Mitbestimmungsergänzungsgesetzes[3)] bezeichneten Unternehmen;
2. Unternehmen, die unmittelbar und überwiegend
   a) politischen, koalitionspolitischen, konfessionellen, karitativen, erzieherischen, wissenschaftlichen oder künstlerischen Bestimmungen oder
   b) Zwecken der Berichterstattung oder Meinungsäußerung, auf die Artikel 5 Abs. 1 Satz 2 des Grundgesetzes[4)] anzuwenden ist,

   dienen.

[2]Dieses Gesetz ist nicht anzuwenden auf Religionsgemeinschaften und ihre karitativen und erzieherischen Einrichtungen unbeschadet deren Rechtsform.

(3) Die Vorschriften des Genossenschaftsgesetzes[5)] über die Zusammensetzung des Aufsichtsrats sowie über die Wahl und die Abberufung von Aufsichtsratsmitgliedern gelten insoweit nicht, als sie den Vorschriften dieses Gesetzes widersprechen.

§ 2 Konzern. (1) An der Wahl der Aufsichtsratsmitglieder der Arbeitnehmer des herrschenden Unternehmens eines Konzerns (§ 18 Abs. 1 des Aktiengesetzes[6)]) nehmen auch die Arbeitnehmer der übrigen Konzernunternehmen teil.

(2) Soweit nach § 1 die Beteiligung der Arbeitnehmer im Aufsichtsrat eines herrschenden Unternehmens von dem Vorhandensein oder der Zahl von Arbeitnehmern abhängt, gelten die Arbeitnehmer eines Konzernunternehmens als solche des herrschenden Unternehmens, wenn zwischen den Unternehmen ein Beherrschungsvertrag besteht oder das abhängige Unternehmen in das herrschende Unternehmen eingegliedert ist.

§ 3 Arbeitnehmer, Betrieb. (1) Arbeitnehmer im Sinne dieses Gesetzes sind die in § 5 Abs. 1 des Betriebsverfassungsgesetzes[7)] bezeichneten Personen mit Ausnahme der in § 5 Abs. 3 des Betriebsverfassungsgesetzes bezeichneten leitenden Angestellten.

(2) [1]Betriebe im Sinne dieses Gesetzes sind solche des Betriebsverfassungsgesetzes. [2]§ 4 Abs. 2 des Betriebsverfassungsgesetzes ist anzuwenden.

(3) [1]Die Gesamtheit der Schiffe eines Unternehmens gilt für die Anwendung dieses Gesetzes als ein Betrieb. [2]Schiffe im Sinne dieses Gesetzes sind Kauffahrteischiffe, die nach dem Flaggenrechtsgesetz[8)] die Bundesflagge führen. [3]Schiffe, die in der Regel binnen 48 Stunden nach dem Auslaufen an den Sitz eines Landbetriebs zurückkehren, gelten als Teil dieses Landbetriebs.

[1)] Nr. **560**.
[2)] Nr. **561**.
[3)] Nr. **562**.
[4)] Nr. **10**.
[5)] **Habersack Nr. 53.**
[6)] Nr. **567**.
[7)] Nr. **570**.
[8)] **beck-online, Module Arbeitsrecht Nr. 963.**

Teil 2. Aufsichtsrat

§ 4[1] Zusammensetzung. (1) Der Aufsichtsrat eines in § 1 Abs. 1 bezeichneten Unternehmens muss zu einem Drittel aus Arbeitnehmervertretern bestehen.

(2) [1] Ist ein Aufsichtsratsmitglied der Arbeitnehmer oder sind zwei Aufsichtsratsmitglieder der Arbeitnehmer zu wählen, so müssen diese als Arbeitnehmer im Unternehmen beschäftigt sein. [2] Sind mehr als zwei Aufsichtsratsmitglieder der Arbeitnehmer zu wählen, so müssen mindestens zwei Aufsichtsratsmitglieder als Arbeitnehmer im Unternehmen beschäftigt sein.

(3) [1] Die Aufsichtsratsmitglieder der Arbeitnehmer, die Arbeitnehmer des Unternehmens sind, müssen das 18. Lebensjahr vollendet haben und ein Jahr dem Unternehmen angehören. [2] Auf die einjährige Unternehmensangehörigkeit werden Zeiten der Angehörigkeit zu einem anderen Unternehmen, dessen Arbeitnehmer nach diesem Gesetz an der Wahl von Aufsichtsratsmitgliedern des Unternehmens teilnehmen, angerechnet. [3] Diese Zeiten müssen unmittelbar vor dem Zeitpunkt liegen, ab dem die Arbeitnehmer zur Wahl von Aufsichtsratsmitgliedern des Unternehmens berechtigt sind. [4] Die weiteren Wählbarkeitsvoraussetzungen des § 8 Abs. 1 des Betriebsverfassungsgesetzes[2] müssen erfüllt sein.

(4) Unter den Aufsichtsratsmitgliedern der Arbeitnehmer sollen Frauen und Männer entsprechend ihrem zahlenmäßigen Verhältnis im Unternehmen vertreten sein.

(5) Unter den Aufsichtsratsmitgliedern der Arbeitnehmer eines in § 1 Absatz 1 Nummer 1 und 3 bezeichneten Unternehmens mit Mehrheitsbeteiligung des Bundes im Sinne des § 393a Absatz 1 des Aktiengesetzes[3] oder des § 77a Absatz 1 des Gesetzes betreffend die Gesellschaften mit beschränkter Haftung[4] müssen im Fall der Getrennterfüllung entsprechend § 96 Absatz 2 Satz 3 des Aktiengesetzes[5] Frauen und Männer jeweils mit einem Anteil von mindestens 30 Prozent vertreten sein.

§ 5 Wahl der Aufsichtsratsmitglieder der Arbeitnehmer. (1) Die Aufsichtsratsmitglieder der Arbeitnehmer werden nach den Grundsätzen der Mehrheitswahl in allgemeiner, geheimer, gleicher und unmittelbarer Wahl für die Zeit gewählt, die im Gesetz oder in der Satzung für die von der Hauptversammlung zu wählenden Aufsichtsratsmitglieder bestimmt ist.

(2) [1] Wahlberechtigt sind die Arbeitnehmer des Unternehmens, die das 18. Lebensjahr vollendet haben. [2] § 7 Satz 2 des Betriebsverfassungsgesetzes[2] gilt entsprechend.

§ 6 Wahlvorschläge. [1] Die Wahl erfolgt auf Grund von Wahlvorschlägen der Betriebsräte und der Arbeitnehmer. [2] Die Wahlvorschläge der Arbeitnehmer müssen von mindestens einem Zehntel der Wahlberechtigten oder von mindestens 100 Wahlberechtigten unterzeichnet sein.

---

[1] § 4 Abs. 5 angef. mWv 12.8.2021 durch G v. 7.8.2021 (BGBl. I S. 3311).
[2] Nr. **570**.
[3] **beck-online, Module Arbeitsrecht Nr. 567.**
[4] **Habersack Nr. 52.**
[5] Nr. **567**.

§ 7[1)] Ersatzmitglieder. (1) [1] In jedem Wahlvorschlag kann zusammen mit jedem Bewerber für diesen ein Ersatzmitglied des Aufsichtsrats vorgeschlagen werden. [2] Ein Bewerber kann nicht zugleich als Ersatzmitglied vorgeschlagen werden.

(2) Wird ein Bewerber als Aufsichtsratsmitglied gewählt, so ist auch das zusammen mit ihm vorgeschlagene Ersatzmitglied gewählt.

(3) Im Fall des § 4 Absatz 5 in Verbindung mit § 96 Absatz 2 Satz 3 des Aktiengesetzes[2)] ist das Nachrücken eines Ersatzmitglieds ausgeschlossen, wenn dadurch der Anteil von Frauen und Männern unter den Aufsichtsratsmitgliedern der Arbeitnehmer nicht mehr den Vorgaben des § 4 Absatz 5 entspricht; § 7a Absatz 2 Satz 2 gilt entsprechend.

§ 7a[3)] Nichterreichen des Geschlechteranteils. (1) Ergibt im Fall des § 4 Absatz 5 in Verbindung mit § 96 Absatz 2 Satz 3 des Aktiengesetzes[2)] die Auszählung der Stimmen und ihre Verteilung auf die Bewerber, dass die Vorgaben des § 4 Absatz 5 nicht erfüllt wurden, ist folgendes Geschlechterverhältnis für die Aufsichtsratssitze der Arbeitnehmer herzustellen:

1. in Aufsichtsräten mit einer Größe von sechs, neun oder zwölf Mitgliedern müssen unter den Aufsichtsratsmitgliedern der Arbeitnehmer jeweils mindestens eine Frau und mindestens ein Mann vertreten sein;
2. in Aufsichtsräten mit einer Größe von 15, 18 und 21 Mitgliedern müssen unter den Aufsichtsratsmitgliedern der Arbeitnehmer jeweils mindestens zwei Frauen und mindestens zwei Männer vertreten sein.

(2) [1] Um die Verteilung der Geschlechter nach Absatz 1 zu erreichen, ist die Wahl derjenigen Bewerber um einen Aufsichtsratssitz der Arbeitnehmer unwirksam, deren Geschlecht nach der Verteilung der Stimmen auf die Bewerber mehrheitlich vertreten ist und die nach der Reihenfolge der auf die Bewerber entfallenden Stimmenzahlen die niedrigsten Stimmenzahlen erhalten haben. [2] Die durch unwirksame Wahl nach Satz 1 nicht besetzten Aufsichtsratssitze werden im Wege der gerichtlichen Ersatzbestellung nach § 104 des Aktiengesetzes[2)] oder der Nachwahl besetzt; § 4 Absatz 2 Satz 2 ist zu beachten.

§ 8[4)] Bekanntmachung der Mitglieder des Aufsichtsrats. [1] Das zur gesetzlichen Vertretung des Unternehmens befugte Organ hat die Namen der Mitglieder und der Ersatzmitglieder des Aufsichtsrats unverzüglich nach ihrer Bestellung in den Betrieben des Unternehmens bekannt zu machen und im Bundesanzeiger zu veröffentlichen. [2] Nehmen an der Wahl der Aufsichtsratsmitglieder des Unternehmens auch die Arbeitnehmer eines anderen Unternehmens teil, so ist daneben das zur gesetzlichen Vertretung des anderen Unternehmens befugte Organ zur Bekanntmachung in seinen Betrieben verpflichtet.

§ 9 Schutz von Aufsichtsratsmitgliedern vor Benachteiligung. [1] Aufsichtsratsmitglieder der Arbeitnehmer dürfen in der Ausübung ihrer Tätigkeit nicht gestört oder behindert werden. [2] Sie dürfen wegen ihrer Tätigkeit im Aufsichtsrat nicht benachteiligt oder begünstigt werden. [3] Dies gilt auch für ihre berufliche Entwicklung.

---

1) § 7 Abs. 3 angef. mWv 12.8.2021 durch G v. 7.8.2021 (BGBl. I S. 3311).
2) *Nr.* ***567***.
3) § 7a eingef. mWv 12.8.2021 durch G v. 7.8.2021 (BGBl. I S. 3311).
4) § 8 Satz 1 geänd. mWv 1.4.2012 durch G v. 22.12.2011 (BGBl. I S. 3044).

§ 10 Wahlschutz und Wahlkosten. (1) [1]Niemand darf die Wahl der Aufsichtsratsmitglieder der Arbeitnehmer behindern. [2]Insbesondere darf niemand in der Ausübung des aktiven und passiven Wahlrechts beschränkt werden.

(2) Niemand darf die Wahlen durch Zufügung oder Androhung von Nachteilen oder durch Gewährung oder Versprechen von Vorteilen beeinflussen.

(3) [1]Die Kosten der Wahlen trägt das Unternehmen. [2]Versäumnis von Arbeitszeit, die zur Ausübung des Wahlrechts oder der Betätigung im Wahlvorstand erforderlich ist, berechtigt nicht zur Minderung des Arbeitsentgelts.

§ 11[1)] Anfechtung der Wahl von Aufsichtsratsmitgliedern der Arbeitnehmer. (1) Die Wahl eines Aufsichtsratsmitglieds oder eines Ersatzmitglieds der Arbeitnehmer kann beim Arbeitsgericht angefochten werden, wenn gegen wesentliche Vorschriften über das Wahlrecht, die Wählbarkeit oder das Wahlverfahren verstoßen worden und eine Berichtigung nicht erfolgt ist, es sei denn, dass durch den Verstoß das Wahlergebnis nicht geändert oder beeinflusst werden konnte.

(2) [1]Zur Anfechtung berechtigt sind

1. mindestens drei Wahlberechtigte,
2. die Betriebsräte,
3. das zur gesetzlichen Vertretung des Unternehmens befugte Organ.

[2]Die Anfechtung ist nur binnen einer Frist von zwei Wochen, vom Tag der Veröffentlichung im Bundesanzeiger an gerechnet, zulässig.

§ 12 Abberufung von Aufsichtsratsmitgliedern der Arbeitnehmer.

(1) [1]Ein Aufsichtsratsmitglied der Arbeitnehmer kann vor Ablauf der Amtszeit auf Antrag eines Betriebsrats oder von mindestens einem Fünftel der Wahlberechtigten durch Beschluss abberufen werden. [2]Der Beschluss der Wahlberechtigten wird in allgemeiner, geheimer, gleicher und unmittelbarer Abstimmung gefasst; er bedarf einer Mehrheit von drei Vierteln der abgegebenen Stimmen. [3]Auf die Beschlussfassung findet § 2 Abs. 1 Anwendung.

(2) Absatz 1 ist für die Abberufung von Ersatzmitgliedern entsprechend anzuwenden.

Teil 3. Übergangs- und Schlussvorschriften

§ 13[2)] Ermächtigung zum Erlass von Rechtsverordnungen. Die Bundesregierung wird ermächtigt, durch Rechtsverordnung Vorschriften über das Verfahren für die Wahl und die Abberufung von Aufsichtsratsmitgliedern der Arbeitnehmer zu erlassen, insbesondere über

1. die Vorbereitung der Wahl, insbesondere die Aufstellung der Wählerlisten und die Errechnung der Zahl der Aufsichtsratsmitglieder der Arbeitnehmer;
2. die Frist für die Einsichtnahme in die Wählerlisten und die Erhebung von Einsprüchen gegen sie;
3. die Wahlvorschläge und die Frist für ihre Einreichung;

3a. das Verfahren zur Berücksichtigung der Geschlechter;

---

1) § 11 Abs. 2 Satz 2 geänd. mWv 1.4.2012 durch G v. 22.12.2011 (BGBl. I S. 3044).
2) § 13 Nr. 3a eingef. mWv 12.8.2021 durch G v. 7.8.2021 (BGBl. I S. 3311).

4. das Wahlausschreiben und die Frist für seine Bekanntmachung;
5. die Teilnahme von Arbeitnehmern eines in § 3 Abs. 3 bezeichneten Betriebs an der Wahl;
6. die Stimmabgabe;
7. die Feststellung des Wahlergebnisses und die Fristen für seine Bekanntmachung;
8. die Anfechtung der Wahl;
9. die Aufbewahrung der Wahlakten.

§ 14 Verweisungen. Soweit in anderen Gesetzen auf Vorschriften verwiesen wird, die durch Artikel 6 Abs. 2 des Zweiten Gesetzes zur Vereinfachung der Wahl der Arbeitnehmervertreter in den Aufsichtsrat aufgehoben werden, treten an ihre Stelle die entsprechenden Vorschriften dieses Gesetzes.

§ 15[1] Übergangsregelung. (1) Auf Wahlen von Aufsichtsratsmitgliedern der Arbeitnehmer, die bis einschließlich 31. März 2022 abgeschlossen sind, ist dieses Gesetz in der bis zum 11. August 2021 geltenden Fassung anzuwenden.

(2) Eine Wahl von Aufsichtsratsmitgliedern der Arbeitnehmer gilt als abgeschlossen, wenn die Bekanntmachung der Mitglieder des Aufsichtsrats nach § 8 Satz 1 durch das zur gesetzlichen Vertretung des Unternehmens befugte Organ erfolgt ist.

---

[1] § 15 angef. mWv 12.8.2021 durch G v. 7.8.2021 (BGBl. I S. 3311).

564a. Verordnung zur Wahl der Aufsichtsratsmitglieder der Arbeitnehmer nach dem Drittelbeteiligungsgesetz (Wahlordnung zum Drittelbeteiligungsgesetz – WODrittelbG)[1)]

Vom 23. Juni 2004
(BGBl. I S. 1393)

FNA 801-14-1

zuletzt geänd. durch Art. 22 G zur Ergänzung und Änd. der Regelungen für die gleichberechtigte Teilhabe von Frauen an Führungspositionen in der Privatwirtschaft und im öffentlichen Dienst v. 7.8. 2021 (BGBl. I S. 3311)

Inhaltsübersicht[2)]

Teil 1. Wahl

Kapitel 1. Wahl durch die Arbeitnehmer eines Betriebs

Abschnitt 1. Einleitung der Wahl

§ 1 Mitteilung des Unternehmens. [1]Das zur gesetzlichen Vertretung berufene Organ eines Unternehmens, dessen Aufsichtsrat nach § 1 des Gesetzes Arbeitnehmervertreter angehören müssen, teilt dem Betriebsrat oder, soweit ein solcher nicht besteht, den Arbeitnehmern spätestens 14 Wochen vor dem voraussichtlichen Beginn der Amtszeit der zu wählenden Aufsichtsratsmitglieder der Arbeitnehmer mit, dass Arbeitnehmervertreter in den Aufsichtsrat zu wählen sind. [2]Dabei sind der voraussichtliche Beginn ihrer Amtszeit sowie die Zahl der zu wählenden Aufsichtsratsmitglieder der Arbeitnehmer anzugeben. [3]Die Wahl der Arbeitnehmervertreter soll so durchgeführt werden, dass das

---

[1)] Verkündet als Art. 1 VO v. 23.6.2004 (BGBl. I S. 1393); Inkrafttreten gem. Art. 3 dieses G am 1.7.2004. Diese VO wurde erlassen auf Grund von § 13 des Drittelbeteiligungsgesetzes.

[2)] Inhaltsübersicht geänd. mWv 2.9.2015 durch VO v. 26.8.2015 (BGBl. I S. 1443); geänd. mWv 12.8.2021 durch G v. 7.8.2021 (BGBl. I S. 3311).

Wahlergebnis möglichst zwei Wochen vor dem voraussichtlichen Beginn der Amtszeit feststeht.

§ 2 Betriebswahlvorstand, Bildung und Zusammensetzung. (1) [1]Unverzüglich nach der in § 1 bezeichneten Mitteilung wird der Betriebswahlvorstand gebildet. [2]Ihm obliegt die Durchführung der Wahl und die Feststellung des Wahlergebnisses.

(2) [1]Der Betriebswahlvorstand besteht aus drei Mitgliedern. [2]Der Betriebsrat kann die Zahl der Mitglieder erhöhen, wenn dies zur ordnungsgemäßen Durchführung der Wahl erforderlich ist. [3]Der Betriebswahlvorstand muss aus einer ungeraden Zahl von Mitgliedern bestehen. [4]Mitglieder des Betriebswahlvorstands können nur Wahlberechtigte des Betriebs sein. [5]Im Betriebswahlvorstand sollen Frauen und Männer entsprechend ihrem zahlenmäßigen Verhältnis im Betrieb vertreten sein.

(3) Für jedes Mitglied des Betriebswahlvorstands kann für den Fall seiner Verhinderung ein Ersatzmitglied bestellt werden.

(4) [1]Die Mitglieder des Betriebswahlvorstands werden vom Betriebsrat bestellt. [2]Besteht kein Betriebsrat oder kommt der Betriebsrat seiner Verpflichtung zur Bestellung des Betriebswahlvorstands nicht spätestens zwei Wochen nach der in § 1 bezeichneten Mitteilung nach, so wird der Betriebswahlvorstand in einer Betriebsversammlung mit der Mehrheit der abgegebenen Stimmen gewählt. [3]Besteht auch eine nach § 117 Abs. 2 Satz 1 des Betriebsverfassungsgesetzes[1)] durch Tarifvertrag errichtete Vertretung für im Flugbetrieb beschäftigte Arbeitnehmer, so erfolgt die Bestellung gemeinsam mit dieser Vertretung.

(5) Der Betriebswahlvorstand teilt unverzüglich nach seiner Bildung dem Unternehmen schriftlich die Namen seiner Mitglieder und seine Betriebsanschrift mit.

§ 3 Geschäftsführung des Betriebswahlvorstands. (1) [1]Der Betriebswahlvorstand wählt aus seiner Mitte einen Vorsitzenden und mindestens einen Stellvertreter. [2]Der Betriebswahlvorstand kann sich eine schriftliche Geschäftsordnung geben. [3]Er kann Wahlberechtigte als Wahlhelfer zu seiner Unterstützung bei der Durchführung der Stimmabgabe und bei der Stimmenzählung heranziehen.

(2) [1]Der Betriebswahlvorstand fasst seine Beschlüsse mit einfacher Stimmenmehrheit seiner Mitglieder. [2]Über jede Sitzung des Betriebswahlvorstands ist eine Niederschrift aufzunehmen, die mindestens den Wortlaut der Beschlüsse enthält. [3]Die Niederschrift ist vom Vorsitzenden und einem weiteren Mitglied des Betriebswahlvorstands zu unterzeichnen. [4]Dies gilt auch für Bekanntmachungen, Ausschreiben und weitere Niederschriften des Betriebswahlvorstands.

(3) [1]Bekanntmachungen können durch Aushang und durch Einsatz der im Betrieb vorhandenen Informations- und Kommunikationstechnik erfolgen. [2]Der Aushang erfolgt an einer oder mehreren geeigneten, den Wahlberechtigten zugänglichen Stellen im Betrieb. [3]Er ist in gut lesbarem Zustand zu erhalten. [4]Der Einsatz der Informations- und Kommunikationstechnik ist nur zulässig, wenn der Adressatenkreis dieser Bekanntmachungsform von der Be-

[1)] Nr. **570**.

kanntmachung Kenntnis erlangen kann und Vorkehrungen getroffen sind, damit nur der Betriebswahlvorstand Änderungen der Bekanntmachung vornehmen kann.

(4) Das Unternehmen hat den Betriebswahlvorstand bei der Erfüllung seiner Aufgaben zu unterstützen und ihm den erforderlichen Geschäftsbedarf zur Verfügung zu stellen.

(5) Der Betriebswahlvorstand soll dafür sorgen, dass ausländische Arbeitnehmer, die der deutschen Sprache nicht mächtig sind, rechtzeitig und in geeigneter Weise über den Anlass der Wahl sowie das Wahlverfahren unterrichtet werden.

§ 4 Wählerliste. (1) [1]Der Betriebswahlvorstand stellt unverzüglich nach seiner Bildung eine Liste der Wahlberechtigten (Wählerliste) auf. [2]Die Wahlberechtigten sollen in alphabetischer Reihenfolge mit Familienname, Vorname, Geburtsdatum aufgeführt werden. [3]Die Wählerliste kann durch Einsatz der im Betrieb vorhandenen Informations- und Kommunikationstechnik aufgestellt werden, wenn Vorkehrungen getroffen sind, damit nur der Betriebswahlvorstand Änderungen in der Wählerliste vornehmen kann.

(2) Das Unternehmen hat dem Betriebswahlvorstand alle für die Anfertigung der Wählerliste erforderlichen Auskünfte zu erteilen und die erforderlichen Unterlagen zur Verfügung zu stellen.

(3) Der Betriebswahlvorstand berichtigt oder ergänzt die Wählerliste unverzüglich, wenn ein Arbeitnehmer

1. in den Betrieb eintritt oder aus ihm ausscheidet,
2. das 18. Lebensjahr vollendet

oder wenn sich in sonstiger Weise die Voraussetzungen, auf denen eine Eintragung in die Wählerliste beruht, ändern.

(4) [1]Die Einsichtnahme in die Wählerliste, das Gesetz und in diese Verordnung ist unverzüglich bis zum Abschluss der Wahl der Aufsichtsratsmitglieder der Arbeitnehmer zu ermöglichen. [2]Die zur Einsichtnahme bestimmte Wählerliste soll die Geburtsdaten der Wahlberechtigten nicht enthalten. [3]Die Einsichtnahme kann durch Auslegung an geeigneter Stelle im Betrieb und durch Einsatz der im Betrieb vorhandenen Informations- und Kommunikationstechnik ermöglicht werden.

(5) Wahlberechtigt ist nur, wer in der Wählerliste eingetragen ist.

§ 5[1)] Wahlausschreiben, Einleitung der Wahl, Bekanntmachung.

(1) [1]Spätestens sechs Wochen vor dem ersten Tag der Stimmabgabe erlässt der Betriebswahlvorstand ein Wahlausschreiben. [2]Mit Erlass des Wahlausschreibens ist die Wahl eingeleitet.

(2) Das Wahlausschreiben muss folgende Angaben enthalten:

1. das Datum seines Erlasses;
2. wo und wie die Wahlberechtigten in die Wählerliste, das Gesetz und diese Verordnung Einsicht nehmen können;
3. dass nur Arbeitnehmer wählen können, die in der Wählerliste eingetragen sind;

[1)] § 5 Abs. 2 Nr. 6a–6d und Nr. 11a eingef. mWv 12.8.2021 durch G v. 7.8.2021 (BGBl. I S. 3311).

4. dass Einsprüche gegen die Wählerliste (§ 6) nur innerhalb von einer Woche seit dem Erlass des Wahlausschreibens schriftlich beim Betriebswahlvorstand eingelegt werden können; der letzte Tag der Frist ist anzugeben;
5. dass Einsprüche gegen Berichtigung und Ergänzung der Wählerliste nur innerhalb von einer Woche seit der Berichtigung oder der Ergänzung eingelegt werden können;
6. die Zahl der zu wählenden Arbeitnehmervertreter; soweit Arbeitnehmervertreter nach § 4 Abs. 2 des Gesetzes Arbeitnehmer des Unternehmens sein müssen, ist hierauf hinzuweisen;

6a. bei Unternehmen mit Mehrheitsbeteiligung des Bundes im Sinne des § 393a Absatz 1 des Aktiengesetzes[1] oder des § 77a Absatz 1 des Gesetzes betreffend die Gesellschaften mit beschränkter Haftung[2], ob zur Erreichung des Geschlechteranteils nach § 393a Absatz 2 Nummer 2 des Aktiengesetzes[1] oder § 77a Absatz 3 Satz 1 des Gesetzes betreffend die Gesellschaften mit beschränkter Haftung jeweils in Verbindung mit § 96 Absatz 2 Satz 1 des Aktiengesetzes[3] für die Wahl die Gesamterfüllung oder die Getrennterfüllung gilt;

6b. bei Unternehmen mit Mehrheitsbeteiligung des Bundes im Sinne des § 393a Absatz 1 des Aktiengesetzes[1] oder des § 77a Absatz 1 des Gesetzes betreffend die Gesellschaften mit beschränkter Haftung im Fall der Gesamterfüllung die zur Erreichung des Geschlechteranteils nach § 393a Absatz 2 Nummer 2 des Aktiengesetzes[1] oder § 77a Absatz 3 Satz 1 des Gesetzes betreffend die Gesellschaften mit beschränkter Haftung jeweils in Verbindung mit § 96 Absatz 2 Satz 1 und 4 des Aktiengesetzes[3] erforderliche Anzahl an Frauen und Männern im Aufsichtsrat;

6c. bei Unternehmen mit Mehrheitsbeteiligung des Bundes im Sinne des § 393a Absatz 1 des Aktiengesetzes[1] oder des § 77a Absatz 1 des Gesetzes betreffend die Gesellschaften mit beschränkter Haftung im Fall der Getrennterfüllung die zur Erreichung des Geschlechteranteils nach § 4 Absatz 5 des Gesetzes in Verbindung mit § 96 Absatz 2 Satz 4 des Aktiengesetzes[3] erforderliche Anzahl an Frauen und Männern unter den Aufsichtsratsmitgliedern der Arbeitnehmer;

6d. im Fall der Nummer 6c, wenn der Geschlechteranteil nach § 4 Absatz 5 des Gesetzes bei der Wahl nicht erreicht wird, dass § 7a des Gesetzes anzuwenden ist und der Geschlechteranteil im Wege der gerichtlichen Ersatzbestellung nach § 104 des Aktiengesetzes[3] oder der Nachwahl hergestellt wird;

7. dass die in § 105 Abs. 1 des Aktiengesetzes[3] genannten Personen nicht Mitglied des Aufsichtsrats sein können;
8. dass der Betriebsrat und die Arbeitnehmer innerhalb von zwei Wochen seit dem Erlass des Wahlausschreibens Wahlvorschläge einreichen können; der letzte Tag der Frist ist anzugeben;
9. die Mindestzahl von Arbeitnehmern, von denen ein gültiger Wahlvorschlag der Arbeitnehmer unterzeichnet sein muss (§ 6 des Gesetzes);
10. dass in jedem Wahlvorschlag für jeden Bewerber jeweils ein Ersatzmitglied des Aufsichtsrats vorgeschlagen werden kann;

---

[1] ***beck-online*, Module Arbeitsrecht Nr. 567.**
[2] **Habersack Nr. 52.**
[3] Nr. **567**.

11. dass bei Wahl eines Aufsichtsratsmitglieds auch das zusammen mit ihm vorgeschlagene Ersatzmitglied gewählt ist;

11a. bei Unternehmen mit Mehrheitsbeteiligung des Bundes im Sinne des § 393a Absatz 1 des Aktiengesetzes[1)] oder des § 77a Absatz 1 des Gesetzes betreffend die Gesellschaften mit beschränkter Haftung, dass das Nachrücken eines Ersatzmitglieds, dessen Wahl nach dem 31. März 2022 erfolgt ist, ausgeschlossen ist, wenn dadurch der Geschlechteranteil nach § 4 Absatz 5 des Gesetzes nicht mehr eingehalten würde;

12. dass die Stimmabgabe an die Wahlvorschläge gebunden ist und dass nur solche Wahlvorschläge berücksichtigt werden, die fristgerecht (Nummer 8) eingereicht sind;

13. wo und wie die Wahlberechtigten von den Wahlvorschlägen bis zum Abschluss der Stimmabgabe Kenntnis erlangen können;

14. Ort, Tag und Zeit der Stimmabgabe und der öffentlichen Stimmauszählung;

15. den Hinweis auf die Möglichkeit der schriftlichen Stimmabgabe sowie die Betriebsteile und Kleinstbetriebe, für die schriftliche Stimmabgabe nach § 16 Abs. 3 Nr. 1 beschlossen ist und ob die schriftliche Stimmabgabe nach § 16 Abs. 3 Nr. 2 beschlossen worden ist;

16. dass Einsprüche, Wahlvorschläge und sonstige Erklärungen gegenüber dem Betriebswahlvorstand abzugeben sind;

17. die Namen der Mitglieder und die Betriebsanschrift des Betriebswahlvorstands.

(3) Der Betriebswahlvorstand macht das Wahlausschreiben am Tag seines Erlasses bis zum Abschluss der Wahl der Aufsichtsratsmitglieder bekannt (§ 3 Abs. 3).

§ 6 Einspruch gegen die Wählerliste. (1) [1]Einsprüche gegen die Richtigkeit der Wählerliste können innerhalb von einer Woche seit Erlass des Wahlausschreibens schriftlich beim Betriebswahlvorstand eingelegt werden. [2]Einsprüche gegen Berichtigungen und Ergänzungen der Wählerliste können innerhalb von einer Woche seit der Berichtigung oder der Ergänzung eingelegt werden.

(2) [1]Über Einsprüche nach Absatz 1 entscheidet der Betriebswahlvorstand unverzüglich. [2]Ist ein Einspruch begründet, so wird die Wählerliste berichtigt. [3]Der Betriebswahlvorstand teilt die Entscheidung demjenigen, der den Einspruch eingelegt hat, unverzüglich schriftlich mit.

(3) Die Wählerliste kann nach Ablauf der Einspruchsfrist nur bei Schreibfehlern und offenbaren Unrichtigkeiten oder in Erledigung rechtzeitig eingelegter Einsprüche berichtigt werden.

Abschnitt 2. Wahlvorschläge

§ 7 Wahlvorschläge. (1) [1]Die Wahl erfolgt auf Grund von Wahlvorschlägen des Betriebsrats und der Arbeitnehmer. [2]Die Wahlvorschläge sind innerhalb von zwei Wochen seit Erlass des Wahlausschreibens schriftlich beim Betriebswahlvorstand einzureichen.

[1)] **beck-online, Module Arbeitsrecht Nr. 567.**

(2) [1]Jeder Wahlvorschlag soll mindestens doppelt so viele Bewerber aufweisen, wie Aufsichtsratsmitglieder der Arbeitnehmer zu wählen sind. [2]In jedem Wahlvorschlag sind die einzelnen Bewerber unter Angabe von Familienname, Vorname, Geburtsdatum und Art der Beschäftigung aufzuführen. [3]Die schriftliche Zustimmung der Bewerber zur Aufnahme in den Wahlvorschlag und ihre schriftliche Versicherung, dass sie im Fall ihrer Wahl die Wahl annehmen werden, sind beizufügen.

(3) [1]Wenn kein anderer Unterzeichner des Wahlvorschlags ausdrücklich als Vorschlagsvertreter bezeichnet ist, wird der an erster Stelle Unterzeichnete als Vorschlagsvertreter angesehen. [2]Der Vorschlagsvertreter ist berechtigt und verpflichtet, dem Betriebswahlvorstand die zur Beseitigung von Beanstandungen erforderlichen Erklärungen abzugeben sowie Erklärungen und Entscheidungen des Betriebswahlvorstands entgegenzunehmen.

(4) [1]Die Unterschrift eines Wahlberechtigten zählt nur auf einem Wahlvorschlag. [2]Hat ein Wahlberechtigter mehrere Wahlvorschläge unterzeichnet, so hat er auf Aufforderung des Betriebswahlvorstands innerhalb einer angemessenen Frist, spätestens jedoch innerhalb von einer Woche zu erklären, welche Unterschrift er aufrechterhält. [3]Unterbleibt die fristgerechte Erklärung, so wird sein Name auf dem zuerst eingereichten Wahlvorschlag gezählt und auf den übrigen Wahlvorschlägen gestrichen; sind mehrere Wahlvorschläge, die von demselben Wahlberechtigten unterschrieben sind, gleichzeitig eingereicht worden, so entscheidet das Los darüber, auf welchem Wahlvorschlag die Unterschrift gilt.

(5) [1]Ein Bewerber kann nur auf einem Wahlvorschlag vorgeschlagen werden. [2]Ist sein Name mit seiner schriftlichen Zustimmung (Absatz 2 Satz 3) auf mehreren Wahlvorschlägen aufgeführt, so hat er auf Aufforderung des Betriebswahlvorstands innerhalb von einer Woche zu erklären, welche Bewerbung er aufrechterhält. [3]Unterbleibt die fristgerechte Erklärung, so ist der Bewerber auf sämtlichen Wahlvorschlägen zu streichen.

§ 8 Wahlvorschläge für Ersatzmitglieder. (1) Wird zusammen mit einem Bewerber für diesen ein Ersatzmitglied des Aufsichtsrats vorgeschlagen (§ 7 Abs. 1 des Gesetzes), gilt § 7 Abs. 5 entsprechend.

(2) [1]Jedes vorgeschlagene Ersatzmitglied ist in dem Wahlvorschlag unter Angabe von Familienname, Vorname, Geburtsdatum und Art der Beschäftigung neben dem Bewerber aufzuführen, für den es als Ersatzmitglied des Aufsichtsrats vorgeschlagen wird. [2]In dem Wahlvorschlag ist kenntlich zu machen, wer als Mitglied und wer als Ersatzmitglied des Aufsichtsrats vorgeschlagen wird. [3]§ 7 Abs. 2 Satz 3 gilt entsprechend.

§ 9 Bestätigung und Prüfung der Wahlvorschläge. (1) Der Betriebswahlvorstand bestätigt dem Vorschlagsvertreter schriftlich den Zeitpunkt der Einreichung des Wahlvorschlags.

(2) Der Betriebswahlvorstand hat unverzüglich den Wahlvorschlag zu prüfen und bei Ungültigkeit oder Beanstandung den Vorschlagsvertreter schriftlich unter Angabe der Gründe zu unterrichten.

§ 10 *Ungültige Wahlvorschläge.* (1) Ungültig sind Wahlvorschläge,

1. die nicht fristgerecht eingereicht worden sind,

2. die bei der Einreichung nicht die erforderliche Zahl von Unterschriften (§ 6 des Gesetzes) aufweisen.

(2) Wahlvorschläge,

1. in denen die Bewerber nicht in der in § 7 Abs. 2 bestimmten Weise bezeichnet sind,
2. denen die schriftliche Zustimmung der Bewerber zur Aufnahme in den Wahlvorschlag und die Versicherung, die Wahl anzunehmen (§ 7 Abs. 2 Satz 3) nicht beigefügt sind,
3. die infolge von Streichung gemäß § 7 Abs. 5 nicht mehr die erforderliche Zahl von Unterschriften aufweisen,

sind ungültig, wenn der Betriebswahlvorstand sie beanstandet hat und die Mängel nicht innerhalb von einer Woche seit der Beanstandung beseitigt worden sind.

§ 11 Nachfrist für Wahlvorschläge. (1) [1] Ist nach Ablauf der in § 7 Abs. 1 genannten Frist kein gültiger Wahlvorschlag eingereicht, so hat dies der Betriebswahlvorstand sofort in der gleichen Weise bekannt zu machen wie das Wahlausschreiben (§ 5 Abs. 3) und eine Nachfrist von einer Woche für die Einreichung von Wahlvorschlägen zu setzen. [2] In der Bekanntmachung ist darauf hinzuweisen, dass die Wahl nur stattfinden kann, wenn innerhalb der Nachfrist mindestens ein gültiger Wahlvorschlag eingereicht wird.

(2) Wird bis zum Ablauf der Nachfrist kein gültiger Wahlvorschlag eingereicht, so macht der Betriebswahlvorstand unverzüglich bekannt, dass die Wahl nicht stattfindet.

§ 12 Bekanntmachung der Wahlvorschläge. Spätestens eine Woche vor dem ersten Tag der Stimmabgabe macht der Betriebswahlvorstand die gültigen Wahlvorschläge in gleicher Weise bekannt wie das Wahlausschreiben (§ 5 Abs. 3).

Abschnitt 3. Stimmabgabe

§ 13 Stimmabgabe, Stimmzettel. (1) [1] Der Wähler kann seine Stimme nur für Bewerber eines als gültig anerkannten Wahlvorschlags abgeben. [2] Die Stimmabgabe erfolgt durch Abgabe von Stimmzetteln.

(2) [1] Auf den Stimmzetteln sind die Bewerber in alphabetischer Reihenfolge unter Angabe von Familienname, Vorname und Art der Beschäftigung aufzuführen. [2] Das für einen Bewerber vorgeschlagene Ersatzmitglied ist auf den Stimmzetteln neben dem Bewerber aufzuführen; Satz 1 ist entsprechend anzuwenden. [3] Die Stimmzettel sollen die Angabe enthalten, wie viele Bewerber angekreuzt werden können. [4] Die Stimmzettel für die Wahl der Arbeitnehmervertreter müssen sämtlich die gleiche Größe, Farbe, Beschaffenheit und Beschriftung haben. [5] Der Wähler kennzeichnet die von ihm gewählten Bewerber durch Ankreuzen an der hierfür im Stimmzettel vorgesehenen Stelle; er darf nicht mehr Bewerber ankreuzen, als Arbeitnehmervertreter zu wählen sind.

(3) Ungültig sind Stimmzettel,

1. in denen mehr Bewerber angekreuzt sind, als Aufsichtsratsmitglieder zu wählen sind,
2. aus denen sich ein eindeutiger Wille nicht ergibt,
3. die mit einem besonderen Merkmal versehen sind,

4. die andere als die in Absatz 2 bezeichneten Angaben, einen Zusatz oder sonstige Änderungen enthalten.

§ 14 Wahlvorgang. (1) [1]Der Betriebswahlvorstand hat geeignete Vorkehrungen für die unbeobachtete Kennzeichnung der Stimmzettel im Wahlraum zu treffen und für die Bereitstellung einer oder mehrerer Wahlurnen zu sorgen. [2]Die Wahlurne muss vom Betriebswahlvorstand verschlossen und so eingerichtet sein, dass die eingeworfenen Stimmzettel nicht herausgenommen werden können, ohne dass die Urne geöffnet wird.

(2) Während der Wahl müssen mindestens zwei Mitglieder des Betriebswahlvorstands im Wahlraum anwesend sein; sind Wahlhelfer bestellt (§ 3 Abs. 1), so genügt die Anwesenheit eines Mitglieds des Wahlvorstands und eines Wahlhelfers.

(3) [1]Der Wähler kennzeichnet seinen Stimmzettel unbeobachtet und faltet ihn in der Weise, dass seine Stimmabgabe nicht erkennbar ist. [2]Danach gibt der Wähler seinen Namen an und wirft den gefalteten Stimmzettel in die Wahlurne, nachdem die Stimmabgabe in der Wählerliste vermerkt worden ist.

(4) [1]Wer infolge seiner Behinderung bei der Stimmabgabe beeinträchtigt ist, kann eine Person seines Vertrauens bestimmen, die ihm bei der Stimmabgabe behilflich sein soll, und teilt dies dem Betriebswahlvorstand mit. [2]Personen, die sich bei der Wahl bewerben, Mitglieder des Betriebswahlvorstands sowie Wahlhelfer dürfen nicht zur Hilfeleistung herangezogen werden. [3]Die Hilfeleistung beschränkt sich auf die Erfüllung der Wünsche des Wählers zur Stimmabgabe. [4]Die Person des Vertrauens ist zur Geheimhaltung der Kenntnisse verpflichtet, die sie bei der Hilfeleistung zur Stimmabgabe erlangt hat. [5]Die Sätze 1 bis 4 gelten entsprechend für des Lesens unkundige Wähler.

(5) Nach Abschluss der Stimmabgabe ist die Wahlurne zu versiegeln, wenn die Stimmauszählung nicht unmittelbar nach Beendigung der Wahl durchgeführt wird; dies gilt auch, wenn die Stimmabgabe unterbrochen wird.

§ 15[1)] *(aufgehoben)*

Abschnitt 4. Schriftliche Stimmabgabe

§ 16 Voraussetzungen der schriftlichen Stimmabgabe. (1) [1]Einem Wahlberechtigten, der im Zeitpunkt der Wahl wegen Abwesenheit vom Betrieb verhindert ist, seine Stimme persönlich abzugeben, hat der Betriebswahlvorstand auf sein Verlangen

1. das Wahlausschreiben,
2. den Stimmzettel und einen Wahlumschlag,
3. eine vorgedruckte, von dem Wähler abzugebende Erklärung, in der gegenüber dem Betriebswahlvorstand zu versichern ist, dass der Stimmzettel persönlich gekennzeichnet worden ist, sowie
4. einen größeren Freiumschlag, der die Anschrift des Betriebswahlvorstands und als Absender den Namen und die Anschrift des Wahlberechtigten sowie den Vermerk „Schriftliche Stimmabgabe" trägt,

auszuhändigen oder zu übersenden. [2]Der Betriebswahlvorstand soll dem Wahlberechtigten ferner ein Merkblatt über die Art und Weise der schriftlichen

---

1) § 15 aufgeh. mWv 2.9.2015 durch VO v. 26.8.2015 (BGBl. I S. 1443).

Stimmabgabe (§ 17) aushändigen oder übersenden. [3]Der Betriebswahlvorstand vermerkt die Aushändigung oder Übersendung in der Wählerliste.

(2) Wahlberechtigte, von denen dem Betriebswahlvorstand bekannt ist, dass sie im Zeitpunkt der Wahl nach der Eigenart ihres Beschäftigungsverhältnisses voraussichtlich nicht im Betrieb anwesend sein werden (insbesondere im Außendienst, mit Telearbeit und in Heimarbeit Beschäftigte), erhalten die in Absatz 1 bezeichneten Unterlagen, ohne dass es eines Verlangens des Wahlberechtigten bedarf.

(3) [1]Der Betriebswahlvorstand kann die schriftliche Stimmabgabe beschließen

1. für Betriebsteile und Kleinstbetriebe, die räumlich weit vom Hauptbetrieb entfernt sind,
2. für den Betrieb, wenn die Mehrheit der Wahlberechtigten zur schriftlichen Stimmabgabe nach Absatz 2 berechtigt ist und die verbleibende Minderheit nicht mehr als insgesamt 25 Wahlberechtigte ausmacht.

[2]Absatz 2 ist entsprechend anzuwenden.

§ 17 Verfahren bei der schriftlichen Stimmabgabe. (1) Die Stimmabgabe erfolgt in der Weise, dass der Wähler

1. die Stimmzettel unbeobachtet persönlich kennzeichnet und so faltet und in den zugehörigen Wahlumschlägen verschließt, dass die Stimmabgabe erst nach Auseinanderfalten des Stimmzettels erkennbar ist;
2. die vorgedruckte Erklärung unter Angabe des Orts und des Datums unterschreibt und
3. die Wahlumschläge und die unterschriebene vorgedruckte Erklärung in dem Freiumschlag verschließt und diesen Wahlbrief so rechtzeitig an den Betriebswahlvorstand absendet oder übergibt, dass er vor Abschluss der Stimmabgabe vorliegt.

(2) [1]Unmittelbar vor Abschluss der Stimmabgabe öffnet der Betriebswahlvorstand in öffentlicher Sitzung die bis zu diesem Zeitpunkt eingegangenen Wahlbriefe und entnimmt ihnen die Wahlumschläge sowie die vorgedruckten Erklärungen. [2]Ist die schriftliche Stimmabgabe ordnungsgemäß erfolgt, so vermerkt der Betriebswahlvorstand die Stimmabgabe in der Wählerliste, öffnet die Wahlumschläge und legt die Stimmzettel in die Wahlurne.

(3) [1]Verspätet eingehende Wahlbriefe nimmt der Betriebswahlvorstand mit einem Vermerk über den Zeitpunkt des Eingangs ungeöffnet zu den Wahlunterlagen. [2]Die Wahlbriefe sind einen Monat nach Bekanntgabe des Ergebnisses der Wahl der Aufsichtsratsmitglieder der Arbeitnehmer ungeöffnet zu vernichten, wenn die Wahl nicht angefochten worden ist.

Abschnitt 5. Stimmauszählung und Ergebnis

§ 18[1] Öffentliche Stimmauszählung. (1) Unverzüglich nach Abschluss der Stimmabgabe zählt der Betriebswahlvorstand öffentlich die Stimmen aus.

(2) Nach Öffnung der Wahlurne entnimmt der Betriebswahlvorstand die Stimmzettel und zählt die auf jeden Bewerber entfallenden Stimmen zusammen.

[1] § 18 Abs. 4 aufgeh. mWv 2.9.2015 durch VO v. 26.8.2015 (BGBl. I S. 1443).

(3) Bei der Auszählung ist die Gültigkeit der Stimmzettel zu prüfen.

§ 19 Ermittlung der Gewählten. [1]Gewählt sind die Bewerber, die die meisten Stimmen erhalten haben. [2]Muss der zu Wählende Arbeitnehmer des Unternehmens sein (§ 4 des Gesetzes), so sind die Bewerber gewählt, die diese Voraussetzung erfüllen und die meisten Stimmen erhalten haben. [3]Bei Stimmengleichheit entscheidet jeweils das Los.

§ 19a[1)] Ermittlung der Gewählten in Unternehmen mit Mehrheitsbeteiligung des Bundes im Fall der Gesamterfüllung. [1]In Unternehmen mit Mehrheitsbeteiligung des Bundes im Sinne des § 393a Absatz 1 des Aktiengesetzes[2)] oder des § 77a Absatz 1 des Gesetzes betreffend die Gesellschaften mit beschränkter Haftung[3)] sind im Fall der Gesamterfüllung die Bewerber gewählt, die die meisten Stimmen erhalten haben. [2]§ 19 Satz 2 und 3 ist anzuwenden.

§ 19b[4)] Ermittlung der Gewählten in Unternehmen mit Mehrheitsbeteiligung des Bundes im Fall der Getrennterfüllung. (1) In Unternehmen mit Mehrheitsbeteiligung des Bundes im Sinne des § 393a Absatz 1 des Aktiengesetzes[2)] oder des § 77a Absatz 1 des Gesetzes betreffend die Gesellschaften mit beschränkter Haftung[3)] stellt im Fall der Getrennterfüllung der Betriebswahlvorstand nach Auszählung der Stimmen fest, ob bei der Wahl der Geschlechteranteil nach § 4 Absatz 5 des Gesetzes in Verbindung mit § 96 Absatz 2 Satz 4 des Aktiengesetzes[5)] eingehalten wurde.

(2) [1]Wurde der Geschlechteranteil nach § 4 Absatz 5 des Gesetzes in Verbindung mit § 96 Absatz 2 Satz 4 des Aktiengesetzes[5)] bei der Wahl eingehalten, sind die Bewerber gewählt, die die meisten Stimmen erhalten haben. [2]§ 19 Satz 2 und 3 ist anzuwenden.

(3) Wurde der Geschlechteranteil nach § 4 Absatz 5 des Gesetzes in Verbindung mit § 96 Absatz 2 Satz 4 des Aktiengesetzea[5)] bei der Wahl nicht eingehalten, sind nur diejenigen Bewerber gewählt, deren Wahl nicht nach § 7a Absatz 2 Satz 1 des Gesetzes unwirksam ist.

§ 20[6)] Niederschrift des Wahlergebnisses. (1) Nachdem ermittelt ist, wer gewählt ist, stellt der Betriebswahlvorstand in einer Niederschrift fest:

1. die Zahl der insgesamt abgegebenen Stimmen;
2. die Zahl der gültigen Stimmen;
3. die Zahl der ungültigen Stimmen;
4. die Zahlen der auf die einzelnen Bewerber entfallenden Stimmen;
5. die Namen der gewählten Aufsichtsratsmitglieder;
6. die Namen der für die einzelnen Aufsichtsratsmitglieder gewählten Ersatzmitglieder;

---

1) § 19a eingef. mWv 12.8.2021 durch G v. 7.8.2021 (BGBl. I S. 3311).
2) **beck-online, Module Arbeitsrecht Nr. 567.**
3) **Habersack Nr. 52.**
4) § 19b eingef. mWv 12.8.2021 durch G v. 7.8.2021 (BGBl. I S. 3311).
5) *Nr.* **567**.
6) § 20 Nr. 1 aufgeh., bish. Nr. 2–8 werden Nr. 1–7 mWv 2.9.2015 durch VO v. 26.8.2015 (BGBl. I S. 1443); Abs. 2 angef., neuer Abs. 1 geänd. mWv 12.8.2021 durch G v. 7.8.2021 (BGBl. I S. 3311).

7. besondere während der Wahl eingetretene Zwischenfälle oder sonstige Ereignisse.

(2) Der Betriebswahlvorstand stellt bei Unternehmen mit Mehrheitsbeteiligung des Bundes im Sinne des § 393a Absatz 1 des Aktiengesetzes[1] oder des § 77a Absatz 1 des Gesetzes betreffend die Gesellschaften mit beschränkter Haftung[2] im Fall der Getrenntterfüllung in der Niederschrift zusätzlich fest,
1. ob der Geschlechteranteil nach § 4 Absatz 5 des Gesetzes bei der Wahl erreicht wurde;
2. die Anzahl der Sitze, die auf Grund des Nichterreichens des Geschlechteranteils nach § 4 Absatz 5 des Gesetzes nicht besetzt wurden.

§ 21[3] Bekanntmachung des Wahlergebnisses und Benachrichtigung der Gewählten. (1) Der Betriebswahlvorstand macht das Wahlergebnis und die Namen der Gewählten unverzüglich für die Dauer von zwei Wochen bekannt.

(2) Gleichzeitig benachrichtigt der Betriebswahlvorstand die Gewählten schriftlich von ihrer Wahl und übermittelt das Wahlergebnis und die Namen der Gewählten dem Unternehmen.

(3) Wurde bei Unternehmen mit Mehrheitsbeteiligung des Bundes im Sinne des § 393a Absatz 1 des Aktiengesetzes[1] oder des § 77a Absatz 1 des Gesetzes betreffend die Gesellschaften mit beschränkter Haftung[2] im Fall der Getrenntterfüllung der Geschlechteranteil nach § 4 Absatz 5 des Gesetzes bei der Wahl nicht erreicht, informiert der Betriebswahlvorstand die Adressaten der Absätze 1 und 2 zusätzlich
1. über die Anzahl der Sitze, die auf Grund des Nichterreichens des Geschlechteranteils nach § 4 Absatz 5 des Gesetzes nicht besetzt wurden, und
2. darüber, dass diese nicht besetzten Aufsichtsratssitze nach § 7a Absatz 2 des Gesetzes im Wege der gerichtlichen Ersatzbestellung nach § 104 des Aktiengesetzes[4] oder der Nachwahl zu besetzen sind.

§ 22 Aufbewahrung der Wahlakten, Bekanntmachung des Unternehmens. (1) [1]Der Betriebswahlvorstand übergibt die Wahlakten dem Unternehmen. [2]Das Unternehmen bewahrt die Wahlakten mindestens für die Dauer von fünf Jahren auf.

(2) Für die nach § 8 des Gesetzes erforderliche Bekanntmachung im Betrieb gilt § 3 Abs. 3 entsprechend.

Kapitel 2. Wahl durch die Arbeitnehmer mehrerer Betriebe oder mehrerer Unternehmen

§ 23 Allgemeine Vorschriften. Nehmen die Arbeitnehmer mehrerer Betriebe oder mehrerer Unternehmen an der Wahl der Vertreter der Arbeitnehmer im Aufsichtsrat teil, so gelten die Vorschriften des Kapitels 1 entsprechend, soweit sich nicht aus den nachfolgenden Vorschriften Abweichungen ergeben.

---

[1] **beck-online, Module Arbeitsrecht Nr. 567.**
[2] **Habersack Nr. 52.**
[3] § 21 Abs. 3 angef. mWv 12.8.2021 durch G v. 7.8.2021 (BGBl. I S. 3311).
[4] Nr. **567**.

§ 24 Mitteilung des Unternehmens. Die in § 1 bezeichnete Mitteilung erfolgt gegenüber den Betriebsräten.

§ 25 Wahlvorstände. (1) [1]Die Durchführung der Wahl und die Feststellung des Wahlergebnisses obliegen dem zuständigen Wahlvorstand. [2]Zuständiger Wahlvorstand ist bei der Wahl

1. in mehreren Betrieben der Unternehmenswahlvorstand,
2. in mehreren Unternehmen der Hauptwahlvorstand.

(2) In den einzelnen Betrieben wird die Wahl im Auftrag und nach den Richtlinien des nach Absatz 1 zuständigen Wahlvorstands durch Betriebswahlvorstände durchgeführt.

(3) Die Wahlvorstände nach den Absätzen 1 und 2 werden unverzüglich nach der in § 24 bezeichneten Mitteilung gebildet.

(4) Die Wahlvorstände nach den Absätzen 1 und 2 teilen unverzüglich nach ihrer Bildung dem Unternehmen schriftlich ihre Betriebsanschrift und die Namen ihrer Mitglieder mit.

§ 26 Zusammensetzung des Unternehmenswahlvorstands oder des Hauptwahlvorstands. (1) Für die Größe und Zusammensetzung des nach § 25 Abs. 1 zuständigen Wahlvorstands gilt § 2 Abs. 2 und 3 entsprechend.

(2) [1]Die Mitglieder des Unternehmenswahlvorstands werden vom Gesamtbetriebsrat bestellt. [2]Besteht kein Gesamtbetriebsrat oder kommt der Gesamtbetriebsrat seiner Verpflichtung zur Bestellung des Unternehmenswahlvorstands nicht spätestens zwei Wochen nach der in § 24 bezeichneten Mitteilung nach, so werden die Mitglieder des Unternehmenswahlvorstands

1. vom Betriebsrat des nach der Zahl der Wahlberechtigten größten Betriebs, in dem ein Betriebsrat besteht, bestellt oder,
2. falls in keinem Betrieb ein Betriebsrat besteht, in einer Betriebsversammlung des nach der Zahl der Wahlberechtigten größten Betriebs mit der Mehrheit der abgegebenen Stimmen gewählt.

(3) [1]Die Mitglieder des Hauptwahlvorstands werden vom Konzernbetriebsrat bestellt. [2]Besteht kein Konzernbetriebsrat oder kommt der Konzernbetriebsrat seiner Verpflichtung zur Bestellung des Hauptwahlvorstands nicht spätestens zwei Wochen nach der in § 24 bezeichneten Mitteilung nach, so werden die Mitglieder des Hauptwahlvorstands

1. in dem nach der Zahl der Wahlberechtigten größten Unternehmen, dessen Arbeitnehmer an der Wahl teilnehmen und in dem eine Arbeitnehmervertretung nach dem Betriebsverfassungsgesetz[1)] besteht, bestellt; die Bestellung erfolgt durch den Gesamtbetriebsrat oder, wenn ein solcher nicht besteht, durch den Betriebsrat, oder,
2. falls in keinem Unternehmen ein Betriebsrat besteht, in einer Betriebsversammlung des nach der Zahl der Wahlberechtigten größten Betriebs der Unternehmen, deren Arbeitnehmer an der Wahl teilnehmen, mit der Mehrheit der abgegebenen Stimmen gewählt.

[1)] Nr. **570**.

[3] Besteht auch eine nach § 117 Abs. 2 Satz 1 des Betriebsverfassungsgesetzes durch Tarifvertrag errichtete Vertretung für im Flugbetrieb beschäftigte Arbeitnehmer, so erfolgt die Bestellung gemeinsam mit dieser Vertretung.

§ 27 Zusammensetzung und Aufgaben des Betriebswahlvorstands, Fristen. (1) Für die Größe und Zusammensetzung des Betriebswahlvorstands gilt § 2 Abs. 2 bis 5.

(2) Dem Betriebswahlvorstand obliegen im Rahmen seiner Zuständigkeiten nach § 25 Abs. 2 insbesondere die Aufstellung und die Bekanntmachung der Wählerliste (§ 4) sowie die Entscheidung über Einsprüche gegen die Wählerliste (§ 6) und die Bekanntmachung der Wahlvorschläge (§ 12).

(3) Bekanntmachungen erfolgen durch die Betriebswahlvorstände spätestens an dem vom zuständigen Wahlvorstand hierfür festgesetzten Tag.

§ 28 Wahlausschreiben. (1) [1] Spätestens sechs Wochen vor dem ersten Tag der Stimmabgabe erlässt der zuständige Wahlvorstand ein Wahlausschreiben. [2] Mit Erlass des Wahlausschreibens ist die Wahl eingeleitet. [3] § 5 Abs. 2 gilt mit der Maßgabe, dass

1. Wahlvorschläge gegenüber dem zuständigen Wahlvorstand abzugeben sind (Nummer 16) und
2. die Betriebsanschrift des zuständigen Wahlvorstands anzugeben ist (Nummer 17).

(2) [1] Der zuständige Wahlvorstand übersendet das Wahlausschreiben den Betriebswahlvorständen und fordert sie auf, die notwendigen Angaben nach Absatz 3 zu ergänzen. [2] Er teilt ihnen schriftlich den Zeitpunkt mit, von dem ab das Wahlausschreiben in den Betrieben bekannt zu machen ist.

(3) Der Betriebswahlvorstand ergänzt das Wahlausschreiben um die folgenden Angaben:

1. wo und wie die Wahlberechtigten in die Wählerliste, das Gesetz und diese Verordnung Einsicht nehmen können;
2. Ort, Tag und Zeit der Stimmabgabe und der öffentlichen Stimmauszählung;
3. den Hinweis auf die Möglichkeit der schriftlichen Stimmabgabe sowie die Betriebsteile, Kleinstbetriebe und Betriebe, für die schriftliche Stimmabgabe nach § 16 Abs. 3 beschlossen ist;
4. wo und wie die Wahlberechtigten von den Wahlvorschlägen bis zum Abschluss der Stimmabgabe Kenntnis erlangen können;
5. die Namen der Mitglieder und die Betriebsanschrift des Betriebswahlvorstands.

(4) Die Bekanntmachung des Wahlausschreibens erfolgt durch den Betriebswahlvorstand spätestens an dem vom zuständigen Wahlvorstand hierfür festgesetzten Tag bis zum Abschluss der Wahl der Aufsichtsratsmitglieder.

§ 29 Wahlvorschläge. [1] Die Wahlvorschläge der Betriebsräte und der Arbeitnehmer sind innerhalb von zwei Wochen seit Erlass des Wahlausschreibens schriftlich beim zuständigen Wahlvorstand einzureichen, der sie unverzüglich zu prüfen hat. [2] Der zuständige Wahlvorstand übersendet die gültigen Wahlvorschläge den Betriebswahlvorständen und teilt ihnen schriftlich den Zeitpunkt mit, von dem ab sie in den Betrieben bekannt zu machen sind.

§ 30 Schriftliche Stimmabgabe. (1) Der zuständige Wahlvorstand übersendet den Betriebswahlvorständen auf Anforderung die für die in den Betrieben durchzuführende schriftliche Stimmabgabe erforderlichen Unterlagen (§ 16 Abs. 1).

(2) Dem Betriebswahlvorstand obliegt die Durchführung der schriftlichen Stimmabgabe.

§ 31[1] Stimmauszählung, Niederschrift, Bekanntmachung. (1) Die öffentliche Stimmauszählung in den Betrieben obliegt dem Betriebswahlvorstand.

(2) Nachdem die Stimmen ausgezählt sind, erstellt der Betriebswahlvorstand eine Niederschrift (§ 20) und übermittelt diese unverzüglich dem zuständigen Wahlvorstand eingeschrieben, fernschriftlich oder durch Boten.

(3) [1]Der zuständige Wahlvorstand ermittelt anhand der Niederschriften der Betriebswahlvorstände das Wahlergebnis und stellt es in einer Niederschrift fest. [2]§ 20 gilt entsprechend.

(4) [1]Der zuständige Wahlvorstand übermittelt das Wahlergebnis den Betriebswahlvorständen. [2]Diese machen das Wahlergebnis unverzüglich für die Dauer von zwei Wochen bekannt. [3]Gleichzeitig benachrichtigt der zuständige Wahlvorstand die Gewählten schriftlich von ihrer Wahl und übermittelt das Wahlergebnis und die Namen der Gewählten dem Unternehmen.

(4a) Wurde bei Unternehmen mit Mehrheitsbeteiligung des Bundes im Sinne des § 393a Absatz 1 des Aktiengesetzes[2] oder des § 77a Absatz 1 des Gesetzes betreffend die Gesellschaften mit beschränkter Haftung[3] im Fall der Getrennterfüllung der Geschlechteranteil nach § 4 Absatz 5 des Gesetzes bei der Wahl nicht erreicht, informiert der zuständige Wahlvorstand die Adressaten des Absatzes 4 zusätzlich

1. über die Anzahl der Sitze, die auf Grund des Nichterreichens des Geschlechteranteils nach § 4 Absatz 5 des Gesetzes nicht besetzt wurden, und
2. darüber, dass diese nicht besetzten Aufsichtsratssitze nach § 7a Absatz 2 des Gesetzes im Wege der gerichtlichen Ersatzbestellung nach § 104 des Aktiengesetzes[4] oder der Nachwahl zu besetzen sind.

(5) [1]Die Wahlvorstände übergeben ihre Wahlakten dem Unternehmen, in dessen Aufsichtsrat die Aufsichtsratsmitglieder der Arbeitnehmer gewählt worden sind. [2]Das Unternehmen bewahrt die Wahlakten mindestens für die Dauer von fünf Jahren auf.

Teil 2. Abberufung

Kapitel 1. Abberufung durch die Arbeitnehmer eines Betriebs

§ 32 Einleitung des Abberufungsverfahrens. (1) [1]Ein Antrag auf Abberufung eines Aufsichtsratsmitglieds der Arbeitnehmer oder eines Ersatzmitglieds nach § 12 des Gesetzes ist schriftlich beim Betriebsrat einzureichen. [2]Der Antrag eines Betriebsrats erfolgt auf Grund eines Beschlusses.

---

[1] § 31 Abs. 4a eingef. mWv 12.8.2021 durch G v. 7.8.2021 (BGBl. I S. 3311).
[2] **beck-online, *Module Arbeitsrecht* Nr. 567.**
[3] **Habersack Nr. 52.**
[4] Nr. **567**.

(2) Unverzüglich nach Eingang eines Antrags auf Abberufung oder eines entsprechenden Beschlusses eines Betriebsrats wird der Betriebswahlvorstand gebildet, es sei denn, der Antrag entspricht offensichtlich nicht den in § 12 Abs. 1 des Gesetzes bezeichneten Erfordernissen.

(3) [1] Für die Aufgaben, die Bildung, die Zusammensetzung und die Geschäftsführung des Betriebswahlvorstands sind die §§ 2 und 3 entsprechend anzuwenden. [2] Die Mitteilung nach § 2 Abs. 5 muss auch den Inhalt des Antrags auf Abberufung enthalten.

(4) Das Unternehmen hat dem Betriebswahlvorstand die bei der Wahl des Aufsichtsratsmitglieds, dessen Abberufung beantragt wird, entstandenen Wahlakten zu übergeben.

§ 33 Liste der Abstimmungsberechtigten, Bekanntmachung. (1) [1] Der Betriebswahlvorstand erstellt unverzüglich eine Liste der Abstimmungsberechtigten. [2] Abstimmungsberechtigt ist, wer wahlberechtigt ist. [3] Die §§ 4 und 6 gelten entsprechend.

(2) Der Betriebswahlvorstand macht gleichzeitig mit der Ermöglichung der Einsichtnahme in die Wählerliste bis zum Abschluss der Abstimmung die Namen seiner Mitglieder und seine Anschrift bekannt sowie

1. das Datum der Bekanntmachung;
2. wo und wie die Abstimmungsberechtigten in die Wählerliste, das Gesetz und diese Verordnung Einsicht nehmen können;
3. dass Einsprüche gegen die Richtigkeit der Wählerliste nur innerhalb einer Woche seit der Bekanntmachung schriftlich beim Betriebswahlvorstand eingelegt werden können; der letzte Tag der Frist ist anzugeben;
4. dass Einsprüche gegen Berichtigungen und Ergänzungen der Wählerliste nur innerhalb einer Woche seit der Berichtigung oder der Ergänzung eingelegt werden können.

§ 34 Prüfung des Antrags auf Abberufung. (1) Der Betriebswahlvorstand prüft unverzüglich nach Ablauf der in § 33 Abs. 1 Satz 2, § 6 Abs. 1 bezeichneten Fristen die Gültigkeit des Antrags auf Abberufung (§ 12 des Gesetzes).

(2) [1] Ist ein Antrag ungültig, so teilt der Betriebswahlvorstand dies dem Antragsvertreter oder, wenn ein solcher nicht benannt ist, dem an erster Stelle Unterzeichnenden schriftlich mit. [2] Der Betriebswahlvorstand macht die Mitteilung für die Dauer von zwei Wochen bekannt.

§ 35 Abberufungsausschreiben. (1) [1] Ist der Antrag gültig, erlässt der Betriebswahlvorstand unverzüglich ein Abberufungsausschreiben. [2] Mit Erlass des Abberufungsausschreibens ist das Abberufungsverfahren eingeleitet.

(2) Das Abberufungsausschreiben muss folgende Angaben enthalten:

1. das Datum seines Erlasses;
2. den Inhalt des Antrags;
3. die Bezeichnung des Antragstellers;
4. die Zahl der Arbeitnehmer, die den Antrag unterzeichnet haben;
5. dass an der Abstimmung nur teilnehmen kann, wer in der Wählerliste eingetragen ist;
6. dass der Beschluss über die Abberufung einer Mehrheit von drei Vierteln der abgegebenen Stimmen bedarf;

7. Ort, Tag und Zeit der Stimmabgabe und der öffentlichen Stimmauszählung;
8. den Hinweis auf die Möglichkeit der schriftlichen Stimmabgabe sowie die Betriebsteile und Kleinstbetriebe für die schriftliche Stimmabgabe nach § 36 Abs. 2 und § 16 Abs. 3 Nr. 1 beschlossen ist und ob die schriftliche Stimmabgabe nach § 16 Abs. 3 Nr. 2 beschlossen worden ist;
9. dass Einsprüche und sonstige Erklärungen gegenüber dem Betriebswahlvorstand abzugeben sind.

(3) Für die Bekanntmachung des Abberufungsausschreibens gilt § 5 Abs. 3 entsprechend.

§ 36 Stimmzettel, Stimmabgabe. (1) [1] Die Stimmzettel dürfen nur den Antrag und die Frage an den Abstimmungsberechtigten enthalten, ob er für oder gegen den Antrag auf Abberufung stimmt. [2] Gibt der Abstimmungsberechtigte seine Stimme für den Antrag ab, so kreuzt er an der hierfür im Stimmzettel vorgesehenen Stelle das vorgedruckte „Ja", andernfalls das vorgedruckte „Nein" an.

(2) Für die Stimmabgabe gelten im Übrigen § 13 Abs. 3 und die §§ 14 bis 17 entsprechend.

§ 37[1)] Öffentliche Stimmauszählung, Abstimmungsergebnis, Akten.

(1) [1] Unverzüglich nach Abschluss der Stimmabgabe zählt der Betriebswahlvorstand öffentlich die Stimmen aus. [2] § 18 Abs. 2 und 3 gilt entsprechend.

(2) Für die Niederschrift des Betriebswahlvorstands, die Bekanntmachung und die im Zusammenhang mit einem Antrag auf Abberufung entstandenen Akten gelten die §§ 20 bis 22 entsprechend.

Kapitel 2. Abberufung durch die Arbeitnehmer mehrerer Betriebe oder mehrerer Unternehmen

§ 38 Allgemeine Vorschriften. Nehmen die Arbeitnehmer mehrerer Betriebe oder mehrerer Unternehmen an der Abstimmung über die Abberufung eines Arbeitnehmervertreters im Aufsichtsrat teil, so gelten die Vorschriften des Teils 2 Kapitel 1 entsprechend, soweit sich nicht aus den nachfolgenden Vorschriften Abweichungen ergeben.

§ 39 Antrag, Unternehmenswahlvorstand, Hauptwahlvorstand.

(1) [1] Der Antrag auf Abberufung nach § 12 des Gesetzes ist schriftlich einzureichen

1. beim Gesamtbetriebsrat, wenn das Aufsichtsratsmitglied, dessen Abberufung beantragt wird, durch die Arbeitnehmer mehrerer Betriebe gewählt worden ist; besteht kein Gesamtbetriebsrat, ist der Antrag beim Betriebsrat einzureichen;
2. beim Konzernbetriebsrat, wenn das Aufsichtsratsmitglied, dessen Abberufung beantragt wird, durch die Arbeitnehmer mehrerer Unternehmen gewählt worden ist; besteht kein Konzernbetriebsrat, ist der Antrag in dem nach der Zahl der Wahlberechtigten größten Unternehmen, in dem eine Arbeitnehmervertretung nach dem Betriebsverfassungsgesetz[2)] besteht, einzureichen;

[1)] § 37 Abs. 1 Satz 2 geänd. mWv 2.9.2015 durch VO v. 26.8.2015 (BGBl. I S. 1443).
[2)] Nr. **570**.

Adressat des Antrags ist der Gesamtbetriebsrat oder, wenn ein solcher nicht besteht, der Betriebsrat.

[2] § 32 Abs. 1 Satz 2 gilt entsprechend.

(2) [1] Unverzüglich nach Eingang eines Antrags auf Abberufung oder eines entsprechenden Beschlusses eines Betriebsrats wird der nach § 25 Abs. 1 zuständige Wahlvorstand gebildet, es sei denn, der Antrag entspricht offensichtlich nicht den in § 12 Abs. 1 des Gesetzes bezeichneten Erfordernissen. [2] Für die Größe und Zusammensetzung des zuständigen Wahlvorstands gilt § 26.

§ 40 Betriebswahlvorstand. Für die Bildung, Größe, Zusammensetzung und Aufgaben des Betriebswahlvorstands gelten § 25 Abs. 2 und 3 und § 27.

§ 41 Abberufungsausschreiben. Der zuständige Wahlvorstand erlässt unverzüglich ein Abberufungsausschreiben.

Teil 3. Besondere Vorschriften bei Teilnahme von Arbeitnehmern eines Seebetriebs

Kapitel 1. Wahl

§ 42 Allgemeine Vorschriften. Für die Wahl der Aufsichtsratsmitglieder der Arbeitnehmer bei Teilnahme von Arbeitnehmern eines Seebetriebs gelten die Vorschriften des Teils 1 entsprechend, soweit sich nicht aus den nachfolgenden Vorschriften Abweichungen ergeben.

§ 43 Einleitung der Wahl. (1) Die in § 1 bezeichnete Frist wird auf 22 Wochen verlängert.

(2) [1] Für den Seebetrieb wird ein Betriebswahlvorstand nicht gebildet. [2] Der nach § 25 Abs. 1 zuständige Wahlvorstand nimmt im Seebetrieb die sich aus dieser Verordnung ergebenden Aufgaben wahr.

(3) [1] Mitteilungen, die im Seebetrieb bekannt zu machen sind, übersendet der zuständige Wahlvorstand jedem zum Seebetrieb gehörigen Schiff und teilt dabei den Zeitpunkt mit, von dem ab sie auf dem Schiff bekannt zu machen sind. [2] Mitteilungen sind von der Bordvertretung oder, wenn eine solche nicht besteht, vom Kapitän bekannt zu machen. [3] Der erste und der letzte Tag der Bekanntmachung sind auf der Mitteilung zu vermerken.

(4) [1] Der zuständige Wahlvorstand übersendet jedem zum Seebetrieb gehörigen Schiff eine Kopie der Wählerliste des Seebetriebs, das Gesetz und diese Verordnung. [2] Ihre Einsichtnahme ist von der Bordvertretung oder, wenn eine solche nicht besteht, vom Kapitän zu ermöglichen. [3] Die Einsichtnahme kann durch Auslegung an geeigneter, den Wahlberechtigten zugänglicher Stelle an Bord und durch Einsatz der im Betrieb vorhandenen Informations- und Kommunikationsmittel ermöglicht werden. [4] Außerdem übersendet der zuständige Wahlvorstand die Wählerliste des Seebetriebs dem Betriebswahlvorstand des Landbetriebs, der für die Heuerverhältnisse der Arbeitnehmer des Seebetriebs zuständig ist. [5] Dieser Betriebswahlvorstand ermöglicht die Einsichtnahme in die Wählerliste des Seebetriebs in gleicher Weise wie in die in § 4 bezeichnete Wählerliste.

§ 44 Bekanntmachung über die Einreichung von Wahlvorschlägen.

(1) Das Wahlausschreiben muss im Seebetrieb auch folgende Angaben enthalten:

1. dass die Einsichtnahme in die Wählerliste des Seebetriebs, das Gesetz und diese Verordnung an Bord ermöglicht wird;
2. dass die Einsichtnahme in die Wählerliste des Seebetriebs auch in dem Landbetrieb, der für die Heuerverhältnisse der Arbeitnehmer des Seebetriebs zuständig ist, ermöglicht wird;
3. dass die Wahlvorschläge auf jedem Schiff des Seebetriebs von der Bordvertretung oder, wenn eine solche nicht besteht, vom Kapitän bekannt gemacht werden;
4. dass die Arbeitnehmer des Seebetriebs in Briefwahl wählen;
5. den Zeitpunkt, bis zu dem die Wahlbriefe beim zuständigen Wahlvorstand eingehen müssen.

(2) Abweichend von § 6 Abs. 1 kann im Seebetrieb

1. ein Einspruch gegen die Richtigkeit der Wählerliste innerhalb von vier Wochen seit ihrer Versendung an die Schiffe eingelegt werden;
2. ein Einspruch gegen eine Berichtigung oder Ergänzung der Wählerliste innerhalb von vier Wochen seit der Berichtigung oder der Ergänzung eingelegt werden.

(3) Die Frist für die Einreichung von Wahlvorschlägen (§ 7) wird auf fünf Wochen verlängert.

(4) [1] Die Frist für die Bekanntmachung der Wahlvorschläge (§ 12) wird auf drei Wochen verlängert. [2] Ist zu besorgen, dass die in Satz 1 bezeichnete Mindestfrist zwischen dem für die Bekanntmachung der Wahlvorschläge an Bord bestimmten Zeitpunkt und dem Beginn der Stimmabgabe in den Landbetrieben für eine fristgerechte Stimmabgabe der Arbeitnehmer des Seebetriebs nicht ausreicht, so kann der zuständige Wahlvorstand diese Mindestfrist auf höchstens fünf Wochen verlängern. [3] Für die Bekanntmachung der Wahlvorschläge im Seebetrieb gilt § 43 Abs. 3.

(5) Für die Bekanntmachung des Wahlausschreibens im Seebetrieb gilt § 43 Abs. 3.

§ 45 Stimmabgabe. (1) Die Arbeitnehmer des Seebetriebs stimmen bei der Wahl der Aufsichtsratsmitglieder der Arbeitnehmer in Briefwahl ab.

(2) [1] Gleichzeitig mit der Versendung der Wahlvorschläge an die Betriebswahlvorstände (§ 29) übersendet der zuständige Wahlvorstand

1. jedem Schiff die zur Stimmabgabe erforderlichen Unterlagen in einer Anzahl, die die Zahl der Regelbesatzung des Schiffes um mindestens 10 Prozent übersteigt;
2. allen Arbeitnehmern der Seebetriebe, von denen ihm bekannt ist, dass sie sich nicht an Bord eines Schiffes befinden, die zur Stimmabgabe erforderlichen Unterlagen sowie eine Kopie des Wahlausschreibens.

[2] Die Bordvertretung oder, wenn eine solche nicht besteht, der Kapitän hat jedem Besatzungsmitglied die zur Stimmabgabe erforderlichen Unterlagen auszuhändigen. [3] Die Wahlbriefe der Besatzungsmitglieder eines Schiffes sollen möglichst gleichzeitig an den zuständigen Wahlvorstand abgesandt werden.

Kapitel 2. Abberufung

§ 46 Allgemeine Vorschriften. Für die Abberufung der Aufsichtsratsmitglieder der Arbeitnehmer bei Teilnahme von Arbeitnehmern von Seebetrieben gelten die Vorschriften des Teils 2 entsprechend, soweit sich nicht aus den nachfolgenden Vorschriften Abweichungen ergeben.

§ 47 Einleitung des Abberufungsverfahrens. (1) [1] Für den Seebetrieb wird ein Betriebswahlvorstand nicht gebildet. [2] Der zuständige Wahlvorstand nimmt im Seebetrieb die sich aus dieser Verordnung ergebenden Aufgaben des Betriebswahlvorstands wahr.

(2) Für Mitteilungen, die im Seebetrieb bekannt zu machen sind, gilt § 43 Abs. 3.

§ 48 Abberufungsausschreiben für Seebetriebe, Wählerliste. Für das Abberufungsausschreiben nach § 41 und die Wählerliste gilt § 44 Abs. 1, 2 und 5.

§ 49 Stimmabgabe. [1] Die Arbeitnehmer von Seebetrieben stimmen bei der Abberufung von Aufsichtsratsmitgliedern in Briefwahl ab. [2] Für die Stimmabgabe gilt § 45 Abs. 2 entsprechend.

Teil 4.[1] Schlussbestimmung und Übergangsregelung

§ 50 Berechnung der Fristen. Für die Berechnung der in dieser Verordnung festgelegten Fristen finden die §§ 186 bis 193 des Bürgerlichen Gesetzbuchs[2] entsprechende Anwendung.

§ 51[3] Übergangsregelung. Auf Wahlen von Aufsichtsratsmitgliedern der Arbeitnehmer, die bis einschließlich 31. März 2022 abgeschlossen sind, ist diese Verordnung in der bis zum 11. August 2021 geltenden Fassung anzuwenden.

---

[1] Teil 4 Überschrift neu gef. mWv 12.8.2021 durch G v. 7.8.2021 (BGBl. I S. 3311).
[2] Nr. **50**.
[3] § 51 angef. mWv 12.8.2021 durch G v. 7.8.2021 (BGBl. I S. 3311).

567. Aktiengesetz

Vom 6. September 1965

(BGBl. I S. 1089)

FNA 4121-1

zuletzt geänd. durch Art. 23 StandortförderG v. 4.2.2026 (BGBl. 2026 I Nr. 33)

– Auszug –[1]

Erstes Buch. Aktiengesellschaft

Erster Teil. Allgemeine Vorschriften

§ 15 Verbundene Unternehmen. Verbundene Unternehmen sind rechtlich selbständige Unternehmen, die im Verhältnis zueinander in Mehrheitsbesitz stehende Unternehmen und mit Mehrheit beteiligte Unternehmen (§ 16), abhängige und herrschende Unternehmen (§ 17), Konzernunternehmen (§ 18), wechselseitig beteiligte Unternehmen (§ 19) oder Vertragsteile eines Unternehmensvertrags (§§ 291, 292) sind.

§ 16[2] In Mehrheitsbesitz stehende Unternehmen und mit Mehrheit beteiligte Unternehmen. (1) Gehört die Mehrheit der Anteile eines rechtlich selbständigen Unternehmens einem anderen Unternehmen oder steht einem anderen Unternehmen die Mehrheit der Stimmrechte zu (Mehrheitsbeteiligung), so ist das Unternehmen ein in Mehrheitsbesitz stehendes Unternehmen, das andere Unternehmen ein an ihm mit Mehrheit beteiligtes Unternehmen.

(2) [1] Welcher Teil der Anteile einem Unternehmen gehört, bestimmt sich bei Kapitalgesellschaften nach dem Verhältnis des Gesamtnennbetrags der ihm gehörenden Anteile zum Nennkapital, bei Gesellschaften mit Stückaktien nach der Zahl der Aktien. [2] Eigene Anteile sind bei Kapitalgesellschaften vom Nennkapital, bei Gesellschaften mit Stückaktien von der Zahl der Aktien abzusetzen. [3] Eigenen Anteilen des Unternehmens stehen Anteile gleich, die einem anderen für Rechnung des Unternehmens gehören.

(3) [1] Welcher Teil der Stimmrechte einem Unternehmen zusteht, bestimmt sich nach dem Verhältnis der Zahl der Stimmrechte, die es aus den ihm gehörenden Anteilen ausüben kann, zur Gesamtzahl aller Stimmrechte. [2] Von der Gesamtzahl aller Stimmrechte sind die Stimmrechte aus eigenen Anteilen sowie aus Anteilen, die nach Absatz 2 Satz 3 eigenen Anteilen gleichstehen, abzusetzen.

(4) Als Anteile, die einem Unternehmen gehören, gelten auch die Anteile, die einem von ihm abhängigen Unternehmen oder einem anderen für Rechnung des Unternehmens oder eines von diesem abhängigen Unternehmens gehören und, wenn der Inhaber des Unternehmens ein Einzelkaufmann ist, auch die Anteile, die sonstiges Vermögen des Inhabers sind.

---

[1] Vollständig wiedergegeben in **beck-online, Module Arbeitsrecht.**

[2] § 16 Abs. 2 Sätze 1 und 2 geänd. durch G v. 25.3.1998 (BGBl. I S. 590).

§ 17 Abhängige und herrschende Unternehmen. (1) Abhängige Unternehmen sind rechtlich selbständige Unternehmen, auf die ein anderes Unternehmen (herrschendes Unternehmen) unmittelbar oder mittelbar einen beherrschenden Einfluß ausüben kann.

(2) Von einem in Mehrheitsbesitz stehenden Unternehmen wird vermutet, daß es von dem an ihm mit Mehrheit beteiligten Unternehmen abhängig ist.

§ 18 Konzern und Konzernunternehmen. (1) [1] Sind ein herrschendes und ein oder mehrere abhängige Unternehmen unter der einheitlichen Leitung des herrschenden Unternehmens zusammengefaßt, so bilden sie einen Konzern; die einzelnen Unternehmen sind Konzernunternehmen. [2] Unternehmen, zwischen denen ein Beherrschungsvertrag (§ 291) besteht oder von denen das eine in das andere eingegliedert ist (§ 319), sind als unter einheitlicher Leitung zusammengefaßt anzusehen. [3] Von einem abhängigen Unternehmen wird vermutet, daß es mit dem herrschenden Unternehmen einen Konzern bildet.

(2) Sind rechtlich selbständige Unternehmen, ohne daß das eine Unternehmen von dem anderen abhängig ist, unter einheitlicher Leitung zusammengefaßt, so bilden sie auch einen Konzern; die einzelnen Unternehmen sind Konzernunternehmen.

§ 19[1)] Wechselseitig beteiligte Unternehmen. (1) [1] Wechselseitig beteiligte Unternehmen sind Unternehmen mit Sitz im Inland in der Rechtsform einer Kapitalgesellschaft, die dadurch verbunden sind, daß jedem Unternehmen mehr als der vierte Teil der Anteile des anderen Unternehmens gehört. [2] Für die Feststellung, ob einem Unternehmen mehr als der vierte Teil der Anteile des anderen Unternehmens gehört, gilt § 16 Abs. 2 Satz 1, Abs. 4.

(2) Gehört einem wechselseitig beteiligten Unternehmen an dem anderen Unternehmen eine Mehrheitsbeteiligung oder kann das eine auf das andere Unternehmen unmittelbar oder mittelbar einen beherrschenden Einfluß ausüben, so ist das eine als herrschendes, das andere als abhängiges Unternehmen anzusehen.

(3) Gehört jedem der wechselseitig beteiligten Unternehmen an dem anderen Unternehmen eine Mehrheitsbeteiligung oder kann jedes auf das andere unmittelbar oder mittelbar einen beherrschenden Einfluß ausüben, so gelten beide Unternehmen als herrschend und als abhängig.

(4) § 328 ist auf Unternehmen, die nach Absatz 2 oder 3 herrschende oder abhängige Unternehmen sind, nicht anzuwenden.

Zweiter Teil. Gründung der Gesellschaft

§ 30[2)] Bestellung des Aufsichtsrats, des Vorstands und des Abschlußprüfers. (1) [1] Die Gründer haben den ersten Aufsichtsrat der Gesellschaft und den Abschlußprüfer für das erste Voll- oder Rumpfgeschäftsjahr zu bestellen. [2] Die Bestellung bedarf notarieller Beurkundung.

(2) Auf die Zusammensetzung und die Bestellung des ersten Aufsichtsrats sind die Vorschriften über die Bestellung von Aufsichtsratsmitgliedern der Arbeitnehmer nicht anzuwenden.

[1)] § 19 Abs. 1 Satz 1 geänd. durch G v. 25.3.1998 (BGBl. I S. 590).

[2)] § 30 Überschrift und Abs. 1 Satz 1 geänd. durch G v. 19.12.1985 (BGBl. I S. 2355); Abs. 1 Satz 2 geänd. durch G v. 28.8.1969 (BGBl. I S. 1513).

(3) [1]Die Mitglieder des ersten Aufsichtsrats können nicht für längere Zeit als bis zur Beendigung der Hauptversammlung bestellt werden, die über die Entlastung für das erste Voll- oder Rumpfgeschäftsjahr beschließt. [2]Der Vorstand hat rechtzeitig vor Ablauf der Amtszeit des ersten Aufsichtsrats bekanntzumachen, nach welchen gesetzlichen Vorschriften der nächste Aufsichtsrat nach seiner Ansicht zusammenzusetzen ist; §§ 96 bis 99 sind anzuwenden.

(4) Der Aufsichtsrat bestellt den ersten Vorstand.

§ 31[1)] Bestellung des Aufsichtsrats bei Sachgründung. (1) [1]Ist in der Satzung als Gegenstand einer Sacheinlage oder Sachübernahme die Einbringung oder Übernahme eines Unternehmens oder eines Teils eines Unternehmens festgesetzt worden, so haben die Gründer nur so viele Aufsichtsratsmitglieder zu bestellen, wie nach den gesetzlichen Vorschriften, die nach ihrer Ansicht nach der Einbringung oder Übernahme für die Zusammensetzung des Aufsichtsrats maßgebend sind, von der Hauptversammlung ohne Bindung an Wahlvorschläge zu wählen sind. [2]Sie haben jedoch, wenn dies nur zwei Aufsichtsratsmitglieder sind, drei Aufsichtsratsmitglieder zu bestellen.

(2) Der nach Absatz 1 Satz 1 bestellte Aufsichtsrat ist, soweit die Satzung nichts anderes bestimmt, beschlußfähig, wenn die Hälfte, mindestens jedoch drei seiner Mitglieder an der Beschlußfassung teilnehmen.

(3) [1]Unverzüglich nach der Einbringung oder Übernahme des Unternehmens oder des Unternehmensteils hat der Vorstand bekanntzumachen, nach welchen gesetzlichen Vorschriften nach seiner Ansicht der Aufsichtsrat zusammengesetzt sein muß. [2]§§ 97 bis 99 gelten sinngemäß. [3]Das Amt der bisherigen Aufsichtsratsmitglieder erlischt nur, wenn der Aufsichtsrat nach anderen als den von den Gründern für maßgebend gehaltenen Vorschriften zusammenzusetzen ist oder wenn die Gründer drei Aufsichtsratsmitglieder bestellt haben, der Aufsichtsrat aber auch aus Aufsichtsratsmitgliedern der Arbeitnehmer zu bestehen hat.

(4) Absatz 3 gilt nicht, wenn das Unternehmen oder der Unternehmensteil erst nach der Bekanntmachung des Vorstands nach § 30 Abs. 3 Satz 2 eingebracht oder übernommen wird.

(5) § 30 Abs. 3 Satz 1 gilt nicht für die nach Absatz 3 bestellten Aufsichtsratsmitglieder der Arbeitnehmer.

Vierter Teil. Verfassung der Aktiengesellschaft

Erster Abschnitt. Vorstand

§ 76[2)] Leitung der Aktiengesellschaft. (1) Der Vorstand hat unter eigener Verantwortung die Gesellschaft zu leiten.

[1)] § 31 Abs. 5 neu gef. durch G v. 2.8.1994 (BGBl. I S. 1961).

[2)] § 76 Abs. 3 Sätze 2 und 3 angef. durch G v. 4.7.1980 (BGBl. I S. 836); Abs. 3 Satz 2 eingef., bish. Sätze 2 und 3 werden Sätze 3 und 4 durch G v. 12.9.1990 (BGBl. I S. 2002); Abs. 2 Satz 2 geänd. durch G v. 9.6.1998 (BGBl. I S. 1242); Abs. 3 Sätze 2 und 3 neu gef., Satz 4 aufgeh. mWv 1.11.2008 durch G v. 23.10.2008 (BGBl. I S. 2026); Abs. 4 angef. mWv 1.5.2015 durch G v. 24.4.2015 (BGBl. I S. 642); Abs. 3 Satz 2 Nr. 1 geänd. mWv 1.1.2023 durch G v. 4.5.2021 (BGBl. I S. 882); Abs. 3a, Abs. 4 Sätze 2–4 eingef., bish. Sätze 2–4 werden Sätze 5–7 mWv 12.8.2021 durch G v. 7.8.2021 (BGBl. I S. 3311); Abs. 3 Satz 3 eingef., bish. Satz 3 wird Satz 4 mWv 1.8.2022 durch G v. 5.7.2021 (BGBl. I S. 3338); Abs. 3 Satz 2 Nr. 3 Buchst. d geänd. mWv 1.3.2023 durch G v. 22.2.2023 (BGBl. I Nr. 51).

(2) [1]Der Vorstand kann aus einer oder mehreren Personen bestehen. [2]Bei Gesellschaften mit einem Grundkapital von mehr als drei Millionen Euro hat er aus mindestens zwei Personen zu bestehen, es sei denn, die Satzung bestimmt, daß er aus einer Person besteht. [3]Die Vorschriften über die Bestellung eines Arbeitsdirektors bleiben unberührt.[1)]

(3) [1]Mitglied des Vorstands kann nur eine natürliche, unbeschränkt geschäftsfähige Person sein. [2]Mitglied des Vorstands kann nicht sein, wer

1. als Betreuter bei der Besorgung seiner Vermögensangelegenheiten ganz oder teilweise einem Einwilligungsvorbehalt (§ 1825 des Bürgerlichen Gesetzbuchs[2)]) unterliegt,
2. aufgrund eines gerichtlichen Urteils oder einer vollziehbaren Entscheidung einer Verwaltungsbehörde einen Beruf, einen Berufszweig, ein Gewerbe oder einen Gewerbezweig nicht ausüben darf, sofern der Unternehmensgegenstand ganz oder teilweise mit dem Gegenstand des Verbots übereinstimmt,
3. wegen einer oder mehrerer vorsätzlich begangener Straftaten
   a) des Unterlassens der Stellung des Antrags auf Eröffnung des Insolvenzverfahrens (Insolvenzverschleppung),
   b) nach den §§ 283 bis 283d des Strafgesetzbuchs[3)] (Insolvenzstraftaten),
   c) der falschen Angaben nach § 399 dieses Gesetzes oder § 82 des Gesetzes betreffend die Gesellschaften mit beschränkter Haftung[4)],
   d) der unrichtigen Darstellung nach § 400 dieses Gesetzes, § 331 des Handelsgesetzbuchs[5)], § 346 des Umwandlungsgesetzes[6)] oder § 17 des Publizitätsgesetzes[7)],
   e) nach den §§ 263 bis 264a oder den §§ 265b bis 266a des Strafgesetzbuchs zu einer Freiheitsstrafe von mindestens einem Jahr

   verurteilt worden ist; dieser Ausschluss gilt für die Dauer von fünf Jahren seit der Rechtskraft des Urteils, wobei die Zeit nicht eingerechnet wird, in welcher der Täter auf behördliche Anordnung in einer Anstalt verwahrt worden ist.

[3]Satz 2 Nummer 2 gilt entsprechend, wenn die Person in einem anderen Mitgliedstaat der Europäischen Union oder einem anderen Vertragsstaat des Abkommens über den Europäischen Wirtschaftsraum einem vergleichbaren Verbot unterliegt. [4]Satz 2 Nr. 3 gilt entsprechend bei einer Verurteilung im Ausland wegen einer Tat, die mit den in Satz 2 Nr. 3 genannten Taten vergleichbar ist.

[1)] Siehe das
– G über die Mitbestimmung der Arbeitnehmer (MitbestimmungsG – MitbestG) (Nr. **560**)
– G über die Mitbestimmung der Arbeitnehmer in den Aufsichtsräten und Vorständen der Unternehmen des Bergbaus und der Eisen und Stahl erzeugenden Industrie (sog. Montan-MitbestimmungsG) (Nr. **561**)
– G zur Ergänzung des Gesetzes über die Mitbestimmung der Arbeitnehmer in den Aufsichtsräten und Vorständen der Unternehmen des Bergbaus und der Eisen und Stahl erzeugenden Industrie (sog. Montan-MitbestimmungsergänzungsG) (Nr. **562**)

[2)] **beck-online, Module Arbeitsrecht Nr. 50.**

[3)] **Habersack Nr. 85.**

[4)] **Habersack Nr. 52.**

[5)] ***beck-online, Module Arbeitsrecht Nr. 105.***

[6)] **beck-online, Module Arbeitsrecht Nr. 630.**

[7)] **Habersack Nr. 52b.**

(3a) [1]Besteht der Vorstand bei börsennotierten Gesellschaften, für die das Mitbestimmungsgesetz[1)], das Gesetz über die Mitbestimmung der Arbeitnehmer in den Aufsichtsräten und Vorständen der Unternehmen des Bergbaus und der Eisen und Stahl erzeugenden Industrie[2)] in der im Bundesgesetzblatt Teil III, Gliederungsnummer 801-2, veröffentlichten bereinigten Fassung – Montan-Mitbestimmungsgesetz – oder das Gesetz zur Ergänzung des Gesetzes über die Mitbestimmung der Arbeitnehmer in den Aufsichtsräten und Vorständen der Unternehmen des Bergbaus und der Eisen und Stahl erzeugenden Industrie[3)] in der im Bundesgesetzblatt Teil III, Gliederungsnummer 801-3, veröffentlichten bereinigten Fassung – Mitbestimmungsergänzungsgesetz – gilt, aus mehr als drei Personen, so muss mindestens eine Frau und mindestens ein Mann Mitglied des Vorstands sein. [2]Eine Bestellung eines Vorstandsmitglieds unter Verstoß gegen dieses Beteiligungsgebot ist nichtig.

(4) [1]Der Vorstand von Gesellschaften, die börsennotiert sind oder der Mitbestimmung unterliegen, legt für den Frauenanteil in den beiden Führungsebenen unterhalb des Vorstands Zielgrößen fest. [2]Die Zielgrößen müssen den angestrebten Frauenanteil an der jeweiligen Führungsebene beschreiben und bei Angaben in Prozent vollen Personenzahlen entsprechen. [3]Legt der Vorstand für den Frauenanteil auf einer der Führungsebenen die Zielgröße Null fest, so hat er diesen Beschluss klar und verständlich zu begründen. [4]Die Begründung muss ausführlich die Erwägungen darlegen, die der Entscheidung zugrunde liegen. [5]Liegt der Frauenanteil bei Festlegung der Zielgrößen unter 30 Prozent, so dürfen die Zielgrößen den jeweils erreichten Anteil nicht mehr unterschreiten. [6]Gleichzeitig sind Fristen zur Erreichung der Zielgrößen festzulegen. [7]Die Fristen dürfen jeweils nicht länger als fünf Jahre sein.

§ 84[4)] Bestellung und Abberufung des Vorstands. (1) [1]Vorstandsmitglieder bestellt der Aufsichtsrat auf höchstens fünf Jahre. [2]Eine wiederholte Bestellung oder Verlängerung der Amtszeit, jeweils für höchstens fünf Jahre, ist zulässig. [3]Sie bedarf eines erneuten Aufsichtsratsbeschlusses, der frühestens ein Jahr vor Ablauf der bisherigen Amtszeit gefaßt werden kann. [4]Nur bei einer Bestellung auf weniger als fünf Jahre kann eine Verlängerung der Amtszeit ohne neuen Aufsichtsratsbeschluß vorgesehen werden, sofern dadurch die gesamte Amtszeit nicht mehr als fünf Jahre beträgt. [5]Dies gilt sinngemäß für den Anstellungsvertrag; er kann jedoch vorsehen, daß er für den Fall einer Verlängerung der Amtszeit bis zu deren Ablauf weitergilt.

(2) Werden mehrere Personen zu Vorstandsmitgliedern bestellt, so kann der Aufsichtsrat ein Mitglied zum Vorsitzenden des Vorstands ernennen.

(3) [1]Ein Mitglied eines Vorstands, der aus mehreren Personen besteht, hat das Recht, den Aufsichtsrat um den Widerruf seiner Bestellung zu ersuchen, wenn es wegen Mutterschutz, Elternzeit, der Pflege eines Familienangehörigen oder Krankheit seinen mit der Bestellung verbundenen Pflichten vorübergehend nicht nachkommen kann. [2]Macht ein Vorstandsmitglied von diesem Recht Gebrauch, muss der Aufsichtsrat die Bestellung dieses Vorstandsmitglieds

---

[1)] Nr. **560**.
[2)] Nr. **561**.
[3)] Nr. **562**.
[4)] § 84 Abs. 4 geänd. durch G v. 4.5.1976 (BGBl. I S. 1153); Abs. 4 geänd. mWv 1.5.2015 durch G v. 24.4.2015 (BGBl. I S. 642); Abs. 3 eingef., bish. Abs. 3 wird Abs. 4, bish. Abs. 4 wird Abs. 5 und geänd. mWv 12.8.2021 durch G v. 7.8.2021 (BGBl. I S. 3311).

1. im Fall des Mutterschutzes widerrufen und dabei die Wiederbestellung nach Ablauf des Zeitraums der in § 3 Absatz 1 und 2 des Mutterschutzgesetzes[1] genannten Schutzfristen zusichern,
2. in den Fällen der Elternzeit, der Pflege eines Familienangehörigen oder der Krankheit widerrufen und dabei die Wiederbestellung nach einem Zeitraum von bis zu drei Monaten entsprechend dem Verlangen des Vorstandsmitglieds zusichern; der Aufsichtsrat kann von dem Widerruf der Bestellung absehen, wenn ein wichtiger Grund vorliegt.

[3] In den in Satz 2 Nummer 2 genannten Fällen kann der Aufsichtsrat die Bestellung des Vorstandsmitglieds auf dessen Verlangen mit Zusicherung der Wiederbestellung nach einem Zeitraum von bis zu zwölf Monaten widerrufen. [4] Das vorgesehene Ende der vorherigen Amtszeit bleibt auch als Ende der Amtszeit nach der Wiederbestellung bestehen. [5] Im Übrigen bleiben die Regelungen des Absatzes 1 unberührt. [6] Die Vorgabe des § 76 Absatz 2 Satz 2, dass der Vorstand aus mindestens zwei Personen zu bestehen hat, gilt während des Zeitraums nach den Sätzen 2 oder 3 auch dann als erfüllt, wenn diese Vorgabe ohne den Widerruf eingehalten wäre. [7] Ein Unterschreiten der in der Satzung festgelegten Mindestzahl an Vorstandsmitgliedern ist während des Zeitraums nach den Sätzen 2 oder 3 unbeachtlich. [8] § 76 Absatz 3a und § 393a Absatz 2 Nummer 1 finden auf Bestellungen während des Zeitraums nach den Sätzen 2 oder 3 keine Anwendung, wenn das Beteiligungsgebot ohne den Widerruf eingehalten wäre. [9] § 88 ist während des Zeitraums nach den Sätzen 2 oder 3 entsprechend anzuwenden.

(4) [1] Der Aufsichtsrat kann die Bestellung zum Vorstandsmitglied und die Ernennung zum Vorsitzenden des Vorstands widerrufen, wenn ein wichtiger Grund vorliegt. [2] Ein solcher Grund ist namentlich grobe Pflichtverletzung, Unfähigkeit zur ordnungsmäßigen Geschäftsführung oder Vertrauensentzug durch die Hauptversammlung, es sei denn, daß das Vertrauen aus offenbar unsachlichen Gründen entzogen worden ist. [3] Dies gilt auch für den vom ersten Aufsichtsrat bestellten Vorstand. [4] Der Widerruf ist wirksam, bis seine Unwirksamkeit rechtskräftig festgestellt ist. [5] Für die Ansprüche aus dem Anstellungsvertrag gelten die allgemeinen Vorschriften.

(5) Die Vorschriften des Montan-Mitbestimmungsgesetzes[2] über die besonderen Mehrheitserfordernisse für einen Aufsichtsratsbeschluß über die Bestellung eines Arbeitsdirektors oder den Widerruf seiner Bestellung bleiben unberührt.

§ 90[3] Berichte an den Aufsichtsrat. (1) [1] Der Vorstand hat dem Aufsichtsrat zu berichten über

1. die beabsichtigte Geschäftspolitik und andere grundsätzliche Fragen der Unternehmensplanung (insbesondere die Finanz-, Investitions- und Personalplanung), wobei auf Abweichungen der tatsächlichen Entwicklung von früher berichteten Zielen unter Angabe von Gründen einzugehen ist;

---

[1] Nr. **400**.

[2] Nr. **561**.

[3] § 90 Abs. 1 Nr. 1 neu gef. durch G v. 27.4.1998 (BGBl. I S. 786); Abs. 1 Satz 1 Nr. 1, Abs. 3 *Satz 2, Abs. 5 Satz 2 geänd., Abs. 1 Satz 2 eingef.*, bish. Satz 2 wird Satz 3, Abs. 4 Satz 2 angef. mWv 26.7.2002 durch G v. 19.7.2002 (BGBl. I S. 2681); Abs. 5 Satz 3 geänd. mWv 31.12.2015 durch G v. 22.12.2015 (BGBl. I S. 2565).

2. die Rentabilität der Gesellschaft, insbesondere die Rentabilität des Eigenkapitals;
3. den Gang der Geschäfte, insbesondere den Umsatz, und die Lage der Gesellschaft;
4. Geschäfte, die für die Rentabilität oder Liquidität der Gesellschaft von erheblicher Bedeutung sein können.

[2] Ist die Gesellschaft Mutterunternehmen (§ 290 Abs. 1, 2 des Handelsgesetzbuchs[1)]), so hat der Bericht auch auf Tochterunternehmen und auf Gemeinschaftsunternehmen (§ 310 Abs. 1 des Handelsgesetzbuchs) einzugehen. [3] Außerdem ist dem Vorsitzenden des Aufsichtsrats aus sonstigen wichtigen Anlässen zu berichten; als wichtiger Anlaß ist auch ein dem Vorstand bekanntgewordener geschäftlicher Vorgang bei einem verbundenen Unternehmen anzusehen, der auf die Lage der Gesellschaft von erheblichem Einfluß sein kann.

(2) Die Berichte nach Absatz 1 Satz 1 Nr. 1 bis 4 sind wie folgt zu erstatten:

1. die Berichte nach Nummer 1 mindestens einmal jährlich, wenn nicht Änderungen der Lage oder neue Fragen eine unverzügliche Berichterstattung gebieten;
2. die Berichte nach Nummer 2 in der Sitzung des Aufsichtsrats, in der über den Jahresabschluß verhandelt wird;
3. die Berichte nach Nummer 3 regelmäßig, mindestens vierteljährlich;
4. die Berichte nach Nummer 4 möglichst so rechtzeitig, daß der Aufsichtsrat vor Vornahme der Geschäfte Gelegenheit hat, zu ihnen Stellung zu nehmen.

(3) [1] Der Aufsichtsrat kann vom Vorstand jederzeit einen Bericht verlangen über Angelegenheiten der Gesellschaft, über ihre rechtlichen und geschäftlichen Beziehungen zu verbundenen Unternehmen sowie über geschäftliche Vorgänge bei diesen Unternehmen, die auf die Lage der Gesellschaft von erheblichem Einfluß sein können. [2] Auch ein einzelnes Mitglied kann einen Bericht, jedoch nur an den Aufsichtsrat, verlangen.

(4) [1] Die Berichte haben den Grundsätzen einer gewissenhaften und getreuen Rechenschaft zu entsprechen. [2] Sie sind möglichst rechtzeitig und, mit Ausnahme des Berichts nach Absatz 1 Satz 3, in der Regel in Textform zu erstatten.

(5) [1] Jedes Aufsichtsratsmitglied hat das Recht, von den Berichten Kenntnis zu nehmen. [2] Soweit die Berichte in Textform erstattet worden sind, sind sie auch jedem Aufsichtsratsmitglied auf Verlangen zu übermitteln, soweit der Aufsichtsrat nichts anderes beschlossen hat. [3] Der Vorsitzende des Aufsichtsrats hat die Aufsichtsratsmitglieder über die Berichte nach Absatz 1 Satz 3 spätestens in der nächsten Aufsichtsratssitzung zu unterrichten.

[1)] **beck-online, Module Arbeitsrecht Nr. 105.**

§ 93[1] Sorgfaltspflicht und Verantwortlichkeit der Vorstandsmitglieder. (1) [1] Die Vorstandsmitglieder haben bei ihrer Geschäftsführung die Sorgfalt eines ordentlichen und gewissenhaften Geschäftsleiters anzuwenden. [2] Eine Pflichtverletzung liegt nicht vor, wenn das Vorstandsmitglied bei einer unternehmerischen Entscheidung vernünftigerweise annehmen durfte, auf der Grundlage angemessener Information zum Wohle der Gesellschaft zu handeln. [3] Über vertrauliche Angaben und Geheimnisse der Gesellschaft, namentlich Betriebs- oder Geschäftsgeheimnisse, die den Vorstandsmitgliedern durch ihre Tätigkeit im Vorstand bekanntgeworden sind, haben sie Stillschweigen zu bewahren.

(2) [1] Vorstandsmitglieder, die ihre Pflichten verletzen, sind der Gesellschaft zum Ersatz des daraus entstehenden Schadens als Gesamtschuldner verpflichtet. [2] Ist streitig, ob sie die Sorgfalt eines ordentlichen und gewissenhaften Geschäftsleiters angewandt haben, so trifft sie die Beweislast. [3] Schließt die Gesellschaft eine Versicherung zur Absicherung eines Vorstandsmitglieds gegen Risiken aus dessen beruflicher Tätigkeit für die Gesellschaft ab, ist ein Selbstbehalt von mindestens 10 Prozent des Schadens bis mindestens zur Höhe des Eineinhalbfachen der festen jährlichen Vergütung des Vorstandsmitglieds vorzusehen.

(3) Die Vorstandsmitglieder sind namentlich zum Ersatz verpflichtet, wenn entgegen diesem Gesetz

1. Einlagen an die Aktionäre zurückgewährt werden,
2. den Aktionären Zinsen oder Gewinnanteile gezahlt werden,
3. eigene Aktien der Gesellschaft oder einer anderen Gesellschaft gezeichnet, erworben, als Pfand genommen oder eingezogen werden,
4. Aktien vor der vollen Leistung des Ausgabebetrags ausgegeben werden,
5. Gesellschaftsvermögen verteilt wird,
6. *(aufgehoben)*
7. Vergütungen an Aufsichtsratsmitglieder gewährt werden,
8. Kredit gewährt wird,
9. bei der bedingten Kapitalerhöhung außerhalb des festgesetzten Zwecks oder vor der vollen Leistung des Gegenwerts Bezugsaktien ausgegeben werden.

(4) [1] Der Gesellschaft gegenüber tritt die Ersatzpflicht nicht ein, wenn die Handlung auf einem gesetzmäßigen Beschluß der Hauptversammlung beruht. [2] Dadurch, daß der Aufsichtsrat die Handlung gebilligt hat, wird die Ersatzpflicht nicht ausgeschlossen. [3] Die Gesellschaft kann erst drei Jahre nach der Entstehung des Anspruchs und nur dann auf Ersatzansprüche verzichten oder sich über sie vergleichen, wenn die Hauptversammlung zustimmt und nicht eine Minderheit, deren Anteile zusammen den zehnten Teil des Grundkapitals erreichen, zur Niederschrift Widerspruch erhebt. [4] Die zeitliche Beschränkung

---

[1] § 93 Abs. 3 Nr. 4 geänd. durch G v. 25.3.1998 (BGBl. I S. 590); Abs. 4 Satz 4 und Abs. 5 Satz 4 neu gef. durch G v. 5.10.1994 (BGBl. I S. 2911); Abs. 1 Satz 3 angef. mWv 21.12.2004 durch G v. 15.12.2004 (BGBl. I S. 3408); Abs. 1 Satz 2 eingef., bish. Sätze 2 und 3 werden Sätze 3 und 4, neuer Satz 3 geänd. mWv 1.11.2005 durch G v. 22.9.2005 (BGBl. I S. 2802); Abs. 1 Satz 4 geänd. mWv 1.1.2007 durch G v. 10.11.2006 (BGBl. I S. 2553); Abs. 3 Nr. 6 neu gef. mWv 1.11.2008 durch G v. 23.10.2008 (BGBl. I S. 2026); Abs. 2 Satz 3 angef. mWv 5.8.2009 durch G v. 31.7.2009 (BGBl. I S. 2509); *Abs. 6 neu gef. mWv 15.12.2010* durch G v. 9.12.2010 (BGBl. I S. 1900); Abs. 3 Nr. 6 aufgeh. mWv 1.1.2021 durch G v. 22.12.2020 (BGBl. I S. 3256); Abs. 1 Satz 4 aufgeh. mWv 1.1.2022 durch G v. 3.6.2021 (BGBl. I S. 1534).

gilt nicht, wenn der Ersatzpflichtige zahlungsunfähig ist und sich zur Abwendung des Insolvenzverfahrens mit seinen Gläubigern vergleicht oder wenn die Ersatzpflicht in einem Insolvenzplan geregelt wird.

(5) [1] Der Ersatzanspruch der Gesellschaft kann auch von den Gläubigern der Gesellschaft geltend gemacht werden, soweit sie von dieser keine Befriedigung erlangen können. [2] Dies gilt jedoch in anderen Fällen als denen des Absatzes 3 nur dann, wenn die Vorstandsmitglieder die Sorgfalt eines ordentlichen und gewissenhaften Geschäftsleiters gröblich verletzt haben; Absatz 2 Satz 2 gilt sinngemäß. [3] Den Gläubigern gegenüber wird die Ersatzpflicht weder durch einen Verzicht oder Vergleich der Gesellschaft noch dadurch aufgehoben, daß die Handlung auf einem Beschluß der Hauptversammlung beruht. [4] Ist über das Vermögen der Gesellschaft das Insolvenzverfahren eröffnet, so übt während dessen Dauer der Insolvenzverwalter oder der Sachwalter das Recht der Gläubiger gegen die Vorstandsmitglieder aus.

(6) Die Ansprüche aus diesen Vorschriften verjähren bei Gesellschaften, die zum Zeitpunkt der Pflichtverletzung börsennotiert sind, in zehn Jahren, bei anderen Gesellschaften in fünf Jahren.

Zweiter Abschnitt. Aufsichtsrat

§ 95[1)] Zahl der Aufsichtsratsmitglieder. [1] Der Aufsichtsrat besteht aus drei Mitgliedern. [2] Die Satzung kann eine bestimmte höhere Zahl festsetzen. [3] Die Zahl muß durch drei teilbar sein, wenn dies zur Erfüllung mitbestimmungsrechtlicher Vorgaben erforderlich ist. [4] Die Höchstzahl der Aufsichtsratsmitglieder beträgt bei Gesellschaften mit einem Grundkapital

bis zu	1 500 000 Euro	neun,
von mehr als	1 500 000 Euro	fünfzehn,
von mehr als	10 000 000 Euro	einundzwanzig.

[5] Durch die vorstehenden Vorschriften werden hiervon abweichende Vorschriften des Mitbestimmungsgesetzes[2)], des Montan-Mitbestimmungsgesetzes[3)] und des Mitbestimmungsergänzungsgesetzes[4)] nicht berührt.

§ 96[5)] Zusammensetzung des Aufsichtsrats. (1) Der Aufsichtsrat setzt sich zusammen

bei Gesellschaften, für die das Mitbestimmungsgesetz[2)] gilt, aus Aufsichtsratsmitgliedern der Aktionäre und der Arbeitnehmer,[6)]

[1)] § 95 Satz 5 neu gef. durch G v. 4.5.1976 (BGBl. I S. 1153); Satz 4 geänd. durch G v. 9.6.1998 (BGBl. I S. 1242); Satz 5 geänd. mWv 1.5.2015 durch G v. 24.4.2015 (BGBl. I S. 642); Satz 3 geänd. mWv 31.12.2015 durch G v. 22.12.2015 (BGBl. I S. 2565); Satz 5 geänd. mWv 12.8.2021 durch G v. 7.8.2021 (BGBl. I S. 3311).

[2)] Nr. **560**.

[3)] Nr. **561**.

[4)] Nr. **562**.

[5)] § 96 Abs. 1 neu gef. durch G v. 4.5.1976 (BGBl. I S. 1153); Abs. 1 geänd. mWv 1.7.2004 durch G v. 18.5.2004 (BGBl. I S. 974, ber. 2769); Abs. 1 geänd. mWv 29.12.2006 durch G v. 21.12.2006 (BGBl. I S. 3332); Abs. 1 geänd., Abs. 2 und 3 eingef., bish. Abs. 2 wird Abs. 4 mWv 1.5.2015 durch G v. 24.4.2015 (BGBl. I S. 642); Abs. 1 geänd., Abs. 3 neu gef. mWv 31.1.2023 durch G v. 4.1.2023 (BGBl. 2023 I Nr. 10); Abs. 1 geänd. mWv 15.12.2023 durch G v. 11.12.2023 (BGBl. 2023 I Nr. 354).

[6)] Beachte hierzu §§ 1–7 MitbestimmungsG (Nr. **560**).

bei Gesellschaften, für die das Montan-Mitbestimmungsgesetz[1)] gilt, aus Aufsichtsratsmitgliedern der Aktionäre und der Arbeitnehmer und aus weiteren Mitgliedern,

bei Gesellschaften, für die die §§ 5 bis 13 des Mitbestimmungsergänzungsgesetzes[2)] gelten, aus Aufsichtsratsmitgliedern der Aktionäre und der Arbeitnehmer und aus einem weiteren Mitglied,

bei Gesellschaften, für die das Drittelbeteiligungsgesetz[3)] gilt, aus Aufsichtsratsmitgliedern der Aktionäre und der Arbeitnehmer,

bei Gesellschaften, für die das Gesetz über die Mitbestimmung der Arbeitnehmer bei einer grenzüberschreitenden Verschmelzung[4)] vom 21. Dezember 2006 (BGBl. I S. 3332) in der jeweils geltenden Fassung gilt, aus Aufsichtsratsmitgliedern der Aktionäre und der Arbeitnehmer,

bei Gesellschaften, für die das Gesetz über die Mitbestimmung der Arbeitnehmer bei grenzüberschreitendem Formwechsel und grenzüberschreitender Spaltung[5)] vom 4. Januar 2023 (BGBl. 2023 I Nr. 10) in der jeweils geltenden Fassung gilt, aus Aufsichtsratsmitgliedern der Aktionäre und der Arbeitnehmer,

bei den übrigen Gesellschaften nur aus Aufsichtsratsmitgliedern der Aktionäre.

(2) [1] Bei börsennotierten Gesellschaften, für die das Mitbestimmungsgesetz, das Montan-Mitbestimmungsgesetz oder das Mitbestimmungsergänzungsgesetz gilt, setzt sich der Aufsichtsrat zu mindestens 30 Prozent aus Frauen und zu mindestens 30 Prozent aus Männern zusammen. [2] Der Mindestanteil ist vom Aufsichtsrat insgesamt zu erfüllen. [3] Widerspricht die Seite der Anteilseigner- oder Arbeitnehmervertreter auf Grund eines mit Mehrheit gefassten Beschlusses vor der Wahl der Gesamterfüllung gegenüber dem Aufsichtsratsvorsitzenden, so ist der Mindestanteil für diese Wahl von der Seite der Anteilseigner und der Seite der Arbeitnehmer getrennt zu erfüllen. [4] Es ist in allen Fällen auf volle Personenzahlen mathematisch auf- beziehungsweise abzurunden. [5] Verringert sich bei Gesamterfüllung der höhere Frauenanteil einer Seite nachträglich und widerspricht sie nun der Gesamterfüllung, so wird dadurch die Besetzung auf der anderen Seite nicht unwirksam. [6] Eine Wahl der Mitglieder des Aufsichtsrats durch die Hauptversammlung und eine Entsendung in den Aufsichtsrat unter Verstoß gegen das Mindestanteilsgebot ist nichtig. [7] Ist eine Wahl aus anderen Gründen für nichtig erklärt, so verstoßen zwischenzeitlich erfolgte Wahlen insoweit nicht gegen das Mindestanteilsgebot. [8] Auf die Wahl der Aufsichtsratsmitglieder der Arbeitnehmer sind die in Satz 1 genannten Gesetze zur Mitbestimmung anzuwenden.

(3) [1] Bei börsennotierten Gesellschaften, die aus einer grenzüberschreitenden Verschmelzung, einem grenzüberschreitenden Formwechsel oder einer grenzüberschreitenden Spaltung hervorgegangen sind und bei denen nach dem Gesetz über die Mitbestimmung der Arbeitnehmer bei einer grenzüberschreitenden Verschmelzung oder nach dem Gesetz über die Mitbestimmung der Arbeitnehmer bei grenzüberschreitendem Formwechsel und grenzüberschreitender Spaltung das Aufsichts- oder Verwaltungsorgan aus derselben Zahl von Anteilseigner- und Arbeitnehmervertretern besteht, müssen in dem Aufsichts-

---

1) Nr. **561**.
2) Nr. **562**.
3) Nr. **564**.
4) Nr. **568a**.
5) Nr. **568b**.

oder Verwaltungsorgan Frauen und Männer jeweils mit einem Anteil von mindestens 30 Prozent vertreten sein. [2] Absatz 2 Satz 2, 4, 6 und 7 gilt entsprechend.

(4) Nach anderen als den zuletzt angewandten gesetzlichen Vorschriften kann der Aufsichtsrat nur zusammengesetzt werden[1)], wenn nach § 97 oder nach § 98 die in der Bekanntmachung des Vorstands oder in der gerichtlichen Entscheidung angegebenen gesetzlichen Vorschriften anzuwenden sind.

§ 97[2) 1)] Bekanntmachung über die Zusammensetzung des Aufsichtsrats. (1) [1] Ist der Vorstand der Ansicht, daß der Aufsichtsrat nicht nach den für ihn maßgebenden gesetzlichen Vorschriften zusammengesetzt ist, so hat er dies unverzüglich in den Gesellschaftsblättern und gleichzeitig durch Aushang in sämtlichen Betrieben der Gesellschaft und ihrer Konzernunternehmen bekanntzumachen. [2] In der Bekanntmachung sind die nach Ansicht des Vorstands maßgebenden gesetzlichen Vorschriften anzugeben. [3] Es ist darauf hinzuweisen, daß der Aufsichtsrat nach diesen Vorschriften zusammengesetzt wird, wenn nicht Antragsberechtigte nach § 98 Abs. 2 innerhalb eines Monats nach der Bekanntmachung im Bundesanzeiger das nach § 98 Abs. 1 zuständige Gericht anrufen.

(2) [1] Wird das nach § 98 Abs. 1 zuständige Gericht nicht innerhalb eines Monats nach der Bekanntmachung im Bundesanzeiger angerufen, so ist der neue Aufsichtsrat nach den in der Bekanntmachung des Vorstands angegebenen gesetzlichen Vorschriften zusammenzusetzen. [2] Die Bestimmungen der Satzung über die Zusammensetzung des Aufsichtsrats, über die Zahl der Aufsichtsratsmitglieder sowie über die Wahl, Abberufung und Entsendung von Aufsichtsratsmitgliedern treten mit der Beendigung der ersten Hauptversammlung, die nach Ablauf der Anrufungsfrist einberufen wird, spätestens sechs Monate nach Ablauf dieser Frist insoweit außer Kraft, als sie den nunmehr anzuwendenden gesetzlichen Vorschriften widersprechen. [3] Mit demselben Zeitpunkt erlischt das Amt der bisherigen Aufsichtsratsmitglieder. [4] Eine Hauptversammlung, die innerhalb der Frist von sechs Monaten stattfindet, kann an Stelle der außer Kraft tretenden Satzungsbestimmungen mit einfacher Stimmenmehrheit neue Satzungsbestimmungen beschließen.

(3) Solange ein gerichtliches Verfahren nach §§ 98, 99 anhängig ist, kann eine Bekanntmachung über die Zusammensetzung des Aufsichtsrats nicht erfolgen.

§ 98[3) 1)] Gerichtliche Entscheidung über die Zusammensetzung des Aufsichtsrats. (1) Ist streitig oder ungewiss, nach welchen gesetzlichen Vor-

---

[1)] Gem. § 27 EGAktG **(Habersack Nr. 51a)** gelten § 96 Absatz 4, §§ 97 bis 99 des Aktiengesetzes (Nr. **567**) sinngemäß für Gesellschaften mit beschränkter Haftung und bergrechtliche Gewerkschaften.

[2)] § 97 Abs. 1 Satz 3, Abs. 2 Satz 1 geänd. mWv 1.7.2004 durch G v. 18.5.2004 (BGBl. I S. 974); Abs. 1 Satz 3, Abs. 2 Satz 1 geänd. mWv 1.4.2012 durch G v. 22.12.2011 (BGBl. I S. 3044).

[3)] § 98 Abs. 2 Satz 1 Nr. 4 und 5 neu gef., Nr. 8 und Satz 2 angef. durch G v. 4.5.1976 (BGBl. I S. 1153); Abs. 2 Satz 1 Nr. 7 geänd. durch G v. 19.12.1985 (BGBl. I S. 2355); Abs. 2 Satz 1 Nr. 5 und 6 sowie Abs. 3 geänd. durch G v. 20.12.1988 (BGBl. I S. 2312); Abs. 2 Satz 1 Nr. 5 und 6 geänd. durch G v. 26.6.1990 (BGBl. I S. 1206); Abs. 2 Satz 1 Nr. 5 und 7 eingef., bish. Nr. 5 wird Nr. 6, bish. Nr. 6–8 werden Nr. 8–10, Satz 2 geänd. mWv 27.3.2002 durch G v. 23.3.2002 (BGBl. I S. 1130); Abs. 1 Satz 1 geänd. mWv 1.11.2005 durch G v. 22.9.2005 (BGBl. I S. 2802); Abs. 1 neu gef. mWv 1.9.2009 durch G v. 17.12.2008 (BGBl. I S. 2586).

schriften der Aufsichtsrat zusammenzusetzen ist, so entscheidet darüber auf Antrag ausschließlich das Landgericht, in dessen Bezirk die Gesellschaft ihren Sitz hat.

(2) [1] Antragsberechtigt sind

1. der Vorstand,
2. jedes Aufsichtsratsmitglied,
3. jeder Aktionär,
4. der Gesamtbetriebsrat der Gesellschaft oder, wenn in der Gesellschaft nur ein Betriebsrat besteht, der Betriebsrat,
5. der Gesamt- oder Unternehmenssprecherausschuss der Gesellschaft oder, wenn in der Gesellschaft nur ein Sprecherausschuss besteht, der Sprecherausschuss,
6. der Gesamtbetriebsrat eines anderen Unternehmens, dessen Arbeitnehmer nach den gesetzlichen Vorschriften, deren Anwendung streitig oder ungewiß ist, selbst oder durch Delegierte an der Wahl von Aufsichtsratsmitgliedern der Gesellschaft teilnehmen, oder, wenn in dem anderen Unternehmen nur ein Betriebsrat besteht, der Betriebsrat,
7. der Gesamt- oder Unternehmenssprecherausschuss eines anderen Unternehmens, dessen Arbeitnehmer nach den gesetzlichen Vorschriften, deren Anwendung streitig oder ungewiss ist, selbst oder durch Delegierte an der Wahl von Aufsichtsratsmitgliedern der Gesellschaft teilnehmen, oder, wenn in dem anderen Unternehmen nur ein Sprecherausschuss besteht, der Sprecherausschuss,
8. mindestens ein Zehntel oder einhundert der Arbeitnehmer, die nach den gesetzlichen Vorschriften, deren Anwendung streitig oder ungewiß ist, selbst oder durch Delegierte an der Wahl von Aufsichtsratsmitgliedern der Gesellschaft teilnehmen,
9. Spitzenorganisationen der Gewerkschaften, die nach den gesetzlichen Vorschriften, deren Anwendung streitig oder ungewiß ist, ein Vorschlagsrecht hätten,
10. Gewerkschaften, die nach den gesetzlichen Vorschriften, deren Anwendung streitig oder ungewiß ist, ein Vorschlagsrecht hätten.

[2] Ist die Anwendung des Mitbestimmungsgesetzes[1)] oder die Anwendung von Vorschriften des Mitbestimmungsgesetzes streitig oder ungewiß, so sind außer den nach Satz 1 Antragsberechtigten auch je ein Zehntel der wahlberechtigten in § 3 Abs. 1 Nr. 1 des Mitbestimmungsgesetzes bezeichneten Arbeitnehmer oder der wahlberechtigten leitenden Angestellten im Sinne des Mitbestimmungsgesetzes antragsberechtigt.

(3) Die Absätze 1 und 2 gelten sinngemäß, wenn streitig ist, ob der Abschlußprüfer das nach § 3 oder § 16 des Mitbestimmungsergänzungsgesetzes[2)] maßgebliche Umsatzverhältnis richtig ermittelt hat.

(4) [1] Entspricht die Zusammensetzung des Aufsichtsrats nicht der gerichtlichen Entscheidung, so ist der neue Aufsichtsrat nach den in der Entscheidung angegebenen gesetzlichen Vorschriften zusammenzusetzen. [2] § 97 Abs. 2 gilt

[1)] Nr. **560**.
[2)] Nr. **562**.

sinngemäß mit der Maßgabe, daß die Frist von sechs Monaten mit dem Eintritt der Rechtskraft beginnt.

§ 99[1)] [2)] **Verfahren.** (1) Auf das Verfahren ist das Gesetz über das Verfahren in Familiensachen und in den Angelegenheiten der freiwilligen Gerichtsbarkeit[3)] anzuwenden, soweit in den Absätzen 2 bis 5 nichts anderes bestimmt ist.

(2) [1]Das Landgericht hat den Antrag in den Gesellschaftsblättern bekanntzumachen. [2]Der Vorstand und jedes Aufsichtsratsmitglied sowie die nach § 98 Abs. 2 antragsberechtigten Betriebsräte, Sprecherausschüsse, Spitzenorganisationen und Gewerkschaften sind zu hören.

(3) [1]Das Landgericht entscheidet durch einen mit Gründen versehenen Beschluss. [2]Gegen die Entscheidung des Landgerichts findet die Beschwerde statt. [3]Sie kann nur auf eine Verletzung des Rechts gestützt werden; § 72 Abs. 1 Satz 2 und § 74 Abs. 2 und 3 des Gesetzes über das Verfahren in Familiensachen und in den Angelegenheiten der freiwilligen Gerichtsbarkeit sowie § 547 der Zivilprozessordnung[4)] gelten sinngemäß. [4]Die Beschwerde kann nur durch die Einreichung einer von einem Rechtsanwalt unterzeichneten Beschwerdeschrift eingelegt werden. [5]Die Landesregierung kann durch Rechtsverordnung die Entscheidung über die Beschwerde für die Bezirke mehrerer Oberlandesgerichte einem der Oberlandesgerichte oder dem Obersten Landesgericht übertragen, wenn dies der Sicherung einer einheitlichen Rechtsprechung dient. [6]Die Landesregierung kann die Ermächtigung auf die Landesjustizverwaltung übertragen.

(4) [1]Das Gericht hat seine Entscheidung dem Antragsteller und der Gesellschaft zuzustellen. [2]Es hat sie ferner ohne Gründe in den Gesellschaftsblättern bekanntzumachen. [3]Die Beschwerde steht jedem nach § 98 Abs. 2 Antragsberechtigten zu. [4]Die Beschwerdefrist beginnt mit der Bekanntmachung der Entscheidung im Bundesanzeiger, für den Antragsteller und die Gesellschaft jedoch nicht vor der Zustellung der Entscheidung.

(5) [1]Die Entscheidung wird erst mit der Rechtskraft wirksam. [2]Sie wirkt für und gegen alle. [3]Der Vorstand hat die rechtskräftige Entscheidung unverzüglich zum Handelsregister einzureichen.

(6) [1]Die Kosten können ganz oder zum Teil dem Antragsteller auferlegt werden, wenn dies der Billigkeit entspricht. [2]Kosten der Beteiligten werden nicht erstattet.

[1)] § 99 Abs. 1 und Abs. 3 Satz 6 geänd. durch G v. 19.12.1985 (BGBl. I S. 2355); Abs. 2 geänd. durch G v. 20.12.1988 (BGBl. I S. 2312); Abs. 6 Satz 7 aufgeh., bish. Sätze 8–10 werden Sätze 7–9 durch G v. 28.10.1994 (BGBl. I S. 3210); Abs. 6 Satz 6 geänd. mWv 1.1.2002 durch G v. 27.4.2001 (BGBl. I S. 751); Abs. 3 Satz 3 neu gef. mWv 1.1.2002 durch G v. 27.7.2001 (BGBl. I S. 1887); Abs. 2 Satz 2 geänd. mWv 27.3.2002 durch G v. 23.3.2002 (BGBl. I S. 1130); Abs. 4 Satz 4 geänd. mWv 1.7.2004 durch G v. 18.5.2004 (BGBl. I S. 974); Abs. 1 und Abs. 6 Sätze 3 und 4 geänd., Abs. 3 Sätze 1–4 neu gef., Sätze 5–7 aufgeh., bish. Sätze 8 und 9 werden Sätze 5 und 6 mWv 1.9.2009 durch G v. 17.12.2008 (BGBl. I S. 2586); Abs. 4 Satz 4 geänd. mWv 1.4.2012 durch G v. 22.12.2011 (BGBl. I S. 3044); Abs. 6 Sätze 1–7 aufgeh., bish. Sätze 8 und 9 werden Sätze 1 und 2, neuer Satz 1 geänd. mWv 1.8.2013 durch G v. 23.7.2013 (BGBl. I S. 2586).

[2)] Gem. § 27 EGAktG **(Habersack Nr. 51a)** gelten § 96 Absatz 4, §§ 97 bis 99 des Aktiengesetzes (Nr. **567**) sinngemäß für Gesellschaften mit beschränkter Haftung und bergrechtliche Gewerkschaften.

[3)] **Habersack Nr. 112.**

[4)] **beck-online, Module Arbeitsrecht Nr. 320.**

§ 100[1] Persönliche Voraussetzungen für Aufsichtsratsmitglieder.

(1) [1] Mitglied des Aufsichtsrats kann nur eine natürliche, unbeschränkt geschäftsfähige Person sein. [2] Ein Betreuter, der bei der Besorgung seiner Vermögensangelegenheiten ganz oder teilweise einem Einwilligungsvorbehalt (§ 1825 des Bürgerlichen Gesetzbuchs[2]) unterliegt, kann nicht Mitglied des Aufsichtsrats sein.

(2) [1] Mitglied des Aufsichtsrats kann nicht sein, wer

1. bereits in zehn Handelsgesellschaften, die gesetzlich einen Aufsichtsrat zu bilden haben, Aufsichtsratsmitglied ist,
2. gesetzlicher Vertreter eines von der Gesellschaft abhängigen Unternehmens ist,
3. gesetzlicher Vertreter einer anderen Kapitalgesellschaft ist, deren Aufsichtsrat ein Vorstandsmitglied der Gesellschaft angehört, oder
4. in den letzten zwei Jahren Vorstandsmitglied derselben börsennotierten Gesellschaft war, es sei denn, seine Wahl erfolgt auf Vorschlag von Aktionären, die mehr als 25 Prozent der Stimmrechte an der Gesellschaft halten.

[2] Auf die Höchstzahl nach Satz 1 Nr. 1 sind bis zu fünf Aufsichtsratssitze nicht anzurechnen, die ein gesetzlicher Vertreter (beim Einzelkaufmann der Inhaber) des herrschenden Unternehmens eines Konzerns in zum Konzern gehörenden Handelsgesellschaften, die gesetzlich einen Aufsichtsrat zu bilden haben, inne hat. [3] Auf die Höchstzahl nach Satz 1 Nr. 1 sind Aufsichtsratsämter im Sinne der Nummer 1 doppelt anzurechnen, für die das Mitglied zum Vorsitzenden gewählt worden ist.

(3) Die anderen persönlichen Voraussetzungen der Aufsichtsratsmitglieder der Arbeitnehmer sowie der weiteren Mitglieder bestimmen sich nach dem Mitbestimmungsgesetz[3], dem Montan-Mitbestimmungsgesetz[4], dem Mitbestimmungsergänzungsgesetz[5], dem Drittelbeteiligungsgesetz[6], dem Gesetz über die Mitbestimmung der Arbeitnehmer bei einer grenzüberschreitenden Verschmelzung und dem Gesetz über die Mitbestimmung der Arbeitnehmer bei grenzüberschreitendem Formwechsel und grenzüberschreitender Spaltung[7].

(4) Die Satzung kann persönliche Voraussetzungen nur für Aufsichtsratsmitglieder fordern, die von der Hauptversammlung ohne Bindung an Wahlvorschläge gewählt oder auf Grund der Satzung in den Aufsichtsrat entsandt werden.

---

[1] § 100 Abs. 3 geänd. durch G v. 4.5.1976 (BGBl. I S. 1153); Abs. 1 Satz 2 angef. durch G v. 12.9. 1990 (BGBl. I S. 2002); Abs. 2 Satz 1 Nr. 1 und 3 sowie Satz 2 geänd., Satz 3 angef. durch G v. 27.4. 1998 (BGBl. I S. 786); Abs. 3 geänd. mWv 1.7.2004 durch G v. 18.5.2004 (BGBl. I S. 974); Abs. 3 geänd. mWv 29.12.2006 durch G v. 21.12.2006 (BGBl. I S. 3332); Abs. 5 angef. mWv 29.5.2009 durch G v. 25.5.2009 (BGBl. I S. 1102); Abs. 2 Satz 1 Nr. 2 und 3 geänd., Nr. 4 angef. mWv 5.8. 2009 durch G v. 31.7.2009 (BGBl. I S. 2509); Abs. 5 geänd. mWv 17.6.2016 durch G v. 10.5.2016 (BGBl. I S. 1142); Abs. 1 Satz 2 geänd. mWv 1.1.2023 durch G v. 4.5.2021 (BGBl. I S. 882); Abs. 5 neu gef. mWv 1.7.2021 durch G v. 3.6.2021 (BGBl. I S. 1534); Abs. 3 geänd. mWv 31.1.2023 durch G v. 4.1.2023 (BGBl. I Nr. 10).

[2] **beck-online, Module Arbeitsrecht Nr. 50.**

[3] Nr. **560**.

[4] Nr. **561**.

[5] Nr. **562**.

[6] Nr. **564**.

[7] Nr. **568b**.

(5) Bei Gesellschaften, die Unternehmen von öffentlichem Interesse nach § 316a Satz 2 des Handelsgesetzbuchs[1] sind, muss mindestens ein Mitglied des Aufsichtsrats über Sachverstand auf dem Gebiet Rechnungslegung und mindestens ein weiteres Mitglied des Aufsichtsrats über Sachverstand auf dem Gebiet Abschlussprüfung verfügen; die Mitglieder müssen in ihrer Gesamtheit mit dem Sektor, in dem die Gesellschaft tätig ist, vertraut sein.

§ 101[2] Bestellung der Aufsichtsratsmitglieder. (1) [1]Die Mitglieder des Aufsichtsrats werden von der Hauptversammlung gewählt, soweit sie nicht in den Aufsichtsrat zu entsenden oder als Aufsichtsratsmitglieder der Arbeitnehmer nach dem Mitbestimmungsgesetz[3], dem Mitbestimmungsergänzungsgesetz[4], dem Drittelbeteiligungsgesetz[5], dem Gesetz über die Mitbestimmung der Arbeitnehmer bei einer grenzüberschreitenden Verschmelzung oder dem Gesetz über die Mitbestimmung der Arbeitnehmer bei grenzüberschreitendem Formwechsel und grenzüberschreitender Spaltung[6] zu wählen sind. [2]An Wahlvorschläge ist die Hauptversammlung nur gemäß §§ 6 und 8 des Montan-Mitbestimmungsgesetzes[7] gebunden.

(2) [1]Ein Recht, Mitglieder in den Aufsichtsrat zu entsenden, kann nur durch die Satzung und nur für bestimmte Aktionäre oder für die jeweiligen Inhaber bestimmter Aktien begründet werden. [2]Inhabern bestimmter Aktien kann das Entsendungsrecht nur eingeräumt werden, wenn die Aktien auf Namen lauten und ihre Übertragung an die Zustimmung der Gesellschaft gebunden ist. [3]Die Aktien der Entsendungsberechtigten gelten nicht als eine besondere Gattung. [4]Die Entsendungsrechte können insgesamt höchstens für ein Drittel der sich aus dem Gesetz oder der Satzung ergebenden Zahl der Aufsichtsratsmitglieder der Aktionäre eingeräumt werden.

(3) [1]Stellvertreter von Aufsichtsratsmitgliedern können nicht bestellt werden. [2]Jedoch kann für jedes Aufsichtsratsmitglied mit Ausnahme des weiteren Mitglieds, das nach dem Montan-Mitbestimmungsgesetz oder dem Mitbestimmungsergänzungsgesetz auf Vorschlag der übrigen Aufsichtsratsmitglieder gewählt wird, ein Ersatzmitglied bestellt werden, das Mitglied des Aufsichtsrats wird, wenn das Aufsichtsratsmitglied vor Ablauf seiner Amtszeit wegfällt. [3]Das Ersatzmitglied kann nur gleichzeitig mit dem Aufsichtsratsmitglied bestellt werden. [4]Auf seine Bestellung sowie die Nichtigkeit und Anfechtung seiner Bestellung sind die für das Aufsichtsratsmitglied geltenden Vorschriften anzuwenden.

§ 102 Amtszeit der Aufsichtsratsmitglieder. (1) [1]Aufsichtsratsmitglieder können nicht für längere Zeit als bis zur Beendigung der Hauptversammlung bestellt werden, die über die Entlastung für das vierte Geschäftsjahr nach dem

---

[1] **beck-online, Module Arbeitsrecht Nr. 105.**

[2] § 101 Abs. 1 Sätze 1 und 2 geänd., Abs. 2 Satz 5 angef., Abs. 3 Satz 2 geänd. durch G v. 4.5.1976 (BGBl. I S. 1153); Abs. 2 Satz 1 geänd. durch G v. 19.12.1985 (BGBl. I S. 2355); Abs. 1 geänd. mWv 1.7.2004 durch G v. 18.5.2004 (BGBl. I S. 974); Abs. 1 Satz 1 geänd. mWv 29.12.2006 durch G v. 21.12.2006 (BGBl. I S. 3332); Abs. 2 Satz 5 aufgeh. mWv 11.12.2008 durch G v. 8.12.2008 (BGBl. I S. 2369); Abs. 1 Satz 1 geänd. mWv 31.1.2023 durch G v. 4.1.2023 (BGBl. I Nr. 10).

[3] Nr. **560**.

[4] Nr. **562**.

[5] Nr. **564**.

[6] Nr. **568b**.

[7] Nr. **561**.

Beginn der Amtszeit beschließt. [2]Das Geschäftsjahr, in dem die Amtszeit beginnt, wird nicht mitgerechnet.

(2) Das Amt des Ersatzmitglieds erlischt spätestens mit Ablauf der Amtszeit des weggefallenen Aufsichtsratsmitglieds.

§ 103[1)] Abberufung der Aufsichtsratsmitglieder. (1) [1]Aufsichtsratsmitglieder, die von der Hauptversammlung ohne Bindung an einen Wahlvorschlag gewählt worden sind, können von ihr vor Ablauf der Amtszeit abberufen werden. [2]Der Beschluß bedarf einer Mehrheit, die mindestens drei Viertel der abgegebenen Stimmen umfaßt. [3]Die Satzung kann eine andere Mehrheit und weitere Erfordernisse bestimmen.

(2) [1]Ein Aufsichtsratsmitglied, das auf Grund der Satzung in den Aufsichtsrat entsandt ist, kann von dem Entsendungsberechtigten jederzeit abberufen und durch ein anderes ersetzt werden. [2]Sind die in der Satzung bestimmten Voraussetzungen des Entsendungsrechts weggefallen, so kann die Hauptversammlung das entsandte Mitglied mit einfacher Stimmenmehrheit abberufen.

(3) [1]Das Gericht hat auf Antrag des Aufsichtsrats ein Aufsichtsratsmitglied abzuberufen, wenn in dessen Person ein wichtiger Grund vorliegt. [2]Der Aufsichtsrat beschließt über die Antragstellung mit einfacher Mehrheit. [3]Ist das Aufsichtsratsmitglied auf Grund der Satzung in den Aufsichtsrat entsandt worden, so können auch Aktionäre, deren Anteile zusammen den zehnten Teil des Grundkapitals oder den anteiligen Betrag von einer Million Euro erreichen, den Antrag stellen. [4]Gegen die Entscheidung ist die Beschwerde zulässig.

(4) Für die Abberufung der Aufsichtsratsmitglieder, die weder von der Hauptversammlung ohne Bindung an einen Wahlvorschlag gewählt worden sind noch auf Grund der Satzung in den Aufsichtsrat entsandt sind, gelten außer Absatz 3 das Mitbestimmungsgesetz[2)], das Montan-Mitbestimmungsgesetz[3)], das Mitbestimmungsergänzungsgesetz[4)], das Drittelbeteiligungsgesetz[5)], das SE-Beteiligungsgesetz[6)], das Gesetz über die Mitbestimmung der Arbeitnehmer bei einer grenzüberschreitenden Verschmelzung und das Gesetz über die Mitbestimmung der Arbeitnehmer bei grenzüberschreitendem Formwechsel und grenzüberschreitender Spaltung[7)].

(5) Für die Abberufung eines Ersatzmitglieds gelten die Vorschriften über die Abberufung des Aufsichtsratsmitglieds, für das es bestellt ist.

§ 104[8)] Bestellung durch das Gericht. (1) [1]Gehört dem Aufsichtsrat die zur Beschlußfähigkeit nötige Zahl von Mitgliedern nicht an, so hat ihn das

---

1) § 103 Abs. 4 geänd. durch G v. 4.5.1976 (BGBl. I S. 1153); Abs. 3 Satz 3 geänd. durch G v. 25.3. 1998 (BGBl. I S. 590); Abs. 3 Satz 3 geänd. durch G v. 9.6.1998 (BGBl. I S. 1242); Abs. 4 geänd. mWv 1.7.2004 durch G v. 18.5.2004 (BGBl. I S. 974); Abs. 4 geänd. mWv 29.12.2006 durch G v. 21.12.2006 (BGBl. I S. 3332); Abs. 3 Satz 4 geänd. mWv 1.9.2009 durch G v. 17.12.2008 (BGBl. I S. 2586); Abs. 4 geänd. mWv 31.1.2023 durch G v. 4.1.2023 (BGBl. I Nr. 10).

2) Nr. **560**.

3) Nr. **561**.

4) Nr. **562**.

5) Nr. **564**.

6) Nr. **569a**.

7) Nr. **568b**.

8) § 104 Abs. 1 Satz 3 Nr. 1 und 2 neu gef., Nr. 5 angef., Abs. 1 Satz 4 eingef., bish. Satz 4 wird *Satz 5, Abs. 3 und Abs. 4 Satz 4 geänd. durch* G v. 4.5.1976 (BGBl. I S. 1153); Abs. 1 Satz 3 Nr. 4 geänd. durch G v. 19.12.1985 (BGBl. I S. 2355); Abs. 1 Satz 3 Nr. 2 und 3 sowie Abs. 4 Satz 4 geänd. durch G v. 20.12.1988 (BGBl. I S. 2312); Abs. 1 Satz 3 Nr. 2 und 3 sowie Abs. 4 Satz 4 geänd. durch →

Gericht auf Antrag des Vorstands, eines Aufsichtsratsmitglieds oder eines Aktionärs auf diese Zahl zu ergänzen. [2] Der Vorstand ist verpflichtet, den Antrag unverzüglich zu stellen, es sei denn, daß die rechtzeitige Ergänzung vor der nächsten Aufsichtsratssitzung zu erwarten ist. [3] Hat der Aufsichtsrat auch aus Aufsichtsratsmitgliedern der Arbeitnehmer zu bestehen, so können auch den Antrag stellen

1. der Gesamtbetriebsrat der Gesellschaft oder, wenn in der Gesellschaft nur ein Betriebsrat besteht, der Betriebsrat, sowie, wenn die Gesellschaft herrschendes Unternehmen eines Konzerns ist, der Konzernbetriebsrat,
2. der Gesamt- oder Unternehmenssprecherausschuss der Gesellschaft oder, wenn in der Gesellschaft nur ein Sprecherausschuss besteht, der Sprecherausschuss sowie, wenn die Gesellschaft herrschendes Unternehmen eines Konzerns ist, der Konzernsprecherausschuss,
3. der Gesamtbetriebsrat eines anderen Unternehmens, dessen Arbeitnehmer selbst oder durch Delegierte an der Wahl teilnehmen, oder, wenn in dem anderen Unternehmen nur ein Betriebsrat besteht, der Betriebsrat,
4. der Gesamt- oder Unternehmenssprecherausschuss eines anderen Unternehmens, dessen Arbeitnehmer selbst oder durch Delegierte an der Wahl teilnehmen, oder, wenn in dem anderen Unternehmen nur ein Sprecherausschuss besteht, der Sprecherausschuss,
5. mindestens ein Zehntel oder einhundert der Arbeitnehmer, die selbst oder durch Delegierte an der Wahl teilnehmen,
6. Spitzenorganisationen der Gewerkschaften, die das Recht haben, Aufsichtsratsmitglieder der Arbeitnehmer vorzuschlagen,
7. Gewerkschaften, die das Recht haben, Aufsichtsratsmitglieder der Arbeitnehmer vorzuschlagen.

[4] Hat der Aufsichtsrat nach dem Mitbestimmungsgesetz[1)] auch aus Aufsichtsratsmitgliedern der Arbeitnehmer zu bestehen, so sind außer den nach Satz 3 Antragsberechtigten auch je ein Zehntel der wahlberechtigten in § 3 Abs. 1 Nr. 1 des Mitbestimmungsgesetzes bezeichneten Arbeitnehmer oder der wahlberechtigten leitenden Angestellten im Sinne des Mitbestimmungsgesetzes antragsberechtigt. [5] Gegen die Entscheidung ist die Beschwerde zulässig.

(2) [1] Gehören dem Aufsichtsrat länger als drei Monate weniger Mitglieder als die durch Gesetz oder Satzung festgesetzte Zahl an, so hat ihn das Gericht auf Antrag auf diese Zahl zu ergänzen. [2] In dringenden Fällen hat das Gericht auf Antrag den Aufsichtsrat auch vor Ablauf der Frist zu ergänzen. [3] Das Antragsrecht bestimmt sich nach Absatz 1. [4] Gegen die Entscheidung ist die Beschwerde zulässig.

(3) Absatz 2 ist auf einen Aufsichtsrat, in dem die Arbeitnehmer ein Mitbestimmungsrecht nach dem Mitbestimmungsgesetz, dem Montan-Mitbestim-

---

(Fortsetzung der Anm. von voriger Seite)
G v. 26.6.1990 (BGBl. I S. 1206); Abs. 1 Satz 3 Nr. 2 und 4 eingef., bish. Nr. 2 wird Nr. 3, Nr. 3–5 werden Nr. 5–7, Abs. 1 Satz 4 geänd. mWv 27.3.2002 durch G v. 23.3.2002 (BGBl. I S. 1130); Abs. 1 Satz 5 und Abs. 2 Satz 4 geänd., Abs. 6 Satz 3 neu gef., Satz 4 aufgeh., bish. Satz 5 wird Satz 4 mWv 1.9.2009 durch G v. 17.12.2008 (BGBl. I S. 2586); Abs. 5 eingef., bish. Abs. 5 und 6 werden Abs. 6 und 7 mWv 1.5.2015 durch G v. 24.4.2015 (BGBl. I S. 642).

[1)] Nr. **560**.

mungsgesetz[1] oder dem Mitbestimmungsergänzungsgesetz[2] haben, mit der Maßgabe anzuwenden,

1. daß das Gericht den Aufsichtsrat hinsichtlich des weiteren Mitglieds, das nach dem Montan-Mitbestimmungsgesetz oder dem Mitbestimmungsergänzungsgesetz auf Vorschlag der übrigen Aufsichtsratsmitglieder gewählt wird, nicht ergänzen kann,
2. daß es stets ein dringender Fall ist, wenn dem Aufsichtsrat, abgesehen von dem in Nummer 1 genannten weiteren Mitglied, nicht alle Mitglieder angehören, aus denen er nach Gesetz oder Satzung zu bestehen hat.

(4) [1] Hat der Aufsichtsrat auch aus Aufsichtsratsmitgliedern der Arbeitnehmer zu bestehen, so hat das Gericht ihn so zu ergänzen, daß das für seine Zu-

(Fortsetzung nächstes Blatt)

[1] Nr. **561**.
[2] Nr. **562**.

sammensetzung maßgebende zahlenmäßige Verhältnis hergestellt wird. [2] Wenn der Aufsichtsrat zur Herstellung seiner Beschlußfähigkeit ergänzt wird, gilt dies nur, soweit die zur Beschlußfähigkeit nötige Zahl der Aufsichtsratsmitglieder die Wahrung dieses Verhältnisses möglich macht. [3] Ist ein Aufsichtsratsmitglied zu ersetzen, das nach Gesetz oder Satzung in persönlicher Hinsicht besonderen Voraussetzungen entsprechen muß, so muß auch das vom Gericht bestellte Aufsichtsratsmitglied diesen Voraussetzungen entsprechen. [4] Ist ein Aufsichtsratsmitglied zu ersetzen, bei dessen Wahl eine Spitzenorganisation der Gewerkschaften, eine Gewerkschaft oder die Betriebsräte ein Vorschlagsrecht hätten, so soll das Gericht Vorschläge dieser Stellen berücksichtigen, soweit nicht überwiegende Belange der Gesellschaft oder der Allgemeinheit der Bestellung des Vorgeschlagenen entgegenstehen; das gleiche gilt, wenn das Aufsichtsratsmitglied durch Delegierte zu wählen wäre, für gemeinsame Vorschläge der Betriebsräte der Unternehmen, in denen Delegierte zu wählen sind.

(5) Die Ergänzung durch das Gericht ist bei börsennotierten Gesellschaften, für die das Mitbestimmungsgesetz, das Montan-Mitbestimmungsgesetz oder das Mitbestimmungsergänzungsgesetz gilt, nach Maßgabe des § 96 Absatz 2 Satz 1 bis 5 vorzunehmen.

(6) Das Amt des gerichtlich bestellten Aufsichtsratsmitglieds erlischt in jedem Fall, sobald der Mangel behoben ist.

(7) [1] Das gerichtlich bestellte Aufsichtsratsmitglied hat Anspruch auf Ersatz angemessener barer Auslagen und, wenn den Aufsichtsratsmitgliedern der Gesellschaft eine Vergütung gewährt wird, auf Vergütung für seine Tätigkeit. [2] Auf Antrag des Aufsichtsratsmitglieds setzt das Gericht die Auslagen und die Vergütung fest. [3] Gegen die Entscheidung ist die Beschwerde zulässig; die Rechtsbeschwerde ist ausgeschlossen. [4] Aus der rechtskräftigen Entscheidung findet die Zwangsvollstreckung nach der Zivilprozeßordnung[1)] statt.

§ 105[2)] Unvereinbarkeit der Zugehörigkeit zum Vorstand und zum Aufsichtsrat. (1) Ein Aufsichtsratsmitglied kann nicht zugleich Vorstandsmitglied, dauernd Stellvertreter von Vorstandsmitgliedern, Prokurist oder zum gesamten Geschäftsbetrieb ermächtigter Handlungsbevollmächtigter der Gesellschaft sein.

(2) [1] Nur für einen im voraus begrenzten Zeitraum, höchstens für ein Jahr, kann der Aufsichtsrat einzelne seiner Mitglieder zu Stellvertretern von fehlenden oder verhinderten Vorstandsmitgliedern bestellen. [2] Eine wiederholte Bestellung oder Verlängerung der Amtszeit ist zulässig, wenn dadurch die Amtszeit insgesamt ein Jahr nicht übersteigt. [3] Während ihrer Amtszeit als Stellvertreter von Vorstandsmitgliedern können die Aufsichtsratsmitglieder keine Tätigkeit als Aufsichtsratsmitglied ausüben. [4] Das Wettbewerbsverbot des § 88 gilt für sie nicht.

§ 106[3)] Bekanntmachung der Änderungen im Aufsichtsrat. Der Vorstand hat bei jeder Änderung in den Personen der Aufsichtsratsmitglieder unverzüglich eine Liste der Mitglieder des Aufsichtsrats, aus welcher Name, Vorname, ausgeübter Beruf und Wohnort der Mitglieder ersichtlich ist, zum Handelsregister einzureichen; das Gericht hat nach § 10 des Handelsgesetz-

---

[1)] Auszugsweise abgedruckt unter Nr. **320**.
[2)] § 105 Abs. 2 Satz 1 geänd. mWv 1.11.2008 durch G v. 23.10.2008 (BGBl. I S. 2026).
[3)] § 106 neu gef. mWv 1.1.2007 durch G v. 10.11.2006 (BGBl. I S. 2553).

buchs[1)] einen Hinweis darauf bekannt zu machen, dass die Liste zum Handelsregister eingereicht worden ist.

§ 107[2)] Innere Ordnung des Aufsichtsrats. (1) [1]Der Aufsichtsrat hat nach näherer Bestimmung der Satzung aus seiner Mitte einen Vorsitzenden und mindestens einen Stellvertreter zu wählen. [2]Der Vorstand hat zum Handelsregister anzumelden, wer gewählt ist. [3]Der Stellvertreter hat nur dann die Rechte und Pflichten des Vorsitzenden, wenn dieser verhindert ist.

(2) [1]Über die Sitzungen des Aufsichtsrats ist eine Niederschrift anzufertigen, die der Vorsitzende zu unterzeichnen hat. [2]In der Niederschrift sind der Ort und der Tag der Sitzung, die Teilnehmer, die Gegenstände der Tagesordnung, der wesentliche Inhalt der Verhandlungen und die Beschlüsse des Aufsichtsrats anzugeben. [3]Ein Verstoß gegen Satz 1 oder Satz 2 macht einen Beschluß nicht unwirksam. [4]Jedem Mitglied des Aufsichtsrats ist auf Verlangen eine Abschrift der Sitzungsniederschrift auszuhändigen.

(3) [1]Der Aufsichtsrat kann aus seiner Mitte einen oder mehrere Ausschüsse bestellen, namentlich, um seine Verhandlungen und Beschlüsse vorzubereiten oder die Ausführung seiner Beschlüsse zu überwachen. [2]Er kann insbesondere einen Prüfungsausschuss bestellen, der sich mit der Überwachung des Rechnungslegungsprozesses, der Wirksamkeit des internen Kontrollsystems, des Risikomanagementsystems und des internen Revisionssystems sowie der Abschlussprüfung, hier insbesondere der Auswahl und der Unabhängigkeit des Abschlussprüfers, der Qualität der Abschlussprüfung und der vom Abschlussprüfer zusätzlich erbrachten Leistungen, befasst. [3]Der Prüfungsausschuss kann Empfehlungen oder Vorschläge zur Gewährleistung der Integrität des Rechnungslegungsprozesses unterbreiten. [4]Der Aufsichtsrat der börsennotierten Gesellschaft kann außerdem einen Ausschuss bestellen, der über die Zustimmung nach § 111b Absatz 1 beschließt. [5]An dem Geschäft beteiligte nahestehende Personen im Sinne des § 111a Absatz 1 Satz 2 können nicht Mitglieder des Ausschusses sein. [6]Er muss mehrheitlich aus Mitgliedern zusammengesetzt sein, bei denen keine Besorgnis eines Interessenkonfliktes auf Grund ihrer Beziehungen zu einer nahestehenden Person besteht. [7]Die Aufgaben nach Absatz 1 Satz 1, § 59 Abs. 3, § 77 Abs. 2 Satz 1, § 84 Abs. 1 Satz 1 und 3, Absatz 2, 3 Satz 2 und 3 sowie Absatz 4 Satz 1, § 87 Abs. 1 und Abs. 2 Satz 1 und 2, § 111 Abs. 3, §§ 171, 314 Abs. 2 und 3, sowie Beschlüsse, daß bestimmte Arten von Geschäften nur mit Zustimmung des Aufsichtsrats vorgenommen werden dürfen, können einem Ausschuß nicht an Stelle des Aufsichtsrats zur Beschlußfassung überwiesen werden. [8]Dem Aufsichtsrat ist regelmäßig über die Arbeit der Ausschüsse zu berichten.

(4) [1]Der Aufsichtsrat einer Gesellschaft, die Unternehmen von öffentlichem Interesse nach § 316a Satz 2 des Handelsgesetzbuchs[1)] ist, hat einen Prüfungs-

---

[1)] **beck-online, Module Arbeitsrecht Nr. 105.**

[2)] § 107 Abs. 3 Satz 2 geänd. durch G v. 19.12.1985 (BGBl. I S. 2355); Abs. 3 Satz 3 angef. mWv 26.7.2002 durch G v. 19.7.2002 (BGBl. I S. 2681); Abs. 1 Satz 3 geänd. mWv 1.11.2008 durch G v. 23.10.2008 (BGBl. I S. 2026); Abs. 3 Satz 2 eingef., bish. Sätze 2 und 3 werden Sätze 3 und 4, Abs. 4 angef. mWv 29.5.2009 durch G v. 25.5.2009 (BGBl. I S. 1102); Abs. 3 Satz 3 geänd. mWv 5.8.2009 durch G v. 31.7.2009 (BGBl. I S. 2509); Abs. 3 Satz 2 geänd., Satz 3 eingef., bish. Sätze 3 und 4 werden Sätze 4 und 5, Abs. 4 geänd. mWv 17.6.2016 durch G v. 10.5.2016 (BGBl. I S. 1142); Abs. 3 *Sätze 4–6 eingef., bish. Sätze* 4 und 5 werden Sätze 7 und 8 mWv 1.1.2020 durch G v. 12.12.2019 (BGBl. I S. 2637); Abs. 3 Satz 2 geänd., Abs. 4 neu gef. mWv 1.7.2021 durch G v. 3.6.2021 (BGBl. I S. 1534); Abs. 3 Satz 7 geänd. mWv 12.8.2021 durch G v. 7.8.2021 (BGBl. I S. 3311).

ausschuss im Sinne des Absatzes 3 Satz 2 einzurichten. [2] Besteht der Aufsichtsrat nur aus drei Mitgliedern, ist dieser auch der Prüfungsausschuss. [3] Der Prüfungsausschuss muss die Voraussetzungen des § 100 Absatz 5 erfüllen. [4] Jedes Mitglied des Prüfungsausschusses kann über den Ausschussvorsitzenden unmittelbar bei den Leitern derjenigen Zentralbereiche der Gesellschaft, die in der Gesellschaft für die Aufgaben zuständig sind, die den Prüfungsausschuss nach Absatz 3 Satz 2 betreffen, Auskünfte einholen. [5] Der Ausschussvorsitzende hat die eingeholte Auskunft allen Mitgliedern des Prüfungsausschusses mitzuteilen. [6] Werden Auskünfte nach Satz 4 eingeholt, ist der Vorstand hierüber unverzüglich zu unterrichten.

§ 108[1)] **Beschlußfassung des Aufsichtsrats.** (1) Der Aufsichtsrat entscheidet durch Beschluß.

(2) [1] Die Beschlußfähigkeit des Aufsichtsrats kann, soweit sie nicht gesetzlich geregelt ist, durch die Satzung bestimmt werden. [2] Ist sie weder gesetzlich noch durch die Satzung geregelt, so ist der Aufsichtsrat nur beschlußfähig, wenn mindestens die Hälfte der Mitglieder, aus denen er nach Gesetz oder Satzung insgesamt zu bestehen hat, an der Beschlußfassung teilnimmt. [3] In jedem Fall müssen mindestens drei Mitglieder an der Beschlußfassung teilnehmen. [4] Der Beschlußfähigkeit steht nicht entgegen, daß dem Aufsichtsrat weniger Mitglieder als die durch Gesetz oder Satzung festgesetzte Zahl angehören, auch wenn das für seine Zusammensetzung maßgebende zahlenmäßige Verhältnis nicht gewahrt ist.

(3) [1] Abwesende Aufsichtsratsmitglieder können dadurch an der Beschlußfassung des Aufsichtsrats und seiner Ausschüsse teilnehmen, daß sie schriftliche Stimmabgaben überreichen lassen. [2] Die schriftlichen Stimmabgaben können durch andere Aufsichtsratsmitglieder überreicht werden. [3] Sie können auch durch Personen, die nicht dem Aufsichtsrat angehören, übergeben werden, wenn diese nach § 109 Abs. 3 zur Teilnahme an der Sitzung berechtigt sind.

(4) Schriftliche, fernmündliche oder andere vergleichbare Formen der Beschlussfassung des Aufsichtsrats und seiner Ausschüsse sind vorbehaltlich einer näheren Regelung durch die Satzung oder eine Geschäftsordnung des Aufsichtsrats nur zulässig, wenn kein Mitglied diesem Verfahren widerspricht.

§ 109[2)] **Teilnahme an Sitzungen des Aufsichtsrats und seiner Ausschüsse.** (1) [1] An den Sitzungen des Aufsichtsrats und seiner Ausschüsse sollen Personen, die weder dem Aufsichtsrat noch dem Vorstand angehören, nicht teilnehmen. [2] Sachverständige und Auskunftspersonen können zur Beratung über einzelne Gegenstände zugezogen werden. [3] Wird der Abschlussprüfer als Sachverständiger zugezogen, nimmt der Vorstand an dieser Sitzung nicht teil, es sei denn, der Aufsichtsrat oder der Ausschuss erachtet seine Teilnahme für erforderlich.

(2) Aufsichtsratsmitglieder, die dem Ausschuß nicht angehören, können an den Ausschußsitzungen teilnehmen, wenn der Vorsitzende des Aufsichtsrats nichts anderes bestimmt.

[1)] § 108 Abs. 4 neu gef. mWv 25.1.2001 durch G v. 18.1.2001 (BGBl. I S. 123).

[2)] § 109 Abs. 3 geänd. mWv 1.8.2001 durch G v. 13.7.2001 (BGBl. I S. 1542); Abs. 1 Satz 3 angef. mWv 1.7.2021 durch G v. 3.6.2021 (BGBl. I S. 1534).

(3) Die Satzung kann zulassen, daß an den Sitzungen des Aufsichtsrats und seiner Ausschüsse Personen, die dem Aufsichtsrat nicht angehören, an Stelle von verhinderten Aufsichtsratsmitgliedern teilnehmen können, wenn diese sie hierzu in Textform ermächtigt haben.

(4) Abweichende gesetzliche Vorschriften bleiben unberührt.

§ 110[1)] Einberufung des Aufsichtsrats. (1) [1]Jedes Aufsichtsratsmitglied oder der Vorstand kann unter Angabe des Zwecks und der Gründe verlangen, daß der Vorsitzende des Aufsichtsrats unverzüglich den Aufsichtsrat einberuft. [2]Die Sitzung muß binnen zwei Wochen nach der Einberufung stattfinden.

(2) Wird dem Verlangen nicht entsprochen, so kann das Aufsichtsratsmitglied oder der Vorstand unter Mitteilung des Sachverhalts und der Angabe einer Tagesordnung selbst den Aufsichtsrat einberufen.

(3) [1]Der Aufsichtsrat muss zwei Sitzungen im Kalenderhalbjahr abhalten. [2]In nichtbörsennotierten Gesellschaften kann der Aufsichtsrat beschließen, dass eine Sitzung im Kalenderhalbjahr abzuhalten ist.

§ 111[2)] Aufgaben und Rechte des Aufsichtsrats. (1) Der Aufsichtsrat hat die Geschäftsführung zu überwachen.

(2) [1]Der Aufsichtsrat kann die Bücher und Schriften der Gesellschaft sowie die Vermögensgegenstände, namentlich die Gesellschaftskasse und die Bestände an Wertpapieren und Waren, einsehen und prüfen. [2]Er kann damit auch einzelne Mitglieder oder für bestimmte Aufgaben besondere Sachverständige beauftragen. [3]Er erteilt dem Abschlußprüfer den Prüfungsauftrag für den Jahres- und den Konzernabschluß gemäß § 290 des Handelsgesetzbuchs[3)]. [4]Er kann darüber hinaus eine externe inhaltliche Überprüfung der nichtfinanziellen Erklärung oder des gesonderten nichtfinanziellen Berichts (§ 289b des Handelsgesetzbuchs[3)]), der nichtfinanziellen Konzernerklärung oder des gesonderten nichtfinanziellen Konzernberichts (§ 315b des Handelsgesetzbuchs) beauftragen.

(3) [1]Der Aufsichtsrat hat eine Hauptversammlung einzuberufen, wenn das Wohl der Gesellschaft es fordert. [2]Für den Beschluß genügt die einfache Mehrheit.

(4) [1]Maßnahmen der Geschäftsführung können dem Aufsichtsrat nicht übertragen werden. [2]Die Satzung oder der Aufsichtsrat hat jedoch zu bestimmen, daß bestimmte Arten von Geschäften nur mit seiner Zustimmung vorgenommen werden dürfen. [3]Verweigert der Aufsichtsrat seine Zustimmung, so kann der Vorstand verlangen, daß die Hauptversammlung über die Zustimmung beschließt. [4]Der Beschluß, durch den die Hauptversammlung zustimmt, bedarf einer Mehrheit, die mindestens drei Viertel der abgegebenen Stimmen umfaßt. [5]Die Satzung kann weder eine andere Mehrheit noch weitere Erfordernisse bestimmen.

[1)] § 110 Abs. 3 neu gef. durch G v. 27.4.1998 (BGBl. I S. 786); Abs. 2 und 3 neu gef. mWv 26.7. 2002 durch G v. 19.7.2002 (BGBl. I S. 2681).

[2)] § 111 Abs. 2 Satz 3 angef. durch G v. 27.4.1998 (BGBl. I S. 786); Abs. 4 Satz 2 geänd. mWv 26.7.2002 durch G v. 19.7.2002 (BGBl. I S. 2681); Abs. 5 eingef., bish. Abs. 5 wird Abs. 6 mWv 1.5. *2015 durch G v. 24.4.2015 (BGBl. I S. 642)*; Abs. 2 Satz 4 angef. mWv 19.4.2017 durch G v. 11.4. 2017 (BGBl. I S. 802); Abs. 5 neu gef. mWv 12.8.2021 durch G v. 7.8.2021 (BGBl. I S. 3311).

[3)] **beck-online, Module Arbeitsrecht Nr. 105.**

(5) [1] Der Aufsichtsrat von Gesellschaften, die börsennotiert sind oder der Mitbestimmung unterliegen, legt für den Frauenanteil im Aufsichtsrat und im Vorstand Zielgrößen fest. [2] Die Zielgrößen müssen den angestrebten Frauenanteil am jeweiligen Gesamtgremium beschreiben und bei Angaben in Prozent vollen Personenzahlen entsprechen. [3] Legt der Aufsichtsrat für den Aufsichtsrat oder den Vorstand die Zielgröße Null fest, so hat er diesen Beschluss klar und verständlich zu begründen. [4] Die Begründung muss ausführlich die Erwägungen darlegen, die der Entscheidung zugrunde liegen. [5] Liegt der Frauenanteil bei Festlegung der Zielgrößen unter 30 Prozent, so dürfen die Zielgrößen den jeweils erreichten Anteil nicht mehr unterschreiten. [6] Gleichzeitig sind Fristen zur Erreichung der Zielgrößen festzulegen. [7] Die Fristen dürfen jeweils nicht länger als fünf Jahre sein. [8] Wenn für den Aufsichtsrat bereits das Mindestanteilsgebot nach § 96 Absatz 2 oder 3 gilt, sind die Festlegungen nur für den Vorstand vorzunehmen. [9] Gilt für den Vorstand das Beteiligungsgebot nach § 76 Absatz 3a, entfällt auch die Pflicht zur Zielgrößensetzung für den Vorstand.

(6) Die Aufsichtsratsmitglieder können ihre Aufgaben nicht durch andere wahrnehmen lassen.

§ 111a[1)] Geschäfte mit nahestehenden Personen. (1) [1] Geschäfte mit nahestehenden Personen sind Rechtsgeschäfte oder Maßnahmen,

1. durch die ein Gegenstand oder ein anderer Vermögenswert entgeltlich oder unentgeltlich übertragen oder zur Nutzung überlassen wird und
2. die mit nahestehenden Personen gemäß Satz 2 getätigt werden.

[2] Nahestehende Personen sind nahestehende Unternehmen oder Personen im Sinne der internationalen Rechnungslegungsstandards, die durch die Verordnung (EG) Nr. 1126/2008 der Kommission vom 3. November 2008 zur Übernahme bestimmter internationaler Rechnungslegungsstandards gemäß der Verordnung (EG) Nr. 1606/2002 des Europäischen Parlaments und des Rates (ABl. L 320 vom 29.11.2008, S. 1; L 29 vom 2.2.2010, S. 34), die zuletzt durch die Verordnung (EU) 2019/412 (ABl. L 73 vom 15.3.2019, S. 93) geändert worden ist, in der jeweils geltenden Fassung übernommen wurden. [3] Ein Unterlassen ist kein Geschäft im Sinne des Satzes 1.

(2) [1] Geschäfte, die im ordentlichen Geschäftsgang und zu marktüblichen Bedingungen mit nahestehenden Personen getätigt werden, gelten nicht als Geschäfte mit nahestehenden Personen im Sinne der §§ 107 und 111a bis 111c. [2] Um regelmäßig zu bewerten, ob die Voraussetzungen nach Satz 1 vorliegen, richtet die börsennotierte Gesellschaft ein internes Verfahren ein, von dem die an dem Geschäft beteiligten nahestehenden Personen ausgeschlossen sind. [3] Die Satzung kann jedoch bestimmen, dass Satz 1 nicht anzuwenden ist.

(3) Nicht als Geschäfte mit nahestehenden Personen im Sinne der §§ 107 und 111a bis 111c gelten ferner

1. Geschäfte mit Tochterunternehmen im Sinne der internationalen Rechnungslegungsstandards, die durch die Verordnung (EG) Nr. 1126/2008 übernommen wurden, die unmittelbar oder mittelbar in 100-prozentigem Anteilsbesitz der Gesellschaft stehen oder an denen keine andere der Gesellschaft nahestehende Person beteiligt ist oder die ihren Sitz in einem Mitgliedstaat

---

[1)] § 111a eingef. mWv 1.1.2020 durch G v. 12.12.2019 (BGBl. I S. 2637); Abs. 3 Nr. 5 geänd. mWv 27.7.2022 durch G v. 20.7.2022 (BGBl. I S. 1166).

der Europäischen Union haben und deren Aktien zum Handel an einem in einem Mitgliedstaat gelegenen oder dort betriebenen geregelten Markt im Sinne des Artikels 4 Absatz 1 Nummer 21 der Richtlinie 2014/65/EU des Europäischen Parlaments und des Rates vom 15. Mai 2014 über Märkte für Finanzinstrumente sowie zur Änderung der Richtlinien 2002/92/EG und 2011/61/EU (ABl. L 173 vom 12.6.2014, S. 349; L 74 vom 18.3.2015, S. 38; L 188 vom 13.7.2016, S. 28; L 273 vom 8.10.2016, S. 35; L 64 vom 10.3. 2017, S. 116; L 278 vom 27.10.2017, S. 56), die zuletzt durch die Richtlinie (EU) 2016/1034 (ABl. L 175 vom 30.6.2016, S. 8) geändert worden ist, zugelassen sind;

2. Geschäfte, die einer Zustimmung oder Ermächtigung der Hauptversammlung bedürfen;
3. alle in Umsetzung der Hauptversammlungszustimmung oder -ermächtigung vorgenommenen Geschäfte und Maßnahmen, insbesondere
   a) Maßnahmen der Kapitalbeschaffung oder Kapitalherabsetzung (§§ 182 bis 240), Unternehmensverträge (§§ 291 bis 307) und Geschäfte auf Grundlage eines solchen Vertrages,
   b) die Übertragung des ganzen Gesellschaftsvermögens gemäß § 179a,
   c) der Erwerb eigener Aktien nach § 71 Absatz 1 Nummer 7 und 8 Satzteil vor Satz 2,
   d) Verträge der Gesellschaft mit Gründern im Sinne des § 52 Absatz 1 Satz 1,
   e) der Ausschluss von Minderheitsaktionären nach den §§ 327a bis 327f sowie
   f) Geschäfte im Rahmen einer Umwandlung im Sinne des Umwandlungsgesetzes;
4. Geschäfte, die die Vergütung betreffen, die den Mitgliedern des Vorstands oder Aufsichtsrats im Einklang mit § 113 Absatz 3 oder § 87a Absatz 2 gewährt oder geschuldet wird;
5. Geschäfte von Kreditinstituten oder Wertpapierinstituten, die zur Sicherung ihrer Stabilität durch die zuständige Behörde angeordnet oder gebilligt wurden;
6. Geschäfte, die allen Aktionären unter den gleichen Bedingungen angeboten werden.

§ 111b[1] Zustimmungsvorbehalt des Aufsichtsrats bei Geschäften mit nahestehenden Personen. (1) Ein Geschäft der börsennotierten Gesellschaft mit nahestehenden Personen, dessen wirtschaftlicher Wert allein oder zusammen mit den innerhalb des laufenden Geschäftsjahres vor Abschluss des Geschäfts mit derselben Person getätigten Geschäften 1,5 Prozent der Summe aus dem Anlage- und Umlaufvermögen der Gesellschaft gemäß § 266 Absatz 2 Buchstabe A und B des Handelsgesetzbuchs[2] nach Maßgabe des zuletzt festgestellten Jahresabschlusses übersteigt, bedarf der vorherigen Zustimmung des Aufsichtsrats oder eines gemäß § 107 Absatz 3 Satz 4 bis 6 bestellten Ausschusses.

(2) Bei der Beschlussfassung des Aufsichtsrats nach Absatz 1 können diejenigen Mitglieder des Aufsichtsrats ihr Stimmrecht nicht ausüben, die an dem

---

[1] § 111b eingef. mWv 1.1.2020 durch G v. 12.12.2019 (BGBl. I S. 2637).
[2] **beck-online, Module Arbeitsrecht Nr. 105.**

Geschäft als nahestehende Personen beteiligt sind oder bei denen die Besorgnis eines Interessenkonfliktes auf Grund ihrer Beziehungen zu der nahestehenden Person besteht.

(3) Ist die Gesellschaft Mutterunternehmen (§ 290 Absatz 1 und 2 des Handelsgesetzbuchs[1]) und nicht gemäß § 290 Absatz 5 oder den §§ 291 bis 293 des Handelsgesetzbuchs[1] von der Konzernrechnungslegungspflicht befreit, so tritt an die Stelle der Summe des Anlage- und Umlaufvermögens der Gesellschaft die Summe aus dem Anlage- und Umlaufvermögen des Konzerns gemäß § 298 Absatz 1 in Verbindung mit § 266 Absatz 2 Buchstabe A und B des Handelsgesetzbuchs[1] nach Maßgabe des zuletzt gebilligten Konzernabschlusses oder in den Fällen des § 315e des Handelsgesetzbuchs[1] die Summe aus den entsprechenden Vermögenswerten des Konzernabschlusses nach den internationalen Rechnungslegungsstandards.

(4) [1] Verweigert der Aufsichtsrat seine Zustimmung, so kann der Vorstand verlangen, dass die Hauptversammlung über die Zustimmung beschließt. [2] Die an dem Geschäft beteiligten nahestehenden Personen dürfen ihr Stimmrecht bei der Beschlussfassung der Hauptversammlung weder für sich noch für einen anderen ausüben.

§ 111c[2] Veröffentlichung von Geschäften mit nahestehenden Personen. (1) [1] Die börsennotierte Gesellschaft hat Angaben zu solchen Geschäften mit nahestehenden Personen, die gemäß § 111b Absatz 1 der Zustimmung bedürfen, unverzüglich gemäß Absatz 2 zu veröffentlichen. [2] Ist die Zustimmungsbedürftigkeit eines Geschäfts nach § 111b Absatz 1 durch Zusammenrechnung mehrerer Geschäfte ausgelöst worden, so sind auch diese Geschäfte zu veröffentlichen.

(2) [1] Die Veröffentlichung hat in einer Art und Weise zu erfolgen, die der Öffentlichkeit einen leichten Zugang zu den Angaben ermöglicht. [2] Die Veröffentlichung hat entsprechend den Regelungen in § 3a Absatz 1 bis 4 der Wertpapierhandelsanzeigeverordnung vom 13. Dezember 2004 (BGBl. I S. 3376), die zuletzt durch Artikel 1 der Verordnung vom 19. Oktober 2018 (BGBl. I S. 1758) geändert worden ist, zu erfolgen. [3] Die Veröffentlichung muss alle wesentlichen Informationen enthalten, die erforderlich sind, um zu bewerten, ob das Geschäft aus Sicht der Gesellschaft und der Aktionäre, die keine nahestehenden Personen sind, angemessen ist. [4] Dies umfasst mindestens Informationen zur Art des Verhältnisses zu den nahestehenden Personen, die Namen der nahestehenden Personen sowie das Datum und den Wert des Geschäfts. [5] Die Angaben sind zudem auf der Internetseite der Gesellschaft für einen Zeitraum von mindestens fünf Jahren öffentlich zugänglich zu machen.

(3) [1] Handelt es sich bei dem Geschäft mit einer nahestehenden Person um eine Insiderinformation gemäß Artikel 17 der Verordnung (EU) Nr. 596/2014[3] des Europäischen Parlaments und des Rates vom 16. April 2014 über Marktmissbrauch (Marktmissbrauchsverordnung) und zur Aufhebung der Richtlinie 2003/6/EG des Europäischen Parlaments und des Rates und der Richtlinien 2003/124/EG, 2003/125/EG und 2004/72/EG der Kommission (ABl. L 173 vom 12.6.2014, S. 1; L 287 vom 21.10.2016, S. 320; L 348 vom

---

[1] **beck-online, Module Arbeitsrecht Nr. 105.**

[2] § 111c eingef. mWv 1.1.2020 durch G v. 12.12.2019 (BGBl. I S. 2637).

[3] **Habersack ErgBd. Nr. 60.**

21.12.2016, S. 83), die zuletzt durch die Verordnung (EU) 2016/1033 (ABl. L 175 vom 30.6.2016, S. 1) geändert worden ist, sind die nach Absatz 2 erforderlichen Angaben in die Mitteilung gemäß Artikel 17 der Verordnung (EU) Nr. 596/2014 aufzunehmen. [2] In diesem Fall entfällt die Verpflichtung nach Absatz 1. [3] Artikel 17 Absatz 4 und 5 der Verordnung (EU) Nr. 596/2014 gilt sinngemäß.

(4) Ist die Gesellschaft Mutterunternehmen im Sinne der internationalen Rechnungslegungsstandards, die durch die Verordnung (EG) Nr. 1126/2008 übernommen wurden, gelten Absatz 1 Satz 1 sowie die Absätze 2 und 3 entsprechend für ein Geschäft eines Tochterunternehmens mit der Gesellschaft nahestehenden Personen, sofern dieses Geschäft, wenn es von der Gesellschaft vorgenommen worden wäre, nach § 111b Absatz 1 und 3 einer Zustimmung bedürfte.

§ 112[1)] Vertretung der Gesellschaft gegenüber Vorstandsmitgliedern. [1] Vorstandsmitgliedern gegenüber vertritt der Aufsichtsrat die Gesellschaft gerichtlich und außergerichtlich. [2] § 78 Abs. 2 Satz 2 gilt entsprechend.

§ 113[2)] Vergütung der Aufsichtsratsmitglieder. (1) [1] Den Aufsichtsratsmitgliedern kann für ihre Tätigkeit eine Vergütung gewährt werden. [2] Sie kann in der Satzung festgesetzt oder von der Hauptversammlung bewilligt werden. [3] Sie soll in einem angemessenen Verhältnis zu den Aufgaben der Aufsichtsratsmitglieder und zur Lage der Gesellschaft stehen.

(2) [1] Den Mitgliedern des ersten Aufsichtsrats kann nur die Hauptversammlung eine Vergütung für ihre Tätigkeit bewilligen. [2] Der Beschluß kann erst in der Hauptversammlung gefaßt werden, die über die Entlastung der Mitglieder des ersten Aufsichtsrats beschließt.

(3) [1] Bei börsennotierten Gesellschaften ist mindestens alle vier Jahre über die Vergütung der Aufsichtsratsmitglieder Beschluss zu fassen. [2] Ein die Vergütung bestätigender Beschluss ist zulässig; im Übrigen gilt Absatz 1 Satz 2. [3] In dem Beschluss sind die nach § 87a Absatz 1 Satz 2 erforderlichen Angaben sinngemäß und in klarer und verständlicher Form zu machen oder in Bezug zu nehmen. [4] Die Angaben können in der Satzung unterbleiben, wenn die Vergütung in der Satzung festgesetzt wird. [5] Der Beschluss ist wegen eines Verstoßes gegen Satz 3 nicht anfechtbar. [6] § 120a Absatz 2 und 3 ist sinngemäß anzuwenden.

§ 114 Verträge mit Aufsichtsratsmitgliedern. (1) Verpflichtet sich ein Aufsichtsratsmitglied außerhalb seiner Tätigkeit im Aufsichtsrat durch einen Dienstvertrag, durch den ein Arbeitsverhältnis nicht begründet wird, oder durch einen Werkvertrag gegenüber der Gesellschaft zu einer Tätigkeit höherer Art, so hängt die Wirksamkeit des Vertrags von der Zustimmung des Aufsichtsrats ab.

(2) [1] Gewährt die Gesellschaft auf Grund eines solchen Vertrags dem Aufsichtsratsmitglied eine Vergütung, ohne daß der Aufsichtsrat dem Vertrag zugestimmt hat, so hat das Aufsichtsratsmitglied die Vergütung zurückzugewähren, es sei denn, daß der Aufsichtsrat den Vertrag genehmigt. [2] Ein Anspruch

---

[1)] § *112 Satz 2 angef.* mWv 1.11.2008 durch G v. 23.10.2008 (BGBl. I S. 2026).

[2)] § 113 Abs. 3 Satz 1 geänd. durch G v. 25.3.1998 (BGBl. I S. 590); Abs. 1 Satz 4 aufgeh., Abs. 3 neu gef. mWv 1.1.2020 durch G v. 12.12.2019 (BGBl. I S. 2637).

des Aufsichtsratsmitglieds gegen die Gesellschaft auf Herausgabe der durch die geleistete Tätigkeit erlangten Bereicherung bleibt unberührt; der Anspruch kann jedoch nicht gegen den Rückgewähranspruch aufgerechnet werden.

§ 115[1)] Kreditgewährung an Aufsichtsratsmitglieder. (1) [1]Die Gesellschaft darf ihren Aufsichtsratsmitgliedern Kredit nur mit Einwilligung des Aufsichtsrats gewähren. [2]Eine herrschende Gesellschaft darf Kredite an Aufsichtsratsmitglieder eines abhängigen Unternehmens nur mit Einwilligung ihres Aufsichtsrats, eine abhängige Gesellschaft darf Kredite an Aufsichtsratsmitglieder des herrschenden Unternehmens nur mit Einwilligung des Aufsichtsrats des herrschenden Unternehmens gewähren. [3]Die Einwilligung kann nur für bestimmte Kreditgeschäfte oder Arten von Kreditgeschäften und nicht für länger als drei Monate im voraus erteilt werden. [4]Der Beschluß über die Einwilligung hat die Verzinsung und Rückzahlung des Kredits zu regeln. [5]Betreibt das Aufsichtsratsmitglied ein Handelsgewerbe als Einzelkaufmann, so ist die Einwilligung nicht erforderlich, wenn der Kredit für die Bezahlung von Waren gewährt wird, welche die Gesellschaft seinem Handelsgeschäft liefert.

(2) Absatz 1 gilt auch für Kredite an den Ehegatten, Lebenspartner oder an ein minderjähriges Kind eines Aufsichtsratsmitglieds und für Kredite an einen Dritten, der für Rechnung dieser Personen oder für Rechnung eines Aufsichtsratsmitglieds handelt.

(3) [1]Ist ein Aufsichtsratsmitglied zugleich gesetzlicher Vertreter einer anderen juristischen Person oder Gesellschafter einer Personenhandelsgesellschaft, so darf die Gesellschaft der juristischen Person oder der Personenhandelsgesellschaft Kredit nur mit Einwilligung des Aufsichtsrats gewähren; Absatz 1 Satz 3 und 4 gilt sinngemäß. [2]Dies gilt nicht, wenn die juristische Person oder die Personenhandelsgesellschaft mit der Gesellschaft verbunden ist oder wenn der Kredit für die Bezahlung von Waren gewährt wird, welche die Gesellschaft der juristischen Person oder der Personenhandelsgesellschaft liefert.

(4) Wird entgegen den Absätzen 1 bis 3 Kredit gewährt, so ist der Kredit ohne Rücksicht auf entgegenstehende Vereinbarungen sofort zurückzugewähren, wenn nicht der Aufsichtsrat nachträglich zustimmt.

(5) Ist die Gesellschaft ein Kreditinstitut oder Finanzdienstleistungsinstitut, auf das § 15 des Gesetzes über das Kreditwesen[2)] anzuwenden ist, gelten anstelle der Absätze 1 bis 4 die Vorschriften des Gesetzes über das Kreditwesen.

§ 116[3)] Sorgfaltspflicht und Verantwortlichkeit der Aufsichtsratsmitglieder. [1]Für die Sorgfaltspflicht und Verantwortlichkeit der Aufsichtsratsmitglieder gelten § 93 mit Ausnahme des Absatzes 2 Satz 3 über die Sorgfaltspflicht und Verantwortlichkeit der Vorstandsmitglieder und § 15b der Insolvenzordnung[4)] sinngemäß. [2]Die Aufsichtsratsmitglieder sind insbesondere zur Verschwiegenheit über erhaltene vertrauliche Berichte und vertrauliche Beratun-

---

[1)] § 115 Abs. 5 neu gef. durch G v. 22.10.1997 (BGBl. I S. 2567); Abs. 2 geänd. mWv 1.8.2001 durch G v. 16.2.2001 (BGBl. I S. 266).

[2)] **beck-online, Module Arbeitsrecht Nr. 205.**

[3)] § 116 Satz 2 angef. mWv 26.7.2002 durch G v. 19.7.2002 (BGBl. I S. 2681); Satz 1 geänd., Satz 3 angef. mWv 5.8.2009 durch G v. 31.7.2009 (BGBl. I S. 2509); Satz 1 neu gef. mWv 1.1.2021 durch G v. 22.12.2020 (BGBl. I S. 3256).

[4)] Nr. **327.**

gen verpflichtet. [3] Sie sind namentlich zum Ersatz verpflichtet, wenn sie eine unangemessene Vergütung festsetzen (§ 87 Absatz 1).

Vierter Abschnitt. Hauptversammlung

Erster Unterabschnitt. Rechte der Hauptversammlung

§ 118[1) 2)] Allgemeines. (1) [1] Die Aktionäre üben ihre Rechte in den Angelegenheiten der Gesellschaft in der Hauptversammlung aus, soweit das Gesetz nichts anderes bestimmt. [2] Die Satzung kann vorsehen oder den Vorstand dazu ermächtigen vorzusehen, dass die Aktionäre an der Hauptversammlung auch ohne Anwesenheit an deren Ort und ohne einen Bevollmächtigten teilnehmen und sämtliche oder einzelne ihrer Rechte ganz oder teilweise im Wege elektronischer Kommunikation ausüben können. [3] Bei elektronischer Ausübung des Stimmrechts ist dem Abgebenden der Zugang der elektronisch abgegebenen Stimme nach den Anforderungen gemäß Artikel 7 Absatz 1 und Artikel 9 Absatz 5 Unterabsatz 1 der Durchführungsverordnung (EU) 2018/1212 von der Gesellschaft elektronisch zu bestätigen. [4] Sofern die Bestätigung einem Intermediär erteilt wird, hat dieser die Bestätigung unverzüglich dem Aktionär zu übermitteln. [5] § 67a Absatz 2 Satz 1 und Absatz 3 gilt entsprechend.

(2) [1] Die Satzung kann vorsehen oder den Vorstand dazu ermächtigen vorzusehen, dass Aktionäre ihre Stimmen, auch ohne an der Versammlung teilzunehmen, schriftlich oder im Wege elektronischer Kommunikation abgeben dürfen (Briefwahl). [2] Absatz 1 Satz 3 bis 5 gilt entsprechend.

(3) [1] Die Mitglieder des Vorstands und des Aufsichtsrats sollen an der Hauptversammlung teilnehmen. [2] Die Satzung kann jedoch bestimmte Fälle vorsehen, in denen die Teilnahme von Mitgliedern des Aufsichtsrats im Wege der Bild- und Tonübertragung erfolgen darf.

(4) Die Satzung oder die Geschäftsordnung gemäß § 129 Abs. 1 kann vorsehen oder den Vorstand oder den Versammlungsleiter dazu ermächtigen vorzusehen, die Bild- und Tonübertragung der Versammlung zuzulassen.

§ 118a[3)] Virtuelle Hauptversammlung. (1) [1] Die Satzung kann vorsehen oder den Vorstand dazu ermächtigen, vorzusehen, dass die Versammlung ohne physische Präsenz der Aktionäre oder ihrer Bevollmächtigten am Ort der Hauptversammlung abgehalten wird (virtuelle Hauptversammlung). [2] Wird eine virtuelle Hauptversammlung abgehalten, sind die folgenden Voraussetzungen einzuhalten:

1. die gesamte Versammlung wird mit Bild und Ton übertragen,
2. die Stimmrechtsausübung der Aktionäre ist im Wege elektronischer Kommunikation, namentlich über elektronische Teilnahme oder elektronische Briefwahl, sowie über Vollmachtserteilung möglich,
3. den elektronisch zu der Versammlung zugeschalteten Aktionären wird das Recht eingeräumt, Anträge und Wahlvorschläge im Wege der Videokommunikation in der Versammlung zu stellen,

---

[1)] § 118 Abs. 2 Satz 2 und Abs. 3 angef. mWv 26.7.2002 durch G v. 19.7.2002 (BGBl. I S. 2681); Abs. 1 Satz 2 angef., Abs. 2 eingef., bish. Abs. 2 und 3 werden Abs. 3 und 4 und Abs 4. neu gef. mWv 1.9.2009 durch G v. 30.7.2009 (BGBl. I S. 2479); Abs. 1 Sätze 3–5 und Abs. 2 Satz 2 angef. mWv 1.1. *2020 durch G v. 12.12.2019 (BGBl. I S. 2637).*

[2)] Beachte hierzu Übergangsvorschrift in § 26j EGAktG **(Habersack Nr. 51a)**.

[3)] § 118a eingef. mWv 27.7.2022 durch G v. 20.7.2022 (BGBl. I S. 1166).

4. den Aktionären wird ein Auskunftsrecht nach § 131 im Wege elektronischer Kommunikation eingeräumt,
5. den Aktionären wird, sofern der Vorstand von der Möglichkeit des § 131 Absatz 1a Satz 1 Gebrauch macht, der Bericht des Vorstands oder dessen wesentlicher Inhalt bis spätestens sieben Tage vor der Versammlung zugänglich gemacht,
6. den Aktionären wird das Recht eingeräumt, Stellungnahmen nach § 130a Absatz 1 bis 4 im Wege elektronischer Kommunikation einzureichen,
7. den elektronisch zu der Versammlung zugeschalteten Aktionären wird ein Rederecht in der Versammlung im Wege der Videokommunikation nach § 130a Absatz 5 und 6 eingeräumt,
8. den elektronisch zu der Versammlung zugeschalteten Aktionären wird ein Recht zum Widerspruch gegen einen Beschluss der Hauptversammlung im Wege elektronischer Kommunikation eingeräumt.

[3] Für die Fristberechnung nach Satz 2 Nummer 5 gilt § 121 Absatz 7; bei börsennotierten Gesellschaften hat das Zugänglichmachen über die Internetseite der Gesellschaft zu erfolgen. [4] § 118 Absatz 1 Satz 3 und 4 sowie § 67a Absatz 2 Satz 1 und Absatz 3 gelten entsprechend.

(2) [1] Die Mitglieder des Vorstands sollen am Ort der Hauptversammlung teilnehmen. [2] Gleiches gilt für die Mitglieder des Aufsichtsrats, sofern deren Teilnahme nicht nach § 118 Absatz 3 Satz 2 im Wege der Bild- und Tonübertragung erfolgen darf. [3] Der Versammlungsleiter und in den Fällen des § 176 Absatz 2 Satz 1 und 2 der Abschlussprüfer haben am Ort der Hauptversammlung teilzunehmen. [4] Ein von der Gesellschaft nach § 134 Absatz 3 Satz 5 benannter Stimmrechtsvertreter kann am Ort der Hauptversammlung teilnehmen.

(3) [1] Eine Bestimmung in der Satzung nach Absatz 1 Satz 1, die die Abhaltung virtueller Hauptversammlungen vorsieht, muss befristet werden. [2] Die Abhaltung virtueller Hauptversammlungen darf in einer solchen Bestimmung für einen Zeitraum von längstens fünf Jahren nach Eintragung der Gesellschaft vorgesehen werden.

(4) [1] Eine Ermächtigung des Vorstands durch die Satzung nach Absatz 1 Satz 1, die Abhaltung virtueller Hauptversammlungen vorzusehen, muss befristet werden. [2] Sie kann für einen Zeitraum von längstens fünf Jahren nach Eintragung der Gesellschaft erteilt werden.

(5) Werden nach Absatz 1 Satz 1 getroffene Bestimmungen oder Ermächtigungen durch Satzungsänderung geschaffen,

1. darf die Bestimmung die Abhaltung virtueller Hauptversammlungen bis zu einem Zeitraum von längstens fünf Jahren nach Eintragung der Satzungsänderung vorsehen und
2. kann die Ermächtigung des Vorstands für einen Zeitraum von längstens fünf Jahren nach Eintragung der Satzungsänderung erteilt werden.

(6) Bestimmt dieses oder ein anderes Gesetz, dass Unterlagen in der Hauptversammlung zugänglich zu machen sind, so sind die Unterlagen den der Hauptversammlung elektronisch zugeschalteten Aktionären während des Zeitraums der Versammlung über die Internetseite der Gesellschaft oder eine über diese zugängliche Internetseite eines Dritten zugänglich zu machen.

Zweiter Unterabschnitt. Einberufung der Hauptversammlung

§ 125[1) 2)] Mitteilungen für die Aktionäre und an Aufsichtsratsmitglieder. (1) [1]Der Vorstand einer Gesellschaft, die nicht ausschließlich Namensaktien ausgegeben hat, hat die Einberufung der Hauptversammlung mindestens 21 Tage vor derselben wie folgt mitzuteilen:

1. den Intermediären, die Aktien der Gesellschaft verwahren,
2. den Aktionären und Intermediären, die die Mitteilung verlangt haben, und
3. den Vereinigungen von Aktionären, die die Mitteilung verlangt haben oder die in der letzten Hauptversammlung Stimmrechte ausgeübt haben.

[2]Der Tag der Mitteilung ist nicht mitzurechnen. [3]Ist die Tagesordnung nach § 122 Abs. 2 zu ändern, so ist bei börsennotierten Gesellschaften die geänderte Tagesordnung mitzuteilen. [4]In der Mitteilung ist auf die Möglichkeiten der Ausübung des Stimmrechts durch einen Bevollmächtigten, auch durch eine Vereinigung von Aktionären, hinzuweisen. [5]Bei börsennotierten Gesellschaften sind einem Vorschlag zur Wahl von Aufsichtsratsmitgliedern Angaben zu deren Mitgliedschaft in anderen gesetzlich zu bildenden Aufsichtsräten beizufügen; Angaben zu ihrer Mitgliedschaft in vergleichbaren in- und ausländischen Kontrollgremien von Wirtschaftsunternehmen sollen beigefügt werden.

(2) Die gleiche Mitteilung hat der Vorstand einer Gesellschaft, die Namensaktien ausgegeben hat, den zu Beginn des 21. Tages vor der Hauptversammlung im Aktienregister Eingetragenen zu machen sowie den Aktionären und Intermediären, die die Mitteilung verlangt haben, und den Vereinigungen von Aktionären, die die Mitteilung verlangt oder die in der letzten Hauptversammlung Stimmrechte ausgeübt haben.

(3) Jedes Aufsichtsratsmitglied kann verlangen, daß ihm der Vorstand die gleichen Mitteilungen übersendet.

(4) Jedem Aufsichtsratmitglied und jedem Aktionär sind auf Verlangen die in der Hauptversammlung gefassten Beschlüsse mitzuteilen.

(5) [1]Für Inhalt und Format eines Mindestgehaltes an Informationen in den Mitteilungen gemäß Absatz 1 Satz 1 und Absatz 2 gelten die Anforderungen der Durchführungsverordnung (EU) 2018/1212. [2]§ 67a Absatz 2 Satz 1 gilt für die Absätze 1 und 2 entsprechend. [3]Bei börsennotierten Gesellschaften sind die Intermediäre, die Aktien der Gesellschaft verwahren, entsprechend den §§ 67a und 67b zur Weiterleitung und Übermittlung der Informationen nach den Absätzen 1 und 2 verpflichtet, es sei denn, dem Intermediär ist bekannt, dass der Aktionär sie von anderer Seite erhält. [4]Das Gleiche gilt für nichtbörsennotierte Gesellschaften mit der Maßgabe, dass die Bestimmungen der Durchführungsverordnung (EU) 2018/1212 nicht anzuwenden sind.

---

1) § 125 Abs. 5 angef. durch G v. 22.10.1997 (BGBl. I S. 2567); Abs. 1 Sätze 2 und 3 angef. durch G v. 27.4.1998 (BGBl. I S. 786); Abs. 2 geänd., Abs. 2 Nr. 3 und Abs. 4 neu gef. mWv 25.1.2001 durch G v. 18.1.2001 (BGBl. I S. 123); Abs. 1 Satz 1 geänd. mWv 1.1.2003 durch G v. 19.7.2002 (BGBl. I S. 2681); Abs. 1 Satz 1, Abs. 2 Nr. 2 geänd. mWv 1.7.2004 durch G v. 18.5.2004 (BGBl. I S. 974); Abs. 2 neu gef. mWv 1.11.2005 durch G v. 22.9.2005 (BGBl. I S. 2802); Abs. 1 Satz 1 neu gef., Sätze 2 und 3 eingef., bish. Sätze 2 und 3 werden Sätze 4 und 5, Abs. 2 neu gef., Abs. 5 geänd. *mWv 1.9.2009 durch G v. 30.7.2009 (BGBl. I S. 2479)*; Abs. 1 Satz 1, Abs. 2 und 5 neu gef. mWv 1.1.2020 durch G v. 12.12.2019 (BGBl. I S. 2637).

2) Beachte hierzu Übergangsvorschrift in § 26j EGAktG **(Habersack Nr. 51a)**.

Fünfter Teil. Rechnungslegung. Gewinnverwendung

Zweiter Abschnitt. Prüfung des Jahresabschlusses

Zweiter Unterabschnitt. Prüfung durch den Aufsichtsrat

§ 170[1)] Vorlage an den Aufsichtsrat. (1) [1] Der Vorstand hat den Jahresabschluß und den Lagebericht unverzüglich nach ihrer Aufstellung dem Aufsichtsrat vorzulegen. [2] Satz 1 gilt entsprechend für einen Einzelabschluss nach § 325 Abs. 2a des Handelsgesetzbuchs[2)] sowie bei Mutterunternehmen (§ 290 Abs. 1, 2 des Handelsgesetzbuchs) für den Konzernabschluss und den Konzernlagebericht. [3] Nach Satz 1 vorzulegen sind auch der gesonderte nichtfinanzielle Bericht (§ 289b des Handelsgesetzbuchs[2)]), der gesonderte nichtfinanzielle Konzernbericht (§ 315b des Handelsgesetzbuchs[2)]), der Ertragsteuerinformationsbericht (§§ 342b, 342c, 342d Absatz 2 Nummer 2 des Handelsgesetzbuchs[2)]) und die Erklärung nach § 342d Absatz 2 Nummer 1 des Handelsgesetzbuchs[2)], sofern sie erstellt wurden.

(2) [1] Zugleich hat der Vorstand dem Aufsichtsrat den Vorschlag vorzulegen, den er der Hauptversammlung für die Verwendung des Bilanzgewinns machen will. [2] Der Vorschlag ist, sofern er keine abweichende Gliederung bedingt, wie folgt zu gliedern:

1. Verteilung an die Aktionäre ....
2. Einstellung in Gewinnrücklagen ....
3. Gewinnvortrag ....
4. Bilanzgewinn ....

(3) [1] Jedes Aufsichtsratsmitglied hat das Recht, von den Vorlagen und Prüfungsberichten Kenntnis zu nehmen. [2] Die Vorlagen und Prüfungsberichte sind auch jedem Aufsichtsratsmitglied oder, soweit der Aufsichtsrat dies beschlossen hat, den Mitgliedern eines Ausschusses zu übermitteln.

§ 171[3)] Prüfung durch den Aufsichtsrat. (1) [1] Der Aufsichtsrat hat den Jahresabschluß, den Lagebericht und den Vorschlag für die Verwendung des Bilanzgewinns zu prüfen, bei Mutterunternehmen (§ 290 Abs. 1, 2 des Handelsgesetzbuchs[2)]) auch den Konzernabschluß und den Konzernlagebericht. [2] Ist der Jahresabschluss oder der Konzernabschluss durch einen Abschlussprüfer zu prüfen, so hat dieser an den Verhandlungen des Aufsichtsrats oder des Prüfungsausschusses über diese Vorlagen teilzunehmen und über die wesentli-

---

[1)] § 170 Abs. 1 neu gef., Abs. 2 Satz 2 Nr. 2 geänd., Nr. 4 aufgeh., bish. Nr. 5 wird Nr. 4 durch G v. 19.12.1985 (BGBl. I S. 2355); Abs. 1 Satz 2 aufgeh., Abs. 3 Satz 1 geänd., Satz 2 neu gef. durch G v. 27.4.1998 (BGBl. I S. 786); Abs. 1 Satz 2 angef., Abs. 3 Satz 2 geänd. mWv 26.7.2002 durch G v. 19.7.2002 (BGBl. I S. 2681); Abs. 1 Satz 2 neu gef. mWv 10.12.2004 durch G v. 4.12.2004 (BGBl. I S. 3166); Abs. 1 Satz 3 angef. mWv 19.4.2017 durch G v. 11.4.2017 (BGBl. I S. 802); Abs. 1 Satz 3 geänd. mWv 22.6.2023 durch G v. 19.6.2023 (BGBl. 2023 I Nr. 154).

[2)] **beck-online, Module Arbeitsrecht Nr. 105.**

[3)] § 171 Abs. 1 und Abs. 2 Satz 3 neu gef. durch G v. 19.12.1985 (BGBl. I S. 2355); Abs. 1 Satz 1 geänd., Satz 2 neu gef., Abs. 2 Satz 2 zweiter Halbsatz angef. durch G v. 27.4.1998 (BGBl. I S. 786); Abs. 1 Sätze 1 und 2, Abs. 3 Satz 3 geänd., Abs. 2 Satz 5 angef. mWv 26.7.2002 durch G v. 19.7.2002 (BGBl. I S. 2681); Abs. 4 angef. mWv 10.12.2004 durch G v. 4.12.2004 (BGBl. I S. 3166); Abs. 2 Satz 2 geänd. mWv 14.7.2006 durch G v. 8.7.2006 (BGBl. I S. 1426); Abs. 2 Satz 2 geänd. mWv 25.4.2007 durch G v. 19.4.2007 (BGBl. I S. 542); Abs. 1 Satz 2 neu gef., Satz 3 angef. mWv 29.5.2009 durch G v. 25.5.2009 (BGBl. I S. 1102); Abs. 1 Satz 4 angef. mWv 19.4.2017 durch G v. 11.4.2017 (BGBl. I S. 802); Abs. 1 Satz 4 geänd. mWv 22.6.2023 durch G v. 19.6.2023 (BGBl. 2023 I Nr. 154).

chen Ergebnisse seiner Prüfung, insbesondere wesentliche Schwächen des internen Kontroll- und des Risikomanagementsystems bezogen auf den Rechnungslegungsprozess, zu berichten. [3]Er informiert über Umstände, die seine Befangenheit besorgen lassen und über Leistungen, die er zusätzlich zu den Abschlussprüfungsleistungen erbracht hat. [4]Der Aufsichtsrat hat auch den gesonderten nichtfinanziellen Bericht (§ 289b des Handelsgesetzbuchs[1)]), den gesonderten nichtfinanziellen Konzernbericht (§ 315b des Handelsgesetzbuchs[1)]), den Ertragsteuerinformationsbericht (§§ 342b, 342c, 342d Absatz 2 Nummer 2 des Handelsgesetzbuchs[1)]) und die Erklärung nach § 342d Absatz 2 Nummer 1 des Handelsgesetzbuchs[1)] zu prüfen, sofern sie erstellt wurden.

(2) [1]Der Aufsichtsrat hat über das Ergebnis der Prüfung schriftlich an die Hauptversammlung zu berichten. [2]In dem Bericht hat der Aufsichtsrat auch mitzuteilen, in welcher Art und in welchem Umfang er die Geschäftsführung der Gesellschaft während des Geschäftsjahrs geprüft hat; bei börsennotierten Gesellschaften hat er insbesondere anzugeben, welche Ausschüsse gebildet worden sind, sowie die Zahl seiner Sitzungen und die der Ausschüsse mitzuteilen. [3]Ist der Jahresabschluß durch einen Abschlußprüfer zu prüfen, so hat der Aufsichtsrat ferner zu dem Ergebnis der Prüfung des Jahresabschlusses durch den Abschlußprüfer Stellung zu nehmen. [4]Am Schluß des Berichts hat der Aufsichtsrat zu erklären, ob nach dem abschließenden Ergebnis seiner Prüfung Einwendungen zu erheben sind und ob er den vom Vorstand aufgestellten Jahresabschluß billigt. [5]Bei Mutterunternehmen (§ 290 Abs. 1, 2 des Handelsgesetzbuchs) finden die Sätze 3 und 4 entsprechende Anwendung auf den Konzernabschluss.

(3) [1]Der Aufsichtsrat hat seinen Bericht innerhalb eines Monats, nachdem ihm die Vorlagen zugegangen sind, dem Vorstand zuzuleiten. [2]Wird der Bericht dem Vorstand nicht innerhalb der Frist zugeleitet, hat der Vorstand dem Aufsichtsrat unverzüglich eine weitere Frist von nicht mehr als einem Monat zu setzen. [3]Wird der Bericht dem Vorstand nicht vor Ablauf der weiteren Frist zugeleitet, gilt der Jahresabschluß als vom Aufsichtsrat nicht gebilligt; bei Mutterunternehmen (§ 290 Abs. 1, 2 des Handelsgesetzbuchs) gilt das Gleiche hinsichtlich des Konzernabschlusses.

(4) [1]Die Absätze 1 bis 3 gelten auch hinsichtlich eines Einzelabschlusses nach § 325 Abs. 2a des Handelsgesetzbuchs. [2]Der Vorstand darf den in Satz 1 genannten Abschluss erst nach dessen Billigung durch den Aufsichtsrat offen legen.

[1)] beck-online, Module Arbeitsrecht Nr. 105.

Siebenter Teil. Nichtigkeit von Hauptversammlungsbeschlüssen und des festgestellten Jahresabschlusses. Sonderprüfung wegen unzulässiger Unterbewertung

Erster Abschnitt. Nichtigkeit von Hauptversammlungsbeschlüssen

Zweiter Unterabschnitt. Nichtigkeit bestimmter Hauptversammlungsbeschlüsse

§ 250[1] **Nichtigkeit der Wahl von Aufsichtsratsmitgliedern.** (1) Die Wahl eines Aufsichtsratsmitglieds durch die Hauptversammlung ist außer im Falle des § 241 Nr. 1, 2 und 5 nur dann nichtig, wenn

1. der Aufsichtsrat unter Verstoß gegen § 96 Absatz 4, § 97 Abs. 2 Satz 1 oder § 98 Abs. 4 zusammengesetzt wird;
2. die Hauptversammlung, obwohl sie an Wahlvorschläge gebunden ist (§§ 6 und 8 des Montan-Mitbestimmungsgesetzes[2]), eine nicht vorgeschlagene Person wählt;
3. durch die Wahl die gesetzliche Höchstzahl der Aufsichtsratsmitglieder überschritten wird (§ 95);
4. die gewählte Person nach § 100 Abs. 1 und 2 bei Beginn ihrer Amtszeit nicht Aufsichtsratsmitglied sein kann;
5. die Wahl gegen § 96 Absatz 2 verstößt.

(2) Für die Klage auf Feststellung, daß die Wahl eines Aufsichtsratsmitglieds nichtig ist, sind parteifähig

1. der Gesamtbetriebsrat der Gesellschaft oder, wenn in der Gesellschaft nur ein Betriebsrat besteht, der Betriebsrat, sowie, wenn die Gesellschaft herrschendes Unternehmen eines Konzerns ist, der Konzernbetriebsrat,
2. der Gesamt- oder Unternehmenssprecherausschuss der Gesellschaft oder, wenn in der Gesellschaft nur ein Sprecherausschuss besteht, der Sprecherausschuss sowie, wenn die Gesellschaft herrschendes Unternehmen eines Konzerns ist, der Konzernsprecherausschuss,
3. der Gesamtbetriebsrat eines anderen Unternehmens, dessen Arbeitnehmer selbst oder durch Delegierte an der Wahl von Aufsichtsratsmitgliedern der Gesellschaft teilnehmen, oder, wenn in dem anderen Unternehmen nur ein Betriebsrat besteht, der Betriebsrat,
4. der Gesamt- oder Unternehmenssprecherausschuss eines anderen Unternehmens, dessen Arbeitnehmer selbst oder durch Delegierte an der Wahl von Aufsichtsratsmitgliedern der Gesellschaft teilnehmen, oder, wenn in dem anderen Unternehmen nur ein Sprecherausschuss besteht, der Sprecherausschuss,
5. jede in der Gesellschaft oder in einem Unternehmen, dessen Arbeitnehmer selbst oder durch Delegierte an der Wahl von Aufsichtsratsmitgliedern der

[1] § 250 Abs. 3 Satz 1 geänd. durch G v. 15.8.1969 (BGBl. I S. 1146); Abs. 1 Nr. 2 geänd., Abs. 2 neu gef., Abs. 3 Satz 1 geänd. durch G v. 4.5.1976 (BGBl. I S. 1153); Abs. 2 Nr. 2 und 3 geänd. durch G v. 20.12.1988 (BGBl. I S. 2312); Abs. 2 Nr. 2 und 3 geänd. durch G v. 26.6.1990 (BGBl. I S. 1206); Abs. 2 Nr. 2 und 4 eingef., bish. Nr. 2 und 3 werden Nr. 3 und 5 mWv 27.3.2002 durch G v. 23.3.2002 (BGBl. I S. 1130); Abs. 3 Satz 1 neu gef. mWv 1.11.2005 durch G v. 22.9.2005 (BGBl. I S. 2802); Abs. 1 Nr. 1 und 4 geänd., Nr. 5 angef. mWv 1.5.2015 durch G v. 24.4.2015 (BGBl. I S. 642).

[2] Nr. **561**.

Gesellschaft teilnehmen, vertretene Gewerkschaft sowie deren Spitzenorganisation.

(3) [1]Erhebt ein Aktionär, der Vorstand, ein Mitglied des Vorstands oder des Aufsichtsrats oder eine in Absatz 2 bezeichnete Organisation oder Vertretung der Arbeitnehmer gegen die Gesellschaft Klage auf Feststellung, dass die Wahl eines Aufsichtsratsmitglieds nichtig ist, so gelten § 246 Abs. 2, Abs. 3 Satz 1 bis 4, Abs. 4, §§ 247, 248 Abs. 1 Satz 2, §§ 248a und 249 Abs. 2 sinngemäß. [2]Es ist nicht ausgeschlossen, die Nichtigkeit auf andere Weise als durch Erhebung der Klage geltend zu machen.

§ 251[1)] Anfechtung der Wahl von Aufsichtsratsmitgliedern. (1) [1]Die Wahl eines Aufsichtsratsmitglieds durch die Hauptversammlung kann wegen Verletzung des Gesetzes oder der Satzung durch Klage angefochten werden. [2]Ist die Hauptversammlung an Wahlvorschläge gebunden, so kann die Anfechtung auch darauf gestützt werden, daß der Wahlvorschlag gesetzwidrig zustande gekommen ist. [3]§ 243 Abs. 4 und § 244 gelten.

(2) [1]Für die Anfechtungsbefugnis gilt § 245 Satz 1 Nummer 1, 2 und 4 sowie Satz 2. [2]Die Wahl eines Aufsichtsratsmitglieds, das nach dem Montan-Mitbestimmungsgesetz[2)] auf Vorschlag der Betriebsräte gewählt worden ist, kann auch von jedem Betriebsrat eines Betriebs der Gesellschaft, jeder in den Betrieben der Gesellschaft vertretenen Gewerkschaft oder deren Spitzenorganisation angefochten werden. [3]Die Wahl eines weiteren Mitglieds, das nach dem Montan-Mitbestimmungsgesetz oder dem Mitbestimmungsergänzungsgesetz[3)] auf Vorschlag der übrigen Aufsichtsratsmitglieder gewählt worden ist, kann auch von jedem Aufsichtsratsmitglied angefochten werden.

(3) Für das Anfechtungsverfahren gelten die §§ 246, 247, 248 Abs. 1 Satz 2 und § 248a.

§ 252[4)] Urteilswirkung. (1) Erhebt ein Aktionär, der Vorstand, ein Mitglied des Vorstands oder des Aufsichtsrats oder eine in § 250 Abs. 2 bezeichnete Organisation oder Vertretung der Arbeitnehmer gegen die Gesellschaft Klage auf Feststellung, daß die Wahl eines Aufsichtsratsmitglieds durch die Hauptversammlung nichtig ist, so wirkt ein Urteil, das die Nichtigkeit der Wahl rechtskräftig feststellt, für und gegen alle Aktionäre und Arbeitnehmer der Gesellschaft, alle Arbeitnehmer von anderen Unternehmen, deren Arbeitnehmer selbst oder durch Delegierte an der Wahl von Aufsichtsratsmitgliedern der Gesellschaft teilnehmen, die Mitglieder des Vorstands und des Aufsichtsrats sowie die in § 250 Abs. 2 bezeichneten Organisationen und Vertretungen der Arbeitnehmer, auch wenn sie nicht Partei sind.

---

1) § 251 Abs. 2 Sätze 2 und 3 geänd. durch G v. 4.5.1976 (BGBl. I S. 1153); Abs. 3 geänd. durch G v. 15.8.1969 (BGBl. I S. 1146); Abs. 2 Satz 2 geänd. durch G v. 19.12.1985 (BGBl. I S. 2355); Abs. 3 neu gef. mWv 1.11.2005 durch G v. 22.9.2005 (BGBl. I S. 2802); Abs. 2 Satz 1 geänd. mWv 27.7.2022 durch G v. 20.7.2022 (BGBl. I S. 1166).

2) Nr. **561**.

3) Nr. **562**.

4) § 252 Abs. 1 neu gef. durch G v. 4.5.1976 (BGBl. I S. 1153); Abs. 1 geänd. durch G v. 20.12.1988 (BGBl. I S. 2312); Abs. 1 geänd. durch G v. 26.6.1990 (BGBl. I S. 1206).

(2) [1] Wird die Wahl eines Aufsichtsratsmitglieds durch die Hauptversammlung durch rechtskräftiges Urteil für nichtig erklärt, so wirkt das Urteil für und gegen alle Aktionäre sowie die Mitglieder des Vorstands und Aufsichtsrats, auch wenn sie nicht Partei sind. [2] Im Fall des § 251 Abs. 2 Satz 2 wirkt das Urteil auch für und gegen die nach dieser Vorschrift anfechtungsberechtigten Betriebsräte, Gewerkschaften und Spitzenorganisationen, auch wenn sie nicht Partei sind.

Achter Teil. Auflösung und Nichtigerklärung der Gesellschaft

Erster Abschnitt. Auflösung

Zweiter Unterabschnitt. Abwicklung

§ 268[1)] **Pflichten der Abwickler.** (1) [1] Die Abwickler haben die laufenden Geschäfte zu beenden, die Forderungen einzuziehen, das übrige Vermögen in Geld umzusetzen und die Gläubiger zu befriedigen. [2] Soweit es die Abwicklung erfordert, dürfen sie auch neue Geschäfte eingehen.

(2) [1] Im übrigen haben die Abwickler innerhalb ihres Geschäftskreises die Rechte und Pflichten des Vorstands. [2] Sie unterliegen wie dieser der Überwachung durch den Aufsichtsrat.

(3) Das Wettbewerbsverbot des § 88 gilt für sie nicht.

(4) [1] Auf allen Geschäftsbriefen, die an einen bestimmten Empfänger gerichtet werden, müssen die Rechtsform und der Sitz der Gesellschaft, die Tatsache, daß die Gesellschaft sich in Abwicklung befindet, das Registergericht des Sitzes der Gesellschaft und die Nummer, unter der die Gesellschaft in das Handelsregister eingetragen ist, sowie alle Abwickler und der Vorsitzende des Aufsichtsrats mit dem Familiennamen und mindestens einem ausgeschriebenen Vornamen angegeben werden. [2] Werden Angaben über das Kapital der Gesellschaft gemacht, so müssen in jedem Falle das Grundkapital sowie, wenn auf die Aktien der Ausgabebetrag nicht vollständig eingezahlt ist, der Gesamtbetrag der ausstehenden Einlagen angegeben werden. [3] Der Angaben nach Satz 1 bedarf es nicht bei Mitteilungen oder Berichten, die im Rahmen einer bestehenden Geschäftsverbindung ergehen und für die üblicherweise Vordrucke verwendet werden, in denen lediglich die im Einzelfall erforderlichen besonderen Angaben eingefügt zu werden brauchen. [4] Bestellscheine gelten als Geschäftsbriefe im Sinne des Satzes 1; Satz 3 ist auf sie nicht anzuwenden.

Drittes Buch. Verbundene Unternehmen

Erster Teil. Unternehmensverträge

Erster Abschnitt. Arten von Unternehmensverträgen

§ 291[2)] **Beherrschungsvertrag. Gewinnabführungsvertrag.** (1) [1] Unternehmensverträge sind Verträge, durch die eine Aktiengesellschaft oder Kommanditgesellschaft auf Aktien die Leitung ihrer Gesellschaft einem ande-

---

1) § 268 Abs. 4 neu gef. durch G v. 15. 8. 1969 (BGBl. I S. 1146); Abs. 4 Satz 2 geänd. durch G v. 25. 3. 1998 (BGBl. I S. 590).

2) § 291 Abs. 3 geänd. mWv 1. 11. 2008 durch G v. 23. 10. 2008 (BGBl. I S. 2026).

ren Unternehmen unterstellt (Beherrschungsvertrag) oder sich verpflichtet, ihren ganzen Gewinn an ein anderes Unternehmen abzuführen (Gewinnabführungsvertrag). [2] Als Vertrag über die Abführung des ganzen Gewinns gilt auch ein Vertrag, durch den eine Aktiengesellschaft oder Kommanditgesellschaft auf Aktien es übernimmt, ihr Unternehmen für Rechnung eines anderen Unternehmens zu führen.

(2) Stellen sich Unternehmen, die voneinander nicht abhängig sind, durch Vertrag unter einheitliche Leitung, ohne daß dadurch eines von ihnen von einem anderen vertragschließenden Unternehmen abhängig wird, so ist dieser Vertrag kein Beherrschungsvertrag.

(3) Leistungen der Gesellschaft bei Bestehen eines Beherrschungs- oder eines Gewinnabführungsvertrags gelten nicht als Verstoß gegen die §§ 57, 58 und 60.

§ 292 Andere Unternehmensverträge. (1) Unternehmensverträge sind ferner Verträge, durch die eine Aktiengesellschaft oder Kommanditgesellschaft auf Aktien

1. sich verpflichtet, ihren Gewinn oder den Gewinn einzelner ihrer Betriebe ganz oder zum Teil mit dem Gewinn anderer Unternehmen oder einzelner Betriebe anderer Unternehmen zur Aufteilung eines gemeinschaftlichen Gewinns zusammenzulegen (Gewinngemeinschaft),
2. sich verpflichtet, einen Teil ihres Gewinns oder den Gewinn einzelner ihrer Betriebe ganz oder zum Teil an einen anderen abzuführen (Teilgewinnabführungsvertrag),
3. den Betrieb ihres Unternehmens einem anderen verpachtet oder sonst überläßt (Betriebspachtvertrag, Betriebsüberlassungsvertrag).

(2) Ein Vertrag über eine Gewinnbeteiligung mit Mitgliedern von Vorstand und Aufsichtsrat oder mit einzelnen Arbeitnehmern der Gesellschaft sowie eine Abrede über eine Gewinnbeteiligung im Rahmen von Verträgen des laufenden Geschäftsverkehrs oder Lizenzverträgen ist kein Teilgewinnabführungsvertrag.

(Fortsetzung nächste Seite)

(3) [1] Ein Betriebspacht- oder Betriebsüberlassungsvertrag und der Beschluß, durch den die Hauptversammlung dem Vertrag zugestimmt hat, sind nicht deshalb nichtig, weil der Vertrag gegen die §§ 57, 58 und 60 verstößt. [2] Satz 1 schließt die Anfechtung des Beschlusses wegen dieses Verstoßes nicht aus.

Zweiter Abschnitt. Abschluß, Änderung und Beendigung von Unternehmensverträgen

§ 293[1)] Zustimmung der Hauptversammlung. (1) [1] Ein Unternehmensvertrag wird nur mit Zustimmung der Hauptversammlung wirksam. [2] Der Beschluß bedarf einer Mehrheit, die mindestens drei Viertel des bei der Beschlußfassung vertretenen Grundkapitals umfaßt. [3] Die Satzung kann eine größere Kapitalmehrheit und weitere Erfordernisse bestimmen. [4] Auf den Beschluß sind die Bestimmungen des Gesetzes und der Satzung über Satzungsänderungen nicht anzuwenden.

(2) [1] Ein Beherrschungs- oder ein Gewinnabführungsvertrag wird, wenn der andere Vertragsteil eine Aktiengesellschaft oder Kommanditgesellschaft auf Aktien ist, nur wirksam, wenn auch die Hauptversammlung dieser Gesellschaft zustimmt. [2] Für den Beschluß gilt Absatz 1 Satz 2 bis 4 sinngemäß.

(3) Der Vertrag bedarf der schriftlichen Form.

§ 293 a[2)] Bericht über den Unternehmensvertrag. (1) [1] Der Vorstand jeder an einem Unternehmensvertrag beteiligten Aktiengesellschaft oder Kommanditgesellschaft auf Aktien hat, soweit die Zustimmung der Hauptversammlung nach § 293 erforderlich ist, einen ausführlichen schriftlichen Bericht zu erstatten, in dem der Abschluß des Unternehmensvertrags, der Vertrag im einzelnen und insbesondere Art und Höhe des Ausgleichs nach § 304 und der Abfindung nach § 305 rechtlich und wirtschaftlich erläutert und begründet werden; der Bericht kann von den Vorständen auch gemeinsam erstattet werden. [2] Auf besondere Schwierigkeiten bei der Bewertung der vertragschließenden Unternehmen sowie auf die Folgen für die Beteiligungen der Aktionäre ist hinzuweisen.

(2) [1] In den Bericht brauchen Tatsachen nicht aufgenommen zu werden, deren Bekanntwerden geeignet ist, einem der vertragschließenden Unternehmen oder einem verbundenen Unternehmen einen nicht unerheblichen Nachteil zuzufügen. [2] In diesem Falle sind in dem Bericht die Gründe, aus denen die Tatsachen nicht aufgenommen worden sind, darzulegen.

(3) Der Bericht ist nicht erforderlich, wenn alle Anteilsinhaber aller beteiligten Unternehmen auf seine Erstattung durch öffentlich beglaubigte Erklärung verzichten.

§ 293 b[3)] Prüfung des Unternehmensvertrags. (1) Der Unternehmensvertrag ist für jede vertragschließende Aktiengesellschaft oder Kommanditgesellschaft auf Aktien durch einen oder mehrere sachverständige Prüfer (Ver-

---

1) § 293 Abs. 3 Sätze 2–6 sowie Abs. 4 aufgeh. durch G v. 28. 10. 1994 (BGBl. I S. 3210).
2) § 293 a eingef. durch G v. 28. 10. 1994 (BGBl. I S. 3210).
3) § 293 b eingef. durch G v. 28. 10. 1994 (BGBl. I S. 3210); Abs. 1 geänd. durch G v. 27. 4. 1998 (BGBl. I S. 786).

tragsprüfer) zu prüfen, es sei denn, daß sich alle Aktien der abhängigen Gesellschaft in der Hand des herrschenden Unternehmens befinden.

(2) § 293 a Abs. 3 ist entsprechend anzuwenden.

§ 293 f[1] Vorbereitung der Hauptversammlung. (1) Von der Einberufung der Hauptversammlung an, die über die Zustimmung zu dem Unternehmensvertrag beschließen soll, sind in dem Geschäftsraum jeder der beteiligten Aktiengesellschaften oder Kommanditgesellschaften auf Aktien zur Einsicht der Aktionäre auszulegen

1. der Unternehmensvertrag;
2. die Jahresabschlüsse und die Lageberichte der vertragschließenden Unternehmen für die letzten drei Geschäftsjahre;
3. die nach § 293 a erstatteten Berichte der Vorstände und die nach § 293 e erstatteten Berichte der Vertragsprüfer.

(2) Auf Verlangen ist jedem Aktionär unverzüglich und kostenlos eine Abschrift der in Absatz 1 bezeichneten Unterlagen zu erteilen.

(3) Die Verpflichtungen nach den Absätzen 1 und 2 entfallen, wenn die in Absatz 1 bezeichneten Unterlagen für denselben Zeitraum über die Internetseite der Gesellschaft zugänglich sind.

§ 293 g[2] Durchführung der Hauptversammlung. (1) In der Hauptversammlung sind die in § 293 f Abs. 1 bezeichneten Unterlagen zugänglich zu machen.

(2) [1] Der Vorstand hat den Unternehmensvertrag zu Beginn der Verhandlung mündlich zu erläutern. [2] Er ist der Niederschrift als Anlage beizufügen.

(3) Jedem Aktionär ist auf Verlangen in der Hauptversammlung Auskunft auch über alle für den Vertragschluß wesentlichen Angelegenheiten des anderen Vertragsteils zu geben.

Zweiter Teil. Leitungsmacht und Verantwortlichkeit bei Abhängigkeit von Unternehmen

Erster Abschnitt. Leitungsmacht und Verantwortlichkeit bei Bestehen eines Beherrschungsvertrags

§ 308 Leitungsmacht. (1) [1] Besteht ein Beherrschungsvertrag, so ist das herrschende Unternehmen berechtigt, dem Vorstand der Gesellschaft hinsichtlich der Leitung der Gesellschaft Weisungen zu erteilen. [2] Bestimmt der Vertrag nichts anderes, so können auch Weisungen erteilt werden, die für die Gesellschaft nachteilig sind, wenn sie den Belangen des herrschenden Unternehmens oder der mit ihm und der Gesellschaft konzernverbundenen Unternehmen dienen.

(2) [1] Der Vorstand ist verpflichtet, die Weisungen des herrschenden Unternehmens zu befolgen. [2] Er ist nicht berechtigt, die Befolgung einer Weisung

---

[1] § 293 f eingef. durch G v. 28. 10. 1994 (BGBl. I S. 3210); Abs. 3 angef. mWv 1. 9. 2009 durch G v. 30. 7. 2009 (BGBl. I S. 2479).

[2] § 293 g eingef. durch G v. 28. 10. 1994 (BGBl. I S. 3210); Abs. 1 geänd. mWv 1. 9. 2009 durch G v. 30. 7. 2009 (BGBl. I S. 2479).

zu verweigern, weil sie nach seiner Ansicht nicht den Belangen des herrschenden Unternehmens oder der mit ihm und der Gesellschaft konzernverbundenen Unternehmen dient, es sei denn, daß sie offensichtlich nicht diesen Belangen dient.

(3) [1] Wird der Vorstand angewiesen, ein Geschäft vorzunehmen, das nur mit Zustimmung des Aufsichtsrats der Gesellschaft vorgenommen werden darf, und wird diese Zustimmung nicht innerhalb einer angemessenen Frist erteilt, so hat der Vorstand dies dem herrschenden Unternehmen mitzuteilen. [2] Wiederholt das herrschende Unternehmen nach dieser Mitteilung die Weisung, so ist die Zustimmung des Aufsichtsrats nicht mehr erforderlich; die Weisung darf, wenn das herrschende Unternehmen einen Aufsichtsrat hat, nur mit dessen Zustimmung wiederholt werden.

Dritter Teil. Eingegliederte Gesellschaften

§ 319[1)] Eingliederung. (1) [1] Die Hauptversammlung einer Aktiengesellschaft kann die Eingliederung der Gesellschaft in eine andere Aktiengesellschaft mit Sitz im Inland (Hauptgesellschaft) beschließen, wenn sich alle Aktien der Gesellschaft in der Hand der zukünftigen Hauptgesellschaft befinden. [2] Auf den Beschluß sind die Bestimmungen des Gesetzes und der Satzung über Satzungsänderungen nicht anzuwenden.

(2) [1] Der Beschluß über die Eingliederung wird nur wirksam, wenn die Hauptversammlung der zukünftigen Hauptgesellschaft zustimmt. [2] Der Beschluß über die Zustimmung bedarf einer Mehrheit, die mindestens drei Viertel des bei der Beschlußfassung vertretenen Grundkapitals umfaßt. [3] Die Satzung kann eine größere Kapitalmehrheit und weitere Erfordernisse bestimmen. [4] Absatz 1 Satz 2 ist anzuwenden.

(3) [1] Von der Einberufung der Hauptversammlung der zukünftigen Hauptgesellschaft an, die über die Zustimmung zur Eingliederung beschließen soll, sind in dem Geschäftsraum dieser Gesellschaft zur Einsicht der Aktionäre auszulegen

1. der Entwurf des Eingliederungsbeschlusses;
2. die Jahresabschlüsse und die Lageberichte der beteiligten Gesellschaften für die letzten drei Geschäftsjahre;
3. ein ausführlicher schriftlicher Bericht des Vorstands der zukünftigen Hauptgesellschaft, in dem die Eingliederung rechtlich und wirtschaftlich erläutert und begründet wird (Eingliederungsbericht).

[2] Auf Verlangen ist jedem Aktionär der zukünftigen Hauptgesellschaft unverzüglich und kostenlos eine Abschrift der in Satz 1 bezeichneten Unterlagen zu erteilen. [3] Die Verpflichtungen nach den Sätzen 1 und 2 entfallen, wenn die in Satz 1 bezeichneten Unterlagen für denselben Zeitraum über die Internetseite der zukünftigen Hauptgesellschaft zugänglich sind. [4] In der Hauptversamm-

---

[1)] § 319 Abs. 2 Satz 5 aufgeh., Abs. 3 neu gef., Abs. 4–6 eingef., bish. Abs. 4 wird Abs. 7 durch G v. 28. 10. 1994 (BGBl. I S. 3210); Abs. 6 Satz 4 eingef., bish. Sätze 4 und 5 werden Sätze 5 und 6, Satz 7 eingef., bish. Satz 6 wird Satz 8 mWv 25. 4. 2007 durch G v. 19. 4. 2007 (BGBl. I S. 542); Abs. 3 Satz 3 eingef., bish. Sätze 3 und 4 werden Sätze 4 und 5 und neuer Satz 4 geänd., Abs. 6 Satz 1 geänd., Satz 2 neu gef., Satz 3 eingef., bish. Sätze 3–7 werden Sätze 4–8 und neuer Satz 6 geänd., neue Sätze 7 und 8 neu gef., Satz 9 eingef., bish. Satz 8 wird Satz 10 , Satz 11 angef. mWv 1. 9. 2009 durch G v. 30. 7. 2009 (BGBl. I S. 2479).

lung sind diese Unterlagen zugänglich zu machen. [5] Jedem Aktionär ist in der Hauptversammlung auf Verlangen Auskunft auch über alle im Zusammenhang mit der Eingliederung wesentlichen Angelegenheiten der einzugliedernden Gesellschaft zu geben.

(4) [1] Der Vorstand der einzugliedernden Gesellschaft hat die Eingliederung und die Firma der Hauptgesellschaft zur Eintragung in das Handelsregister anzumelden. [2] Der Anmeldung sind die Niederschriften der Hauptversammlungsbeschlüsse und ihre Anlagen in Ausfertigung oder öffentlich beglaubigter Abschrift beizufügen.

(5) [1] Bei der Anmeldung nach Absatz 4 hat der Vorstand zu erklären, daß eine Klage gegen die Wirksamkeit eines Hauptversammlungsbeschlusses nicht oder nicht fristgemäß erhoben oder eine solche Klage rechtskräftig abgewiesen oder zurückgenommen worden ist; hierüber hat der Vorstand dem Registergericht auch nach der Anmeldung Mitteilung zu machen. [2] Liegt die Erklärung nicht vor, so darf die Eingliederung nicht eingetragen werden, es sei denn, daß die klageberechtigten Aktionäre durch notariell beurkundete Verzichtserklärung auf die Klage gegen die Wirksamkeit des Hauptversammlungsbeschlusses verzichten.

(6) [1] Der Erklärung nach Absatz 5 Satz 1 steht es gleich, wenn nach Erhebung einer Klage gegen die Wirksamkeit eines Hauptversammlungsbeschlusses das Gericht auf Antrag der Gesellschaft, gegen deren Hauptversammlungsbeschluß sich die Klage richtet, durch Beschluß festgestellt hat, daß die Erhebung der Klage der Eintragung nicht entgegensteht. [2] Auf das Verfahren sind § 247, die §§ 82, 83 Abs. 1 und § 84 der Zivilprozessordnung[1)] sowie die im ersten Rechtszug für das Verfahren vor den Landgerichten geltenden Vorschriften der Zivilprozessordnung entsprechend anzuwenden, soweit nichts Abweichendes bestimmt ist. [3] Ein Beschluss nach Satz 1 ergeht, wenn

1. die Klage unzulässig oder offensichtlich unbegründet ist,
2. der Kläger nicht binnen einer Woche nach Zustellung des Antrags durch Urkunden nachgewiesen hat, dass er seit Bekanntmachung der Einberufung einen anteiligen Betrag von mindestens 1 000 Euro hält oder
3. das alsbaldige Wirksamwerden des Hauptversammlungsbeschlusses vorrangig erscheint, weil die vom Antragsteller dargelegten wesentlichen Nachteile für die Gesellschaft und ihre Aktionäre nach freier Überzeugung des Gerichts die Nachteile für den Antragsgegner überwiegen, es sei denn, es liegt eine besondere Schwere des Rechtsverstoßes vor.

[4] Der Beschluß kann in dringenden Fällen ohne mündliche Verhandlung ergehen. [5] Der Beschluss soll spätestens drei Monate nach Antragstellung ergehen; Verzögerungen der Entscheidung sind durch unanfechtbaren Beschluss zu begründen. [6] Die vorgebrachten Tatsachen, aufgrund derer der Beschluß nach Satz 3 ergehen kann, sind glaubhaft zu machen. [7] Über den Antrag entscheidet ein Senat des Oberlandesgerichts, in dessen Bezirk die Gesellschaft ihren Sitz hat. [8] Eine Übertragung auf den Einzelrichter ist ausgeschlossen; einer Güteverhandlung bedarf es nicht. [9] Der Beschluss ist unanfechtbar. [10] Erweist sich die Klage als begründet, so ist die Gesellschaft, die den Beschluß erwirkt hat, verpflichtet, dem Antragsgegner den Schaden zu ersetzen, der ihm aus einer auf dem Beschluß beruhenden Eintragung der Eingliе-

---

1) DVD Nipperdey plus Nr. 320.

derung entstanden ist. [11] Nach der Eintragung lassen Mängel des Beschlusses seine Durchführung unberührt; die Beseitigung dieser Wirkung der Eintragung kann auch nicht als Schadenersatz verlangt werden.

(7) Mit der Eintragung der Eingliederung in das Handelsregister des Sitzes der Gesellschaft wird die Gesellschaft in die Hauptgesellschaft eingegliedert.

Viertes Buch.[1] Sonder-, Straf- und Schlußvorschriften

Dritter Teil. Straf- und Bußgeldvorschriften. Schlußvorschriften

§ 399[2] Falsche Angaben. (1) Mit Freiheitsstrafe bis zu drei Jahren oder mit Geldstrafe wird bestraft, wer

1. als Gründer oder als Mitglied des Vorstands oder des Aufsichtsrats zum Zweck der Eintragung der Gesellschaft oder eines Vertrags nach § 52 Absatz 1 Satz 1 über die Übernahme der Aktien, die Einzahlung auf Aktien, die Verwendung eingezahlter Beträge, den Ausgabebetrag der Aktien, über Sondervorteile, Gründungsaufwand, Sacheinlagen und Sachübernahmen oder in der nach § 37a Absatz 2, auch in Verbindung mit § 52 Absatz 6 Satz 3, abzugebenden Versicherung,
2. als Gründer oder als Mitglied des Vorstands oder des Aufsichtsrats im Gründungsbericht, im Nachgründungsbericht oder im Prüfungsbericht,
3. in der öffentlichen Ankündigung nach § 47 Nr. 3,
4. als Mitglied des Vorstands oder des Aufsichtsrats zum Zweck der Eintragung einer Erhöhung des Grundkapitals (§§ 182 bis 206) über die Einbringung des bisherigen, die Zeichnung oder Einbringung des neuen Kapitals, den Ausgabebetrag der Aktien, die Ausgabe der Bezugsaktien, über Sacheinlagen, in der Bekanntmachung nach § 183a Abs. 2 Satz 1 in Verbindung mit § 37a Abs. 2 oder in der nach § 184 Abs. 1 Satz 3 abzugebenden Versicherung,
5. als Abwickler zum Zweck der Eintragung der Fortsetzung der Gesellschaft in dem nach § 274 Abs. 3 zu führenden Nachweis oder
6. als Mitglied des Vorstands einer Aktiengesellschaft oder des Leitungsorgans einer ausländischen juristischen Person in der nach § 37 Abs. 2 Satz 1 oder § 81 Abs. 3 Satz 1 abzugebenden Versicherung oder als Abwickler in der nach § 266 Abs. 3 Satz 1 abzugebenden Versicherung

falsche Angaben macht oder erhebliche Umstände verschweigt.

(2) Ebenso wird bestraft, wer als Mitglied des Vorstands oder des Aufsichtsrats zum Zweck der Eintragung einer Erhöhung des Grundkapitals die in § 210 Abs. 1 Satz 2 vorgeschriebene Erklärung der Wahrheit zuwider abgibt.

---

[1] Viertes Buch (§§ 339–393) aufgeh., bish. Fünftes Buch wird Viertes Buch durch G v. 28.10.1994 (BGBl. I S. 3210).

[2] § 399 Abs. 1 geänd. durch G v. 25.6.1969 (BGBl. I S. 645) und G v. 2.3.1974 (BGBl. I S. 469); Abs. 1 Nr. 4 und 5 geänd., Nr. 6 angef. durch G v. 4.7.1980 (BGBl. I S. 836); Abs. 1 Nr. 1 geänd. durch G v. 2.8.1994 (BGBl. I S. 1961); Abs. 2 geänd. durch G v. 28.10.1994 (BGBl. I S. 3210); Abs. 1 Nr. 1 und 6 geänd. mWv 1.11.2008 durch G v. 23.10.2008 (BGBl. I S. 2026); Abs. 1 Nr. 1 und 4 geänd. mWv 1.9.2009 durch G v. 30.7.2009 (BGBl. I S. 2479); Abs. 1 Nr. 1 geänd. mWv 31.12.2015 durch G v. 22.12.2015 (BGBl. I S. 2565).

§ 400[1] Unrichtige Darstellung. (1) Mit Freiheitsstrafe bis zu drei Jahren oder mit Geldstrafe wird bestraft, wer als Mitglied des Vorstands oder des Aufsichtsrats oder als Abwickler

1. die Verhältnisse der Gesellschaft einschließlich ihrer Beziehungen zu verbundenen Unternehmen im Vergütungsbericht nach § 162 Absatz 1 oder 2, in Darstellungen oder Übersichten über den Vermögensstand oder in Vorträgen oder Auskünften in der Hauptversammlung unrichtig wiedergibt oder verschleiert, wenn die Tat nicht in § 331 Nr. 1 oder 1a des Handelsgesetzbuchs[2] mit Strafe bedroht ist, oder
2. in Aufklärungen oder Nachweisen, die nach den Vorschriften dieses Gesetzes einem Prüfer der Gesellschaft oder eines verbundenen Unternehmens zu geben sind, falsche Angaben macht oder die Verhältnisse der Gesellschaft unrichtig wiedergibt oder verschleiert, wenn die Tat nicht in § 331 Nr. 4 des Handelsgesetzbuchs mit Strafe bedroht ist.

(2) Ebenso wird bestraft, wer als Gründer oder Aktionär in Aufklärungen oder Nachweisen, die nach den Vorschriften dieses Gesetzes einem Gründungsprüfer oder sonstigen Prüfer zu geben sind, falsche Angaben macht oder erhebliche Umstände verschweigt.

§ 404[3] Verletzung der Geheimhaltungspflicht. (1) Mit Freiheitsstrafe bis zu einem Jahr, bei börsennotierten Gesellschaften bis zu zwei Jahren, oder mit Geldstrafe wird bestraft, wer ein Geheimnis der Gesellschaft, namentlich ein Betriebs- oder Geschäftsgeheimnis, das ihm in seiner Eigenschaft als

1. Mitglied des Vorstands oder des Aufsichtsrats oder Abwickler,
2. Prüfer oder Gehilfe eines Prüfers

bekanntgeworden ist, unbefugt offenbart; im Falle der Nummer 2 jedoch nur, wenn die Tat nicht in § 333 des Handelsgesetzbuchs[2] mit Strafe bedroht ist.

(2) [1] Handelt der Täter gegen Entgelt oder in der Absicht, sich oder einen anderen zu bereichern oder einen anderen zu schädigen, so ist die Strafe Freiheitsstrafe bis zu zwei Jahren, bei börsennotierten Gesellschaften bis zu drei Jahren, oder Geldstrafe. [2] Ebenso wird bestraft, wer ein Geheimnis der in Absatz 1 bezeichneten Art, namentlich ein Betriebs- oder Geschäftsgeheimnis, das ihm unter den Voraussetzungen des Absatzes 1 bekanntgeworden ist, unbefugt verwertet.

(3) [1] Die Tat wird nur auf Antrag der Gesellschaft verfolgt. [2] Hat ein Mitglied des Vorstands oder ein Abwickler die Tat begangen, so ist der Aufsichtsrat, hat ein Mitglied des Aufsichtsrats die Tat begangen, so sind der Vorstand oder die Abwickler antragsberechtigt.

---

[1] § 400 geänd. durch G v. 25.6.1969 (BGBl. I S. 645) und G v. 2.3.1974 (BGBl. I S. 469); Abs. 1 Nr. 1 geänd., Nr. 2 aufgeh., bish. Nr. 3 wird Nr. 2 und geänd., Nr. 4 aufgeh. durch G v. 19.12.1985 (BGBl. I S. 2355); Abs. 2 angef. durch G v. 4.7.1980 (BGBl. I S. 836); Abs. 1 Nr. 1 geänd. mWv 10.12.2004 durch G v. 4.12.2004 (BGBl. I S. 3166); Abs. 1 Nr. 1 geänd. mWv 1.1.2020 durch G v. 12.12.2019 (BGBl. I S. 2637).

[2] **beck-online, Module Arbeitsrecht Nr. 105.**

[3] § 404 Abs. 1 neu gef. durch G v. 19.12.1985 (BGBl. I S. 2355); Abs. 2 geänd. durch G v. 25.6.1969 (BGBl. I S. 645); Abs. 2 geänd. durch G v. 2.3.1974 (BGBl. I S. 469); Abs. 2 Satz 1 Halbsatz 2 und Abs. 3 Satz 2 aufgeh. durch G v. 2.3.1974 (BGBl. I S. 469); Abs. 1 und Abs. 2 Satz 1 geänd. mWv 26.7.2002 durch G v. 19.7.2002 (BGBl. I S. 2681).

§ 404a[1] Verletzung der Pflichten bei Abschlussprüfungen. (1) Mit Freiheitsstrafe bis zu einem Jahr oder mit Geldstrafe wird bestraft, wer als Mitglied des Prüfungsausschusses einer Gesellschaft, die Unternehmen von öffentlichem Interesse nach § 316a Satz 2 des Handelsgesetzbuchs[2] ist,

1. eine in § 405 Absatz 3b bezeichnete Handlung begeht und dafür einen Vermögensvorteil erhält oder sich versprechen lässt oder
2. eine in § 405 Absatz 3b bezeichnete Handlung beharrlich wiederholt.

(2) Ebenso wird bestraft, wer als Mitglied des Aufsichtsrats einer Gesellschaft, die Unternehmen von öffentlichem Interesse nach § 316a Satz 2 des Handelsgesetzbuchs[2] ist,

1. eine in § 405 Absatz 3c bezeichnete Handlung begeht und dafür einen Vermögensvorteil erhält oder sich versprechen lässt oder
2. eine in § 405 Absatz 3c bezeichnete Handlung beharrlich wiederholt.

§ 405[3] Ordnungswidrigkeiten. (1) Ordnungswidrig handelt, wer als Mitglied des Vorstands oder des Aufsichtsrats oder als Abwickler

1. Namensaktien ausgibt, in denen der Betrag der Teilleistung nicht angegeben ist, oder Inhaberaktien ausgibt, bevor auf sie der Ausgabebetrag voll geleistet ist,
2. Aktien oder Zwischenscheine ausgibt, bevor die Gesellschaft oder im Fall einer Kapitalerhöhung die Durchführung der Erhöhung des Grundkapitals oder im Fall einer bedingten Kapitalerhöhung oder einer Kapitalerhöhung aus Gesellschaftsmitteln der Beschluß über die bedingte Kapitalerhöhung oder die Kapitalerhöhung aus Gesellschaftsmitteln eingetragen ist,
3. Aktien oder Zwischenscheine ausgibt, die auf einen geringeren als den nach § 8 Abs. 2 Satz 1 zulässigen Mindestnennbetrag lauten oder auf die bei einer Gesellschaft mit Stückaktien ein geringerer anteiliger Betrag des Grundkapitals als der nach § 8 Abs. 3 Satz 3 zulässige Mindesbetrag entfällt,
4. a) entgegen § 71 Abs. 1 Nr. 1 bis 4 oder Abs. 2 eigene Aktien der Gesellschaft erwirbt oder, in Verbindung mit § 71e Abs. 1, als Pfand nimmt,
   b) zu veräußernde eigene Aktien (§ 71c Abs. 1 und 2) nicht anbietet oder
   c) die zur Vorbereitung der Beschlußfassung über die Einziehung eigener Aktien (§ 71c Abs. 3) erforderlichen Maßnahmen nicht trifft,

---

[1] § 404a eingef. mWv 17.6.2016 durch G v. 10.5.2016 (BGBl. I S. 1142); Abs. 1 Nr. 1 und 2 geänd., Abs. 2 angef. mWv 22.7.2017 durch G v. 17.7.2017 (BGBl. I S. 2446); Abs. 1 einl. Satzteil, Abs. 2 einl. Satzteil, Nr. 1, Nr. 2 geänd. mWv 1.7.2021 durch G v. 3.6.2021 (BGBl. I S. 1534).

[2] **beck-online, Module Arbeitsrecht Nr. 105.**

[3] § 405 Abs. 1 Nr. 3 geänd., Nr. 4 eingef., bish. Nr. 4 wird Nr. 5 durch G v. 13.12.1978 (BGBl. I S. 1959); Nr. 3 und 4 geänd., Nr. 5 aufgeh. durch G v. 19.12.1985 (BGBl. I S. 2355); Abs. 3 Nr. 5 geänd. durch G v. 25.10.1982 (BGBl. I S. 1425); Abs. 4 neu gef. durch G v. 24.5.1968 (BGBl. I S. 503); Abs. 1 Nr. 1 und 3 geänd. durch G v. 25.3.1998 (BGBl. I S. 590); Abs. 4 geänd. mWv 25.1. 2001 durch G v. 18.1.2001 (BGBl. I S. 123); Abs. 2a eingef. mWv 19.8.2008 durch G v. 12.8.2008 (BGBl. I S. 1666); Abs. 3a eingef. mWv 1.9.2009 durch G v. 30.7.2009 (BGBl. I S. 2479); Abs. 3b–3d eingef., Abs. 4 geänd., Abs. 5 angef. mWv 17.6.2016 durch G v. 10.5.2016 (BGBl. I S. 1142); Abs. 3b Nr. 2 neu gef., Abs. 3c und 3d geänd. mWv 22.7.2017 durch G v. 17.7.2017 (BGBl. I S. 2446); Abs. 1 Nr. 3 und 4 geänd., Nr. 5 und 6 angef., Abs. 2a neu gef., Abs. 4 geänd., Abs. 5 neu gef. mWv 1.1. 2020 durch G v. 12.12.2019 (BGBl. I S. 2637); Abs. 3b einl. Satzteil geänd., Nr. 2 neu gef., Abs. 3c aufgeh., bish. Abs. 3d wird Abs. 3c und neu gef., Abs. 4 und 5 neu gef. mWv 1.7.2021 durch G v. 3.6.2021 (BGBl. I S. 1534).

5. entgegen § 120a Absatz 2 eine Veröffentlichung nicht, nicht richtig, nicht vollständig oder nicht rechtzeitig vornimmt oder
6. entgegen § 162 Absatz 4 einen dort genannten Bericht oder Vermerk nicht oder nicht mindestens zehn Jahre zugänglich macht.

(2) Ordnungswidrig handelt auch, wer als Aktionär oder als Vertreter eines Aktionärs die nach § 129 in das Verzeichnis aufzunehmenden Angaben nicht oder nicht richtig macht.

(2a) Ordnungswidrig handelt, wer

1. entgegen § 67 Absatz 4 Satz 2 erster Halbsatz, auch in Verbindung mit Satz 3, eine Mitteilung nicht, nicht richtig, nicht vollständig oder nicht rechtzeitig macht,
2. entgegen § 67a Absatz 3 Satz 1, auch in Verbindung mit Satz 2, jeweils auch in Verbindung mit § 125 Absatz 5 Satz 3, oder entgegen § 67c Absatz 1 Satz 2 oder § 67d Absatz 4 Satz 2 zweiter Halbsatz eine dort genannte Information nicht, nicht richtig, nicht vollständig oder nicht rechtzeitig weiterleitet,
3. entgegen § 67b Absatz 1 Satz 1, auch in Verbindung mit Absatz 2, jeweils auch in Verbindung mit § 125 Absatz 5 Satz 3, oder entgegen § 67c Absatz 1 Satz 1 oder § 67d Absatz 4 Satz 1 oder 3 eine dort genannte Information nicht, nicht richtig, nicht vollständig oder nicht rechtzeitig übermittelt,
4. entgegen § 67c Absatz 3 einen dort genannten Nachweis nicht, nicht richtig, nicht vollständig oder nicht rechtzeitig ausstellt,
5. entgegen § 67d Absatz 3 ein dort genanntes Informationsverlangen nicht, nicht richtig, nicht vollständig oder nicht rechtzeitig weiterleitet,
6. entgegen § 111c Absatz 1 Satz 1 eine Veröffentlichung nicht, nicht richtig, nicht vollständig oder nicht rechtzeitig vornimmt,
7. entgegen § 118 Absatz 1 Satz 3 oder 4, jeweils auch in Verbindung mit Absatz 2 Satz 2, oder entgegen § 129 Absatz 5 Satz 2 oder 3 eine dort genannte Bestätigung nicht, nicht richtig, nicht vollständig, nicht in der vorgeschriebenen Weise oder nicht rechtzeitig erteilt oder nicht, nicht richtig, nicht vollständig oder nicht rechtzeitig übermittelt,
8. entgegen § 134b Absatz 5 Satz 1 eine Information nach § 134b Absatz 1, 2 oder 4 nicht oder nicht mindestens drei Jahre zugänglich macht,
9. entgegen § 134c Absatz 3 Satz 1 eine Information nach § 134c Absatz 1 oder 2 Satz 1 oder 3 nicht oder nicht mindestens drei Jahre zugänglich macht,
10. entgegen § 134d Absatz 3 eine dort genannte Information nicht oder nicht mindestens drei Jahre zugänglich macht,
11. entgegen § 134d Absatz 4 eine Information nicht, nicht richtig, nicht vollständig oder nicht rechtzeitig gibt oder
12. entgegen § 135 Absatz 9 eine dort genannte Verpflichtung ausschließt oder beschränkt.

(3) Ordnungswidrig handelt ferner, wer

1. Aktien eines anderen, zu dessen Vertretung er nicht befugt ist, ohne dessen Einwilligung zur Ausübung von Rechten in der Hauptversammlung oder in einer gesonderten Versammlung benutzt,

2. zur Ausübung von Rechten in der Hauptversammlung oder in einer gesonderten Versammlung Aktien eines anderen benutzt, die er sich zu diesem Zweck durch Gewähren oder Versprechen besonderer Vorteile verschafft hat,
3. Aktien zu dem in Nummer 2 bezeichneten Zweck gegen Gewähren oder Versprechen besonderer Vorteile einem anderen überläßt,
4. Aktien eines anderen, für die er oder der von ihm Vertretene das Stimmrecht nach § 135 nicht ausüben darf, zur Ausübung des Stimmrechts benutzt,
5. Aktien, für die er oder der von ihm Vertretene das Stimmrecht nach § 20 Abs. 7, § 21 Abs. 4, §§ 71b, 71d Satz 4, § 134 Abs. 1, §§ 135, 136, 142 Abs. 1 Satz 2, § 285 Abs. 1 nicht ausüben darf, einem anderen zum Zweck der Ausübung des Stimmrechts überläßt oder solche ihm überlassene Aktien zur Ausübung des Stimmrechts benutzt,
6. besondere Vorteile als Gegenleistung dafür fordert, sich versprechen läßt oder annimmt, daß er bei einer Abstimmung in der Hauptversammlung oder in einer gesonderten Versammlung nicht oder in einem bestimmten Sinne stimme oder
7. besondere Vorteile als Gegenleistung dafür anbietet, verspricht oder gewährt, daß jemand bei einer Abstimmung in der Hauptversammlung oder in einer gesonderten Versammlung nicht oder in einem bestimmten Sinne stimme.

(3a) Ordnungswidrig handelt, wer vorsätzlich oder leichtfertig

1. entgegen § 121 Abs. 4a Satz 1, auch in Verbindung mit § 124 Abs. 1 Satz 3, die Einberufung nicht, nicht richtig, nicht vollständig oder nicht rechtzeitig zuleitet oder
2. entgegen § 124a Angaben nicht, nicht richtig oder nicht vollständig zugänglich macht.

(3b) Ordnungswidrig handelt, wer als Mitglied des Prüfungsausschusses einer Gesellschaft, die Unternehmen von öffentlichem Interesse nach § 316a Satz 2 des Handelsgesetzbuchs[1] ist,

1. die Unabhängigkeit des Abschlussprüfers oder der Prüfungsgesellschaft nicht nach Maßgabe des Artikels 4 Absatz 3 Unterabsatz 2, des Artikels 5 Absatz 4 Unterabsatz 1 Satz 1 oder des Artikels 6 Absatz 2 der Verordnung (EU) Nr. 537/2014 des Europäischen Parlaments und des Rates vom 16. April 2014 über spezifische Anforderungen an die Abschlussprüfung bei Unternehmen von öffentlichem Interesse und zur Aufhebung des Beschlusses 2005/909/EG der Kommission (ABl. L 158 vom 27.5.2014, S. 77, L 170 vom 11.6.2014, S. 66) überwacht oder
2. dem Aufsichtsrat eine Empfehlung für die Bestellung eines Abschlussprüfers oder einer Prüfungsgesellschaft vorlegt, die den Anforderungen nach Artikel 16 Absatz 2 Unterabsatz 2 oder 3 der Verordnung (EU) Nr. 537/2014 nicht entspricht oder der ein Auswahlverfahren nach Artikel 16 Absatz 3 Unterabsatz 1 der Verordnung (EU) Nr. 537/2014 nicht vorangegangen ist.

(3c) Ordnungswidrig handelt, wer als Mitglied des Aufsichtsrats einer Gesellschaft, die Unternehmen von öffentlichem Interesse nach § 316a Satz 2 des Handelsgesetzbuchs[1] ist, der Hauptversammlung einen Vorschlag für die Bestellung eines Abschlussprüfers oder einer Prüfungsgesellschaft vorlegt, der den

---

[1] **beck-online, Module Arbeitsrecht Nr. 105.**

Anforderungen nach Artikel 16 Absatz 5 Unterabsatz 1 oder Unterabsatz 2 Satz 1 oder Satz 2 der Verordnung (EU) Nr. 537/2014 nicht entspricht.

(4) Die Ordnungswidrigkeit kann in den Fällen des Absatzes 2a Nummer 6 sowie der Absätze 3b und 3c mit einer Geldbuße bis zu fünfhunderttausend Euro, in den übrigen Fällen mit einer Geldbuße bis zu fünfundzwanzigtausend Euro geahndet werden.

(5) Verwaltungsbehörde im Sinne des § 36 Absatz 1 Satz 1 des Gesetzes über Ordnungswidrigkeiten[1] ist

1. die Bundesanstalt für Finanzdienstleistungsaufsicht
   a) in den Fällen des Absatzes 2a Nummer 6, soweit die Handlung ein Geschäft nach § 111c Absatz 1 Satz 1 in Verbindung mit Absatz 3 Satz 1 betrifft, und
   b) in den Fällen der Absätze 3b und 3c bei Gesellschaften, die Unternehmen von öffentlichem Interesse nach § 316a Satz 2 Nummer 2 und 3 des Handelsgesetzbuchs[2] sind,
2. das Bundesamt für Justiz in den Fällen der Absätze 3b und 3c, in denen nicht die Bundesanstalt für Finanzdienstleistungsaufsicht nach Nummer 1 Buchstabe b Verwaltungsbehörde ist.

---

[1] **Habersack Nr. 94.**
[2] **beck-online, Module Arbeitsrecht Nr. 105.**

568. Gesetz zur Beibehaltung der Mitbestimmung beim Austausch von Anteilen und der Einbringung von Unternehmensteilen, die Gesellschaften verschiedener Mitgliedstaaten der Europäischen Union betreffen (Mitbestimmungs-Beibehaltungsgesetz – MitbestBeiG)

Vom 23. August 1994

(BGBl. I S. 2228)

FNA 801-12

zuletzt geänd. durch Art. 11 G über steuerl. Begleitmaßnahmen zur Einführung der Europäischen Gesellschaft und zur Änd. weiterer steuerrechtl. Vorschriften v. 7. 12. 2006 (BGBl. I S. 2782)

Der Bundestag hat das folgende Gesetz beschlossen:

§ 1.[1] [1]Führt eine in § 21 Abs. 1 des Umwandlungssteuergesetzes[2] *vom 6. September 1976 (BGBl. I S. 2641), das zuletzt durch Artikel 11 des Gesetzes vom 21. Dezember 1993 (BGBl. I S. 2310) geändert worden ist,*[3] bezeichnete Einbringung von Anteilen oder eine in § 20 Abs. 1 des genannten Gesetzes bezeichnete Einbringung von Betrieben oder Teilbetrieben dazu, daß ein an dem Vorgang beteiligtes oder ein an ihm nicht beteiligtes Unternehmen die Voraussetzungen für die bis zu dem Vorgang bestehende Vertretung der Arbeitnehmer in Organen des Unternehmens nicht mehr erfüllt, so gilt der Vorgang als nicht geschehen, soweit es um die Voraussetzungen für die weitere Anwendung der im Zeitpunkt des Vorgangs angewandten Vorschriften über die Vertretung der Arbeitnehmer in Organen des Unternehmens geht. [2]Voraussetzung für die Anwendung des Satzes 1 ist, dass die übernehmende Gesellschaft nicht unbeschränkt steuerpflichtig im Sinne des § 1 Abs. 1 des Körperschaftsteuergesetzes[4] ist.

§ 2 (1) § § 1 gilt nicht, wenn das eingebrachte Betriebsvermögen oder die an seine Stelle tretenden Anteile steuerrechtlich mit dem tatsächlichen Wert des eingebrachten Betriebsvermögens angesetzt werden.

(2) § 1 gilt ferner nicht, wenn die im Zeitpunkt des Vorgangs auf das Unternehmen angewandten Vorschriften über die Vertretung der Arbeitnehmer in dessen Organen eine Mindestzahl von Arbeitnehmern dieses Unternehmens voraussetzen und die nach diesen Vorschriften berechnete Zahl der Arbeitnehmer des Unternehmens auf weniger als in der Regel ein Viertel dieser Mindestzahl sinkt.

---

[1] § 1 geänd. durch G v. 28. 10. 1994 (BGBl. I S. 3267); Satz 2 angef., bish. Wortlaut wird Satz 1 und geänd. mWv 13. 12. 2006 durch G v. 7. 12. 2006 (BGBl. I S. 2782).

[2] **Steuergesetze Nr. 130.**

[3] Siehe nunmehr das Umwandlungssteuergesetz v. 7. 12. 2006 (BGBl. I S. 2782).

[4] **Steuergesetze Nr. 100.**

§ 3 Soweit nach § 1 die Konzernzugehörigkeit eines Unternehmens oder die Unternehmenszugehörigkeit eines Betriebs oder Teilbetriebs fingiert wird, sind die im Zeitpunkt des Vorgangs in dem betreffenden Unternehmen, Betrieb oder Teilbetrieb bestehenden tatsächlichen Verhältnisse maßgebend.

§ 4.[1)] [1]Dieses Gesetz tritt am Tage nach der Verkündung[2)] in Kraft. [2]§ 1 in der Fassung des Artikels 11 des Gesetzes vom 7. Dezember 2006 (BGBl. I S. 2782) ist erstmals auf die dort bezeichneten Vorgänge anzuwenden, auf die das Umwandlungssteuergesetz[3)] in der Fassung des Artikels 6 des Gesetzes vom 7. Dezember 2006 (BGBl. I S. 2782) anzuwenden ist.

---

1) § 4 Satz 2 angef. mWv 13. 12. 2006 durch G v. 7. 12. 2006 (BGBl. I S. 2782).

2) Verkündet am 2. 9. 1994.

3) **Steuergesetze Nr. 130.**

568a. Gesetz über die Mitbestimmung der Arbeitnehmer bei einer grenzüberschreitenden Verschmelzung (MgVG)[1) 2)]

Vom 21. Dezember 2006

(BGBl. I S. 3332)

FNA 801-17

zuletzt geänd. durch Art. 2 G zur Umsetzung der Bestimmungen der UmwandlungsRL über die Mitbestimmung der Arbeitnehmer bei grenzüberschreitenden Umwandlungen, Verschmelzungen und Spaltungen v. 4.1.2023 (BGBl. I Nr. 10)

Inhaltsübersicht[3)]

[1)] **Amtl. Anm.:** Dieses Gesetz dient der Umsetzung von Artikel 16 der Richtlinie 2005/56/EG des Europäischen Parlaments und des Rates vom 26. Oktober 2005 über die Verschmelzung von Kapitalgesellschaften aus verschiedenen Mitgliedstaaten (ABl. EU Nr. L 310 S. 1).

[2)] Verkündet als Art. 1 G zur Umsetzung der Regelungen über die Mitbestimmung der Arbeitnehmer bei einer Verschmelzung von Kapitalgesellschaften aus verschiedenen Mitgliedstaaten v. 21.12. 2006 (BGB. I S. 3332); Inkrafttreten gem. Art. 4 dieses G am 29.12.2006.

[3)] Inhaltsübersicht geänd. mWv 31.1.2023 durch G v. 4.1.2023 (BGBl. I Nr. 10).

Teil 1. Allgemeine Vorschriften

§ 1[1] Zielsetzung des Gesetzes. (1) [1] Das Gesetz regelt die Mitbestimmung der Arbeitnehmer (Arbeitnehmerinnen und Arbeitnehmer) in den Unternehmensorganen der aus einer grenzüberschreitenden Verschmelzung hervorgehenden Gesellschaft. [2] Ziel des Gesetzes ist, die in den an der Verschmelzung beteiligten Gesellschaften erworbenen Mitbestimmungsrechte der Arbeitnehmer zu sichern. [3] Diese Rechte sind maßgeblich für die Ausgestaltung der Mitbestimmung in der aus einer grenzüberschreitenden Verschmelzung hervorgehenden Gesellschaft.

(2) [1] Wenn das nationale Recht des Mitgliedstaats, in dem die aus einer grenzüberschreitenden Verschmelzung hervorgehende Gesellschaft ihren Sitz hat, keinen ausreichenden Schutz zur Sicherung der Mitbestimmung der Arbeitnehmer gewährt, wird eine Vereinbarung über die Mitbestimmung der Arbeitnehmer in der aus einer grenzüberschreitenden Verschmelzung hervorgehenden Gesellschaft getroffen. [2] Kommt es nicht zu einer Vereinbarung, wird die Mitbestimmung der Arbeitnehmer kraft Gesetzes sichergestellt.

(3) Die Vorschriften dieses Gesetzes sowie die nach Absatz 2 zu treffende Vereinbarung sind so auszulegen, dass das Ziel der Europäischen Union, die Mitbestimmung der Arbeitnehmer in der aus einer grenzüberschreitenden Verschmelzung hervorgehenden Gesellschaft sicherzustellen, gefördert wird.

§ 2[2] Begriffsbestimmungen. (1) [1] Der Begriff des Arbeitnehmers richtet sich nach den Rechtsvorschriften und Gepflogenheiten der jeweiligen Mitgliedstaaten. [2] Arbeitnehmer eines inländischen Unternehmens oder Betriebes sind Arbeiter und Angestellte einschließlich der zu ihrer Berufsausbildung Beschäftigten und der in § 5 Abs. 3 Satz 2 des Betriebsverfassungsgesetzes genannten leitenden Angestellten, unabhängig davon, ob sie im Betrieb, im Außendienst oder mit Telearbeit beschäftigt werden. [3] Als Arbeitnehmer gelten

[1] § 1 Abs. 3 geänd. mWv 31.1.2023 durch G v. 4.1.2023 (BGBl. I Nr. 10).
[2] § 2 Abs. 3 neu gef, Abs. 8 und 9 angef. mWv 31.1.2023 durch G v. 4.1.2023 (BGBl. I Nr. 10).

auch die in Heimarbeit Beschäftigten, die in der Hauptsache für das Unternehmen oder den Betrieb arbeiten.

(2) Beteiligte Gesellschaften sind die Kapitalgesellschaften, die unmittelbar an der Verschmelzung beteiligt sind.

(3) [1] Tochtergesellschaften sind rechtlich selbständige Unternehmen, auf die eine andere Gesellschaft einen beherrschenden Einfluss im Sinne von Artikel 3 Absatz 2 bis 7 der Richtlinie 2009/38/EG[1)] des Europäischen Parlaments und des Rates vom 6. Mai 2009 über die Einsetzung eines Europäischen Betriebsrats oder die Schaffung eines Verfahrens zur Unterrichtung und Anhörung der Arbeitnehmer in gemeinschaftsweit operierenden Unternehmen und Unternehmensgruppen (ABl. L 122 vom 16.5.2009, S. 28), die zuletzt durch die Richtlinie (EU) 2015/1794 vom 6. Oktober 2015 (ABl. L 263 vom 8.10.2015, S. 1) geändert worden ist, ausüben kann. [2] § 6 Absatz 2 bis 4 des Europäische Betriebsräte-Gesetzes ist anzuwenden.

(4) Betroffene Tochtergesellschaften oder betroffene Betriebe sind Tochtergesellschaften oder Betriebe einer beteiligten Gesellschaft, die zu Tochtergesellschaften oder Betrieben der aus einer grenzüberschreitenden Verschmelzung hervorgehenden Gesellschaft werden sollen.

(5) Leitung bezeichnet das Organ der unmittelbar an der Verschmelzung beteiligten Gesellschaften oder der aus einer grenzüberschreitenden Verschmelzung hervorgehenden Gesellschaft selbst, das die Geschäfte der Gesellschaft führt und zu ihrer Vertretung berechtigt ist.

(6) Arbeitnehmervertretung bezeichnet jede Vertretung der Arbeitnehmer nach dem Betriebsverfassungsgesetz (Betriebsrat, Gesamtbetriebsrat, Konzernbetriebsrat oder eine nach § 3 Abs. 1 Nr. 1 bis 3 des Betriebsverfassungsgesetzes gebildete Vertretung).

(7) Mitbestimmung bedeutet die Einflussnahme der Arbeitnehmer auf die Angelegenheiten einer Gesellschaft durch

1. die Wahrnehmung des Rechts, einen Teil der Mitglieder des Aufsichts- oder Verwaltungsorgans der Gesellschaft zu wählen oder zu bestellen, oder
2. die Wahrnehmung des Rechts, die Bestellung eines Teils oder aller Mitglieder des Aufsichts- oder Verwaltungsorgans der Gesellschaft zu empfehlen oder abzulehnen.

(8) Eine grenzüberschreitende Verschmelzung ist eine Verschmelzung nach dem Ersten Teil des Sechsten Buches des Umwandlungsgesetzes[2)].

(9) Eine innerstaatliche Umwandlung ist eine Verschmelzung nach dem Zweiten Buch des Umwandlungsgesetzes[2)], eine Spaltung nach dem Dritten Buch des Umwandlungsgesetzes[2)] oder ein Formwechsel nach dem Fünften Buch des Umwandlungsgesetzes[2)].

§ 3 Geltungsbereich. (1) [1] Dieses Gesetz gilt für eine aus einer grenzüberschreitenden Verschmelzung hervorgehende Gesellschaft mit Sitz im Inland. [2] Es gilt unabhängig vom Sitz dieser Gesellschaft auch für Arbeitnehmer der aus einer grenzüberschreitenden Verschmelzung hervorgehenden Gesellschaft, die im Inland beschäftigt sind, sowie für inländische beteiligte Gesellschaften, betroffene Tochtergesellschaften und betroffene Betriebe.

---

1) Nr. **930**.
2) Auszugsweise abgedruckt unter Nr. **630**.

(2) Mitgliedstaaten im Sinne dieses Gesetzes sind die Mitgliedstaaten der Europäischen Union und die anderen Vertragsstaaten des Abkommens über den Europäischen Wirtschaftsraum.

§ 4 Anwendung des Rechts des Sitzstaats. Vorbehaltlich des § 5 finden auf die aus einer grenzüberschreitenden Verschmelzung hervorgehende Gesellschaft die Regelungen über die Mitbestimmung der Arbeitnehmer in den Unternehmensorganen des Mitgliedstaats Anwendung, in dem diese Gesellschaft ihren Sitz hat.

§ 5[1] Anwendung der Regelungen über die Mitbestimmung der Arbeitnehmer kraft Vereinbarung oder kraft Gesetzes. Die nachfolgenden Regelungen über die Mitbestimmung der Arbeitnehmer kraft Vereinbarung oder in den Fällen des § 23 die Regelungen über die Mitbestimmung kraft Gesetzes finden Anwendung, wenn

1. mindestens eine der beteiligten Gesellschaften in den sechs Monaten vor der Offenlegung des Verschmelzungsplans eine durchschnittliche Zahl von Arbeitnehmern beschäftigt, die mindestens vier Fünfteln des im Recht des Mitgliedstaats dieser Gesellschaft festgelegten Schwellenwerts entspricht, der die Mitbestimmung der Arbeitnehmer auslöst;
2. das für die aus einer grenzüberschreitenden Verschmelzung hervorgehende Gesellschaft maßgebende innerstaatliche Recht nicht mindestens den gleichen Umfang an Mitbestimmung der Arbeitnehmer vorsieht, wie er in den jeweiligen an der Verschmelzung beteiligten Gesellschaften bestand; der Umfang an Mitbestimmung der Arbeitnehmer bemisst sich nach dem Anteil der Arbeitnehmervertreter
   a) im Verwaltungs- oder Aufsichtsorgan,
   b) in Ausschüssen, in denen die Mitbestimmung der Arbeitnehmer erfolgt oder
   c) im Leitungsgremium, das für die Ergebniseinheiten der Gesellschaften zuständig ist;

   oder
3. das für die aus einer grenzüberschreitenden Verschmelzung hervorgehende Gesellschaft maßgebende innerstaatliche Recht für Arbeitnehmer in Betrieben dieser Gesellschaft, die sich in anderen Mitgliedstaaten befinden, nicht den gleichen Anspruch auf Ausübung von Mitbestimmung vorsieht, wie sie den Arbeitnehmern in demjenigen Mitgliedstaat gewährt werden, in dem die aus der grenzüberschreitenden Verschmelzung hervorgehende Gesellschaft ihren Sitz hat.

Teil 2. Besonderes Verhandlungsgremium

Kapitel 1. Bildung und Zusammensetzung

§ 6[2] Information der Leitungen. (1) [1]Das besondere Verhandlungsgremium ist auf Grund einer schriftlichen Aufforderung der Leitungen zu bilden. [2]Es hat die Aufgabe, mit den Leitungen eine schriftliche Vereinbarung über die

---

[1] § 5 Nr. 1 neu gef. mWv 31.1.2023 durch G v. 4.1.2023 (BGBl. I Nr. 10).

[2] § 6 Abs. 3 Nr. 3 und 4 geänd., Nr. 5 und 6 angef. mWv 31.1.2023 durch G v. 4.1.2023 (BGBl. I Nr. 10).

Mitbestimmung der Arbeitnehmer in der aus einer grenzüberschreitenden Verschmelzung hervorgehenden Gesellschaft abzuschließen.

(2) [1] Wenn die Leitungen eine grenzüberschreitende Verschmelzung planen, informieren sie die Arbeitnehmervertretungen und Sprecherausschüsse in den beteiligten Gesellschaften, betroffenen Tochtergesellschaften und betroffenen Betrieben über das Verschmelzungsvorhaben. [2] Besteht keine Arbeitnehmervertretung, erfolgt die Information gegenüber den Arbeitnehmern. [3] Die Information erfolgt unaufgefordert und unverzüglich nach Offenlegung des Verschmelzungsplans.

(3) Die Information erstreckt sich insbesondere auf

1. die Identität und Struktur der beteiligten Gesellschaften, betroffenen Tochtergesellschaften und betroffenen Betriebe und deren Verteilung auf die Mitgliedstaaten,
2. die in diesen Gesellschaften und Betrieben bestehenden Arbeitnehmervertretungen,
3. die Zahl der in diesen Gesellschaften und Betrieben jeweils beschäftigten Arbeitnehmer sowie die daraus zu errechnende Gesamtzahl der in einem Mitgliedstaat beschäftigten Arbeitnehmer,
4. die Zahl der Arbeitnehmer, denen Mitbestimmungsrechte in den Organen dieser Gesellschaften zustehen,
5. die Angabe, ob die Voraussetzungen des § 5 Nummer 1 vorliegen, sowie alle Angaben, die für diese Feststellung erforderlich sind, und
6. die Angabe, ob die Leitungen nach § 15 Absatz 3 entschieden haben, ohne vorhergehende Verhandlung unmittelbar die Regelungen der §§ 23 bis 28 über die Mitbestimmung kraft Gesetzes anzuwenden.

(4) Maßgeblicher Zeitpunkt für die Ermittlung der Zahl der Arbeitnehmer ist der Zeitpunkt der Information nach Absatz 2.

§ 7 Zusammensetzung des besonderen Verhandlungsgremiums.

(1) [1] Für die in jedem Mitgliedstaat beschäftigten Arbeitnehmer der beteiligten Gesellschaften, betroffenen Tochtergesellschaften und betroffenen Betriebe werden Mitglieder für das besondere Verhandlungsgremium gewählt oder bestellt. [2] Für jeden Anteil der in einem Mitgliedstaat beschäftigten Arbeitnehmer, der 10 Prozent der Gesamtzahl der in allen Mitgliedstaaten beschäftigten Arbeitnehmer der beteiligten Gesellschaften und der betroffenen Tochtergesellschaften oder betroffenen Betriebe oder einen Bruchteil davon beträgt, ist ein Mitglied aus diesem Mitgliedstaat in das besondere Verhandlungsgremium zu wählen oder zu bestellen.

(2) [1] Es sind so viele zusätzliche Mitglieder in das besondere Verhandlungsgremium zu wählen oder zu bestellen, wie erforderlich sind, um zu gewährleisten, dass jede eingetragene beteiligte Gesellschaft durch mindestens ein Mitglied in dem besonderen Verhandlungsgremium vertreten ist. [2] Diese Gesellschaft muss Arbeitnehmer in dem betreffenden Mitgliedstaat beschäftigen und als Folge der geplanten grenzüberschreitenden Verschmelzung als eigene Rechtspersönlichkeit erlöschen. [3] Die Wahl oder Bestellung darf nicht zu einer Doppelvertretung der betroffenen Arbeitnehmer führen.

(3) [1] Die Zahl der zusätzlichen Mitglieder darf 20 Prozent der sich aus Absatz 1 ergebenden Mitgliederzahl nicht überschreiten. [2] Kann danach nicht jede nach Absatz 2 besonders zu berücksichtigende Gesellschaft durch ein

zusätzliches Mitglied im besonderen Verhandlungsgremium vertreten werden, so werden diese Gesellschaften in absteigender Reihenfolge der Zahl der bei ihnen beschäftigten Arbeitnehmer berücksichtigt. [3] Dabei ist zu gewährleisten, dass ein Mitgliedstaat nicht mehrere zusätzliche Sitze erhält, solange nicht alle anderen Mitgliedstaaten, aus denen die nach Absatz 2 besonders zu berücksichtigenden Gesellschaften stammen, einen Sitz erhalten haben.

(4) [1] Treten während der Tätigkeitsdauer des besonderen Verhandlungsgremiums solche Änderungen in der Struktur oder Arbeitnehmerzahl der beteiligten Gesellschaften, der betroffenen Tochtergesellschaften oder der betroffenen Betriebe ein, dass sich die konkrete Zusammensetzung des besonderen Verhandlungsgremiums ändern würde, so ist das besondere Verhandlungsgremium entsprechend neu zusammenzusetzen. [2] Über solche Änderungen haben die zuständigen Leitungen unverzüglich das besondere Verhandlungsgremium zu informieren. [3] § 6 Abs. 2 bis 4 gilt entsprechend.

§ 8[1)] Persönliche Voraussetzungen der auf das Inland entfallenden Mitglieder des besonderen Verhandlungsgremiums. (1) Die persönlichen Voraussetzungen der Mitglieder des besonderen Verhandlungsgremiums richten sich nach den jeweiligen Bestimmungen der Mitgliedstaaten, in denen sie gewählt oder bestellt werden.

(2) [1] Zu Mitgliedern des besonderen Verhandlungsgremiums wählbar sind im Inland Arbeitnehmer der beteiligten Gesellschaften, der betroffenen Tochtergesellschaften und betroffenen Betriebe sowie Gewerkschaftsvertreter. [2] Frauen und Männer sollen entsprechend ihrem zahlenmäßigen Verhältnis gewählt werden. [3] Für jedes Mitglied ist ein Ersatzmitglied zu wählen.

(3) Gehören dem besonderen Verhandlungsgremium mehr als zwei Mitglieder aus dem Inland an, ist jedes dritte Mitglied ein Vertreter einer Gewerkschaft, die in einer an der Verschmelzung beteiligten Gesellschaft, betroffenen Tochtergesellschaft oder einem betroffenen Betrieb vertreten ist.

(4) Gehören dem besonderen Verhandlungsgremium mehr als sechs Mitglieder aus dem Inland an, ist mindestens jedes siebte Mitglied ein leitender Angestellter.

§ 9 Verteilung der auf das Inland entfallenden Sitze des besonderen Verhandlungsgremiums. (1) Die Wahl oder Bestellung der Mitglieder des besonderen Verhandlungsgremiums nach § 7 erfolgt nach den jeweiligen Bestimmungen der Mitgliedstaaten.

(2) Bei der Wahl der auf das Inland entfallenden Mitglieder des besonderen Verhandlungsgremiums sollen alle an der Verschmelzung beteiligten Gesellschaften mit Sitz im Inland, die Arbeitnehmer im Inland beschäftigen, durch mindestens ein Mitglied im besonderen Verhandlungsgremium vertreten sein.

(3) Ist die Anzahl der auf das Inland entfallenden Mitglieder des besonderen Verhandlungsgremiums geringer als die Anzahl der an der Verschmelzung beteiligten Gesellschaften mit Sitz im Inland, die Arbeitnehmer im Inland beschäftigen, so erhalten die Gesellschaften in absteigender Reihenfolge der Zahl der Arbeitnehmer jeweils einen Sitz.

(4) Ist die Anzahl der auf das Inland entfallenden Mitglieder des besonderen Verhandlungsgremiums höher als die Anzahl der an der Verschmelzung betei-

---

[1)] § 8 Abs. 2 Satz 1 neu gef. mWv 31.1.2023 durch G v. 4.1.2023 (BGBl. I Nr. 10).

ligten Gesellschaften mit Sitz im Inland, die Arbeitnehmer im Inland beschäftigen, so sind die nach erfolgter Verteilung nach Absatz 2 verbleibenden Sitze nach dem d'Hondtschen Höchstzahlverfahren auf die beteiligten Gesellschaften, die betroffenen Tochtergesellschaften oder die betroffenen Betriebe zu verteilen.

(5) Sind keine Gesellschaften mit Sitz im Inland an der Verschmelzung beteiligt, sondern von ihr nur Tochtergesellschaften oder Betriebe ausländischer Gesellschaften betroffen, gelten die Absätze 2 bis 4 entsprechend.

Kapitel 2. Wahlgremium

§ 10[1]) Zusammensetzung des Wahlgremiums; Urwahl. (1) [1] Die nach diesem Gesetz oder dem Gesetz eines anderen Mitgliedstaats auf die im Inland beschäftigten Arbeitnehmer der an der Verschmelzung beteiligten Gesellschaften, betroffenen Tochtergesellschaften und betroffenen Betriebe entfallenden Mitglieder des besonderen Verhandlungsgremiums werden von einem Wahlgremium in geheimer und unmittelbarer Wahl gewählt. [2] Im Fall des § 8 Abs. 3 ist jedes dritte Mitglied auf Vorschlag einer Gewerkschaft zu wählen, die in einer an der Verschmelzung beteiligten Gesellschaft, einer betroffenen Tochtergesellschaft oder einem betroffenen Betrieb vertreten ist. [3] Wird nur ein Wahlvorschlag gemacht, muss dieser mindestens doppelt so viele Bewerber enthalten wie Vertreter von Gewerkschaften zu wählen sind. [4] Jeder Wahlvorschlag einer Gewerkschaft muss von einem Vertreter der Gewerkschaft unterzeichnet sein. [5] Im Fall des § 8 Abs. 4 ist jedes siebte Mitglied auf Vorschlag der Sprecherausschüsse zu wählen; Satz 3 gilt entsprechend. [6] Besteht in einer der beteiligten Gesellschaften und in ihren betroffenen Tochtergesellschaften und in ihren betroffenen Betrieben kein Sprecherausschuss, können die leitenden Angestellten Wahlvorschläge machen; ein Wahlvorschlag muss von einem Zwanzigstel oder von 50 der wahlberechtigten inländischen leitenden Angestellten unterzeichnet sein.

(2) [1] Ist aus dem Inland nur eine Unternehmensgruppe an der Verschmelzung beteiligt, besteht das Wahlgremium aus den Mitgliedern des Konzernbetriebsrates oder, sofern ein solcher nicht besteht, aus den Mitgliedern der Gesamtbetriebsräte oder, sofern ein solcher in einem Unternehmen nicht besteht, aus den Mitgliedern des Betriebsrates. [2] Betriebsratslose Betriebe und Unternehmen einer Unternehmensgruppe werden vom Konzernbetriebsrat, Gesamtbetriebsrat oder Betriebsrat mit vertreten.

(3) [1] Ist aus dem Inland nur ein Unternehmen an der Verschmelzung beteiligt, besteht das Wahlgremium aus den Mitgliedern des Gesamtbetriebsrates oder, sofern ein solcher nicht besteht, aus den Mitgliedern des Betriebsrates. [2] Betriebsratslose Betriebe eines Unternehmens werden vom Gesamtbetriebsrat oder Betriebsrat mit vertreten.

(4) Ist aus dem Inland nur ein Betrieb von der Verschmelzung betroffen, besteht das Wahlgremium aus den Mitgliedern des Betriebsrates.

(5) [1] Sind an der Verschmelzung eine oder mehrere Unternehmensgruppen oder nicht verbundene Unternehmen beteiligt oder sind von der Gründung unternehmensunabhängige Betriebe betroffen, setzt sich das Wahlgremium aus den jeweiligen Arbeitnehmervertretungen auf Konzernebene, Unternehmens-

[1]) § 10 Abs. 1 Satz 6 neu gef. mWv 31.1.2023 durch G v. 4.1.2023 (BGBl. I Nr. 10).

ebene oder Betriebsebene zusammen. [2]Die Absätze 2 bis 4 gelten entsprechend. [3]Ist in den Fällen des Satzes 1 eine entsprechende Arbeitnehmervertretung nicht vorhanden, werden diese Mitglieder des Wahlgremiums von den Arbeitnehmern in Urwahl gewählt. [4]Die Wahl wird von einem Wahlvorstand eingeleitet und durchgeführt, der in einer Versammlung der Arbeitnehmer gewählt wird, zu der die inländische Konzernleitung, Unternehmensleitung oder Betriebsleitung einlädt. [5]Es sind so viele Mitglieder des Wahlgremiums zu wählen, wie eine bestehende Arbeitnehmervertretung in den Fällen der Absätze 2 bis 4 an gesetzlichen Mitgliedern hätte; für das Wahlverfahren gilt Absatz 7 Satz 3 bis 5 entsprechend.

(6) [1]Das Wahlgremium besteht aus höchstens 40 Mitgliedern. [2]Würde diese Höchstzahl überschritten, ist die Anzahl der Mitglieder in dem Wahlgremium entsprechend ihrem zahlenmäßigen Verhältnis nach dem d'Hondtschen Höchstzahlverfahren zu verringern.

(7) [1]Besteht in den Fällen der Absätze 2 bis 5 keine Arbeitnehmervertretung, wählen die Arbeitnehmer die Mitglieder des besonderen Verhandlungsgremiums in geheimer und unmittelbarer Wahl. [2]Die Wahl wird von einem Wahlvorstand eingeleitet und durchgeführt, der in einer Versammlung der Arbeitnehmer gewählt wird, zu der die inländische Konzernleitung, Unternehmensleitung oder Betriebsleitung einlädt. [3]Die Wahl der Mitglieder des besonderen Verhandlungsgremiums erfolgt nach den Grundsätzen der Verhältniswahl. [4]Sie erfolgt nach den Grundsätzen der Mehrheitswahl, wenn nur ein Wahlvorschlag eingereicht wird. [5]Jeder Wahlvorschlag der Arbeitnehmer muss von mindestens einem Zwanzigstel der wahlberechtigten Arbeitnehmer, mindestens jedoch von drei Wahlberechtigten, höchstens aber von 50 Wahlberechtigten unterzeichnet sein; in Betrieben mit in der Regel bis zu 20 wahlberechtigten Arbeitnehmern genügt die Unterzeichnung durch zwei Wahlberechtigte. [6]Absatz 1 Satz 2 bis 6 gilt entsprechend.

§ 11 Einberufung des Wahlgremiums. (1) Auf der Grundlage der von den Leitungen erhaltenen Informationen hat der Vorsitzende der Arbeitnehmervertretung auf Konzernebene oder, sofern eine solche nicht besteht, auf Unternehmensebene oder, sofern eine solche nicht besteht, auf Betriebsebene

1. Ort, Tag und Zeit der Versammlung des Wahlgremiums festzulegen;
2. die Anzahl der Mitglieder aus den jeweiligen Arbeitnehmervertretungen nach § 10 Abs. 6 festzulegen;
3. zur Versammlung des Wahlgremiums einzuladen.

(2) Bestehen auf einer Ebene mehrere Arbeitnehmervertretungen, treffen die Verpflichtungen nach Absatz 1 den Vorsitzenden der Arbeitnehmervertretung, die die meisten Arbeitnehmer vertritt.

§ 12 Wahl der Mitglieder des besonderen Verhandlungsgremiums.

(1) [1]Bei der Wahl müssen mindestens zwei Drittel der Mitglieder des Wahlgremiums, die mindestens zwei Drittel der Arbeitnehmer vertreten, anwesend sein. [2]Die Mitglieder des Wahlgremiums haben jeweils so viele Stimmen, wie sie Arbeitnehmer vertreten. [3]Die Wahl erfolgt mit einfacher Mehrheit der abgegebenen Stimmen.

(2) [1]*Im Wahlgremium* vertreten die Arbeitnehmervertretungen und die in Urwahl gewählten Mitglieder jeweils alle Arbeitnehmer der organisatorischen Einheit, für die sie nach § 10 Abs. 2 bis 5 zuständig sind. [2]Nicht nach Satz 1

vertretene Arbeitnehmer werden den Arbeitnehmervertretungen innerhalb der jeweiligen Unternehmensgruppe zu gleichen Teilen zugerechnet.

(3) [1] Sind für eine Arbeitnehmervertretung mehrere Mitglieder im Wahlgremium vertreten, werden die entsprechend der von ihnen vertretenen Arbeitnehmer bestehenden Stimmenanteile gleichmäßig aufgeteilt. [2] Dies gilt auch für die nach § 10 Abs. 5 Satz 3 gewählten Mitglieder des Wahlgremiums.

Kapitel 3. Verhandlungsverfahren

§ 13 Information über die Mitglieder des besonderen Verhandlungsgremiums. (1) [1] Die Wahl oder Bestellung der Mitglieder des besonderen Verhandlungsgremiums soll innerhalb von zehn Wochen nach der in § 6 Abs. 2 und 3 vorgeschriebenen Information erfolgen. [2] Den Leitungen sind unverzüglich die Namen der Mitglieder des besonderen Verhandlungsgremiums, ihre Anschriften sowie die jeweilige Betriebszugehörigkeit mitzuteilen. [3] Die Leitungen haben die örtlichen Betriebs- und Unternehmensleitungen, die dort bestehenden Arbeitnehmervertretungen und Sprecherausschüsse sowie die in inländischen Betrieben vertretenen Gewerkschaften über diese Angaben zu informieren.

(2) [1] Das Verhandlungsverfahren nach den §§ 14 bis 19 findet auch dann statt, wenn die in Absatz 1 Satz 1 genannte Frist aus Gründen, die die Arbeitnehmer zu vertreten haben, überschritten wird. [2] Nach Ablauf der Frist gewählte oder bestellte Mitglieder können sich jederzeit an dem Verhandlungsverfahren beteiligen.

§ 14[1)] Sitzungen; Geschäftsordnung. (1) [1] Die Leitungen laden unverzüglich nach Benennung der Mitglieder oder im Fall des § 13 Absatz 2 nach Ablauf der in § 13 Abs. 1 Satz 1 genannten Frist zur konstituierenden Sitzung des besonderen Verhandlungsgremiums ein und informieren die örtlichen Betriebs- und Unternehmensleitungen. [2] Das besondere Verhandlungsgremium wählt aus seiner Mitte einen Vorsitzenden und mindestens zwei Stellvertreter. [3] Es kann sich eine schriftliche Geschäftsordnung geben.

(2) Der Vorsitzende kann weitere Sitzungen einberufen.

§ 15[2)] Zusammenarbeit zwischen besonderem Verhandlungsgremium und Leitungen. (1) [1] Das besondere Verhandlungsgremium schließt mit den Leitungen eine schriftliche Vereinbarung über die Mitbestimmung der Arbeitnehmer in der aus der grenzüberschreitenden Verschmelzung hervorgehenden Gesellschaft ab. [2] Zur Erfüllung dieser Aufgabe arbeiten sie vertrauensvoll zusammen.

(2) [1] Die Leitungen haben dem besonderen Verhandlungsgremium rechtzeitig alle erforderlichen Auskünfte zu erteilen und die erforderlichen Unterlagen zur Verfügung zu stellen. [2] Das besondere Verhandlungsgremium ist insbesondere über das Verschmelzungsvorhaben und den Verlauf des Verfahrens bis zur Eintragung der aus der grenzüberschreitenden Verschmelzung hervorgehenden Gesellschaft zu unterrichten. [3] Zeitpunkt, Häufigkeit und Ort der Verhandlungen werden zwischen den Leitungen und dem besonderen Verhandlungsgremium einvernehmlich festgelegt.

[1)] § 14 Abs. 1 Satz 1 geänd. mWv 31.1.2023 durch G v. 4.1.2023 (BGBl. I Nr. 10).
[2)] § 15 Abs. 3 angef. mWv 31.1.2023 durch G v. 4.1.2023 (BGBl. I Nr. 10).

(3) [1]Die Leitungen der beteiligten Gesellschaften können entscheiden, auf Verhandlungen mit dem besonderen Verhandlungsgremium zu verzichten und gemäß § 23 Absatz 1 Satz 1 Nummer 3 unmittelbar die Regelungen der §§ 23 bis 28 über die Mitbestimmung kraft Gesetzes anzuwenden. [2]Satz 1 gilt nicht, wenn im Fall des § 5 Nummer 1 in keiner der beteiligten Gesellschaften eine Mitbestimmung der Arbeitnehmer besteht.

§ 16[1)] Sachverständige und Vertreter von geeigneten außenstehenden Organisationen. (1) [1]Das besondere Verhandlungsgremium kann bei den Verhandlungen Sachverständige seiner Wahl, zu denen auch Vertreter von einschlägigen Gewerkschaftsorganisationen auf Unionsebene zählen können, hinzuziehen, um sich von ihnen bei seiner Arbeit unterstützen zu lassen. [2]Diese Sachverständigen können, wenn das besondere Verhandlungsgremium es wünscht, an den Verhandlungen in beratender Funktion teilnehmen.

(2) Das besondere Verhandlungsgremium kann beschließen, die Vertreter von geeigneten außenstehenden Organisationen vom Beginn der Verhandlungen zu unterrichten.

§ 17[2)] Beschlussfassung im besonderen Verhandlungsgremium.

(1) [1]Die Mitglieder des besonderen Verhandlungsgremiums, die in einem Mitgliedstaat gewählt oder bestellt werden, vertreten alle in dem jeweiligen Mitgliedstaat beschäftigten Arbeitnehmer. [2]Solange aus einem Mitgliedstaat keine Mitglieder in das besondere Verhandlungsgremium gewählt oder bestellt sind (§ 13 Abs. 2), gelten die betroffenen Arbeitnehmer als nicht vertreten.

(2) [1]Das besondere Verhandlungsgremium beschließt vorbehaltlich des Absatzes 3 und § 18 mit der Mehrheit seiner Mitglieder, in der zugleich die Mehrheit der vertretenen Arbeitnehmer enthalten sein muss. [2]Jedes auf das Inland entfallende Mitglied vertritt gleich viele Arbeitnehmer.

(3) [1]Hätten die Verhandlungen eine Minderung der Mitbestimmungsrechte zur Folge, so ist für einen Beschluss zur Billigung einer solchen Vereinbarung eine Mehrheit von zwei Dritteln der Mitglieder des besonderen Verhandlungsgremiums erforderlich, die mindestens zwei Drittel der Arbeitnehmer in mindestens zwei Mitgliedstaaten vertreten. [2]Dies gilt, sofern sich die Mitbestimmung auf mindestens 25 Prozent der Gesamtzahl der Arbeitnehmer der beteiligten Gesellschaften und der betroffenen Tochtergesellschaften erstreckt.

(4) Minderung der Mitbestimmungsrechte bedeutet, dass

1. der Anteil der Arbeitnehmervertreter
   a) im Verwaltungs- oder Aufsichtsorgan,
   b) in Ausschüssen, in denen die Mitbestimmung der Arbeitnehmer erfolgt, oder
   c) im Leitungsgremium, das für die Ergebniseinheiten der Gesellschaften zuständig ist,

   geringer ist als der höchste in den beteiligten Gesellschaften bestehende Anteil oder

---

1) § 16 Abs. 1 Satz 1 geänd. mWv 31.1.2023 durch G v. 4.1.2023 (BGBl. I Nr. 10).
2) § 17 Abs. 2 Satz 1 geänd. mWv 31.1.2023 durch G v. 4.1.2023 (BGBl. I Nr. 10).

2. das Recht, Mitglieder des Aufsichts- oder Verwaltungsorgans der Gesellschaft zu wählen, zu bestellen, zu empfehlen oder abzulehnen, beseitigt oder eingeschränkt wird.

§ 18 Nichtaufnahme oder Abbruch der Verhandlungen. [1] Das besondere Verhandlungsgremium kann beschließen, keine Verhandlungen aufzunehmen oder bereits aufgenommene Verhandlungen abzubrechen. [2] Für diesen Beschluss ist eine Mehrheit von zwei Dritteln der Mitglieder erforderlich, die mindestens zwei Drittel der Arbeitnehmer in mindestens zwei Mitgliedstaaten vertreten. [3] Die Vorschriften über die Mitbestimmung der Arbeitnehmer, die in dem Mitgliedstaat gelten, in dem die aus der grenzüberschreitenden Verschmelzung hervorgehende Gesellschaft ihren Sitz haben wird, finden Anwendung.

§ 19 Niederschrift. [1] In eine Niederschrift, die vom Vorsitzenden und einem weiteren Mitglied des besonderen Verhandlungsgremiums zu unterzeichnen ist, sind aufzunehmen

1. ein Beschluss über den Abschluss einer Vereinbarung nach § 15 Abs. 1,
2. ein Beschluss über die Nichtaufnahme oder den Abbruch der Verhandlungen nach § 18 und
3. die jeweiligen Mehrheiten, mit denen die Beschlüsse gefasst worden sind.

[2] Eine Abschrift der Niederschrift ist den Leitungen zu übermitteln.

§ 19a[1)] Information über das Verhandlungsergebnis. [1] Die Leitungen informieren die Arbeitnehmervertretungen, die Sprecherausschüsse sowie die in inländischen Betrieben vertretenen Gewerkschaften unverzüglich über das Ergebnis der Verhandlungen nach § 19 Satz 1 Nummer 1 oder Nummer 2. [2] Besteht keine Arbeitnehmervertretung, erfolgt die Information gegenüber den Arbeitnehmern.

§ 20 Kosten des besonderen Verhandlungsgremiums. [1] Die durch die Bildung und Tätigkeit des besonderen Verhandlungsgremiums entstehenden erforderlichen Kosten tragen die beteiligten Gesellschaften und nach ihrer Verschmelzung die aus der grenzüberschreitenden Verschmelzung hervorgehende Gesellschaft als Gesamtschuldner. [2] Insbesondere sind für die Sitzungen in erforderlichem Umfang Räume, sachliche Mittel, Dolmetscher und Büropersonal zur Verfügung zu stellen sowie die erforderlichen Reise- und Aufenthaltskosten der Mitglieder des besonderen Verhandlungsgremiums zu tragen.

§ 21 Dauer der Verhandlungen. (1) [1] Die Verhandlungen beginnen mit der Einsetzung des besonderen Verhandlungsgremiums und können bis zu sechs Monate dauern. [2] Einsetzung bezeichnet den Tag, zu dem die Leitungen zur konstituierenden Sitzung des besonderen Verhandlungsgremiums eingeladen haben.

(2) Die Parteien können einvernehmlich beschließen, die Verhandlungen über den in Absatz 1 genannten Zeitraum hinaus bis zu insgesamt einem Jahr ab der Einsetzung des besonderen Verhandlungsgremiums fortzusetzen.

---

1) § 19a eingef. mWv 31.1.2023 durch G v. 4.1.2023 (BGBl. I Nr. 10).

Teil 3. Mitbestimmung der Arbeitnehmer

Kapitel 1. Mitbestimmung kraft Vereinbarung

§ 22 Inhalt der Vereinbarung. (1) In der schriftlichen Vereinbarung zwischen den Leitungen und dem besonderen Verhandlungsgremium wird, unbeschadet der Autonomie der Parteien im Übrigen, festgelegt:

1. der Geltungsbereich der Vereinbarung, einschließlich der außerhalb des Hoheitsgebietes der Mitgliedstaaten liegenden Unternehmen und Betriebe, sofern diese in den Geltungsbereich einbezogen werden;
2. der Zeitpunkt des Inkrafttretens der Vereinbarung und ihre Laufzeit; ferner die Fälle, in denen die Vereinbarung neu ausgehandelt werden soll, und das dabei anzuwendende Verfahren;
3. die Zahl der Mitglieder des Aufsichts- oder Verwaltungsorgans der aus der grenzüberschreitenden Verschmelzung hervorgehenden Gesellschaft, welche die Arbeitnehmer wählen oder bestellen können oder deren Bestellung sie empfehlen oder ablehnen können;
4. das Verfahren, nach dem die Arbeitnehmer diese Mitglieder wählen oder bestellen oder deren Bestellung empfehlen oder ablehnen können, und
5. die Rechte dieser Mitglieder.

(2) [1] In der Vereinbarung soll festgelegt werden, dass auch vor strukturellen Änderungen der aus der grenzüberschreitenden Verschmelzung hervorgehenden Gesellschaft Verhandlungen über die Mitbestimmung der Arbeitnehmer aufgenommen werden. [2] Die Parteien können das dabei anzuwendende Verfahren regeln.

(3) Die Vereinbarung kann bestimmen, dass die Regelungen der §§ 23 bis 27 über die Mitbestimmung kraft Gesetzes ganz oder in Teilen gelten.

(4) Steht die Satzung der aus einer grenzüberschreitenden Verschmelzung hervorgehenden Gesellschaft im Widerspruch zu den Regelungen über die Mitbestimmung kraft Vereinbarung, ist die Satzung anzupassen.

Kapitel 2. Mitbestimmung kraft Gesetzes

§ 23 Voraussetzung. (1) [1] Die Regelungen dieses Kapitels finden ab dem Zeitpunkt der Eintragung der aus der grenzüberschreitenden Verschmelzung hervorgehenden Gesellschaft Anwendung, wenn

1. die Parteien dies vereinbaren oder
2. bis zum Ende des in § 21 angegebenen Zeitraums keine Vereinbarung zustande gekommen ist und das besondere Verhandlungsgremium keinen Beschluss nach § 18 gefasst hat oder
3. die Leitungen der an der Verschmelzung beteiligten Gesellschaften entscheiden, diese Regelungen ohne vorhergehende Verhandlung unmittelbar ab dem Zeitpunkt der Eintragung anzuwenden.

[2] In den Fällen des Satzes 1 Nr. 2 und 3 muss vor der Eintragung der aus der grenzüberschreitenden Verschmelzung hervorgehenden Gesellschaft in einer oder mehreren der beteiligten Gesellschaften eine oder mehrere Formen der Mitbestimmung bestanden haben, die

1. sich auf mindestens ein Drittel der Gesamtzahl der Arbeitnehmer aller beteiligten Gesellschaften und betroffenen Tochtergesellschaften erstreckte oder
2. sich auf weniger als ein Drittel der Gesamtzahl der Arbeitnehmer aller beteiligten Gesellschaften und betroffenen Tochtergesellschaften erstreckte und das besondere Verhandlungsgremium einen entsprechenden Beschluss fasst.

(2) [1] Bestand in den Fällen von Absatz 1 mehr als eine Form der Mitbestimmung im Sinne des § 2 Abs. 7 in den verschiedenen beteiligten Gesellschaften, so entscheidet das besondere Verhandlungsgremium, welche von ihnen in der aus der grenzüberschreitenden Verschmelzung hervorgehenden Gesellschaft eingeführt wird. [2] Wenn das besondere Verhandlungsgremium keinen solchen Beschluss fasst und eine inländische Gesellschaft, deren Arbeitnehmern Mitbestimmungsrechte zustehen, an der Verschmelzung beteiligt ist, ist die Mitbestimmung nach § 2 Abs. 7 Nr. 1 maßgeblich. [3] Ist keine inländische Gesellschaft, deren Arbeitnehmern Mitbestimmungsrechte zustehen, beteiligt, findet die Form der Mitbestimmung nach § 2 Abs. 7 Anwendung, die sich auf die höchste Zahl der in den beteiligten Gesellschaften beschäftigten Arbeitnehmer erstreckt.

(3) Das besondere Verhandlungsgremium unterrichtet die Leitungen über die Beschlüsse, die es nach Absatz 1 Satz 2 Nr. 2 und Absatz 2 Satz 1 gefasst hat.

§ 24[1)] Umfang der Mitbestimmung. (1) [1] Die Arbeitnehmer der aus der grenzüberschreitenden Verschmelzung hervorgehenden Gesellschaft, ihrer Tochtergesellschaften und Betriebe oder ihr Vertretungsorgan haben das Recht, einen Teil der Mitglieder des Aufsichts- oder Verwaltungsorgans der aus der grenzüberschreitenden Verschmelzung hervorgehenden Gesellschaft zu wählen oder zu bestellen oder deren Bestellung zu empfehlen oder abzulehnen. [2] Die Zahl dieser Arbeitnehmervertreter im Aufsichts- oder Verwaltungsorgan der aus der grenzüberschreitenden Verschmelzung hervorgehenden Gesellschaft bemisst sich nach dem höchsten Anteil an Arbeitnehmervertretern, der in den Organen der beteiligten Gesellschaften vor der Eintragung der aus der grenzüberschreitenden Verschmelzung hervorgehenden Gesellschaft bestanden hat.

(2) [1] Handelt es sich bei der aus einer grenzüberschreitenden Verschmelzung hervorgehenden Gesellschaft nach Absatz 1 um eine Gesellschaft mit beschränkter Haftung, so ist in dieser Gesellschaft ein Aufsichtsrat zu bilden. [2] § 90 Abs. 3, 4, 5 Satz 1 und 2, §§ 95 bis 116, 118 Abs. 3, § 125 Abs. 3 und 4 und §§ 170, 171, 268 Abs. 2 des Aktiengesetzes[2)] sind entsprechend anzuwenden, soweit nicht in den Vorschriften dieses Gesetzes ein anderes bestimmt ist.

(3) Steht die Satzung der aus einer grenzüberschreitenden Verschmelzung hervorgehenden Gesellschaft im Widerspruch zu den Regelungen über die Mitbestimmung kraft Gesetzes, ist die Satzung anzupassen.

§ 25 Sitzverteilung. (1) [1] Das besondere Verhandlungsgremium verteilt die Zahl der Sitze im Aufsichts- oder Verwaltungsorgan auf die Mitgliedstaaten, in denen Mitglieder zu wählen oder zu bestellen sind. [2] Die Verteilung richtet sich nach dem jeweiligen Anteil der in den einzelnen Mitgliedstaaten beschäftigten Arbeitnehmer der aus der grenzüberschreitenden Verschmelzung hervorgehen-

---

1) § 24 Abs. 2 Satz 2 geänd. mWv 1.9.2009 durch G v. 30.7.2009 (BGBl. I S. 2479).
2) Nr. **567**.

den Gesellschaft, ihrer Tochtergesellschaften und Betriebe. [3] Können bei dieser anteiligen Verteilung die Arbeitnehmer aus einem oder mehreren Mitgliedstaaten keinen Sitz erhalten, so hat das besondere Verhandlungsgremium den letzten zu verteilenden Sitz einem bisher unberücksichtigten Mitgliedstaat zuzuweisen. [4] Dieser Sitz soll, soweit angemessen, dem Mitgliedstaat zugewiesen werden, in dem die aus der grenzüberschreitenden Verschmelzung hervorgehende Gesellschaft ihren Sitz haben wird. [5] Dieses Verteilungsverfahren gilt auch in dem Fall, in dem die Arbeitnehmer der aus der grenzüberschreitenden Verschmelzung hervorgehenden Gesellschaft Mitglieder dieser Organe empfehlen oder ablehnen können.

(2) Soweit die Mitgliedstaaten über die Besetzung der ihnen zugewiesenen Sitze keine eigenen Regelungen treffen, bestimmt das besondere Verhandlungsgremium die Arbeitnehmervertreter im Aufsichts- oder Verwaltungsorgan der aus der grenzüberschreitenden Verschmelzung hervorgehenden Gesellschaft.

(3) [1] Die Ermittlung der auf das Inland entfallenden Arbeitnehmervertreter des Aufsichts- oder Verwaltungsorgans der aus einer grenzüberschreitenden Verschmelzung hervorgehenden Gesellschaft erfolgt durch ein Wahlgremium, das sich aus den Arbeitnehmervertretungen der aus einer grenzüberschreitenden Verschmelzung hervorgehenden Gesellschaft, ihrer Tochtergesellschaften und Betriebe zusammensetzt. [2] Für das Wahlverfahren gelten § 8 Abs. 2 bis 4, § 10 Abs. 1 Satz 2 bis 5, Abs. 2 bis 7 und die §§ 11 und 12 entsprechend mit der Maßgabe, dass an die Stelle der beteiligten Gesellschaften, betroffenen Tochtergesellschaften und betroffenen Betriebe die aus der grenzüberschreitenden Verschmelzung hervorgehende Gesellschaft, ihre Tochtergesellschaften und Betriebe treten. [3] Das Wahlergebnis ist der Leitung der aus der grenzüberschreitenden Verschmelzung hervorgehenden Gesellschaft, den Arbeitnehmervertretungen, den Gewählten, den Sprecherausschüssen und Gewerkschaften mitzuteilen. [4] Die Leitung hat die Namen der Gewählten in den Betrieben des Unternehmens bekannt zu machen.

§ 26[1)] Abberufung und Anfechtung. (1) [1] Ein Mitglied oder ein Ersatzmitglied der Arbeitnehmer aus dem Inland im Aufsichts- oder Verwaltungsorgan kann vor Ablauf der Amtszeit abberufen werden. [2] Antragsberechtigt sind

1. die Arbeitnehmervertretungen, die das Wahlgremium gebildet haben;
2. in den Fällen der Urwahl mindestens drei wahlberechtigte Arbeitnehmer;
3. für ein Mitglied nach § 8 Abs. 3 nur die Gewerkschaft, die das Mitglied vorgeschlagen hat;
4. für ein Mitglied nach § 8 Abs. 4 nur der Sprecherausschuss, der das Mitglied vorgeschlagen hat.

[3] Für das Abberufungsverfahren gelten die §§ 10 bis 12 entsprechend mit der Maßgabe, dass an die Stelle der beteiligten Gesellschaften, betroffenen Tochtergesellschaften und betroffenen Betriebe die aus der grenzüberschreitenden Verschmelzung hervorgehende Gesellschaft, ihre Tochtergesellschaften und Betriebe treten; abweichend von § 10 Abs. 5 und § 12 Abs. 1 Satz 3 bedarf der Beschluss einer Mehrheit von drei Vierteln der abgegebenen Stimmen.

(2) [1] Die Wahl eines Mitglieds oder eines Ersatzmitglieds der Arbeitnehmer *aus dem Inland* im Aufsichts- oder Verwaltungsorgan kann angefochten wer-

[1)] § 26 Abs. 2 Satz 3 geänd. mWv 31.1.2023 durch G v. 4.1.2023 (BGBl. I Nr. 10).

den, wenn gegen wesentliche Vorschriften über das Wahlrecht, die Wählbarkeit oder das Wahlverfahren verstoßen worden und eine Berichtigung nicht erfolgt ist, es sei denn, dass durch den Verstoß das Wahlergebnis nicht geändert oder beeinflusst werden konnte. [2]Zur Anfechtung berechtigt sind die in Absatz 1 Satz 2 Genannten und die Leitung der aus der grenzüberschreitenden Verschmelzung hervorgegangenen Gesellschaft. [3]Die Klage muss innerhalb eines Monats nach der Bekanntgabe gemäß § 25 Abs. 3 Satz 3 oder 4 erhoben werden.

§ 27 Rechtsstellung; Innere Ordnung. (1) Die Arbeitnehmervertreter im Aufsichts- oder Verwaltungsorgan der aus der grenzüberschreitenden Verschmelzung hervorgehenden Gesellschaft haben die gleichen Rechte und Pflichten wie die Mitglieder, die die Anteilseigner vertreten.

(2) [1]Die Zahl der Mitglieder der Leitung beträgt mindestens zwei. [2]Einer von ihnen ist für den Bereich Arbeit und Soziales zuständig. [3]Dies gilt nicht für die Kommanditgesellschaft auf Aktien.

(3) Besteht in einer der beteiligten Gesellschaften das Aufsichtsorgan aus derselben Zahl von Anteilseigner- und Arbeitnehmervertretern sowie einem weiteren Mitglied, so ist auch im Aufsichts- oder Verwaltungsorgan der aus der grenzüberschreitenden Verschmelzung hervorgehenden Gesellschaft ein weiteres Mitglied auf gemeinsamen Vorschlag der Anteilseigner- und der Arbeitnehmervertreter zu wählen.

§ 28[1)] Tendenzunternehmen. Auf eine aus einer grenzüberschreitenden Verschmelzung hervorgehende Gesellschaft, die unmittelbar und überwiegend

1. politischen, koalitionspolitischen, konfessionellen, karitativen, erzieherischen, wissenschaftlichen oder künstlerischen Bestimmungen oder
2. Zwecken der Berichterstattung oder Meinungsäußerung, auf die Artikel 5 Abs. 1 Satz 2 des Grundgesetzes anzuwenden ist,

dient, findet Kapitel 2 keine Anwendung.

Kapitel 3.[2)] Ergänzende Vorschriften

§ 29 Fortbestehen nationaler Arbeitnehmervertretungsstrukturen. [1]Regelungen über die Arbeitnehmervertretungen und deren Strukturen in einer beteiligten Gesellschaft mit Sitz im Inland, die durch die Verschmelzung als eigenständige juristische Person erlischt, bestehen nach Eintragung der aus der grenzüberschreitenden Verschmelzung hervorgehenden Gesellschaft fort. [2]Die Leitung der aus der grenzüberschreitenden Verschmelzung hervorgegangenen Gesellschaft stellt sicher, dass diese Arbeitnehmervertretungen ihre Aufgaben weiterhin wahrnehmen können.

§ 30[3)] Nachfolgende innerstaatliche Umwandlungen. (1) Besteht in der aus der grenzüberschreitenden Verschmelzung hervorgehenden Gesellschaft eine Mitbestimmung der Arbeitnehmer, so finden die Vorschriften dieses Gesetzes entsprechende Anwendung auf innerstaatliche Umwandlungen, für die

---

1) § 28 abschl. Satzteil geänd. mWv 31.1.2023 durch G v. 4.1.2023 (BGBl. I Nr. 10).
2) Kapitel 3 Überschrift neu gef. mWv 31.1.2023 durch G v. 4.1.2023 (BGBl. I Nr. 10).
3) § 30 neu gef. mWv 31.1.2023 durch G v. 4.1.2023 (BGBl. I Nr. 10).

innerhalb von vier Jahren nach Wirksamwerden der grenzüberschreitenden Verschmelzung

1. ein Verschmelzungsvertrag (§ 5 des Umwandlungsgesetzes[1]) geschlossen wird,
2. ein Spaltungs- und Übernahmevertrag (§ 126 des Umwandlungsgesetzes[1]) geschlossen wird,
3. ein Spaltungsplan (§ 136 des Umwandlungsgesetzes[2]) aufgestellt wird oder
4. ein Formwechselbeschluss (§ 193 des Umwandlungsgesetzes[2]) gefasst wird.

(2) Anstelle der §§ 9 und 10 finden im Fall einer Spaltung nach dem Dritten Buch des Umwandlungsgesetzes[3] oder im Fall eines Formwechsels nach dem Fünften Buch des Umwandlungsgesetzes[3] die §§ 7, 10 und 11 des Gesetzes über die Mitbestimmung der Arbeitnehmer bei grenzüberschreitendem Formwechsel und grenzüberschreitender Spaltung entsprechende Anwendung.

§ 30a[4] Nachfolgende grenzüberschreitende Umwandlungen.

(1) Die Vorschriften dieses Gesetzes finden Anwendung, wenn eine aus einer grenzüberschreitenden Verschmelzung hervorgegangene Gesellschaft an einer weiteren grenzüberschreitenden Verschmelzung beteiligt ist und die daraus hervorgehende Gesellschaft ihren Sitz im Inland hat.

(2) [1]Die Vorschriften dieses Gesetzes finden Anwendung, wenn eine aus einem grenzüberschreitenden Formwechsel oder einer grenzüberschreitenden Spaltung hervorgegangene Gesellschaft an einer weiteren grenzüberschreitenden Verschmelzung beteiligt ist und die daraus hervorgehende Gesellschaft ihren Sitz im Inland hat. [2]Wird der Verschmelzungsvertrag (§ 5 des Umwandlungsgesetzes[1]) innerhalb von vier Jahren nach Wirksamwerden des grenzüberschreitenden Formwechsels oder der grenzüberschreitenden Spaltung geschlossen, so ist eine Minderung von Mitbestimmungsrechten durch Vereinbarung (§ 17 Absatz 3 und 4) ausgeschlossen und findet für die Mitbestimmung kraft Gesetzes § 23 Absatz 1 Satz 2 keine Anwendung.

Teil 4. Schutzbestimmungen

§ 31 Geheimhaltung; Vertraulichkeit. (1) Informationspflichten der Leitungen und der Leitung der aus einer grenzüberschreitenden Verschmelzung hervorgehenden Gesellschaft nach diesem Gesetz bestehen nur, soweit bei Zugrundelegung objektiver Kriterien dadurch nicht Betriebs- oder Geschäftsgeheimnisse der an der Verschmelzung beteiligten Gesellschaften, der aus der grenzüberschreitenden Verschmelzung hervorgehenden Gesellschaft oder deren jeweiliger Tochtergesellschaften und Betriebe gefährdet werden.

(2) [1]Die Mitglieder und Ersatzmitglieder eines besonderen Verhandlungsgremiums sind unabhängig von ihrem Aufenthaltsort verpflichtet, Betriebs- oder Geschäftsgeheimnisse, die ihnen wegen ihrer Zugehörigkeit zum besonderen Verhandlungsgremium bekannt geworden und von der Leitung ausdrücklich als geheimhaltungsbedürftig bezeichnet worden sind, nicht zu offen-

---

[1] Nr. 630.
[2] **beck-online, Module Arbeitsrecht Nr. 630.**
[3] Auszugsweise abgedruckt unter Nr. 630.
[4] § 30a eingef. mWv 31.1.2023 durch G v. 4.1.2023 (BGBl. I Nr. 10).

baren und nicht zu verwerten. [2]Dies gilt auch nach dem Ausscheiden aus dem besonderen Verhandlungsgremium.

(3) Die Pflicht zur Vertraulichkeit der Mitglieder und Ersatzmitglieder eines besonderen Verhandlungsgremiums nach Absatz 2 gilt nicht gegenüber

1. den Mitgliedern und Ersatzmitgliedern des besonderen Verhandlungsgremiums,
2. den Arbeitnehmervertretern im Aufsichts- oder Verwaltungsorgan der aus der grenzüberschreitenden Verschmelzung hervorgehenden Gesellschaft sowie
3. den Dolmetschern und Sachverständigen, die zur Unterstützung herangezogen werden.

(4) Die Pflicht zur Vertraulichkeit nach Absatz 2 gilt entsprechend für die Sachverständigen und Dolmetscher.

§ 32 Schutz der Arbeitnehmervertreter. [1]Bei der Wahrnehmung ihrer Aufgaben genießen

1. die Mitglieder des besonderen Verhandlungsgremiums und
2. die Arbeitnehmervertreter im Aufsichts- oder Verwaltungsorgan der aus der grenzüberschreitenden Verschmelzung hervorgehenden Gesellschaft,

die Beschäftigte der aus einer grenzüberschreitenden Verschmelzung hervorgehenden Gesellschaft, ihrer Tochtergesellschaften oder Betriebe oder einer der beteiligten Gesellschaften, betroffenen Tochtergesellschaften oder betroffenen Betriebe sind, den gleichen Schutz und die gleichen Sicherheiten wie die Arbeitnehmervertreter nach den Gesetzen und Gepflogenheiten des Mitgliedstaats, in dem sie beschäftigt sind. [2]Dies gilt insbesondere für

1. den Kündigungsschutz,
2. die Teilnahme an den Sitzungen der jeweiligen in Satz 1 genannten Gremien und
3. die Entgeltfortzahlung.

§ 33 Errichtungs- und Tätigkeitsschutz. Niemand darf

1. die Bildung des besonderen Verhandlungsgremiums oder die Wahl, Bestellung, Empfehlung oder Ablehnung der Arbeitnehmervertreter im Aufsichts- oder Verwaltungsorgan behindern oder durch Zufügung oder Androhung von Nachteilen oder durch Gewährung oder Versprechen von Vorteilen beeinflussen;
2. die Tätigkeit des besonderen Verhandlungsgremiums oder die Tätigkeit der Arbeitnehmervertreter im Aufsichts- oder Verwaltungsorgan behindern oder stören oder
3. ein Mitglied oder Ersatzmitglied des besonderen Verhandlungsgremiums oder einen Arbeitnehmervertreter im Aufsichts- oder Verwaltungsorgan wegen seiner Tätigkeit benachteiligen oder begünstigen.

Teil 5.[1] Straf- und Bußgeldvorschriften, Übergangsvorschrift

§ 34 Strafvorschriften. (1) Mit Freiheitsstrafe bis zu zwei Jahren oder mit Geldstrafe wird bestraft, wer entgegen § 31 Abs. 2, auch in Verbindung mit Abs. 4, ein Betriebs- oder Geschäftsgeheimnis verwertet.

(2) Mit Freiheitsstrafe bis zu einem Jahr oder mit Geldstrafe wird bestraft, wer

1. entgegen § 31 Abs. 2, auch in Verbindung mit Abs. 4, ein Betriebs- oder Geschäftsgeheimnis offenbart,
2. entgegen § 33 Nr. 1 oder 2 eine dort genannte Tätigkeit behindert, beeinflusst oder stört oder
3. entgegen § 33 Nr. 3 eine dort genannte Person benachteiligt oder begünstigt.

(3) Handelt der Täter in den Fällen des Absatzes 2 Nr. 1 gegen Entgelt oder in der Absicht, sich oder einen anderen zu bereichern oder einen anderen zu schädigen, so ist die Strafe Freiheitsstrafe bis zu zwei Jahren oder Geldstrafe.

(4) [1] Die Tat wird nur auf Antrag verfolgt. [2] In den Fällen des Absatzes 2 Nr. 2 und 3 sind das besondere Verhandlungsgremium, jedes Mitglied des Aufsichts- oder Verwaltungsorgans, eine im Unternehmen vertretene Gewerkschaft sowie die Leitungen antragsberechtigt.

§ 35 Bußgeldvorschriften. (1) Ordnungswidrig handelt, wer entgegen § 6 Abs. 2 oder § 7 Abs. 4 Satz 2 eine Information nicht, nicht richtig, nicht vollständig oder nicht rechtzeitig gibt.

(2) Die Ordnungswidrigkeit kann mit einer Geldbuße bis zu zwanzigtausend Euro geahndet werden.

§ 36[2] Übergangsvorschrift. Auf grenzüberschreitende Verschmelzungen, für die ein Verschmelzungsvertrag vor dem 31. Januar 2023 geschlossen wurde, ist dieses Gesetz in der bis zum Ablauf des 30. Januar 2023 geltenden Fassung anzuwenden.

---

[1] Teil 5 Überschrift neu gef. mWv 31.1.2023 durch G v. 4.1.2023 (BGBl. I Nr. 10).
[2] § 36 angef. mWv 31.1.2023 durch G v. 4.1.2023 (BGBl. I Nr. 10).

568b. Gesetz über die Mitbestimmung der Arbeitnehmer bei grenzüberschreitendem Formwechsel und grenzüberschreitender Spaltung (MgFSG)[1)]

Vom 4. Januar 2023

(BGBl. I Nr. 10)

FNA 801-18

Inhaltsübersicht

[1)] Verkündet als Art. 1 G v. 4.1.2023 (BGBl. I Nr. 10); Inkrafttreten gem. Art. 4 dieses G am 31.1. 2023.

Teil 1. Allgemeine Vorschriften

§ 1 Zielsetzung des Gesetzes. (1) [1]Das Gesetz regelt die Mitbestimmung der Arbeitnehmer (Arbeitnehmerinnen und Arbeitnehmer) in den Unternehmensorganen einer aus einem grenzüberschreitenden Formwechsel oder aus einer grenzüberschreitenden Spaltung hervorgehenden Gesellschaft. [2]Ziel des Gesetzes ist, die in der formwechselnden oder in der sich spaltenden Gesellschaft erworbenen Mitbestimmungsrechte der Arbeitnehmer zu sichern. [3]Hierzu soll eine Vereinbarung über die Mitbestimmung aller Arbeitnehmer der aus dem grenzüberschreitenden Vorhaben hervorgehenden Gesellschaft getroffen werden. [4]Kommt es nicht zu einer Vereinbarung, wird die Mitbestimmung der Arbeitnehmer kraft Gesetzes sichergestellt.

(2) [1]Das grenzüberschreitende Vorhaben darf nicht dazu missbraucht werden, Arbeitnehmern Mitbestimmungsrechte zu entziehen oder vorzuenthalten. [2]Die Vorschriften dieses Gesetzes sowie die nach Absatz 1 zu treffende Vereinbarung sind so auszulegen, dass die Mitbestimmung der Arbeitnehmer in der aus dem grenzüberschreitenden Vorhaben hervorgehenden Gesellschaft gesichert und gefördert wird.

§ 2 Begriffsbestimmungen. (1) [1]Der Begriff des Arbeitnehmers richtet sich nach den Rechtsvorschriften und Gepflogenheiten der jeweiligen Mitgliedstaaten. [2]Arbeitnehmer eines inländischen Unternehmens oder Betriebs sind Arbeiter und Angestellte einschließlich der zu ihrer Berufsausbildung Beschäftigten und der in § 5 Absatz 3 Satz 2 des Betriebsverfassungsgesetzes[1)] genannten leitenden Angestellten, unabhängig davon, ob sie im Betrieb, im Außendienst oder mit Telearbeit beschäftigt werden. [3]Als Arbeitnehmer gelten auch die in Heimarbeit Beschäftigten, die in der Hauptsache für das Unternehmen oder den Betrieb arbeiten.

(2) Grenzüberschreitende Vorhaben sind der grenzüberschreitende Formwechsel nach § 333 Absatz 1 des Umwandlungsgesetzes[2)] und die grenzüberschreitende Spaltung nach § 320 Absatz 1 Nummer 1 des Umwandlungsgesetzes[2)].

(3) Hervorgehende Gesellschaft ist beim grenzüberschreitenden Formwechsel die Gesellschaft neuer Rechtsform, bei der grenzüberschreitenden Spaltung jede neue Gesellschaft.

[1)] **Nr. 570.**
[2)] **beck-online, Module Arbeitsrecht Nr. 630.**

(4) [1] Tochtergesellschaften sind rechtlich selbständige Unternehmen, auf die eine andere Gesellschaft einen beherrschenden Einfluss im Sinne von Artikel 3 Absatz 2 bis 7 der Richtlinie 2009/38/EG[1)] des Europäischen Parlaments und des Rates vom 6. Mai 2009 über die Einsetzung eines Europäischen Betriebsrats oder die Schaffung eines Verfahrens zur Unterrichtung und Anhörung der Arbeitnehmer in gemeinschaftsweit operierenden Unternehmen und Unternehmensgruppen (ABl. L 122 vom 16.5.2009, S. 28), die zuletzt durch die Richtlinie (EU) 2015/1794 vom 6. Oktober 2015 (ABl. L 263 vom 8.10.2015, S. 1) geändert worden ist, ausüben kann. [2] § 6 Absatz 2 bis 4 des Europäische Betriebsräte-Gesetzes[2)] ist anzuwenden.

(5) Betroffene Tochtergesellschaften oder betroffene Betriebe sind Tochtergesellschaften oder Betriebe der formwechselnden oder der sich spaltenden Gesellschaft, die zu Tochtergesellschaften oder Betrieben der aus einem grenzüberschreitenden Vorhaben hervorgehenden Gesellschaft werden sollen.

(6) Leitung bezeichnet das Organ der formwechselnden, der sich spaltenden oder der aus dem grenzüberschreitenden Vorhaben hervorgehenden Gesellschaft, das die Geschäfte der Gesellschaft führt und zu ihrer Vertretung berechtigt ist.

(7) [1] Arbeitnehmervertretung bezeichnet jede Vertretung der Arbeitnehmer nach dem Betriebsverfassungsgesetz. [2] Dies sind Betriebsrat, Gesamtbetriebsrat, Konzernbetriebsrat oder eine nach § 3 Absatz 1 Nummer 1 bis 3 des Betriebsverfassungsgesetzes gebildete Vertretung.

(8) Mitbestimmung bedeutet die Einflussnahme der Arbeitnehmer auf die Angelegenheiten einer Gesellschaft durch

1. die Wahrnehmung des Rechts, einen Teil der Mitglieder des Aufsichts- oder Verwaltungsorgans der Gesellschaft zu wählen oder zu bestellen, oder
2. die Wahrnehmung des Rechts, die Bestellung eines Teils oder aller Mitglieder des Aufsichts- oder Verwaltungsorgans der Gesellschaft zu empfehlen oder abzulehnen.

(9) Eine innerstaatliche Umwandlung ist eine Verschmelzung nach dem Zweiten Buch des Umwandlungsgesetzes[3)], eine Spaltung nach dem Dritten Buch des Umwandlungsgesetzes[3)] oder ein Formwechsel nach dem Fünften Buch des Umwandlungsgesetzes[3)].

§ 3 Geltungsbereich. (1) [1] Dieses Gesetz gilt für eine aus einem grenzüberschreitenden Vorhaben hervorgehende Gesellschaft mit Sitz im Inland. [2] Unabhängig vom Sitz dieser Gesellschaft gilt dieses Gesetz auch

1. für im Inland beschäftigte Arbeitnehmer der aus einem grenzüberschreitenden Vorhaben hervorgehenden Gesellschaft,
2. für die formwechselnde oder sich spaltende Gesellschaft mit Sitz im Inland und
3. für betroffene Tochtergesellschaften und betroffene Betriebe im Inland.

(2) Mitgliedstaaten im Sinne dieses Gesetzes sind die Mitgliedstaaten der Europäischen Union und die anderen Vertragsstaaten des Abkommens über den Europäischen Wirtschaftsraum.

[1)] Nr. **930**.
[2)] Nr. **575**.
[3)] Auszugsweise abgedruckt unter Nr. **630**.

§ 4 Anwendung des Rechts des Sitzstaats. Vorbehaltlich des § 5 finden auf die aus einem grenzüberschreitenden Vorhaben hervorgehende Gesellschaft die Regelungen über die Mitbestimmung der Arbeitnehmer in den Unternehmensorganen des Mitgliedstaats Anwendung, in dem diese Gesellschaft ihren Sitz hat.

§ 5 Anwendung der Regelungen über die Mitbestimmung der Arbeitnehmer kraft Vereinbarung oder kraft Gesetzes. Die nachfolgenden Regelungen über die Mitbestimmung der Arbeitnehmer kraft Vereinbarung oder in den Fällen des § 25 die Regelungen über die Mitbestimmung kraft Gesetzes finden Anwendung, wenn

1. die formwechselnde oder die sich spaltende Gesellschaft in den sechs Monaten vor der Offenlegung des Plans für das grenzüberschreitende Vorhaben eine durchschnittliche Zahl von Arbeitnehmern beschäftigt, die mindestens vier Fünfteln des im Recht des Mitgliedstaats der formwechselnden oder der sich spaltenden Gesellschaft festgelegten Schwellenwerts entspricht, der die Mitbestimmung der Arbeitnehmer auslöst,
2. das für die aus einem grenzüberschreitenden Vorhaben hervorgehende Gesellschaft maßgebende innerstaatliche Recht nicht mindestens den gleichen Umfang an Mitbestimmung der Arbeitnehmer vorsieht, wie er in der formwechselnden oder der sich spaltenden Gesellschaft bestand; der Umfang an Mitbestimmung der Arbeitnehmer bemisst sich nach dem Anteil der Arbeitnehmervertreter
   a) im Aufsichts- oder Verwaltungsorgan,
   b) in Ausschüssen, in denen die Mitbestimmung der Arbeitnehmer erfolgt oder
   c) im Leitungsgremium, das für die Ergebniseinheiten der Gesellschaften zuständig ist,

   oder
3. das für die aus dem grenzüberschreitenden Vorhaben hervorgehende Gesellschaft maßgebende innerstaatliche Recht für Arbeitnehmer in Betrieben dieser Gesellschaft, die sich in anderen Mitgliedstaaten befinden, nicht den gleichen Anspruch auf Ausübung von Mitbestimmung vorsieht, wie sie den Arbeitnehmern in demjenigen Mitgliedstaat gewährt wird, in dem die aus dem grenzüberschreitenden Vorhaben hervorgehende Gesellschaft ihren Sitz hat.

Teil 2. Besonderes Verhandlungsgremium

Kapitel 1. Bildung und Zusammensetzung

§ 6 Information der Leitung zur Bildung des besonderen Verhandlungsgremiums. (1) [1]Das besondere Verhandlungsgremium ist auf Grund einer schriftlichen Aufforderung der Leitung zu bilden. [2]Es hat die Aufgabe, mit der Leitung eine schriftliche Vereinbarung über die Mitbestimmung der Arbeitnehmer in der aus dem grenzüberschreitenden Vorhaben hervorgehenden Gesellschaft zu schließen.

(2) [1]Wenn die Leitung ein grenzüberschreitendes Vorhaben plant, informiert sie in der formwechselnden oder der sich spaltenden Gesellschaft, in den betroffenen Tochtergesellschaften und den betroffenen Betrieben die Arbeit-

nehmervertretungen, die Sprecherausschüsse sowie die in inländischen Betrieben vertretenen Gewerkschaften über das Vorhaben. [2] Besteht keine Arbeitnehmervertretung, erfolgt die Information insoweit gegenüber den Arbeitnehmern. [3] Die Information erfolgt unaufgefordert und unverzüglich nach Offenlegung des Plans für das grenzüberschreitende Vorhaben.

(3) Die Information durch die Leitung erstreckt sich insbesondere auf

1. die Identität und Struktur der formwechselnden oder der sich spaltenden Gesellschaft, der betroffenen Tochtergesellschaften und der betroffenen Betriebe und deren Verteilung auf die Mitgliedstaaten,
2. die in diesen Gesellschaften und Betrieben bestehenden Arbeitnehmervertretungen,
3. die Zahl der in diesen Gesellschaften und Betrieben jeweils beschäftigten Arbeitnehmer sowie die daraus zu errechnende Gesamtzahl der in einem Mitgliedstaat beschäftigten Arbeitnehmer,
4. bestehende Mitbestimmungsrechte in den Organen dieser Gesellschaften und
5. die Angabe, ob die Voraussetzungen des § 5 Nummer 1 vorliegen, sowie alle Angaben, die für diese Feststellung erforderlich sind.

(4) Maßgeblicher Zeitpunkt für die Ermittlung der Zahl der Arbeitnehmer ist der Zeitpunkt der Information nach Absatz 2.

§ 7 Bildung mehrerer besonderer Verhandlungsgremien bei grenzüberschreitender Spaltung. [1] Gehen aus einer grenzüberschreitenden Spaltung mehrere Gesellschaften hervor, so ist für jede hervorgehende Gesellschaft ein besonderes Verhandlungsgremium zu bilden. [2] Wenn aus einer grenzüberschreitenden Spaltung mehrere Gesellschaften mit Sitz im Inland hervorgehen und die Zusammensetzung der jeweiligen besonderen Verhandlungsgremien nach den §§ 8 und 10 Absatz 3 identisch wäre, ist insoweit die Bildung nur eines besonderen Verhandlungsgremiums ausreichend.

§ 8 Zusammensetzung des besonderen Verhandlungsgremiums.

(1) [1] Für die in jedem Mitgliedstaat beschäftigten Arbeitnehmer der formwechselnden oder der sich spaltenden Gesellschaft, der betroffenen Tochtergesellschaften und der betroffenen Betriebe werden Mitglieder für das besondere Verhandlungsgremium gewählt oder bestellt. [2] Für jeden Anteil der in einem Mitgliedstaat beschäftigten Arbeitnehmer, der 10 Prozent der Gesamtzahl der in allen Mitgliedstaaten beschäftigten Arbeitnehmer der formwechselnden oder der sich spaltenden Gesellschaft und der betroffenen Tochtergesellschaften oder der betroffenen Betriebe oder einen Bruchteil davon beträgt, ist ein Mitglied aus diesem Mitgliedstaat in das besondere Verhandlungsgremium zu wählen oder zu bestellen.

(2) [1] Treten während der Tätigkeitsdauer des besonderen Verhandlungsgremiums Änderungen in der Struktur oder in der Arbeitnehmerzahl der formwechselnden oder der sich spaltenden Gesellschaft, der betroffenen Tochtergesellschaften oder der betroffenen Betriebe ein und würde sich dadurch die konkrete Zusammensetzung des besonderen Verhandlungsgremiums ändern, so ist das besondere Verhandlungsgremium entsprechend neu zusammenzusetzen. [2] Über solche Änderungen hat die zuständige Leitung das besondere Verhandlungsgremium unverzüglich zu informieren. [3] § 6 Absatz 2 bis 4 gilt entsprechend.

§ 9 Persönliche Voraussetzungen der auf das Inland entfallenden Mitglieder des besonderen Verhandlungsgremiums. (1) Die persönlichen Voraussetzungen der Mitglieder des besonderen Verhandlungsgremiums richten sich nach den jeweiligen Bestimmungen der Mitgliedstaaten, in denen sie gewählt oder bestellt werden.

(2) [1] Zu Mitgliedern des besonderen Verhandlungsgremiums können im Inland nur Arbeitnehmer der formwechselnden oder der sich spaltenden Gesellschaft, der betroffenen Tochtergesellschaften und der betroffenen Betriebe sowie Gewerkschaftsvertreter gewählt werden. [2] Frauen und Männer sollen entsprechend ihrem zahlenmäßigen Verhältnis in der jeweiligen Belegschaft gewählt werden. [3] Für jedes Mitglied ist ein Ersatzmitglied zu wählen.

(3) Gehören dem besonderen Verhandlungsgremium mehr als zwei Mitglieder aus dem Inland an, so muss jedes dritte Mitglied ein Gewerkschaftsvertreter einer solchen Gewerkschaft sein, die in der formwechselnden oder der sich spaltenden Gesellschaft, den betroffenen Tochtergesellschaften oder den betroffenen Betrieben vertreten ist.

(4) Gehören dem besonderen Verhandlungsgremium mehr als sechs Mitglieder aus dem Inland an, muss mindestens jedes siebte Mitglied ein leitender Angestellter sein.

§ 10 Verteilung der auf das Inland entfallenden Sitze des besonderen Verhandlungsgremiums. (1) Die Wahl oder Bestellung der Mitglieder des besonderen Verhandlungsgremiums nach § 8 erfolgt nach den jeweiligen Bestimmungen der Mitgliedstaaten.

(2) Die auf das Inland entfallenden Sitze des besonderen Verhandlungsgremiums sollen auf die formwechselnde oder die sich spaltende Gesellschaft mit Sitz im Inland sowie auf möglichst viele Tochtergesellschaften und Betriebe, die im Inland betroffen sind, verteilt werden.

(3) Sofern bei einer grenzüberschreitenden Spaltung Tochtergesellschaften oder Betriebe im Inland betroffen sind, muss mindestens ein auf das Inland entfallendes Mitglied des besonderen Verhandlungsgremiums Arbeitnehmer einer betroffenen Tochtergesellschaft oder eines betroffenen Betriebs sein.

Kapitel 2. Wahlgremium

§ 11 Zusammensetzung des Wahlgremiums; Urwahl. (1) [1] Die nach diesem Gesetz oder dem Gesetz eines anderen Mitgliedstaats auf die im Inland beschäftigten Arbeitnehmer der formwechselnden oder der sich spaltenden Gesellschaft, der betroffenen Tochtergesellschaften und betroffenen Betriebe entfallenden Mitglieder des besonderen Verhandlungsgremiums werden von einem Wahlgremium in geheimer und unmittelbarer Wahl gewählt. [2] Im Fall des § 9 Absatz 3 ist jedes dritte Mitglied auf Vorschlag einer Gewerkschaft zu wählen, die in der formwechselnden oder der sich spaltenden Gesellschaft, einer betroffenen Tochtergesellschaft oder einem betroffenen Betrieb vertreten ist. [3] Wird nur ein Wahlvorschlag gemacht, muss dieser mindestens doppelt so viele Bewerbende enthalten wie Gewerkschaftsvertreter zu wählen sind. [4] Jeder Wahlvorschlag einer Gewerkschaft muss von einem Gewerkschaftsvertreter unterzeichnet sein. [5] Im Fall des § 9 Absatz 4 ist jedes siebte Mitglied auf Vorschlag des Sprecherausschusses zu wählen; Satz 3 gilt entsprechend. [6] Besteht weder in der formwechselnden oder der sich spaltenden Gesellschaft, noch in einer der betroffenen Tochtergesellschaften oder einem der betroffenen Betriebe ein Sprecherausschuss, können die leitenden Angestellten Wahlvorschläge machen; ein Wahlvorschlag muss von einem Zwanzigstel oder von 50 der wahlberechtigten leitenden Angestellten unterzeichnet sein.

(2) [1] Das Wahlgremium besteht aus Mitgliedern der obersten Ebene im Inland bestehender Arbeitnehmervertretungen der formwechselnden oder der sich spaltenden Gesellschaft, der betroffenen Tochtergesellschaften oder betroffenen Betriebe. [2] Dies können die Mitglieder des Konzernbetriebsrates, Mitglieder eines oder mehrerer Gesamtbetriebsräte oder die Mitglieder eines oder mehrerer Betriebsräte sein. [3] Die Mitglieder dieser Arbeitnehmervertretungen vertreten betriebsratslose Betriebe und Unternehmen mit.

(3) [1] Das Wahlgremium besteht aus höchstens 40 Mitgliedern. [2] Würde diese Höchstzahl überschritten, ist die Anzahl der Mitglieder in dem Wahlgremium entsprechend ihrem zahlenmäßigen Verhältnis nach dem d'Hondtschen Höchstzahlverfahren zu verringern.

(4) [1] Besteht keine Arbeitnehmervertretung nach Absatz 2, wählen die Arbeitnehmer die Mitglieder des besonderen Verhandlungsgremiums in geheimer und unmittelbarer Wahl. [2] Die Wahl wird von einem Wahlvorstand eingeleitet und durchgeführt. [3] Der Wahlvorstand wird in einer Versammlung der Arbeitnehmer gewählt, zu der die inländische Konzernleitung, Unternehmensleitung oder Betriebsleitung einlädt. [4] Die Wahl der Mitglieder des besonderen Verhandlungsgremiums erfolgt nach den Grundsätzen der Verhältniswahl. [5] Sie erfolgt nach den Grundsätzen der Mehrheitswahl, wenn nur ein Wahlvorschlag eingereicht wird. [6] Jeder Wahlvorschlag der Arbeitnehmer muss von mindestens einem Zwanzigstel der wahlberechtigten Arbeitnehmer, mindestens jedoch von drei Wahlberechtigten, höchstens aber von 50 Wahlberechtigten unterzeichnet sein; in Betrieben mit in der Regel bis zu 20 wahlberechtigten Arbeitnehmern genügt die Unterzeichnung durch zwei Wahlberechtigte. [7] Absatz 1 Satz 2 bis 6 gilt entsprechend.

§ 12 Einberufung des Wahlgremiums. (1) Auf der Grundlage der von der Leitung erhaltenen Informationen hat die oder der Vorsitzende der Arbeitnehmervertretung auf Konzernebene, oder, sofern eine solche nicht besteht, auf Unternehmensebene oder, sofern eine solche nicht besteht, auf Betriebsebene

1. Ort, Tag und Zeit der Versammlung des Wahlgremiums festzulegen,
2. die Anzahl der Mitglieder aus den jeweiligen Arbeitnehmervertretungen nach § 11 Absatz 3 festzulegen und
3. zur Versammlung des Wahlgremiums einzuladen.

(2) Bestehen auf einer Ebene mehrere Arbeitnehmervertretungen, treffen die Verpflichtungen nach Absatz 1 die Vorsitzende oder den Vorsitzenden der Arbeitnehmervertretung, die die meisten Arbeitnehmer vertritt.

§ 13 Wahl der Mitglieder des besonderen Verhandlungsgremiums.

(1) [1] Bei der Wahl der Mitglieder des besonderen Verhandlungsgremiums müssen mindestens zwei Drittel der Mitglieder des Wahlgremiums, die mindestens zwei Drittel der Arbeitnehmer vertreten, anwesend sein. [2] Die Mitglieder des Wahlgremiums haben jeweils so viele Stimmen, wie sie Arbeitnehmer vertreten. [3] Die Wahl erfolgt mit einfacher Mehrheit der abgegebenen Stimmen.

(2) [1] Im Wahlgremium vertreten die Arbeitnehmervertretungen jeweils alle Arbeitnehmer der organisatorischen Einheit, für die sie nach § 11 Absatz 2 zuständig sind. [2] Mitvertretene Arbeitnehmer betriebsratsloser Betriebe und Unternehmen werden den Arbeitnehmervertretungen innerhalb der Unternehmensgruppe zu gleichen Teilen zugerechnet.

(3) Sind für eine Arbeitnehmervertretung mehrere Mitglieder im Wahlgremium vertreten, werden die entsprechend der von ihnen vertretenen Arbeitnehmer bestehenden Stimmenanteile gleichmäßig aufgeteilt.

Kapitel 3. Verhandlungsverfahren

§ 14 Information über die Mitglieder des besonderen Verhandlungsgremiums. (1) [1] Die Wahl oder Bestellung der Mitglieder des besonderen Verhandlungsgremiums soll innerhalb von zehn Wochen nach der in § 6 Absatz 2 und 3 vorgeschriebenen Information erfolgen. [2] Der Leitung sind unverzüglich die Namen der Mitglieder des besonderen Verhandlungsgremiums, ihre Anschriften sowie die jeweilige Betriebszugehörigkeit mitzuteilen. [3] Die Leitung hat die örtlichen Betriebs- und Unternehmensleitungen, die dort bestehenden Arbeitnehmervertretungen und Sprecherausschüsse sowie die in inländischen Betrieben vertretenen Gewerkschaften über diese Angaben zu informieren.

(2) [1] Das Verhandlungsverfahren nach den §§ 15 bis 20 findet auch dann statt, wenn die in Absatz 1 Satz 1 genannte Frist aus Gründen, die die Arbeitnehmer zu vertreten haben, überschritten wird. [2] Nach Ablauf der Frist gewählte oder bestellte Mitglieder können sich jederzeit an dem Verhandlungsverfahren beteiligen.

§ 15 Sitzungen; Geschäftsordnung. (1) Die Leitung lädt unverzüglich nach Benennung der Mitglieder oder im Fall des § 14 Absatz 2 nach Ablauf der in § 14 Absatz 1 Satz 1 genannten Frist zur konstituierenden Sitzung des besonderen Verhandlungsgremiums ein und informiert die örtlichen Betriebs- und Unternehmensleitungen.

(2) [1] Das besondere Verhandlungsgremium wählt aus seiner Mitte eine Person für den Vorsitz und mindestens zwei Personen für die Stellvertretung. [2] Es kann sich eine schriftliche Geschäftsordnung geben.

(3) Die oder der Vorsitzende kann weitere Sitzungen einberufen.

§ 16 Zusammenarbeit zwischen besonderem Verhandlungsgremium und Leitung. (1) [1] Das besondere Verhandlungsgremium schließt mit der Leitung eine schriftliche Vereinbarung über die Mitbestimmung der Arbeitnehmer in der aus dem grenzüberschreitenden Vorhaben hervorgehenden Gesellschaft ab. [2] Zur Erfüllung dieser Aufgabe arbeiten das besondere Verhandlungsgremium und die Leitung vertrauensvoll zusammen.

(2) [1] Die Leitung hat dem besonderen Verhandlungsgremium rechtzeitig alle erforderlichen Auskünfte zu erteilen und die erforderlichen Unterlagen zur Verfügung zu stellen. [2] Das besondere Verhandlungsgremium ist insbesondere über das grenzüberschreitende Vorhaben und den Verlauf des Verfahrens bis zur Eintragung der hervorgehenden Gesellschaft zu unterrichten.

(3) Zeitpunkt, Häufigkeit und Ort der Verhandlungen werden von der Leitung und dem besonderen Verhandlungsgremium einvernehmlich festgelegt.

§ 17 Sachverständige, Vertreterinnen und Vertreter von geeigneten außenstehenden Organisationen. (1) [1]Das besondere Verhandlungsgremium kann bei den Verhandlungen Sachverständige seiner Wahl, zu denen auch Vertreterinnen und Vertreter von einschlägigen Gewerkschaftsorganisationen auf Unionsebene zählen können, hinzuziehen, um sich von ihnen bei seiner Arbeit unterstützen zu lassen. [2]Diese Sachverständigen können auf Wunsch des besonderen Verhandlungsgremiums an den Verhandlungen in beratender Funktion teilnehmen.

(2) Das besondere Verhandlungsgremium kann beschließen, die Vertreterinnen und Vertreter von geeigneten außenstehenden Organisationen vom Beginn der Verhandlungen zu unterrichten.

§ 18 Beschlussfassung im besonderen Verhandlungsgremium.

(1) [1]Die Mitglieder des besonderen Verhandlungsgremiums, die in einem Mitgliedstaat gewählt oder bestellt werden, vertreten alle in dem jeweiligen Mitgliedstaat beschäftigten Arbeitnehmer. [2]Solange aus einem Mitgliedstaat keine Mitglieder in das besondere Verhandlungsgremium gewählt oder bestellt sind (§ 14 Absatz 2), gelten die betroffenen Arbeitnehmer als nicht vertreten.

(2) [1]Das besondere Verhandlungsgremium beschließt vorbehaltlich des § 19 mit der Mehrheit seiner Mitglieder, in der zugleich die Mehrheit der vertretenen Arbeitnehmer enthalten sein muss. [2]Jedes auf das Inland entfallende Mitglied vertritt gleich viele Arbeitnehmer.

§ 19 Nichtaufnahme oder Abbruch der Verhandlungen. [1]Das besondere Verhandlungsgremium kann beschließen, keine Verhandlungen aufzunehmen oder bereits aufgenommene Verhandlungen abzubrechen. [2]Für diesen Beschluss ist eine Mehrheit von zwei Dritteln der Mitglieder erforderlich, die mindestens zwei Drittel der Arbeitnehmer vertreten. [3]Wird ein Beschluss nach Satz 1 gefasst, finden die Vorschriften über die Mitbestimmung der Arbeitnehmer, die in dem Mitgliedstaat gelten, in dem die aus dem grenzüberschreitenden Vorhaben hervorgehende Gesellschaft ihren Sitz haben wird, Anwendung.

§ 20 Niederschrift. [1]In eine Niederschrift, die von der oder dem Vorsitzenden und einem weiteren Mitglied des besonderen Verhandlungsgremiums zu unterzeichnen ist, sind aufzunehmen

1. ein Beschluss über den Abschluss einer Vereinbarung nach § 16 Absatz 1 oder
2. ein Beschluss über die Nichtaufnahme oder den Abbruch der Verhandlungen nach § 19 und
3. die jeweiligen Mehrheiten, mit denen der Beschluss nach Nummer 1 oder Nummer 2 gefasst worden ist.

[2]Eine Abschrift der Niederschrift ist der Leitung zu übermitteln.

§ 21 Information über das Verhandlungsergebnis. [1]Die Leitung informiert die Arbeitnehmervertretungen, die Sprecherausschüsse sowie die in inländischen Betrieben vertretenen Gewerkschaften unverzüglich über das Ergebnis der Verhandlungen nach § 20 Satz 1 Nummer 1 oder Nummer 2. [2]Besteht keine Arbeitnehmervertretung, erfolgt die Information gegenüber den Arbeitnehmern.

§ 22 Kosten des besonderen Verhandlungsgremiums. [1]Die durch die Bildung und Tätigkeit des besonderen Verhandlungsgremiums entstehenden erforderlichen Kosten tragen die formwechselnde oder die sich spaltende Gesellschaft und die aus dem grenzüberschreitenden Vorhaben hervorgehende Gesellschaft als Gesamtschuldner. [2]Insbesondere sind für die Sitzungen in erforderlichem Umfang Räume, sachliche Mittel, Dolmetscherinnen und Dolmetscher und Büropersonal zur Verfügung zu stellen sowie die erforderlichen Reise- und Aufenthaltskosten der Mitglieder des besonderen Verhandlungsgremiums zu tragen.

§ 23 Dauer der Verhandlungen. (1) [1]Die Verhandlungen beginnen mit der Einsetzung des besonderen Verhandlungsgremiums und können bis zu sechs Monate dauern. [2]Einsetzung bezeichnet den Tag, zu dem die Leitung zur konstituierenden Sitzung des besonderen Verhandlungsgremiums eingeladen hat.

(2) Die Verhandlungspartner können einvernehmlich beschließen, die Verhandlungen über den in Absatz 1 genannten Zeitraum hinaus bis zu insgesamt einem Jahr ab der Einsetzung des besonderen Verhandlungsgremiums fortzusetzen.

Teil 3. Mitbestimmung der Arbeitnehmer

Kapitel 1. Mitbestimmung kraft Vereinbarung

§ 24 Inhalt der Vereinbarung. (1) In der schriftlichen Vereinbarung zwischen der Leitung und dem besonderen Verhandlungsgremium wird, unbeschadet der Autonomie der Parteien im Übrigen, festgelegt:

1. der Geltungsbereich der Vereinbarung, einschließlich der außerhalb des Hoheitsgebietes der Mitgliedstaaten liegenden Unternehmen und Betriebe, sofern diese in den Geltungsbereich einbezogen werden,
2. der Zeitpunkt des Inkrafttretens der Vereinbarung und ihre Laufzeit; ferner die Fälle, in denen die Vereinbarung neu ausgehandelt werden soll, und das dabei anzuwendende Verfahren,
3. die Zahl der Mitglieder des Aufsichtsorgans der aus dem grenzüberschreitenden Vorhaben hervorgehenden Gesellschaft, die die Arbeitnehmer wählen oder bestellen können oder deren Bestellung sie empfehlen oder ablehnen können,
4. das Verfahren, nach dem die Arbeitnehmer die Mitglieder des Aufsichtsorgans der aus dem grenzüberschreitenden Vorhaben hervorgehenden Gesellschaft wählen oder bestellen können oder deren Bestellung empfehlen oder ablehnen können, und
5. die Rechte der Mitglieder des Aufsichtsorgans der aus dem grenzüberschreitenden Vorhaben hervorgehenden Gesellschaft.

(2) Die Vereinbarung muss gewährleisten, dass für alle Komponenten der Mitbestimmung zumindest das gleiche Ausmaß gewährleistet wird, das in der formwechselnden oder der sich spaltenden Gesellschaft besteht.

(3) [1]*In* der Vereinbarung soll festgelegt werden, dass auch vor strukturellen Änderungen der aus dem grenzüberschreitenden Vorhaben hervorgehenden Gesellschaft Verhandlungen über die Mitbestimmung der Arbeitnehmer auf-

genommen werden. [2] Die Parteien können das dabei anzuwendende Verfahren regeln.

(4) Die Vereinbarung kann bestimmen, dass die Regelungen der §§ 25 bis 29 über die Mitbestimmung kraft Gesetzes ganz oder in Teilen gelten.

(5) Steht die Satzung der aus dem grenzüberschreitenden Vorhaben hervorgehenden Gesellschaft im Widerspruch zu den Regelungen über die Mitbestimmung kraft Vereinbarung, so ist die Satzung anzupassen.

Kapitel 2. Mitbestimmung kraft Gesetzes

§ 25 Voraussetzung. Die Regelungen dieses Kapitels finden ab dem Zeitpunkt der Eintragung der aus dem grenzüberschreitenden Vorhaben hervorgehenden Gesellschaft Anwendung, wenn

1. die Parteien dies vereinbaren oder
2. bis zum Ende des in § 23 angegebenen Zeitraums keine Vereinbarung zustande gekommen ist und das besondere Verhandlungsgremium keinen Beschluss nach § 19 gefasst hat.

§ 26 Umfang der Mitbestimmung. (1) Alle Komponenten der Mitbestimmung der Arbeitnehmer, die vor dem grenzüberschreitenden Vorhaben bestanden, bleiben in der hervorgehenden Gesellschaft erhalten.

(2) [1] Handelt es sich bei der aus einem grenzüberschreitenden Vorhaben hervorgehenden Gesellschaft nach Absatz 1 um eine Gesellschaft mit beschränkter Haftung, so ist in dieser Gesellschaft ein Aufsichtsrat zu bilden. [2] § 90 Absatz 3, 4 und 5 Satz 1 und 2, die §§ 95 bis 116, 118 Absatz 3, § 125 Absatz 3 und 4 und die §§ 170, 171, 268 Absatz 2 des Aktiengesetzes[1)] sind entsprechend anzuwenden, soweit nicht in den Vorschriften dieses Gesetzes etwas anderes bestimmt ist.

(3) Steht die Satzung der aus einem grenzüberschreitenden Vorhaben hervorgehenden Gesellschaft im Widerspruch zu den Regelungen über die Mitbestimmung kraft Gesetzes, so ist die Satzung anzupassen.

§ 27 Sitzverteilung. (1) [1] Das besondere Verhandlungsgremium verteilt die Zahl der Sitze im Aufsichtsorgan auf die Mitgliedstaaten, in denen Mitglieder zu wählen oder zu bestellen sind. [2] Die Verteilung richtet sich nach dem jeweiligen Anteil der in den einzelnen Mitgliedstaaten beschäftigten Arbeitnehmer der aus dem grenzüberschreitenden Vorhaben hervorgehenden Gesellschaft, ihrer Tochtergesellschaften und Betriebe. [3] Können bei dieser anteiligen Verteilung die Arbeitnehmer aus einem oder mehreren Mitgliedstaaten keinen Sitz erhalten, so hat das besondere Verhandlungsgremium den letzten zu verteilenden Sitz einem bisher unberücksichtigten Mitgliedstaat zuzuweisen. [4] Dieser Sitz soll, soweit angemessen, dem Mitgliedstaat zugewiesen werden, in dem die aus dem grenzüberschreitenden Vorhaben hervorgehende Gesellschaft ihren Sitz haben wird. [5] Dieses Verteilungsverfahren gilt auch in dem Fall, in dem die Arbeitnehmer der aus dem grenzüberschreitenden Vorhaben hervorgehenden Gesellschaft Mitglieder dieser Organe empfehlen oder ablehnen können.

---

1) Nr. **567**.

(2) Soweit die Mitgliedstaaten über die Besetzung der ihnen zugewiesenen Sitze keine eigenen Regelungen treffen, bestimmt das besondere Verhandlungsgremium die Arbeitnehmervertreter im Aufsichtsorgan der aus dem grenzüberschreitenden Vorhaben hervorgehenden Gesellschaft.

(3) [1] Die auf das Inland entfallenden Arbeitnehmervertreter des Aufsichts- oder Verwaltungsorgans der aus einem grenzüberschreitenden Vorhaben hervorgehenden Gesellschaft werden durch ein Wahlgremium ermittelt. [2] Das Wahlgremium setzt sich aus den Arbeitnehmervertretungen der aus dem grenzüberschreitenden Vorhaben hervorgehenden Gesellschaft, ihrer Tochtergesellschaften und Betriebe zusammen. [3] Für das Wahlverfahren gelten § 9 Absatz 2 bis 4, § 11 Absatz 1 Satz 2 bis 5, Absatz 2 bis 4 und die §§ 12 und 13 entsprechend mit der Maßgabe, dass an die Stelle der formwechselnden oder der sich spaltenden Gesellschaft, der betroffenen Tochtergesellschaften und der betroffenen Betriebe die aus dem grenzüberschreitenden Vorhaben hervorgehende Gesellschaft, ihre Tochtergesellschaften und Betriebe treten. [4] Das Wahlergebnis ist der Leitung der aus dem grenzüberschreitenden Vorhaben hervorgehenden Gesellschaft, den Arbeitnehmervertretungen, den Gewählten, den Sprecherausschüssen und den Gewerkschaften mitzuteilen. [5] Die Leitung hat die Namen der Gewählten in den Betrieben des Unternehmens bekannt zu machen.

§ 28 Abberufung und Anfechtung. (1) [1] Ein Mitglied oder ein Ersatzmitglied der Arbeitnehmer aus dem Inland im Aufsichts- oder Verwaltungsorgan kann vor Ablauf der Amtszeit abberufen werden. [2] Antragsberechtigt sind oder ist

1. die Arbeitnehmervertretungen, die das Wahlgremium gebildet haben,
2. in den Fällen der Urwahl mindestens drei wahlberechtigte Arbeitnehmer,
3. für ein Mitglied nach § 9 Absatz 3 nur die Gewerkschaft, die das Mitglied vorgeschlagen hat,
4. für ein Mitglied nach § 9 Absatz 4 nur der Sprecherausschuss, der das Mitglied vorgeschlagen hat.

[3] Für das Abberufungsverfahren gelten die §§ 11 bis 13 entsprechend mit der Maßgabe, dass an die Stelle der formwechselnden oder der sich spaltenden Gesellschaft, der betroffenen Tochtergesellschaften und der betroffenen Betriebe die aus dem grenzüberschreitenden Vorhaben hervorgehende Gesellschaft, ihre Tochtergesellschaften und Betriebe treten; abweichend von § 11 Absatz 4 Satz 3 und 4 und von § 13 Absatz 1 Satz 3 ist für den Beschluss eine Mehrheit von drei Vierteln der abgegebenen Stimmen erforderlich.

(2) [1] Die Wahl eines Mitglieds oder eines Ersatzmitglieds der Arbeitnehmer aus dem Inland im Aufsichts- oder Verwaltungsorgan kann angefochten werden, wenn gegen wesentliche Vorschriften über das Wahlrecht, die Wählbarkeit oder das Wahlverfahren verstoßen wurde und eine Berichtigung nicht erfolgt ist, es sei denn, dass durch den Verstoß das Wahlergebnis nicht geändert oder beeinflusst werden konnte. [2] Zur Anfechtung berechtigt sind die in Absatz 1 Satz 2 Genannten und die Leitung der aus dem grenzüberschreitenden Vorhaben hervorgegangenen Gesellschaft. [3] Die Klage muss innerhalb eines Monats nach der Bekanntgabe gemäß § 27 Absatz 3 Satz 4 oder 5 erhoben werden.

§ 29 Rechtsstellung; Innere Ordnung. (1) Die Arbeitnehmervertreter im Aufsichtsorgan der aus dem grenzüberschreitenden Vorhaben hervorgehenden

Gesellschaft haben die gleichen Rechte und Pflichten wie die Mitglieder, die die Anteilseigner vertreten.

(2) [1]Die Zahl der Mitglieder der Leitung beträgt mindestens zwei. [2]Ein Mitglied der Leitung ist für den Bereich Arbeit und Soziales zuständig. [3]Die Sätze 1 und 2 gelten nicht für die Kommanditgesellschaft auf Aktien.

§ 30 Tendenzunternehmen. Kapitel 2 findet keine Anwendung auf eine aus einem grenzüberschreitenden Vorhaben hervorgehende Gesellschaft, die unmittelbar und überwiegend folgenden Bestimmungen oder Zwecken dient:

1. politischen, koalitionspolitischen, konfessionellen, karitativen, erzieherischen, wissenschaftlichen oder künstlerischen Bestimmungen oder
2. Zwecken der Berichterstattung oder Meinungsäußerung, auf die Artikel 5 Absatz 1 Satz 2 des Grundgesetzes[1] anzuwenden ist.

Kapitel 3. Ergänzende Vorschriften

§ 31 Weitergeltung von Regelungen zur Mitbestimmung. Die Regelungen über die Mitbestimmung der Arbeitnehmer in der formwechselnden oder der sich spaltenden Gesellschaft, die vor dem grenzüberschreitenden Vorhaben galten, bleiben bis zum Inkrafttreten einer Vereinbarung nach Kapitel 1 oder bis zur Anwendung der Regelungen über die Mitbestimmung kraft Gesetzes nach Kapitel 2 von den Vorschriften dieses Gesetzes unberührt.

§ 32 Nachfolgende innerstaatliche Umwandlungen. (1) Besteht in der hervorgehenden Gesellschaft eine Mitbestimmung der Arbeitnehmer, so finden die Vorschriften dieses Gesetzes entsprechende Anwendung auf innerstaatliche Umwandlungen, für die innerhalb von vier Jahren nach Wirksamwerden des grenzüberschreitenden Vorhabens

1. ein Verschmelzungsvertrag (§ 5 des Umwandlungsgesetzes[2]) geschlossen wird,
2. ein Spaltungs- und Übernahmevertrag (§ 126 des Umwandlungsgesetzes[2]) geschlossen wird,
3. ein Spaltungsplan (§ 136 des Umwandlungsgesetzes[3]) aufgestellt wird oder
4. ein Formwechselbeschluss (§ 193 des Umwandlungsgesetzes[3]) gefasst wird.

(2) Im Fall einer Verschmelzung nach dem Zweiten Buch des Umwandlungsgesetzes[4] finden die §§ 7, 9, 10, 12, 23 Absatz 2 und 3, die §§ 24 und 27 Absatz 3 des Gesetzes über die Mitbestimmung der Arbeitnehmer bei einer grenzüberschreitenden Verschmelzung[5] entsprechende Anwendung.

§ 33 Nachfolgende grenzüberschreitende Umwandlungen. Die Vorschriften dieses Gesetzes finden Anwendung, wenn eine aus einer grenzüberschreitenden Verschmelzung, aus einem grenzüberschreitenden Formwechsel oder aus einer grenzüberschreitenden Spaltung hervorgegangene Gesellschaft einen weiteren grenzüberschreitenden Formwechsel oder eine weitere grenz-

---

[1] Nr. **10**.
[2] Nr. **630**.
[3] **beck-online, Module Arbeitsrecht Nr. 630.**
[4] Auszugsweise abgedruckt unter Nr. **630**.
[5] Nr. **568a**.

überschreitende Spaltung vornimmt und die daraus hervorgehende Gesellschaft ihren Sitz im Inland hat.

Teil 4. Schutzbestimmungen

§ 34 Geheimhaltung; Vertraulichkeit. (1) Informationspflichten der Leitung nach diesem Gesetz bestehen nur, soweit dadurch bei Zugrundelegung objektiver Kriterien keine Betriebs- oder Geschäftsgeheimnisse der formwechselnden oder der sich spaltenden Gesellschaft, der aus dem grenzüberschreitenden Vorhaben hervorgehenden Gesellschaft oder von deren jeweiligen Tochtergesellschaften und Betrieben gefährdet werden.

(2) [1] Die Mitglieder und Ersatzmitglieder eines besonderen Verhandlungsgremiums sind unabhängig von ihrem Aufenthaltsort verpflichtet, Betriebs- oder Geschäftsgeheimnisse, die ihnen wegen ihrer Zugehörigkeit zum besonderen Verhandlungsgremium bekannt geworden und von der Leitung ausdrücklich als geheimhaltungsbedürftig bezeichnet worden sind, nicht gegenüber unbefugten Dritten zu offenbaren und nicht zu verwerten. [2] Dies gilt auch nach dem Ausscheiden aus dem besonderen Verhandlungsgremium.

(3) Die Pflichten der Mitglieder und Ersatzmitglieder eines besonderen Verhandlungsgremiums nach Absatz 2 gelten nicht gegenüber

1. den anderen Mitgliedern und Ersatzmitgliedern des besonderen Verhandlungsgremiums,
2. den Arbeitnehmervertretern im Aufsichts- oder Verwaltungsorgan der aus dem grenzüberschreitenden Vorhaben hervorgehenden Gesellschaft sowie
3. den Dolmetscherinnen und Dolmetschern und den Sachverständigen, die zur Unterstützung herangezogen werden.

(4) Die Pflichten nach Absatz 2 gelten entsprechend für Sachverständige sowie für Dolmetscherinnen und Dolmetscher.

§ 35 Schutz der Arbeitnehmervertreter. [1] Bei der Wahrnehmung ihrer Aufgaben genießen

1. die Mitglieder des besonderen Verhandlungsgremiums und
2. die Arbeitnehmervertreter im Aufsichts- oder Verwaltungsorgan der aus dem grenzüberschreitenden Vorhaben hervorgehenden Gesellschaft,

die Beschäftigte der aus einem grenzüberschreitenden Vorhaben hervorgehenden Gesellschaft, ihrer Tochtergesellschaften oder Betriebe oder der formwechselnden oder der sich spaltenden Gesellschaft, betroffenen Tochtergesellschaften oder betroffenen Betriebe sind, den gleichen Schutz und die gleichen Sicherheiten wie die Arbeitnehmervertreter nach den Gesetzen und Gepflogenheiten desjenigen Mitgliedstaats, in dem sie beschäftigt sind. [2] Dies gilt insbesondere für

1. den Kündigungsschutz,
2. die Teilnahme an den Sitzungen der jeweiligen in Satz 1 genannten Gremien und
3. die Entgeltfortzahlung.

§ 36 Missbrauchsverbot. [1] Ein grenzüberschreitendes Vorhaben darf nicht dazu missbraucht werden, Arbeitnehmern Mitbestimmungsrechte zu entziehen oder vorzuenthalten. [2] Missbrauch liegt insbesondere vor, wenn innerhalb von vier Jahren ab Wirksamwerden des grenzüberschreitenden Vorhabens strukturelle Änderungen erfolgen, die bewirken, dass ein Schwellenwert der Mitbestimmungsgesetze im Sitzstaat überschritten wird oder sonst Arbeitnehmern Mitbestimmungsrechte vorenthalten oder entzogen werden. [3] Bei einem Verstoß gegen das Missbrauchsverbot sind Verhandlungen über die Mitbestimmungsrechte der Arbeitnehmer entsprechend den §§ 6 bis 24 zu führen. [4] Wird in diesen Verhandlungen keine Einigung erzielt, sind die §§ 25 bis 30 über die Mitbestimmung kraft Gesetzes entsprechend anzuwenden.

§ 37 Errichtungs- und Tätigkeitsschutz. Niemand darf

1. die Bildung des besonderen Verhandlungsgremiums oder die Wahl, Bestellung, Empfehlung oder Ablehnung der Arbeitnehmervertreter im Aufsichts- oder Verwaltungsorgan behindern oder durch Zufügung oder Androhung von Nachteilen oder durch Gewährung oder Versprechen von Vorteilen beeinflussen;
2. die Tätigkeit des besonderen Verhandlungsgremiums oder die Tätigkeit der Arbeitnehmervertreter im Aufsichts- oder Verwaltungsorgan behindern oder stören oder
3. ein Mitglied oder Ersatzmitglied des besonderen Verhandlungsgremiums oder einen Arbeitnehmervertreter im Aufsichts- oder Verwaltungsorgan wegen seiner Tätigkeit benachteiligen oder begünstigen.

Teil 5. Straf- und Bußgeldvorschriften

§ 38 Strafvorschriften. (1) Mit Freiheitsstrafe bis zu zwei Jahren oder mit Geldstrafe wird bestraft, wer entgegen § 34 Absatz 2, auch in Verbindung mit § 34 Absatz 4, ein Betriebs- oder Geschäftsgeheimnis verwertet.

(2) Mit Freiheitsstrafe bis zu einem Jahr oder mit Geldstrafe wird bestraft, wer

1. entgegen § 34 Absatz 2, auch in Verbindung mit § 34 Absatz 4, ein Betriebs- oder Geschäftsgeheimnis offenbart,
2. entgegen § 37 Nummer 1 oder 2 eine dort genannte Tätigkeit behindert, beeinflusst oder stört oder
3. entgegen § 37 Nummer 3 eine dort genannte Person benachteiligt oder begünstigt.

(3) Handelt der Täter in den Fällen des Absatzes 2 Nummer 1 gegen Entgelt oder in der Absicht, sich oder eine andere Person zu bereichern oder zu schädigen, so ist die Strafe Freiheitsstrafe bis zu zwei Jahren oder Geldstrafe.

(4) [1] Die Tat wird nur auf Antrag verfolgt. [2] In den Fällen des Absatzes 2 Nummer 2 und 3 sind das besondere Verhandlungsgremium, jedes Mitglied des Aufsichts- oder Verwaltungsorgans, eine im Unternehmen vertretene Gewerkschaft sowie die Leitung antragsberechtigt.

§ 39 Bußgeldvorschriften. (1) Ordnungswidrig handelt, wer entgegen § 6 Absatz 2 oder § 8 Absatz 2 Satz 2 eine Information nicht, nicht richtig, nicht vollständig oder nicht rechtzeitig gibt.

(2) Die Ordnungswidrigkeit kann mit einer Geldbuße bis zu zwanzigtausend Euro geahndet werden.

569. Gesetz zur Ausführung der Verordnung (EG) Nr. 2157/2001 des Rates vom 8. Oktober 2001 über das Statut der Europäischen Gesellschaft (SE) (SE-Ausführungsgesetz – SEAG)[1)]

Vom 22. Dezember 2004

(BGBl. I S. 3675)

FNA 4121-4

zuletzt geänd. durch Art. 20 Viertes BürokratieentlastungsG v. 23.10.2024 (BGBl. 2024 I Nr. 323)

– Auszug –[2)]

Abschnitt 1. Allgemeine Vorschriften

§ 1 Anzuwendende Vorschriften. Soweit nicht die Verordnung (EG) Nr. 2157/2001[3)] des Rates vom 8. Oktober 2001 über das Statut der Europäischen Gesellschaft (SE) (ABl. EG Nr. L 294 S. 1) (Verordnung) gilt, sind auf eine Europäische Gesellschaft (SE) mit Sitz im Inland und auf die an der Gründung einer Europäischen Gesellschaft beteiligten Gesellschaften mit Sitz im Inland die folgenden Vorschriften anzuwenden.

§ 2[4)] *(aufgehoben)*

§ 3 Eintragung. Die SE wird gemäß den für Aktiengesellschaften geltenden Vorschriften im Handelsregister eingetragen.

§ 4[5)] **Zuständigkeiten.** [1] Für die Eintragung der SE und für die in Artikel 8 Abs. 8, Artikel 25 Abs. 2 sowie den Artikeln 26 und 64 Abs. 4 der Verordnung[6)] bezeichneten Aufgaben ist das nach den §§ 376 und 377 des Gesetzes über das Verfahren in Familiensachen und in den Angelegenheiten der freiwilligen Gerichtsbarkeit[7)] bestimmte Gericht zuständig. [2] Das zuständige Gericht im Sinne des Artikels 55 Abs. 3 Satz 1 der Verordnung[8)] bestimmt sich nach § 375 Nr. 4, §§ 376 und 377 des Gesetzes über das Verfahren in Familiensachen und in den Angelegenheiten der freiwilligen Gerichtsbarkeit.

Abschnitt 2. Gründung einer SE

Unterabschnitt 1. Verschmelzung

§ 5 Bekanntmachung. [1] Die nach Artikel 21 der Verordnung[8)] bekannt zu machenden Angaben sind dem Register bei Einreichung des Verschmelzungs-

---

[1)] Verkündet als Art. 1 SEEG v. 22.12.2004 (BGBl. I S. 3675); Inkrafttreten gem. Art. 9 Abs. 1 dieses G am 14.2.2005.

[2)] Vollständig wiedergegeben in **beck-online, Module Arbeitsrecht.**

[3)] Auszugsweise abgedruckt unter Nr. **930a**.

[4)] § 2 aufgeh. mWv 1.11.2008 durch G v. 23.10.2008 (BGBl. I S. 2026).

[5)] § 4 Sätze 1 und 2 geänd. mWv 1.9.2009 durch G v. 17.12.2008 (BGBl. I S. 2586).

[6)] Nr. **930a**.

[7)] **Habersack Nr. 112.**

[8)] **beck-online, Module Arbeitsrecht Nr. 930a.**

plans mitzuteilen. [2]Das Gericht hat diese Angaben zusammen mit dem nach § 61 Satz 2 des Umwandlungsgesetzes[1)] vorgeschriebenen Hinweis bekannt zu machen.

Abschnitt 4. Aufbau der SE

Unterabschnitt 1. Dualistisches System

§ 15 Wahrnehmung der Geschäftsleitung durch Mitglieder des Aufsichtsorgans. [1]Die Abstellung eines Mitglieds des Aufsichtsorgans zur Wahrnehmung der Aufgaben eines Mitglieds des Leitungsorgans nach Artikel 39 Abs. 3 Satz 2 der Verordnung[2)] ist nur für einen im Voraus begrenzten Zeitraum, höchstens für ein Jahr, zulässig. [2]Eine wiederholte Bestellung oder Verlängerung der Amtszeit ist zulässig, wenn dadurch die Amtszeit insgesamt ein Jahr nicht übersteigt.

§ 16[3)] Zahl der Mitglieder des Leitungsorgans. (1) [1]Bei Gesellschaften mit einem Grundkapital von mehr als 3 Millionen Euro hat das Leitungsorgan aus mindestens zwei Personen zu bestehen, es sei denn, die Satzung bestimmt, dass es aus einer Person bestehen soll. [2]§ 38 Abs. 2 des SE-Beteiligungsgesetzes[4)] bleibt unberührt. [3]Die Vorgabe des Satzes 1, dass das Leitungsorgan aus mindestens zwei Personen zu bestehen hat, gilt während des Zeitraums nach § 84 Absatz 3 Satz 2 oder 3 des Aktiengesetzes[5)] auch dann als erfüllt, wenn diese Vorgabe ohne den Widerruf eingehalten wäre.

(2) [1]Besteht das Leitungsorgan einer börsennotierten Gesellschaft, deren Aufsichtsorgan aus derselben Zahl von Anteilseigner- und Arbeitnehmervertretern besteht, aus mehr als drei Personen, so muss mindestens eine Frau und mindestens ein Mann Mitglied des Leitungsorgans sein. [2]Eine Bestellung eines Mitglieds unter Verstoß gegen dieses Beteiligungsgebot ist nichtig. [3]Die Sätze 1 und 2 sind bei der Bestellung einzelner oder mehrerer Mitglieder ab dem 1. August 2022 zu beachten. [4]Bestehende Mandate können bis zu ihrem vorgesehenen Ende wahrgenommen werden. [5]Die Sätze 1 und 2 sowie § 52a Absatz 2 Nummer 1 finden auf Bestellungen während des Zeitraums nach § 84 Absatz 3 Satz 2 oder 3 des Aktiengesetzes[5)] keine Anwendung, wenn das Beteiligungsgebot ohne den Widerruf eingehalten wäre.

§ 17[6)] Zahl der Mitglieder und Zusammensetzung des Aufsichtsorgans. (1) [1]Das Aufsichtsorgan besteht aus drei Mitgliedern. [2]Die Satzung

(Fortsetzung nächstes Blatt)

[1)] **beck-online, Module Arbeitsrecht Nr. 630.**

[2)] Nr. **930a**.

[3)] § 16 Abs. 1 Satz 3 und Abs. 2 angef. mWv 12.8.2021 durch G v. 7.8.2021 (BGBl. I S. 3311).

[4)] Nr. **569a**.

[5)] Nr. **567**.

[6)] § 17 Abs. 2 eingef., bish. Abs. 2–4 werden Abs. 3–5 mWv 1.1.2016 durch G v. 24.4.2015 (BGBl. I S. 642); Abs. 1 Satz 3 geänd. mWv 18.5.2016 durch G v. 10.5.2016 (BGBl. I S. 1142).

kann eine bestimmte höhere Zahl festsetzen. [3]Die Zahl muss durch drei teilbar sein, wenn dies für die Beteiligung der Arbeitnehmer auf Grund des SE-Beteiligungsgesetzes[1)] erforderlich ist. [4]Die Höchstzahl beträgt bei Gesellschaften mit einem Grundkapital

bis zu	1 500 000 Euro	neun,
von mehr als	1 500 000 Euro	fünfzehn,
von mehr als	10 000 000 Euro	einundzwanzig.

(2) [1]Besteht bei einer börsennotierten SE das Aufsichtsorgan aus derselben Zahl von Anteilseigner- und Arbeitnehmervertretern, müssen in dem Aufsichtsorgan Frauen und Männer jeweils mit einem Anteil von mindestens 30 Prozent vertreten sein. [2]Der Mindestanteil von jeweils 30 Prozent an Frauen und Männern im Aufsichtsorgan ist bei erforderlich werdenden Neubesetzungen einzelner oder mehrerer Sitze im Aufsichtsorgan zu beachten. [3]Reicht die Zahl der neu zu besetzenden Sitze nicht aus, um den Mindestanteil zu erreichen, sind die Sitze mit Personen des unterrepräsentierten Geschlechts zu besetzen, um dessen Anteil sukzessive zu steigern. [4]Bestehende Mandate können bis zu ihrem regulären Ende wahrgenommen werden.

(3) Die Beteiligung der Arbeitnehmer nach dem SE-Beteiligungsgesetz bleibt unberührt.

(4) [1]Für Verfahren entsprechend den §§ 98, 99 oder 104 des Aktiengesetzes[2)] ist auch der SE-Betriebsrat antragsberechtigt. [2]Für Klagen entsprechend § 250 des Aktiengesetzes[2)] ist auch der SE-Betriebsrat parteifähig; § 252 des Aktiengesetzes[2)] gilt entsprechend.

(5) [1]§ 251 des Aktiengesetzes[2)] findet mit der Maßgabe Anwendung, dass das gesetzeswidrige Zustandekommen von Wahlvorschlägen für die Arbeitnehmervertreter im Aufsichtsorgan nur nach den Vorschriften der Mitgliedstaaten über die Besetzung der ihnen zugewiesenen Sitze geltend gemacht werden kann. [2]Für die Arbeitnehmervertreter aus dem Inland gilt § 37 Abs. 2 des SE-Beteiligungsgesetzes.

§ 18 Informationsverlangen einzelner Mitglieder des Aufsichtsorgans.

Jedes einzelne Mitglied des Aufsichtsorgans kann vom Leitungsorgan jegliche Information nach Artikel 41 Abs. 3 Satz 1 der Verordnung[3)], jedoch nur an das Aufsichtsorgan, verlangen.

§ 19 Festlegung zustimmungsbedürftiger Geschäfte durch das Aufsichtsorgan. Das Aufsichtsorgan kann selbst bestimmte Arten von Geschäften von seiner Zustimmung abhängig machen.

Unterabschnitt 2. Monistisches System

§ 20 Anzuwendende Vorschriften. Wählt eine SE gemäß Artikel 38 Buchstabe b der Verordnung[3)] in ihrer Satzung das monistische System mit einem Verwaltungsorgan (Verwaltungsrat), so gelten anstelle der §§ 76 bis 116 des Aktiengesetzes[2)] die nachfolgenden Vorschriften.

[1)] Nr. **569a**.
[2)] Nr. **567**.
[3)] Nr. **930a**.

§ 21[1)] Anmeldung und Eintragung. (1) Die SE ist bei Gericht von allen Gründern, Mitgliedern des Verwaltungsrats und geschäftsführenden Direktoren zur Eintragung in das Handelsregister anzumelden.

(2) [1] In der Anmeldung haben die geschäftsführenden Direktoren zu versichern, dass keine Umstände vorliegen, die ihrer Bestellung nach § 40 Abs. 1 Satz 4 entgegenstehen und dass sie über ihre unbeschränkte Auskunftspflicht gegenüber dem Gericht belehrt worden sind. [2] In der Anmeldung sind Art und Umfang der Vertretungsbefugnis der geschäftsführenden Direktoren anzugeben. [3] Der Anmeldung sind die Urkunden über die Bestellung des Verwaltungsrats und der geschäftsführenden Direktoren sowie die Prüfungsberichte der Mitglieder des Verwaltungsrats beizufügen.

(3) Das Gericht kann die Anmeldung ablehnen, wenn für den Prüfungsbericht der Mitglieder des Verwaltungsrats die Voraussetzungen des § 38 Abs. 2 des Aktiengesetzes[2)] gegeben sind.

(4) Bei der Eintragung sind die geschäftsführenden Direktoren sowie deren Vertretungsbefugnis anzugeben.

§ 22[3)] Aufgaben und Rechte des Verwaltungsrats. (1) Der Verwaltungsrat leitet die Gesellschaft, bestimmt die Grundlinien ihrer Tätigkeit und überwacht deren Umsetzung.

(2) [1] Der Verwaltungsrat hat eine Hauptversammlung einzuberufen, wenn das Wohl der Gesellschaft es fordert. [2] Für den Beschluss genügt die einfache Mehrheit. [3] Für die Vorbereitung und Ausführung von Hauptversammlungsbeschlüssen gilt § 83 des Aktiengesetzes[2)] entsprechend; der Verwaltungsrat kann einzelne damit verbundene Aufgaben auf die geschäftsführenden Direktoren übertragen.

(3) [1] Der Verwaltungsrat hat dafür zu sorgen, dass die erforderlichen Handelsbücher geführt werden. [2] Der Verwaltungsrat hat geeignete Maßnahmen zu treffen, insbesondere ein Überwachungssystem einzurichten, damit den Fortbestand der Gesellschaft gefährdende Entwicklungen früh erkannt werden. [3] Der Verwaltungsrat einer börsennotierten Gesellschaft hat darüber hinaus ein im Hinblick auf den Umfang der Geschäftstätigkeit und die Risikolage des Unternehmens angemessenes und wirksames internes Kontrollsystem und Risikomanagementsystem einzurichten.

(4) [1] Der Verwaltungsrat kann die Bücher und Schriften der Gesellschaft sowie die Vermögensgegenstände, namentlich die Gesellschaftskasse und die Bestände an Wertpapieren und Waren, einsehen und prüfen. [2] Er kann damit auch einzelne Mitglieder oder für bestimmte Aufgaben besondere Sachverständige beauftragen. [3] Er erteilt dem Abschlussprüfer den Prüfungsauftrag für den Jahres- und Konzernabschluss gemäß § 290 des Handelsgesetzbuchs[4)].

(5) [1] Ergibt sich bei Aufstellung der Jahresbilanz oder einer Zwischenbilanz oder ist bei pflichtmäßigem Ermessen anzunehmen, dass ein Verlust in der

---

[1)] § 21 Abs. 2 Satz 4 und Abs. 5 aufgeh. mWv 1.1.2007 durch G v. 10.11.2006 (BGBl. I S. 2553); Abs. 2 Satz 2 neu gef. mWv 1.11.2008 durch G v. 23.10.2008 (BGBl. I S. 2026).

[2)] **beck-online, Module Arbeitsrecht Nr. 567.**

[3)] § 22 Abs. 5 Satz 2 geänd. mWv 1.11.2008 durch G v. 23.10.2008 (BGBl. I S. 2026); Abs. 5 Satz 2 geänd. mWv 1.9.2009 durch G v. 30.7.2009 (BGBl. I S. 2479); Abs. 3 Satz 3 angef. mWv 1.7.2021 durch G v. 3.6.2021 (BGBl. I S. 1534); Abs. 5 Satz 2 geänd. mWv 18.8.2021 durch G v. 10.8.2021 (BGBl. I S. 3436).

[4)] **beck-online, Module Arbeitsrecht Nr. 105.**

Hälfte des Grundkapitals besteht, so hat der Verwaltungsrat unverzüglich die Hauptversammlung einzuberufen und ihr dies anzuzeigen. [2] Bei Zahlungsunfähigkeit oder Überschuldung der Gesellschaft hat der Verwaltungsrat den Insolvenzantrag nach § 15a Abs. 1 der Insolvenzordnung[1)] zu stellen; § 15b der Insolvenzordnung[1)] gilt entsprechend.

(6) Rechtsvorschriften, die außerhalb dieses Gesetzes dem Vorstand oder dem Aufsichtsrat einer Aktiengesellschaft Rechte oder Pflichten zuweisen, gelten sinngemäß für den Verwaltungsrat, soweit nicht in diesem Gesetz für den Verwaltungsrat und für geschäftsführende Direktoren besondere Regelungen enthalten sind.

§ 23 Zahl der Mitglieder des Verwaltungsrats. (1) [1] Der Verwaltungsrat besteht aus drei Mitgliedern. [2] Die Satzung kann etwas anderes bestimmen; bei Gesellschaften mit einem Grundkapital von mehr als 3 Millionen Euro hat der Verwaltungsrat jedoch aus mindestens drei Personen zu bestehen. [3] Die Höchstzahl der Mitglieder des Verwaltungsrats beträgt bei Gesellschaften mit einem Grundkapital

bis zu	1 500 000 Euro	neun,
von mehr als	1 500 000 Euro	fünfzehn,
von mehr als	10 000 000 Euro	einundzwanzig.

(2) Die Beteiligung der Arbeitnehmer nach dem SE-Beteiligungsgesetz[2)] bleibt unberührt.

§ 24[3)] Zusammensetzung des Verwaltungsrats. (1) Der Verwaltungsrat setzt sich zusammen aus Verwaltungsratsmitgliedern der Aktionäre und, soweit eine Vereinbarung nach § 21 oder die §§ 34 bis 38 des SE-Beteiligungsgesetzes[2)] dies vorsehen, auch aus Verwaltungsratsmitgliedern der Arbeitnehmer.

(2) Nach anderen als den zuletzt angewandten vertraglichen oder gesetzlichen Vorschriften kann der Verwaltungsrat nur zusammengesetzt werden, wenn nach § 25 oder nach § 26 die in der Bekanntmachung des Vorsitzenden des Verwaltungsrats oder in der gerichtlichen Entscheidung angegebenen vertraglichen oder gesetzlichen Vorschriften anzuwenden sind.

(3) [1] Besteht bei einer börsennotierten SE der Verwaltungsrat aus derselben Zahl von Anteilseigner- und Arbeitnehmervertretern, müssen in dem Verwaltungsrat Frauen und Männer jeweils mit einem Anteil von mindestens 30 Prozent vertreten sein. [2] Der Mindestanteil von jeweils 30 Prozent an Frauen und Männern im Verwaltungsrat ist bei erforderlich werdenden Neubesetzungen einzelner oder mehrerer Sitze im Verwaltungsrat zu beachten. [3] Reicht die Zahl der neu zu besetzenden Sitze nicht aus, um den Mindestanteil zu erreichen, sind die Sitze mit Personen des unterrepräsentierten Geschlechts zu besetzen, um dessen Anteil sukzessive zu steigern. [4] Bestehende Mandate können bis zu ihrem regulären Ende wahrgenommen werden. [5] § 76 Absatz 4 und § 111 Absatz 5 des Aktiengesetzes[4)] gelten entsprechend.

[1)] Nr. **327**.

[2)] Nr. **569a**.

[3)] § 24 Abs. 3 angef. mWv 1.1.2016 durch G v. 24.4.2015 (BGBl. I S. 642); Abs. 3 Satz 5 angef. mWv 1.3.2023 durch G v. 22.2.2023 (BGBl. I Nr. 51).

[4)] Nr. **567**.

§ 25 Bekanntmachung über die Zusammensetzung des Verwaltungsrats. (1) [1] Ist der Vorsitzende des Verwaltungsrats der Ansicht, dass der Verwaltungsrat nicht nach den maßgeblichen vertraglichen oder gesetzlichen Vorschriften zusammengesetzt ist, so hat er dies unverzüglich in den Gesellschaftsblättern und gleichzeitig durch Aushang in sämtlichen Betrieben der Gesellschaft und ihrer Konzernunternehmen bekannt zu machen. [2] Der Aushang kann auch in elektronischer Form erfolgen. [3] In der Bekanntmachung sind die nach Ansicht des Vorsitzenden des Verwaltungsrats maßgeblichen vertraglichen oder gesetzlichen Vorschriften anzugeben. [4] Es ist darauf hinzuweisen, dass der Verwaltungsrat nach diesen Vorschriften zusammengesetzt wird, wenn nicht Antragsberechtigte nach § 26 Abs. 2 innerhalb eines Monats nach der Bekanntmachung im Bundesanzeiger das nach § 26 Abs. 1 zuständige Gericht anrufen.

(2) [1] Wird das nach § 26 Abs. 1 zuständige Gericht nicht innerhalb eines Monats nach der Bekanntmachung im Bundesanzeiger angerufen, so ist der neue Verwaltungsrat nach den in der Bekanntmachung angegebenen Vorschriften zusammenzusetzen. [2] Die Bestimmungen der Satzung über die Zusammensetzung des Verwaltungsrats, über die Zahl der Mitglieder des Verwaltungsrats sowie über die Wahl, Abberufung und Entsendung von Mitgliedern des Verwaltungsrats treten mit der Beendigung der ersten Hauptversammlung, die nach Ablauf der Anrufungsfrist einberufen wird, spätestens sechs Monate nach Ablauf dieser Frist insoweit außer Kraft, als sie den nunmehr anzuwendenden Vorschriften widersprechen. [3] Mit demselben Zeitpunkt erlischt das Amt der bisherigen Mitglieder des Verwaltungsrats. [4] Eine Hauptversammlung, die innerhalb der Frist von sechs Monaten stattfindet, kann an Stelle der außer Kraft tretenden Satzungsbestimmungen mit einfacher Stimmenmehrheit neue Satzungsbestimmungen beschließen.

(3) Solange ein gerichtliches Verfahren nach § 26 anhängig ist, kann eine Bekanntmachung über die Zusammensetzung des Verwaltungsrats nicht erfolgen.

§ 26[1)] Gerichtliche Entscheidung über die Zusammensetzung des Verwaltungsrats. (1) Ist streitig oder ungewiss, nach welchen Vorschriften der Verwaltungsrat zusammenzusetzen ist, so entscheidet darüber auf Antrag ausschließlich das Landgericht, in dessen Bezirk die Gesellschaft ihren Sitz hat.

(2) Antragsberechtigt sind

1. jedes Mitglied des Verwaltungsrats,
2. jeder Aktionär,
3. die nach § 98 Abs. 2 Satz 1 Nr. 4 bis 10 des Aktiengesetzes[2)] Antragsberechtigten,
4. der SE-Betriebsrat.

(3) [1] Entspricht die Zusammensetzung des Verwaltungsrats nicht der gerichtlichen Entscheidung, so ist der neue Verwaltungsrat nach den in der Entscheidung angegebenen Vorschriften zusammenzusetzen. [2] § 25 Abs. 2 gilt entsprechend mit der Maßgabe, dass die Frist von sechs Monaten mit dem Eintritt der Rechtskraft beginnt.

[1)] § 26 Abs. 1 neu gef. mWv 1.9.2009 durch G v. 17.12.2008 (BGBl. I S. 2586).

[2)] Nr. **567**.

(4) Für das Verfahren gilt § 99 des Aktiengesetzes[1] entsprechend mit der Maßgabe, dass die nach Absatz 5 der Vorschrift vorgesehene Einreichung der rechtskräftigen Entscheidung durch den Vorsitzenden des Verwaltungsrats erfolgt.

§ 27[2] Persönliche Voraussetzungen der Mitglieder des Verwaltungsrats. (1) [1] Mitglied des Verwaltungsrats kann nicht sein, wer

1. bereits in zehn Handelsgesellschaften, die gesetzlich einen Aufsichtsrat oder einen Verwaltungsrat zu bilden haben, Mitglied des Aufsichtsrats oder des Verwaltungsrats ist,
2. gesetzlicher Vertreter eines von der Gesellschaft abhängigen Unternehmens ist oder
3. gesetzlicher Vertreter einer anderen Kapitalgesellschaft ist, deren Aufsichtsrat oder Verwaltungsrat ein Vorstandsmitglied oder ein geschäftsführender Direktor der Gesellschaft angehört.

[2] Auf die Höchstzahl nach Satz 1 Nr. 1 sind bis zu fünf Sitze in Aufsichts- oder Verwaltungsräten nicht anzurechnen, die ein gesetzlicher Vertreter (beim Einzelkaufmann der Inhaber) des herrschenden Unternehmens eines Konzerns in zum Konzern gehörenden Handelsgesellschaften, die gesetzlich einen Auf-

(Fortsetzung nächstes Blatt)

---

[1] Nr. **567**.

[2] § 27 Abs. 1 Satz 4 angef. mWv 29.5.2009 durch G v. 25.5.2009 (BGBl. I S. 1102); Abs. 1 Satz 4 neu gef. mWv 17.6.2016 durch G v. 10.5.2016 (BGBl. I S. 1142); Abs. 1 Satz 4 geänd. mWv 1.7.2021 durch G v. 3.6.2021 (BGBl. I S. 1534).

sichtsrat oder einen Verwaltungsrat zu bilden haben, inne hat. [3] Auf die Höchstzahl nach Satz 1 Nr. 1 sind Aufsichtsrats- oder Verwaltungsratsämter im Sinne der Nummer 1 doppelt anzurechnen, für die das Mitglied zum Vorsitzenden gewählt worden ist. [4] Bei einer SE, die ein Unternehmen von öffentlichem Interesse nach § 316a Satz 2 des Handelsgesetzbuchs[1)] ist, müssen die Voraussetzungen des § 100 Absatz 5 des Aktiengesetzes[2)] erfüllt sein.[3)]

(2) § 36 Abs. 3 Satz 2 in Verbindung mit § 6 Abs. 2 bis 4 des SE-Beteiligungsgesetzes[4)] oder eine Vereinbarung nach § 21 des SE-Beteiligungsgesetzes über weitere persönliche Voraussetzungen der Mitglieder der Arbeitnehmer bleibt unberührt.

(3) Eine juristische Person kann nicht Mitglied des Verwaltungsrats sein.

§ 28 Bestellung der Mitglieder des Verwaltungsrats. (1) Die Bestellung der Mitglieder des Verwaltungsrats richtet sich nach der Verordnung[5)].

(2) § 101 Abs. 2 des Aktiengesetzes[2)] gilt entsprechend.

(3) [1] Stellvertreter von Mitgliedern des Verwaltungsrats können nicht bestellt werden. [2] Jedoch kann für jedes Mitglied ein Ersatzmitglied bestellt werden, das Mitglied des Verwaltungsrats wird, wenn das Mitglied vor Ablauf seiner Amtszeit wegfällt. [3] Das Ersatzmitglied kann nur gleichzeitig mit dem Mitglied bestellt werden. [4] Auf seine Bestellung sowie die Nichtigkeit und Anfechtung seiner Bestellung sind die für das Mitglied geltenden Vorschriften anzuwenden. [5] Das Amt des Ersatzmitglieds erlischt spätestens mit Ablauf der Amtszeit des weggefallenen Mitglieds.

§ 29[6)] Abberufung der Mitglieder des Verwaltungsrats. (1) [1] Mitglieder des Verwaltungsrats, die von der Hauptversammlung ohne Bindung an einen Wahlvorschlag gewählt worden sind, können von ihr vor Ablauf der Amtszeit abberufen werden. [2] Der Beschluss bedarf einer Mehrheit, die mindestens drei Viertel der abgegebenen Stimmen umfasst. [3] Die Satzung kann eine andere Mehrheit und weitere Erfordernisse bestimmen.

(2) [1] Ein Mitglied des Verwaltungsrats, das auf Grund der Satzung in den Verwaltungsrat entsandt ist, kann von dem Entsendungsberechtigten jederzeit abberufen und durch ein anderes ersetzt werden. [2] Sind die in der Satzung bestimmten Voraussetzungen des Entsendungsrechts weggefallen, so kann die Hauptversammlung das entsandte Mitglied mit einfacher Stimmenmehrheit abberufen.

(3) [1] Das Gericht hat auf Antrag des Verwaltungsrats ein Mitglied abzuberufen, wenn in dessen Person ein wichtiger Grund vorliegt. [2] Der Verwaltungsrat beschließt über die Antragstellung mit einfacher Mehrheit. [3] Ist das Mitglied auf Grund der Satzung in den Verwaltungsrat entsandt worden, so können auch Aktionäre, deren Anteile zusammen den zehnten Teil des Grundkapitals oder den anteiligen Betrag von 1 Million Euro erreichen, den Antrag stellen. [4] Gegen die Entscheidung ist die Beschwerde zulässig.

---

1) **beck-online, Module Arbeitsrecht Nr. 105.**
2) Nr. **567**.
3) Beachte hierzu Übergangsvorschrift in § 56.
4) Nr. **569a**.
5) Auszugsweise abgedruckt unter Nr. **930a**.
6) § 29 Abs. 3 Satz 4 geänd. mWv 1.9.2009 durch G v. 17.12.2008 (BGBl. I S. 2586).

(4) Für die Abberufung eines Ersatzmitglieds gelten die Vorschriften über die Abberufung des Mitglieds, für das es bestellt ist.

§ 30[1] **Bestellung durch das Gericht.** (1) [1] Gehört dem Verwaltungsrat die zur Beschlussfähigkeit nötige Zahl von Mitgliedern nicht an, so hat ihn das Gericht auf Antrag eines Mitglieds des Verwaltungsrats oder eines Aktionärs auf diese Zahl zu ergänzen. [2] Mitglieder des Verwaltungsrats sind verpflichtet, den Antrag unverzüglich zu stellen, es sei denn, dass die rechtzeitige Ergänzung vor der nächsten Sitzung des Verwaltungsrats zu erwarten ist. [3] Hat der Verwaltungsrat auch aus Mitgliedern der Arbeitnehmer zu bestehen, so können auch den Antrag stellen

1. die nach § 104 Abs. 1 Satz 3 des Aktiengesetzes[2] Antragsberechtigten,
2. der SE-Betriebsrat.

[4] Gegen die Entscheidung ist die Beschwerde zulässig.

(2) [1] Gehören dem Verwaltungsrat länger als drei Monate weniger Mitglieder als die durch Vereinbarung, Gesetz oder Satzung festgelegte Zahl an, so hat ihn das Gericht auf Antrag auf diese Zahl zu ergänzen. [2] In dringenden Fällen hat das Gericht auf Antrag den Verwaltungsrat auch vor Ablauf der Frist zu ergänzen. [3] Das Antragsrecht bestimmt sich nach Absatz 1. [4] Gegen die Entscheidung ist die Beschwerde zulässig.

(3) Das Amt des gerichtlich bestellten Mitglieds erlischt in jedem Fall, sobald der Mangel behoben ist.

(4) [1] Das gerichtlich bestellte Mitglied hat Anspruch auf Ersatz angemessener barer Auslagen und, wenn den Mitgliedern der Gesellschaft eine Vergütung gewährt wird, auf Vergütung für seine Tätigkeit. [2] Auf Antrag des Mitglieds setzt das Gericht die Vergütung und die Auslagen fest. [3] Gegen die Entscheidung ist die Beschwerde zulässig; die Rechtsbeschwerde ist ausgeschlossen. [4] Aus der rechtskräftigen Entscheidung findet die Zwangsvollstreckung nach der Zivilprozessordnung[3] statt.

§ 31[4] **Nichtigkeit der Wahl von Verwaltungsratsmitgliedern.** (1) Die Wahl eines Verwaltungsratsmitglieds durch die Hauptversammlung ist außer im Fall des § 241 Nr. 1, 2 und 5 des Aktiengesetzes[5] nur dann nichtig, wenn

1. der Verwaltungsrat unter Verstoß gegen § 24 Abs. 2, § 25 Abs. 2 Satz 1 oder § 26 Abs. 3 zusammengesetzt wird;
2. durch die Wahl die gesetzliche Höchstzahl der Verwaltungsratsmitglieder überschritten wird (§ 23);
3. die gewählte Person nach Artikel 47 Abs. 2 der Verordnung[6] bei Beginn ihrer Amtszeit nicht Verwaltungsratsmitglied sein kann.

(2) [1] Für die Parteifähigkeit für die Klage auf Feststellung, dass die Wahl eines Verwaltungsratsmitglieds nichtig ist, gilt § 250 Abs. 2 des Aktiengesetzes[2] entsprechend. [2] Parteifähig ist auch der SE-Betriebsrat.

---

[1] § 30 Abs. 1 Satz 4 und Abs. 2 Satz 4 geänd., Abs. 4 Satz 3 neu gef., Satz 4 aufgeh., bish. Satz 5 wird Satz 4 mWv 1.9.2009 durch G v. 17.12.2008 (BGBl. I S. 2586).

[2] Nr. **567**.

[3] Auszugsweise abgedruckt unter Nr. **320**.

[4] § 31 Abs. 3 Satz 1 geänd. mWv 1.11.2005 durch G v. 22.9.2005 (BGBl. I S. 2802).

[5] **beck-online, Module Arbeitsrecht Nr. 567.**

[6] **beck-online, Module Arbeitsrecht Nr. 930a.**

(3) [1]Erhebt ein Aktionär, ein Mitglied des Verwaltungsrats oder ein nach Absatz 2 Parteifähiger gegen die Gesellschaft Klage auf Feststellung, dass die Wahl eines Verwaltungsratsmitglieds nichtig ist, so gelten § 246 Abs. 2, 3 Satz 1 bis 4, Abs. 4, die §§ 247, 248 Abs. 1 Satz 2, die §§ 248a und 249 Abs. 2 des Aktiengesetzes[1)] entsprechend. [2]Es ist nicht ausgeschlossen, die Nichtigkeit auf andere Weise als durch Erhebung der Klage geltend zu machen.

§ 32 Anfechtung der Wahl von Verwaltungsratsmitgliedern. [1]Für die Anfechtung der Wahl von Verwaltungsratsmitgliedern findet § 251 des Aktiengesetzes[2)] mit der Maßgabe Anwendung, dass das gesetzwidrige Zustandekommen von Wahlvorschlägen für die Arbeitnehmervertreter im Verwaltungsrat nur nach den Vorschriften der Mitgliedstaaten über die Besetzung der ihnen zugewiesenen Sitze geltend gemacht werden kann. [2]Für die Arbeitnehmervertreter aus dem Inland gilt § 37 Abs. 2 des SE-Beteiligungsgesetzes[3)].

§ 33 Wirkung des Urteils. Für die Urteilswirkung gilt § 252 des Aktiengesetzes[2)] entsprechend.

§ 34[4)] Innere Ordnung des Verwaltungsrats. (1) [1]Der Verwaltungsrat hat neben dem Vorsitzenden nach näherer Bestimmung der Satzung aus seiner Mitte mindestens einen Stellvertreter zu wählen. [2]Der Stellvertreter hat nur dann die Rechte und Pflichten des Vorsitzenden, wenn dieser verhindert ist. [3]Besteht der Verwaltungsrat nur aus einer Person, nimmt diese die dem Vorsitzenden des Verwaltungsrats gesetzlich zugewiesenen Aufgaben wahr.

(2) [1]Der Verwaltungsrat kann sich eine Geschäftsordnung geben. [2]Die Satzung kann Einzelfragen der Geschäftsordnung bindend regeln.

(3) [1]Über die Sitzungen des Verwaltungsrats ist eine Niederschrift anzufertigen, die der Vorsitzende zu unterzeichnen hat. [2]In der Niederschrift sind der Ort und der Tag der Sitzung, die Teilnehmer, die Gegenstände der Tagesordnung, der wesentliche Inhalt der Verhandlungen und die Beschlüsse des Verwaltungsrats anzugeben. [3]Ein Verstoß gegen Satz 1 oder Satz 2 macht einen Beschluss nicht unwirksam. [4]Jedem Mitglied des Verwaltungsrats ist auf Verlangen eine Abschrift der Sitzungsniederschrift auszuhändigen. [5]Die Sätze 1 bis 4 finden auf einen Verwaltungsrat, der nur aus einer Person besteht, keine Anwendung.

(4) [1]Der Verwaltungsrat kann aus seiner Mitte einen oder mehrere Ausschüsse bestellen, namentlich, um seine Verhandlungen und Beschlüsse vorzubereiten oder die Ausführung seiner Beschlüsse zu überwachen. [2]Die Aufgaben nach Absatz 1 Satz 1 und nach § 22 Abs. 1 und 3, § 40 Abs. 1 Satz 1 und § 47 Abs. 3 dieses Gesetzes sowie nach § 68 Abs. 2 Satz 2, § 87 Absatz 1 und 2 Satz 1 und 2, § 203 Abs. 2, § 204 Abs. 1 Satz 1, § 205 Abs. 2 Satz 1 und § 314 Abs. 2 und 3 des Aktiengesetzes[2)] können einem Ausschuss nicht an Stelle des Verwaltungsrats zur Beschlussfassung überwiesen werden. [3]Dem Verwaltungsrat ist

---

[1)] **beck-online, Module Arbeitsrecht Nr. 567.**

[2)] Nr. **567**.

[3)] Nr. **569a**.

[4)] § 34 Abs. 4 Sätze 4–6 angef. mWv 29.5.2009 durch G v. 25.5.2009 (BGBl. I S. 1102); Abs. 4 Satz 5 neu gef., Satz 6 aufgeh. mWv 17.6.2016 durch G v. 10.5.2016 (BGBl. I S. 1142); Abs. 4 Satz 2 geänd., Sätze 6–8 angef. mWv 1.1.2020 durch G v. 12.12.2019 (BGBl. I S. 2637); Abs. 4 Satz 5 aufgeh., bish. Sätze 6–8 werden Sätze 5–7, Abs. 5 angef. mWv 1.7.2021 durch G v. 3.6.2021 (BGBl. I S. 1534).

regelmäßig über die Arbeit der Ausschüsse zu berichten. [4]Der Verwaltungsrat kann einen Prüfungsausschuss einrichten, dem insbesondere die Aufgaben nach § 107 Abs. 3 Satz 2 des Aktiengesetzes übertragen werden können. [5]Der Verwaltungsrat kann ferner einen Ausschuss einrichten, dem die Aufgaben nach § 107 Absatz 3 Satz 4 des Aktiengesetzes[1)] übertragen werden.[2)] [6]Der Ausschuss muss mehrheitlich mit nicht geschäftsführenden Mitgliedern besetzt sein. [7]Im Übrigen gilt § 107 Absatz 3 Satz 4 bis 6 des Aktiengesetzes[1)] hinsichtlich der Besetzung des Ausschusses entsprechend.

(5)[3)] [1]Der Verwaltungsrat einer SE, die Unternehmen von öffentlichem Interesse nach § 316a Satz 2 des Handelsgesetzbuchs[4)] ist, hat einen Prüfungsausschuss im Sinne des Absatzes 4 Satz 4 einzurichten. [2]Dieser Prüfungsausschuss muss die Voraussetzungen des § 100 Absatz 5 des Aktiengesetzes[1)] erfüllen. [3]Jedes Mitglied des Prüfungsausschusses kann über den Ausschussvorsitzenden unmittelbar bei den Leitern derjenigen Zentralbereiche der Gesellschaft, die in der Gesellschaft für die Aufgaben zuständig sind, die den Prüfungsausschuss nach Absatz 4 Satz 4 betreffen, Auskünfte einholen. [4]Der Ausschussvorsitzende hat die eingeholte Auskunft allen Mitgliedern des Prüfungsausschusses mitzuteilen. [5]Werden Auskünfte nach Satz 3 eingeholt, sind die geschäftsführenden Direktoren hierüber unverzüglich zu unterrichten.

§ 35 Beschlussfassung. (1) [1]Abwesende Mitglieder können dadurch an der Beschlussfassung des Verwaltungsrats und seiner Ausschüsse teilnehmen, dass sie schriftliche Stimmabgaben überreichen lassen. [2]Die schriftlichen Stimmabgaben können durch andere Mitglieder überreicht werden. [3]Sie können auch durch Personen, die nicht dem Verwaltungsrat angehören, übergeben werden, wenn diese nach § 109 Abs. 3 des Aktiengesetzes[1)] zur Teilnahme an der Sitzung berechtigt sind.

(2) Schriftliche, fernmündliche oder andere vergleichbare Formen der Beschlussfassung des Verwaltungsrats und seiner Ausschüsse sind vorbehaltlich einer näheren Regelung durch die Satzung oder eine Geschäftsordnung des Verwaltungsrats nur zulässig, wenn kein Mitglied diesem Verfahren widerspricht.

(3) Ist ein geschäftsführender Direktor, der zugleich Mitglied des Verwaltungsrats ist, aus rechtlichen Gründen gehindert, an der Beschlussfassung im Verwaltungsrat teilzunehmen, hat insoweit der Vorsitzende des Verwaltungsrats eine zusätzliche Stimme.

§ 36 Teilnahme an Sitzungen des Verwaltungsrats und seiner Ausschüsse. (1) [1]An den Sitzungen des Verwaltungsrats und seiner Ausschüsse sollen Personen, die dem Verwaltungsrat nicht angehören, nicht teilnehmen. [2]Sachverständige und Auskunftspersonen können zur Beratung über einzelne Gegenstände zugezogen werden.

(2) Mitglieder des Verwaltungsrats, die dem Ausschuss nicht angehören, können an den Ausschusssitzungen teilnehmen, wenn der Vorsitzende des Verwaltungsrats nichts anderes bestimmt.

---

1) Nr. **567**.
2) Beachte hierzu Übergangsvorschrift in § 57 Absatz 2 Satz 1.
3) Beachte hierzu Übergangsvorschrift in § 57 Absatz 2.
4) **beck-online, Module Arbeitsrecht Nr. 105.**

(3) Die Satzung kann zulassen, dass an den Sitzungen des Verwaltungsrats und seiner Ausschüsse Personen, die dem Verwaltungsrat nicht angehören, an Stelle von verhinderten Mitgliedern teilnehmen können, wenn diese sie in Textform ermächtigt haben.

(4) Abweichende gesetzliche Bestimmungen bleiben unberührt.

§ 37 Einberufung des Verwaltungsrats. (1) [1]Jedes Verwaltungsratsmitglied kann unter Angabe des Zwecks und der Gründe verlangen, dass der Vorsitzende des Verwaltungsrats unverzüglich den Verwaltungsrat einberuft. [2]Die Sitzung muss binnen zwei Wochen nach der Einberufung stattfinden.

(2) Wird dem Verlangen nicht entsprochen, so kann das Verwaltungsratsmitglied unter Mitteilung des Sachverhalts und der Angabe einer Tagesordnung selbst den Verwaltungsrat einberufen.

§ 38 Rechtsverhältnisse der Mitglieder des Verwaltungsrats. (1) Für die Vergütung der Mitglieder des Verwaltungsrats gilt § 113 des Aktiengesetzes[1)] entsprechend.

(2) Für die Gewährung von Krediten an Mitglieder des Verwaltungsrats und für sonstige Verträge mit Mitgliedern des Verwaltungsrats gelten die §§ 114 und 115 des Aktiengesetzes[1)] entsprechend.

§ 39 Sorgfaltspflicht und Verantwortlichkeit der Verwaltungsratsmitglieder. Für die Sorgfaltspflicht und Verantwortlichkeit der Verwaltungsratsmitglieder gilt § 93 des Aktiengesetzes[1)] entsprechend.

§ 40[2)] Geschäftsführende Direktoren. (1) [1]Der Verwaltungsrat bestellt einen oder mehrere geschäftsführende Direktoren. [2]Mitglieder des Verwaltungsrats können zu geschäftsführenden Direktoren bestellt werden, sofern die Mehrheit des Verwaltungsrats weiterhin aus nicht geschäftsführenden Mitgliedern besteht. [3]Die Bestellung ist zur Eintragung in das Handelsregister anzumelden. [4]Werden Dritte zu geschäftsführenden Direktoren bestellt, gilt für sie § 76 Abs. 3 des Aktiengesetzes[1)] entsprechend. [5]Die Satzung kann Regelungen über die Bestellung eines oder mehrerer geschäftsführender Direktoren treffen. [6]§ 38 Abs. 2 des SE-Beteiligungsgesetzes[3)] bleibt unberührt.

(1a) [1]Sind in einer börsennotierten Gesellschaft, deren Verwaltungsrat aus derselben Zahl von Anteilseigner- und Arbeitnehmervertretern besteht, mehr als drei geschäftsführende Direktoren bestellt, so muss mindestens eine Frau und mindestens ein Mann geschäftsführender Direktor sein. [2]Eine Bestellung eines geschäftsführenden Direktors unter Verstoß gegen dieses Beteiligungsgebot ist nichtig. [3]Die Sätze 1 und 2 sind bei der Bestellung einzelner oder mehrerer geschäftsführender Direktoren ab dem 1. August 2022 zu beachten. [4]Bestehende Mandate können bis zu ihrem vorgesehenen Ende wahrgenommen werden.

(2) [1]Die geschäftsführenden Direktoren führen die Geschäfte der Gesellschaft. [2]Sind mehrere geschäftsführende Direktoren bestellt, so sind sie nur gemeinschaftlich zur Geschäftsführung befugt; die Satzung oder eine vom Ver-

---

[1)] Nr. **567**.

[2)] § 40 Abs. 1a und 6 eingef., bish. Abs. 6–9 werden Abs. 7–10 mWv 12.8.2021 durch G v. 7.8. 2021 (BGBl. I S. 3311).

[3)] Nr. **569a**.

waltungsrat erlassene Geschäftsordnung kann Abweichendes bestimmen. [3]Gesetzlich dem Verwaltungsrat zugewiesene Aufgaben können nicht auf die geschäftsführenden Direktoren übertragen werden. [4]Soweit nach den für Aktiengesellschaften geltenden Rechtsvorschriften der Vorstand Anmeldungen und die Einreichung von Unterlagen zum Handelsregister vorzunehmen hat, treten an die Stelle des Vorstands die geschäftsführenden Direktoren.

(3) [1]Ergibt sich bei der Aufstellung der Jahresbilanz oder einer Zwischenbilanz oder ist bei pflichtgemäßem Ermessen anzunehmen, dass ein Verlust in der Hälfte des Grundkapitals besteht, so haben die geschäftsführenden Direktoren dem Vorsitzenden des Verwaltungsrats unverzüglich darüber zu berichten. [2]Dasselbe gilt, wenn die Gesellschaft zahlungsunfähig wird oder sich eine Überschuldung der Gesellschaft ergibt.

(4) [1]Sind mehrere geschäftsführende Direktoren bestellt, können sie sich eine Geschäftsordnung geben, wenn nicht die Satzung den Erlass einer Geschäftsordnung dem Verwaltungsrat übertragen hat oder der Verwaltungsrat eine Geschäftsordnung erlässt. [2]Die Satzung kann Einzelfragen der Geschäftsordnung bindend regeln. [3]Beschlüsse der geschäftsführenden Direktoren über die Geschäftsordnung müssen einstimmig gefasst werden.

(5) [1]Geschäftsführende Direktoren können jederzeit durch Beschluss des Verwaltungsrats abberufen werden, sofern die Satzung nichts anderes regelt. [2]Für die Ansprüche aus dem Anstellungsvertrag gelten die allgemeinen Vorschriften.

(6) [1]Ein geschäftsführender Direktor hat das Recht, den Verwaltungsrat um seine Abberufung zu ersuchen, wenn er wegen Mutterschutz, Elternzeit, der Pflege eines Familienangehörigen oder Krankheit seinen mit der Bestellung verbundenen Pflichten vorübergehend nicht nachkommen kann und neben ihm mindestens ein weiterer geschäftsführender Direktor bestellt ist. [2]Macht ein geschäftsführender Direktor von diesem Recht Gebrauch, muss der Verwaltungsrat diesen geschäftsführenden Direktor

1. im Fall des Mutterschutzes abberufen und dabei die Wiederbestellung nach Ablauf des Zeitraums der in § 3 Absatz 1 und 2 des Mutterschutzgesetzes[1)] genannten Schutzfristen zusichern,
2. in den Fällen der Elternzeit, der Pflege eines Familienangehörigen oder der Krankheit abberufen und dabei die Wiederbestellung nach einem Zeitraum von bis zu drei Monaten entsprechend dem Verlangen des geschäftsführenden Direktors zusichern; der Verwaltungsrat kann von der Abberufung absehen, wenn ein wichtiger Grund vorliegt.

[3]In den in Satz 2 Nummer 2 genannten Fällen kann der Verwaltungsrat den geschäftsführenden Direktor auf dessen Verlangen für einen Zeitraum von bis zu zwölf Monaten abberufen. [4]Das vorgesehene Ende der vorherigen Amtszeit bleibt auch als Ende der Amtszeit nach der Wiederbestellung bestehen. [5]Im Übrigen bleiben die Regelungen des Absatzes 1 unberührt. [6]Ein Unterschreiten der in der Satzung festgelegten Mindestzahl an geschäftsführenden Direktoren ist während des Zeitraums nach den Sätzen 2 oder 3 unbeachtlich. [7]Absatz 1a und § 52a Absatz 2 Nummer 4 finden auf Bestellungen während des Zeitraums nach den Sätzen 2 oder 3 keine Anwendung, wenn das Beteiligungsgebot ohne die Abberufung eingehalten wäre. [8]Von den Bestimmungen dieses

---

[1)] Nr. **400**.

Absatzes kann nicht gemäß Absatz 5 Satz 1 abgewichen werden. [9] Absatz 8 in Verbindung mit § 88 des Aktiengesetzes[1)] ist während des Zeitraums nach den Sätzen 2 oder 3 entsprechend anzuwenden.

(7) Geschäftsführende Direktoren berichten dem Verwaltungsrat entsprechend § 90 des Aktiengesetzes[2)], sofern die Satzung oder die Geschäftsordnung nichts anderes vorsieht.

(8) Die §§ 87 bis 89 des Aktiengesetzes[1)] gelten entsprechend.

(9) Für Sorgfaltspflicht und Verantwortlichkeit der geschäftsführenden Direktoren gilt § 93 des Aktiengesetzes[2)] entsprechend.

(10) Die Vorschriften über die geschäftsführenden Direktoren gelten auch für ihre Stellvertreter.

§ 41[3)] Vertretung. (1) [1] Die geschäftsführenden Direktoren vertreten die Gesellschaft gerichtlich und außergerichtlich. [2] Hat eine Gesellschaft keine geschäftsführenden Direktoren (Führungslosigkeit), wird die Gesellschaft für den Fall, dass ihr gegenüber Willenserklärungen abgegeben oder Schriftstücke zugestellt werden, durch den Verwaltungsrat vertreten.

(2) [1] Mehrere geschäftsführende Direktoren sind, wenn die Satzung nichts anderes bestimmt, nur gemeinschaftlich zur Vertretung der Gesellschaft befugt. [2] Ist eine Willenserklärung gegenüber der Gesellschaft abzugeben, so genügt die Abgabe gegenüber einem geschäftsführenden Direktor oder im Fall des Absatzes 1 Satz 2 gegenüber einem Mitglied des Verwaltungsrats. [3] § 78 Abs. 2 Satz 3 und 4 des Aktiengesetzes[1)] gilt entsprechend.

(3) [1] Die Satzung kann auch bestimmen, dass einzelne geschäftsführende Direktoren allein oder in Gemeinschaft mit einem Prokuristen zur Vertretung der Gesellschaft befugt sind. [2] Absatz 2 Satz 2 gilt in diesen Fällen entsprechend.

(4) [1] Zur Gesamtvertretung befugte geschäftsführende Direktoren können einzelne von ihnen zur Vornahme bestimmter Geschäfte oder bestimmter Arten von Geschäften ermächtigen. [2] Dies gilt entsprechend, wenn ein einzelner geschäftsführender Direktor in Gemeinschaft mit einem Prokuristen zur Vertretung der Gesellschaft befugt ist.

(5) Den geschäftsführenden Direktoren gegenüber vertritt der Verwaltungsrat die Gesellschaft gerichtlich und außergerichtlich.

§§ 42, 43 *(hier nicht wiedergegeben)*

§ 44 Beschränkungen der Vertretungs- und Geschäftsführungsbefugnis. (1) Die Vertretungsbefugnis der geschäftsführenden Direktoren kann nicht beschränkt werden.

(2) Im Verhältnis zur Gesellschaft sind die geschäftsführenden Direktoren verpflichtet, die Anweisungen und Beschränkungen zu beachten, die im Rahmen der für die SE geltenden Vorschriften die Satzung, der Verwaltungsrat, die Hauptversammlung und die Geschäftsordnungen des Verwaltungsrats und der geschäftsführenden Direktoren für die Geschäftsführungsbefugnis getroffen haben.

---

1) **beck-online, Module Arbeitsrecht Nr. 567.**

2) Nr. **567**.

3) § 41 Abs. 1 Satz 2, Abs. 2 Satz 3 angef., Abs. 2 Satz 2 geänd. mWv 1.11.2008 durch G v. 23.10. 2008 (BGBl. I S. 2026).

§ 45 Bestellung durch das Gericht. [1] Fehlt ein erforderlicher geschäftsführender Direktor, so hat in dringenden Fällen das Gericht auf Antrag eines Beteiligten das Mitglied zu bestellen. [2] § 85 Abs. 1 Satz 2, Abs. 2 und 3 des Aktiengesetzes[1)] gilt entsprechend.

§ 46[2)] Anmeldung von Änderungen. (1) [1] Die geschäftsführenden Direktoren haben jeden Wechsel der Verwaltungsratsmitglieder unverzüglich in den Gesellschaftsblättern bekannt zu machen und die Bekanntmachung zum Handelsregister einzureichen. [2] Sie haben jede Änderung der geschäftsführenden Direktoren oder der Vertretungsbefugnis eines geschäftsführenden Direktors zur Eintragung in das Handelsregister anzumelden. [3] Sie haben weiterhin die Wahl des Verwaltungsratsvorsitzenden und seines Stellvertreters sowie jede Änderung in der Person des Verwaltungsratsvorsitzenden oder seines Stellvertreters zum Handelsregister anzumelden.

(2) [1] Die neuen geschäftsführenden Direktoren haben in der Anmeldung zu versichern, dass keine Umstände vorliegen, die ihrer Bestellung nach § 40 Abs. 1 Satz 4 entgegenstehen und dass sie über ihre unbeschränkte Auskunftspflicht gegenüber dem Gericht belehrt worden sind. [2] § 37 Abs. 2 Satz 2 des Aktiengesetzes[1)] ist anzuwenden.

(3) § 81 Abs. 2 des Aktiengesetzes[1)] gilt für die geschäftsführenden Direktoren entsprechend.

§ 47[3)] Prüfung und Feststellung des Jahresabschlusses. (1) [1] Die geschäftsführenden Direktoren haben den Jahresabschluss und den Lagebericht unverzüglich nach ihrer Aufstellung dem Verwaltungsrat vorzulegen. [2] Zugleich haben die geschäftsführenden Direktoren einen Vorschlag vorzulegen, den der Verwaltungsrat der Hauptversammlung für die Verwendung des Bilanzgewinns machen soll; § 170 Abs. 2 Satz 2 des Aktiengesetzes[4)] gilt entsprechend.

(2) [1] Jedes Verwaltungsratsmitglied hat das Recht, von den Vorlagen und Prüfungsberichten Kenntnis zu nehmen. [2] Die Vorlagen und Prüfungsberichte sind auch jedem Verwaltungsratsmitglied oder, soweit der Verwaltungsrat dies beschlossen hat und ein Bilanzausschuss besteht, den Mitgliedern des Ausschusses auszuhändigen.

(3) Für die Prüfung durch den Verwaltungsrat gilt § 171 Abs. 1 und 2 des Aktiengesetzes[4)] entsprechend.

(4) [1] Absatz 1 Satz 1 und Absatz 3 gelten entsprechend für einen Einzelabschluss nach § 325 Abs. 2a Satz 1 des Handelsgesetzbuchs[5)] sowie bei Mutterunternehmen (§ 290 Abs. 1, 2 des Handelsgesetzbuchs[5)]) für den Konzernabschluss und den Konzernlagebericht. [2] Der Einzelabschluss nach § 325 Abs. 2a Satz 1 des Handelsgesetzbuchs[5)] darf erst nach Billigung durch den Verwaltungsrat offen gelegt werden.

(4a)[6)] Absatz 1 Satz 1 und Absatz 3 gelten entsprechend für einen Ertragsteuerinformationsbericht (§§ 342b, 342c, 342d Absatz 2 Nummer 2 des

---

[1)] **beck-online, Module Arbeitsrecht Nr. 567.**
[2)] § 46 Abs. 3 geänd. mWv 1.1.2007 durch G v. 10.11.2006 (BGBl. I S. 2553).
[3)] § 47 Abs. 4a eingef. mWv 22.6.2023 durch G v. 19.6.2023 (BGBl. 2023 I Nr. 154).
[4)] *Nr.* ***567***.
[5)] **beck-online, Module Arbeitsrecht Nr. 105.**
[6)] Beachte hierzu Übergangsvorschrift in § 58.

Handelsgesetzbuchs[1]) und eine Erklärung nach § 342d Absatz 2 Nummer 1 des Handelsgesetzbuchs[1].

(5) [1] Billigt der Verwaltungsrat den Jahresabschluss, so ist dieser festgestellt, sofern nicht der Verwaltungsrat beschließt, die Feststellung des Jahresabschlusses der Hauptversammlung zu überlassen. [2] Die Beschlüsse des Verwaltungsrats sind in den Bericht des Verwaltungsrats an die Hauptversammlung aufzunehmen.

(6) [1] Hat der Verwaltungsrat beschlossen, die Feststellung des Jahresabschlusses der Hauptversammlung zu überlassen, oder hat der Verwaltungsrat den Jahresabschluss nicht gebilligt, so stellt die Hauptversammlung den Jahresabschluss fest. [2] Hat der Verwaltungsrat eines Mutterunternehmens (§ 290 Abs. 1, 2 des Handelsgesetzbuchs[1]) den Konzernabschluss nicht gebilligt, so entscheidet die Hauptversammlung über die Billigung. [3] Für die Feststellung des Jahresabschlusses oder die Billigung des Konzernabschlusses durch die Hauptversammlung gilt § 173 Abs. 2 und 3 des Aktiengesetzes[2] entsprechend.

§ 48[3] Ordentliche Hauptversammlung. (1) Unverzüglich nach der Zuleitung des Berichts an die geschäftsführenden Direktoren hat der Verwaltungsrat die Hauptversammlung zur Entgegennahme des festgestellten Jahresabschlusses und des Lageberichts, eines vom Verwaltungsrat gebilligten Einzelabschlusses nach § 325 Abs. 2a Satz 1 des Handelsgesetzbuchs[1] sowie zur Beschlussfassung über die Verwendung des Bilanzgewinns, bei einem Mutterunternehmen (§ 290 Abs. 1, 2 des Handelsgesetzbuchs[1]) auch zur Entgegennahme des vom Verwaltungsrat gebilligten Konzernabschlusses und des Konzernlageberichts, einzuberufen.

(2) [1] Die Vorschriften des § 175 Abs. 2 bis 4 und des § 176 Abs. 2 des Aktiengesetzes[2] gelten entsprechend. [2] Der Verwaltungsrat hat der Hauptversammlung die in § 176 Abs. 1 Satz 1 des Aktiengesetzes[2] angegebenen Vorlagen zugänglich zu machen. [3] Zu Beginn der Verhandlung soll der Verwaltungsrat seine Vorlagen erläutern. [4] Er soll dabei auch zu einem Jahresfehlbetrag oder einem Verlust Stellung nehmen, der das Jahresergebnis wesentlich beeinträchtigt hat. [5] Satz 4 ist auf Kreditinstitute nicht anzuwenden.

§ 49 Leitungsmacht und Verantwortlichkeit bei Abhängigkeit von Unternehmen. (1) Für die Anwendung der Vorschriften der §§ 308 bis 318 des Aktiengesetzes[4] treten an die Stelle des Vorstands der Gesellschaft die geschäftsführenden Direktoren.

(2) Für die Anwendung der Vorschriften der §§ 319 bis 327 des Aktiengesetzes[4] treten an die Stelle des Vorstands der eingegliederten Gesellschaft die geschäftsführenden Direktoren.

Unterabschnitt 3. Hauptversammlung

§ 50 Einberufung und Ergänzung der Tagesordnung auf Verlangen einer Minderheit. (1) Die Einberufung der Hauptversammlung und die Aufstellung ihrer Tagesordnung nach Artikel 55 der Verordnung[5] kann von einem

---

[1] **beck-online, Module Arbeitsrecht Nr. 105.**
[2] **beck-online, Module Arbeitsrecht Nr. 567.**
[3] § 48 Abs. 2 Satz 2 geänd. mWv 1.9.2009 durch G v. 30.7.2009 (BGBl. I S. 2479).
[4] Nr. **567**.
[5] **beck-online, Module Arbeitsrecht Nr. 930a.**

oder mehreren Aktionären beantragt werden, sofern sein oder ihr Anteil am Grundkapital mindestens 5 Prozent beträgt.

(2) Die Ergänzung der Tagesordnung für eine Hauptversammlung durch einen oder mehrere Punkte kann von einem oder mehreren Aktionären beantragt werden, sofern sein oder ihr Anteil 5 Prozent des Grundkapitals oder den anteiligen Betrag von 500 000 Euro erreicht.

§ 51 Satzungsänderungen. [1]Die Satzung kann bestimmen, dass für einen Beschluss der Hauptversammlung über die Änderung der Satzung die einfache Mehrheit der abgegebenen Stimmen ausreicht, sofern mindestens die Hälfte des Grundkapitals vertreten ist. [2]Dies gilt nicht für die Änderung des Gegenstands des Unternehmens, für einen Beschluss gemäß Artikel 8 Abs. 6 der Verordnung[1)] sowie für Fälle, für die eine höhere Kapitalmehrheit gesetzlich zwingend vorgeschrieben ist.

Abschnitt 5. Auflösung

§ 52[2)] Auflösung der SE bei Auseinanderfallen von Sitz und Hauptverwaltung. (1) [1]Erfüllt eine SE nicht mehr die Verpflichtung nach Artikel 7 der Verordnung[3)], so gilt dies als Mangel der Satzung im Sinne des § 262 Abs. 1 Nr. 5 des Aktiengesetzes[4)]. [2]Das Registergericht fordert die SE auf, innerhalb einer bestimmten Frist den vorschriftswidrigen Zustand zu beenden, indem sie

1. entweder ihre Hauptverwaltung wieder im Sitzstaat errichtet oder
2. ihren Sitz nach dem Verfahren des Artikels 8 der Verordnung[1)] verlegt.

(2) Wird innerhalb der nach Absatz 1 bestimmten Frist der Aufforderung nicht genügt, so hat das Gericht den Mangel der Satzung festzustellen.

(3) Gegen Verfügungen, durch welche eine Feststellung nach Absatz 2 getroffen wird, findet die Beschwerde statt.

Abschnitt 6.[5)] Sondervorschriften bei Beteiligung des Bundes

§ 52a[5)] Besetzung von Organen bei Gesellschaften mit Mehrheitsbeteiligung des Bundes. (1) [1]Eine SE mit Mehrheitsbeteiligung des Bundes ist eine SE mit Sitz im Inland,

1. deren Anteile zur Mehrheit vom Bund gehalten werden oder
2. die eine große Kapitalgesellschaft (§ 267 Absatz 3 des Handelsgesetzbuchs[6)]) ist und deren Anteile zur Mehrheit von Gesellschaften gehalten werden, deren Anteile ihrerseits zur Mehrheit vom Bund gehalten werden, oder
3. die in der Regel mehr als 500 Arbeitnehmerinnen und Arbeitnehmer hat und deren Anteile zur Mehrheit von Gesellschaften gehalten werden, deren Anteile ihrerseits zur Mehrheit
   a) vom Bund gehalten werden oder

[1)] Nr. **930a.**
[2)] § 52 Abs. 3 geänd. mWv 1.9.2009 durch G v. 17.12.2008 (BGBl. I S. 2586).
[3)] **beck-online, Module Arbeitsrecht Nr. 930a.**
[4)] **beck-online, Module Arbeitsrecht Nr. 567.**
[5)] Abschnitt 6 (§ 52a) eingef. mWv 12.8.2021 durch G v. 7.8.2021 (BGBl. I S. 3311).
[6)] **beck-online, Module Arbeitsrecht Nr. 105.**

b) von Gesellschaften gehalten werden, bei denen sich die Inhaberschaften an den Anteilen in dieser Weise bis zu Gesellschaften fortsetzen, deren Anteile zur Mehrheit vom Bund gehalten werden.

[2] Anteile, die über ein Sondervermögen des Bundes gehalten werden, bleiben außer Betracht. [3] Dem Bund stehen öffentlich-rechtliche Anstalten des Bundes, die unternehmerisch tätig sind, gleich.

(2) Für eine SE mit Mehrheitsbeteiligung des Bundes gelten

1. § 16 Absatz 2 unabhängig von einer Börsennotierung und der Zahl der Anteilseigner- und Arbeitnehmervertreter im Aufsichtsorgan, wenn das Leitungsorgan aus mehr als zwei Personen besteht,
2. § 17 Absatz 2 unabhängig von einer Börsennotierung und der Zahl der Anteilseigner- und Arbeitnehmervertreter im Aufsichtsorgan,
3. § 24 Absatz 3 unabhängig von einer Börsennotierung und der Zahl der Anteilseigner- und Arbeitnehmervertreter im Verwaltungsrat sowie
4. § 40 Absatz 1a unabhängig von einer Börsennotierung und der Zahl der Anteilseigner- und Arbeitnehmervertreter im Verwaltungsrat, wenn mehr als zwei geschäftsführende Direktoren bestellt sind.

(3) [1] Das Beteiligungsgebot nach Absatz 2 Nummer 1 ist bei der Bestellung einzelner oder mehrerer Mitglieder des Leitungsorgans, das Beteiligungsgebot nach Absatz 2 Nummer 4 ist bei der Bestellung einzelner oder mehrerer geschäftsführender Direktoren ab dem 1. August 2022 zu beachten. [2] Bestehende Mandate können bis zu ihrem vorgesehenen Ende wahrgenommen werden.

(4) [1] Der jeweilige Mindestanteil nach Absatz 2 Nummer 2 und 3 ist bei erforderlich werdenden Besetzungen einzelner oder mehrerer Sitze ab dem 1. April 2022 zu beachten. [2] Reicht die Anzahl der zu besetzenden Sitze nicht aus, um den Mindestanteil zu erreichen, sind diese Sitze mit Personen des unterrepräsentierten Geschlechts zu besetzen, um dessen Anteil sukzessive zu steigern. [3] Bestehende Mandate können bis zu ihrem vorgesehenen Ende wahrgenommen werden.

(5) Die Länder können die Regelungen des Absatzes 2 durch Landesgesetz auf Gesellschaften erstrecken, an denen eine Mehrheitsbeteiligung eines Landes entsprechend Absatz 1 besteht.

Abschnitt 7.[1)] Straf- und Bußgeldvorschriften

§ 53[2)] [3)] Straf- und Bußgeldvorschriften. (1) [1] Die Strafvorschriften des § 399 Abs. 1 Nr. 1 bis 5 und Abs. 2, des § 400 und der §§ 402 bis 404a des Aktiengesetzes[4)], der §§ 331 bis 333 des Handelsgesetzbuchs[5)] und der §§ 346

[1)] Bish. Abschnitt 6 wird Abschnitt 7 mWv 12.8.2021 durch G v. 7.8.2021 (BGBl. I S. 3311).

[2)] § 53 Abs. 4 Nr. 2 Buchst. a geänd., Buchst. b aufgeh. mWv 1.11.2008 durch G v. 23.10.2008 (BGBl. I S. 2026); Abs. 1 Satz 1 geänd. mWv 1.9.2009 durch G v. 30.7.2009 (BGBl. I S. 2479); Abs. 1 Satz 1 geänd., Satz 4 angef. mWv 17.6.2016 durch G v. 10.5.2016 (BGBl. I S. 1142); Abs. 1 Satz 4 geänd. mWv 1.7.2021 durch G v. 3.6.2021 (BGBl. I S. 1534); Abs. 1 Satz 1 geänd. mWv 1.3.2023 durch G v. 22.2.2023 (BGBl. 2023 I Nr. 51); Abs. 1 Satz 1 geänd. mWv 22.6.2023 durch G v. 19.6. 2023 (BGBl. 2023 I Nr. 154).

[3)] Beachte hierzu Übergangsvorschriften in § 57 Abs. 1 und § 58.

[4)] Nr. **567**.

[5)] **beck-online, Module Arbeitsrecht Nr. 105.**

bis 349 des Umwandlungsgesetzes[1] sowie die Bußgeldvorschriften des § 405 des Aktiengesetzes[2] und der §§ 334 und 342o des Handelsgesetzbuchs[3] gelten auch für die SE im Sinne des Artikels 9 Abs. 1 Buchstabe c Doppelbuchstabe ii der Verordnung[4]. [2] Soweit sie

1. Mitglieder des Vorstands,
2. Mitglieder des Aufsichtsrats oder
3. Mitglieder des vertretungsberechtigten Organs einer Kapitalgesellschaft

betreffen, gelten sie bei der SE mit dualistischem System in den Fällen der Nummern 1 und 3 für die Mitglieder des Leitungsorgans und in den Fällen der Nummer 2 für die Mitglieder des Aufsichtsorgans. [3] Bei der SE mit monistischem System gelten sie in den Fällen der Nummern 1 und 3 für die geschäftsführenden Direktoren und in den Fällen der Nummer 2 für die Mitglieder des Verwaltungsrats. [4] § 407a des Aktiengesetzes[5] gilt bei Anwendung der Strafvorschriften des § 404a des Aktiengesetzes[2] sowie der Bußgeldvorschriften des § 405 Absatz 3b und 3c des Aktiengesetzes[2] entsprechend.

(2) [1] Die Strafvorschriften des § 399 Abs. 1 Nr. 6 und des § 401 des Aktiengesetzes[2] gelten im Sinne des Artikels 9 Abs. 1 Buchstabe c Doppelbuchstabe ii der Verordnung[4] auch für die SE mit dualistischem System. [2] Soweit sie Mitglieder des Vorstands betreffen, gelten sie für die Mitglieder des Leitungsorgans.

(3) Mit Freiheitsstrafe bis zu drei Jahren oder mit Geldstrafe wird bestraft, wer

1. als Vorstandsmitglied entgegen § 8 Satz 2,
2. als Mitglied des Leitungsorgans einer SE mit dualistischem System oder als geschäftsführender Direktor einer SE mit monistischem System entgegen § 13 Abs. 3,
3. als geschäftsführender Direktor einer SE mit monistischem System entgegen § 21 Abs. 2 Satz 1 oder § 46 Abs. 2 Satz 1 oder
4. als Abwickler einer SE mit monistischem System entgegen Artikel 9 Abs. 1 Buchstabe c Doppelbuchstabe ii der Verordnung[4] in Verbindung mit § 266 Abs. 3 Satz 1 des Aktiengesetzes[5]

eine Versicherung nicht richtig abgibt.

(4) Ebenso wird bestraft, wer bei einer SE mit monistischem System

1. als Mitglied des Verwaltungsrats entgegen § 22 Abs. 5 Satz 1 die Hauptversammlung nicht oder nicht rechtzeitig einberuft oder ihr den Verlust nicht, nicht richtig, nicht vollständig oder nicht rechtzeitig anzeigt oder
2. als Mitglied des Verwaltungsrats entgegen § 22 Abs. 5 Satz 2 in Verbindung mit § 15a Abs. 1 Satz 1 der Insolvenzordnung[6]

die Eröffnung des Insolvenzverfahrens nicht oder nicht rechtzeitig beantragt.

(5) Handelt der Täter in den Fällen des Absatzes 4 fahrlässig, so ist die Strafe Freiheitsstrafe bis zu einem Jahr oder Geldstrafe.

---

[1] **beck-online, Module Arbeitsrecht Nr. 630.**
[2] Nr. **567**.
[3] **beck-online, Module Arbeitsrecht Nr. 105.**
[4] **beck-online, *Module Arbeitsrecht* Nr. 930a.**
[5] **beck-online, Module Arbeitsrecht Nr. 567.**
[6] Nr. **327**.

Abschnitt 8.[1] Schlussbestimmungen

§ 54[2] Übergangsvorschrift zum Bilanzrechtsmodernisierungsgesetz.

§ 27 Abs. 1 Satz 4 und § 34 Abs. 4 Satz 2 und 3 in der Fassung des Bilanzrechtsmodernisierungsgesetzes vom 25. Mai 2009 (BGBl. I S. 1102) finden keine Anwendung, solange alle Mitglieder des Verwaltungsrats und des Prüfungsausschusses vor dem 29. Mai 2009 bestellt worden sind.

§ 55[3] Übergangsvorschrift zum Gesetz zur Umsetzung der Aktionärsrechterichtlinie. In den Fällen des § 6 Abs. 3 Satz 1 und des § 7 Abs. 2 Satz 2 bleibt es für die Zeit vor dem 1. September 2009 bei dem bis dahin geltenden Zinssatz.

§ 56[4] Übergangsvorschrift zum Abschlussprüfungsreformgesetz.

§ 27 Absatz 1 Satz 4 und § 34 Absatz 4 Satz 5 jeweils in der Fassung des Abschlussprüfungsreformgesetzes vom 10. Mai 2016 (BGBl. I S. 1142) müssen so lange nicht angewandt werden, wie alle Mitglieder des Verwaltungsrates und des Prüfungsausschusses vor dem 17. Juni 2016 bestellt worden sind.

§ 57[5] Übergangsvorschrift zum Finanzmarktintegritätsstärkungsgesetz. (1) [1] § 53 in der ab dem 1. Juli 2021 geltenden Fassung ist erstmals auf alle gesetzlichen vorgeschriebenen Abschlussprüfungen für das nach dem 31. Dezember 2021 beginnende Geschäftsjahr anzuwenden. [2] § 53 in der bis einschließlich 30. Juni 2021 geltenden Fassung ist letztmals anzuwenden auf alle gesetzlich vorgeschriebenen Abschlussprüfungen für das vor dem 1. Januar 2022 beginnende Geschäftsjahr.

(2) [1] § 34 Absatz 4 Satz 5 und Absatz 5 Satz 1, 3, 4 und 5 in der ab dem 1. Juli 2021 geltenden Fassung ist erstmals ab dem 1. Januar 2022 anzuwenden. [2] § 34 Absatz 5 Satz 2 in der ab dem 1. Juli 2021 geltenden Fassung muss so lange nicht angewandt werden, wie alle Mitglieder des Verwaltungsrats und des Prüfungsausschusses vor dem 1. Juli 2021 bestellt worden sind.

§ 58[6] Übergangsvorschrift zum Gesetz zur Umsetzung der Richtlinie (EU) 2021/2101 im Hinblick auf die Offenlegung von Ertragsteuerinformationen durch bestimmte Unternehmen und Zweigniederlassungen sowie zur Änderung des Verbraucherstreitbeilegungsgesetzes und des Pflichtversicherungsgesetzes. § 47 Absatz 4a und § 53 Absatz 1 in der jeweils ab dem 22. Juni 2023 geltenden Fassung sind erstmals auf Ertragsteuerinformationsberichte und Erklärungen nach § 342d Absatz 2 Nummer 1 des Handelsgesetzbuchs[7] für ein nach dem 21. Juni 2024 beginnendes Geschäftsjahr anzuwenden.

---

[1] Früherer Abschnitt 7 (§ 54) angef. mWv 29.5.2009 durch G v. 25.5.2009 (BGBl. I S. 1102); bish. Abschnitt 7 wird Abschnitt 8 mWv 12.8.2021 durch G v. 7.8.2021 (BGBl. I S. 3311).

[2] § 54 angef. mWv 29.5.2009 durch G v. 25.5.2009 (BGBl. I S. 1102).

[3] § 55 angef. mWv 1.9.2009 durch G v. 30.7.2009 (BGBl. I S. 2479).

[4] § 56 angef. mWv 17.6.2016 durch G v. 10.5.2016 (BGBl. I S. 1142).

[5] § 57 angef. mWv 1.7.2021 durch G v. 3.6.2021 (BGBl. I S. 1534).

[6] § 58 angef. mWv 22.6.2023 durch G v. 19.6.2023 (BGBl. 2023 I Nr. 154).

[7] **beck-online, Module Arbeitsrecht Nr. 105.**

569a. Gesetz über die Beteiligung der Arbeitnehmer in einer Europäischen Gesellschaft (SE-Beteiligungsgesetz – SEBG)[1)]

Vom 22. Dezember 2004
(BGBl. I S. 3675)

FNA 801-15

zuletzt geänd. durch Art. 6g G zur Stärkung des Schutzes der Bevölkerung und insbesondere vulnerabler Personengruppen vor COVID-19 v. 16.9.2022 (BGBl. I S. 1454)

Inhaltsübersicht[2)]

[1)] Verkündet als Art. 2 SEEG v. 22.12.2004 (BGBl. I S. 3675); Inkrafttreten gem. Art. 9 am 29.12.2004.

[2)] Inhaltsübersicht geänd. mWv 1.3.2020 und mWv 1.7.2021 durch G v. 20.5.2020 (BGBl. I S. 1044, geänd. BGBl. I S. 2691); geänd. mWv 12.12.2021 durch G v. 10.12.2021 (BGBl. I S. 5162).

Teil 1. Allgemeine Vorschriften

§ 1 Zielsetzung des Gesetzes. (1) [1]Das Gesetz regelt die Beteiligung der Arbeitnehmer in einer Europäischen Gesellschaft (SE), die Gegenstand der Verordnung (EG) Nr. 2157/2001 des Rates vom 8. Oktober 2001 über das Statut der Europäischen Gesellschaft (ABl. EG Nr. L 294 S. 1) ist. [2]Ziel des Gesetzes ist, in einer SE die erworbenen Rechte der Arbeitnehmer (Arbeitnehmerinnen und Arbeitnehmer) auf Beteiligung an Unternehmensentscheidungen zu sichern. [3]Maßgeblich für die Ausgestaltung der Beteiligungsrechte der Arbeitnehmer in der SE sind die bestehenden Beteiligungsrechte in den Gesellschaften, die die SE gründen.

(2) [1]Zur Sicherung des Rechts auf grenzüberschreitende Unterrichtung, Anhörung, Mitbestimmung und sonstige Beteiligung der Arbeitnehmer wird eine Vereinbarung über die Beteiligung der Arbeitnehmer in der SE getroffen. [2]Kommt es nicht zu einer Vereinbarung, wird eine Beteiligung der Arbeitnehmer in der SE kraft Gesetzes sichergestellt.

(3) Die Vorschriften dieses Gesetzes sowie die nach Absatz 2 zu treffende Vereinbarung sind so auszulegen, dass die Ziele der Europäischen Gemeinschaft, die Beteiligung der Arbeitnehmer in der SE sicherzustellen, gefördert werden.

(4) Die Grundsätze der Absätze 1 bis 3 gelten auch für strukturelle Änderungen einer gegründeten SE sowie für deren Auswirkungen auf die betroffenen Gesellschaften und ihre Arbeitnehmer.

(Fortsetzung nächstes Blatt)

§ 2 Begriffsbestimmungen. (1) [1] Der Begriff des Arbeitnehmers richtet sich nach den Rechtsvorschriften und Gepflogenheiten der jeweiligen Mitgliedstaaten. [2] Arbeitnehmer eines inländischen Unternehmens oder Betriebs sind Arbeiter und Angestellte einschließlich der zu ihrer Berufsausbildung Beschäftigten und der in § 5 Abs. 3 Satz 2 des Betriebsverfassungsgesetzes[1)] genannten leitenden Angestellten, unabhängig davon, ob sie im Betrieb, im Außendienst oder mit Telearbeit beschäftigt werden. [3] Als Arbeitnehmer gelten auch die in Heimarbeit Beschäftigten, die in der Hauptsache für das Unternehmen oder den Betrieb arbeiten.

(2) Beteiligte Gesellschaften sind die Gesellschaften, die unmittelbar an der Gründung einer SE beteiligt sind.

(3) [1] Tochtergesellschaften sind rechtlich selbstständige Unternehmen, auf die eine andere Gesellschaft einen beherrschenden Einfluss im Sinne von Artikel 3 Abs. 2 bis 7 der Richtlinie 94/45/EG[2)] des Rates vom 22. September 1994 über die Einsetzung eines Europäischen Betriebsrats oder die Schaffung eines Verfahrens zur Unterrichtung und Anhörung der Arbeitnehmer in gemeinschaftsweit operierenden Unternehmen und Unternehmensgruppen (ABl. EG Nr. L 254 S. 64) ausüben kann. [2] § 6 Abs. 2 bis 4 des Europäische Betriebsräte-Gesetzes[3)] vom 28. Oktober 1996 (BGBl. I S. 1548, 2022) ist anzuwenden.

(4) Betroffene Tochtergesellschaften oder betroffene Betriebe sind Tochtergesellschaften oder Betriebe einer beteiligten Gesellschaft, die zu Tochtergesellschaften oder Betrieben der SE werden sollen.

(5) [1] Leitung bezeichnet das Organ der unmittelbar an der Gründung der SE beteiligten Gesellschaften oder der SE selbst, das die Geschäfte der Gesellschaft führt und zu ihrer Vertretung berechtigt ist. [2] Bei den beteiligten Gesellschaften ist dies das Leitungs- oder Verwaltungsorgan, bei der SE das Leitungsorgan oder die geschäftsführenden Direktoren.

(6) Arbeitnehmervertretung bezeichnet jede Vertretung der Arbeitnehmer nach dem Betriebsverfassungsgesetz (Betriebsrat, Gesamtbetriebsrat, Konzernbetriebsrat oder eine nach § 3 Abs. 1 Nr. 1 bis 3 des Betriebsverfassungsgesetzes gebildete Vertretung).

(7) SE-Betriebsrat bezeichnet das Vertretungsorgan der Arbeitnehmer der SE, das durch eine Vereinbarung nach § 21 oder kraft Gesetzes nach den §§ 22 bis 33 eingesetzt wird, um die Rechte auf Unterrichtung und Anhörung der Arbeitnehmer der SE, ihrer Tochtergesellschaften und Betriebe und, wenn vereinbart, Mitbestimmungsrechte und sonstige Beteiligungsrechte in Bezug auf die SE wahrzunehmen.

(8) Beteiligung der Arbeitnehmer bezeichnet jedes Verfahren – einschließlich der Unterrichtung, Anhörung und Mitbestimmung –, durch das die Vertreter der Arbeitnehmer auf die Beschlussfassung in der Gesellschaft Einfluss nehmen können.

(9) [1] Beteiligungsrechte sind Rechte, die den Arbeitnehmern und ihren Vertretern im Bereich der Unterrichtung, Anhörung, Mitbestimmung und der

---

[1)] Nr. **570**.
[2)] **beck-online, Module Arbeitsrecht Nr. 930b.**
[3)] Nr. **575**.

sonstigen Beteiligung zustehen. [2]Hierzu kann auch die Wahrnehmung dieser Rechte in den Konzernunternehmen der SE gehören.

(10) [1]Unterrichtung bezeichnet die Unterrichtung des SE-Betriebsrats oder anderer Arbeitnehmervertreter durch die Leitung der SE über Angelegenheiten, welche die SE selbst oder eine ihrer Tochtergesellschaften oder einen ihrer Betriebe in einem anderen Mitgliedstaat betreffen oder die über die Befugnisse der zuständigen Organe auf der Ebene des einzelnen Mitgliedstaats hinausgehen. [2]Zeitpunkt, Form und Inhalt der Unterrichtung sind so zu wählen, dass es den Arbeitnehmervertretern möglich ist, zu erwartende Auswirkungen eingehend zu prüfen und gegebenenfalls eine Anhörung mit der Leitung der SE vorzubereiten.

(11) [1]Anhörung bezeichnet die Einrichtung eines Dialogs und eines Meinungsaustauschs zwischen dem SE-Betriebsrat oder anderer Arbeitnehmervertreter und der Leitung der SE oder einer anderen zuständigen mit eigenen Entscheidungsbefugnissen ausgestatteten Leitungsebene. [2]Zeitpunkt, Form und Inhalt der Anhörung müssen dem SE-Betriebsrat auf der Grundlage der erfolgten Unterrichtung eine Stellungnahme zu den geplanten Maßnahmen der Leitung der SE ermöglichen, die im Rahmen des Entscheidungsprozesses innerhalb der SE berücksichtigt werden kann.

(12) Mitbestimmung bedeutet die Einflussnahme der Arbeitnehmer auf die Angelegenheiten einer Gesellschaft durch

1. die Wahrnehmung des Rechts, einen Teil der Mitglieder des Aufsichts- oder Verwaltungsorgans der Gesellschaft zu wählen oder zu bestellen, oder
2. die Wahrnehmung des Rechts, die Bestellung eines Teils oder aller Mitglieder des Aufsichts- oder Verwaltungsorgans der Gesellschaft zu empfehlen oder abzulehnen.

§ 3 Geltungsbereich. (1) [1]Dieses Gesetz gilt für eine SE mit Sitz im Inland. [2]Es gilt unabhängig vom Sitz der SE auch für Arbeitnehmer der SE, die im Inland beschäftigt sind sowie für beteiligte Gesellschaften, betroffene Tochtergesellschaften und betroffene Betriebe mit Sitz im Inland.

(2) Mitgliedstaaten im Sinne dieses Gesetzes sind die Mitgliedstaaten der Europäischen Union und die anderen Vertragsstaaten des Abkommens über den Europäischen Wirtschaftsraum.

(Fortsetzung nächstes Blatt)

Teil 2. Besonderes Verhandlungsgremium

Kapitel 1. Bildung und Zusammensetzung

§ 4 Information der Leitungen. (1) 1 Das besondere Verhandlungsgremium ist auf Grund einer schriftlichen Aufforderung der Leitungen zu bilden. 2 Es hat die Aufgabe, mit den Leitungen eine schriftliche Vereinbarung über die Beteiligung der Arbeitnehmer in der SE abzuschließen.

(2) 1 Wenn die Leitungen die Gründung einer SE planen, informieren sie die Arbeitnehmervertretungen und Sprecherausschüsse in den beteiligten Gesellschaften, betroffenen Tochtergesellschaften und betroffenen Betrieben über das Gründungsvorhaben. 2 Besteht keine Arbeitnehmervertretung, erfolgt die Information gegenüber den Arbeitnehmern. 3 Die Information erfolgt unaufgefordert und unverzüglich nach Offenlegung des Verschmelzungsplans, des Gründungsplans für eine Holdinggesellschaft, des Umwandlungsplans oder nach Abschluss der Vereinbarung eines Plans zur Gründung einer Tochtergesellschaft.

(3) Die Information erstreckt sich insbesondere auf

1. die Identität und Struktur der beteiligten Gesellschaften, betroffenen Tochtergesellschaften und betroffenen Betriebe und deren Verteilung auf die Mitgliedstaaten;
2. die in diesen Gesellschaften und Betrieben bestehenden Arbeitnehmervertretungen;
3. die Zahl der in diesen Gesellschaften und Betrieben jeweils beschäftigten Arbeitnehmer sowie die daraus zu errechnende Gesamtzahl der in einem Mitgliedstaat beschäftigten Arbeitnehmer;
4. die Zahl der Arbeitnehmer, denen Mitbestimmungsrechte in den Organen dieser Gesellschaften zustehen.

(4) Maßgeblicher Zeitpunkt für die Ermittlung der Zahl der Arbeitnehmer ist der Zeitpunkt der Information nach Absatz 2.

§ 5 Zusammensetzung des besonderen Verhandlungsgremiums. (1) 1 Für die in jedem Mitgliedstaat beschäftigten Arbeitnehmer der beteiligten Gesellschaften, betroffenen Tochtergesellschaften und betroffenen Betriebe werden Mitglieder für das besondere Verhandlungsgremium gewählt oder bestellt. 2 Für jeden Anteil der in einem Mitgliedstaat beschäftigten Arbeitnehmer, der 10 Prozent der Gesamtzahl der in allen Mitgliedstaaten beschäftigten Arbeitnehmer der beteiligten Gesellschaften und der betroffenen Tochtergesellschaften oder betroffenen Betriebe oder einen Bruchteil davon beträgt, ist ein Mitglied aus diesem Mitgliedstaat in das besondere Verhandlungsgremium zu wählen oder zu bestellen.

(2) [1]Wird die SE durch Verschmelzung gegründet, sind so viele zusätzliche Mitglieder in das besondere Verhandlungsgremium zu wählen oder zu bestellen, wie erforderlich sind, um zu gewährleisten, dass jede beteiligte Gesellschaft, die eingetragen ist und Arbeitnehmer in dem betreffenden Mitgliedstaat beschäftigt und die als Folge der geplanten Eintragung der SE als eigene Rechtspersönlichkeit erlöschen wird, in dem besonderen Verhandlungsgremium durch mindestens ein Mitglied vertreten ist. [2]Dies darf nicht zu einer Doppelvertretung der betroffenen Arbeitnehmer führen.

(3) [1]Die Zahl der zusätzlichen Mitglieder darf 20 Prozent der sich aus Absatz 1 ergebenden Mitgliederzahl nicht überschreiten. [2]Kann danach nicht jede nach Absatz 2 besonders zu berücksichtigende Gesellschaft durch ein zusätzliches Mitglied im besonderen Verhandlungsgremium vertreten werden, so werden diese Gesellschaften in absteigender Reihenfolge der Zahl der bei ihnen beschäftigten Arbeitnehmer berücksichtigt. [3]Dabei ist zu gewährleisten, dass ein Mitgliedstaat nicht mehrere zusätzliche Sitze erhält, solange nicht alle anderen Mitgliedstaaten, aus denen die nach Absatz 2 besonders zu berücksichtigenden Gesellschaften stammen, einen Sitz erhalten haben.

(4) [1]Treten während der Tätigkeitsdauer des besonderen Verhandlungsgremiums solche Änderungen in der Struktur oder Arbeitnehmerzahl der beteiligten Gesellschaften, der betroffenen Tochtergesellschaften oder der betroffenen Betriebe ein, dass sich die konkrete Zusammensetzung des besonderen Verhandlungsgremiums ändern würde, so ist das besondere Verhandlungsgremium entsprechend neu zusammenzusetzen. [2]Über solche Änderungen haben die zuständigen Leitungen unverzüglich das besondere Verhandlungsgremium zu informieren. [3]§ 4 Abs. 2 bis 4 gilt entsprechend.

§ 6 Persönliche Voraussetzungen der auf das Inland entfallenden Mitglieder des besonderen Verhandlungsgremiums. (1) Die persönlichen Voraussetzungen der Mitglieder des besonderen Verhandlungsgremiums richten sich nach den jeweiligen Bestimmungen der Mitgliedstaaten, in denen sie gewählt oder bestellt werden.

(2) [1]Zu Mitgliedern des besonderen Verhandlungsgremiums wählbar sind im Inland Arbeitnehmer der Gesellschaften und Betriebe sowie Gewerkschaftsvertreter. [2]Frauen und Männer sollen entsprechend ihrem zahlenmäßigen Verhältnis gewählt werden. [3]Für jedes Mitglied ist ein Ersatzmitglied zu wählen.

(3) Gehören dem besonderen Verhandlungsgremium mehr als zwei Mitglieder aus dem Inland an, ist jedes dritte Mitglied ein Vertreter

einer Gewerkschaft, die in einem an der Gründung der SE beteiligten Unternehmen vertreten ist.

(4) Gehören dem besonderen Verhandlungsgremium mehr als sechs Mitglieder aus dem Inland an, ist mindestens jedes siebte Mitglied ein leitender Angestellter.

§ 7 Verteilung der auf das Inland entfallenden Sitze des besonderen Verhandlungsgremiums. (1) Die Wahl oder Bestellung der Mitglieder des besonderen Verhandlungsgremiums nach § 5 erfolgt nach den jeweiligen Bestimmungen der Mitgliedstaaten.

(2) Bei der Wahl der auf das Inland entfallenden Mitglieder des besonderen Verhandlungsgremiums sollen alle an der Gründung der SE beteiligten Gesellschaften mit Sitz im Inland, die Arbeitnehmer im Inland beschäftigen, durch mindestens ein Mitglied im besonderen Verhandlungsgremium vertreten sein.

(3) Ist die Anzahl der auf das Inland entfallenden Mitglieder des besonderen Verhandlungsgremiums geringer als die Anzahl der an der Gründung der SE beteiligten Gesellschaften mit Sitz im Inland, die Arbeitnehmer im Inland beschäftigen, so erhalten die Gesellschaften in absteigender Reihenfolge der Zahl der Arbeitnehmer jeweils einen Sitz.

(4) Ist die Anzahl der auf das Inland entfallenden Mitglieder des besonderen Verhandlungsgremiums höher als die Anzahl der an der Gründung der SE beteiligten Gesellschaften mit Sitz im Inland, die Arbeitnehmer im Inland beschäftigen, so sind die nach erfolgter Verteilung nach Absatz 2 verbleibenden Sitze nach dem d'Hondtschen Höchstzahlenverfahren auf die beteiligten Gesellschaften zu verteilen.

(5) Sind keine Gesellschaften mit Sitz im Inland an der Gründung der SE beteiligt, sondern von ihr nur Betriebe ausländischer Gesellschaften betroffen, gelten die Absätze 2 bis 4 entsprechend.

Kapitel 2. Wahlgremium

§ 8 Zusammensetzung des Wahlgremiums; Urwahl. (1) [1]Die nach diesem Gesetz oder dem Gesetz eines anderen Mitgliedstaats auf die im Inland beschäftigten Arbeitnehmer der an der Gründung der SE beteiligten Gesellschaften, betroffenen Tochtergesellschaften und betroffenen Betriebe entfallenden Mitglieder des besonderen Verhandlungsgremiums werden von einem Wahlgremium in geheimer und unmittelbarer Wahl gewählt. [2]Im Fall des § 6 Abs. 3 ist jedes dritte Mitglied auf Vorschlag einer Gewerkschaft zu wählen, die in einem an der Gründung der SE beteiligten Unternehmen vertreten ist. [3]Wird nur ein Wahlvorschlag gemacht, muss dieser mindestens doppelt so viele Bewerber enthalten wie Vertreter von Gewerkschaften zu wählen sind. [4]Jeder Wahlvorschlag einer Gewerkschaft muss von einem Vertreter der Gewerkschaft unterzeichnet sein. [5]Im Fall des § 6 Abs. 4 ist jedes siebte Mitglied auf Vorschlag der Sprecherausschüsse zu wählen; Satz 3 gilt entsprechend. [6]Besteht in einem beteiligten Unternehmen oder in einer beteiligten Unternehmensgruppe kein Sprecherausschuss, können die leitenden Angestellten Wahlvorschläge machen; ein Wahlvorschlag muss von einem Zwanzigstel oder 50 der wahlberechtigten leitenden Angestellten unterzeichnet sein.

(2) [1]Ist aus dem Inland nur eine Unternehmensgruppe an der SE-Gründung beteiligt, besteht das Wahlgremium aus den Mitgliedern des Konzernbetriebsrats oder, sofern ein solcher nicht besteht, aus den Mitgliedern der Gesamtbetriebsräte, oder, sofern ein solcher in einem Unternehmen nicht besteht, aus den Mitgliedern des Betriebsrats. [2]Betriebsratslose Betriebe und Unternehmen einer Unternehmensgruppe werden vom Konzernbetriebsrat, Gesamtbetriebsrat oder Betriebsrat mit vertreten.

(3) [1]Ist aus dem Inland nur ein Unternehmen an der Gründung einer SE beteiligt, besteht das Wahlgremium aus den Mitgliedern des Gesamtbetriebsrats, oder, sofern ein solcher nicht besteht, aus den Mitgliedern des Betriebsrats. [2]Betriebsratslose Betriebe eines Unternehmens werden vom Gesamtbetriebsrat oder Betriebsrat mit vertreten.

(4) Ist aus dem Inland nur ein Betrieb von der Gründung einer SE betroffen, besteht das Wahlgremium aus den Mitgliedern des Betriebsrats.

(5) [1]Sind an der Gründung der SE eine oder mehrere Unternehmensgruppen oder nicht verbundene Unternehmen beteiligt oder sind von der Gründung unternehmensunabhängige Betriebe betroffen, setzt sich das Wahlgremium aus den jeweiligen Arbeitnehmervertretungen auf Konzernebene, Unternehmensebene oder Betriebsebene zusammen. [2]Die Absätze 2 bis 4 gelten entsprechend. [3]Ist in den Fällen des Satzes 1 eine entsprechende Arbeitnehmervertretung nicht vorhanden, werden diese Mitglieder des Wahlgremiums von den Arbeitnehmern in Urwahl gewählt. [4]Die Wahl wird von einem Wahlvorstand eingeleitet und durchgeführt, der in einer Versammlung der Arbeitnehmer gewählt wird, zu der die inländische Konzernleitung, Unternehmensleitung oder Betriebsleitung einlädt. [5]Es sind so viele Mitglieder des Wahlgremiums zu wählen, wie eine bestehende Arbeitnehmervertretung in den Fällen der Absätze 2 bis 4 an gesetzlichen Mitgliedern hätte; für das Wahlverfahren gilt Absatz 7 Satz 3 bis 5 entsprechend.

(6) [1]Das Wahlgremium besteht aus höchstens 40 Mitgliedern. [2]Würde diese Höchstzahl überschritten, ist die Anzahl der Mitglieder

in dem Wahlgremium entsprechend ihrem zahlenmäßigen Verhältnis nach dem d'Hondtschen Höchstzahlverfahren zu verringern.

(7) [1]Besteht in den Fällen der Absätze 2 bis 5 keine Arbeitnehmervertretung, wählen die Arbeitnehmer die Mitglieder des besonderen Verhandlungsgremiums in geheimer und unmittelbarer Wahl. [2]Die Wahl wird von einem Wahlvorstand eingeleitet und durchgeführt, der in einer Versammlung der Arbeitnehmer gewählt wird, zu der die inländische Konzernleitung, Unternehmensleitung oder Betriebsleitung einlädt. [3]Die Wahl der Mitglieder des besonderen Verhandlungsgremiums erfolgt nach den Grundsätzen der Verhältniswahl. [4]Sie erfolgt nach den Grundsätzen der Mehrheitswahl, wenn nur ein Wahlvorschlag eingereicht wird. [5]Jeder Wahlvorschlag der Arbeitnehmer muss von mindestens einem Zwanzigstel der wahlberechtigten Arbeitnehmer, mindestens jedoch von drei Wahlberechtigten, höchstens aber von 50 Wahlberechtigten unterzeichnet sein; in Betrieben mit in der Regel bis zu 20 wahlberechtigten Arbeitnehmern genügt die Unterzeichnung durch zwei Wahlberechtigte. [6]§ 8 Abs. 1 Satz 2 bis 6 gilt entsprechend.

§ 9 Einberufung des Wahlgremiums. (1) Auf der Grundlage der von den Leitungen erhaltenen Informationen hat der Vorsitzende der Arbeitnehmervertretung auf Konzernebene oder, sofern eine solche nicht besteht, auf Unternehmensebene oder, sofern eine solche nicht besteht, auf Betriebsebene

1. Ort, Tag und Zeit der Versammlung des Wahlgremiums festzulegen;
2. die Anzahl der Mitglieder aus den jeweiligen Arbeitnehmervertretungen nach § 8 Abs. 6 festzulegen;
3. zur Versammlung des Wahlgremiums einzuladen.

(2) Bestehen auf einer Ebene mehrere Arbeitnehmervertretungen, treffen die Verpflichtungen nach Absatz 1 den Vorsitzenden der Arbeitnehmervertretung, die die meisten Arbeitnehmer vertritt.

§ 10 Wahl der Mitglieder des besonderen Verhandlungsgremiums. (1) [1]Bei der Wahl müssen mindestens zwei Drittel der Mitglieder des Wahlgremiums, die mindestens zwei Drittel der Arbeitnehmer vertreten, anwesend sein. [2]Die Mitglieder des Wahlgremiums haben jeweils so viele Stimmen, wie sie Arbeitnehmer vertreten. [3]Die Wahl erfolgt mit einfacher Mehrheit der abgegebenen Stimmen.

(2) [1]Im Wahlgremium vertreten die Arbeitnehmervertretungen und die in Urwahl gewählten Mitglieder jeweils alle Arbeitnehmer der organisatorischen Einheit, für die sie nach § 8 Abs. 2 bis 5 zuständig sind. [2]Nicht nach Satz 1 vertretene Arbeitnehmer werden den Arbeit-

nehmervertretungen innerhalb der jeweiligen Unternehmensgruppe zu gleichen Teilen zugerechnet.

(3) [1] Sind für eine Arbeitnehmervertretung mehrere Mitglieder im Wahlgremium vertreten, werden die entsprechend der von ihnen vertretenen Arbeitnehmer bestehenden Stimmenanteile gleichmäßig aufgeteilt. [2] Dies gilt auch für die nach § 8 Abs. 5 Satz 3 gewählten Mitglieder des Wahlgremiums.

Kapitel 3. Verhandlungsverfahren

§ 11 Information über die Mitglieder des besonderen Verhandlungsgremiums. (1) [1] Die Wahl oder Bestellung der Mitglieder des besonderen Verhandlungsgremiums soll innerhalb von zehn Wochen nach der in § 4 Abs. 2 und 3 vorgeschriebenen Information erfolgen. [2] Den Leitungen sind unverzüglich die Namen der Mitglieder des besonderen Verhandlungsgremiums, ihre Anschriften sowie die jeweilige Betriebszugehörigkeit mitzuteilen. [3] Die Leitungen haben die örtlichen Betriebs- und Unternehmensleitungen, die dort bestehenden Arbeitnehmervertretungen und Sprecherausschüsse sowie die in inländischen Betrieben vertretenen Gewerkschaften über diese Angaben zu informieren.

(2) [1] Das Verhandlungsverfahren nach den §§ 12 bis 17 findet auch dann statt, wenn die in Absatz 1 Satz 1 genannte Frist aus Gründen, die die Arbeitnehmer zu vertreten haben, überschritten wird. [2] Nach Ablauf der Frist gewählte oder bestellte Mitglieder können sich jederzeit an dem Verhandlungsverfahren beteiligen.

§ 12 Sitzungen; Geschäftsordnung. (1) [1] Die Leitungen laden unverzüglich nach Benennung der Mitglieder oder im Fall des § 11 nach Ablauf der in § 11 Abs. 1 Satz 1 genannten Frist zur konstituierenden Sitzung des besonderen Verhandlungsgremiums ein und informieren die örtlichen Betriebs- und Unternehmensleitungen. [2] Das besondere Verhandlungsgremium wählt aus seiner Mitte einen Vorsitzenden und mindestens zwei Stellvertreter. [3] Es kann sich eine schriftliche Geschäftsordnung geben.

(2) Der Vorsitzende kann weitere Sitzungen einberufen.

§ 13 Zusammenarbeit zwischen besonderem Verhandlungsgremium und Leitungen. (1) [1] Das besondere Verhandlungsgremium schließt mit den Leitungen eine schriftliche Vereinbarung über die Beteiligung der Arbeitnehmer in der SE ab. [2] Zur Erfüllung dieser Aufgabe arbeiten sie vertrauensvoll zusammen.

(2) [1]Die Leitungen haben dem besonderen Verhandlungsgremium rechtzeitig alle erforderlichen Auskünfte zu erteilen und die erforderlichen Unterlagen zur Verfügung zu stellen. [2]Das besondere Verhandlungsgremium ist insbesondere über das Gründungsvorhaben und den Verlauf des Verfahrens bis zur Eintragung der SE zu unterrichten. [3]Zeitpunkt, Häufigkeit und Ort der Verhandlungen werden zwischen den Leitungen und dem besonderen Verhandlungsgremium einvernehmlich festgelegt.

§ 14 Sachverständige und Vertreter von geeigneten außenstehenden Organisationen. (1) [1]Das besondere Verhandlungsgremium kann bei den Verhandlungen Sachverständige seiner Wahl, zu denen auch Vertreter von einschlägigen Gewerkschaftsorganisationen auf Gemeinschaftsebene zählen können, hinzuziehen, um sich von ihnen bei seiner Arbeit unterstützen zu lassen. [2]Diese Sachverständigen können, wenn das besondere Verhandlungsgremium es wünscht, an den Verhandlungen in beratender Funktion teilnehmen.

(2) Das besondere Verhandlungsgremium kann beschließen, die Vertreter von geeigneten außenstehenden Organisationen vom Beginn der Verhandlungen zu unterrichten.

§ 15 Beschlussfassung im besonderen Verhandlungsgremium. (1) [1]Die Mitglieder des besonderen Verhandlungsgremiums, die in einem Mitgliedstaat gewählt oder bestellt werden, vertreten alle in dem jeweiligen Mitgliedstaat beschäftigten Arbeitnehmer. [2]Solange aus einem Mitgliedstaat keine Mitglieder in das besondere Verhandlungsgremium gewählt oder bestellt sind (§ 11 Abs. 2), gelten die betroffenen Arbeitnehmer als nicht vertreten.

(2) [1]Das besondere Verhandlungsgremium beschließt vorbehaltlich des Absatzes 3 und § 16 Abs. 1 mit der Mehrheit seiner Mitglieder, in der zugleich die Mehrheit der vertretenen Arbeitnehmer enthalten sein muss. [2]Jedes auf das Inland entfallende Mitglied vertritt gleich viele Arbeitnehmer.

(3) [1]Hätten die Verhandlungen eine Minderung der Mitbestimmungsrechte zur Folge, so ist für einen Beschluss zur Billigung einer solchen Vereinbarung eine Mehrheit von zwei Dritteln der Mitglieder des besonderen Verhandlungsgremiums erforderlich, die mindestens zwei Drittel der Arbeitnehmer in mindestens zwei Mitgliedstaaten vertreten. [2]Dies gilt

1. im Fall einer SE, die durch Verschmelzung gegründet werden soll, sofern sich die Mitbestimmung auf mindestens 25 Prozent der Gesamtzahl der Arbeitnehmer der beteiligten Gesellschaften und der betroffenen Tochtergesellschaften erstreckt oder

2. im Fall einer SE, die als Holding-Gesellschaft oder als Tochtergesellschaft gegründet werden soll, sofern sich die Mitbestimmung auf mindestens 50 Prozent der Gesamtzahl der Arbeitnehmer der beteiligten Gesellschaften und der betroffenen Tochtergesellschaften erstreckt.

(4) Minderung der Mitbestimmungsrechte bedeutet, dass

1. der Anteil der Arbeitnehmervertreter im Aufsichts- oder Verwaltungsorgan der SE geringer ist als der höchste in den beteiligten Gesellschaften bestehende Anteil oder
2. das Recht, Mitglieder des Aufsichts- oder Verwaltungsorgans der Gesellschaft zu wählen, zu bestellen, zu empfehlen oder abzulehnen, beseitigt oder eingeschränkt wird.

(5) Wird eine SE durch Umwandlung gegründet, kann ein Beschluss nach Absatz 3 nicht gefasst werden.

§ 16 Nichtaufnahme oder Abbruch der Verhandlungen.

(1) [1]Das besondere Verhandlungsgremium kann beschließen, keine Verhandlungen aufzunehmen oder bereits aufgenommene Verhandlungen abzubrechen. [2]Für diesen Beschluss ist eine Mehrheit von zwei Dritteln der Mitglieder erforderlich, die mindestens zwei Drittel der Arbeitnehmer in mindestens zwei Mitgliedstaaten vertreten. [3]Die Vorschriften für die Unterrichtung und Anhörung der Arbeitnehmer, die in den Mitgliedstaaten gelten, in denen die SE Arbeitnehmer beschäftigt, finden Anwendung.

(2) [1]Ein Beschluss nach Absatz 1 beendet das Verfahren zum Abschluss der Vereinbarung nach § 21. [2]Ist ein solcher Beschluss gefasst worden, finden die Regelungen der §§ 22 bis 33 über den SE-Betriebsrat kraft Gesetzes und der §§ 34 bis 38 über die Mitbestimmung kraft Gesetzes keine Anwendung.

(3) Wird eine SE durch Umwandlung gegründet, kann ein Beschluss nach Absatz 1 nicht gefasst werden, wenn den Arbeitnehmern der umzuwandelnden Gesellschaft Mitbestimmungsrechte zustehen.

§ 17 Niederschrift. [1]In eine Niederschrift, die vom Vorsitzenden und einem weiteren Mitglied des besonderen Verhandlungsgremiums zu unterzeichnen ist, ist aufzunehmen

1. ein Beschluss über den Abschluss einer Vereinbarung nach § 13 Abs. 1,
2. ein Beschluss über die Nichtaufnahme oder den Abbruch der Verhandlungen nach § 16 Abs. 1 und
3. die jeweiligen Mehrheiten, mit denen die Beschlüsse gefasst worden sind.

[2]Eine Abschrift der Niederschrift ist den Leitungen zu übermitteln.

§ 18 Wiederaufnahme der Verhandlungen. (1) [1]Frühestens zwei Jahre nach dem Beschluss nach § 16 Abs. 1 wird auf schriftlichen Antrag von mindestens 10 Prozent der Arbeitnehmer der SE, ihrer Tochtergesellschaften und Betriebe oder von deren Vertretern ein besonderes Verhandlungsgremium erneut gebildet, mit der Maßgabe, dass an die Stelle der beteiligten Gesellschaften, betroffenen Tochtergesellschaften und betroffenen Betriebe die SE, ihre Tochtergesellschaften und Betriebe treten. [2]Die Parteien können eine frühere Wiederaufnahme der Verhandlungen vereinbaren.

(2) Wenn das besondere Verhandlungsgremium die Wiederaufnahme der Verhandlungen mit der Leitung der SE nach Absatz 1 beschließt, in diesen Verhandlungen jedoch keine Einigung erzielt wird, finden die §§ 22 bis 33 über den SE-Betriebsrat kraft Gesetzes und die §§ 34 bis 38 über die Mitbestimmung kraft Gesetzes keine Anwendung.

(3) [1]Sind strukturelle Änderungen der SE geplant, die geeignet sind, Beteiligungsrechte der Arbeitnehmer zu mindern, finden auf Veranlassung der Leitung der SE oder des SE-Betriebsrats Verhandlungen über die Beteiligungsrechte der Arbeitnehmer der SE statt. [2]Anstelle des neu zu bildenden besonderen Verhandlungsgremiums können die Verhandlungen mit der Leitung der SE einvernehmlich von dem SE-Betriebsrat gemeinsam mit Vertretern der von der geplanten strukturellen Änderung betroffenen Arbeitnehmer, die bisher nicht von dem SE-Betriebsrat vertreten werden, geführt werden. [3]Wird in diesen Verhandlungen keine Einigung erzielt, sind die §§ 22 bis 33 über den SE-Betriebsrat kraft Gesetzes und die §§ 34 bis 38 über die Mitbestimmung kraft Gesetzes anzuwenden.

(4) In den Fällen der Absätze 1 und 3 gelten die Vorschriften des Teils 2 mit der Maßgabe, dass an die Stelle der Leitungen die Leitung der SE tritt.

§ 19 Kosten des besonderen Verhandlungsgremiums. [1]Die durch die Bildung und Tätigkeit des besonderen Verhandlungsgremiums entstehenden erforderlichen Kosten tragen die beteiligten Gesellschaften und nach ihrer Gründung die SE als Gesamtschuldner. [2]Insbesondere sind für die Sitzungen in erforderlichem Umfang Räume, sachliche Mittel, Dolmetscher und Büropersonal zur Verfügung zu stellen sowie die erforderlichen Reise- und Aufenthaltskosten der Mitglieder des besonderen Verhandlungsgremiums zu tragen.

§ 20 Dauer der Verhandlungen. (1) [1]Die Verhandlungen beginnen mit der Einsetzung des besonderen Verhandlungsgremiums und können bis zu sechs Monate dauern. [2]Einsetzung bezeichnet den Tag, zu dem die Leitungen zur konstituierenden Sitzung des besonderen Verhandlungsgremiums eingeladen haben.

(2) Die Parteien können einvernehmlich beschließen, die Verhandlungen über den in Absatz 1 genannten Zeitraum hinaus bis zu insgesamt einem Jahr ab der Einsetzung des besonderen Verhandlungsgremiums fortzusetzen.

Teil 3. Beteiligung der Arbeitnehmer in der SE

Kapitel 1. Beteiligung der Arbeitnehmer kraft Vereinbarung

§ 21 Inhalt der Vereinbarung. (1) In der schriftlichen Vereinbarung zwischen den Leitungen und dem besonderen Verhandlungsgremium wird, unbeschadet der Autonomie der Parteien im Übrigen und vorbehaltlich des Absatzes 6, festgelegt:

1. der Geltungsbereich der Vereinbarung, einschließlich der außerhalb des Hoheitsgebietes der Mitgliedstaaten liegenden Unternehmen und Betriebe, sofern diese in den Geltungsbereich einbezogen werden;
2. die Zusammensetzung des SE-Betriebsrats, die Anzahl seiner Mitglieder und die Sitzverteilung, einschließlich der Auswirkungen wesentlicher Änderungen der Zahl der in der SE beschäftigten Arbeitnehmer;
3. die Befugnisse und das Verfahren zur Unterrichtung und Anhörung des SE-Betriebsrats;
4. die Häufigkeit der Sitzungen des SE-Betriebsrats;
5. die für den SE-Betriebsrat bereitzustellenden finanziellen und materiellen Mittel;
6. der Zeitpunkt des Inkrafttretens der Vereinbarung und ihre Laufzeit; ferner die Fälle, in denen die Vereinbarung neu ausgehandelt werden soll und das dabei anzuwendende Verfahren.

(2) [1] Wenn kein SE-Betriebsrat gebildet wird, haben die Parteien die Durchführungsmodalitäten des Verfahrens oder der Verfahren zur Unterrichtung und Anhörung festzulegen. [2] Absatz 1 gilt entsprechend.

(3) [1] Für den Fall, dass die Parteien eine Vereinbarung über die Mitbestimmung treffen, ist deren Inhalt festzulegen. [2] Insbesondere soll Folgendes vereinbart werden:

1. die Zahl der Mitglieder des Aufsichts- oder Verwaltungsorgans der SE, welche die *Arbeitnehmer wählen* oder bestellen können oder deren Bestellung sie empfehlen oder ablehnen können;

2. das Verfahren, nach dem die Arbeitnehmer diese Mitglieder wählen oder bestellen oder deren Bestellung empfehlen oder ablehnen können und
3. die Rechte dieser Mitglieder.

(4) [1]In der Vereinbarung soll festgelegt werden, dass auch vor strukturellen Änderungen der SE Verhandlungen über die Beteiligung der Arbeitnehmer in der SE aufgenommen werden. [2]Die Parteien können das dabei anzuwendende Verfahren regeln.

(5) Die Vereinbarung kann bestimmen, dass die Regelungen der §§ 22 bis 33 über den SE-Betriebsrat kraft Gesetzes und der §§ 34 bis 38 über die Mitbestimmung kraft Gesetzes ganz oder in Teilen gelten.

(6) [1]Unbeschadet des Verhältnisses dieses Gesetzes zu anderen Regelungen der Mitbestimmung der Arbeitnehmer im Unternehmen muss in der Vereinbarung im Fall einer durch Umwandlung gegründeten SE in Bezug auf alle Komponenten der Arbeitnehmerbeteiligung zumindest das gleiche Ausmaß gewährleistet werden, das in der Gesellschaft besteht, die in eine SE umgewandelt werden soll. [2]Dies gilt auch bei einem Wechsel der Gesellschaft von einer dualistischen zu einer monistischen Organisationsstruktur und umgekehrt.

Kapitel 2. Beteiligung der Arbeitnehmer kraft Gesetzes

Abschnitt 1. SE–Betriebsrat kraft Gesetzes

Unterabschnitt 1. Bildung und Geschäftsführung

§ 22 Voraussetzung. (1) Die Regelungen der §§ 23 bis 33 über den SE-Betriebsrat kraft Gesetzes finden ab dem Zeitpunkt der Eintragung der SE Anwendung, wenn

1. die Parteien dies vereinbaren oder
2. bis zum Ende des in § 20 angegebenen Zeitraums keine Vereinbarung zustande gekommen ist und das besondere Verhandlungsgremium keinen Beschluss nach § 16 gefasst hat.

(2) Absatz 1 gilt entsprechend im Fall des § 18 Abs. 3.

§ 23 Errichtung des SE-Betriebsrats. (1) [1]Zur Sicherung des Rechts auf Unterrichtung und Anhörung in der SE ist ein SE-Betriebsrat zu errichten. [2]Dieser setzt sich aus Arbeitnehmern der SE, ihrer Tochtergesellschaften und Betriebe zusammen. [3]Für die Errichtung des SE-Betriebsrats gelten § 5 Abs. 1, § 6 Abs. 1 und 2 Satz 2 und 3, die §§ 7 bis 10 und 11 Abs. 1 Satz 2 und 3 entsprechend mit der Maßgabe, dass an die Stelle der beteiligten Gesellschaften, betroffenen Tochtergesellschaften und betroffenen Betriebe die SE, ihre Tochtergesellschaften und Betriebe treten. [4]Im Fall des § 22 Abs. 1 Nr. 2 ist für die Feststellung der Zahl der beschäftigten Arbeitnehmer das Ende des in § 20 angegebenen Zeitraums maßgeblich. [5]Die Mitgliedschaft im SE-Betriebsrat beginnt mit der Wahl oder Bestellung. [6]Die Dauer der Mitgliedschaft der aus dem Inland kommenden Mitglieder beträgt vier Jahre, wenn sie nicht durch Abberufung oder aus anderen Gründen vorzeitig endet. [7]Für die Abberufung gelten die §§ 8 bis 10 entsprechend mit der Maßgabe, dass an die Stelle der beteiligten Gesellschaften, betroffenen Tochtergesellschaften und betroffenen Betriebe die SE, ihre Tochtergesellschaften und Betriebe treten.

(2) [1]Die Leitung der SE lädt unverzüglich nach Benennung der Mitglieder zur konstituierenden Sitzung des SE-Betriebsrats ein. [2]Der SE-Betriebsrat wählt aus seiner Mitte einen Vorsitzenden und dessen Stellvertreter.

(3) [1]Der Vorsitzende oder im Fall seiner Verhinderung der Stellvertreter vertritt den SE-Betriebsrat im Rahmen der von ihm gefassten Beschlüsse. [2]Zur Entgegennahme von Erklärungen, die dem SE-Betriebsrat gegenüber abzugeben sind, ist der Vorsitzende oder im Fall seiner Verhinderung der Stellvertreter berechtigt.

(4) [1]Der SE-Betriebsrat bildet aus seiner Mitte einen Ausschuss von drei Mitgliedern, dem neben dem Vorsitzenden zwei weitere zu wählende Mitglieder angehören. [2]Der Ausschuss führt die laufenden Geschäfte des SE-Betriebsrats (geschäftsführender Ausschuss).

§ 24 Sitzungen und Beschlüsse. (1) Der SE-Betriebsrat soll sich eine schriftliche Geschäftsordnung geben, die er mit der Mehrheit seiner Mitglieder beschließt.

(2) [1]Vor Sitzungen mit der Leitung der SE ist der SE-Betriebsrat oder der geschäftsführende Ausschuss – gegebenenfalls in der nach § 29 Abs. 3 erweiterten Zusammensetzung – berechtigt, in Abwesenheit der Vertreter der Leitung der SE zu tagen. [2]Mit Einverständnis der Leitung der SE kann der SE-Betriebsrat weitere Sitzungen durchführen. [3]Die Sitzungen des SE-Betriebsrats sind nicht öffentlich.

(3) [1]Der SE-Betriebsrat ist beschlussfähig, wenn mindestens die Hälfte seiner Mitglieder anwesend ist. [2]Die Beschlüsse des SE-Betriebsrats werden, soweit in diesem Gesetz nichts anderes bestimmt ist, mit der Mehrheit der anwesenden Mitglieder gefasst.

§ 25 Prüfung der Zusammensetzung des SE-Betriebsrats. [1]Alle zwei Jahre, vom Tage der konstituierenden Sitzung des SE-Betriebsrats an gerechnet, hat die Leitung der SE zu prüfen, ob Änderungen der SE und ihrer Tochtergesellschaften und Betriebe, insbesondere bei den Arbeitnehmerzahlen in den einzelnen Mitgliedstaaten eingetreten sind. [2]Sie hat das Ergebnis dem SE-Betriebsrat mitzuteilen. [3]Ist danach eine andere Zusammensetzung des SE-Betriebsrats erforderlich, veranlasst dieser bei den in den jeweiligen Mitgliedstaaten zuständigen Stellen, dass die Mitglieder des SE-Betriebsrats in diesen Mitgliedstaaten neu gewählt oder bestellt werden. [4]Mit der neuen Wahl oder Bestellung endet die Mitgliedschaft der bisherigen Arbeitnehmervertreter aus diesen Mitgliedstaaten.

§ 26 Beschluss zur Aufnahme von Neuverhandlungen. (1) Vier Jahre nach seiner Einsetzung hat der SE-Betriebsrat mit der Mehrheit seiner Mitglieder einen Beschluss darüber zu fassen, ob über eine Vereinbarung nach § 21 verhandelt werden oder die bisherige Regelung weiter gelten soll.

(2) [1]Wird der Beschluss gefasst, über eine Vereinbarung nach § 21 zu verhandeln, so gelten die §§ 13 bis 15, 17, 20 und 21 entsprechend mit der Maßgabe, dass an die Stelle des besonderen Verhandlungsgremiums der SE-Betriebsrat tritt. [2]Kommt keine Vereinbarung zustande, findet die bisherige Regelung weiter Anwendung.

Unterabschnitt 2. Aufgaben

§ 27 Zuständigkeiten des SE-Betriebsrats. Der SE-Betriebsrat ist zuständig für die Angelegenheiten, die die SE selbst, eine ihrer Tochtergesellschaften oder einen ihrer Betriebe in einem anderen Mitgliedstaat betreffen oder die über die Befugnisse der zuständigen Organe auf der Ebene des einzelnen Mitgliedstaats hinausgehen.

§ 28 Jährliche Unterrichtung und Anhörung. (1) [1]Die Leitung der SE hat den SE-Betriebsrat mindestens einmal im Kalenderjahr in einer gemeinsamen Sitzung über die Entwicklung der Geschäftslage und die Perspektiven der SE unter rechtzeitiger Vorlage der erforderlichen Unterlagen zu unterrichten und ihn anzuhören. [2]Zu den erforderlichen Unterlagen gehören insbesondere

1. die Geschäftsberichte,
2. die Tagesordnung aller Sitzungen des Leitungsorgans und des Aufsichts- oder Verwaltungsorgans,
3. die Kopien aller Unterlagen, die der Hauptversammlung der Aktionäre vorgelegt werden.

(2) Zu der Entwicklung der Geschäftslage und den Perspektiven im Sinne von Absatz 1 gehören insbesondere

1. die Struktur der SE sowie die wirtschaftliche und finanzielle Lage;
2. die voraussichtliche Entwicklung der Geschäfts-, Produktions- und Absatzlage;

3. die Beschäftigungslage und ihre voraussichtliche Entwicklung;
4. Investitionen (Investitionsprogramme);
5. grundlegende Änderungen der Organisation;
6. die Einführung neuer Arbeits- und Fertigungsverfahren;
7. die Verlegung von Unternehmen, Betrieben oder wesentlichen Betriebsteilen sowie Verlagerungen der Produktion;
8. Zusammenschlüsse oder Spaltungen von Unternehmen oder Betrieben;
9. die Einschränkung oder Stilllegung von Unternehmen, Betrieben oder wesentlichen Betriebsteilen;
10. Massenentlassungen.

(3) Die Leitung der SE informiert die Leitungen über Ort und Tag der Sitzung.

§ 29 Unterrichtung und Anhörung über außergewöhnliche Umstände. (1) [1] Über außergewöhnliche Umstände, die erhebliche Auswirkungen auf die Interessen der Arbeitnehmer haben, hat die Leitung der SE den SE-Betriebsrat rechtzeitig unter Vorlage der erforderlichen Unterlagen zu unterrichten. [2] Als außergewöhnliche Umstände gelten insbesondere

1. die Verlegung oder Verlagerung von Unternehmen, Betrieben oder wesentlichen Betriebsteilen;
2. die Stilllegung von Unternehmen, Betrieben oder wesentlichen Betriebsteilen;
3. Massenentlassungen.

(2) Der SE-Betriebsrat hat das Recht, auf Antrag mit der Leitung der SE oder den Vertretern einer anderen zuständigen, mit eigenen Entscheidungsbefugnissen ausgestatteten Leitungsebene innerhalb der SE zusammenzutreffen, um zu den außergewöhnlichen Umständen angehört zu werden.

(3) [1] Auf Beschluss des SE-Betriebsrats stehen die Rechte nach Absatz 2 dem geschäftsführenden Ausschuss (§ 23 Abs. 4) zu. [2] Findet eine Sitzung mit dem geschäftsführenden Ausschuss statt, so haben auch die Mitglieder des SE-Betriebsrats, die von diesen Maßnahmen unmittelbar betroffene Arbeitnehmer vertreten, das Recht, daran teilzunehmen.

(4) Wenn die Leitung der SE beschließt, nicht entsprechend der von dem SE-Betriebsrat oder dem geschäftsführenden Ausschuss abgegebenen Stellungnahme zu handeln, hat der SE-Betriebsrat das Recht, ein weiteres Mal mit der Leitung der SE zusammenzutreffen, um eine Einigung herbeizuführen.

§ 30 Information durch den SE-Betriebsrat. [1]Der SE-Betriebsrat informiert die Arbeitnehmervertreter der SE, ihrer Tochtergesellschaften und Betriebe über den Inhalt und die Ergebnisse der Unterrichtungs- und Anhörungsverfahren. [2]Sind keine Arbeitnehmervertreter vorhanden, sind die Arbeitnehmer zu informieren.

Unterabschnitt 3. Freistellung und Kosten

§ 31 Fortbildung. [1]Der SE-Betriebsrat kann Mitglieder zur Teilnahme an Schulungs- und Bildungsveranstaltungen bestimmen, soweit diese Kenntnisse vermitteln, die für die Arbeit des SE-Betriebsrats erforderlich sind. [2]Der SE-Betriebsrat hat die Teilnahme und die zeitliche Lage rechtzeitig der Leitung der SE mitzuteilen. [3]Bei der Festlegung der zeitlichen Lage sind die betrieblichen Notwendigkeiten zu berücksichtigen.

§ 32 Sachverständige. [1]Der SE-Betriebsrat oder der geschäftsführende Ausschuss können sich durch Sachverständige ihrer Wahl unterstützen lassen, soweit dies zur ordnungsgemäßen Erfüllung ihrer Aufgaben erforderlich ist. [2]Sachverständige können auch Vertreter von Gewerkschaften sein.

§ 33 Kosten und Sachaufwand. [1]Die durch die Bildung und Tätigkeit des SE-Betriebsrats und des geschäftsführenden Ausschusses entstehenden erforderlichen Kosten trägt die SE. [2]Im Übrigen gilt § 19 Satz 2 entsprechend.

Abschnitt 2. Mitbestimmung kraft Gesetzes

§ 34 Besondere Voraussetzungen. (1) Liegen die Voraussetzungen des § 22 vor, finden die Regelungen über die Mitbestimmung der Arbeitnehmer kraft Gesetzes nach den §§ 35 bis 38 Anwendung

1. im Fall einer durch Umwandlung gegründeten SE, wenn in der Gesellschaft vor der Umwandlung Bestimmungen über die Mitbestimmung der Arbeitnehmer im Aufsichts- oder Verwaltungsorgan galten;
2. im Fall einer durch Verschmelzung gegründeten SE, wenn
   a) vor der Eintragung der SE in einer oder mehreren der beteiligten Gesellschaften eine oder mehrere Formen der Mitbestimmung bestanden und sich auf mindestens 25 Prozent der Gesamtzahl der Arbeitnehmer aller beteiligten Gesellschaften und betroffenen Tochtergesellschaften erstreckten oder

b) vor der Eintragung der SE in einer oder mehreren der beteiligten Gesellschaften eine oder mehrere Formen der Mitbestimmung bestanden und sich auf weniger als 25 Prozent der Gesamtzahl der Arbeitnehmer aller beteiligten Gesellschaften und betroffenen Tochtergesellschaften erstreckten und das besondere Verhandlungsgremium einen entsprechenden Beschluss fasst;

3. im Fall einer durch Errichtung einer Holding-Gesellschaft oder einer Tochtergesellschaft gegründeten SE, wenn

a) vor der Eintragung der SE in einer oder mehreren der beteiligten Gesellschaften eine oder mehrere Formen der Mitbestimmung bestanden und sich auf mindestens 50 Prozent der Gesamtzahl der Arbeitnehmer aller beteiligten Gesellschaften und betroffenen Tochtergesellschaften erstreckten oder

b) vor der Eintragung der SE in einer oder mehreren der beteiligten Gesellschaften eine oder mehrere Formen der Mitbestimmung bestanden und sich auf weniger als 50 Prozent der Gesamtzahl der Arbeitnehmer aller beteiligten Gesellschaften und betroffenen Tochtergesellschaften erstreckten und das besondere Verhandlungsgremium einen entsprechenden Beschluss fasst.

(2) [1] Bestanden in den Fällen von Absatz 1 Nr. 2 und 3 mehr als eine Form der Mitbestimmung im Sinne des § 2 Abs. 12 in den verschiedenen beteiligten Gesellschaften, so entscheidet das besondere Verhandlungsgremium, welche von ihnen in der SE eingeführt wird. [2] Wenn das besondere Verhandlungsgremium keinen solchen Beschluss fasst und eine inländische Gesellschaft, deren Arbeitnehmern Mitbestimmungsrechte zustehen, an der Gründung der SE beteiligt ist, ist die Mitbestimmung nach § 2 Abs. 12 Nr. 1 maßgeblich. [3] Ist keine inländische Gesellschaft, deren Arbeitnehmern Mitbestimmungsrechte zustehen, beteiligt, findet die Form der Mitbestimmung nach § 2 Abs. 12 Anwendung, die sich auf die höchste Zahl der in den beteiligten Gesellschaften beschäftigten Arbeitnehmer erstreckt.

(3) Das besondere Verhandlungsgremium unterrichtet die Leitungen über die Beschlüsse, die es nach Absatz 1 Nr. 2 Buchstabe b und Nr. 3 Buchstabe b und Absatz 2 Satz 1 gefasst hat.

§ 35 Umfang der Mitbestimmung. (1) Liegen die Voraussetzungen des § 34 Abs. 1 Nr. 1 (Gründung einer SE durch Umwandlung) vor, bleibt die Regelung zur Mitbestimmung erhalten, die in der Gesellschaft vor der Umwandlung bestanden hat.

(2) [1] Liegen die Voraussetzungen des § 34 Abs. 1 Nr. 2 (Gründung einer SE durch Verschmelzung) oder des § 34 Abs. 1 Nr. 3 (Gründung einer Holding-SE oder Tochter-SE) vor, haben die Arbeitnehmer der

SE, ihrer Tochtergesellschaften und Betriebe oder ihr Vertretungsorgan das Recht, einen Teil der Mitglieder des Aufsichts- oder Verwaltungsorgans der SE zu wählen oder zu bestellen oder deren Bestellung zu empfehlen oder abzulehnen. 2 Die Zahl dieser Arbeitnehmervertreter im Aufsichts- oder Verwaltungsorgan der SE bemisst sich nach dem höchsten Anteil an Arbeitnehmervertretern, der in den Organen der beteiligten Gesellschaften vor der Eintragung der SE bestanden hat.

§ 36 Sitzverteilung und Bestellung. (1) 1 Der SE-Betriebsrat verteilt die Zahl der Sitze im Aufsichts- oder Verwaltungsorgan auf die Mitgliedstaaten, in denen Mitglieder zu wählen oder zu bestellen sind. 2 Die Verteilung richtet sich nach dem jeweiligen Anteil der in den einzelnen Mitgliedstaaten beschäftigten Arbeitnehmer der SE, ihrer Tochtergesellschaften und Betriebe. 3 Können bei dieser anteiligen Verteilung die Arbeitnehmer aus einem oder mehreren Mitgliedstaaten keinen Sitz erhalten, so hat der SE-Betriebsrat den letzten zu verteilenden Sitz einem bisher unberücksichtigten Mitgliedstaat zuzuweisen. 4 Dieser Sitz soll, soweit angemessen, dem Mitgliedstaat zugewiesen werden, in dem die SE ihren Sitz haben wird. 5 Dieses Verteilungsverfahren gilt auch in dem Fall, in dem die Arbeitnehmer der SE Mitglieder dieser Organe empfehlen oder ablehnen können.

(2) Soweit die Mitgliedstaaten über die Besetzung der ihnen zugewiesenen Sitze keine eigenen Regelungen treffen, bestimmt der SE-Betriebsrat die Arbeitnehmervertreter im Aufsichts- oder Verwaltungsorgan der SE.

(3) 1 Die Ermittlung der auf das Inland entfallenden Arbeitnehmervertreter des Aufsichts- oder Verwaltungsorgans der SE erfolgt durch ein Wahlgremium, das sich aus den Arbeitnehmervertretungen der SE, ihrer Tochtergesellschaften und Betriebe zusammensetzt. 2 Für das Wahlverfahren gelten § 6 Abs. 2 bis 4, § 8 Abs. 1 Satz 2 bis 5, Abs. 2 bis 7 und die §§ 9 und 10 entsprechend mit der Maßgabe, dass an die Stelle der beteiligten Gesellschaften, betroffenen Tochtergesellschaften und betroffenen Betriebe die SE, ihre Tochtergesellschaften und Betriebe treten. 3 Das Wahlergebnis ist der Leitung der SE, dem SE-Betriebsrat, den Gewählten, den Sprecherausschüssen und Gewerkschaften mitzuteilen.

(4) 1 Die nach den Absätzen 2 und 3 ermittelten Arbeitnehmervertreter werden der Hauptversammlung der SE zur Bestellung vorgeschlagen. 2 Die Hauptversammlung ist an diese Vorschläge gebunden.

§ 37 Abberufung und Anfechtung. (1) 1 Ein Mitglied oder ein Ersatzmitglied der Arbeitnehmer aus dem Inland im Aufsichts- oder

Verwaltungsorgan kann vor Ablauf der Amtszeit abberufen werden. 2 Antragsberechtigt sind

1. die Arbeitnehmervertretungen, die das Wahlgremium gebildet haben;
2. in den Fällen der Urwahl mindestens drei wahlberechtigte Arbeitnehmer;
3. für ein Mitglied nach § 6 Abs. 3 nur die Gewerkschaft, die das Mitglied vorgeschlagen hat;
4. für ein Mitglied nach § 6 Abs. 4 nur der Sprecherausschuss, der das Mitglied vorgeschlagen hat.

3 Für das Abberufungsverfahren gelten die §§ 8 bis 10 entsprechend mit der Maßgabe, dass an die Stelle der beteiligten Gesellschaften, betroffenen Tochtergesellschaften und betroffenen Betriebe die SE, ihre Tochtergesellschaften und Betriebe treten; abweichend von § 8 Abs. 5 und § 10 Abs. 1 Satz 3 bedarf der Beschluss einer Mehrheit von drei Vierteln der abgegebenen Stimmen. 4 Die Arbeitnehmervertreter sind von der Hauptversammlung der SE abzuberufen.

(2) 1 Die Wahl eines Mitglieds oder eines Ersatzmitglieds der Arbeitnehmer aus dem Inland im Aufsichts- oder Verwaltungsorgan kann angefochten werden, wenn gegen wesentliche Vorschriften über das Wahlrecht, die Wählbarkeit oder das Wahlverfahren verstoßen worden und eine Berichtigung nicht erfolgt ist, es sei denn, dass durch den Verstoß das Wahlergebnis nicht geändert oder beeinflusst werden konnte. 2 Zur Anfechtung berechtigt sind die in Absatz 1 Satz 2 Genannten, der SE-Betriebsrat und die Leitung der SE. 3 Die Klage muss innerhalb eines Monats nach dem Bestellungsbeschluss der Hauptversammlung erhoben werden.

§ 38 Rechtsstellung; Innere Ordnung. (1) Die Arbeitnehmervertreter im Aufsichts- oder Verwaltungsorgan der SE haben die gleichen Rechte und Pflichten wie die Mitglieder, die die Anteilseigner vertreten.

(2) 1 Die Zahl der Mitglieder des Leitungsorgans (§ 16 des SE-Ausführungsgesetzes) oder der geschäftsführenden Direktoren (§ 40 des SE-Ausführungsgesetzes) beträgt mindestens zwei. 2 Einer von ihnen ist für den Bereich Arbeit und Soziales zuständig.

(3) Besteht in einer der beteiligten Gesellschaften das Aufsichtsorgan aus derselben Zahl von Anteilseigner- und Arbeitnehmervertretern sowie einem weiteren Mitglied, so ist auch im Aufsichts- oder Verwaltungsorgan der SE ein weiteres Mitglied auf gemeinsamen Vorschlag der Anteilseigner- und der Arbeitnehmervertreter zu wählen.

Abschnitt 3. Tendenzschutz

§ 39 Tendenzunternehmen. (1) Auf eine SE, die unmittelbar und überwiegend

1. politischen, koalitionspolitischen, konfessionellen, karitativen, erzieherischen, wissenschaftlichen oder künstlerischen Bestimmungen oder
2. Zwecken der Berichterstattung oder Meinungsäußerung, auf die Artikel 5 Abs. 1 Satz 2 des Grundgesetzes anzuwenden ist,

dient, findet Abschnitt 2 keine Anwendung.

(2) Eine Unterrichtung und Anhörung beschränkt sich auf die Gegenstände des § 28 Abs. 2 Nr. 5 bis 10 und des § 29 und erfolgt nur über den Ausgleich oder die Milderung der wirtschaftlichen Nachteile, die den Arbeitnehmern infolge der Unternehmens- oder Betriebsänderung entstehen.

Teil 4. Grundsätze der Zusammenarbeit und Schutzbestimmungen

§ 40 Vertrauensvolle Zusammenarbeit. Die Leitung der SE und der SE-Betriebsrat oder die Arbeitnehmervertreter im Rahmen eines Verfahrens zur Unterrichtung und Anhörung arbeiten zum Wohl der Arbeitnehmer und des Unternehmens oder der Unternehmensgruppe vertrauensvoll zusammen.

§ 41 Geheimhaltung; Vertraulichkeit. (1) Informationspflichten der Leitungen und der Leitung der SE nach diesem Gesetz bestehen nur, soweit bei Zugrundelegung objektiver Kriterien dadurch nicht Betriebs- oder Geschäftsgeheimnisse der an der Gründung beteiligten Gesellschaften, der SE oder deren jeweiliger Tochtergesellschaften und Betriebe gefährdet werden.

(2) [1]Die Mitglieder und Ersatzmitglieder eines SE-Betriebsrats sind unabhängig von ihrem Aufenthaltsort verpflichtet, Betriebs- oder Geschäftsgeheimnisse, die ihnen wegen ihrer Zugehörigkeit zum SE-Betriebsrat bekannt geworden und von der Leitung der SE ausdrücklich als geheimhaltungsbedürftig bezeichnet worden sind, nicht zu offenbaren und nicht zu verwerten. [2]Dies gilt auch nach dem Ausscheiden aus dem SE-Betriebsrat.

(3) Die Pflicht zur Vertraulichkeit des SE-Betriebsrats nach Absatz 2 gilt nicht gegenüber den

1. Mitgliedern des SE-Betriebsrats;
2. Arbeitnehmervertretern der SE, ihrer Tochtergesellschaften und Betriebe, wenn diese auf Grund einer Vereinbarung nach § 21 oder nach § 30 über den Inhalt der Unterrichtung und die Ergebnisse der Anhörung zu informieren sind;
3. Arbeitnehmervertretern im Aufsichts- oder Verwaltungsorgan der SE sowie
4. Dolmetschern und Sachverständigen, die zur Unterstützung herangezogen werden.

(4) Die Pflicht zur Vertraulichkeit nach Absatz 2 gilt entsprechend für

1. die Mitglieder und Ersatzmitglieder des besonderen Verhandlungsgremiums;
2. die Arbeitnehmervertreter der SE, ihrer Tochtergesellschaften und Betriebe;
3. die Arbeitnehmervertreter, die in sonstiger Weise an einem Verfahren zur Unterrichtung und Anhörung teilnehmen;
4. die Sachverständigen und Dolmetscher.

(5) [1] Die Ausnahme von der Pflicht zur Vertraulichkeit nach Absatz 3 Nr. 1 gilt für den Personenkreis nach Absatz 4 Nr. 1 bis 3 entsprechend. [2] Die Pflicht zur Vertraulichkeit gilt ferner nicht für

1. die Mitglieder des besonderen Verhandlungsgremiums gegenüber Dolmetschern und Sachverständigen;
2. die Arbeitnehmervertreter nach Absatz 4 Nr. 3 gegenüber Arbeitnehmervertretern im Aufsichts- oder Verwaltungsorgan der SE, gegenüber Dolmetschern und Sachverständigen, die vereinbarungsgemäß zur Unterstützung herangezogen werden und gegenüber Arbeitnehmervertretern der SE, ihrer Tochtergesellschaften und Betriebe, sofern diese nach der Vereinbarung (§ 21) über den Inhalt der Unterrichtungen und die Ergebnisse der Anhörung zu unterrichten sind.

§ 42 Schutz der Arbeitnehmervertreter. [1] Bei der Wahrnehmung ihrer Aufgaben genießen die

1. Mitglieder des besonderen Verhandlungsgremiums;
2. Mitglieder des SE-Betriebsrats;
3. Arbeitnehmervertreter, die in sonstiger Weise bei einem Verfahren zur Unterrichtung und Anhörung mitwirken;
4. Arbeitnehmervertreter im Aufsichts- oder Verwaltungsorgan der SE;

die Beschäftigte der SE, ihrer Tochtergesellschaften oder Betriebe oder einer der beteiligten Gesellschaften, betroffenen Tochtergesellschaften oder betroffenen Betriebe sind, den gleichen Schutz und die gleichen Sicherheiten wie die Arbeitnehmervertreter nach den Gesetzen und Gepflogenheiten des Mitgliedstaats, in dem sie beschäftigt sind. [2]Dies gilt insbesondere für

1. den Kündigungsschutz,
2. die Teilnahme an den Sitzungen der jeweiligen in Satz 1 genannten Gremien und
3. die Entgeltfortzahlung.

§ 43 Missbrauchsverbot. [1]Eine SE darf nicht dazu missbraucht werden, den Arbeitnehmern Beteiligungsrechte zu entziehen oder vorzuenthalten. [2]Missbrauch wird vermutet, wenn ohne Durchführung eines Verfahrens nach § 18 Abs. 3 innerhalb eines Jahres nach Gründung der SE strukturelle Änderungen stattfinden, die bewirken, dass den Arbeitnehmern Beteiligungsrechte vorenthalten oder entzogen werden.

§ 44 Errichtungs- und Tätigkeitsschutz. Niemand darf

1. die Bildung des besonderen Verhandlungsgremiums, die Errichtung eines SE-Betriebsrats oder die Einführung eines Verfahrens zur Unterrichtung und Anhörung nach § 21 Abs. 2 oder die Wahl, Bestellung, Empfehlung oder Ablehnung der Arbeitnehmervertreter im Aufsichts- oder Verwaltungsorgan behindern oder durch Zufügung oder Androhung von Nachteilen oder durch Gewährung oder Versprechen von Vorteilen beeinflussen;
2. die Tätigkeit des besonderen Verhandlungsgremiums, des SE-Betriebsrats oder der Arbeitnehmervertreter nach § 21 Abs. 2 oder die Tätigkeit der Arbeitnehmervertreter im Aufsichts- oder Verwaltungsorgan behindern oder stören oder
3. ein Mitglied oder Ersatzmitglied des besonderen Verhandlungsgremiums, des SE-Betriebsrats oder einen Arbeitnehmervertreter nach § 21 Abs. 2 oder einen Arbeitnehmervertreter im Aufsichts- oder Verwaltungsorgan wegen seiner Tätigkeit benachteiligen oder begünstigen.

Teil 5. Straf- und Bußgeldvorschriften; Schlussbestimmung

§ 45 Strafvorschriften. (1) Mit Freiheitsstrafe bis zu zwei Jahren oder mit Geldstrafe wird bestraft, wer

1. entgegen § 41 Abs. 2, auch in Verbindung mit Abs. 4, ein Betriebs- oder Geschäftsgeheimnis verwertet oder

2. entgegen § 43 Satz 1 eine SE dazu missbraucht, Arbeitnehmern Beteiligungsrechte zu entziehen oder vorzuenthalten.

(2) Mit Freiheitsstrafe bis zu einem Jahr oder mit Geldstrafe wird bestraft, wer

1. entgegen § 41 Abs. 2, auch in Verbindung mit Abs. 4, ein Betriebs- oder Geschäftsgeheimnis offenbart,
2. entgegen § 44 Nr. 1 oder 2 eine dort genannte Tätigkeit behindert, beeinflusst oder stört oder
3. entgegen § 44 Nr. 3 eine dort genannte Person benachteiligt oder begünstigt.

(3) Handelt der Täter in den Fällen des Absatzes 2 Nr. 1 gegen Entgelt oder in der Absicht, sich oder einen anderen zu bereichern oder einen anderen zu schädigen, so ist die Strafe Freiheitsstrafe bis zu zwei Jahren oder Geldstrafe.

(4) [1] Die Tat wird nur auf Antrag verfolgt. [2] In den Fällen des Absatzes 1 Nr. 2 und des Absatzes 2 Nr. 2 und 3 sind das besondere Verhandlungsgremium, der SE-Betriebsrat, die Mehrheit der Arbeitnehmervertreter im Rahmen eines Verfahrens zur Unterrichtung und Anhörung, jedes Mitglied des Aufsichts- oder Verwaltungsorgans, eine im Unternehmen vertretene Gewerkschaft sowie die Leitungen antragsberechtigt.

§ 46 Bußgeldvorschriften. (1) Ordnungswidrig handelt, wer

1. entgegen § 4 Abs. 2 oder § 5 Abs. 4 Satz 2, jeweils auch in Verbindung mit § 18 Abs. 4, eine Information nicht, nicht richtig, nicht vollständig oder nicht rechtzeitig gibt oder
2. entgegen § 28 Abs. 1 Satz 1 oder § 29 Abs. 1 Satz 1 den SE-Betriebsrat nicht, nicht richtig, nicht vollständig, nicht in der vorgeschriebenen Weise oder nicht rechtzeitig unterrichtet.

(2) Die Ordnungswidrigkeit kann mit einer Geldbuße bis zu zwanzigtausend Euro geahndet werden.

§ 47 Geltung nationalen Rechts. (1) Dieses Gesetz berührt nicht die den Arbeitnehmern nach inländischen Rechtsvorschriften und Regelungen zustehenden Beteiligungsrechte, mit Ausnahme

1. der Mitbestimmung in den Organen der SE;
2. der Regelung des Europäische Betriebsräte-Gesetzes, es sei denn, das besondere Verhandlungsgremium hat einen Beschluss nach § 16 gefasst.

(2) [1] Regelungen und Strukturen über die Arbeitnehmervertretungen einer beteiligten Gesellschaft mit Sitz im Inland, die durch die

Gründung der SE als eigenständige juristische Person erlischt, bestehen nach Eintragung der SE fort. [2] Die Leitung der SE stellt sicher, dass diese Arbeitnehmervertretungen ihre Aufgaben weiterhin wahrnehmen können.

§ 48[1)] Sonderregelung aus Anlass der COVID-19-Pandemie. [1] Bis zum Ablauf des 7. April 2023 können im Rahmen der Unterrichtung und Anhörung die Teilnahme an Sitzungen eines SE-Betriebsrats oder einer Arbeitnehmervertretung nach § 21 Absatz 2 sowie die Beschlussfassung auch mittels Video- und Telefonkonferenz erfolgen, wenn sichergestellt ist, dass Dritte vom Inhalt der Sitzung keine Kenntnis nehmen können. [2] Eine Aufzeichnung ist unzulässig.

[1)] § 48 angef. mWv 12.12.2021 durch G v. 10.12.2021 (BGBl. I S. 5162); Abs. 1 Satz 1 geänd., Abs. 2 aufgeh. mWv 17.9.2022 durch G v. 16.9.2022 (BGBl. I S. 1454).

IX.

Betriebsverfassungs- und Personalvertretungsrecht

570. Betriebsverfassungsgesetz

In der Fassung der Bekanntmachung vom 25. September 2001[1)]
(BGBl. I S. 2518)

FNA 801-7

zuletzt geänd. durch Art. 1 Zweites ÄndG v. 19.7.2024 (BGBl. 2024 I Nr. 248)

Inhaltsübersicht

Erster Teil. Allgemeine Vorschriften

§ 1 Errichtung von Betriebsräten. (1) [1]In Betrieben mit in der Regel mindestens fünf ständigen wahlberechtigten Arbeitnehmern, von denen drei wählbar sind, werden Betriebsräte gewählt. [2]Dies gilt auch für gemeinsame Betriebe mehrerer Unternehmen.

(2) Ein gemeinsamer Betrieb mehrerer Unternehmen wird vermutet, wenn

---

[1)] Neubekanntmachung des BetrVG idF der Bek. v. 23.12.1988 (BGBl. 1989 I S. 1, ber. S. 902) in der ab 28. Juli 2001 geltenden Fassung.

1. zur Verfolgung arbeitstechnischer Zwecke die Betriebsmittel sowie die Arbeitnehmer von den Unternehmen gemeinsam eingesetzt werden oder
2. die Spaltung eines Unternehmens zur Folge hat, dass von einem Betrieb ein oder mehrere Betriebsteile einem an der Spaltung beteiligten anderen Unternehmen zugeordnet werden, ohne dass sich dabei die Organisation des betroffenen Betriebs wesentlich ändert.

§ 2 Stellung der Gewerkschaften und Vereinigungen der Arbeitgeber.

(1) Arbeitgeber und Betriebsrat arbeiten unter Beachtung der geltenden Tarifverträge vertrauensvoll und im Zusammenwirken mit den im Betrieb vertretenen Gewerkschaften und Arbeitgebervereinigungen zum Wohl der Arbeitnehmer und des Betriebs zusammen.

(2) Zur Wahrnehmung der in diesem Gesetz genannten Aufgaben und Befugnisse der im Betrieb vertretenen Gewerkschaften ist deren Beauftragten nach Unterrichtung des Arbeitgebers oder seines Vertreters Zugang zum Betrieb zu gewähren, soweit dem nicht unumgängliche Notwendigkeiten des Betriebsablaufs, zwingende Sicherheitsvorschriften oder der Schutz von Betriebsgeheimnissen entgegenstehen.

(3) Die Aufgaben der Gewerkschaften und der Vereinigungen der Arbeitgeber, insbesondere die Wahrnehmung der Interessen ihrer Mitglieder, werden durch dieses Gesetz nicht berührt.

§ 3 Abweichende Regelungen. (1) Durch Tarifvertrag können bestimmt werden:

1. für Unternehmen mit mehreren Betrieben
   a) die Bildung eines unternehmenseinheitlichen Betriebsrats oder
   b) die Zusammenfassung von Betrieben,

   wenn dies die Bildung von Betriebsräten erleichtert oder einer sachgerechten Wahrnehmung der Interessen der Arbeitnehmer dient;
2. für Unternehmen und Konzerne, soweit sie nach produkt- oder projektbezogenen Geschäftsbereichen (Sparten) organisiert sind und die Leitung der Sparte auch Entscheidungen in beteiligungspflichtigen Angelegenheiten trifft, die Bildung von Betriebsräten in den Sparten (Spartenbetriebsräte), wenn dies der sachgerechten Wahrnehmung der Aufgaben des Betriebsrats dient;
3. andere Arbeitnehmervertretungsstrukturen, soweit dies insbesondere aufgrund der Betriebs-, Unternehmens- oder Konzernorganisation oder aufgrund anderer Formen der Zusammenarbeit von Unternehmen einer wirksamen und zweckmäßigen Interessenvertretung der Arbeitnehmer dient;
4. zusätzliche betriebsverfassungsrechtliche Gremien (Arbeitsgemeinschaften), die der unternehmensübergreifenden Zusammenarbeit von Arbeitnehmervertretungen dienen;
5. zusätzliche betriebsverfassungsrechtliche Vertretungen der Arbeitnehmer, die die Zusammenarbeit zwischen Betriebsrat und Arbeitnehmern erleichtern.

(2) Besteht in den Fällen des Absatzes 1 Nr. 1, 2, 4 oder 5 keine tarifliche Regelung und gilt auch kein anderer Tarifvertrag, kann die Regelung durch Betriebsvereinbarung getroffen werden.

(3) [1] Besteht im Fall des Absatzes 1 Nr. 1 Buchstabe a keine tarifliche Regelung und besteht in dem Unternehmen kein Betriebsrat, können die Arbeit-

nehmer mit Stimmenmehrheit die Wahl eines unternehmenseinheitlichen Betriebsrats beschließen. [2]Die Abstimmung kann von mindestens drei wahlberechtigten Arbeitnehmern des Unternehmens oder einer im Unternehmen vertretenen Gewerkschaft veranlasst werden.

(4) [1]Sofern der Tarifvertrag oder die Betriebsvereinbarung nichts anderes bestimmt, sind Regelungen nach Absatz 1 Nr. 1 bis 3 erstmals bei der nächsten regelmäßigen Betriebsratswahl anzuwenden, es sei denn, es besteht kein Betriebsrat oder es ist aus anderen Gründen eine Neuwahl des Betriebsrats erforderlich. [2]Sieht der Tarifvertrag oder die Betriebsvereinbarung einen anderen Wahlzeitpunkt vor, endet die Amtszeit bestehender Betriebsräte, die durch die Regelungen nach Absatz 1 Nr. 1 bis 3 entfallen, mit Bekanntgabe des Wahlergebnisses.

(5) [1]Die aufgrund eines Tarifvertrages oder einer Betriebsvereinbarung nach Absatz 1 Nr. 1 bis 3 gebildeten betriebsverfassungsrechtlichen Organisationseinheiten gelten als Betriebe im Sinne dieses Gesetzes. [2]Auf die in ihnen gebildeten Arbeitnehmervertretungen finden die Vorschriften über die Rechte und Pflichten des Betriebsrats und die Rechtsstellung seiner Mitglieder Anwendung.

§ 4 Betriebsteile, Kleinstbetriebe. (1) [1]Betriebsteile gelten als selbständige Betriebe, wenn sie die Voraussetzungen des § 1 Abs. 1 Satz 1 erfüllen und
1. räumlich weit vom Hauptbetrieb entfernt oder
2. durch Aufgabenbereich und Organisation eigenständig sind.

[2]Die Arbeitnehmer eines Betriebsteils, in dem kein eigener Betriebsrat besteht, können mit Stimmenmehrheit formlos beschließen, an der Wahl des Betriebsrats im Hauptbetrieb teilzunehmen; § 3 Abs. 3 Satz 2 gilt entsprechend. [3]Die Abstimmung kann auch vom Betriebsrat des Hauptbetriebs veranlasst werden. [4]Der Beschluss ist dem Betriebsrat des Hauptbetriebs spätestens zehn Wochen vor Ablauf seiner Amtszeit mitzuteilen. [5]Für den Widerruf des Beschlusses gelten die Sätze 2 bis 4 entsprechend.

(2) Betriebe, die die Voraussetzungen des § 1 Abs. 1 Satz 1 nicht erfüllen, sind dem Hauptbetrieb zuzuordnen.

§ 5[1)] Arbeitnehmer. (1) [1]Arbeitnehmer (Arbeitnehmerinnen und Arbeitnehmer) im Sinne dieses Gesetzes sind Arbeiter und Angestellte einschließlich der zu ihrer Berufsausbildung Beschäftigten, unabhängig davon, ob sie im Betrieb, im Außendienst oder mit Telearbeit beschäftigt werden. [2]Als Arbeitnehmer gelten auch die in Heimarbeit Beschäftigten, die in der Hauptsache für den Betrieb arbeiten. [3]Als Arbeitnehmer gelten ferner Beamte (Beamtinnen und Beamte), Soldaten (Soldatinnen und Soldaten) sowie Arbeitnehmer des öffentlichen Dienstes einschließlich der zu ihrer Berufsausbildung Beschäftigten, die in Betrieben privatrechtlich organisierter Unternehmen tätig sind.

(2) Als Arbeitnehmer im Sinne dieses Gesetzes gelten nicht
1. in Betrieben einer juristischen Person die Mitglieder des Organs, das zur gesetzlichen Vertretung der juristischen Person berufen ist;

[1)] § 5 Abs. 1 Satz 3 und Abs. 3 Satz 3 angef. mWv 4.8.2009 durch G v. 29.7.2009 (BGBl. I S. 2424).

2. die Gesellschafter einer offenen Handelsgesellschaft oder die Mitglieder einer anderen Personengesamtheit, soweit sie durch Gesetz, Satzung oder Gesellschaftsvertrag zur Vertretung der Personengesamtheit oder zur Geschäftsführung berufen sind, in deren Betrieben;
3. Personen, deren Beschäftigung nicht in erster Linie ihrem Erwerb dient, sondern vorwiegend durch Beweggründe karitativer oder religiöser Art bestimmt ist;
4. Personen, deren Beschäftigung nicht in erster Linie ihrem Erwerb dient und die vorwiegend zu ihrer Heilung, Wiedereingewöhnung, sittlichen Besserung oder Erziehung beschäftigt werden;
5. der Ehegatte, der Lebenspartner, Verwandte und Verschwägerte ersten Grades, die in häuslicher Gemeinschaft mit dem Arbeitgeber leben.

(3) [1] Dieses Gesetz findet, soweit in ihm nicht ausdrücklich etwas anderes bestimmt ist, keine Anwendung auf leitende Angestellte. [2] Leitender Angestellter ist, wer nach Arbeitsvertrag und Stellung im Unternehmen oder im Betrieb

1. zur selbständigen Einstellung und Entlassung von im Betrieb oder in der Betriebsabteilung beschäftigten Arbeitnehmern berechtigt ist oder
2. Generalvollmacht oder Prokura hat und die Prokura auch im Verhältnis zum Arbeitgeber nicht unbedeutend ist oder
3. regelmäßig sonstige Aufgaben wahrnimmt, die für den Bestand und die Entwicklung des Unternehmens oder eines Betriebs von Bedeutung sind und deren Erfüllung besondere Erfahrungen und Kenntnisse voraussetzt, wenn er dabei entweder die Entscheidungen im Wesentlichen frei von Weisungen trifft oder sie maßgeblich beeinflusst; dies kann auch bei Vorgaben insbesondere auf Grund von Rechtsvorschriften, Plänen oder Richtlinien sowie bei Zusammenarbeit mit anderen leitenden Angestellten gegeben sein.

[3] Für die in Absatz 1 Satz 3 genannten Beamten und Soldaten gelten die Sätze 1 und 2 entsprechend.

(4) Leitender Angestellter nach Absatz 3 Nr. 3 ist im Zweifel, wer

1. aus Anlass der letzten Wahl des Betriebsrats, des Sprecherausschusses oder von Aufsichtsratsmitgliedern der Arbeitnehmer oder durch rechtskräftige gerichtliche Entscheidung den leitenden Angestellten zugeordnet worden ist oder
2. einer Leitungsebene angehört, auf der in dem Unternehmen überwiegend leitende Angestellte vertreten sind, oder
3. ein regelmäßiges Jahresarbeitsentgelt erhält, das für leitende Angestellte in dem Unternehmen üblich ist, oder,
4. falls auch bei der Anwendung der Nummer 3 noch Zweifel bleiben, ein regelmäßiges Jahresarbeitsentgelt erhält, das das Dreifache der Bezugsgröße nach § 18 des Vierten Buches Sozialgesetzbuch[1)] überschreitet.

§ 6 (weggefallen)

[1)] Nr. **694**.

Zweiter Teil. Betriebsrat, Betriebsversammlung, Gesamt- und Konzernbetriebsrat

Erster Abschnitt. Zusammensetzung und Wahl des Betriebsrats

§ 7[1)] Wahlberechtigung. [1]Wahlberechtigt sind alle Arbeitnehmer des Betriebs, die das 16. Lebensjahr vollendet haben. [2]Werden Arbeitnehmer eines anderen Arbeitgebers zur Arbeitsleistung überlassen, so sind diese wahlberechtigt, wenn sie länger als drei Monate im Betrieb eingesetzt werden.

§ 8[2)] Wählbarkeit. (1) [1]Wählbar sind alle Wahlberechtigten, die das 18. Lebensjahr vollendet haben und sechs Monate dem Betrieb angehören oder als in Heimarbeit Beschäftigte in der Hauptsache für den Betrieb gearbeitet haben. [2]Auf diese sechsmonatige Betriebszugehörigkeit werden Zeiten angerechnet, in denen der Arbeitnehmer unmittelbar vorher einem anderen Betrieb desselben Unternehmens oder Konzerns (§ 18 Abs. 1 des Aktiengesetzes[3)]) angehört hat. [3]Nicht wählbar ist, wer infolge strafgerichtlicher Verurteilung die Fähigkeit, Rechte aus öffentlichen Wahlen zu erlangen, nicht besitzt.

(2) Besteht der Betrieb weniger als sechs Monate, so sind abweichend von der Vorschrift in Absatz 1 über die sechsmonatige Betriebszugehörigkeit diejenigen Arbeitnehmer wählbar, die bei der Einleitung der Betriebsratswahl im Betrieb beschäftigt sind und die übrigen Voraussetzungen für die Wählbarkeit erfüllen.

§ 9[4)] Zahl der Betriebsratsmitglieder. [1]Der Betriebsrat besteht in Betrieben mit in der Regel

5	bis	20	wahlberechtigten Arbeitnehmern	aus einer Person,
21	bis	50	wahlberechtigten Arbeitnehmern	aus 3 Mitgliedern,
51 wahlberechtigten Arbeitnehmern				
	bis	100	Arbeitnehmern	aus 5 Mitgliedern,
101	bis	200	Arbeitnehmern	aus 7 Mitgliedern,
201	bis	400	Arbeitnehmern	aus 9 Mitgliedern,
401	bis	700	Arbeitnehmern	aus 11 Mitgliedern,
701	bis	1 000	Arbeitnehmern	aus 13 Mitgliedern,
1 001	bis	1 500	Arbeitnehmern	aus 15 Mitgliedern,
1 501	bis	2 000	Arbeitnehmern	aus 17 Mitgliedern,
2 001	bis	2 500	Arbeitnehmern	aus 19 Mitgliedern,
2 501	bis	3 000	Arbeitnehmern	aus 21 Mitgliedern,
3 001	bis	3 500	Arbeitnehmern	aus 23 Mitgliedern,
3 501	bis	4 000	Arbeitnehmern	aus 25 Mitgliedern,
4 001	bis	4 500	Arbeitnehmern	aus 27 Mitgliedern,

---

1) § 7 Satz 1 geänd. mWv 18.6.2021 durch G v. 14.6.2021 (BGBl. I S. 1762).

2) § 8 Abs. 1 Satz 1 geänd. mWv 18.6.2021 durch G v. 14.6.2021 (BGBl. I S. 1762).

3) Nr. **567**.

4) **Amtl. Anm.:** Gemäß Artikel 14 Satz 2 des Gesetzes zur Reform des Betriebsverfassungsgesetzes (BetrVerf-Reformgesetz) vom 23. Juli 2001 (BGBl. I S. 1852) gilt § 9 (Artikel 1 Nr. 8 des BetrVerf-Reformgesetzes) für im Zeitpunkt des Inkrafttretens bestehende Betriebsräte erst bei deren Neuwahl.

4 501 bis	5 000 Arbeitnehmern	aus	29 Mitgliedern,
5 001 bis	6 000 Arbeitnehmern	aus	31 Mitgliedern,
6 001 bis	7 000 Arbeitnehmern	aus	33 Mitgliedern,
7 001 bis	9 000 Arbeitnehmern	aus	35 Mitgliedern.

[2] In Betrieben mit mehr als 9 000 Arbeitnehmern erhöht sich die Zahl der Mitglieder des Betriebsrats für je angefangene weitere 3 000 Arbeitnehmer um 2 Mitglieder.

§ 10 (weggefallen)

§ 11 Ermäßigte Zahl der Betriebsratsmitglieder. Hat ein Betrieb nicht die ausreichende Zahl von wählbaren Arbeitnehmern, so ist die Zahl der Betriebsratsmitglieder der nächstniedrigeren Betriebsgröße zugrunde zu legen.

§ 12 (weggefallen)

§ 13 Zeitpunkt der Betriebsratswahlen. (1) [1] Die regelmäßigen Betriebsratswahlen finden alle vier Jahre in der Zeit vom 1. März bis 31. Mai statt. [2] Sie sind zeitgleich mit den regelmäßigen Wahlen nach § 5 Abs. 1 des Sprecherausschussgesetzes[1)] einzuleiten.

(2) Außerhalb dieser Zeit ist der Betriebsrat zu wählen, wenn
1. mit Ablauf von 24 Monaten, vom Tage der Wahl an gerechnet, die Zahl der regelmäßig beschäftigten Arbeitnehmer um die Hälfte, mindestens aber um fünfzig, gestiegen oder gesunken ist,
2. die Gesamtzahl der Betriebsratsmitglieder nach Eintreten sämtlicher Ersatzmitglieder unter die vorgeschriebene Zahl der Betriebsratsmitglieder gesunken ist,
3. der Betriebsrat mit der Mehrheit seiner Mitglieder seinen Rücktritt beschlossen hat,
4. die Betriebsratswahl mit Erfolg angefochten worden ist,
5. der Betriebsrat durch eine gerichtliche Entscheidung aufgelöst ist oder
6. im Betrieb ein Betriebsrat nicht besteht.

(3) [1] Hat außerhalb des für die regelmäßigen Betriebsratswahlen festgelegten Zeitraums eine Betriebsratswahl stattgefunden, so ist der Betriebsrat in dem auf die Wahl folgenden nächsten Zeitraum der regelmäßigen Betriebsratswahlen neu zu wählen. [2] Hat die Amtszeit des Betriebsrats zu Beginn des für die regelmäßigen Betriebsratswahlen festgelegten Zeitraums noch nicht ein Jahr betragen, so ist der Betriebsrat in dem übernächsten Zeitraum der regelmäßigen Betriebsratswahlen neu zu wählen.

§ 14[2)] Wahlvorschriften. (1) Der Betriebsrat wird in geheimer und unmittelbarer Wahl gewählt.

(2) [1] Die Wahl erfolgt nach den Grundsätzen der Verhältniswahl. [2] Sie erfolgt nach den Grundsätzen der Mehrheitswahl, wenn nur ein Wahlvorschlag eingereicht wird oder wenn der Betriebsrat im vereinfachten Wahlverfahren nach § 14a zu wählen ist.

[1)] Nr. **571**.
[2)] § 14 Abs. 4 neu gef. mWv 18.6.2021 durch G v. 14.6.2021 (BGBl. I S. 1762).

(3) Zur Wahl des Betriebsrats können die wahlberechtigten Arbeitnehmer und die im Betrieb vertretenen Gewerkschaften Wahlvorschläge machen.

(4) [1] In Betrieben mit in der Regel bis zu 20 wahlberechtigten Arbeitnehmern bedarf es keiner Unterzeichnung von Wahlvorschlägen. [2] Wahlvorschläge sind in Betrieben mit in der Regel 21 bis 100 wahlberechtigten Arbeitnehmern von mindestens zwei wahlberechtigten Arbeitnehmern und in Betrieben mit in der Regel mehr als 100 wahlberechtigten Arbeitnehmern von mindestens einem Zwanzigstel der wahlberechtigten Arbeitnehmer zu unterzeichnen. [3] In jedem Fall genügt die Unterzeichnung durch 50 wahlberechtigte Arbeitnehmer.

(5) Jeder Wahlvorschlag einer Gewerkschaft muss von zwei Beauftragten unterzeichnet sein.

§ 14a[1)] Vereinfachtes Wahlverfahren für Kleinbetriebe. (1) [1] In Betrieben mit in der Regel fünf bis 100 wahlberechtigten Arbeitnehmern wird der Betriebsrat in einem zweistufigen Verfahren gewählt. [2] Auf einer ersten Wahlversammlung wird der Wahlvorstand nach § 17a Nr. 3 gewählt. [3] Auf einer zweiten Wahlversammlung wird der Betriebsrat in geheimer und unmittelbarer Wahl gewählt. [4] Diese Wahlversammlung findet eine Woche nach der Wahlversammlung zur Wahl des Wahlvorstands statt.

(2) Wahlvorschläge können bis zum Ende der Wahlversammlung zur Wahl des Wahlvorstands nach § 17a Nr. 3 gemacht werden; für Wahlvorschläge der Arbeitnehmer gilt § 14 Abs. 4 mit der Maßgabe, dass für Wahlvorschläge, die erst auf dieser Wahlversammlung gemacht werden, keine Schriftform erforderlich ist.

(3) [1] Ist der Wahlvorstand in Betrieben mit in der Regel fünf bis 100 wahlberechtigten Arbeitnehmern nach § 17a Nr. 1 in Verbindung mit § 16 vom Betriebsrat, Gesamtbetriebsrat oder Konzernbetriebsrat oder nach § 17a Nr. 4 vom Arbeitsgericht bestellt, wird der Betriebsrat abweichend von Absatz 1 Satz 1 und 2 auf nur einer Wahlversammlung in geheimer und unmittelbarer Wahl gewählt. [2] Wahlvorschläge können bis eine Woche vor der Wahlversammlung zur Wahl des Betriebsrats gemacht werden; § 14 Abs. 4 gilt unverändert.

(4) Wahlberechtigten Arbeitnehmern, die an der Wahlversammlung zur Wahl des Betriebsrats nicht teilnehmen können, ist Gelegenheit zur schriftlichen Stimmabgabe zu geben.

(5) In Betrieben mit in der Regel 101 bis 200 wahlberechtigten Arbeitnehmern können der Wahlvorstand und der Arbeitgeber die Anwendung des vereinfachten Wahlverfahrens vereinbaren.

§ 15[2)] Zusammensetzung nach Beschäftigungsarten und Geschlechter. (1) Der Betriebsrat soll sich möglichst aus Arbeitnehmern der einzelnen Organisationsbereiche und der verschiedenen Beschäftigungsarten der im Betrieb tätigen Arbeitnehmer zusammensetzen.

[1)] § 14a Abs. 1 Satz 1, Abs. 3 Satz 1 und Abs. 5 geänd. mWv 18.6.2021 durch G v. 14.6.2021 (BGBl. I S. 1762).

[2)] **Amtl. Anm.:** Gemäß Artikel 14 Satz 2 des Gesetzes zur Reform des Betriebsverfassungsgesetzes (BetrVerf-Reformgesetz) vom 23. Juli 2001 (BGBl. I S. 1852) gilt §15 (Artikel 1 Nr. 13 des BetrVerf-Reformgesetzes) für im Zeitpunkt des Inkrafttretens bestehende Betriebsräte erst bei deren Neuwahl.

(2) Das Geschlecht, das in der Belegschaft in der Minderheit ist, muss mindestens entsprechend seinem zahlenmäßigen Verhältnis im Betriebsrat vertreten sein, wenn dieser aus mindestens drei Mitgliedern besteht.

§ 16 Bestellung des Wahlvorstands. (1) [1] Spätestens zehn Wochen vor Ablauf seiner Amtszeit bestellt der Betriebsrat einen aus drei Wahlberechtigten bestehenden Wahlvorstand und einen von ihnen als Vorsitzenden. [2] Der Betriebsrat kann die Zahl der Wahlvorstandsmitglieder erhöhen, wenn dies zur ordnungsgemäßen Durchführung der Wahl erforderlich ist. [3] Der Wahlvorstand muss in jedem Fall aus einer ungeraden Zahl von Mitgliedern bestehen. [4] Für jedes Mitglied des Wahlvorstands kann für den Fall seiner Verhinderung ein Ersatzmitglied bestellt werden. [5] In Betrieben mit weiblichen und männlichen Arbeitnehmern sollen dem Wahlvorstand Frauen und Männer angehören. [6] Jede im Betrieb vertretene Gewerkschaft kann zusätzlich einen dem Betrieb angehörenden Beauftragten als nicht stimmberechtigtes Mitglied in den Wahlvorstand entsenden, sofern ihr nicht ein stimmberechtigtes Wahlvorstandsmitglied angehört.

(2) [1] Besteht acht Wochen vor Ablauf der Amtszeit des Betriebsrats kein Wahlvorstand, so bestellt ihn das Arbeitsgericht auf Antrag von mindestens drei Wahlberechtigten oder einer im Betrieb vertretenen Gewerkschaft; Absatz 1 gilt entsprechend. [2] In dem Antrag können Vorschläge für die Zusammensetzung des Wahlvorstands gemacht werden. [3] Das Arbeitsgericht kann für Betriebe mit in der Regel mehr als zwanzig wahlberechtigten Arbeitnehmern auch Mitglieder einer im Betrieb vertretenen Gewerkschaft, die nicht Arbeitnehmer des Betriebs sind, zu Mitgliedern des Wahlvorstands bestellen, wenn dies zur ordnungsgemäßen Durchführung der Wahl erforderlich ist.

(3) [1] Besteht acht Wochen vor Ablauf der Amtszeit des Betriebsrats kein Wahlvorstand, kann auch der Gesamtbetriebsrat oder, falls ein solcher nicht besteht, der Konzernbetriebsrat den Wahlvorstand bestellen. [2] Absatz 1 gilt entsprechend.

§ 17 Bestellung des Wahlvorstands in Betrieben ohne Betriebsrat.

(1) [1] Besteht in einem Betrieb, der die Voraussetzungen des § 1 Abs. 1 Satz 1 erfüllt, kein Betriebsrat, so bestellt der Gesamtbetriebsrat oder, falls ein solcher nicht besteht, der Konzernbetriebsrat einen Wahlvorstand. [2] § 16 Abs. 1 gilt entsprechend.

(2) [1] Besteht weder ein Gesamtbetriebsrat noch ein Konzernbetriebsrat, so wird in einer Betriebsversammlung von der Mehrheit der anwesenden Arbeitnehmer ein Wahlvorstand gewählt; § 16 Abs. 1 gilt entsprechend. [2] Gleiches gilt, wenn der Gesamtbetriebsrat oder Konzernbetriebsrat die Bestellung des Wahlvorstands nach Absatz 1 unterlässt.

(3) Zu dieser Betriebsversammlung können drei wahlberechtigte Arbeitnehmer des Betriebs oder eine im Betrieb vertretene Gewerkschaft einladen und Vorschläge für die Zusammensetzung des Wahlvorstands machen.

(4) [1] Findet trotz Einladung keine Betriebsversammlung statt oder wählt die Betriebsversammlung keinen Wahlvorstand, so bestellt ihn das Arbeitsgericht auf Antrag von mindestens drei wahlberechtigten Arbeitnehmern oder einer im Betrieb vertretenen Gewerkschaft. [2] § 16 Abs. 2 gilt entsprechend.

§ 17a Bestellung des Wahlvorstands im vereinfachten Wahlverfahren. Im Fall des § 14a finden die §§ 16 und 17 mit folgender Maßgabe Anwendung:

1. Die Frist des § 16 Abs. 1 Satz 1 wird auf vier Wochen und die des § 16 Abs. 2 Satz 1, Abs. 3 Satz 1 auf drei Wochen verkürzt.
2. § 16 Abs. 1 Satz 2 und 3 findet keine Anwendung.
3. In den Fällen des § 17 Abs. 2 wird der Wahlvorstand in einer Wahlversammlung von der Mehrheit der anwesenden Arbeitnehmer gewählt. Für die Einladung zu der Wahlversammlung gilt § 17 Abs. 3 entsprechend.
4. § 17 Abs. 4 gilt entsprechend, wenn trotz Einladung keine Wahlversammlung stattfindet oder auf der Wahlversammlung kein Wahlvorstand gewählt wird.

§ 18 Vorbereitung und Durchführung der Wahl. (1) [1] Der Wahlvorstand hat die Wahl unverzüglich einzuleiten, sie durchzuführen und das Wahlergebnis festzustellen. [2] Kommt der Wahlvorstand dieser Verpflichtung nicht nach, so ersetzt ihn das Arbeitsgericht auf Antrag des Betriebsrats, von mindestens drei wahlberechtigten Arbeitnehmern oder einer im Betrieb vertretenen Gewerkschaft. [3] § 16 Abs. 2 gilt entsprechend.

(2) Ist zweifelhaft, ob eine betriebsratsfähige Organisationseinheit vorliegt, so können der Arbeitgeber, jeder beteiligte Betriebsrat, jeder beteiligte Wahlvorstand oder eine im Betrieb vertretene Gewerkschaft eine Entscheidung des Arbeitsgerichts beantragen.

(3) [1] Unverzüglich nach Abschluss der Wahl nimmt der Wahlvorstand öffentlich die Auszählung der Stimmen vor, stellt deren Ergebnis in einer Niederschrift fest und gibt es den Arbeitnehmern des Betriebs bekannt. [2] Dem Arbeitgeber und den im Betrieb vertretenen Gewerkschaften ist eine Abschrift der Wahlniederschrift zu übersenden.

§ 18a Zuordnung der leitenden Angestellten bei Wahlen. (1) [1] Sind die Wahlen nach § 13 Abs. 1 und nach § 5 Abs. 1 des Sprecherausschussgesetzes[1)] zeitgleich einzuleiten, so haben sich die Wahlvorstände unverzüglich nach Aufstellung der Wählerlisten, spätestens jedoch zwei Wochen vor Einleitung der Wahlen, gegenseitig darüber zu unterrichten, welche Angestellten sie den leitenden Angestellten zugeordnet haben; dies gilt auch, wenn die Wahlen ohne Bestehen einer gesetzlichen Verpflichtung zeitgleich eingeleitet werden. [2] Soweit zwischen den Wahlvorständen kein Einvernehmen über die Zuordnung besteht, haben sie in gemeinsamer Sitzung eine Einigung zu versuchen. [3] Soweit eine Einigung zustande kommt, sind die Angestellten entsprechend ihrer Zuordnung in die jeweilige Wählerliste einzutragen.

(2) [1] Soweit eine Einigung nicht zustande kommt, hat ein Vermittler spätestens eine Woche vor Einleitung der Wahlen erneut eine Verständigung der Wahlvorstände über die Zuordnung zu versuchen. [2] Der Arbeitgeber hat den Vermittler auf dessen Verlangen zu unterstützen, insbesondere die erforderlichen Auskünfte zu erteilen und die erforderlichen Unterlagen zur Verfügung zu stellen. [3] Bleibt der Verständigungsversuch erfolglos, so entscheidet der Vermittler nach Beratung mit dem Arbeitgeber. [4] Absatz 1 Satz 3 gilt entsprechend.

---

1) Nr. **571**.

(3) [1] Auf die Person des Vermittlers müssen sich die Wahlvorstände einigen. [2] Zum Vermittler kann nur ein Beschäftigter des Betriebs oder eines anderen Betriebs des Unternehmens oder Konzerns oder der Arbeitgeber bestellt werden. [3] Kommt eine Einigung nicht zustande, so schlagen die Wahlvorstände je eine Person als Vermittler vor; durch Los wird entschieden, wer als Vermittler tätig wird.

(4) [1] Wird mit der Wahl nach § 13 Abs. 1 oder 2 nicht zeitgleich eine Wahl nach dem Sprecherausschussgesetz eingeleitet, so hat der Wahlvorstand den Sprecherausschuss entsprechend Absatz 1 Satz 1 erster Halbsatz zu unterrichten. [2] Soweit kein Einvernehmen über die Zuordnung besteht, hat der Sprecherausschuss Mitglieder zu benennen, die anstelle des Wahlvorstands an dem Zuordnungsverfahren teilnehmen. [3] Wird mit der Wahl nach § 5 Abs. 1 oder 2 des Sprecherausschussgesetzes nicht zeitgleich eine Wahl nach diesem Gesetz eingeleitet, so gelten die Sätze 1 und 2 für den Betriebsrat entsprechend.

(5) [1] Durch die Zuordnung wird der Rechtsweg nicht ausgeschlossen. [2] Die Anfechtung der Betriebsratswahl oder der Wahl nach dem Sprecherausschussgesetz ist ausgeschlossen, soweit sie darauf gestützt wird, die Zuordnung sei fehlerhaft erfolgt. [3] Satz 2 gilt nicht, soweit die Zuordnung offensichtlich fehlerhaft ist.

§ 19[1)] Wahlanfechtung. (1) Die Wahl kann beim Arbeitsgericht angefochten werden, wenn gegen wesentliche Vorschriften über das Wahlrecht, die Wählbarkeit oder das Wahlverfahren verstoßen worden ist und eine Berichtigung nicht erfolgt ist, es sei denn, dass durch den Verstoß das Wahlergebnis nicht geändert oder beeinflusst werden konnte.

(2) [1] Zur Anfechtung berechtigt sind mindestens drei Wahlberechtigte, eine im Betrieb vertretene Gewerkschaft oder der Arbeitgeber. [2] Die Wahlanfechtung ist nur binnen einer Frist von zwei Wochen, vom Tage der Bekanntgabe des Wahlergebnisses an gerechnet, zulässig.

(3) [1] Die Anfechtung durch die Wahlberechtigten ist ausgeschlossen, soweit sie darauf gestützt wird, dass die Wählerliste unrichtig ist, wenn nicht zuvor aus demselben Grund ordnungsgemäß Einspruch gegen die Richtigkeit der Wählerliste eingelegt wurde. [2] Dies gilt nicht, wenn die anfechtenden Wahlberechtigten an der Einlegung eines Einspruchs gehindert waren. [3] Die Anfechtung durch den Arbeitgeber ist ausgeschlossen, soweit sie darauf gestützt wird, dass die Wählerliste unrichtig ist und wenn diese Unrichtigkeit auf seinen Angaben beruht.

§ 20 Wahlschutz und Wahlkosten. (1) [1] Niemand darf die Wahl des Betriebsrats behindern. [2] Insbesondere darf kein Arbeitnehmer in der Ausübung des aktiven und passiven Wahlrechts beschränkt werden.

(2) Niemand darf die Wahl des Betriebsrats durch Zufügung oder Androhung von Nachteilen oder durch Gewährung oder Versprechen von Vorteilen beeinflussen.

(3) [1] Die Kosten der Wahl trägt der Arbeitgeber. [2] Versäumnis von Arbeitszeit, die zur Ausübung des Wahlrechts, zur Betätigung im Wahlvorstand oder zur Tätigkeit als Vermittler (§ 18a) erforderlich ist, berechtigt den Arbeitgeber nicht zur Minderung des Arbeitsentgelts.

---

1) § 19 Abs. 3 angef. mWv 18.6.2021 durch G v. 14.6.2021 (BGBl. I S. 1762).

Zweiter Abschnitt. Amtszeit des Betriebsrats

§ 21 Amtszeit. [1] Die regelmäßige Amtszeit des Betriebsrats beträgt vier Jahre. [2] Die Amtszeit beginnt mit der Bekanntgabe des Wahlergebnisses oder, wenn zu diesem Zeitpunkt noch ein Betriebsrat besteht, mit Ablauf von dessen Amtszeit. [3] Die Amtszeit endet spätestens am 31. Mai des Jahres, in dem nach § 13 Abs. 1 die regelmäßigen Betriebsratswahlen stattfinden. [4] In dem Fall des § 13 Abs. 3 Satz 2 endet die Amtszeit spätestens am 31. Mai des Jahres, in dem der Betriebsrat neu zu wählen ist. [5] In den Fällen des § 13 Abs. 2 Nr. 1 und 2 endet die Amtszeit mit der Bekanntgabe des Wahlergebnisses des neu gewählten Betriebsrats.

§ 21a[1] Übergangsmandat. (1) [1] Wird ein Betrieb gespalten, so bleibt dessen Betriebsrat im Amt und führt die Geschäfte für die ihm bislang zugeordneten Betriebsteile weiter, soweit sie die Voraussetzungen des § 1 Abs. 1 Satz 1 erfüllen und nicht in einen Betrieb eingegliedert werden, in dem ein Betriebsrat besteht (Übergangsmandat). [2] Der Betriebsrat hat insbesondere unverzüglich Wahlvorstände zu bestellen. [3] Das Übergangsmandat endet, sobald in den Betriebsteilen ein neuer Betriebsrat gewählt und das Wahlergebnis bekanntgegeben ist, spätestens jedoch sechs Monate nach Wirksamwerden der Spaltung. [4] Durch Tarifvertrag oder Betriebsvereinbarung kann das Übergangsmandat um weitere sechs Monate verlängert werden.

(2) [1] Werden Betriebe oder Betriebsteile zu einem Betrieb zusammengefasst, so nimmt der Betriebsrat des nach der Zahl der wahlberechtigten Arbeitnehmer größten Betriebs oder Betriebsteils das Übergangsmandat wahr. [2] Absatz 1 gilt entsprechend.

(3) Die Absätze 1 und 2 gelten auch, wenn die Spaltung oder Zusammenlegung von Betrieben und Betriebsteilen im Zusammenhang mit einer Betriebsveräußerung oder einer Umwandlung nach dem Umwandlungsgesetz[2] erfolgt.

§ 21b Restmandat. Geht ein Betrieb durch Stilllegung, Spaltung oder Zusammenlegung unter, so bleibt dessen Betriebsrat so lange im Amt, wie dies zur Wahrnehmung der damit im Zusammenhang stehenden Mitwirkungs- und Mitbestimmungsrechte erforderlich ist.

§ 22 Weiterführung der Geschäfte des Betriebsrats. In den Fällen des § 13 Abs. 2 Nr. 1 bis 3 führt der Betriebsrat die Geschäfte weiter, bis der neue Betriebsrat gewählt und das Wahlergebnis bekanntgegeben ist.

§ 23[3] Verletzung gesetzlicher Pflichten. (1) [1] Mindestens ein Viertel der wahlberechtigten Arbeitnehmer, der Arbeitgeber oder eine im Betrieb vertretene Gewerkschaft können beim Arbeitsgericht den Ausschluss eines Mitglieds aus dem Betriebsrat oder die Auflösung des Betriebsrats wegen grober Verletzung seiner gesetzlichen Pflichten beantragen. [2] Der Ausschluss eines Mitglieds kann auch vom Betriebsrat beantragt werden.

---

[1] **Amtl. Anm.:** Diese Vorschrift dient der Umsetzung des Artikels 6 der Richtlinie 2001/23/EG *[Nr. 882]* des Rates vom 12. März 2001 zur Angleichung der Rechtsvorschriften der Mitgliedstaaten über die Wahrung von Ansprüchen der Arbeitnehmer beim Übergang von Unternehmen, Betrieben oder Betriebsteilen (ABl. EG Nr. L 82 S. 16).

[2] Auszugsweise abgedruckt unter Nr. **630**.

[3] § 23 Abs. 3 Satz 5 geänd. durch G v. 21.12.2000 (BGBl. I S. 1983).

(2) [1] Wird der Betriebsrat aufgelöst, so setzt das Arbeitsgericht unverzüglich einen Wahlvorstand für die Neuwahl ein. [2] § 16 Abs. 2 gilt entsprechend.

(3) [1] Der Betriebsrat oder eine im Betrieb vertretene Gewerkschaft können bei groben Verstößen des Arbeitgebers gegen seine Verpflichtungen aus diesem Gesetz beim Arbeitsgericht beantragen, dem Arbeitgeber aufzugeben, eine Handlung zu unterlassen, die Vornahme einer Handlung zu dulden oder eine Handlung vorzunehmen. [2] Handelt der Arbeitgeber der ihm durch rechtskräftige gerichtliche Entscheidung auferlegten Verpflichtung zuwider, eine Handlung zu unterlassen oder die Vornahme einer Handlung zu dulden, so ist er auf Antrag vom Arbeitsgericht wegen einer jeden Zuwiderhandlung nach vorheriger Androhung zu einem Ordnungsgeld zu verurteilen. [3] Führt der Arbeitgeber die ihm durch eine rechtskräftige gerichtliche Entscheidung auferlegte Handlung nicht durch, so ist auf Antrag vom Arbeitsgericht zu erkennen, dass er zur Vornahme der Handlung durch Zwangsgeld anzuhalten sei. [4] Antragsberechtigt sind der Betriebsrat oder eine im Betrieb vertretene Gewerkschaft. [5] Das Höchstmaß des Ordnungsgeldes und Zwangsgeldes beträgt 10 000 Euro.

§ 24 Erlöschen der Mitgliedschaft. Die Mitgliedschaft im Betriebsrat erlischt durch

1. Ablauf der Amtszeit,
2. Niederlegung des Betriebsratsamtes,
3. Beendigung des Arbeitsverhältnisses,
4. Verlust der Wählbarkeit,
5. Ausschluss aus dem Betriebsrat oder Auflösung des Betriebsrats aufgrund einer gerichtlichen Entscheidung,
6. gerichtliche Entscheidung über die Feststellung der Nichtwählbarkeit nach Ablauf der in § 19 Abs. 2 bezeichneten Frist, es sei denn, der Mangel liegt nicht mehr vor.

§ 25 Ersatzmitglieder. (1) [1] Scheidet ein Mitglied des Betriebsrats aus, so rückt ein Ersatzmitglied nach. [2] Dies gilt entsprechend für die Stellvertretung eines zeitweilig verhinderten Mitglieds des Betriebsrats.

(2) [1] Die Ersatzmitglieder werden unter Berücksichtigung des § 15 Abs. 2 der Reihe nach aus den nichtgewählten Arbeitnehmern derjenigen Vorschlagslisten entnommen, denen die zu ersetzenden Mitglieder angehören. [2] Ist eine Vorschlagsliste erschöpft, so ist das Ersatzmitglied derjenigen Vorschlagsliste zu entnehmen, auf die nach den Grundsätzen der Verhältniswahl der nächste Sitz entfallen würde. [3] Ist das ausgeschiedene oder verhinderte Mitglied nach den Grundsätzen der Mehrheitswahl gewählt, so bestimmt sich die Reihenfolge der Ersatzmitglieder unter Berücksichtigung des § 15 Abs. 2 nach der Höhe der erreichten Stimmenzahlen.

Dritter Abschnitt. Geschäftsführung des Betriebsrats

§ 26 Vorsitzender. (1) Der Betriebsrat wählt aus seiner Mitte den Vorsitzenden und dessen Stellvertreter.

(2) [1] *Der Vorsitzende* des Betriebsrats oder im Fall seiner Verhinderung sein Stellvertreter vertritt den Betriebsrat im Rahmen der von ihm gefassten Beschlüsse. [2] Zur Entgegennahme von Erklärungen, die dem Betriebsrat gegen-

über abzugeben sind, ist der Vorsitzende des Betriebsrats oder im Fall seiner Verhinderung sein Stellvertreter berechtigt.

§ 27 Betriebsausschuss. (1) [1] Hat ein Betriebsrat neun oder mehr Mitglieder, so bildet er einen Betriebsausschuss. [2] Der Betriebsausschuss besteht aus dem Vorsitzenden des Betriebsrats, dessen Stellvertreter und bei Betriebsräten mit

9 bis 15 Mitgliedern aus 3 weiteren Ausschussmitgliedern,
17 bis 23 Mitgliedern aus 5 weiteren Ausschussmitgliedern,
25 bis 35 Mitgliedern aus 7 weiteren Ausschussmitgliedern,
37 oder mehr Mitgliedern aus 9 weiteren Ausschussmitgliedern.

[3] Die weiteren Ausschussmitglieder werden vom Betriebsrat aus seiner Mitte in geheimer Wahl und nach den Grundsätzen der Verhältniswahl gewählt. [4] Wird nur ein Wahlvorschlag gemacht, so erfolgt die Wahl nach den Grundsätzen der Mehrheitswahl. [5] Sind die weiteren Ausschussmitglieder nach den Grundsätzen der Verhältniswahl gewählt, so erfolgt die Abberufung durch Beschluss des Betriebsrats, der in geheimer Abstimmung gefasst wird und einer Mehrheit von drei Vierteln der Stimmen der Mitglieder des Betriebsrats bedarf.

(2) [1] Der Betriebsausschuss führt die laufenden Geschäfte des Betriebsrats. [2] Der Betriebsrat kann dem Betriebsausschuss mit der Mehrheit der Stimmen seiner Mitglieder Aufgaben zur selbständigen Erledigung übertragen; dies gilt nicht für den Abschluss von Betriebsvereinbarungen. [3] Die Übertragung bedarf der Schriftform. [4] Die Sätze 2 und 3 gelten entsprechend für den Widerruf der Übertragung von Aufgaben.

(3) Betriebsräte mit weniger als neun Mitgliedern können die laufenden Geschäfte auf den Vorsitzenden des Betriebsrats oder andere Betriebsratsmitglieder übertragen.

§ 28 Übertragung von Aufgaben auf Ausschüsse. (1) [1] Der Betriebsrat kann in Betrieben mit mehr als 100 Arbeitnehmern Ausschüsse bilden und ihnen bestimmte Aufgaben übertragen. [2] Für die Wahl und Abberufung der Ausschussmitglieder gilt § 27 Abs. 1 Satz 3 bis 5 entsprechend. [3] Ist ein Betriebsausschuss gebildet, kann der Betriebsrat den Ausschüssen Aufgaben zur selbständigen Erledigung übertragen; § 27 Abs. 2 Satz 2 bis 4 gilt entsprechend.

(2) Absatz 1 gilt entsprechend für die Übertragung von Aufgaben zur selbständigen Entscheidung auf Mitglieder des Betriebsrats in Ausschüssen, deren Mitglieder vom Betriebsrat und vom Arbeitgeber benannt werden.

§ 28a Übertragung von Aufgaben auf Arbeitsgruppen. (1) [1] In Betrieben mit mehr als 100 Arbeitnehmern kann der Betriebsrat mit der Mehrheit der Stimmen seiner Mitglieder bestimmte Aufgaben auf Arbeitsgruppen übertragen; dies erfolgt nach Maßgabe einer mit dem Arbeitgeber abzuschließenden Rahmenvereinbarung. [2] Die Aufgaben müssen im Zusammenhang mit den von der Arbeitsgruppe zu erledigenden Tätigkeiten stehen. [3] Die Übertragung bedarf der Schriftform. [4] Für den Widerruf der Übertragung gelten Satz 1 erster Halbsatz und Satz 3 entsprechend.

(2) [1] Die Arbeitsgruppe kann im Rahmen der ihr übertragenen Aufgaben mit dem Arbeitgeber Vereinbarungen schließen; eine Vereinbarung bedarf der Mehrheit der Stimmen der Gruppenmitglieder. [2] § 77 gilt entsprechend. [3] Kön-

nen sich Arbeitgeber und Arbeitsgruppe in einer Angelegenheit nicht einigen, nimmt der Betriebsrat das Beteiligungsrecht wahr.

§ 29 Einberufung der Sitzungen. (1) [1] Vor Ablauf einer Woche nach dem Wahltag hat der Wahlvorstand die Mitglieder des Betriebsrats zu der nach § 26 Abs. 1 vorgeschriebenen Wahl einzuberufen. [2] Der Vorsitzende des Wahlvorstands leitet die Sitzung, bis der Betriebsrat aus seiner Mitte einen Wahlleiter bestellt hat.

(2) [1] Die weiteren Sitzungen beruft der Vorsitzende des Betriebsrats ein. [2] Er setzt die Tagesordnung fest und leitet die Verhandlung. [3] Der Vorsitzende hat die Mitglieder des Betriebsrats zu den Sitzungen rechtzeitig unter Mitteilung der Tagesordnung zu laden. [4] Dies gilt auch für die Schwerbehindertenvertretung sowie für die Jugend- und Auszubildendenvertreter, soweit sie ein Recht auf Teilnahme an der Betriebsratssitzung haben. [5] Kann ein Mitglied des Betriebsrats oder der Jugend- und Auszubildendenvertretung an der Sitzung nicht teilnehmen, so soll es dies unter Angabe der Gründe unverzüglich dem Vorsitzenden mitteilen. [6] Der Vorsitzende hat für ein verhindertes Betriebsratsmitglied oder für einen verhinderten Jugend- und Auszubildendenvertreter das Ersatzmitglied zu laden.

(3) Der Vorsitzende hat eine Sitzung einzuberufen und den Gegenstand, dessen Beratung beantragt ist, auf die Tagesordnung zu setzen, wenn dies ein Viertel der Mitglieder des Betriebsrats oder der Arbeitgeber beantragt.

(4) [1] Der Arbeitgeber nimmt an den Sitzungen, die auf sein Verlangen anberaumt sind, und an den Sitzungen, zu denen er ausdrücklich eingeladen ist, teil. [2] Er kann einen Vertreter der Vereinigung der Arbeitgeber, der er angehört, hinzuziehen.

§ 30[1)] Betriebsratssitzungen. (1) [1] Die Sitzungen des Betriebsrats finden in der Regel während der Arbeitszeit statt. [2] Der Betriebsrat hat bei der Ansetzung von Betriebsratssitzungen auf die betrieblichen Notwendigkeiten Rücksicht zu nehmen. [3] Der Arbeitgeber ist vom Zeitpunkt der Sitzung vorher zu verständigen. [4] Die Sitzungen des Betriebsrats sind nicht öffentlich. [5] Sie finden als Präsenzsitzung statt.

(2) [1] Abweichend von Absatz 1 Satz 5 kann die Teilnahme an einer Betriebsratssitzung mittels Video- und Telefonkonferenz erfolgen, wenn

1. die Voraussetzungen für eine solche Teilnahme in der Geschäftsordnung unter Sicherung des Vorrangs der Präsenzsitzung festgelegt sind,
2. nicht mindestens ein Viertel der Mitglieder des Betriebsrats binnen einer von dem Vorsitzenden zu bestimmenden Frist diesem gegenüber widerspricht und
3. sichergestellt ist, dass Dritte vom Inhalt der Sitzung keine Kenntnis nehmen können.

[2] Eine Aufzeichnung der Sitzung ist unzulässig.

(3) Erfolgt die Betriebsratssitzung mit der zusätzlichen Möglichkeit der Teilnahme mittels Video- und Telefonkonferenz, gilt auch eine Teilnahme vor Ort als erforderlich.

[1)] § 30 Abs. 1 Satz 5 und Abs. 2, 3 angef. mWv 18.6.2021 durch G v. 14.6.2021 (BGBl. I S. 1762).

§ 31 Teilnahme der Gewerkschaften. Auf Antrag von einem Viertel der Mitglieder des Betriebsrats kann ein Beauftragter einer im Betriebsrat vertretenen Gewerkschaft an den Sitzungen beratend teilnehmen; in diesem Fall sind der Zeitpunkt der Sitzung und die Tagesordnung der Gewerkschaft rechtzeitig mitzuteilen.

§ 32[1)] Teilnahme der Schwerbehindertenvertretung. Die Schwerbehindertenvertretung (§ 177 des Neunten Buches Sozialgesetzbuch[2)]) kann an allen Sitzungen des Betriebsrats beratend teilnehmen.

§ 33[3)] Beschlüsse des Betriebsrats. (1) [1]Die Beschlüsse des Betriebsrats werden, soweit in diesem Gesetz nichts anderes bestimmt ist, mit der Mehrheit der Stimmen der anwesenden Mitglieder gefasst. [2]Betriebsratsmitglieder, die mittels Video- und Telefonkonferenz an der Beschlussfassung teilnehmen, gelten als anwesend. [3]Bei Stimmengleichheit ist ein Antrag abgelehnt.

(2) Der Betriebsrat ist nur beschlussfähig, wenn mindestens die Hälfte der Betriebsratsmitglieder an der Beschlussfassung teilnimmt; Stellvertretung durch Ersatzmitglieder ist zulässig.

(3) Nimmt die Jugend- und Auszubildendenvertretung an der Beschlussfassung teil, so werden die Stimmen der Jugend- und Auszubildendenvertreter bei der Feststellung der Stimmenmehrheit mitgezählt.

§ 34[4)] Sitzungsniederschrift. (1) [1]Über jede Verhandlung des Betriebsrats ist eine Niederschrift aufzunehmen, die mindestens den Wortlaut der Beschlüsse und die Stimmenmehrheit, mit der sie gefasst sind, enthält. [2]Die Niederschrift ist von dem Vorsitzenden und einem weiteren Mitglied zu unterzeichnen. [3]Der Niederschrift ist eine Anwesenheitsliste beizufügen, in die sich jeder Teilnehmer eigenhändig einzutragen hat. [4]Nimmt ein Betriebsratsmitglied mittels Video- und Telefonkonferenz an der Sitzung teil, so hat es seine Teilnahme gegenüber dem Vorsitzenden in Textform zu bestätigen. [5]Die Bestätigung ist der Niederschrift beizufügen.

(2) [1]Hat der Arbeitgeber oder ein Beauftragter einer Gewerkschaft an der Sitzung teilgenommen, so ist ihm der entsprechende Teil der Niederschrift abschriftlich auszuhändigen. [2]Einwendungen gegen die Niederschrift sind unverzüglich schriftlich zu erheben; sie sind der Niederschrift beizufügen.

(3) Die Mitglieder des Betriebsrats haben das Recht, die Unterlagen des Betriebsrats und seiner Ausschüsse jederzeit einzusehen.

§ 35 Aussetzung von Beschlüssen. (1) Erachtet die Mehrheit der Jugend- und Auszubildendenvertretung oder die Schwerbehindertenvertretung einen Beschluss des Betriebsrats als eine erhebliche Beeinträchtigung wichtiger Interessen der durch sie vertretenen Arbeitnehmer, so ist auf ihren Antrag der Beschluss auf die Dauer von einer Woche vom Zeitpunkt der Beschlussfassung an auszusetzen, damit in dieser Frist eine Verständigung, gegebenenfalls mit Hilfe der im Betrieb vertretenen Gewerkschaften, versucht werden kann.

[1)] § 32 geänd. mWv 1.1.2018 durch G v. 23.12.2016 (BGBl. I S. 3234).

[2)] Nr. **440**.

[3)] § 33 Abs. 1 Satz 2 eingef., bish. Satz 2 wird Satz 3 mWv 18.6.2021 durch G v. 14.6.2021 (BGBl. I S. 1762).

[4)] § 34 Abs. 1 Sätze 4 und 5 angef. mWv 18.6.2021 durch G v. 14.6.2021 (BGBl. I S. 1762).

(2) [1] Nach Ablauf der Frist ist über die Angelegenheit neu zu beschließen. [2] Wird der erste Beschluss bestätigt, so kann der Antrag auf Aussetzung nicht wiederholt werden; dies gilt auch, wenn der erste Beschluss nur unerheblich geändert wird.

§ 36 Geschäftsordnung. Sonstige Bestimmungen über die Geschäftsführung sollen in einer schriftlichen Geschäftsordnung getroffen werden, die der Betriebsrat mit der Mehrheit der Stimmen seiner Mitglieder beschließt.

§ 37[1)] Ehrenamtliche Tätigkeit, Arbeitsversäumnis. (1) Die Mitglieder des Betriebsrats führen ihr Amt unentgeltlich als Ehrenamt.

(2) Mitglieder des Betriebsrats sind von ihrer beruflichen Tätigkeit ohne Minderung des Arbeitsentgelts zu befreien, wenn und soweit es nach Umfang und Art des Betriebs zur ordnungsgemäßen Durchführung ihrer Aufgaben erforderlich ist.

(3) [1] Zum Ausgleich für Betriebsratstätigkeit, die aus betriebsbedingten Gründen außerhalb der Arbeitszeit durchzuführen ist, hat das Betriebsratsmitglied Anspruch auf entsprechende Arbeitsbefreiung unter Fortzahlung des Arbeitsentgelts. [2] Betriebsbedingte Gründe liegen auch vor, wenn die Betriebsratstätigkeit wegen der unterschiedlichen Arbeitszeiten der Betriebsratsmitglieder nicht innerhalb der persönlichen Arbeitszeit erfolgen kann. [3] Die Arbeitsbefreiung ist vor Ablauf eines Monats zu gewähren; ist dies aus betriebsbedingten Gründen nicht möglich, so ist die aufgewendete Zeit wie Mehrarbeit zu vergüten.

(4) [1] Das Arbeitsentgelt von Mitgliedern des Betriebsrats darf einschließlich eines Zeitraums von einem Jahr nach Beendigung der Amtszeit nicht geringer bemessen werden als das Arbeitsentgelt vergleichbarer Arbeitnehmer mit betriebsüblicher beruflicher Entwicklung. [2] Dies gilt auch für allgemeine Zuwendungen des Arbeitgebers. [3] Zur Bestimmung der vergleichbaren Arbeitnehmer nach Satz 1 ist auf den Zeitpunkt der Übernahme des Betriebsratsamtes abzustellen, soweit nicht ein sachlicher Grund für eine spätere Neubestimmung vorliegt. [4] Arbeitgeber und Betriebsrat können in einer Betriebsvereinbarung ein Verfahren zur Festlegung vergleichbarer Arbeitnehmer regeln. [5] Die Konkretisierung der Vergleichbarkeit in einer solchen Betriebsvereinbarung kann nur auf grobe Fehlerhaftigkeit überprüft werden; Gleiches gilt für die Festlegung der Vergleichspersonen, soweit sie einvernehmlich zwischen Arbeitgeber und Betriebsrat erfolgt und in Textform dokumentiert ist.

(5) Soweit nicht zwingende betriebliche Notwendigkeiten entgegenstehen, dürfen Mitglieder des Betriebsrats einschließlich eines Zeitraums von einem Jahr nach Beendigung der Amtszeit nur mit Tätigkeiten beschäftigt werden, die den Tätigkeiten der in Absatz 4 genannten Arbeitnehmer gleichwertig sind.

(6) [1] Die Absätze 2 und 3 gelten entsprechend für die Teilnahme an Schulungs- und Bildungsveranstaltungen, soweit diese Kenntnisse vermitteln, die für die Arbeit des Betriebsrats erforderlich sind. [2] Betriebsbedingte Gründe im Sinne des Absatzes 3 liegen auch vor, wenn wegen Besonderheiten der betrieblichen Arbeitszeitgestaltung die Schulung des Betriebsratsmitglieds außerhalb seiner Arbeitszeit erfolgt; in diesem Fall ist der Umfang des Ausgleichsanspruchs unter Einbeziehung der Arbeitsbefreiung nach Absatz 2 pro Schulungstag be-

---

[1)] § 37 Abs. 4 Sätze 3–5 angef. mWv 25.7.2024 durch G v. 19.7.2024 (BGBl. 2024 I Nr. 248).

grenzt auf die Arbeitszeit eines vollzeitbeschäftigten Arbeitnehmers. [3] Der Betriebsrat hat bei der Festlegung der zeitlichen Lage der Teilnahme an Schulungs- und Bildungsveranstaltungen die betrieblichen Notwendigkeiten zu berücksichtigen. [4] Er hat dem Arbeitgeber die Teilnahme und die zeitliche Lage der Schulungs- und Bildungsveranstaltungen rechtzeitig bekannt zu geben. [5] Hält der Arbeitgeber die betrieblichen Notwendigkeiten für nicht ausreichend berücksichtigt, so kann er die Einigungsstelle anrufen. [6] Der Spruch der Einigungsstelle ersetzt die Einigung zwischen Arbeitgeber und Betriebsrat.

(7) [1] Unbeschadet der Vorschrift des Absatzes 6 hat jedes Mitglied des Betriebsrats während seiner regelmäßigen Amtszeit Anspruch auf bezahlte Frei-

(Fortsetzung nächstes Blatt)

stellung für insgesamt drei Wochen zur Teilnahme an Schulungs- und Bildungsveranstaltungen, die von der zuständigen obersten Arbeitsbehörde des Landes nach Beratung mit den Spitzenorganisationen der Gewerkschaften und der Arbeitgeberverbände als geeignet anerkannt sind. [2] Der Anspruch nach Satz 1 erhöht sich für Arbeitnehmer, die erstmals das Amt eines Betriebsratsmitglieds übernehmen und auch nicht zuvor Jugend- und Auszubildendenvertreter waren, auf vier Wochen. [3] Absatz 6 Satz 2 bis 6 findet Anwendung.

§ 38 Freistellungen. (1) [1] Von ihrer beruflichen Tätigkeit sind mindestens freizustellen in Betrieben mit in der Regel

200	bis	500	Arbeitnehmern	ein Betriebsratsmitglied,
501	bis	900	Arbeitnehmern	2 Betriebsratsmitglieder,
901	bis	1 500	Arbeitnehmern	3 Betriebsratsmitglieder,
1 501	bis	2 000	Arbeitnehmern	4 Betriebsratsmitglieder,
2 001	bis	3 000	Arbeitnehmern	5 Betriebsratsmitglieder,
3 001	bis	4 000	Arbeitnehmern	6 Betriebsratsmitglieder,
4 001	bis	5 000	Arbeitnehmern	7 Betriebsratsmitglieder,
5 001	bis	6 000	Arbeitnehmern	8 Betriebsratsmitglieder,
6 001	bis	7 000	Arbeitnehmern	9 Betriebsratsmitglieder,
7 001	bis	8 000	Arbeitnehmern	10 Betriebsratsmitglieder,
8 001	bis	9 000	Arbeitnehmern	11 Betriebsratsmitglieder,
9 001	bis	10 000	Arbeitnehmern	12 Betriebsratsmitglieder.

[2] In Betrieben mit über 10 000 Arbeitnehmern ist für je angefangene weitere 2 000 Arbeitnehmer ein weiteres Betriebsratsmitglied freizustellen. [3] Freistellungen können auch in Form von Teilfreistellungen erfolgen. [4] Diese dürfen zusammengenommen nicht den Umfang der Freistellungen nach den Sätzen 1 und 2 überschreiten. [5] Durch Tarifvertrag oder Betriebsvereinbarung können anderweitige Regelungen über die Freistellung vereinbart werden.

(2) [1] Die freizustellenden Betriebsratsmitglieder werden nach Beratung mit dem Arbeitgeber vom Betriebsrat aus seiner Mitte in geheimer Wahl und nach den Grundsätzen der Verhältniswahl gewählt. [2] Wird nur ein Wahlvorschlag gemacht, so erfolgt die Wahl nach den Grundsätzen der Mehrheitswahl; ist nur ein Betriebsratsmitglied freizustellen, so wird dieses mit einfacher Stimmenmehrheit gewählt. [3] Der Betriebsrat hat die Namen der Freizustellenden dem Arbeitgeber bekannt zu geben. [4] Hält der Arbeitgeber eine Freistellung für sachlich nicht vertretbar, so kann er innerhalb einer Frist von zwei Wochen nach der Bekanntgabe die Einigungsstelle anrufen. [5] Der Spruch der Einigungsstelle ersetzt die Einigung zwischen Arbeitgeber und Betriebsrat. [6] Bestätigt die Einigungsstelle die Bedenken des Arbeitgebers, so hat sie bei der Bestimmung eines anderen freizustellenden Betriebsratsmitglieds auch den Minderheitenschutz im Sinne des Satzes 1 zu beachten. [7] Ruft der Arbeitgeber die Einigungsstelle nicht an, so gilt sein Einverständnis mit den Freistellungen nach Ablauf der zweiwöchigen Frist als erteilt. [8] Für die Abberufung gilt § 27 Abs. 1 Satz 5 entsprechend.

(3) Der Zeitraum für die Weiterzahlung des nach § 37 Abs. 4 zu bemessenden Arbeitsentgelts und für die Beschäftigung nach § 37 Abs. 5 erhöht sich für Mitglieder des Betriebsrats, die drei volle aufeinander folgende Amtszeiten freigestellt waren, auf zwei Jahre nach Ablauf der Amtszeit.

(4) [1] Freigestellte Betriebsratsmitglieder dürfen von inner- und außerbetrieblichen Maßnahmen der Berufsbildung nicht ausgeschlossen werden. [2] Innerhalb eines Jahres nach Beendigung der Freistellung eines Betriebsratsmitglieds ist diesem im Rahmen der Möglichkeiten des Betriebs Gelegenheit zu geben, eine wegen der Freistellung unterbliebene betriebsübliche berufliche Entwicklung nachzuholen. [3] Für Mitglieder des Betriebsrats, die drei volle aufeinander folgende Amtszeiten freigestellt waren, erhöht sich der Zeitraum nach Satz 2 auf zwei Jahre.

§ 39 Sprechstunden. (1) [1] Der Betriebsrat kann während der Arbeitszeit Sprechstunden einrichten. [2] Zeit und Ort sind mit dem Arbeitgeber zu vereinbaren. [3] Kommt eine Einigung nicht zustande, so entscheidet die Einigungsstelle. [4] Der Spruch der Einigungsstelle ersetzt die Einigung zwischen Arbeitgeber und Betriebsrat.

(2) Führt die Jugend- und Auszubildendenvertretung keine eigenen Sprechstunden durch, so kann an den Sprechstunden des Betriebsrats ein Mitglied der Jugend- und Auszubildendenvertretung zur Beratung der in § 60 Abs. 1 genannten Arbeitnehmer teilnehmen.

(3) Versäumnis von Arbeitszeit, die zum Besuch der Sprechstunden oder durch sonstige Inanspruchnahme des Betriebsrats erforderlich ist, berechtigt den Arbeitgeber nicht zur Minderung des Arbeitsentgelts des Arbeitnehmers.

§ 40 Kosten und Sachaufwand des Betriebsrats. (1) Die durch die Tätigkeit des Betriebsrats entstehenden Kosten trägt der Arbeitgeber.

(2) Für die Sitzungen, die Sprechstunden und die laufende Geschäftsführung hat der Arbeitgeber in erforderlichem Umfang Räume, sachliche Mittel, Informations- und Kommunikationstechnik sowie Büropersonal zur Verfügung zu stellen.

§ 41 Umlageverbot. Die Erhebung und Leistung von Beiträgen der Arbeitnehmer für Zwecke des Betriebsrats ist unzulässig.

Vierter Abschnitt. Betriebsversammlung

§ 42 Zusammensetzung, Teilversammlung, Abteilungsversammlung.

(1) [1] Die Betriebsversammlung besteht aus den Arbeitnehmern des Betriebs; sie wird von dem Vorsitzenden des Betriebsrats geleitet. [2] Sie ist nicht öffentlich. [3] Kann wegen der Eigenart des Betriebs eine Versammlung aller Arbeitnehmer zum gleichen Zeitpunkt nicht stattfinden, so sind Teilversammlungen durchzuführen.

(2) [1] Arbeitnehmer organisatorisch oder räumlich abgegrenzter Betriebsteile sind vom Betriebsrat zu Abteilungsversammlungen zusammenzufassen, wenn dies für die Erörterung der besonderen Belange der Arbeitnehmer erforderlich ist. [2] Die Abteilungsversammlung wird von einem Mitglied des Betriebsrats geleitet, das möglichst einem beteiligten Betriebsteil als Arbeitnehmer angehört. [3] Absatz 1 Satz 2 und 3 gilt entsprechend.

§ 43 Regelmäßige Betriebs- und Abteilungsversammlungen. (1) [1] Der Betriebsrat hat einmal in jedem Kalendervierteljahr eine Betriebsversammlung einzuberufen und in ihr einen Tätigkeitsbericht zu erstatten. [2] Liegen die Voraussetzungen des § 42 Abs. 2 Satz 1 vor, so hat der Betriebsrat in jedem

Kalenderjahr zwei der in Satz 1 genannten Betriebsversammlungen als Abteilungsversammlungen durchzuführen. [3]Die Abteilungsversammlungen sollen möglichst gleichzeitig stattfinden. [4]Der Betriebsrat kann in jedem Kalenderhalbjahr eine weitere Betriebsversammlung oder, wenn die Voraussetzungen des § 42 Abs. 2 Satz 1 vorliegen, einmal weitere Abteilungsversammlungen durchführen, wenn dies aus besonderen Gründen zweckmäßig erscheint.

(2) [1]Der Arbeitgeber ist zu den Betriebs- und Abteilungsversammlungen unter Mitteilung der Tagesordnung einzuladen. [2]Er ist berechtigt, in den Versammlungen zu sprechen. [3]Der Arbeitgeber oder sein Vertreter hat mindestens einmal in jedem Kalenderjahr in einer Betriebsversammlung über das Personal- und Sozialwesen einschließlich des Stands der Gleichstellung von Frauen und Männern im Betrieb sowie der Integration der im Betrieb beschäftigten ausländischen Arbeitnehmer, über die wirtschaftliche Lage und Entwicklung des Betriebs sowie über den betrieblichen Umweltschutz zu berichten, soweit dadurch nicht Betriebs- oder Geschäftsgeheimnisse gefährdet werden.

(3) [1]Der Betriebsrat ist berechtigt und auf Wunsch des Arbeitgebers oder von mindestens einem Viertel der wahlberechtigten Arbeitnehmer verpflichtet, eine Betriebsversammlung einzuberufen und den beantragten Beratungsgegenstand auf die Tagesordnung zu setzen. [2]Vom Zeitpunkt der Versammlungen, die auf Wunsch des Arbeitgebers stattfinden, ist dieser rechtzeitig zu verständigen.

(4) Auf Antrag einer im Betrieb vertretenen Gewerkschaft muss der Betriebsrat vor Ablauf von zwei Wochen nach Eingang des Antrags eine Betriebsversammlung nach Absatz 1 Satz 1 einberufen, wenn im vorhergegangenen Kalenderhalbjahr keine Betriebsversammlung und keine Abteilungsversammlungen durchgeführt worden sind.

§ 44 Zeitpunkt und Verdienstausfall. (1) [1]Die in den §§ 14a, 17 und 43 Abs. 1 bezeichneten und die auf Wunsch des Arbeitgebers einberufenen Versammlungen finden während der Arbeitszeit statt, soweit nicht die Eigenart des Betriebs eine andere Regelung zwingend erfordert. [2]Die Zeit der Teilnahme an diesen Versammlungen einschließlich der zusätzlichen Wegezeiten ist den Arbeitnehmern wie Arbeitszeit zu vergüten. [3]Dies gilt auch dann, wenn die Versammlungen wegen der Eigenart des Betriebs außerhalb der Arbeitszeit stattfinden; Fahrkosten, die den Arbeitnehmern durch die Teilnahme an diesen Versammlungen entstehen, sind vom Arbeitgeber zu erstatten.

(2) [1]Sonstige Betriebs- oder Abteilungsversammlungen finden außerhalb der Arbeitszeit statt. [2]Hiervon kann im Einvernehmen mit dem Arbeitgeber abgewichen werden; im Einvernehmen mit dem Arbeitgeber während der Arbeitszeit durchgeführte Versammlungen berechtigen den Arbeitgeber nicht, das Arbeitsentgelt der Arbeitnehmer zu mindern.

§ 45 Themen der Betriebs- und Abteilungsversammlungen. [1]Die Betriebs- und Abteilungsversammlungen können Angelegenheiten einschließlich solcher tarifpolitischer, sozialpolitischer, umweltpolitischer und wirtschaftlicher Art sowie Fragen der Förderung der Gleichstellung von Frauen und Männern und der Vereinbarkeit von Familie und Erwerbstätigkeit sowie der Integration der im Betrieb beschäftigten ausländischen Arbeitnehmer behandeln, die den Betrieb oder seine Arbeitnehmer unmittelbar betreffen; die Grundsätze des § 74 Abs. 2 finden Anwendung. [2]Die Betriebs- und Abteilungsversammlungen können dem Betriebsrat Anträge unterbreiten und zu seinen Beschlüssen Stellung nehmen.

§ 46 Beauftragte der Verbände. (1) [1] An den Betriebs- oder Abteilungsversammlungen können Beauftragte der im Betrieb vertretenen Gewerkschaften beratend teilnehmen. [2] Nimmt der Arbeitgeber an Betriebs- oder Abteilungsversammlungen teil, so kann er einen Beauftragten der Vereinigung der Arbeitgeber, der er angehört, hinzuziehen.

(2) Der Zeitpunkt und die Tagesordnung der Betriebs- oder Abteilungsversammlungen sind den im Betriebsrat vertretenen Gewerkschaften rechtzeitig schriftlich mitzuteilen.

Fünfter Abschnitt. Gesamtbetriebsrat

§ 47[1)] Voraussetzungen der Errichtung, Mitgliederzahl, Stimmengewicht. (1) Bestehen in einem Unternehmen mehrere Betriebsräte, so ist ein Gesamtbetriebsrat zu errichten.

(2) [1] In den Gesamtbetriebsrat entsendet jeder Betriebsrat mit bis zu drei Mitgliedern eines seiner Mitglieder; jeder Betriebsrat mit mehr als drei Mitgliedern entsendet zwei seiner Mitglieder. [2] Die Geschlechter sollen angemessen berücksichtigt werden.

(3) Der Betriebsrat hat für jedes Mitglied des Gesamtbetriebsrats mindestens ein Ersatzmitglied zu bestellen und die Reihenfolge des Nachrückens festzulegen.

(4) Durch Tarifvertrag oder Betriebsvereinbarung kann die Mitgliederzahl des Gesamtbetriebsrats abweichend von Absatz 2 Satz 1 geregelt werden.

(5) Gehören nach Absatz 2 Satz 1 dem Gesamtbetriebsrat mehr als vierzig Mitglieder an und besteht keine tarifliche Regelung nach Absatz 4, so ist zwischen Gesamtbetriebsrat und Arbeitgeber eine Betriebsvereinbarung über die Mitgliederzahl des Gesamtbetriebsrats abzuschließen, in der bestimmt wird, dass Betriebsräte mehrerer Betriebe eines Unternehmens, die regional oder durch gleichartige Interessen miteinander verbunden sind, gemeinsam Mitglieder in den Gesamtbetriebsrat entsenden.

(6) [1] Kommt im Fall des Absatzes 5 eine Einigung nicht zustande, so entscheidet eine für das Gesamtunternehmen zu bildende Einigungsstelle. [2] Der Spruch der Einigungsstelle ersetzt die Einigung zwischen Arbeitgeber und Gesamtbetriebsrat.

(7) [1] Jedes Mitglied des Gesamtbetriebsrats hat so viele Stimmen, wie in dem Betrieb, in dem es gewählt wurde, wahlberechtigte Arbeitnehmer in der Wählerliste eingetragen sind. [2] Entsendet der Betriebsrat mehrere Mitglieder, so stehen ihnen die Stimmen nach Satz 1 anteilig zu.

(8) Ist ein Mitglied des Gesamtbetriebsrats für mehrere Betriebe entsandt worden, so hat es so viele Stimmen, wie in den Betrieben, für die es entsandt ist, wahlberechtigte Arbeitnehmer in den Wählerlisten eingetragen sind; sind mehrere Mitglieder entsandt worden, gilt Absatz 7 Satz 2 entsprechend.

[1)] **Amtl. Anm.:** Gemäß Artikel 14 Satz 2 des Gesetzes zur Reform des Betriebsverfassungsgesetzes (*BetrVerf-Reformgesetz*) vom 23. *Juli 2001* (BGBl. I S. 1852) gilt § 47 Abs. 2 (Artikel 1 Nr. 35 Buchstabe a des BetrVerf-Reformgesetzes) für im Zeitpunkt des Inkrafttretens bestehende Betriebsräte erst bei deren Neuwahl.

(9) Für Mitglieder des Gesamtbetriebsrats, die aus einem gemeinsamen Betrieb mehrerer Unternehmen entsandt worden sind, können durch Tarifvertrag oder Betriebsvereinbarung von den Absätzen 7 und 8 abweichende Regelungen getroffen werden.

§ 48 Ausschluss von Gesamtbetriebsratsmitgliedern. Mindestens ein Viertel der wahlberechtigten Arbeitnehmer des Unternehmens, der Arbeitgeber, der Gesamtbetriebsrat oder eine im Unternehmen vertretene Gewerkschaft können beim Arbeitsgericht den Ausschluss eines Mitglieds aus dem Gesamtbetriebsrat wegen grober Verletzung seiner gesetzlichen Pflichten beantragen.

§ 49 Erlöschen der Mitgliedschaft. Die Mitgliedschaft im Gesamtbetriebsrat endet mit dem Erlöschen der Mitgliedschaft im Betriebsrat, durch Amtsniederlegung, durch Ausschluss aus dem Gesamtbetriebsrat aufgrund einer gerichtlichen Entscheidung oder Abberufung durch den Betriebsrat.

§ 50 Zuständigkeit. (1) [1] Der Gesamtbetriebsrat ist zuständig für die Behandlung von Angelegenheiten, die das Gesamtunternehmen oder mehrere Betriebe betreffen und nicht durch die einzelnen Betriebsräte innerhalb ihrer Betriebe geregelt werden können; seine Zuständigkeit erstreckt sich insoweit auch auf Betriebe ohne Betriebsrat. [2] Er ist den einzelnen Betriebsräten nicht übergeordnet.

(2) [1] Der Betriebsrat kann mit der Mehrheit der Stimmen seiner Mitglieder den Gesamtbetriebsrat beauftragen, eine Angelegenheit für ihn zu behandeln. [2] Der Betriebsrat kann sich dabei die Entscheidungsbefugnis vorbehalten. [3] § 27 Abs. 2 Satz 3 und 4 gilt entsprechend.

§ 51[1)] Geschäftsführung. (1) [1] Für den Gesamtbetriebsrat gelten § 25 Abs. 1, die §§ 26, 27 Abs. 2 und 3, § 28 Abs. 1 Satz 1 und 3, Abs. 2, die §§ 30, 31, 34, 35, 36, 37 Abs. 1 bis 3 sowie die §§ 40 und 41 entsprechend. [2] § 27 Abs. 1 gilt entsprechend mit der Maßgabe, dass der Gesamtbetriebsausschuss aus dem Vorsitzenden des Gesamtbetriebsrats, dessen Stellvertreter und bei Gesamtbetriebsräten mit

9 bis 16 Mitgliedern aus 3 weiteren Ausschussmitgliedern,
17 bis 24 Mitgliedern aus 5 weiteren Ausschussmitgliedern,
25 bis 36 Mitgliedern aus 7 weiteren Ausschussmitgliedern,
mehr als 36 Mitgliedern aus 9 weiteren Ausschussmitgliedern

besteht.

(2) [1] Ist ein Gesamtbetriebsrat zu errichten, so hat der Betriebsrat der Hauptverwaltung des Unternehmens oder, soweit ein solcher Betriebsrat nicht besteht, der Betriebsrat des nach der Zahl der wahlberechtigten Arbeitnehmer größten Betriebs zu der Wahl des Vorsitzenden und des stellvertretenden Vorsitzenden des Gesamtbetriebsrats einzuladen. [2] Der Vorsitzende des einladenden Betriebsrats hat die Sitzung zu leiten, bis der Gesamtbetriebsrat aus seiner Mitte einen Wahlleiter bestellt hat. [3] § 29 Abs. 2 bis 4 gilt entsprechend.

---

1) § 51 Abs. 3 Satz 2 eingef., bish. Sätze 2–4 werden Sätze 3–5 mWv 18.6.2021 durch G v. 14.6.2021 (BGBl. I S. 1762).

(3) [1]Die Beschlüsse des Gesamtbetriebsrats werden, soweit nichts anderes bestimmt ist, mit Mehrheit der Stimmen der anwesenden Mitglieder gefasst. [2]Mitglieder des Gesamtbetriebsrats, die mittels Video- und Telefonkonferenz an der Beschlussfassung teilnehmen, gelten als anwesend. [3]Bei Stimmengleichheit ist ein Antrag abgelehnt. [4]Der Gesamtbetriebsrat ist nur beschlussfähig, wenn mindestens die Hälfte seiner Mitglieder an der Beschlussfassung teilnimmt und die Teilnehmenden mindestens die Hälfte aller Stimmen vertreten; Stellvertretung durch Ersatzmitglieder ist zulässig. [5]§ 33 Abs. 3 gilt entsprechend.

(4) Auf die Beschlussfassung des Gesamtbetriebsausschusses und weiterer Ausschüsse des Gesamtbetriebsrats ist § 33 Abs. 1 und 2 anzuwenden.

(5) Die Vorschriften über die Rechte und Pflichten des Betriebsrats gelten entsprechend für den Gesamtbetriebsrat, soweit dieses Gesetz keine besonderen Vorschriften enthält.

§ 52[1)] Teilnahme der Gesamtschwerbehindertenvertretung. Die Gesamtschwerbehindertenvertretung (§ 180 Absatz 1 des Neunten Buches Sozialgesetzbuch[2)]) kann an allen Sitzungen des Gesamtbetriebsrats beratend teilnehmen.

§ 53 Betriebsräteversammlung. (1) [1]Mindestens einmal in jedem Kalenderjahr hat der Gesamtbetriebsrat die Vorsitzenden und die stellvertretenden Vorsitzenden der Betriebsräte sowie die weiteren Mitglieder der Betriebsausschüsse zu einer Versammlung einzuberufen. [2]Zu dieser Versammlung kann der Betriebsrat abweichend von Satz 1 aus seiner Mitte andere Mitglieder entsenden, soweit dadurch die Gesamtzahl der sich für ihn nach Satz 1 ergebenden Teilnehmer nicht überschritten wird.

(2) In der Betriebsräteversammlung hat

1. der Gesamtbetriebsrat einen Tätigkeitsbericht,
2. der Unternehmer einen Bericht über das Personal- und Sozialwesen einschließlich des Stands der Gleichstellung von Frauen und Männern im Unternehmen, der Integration der im Unternehmen beschäftigten ausländischen Arbeitnehmer, über die wirtschaftliche Lage und Entwicklung des Unternehmens sowie über Fragen des Umweltschutzes im Unternehmen, soweit dadurch nicht Betriebs- und Geschäftsgeheimnisse gefährdet werden,

zu erstatten.

(3) [1]Der Gesamtbetriebsrat kann die Betriebsräteversammlung in Form von Teilversammlungen durchführen. [2]Im Übrigen gelten § 42 Abs. 1 Satz 1 zweiter Halbsatz und Satz 2, § 43 Abs. 2 Satz 1 und 2 sowie die §§ 45 und 46 entsprechend.

Sechster Abschnitt. Konzernbetriebsrat

§ 54 Errichtung des Konzernbetriebsrats. (1) [1]Für einen Konzern (§ 18 Abs. 1 des Aktiengesetzes[3)]) kann durch Beschlüsse der einzelnen Gesamtbetriebsräte ein Konzernbetriebsrat errichtet werden. [2]Die Errichtung erfordert die Zustimmung der Gesamtbetriebsräte der Konzernunternehmen, in

---

1) § 52 geänd. mWv 1.1.2018 durch G v. 23.12.2016 (BGBl. I S. 3234).
2) Nr. **440**.
3) Nr. **567**.

denen insgesamt mehr als 50 vom Hundert der Arbeitnehmer der Konzernunternehmen beschäftigt sind.

(2) Besteht in einem Konzernunternehmen nur ein Betriebsrat, so nimmt dieser die Aufgaben eines Gesamtbetriebsrats nach den Vorschriften dieses Abschnitts wahr.

§ 55 Zusammensetzung des Konzernbetriebsrats, Stimmengewicht.

(1) [1] In den Konzernbetriebsrat entsendet jeder Gesamtbetriebsrat zwei seiner Mitglieder. [2] Die Geschlechter sollen angemessen berücksichtigt werden.

(2) Der Gesamtbetriebsrat hat für jedes Mitglied des Konzernbetriebsrats mindestens ein Ersatzmitglied zu bestellen und die Reihenfolge des Nachrückens festzulegen.

(3) Jedem Mitglied des Konzernbetriebsrats stehen die Stimmen der Mitglieder des entsendenden Gesamtbetriebsrats je zur Hälfte zu.

(4) [1] Durch Tarifvertrag oder Betriebsvereinbarung kann die Mitgliederzahl des Konzernbetriebsrats abweichend von Absatz 1 Satz 1 geregelt werden. [2] § 47 Abs. 5 bis 9 gilt entsprechend.

§ 56 Ausschluss von Konzernbetriebsratsmitgliedern. Mindestens ein Viertel der wahlberechtigten Arbeitnehmer der Konzernunternehmen, der Arbeitgeber, der Konzernbetriebsrat oder eine im Konzern vertretene Gewerkschaft können beim Arbeitsgericht den Ausschluss eines Mitglieds aus dem Konzernbetriebsrat wegen grober Verletzung seiner gesetzlichen Pflichten beantragen.

§ 57 Erlöschen der Mitgliedschaft. Die Mitgliedschaft im Konzernbetriebsrat endet mit dem Erlöschen der Mitgliedschaft im Gesamtbetriebsrat, durch Amtsniederlegung, durch Ausschluss aus dem Konzernbetriebsrat aufgrund einer gerichtlichen Entscheidung oder Abberufung durch den Gesamtbetriebsrat.

§ 58 Zuständigkeit. (1) [1] Der Konzernbetriebsrat ist zuständig für die Behandlung von Angelegenheiten, die den Konzern oder mehrere Konzernunternehmen betreffen und nicht durch die einzelnen Gesamtbetriebsräte innerhalb ihrer Unternehmen geregelt werden können; seine Zuständigkeit erstreckt sich insoweit auch auf Unternehmen, die einen Gesamtbetriebsrat nicht gebildet haben, sowie auf Betriebe der Konzernunternehmen ohne Betriebsrat. [2] Er ist den einzelnen Gesamtbetriebsräten nicht übergeordnet.

(2) [1] Der Gesamtbetriebsrat kann mit der Mehrheit der Stimmen seiner Mitglieder den Konzernbetriebsrat beauftragen, eine Angelegenheit für ihn zu behandeln. [2] Der Gesamtbetriebsrat kann sich dabei die Entscheidungsbefugnis vorbehalten. [3] § 27 Abs. 2 Satz 3 und 4 gilt entsprechend.

§ 59 Geschäftsführung. (1) Für den Konzernbetriebsrat gelten § 25 Abs. 1, die §§ 26, 27 Abs. 2 und 3, § 28 Abs. 1 Satz 1 und 3, Abs. 2, die §§ 30, 31, 34, 35, 36, 37 Abs. 1 bis 3 sowie die §§ 40, 41 und 51 Abs. 1 Satz 2 und Abs. 3 bis 5 entsprechend.

(2) [1] Ist ein Konzernbetriebsrat zu errichten, so hat der Gesamtbetriebsrat des herrschenden Unternehmens oder, soweit ein solcher Gesamtbetriebsrat nicht besteht, der Gesamtbetriebsrat des nach der Zahl der wahlberechtigten Arbeitnehmer größten Konzernunternehmens zu der Wahl des Vorsitzenden

und des stellvertretenden Vorsitzenden des Konzernbetriebsrats einzuladen. [2]Der Vorsitzende des einladenden Gesamtbetriebsrats hat die Sitzung zu leiten, bis der Konzernbetriebsrat aus seiner Mitte einen Wahlleiter bestellt hat. [3]§ 29 Abs. 2 bis 4 gilt entsprechend.

§ 59a[1)] Teilnahme der Konzernschwerbehindertenvertretung. Die Konzernschwerbehindertenvertretung (§ 180 Absatz 2 des Neunten Buches Sozialgesetzbuch[2)]) kann an allen Sitzungen des Konzernbetriebsrats beratend teilnehmen.

Dritter Teil. Jugend- und Auszubildendenvertretung

Erster Abschnitt. Betriebliche Jugend- und Auszubildendenvertretung

§ 60[3)] Errichtung und Aufgabe. (1) In Betrieben mit in der Regel mindestens fünf Arbeitnehmern, die das 18. Lebensjahr noch nicht vollendet haben (jugendliche Arbeitnehmer) oder die zu ihrer Berufsausbildung beschäftigt sind, werden Jugend- und Auszubildendenvertretungen gewählt.

(2) Die Jugend- und Auszubildendenvertretung nimmt nach Maßgabe der folgenden Vorschriften die besonderen Belange der in Absatz 1 genannten Arbeitnehmer wahr.

§ 61[4)] Wahlberechtigung und Wählbarkeit. (1) Wahlberechtigt sind alle in § 60 Abs. 1 genannten Arbeitnehmer des Betriebs.

(2) [1]Wählbar sind alle Arbeitnehmer des Betriebs, die das 25. Lebensjahr noch nicht vollendet haben oder die zu ihrer Berufsausbildung beschäftigt sind; § 8 Abs. 1 Satz 3 findet Anwendung. [2]Mitglieder des Betriebsrats können nicht zu Jugend- und Auszubildendenvertretern gewählt werden.

§ 62 Zahl der Jugend- und Auszubildendenvertreter, Zusammensetzung der Jugend- und Auszubildendenvertretung. (1) Die Jugend- und Auszubildendenvertretung besteht in Betrieben mit in der Regel

5	bis	20	der in § 60 Abs. 1 genannten Arbeitnehmer	aus einer Person,
21	bis	50	der in § 60 Abs. 1 genannten Arbeitnehmer	aus 3 Mitgliedern,
51	bis	150	der in § 60 Abs. 1 genannten Arbeitnehmer	aus 5 Mitgliedern,
151	bis	300	der in § 60 Abs. 1 genannten Arbeitnehmer	aus 7 Mitgliedern,
301	bis	500	der in § 60 Abs. 1 genannten Arbeitnehmer	aus 9 Mitgliedern,
501	bis	700	der in § 60 Abs. 1 genannten Arbeitnehmer	aus 11 Mitgliedern,
701	bis	1000	der in § 60 Abs. 1 genannten Arbeitnehmer	aus 13 Mitgliedern,
mehr	als	1000	der in § 60 Abs. 1 genannten Arbeitnehmer	aus 15 Mitgliedern.

(2) Die Jugend- und Auszubildendenvertretung soll sich möglichst aus Vertretern der verschiedenen Beschäftigungsarten und Ausbildungsberufe der im Betrieb tätigen in § 60 Abs. 1 genannten Arbeitnehmer zusammensetzen.

(3) Das Geschlecht, das unter den in § 60 Abs. 1 genannten Arbeitnehmern in der Minderheit ist, muss mindestens entsprechend seinem zahlenmäßigen Verhältnis in der Jugend- und Auszubildendenvertretung vertreten sein, wenn diese aus mindestens drei Mitgliedern besteht.

---

1) § 59a geänd. mWv 1.1.2018 durch G v. 23.12.2016 (BGBl. I S. 3234).
2) Nr. **440**.
3) § 60 Abs. 1 geänd. mWv 18.6.2021 durch G v. 14.6.2021 (BGBl. I S. 1762).
4) § 61 Abs. 2 Satz 1 geänd. mWv 18.6.2021 durch G v. 14.6.2021 (BGBl. I S. 1762).

§ 63[1] **Wahlvorschriften.** (1) Die Jugend- und Auszubildendenvertretung wird in geheimer und unmittelbarer Wahl gewählt.

(2) [1] Spätestens acht Wochen vor Ablauf der Amtszeit der Jugend- und Auszubildendenvertretung bestellt der Betriebsrat den Wahlvorstand und seinen Vorsitzenden. [2] Für die Wahl der Jugend- und Auszubildendenvertreter gelten § 14 Abs. 2 bis 5, § 16 Abs. 1 Satz 4 bis 6, § 18 Abs. 1 Satz 1 und Abs. 3 sowie die §§ 19 und 20 entsprechend.

(3) Bestellt der Betriebsrat den Wahlvorstand nicht oder nicht spätestens sechs Wochen vor Ablauf der Amtszeit der Jugend- und Auszubildendenvertretung oder kommt der Wahlvorstand seiner Verpflichtung nach § 18 Abs. 1 Satz 1 nicht nach, so gelten § 16 Abs. 2 Satz 1 und 2, Abs. 3 Satz 1 und § 18 Abs. 1 Satz 2 entsprechend; der Antrag beim Arbeitsgericht kann auch von jugendlichen Arbeitnehmern gestellt werden.

(4) [1] In Betrieben mit in der Regel fünf bis 100 der in § 60 Abs. 1 genannten Arbeitnehmer gilt auch § 14a entsprechend. [2] Die Frist zur Bestellung des Wahlvorstands wird im Fall des Absatzes 2 Satz 1 auf vier Wochen und im Fall des Absatzes 3 Satz 1 auf drei Wochen verkürzt.

(5) In Betrieben mit in der Regel 101 bis 200 der in § 60 Abs. 1 genannten Arbeitnehmer gilt § 14a Abs. 5 entsprechend.

§ 64[2] [3] **Zeitpunkt der Wahlen und Amtszeit.** (1) [1] Die regelmäßigen Wahlen der Jugend- und Auszubildendenvertretung finden alle zwei Jahre in der Zeit vom 1. Oktober bis 30. November statt. [2] Für die Wahl der Jugend- und Auszubildendenvertretung außerhalb dieser Zeit gilt § 13 Abs. 2 Nr. 2 bis 6 und Abs. 3 entsprechend.

(2) [1] Die regelmäßige Amtszeit der Jugend- und Auszubildendenvertretung beträgt zwei Jahre. [2] Die Amtszeit beginnt mit der Bekanntgabe des Wahlergebnisses oder, wenn zu diesem Zeitpunkt noch eine Jugend- und Auszubildendenvertretung besteht, mit Ablauf von deren Amtszeit. [3] Die Amtszeit endet spätestens am 30. November des Jahres, in dem nach Absatz 1 Satz 1 die regelmäßigen Wahlen stattfinden. [4] In dem Fall des § 13 Abs. 3 Satz 2 endet die Amtszeit spätestens am 30. November des Jahres, in dem die Jugend- und Auszubildendenvertretung neu zu wählen ist. [5] In dem Fall des § 13 Abs. 2 Nr. 2 endet die Amtszeit mit der Bekanntgabe des Wahlergebnisses der neu gewählten Jugend- und Auszubildendenvertretung.

(3) Ein Mitglied der Jugend- und Auszubildendenvertretung, das im Laufe der Amtszeit das 25. Lebensjahr vollendet oder sein Berufsausbildungsverhältnis beendet, bleibt bis zum Ende der Amtszeit Mitglied der Jugend- und Auszubildendenvertretung.

§ 65 Geschäftsführung. (1) Für die Jugend- und Auszubildendenvertretung gelten § 23 Abs. 1, die §§ 24, 25, 26, 28 Abs. 1 Satz 1 und 2, die §§ 30, 31, 33 Abs.1 und 2 sowie die §§ 34, 36, 37, 40 und 41 entsprechend.

(2) [1] Die Jugend- und Auszubildendenvertretung kann nach Verständigung des Betriebsrats Sitzungen abhalten; § 29 gilt entsprechend. [2] An diesen Sit-

---

[1] § 63 Abs. 4 Satz 1 und Abs. 5 geänd. mWv 18.6.2021 durch G v. 14.6.2021 (BGBl. I S. 1762).

[2] § 64 Abs. 3 geänd. mWv 18.6.2021 durch G v. 14.6.2021 (BGBl. I S. 1762).

[3] Siehe hierzu auch das G zur Verlängerung der Amtszeit der Jugendvertretungen in den Betrieben **(beck-online, Module Arbeitsrecht Nr. 572b)**.

zungen kann der Betriebsratsvorsitzende oder ein beauftragtes Betriebsratsmitglied teilnehmen.

§ 66 Aussetzung von Beschlüssen des Betriebsrats. (1) Erachtet die Mehrheit der Jugend- und Auszubildendenvertreter einen Beschluss des Betriebsrats als eine erhebliche Beeinträchtigung wichtiger Interessen der in § 60 Abs. 1 genannten Arbeitnehmer, so ist auf ihren Antrag der Beschluss auf die Dauer von einer Woche auszusetzen, damit in dieser Frist eine Verständigung, gegebenenfalls mit Hilfe der im Betrieb vertretenen Gewerkschaften, versucht werden kann.

(2) Wird der erste Beschluss bestätigt, so kann der Antrag auf Aussetzung nicht wiederholt werden; dies gilt auch, wenn der erste Beschluss nur unerheblich geändert wird.

§ 67 Teilnahme an Betriebsratssitzungen. (1) [1] Die Jugend- und Auszubildendenvertretung kann zu allen Betriebsratssitzungen einen Vertreter entsenden. [2] Werden Angelegenheiten behandelt, die besonders die in § 60 Abs. 1 genannten Arbeitnehmer betreffen, so hat zu diesen Tagesordnungspunkten die gesamte Jugend- und Auszubildendenvertretung ein Teilnahmerecht.

(2) Die Jugend- und Auszubildendenvertreter haben Stimmrecht, soweit die zu fassenden Beschlüsse des Betriebsrats überwiegend die in § 60 Abs. 1 genannten Arbeitnehmer betreffen.

(3) [1] Die Jugend- und Auszubildendenvertretung kann beim Betriebsrat beantragen, Angelegenheiten, die besonders die in § 60 Abs. 1 genannten Arbeitnehmer betreffen und über die sie beraten hat, auf die nächste Tagesordnung zu setzen. [2] Der Betriebsrat soll Angelegenheiten, die besonders die in § 60 Abs. 1 genannten Arbeitnehmer betreffen, der Jugend- und Auszubildendenvertretung zur Beratung zuleiten.

§ 68 Teilnahme an gemeinsamen Besprechungen. Der Betriebsrat hat die Jugend- und Auszubildendenvertretung zu Besprechungen zwischen Arbeitgeber und Betriebsrat beizuziehen, wenn Angelegenheiten behandelt werden, die besonders die in § 60 Abs. 1 genannten Arbeitnehmer betreffen.

§ 69 Sprechstunden. [1] In Betrieben, die in der Regel mehr als fünfzig der in § 60 Abs. 1 genannten Arbeitnehmer beschäftigen, kann die Jugend- und Auszubildendenvertretung Sprechstunden während der Arbeitszeit einrichten. [2] Zeit und Ort sind durch Betriebsrat und Arbeitgeber zu vereinbaren. [3] § 39 Abs. 1 Satz 3 und 4 und Abs. 3 gilt entsprechend. [4] An den Sprechstunden der Jugend- und Auszubildendenvertretung kann der Betriebsratsvorsitzende oder ein beauftragtes Betriebsratsmitglied beratend teilnehmen.

§ 70 Allgemeine Aufgaben. (1) Die Jugend- und Auszubildendenvertretung hat folgende allgemeine Aufgaben:

1. Maßnahmen, die den in § 60 Abs. 1 genannten Arbeitnehmern dienen, insbesondere in Fragen der Berufsbildung und der Übernahme der zu ihrer Berufsausbildung Beschäftigten in ein Arbeitsverhältnis, beim Betriebsrat zu beantragen;

1a. Maßnahmen zur Durchsetzung der tatsächlichen Gleichstellung der in § 60 Abs. 1 genannten Arbeitnehmer entsprechend § 80 Abs. 1 Nr. 2a und 2b beim Betriebsrat zu beantragen;

2. darüber zu wachen, dass die zugunsten der in § 60 Abs. 1 genannten Arbeitnehmer geltenden Gesetze, Verordnungen, Unfallverhütungsvorschriften, Tarifverträge und Betriebsvereinbarungen durchgeführt werden;
3. Anregungen von in § 60 Abs. 1 genannten Arbeitnehmern, insbesondere in Fragen der Berufsbildung, entgegenzunehmen und, falls sie berechtigt erscheinen, beim Betriebsrat auf eine Erledigung hinzuwirken. Die Jugend- und Auszubildendenvertretung hat die betroffenen in § 60 Abs. 1 genannten Arbeitnehmer über den Stand und das Ergebnis der Verhandlungen zu informieren;
4. die Integration ausländischer, in § 60 Abs. 1 genannter Arbeitnehmer im Betrieb zu fördern und entsprechende Maßnahmen beim Betriebsrat zu beantragen.

(2) [1] Zur Durchführung ihrer Aufgaben ist die Jugend- und Auszubildendenvertretung durch den Betriebsrat rechtzeitig und umfassend zu unterrichten. [2] Die Jugend- und Auszubildendenvertretung kann verlangen, dass ihr der Betriebsrat die zur Durchführung ihrer Aufgaben erforderlichen Unterlagen zur Verfügung stellt.

§ 71 Jugend- und Auszubildendenversammlung. [1] Die Jugend- und Auszubildendenvertretung kann vor oder nach jeder Betriebsversammlung im Einvernehmen mit dem Betriebsrat eine betriebliche Jugend- und Auszubildendenversammlung einberufen. [2] Im Einvernehmen mit Betriebsrat und Arbeitgeber kann die betriebliche Jugend- und Auszubildendenversammlung auch zu einem anderen Zeitpunkt einberufen werden. [3] § 43 Abs. 2 Satz 1 und 2, die §§ 44 bis 46 und § 65 Abs. 2 Satz 2 gelten entsprechend.

Zweiter Abschnitt. Gesamt-Jugend- und Auszubildendenvertretung

§ 72 Voraussetzungen der Errichtung, Mitgliederzahl, Stimmengewicht. (1) Bestehen in einem Unternehmen mehrere Jugend- und Auszubildendenvertretungen, so ist eine Gesamt-Jugend- und Auszubildendenvertretung zu errichten.

(2) In die Gesamt-Jugend- und Auszubildendenvertretung entsendet jede Jugend- und Auszubildendenvertretung ein Mitglied.

(3) Die Jugend- und Auszubildendenvertretung hat für das Mitglied der Gesamt-Jugend- und Auszubildendenvertretung mindestens ein Ersatzmitglied zu bestellen und die Reihenfolge des Nachrückens festzulegen.

(4) Durch Tarifvertrag oder Betriebsvereinbarung kann die Mitgliederzahl der Gesamt-Jugend- und Auszubildendenvertretung abweichend von Absatz 2 geregelt werden.

(5) Gehören nach Absatz 2 der Gesamt-Jugend- und Auszubildendenvertretung mehr als zwanzig Mitglieder an und besteht keine tarifliche Regelung nach Absatz 4, so ist zwischen Gesamtbetriebsrat und Arbeitgeber eine Betriebsvereinbarung über die Mitgliederzahl der Gesamt-Jugend- und Auszubildendenvertretung abzuschließen, in der bestimmt wird, dass Jugend- und Auszubildendenvertretungen mehrerer Betriebe eines Unternehmens, die regional oder durch gleichartige Interessen miteinander verbunden sind, gemeinsam Mitglieder in die Gesamt-Jugend- und Auszubildendenvertretung entsenden.

(6) [1] Kommt im Fall des Absatzes 5 eine Einigung nicht zustande, so entscheidet eine für das Gesamtunternehmen zu bildende Einigungsstelle. [2] Der

Spruch der Einigungsstelle ersetzt die Einigung zwischen Arbeitgeber und Gesamtbetriebsrat.

(7) [1] Jedes Mitglied der Gesamt-Jugend- und Auszubildendenvertretung hat so viele Stimmen, wie in dem Betrieb, in dem es gewählt wurde, in § 60 Abs. 1 genannte Arbeitnehmer in der Wählerliste eingetragen sind. [2] Ist ein Mitglied der Gesamt-Jugend- und Auszubildendenvertretung für mehrere Betriebe entsandt worden, so hat es so viele Stimmen, wie in den Betrieben, für die es entsandt ist, in § 60 Abs. 1 genannte Arbeitnehmer in den Wählerlisten eingetragen sind. [3] Sind mehrere Mitglieder der Jugend- und Auszubildendenvertretung entsandt worden, so stehen diesen die Stimmen nach Satz 1 anteilig zu.

(8) Für Mitglieder der Gesamt-Jugend- und Auszubildendenvertretung, die aus einem gemeinsamen Betrieb mehrerer Unternehmen entsandt worden sind, können durch Tarifvertrag oder Betriebsvereinbarung von Absatz 7 abweichende Regelungen getroffen werden.

§ 73 Geschäftsführung und Geltung sonstiger Vorschriften. (1) [1] Die Gesamt-Jugend- und Auszubildendenvertretung kann nach Verständigung des Gesamtbetriebsrats Sitzungen abhalten. [2] An den Sitzungen kann der Vorsitzende des Gesamtbetriebsrats oder ein beauftragtes Mitglied des Gesamtbetriebsrats teilnehmen.

(2) Für die Gesamt-Jugend- und Auszubildendenvertretung gelten § 25 Abs. 1, die §§ 26, 28 Abs. 1 Satz 1, die §§ 30, 31, 34, 36, 37 Abs. 1 bis 3, die §§ 40, 41, 48, 49, 50, 51 Abs. 2 bis 5 sowie die §§ 66 bis 68 entsprechend.

Dritter Abschnitt. Konzern-Jugend- und Auszubildendenvertretung

§ 73a Voraussetzung der Errichtung, Mitgliederzahl, Stimmengewicht. (1) [1] Bestehen in einem Konzern (§ 18 Abs. 1 des Aktiengesetzes[1)]) mehrere Gesamt-Jugend- und Auszubildendenvertretungen, kann durch Beschlüsse der einzelnen Gesamt-Jugend- und Auszubildendenvertretungen eine Konzern-Jugend- und Auszubildendenvertretung errichtet werden. [2] Die Errichtung erfordert die Zustimmung der Gesamt-Jugend- und Auszubildendenvertretungen der Konzernunternehmen, in denen insgesamt mindestens 75 vom Hundert der in § 60 Abs. 1 genannten Arbeitnehmer beschäftigt sind. [3] Besteht in einem Konzernunternehmen nur eine Jugend- und Auszubildendenvertretung, so nimmt diese die Aufgaben einer Gesamt-Jugend- und Auszubildendenvertretung nach den Vorschriften dieses Abschnitts wahr.

(2) [1] In die Konzern-Jugend- und Auszubildendenvertretung entsendet jede Gesamt-Jugend- und Auszubildendenvertretung eines ihrer Mitglieder. [2] Sie hat für jedes Mitglied mindestens ein Ersatzmitglied zu bestellen und die Reihenfolge des Nachrückens festzulegen.

(3) Jedes Mitglied der Konzern-Jugend- und Auszubildendenvertretung hat so viele Stimmen, wie die Mitglieder der entsendenden Gesamt-Jugend- und Auszubildendenvertretung insgesamt Stimmen haben.

(4) § 72 Abs. 4 bis 8 gilt entsprechend.

§ 73b Geschäftsführung und Geltung sonstiger Vorschriften. (1) [1] Die Konzern-Jugend- und Auszubildendenvertretung kann nach Verständigung des

---

[1)] Nr. **567**.

Konzernbetriebsrats Sitzungen abhalten. [2]An den Sitzungen kann der Vorsitzende oder ein beauftragtes Mitglied des Konzernbetriebsrats teilnehmen.

(2) Für die Konzern-Jugend- und Auszubildendenvertretung gelten § 25 Abs. 1, die §§ 26, 28 Abs. 1 Satz 1, die §§ 30, 31, 34, 36, 37 Abs. 1 bis 3, die §§ 40, 41, 51 Abs. 3 bis 5, die §§ 56, 57, 58, 59 Abs. 2 und die §§ 66 bis 68 entsprechend.

Vierter Teil. Mitwirkung und Mitbestimmung der Arbeitnehmer

Erster Abschnitt. Allgemeines

§ 74 Grundsätze für die Zusammenarbeit. (1) [1]Arbeitgeber und Betriebsrat sollen mindestens einmal im Monat zu einer Besprechung zusammentreten. [2]Sie haben über strittige Fragen mit dem ernsten Willen zur Einigung zu verhandeln und Vorschläge für die Beilegung von Meinungsverschiedenheiten zu machen.

(2) [1]Maßnahmen des Arbeitskampfes zwischen Arbeitgeber und Betriebsrat sind unzulässig; Arbeitskämpfe tariffähiger Parteien werden hierdurch nicht berührt. [2]Arbeitgeber und Betriebsrat haben Betätigungen zu unterlassen, durch die der Arbeitsablauf oder der Frieden des Betriebs beeinträchtigt werden. [3]Sie haben jede parteipolitische Betätigung im Betrieb zu unterlassen; die Behandlung von Angelegenheiten tarifpolitischer, sozialpolitischer, umweltpolitischer und wirtschaftlicher Art, die den Betrieb oder seine Arbeitnehmer unmittelbar betreffen, wird hierdurch nicht berührt.

(3) Arbeitnehmer, die im Rahmen dieses Gesetzes Aufgaben übernehmen, werden hierdurch in der Betätigung für ihre Gewerkschaft auch im Betrieb nicht beschränkt.

§ 75[1)] Grundsätze für die Behandlung der Betriebsangehörigen.

(1) Arbeitgeber und Betriebsrat haben darüber zu wachen, dass alle im Betrieb tätigen Personen nach den Grundsätzen von Recht und Billigkeit behandelt werden, insbesondere, dass jede Benachteiligung von Personen aus Gründen ihrer Rasse oder wegen ihrer ethnischen Herkunft, ihrer Abstammung oder sonstigen Herkunft, ihrer Nationalität, ihrer Religion oder Weltanschauung, ihrer Behinderung, ihres Alters, ihrer politischen oder gewerkschaftlichen Betätigung oder Einstellung oder wegen ihres Geschlechts oder ihrer sexuellen Identität unterbleibt.

(2) [1]Arbeitgeber und Betriebsrat haben die freie Entfaltung der Persönlichkeit der im Betrieb beschäftigten Arbeitnehmer zu schützen und zu fördern. [2]Sie haben die Selbständigkeit und Eigeninitiative der Arbeitnehmer und Arbeitsgruppen zu fördern.

§ 76[2)] Einigungsstelle. (1) [1]Zur Beilegung von Meinungsverschiedenheiten zwischen Arbeitgeber und Betriebsrat, Gesamtbetriebsrat oder Konzernbetriebsrat ist bei Bedarf eine Einigungsstelle zu bilden. [2]Durch Betriebsvereinbarung kann eine ständige Einigungsstelle errichtet werden.

[1)] § 75 Abs. 1 neu gef. mWv 18.8.2006 durch G v. 14.8.2006 (BGBl. I S. 1897).

[2)] § 76 Abs. 3 Satz 1 eingef., bish. Sätze 1 bis 3 werden Sätze 2 bis 4, neuer Satz 2 geänd. mWv 1.1. 2002 durch G v. 10.12.2001 (BGBl. I S. 3443); Abs. 3 Satz 4 neu gef. mWv 18.6.2021 durch G v. 14.6.2021 (BGBl. I S. 1762).

(2) [1]Die Einigungsstelle besteht aus einer gleichen Anzahl von Beisitzern, die vom Arbeitgeber und Betriebsrat bestellt werden, und einem unparteiischen Vorsitzenden, auf dessen Person sich beide Seiten einigen müssen. [2]Kommt eine Einigung über die Person des Vorsitzenden nicht zustande, so bestellt ihn das Arbeitsgericht. [3]Dieses entscheidet auch, wenn kein Einverständnis über die Zahl der Beisitzer erzielt wird.

(3) [1]Die Einigungsstelle hat unverzüglich tätig zu werden. [2]Sie fasst ihre Beschlüsse nach mündlicher Beratung mit Stimmenmehrheit. [3]Bei der Beschlussfassung hat sich der Vorsitzende zunächst der Stimme zu enthalten; kommt eine Stimmenmehrheit nicht zustande, so nimmt der Vorsitzende nach weiterer Beratung an der erneuten Beschlussfassung teil. [4]Die Beschlüsse der Einigungsstelle sind schriftlich niederzulegen und vom Vorsitzenden zu unterschreiben oder in elektronischer Form niederzulegen und vom Vorsitzenden mit seiner qualifizierten elektronischen Signatur zu versehen sowie Arbeitgeber und Betriebsrat zuzuleiten.

(4) Durch Betriebsvereinbarung können weitere Einzelheiten des Verfahrens vor der Einigungsstelle geregelt werden.

(5) [1]In den Fällen, in denen der Spruch der Einigungsstelle die Einigung zwischen Arbeitgeber und Betriebsrat ersetzt, wird die Einigungsstelle auf Antrag einer Seite tätig. [2]Benennt eine Seite keine Mitglieder oder bleiben die von einer Seite genannten Mitglieder trotz rechtzeitiger Einladung der Sitzung fern, so entscheiden der Vorsitzende und die erschienenen Mitglieder nach Maßgabe des Absatzes 3 allein. [3]Die Einigungsstelle fasst ihre Beschlüsse unter angemessener Berücksichtigung der Belange des Betriebs und der betroffenen Arbeitnehmer nach billigem Ermessen. [4]Die Überschreitung der Grenzen des Ermessens kann durch den Arbeitgeber oder den Betriebsrat nur binnen einer Frist von zwei Wochen, vom Tage der Zuleitung des Beschlusses an gerechnet, beim Arbeitsgericht geltend gemacht werden.

(6) [1]Im Übrigen wird die Einigungsstelle nur tätig, wenn beide Seiten es beantragen oder mit ihrem Tätigwerden einverstanden sind. [2]In diesen Fällen ersetzt ihr Spruch die Einigung zwischen Arbeitgeber und Betriebsrat nur, wenn beide Seiten sich dem Spruch im Voraus unterworfen oder ihn nachträglich angenommen haben.

(7) Soweit nach anderen Vorschriften der Rechtsweg gegeben ist, wird er durch den Spruch der Einigungsstelle nicht ausgeschlossen.

(8) Durch Tarifvertrag kann bestimmt werden, dass an die Stelle der in Absatz 1 bezeichneten Einigungsstelle eine tarifliche Schlichtungsstelle tritt.

§ 76a[1)] Kosten der Einigungsstelle. (1) Die Kosten der Einigungsstelle trägt der Arbeitgeber.

(2) [1]Die Beisitzer der Einigungsstelle, die dem Betrieb angehören, erhalten für ihre Tätigkeit keine Vergütung; § 37 Abs. 2 und 3 gilt entsprechend. [2]Ist die Einigungsstelle zur Beilegung von Meinungsverschiedenheiten zwischen Arbeitgeber und Gesamtbetriebsrat oder Konzernbetriebsrat zu bilden, so gilt Satz 1 für die einem Betrieb des Unternehmens oder eines Konzernunternehmens angehörenden Beisitzer entsprechend.

[1)] § 76a Abs. 4 Satz 1 geänd. mWv 28.11.2003 durch VO v. 25.11.2003 (BGBl. I S. 2304); Abs. 4 Satz 1 geänd. mWv 8.11.2006 durch VO v. 31.10.2006 (BGBl. I S. 2407).

(3) [1]Der Vorsitzende und die Beisitzer der Einigungsstelle, die nicht zu den in Absatz 2 genannten Personen zählen, haben gegenüber dem Arbeitgeber Anspruch auf Vergütung ihrer Tätigkeit. [2]Die Höhe der Vergütung richtet sich nach den Grundsätzen des Absatzes 4 Satz 3 bis 5.

(4) [1]Das Bundesministerium für Arbeit und Soziales kann durch Rechtsverordnung die Vergütung nach Absatz 3 regeln. [2]In der Vergütungsordnung sind Höchstsätze festzusetzen. [3]Dabei sind insbesondere der erforderliche Zeitaufwand, die Schwierigkeit der Streitigkeit sowie ein Verdienstausfall zu berücksichtigen. [4]Die Vergütung der Beisitzer ist niedriger zu bemessen als die des Vorsitzenden. [5]Bei der Festsetzung der Höchstsätze ist den berechtigten Interessen der Mitglieder der Einigungsstelle und des Arbeitgebers Rechnung zu tragen.

(5) Von Absatz 3 und einer Vergütungsordnung nach Absatz 4 kann durch Tarifvertrag oder in einer Betriebsvereinbarung, wenn ein Tarifvertrag dies zulässt oder eine tarifliche Regelung nicht besteht, abgewichen werden.

§ 77[1)] Durchführung gemeinsamer Beschlüsse, Betriebsvereinbarungen. (1) [1]Vereinbarungen zwischen Betriebsrat und Arbeitgeber, auch soweit sie auf einem Spruch der Einigungsstelle beruhen, führt der Arbeitgeber durch, es sei denn, dass im Einzelfall etwas anderes vereinbart ist. [2]Der Betriebsrat darf nicht durch einseitige Handlungen in die Leitung des Betriebs eingreifen.

(2) [1]Betriebsvereinbarungen sind von Betriebsrat und Arbeitgeber gemeinsam zu beschließen und schriftlich niederzulegen. [2]Sie sind von beiden Seiten zu unterzeichnen; dies gilt nicht, soweit Betriebsvereinbarungen auf einem Spruch der Einigungsstelle beruhen. [3]Werden Betriebsvereinbarungen in elektronischer Form geschlossen, haben Arbeitgeber und Betriebsrat abweichend von § 126a Absatz 2 des Bürgerlichen Gesetzbuchs[2)] dasselbe Dokument elektronisch zu signieren. [4]Der Arbeitgeber hat die Betriebsvereinbarungen an geeigneter Stelle im Betrieb auszulegen.

(3) [1]Arbeitsentgelte und sonstige Arbeitsbedingungen, die durch Tarifvertrag geregelt sind oder üblicherweise geregelt werden, können nicht Gegenstand einer Betriebsvereinbarung sein. [2]Dies gilt nicht, wenn ein Tarifvertrag den Abschluss ergänzender Betriebsvereinbarungen ausdrücklich zulässt.

(4) [1]Betriebsvereinbarungen gelten unmittelbar und zwingend. [2]Werden Arbeitnehmern durch die Betriebsvereinbarung Rechte eingeräumt, so ist ein Verzicht auf sie nur mit Zustimmung des Betriebsrats zulässig. [3]Die Verwirkung dieser Rechte ist ausgeschlossen. [4]Ausschlussfristen für ihre Geltendmachung sind nur insoweit zulässig, als sie in einem Tarifvertrag oder einer Betriebsvereinbarung vereinbart werden; dasselbe gilt für die Abkürzung der Verjährungsfristen.

(5) Betriebsvereinbarungen können, soweit nichts anderes vereinbart ist, mit einer Frist von drei Monaten gekündigt werden.

(6) Nach Ablauf einer Betriebsvereinbarung gelten ihre Regelungen in Angelegenheiten, in denen ein Spruch der Einigungsstelle die Einigung zwischen Arbeitgeber und Betriebsrat ersetzen kann, weiter, bis sie durch eine andere Abmachung ersetzt werden.

---

1) § 77 Abs. 2 Satz 3 eingef., bish. Satz 3 wird Satz 4 mWv 18.6.2021 durch G v. 14.6.2021 (BGBl. I S. 1762).

2) Nr. **50**.

§ 78[1)] Schutzbestimmungen. [1]Die Mitglieder des Betriebsrats, des Gesamtbetriebsrats, des Konzernbetriebsrats, der Jugend- und Auszubildendenvertretung, der Gesamt-Jugend- und Auszubildendenvertretung, der Konzern-Jugend- und Auszubildendenvertretung, des Wirtschaftsausschusses, der Bordvertretung, des Seebetriebsrats, der in § 3 Abs. 1 genannten Vertretungen der Arbeitnehmer, der Einigungsstelle, einer tariflichen Schlichtungsstelle (§ 76 Abs. 8) und einer betrieblichen Beschwerdestelle (§ 86) sowie Auskunftspersonen (§ 80 Absatz 2 Satz 4) dürfen in der Ausübung ihrer Tätigkeit nicht gestört oder behindert werden. [2]Sie dürfen wegen ihrer Tätigkeit nicht benachteiligt oder begünstigt werden; dies gilt auch für ihre berufliche Entwicklung. [3]Eine Begünstigung oder Benachteiligung liegt im Hinblick auf das gezahlte Arbeitsentgelt nicht vor, wenn das Mitglied einer in Satz 1 genannten Vertretung in seiner Person die für die Gewährung des Arbeitsentgelts erforderlichen betrieblichen Anforderungen und Kriterien erfüllt und die Festlegung nicht ermessensfehlerhaft erfolgt.

§ 78a Schutz Auszubildender in besonderen Fällen. (1) Beabsichtigt der Arbeitgeber, einen Auszubildenden, der Mitglied der Jugend- und Auszubildendenvertretung, des Betriebsrats, der Bordvertretung oder des Seebetriebsrats ist, nach Beendigung des Berufsausbildungsverhältnisses nicht in ein Arbeitsverhältnis auf unbestimmte Zeit zu übernehmen, so hat er dies drei Monate vor Beendigung des Berufsausbildungsverhältnisses dem Auszubildenden schriftlich mitzuteilen.

(2) [1]Verlangt ein in Absatz 1 genannter Auszubildender innerhalb der letzten drei Monate vor Beendigung des Berufsausbildungsverhältnisses schriftlich vom Arbeitgeber die Weiterbeschäftigung, so gilt zwischen Auszubildendem und Arbeitgeber im Anschluss an das Berufsausbildungsverhältnis ein Arbeitsverhältnis auf unbestimmte Zeit als begründet. [2]Auf dieses Arbeitsverhältnis ist insbesondere § 37 Abs. 4 und 5 entsprechend anzuwenden.

(3) Die Absätze 1 und 2 gelten auch, wenn das Berufsausbildungsverhältnis vor Ablauf eines Jahres nach Beendigung der Amtszeit der Jugend- und Auszubildendenvertretung, des Betriebsrats, der Bordvertretung oder des Seebetriebsrats endet.

(4) [1]Der Arbeitgeber kann spätestens bis zum Ablauf von zwei Wochen nach Beendigung des Berufsausbildungsverhältnisses beim Arbeitsgericht beantragen,

1. festzustellen, dass ein Arbeitsverhältnis nach Absatz 2 oder 3 nicht begründet wird, oder
2. das bereits nach Absatz 2 oder 3 begründete Arbeitsverhältnis aufzulösen,

wenn Tatsachen vorliegen, aufgrund derer dem Arbeitgeber unter Berücksichtigung aller Umstände die Weiterbeschäftigung nicht zugemutet werden kann. [2]In dem Verfahren vor dem Arbeitsgericht sind der Betriebsrat, die Bordvertretung, der Seebetriebsrat, bei Mitgliedern der Jugend- und Auszubildendenvertretung auch diese Beteiligte.

(5) Die Absätze 2 bis 4 finden unabhängig davon Anwendung, ob der Arbeitgeber seiner Mitteilungspflicht nach Absatz 1 nachgekommen ist.

[1)] § 78 Satz 1 geänd. mWv 1.4.2017 durch G v. 21.2.2017 (BGBl. I S. 258); Satz 3 angef. mWv 25.7.2024 durch G v. 19.7.2024 (BGBl. 2024 I Nr. 248).

§ 79 Geheimhaltungspflicht. (1) [1] Die Mitglieder und Ersatzmitglieder des Betriebsrats sind verpflichtet, Betriebs- oder Geschäftsgeheimnisse, die ihnen wegen ihrer Zugehörigkeit zum Betriebsrat bekannt geworden und vom Arbeitgeber ausdrücklich als geheimhaltungsbedürftig bezeichnet worden sind, nicht zu offenbaren und nicht zu verwerten. [2] Dies gilt auch nach dem Ausscheiden aus dem Betriebsrat. [3] Die Verpflichtung gilt nicht gegenüber Mit-

(Fortsetzung nächstes Blatt)

gliedern des Betriebsrats. [4] Sie gilt ferner nicht gegenüber dem Gesamtbetriebsrat, dem Konzernbetriebsrat, der Bordvertretung, dem Seebetriebsrat und den Arbeitnehmervertretern im Aufsichtsrat sowie im Verfahren vor der Einigungsstelle, der tariflichen Schlichtungsstelle (§ 76 Abs. 8) oder einer betrieblichen Beschwerdestelle (§ 86).

(2) Absatz 1 gilt sinngemäß für die Mitglieder und Ersatzmitglieder des Gesamtbetriebsrats, des Konzernbetriebsrats, der Jugend- und Auszubildendenvertretung, der Gesamt-Jugend- und Auszubildendenvertretung, der Konzern-Jugend- und Auszubildendenvertretung, des Wirtschaftsausschusses, der Bordvertretung, des Seebetriebsrats, der gemäß § 3 Abs. 1 gebildeten Vertretungen der Arbeitnehmer, der Einigungsstelle, der tariflichen Schlichtungsstelle (§ 76 Abs. 8) und einer betrieblichen Beschwerdestelle (§ 86) sowie für die Vertreter von Gewerkschaften oder von Arbeitgebervereinigungen.

§ 79a[1)] Datenschutz. [1] Bei der Verarbeitung personenbezogener Daten hat der Betriebsrat die Vorschriften über den Datenschutz einzuhalten. [2] Soweit der Betriebsrat zur Erfüllung der in seiner Zuständigkeit liegenden Aufgaben personenbezogene Daten verarbeitet, ist der Arbeitgeber der für die Verarbeitung Verantwortliche im Sinne der datenschutzrechtlichen Vorschriften. [3] Arbeitgeber und Betriebsrat unterstützen sich gegenseitig bei der Einhaltung der datenschutzrechtlichen Vorschriften. [4] Die oder der Datenschutzbeauftragte ist gegenüber dem Arbeitgeber zur Verschwiegenheit verpflichtet über Informationen, die Rückschlüsse auf den Meinungsbildungsprozess des Betriebsrats zulassen. [5] § 6 Absatz 5 Satz 2, § 38 Absatz 2 des Bundesdatenschutzgesetzes[2)] gelten auch im Hinblick auf das Verhältnis der oder des Datenschutzbeauftragten zum Arbeitgeber.

§ 80[3)] Allgemeine Aufgaben. (1) Der Betriebsrat hat folgende allgemeine Aufgaben:

1. darüber zu wachen, dass die zugunsten der Arbeitnehmer geltenden Gesetze, Verordnungen, Unfallverhütungsvorschriften, Tarifverträge und Betriebsvereinbarungen durchgeführt werden;
2. Maßnahmen, die dem Betrieb und der Belegschaft dienen, beim Arbeitgeber zu beantragen;

2a. die Durchsetzung der tatsächlichen Gleichstellung von Frauen und Männern, insbesondere bei der Einstellung, Beschäftigung, Aus-, Fort- und Weiterbildung und dem beruflichen Aufstieg, zu fördern;

2b. die Vereinbarkeit von Familie und Erwerbstätigkeit zu fördern;

3. Anregungen von Arbeitnehmern und der Jugend- und Auszubildendenvertretung entgegenzunehmen und, falls sie berechtigt erscheinen, durch Verhandlungen mit dem Arbeitgeber auf eine Erledigung hinzuwirken; er hat die betreffenden Arbeitnehmer über den Stand und das Ergebnis der Verhandlungen zu unterrichten;

[1)] § 79a eingef. mWv 18.6.2021 durch G v. 14.6.2021 (BGBl. I S. 1762).

[2)] Nr. **490**.

[3)] § 80 Abs. 1 Nr. 4 geänd. mWv 30.12.2016 durch G v. 23.12.2016 (BGBl. I S. 3234); Abs. 2 Satz 1 geänd., Satz 3 eingef., bish. Satz 3 wird Satz 4 mWv 1.4.2017 durch G v. 21.2.2017 (BGBl. I S. 258); Abs. 1 Nr. 4 geänd. mWv 1.1.2018 durch G v. 17.7.2017 (BGBl. I S. 2509); Abs. 3 Sätze 2 und 3 angef. mWv 18.6.2021 durch G v. 14.6.2021 (BGBl. I S. 1762).

4. die Eingliederung schwerbehinderter Menschen einschließlich der Förderung des Abschlusses von Inklusionsvereinbarungen nach § 166 des Neunten Buches Sozialgesetzbuch[1] und sonstiger besonders schutzbedürftiger Personen zu fördern;
5. die Wahl einer Jugend- und Auszubildendenvertretung vorzubereiten und durchzuführen und mit dieser zur Förderung der Belange der in § 60 Abs. 1 genannten Arbeitnehmer eng zusammenzuarbeiten; er kann von der Jugend- und Auszubildendenvertretung Vorschläge und Stellungnahmen anfordern;
6. die Beschäftigung älterer Arbeitnehmer im Betrieb zu fördern;
7. die Integration ausländischer Arbeitnehmer im Betrieb und das Verständnis zwischen ihnen und den deutschen Arbeitnehmern zu fördern sowie Maßnahmen zur Bekämpfung von Rassismus und Fremdenfeindlichkeit im Betrieb zu beantragen;
8. die Beschäftigung im Betrieb zu fördern und zu sichern;
9. Maßnahmen des Arbeitsschutzes und des betrieblichen Umweltschutzes zu fördern.

(2) [1] Zur Durchführung seiner Aufgaben nach diesem Gesetz ist der Betriebsrat rechtzeitig und umfassend vom Arbeitgeber zu unterrichten; die Unterrichtung erstreckt sich auch auf die Beschäftigung von Personen, die nicht in einem Arbeitsverhältnis zum Arbeitgeber stehen, und umfasst insbesondere den zeitlichen Umfang des Einsatzes, den Einsatzort und die Arbeitsaufgaben dieser Personen. [2] Dem Betriebsrat sind auf Verlangen jederzeit die zur Durchführung seiner Aufgaben erforderlichen Unterlagen zur Verfügung zu stellen; in diesem Rahmen ist der Betriebsausschuss oder ein nach § 28 gebildeter Ausschuss berechtigt, in die Listen über die Bruttolöhne und -gehälter Einblick zu nehmen. [3] Zu den erforderlichen Unterlagen gehören auch die Verträge, die der Beschäftigung der in Satz 1 genannten Personen zugrunde liegen. [4] Soweit es zur ordnungsgemäßen Erfüllung der Aufgaben des Betriebsrats erforderlich ist, hat der Arbeitgeber ihm sachkundige Arbeitnehmer als Auskunftspersonen zur Verfügung zu stellen; er hat hierbei die Vorschläge des Betriebsrats zu berücksichtigen, soweit betriebliche Notwendigkeiten nicht entgegenstehen.

(3) [1] Der Betriebsrat kann bei der Durchführung seiner Aufgaben nach näherer Vereinbarung mit dem Arbeitgeber Sachverständige hinzuziehen, soweit dies zur ordnungsgemäßen Erfüllung seiner Aufgaben erforderlich ist. [2] Muss der Betriebsrat zur Durchführung seiner Aufgaben die Einführung oder Anwendung von Künstlicher Intelligenz beurteilen, gilt insoweit die Hinzuziehung eines Sachverständigen als erforderlich. [3] Gleiches gilt, wenn sich Arbeitgeber und Betriebsrat auf einen ständigen Sachverständigen in Angelegenheiten nach Satz 2 einigen.

(4) Für die Geheimhaltungspflicht der Auskunftspersonen und der Sachverständigen gilt § 79 entsprechend.

[1] Nr. **440**.

Zweiter Abschnitt. Mitwirkungs- und Beschwerderecht des Arbeitnehmers

§ 81 Unterrichtungs- und Erörterungspflicht des Arbeitgebers.

(1) [1]Der Arbeitgeber hat den Arbeitnehmer über dessen Aufgabe und Verantwortung sowie über die Art seiner Tätigkeit und ihre Einordnung in den Arbeitsablauf des Betriebs zu unterrichten. [2]Er hat den Arbeitnehmer vor Beginn der Beschäftigung über die Unfall- und Gesundheitsgefahren, denen dieser bei der Beschäftigung ausgesetzt ist, sowie über die Maßnahmen und Einrichtungen zur Abwendung dieser Gefahren und die nach § 10 Abs. 2 des Arbeitsschutzgesetzes[1)] getroffenen Maßnahmen zu belehren.

(2) [1]Über Veränderungen in seinem Arbeitsbereich ist der Arbeitnehmer rechtzeitig zu unterrichten. [2]Absatz 1 gilt entsprechend.

(3) In Betrieben, in denen kein Betriebsrat besteht, hat der Arbeitgeber die Arbeitnehmer zu allen Maßnahmen zu hören, die Auswirkungen auf Sicherheit und Gesundheit der Arbeitnehmer haben können.

(4) [1]Der Arbeitgeber hat den Arbeitnehmer über die aufgrund einer Planung von technischen Anlagen, von Arbeitsverfahren und Arbeitsabläufen oder der Arbeitsplätze vorgesehenen Maßnahmen und ihre Auswirkungen auf seinen Arbeitsplatz, die Arbeitsumgebung sowie auf Inhalt und Art seiner Tätigkeit zu unterrichten. [2]Sobald feststeht, dass sich die Tätigkeit des Arbeitnehmers ändern wird und seine beruflichen Kenntnisse und Fähigkeiten zur Erfüllung seiner Aufgaben nicht ausreichen, hat der Arbeitgeber mit dem Arbeitnehmer zu erörtern, wie dessen berufliche Kenntnisse und Fähigkeiten im Rahmen der betrieblichen Möglichkeiten den künftigen Anforderungen angepasst werden können. [3]Der Arbeitnehmer kann bei der Erörterung ein Mitglied des Betriebsrats hinzuziehen.

§ 82 Anhörungs- und Erörterungsrecht des Arbeitnehmers. (1) [1]Der Arbeitnehmer hat das Recht, in betrieblichen Angelegenheiten, die seine Person betreffen, von den nach Maßgabe des organisatorischen Aufbaus des Betriebs hierfür zuständigen Personen gehört zu werden. [2]Er ist berechtigt, zu Maßnahmen des Arbeitgebers, die ihn betreffen, Stellung zu nehmen sowie Vorschläge für die Gestaltung des Arbeitsplatzes und des Arbeitsablaufs zu machen.

(2) [1]Der Arbeitnehmer kann verlangen, dass ihm die Berechnung und Zusammensetzung seines Arbeitsentgelts erläutert und dass mit ihm die Beurteilung seiner Leistungen sowie die Möglichkeiten seiner beruflichen Entwicklung im Betrieb erörtert werden. [2]Er kann ein Mitglied des Betriebsrats hinzuziehen. [3]Das Mitglied des Betriebsrats hat über den Inhalt dieser Verhandlungen Stillschweigen zu bewahren, soweit es vom Arbeitnehmer im Einzelfall nicht von dieser Verpflichtung entbunden wird.

§ 83 Einsicht in die Personalakten. (1) [1]Der Arbeitnehmer hat das Recht, in die über ihn geführten Personalakten Einsicht zu nehmen. [2]Er kann hierzu ein Mitglied des Betriebsrats hinzuziehen. [3]Das Mitglied des Betriebsrats hat über den Inhalt der Personalakte Stillschweigen zu bewahren, soweit es vom Arbeitnehmer im Einzelfall nicht von dieser Verpflichtung entbunden wird.

[1)] Nr. **370**.

(2) Erklärungen des Arbeitnehmers zum Inhalt der Personalakte sind dieser auf sein Verlangen beizufügen.

§ 84 Beschwerderecht. (1) [1] Jeder Arbeitnehmer hat das Recht, sich bei den zuständigen Stellen des Betriebs zu beschweren, wenn er sich vom Arbeitgeber oder von Arbeitnehmern des Betriebs benachteiligt oder ungerecht behandelt oder in sonstiger Weise beeinträchtigt fühlt. [2] Er kann ein Mitglied des Betriebsrats zur Unterstützung oder Vermittlung hinzuziehen.

(2) Der Arbeitgeber hat den Arbeitnehmer über die Behandlung der Beschwerde zu bescheiden und, soweit er die Beschwerde für berechtigt erachtet, ihr abzuhelfen.

(3) Wegen der Erhebung einer Beschwerde dürfen dem Arbeitnehmer keine Nachteile entstehen.

§ 85 Behandlung von Beschwerden durch den Betriebsrat. (1) Der Betriebsrat hat Beschwerden von Arbeitnehmern entgegenzunehmen und, falls er sie für berechtigt erachtet, beim Arbeitgeber auf Abhilfe hinzuwirken.

(2) [1] Bestehen zwischen Betriebsrat und Arbeitgeber Meinungsverschiedenheiten über die Berechtigung der Beschwerde, so kann der Betriebsrat die Einigungsstelle anrufen. [2] Der Spruch der Einigungsstelle ersetzt die Einigung zwischen Arbeitgeber und Betriebsrat. [3] Dies gilt nicht, soweit Gegenstand der Beschwerde ein Rechtsanspruch ist.

(3) [1] Der Arbeitgeber hat den Betriebsrat über die Behandlung der Beschwerde zu unterrichten. [2] § 84 Abs. 2 bleibt unberührt.

§ 86 Ergänzende Vereinbarungen. [1] Durch Tarifvertrag oder Betriebsvereinbarung können die Einzelheiten des Beschwerdeverfahrens geregelt werden. [2] Hierbei kann bestimmt werden, dass in den Fällen des § 85 Abs. 2 an die Stelle der Einigungsstelle eine betriebliche Beschwerdestelle tritt.

§ 86a Vorschlagsrecht der Arbeitnehmer. [1] Jeder Arbeitnehmer hat das Recht, dem Betriebsrat Themen zur Beratung vorzuschlagen. [2] Wird ein Vorschlag von mindestens 5 vom Hundert der Arbeitnehmer des Betriebs unterstützt, hat der Betriebsrat diesen innerhalb von zwei Monaten auf die Tagesordnung einer Betriebsratssitzung zu setzen.

Dritter Abschnitt. Soziale Angelegenheiten

§ 87[1] Mitbestimmungsrechte. (1) Der Betriebsrat hat, soweit eine gesetzliche oder tarifliche Regelung nicht besteht, in folgenden Angelegenheiten mitzubestimmen:

1. Fragen der Ordnung des Betriebs und des Verhaltens der Arbeitnehmer im Betrieb;
2. Beginn und Ende der täglichen Arbeitszeit einschließlich der Pausen sowie Verteilung der Arbeitszeit auf die einzelnen Wochentage;
3. vorübergehende Verkürzung oder Verlängerung der betriebsüblichen Arbeitszeit;
4. Zeit, Ort und Art der Auszahlung der Arbeitsentgelte;

---

[1] § 87 Abs. 1 Nr. 13 geänd., Nr. 14 angef. mWv 18.6.2021 durch G v. 14.6.2021 (BGBl. I S. 1762).

5. Aufstellung allgemeiner Urlaubsgrundsätze und des Urlaubsplans sowie die Festsetzung der zeitlichen Lage des Urlaubs für einzelne Arbeitnehmer, wenn zwischen dem Arbeitgeber und den beteiligten Arbeitnehmern kein Einverständnis erzielt wird;
6. Einführung und Anwendung von technischen Einrichtungen, die dazu bestimmt sind, das Verhalten oder die Leistung der Arbeitnehmer zu überwachen;
7. Regelungen über die Verhütung von Arbeitsunfällen und Berufskrankheiten sowie über den Gesundheitsschutz im Rahmen der gesetzlichen Vorschriften oder der Unfallverhütungsvorschriften;
8. Form, Ausgestaltung und Verwaltung von Sozialeinrichtungen, deren Wirkungsbereich auf den Betrieb, das Unternehmen oder den Konzern beschränkt ist;
9. Zuweisung und Kündigung von Wohnräumen, die den Arbeitnehmern mit Rücksicht auf das Bestehen eines Arbeitsverhältnisses vermietet werden, sowie die allgemeine Festlegung der Nutzungsbedingungen;
10. Fragen der betrieblichen Lohngestaltung, insbesondere die Aufstellung von Entlohnungsgrundsätzen und die Einführung und Anwendung von neuen Entlohnungsmethoden sowie deren Änderung;
11. Festsetzung der Akkord- und Prämiensätze und vergleichbarer leistungsbezogener Entgelte, einschließlich der Geldfaktoren;
12. Grundsätze über das betriebliche Vorschlagswesen;
13. Grundsätze über die Durchführung von Gruppenarbeit; Gruppenarbeit im Sinne dieser Vorschrift liegt vor, wenn im Rahmen des betrieblichen Arbeitsablaufs eine Gruppe von Arbeitnehmern eine ihr übertragene Gesamtaufgabe im Wesentlichen eigenverantwortlich erledigt;
14. Ausgestaltung von mobiler Arbeit, die mittels Informations- und Kommunikationstechnik erbracht wird.

(2) [1]Kommt eine Einigung über eine Angelegenheit nach Absatz 1 nicht zustande, so entscheidet die Einigungsstelle. [2]Der Spruch der Einigungsstelle ersetzt die Einigung zwischen Arbeitgeber und Betriebsrat.

§ 88[1)] Freiwillige Betriebsvereinbarungen. Durch Betriebsvereinbarung können insbesondere geregelt werden

1. zusätzliche Maßnahmen zur Verhütung von Arbeitsunfällen und Gesundheitsschädigungen;

1a. Maßnahmen des betrieblichen Umweltschutzes;

2. die Errichtung von Sozialeinrichtungen, deren Wirkungsbereich auf den Betrieb, das Unternehmen oder den Konzern beschränkt ist;
3. Maßnahmen zur Förderung der Vermögensbildung;
4. Maßnahmen zur Integration ausländischer Arbeitnehmer sowie zur Bekämpfung von Rassismus und Fremdenfeindlichkeit im Betrieb;
5. Maßnahmen zur Eingliederung schwerbehinderter Menschen.

§ 89 Arbeits- und betrieblicher Umweltschutz. (1) [1]Der Betriebsrat hat sich dafür einzusetzen, dass die Vorschriften über den Arbeitsschutz und die

---

[1)] § 88 Nr. 4 geänd., Nr. 5 angef. mWv 30.12.2016 durch G v. 23.12.2016 (BGBl. I S. 3234).

Unfallverhütung im Betrieb sowie über den betrieblichen Umweltschutz durchgeführt werden. [2]Er hat bei der Bekämpfung von Unfall- und Gesundheitsgefahren die für den Arbeitsschutz zuständigen Behörden, die Träger der gesetzlichen Unfallversicherung und die sonstigen in Betracht kommenden Stellen durch Anregung, Beratung und Auskunft zu unterstützen.

(2) [1]Der Arbeitgeber und die in Absatz 1 Satz 2 genannten Stellen sind verpflichtet, den Betriebsrat oder die von ihm bestimmten Mitglieder des Betriebsrats bei allen im Zusammenhang mit dem Arbeitsschutz oder der Unfallverhütung stehenden Besichtigungen und Fragen und bei Unfalluntersuchungen hinzuzuziehen. [2]Der Arbeitgeber hat den Betriebsrat auch bei allen im Zusammenhang mit dem betrieblichen Umweltschutz stehenden Besichtigungen und Fragen hinzuzuziehen und ihm unverzüglich die den Arbeitsschutz, die Unfallverhütung und den betrieblichen Umweltschutz betreffenden Auflagen und Anordnungen der zuständigen Stellen mitzuteilen.

(3) Als betrieblicher Umweltschutz im Sinne dieses Gesetzes sind alle personellen und organisatorischen Maßnahmen sowie alle die betrieblichen Bauten, Räume, technische Anlagen, Arbeitsverfahren, Arbeitsabläufe und Arbeitsplätze betreffenden Maßnahmen zu verstehen, die dem Umweltschutz dienen.

(4) An Besprechungen des Arbeitgebers mit den Sicherheitsbeauftragten im Rahmen des § 22 Abs. 2 des Siebten Buches Sozialgesetzbuch[1)] nehmen vom Betriebsrat beauftragte Betriebsratsmitglieder teil.

(5) Der Betriebsrat erhält vom Arbeitgeber die Niederschriften über Untersuchungen, Besichtigungen und Besprechungen, zu denen er nach den Absätzen 2 und 4 hinzuzuziehen ist.

(6) Der Arbeitgeber hat dem Betriebsrat eine Durchschrift der nach § 193 Abs. 5 des Siebten Buches Sozialgesetzbuch[1)] vom Betriebsrat zu unterschreibenden Unfallanzeige auszuhändigen.

Vierter Abschnitt. Gestaltung von Arbeitsplatz, Arbeitsablauf und Arbeitsumgebung

§ 90[2)] Unterrichtungs- und Beratungsrechte. (1) Der Arbeitgeber hat den Betriebsrat über die Planung

1. von Neu-, Um- und Erweiterungsbauten von Fabrikations-, Verwaltungs- und sonstigen betrieblichen Räumen,
2. von technischen Anlagen,
3. von Arbeitsverfahren und Arbeitsabläufen einschließlich des Einsatzes von Künstlicher Intelligenz oder
4. der Arbeitsplätze

rechtzeitig unter Vorlage der erforderlichen Unterlagen zu unterrichten.

(2) [1]Der Arbeitgeber hat mit dem Betriebsrat die vorgesehenen Maßnahmen und ihre Auswirkungen auf die Arbeitnehmer, insbesondere auf die Art ihrer Arbeit sowie die sich daraus ergebenden Anforderungen an die Arbeitnehmer so rechtzeitig zu beraten, dass Vorschläge und Bedenken des Betriebsrats bei der Planung berücksichtigt werden können. [2]Arbeitgeber und Betriebsrat sol-

---

1) Nr. **697**.
2) § 90 Abs. 1 Nr. 3 geänd. mWv 18.6.2021 durch G v. 14.6.2021 (BGBl. I S. 1762).

len dabei auch die gesicherten arbeitswissenschaftlichen Erkenntnisse über die menschengerechte Gestaltung der Arbeit berücksichtigen.

§ 91 Mitbestimmungsrecht. [1] Werden die Arbeitnehmer durch Änderungen der Arbeitsplätze, des Arbeitsablaufs oder der Arbeitsumgebung, die den gesicherten arbeitswissenschaftlichen Erkenntnissen über die menschengerechte Gestaltung der Arbeit offensichtlich widersprechen, in besonderer Weise belastet, so kann der Betriebsrat angemessene Maßnahmen zur Abwendung, Milderung oder zum Ausgleich der Belastung verlangen. [2] Kommt eine Einigung nicht zustande, so entscheidet die Einigungsstelle. [3] Der Spruch der Einigungsstelle ersetzt die Einigung zwischen Arbeitgeber und Betriebsrat.

Fünfter Abschnitt. Personelle Angelegenheiten

Erster Unterabschnitt. Allgemeine personelle Angelegenheiten

§ 92[1)] Personalplanung. (1) [1] Der Arbeitgeber hat den Betriebsrat über die Personalplanung, insbesondere über den gegenwärtigen und künftigen Personalbedarf sowie über die sich daraus ergebenden personellen Maßnahmen einschließlich der geplanten Beschäftigung von Personen, die nicht in einem Arbeitsverhältnis zum Arbeitgeber stehen, und Maßnahmen der Berufsbildung anhand von Unterlagen rechtzeitig und umfassend zu unterrichten. [2] Er hat mit dem Betriebsrat über Art und Umfang der erforderlichen Maßnahmen und über die Vermeidung von Härten zu beraten.

(2) Der Betriebsrat kann dem Arbeitgeber Vorschläge für die Einführung einer Personalplanung und ihre Durchführung machen.

(3) [1] Die Absätze 1 und 2 gelten entsprechend für Maßnahmen im Sinne des § 80 Abs. 1 Nr. 2a und 2b, insbesondere für die Aufstellung und Durchführung von Maßnahmen zur Förderung der Gleichstellung von Frauen und Männern. [2] Gleiches gilt für die Eingliederung schwerbehinderter Menschen nach § 80 Absatz 1 Nummer 4.

§ 92a[2)] Beschäftigungssicherung. (1) [1] Der Betriebsrat kann dem Arbeitgeber Vorschläge zur Sicherung und Förderung der Beschäftigung machen. [2] Diese können insbesondere eine flexible Gestaltung der Arbeitszeit, die Förderung von Teilzeitarbeit und Altersteilzeit, neue Formen der Arbeitsorganisation, Änderungen der Arbeitsverfahren und Arbeitsabläufe, die Qualifizierung der Arbeitnehmer, Alternativen zur Ausgliederung von Arbeit oder ihrer Vergabe an andere Unternehmen sowie zum Produktions- und Investitionsprogramm zum Gegenstand haben.

(2) [1] Der Arbeitgeber hat die Vorschläge mit dem Betriebsrat zu beraten. [2] Hält der Arbeitgeber die Vorschläge des Betriebsrats für ungeeignet, hat er dies zu begründen; in Betrieben mit mehr als 100 Arbeitnehmern erfolgt die Begründung schriftlich. [3] Zu den Beratungen kann der Arbeitgeber oder der Betriebsrat einen Vertreter der Bundesagentur für Arbeit hinzuziehen.

§ 93 Ausschreibung von Arbeitsplätzen. Der Betriebsrat kann verlangen, dass Arbeitsplätze, die besetzt werden sollen, allgemein oder für bestimmte

---

1) § 92 Abs. 3 Satz 2 angef. mWv 30.12.2016 durch G v. 23.12.2016 (BGBl. I S. 3234); Abs. 1 Satz 1 geänd. mWv 1.4.2017 durch G v. 21.2.2017 (BGBl. I S. 258).

2) § 92a Abs. 2 Satz 3 geänd. mWv 1.1.2004 durch G v. 23.12.2003 (BGBl. I S. 2848).

Arten von Tätigkeiten vor ihrer Besetzung innerhalb des Betriebs ausgeschrieben werden.

§ 94 Personalfragebogen, Beurteilungsgrundsätze. (1) [1]Personalfragebogen bedürfen der Zustimmung des Betriebsrats. [2]Kommt eine Einigung über ihren Inhalt nicht zustande, so entscheidet die Einigungsstelle. [3]Der Spruch der Einigungsstelle ersetzt die Einigung zwischen Arbeitgeber und Betriebsrat.

(2) Absatz 1 gilt entsprechend für persönliche Angaben in schriftlichen Arbeitsverträgen, die allgemein für den Betrieb verwendet werden sollen, sowie für die Aufstellung allgemeiner Beurteilungsgrundsätze.

§ 95[1)] Auswahlrichtlinien. (1) [1]Richtlinien über die personelle Auswahl bei Einstellungen, Versetzungen, Umgruppierungen und Kündigungen bedürfen der Zustimmung des Betriebsrats. [2]Kommt eine Einigung über die Richtlinien oder ihren Inhalt nicht zustande, so entscheidet auf Antrag des Arbeitgebers die Einigungsstelle. [3]Der Spruch der Einigungsstelle ersetzt die Einigung zwischen Arbeitgeber und Betriebsrat.

(2) [1]In Betrieben mit mehr als 500 Arbeitnehmern kann der Betriebsrat die Aufstellung von Richtlinien über die bei Maßnahmen des Absatzes 1 Satz 1 zu beachtenden fachlichen und persönlichen Voraussetzungen und sozialen Gesichtspunkte verlangen. [2]Kommt eine Einigung über die Richtlinien oder ihren Inhalt nicht zustande, so entscheidet die Einigungsstelle. [3]Der Spruch der Einigungsstelle ersetzt die Einigung zwischen Arbeitgeber und Betriebsrat.

(2a) Die Absätze 1 und 2 finden auch dann Anwendung, wenn bei der Aufstellung der Richtlinien nach diesen Absätzen Künstliche Intelligenz zum Einsatz kommt.

(3) [1]Versetzung im Sinne dieses Gesetzes ist die Zuweisung eines anderen Arbeitsbereichs, die voraussichtlich die Dauer von einem Monat überschreitet, oder die mit einer erheblichen Änderung der Umstände verbunden ist, unter denen die Arbeit zu leisten ist. [2]Werden Arbeitnehmer nach der Eigenart ihres Arbeitsverhältnisses üblicherweise nicht ständig an einem bestimmten Arbeitsplatz beschäftigt, so gilt die Bestimmung des jeweiligen Arbeitsplatzes nicht als Versetzung.

Zweiter Unterabschnitt. Berufsbildung

§ 96[2)] Förderung der Berufsbildung. (1) [1]Arbeitgeber und Betriebsrat haben im Rahmen der betrieblichen Personalplanung und in Zusammenarbeit mit den für die Berufsbildung und den für die Förderung der Berufsbildung zuständigen Stellen die Berufsbildung der Arbeitnehmer zu fördern. [2]Der Arbeitgeber hat auf Verlangen des Betriebsrats den Berufsbildungsbedarf zu ermitteln und mit ihm Fragen der Berufsbildung der Arbeitnehmer des Betriebs zu beraten. [3]Hierzu kann der Betriebsrat Vorschläge machen.

(1a) [1]Kommt im Rahmen der Beratung nach Absatz 1 eine Einigung über Maßnahmen der Berufsbildung nicht zustande, können der Arbeitgeber oder der Betriebsrat die Einigungsstelle um Vermittlung anrufen. [2]Die Einigungsstelle hat eine Einigung der Parteien zu versuchen.

---

1) § 95 Abs. 2a eingef. mWv 18.6.2021 durch G v. 14.6.2021 (BGBl. I S. 1762).
2) § 96 Abs. 1a eingef. mWv 18.6.2021 durch G v. 14.6.2021 (BGBl. I S. 1762).

(2) [1] Arbeitgeber und Betriebsrat haben darauf zu achten, dass unter Berücksichtigung der betrieblichen Notwendigkeiten den Arbeitnehmern die Teilnahme an betrieblichen oder außerbetrieblichen Maßnahmen der Berufsbildung ermöglicht wird. [2] Sie haben dabei auch die Belange älterer Arbeitnehmer, Teilzeitbeschäftigter und von Arbeitnehmern mit Familienpflichten zu berücksichtigen.

§ 97 Einrichtungen und Maßnahmen der Berufsbildung. (1) Der Arbeitgeber hat mit dem Betriebsrat über die Errichtung und Ausstattung betrieblicher Einrichtungen zur Berufsbildung, die Einführung betrieblicher Berufsbildungsmaßnahmen und die Teilnahme an außerbetrieblichen Berufsbildungsmaßnahmen zu beraten.

(2) [1] Hat der Arbeitgeber Maßnahmen geplant oder durchgeführt, die dazu führen, dass sich die Tätigkeit der betroffenen Arbeitnehmer ändert und ihre beruflichen Kenntnisse und Fähigkeiten zur Erfüllung ihrer Aufgaben nicht mehr ausreichen, so hat der Betriebsrat bei der Einführung von Maßnahmen der betrieblichen Berufsbildung mitzubestimmen. [2] Kommt eine Einigung nicht zustande, so entscheidet die Einigungsstelle. [3] Der Spruch der Einigungsstelle ersetzt die Einigung zwischen Arbeitgeber und Betriebsrat.

§ 98 Durchführung betrieblicher Bildungsmaßnahmen. (1) Der Betriebsrat hat bei der Durchführung von Maßnahmen der betrieblichen Berufsbildung mitzubestimmen.

(2) Der Betriebsrat kann der Bestellung einer mit der Durchführung der betrieblichen Berufsbildung beauftragten Person widersprechen oder ihre Abberufung verlangen, wenn diese die persönliche oder fachliche, insbesondere die berufs- und arbeitspädagogische Eignung im Sinne des Berufsbildungsgesetzes[1)] nicht besitzt oder ihre Aufgaben vernachlässigt.

(3) Führt der Arbeitgeber betriebliche Maßnahmen der Berufsbildung durch oder stellt er für außerbetriebliche Maßnahmen der Berufsbildung Arbeitnehmer frei oder trägt er die durch die Teilnahme von Arbeitnehmern an solchen Maßnahmen entstehenden Kosten ganz oder teilweise, so kann der Betriebsrat Vorschläge für die Teilnahme von Arbeitnehmern oder Gruppen von Arbeitnehmern des Betriebs an diesen Maßnahmen der beruflichen Bildung machen.

(4) [1] Kommt im Fall des Absatzes 1 oder über die nach Absatz 3 vom Betriebsrat vorgeschlagenen Teilnehmer eine Einigung nicht zustande, so entscheidet die Einigungsstelle. [2] Der Spruch der Einigungsstelle ersetzt die Einigung zwischen Arbeitgeber und Betriebsrat.

(5) [1] Kommt im Fall des Absatzes 2 eine Einigung nicht zustande, so kann der Betriebsrat beim Arbeitsgericht beantragen, dem Arbeitgeber aufzugeben, die Bestellung zu unterlassen oder die Abberufung durchzuführen. [2] Führt der Arbeitgeber die Bestellung einer rechtskräftigen gerichtlichen Entscheidung zuwider durch, so ist er auf Antrag des Betriebsrats vom Arbeitsgericht wegen der Bestellung nach vorheriger Androhung zu einem Ordnungsgeld zu verurteilen; das Höchstmaß des Ordnungsgeldes beträgt 10 000 Euro. [3] Führt der Arbeitgeber die Abberufung einer rechtskräftigen gerichtlichen Entscheidung zuwider nicht durch, so ist auf Antrag des Betriebsrats vom Arbeitsgericht zu erkennen, dass der Arbeitgeber zur Abberufung durch Zwangsgeld anzuhalten

[1)] Nr. **415**.

sei; das Höchstmaß des Zwangsgeldes beträgt für jeden Tag der Zuwiderhandlung 250 Euro. [4]Die Vorschriften des Berufsbildungsgesetzes über die Ordnung der Berufsbildung bleiben unberührt.

(6) Die Absätze 1 bis 5 gelten entsprechend, wenn der Arbeitgeber sonstige Bildungsmaßnahmen im Betrieb durchführt.

Dritter Unterabschnitt. Personelle Einzelmaßnahmen

§ 99 Mitbestimmung bei personellen Einzelmaßnahmen. (1) [1]In Unternehmen mit in der Regel mehr als zwanzig wahlberechtigten Arbeitnehmern hat der Arbeitgeber den Betriebsrat vor jeder Einstellung, Eingruppierung, Umgruppierung und Versetzung zu unterrichten, ihm die erforderlichen Bewerbungsunterlagen vorzulegen und Auskunft über die Person der Beteiligten zu geben; er hat dem Betriebsrat unter Vorlage der erforderlichen Unterlagen Auskunft über die Auswirkungen der geplanten Maßnahme zu geben und die Zustimmung des Betriebsrats zu der geplanten Maßnahme einzuholen. [2]Bei Einstellungen und Versetzungen hat der Arbeitgeber insbesondere den in Aussicht genommenen Arbeitsplatz und die vorgesehene Eingruppierung mitzuteilen. [3]Die Mitglieder des Betriebsrats sind verpflichtet, über die ihnen im Rahmen der personellen Maßnahmen nach den Sätzen 1 und 2 bekannt gewordenen persönlichen Verhältnisse und Angelegenheiten der Arbeitnehmer, die ihrer Bedeutung oder ihrem Inhalt nach einer vertraulichen Behandlung bedürfen, Stillschweigen zu bewahren; § 79 Abs. 1 Satz 2 bis 4 gilt entsprechend.

(2) Der Betriebsrat kann die Zustimmung verweigern, wenn

1. die personelle Maßnahme gegen ein Gesetz, eine Verordnung, eine Unfallverhütungsvorschrift oder gegen eine Bestimmung in einem Tarifvertrag oder in einer Betriebsvereinbarung oder gegen eine gerichtliche Entscheidung oder eine behördliche Anordnung verstoßen würde,
2. die personelle Maßnahme gegen eine Richtlinie nach § 95 verstoßen würde,
3. die durch Tatsachen begründete Besorgnis besteht, dass infolge der personellen Maßnahme im Betrieb beschäftigte Arbeitnehmer gekündigt werden oder sonstige Nachteile erleiden, ohne dass dies aus betrieblichen oder persönlichen Gründen gerechtfertigt ist; als Nachteil gilt bei unbefristeter Einstellung auch die Nichtberücksichtigung eines gleich geeigneten befristet Beschäftigten,
4. der betroffene Arbeitnehmer durch die personelle Maßnahme benachteiligt wird, ohne dass dies aus betrieblichen oder in der Person des Arbeitnehmers liegenden Gründen gerechtfertigt ist,
5. eine nach § 93 erforderliche Ausschreibung im Betrieb unterblieben ist oder
6. die durch Tatsachen begründete Besorgnis besteht, dass der für die personelle Maßnahme in Aussicht genommene Bewerber oder Arbeitnehmer den Betriebsfrieden durch gesetzwidriges Verhalten oder durch grobe Verletzung der in § 75 Abs. 1 enthaltenen Grundsätze, insbesondere durch rassistische oder fremdenfeindliche Betätigung, stören werde.

(3) [1]Verweigert der Betriebsrat seine Zustimmung, so hat er dies unter Angabe von Gründen innerhalb einer Woche nach Unterrichtung durch den Arbeitgeber diesem schriftlich mitzuteilen. [2]Teilt der Betriebsrat dem Arbeitgeber die Verweigerung seiner Zustimmung nicht innerhalb der Frist schriftlich mit, so gilt die Zustimmung als erteilt.

(4) Verweigert der Betriebsrat seine Zustimmung, so kann der Arbeitgeber beim Arbeitsgericht beantragen, die Zustimmung zu ersetzen.

§ 100 Vorläufige personelle Maßnahmen. (1) [1]Der Arbeitgeber kann, wenn dies aus sachlichen Gründen dringend erforderlich ist, die personelle Maßnahme im Sinne des § 99 Abs. 1 Satz 1 vorläufig durchführen, bevor der Betriebsrat sich geäußert oder wenn er die Zustimmung verweigert hat. [2]Der Arbeitgeber hat den Arbeitnehmer über die Sach- und Rechtslage aufzuklären.

(2) [1]Der Arbeitgeber hat den Betriebsrat unverzüglich von der vorläufigen personellen Maßnahme zu unterrichten. [2]Bestreitet der Betriebsrat, dass die Maßnahme aus sachlichen Gründen dringend erforderlich ist, so hat er dies dem Arbeitgeber unverzüglich mitzuteilen. [3]In diesem Fall darf der Arbeitgeber die vorläufige personelle Maßnahme nur aufrechterhalten, wenn er innerhalb von drei Tagen beim Arbeitsgericht die Ersetzung der Zustimmung des Betriebsrats und die Feststellung beantragt, dass die Maßnahme aus sachlichen Gründen dringend erforderlich war.

(3) [1]Lehnt das Gericht durch rechtskräftige Entscheidung die Ersetzung der Zustimmung des Betriebsrats ab oder stellt es rechtskräftig fest, dass offensichtlich die Maßnahme aus sachlichen Gründen nicht dringend erforderlich war, so endet die vorläufige personelle Maßnahme mit Ablauf von zwei Wochen nach Rechtskraft der Entscheidung. [2]Von diesem Zeitpunkt an darf die personelle Maßnahme nicht aufrechterhalten werden.

§ 101 Zwangsgeld. [1]Führt der Arbeitgeber eine personelle Maßnahme im Sinne des § 99 Abs. 1 Satz 1 ohne Zustimmung des Betriebsrats durch oder hält er eine vorläufige personelle Maßnahme entgegen § 100 Abs. 2 Satz 3 oder Abs. 3 aufrecht, so kann der Betriebsrat beim Arbeitsgericht beantragen, dem Arbeitgeber aufzugeben, die personelle Maßnahme aufzuheben. [2]Hebt der Arbeitgeber entgegen einer rechtskräftigen gerichtlichen Entscheidung die personelle Maßnahme nicht auf, so ist auf Antrag des Betriebsrats vom Arbeitsgericht zu erkennen, dass der Arbeitgeber zur Aufhebung der Maßnahme durch Zwangsgeld anzuhalten sei. [3]Das Höchstmaß des Zwangsgeldes beträgt für jeden Tag der Zuwiderhandlung 250 Euro.

§ 102 Mitbestimmung bei Kündigungen. (1) [1]Der Betriebsrat ist vor jeder Kündigung zu hören. [2]Der Arbeitgeber hat ihm die Gründe für die Kündigung mitzuteilen. [3]Eine ohne Anhörung des Betriebsrats ausgesprochene Kündigung ist unwirksam.

(2) [1]Hat der Betriebsrat gegen eine ordentliche Kündigung Bedenken, so hat er diese unter Angabe der Gründe dem Arbeitgeber spätestens innerhalb einer Woche schriftlich mitzuteilen. [2]Äußert er sich innerhalb dieser Frist nicht, gilt seine Zustimmung zur Kündigung als erteilt. [3]Hat der Betriebsrat gegen eine außerordentliche Kündigung Bedenken, so hat er diese unter Angabe der Gründe dem Arbeitgeber unverzüglich, spätestens jedoch innerhalb von drei Tagen, schriftlich mitzuteilen. [4]Der Betriebsrat soll, soweit dies erforderlich erscheint, vor seiner Stellungnahme den betroffenen Arbeitnehmer hören. [5]§ 99 Abs. 1 Satz 3 gilt entsprechend.

(3) Der Betriebsrat kann innerhalb der Frist des Absatzes 2 Satz 1 der ordentlichen Kündigung widersprechen, wenn

1. der Arbeitgeber bei der Auswahl des zu kündigenden Arbeitnehmers soziale Gesichtspunkte nicht oder nicht ausreichend berücksichtigt hat,
2. die Kündigung gegen eine Richtlinie nach § 95 verstößt,
3. der zu kündigende Arbeitnehmer an einem anderen Arbeitsplatz im selben Betrieb oder in einem anderen Betrieb des Unternehmens weiterbeschäftigt werden kann,
4. die Weiterbeschäftigung des Arbeitnehmers nach zumutbaren Umschulungs- oder Fortbildungsmaßnahmen möglich ist oder
5. eine Weiterbeschäftigung des Arbeitnehmers unter geänderten Vertragsbedingungen möglich ist und der Arbeitnehmer sein Einverständnis hiermit erklärt hat.

(4) Kündigt der Arbeitgeber, obwohl der Betriebsrat nach Absatz 3 der Kündigung widersprochen hat, so hat er dem Arbeitnehmer mit der Kündigung eine Abschrift der Stellungnahme des Betriebsrats zuzuleiten.

(5) [1] Hat der Betriebsrat einer ordentlichen Kündigung frist- und ordnungsgemäß widersprochen und hat der Arbeitnehmer nach dem Kündigungsschutzgesetz[1)] Klage auf Feststellung erhoben, dass das Arbeitsverhältnis durch die Kündigung nicht aufgelöst ist, so muss der Arbeitgeber auf Verlangen des Arbeitnehmers diesen nach Ablauf der Kündigungsfrist bis zum rechtskräftigen Abschluss des Rechtsstreits bei unveränderten Arbeitsbedingungen weiterbeschäftigen. [2] Auf Antrag des Arbeitgebers kann das Gericht ihn durch einstweilige Verfügung von der Verpflichtung zur Weiterbeschäftigung nach Satz 1 entbinden, wenn

1. die Klage des Arbeitnehmers keine hinreichende Aussicht auf Erfolg bietet oder mutwillig erscheint oder
2. die Weiterbeschäftigung des Arbeitnehmers zu einer unzumutbaren wirtschaftlichen Belastung des Arbeitgebers führen würde oder
3. der Widerspruch des Betriebsrats offensichtlich unbegründet war.

(6) Arbeitgeber und Betriebsrat können vereinbaren, dass Kündigungen der Zustimmung des Betriebsrats bedürfen und dass bei Meinungsverschiedenheiten über die Berechtigung der Nichterteilung der Zustimmung die Einigungsstelle entscheidet.

(7) Die Vorschriften über die Beteiligung des Betriebsrats nach dem Kündigungsschutzgesetz bleiben unberührt.

§ 103[2)] Außerordentliche Kündigung und Versetzung in besonderen Fällen. (1) Die außerordentliche Kündigung von Mitgliedern des Betriebsrats, der Jugend- und Auszubildendenvertretung, der Bordvertretung und des Seebetriebsrats, des Wahlvorstands sowie von Wahlbewerbern bedarf der Zustimmung des Betriebsrats.

(2) [1] Verweigert der Betriebsrat seine Zustimmung, so kann das Arbeitsgericht sie auf Antrag des Arbeitgebers ersetzen, wenn die außerordentliche Kündigung unter Berücksichtigung aller Umstände gerechtfertigt ist. [2] In dem Verfahren vor dem Arbeitsgericht ist der betroffene Arbeitnehmer Beteiligter.

(2a) Absatz 2 gilt entsprechend, wenn im Betrieb kein Betriebsrat besteht.

[1)] Nr. **152**.

[2)] § 103 Abs. 2a eingef. mWv 18.6.2021 durch G v. 14.6.2021 (BGBl. I S. 1762).

(3) [1] Die Versetzung der in Absatz 1 genannten Personen, die zu einem Verlust des Amtes oder der Wählbarkeit führen würde, bedarf der Zustimmung des Betriebsrats; dies gilt nicht, wenn der betroffene Arbeitnehmer mit der Versetzung einverstanden ist. [2] Absatz 2 gilt entsprechend mit der Maßgabe, dass das Arbeitsgericht die Zustimmung zu der Versetzung ersetzen kann, wenn diese auch unter Berücksichtigung der betriebsverfassungsrechtlichen Stellung des betroffenen Arbeitnehmers aus dringenden betrieblichen Gründen notwendig ist.

§ 104 Entfernung betriebsstörender Arbeitnehmer. [1] Hat ein Arbeitnehmer durch gesetzwidriges Verhalten oder durch grobe Verletzung der in § 75 Abs. 1 enthaltenen Grundsätze, insbesondere durch rassistische oder fremdenfeindliche Betätigungen, den Betriebsfrieden wiederholt ernstlich gestört, so kann der Betriebsrat vom Arbeitgeber die Entlassung oder Versetzung verlangen. [2] Gibt das Arbeitsgericht einem Antrag des Betriebsrats statt, dem Arbeitgeber aufzugeben, die Entlassung oder Versetzung durchzuführen, und führt der Arbeitgeber die Entlassung oder Versetzung einer rechtskräftigen gerichtlichen Entscheidung zuwider nicht durch, so ist auf Antrag des Betriebsrats vom Arbeitsgericht zu erkennen, dass er zur Vornahme der Entlassung oder Versetzung durch Zwangsgeld anzuhalten sei. [3] Das Höchstmaß des Zwangsgeldes beträgt für jeden Tag der Zuwiderhandlung 250 Euro.

§ 105 Leitende Angestellte. Eine beabsichtigte Einstellung oder personelle Veränderung eines in § 5 Abs. 3 genannten leitenden Angestellten ist dem Betriebsrat rechtzeitig mitzuteilen.

Sechster Abschnitt. Wirtschaftliche Angelegenheiten

Erster Unterabschnitt. Unterrichtung in wirtschaftlichen Angelegenheiten

§ 106[1] Wirtschaftsausschuss. (1) [1] In allen Unternehmen mit in der Regel mehr als einhundert ständig beschäftigten Arbeitnehmern ist ein Wirtschaftsausschuss zu bilden. [2] Der Wirtschaftsausschuss hat die Aufgabe, wirtschaftliche Angelegenheiten mit dem Unternehmer zu beraten und den Betriebsrat zu unterrichten.

(2) [1] Der Unternehmer hat den Wirtschaftsausschuss rechtzeitig und umfassend über die wirtschaftlichen Angelegenheiten des Unternehmens unter Vorlage der erforderlichen Unterlagen zu unterrichten, soweit dadurch nicht die Betriebs- und Geschäftsgeheimnisse des Unternehmens gefährdet werden, sowie die sich daraus ergebenden Auswirkungen auf die Personalplanung darzustellen. [2] Zu den erforderlichen Unterlagen gehört in den Fällen des Absatzes 3 Nr. 9a insbesondere die Angabe über den potentiellen Erwerber und dessen Absichten im Hinblick auf die künftige Geschäftstätigkeit des Unternehmens sowie die sich daraus ergebenden Auswirkungen auf die Arbeitnehmer; Gleiches gilt, wenn im Vorfeld der Übernahme des Unternehmens ein Bieterverfahren durchgeführt wird.

(3) Zu den wirtschaftlichen Angelegenheiten im Sinne dieser Vorschrift gehören insbesondere

1. die wirtschaftliche und finanzielle Lage des Unternehmens;
2. die Produktions- und Absatzlage;
3. das Produktions- und Investitionsprogramm;

---

[1] § 106 Abs. 2 Satz 2 angef., Abs. 3 Nr. 9 geänd., Nr. 9a eingef. mWv 19.8.2008 durch G v. 12.8.2008 (BGBl. I S. 1666); Abs. 3 Nr. 5b eingef. mWv 1.1.2023 durch G v. 16.7.2021 (BGBl. I S. 2959).

4. Rationalisierungsvorhaben;
5. Fabrikations- und Arbeitsmethoden, insbesondere die Einführung neuer Arbeitsmethoden;

5a. Fragen des betrieblichen Umweltschutzes;

[Nr. 5b ab 1.1.2023:]

5b. *Fragen der unternehmerischen Sorgfaltspflichten in Lieferketten gemäß dem Lieferkettensorgfaltspflichtengesetz;*

6. die Einschränkung oder Stilllegung von Betrieben oder von Betriebsteilen;
7. die Verlegung von Betrieben oder Betriebsteilen;
8. der Zusammenschluss oder die Spaltung von Unternehmen oder Betrieben;
9. die Änderung der Betriebsorganisation oder des Betriebszwecks;

9a. die Übernahme des Unternehmens, wenn hiermit der Erwerb der Kontrolle verbunden ist, sowie

10. sonstige Vorgänge und Vorhaben, welche die Interessen der Arbeitnehmer des Unternehmens wesentlich berühren können.

§ 107 Bestellung und Zusammensetzung des Wirtschaftsausschusses.

(1) [1] Der Wirtschaftsausschuss besteht aus mindestens drei und höchstens sieben Mitgliedern, die dem Unternehmen angehören müssen, darunter mindestens einem Betriebsratsmitglied. [2] Zu Mitgliedern des Wirtschaftsausschusses können auch die in § 5 Abs. 3 genannten Angestellten bestimmt werden. [3] Die Mitglieder sollen die zur Erfüllung ihrer Aufgaben erforderliche fachliche und persönliche Eignung besitzen.

(2) [1] Die Mitglieder des Wirtschaftsausschusses werden vom Betriebsrat für die Dauer seiner Amtszeit bestimmt. [2] Besteht ein Gesamtbetriebsrat, so bestimmt dieser die Mitglieder des Wirtschaftsausschusses; die Amtszeit der Mitglieder endet in diesem Fall in dem Zeitpunkt, in dem die Amtszeit der Mehrheit der Mitglieder des Gesamtbetriebsrats, die an der Bestimmung mitzuwirken berechtigt waren, abgelaufen ist. [3] Die Mitglieder des Wirtschaftsausschusses können jederzeit abberufen werden; auf die Abberufung sind die Sätze 1 und 2 entsprechend anzuwenden.

(3) [1] Der Betriebsrat kann mit der Mehrheit der Stimmen seiner Mitglieder beschließen, die Aufgaben des Wirtschaftsausschusses einem Ausschuss des Betriebsrats zu übertragen. [2] Die Zahl der Mitglieder des Ausschusses darf die Zahl der Mitglieder des Betriebsausschusses nicht überschreiten. [3] Der Betriebsrat kann jedoch weitere Arbeitnehmer einschließlich der in § 5 Abs. 3 genannten leitenden Angestellten bis zur selben Zahl, wie der Ausschuss Mitglieder hat, in den Ausschuss berufen; für die Beschlussfassung gilt Satz 1. [4] Für die Verschwiegenheitspflicht der in Satz 3 bezeichneten weiteren Arbeitnehmer gilt § 79 entsprechend. [5] Für die Abänderung und den Widerruf der Beschlüsse nach den Sätzen 1 bis 3 sind die gleichen Stimmenmehrheiten erforderlich wie für die Beschlüsse nach den Sätzen 1 bis 3. [6] Ist in einem Unternehmen ein Gesamtbetriebsrat errichtet, so beschließt dieser über die anderweitige Wahrnehmung der Aufgaben des Wirtschaftsausschusses; die Sätze 1 bis 5 gelten entsprechend.

§ 108 Sitzungen. (1) Der Wirtschaftsausschuss soll monatlich einmal zusammentreten.

(2) [1] An den Sitzungen des Wirtschaftsausschusses hat der Unternehmer oder sein Vertreter teilzunehmen. [2] Er kann sachkundige Arbeitnehmer des Unter-

nehmens einschließlich der in § 5 Abs. 3 genannten Angestellten hinzuziehen. [3] Für die Hinzuziehung und die Verschwiegenheitspflicht von Sachverständigen gilt § 80 Abs. 3 und 4 entsprechend.

(3) Die Mitglieder des Wirtschaftsausschusses sind berechtigt, in die nach § 106 Abs. 2 vorzulegenden Unterlagen Einsicht zu nehmen.

(4) Der Wirtschaftsausschuss hat über jede Sitzung dem Betriebsrat unverzüglich und vollständig zu berichten.

(5) Der Jahresabschluss ist dem Wirtschaftsausschuss unter Beteiligung des Betriebsrats zu erläutern.

(6) Hat der Betriebsrat oder der Gesamtbetriebsrat eine anderweitige Wahrnehmung der Aufgaben des Wirtschaftsausschusses beschlossen, so gelten die Absätze 1 bis 5 entsprechend.

§ 109 Beilegung von Meinungsverschiedenheiten. [1] Wird eine Auskunft über wirtschaftliche Angelegenheiten des Unternehmens im Sinne des § 106 entgegen dem Verlangen des Wirtschaftsausschusses nicht, nicht rechtzeitig oder nur ungenügend erteilt und kommt hierüber zwischen Unternehmer und Betriebsrat eine Einigung nicht zustande, so entscheidet die Einigungsstelle. [2] Der Spruch der Einigungsstelle ersetzt die Einigung zwischen Arbeitgeber und Betriebsrat. [3] Die Einigungsstelle kann, wenn dies für ihre Entscheidung erforderlich ist, Sachverständige anhören; § 80 Abs. 4 gilt entsprechend. [4] Hat der Betriebsrat oder der Gesamtbetriebsrat eine anderweitige Wahrnehmung der Aufgaben des Wirtschaftsausschusses beschlossen, so gilt Satz 1 entsprechend.

§ 109a[1)] Unternehmensübernahme. In Unternehmen, in denen kein Wirtschaftsausschuss besteht, ist im Fall des § 106 Abs. 3 Nr. 9a der Betriebsrat entsprechend § 106 Abs. 1 und 2 zu beteiligen; § 109 gilt entsprechend.

§ 110 Unterrichtung der Arbeitnehmer. (1) In Unternehmen mit in der Regel mehr als 1 000 ständig beschäftigten Arbeitnehmern hat der Unternehmer mindestens einmal in jedem Kalendervierteljahr nach vorheriger Abstimmung mit dem Wirtschaftsausschuss oder den in § 107 Abs. 3 genannten Stellen und dem Betriebsrat die Arbeitnehmer schriftlich über die wirtschaftliche Lage und Entwicklung des Unternehmens zu unterrichten.

(2) [1] In Unternehmen, die die Voraussetzungen des Absatzes 1 nicht erfüllen, aber in der Regel mehr als zwanzig wahlberechtigte ständige Arbeitnehmer beschäftigen, gilt Absatz 1 mit der Maßgabe, dass die Unterrichtung der Arbeitnehmer mündlich erfolgen kann. [2] Ist in diesen Unternehmen ein Wirtschaftsausschuss nicht zu errichten, so erfolgt die Unterrichtung nach vorheriger Abstimmung mit dem Betriebsrat.

Zweiter Unterabschnitt. Betriebsänderungen

§ 111 Betriebsänderungen. [1] In Unternehmen mit in der Regel mehr als zwanzig wahlberechtigten Arbeitnehmern hat der Unternehmer den Betriebsrat über geplante Betriebsänderungen, die wesentliche Nachteile für die Belegschaft oder erhebliche Teile der Belegschaft zur Folge haben können, rechtzeitig und umfassend zu unterrichten und die geplanten Betriebsänderungen

---

1) § 109a eingef. mWv 19.8.2008 durch G v. 12.8.2008 (BGBl. I S. 1666).

mit dem Betriebsrat zu beraten. [2]Der Betriebsrat kann in Unternehmen mit mehr als 300 Arbeitnehmern zu seiner Unterstützung einen Berater hinzuziehen; § 80 Abs. 4 gilt entsprechend; im Übrigen bleibt § 80 Abs. 3 unberührt. [3]Als Betriebsänderungen im Sinne des Satzes 1 gelten

1. Einschränkung und Stilllegung des ganzen Betriebs oder von wesentlichen Betriebsteilen,
2. Verlegung des ganzen Betriebs oder von wesentlichen Betriebsteilen,
3. Zusammenschluss mit anderen Betrieben oder die Spaltung von Betrieben,
4. grundlegende Änderungen der Betriebsorganisation, des Betriebszwecks oder der Betriebsanlagen,
5. Einführung grundlegend neuer Arbeitsmethoden und Fertigungsverfahren.

§ 112[1)] Interessenausgleich über die Betriebsänderung, Sozialplan.

(1) [1]Kommt zwischen Unternehmer und Betriebsrat ein Interessenausgleich über die geplante Betriebsänderung zustande, so ist dieser schriftlich niederzulegen und vom Unternehmer und Betriebsrat zu unterschreiben; § 77 Absatz 2 Satz 3 gilt entsprechend. [2]Das Gleiche gilt für eine Einigung über den Ausgleich oder die Milderung der wirtschaftlichen Nachteile, die den Arbeitnehmern infolge der geplanten Betriebsänderung entstehen (Sozialplan). [3]Der Sozialplan hat die Wirkung einer Betriebsvereinbarung. [4]§ 77 Abs. 3 ist auf den Sozialplan nicht anzuwenden.

(2) [1]Kommt ein Interessenausgleich über die geplante Betriebsänderung oder eine Einigung über den Sozialplan nicht zustande, so können der Unternehmer oder der Betriebsrat den Vorstand der Bundesagentur für Arbeit um Vermittlung ersuchen, der Vorstand kann die Aufgabe auf andere Bedienstete der Bundesagentur für Arbeit übertragen. [2]Erfolgt kein Vermittlungsersuchen oder bleibt der Vermittlungsversuch ergebnislos, so können der Unternehmer oder der Betriebsrat die Einigungsstelle anrufen. [3]Auf Ersuchen des Vorsitzenden der Einigungsstelle nimmt ein Mitglied des Vorstands der Bundesagentur für Arbeit oder ein vom Vorstand der Bundesagentur für Arbeit benannter Bediensteter der Bundesagentur für Arbeit an der Verhandlung teil.

(3) [1]Unternehmer und Betriebsrat sollen der Einigungsstelle Vorschläge zur Beilegung der Meinungsverschiedenheiten über den Interessenausgleich und den Sozialplan machen. [2]Die Einigungsstelle hat eine Einigung der Parteien zu versuchen. [3]Kommt eine Einigung zustande, so ist sie schriftlich niederzulegen und von den Parteien und vom Vorsitzenden zu unterschreiben.

(4) [1]Kommt eine Einigung über den Sozialplan nicht zustande, so entscheidet die Einigungsstelle über die Aufstellung eines Sozialplans. [2]Der Spruch der Einigungsstelle ersetzt die Einigung zwischen Arbeitgeber und Betriebsrat.

(5) [1]Die Einigungsstelle hat bei ihrer Entscheidung nach Absatz 4 sowohl die sozialen Belange der betroffenen Arbeitnehmer zu berücksichtigen als auch auf die wirtschaftliche Vertretbarkeit ihrer Entscheidung für das Unternehmen zu achten. [2]Dabei hat die Einigungsstelle sich im Rahmen billigen Ermessens insbesondere von folgenden Grundsätzen leiten zu lassen:

1. Sie soll beim Ausgleich oder bei der Milderung wirtschaftlicher Nachteile, insbesondere durch Einkommensminderung, Wegfall von Sonderleistungen

---

[1)] § 112 Abs. 2 Sätze 1 bis 3 geänd. mWv 1.1.2004 durch G v. 23.12.2003 (BGBl. I S. 2848); Abs. 1 Satz 1 geänd. mWv 18.6.2021 durch G v. 14.6.2021 (BGBl. I S. 1762).

oder Verlust von Anwartschaften auf betriebliche Altersversorgung, Umzugskosten oder erhöhte Fahrtkosten, Leistungen vorsehen, die in der Regel den Gegebenheiten des Einzelfalles Rechnung tragen.

2. Sie hat die Aussichten der betroffenen Arbeitnehmer auf dem Arbeitsmarkt zu berücksichtigen. Sie soll Arbeitnehmer von Leistungen ausschließen, die in einem zumutbaren Arbeitsverhältnis im selben Betrieb oder in einem anderen Betrieb des Unternehmens oder eines zum Konzern gehörenden Unternehmens weiterbeschäftigt werden können und die Weiterbeschäftigung ablehnen; die mögliche Weiterbeschäftigung an einem anderen Ort begründet für sich allein nicht die Unzumutbarkeit.

2a. Sie soll insbesondere die im Dritten Buch des Sozialgesetzbuches[1] vorgesehenen Förderungsmöglichkeiten zur Vermeidung von Arbeitslosigkeit berücksichtigen.

3. Sie hat bei der Bemessung des Gesamtbetrages der Sozialplanleistungen darauf zu achten, dass der Fortbestand des Unternehmens oder die nach Durchführung der Betriebsänderung verbleibenden Arbeitsplätze nicht gefährdet werden.

§ 112a Erzwingbarer Sozialplan bei Personalabbau, Neugründungen.

(1) [1] Besteht eine geplante Betriebsänderung im Sinne des § 111 Satz 3 Nr. 1 allein in der Entlassung von Arbeitnehmern, so findet § 112 Abs. 4 und 5 nur Anwendung, wenn

1. in Betrieben mit in der Regel weniger als 60 Arbeitnehmern 20 vom Hundert der regelmäßig beschäftigten Arbeitnehmer, aber mindestens 6 Arbeitnehmer,
2. in Betrieben mit in der Regel mindestens 60 und weniger als 250 Arbeitnehmern 20 vom Hundert der regelmäßig beschäftigten Arbeitnehmer oder mindestens 37 Arbeitnehmer,
3. in Betrieben mit in der Regel mindestens 250 und weniger als 500 Arbeitnehmern 15 vom Hundert der regelmäßig beschäftigten Arbeitnehmer oder mindestens 60 Arbeitnehmer,
4. in Betrieben mit in der Regel mindestens 500 Arbeitnehmern 10 vom Hundert der regelmäßig beschäftigten Arbeitnehmer, aber mindestens 60 Arbeitnehmer

aus betriebsbedingten Gründen entlassen werden sollen. [2] Als Entlassung gilt auch das vom Arbeitgeber aus Gründen der Betriebsänderung veranlasste Ausscheiden von Arbeitnehmern aufgrund von Aufhebungsverträgen.

(2) [1] § 112 Abs. 4 und 5 findet keine Anwendung auf Betriebe eines Unternehmens in den ersten vier Jahren nach seiner Gründung. [2] Dies gilt nicht für Neugründungen im Zusammenhang mit der rechtlichen Umstrukturierung von Unternehmen und Konzernen. [3] Maßgebend für den Zeitpunkt der Gründung ist die Aufnahme einer Erwerbstätigkeit, die nach § 138 der Abgabenordnung[2] dem Finanzamt mitzuteilen ist.

(Fortsetzung nächstes Blatt)

---

[1] Nr. 700.
[2] **Steuergesetze Nr. 800.**

---

1) Nr. [illegible]
2) Steuergesetze Nr. 800

§ 113 Nachteilsausgleich. (1) Weicht der Unternehmer von einem Interessenausgleich über die geplante Betriebsänderung ohne zwingenden Grund ab, so können Arbeitnehmer, die infolge dieser Abweichung entlassen werden, beim Arbeitsgericht Klage erheben mit dem Antrag, den Arbeitgeber zur Zahlung von Abfindungen zu verurteilen; § 10 des Kündigungsschutzgesetzes[1] gilt entsprechend.

(2) Erleiden Arbeitnehmer infolge einer Abweichung nach Absatz 1 andere wirtschaftliche Nachteile, so hat der Unternehmer diese Nachteile bis zu einem Zeitraum von zwölf Monaten auszugleichen.

(3) Die Absätze 1 und 2 gelten entsprechend, wenn der Unternehmer eine geplante Betriebsänderung nach § 111 durchführt, ohne über sie einen Interessenausgleich mit dem Betriebsrat versucht zu haben, und infolge der Maßnahme Arbeitnehmer entlassen werden oder andere wirtschaftliche Nachteile erleiden.

Fünfter Teil. Besondere Vorschriften für einzelne Betriebsarten

Erster Abschnitt. Seeschifffahrt

§ 114[2] Grundsätze. (1) Auf Seeschifffahrtsunternehmen und ihre Betriebe ist dieses Gesetz anzuwenden, soweit sich aus den Vorschriften dieses Abschnitts nichts anderes ergibt.

(2) [1] Seeschifffahrtsunternehmen im Sinne dieses Gesetzes ist ein Unternehmen, das Handelsschifffahrt betreibt und seinen Sitz im Geltungsbereich dieses Gesetzes hat. [2] Ein Seeschifffahrtsunternehmen im Sinne dieses Abschnitts betreibt auch, wer als Korrespondenzreeder, Vertragsreeder, Ausrüster oder aufgrund eines ähnlichen Rechtsverhältnisses Schiffe zum Erwerb durch die Seeschifffahrt verwendet, wenn er Arbeitgeber des Kapitäns und der Besatzungsmitglieder ist oder überwiegend die Befugnisse des Arbeitgebers ausübt.

(3) Als Seebetrieb im Sinne dieses Gesetzes gilt die Gesamtheit der Schiffe eines Seeschifffahrtsunternehmens einschließlich der in Absatz 2 Satz 2 genannten Schiffe.

(4) [1] Schiffe im Sinne dieses Gesetzes sind Kauffahrteischiffe, die nach dem Flaggenrechtsgesetz[3] die Bundesflagge führen. [2] Schiffe, die in der Regel binnen 24 Stunden nach dem Auslaufen an den Sitz eines Landbetriebs zurückkehren, gelten als Teil dieses Landbetriebs des Seeschifffahrtsunternehmens.

(5) Jugend- und Auszubildendenvertretungen werden nur für die Landbetriebe von Seeschifffahrtsunternehmen gebildet.

(6) [1] Besatzungsmitglieder im Sinne dieses Gesetzes sind die in einem Heuer- oder Berufsausbildungsverhältnis zu einem Seeschifffahrtsunternehmen stehenden im Seebetrieb beschäftigten Personen mit Ausnahme des Kapitäns. [2] Leitende Angestellte im Sinne des § 5 Abs. 3 dieses Gesetzes sind nur die Kapitäne.

---

[1] Nr. **152**.

[2] § 114 Abs. 6 Satz 1 neu gef. mWv 1. 8. 2013 durch G v. 20. 4. 2013 (BGBl. I S. 868).

[3] **NipperdeyDirekt (online) Nr. 963.**

§ 115 Bordvertretung. (1) [1] Auf Schiffen, die mit in der Regel mindestens fünf wahlberechtigten Besatzungsmitgliedern besetzt sind, von denen drei wählbar sind, wird eine Bordvertretung gewählt. [2] Auf die Bordvertretung finden, soweit sich aus diesem Gesetz oder aus anderen gesetzlichen Vorschriften nicht etwas anderes ergibt, die Vorschriften über die Rechte und Pflichten des Betriebsrats und die Rechtsstellung seiner Mitglieder Anwendung.

(2) Die Vorschriften über die Wahl und Zusammensetzung des Betriebsrats finden mit folgender Maßgabe Anwendung:

1. Wahlberechtigt sind alle Besatzungsmitglieder des Schiffes.
2. Wählbar sind die Besatzungsmitglieder des Schiffes, die am Wahltag das 18. Lebensjahr vollendet haben und ein Jahr Besatzungsmitglied eines Schiffes waren, das nach dem Flaggenrechtsgesetz[1] die Bundesflagge führt. § 8 Abs. 1 Satz 3 bleibt unberührt.
3. Die Bordvertretung besteht auf Schiffen mit in der Regel

   5 bis 20 wahlberechtigten Besatzungsmitgliedern
   aus einer Person,
   21 bis 75 wahlberechtigten Besatzungsmitgliedern
   aus drei Mitgliedern,
   über 75 wahlberechtigten Besatzungsmitgliedern
   aus fünf Mitgliedern.
4. (weggefallen)
5. § 13 Abs. 1 und 3 findet keine Anwendung. Die Bordvertretung ist vor Ablauf ihrer Amtszeit unter den in § 13 Abs. 2 Nr. 2 bis 5 genannten Voraussetzungen neu zu wählen.
6. Die wahlberechtigten Besatzungsmitglieder können mit der Mehrheit aller Stimmen beschließen, die Wahl der Bordvertretung binnen 24 Stunden durchzuführen.
7. Die in § 16 Abs. 1 Satz 1 genannte Frist wird auf zwei Wochen, die in § 16 Abs. 2 Satz 1 genannte Frist wird auf eine Woche verkürzt.
8. Bestellt die im Amt befindliche Bordvertretung nicht rechtzeitig einen Wahlvorstand oder besteht keine Bordvertretung, wird der Wahlvorstand in einer Bordversammlung von der Mehrheit der anwesenden Besatzungsmitglieder gewählt; § 17 Abs. 3 gilt entsprechend. Kann aus Gründen der Aufrechterhaltung des ordnungsgemäßen Schiffsbetriebs eine Bordversammlung nicht stattfinden, so kann der Kapitän auf Antrag von drei Wahlberechtigten den Wahlvorstand bestellen. Bestellt der Kapitän den Wahlvorstand nicht, so ist der Seebetriebsrat berechtigt, den Wahlvorstand zu bestellen. Die Vorschriften über die Bestellung des Wahlvorstands durch das Arbeitsgericht bleiben unberührt.
9. Die Frist für die Wahlanfechtung beginnt für Besatzungsmitglieder an Bord, wenn das Schiff nach Bekanntgabe des Wahlergebnisses erstmalig einen Hafen im Geltungsbereich dieses Gesetzes oder einen Hafen, in dem ein Seemannsamt seinen Sitz hat, anläuft. Die Wahlanfechtung kann auch zu Protokoll des Seemannsamtes erklärt werden. Wird die Wahl zur Bordvertretung angefochten, zieht das Seemannsamt die an Bord befindlichen

[1] **NipperdeyDirekt (online) Nr. 963.**

Wahlunterlagen ein. Die Anfechtungserklärung und die eingezogenen Wahlunterlagen sind vom Seemannsamt unverzüglich an das für die Anfechtung zuständige Arbeitsgericht weiterzuleiten.

(3) Auf die Amtszeit der Bordvertretung finden die §§ 21, 22 bis 25 mit der Maßgabe Anwendung, dass

1. die Amtszeit ein Jahr beträgt,
2. die Mitgliedschaft in der Bordvertretung auch endet, wenn das Besatzungsmitglied den Dienst an Bord beendet, es sei denn, dass es den Dienst an Bord vor Ablauf der Amtszeit nach Nummer 1 wieder antritt.

(4) [1] Für die Geschäftsführung der Bordvertretung gelten die §§ 26 bis 36, § 37 Abs. 1 bis 3 sowie die §§ 39 bis 41 entsprechend. [2] § 40 Abs. 2 ist mit der Maßgabe anzuwenden, dass die Bordvertretung in dem für ihre Tätigkeit erforderlichen Umfang auch die für die Verbindung des Schiffes zur Reederei eingerichteten Mittel zur beschleunigten Übermittlung von Nachrichten in Anspruch nehmen kann.

(5) [1] Die §§ 42 bis 46 über die Betriebsversammlung finden für die Versammlung der Besatzungsmitglieder eines Schiffes (Bordversammlung) entsprechende Anwendung. [2] Auf Verlangen der Bordvertretung hat der Kapitän der Bordversammlung einen Bericht über die Schiffsreise und die damit zusammenhängenden Angelegenheiten zu erstatten. [3] Er hat Fragen, die den Schiffsbetrieb, die Schiffsreise und die Schiffssicherheit betreffen, zu beantworten.

(6) Die §§ 47 bis 59 über den Gesamtbetriebsrat und den Konzernbetriebsrat finden für die Bordvertretung keine Anwendung.

(7) Die §§ 74 bis 105 über die Mitwirkung und Mitbestimmung der Arbeitnehmer finden auf die Bordvertretung mit folgender Maßgabe Anwendung:

1. Die Bordvertretung ist zuständig für die Behandlung derjenigen nach diesem Gesetz der Mitwirkung und Mitbestimmung des Betriebsrats unterliegenden Angelegenheiten, die den Bordbetrieb oder die Besatzungsmitglieder des Schiffes betreffen und deren Regelung dem Kapitän aufgrund gesetzlicher Vorschriften oder der ihm von der Reederei übertragenen Befugnisse obliegt.
2. Kommt es zwischen Kapitän und Bordvertretung in einer der Mitwirkung oder Mitbestimmung der Bordvertretung unterliegenden Angelegenheit nicht zu einer Einigung, so kann die Angelegenheit von der Bordvertretung an den Seebetriebsrat abgegeben werden. Der Seebetriebsrat hat die Bordvertretung über die weitere Behandlung der Angelegenheit zu unterrichten. Bordvertretung und Kapitän dürfen die Einigungsstelle oder das Arbeitsgericht nur anrufen, wenn ein Seebetriebsrat nicht gewählt ist.
3. Bordvertretung und Kapitän können im Rahmen ihrer Zuständigkeiten Bordvereinbarungen abschließen. Die Vorschriften über Betriebsvereinbarungen gelten für Bordvereinbarungen entsprechend. Bordvereinbarungen sind unzulässig, soweit eine Angelegenheit durch eine Betriebsvereinbarung zwischen Seebetriebsrat und Arbeitgeber geregelt ist.
4. In Angelegenheiten, die der Mitbestimmung der Bordvertretung unterliegen, kann der Kapitän, auch wenn eine Einigung mit der Bordvertretung noch nicht erzielt ist, vorläufige Regelungen treffen, wenn dies zur Auf-

rechterhaltung des ordnungsgemäßen Schiffsbetriebs dringend erforderlich ist. Den von der Anordnung betroffenen Besatzungsmitgliedern ist die Vorläufigkeit der Regelung bekannt zu geben. Soweit die vorläufige Regelung der endgültigen Regelung nicht entspricht, hat das Schifffahrtsunternehmen Nachteile auszugleichen, die den Besatzungsmitgliedern durch die vorläufige Regelung entstanden sind.

5. Die Bordvertretung hat das Recht auf regelmäßige und umfassende Unterrichtung über den Schiffsbetrieb. Die erforderlichen Unterlagen sind der Bordvertretung vorzulegen. Zum Schiffsbetrieb gehören insbesondere die Schiffssicherheit, die Reiserouten, die voraussichtlichen Ankunfts- und Abfahrtszeiten sowie die zu befördernde Ladung.
6. Auf Verlangen der Bordvertretung hat der Kapitän ihr Einsicht in die an Bord befindlichen Schiffstagebücher zu gewähren. In den Fällen, in denen der Kapitän eine Eintragung über Angelegenheiten macht, die der Mitwirkung oder Mitbestimmung der Bordvertretung unterliegen, kann diese eine Abschrift der Eintragung verlangen und Erklärungen zum Schiffstagebuch abgeben. In den Fällen, in denen über eine der Mitwirkung oder Mitbestimmung der Bordvertretung unterliegenden Angelegenheit eine Einigung zwischen Kapitän und Bordvertretung nicht erzielt wird, kann die Bordvertretung dies zum Schiffstagebuch erklären und eine Abschrift dieser Eintragung verlangen.
7. Die Zuständigkeit der Bordvertretung im Rahmen des Arbeitsschutzes bezieht sich auch auf die Schiffssicherheit und die Zusammenarbeit mit den insoweit zuständigen Behörden und sonstigen in Betracht kommenden Stellen.

§ 116 Seebetriebsrat. (1) [1] In Seebetrieben werden Seebetriebsräte gewählt. [2] Auf die Seebetriebsräte finden, soweit sich aus diesem Gesetz oder aus anderen gesetzlichen Vorschriften nicht etwas anderes ergibt, die Vorschriften über die Rechte und Pflichten des Betriebsrats und die Rechtsstellung seiner Mitglieder Anwendung.

(2) Die Vorschriften über die Wahl, Zusammensetzung und Amtszeit des Betriebsrats finden mit folgender Maßgabe Anwendung:

1. Wahlberechtigt zum Seebetriebsrat sind alle zum Seeschifffahrtsunternehmen gehörenden Besatzungsmitglieder.
2. Für die Wählbarkeit zum Seebetriebsrat gilt § 8 mit der Maßgabe, dass
   a) in Seeschifffahrtsunternehmen, zu denen mehr als acht Schiffe gehören oder in denen in der Regel mehr als 250 Besatzungsmitglieder beschäftigt sind, nur nach § 115 Abs. 2 Nr. 2 wählbare Besatzungsmitglieder wählbar sind;
   b) in den Fällen, in denen die Voraussetzungen des Buchstabens a nicht vorliegen, nur Arbeitnehmer wählbar sind, die nach § 8 die Wählbarkeit im Landbetrieb des Seeschifffahrtsunternehmens besitzen, es sei denn, dass der Arbeitgeber mit der Wahl von Besatzungsmitgliedern einverstanden ist.
3. Der Seebetriebsrat besteht in Seebetrieben mit in der Regel
   5 bis 400 wahlberechtigten Besatzungsmitgliedern aus einer Person,
   401 bis 800 wahlberechtigten Besatzungsmitgliedern aus drei Mitgliedern,
   über 800 wahlberechtigten Besatzungsmitgliedern aus fünf Mitgliedern.

4. Ein Wahlvorschlag ist gültig, wenn er im Fall des § 14 Abs. 4 Satz 1 erster Halbsatz und Satz 2 mindestens von drei wahlberechtigten Besatzungsmitgliedern unterschrieben ist.
5. § 14 a findet keine Anwendung.
6. Die in § 16 Abs. 1 Satz 1 genannte Frist wird auf drei Monate, die in § 16 Abs. 2 Satz 1 genannte Frist auf zwei Monate verlängert.
7. Zu Mitgliedern des Wahlvorstands können auch im Landbetrieb des Seeschifffahrtsunternehmens beschäftigte Arbeitnehmer bestellt werden. § 17 Abs. 2 bis 4 findet keine Anwendung. Besteht kein Seebetriebsrat, so bestellt der Gesamtbetriebsrat oder, falls ein solcher nicht besteht, der Konzernbetriebsrat den Wahlvorstand. Besteht weder ein Gesamtbetriebsrat noch ein Konzernbetriebsrat, wird der Wahlvorstand gemeinsam vom Arbeitgeber und den im Seebetrieb vertretenen Gewerkschaften bestellt; Gleiches gilt, wenn der Gesamtbetriebsrat oder der Konzernbetriebsrat die Bestellung des Wahlvorstands nach Satz 3 unterlässt. Einigen sich Arbeitgeber und Gewerkschaften nicht, so bestellt ihn das Arbeitsgericht auf Antrag des Arbeitgebers, einer im Seebetrieb vertretenen Gewerkschaft oder von mindestens drei wahlberechtigten Besatzungsmitgliedern. § 16 Abs. 2 Satz 2 und 3 gilt entsprechend.
8. Die Frist für die Wahlanfechtung nach § 19 Abs. 2 beginnt für Besatzungsmitglieder an Bord, wenn das Schiff nach Bekanntgabe des Wahlergebnisses erstmalig einen Hafen im Geltungsbereich dieses Gesetzes oder einen Hafen, in dem ein Seemannsamt seinen Sitz hat, anläuft. Nach Ablauf von drei Monaten seit Bekanntgabe des Wahlergebnisses ist eine Wahlanfechtung unzulässig. Die Wahlanfechtung kann auch zu Protokoll des Seemannsamtes erklärt werden. Die Anfechtungserklärung ist vom Seemannsamt unverzüglich an das für die Anfechtung zuständige Arbeitsgericht weiterzuleiten.
9. Die Mitgliedschaft im Seebetriebsrat endet, wenn der Seebetriebsrat aus Besatzungsmitgliedern besteht, auch, wenn das Mitglied des Seebetriebsrats nicht mehr Besatzungsmitglied ist. Die Eigenschaft als Besatzungsmitglied wird durch die Tätigkeit im Seebetriebsrat oder durch eine Beschäftigung gemäß Absatz 3 Nr. 2 nicht berührt.

(3) Die §§ 26 bis 41 über die Geschäftsführung des Betriebsrats finden auf den Seebetriebsrat mit folgender Maßgabe Anwendung:

1. In Angelegenheiten, in denen der Seebetriebsrat nach diesem Gesetz innerhalb einer bestimmten Frist Stellung zu nehmen hat, kann er, abweichend von § 33 Abs. 2, ohne Rücksicht auf die Zahl der zur Sitzung erschienenen Mitglieder einen Beschluss fassen, wenn die Mitglieder ordnungsgemäß geladen worden sind.
2. Soweit die Mitglieder des Seebetriebsrats nicht freizustellen sind, sind sie so zu beschäftigen, dass sie durch ihre Tätigkeit nicht gehindert sind, die Aufgaben des Seebetriebsrats wahrzunehmen. Der Arbeitsplatz soll den Fähigkeiten und Kenntnissen des Mitglieds des Seebetriebsrats und seiner bisherigen beruflichen Stellung entsprechen. Der Arbeitsplatz ist im Einvernehmen mit dem Seebetriebsrat zu bestimmen. Kommt eine Einigung über die Bestimmung des Arbeitsplatzes nicht zustande, so entscheidet die Einigungsstelle. Der Spruch der Einigungsstelle ersetzt die Einigung zwischen Arbeitgeber und Seebetriebsrat.

3. Den Mitgliedern des Seebetriebsrats, die Besatzungsmitglieder sind, ist die Heuer auch dann fortzuzahlen, wenn sie im Landbetrieb beschäftigt werden. Sachbezüge sind angemessen abzugelten. Ist der neue Arbeitsplatz höherwertig, so ist das diesem Arbeitsplatz entsprechende Arbeitsentgelt zu zahlen.
4. Unter Berücksichtigung der örtlichen Verhältnisse ist über die Unterkunft der in den Seebetriebsrat gewählten Besatzungsmitglieder eine Regelung zwischen dem Seebetriebsrat und dem Arbeitgeber zu treffen, wenn der Arbeitsplatz sich nicht am Wohnort befindet. Kommt eine Einigung nicht zustande, so entscheidet die Einigungsstelle. Der Spruch der Einigungsstelle ersetzt die Einigung zwischen Arbeitgeber und Seebetriebsrat.
5. Der Seebetriebsrat hat das Recht, jedes zum Seebetrieb gehörende Schiff zu betreten, dort im Rahmen seiner Aufgaben tätig zu werden sowie an den Sitzungen der Bordvertretung teilzunehmen. § 115 Abs. 7 Nr. 5 Satz 1 gilt entsprechend.
6. Liegt ein Schiff in einem Hafen innerhalb des Geltungsbereichs dieses Gesetzes, so kann der Seebetriebsrat nach Unterrichtung des Kapitäns Sprechstunden an Bord abhalten und Bordversammlungen der Besatzungsmitglieder durchführen.
7. Läuft ein Schiff innerhalb eines Kalenderjahres keinen Hafen im Geltungsbereich dieses Gesetzes an, so gelten die Nummern 5 und 6 für europäische Häfen. Die Schleusen des Nordostseekanals gelten nicht als Häfen.
8. Im Einvernehmen mit dem Arbeitgeber können Sprechstunden und Bordversammlungen, abweichend von den Nummern 6 und 7, auch in anderen Liegehäfen des Schiffes durchgeführt werden, wenn ein dringendes Bedürfnis hierfür besteht. Kommt eine Einigung nicht zustande, so entscheidet die Einigungsstelle. Der Spruch der Einigungsstelle ersetzt die Einigung zwischen Arbeitgeber und Seebetriebsrat.

(4) Die §§ 42 bis 46 über die Betriebsversammlung finden auf den Seebetrieb keine Anwendung.

(5) Für den Seebetrieb nimmt der Seebetriebsrat die in den §§ 47 bis 59 dem Betriebsrat übertragenen Aufgaben, Befugnisse und Pflichten wahr.

(6) Die §§ 74 bis 113 über die Mitwirkung und Mitbestimmung der Arbeitnehmer finden auf den Seebetriebsrat mit folgender Maßgabe Anwendung:

1. Der Seebetriebsrat ist zuständig für die Behandlung derjenigen nach diesem Gesetz der Mitwirkung oder Mitbestimmung des Betriebsrats unterliegenden Angelegenheiten,
   a) die alle oder mehrere Schiffe des Seebetriebs oder die Besatzungsmitglieder aller oder mehrerer Schiffe des Seebetriebs betreffen,
   b) die nach § 115 Abs. 7 Nr. 2 von der Bordvertretung abgegeben worden sind oder
   c) für die nicht die Zuständigkeit der Bordvertretung nach § 115 Abs. 7 Nr. 1 gegeben ist.
2. Der Seebetriebsrat ist regelmäßig und umfassend über den Schiffsbetrieb des Seeschifffahrtsunternehmens zu unterrichten. Die erforderlichen Unterlagen sind ihm vorzulegen.

Zweiter Abschnitt. Luftfahrt

§ 117[1] Geltung für die Luftfahrt. (1) [1] Auf Landbetriebe von Luftfahrtunternehmen ist dieses Gesetz anzuwenden. [2] Auf im Flugbetrieb beschäftigte Arbeitnehmer von Luftfahrtunternehmen ist dieses Gesetz anzuwenden, wenn keine Vertretung durch Tarifvertrag nach Absatz 2 Satz 1 errichtet ist.

(2) [1] Für im Flugbetrieb beschäftigte Arbeitnehmer von Luftfahrtunternehmen kann durch Tarifvertrag eine Vertretung errichtet werden. [2] Über die Zusammenarbeit dieser Vertretung mit den nach diesem Gesetz zu errichtenden Vertretungen der Arbeitnehmer der Landbetriebe des Luftfahrtunternehmens kann der Tarifvertrag von diesem Gesetz abweichende Regelungen vorsehen. [3] Auf einen Tarifvertrag nach den Sätzen 1 und 2 ist § 4 Absatz 5 des Tarifvertragsgesetzes[2] anzuwenden.

Dritter Abschnitt. Tendenzbetriebe und Religionsgemeinschaften

§ 118 Geltung für Tendenzbetriebe und Religionsgemeinschaften.
(1) [1] Auf Unternehmen und Betriebe, die unmittelbar und überwiegend

1. politischen, koalitionspolitischen, konfessionellen, karitativen, erzieherischen, wissenschaftlichen oder künstlerischen Bestimmungen oder
2. Zwecken der Berichterstattung oder Meinungsäußerung, auf die Artikel 5 Abs. 1 Satz 2 des Grundgesetzes[3] Anwendung findet,

dienen, finden die Vorschriften dieses Gesetzes keine Anwendung, soweit die Eigenart des Unternehmens oder des Betriebs dem entgegensteht. [2] Die §§ 106 bis 110 sind nicht, die §§ 111 bis 113 nur insoweit anzuwenden, als sie den Ausgleich oder die Milderung wirtschaftlicher Nachteile für die Arbeitnehmer infolge von Betriebsänderungen regeln.

(2) Dieses Gesetz findet keine Anwendung auf Religionsgemeinschaften und ihre karitativen und erzieherischen Einrichtungen unbeschadet deren Rechtsform.

Sechster Teil. Straf- und Bußgeldvorschriften

§ 119[4] Straftaten gegen Betriebsverfassungsorgane und ihre Mitglieder. (1) Mit Freiheitsstrafe bis zu einem Jahr oder mit Geldstrafe wird bestraft, wer

1. eine Wahl des Betriebsrats, der Jugend- und Auszubildendenvertretung, der Bordvertretung, des Seebetriebsrats oder der in § 3 Abs. 1 Nr. 1 bis 3 oder 5 bezeichneten Vertretungen der Arbeitnehmer behindert oder durch Zufügung oder Androhung von Nachteilen oder durch Gewährung oder Versprechen von Vorteilen beeinflusst,
2. die Tätigkeit des Betriebsrats, des Gesamtbetriebsrats, des Konzernbetriebsrats, der Jugend- und Auszubildendenvertretung, der Gesamt-Jugend- und Auszubildendenvertretung, der Konzern-Jugend- und Auszubildendenvertretung, der Bordvertretung, des Seebetriebsrats, der in § 3 Abs. 1 bezeichneten Vertretungen der Arbeitnehmer, der Einigungsstelle, der in § 76 Abs. 8

---

[1] § 117 Abs. 1 Satz 2, Abs. 2 Satz 3 angef. mWv 1.5.2019 durch G v. 18.12.2018 (BGBl. I S. 2651).
[2] Nr. **504**.
[3] Nr. **10**.
[4] § 119 Abs. 1 Nr. 3 geänd. mWv 1.4.2017 durch G v. 21.2.2017 (BGBl. I S. 258).

bezeichneten tariflichen Schlichtungsstelle, der in § 86 bezeichneten betrieblichen Beschwerdestelle oder des Wirtschaftsausschusses behindert oder stört, oder

3. ein Mitglied oder ein Ersatzmitglied des Betriebsrats, des Gesamtbetriebsrats, des Konzernbetriebsrats, der Jugend- und Auszubildendenvertretung, der Gesamt-Jugend- und Auszubildendenvertretung, der Konzern-Jugend- und Auszubildendenvertretung, der Bordvertretung, des Seebetriebsrats, der in § 3 Abs. 1 bezeichneten Vertretungen der Arbeitnehmer, der Einigungsstelle, der in § 76 Abs. 8 bezeichneten Schlichtungsstelle, der in § 86 bezeichneten betrieblichen Beschwerdestelle oder des Wirtschaftsausschusses um seiner Tätigkeit willen oder eine Auskunftsperson nach § 80 Absatz 2 Satz 4 um ihrer Tätigkeit willen benachteiligt oder begünstigt.

(2) Die Tat wird nur auf Antrag des Betriebsrats, des Gesamtbetriebsrats, des Konzernbetriebsrats, der Bordvertretung, des Seebetriebsrats, einer der in § 3 Abs. 1 bezeichneten Vertretungen der Arbeitnehmer, des Wahlvorstands, des Unternehmers oder einer im Betrieb vertretenen Gewerkschaft verfolgt.

§ 120[1)] Verletzung von Geheimnissen. (1) Wer unbefugt ein fremdes Betriebs- oder Geschäftsgeheimnis offenbart, das ihm in seiner Eigenschaft als

1. Mitglied oder Ersatzmitglied des Betriebsrats oder einer der in § 79 Abs. 2 bezeichneten Stellen,
2. Vertreter einer Gewerkschaft oder Arbeitgebervereinigung,
3. Sachverständiger, der vom Betriebsrat nach § 80 Abs. 3 hinzugezogen oder von der Einigungsstelle nach § 109 Satz 3 angehört worden ist,

3a. Berater, der vom Betriebsrat nach § 111 Satz 2 hinzugezogen worden ist,

3b. Auskunftsperson, die dem Betriebsrat nach § 80 Absatz 2 Satz 4 zur Verfügung gestellt worden ist, oder

4. Arbeitnehmer, der vom Betriebsrat nach § 107 Abs. 3 Satz 3 oder vom Wirtschaftsausschuss nach § 108 Abs. 2 Satz 2 hinzugezogen worden ist,

bekannt geworden und das vom Arbeitgeber ausdrücklich als geheimhaltungsbedürftig bezeichnet worden ist, wird mit Freiheitsstrafe bis zu einem Jahr oder mit Geldstrafe bestraft.

(2) Ebenso wird bestraft, wer unbefugt ein fremdes Geheimnis eines Arbeitnehmers, namentlich ein zu dessen persönlichen Lebensbereich gehörendes Geheimnis, offenbart, das ihm in seiner Eigenschaft als Mitglied oder Ersatzmitglied des Betriebsrats oder einer der in § 79 Abs. 2 bezeichneten Stellen bekannt geworden ist und über das nach den Vorschriften dieses Gesetzes Stillschweigen zu bewahren ist.

(3) [1] Handelt der Täter gegen Entgelt oder in der Absicht, sich oder einen anderen zu bereichern oder einen anderen zu schädigen, so ist die Strafe Freiheitsstrafe bis zu zwei Jahren oder Geldstrafe. [2] Ebenso wird bestraft, wer unbefugt ein fremdes Geheimnis, namentlich ein Betriebs- oder Geschäftsgeheimnis, zu dessen Geheimhaltung er nach den Absätzen 1 oder 2 verpflichtet ist, verwertet.

(4) Die Absätze 1 bis 3 sind auch anzuwenden, wenn der Täter das fremde Geheimnis nach dem Tode des Betroffenen unbefugt offenbart oder verwertet.

---

1) § 120 Abs. 1 Nr. 3b geänd. mWv 1.4.2017 durch G v. 21.2.2017 (BGBl. I S. 258).

(5) [1] Die Tat wird nur auf Antrag des Verletzten verfolgt. [2] Stirbt der Verletzte, so geht das Antragsrecht nach § 77 Abs. 2 des Strafgesetzbuches[1)] auf die Angehörigen über, wenn das Geheimnis zum persönlichen Lebensbereich des Verletzten gehört; in anderen Fällen geht es auf die Erben über. [3] Offenbart der Täter das Geheimnis nach dem Tode des Betroffenen, so gilt Satz 2 sinngemäß.

§ 121 Bußgeldvorschriften. (1) Ordnungswidrig handelt, wer eine der in § 90 Abs. 1, 2 Satz 1, § 92 Abs. 1 Satz 1 auch in Verbindung mit Abs. 3, § 99 Abs. 1, § 106 Abs. 2, § 108 Abs. 5, § 110 oder § 111 bezeichneten Aufklärungs- oder Auskunftspflichten nicht, wahrheitswidrig, unvollständig oder verspätet erfüllt.

(2) Die Ordnungswidrigkeit kann mit einer Geldbuße bis zu zehntausend Euro geahndet werden.

Siebenter Teil. Änderung von Gesetzen

§ 122 (Änderung des Bürgerlichen Gesetzbuchs[2)]). (gegenstandslos)

§ 123 (Änderung des Kündigungsschutzgesetzes[3)]). (gegenstandslos)

§ 124 (Änderung des Arbeitsgerichtsgesetzes[4)]). (gegenstandslos)

Achter Teil. Übergangs- und Schlussvorschriften

§ 125 Erstmalige Wahlen nach diesem Gesetz. (1) Die erstmaligen Betriebsratswahlen nach § 13 Abs. 1 finden im Jahre 1972 statt.

(2) [1] Die erstmaligen Wahlen der Jugend- und Auszubildendenvertretung nach § 64 Abs. 1 Satz 1 finden im Jahre 1988 statt. [2] Die Amtszeit der Jugendvertretung endet mit der Bekanntgabe des Wahlergebnisses der neu gewählten Jugend- und Auszubildendenvertretung, spätestens am 30. November 1988.

(3) Auf Wahlen des Betriebsrats, der Bordvertretung, des Seebetriebsrats und der Jugend- und Auszubildendenvertretung, die nach dem 28. Juli 2001 eingeleitet werden, finden die Erste Verordnung zur Durchführung des Betriebsverfassungsgesetzes[5)] vom 16. Januar 1972 (BGBl. I S. 49), zuletzt geändert durch die Verordnung vom 16. Januar 1995 (BGBl. I S. 43), die Zweite Verordnung zur Durchführung des Betriebsverfassungsgesetzes[6)] vom 24. Oktober 1972 (BGBl. I S. 2029), zuletzt geändert durch die Verordnung vom 28. September 1989 (BGBl. I S. 1795) und die Verordnung zur Durchführung der Betriebsratswahlen bei den Postunternehmen vom 26. Juni 1995 (BGBl. I S. 871) bis zu deren Änderung entsprechende Anwendung.

(4) Ergänzend findet für das vereinfachte Wahlverfahren nach § 14a die Erste Verordnung zur Durchführung des Betriebsverfassungsgesetzes bis zu deren Änderung mit folgenden Maßgaben entsprechende Anwendung:

---

1) **Habersack Nr. 85.**
2) Auszugsweise abgedruckt unter Nr. **50**.
3) Nr. **152**.
4) Nr. **660**.
5) **beck-online, Module Arbeitsrecht Nr. 570a (1).**
6) **beck-online, Module Arbeitsrecht Nr. 570b (1).**

1. Die Frist für die Einladung zur Wahlversammlung zur Wahl des Wahlvorstands nach § 14a Abs. 1 des Gesetzes beträgt mindestens sieben Tage. Die Einladung muss Ort, Tag und Zeit der Wahlversammlung sowie den Hinweis enthalten, dass bis zum Ende dieser

(Fortsetzung nächstes Blatt)

Wahlversammlung Wahlvorschläge zur Wahl des Betriebsrats gemacht werden können (§ 14a Abs. 2 des Gesetzes).

2. § 3 findet wie folgt Anwendung:
   a) Im Fall des § 14a Abs. 1 des Gesetzes erlässt der Wahlvorstand auf der Wahlversammlung das Wahlausschreiben. Die Einspruchsfrist nach § 3 Abs. 2 Nr. 3 verkürzt sich auf drei Tage. Die Angabe nach § 3 Abs. 2 Nr. 4 muss die Zahl der Mindestsitze des Geschlechts in der Minderheit (§ 15 Abs. 2 des Gesetzes) enthalten. Die Wahlvorschläge sind abweichend von § 3 Abs. 2 Nr. 7 bis zum Abschluss der Wahlversammlung zur Wahl des Wahlvorstands bei diesem einzureichen. Ergänzend zu § 3 Abs. 2 Nr. 10 gibt der Wahlvorstand den Ort, Tag und Zeit der nachträglichen Stimmabgabe an (§ 14a Abs. 4 des Gesetzes).
   b) Im Fall des § 14a Abs. 3 des Gesetzes erlässt der Wahlvorstand unverzüglich das Wahlausschreiben mit den unter Buchstabe a genannten Maßgaben zu § 3 Abs. 2 Nr. 3, 4 und 10. Abweichend von § 3 Abs. 2 Nr. 7 sind die Wahlvorschläge spätestens eine Woche vor der Wahlversammlung zur Wahl des Betriebsrats (§ 14a Abs. 3 Satz 2 des Gesetzes) beim Wahlvorstand einzureichen.
3. Die Einspruchsfrist des § 4 Abs. 1 verkürzt sich auf drei Tage.
4. Die §§ 6 bis 8 und § 10 Abs. 2 finden entsprechende Anwendung mit der Maßgabe, dass die Wahl aufgrund von Wahlvorschlägen erfolgt. Im Fall des § 14a Abs. 1 des Gesetzes sind die Wahlvorschläge bis zum Abschluss der Wahlversammlung zur Wahl des Wahlvorstands bei diesem einzureichen; im Fall des § 14a Abs. 3 des Gesetzes sind die Wahlvorschläge spätestens eine Woche vor der Wahlversammlung zur Wahl des Betriebsrats (§ 14a Abs. 3 Satz 2 des Gesetzes) beim Wahlvorstand einzureichen.
5. § 9 findet keine Anwendung.
6. Auf das Wahlverfahren finden die §§ 21 ff. entsprechende Anwendung. Auf den Stimmzetteln sind die Bewerber in alphabetischer Reihenfolge unter Angabe von Familienname, Vorname und Art der Beschäftigung im Betrieb aufzuführen.
7. § 25 Abs. 5 bis 8 findet keine Anwendung.
8. § 26 Abs. 1 findet mit der Maßgabe Anwendung, dass der Wahlberechtigte sein Verlangen auf schriftliche Stimmabgabe spätestens drei Tage vor dem Tag der Wahlversammlung zur Wahl des Betriebsrats dem Wahlvorstand mitgeteilt haben muss.
9. § 31 findet entsprechende Anwendung mit der Maßgabe, dass die Wahl der Jugend- und Auszubildendenvertretung aufgrund von Wahlvorschlägen erfolgt.

§ 126[1)] Ermächtigung zum Erlass von Wahlordnungen. Das Bundesministerium für Arbeit und Soziales wird ermächtigt, mit Zustimmung des Bundesrates Rechtsverordnungen zu erlassen zur Regelung der in den §§ 7 bis 20, 60 bis 63, 115 und 116 bezeichneten Wahlen über

1. die Vorbereitung der Wahl, insbesondere die Aufstellung der Wählerlisten und die Errechnung der Vertreterzahl;

[1)] § 126 Einleitungssatz geänd. mWv 28.11.2003 durch VO v. 25.11.2003 (BGBl. I S. 2304); geänd. mWv 8.11.2006 durch VO v. 31.10.2006 (BGBl. I S. 2407).

2. die Frist für die Einsichtnahme in die Wählerlisten und die Erhebung von Einsprüchen gegen sie;
3. die Vorschlagslisten und die Frist für ihre Einreichung;
4. das Wahlausschreiben und die Fristen für seine Bekanntmachung;
5. die Stimmabgabe;

5a. die Verteilung der Sitze im Betriebsrat, in der Bordvertretung, im Seebetriebsrat sowie in der Jugend- und Auszubildendenvertretung auf die Geschlechter, auch soweit die Sitze nicht gemäß § 15 Abs. 2 und § 62 Abs. 3 besetzt werden können;

6. die Feststellung des Wahlergebnisses und die Fristen für seine Bekanntmachung;
7. die Aufbewahrung der Wahlakten.

§ 127 Verweisungen. Soweit in anderen Vorschriften auf Vorschriften verwiesen wird oder Bezeichnungen verwendet werden, die durch dieses Gesetz aufgehoben oder geändert werden, treten an ihre Stelle die entsprechenden Vorschriften oder Bezeichnungen dieses Gesetzes.

§ 128 Bestehende abweichende Tarifverträge. Die im Zeitpunkt des Inkrafttretens dieses Gesetzes nach § 20 Abs. 3 des Betriebsverfassungsgesetzes vom 11. Oktober 1952 geltenden Tarifverträge über die Errichtung einer anderen Vertretung der Arbeitnehmer für Betriebe, in denen wegen ihrer Eigenart der Errichtung von Betriebsräten besondere Schwierigkeiten entgegenstehen, werden durch dieses Gesetz nicht berührt.

§ 129[1] Sonderregelungen aus Anlass der COVID-19-Pandemie.

(1) [1] Versammlungen nach den §§ 42, 53 und 71 können bis zum Ablauf des 7. April 2023 auch mittels audiovisueller Einrichtungen durchgeführt werden, wenn sichergestellt ist, dass nur teilnahmeberechtigte Personen Kenntnis von dem Inhalt der Versammlung nehmen können. [2] Eine Aufzeichnung ist unzulässig.

(2) [1] Die Teilnahme an Sitzungen der Einigungsstelle sowie die Beschlussfassung können bis zum Ablauf des 7. April 2023 auch mittels einer Video- und Telefonkonferenz erfolgen, wenn sichergestellt ist, dass Dritte vom Inhalt der Sitzung keine Kenntnis nehmen können. [2] Eine Aufzeichnung ist unzulässig. [3] Die Teilnehmer, die mittels Video- und Telefonkonferenz teilnehmen, bestätigen ihre Anwesenheit gegenüber dem Vorsitzenden der Einigungsstelle in Textform.

§ 130 Öffentlicher Dienst. Dieses Gesetz findet keine Anwendung auf Verwaltungen und Betriebe des Bundes, der Länder, der Gemeinden und sonstiger Körperschaften, Anstalten und Stiftungen des öffentlichen Rechts.

§ 131 Berlin-Klausel. (gegenstandslos)

§ 132 (Inkrafttreten)

---

[1] § 129 neu gef. mWv 12.12.2021 durch G v. 10.12.2021 (BGBl. I S. 5162); Abs. 1 Satz 1, Abs. 2 Satz 1 geänd., Abs. 3 aufgeh. mWv 17.9.2022 durch G v. 16.9.2022 (BGBl. I S. 1454).

570a. Erste Verordnung zur Durchführung des Betriebsverfassungsgesetzes (Wahlordnung – WO)

Vom 11. Dezember 2001

(BGBl. I S. 3494)

FNA 801-7-1-1

zuletzt geänd. durch Art. 1 VO zur Änd. der WahlO, der WahlO Seeschifffahrt und der VO zur Durchführung der Betriebsratswahlen bei den Postunternehmen v. 8.10.2021 (BGBl. I S. 4640)

Auf Grund des § 126 des Betriebsverfassungsgesetzes[1)] in der Fassung der Bekanntmachung vom 25. September 2001 (BGBl. I S. 2518) verordnet das Bundesministerium für Arbeit und Sozialordnung:

Inhaltsübersicht[2)]

Erster Teil. Wahl des Betriebsrats (§ 14 des Gesetzes[1)])

Erster Abschnitt. Allgemeine Vorschriften

§ 1[3)] Wahlvorstand. (1) Die Leitung der Wahl obliegt dem Wahlvorstand.

(2) [1]Der Wahlvorstand kann sich eine schriftliche Geschäftsordnung geben. [2]Er kann Wahlberechtigte als Wahlhelferinnen und Wahlhelfer zu seiner Unterstützung bei der Durchführung der Stimmabgabe und bei der Stimmenzählung heranziehen.

[1)] Nr. **570**.

[2)] Inhaltsübersicht geänd. mWv 15.10.2021 durch VO v. 8.10.2021 (BGBl. I S. 4640).

[3)] § 1 Abs. 3 Satz 2 eingef., bish. Sätze 2 und 3 werden Sätze 3 und 4, Abs. 4 und 5 angef. mWv 15.10.2021 durch VO v. 8.10.2021 (BGBl. I S. 4640).

(3) [1] Die Beschlüsse des Wahlvorstands werden mit einfacher Stimmenmehrheit seiner stimmberechtigten Mitglieder gefasst. [2] Die Sitzungen des Wahlvorstands finden als Präsenzsitzung statt. [3] Über jede Sitzung des Wahlvorstands ist eine Niederschrift aufzunehmen, die mindestens den Wortlaut der gefassten Beschlüsse enthält. [4] Die Niederschrift ist von der oder dem Vorsitzenden und einem weiteren stimmberechtigten Mitglied des Wahlvorstands zu unterzeichnen.

(4) [1] Abweichend von Absatz 3 Satz 2 kann der Wahlvorstand beschließen, dass die Teilnahme an einer nicht öffentlichen Sitzung des Wahlvorstands mittels Video- und Telefonkonferenz erfolgen kann. [2] Dies gilt nicht für Sitzungen des Wahlvorstands

1. im Rahmen einer Wahlversammlung nach § 14a Absatz 1 Satz 2 des Gesetzes[1)],
2. zur Prüfung eingereichter Vorschlagslisten nach § 7 Absatz 2 Satz 2,
3. zur Durchführung eines Losverfahrens nach § 10 Absatz 1.

[3] Es muss sichergestellt sein, dass Dritte vom Inhalt der Sitzung keine Kenntnis nehmen können. [4] Eine Aufzeichnung der Sitzung ist unzulässig. [5] Die mittels Video- und Telefonkonferenz Teilnehmenden bestätigen ihre Teilnahme gegenüber der oder dem Vorsitzenden in Textform. [6] Die Bestätigung ist der Niederschrift nach Absatz 3 beizufügen.

(5) Erfolgt die Sitzung des Wahlvorstands mit der zusätzlichen Möglichkeit der Teilnahme mittels Video- und Telefonkonferenz, gilt auch eine Teilnahme vor Ort als erforderlich.

§ 2[2)] Wählerliste. (1) [1] Der Wahlvorstand hat für jede Betriebsratswahl eine Liste der Wahlberechtigten (Wählerliste), getrennt nach den Geschlechtern, aufzustellen. [2] Die Wahlberechtigten sollen mit Familienname, Vorname und Geburtsdatum in alphabetischer Reihenfolge aufgeführt werden. [3] Die nach Absatz 3 Satz 2 nicht passiv Wahlberechtigten sind in der Wählerliste auszuweisen.

(2) [1] Der Arbeitgeber hat dem Wahlvorstand alle für die Anfertigung der Wählerliste erforderlichen Auskünfte zu erteilen und die erforderlichen Unterlagen zur Verfügung zu stellen. [2] Er hat den Wahlvorstand insbesondere bei Feststellung der in § 5 Abs. 3 des Gesetzes[1)] genannten Personen zu unterstützen.

(3) [1] Das aktive und passive Wahlrecht steht nur Arbeitnehmerinnen und Arbeitnehmern zu, die in die Wählerliste eingetragen sind. [2] Wahlberechtigten Arbeitnehmerinnen und Arbeitnehmern, die am Wahltag nicht nach § 8 des Gesetzes wählbar sind, und wahlberechtigten Leiharbeitnehmerinnen und Leiharbeitnehmern (§ 14 Absatz 2 Satz 1 des Arbeitnehmerüberlassungsgesetzes) steht nur das aktive Wahlrecht zu.

(4) [1] Ein Abdruck der Wählerliste und ein Abdruck dieser Verordnung sind vom Tage der Einleitung der Wahl (§ 3 Abs. 1) bis zum Abschluss der Stimmabgabe an geeigneter Stelle im Betrieb zur Einsichtnahme auszulegen. [2] Der Abdruck der Wählerliste soll die Geburtsdaten der Wahlberechtigten nicht

[1)] Nr. ***570***.

[2)] § 2 Abs. 1 Satz 3, Abs. 3 Satz 2 neu gef. mWv 15.10.2021 durch VO v. 8.10.2021 (BGBl. I S. 4640).

enthalten. [3] Ergänzend können der Abdruck der Wählerliste und die Verordnung mittels der im Betrieb vorhandenen Informations- und Kommunikationstechnik bekannt gemacht werden. [4] Die Bekanntmachung ausschließlich in elektronischer Form ist nur zulässig, wenn alle Arbeitnehmerinnen und Arbeitnehmer von der Bekanntmachung Kenntnis erlangen können und Vorkehrungen getroffen werden, dass Änderungen der Bekanntmachung nur vom Wahlvorstand vorgenommen werden können.

(5) Der Wahlvorstand soll dafür sorgen, dass ausländische Arbeitnehmerinnen und Arbeitnehmer, die der deutschen Sprache nicht mächtig sind, vor Einleitung der Betriebsratswahl über Wahlverfahren, Aufstellung der Wähler- und Vorschlagslisten, Wahlvorgang und Stimmabgabe in geeigneter Weise unterrichtet werden.

§ 3[1)] Wahlausschreiben. (1) [1] Spätestens sechs Wochen vor dem ersten Tag der Stimmabgabe erlässt der Wahlvorstand ein Wahlausschreiben, das von der oder dem Vorsitzenden und von mindestens einem weiteren stimmberechtigten Mitglied des Wahlvorstands zu unterschreiben ist. [2] Mit Erlass des Wahlausschreibens ist die Betriebsratswahl eingeleitet. [3] Der erste Tag der Stimmabgabe soll spätestens eine Woche vor dem Tag liegen, an dem die Amtszeit des Betriebsrats abläuft.

(2) Das Wahlausschreiben muss folgende Angaben enthalten:

1. das Datum seines Erlasses;
2. die Bestimmung des Orts, an dem die Wählerliste und diese Verordnung ausliegen, sowie im Fall der Bekanntmachung in elektronischer Form (§ 2 Abs. 4 Satz 3 und 4) wo und wie von der Wählerliste und der Verordnung Kenntnis genommen werden kann;
3. dass nur Arbeitnehmerinnen und Arbeitnehmer wählen oder gewählt werden können, die in die Wählerliste eingetragen sind, und dass Einsprüche gegen die Wählerliste (§ 4) nur vor Ablauf von zwei Wochen seit dem Erlass des Wahlausschreibens schriftlich beim Wahlvorstand eingelegt werden können, verbunden mit einem Hinweis auf die Anfechtungsausschlussgründe nach § 19 Absatz 3 Satz 1 und 2 des Gesetzes[2)]; der letzte Tag der Frist und im Fall des § 41 Absatz 2 zusätzlich die Uhrzeit sind anzugeben;
4. den Anteil der Geschlechter und den Hinweis, dass das Geschlecht in der Minderheit im Betriebsrat mindestens entsprechend seinem zahlenmäßigen Verhältnis vertreten sein muss, wenn der Betriebsrat aus mindestens drei Mitgliedern besteht (§ 15 Abs. 2 des Gesetzes);
5. die Zahl der zu wählenden Betriebsratsmitglieder (§ 9 des Gesetzes) sowie die auf das Geschlecht in der Minderheit entfallenden Mindestsitze im Betriebsrat (§ 15 Abs. 2 des Gesetzes);
6. die Mindestzahl von Wahlberechtigten, von denen ein Wahlvorschlag unterzeichnet sein muss (§ 14 Abs. 4 des Gesetzes);
7. dass der Wahlvorschlag einer im Betrieb vertretenen Gewerkschaft von zwei Beauftragten unterzeichnet sein muss (§ 14 Abs. 5 des Gesetzes);
8. dass Wahlvorschläge vor Ablauf von zwei Wochen seit dem Erlass des Wahlausschreibens beim Wahlvorstand in Form von Vorschlagslisten einzurei-

---

[1)] § 3 Abs. 2 Nrn. 3 und 8 geänd., Abs. 4 Satz 4 angef. mWv 15.10.2021 durch VO v. 8.10.2021 (BGBl. I S. 4640).

[2)] Nr. **570**.

chen sind, wenn mehr als fünf Betriebsratsmitglieder zu wählen sind; der letzte Tag der Frist und im Fall des § 41 Absatz 2 zusätzlich die Uhrzeit sind anzugeben;

9. dass die Stimmabgabe an die Wahlvorschläge gebunden ist und dass nur solche Wahlvorschläge berücksichtigt werden dürfen, die fristgerecht (Nr. 8) eingereicht sind;
10. die Bestimmung des Orts, an dem die Wahlvorschläge bis zum Abschluss der Stimmabgabe aushängen;
11. Ort, Tag und Zeit der Stimmabgabe sowie die Betriebsteile und Kleinstbetriebe, für die schriftliche Stimmabgabe (§ 24 Abs. 3) beschlossen ist;
12. den Ort, an dem Einsprüche, Wahlvorschläge und sonstige Erklärungen gegenüber dem Wahlvorstand abzugeben sind (Betriebsadresse des Wahlvorstands);
13. Ort, Tag und Zeit der öffentlichen Stimmauszählung.

(3) Sofern es nach Größe, Eigenart oder Zusammensetzung der Arbeitnehmerschaft des Betriebs zweckmäßig ist, soll der Wahlvorstand im Wahlausschreiben darauf hinweisen, dass bei der Aufstellung von Wahlvorschlägen die einzelnen Organisationsbereiche und die verschiedenen Beschäftigungsarten berücksichtigt werden sollen.

(4) [1] Ein Abdruck des Wahlausschreibens ist vom Tage seines Erlasses bis zum letzten Tage der Stimmabgabe an einer oder mehreren geeigneten, den Wahlberechtigten zugänglichen Stellen vom Wahlvorstand auszuhängen und in gut lesbarem Zustand zu erhalten. [2] Ergänzend kann das Wahlausschreiben mittels der im Betrieb vorhandenen Informations- und Kommunikationstechnik bekannt gemacht werden. [3] § 2 Abs. 4 Satz 4 gilt entsprechend. [4] Ergänzend hat der Wahlvorstand das Wahlausschreiben den Personen nach § 24 Absatz 2 postalisch oder elektronisch zu übermitteln; der Arbeitgeber hat dem Wahlvorstand die dazu erforderlichen Informationen zur Verfügung zu stellen.

§ 4[1)] Einspruch gegen die Wählerliste. (1) Einsprüche gegen die Richtigkeit der Wählerliste können mit Wirksamkeit für die Betriebsratswahl nur vor Ablauf von zwei Wochen seit Erlass des Wahlausschreibens beim Wahlvorstand schriftlich eingelegt werden.

(2) [1] Über Einsprüche nach Absatz 1 hat der Wahlvorstand unverzüglich zu entscheiden. [2] Der Einspruch ist ausgeschlossen, soweit er darauf gestützt wird, dass die Zuordnung nach § 18a des Gesetzes[2)] fehlerhaft erfolgt sei. [3] Satz 2 gilt nicht, soweit die nach § 18a Abs. 1 oder 4 Satz 1 und 2 des Gesetzes am Zuordnungsverfahren Beteiligten die Zuordnung übereinstimmend für offensichtlich fehlerhaft halten. [4] Wird der Einspruch für begründet erachtet, so ist die Wählerliste zu berichtigen. [5] Die Entscheidung des Wahlvorstands ist der Arbeitnehmerin oder dem Arbeitnehmer, die oder der den Einspruch eingelegt hat, unverzüglich schriftlich mitzuteilen; die Entscheidung muss der Arbeitnehmerin oder dem Arbeitnehmer spätestens am Tage vor dem Beginn der Stimmabgabe zugehen.

(3) [1] Nach Ablauf der Einspruchsfrist soll der Wahlvorstand die Wählerliste nochmals auf ihre Vollständigkeit hin überprüfen. [2] Im Übrigen kann nach

---

[1)] § 4 Abs. 3 Satz 2 geänd. mWv 15.10.2021 durch VO v. 8.10.2021 (BGBl. I S. 4640).
[2)] Nr. **570**.

Ablauf der Einspruchsfrist die Wählerliste nur bei Schreibfehlern, offenbaren Unrichtigkeiten, in Erledigung rechtzeitig eingelegter Einsprüche oder bei Eintritt von Wahlberechtigten in den Betrieb oder bei Ausscheiden aus dem Betrieb bis zum Abschluss der Stimmabgabe berichtigt oder ergänzt werden.

§ 5 Bestimmung der Mindestsitze für das Geschlecht in der Minderheit. (1) [1] Der Wahlvorstand stellt fest, welches Geschlecht von seinem zahlenmäßigen Verhältnis im Betrieb in der Minderheit ist. [2] Sodann errechnet der Wahlvorstand den Mindestanteil der Betriebsratssitze für das Geschlecht in der Minderheit (§ 15 Abs. 2 des Gesetzes[1)]) nach den Grundsätzen der Verhältniswahl. [3] Zu diesem Zweck werden die Zahlen der am Tage des Erlasses des Wahlausschreibens im Betrieb beschäftigten Frauen und Männer in einer Reihe nebeneinander gestellt und beide durch 1, 2, 3, 4 usw. geteilt. [4] Die ermittelten Teilzahlen sind nacheinander reihenweise unter den Zahlen der ersten Reihe aufzuführen, bis höhere Teilzahlen für die Zuweisung der zu verteilenden Sitze nicht mehr in Betracht kommen.

(2) [1] Unter den so gefundenen Teilzahlen werden so viele Höchstzahlen ausgesondert und der Größe nach geordnet, wie Betriebsratsmitglieder zu wählen sind. [2] Das Geschlecht in der Minderheit erhält so viele Mitgliedersitze zugeteilt, wie Höchstzahlen auf es entfallen. [3] Wenn die niedrigste in Betracht kommende Höchstzahl auf beide Geschlechter zugleich entfällt, so entscheidet das Los darüber, welchem Geschlecht dieser Sitz zufällt.

Zweiter Abschnitt.[2)] Wahl von mehr als fünf Betriebsratsmitgliedern (aufgrund von Vorschlagslisten)

Erster Unterabschnitt. Einreichung und Bekanntmachung von Vorschlagslisten

§ 6[3)] Vorschlagslisten. (1) [1] Sind mehr als fünf Betriebsratsmitglieder zu wählen, so erfolgt die Wahl aufgrund von Vorschlagslisten, sofern nicht die Anwendung des vereinfachten Wahlverfahrens vereinbart worden ist (§ 14a Absatz 5 des Gesetzes). [2] Die Vorschlagslisten sind von den Wahlberechtigten vor Ablauf von zwei Wochen seit Erlass des Wahlausschreibens beim Wahlvorstand einzureichen.

(2) Jede Vorschlagsliste soll mindestens doppelt so viele Bewerberinnen oder Bewerber aufweisen, wie Betriebsratsmitglieder zu wählen sind.

(3) [1] In jeder Vorschlagsliste sind die einzelnen Bewerberinnen oder Bewerber in erkennbarer Reihenfolge unter fortlaufender Nummer und unter Angabe von Familienname, Vorname, Geburtsdatum und Art der Beschäftigung im Betrieb aufzuführen. [2] Die schriftliche Zustimmung der Bewerberinnen oder der Bewerber zur Aufnahme in die Liste ist beizufügen.

(4) [1] Wenn kein anderer Unterzeichner der Vorschlagsliste ausdrücklich als Listenvertreter bezeichnet ist, wird die oder der an erster Stelle Unterzeichnete als Listenvertreterin oder Listenvertreter angesehen. [2] Diese Person ist berechtigt und verpflichtet, dem Wahlvorstand die zur Beseitigung von Beanstandungen erforderlichen Erklärungen abzugeben sowie Erklärungen und Entscheidungen des Wahlvorstands entgegenzunehmen.

[1)] Nr. **570**.
[2)] 2. Abschn. Überschrift geänd. mWv 15.10.2021 durch VO v. 8.10.2021 (BGBl. I S. 4640).
[3)] § 6 Abs. 1 Satz 1 geänd. mWv 15.10.2021 durch VO v. 8.10.2021 (BGBl. I S. 4640).

(5) [1] Die Unterschrift eines Wahlberechtigten zählt nur auf einer Vorschlagsliste. [2] Hat ein Wahlberechtigter mehrere Vorschlagslisten unterzeichnet, so hat er auf Aufforderung des Wahlvorstands binnen einer ihm gesetzten angemessenen Frist, spätestens jedoch vor Ablauf von drei Arbeitstagen, zu erklären, welche Unterschrift er aufrechterhält. [3] Unterbleibt die fristgerechte Erklärung, so wird sein Name auf der zuerst eingereichten Vorschlagsliste gezählt und auf den übrigen Listen gestrichen; sind mehrere Vorschlagslisten, die von demselben Wahlberechtigten unterschrieben sind, gleichzeitig eingereicht worden, so entscheidet das Los darüber, auf welcher Vorschlagsliste die Unterschrift gilt.

(6) Eine Verbindung von Vorschlagslisten ist unzulässig.

(7) [1] Eine Bewerberin oder ein Bewerber kann nur auf einer Vorschlagsliste vorgeschlagen werden. [2] Ist der Name dieser Person mit ihrer schriftlichen Zustimmung auf mehreren Vorschlagslisten aufgeführt, so hat sie auf Aufforderung des Wahlvorstands vor Ablauf von drei Arbeitstagen zu erklären, welche Bewerbung sie aufrechterhält. [3] Unterbleibt die fristgerechte Erklärung, so ist die Bewerberin oder der Bewerber auf sämtlichen Listen zu streichen.

§ 7 Prüfung der Vorschlagslisten. (1) Der Wahlvorstand hat bei Überbringen der Vorschlagsliste oder, falls die Vorschlagsliste auf eine andere Weise eingereicht wird, der Listenvertreterin oder dem Listenvertreter den Zeitpunkt der Einreichung schriftlich zu bestätigen.

(2) [1] Der Wahlvorstand hat die eingereichten Vorschlagslisten, wenn die Liste nicht mit einem Kennwort versehen ist, mit Familienname und Vorname der beiden in der Liste an erster Stelle Benannten zu bezeichnen. [2] Er hat die Vorschlagsliste unverzüglich, möglichst binnen einer Frist von zwei Arbeitstagen nach ihrem Eingang, zu prüfen und bei Ungültigkeit oder Beanstandung einer Liste die Listenvertreterin oder den Listenvertreter unverzüglich schriftlich unter Angabe der Gründe zu unterrichten.

§ 8[1)] Ungültige Vorschlagslisten. (1) Ungültig sind Vorschlagslisten,

1. die nicht fristgerecht eingereicht worden sind,
2. auf denen die Bewerberinnen oder die Bewerber nicht in erkennbarer Reihenfolge aufgeführt sind,
3. die bei der Einreichung nicht die erforderliche Zahl von Unterschriften (§ 14 Absatz 4 Satz 2 und 3 des Gesetzes) aufweisen. Die Rücknahme von Unterschriften auf einer eingereichten Vorschlagsliste beeinträchtigt deren Gültigkeit nicht; § 6 Abs. 5 bleibt unberührt.

(2) Ungültig sind auch Vorschlagslisten,

1. auf denen die Bewerberinnen oder Bewerber nicht in der in § 6 Abs. 3 bestimmten Weise bezeichnet sind,
2. wenn die schriftliche Zustimmung der Bewerberinnen oder der Bewerber zur Aufnahme in die Vorschlagsliste nicht vorliegt,
3. wenn die Vorschlagsliste infolge von Streichung gemäß § 6 Abs. 5 nicht mehr die erforderliche Zahl von Unterschriften aufweist,

falls diese Mängel trotz Beanstandung nicht binnen einer Frist von drei Arbeitstagen beseitigt werden.

---

1) § 8 Abs. 1 Nr. 3 geänd. mWv 15.10.2021 durch VO v. 8.10.2021 (BGBl. I S. 4640).

§ 9 Nachfrist für Vorschlagslisten. (1) [1] Ist nach Ablauf der in § 6 Abs. 1 genannten Frist keine gültige Vorschlagsliste eingereicht, so hat dies der Wahlvorstand sofort in der gleichen Weise bekannt zu machen wie das Wahlausschreiben und eine Nachfrist von einer Woche für die Einreichung von Vorschlagslisten zu setzen. [2] In der Bekanntmachung ist darauf hinzuweisen, dass die Wahl nur stattfinden kann, wenn innerhalb der Nachfrist mindestens eine gültige Vorschlagsliste eingereicht wird.

(2) Wird trotz Bekanntmachung nach Absatz 1 eine gültige Vorschlagsliste nicht eingereicht, so hat der Wahlvorstand sofort bekannt zu machen, dass die Wahl nicht stattfindet.

§ 10[1)] Bekanntmachung der Vorschlagslisten. (1) [1] Nach Ablauf der in § 6 Abs. 1, § 8 Abs. 2 und § 9 Abs. 1 genannten Fristen ermittelt der Wahlvorstand durch das Los die Reihenfolge der Ordnungsnummern, die den eingereichten Vorschlagslisten zugeteilt werden (Liste 1 usw.). [2] Die Listenvertreterin oder der Listenvertreter sind zu der Losentscheidung rechtzeitig einzuladen.

(2) Spätestens eine Woche vor Beginn der Stimmabgabe hat der Wahlvorstand die als gültig anerkannten Vorschlagslisten bis zum Abschluss der Stimmabgabe in gleicher Weise bekannt zu machen wie das Wahlausschreiben nach § 3 Absatz 4 Satz 1 bis 3.

Zweiter Unterabschnitt. Wahlverfahren bei mehreren Vorschlagslisten (§ 14 Abs. 2 Satz 1 des Gesetzes[2)])

§ 11[3)] Stimmabgabe. (1) [1] Die Wählerin oder der Wähler kann ihre oder seine Stimme nur für eine der als gültig anerkannten Vorschlagslisten abgeben. [2] Die Stimmabgabe erfolgt durch Abgabe von Stimmzetteln.

(2) [1] Auf den Stimmzetteln sind die Vorschlagslisten nach der Reihenfolge der Ordnungsnummern sowie unter Angabe der beiden an erster Stelle benannten Bewerberinnen oder Bewerber mit Familienname, Vorname und Art der Beschäftigung im Betrieb untereinander aufzuführen; bei Listen, die mit Kennworten versehen sind, ist auch das Kennwort anzugeben. [2] Die Stimmzettel für die Betriebsratswahl müssen sämtlich die gleiche Größe, Farbe, Beschaffenheit und Beschriftung haben.

(3) Die Wählerin oder der Wähler kennzeichnet die von ihr oder ihm gewählte Vorschlagsliste durch Ankreuzen an der im Stimmzettel hierfür vorgesehenen Stelle und faltet ihn in der Weise, dass ihre oder seine Stimme nicht erkennbar ist.

(4) Stimmzettel, die mit einem besonderen Merkmal versehen sind oder aus denen sich der Wille der Wählerin oder des Wählers nicht unzweifelhaft ergibt oder die andere Angaben als die in Absatz 1 genannten Vorschlagslisten, einen Zusatz oder sonstige Änderungen enthalten, sind ungültig.

§ 12[4)] Wahlvorgang. (1) [1] Der Wahlvorstand hat geeignete Vorkehrungen für die unbeobachtete Bezeichnung der Stimmzettel im Wahlraum zu treffen

---

1) § 10 Abs. 2 geänd. mWv 15.10.2021 durch VO v. 8.10.2021 (BGBl. I S. 4640).

2) Nr. **570**.

3) § 11 Abs. 1 Satz 2 geänd., Abs. 2 Satz 3 aufgeh., Abs. 3 geänd. mWv 15.10.2021 durch VO v. 8.10.2021 (BGBl. I S. 4640).

4) § 12 Abs. 1 Satz 2, Abs. 3 geänd. mWv 15.10.2021 durch VO v. 8.10.2021 (BGBl. I S. 4640).

und für die Bereitstellung einer Wahlurne oder mehrerer Wahlurnen zu sorgen. [2] Die Wahlurne muss vom Wahlvorstand verschlossen und so eingerichtet sein, dass die eingeworfenen Stimmzettel nicht herausgenommen werden können, ohne dass die Urne geöffnet wird.

(2) Während der Wahl müssen immer mindestens zwei stimmberechtigte Mitglieder des Wahlvorstands im Wahlraum anwesend sein; sind Wahlhelferinnen oder Wahlhelfer bestellt (§ 1 Abs. 2), so genügt die Anwesenheit eines stimmberechtigten Mitglieds des Wahlvorstands und einer Wahlhelferin oder eines Wahlhelfers.

(3) Die Wählerin oder der Wähler gibt ihren oder seinen Namen an und wirft den gefalteten Stimmzettel in die Wahlurne ein, nachdem die Stimmabgabe in der Wählerliste vermerkt worden ist.

(4) [1] Wer infolge seiner Behinderung bei der Stimmabgabe beeinträchtigt ist, kann eine Person seines Vertrauens bestimmen, die ihm bei der Stimmabgabe behilflich sein soll, und teilt dies dem Wahlvorstand mit. [2] Wahlbewerberinnen oder Wahlbewerber, Mitglieder des Wahlvorstands sowie Wahlhelferinnen und Wahlhelfer dürfen nicht zur Hilfeleistung herangezogen werden. [3] Die Hilfeleistung beschränkt sich auf die Erfüllung der Wünsche der Wählerin oder des Wählers zur Stimmabgabe; die Person des Vertrauens darf gemeinsam mit der Wählerin oder dem Wähler die Wahlzelle aufsuchen. [4] Sie ist zur Geheimhaltung der Kenntnisse verpflichtet, die sie bei der Hilfeleistung zur Stimmabgabe erlangt hat. [5] Die Sätze 1 bis 4 gelten entsprechend für des Lesens unkundige Wählerinnen und Wähler.

(5) [1] Nach Abschluss der Stimmabgabe ist die Wahlurne zu versiegeln, wenn die Stimmenzählung nicht unmittelbar nach Beendigung der Wahl durchgeführt wird. [2] Gleiches gilt, wenn die Stimmabgabe unterbrochen wird, insbesondere wenn sie an mehreren Tagen erfolgt.

§ 13[1)] Öffentliche Stimmauszählung. [1] Unverzüglich nach Abschluss der Wahl nimmt der Wahlvorstand öffentlich die Auszählung der Stimmen vor und gibt das aufgrund der Auszählung sich ergebende Wahlergebnis bekannt. [2] Sofern eine schriftliche Stimmabgabe erfolgt ist, führt der Wahlvorstand vor Beginn der Stimmauszählung das Verfahren nach § 26 durch.

§ 14[2)] Verfahren bei der Stimmauszählung. (1) [1] Nach Öffnung der Wahlurne entnimmt der Wahlvorstand die Stimmzettel und zählt die auf jede Vorschlagsliste entfallenden Stimmen zusammen. [2] Dabei ist die Gültigkeit der Stimmzettel zu prüfen.

(2) Befindet sich in der Wahlurne ein Wahlumschlag mit mehreren gekennzeichneten Stimmzetteln (§ 26 Absatz 1 Satz 3, § 35 Absatz 4 Satz 3), so werden die Stimmzettel, wenn sie vollständig übereinstimmen, nur einfach gezählt, andernfalls als ungültig angesehen.

§ 15 Verteilung der Betriebsratssitze auf die Vorschlagslisten. (1) [1] Die Betriebsratssitze werden auf die Vorschlagslisten verteilt. [2] Dazu werden die den einzelnen Vorschlagslisten zugefallenen Stimmenzahlen in einer Reihe nebeneinander gestellt und sämtlich durch 1, 2, 3, 4 usw. geteilt. [3] Die ermittelten

---

[1)] § 13 Satz 2 angef. mWv 15.10.2021 durch VO v. 8.10.2021 (BGBl. I S. 4640).

[2)] § 14 Abs. 1 Satz 1 geänd., Abs. 2 neu gef. mWv 15.10.2021 durch VO v. 8.10.2021 (BGBl. I S. 4640).

Teilzahlen sind nacheinander reihenweise unter den Zahlen der ersten Reihe aufzuführen, bis höhere Teilzahlen für die Zuweisung der zu verteilenden Sitze nicht mehr in Betracht kommen.

(2) [1] Unter den so gefundenen Teilzahlen werden so viele Höchstzahlen ausgesondert und der Größe nach geordnet, wie Betriebsratsmitglieder zu wählen sind. [2] Jede Vorschlagsliste erhält so viele Mitgliedersitze zugeteilt, wie Höchstzahlen auf sie entfallen. [3] Entfällt die niedrigste in Betracht kommende Höchstzahl auf mehrere Vorschlagslisten zugleich, so entscheidet das Los darüber, welcher Vorschlagsliste dieser Sitz zufällt.

(3) Wenn eine Vorschlagsliste weniger Bewerberinnen oder Bewerber enthält, als Höchstzahlen auf sie entfallen, so gehen die überschüssigen Mitgliedersitze auf die folgenden Höchstzahlen der anderen Vorschlagslisten über.

(4) Die Reihenfolge der Bewerberinnen oder Bewerber innerhalb der einzelnen Vorschlagslisten bestimmt sich nach der Reihenfolge ihrer Benennung.

(5) Befindet sich unter den auf die Vorschlagslisten entfallenden Höchstzahlen nicht die erforderliche Mindestzahl von Angehörigen des Geschlechts in der Minderheit nach § 15 Abs. 2 des Gesetzes[1)], so gilt Folgendes:

1. An die Stelle der auf der Vorschlagsliste mit der niedrigsten Höchstzahl benannten Person, die nicht dem Geschlecht in der Minderheit angehört, tritt die in derselben Vorschlagsliste in der Reihenfolge nach ihr benannte, nicht berücksichtigte Person des Geschlechts in der Minderheit.
2. Enthält diese Vorschlagsliste keine Person des Geschlechts in der Minderheit, so geht dieser Sitz auf die Vorschlagsliste mit der folgenden, noch nicht berücksichtigten Höchstzahl und mit Angehörigen des Geschlechts in der Minderheit über. Entfällt die folgende Höchstzahl auf mehrere Vorschlagslisten zugleich, so entscheidet das Los darüber, welcher Vorschlagsliste dieser Sitz zufällt.
3. Das Verfahren nach den Nummern 1 und 2 ist so lange fortzusetzen, bis der Mindestanteil der Sitze des Geschlechts in der Minderheit nach § 15 Abs. 2 des Gesetzes erreicht ist.
4. Bei der Verteilung der Sitze des Geschlechts in der Minderheit sind auf den einzelnen Vorschlagslisten nur die Angehörigen dieses Geschlechts in der Reihenfolge ihrer Benennung zu berücksichtigen.
5. Verfügt keine andere Vorschlagsliste über Angehörige des Geschlechts in der Minderheit, verbleibt der Sitz bei der Vorschlagsliste, die zuletzt ihren Sitz zu Gunsten des Geschlechts in der Minderheit nach Nummer 1 hätte abgeben müssen.

§ 16[2)] Wahlniederschrift. (1) Nachdem ermittelt ist, welche Arbeitnehmerinnen und Arbeitnehmer als Betriebsratsmitglieder gewählt sind, hat der Wahlvorstand in einer Niederschrift festzustellen:

1. die Gesamtzahl der abgegebenen Stimmen und die Zahl der abgegebenen gültigen Stimmen;
2. die jeder Liste zugefallenen Stimmenzahlen;
3. die berechneten Höchstzahlen;

[1)] Nr. **570**.

[2)] § 16 Abs. 1 Nr. 1 geänd. mWv 15.10.2021 durch VO v. 8.10.2021 (BGBl. I S. 4640).

4. die Verteilung der berechneten Höchstzahlen auf die Listen;
5. die Zahl der ungültigen Stimmen;
6. die Namen der in den Betriebsrat gewählten Bewerberinnen und Bewerber;
7. gegebenenfalls besondere während der Betriebsratswahl eingetretene Zwischenfälle oder sonstige Ereignisse.

(2) Die Niederschrift ist von der oder dem Vorsitzenden und von mindestens einem weiteren stimmberechtigten Mitglied des Wahlvorstands zu unterschreiben.

§ 17 Benachrichtigung der Gewählten. (1) [1]Der Wahlvorstand hat die als Betriebsratsmitglieder gewählten Arbeitnehmerinnen und Arbeitnehmer unverzüglich schriftlich von ihrer Wahl zu benachrichtigen. [2]Erklärt die gewählte Person nicht binnen drei Arbeitstagen nach Zugang der Benachrichtigung dem Wahlvorstand, dass sie die Wahl ablehne, so gilt die Wahl als angenommen.

(2) [1]Lehnt eine gewählte Person die Wahl ab, so tritt an ihre Stelle die in derselben Vorschlagsliste in der Reihenfolge nach ihr benannte, nicht gewählte Person. [2]Gehört die gewählte Person dem Geschlecht in der Minderheit an, so tritt an ihre Stelle, die in derselben Vorschlagsliste in der Reihenfolge nach ihr benannte, nicht gewählte Person desselben Geschlechts, wenn ansonsten das Geschlecht in der Minderheit nicht die ihm nach § 15 Abs. 2 des Gesetzes[1)] zustehenden Mindestsitze erhält. [3]§ 15 Abs. 5 Nr. 2 bis 5 gilt entsprechend.

§ 18[2)] Bekanntmachung der Gewählten. [1]Sobald die Namen der Betriebsratsmitglieder endgültig feststehen, hat der Wahlvorstand sie durch zweiwöchigen Aushang in gleicher Weise bekannt zu machen wie das Wahlausschreiben nach § 3 Absatz 4 Satz 1 bis 3. [2]Je eine Abschrift der Wahlniederschrift (§ 16) ist dem Arbeitgeber und den im Betrieb vertretenen Gewerkschaften unverzüglich zu übersenden.

§ 19 Aufbewahrung der Wahlakten. Der Betriebsrat hat die Wahlakten mindestens bis zur Beendigung seiner Amtszeit aufzubewahren.

Dritter Unterabschnitt. Wahlverfahren bei nur einer Vorschlagsliste (§ 14 Abs. 2 Satz 2 erster Halbsatz des Gesetzes[1)])

§ 20[3)] Stimmabgabe. (1) Ist nur eine gültige Vorschlagsliste eingereicht, so kann die Wählerin oder der Wähler ihre oder seine Stimme nur für solche Bewerberinnen oder Bewerber abgeben, die in der Vorschlagsliste aufgeführt sind.

(2) Auf den Stimmzetteln sind die Bewerberinnen oder Bewerber unter Angabe von Familienname, Vorname und Art der Beschäftigung im Betrieb in der Reihenfolge aufzuführen, in der sie auf der Vorschlagsliste benannt sind.

(3) [1]Die Wählerin oder der Wähler kennzeichnet die von ihr oder ihm gewählten Bewerberinnen oder Bewerber durch Ankreuzen an der hierfür im Stimmzettel vorgesehenen Stelle und faltet ihn in der Weise, dass ihre oder seine Stimme nicht erkennbar ist; es dürfen nicht mehr Bewerberinnen oder

---

[1)] Nr. **570**.
[2)] § 18 Satz 1 geänd. mWv 15.10.2021 durch VO v. 8.10.2021 (BGBl. I S. 4640).
[3)] § 20 Abs. 3 Sätze 1 und 2 geänd. mWv 15.10.2021 durch VO v. 8.10.2021 (BGBl. I S. 4640).

Bewerber angekreuzt werden, als Betriebsratsmitglieder zu wählen sind. [2] § 11 Abs. 1 Satz 2, Abs. 2 Satz 2, Abs. 4, §§ 12 und 13 gelten entsprechend.

§ 21[1)] Stimmauszählung. Nach Öffnung der Wahlurne entnimmt der Wahlvorstand die Stimmzettel und zählt die auf jede Bewerberin oder jeden Bewerber entfallenden Stimmen zusammen; § 14 Abs. 1 Satz 2 und Abs. 2 gilt entsprechend.

§ 22 Ermittlung der Gewählten. (1) [1] Zunächst werden die dem Geschlecht in der Minderheit zustehenden Mindestsitze (§ 15 Abs. 2 des Gesetzes[2)]) verteilt. [2] Dazu werden die dem Geschlecht in der Minderheit zustehenden Mindestsitze mit Angehörigen dieses Geschlechts in der Reihenfolge der jeweils höchsten auf sie entfallenden Stimmenzahlen besetzt.

(2) [1] Nach der Verteilung der Mindestsitze des Geschlechts in der Minderheit nach Absatz 1 erfolgt die Verteilung der weiteren Sitze. [2] Die weiteren Sitze werden mit Bewerberinnen und Bewerbern, unabhängig von ihrem Geschlecht, in der Reihenfolge der jeweils höchsten auf sie entfallenden Stimmenzahlen besetzt.

(3) Haben in den Fällen des Absatzes 1 oder 2 für den zuletzt zu vergebenden Betriebsratssitz mehrere Bewerberinnen oder Bewerber die gleiche Stimmenzahl erhalten, so entscheidet das Los darüber, wer gewählt ist.

(4) Haben sich weniger Angehörige des Geschlechts in der Minderheit zur Wahl gestellt oder sind weniger Angehörige dieses Geschlechts gewählt worden als ihm nach § 15 Abs. 2 des Gesetzes Mindestsitze zustehen, so sind die insoweit überschüssigen Mitgliedersitze des Geschlechts in der Minderheit bei der Sitzverteilung nach Absatz 2 Satz 2 zu berücksichtigen.

§ 23 Wahlniederschrift, Bekanntmachung. (1) [1] Nachdem ermittelt ist, welche Arbeitnehmerinnen und Arbeitnehmer als Betriebsratsmitglieder gewählt sind, hat der Wahlvorstand eine Niederschrift anzufertigen, in der außer den Angaben nach § 16 Abs. 1 Nr. 1, 5 bis 7 die jeder Bewerberin und jedem Bewerber zugefallenen Stimmenzahlen festzustellen sind. [2] § 16 Abs. 2, § 17 Abs. 1, §§ 18 und 19 gelten entsprechend.

(2) [1] Lehnt eine gewählte Person die Wahl ab, so tritt an ihre Stelle die nicht gewählte Person mit der nächsthöchsten Stimmenzahl. [2] Gehört die gewählte Person dem Geschlecht in der Minderheit an, so tritt an ihre Stelle die nicht gewählte Person dieses Geschlechts mit der nächsthöchsten Stimmenzahl, wenn ansonsten das Geschlecht in der Minderheit nicht die ihm nach § 15 Abs. 2 des Gesetzes[2)] zustehenden Mindestsitze erhalten würde. [3] Gibt es keine weiteren Angehörigen dieses Geschlechts, auf die Stimmen entfallen sind, geht dieser Sitz auf die nicht gewählte Person des anderen Geschlechts mit der nächsthöchsten Stimmenzahl über.

[1)] § 21 geänd. mWv 15.10.2021 durch VO v. 8.10.2021 (BGBl. I S. 4640).
[2)] Nr. **570**.

Dritter Abschnitt. Schriftliche Stimmabgabe

§ 24[1)] Voraussetzungen. (1) [1] Wahlberechtigten, die im Zeitpunkt der Wahl wegen Abwesenheit vom Betrieb verhindert sind, ihre Stimme persönlich abzugeben, hat der Wahlvorstand auf ihr Verlangen

1. das Wahlausschreiben,
2. die Vorschlagslisten,
3. den Stimmzettel und den Wahlumschlag,
4. eine vorgedruckte von der Wählerin oder dem Wähler abzugebende Erklärung, in der gegenüber dem Wahlvorstand zu versichern ist, dass der Stimmzettel persönlich gekennzeichnet worden ist, sowie
5. einen größeren Freiumschlag, der die Anschrift des Wahlvorstands und als Absender den Namen und die Anschrift der oder des Wahlberechtigten sowie den Vermerk „Schriftliche Stimmabgabe" trägt,

auszuhändigen oder zu übersenden. [2] Die Wahlumschläge müssen sämtlich die gleiche Größe, Farbe, Beschaffenheit und Beschriftung haben. [3] Der Wahlvorstand soll der Wählerin oder dem Wähler ferner ein Merkblatt über die Art und Weise der schriftlichen Stimmabgabe (§ 25) aushändigen oder übersenden. [4] Der Wahlvorstand hat die Aushändigung oder die Übersendung der Unterlagen in der Wählerliste zu vermerken.

(2) [1] Wahlberechtigte, von denen dem Wahlvorstand bekannt ist, dass sie

1. im Zeitpunkt der Wahl nach der Eigenart ihres Beschäftigungsverhältnisses, insbesondere im Außendienst oder mit Telearbeit Beschäftigte und in Heimarbeit Beschäftigte, oder
2. vom Erlass des Wahlausschreibens bis zum Zeitpunkt der Wahl aus anderen Gründen, insbesondere bei Ruhen des Arbeitsverhältnisses oder Arbeitsunfähigkeit,

voraussichtlich nicht im Betrieb anwesend sein werden, erhalten die in Absatz 1 bezeichneten Unterlagen, ohne dass es eines Verlangens der Wahlberechtigten bedarf. [2] Der Arbeitgeber hat dem Wahlvorstand die dazu erforderlichen Informationen zur Verfügung zu stellen.

(3) [1] Für Betriebsteile und Kleinstbetriebe, die räumlich weit vom Hauptbetrieb entfernt sind, kann der Wahlvorstand die schriftliche Stimmabgabe beschließen. [2] Absatz 2 gilt entsprechend.

§ 25[2)] Stimmabgabe. [1] Die Stimmabgabe erfolgt in der Weise, dass die Wählerin oder der Wähler

1. den Stimmzettel unbeobachtet persönlich kennzeichnet und so faltet und in dem Wahlumschlag verschließt, dass die Stimmabgabe erst nach Auseinanderfalten des Stimmzettels erkennbar ist,
2. die vorgedruckte Erklärung unter Angabe des Orts und des Datums unterschreibt und
3. den Wahlumschlag und die unterschriebene vorgedruckte Erklärung in dem Freiumschlag verschließt und diesen so rechtzeitig an den Wahlvorstand absendet oder übergibt, dass er vor Abschluss der Stimmabgabe vorliegt.

[1)] § 24 Abs. 1 Satz 2 eingef., bish. Sätze 2 und 3 werden Sätze 3 und 4, Abs. 2 neu gef. mWv 15.10. 2021 durch VO v. 8.10.2021 (BGBl. I S. 4640).

[2)] § 25 Satz 1 Nr. 1 neu gef. mWv 15.10.2021 durch VO v. 8.10.2021 (BGBl. I S. 4640).

[2]Die Wählerin oder der Wähler kann unter den Voraussetzungen des § 12 Abs. 4 die in den Nummern 1 bis 3 bezeichneten Tätigkeiten durch eine Person des Vertrauens verrichten lassen.

§ 26[1)] Verfahren bei der Stimmabgabe. (1) [1]Zu Beginn der öffentlichen Sitzung zur Stimmauszählung nach § 13 öffnet der Wahlvorstand die bis zum Ende der Stimmabgabe (§ 3 Absatz 2 Nummer 11) eingegangenen Freiumschläge und entnimmt ihnen die Wahlumschläge sowie die vorgedruckten Erklärungen. [2]Ist die schriftliche Stimmabgabe ordnungsgemäß erfolgt (§ 25), so vermerkt der Wahlvorstand die Stimmabgabe in der Wählerliste, öffnet die Wahlumschläge und legt die Stimmzettel in die Wahlurne. [3]Befinden sich in einem Wahlumschlag mehrere gekennzeichnete Stimmzettel, werden sie in dem Wahlumschlag in die Wahlurne gelegt.

(2) [1]Verspätet eingehende Briefumschläge hat der Wahlvorstand mit einem Vermerk über den Zeitpunkt des Eingangs ungeöffnet zu den Wahlunterlagen zu nehmen. [2]Die Briefumschläge sind einen Monat nach Bekanntgabe des Wahlergebnisses ungeöffnet zu vernichten, wenn die Wahl nicht angefochten worden ist.

Vierter Abschnitt. Wahlvorschläge der Gewerkschaften

§ 27 Voraussetzungen, Verfahren. (1) Für den Wahlvorschlag einer im Betrieb vertretenen Gewerkschaft (§ 14 Abs. 3 des Gesetzes[2)]) gelten die §§ 6 bis 26 entsprechend.

(2) Der Wahlvorschlag einer Gewerkschaft ist ungültig, wenn er nicht von zwei Beauftragten der Gewerkschaft unterzeichnet ist (§ 14 Abs. 5 des Gesetzes).

(3) [1]Die oder der an erster Stelle unterzeichnete Beauftragte gilt als Listenvertreterin oder Listenvertreter. [2]Die Gewerkschaft kann hierfür eine Arbeitnehmerin oder einen Arbeitnehmer des Betriebs, die oder der Mitglied der Gewerkschaft ist, benennen.

Zweiter Teil. Wahl des Betriebsrats im vereinfachten Wahlverfahren (§ 14a des Gesetzes[2)])

Erster Abschnitt. Wahl des Betriebsrats im zweistufigen Verfahren (§ 14a Abs. 1 des Gesetzes[2)])

Erster Unterabschnitt. Wahl des Wahlvorstands

§ 28[3)] Einladung zur Wahlversammlung. (1) [1]Zu der Wahlversammlung, in der der Wahlvorstand nach § 17a Nr. 3 des Gesetzes[2)] (§ 14a Abs. 1 des Gesetzes) gewählt wird, können drei Wahlberechtigte des Betriebs oder eine im Betrieb vertretene Gewerkschaft einladen (einladende Stelle) und Vorschläge für die Zusammensetzung des Wahlvorstands machen. [2]Die Einladung muss mindestens sieben Tage vor dem Tag der Wahlversammlung erfolgen. [3]Sie ist durch Aushang an geeigneten Stellen im Betrieb bekannt zu machen. [4]Ergänzend kann die Einladung mittels der im Betrieb vorhandenen Informations-

[1)] § 26 Abs. 1 neu gef. mWv 15.10.2021 durch VO v. 8.10.2021 (BGBl. I S. 4640).
[2)] Nr. **570**.
[3)] § 28 Abs. 1 Satz 5 Buchst. c neu gef. mWv 15.10.2021 durch VO v. 8.10.2021 (BGBl. I S. 4640).

und Kommunikationstechnik bekannt gemacht werden; § 2 Abs. 4 Satz 4 gilt entsprechend. [5] Die Einladung muss folgende Hinweise enthalten:

a) Ort, Tag und Zeit der Wahlversammlung zur Wahl des Wahlvorstands;

b) dass Wahlvorschläge zur Wahl des Betriebsrats bis zum Ende der Wahlversammlung zur Wahl des Wahlvorstands gemacht werden können (§ 14a Abs. 2 des Gesetzes);

c) dass Wahlvorschläge der Arbeitnehmerinnen und Arbeitnehmer zur Wahl des Betriebsrats von mindestens zwei Wahlberechtigten unterzeichnet sein müssen; in Betrieben mit in der Regel bis zu zwanzig Wahlberechtigten bedarf es keiner Unterzeichnung von Wahlvorschlägen;

d) dass Wahlvorschläge zur Wahl des Betriebsrats, die erst in der Wahlversammlung zur Wahl des Wahlvorstandsgemacht werden, nicht der Schriftform bedürfen.

(2) Der Arbeitgeber hat unverzüglich nach Aushang der Einladung zur Wahlversammlung nach Absatz 1 der einladenden Stelle alle für die Anfertigung der Wählerliste erforderlichen Unterlagen (§ 2) in einem versiegelten Umschlag auszuhändigen.

§ 29 Wahl des Wahlvorstands. [1] Der Wahlvorstand wird in der Wahlversammlung zur Wahl des Wahlvorstands von der Mehrheit der anwesenden Arbeitnehmerinnen und Arbeitnehmer gewählt (§ 17a Nr. 3 Satz 1 des Gesetzes[1)]). [2] Er besteht aus drei Mitgliedern (§ 17a Nr. 2 des Gesetzes). [3] Für die Wahl der oder des Vorsitzendendes Wahlvorstands gilt Satz 1 entsprechend.

Zweiter Unterabschnitt. Wahl des Betriebsrats

§ 30 Wahlvorstand, Wählerliste. (1) [1] Unmittelbar nach seiner Wahl hat der Wahlvorstand in der Wahlversammlung zur Wahl des Wahlvorstands die Wahl des Betriebsrats einzuleiten. [2] § 1 gilt entsprechend. [3] Er hat unverzüglich in der Wahlversammlung eine Liste der Wahlberechtigten (Wählerliste), getrennt nach den Geschlechtern, aufzustellen. [4] Die einladende Stelle hat dem Wahlvorstand den ihr nach § 28 Abs. 2 ausgehändigten versiegelten Umschlag zu übergeben. [5] Die Wahlberechtigten sollen in der Wählerliste mit Familienname, Vorname und Geburtsdatum in alphabetischer Reihenfolge aufgeführt werden. [6] § 2 Abs. 1 Satz 3, Abs. 2 bis 4 gilt entsprechend.

(2) [1] Einsprüche gegen die Richtigkeit der Wählerliste können mit Wirksamkeit für die Betriebsratswahl nur vor Ablauf von drei Tagen seit Erlass des Wahlausschreibens beim Wahlvorstand schriftlich eingelegt werden. [2] § 4 Abs. 2 und 3 gilt entsprechend.

§ 31[2)] Wahlausschreiben. (1) [1] Im Anschluss an die Aufstellung der Wählerliste erlässt der Wahlvorstand in der Wahlversammlung das Wahlausschreiben, das von der oder dem Vorsitzenden und von mindestens einem weiteren stimmberechtigten Mitglied des Wahlvorstands zu unterschreiben ist. [2] Mit Erlass des Wahlausschreibens ist die Betriebsratswahl eingeleitet. [3] Das Wahlausschreiben muss folgende Angaben enthalten:

1. das Datum seines Erlasses;

[1)] Nr. **570**.

[2)] § 31 Abs. 1 Satz 3 Nr. 3 neu gef. mWv 15.10.2021 durch VO v. 8.10.2021 (BGBl. I S. 4640).

2. die Bestimmung des Orts, an dem die Wählerliste und diese Verordnung ausliegen sowie im Fall der Bekanntmachung in elektronischer Form (§ 2 Abs. 4 Satz 3 und 4) wo und wie von der Wählerliste und der Verordnung Kenntnis genommen werden kann;
3. dass nur Arbeitnehmerinnen und Arbeitnehmer wählen oder gewählt werden können, die in die Wählerliste eingetragen sind, und dass Einsprüche gegen die Wählerliste (§ 30 Absatz 2 Satz 1) nur vor Ablauf von drei Tagen seit dem Erlass des Wahlausschreibens schriftlich beim Wahlvorstand eingelegt werden können, verbunden mit einem Hinweis auf die Anfechtungsausschlussgründe nach § 19 Absatz 3 Satz 1 und 2 des Gesetzes; der letzte Tag der Frist und im Fall des § 41 Absatz 2 zusätzlich die Uhrzeit sind anzugeben;
4. den Anteil der Geschlechter und den Hinweis, dass das Geschlecht in der Minderheit im Betriebsrat mindestens entsprechend seinem zahlenmäßigen Verhältnis vertreten sein muss, wenn der Betriebsrat aus mindestens drei Mitgliedern besteht (§ 15 Abs. 2 des Gesetzes[1]);
5. die Zahl der zu wählenden Betriebsratsmitglieder (§ 9 des Gesetzes) sowie die auf das Geschlecht in der Minderheit entfallenden Mindestsitze im Betriebsrat (§ 15 Abs. 2 des Gesetzes);
6. die Mindestzahl von Wahlberechtigten, von denen ein Wahlvorschlag unterzeichnet sein muss (§ 14 Abs. 4 des Gesetzes) und den Hinweis, dass Wahlvorschläge, die erst in der Wahlversammlung zur Wahl des Wahlvorstands gemacht werden, nicht der Schriftform bedürfen (§ 14a Abs. 2 zweiter Halbsatz des Gesetzes);
7. dass der Wahlvorschlag einer im Betrieb vertretenen Gewerkschaft von zwei Beauftragten unterzeichnet sein muss (§ 14 Abs. 5 des Gesetzes);
8. dass Wahlvorschläge bis zum Abschluss der Wahlversammlung zur Wahl des Wahlvorstands bei diesem einzureichen sind (§ 14a Abs. 2 erster Halbsatz des Gesetzes);
9. dass die Stimmabgabe an die Wahlvorschläge gebunden ist und dass nur solche Wahlvorschläge berücksichtigt werden dürfen, die fristgerecht (Nr. 8) eingereicht sind;
10. die Bestimmung des Orts, an dem die Wahlvorschläge bis zum Abschluss der Stimmabgabe aushängen;
11. Ort, Tag und Zeit der Wahlversammlung zur Wahl des Betriebsrats (Tag der Stimmabgabe – § 14a Abs. 1 Satz 3 und 4 des Gesetzes);
12. dass Wahlberechtigten, die an der Wahlversammlung zur Wahl des Betriebsrats nicht teilnehmen können, Gelegenheit zur nachträglichen schriftlichen Stimmabgabe gegeben wird (§ 14a Abs. 4 des Gesetzes); das Verlangen auf nachträgliche schriftliche Stimmabgabe muss spätestens drei Tage vor dem Tag der Wahlversammlung zur Wahl des Betriebsrats dem Wahlvorstand mitgeteilt werden;
13. Ort, Tag und Zeit der nachträglichen schriftlichen Stimmabgabe (§ 14a Abs. 4 des Gesetzes) sowie die Betriebsteile und Kleinstbetriebe, für die nachträgliche schriftliche Stimmabgabe entsprechend § 24 Abs. 3 beschlossen ist;

---

[1] Nr. **570**.

14. den Ort, an dem Einsprüche, Wahlvorschläge und sonstige Erklärungen gegenüber dem Wahlvorstand abzugeben sind (Betriebsadresse des Wahlvorstands);
15. Ort, Tag und Zeit der öffentlichen Stimmauszählung.

(2) [1] Ein Abdruck des Wahlausschreibens ist vom Tage seines Erlasses bis zum letzten Tage der Stimmabgabe an einer oder mehreren geeigneten, den Wahlberechtigten zugänglichen Stellen vom Wahlvorstand auszuhängen und in gut lesbarem Zustand zu erhalten. [2] Ergänzend kann das Wahlausschreiben mittels der im Betrieb vorhandenen Informations- und Kommunikationstechnik bekannt gemacht werden. [3] § 2 Abs. 4 Satz 4 gilt entsprechend.

§ 32 Bestimmung der Mindestsitze für das Geschlecht in der Minderheit. Besteht der zu wählende Betriebsrat aus mindestens drei Mitgliedern, so hat der Wahlvorstand den Mindestanteil der Betriebsratssitze für das Geschlecht in der Minderheit (§ 15 Abs. 2 des Gesetzes[1)]) gemäß § 5 zu errechnen.

§ 33[2)] Wahlvorschläge. (1) [1] Die Wahl des Betriebsrats erfolgt aufgrund von Wahlvorschlägen. [2] Die Wahlvorschläge sind von den Wahlberechtigten und den im Betrieb vertretenen Gewerkschaften bis zum Ende der Wahlversammlung zur Wahl des Wahlvorstands bei diesem einzureichen. [3] Wahlvorschläge, die erst in dieser Wahlversammlung gemacht werden, bedürfen nicht der Schriftform (§ 14a Abs. 2 des Gesetzes[1)]).

(2) [1] Für Wahlvorschläge gilt § 6 Abs. 2 bis 4 entsprechend. [2] Im Fall des § 14 Absatz 4 Satz 1 des Gesetzes gilt § 6 Absatz 4 entsprechend mit der Maßgabe, dass Person im Sinne des § 6 Absatz 4 Satz 2 diejenige ist, die den Wahlvorschlag eingereicht hat. [3] § 6 Abs. 5 gilt entsprechend mit der Maßgabe, dass ein Wahlberechtigter, der mehrere Wahlvorschläge unterstützt, auf Aufforderung des Wahlvorstands in der Wahlversammlung erklären muss, welche Unterstützung er aufrechterhält. [4] Für den Wahlvorschlag einer im Betrieb vertretenen Gewerkschaft gilt § 27 entsprechend.

(3) [1] § 7 gilt entsprechend. [2] § 8 gilt entsprechend mit der Maßgabe, dass Mängel der Wahlvorschläge nach § 8 Abs. 2 nur in der Wahlversammlung zur Wahl des Wahlvorstands beseitigt werden können.

(4) Unmittelbar nach Abschluss der Wahlversammlung hat der Wahlvorstand die als gültig anerkannten Wahlvorschläge bis zum Abschluss der Stimmabgabe in gleicher Weise bekannt zu machen, wie das Wahlausschreiben (§ 31 Abs. 2).

(5) [1] Ist in der Wahlversammlung kein Wahlvorschlag zur Wahl des Betriebsrats gemacht worden, hat der Wahlvorstand bekannt zu machen, dass die Wahl nicht stattfindet. [2] Die Bekanntmachung hat in gleicher Weise wie das Wahlausschreiben (§ 31 Abs. 2) zu erfolgen.

§ 34[3)] Wahlverfahren. (1) [1] Die Wählerin oder der Wähler kann ihre oder seine Stimme nur für solche Bewerberinnen oder Bewerber abgeben, die in einem Wahlvorschlag benannt sind. [2] Auf den Stimmzetteln sind die Bewerberinnen oder Bewerberin alphabetischer Reihenfolge unter Angabe von Familienname, Vorname und Art der Beschäftigung im Betrieb aufzuführen. [3] Die

---

1) Nr. **570**.

2) *§ 33 Abs. 2 Satz 2 eingef., bish. Sätz 2 und 3 werden Sätze 3 und 4* mWv 15.10.2021 durch VO v. 8.10.2021 (BGBl. I S. 4640).

3) § 34 Abs. 1 Sätze 3 und 4 geänd. mWv 15.10.2021 durch VO v. 8.10.2021 (BGBl. I S. 4640).

Wählerin oder der Wähler kennzeichnet die von ihm Gewählten durch Ankreuzen an der hierfür im Stimmzettel vorgesehenen Stelle und faltet ihn in der Weise, dass ihre oder seine Stimme nicht erkennbar ist; es dürfen nicht mehr Bewerberinnen oder Bewerber angekreuzt werden, als Betriebsratsmitglieder zu wählen sind. [4] § 11 Abs. 1 Satz 2, Abs. 2 Satz 2, Abs. 4 und § 12 gelten entsprechend.

(2) Im Fall der nachträglichen schriftlichen Stimmabgabe (§ 35) hat der Wahlvorstand am Ende der Wahlversammlung zur Wahl des Betriebsrats die Wahlurne zu versiegeln und aufzubewahren.

(3) [1] Erfolgt keine nachträgliche schriftliche Stimmabgabe, hat der Wahlvorstand unverzüglich nach Abschluss der Wahl die öffentliche Auszählung der Stimmen vorzunehmen und das sich daraus ergebende Wahlergebnis bekannt zu geben. [2] Die §§ 21, 23 Abs. 1 gelten entsprechend.

(4) [1] Ist nur ein Betriebsratsmitglied zu wählen, so ist die Person gewählt, die die meisten Stimmen erhalten hat. [2] Bei Stimmengleichheit entscheidet das Los. [3] Lehnt eine gewählte Person die Wahl ab, so tritt an ihre Stelle die nicht gewählte Person mit der nächsthöchsten Stimmenzahl.

(5) Sind mehrere Betriebsratsmitglieder zu wählen, gelten für die Ermittlung der Gewählten die §§ 22 und 23 Abs. 2 entsprechend.

§ 35[1)] Nachträgliche schriftliche Stimmabgabe. (1) [1] Können Wahlberechtigte an der Wahlversammlung zur Wahl des Betriebsrats nicht teilnehmen, um ihre Stimme persönlich abzugeben, können sie beim Wahlvorstand die nachträgliche schriftliche Stimmabgabe beantragen (§ 14a Abs. 4 des Gesetzes[2)]). [2] Das Verlangen auf nachträgliche schriftliche Stimmabgabe muss die oder der Wahlberechtigte dem Wahlvorstand spätestens drei Tage vor dem Tag der Wahlversammlung zur Wahl des Betriebsrats mitgeteilt haben. [3] Die §§ 24, 25 gelten entsprechend.

(2) Wird die nachträgliche schriftliche Stimmabgabe aufgrund eines Antrags nach Absatz 1 Satz 1 erforderlich, hat dies der Wahlvorstand unter Angabe des Orts, des Tags und der Zeit der öffentlichen Stimmauszählung in gleicher Weise bekannt zu machen wie das Wahlausschreiben (§ 31 Abs. 2).

(3) Unmittelbar nach Ablauf der Frist für die nachträgliche schriftliche Stimmabgabe nimmt der Wahlvorstand in öffentlicher Sitzung die Auszählung der Stimmen vor.

(4) [1] Zu Beginn der öffentlichen Sitzung nach Absatz 3 öffnet der Wahlvorstand die bis zu diesem Zeitpunkt eingegangenen Freiumschläge und entnimmt ihnen die Wahlumschläge sowie die vorgedruckten Erklärungen. [2] Ist die nachträgliche schriftliche Stimmabgabe ordnungsgemäß erfolgt (§ 25), so vermerkt der Wahlvorstand die Stimmabgabe in der Wählerliste, öffnet die Wahlumschläge und legt die Stimmzettel in die bis dahin versiegelte Wahlurne. [3] Befinden sich in einem Wahlumschlag mehrere gekennzeichnete Stimmzettel, werden sie in dem Wahlumschlag in die Wahlurne gelegt.

(5) [1] Nachdem alle ordnungsgemäß nachträglich abgegebenen Stimmzettel in die Wahlurne gelegt worden sind, nimmt der Wahlvorstand im Anschluss die Auszählung der Stimmen vor. [2] § 34 Abs. 3 bis 5 gilt entsprechend.

[1)] § 35 Abs. 3 neu gef., Abs. 4 eingef., bish. 4 wird Abs. 5 und Satz 1 geänd. mWv 15.10.2021 durch VO v. 8.10.2021 (BGBl. I S. 4640).

[2)] Nr. **570**.

Zweiter Abschnitt. Wahl des Betriebsrats im einstufigen Verfahren (§ 14a Abs. 3 des Gesetzes[1)])

§ 36[2)] Wahlvorstand, Wahlverfahren. (1) [1] Nach der Bestellung des Wahlvorstands durch den Betriebsrat, Gesamtbetriebsrat, Konzernbetriebsrat oder das Arbeitsgericht (§ 14a Abs. 3, § 17a des Gesetzes[1)]) hat der Wahlvorstand die Wahl des Betriebsrats unverzüglich einzuleiten. [2] Die Wahl des Betriebsrats findet auf einer Wahlversammlung statt (§ 14a Abs. 3 des Gesetzes). [3] Die §§ 1, 2 und 30 Abs. 2 gelten entsprechend.

(2) [1] Im Anschluss an die Aufstellung der Wählerliste erlässt der Wahlvorstand das Wahlausschreiben, das von der oder dem Vorsitzenden und von mindestens einem weiteren stimmberechtigten Mitglied des Wahlvorstands zu unterschreiben ist. [2] Mit Erlass des Wahlausschreibens ist die Betriebsratswahl eingeleitet. [3] Besteht im Betrieb ein Betriebsrat, soll der letzte Tag der Stimmabgabe (nachträgliche schriftliche Stimmabgabe) eine Woche vor dem Tag liegen, an dem die Amtszeit des Betriebsrats abläuft.

(3) [1] Das Wahlausschreiben hat die in § 31 Abs. 1 Satz 3 vorgeschriebenen Angaben zu enthalten, soweit nachfolgend nichts anderes bestimmt ist:

1. Abweichend von Nummer 6 ist ausschließlich die Mindestzahl von Wahlberechtigten anzugeben, von denen ein Wahlvorschlag unterzeichnet sein muss (§ 14 Abs. 4 des Gesetzes).
2. Abweichend von Nummer 8 hat der Wahlvorstand anzugeben, dass die Wahlvorschläge spätestens eine Woche vor dem Tag der Wahlversammlung zur Wahl des Betriebsrats beim Wahlvorstand einzureichen sind (§ 14a Abs. 3 Satz 2 des Gesetzes); der letzte Tag der Frist und im Fall des § 41 Absatz 2 zusätzlich die Uhrzeit sind anzugeben.

[2] Für die Bekanntmachung des Wahlausschreibens gilt § 31 Abs. 2 entsprechend.

(4) Die Vorschriften über die Bestimmung der Mindestsitze nach § 32, das Wahlverfahren nach § 34 und die nachträgliche Stimmabgabe nach § 35 gelten entsprechend.

(5) [1] Für Wahlvorschläge gilt § 33 Abs. 1 entsprechend mit der Maßgabe, dass die Wahlvorschläge von den Wahlberechtigten und den im Betrieb vertretenen Gewerkschaften spätestens eine Woche vor der Wahlversammlung zur Wahl des Betriebsrats beim Wahlvorstand schriftlich einzureichen sind (§ 14a Abs. 3 Satz 2 zweiter Halbsatz des Gesetzes). [2] § 6 Abs. 2 bis 5 und die §§ 7 und 8 gelten entsprechend mit der Maßgabe, dass die in § 6 Abs. 5 und § 8 Abs. 2 genannten Fristen nicht die gesetzliche Mindestfrist zur Einreichung der Wahlvorschläge nach § 14a Abs. 3 Satz 2 erster Halbsatz des Gesetzes überschreiten dürfen. [3] Nach Ablauf der gesetzlichen Mindestfrist zur Einreichung der Wahlvorschläge hat der Wahlvorstand die als gültig anerkannten Wahlvorschläge bis zum Abschluss der Stimmabgabe in gleicher Weise bekannt zu machen wie das Wahlausschreiben (Absatz 3).

(6) [1] Ist kein Wahlvorschlag zur Wahl des Betriebsrats gemacht worden, hat der Wahlvorstand bekannt zu machen, dass die Wahl nicht stattfindet. [2] Die Bekanntmachung hat in gleicher Weise wie das Wahlausschreiben (Absatz 3) zu erfolgen.

---

1) Nr. **570**.
2) § 36 Abs. 3 Satz 1 Nr. 2 geänd. mWv 15.10.2021 durch VO v. 8.10.2021 (BGBl. I S. 4640).

Dritter Abschnitt.[1] Wahl des Betriebsrats in Betrieben mit in der Regel 101 bis 200 Wahlberechtigten (§ 14a Abs. 5 des Gesetzes[2])

§ 37[3] Wahlverfahren. Haben Arbeitgeber und Wahlvorstand in einem Betrieb mit in der Regel 101 bis 200 Wahlberechtigten die Wahl des Betriebsrats im vereinfachten Wahlverfahren vereinbart (§ 14a Abs. 5 des Gesetzes[2]), richtet sich das Wahlverfahren nach § 36.

Dritter Teil. Wahl der Jugend- und Auszubildendenvertretung

§ 38 Wahlvorstand, Wahlvorbereitung. [1] Für die Wahl der Jugend- und Auszubildendenvertretung gelten die Vorschriften der §§ 1 bis 5 über den Wahlvorstand, die Wählerliste, das Wahlausschreiben und die Bestimmung der Mindestsitze für das Geschlecht in der Minderheit entsprechend. [2] Dem Wahlvorstand muss mindestens eine nach § 8 des Gesetzes[2] wählbare Person angehören.

§ 39[4] Durchführung der Wahl. (1) [1] Sind mehr als drei Mitglieder zur Jugend- und Auszubildendenvertretung zu wählen, so erfolgt die Wahl aufgrund von Vorschlagslisten, sofern die Wahl nicht im vereinfachten Wahlverfahren erfolgt (§ 63 Absatz 4 und 5 des Gesetzes[2]). [2] § 6 Abs. 1 Satz 2, Abs. 2 und 4 bis 7, die §§ 7 bis 10 und § 27 gelten entsprechend. [3] § 6 Abs. 3 gilt entsprechend mit der Maßgabe, dass in jeder Vorschlagsliste auch der Ausbildungsberuf der einzelnen Bewerberinnen oder Bewerber aufzuführen ist.

(2) [1] Sind mehrere gültige Vorschlagslisten eingereicht, so kann die Stimme nur für eine Vorschlagsliste abgegeben werden. [2] § 11 Abs. 1 Satz 2, Abs. 3 und 4, die §§ 12 bis 19 gelten entsprechend. [3] § 11 Abs. 2 gilt entsprechend mit der Maßgabe, dass auf den Stimmzetteln auch der Ausbildungsberuf der einzelnen Bewerberinnen oder Bewerber aufzuführen ist.

(3) [1] Ist nur eine gültige Vorschlagsliste eingereicht, so kann die Stimme nur für solche Bewerberinnen oder Bewerber abgegeben werden, die in der Vorschlagsliste aufgeführt sind. [2] § 20 Abs. 3, die §§ 21 bis 23 gelten entsprechend. [3] § 20 Abs. 2 gilt entsprechend mit der Maßgabe, dass auf den Stimmzetteln auch der Ausbildungsberuf der einzelnen Bewerber aufzuführen ist.

(4) Für die schriftliche Stimmabgabe gelten die §§ 24 bis 26 entsprechend.

§ 40[5] Wahl der Jugend- und Auszubildendenvertretung im vereinfachten Wahlverfahren. (1) [1] In Betrieben mit in der Regel fünf bis 100 der in § 60 Abs. 1 des Gesetzes[2] genannten Arbeitnehmerinnen und Arbeitnehmern wird die Jugend- und Auszubildendenvertretung im vereinfachten Wahlverfahren gewählt (§ 63 Abs. 4 Satz 1 des Gesetzes). [2] Für das Wahlverfahren gilt § 36 entsprechend mit der Maßgabe, dass in den Wahlvorschlägen und auf den Stimmzetteln auch der Ausbildungsberuf der einzelnen Bewerberinnen oder Bewerber aufzuführen ist. [3] § 38 Satz 2 gilt entsprechend.

(2) Absatz 1 Satz 2 und 3 gilt entsprechend, wenn in einem Betrieb mit in der Regel 101 bis 200 der in § 60 Abs. 1 des Gesetzes genannten Arbeitnehme-

---

[1] 3. Abschn. Überschrift geänd. mWv 15.10.2021 durch VO v. 8.10.2021 (BGBl. I S. 4640).
[2] Nr. **570**.
[3] § 37 geänd. mWv 15.10.2021 durch VO v. 8.10.2021 (BGBl. I S. 4640).
[4] § 39 Abs. 1 Satz 1 geänd. mWv 15.10.2021 durch VO v. 8.10.2021 (BGBl. I S. 4640).
[5] § 40 Abs. 1 Satz 1, Abs. 2 geänd. mWv 15.10.2021 durch VO v. 8.10.2021 (BGBl. I S. 4640).

rinnen und Arbeitnehmern Arbeitgeber und Wahlvorstand die Anwendung des vereinfachten Wahlverfahrens vereinbart haben (§ 63 Abs. 5 des Gesetzes).

Vierter Teil. Übergangs- und Schlussvorschriften

§ 41[1)] **Berechnung der Fristen.** (1) Für die Berechnung der in dieser Verordnung festgelegten Fristen finden die §§ 186 bis 193 des Bürgerlichen Gesetzbuchs[2)] entsprechende Anwendung.

(2) [1] Mit der Bestimmung des letzten Tages einer Frist nach Absatz 1 kann der Wahlvorstand eine Uhrzeit festlegen, bis zu der ihm Erklärungen nach § 4 Absatz 1, § 6 Absatz 1 und 7 Satz 2, § 8 Absatz 2, § 9 Absatz 1 Satz 1, § 30 Absatz 2 Satz 1 sowie § 36 Absatz 5 Satz 1 und 2 zugehen müssen. [2] Diese Uhrzeit darf nicht vor dem Ende der Arbeitszeit der Mehrheit der Wählerinnen und Wähler an diesem Tag liegen.

§ 42 Bereich der Seeschifffahrt. Die Regelung der Wahlen für die Bordvertretung und den Seebetriebsrat (§§ 115 und 116 des Gesetzes[3)]) bleibt einer besonderen Rechtsverordnung vorbehalten.

§ 43[4)] **Inkrafttreten.** [1] Diese Verordnung tritt am Tage nach der Verkündung[5)] in Kraft. [2] Gleichzeitig tritt die Erste Verordnung zur Durchführung des Betriebsverfassungsgesetzes vom 16. Januar 1972 (BGBl. I S. 49), zuletzt geändert durch die Verordnung vom 16. Januar 1995 (BGBl. I S. 43), außer Kraft.

[1)] § 41 Abs. 2 angef. mWv 15.10.2021 durch VO v. 8.10.2021 (BGBl. I S. 4640).

[2)] Nr. **50**.

[3)] Nr. **570**.

[4)] § 43 Abs. 2 aufgeh., bish. Abs. 1 wird alleiniger Wortlaut mWv 1.7.2004 durch VO v. 23.6.2004 (BGBl. I S. 1393).

[5)] Verkündet am 14.12.2001.

571. Gesetz über Sprecherausschüsse der leitenden Angestellten (Sprecherausschußgesetz – SprAuG)[1)]

Vom 20. Dezember 1988
(BGBl. I S. 2312)

FNA 801-11

zuletzt geänd. durch Art. 6e G zur Stärkung des Schutzes der Bevölkerung und insbesondere vulnerabler Personengruppen vor COVID-19 v. 16.9.2022 (BGBl. I S. 1454)

Erster Teil. Allgemeine Vorschriften

§ 1 Errichtung von Sprecherausschüssen. (1) In Betrieben mit in der Regel mindestens zehn leitenden Angestellten (§ 5 Abs. 3 des Betriebsverfassungsgesetzes[2)]) werden Sprecherausschüsse der leitenden Angestellten gewählt.

(2) Leitende Angestellte eines Betriebs mit in der Regel weniger als zehn leitenden Angestellten gelten für die Anwendung dieses Gesetzes als leitende Angestellte des räumlich nächstgelegenen Betriebs desselben Unternehmens, der die Voraussetzungen des Absatzes 1 erfüllt.

(3) Dieses Gesetz findet keine Anwendung auf

1. Verwaltungen und Betriebe des Bundes, der Länder, der Gemeinden und sonstiger Körperschaften, Anstalten und Stiftungen des öffentlichen Rechts sowie
2. Religionsgemeinschaften und ihre karitativen und erzieherischen Einrichtungen unbeschadet deren Rechtsform.

§ 2 Zusammenarbeit. (1) [1]Der Sprecherausschuß arbeitet mit dem Arbeitgeber vertrauensvoll unter Beachtung der geltenden Tarifverträge zum Wohl der leitenden Angestellten und des Betriebs zusammen. [2]Der Arbeitgeber hat vor Abschluß einer Betriebsvereinbarung oder sonstigen Vereinbarung mit dem Betriebsrat, die rechtliche Interessen der leitenden Angestellten berührt, den Sprecherausschuß rechtzeitig anzuhören.

(2) [1]Der Sprecherausschuß kann dem Betriebsrat oder Mitgliedern des Betriebsrats das Recht einräumen, an Sitzungen des Sprecherausschusses teilzunehmen. [2]Der Betriebsrat kann dem Sprecherausschuß oder Mitgliedern des Sprecherausschusses das Recht einräumen, an Sitzungen des Betriebsrats teilzunehmen. [3]Einmal im Kalenderjahr soll eine gemeinsame Sitzung des Sprecherausschusses und des Betriebsrats stattfinden.

(3) [1]Die Mitglieder des Sprecherausschusses dürfen in der Ausübung ihrer Tätigkeit nicht gestört oder behindert werden. [2]Sie dürfen wegen ihrer Tätigkeit nicht benachteiligt oder begünstigt werden; dies gilt auch für ihre berufliche Entwicklung.

(4) [1]Arbeitgeber und Sprecherausschuß haben Betätigungen zu unterlassen, durch die der Arbeitsablauf oder der Frieden des Betriebs beeinträchtigt werden.

[1)] Verkündet als Art. 2 des Gesetzes zur Änderung des Betriebsverfassungsgesetzes, über Sprecherausschüsse der leitenden Angestellten und zur Sicherung der Montan-Mitbestimmung v. 20.12.1988 (BGBl. I S. 2312); Inkrafttreten am 1.1.1989.

[2)] Nr. **570**.

[2] Sie haben jede parteipolitische Betätigung im Betrieb zu unterlassen; die Behandlung von Angelegenheiten tarifpolitischer, sozialpolitischer und wirtschaftlicher Art, die den Betrieb oder die leitenden Angestellten unmittelbar betreffen, wird hierdurch nicht berührt.

Zweiter Teil. Sprecherausschuß, Versammlung der leitenden Angestellten, Gesamt-, Unternehmens- und Konzernsprecherausschuß

Erster Abschnitt. Wahl, Zusammensetzung und Amtszeit des Sprecherausschusses

§ 3 Wahlberechtigung und Wählbarkeit. (1) Wahlberechtigt sind alle leitenden Angestellten des Betriebs.

(2) [1] Wählbar sind alle leitenden Angestellten, die sechs Monate dem Betrieb angehören. [2] Auf die sechsmonatige Betriebszugehörigkeit werden Zeiten angerechnet, in denen der leitende Angestellte unmittelbar vorher einem anderen Betrieb desselben Unternehmens oder Konzerns (§ 18 Abs. 1 des Aktiengesetzes[1]) als Beschäftigter angehört hat. [3] Nicht wählbar ist, wer

1. aufgrund allgemeinen Auftrags des Arbeitgebers Verhandlungspartner des Sprecherausschusses ist,
2. nicht Aufsichtsratsmitglied der Arbeitnehmer nach § 6 Abs. 2 Satz 1 des Mitbestimmungsgesetzes[2] in Verbindung mit § 105 Abs. 1 des Aktiengesetzes[1] sein kann oder
3. infolge strafgerichtlicher Verurteilung die Fähigkeit, Rechte aus öffentlichen Wahlen zu erlangen, nicht besitzt.

§ 4 Zahl der Sprecherausschußmitglieder. (1) Der Sprecherausschuß besteht in Betrieben mit in der Regel

10 bis 20 leitenden Angestellten	aus einer Person,
21 bis 100 leitenden Angestellten	aus drei Mitgliedern,
101 bis 300 leitenden Angestellten	aus fünf Mitgliedern,
über 300 leitenden Angestellten	aus sieben Mitgliedern.

(2) Männer und Frauen sollen entsprechend ihrem zahlenmäßigen Verhältnis im Sprecherausschuß vertreten sein.

§ 5 Zeitpunkt der Wahlen und Amtszeit. (1) [1] Die regelmäßigen Wahlen des Sprecherausschusses finden alle vier Jahre in der Zeit vom 1. März bis 31. Mai statt. [2] Sie sind zeitgleich mit den regelmäßigen Betriebsratswahlen nach § 13 Abs. 1 des Betriebsverfassungsgesetzes[3] einzuleiten.

(2) Außerhalb dieses Zeitraums ist der Sprecherausschuß zu wählen, wenn

1. im Betrieb ein Sprecherausschuß nicht besteht,
2. der Sprecherausschuß durch eine gerichtliche Entscheidung aufgelöst ist,
3. die Wahl des Sprecherausschusses mit Erfolg angefochten worden ist oder

---

[1] Nr. **567**.
[2] Nr. **560**.
[3] Nr. **570**.

4. der Sprecherausschuß mit der Mehrheit seiner Mitglieder seinen Rücktritt beschlossen hat.

(3) [1] Hat außerhalb des in Absatz 1 festgelegten Zeitraums eine Wahl des Sprecherausschusses stattgefunden, ist der Sprecherausschuß in dem auf die Wahl folgenden nächsten Zeitraum der regelmäßigen Wahlen des Sprecherausschusses neu zu wählen. [2] Hat die Amtszeit des Sprecherausschusses zu Beginn des in Absatz 1 festgelegten Zeitraums noch nicht ein Jahr betragen, ist der Sprecherausschuß in dem übernächsten Zeitraum der regelmäßigen Wahlen des Sprecherausschusses neu zu wählen.

(4) [1] Die regelmäßige Amtszeit des Sprecherausschusses beträgt vier Jahre. [2] Die Amtszeit beginnt mit der Bekanntgabe des Wahlergebnisses oder, wenn zu diesem Zeitpunkt noch ein Sprecherausschuß besteht, mit Ablauf von dessen Amtszeit. [3] Die Amtszeit endet spätestens am 31. Mai des Jahres, in dem nach Absatz 1 die regelmäßigen Wahlen des Sprecherausschusses stattfinden. [4] In dem Fall des Absatzes 3 Satz 2 endet die Amtszeit spätestens am 31. Mai des Jahres, in dem der Sprecherausschuß neu zu wählen ist.

(5) In dem Fall des Absatzes 2 Nr. 4 führt der Sprecherausschuß die Geschäfte weiter, bis der neue Sprecherausschuß gewählt und das Wahlergebnis bekanntgegeben ist.

§ 6 Wahlvorschriften. (1) Der Sprecherausschuß wird in geheimer und unmittelbarer Wahl gewählt.

(2) Die Wahl erfolgt nach den Grundsätzen der Verhältniswahl; wird nur ein Wahlvorschlag eingereicht, erfolgt die Wahl nach den Grundsätzen der Mehrheitswahl.

(3) [1] In Betrieben, deren Sprecherausschuß aus einer Person besteht, wird dieser mit einfacher Stimmenmehrheit gewählt. [2] In einem getrennten Wahlgang ist ein Ersatzmitglied zu wählen.

(4) [1] Zur Wahl des Sprecherausschusses können die leitenden Angestellten Wahlvorschläge machen. [2] Jeder Wahlvorschlag muß von mindestens einem Zwanzigstel der leitenden Angestellten, jedoch von mindestens drei leitenden Angestellten unterzeichnet sein; in Betrieben mit in der Regel bis zu zwanzig leitenden Angestellten genügt die Unterzeichnung durch zwei leitende Angestellte. [3] In jedem Fall genügt die Unterzeichnung durch fünfzig leitende Angestellte.

§ 7 Bestellung, Wahl und Aufgaben des Wahlvorstands. (1) Spätestens zehn Wochen vor Ablauf seiner Amtszeit bestellt der Sprecherausschuß einen aus drei oder einer höheren ungeraden Zahl von leitenden Angestellten bestehenden Wahlvorstand und einen von ihnen als Vorsitzenden.

(2) [1] Besteht in einem Betrieb, der die Voraussetzungen des § 1 Abs. 1 erfüllt, kein Sprecherausschuß, wird in einer Versammlung von der Mehrheit der anwesenden leitenden Angestellten des Betriebs ein Wahlvorstand gewählt. [2] Zu dieser Versammlung können drei leitende Angestellte des Betriebs einladen und Vorschläge für die Zusammensetzung des Wahlvorstands machen. [3] Der Wahlvorstand hat unverzüglich eine Abstimmung darüber herbeizuführen, ob ein Sprecherausschuß gewählt werden soll. [4] Ein Sprecherausschuß wird gewählt, wenn dies die Mehrheit der leitenden Angestellten des Betriebs in einer Versammlung oder durch schriftliche Stimmabgabe verlangt.

(3) [1] Zur Teilnahme an der Versammlung und der Abstimmung nach Absatz 2 sind die Angestellten berechtigt, die vom Wahlvorstand aus Anlaß der letzten Betriebsratswahl oder der letzten Wahl von Aufsichtsratsmitgliedern der Arbeitnehmer, falls diese Wahl später als die Betriebsratswahl stattgefunden hat, oder durch gerichtliche Entscheidung den leitenden Angestellten zugeordnet worden sind. [2] Hat zuletzt oder im gleichen Zeitraum wie die nach Satz 1 maßgebende Wahl eine Wahl nach diesem Gesetz stattgefunden, ist die für diese Wahl erfolgte Zuordnung entscheidend.

(4) [1] Der Wahlvorstand hat die Wahl unverzüglich einzuleiten, sie durchzuführen und nach Abschluß der Wahl öffentlich die Auszählung der Stimmen vorzunehmen, deren Ergebnis in einer Niederschrift festzustellen und es im Betrieb bekanntzugeben. [2] Dem Arbeitgeber ist eine Abschrift der Wahlniederschrift zu übersenden.

§ 8 Wahlanfechtung, Wahlschutz und Wahlkosten. (1) [1] Die Wahl kann beim Arbeitsgericht angefochten werden, wenn gegen wesentliche Vorschriften über das Wahlrecht, die Wählbarkeit oder das Wahlverfahren verstoßen worden ist und eine Berichtigung nicht erfolgt ist, es sei denn, daß durch den Verstoß das Wahlergebnis nicht geändert oder beeinflußt werden konnte. [2] Zur Anfechtung berechtigt sind mindestens drei leitende Angestellte oder der Arbeitgeber. [3] Die Wahlanfechtung ist nur innerhalb einer Frist von zwei Wochen, vom Tage der Bekanntgabe des Wahlergebnisses an gerechnet, zulässig.

(2) [1] Niemand darf die Wahl des Sprecherausschusses behindern. [2] Insbesondere darf kein leitender Angestellter in der Ausübung des aktiven und passiven Wahlrechts beschränkt werden. [3] Niemand darf die Wahl des Sprecherausschusses durch Zufügung oder Androhung von Nachteilen oder durch Gewährung oder Versprechen von Vorteilen beeinflussen.

(3) [1] Die Kosten der Wahl trägt der Arbeitgeber. [2] Versäumnis von Arbeitszeit, die zur Ausübung des Wahlrechts, zur Betätigung im Wahlvorstand oder zur Tätigkeit als Vermittler (§ 18a des Betriebsverfassungsgesetzes[1)]) erforderlich ist, berechtigt den Arbeitgeber nicht zur Minderung des Arbeitsentgelts.

§ 9 Ausschluß von Mitgliedern, Auflösung des Sprecherausschusses und Erlöschen der Mitgliedschaft. (1) [1] Mindestens ein Viertel der leitenden Angestellten oder der Arbeitgeber können beim Arbeitsgericht den Ausschluß eines Mitglieds aus dem Sprecherausschuß oder die Auflösung des Sprecherausschusses wegen grober Verletzung seiner gesetzlichen Pflichten beantragen. [2] Der Ausschluß eines Mitglieds kann auch vom Sprecherausschuß beantragt werden.

(2) Die Mitgliedschaft im Sprecherausschuß erlischt durch

1. Ablauf der Amtszeit,
2. Niederlegung des Sprecherausschußamtes,
3. Beendigung des Arbeitsverhältnisses,
4. Verlust der Wählbarkeit,
5. Ausschluß aus dem Sprecherausschuß oder Auflösung des Sprecherausschusses aufgrund einer gerichtlichen Entscheidung oder

---

[1)] Nr. **570**.

6. gerichtliche Entscheidung über die Feststellung der Nichtwählbarkeit nach Ablauf der in § 8 Abs. 1 Satz 3 bezeichneten Frist, es sei denn, der Mangel liegt nicht mehr vor.

§ 10 Ersatzmitglieder. (1) [1]Scheidet ein Mitglied des Sprecherausschusses aus, rückt ein Ersatzmitglied nach. [2]Dies gilt entsprechend für die Stellvertretung eines zeitweilig verhinderten Mitglieds des Sprecherausschusses.

(2) [1]Die Ersatzmitglieder werden der Reihe nach aus den nicht gewählten leitenden Angestellten derjenigen Vorschlagslisten entnommen, denen die zu ersetzenden Mitglieder angehören. [2]Ist eine Vorschlagsliste erschöpft, ist das Ersatzmitglied derjenigen Vorschlagsliste zu entnehmen, auf die nach den Grundsätzen der Verhältniswahl der nächste Sitz entfallen würde. [3]Ist das ausgeschiedene oder verhinderte Mitglied nach den Grundsätzen der Mehrheitswahl gewählt, bestimmt sich die Reihenfolge der Ersatzmitglieder nach der Höhe der erreichten Stimmenzahl.

(3) In dem Fall des § 6 Abs. 3 gilt Absatz 1 mit der Maßgabe, daß das gewählte Ersatzmitglied nachrückt oder die Stellvertretung übernimmt.

Zweiter Abschnitt. Geschäftsführung des Sprecherausschusses

§ 11 Vorsitzender. (1) Der Sprecherausschuß wählt aus seiner Mitte den Vorsitzenden und dessen Stellvertreter.

(2) [1]Der Vorsitzende vertritt den Sprecherausschuß im Rahmen der von diesem gefaßten Beschlüsse. [2]Zur Entgegennahme von Erklärungen, die dem Sprecherausschuß gegenüber abzugeben sind, ist der Vorsitzende berechtigt. [3]Im Falle der Verhinderung des Vorsitzenden nimmt sein Stellvertreter diese Aufgaben wahr.

(3) Der Sprecherausschuß kann die laufenden Geschäfte auf den Vorsitzenden oder andere Mitglieder des Sprecherausschusses übertragen.

§ 12[1)] Sitzungen des Sprecherausschusses. (1) [1]Vor Ablauf einer Woche nach dem Wahltag hat der Wahlvorstand die Mitglieder des Sprecherausschusses zu der nach § 11 Abs. 1 vorgeschriebenen Wahl einzuberufen. [2]Der Vorsitzende des Wahlvorstands leitet die Sitzung, bis der Sprecherausschuß aus seiner Mitte einen Wahlleiter zur Wahl des Vorsitzenden und seines Stellvertreters bestellt hat.

(2) [1]Die weiteren Sitzungen beruft der Vorsitzende des Sprecherausschusses ein. [2]Er setzt die Tagesordnung fest und leitet die Verhandlung. [3]Der Vorsitzende hat die Mitglieder des Sprecherausschusses zu den Sitzungen rechtzeitig unter Mitteilung der Tagesordnung zu laden.

(3) Der Vorsitzende hat eine Sitzung einzuberufen und den Gegenstand, dessen Beratung beantragt ist, auf die Tagesordnung zu setzen, wenn dies ein Drittel der Mitglieder des Sprecherausschusses oder der Arbeitgeber beantragen.

(4) Der Arbeitgeber nimmt an den Sitzungen, die auf sein Verlangen anberaumt sind, und an den Sitzungen, zu denen er ausdrücklich eingeladen ist, teil.

(5) [1]Die Sitzungen des Sprecherausschusses finden in der Regel während der Arbeitszeit statt. [2]Der Sprecherausschuß hat bei der Anberaumung von Sit-

---

[1)] § 12 Abs. 5 Satz 5, Abs. 6 und 7 angef. mWv 18.6.2021 durch G v. 14.6.2021 (BGBl. I S. 1762).

zungen auf die betrieblichen Notwendigkeiten Rücksicht zu nehmen. [3] Der Arbeitgeber ist über den Zeitpunkt der Sitzung vorher zu verständigen. [4] Die Sitzungen des Sprecherausschusses sind nicht öffentlich; § 2 Abs. 2 bleibt unberührt. [5] Die Sitzungen des Sprecherausschusses finden als Präsenzsitzung statt.

(6) [1] Abweichend von Absatz 5 Satz 5 kann die Teilnahme an einer Sitzung des Sprecherausschusses mittels Video- und Telefonkonferenz erfolgen, wenn

1. die Voraussetzungen für eine solche Teilnahme in der Geschäftsordnung unter Sicherung des Vorrangs der Präsenzsitzung festgelegt sind,
2. nicht mindestens ein Viertel der Mitglieder des Sprecherausschusses binnen einer von dem Vorsitzenden zu bestimmenden Frist diesem gegenüber widerspricht und
3. sichergestellt ist, dass Dritte vom Inhalt der Sitzung keine Kenntnis nehmen können.

[2] Eine Aufzeichnung der Sitzung ist unzulässig.

(7) Erfolgt die Sitzung des Sprecherausschusses mit der zusätzlichen Möglichkeit der Teilnahme mittels Video- und Telefonkonferenz, gilt auch eine Teilnahme vor Ort als erforderlich.

§ 13[1)] Beschlüsse und Geschäftsordnung des Sprecherausschusses.

(1) [1] Die Beschlüsse des Sprecherausschusses werden, soweit in diesem Gesetz nichts anderes bestimmt ist, mit der Mehrheit der Stimmen der anwesenden Mitglieder gefaßt. [2] Mitglieder, die mittels Video- und Telefonkonferenz an der Beschlussfassung teilnehmen, gelten als anwesend. [3] Bei Stimmengleichheit ist ein Antrag abgelehnt.

(2) [1] Der Sprecherausschuß ist nur beschlußfähig, wenn mindestens die Hälfte seiner Mitglieder an der Beschlußfassung teilnimmt. [2] Stellvertretung durch Ersatzmitglieder ist zulässig.

(3) [1] Über jede Verhandlung des Sprecherausschusses ist eine Niederschrift anzufertigen, die mindestens den Wortlaut der Beschlüsse und die Stimmenmehrheit, mit der sie gefaßt sind, enthält. [2] Die Niederschrift ist von dem Vorsitzenden und einem weiteren Mitglied zu unterzeichnen. [3] Der Niederschrift ist eine Anwesenheitsliste beizufügen, in die sich jeder Teilnehmer eigenhändig einzutragen hat. [4] Nimmt ein Mitglied des Sprecherausschusses mittels Video- und Telefonkonferenz an der Sitzung teil, so hat es seine Teilnahme gegenüber dem Vorsitzenden in Textform zu bestätigen. [5] Die Bestätigung ist der Niederschrift beizufügen.

(4) Die Mitglieder des Sprecherausschusses haben das Recht, die Unterlagen des Sprecherausschusses jederzeit einzusehen.

(5) Sonstige Bestimmungen über die Geschäftsführung können in einer schriftlichen Geschäftsordnung getroffen werden, die der Sprecherausschuß mit der Mehrheit der Stimmen seiner Mitglieder beschließt.

§ 14 Arbeitsversäumnis und Kosten. (1) Mitglieder des Sprecherausschusses sind von ihrer beruflichen Tätigkeit ohne Minderung des Arbeitsentgelts zu befreien, wenn und soweit es nach Umfang und Art des Betriebs zur ordnungsgemäßen Durchführung ihrer Aufgaben erforderlich ist.

---

1) § 13 Abs. 1 Satz 2 eingef., bish. Satz 2 wird Satz 3, Abs. 3 Sätze 4 und 5 angef. mWv 18.6.2021 durch G v. 14.6.2021 (BGBl. I S. 1762).

(2) [1] Die durch die Tätigkeit des Sprecherausschusses entstehenden Kosten trägt der Arbeitgeber. [2] Für die Sitzungen und die laufende Geschäftsführung hat der Arbeitgeber in erforderlichem Umfang Räume, sachliche Mittel und Büropersonal zur Verfügung zu stellen.

Dritter Abschnitt. Versammlung der leitenden Angestellten

§ 15 Zeitpunkt, Einberufung und Themen der Versammlung.

(1) [1] Der Sprecherausschuß soll einmal im Kalenderjahr eine Versammlung der leitenden Angestellten einberufen und in ihr einen Tätigkeitsbericht erstatten. [2] Auf Antrag des Arbeitgebers oder eines Viertels der leitenden Angestellten hat der Sprecherausschuß eine Versammlung der leitenden Angestellten einzuberufen und den beantragten Beratungsgegenstand auf die Tagesordnung zu setzen.

(2) [1] Die Versammlung der leitenden Angestellten soll während der Arbeitszeit stattfinden. [2] Sie wird vom Vorsitzenden des Sprecherausschusses geleitet. [3] Sie ist nicht öffentlich.

(3) [1] Der Arbeitgeber ist zu der Versammlung der leitenden Angestellten unter Mitteilung der Tagesordnung einzuladen. [2] Er ist berechtigt, in der Versammlung zu sprechen. [3] Er hat über Angelegenheiten der leitenden Angestellten und die wirtschaftliche Lage und Entwicklung des Betriebs zu berichten, soweit dadurch nicht Betriebs- oder Geschäftsgeheimnisse gefährdet werden.

(4) [1] Die Versammlung der leitenden Angestellten kann dem Sprecherausschuß Anträge unterbreiten und zu seinen Beschlüssen Stellung nehmen. [2] § 2 Abs. 4 gilt entsprechend.

Vierter Abschnitt. Gesamtsprecherausschuß

§ 16 Errichtung, Mitgliederzahl und Stimmengewicht. (1) Bestehen in einem Unternehmen mehrere Sprecherausschüsse, ist ein Gesamtsprecherausschuß zu errichten.

(2) [1] In den Gesamtsprecherausschuß entsendet jeder Sprecherausschuß eines seiner Mitglieder. [2] Satz 1 gilt entsprechend für die Abberufung. [3] Durch Vereinbarung zwischen Gesamtsprecherausschuß und Arbeitgeber kann die Mitgliederzahl des Gesamtsprecherausschusses abweichend von Satz 1 geregelt werden.

(3) Der Sprecherausschuß hat für jedes Mitglied des Gesamtsprecherausschusses mindestens ein Ersatzmitglied zu bestellen und die Reihenfolge des Nachrückens festzulegen; § 10 Abs. 3 gilt entsprechend.

(4) [1] Jedes Mitglied des Gesamtsprecherausschusses hat so viele Stimmen, wie in dem Betrieb, in dem es gewählt wurde, leitende Angestellte in der Wählerliste der leitenden Angestellten eingetragen sind. [2] Ist ein Mitglied des Gesamtsprecherausschusses für mehrere Betriebe entsandt worden, hat es so viele Stimmen, wie in den Betrieben, für die es entsandt ist, leitende Angestellte in den Wählerlisten eingetragen sind. [3] Sind für einen Betrieb mehrere Mitglieder des Sprecherausschusses entsandt worden, stehen diesen die Stimmen nach Satz 1 anteilig zu.

§ 17 Ausschluß von Mitgliedern und Erlöschen der Mitgliedschaft.

(1) Mindestens ein Viertel der leitenden Angestellten des Unternehmens, der Gesamtsprecherausschuß oder der Arbeitgeber können beim Arbeitsgericht

den Ausschluß eines Mitglieds aus dem Gesamtsprecherausschuß wegen grober Verletzung seiner gesetzlichen Pflichten beantragen.

(2) Die Mitgliedschaft im Gesamtsprecherausschuß endet mit Erlöschen der Mitgliedschaft im Sprecherausschuß, durch Amtsniederlegung, durch Ausschluß aus dem Gesamtsprecherausschuß aufgrund einer gerichtlichen Entscheidung oder Abberufung durch den Sprecherausschuß.

§ 18 Zuständigkeit. (1) [1] Der Gesamtsprecherausschuß ist zuständig für die Behandlung von Angelegenheiten, die das Unternehmen oder mehrere Betriebe des Unternehmens betreffen und nicht durch die einzelnen Sprecherausschüsse innerhalb ihrer Betriebe behandelt werden können. [2] Er ist den Sprecherausschüssen nicht übergeordnet.

(2) [1] Der Sprecherausschuß kann mit der Mehrheit der Stimmen seiner Mitglieder den Gesamtsprecherausschuß schriftlich beauftragen, eine Angelegenheit für ihn zu behandeln. [2] Der Sprecherausschuß kann sich dabei die Entscheidungsbefugnis vorbehalten. [3] Für den Widerruf der Beauftragung gilt Satz 1 entsprechend.

(3) Die Vorschriften über die Rechte und Pflichten des Sprecherausschusses und die Rechtsstellung seiner Mitglieder gelten entsprechend für den Gesamtsprecherausschuß.

§ 19[1)] Geschäftsführung. (1) Für den Gesamtsprecherausschuß gelten § 10 Abs. 1, die §§ 11, 13 Abs. 1, 3 bis 5 und § 14 entsprechend.

(2) [1] Ist ein Gesamtsprecherausschuß zu errichten, hat der Sprecherausschuß der Hauptverwaltung des Unternehmens oder, sofern ein solcher nicht besteht, der Sprecherausschuß des nach der Zahl der leitenden Angestellten größten Betriebs zu der Wahl des Vorsitzenden und des stellvertretenden Vorsitzenden des Gesamtsprecherausschusses einzuladen. [2] Der Vorsitzende des einladenden Sprecherausschusses hat die Sitzung zu leiten, bis der Gesamtsprecherausschuß aus seiner Mitte einen Wahlleiter zur Wahl des Vorsitzenden und seines Stellvertreters bestellt hat. [3] § 12 Absatz 2 bis 7 gilt entsprechend.

(3) [1] Der Gesamtsprecherausschuß ist nur beschlußfähig, wenn mindestens die Hälfte seiner Mitglieder an der Beschlußfassung teilnimmt und die Teilnehmenden mindestens die Hälfte aller Stimmen vertreten. [2] Stellvertretung durch Ersatzmitglieder ist zulässig.

Fünfter Abschnitt. Unternehmenssprecherausschuß

§ 20 Errichtung. (1) [1] Sind in einem Unternehmen mit mehreren Betrieben in der Regel insgesamt mindestens zehn leitende Angestellte beschäftigt, kann abweichend von § 1 Abs. 1 und 2 ein Unternehmenssprecherausschuß der leitenden Angestellten gewählt werden, wenn dies die Mehrheit der leitenden Angestellten des Unternehmens verlangt. [2] Die §§ 2 bis 15 gelten entsprechend.

(2) [1] Bestehen in dem Unternehmen Sprecherausschüsse, hat auf Antrag der Mehrheit der leitenden Angestellten des Unternehmens der Sprecherausschuß der Hauptverwaltung oder, sofern ein solcher nicht besteht, der Sprecherausschuß des nach der Zahl der leitenden Angestellten größten Betriebs einen Unternehmenswahlvorstand für die Wahl eines Unternehmenssprecheraus-

1) § 19 Abs. 2 Satz 3 geänd. mWv 18.6.2021 durch G v. 14.6.2021 (BGBl. I S. 1762).

schusses zu bestellen. [2]Die Wahl des Unternehmenssprecherausschusses findet im nächsten Zeitraum der regelmäßigen Wahlen im Sinne des § 5 Abs. 1 Satz 1 statt. [3]Die Amtszeit der Sprecherausschüsse endet mit der Bekanntgabe des Wahlergebnisses.

(3) [1]Besteht ein Unternehmenssprecherausschuß, können auf Antrag der Mehrheit der leitenden Angestellten des Unternehmens Sprecherausschüsse gewählt werden. [2]Der Unternehmenssprecherausschuß hat für jeden Betrieb, der die Voraussetzungen des § 1 Abs. 1 erfüllt, einen Wahlvorstand nach § 7 Abs. 1 zu bestellen. [3]Die Wahl von Sprecherausschüssen findet im nächsten Zeitraum der regelmäßigen Wahlen im Sinne des § 5 Abs. 1 Satz 1 statt. [4]Die Amtszeit des Unternehmenssprecherausschusses endet mit der Bekanntgabe des Wahlergebnisses eines Sprecherausschusses.

(4) Die Vorschriften über die Rechte und Pflichten des Sprecherausschusses und die Rechtsstellung seiner Mitglieder gelten entsprechend für den Unternehmenssprecherausschuß.

Sechster Abschnitt. Konzernsprecherausschuß

§ 21 Errichtung, Mitgliederzahl und Stimmengewicht. (1) [1]Für einen Konzern (§ 18 Abs. 1 des Aktiengesetzes[1)]) kann durch Beschlüsse der einzelnen Gesamtsprecherausschüsse ein Konzernsprecherausschuß errichtet werden. [2]Die Errichtung erfordert die Zustimmung der Gesamtsprecherausschüsse der Konzernunternehmen, in denen insgesamt mindestens 75 vom Hundert der leitenden Angestellten der Konzernunternehmen beschäftigt sind. [3]Besteht in einem Konzernunternehmen nur ein Sprecherausschuß oder ein Unternehmenssprecherausschuß, tritt er an die Stelle des Gesamtsprecherausschusses und nimmt dessen Aufgaben nach den Vorschriften dieses Abschnitts wahr.

(2) [1]In den Konzernsprecherausschuß entsendet jeder Gesamtsprecherausschuß eines seiner Mitglieder. [2]Satz 1 gilt entsprechend für die Abberufung. [3]Durch Vereinbarung zwischen Konzernsprecherausschuß und Arbeitgeber kann die Mitgliederzahl des Konzernsprecherausschusses abweichend von Satz 1 geregelt werden.

(3) Der Gesamtsprecherausschuß hat für jedes Mitglied des Konzernsprecherausschusses mindestens ein Ersatzmitglied zu bestellen und die Reihenfolge des Nachrückens festzulegen; nimmt der Sprecherausschuß oder der Unternehmenssprecherausschuß eines Konzernunternehmens die Aufgaben des Gesamtsprecherausschusses nach Absatz 1 Satz 3 wahr, gilt § 10 Abs. 3 entsprechend.

(4) [1]Jedes Mitglied des Konzernsprecherausschusses hat so viele Stimmen, wie die Mitglieder des Gesamtsprecherausschusses, von dem es entsandt wurde, im Gesamtsprecherausschuß Stimmen haben. [2]Ist ein Mitglied des Konzernsprecherausschusses von einem Sprecherausschuß oder Unternehmenssprecherausschuß entsandt worden, hat es so viele Stimmen, wie in dem Betrieb oder Konzernunternehmen, in dem es gewählt wurde, leitende Angestellte in der Wählerliste der leitenden Angestellten eingetragen sind. [3]§ 16 Abs. 4 Satz 2 und 3 gilt entsprechend.

[1)] Nr. **567**.

§ 22 Ausschluß von Mitgliedern und Erlöschen der Mitgliedschaft.

(1) Mindestens ein Viertel der leitenden Angestellten der Konzernunternehmen, der Konzernsprecherausschuß oder der Arbeitgeber können beim Arbeitsgericht den Ausschluß eines Mitglieds aus dem Konzernsprecherausschuß wegen grober Verletzung seiner gesetzlichen Pflichten beantragen.

(2) Die Mitgliedschaft im Konzernsprecherausschuß endet mit dem Erlöschen der Mitgliedschaft im Gesamtsprecherausschuß, durch Amtsniederlegung, durch Ausschluß aus dem Konzernsprecherausschuß aufgrund einer gerichtlichen Entscheidung oder Abberufung durch den Gesamtsprecherausschuß.

§ 23 Zuständigkeit. (1) [1] Der Konzernsprecherausschuß ist zuständig für die Behandlung von Angelegenheiten, die den Konzern oder mehrere Konzernunternehmen betreffen und nicht durch die einzelnen Gesamtsprecherausschüsse innerhalb ihrer Unternehmen geregelt werden können. [2] Er ist den Gesamtsprecherausschüssen nicht übergeordnet.

(2) [1] Der Gesamtsprecherausschuß kann mit der Mehrheit der Stimmen seiner Mitglieder den Konzernsprecherausschuß schriftlich beauftragen, eine Angelegenheit für ihn zu behandeln. [2] Der Gesamtsprecherausschuß kann sich dabei die Entscheidungsbefugnis vorbehalten. [3] Für den Widerruf der Beauftragung gilt Satz 1 entsprechend.

§ 24[1)] Geschäftsführung. (1) Für den Konzernsprecherausschuß gelten § 10 Abs. 1, die §§ 11, 13 Abs. 1, 3 bis 5, die §§ 14, 18 Abs. 3 und § 19 Abs. 3 entsprechend.

(2) [1] Ist ein Konzernsprecherausschuß zu errichten, hat der Gesamtsprecherausschuß des herrschenden Unternehmens oder, sofern ein solcher nicht besteht, der Gesamtsprecherausschuß des nach der Zahl der leitenden Angestellten größten Konzernunternehmens zu der Wahl des Vorsitzenden und des stellvertretenden Vorsitzenden des Konzernsprecherausschusses einzuladen. [2] Der Vorsitzende des einladenden Gesamtsprecherausschusses hat die Sitzung zu leiten, bis der Konzernsprecherausschuß aus seiner Mitte einen Wahlleiter zur Wahl des Vorsitzenden und seines Stellvertreters bestellt hat. [3] § 12 Absatz 2 bis 7 gilt entsprechend.

Dritter Teil. Mitwirkung der leitenden Angestellten

Erster Abschnitt. Allgemeine Vorschriften

§ 25 Aufgaben des Sprecherausschusses. (1) [1] Der Sprecherausschuß vertritt die Belange der leitenden Angestellten des Betriebs (§ 1 Abs. 1 und 2). [2] Die Wahrnehmung eigener Belange durch den einzelnen leitenden Angestellten bleibt unberührt.

(2) [1] Der Sprecherausschuß ist zur Durchführung seiner Aufgaben nach diesem Gesetz rechtzeitig und umfassend vom Arbeitgeber zu unterrichten. [2] Auf Verlangen sind ihm die erforderlichen Unterlagen jederzeit zur Verfügung zu stellen.

---

1) § 24 Abs. 2 Satz 3 geänd. mWv 18.6.2021 durch G v. 14.6.2021 (BGBl. I S. 1762).

§ 26 Unterstützung einzelner leitender Angestellter. (1) Der leitende Angestellte kann bei der Wahrnehmung seiner Belange gegenüber dem Arbeitgeber ein Mitglied des Sprecherausschusses zur Unterstützung und Vermittlung hinzuziehen.

(2) [1]Der leitende Angestellte hat das Recht, in die über ihn geführten Personalakten Einsicht zu nehmen. [2]Er kann hierzu ein Mitglied des Sprecherausschusses hinzuziehen. [3]Das Mitglied des Sprecherausschusses hat über den Inhalt der Personalakten Stillschweigen zu bewahren, soweit es von dem leitenden Angestellten im Einzelfall nicht von dieser Verpflichtung entbunden wird. [4]Erkärungen des leitenden Angestellten zum Inhalt der Personalakten sind diesen auf sein Verlangen beizufügen.

§ 27[1)] Grundsätze für die Behandlung der leitenden Angestellten.

(1) Arbeitgeber und Sprecherausschuss haben darüber zu wachen, dass alle leitenden Angestellten des Betriebs nach den Grundsätzen von Recht und Billigkeit behandelt werden, insbesondere, dass jede Benachteiligung von Personen aus Gründen ihrer Rasse oder wegen ihrer ethnischen Herkunft, ihrer Abstammung oder sonstigen Herkunft, ihrer Nationalität, ihrer Religion oder Weltanschauung, ihrer Behinderung, ihres Alters, ihrer politischen oder gewerkschaftlichen Betätigung oder Einstellung oder wegen ihres Geschlechts oder ihrer sexuellen Identität unterbleibt.

(2) Arbeitgeber und Sprecherausschuß haben die freie Entfaltung der Persönlichkeit der leitenden Angestellten des Betriebs zu schützen und zu fördern.

§ 28[2)] Richtlinien und Vereinbarungen. (1) [1]Arbeitgeber und Sprecherausschuß können Richtlinien über den Inhalt, den Abschluß oder die Beendigung von Arbeitsverhältnissen der leitenden Angestellten schriftlich vereinbaren. [2]Werden Richtlinien in elektronischer Form geschlossen, haben Arbeitgeber und Sprecherausschuss abweichend von § 126a Absatz 2 des Bürgerlichen Gesetzesbuchs[3) 4)] dasselbe Dokument elektronisch zu signieren.

(2) [1]Der Inhalt der Richtlinien gilt für die Arbeitsverhältnisse unmittelbar und zwingend, soweit dies zwischen Arbeitgeber und Sprecherausschuß vereinbart ist. [2]Abweichende Regelungen zugunsten leitender Angestellter sind zulässig. [3]Werden leitenden Angestellten Rechte nach Satz 1 eingeräumt, so ist ein Verzicht auf sie nur mit Zustimmung des Sprecherausschusses zulässig. [4]Vereinbarungen nach Satz 1 können, soweit nichts anderes vereinbart ist, mit einer Frist von drei Monaten gekündigt werden.

§ 29 Geheimhaltungspflicht. (1) [1]Die Mitglieder und Ersatzmitglieder des Sprecherausschusses sind verpflichtet, Betriebs- oder Geschäftsgeheimnisse, die ihnen wegen ihrer Zugehörigkeit zum Sprecherausschuß bekanntgeworden und vom Arbeitgeber ausdrücklich als geheimhaltungsbedürftig bezeichnet worden sind, nicht zu offenbaren und nicht zu verwerten. [2]Dies gilt auch nach dem Ausscheiden aus dem Sprecherausschuß. [3]Die Verpflichtung gilt nicht gegenüber Mitgliedern des Sprecherausschusses, des Gesamtsprecherausschus-

---

[1)] § 27 Abs. 1 neu gef. mWv 18.8.2006 durch G v. 14.8.2006 (BGBl. I S. 1897).
[2)] § 28 Abs. 1 Satz 2 angef. mWv 18.6.2021 durch G v. 14.6.2021 (BGBl. I S. 1762).
[3)] Nr. **50**.
[4)] Wortlaut amtlich.

ses, des Unternehmenssprecherausschusses, des Konzernsprecherausschusses und den Arbeitnehmervertretern im Aufsichtsrat.

(2) Absatz 1 gilt entsprechend für die Mitglieder und Ersatzmitglieder des Gesamtsprecherausschusses, des Unternehmenssprecherausschusses und des Konzernsprecherausschusses.

Zweiter Abschnitt. Mitwirkungsrechte

§ 30 Arbeitsbedingungen und Beurteilungsgrundsätze. [1]Der Arbeitgeber hat den Sprecherausschuß rechtzeitig in folgenden Angelegenheiten der leitenden Angestellten zu unterrichten:

1. Änderungen der Gehaltsgestaltung und sonstiger allgemeiner Arbeitsbedingungen;
2. Einführung oder Änderung allgemeiner Beurteilungsgrundsätze.

[2]Er hat die vorgesehenen Maßnahmen mit dem Sprecherausschuß zu beraten.

§ 31 Personelle Maßnahmen. (1) Eine beabsichtigte Einstellung oder personelle Veränderung eines leitenden Angestellten ist dem Sprecherausschuß rechtzeitig mitzuteilen.

(2) [1]Der Sprecherausschuß ist vor jeder Kündigung eines leitenden Angestellten zu hören. [2]Der Arbeitgeber hat ihm die Gründe für die Kündigung mitzuteilen. [3]Eine ohne Anhörung des Sprecherausschusses ausgesprochene Kündigung ist unwirksam. [4]Bedenken gegen eine ordentliche Kündigung hat der Sprecherausschuß dem Arbeitgeber spätestens innerhalb einer Woche, Bedenken gegen eine außerordentliche Kündigung unverzüglich, spätestens jedoch innerhalb von drei Tagen, unter Angabe der Gründe schriftlich mitzuteilen. [5]Äußert er sich innerhalb der nach Satz 4 maßgebenden Frist nicht, so gilt dies als Einverständnis des Sprecherausschusses mit der Kündigung.

(3) Die Mitglieder des Sprecherausschusses sind verpflichtet, über die ihnen im Rahmen personeller Maßnahmen nach den Absätzen 1 und 2 bekanntgewordenen persönlichen Verhältnisse und Angelegenheiten der leitenden Angestellten, die ihrer Bedeutung oder ihrem Inhalt nach einer vertraulichen Behandlung bedürfen, Stillschweigen zu bewahren; § 29 Abs. 1 Satz 2 und 3 gilt entsprechend.

§ 32 Wirtschaftliche Angelegenheiten. (1) [1]Der Unternehmer hat den Sprecherausschuß mindestens einmal im Kalenderhalbjahr über die wirtschaftlichen Angelegenheiten des Betriebs und des Unternehmens im Sinne des § 106 Abs. 3 des Betriebsverfassungsgesetzes[1)] zu unterrichten, soweit dadurch nicht die Betriebs- oder Geschäftsgeheimnisse des Unternehmens gefährdet werden. [2]Satz 1 gilt nicht für Unternehmen und Betriebe im Sinne des § 118 Abs. 1 des Betriebsverfassungsgesetzes.

(2) [1]Der Unternehmer hat den Sprecherausschuß über geplante Betriebsänderungen im Sinne des § 111 des Betriebsverfassungsgesetzes, die auch wesentliche Nachteile für leitende Angestellte zur Folge haben können, rechtzeitig und umfassend zu unterrichten. [2]Entstehen leitenden Angestellten infolge der geplanten Betriebsänderung wirtschaftliche Nachteile, hat der Unter-

---

[1)] Nr. **570**.

nehmer mit dem Sprecherausschuß über Maßnahmen zum Ausgleich oder zur Milderung dieser Nachteile zu beraten.

Vierter Teil. Besondere Vorschriften

§ 33 Seeschiffahrt. (1) Auf Seeschiffahrtsunternehmen (§ 114 Abs. 2 des Betriebsverfassungsgesetzes[1)]) und ihre Betriebe ist dieses Gesetz anzuwenden, soweit sich aus den Absätzen 2 bis 4 nichts anderes ergibt.

(2) Sprecherausschüsse werden nur in den Landbetrieben von Seeschiffahrtsunternehmen gewählt.

(3) [1] Leitende Angestellte im Sinne des § 1 Abs. 1 dieses Gesetzes sind in einem Seebetrieb (§ 114 Abs. 3 und 4 des Betriebsverfassungsgesetzes) nur die Kapitäne. [2] Sie gelten für die Anwendung dieses Gesetzes als leitende Angestellte des Landbetriebs. [3] Bestehen mehrere Landbetriebe, so gelten sie als leitende Angestellte des nach der Zahl der leitenden Angestellten größten Landbetriebs.

(4) [1] Die Vorschriften über die Wahl des Sprecherausschusses finden auf Sprecherausschüsse in den Landbetrieben von Seeschiffahrtsunternehmen mit folgender Maßgabe Anwendung:

1. Die in § 7 Abs. 1 genannte Frist wird auf sechzehn Wochen verlängert.
2. Die Frist für die Wahlanfechtung nach § 8 Abs. 1 Satz 3 beginnt für die leitenden Angestellten an Bord, wenn das Schiff nach Bekanntgabe des Wahlergebnisses erstmalig einen Hafen im Geltungsbereich dieses Gesetzes oder einen Hafen, in dem ein Seemannsamt seinen Sitz hat, anläuft. Nach Ablauf von drei Monaten seit Bekanntgabe des Wahlergebnisses ist eine Wahlanfechtung unzulässig. Die Wahlanfechtung kann auch zu Protokoll des Seemannsamtes erklärt werden. Die Anfechtungserklärung ist vom Seemannsamt unverzüglich an das für die Anfechtung zuständige Arbeitsgericht weiterzuleiten.

Fünfter Teil. Straf- und Bußgeldvorschriften

§ 34 Straftaten gegen Vertretungsorgane der leitenden Angestellten und ihre Mitglieder. (1) Mit Freiheitsstrafe bis zu einem Jahr oder mit Geldstrafe wird bestraft, wer

1. eine Wahl des Sprecherausschusses oder des Unternehmenssprecherausschusses behindert oder durch Zufügung oder Androhung von Nachteilen oder durch Gewährung oder Versprechen von Vorteilen beeinflußt,
2. die Tätigkeit des Sprecherausschusses, des Gesamtsprecherausschusses, des Unternehmenssprecherausschusses oder des Konzernsprecherausschusses behindert oder stört oder
3. ein Mitglied oder ein Ersatzmitglied des Sprecherausschusses, des Gesamtsprecherausschusses, des Unternehmenssprecherausschusses oder des Konzernsprecherausschusses um seiner Tätigkeit willen benachteiligt oder begünstigt.

[1)] Nr. **570**.

(2) Die Tat wird nur auf Antrag des Sprecherausschusses, des Gesamtsprecherausschusses, des Unternehmenssprecherausschusses, des Konzernsprecherausschusses, des Wahlvorstands oder des Unternehmers verfolgt.

§ 35 Verletzung von Geheimnissen. (1) Wer unbefugt ein fremdes Betriebs- oder Geschäftsgeheimnis offenbart, das ihm in seiner Eigenschaft als Mitglied oder Ersatzmitglied des Sprecherausschusses, des Gesamtsprecherausschusses, des Unternehmenssprecherausschusses oder des Konzernsprecherausschusses bekanntgeworden und das vom Arbeitgeber ausdrücklich als geheimhaltungsbedürftig bezeichnet worden ist, wird mit Freiheitsstrafe bis zu einem Jahr oder mit Geldstrafe bestraft.

(2) Ebenso wird bestraft, wer unbefugt ein fremdes Geheimnis eines leitenden Angestellten oder eines anderen Arbeitnehmers, namentlich ein zu dessen persönlichen Lebensbereich gehörendes Geheimnis, offenbart, das ihm in seiner Eigenschaft als Mitglied oder Ersatzmitglied des Sprecherausschusses oder einer der in Absatz 1 genannten Vertretungen bekanntgeworden ist und über das nach den Vorschriften dieses Gesetzes Stillschweigen zu bewahren ist.

(3) [1] Handelt der Täter gegen Entgelt oder in der Absicht, sich oder einen anderen zu bereichern oder einen anderen zu schädigen, so ist die Strafe Freiheitsstrafe bis zu zwei Jahren oder Geldstrafe. [2] Ebenso wird bestraft, wer unbefugt ein fremdes Geheimnis, namentlich ein Betriebs- oder Geschäftsgeheimnis, zu dessen Geheimhaltung er nach den Absätzen 1 oder 2 verpflichtet ist, verwertet.

(4) Die Absätze 1 bis 3 sind auch anzuwenden, wenn der Täter das fremde Geheimnis nach dem Tode des Betroffenen unbefugt offenbart oder verwertet.

(Fortsetzung nächstes Blatt)

(5) [1]Die Tat wird nur auf Antrag des Verletzten verfolgt. [2]Stirbt der Verletzte, so geht das Antragsrecht nach § 77 Abs. 2 des Strafgesetzbuches[1)] auf die Angehörigen über, wenn das Geheimnis zum persönlichen Lebensbereich des Verletzten gehört; in anderen Fällen geht es auf die Erben über. [3]Offenbart der Täter das Geheimnis nach dem Tode des Betroffenen, so gilt Satz 2 entsprechend.

§ 36[2)] Bußgeldvorschriften. (1) Ordnungswidrig handelt, wer eine der in § 30 Satz 1, § 31 Abs. 1 oder § 32 Abs. 1 Satz 1 oder Abs. 2 Satz 1 genannten Unterrichtungs- oder Mitteilungspflichten nicht, wahrheitswidrig, unvollständig oder verspätet erfüllt.

(2) Die Ordnungswidrigkeit kann mit einer Geldbuße bis zu zehntausend Euro geahndet werden.

Sechster Teil. Übergangs- und Schlußvorschriften

§ 37 Erstmalige Wahlen nach diesem Gesetz. (1) [1]Die erstmaligen Wahlen des Sprecherausschusses oder des Unternehmenssprecherausschusses finden im Zeitraum der regelmäßigen Wahlen nach § 5 Abs. 1 im Jahre 1990 statt. [2]§ 7 Abs. 2 und 3 findet Anwendung.

(2) [1]Auf Sprecherausschüsse, die aufgrund von Vereinbarungen gebildet worden sind und bei Inkrafttreten dieses Gesetzes bestehen, findet dieses Gesetz keine Anwendung. [2]Sie bleiben bis zur Wahl nach Absatz 1, spätestens bis zum 31. Mai 1990, im Amt.

§ 38[3)] Ermächtigung zum Erlaß von Wahlordnungen. Das Bundesministerium für Arbeit und Soziales kann durch Rechtsverordnung zur Regelung des Wahlverfahrens Vorschriften über die in den §§ 3 bis 8, 20 und 33 bezeichneten Wahlen erlassen, insbesondere über

1. die Vorbereitung der Wahl, insbesondere die Aufstellung der Wählerlisten;
2. die Frist für die Einsichtnahme in die Wählerlisten und die Erhebung von Einsprüchen gegen sie;
3. die Vorschlagslisten und die Frist für ihre Einreichung;
4. das Wahlausschreiben und die Fristen für seine Bekanntmachung;
5. die Stimmabgabe;
6. die Feststellung des Wahlergebnisses und die Fristen für seine Bekanntmachung;
7. die Aufbewahrung der Wahlakten.

§ 39[4)] Sonderregelung aus Anlass der COVID-19-Pandemie. [1]Eine Versammlung nach § 15 kann bis zum Ablauf des 7. April 2023 auch mittels audiovisueller Einrichtungen durchgeführt werden, wenn sichergestellt ist, dass

[1)] **Habersack Nr. 85.**

[2)] § 36 Abs. 2 geänd. mWv 1.1.2002 durch G v. 21.12.2000 (BGBl. I S. 1983).

[3)] § 38 geänd. mWv 28.11.2003 durch VO v. 25.11.2003 (BGBl. I S. 2304); geänd. mWv 8.11.2006 durch VO v. 31.10.2006 (BGBl. I S. 2407).

[4)] § 39 neu gef. mWv 12.12.2021 durch G v. 10.12.2021 (BGBl. I S. 5162); Abs. 1 Satz 1 geänd., Abs. 2 aufgeh. mWv 17.9.2022 durch G v. 16.9.2022 (BGBl. I S. 1454).

nur teilnahmeberechtigte Personen Kenntnis von dem Inhalt der Versammlung nehmen können. [2]Eine Aufzeichnung ist unzulässig.

571a. Erste Verordnung zur Durchführung des Sprecherausschußgesetzes (Wahlordnung zum Sprecherausschußgesetz – WOSprAuG)

Vom 28. September 1989
(BGBl. I S. 1798)

FNA 801-11-1

geänd. durch Art. 1 VO zur Änd. der Wahlordnung zum SprecherausschussG v. 20.1.2022 (BGBl. I S. 69)

Inhaltsübersicht

Auf Grund des § 38 des Sprecherausschußgesetzes[1] (Artikel 2 des Gesetzes vom 20. Dezember 1988 – BGBl. I S. 2312, 2316) wird verordnet:

Erster Teil. Wahl des Sprecherausschusses

Erster Abschnitt. Allgemeine Vorschriften

§ 1[2] Wahlvorstand. (1) Die Leitung der Wahl obliegt dem Wahlvorstand.

(2) [1]Der Wahlvorstand kann sich eine schriftliche Geschäftsordnung geben. [2]Er kann leitende Angestellte als Wahlhelfer zu seiner Unterstützung bei der Durchführung der Stimmabgabe und bei der Stimmenzählung, in Betriebsteilen und Betrieben im Sinne des § 1 Abs. 2 des Gesetzes[1] auch bei der Bekanntmachung von Mitteilungen heranziehen.

(3) [1]Die Beschlüsse des Wahlvorstands werden mit einfacher Stimmenmehrheit seiner Mitglieder gefaßt. [2]Die Sitzungen des Wahlvorstands finden als Präsenzsitzung statt. [3]Über jede Sitzung des Wahlvorstands ist eine Nieder-

[1] Nr. **571**.

[2] § 1 Abs. 3 Satz 2 eingef., bish. Sätze 2 und 3 werden Sätze 3 und 4, Abs. 4 und 5 angef. mWv 28.1.2022 durch VO v. 20.1.2022 (BGBl. I S. 69).

schrift aufzunehmen, die mindestens den Wortlaut der gefaßten Beschlüsse enthält. [4] Die Niederschrift ist vom Vorsitzenden und einem weiteren Mitglied des Wahlvorstands zu unterzeichnen.

(4) [1] Abweichend von Absatz 3 Satz 2 kann der Wahlvorstand beschließen, dass die Teilnahme an einer nicht öffentlichen Sitzung des Wahlvorstands mittels Video- und Telefonkonferenz erfolgen kann. [2] Dies gilt nicht für Sitzungen des Wahlvorstands

1. zur Prüfung eingereichter Vorschlagslisten nach § 6 Absatz 2 Satz 2,
2. zur Durchführung eines Losverfahrens nach § 9 Absatz 1.

[3] Es muss sichergestellt sein, dass Dritte vom Inhalt der Sitzung keine Kenntnis nehmen können. [4] Eine Aufzeichnung der Sitzung ist unzulässig. [5] Die mittels Video- und Telefonkonferenz Teilnehmenden bestätigen ihre Teilnahme gegenüber dem Vorsitzenden in Textform. [6] Die Bestätigung ist der Niederschrift nach Absatz 3 beizufügen.

(5) Erfolgt die Sitzung des Wahlvorstands mit der zusätzlichen Möglichkeit der Teilnahme mittels Video- und Telefonkonferenz, gilt auch eine Teilnahme vor Ort als erforderlich.

§ 2[1)] Wählerliste. (1) [1] Der Wahlvorstand hat für jede Wahl des Sprecherausschusses eine Liste der leitenden Angestellten (Wählerliste) aufzustellen. [2] Die leitenden Angestellten sollen mit Familienname, Vorname und Geburtsdatum in alphabetischer Reihenfolge aufgeführt werden.

(2) [1] Der Arbeitgeber hat dem Wahlvorstand alle für die Anfertigung der Wählerliste erforderlichen Auskünfte zu erteilen und die erforderlichen Unterlagen zur Verfügung zu stellen. [2] Er hat den Wahlvorstand insbesondere bei Feststellung der in § 5 Abs. 3 des Betriebsverfassungsgesetzes[2)] genannten Personen zu unterstützen.

(3) Wahlberechtigt und wählbar sind nur leitende Angestellte, die in die Wählerliste eingetragen sind.

(4) [1] Ein Abdruck der Wählerliste und ein Abdruck dieser Verordnung sind vom Tage der Einleitung der Wahl (§ 3 Abs. 1) bis zum Abschluß der Stimmabgabe an einer oder mehreren geeigneten Stellen zur Einsichtnahme auszulegen. [2] Der Abdruck der Wählerliste soll die Geburtsdaten der leitenden Angestellten nicht enthalten. [3] Ergänzend können der Abdruck der Wählerliste und die Verordnung mittels der im Betrieb vorhandenen Informations- und Kommunikationstechnik bekannt gemacht werden. [4] Die Bekanntmachung ausschließlich in elektronischer Form ist nur zulässig, wenn alle leitenden Angestellten von der Bekanntmachung Kenntnis erlangen können und Vorkehrungen getroffen werden, dass Änderungen der Bekanntmachung nur vom Wahlvorstand vorgenommen werden können.

§ 3[3)] Wahlausschreiben. (1) [1] Spätestens sechs Wochen vor dem ersten Tag der Stimmabgabe erläßt der Wahlvorstand ein Wahlausschreiben, das vom Vorsitzenden und von mindestens einem weiteren Mitglied des Wahlvorstands zu unterschreiben ist. [2] Mit Erlaß des Wahlausschreibens ist die Wahl des Sprecher-

---

[1)] § 2 Abs. 4 Sätze 3 und 4 angef. mWv 28.1.2022 durch VO v. 20.1.2022 (BGBl. I S. 69).
[2)] Nr. **570**.
[3)] § 3 Abs. 2 Nr. 2, 3 6 und 10 geänd., Abs. 4 Sätze 2 und 3 angef. mWv 28.1.2022 durch VO v. 20.1.2022 (BGBl. I S. 69).

ausschusses eingeleitet. [3]Der erste Tag der Stimmabgabe soll spätestens eine Woche vor dem Tag liegen, an dem die Amtszeit des Sprecherausschusses abläuft.

(2) Das Wahlausschreiben muß folgende Angaben enthalten:

1. das Datum seines Erlasses;
2. die Bestimmung des Orts, an dem die Wählerliste und diese Verordnung ausliegen, sowie im Fall der Bekanntmachung in elektronischer Form (§ 2 Absatz 4 Satz 3 und 4) wo und wie von der Wählerliste und der Verordnung Kenntnis genommen werden kann;
3. daß nur leitende Angestellte wählen oder gewählt werden können, die in die Wählerliste eingetragen sind und daß Einsprüche gegen die Wählerliste (§ 4 Abs. 1) nur vor Ablauf von zwei Wochen seit dem Erlaß des Wahlausschreibens schriftlich beim Wahlvorstand eingelegt werden können; der letzte Tag der Frist und im Fall des § 40 Absatz 2 zusätzlich die Uhrzeit sind anzugeben;
4. die Zahl der zu wählenden Mitglieder des Sprecherausschusses (§ 4 Abs. 1 des Gesetzes[1]);
5. die Mindestzahl von leitenden Angestellten, von denen ein Wahlvorschlag unterzeichnet sein muß (§ 6 Abs. 4 des Gesetzes);
6. daß Wahlvorschläge vor Ablauf von zwei Wochen seit dem Erlaß des Wahlausschreibens (§ 5 Abs. 1) beim Wahlvorstand, wenn mehrere Mitglieder des Sprecherausschusses zu wählen sind, in Form von Vorschlagslisten einzureichen sind; der letzte Tag der Frist und im Fall des § 40 Absatz 2 zusätzlich die Uhrzeit sind anzugeben;
7. daß die Stimmabgabe an die Wahlvorschläge gebunden ist und daß nur solche Wahlvorschläge berücksichtigt werden dürfen, die fristgerecht (Nr. 6) eingereicht sind;
8. die Bestimmung des Orts, an dem die Wahlvorschläge bis zum Abschluß der Stimmabgabe aushängen;
9. Ort, Tag und Zeit der Stimmabgabe;
10. den Hinweis auf die Möglichkeit der schriftlichen Stimmabgabe sowie die Betriebsteile und Betriebe im Sinne des § 1 Abs. 2 des Gesetzes, für die schriftliche Stimmabgabe nach § 23 Absatz 3 beschlossen ist;
11. den Ort, an dem Einsprüche, Wahlvorschläge und sonstige Erklärungen gegenüber dem Wahlvorstand abzugeben sind (Betriebsadresse des Wahlvorstands).

(3) Der Wahlvorstand soll im Wahlausschreiben darauf hinweisen, daß bei der Aufstellung von Wahlvorschlägen die Geschlechter nach Maßgabe des § 4 Abs. 2 des Gesetzes berücksichtigt werden sollen.

(4) [1]Ein Abdruck des Wahlausschreibens ist vom Tage seines Erlasses bis zum letzten Tag der Stimmabgabe an einer oder mehreren geeigneten, den leitenden Angestellten zugänglichen Stellen vom Wahlvorstand auszuhängen und in gut lesbarem Zustand zu erhalten. [2]Ergänzend kann das Wahlausschreiben mittels der im Betrieb vorhandenen Informations- und Kommunikationstechnik bekannt gemacht werden. § 2 Absatz 4 Satz 4 gilt entsprechend. [3]Ergänzend hat der Wahlvorstand das Wahlausschreiben den Personen nach § 23 Absatz 2

---

[1] Nr. **571**.

postalisch oder elektronisch zu übermitteln; der Arbeitgeber hat dem Wahlvorstand die dazu erforderlichen Informationen zur Verfügung zu stellen.

§ 4[1)] Einspruch gegen die Wählerliste. (1) Einsprüche gegen die Richtigkeit der Wählerliste können mit Wirksamkeit für die Wahl des Sprecherausschusses nur vor Ablauf von zwei Wochen seit Erlaß des Wahlausschreibens beim Wahlvorstand schriftlich eingelegt werden.

(2) [1] Über Einsprüche nach Absatz 1 hat der Wahlvorstand unverzüglich zu entscheiden. [2] Der Einspruch ist ausgeschlossen, soweit er darauf gestützt wird, daß die Zuordnung nach § 18a des Betriebsverfassungsgesetzes[2)] fehlerhaft erfolgt sei. [3] Satz 2 gilt nicht, soweit die nach § 18a Abs. 1 oder 4 Satz 3 des Betriebsverfassungsgesetzes am Zuordnungsverfahren Beteiligten die Zuordnung übereinstimmend für offensichtlich fehlerhaft halten. [4] Wird der Einspruch für begründet erachtet, ist die Wählerliste zu berichtigen. [5] Die Entscheidung des Wahlvorstands ist dem Angestellten, der den Einspruch eingelegt hat, unverzüglich schriftlich mitzuteilen; die Entscheidung muß dem Angestellten spätestens am Tage vor dem Beginn der Stimmabgabe zugehen.

(3) [1] Nach Ablauf der Einspruchsfrist soll der Wahlvorstand die Wählerliste nochmals auf ihre Vollständigkeit hin überprüfen. [2] Im übrigen kann nach Ablauf der Einspruchsfrist die Wählerliste nur bei Schreibfehlern, offenbaren Unrichtigkeiten, in Erledigung rechtzeitig eingelegter Einsprüche oder bei Eintritt eines leitenden Angestellten in den Betrieb bis zum Abschluss der Stimmabgabe berichtigt oder ergänzt werden.

Zweiter Abschnitt. Wahl mehrerer Mitglieder des Sprecherausschusses

Erster Unterabschnitt. Einreichung und Bekanntmachung von Vorschlagslisten

§ 5 Vorschlagslisten. (1) [1] Sind mehrere Mitglieder des Sprecherausschusses zu wählen, erfolgt die Wahl auf Grund von Vorschlagslisten. [2] Die Vorschlagslisten sind von den leitenden Angestellten vor Ablauf von zwei Wochen seit Erlaß des Wahlausschreibens beim Wahlvorstand einzureichen.

(2) Jede Vorschlagsliste soll mindestens doppelt so viele Bewerber aufweisen, wie Mitglieder des Sprecherausschusses zu wählen sind.

(3) [1] In jeder Vorschlagsliste sind die einzelnen Bewerber in erkennbarer Reihenfolge unter fortlaufender Nummer und unter Angabe von Familienname, Vorname und Geburtsdatum aufzuführen. [2] Die schriftliche Zustimmung der Bewerber zur Aufnahme in die Liste ist beizufügen.

(4) [1] Wenn kein anderer Unterzeichner der Vorschlagsliste ausdrücklich als Listenvertreter bezeichnet ist, wird der an erster Stelle benannte Unterzeichner als Listenvertreter angesehen. [2] Der Listenvertreter ist berechtigt und verpflichtet, dem Wahlvorstand die zur Beseitigung von Beanstandungen erforderlichen Erklärungen abzugeben sowie Erklärungen und Entscheidungen des Wahlvorstands entgegenzunehmen.

(5) [1] Die Unterschrift eines leitenden Angestellten zählt nur auf einer Vorschlagsliste. [2] Hat ein leitender Angestellter mehrere Vorschlagslisten unterzeichnet, hat er auf Aufforderung des Wahlvorstands binnen einer ihm gesetz-

---

[1)] § 4 Abs. 3 Satz 2 geänd. mWv 28.1.2022 durch VO v. 20.1.2022 (BGBl. I S. 69).
[2)] Nr. **570**.

ten angemessenen Frist, spätestens jedoch vor Ablauf von drei Arbeitstagen, zu erklären, welche Unterschrift er aufrechterhält. [3]Unterbleibt die fristgerechte Erklärung, wird sein Name auf der zuerst eingereichten Vorschlagsliste gezählt und auf den übrigen Listen gestrichen; sind mehrere Vorschlagslisten, die von demselben leitenden Angestellten unterschrieben sind, gleichzeitig eingereicht worden, entscheidet das Los darüber, auf welcher Vorschlagsliste die Unterschrift gilt.

(6) Eine Verbindung von Vorschlagslisten ist unzulässig.

(7) [1]Ein Bewerber kann nur auf einer Vorschlagsliste vorgeschlagen werden. [2]Ist sein Name mit seiner schriftlichen Zustimmung auf mehreren Vorschlagslisten aufgeführt, hat er auf Aufforderung des Wahlvorstands vor Ablauf von drei Arbeitstagen zu erklären, welche Bewerbung er aufrechterhält. [3]Unterbleibt die fristgerechte Erklärung, ist der Bewerber auf sämtlichen Listen zu streichen.

§ 6 Prüfung der Vorschlagslisten. (1) Der Wahlvorstand hat dem Überbringer der Vorschlagsliste oder, falls die Vorschlagsliste auf eine andere Weise eingereicht wird, dem Listenvertreter den Zeitpunkt der Einreichung schriftlich zu bestätigen.

(2) [1]Der Wahlvorstand hat die eingereichten Vorschlagslisten, wenn die Liste nicht mit einem Kennwort versehen ist, mit Familienname und Vorname der beiden in der Liste an erster und zweiter Stelle benannten Bewerber zu bezeichnen. [2]Er hat die Vorschlagsliste unverzüglich, möglichst binnen einer Frist von zwei Arbeitstagen nach ihrem Eingang, zu prüfen und bei Ungültigkeit oder Beanstandung einer Liste den Listenvertreter unverzüglich schriftlich unter Angabe der Gründe zu unterrichten.

§ 7 Ungültige Vorschlagslisten. (1) Ungültig sind Vorschlagslisten,

1. die nicht fristgerecht eingereicht worden sind,
2. auf denen die Bewerber nicht in erkennbarer Reihenfolge aufgeführt sind,
3. die bei der Einreichung nicht die erforderliche Zahl von Unterschriften (§ 6 Abs. 4 des Gesetzes[1)]) aufweisen. Die Rücknahme von Unterschriften auf einer eingereichten Vorschlagsliste beeinträchtigt deren Gültigkeit nicht; § 5 Abs. 5 bleibt unberührt.

(2) Ungültig sind auch Vorschlagslisten,

1. auf denen die Bewerber nicht in der in § 5 Abs. 3 bestimmten Weise bezeichnet sind,
2. wenn die schriftliche Zustimmung der Bewerber zur Aufnahme in die Vorschlagsliste nicht vorliegt,
3. wenn die Vorschlagsliste infolge von Streichung gemäß § 5 Abs. 5 nicht mehr die erforderliche Zahl von Unterschriften aufweist,

falls diese Mängel trotz Beanstandung nicht binnen einer Frist von drei Arbeitstagen beseitigt werden.

§ 8 Nachfrist für Vorschlagslisten. (1) [1]Ist nach Ablauf der in § 5 Abs. 1 genannten Frist für die Wahl keine gültige Vorschlagsliste eingereicht, hat dies der Wahlvorstand sofort in gleicher Weise bekanntzumachen wie das Wahl-

---

[1)] Nr. **571**.

ausschreiben (§ 3 Abs. 4) und eine Nachfrist von einer Woche für die Einreichung von Vorschlagslisten zu setzen. [2]In der Bekanntmachung ist darauf hinzuweisen, daß die Wahl nur stattfinden kann, wenn innerhalb der Nachfrist mindestens eine gültige Vorschlagsliste eingereicht wird.

(2) Wird trotz Bekanntmachung nach Absatz 1 eine gültige Vorschlagsliste nicht eingereicht, hat der Wahlvorstand sofort bekanntzumachen, daß die Wahl nicht stattfindet.

§ 9[1)] Bekanntmachung der Vorschlagslisten. (1) [1]Nach Ablauf der in § 5 Abs. 1 sowie der in den §§ 7 und 8 genannten Fristen ermittelt der Wahlvorstand durch das Los die Reihenfolge der Ordnungsnummern, die den eingereichten Vorschlagslisten zugeteilt werden (Liste 1 usw.). [2]Die Listenvertreter sind zu der Losentscheidung rechtzeitig einzuladen.

(2) Spätestens eine Woche vor Beginn der Stimmabgabe hat der Wahlvorstand die als gültig anerkannten Vorschlagslisten bis zum Abschluß der Stimmabgabe in gleicher Weise bekanntzumachen wie das Wahlausschreiben nach § 3 Absatz 4 Satz 1 bis 3.

Zweiter Unterabschnitt. Wahlverfahren bei mehreren Vorschlagslisten

§ 10[2)] Stimmabgabe. (1) [1]Der Wähler kann seine Stimme nur für eine der als gültig anerkannten Vorschlagslisten abgeben. [2]Die Stimmabgabe erfolgt durch Abgabe von Stimmzetteln.

(2) [1]Auf den Stimmzetteln sind die Vorschlagslisten nach der Reihenfolge der Ordnungsnummern sowie unter Angabe der beiden an erster und zweiter Stelle benannten Bewerber mit Familienname und Vorname untereinander aufzuführen; bei Listen, die mit Kennworten versehen sind, ist auch das Kennwort anzugeben. [2]Die Stimmzettel müssen dieselbe Größe, Farbe, Beschaffenheit und Beschriftung haben.

(3) Der Wähler kennzeichnet die von ihm gewählte Vorschlagsliste durch Ankreuzen an der im Stimmzettel hierfür vorgesehenen Stelle und faltet ihn in der Weise, dass seine Stimme nicht erkennbar ist.

(4) Stimmzettel, die mit einem besonderen Merkmal versehen sind oder aus denen sich der Wille des Wählers nicht unzweifelhaft ergibt oder die andere Angaben als die in Absatz 1 genannten Vorschlagslisten, einen Zusatz oder sonstige Änderungen enthalten, sind ungültig.

§ 11[3)] Wahlvorgang. (1) [1]Der Wahlvorstand hat geeignete Vorkehrungen zu treffen, daß der Wähler den Stimmzettel im Wahlraum unbeobachtet kennzeichnen kann. [2]Für die Aufnahme der Stimmzettel sind eine oder mehrere Wahlurnen zu verwenden. [3]Vor Beginn der Stimmabgabe sind die Wahlurnen vom Wahlvorstand zu verschließen. [4]Sie müssen so eingerichtet sein, daß die eingeworfenen Stimmzettel nicht herausgenommen werden können, ohne daß die Wahlurnen geöffnet werden.

[1)] § 9 Abs. 2 geänd. mWv 28.1.2022 durch VO v. 20.1.2022 (BGBl. I S. 69).

[2)] § 10 Abs. 1 Satz 2 geänd., Abs. 2 Satz 3 aufgeh., Abs. 3 geänd. mWv 28.1.2022 durch VO v. 20.1.2022 (BGBl. I S. 69).

[3)] § 11 Abs. 1 Sätze 1, 2 und 4 geänd., Abs. 3 neu gef., Abs. 4 eingef., bish. Abs. 4 wird Abs. 5 mWv 28.1.2022 durch VO v. 20.1.2022 (BGBl. I S. 69).

(2) Während des Zeitraums der Stimmabgabe müssen immer mindestens zwei Mitglieder des Wahlvorstands im Wahlraum anwesend sein; sind Wahlhelfer bestellt (§ 1 Abs. 2 Satz 2), genügt die Anwesenheit eines Mitglieds des Wahlvorstands und eines Wahlhelfers.

(3) Der Wähler gibt seinen Namen an und wirft den gefalteten Stimmzettel in die Wahlurne ein, nachdem die Stimmabgabe in der Wählerliste vermerkt worden ist.

(4) [1] Wer infolge seiner Behinderung bei der Stimmabgabe beeinträchtigt ist, kann eine Person seines Vertrauens bestimmen, die ihm bei der Stimmabgabe behilflich sein soll, und teilt dies dem Wahlvorstand mit. [2] Wahlbewerber, Mitglieder des Wahlvorstands sowie Wahlhelfer dürfen nicht zur Hilfeleistung herangezogen werden. [3] Die Hilfeleistung beschränkt sich auf die Erfüllung der Wünsche des Wählers zur Stimmabgabe; die Person des Vertrauens darf gemeinsam mit dem Wähler die Wahlzelle aufsuchen. [4] Sie ist zur Geheimhaltung der Kenntnisse verpflichtet, die sie bei der Hilfeleistung zur Stimmabgabe erlangt hat. [5] Die Sätze 1 bis 4 gelten entsprechend für des Lesens unkundige Wähler.

(5) Nach Abschluß der Stimmabgabe sind die Wahlurnen zu versiegeln, wenn die Stimmauszählung nicht unmittelbar nach Beendigung der Wahl durchgeführt wird.

§ 12[1)] Öffentliche Stimmauszählung. (1) [1] Unverzüglich nach Abschluß der Stimmabgabe nimmt der Wahlvorstand öffentlich die Auszählung der Stimmen vor. [2] Sofern eine schriftliche Stimmabgabe erfolgt ist, führt der Wahlvorstand vor Beginn der Stimmauszählung das Verfahren nach § 25 durch.

(2) [1] Nach Öffnung der Wahlurnen entnimmt der Wahlvorstand die Stimmzettel und zählt die auf jede Vorschlagsliste entfallenden Stimmen zusammen. [2] Dabei ist die Gültigkeit der Stimmzettel zu prüfen.

(3) Befindet sich in der Wahlurne ein Wahlumschlag mit mehreren gekennzeichneten Stimmzetteln (§ 25 Absatz 1 Satz 3), so werden die Stimmzettel, wenn sie vollständig übereinstimmen, nur einfach gezählt, andernfalls als ungültig angesehen.

§ 13 Verteilung der Sitze. (1) [1] Die auf die einzelnen Vorschlagslisten entfallenen Stimmenzahlen werden in einer Reihe nebeneinander gestellt und sämtlich durch 1, 2, 3, 4 usw. geteilt. [2] Die ermittelten Teilzahlen sind nacheinander reihenweise unter den Zahlen der ersten Reihe aufzuführen, bis höhere Teilzahlen, als aus früheren Reihen für die Zuweisung von Sitzen in Betracht kommen, nicht mehr entstehen.

(2) [1] Unter den so gefundenen Teilzahlen werden so viele Höchstzahlen ausgesondert und der Größe nach geordnet, wie Mitglieder des Sprecherausschusses zu wählen sind. [2] Jede Vorschlagsliste erhält so viele Sitze zugeteilt, wie Höchstzahlen auf sie entfallen. [3] Wenn die niedrigste in Betracht kommende Höchstzahl auf mehrere Vorschlagslisten zugleich entfällt, entscheidet das Los darüber, welcher Vorschlagsliste dieser Sitz zufällt.

[1)] § 12 Abs. 1 Satz 2 angef., Abs. 2 Satz 1 geänd., Abs. 3 neu gef. mWv 28.1.2022 durch VO v. 20.1.2022 (BGBl. I S. 69).

(3) Wenn eine Vorschlagsliste weniger Bewerber enthält, als Höchstzahlen auf sie entfallen, gehen die überschüssigen Sitze auf die folgenden Höchstzahlen der anderen Vorschlagslisten über.

(4) Die Reihenfolge der Bewerber innerhalb der einzelnen Vorschlagslisten bestimmt sich nach der Reihenfolge ihrer Benennung.

§ 14[1)] Wahlniederschrift. (1) Nachdem ermittelt ist, wer gewählt ist, hat der Wahlvorstand in einer Niederschrift festzustellen:

1. die Gesamtzahl der abgegebenen Stimmen und die Zahl der abgegebenen gültigen Stimmen;
2. die auf jede Liste entfallenen Stimmenzahlen;
3. die berechneten Höchstzahlen;
4. die Verteilung der berechneten Höchstzahlen auf die Listen;
5. die Zahl der ungültigen Stimmen;
6. die Namen der in den Sprecherausschuß gewählten Bewerber;
7. gegebenenfalls besondere während der Wahl des Sprecherausschusses eingetretene Zwischenfälle oder sonstige Ereignisse.

(2) Die Niederschrift ist vom Vorsitzenden und von mindestens einem weiteren Mitglied des Wahlvorstands zu unterschreiben.

§ 15 Benachrichtigung der Gewählten. (1) [1] Der Wahlvorstand hat die als Mitglieder des Sprecherausschusses gewählten leitenden Angestellten unverzüglich schriftlich von ihrer Wahl zu benachrichtigen. [2] Erklärt der Gewählte nicht binnen drei Arbeitstagen nach Zugang der Benachrichtigung dem Wahlvorstand, daß er die Wahl ablehne, gilt die Wahl als angenommen.

(2) Lehnt ein Gewählter die Wahl ab, tritt an seine Stelle der in derselben Vorschlagsliste in der Reihenfolge nach ihm benannte, nicht gewählte Bewerber.

§ 16[2)] Bekanntmachung des Wahlergebnisses und der Gewählten.

[1] Sobald die Mitglieder des Sprecherausschusses endgültig feststehen, hat der Wahlvorstand das Wahlergebnis und die Namen der Gewählten durch zweiwöchigen Aushang in gleicher Weise bekanntzumachen wie das Wahlausschreiben nach § 3 Absatz 4 Satz 1 bis 3. [2] Ein Abdruck der Wahlniederschrift (§ 14) ist dem Arbeitgeber unverzüglich zu übersenden.

§ 17 Aufbewahrung der Wahlakten. Der Sprecherausschuß hat die Wahlakten mindestens bis zur Beendigung seiner Amtszeit aufzubewahren.

Dritter Unterabschnitt. Wahlverfahren bei nur einer Vorschlagsliste

§ 18[3)] Stimmabgabe. (1) Ist für die Wahl nur eine gültige Vorschlagsliste eingereicht, kann der Wähler seine Stimme nur für solche Bewerber abgeben, die in der Vorschlagsliste aufgeführt sind.

[1)] § 14 Abs. 1 Nr. 1 geänd. mWv 28.1.2022 durch VO v. 20.1.2022 (BGBl. I S. 69).
[2)] § 16 Satz 1 geänd. mWv 28.1.2022 durch VO v. 20.1.2022 (BGBl. I S. 69).
[3)] § 18 Abs. 3 Sätze 1 und 2 geänd. mWv 28.1.2022 durch VO v. 20.1.2022 (BGBl. I S. 69).

(2) Auf den Stimmzetteln sind die Bewerber unter Angabe von Familienname und Vorname in der Reihenfolge aufzuführen, in der sie auf der Vorschlagsliste benannt sind.

(3) [1] Der Wähler kennzeichnet die von ihm gewählten Bewerber durch Ankreuzen an der im Stimmzettel hierfür vorgesehenen Stelle und faltet ihn in der Weise, dass seine Stimme nicht erkennbar ist; er darf nicht mehr Bewerber ankreuzen, als Mitglieder des Sprecherausschusses zu wählen sind. [2] § 10 Abs. 1 Satz 2, Abs. 2 Satz 2 und Abs. 4 sowie die §§ 11 und 12 Abs. 1 gelten entsprechend.

§ 19[1)] Stimmauszählung. Nach Öffnung der Wahlurnen entnimmt der Wahlvorstand die Stimmzettel und zählt die auf jeden Bewerber entfallenden Stimmen zusammen; § 12 Abs. 2 Satz 2 und Abs. 3 gilt entsprechend.

§ 20 Ermittlung der Gewählten. [1] Gewählt sind die Bewerber, die die meisten Stimmen erhalten haben. [2] Bei Stimmengleichheit entscheidet das Los.

§ 21 Wahlniederschrift, Bekanntmachung. (1) [1] Nachdem ermittelt ist, wer gewählt ist, hat der Wahlvorstand in einer Niederschrift außer den Angaben nach § 14 Abs. 1 Nr. 1 und 5 bis 7 die auf jeden Bewerber entfallenen Stimmenzahlen festzustellen. [2] § 14 Abs. 2, § 15 Abs. 1 sowie die §§ 16 und 17 gelten entsprechend.

(2) Lehnt ein Gewählter die Wahl ab, tritt an seine Stelle der nicht gewählte Bewerber mit der nächsthöchsten Stimmenzahl.

Dritter Abschnitt. Wahl nur eines Mitglieds des Sprecherausschusses

§ 22 Verfahren. (1) Ist nur ein Mitglied des Sprecherausschusses zu wählen, erfolgt die Wahl auf Grund von Wahlvorschlägen; § 5 Abs. 1 Satz 2 und Abs. 2 bis 5, die §§ 6 bis 8 sowie § 9 Abs. 2 gelten für die Wahlvorschläge entsprechend.

(2) Der Wähler kann seine Stimme nur für solche Bewerber abgeben, die in einem Wahlvorschlag nach Absatz 1 benannt sind.

(3) [1] Auf den Stimmzetteln sind die Bewerber in alphabetischer Reihenfolge unter Angabe von Familienname und Vorname aufzuführen. [2] Der Wähler kennzeichnet den von ihm gewählten Bewerber durch Ankreuzen an der im Stimmzettel hierfür vorgesehenen Stelle. [3] § 18 Abs. 3 und § 19 gelten entsprechend.

(4) [1] Gewählt ist der Bewerber, der die meisten Stimmen erhalten hat. [2] Bei Stimmengleichheit entscheidet das Los. [3] § 21 gilt entsprechend.

(5) [1] Das Ersatzmitglied ist in einem getrennten Wahlgang zu wählen (§ 6 Abs. 3 Satz 2 des Gesetzes[2)]). [2] Auf die Wahl finden die Absätze 1 bis 4 Anwendung.

(6) [1] Wahlvorschläge müssen bei ihrer Einreichung für die Wahl nach Absatz 1 oder für die Wahl nach Absatz 5 gekennzeichnet sein. [2] Leitende Angestellte können sowohl einen Wahlvorschlag nach Absatz 1 als auch einen Wahlvorschlag nach Absatz 5 unterzeichnen. [3] Ein Bewerber kann sowohl für eine Wahl nach Absatz 1 als auch für eine Wahl nach Absatz 5 vorgeschlagen werden.

[1)] § 19 geänd. mWv 28.1.2022 durch VO v. 20.1.2022 (BGBl. I S. 69).
[2)] Nr. **571**.

(7) [1] Die Bewerber für die Wahl nach Absatz 1 sind getrennt von den Bewerbern für die Wahl nach Absatz 5 auf demselben Stimmzettel aufzuführen. [2] Der Wähler darf bei der Wahl nach Absatz 1 und Absatz 5 seine Stimme nicht demselben Wahlbewerber geben; hierauf ist auf dem Stimmzettel hinzuweisen. [3] Gibt der Wähler bei der Wahl nach Absatz 1 und Absatz 5 seine Stimme demselben Bewerber, ist nur die für die Wahl nach Absatz 1 abgegebene Stimme gültig.

(8) Das Wahlausschreiben muß unbeschadet der Vorschrift des § 3 auch die Angabe enthalten, daß

1. das Ersatzmitglied in einem getrennten Wahlgang gewählt wird,
2. Wahlvorschläge bei ihrer Einreichung für die Wahl nach Absatz 1 oder für die Wahl nach Absatz 5 zu kennzeichnen sind,
3. Wahlberechtigte sowohl einen Wahlvorschlag nach Absatz 1 als auch einen Wahlvorschlag nach Absatz 5 unterzeichnen können,
4. ein Bewerber sowohl für die Wahl nach Absatz 1 als auch für die Wahl nach Absatz 5 vorgeschlagen werden kann,
5. der Wähler bei der Wahl nach Absatz 1 und Absatz 5 seine Stimme nicht demselben Wahlbewerber geben darf.

Vierter Abschnitt. Schriftliche Stimmabgabe

§ 23[1)] Voraussetzungen. (1) [1] Einem leitenden Angestellten, der im Zeitpunkt der Stimmabgabe verhindert ist, seine Stimme persönlich abzugeben, hat der Wahlvorstand auf sein Verlangen

1. das Wahlausschreiben,
2. die Vorschlagslisten,
3. den Stimmzettel und den Wahlumschlag,
4. eine vorgedruckte, vom Wähler abzugebende Erklärung, in der dieser gegenüber dem Wahlvorstand versichert, daß er den Stimmzettel persönlich gekennzeichnet hat, sowie
5. einen größeren Freiumschlag, der die Anschrift des Wahlvorstands und als Absender den Namen und die Anschrift des leitenden Angestellten sowie den Vermerk „Schriftliche Stimmabgabe" trägt,

auszuhändigen oder zu übersenden. [2] Die Wahlumschläge müssen sämtlich die gleiche Größe, Farbe, Beschaffenheit und Beschriftung haben. [3] Der Wahlvorstand soll dem Wähler ferner ein Merkblatt über die Art und Weise der schriftlichen Stimmabgabe (§ 24) aushändigen oder übersenden. [4] Der Wahlvorstand hat die Aushändigung oder die Übersendung der Unterlagen in der Wählerliste zu vermerken.

(2) [1] Wahlberechtigte, von denen dem Wahlvorstand bekannt ist, dass sie

1. im Zeitpunkt der Wahl nach der Eigenart ihres Beschäftigungsverhältnisses, insbesondere im Außendienst oder mit Telearbeit Beschäftigte, oder
2. vom Erlass des Wahlausschreibens bis zum Zeitpunkt der Wahl aus anderen Gründen, insbesondere bei Ruhen des Arbeitsverhältnisses oder Arbeitsunfähigkeit,

---

[1)] § 23 Abs. 1 Satz 2 eingef., bish. Sätze 2 und 3 werden Sätze 3 und 4, Abs. 2 eingef., bish. Abs. 2 wird Abs. 3 mWv 28.1.2022 durch VO v. 20.1.2022 (BGBl. I S. 69).

voraussichtlich nicht im Betrieb anwesend sein werden, erhalten die in Absatz 1 bezeichneten Unterlagen, ohne dass es eines Verlangens der Wahlberechtigten bedarf. [3]Der Arbeitgeber hat dem Wahlvorstand die dazu erforderlichen Informationen zur Verfügung zu stellen.

(3) [1]Für Betriebsteile und Betriebe im Sinne des § 1 Abs. 2 des Gesetzes[1)] kann der Wahlvorstand die schriftliche Stimmabgabe beschließen. [2]Der Wahlvorstand hat den leitenden Angestellten die in Absatz 1 bezeichneten Unterlagen auszuhändigen oder zu übersenden.

§ 24[2)] Stimmabgabe. [1]Der Wähler gibt seine Stimme in der Weise ab, daß er

1. den Stimmzettel unbeobachtet persönlich kennzeichnet und so faltet und in dem Wahlumschlag verschließt, dass die Stimmabgabe erst nach Auseinanderfalten des Stimmzettels erkennbar ist,
2. die vorgedruckte Erklärung unter Angabe des Orts und des Datums unterschreibt und
3. den Wahlumschlag und die unterschriebene vorgedruckte Erklärung in dem Freiumschlag verschließt und diesen so rechtzeitig an den Wahlvorstand absendet oder übergibt, daß er vor Abschluß der Stimmabgabe vorliegt.

[2]Der Wähler kann unter den Voraussetzungen des § 11 Absatz 4 die in den Nummern 1 bis 3 bezeichneten Tätigkeiten durch eine Person des Vertrauens verrichten lassen.

§ 25[3)] Verfahren bei der Stimmabgabe. (1) [1]Zu Beginn der öffentlichen Sitzung zur Stimmauszählung nach § 12 öffnet der Wahlvorstand die bis zum Ende der Stimmabgabe (§ 3 Absatz 2 Nummer 9) eingegangenen Freiumschläge und entnimmt ihnen die Wahlumschläge sowie die vorgedruckten Erklärungen. [2]Ist die schriftliche Stimmabgabe ordnungsgemäß erfolgt (§ 24), so vermerkt der Wahlvorstand die Stimmabgabe in der Wählerliste, öffnet die Wahlumschläge und legt die Stimmzettel in die Wahlurne. [3]Befinden sich in einem Wahlumschlag mehrere gekennzeichnete Stimmzettel, werden sie in dem Wahlumschlag in die Wahlurne gelegt.

(2) [1]Verspätet eingehende Freiumschläge hat der Wahlvorstand mit einem Vermerk über den Zeitpunkt des Eingangs ungeöffnet zu den Wahlunterlagen zu nehmen. [2]Die Freiumschläge sind einen Monat nach Bekanntgabe des Wahlergebnisses ungeöffnet zu vernichten, wenn die Wahl nicht angefochten worden ist.

Fünfter Abschnitt. Abstimmung über die Wahl eines Sprecherausschusses

Erster Unterabschnitt. Vorbereitung der Abstimmung

§ 26[4)] Art der Abstimmung. (1) [1]Ist der Wahlvorstand nach § 7 Abs. 2 des Gesetzes[1)] gewählt, hat er unverzüglich eine geheime Abstimmung darüber herbeizuführen, ob ein Sprecherausschuß gewählt werden soll. [2]Der Wahlvor-

---

[1)] Nr. **571**.

[2)] § 24 Satz 1 Nr. 1 neu gef., Satz 2 angef. mWv 28.1.2022 durch VO v. 20.1.2022 (BGBl. I S. 69).

[3)] § 25 Abs. 1 neu gef. mWv 28.1.2022 durch VO v. 20.1.2022 (BGBl. I S. 69).

[4)] § 26 Abs. 2 Satz 4 geänd. mWv 28.1.2022 durch VO v. 20.1.2022 (BGBl. I S. 69).

stand beschließt, ob die Abstimmung in einer Versammlung oder durch schriftliche Stimmabgabe erfolgt. [3] Die Abstimmung muß spätestens drei Wochen vor dem Tag liegen, an dem die Wahl des Sprecherausschusses eingeleitet wird (§ 3 Abs. 1).

(2) [1] Der Wahlvorstand hat eine Liste der nach § 7 Abs. 3 des Gesetzes Abstimmungsberechtigten (Abstimmungsliste) aufzustellen. [2] § 2 Abs. 1 Satz 2 sowie Abs. 2 und 4 gilt entsprechend. [3] Abstimmungsberechtigt sind nur leitende Angestellte, die in die Abstimmungsliste eingetragen sind. [4] Die Abstimmungsliste kann bei Schreibfehlern oder offenbaren Unrichtigkeiten bis zum Abschluss der Stimmabgabe berichtigt oder ergänzt werden.

Zweiter Unterabschnitt. Abstimmung einer Versammlung

§ 27[1)] Einladung und Abstimmungsausschreiben. (1) [1] Hat der Wahlvorstand beschlossen, daß die Abstimmung in einer Versammlung erfolgen soll, hat er unverzüglich den Zeitpunkt für die Versammlung festzusetzen. [2] Spätestens vier Wochen vor dem Tag der Versammlung hat er hierzu einzuladen und ein Abstimmungsausschreiben zu erlassen. [3] Das Abstimmungsausschreiben ist vom Vorsitzenden und von mindestens einem weiteren Mitglied des Wahlvorstands zu unterschreiben.

(2) Das Abstimmungsausschreiben muß folgende Angaben enthalten:

1. das Datum seines Erlasses;
2. die Bestimmung des Orts, an dem die Abstimmungsliste und diese Verordnung ausliegen;
3. daß durch die Abstimmung geklärt wird, ob ein Sprecherausschuß gewählt werden soll;
4. daß an der Abstimmung nur Angestellte teilnehmen können, die in die Abstimmungsliste eingetragen sind;
5. daß ein Sprecherausschuß nur dann gewählt wird, wenn dies die Mehrheit der Abstimmungsberechtigten verlangt;
6. Ort, Tag und Zeit der Versammlung;
7. den Hinweis auf die Möglichkeit der schriftlichen Stimmabgabe.

(3) Das Abstimmungsausschreiben ist bis zum Tag der Versammlung in gleicher Weise wie das Wahlausschreiben (§ 3 Abs. 4) bekanntzumachen mit der Maßgabe, dass die Übermittlung nach § 3 Absatz 4 Satz 4 an die in § 30 Absatz 2 genannten Personen zu erfolgen hat.

§ 28[2)] Stimmabgabe. (1) [1] Die Abstimmung erfolgt durch Abgabe von Abstimmungszetteln, die so gefaltet sind, dass die Stimmabgabe erst nach Auseinanderfalten der Abstimmungszettel erkennbar ist. [2] Die Abstimmungszettel dürfen nur die Frage an den Abstimmungsberechtigten enthalten, ob er für oder gegen die Wahl eines Sprecherausschusses stimmt. [3] Der Abstimmende gibt seine Stimme in der Weise ab, daß er auf dem Abstimmungszettel das vorgedruckte „Ja“ oder „Nein“ ankreuzt. [4] Die Abstimmungszettel müssen dieselbe Größe, Farbe, Beschaffenheit und Beschriftung haben.

(2) Abstimmungszettel, die mit einem besonderen Merkmal versehen sind oder aus denen sich der Wille des Abstimmenden nicht unzweifelhaft ergibt

---

[1)] § 27 Abs. 3 geänd. mWv 28.1.2022 durch VO v. 20.1.2022 (BGBl. I S. 69).
[2)] § 28 Abs. 1 Satz 1 geänd., Satz 5 aufgeh. mWv 28.1.2022 durch VO v. 20.1.2022 (BGBl. I S. 69).

oder die andere als die in Absatz 1 genannten Angaben, einen Zusatz oder sonstige Änderungen enthalten, sind ungültig.

§ 29[1)] **Abstimmungsvorgang.** [1]Der Wahlvorstand hat geeignete Vorkehrungen zu treffen, daß der Abstimmende den Abstimmungszettel im Versammlungsraum unbeobachtet kennzeichnen und falten kann. [2]§ 11 Absatz 1 Satz 2 bis 4 sowie Absatz 2 bis 5 gilt entsprechend.

§ 30[2)] **Schriftliche Stimmabgabe bei Verhinderung.** (1) [1]Einem Abstimmungsberechtigten, der im Zeitpunkt der Versammlung verhindert ist, seine Stimme persönlich abzugeben, hat der Wahlvorstand auf sein Verlangen

1. das Abstimmungsausschreiben,
2. den Abstimmungszettel und den Abstimmungsumschlag,
3. eine vorgedruckte, vom Abstimmenden abzugebende Erklärung, in der dieser gegenüber dem Wahlvorstand versichert, daß er den Abstimmungszettel persönlich gekennzeichnet hat, sowie
4. einen größeren Freiumschlag, der die Anschrift des Wahlvorstands und als Absender den Namen und die Anschrift des Abstimmmungsberechtigten sowie den Vermerk „Schriftliche Stimmabgabe" trägt,

auszuhändigen oder zu übersenden. [2]Die Abstimmungsumschläge müssen die gleiche Größe, Farbe, Beschaffenheit und Beschriftung haben. [3]Der Wahlvorstand soll dem Abstimmungsberechtigten ferner ein Merkblatt über die Art und Weise der schriftlichen Stimmabgabe (Absatz 3) aushändigen oder übersenden. [4]Der Wahlvorstand hat die Aushändigung oder die Übersendung der Unterlagen in der Abstimmungsliste zu vermerken.

(2) [1]Abstimmungsberechtigte, von denen dem Wahlvorstand bekannt ist, dass sie

1. im Zeitpunkt der Versammlung nach der Eigenart ihres Beschäftigungsverhältnisses, insbesondere im Außendienst oder mit Telearbeit Beschäftigte, oder
2. vom Erlass des Abstimmungsausschreibens bis zum Zeitpunkt der Versammlung aus anderen Gründen, insbesondere bei Ruhen des Arbeitsverhältnisses oder Arbeitsunfähigkeit,

voraussichtlich nicht im Betrieb anwesend sein werden, erhalten die in Absatz 1 bezeichneten Unterlagen, ohne dass es eines Verlangens der Abstimmungsberechtigten bedarf. [2]Der Arbeitgeber hat dem Wahlvorstand die dazu erforderlichen Informationen zur Verfügung zu stellen.

(3) Der Abstimmende gibt seine Stimme in der Weise ab, daß er

1. den Abstimmungszettel unbeobachtet persönlich kennzeichnet und so faltet und in dem Abstimmungsumschlag verschließt, dass die Stimmabgabe erst nach Auseinanderfalten des Abstimmungszettels erkennbar ist,
2. die vorgedruckte Erklärung unter Angabe des Orts und des Datums unterschreibt und

---

[1)] § 29 Satz 1 geänd., Satz 2 neu gef. mWv 28.1.2022 durch VO v. 20.1.2022 (BGBl. I S. 69).

[2)] § 30 Abs. 1 Satz 2 eingef., bish. Sätze 2 und 3 werden Sätze 3 und 4 und neuer Satz 3 geänd., Abs. 2 eingef., bish. Abs. 2 wird Abs. 3 und Nr. 1 geänd., bish. Abs. 3 wird Abs. 4 und Satz 1 geänd., Satz 2 neu gef., Satz 3 angef., bish. Abs. 4 wird Abs. 5 mWv 28.1.2022 durch VO v. 20.1.2022 (BGBl. I S. 69).

3. den Abstimmungsumschlag und die unterschriebene vorgedruckte Erklärung in dem Freiumschlag verschließt und diesen so rechtzeitig an den Wahlvorstand absendet oder übergibt, daß er vor Abschluß der Abstimmung vorliegt.

(4) [1] Unmittelbar nach Abschluss der Abstimmung öffnet der Wahlvorstand in öffentlicher Sitzung die bis zu diesem Zeitpunkt eingegangenen Freiumschläge und entnimmt ihnen die Abstimmungsumschläge sowie die vorgedruckten Erklärungen. [2] Ist die schriftliche Stimmabgabe ordnungsgemäß erfolgt (Absatz 3), so vermerkt der Wahlvorstand die Stimmabgabe in der Abstimmungsliste, öffnet die Abstimmungsumschläge und legt die Abstimmungszettel in die Wahlurne. [3] Befinden sich in einem Abstimmungsumschlag mehrere gekennzeichnete Abstimmungszettel, werden sie in dem Abstimmungsumschlag in die Wahlurne gelegt.

(5) [1] Verspätet eingehende Freiumschläge hat der Wahlvorstand mit einem Vermerk über den Zeitpunkt des Eingangs ungeöffnet zu den Wahlunterlagen zu nehmen. [2] Die Freiumschläge sind einen Monat nach Bekanntgabe des Ergebnisses der Wahl des Sprecherausschusses ungeöffnet zu vernichten, wenn die Wahl nicht angefochten worden ist.

§ 31[1)] Öffentliche Stimmauszählung. (1) [1] Unverzüglich nach Abschluß der Abstimmung nimmt der Wahlvorstand öffentlich die Auszählung der Stimmen vor. [2] Sofern eine schriftliche Stimmabgabe erfolgt ist, führt der Wahlvorstand vor Beginn der Stimmauszählung das Verfahren nach § 30 Absatz 4 durch.

(2) [1] Nach Öffnung der Wahlurnen entnimmt der Wahlvorstand die Abstimmungszettel und stellt fest, wieviele Stimmen für die Wahl eines Sprecherausschusses abgegeben worden sind. [2] Dabei ist die Gültigkeit der Abstimmungszettel zu prüfen; § 12 Abs. 3 gilt entsprechend.

§ 32[2)] Bekanntmachung des Abstimmungsergebnisses. (1) Der Wahlvorstand hat die Zahl der Abstimmungsberechtigten und die Zahl der für die Wahl eines Sprecherausschusses abgegebenen Stimmen in einer Niederschrift festzuhalten; § 14 Abs. 2 gilt entsprechend.

(2) [1] Der Wahlvorstand gibt unverzüglich das Abstimmungsergebnis durch zweiwöchigen Aushang in gleicher Weise wie das Wahlausschreiben nach § 3 Absatz 4 Satz 1 bis 3 bekannt. [2] Ein Abdruck der Abstimmungsniederschrift (Absatz 1) ist dem Arbeitgeber unverzüglich zu übersenden.

(3) Ist ein Sprecherausschuß nicht zu wählen, endet das Amt des Wahlvorstands mit der Bekanntgabe des Abstimmungsergebnisses.

Dritter Unterabschnitt. Schriftliche Abstimmung

§ 33[3)] Verfahren bei schriftlicher Abstimmung. (1) [1] Hat der Wahlvorstand schriftliche Stimmabgabe beschlossen, hat er unverzüglich den Zeitpunkt festzusetzen, bis zu dem die Freiumschläge bei ihm eingegangen sein müssen. [2] Spätestens vier Wochen vor diesem Zeitpunkt hat er ein Abstimmungsaus-

---

[1)] § 31 Abs. 1 Satz 2 angef., Abs. 2 Satz 1 geänd. mWv 28.1.2022 durch VO v. 20.1.2022 (BGBl. I S. 69).

[2)] § 32 Abs. 2 Satz 1 geänd. mWv 28.1.2022 durch VO v. 20.1.2022 (BGBl. I S. 69).

[3)] § 33 Abs. 2 Satz 2 geänd., Abs. 4 Satz 1 neu gef., Satz 2 geänd., Abs. 5 Sätze 2 und 3 neu gef. mWv 28.1.2022 durch VO v. 20.1.2022 (BGBl. I S. 69).

schreiben zu erlassen, das vom Vorsitzenden und von mindestens einem weiteren Mitglied des Wahlvorstands zu unterschreiben ist.

(2) [1]Das Abstimmungsausschreiben muß neben den in § 27 Abs. 2 Nr. 1 bis 5 genannten Angaben die weitere Angabe enthalten, daß die Abstimmung durch schriftliche Stimmabgabe erfolgt und die Freiumschläge bis zu dem vom Wahlvorstand hierfür gesetzten Zeitpunkt bei ihm eingegangen sein müssen. [2]Das Abstimmungsausschreiben ist bis zu diesem Zeitpunkt in gleicher Weise wie das Abstimmungsausschreiben nach § 27 Absatz 3 bekanntzumachen.

(3) [1]Der Wahlvorstand hat den Abstimmungsberechtigten die in § 30 Abs. 1 genannten Unterlagen auszuhändigen oder zu übersenden. [2]Er soll den Abstimmungsberechtigten ferner ein Merkblatt über die Art und Weise der schriftlichen Stimmabgabe (Absatz 4 Satz 2) aushändigen oder übersenden. [3]Er hat die Aushändigung oder Übersendung der Unterlagen in der Abstimmungsliste zu vermerken.

(4) [1]Für die schriftliche Stimmabgabe gelten § 28 Absatz 1 Satz 2 bis 4 und Absatz 2 sowie § 11 Absatz 4 entsprechend. [2] § 30 Absatz 3 gilt entsprechend mit der Maßgabe, daß der Freiumschlag vor Ablauf der vom Wahlvorstand gesetzten Frist (Absatz 1 Satz 1) vorliegen muß.

(5) [1]Unmittelbar nach Ablauf der Frist (Absatz 1 Satz 1) öffnet der Wahlvorstand in öffentlicher Sitzung die bis zu diesem Zeitpunkt eingegangenen Freiumschläge und entnimmt ihnen die Abstimmungsumschläge sowie die vorgedruckten Erklärungen. [2]Ist die schriftliche Stimmabgabe ordnungsgemäß erfolgt (Absatz 4 Satz 2), so vermerkt der Wahlvorstand die Stimmabgabe in der Abstimmungsliste, öffnet die Abstimmungsumschläge und legt die Abstimmungszettel in die Wahlurne. [3]§ 11 Absatz 1 Satz 3 und 4 sowie Absatz 5, § 30 Absatz 5, § 31 Absatz 1 Satz 1 und § 32 gelten entsprechend.

Zweiter Teil. Besondere Vorschriften für den Unternehmenssprecherausschuß

§ 34[1)] Wahl des Unternehmenssprecherausschusses. Für die Wahl des Unternehmenssprecherausschusses sind die §§ 1 bis 25 mit der Maßgabe anzuwenden, daß

1. ein Abdruck der Wählerliste und ein Abdruck dieser Verordnung an geeigneter Stelle in jedem Betrieb des Unternehmens zur Einsichtnahme auszulegen ist (§ 2 Abs. 4 Satz 1),
2. Mitteilungen, die vom Unternehmenswahlvorstand bekanntzumachen sind, in jedem Betrieb des Unternehmens auszuhängen sind,
3. der Unternehmenswahlvorstand leitende Angestellte als Wahlhelfer zu seiner Unterstützung auch bei der Bekanntmachung von Mitteilungen in den einzelnen Betrieben des Unternehmens heranziehen kann (§ 1 Abs. 2 Satz 2),
4. die Listenvertreter leitende Angestellte des Betriebs, in dem der Unternehmenswahlvorstand die Losentscheidung über die Reihenfolge der Ordnungsnummern der Vorschlagslisten (§ 9 Abs. 1) herbeizuführen hat, damit beauftragen können, an ihrer Stelle an der Losentscheidung teilzunehmen,

1) § 34 Nr. 5 geänd. mWv 28.1.2022 durch VO v. 20.1.2022 (BGBl. I S. 69).

5. der Unternehmenswahlvorstand auch für einzelne Betriebe des Unternehmens die schriftliche Stimmabgabe beschließen kann (§ 23 Absatz 3 Satz 1),
6. das Wahlausschreiben die Angabe enthalten muß, ob für einzelne Betriebe des Unternehmens die schriftliche Stimmabgabe beschlossen ist (§ 3 Abs. 2 Nr. 10).

§ 35 Voraussetzungen für die Wahl des Unternehmenswahlvorstands.

(1) [1]Die Einladung zu einer Versammlung zur Wahl eines Unternehmenswahlvorstands ist in gleicher Weise wie das Wahlausschreiben (§ 3 Abs. 4) in jedem Betrieb des Unternehmens spätestens vier Wochen vor dem Tag der Versammlung bekanntzumachen. [2]Die Einladung muß das Datum ihrer Bekanntmachung sowie die Namen der einladenden leitenden Angestellten und ihre Anschrift (Betriebsadresse) enthalten.

(2) [1]Ein Unternehmenswahlvorstand kann nicht gewählt werden, wenn in der Mehrzahl der Betriebe des Unternehmens jeweils die Mehrheit der leitenden Angestellten für die Wahl von Sprecherausschüssen gestimmt hat (§ 7 Abs. 2 Satz 4 des Gesetzes[1)], §§ 26 bis 33) und dies einem der leitenden Angestellten, die zur Wahl des Unternehmenswahlvorstands eingeladen haben, spätestens eine Woche vor dem Tag der Versammlung von den Betriebswahlvorständen unter Beifügung eines Abdrucks der Abstimmungsniederschrift (§ 32 Abs. 1) mitgeteilt wird. [2]Sind die Mitteilungen nach Satz 1 rechtzeitig erfolgt, haben die einladenden leitenden Angestellten unverzüglich in gleicher Weise wie das Wahlausschreiben (§ 3 Abs. 4) in jedem Betrieb des Unternehmens bekanntzumachen, daß die Versammlung zur Wahl des Unternehmenswahlvorstands nicht stattfindet.

(3) [1]Sind die Mitteilungen nach Absatz 2 Satz 1 nicht rechtzeitig erfolgt, kann die Wahl von Sprecherausschüssen nicht mehr durchgeführt werden. [2]Dies haben die leitenden Angestellten, die zur Wahl des Unternehmenswahlvorstands eingeladen haben,, unverzüglich in gleicher Weise wie das Wahlausschreiben (§ 3 Abs. 4) in jedem Betrieb des Unternehmens bekanntzumachen. [3]Satz 1 gilt nicht, wenn kein Unternehmenswahlvorstand gewählt wird oder die Mehrheit der leitenden Angestellten des Unternehmens nicht für die Wahl eines Unternehmenssprecherausschusses stimmt (§ 20 Abs. 1 des Gesetzes, § 36); für die Bekanntmachung gilt Satz 2 oder, falls ein Unternehmenswahlvorstand gewählt worden ist, § 32 Abs. 2 Satz 1 und § 34 Nr. 2 entsprechend.

§ 36 Abstimmung über die Wahl eines Unternehmenssprecherausschusses. [1]Ist der Wahlvorstand für die Wahl eines Unternehmenssprecherausschusses gewählt (§ 20 Abs. 1 Satz 2, § 7 Abs. 2 des Gesetzes[1)]), hat er unverzüglich eine geheime Abstimmung darüber herbeizuführen, ob ein Unternehmenssprecherausschuß gewählt werden soll. [2]§ 26 Abs. 1 Satz 2 und 3 und Abs. 2 sowie die §§ 27 bis 34 Nr. 1 bis 3 gelten entsprechend.

§ 37 Wechsel von Sprecherausschüssen zum Unternehmenssprecherausschuß. [1]Bestehen in einem Unternehmen Sprecherausschüsse und stellen ein Zwanzigstel der leitenden Angestellten, jedoch mindestens drei leitende Angestellte des Unternehmens bei dem Sprecherausschuß der Hauptverwaltung oder, sofern ein solcher nicht besteht, bei dem Sprecherausschuß des nach der

---

[1)] Nr. **571**.

Zahl der leitenden Angestellten größten Betriebs einen Antrag auf Wahl eines Unternehmenssprecherausschusses (§ 20 Abs. 2 des Gesetzes[1)]), hat der Sprecherausschuß unverzüglich eine geheime Abstimmung darüber herbeizuführen, ob ein Unternehmenssprecherausschuß gewählt werden soll. [2] Der Antrag muß spätestens ein Jahr vor Beginn des für die regelmäßigen Wahlen festgelegten Zeitraums (§ 5 Abs. 1 Satz 1 des Gesetzes) bei dem Sprecherausschuß eingehen. [3] § 26 Abs. 1 Satz 2 und Abs. 2, die §§ 27 bis 32 Abs. 1 und 2 sowie die §§ 33 und 34 Nr. 1 bis 3 gelten entsprechend.

§ 38 Wechsel vom Unternehmenssprecherausschuß zu Sprecherausschüssen. [1] Besteht ein Unternehmenssprecherausschuß und stellen ein Zwanzigstel der leitenden Angestellten, jedoch mindestens drei leitende Angestellte des Unternehmens einen Antrag auf Wahl von Sprecherausschüssen (§ 20 Abs. 3 des Gesetzes[1)]), hat der Unternehmenssprecherausschuß unverzüglich eine geheime Abstimmung darüber herbeizuführen, ob Sprecherausschüsse gewählt werden sollen. [2] Der Antrag muß spätestens ein Jahr vor Beginn des für die regelmäßigen Wahlen festgelegten Zeitraums (§ 5 Abs. 1 Satz 1 des Gesetzes) bei dem Unternehmenssprecherausschuß eingehen. [3] § 26 Abs. 1 Satz 2 und Abs. 2, die §§ 27 bis 32 Abs. 1 und 2 sowie die §§ 33 und 34 Nr. 1 bis 3 gelten entsprechend.

Dritter Teil. Besondere Vorschriften für die Seeschiffahrt

§ 39 Teilnahme der Kapitäne an der Wahl. Werden in Landbetrieben von Seeschiffahrtsunternehmen Sprecherausschüsse gewählt, finden die §§ 1 bis 38 mit folgender Maßgabe Anwendung:

1. Der Arbeitgeber hat dem Wahlvorstand die Häfen, die die einzelnen zum Seeschiffahrtsunternehmen gehörenden Schiffe anlaufen, sowie die voraussichtlichen jeweiligen Liegezeiten anzugeben (§ 2 Abs. 2).
2. Der Wahlvorstand übersendet jedem Kapitän einen Abdruck der Wählerliste und einen Abdruck dieser Verordnung (§ 2 Abs. 4).
3. Mitteilungen, die im Landbetrieb bekanntzumachen sind, übersendet der Wahlvorstand jedem Kapitän. Die Versendung hat gleichzeitig mit der Bekanntgabe zu erfolgen; mit der Versendung beginnen die Fristen zu laufen.
4. Die in § 3 Abs. 1 Satz 1 genannte Frist für den Erlaß des Wahlausschreibens wird auf zwölf Wochen verlängert.
5. Das Wahlausschreiben muß die Angabe enthalten, daß
   a) Einsprüche gegen die Wählerliste nur vor Ablauf von fünf Wochen seit dem Erlaß des Wahlausschreibens eingelegt werden können (§ 3 Abs. 2 Nr. 3);
   b) Wahlvorschläge vor Ablauf von fünf Wochen seit dem Erlaß des Wahlausschreibens beim Wahlvorstand einzureichen sind (§ 3 Abs. 2 Nr. 6);
   c) die Kapitäne in Briefwahl abstimmen (§ 3 Abs. 2 Nr. 10).
6. Die in § 4 Abs. 1 genannte Frist für Einsprüche gegen die Wählerliste wird auf fünf Wochen verlängert. § 4 Abs. 2 Satz 5 zweiter Halbsatz findet keine Anwendung.

---

1) Nr. **571**.

7. Die in § 5 Abs. 1 Satz 2 genannte Frist für die Einreichung von Vorschlagslisten wird auf fünf Wochen verlängert.
8. Die in § 9 Abs. 2 genannte Frist für die Bekanntmachung der Vorschlagslisten wird auf fünf Wochen verlängert.
9. Die Kapitäne stimmen in Briefwahl ab. § 23 Abs. 1 sowie die §§ 24 und 25 gelten entsprechend. Gleichzeitig mit der Versendung der Vorschlagslisten übersendet der Wahlvorstand jedem Kapitän die zur schriftlichen Stimmabgabe erforderlichen Unterlagen.
10. Die Abstimmungen nach den §§ 26, 36,37 und 38 erfolgen durch schriftliche Stimmabgabe. § 33 gilt entsprechend.

Vierter Teil. Übergangs- und Schlußvorschriften

§ 40[1] **Berechnung der Fristen.** (1) Für die Berechnung der in dieser Verordnung festgelegten Fristen finden die §§ 186 bis 193 des Bürgerlichen Gesetzbuchs[2] entsprechende Anwendung.

(2) [1] Mit der Bestimmung des letzten Tages einer Frist nach Absatz 1 kann der Wahlvorstand eine Uhrzeit festlegen, bis zu der ihm Erklärungen nach § 4 Absatz 1, § 5 Absatz 1 und 7 Satz 2, § 7 Absatz 2 sowie § 8 Absatz 1 Satz 1 zugehen müssen. [2] Diese Uhrzeit darf nicht vor dem Ende der Arbeitszeit der Mehrheit der Wähler an diesem Tag liegen.

§ 41[3] *(aufgehoben)*

§ 42 Inkrafttreten. Diese Verordnung tritt am Tage nach der Verkündung[4] in Kraft.

---

[1] § 40 Abs. 2 angef. mWv 28.1.2022 durch VO v. 20.1.2022 (BGBl. I S. 69).
[2] Nr. **50**.
[3] § 41 aufgeh. mWv 28.1.2022 durch VO v. 20.1.2022 (BGBl. I S. 69).
[4] Verkündet am 5.10.1989.

572. Bundespersonalvertretungsgesetz (BPersVG)[1)]

Vom 9. Juni 2021

(BGBl. I S. 1614)

FNA 2035-5

zuletzt geänd. durch Art. 13 G zur Stärkung der Militärischen Sicherheit in der Bundeswehr v. 9.1. 2026 (BGBl. 2026 I Nr. 7)

Inhaltsübersicht

Teil 1. Personalvertretungen im Bundesdienst

Kapitel 1. Allgemeine Vorschriften

[1)] Verkündet als Art. 1 G v. 9.6.2021 (BGBl. I S. 1614); Inkrafttreten gem. Art. 25 dieses G am 15.6.2021.

Amtl. Anm. zum Mantelgesetz: Artikel 1 dieses Gesetzes dient der Umsetzung der Richtlinie 2002/14/EG des Europäischen Parlaments und des Rates vom 11. März 2002 zur Festlegung eines allgemeinen Rahmens für die Unterrichtung und Anhörung der Arbeitnehmer in der Europäischen Gemeinschaft (ABl. L 80 vom 23.3.2002, S. 29).

Artikel 1 dieses Gesetzes dient der Umsetzung der Richtlinie 2001/23/EG des Rates vom 12. März 2001 zur Angleichung der Rechtsvorschriften der Mitgliedstaaten über die Wahrung von Ansprüchen der Arbeitnehmer beim Übergang von Unternehmen, Betrieben oder Unternehmens- oder Betriebsteilen (ABl. L 82 vom 22.3.2001, S. 16).

Artikel 1 dieses Gesetzes dient der Umsetzung der Richtlinie 2000/43/EG des Rates vom 29. Juni 2000 zur Anwendung des Gleichbehandlungsgrundsatzes ohne Unterschied der Rasse oder der ethnischen Herkunft (ABl. L 180 vom 19.7.2000, S. 22) und der Richtlinie 2000/78/EG des Rates vom 27. November 2000 zur Festlegung eines allgemeinen Rahmens für die Verwirklichung der Gleichbehandlung in Beschäftigung und Beruf (ABl. L 303 vom 2.12.2000, S. 16).

Teil 1. Personalvertretungen im Bundesdienst

Kapitel 1. Allgemeine Vorschriften

§ 1 Anwendungsbereich. (1) [1]Dieser Teil gilt für die Verwaltungen des Bundes und die bundesunmittelbaren Körperschaften, Anstalten und Stiftungen des öffentlichen Rechts sowie die Gerichte des Bundes. [2]Zu den Verwaltungen im Sinne dieses Gesetzes gehören auch die Betriebsverwaltungen.

(2) Dieses Gesetz gilt nicht für Religionsgemeinschaften und ihre karitativen und erzieherischen Einrichtungen ohne Rücksicht auf ihre Rechtsform; ihnen bleibt die selbstständige Ordnung eines Personalvertretungsrechts überlassen.

§ 2 Grundsätze der Zusammenarbeit. (1) Dienststelle und Personalvertretung arbeiten unter Beachtung der Gesetze und Tarifverträge vertrauensvoll zum Wohl der Beschäftigten und zur Erfüllung der der Dienststelle obliegenden Aufgaben zusammen.

(2) [1]Dienststelle und Personalvertretung haben alles zu unterlassen, was geeignet ist, die Arbeit und den Frieden der Dienststelle zu beeinträchtigen. [2]Insbesondere dürfen sie keine Maßnahmen des Arbeitskampfes gegeneinander durchführen. [3]Die Zulässigkeit von Arbeitskämpfen tariffähiger Parteien wird hierdurch nicht berührt.

(3) Außenstehende Stellen dürfen erst angerufen werden, wenn eine Einigung in der Dienststelle nicht erzielt worden ist.

(4) [1]Dienststelle und Personalvertretung haben darüber zu wachen, dass alle Angehörigen der Dienststelle nach Recht und Billigkeit behandelt werden. [2]Dazu zählt insbesondere, dass jede Benachteiligung von Personen wegen ihrer ethnischen Herkunft, ihrer Abstammung oder sonstigen Herkunft, ihrer Nationalität, ihrer Religion oder Weltanschauung, ihrer Behinderung, ihres Alters, *ihrer politischen* oder gewerkschaftlichen Betätigung oder Einstellung oder wegen ihres Geschlechts oder ihrer sexuellen Identität unterbleibt. [3]Dabei müssen Dienststelle und Personalvertretung sich so verhalten, dass das Vertrauen

der Verwaltungsangehörigen in die Objektivität und Neutralität ihrer Amtsführung nicht beeinträchtigt wird.

(5) Die Leiterin oder der Leiter der Dienststelle und ihre oder seine Vertretung sowie die Personalvertretung und ihre Mitglieder haben jede parteipolitische Betätigung in der Dienststelle zu unterlassen; die Behandlung von Tarif-, Besoldungs- und Sozialangelegenheiten wird hierdurch nicht berührt.

§ 3 Ausschluss abweichender Regelungen. Durch Tarifvertrag oder Dienstvereinbarung kann das Personalvertretungsrecht nicht abweichend von diesem Gesetz geregelt werden.

§ 4 Begriffsbestimmungen. (1) Im Sinne dieses Gesetzes sind

1. Arbeitnehmerinnen und Arbeitnehmer die Beschäftigten, die nach dem für die Dienststelle maßgebenden Tarifvertrag oder nach der Dienstordnung Arbeitnehmerinnen und Arbeitnehmer sind, die als übertarifliche Arbeitnehmerinnen und Arbeitnehmer beschäftigt werden oder die sich in einer beruflichen Ausbildung befinden,
2. Arbeitstage die Wochentage Montag bis Freitag mit Ausnahme der gesetzlichen Feiertage,
3. Beamtinnen und Beamte die Beschäftigten, die nach den jeweils für sie geltenden Beamtengesetzen Beamtinnen und Beamte sind,
4. Behörden der Mittelstufe die der obersten Dienstbehörde im Sinne dieses Gesetzes unmittelbar nachgeordneten Behörden, denen andere Dienststellen nachgeordnet sind,
5. Beschäftigte im öffentlichen Dienst vorbehaltlich des Absatzes 2 die Beamtinnen und Beamten sowie die Arbeitnehmerinnen und Arbeitnehmer einschließlich der zu ihrer Berufsausbildung Beschäftigten sowie Richterinnen und Richter, die an eine der in § 1 Absatz 1 genannten Verwaltungen oder zur Wahrnehmung einer nichtrichterlichen Tätigkeit an ein Gericht des Bundes abgeordnet sind,
6. Dienststellen vorbehaltlich des § 6 die einzelnen Behörden, Verwaltungsstellen und Betriebe der in § 1 Absatz 1 genannten Verwaltungen sowie die Gerichte,
7. Personalvertretungen die Personalräte, die Stufenvertretungen und die Gesamtpersonalräte.

(2) Als Beschäftigte im Sinne dieses Gesetzes gelten nicht Personen,

1. deren Beschäftigung überwiegend durch Beweggründe karitativer oder religiöser Art bestimmt ist oder
2. die überwiegend zu ihrer Heilung, Wiedereingewöhnung oder Erziehung beschäftigt werden.

§ 5 Gruppen von Beschäftigten. [1]Die Beamtinnen und Beamten sowie die Arbeitnehmerinnen und Arbeitnehmer bilden je eine Gruppe. [2]Die in § 4 Absatz 1 Nummer 5 bezeichneten Richterinnen und Richter treten zur Gruppe der Beamtinnen und Beamten hinzu.

§ 6 Dienststellenaufbau, gemeinsame Dienststellen. (1) [1]Die einer Behörde der Mittelstufe unmittelbar nachgeordnete Behörde bildet mit den ihr nachgeordneten Stellen eine Dienststelle. [2]Dies gilt nicht, soweit die weiter nachgeordneten Stellen im Verwaltungsaufbau nach Aufgabenbereich und Organisation selbstständig sind.

(2) Bei gemeinsamen Dienststellen des Bundes und anderer Körperschaften gelten nur die im Bundesdienst Beschäftigten als zur Dienststelle gehörig.

§ 7 Verselbstständigung von Nebenstellen und Dienststellenteilen.

[1] Nebenstellen und Teile einer Dienststelle, die räumlich weit von dieser entfernt liegen, gelten als selbstständige Dienststellen, wenn die Mehrheit ihrer wahlberechtigten Beschäftigten dies in geheimer Abstimmung beschließt. [2] Der Beschluss ist für die folgende Wahl und die Amtszeit der aus ihr hervorgehenden Personalvertretung wirksam.

§ 8 Vertretung der Dienststelle. [1] Für die Dienststelle handelt ihre Leiterin oder ihr Leiter. [2] Sie oder er kann sich bei Verhinderung durch ihre oder seine ständige Vertreterin oder ihren oder seinen ständigen Vertreter vertreten lassen. [3] Bei obersten Dienstbehörden kann die Leiterin oder der Leiter der Dienststelle auch die Leiterin oder den Leiter der Abteilung für Personal- und Verwaltungsangelegenheiten, bei Bundesoberbehörden ohne nachgeordnete Dienststellen und bei Behörden der Mittelstufe auch die jeweils entsprechende Abteilungsleiterin oder den jeweils entsprechenden Abteilungsleiter zur Vertreterin oder zum Vertreter bestimmen. [4] Die Vertretung durch sonstige Beauftragte ist zulässig, sofern der Personalrat sich mit dieser Beauftragung einverstanden erklärt.

§ 9 Stellung der Gewerkschaften und Arbeitgebervereinigungen.

(1) Dienststelle und Personalvertretung arbeiten mit den in der Dienststelle vertretenen Gewerkschaften und Arbeitgebervereinigungen zum Wohl der Beschäftigten und zur Erfüllung der der Dienststelle obliegenden Aufgaben vertrauensvoll zusammen.

(2) Den Beauftragten der in der Dienststelle vertretenen Gewerkschaften ist zur Wahrnehmung der in diesem Gesetz genannten Aufgaben und Befugnisse nach Unterrichtung der Dienststelle Zugang zu der Dienststelle zu gewähren, soweit dem nicht zwingende dienstliche Gründe, zwingende Sicherheitsvorschriften oder der Schutz von Dienstgeheimnissen entgegenstehen.

(3) [1] Die Aufgaben der Gewerkschaften und der Vereinigungen der Arbeitgeber, insbesondere die Wahrnehmung der Interessen ihrer Mitglieder, werden durch dieses Gesetz nicht berührt. [2] Auf Verlangen einer Gewerkschaft oder einer Vereinigung der Arbeitgeber hat die Dienststelle in ihrem Intranet auf den Internetauftritt der Gewerkschaft oder der Arbeitgebervereinigung zu verlinken.

(4) Beschäftigte, die Aufgaben nach diesem Gesetz wahrnehmen, werden in der Betätigung für ihre Gewerkschaft auch in der Dienststelle nicht beschränkt.

(5) Die Personalvertretung hat sich für die Wahrung der Vereinigungsfreiheit der Beschäftigten einzusetzen.

§ 10 Behinderungs-, Benachteiligungs- und Begünstigungsverbot.

Personen, die Aufgaben oder Befugnisse nach diesem Gesetz wahrnehmen, dürfen dabei nicht behindert und deswegen nicht benachteiligt oder begünstigt werden; dies gilt auch in Bezug auf ihre berufliche Entwicklung.

§ 11 Schweigepflicht. (1) [1] Personen, die Aufgaben oder Befugnisse nach diesem Gesetz wahrnehmen oder wahrgenommen haben, haben über die ihnen dabei bekannt werdenden oder bekannt gewordenen Angelegenheiten und Tatsachen Stillschweigen zu bewahren. [2]Abgesehen von den Fällen des § 66 Absatz 2 Satz 1 und des § 125 gilt die Schweigepflicht nicht

1. für Mitglieder der Personalvertretung und der Jugend- und Auszubildendenvertretung gegenüber den übrigen Mitgliedern der Vertretung,
2. für die in Absatz 1 Satz 1 bezeichneten Personen gegenüber der zuständigen Personalvertretung,
3. gegenüber der vorgesetzten Dienststelle, der bei ihr gebildeten Stufenvertretung und gegenüber dem Gesamtpersonalrat sowie
4. für die Anrufung der Einigungsstelle.

(2) Die Schweigepflicht besteht nicht in Bezug auf Angelegenheiten oder Tatsachen, die offenkundig sind oder ihrer Bedeutung nach keiner Geheimhaltung bedürfen.

§ 12 Unfallfürsorge. Erleidet eine Beamtin oder ein Beamter anlässlich der Wahrnehmung von Rechten oder der Erfüllung von Pflichten nach diesem Gesetz einen Unfall, der im Sinne der beamtenrechtlichen Unfallfürsorgevorschriften ein Dienstunfall wäre, so sind diese Vorschriften entsprechend anzuwenden.

Kapitel 2. Personalrat

Abschnitt 1. Wahl und Zusammensetzung des Personalrats

§ 13 Bildung von Personalräten. (1) In Dienststellen, die in der Regel mindestens fünf Wahlberechtigte beschäftigen, von denen drei wählbar sind, werden Personalräte gebildet.

(2) Dienststellen, bei denen die Voraussetzungen des Absatzes 1 nicht gegeben sind, werden von der übergeordneten Dienststelle im Einvernehmen mit der Stufenvertretung einer benachbarten Dienststelle zugeordnet.

§ 14 Wahlberechtigung. (1) Wahlberechtigt sind Beschäftigte, die am Wahltag das 16. Lebensjahr vollendet haben, es sei denn, dass sie

1. infolge Richterspruchs das Recht, in öffentlichen Angelegenheiten zu wählen oder zu stimmen, nicht besitzen,
2. am Wahltag seit mehr als zwölf Monaten beurlaubt sind oder
3. Altersteilzeit im Blockmodell ausüben und sich am Wahltag in der Freistellung befinden.

(2) [1]Wer zu einer Dienststelle abgeordnet ist, wird dort wahlberechtigt, sobald die Abordnung länger als drei Monate gedauert hat; im gleichen Zeitpunkt verliert er das Wahlrecht in der bisherigen Dienststelle. [2]Das gilt nicht für Beschäftigte, die als Mitglieder einer Stufenvertretung oder des Gesamtpersonalrats freigestellt sind. [3]Satz 1 gilt ferner nicht, wenn feststeht, dass die oder der Beschäftigte binnen weiterer neun Monate zur bisherigen Dienststelle zurückkehren wird. [4]Hinsichtlich des Verlustes des Wahlrechts in der bisherigen Dienststelle gelten die Sätze 1 und 3 entsprechend in Fällen einer Zuweisung nach § 29 des Bundesbeamtengesetzes[1)], nach den tarifvertraglichen

---

[1)] **Sartorius Nr. 160.**

Bestimmungen oder auf Grund entsprechender arbeitsvertraglicher Vereinbarung.

(3) Beamtinnen und Beamte im Vorbereitungsdienst sowie Arbeitnehmerinnen und Arbeitnehmer in entsprechender Berufsausbildung sind nur bei ihrer Stammbehörde wahlberechtigt.

§ 15 Wählbarkeit. (1) [1] Wählbar sind die Wahlberechtigten, die am Wahltag

1. das 18. Lebensjahr vollendet haben und
2. seit sechs Monaten Beschäftigte im öffentlichen Dienst des Bundes sind.

[2] Besteht die Dienststelle weniger als ein Jahr, ist Satz 1 Nummer 2 nicht anzuwenden.

(2) Nicht wählbar sind

1. Beschäftigte, die infolge Richterspruchs nicht die Fähigkeit besitzen, Rechte aus öffentlichen Wahlen zu erlangen,
2. Beschäftigte, die am Wahltag noch länger als zwölf Monate beurlaubt sind,
3. für die Wahl in eine Stufenvertretung die in § 14 Absatz 3 genannten Personen oder
4. für die Wahl der Personalvertretung ihrer Dienststelle die in § 8 genannten Personen sowie Beschäftigte, die zu selbstständigen Entscheidungen in Personalangelegenheiten der Dienststelle befugt sind.

§ 16 Zahl der Personalratsmitglieder. (1) [1] Der Personalrat besteht in Dienststellen mit in der Regel

1. 5 bis 20 wahlberechtigten Beschäftigten aus einem Mitglied,
2. 21 Wahlberechtigten bis 50 Beschäftigten aus drei Mitgliedern,
3. 51 bis 150 Beschäftigten aus fünf Mitgliedern,
4. 151 bis 300 Beschäftigten aus sieben Mitgliedern,
5. 301 bis 600 Beschäftigten aus neun Mitgliedern,
6. 601 bis 1 000 Beschäftigten aus elf Mitgliedern.

[2] Die Zahl der Mitglieder erhöht sich in Dienststellen mit 1 001 bis 5 000 Beschäftigten um je zwei Mitglieder für je weitere angefangene 1 000 Beschäftigte und in Dienststellen mit mehr als 5 000 Beschäftigten um je zwei Mitglieder für je weitere angefangene 2 000 Beschäftigte.

(2) Die Höchstzahl der Mitglieder beträgt 31.

§ 17 Sitzverteilung auf die Gruppen. (1) [1] Sind in der Dienststelle Angehörige verschiedener Gruppen beschäftigt, so muss jede Gruppe entsprechend ihrer Stärke im Personalrat vertreten sein, wenn dieser aus mindestens drei Mitgliedern besteht. [2] Bei gleicher Stärke der Gruppen entscheidet das Los. [3] Macht eine Gruppe von ihrem Recht, im Personalrat vertreten zu sein, keinen Gebrauch, so verliert sie ihren Anspruch auf Vertretung.

(2) Der Wahlvorstand errechnet die Verteilung der Sitze auf die Gruppen nach den Grundsätzen der Verhältniswahl.

(3) Eine Gruppe erhält

1. bei weniger als 51 Gruppenangehörigen mindestens eine Vertreterin oder einen Vertreter,

2. bei 51 bis 200 Gruppenangehörigen mindestens zwei Vertreterinnen oder Vertreter,
3. bei 201 bis 600 Gruppenangehörigen mindestens drei Vertreterinnen oder Vertreter,
4. bei 601 bis 1 000 Gruppenangehörigen mindestens vier Vertreterinnen oder Vertreter,
5. bei 1 001 bis 3 000 Gruppenangehörigen mindestens fünf Vertreterinnen oder Vertreter,
6. bei mehr als 3 000 Gruppenangehörigen mindestens sechs Vertreterinnen oder Vertreter.

(4) [1] Die Zahl der Mitglieder eines Personalrats, der nach § 16 Absatz 1 Satz 1 Nummer 2 aus drei Mitgliedern besteht, erhöht sich auf vier Mitglieder, wenn eine Gruppe mindestens ebenso viele Beschäftigte zählt wie die beiden anderen Gruppen zusammen. [2] Das vierte Mitglied steht der stärksten Gruppe zu.

(5) [1] Eine Gruppe, der in der Regel nicht mehr als fünf Beschäftigte angehören, erhält nur dann eine Vertretung, wenn sie mindestens 5 Prozent der Beschäftigten der Dienststelle umfasst. [2] Erhält sie keine Vertretung und findet Gruppenwahl statt, so kann sich jede und jeder Angehörige dieser Gruppe durch Erklärung gegenüber dem Wahlvorstand einer anderen Gruppe anschließen.

(6) Die Verteilung der Mitglieder des Personalrats auf die Gruppen kann abweichend geordnet werden, wenn jede Gruppe dies vor der Neuwahl in getrennter geheimer Abstimmung beschließt.

(7) [1] Für jede Gruppe können auch Angehörige anderer Gruppen vorgeschlagen werden. [2] Die Gewählten gelten als Vertreterinnen oder Vertreter derjenigen Gruppe, für die sie vorgeschlagen worden sind. [3] Satz 2 gilt auch für Ersatzmitglieder.

§ 18 Berücksichtigung der Beschäftigungsarten und Geschlechter.

(1) Der Personalrat soll sich aus Vertreterinnen und Vertretern der verschiedenen Beschäftigungsarten zusammensetzen.

(2) Frauen und Männer sollen im Personalrat entsprechend dem Zahlenverhältnis in der Dienststelle vertreten sein.

§ 19 Wahlgrundsätze und Wahlverfahren. (1) Der Personalrat wird in geheimer und unmittelbarer Wahl gewählt.

(2) [1] Besteht der Personalrat aus mehr als einer Person, so wählen die Beamtinnen und Beamten sowie die Arbeitnehmerinnen und Arbeitnehmer ihre Vertreterinnen und Vertreter nach § 17 jeweils in getrennten Wahlgängen, es sei denn, dass die wahlberechtigten Angehörigen jeder Gruppe vor der Neuwahl in getrennten geheimen Abstimmungen die gemeinsame Wahl beschließen. [2] Der Beschluss bedarf der Mehrheit der Stimmen aller Wahlberechtigten jeder Gruppe.

(3) [1] Die Wahl wird nach den Grundsätzen der Verhältniswahl durchgeführt. [2] Wird nur ein Wahlvorschlag eingereicht, so findet Personenwahl statt. [3] In Dienststellen, deren Personalrat aus einer Person besteht, wird dieser mit Stimmenmehrheit gewählt. [4] Das Gleiche gilt für Gruppen, denen nur eine Vertreterin oder ein Vertreter im Personalrat zusteht.

§ 20 Wahlvorschläge. (1) [1]Zur Wahl des Personalrats können die wahlberechtigten Beschäftigten und die in der Dienststelle vertretenen Gewerkschaften Wahlvorschläge machen. [2]Jeder Wahlvorschlag der Beschäftigten muss von mindestens 5 Prozent der wahlberechtigten Gruppenangehörigen, jedoch mindestens von drei Wahlberechtigten unterzeichnet sein. [3]In jedem Fall genügt die Unterzeichnung durch 50 wahlberechtigte Gruppenangehörige. [4]Die nach § 15 Absatz 2 Nummer 4 nicht wählbaren Beschäftigten dürfen keine Wahlvorschläge machen oder unterzeichnen.

(2) Ist gemeinsame Wahl beschlossen worden, so muss jeder Wahlvorschlag der Beschäftigten von mindestens 5 Prozent der wahlberechtigten Beschäftigten unterzeichnet sein; Absatz 1 Satz 2 bis 4 gilt entsprechend.

(3) [1]Werden bei gemeinsamer Wahl für eine Gruppe gruppenfremde Bewerberinnen oder Bewerber vorgeschlagen, muss der Wahlvorschlag von mindestens 10 Prozent der wahlberechtigten Angehörigen der Gruppe unterzeichnet sein, für die sie vorgeschlagen sind. [2]Absatz 1 Satz 3 und 4 gilt entsprechend.

(4) Eine Person kann nur auf einem Wahlvorschlag benannt werden.

(5) [1]Jeder Wahlvorschlag einer Gewerkschaft muss von zwei Beauftragten unterzeichnet sein; die Beauftragten müssen Beschäftigte der Dienststelle sein und einer in der Dienststelle vertretenen Gewerkschaft angehören. [2]Bei Zweifeln an der Beauftragung kann der Wahlvorstand verlangen, dass die Gewerkschaft die Beauftragung bestätigt.

§ 21 Bestellung des Wahlvorstands durch den Personalrat. [1]Spätestens acht Wochen vor Ablauf der Amtszeit bestellt der Personalrat drei Wahlberechtigte, die das 18. Lebensjahr vollendet haben, als Wahlvorstand und eine oder einen von ihnen als Vorsitzende oder Vorsitzenden. [2]Der Personalrat kann die Zahl der Wahlvorstandsmitglieder erhöhen, wenn dies zur ordnungsgemäßen Durchführung der Wahl erforderlich ist. [3]Der Wahlvorstand muss aus einer ungeraden Zahl von Mitgliedern bestehen. [4]Sind in der Dienststelle Angehörige verschiedener Gruppen beschäftigt, so muss jede Gruppe im Wahlvorstand vertreten sein. [5]Hat die Dienststelle weibliche und männliche Beschäftigte, sollen dem Wahlvorstand Frauen und Männer angehören. [6]Für jedes Mitglied des Wahlvorstands sollen für den Fall seiner Verhinderung bis zu drei Ersatzmitglieder bestellt werden. [7]Jeweils eine Beauftragte oder ein Beauftragter der in der Dienststelle vertretenen Gewerkschaften ist berechtigt, an den Sitzungen des Wahlvorstands mit beratender Stimme teilzunehmen.

§ 22 Wahl des Wahlvorstands durch die Personalversammlung.

(1) [1]Besteht sechs Wochen vor Ablauf der Amtszeit des Personalrats kein Wahlvorstand, so beruft die Leiterin oder der Leiter der Dienststelle auf Antrag von mindestens drei Wahlberechtigten oder einer in der Dienststelle vertretenen Gewerkschaft eine Personalversammlung zur Wahl des Wahlvorstands ein. [2]§ 21 gilt entsprechend. [3]Die Personalversammlung wählt eine Versammlungsleiterin oder einen Versammlungsleiter.

(2) [1]Besteht in einer Dienststelle, die die Voraussetzungen des § 13 erfüllt, *kein* Personalrat, so beruft die Leiterin oder der Leiter der Dienststelle eine Personalversammlung zur Wahl des Wahlvorstands ein. [2]Absatz 1 Satz 3 gilt entsprechend.

§ 23 Bestellung des Wahlvorstands durch die Leiterin oder den Leiter der Dienststelle. Findet eine Personalversammlung nach § 22 nicht statt oder wählt die Personalversammlung keinen Wahlvorstand, so bestellt ihn die Leiterin oder der Leiter der Dienststelle auf Antrag von mindestens drei Wahlberechtigten oder einer in der Dienststelle vertretenen Gewerkschaft.

§ 24 Aufgaben des Wahlvorstands. (1) [1] Der Wahlvorstand hat die Wahl unverzüglich nach seiner Bestellung einzuleiten; die Wahl soll spätestens zwei Wochen vor dem Ende der Amtszeit des Personalrats stattfinden. [2] Kommt der Wahlvorstand dieser Verpflichtung nicht nach, so beruft die Leiterin oder der Leiter der Dienststelle auf Antrag von mindestens drei Wahlberechtigten oder einer in der Dienststelle vertretenen Gewerkschaft eine Personalversammlung zur Wahl eines neuen Wahlvorstands ein. [3] § 22 Absatz 1 Satz 3 und § 23 gelten entsprechend.

(2) [1] Unverzüglich nach Abschluss der Wahl nimmt der Wahlvorstand öffentlich die Auszählung der Stimmen vor, stellt deren Ergebnis in einem Protokoll fest und gibt es den Angehörigen der Dienststelle bekannt. [2] Der Leiterin oder dem Leiter der Dienststelle und den in der Dienststelle vertretenen Gewerkschaften ist eine Kopie des Protokolls zu übersenden.

§ 25 Schutz und Kosten der Wahl. (1) [1] Niemand darf die Wahl des Personalrats behindern oder in einer gegen die guten Sitten verstoßenden Weise beeinflussen. [2] Insbesondere dürfen Wahlberechtigte nicht in der Ausübung des aktiven und passiven Wahlrechts beschränkt werden. [3] § 55 Absatz 1 und 2 Satz 1 und 2 gilt für Mitglieder des Wahlvorstands sowie für Wahlbewerberinnen und Wahlbewerber entsprechend.

(2) [1] Die Kosten der Wahl trägt der Bund. [2] Erforderliche Versäumnis von Arbeitszeit infolge der Ausübung des Wahlrechts, der Teilnahme an den in den §§ 22 und 24 Absatz 1 genannten Personalversammlungen oder der Betätigung im Wahlvorstand hat keine Minderung der Dienstbezüge oder des Arbeitsentgelts zur Folge. [3] Für die Mitglieder des Wahlvorstands gelten § 46 Absatz 2 und § 51 Satz 2 entsprechend.

§ 26 Anfechtung der Wahl. Mindestens drei Wahlberechtigte, jede in der Dienststelle vertretene Gewerkschaft oder die Leiterin oder der Leiter der Dienststelle können binnen einer Frist von zwölf Arbeitstagen, vom Tag der Bekanntgabe des Wahlergebnisses an gerechnet, die Wahl beim Verwaltungsgericht anfechten, wenn gegen wesentliche Vorschriften über das Wahlrecht, die Wählbarkeit oder das Wahlverfahren verstoßen worden und eine Berichtigung nicht erfolgt ist, es sei denn, dass durch den Verstoß das Wahlergebnis nicht geändert oder beeinflusst werden konnte.

Abschnitt 2. Amtszeit

§ 27 Zeitpunkt der Wahl, Amtszeit. (1) Die regelmäßigen Personalratswahlen finden alle vier Jahre in der Zeit vom 1. März bis 31. Mai statt.

(2) [1] Die Amtszeit des Personalrats beginnt am 1. Juni des Jahres, in dem die regelmäßigen Personalratswahlen stattfinden, und endet mit dem Ablauf von vier Jahren. [2] Ist am Tag des Ablaufs der Amtszeit ein neuer Personalrat nicht gewählt oder hat sich am Tag des Ablaufs der Amtszeit noch kein neuer Personalrat konstituiert, führt der Personalrat die Geschäfte weiter, bis sich der

neu gewählte Personalrat konstituiert hat, längstens jedoch bis zum Ablauf des 31. Juli.

§ 28 Vorzeitige Neuwahl. (1) Außerhalb des in § 27 Absatz 1 genannten Zeitraums ist der Personalrat neu zu wählen, wenn

1. mit Ablauf von 24 Monaten, vom Tag der Wahl gerechnet, die Zahl der regelmäßig Beschäftigten um die Hälfte, mindestens aber um 50 Personen gestiegen oder gesunken ist,
2. die Gesamtzahl der Mitglieder des Personalrats auch nach Eintreten sämtlicher Ersatzmitglieder um mehr als ein Viertel der vorgeschriebenen Zahl gesunken ist,
3. der Personalrat mit der Mehrheit seiner Mitglieder seinen Rücktritt beschlossen hat,
4. die Personalratswahl mit Erfolg gerichtlich angefochten worden ist,
5. der Personalrat durch gerichtliche Entscheidung aufgelöst ist oder
6. in der Dienststelle kein Personalrat besteht.

(2) In den Fällen des Absatzes 1 Nummer 1 bis 3 führt der Personalrat die Geschäfte weiter, bis sich der neu gewählte Personalrat konstituiert hat.

(3) [1] In den Fällen des Absatzes 1 Nummer 4 und 5 nimmt der Wahlvorstand, der die Neuwahl durchführt, die dem Personalrat nach diesem Gesetz zustehenden Befugnisse und Pflichten wahr, bis sich der neu gewählte Personalrat konstituiert hat. [2] Die Bestellung des Wahlvorstands nach § 22 Absatz 2 oder § 23 erfolgt unverzüglich nach Eintritt der Rechtskraft der Entscheidung. [3] Der Wahlvorstand hat die Neuwahl unverzüglich einzuleiten.

(4) [1] Ist eine in der Dienststelle vorhandene Gruppe, die bisher im Personalrat vertreten war, durch kein Mitglied des Personalrats mehr vertreten oder wird nach § 26 die Wahl nur einer Gruppe mit Erfolg angefochten, so wählt diese Gruppe neue Mitglieder. [2] Der Personalrat bestellt mit seinen verbleibenden Mitgliedern unverzüglich einen aus Angehörigen dieser Gruppe gebildeten Wahlvorstand und nimmt bis zur Neuwahl die der Gruppe nach diesem Gesetz zustehenden Befugnisse und Pflichten wahr.

(5) [1] Hat außerhalb des für die regelmäßigen Personalratswahlen festgelegten Zeitraums eine Personalratswahl stattgefunden, so ist der Personalrat in dem auf die Wahl folgenden nächsten Zeitraum der regelmäßigen Personalratswahlen neu zu wählen. [2] Hat die Amtszeit des Personalrats zu Beginn des für die regelmäßigen Personalratswahlen festgelegten Zeitraums noch nicht ein Jahr betragen, so ist der Personalrat in dem übernächsten Zeitraum der regelmäßigen Personalratswahlen neu zu wählen.

§ 29 Übergangsmandat und Restmandat bei Umstrukturierungsmaßnahmen. (1) [1] Wird eine Dienststelle in mehrere Dienststellen aufgespalten oder werden Teile einer Dienststelle in eine neue Dienststelle ausgegliedert, führt der Personalrat die Geschäfte für die ihm bislang zugeordneten Dienststellenteile weiter (Übergangsmandat). [2] Der Personalrat hat unverzüglich nach Wirksamwerden der Organisationsmaßnahme einen Wahlvorstand in der neuen Dienststelle zu bestellen. [3] Das Übergangsmandat endet, sobald sich der neu gewählte Personalrat konstituiert hat, spätestens jedoch sechs Monate nach Wirksamwerden der Organisationsmaßnahme. [4] Durch Vereinbarung zwischen der neuen Dienststelle und dem Personalrat kann das Übergangsmandat um weitere sechs Monate verlängert werden.

(2) [1] Werden Dienststellen oder Teile mehrerer Dienststellen zu einer neuen Dienststelle zusammengelegt, nimmt der Personalrat derjenigen Dienststelle, aus der die meisten Beschäftigten zu der neuen Dienststelle übergegangen sind, das Übergangsmandat wahr. [2] Absatz 1 Satz 2 bis 4 gilt entsprechend.

(3) [1] Wird im Geschäftsbereich einer obersten Dienstbehörde eine Dienststelle neu errichtet, ohne dass die Voraussetzungen des Absatzes 1 Satz 1 oder des Absatzes 2 Satz 1 vorliegen, so nimmt die bei der übergeordneten Dienststelle gebildete Stufenvertretung oder, wenn eine solche nicht besteht, der bei der übergeordneten Dienststelle gebildete Personalrat das Übergangsmandat wahr. [2] Absatz 1 Satz 2 bis 4 gilt entsprechend.

(4) [1] Werden Teile einer Dienststelle in eine andere Dienststelle eingegliedert und steigt oder sinkt hierdurch in der abgebenden oder in der aufnehmenden Dienststelle die Zahl der regelmäßig Beschäftigten um ein Viertel, mindestens aber um 50 Personen, ist der Personalrat der hiervon betroffenen Dienststelle abweichend von § 28 Absatz 1 Nummer 1 neu zu wählen. [2] Dies gilt nicht, wenn die Eingliederung weniger als zwölf Monate vor dem Ende der regelmäßigen Amtszeit des Personalrats wirksam wird. [3] Wird eine Dienststelle vollständig in eine andere Dienststelle eingegliedert, gelten die Sätze 1 und 2 entsprechend für den Personalrat der aufnehmenden Dienststelle.

(5) Wird eine Dienststelle aufgelöst, bleibt deren Personalrat so lange im Amt, wie dies zur Wahrnehmung der damit im Zusammenhang stehenden Beteiligungsrechte erforderlich ist.

(6) [1] Geht eine Dienststelle durch Umwandlung oder eine anderweitige Privatisierungsmaßnahme in eine Rechtsform des Privatrechts über, bleibt deren Personalrat im Amt und führt die Geschäfte weiter, wenn die Voraussetzungen des § 1 Absatz 1 Satz 1 des Betriebsverfassungsgesetzes[1)] erfüllt sind und ein Betriebsrat nicht besteht. [2] Werden Dienststellen oder Teile mehrerer Dienststellen zu einem Betrieb im Sinne des § 1 Absatz 1 Satz 1 des Betriebsverfassungsgesetzes zusammengefasst, bestimmt sich der das Übergangsmandat wahrnehmende Personalrat in entsprechender Anwendung des Absatzes 2 Satz 1. [3] Der Personalrat nimmt die Aufgaben eines Betriebsrats nach dem Betriebsverfassungsgesetz wahr und hat unverzüglich den Wahlvorstand zur Einleitung der Betriebsratswahl zu bestellen. [4] Für das Ende des Übergangsmandats gilt § 21a Absatz 1 Satz 3 und 4 des Betriebsverfassungsgesetzes entsprechend. [5] Auf die bis zum Zeitpunkt des Wirksamwerdens der Privatisierungsmaßnahme eingeleiteten Beteiligungsverfahren, Verfahren vor der Einigungsstelle und den Verwaltungsgerichten sind die Bestimmungen dieses Gesetzes anzuwenden. [6] Die in den bisherigen Dienststellen bestehenden Dienstvereinbarungen gelten für die Beschäftigten aus diesen Dienststellen längstens für zwölf Monate nach Wirksamwerden der Privatisierungsmaßnahme als Betriebsvereinbarung fort, soweit sie nicht durch eine andere Regelung ersetzt werden.

(7) Auf Wahlen nach den Absätzen 1 bis 4 ist § 28 Absatz 5 anzuwenden.

---

1) Nr. **570**.

§ 30 Ausschluss eines Mitglieds und Auflösung des Personalrats.

[1] Auf Antrag eines Viertels der Wahlberechtigten oder einer in der Dienststelle vertretenen Gewerkschaft kann das Verwaltungsgericht den Ausschluss eines Mitglieds aus dem Personalrat oder die Auflösung des Personalrats wegen grober Vernachlässigung seiner gesetzlichen Befugnisse oder wegen grober Verletzung seiner gesetzlichen Pflichten beschließen. [2] Der Personalrat kann aus den gleichen Gründen den Ausschluss eines Mitglieds beantragen. [3] Die Leiterin oder der Leiter der Dienststelle kann den Ausschluss eines Mitglieds aus dem Personalrat oder die Auflösung des Personalrats wegen grober Verletzung seiner gesetzlichen Pflichten beantragen.

§ 31 Erlöschen der Mitgliedschaft. (1) Die Mitgliedschaft im Personalrat erlischt durch

1. Ablauf der Amtszeit,
2. Niederlegung des Amtes,
3. Beendigung des Dienst- oder Arbeitsverhältnisses,
4. Ausscheiden aus der Dienststelle,
5. Verlust der Wählbarkeit,
6. Eintritt in eine mehr als zwölfmonatige Beurlaubung,
7. Eintritt in die Freistellungsphase der Altersteilzeit im Blockmodell,
8. Ausschluss aus dem Personalrat oder Auflösung des Personalrats auf Grund einer gerichtlichen Entscheidung oder
9. gerichtliche Entscheidung über die Feststellung der Nichtwählbarkeit nach Ablauf der in § 26 bezeichneten Frist, es sei denn, der Mangel liegt nicht mehr vor.

(2) Die Mitgliedschaft im Personalrat wird durch einen Wechsel der Gruppenzugehörigkeit eines Mitglieds nicht berührt; dieses vertritt weiterhin die Gruppe, von der es gewählt wurde.

§ 32 Ruhen der Mitgliedschaft. Die Mitgliedschaft einer Beamtin oder eines Beamten im Personalrat ruht, solange ihr oder ihm die Führung der Dienstgeschäfte verboten oder sie oder er wegen eines schwebenden Disziplinarverfahrens vorläufig des Dienstes enthoben ist.

§ 33 Eintritt von Ersatzmitgliedern. (1) [1] Scheidet ein Mitglied aus dem Personalrat aus, so tritt ein Ersatzmitglied ein. [2] Das Gleiche gilt, wenn ein Mitglied des Personalrats zeitweilig verhindert ist.

(2) [1] Die Ersatzmitglieder werden der Reihe nach aus den nicht gewählten Beschäftigten derjenigen Vorschlagslisten entnommen, denen die zu ersetzenden Mitglieder angehören. [2] Ist das ausgeschiedene oder verhinderte Mitglied mit einfacher Stimmenmehrheit gewählt, so tritt der nicht gewählte Beschäftigte mit der nächsthöheren Stimmenzahl als Ersatzmitglied ein.

(3) § 31 Absatz 2 gilt entsprechend bei einem Wechsel der Gruppenzugehörigkeit vor dem Eintritt des Ersatzmitglieds in den Personalrat.

*(4) Ist die Personal*ratswahl mit Erfolg angefochten worden oder der Personalrat durch gerichtliche Entscheidung aufgelöst, treten Ersatzmitglieder nicht ein.

Abschnitt 3. Geschäftsführung

§ 34 Vorstand. (1) [1]Der Personalrat bildet aus seiner Mitte den Vorstand. [2]Diesem muss ein Mitglied jeder im Personalrat vertretenen Gruppe angehören. [3]Die Vertreterinnen und Vertreter jeder Gruppe wählen das auf ihre Gruppe entfallende Vorstandsmitglied. [4]Der Vorstand führt die laufenden Geschäfte.

(2) [1]Hat der Personalrat elf oder mehr Mitglieder, so wählt er aus seiner Mitte mit einfacher Stimmenmehrheit zwei weitere Mitglieder in den Vorstand. [2]Sind Mitglieder des Personalrats aus Wahlvorschlagslisten mit verschiedenen Bezeichnungen gewählt worden und sind im Vorstand Mitglieder aus derjenigen Liste nicht vertreten, die die größte oder zweitgrößte Anzahl, mindestens jedoch ein Drittel aller von den Angehörigen der Dienststelle abgegebenen Stimmen erhalten hat, so ist eines der weiteren Vorstandsmitglieder aus dieser Liste zu wählen.

§ 35 Vorsitz. (1) [1]Der Personalrat bestimmt mit einfacher Mehrheit, welches der nach § 34 Absatz 1 gewählten Vorstandsmitglieder den Vorsitz übernimmt. [2]Er bestimmt zugleich die Vertretung der oder des Vorsitzenden. [3]Dabei sind die Gruppen zu berücksichtigen, denen der oder die Vorsitzende nicht angehört, es sei denn, dass die Vertreterinnen und Vertreter dieser Gruppen darauf verzichten.

(2) [1]Die oder der Vorsitzende vertritt den Personalrat im Rahmen der von diesem gefassten Beschlüsse. [2]In Angelegenheiten, die nur eine Gruppe betreffen, vertritt die oder der Vorsitzende, wenn sie oder er nicht selbst dieser Gruppe angehört, den Personalrat gemeinsam mit einem der Gruppe angehörenden Vorstandsmitglied.

§ 36 Anberaumung von Sitzungen. (1) [1]Spätestens fünf Arbeitstage nach dem Wahltag hat der Wahlvorstand die Mitglieder des Personalrats zu den Wahlen des Vorstands und des Vorsitzes einzuberufen. [2]Die oder der Vorsitzende des Wahlvorstands leitet die Sitzung, bis der Personalrat aus seiner Mitte eine Wahlleiterin oder einen Wahlleiter bestellt hat.

(2) [1]Die weiteren Sitzungen beruft die oder der Vorsitzende des Personalrats ein. [2]Sie oder er setzt die Tagesordnung fest und leitet die Verhandlung. [3]Die oder der Vorsitzende hat die Mitglieder des Personalrats zu den Sitzungen rechtzeitig unter Mitteilung der Tagesordnung zu laden. [4]Ist ein Mitglied des Personalrats an der Sitzungsteilnahme verhindert, hat es dies unter Angabe der Gründe unverzüglich der oder dem Vorsitzenden mitzuteilen. [5]Die oder der Vorsitzende hat für ein verhindertes Mitglied des Personalrats das nach § 33 Absatz 1 Satz 2 eintretende Ersatzmitglied zu laden.

(3) Die oder der Vorsitzende hat eine Sitzung einzuberufen und den Gegenstand, dessen Beratung beantragt ist, auf die Tagesordnung zu setzen, wenn dies beantragt wird von

1. einem Viertel der Mitglieder des Personalrats,
2. der Mehrheit der Vertreterinnen und Vertreter einer Gruppe,
3. der Leiterin oder dem Leiter der Dienststelle,
4. der Vertrauensperson der schwerbehinderten Menschen in Angelegenheiten, die besonders schwerbehinderte Beschäftigte betreffen, oder

5. der Mehrheit der Mitglieder der Jugend- und Auszubildendenvertretung in Angelegenheiten, die besonders Beschäftigte betreffen, die das 18. Lebensjahr noch nicht vollendet haben oder sich in einer beruflichen Ausbildung befinden.

§ 37 Teilnahme- und Stimmrecht sonstiger Personen. (1) [1]Eine Vertreterin oder ein Vertreter der Jugend- und Auszubildendenvertretung, die oder der von dieser benannt wird, und die Schwerbehindertenvertretung haben das Recht, an den Sitzungen des Personalrats beratend teilzunehmen. [2]An der Behandlung von Angelegenheiten, die besonders Beschäftigte betreffen, die das 18. Lebensjahr noch nicht vollendet haben oder die sich in einer beruflichen Ausbildung befinden, hat die gesamte Jugend- und Auszubildendenvertretung das Recht zur beratenden Teilnahme. [3]Bei Beschlüssen des Personalrats, die überwiegend Beschäftigte betreffen, die das 18. Lebensjahr noch nicht vollendet haben oder die sich in einer beruflichen Ausbildung befinden, haben die Jugend- und Auszubildendenvertreterinnen und -vertreter Stimmrecht. [4]Soweit sie ein Recht auf Teilnahme an der Sitzung haben, gilt § 36 Absatz 2 Satz 3 entsprechend für die Ladung der Schwerbehindertenvertretung und der Mitglieder der Jugend- und Auszubildendenvertretung.

(2) Auf Antrag eines Viertels der Mitglieder oder der Mehrheit einer Gruppe des Personalrats kann eine Beauftragte oder ein Beauftragter einer im Personalrat vertretenen Gewerkschaft an den Sitzungen beratend teilnehmen; in diesem Fall sind der Gewerkschaft der Zeitpunkt der Sitzung und die Tagesordnung rechtzeitig mitzuteilen.

(3) Die Leiterin oder der Leiter der Dienststelle nimmt an den Sitzungen teil, die auf ihr oder sein Verlangen anberaumt worden sind oder zu denen sie oder er ausdrücklich eingeladen worden ist.

§ 38 Zeitpunkt der Sitzungen und Nichtöffentlichkeit. (1) [1]Die Sitzungen des Personalrats finden in der Regel während der Arbeitszeit statt. [2]Der Personalrat hat bei der Anberaumung seiner Sitzungen auf die dienstlichen Erfordernisse und auf die Arbeitszeiten seiner Mitglieder Rücksicht zu nehmen. [3]Die Leiterin oder der Leiter der Dienststelle ist vom Zeitpunkt der Sitzung vorher zu verständigen.

(2) [1]Die Sitzungen sind nicht öffentlich. [2]Der Personalrat kann ihm nach § 47 zur Verfügung gestelltes Büropersonal zur Anfertigung der Niederschrift hinzuziehen.

(3) [1]Die Sitzungen des Personalrats finden in der Regel als Präsenzsitzung in Anwesenheit seiner Mitglieder vor Ort statt. [2]Die Sitzung kann vollständig oder unter Zuschaltung einzelner Personalratsmitglieder mittels Video- oder Telefonkonferenz durchgeführt werden, wenn

1. vorhandene Einrichtungen genutzt werden, die durch die Dienststelle zur dienstlichen Nutzung freigegeben sind,
2. nicht mindestens ein Viertel der Mitglieder oder die Mehrheit der Vertreterinnen und Vertreter einer Gruppe des Personalrats binnen einer von der oder dem Vorsitzenden zu bestimmenden Frist gegenüber der oder dem Vorsitzenden widerspricht und
3. der Personalrat geeignete organisatorische Maßnahmen trifft, um sicherzustellen, dass Dritte vom Inhalt der Sitzung keine Kenntnis nehmen können.

[3]Eine Aufzeichnung ist unzulässig. [4]Personalratsmitglieder, die mittels Video- oder Telefonkonferenz an Sitzungen teilnehmen, gelten als anwesend im Sinne des § 39 Absatz 1 Satz 1. [5]§ 43 Absatz 1 Satz 3 findet mit der Maßgabe Anwendung, dass die oder der Vorsitzende vor Beginn der Beratung die zugeschalteten Personalratsmitglieder feststellt und in die Anwesenheitsliste einträgt. [6]Das Recht eines Personalratsmitglieds auf Teilnahme an der Sitzung vor Ort bleibt durch die Durchführung der Sitzung mittels Video- oder Telefonkonferenz unberührt.

§ 39 Beschlussfassung. (1) [1]Die Beschlüsse des Personalrats werden, soweit in diesem Gesetz nichts anderes bestimmt ist, mit einfacher Stimmenmehrheit der anwesenden Mitglieder gefasst. [2]Stimmenthaltung gilt als Ablehnung. [3]Bei Stimmengleichheit ist ein Antrag abgelehnt.

(2) Der Personalrat ist nur beschlussfähig, wenn mindestens die Hälfte seiner Mitglieder anwesend ist; Vertretung durch Ersatzmitglieder ist zulässig.

(3) Bei der Feststellung der Stimmenmehrheit werden die Stimmen anderer anwesender Personen, die über ein Stimmrecht verfügen, mitgezählt.

(4) [1]In der Geschäftsordnung kann die Beschlussfassung im elektronischen Verfahren vorgesehen werden. [2]§ 38 Absatz 3 Satz 2 Nummer 1 und 3 gilt entsprechend. [3]Die Beschlussfassung im elektronischen Verfahren ist unzulässig, wenn ein Mitglied des Personalrats oder eine nach § 37 teilnahmeberechtigte Person binnen einer von der oder dem Vorsitzenden zu bestimmenden Frist gegenüber der oder dem Vorsitzenden widerspricht. [4]Die oder der Vorsitzende gibt das Ergebnis der Beschlussfassung im elektronischen Verfahren spätestens in der nächsten Sitzung des Personalrats bekannt.

§ 40 Beschlussfassung in gemeinsamen Angelegenheiten und in Gruppenangelegenheiten. (1) Über die gemeinsamen Angelegenheiten der Beamtinnen und Beamten sowie der Arbeitnehmerinnen und Arbeitnehmer wird vom Personalrat gemeinsam beraten und beschlossen.

(2) [1]In Angelegenheiten, die lediglich die Angehörigen einer Gruppe betreffen, sind nach gemeinsamer Beratung im Personalrat nur die Vertreterinnen und Vertreter dieser Gruppe zur Beschlussfassung berufen. [2]Dies gilt nicht für eine Gruppe, die im Personalrat nicht vertreten ist.

(3) Absatz 2 gilt entsprechend für Angelegenheiten, die lediglich die Angehörigen zweier Gruppen betreffen.

§ 41 Ausschluss von Beratung und Beschlussfassung. (1) [1]Ein Mitglied des Personalrats ist ausgeschlossen von der Beratung und Beschlussfassung

1. über beteiligungspflichtige Angelegenheiten, die seine persönlichen Interessen oder die seiner Angehörigen unmittelbar und individuell berühren, oder
2. über einen Antrag auf seinen Ausschluss aus dem Personalrat.

[2]Angehörige im Sinne des Satzes 1 Nummer 1 sind die in § 20 Absatz 5 des Verwaltungsverfahrensgesetzes[1)] aufgeführten Personen. [3]Hat ein Mitglied des Personalrats Grund zu der Annahme, dass in seiner Person ein Ausschließungsgrund vorliegt, so hat es dies der oder dem Vorsitzenden unverzüglich, spätestens jedoch vor Beginn der Beratung über die Angelegenheit anzuzeigen.

[1)] **Sartorius Nr. 100.**

[4] Über das Vorliegen eines Ausschließungsgrundes entscheidet der Personalrat in Zweifelsfällen in Abwesenheit der oder des Betroffenen. [5] Das betroffene Personalratsmitglied ist vorher anzuhören. [6] Das ausgeschlossene Mitglied hat für die Dauer der Beratung und Beschlussfassung über die Angelegenheit nach Satz 1 den Sitzungsraum zu verlassen.

(2) Absatz 1 gilt entsprechend für weitere Personen, die zur Teilnahme an den Sitzungen des Personalrats berechtigt sind.

(3) Werden die den Ausschließungsgrund begründenden Umstände erst während der Sitzung bekannt, tritt ein Ersatzmitglied nach § 33 Absatz 1 Satz 2 nur ein, wenn es auf die Ladung durch die Vorsitzende oder den Vorsitzenden des Personalrats hin unverzüglich an der Sitzung teilnehmen kann.

(4) [1] Ein Beschluss ist nichtig, wenn an der Beratung oder Beschlussfassung ein ausgeschlossenes Mitglied mitgewirkt hat, es sei denn, dass durch die Mitwirkung die Beschlussfassung nicht geändert oder beeinflusst werden konnte. [2] Die Nichtigkeit des Beschlusses berührt die Wirksamkeit einer Maßnahme, die die Dienststelle im Vertrauen auf den Beschluss des Personalrats durchgeführt hat, nicht.

§ 42 Aussetzung von Beschlüssen. (1) [1] Erachtet die Mehrheit der Vertreterinnen und Vertreter einer Gruppe oder der Jugend- und Auszubildendenvertretung einen Beschluss des Personalrats als eine erhebliche Beeinträchtigung wichtiger Interessen der durch sie vertretenen Beschäftigten, so ist auf ihren Antrag der Beschluss auf die Dauer von fünf Arbeitstagen vom Zeitpunkt der Beschlussfassung an auszusetzen. [2] In dieser Frist soll, gegebenenfalls mit Hilfe der unter den Mitgliedern des Personalrats oder der Jugend- und Auszubildendenvertretung vertretenen Gewerkschaften, eine Verständigung versucht werden. [3] Die Aussetzung eines Beschlusses nach Satz 1 hat keine Verlängerung einer Frist zur Folge.

(2) [1] Nach Ablauf der Frist von fünf Arbeitstagen ist über die Angelegenheit neu zu beschließen. [2] Wird der erste Beschluss bestätigt, so kann der Antrag auf Aussetzung nicht wiederholt werden.

(3) Die Absätze 1 und 2 gelten entsprechend, wenn die Schwerbehindertenvertretung einen Beschluss des Personalrats als eine erhebliche Beeinträchtigung wichtiger Interessen der schwerbehinderten oder ihnen gleichgestellten Beschäftigten erachtet.

§ 43 Protokoll. (1) [1] Über jede Verhandlung des Personalrats ist ein Protokoll zu führen, das mindestens den Wortlaut der Beschlüsse und die Stimmenmehrheit, mit der sie gefasst sind, enthält. [2] Das Protokoll ist von der oder dem Vorsitzenden und einem weiteren Mitglied zu unterzeichnen. [3] Dem Protokoll ist eine Anwesenheitsliste beizufügen, in die sich jede Teilnehmerin und jeder Teilnehmer eigenhändig einzutragen hat.

(2) [1] Haben die Leiterin oder der Leiter der Dienststelle oder Beauftragte von Gewerkschaften an der Sitzung teilgenommen, so ist ihnen der entsprechende Auszug aus dem Protokoll zuzuleiten. [2] Einwendungen gegen das Protokoll sind unverzüglich schriftlich oder elektronisch zu erheben und dem Protokoll beizufügen.

§ 44 *Geschäftsordnung.* Sonstige Bestimmungen über die Geschäftsführung können in einer Geschäftsordnung getroffen werden, die der Personalrat mit der Mehrheit der Stimmen seiner Mitglieder beschließt.

§ 45 Sprechstunden. (1) [1]Der Personalrat kann Sprechstunden während der Arbeitszeit einrichten. [2]Zeit und Ort bestimmt er im Einvernehmen mit der Leiterin oder dem Leiter der Dienststelle.

(2) Führt die Jugend- und Auszubildendenvertretung keine eigenen Sprechstunden durch, so kann an den Sprechstunden des Personalrats ein Mitglied der Jugend- und Auszubildendenvertretung zur Beratung derjenigen Beschäftigten, die das 18. Lebensjahr noch nicht vollendet haben oder sich in einer beruflichen Ausbildung befinden, teilnehmen.

(3) [1]In der Geschäftsordnung kann die Durchführung der Sprechstunde mittels Video- oder Telefonkonferenz vorgesehen werden. [2]§ 38 Absatz 3 Satz 2 Nummer 1 und 3 sowie Satz 3 gilt entsprechend.

§ 46 Kosten der Personalratstätigkeit. (1) Die durch die Tätigkeit des Personalrats und seiner Mitglieder entstehenden Kosten trägt der Bund.

(2) [1]Mitglieder des Personalrats erhalten bei Reisen, die zur Erfüllung ihrer Aufgaben notwendig sind, Aufwendungsersatz in entsprechender Anwendung der beamtenrechtlichen Bestimmungen zu Reisekosten und Trennungsgeld. [2]Für den Ersatz von Sachschäden an privaten Kraftfahrzeugen gelten die beamtenrechtlichen Bestimmungen entsprechend.

§ 47 Sachaufwand und Büropersonal. Für die Sitzungen, die Sprechstunden und die laufende Geschäftsführung hat die Dienststelle dem Personalrat Räume, Geschäftsbedarf, in der Dienststelle üblicherweise genutzte Informations- und Kommunikationstechnik sowie Büropersonal in dem zur sachgerechten Wahrnehmung seiner Aufgaben erforderlichen Umfang zur Verfügung zu stellen.

§ 48 Bekanntmachungen und Aushänge. [1]Dem Personalrat werden in den Dienststellen geeignete Plätze für Bekanntmachungen und Aushänge zur Verfügung gestellt. [2]Er kann Mitteilungen an die Beschäftigten über Angelegenheiten, die sie betreffen, herausgeben. [3]Für Informationen nach den Sätzen 1 und 2 kann der Personalrat die in der Dienststelle üblicherweise genutzten Informations- und Kommunikationssysteme nutzen.

§ 49 Verbot der Beitragserhebung. Der Personalrat darf für seine Zwecke von den Beschäftigten keine Beiträge erheben oder annehmen.

Abschnitt 4. Rechtsstellung der Personalratsmitglieder

§ 50 Ehrenamtlichkeit. Die Mitglieder des Personalrats führen ihr Amt unentgeltlich als Ehrenamt.

§ 51 Versäumnis von Arbeitszeit. [1]Die zur ordnungsgemäßen Durchführung der Aufgaben des Personalrats erforderliche Versäumnis von Arbeitszeit hat keine Minderung der Dienstbezüge oder des Arbeitsentgelts zur Folge. [2]Werden Personalratsmitglieder durch die Erfüllung ihrer Aufgaben über ihre regelmäßige Arbeitszeit hinaus beansprucht, so ist ihnen Dienstbefreiung in entsprechendem Umfang zu gewähren.

§ 52 Freistellung. (1) [1]Mitglieder des Personalrats sind von ihrer dienstlichen Tätigkeit freizustellen, wenn und soweit es nach Umfang und Art der Dienststelle zur ordnungsgemäßen Durchführung ihrer Aufgaben erforderlich ist. [2]Die Freistellung darf nicht zur Beeinträchtigung des beruflichen Werdegangs führen.

(2) [1]Von ihrer dienstlichen Tätigkeit sind nach Absatz 1 freizustellen in Dienststellen mit in der Regel

1. 300 bis 600 Beschäftigten ein Mitglied,
2. 601 bis 1 000 Beschäftigten zwei Mitglieder,
3. 1 001 bis 2 000 Beschäftigten drei Mitglieder,
4. 2 001 bis 3 000 Beschäftigten vier Mitglieder,
5. 3 001 bis 4 000 Beschäftigten fünf Mitglieder,
6. 4 001 bis 5 000 Beschäftigten sechs Mitglieder,
7. 5 001 bis 6 000 Beschäftigten sieben Mitglieder,
8. 6 001 bis 7 000 Beschäftigten acht Mitglieder,
9. 7 001 bis 8 000 Beschäftigten neun Mitglieder,
10. 8 001 bis 9 000 Beschäftigten zehn Mitglieder,
11. 9 001 bis 10 000 Beschäftigten elf Mitglieder.

[2]In Dienststellen mit mehr als 10 000 Beschäftigten ist für je angefangene weitere 2 000 Beschäftigte ein weiteres Mitglied freizustellen. [3]Von den Sätzen 1 und 2 kann im Einvernehmen zwischen Personalrat und der Leiterin oder dem Leiter der Dienststelle abgewichen werden.

(3) [1]Freistellungen können in Form von Teilfreistellungen erfolgen. [2]Diese dürfen zusammengenommen nicht den Umfang der Freistellungen nach Absatz 2 überschreiten. [3]Freistellungen müssen mindestens 20 Prozent der regelmäßigen wöchentlichen Arbeitszeit betragen.

(4) [1]Die von ihrer dienstlichen Tätigkeit vollständig freigestellten Personalratsmitglieder erhalten eine monatliche Aufwandsentschädigung. [2]Die Bundesregierung bestimmt durch Rechtsverordnung, die nicht der Zustimmung des Bundesrates bedarf, die Höhe der Aufwandsentschädigung. [3]Nur teilweise, aber mindestens für die Hälfte der regelmäßigen Arbeitszeit freigestellte Personalratsmitglieder erhalten die Hälfte der Aufwandsentschädigung.

§ 53 Auswahl der freizustellenden Mitglieder. (1) [1]Bei der Auswahl der freizustellenden Mitglieder hat der Personalrat zunächst die nach § 34 Absatz 1 gewählten Vorstandsmitglieder, sodann die nach § 34 Absatz 2 gewählten Ergänzungsmitglieder und schließlich weitere Mitglieder zu berücksichtigen. [2]Die freizustellenden Vorstands- und Ergänzungsmitglieder haben Anspruch auf vollständige Freistellung.

(2) [1]Ist der Personalrat nach den Grundsätzen der Verhältniswahl gewählt worden, sind für die weiteren Freistellungen die auf die einzelnen Wahlvorschlagslisten entfallenden Stimmen im Wege des Höchstzahlverfahrens zu berücksichtigen; dabei sind die nach Absatz 1 freigestellten Vorstands- und Ergänzungsmitglieder von den auf jede Wahlvorschlagsliste entfallenden Freistellungen abzuziehen. [2]Die aus der jeweiligen Vorschlagsliste in den Personalrat gewählten Mitglieder bestimmen mehrheitlich, wer von ihnen die Freistellung wahrnimmt.

(3) Ist der Personalrat im Wege der Personenwahl gewählt worden, bestimmt sich die Rangfolge der weiteren freizustellenden Mitglieder nach der Zahl der für sie bei der Wahl zum Personalrat abgegebenen Stimmen.

(4) Sind die Mitglieder der im Personalrat vertretenen Gruppen teils nach den Grundsätzen der Verhältniswahl, teils im Wege der Personenwahl gewählt worden, so sind bei weiteren Freistellungen die Gruppen entsprechend der Zahl ihrer Mitglieder nach dem Höchstzahlverfahren zu berücksichtigen; innerhalb der nach identischen Wahlverfahren zusammengefassten Gruppen bestimmen sich die weiteren Freistellungen in diesem Fall je nach Wahlverfahren in entsprechender Anwendung des Absatzes 2 und nach Absatz 3.

§ 54 Teilnahme an Schulungs- und Bildungsveranstaltungen. (1) Die Mitglieder des Personalrats sind unter Fortzahlung der Dienstbezüge oder des Arbeitsentgelts für die Teilnahme an Schulungs- und Bildungsveranstaltungen vom Dienst freizustellen, soweit diese Kenntnisse vermitteln, die für die Tätigkeit im Personalrat erforderlich sind.

(2) [1] Unbeschadet des Absatzes 1 hat jedes Mitglied des Personalrats während seiner regelmäßigen Amtszeit Anspruch auf Freistellung vom Dienst unter Fortzahlung der Dienstbezüge oder des Arbeitsentgelts für insgesamt drei Wochen zur Teilnahme an Schulungs- und Bildungsveranstaltungen, die von der Bundeszentrale für politische Bildung als geeignet anerkannt sind. [2] Beschäftigte, die erstmals das Amt eines Personalratsmitglieds übernehmen und nicht zuvor Jugend- und Auszubildendenvertreterinnen oder -vertreter gewesen sind, haben einen Anspruch nach Satz 1 für insgesamt vier Wochen.

§ 55 Schutz vor Kündigung, Versetzung, Abordnung und Zuweisung.

(1) [1] Die außerordentliche Kündigung von Mitgliedern des Personalrats, die in einem Arbeitsverhältnis stehen, bedarf der Zustimmung des Personalrats. [2] Verweigert der Personalrat seine Zustimmung oder äußert er sich nicht innerhalb von drei Arbeitstagen nach Eingang des Antrags, so kann das Verwaltungsgericht sie auf Antrag der Leiterin oder des Leiters der Dienststelle ersetzen, wenn die außerordentliche Kündigung unter Berücksichtigung aller Umstände gerechtfertigt ist. [3] In dem Verfahren vor dem Verwaltungsgericht ist die betroffene Person Beteiligte.

(2) [1] Mitglieder des Personalrats dürfen gegen ihren Willen nur versetzt, zugewiesen oder abgeordnet werden, wenn dies auch unter Berücksichtigung der Mitgliedschaft im Personalrat aus wichtigen dienstlichen Gründen unvermeidbar ist. [2] Als Versetzung gilt auch die mit einem Wechsel des Dienstortes verbundene Umsetzung in derselben Dienststelle; das Einzugsgebiet im Sinne des Umzugskostenrechts gehört zum Dienstort. [3] Die Versetzung, Zuweisung oder Abordnung von Mitgliedern des Personalrats bedarf der Zustimmung des Personalrats.

(3) [1] Für Beamtinnen und Beamte im Vorbereitungsdienst sowie Arbeitnehmerinnen und Arbeitnehmer in entsprechender Berufsausbildung gelten die Absätze 1 und 2 sowie die §§ 15 und 16 des Kündigungsschutzgesetzes nicht. [2] Die Absätze 1 und 2 gelten ferner nicht bei der Versetzung oder Abordnung dieser Beschäftigten zu einer anderen Dienststelle im Anschluss an das Ausbildungsverhältnis. [3] Die Mitgliedschaft der in Satz 1 bezeichneten Beschäftigten im Personalrat ruht unbeschadet des § 31, solange sie entsprechend den Erfordernissen ihrer Ausbildung zu einer anderen Dienststelle versetzt oder abgeordnet sind.

§ 56[1)] **Besonderer Schutz der Auszubildenden.** (1) Beabsichtigt der Arbeitgeber, eine Beschäftigte oder einen Beschäftigten, die oder der in einem Berufsausbildungsverhältnis nach dem Berufsbildungsgesetz, dem Krankenpflegegesetz, dem Pflegeberufegesetz ***[ab 1.1.2027:**, dem Pflegefachassistenzgesetz**]*** oder dem Hebammengesetz steht und die oder der Mitglied des Personalrats ist, nach erfolgreicher Beendigung des Berufsausbildungsverhältnisses nicht in ein Arbeitsverhältnis auf unbestimmte Zeit zu übernehmen, so hat er dies drei Monate vor Beendigung des Berufsausbildungsverhältnisses der betroffenen Person schriftlich mitzuteilen.

(2) Verlangt eine Auszubildende oder ein Auszubildender im Sinne des Absatzes 1, die oder der Mitglied des Personalrats ist, innerhalb der letzten drei Monate vor Beendigung des Berufsausbildungsverhältnisses schriftlich die Weiterbeschäftigung, so gilt im Anschluss an das erfolgreiche Berufsausbildungsverhältnis ein Arbeitsverhältnis auf unbestimmte Zeit als begründet.

(3) Die Absätze 1 und 2 gelten auch, wenn das Berufsausbildungsverhältnis vor Ablauf eines Jahres nach Beendigung der Amtszeit des Personalrats erfolgreich endet.

(4) [1] Wenn Tatsachen vorliegen, auf Grund derer dem Arbeitgeber unter Berücksichtigung aller Umstände die Weiterbeschäftigung nicht zugemutet werden kann, so kann er spätestens bis zum Ablauf von zwei Wochen nach Beendigung des Berufsausbildungsverhältnisses beim Verwaltungsgericht beantragen,

1. festzustellen, dass ein Arbeitsverhältnis nach Absatz 2 oder 3 nicht begründet wird, oder
2. das bereits nach Absatz 2 oder 3 begründete Arbeitsverhältnis aufzulösen.

[2] In dem Verfahren vor dem Verwaltungsgericht ist der Personalrat Beteiligter.

(5) Die Absätze 2 bis 4 sind unabhängig davon anzuwenden, ob der Arbeitgeber seiner Mitteilungspflicht nach Absatz 1 nachgekommen ist.

Kapitel 3. Personalversammlung

§ 57 Zusammensetzung, Leitung, Teilversammlung. (1) [1] Die Personalversammlung besteht aus den Beschäftigten der Dienststelle. [2] Sie wird von der oder dem Vorsitzenden des Personalrats geleitet.

(2) Kann nach den dienstlichen Verhältnissen eine gemeinsame Versammlung der Beschäftigten nicht stattfinden, so sind Teilversammlungen abzuhalten.

§ 58 Nichtöffentlichkeit, Teilnahmerechte. (1) [1] Die Personalversammlung ist nicht öffentlich. [2] Der Personalrat kann die Personalversammlung im Einvernehmen mit der Leiterin oder dem Leiter der Dienststelle mittels Videokonferenz in Nebenstellen oder Teile der Dienststelle übertragen. [3] § 38 Absatz 3 Satz 2 Nummer 1 und 3 sowie Satz 3 gilt entsprechend. [4] Die Möglichkeit zur Durchführung von Teilversammlungen bleibt unberührt.

(2) [1] Beauftragte der in der Dienststelle vertretenen Gewerkschaften und eine Beauftragte oder ein Beauftragter der Arbeitgebervereinigung, der die Dienststelle angehört, sind berechtigt, mit beratender Stimme an der Personalversammlung teilzunehmen. [2] Der Personalrat hat die Einberufung der Personal-

---

[1)] § 56 Abs. 1 geänd. mWv 1.1.2027 durch G v. 28.10.2025 (BGBl. 2025 I Nr. 259).

versammlung den Gewerkschaften und der Arbeitgebervereinigung mitzuteilen. [3] Ein beauftragtes Mitglied der Stufenvertretung und des Gesamtpersonalrats sowie eine Beauftragte oder ein Beauftragter der Dienststelle, bei der die Stufenvertretung besteht, können an der Personalversammlung ohne beratende Stimme teilnehmen. [4] Teilnahmerechte auf Grund anderer Rechtvorschriften bleiben unberührt.

§ 59 Ordentliche und außerordentliche Personalversammlung.

(1) Der Personalrat hat einmal in jedem Kalenderhalbjahr in einer Personalversammlung einen Tätigkeitsbericht zu erstatten (ordentliche Personalversammlung).

(2) [1] Der Personalrat ist berechtigt und auf Wunsch der Leiterin oder des Leiters der Dienststelle oder eines Viertels der wahlberechtigten Beschäftigten verpflichtet, eine außerordentliche Personalversammlung einzuberufen und den Gegenstand, dessen Beratung beantragt ist, auf die Tagesordnung zu setzen. [2] An Versammlungen, die auf Wunsch der Leiterin oder des Leiters der Dienststelle einberufen sind oder zu denen sie oder er ausdrücklich eingeladen ist, hat sie oder er teilzunehmen; im Übrigen kann sie oder er an der Personalversammlung teilnehmen.

(3) Auf Antrag einer in der Dienststelle vertretenen Gewerkschaft muss der Personalrat vor Ablauf von 15 Arbeitstagen nach Eingang des Antrags eine ordentliche Personalversammlung einberufen und durchführen, wenn im vorhergegangenen Kalenderhalbjahr keine Personalversammlung und keine Teilversammlung durchgeführt worden sind, in denen ein Tätigkeitsbericht erstattet worden ist.

§ 60 Zeitpunkt, Dienstbefreiung, Bezüge, Fahrtkosten. (1) [1] Die ordentlichen und die auf Wunsch der Leiterin oder des Leiters der Dienststelle einberufenen außerordentlichen Personalversammlungen finden während der Arbeitszeit statt, soweit nicht die dienstlichen Verhältnisse eine andere Regelung erfordern. [2] Andere außerordentliche Personalversammlungen finden außerhalb der Arbeitszeit statt; hiervon kann im Einvernehmen mit der Leiterin oder dem Leiter der Dienststelle abgewichen werden.

(2) Soweit in den Fällen des Absatzes 1 Satz 1 Personalversammlungen aus dienstlichen Gründen außerhalb der Arbeitszeit stattfinden müssen, ist den Teilnehmerinnen und Teilnehmern Dienstbefreiung in entsprechendem Umfang zu gewähren.

(3) [1] Die Teilnahme an Personalversammlungen nach Absatz 1 Satz 1 hat keine Minderung der Dienstbezüge oder des Arbeitsentgelts zur Folge. [2] Dasselbe gilt für außerordentliche Personalversammlungen nach Absatz 1 Satz 2, die im Einvernehmen mit der Leiterin oder dem Leiter der Dienststelle während der Arbeitszeit durchgeführt werden.

(4) Fahrtkosten, die durch die Teilnahme an Personalversammlungen nach Absatz 1 Satz 1 entstehen, werden in entsprechender Anwendung des Bundesreisekostengesetzes[1)] erstattet.

§ 61 Befugnisse. (1) Die Personalversammlung darf Angelegenheiten behandeln, die die Dienststelle oder ihre Beschäftigten unmittelbar betreffen, ins-

---

[1)] **Sartorius Nr. 235.**

besondere Tarif-, Besoldungs- und Sozialangelegenheiten sowie Fragen der tatsächlichen Gleichstellung von Frauen und Männern, der Vermeidung von Benachteiligungen von Menschen, die sich keinem dieser Geschlechter zuordnen, der Teilhabe von Menschen mit Behinderungen und der Vereinbarkeit von Familie, Pflege und Beruf.

(2) Die Personalversammlung kann dem Personalrat Anträge unterbreiten und zu seinen Beschlüssen Stellung nehmen.

(3) § 2 Absatz 2 und 5 gilt für die Personalversammlung entsprechend.

Kapitel 4. Beteiligung des Personalrats

Abschnitt 1. Allgemeines

§ 62 Allgemeine Aufgaben. Der Personalrat hat folgende allgemeine Aufgaben:

1. Maßnahmen, die der Dienststelle und ihren Angehörigen dienen, zu beantragen,
2. darüber zu wachen, dass die zugunsten der Beschäftigten geltenden Gesetze, Verordnungen, Tarifverträge, Dienstvereinbarungen und Verwaltungsanordnungen durchgeführt werden,
3. Anregungen und Beschwerden von Beschäftigten und der Jugend- und Auszubildendenvertretung entgegenzunehmen und, falls sie berechtigt erscheinen, durch Verhandlung mit der Leiterin oder dem Leiter der Dienststelle auf ihre Erledigung hinzuwirken; der Personalrat hat die betreffenden Beschäftigten über den Stand und das Ergebnis der Verhandlungen zu unterrichten,
4. der Benachteiligung von Menschen mit Behinderungen entgegenzuwirken sowie die Inklusion und Teilhabe behinderter Menschen zu fördern, insbesondere die Eingliederung und berufliche Entwicklung schwerbehinderter und ihnen gleichgestellter Beschäftigter und sonstiger besonders schutzbedürftiger, insbesondere älterer Beschäftigter zu fördern sowie Maßnahmen zur beruflichen Förderung schwerbehinderter und ihnen gleichgestellter Beschäftigter zu beantragen,
5. die Durchsetzung der tatsächlichen Gleichstellung von Frauen und Männern zu fördern sowie Benachteiligungen von Menschen, die sich keinem dieser Geschlechter zuordnen, entgegenzuwirken, insbesondere bei der Einstellung, Beschäftigung, Aus-, Fort- und Weiterbildung und dem beruflichen Aufstieg,
6. die Vereinbarkeit von Familie, Pflege und Beruf zu fördern,
7. die Integration ausländischer Beschäftigter in die Dienststelle und das Verständnis zwischen ihnen und den deutschen Beschäftigten zu fördern sowie Maßnahmen zur Bekämpfung gruppenbezogener Menschenfeindlichkeit in der Dienststelle zu beantragen,
8. mit der Jugend- und Auszubildendenvertretung zur Förderung der Belange der Beschäftigten, die das 18. Lebensjahr noch nicht vollendet haben oder sich in einer beruflichen Ausbildung befinden, eng zusammenzuarbeiten sowie
9. Maßnahmen des Arbeitsschutzes und des Gesundheitsschutzes in der Dienststelle zu fördern.

§ 63 Dienstvereinbarungen. (1) [1] Dienstvereinbarungen sind in Angelegenheiten des § 78 Absatz 1 Nummer 12 bis 15, des § 79 Absatz 1 Nummer 4 und 5 sowie des § 80 Absatz 1 zulässig, soweit eine gesetzliche oder tarifliche Regelung nicht besteht und es sich nicht um Einzelangelegenheiten handelt. [2] Arbeitsentgelte und sonstige Arbeitsbedingungen, die durch Tarifvertrag geregelt sind oder üblicherweise geregelt werden, können nicht Gegenstand einer Dienstvereinbarung sein. [3] Dies gilt nicht, wenn ein Tarifvertrag den Abschluss ergänzender Dienstvereinbarungen ausdrücklich zulässt.

(2) Dienstvereinbarungen werden durch die Dienststelle und den Personalrat gemeinsam vereinbart, sind in schriftlicher oder elektronischer Form abzuschließen und in geeigneter Weise bekanntzumachen.

(3) Dienstvereinbarungen, die für einen größeren Bereich gelten, gehen den Dienstvereinbarungen für einen kleineren Bereich vor.

§ 64 Durchführung der Entscheidungen. (1) Entscheidungen, an denen der Personalrat beteiligt war, führt die Dienststelle durch, es sei denn, dass im Einzelfall etwas anderes vereinbart ist.

(2) Der Personalrat darf nicht durch einseitige Handlungen in den Dienstbetrieb eingreifen.

Abschnitt 2. Unterrichtungs- und Teilnahmerechte, Datenschutz

§ 65 Monatsgespräch. [1] Die Leiterin oder der Leiter der Dienststelle und der Personalrat sollen mindestens einmal im Monat zu einer Besprechung zusammentreten. [2] In den Besprechungen soll auch die Gestaltung des Dienstbetriebs behandelt werden, insbesondere alle Vorgänge, die die Beschäftigten wesentlich berühren. [3] Die Leiterin oder der Leiter der Dienststelle und der Personalrat haben über strittige Fragen mit dem ernsten Willen zur Einigung zu verhandeln und Vorschläge für die Beilegung von Meinungsverschiedenheiten zu machen.

§ 66 Informationspflicht der Dienststelle. (1) [1] Der Personalrat ist zur Durchführung seiner Aufgaben rechtzeitig und umfassend zu unterrichten. [2] Ihm sind die hierfür erforderlichen Unterlagen, einschließlich der für die Durchführung seiner Aufgaben erforderlichen personenbezogenen Daten, vorzulegen.

(2) [1] Personalakten dürfen nur mit Zustimmung der oder des Beschäftigten und nur von den von ihr oder ihm bestimmten Mitgliedern des Personalrats eingesehen werden. [2] Dienstliche Beurteilungen sind auf Verlangen der oder des Beschäftigten dem Personalrat zur Kenntnis zu bringen.

§ 67 Beratende Teilnahme an Prüfungen. An Prüfungen, die eine Dienststelle für Beschäftigte ihres Bereichs abnimmt, kann ein Mitglied des für diesen Bereich zuständigen Personalrats, das von diesem benannt ist, beratend teilnehmen.

§ 68 Hinzuziehung in Fragen des Arbeitsschutzes und der Unfallverhütung. (1) Der Personalrat hat bei der Bekämpfung von Unfall- und Gesundheitsgefahren die für den Arbeitsschutz zuständigen Behörden, die Träger der gesetzlichen Unfallversicherung und die übrigen in Betracht kommenden Stellen durch Anregung, Beratung und Auskunft zu unterstützen und sich für die Durchführung der Vorschriften über den Arbeitsschutz und die Unfallverhütung in der Dienststelle einzusetzen.

(2) [1]Die Leiterin oder der Leiter der Dienststelle und die in Absatz 1 genannten Behörden, Träger und sonstigen Stellen sind verpflichtet, bei allen im Zusammenhang mit dem Arbeitsschutz oder der Unfallverhütung stehenden Besichtigungen und Fragen und bei Unfalluntersuchungen den Personalrat oder die von ihm beauftragten Personalratsmitglieder derjenigen Dienststelle hinzuzuziehen, in der die Besichtigung oder Untersuchung stattfindet. [2]Die Leiterin oder der Leiter der Dienststelle hat dem Personalrat unverzüglich die den Arbeitsschutz und die Unfallverhütung betreffenden Auflagen und Anordnungen der in Absatz 1 genannten Stellen mitzuteilen.

(3) An den Besprechungen der Leiterin oder des Leiters der Dienststelle mit den Sicherheitsbeauftragten im Rahmen des § 22 Absatz 2 des Siebten Buches Sozialgesetzbuch[1)] nehmen vom Personalrat beauftragte Personalratsmitglieder teil.

(4) Der Personalrat erhält die Protokolle über Untersuchungen, Besichtigungen und Besprechungen, zu denen er oder die von ihm beauftragten Personalratsmitglieder nach den Absätzen 2 und 3 hinzuzuziehen ist oder sind.

(5) Die Leiterin oder der Leiter der Dienststelle hat dem Personalrat eine Kopie der Unfallanzeige nach § 193 des Siebten Buches Sozialgesetzbuch[1)] oder des nach beamtenrechtlichen Vorschriften zu erstattenden Berichts auszuhändigen.

§ 69 Datenschutz. [1]Bei der Verarbeitung personenbezogener Daten hat der Personalrat die Vorschriften über den Datenschutz einzuhalten. [2]Soweit der Personalrat zur Erfüllung der in seiner Zuständigkeit liegenden Aufgaben personenbezogene Daten verarbeitet, ist die Dienststelle der für die Verarbeitung Verantwortliche im Sinne der datenschutzrechtlichen Vorschriften. [3]Die Dienststelle und der Personalrat unterstützen sich gegenseitig bei der Einhaltung der datenschutzrechtlichen Vorschriften.

Abschnitt 3. Mitbestimmung

Unterabschnitt 1. Verfahren der Mitbestimmung

§ 70 Verfahren zwischen Dienststelle und Personalrat. (1) Soweit eine Maßnahme der Mitbestimmung des Personalrats unterliegt, kann sie nur mit seiner Zustimmung getroffen werden.

(2) [1]Die Leiterin oder der Leiter der Dienststelle unterrichtet den Personalrat von der beabsichtigten Maßnahme und beantragt seine Zustimmung. [2]Der Personalrat kann verlangen, dass die Leiterin oder der Leiter der Dienststelle die beabsichtigte Maßnahme begründet; die Begründung hat außer in Personalangelegenheiten schriftlich oder elektronisch zu erfolgen.

(3) [1]Der Beschluss des Personalrats über die beantragte Zustimmung ist der Leiterin oder dem Leiter der Dienststelle innerhalb von zehn Arbeitstagen mitzuteilen. [2]In dringenden Fällen kann die Leiterin oder der Leiter der Dienststelle diese Frist auf drei Arbeitstage abkürzen. [3]Der Personalrat und die Leiterin oder der Leiter der Dienststelle können im Einzelfall oder für die Dauer der Amtszeit des Personalrats schriftlich oder elektronisch von Satz 1

[1)] Nr. 697.

abweichende Fristen vereinbaren. [4]Die Maßnahme gilt als gebilligt, wenn nicht der Personalrat fristgerecht die Zustimmung unter Angabe der Gründe schriftlich oder elektronisch verweigert. [5]Soweit dabei Beschwerden oder Behauptungen tatsächlicher Art vorgetragen werden, die für einen Beschäftigten ungünstig sind oder ihm nachteilig werden können, hat die Dienststelle dem Beschäftigten Gelegenheit zur Äußerung zu geben; die Äußerung ist aktenkundig zu machen.

§ 71 Stufenverfahren. (1) [1]Kommt eine Einigung nicht zustande, so kann die Leiterin oder der Leiter der Dienststelle oder der Personalrat die Angelegenheit binnen fünf Arbeitstagen auf dem Dienstweg den übergeordneten Dienststellen, bei denen Stufenvertretungen bestehen, schriftlich oder elektronisch vorlegen. [2]Der Personalrat und die Leiterin oder der Leiter der Dienststelle können im Einzelfall schriftlich oder elektronisch eine abweichende Frist vereinbaren. [3]In Körperschaften, Anstalten oder Stiftungen des öffentlichen Rechts ist als oberste Dienstbehörde das in ihrer Verfassung für die Geschäftsführung vorgesehene oberste Organ anzurufen. [4]In Zweifelsfällen bestimmt die zuständige oberste Bundesbehörde die anzurufende Stelle. [5]Legt die Leiterin oder der Leiter der Dienststelle die Angelegenheit der übergeordneten Dienststelle vor, teilt sie oder er dies dem Personalrat unter Angabe der Gründe mit.

(2) [1]Die übergeordnete Dienststelle soll die Angelegenheit, sofern sie dem Anliegen des Personalrats nicht oder nicht in vollem Umfang entspricht, innerhalb von sechs Wochen der bei ihr gebildeten Stufenvertretung vorlegen. [2]Für das weitere Verfahren gilt § 70 Absatz 2 und 3 entsprechend.

§ 72 Anrufung der Einigungsstelle. Ergibt sich zwischen der obersten Dienstbehörde und der bei ihr bestehenden zuständigen Personalvertretung keine Einigung, kann jede Seite die Einigungsstelle anrufen.

§ 73 Bildung und Zusammensetzung der Einigungsstelle. (1) Die Einigungsstelle wird bei der obersten Dienstbehörde gebildet.

(2) [1]Die Einigungsstelle besteht aus je drei Beisitzerinnen oder Beisitzern, die von der obersten Dienstbehörde und der bei ihr bestehenden zuständigen Personalvertretung bestellt werden, sowie einer oder einem unparteiischen Vorsitzenden, auf die oder den sich beide Seiten einigen. [2]Unter den Beisitzerinnen und Beisitzern, die von der Personalvertretung bestellt werden, muss sich je eine Beamtin oder ein Beamter und eine Arbeitnehmerin oder ein Arbeitnehmer befinden, es sei denn, die Angelegenheit betrifft nur die Beamtinnen und Beamten oder nur die Arbeitnehmerinnen und Arbeitnehmer. [3]Kommt eine Einigung über die Person der oder des Vorsitzenden nicht zustande, so bestellt sie oder ihn die Präsidentin oder der Präsident des Bundesverwaltungsgerichts.

§ 74 Verfahren der Einigungsstelle. (1) Die Einigungsstelle soll binnen zwei Monaten nach der Erklärung eines Beteiligten, die Entscheidung der Einigungsstelle herbeiführen zu wollen, entscheiden.

(2) [1]Die Verhandlung ist nicht öffentlich. [2]Der obersten Dienstbehörde und der zuständigen Personalvertretung ist Gelegenheit zur mündlichen Äußerung zu geben. [3]Im Einvernehmen mit den Beteiligten kann die Äußerung schriftlich erfolgen.

(3) [1]Die Einigungsstelle entscheidet durch Beschluss. [2]Sie kann den Anträgen der Beteiligten auch teilweise entsprechen. [3]In den Fällen des § 78 Absatz 5 stellt sie fest, ob ein Grund zur Verweigerung der Zustimmung vorliegt.

(4) [1]Der Beschluss wird mit Stimmenmehrheit gefasst. [2]Er muss sich im Rahmen der geltenden Rechtsvorschriften, insbesondere des Haushaltsgesetzes, halten. [3]Der Beschluss ist den Beteiligten zuzustellen.

(5) [1]Für die Verhandlung und Beschlussfassung der Einigungsstelle gilt § 38 Absatz 3 Satz 1, 2 Nummer 1 und 3 sowie Satz 3 entsprechend. [2]Die Verhandlung und Beschlussfassung mittels Video- oder Telefonkonferenz ist unzulässig, wenn ein Mitglied der Einigungsstelle binnen einer von der oder dem Vorsitzenden zu bestimmenden Frist gegenüber der oder dem Vorsitzenden widerspricht. [3]Mitglieder der Einigungsstelle, die mittels Video- oder Telefonkonferenz teilnehmen, gelten als anwesend.

§ 75 Bindung an die Beschlüsse der Einigungsstelle. (1) Der Beschluss der Einigungsstelle bindet die Beteiligten mit Ausnahme der in den Absätzen 2 und 3 geregelten Fälle.

(2) [1]Die oberste Dienstbehörde kann einen Beschluss der Einigungsstelle in Angelegenheiten, die im Einzelfall wegen ihrer Auswirkungen auf das Gemeinwesen wesentlicher Bestandteil der Regierungsgewalt sind, innerhalb von vier Wochen nach dessen Zustellung ganz oder teilweise aufheben und in der Angelegenheit endgültig entscheiden. [2]Die Aufhebung und deren Gründe sind der Vorsitzenden oder dem Vorsitzenden der Einigungsstelle sowie den beteiligten Dienststellen und Personalvertretungen unverzüglich schriftlich oder elektronisch mitzuteilen.

(3) [1]In den Fällen des § 78 Absatz 1 und des § 80 Absatz 1 Nummer 10 bis 13 und 19 bis 21 beschließt die Einigungsstelle, wenn sie sich nicht der Auffassung der obersten Dienstbehörde anschließt, eine Empfehlung an diese. [2]Die oberste Dienstbehörde entscheidet sodann endgültig.

§ 76 Vorläufige Maßnahmen. [1]Die Leiterin oder der Leiter der Dienststelle kann bei Maßnahmen, die der Natur der Sache nach keinen Aufschub dulden, bis zur endgültigen Entscheidung vorläufige Regelungen treffen. [2]Sie oder er hat dem Personalrat die vorläufige Regelung mitzuteilen und zu begründen und unverzüglich das Verfahren der Mitbestimmung einzuleiten oder fortzusetzen.

§ 77 Initiativrecht des Personalrats. (1) Beantragt der Personalrat eine Maßnahme, die nach den §§ 78 bis 80 seiner Mitbestimmung unterliegt, so hat er sie schriftlich oder elektronisch der Leiterin oder dem Leiter der Dienststelle vorzuschlagen und zu begründen.

(2) [1]Die Leiterin oder der Leiter der Dienststelle soll über den Antrag nach Absatz 1 innerhalb von sechs Wochen unter Angabe der Gründe entscheiden oder, wenn die Einhaltung der Frist nicht möglich ist, einen Sachstandshinweis erteilen. [2]Entspricht die Leiterin oder der Leiter der Dienststelle dem Antrag nicht oder nicht in vollem Umfang, so bestimmt sich das weitere Verfahren

1. *in den* Fällen des § 78 Absatz 1 Nummer 12, des § 79 Absatz 1 Nummer 4 und 5 sowie des § 80 Absatz 1 Nummer 1, 3, 4, 6 bis 9, 14, 16, 18 und 21 nach den §§ 71 bis 75,

2. in den übrigen Angelegenheiten nach § 71 mit der Maßgabe, dass die oberste Dienstbehörde endgültig entscheidet.

Unterabschnitt 2. Angelegenheiten der Mitbestimmung

§ 78 Mitbestimmung in Personalangelegenheiten. (1) Der Personalrat bestimmt mit in Personalangelegenheiten bei

1. Einstellung,
2. Beförderung, Verleihung eines anderen Amtes mit anderer Amtsbezeichnung beim Wechsel der Laufbahngruppe, Laufbahnwechsel,
3. Übertragung einer höher oder niedriger zu bewertenden Tätigkeit oder eines höher oder niedriger zu bewertenden Dienstpostens,
4. Eingruppierung, Höher- oder Rückgruppierung von Arbeitnehmerinnen oder Arbeitnehmern einschließlich der hiermit jeweils verbundenen Stufenzuordnung, jedoch nicht bei in das Ermessen des Arbeitgebers gestellten Stufenzuordnungen, es sei denn, es wurden allgemeine Grundsätze erlassen,
5. Versetzung zu einer anderen Dienststelle,
6. Umsetzung innerhalb der Dienstelle für mehr als drei Monate, wenn die Umsetzung mit einem Wechsel des Dienstortes verbunden ist und der neue Dienstort sich außerhalb des Einzugsgebietes im Sinne des Umzugskostenrechts befindet,
7. Abordnung, Zuweisung oder Personalgestellung für mehr als drei Monate,
8. Hinausschieben des Eintritts von Beamtinnen oder Beamten in den Ruhestand oder Weiterbeschäftigung von Arbeitnehmerinnen oder Arbeitnehmern über die Altersgrenze hinaus,
9. Anordnungen zur Wahl der Wohnung,
10. Versagung oder Widerruf der Genehmigung einer Nebentätigkeit,
11. Ablehnung eines Antrags nach den §§ 91 bis 92b oder § 95 des Bundesbeamtengesetzes[1] auf Teilzeitbeschäftigung, Ermäßigung der regelmäßigen Arbeitszeit oder Urlaub,
12. Absehen von der Ausschreibung von Dienstposten, die besetzt werden sollen,
13. Auswahl der Teilnehmerinnen und Teilnehmer an Fortbildungsveranstaltungen mit Ausnahme der Nachbesetzung freier Plätze von Fortbildungsveranstaltungen, die in weniger als drei Arbeitstagen beginnen,
14. Bestellung von Vertrauens- oder Betriebsärztinnen und -ärzten als Beschäftigte,
15. Geltendmachung von Ersatzansprüchen gegen eine Beschäftigte oder einen Beschäftigten.

(2) In den Fällen des Absatzes 1 Nummer 15 bestimmt der Personalrat nur auf Antrag der oder des Beschäftigten mit; diese oder dieser ist von der beabsichtigten Maßnahme rechtzeitig vorher in Kenntnis zu setzen.

(3) In Personalangelegenheiten der in § 15 Absatz 2 Nummer 4 bezeichneten Beschäftigten, der Beamtinnen und Beamten auf Zeit und der Beschäftigten mit überwiegend wissenschaftlicher oder künstlerischer Tätigkeit bestimmt der Personalrat nach Absatz 1 nur mit, wenn sie es beantragen.

---

[1] **Sartorius Nr. 160.**

(4) Absatz 1 gilt nicht

1. für die in § 54 Absatz 1 des Bundesbeamtengesetzes bezeichneten Beamtinnen und Beamten und für entsprechende Arbeitnehmerinnen und Arbeitnehmer sowie
2. für Beamtenstellen von der Besoldungsgruppe A 16 an aufwärts und entsprechende Arbeitnehmerstellen.

(5) Der Personalrat kann in den Fällen des Absatzes 1 seine Zustimmung verweigern, wenn

1. die Maßnahme gegen ein Gesetz, eine Verordnung, eine Bestimmung in einem Tarifvertrag, eine gerichtliche Entscheidung, den Gleichstellungsplan oder eine Verwaltungsanordnung oder gegen eine Richtlinie im Sinne des § 80 Absatz 1 Nummer 12 verstößt,
2. die durch Tatsachen begründete Besorgnis besteht, dass durch die Maßnahme der oder die betroffene Beschäftigte oder andere Beschäftigte benachteiligt werden, ohne dass dies aus dienstlichen oder persönlichen Gründen gerechtfertigt ist, oder
3. die durch Tatsachen begründete Besorgnis besteht, dass die oder der Beschäftigte oder die Bewerberin oder der Bewerber den Frieden in der Dienststelle durch unsoziales oder gesetzwidriges Verhalten stören werde.

§ 79 Mitbestimmung in sozialen Angelegenheiten. (1) Der Personalrat bestimmt mit in sozialen Angelegenheiten bei

1. Gewährung von Unterstützungen, Vorschüssen, Darlehen und entsprechenden sozialen Zuwendungen,
2. Zuweisung und Kündigung von Wohnungen, über die die Beschäftigungsdienststelle verfügt, Ausübung von Belegungs- oder Vorschlagsrechten der Beschäftigungsdienststelle sowie der allgemeinen Festsetzung der Nutzungsbedingungen,
3. Zuweisung von Dienst- und Pachtland und Festsetzung der Nutzungsbedingungen,
4. Errichtung, Verwaltung und Auflösung von Sozialeinrichtungen ohne Rücksicht auf ihre Rechtsform,
5. Aufstellung von Sozialplänen einschließlich Plänen für Umschulungen zum Ausgleich oder zur Milderung von wirtschaftlichen Nachteilen, die der oder dem Beschäftigten infolge von Rationalisierungsmaßnahmen entstehen.

(2) [1] Hat eine Beschäftigte oder ein Beschäftigter eine Leistung nach Absatz 1 Nummer 1 beantragt, wird der Personalrat nur auf ihren oder seinen Antrag beteiligt; auf Verlangen der Antragstellerin oder des Antragstellers bestimmt nur der Vorstand des Personalrats mit. [2] Die Dienststelle hat dem Personalrat nach Abschluss jedes Kalendervierteljahres einen Überblick über die Unterstützungen und entsprechenden sozialen Zuwendungen zu geben. [3] Dabei sind die Anträge und die Leistungen gegenüberzustellen. [4] Auskunft über die von den Antragstellerinnen und Antragstellern angeführten Gründe wird hierbei nicht erteilt.

§ 80 *Mitbestimmung in organisatorischen Angelegenheiten.* (1) Der Personalrat bestimmt mit, soweit eine gesetzliche oder tarifliche Regelung nicht besteht, über

1. Beginn und Ende der täglichen Arbeitszeit und der Pausen sowie die Verteilung der Arbeitszeit auf die einzelnen Wochentage,
2. Anordnung von Dienstbereitschaft, Bereitschaftsdienst, Rufbereitschaft, Mehrarbeit und Überstunden,
3. Einführung, Änderung und Aufhebung von Arbeitszeitmodellen,
4. Gestaltung der Arbeitsplätze,
5. Einführung, Änderung und Aufhebung von Arbeitsformen außerhalb der Dienststelle,
6. Aufstellung allgemeiner Urlaubsgrundsätze und des Urlaubsplanes, Festsetzung der zeitlichen Lage des Erholungsurlaubs für einzelne Beschäftigte, wenn zwischen der Dienststelle und den beteiligten Beschäftigten kein Einverständnis erzielt wird,
7. Zeit, Ort und Art der Auszahlung der Dienstbezüge und Arbeitsentgelte,
8. Fragen der Lohngestaltung innerhalb der Dienststelle, insbesondere die Aufstellung von Entlohnungsgrundsätzen, die Einführung und Anwendung von neuen Entlohnungsmethoden und deren Änderung sowie die Festsetzung der Akkord- und Prämiensätze und vergleichbarer leistungsbezogener Entgelte, einschließlich der Geldfaktoren,
9. Durchführung der Berufsausbildung bei Arbeitnehmerinnen und Arbeitnehmern,
10. allgemeine Fragen der Fortbildung der Beschäftigten,
11. Beurteilungsrichtlinien,
12. Erlass von Richtlinien über die personelle Auswahl bei Einstellungen, Versetzungen, Umgruppierungen und Kündigungen,
13. Maßnahmen, die der Familienfreundlichkeit, der Vereinbarkeit von Familie, Pflege und Beruf, der Durchsetzung der tatsächlichen Gleichstellung von Frauen und Männern, der Vermeidung von Benachteiligungen von Menschen, die sich keinem dieser Geschlechter zuordnen, sowie der Vermeidung von Benachteiligungen von Menschen mit Behinderungen dienen, insbesondere bei der Einstellung, Beschäftigung, Aus-, Fort- und Weiterbildung und dem beruflichen Aufstieg,
14. Grundsätze über die Bewertung von anerkannten Vorschlägen im Rahmen des behördlichen oder betrieblichen Vorschlagwesens,
15. Inhalt von Personalfragebogen,
16. Maßnahmen zur Verhütung von Dienst- und Arbeitsunfällen und Berufskrankheiten sowie zum Gesundheitsschutz im Rahmen der gesetzlichen Vorschriften oder der Unfallverhütungsvorschriften,
17. Grundsätze des behördlichen oder betrieblichen Gesundheits- und Eingliederungsmanagements,
18. Regelung der Ordnung in der Dienststelle und des Verhaltens der Beschäftigten,
19. Maßnahmen zur Hebung der Arbeitsleistung oder zur Erleichterung des Arbeitsablaufs,
20. Einführung grundlegend neuer Arbeitsmethoden,
21. Einführung und Anwendung technischer Einrichtungen, die dazu bestimmt sind, das Verhalten oder die Leistung der Beschäftigten zu überwachen.

(2) Muss für Gruppen von Beschäftigten die tägliche Arbeitszeit nach Erfordernissen, die die Dienststelle nicht voraussehen kann, unregelmäßig und

kurzfristig festgesetzt werden, so beschränkt sich die Mitbestimmung nach Absatz 1 Nummer 1 und 2 auf die Grundsätze für die Aufstellung der Dienstpläne, insbesondere für die Anordnung von Dienstbereitschaft, Mehrarbeit und Überstunden.

Abschnitt 4. Mitwirkung

Unterabschnitt 1. Verfahren der Mitwirkung

§ 81 Verfahren zwischen Dienststelle und Personalrat. (1) Soweit der Personalrat an Entscheidungen mitwirkt, ist die beabsichtigte Maßnahme vor der Durchführung mit dem Ziel einer Verständigung rechtzeitig und eingehend mit ihm zu erörtern.

(2) [1] Äußert sich der Personalrat nicht innerhalb von zehn Arbeitstagen oder hält er bei Erörterung seine Einwendungen oder Vorschläge nicht aufrecht, so gilt die beabsichtigte Maßnahme als gebilligt. [2] Der Personalrat und die Leiterin oder der Leiter der Dienststelle können im Einzelfall oder für die Dauer der Amtszeit des Personalrats schriftlich oder elektronisch eine abweichende Frist vereinbaren. [3] Erhebt der Personalrat Einwendungen, so hat er der Leiterin oder dem Leiter der Dienststelle die Gründe mitzuteilen. [4] Soweit dabei Beschwerden oder Behauptungen tatsächlicher Art vorgetragen werden, die für eine Beschäftigte oder einen Beschäftigten ungünstig sind oder für sie oder ihn nachteilig werden können, hat die Dienststelle der oder dem Beschäftigten Gelegenheit zur Äußerung zu geben; die Äußerung ist aktenkundig zu machen.

(3) Entspricht die Dienststelle den Einwendungen des Personalrats nicht oder nicht in vollem Umfang, so teilt sie dem Personalrat ihre Entscheidung unter Angabe der Gründe schriftlich oder elektronisch mit.

§ 82 Stufenverfahren. (1) [1] Der Personalrat einer nachgeordneten Dienststelle kann die Angelegenheit binnen drei Arbeitstagen nach Zugang der Mitteilung auf dem Dienstweg den übergeordneten Dienststellen, bei denen Stufenvertretungen bestehen, mit dem Antrag auf Entscheidung schriftlich oder elektronisch vorlegen. [2] Die übergeordneten Dienststellen entscheiden nach Verhandlung mit der bei ihnen bestehenden Stufenvertretung. [3] § 71 Absatz 1 Satz 2 bis 4 gilt entsprechend. [4] Eine Kopie seines Antrags leitet der Personalrat seiner Dienststelle zu.

(2) Ist ein Antrag nach Absatz 1 gestellt, so ist die beabsichtigte Maßnahme bis zur Entscheidung der angerufenen Dienststelle auszusetzen.

§ 83 Vorläufige Maßnahmen. [1] Die Leiterin oder der Leiter der Dienststelle kann bei Maßnahmen, die der Natur der Sache nach keinen Aufschub dulden, bis zur endgültigen Entscheidung vorläufige Regelungen treffen. [2] Sie oder er hat dem Personalrat die vorläufige Regelung mitzuteilen und zu begründen sowie unverzüglich das Verfahren der Mitwirkung einzuleiten oder fortzusetzen.

Unterabschnitt 2. Angelegenheiten der Mitwirkung

§ 84[1)] Angelegenheiten der Mitwirkung. (1) Der Personalrat wirkt mit bei

[1)] § 84 Abs. 1 Nr. 4 neu gef., Abs. 2 Satz 1 geänd. mWv 1.4.2024 durch G v. 20.12.2023 (BGBl. 2023 I Nr. 389).

1. Vorbereitung von Verwaltungsanordnungen einer Dienststelle für die innerdienstlichen, sozialen und persönlichen Angelegenheiten der Beschäftigten ihres Geschäftsbereiches, wenn nicht nach § 118 des Bundesbeamtengesetzes[1)] die Spitzenorganisationen der zuständigen Gewerkschaften bei der Vorbereitung zu beteiligen sind,
2. Auflösung, Einschränkung, Verlegung oder Zusammenlegung, Aufspaltung oder Ausgliederung von Dienststellen oder wesentlichen Teilen von ihnen,
3. Übertragung von Aufgaben der Dienststelle, die üblicherweise von ihren Beschäftigten wahrgenommen werden, auf Dauer an Privatpersonen oder andere Rechtsträger in der Rechtsform des Privatrechts,
4. Erlass einer Disziplinarverfügung gegen eine Beamtin oder einen Beamten, mit der eine Zurückstufung oder Entfernung aus dem Beamtenverhältnis ausgesprochen wird,
5. Entlassung einer Beamtin oder eines Beamten auf Probe oder auf Widerruf, die oder der die Entlassung nicht selbst beantragt hat,
6. vorzeitiger Versetzung in den Ruhestand und Feststellung der begrenzten Dienstfähigkeit.

(2) [1] Maßnahmen nach Absatz 1 Nummer 4 bis 6 gegenüber den in § 78 Absatz 4 genannten Beschäftigten unterliegen nicht der Mitwirkung. [2] Im Übrigen wird der Personalrat in den Fällen des Absatzes 1 Nummer 4 bis 6 nur auf Antrag der oder des Beschäftigten beteiligt; die oder der Beschäftigte ist von der beabsichtigten Maßnahme rechtzeitig vorher in Kenntnis zu setzen. [3] Der Personalrat kann bei der Mitwirkung nach Absatz 1 Nummer 4 Einwendungen auf die in § 78 Absatz 5 Nummer 1 und 2 bezeichneten Gründe stützen.

§ 85[2)] Ordentliche Kündigung. (1) [1] Der Personalrat wirkt bei der ordentlichen Kündigung durch den Arbeitgeber mit. [2] § 78 Absatz 4 gilt entsprechend. [3] Der Personalrat kann gegen die Kündigung Einwendungen erheben, wenn nach seiner Ansicht

1. bei der Auswahl der zu kündigenden Arbeitnehmerin oder des zu kündigenden Arbeitnehmers soziale Gesichtspunkte nicht oder nicht ausreichend berücksichtigt worden sind,
2. die Kündigung gegen eine Richtlinie nach § 80 Absatz 1 Nummer 12 verstößt,
3. die zu kündigende Arbeitnehmerin oder der zu kündigende Arbeitnehmer an einem anderen Arbeitsplatz in derselben Dienststelle oder in einer anderen Dienststelle desselben Verwaltungszweiges an demselben Dienstort einschließlich seines Einzugsgebietes weiterbeschäftigt werden kann,
4. die Weiterbeschäftigung der Arbeitnehmerin oder des Arbeitnehmers nach zumutbaren Umschulungs- oder Fortbildungsmaßnahmen möglich ist oder
5. die Weiterbeschäftigung der Arbeitnehmerin oder des Arbeitnehmers unter geänderten Vertragsbedingungen möglich ist und die Arbeitnehmerin oder der Arbeitnehmer sich damit einverstanden erklärt.

[4] Wird der Arbeitnehmerin oder dem Arbeitnehmer gekündigt, obwohl der Personalrat Einwendungen gegen die Kündigung erhoben hat, so ist dem Arbeitnehmer mit der Kündigung eine Kopie der Stellungnahme des Personal-

---

[1)] **Sartorius Nr. 160.**
[2)] § 85 Abs. 1 Satz 2 geänd. mWv 1.4.2024 durch G v. 20.12.2023 (BGBl. 2023 I Nr. 389).

rats zuzuleiten, es sei denn, dass die Stufenvertretung in der Verhandlung nach § 82 Absatz 1 Satz 2 die Einwendungen nicht aufrechterhalten hat.

(2) [1] Hat die Arbeitnehmerin oder der Arbeitnehmer im Fall des Absatzes 1 Satz 4 nach dem Kündigungsschutzgesetz[1)] Klage auf Feststellung erhoben, dass das Arbeitsverhältnis durch die Kündigung nicht aufgelöst ist, so muss der Arbeitgeber auf Verlangen der Arbeitnehmerin oder des Arbeitnehmers diese oder diesen nach Ablauf der Kündigungsfrist bis zum rechtskräftigen Abschluss des Rechtsstreits bei unveränderten Arbeitsbedingungen weiterbeschäftigen. [2] Auf Antrag des Arbeitgebers kann das Arbeitsgericht ihn durch einstweilige Verfügung von der Verpflichtung zur Weiterbeschäftigung nach Satz 1 entbinden, wenn

1. die Klage keine hinreichende Aussicht auf Erfolg bietet oder mutwillig erscheint,
2. die Weiterbeschäftigung zu einer unzumutbaren wirtschaftlichen Belastung des Arbeitgebers führen würde oder
3. der Widerspruch des Personalrats offensichtlich unbegründet war.

(3) Eine Kündigung ist unwirksam, wenn der Personalrat nicht beteiligt worden ist.

Abschnitt 5. Anhörung

§ 86 Außerordentliche Kündigung und fristlose Entlassung. [1] Vor fristlosen Entlassungen und außerordentlichen Kündigungen ist der Personalrat anzuhören. [2] Die Leiterin oder der Leiter der Dienststelle hat die beabsichtigte Maßnahme zu begründen. [3] Hat der Personalrat Bedenken, so hat er sie unter Angabe der Gründe der Leiterin oder dem Leiter der Dienststelle unverzüglich, spätestens jedoch innerhalb von drei Arbeitstagen schriftlich oder elektronisch mitzuteilen. [4] § 85 Absatz 3 gilt entsprechend.

§ 87 Weitere Angelegenheiten der Anhörung. (1) [1] Vor der Weiterleitung von Personalanforderungen zum Haushaltsvoranschlag ist der Personalrat anzuhören. [2] Gibt der Personalrat einer nachgeordneten Dienststelle zu den Personalanforderungen eine Stellungnahme ab, so ist diese mit den Personalanforderungen der übergeordneten Dienststelle vorzulegen. [3] Das gilt entsprechend für die Personalplanung.

(2) Absatz 1 gilt entsprechend für Neu-, Um- und Erweiterungsbauten von Diensträumen.

(3) Vor grundlegenden Änderungen von Arbeitsverfahren und Arbeitsabläufen ist der Personalrat anzuhören.

Kapitel 5. Stufenvertretungen und Gesamtpersonalrat

Abschnitt 1. Bildung und Beteiligung der Stufenvertretungen

§ 88 Errichtung. Für den Geschäftsbereich mehrstufiger Verwaltungen werden bei den Behörden der Mittelstufe Bezirkspersonalräte, bei den obersten Dienstbehörden Hauptpersonalräte gebildet.

[1)] Nr. **152**.

§ 89 Wahl und Zusammensetzung. (1) [1] Die Mitglieder des Bezirkspersonalrats werden von den zum Geschäftsbereich der Behörde der Mittelstufe gehörenden Beschäftigten gewählt. [2] Die Mitglieder des Hauptpersonalrats werden von den zum Geschäftsbereich der obersten Dienstbehörde gehörenden Beschäftigten gewählt.

(2) [1] Die §§ 13 bis 16, § 17 Absatz 1, 2, 6 und 7, die §§ 18 bis 22 sowie die §§ 24 bis 26 gelten entsprechend. [2] § 15 Absatz 2 Nummer 4 gilt nur für die Beschäftigten der Dienststelle, bei der die Stufenvertretung zu errichten ist.

(Fortsetzung nächstes Blatt)

[3] Eine Personalversammlung zur Bestellung des Bezirks- oder Hauptwahlvorstands findet nicht statt. [4] An ihrer Stelle übt die Leiterin oder der Leiter der Dienststelle, bei der die Stufenvertretung zu errichten ist, die Befugnis zur Bestellung des Wahlvorstands nach den §§ 22 und 24 aus.

(3) Werden in einer Verwaltung die Personalräte und Stufenvertretungen gleichzeitig gewählt, so führen die bei den Dienststellen bestehenden Wahlvorstände die Wahlen der Stufenvertretungen im Auftrag des Bezirks- oder Hauptwahlvorstands durch; andernfalls bestellen auf sein Ersuchen die Personalräte oder, wenn solche nicht bestehen, die Leiterinnen oder Leiter der Dienststellen die örtlichen Wahlvorstände für die Wahl der Stufenvertretungen.

(4) [1] In den Stufenvertretungen erhält jede Gruppe mindestens eine Vertreterin oder einen Vertreter. [2] Besteht die Stufenvertretung aus mehr als neun Mitgliedern, erhält jede Gruppe mindestens zwei Vertreterinnen oder Vertreter. [3] § 17 Absatz 5 gilt entsprechend.

§ 90 Amtszeit und Geschäftsführung. [1] Für die Stufenvertretungen gilt Kapitel 2 Abschnitt 2 und 3 mit Ausnahme des § 45 entsprechend. [2] § 36 Absatz 1 gilt mit der Maßgabe, dass die Mitglieder der Stufenvertretung spätestens zehn Arbeitstage nach dem Wahltag einzuberufen sind.

§ 91 Rechtsstellung. Für die Rechtsstellung der Mitglieder der Stufenvertretung gilt Kapitel 2 Abschnitt 4 mit Ausnahme des § 52 Absatz 2 entsprechend.

§ 92 Zuständigkeit. (1) In Angelegenheiten, in denen die Dienststelle nicht zur Entscheidung befugt ist, ist an Stelle des Personalrats die bei der zuständigen Dienststelle gebildete Stufenvertretung zu beteiligen.

(2) [1] Vor einem Beschluss in Angelegenheiten, die einzelne Beschäftigte oder Dienststellen betreffen, gibt die Stufenvertretung dem Personalrat oder, sofern dieser zuständig wäre, dem bei dieser Dienststelle gebildeten Gesamtpersonalrat Gelegenheit zur Äußerung. [2] In diesem Fall verdoppeln sich die Fristen des § 70 Absatz 3 Satz 1 und 2, des § 71 Absatz 1 Satz 1, des § 81 Absatz 2 Satz 1 sowie des § 82 Absatz 1 Satz 1, sofern die Stufenvertretung und die Leiterin oder der Leiter der Dienststelle keine abweichende Regelung vereinbaren.

(3) Für die Aufgaben, Befugnisse und Pflichten der Stufenvertretungen gilt Kapitel 4 entsprechend.

(4) Werden im Geschäftsbereich mehrstufiger Verwaltungen personelle oder soziale Maßnahmen von einer Dienststelle getroffen, bei der keine für eine Beteiligung an diesen Maßnahmen zuständige Personalvertretung vorgesehen ist, so ist die Stufenvertretung bei der nächsthöheren Dienststelle, zu deren Geschäftsbereich die entscheidende Dienststelle und die von der Entscheidung Betroffenen gehören, zu beteiligen.

Abschnitt 2. Bildung und Beteiligung des Gesamtpersonalrats

§ 93 Errichtung. In den Fällen des § 7 wird neben den einzelnen Personalräten ein Gesamtpersonalrat gebildet.

§ 94 Anzuwendende Vorschriften. Für den Gesamtpersonalrat gelten § 89 Absatz 1, 2 und 4, § 90 Satz 1 sowie § 91 entsprechend.

§ 95 Zuständigkeit. (1) Für die Verteilung der Zuständigkeiten zwischen Personalrat und Gesamtpersonalrat gilt § 92 Absatz 1 und 2 entsprechend.

(2) Für die Aufgaben, Befugnisse und Pflichten des Gesamtpersonalrats gilt Kapitel 4 entsprechend.

Kapitel 6. Arbeitsgemeinschaft der Hauptpersonalräte

§ 96 Zusammensetzung, Amtszeit, Teilnahmerechte. (1) [1] Die Hauptpersonalräte bei den obersten Bundesbehörden bilden die Arbeitsgemeinschaft der Hauptpersonalräte. [2] Ist in der obersten Bundesbehörde kein Hauptpersonalrat gebildet, gilt der Gesamtpersonalrat oder, falls ein Gesamtpersonalrat nicht gebildet ist, der Personalrat der obersten Bundesbehörde als Hauptpersonalrat im Sinne dieses Kapitels.

(2) [1] Jeder Hauptpersonalrat entsendet ein Mitglied in die Arbeitsgemeinschaft der Hauptpersonalräte und bestimmt mindestens ein Ersatzmitglied. [2] Die Mitgliedschaft in der Arbeitsgemeinschaft der Hauptpersonalräte endet durch das Erlöschen der Mitgliedschaft in dem entsendenden Hauptpersonalrat, die Abberufung durch den entsendenden Hauptpersonalrat oder die Niederlegung des Amts in der Arbeitsgemeinschaft der Hauptpersonalräte. [3] § 32 ist entsprechend anzuwenden.

(3) Die Arbeitsgemeinschaft der Hauptpersonalräte wählt aus ihrer Mitte bis zu zwei Vorsitzende und bis zu zwei stellvertretende Vorsitzende.

(4) Die Amtszeit der Arbeitsgemeinschaft der Hauptpersonalräte beginnt am 1. Juni des Jahres, in dem die regelmäßigen Personalratswahlen stattfinden, und endet mit dem Ablauf von vier Jahren.

(5) Ein Vertreter oder eine Vertreterin der Haupt-Jugend- und -Auszubildendenvertretungen, der oder die von diesen benannt wird, und je ein Vertreter oder eine Vertreterin der Arbeitsgemeinschaft der Schwerbehindertenvertretungen des Bundes und der Vereinigung der Schwerbehindertenvertretungen des Bundes haben das Recht, an den Sitzungen der Arbeitsgemeinschaft der Hauptpersonalräte beratend teilzunehmen.

§ 97 Geschäftsführung und Rechtsstellung. (1) Für die Geschäftsführung der Arbeitsgemeinschaft der Hauptpersonalräte und die Rechtsstellung ihrer Mitglieder gelten § 36 Absatz 2 Satz 1 bis 3, die §§ 38, 43 und 44 sowie die §§ 48 bis 52 Absatz 1 entsprechend.

(2) [1] Die Geschäftsstelle der Arbeitsgemeinschaft der Hauptpersonalräte wird bei der obersten Bundesbehörde eingerichtet, deren Geschäftsbereich die oder der Vorsitzende der Arbeitsgemeinschaft der Hauptpersonalräte angehört. [2] Hat die Arbeitsgemeinschaft der Hauptpersonalräte zwei Vorsitzende gewählt, beschließt sie mit einfacher Mehrheit über den Sitz der Geschäftsstelle bei einer der obersten Bundesbehörden, deren Geschäftsbereichen die Vorsitzenden angehören.

§ 98 Stellungnahmerecht bei ressortübergreifenden Digitalisierungsmaßnahmen. (1) [1] Vor Entscheidungen oberster Bundesbehörden oder Vorlagen an die Bundesregierung in Angelegenheiten des § 80 Absatz 1 Nummer 21, die die Geschäftsbereiche mehrerer oberster Bundesbehörden betreffen, ist der Arbeitsgemeinschaft der Hauptpersonalräte Gelegenheit zur Stellungnahme zu geben. [2] Das Stellungnahmerecht erstreckt sich auch auf Maßnahmen, die

1. mit den in Satz 1 genannten Angelegenheiten unmittelbar zusammenhängen,
2. ebenfalls die Geschäftsbereiche mehrerer oberster Bundesbehörden betreffen und
3. der Beteiligung nach Kapitel 4 unterlägen, wenn sie von einer Dienststelle nur für ihre Beschäftigten getroffen würden, mit Ausnahme personeller Einzelmaßnahmen.

(2) [1] Die federführend zuständige oberste Bundesbehörde unterrichtet die Arbeitsgemeinschaft der Hauptpersonalräte rechtzeitig und umfassend von der beabsichtigten Entscheidung und legt ihr die hierfür erforderlichen Unterlagen vor. [2] Die Arbeitsgemeinschaft der Hauptpersonalräte teilt der obersten Bundesbehörde ihre Stellungnahme innerhalb einer Frist von vier Wochen mit, soweit nicht einvernehmlich eine andere Frist vereinbart ist. [3] In dringenden Fällen kann die Dienststelle die Frist auf eine Woche verkürzen oder, sofern die Entscheidung der Natur der Sache nach keinen Aufschub duldet, die Stellungnahme nachträglich einholen. [4] Auf Verlangen der Arbeitsgemeinschaft der Hauptpersonalräte ist die beabsichtigte Maßnahme mit ihr vor Abgabe der Stellungnahme zu erörtern.

(3) [1] Die Befugnisse und Pflichten der Personalvertretungen nach diesem Gesetz bleiben unberührt. [2] Die Arbeitsgemeinschaft der Hauptpersonalräte informiert die Hauptpersonalräte regelmäßig über ihre Tätigkeit.

Kapitel 7. Jugend- und Auszubildendenvertretung, Jugend- und Auszubildendenversammlung

§ 99 Errichtung. In Dienststellen, bei denen Personalvertretungen gebildet sind und denen in der Regel mindestens fünf Beschäftigte angehören, die das 18. Lebensjahr noch nicht vollendet haben oder die sich in einer beruflichen Ausbildung befinden, werden Jugend- und Auszubildendenvertretungen gebildet.

§ 100 Wahlberechtigung und Wählbarkeit. (1) [1] Wahlberechtigt sind die Beschäftigten, die am Wahltag das 18. Lebensjahr noch nicht vollendet haben oder sich in einer beruflichen Ausbildung befinden. [2] § 14 Absatz 1 Nummer 1 und 2 sowie Absatz 2 gilt entsprechend.

(2) [1] Wählbar sind die Beschäftigten, die am Wahltag das 26. Lebensjahr noch nicht vollendet haben oder sich in einer beruflichen Ausbildung befinden. [2] § 15 Absatz 1 Satz 1 Nummer 2, Satz 2 und Absatz 2 Nummer 1, 2 und 4 gilt entsprechend. [3] Die gleichzeitige Mitgliedschaft im Personalrat und in der Jugend- und Auszubildendenvertretung ist zulässig. [4] Ein Mitglied des Personalrats, das gleichzeitig Mitglied der Jugend- und Auszubildendenvertretung ist, darf bei Beschlussfassungen des Personalrats, bei denen die Vertreterinnen und Vertreter der Jugend- und Auszubildendenvertretung stimmberechtigt sind, nur eine Stimme abgeben.

§ 101 Größe und Zusammensetzung. (1) Die Jugend- und Auszubildendenvertretung besteht in Dienststellen mit in der Regel

1. 5 bis 20 Beschäftigten, die das 18. Lebensjahr noch nicht vollendet haben oder sich in einer beruflichen Ausbildung befinden, aus einer Jugend- und Auszubildendenvertreterin oder einem Jugend- und Auszubildendenvertreter,

2. 21 bis 50 der in Nummer 1 genannten Beschäftigten aus drei Jugend- und Auszubildendenvertreterinnen oder -vertretern,
3. 51 bis 200 der in Nummer 1 genannten Beschäftigten aus fünf Jugend- und Auszubildendenvertreterinnen oder -vertretern,
4. 201 bis 300 der in Nummer 1 genannten Beschäftigten aus sieben Jugend- und Auszubildendenvertreterinnen oder -vertretern,
5. 301 bis 1 000 der in Nummer 1 genannten Beschäftigten aus elf Jugend- und Auszubildendenvertreterinnen oder -vertretern,
6. mehr als 1 000 der in Nummer 1 genannten Beschäftigten aus 15 Jugend- und Auszubildendenvertreterinnen oder -vertretern.

(2) Die Jugend- und Auszubildendenvertretung soll sich aus Vertreterinnen oder Vertretern der verschiedenen Beschäftigungsarten der Beschäftigten, die das 18. Lebensjahr noch nicht vollendet haben oder sich in einer beruflichen Ausbildung befinden, zusammensetzen.

(3) Frauen und Männer sollen in der Jugend- und Auszubildendenvertretung entsprechend ihrem Zahlenverhältnis unter den Beschäftigten, die das 18. Lebensjahr noch nicht vollendet haben oder sich in einer beruflichen Ausbildung befinden, vertreten sein.

§ 102 Wahl, Amtszeit und Vorsitz. (1) [1] Spätestens acht Wochen vor Ablauf der Amtszeit der Jugend- und Auszubildendenvertretung bestimmt der Personalrat im Einvernehmen mit der Jugend- und Auszubildendenvertretung den Wahlvorstand und seinen Vorsitzenden oder seine Vorsitzende. [2] § 21 Satz 5 bis 7 gilt entsprechend. [3] Kommt ein Einvernehmen zwischen Personalrat und Jugend- und Auszubildendenvertretung nicht zustande, gelten die §§ 22 und 23 entsprechend mit der Maßgabe, dass an die Stelle einer Personalversammlung eine Jugend- und Auszubildendenversammlung tritt. [4] Für die Wahl der Jugend- und Auszubildendenvertretung gelten § 19 Absatz 1 und 3, § 20 Absatz 1 Satz 1, Absatz 2, 4 und 5, § 25 Absatz 1 Satz 1 und 2, Absatz 2 und § 26 entsprechend.

(2) [1] Die regelmäßigen Wahlen der Jugend- und Auszubildendenvertretung finden alle zwei Jahre in der Zeit vom 1. März bis 31. Mai statt. [2] Die Amtszeit der Jugend- und Auszubildendenvertretung beginnt am 1. Juni des Jahres, in dem die regelmäßigen Wahlen der Jugend- und Auszubildendenvertretung stattfinden, und endet mit dem Ablauf von zwei Jahren. [3] § 27 Absatz 2 Satz 2 ist entsprechend anzuwenden. [4] Für die Wahl der Jugend- und Auszubildendenvertretung außerhalb des in Satz 1 genannten Zeitraums gilt § 28 Absatz 1 Nummer 2 bis 6, Absatz 2, 3 und 5 entsprechend.

(3) Besteht die Jugend- und Auszubildendenvertretung aus mehr als zwei Mitgliedern, so wählt sie aus ihrer Mitte eine Vorsitzende oder einen Vorsitzenden und eine stellvertretende Vorsitzende oder einen stellvertretenden Vorsitzenden.

(4) Die §§ 29 bis 33 gelten entsprechend.

§ 103 Aufgaben. Die Jugend- und Auszubildendenvertretung hat folgende allgemeine Aufgaben:

1. Maßnahmen beim Personalrat zu beantragen, die den Beschäftigten dienen, die das 18. Lebensjahr noch nicht vollendet haben oder sich in einer beruflichen Ausbildung befinden, insbesondere Maßnahmen auf dem Gebiet der Berufsbildung,

2. darüber zu wachen, dass die zugunsten der in Nummer 1 genannten Beschäftigten geltenden Gesetze, Verordnungen, Unfallverhütungsvorschriften, Tarifverträge, Dienstvereinbarungen und Verwaltungsanordnungen durchgeführt werden,
3. Anregungen und Beschwerden der in Nummer 1 genannten Beschäftigten, insbesondere auf dem Gebiet der Berufsbildung, entgegenzunehmen und, falls die Anregungen und Beschwerden berechtigt erscheinen, beim Personalrat auf eine Erledigung hinzuwirken; die Jugend- und Auszubildendenvertretung hat die betroffenen Beschäftigten über den Stand und das Ergebnis der Verhandlungen zu informieren.

§ 104 Zusammenarbeit mit dem Personalrat. (1) Die Zusammenarbeit der Jugend- und Auszubildendenvertretung mit dem Personalrat bestimmt sich nach § 36 Absatz 3, § 37 Absatz 1 und § 42.

(2) [1] Zur Durchführung ihrer Aufgaben ist die Jugend- und Auszubildendenvertretung durch den Personalrat rechtzeitig und umfassend zu unterrichten. [2] Die Jugend- und Auszubildendenvertretung kann verlangen, dass ihr der Personalrat die zur Durchführung ihrer Aufgaben erforderlichen Unterlagen, einschließlich der für die Durchführung seiner Aufgaben erforderlichen personenbezogenen Daten, zur Verfügung stellt. [3] § 69 gilt entsprechend.

(3) [1] Der Personalrat hat die Jugend- und Auszubildendenvertretung zu den Besprechungen zwischen der Leiterin oder dem Leiter der Dienststelle und dem Personalrat nach § 65 beizuziehen, wenn Angelegenheiten behandelt werden, die besonders die Beschäftigten betreffen, die das 18. Lebensjahr noch nicht vollendet haben oder sich in einer beruflichen Ausbildung befinden. [2] Darüber hinaus sollen die Leiterin oder der Leiter der Dienststelle und die Jugend- und Auszubildendenvertretung mindestens einmal im Halbjahr zu einer Besprechung zusammentreten.

(4) [1] Die Jugend- und Auszubildendenvertretung kann nach Verständigung des Personalrats Sitzungen abhalten; § 36 Absatz 1 und 2, § 37 Absatz 2 und 3, die §§ 38, 39 und 41 sowie die §§ 43 und 44 gelten entsprechend. [2] An den Sitzungen der Jugend- und Auszubildendenvertretung kann ein vom Personalrat beauftragtes Personalratsmitglied teilnehmen.

§ 105 Anzuwendende Vorschriften. [1] Für die Jugend- und Auszubildendenvertretung gelten § 2 Absatz 5, die §§ 45 bis 52 Absatz 1 und § 54 entsprechend. [2] § 55 gilt entsprechend mit der Maßgabe, dass die außerordentliche Kündigung, die Versetzung und die Abordnung von Mitgliedern der Jugend- und Auszubildendenvertretung der Zustimmung des Personalrats bedürfen. [3] Für Mitglieder des Wahlvorstands und Wahlbewerberinnen und Wahlbewerber gilt § 55 Absatz 1 und 2 Satz 1 und 2 entsprechend. [4] § 56 gilt entsprechend; in dem Verfahren vor dem Verwaltungsgericht nach § 56 Absatz 4 ist bei einem Mitglied der Jugend- und Auszubildendenvertretung auch diese Beteiligte.

§ 106 Jugend- und Auszubildendenversammlung. [1] Die Jugend- und Auszubildendenvertretung hat einmal in jedem Kalenderjahr eine Jugend- und Auszubildendenversammlung durchzuführen. [2] Diese soll möglichst unmittelbar vor oder nach einer ordentlichen Personalversammlung stattfinden. [3] Sie wird von der oder dem Vorsitzenden der Jugend- und Auszubildendenvertretung geleitet. [4] Der oder die Personalratsvorsitzende oder ein vom Personalrat beauftragtes Mitglied soll an der Jugend- und Auszubildendenversammlung teilnehmen. [5]Die für die Personalversammlung geltenden Vorschriften gelten entsprechend. [6]Außer der in Satz 1 bezeichneten Jugend- und Auszubildendenversammlung kann eine weitere, nicht auf Wunsch des Leiters oder der Leiterin der Dienststelle einberufene Versammlung während der Arbeitszeit stattfinden.

§ 107 Stufenvertretungen. (1) [1]Für den Geschäftsbereich mehrstufiger Verwaltungen werden, soweit Stufenvertretungen bestehen, bei den Behörden der Mittelstufen Bezirks-Jugend- und -Auszubildendenvertretungen und bei den obersten Dienstbehörden Haupt-Jugend- und -Auszubildendenvertretungen gebildet. [2]Für die Jugend- und Auszubildendenstufenvertretungen gelten § 89 Absatz 1 und 3 sowie die §§ 99 bis 105 entsprechend.

(2) [1]In den Fällen des § 7 wird neben den einzelnen Jugend- und Auszubildendenvertretungen eine Gesamt-Jugend- und -Auszubildendenvertretung gebildet. [2]Absatz 1 Satz 2 gilt entsprechend.

Kapitel 8. Gerichtliche Entscheidungen

§ 108 Zuständigkeit der Verwaltungsgerichte, Anwendung des Arbeitsgerichtsgesetzes. (1) Die Verwaltungsgerichte, im dritten Rechtszug das Bundesverwaltungsgericht, entscheiden in den Fällen der §§ 26, 30, 55 Absatz 1 und des § 56 sowie über

1. Wahlberechtigung und Wählbarkeit,
2. Wahl, Amtszeit und Zusammensetzung der Personalvertretungen und der Jugend- und Auszubildendenvertretungen,
3. Zuständigkeit, Geschäftsführung und Rechtsstellung der Personalvertretungen und der Jugend- und Auszubildendenvertretungen,
4. Rechtmäßigkeit eines Beschlusses der Einigungsstelle oder Aufhebung eines Beschlusses der Einigungsstelle durch die oberste Dienstbehörde sowie
5. Bestehen oder Nichtbestehen von Dienstvereinbarungen.

(2) Die Vorschriften des Arbeitsgerichtsgesetzes[1)] über das Beschlussverfahren gelten entsprechend.

§ 109 Bildung von Fachkammern und Fachsenaten. (1) [1]Für Streitigkeiten nach diesem Teil sind bei den Verwaltungsgerichten Fachkammern und bei den Oberverwaltungsgerichten Fachsenate zu bilden. [2]Die Zuständigkeit einer Fachkammer kann auf die Bezirke anderer Gerichte oder Teile von ihnen erstreckt werden.

(2) Die Fachkammern und Fachsenate entscheiden in der Besetzung mit einer oder einem Vorsitzenden und vier ehrenamtlichen Richterinnen oder Richtern.

(3) [1]Die ehrenamtlichen Richterinnen und Richter müssen Beschäftigte im öffentlichen Dienst des Bundes sein. [2]Sie werden durch die Landesregierung oder die von ihr bestimmte Stelle je zur Hälfte auf Vorschlag der Gewerkschaften, die unter den Beschäftigten vertreten sind, und der in § 1 bezeichneten Verwaltungen und Gerichte berufen. [3]Von den von den Gewerkschaften vorzuschlagenden ehrenamtlichen Richterinnen und Richtern muss eine Person Beamtin oder Beamter und die andere Arbeitnehmerin oder Arbeitnehmer sein. [4]Für die Berufung und die Stellung der ehrenamtlichen Richterinnen und

---

1) **Nr. 660.**

Richter und für ihre Heranziehung zu den Sitzungen gelten die Vorschriften des Arbeitsgerichtsgesetzes[1)] über ehrenamtliche Richterinnen und Richter entsprechend.

Kapitel 9. Sondervorschriften

Abschnitt 1. Vorschriften für besondere Verwaltungszweige

§ 110 Grundsatz. Für die nachstehenden Zweige des öffentlichen Dienstes gilt dieses Gesetz, soweit im Folgenden nichts anderes bestimmt ist.

§ 111 Bundespolizei. (1) [1]Die Beschäftigten der Bundespolizeibehörden und der ihnen nachgeordneten Dienststellen wählen Bundespolizeipersonalvertretungen. [2]Bundespolizeipersonalvertretungen sind die Bundespolizeipersonalräte, die Bundespolizeibezirkspersonalräte und der Bundespolizeihauptpersonalrat.

(2) Die Vorschriften über die Jugend- und Auszubildendenvertretung gelten nicht für die Polizeivollzugsbeamtinnen und -beamten.

(3) Eine Beteiligung der Bundespolizeipersonalvertretung findet nicht statt bei

1. Anordnungen für Polizeivollzugsbeamtinnen und -beamte, durch die Einsätze oder Einsatzübungen geregelt werden,
2. der Einstellung von Polizeivollzugsbeamtinnen und -beamten für die Grundausbildung.

§ 112 Bundesnachrichtendienst. (1) [1]Teile und Stellen des Bundesnachrichtendienstes, die nicht zur Zentrale des Bundesnachrichtendienstes gehören, gelten als Dienststellen im Sinne des § 4 Absatz 1 Nummer 6. [2]In Zweifelsfällen entscheidet die Präsidentin oder der Präsident des Bundesnachrichtendienstes über die Dienststelleneigenschaft.

(2) Die Mitgliedschaft im Personalrat ruht bei Personen, die zu einer sicherheitsempfindlichen Tätigkeit nicht zugelassen sind.

(3) [1]Die Personalversammlungen finden nur in den Räumen der Dienststelle statt. [2]Die Präsidentin oder der Präsident des Bundesnachrichtendienstes kann nach Anhörung des Personalrats bestimmen, dass Personalversammlungen als Teilversammlung durchgeführt werden. [3]Die Leiterin oder der Leiter der Dienststelle kann nach Anhörung des Personalrats bestimmen, dass Beschäftigte, bei denen dies wegen ihrer dienstlichen Aufgaben zwingend geboten ist, nicht an der jeweiligen Personalversammlung teilnehmen. [4]Die Tagesordnung der Personalversammlung und die in der Personalversammlung sowie im Tätigkeitsbericht zu behandelnden Punkte legt der Personalrat im Benehmen mit der Leiterin oder dem Leiter der Dienststelle fest. [5]Andere Punkte dürfen nicht behandelt werden.

(4) [1]In den Fällen der §§ 22 und 24 sowie des § 28 Absatz 3 bestellt die Leiterin oder der Leiter der Dienststelle den Wahlvorstand. [2]Die Beschäftigten des Bundesnachrichtendienstes wählen keine Stufenvertretung. [3]Soweit eine Stufenvertretung zuständig ist, ist an ihrer Stelle der Gesamtpersonalrat zu beteiligen. [4]Die Aufgaben der obersten Dienstbehörde nach diesem Gesetz nimmt die Chefin oder der Chef des Bundeskanzleramtes wahr. [5]Die §§ 72

[1)] Nr. 660.

bis 75 sind nicht anzuwenden. [6] § 71 ist mit der Maßgabe anzuwenden, dass die oberste Dienstbehörde endgültig entscheidet. [7] In den Fällen des § 55 Absatz 2 tritt an die Stelle der Zustimmung die Mitwirkung nach Kapitel 4 Abschnitt 4.

(5) [1] § 77 Absatz 2 Satz 2 Nummer 1 und § 85 Absatz 2 sind nicht anzuwenden. [2] Die Regelungen der §§ 21, 37 Absatz 2, des § 42 Absatz 1 sowie des § 58 Absatz 2 über eine Beteiligung von Vertreterinnen oder Vertretern oder Beauftragten der Gewerkschaften und Arbeitgebervereinigungen sind nicht anzuwenden. [3] Die Präsidentin oder der Präsident des Bundesnachrichtendienstes kann bestimmen, dass Beauftragte der Gewerkschaften zu einer sicherheitsempfindlichen Tätigkeit zugelassen sein müssen. [4] Die Präsidentin oder der Präsident des Bundesnachrichtendienstes kann die Anwendung des § 13 Absatz 2 ausschließen.

(6) § 125 ist mit den Maßgaben anzuwenden, dass

1. § 125 Absatz 1 Satz 1 nur anzuwenden ist, wenn nicht alle Mitglieder der zuständigen Personalvertretung ermächtigt sind, von Verschlusssachen des entsprechenden Geheimhaltungsgrades Kenntnis zu erhalten;
2. Personalvertretungen keine Ausschüsse bilden; an die Stelle der Ausschüsse der Personalvertretungen tritt der Ausschuss des Gesamtpersonalrats;
3. die Präsidentin oder der Präsident des Bundesnachrichtendienstes außer in den Fällen des § 125 Absatz 5 auch bei Vorliegen besonderer nachrichtendienstlicher Gründe Anordnungen im Sinne des § 125 Absatz 5 treffen oder von einer Beteiligung absehen kann.

(7) [1] Bei Vorliegen besonderer Sicherheitsvorfälle oder einer besonderen Einsatzsituation, von der der Bundesnachrichtendienst ganz oder teilweise betroffen ist, ruhen die Rechte und Pflichten der zuständigen Personalvertretungen. [2] Beginn und Ende des Ruhens der Befugnisse der Personalvertretung werden jeweils von der Präsidentin oder dem Präsidenten des Bundesnachrichtendienstes im Einvernehmen mit der Chefin oder dem Chef des Bundeskanzleramtes festgestellt.

(8) [1] Für gerichtliche Entscheidungen nach § 108 Absatz 1 ist im ersten und letzten Rechtszug das Bundesverwaltungsgericht zuständig. [2] Im gerichtlichen Verfahren gilt § 99 der Verwaltungsgerichtsordnung[1)] entsprechend.

(9) Die oberste Dienstbehörde und der Gesamtpersonalrat können schriftlich oder elektronisch und jederzeit widerruflich eine von den Absätzen 1 bis 3, Absatz 4 Satz 1, 5 bis 7 sowie den Absätzen 5 und 6 abweichende Dienstvereinbarung treffen.

(10) Soweit sich aus den Absätzen 1 bis 9 nichts anderes ergibt, gelten die §§ 59 bis 63 des Soldatinnen- und Soldatenbeteiligungsgesetzes entsprechend.

§ 113 Bundesamt für Verfassungsschutz. (1) Die Präsidentin oder der Präsident des Bundesamtes für Verfassungsschutz kann nach Anhörung des Personalrats bestimmen, dass Beschäftigte, bei denen dies wegen ihrer dienstlichen Aufgaben dringend geboten ist, nicht an Personalversammlungen teilnehmen.

(2) Die Regelungen der §§ 21, 37 Absatz 2, des § 42 Absatz 1 und des § 58 Absatz 2 über eine Beteiligung von Vertreterinnen oder Vertretern oder Beauf-

---

1) beck-online, Module Arbeitsrecht Nr. 663.

tragten der Gewerkschaften und Arbeitgebervereinigungen sind nicht anzuwenden.

(3) Bei der Beteiligung der Stufenvertretung und der Einigungsstelle sind Angelegenheiten, die lediglich Beschäftigte des Bundesamtes für Verfassungsschutz betreffen, in entsprechender Anwendung des § 125 wie Verschlusssachen des Geheimhaltungsgrades „VS-VERTRAULICH" zu behandeln, soweit nicht die zuständige Stelle etwas anderes bestimmt.

§ 114 Bundesagentur für Arbeit und andere bundesunmittelbare Körperschaften des öffentlichen Rechts im Bereich der Sozialversicherung.

(1) Abweichend von § 4 Absatz 1 Nummer 4 sind bei der Bundesagentur für Arbeit und den anderen bundesunmittelbaren Körperschaften des öffentlichen Rechts im Bereich der Sozialversicherung Behörden der Mittelstufe im Sinne dieses Gesetzes die der Zentrale, der Hauptverwaltung oder der Hauptverwaltungsstelle unmittelbar nachgeordneten Dienststellen, denen andere Dienststellen nachgeordnet sind.

(2) [1] Abweichend von § 8 Satz 1 handelt für die Körperschaft der Vorstand, soweit ihm die Entscheidung zusteht. [2] Abweichend von § 8 Satz 2 kann der Vorstand sich durch eines oder mehrere seiner Mitglieder vertreten lassen.

(3) [1] Abweichend von § 8 Satz 1 handelt für die Agenturen für Arbeit, bei denen eine Geschäftsführung bestellt ist, und für die Regionaldirektionen der Bundesagentur für Arbeit das vorsitzende Mitglied der Geschäftsführung. [2] Abweichend von § 8 Satz 2 kann es sich durch eines oder mehrere der weiteren Mitglieder der Geschäftsführung vertreten lassen.

(4) [1] Als oberste Dienstbehörde im Sinne der §§ 71 bis 77 gilt der Vorstand. [2] Abweichend von § 71 Absatz 1 Satz 3 ist als oberste Dienstbehörde der Vorstand anzurufen.

§ 115 Deutsche Bundesbank. (1) [1] Oberste Dienstbehörde ist die Präsidentin oder der Präsident der Deutschen Bundesbank. [2] Der Vorstand gilt als oberste Dienstbehörde, soweit ihm die Entscheidung zusteht; § 71 Absatz 1 Satz 3 ist nicht anzuwenden.

(2) [1] Abweichend von § 8 Satz 1 handelt der Vorstand, soweit ihm die Entscheidung zusteht. [2] Er kann sich durch eines oder mehrere seiner Mitglieder vertreten lassen.

§ 116 Deutsche Welle. (1) [1] Die Einrichtungen der Deutschen Welle am Sitz Bonn und die Einrichtungen der Deutschen Welle am Sitz Berlin bilden je eine Dienststelle im Sinne dieses Gesetzes. [2] Leiterin oder Leiter der Dienststellen ist die Intendantin oder der Intendant. [3] Sie oder er gilt als oberste Dienstbehörde im Sinne dieses Gesetzes; § 71 Absatz 1 Satz 3 ist nicht anzuwenden. [4] § 8 ist entsprechend anzuwenden. [5] Andere als die in Satz 1 genannten Einrichtungen der Deutschen Welle werden von der Intendantin oder dem Intendanten einer Dienststelle zugeordnet. [6] § 7 ist nicht anzuwenden.

(2) [1] Die Beschäftigten in beiden Dienststellen wählen neben den örtlichen Personalräten einen Gesamtpersonalrat. [2] Dieser wirkt bei der Entscheidung nach Absatz 1 Satz 5 mit. [3] Er ist zuständig für die Behandlung dienststellenübergreifender Angelegenheiten. [4] Der Gesamtpersonalrat hat seinen Sitz am Sitz der Intendantin oder des Intendanten. [5] Die für den Gesamtpersonalrat maßgebenden Bestimmungen sind im Übrigen entsprechend anzuwenden.

(3) [1] Die Beschäftigten im Sinne des § 99 in beiden Dienststellen wählen neben den örtlichen Jugend- und Auszubildendenvertretungen eine Gesamt-Jugend- und -Auszubildendenvertretung. [2] Absatz 2 Satz 3 gilt entsprechend. [3] Der Sitz der Gesamt-Jugend- und -Auszubildendenvertretung ist am Sitz des Gesamtpersonalrats. [4] Die für die Gesamt-Jugend- und -Auszubildendenvertretung maßgebenden Bestimmungen sind im Übrigen entsprechend anzuwenden.

(4) [1] Beschäftigte im Sinne dieses Gesetzes sind die durch Arbeitsvertrag unbefristet oder auf Zeit angestellten Beschäftigten der Deutschen Welle einschließlich der zu ihrer Berufsausbildung Beschäftigten. [2] Als Beschäftigte der Deutschen Welle gelten auch arbeitnehmerähnliche Personen im Sinne des § 12a des Tarifvertragsgesetzes[1)]; für sie gilt dieses Gesetz entsprechend. [3] Beschäftigte im Sinne dieses Gesetzes sind nicht:

1. die Intendantin oder der Intendant, die Direktorinnen und Direktoren sowie die Justitiarin oder der Justitiar,
2. arbeitnehmerähnliche Personen im Sinne des § 12a des Tarifvertragsgesetzes, die maßgeblich an der Programmgestaltung beteiligt sind,
3. sonstige freie Mitarbeiterinnen und Mitarbeiter sowie Personen, die auf Produktionsdauer beschäftigt sind.

[4] Beschäftigte, die in einer Einrichtung der Deutschen Welle im Ausland eingesetzt sind, sowie Volontärinnen und Volontäre sind nicht wählbar.

(5) § 46 Absatz 2 Satz 1 ist mit der Maßgabe anzuwenden, dass an die Stelle des Bundesreisekostengesetzes[2)] die Reisekostenordnung der Deutschen Welle tritt.

(6) [1] Bei Beschäftigten, deren Vergütung sich nach der Vergütungsgruppe I des Vergütungstarifvertrags der Deutschen Welle bemisst oder deren Vergütung über der höchsten Vergütungsgruppe liegt, wird der Personalrat in den Fällen des § 78 Absatz 1 nicht beteiligt. [2] Bei im Programmbereich Beschäftigten der Vergütungsgruppe II des Vergütungstarifvertrags der Deutschen Welle tritt in Fällen des § 78 Absatz 1 an die Stelle der Mitbestimmung des Personalrats die Mitwirkung. [3] Bei Beschäftigten mit überwiegend wissenschaftlicher oder künstlerischer Tätigkeit sowie bei Beschäftigten, die maßgeblich an der Programmgestaltung beteiligt sind, bestimmt der Personalrat in den Fällen des § 78 Absatz 1 nur mit, wenn sie dies beantragen; § 75 Absatz 3 gilt entsprechend.

§ 117[3)] Geschäftsbereich des Bundesministeriums der Verteidigung.

(1) Dieses Gesetz gilt für die bei militärischen Dienststellen und Einrichtungen der Bundeswehr beschäftigten Beamtinnen und Beamten sowie Arbeitnehmerinnen und Arbeitnehmer.

(2) § 64 Absatz 2 des Soldatinnen- und Soldatenbeteiligungsgesetzes gilt entsprechend.

(3) [1] § 78 Absatz 1 Nummer 14 gilt entsprechend bei der Bestellung von Soldatinnen und Soldaten zu Vertrauens- oder Betriebsärztinnen und -ärzten. [2] Hierbei ist nach § 40 Absatz 1 zu verfahren.

(4) § 84 Absatz 1 Nummer 2 findet bei der Auflösung, Einschränkung, Verlegung, Zusammenlegung, Aufspaltung oder Ausgliederung von militärischen

---

1) Nr. 504.
2) **Sartorius Nr. 235.**
3) § 117 Abs. 6 angef. mWv 16.1.2026 durch G v. 9.1.2026 (BGBl. 2026 I Nr. 7).

Dienststellen und Einrichtungen oder wesentlichen Teilen von ihnen keine Anwendung, soweit militärische Gründe entgegenstehen.

(5) § 92 Absatz 4 ist mit den Maßgaben anzuwenden, dass

1. bei personellen oder sozialen Maßnahmen, die von einer Dienststelle, bei der keine für eine Beteiligung an diesen Maßnahmen zuständige Personalvertretung vorgesehen ist, mit Wirkung für einzelne Beschäftigte einer ihr nicht nachgeordneten Dienststelle getroffen werden, der Personalrat dieser Dienststelle von deren Leiterin oder Leiter zu beteiligen ist, nachdem zuvor ein Einvernehmen zwischen den Dienststellen über die beabsichtigte Maßnahme hergestellt worden ist;
2. bei innerdienstlichen oder sozialen Angelegenheiten, die Liegenschaften eines Dienstortes betreffen, die Beteiligung durch einen Ausschuss ausgeübt wird, der bei der für die Entscheidung zuständigen Stelle eingerichtet ist, sofern ein solcher gebildet worden ist und das gesetzlich zuständige Beteiligungsgremium zugestimmt hat. Die Aufgaben und Befugnisse der Leiterin oder des Leiters der Dienststelle werden in diesen Fällen durch die für die Entscheidung zuständige Stelle wahrgenommen. Kommt im Beteiligungsverfahren eine Einigung nicht zustande, richtet sich das weitere Verfahren nach den §§ 71 bis 75 oder nach § 82.

(6) Die Mitgliedschaft in einem Personalrat beim Bundesamt für den Militärischen Abschirmdienst ruht bei Personen, die zu einer sicherheitsempfindlichen Tätigkeit nicht zugelassen sind.

Abschnitt 2. Dienststellen des Bundes im Ausland

§ 118 Grundsatz. Für die Dienststellen des Bundes im Ausland gilt dieses Gesetz, soweit im Folgenden nichts anderes bestimmt ist.

§ 119 Allgemeine Regelungen. (1) Arbeitstage sind diejenigen Wochentage, die gemäß der für die Dienststelle geltenden Arbeitszeitregelung als Arbeitstage vorgesehen sind, mit Ausnahme der Tage, die nach der für die Dienststelle geltenden Feiertagsregelung für die Beschäftigten Feiertage sind.

(2) Nicht entsandte Beschäftigte (lokal Beschäftigte) gelten nicht als Beschäftigte im Sinne des § 4 Absatz 1 Nummer 5.

(3) Die Beschäftigten sind nicht in eine Stufenvertretung oder einen Gesamtpersonalrat bei einer Dienststelle im Inland wählbar.

(4) Für Streitigkeiten nach § 108, die eine Dienststelle des Bundes im Ausland betreffen, ist das Verwaltungsgericht zuständig, in dessen Bezirk die oberste Dienstbehörde ihren Sitz hat.

§ 120 Vertrauensperson der lokal Beschäftigten. (1) [1] In Dienststellen, in denen in der Regel mindestens fünf lokal Beschäftigte beschäftigt sind, wählen diese eine Vertrauensperson der lokal Beschäftigten und höchstens drei Stellvertreterinnen oder Stellvertreter. [2] In Nebenstellen, in denen in der Regel mindestens fünf lokal Beschäftigte beschäftigt sind, können diese zusätzlich eine Vertrauensperson der lokal Beschäftigten der Nebenstelle und eine Stellvertreterin oder einen Stellvertreter wählen. [3] Die Vertrauensperson der lokal Beschäftigten der Nebenstelle arbeitet vertrauensvoll mit der Vertrauensperson der lokal Beschäftigten der Dienststelle zusammen. [4] Gegenüber der Leiterin oder dem Leiter der Dienststelle vertritt die Vertrauensperson der lokal Beschäftigten der Dienststelle auch die Interessen der lokal Beschäftigten der Nebenstelle.

(2) [1] Gewählt werden die Vertrauensperson der lokal Beschäftigten und ihre Stellvertreterinnen oder Stellvertreter durch Handaufheben; widerspricht eine Wahlberechtigte oder ein Wahlberechtigter diesem Verfahren oder ordnet der Wahlvorstand für die Wahl zur Vertrauensperson der lokal Beschäftigten geheime Wahl an, so wird eine geheime Wahl vorgenommen. [2] § 25 Absatz 1 Satz 1 und 2 und Absatz 2 gilt entsprechend. [3] Die Amtszeit der Vertrauensperson der lokal Beschäftigten und ihrer Stellvertreterinnen oder Stellvertreter beträgt vier Jahre; im Übrigen gilt § 31 Absatz 1 entsprechend. [4] § 33 gilt mit der Maßgabe entsprechend, dass eine Neuwahl stattfindet, wenn nach Eintreten der Stellvertreterinnen oder Stellvertreter keine Vertrauensperson der lokal Beschäftigten mehr vorhanden ist.

(3) [1] Der Personalrat und die Vertrauensperson der lokal Beschäftigten arbeiten vertrauensvoll zusammen. [2] Die Vertrauensperson der lokal Beschäftigten nimmt Anregungen, Anträge und Beschwerden der lokal Beschäftigten in innerdienstlichen, sozialen und persönlichen Angelegenheiten entgegen und vertritt sie gegenüber der Leiterin oder dem Leiter der Dienststelle und dem Personalrat. [3] Vor der Beschlussfassung in Angelegenheiten, die die besonderen Interessen der lokal Beschäftigten wesentlich berühren, hat der Personalrat der Vertrauensperson der lokal Beschäftigten Gelegenheit zur Äußerung zu geben. [4] Die Vertrauensperson der lokal Beschäftigten hat in solchen Angelegenheiten das Recht, der Leiterin oder dem Leiter der Dienststelle schriftlich oder elektronisch Vorschläge zu unterbreiten. [5] Die Leiterin oder der Leiter der Dienststelle hat der Vertrauensperson der lokal Beschäftigten vor Entscheidungen in Personalangelegenheiten und sozialen Angelegenheiten der Beschäftigten, die die Interessen von einzelnen oder von allen lokal Beschäftigten wesentlich berühren, Gelegenheit zur Äußerung zu geben. [6] Gelegenheit zur Äußerung ist insbesondere zu geben vor der Einstellung und Kündigung lokal Beschäftigter sowie vor dem Erlass allgemeiner Verwaltungsanordnungen, bezüglich derer der Personalrat ein Beteiligungsrecht nach diesem Gesetz hat.

(4) [1] Für die Vertrauensperson der lokal Beschäftigten gelten § 2 Absatz 5, die §§ 45 bis 52 Absatz 1 Satz 1, § 59 Absatz 2 sowie § 65 entsprechend. [2] Der Personalrat und die Vertrauensperson der lokal Beschäftigten können vereinbaren, dass

1. Besprechungen im Sinne des § 65 durch den Personalrat und die Vertrauensperson der lokal Beschäftigten gemeinsam wahrgenommen werden,
2. eine gemeinsame Personalversammlung der lokal Beschäftigten und der Beschäftigten im Sinne des § 4 Absatz 1 Nummer 5 einberufen wird. § 61 Absatz 2 findet im Hinblick auf die lokal Beschäftigten keine Anwendung.

[3] Die Leiterin oder der Leiter der Dienststelle kann der gemeinsamen Wahrnehmung oder Einberufung einer gemeinsamen Personalversammlung widersprechen, wenn dienstliche Interessen der Bundesrepublik Deutschland entgegenstehen.

§ 121 Ergänzende Regelungen für die Dienststellen im Geschäftsbereich des Auswärtigen Amts mit Ausnahme der Dienststellen des *Deutschen* Archäologischen Instituts. (1) Die Leiterin oder der Leiter der Dienststelle kann sich bei Verhinderung mit der Zustimmung der Leiterin oder des Leiters der Verwaltung durch diese oder diesen vertreten lassen.

(2) Dienststellen, bei denen die Voraussetzungen des § 13 Absatz 1 nicht gegeben sind, gelten als der Botschaft im jeweiligen Empfangsstaat zugeordnet, soweit keine anderweitige Zuordnung gemäß § 13 Absatz 2 erfolgt ist.

(3) [1] Die nach § 14 wahlberechtigten Beschäftigten sind außer zur Wahl des Personalrats ihrer Dienststelle auch zur Wahl des Personalrats des Auswärtigen Amts wahlberechtigt. [2] Zur Wahl des Hauptpersonalrats des Auswärtigen Amts sind sie nicht wahlberechtigt. [3] Sofern sie in den Auswärtigen Dienst nicht nur zeitlich befristet entsprechend § 13 Absatz 1 des Gesetzes über den Auswärtigen Dienst übernommen worden sind, sind sie auch zum Personalrat des Auswärtigen Amts wählbar, für die Dauer ihres dienstlichen Einsatzes außerhalb des Auswärtigen Amts jedoch im Sinne des § 33 Absatz 1 Satz 2 zeitweilig verhindert. [4] Aus einer Wahl in den Personalrat des Auswärtigen Amts folgt kein Anspruch auf eine Versetzung, Umsetzung oder Abordnung.

(4) [1] Die regelmäßigen Personalratswahlen zu den örtlichen Personalräten finden alle vier Jahre in der Zeit vom 1. Oktober bis zum 31. Dezember statt. [2] Abweichend von § 27 Absatz 2 beginnt die Amtszeit der Personalräte am 1. Januar des auf das Jahr der regelmäßigen Personalratswahlen folgenden Jahres und endet mit dem Ablauf von vier Jahren. [3] Ist am Tag des Ablaufs der Amtszeit ein neuer Personalrat nicht gewählt oder hat sich am Tag des Ablaufs der Amtszeit noch kein neuer Personalrat konstituiert, führt der Personalrat die Geschäfte weiter, bis sich der neu gewählte Personalrat konstituiert hat, längstens jedoch bis zum Ablauf des letzten Tags des Monats Februar des auf das Jahr der regelmäßigen Personalratswahlen folgenden Jahres.

(5) § 55 Absatz 2 gilt nicht für die nach Absatz 3 Satz 1 zur Wahl des Personalrats des Auswärtigen Amts wahlberechtigten Beschäftigten.

(6) Soweit eine Stufenvertretung zuständig wäre, ist an ihrer Stelle der Personalrat des Auswärtigen Amts zu beteiligen.

§ 122 Ergänzende Regelungen für die Dienststellen des Deutschen Archäologischen Instituts. (1) Die Verwaltungsstellen des Deutschen Archäologischen Instituts im Ausland sind Dienststellen, sofern es sich nicht lediglich um Nebenstellen oder Teile anderer im Ausland belegener Dienststellen handelt.

(2) Die nach § 14 wahlberechtigten Beschäftigten sind außer zur Wahl des Personalrats ihrer Dienststelle auch zur Wahl des Gesamtpersonalrats des Deutschen Archäologischen Instituts wahlberechtigt, jedoch nicht wählbar.

(3) [1] Soweit eine Stufenvertretung zuständig wäre, ist an ihrer Stelle der Gesamtpersonalrat des Deutschen Archäologischen Instituts zu beteiligen. [2] Die weitergehende Zuständigkeit des Hauptpersonalrats des Auswärtigen Amts wird hiervon nicht berührt.

§ 123 Ergänzende Regelungen für die Dienststellen des Bundesnachrichtendienstes. Auf die Dienststellen des Bundesnachrichtendienstes im Ausland findet § 119 Absatz 4 keine Anwendung.

§ 124 Ergänzende Regelungen für die Dienststellen im Geschäftsbereich des Bundesministeriums der Verteidigung. § 55 Absatz 2 gilt für Mitglieder von Personalräten im Geschäftsbereich des Bundesministeriums der Verteidigung im Ausland nur für die Dauer einer regelmäßigen Amtszeit in dem durch § 27 festgelegten Umfang.

Abschnitt 3. Behandlung von Verschlusssachen

§ 125 Ausschuss für Verschlusssachen und Verfahren. (1) [1]Soweit eine Angelegenheit, an der eine Personalvertretung zu beteiligen ist, als Verschlusssache mindestens des Geheimhaltungsgrades „VS-VERTRAULICH" eingestuft ist, tritt an die Stelle der Personalvertretung ein Ausschuss. [2]Dem Ausschuss gehört höchstens je eine in entsprechender Anwendung des § 34 Absatz 1 gewählte Vertreterin oder ein in entsprechender Anwendung des § 34 Absatz 1 gewählter Vertreter der im Personalrat vertretenen Gruppen an. [3]Die Mitglieder des Ausschusses müssen ermächtigt sein, Kenntnis von Verschlusssachen des in Betracht kommenden Geheimhaltungsgrades zu erhalten. [4]Personalvertretungen bei Dienststellen, die Behörden der Mittelstufe nachgeordnet sind, bilden keinen Ausschuss; an ihre Stelle tritt der Ausschuss des Bezirkspersonalrats.

(2) Wird der zuständige Ausschuss nicht rechtzeitig gebildet, ist der Ausschuss der bei der Dienststelle bestehenden Stufenvertretung oder, wenn dieser nicht rechtzeitig gebildet wird, der Ausschuss der bei der obersten Dienstbehörde bestehenden Stufenvertretung zu beteiligen.

(3) [1]Die Einigungsstelle besteht in den in Absatz 1 Satz 1 bezeichneten Fällen abweichend von § 73 Absatz 2 aus je einer Beisitzerin oder einem Beisitzer, die oder der von der obersten Dienstbehörde und der bei ihr bestehenden zuständigen Personalvertretung bestellt wird, und einer oder einem unparteiischen Vorsitzenden. [2]Die oder der Vorsitzende sowie die Beisitzerinnen und Beisitzer müssen nach den dafür geltenden Bestimmungen ermächtigt sein, von Verschlusssachen des in Betracht kommenden Geheimhaltungsgrades Kenntnis zu erhalten.

(4) [1]§ 37 Absatz 1, § 92 Absatz 2 und die Vorschriften über die Beteiligung der Gewerkschaften und Arbeitgebervereinigungen in § 37 Absatz 2 und § 42 Absatz 1 sind nicht anzuwenden. [2]Angelegenheiten, die als Verschlusssachen mindestens des Geheimhaltungsgrades „VS-VERTRAULICH" eingestuft sind, werden in der Personalversammlung nicht behandelt.

(5) [1]Die oberste Dienstbehörde kann anordnen, dass in den Fällen des Absatzes 1 Satz 1 dem Ausschuss und der Einigungsstelle Unterlagen nicht vorgelegt und Auskünfte nicht erteilt werden dürfen, soweit dies zur Vermeidung von Nachteilen für das Wohl der Bundesrepublik Deutschland oder eines ihrer Länder oder auf Grund internationaler Verpflichtungen geboten ist. [2]Im Verfahren nach § 108 sind die gesetzlichen Voraussetzungen für die Anordnung glaubhaft zu machen.

Teil 2. Für die Länder geltende Vorschriften

§ 126 Anwendungsbereich. Dieser Teil gilt für die Personalvertretungen in den Ländern.

§ 127 Besonderer Schutz von Funktionsträgern. (1) [1]Die außerordentliche Kündigung von Mitgliedern der Personalvertretungen, der Jugendvertretungen oder der Jugend- und Auszubildendenvertretungen, der Wahlvorstände sowie von Wahlbewerberinnen und Wahlbewerbern, die in einem Arbeitsverhältnis stehen, bedarf der Zustimmung der zuständigen Personalvertretung. [2]Verweigert die zuständige Personalvertretung ihre Zustimmung oder äußert sie sich nicht innerhalb von drei Arbeitstagen nach Eingang des Antrags, so kann das Verwaltungsgericht sie auf Antrag der Leiterin oder des Leiters der Dienststelle ersetzen, wenn die außerordentliche Kündigung unter Berücksichtigung aller Umstände gerechtfertigt ist. [3]In dem Verfahren vor dem Verwaltungsgericht ist die betroffene Person Beteiligte.

(2) Auf Auszubildende, die Mitglied einer Personalvertretung oder einer Jugend- und Auszubildendenvertretung sind, ist § 56 anzuwenden.

§ 128 Beteiligung bei Kündigungen. Eine durch den Arbeitgeber ausgesprochene Kündigung des Arbeitsverhältnisses einer oder eines Beschäftigten ist unwirksam, wenn die Personalvertretung nicht beteiligt worden ist.

Teil 3. Schlussvorschriften

§ 129 Verordnungsermächtigung. Die Bundesregierung wird ermächtigt, zur Durchführung der in diesem Gesetz bezeichneten Wahlen durch Rechtsverordnung, die nicht der Zustimmung des Bundesrates bedarf, Vorschriften zu erlassen über

1. die Vorbereitung der Wahl, insbesondere die Aufstellung der Wählerlisten und die Errechnung der Vertreterzahl,
2. die Frist für die Einsichtnahme in die Wählerlisten und die Erhebung von Einsprüchen,
3. die Vorschlagslisten und die Frist für ihre Einreichung,
4. das Wahlausschreiben und die Fristen für seine Bekanntmachung,
5. die Stimmabgabe,
6. die Feststellung des Wahlergebnisses und die Fristen für seine Bekanntmachung,
7. die Aufbewahrung der Wahlakten.

[§ 130 bis 31.12.2025:]

§ 130[1)] Übergangsregelung für bestehende Jugend- und Auszubildendenvertretungen und Personalvertretungen. (1) [1]§ 102 Absatz 2 Satz 2 findet erstmalig Anwendung auf die regelmäßigen Wahlen der Jugend- und Auszubildendenvertretung im Jahr 2022. [2]Die am 15. Juni 2021 bestehenden Jugend- und Auszubildendenvertretungen führen die Geschäfte weiter, bis sich die neu gewählten Jugend- und Auszubildendenvertretungen konstituiert haben, längstens jedoch bis zum Ablauf des in § 102 Absatz 2 Satz 3 in Verbindung mit § 27 Absatz 2 Satz 2 bestimmten Zeitpunkts.

(2) [1]§ 27 Absatz 2 Satz 1 und § 121 Absatz 4 Satz 2 finden erstmalig Anwendung auf die regelmäßigen Personalratswahlen im Jahr 2024. [2]Die am 15. Juni 2021 bestehenden Personalvertretungen führen die Geschäfte weiter, bis sich die neu gewählten Personalvertretungen konstituiert haben, längstens jedoch bis zum Ablauf des in § 27 Absatz 2 Satz 2 und § 121 Absatz 4 Satz 3 bestimmten Zeitpunkts.

(3) § 52 Absatz 3 Satz 3 und § 53 Absatz 2 Satz 2 finden auf am 15. Juni 2021 bestehende Freistellungen keine Anwendung.

[1)] § 130 tritt gem. Art. 25 Abs. 3 G v. 9.6.2021 (BGBl. I S. 1614) am 31.12.2025 außer Kraft.

[§ 131 bis 31.12.2024:]

§ 131[1)] Übergangsregelung für die Personalvertretungen in den Ländern. Die §§ 90, 94 bis 107 Satz 1 und § 109 des Bundespersonalvertretungsgesetzes[2)] vom 15. März 1974 (BGBl. I S. 693), das zuletzt durch Artikel 2 des Gesetzes vom 25. Mai 2020 (BGBl. I S. 1063) geändert worden ist, sind bis zum Ablauf des 31. Dezember 2024 weiter anzuwenden.

[1)] § 131 tritt gem. Art. 25 Abs. 2 G v. 9.6.2021 (BGBl. I S. 1614) am 31.12.2024 außer Kraft.
[2)] **beck-online, Module Arbeitsrecht Nr. 572.**

572a. Wahlordnung zum Bundespersonalvertretungsgesetz (BPersVWO)

In der Fassung der Bekanntmachung vom 1. Dezember 1994[1)]
(BGBl. I S. 3653)

FNA 2035-4-2

zuletzt geänd. durch Art. 23 G zur Novellierung des BundespersonalvertretungsG v. 9.6.2021 (BGBl. I S. 1614)

Inhaltsübersicht[2)]

[1)] Neubekanntmachung der BPersVWO v. 23.9.1974 (BGBl. I S. 2337) in der ab 11.12.1994 geltenden Fassung.

[2)] Inhaltsübersicht geänd. mWv 1.7.2005 durch G v. 21.6.2005 (BGBl. I S. 1818); geänd. mWv 1.3. 2020 durch VO v. 24.4.2020 (BAnz AT 28.04.2020 V1); geänd. mWv 15.6.2021 durch G v. 9.6.2021 (BGBl. I S. 1614).

Erster Teil. Wahl des Personalrates

Erster Abschnitt. Gemeinsame Vorschriften über Vorbereitung und Durchführung der Wahl

§ 1[1] Wahlvorstand, Wahlhelfer. (1) [1]Der Wahlvorstand führt die Wahl des Personalrates durch. [2]Er kann wahlberechtigte Beschäftigte seiner Dienststelle als Wahlhelfer zu seiner Unterstützung bei der Durchführung der Stimmabgabe und bei der Stimmenzählung bestellen. [3]§ 25 Absatz 2 Satz 2 und 3 des Gesetzes[2] gilt auch für die Tätigkeit der Wahlhelfer.

(2) [1]Die Dienststelle hat den Wahlvorstand bei der Erfüllung seiner Aufgaben zu unterstützen, insbesondere die notwendigen Unterlagen zur Verfügung zu stellen und, wenn erforderlich, zu ergänzen sowie die erforderlichen Auskünfte zu erteilen. [2]Für die Vorbereitung und Durchführung der Wahl hat

[1] § 1 Abs. 1 Satz 3 geänd. mWv 15.6.2021 durch G v. 9.6.2021 (BGBl. I S. 1614).
[2] Nr. **572**.

die Dienststelle in erforderlichem Umfang Räume, den Geschäftsbedarf und Schreibkräfte zur Verfügung zu stellen.

(3) Der Wahlvorstand gibt die Namen seiner Mitglieder und gegebenenfalls der Ersatzmitglieder unverzüglich nach seiner Bestellung, Wahl oder Einsetzung in der Dienststelle durch Aushang bis zum Abschluß der Stimmabgabe bekannt.

(4) Der Wahlvorstand faßt seine Beschlüsse mit einfacher Stimmenmehrheit seiner Mitglieder.

(5) Der Wahlvorstand soll dafür sorgen, daß ausländische Beschäftigte rechtzeitig über das Wahlverfahren, die Aufstellung des Wählerverzeichnisses und der Vorschlagslisten, den Wahlvorgang und die Stimmabgabe in geeigneter Weise, wenn nötig, in ihrer Muttersprache, unterrichtet werden.

§ 2[1)] Feststellung der Beschäftigtenzahl, Wählerverzeichnis. (1) [1] Der Wahlvorstand stellt die Zahl der in der Regel Beschäftigten und ihre Verteilung auf die Gruppen fest. [2] Übersteigt diese Zahl 50 nicht, stellt der Wahlvorstand außerdem die Zahl der nach § 14 des Gesetzes[2)] Wahlberechtigten fest.

(2) [1] Der Wahlvorstand stellt ein nach Gruppen getrenntes Verzeichnis der wahlberechtigten Beschäftigten (Wählerverzeichnis) auf. [2] Innerhalb der Gruppen sind die Anteile der Geschlechter festzustellen.

(3) Das Wählerverzeichnis oder eine Abschrift ist unverzüglich nach Einleitung der Wahl bis zum Abschluß der Stimmabgabe an geeigneter Stelle zur Einsicht auszulegen.

§ 3 Einsprüche gegen das Wählerverzeichnis. (1) Jeder Beschäftigte kann beim Wahlvorstand schriftlich binnen sechs Arbeitstagen seit Auslegung des Wählerverzeichnisses (§ 2 Abs. 3) Einspruch gegen seine Richtigkeit einlegen.

(2) [1] Über den Einspruch entscheidet der Wahlvorstand unverzüglich. [2] Die Entscheidung ist dem Beschäftigten, der den Einspruch eingelegt hat, unverzüglich, spätestens jedoch einen Arbeitstag vor Beginn der Stimmabgabe, schriftlich mitzuteilen. [3] Ist der Einspruch begründet, so hat der Wahlvorstand das Wählerverzeichnis zu berichtigen.

(3) [1] Nach Ablauf der Einspruchsfrist soll der Wahlvorstand das Wählerverzeichnis nochmals auf seine Vollständigkeit prüfen. [2] Danach ist das Wählerverzeichnis nur bei Schreibfehlern, offenbaren Unrichtigkeiten, zur Erledigung rechtzeitig eingelegter Einsprüche, bei Eintritt oder Ausscheiden eines Beschäftigten und bei Änderung der Gruppenzugehörigkeit bis zum Abschluß der Stimmabgabe zu berichtigen oder zu ergänzen.

§ 4[3)] Vorabstimmungen. (1) [1] Vorabstimmungen über

1. eine von § 17 Absatz 1 bis 5 des Gesetzes[2)] abweichende Verteilung der Mitglieder des Personalrates auf die Gruppen (§ 17 Absatz 6 des Gesetzes) oder
2. die Durchführung gemeinsamer Wahl (§ 19 Abs. 2 des Gesetzes) oder

---

[1)] § 2 Abs. 2 Satz 1 neu gef. mWv 1.10.2005 durch VO v. 28.9.2005 (BGBl. I S. 2906); Abs. 1 Satz 2 geänd. mWv 15.6.2021 durch G v. 9.6.2021 (BGBl. I S. 1614).

[2)] Nr. **572**.

[3)] § 4 Abs. 1 Satz 1 Nr. 1 neu gef., Nr. 3 geänd. mWv 15.6.2021 durch G v. 9.6.2021 (BGBl. I S. 1614).

3. die Geltung von Nebenstellen oder Teilen einer Dienststelle als selbständige Dienststelle (§ 7 des Gesetzes)

werden nur berücksichtigt, wenn ihr Ergebnis dem Wahlvorstand binnen sechs Arbeitstagen seit der Bekanntgabe nach § 1 Abs. 3 vorliegt und dem Wahlvorstand glaubhaft gemacht wird, daß das Ergebnis unter Leitung eines aus mindestens drei wahlberechtigten Beschäftigten bestehenden Abstimmungsvorstandes in geheimen und in den Fällen der Nummern 1 und 2 nach Gruppen getrennten Abstimmungen zustande gekommen ist. [2]Dem Abstimmungsvorstand muß ein Mitglied jeder in der Dienststelle, in den Fällen des Satzes 1 Nr. 3 der Nebenstelle oder des Teils der Dienststelle, vertretenen Gruppe angehören.

(2) Der Wahlvorstand hat in der Bekanntgabe nach § 1 Abs. 3 auf die in Absatz 1 bezeichneten Fristen hinzuweisen.

§ 5[1)] Ermittlung der Zahl der zu wählenden Personalratsmitglieder, Verteilung der Sitze auf die Gruppen. (1) [1]Der Wahlvorstand ermittelt die Zahl der zu wählenden Mitglieder des Personalrates (§§ 16 und 17 Abs. 4 des Gesetzes[2)]). [2]Ist eine von § 17 Absatz 1 bis 5 des Gesetzes abweichende Verteilung der Mitglieder des Personalrates auf die Gruppen (§ 17 Absatz 6 des Gesetzes) nicht beschlossen worden, so errechnet der Wahlvorstand die Verteilung der Personalratssitze auf die Gruppen nach dem Höchstzahlverfahren (Absätze 2 und 3).

(2) [1]Die Zahlen der der Dienststelle angehörenden Beschäftigten der einzelnen Gruppen (§ 2 Abs. 1) werden nebeneinandergestellt und der Reihe nach durch 1, 2, 3 usw. geteilt. [2]Auf die jeweils höchste Teilzahl (Höchstzahl) wird so lange ein Sitz zugeteilt, bis alle Personalratssitze (§§ 16 und 17 Abs. 4 des Gesetzes) verteilt sind. [3]Jede Gruppe erhält soviel Sitze, wie Höchstzahlen auf sie entfallen. [4]Ist bei gleichen Höchstzahlen nur noch ein Sitz oder sind bei drei gleichen Höchstzahlen nur noch zwei Sitze zu verteilen, so entscheidet das Los.

(3) [1]Entfallen bei der Verteilung der Sitze nach Absatz 2 auf eine Gruppe weniger Sitze, als ihr nach § 17 Abs. 3 des Gesetzes mindestens zustehen, so erhält sie die in § 17 Abs. 3 des Gesetzes vorgeschriebene Zahl von Sitzen. [2]Die Zahl der Sitze der übrigen Gruppen vermindert sich entsprechend. [3]Dabei werden die jeweils zuletzt zugeteilten Sitze zuerst gekürzt. [4]Ist bei gleichen Höchstzahlen nur noch ein Sitz zu kürzen, entscheidet das Los, welche Gruppe den Sitz abzugeben hat. [5]Sitze, die einer Gruppe nach den Vorschriften des Gesetzes mindestens zustehen, können ihr nicht entzogen werden.

(4) Haben in einer Dienststelle alle Gruppen die gleiche Anzahl von Angehörigen, so erübrigt sich die Errechnung der Sitze nach dem Höchstzahlverfahren; in diesen Fällen entscheidet das Los, wem die höhere Zahl von Sitzen zufällt.

§ 6[3)] Wahlausschreiben. (1) [1]Nach Ablauf der in § 4 bestimmten Frist und spätestens sechs Wochen vor dem letzten Tag der Stimmabgabe erläßt der

---

[1)] § 5 Abs. 2 Satz 1 geänd. mWv 1.10.2005 durch VO v. 28.9.2005 (BGBl. I S. 2906); Abs. 1 Satz 2 neu gef. mWv 15.6.2021 durch G v. 9.6.2021 (BGBl. I S. 1614).

[2)] Nr. **572**.

[3)] § 6 Abs. 2 Nrn. 2, 2a und 3 geänd. mWv 1.10.2005 durch VO v. 28.9.2005 (BGBl. I S. 2906); Abs. 2 Nr. 12 geänd. mWv 1.3.2020 durch VO v. 24.4.2020 (BAnz AT 28.04.2020 V1); Abs. 2 Nr. 7a geänd. mWv 15.6.2021 durch G v. 9.6.2021 (BGBl. I S. 1614).

Wahlvorstand ein Wahlausschreiben. [2]Es ist von sämtlichen Mitgliedern des Wahlvorstandes zu unterschreiben.

(2) Das Wahlausschreiben muß enthalten

1. Ort und Tag seines Erlasses,
2. die Zahl der zu wählenden Mitglieder des Personalrates, getrennt nach Gruppen,

2a. Angaben über die Anteile der Geschlechter innerhalb der Dienststelle, getrennt nach Gruppen,

3. Angaben darüber, ob die Gruppen ihre Vertreter in getrennten Wahlgängen wählen (Gruppenwahl) oder vor Erlaß des Wahlausschreibens gemeinsame Wahl beschlossen worden ist,
4. die Angabe, wo und wann das Wählerverzeichnis und diese Wahlordnung zur Einsicht ausliegen,
5. den Hinweis, daß nur Beschäftigte wählen können, die in das Wählerverzeichnis eingetragen sind,

5a. den Hinweis, daß die Geschlechter im Personalrat entsprechend dem Zahlenverhältnis vertreten sein sollen,

6. den Hinweis, daß Einsprüche gegen das Wählerverzeichnis nur binnen sechs Arbeitstagen seit seiner Auslegung schriftlich beim Wahlvorstand eingelegt werden können, der letzte Tag der Einspruchsfrist ist anzugeben,
7. die Mindestzahl von wahlberechtigten Beschäftigten, von denen ein Wahlvorschlag unterzeichnet sein muß, und den Hinweis, daß jeder Beschäftigte für die Wahl des Personalrates nur auf einem Wahlvorschlag benannt werden kann,

7a. den Hinweis, daß der Wahlvorschlag einer in der Dienststelle vertretenen Gewerkschaft von zwei Beauftragten unterzeichnet sein muß (§ 20 Absatz 5 des Gesetzes[1]),

8. die Aufforderung, Wahlvorschläge binnen achtzehn Kalendertagen nach dem Erlaß des Wahlausschreibens beim Wahlvorstand einzureichen, der letzte Tag der Einreichungsfrist ist anzugeben,
9. den Hinweis, daß nur fristgerecht eingereichte Wahlvorschläge berücksichtigt werden und daß nur gewählt werden kann, wer in einen solchen Wahlvorschlag aufgenommen ist,
10. den Ort, an dem die Wahlvorschläge bekanntgegeben werden,
11. den Ort und die Zeit der Stimmabgabe,
12. einen Hinweis auf die Möglichkeit der schriftlichen Stimmabgabe, gegebenenfalls auf die Anordnung der schriftlichen Stimmabgabe nach § 19 oder § 19a,
13. den Ort und die Zeit der Stimmenauszählung und der Sitzung des Wahlvorstandes, in der das Wahlergebnis abschließend festgestellt wird,
14. den Ort, an dem Einsprüche, Wahlvorschläge und andere Erklärungen gegenüber dem Wahlvorstand abzugeben sind.

(3) Der Wahlvorstand hat eine Abschrift oder einen Abdruck des Wahlausschreibens vom Tage des Erlasses bis zum Abschluß der Stimmabgabe an einer

---

[1] Nr. **572**.

oder an mehreren geeigneten, den Wahlberechtigten zugänglichen Stellen auszuhängen und in gut lesbarem Zustand zu erhalten.

(4) Offenbare Unrichtigkeiten des Wahlausschreibens können vom Wahlvorstand jederzeit berichtigt werden.

(5) Mit Erlaß des Wahlausschreibens ist die Wahl eingeleitet.

§ 7 Wahlvorschläge, Einreichungsfrist. (1) Zur Wahl des Personalrates können die wahlberechtigten Beschäftigten und die in der Dienststelle vertretenen Gewerkschaften Wahlvorschläge machen.

(2) [1] Die Wahlvorschläge sind binnen achtzehn Kalendertagen nach dem Erlaß des Wahlausschreibens beim Wahlvorstand einzureichen. [2] Bei Gruppenwahl sind für die einzelnen Gruppen getrennte Wahlvorschläge einzureichen.

§ 8[1)] Inhalt der Wahlvorschläge. (1) Jeder Wahlvorschlag soll mindestens doppelt soviel Bewerber enthalten, wie

1. bei Gruppenwahl Gruppenvertreter,
2. bei gemeinsamer Wahl Personalratsmitglieder

zu wählen sind.

(2) [1] Die Namen der einzelnen Bewerber sind auf dem Wahlvorschlag untereinander aufzuführen und mit fortlaufenden Nummern zu versehen. [2] Außer dem Familiennamen sind der Vorname, das Geburtsdatum, die Amts- oder Funktionsbezeichnung, die Gruppenzugehörigkeit und, soweit Sicherheitsbedürfnisse nicht entgegenstehen, die Beschäftigungsstelle anzugeben. [3] Bei gemeinsamer Wahl sind in dem Wahlvorschlag die Bewerber jeweils nach Gruppen zusammenzufassen. [4] Der Wahlvorschlag darf keine Änderungen enthalten; gegebenenfalls ist ein neuer Wahlvorschlag zu fertigen und zu unterzeichnen.

(3) [1] Jeder Wahlvorschlag der Beschäftigten muß nach § 20 Absatz 1 bis 3 des Gesetzes[2)]

1. bei Gruppenwahl von mindestens einem Zwanzigstel der wahlberechtigten Gruppenangehörigen, jedoch mindestens von drei wahlberechtigten Gruppenangehörigen,
2. bei gemeinsamer Wahl von mindestens einem Zwanzigstel der wahlberechtigten Beschäftigten, jedoch mindestens von drei wahlberechtigten Beschäftigten,
3. bei gemeinsamer Wahl, wenn gruppenfremde Bewerber vorgeschlagen werden, von mindestens einem Zehntel der wahlberechtigten Angehörigen der Gruppe, für die sie vorgeschlagen sind,

unterzeichnet sein. [2] Bruchteile eines Zehntels oder Zwanzigstels werden auf ein volles Zehntel oder Zwanzigstel aufgerundet. [3] In jedem Falle genügen bei Gruppenwahl die Unterschriften von 50 wahlberechtigten Gruppenangehörigen, bei gemeinsamer Wahl die Unterschriften von 50 wahlberechtigten Beschäftigten. [4] Macht eine in der Dienststelle vertretene Gewerkschaft einen Wahlvorschlag, so muß dieser von zwei in der Dienststelle beschäftigten Beauftragten, die einer der in der Dienststelle vertretenen Gewerkschaften angehören, unterzeichnet sein. [5] Hat der Wahlvorstand Zweifel, ob eine Beauftragung

[1)] § 8 Abs. 3 Satz 1 einl. Satzteil geänd. mWv 15.6.2021 durch G v. 9.6.2021 (BGBl. I S. 1614).
[2)] Nr. **572**.

durch eine in der Dienststelle vertretene Gewerkschaft tatsächlich vorliegt, kann er verlangen, daß die Gewerkschaft den Auftrag bestätigt; dies soll schriftlich erfolgen. [6] Entsprechendes gilt bei Zweifeln, ob ein Beauftragter einer in der Dienststelle vertretenen Gewerkschaft als Mitglied angehört.

(4) [1] Aus dem Wahlvorschlag der Beschäftigten soll zu ersehen sein, welcher Beschäftigter zur Vertretung des Vorschlages gegenüber dem Wahlvorstand und zur Entgegennahme von Erklärungen und Entscheidungen des Wahlvorstandes berechtigt ist (Listenvertreter). [2] Fehlt eine Angabe hierüber, gilt der Unterzeichner als berechtigt, der an erster Stelle steht. [3] In den Fällen des Absatzes 3 Satz 4 kann die Gewerkschaft einen der von ihr beauftragten Vorschlagsberechtigten oder einen anderen in der Dienststelle Beschäftigten, der Mitglied der Gewerkschaft ist, als Listenvertreter benennen.

(5) Der Wahlvorschlag soll mit einem Kennwort versehen werden.

§ 9 Sonstige Erfordernisse. (1) Jeder Bewerber kann für die Wahl des Personalrates nur auf einem Wahlvorschlag vorgeschlagen werden.

(2) Dem Wahlvorschlag ist die schriftliche Zustimmung der in ihm aufgeführten Bewerber zur Aufnahme in den Wahlvorschlag beizufügen; die Zustimmung kann nicht widerrufen werden.

(3) [1] Jeder vorschlagsberechtigte Beschäftigte (§ 8 Abs. 3) kann seine Unterschrift zur Wahl des Personalrates rechtswirksam nur für einen Wahlvorschlag abgeben. [2] Jede vorschlagsberechtigte Gewerkschaft kann durch ihre Beauftragten rechtswirksam nur einen Wahlvorschlag für jede Gruppe unterzeichnen lassen.

(4) Eine Verbindung von Wahlvorschlägen ist unzulässig.

§ 10 Behandlung der Wahlvorschläge durch den Wahlvorstand, ungültige Wahlvorschläge. (1) [1] Der Wahlvorstand vermerkt auf den Wahlvorschlägen den Tag und die Uhrzeit des Eingangs. [2] Im Falle des Absatzes 5 ist auch der Zeitpunkt des Eingangs des berichtigten Wahlvorschlages zu vermerken.

(2) [1] Wahlvorschläge, die ungültig sind, insbesondere, weil die Bewerber nicht in erkennbarer Reihenfolge aufgeführt sind, weil sie bei der Einreichung nicht die erforderliche Anzahl von Unterschriften aufweisen, weil sie nicht fristgerecht eingereicht worden sind oder weil sie Änderungen enthalten (§ 8 Abs. 2 Satz 4), gibt der Wahlvorstand unverzüglich nach Eingang unter Angabe der Gründe zurück. [2] Die Zurückziehung von Unterschriften nach Einreichung des Wahlvorschlages beeinträchtigt dessen Gültigkeit nicht; Absatz 4 bleibt unberührt.

(3) [1] Der Wahlvorstand hat einen Bewerber, der mit seiner schriftlichen Zustimmung auf mehreren Wahlvorschlägen benannt ist, aufzufordern, binnen drei Arbeitstagen zu erklären, auf welchem Wahlvorschlag er benannt bleiben will. [2] Gibt der Bewerber diese Erklärung nicht fristgerecht ab, so wird er von sämtlichen Wahlvorschlägen gestrichen.

(4) [1] Der Wahlvorstand hat einen vorschlagsberechtigten Beschäftigten (§ 8 Abs. 3), der mehrere Wahlvorschläge unterzeichnet hat, schriftlich gegen Empfangsbestätigung, erforderlichenfalls durch eingeschriebenen Brief, aufzufordern, binnen drei Arbeitstagen seit dem Zugang der Aufforderung zu erklären, welche Unterschrift er aufrechterhält. [2] Gibt der Beschäftigte diese Erklärung nicht fristgerecht ab, so zählt seine Unterschrift auf keinem Wahlvorschlag.

[3] Entsprechendes gilt für Wahlvorschläge der Gewerkschaften, die mit § 9 Abs. 3 Satz 2 nicht in Einklang stehen.

(5) [1] Wahlvorschläge, die

1. den Erfordernissen des § 8 Abs. 2 Satz 1 bis 3 nicht entsprechen,
2. ohne die schriftliche Zustimmung der Bewerber eingereicht sind,
3. infolge von Streichungen gemäß Absatz 4 nicht mehr die erforderliche Anzahl von Unterschriften aufweisen,

hat der Wahlvorstand gegen schriftliche Empfangsbestätigung, erforderlichenfalls durch eingeschriebenen Brief, mit der Aufforderung zurückzugeben, die Mängel binnen drei Arbeitstagen seit dem Zugang der Aufforderung zu beseitigen. [2] Werden die Mängel nicht fristgerecht beseitigt, sind diese Wahlvorschläge ungültig.

§ 11 Nachfrist für die Einreichung von Wahlvorschlägen. (1) [1] Ist nach Ablauf der Fristen nach § 7 Abs. 2 und § 10 Abs. 5 Satz 1 Nr. 1 und 2 bei Gruppenwahl nicht für jede Gruppe ein gültiger Wahlvorschlag, bei gemeinsamer Wahl überhaupt kein gültiger Wahlvorschlag eingegangen, so gibt der Wahlvorstand dies sofort durch Aushang an den gleichen Stellen, an denen das Wahlausschreiben ausgehängt ist, bekannt. [2] Gleichzeitig fordert er zur Einreichung von Wahlvorschlägen innerhalb einer Nachfrist von sechs Arbeitstagen auf.

(2) [1] Im Falle der Gruppenwahl weist der Wahlvorstand in der Bekanntmachung darauf hin, daß eine Gruppe keine Vertreter in den Personalrat wählen kann, wenn auch innerhalb der Nachfrist für sie kein gültiger Wahlvorschlag eingeht. [2] Im Falle gemeinsamer Wahl weist der Wahlvorstand darauf hin, daß der Personalrat nicht gewählt werden kann, wenn auch innerhalb der Nachfrist kein gültiger Wahlvorschlag eingeht.

(3) Gehen auch innerhalb der Nachfrist gültige Wahlvorschläge nicht ein, so gibt der Wahlvorstand sofort bekannt

1. bei Gruppenwahl, für welche Gruppe oder für welche Gruppen keine Vertreter gewählt werden können,
2. bei gemeinsamer Wahl, daß diese Wahl nicht stattfinden kann.

§ 12 Bezeichnung der Wahlvorschläge. (1) [1] Nach Ablauf der Fristen nach § 7 Abs. 2, § 10 Abs. 5 und § 11 Abs. 1 ermittelt der Wahlvorstand durch das Los die Reihenfolge der Wahlvorschläge auf dem Stimmzettel. [2] Finden Wahlen für Personalvertretungen mehrerer Stufen gleichzeitig statt, ist für Wahlvorschläge mit demselben Kennwort für die Wahlen auf allen Stufen die Losentscheidung auf der obersten Stufe maßgebend. [3] Für Wahlvorschläge, die an der Losentscheidung auf der obersten Stufe nicht beteiligt sind, werden die folgenden Plätze auf dem Stimmzettel ausgelost. [4] Die Listenvertreter (§ 8 Abs. 4) sind zu der Losentscheidung rechtzeitig einzuladen.

(2) [1] Der Wahlvorstand bezeichnet die Wahlvorschläge mit den Familien- und Vornamen der in dem Wahlvorschlag an erster und zweiter Stelle benannten Bewerber, bei gemeinsamer Wahl mit den Familien- und Vornamen der für die Gruppen an erster Stelle benannten Bewerber. [2] Bei Wahlvorschlägen, die mit einem Kennwort versehen sind, ist auch das Kennwort anzugeben.

§ 13 Bekanntmachung der Wahlvorschläge. (1) [1] Unverzüglich nach Ablauf der Fristen nach § 7 Abs. 2, § 10 Abs. 5 und § 11 Abs. 1, spätestens jedoch fünf Arbeitstage vor Beginn der Stimmabgabe, gibt der Wahlvorstand die als gültig anerkannten Wahlvorschläge durch Aushang bis zum Abschluß der Stimmabgabe an den gleichen Stellen wie das Wahlausschreiben bekannt. [2] Die Stimmzettel sollen in diesem Zeitpunkt vorliegen.

(2) Die Namen der Unterzeichner der Wahlvorschläge werden nicht bekanntgemacht.

§ 14 Sitzungsniederschriften. [1] Der Wahlvorstand fertigt über jede Sitzung, in der er einen Beschluß gefaßt hat, eine Niederschrift, die mindestens den Wortlaut des Beschlusses enthält. [2] Sie ist von sämtlichen Mitgliedern des Wahlvorstandes zu unterzeichnen.

§ 15 Ausübung des Wahlrechts, Stimmzettel, ungültige Stimmabgabe. (1) Wählen kann nur, wer in das Wählerverzeichnis eingetragen ist.

(2) [1] Das Wahlrecht wird durch Abgabe eines Stimmzettels in einem Wahlumschlag ausgeübt. [2] Bei Gruppenwahl müssen die Stimmzettel für jede Gruppe, bei gemeinsamer Wahl alle Stimmzettel dieselbe Größe, Farbe, Beschaffenheit und Beschriftung haben. [3] Dasselbe gilt für die Wahlumschläge. [4] Gehören der Dienststelle ausländische Beschäftigte an, so sind Musterstimmzettel nebst einer Übersetzung in die Muttersprache der Beschäftigten im Wahllokal an gut sichtbarer Stelle auszuhängen.

(3) [1] Ist nach den Grundsätzen der Verhältniswahl zu wählen (§ 25 Abs. 1), so kann die Stimme nur für den gesamten Wahlvorschlag (Vorschlagsliste) abgegeben werden. [2] Ist nach den Grundsätzen der Personenwahl zu wählen (§ 28 Abs. 1, § 30 Abs. 1), so wird die Stimme für die zu wählenden einzelnen Bewerber abgegeben.

(4) Ungültig sind Stimmzettel,

1. die nicht in einem Wahlumschlag abgegeben sind,
2. die nicht den Erfordernissen des Absatzes 2 Satz 2 entsprechen,
3. aus denen sich der Wille des Wählers nicht zweifelsfrei ergibt,
4. die ein besonderes Merkmal, einen Zusatz oder einen Vorbehalt enthalten.

(5) Mehrere in einem Wahlumschlag für eine Wahl enthaltene Stimmzettel, die gleich lauten, werden als eine Stimme gezählt.

(6) [1] Hat der Wähler einen Stimmzettel verschrieben, diesen oder seinen Wahlumschlag versehentlich unbrauchbar gemacht, so ist ihm auf Verlangen gegen Rückgabe der unbrauchbaren Wahlunterlagen ein neuer Stimmzettel und gegebenenfalls ein neuer Wahlumschlag auszuhändigen. [2] Der Wahlvorstand hat die zurückgegebenen Unterlagen unverzüglich in Gegenwart des Wählers zu vernichten.

§ 16 Wahlhandlung. (1) [1] Der Wahlvorstand trifft Vorkehrungen, daß der Wähler den Stimmzettel im Wahlraum unbeobachtet kennzeichnen und in den Wahlumschlag legen kann. [2] Für die Aufnahme der Umschläge sind Wahlurnen zu verwenden. [3] Vor Beginn der Stimmabgabe sind die Wahlurnen vom Wahlvorstand zu verschließen. [4] Sie müssen so eingerichtet sein, daß die eingeworfenen Umschläge nicht vor Öffnung der Urne entnommen werden können. [5] Findet Gruppenwahl statt, so kann die Stimmabgabe nach Gruppen getrennt durchgeführt werden; in jedem Fall sind jedoch getrennte Wahlurnen zu verwenden.

(2) [1]Ein Wähler, der durch körperliches Gebrechen in der Stimmabgabe behindert ist, bestimmt eine Person seines Vertrauens, deren er sich bei der Stimmabgabe bedienen will, und gibt dies dem Wahlvorstand bekannt. [2]Die Hilfeleistung hat sich auf die Erfüllung der Wünsche des Wählers zur Stimmabgabe zu beschränken. [3]Die Vertrauensperson darf gemeinsam mit dem Wähler die Wahlzelle aufsuchen, soweit das zur Hilfeleistung erforderlich ist. [4]Die Vertrauensperson ist zur Geheimhaltung der Kenntnisse verpflichtet, die sie bei der Hilfeleistung von der Wahl eines anderen erlangt hat. [5]Wahlbewerber, Mitglieder des Wahlvorstandes und Wahlhelfer dürfen nicht zur Hilfeleistung herangezogen werden.

(3) Solange der Wahlraum zur Stimmabgabe geöffnet ist, müssen mindestens zwei Mitglieder des Wahlvorstandes im Wahlraum anwesend sein; sind Wahlhelfer bestellt (§ 1 Abs. 1), genügt die Anwesenheit eines Mitgliedes des Wahlvorstandes und eines Wahlhelfers.

(4) [1]Vor Einwurf des Wahlumschlages in die Urne ist festzustellen, ob der Wähler im Wählerverzeichnis eingetragen ist. [2]Ist dies der Fall, übergibt der Wähler den Umschlag dem mit der Entgegennahme der Wahlumschläge betrauten Mitglied des Wahlvorstandes, das ihn in Gegenwart des Wählers ungeöffnet in die Wahlurne legt. [3]Der Wähler kann den Wahlumschlag auch selbst in die Urne legen, wenn das mit der Entgegennahme der Wahlumschläge betraute Mitglied des Wahlvorstandes es gestattet. [4]Die Stimmabgabe ist im Wählerverzeichnis zu vermerken.

(5) [1]Wird die Wahlhandlung unterbrochen oder wird das Wahlergebnis nicht unmittelbar nach Abschluß der Stimmabgabe festgestellt, so hat der Wahlvorstand für die Zwischenzeit die Wahlurne so zu verschließen und aufzubewahren, daß der Einwurf oder die Entnahme von Stimmzetteln ohne Beschädigung des Verschlusses unmöglich ist. [2]Bei Wiedereröffnung der Wahl oder bei Entnahme der Stimmzettel zur Stimmenzählung hat sich der Wahlvorstand davon zu überzeugen, daß der Verschluß unversehrt ist.

§ 17 Schriftliche Stimmabgabe. (1) [1]Einem wahlberechtigten Beschäftigten, der im Zeitpunkt der Wahl verhindert ist, seine Stimme persönlich abzugeben, hat der Wahlvorstand auf sein Verlangen

1. die Wahlvorschläge,
2. den Stimmzettel und den Wahlumschlag,
3. eine vorgedruckte, vom Wähler abzugebende Erklärung, in der dieser gegenüber dem Wahlvorstand versichert, daß er den Stimmzettel persönlich gekennzeichnet hat oder, soweit unter den Voraussetzungen des § 16 Abs. 2 erforderlich, durch eine Person seines Vertrauens hat kennzeichnen lassen sowie
4. einen größeren Freiumschlag, der die Anschrift des Wahlvorstandes und als Absender den Namen und die Anschrift des Wahlberechtigten sowie den Vermerk Schriftliche „Stimmabgabe“ trägt,

auszuhändigen oder zu übersenden. [2]Der Wahlvorstand soll dem Wähler ferner ein Merkblatt über die Art und Weise der schriftlichen Stimmabgabe (Absatz 2) aushändigen oder übersenden. [3]Auf Antrag ist auch ein Abdruck des Wahlausschreibens auszuhändigen oder zu übersenden. [4]Der Wahlvorstand hat die Aushändigung oder Übersendung im Wählerverzeichnis zu vermerken.

(2) [1]Der Wähler gibt seine Stimme in der Weise ab, daß er

1. den Stimmzettel unbeobachtet persönlich kennzeichnet und in den Wahlumschlag legt,
2. die vorgedruckte Erklärung unter Angabe des Ortes und des Datums unterschreibt und
3. den Wahlumschlag, in den der Stimmzettel gelegt ist, und die unterschriebene Erklärung (Absatz 1 Satz 1 Nr. 3) in dem Freiumschlag verschließt und diesen so rechtzeitig an den Wahlvorstand absendet oder übergibt, daß er vor Abschluß der Stimmabgabe vorliegt.

2 Der Wähler kann, soweit unter den Voraussetzungen des § 16 Abs. 2 erforderlich, die in den Nummern 1 bis 3 bezeichneten Tätigkeiten durch eine Person seines Vertrauens verrichten lassen.

§ 18 Behandlung der schriftlich abgegebenen Stimmen. (1) 1 Unmittelbar vor Abschluß der Stimmabgabe öffnet der Wahlvorstand in öffentlicher Sitzung die bis zu diesem Zeitpunkt eingegangenen Freiumschläge und entnimmt ihnen die Wahlumschläge und die vorgedruckten Erklärungen (§ 17 Abs. 1 Satz 1 Nr. 3). 2 Ist die schriftliche Stimmabgabe ordnungsgemäß erfolgt (§ 17 Abs. 2), so legt der Wahlvorstand den Wahlumschlag nach Vermerk der Stimmabgabe im Wählerverzeichnis ungeöffnet in die Wahlurne.

(2) 1 Verspätet eingehende Briefumschläge hat der Wahlvorstand mit einem Vermerk über den Zeitpunkt des Eingangs ungeöffnet zu den Wahlunterlagen zu nehmen. 2 Die Briefumschläge sind einen Monat nach Bekanntgabe des Wahlergebnisses ungeöffnet zu vernichten, wenn die Wahl nicht angefochten worden ist.

§ 19[1)] Stimmabgabe bei Nebenstellen und Teilen von Dienststellen.
1 Für die Beschäftigten von
1. nachgeordneten Stellen einer Dienststelle, die nicht nach § 6 Absatz 1 Satz 2 des Gesetzes[2)] selbständig sind, oder
2. Nebenstellen oder Teilen einer Dienststelle, die räumlich weit von dieser entfernt liegen und nicht als selbständige Dienststelle nach § 7 des Gesetzes gelten,

kann der Wahlvorstand die Stimmabgabe in diesen Stellen durchführen oder die schriftliche Stimmabgabe anordnen. 2 Wird die schriftliche Stimmabgabe angeordnet, so hat der Wahlvorstand den wahlberechtigten Beschäftigten die in § 17 Abs. 1 bezeichneten Unterlagen zu übersenden.

§ 19a[3)] Sonderregelungen für die Personalratswahl 2020. (1) 1 Die Anordnung der schriftlichen Stimmabgabe bei den Wahlen der Personalvertretungen ist in allen Dienststellen zulässig, wenn zum Zeitpunkt der Wahl die Möglichkeit der Stimmabgabe in der Dienststelle voraussichtlich nicht sichergestellt werden kann. 2 Die Anordnung nach Satz 1 kann ausschließlich oder ergänzend zu einer persönlichen Stimmabgabe getroffen werden. 3 § 19 Satz 2 gilt entsprechend.

(2) 1 Die schriftliche Stimmabgabe nach Absatz 1 kann nachträglich angeordnet werden, wenn zunächst eine persönliche Stimmabgabe vorgesehen war.

---

1) § 19 Satz 1 Nr. 1 und 2 geänd. mWv 15.6.2021 durch G v. 9.6.2021 (BGBl. I S. 1614).
2) Nr. **572**.
3) § 19a eingef. mWv 1.3.2020 durch VO v. 24.4.2020 (BAnz AT 28.04.2020 V1).

[2] Bereits bekanntgemachte Wahlausschreiben sind entsprechend zu ergänzen. [3] Für Bekanntmachungen können elektronische Informations- und Kommunikationsmittel genutzt werden. [4] Werden die Wahlvorschläge nach Satz 3 bekanntgegeben, entfällt das Erfordernis einer zusätzlichen Übersendung nach § 17 Absatz 1 Satz 1 Nummer 1.

(3) [1] Bestimmt der Wahlvorstand in den Fällen der Absätze 1 und 2 einen neuen Zeitpunkt für die Stimmabgabe und die Auszählung der Stimmen, bleiben bereits getroffene Maßnahmen zur Vorbereitung und Durchführung der Wahl und eingereichte Wahlvorschläge bis zum 31. März 2021 gültig. [2] Satz 1 gilt nicht, wenn die Wahl abgebrochen wird.

(4) Diese Sonderregelungen treten am 31. März 2021 außer Kraft.

§ 20 Feststellung des Wahlergebnisses. (1) Unverzüglich nach Abschluß der Wahl nimmt der Wahlvorstand öffentlich die Auszählung der Stimmen vor und stellt das Ergebnis fest.

(2) Nach Öffnung der Wahlurne entnimmt der Wahlvorstand die Stimmzettel den Wahlumschlägen und prüft ihre Gültigkeit.

(3) Der Wahlvorstand zählt

1. im Falle der Verhältniswahl die auf jede Vorschlagsliste,
2. im Falle der Personenwahl die auf jeden einzelnen Bewerber

entfallenen gültigen Stimmzettel zusammen.

(4) Stimmzettel, über deren Gültigkeit oder Ungültigkeit der Wahlvorstand beschließt, weil sie zu Zweifeln Anlaß geben, sind mit fortlaufender Nummer zu versehen und von den übrigen Stimmzetteln gesondert bei den Wahlunterlagen aufzubewahren.

§ 21 Wahlniederschrift. (1) [1] Über das Wahlergebnis fertigt der Wahlvorstand eine Niederschrift, die von sämtlichen Mitgliedern des Wahlvorstandes zu unterzeichnen ist. [2] Die Niederschrift muß enthalten

1. bei Gruppenwahl die Summe der von jeder Gruppe abgegebenen Stimmen, bei gemeinsamer Wahl die Summe aller abgegebenen Stimmen,
2. bei Gruppenwahl die Summe der von jeder Gruppe abgegebenen gültigen Stimmen, bei gemeinsamer Wahl die Summe aller abgegebenen gültigen Stimmen,
3. die Zahl der für jede Gruppe abgegebenen ungültigen Stimmen, bei gemeinsamer Wahl die Summe aller abgegebenen ungültigen Stimmen,
4. die für die Gültigkeit oder die Ungültigkeit zweifelhafter Stimmen maßgebenden Gründe,
5. im Falle der Verhältniswahl die Zahl der auf jede Vorschlagsliste entfallenen gültigen Stimmen sowie die Errechnung der Höchstzahlen und ihre Verteilung auf die Vorschlagslisten, im Falle der Personenwahl die Zahl der auf jeden Bewerber entfallenen gültigen Stimmen,
6. die Namen der gewählten Bewerber.

(2) Besondere Vorkommnisse bei der Wahlhandlung oder der Feststellung des Wahlergebnisses sind in der Niederschrift zu vermerken.

§ 22 Benachrichtigung der gewählten Bewerber. [1] Der Wahlvorstand benachrichtigt die als Personalratsmitglieder Gewählten unverzüglich schriftlich gegen Empfangsbestätigung, erforderlichenfalls durch eingeschriebenen Brief, von ihrer Wahl. [2]Erklärt ein Gewählter nicht binnen drei Arbeitstagen nach Zugang der Benachrichtigung dem Wahlvorstand, daß er die Wahl ablehne, so gilt die Wahl als angenommen.

§ 23 Bekanntmachung des Wahlergebnisses. Der Wahlvorstand gibt das Wahlergebnis und die Namen der als Personalratsmitglieder gewählten Bewerber durch zweiwöchigen Aushang an den Stellen bekannt, an denen das Wahlausschreiben bekanntgemacht worden ist.

§ 24 Aufbewahrung der Wahlunterlagen. Die Wahlunterlagen (Niederschriften, Bekanntmachungen, Stimmzettel, Freiumschläge für die schriftliche Stimmabgabe usw.) werden vom Personalrat mindestens bis zur Durchführung der nächsten Personalratswahl aufbewahrt.

Zweiter Abschnitt. Besondere Vorschriften für die Wahl mehrerer Personalratsmitglieder oder Gruppenvertreter

Erster Unterabschnitt. Wahlverfahren bei Vorliegen mehrerer Wahlvorschläge (Verhältniswahl)

§ 25 Voraussetzungen für Verhältniswahl, Stimmzettel, Stimmabgabe. (1) [1]Nach den Grundsätzen der Verhältniswahl (Listenwahl) ist zu wählen, wenn

1. bei Gruppenwahl für die betreffende Gruppe mehrere gültige Wahlvorschläge,
2. bei gemeinsamer Wahl mehrere gültige Wahlvorschläge

eingegangen sind. [2]In diesen Fällen kann jeder Wähler seine Stimme nur für den gesamten Wahlvorschlag (Vorschlagsliste) abgeben.

(2) Auf dem Stimmzettel sind die Vorschlagslisten in der nach § 12 Abs. 1 ermittelten Reihenfolge unter Angabe von Familienname, Vorname, Amts- oder Funktionsbezeichnung und Gruppenzugehörigkeit der an erster und zweiter Stelle benannten Bewerber, bei gemeinsamer Wahl der für die Gruppen an erster Stelle benannten Bewerber untereinander aufzuführen; bei Listen, die mit einem Kennwort versehen sind, ist auch das Kennwort anzugeben.

(3) Der Wähler hat auf dem Stimmzettel die Vorschlagsliste anzukreuzen, für die er seine Stimme abgeben will.

§ 26 Ermittlung der gewählten Gruppenvertreter bei Gruppenwahl.

(1) [1]Bei Gruppenwahl werden die Summen der auf die einzelnen Vorschlagslisten jeder Gruppe entfallenen Stimmen nebeneinandergestellt und der Reihe nach durch 1, 2, 3 usw. geteilt. [2]Auf die jeweils höchste Teilzahl (Höchstzahl) wird so lange ein Sitz zugeteilt, bis alle der Gruppe zustehenden Sitze (§ 5) verteilt sind. [3]Ist bei gleichen Höchstzahlen nur noch ein Sitz oder sind bei drei gleichen Höchstzahlen nur noch zwei Sitze zu verteilen, so entscheidet das Los.

(2) Enthält eine Vorschlagsliste weniger Bewerber als ihr nach den Höchstzahlen Sitze zustehen würden, so fallen die überschüssigen Sitze den übrigen Vorschlagslisten in der Reihenfolge der nächsten Höchstzahlen zu.

(3) Innerhalb der Vorschlagslisten sind die Sitze auf die Bewerber in der Reihenfolge ihrer Benennung (§ 8 Abs. 2) zu verteilen.

§ 27 Ermittlung der gewählten Gruppenvertreter bei gemeinsamer Wahl. (1) [1] Bei gemeinsamer Wahl werden die Summen der auf die einzelnen Vorschlagslisten entfallenen Stimmen nebeneinandergestellt und der Reihe nach durch 1, 2, 3 usw. geteilt. [2] Die jeder Gruppe zustehenden Sitze werden getrennt, jedoch unter Verwendung derselben Teilzahlen ermittelt. [3] § 26 Abs. 1 Satz 2 und 3 gilt entsprechend.

(2) Enthält eine Vorschlagsliste weniger Bewerber einer Gruppe, als dieser nach den Höchstzahlen Sitze zustehen würden, so fallen die restlichen Sitze dieser Gruppe den Angehörigen derselben Gruppe auf den übrigen Vorschlagslisten in der Reihenfolge der nächsten Höchstzahlen zu.

(3) Innerhalb der Vorschlagslisten werden die den einzelnen Gruppen zustehenden Sitze auf die Angehörigen der entsprechenden Gruppe in der Reihenfolge ihrer Benennung verteilt.

Zweiter Unterabschnitt. Wahlverfahren bei Vorliegen eines Wahlvorschlages (Personenwahl)

§ 28 Voraussetzungen für Personenwahl, Stimmzettel, Stimmabgabe. (1) [1] Nach den Grundsätzen der Personenwahl ist zu wählen, wenn

1. bei Gruppenwahl für die betreffende Gruppe nur ein gültiger Wahlvorschlag,
2. bei gemeinsamer Wahl nur ein gültiger Wahlvorschlag

eingegangen ist. [2] In diesen Fällen kann jeder Wähler nur solche Bewerber wählen, die in dem Wahlvorschlag aufgeführt sind.

(2) [1] In den Stimmzettel werden die Bewerber aus dem Wahlvorschlag in unveränderter Reihenfolge unter Angabe von Familienname, Vorname, Amts- oder Funktionsbezeichnung und Gruppenzugehörigkeit übernommen. [2] Der Wähler hat auf dem Stimmzettel die Namen der Bewerber anzukreuzen, für die er seine Stimme abgeben will. [3] Der Wähler darf

1. bei Gruppenwahl nicht mehr Namen ankreuzen, als für die betreffende Gruppe Vertreter zu wählen sind,
2. bei gemeinsamer Wahl nicht mehr Namen ankreuzen, als Personalratsmitglieder zu wählen sind.

§ 29 Ermittlung der gewählten Bewerber. (1) Bei Gruppenwahl sind die Bewerber in der Reihenfolge der jeweils höchsten auf sie entfallenen Stimmenzahlen gewählt.

(2) Bei gemeinsamer Wahl werden die den einzelnen Gruppen zustehenden Sitze mit den Bewerbern dieser Gruppen in der Reihenfolge der jeweils höchsten auf sie entfallenen Stimmenzahlen besetzt.

(3) Bei gleicher Stimmenzahl entscheidet das Los.

Dritter Abschnitt. Besondere Vorschriften für die Wahl eines Personalratsmitgliedes oder eines Gruppenvertreters (Personenwahl)

§ 30 Voraussetzungen für Personenwahl, Stimmzettel, Stimmabgabe, Wahlergebnis. (1) Nach den Grundsätzen der Personenwahl ist zu wählen, wenn

1. bei Gruppenwahl nur ein Vertreter,
2. bei gemeinsamer Wahl nur ein Personalratsmitglied

zu wählen ist.

(2) In den Stimmzettel werden die Bewerber aus den Wahlvorschlägen in alphabetischer Reihenfolge unter Angabe von Familienname, Vorname, Amts- oder Funktionsbezeichnung übernommen.

(3) Der Wähler hat auf dem Stimmzettel den Namen des Bewerbers anzukreuzen, für den er seine Stimme abgeben will.

(4) [1]Gewählt ist der Bewerber, der die meisten Stimmen erhalten hat. [2]Bei gleicher Stimmenzahl entscheidet das Los.

Vierter Abschnitt. Wahl der Vertreter der nichtständig Beschäftigten

§ 31[1)] *(aufgehoben)*

Zweiter Teil. Wahl des Bezirkspersonalrates

§ 32 Entsprechende Anwendung der Vorschriften über die Wahl des Personalrates. Für die Wahl des Bezirkspersonalrates gelten die §§ 1 bis 30 entsprechend, soweit sich aus den §§ 33 bis 41 nichts anderes ergibt.

§ 33 Leitung der Wahl. (1) [1]Der Bezirkswahlvorstand leitet die Wahl des Bezirkspersonalrates. [2]Die Durchführung der Wahl in den einzelnen Dienststellen übernehmen die örtlichen Wahlvorstände im Auftrag und nach Richtlinien des Bezirkswahlvorstandes.

(2) Der örtliche Wahlvorstand gibt die Namen der Mitglieder des Bezirkswahlvorstandes und gegebenenfalls der Ersatzmitglieder und die dienstliche Anschrift seines Vorsitzenden in der Dienststelle durch Aushang bis zum Abschluß der Stimmabgabe bekannt.

§ 34[2)] Feststellung der Beschäftigtenzahl, Wählerverzeichnis. (1) Die örtlichen Wahlvorstände stellen die Zahl der in den Dienststellen in der Regel Beschäftigten und ihre Verteilung auf die Gruppen fest und teilen diese Zahlen unverzüglich schriftlich dem Bezirkswahlvorstand mit.

(2) [1]Die Aufstellung der Wählerverzeichnisse und die Behandlung von Einsprüchen ist Aufgabe der örtlichen Wahlvorstände. [2]Sie teilen dem Bezirkswahlvorstand die Zahl der wahlberechtigten Beschäftigten, getrennt nach Gruppenzugehörigkeit, unverzüglich schriftlich mit. [3]Innerhalb der Gruppen sind die Anteile der Geschlechter festzustellen.

§ 35[3)] Ermittlung der Zahl der zu wählenden Bezirkspersonalratsmitglieder, Verteilung der Sitze auf die Gruppen. (1) Der Bezirkswahlvorstand ermittelt die Zahl der zu wählenden Mitglieder des Bezirkspersonalrates und die Verteilung der Sitze auf die Gruppen.

(2) Ist eine abweichende Verteilung der Mitglieder des Bezirkspersonalrates auf die Gruppen nicht beschlossen worden und entfallen bei der Verteilung der Sitze nach § 5 Abs. 2 auf eine Gruppe weniger Sitze, als ihr nach § 89 Absatz 4

[1)] § 31 aufgeh. mWv 15.6.2021 durch G v. 9.6.2021 (BGBl. I S. 1614).
[2)] § 34 Abs. 2 Satz 2 geänd. mWv 1.10.2005 durch VO v. 28.9.2005 (BGBl. I S. 2906).
[3)] § 35 Abs. 2 geänd. mWv 15.6.2021 durch G v. 9.6.2021 (BGBl. I S. 1614).

des Gesetzes[1)] mindestens zustehen, so erhält sie die in § 89 Absatz 4 des Gesetzes vorgeschriebene Zahl von Sitzen.

§ 36 Gleichzeitige Wahl. Die Wahl des Bezirkspersonalrates soll möglichst gleichzeitig mit der Wahl der Personalräte in demselben Bezirk stattfinden.

§ 37[2)] Wahlausschreiben. (1) Der Bezirkswahlvorstand erläßt das Wahlausschreiben.

(2) Der örtliche Wahlvorstand gibt das Wahlausschreiben in der Dienststelle an einer oder mehreren geeigneten, den Wahlberechtigten zugänglichen Stellen durch Aushang in gut lesbarem Zustande bis zum Abschluß der Stimmabgabe bekannt.

(3) Das Wahlausschreiben muß enthalten

1. Ort und Tag seines Erlasses,
2. die Zahl der zu wählenden Mitglieder des Bezirkspersonalrates, getrennt nach Gruppen,

2a. Angaben über die Anteile der Geschlechter innerhalb des Geschäftsbereichs, getrennt nach Gruppen,

3. Angaben darüber, ob die Gruppen ihre Vertreter in getrennten Wahlgängen wählen (Gruppenwahl) oder vor Erlaß des Wahlausschreibens gemeinsame Wahl beschlossen worden ist,
4. den Hinweis, daß nur Beschäftigte wählen können, die in das Wählerverzeichnis eingetragen sind,

4a. den Hinweis, daß die Geschlechter im Bezirkspersonalrat entsprechend dem Zahlenverhältnis vertreten sein sollen,

5. die Mindestzahl von wahlberechtigten Beschäftigten, von denen ein Wahlvorschlag unterzeichnet sein muß, und den Hinweis, daß jeder Beschäftigte nur auf einem Wahlvorschlag benannt werden kann,

5a. den Hinweis, daß der Wahlvorschlag einer im Geschäftsbereich der Behörde der Mittelstufe vertretenen Gewerkschaft von zwei Beauftragten unterzeichnet sein muß (§ 89 Absatz 2 in Verbindung mit § 20 Absatz 5 des Gesetzes[1)]),

6. die Aufforderung, Wahlvorschläge binnen achtzehn Kalendertagen nach dem Erlaß des Wahlausschreibens beim Bezirkswahlvorstand einzureichen, der letzte Tag der Einreichungsfrist ist anzugeben,
7. den Hinweis, daß nur fristgerecht eingereichte Wahlvorschläge berücksichtigt werden und daß nur gewählt werden kann, wer in einen solchen Wahlvorschlag aufgenommen ist,
8. den Tag oder die Tage der Stimmabgabe.

(4) Der örtliche Wahlvorstand ergänzt das Wahlausschreiben durch die folgenden Angaben:

1. die Angabe, wo und wann das für die örtliche Dienststelle aufgestellte Wählerverzeichnis und diese Wahlordnung zur Einsicht ausliegen,

---

[1)] Nr. **572**.

[2)] § 37 Abs. 3 Nrn. 2, 2a und 3 geänd. mWv 1.10.2005 durch VO v. 28.9.2005 (BGBl. I S. 2906); Abs. 3 Nr. 5a geänd. mWv 15.6.2021 durch G v. 9.6.2021 (BGBl. I S. 1614).

2. den Hinweis, daß Einsprüche gegen das Wählerverzeichnis nur binnen sechs Arbeitstagen seit seiner Auslegung schriftlich beim örtlichen Wahlvorstand eingelegt werden können, der letzte Tag der Einspruchsfrist ist anzugeben,
3. den Ort, an dem die Wahlvorschläge bekanntgegeben werden,
4. den Ort und die Zeit der Stimmabgabe,
5. einen Hinweis auf die Möglichkeit der schriftlichen Stimmabgabe, gegebenenfalls auf die Anordnung der schriftlichen Stimmabgabe nach § 19,
6. den Ort und die Zeit der Stimmenauszählung,
7. den Ort, an dem Einsprüche und andere Erklärungen gegenüber dem Wahlvorstand abzugeben sind.

(5) Der örtliche Wahlvorstand vermerkt auf dem Wahlausschreiben den ersten und letzten Tag des Aushanges.

(6) Offenbare Unrichtigkeiten des Wahlausschreibens können vom Bezirkswahlvorstand jederzeit berichtigt werden.

(7) Mit Erlaß des Wahlausschreibens ist die Wahl eingeleitet.

§ 38 Bekanntmachungen des Bezirkswahlvorstandes. Bekanntmachungen nach den §§ 11 und 13 sind in gleicher Weise wie das Wahlausschreiben in den Dienststellen auszuhängen.

§ 39 Sitzungsniederschriften. (1) [1] Der Bezirkswahlvorstand fertigt über jede Sitzung, in der er einen Beschluß gefaßt hat, eine Niederschrift. [2] Die Niederschrift ist von sämtlichen Mitgliedern des Bezirkswahlvorstandes zu unterzeichnen.

(2) Die Niederschrift über die Sitzungen, in denen über Einsprüche gegen das Wählerverzeichnis entschieden ist, fertigt der örtliche Wahlvorstand.

§ 40 Stimmabgabe, Stimmzettel. [1] Findet die Wahl des Bezirkspersonalrates zugleich mit der Wahl der Personalräte statt, so kann für die Stimmabgabe zu beiden Wahlen derselbe Umschlag verwendet werden. [2] Für die Wahl des Bezirkspersonalrates sind Stimmzettel von anderer Farbe als für die Wahl des Personalrates zu verwenden.

§ 41 Feststellung und Bekanntmachung des Wahlergebnisses. (1) [1] Die örtlichen Wahlvorstände zählen die auf die einzelnen Vorschlagslisten oder, wenn Personenwahl stattgefunden hat, die auf die einzelnen Bewerber entfallenen Stimmen. [2] Sie fertigen eine Wahlniederschrift gemäß § 21.

(2) [1] Die Niederschrift ist unverzüglich nach Feststellung des Wahlergebnisses dem Bezirkswahlvorstand eingeschrieben oder fernschriftlich zu übersenden. [2] Die bei der Dienststelle entstandenen Unterlagen für die Wahl des Bezirkspersonalrates (§ 24) werden zusammen mit einer Abschrift der Niederschrift vom Personalrat aufbewahrt.

(3) Der Bezirkswahlvorstand zählt unverzüglich die auf jede Vorschlagsliste oder, wenn Personenwahl stattgefunden hat, die auf jeden einzelnen Bewerber entfallenen Stimmen zusammen und stellt das Ergebnis der Wahl fest.

(4) [1] Sobald die Namen der als Mitglieder des Bezirkspersonalrates gewählten Bewerber feststehen, teilt sie der Bezirkswahlvorstand den örtlichen Wahlvorständen mit. [2] Die örtlichen Wahlvorstände geben sie durch zweiwöchigen Aushang in der gleichen Weise wie das Wahlausschreiben bekannt.

Dritter Teil. Wahl des Hauptpersonalrates

§ 42 Entsprechende Anwendung der Vorschriften über die Wahl des Bezirkspersonalrates. Für die Wahl des Hauptpersonalrates gelten die §§ 32 bis 41 entsprechend, soweit sich aus den §§ 43 und 44 nichts anderes ergibt.

§ 43 Leitung der Wahl. Der Hauptwahlvorstand leitet die Wahl des Hauptpersonalrates.

§ 44[1] Durchführung der Wahl nach Bezirken. (1) [1]Der Hauptwahlvorstand kann die bei den Behörden der Mittelstufe bestehenden oder auf sein Ersuchen bestellten örtlichen Wahlvorstände beauftragen,

1. die von den örtlichen Wahlvorständen im Bereich der Behörde der Mittelstufe festzustellenden Zahlen der in der Regel Beschäftigten und ihre Verteilung auf die Gruppen zusammenzustellen,
2. die Zahl der im Bereich der Behörde der Mittelstufe wahlberechtigten Beschäftigten, getrennt nach ihrer Gruppenzugehörigkeit und innerhalb der Gruppen nach den Anteilen der Geschlechter, festzustellen,
3. die bei den Dienststellen im Bereich der Behörde der Mittelstufe festgestellten Wahlergebnisse zusammenzustellen,
4. Bekanntmachungen des Hauptwahlvorstandes an die übrigen örtlichen Wahlvorstände im Bereich der Behörde der Mittelstufe weiterzuleiten.

[2]Die Wahlvorstände bei den Behörden der Mittelstufe unterrichten in diesen Fällen die übrigen örtlichen Wahlvorstände im Bereich der Behörde der Mittelstufe darüber, daß die in den Nummern 1 bis 3 genannten Angaben an sie einzusenden sind.

(2) Die Wahlvorstände bei den Behörden der Mittelstufe fertigen über die Zusammenstellung der Wahlergebnisse (Absatz 1 Satz 1 Nr. 3) eine Niederschrift.

(3) Die Wahlvorstände bei den Behörden der Mittelstufe übersenden dem Hauptwahlvorstand unverzüglich eingeschrieben oder fernschriftlich die in Absatz 1 Satz 1 Nr. 1, 2 genannten Zusammenstellungen und die Niederschrift über die Zusammenstellung der Wahlergebnisse (Absatz 2).

Vierter Teil. Wahl des Gesamtpersonalrates

§ 45 Entsprechende Anwendung der Vorschriften über die Wahl des Personalrates. Für die Wahl des Gesamtpersonalrates gelten die §§ 32 bis 41 entsprechend.

Fünfter Teil. Wahl der Jugend- und Auszubildendenvertreter

§ 46[2] Vorbereitung und Durchführung der Wahl der Jugend- und Auszubildendenvertretung. (1) [1]Für die Vorbereitung und Durchführung der Wahl der Jugend- und Auszubildendenvertreter gelten die §§ 1 bis 3, 6

[1] *§ 44 Abs. 1 Satz 1 Nr. 2 geänd. mWv 1.10.2005 durch VO v. 28.9.2005 (BGBl. I S. 2906).*

[2] § 46 Abs. 1 neu gef., Abs. 2 Satz 2 geänd. mWv 15.6.2021 durch G v. 9.6.2021 (BGBl. I S. 1614).

bis 25, 28 und 30 entsprechend mit der Abweichung, dass sich die Zahl der zu wählenden Jugend- und Auszubildendenvertreter ausschließlich aus § 101 Absatz 1 des Gesetzes[1)] ergibt und dass die Vorschriften über Gruppenwahl (§ 19 Absatz 2 des Gesetzes), über den Minderheitenschutz (§ 17 Absatz 3 und 4 des Gesetzes) und über die Zusammenfassung der Bewerber in den Wahlvorschlägen nach Gruppen (§ 8 Absatz 2 Satz 3) nicht anzuwenden sind. [2] Dem Wahlvorstand muss mindestens ein nach § 15 des Gesetzes wählbarer Beschäftigter angehören.

(2) [1] Sind mehrere Jugend- und Auszubildendenvertreter zu wählen und ist die Wahl auf Grund mehrerer Vorschlagslisten durchgeführt worden, so werden die Summen der auf die einzelnen Vorschlagslisten entfallenen Stimmen nebeneinandergestellt und der Reihe nach durch 1, 2, 3 usw. geteilt. [2] Auf die jeweils höchste Teilzahl (Höchstzahl) wird so lange ein Sitz zugeteilt, bis alle Sitze (§ 101 Absatz 1 des Gesetzes) verteilt sind. [3] § 26 Abs. 1 Satz 3, Abs. 2 und 3 findet Anwendung.

(3) Sind mehrere Jugend- und Auszubildendenvertreter zu wählen und ist die Wahl auf Grund eines Wahlvorschlages durchgeführt worden, so sind die Bewerber in der Reihenfolge der jeweils höchsten auf sie entfallenen Stimmenzahlen gewählt; bei Stimmengleichheit entscheidet das Los.

§ 47[2)] Wahl der Jugend- und Auszubildendenstufenvertretungen.

(1) [1] Für die Wahl der Jugend- und Auszubildendenstufenvertretungen nach § 107 Absatz 1 des Gesetzes[1)] gelten die §§ 33 bis 41, 43, 44 und 46 entsprechend. [2] In Dienststellen, denen in der Regel weniger als fünf Beschäftigte angehören, die das 18. Lebensjahr noch nicht vollendet haben oder die sich in einer beruflichen Ausbildung befinden, führt der Bezirks- oder Hauptwahlvorstand die Wahl der Jugend- und Auszubildendenstufenvertretungen durch. [3] In den genannten Dienststellen werden keine Wahlvorstände bestellt; der Bezirks- oder Hauptwahlvorstand kann die schriftliche Stimmabgabe anordnen. [4] In diesem Fall hat der Bezirks- oder Hauptwahlvorstand den in Satz 2 genannten Beschäftigten, die wahlberechtigt sind, die in § 17 Absatz 1 bezeichneten Unterlagen zu übersenden.

(2) Für die Wahl der Gesamt-Jugend- und Auszubildendenvertretung nach § 107 Absatz 2 des Gesetzes gelten Absatz 1 und § 46 entsprechend.

Sechster Teil. Besondere Verwaltungszweige

§ 48[3)] *(aufgehoben)*

§ 49 Personalvertretungen im Bundesnachrichtendienst. Für den Bundesnachrichtendienst gilt diese Wahlordnung mit folgenden Abweichungen:

1. Bei der Erstellung der Wahlunterlagen sind die Sicherheitsbestimmungen des Bundesnachrichtendienstes zu beachten. An die Stelle der Bekanntmachung durch Aushang tritt die im Bundesnachrichtendienst übliche Bekanntmachung. Die Bekanntmachungen müssen den Beschäftigten für die Dauer

---

[1)] Nr. **572**.
[2)] § 47 Abs. 1 neu gef., Abs. 2 geänd. mWv 15.6.2021 durch G v. 9.6.2021 (BGBl. I S. 1614).
[3)] § 48 aufgeh. mWv 15.6.2021 durch G v. 9.6.2021 (BGBl. I S. 1614).

der in den einzelnen Vorschriften bestimmten Zeiträume zur Einsichtnahme während der Dienststunden zugänglich sein.

2. § 2 Abs. 3 ist mit der Maßgabe anzuwenden, daß die Beschäftigten nur das Wählerverzeichnis ihrer Gruppe einsehen dürfen.
3. Wird nach § 17 Abs. 1 Satz 3 ein Abdruck des Wahlausschreibens ausgehändigt oder versandt, so darf dieser nicht die Angaben nach § 6 Abs. 2 Nr. 2 und 7 enthalten.
4. Die Beschäftigten von Teilen einer Dienststelle, die räumlich von dieser entfernt liegen, geben ihre Stimme schriftlich ab.

§ 49a[1] *(aufgehoben)*

§ 50[2] **Wahl einer Personalvertretung im Inland durch Beschäftigte in Dienststellen des Bundes im Ausland.** (1) [1]Der Haupt- oder Bezirkswahlvorstand kann für die Wahl der Stufenvertretung durch Beschäftigte in Dienststellen des Bundes im Ausland die schriftliche Stimmabgabe anordnen. [2]Entsprechendes gilt für die Wahl eines Gesamtpersonalrates.

(2) [1]Auf die Wahl des Personalrates des Auswärtigen Amtes durch die in § 121 Absatz 3 Satz 1 des Gesetzes[3] bezeichneten Beschäftigten sind die §§ 32 bis 41 sinngemäß anzuwenden. [2]Der Wahlvorstand kann für die Wahl durch die in Satz 1 bezeichneten Beschäftigten die schriftliche Stimmabgabe anordnen.

(3) Wird nach Absatz 1 oder 2 die schriftliche Stimmabgabe angeordnet, hat der Wahlvorstand den wahlberechtigten Beschäftigten die in § 17 Abs. 1 bezeichneten Unterlagen zu übersenden.

§ 51[4] **Vertrauensperson der lokal Beschäftigten (§ 120 des Gesetzes**[3]**).**

(1) [1]Der Personalrat bestellt spätestens drei Wochen vor dem Ablauf der Amtszeit der Vertrauensperson der lokal Beschäftigten drei lokal Beschäftigte als Wahlvorstand und bestimmt einen von ihnen als Vorsitzenden. [2]Hat der Personalrat den Wahlvorstand nicht fristgemäß bestellt oder besteht in der Dienststelle kein Personalrat, so bestellt der Leiter der Dienststelle den Wahlvorstand. [3]Sind lokal Beschäftigte nicht oder nicht in ausreichender Zahl zur Übernahme des Wahlvorstandsamtes bereit, können wahlberechtigte Beschäftigte bestellt werden.

(2) [1]Der Wahlvorstand hat unverzüglich eine Versammlung der lokal Beschäftigten einzuberufen. [2]In dieser Versammlung ist die Wahl der Vertrauensperson und ihrer Stellvertreter durchzuführen.

(3) [1]Ist eine geheime Wahl vorzunehmen (§ 120 Absatz 2 Satz 1 zweiter Halbsatz des Gesetzes), so ist wie folgt zu verfahren:
[2]Der Wahlvorstand verteilt unbeschriebene Stimmzettel von gleicher Farbe und Größe. [3]Jeder Wähler schreibt den Namen eines Kandidaten auf seinen Stimmzettel, faltet diesen so, daß der Name verdeckt wird, und übergibt ihn

---

[1] **Amtl. Anm.:** § 49a wird gemäß Artikel 12 Nr. 14 in Verbindung mit Artikel 15 Nr. 1 des Postneuordnungsgesetzes vom 14. September 1994 (BGBl. I S. 2325) am 1. Januar 1995 aufgehoben.

[2] § 50 Abs. 2 Satz 1 geänd. mWv 15.6.2021 durch G v. 9.6.2021 (BGBl. I S. 1614).

[3] Nr. **572**.

[4] § 51 Überschrift neu gef. durch G v. 16.12.1997 (BGBl. I S. 3094); Überschrift, Abs. 1 und 2 neu gef., Abs. 3 Satz 1 und Abs. 4 Satz 1 geänd. mWv 15.6.2021 durch G v. 9.6.2021 (BGBl. I S. 1614).

dem Wahlvorstand. [4] Dieser legt den Stimmzettel in Gegenwart des Wählers ungeöffnet in einen dafür bestimmten Behälter und hält den Namen des Wählers in einer Liste fest. [5] Der Wahlvorstand trifft Vorkehrungen, daß die Wähler ihren Stimmzettel unbeobachtet beschreiben können. [6] Hat der Wahlvorstand festgestellt, daß die Wahlhandlung beendet ist, zählt er unverzüglich und ohne Unterbrechung öffentlich die Stimmen aus und stellt das Ergebnis fest.

(4) [1] Zur Vertrauensperson gewählt ist der Kandidat, der die meisten Stimmen erhalten hat. [2] Der Kandidat mit der zweithöchsten Stimmenzahl ist zum ersten Stellvertreter, der mit der dritthöchsten Stimmenzahl zum zweiten Stellvertreter gewählt. [3] Bei gleicher Stimmenzahl entscheidet das Los.

Siebter Teil. Schlußvorschriften

§ 52 Berechnung von Fristen. [1] Für die Berechnung der in dieser Verordnung festgelegten Fristen finden die §§ 186 bis 193 des Bürgerlichen Gesetzbuchs[1)] entsprechende Anwendung. [2] Arbeitstage im Sinne dieser Wahlordnung sind die Wochentage Montag bis Freitag mit Ausnahme der gesetzlichen Feiertage.

§ 53[2)] Übergangsregelung. Für Wahlen, zu deren Durchführung der Wahlvorstand spätestens vor dem 1. Oktober 2005 bestellt worden ist, ist die Wahlordnung zum Bundespersonalvertretungsgesetz in der bis zum 30. September 2005 geltenden Fassung anzuwenden.

§ 54 (Inkrafttreten)

[1)] Nr. **50**.
[2)] § 53 geänd. mWv 1.10.2005 durch VO v. 28.9.2005 (BGBl. I S. 2906).

573. Übersicht zu den Personalvertretungsgesetzen der Länder[1)]

Baden-Württemberg

Landespersonalvertretungsgesetz (LPVG) idF der Bek. v. 12.3.2015 (GBl. S. 221), zuletzt geänd. durch G v. 21.12.2023 (GBl. S. 482).

Bayern

Bayerisches Personalvertretungsgesetz (BayPVG) vom 11. November 1986 (GVBl S. 349), zuletzt geänd. durch G v. 7.7.2023 (GVBl. S. 318).

Berlin

Personalvertretungsgesetz (PersVG) vom 14. Juli 1994 (GVBl. S. 337, 1995 S. 24), zuletzt geänd. durch G v. 1.4.2026 (GVBl. S. 154).

Brandenburg

Personalvertretungsgesetz für das Land Brandenburg (Landespersonalvertretungsgesetz – LPersVG) vom 14. Mai 2024 (GVBl. I Nr. 18), zuletzt geänd. durch G v. 21.6.2024 (GVBl. I Nr. 30).

Bremen

Bremisches Personalvertretungsgesetz vom 5. März 1974 (Brem.GBl. S. 131), zuletzt geänd. durch G v. 11.12.2024 (Brem.GBl. S. 1113).

Hamburg

Hamburgisches Personalvertretungsgesetz (HmbPersVG) vom vom 8. Juli 2014 (HmbGVBl. S. 299), zuletzt geänd. durch G v. 13.6.2025 (HmbGVBl. S. 430).

Hessen

Hessisches Personalvertretungsgesetz (HPVG) vom 28. März 2023 (GVBl. S. 183), zuletzt geänd. durch G v. 20.11.2024 (GVBl. Nr. 65).

Mecklenburg-Vorpommern

Personalvertretungsgesetz für das Land Mecklenburg-Vorpommern (Personalvertretungsgesetz - PersVG -) vom 24. Februar 1993 (GVOBl. M-V S. 125, ber. S. 176, 300, 1994 S. 858), zuletzt geänd. durch G v. 26.11.2024 (GVOBl. M-V S. 606).

Niedersachsen

Niedersächsisches Personalvertretungsgesetz (NPersVG) idF der Bek. v. 9.2. 2016 (Nds. GVBl. S. 2), zuletzt geänd. durch G v. 21.6.2023 (Nds. GVBl. S. 111).

---

1) Die Übersicht ist nichtamtlich. Die Vorschriften sind vollständig wiedergegeben in **beck-online, Module Arbeitsrecht.**

Nordrhein-Westfalen

Personalvertretungsgesetz für das Land Nordrhein-Westfalen - Landespersonalvertretungsgesetz - LPVG - vom 3. Dezember 1974 (GV. NRW. S. 1514), zuletzt geänd. durch G v. 30.5.2023 (GV. NRW. S. 316).

Rheinland-Pfalz

Landespersonalvertretungsgesetz (LPersVG) vom 24. November 2000 (GVBl. S. 530), zuletzt geänd. durch G v. 11.2.2026 (GVBl. S. 40).

Saarland

Saarländisches Personalvertretungsgesetz (SPersVG) vom 13. November 2024 (Amtsbl. I S. 1042), geänd. durch G v. 27.8.2025 (Amtsbl. I S. 854).

Sachsen

Sächsisches Personalvertretungsgesetz (SächsPersVG) idF der Bek. v. 29.8.2018 (SächsGVBl. S. 570, ber. 2021 S. 658), zuletzt geänd. durch G v. 5.7.2024 (SächsGVBl. S. 600).

Sachsen-Anhalt

Landespersonalvertretungsgesetz Sachsen-Anhalt (PersVG LSA) idF der Bek. vom 16. März 2004 (GVBl. LSA S. 205, ber. S. 491), zuletzt geänd. durch G v. 7.10.2024 (GVBl. LSA S. 274).

Schleswig-Holstein

Gesetz über die Mitbestimmung der Personalräte (Mitbestimmungsgesetz Schleswig-Holstein - MBG Schl.-H.) vom 11. Dezember 1990 (GVOBl. Schl.-H. S. 577), zuletzt geänd. durch G v. 5.12.2025 (GVOBl. Schl.-H. Nr. 169).

Thüringen

Thüringer Personalvertretungsgesetz (ThürPersVG) idF der Bek. vom 23. Januar 2020 (GVBl. S. 1, ber. S. 111), geänd. durch G v. 2.7.2024 (GVBl. S. 277).

574. Übersicht zu den Wahlordnungen der Personalvertretungen der Länder[1)]

Baden-Württemberg

Wahlordnung zum Landespersonalvertretungsgesetz (LPVGWO) idF der Bek. vom 12.3.2015 (GBl. S. 260).

Bayern

Wahlordnung zum Bayerischen Personalvertretungsgesetz (WO-BayPVG) vom 12. Dezember 1995 (GVBl S. 868), zuletzt geänd. durch V v. 18.7.2023 (GVBl. S. 470).

Berlin

Verordnung zur Durchführung des § 98 des Personalvertretungsgesetzes (Wahlordnung zum Personalvertretungsgesetz – WOPersVG) vom v. 25. Juni 2024 (GVBl. S. 446).

Brandenburg

Wahlordnung zum Landespersonalvertretungsgesetz (WO-PersVG) vom 26. August 1994 (GVBl. II S. 716), zuletzt geänd. durch VO v. 23.8.2024 (GVBl. II Nr. 64).

Bremen

Wahlordnung zum Bremischen Personalvertretungsgesetz vom 11. Februar 1958 (Brem.GBl. S. 7), zuletzt geänd. durch VO v. 12.12.2023 (Brem.GBl. S. 586).

Hamburg

Wahlordnung zum Hamburgischen Personalvertretungsgesetz vom 27. Februar 1973 (HmbGVBl. S. 29, ber. S. 175), zuletzt geänd durch G v. 19.11.2024 (HmbGVBl. S. 594).

Hessen

Wahlordnung zum Hessischen Personalvertretungsgesetz (HPVGWO) vom 24. Oktober 2023 (GVBl. S. 706).

Mecklenburg-Vorpommern

Landesverordnung über die Wahl der Personalräte (Wahlordnung zum Personalvertretungsgesetz) vom 19. April 1993 (GVOBl. M-V 1993 S. 320).

Niedersachsen

Wahlordnung für die Personalvertretungen im Land Niedersachsen (WO-PersV) vom 8. Juli 1998 (Nds. GVBl. S. 538), zuletzt geänd. durch VO v. 10.8. 2023 (Nds. GVBl. S. 180).

---

1) Die Übersicht ist nichtamtlich. Die Vorschriften sind vollständig wiedergegeben in **beck-online, Module Arbeitsrecht.**

Nordrhein-Westfalen

Wahlordnung zum Landespersonalvertretungsgesetz (WO-LPVG) vom 20. Mai 1986 (GV. NRW. S. 485), zuletzt geänd. durch VO v. 10.3.2026 (GV. NRW. S. 186).

Rheinland-Pfalz

Wahlordnung zum Personalvertretungsgesetz (WOLPersVG) vom 26. Januar 1993 (GVBl. S. 89), zuletzt geänd. durch G v. 20.12.2024 (GVBl. S. 469).

Saarland

Wahlordnung zum Saarländischen Personalvertretungsgesetz (WO — SPersVG) vom 26. November 2024 (Amtsbl. I S. 1090).

Sachsen

Verordnung der Sächsischen Staatsregierung zu den Wahlen nach dem Sächsischen Personalvertretungsgesetz (Sächsische Personalvertretungswahlenverordnung - SächsPersVWVO) idF der Bek. vom 24. Februar 2025 (SächsGVBl. S. 62).

Sachsen-Anhalt

Wahlordnung zum Landespersonalvertretungsgesetz Sachsen-Anhalt (WO PersVG LSA) vom 21. Oktober 2019 (GVBl. LSA S. 320).

Schleswig-Holstein

Landesverordnung über die Wahl der Personalräte (Wahlordnung zum Mitbestimmungsgesetz Schleswig-Holstein) vom 4. Dezember 2018 (GVOBl. Schl.-H. S. 817).

Thüringen

Wahlordnung zum Thüringer Personalvertretungsgesetz (ThürPersVWO) vom 6. Dezember 1993 (GVBl. S. 831), geänd. durch G v. 21.12.2011 (GVBl. S. 520).

575. Gesetz über Europäische Betriebsräte (Europäische Betriebsräte-Gesetz – EBRG)[1]

In der Fassung der Bekanntmachung vom 7. Dezember 2011[2]
(BGBl. I S. 2650)

FNA 801-13

zuletzt geänd. durch Art. 6f G zur Stärkung des Schutzes der Bevölkerung und insbesondere vulnerabler Personengruppen vor COVID-19 v. 16.9.2022 (BGBl. I S. 1454)

Erster Teil. Allgemeine Vorschriften

§ 1 Grenzübergreifende Unterrichtung und Anhörung. (1) [1] Zur Stärkung des Rechts auf grenzübergreifende Unterrichtung und Anhörung der Arbeitnehmer in gemeinschaftsweit tätigen Unternehmen und Unternehmensgruppen werden Europäische Betriebsräte oder Verfahren zur Unterrichtung und Anhörung der Arbeitnehmer vereinbart. [2] Kommt es nicht zu einer Vereinbarung, wird ein Europäischer Betriebsrat kraft Gesetzes errichtet.

(2) [1] Der Europäische Betriebsrat ist zuständig in Angelegenheiten, die das gemeinschaftsweit tätige Unternehmen oder die gemeinschaftsweit tätige Unternehmensgruppe insgesamt oder mindestens zwei Betriebe oder zwei Unternehmen in verschiedenen Mitgliedstaaten betreffen. [2] Bei Unternehmen und Unternehmensgruppen nach § 2 Absatz 2 ist der Europäische Betriebsrat nur in solchen Angelegenheiten zuständig, die sich auf das Hoheitsgebiet der Mitgliedstaaten erstrecken, soweit kein größerer Geltungsbereich vereinbart wird.

(3) Die grenzübergreifende Unterrichtung und Anhörung der Arbeitnehmer erstreckt sich in einem Unternehmen auf alle in einem Mitgliedstaat liegenden Betriebe sowie in einer Unternehmensgruppe auf alle Unternehmen, die ihren Sitz in einem Mitgliedstaat haben, soweit kein größerer Geltungsbereich vereinbart wird.

(4) [1] Unterrichtung im Sinne dieses Gesetzes bezeichnet die Übermittlung von Informationen durch die zentrale Leitung oder eine andere geeignete Leitungsebene an die Arbeitnehmervertreter, um ihnen Gelegenheit zur Kenntnisnahme und Prüfung der behandelten Frage zu geben. [2] Die Unterrichtung erfolgt zu einem Zeitpunkt, in einer Weise und in einer inhaltlichen Ausgestaltung, die dem Zweck angemessen sind und es den Arbeitnehmervertretern ermöglichen, die möglichen Auswirkungen eingehend zu bewerten und gegebenenfalls Anhörungen mit dem zuständigen Organ des gemeinschaftsweit tätigen Unternehmens oder der gemeinschaftsweit tätigen Unternehmensgruppe vorzubereiten.

(5) [1] Anhörung im Sinne dieses Gesetzes bezeichnet den Meinungsaustausch und die Einrichtung eines Dialogs zwischen den Arbeitnehmervertretern und der zentralen Leitung oder einer anderen geeigneten Leitungsebene zu einem

---

[1] **Amtl. Anm.:** Dieses Gesetz dient der Umsetzung der Richtlinie 2009/38/EG des Europäischen Parlaments und des Rates vom 6. Mai 2009 über die Einsetzung eines Europäischen Betriebsrats oder die Schaffung eines Verfahrens zur Unterrichtung und Anhörung der Arbeitnehmer in gemeinschaftsweit operierenden Unternehmen und Unternehmensgruppen (ABl. L 122 vom 16.5.2009, S. 28).

[2] Neubekanntmachung des Europäische Betriebsräte-Gesetzes v. 28.10.1996 (BGBl. I S. 1548) in der ab 18.6.2011 geltenden Fassung.

Zeitpunkt, in einer Weise und in einer inhaltlichen Ausgestaltung, die es den Arbeitnehmervertretern auf der Grundlage der erhaltenen Informationen ermöglichen, innerhalb einer angemessenen Frist zu den vorgeschlagenen Maßnahmen, die Gegenstand der Anhörung sind, eine Stellungnahme abzugeben, die innerhalb des gemeinschaftsweit tätigen Unternehmens oder der gemeinschaftsweit tätigen Unternehmensgruppe berücksichtigt werden kann. [2]Die Anhörung muss den Arbeitnehmervertretern gestatten, mit der zentralen Leitung zusammenzukommen und eine mit Gründen versehene Antwort auf ihre etwaige Stellungnahme zu erhalten.

(6) Zentrale Leitung im Sinne dieses Gesetzes ist ein gemeinschaftsweit tätiges Unternehmen oder das herrschende Unternehmen einer gemeinschaftsweit tätigen Unternehmensgruppe.

(7) Unterrichtung und Anhörung des Europäischen Betriebsrats sind spätestens gleichzeitig mit der der nationalen Arbeitnehmervertretungen durchzuführen.

§ 2 Geltungsbereich. (1) Dieses Gesetz gilt für gemeinschaftsweit tätige Unternehmen mit Sitz im Inland und für gemeinschaftsweit tätige Unternehmensgruppen mit Sitz des herrschenden Unternehmens im Inland.

(2) [1]Liegt die zentrale Leitung nicht in einem Mitgliedstaat, besteht jedoch eine nachgeordnete Leitung für in Mitgliedstaaten liegende Betriebe oder Unternehmen, findet dieses Gesetz Anwendung, wenn die nachgeordnete Leitung im Inland liegt. [2]Gibt es keine nachgeordnete Leitung, findet das Gesetz Anwendung, wenn die zentrale Leitung einen Betrieb oder ein Unternehmen im Inland als ihren Vertreter benennt. [3]Wird kein Vertreter benannt, findet das Gesetz Anwendung, wenn der Betrieb oder das Unternehmen im Inland liegt, in dem verglichen mit anderen in den Mitgliedstaaten liegenden Betrieben des Unternehmens oder Unternehmen der Unternehmensgruppe die meisten Arbeitnehmer beschäftigt sind. [4]Die vorgenannten Stellen gelten als zentrale Leitung.

(3) Mitgliedstaaten im Sinne dieses Gesetzes sind die Mitgliedstaaten der Europäischen Union sowie die anderen Vertragsstaaten des Abkommens über den Europäischen Wirtschaftsraum.

(4) Für die Berechnung der Anzahl der im Inland beschäftigten Arbeitnehmer (§ 4), den Auskunftsanspruch (§ 5 Absatz 2 und 3), die Bestimmung des herrschenden Unternehmens (§ 6), die Weiterleitung des Antrags (§ 9 Absatz 2 Satz 3), die gesamtschuldnerische Haftung des Arbeitgebers (§ 16 Absatz 2), die Bestellung der auf das Inland entfallenden Arbeitnehmervertreter (§§ 11, 23 Absatz 1 bis 5 und § 18 Absatz 2 in Verbindung mit § 23) und die für sie geltenden Schutzbestimmungen (§ 40) sowie für den Bericht gegenüber den örtlichen Arbeitnehmervertretungen im Inland (§ 36 Absatz 2) gilt dieses Gesetz auch dann, wenn die zentrale Leitung nicht im Inland liegt.

§ 3 Gemeinschaftsweite Tätigkeit. (1) Ein Unternehmen ist gemeinschaftsweit tätig, wenn es mindestens 1 000 Arbeitnehmer in den Mitgliedstaaten und davon jeweils mindestens 150 Arbeitnehmer in mindestens zwei Mitgliedstaaten beschäftigt.

(2) Eine Unternehmensgruppe ist gemeinschaftsweit tätig, wenn sie mindestens 1 000 Arbeitnehmer in den Mitgliedstaaten beschäftigt und ihr mindestens zwei Unternehmen mit Sitz in verschiedenen Mitgliedstaaten angehören, die jeweils mindestens je 150 Arbeitnehmer in verschiedenen Mitgliedstaaten beschäftigen.

§ 4 Berechnung der Arbeitnehmerzahlen. [1] In Betrieben und Unternehmen des Inlands errechnen sich die im Rahmen des § 3 zu berücksichtigenden Arbeitnehmerzahlen nach der Anzahl der im Durchschnitt während der letzten zwei Jahre beschäftigten Arbeitnehmer im Sinne des § 5 Absatz 1 des Betriebsverfassungsgesetzes[1)]. [2] Maßgebend für den Beginn der Frist nach Satz 1 ist der Zeitpunkt, in dem die zentrale Leitung die Initiative zur Bildung des besonderen Verhandlungsgremiums ergreift oder der zentralen Leitung ein den Voraussetzungen des § 9 Absatz 2 entsprechender Antrag der Arbeitnehmer oder ihrer Vertreter zugeht.

§ 5 Auskunftsanspruch. (1) [1] Die zentrale Leitung hat auf Verlangen einer Arbeitnehmervertretung die für die Aufnahme von Verhandlungen zur Bildung eines Europäischen Betriebsrats erforderlichen Informationen zu erheben und an die Arbeitnehmervertretung weiterzuleiten. [2] Zu den erforderlichen Informationen gehören insbesondere die durchschnittliche Gesamtzahl der Arbeitnehmer und ihre Verteilung auf die Mitgliedstaaten, die Unternehmen und Betriebe sowie über die Struktur des Unternehmens oder der Unternehmensgruppe.

(2) Ein Betriebsrat oder ein Gesamtbetriebsrat kann den Anspruch nach Absatz 1 gegenüber der örtlichen Betriebs- oder Unternehmensleitung geltend machen; diese ist verpflichtet, die erforderlichen Informationen und Unterlagen bei der zentralen Leitung einzuholen.

(3) Jede Leitung eines Unternehmens einer gemeinschaftsweit tätigen Unternehmensgruppe sowie die zentrale Leitung sind verpflichtet, die Informationen nach Absatz 1 zu erheben und zur Verfügung zu stellen.

§ 6 Herrschendes Unternehmen. (1) Ein Unternehmen, das zu einer gemeinschaftsweit tätigen Unternehmensgruppe gehört, ist herrschendes Unternehmen, wenn es unmittelbar oder mittelbar einen beherrschenden Einfluss auf ein anderes Unternehmen derselben Gruppe (abhängiges Unternehmen) ausüben kann.

(2) [1] Ein beherrschender Einfluss wird vermutet, wenn ein Unternehmen in Bezug auf ein anderes Unternehmen unmittelbar oder mittelbar

1. mehr als die Hälfte der Mitglieder des Verwaltungs-, Leitungs- oder Aufsichtsorgans des anderen Unternehmens bestellen kann oder
2. über die Mehrheit der mit den Anteilen am anderen Unternehmen verbundenen Stimmrechte verfügt oder
3. die Mehrheit des gezeichneten Kapitals dieses Unternehmens besitzt.

---

1) Nr. **570**.

[2] Erfüllen mehrere Unternehmen eines der in Satz 1 Nummer 1 bis 3 genannten Kriterien, bestimmt sich das herrschende Unternehmen nach Maßgabe der dort bestimmten Rangfolge.

(3) Bei der Anwendung des Absatzes 2 müssen den Stimm- und Ernennungsrechten eines Unternehmens die Rechte aller von ihm abhängigen Unternehmen sowie aller natürlichen oder juristischen Personen, die zwar im eigenen Namen, aber für Rechnung des Unternehmens oder eines von ihm abhängigen Unternehmens handeln, hinzugerechnet werden.

(4) Investment- und Beteiligungsgesellschaften im Sinne des Artikels 3 Absatz 5 Buchstabe a oder c der Verordnung (EG) Nr. 139/2004 des Rates vom 20. Januar 2004 über die Kontrolle von Unternehmenszusammenschlüssen (ABl. L 24 vom 29. 1. 2004, S. 1) gelten nicht als herrschendes Unternehmen gegenüber einem anderen Unternehmen, an dem sie Anteile halten, an dessen Leitung sie jedoch nicht beteiligt sind.

§ 7 Europäischer Betriebsrat in Unternehmensgruppen. Gehören einer gemeinschaftsweit tätigen Unternehmensgruppe ein oder mehrere gemeinschaftsweit tätige Unternehmen an, wird ein Europäischer Betriebsrat nur bei dem herrschenden Unternehmen errichtet, sofern nichts anderes vereinbart wird.

Zweiter Teil. Besonderes Verhandlungsgremium

§ 8 Aufgabe. (1) Das besondere Verhandlungsgremium hat die Aufgabe, mit der zentralen Leitung eine Vereinbarung über eine grenzübergreifende Unterrichtung und Anhörung der Arbeitnehmer abzuschließen.

(2) Die zentrale Leitung hat dem besonderen Verhandlungsgremium rechtzeitig alle zur Durchführung seiner Aufgaben erforderlichen Auskünfte zu erteilen und die erforderlichen Unterlagen zur Verfügung zu stellen.

(3) [1] Die zentrale Leitung und das besondere Verhandlungsgremium arbeiten vertrauensvoll zusammen. [2] Zeitpunkt, Häufigkeit und Ort der Verhandlungen werden zwischen der zentralen Leitung und dem besonderen Verhandlungsgremium einvernehmlich festgelegt.

§ 9 Bildung. (1) Die Bildung des besonderen Verhandlungsgremiums ist von den Arbeitnehmern oder ihren Vertretern schriftlich bei der zentralen Leitung zu beantragen oder erfolgt auf Initiative der zentralen Leitung.

(2) [1] Der Antrag ist wirksam gestellt, wenn er von mindestens 100 Arbeitnehmern oder ihren Vertretern aus mindestens zwei Betrieben oder Unternehmen, die in verschiedenen Mitgliedstaaten liegen, unterzeichnet ist und der zentralen Leitung zugeht. [2] Werden mehrere Anträge gestellt, sind die Unterschriften zusammenzuzählen. [3] Wird ein Antrag bei einer im Inland liegenden Betriebs- oder Unternehmensleitung eingereicht, hat diese den Antrag unverzüglich an die zentrale Leitung weiterzuleiten und die Antragsteller darüber zu unterrichten.

(3) Die zentrale Leitung hat die Antragsteller, die örtlichen Betriebs- oder Unternehmensleitungen, die dort bestehenden Arbeitnehmervertretungen sowie die in inländischen Betrieben vertretenen Gewerkschaften über die Bil-

dung eines besonderen Verhandlungsgremiums und seine Zusammensetzung zu unterrichten.

§ 10 Zusammensetzung. (1) Für jeden Anteil der in einem Mitgliedstaat beschäftigten Arbeitnehmer, der 10 Prozent der Gesamtzahl der in allen Mitgliedstaaten beschäftigten Arbeitnehmer der gemeinschaftsweit tätigen Unternehmen oder Unternehmensgruppen oder einen Bruchteil davon beträgt, wird ein Mitglied aus diesem Mitgliedstaat in das besondere Verhandlungsgremium entsandt.

(2) Es können Ersatzmitglieder bestellt werden.

§ 11 Bestellung inländischer Arbeitnehmervertreter. (1) [1] Die nach diesem Gesetz oder dem Gesetz eines anderen Mitgliedstaates auf die im Inland beschäftigten Arbeitnehmer entfallenden Mitglieder des besonderen Verhandlungsgremiums werden in gemeinschaftsweit tätigen Unternehmen vom Gesamtbetriebsrat (§ 47 des Betriebsverfassungsgesetzes[1])) bestellt. [2] Besteht nur ein Betriebsrat, so bestellt dieser die Mitglieder des besonderen Verhandlungsgremiums.

(2) [1] Die in Absatz 1 Satz 1 genannten Mitglieder des besonderen Verhandlungsgremiums werden in gemeinschaftsweit tätigen Unternehmensgruppen vom Konzernbetriebsrat (§ 54 des Betriebsverfassungsgesetzes) bestellt. [2] Besteht neben dem Konzernbetriebsrat noch ein in ihm nicht vertretener Gesamtbetriebsrat oder Betriebsrat, ist der Konzernbetriebsrat um deren Vorsitzende und um deren Stellvertreter zu erweitern; die Vorsitzenden und ihre Stellvertreter gelten insoweit als Konzernbetriebsratsmitglieder.

(3) Besteht kein Konzernbetriebsrat, werden die in Absatz 1 Satz 1 genannten Mitglieder des besonderen Verhandlungsgremiums wie folgt bestellt:

a) Bestehen mehrere Gesamtbetriebsräte, werden die Mitglieder des besonderen Verhandlungsgremiums auf einer gemeinsamen Sitzung der Gesamtbetriebsräte bestellt, zu welcher der Gesamtbetriebsratsvorsitzende des nach der Zahl der wahlberechtigten Arbeitnehmer größten inländischen Unternehmens einzuladen hat. Besteht daneben noch mindestens ein in den Gesamtbetriebsräten nicht vertretener Betriebsrat, sind der Betriebsratsvorsitzende und dessen Stellvertreter zu dieser Sitzung einzuladen; sie gelten insoweit als Gesamtbetriebsratsmitglieder.

b) Besteht neben einem Gesamtbetriebsrat noch mindestens ein in ihm nicht vertretener Betriebsrat, ist der Gesamtbetriebsrat um den Vorsitzenden des Betriebsrats und dessen Stellvertreter zu erweitern; der Betriebsratsvorsitzende und sein Stellvertreter gelten insoweit als Gesamtbetriebsratsmitglieder. Der Gesamtbetriebsrat bestellt die Mitglieder des besonderen Verhandlungsgremiums. Besteht nur ein Gesamtbetriebsrat, so hat dieser die Mitglieder des besonderen Verhandlungsgremiums zu bestellen.

c) Bestehen mehrere Betriebsräte, werden die Mitglieder des besonderen Verhandlungsgremiums auf einer gemeinsamen Sitzung bestellt, zu welcher der Betriebsratsvorsitzende des nach der Zahl der wahlberechtigten Arbeitnehmer größten inländischen Betriebs einzuladen hat. Zur Teilnahme an dieser

---

[1]) Nr. **570**.

Sitzung sind die Betriebsratsvorsitzenden und deren Stellvertreter berechtigt; § 47 Absatz 7 des Betriebsverfassungsgesetzes gilt entsprechend.

d) Besteht nur ein Betriebsrat, so hat dieser die Mitglieder des besonderen Verhandlungsgremiums zu bestellen.

(4) Zu Mitgliedern des besonderen Verhandlungsgremiums können auch die in § 5 Absatz 3 des Betriebsverfassungsgesetzes genannten Angestellten bestellt werden.

(5) Frauen und Männer sollen entsprechend ihrem zahlenmäßigen Verhältnis bestellt werden.

§ 12 Unterrichtung über die Mitglieder des besonderen Verhandlungsgremiums. [1]Der zentralen Leitung sind unverzüglich die Namen der Mitglieder des besonderen Verhandlungsgremiums, ihre Anschriften sowie die jeweilige Betriebszugehörigkeit mitzuteilen. [2]Die zentrale Leitung hat die örtlichen Betriebs- oder Unternehmensleitungen, die dort bestehenden Arbeitnehmervertretungen sowie die in inländischen Betrieben vertretenen Gewerkschaften über diese Angaben zu unterrichten.

§ 13 Sitzungen, Geschäftsordnung, Sachverständige. (1) [1]Die zentrale Leitung lädt unverzüglich nach Benennung der Mitglieder zur konstituierenden Sitzung des besonderen Verhandlungsgremiums ein und unterrichtet die örtlichen Betriebs- oder Unternehmensleitungen. [2]Die zentrale Leitung unterrichtet zugleich die zuständigen europäischen Gewerkschaften und Arbeitgeberverbände über den Beginn der Verhandlungen und die Zusammensetzung des besonderen Verhandlungsgremiums nach § 12 Satz 1. [3]Das besondere Verhandlungsgremium wählt aus seiner Mitte einen Vorsitzenden und kann sich eine Geschäftsordnung geben.

(2) Vor und nach jeder Verhandlung mit der zentralen Leitung hat das besondere Verhandlungsgremium das Recht, eine Sitzung durchzuführen und zu dieser einzuladen; § 8 Absatz 3 Satz 2 gilt entsprechend.

(3) Beschlüsse des besonderen Verhandlungsgremiums werden, soweit in diesem Gesetz nichts anderes bestimmt ist, mit der Mehrheit der Stimmen seiner Mitglieder gefasst.

(4) [1]Das besondere Verhandlungsgremium kann sich durch Sachverständige seiner Wahl unterstützen lassen, soweit dies zur ordnungsgemäßen Erfüllung seiner Aufgaben erforderlich ist. [2]Sachverständige können auch Beauftragte von Gewerkschaften sein. [3]Die Sachverständigen und Gewerkschaftsvertreter können auf Wunsch des besonderen Verhandlungsgremiums beratend an den Verhandlungen teilnehmen.

§ 14 Einbeziehung von Arbeitnehmervertretern aus Drittstaaten. Kommen die zentrale Leitung und das besondere Verhandlungsgremium überein, die nach § 17 auszuhandelnde Vereinbarung auf nicht in einem Mitgliedstaat (Drittstaat) liegende Betriebe oder Unternehmen zu erstrecken, können sie vereinbaren, Arbeitnehmervertreter aus diesen Staaten in das *besondere Verhandlungsgremium* einzubeziehen und die Anzahl der auf den jeweiligen Drittstaat entfallenden Mitglieder sowie deren Rechtsstellung festlegen.

§ 15 Beschluss über Beendigung der Verhandlungen. (1) [1] Das besondere Verhandlungsgremium kann mit mindestens zwei Dritteln der Stimmen seiner Mitglieder beschließen, keine Verhandlungen aufzunehmen oder diese zu beenden. [2] Der Beschluss und das Abstimmungsergebnis sind in eine Niederschrift aufzufnehmen, die vom Vorsitzenden und einem weiteren Mitglied zu unterzeichnen ist. [3] Eine Abschrift der Niederschrift ist der zentralen Leitung zuzuleiten.

(2) Ein neuer Antrag auf Bildung eines besonderen Verhandlungsgremiums (§ 9) kann frühestens zwei Jahre nach dem Beschluss gemäß Absatz 1 gestellt werden, sofern das besondere Verhandlungsgremium und die zentrale Leitung nicht schriftlich eine kürzere Frist festlegen.

§ 16 Kosten und Sachaufwand. (1) [1] Die durch die Bildung und Tätigkeit des besonderen Verhandlungsgremiums entstehenden Kosten trägt die zentrale Leitung. [2] Werden Sachverständige nach § 13 Absatz 4 hinzugezogen, beschränkt sich die Kostentragungspflicht auf einen Sachverständigen. [3] Die zentrale Leitung hat für die Sitzungen in erforderlichem Umfang Räume, sachliche Mittel, Dolmetscher und Büropersonal zur Verfügung zu stellen sowie die erforderlichen Reise- und Aufenthaltskosten der Mitglieder des besonderen Verhandlungsgremiums zu tragen.

(2) Der Arbeitgeber eines aus dem Inland entsandten Mitglieds des besonderen Verhandlungsgremiums haftet neben der zentralen Leitung für dessen Anspruch auf Kostenerstattung als Gesamtschuldner.

Dritter Teil. Vereinbarungen über grenzübergreifende Unterrichtung und Anhörung

§ 17 Gestaltungsfreiheit. [1] Die zentrale Leitung und das besondere Verhandlungsgremium können frei vereinbaren, wie die grenzübergreifende Unterrichtung und Anhörung der Arbeitnehmer ausgestaltet wird; sie sind nicht an die Bestimmungen des Vierten Teils dieses Gesetzes gebunden. [2] Die Vereinbarung muss sich auf alle in den Mitgliedstaaten beschäftigten Arbeitnehmer erstrecken, in denen das Unternehmen oder die Unternehmensgruppe einen Betrieb hat. [3] Die Parteien verständigen sich darauf, ob die grenzübergreifende Unterrichtung und Anhörung durch die Errichtung eines Europäischen Betriebsrats oder mehrerer Europäischer Betriebsräte nach § 18 oder durch ein Verfahren zur Unterrichtung und Anhörung der Arbeitnehmer nach § 19 erfolgen soll.

§ 18 Europäischer Betriebsrat kraft Vereinbarung. (1) [1] Soll ein Europäischer Betriebsrat errichtet werden, ist schriftlich zu vereinbaren, wie dieser ausgestaltet werden soll. [2] Dabei soll insbesondere Folgendes geregelt werden:

1. Bezeichnung der erfassten Betriebe und Unternehmen, einschließlich der außerhalb des Hoheitsgebietes der Mitgliedstaaten liegenden Niederlassungen, sofern diese in den Geltungsbereich einbezogen werden,
2. Zusammensetzung des Europäischen Betriebsrats, Anzahl der Mitglieder, Ersatzmitglieder, Sitzverteilung und Mandatsdauer,

3. Aufgaben und Befugnisse des Europäischen Betriebsrats sowie das Verfahren zu seiner Unterrichtung und Anhörung; dieses Verfahren kann auf die Beteiligungsrechte der nationalen Arbeitnehmervertretungen abgestimmt werden, soweit deren Rechte hierdurch nicht beeinträchtigt werden,
4. Ort, Häufigkeit und Dauer der Sitzungen,
5. die Einrichtung eines Ausschusses des Europäischen Betriebsrats einschließlich seiner Zusammensetzung, der Bestellung seiner Mitglieder, seiner Befugnisse und Arbeitsweise,
6. die für den Europäischen Betriebsrat zur Verfügung zu stellenden finanziellen und sachlichen Mittel,
7. Klausel zur Anpassung der Vereinbarung an Strukturänderungen, die Geltungsdauer der Vereinbarung und das bei ihrer Neuverhandlung, Änderung oder Kündigung anzuwendende Verfahren, einschließlich einer Übergangsregelung.

(2) § 23 gilt entsprechend.

§ 19 Verfahren zur Unterrichtung und Anhörung. [1] Soll ein Verfahren zur Unterrichtung und Anhörung der Arbeitnehmer eingeführt werden, ist schriftlich zu vereinbaren, unter welchen Voraussetzungen die Arbeitnehmervertreter das Recht haben, die ihnen übermittelten Informationen gemeinsam zu beraten und wie sie ihre Vorschläge oder Bedenken mit der zentralen Leitung oder einer anderen geeigneten Leitungsebene erörtern können. [2] Die Unterrichtung muss sich insbesondere auf grenzübergreifende Angelegenheiten erstrecken, die erhebliche Auswirkungen auf die Interessen der Arbeitnehmer haben.

§ 20 Übergangsbestimmung. [1] Eine nach § 18 oder § 19 bestehende Vereinbarung gilt fort, wenn vor ihrer Beendigung das Antrags- oder Initiativrecht nach § 9 Absatz 1 ausgeübt worden ist. [2] Das Antragsrecht kann auch ein auf Grund einer Vereinbarung bestehendes Arbeitnehmervertretungsgremium ausüben. [3] Die Fortgeltung endet, wenn die Vereinbarung durch eine neue Vereinbarung ersetzt oder ein Europäischer Betriebsrat kraft Gesetzes errichtet worden ist. [4] Die Fortgeltung endet auch dann, wenn das besondere Verhandlungsgremium einen Beschluss nach § 15 Absatz 1 fasst; § 15 Absatz 2 gilt entsprechend. [5] Die Sätze 1 bis 4 finden keine Anwendung, wenn in der bestehenden Vereinbarung eine Übergangsregelung enthalten ist.

Vierter Teil. Europäischer Betriebsrat kraft Gesetzes

Erster Abschnitt. Errichtung des Europäischen Betriebsrats

§ 21 Voraussetzungen. (1) [1] Verweigert die zentrale Leitung die Aufnahme von Verhandlungen innerhalb von sechs Monaten nach Antragstellung (§ 9), ist ein Europäischer Betriebsrat gemäß den §§ 22 und 23 zu errichten. [2] *Das gleiche*[1)] gilt, wenn innerhalb von drei Jahren nach Antragstellung keine Vereinbarung nach § 18 oder § 19 zustande kommt oder die zentrale Leitung

[1)] Richtig wohl: „Das Gleiche".

und das besondere Verhandlungsgremium das vorzeitige Scheitern der Verhandlungen erklären. [3] Die Sätze 1 und 2 gelten entsprechend, wenn die Bildung des besonderen Verhandlungsgremiums auf Initiative der zentralen Leitung erfolgt.

(2) Ein Europäischer Betriebsrat ist nicht zu errichten, wenn das besondere Verhandlungsgremium vor Ablauf der in Absatz 1 genannten Fristen einen Beschluss nach § 15 Absatz 1 fasst.

§ 22 Zusammensetzung des Europäischen Betriebsrats. (1) [1] Der Europäische Betriebsrat setzt sich aus Arbeitnehmern des gemeinschaftsweit tätigen Unternehmens oder der gemeinschaftsweit tätigen Unternehmensgruppe zusammen. [2] Es können Ersatzmitglieder bestellt werden.

(2) Für jeden Anteil der in einem Mitgliedstaat beschäftigten Arbeitnehmer, der 10 Prozent der Gesamtzahl der in allen Mitgliedstaaten beschäftigten Arbeitnehmer der gemeinschaftsweit tätigen Unternehmen oder Unternehmensgruppen oder einen Bruchteil davon beträgt, wird ein Mitglied aus diesem Mitgliedstaat in den Europäischen Betriebsrat entsandt.

§ 23 Bestellung inländischer Arbeitnehmervertreter. (1) [1] Die nach diesem Gesetz oder dem Gesetz eines anderen Mitgliedstaates auf die im Inland beschäftigten Arbeitnehmer entfallenden Mitglieder des Europäischen Betriebsrats werden in gemeinschaftsweit tätigen Unternehmen vom Gesamtbetriebsrat (§ 47 des Betriebsverfassungsgesetzes[1)]) bestellt. [2] Besteht nur ein Betriebsrat, so bestellt dieser die Mitglieder des Europäischen Betriebsrats.

(2) [1] Die in Absatz 1 Satz 1 genannten Mitglieder des Europäischen Betriebsrats werden in gemeinschaftsweit tätigen Unternehmensgruppen vom Konzernbetriebsrat (§ 54 des Betriebsverfassungsgesetzes) bestellt. [2] Besteht neben dem Konzernbetriebsrat noch ein in ihm nicht vertretener Gesamtbetriebsrat oder Betriebsrat, ist der Konzernbetriebsrat und deren Vorsitzende und um deren Stellvertreter zu erweitern; die Vorsitzenden und ihre Stellvertreter gelten insoweit als Konzernbetriebsratsmitglieder.

(3) Besteht kein Konzernbetriebsrat, werden die in Absatz 1 Satz 1 genannten Mitglieder des Europäischen Betriebsrats wie folgt bestellt:

a) Bestehen mehrere Gesamtbetriebsräte, werden die Mitglieder des Europäischen Betriebsrats auf einer gemeinsamen Sitzung der Gesamtbetriebsräte bestellt, zu welcher der Gesamtbetriebsratsvorsitzende des nach der Zahl der wahlberechtigten Arbeitnehmer größten inländischen Unternehmens einzuladen hat. Besteht daneben noch mindestens ein in den Gesamtbetriebsräten nicht vertretener Betriebsrat, sind der Betriebsratsvorsitzende und dessen Stellvertreter zu dieser Sitzung einzuladen; sie gelten insoweit als Gesamtbetriebsratsmitglieder.

b) Besteht neben einem Gesamtbetriebsrat noch mindestens ein in ihm nicht vertretener Betriebsrat, ist der Gesamtbetriebsrat um den Vorsitzenden des Betriebsrats und dessen Stellvertreter zu erweitern; der Betriebsratsvorsitzende und sein Stellvertreter gelten insoweit als Gesamtbetriebsratsmitglieder. Der Gesamtbetriebsrat bestellt die Mitglieder des Europäischen Be-

[1)] Nr. **570**.

triebsrats. Besteht nur ein Gesamtbetriebsrat, so hat dieser die Mitglieder des Europäischen Betriebsrats zu bestellen.

c) Bestehen mehrere Betriebsräte, werden die Mitglieder des Europäischen Betriebsrats auf einer gemeinsamen Sitzung bestellt, zu welcher der Betriebsratsvorsitzende des nach der Zahl der wahlberechtigten Arbeitnehmer größten inländischen Betriebs einzuladen hat. Zur Teilnahme an dieser Sitzung sind die Betriebsratsvorsitzenden und deren Stellvertreter berechtigt; § 47 Absatz 7 des Betriebsverfassungsgesetzes gilt entsprechend.

d) Besteht nur ein Betriebsrat, so hat dieser die Mitglieder des Europäischen Betriebsrats zu bestellen.

(4) Die Absätze 1 bis 3 gelten entsprechend für die Abberufung.

(5) Eine ausgewogene Vertretung der Arbeitnehmer nach ihrer Tätigkeit sollte so weit als möglich berücksichtigt werden; Frauen und Männer sollen entsprechend ihrem zahlenmäßigen Verhältnis bestellt werden.

(6) [1] Das zuständige Sprecherausschussgremium eines gemeinschaftsweit tätigen Unternehmens oder einer gemeinschaftsweit tätigen Unternehmensgruppe mit Sitz der zentralen Leitung im Inland kann einen der in § 5 Absatz 3 des Betriebsverfassungsgesetzes genannten Angestellten bestimmen, der mit Rederecht an den Sitzungen zur Unterrichtung und Anhörung des Europäischen Betriebsrats teilnimmt, sofern nach § 22 Absatz 2 mindestens fünf inländische Vertreter entsandt werden. [2] § 35 Absatz 2 und § 39 gelten entsprechend.

§ 24 Unterrichtung über die Mitglieder des Europäischen Betriebsrats. [1] Der zentralen Leitung sind unverzüglich die Namen der Mitglieder des Europäischen Betriebsrats, ihre Anschriften sowie die jeweilige Betriebszugehörigkeit mitzuteilen. [2] Die zentrale Leitung hat die örtlichen Betriebs- oder Unternehmensleitungen, die dort bestehenden Arbeitnehmervertretungen sowie die in inländischen Betrieben vertretenen Gewerkschaften über diese Angaben zu unterrichten.

Zweiter Abschnitt. Geschäftsführung des Europäischen Betriebsrats

§ 25 Konstituierende Sitzung, Vorsitzender. (1) [1] Die zentrale Leitung lädt unverzüglich nach Benennung der Mitglieder zur konstituierenden Sitzung des Europäischen Betriebsrats ein. [2] Der Europäische Betriebsrat wählt aus seiner Mitte einen Vorsitzenden und dessen Stellvertreter.

(2) [1] Der Vorsitzende des Europäischen Betriebsrats oder im Falle seiner Verhinderung der Stellvertreter vertritt den Europäischen Betriebsrat im Rahmen der von ihm gefassten Beschlüsse. [2] Zur Entgegennahme von Erklärungen, die dem Europäischen Betriebsrat gegenüber abzugeben sind, ist der Vorsitzende oder im Falle seiner Verhinderung der Stellvertreter berechtigt.

§ 26 Ausschuss. [1] Der Europäische Betriebsrat bildet aus seiner Mitte einen Ausschuss. [2] Der Ausschuss besteht aus dem Vorsitzenden und mindestens zwei, höchstens vier weiteren zu wählenden Ausschussmitgliedern. [3] Die weiteren Ausschussmitglieder sollen in verschiedenen Mitgliedstaaten beschäftigt sein. [4] Der Ausschuss führt die laufenden Geschäfte des Europäischen Betriebsrats.

§ 27 Sitzungen. (1) [1] Der Europäische Betriebsrat hat das Recht, im Zusammenhang mit der Unterrichtung durch die zentrale Leitung nach § 29 eine Sitzung durchzuführen und zu dieser einzuladen. [2] *Das gleiche*[1)] gilt bei einer Unterrichtung über außergewöhnliche Umstände nach § 30. [3] Der Zeitpunkt und der Ort der Sitzungen sind mit der zentralen Leitung abzustimmen. [4] Mit Einverständnis der zentralen Leitung kann der Europäische Betriebsrat weitere Sitzungen durchführen. [5] Die Sitzungen des Europäischen Betriebsrats sind nicht öffentlich.

(2) Absatz 1 gilt entsprechend für die Wahrnehmung der Mitwirkungsrechte des Europäischen Betriebsrats durch den Ausschuss nach § 26.

§ 28 Beschlüsse, Geschäftsordnung. [1] Die Beschlüsse des Europäischen Betriebsrats werden, soweit in diesem Gesetz nichts anderes bestimmt ist, mit der Mehrheit der Stimmen der anwesenden Mitglieder gefasst. [2] Sonstige Bestimmungen über die Geschäftsführung sollen in einer schriftlichen Geschäftsordnung getroffen werden, die der Europäische Betriebsrat mit der Mehrheit der Stimmen seiner Mitglieder beschließt.

Dritter Abschnitt. Mitwirkungsrechte

§ 29 Jährliche Unterrichtung und Anhörung. (1) Die zentrale Leitung hat den Europäischen Betriebsrat einmal im Kalenderjahr über die Entwicklung der Geschäftslage und die Perspektiven des gemeinschaftsweit tätigen Unternehmens oder der gemeinschaftsweit tätigen Unternehmensgruppe unter rechtzeitiger Vorlage der erforderlichen Unterlagen zu unterrichten und ihn anzuhören.

(2) Zu der Entwicklung der Geschäftslage und den Perspektiven im Sinne des Absatzes 1 gehören insbesondere

1. Struktur des Unternehmens oder der Unternehmensgruppe sowie die wirtschaftliche und finanzielle Lage,
2. die voraussichtliche Entwicklung der Geschäfts-, Produktions- und Absatzlage,
3. die Beschäftigungslage und ihre voraussichtliche Entwicklung,
4. Investitionen (Investitionsprogramme),
5. grundlegende Änderungen der Organisation,
6. die Einführung neuer Arbeits- und Fertigungsverfahren,
7. die Verlegung von Unternehmen, Betrieben oder wesentlichen Betriebsteilen sowie Verlagerungen der Produktion,
8. Zusammenschlüsse oder Spaltungen von Unternehmen oder Betrieben,
9. die Einschränkung oder Stilllegung von Unternehmen, Betrieben oder wesentlichen Betriebsteilen,
10. Massenentlassungen.

§ 30 Unterrichtung und Anhörung. (1) [1] Über außergewöhnliche Umstände oder Entscheidungen, die erhebliche Auswirkungen auf die Interessen

---

1) Richtig wohl: „Das Gleiche".

der Arbeitnehmer haben, hat die zentrale Leitung den Europäischen Betriebsrat rechtzeitig unter Vorlage der erforderlichen Unterlagen zu unterrichten und auf Verlangen anzuhören. [2] Als außergewöhnliche Umstände gelten insbesondere

1. die Verlegung von Unternehmen, Betrieben oder wesentlichen Betriebsteilen,
2. die Stilllegung von Unternehmen, Betrieben oder wesentlichen Betriebsteilen,
3. Massenentlassungen.

(2) [1] Besteht ein Ausschuss nach § 26, so ist dieser anstelle des Europäischen Betriebsrats nach Absatz 1 Satz 1 zu beteiligen. [2] § 27 Absatz 1 Satz 2 bis 5 gilt entsprechend. [3] Zu den Sitzungen des Ausschusses sind auch diejenigen Mitglieder des Europäischen Betriebsrats zu laden, die für die Betriebe oder Unternehmen bestellt worden sind, die unmittelbar von den geplanten Maßnahmen oder Entscheidungen betroffen sind; sie gelten insoweit als Ausschussmitglieder.

§ 31 Tendenzunternehmen. Auf Unternehmen und herrschende Unternehmen von Unternehmensgruppen, die unmittelbar und überwiegend den in § 118 Absatz 1 Satz 1 Nummer 1 und 2 des Betriebsverfassungsgesetzes[1)] genannten Bestimmungen oder Zwecken dienen, finden nur § 29 Absatz 2 Nummer 5 bis 10 und § 30 Anwendung mit der Maßgabe, dass eine Unterrichtung und Anhörung nur über den Ausgleich oder die Milderung der wirtschaftlichen Nachteile erfolgen muss, die den Arbeitnehmern infolge der Unternehmens- oder Betriebsänderungen entstehen.

Vierter Abschnitt. Änderung der Zusammensetzung, Übergang zu einer Vereinbarung

§ 32 Dauer der Mitgliedschaft, Neubestellung von Mitgliedern.

(1) [1] Die Dauer der Mitgliedschaft im Europäischen Betriebsrat beträgt vier Jahre, wenn sie nicht durch Abberufung oder aus anderen Gründen vorzeitig endet. [2] Die Mitgliedschaft beginnt mit der Bestellung.

(2) [1] Alle zwei Jahre, vom Tage der konstituierenden Sitzung des Europäischen Betriebsrats (§ 25 Absatz 1) an gerechnet, hat die zentrale Leitung zu prüfen, ob sich die Arbeitnehmerzahlen in den einzelnen Mitgliedstaaten derart geändert haben, dass sich eine andere Zusammensetzung des Europäischen Betriebsrats nach § 22 Absatz 2 errechnet. [2] Sie hat das Ergebnis dem Europäischen Betriebsrat mitzuteilen. [3] Ist danach eine andere Zusammensetzung des Europäischen Betriebsrats erforderlich, veranlasst dieser bei den zuständigen Stellen, dass die Mitglieder des Europäischen Betriebsrats in den Mitgliedstaaten neu bestellt werden, in denen sich eine gegenüber dem vorhergehenden Zeitraum abweichende Anzahl der Arbeitnehmervertreter ergibt; mit der Neubestellung endet die Mitgliedschaft der bisher aus diesen Mitgliedstaaten stammenden Arbeitnehmervertreter im Europäischen Betriebsrat. [4] Die Sätze 1 bis 3 gelten entsprechend bei Berücksichtigung eines bisher im Europäischen Betriebsrat nicht vertretenen Mitgliedstaates.

---

1) Nr. **570**.

§ 33 Aufnahme von Verhandlungen. [1] Vier Jahre nach der konstituierenden Sitzung (§ 25 Absatz 1) hat der Europäische Betriebsrat mit der Mehrheit der Stimmen seiner Mitglieder einen Beschluss darüber zu fassen, ob mit der zentralen Leitung eine Vereinbarung nach § 17 ausgehandelt werden soll. [2] Beschließt der Europäische Betriebsrat die Aufnahme von Verhandlungen, hat er die Rechte und Pflichten des besonderen Verhandlungsgremiums; die §§ 8, 13, 14 und 15 Absatz 1 sowie die §§ 16 bis 19 gelten entsprechend. [3] Das Amt des Europäischen Betriebsrats endet, wenn eine Vereinbarung nach § 17 geschlossen worden ist.

Fünfter Teil. Gemeinsame Bestimmungen

§ 34 Vertrauensvolle Zusammenarbeit. [1] Zentrale Leitung und Europäischer Betriebsrat arbeiten vertrauensvoll zum Wohl der Arbeitnehmer und des Unternehmens oder der Unternehmensgruppe zusammen. [2] Satz 1 gilt entsprechend für die Zusammenarbeit zwischen zentraler Leitung und Arbeitnehmervertretern im Rahmen eines Verfahrens zur Unterrichtung und Anhörung.

§ 35 Geheimhaltung, Vertraulichkeit. (1) Die Pflicht der zentralen Leitung, über die im Rahmen der §§ 18 und 19 vereinbarten oder die sich aus den §§ 29 und 30 Absatz 1 ergebenden Angelegenheiten zu unterrichten, besteht nur, soweit dadurch nicht Betriebs- oder Geschäftsgeheimnisse des Unternehmens oder der Unternehmensgruppe gefährdet werden.

(2) [1] Die Mitglieder und Ersatzmitglieder eines Europäischen Betriebsrats sind verpflichtet, Betriebs- oder Geschäftsgeheimnisse, die ihnen wegen ihrer Zugehörigkeit zum Europäischen Betriebsrat bekannt geworden und von der zentralen Leitung ausdrücklich als geheimhaltungsbedürftig bezeichnet worden sind, nicht zu offenbaren und nicht zu verwerten. [2] Dies gilt auch nach dem Ausscheiden aus dem Europäischen Betriebsrat. [3] Die Verpflichtung gilt nicht gegenüber Mitgliedern eines Europäischen Betriebsrats. [4] Sie gilt ferner nicht gegenüber den örtlichen Arbeitnehmervertretern der Betriebe oder Unternehmen, wenn diese auf Grund einer Vereinbarung nach § 18 oder nach § 36 über den Inhalt der Unterrichtungen und die Ergebnisse der Anhörungen zu unterrichten sind, den Arbeitnehmervertretern im Aufsichtsrat sowie gegenüber Dolmetschern und Sachverständigen, die zur Unterstützung herangezogen werden.

(3) Die Pflicht zur Vertraulichkeit nach Absatz 2 Satz 1 und 2 gilt entsprechend für

1. die Mitglieder und Ersatzmitglieder des besonderen Verhandlungsgremiums,
2. die Arbeitnehmervertreter im Rahmen eines Verfahrens zur Unterrichtung und Anhörung (§ 19),
3. die Sachverständigen und Dolmetscher sowie
4. die örtlichen Arbeitnehmervertreter.

(4) Die Ausnahmen von der Pflicht zur Vertraulichkeit nach Absatz 2 Satz 3 und 4 gelten entsprechend für

1. das besondere Verhandlungsgremium gegenüber Sachverständigen und Dolmetschern,
2. die Arbeitnehmervertreter im Rahmen eines Verfahrens zur Unterrichtung und Anhörung gegenüber Dolmetschern und Sachverständigen, die vereinbarungsgemäß zur Unterstützung herangezogen werden, und gegenüber örtlichen Arbeitnehmervertretern, sofern diese nach der Vereinbarung (§ 19) über die Inhalte der Unterrichtungen und die Ergebnisse der Anhörungen zu unterrichten sind.

§ 36 Unterrichtung der örtlichen Arbeitnehmervertreter.

(1) Der Europäische Betriebsrat oder der Ausschuss (§ 30 Absatz 2) berichtet den örtlichen Arbeitnehmervertretern oder, wenn es diese nicht gibt, den Arbeitnehmern der Betriebe oder Unternehmen über die Unterrichtung und Anhörung.

(2) [1] Das Mitglied des Europäischen Betriebsrats oder des Ausschusses, das den örtlichen Arbeitnehmervertretungen im Inland berichtet, hat den Bericht in Betrieben oder Unternehmen, in denen Sprecherausschüsse der leitenden Angestellten bestehen, auf einer gemeinsamen Sitzung im Sinne des § 2 Absatz 2 des Sprecherausschussgesetzes[1)] zu erstatten. [2] Dies gilt nicht, wenn ein nach § 23 Absatz 6 bestimmter Angestellter an der Sitzung zur Unterrichtung und Anhörung des Europäischen Betriebsrats teilgenommen hat. [3] Wird der Bericht nach Absatz 1 nur schriftlich erstattet, ist er auch dem zuständigen Sprecherausschuss zuzuleiten.

§ 37 Wesentliche Strukturänderung. (1) [1] Ändert sich die Struktur des gemeinschaftsweit tätigen Unternehmens oder der gemeinschaftsweit tätigen Unternehmensgruppe wesentlich und bestehen hierzu keine Regelungen in geltenden Vereinbarungen oder widersprechen sich diese, nimmt die zentrale Leitung von sich aus oder auf Antrag der Arbeitnehmer oder ihrer Vertreter (§ 9 Absatz 1) die Verhandlung über eine Vereinbarung nach § 18 oder § 19 auf. [2] Als wesentliche Strukturänderungen im Sinne des Satzes 1 gelten insbesondere

1. Zusammenschluss von Unternehmen oder Unternehmensgruppen,
2. Spaltung von Unternehmen oder der Unternehmensgruppe,
3. Verlegung von Unternehmen oder der Unternehmensgruppe in einen anderen Mitgliedstaat oder Drittstaat oder Stilllegung von Unternehmen oder der Unternehmensgruppe,
4. Verlegung oder Stilllegung von Betrieben, soweit sie Auswirkungen auf die Zusammensetzung des Europäischen Betriebsrats haben können.

(2) Abweichend von § 10 entsendet jeder von der Strukturänderung betroffene Europäische Betriebsrat aus seiner Mitte drei weitere Mitglieder in das besondere Verhandlungsgremium.

(3) [1] Für die Dauer der Verhandlung bleibt jeder von der Strukturänderung betroffene Europäische Betriebsrat bis zur Errichtung eines neuen Europäischen Betriebsrats im Amt (Übergangsmandat). [2] Mit der zentralen Leitung kann vereinbart werden, nach welchen Bestimmungen und in welcher Zu-

---

1) Nr. **571**.

sammensetzung das Übergangsmandat wahrgenommen wird. [3] Kommt es nicht zu einer Vereinbarung mit der zentralen Leitung nach Satz 2, wird das Übergangsmandat durch den jeweiligen Europäischen Betriebsrat entsprechend der für ihn im Unternehmen oder der Unternehmensgruppe geltenden Regelung wahrgenommen. [4] Das Übergangsmandat endet auch, wenn das besondere Verhandlungsgremium einen Beschluss nach § 15 Absatz 1 fasst.

(4) Kommt es nicht zu einer Vereinbarung nach § 18 oder § 19, ist in den Fällen des § 21 Absatz 1 ein Europäischer Betriebsrat nach den §§ 22 und 23 zu errichten.

§ 38 Fortbildung. (1) [1] Der Europäische Betriebsrat kann Mitglieder zur Teilnahme an Schulungs- und Bildungsveranstaltungen bestimmen, soweit diese Kenntnisse vermitteln, die für die Arbeit des Europäischen Betriebsrats erforderlich sind. [2] Der Europäische Betriebsrat hat die Teilnahme und zeitliche Lage rechtzeitig der zentralen Leitung mitzuteilen. [3] Bei der Festlegung der zeitlichen Lage sind die betrieblichen Notwendigkeiten zu berücksichtigen. [4] Der Europäische Betriebsrat kann die Aufgaben nach diesem Absatz auf den Ausschuss nach § 26 übertragen.

(2) Für das besondere Verhandlungsgremium und dessen Mitglieder gilt Absatz 1 Satz 1 bis 3 entsprechend.

§ 39 Kosten, Sachaufwand und Sachverständige. (1) [1] Die durch die Bildung und Tätigkeit des Europäischen Betriebsrats und des Ausschusses entstehenden Kosten trägt die zentrale Leitung. [2] Die zentrale Leitung hat insbesondere für die Sitzungen und die laufende Geschäftsführung in erforderlichem Umfang Räume, sachliche Mittel und Büropersonal, für die Sitzungen außerdem Dolmetscher zur Verfügung zu stellen. [3] Sie trägt die erforderlichen Reise- und Aufenthaltskosten der Mitglieder des Europäischen Betriebsrats und des Ausschusses. [4] § 16 Absatz 2 gilt entsprechend.

(2) [1] Der Europäische Betriebsrat und der Ausschuss können sich durch Sachverständige ihrer Wahl unterstützen lassen, soweit dies zur ordnungsgemäßen Erfüllung ihrer Aufgaben erforderlich ist. [2] Sachverständige können auch Beauftragte von Gewerkschaften sein. [3] Werden Sachverständige hinzugezogen, beschränkt sich die Kostentragungspflicht auf einen Sachverständigen, es sei denn, eine Vereinbarung nach § 18 oder § 19 sieht etwas anderes vor.

§ 40 Schutz inländischer Arbeitnehmervertreter. (1) [1] Für die Mitglieder eines Europäischen Betriebsrats, die im Inland beschäftigt sind, gelten § 37 Absatz 1 bis 5 und die §§ 78 und 103 des Betriebsverfassungsgesetzes[1)] sowie § 15 Absatz 1 und 3 bis 5 des Kündigungsschutzgesetzes[2)] entsprechend. [2] Für *nach § 38 erforderliche* Fortbildungen gilt § 37 Absatz 6 Satz 1 und 2 des Betriebsverfassungsgesetzes entsprechend.

(2) Absatz 1 gilt entsprechend für die Mitglieder des besonderen Verhandlungsgremiums und die Arbeitnehmervertreter im Rahmen eines Verfahrens zur Unterrichtung und Anhörung.

---

1) Nr. **570**.
2) Nr. **152**.

Sechster Teil. Bestehende Vereinbarungen

§ 41 Fortgeltung. (1) [1] Auf die in den §§ 2 und 3 genannten Unternehmen und Unternehmensgruppen, in denen vor dem 22. September 1996 eine Vereinbarung über grenzübergreifende Unterrichtung und Anhörung besteht, sind die Bestimmungen dieses Gesetzes außer in den Fällen des § 37 nicht anwendbar, solange die Vereinbarung wirksam ist. [2] Die Vereinbarung muss sich auf alle in den Mitgliedstaaten beschäftigten Arbeitnehmer erstrecken und den Arbeitnehmern aus denjenigen Mitgliedstaaten eine angemessene Beteiligung an der Unterrichtung und Anhörung ermöglichen, in denen das Unternehmen oder die Unternehmensgruppe einen Betrieb hat.

(2) [1] Der Anwendung des Absatzes 1 steht nicht entgegen, dass die Vereinbarung auf Seiten der Arbeitnehmer nur von einer im Betriebsverfassungsgesetz[1)] vorgesehenen Arbeitnehmervertretung geschlossen worden ist. [2] *Das gleiche*[2)] gilt, wenn für ein Unternehmen oder eine Unternehmensgruppe anstelle einer Vereinbarung mehrere Vereinbarungen geschlossen worden sind.

(3) Sind die Voraussetzungen des Absatzes 1 deshalb nicht erfüllt, weil die an dem in Absatz 1 Satz 1 genannten Stichtag bestehende Vereinbarung nicht alle Arbeitnehmer erfasst, können die Parteien deren Einbeziehung innerhalb einer Frist von sechs Monaten nachholen.

(4) Bestehende Vereinbarungen können auch nach dem in Absatz 1 Satz 1 genannten Stichtag an Änderungen der Struktur des Unternehmens oder der Unternehmensgruppe sowie der Zahl der beschäftigten Arbeitnehmer angepasst werden, soweit es sich nicht um wesentliche Strukturänderungen im Sinne des § 37 handelt.

(5) Ist eine Vereinbarung befristet geschlossen worden, können die Parteien ihre Fortgeltung unter Berücksichtigung der Absätze 1, 3 und 4 beschließen.

(6) [1] Eine Vereinbarung gilt fort, wenn vor ihrer Beendigung das Antrags- oder Initiativrecht nach § 9 Absatz 1 ausgeübt worden ist. [2] Das Antragsrecht kann auch ein auf Grund der Vereinbarung bestehendes Arbeitnehmervertretungsgremium ausüben. [3] Die Fortgeltung endet, wenn die Vereinbarung durch eine grenzübergreifende Unterrichtung und Anhörung nach § 18 oder § 19 ersetzt oder ein Europäischer Betriebsrat kraft Gesetzes errichtet worden ist. [4] Die Fortgeltung endet auch dann, wenn das besondere Verhandlungsgremium einen Beschluss nach § 15 Absatz 1 fasst; § 15 Absatz 2 gilt entsprechend.

(7) [1] Auf Unternehmen und Unternehmensgruppen, die auf Grund der Berücksichtigung von im Vereinigten Königreich Großbritannien und Nordirland liegenden Betrieben und Unternehmen erstmalig die in den §§ 2 und 3 genannten Voraussetzungen erfüllen, sind die Bestimmungen dieses Gesetzes außer in den Fällen des § 37 nicht anwendbar, wenn in diesen Unternehmen und Unternehmensgruppen vor dem 15. Dezember 1999 eine Vereinbarung über grenzübergreifende Unterrichtung und Anhörung besteht. [2] Die Absätze 1 bis 6 gelten entsprechend.

---

1) Nr. **570**.
2) Richtig wohl: „Das Gleiche".

(8) [1]Auf die in den §§ 2 und 3 genannten Unternehmen und Unternehmensgruppen, in denen zwischen dem 5. Juni 2009 und dem 5. Juni 2011 eine Vereinbarung über die grenzübergreifende Unterrichtung und Anhörung unterzeichnet oder überarbeitet wurde, sind außer in den Fällen des § 37 die Bestimmungen dieses Gesetzes in der Fassung vom 28. Oktober 1996 (BGBl. I S. 1548, 2022), zuletzt geändert durch Artikel 30 des Gesetzes vom 21. Dezember 2000 (BGBl. I S. 1983), anzuwenden. [2]Ist eine Vereinbarung nach Satz 1 befristet geschlossen worden, können die Parteien ihre Fortgeltung beschließen, solange die Vereinbarung wirksam ist; Absatz 4 gilt entsprechend.

Siebter Teil. Besondere Vorschriften, Straf- und Bußgeldvorschriften

§ 41a[1)] Besondere Regelungen für Besatzungsmitglieder von Seeschiffen. (1) Ist ein Mitglied des besonderen Verhandlungsgremiums, eines Europäischen Betriebsrats oder einer Arbeitnehmervertretung im Sinne des § 19 oder dessen Stellvertreter Besatzungsmitglied eines Seeschiffs, so sollen die Sitzungen so angesetzt werden, dass die Teilnahme des Besatzungsmitglieds erleichtert wird.

(2) Befindet sich ein Besatzungsmitglied auf See oder in einem Hafen, der sich in einem anderen Land als dem befindet, in dem die Reederei ihren Geschäftssitz hat, und kann deshalb nicht an einer Sitzung nach Absatz 1 teilnehmen, so kann eine Teilnahme an der Sitzung mittels neuer Informations- und Kommunikationstechnologien erfolgen, wenn

1. dies in der Geschäftsordnung des zuständigen Gremiums vorgesehen ist und
2. sichergestellt ist, dass Dritte vom Inhalt der Sitzung keine Kenntnis nehmen können.

§ 41b[2)] Sonderregelung aus Anlass der COVID-19-Pandemie. [1]Bis zum Ablauf des 7. April 2023 können die Teilnahme an Sitzungen des besonderen Verhandlungsgremiums, eines Europäischen Betriebsrats oder einer Arbeitnehmervertretung im Sinne des § 19 sowie die Beschlussfassung auch mittels Video- und Telefonkonferenz erfolgen, wenn sichergestellt ist, dass Dritte vom Inhalt der Sitzung keine Kenntnis nehmen können. [2]Eine Aufzeichnung ist unzulässig.

§ 42 Errichtungs- und Tätigkeitsschutz. Niemand darf

1. die Bildung des besonderen Verhandlungsgremiums (§ 9) oder die Errichtung eines Europäischen Betriebsrats (§§ 18, 21 Absatz 1) oder die Einführung eines Verfahrens zur Unterrichtung und Anhörung (§ 19) behindern oder durch Zufügung oder Androhung von Nachteilen oder durch Gewährung oder Versprechen von Vorteilen beeinflussen,
2. die Tätigkeit des besonderen Verhandlungsgremiums, eines Europäischen Betriebsrats oder der Arbeitnehmervertreter im Rahmen eines Verfahrens zur Unterrichtung und Anhörung behindern oder stören oder

---

[1)] § 41a eingef. mWv 10.10.2017 durch G v. 17.7.2017 (BGBl. I S. 2509).

[2)] § 41b eingef. mWv 12.12.2021 durch G v. 10.12.2021 (BGBl. I S. 5162); Abs. 1 Satz 1 geänd., Abs. 2 aufgeh. mWv 17.9.2022 durch G v. 16.9.2022 (BGBl. I S. 1454).

3. ein Mitglied oder Ersatzmitglied des besonderen Verhandlungsgremiums oder eines Europäischen Betriebsrats oder einen Arbeitnehmervertreter im Rahmen eines Verfahrens zur Unterrichtung und Anhörung um seiner Tätigkeit willen benachteiligen oder begünstigen.

§ 43 Strafvorschriften. (1) Mit Freiheitsstrafe bis zu zwei Jahren oder mit Geldstrafe wird bestraft, wer entgegen § 35 Absatz 2 Satz 1 oder 2, jeweils auch in Verbindung mit Absatz 3, ein Betriebs- oder Geschäftsgeheimnis verwertet.

(2) Die Tat wird nur auf Antrag verfolgt.

§ 44 Strafvorschriften. (1) Mit Freiheitsstrafe bis zu einem Jahr oder mit Geldstrafe wird bestraft, wer

1. entgegen § 35 Absatz 2 Satz 1 oder 2, jeweils auch in Verbindung mit Absatz 3, ein Betriebs- oder Geschäftsgeheimnis offenbart oder
2. einer Vorschrift des § 42 über die Errichtung der dort genannten Gremien oder die Einführung des dort genannten Verfahrens, die Tätigkeit der dort genannten Gremien oder der Arbeitnehmervertreter oder über die Benachteiligung oder Begünstigung eines Mitglieds oder Ersatzmitglieds der dort genannten Gremien oder eines Arbeitnehmervertreters zuwiderhandelt.

(2) Handelt der Täter in den Fällen des Absatzes 1 Nummer 1 gegen Entgelt oder in der Absicht, sich oder einen anderen zu bereichern oder einen anderen zu schädigen, so ist die Strafe Freiheitsstrafe bis zu zwei Jahren oder Geldstrafe.

(3) [1]Die Tat wird nur auf Antrag verfolgt. [2]In den Fällen des Absatzes 1 Nummer 2 sind das besondere Verhandlungsgremium, der Europäische Betriebsrat, die Mehrheit der Arbeitnehmervertreter im Rahmen eines Verfahrens zur Unterrichtung und Anhörung, die zentrale Leitung oder eine im Betrieb vertretene Gewerkschaft antragsberechtigt.

§ 45 Bußgeldvorschriften. (1) Ordnungswidrig handelt, wer

1. entgegen § 5 Absatz 1 die Informationen nicht, nicht richtig, nicht vollständig oder nicht rechtzeitig erhebt oder weiterleitet oder
2. entgegen § 29 Absatz 1 oder § 30 Absatz 1 Satz 1 oder Absatz 2 Satz 1 den Europäischen Betriebsrat oder den Ausschuss nach § 26 nicht, nicht richtig, nicht vollständig, nicht in der vorgeschriebenen Weise oder nicht rechtzeitig unterrichtet.

(2) Die Ordnungswidrigkeit kann mit einer Geldbuße bis zu fünfzehntausend Euro geahndet werden.

IX a.
Umwandlungs- und Übernahmerecht

A. Allgemeine Vorschrift

630. Umwandlungsgesetz (UmwG)[1]

Vom 28. Oktober 1994

(BGBl. I S. 3210, 1995 I S. 428)

FNA 4120-9-2

zuletzt geänd. durch Art. 17 Viertes BürokratieentlastungsG v. 23.10.2024 (BGBl. 2024 I Nr. 323)

– Auszug –[2]

Erstes Buch. Möglichkeiten von Umwandlungen

§ 1[3] Arten der Umwandlung; gesetzliche Beschränkungen. (1) Rechtsträger mit Sitz im Inland können umgewandelt werden

1. durch Verschmelzung;
2. durch Spaltung (Aufspaltung, Abspaltung, Ausgliederung);
3. durch Vermögensübertragung;
4. durch Formwechsel.

(2) Eine Umwandlung im Sinne des Absatzes 1 ist außer in den in diesem Gesetz geregelten Fällen nur möglich, wenn sie durch ein anderes Bundesgesetz oder ein Landesgesetz ausdrücklich vorgesehen ist.

(3) [1]Von den Vorschriften dieses Gesetzes kann nur abgewichen werden, wenn dies ausdrücklich zugelassen ist. [2]Ergänzende Bestimmungen in Verträgen, Satzungen oder Willenserklärungen sind zulässig, es sei denn, daß dieses Gesetz eine abschließende Regelung enthält.

Zweites Buch. Verschmelzung

Erster Teil. Allgemeine Vorschriften

Zweiter Abschnitt. Verschmelzung durch Aufnahme

§ 5[4] Inhalt des Verschmelzungsvertrags. (1) Der Vertrag oder sein Entwurf muß mindestens folgende Angaben enthalten:

1.–8. …

9. die Folgen der Verschmelzung für die Arbeitnehmer und ihre Vertretungen sowie die insoweit vorgesehenen Maßnahmen.

(2), (3) …

---

[1] Verkündet als Art. 1 UmwandlungsrechtsbereinigungsG v. 28.10.1994 (BGBl. I S. 3210); Inkrafttreten gem. Art. 20 dieses G am 1.1.1995.

[2] Vollständig wiedergegeben in **beck-online, Module Arbeitsrecht.**

[3] § 1 Abs. 3 Satz 2 geänd. mWv 18.8.2006 durch G v. 14.8.2006 (BGBl. I S. 1911).

[4] § 5 Abs. 1 Nr. 8 geänd. durch G v. 22.7.1998 (BGBl. I S. 1878).

§ 22[1] **Gläubigerschutz.** (1) [1]Den Gläubigern der an der Verschmelzung beteiligten Rechtsträger ist, wenn sie binnen sechs Monaten nach dem Tag, an dem die Eintragung der Verschmelzung in das Register des Sitzes desjenigen Rechtsträgers, dessen Gläubiger sie sind, nach § 19 Abs. 3 bekannt gemacht worden ist, ihren Anspruch nach Grund und Höhe in Textform anmelden, Sicherheit zu leisten, soweit sie nicht Befriedigung verlangen können. [2]Dieses Recht steht den Gläubigern jedoch nur zu, wenn sie glaubhaft machen, daß durch die Verschmelzung die Erfüllung ihrer Forderung gefährdet wird. [3]Die Gläubiger sind in einer Bekanntmachung zu der jeweiligen Eintragung auf dieses Recht hinzuweisen.

(2) Das Recht, Sicherheitsleistung zu verlangen, steht Gläubigern nicht zu, die im Falle der Insolvenz ein Recht auf vorzugsweise Befriedigung aus einer Deckungsmasse haben, die nach gesetzlicher Vorschrift zu ihrem Schutz errichtet und staatlich überwacht ist.

Zweiter Teil. Besondere Vorschriften

Achter Abschnitt. Verschmelzung von Versicherungsvereinen auf Gegenseitigkeit

Dritter Unterabschnitt. Verschmelzung durch Neugründung

§ 116[2] **Beschlüsse der obersten Vertretungen.** (1) [1]Die Satzung des neuen Rechtsträgers und die Bestellung seiner Aufsichtsratsmitglieder bedürfen der Zustimmung der übertragenden Vereine durch Verschmelzungsbeschlüsse. [2]Die §§ 76 und 112 Absatz 3 sind entsprechend anzuwenden.

(2) [1]In der Bekanntmachung der Tagesordnung eines Vereins ist der wesentliche Inhalt des Verschmelzungsvertrags bekanntzumachen. [2]In der Bekanntmachung haben der Vorstand und der Aufsichtsrat, zur Wahl von Aufsichtsratsmitgliedern und Prüfern nur der Aufsichtsrat, Vorschläge zur Beschlußfassung zu machen. [3]Hat der Aufsichtsrat auch aus Aufsichtsratsmitgliedern der Arbeitnehmer zu bestehen, so bedürfen Beschlüsse des Aufsichtsrats über Vorschläge zur Wahl von Aufsichtsratsmitgliedern nur der Mehrheit der Stimmen der Aufsichtsratsmitglieder der Mitglieder des Vereins.

Zehnter Abschnitt.[3] *(aufgehoben)*

§§ 122a–122m[3] *(aufgehoben)*

Drittes Buch. Spaltung

Erster Teil. Allgemeine Vorschriften

Erster Abschnitt. Möglichkeit der Spaltung

§ 123 Arten der Spaltung. (1) Ein Rechtsträger (übertragender Rechtsträger) kann unter Auflösung ohne Abwicklung sein Vermögen aufspalten

---

[1] § 22 Abs. 1 Satz 1 geänd. mWv 1.1.2007 durch G v. 10.11.2006 (BGBl. I S. 2553); Abs. 1 Satz 3 neu gef. mWv 1.8.2022 durch G v. 5.7.2021 (BGBl. I S. 3338); Abs. 1 Satz 1 geänd. mWv 1.1.2025 durch G v. 23.10.2024 (BGBl. 2024 I Nr. 323).

[2] § 116 Abs. 1 Satz 2 geänd. mWv 1.3.2023 durch G v. 22.2.2023 (BGBl. 2023 I Nr. 51).

[3] 10. Abschnitt (§§ 122a–122m) aufgeh. mWv 1.3.2023 durch G v. 22.2.2023 (BGBl. 2023 I Nr. 51).

1. zur Aufnahme durch gleichzeitige Übertragung der Vermögensteile jeweils als Gesamtheit auf andere bestehende Rechtsträger (übernehmende Rechtsträger) oder
2. zur Neugründung durch gleichzeitige Übertragung der Vermögensteile jeweils als Gesamtheit auf andere, von ihm dadurch gegründete neue Rechtsträger

gegen Gewährung von Anteilen oder Mitgliedschaften dieser Rechtsträger an die Anteilsinhaber des übertragenden Rechtsträgers (Aufspaltung).

(2) Ein Rechtsträger (übertragender Rechtsträger) kann von seinem Vermögen einen Teil oder mehrere Teile abspalten

1. zur Aufnahme durch Übertragung dieses Teils oder dieser Teile jeweils als Gesamtheit auf einen bestehenden oder mehrere bestehende Rechtsträger (übernehmende Rechtsträger) oder
2. zur Neugründung durch Übertragung dieses Teils oder dieser Teile jeweils als Gesamtheit auf einen oder mehrere, von ihm dadurch gegründeten neuen oder gegründete neue Rechtsträger

gegen Gewährung von Anteilen oder Mitgliedschaften dieses Rechtsträgers oder dieser Rechtsträger an die Anteilsinhaber des übertragenden Rechtsträgers (Abspaltung).

(3) Ein Rechtsträger (übertragender Rechtsträger) kann aus seinem Vermögen einen Teil oder mehrere Teile ausgliedern

1. zur Aufnahme durch Übertragung dieses Teils oder dieser Teile jeweils als Gesamtheit auf einen bestehenden oder mehrere bestehende Rechtsträger (übernehmende Rechtsträger) oder
2. zur Neugründung durch Übertragung dieses Teils oder dieser Teile jeweils als Gesamtheit auf einen oder mehrere, von ihm dadurch gegründeten neuen oder gegründete neue Rechtsträger

gegen Gewährung von Anteilen oder Mitgliedschaften dieses Rechtsträgers oder dieser Rechtsträger an den übertragenden Rechtsträger (Ausgliederung).

(4) Die Spaltung kann auch durch gleichzeitige Übertragung auf bestehende und neue Rechtsträger erfolgen.

Zweiter Abschnitt. Spaltung zur Aufnahme

§ 126[1)] Inhalt des Spaltungs- und Übernahmevertrags. (1) Der Spaltungs- und Übernahmevertrag oder sein Entwurf muß mindestens folgende Angaben enthalten:

1.–10. …

11. die Folgen der Spaltung für die Arbeitnehmer und ihre Vertretungen sowie die insoweit vorgesehenen Maßnahmen.

(2) …

(3) Der Vertrag oder sein Entwurf ist spätestens einen Monat vor dem Tag der Versammlung der Anteilsinhaber jedes beteiligten Rechtsträgers, die gemäß § 125 in Verbindung mit § 13 Abs. 1 über die Zustimmung zum Spaltungs- und Übernahmevertrag beschließen soll, dem zuständigen Betriebsrat dieses Rechtsträgers zuzuleiten.

1) § 126 Abs. 1 Nr. 8 und 10 geänd. mWv 1.8.1998 durch G v. 22.7.1998 (BGBl. I S. 1878).

§ 133[1)] Schutz der Gläubiger und der Inhaber von Sonderrechten.

(1) [1] Für die Verbindlichkeiten des übertragenden Rechtsträgers, die vor dem Wirksamwerden der Spaltung begründet worden sind, haften die an der Spaltung beteiligten Rechtsträger als Gesamtschuldner. [2] Die §§ 25, 26 und 28 des Handelsgesetzbuchs[2)] sowie § 125 in Verbindung mit § 22 bleiben unberührt; zur Sicherheitsleistung ist nur der an der Spaltung beteiligte Rechtsträger verpflichtet, gegen den sich der Anspruch richtet.

(2) [1] Für die Erfüllung der Verpflichtung nach § 125 in Verbindung mit § 23 haften die an der Spaltung beteiligten Rechtsträger als Gesamtschuldner. [2] Bei Abspaltung und Ausgliederung können die gleichwertigen Rechte im Sinne des § 125 in Verbindung mit § 23 auch in dem übertragenden Rechtsträger gewährt werden.

(3) [1] Diejenigen Rechtsträger, denen die Verbindlichkeiten nach Absatz 1 Satz 1 im Spaltungs- und Übernahmevertrag nicht zugewiesen worden sind, haften für diese Verbindlichkeiten, wenn sie vor Ablauf von fünf Jahren nach der Spaltung fällig und daraus Ansprüche gegen sie in einer in § 197 Abs. 1 Nr. 3 bis 5 des Bürgerlichen Gesetzbuchs[3)] bezeichneten Art festgestellt sind oder eine gerichtliche oder behördliche Vollstreckungshandlung vorgenommen oder beantragt wird; bei öffentlich-rechtlichen Verbindlichkeiten genügt der Erlass eines Verwaltungsakts. [2] Die Haftung der in Satz 1 bezeichneten Rechtsträger ist beschränkt auf den Wert des ihnen am Tag des Wirksamwerdens zugeteilten Nettoaktivvermögens. [3] Für vor dem Wirksamwerden der Spaltung begründete Versorgungsverpflichtungen auf Grund des Betriebsrentengesetzes[4)] beträgt die in Satz 1 genannte Frist zehn Jahre.

(4) [1] Die Frist beginnt mit dem Tage, an dem die Eintragung der Spaltung in das Register des Sitzes des übertragenden Rechtsträgers nach § 125 in Verbindung mit § 19 Abs. 3 bekannt gemacht worden ist. [2] Die für die Verjährung geltenden §§ 204, 206, 210, 211 und 212 Abs. 2 und 3 des Bürgerlichen Gesetzbuchs sind entsprechend anzuwenden.

(5) Einer Feststellung in einer in § 197 Abs. 1 Nr. 3 bis 5 des Bürgerlichen Gesetzbuchs bezeichneten Art bedarf es nicht, soweit die in Absatz 3 bezeichneten Rechtsträger den Anspruch schriftlich anerkannt haben.

(6) [1] Die Ansprüche nach Absatz 2 verjähren in fünf Jahren. [2] Für den Beginn der Verjährung gilt Absatz 4 Satz 1 entsprechend.

§ 134[5)] Schutz der Gläubiger in besonderen Fällen. (1) [1] Spaltet ein Rechtsträger sein Vermögen in der Weise, daß die zur Führung eines Betriebes notwendigen Vermögensteile im wesentlichen auf einen übernehmenden oder mehrere übernehmende oder auf einen neuen oder mehrere neue Rechtsträger übertragen werden und die Tätigkeit dieses Rechtsträgers oder dieser Rechtsträger sich im wesentlichen auf die Verwaltung dieser Vermögensteile beschränkt (Anlagegesellschaft), während dem übertragenden Rechtsträger diese

---

[1)] § 133 Abs. 3 Satz 1, Abs. 4 Satz 2 und Abs. 5 geänd. mWv 1.1.2002 durch G v. 26.11.2001 (BGBl. I S. 3138); Abs. 4 Satz 1 geänd. mWv 1.1.2007 durch G v. 10.11.2006 (BGBl. I S. 2553); Abs. 3 Satz 2 angef. mWv 25.4.2007 durch G v. 19.4.2007 (BGBl. I S. 542); Abs. 3 Satz 2 eingef., bish. Satz 2 wird Satz 3 mWv 1.3.2023 durch G v. 22.2.2023 (BGBl. I Nr. 51).

[2)] **beck-online, Module Arbeitsrecht Nr. 105.**

[3)] Nr. **50**.

[4)] Nr. **180**.

[5)] § 134 Abs. 2 und 3 geänd. mWv 25.4.2007 durch G v. 19.4.2007 (BGBl. I S. 542).

Vermögensteile bei der Führung seines Betriebes zur Nutzung überlassen werden (Betriebsgesellschaft), und sind an den an der Spaltung beteiligten Rechtsträgern im wesentlichen dieselben Personen beteiligt, so haftet die Anlagegesellschaft auch für die Forderungen der Arbeitnehmer der Betriebsgesellschaft als Gesamtschuldner, die binnen fünf Jahren nach dem Wirksamwerden der Spaltung auf Grund der §§ 111 bis 113 des Betriebsverfassungsgesetzes[1)] begründet werden. [2] Dies gilt auch dann, wenn die Vermögensteile bei dem übertragenden Rechtsträger verbleiben und dem übernehmenden oder neuen Rechtsträger oder den übernehmenden oder neuen Rechtsträgern zur Nutzung überlassen werden.

(2) Die gesamtschuldnerische Haftung nach Absatz 1 gilt auch für vor dem Wirksamwerden der Spaltung begründete Versorgungsverpflichtungen auf Grund des Betriebsrentengesetzes[2)].

(3) Für die Ansprüche gegen die Anlagegesellschaft nach den Absätzen 1 und 2 gilt § 133 Abs. 3 Satz 1, Abs. 4 und 5 entsprechend mit der Maßgabe, daß die Frist fünf Jahre nach dem in § 133 Abs. 4 Satz 1 bezeichneten Tage beginnt.

Viertes Buch. Vermögensübertragung

Erster Teil. Möglichkeit der Vermögensübertragung

§ 174 Arten der Vermögensübertragung. (1) Ein Rechtsträger (übertragender Rechtsträger) kann unter Auflösung ohne Abwicklung sein Vermögen als Ganzes auf einen anderen bestehenden Rechtsträger (übernehmender Rechtsträger) gegen Gewährung einer Gegenleistung an die Anteilsinhaber des übertragenden Rechtsträgers, die nicht in Anteilen oder Mitgliedschaften besteht, übertragen (Vollübertragung).

(2) Ein Rechtsträger (übertragender Rechtsträger) kann

1. unter Auflösung ohne Abwicklung sein Vermögen aufspalten durch gleichzeitige Übertragung der Vermögensteile jeweils als Gesamtheit auf andere bestehende Rechtsträger,
2. von seinem Vermögen einen Teil oder mehrere Teile abspalten durch Übertragung dieses Teils oder dieser Teile jeweils als Gesamtheit auf einen oder mehrere bestehende Rechtsträger oder
3. aus seinem Vermögen einen Teil oder mehrere Teile ausgliedern durch Übertragung dieses Teils oder dieser Teile jeweils als Gesamtheit auf einen oder mehrere bestehende Rechtsträger

gegen Gewährung der in Absatz 1 bezeichneten Gegenleistung in den Fällen der Nummer 1 oder 2 an die Anteilsinhaber des übertragenden Rechtsträgers, im Falle der Nummer 3 an den übertragenden Rechtsträger (Teilübertragung).

[1)] Nr. **570**.
[2)] Nr. **180**.

Fünftes Buch. Formwechsel

Erster Teil. Allgemeine Vorschriften

§ 194[1] Inhalt des Formwechselbeschlusses. (1) In dem Formwechselbeschluss müssen mindestens bestimmt werden:

1.–6. …

7. die Folgen des Formwechsels für die Arbeitnehmer und ihre Vertretungen sowie die insoweit vorgesehenen Maßnahmen.

(2) Der Entwurf des Formwechselbeschlusses ist spätestens einen Monat vor dem Tage der Versammlung der Anteilsinhaber, die den Formwechsel beschließen soll, dem zuständigen Betriebsrat des formwechselnden Rechtsträgers zuzuleiten.

§§ 322–325[2] *(aufgehoben)*

---

[1] § 194 Überschrift, Abs. 1 einl. Satzteil, Nr. 6 und Abs. 2 geänd. mWv 1.3.2023 durch G v. 22.2.2023 (BGBl. I Nr. 51).

[2] Bish. §§ 322–325 aufgeh. mWv 1.3.2023 durch G v. 22.2.2023 (BGBl. I Nr. 51).

635a. Gesetz zur Zusammenführung und Neugliederung der Bundeseisenbahnen (Bundeseisenbahnneugliederungsgesetz – BEZNG)[1) 2)]

Vom 27. Dezember 1993
(BGBl. I S. 2378, ber. S. 2439)

FNA 931-4

zuletzt geänd. durch Art. 14 Abs. 2 G zur Regelung des Erscheinungsbilds von Beamtinnen und Beamten sowie zur Änd. weiterer dienstrechtlicher Vorschriften v. 28.6.2021 (BGBl. I S. 2250)

– Auszug –[3)]

§ 7[4)] Personalwesen. (1) [1]Die Beamten, Angestellten und Arbeiter des Bundeseisenbahnvermögens stehen im Dienst des Bundes. [2]Die Beamten sind Bundesbeamte.

(2) [1]Die im Zeitpunkt der Zusammenführung bei den in § 1 genannten Sondervermögen bestehenden Tarifverträge für die Angestellten, Arbeiter und Auszubildenden gelten bis zum Inkrafttreten neuer Tarifverträge nach Absatz 3 weiter. [2]Soweit ein Tarifvertrag im Zeitpunkt der Zusammenführung ohne Nachwirkung seine Geltung verliert, werden die durch Rechtsnormen dieses Tarifvertrages geregelten Rechte und Pflichten bis zum Inkrafttreten neuer Tarifverträge Inhalt der betroffenen Arbeitsverhältnisse.

(3) [1]Die Vergütungen, Löhne und Arbeitsbedingungen der Angestellten, Arbeiter und Auszubildenden im Bereich des Bundeseisenbahnvermögens werden durch Tarifverträge geregelt, die mit den zuständigen Gewerkschaften zu schließen sind. [2]Soweit die Vereinbarungen wegen ihrer grundsätzlichen Bedeutung geeignet sind, die Gestaltung der Lohn- und Arbeitsbedingungen in anderen Zweigen der Bundesverwaltung zu beeinflussen, sind sie im Einvernehmen mit dem Bundesministerium für Verkehr und digitale Infrastruktur, dem Bundesministerium der Finanzen und dem Bundesministerium des Innern, für Bau und Heimat abzuschließen. [3]Das Einvernehmen gilt als hergestellt, wenn das Bundesministerium für Verkehr und digitale Infrastruktur nicht binnen einer Frist von einem Monat, gerechnet vom Eingang des Antrages auf Abschluß einer Tarifvereinbarung, entschieden hat.

(4) Das Bundesministerium für Verkehr und digitale Infrastruktur wird ermächtigt, für die Beamten, die im Zeitpunkt unmittelbar vor der Eintragung der Deutsche Bahn Aktiengesellschaft in das Handelsregister Beamte des Bundeseisenbahnvermögens sind und gemäß § 12 Abs. 1, 2 und 3 des Deutsche

---

1) Verkündet als Art. 1 ENeuOG v. 27.12.1993 (BGBl I S. 2378); Inkrafttreten gem. Art. 11 Abs. 1 dieses G am 1.1.1994.

2) Gesetzestitel geänd. mWv 1.7.2002 durch G v. 21 6. 2002 (BGBl. I S. 2191).

3) Vollständig wiedergegeben in **beck-online, Module Arbeitsrecht.**

4) § 7 Abs. 4 Nr. 1 geänd., Abs. 5 eingef., bish. Abs. 5 wird Abs. 6 durch G v. 29.6.1998 (BGBl. I S. 1666); Abs. 3 Sätze 2 und 3, Abs. 4, 5 und 6 geänd. mWv 7.11.2001 durch VO v. 29.10.2001 (BGBl. I S. 2785); Abs. 3 Sätze 2 und 3, Abs. 4, 5 und 6 geänd. mWv 8.11.2006 durch VO v. 31.10. 2006 (BGBl. I S. 2407); Abs. 1 Satz 2, Abs. 4 Nr. 1 und 2, Abs. 5 geänd. mWv 12.2.2009 durch G v. 5.2.2009 (BGBl. I S. 160); Abs. 3 Sätze 2 und 3, Abs. 4 einl. Satzteil, Abs. 5 und 6 geänd. mWv 8.9. 2015 durch VO v. 31.8.2015 (BGBl. I S. 1474); Abs. 3 Satz 2, Abs. 4 Nr. 1 und 2, Abs. 5 und 6 geänd. mWv 27.6.2020 durch VO v. 19.6.2020 (BGBl. I S. 1328); Abs. 4 Nr. 1 und Abs. 5 geänd. mWv 7.7. 2021 durch G v. 28.6.2021 (BGBl. I S. 2250).

Bahn Gründungsgesetzes[1] zu dieser Gesellschaft beurlaubt oder ihr zugewiesen sind, durch Rechtsverordnung

1. im Einvernehmen mit dem Bundesministerium des Innern, für Bau und Heimat und dem Bundesministerium der Finanzen nach Maßgabe des § 26 Absatz 1 des Bundesbeamtengesetzes[2] die Laufbahnen beim Bundeseisenbahnvermögen selbständig zu gestalten und Ausnahmeregelungen zu treffen,
2. im Einvernehmen mit dem Bundesministerium des Innern, für Bau und Heimat für die zugewiesenen Beamten besondere Arbeitszeitvorschriften zu erlassen und dabei von § 88 des Bundesbeamtengesetzes abweichende Regelungen über die Verpflichtung der Beamten, über die regelmäßige wöchentliche Arbeitszeit hinaus Dienst zu tun, sowie über den Ausgleich von Mehrarbeit zu treffen,

soweit es durch die Eigenart des Eisenbahnbetriebes dieser Gesellschaft begründet ist.

(5) Das Bundesministerium für Verkehr und digitale Infrastruktur wird ermächtigt, im Einvernehmen mit dem Bundesministerium des Innern, für Bau und Heimat durch Rechtsverordnung ohne Zustimmung des Bundesrates für die in Absatz 4 genannten Beamten die besonderen Vorschriften für die einzelnen Laufbahnen und Vorbereitungsdienste in sinngemäßer Anwendung des § 26 Absatz 2 des Bundesbeamtengesetzes zu erlassen.

(6) Das Bundesministerium für Verkehr und digitale Infrastruktur kann auf Vorschlag des Präsidenten des Bundeseisenbahnvermögens im Einvernehmen mit dem Bundesministerium des Innern, für Bau und Heimat und dem Bundesministerium der Finanzen ergänzende Bestimmungen über die Reise- und Umzugskosten der Beamten, die der Deutsche Bahn Aktiengesellschaft gemäß § 12 Abs. 2 und 3 des Deutsche Bahn Gründungsgesetzes[1] zugewiesen sind, erlassen, soweit die Eigenart des Eisenbahnbetriebes es erfordert.

§ 8[3] *(aufgehoben)*

§ 9[4] **Schwerbehindertenvertretung.** (1) § 8 Abs. 1 gilt entsprechend für die Wahlen zu den Schwerbehindertenvertretungen im Bereich des Bundeseisenbahnvermögens.

(2) [1] § 8 Abs. 2 Satz 1 gilt entsprechend für die bestehenden Schwerbehindertenvertretungen. [2] Das Bundeseisenbahnvermögen und der in § 8 Abs. 2 Satz 2 genannte gemeinsame Hauptpersonalrat haben die bei der Deutschen Bundesbahn und bei der Deutschen Reichsbahn bestehenden Hauptschwerbehindertenvertretungen gemeinsam zu beteiligen. [3] Zur Wahrnehmung der nach dem Neunten Buch Sozialgesetzbuch[5] bestehenden Aufgaben und Rechte ist auch eine der beiden Hauptschwerbehindertenvertretungen allein befugt. [4] Bis zur Neuwahl nach Absatz 1 sind die bei der Deutschen Bundesbahn und bei der Deutschen Reichsbahn bestehenden Hauptschwerbehindertenvertretungen als Schwerbehindertenvertretung auch zuständig für die nach § 6 Abs. 1 Satz 2 gebildete Dienststelle; Satz 3 gilt entsprechend.

---

[1] **beck-online, Module Arbeitsrecht Nr. 635b.**
[2] **Sartorius Nr. 160.**
[3] § 8 aufgeh. mWv 15.6.2021 durch G v. 9.6.2021 (BGBl. I S. 1614).
[4] § 9 Abs. 2 Satz 3 geänd. mWv 1.7.2001 durch G v. 19.6.2001 (BGBl. I S. 1046).
[5] Auszugsweise abgedruckt unter Nr. **440**.

(3) [1] Für die Bildung der Wahlvorstände für die Neuwahlen zu den Schwerbehindertenvertretungen gilt § 8 Abs. 5 entsprechend. [2] Die beiden Hauptschwerbehindertenvertretungen bestellen gemeinsam den Wahlvorstand für die Neuwahl der Hauptschwerbehindertenvertretung beim Bundeseisenbahnvermögen.

§ 10[1)] Vorgesetzte. (1) [1] Das Bundesministerium für Verkehr und digitale Infrastruktur ist oberster Dienstvorgesetzter und Vorgesetzter des Präsidenten des Bundeseisenbahnvermögens. [2] Der Präsident ist oberster Dienstvorgesetzter der Beamten und Vorgesetzter aller Beamten, Angestellten und Arbeiter des Bundeseisenbahnvermögens.

(2) [1] Der Präsident des Bundeseisenbahnvermögens ist oberste Dienstbehörde. [2] Beamtenrechtliche Entscheidungen über Bundesbeamte mit festen Gehältern und Gehältern der obersten Besoldungsgruppe der Besoldungsordnungen ergehen im Einvernehmen mit dem Bundesministerium für Verkehr und digitale Infrastruktur nach Maßgabe der Verwaltungsordnung. [3] Die Verwaltungsordnung bestimmt die Dienstposten, deren Besetzung der Zustimmung des Bundesministeriums für Verkehr und digitale Infrastruktur bedarf.

§ 13[2)] Gesetzliche Sozialeinrichtungen. (1) Das Bundeseisenbahnvermögen führt für seinen Bereich auf dem Gebiet der Krankenversicherung die Aufgaben der bisherigen Bundeseisenbahnen weiter.

(2), (3) *(aufgehoben)*

(4) Die Zuständigkeiten der Bundesbahn-Betriebskrankenkasse sowie der Reichsbahn-Betriebskrankenkasse, auch für den Fall der Vereinigung der beiden Kassen zur Bahnbetriebskrankenkasse, erstrecken sich auf die Deutsche Bahn Aktiengesellschaft.

§ 14 Krankenversorgung der Beamten des Bundeseisenbahnvermögens. (1) Die Krankenversorgung der Bundesbahnbeamten als betriebliche Sozialeinrichtung der Deutschen Bundesbahn im Sinne des § 27 des Bundesbahngesetzes ist mit Inkrafttreten dieses Gesetzes in ihrem Bestand geschlossen und wird mit dem Ziel der Abwicklung in der bestehenden Rechtsform einer Körperschaft des öffentlichen Rechts nach Maßgabe von Satzung und Tarif weitergeführt.

(2) [1] Der Beitrag zur Krankenversorgung der Bundesbahnbeamten berechnet sich entsprechend § 28 der Satzung für jedes Kalenderjahr nach der Beitragstafel (Anhang IV der Satzung) in der am Tage vor dem Inkrafttreten dieses Gesetzes geltenden Fassung, jedoch unter Zugrundelegung der am letzten Tag des vorangegangenen Kalenderjahres geltenden Fassung der Besoldungsordnung A. [2] Der Prozentsatz nach der Beitragstafel ist, unter Anrechnung der sich aus Satz 1 ergebenden Veränderungen, der durchschnittlichen Kostenentwicklung im all-

---

[1)] § 10 Abs. 1 Satz 1, Abs. 2 Sätze 2 und 3 geänd. mWv 7.11.2001 durch VO v. 29.10.2001 (BGBl. I S. 2785); Abs. 1 Satz 1, Abs. 2 Sätze 2 und 3 geänd. mWv 8.11.2006 durch VO v. 31.10.2006 (BGBl. I S. 2407); Abs. 1 Satz 1, Abs. 2 Sätze 2 und 3 geänd. mWv 8.9.2015 durch VO v. 31.8.2015 (BGBl. I S. 1474).

[2)] § 13 Abs. 3 Sätze 2 bis 4 angef. durch G v. 7.8.1996 (BGBl. I S. 1254); Abs. 3 Sätze 3 und 4 geänd. mWv 7.11.2001 durch VO v. 29.10.2001 (BGBl. I S. 2785); Abs. 2 aufgeh., Abs. 4 geänd. mWv 1.10.2005 durch G v. 9.12.2004 (BGBl. I S. 3242); Abs. 3 Sätze 3 und 4 geänd. mWv 8.11.2006 durch VO v. 31.10.2006 (BGBl. I S. 2407); Abs. 3 aufgeh. mWv 1.1.2015 durch G v. 19.10.2013 (BGBl. I S. 3836).

gemeinen Gesundheitswesen anzupassen. [3] Maßgebend hierfür ist der Prozentsatz, der sich im Vergleich der Ausgaben der gesetzlichen Krankenversicherung zu denen des jeweiligen Vorjahres ergibt. [4] Der sich aus den Beitragsanpassungen ergebende Prozentsatz nach der Beitragstafel darf

1. für Mitglieder mit mitversicherten Angehörigen den halben Beitragssatz der Rentner der Bahnbetriebskrankenkasse,
2. für Mitglieder ohne mitversicherte Angehörige zwei Drittel des vorgenannten Beitragssatzes

nicht übersteigen.

(3) Tarifänderungen der Krankenversorgung der Bundesbahnbeamten oder Änderungen hinsichtlich des erstattungfähigen Betrages, die nach Inkrafttreten dieses Gesetzes erfolgen, gehen, soweit es sich nicht um Anpassungen an das Beihilferecht des Bundes handelt, zu Lasten der Versicherten.

(4) [1] Tarifausgaben der Krankenversorgung der Bundesbahnbeamten, die durch den auf der Grundlage von Repräsentativuntersuchungen ermittelten beihilfeentsprechenden Zuschuß des Bundes (§ 27 der Satzung) und den nach Absatz 2 bemessenen Beitrag der Mitglieder nicht gedeckt werden, gehen zu Lasten des Bundes. [2] Ändert sich der beihilfeentsprechende Zuschuß auf Grund von Änderungen des Beihilferechts, ist der Beitrag entsprechend anzupassen.

(5) Klinik und Klinikfonds der Krankenversorgung der Bundesbahnbeamten werden bis zum Abschluß der Abwicklung nach Absatz 1 weitergeführt und anschließend einem Sozialversicherungsträger (Bahnbetriebskrankenkasse, ersatzweise Bahnversicherungsanstalt) gegen Wertausgleich übergeben.

§ 15[1)] Betriebliche Sozialeinrichtungen, Selbsthilfeeinrichtungen.

(1) [1] Die Bundesbahnversicherungsanstalt Abteilung B als betriebliche Sozialeinrichtung des bisherigen Sondervermögens Deutsche Bundesbahn wird beim Bundeseisenbahnvermögen als Bahnversicherungsanstalt Abteilung B weitergeführt. [2] Die Satzung der Bundesbahnversicherungsanstalt Abteilung B findet jedoch nur auf Arbeitnehmer Anwendung, die vor der Zusammenführung der in § 1 genannten Sondervermögen in der Zusatzversicherung der Bundesbahnversicherungsanstalt Abteilung B versichert waren. [3] Für ab dem Zeitpunkt der Zusammenführung der in § 1 genannten Sondervermögen beim Bundeseisenbahnvermögen abzuschließenden neuen Arbeits- und Ausbildungsverhältnisse kann die Zusatzversicherung bei der Bahnversicherungsanstalt Abteilung B begründet werden. [4] Die Deutsche Bahn Aktiengesellschaft kann sich an der Bahnversicherungsanstalt Abteilung B beteiligen.

(2) [1] Die in der Anlage zu diesem Gesetz aufgeführten übrigen betrieblichen Sozialeinrichtungen und die anerkannten Selbsthilfeeinrichtungen der bisherigen Bundeseisenbahnen werden für den Bereich des Bundeseisenbahnvermögens aufrechterhalten und nach den bisherigen Grundsätzen weitergeführt. [2] Hierfür werden im Wirtschaftsplan des Bundeseisenbahnvermögens angemessene Beträge bereitgestellt. [3] Soweit gleichartige Einrichtungen der Bundesverwaltung durch Zuweisung von Bundesmitteln unterstützt werden, sollen beim Bundeseisenbahnvermögen dieselben Grundsätze angewendet werden.

[1)] § 15 Abs. 6 angef. mWv 1.10.2005 durch G v. 9.12.2004 (BGBl. I S. 3242).

(3) Die Deutsche Bahn Aktiengesellschaft kann die einzelnen in der Anlage zu Absatz 2 aufgeführten Einrichtungen anerkennen oder sich an ihnen beteiligen.

(4) Nach Abgabe von Erklärungen der Deutsche Bahn Aktiengesellschaft über ihre Beteiligung oder die Anerkennung gemäß Absatz 1 Satz 4 und Absatz 3 befindet das Bundeseisenbahnvermögen darüber, nach welchen Grundsätzen die betrieblichen Sozialeinrichtungen und Selbsthilfeeinrichtungen weitergeführt werden.

(5) Werden rechtlich unselbständige betriebliche Sozialeinrichtungen der bisherigen Bundeseisenbahnen nach Inkrafttreten des Gesetzes zur Neuordnung des Eisenbahnwesens[1)] rechtlich verselbständigt, sind diese von der Zahlung von Steuern und Gebühren aus Anlaß der Änderung der Rechtsform einschließlich der Kosten für notwendige Eigentumsübertragungen befreit.

(6) Ab 1. Oktober 2005 wird die Zusatzversicherung der Bahnversicherungsanstalt Abteilung B von der Deutschen Rentenversicherung Knappschaft-Bahn-See weitergeführt.

[1)] Nr. **635c**.

635b. Gesetz über die Gründung einer Deutsche Bahn Aktiengesellschaft (Deutsche Bahn Gründungsgesetz – DBGrG)[1)]

Vom 27. Dezember 1993
(BGBl. I S. 2386, ber. 1994 S. 2439)

FNA 931-5

zuletzt geänd. durch Art. 21 G zur Novellierung des BundespersonalvertretungsG v. 9.6.2021 (BGBl. I S. 1614)

– Auszug –[2)]

Erster Abschnitt. Gründung

§ 1 Errichtung der Gesellschaft. (1) [1] Aus dem Bundeseisenbahnvermögen sind in Erfüllung der in § 20 Abs. 1 des Gesetzes zur Zusammenführung und Neugliederung der Bundeseisenbahnen vom 27. Dezember 1993 (BGBl. I S. 2378) enthaltenen Verpflichtungen mit Ausnahme der dort genannten Liegenschaften die Teile, die zum Erbringen von Eisenbahnverkehrsleistungen und zum Betreiben der Eisenbahninfrastruktur notwendig sind, auf eine dadurch gegründete neue Aktiengesellschaft auszugliedern. [2] Die in Satz 1 ausgenommenen Liegenschaften sind jedoch bei der Prüfung der Ausgliederung durch das Registergericht, wie in § 10 Abs. 4 für die Eröffnungsbilanz festgelegt, zu berücksichtigen.

(2) Die Aktiengesellschaft führt die Firma „Deutsche Bahn Aktiengesellschaft“.

Zweiter Abschnitt. Überleitung des Personals

§ 14[3)] Arbeitnehmer. (1) [1] Der Vorstand des Bundeseisenbahnvermögens stellt vor Anmeldung der Deutsche Bahn Aktiengesellschaft zur Eintragung in das Handelsregister eine Liste auf, in der die Dienststellen oder Teile einer Dienststelle, die als Betriebe oder Betriebsteile im Sinne des § 613a Abs. 1 Satz 1 des Bürgerlichen Gesetzbuchs auf die Deutsche Bahn Aktiengesellschaft mit ihrer Eintragung im Handelsregister übergehen, enthalten sind. [2] Eine Abschrift der Liste ist der Anmeldung der Gesellschaft zur Eintragung in das Handelsregister beizufügen und den Arbeitnehmern des Bundeseisenbahnvermögens in geeigneter Weise schriftlich bekanntzugeben.

(2) [1] Mit der Eintragung der Deutsche Bahn Aktiengesellschaft in das Handelsregister tritt die Gesellschaft entsprechend der in der Liste nach Absatz 1 aufgeführten Betriebe und Betriebsteile in die Rechte und Pflichten aus den im Zeitpunkt der Eintragung der Gesellschaft bei den Dienststellen oder Teilen einer Dienststelle des Bundeseisenbahnvermögens bestehenden Arbeits- und

---

[1)] Verkündet als Art. 2 G zur Neuordnung des Eisenbahnwesens (Eisenbahnneuordnungsgesetz – ENeuOG) v. 27.12.1993 (BGBl. I S. 2378, ber. 1994 I S. 2439); Inkrafttreten gem. Art. 11 dieses G am 1.1.1994.

[2)] Vollständig wiedergegeben in **beck-online, Module Arbeitsrecht.**

[3)] § 14 Abs. 2 Satz 2 geänd. mWv 1.10.2005 durch G v. 9.12.2004 (BGBl. I S. 3242).

Ausbildungsverhältnissen ein. [2]Die im Zeitpunkt der Eintragung der Gesellschaft in das Handelsregister bestehenden Pflichtversicherungen bei der Bahnversicherungsanstalt Abteilung B, ab 1. Oktober 2005 Deutsche Rentenversicherung Knappschaft-Bahn-See, werden durch das Bundeseisenbahnvermögen fortgeführt; die durch eine Schließung des Versichertenbestandes entstehenden Aufwendungen aus der Pflichtversicherung trägt das Bundeseisenbahnvermögen. [3]§ 15 Abs. 1 des Gesetzes zur Zusammenführung und Neugliederung der Bundeseisenbahnen bleibt unberührt.

(3) Die zum Zeitpunkt der Rechtsnachfolge gemäß Absatz 2 gültigen Tarifverträge und Dienstvereinbarungen für die Angestellten, Arbeiter und Auszubildenden des Bundeseisenbahnvermögens sind für die übernommenen Angestellten, Arbeiter und Auszubildenden bis zum Inkrafttreten neuer Tarifverträge oder Betriebsvereinbarungen maßgebend, die die Deutsche Bahn Aktiengesellschaft mit den zuständigen Gewerkschaften oder Betriebsräten abschließt.

(4) § 613a des Bürgerlichen Gesetzbuchs ist anzuwenden, soweit in diesem Gesetz nicht etwas anderes bestimmt ist.

(5) Soweit auf der Grundlage des § 13 der Arbeitszeitordnung in der im Bundesgesetzblatt Teil III, Gliederungsnummer 8050-1, veröffentlichten bereinigten Fassung, die zuletzt durch Artikel 21 des Gesetzes vom 10. März 1975 (BGBl. I S. 685) geändert worden ist, Arbeitszeitbestimmungen für Beamte auf Arbeitnehmer der Deutschen Bundesbahn und der Deutschen Reichsbahn durch Tarifvertrag übertragen sind, gelten die Bestimmungen, auch soweit sie von den übrigen Bestimmungen der Arbeitszeitordnung abweichen, als Inhalt der Tarifverträge bis zum Inkrafttreten neuer Tarifverträge fort.

(6) § 8 Abs. 3 des Einkommensteuergesetzes gilt entsprechend für die Arbeitnehmer der früheren Sondervermögen Deutsche Bundesbahn und Deutsche Reichsbahn, deren Arbeitsverhältnisse wegen Erreichens der Altersgrenze oder Zuerkennung einer Rente geendet haben.

§§ 15 *(hier nicht wiedergegeben)*

§ 16 Überleitung von Dienstleistungsüberlassungsverträgen. (1) § 12 Abs. 2 gilt nicht für Beamte, die im Zeitpunkt der Eintragung der Deutsche Bahn Aktiengesellschaft in das Handelsregister auf Grund eines zwischen einer bisherigen Bundeseisenbahn und einem anderen Unternehmen bestehenden Dienstleistungsüberlassungsvertrages einem anderen Unternehmen zur Dienstleistung überlassen worden sind.

(2) Die Deutsche Bahn Aktiengesellschaft tritt nicht in die Rechte und Pflichten aus den Arbeitsverhältnissen der Angestellten, Arbeiter und Auszubildenden ein, die im Zeitpunkt der Eintragung der Deutsche Bahn Aktiengesellschaft in das Handelsregister auf Grund eines zwischen einer bisherigen Bundeseisenbahn und einem anderen Unternehmen bestehenden Dienstleistungsüberlassungsvertrages einem anderen Unternehmen zur Dienstleistung überlassen worden sind.

(3) [1]Zwischen bisherigen Bundeseisenbahnen und anderen Unternehmen bestehende Dienstleistungsüberlassungsverträge werden vom Bundeseisenbahnvermögen fortgeführt. [2]Dies gilt auch, wenn die anderen Unternehmen keine Unternehmen des Bundes im Sinne des § 2 Abs. 6 des Allgemeinen Eisenbahngesetzes vom 27. Dezember 1993 (BGBl. I S. 2378, 2396) sind.

(4) Bei Aufhebung oder sonstiger Beendigung bestehender Dienstleistungsüberlassungsverträge finden § 12 Abs. 1 und 2 sowie § 14 Abs. 2 bis 4 entsprechend Anwendung.

§ 17[1)] Personalvertretung, Schwerbehindertenvertretung. (1) [1] Zur Wahrung der Interessen der Beamten, die gemäß § 12 Abs. 2 und 3 der Deutsche Bahn Aktiengesellschaft zugewiesen sind, gegenüber den sie betreffenden Entscheidungen und Maßnahmen des Bundeseisenbahnvermögens werden beim Bundeseisenbahnvermögen besondere Personalvertretungen gebildet, die ausschließlich von den der Deutsche Bahn Aktiengesellschaft zugewiesenen Beamten gewählt werden. [2] Das Bundeseisenbahnvermögen bestimmt durch Verwaltungsanordnung die Zusammensetzung des Kreises der zugewiesenen Beamten, für den jeweils eine besondere Personalvertretung zuständig ist; die zuständige besondere Personalvertretung wirkt mit bei der Entscheidung des Bundeseisenbahnvermögens. [3] Im übrigen finden die Vorschriften des Bundespersonalvertretungsgesetzes sinngemäß Anwendung.

(2) [1] In den der Deutsche Bahn Aktiengesellschaft übertragenen, in § 78 Absatz 1 Nummer 1 bis 3 und 5 bis 11 des Bundespersonalvertretungsgesetzes[2)] genannten Personalangelegenheiten der Beamten hat die auf unterster Ebene gebildete besondere Personalvertretung ein Mitbestimmungsrecht. [2] Auf dieses Mitbestimmungsrecht finden die Vorschriften des § 78 Absatz 3 bis 5 des Bundespersonalvertretungsgesetzes entsprechende Anwendung.

(3) [1] Verweigert die besondere Personalvertretung in den Fällen des Absatzes 2 ihre Zustimmung, so hat sie dies unter Angabe von Gründen innerhalb einer Woche nach Unterrichtung durch die Deutsche Bahn Aktiengesellschaft dieser schriftlich mitzuteilen. [2] Teilt die besondere Personalvertretung der Deutsche Bahn Aktiengesellschaft die Verweigerung ihrer Zustimmung nicht innerhalb der Frist schriftlich mit, so gilt die Zustimmung als erteilt.

(4) [1] Ergibt sich zwischen der Deutsche Bahn Aktiengesellschaft und der besonderen Personalvertretung in den Fällen des Absatzes 2 keine Einigung, so ist unverzüglich die Einigungsstelle anzurufen, die binnen zweier Monate feststellt, ob ein Grund zur Verweigerung der Zustimmung im Sinne des § 78 Absatz 5 des Bundespersonalvertretungsgesetzes vorliegt. [2] Schließt sich die Einigungsstelle nicht der Auffassung der Deutsche Bahn Aktiengesellschaft an, so gibt sie dieser eine Empfehlung. [3] Folgt die Deutsche Bahn Aktiengesellschaft der Empfehlung nicht, so hat sie innerhalb von zehn Arbeitstagen die Angelegenheit mit der Empfehlung der Einigungsstelle der rechtsaufsichtsführenden Stelle zur endgültigen Entscheidung vorzulegen.

(5) [1] Die Einigungsstelle besteht in den in Absatz 4 genannten Fällen aus je drei Beisitzern, die von der Deutsche Bahn Aktiengesellschaft und der zuständigen besonderen Personalvertretung bestellt werden, und einem unparteiischen Vorsitzenden, auf dessen Person sich beide Seiten einigen. [2] Unter den Beisitzern, die von der Personalvertretung bestellt werden, müssen sich mindestens zwei Beamte befinden.

(6) [1] In Streitigkeiten nach den Absätzen 2 bis 5 sind die Verwaltungsgerichte, im dritten Rechtszug das Bundesverwaltungsgericht, zuständig. [2] Die Vor-

---

[1)] § 17 Abs. 2 Sätze 1 und 2 sowie Abs. 4 Satz 1 geänd. mWv 15.6.2021 durch G v. 9.6.2021 (BGBl. I S. 1614).

[2)] Nr. **572**.

schriften des Arbeitsgerichtsgesetzes über das Beschlußverfahren gelten entsprechend.

(7) Die Deutsche Bahn Aktiengesellschaft ist verpflichtet, den ihr gemäß § 12 Abs. 2 und 3 zugewiesenen Beamten die Teilnahme an den Wahlen zu den besonderen Personalvertretungen gemäß Absatz 1 zu ermöglichen sowie gewählte Beamte für die Wahrnehmung von Mandaten in den besonderen Personalvertretungen freizustellen.

(8) Die Absätze 1, 2 und 7 gelten entsprechend für zu bildende besondere Jugend- und Auszubildendenvertretungen sowie für besondere Schwerbehindertenvertretungen.

(9) Bis zur Wahl zu den Personalvertretungen nach Absatz 1 ist der nach § 8 Abs. 2 und 3 des Gesetzes zur Zusammenführung und Neugliederung der Bundeseisenbahnen gebildete gemeinsame Hauptpersonalrat zuständig.

§ 18 Öffentlich-rechtliche Amtsverhältnisse. (1) [1] Die Amtsverhältnisse der Personen, die nach den §§ 8, 9a und 19a des Bundesbahngesetzes in der im Bundesgesetzblatt Teil III, Gliederungsnummer 431–1, veröffentlichten bereinigten Fassung, das zuletzt durch Artikel 6 Abs. 129 des Eisenbahnneuordnungsgesetzes vom 27. Dezember 1993 (BGBl. I S. 2378) geändert worden ist, in einem öffentlich-rechtlichen Amtsverhältnis zum Bund stehen, enden mit der Eintragung der gemäß § 1 Abs. 1 gegründeten Deutsche Bahn Aktiengesellschaft in das Handelsregister. [2] Die die Rechtsverhältnisse der in Satz 1 genannten Personen näher regelnden Amtsverträge nach § 8a Abs. 3 des Bundesbahngesetzes gehen als Anstellungsverträge zum gleichen Zeitpunkt mit allen Rechten und Pflichten auf die Deutsche Bahn Aktiengesellschaft über; die Bestimmungen des § 8a Abs. 1 und 2 sowie des § 8b Abs. 1 Satz 2 und 3, Abs. 2 des Bundesbahngesetzes gelten sinngemäß fort mit der Maßgabe, daß an die Stelle des Endes des Amtsverhältnisses das Ende der ursprünglichen Amtszeit tritt.

(2) [1] Die Versorgungsregelungen in den Amtsverträgen bleiben unverändert, soweit im folgenden nichts anderes geregelt ist; die Versorgungsansprüche aus den Amtsverträgen richten sich gegen das Bundeseisenbahnvermögen. [2] Ab dem Zeitpunkt des Versorgungsfalles hat die Deutsche Bahn Aktiengesellschaft dem Bundeseisenbahnvermögen die dem Amtsträger nach dem Rechtsübergang nach Absatz 1 entstandenen Versorgungsanteile zeitanteilig nach dem Verhältnis der Amtszeiten zu erstatten. [3] Versorgungsansprüche aus dem Amtsverhältnis entstehen frühestens nach dem Ende des Amtsvertrages. [4] Als Amts- und Wartezeit im Sinne der versorgungsrechtlichen Regelungen des Amtsvertrages gilt auch die Zeit zwischen dem Ende des Amtsverhältnisses und dem Ende des Amtsvertrages.

(3) [1] Eine Beschäftigung bei der Deutsche Bahn Aktiengesellschaft oder bei Unternehmen nach § 2 Abs. 1 oder § 3 Abs. 3 steht einer Verwendung im öffentlichen Dienst im Sinne des § 53 des Beamtenversorgungsgesetzes gleich. [2] Dies gilt auch beim Zusammentreffen mit einer Versorgung aus einem Beamtenverhältnis.

(4) Die Versorgung aus dem Amtsvertrag wird auf eine Versorgung aus einem Beamtenverhältnis angerechnet.

(5) *Betriebliche* Versorgungsleistungen aus einer Beschäftigung nach Absatz 3 werden auf die Versorgung aus dem Amtsvertrag angerechnet; im übrigen gilt § 54 des Beamtenversorgungsgesetzes entsprechend.

(6) Betriebliche Versorgungsleistungen aus einer Beschäftigung nach Absatz 3 werden auf die Versorgung aus einem Beamtenverhältnis in dem Umfange angerechnet, als durch diese Versorgungsleistungen die Versorgung aus dem Amtsvertrag nach Absatz 5 nicht gekürzt worden ist.

(7) Versorgungsansprüche aus Amtsvertrag bestehen nicht, wenn ein Amtsträger oder ehemaliger Amtsträger seine Entlassung wegen Wegfalls seines bisherigen Amtes oder wegen wesentlicher Veränderungen der Inhalte der ihm im Rahmen des bisherigen Amtsverhältnisses übertragenen Funktionen im Zusammenhang mit der Strukturreform der Bundeseisenbahnen verlangt.

(8) [1] Versorgungsansprüche aus Amtsvertrag bestehen nicht, wenn ein ehemaliger Amtsträger nach § 19a in Verbindung mit § 8b des Bundesbahngesetzes für die Zeit nach dem Ende des Amtsvertrages gemäß Absatz 1 Satz 2 und vor Vollendung des 63. Lebensjahres ein Angebot der Deutsche Bahn Aktiengesellschaft oder von Unternehmen nach § 2 Abs. 1 oder § 3 Abs. 3 auf Weiterbeschäftigung in vergleichbaren und entsprechend vergüteten Funktionen wie im Amtsvertrag ablehnt, ohne wegen Dienstunfähigkeit daran gehindert zu sein. [2] Satz 1 gilt auch, wenn er nachfolgende entsprechende Angebote auf Weiterbeschäftigung ablehnt. [3] Für die anderen ehemaligen Amtsträger nach § 19a des Bundesbahngesetzes gilt Satz 1 entsprechend mit der Maßgabe, daß sie ihre Versorgungsansprüche lediglich aus dem beendeten Amtsvertrag nach Absatz 1 Satz 2 verlieren.

§ 19[1)] Geltung arbeitsrechtlicher Vorschriften. (1) [1] Die Beamten des Bundeseisenbahnvermögens, die nach § 12 Abs. 2 und 3 der Deutsche Bahn Aktiengesellschaft zugewiesen sind, gelten für die Anwendung von Vorschriften über die Vertretung der Arbeitnehmer im Aufsichtsrat, für die Anwendung des Betriebsverfassungsgesetzes und des Sprecherausschußgesetzes als Arbeitnehmer der Deutsche Bahn Aktiengesellschaft. [2] Sie gelten für die Anwendung der Vorschriften über die Schwerbehindertenvertretung als Beschäftigte der Deutsche Bahn Aktiengesellschaft.

(2) Soweit die Deutsche Bahn Aktiengesellschaft Verpflichtungen, die ihr nach dem Betriebsverfassungsgesetz und dem Sprecherausschußgesetz vom 20. Dezember 1988 (BGBl. I S. 2316) sowie nach den Vorschriften über die Vertretung der Arbeitnehmer im Aufsichtsrat und über die Schwerbehindertenvertretung obliegen, deshalb nicht erfüllen kann, weil sie nicht Dienstherr der ihr gemäß § 12 Abs. 2 und 3 zugewiesenen Beamten ist, treffen diese Verpflichtungen das Bundeseisenbahnvermögen.

§ 20[2)] *(aufgehoben)*

§ 21[3)] Personalkosten. (1) [1] Die Deutsche Bahn Aktiengesellschaft leistet an das Bundeseisenbahnvermögen für die ihr gemäß § 12 Abs. 2 und 3 zugewiesenen Beamten Zahlungen in Höhe der Aufwendungen, die sie für die Arbeits-

---

[1)] § 19 Abs. 2 bis 4 aufgeh., bish. Abs. 5 wird Abs. 2 mWv 28.7.2001 durch G v. 23.7.2001 (BGBl. I S. 1852).

[2)] § 20 aufgeh. mWv 28.7.2001 durch G v. 23.7.2001 (BGBl. I S. 1852).

[3)] § 21 Abs. 8 Satz 2 geänd. mWv 7.11.2001 durch VO v. 29 10. 2001 (BGBl. I S. 2785); Abs. 4 geänd. mWv 1.10.2005 durch G v. 9.12.2004 (BGBl. I S. 3242); Abs. 8 Satz 2 geänd. mWv 8.11.2006 durch VO v. 31.10.2006 (BGBl. I S. 2407); Abs. 8 Satz 2 geänd. mWv 8.9.2015 durch VO v. 31.8. 2015 (BGBl. I S. 1474); Abs. 4 Satz 2 angef., Abs. 4a eingef. mWv 28.5.2021 durch G v. 20.5.2021 (BGBl. I S. 1143); Abs. 5 Satz 2 angef. mWv 10.6.2021 durch G v. 3.6.2021 (BGBl. I S. 1466).

leistung vergleichbarer, von der Gesellschaft neu einzustellender Arbeitnehmer unter Einbeziehung der Arbeitgeberanteile zur gesetzlichen Sozialversicherung sowie der betrieblichen Altersversorgung erbringt oder erbringen müßte. [2]Soweit von der Deutsche Bahn Aktiengesellschaft nach § 12 Abs. 7 anderweitige Bezüge gezahlt werden, die nicht auf die Besoldung angerechnet werden, ist bei der Berechnung der von der Deutsche Bahn Aktiengesellschaft nach Satz 1 zu leistenden Zahlungen mindestens von der Höhe der Dienstbezüge des zugewiesenen Beamten ohne Einbeziehung von Anteilen zur Sozialversicherung sowie zur betrieblichen Altersversorgung auszugehen. [3]Außerdem erstattet sie dem Bundeseisenbahnvermögen anteilige Personalverwaltungskosten. [4]Bis zum Inkrafttreten eines Tarifvertrages bei der Deutsche Bahn Aktiengesellschaft sind die gemäß § 14 Abs. 3 fortgeltenden Tarifverträge Grundlage für die Höhe der Zahlungen nach Satz 1.

(2) Die Deutsche Bahn Aktiengesellschaft erstattet dem Bundeseisenbahnvermögen Sonderzuschläge, die der Gesellschaft gemäß § 12 Abs. 2 und 3 zugewiesene Beamte auf Grund der Sonderzuschlagsverordnung vom 13. November 1990 (BGBl. I S. 2451) erhalten, wenn diese Beamten ab Eintragung der Gesellschaft in das Handelsregister erstmals in zuschlagsberechtigten Bereichen verwendet werden.

(3) Die Deutsche Bahn Aktiengesellschaft zahlt an das Bundeseisenbahnvermögen für die gemäß § 12 Abs. 1 zur Gesellschaft beurlaubten Beamten einen Zuschlag in Höhe des Betrages, den sie ohne die Erteilung eines Gewährleistungsbescheides an Sozialversicherungsbeiträgen für eine Gesamtversorgung (Arbeitnehmer- und Arbeitgeberanteil zur gesetzlichen Rentenversicherung und Beitrag zur betrieblichen Altersversorgung) zu leisten hätte.

(4) [1]Die Deutsche Bahn Aktiengesellschaft leistet an das Bundeseisenbahnvermögen in bezug auf diejenigen Arbeitnehmer, deren Arbeits- und Ausbildungsverhältnisse gemäß § 14 Abs. 2 auf sie übergegangen und die in der Bahnversicherungsanstalt Abteilung B, ab 1. Oktober 2005 Deutsche Rentenversicherung Knappschaft-Bahn-See, pflichtversichert sind, Zahlungen in Höhe der Aufwendungen, die die Gesellschaft für die betriebliche Altersversorgung der von ihr eingestellten Arbeitnehmer erbringt. [2]Die Deutsche Bahn Aktiengesellschaft ist verpflichtet, dem Bundeseisenbahnvermögen über die in Satz 1 genannte Höhe der Aufwendungen für die betriebliche Altersversorgung auf Verlangen Auskunft zu erteilen, soweit dies für die Berechnung der in Satz 1 genannten Zahlungspflicht erforderlich ist.

(4a) Sämtliche in Absatz 4 Satz 1 und 2 genannten Pflichten treffen auch denjenigen, auf den die in § 14 Absatz 2 genannten Ausbildungs- und Arbeitsverhältnisse von der Deutschen Bahn Aktiengesellschaft oder einer ausgegliederten Tochtergesellschaft übergehen, wenn das Bundeseisenbahnvermögen bezüglich dieser Ausbildungs- und Arbeitsverhältnisse die Pflichtversicherung nach § 14 Absatz 2 Satz 2 fortzuführen hat.

(5) [1]Das Bundeseisenbahnvermögen erstattet der Deutsche Bahn Aktiengesellschaft

1. längstens für neun Jahre ab dem Zeitpunkt der Geschäftsaufnahme die Kosten, die ihr infolge des erhöhten Personalbedarfs im Bereich des bisherigen Sondervermögens Deutsche Reichsbahn entstehen, soweit der erhöhte *Personalbedarf auf* den technisch-betrieblichen Rückstand der Deutschen Reichsbahn im Vergleich zum technisch-betrieblichen Stand beim ehemaligen Sondervermögen Deutsche Bundesbahn zurückzuführen ist;

2. die Kosten, die ihr bei Durchführung von technischen, betrieblichen oder organisatorischen Maßnahmen, die zu einem Personalminderbedarf führen, dadurch entstehen, daß Arbeitsverhältnisse, die gemäß § 14 Abs. 2 auf die Gesellschaft übergegangen sind, unkündbar sind. Dies gilt nicht, solange die von Rationalisierungsmaßnahmen betroffenen Arbeitnehmer auf einem anderen Arbeitsplatz in Betrieben der Deutsche Bahn Aktiengesellschaft beschäftigt werden können.

[2] Im Falle des Satzes 1 Nummer 2 werden die Kosten nur für vor dem 1. Januar 2020 vollzogene Rationalisierungsmaßnahmen erstattet.

(6) [1] Absatz 5 Nr. 2 gilt entsprechend für auf Grund des öffentlichen Dienstrechts fortbestehende Dienstverhältnisse der der Deutsche Bahn Aktiengesellschaft zugewiesenen Beamten mit der Maßgabe, daß die Leistungspflicht der Gesellschaft gemäß Absatz 1 für die von Rationalisierungsmaßnahmen betroffenen Beamten entfällt. [2] Die Zuweisung eines Beamten gemäß § 12 Abs. 2 und 3, für den die Leistungspflicht der Deutsche Bahn Aktiengesellschaft entfällt, ist vom Bundeseisenbahnvermögen aufzuheben; § 12 Abs. 9 Satz 1 findet keine Anwendung.

(7) [1] Die Deutsche Bahn Aktiengesellschaft stellt monatlich nachträglich die Höhe der Forderungen gemäß den Absätzen 1 bis 5 fest; außerdem weist sie die gemäß Absatz 6 entfallenden Zahlungen nach und stellt den Saldo fest. [2] Der Saldo ist auszugleichen. [3] Der maßgebende Zeitpunkt, ab welchem Zahlungen und Erstattungen gemäß den Absätzen 1 bis 6 zu leisten sind, ist der Tag der Eintragung der Gesellschaft in das Handelsregister.

(8) [1] Einzelheiten zur Durchführung der Absätze 1 bis 7 werden zwischen dem Bundeseisenbahnvermögen und der Deutsche Bahn Aktiengesellschaft vereinbart. [2] Die Vereinbarung bedarf der Zustimmung des Bundesministeriums für Verkehr und digitale Infrastruktur und des Bundesministeriums der Finanzen.

(9) [1] Die Deutsche Bahn Aktiengesellschaft legt jährlich Rechnung über die Personalkosten nach den Absätzen 1 bis 6, wobei sie eine Bestätigung des für die Prüfung des Jahresabschlusses bestellten Abschlußprüfers beifügt. [2] Auf Verlangen des Bundeseisenbahnvermögens sind die Personalkosten der Deutsche Bahn Aktiengesellschaft durch einen im Einvernehmen mit ihr zu beauftragenden Wirtschaftsprüfer oder eine Wirtschaftsprüfungsgesellschaft festzustellen; dieser oder diese dürfen nicht Abschlußprüfer gemäß Satz 1 sein. [3] Die Kosten dieses Wirtschaftsprüfers oder der Wirtschaftsprüfungsgesellschaft tragen das Bundeseisenbahnvermögen und die Deutsche Bahn Aktiengesellschaft je zur Hälfte.

Dritter Abschnitt. Organisation, Wirtschaftsführung und -prüfung

§ 26 Beteiligung an Sozialeinrichtungen, Anerkennung. Die Deutsche Bahn Aktiengesellschaft hat spätestens nach Ablauf von sechs Monaten nach ihrer Eintragung im Handelsregister gegenüber dem Bundeseisenbahnvermögen zu erklären, ob sie sich an der Bahnversicherungsanstalt Abteilung B und an einzelnen der in der Anlage zu § 15 Abs. 2 des Gesetzes zur Zusammenführung und Neugliederung der Bundeseisenbahnen aufgeführten betrieblichen Sozialeinrichtungen oder Selbsthilfeeinrichtungen des Bundeseisenbahnvermögens beteiligt oder diese anerkennt.

[illegible]

Dritter Abschnitt. Organisation, Wirtschaftsführung und -prüfung

§ 26 Beteiligung an Sozialeinrichtungen. Anerkennung. [illegible]

636a. Gesetz über die Errichtung einer Bundesanstalt für Post und Telekommunikation Deutsche Bundespost (Bundesanstalt-Post-Gesetz – BAPostG)[1) 2)]

Vom 14. September 1994

(BGBl. I S. 2325)

FNA 900-10-1

zuletzt geänd. durch Art. 3 Zweites G zur Änd. des BundesschuldenwesenG und anderer Gesetze v. 16.7.2021 (BGBl. I S. 3372)

– Auszug –[3)]

Abschnitt 1. Errichtung

§ 1[4)] **Errichtung, Rechtsform, Sitz.** (1) Zur Wahrnehmung der sich aus diesem Gesetz ergebenden Rechte und Pflichten in bezug auf die aus den Teilsondervermögen der Deutschen Bundespost hervorgehenden privaten Unternehmen (Postnachfolgeunternehmen) errichtet die Bundesrepublik Deutschland die Bundesanstalt für Post und Telekommunikation Deutsche Bundespost (Bundesanstalt).

(2) [1]Die Bundesanstalt ist eine rechtsfähige Anstalt des öffentlichen Rechts. [2]Sie hat ihren Sitz in Bonn.

Abschnitt 5.[5)] Dienstrechtliche Aufgaben

§ 18[6)] *(aufgehoben)*

Abschnitt 7. Personal

§ 23[7)] **Beamtinnen und Beamte, Arbeitnehmerinnen und Arbeitnehmer.** (1) Unbeschadet des Rechts, Arbeitnehmerinnen und Arbeitnehmer zu beschäftigen, wird der Bundesanstalt das Recht verliehen, Beamtinnen und Beamte zu haben.

(2) [1]Die Beamtinnen und Beamten der Bundesanstalt sind Bundesbeamtinnen und Bundesbeamte. [2]Oberste Dienstbehörde und oberste Dienstvorgesetzte oder oberster Dienstvorgesetzter ist die Präsidentin oder der Präsident; § 2 Abs. 2 des Postsozialversicherungsorganisationsgesetzes[8)] bleibt unberührt. [3]Die

---

[1)] Verkündet als Art. 1 PostneuordnungsG v. 14.9.1994 (BGBl. I S. 2325); Inkrafttreten gem. Art. 15 dieses G am 1.1.1995.

[2)] *Kurztitel* geänd. mWv 6.6.2015 durch G v. 28.5.2015 (BGBl. I S. 813).

[3)] Vollständig wiedergegeben in **beck-online, Module Arbeitsrecht.**

[4)] § 1 Abs 1 geänd. mWv 1.12.2005 durch G v. 14.9.2005 (BGBl. I S. 2746); Abs. 1 geänd. mWv 6.6.2015 durch G v. 28.5.2015 (BGBl. I S. 813).

[5)] Überschrift Abschnitt 5 neu gef. mWv 6.6.2015 durch G v. 28.5.2015 (BGBl. I S. 813).

[6)] § 18 aufgeh. mWv 1.1.2013 durch G v. 21.11.2012 (BGBl. I S. 2299).

[7)] § 23 neu gef. mWv 1.12.2005 durch G v. 14.9.2005 (BGBl. I S. 2746); Abs. 2 Satz 1 u. 3 geänd. mWv 12.2.2009 durch G v. 5.2.2009 (BGBl. I S. 160); Überschrift und Abs. 1 geänd., Abs. 5 und 7 aufgeh., bish. Abs. 6 wird Abs. 5 mWv 6.6.2015 durch G v. 28.5.2015 (BGBl. I S. 813).

[8)] **beck-online, Module Arbeitsrecht Nr. 636b.**

für die Aufsicht zuständige oberste Bundesbehörde im Sinne des § 144 des Bundesbeamtengesetzes[1)] ist das Bundesministerium der Finanzen. [4]Das Bundesministerium der Finanzen bestimmt nach Anhörung oder auf Vorschlag der Präsidentin oder des Präsidenten, welche Stelleninhaberinnen oder Stelleninhaber unterhalb der Präsidentin oder des Präsidenten die Befugnisse einer oder eines Dienstvorgesetzten für die bei den betrieblichen Sozialeinrichtungen beschäftigten Beamtinnen und Beamten wahrnehmen. [5]Die Bestimmung ist im Bundesgesetzblatt zu veröffentlichen.

(3) [1]Die Bundespräsidentin oder der Bundespräsident ernennt und entlässt die Beamtinnen und Beamten der Bundesbesoldungsordnung B der Bundesanstalt. [2]Die Präsidentin oder der Präsident ernennt und entlässt die Beamtinnen und Beamten der Bundesbesoldungsordnung A.

(4) Bei der Bundesanstalt können die nach § 26 Abs. 1 des Bundesbesoldungsgesetzes[2)] zulässigen Obergrenzen für Beförderungsämter überschritten werden, soweit dies wegen der mit den Funktionen verbundenen Anforderungen erforderlich ist.

(5) [1]Stand einer Beamtin oder einem Beamten vor einer Verwendung bei der Bundesanstalt eine Stellenzulage entsprechend der Vorbemerkung Nummer 7 zu den Besoldungsordnungen A und B des Bundesbesoldungsgesetzes zu, wird diese für die Dauer dieser Verwendung weitergewährt. [2]Anrechnungsvorschriften finden Anwendung.

§ 24[3)] Überleitungsmaßnahmen für das Personal. (1) [1]Die bis zum Zeitpunkt des Inkrafttretens dieses Gesetzes gültigen Tarifverträge der Unternehmen der Deutschen Bundespost POSTDIENST, der Deutschen Bundespost POSTBANK, der Deutschen Bundespost TELEKOM und des Direktoriums der Deutschen Bundespost gelten bis zum Abschluß neuer Tarifverträge auch für die bei der Bundesanstalt Beschäftigten. [2]Für die auf die Bundesanstalt übergeleiteten Beschäftigten werden, soweit erforderlich, Besitzstandsregelungen vereinbart. [3]Für die Beschäftigten der Bundesanstalt werden die Tarifverträge durch die Präsidentin oder den Präsidenten der Bundesanstalt abgeschlossen.

(2) Eine Beamtin oder ein Beamter der Bundesanstalt kann auf Grund einer Einzelentscheidung zu einem Postnachfolgeunternehmen versetzt und dort beschäftigt werden, wenn die Beamtin oder der Beamte und das Postnachfolgeunternehmen zustimmen.

[1)] **Sartorius Nr. 160.**

[2)] **Sartorius Nr. 230.**

[3)] § 24 Abs. 8 und Abs. 9 geänd. mWv 1.7.2001 durch G v. 19.6.2001 (BGBl. I S. 1046); Abs. 1 und 3–10 aufgeh., bish. Abs. 2 wird Abs. 1 und Satz 3 geänd., neuer Abs. 2 angef. mWv 1.12.2005 durch G v. 14.9.2005 (BGBl. I S. 2746); Abs. 2 geänd. mWv 6.6.2015 durch G v. 28.5.2015 (BGBl. I S. 813).

636 b. Gesetz über die Träger der gesetzlichen Sozialversicherung im Bereich der früheren Deutschen Bundespost (Postsozialversicherungsorganisationsgesetz – PostSVOrgG)[1) 2) 3)]

Vom 14. September 1994
(BGBl. I S. 2325)

FNA 900-10-2

zuletzt geänd. durch Art. 6 Abs. 3 G zur Weiterentwicklung des Personalrechts der Beamtinnen und Beamten der früheren Deutschen Bundespost v. 28. 5. 2015 (BGBl. I S. 813)

– Auszug –[4)]

Erster Abschnitt. Unfallversicherung

§ 5[5)] Überleitung des Personals. (1) [1] Die Beamten des Sozialamtes der Deutschen Bundespost und des Bundesamtes für Post und Telekommunikation, die vor der Errichtung der Unfallkasse die Aufgaben nach den §§ 1 und 2 wahrgenommen haben, werden auf die Unfallkasse Post und Telekom übergeleitet. [2] § 24 Absatz 2 des Bundesanstalt-Post-Gesetzes[6)] gilt entsprechend.

(2) Für die Überleitung der Angestellten und Arbeiter gelten Absatz 1 Satz 1 und § 21 Abs. 2 des Postpersonalrechtsgesetzes[7)] entsprechend.

(3) Für die Angestellten und Arbeiter der Unfallkasse gelten vom Zeitpunkt des Inkrafttretens dieses Gesetzes an der Bundesangestelltentarifvertrag – Bund, Länder, Gemeinden – (BAT) oder der Manteltarifvertrag für Arbeiter des Bundes (MTB II).

(4) Für die auf die Unfallkasse übergeleiteten Angestellten und Arbeiter werden, soweit erforderlich, Besitzstandsregelungen vereinbart.

(5) Für die Beamten, Angestellten und Arbeiter der Unfallkasse gelten die §§ 26 bis 28 des Bundesanstalt-Post-Gesetzes[8)] entsprechend.

(6) [1] Die Regelungen des Artikels 9 des Eisenbahnneuordnungsgesetzes[9)] gelten entsprechend für die nach Absatz 1 auf die Unfallkasse Post und Telekom übergeleiteten Beamten. [2] Artikel 9 § 2 Abs. 3 Satz 3 des Eisenbahnneuordnungsgesetzes gilt mit der Maßgabe, daß die Verpflichtungen die Unfallkasse Post und Telekom treffen.

---

1) Verkündet als Art. 2 PTNeuOG v. 14. 9. 1994 (BGBl. I S. 2325); Inkrafttreten gem. Art. 15 dieses G am 1. 1. 1995.

2) Änderungen vor dem 1. 1. 1999 sind nicht in Fußnoten nachgewiesen.

3) **Aufgehoben mWv 1. 1. 2016** durch Art. 16 Abs. 9 G v. 19. 10. 2013 (BGBl. I S. 3836).

4) Vollständig wiedergegeben in **NipperdeyDirekt (online)**.

5) § 5 Abs. 1 Satz 2 und Abs. 5 geänd. mWv 6. 6. 2015 durch G v. 28. 5. 2015 (BGBl. I S. 813).

6) Nr. **636 a**.

7) Nr. **636 d**.

8) **NipperdeyDirekt (online) Nr. 636 a.**

9) Nr. **635 c**.

636d. Gesetz zum Personalrecht der Beschäftigten der früheren Deutschen Bundespost (Postpersonalrechtsgesetz – PostPersRG)[1)]

Vom 14. September 1994
(BGBl. I S. 2325)

FNA 900-10-4

zuletzt geänd. durch Art. 4 G zur Beschleunigung von Disziplinarverfahren in der Bundesverwaltung und zur Änd. weiterer dienstrechtlicher Vorschriften v. 20.12.2023 (BGBl. 2023 I Nr. 389)

Inhaltsübersicht[2)]

---

1) Verkündet als Art. 4 PostneuordnungsG vom 14.9.1994 (BGBl. I S. 2325); Inkrafttreten gem. Art. 15 dieses G am 1.1.1995.

2) Inhaltsübersicht neu gef. mWv 6.6.2015 durch G v. 28.5.2015 (BGBl. I S. 813).

Abschnitt 1. Allgemeine dienstrechtliche Regelungen

§ 1[1)] Dienstrechtliche Zuständigkeiten der Postnachfolgeunternehmen. (1) [1]Die Postnachfolgeunternehmen (§ 38) werden ermächtigt, die dem Dienstherrn Bund obliegenden Rechte und Pflichten gegenüber den bei ihnen beschäftigten Beamten wahrzunehmen, soweit im einzelnen nichts anderes bestimmt ist. [2]Im Rahmen seiner Zuständigkeit vertritt der Vorstand des jeweiligen Postnachfolgeunternehmens die Bundesrepublik Deutschland gerichtlich und außergerichtlich.

(2) Der Vorstand nimmt die Befugnisse der obersten Dienstbehörde sowie des obersten Dienstvorgesetzten und des obersten Vorgesetzten wahr.

(3) Wer die Befugnisse eines Vorgesetzten wahrnimmt, bestimmt sich nach dem Aufbau des Postnachfolgeunternehmens.

(4) [1]Soweit die allgemein geltenden dienstrechtlichen Vorschriften dies zulassen, kann der Vorstand die ihm zustehenden Befugnisse durch allgemeine Anordnung[2)] auf Organisationseinheiten oder Stelleninhaber übertragen, die nach § 3 Abs. 1 die Befugnisse einer Dienstbehörde oder eines Dienstvorgesetzten ausüben. [2]Die Anordnung ist im Bundesgesetzblatt zu veröffentlichen.

(5) [1]Beabsichtigt der Vorstand des Postnachfolgeunternehmens oder ein ihm nachgeordneter Stelleninhaber mit den Befugnissen eines Dienstvorgesetzten, durch Disziplinarverfügung eine Disziplinarmaßnahme zu verhängen oder einem Beamten in einer Einstellungsverfügung ein Dienstvergehen zur Last zu legen, hat er die Verfügung vor ihrem Erlass unverzüglich unter Vorlage der Akten von der Bundesanstalt für Post und Telekommunikation Deutsche Bundespost auf Rechtmäßigkeit und sachgerechte Ausübung des Ermessens prüfen zu lassen. [2]Dem Prüfungsergebnis der Bundesanstalt hat die zuständige Stelle des jeweiligen Postnachfolgeunternehmens Rechnung zu tragen.

(6) [1]Beabsichtigt der Vorstand des Postnachfolgeunternehmens oder ein ihm nachgeordneter Stelleninhaber mit den Befugnissen eines Dienstvorgesetzten,

---

[1)] § 1 Abs. 5 Satz 2 geänd. durch G v. 17.12.1997 (BGBl. I S. 3108), Abs. 3 aufgeh., bish. Abs. 4 bis 8 werden Abs. 3 bis 7, neuer Abs. 4 Satz 1 geänd., Abs. 4 Satz 2 aufgeh., Abs. 4 bish. Satz 3 wird Satz 2 und geänd., Abs. 5 Sätze 1 und 2, Abs. 6 Satz 1 neu gef. mWv 1.1.2002 durch G v. 9.7.2001 (BGBl. I S. 1510); Abs. 6 Satz 1 geänd. mWv 1.12.2005 durch G v. 14.9.2005 (BGBl. I S. 2746); Abs. 6 Satz 1 geänd. mWv 12.2.2009 durch G v. 5.2.2009 (BGBl. I S. 160); Überschrift, Abs. 1 Satz 1 geänd., Satz 3 angef., Abs. 3, Abs. 5 Sätze 1 und 3, Abs. 6 Sätze 1 und 2 geänd. mWv 6.6.2015, Abs. 1 Satz 2 aufgeh., bish. Satz 3 wird Satz 2 mWv 1.1.2016 durch G v. 28.5.2015 (BGBl. I S. 813); Abs. 5 Satz 2 aufgeh., bish. Satz 3 wird Satz 2 mWv 1.4.2024 durch G v. 20.12.2023 (BGBl. 2023 I Nr. 389).

[2)] Siehe die AnO zur Übertragung beamtenrechtlicher Befugnisse für den Bereich der Deutschen Telekom AG v. 15.11.2016 (BGBl. I S. 2638), aufgeh. durch AO v. 9.7.2019 (BGBl. I S. 1112) und für den Bereich der Deutschen Post AG v. 3.12.2015 (BGBl. I S. 2189).

einen Beamten gemäß § 32 Abs. 1 Nr. 2, § 34 Abs. 1 bis 3, § 36 oder § 37 des Bundesbeamtengesetzes[1)] zu entlassen, gemäß § 44 oder § 49 des Bundesbeamtengesetzes in den Ruhestand zu versetzen oder die Arbeitszeit eines Beamten wegen begrenzter Dienstfähigkeit gemäß § 45 des Bundesbeamtengesetzes herabzusetzen, hat er seine Entscheidung vor ihrem Erlass unverzüglich unter Vorlage der Akten von der Bundesanstalt für Post und Telekommunikation Deutsche Bundespost auf Rechtmäßigkeit prüfen zu lassen. [2]Dem Prüfungsergebnis der Bundesanstalt hat die zuständige Stelle des jeweiligen Postnachfolgeunternehmens Rechnung zu tragen.

(7) [1]Der Arbeitsdirektor (§ 33 des Mitbestimmungsgesetzes[2)]) nimmt in Personalunion die personellen und sozialen Angelegenheiten der Beamten wahr. [2]§ 20 Abs. 3 Satz 1 bleibt unberührt. [3]Der Vorstand kann seine ihm nach diesem Gesetz oder auf Grund dieses Gesetzes obliegenden Befugnisse von dem Arbeitsdirektor oder im Falle des § 20 Abs. 3 Satz 2 von dem für diese Angelegenheiten zuständigen anderen Vorstandsmitglied wahrnehmen lassen. [4]Beschlüsse des Vorstands, die mit dienstrechtlichen Bestimmungen nicht vereinbar sind, binden das Vorstandsmitglied nicht.

§ 2[3)] Rechtsverhältnisse der Beamten, Zahlungs- und Kostentragungspflicht. (1) Die Beamten werden bei dem Postnachfolgeunternehmen beschäftigt,

1. bei dem sie am 5. Juni 2015 beschäftigt sind oder
2. dem sie nach dem 5. Juni 2015 durch eine Rechtsverordnung nach § 38 Absatz 2 Satz 4 oder durch eine Einzelentscheidung zugeordnet werden.

(2) [1]Die bei den Postnachfolgeunternehmen beschäftigten Beamten sind Bundesbeamte. [2]Auf sie sind die für Beamte des Bundes geltenden Vorschriften anzuwenden, soweit nicht gesetzlich etwas anderes bestimmt ist. [3]Ihre Ansprüche gegenüber dem Dienstherrn richten sich gegen die Bundesrepublik Deutschland.

(3) [1]Die Zahlungs- und Kostentragungspflichten für vermögensrechtliche Ansprüche obliegen dem Postnachfolgeunternehmen, bei dem die Beamten beschäftigt sind. [2]Werden diese Pflichten nicht erfüllt und wird die Bundesrepublik Deutschland durch einen Beamten auf Zahlung in Anspruch genommen, so hat das Postnachfolgeunternehmen der Bundesrepublik Deutschland die von ihr geleisteten Zahlungen zu erstatten.

§ 3[4)] Dienstrechtliche Zuständigkeiten des Bundesministeriums der Finanzen. (1) [1]Das Bundesministerium der Finanzen bestimmt nach Anhö-

---

[1)] **Sartorius Nr. 160.**

[2)] Nr. **560.**

[3)] § 2 neu gef. mWv 6.6.2015 durch G v. 28.5.2015 (BGBl. I S. 813).

[4)] § 3 Abs. 4 geänd., Abs. 5 eingef., bish. Abs. 5 bis 8 werden Abs. 6 bis 9 durch G v. 29.6.1998 (BGBl. I S. 1666); Abs. 3 aufgeh., bish. Abs. 4 bis 9 werden Abs. 3 bis 8, neuer Abs. 4 Sätze 1 und 2 geänd. mWv 1.1.2002 durch G v. 9.7.2001 (BGBl. I S. 1510); Abs. 1 Satz 1, Abs. 2 Satz 2, Abs. 3 Satz 1, Abs. 4 Satz 1, Abs. 7, Abs. 8, Abs. 9 geänd. mWv 7.11.2001 durch VO v. 29.10.2001 (BGBl. I S. 2785); Abs. 1 Satz 3 neu gef., Abs. 5 eingef., bish. Abs. 5 bis 8 werden Abs. 6 bis 9 mWv 13.11. 2004 durch G v. 9.11.2004 (BGBl. I S. 2774); Überschrift und Abs. 3 geänd. mWv 1.12.2005 durch G v. 14.9.2005 (BGBl. I S. 2746); Abs. 2 Satz 3, Abs. 3 Satz 1 Nr. 1 und 2, Abs. 4 Satz 1, Abs. 5 geänd. mWv 12.2.2009 durch G v. 5.2.2009 (BGBl. I S. 160); Abs. 1 Satz 1, Abs. 3 Satz 1 Nr. 2 geänd., Nr. 3 angef. mWv 1.1.2013 durch G v. 21.11.2012 (BGBl. I S. 2299); Abs. 1 Satz 1 neu gef., Satz 3, Abs. 2 Sätze 1 und 2, Abs. 3 Satz 1 einl. Satzteil und Nr. 2 geänd., Nr. 3 eingef., bish. Nr. 3 →

rung oder auf Vorschlag des Vorstands durch allgemeine Anordnung[1]), welche Organisationseinheiten unterhalb des Vorstands die Befugnisse einer Dienstbehörde wahrnehmen und welche Stelleninhaber die Befugnisse eines Dienstvorgesetzten wahrnehmen. [2] Die Bestimmung ist im Bundesgesetzblatt zu veröffentlichen. [3] In dienstrechtlicher Hinsicht ist höchstens ein dreistufiger Aufbau des Postnachfolgeunternehmens zulässig.

(2) [1] Der Bundespräsident ernennt und entläßt die bei den Postnachfolgeunternehmen beschäftigten Beamten der Bundesbesoldungsordnung B. [2] Das Bundesministerium der Finanzen ernennt und entläßt die bei den Postnachfolgeunternehmen beschäftigten Beamten der Bundesbesoldungsordnung A. [3] Die Begründung von Beamtenverhältnissen nach § 10 Abs. 1 Nr. 1 des Bundesbeamtengesetzes[2]) ist nicht zulässig; dies gilt nicht für die erneute Berufung in das Beamtenverhältnis nach § 46 des Bundesbeamtengesetzes. [4] Das Bundesministerium der Finanzen kann seine Befugnisse nach den Sätzen 2 und 3 auf den Vorstand und nach dessen Anhörung oder auf dessen Vorschlag auf Stelleninhaber mit den Befugnissen eines Dienstvorgesetzten übertragen.

(3) [1] Das Bundesministerium der Finanzen wird ermächtigt, nach Anhörung oder auf Vorschlag des Vorstands, soweit die Eigenart des jeweiligen Dienstes oder die Aufrechterhaltung der Dienstleistungen des Postnachfolgeunternehmens es erfordern, durch Rechtsverordnung für die bei dem Postnachfolgeunternehmen beschäftigten Beamten

1. im Einvernehmen mit dem Bundesministerium des Innern, für Bau und Heimat in sinngemäßer Anwendung des § 26 Absatz 1 des Bundesbeamtengesetzes die Laufbahnen selbständig zu gestalten und Ausnahmeregelungen zu treffen,[3])
2. nach Maßgabe des § 87 Abs. 3 des Bundesbeamtengesetzes besondere Arbeitszeitvorschriften zu erlassen[4]), Vorschriften über die regelmäßige wöchentliche Arbeitszeit jedoch nur im Einvernehmen mit dem Bundesministerium des Innern, für Bau und Heimat,
3. die überjährige Ansparung von Arbeitszeitguthaben auf personenbezogenen Lebensarbeitszeitkonten, die Verwendung der Guthaben für flexible Freistellungsphasen und die finanzielle Abgeltung der Guthaben zu regeln sowie
4. im Einvernehmen mit dem Bundesministerium des Innern, für Bau und Heimat die Voraussetzungen für die Bewilligung von Altersteilzeit – auch in

---

(Fortsetzung der Anm. von voriger Seite)
wird Nr. 4, Abs. 4 Satz 1 und Abs. 5 geänd., Abs. 6 aufgeh., bish. Abs. 7–9 werden Abs. 6–8 und geänd., Abs. 9 angef. mWv 6.6.2015 durch G v. 28.5.2015 (BGBl. I S. 813); Abs. 4 Satz 1 geänd. mWv 1.1.2017 durch G v. 27.6.2017 (BGBl. I S. 1944); Abs. 3 Satz 1 Nr. 1, 2 und 4 geänd. mWv 27.6.2020 durch VO v. 19.6.2020 (BGBl. I S. 1328); Abs. 3 Satz 1 Nr. 1 und Abs. 4 Satz 1 geänd. mWv 7.7.2021 durch G v. 28.6.2021 (BGBl. I S. 2250).

[1]) Siehe u.a. die AnO zur Übertragung dienstrechtlicher Befugnisse im Bereich der Deutschen Post AG v. 12.11.2015 (BGBl. I S. 2006) und der Deutschen Telekom AG v. 7.6.2019 (BGBl. I S. 886), geänd. durch AO v. 16.4.2021 (BGBl. I S. 800).

[2]) **Sartorius Nr. 160.**

[3]) Siehe die PostlaufbahnVO v. 12.1.2012 (BGBl. I S. 90), zuletzt geänd. durch VO v. 19.6.2020 (BGBl. I S. 1328).

[4]) Siehe die Post-ArbeitszeitVO 2003 v. 9.12.2003 (BGBl. I S. 2495), zuletzt geänd. durch VO v. 7.12.2015 (BGBl. I S. 2204), die Telekom-ArbeitszeitVO 2000 v. 23.6.2000 (BGBl. I S. 931), zuletzt geänd. durch VO v. 12.10.2015 (BGBl. I S. 1685) und die PostbankarbeitszeitVO v. 20.6.2005 (BGBl. I S. 1725), zuletzt geänd. durch VO v. 28.11.2018 (BGBl. I S. 2271).

Form der Blockbildung im Sinne des § 9 der Arbeitszeitverordnung[1)] – abweichend von § 93 des Bundesbeamtengesetzes[2)] festzulegen.

[2] Die Rechtsverordnungen bedürfen nicht der Zustimmung des Bundesrates.

(4) [1] Das Bundesministerium der Finanzen wird ermächtigt, nach Anhörung oder auf Vorschlag des Vorstands durch Rechtsverordnung für die bei dem Postnachfolgeunternehmen beschäftigten Beamten die besonderen Vorschriften für die einzelnen Laufbahnen in sinngemäßer Anwendung des § 26 Absatz 2 des Bundesbeamtengesetzes zu erlassen. [2] Absatz 3 Satz 2 gilt entsprechend.

(5) Das Bundesministerium der Finanzen wird ermächtigt, nach Anhörung oder auf Vorschlag des Vorstands durch Rechtsverordnung, die nicht der Zustimmung des Bundesrates bedarf, nach Maßgabe des § 84 des Bundesbeamtengesetzes für die bei den Postnachfolgeunternehmen beschäftigten Beamten besondere Vorschriften zur Gewährung einer Jubiläumszuwendung als Entgelt, Sachbezug oder in Form anderer Vergünstigungen zu erlassen, die den von den Postnachfolgeunternehmen für die Arbeitnehmer in Betriebsvereinbarungen mit dem Gesamtbetriebsrat oder dem Konzernbetriebsrat oder in Tarifverträgen getroffenen Regelungen entsprechen[3)].

(6) Das Bundesministerium der Finanzen kann in den Fällen, in denen nach dem Bundesbeamtengesetz und dem Beamtenversorgungsgesetz[4)] in Verbindung mit Regelungen dieses Gesetzes der Vorstand oder eine Organisationseinheit des Postnachfolgeunternehmens die Entscheidung hat, sich diese Entscheidung vorbehalten oder die Entscheidung von seiner vorherigen Genehmigung abhängig machen; auch kann es verbindliche Grundsätze für die Entscheidung aufstellen.

(7) Im Rahmen der Geschäftsverteilung der Bundesregierung gehören die bei den Postnachfolgeunternehmen beschäftigten Beamten zum Geschäftsbereich des Bundesministeriums der Finanzen.

(8) Soweit sich durch dieses Gesetz oder auf Grund dieses Gesetzes nichts anderes ergibt, liegen die dienstrechtlichen Zuständigkeiten für die bei den Postnachfolgeunternehmen beschäftigten Beamten beim Bundesministerium der Finanzen.

(9) Die bei den Postnachfolgeunternehmen beschäftigten Beamten können ohne Einhaltung des Dienstwegs Eingaben an das Bundesministerium der Finanzen richten.

[1)] **beck-online, Module Arbeitsrecht Nr. 350b.**

[2)] **Sartorius Nr. 230.**

[3)] Siehe die Telekom-JubiläumsVO v. 21.6.2005 (BGBl. I S. 1791), geänd. durch VO v. 12.10.2015 (BGBl. I S. 1685).

[4)] **Sartorius Nr. 155.**

§ 4[1] Beamtenrechtliche Regelungen. (1) Die berufliche Tätigkeit der Beamten gilt als Dienst.

(2) [1]Beamten, die bei einem Postnachfolgeunternehmen beschäftigt sind, kann auf Antrag Sonderurlaub unter Wegfall der Besoldung gewährt werden

1. zur Wahrnehmung einer beruflichen Tätigkeit bei einem Postnachfolgeunternehmen oder bei einem Unternehmen nach Absatz 4 Satz 2 oder
2. zur Aufnahme eines sonstigen privatrechtlichen Beschäftigungsverhältnisses, wenn eine dem Amt angemessene Verwendung bei dem Postnachfolgeunternehmen oder bei einem Unternehmen nach Absatz 4 Satz 2 nicht möglich oder aus betrieblichen Gründen nicht zweckmäßig ist.

[2]Die Beurlaubung dient dienstlichen Interessen. [3]Sie steht einer Beförderung im Rahmen einer regelmäßigen Laufbahnentwicklung nicht entgegen. [4]Die Zeit der Beurlaubung ist ruhegehaltfähig; in den Fällen des Satzes 1 Nummer 1 kann auf die Erhebung eines Versorgungszuschlags verzichtet werden. [5]Die Beurlaubung ist zu befristen. [6]Verlängerungen sind zulässig. [7]Die Beurlaubung kann in entsprechender Anwendung des § 24 der Sonderurlaubsverordnung[2] widerrufen werden. [8]Beurlaubungen aus anderen Gründen bleiben unberührt.

(3) [1]Beamten mit Dienstbezügen in Bereichen mit Personalüberhang kann zum Zwecke der Begründung eines anderen Dienstverhältnisses oder zur Aufnahme eines Beschäftigungsverhältnisses, soweit eine anderweitige Verwendung nicht möglich oder nicht zumutbar ist, auf Antrag Sonderurlaub unter Fortzahlung der Dienstbezüge gewährt werden. [2]Die Beurlaubung dient dienstlichen Interessen. [3]Der Urlaub kann bis zu einer Dauer von fünf Jahren bewilligt werden. [4]Eine Verlängerung ist bis zu drei Jahren möglich.

(4) [1]Dem Beamten kann mit seiner Zustimmung vorübergehend eine Tätigkeit bei einem Unternehmen zugewiesen werden, wenn das Postnachfolgeunternehmen, bei dem er beschäftigt ist, hieran ein dringendes betriebliches oder personalwirtschaftliches Interesse hat. [2]Eine dauerhafte Zuweisung einer dem Amt entsprechenden Tätigkeit ist zulässig, wenn die Zuweisung nach allgemeinen beamtenrechtlichen Grundsätzen zumutbar ist und die Zuweisung der Tätigkeit bei einem Unternehmen erfolgt,

(Fortsetzung nächstes Blatt)

---

[1] § 4 Abs. 5 geänd., Satz 2 angef. und Abs. 6 neuer Satz 3 eingef. durch G v. 17.12.1997 (BGBl. I S. 3108); Abs. 5 aufgeh., bish. Abs. 6 wird Abs. 5 mWv 1.1.2002 durch G v. 9.7.2001 (BGBl. I S. 1510); Abs. 4 aufgeh. mWv 1.1.2002 durch G v. 20.12.2001 (BGBl. I S. 3926); Abs. 3 Satz 2 neu gef., Satz 3 eingef., bish. Sätze 3 bis 6 werden Sätze 4 bis 7 und Satz 8 angef., Abs. 3a eingef., Abs. 4 neu gef. mWv 13.11.2004 durch G v. 9.11.2004 (BGBl. I S. 2774); Abs. 4 Satz 9 geänd. mWv 1.12. 2005 durch G v. 14.9.2005 (BGBl. I S. 2746); Abs. 2 aufgeh. mWv 12.2.2009, Abs. 3 Satz 7 neu gef. mWv 1.7.2009 durch G v. 5.2.2009 (BGBl. I S. 160); Abs. 4 neu gef., Abs. 5 aufgeh. mWv 1.1.2013 durch G v. 21.11.2012 (BGBl. I S. 2299); Abs. 3 wird Abs. 2 und neu gef., Abs. 3a wird Abs. 3 und Sätze 3 und 4 geänd., Abs. 4 Satz 1, Satz 2 Nr. 1 und 3 geänd., Satz 3 eingef., bish. Sätze 3–9 werden Sätze 4–10, Abs. 5 angef. mWv 6.6.2015 durch G v. 28.5.2015 (BGBl. I S. 813); Abs. 2 Satz 7 geänd. mWv 1.1.2017 durch G v. 27.6.2017 (BGBl. I S. 1944).

[2] **Sartorius Nr. 173.**

1. dessen Anteile ganz oder mehrheitlich dem Postnachfolgeunternehmen gehören,
2. dessen Anteile ganz oder mehrheitlich Unternehmen nach Nummer 1 gehören,
3. dem die Anteile des Postnachfolgeunternehmens ganz oder mehrheitlich gehören oder
4. dessen Anteile ganz oder mehrheitlich Unternehmen nach Nummer 3 gehören.

[3] Unter den in § 6 genannten Voraussetzungen kann dem Beamten vorübergehend auch eine Tätigkeit zugewiesen werden, deren Wertigkeit einem Amt mit geringerem Endgrundgehalt entspricht. [4] Für die Zuweisung einer Tätigkeit nach Satz 2 Nummer 3 oder Nummer 4 sowie für die Zuweisung einer Tätigkeit im Ausland bedarf es der Zustimmung des Beamten. [5] Wird die nach Satz 2 erforderliche Mehrheit der Anteile aufgegeben, gilt für Beamte, denen eine Tätigkeit zugewiesen ist, Satz 1 mit der Maßgabe, dass die fehlende Zustimmung ausdrücklich erklärt werden muss; eine dauerhafte Zuweisung ist in eine vorübergehende umzuwandeln. [6] Die Rechtsstellung des Beamten bleibt unberührt. [7] Die Zuweisung steht einer Beförderung im Rahmen einer regelmäßigen Laufbahnentwicklung nicht entgegen. [8] Das Unternehmen ist zur Erteilung von Anordnungen befugt, soweit die Tätigkeit im Unternehmen es erfordert. [9] § 106 Absatz 2 Satz 3 des Bundesbeamtengesetzes[1)] gilt bei dauerhafter Zuweisung einer Tätigkeit entsprechend, soweit der Betriebsablauf des Unternehmens oder Zwecke der Personalbewirtschaftung die Führung von Nebenakten erfordern. [10] Erhält ein Beamter im Rahmen seiner Verwendung bei dem Unternehmen anderweitige Bezüge, gilt § 10 Absatz 3 entsprechend.

(5) Die Beamten können nach den allgemeinen beamtenrechtlichen Vorschriften zu einem anderen Postnachfolgeunternehmen oder zu einer Dienststelle der öffentlichen Verwaltung abgeordnet oder versetzt werden.

§ 5[2)] Berufliches Fortkommen. (1) Kein Beamter darf wegen seiner Rechtsstellung oder wegen der sich aus seinem Beamtenverhältnis ergebenden Rechte und Pflichten in seiner beruflichen Tätigkeit oder seinem beruflichen Fortkommen benachteiligt werden.

(2) Alle freien und besetzbaren Arbeitsposten sollen einschließlich ihrer Zuordnung zu Besoldungsgruppen ausgeschrieben werden.

(3) Entscheidungen über das berufliche Fortkommen sind auch dann nur nach Eignung, Befähigung und fachlicher Leistung zu treffen, wenn Beamte und Arbeitnehmer zur Auswahl stehen.

(4) Wenn im Streitfall der Beamte Tatsachen glaubhaft macht, die eine Benachteiligung wegen seines Beamtenstatus vermuten lassen, trägt das Postnachfolgeunternehmen die Beweislast dafür, daß nicht auf den Beamtenstatus bezogene sachliche Gründe eine unterschiedliche Behandlung rechtfertigen oder ein Status unverzichtbare Voraussetzung für die auszuübende Tätigkeit ist.

[1)] **Sartorius Nr. 230.**
[2)] § 5 Abs. 4 geänd. mWv 6.6.2015 durch G v. 28.5.2015 (BGBl. I S. 813).

§ 6[1] Verwendung auf einem Arbeitsposten mit geringerer Wertigkeit. [1] Ein Beamter kann unter Belassung seiner Amtsbezeichnung und unter Fortzahlung der Dienstbezüge vorübergehend auf einem Arbeitsposten verwendet werden, dessen Wertigkeit einem Amt mit geringerem Endgrundgehalt entspricht, wenn betriebliche Gründe es erfordern und die Tätigkeit auf Grund der Vorbildung oder Berufsausbildung zumutbar ist. [2] Die Verwendung steht einer Beförderung im Rahmen einer regelmäßigen Laufbahnentwicklung nicht entgegen. [3] Wenn die Verwendung länger als zwei Jahre dauert, bedarf sie der Zustimmung des Beamten.

§ 7[2] Haftung. (1) Soweit die Haftung des Postnachfolgeunternehmens ausgeschlossen oder beschränkt ist, stehen demjenigen, der ihre Einrichtungen in Anspruch nimmt, oder anderen Personen Schadenersatzansprüche gegen die beteiligten Beamten nur zu, wenn diese ihre beruflichen Pflichten vorsätzlich verletzt haben.

(2) Der Beamte haftet dem Postnachfolgeunternehmen für den dieser entstandenen Schaden entsprechend § 75 des Bundesbeamtengesetzes[3].

Abschnitt 2. Besoldungsrechtliche Regelungen

§ 8[4] Ämterbewertung. [1] § 18 des Bundesbesoldungsgesetzes[5] findet mit der Maßgabe Anwendung, daß gleichwertige Tätigkeiten bei den Postnachfolgeunternehmen als amtsgemäße Funktionen gelten. [2] Eine Tätigkeit kann bis zu fünf Ämtern zugeordnet werden.

§ 9[6] Stellenplan. (1) Das Postnachfolgeunternehmen stellt für jedes Geschäftsjahr im voraus einen Stellenplan auf, der der Genehmigung des Bundesministeriums der Finanzen bedarf.

(2) Bei den Postnachfolgeunternehmen können die nach § 26 Absatz 1 des Bundesbesoldungsgesetzes[5] oder die in einer Rechtsverordnung nach § 26 Absatz 3 des Bundesbesoldungsgesetzes zulässigen Obergrenzen für Beförderungsämter nach Maßgabe sachgerechter Bewertung überschritten werden.

(3) Absatz 2 gilt entsprechend für die Obergrenze nach Fußnote 5 zur Besoldungsgruppe A 6.

(4) [1] Einem Beamten darf ein Amt nur zusammen mit der Einweisung in eine besetzbare Planstelle verliehen werden. [2] Wer als Beamter befördert wird,

---

[1] § 6 neu gef. mWv 6.6.2015 durch G v. 28.5.2015 (BGBl. I S. 813).

[2] § 7 Abs. 2 geänd. mWv 12.2.2009 durch G v. 5.2.2009 (BGBl. I S. 160); Abs. 1 und 2 geänd. mWv 6.6.2015 durch G v. 28.5.2015 (BGBl. I S. 813).

[3] **Sartorius Nr. 160.**

[4] § 8 Satz 2 angef. mWv 1.1.2013 durch G v. 11.6.2013 (BGBl. I S. 1514); Satz 1 geänd. mWv 6.6.2015 durch G v. 28.5.2015 (BGBl. I S. 813).

[5] **Sartorius Nr. 230.**

[6] § 9 Abs. 4 eingef., bish. Abs. 4 wird Abs. 5 durch G v. 17.12.1997 (BGBl. I S. 3108); Abs. 1 Satz 1 und Abs. 3 geänd. mWv 7.11.2001 durch VO v. 29.10.2001 (BGBl. I S. 2785); Abs. 1 Satz 2 aufgeh., Abs. 2 und 3 neu gef., Abs. 4 aufgeh., bish. Abs. 5 wird Abs. 4 mWv 1.1.2013 durch G v. 21.11.2012 (BGBl. I S. 2299); Abs. 1 und Abs. 2 geänd. mWv 6.6.2015 durch G v. 28.5.2015 (BGBl. I S. 813).

kann nach den für die Bundesbeamten geltenden Regelungen rückwirkend in eine Planstelle eingewiesen werden.

§ 10[1] **Besoldungsrechtliche Sonderregelungen.** (1) Das Bundesministerium der Finanzen wird ermächtigt, nach Anhörung des Vorstands durch Rechtsverordnung[2], die nicht der Zustimmung des Bundesrates bedarf, zu bestimmen, ob und inwieweit Sonderzahlungen, leistungsbezogene Besoldungselemente, widerrufliche Vergütungen für Tätigkeiten auf besonders schwierigen Arbeitsposten und Zuschläge zur Besoldung bei Altersteilzeit an die dort beschäftigten Beamten gewährt werden.

(2) Leistungszulagen und Leistungsprämien nach der Bundesleistungsbesoldungsverordnung dürfen nicht vergeben werden.

(3) [1] Erhält ein Beamter im Rahmen seiner Verwendung bei einem Postnachfolgeunternehmen anderweitige Bezüge, werden diese auf die Besoldung angerechnet. [2] In besonderen Fällen kann das Bundesministerium der Finanzen von der Anrechnung ganz oder teilweise absehen.

(4) [1] Stand einem Beamten bis zum Inkrafttreten dieses Gesetzes eine Stellenzulage entsprechend der Vorbemerkung Nummer 7 der Anlage I zum Bundesbesoldungsgesetz zu, wird diese weitergewährt, solange er bei der obersten Organisationseinheit des Postnachfolgeunternehmens beschäftigt ist. [2] Anrechnungsvorschriften finden Anwendung.

(5) Im Rahmen des § 52 Abs. 3 Satz 2 des Bundesbesoldungsgesetzes[3] steht die Zuweisung nach § 4 Abs. 4 der Zuweisung nach § 29 des Bundesbeamtengesetzes[4] gleich.

(6) Wird einem Beamten Sonderurlaub unter Fortzahlung der Dienstbezüge zum Zwecke der Begründung eines anderen Dienstverhältnisses oder zur Aufnahme eines Beschäftigungsverhältnisses nach § 4 Absatz 3 gewährt, sind Einkünfte aus diesem anderen Dienstverhältnis oder Beschäftigungsverhältnis als Bruttobetrag auf die Dienstbezüge anzurechnen.

---

[1] § 10 Abs. 1 Satz 3 und 4 geänd. durch G v. 17.12.1997 (BGBl. I S. 3108); Abs. 1 Satz 1, Abs. 3 Satz 2 geänd. mWv 7.11.2001 durch VO v. 29.10.2001 (BGBl. I S. 2785); Abs. 1 bis 3 neu gef., bish. Abs. 3 und 4 werden Abs. 4 und 5, Abs. 6 und 7 angef. mWv 13.11.2004 durch G v. 9.11. 2004 (BGBl. I S. 2774); Abs. 2 geänd. mWv 1.12.2005 durch G v. 14.9.2005 (BGBl. I S. 2746); Abs. 6 geänd. mWv 12.2.2009, Abs. 6 geänd. mWv 1.7.2010 durch G v. 5.2.2009 (BGBl. I S. 160); Abs. 1 aufgeh., bish. Abs. 2 und 3 werden Abs. 1 und 2 und geänd., bish. Abs. 4–7 werden Abs. 3–6 mWv 1.1.2013 durch G v. 21.11.2012 (BGBl. I S. 2299); Abs. 3, Abs. 4 Satz 1 und Abs. 6 geänd. mWv 6.6.2015 durch G v. 28.5.2015 (BGBl. I S. 813); Abs. 1 und Abs. 3 Satz 2 geänd. mWv 1.1. 2017 durch G v. 27.6.2017 (BGBl. I S. 1944).

[2] Siehe u.a. die PostsonderzahlungsVO v. 15.8.2007 (BGBl. I S. 2120), zuletzt geänd. durch VO v. 11.9.2015 (BGBl. I S. 1572) und die Telekom-SonderzahlungsVO v. 26.6.2013 (BGBl. I S. 1925), geänd. durch VO v. 12.10.2015 (BGBl. I S. 1685), die PostleistungsentgeltVO v. 12.12. 2005 (BGBl. I S. 3475), zuletzt geänd. durch VO v. 7.12.2015 (BGBl. I S. 2204) sowie die PNU-Prämien- und -zulagenVO v. 30.9.2013 (BGBl. I S. 3737).

[3] **Sartorius Nr. 230.**

[4] **Sartorius Nr. 160.**

§ 11[1] **Belohnungen, Aufwandsentschädigungen.** (1) [1] Der Vorstand kann mit Zustimmung des Bundesministeriums der Finanzen für die bei dem Postnachfolgeunternehmen beschäftigten Beamten Richtlinien für die Gewährung von Belohnungen als Anerkennung für Leistungen und Erfolge in Form von Sachbezügen erlassen. [2] Die Belohnungen werden nicht auf die Besoldung angerechnet.

(2) Der Vorstand kann für die bei dem Postnachfolgeunternehmen beschäftigten Beamten Richtlinien für die Erstattung von Aufwendungen erlassen, die aus dienstlicher Veranlassung entstehen.

Abschnitt 3.[2] Reise- und umzugskostenrechtliche Regelungen

§ 12[3] **Reise- und umzugskostenrechtliche Sonderregelungen.** [1] Der Vorstand wird ermächtigt, für die bei den Postnachfolgeunternehmen beschäftigten Beamten von den reise- und umzugskostenrechtlichen Bestimmungen des Bundes abweichende Regelungen zu erlassen. [2] Dabei dürfen die Bestimmungen, die für die bei den Postnachfolgeunternehmen tätigen vergleichbaren Arbeitnehmer gelten, nicht überschritten werden.

§ 13[4] (weggefallen)

Abschnitt 4. Versorgungs- und beihilferechtliche Regelungen

§ 14[5] **Grundsätze.** (1) § 2 Absatz 2 und 3 gilt entsprechend für:

1. Ruhestandsbeamte, Versorgungsempfänger und frühere Beamte
   a) des ehemaligen Sondervermögens Deutsche Bundespost,
   b) des ehemaligen Teilsondervermögens Deutsche Bundespost POSTDIENST,
   c) des ehemaligen Teilsondervermögens Deutsche Bundespost POSTBANK und
   d) des ehemaligen Teilsondervermögens Deutsche Bundespost TELEKOM,
2. Beschäftigte der Postnachfolgeunternehmen, denen aus einem Beamtenverhältnis Ansprüche auf Versorgung zustehen, und
3. Hinterbliebene der in den Nummern 1 und 2 genannten Personen.

(2) Zur Finanzierung der Ansprüche der in Absatz 1 genannten Personen auf beamtenrechtliche Versorgung sowie Beihilfe in Krankheits-, Pflege- und

---

[1] § 11 Abs. 1 geänd. mWv 7.11.2001 durch VO v. 29.10.2001 (BGBl. I S. 2785); Abs. 1 Sätze 2 und 3 angef. mWv 13.11.2004 durch G v. 9.11.2004 (BGBl. I S. 2774); Überschrift geänd., Abs. 1 neu gef. mWv 1.1.2013 durch G v. 21.11.2012 (BGBl. I S. 2299); Abs. 1 Satz 1 und Abs. 2 geänd. mWv 6.6.2015 durch G v. 28.5.2015 (BGBl. I S. 813).

[2] Abschnitt 3 Überschrift neu gef. mWv 6.6.2015 durch G v. 28.5.2015 (BGBl. I S. 813).

[3] § 12 neu gef. durch G v. 17.12.1997 (BGBl. I S. 3108); Überschrift neu gef., Sätze 1 und 2 geänd. mWv 6.6.2015 durch G v. 28.5.2015 (BGBl. I S. 813).

[4] § 13 aufgeh. mWv 1.4.2005 durch G v. 23.3.2005 (BGBl. I S. 931).

[5] § 14 neu gef. mWv 1.1.2016 durch G v. 28.5.2015 (BGBl. I S. 813).

Geburtsfällen leisten die Postnachfolgeunternehmen nach Maßgabe des § 16 Beiträge an die Postbeamtenversorgungskasse.

(3) [1] Unbeschadet des Absatzes 1 übernimmt die Bundesrepublik Deutschland die Gewährshaftung für

1. die Versorgungsansprüche, die sich ergeben aus den Amtsverhältnissen nach § 19 Absatz 1 in der bis zum 5. Juni 2015 geltenden Fassung sowie aus den nach § 19 Absatz 2 Satz 1 in der bis zum 5. Juni 2015 geltenden Fassung sinngemäß weitergeltenden Verträgen,
2. die beamtenrechtlich ausgestalteten Versorgungsansprüche, die sich aus Verträgen nach § 19 Absatz 3 in der bis zum 5. Juni 2015 geltenden Fassung ergeben, und
3. die vor dem 1. Januar 1995 aus dem Tarifvertrag für die Postbetriebsärzte entstandenen Versorgungsansprüche.

[2] Vertragsverlängerungen durch die Postnachfolgeunternehmen bleiben hierbei unberücksichtigt.

§ 15[1)] Postbeamtenversorgungskasse. (1) [1] Die Postbeamtenversorgungskasse erbringen Versorgungs- und Beihilfeleistungen an frühere Beamte des ehemaligen Sondervermögens Deutsche Bundespost, des ehemaligen Teilsondervermögens Deutsche Bundespost POSTDIENST, des ehemaligen Teilsondervermögens Deutsche Bundespost POSTBANK und des ehemaligen Teilsondervermögens Deutsche Bundespost TELEKOM sowie Beschäftigte der Postnachfolgeunternehmen, denen aus einem Beamtenverhältnis Ansprüche auf Versorgung zustehen, und deren Hinterbliebene. [2] Ansprüche auf Leistungen bestehen gegenüber den Postbeamtenversorgungskasse nicht. [3] Die Ansprüche gegenüber dem Bund bleiben unberührt.

(2) [1] Die Postbeamtenversorgungskasse ist von der Körperschaftsteuer, der Gewerbesteuer und der Vermögensteuer befreit. [2] Beiträge an die Postbeamtenversorgungskasse sind Betriebsausgaben; § 4d des Einkommensteuergesetzes[2)] ist nicht anzuwenden.

§ 16[3)] Finanzierung der Postbeamtenversorgungskasse. (1) [1] Ab dem Jahre 2000 leisten die Postnachfolgeunternehmen zur Erfüllung ihrer Ver-

---

[1)] § 15 Abs. 3 neu gef. durch G v. 17.12.1997 (BGBl. I S. 3108); Überschrift, Abs. 1 Sätze 1 und 2 geänd., Abs 2 aufgeh., bish. Abs. 3 wird Abs. 2, Abs. 2 Sätze 1 und 2 geänd. mWv 13.11. 2004 durch G v. 9.11.2004 (BGBl. I S. 2774); Abs. 1 Satz 1 und Abs. 2 Satz 2 geänd. mWv 6.6. 2015 durch G v. 28.5.2015 (BGBl. I S. 813).

[2)] **beck-online, Module Arbeitsrecht Nr. 331.**

[3)] § 16 Abs. 1 Satz 3 und 4, Abs. 4 Satz 2 angef., Abs. 2 neuer Satz 2 und 3, Abs. 5 und 6 eingef., bish. Abs. 5 wird Abs. 7 durch G v. 17.12.1997 (BGBl. I S. 3108); Abs. 4 Satz 2, Abs. 5 Satz 2 geänd. mWv 7.11.2001 durch VO v. 29.10.2001 (BGBl. I S. 2785); Überschrift geänd., Abs. 1 aufgeh., bish. Abs. 2 bis 7 werden Abs. 1 bis 6, Abs. 1 Satz 1 geänd., Satz 2 angef., Satz 3 aufgeh., bish. Satz 2 wird Satz 3, Sätze 4 bis 7 angef., bish. Satz 4 wird Satz 8, Abs. 2 geänd., Abs. 3 Sätze 1 und 2 geänd., Abs. 4 Satz 1 neu gef., Abs. 5 Satz 1 Nrn. 1 und 2 geänd., bish. Wortlaut wird Satz 1, Satz 2 angef., Abs. 6 geänd. mWv 13.11.2004 durch G v. 9.11.2004 (BGBl. I S. 2774); Abs. 1 Satz 8, Abs. 5 Satz 1 geänd. mWv 1.12.2005 durch G v. 14.9.2005 (BGBl. I S. 2746); Abs. 1 Satz 2 geänd. mWv 12.2.2009 durch G v. 5.2.2009 (BGBl. I S. 160); Abs. 1 Sätze 4 und 5 geänd., Abs. 3 neu gef., Abs. 4 aufgeh., bish. Abs. 5 wird Abs. 4 und Satz 1 geänd. mWv 1.1.2013 durch G v. 21.11.2012 (BGBl. I S. 2299); Abs. 1 Satz 2 neu gef. mWv 1.7.2009, Abs. 1 Sätze 1, 6, 7, 8, Abs. 4 Satz 1 Nr. 2 und Satz 2 geänd., bish. Abs. 6 wird Abs. 5 und geänd. mWv 6.6.2015 durch G v. 28.5.2015 (BGBl. I S. 813).

pflichtungen Beiträge an die Postbeamtenversorgungskasse in Höhe von 33 vom Hundert der Bruttobezüge ihrer aktiven Beamten und der fiktiven Bruttobezüge ihrer beurlaubten Beamten, soweit die Zeit der Beurlaubung ruhegehaltfähig ist. [2] Für die Berechnung der Beiträge nach Satz 1 ist § 78 des Bundesbesoldungsgesetzes[1)] nicht anzuwenden. [3] Zum 1. Januar jeden Jahres ist ein Abschlag in Höhe von 33 vom Hundert der Jahresbruttobezüge der aktiven Beamten und der fiktiven Jahresbruttobezüge der ruhegehaltsfähig beurlaubten Beamten des Vorjahres fällig. [4] Die Schlussabrechnung erfolgt bis zum 30. April des nächsten Jahres. [5] Der Ausgleich der Zahlungsverpflichtungen erfolgt bis zum 31. Mai. [6] Bei Überzahlung durch die Postnachfolgeunternehmen erfolgt eine marktübliche Verzinsung durch die Postbeamtenversorgungskasse vom Eingangstag der Abrechnung bei der Postbeamtenversorgungskasse bis zum Tag des Zahlungsausgleichs. [7] Bei Unterzahlung erfolgt

(Fortsetzung nächstes Blatt)

[1)] **Sartorius Nr. 230.**

eine marktübliche Verzinsung durch die Postnachfolgeunternehmen vom ersten Bankarbeitstag des Jahres der Schlussabrechnung bis zum Tag des Zahlungsausgleichs. [8] Unterschiedsbeträge zwischen laufenden Zahlungsverpflichtungen und laufenden Beiträgen oder anderweitigen Vermögenserträgen gleicht der Bund auf geeignete Weise aus.

(2) Die Leistungspflicht der Postunternehmen gegenüber der Postbeamtenversorgungskasse kann bis zu einer marktüblichen Belastung eines vergleichbaren Unternehmens vermindert werden, wenn das Unternehmen gegenüber dem Bund nachweist, daß die Zahlung unter Berücksichtigung seiner Wettbewerbsfähigkeit eine unzumutbare Belastung bedeuten würde.

(3) Der Bund gewährleistet, dass die Postbeamtenversorgungskasse jederzeit in der Lage ist, ihre Verpflichtungen zu erfüllen.

(4) [1] Zuweisungen des Bundes dürfen nur unter den folgenden Voraussetzungen zur Finanzierung der Postbeamtenversorgungskasse verwendet werden:

1. Die Postbeamtenversorgungskasse weist die ordnungs- und bestimmungsgemäße Verwendung der Mittel nach.
2. Die Postnachfolgeunternehmen weisen Höhe und Zahlungszeitpunkt der von ihnen an die Postbeamtenversorgungskasse geleisteten Beiträge nach.

[2] Im Rahmen der Nachweispflicht steht dem Bundesministerium der Finanzen ein uneingeschränktes Informationsrecht durch die Postnachfolgeunternehmen und ein Weisungsrecht ihnen gegenüber zu.

(5) Soweit der Bund nach Absatz 1 Satz 8 oder Absatz 3 Leistungen an die Postbeamtenversorgungskasse erbringt, kann er von den Postnachfolgeunternehmen keine Erstattung verlangen.

§ 17[1)] Weiterbeschäftigte Beamte. (1) Die Tätigkeit als Beamter bei einem Postnachfolgeunternehmen gilt als Dienstzeit im Dienst eines öffentlich-rechtlichen Dienstherrn im Sinne des § 6 Abs. 1 des Beamtenversorgungsgesetzes[2)].

(2) Eine Beschäftigung von Ruhestandsbeamten, die bis zu ihrem Eintritt in den Ruhestand bei einem Postnachfolgeunternehmen, bei der Bundesanstalt für Post und Telekommunikation Deutsche Bundespost, bei der ***[bis 31. 12. 2015:*** Unfallkasse Post und Telekom***]*** ***[ab 1. 1. 2016:*** *Berufsgenossenschaft Verkehrswirtschaft Post-Logistik Telekommunikation]* oder bei der Museumsstiftung Post und Telekommunikation tätig waren und bei einer der oben genannten Einrichtungen oder bei Unternehmen, deren Anteile mehrheitlich einem oder mehreren Postnachfolgeunternehmen gehören, weiterbeschäftigt werden, steht einer Verwendung im öffentlichen Dienst im Sinne des § 53 des Beamtenversorgungsgesetzes gleich.

(3) Absatz 2 gilt entsprechend für Beschäftigungen nach der Beendigung eines öffentlich-rechtlichen Amtsverhältnisses oder eines außertariflichen Angestelltenverhältnisses nach § 47 Absatz 2 des Postverfassungsgesetzes.

[1)] § 17 Abs. 2 geänd. mWv 1. 1. 2016 durch G v. 19. 10. 2013 (BGBl. I S. 3836); Abs. 1 und 2 geänd., Abs. 3 angef. mWv 6. 6. 2015 durch G v. 28. 5. 2015 (BGBl. I S. 813).

[2)] **Sartorius Nr. 155.**

§ 18[1] **Ausgleichszahlung bei Anspruch auf Altersgeld, Nachversicherung.** (1) [1] Für einen Beamten mit Anspruch auf Altersgeld nach dem Altersgeldgesetz leistet das Postnachfolgeunternehmen, bei dem der Beamte zuletzt beschäftigt war, an die Postbeamtenversorgungskasse eine Zahlung in Höhe des Beitrags, der nach dem Sechsten Buch Sozialgesetzbuch[2] bei einer Nachversicherung in der gesetzlichen Rentenversicherung an den Träger der Rentenversicherung zu leisten gewesen wäre. [2] Die Zahlung ist drei Monate nach der Entlassung des Beamten fällig.

(2) [1] Ein Beamter, der ohne Anspruch auf Altersgeld aus dem Beamtenverhältnis ausscheidet, wird durch das Postnachfolgeunternehmen, bei dem er zuletzt beschäftigt war, nach dem Sechsten Buch Sozialgesetzbuch[2] nachversichert. [2] Dies gilt auch bei einem dauerhaften Wechsel in ein Arbeitsverhältnis bei dem Postnachfolgeunternehmen oder in dessen Vorstand.

Abschnitt 5.[3] (weggefallen)

§ 19[3] (weggefallen)

Abschnitt 6. Rechtsaufsicht

§ 20[4] **Rechtsaufsicht.** (1) [1] Dem Bundesministerium der Finanzen obliegt die Rechtsaufsicht darüber, daß die Organe des Postnachfolgeunternehmens bei der Erfüllung ihrer dienstrechtlichen Befugnisse die Bestimmungen dieses Gesetzes und der anderen Dienstrechtsvorschriften beachten. [2] Im Rahmen dieser Rechtsaufsicht steht dem Bundesministerium der Finanzen ein uneingeschränktes Informationsrecht durch den Vorstand und den Aufsichtsrat und ein Weisungsrecht gegenüber den Organen des Postnachfolgeunternehmens zu.

(2) [1] Werden durch ein Handeln oder Unterlassen des Postnachfolgeunternehmens dienstrechtliche Bestimmungen verletzt, soll das Bundesministerium der Finanzen zunächst beratend darauf hinwirken, daß das Postnachfolgeunternehmen die Rechtsverletzung behebt. [2] Kommt das Postnachfolgeunternehmen dem innerhalb einer gesetzten Frist nicht nach, soll das Bundesministerium der Finanzen die Rechtsverletzung selbst beheben. [3] In diesem Falle gehen die dem Postnachfolgeunternehmen obliegenden dienstrechtlichen Befugnisse auf das Bundesministerium der Finanzen über.

(3) [1] Das Bundesministerium der Finanzen kann dem für die personellen und sozialen Angelegenheiten der Beamten zuständigen Vorstandsmitglied die Ausübung dieser Tätigkeit untersagen, wenn es gegen dienstrechtliche Bestimmungen, gegen die Bestimmungen der §§ 1 und 2 sowie 4 bis 18 und gegen Anordnungen des Bundesministeriums der Finanzen auf Grund der

---

[1] § 18 neu gef. mWv 6. 6. 2015 durch G v. 28. 5. 2015 (BGBl. I S. 813).

[2] Auszugsweise abgedruckt unter Nr. **696**.

[3] Abschnitt 5 (§ 19) aufgeh. mWv 6. 6. 2015 durch G v. 28. 5. 2015 (BGBl. I S. 813).

[4] *§ 20 Abs. 1 Sätze 1 und 2, Abs. 2* Sätze 1, 2 und 3, Abs. 3 Satz 1 geänd. mWv 7. 11. 2001 durch VO v. 29. 10. 2001 (BGBl. I S. 2785); Abs. 1 Sätze 1 und 2, Abs. 2 Sätze 1–3 und Abs. 3 Satz 1 geänd. mWv 6. 6. 2015 durch G v. 28. 5. 2015 (BGBl. I S. 813).

§§ 1 bis 20 verstoßen hat und trotz Hinweises auf diese Vorschrift durch das Bundesministerium der Finanzen dieses Verhalten fortsetzt. [2] In diesem Falle überträgt es nach Anhörung des Vorsitzenden des Aufsichtsrats und dessen Stellvertreters die Zuständigkeit einem anderen Vorstandsmitglied.

Abschnitt 7.[1)] (weggefallen)

§§ 21–23 (weggefallen)

Abschnitt 8.[2)] Betriebliche Interessenvertretungen

§ 24[3)] Anwendung des Betriebsverfassungsgesetzes. (1) In den Postnachfolgeunternehmen findet nach deren Eintragung in das Handelsregister das Betriebsverfassungsgesetz[4)] Anwendung, soweit in diesem Gesetz nichts anderes bestimmt ist.

(2) [1] Die bei den Postnachfolgeunternehmen beschäftigten Beamten gelten für die Anwendung des Betriebsverfassungsgesetzes als Arbeitnehmer. [2] § 5 Abs. 3 des Betriebsverfassungsgesetzes bleibt unberührt.

(3) [1] Der Beamte, dem nach § 4 Abs. 4 Satz 1 und 2 eine Tätigkeit bei einem Unternehmen zugewiesen ist, gilt für die Anwendung von Vorschriften über die Vertretung der Arbeitnehmer im Aufsichtsrat, für die Anwendung des Betriebsverfassungsgesetzes und des Sprecherausschussgesetzes[5)] als Arbeitnehmer und für die Anwendung von Vorschriften über die Schwerbehindertenvertretung als Beschäftigter des Unternehmens. [2] § 36 Abs. 2 und 4 gilt entsprechend. [3] Soweit das Unternehmen Verpflichtungen, die ihm gegenüber dem Beamten obliegen, nicht erfüllen kann, weil es nicht Dienstherr des Beamten ist, treffen diese Verpflichtungen je nach Zuständigkeit das Postnachfolgeunternehmen oder den Bund.

§ 25[6)] (weggefallen)

§ 26[7)] Wahlen, Ersatzmitglieder. Die Vorschriften des Betriebsverfassungsgesetzes[4)] über Wahl und Zusammensetzung des Betriebsrats sowie über seine Ersatzmitglieder finden mit folgender Maßgabe Anwendung:

1. Die in den Betrieben der Postnachfolgeunternehmen beschäftigten Beamten bilden bei der Wahl zum Betriebsrat eine eigene Gruppe, es sei denn, dass die Mehrheit dieser Beamten vor der Wahl in geheimer Abstimmung hierauf verzichtet.

[1)] Abschnitt 7 (§§ 21–23) aufgeh. mWv 6.6.2015 durch G v. 28.5.2015 (BGBl. I S. 813).

[2)] Abschnitt 8 Überschrift neu gef. mWv 6.6.2015 durch G v. 28.5.2015 (BGBl. I S. 813).

[3)] § 24 Abs. 2 Satz 2 neu gef. mWv 28.7.2001 durch G v. 23.7.2001 (BGBl. I S. 1852); Abs. 3 angef. mWv 13.11.2004 durch G v. 9.11.2004 (BGBl. I S. 2774); Abs. 3 Satz 1 geänd., Satz 3 angef. mWv 1.1.2013 durch G v. 21.11.2012 (BGBl. I S. 2299); Abs. 1, Abs. 2 Satz 1 und Abs. 3 Satz 3 geänd. mWv 6.6.2015 durch G v. 28.5.2015 (BGBl. I S. 813).

[4)] Nr. **570**.

[5)] Nr. **571**.

[6)] § 25 aufgeh. mWv 6.6.2015 durch G v. 28.5.2015 (BGBl. I S. 813).

[7)] § 26 neu gef. mWv 28.7.2001 durch G v. 23.7.2001 (BGBl. I S. 1852); Nr. 4a angef. mWv 13.11.2004 durch G v. 9.11.2004 (BGBl. I S. 2774); Nr. 1 geänd. mWv 6.6.2015 durch G v. 28.5.2015 (BGBl. I S. 813).

2. Arbeitnehmer und Beamte müssen entsprechend ihrem zahlenmäßigen Verhältnis im Betriebsrat vertreten sein, wenn dieser aus mindestens drei Mitgliedern besteht.
3. Die Arbeitnehmer und Beamten wählen ihre Vertreter in getrennten Wahlgängen, es sei denn, dass die wahlberechtigten Angehörigen beider Gruppen vor der Neuwahl in getrennten, geheimen Abstimmungen die gemeinsame Wahl beschließen. Die Betriebsratswahl erfolgt in gemeinsamer Wahl, wenn der Betriebsrat im vereinfachten Wahlverfahren nach § 14a des Betriebsverfassungsgesetzes zu wählen ist.
4. Steht einer Gruppe nur ein Vertreter im Betriebsrat zu, so erfolgt die Wahl des Gruppenvertreters nach den Grundsätzen der Mehrheitswahl.

4a. Jede Gruppe kann auch Angehörige der anderen Gruppe wählen. In diesem Fall gelten die Gewählten insoweit als Angehörige derjenigen Gruppe, die sie gewählt hat. Dies gilt auch für Ersatzmitglieder.

5. Finden getrennte Wahlgänge statt, so sind zur Unterzeichnung von Wahlvorschlägen der Gruppen nur die wahlberechtigten Angehörigen der jeweiligen Gruppe entsprechend § 14 Abs. 4 des Betriebsverfassungsgesetzes berechtigt.
6. In Betrieben mit Beamten muss dem Wahlvorstand ein Beamter angehören.
7. Ist der Betriebsrat in gemeinsamer Wahl gewählt, bestimmt sich das Nachrücken von Ersatzmitgliedern nach § 25 des Betriebsverfassungsgesetzes unter Berücksichtigung der Grundsätze der Nummer 2.

§ 27[1)] (weggefallen)

§ 28[2)] **Beteiligung des Betriebsrats in Angelegenheiten der Beamten.**

(1) [1] Der Betriebsrat ist in den Angelegenheiten der Beamten nach § 78 Absatz 1, § 84 Absatz 1 Nummer 4 bis 6 und § 86 Satz 1 bis 3 des Bundespersonalvertretungsgesetzes[3)] sowie nach § 4 Abs. 4 Satz 1 und 2 zu beteiligen. [2] In diesen Angelegenheiten sind nach gemeinsamer Beratung im Betriebsrat nur die Vertreter der Beamten zur Beschlußfassung berufen, es sei denn, daß die Beamten im Betriebsrat nicht vertreten sind. [3] § 33 Abs. 1 und 2 des Betriebsverfassungsgesetzes[4)] gilt entsprechend.

(2) [1] Bei Entscheidungen und Maßnahmen des Postnachfolgeunternehmens nach Absatz 1 Satz 1, die Beamte betreffen, denen nach § 4 Abs. 4 Satz 1 und 2 Tätigkeiten bei einem Unternehmen zugewiesen sind, ist der bei dem Postnachfolgeunternehmen gebildete Betriebsrat nach Maßgabe der Vorschriften dieses Abschnitts zu beteiligen; gleichzeitig ist der Betriebsrat des Betriebs, in dem der Beamte die zugewiesene Tätigkeit ausübt, hierüber zu unterrichten und ihm Gelegenheit zur Stellungnahme zu geben. [2] Entsprechendes gilt für die Beteiligung der Schwerbehindertenvertretung.

---

1) § 27 aufgeh. mWv 28.7.2001 durch G v. 23.7.2001 (BGBl. I S. 1852).

2) § 28 bish. Wortlaut wird Abs. 1 und geänd., Abs. 2 angef. mWv 13.11.2004 durch G v. 9.11.2004 (BGBl. I S. 2774); Abs. 1 Satz 1 und Abs. 2 Satz 1 geänd. mWv 1.1.2013 durch G v. 21.11.2012 (BGBl. I S. 2299); Abs. 2 Satz 1 geänd. mWv 6.6.2015 durch G v. 28.5.2015 (BGBl. I S. 813); Abs. 1 Satz 1 geänd. mWv 15.6.2021 durch G v. 9.6.2021 (BGBl. I S. 1614).

3) Nr. **572**.

4) Nr. **570**.

§ 29[1)] Verfahren. (1) [1]Der Betriebsrat hat in den in § 78 Absatz 1 des Bundespersonalvertretungsgesetzes[2)] genannten Personalangelegenheiten der Beamten ein Mitbestimmungsrecht. [2]Auf das Mitbestimmungsrecht in den in § 78 Absatz 1 des Bundespersonalvertretungsgesetzes genannten Angelegenheiten finden die Regelungen des § 78 Absatz 3 bis 5 des Bundespersonalvertretungsgesetzes entsprechende Anwendung. [3]Entsprechendes gilt bei der Zuweisung nach § 4 Abs. 4 Satz 1 und 2.

(2) [1]Verweigert der Betriebsrat in den Fällen des Absatzes 1 seine Zustimmung, so hat er dies unter Angabe von Gründen innerhalb einer Woche nach Unterrichtung durch den Arbeitgeber diesem schriftlich mitzuteilen. [2]Teilt der Betriebsrat dem Arbeitgeber die Verweigerung seiner Zustimmung nicht innerhalb der Frist schriftlich mit, so gilt die Zustimmung als erteilt.

(3) [1]Ergibt sich zwischen dem Arbeitgeber und dem Betriebsrat in den Fällen des § 78 Absatz 1 des Bundespersonalvertretungsgesetzes sowie des § 4 Abs. 4 Satz 1 und 2 keine Einigung, so ist die Einigungsstelle anzurufen, die binnen zwei Monaten entscheiden soll. [2]Sie stellt fest, ob ein Grund zur Verweigerung der Zustimmung im Sinne des § 78 Absatz 5 des Bundespersonalvertretungsgesetzes vorliegt. [3]Schließt sich die Einigungsstelle nicht der Auffassung des Arbeitgebers an, so gibt sie diesem eine Empfehlung. [4]Folgt der Arbeitgeber der Empfehlung der Einigungsstelle nicht, so hat er innerhalb von zehn Arbeitstagen die Angelegenheit mit der Empfehlung der Einigungsstelle dem Bundesministerium der Finanzen zur endgültigen Entscheidung vorzulegen.

(4) § 76 des Bundespersonalvertretungsgesetzes gilt für Maßnahmen nach Absatz 1 entsprechend.

(5) [1]Der Betriebsrat wirkt in den in § 84 Absatz 1 Nummer 4 bis 6 des Bundespersonalvertretungsgesetzes genannten Personalangelegenheiten der Beamten mit. [2]Auf dieses Mitwirkungsrecht finden § 84 Absatz 2 sowie die §§ 81 und 83 des Bundespersonalvertretungsgesetzes entsprechende Anwendung.

(6) [1]Der Betriebsrat kann die in Absatz 5 genannten Personalangelegenheiten binnen drei Tagen nach Zugang der seine Einwendung ganz oder zum Teil ablehnenden Mitteilung des Arbeitgebers dem in § 1 Abs. 7 genannten Vorstandsmitglied mit dem Antrag auf Entscheidung vorlegen. [2]Dieses entscheidet nach Verhandlung mit dem Betriebsrat endgültig. [3]Eine Abschrift seines Antrags leitet der Betriebsrat dem Arbeitgeber zu.

(7) Ist ein Antrag gemäß Absatz 6 gestellt, so ist die beabsichtigte Maßnahme bis zur Entscheidung des in § 1 Abs. 7 genannten Vorstandsmitglieds auszusetzen.

(8) Der Betriebsrat ist vor fristlosen Entlassungen von Beamten entsprechend § 86 Satz 1 bis 3 des Bundespersonalvertretungsgesetzes anzuhören.

[1)] § 29 Abs. 3 Satz 4 geänd. mWv 7.11.2001 durch VO v. 29.10.2001 (BGBl. I S. 2785); Abs. 1 Satz 3 angef., Abs 3 Satz 1, Abs. 6 Satz 1 und Abs. 7 geänd., mWv 13.11.2004 durch G v. 9.11.2004 (BGBl. I S. 2774); Abs. 1 Satz 3 und Abs. 3 Satz 1 geänd. mWv 1.1.2013 durch G v. 21.11.2012 (BGBl. I S. 2299); Abs. 1 Sätze 1 und 2, Abs. 3 Sätze 1 und 2, Abs. 4, Abs. 5 Sätze 1 und 2 und Abs. 8 geänd. mWv 15.6.2021 durch G v. 9.6.2021 (BGBl. I S. 1614).

[2)] Nr. **572**.

(9) [1]In Streitigkeiten nach den Absätzen 1 bis 8 sind die Verwaltungsgerichte zuständig. [2]Die Vorschriften des Arbeitsgerichtsgesetzes[1)] über das Beschlußverfahren gelten entsprechend.

§ 30[2)] Besetzung der Einigungsstelle. [1]In Angelegenheiten des § 78 Absatz 1 des Bundespersonalvertretungsgesetzes[3)] sowie des § 4 Abs. 4 Satz 1 und 2 besteht die Einigungsstelle aus einer gleichen Anzahl von Beisitzern, die vom Arbeitgeber und den Vertretern der Beamten im Betriebsrat bestellt werden, und einem unparteiischen Vorsitzenden, auf dessen Person sich beide Seiten einigen. [2]Kommt eine Einigung über die Person des Vorsitzenden nicht zustande, so bestellt ihn der Präsident des zuständigen Verwaltungsgerichts. [3]Ist der Betriebsrat gemäß § 28 Abs. 1 Satz 2 zweiter Halbsatz für die Beschlussfassung zuständig, muss sich unter den von ihm zu bestellenden Beisitzern der Einigungsstelle ein Beamter befinden.

§ 31[4)] Beteiligung des Betriebsrats und der Schwerbehindertenvertretung bei Entscheidungen des Bundesministeriums der Finanzen. [1]In Angelegenheiten, in denen das Bundesministerium der Finanzen gemäß § 3 Abs. 2 Satz 2, Absatz 6 und 8 sowie § 20 Abs. 2 Entscheidungen und Maßnahmen bezüglich der bei den Postnachfolgeunternehmen beschäftigten Beamten trifft, wird die Interessenvertretung der betroffenen Beamten vom Betriebsrat wahrgenommen. [2]In den Angelegenheiten nach § 78 Absatz 1, § 84 Absatz 1 Nummer 4 bis 6 sowie § 86 Satz 1 bis 3 des Bundespersonalvertretungsgesetzes[3)] sowie nach § 4 Abs. 4 Satz 1 und 2 gelten die §§ 28 bis 30 entsprechend. [3]Sind in diesen Angelegenheiten Interessen schwerbehinderter Menschen berührt, ist die Schwerbehindertenvertretung des Betriebs im Rahmen ihrer Zuständigkeit zu beteiligen.

§ 32 Gesamtbetriebsrat. (1) Die §§ 47 bis 53 des Betriebsverfassungsgesetzes[5)] finden mit folgender Maßgabe Anwendung:

1. Den gemäß § 47 Abs. 2 des Betriebsverfassungsgesetzes in den Gesamtbetriebsrat zu entsendenden Betriebsratsmitgliedern muß ein Vertreter der Beamten angehören, der nicht gegen die Mehrheit der Vertreter der Beamten bestimmt werden kann.
2. In Angelegenheiten des § 28 hat der Vertreter der Beamten im Gesamtbetriebsrat so viele Stimmen, wie in dem Betrieb, in dem er gewählt wurde,

(Fortsetzung nächstes Blatt)

[1)] Nr. **660**.

[2)] § 30 Satz 1 geänd. mWv 13.11.2004 durch G v. 9.11.2004 (BGBl. I S. 2774); Satz 3 neu gef. mWv 1.12.2005 durch G v. 14.9.2005 (BGBl. I S. 2746); Satz 1 geänd. mWv 1.1.2013 durch G v. 21.11.2012 (BGBl. I S. 2299); Satz 1 geänd. mWv 15.6.2021 durch G v. 9.6.2021 (BGBl. I S. 1614).

[3)] Nr. **572**.

[4)] § 31 Satz 1 geänd. mWv 7.11.2001 durch VO v. 29.10.2001 (BGBl. I S. 2785); Sätze 2 und 3 geänd. mWv 13.11.2004 durch G v. 9.11.2004 (BGBl. I S. 2774); Überschrift und Satz 1 geänd. mWv 1.12.2005 durch G v. 14.9.2005 (BGBl. I S. 2746); Satz 2 geänd. mWv 1.1.2013 durch G v. 21.11.2012 (BGBl. I S. 2299); Satz 1 geänd. mWv 6.6.2015 durch G v. 28.5.2015 (BGBl. I S. 813); Satz 2 geänd. mWv 15.6.2021 durch G v. 9.6.2021 (BGBl. I S. 1614).

[5)] Nr. **570**.

wahlberechtigte Beamte in der Wählerliste eingetragen sind. § 47 Abs. 8 des Betriebsverfassungsgesetzes gilt entsprechend.

(2) Für die Beteiligung des Gesamtbetriebsrats in den Angelegenheiten der Beamten gelten die §§ 28 bis 31 entsprechend.

§ 33[1)] Konzernbetriebsrat. (1) Die §§ 54 bis 59 des Betriebsverfassungsgesetzes[2)] finden mit folgender Maßgabe Anwendung:

1. Den gemäß § 55 Abs. 1 des Betriebsverfassungsgesetzes in den Konzernbetriebsrat des Postnachfolgeunternehmens zu entsendenden Gesamtbetriebsratsmitgliedern muß ein Vertreter des Beamten angehören, der nicht gegen die Mehrheit der Vertreter der Beamten im Gesamtbetriebsrat bestimmt werden kann.
2. In Angelegenheiten des § 28 hat der Vertreter der Beamten im Konzernbetriebsrat des Postnachfolgeunternehmens so viele Stimmen, wie die Vertreter der Beamten im Gesamtbetriebsrat insgesamt Stimmen haben.

(2) Für die Beteiligung des Konzernbetriebsrats des Postnachfolgeunternehmens in den Angelegenheiten der Beamten gelten die §§ 28 bis 31 entsprechend.

§ 34[3)] Änderung der Wahlordnungen. [1] Das Bundesministerium für Arbeit und Soziales wird ermächtigt, durch Rechtsverordnung[4)] im Einvernehmen mit dem Bundesministerium des Innern, für Bau und Heimat abweichend von den Wahlordnungen zum Betriebsverfassungsgesetz Sondervorschriften für die Wahlen zu den Betriebsräten der Unternehmen Deutsche Post AG, DB Privat- und Firmenkundenbank AG und Deutsche Telekom AG zu erlassen. [2] Die Rechtsverordnung bedarf nicht der Zustimmung des Bundesrates.

§ 35 Gesetzesvorrang. Durch Tarifvertrag oder Betriebsvereinbarung kann die betriebliche Interessenvertretung der Beamten nicht abweichend von den Vorschriften dieses Abschnitts geregelt werden.

§ 36[5)] Sprecherausschuss. (1) In den Postnachfolgeunternehmen gilt nach deren Eintragung in das Handelsregister das Sprecherausschußgesetz[6)] mit den in dieser Vorschrift genannten Maßgaben.

(2) Leitende Angestellte im Sinne des § 5 Abs. 3 des Betriebsverfassungsgesetzes[2)] sind auch die funktional vergleichbaren Beamten.

(3) Absatz 2 gilt für die Vorschriften der Wahlordnung zum Sprecherausschussgesetz[7)] vom 28. September 1989 (BGBl. I S. 1798) entsprechend.

(4) § 31 Abs. 2 des Sprecherausschußgesetzes findet für die Beamten im Hinblick auf deren Status keine Anwendung.

---

1) § 33 Abs. 1 Nr. 1, 2 und Abs. 2 geänd. mWv 1.1.2013 durch G v. 21.11.2012 (BGBl. I S. 2299); Abs. 1 Nr. 1, 2 und Abs. 2 geänd. mWv 6.6.2015 durch G v. 28.5.2015 (BGBl. I S. 813).

2) Nr. **570**.

3) § 34 Satz 1 geänd. mWv 28.11.2003 durch VO v. 25.11.2003 (BGBl. I S. 2304); Satz 1 geänd. mWv 8.11.2006 durch VO v. 31.10.2006 (BGBl. I S. 2407); Satz 1 geänd. mWv 27.6.2020 durch VO v. 19.6.2020 (BGBl. I S. 1328); Satz 1 geänd. mWv 2.4.2021 durch G v. 30.3.2021 (BGBl. I S. 402).

4) Siehe die WahlO Post (Nr. **637**).

5) § 36 Abs. 1 und 3 geänd. mWv 6.6.2015 durch G v. 28.5.2015 (BGBl. I S. 813).

6) Nr. **571**.

7) Nr. **571a**.

§ 37[1] **Schwerbehindertenvertretung.** Die Vorbereitung der Neuwahl der Schwerbehindertenvertretungen bestimmt sich nach den Vorschriften des Neunten Buches Sozialgesetzbuch und der Wahlordnung Schwerbehindertenvertretung[2].

Abschnitt 9.[3] Rechtsverhältnisse der Postnachfolgeunternehmen

§ 38[3] **Postnachfolgeunternehmen.** (1) Postnachfolgeunternehmen sind

1. die in § 1 Absatz 2 des Postumwandlungsgesetzes[4] genannten inländischen Unternehmen und
2. die durch eine Rechtsverordnung nach Absatz 2 als Postnachfolgeunternehmen bestimmten Unternehmen.

(2) [1] Die Bundesregierung wird ermächtigt, durch Rechtsverordnung, die nicht der Zustimmung des Bundesrates bedarf, Unternehmen als Postnachfolgeunternehmen zu bestimmen, soweit dies zur Wahrung der Rechtsstellung der Beamten, insbesondere zur Sicherstellung einer ihrem Amt angemessenen Beschäftigung, geboten ist. [2] Es dürfen nur Unternehmen mit Sitz im Inland bestimmt werden, die in einem rechtlichen oder wirtschaftlichen Nachfolgeverhältnis zum ehemaligen Sondervermögen Deutsche Bundespost stehen. [3] Die vertretungsberechtigten Organe der betroffenen Unternehmen sind vor dem Erlass der Rechtsverordnung anzuhören. [4] In der Rechtsverordnung ist zu regeln, welche Beamten bei welchem Postnachfolgeunternehmen beschäftigt werden.

§ 39[5] **Umwandlung und Auflösung.** (1) [1] Bei der Entscheidung über die Umwandlung eines Postnachfolgeunternehmens durch Verschmelzung, Spaltung (§ 123 des Umwandlungsgesetzes[6]) oder Vermögensübertragung haben die Mitglieder des Vorstands und des Aufsichtsrats des Postnachfolgeunternehmens zu berücksichtigen:

1. die Belange der bei dem Postnachfolgeunternehmen beschäftigten Beamten und
2. das Interesse des Dienstherrn Bundesrepublik Deutschland an der weiteren Erfüllung der Verpflichtungen des Postnachfolgeunternehmens nach diesem Gesetz, dem Bundesanstalt-Post-Gesetz, dem Gesetz zur Errichtung der Berufsgenossenschaft Verkehrswirtschaft Post-Logistik Telekommunikation,

(Fortsetzung nächstes Blatt)

---

[1] § 37 Abs. 2 geänd. mWv 1.7.2001 durch G v. 19.6.2001 (BGBl. I S. 1046); Abs. 2 geänd. mWv 13.11.2004 durch G v. 9.11.2004 (BGBl. I S. 2774); Abs. 1 aufgeh. mWv 2.4.2021 durch G v. 30.3.2021 (BGBl. I S. 402).

[2] Nr. **441**.

[3] Abschnitt 9 (§§ 38, 39) angef. mWv 18.10.2014 durch G v. 28.5.2015 (BGBl. I S. 813).

[4] **beck-online, Module Arbeitsrecht Nr. 636c.**

[5] *§ 39* eingef. mWv *18.10.2014*, Abs. *1* Satz 1 Nr. 2 geänd. mWv 1.1.2016 durch G v. 28.5.2015 (BGBl. I S. 813); Abs. 2 Satz 1 geänd. mWv 27.6.2020 durch VO v. 19.6.2020 (BGBl. I S. 1328).

[6] Nr. **630**.

dem Gesetz zur Errichtung einer Museumsstiftung Post und Telekommunikation und den allgemeinen beamtenrechtlichen Vorschriften.

[2] Die geplante Umwandlung ist dem Bundesministerium der Finanzen durch den Vorstand spätestens drei Monate vor der Anteilsinhaberversammlung, in der über die Umwandlung beschlossen werden soll, schriftlich anzuzeigen. [3] Soweit die Maßnahme Auswirkungen auf die Weiterbeschäftigung der Beamten haben kann, steht dem Bundesministerium der Finanzen ein Recht auf uneingeschränkte Information durch den Vorstand und den Aufsichtsrat zu.

(2) [1] Soweit es nicht ausgeschlossen erscheint, dass nach der Umwandlung die Erfüllung der gegenwärtigen und zukünftigen Zahlungs- und Kostentragungspflichten des Postnachfolgeunternehmens nach den in Absatz 1 Satz 1 Nummer 2 genannten Vorschriften gefährdet ist, ordnet das Bundesministerium der Finanzen im Einvernehmen mit dem Bundesministerium des Innern, für Bau und Heimat und dem Bundesministerium für Wirtschaft und Energie an, dass das Postnachfolgeunternehmen der Bundesrepublik Deutschland für die Erfüllung Sicherheit zu leisten hat, und bestimmt Art und Höhe der Sicherheit. [2] Widerspruch und Anfechtungsklage gegen die Entscheidung nach Satz 1 haben keine aufschiebende Wirkung.

(3) [1] Die Mitglieder des Vorstands und des Aufsichtsrats des Postnachfolgeunternehmens sind der Bundesrepublik Deutschland als Gesamtschuldner zum Ersatz des Schadens verpflichtet, den diese erleidet, wenn nach einer Umwandlung die gegenwärtigen und zukünftigen Zahlungs- und Kostentragungspflichten des Postnachfolgeunternehmens nach den in Absatz 1 Satz 1 Nummer 2 genannten Vorschriften nicht erfüllt werden. [2] Ein Mitglied des Vorstands oder des Aufsichtsrats ist von der Ersatzpflicht befreit, wenn

1. es seine Pflichten nach Absatz 1 beachtet hat,
2. die nach Absatz 2 festgesetzte Sicherheit geleistet worden ist oder
3. die Zahlungs- und Kostentragungspflichten auch ohne die Umwandlung nicht hätten erfüllt werden können.

[3] Der Schadensersatzanspruch verjährt in zehn Jahren. [4] Die Verjährungsfrist beginnt mit dem Schluss des Jahres, in dem die Umwandlung wirksam wird. [5] Die §§ 203 bis 217, 249 Absatz 1 sowie die §§ 251 und 252 des Bürgerlichen Gesetzbuchs[1)] gelten entsprechend.

(4) Für diese Ansprüche sowie für alle Ansprüche der Bundesrepublik Deutschland und der Bundesanstalt für Post und Telekommunikation Deutsche Bundespost nach den in Absatz 1 Satz 1 Nummer 2 genannten Vorschriften gilt das Postnachfolgeunternehmen als unverändert fortbestehend.

(5) Die Absätze 1 bis 4 gelten entsprechend, wenn ein Postnachfolgeunternehmen infolge einer Bestimmung der Satzung oder des Gesellschaftsvertrags oder durch Beschluss der Anteilsinhaber aufgelöst wird.

[1)] Nr. **50**.

637. Verordnung zur Durchführung der Betriebsratswahlen bei den Postunternehmen (WahlO Post)

Vom 22. Februar 2002

(BGBl. I S. 946)

FNA 900-10-4-22

geänd. durch Art. 3 ÄndVO v. 8.10.2021 (BGBl. I S. 4640)

Auf Grund des § 34 des Postpersonalrechtsgesetzes[1)] vom 14. September 1994 (BGBl. I S. 2325, 2353) verordnet das Bundesministerium für Arbeit und Sozialordnung im Einvernehmen mit dem Bundesministerium des Innern:

Erster Abschnitt. Allgemeine Vorschriften

§ 1 [Anwendung der (Wahlordnung – WO)[2)]] Die Vorschriften der Ersten Verordnung zur Durchführung des Betriebsverfassungsgesetzes (Wahlordnung – WO) vom 11. Dezember 2001 (BGBl. I S. 3494) in der jeweiligen Fassung finden für die Wahlen zum Betriebsrat in den Postunternehmen Anwendung, soweit sich aus dieser Verordnung nicht etwas anderes ergibt.

§ 2 [Aktiengesellschaften] Die bei den Aktiengesellschaften beschäftigten Beamtinnen und Beamten gelten für die Anwendung der Vorschriften der Wahlordnung als Arbeitnehmerinnen und Arbeitnehmer.

§ 3 [Gruppe der Beamten] [1] Die Beamtinnen und Beamten bilden bei der Wahl zum Betriebsrat neben der Gruppe der Arbeitnehmerinnen und Arbeitnehmer eine eigene Gruppe, wenn nicht die Mehrheit der wahlberechtigten Beamtinnen und Beamten in geheimer Abstimmung innerhalb der vom Wahlvorstand festzusetzenden Frist hierauf verzichtet (§ 26 Nr. 1 Postpersonalrechtsgesetz[1)]). [2] Im vereinfachten Wahlverfahren nach § 14a Abs. 1 des Betriebsverfassungsgesetzes[3)] kann die Abstimmung nach Satz 1 bis zur Wahl des Wahlvorstands erfolgen.

§ 4 [Vertretung der Beamten im Betriebsrat] (1) [1] Bilden die Beamtinnen und Beamten eine eigene Gruppe, müssen sie und die Arbeitnehmerinnen und Arbeitnehmer entsprechend ihrem zahlenmäßigen Verhältnis im Betriebsrat vertreten sein, wenn dieser aus mindestens drei Mitgliedern besteht (§ 26 Nr. 2 Postpersonalrechtsgesetz[1)]). [2] Innerhalb der jeweiligen Gruppe im Betriebsrat muss das Geschlecht in der Minderheit mindestens entsprechend seinem zahlenmäßigen Verhältnis in der Gruppe vertreten sein.

(2) Bilden die Beamtinnen und Beamten keine eigene Gruppe, muss das Geschlecht, das in der Belegschaft in der Minderheit ist, mindestens entsprechend seinem zahlenmäßigen Verhältnis im Betriebsrat vertreten sein, wenn dieser aus mindestens drei Mitgliedern besteht (§ 26 Postpersonalrechtsgesetz i.V.m. § 15 Abs. 2 Betriebsverfassungsgesetz[3)]).

[1)] Nr. **636d**.
[2)] Nr. **570a**.
[3)] Nr. **570**.

§ 5 [Wahlvorstand] (1) [1]Der Wahlvorstand, dem in Betrieben mit Beamten eine Beamtin oder ein Beamter angehören muss, hat unverzüglich nach seiner Bestellung durch Aushang

a) die wahlberechtigten Beamtinnen und Beamten darauf hinzuweisen, dass sie in geheimer Abstimmung mit Stimmenmehrheit darüber entscheiden können, ob sie auf die Bildung einer eigenen Gruppe bei der Wahl zum Betriebsrat verzichten,

b) den Zeitpunkt bekannt zu geben, bis zu dem die Entscheidung dem Wahlvorstand mitzuteilen ist. Zwischen dem Aushang und der Mitteilung müssen mindestens fünf Arbeitstage liegen.

[2]Der Aushang hat an einer oder mehreren geeigneten, den Beamtinnen und Beamten zugänglichen Stellen zu erfolgen. [3]Erfolgt die Bekanntmachung in elektronischer Form, so gilt § 2 Abs. 4 Satz 3 und 4 der Wahlordnung[1)] entsprechend.

(2) [1]Absatz 1 findet keine Anwendung im vereinfachten Wahlverfahren nach § 14a Abs. 1 des Betriebsverfassungsgesetzes[2)]. [2]Im vereinfachten Wahlverfahren nach § 14a Abs. 3 und 5 des Betriebsverfassungsgesetzes verkürzt sich die Frist in Absatz 1 auf mindestens drei Arbeitstage.

Zweiter Abschnitt. Bildung einer eigenen Wählergruppe der Beamtinnen und Beamten

§ 6[3)] [Eigenen Wählergruppe der Beamtinnen und Beamten] Bei Bildung einer eigenen Gruppe der Beamtinnen und Beamten bei der Wahl zum Betriebsrat findet die Wahlordnung[1)] mit folgender Maßgabe Anwendung:

1. a) Der Wahlvorstand hat abweichend von § 2 Abs. 1 Satz 1 der Wahlordnung eine Liste der Wahlberechtigten (Wählerliste), getrennt nach den Gruppen der Arbeitnehmerinnen und Arbeitnehmer sowie der Beamtinnen und Beamten, aufzustellen. Innerhalb der Gruppen sind die Wahlberechtigten getrennt nach den Geschlechtern aufzuführen.
   b) Zusätzlich zu den in § 2 Abs. 4 Satz 1 der Wahlordnung genannten Abdrucken ist ein Abdruck dieser Verordnung auszulegen. Bei Bekanntmachung in elektronischer Form nach § 2 Abs. 4 Satz 3 und 4 der Wahlordnung ist auch diese Verordnung elektronisch bekannt zu machen.
2. Das Wahlausschreiben (§ 3 Wahlordnung) muss enthalten
   a) zusätzlich zu den Angaben nach Absatz 2 Nr. 2 die Bestimmung des Orts, an dem diese Verordnung ausliegt, sowie im Fall der Bekanntmachung in elektronischer Form (§ 2 Abs. 4 Satz 3 und 4 Wahlordnung), wo und wie von dieser Verordnung Kenntnis genommen werden kann,
   b) abweichend von Absatz 2 Nr. 4 die Angabe über den Anteil der Geschlechter innerhalb der Gruppen sowie den Hinweis, dass das Geschlecht in der Minderheit in der jeweiligen Gruppe im Betriebsrat

---

1) Nr. **570a**.
2) Nr. **570**.
3) § 6 Nr. 7 Satz 2 und Nr. 11 geänd., Nr. 17a eingef. mWv 15.10.2021 durch VO v. 8.10.2021 (BGBl. I S. 4640).

mindestens entsprechend seinem zahlenmäßigen Verhältnis vertreten sein muss,

c) neben der Angabe über die Zahl der zu wählenden Betriebsratsmitglieder (§ 9 Betriebsverfassungsgesetz[1]) abweichend von Absatz 2 Nr. 5 die Angabe über die Verteilung der Betriebsratssitze auf die Gruppen der Arbeitnehmerinnen und Arbeitnehmer sowie der Beamtinnen und Beamten und die Angabe über die auf das Geschlecht in der Minderheit entfallenden Mindestsitze in der jeweiligen Gruppe,

d) ergänzend zu Absatz 2 die Angabe, ob die Arbeitnehmerinnen und Arbeitnehmer sowie die Beamtinnen und Beamten ihre Vertreter in getrennten Wahlgängen wählen (Gruppenwahl) oder ob vor Erlass des Wahlausschreibens von beiden Gruppen gemeinsame Wahl beschlossen worden ist (§ 26 Nr. 3 Satz 1 Postpersonalrechtsgesetz[2]),

e) ergänzend zu Absatz 2 Nr. 6 die Angabe, dass bei Gruppenwahl zur Unterzeichnung von Wahlvorschlägen der Gruppen nur die wahlberechtigten Angehörigen der jeweiligen Gruppe entsprechend § 14 Abs. 4 des Betriebsverfassungsgesetzes berechtigt sind (§ 26 Nr. 5 Postpersonalrechtsgesetz),

f) ergänzend zu Absatz 2 Nr. 8 die Angabe, dass bei Gruppenwahl Wahlvorschläge beim Wahlvorstand in Form von Vorschlagslisten einzureichen sind, wenn für eine Gruppe mehrere Vertreter zu wählen sind.

3. Die Berechnung der Verteilung der Sitze auf die Gruppen (§ 4 Abs. 1 Satz 1) bestimmt sich wie folgt:

a) Der Wahlvorstand errechnet die Verteilung der Betriebsratsmitglieder auf die Gruppen (§ 26 Nr. 2 Postpersonalrechtsgesetz) nach den Grundsätzen der Verhältniswahl. Zu diesem Zweck werden die Zahlen der am Tage des Erlasses des Wahlausschreibens im Betrieb beschäftigten Arbeitnehmerinnen und Arbeitnehmer sowie Beamtinnen und Beamten in einer Reihe nebeneinander gestellt und beide durch 1, 2, 3, 4 usw. geteilt. Die ermittelten Teilzahlen sind nacheinander reihenweise unter den Zahlen der ersten Reihe aufzuführen, bis höhere Teilzahlen für die Zuweisung der zu verteilenden Sitze nicht mehr in Betracht kommen.

b) Unter den so gefundenen Teilzahlen werden so viele Höchstzahlen ausgesondert und der Größe nach geordnet, wie Betriebsratsmitglieder zu wählen sind. Jede Gruppe erhält so viele Mitgliedersitze zugeteilt, wie Höchstzahlen auf sie entfallen. Wenn die niedrigste in Betracht kommende Höchstzahl auf beide Gruppen zugleich entfällt, so entscheidet das Los darüber, welcher Gruppe dieser Sitz zufällt.

c) Gehört beiden Gruppen die gleiche Zahl von Arbeitnehmern an, so entscheidet das Los darüber, welcher Gruppe die höhere Zahl von Sitzen zufällt.

4. Die Verteilung der Mindestsitze des Geschlechts in der Minderheit innerhalb der jeweiligen Gruppe (§ 4 Abs. 1 Satz 2) erfolgt entsprechend § 5 der Wahlordnung.

---

[1] Nr. **570**.
[2] Nr. **636d**.

5. a) Abweichend von § 6 Abs. 1 der Wahlordnung erfolgt die Wahl aufgrund von Vorschlagslisten auch dann, wenn im Fall der Gruppenwahl mehrere Vertreter zu wählen sind.
   b) Beschließen die wahlberechtigten Angehörigen beider Gruppen nach Erlass des Wahlausschreibens, aber vor Ablauf der in § 6 Abs. 1 Satz 2 der Wahlordnung genannten Frist, die gemeinsame Wahl (§ 26 Nr. 3 Satz 1 Postpersonalrechtsgesetz), so hat der Wahlvorstand eine Nachfrist von einer Woche für die Einreichung neuer Vorschlagslisten zu setzen und dies in gleicher Weise bekannt zu machen wie das Wahlausschreiben (§ 3 Abs. 4 Wahlordnung). Vorher eingereichte Wahlvorschläge verlieren ihre Gültigkeit.
   c) Ergänzend zu § 6 Abs. 3 Satz der Wahlordnung ist in jeder Vorschlagsliste auch die Gruppe zu nennen, der die Bewerberinnen oder Bewerber angehören.
6. a) Findet gemäß § 26 Nr. 3 Satz 1 des Postpersonalrechtsgesetzes Gruppenwahl statt und wird für eine Gruppe keine gültige Vorschlagsliste eingereicht, so hat der Wahlvorstand bei Festsetzung der Nachfrist nach § 9 Abs. 1 der Wahlordnung darauf hinzuweisen, dass, wenn für die andere Gruppe mindestens ein gültiger Wahlvorschlag eingereicht ist, der Betriebsrat nur aus Vertretern dieser Gruppe bestehen würde, wenn die Nachfrist ungenützt verstreicht.
   b) Wird trotz Bekanntmachung nach Buchstabe a keine gültige Vorschlagsliste eingereicht, so hat der Wahlvorstand sofort bekannt zu machen, dass der Wahlgang nicht stattfindet.
7. Ergänzend zu § 11 Abs. 2 Satz 1 der Wahlordnung ist die Gruppe anzugeben, der die an erster Stelle benannten Bewerberinnen oder Bewerber angehören. § 11 Abs. 2 Satz 2 der Wahlordnung gilt entsprechend für die Stimmzettel, die für eine Gruppe Verwendung finden.
8. Die Stimmabgabe nach § 12 der Wahlordnung erfolgt nach Gruppen getrennt, wenn nicht gemeinsame Wahl stattfindet.
9. Hat Gruppenwahl stattgefunden, so erfolgt die Verteilung der nach Maßgabe der Nummer 3 festgestellten Sitze der Gruppen der Arbeitnehmerinnen und Arbeitnehmer sowie der Beamtinnen und Beamten auf die Vorschlagslisten wie folgt:
   a) Die den einzelnen Vorschlagslisten der Gruppe zugefallenen Stimmenzahlen werden in einer Reihe nebeneinander gestellt und sämtlich durch 1, 2, 3, 4 usw. geteilt. Die ermittelten Teilzahlen sind nacheinander reihenweise unter den Zahlen der ersten Reihe aufzuführen, bis höhere Teilzahlen für die Zuweisung der zu verteilenden Sitze nicht mehr in Betracht kommen.
   b) Unter den so gefundenen Teilzahlen werden so viele Höchstzahlen ausgesondert und der Größe nach geordnet, wie Betriebsratsmitglieder für die Gruppe zu wählen sind. Jede Vorschlagsliste erhält so viele Mitgliedersitze zugeteilt, wie Höchstzahlen auf sie entfallen. Wenn die niedrigste in Betracht kommende Höchstzahl auf mehrere Vorschlagslisten zugleich entfällt, so entscheidet das Los darüber, welcher Vorschlagsliste dieser Sitz zufällt.
   c) Wenn eine Vorschlagsliste weniger Bewerberinnen oder Bewerber enthält, als Höchstzahlen auf sie entfallen, so gehen die überschüssigen

Mitgliedersitze auf die folgenden Höchstzahlen der anderen Vorschlagslisten über. Verfügt keine Vorschlagsliste mehr über Angehörige der Gruppe, so gehen die überschüssigen Mitgliedersitze auf die folgenden, nicht berücksichtigten Höchstzahlen der Vorschlagslisten der anderen Gruppe über.

d) Die Reihenfolge der Bewerberinnen oder Bewerber innerhalb der einzelnen Vorschlagslisten bestimmt sich nach der Reihenfolge ihrer Benennung.

e) Befindet sich unter den auf die Vorschlagslisten entfallenden Höchstzahlen nicht die nach der Maßgabe der Nummer 4 festgestellte Mindestzahl von Angehörigen des Geschlechts in der Minderheit, so gilt für jede Gruppe § 15 Abs. 5 Nr. 1 bis 5 der Wahlordnung entsprechend.

10. Hat gemeinsame Wahl stattgefunden, so erfolgt die Verteilung der nach Maßgabe der Nummer 3 festgestellten Sitze der Gruppen der Arbeitnehmerinnen und Arbeitnehmer sowie der Beamtinnen und Beamten auf die Vorschlagslisten wie folgt:

a) Es werden zunächst die Sitze der Arbeitnehmerinnen und Arbeitnehmer, sodann in gesonderter Rechnung die Sitze der Beamtinnen und Beamten verteilt. Jede Vorschlagsliste erhält so viele Mitgliedersitze von jeder Gruppe zugeteilt, wie bei der gesonderten Berechnung Höchstzahlen auf sie entfallen. Wenn die niedrigste in Betracht kommende Höchstzahl auf mehrere Vorschlagslisten zugleich entfällt, so entscheidet das Los darüber, welcher Vorschlagsliste dieser Sitz zufällt.

b) Bei der Verteilung der Sitze der Arbeitnehmerinnen und Arbeitnehmer sind nur die der Arbeitnehmergruppe, bei der Verteilung der Sitze der Beamtinnen und Beamten nur die der Beamtengruppe der einzelnen Listen zugehörigen Bewerberinnen und Bewerber zu berücksichtigen.

c) Enthält eine Vorschlagsliste weniger Angehörige einer Gruppe, als Höchstzahlen auf sie für diese Gruppe entfallen, so gehen die überschüssigen Mitgliedersitze auf die folgenden, nicht berücksichtigten Höchstzahlen der anderen Vorschlagslisten mit Angehörigen derselben Gruppe über. Verfügt keine andere Vorschlagsliste mehr über Angehörige einer Gruppe, so gehen die überschüssigen Mitgliedersitze dieser Gruppe auf die folgenden, nicht berücksichtigten Höchstzahlen der Vorschlagslisten mit Angehörigen der anderen Gruppe über.

d) Innerhalb der Vorschlagslisten werden die den einzelnen Gruppen zustehenden Sitze auf die Angehörigen der entsprechenden Gruppe in der Reihenfolge ihrer Benennung verteilt.

e) Befindet sich nach der Verteilung der Sitze auf die Gruppen nach den Buchstaben a bis d unter den auf die Vorschlagslisten entfallenden Höchstzahlen nicht die für die jeweilige Gruppe nach der Maßgabe der Nummer 4 festgestellte Mindestzahl von Angehörigen des Geschlechts in der Minderheit, so gilt Folgendes:

aa) Der für die Gruppe zuletzt verteilte Sitz, der auf eine Person entfällt, die nicht dem Geschlecht in der Minderheit angehört, geht an die in derselben Vorschlagsliste in der Reihenfolge nach ihr benannte, nicht berücksichtigte Person des Geschlechts in der Minderheit, die derselben Gruppe angehört.

bb) Enthält diese Vorschlagsliste keine Person des Geschlechts in der Minderheit, die derselben Gruppe angehört, so geht dieser Sitz auf die Vorschlagsliste mit der folgenden, noch nicht für die Gruppe berücksichtigten Höchstzahl und mit Angehörigen des Geschlechts in der Minderheit dieser Gruppe über. Entfällt die folgende Höchstzahl auf mehrere Vorschlagslisten zugleich, so entscheidet das Los darüber, welcher Vorschlagsliste dieser Sitz zufällt.

cc) Das Verfahren nach den Doppelbuchstaben aa und bb ist so lange fortzusetzen, bis der Mindestanteil der auf das Geschlecht in der Minderheit entfallenden Gruppensitze erreicht ist.

dd) Bei der Verteilung der Sitze des Geschlechts in der Minderheit sind auf den einzelnen Vorschlagslisten nur die Angehörigen dieses Geschlechts und derselben Gruppe in der Reihenfolge ihrer Benennung zu berücksichtigen.

ee) Verfügt keine andere Vorschlagsliste über Angehörige des Geschlechts in der Minderheit und derselben Gruppe, verbleibt der Gruppensitz bei der Vorschlagsliste, die zuletzt ihren Sitz zu Gunsten des Geschlechts in der Minderheit nach Doppelbuchstabe aa hätte abgeben müssen.

11. Abweichend von § 16 Abs. 1 Nr. 1 der Wahlordnung ist bei Gruppenwahl in der Niederschrift die Gesamtzahl der von jeder Gruppe abgegebenen Stimmen und die Zahl der für jede Gruppe abgegebenen gültigen Stimmen festzustellen.

12. § 17 Abs. 2 der Wahlordnung gilt für die jeweilige Gruppe entsprechend.

13. Bei Gruppenwahl gilt für die Stimmabgabe nach § 20 der Wahlordnung Folgendes:

a) Absatz 1 gilt entsprechend, wenn für einen Wahlgang nur eine gültige Vorschlagsliste eingereicht ist.

b) Ergänzend zu Absatz 2 ist auf den Stimmzetteln die Gruppenzugehörigkeit der Bewerberinnen oder Bewerber aufzuführen.

c) Abweichend von Absatz 3 dürfen nicht mehr Bewerberinnen oder Bewerber angekreuzt werden, als Betriebsratsmitglieder in dem Wahlgang zu wählen sind.

14. Ist bei Gruppenwahl für einen Wahlgang nur eine gültige Vorschlagsliste eingereicht worden, gilt für die Ermittlung der Gewählten § 22 der Wahlordnung entsprechend.

15. Bei gemeinsamer Wahl und nur einer gültigen Vorschlagsliste gilt für die Ermittlung der Gewählten Folgendes:

a) Die den einzelnen Gruppen zustehenden Sitze werden mit den Bewerberinnen oder Bewerbern der jeweiligen Gruppe besetzt. Dabei werden für jede Gruppe zunächst die ihr zustehenden Mindestsitze für das Geschlecht in der Minderheit in der Reihenfolge der jeweils höchsten auf die Angehörigen dieses Geschlechts entfallenden Stimmenzahl verteilt. Im Anschluss daran werden die weiteren der jeweiligen Gruppe zustehenden Sitze mit Bewerberinnen und Bewerbern, unabhängig von ihrem Geschlecht, in der Reihenfolge der jeweils höchsten auf sie *entfallenden* Stimmenzahlen besetzt. Ist für eine Gruppe nur ein Vertreter zu wählen, so ist die Person gewählt, die die meisten Stimmen erhalten hat. Bei Stimmengleichheit entscheidet das Los.

b) Haben in den Fällen des Buchstaben a Satz 2 und 3 für den zuletzt zu vergebenden Sitz mehrere Bewerberinnen oder Bewerber die gleiche Stimmenzahl erhalten, so entscheidet das Los darüber, wer gewählt ist.

c) Haben sich für die jeweilige Gruppe weniger Angehörige des Geschlechts in der Minderheit zur Wahl gestellt oder sind weniger Angehörige dieses Geschlechts gewählt worden, als ihnen Gruppensitze nach § 4 Abs. 1 Satz 2 zustehen, so sind die insoweit überschüssigen Mitgliedersitze des Geschlechts in der Minderheit bei der Sitzverteilung nach Buchstabe a Satz 3 zu berücksichtigen.

d) Sind innerhalb der Gruppe weniger Bewerberinnen oder Bewerber gewählt worden, als der Gruppe Betriebsratssitze zustehen, gehen die überschüssigen Mitgliedersitze auf nicht gewählte Angehörige der anderen Gruppe in der Reihenfolge der jeweils höchsten auf sie entfallenden Stimmenzahlen über.

16. Lehnt eine gewählte Person im Fall nur einer Vorschlagsliste die Wahl ab, gilt § 23 Abs. 2 der Wahlordnung für die jeweilige Gruppe entsprechend.

17. Ist bei Gruppenwahl für eine Gruppe nur ein Vertreter zu wählen, so gilt Folgendes:

a) Die Wahl erfolgt aufgrund von Wahlvorschlägen; § 6 Abs. 1 Satz 2 und Abs. 2 bis 5, §§ 7 bis 9 und 10 Abs. 2 der Wahlordnung gelten für die Wahlvorschläge entsprechend.

b) Die Wählerin oder der Wähler kann ihre oder seine Stimme nur für solche Bewerberinnen oder Bewerber abgeben, die in einem Wahlvorschlag nach Buchstabe a benannt sind.

c) Auf den Stimmzetteln sind die Bewerberinnen oder Bewerber in alphabetischer Reihenfolge unter Angabe von Familienname, Vorname, Art der Beschäftigung im Betrieb und der Gruppenzugehörigkeit aufzuführen. Die Wählerin oder der Wähler kennzeichnet die von ihr oder ihm gewählte Person durch Ankreuzen an der im Stimmzettel vorgesehenen Stelle. § 20 Abs. 3 und § 21 der Wahlordnung gelten entsprechend.

d) Gewählt ist die Person, die die meisten Stimmen erhalten hat; § 23 Abs. 1 der Wahlordnung gilt entsprechend. Bei Stimmengleichheit entscheidet das Los. Lehnt eine gewählte Person die Wahl ab, so tritt an ihre Stelle die nicht gewählte Person mit der nächsthöchsten Stimmenzahl.

17a. § 24 Absatz 1 Satz 2 der Wahlordnung gilt entsprechend für die Wahlumschläge, die für eine Gruppe Verwendung finden.

18. Die Vorschriften über das vereinfachte Wahlverfahren (§§ 28 bis 37 Wahlordnung), das stets in gemeinsamer Wahl erfolgt (§ 26 Nr. 3 Satz 2 Postpersonalrechtsgesetz), gelten mit folgenden Maßgaben:

a) Die Einladung zur Wahlversammlung (§ 28 Abs. 1 Wahlordnung) muss ergänzend zu Satz 5 den Hinweis enthalten, dass die wahlberechtigten Beamtinnen und Beamten in geheimer Abstimmung mit Stimmenmehrheit darüber entscheiden können, ob sie auf die Bildung einer eigenen Gruppe bei der Wahl zum Betriebsrat verzichten, und dass die Abstimmung hierüber bis zur Wahl des Wahlvorstands erfolgen kann.

b) Dem Wahlvorstand nach § 29 Satz 1 der Wahlordnung muss in Betrieben mit Beamten eine Beamtin oder ein Beamter angehören (§ 26 Nr. 6 Postpersonalrechtsgesetz).

c) Abweichend von § 30 Abs. 1 Satz 3 der Wahlordnung hat der Wahlvorstand die Wählerliste, getrennt nach den Gruppen der Arbeitnehmerinnen und Arbeitnehmer sowie der Beamtinnen und Beamten, aufzustellen. Innerhalb der Gruppen sind die Wahlberechtigten getrennt nach den Geschlechtern aufzuführen. Ergänzend zu § 30 Abs. 1 Satz 6 der Wahlordnung ist zusätzlich zu den in § 2 Abs. 4 Satz 1 der Wahlordnung genannten Abdrucken ein Abdruck dieser Verordnung auszulegen. Bei Bekanntmachung in elektronischer Form nach § 2 Abs. 4 Satz 3 und 4 der Wahlordnung ist auch diese Verordnung elektronisch bekannt zu machen.

d) Das Wahlausschreiben (§ 31 Wahlordnung) muss enthalten

   aa) zusätzlich zu der Angabe nach Absatz 1 Nr. 2 die Bestimmung des Orts, an dem diese Verordnung ausliegt, sowie im Fall der Bekanntmachung in elektronischer Form (§ 2 Abs. 4 Satz 3 und 4 Wahlordnung), wo und wie von dieser Verordnung Kenntnis genommen werden kann,

   bb) abweichend von Absatz 1 Nr. 4 die Angabe über den Anteil der Geschlechter innerhalb der Gruppen sowie den Hinweis, dass das Geschlecht in der Minderheit in der jeweiligen Gruppe im Betriebsrat mindestens entsprechend seinem zahlenmäßigen Verhältnis vertreten sein muss,

   cc) neben der Angabe über die Zahl der zu wählenden Betriebsratsmitglieder (§ 9 Betriebsverfassungsgesetz) abweichend von Absatz 1 Nr. 5 die Angabe über die Verteilung der Betriebsratssitze auf die Gruppen der Arbeitnehmerinnen und Arbeitnehmer sowie der Beamtinnen und Beamten und die Angabe über die auf das Geschlecht in der Minderheit entfallenden Mindestsitze in der jeweiligen Gruppe,

   dd) ergänzend zu Absatz 1 Satz 3 die Angabe, dass die Wahl als gemeinsame Wahl erfolgt (§ 26 Nr. 3 Satz 2 Postpersonalrechtsgesetz).

e) § 32 der Wahlordnung findet keine Anwendung. Besteht der zu wählende Betriebsrat aus mindestens drei Mitgliedern, so erfolgt die Verteilung der Sitze auf die Gruppen nach Maßgabe der Nummer 3. Die Verteilung der Mindestsitze des Geschlechts in der Minderheit innerhalb der jeweiligen Gruppe erfolgt nach Maßgabe der Nummer 4.

f) Ergänzend zu § 33 Abs. 2 Satz 1 i.V.m. § 6 Abs. 3 der Wahlordnung ist in jedem Wahlvorschlag auch die Gruppe zu nennen, der die Bewerberinnen oder Bewerber angehören.

g) Für das Wahlverfahren nach § 34 der Wahlordnung gilt Folgendes:

   aa) Ergänzend zu Absatz 1 Satz 2 ist auf den Stimmzetteln die Gruppenzugehörigkeit der Bewerberinnen oder Bewerber aufzuführen.

   bb) Absatz 4 gilt entsprechend, wenn für eine Gruppe nur ein Vertreter zu wählen ist.

   cc) Absatz 5 gilt entsprechend, wenn für eine Gruppe mehrere Vertreter zu wählen sind.

h) Im einstufigen vereinfachten Wahlverfahren nach § 36 der Wahlordnung sind die Maßgaben der Buchstaben c bis g zu beachten.

i) Für das vereinbarte vereinfachte Wahlverfahren nach § 37 der Wahlordnung gilt die Maßgabe nach Buchstabe h entsprechend. Sind für beide Gruppen mehrere Vertreter zu wählen, erfolgt die Ermittlung der Gewählten abweichend von Buchstabe g Doppelbuchstabe bb und cc in entsprechender Anwendung der Maßgaben der Nummern 15 und 16.

Dritter Abschnitt. Verzicht der Beamtinnen und Beamten auf eine eigene Wählergruppe

§ 7 [Verzicht auf Wählergruppe] Haben die Beamtinnen und Beamten auf die Bildung einer eigenen Gruppe verzichtet, findet die Wahlordnung[1] mit der Maßgabe Anwendung, dass das Wahlausschreiben (§§ 3, 31 und 36 Abs. 3 Wahlordnung) zusätzlich die Angabe zu enthalten hat, dass die Beamtinnen und Beamten auf die Bildung einer eigenen Gruppe verzichtet haben.

Vierter Abschnitt. Schlussbestimmung

§ 8 [Inkrafttreten, Außerkrafttreten] [1]Diese Verordnung tritt am Tage nach der Verkündung[2] in Kraft. [2]Gleichzeitig tritt die Verordnung zur Durchführung der Betriebsratswahlen bei den Postunternehmen vom 26. Juni 1995 (BGBl. I S. 871) außer Kraft.

---

[1] Nr. **570a**.
[2] Verkündet am 27.2.2002.

C. Finanzsektor

650. Wertpapiererwerbs- und Übernahmegesetz (WpÜG)[1)]

Vom 20. Dezember 2001

(BGBl. I S. 3822)

FNA 4110-7

zuletzt geänd. durch Art. 13 StandortförderG v. 4.2.2026 (BGBl. 2026 I Nr. 33)

– Auszug –[2)]

Abschnitt 3. Angebote zum Erwerb von Wertpapieren

§ 10[3)] Veröffentlichung der Entscheidung zur Abgabe eines Angebots.

(1) [1]Der Bieter hat seine Entscheidung zur Abgabe eines Angebots unverzüglich gemäß Absatz 3 Satz 1 zu veröffentlichen. [2]Die Verpflichtung nach Satz 1 besteht auch, wenn für die Entscheidung nach Satz 1 der Beschluss der Gesellschafterversammlung des Bieters erforderlich ist und ein solcher Beschluss noch nicht erfolgt ist. [3]Die Bundesanstalt kann dem Bieter auf Antrag abweichend von Satz 2 gestatten, eine Veröffentlichung erst nach dem Beschluss der Gesellschafterversammlung vorzunehmen, wenn der Bieter durch geeignete Vorkehrungen sicherstellt, dass dadurch Marktverzerrungen nicht zu befürchten sind.

(2) [1]Der Bieter hat die Entscheidung nach Absatz 1 Satz 1 vor der Veröffentlichung

1. den Geschäftsführungen der Börsen, an denen Wertpapiere des Bieters, der Zielgesellschaft und anderer durch das Angebot unmittelbar betroffener Gesellschaften zum Handel zugelassen sind, und
2. den Geschäftsführungen der Börsen, an denen Derivate im Sinne des § 2 Absatz 3 des Wertpapierhandelsgesetzes[4)] gehandelt werden, sofern die Wertpapiere Gegenstand der Derivate sind,

mitzuteilen. [2]Die Geschäftsführungen dürfen die ihnen nach Satz 1 mitgeteilten Entscheidungen vor der Veröffentlichung nur zum Zwecke der Entscheidung verwenden, ob die Feststellung des Börsenpreises auszusetzen oder ein-

---

[1)] Verkündet als Art. 1 G v. 20.12.2001 (BGBl. I S. 3822); Inkrafttreten gem. Art. 12 dieses G am 1.1.2002. Vorschriften aus Art. 1 des verkündenden G, die zum Erlass von Rechtsverordnungen ermächtigen, treten am 23.12.2001 in Kraft.

[2)] Vollständig wiedergegeben in **beck-online, Module Arbeitsrecht.**

[3)] § 10 Abs. 1 Satz 3, Abs. 2 Satz 1 Nr. 3 und Satz 3, Abs. 4 Sätze 1 und 2 geänd. mWv 1.5.2002 durch VO v. 29.4.2002 (BGBl. I S. 1495); Abs. 3 Satz 1 Nr. 1 neu gef., Abs. 5 Satz 3 angef. mWv 14.7.2006 durch G v. 8.7.2006 (BGBl. I S. 1426); Abs. 6 geänd. mWv 2.7.2016 durch G v. 30.6.2016 (BGBl. I S. 1514); Abs. 2 Satz 1 Nr. 2 geänd. mWv 3.1.2018 durch G v. 23.6.2017 (BGBl. I S. 1693); Abs. 6 geänd. mWv 28.3.2020 durch G v. 19.3.2020 (BGBl. I S. 529); Abs. 3 Satz 1 Nr. 2 geänd. mWv 26.6.2021 durch G v. 12.5.2021 (BGBl. I S. 990); Abs. 2 Satz 1 Nr. 1 und 2 geänd., Nr. 3 aufgeh., Abs. 4 Satz 2 neu gef. mWv 1.1.2024 durch G v. 11.12.2023 (BGBl. 2023 I Nr. 354); Abs. 3 Satz 4 angef., Abs. 4 Sätze 1 und 2 geänd. mWv 10.1.2030 durch G v. 4.2.2026 (BGBl. 2026 I Nr. 33).

[4)] **beck-online, Module Arbeitsrecht Nr. 127.**

zustellen ist. [3] Die Bundesanstalt kann gestatten, dass Bieter mit Wohnort oder Sitz im Ausland die Mitteilung nach Satz 1 gleichzeitig mit der Veröffentlichung vornehmen, wenn dadurch die Entscheidungen der Geschäftsführungen über die Aussetzung oder Einstellung der Feststellung des Börsenpreises nicht beeinträchtigt werden.

(3) [1] Die Veröffentlichung der Entscheidung nach Absatz 1 Satz 1 ist

1. durch Bekanntgabe im Internet und
2. über ein elektronisch betriebenes Informationsverbreitungssystem, das bei Kreditinstituten, Finanzdienstleistungsinstituten, Wertpapierinstituten, nach § 53 Abs. 1 des Gesetzes über das Kreditwesen[1)] tätigen Unternehmen, anderen Unternehmen, die ihren Sitz im Inland haben und an einer inländischen Börse zur Teilnahme am Handel zugelassen sind, und Versicherungsunternehmen weit verbreitet ist,

in deutscher Sprache vorzunehmen. [2] Dabei hat der Bieter auch die Adresse anzugeben, unter der die Veröffentlichung der Angebotsunterlage im Internet nach § 14 Abs. 3 Satz 1 Nr. 1 erfolgen wird. [3] Eine Veröffentlichung in anderer Weise darf nicht vor der Veröffentlichung nach Satz 1 vorgenommen werden. ***[Satz 4 ab 10.1.2030:]*** *[4] Gleichzeitig mit der Veröffentlichung ist die Entscheidung nach Absatz 1 Satz 1 der Bundesanstalt zu übermitteln, wobei die Anforderungen nach § 9a Absatz 2 und 3 zu beachten sind.*

(4) [1] Der Bieter hat die Veröffentlichung nach Absatz 3 Satz 1 unverzüglich den Geschäftsführungen der in Absatz 2 Satz 1 Nr. 1 und 2 erfassten Börsen ***[bis 9.1.2030:*** und der Bundesanstalt***]*** zu übersenden. [2] Dies gilt ***[bis 9.1.2030:*** im Hinblick auf die Geschäftsführungen der in Absatz 2 Satz 1 Nummer 1 und 2 erfassten Börsen***]*** nicht, soweit die Bundesanstalt nach Absatz 2 Satz 3 gestattet hat, die Mitteilung nach Absatz 2 Satz 1 gleichzeitig mit der Veröffentlichung vorzunehmen.

(5) [1] Der Bieter hat dem Vorstand der Zielgesellschaft unverzüglich nach der Veröffentlichung nach Absatz 3 Satz 1 die Entscheidung zur Abgabe eines Angebots schriftlich mitzuteilen. [2] Der Vorstand der Zielgesellschaft unterrichtet den zuständigen Betriebsrat oder, sofern ein solcher nicht besteht, unmittelbar die Arbeitnehmer, unverzüglich über die Mitteilung nach Satz 1. [3] Der Bieter hat die Entscheidung zur Abgabe eines Angebots ebenso seinem zuständigen Betriebsrat oder, sofern ein solcher nicht besteht, unmittelbar den Arbeitnehmern unverzüglich nach der Veröffentlichung nach Absatz 3 Satz 1 mitzuteilen.

(6) Artikel 17 der Verordnung (EU) Nr. 596/2014 des Europäischen Parlaments und des Rates vom 16. April 2014 über Marktmissbrauch (Marktmissbrauchsverordnung) und zur Aufhebung der Richtlinie 2003/6/EG des Europäischen Parlaments und des Rates und der Richtlinien 2003/124/EG, 2003/125/EG und 2004/72/EG der Kommission (ABl. L 173 vom 12.6.2014, S. 1) in der jeweils geltenden Fassung gilt nicht für Entscheidungen zur Abgabe eines Angebots, soweit letztere unter Beachtung des Artikels 2 Absatz 1 der Durchführungsverordnung (EU) 2016/1055 der Kommission vom 29. Juni 2016 zur Festlegung technischer Durchführungsstandards hinsichtlich der technischen Mittel für die angemessene Bekanntgabe von Insiderinformationen und für den Aufschub der Bekanntgabe von Insiderinformationen gemäß Verordnung (EU)

[1)] **beck-online, Module Arbeitsrecht Nr. 205.**

Nr. 596/2014 des Europäischen Parlaments und des Rates (ABl. L 173 vom 30.6.2016, S. 47) in der jeweils geltenden Fassung und des § 3a der Wertpapierhandelsanzeigeverordnung veröffentlicht wurden.

§ 14[1)] Übermittlung und Veröffentlichung der Angebotsunterlage.

(1) [1] Der Bieter hat die Angebotsunterlage innerhalb von vier Wochen nach der Veröffentlichung der Entscheidung zur Abgabe eines Angebots der Bundesanstalt zu übermitteln. [2] Die Bundesanstalt bestätigt dem Bieter den Tag des Eingangs der Angebotsunterlage. [3] Die Bundesanstalt kann die Frist nach Satz 1 auf Antrag um bis zu vier Wochen verlängern, wenn dem Bieter die Einhaltung der Frist nach Satz 1 auf Grund eines grenzüberschreitenden Angebots oder erforderlicher Kapitalmaßnahmen nicht möglich ist.

(2) Die Angebotsunterlage ist unverzüglich nach den Maßgaben des Absatzes 3 Satz 1 zu veröffentlichen, wenn

1. die Bundesanstalt die Veröffentlichung gestattet hat oder
2. seit dem Eingang der Angebotsunterlage zehn Arbeitstage verstrichen sind, ohne dass die Bundesanstalt das Angebot untersagt hat.

(2a) [1] Vor der Veröffentlichung der Angebotsunterlage darf diese nicht bekannt gegeben werden. [2] Die Bundesanstalt kann vor einer Untersagung des Angebots die Frist nach Absatz 2 Nummer 2 um bis zu fünf Arbeitstage verlängern, wenn die Angebotsunterlage nicht vollständig ist oder sonst den Vorschriften dieses Gesetzes oder einer auf Grund dieses Gesetzes erlassenen Rechtsverordnung nicht entspricht. [3] Die Frist nach Absatz 2 Nummer 2 verlängert sich, auch nach einer Verlängerung nach Satz 2, um fünf Kalendertage, nachdem die Bundesanstalt eine Untersagung nach § 4f des Finanzdienstleistungsaufsichtsgesetzes elektronisch oder nach § 4g des Finanzdienstleistungsaufsichtsgesetzes als elektronisches Dokument zum Abruf über das Melde- und Veröffentlichungssystem der Bundesanstalt bereitgestellt, öffentlich bekannt gemacht oder zur Post aufgegeben hat.

(3) [1] Die Angebotsunterlage ist zu veröffentlichen durch

1. Bekanntgabe im Internet und
2. Bekanntgabe im Bundesanzeiger oder durch Bereithalten zur kostenlosen Ausgabe bei einer geeigneten Stelle im Inland; im letzteren Fall ist im Bundesanzeiger bekannt zu machen, bei welcher Stelle die Angebotsunterlage bereit gehalten wird und unter welcher Adresse die Veröffentlichung der Angebotsunterlage im Internet nach Nummer 1 erfolgt ist.

[Satz 2 bis 9.1.2030:] [2] Der Bieter hat der Bundesanstalt die Veröffentlichung nach Satz 1 Nummer 2 unverzüglich unter Übermittlung der veröffentlichten Angebotsunterlage mitzuteilen. ***[Satz 2 ab 10.1.2030:]*** [2] *Der Bieter hat der Bundesanstalt die zu veröffentlichende Angebotsunterlage gleichzeitig mit der Bekanntgabe im Internet nach Satz 1 Nummer 1 zu übermitteln, wobei die Anforderungen nach § 9a Absatz 2 und 3 zu beachten sind.* [3] Die Verpflichtung des Bieters besteht

[1)] § 14 Abs. 1 Sätze 1–3, Abs. 2 Sätze 1 und 3 sowie Abs. 3 Satz 2 geänd. mWv 1.5.2002 durch VO v. 29.4.2002 (BGBl. I S. 1495); Abs. 4 Satz 3 angef. mWv 14.7.2006, Abs. 3 Satz 1 Nr. 2 geänd., Satz 2 neu gef. mWv 1.1.2007 durch G v. 8.7.2006 (BGBl. I S. 1426); Abs. 3 Satz 1 Nr. 2 geänd. mWv 1.4. 2012 durch G v. 22.12.2011 (BGBl. I S. 3044); Abs. 2 neu gef., Abs. 2a eingef., Abs. 3 Satz 2 geänd., Satz 3 angef. mWv 1.1.2024 durch G v. 11.12.2023 (BGBl. 2023 I Nr. 354); Abs. 3 Satz 2 neu gef. mWv 10.1.2030 durch G v. 4.2.2026 (BGBl. 2026 I Nr. 33).

auch im Fall einer Veröffentlichung oder Bekanntmachung im Sinne des § 12 Absatz 3 Nummer 3.

(4) [1] Der Bieter hat die Angebotsunterlage dem Vorstand der Zielgesellschaft unverzüglich nach der Veröffentlichung nach Absatz 3 Satz 1 zu übermitteln. [2] Der Vorstand der Zielgesellschaft hat die Angebotsunterlage unverzüglich dem zuständigen Betriebsrat oder, sofern ein solcher nicht besteht, unmittelbar den Arbeitnehmern zu übermitteln. [3] Der Bieter hat die Angebotsunterlage ebenso seinem zuständigen Betriebsrat oder, sofern ein solcher nicht besteht, unmittelbar den Arbeitnehmern unverzüglich nach der Veröffentlichung nach Absatz 3 Satz 1 zu übermitteln.

§ 27[1)] Stellungnahme des Vorstands und Aufsichtsrats der Zielgesellschaft. (1) [1] Der Vorstand und der Aufsichtsrat der Zielgesellschaft haben eine begründete Stellungnahme zu dem Angebot sowie zu jeder seiner Änderungen abzugeben. [2] Die Stellungnahme muss insbesondere eingehen auf

1. die Art und Höhe der angebotenen Gegenleistung,
2. die voraussichtlichen Folgen eines erfolgreichen Angebots für die Zielgesellschaft, die Arbeitnehmer und ihre Vertretungen, die Beschäftigungsbedingungen und die Standorte der Zielgesellschaft,
3. die vom Bieter mit dem Angebot verfolgten Ziele,
4. die Absicht der Mitglieder des Vorstands und des Aufsichtsrats, soweit sie Inhaber von Wertpapieren der Zielgesellschaft sind, das Angebot anzunehmen.

(2) Übermitteln der zuständige Betriebsrat oder, sofern ein solcher nicht besteht, unmittelbar die Arbeitnehmer der Zielgesellschaft dem Vorstand eine Stellungnahme zu dem Angebot, hat der Vorstand unbeschadet seiner Verpflichtung nach Absatz 3 Satz 1 diese seiner Stellungnahme beizufügen.

(3) [1] Der Vorstand und der Aufsichtsrat der Zielgesellschaft haben die Stellungnahme unverzüglich nach Übermittlung der Angebotsunterlage und deren Änderungen durch den Bieter gemäß § 14 Abs. 3 Satz 1 zu veröffentlichen. [2] Sie haben die Stellungnahme gleichzeitig dem zuständigen Betriebsrat oder, sofern ein solcher nicht besteht, unmittelbar den Arbeitnehmern zu übermitteln. ***[Satz 3 bis 9.1.2030:]*** [3] Der Vorstand und der Aufsichtsrat der Zielgesellschaft haben der Bundesanstalt die Veröffentlichung nach § 14 Absatz 3 Satz 1 Nummer 2 unverzüglich unter Übermittlung der veröffentlichten Stellungnahme mitzuteilen. ***[Satz 3 ab 10.1.2030:]*** *[3] Der Vorstand und der Aufsichtsrat der Zielgesellschaft haben der Bundesanstalt die zu veröffentlichende Stellungnahme gleichzeitig mit der Bekanntgabe im Internet nach § 14 Absatz 3 Satz 1 Nummer 1 mitzuteilen, wobei die Anforderungen nach § 9a Absatz 2 und 3 zu beachten sind.*

[1)] § 27 Abs. 3 Satz 3 geänd. mWv 1.5.2002 durch VO v. 29.4.2002 (BGBl. I S. 1495); Abs. 3 Satz 3 neu gef. mWv 1.1.2007 durch G v. 8.7.2006 (BGBl. I S. 1426); Abs. 3 Satz 3 neu gef. mWv 1.1.2024 durch G v. 11.12.2023 (BGBl. 2023 I Nr. 354); Abs. 3 Satz 3 neu gef. mWv 10.1.2030 durch G v. 4.2.2026 (BGBl. 2026 I Nr. 33).

651. Gesetz zur Errichtung eines Finanzmarkt- und eines Wirtschaftsstabilisierungsfonds (Stabilisierungsfondsgesetz – StFG)[1)]

Vom 17. Oktober 2008

(BGBl. I S. 1982)

FNA 660-3

zuletzt geänd. durch Art. 31 Standortfördergesetz v. 4.2.2026 (BGBl. 2026 I Nr. 33)

– Auszug –[2)]

§ 6[3)] **Garantieermächtigung; Verordnungsermächtigung.** (1) [1]Der Fonds wird ermächtigt, für den Fonds Garantien bis zur Höhe von 400 Milliarden Euro für ab Inkrafttreten dieses Gesetzes und bis zum 31. Dezember 2015 begebene Schuldtitel und begründete Verbindlichkeiten von Unternehmen des Finanzsektors zu übernehmen, um Liquiditätsengpässe zu beheben und die Refinanzierung am Kapitalmarkt zu unterstützen; die Laufzeit der Garantien und der abzusichernden Verbindlichkeiten darf 84 Monate für gedeckte Schuldverschreibungen im Sinne des Artikels 129 der Verordnung (EU) Nr. 575/2013[4)] des Europäischen Parlaments und des Rates vom 26. Juni 2013 über Aufsichtsanforderungen an Kreditinstitute und Wertpapierfirmen und zur Änderung der Verordnung (EU) Nr. 646/2012 (ABl. L 176 vom 27.6.2013, S. 1) und 60 Monate für andere Verbindlichkeiten nicht übersteigen. [2]Satz 1 gilt entsprechend für die Übernahme von Garantien für Verbindlichkeiten von Zweckgesellschaften, die Risikopositionen eines Unternehmens des Finanzsektors übernommen haben. [3]Für die Übernahme von Garantien ist ein Entgelt in angemessener Höhe zu erheben.

(1a) [1]Soweit Schuldtitel und sonstige Forderungen vom Fonds garantiert sind,

1. ist die vorzeitige Geltendmachung der Forderungen, auch auf Grund einer Kündigung, ausgeschlossen,
2. dürfen die Inhaber ihre Forderungen nicht durch Arrest oder Zwangsvollstreckung gegenüber dem Emittenten geltend machen. § 394 Satz 1 des Bürgerlichen Gesetzbuchs[5)] ist entsprechend anzuwenden,
3. nehmen die Inhaber am Insolvenzverfahren über das Vermögen des Schuldners nicht teil.

[2]In einem Insolvenzverfahren über das Vermögen des Schuldners der Forderungen kann der Fonds seine Rückgriffsforderungen gegen den Schuldner als

---

[1)] Titel neu gef. mWv 17.7.2020 durch G v. 10.7.2020 (BGBl. I S. 1633).

[2)] Vollständig wiedergegeben in **beck-online, Module Arbeitsrecht.**

[3)] § 6 Abs. 1 Satz 1 geänd., Abs. 1a eingef. mWv 9.4.2009 durch G v. 7.4.2009 (BGBl. I S. 725); Abs. 1 Satz 1 geänd. mWv 23.7.2009 durch G v. 17.7.2009 (BGBl. I S. 1980); Abs. 1 Satz 1 geänd. mWv 31.12.2010 durch G v. 9.12.2010 (BGBl. I S. 1900); Abs. 1 Satz 1 neu gef. mWv 1.3.2012 durch G v. 24.2.2012 (BGBl. I S. 206); Abs. 1 Satz 1 geänd. mWv 1.1.2013 durch G v. 20.12.2012 (BGBl. I S. 2777); Abs. 1 Satz 1 geänd. mWv 1.1.2014 durch G v. 28.8.2013 (BGBl. I S. 3395); Abs. 1 Satz 1 geänd. mWv 1.1.2015 durch G v. 10.12.2014 (BGBl. I S. 2091); Überschrift neu gef. mWv 28.3.2020 durch G v. 27.3.2020 (BGBl. I S. 543).

[4)] **beck-online, Module Arbeitsrecht Nr. 894b.**

[5)] Nr. **50**.

Insolvenzforderung anmelden. [3] § 41 Absatz 2 der Insolvenzordnung[1)] findet insoweit keine Anwendung.

(2) § 39 Abs. 2 und 3 der Bundeshaushaltsordnung[2)] findet keine Anwendung.

(3) [1] Eine Garantie ist auf den Höchstbetrag der entsprechenden Ermächtigung in der Höhe anzurechnen, in der der Fonds daraus in Anspruch genommen werden kann. [2] Zinsen und Kosten sind auf den jeweiligen Ermächtigungsrahmen nur anzurechnen, soweit dies gesetzlich bestimmt ist oder bei der Übernahme ein gemeinsamer Haftungsbetrag für Hauptverpflichtung, Zinsen und Kosten festgelegt wird. [3] Soweit der Fonds in den Fällen der Garantieübernahme nach Absatz 1 ohne Inanspruchnahme von seiner Haftung frei wird oder Ersatz für erbrachte Leistungen erlangt hat, ist eine Garantie auf den Höchstbetrag nicht mehr anzurechnen.

(4) Die Bundesregierung kann durch Rechtsverordnung, die nicht der Zustimmung des Bundesrates bedarf, nähere Bestimmungen erlassen über

1. die Art der Garantie und der Risiken, die durch sie abgedeckt werden können,
2. die Eigenmittelausstattung, die durch Maßnahmen nach Absatz 1 begünstigte Unternehmen des Finanzsektors mindestens aufweisen müssen,
3. die Berechnung und Anrechnung von Garantiebeträgen,
4. die Gegenleistung und die sonstigen Bedingungen der Garantie,
5. Obergrenzen für die Übernahme von Garantien für Verbindlichkeiten einzelner Unternehmen des Finanzsektors sowie für bestimmte Arten von Garantien und
6. sonstige Bedingungen, die zur Sicherstellung des Zweckes dieses Gesetzes im Rahmen der Garantieübernahme nach Absatz 1 erforderlich sind.

(5) Der Haushaltsausschuss und der Finanzausschuss des Deutschen Bundestages sind über Erlass und Änderungen der Rechtsverordnung nach Absatz 4 unverzüglich zu unterrichten.

§ 10[3)] Bedingungen für Stabilisierungsmaßnahmen; Verordnungsermächtigung. (1) Unternehmen des Finanzsektors, die Stabilisierungsmaßnahmen des Fonds nach den §§ 6, 7 und 8 dieses Gesetzes in Anspruch nehmen, müssen die Gewähr für eine solide und umsichtige Geschäftspolitik bieten.

(2) [1] Die Bundesregierung kann durch Rechtsverordnung, die nicht der Zustimmung des Bundesrates bedarf, nähere Bestimmungen erlassen über die von den begünstigten Unternehmen des Finanzsektors zu erfüllenden Anforderungen an

---

[1)] Nr. **327.**

[2)] **Sartorius Nr. 700.**

[3)] § 10 Abs. 1 geänd. mWv 23.7.2009 durch G v. 17.7.2009 (BGBl. I S. 1980); Abs. 2a–2c eingef. mWv 31.12.2010 durch G v. 9.12.2010 (BGBl. I S. 1900); Abs. 2d eingef. mWv 19.12.2014 durch G v. 10.12.2014 (BGBl. I S. 2091); Abs. 2d Sätze 1 und 2 geänd. mWv 1.1.2018 durch G v. 23.12.2016 (BGBl. I S. 3171); Überschrift neu gef. mWv 28.3.2020 durch G v. 27.3.2020 (BGBl. I S. 543); Abs. 2d Sätze 1 und 2 geänd. mWv 1.1.2026 durch G v. 28.2.2025 (BGBl. 2025 I Nr. 69).

1. die geschäftspolitische Ausrichtung, bei Kreditinstituten insbesondere die Versorgung kleiner und mittlerer Unternehmen mit Krediten, und die Nachhaltigkeit des verfolgten Geschäftsmodells,
2. die Verwendung der aufgenommenen Mittel,
3. die Vergütung ihrer Organe, Angestellten und wesentlichen Erfüllungsgehilfen,
4. die Eigenmittelausstattung,
5. die Ausschüttung von Dividenden,
6. den Zeitraum, innerhalb dessen diese Anforderungen zu erfüllen sind,
7. Maßnahmen zur Vermeidung von Wettbewerbsverzerrungen,
8. die Art und Weise, wie dem Fonds Rechenschaft zu legen ist,
9. eine von dem vertretungsberechtigten Organ mit Zustimmung des Aufsichtsorgans abzugebende und zu veröffentlichende Verpflichtungserklärung zur Einhaltung der in den Nummern 1 bis 8 einzuhaltenden Anforderungen,
10. sonstige Bedingungen, die zur Sicherstellung des Zweckes dieses Gesetzes nach Absatz 1 erforderlich sind.

[2] Die Anforderungen können sich nach Art und Adressaten der Stabilisierungsmaßnahme unterscheiden. [3] Sie werden auf der Grundlage dieses Gesetzes und der hierzu ergangenen Rechtsverordnung durch Vertrag, Selbstverpflichtung oder Verwaltungsakt festgelegt. [4] In der nach Satz 1 zu erlassenden Rechtsverordnung können auch Rechtsfolgen einer Nichtbeachtung der vorgenannten Anforderungen geregelt werden.

(2a) [1] In einem Unternehmen des Finanzsektors, das Stabilisierungsmaßnahmen nach § 7 dieses Gesetzes in Anspruch nimmt und bei dem der Fonds unmittelbar oder mittelbar über ein oder mehrere Tochterunternehmen mindestens 75 Prozent der Anteile hält, darf die monetäre Vergütung der Organmitglieder und Angestellten jeweils 500 000 Euro pro Jahr nicht übersteigen. [2] Variable Vergütungen sind nicht zulässig.

(2b) [1] In einem Unternehmen des Finanzsektors, das Stabilisierungsmaßnahmen nach § 7 dieses Gesetzes in Anspruch nimmt und bei dem der Fonds die in Absatz 2a genannte Beteiligungsschwelle nicht erreicht, darf die monetäre Vergütung der Organmitglieder und Angestellten vorbehaltlich der Regelung in Satz 3 jeweils 500 000 Euro pro Jahr nicht übersteigen. [2] Variable Vergütungen sind nicht zulässig, es sei denn, die Summe aus fixer und variabler Vergütung überschreitet nicht die Obergrenze von 500 000 Euro pro Jahr. [3] Die Obergrenze von 500 000 Euro darf überschritten werden, sofern das Unternehmen mindestens die Hälfte der geleisteten Rekapitalisierungen zurückgezahlt hat oder soweit die geleistete Kapitalzuführung voll verzinst wird.

(2c) [1] Nicht umfasst von den Absätzen 2a und 2b sind Vergütungen, die durch Tarifvertrag oder in seinem Geltungsbereich durch Vereinbarung der Arbeitsvertragsparteien über die Anwendung der tarifvertraglichen Regelungen oder aufgrund eines Tarifvertrages in einer Betriebs- oder Dienstvereinbarung vereinbart sind. [2] Die Vorgaben der Absätze 2a und 2b sind bei Vertragsänderungen und -neuabschlüssen mit Organmitgliedern und Angestellten zu berücksichtigen. [3] Die Verlängerung eines Vertrages gilt als Neuabschluss im Sinne des Satzes 2. [4] Soweit Verträge den Vorgaben der Absätze 2a und 2b nicht entsprechen, können Organmitglieder und Angestellte aus ihnen keine Rechte herleiten. [5] Dies gilt nicht für Ansprüche, die vor dem 1. Januar 2011 entstanden sind.

(2d) [1] Bei einem Unternehmen des Finanzsektors, das Stabilisierungsmaßnahmen gemäß den §§ 6 bis 8a in Anspruch nimmt, sollen ***[bis 31.12.2025:*** Vertreter der Anstalt im Zusammenhang mit den ihr nach § 8a übertragenen Aufgaben oder***]*** Vertreter der Finanzagentur im Zusammenhang mit den nach diesem Gesetz auf diese übertragenen Aufgaben als Sachverständige oder Auskunftspersonen im Sinne des § 109 Absatz 1 Satz 2 des Aktiengesetzes[1] zu den Sitzungen des Aufsichtsrats und seiner Ausschüsse hinzugezogen werden, soweit über Gegenstände beraten wird, bei denen eine Beteiligung von Vertretern ***[bis 31.12.2025:*** der Anstalt oder***]*** der Finanzagentur als Sachverständige oder als Vertreter der Eigentümerinteressen des Bundes jeweils zweckdienlich erscheint. [2] Die ***[bis 31.12.2025:*** Anstalt und die Finanzagentur können***][ab 1.1.2026:*** *Finanzagentur kann****]*** die Teilnahme ihrer Vertreter an solchen Sitzungen verlangen, soweit über Gegenstände beraten wird, die Auswirkungen auf die jeweils in ihrem Aufgabenbereich liegenden Stabilisierungsmaßnahmen haben können.

(3) Der Haushaltsausschuss und der Finanzausschuss des Deutschen Bundestages sind über Erlass und Änderungen der Rechtsverordnung nach Absatz 2 unverzüglich zu unterrichten.

§ 13[2] Befristung und Länderbeteiligung. (1) [1] Stabilisierungsmaßnahmen des Fonds einschließlich der Maßnahmen nach den §§ 6a und 8a sind bis zum 31. Dezember 2015 möglich. [2] Anschließend ist der Fonds abzuwickeln und aufzulösen. [3] Für den Fonds ist ein Schlussergebnis zu ermitteln. [4] Dabei sind Ergebnisse für die bis zum 31. Dezember 2012 gewährten Maßnahmen und die nach dem 31. Dezember 2012 gewährten Maßnahmen separat auszuweisen. [5] Dem Ergebnis für bis zum 31. Dezember 2012 gewährte Maßnahmen werden dabei auch die Ergebnisse von Maßnahmen nach den Absätzen 1a und 1b zugerechnet, soweit sie Anschlussmaßnahmen nach den Absätzen 1a und 1b zu bis zum 31. Dezember 2012 ergriffenen Maßnahmen sind.

(1a) Der Fonds kann sich auch nach dem 31. Dezember 2015 an Unternehmen des Finanzsektors gemäß § 2 Absatz 1 Satz 1 dieses Gesetzes in der am 31. Dezember 2014 geltenden Fassung beteiligen, an denen er auf Grund von Maßnahmen nach § 7 bereits beteiligt ist, soweit dies erforderlich ist, um den Anteil seiner Kapitalbeteiligung an dem Unternehmen aufrechtzuerhalten oder gewährte Stabilisierungsmaßnahmen abzusichern.

(1b) [1] Die Gewährung von Darlehen durch den Fonds nach § 8a Absatz 10 Satz 1 ist nach dem in Absatz 1 genannten Datum möglich. [2] Gleiches gilt für eine Übertragung von Risikopositionen sowie nichtstrategienotwendiger Geschäftsbereiche der übertragenden Gesellschaft auf eine bereits errichtete Ab-

---

[1] Nr. **567**.

[2] § 13 Abs. 1a eingef. mWv 9.4.2009 durch G v. 7.4.2009 (BGBl. I S. 725); Abs. 1 neu gef., Abs. 1a geänd. mWv 23.7.2009 durch G v. 17.7.2009 (BGBl. I S. 1980); Abs. 1b eingef. mWv 31.12.2010 durch G v. 9.12.2010 (BGBl. I S. 1900); Abs. 1 Satz 1, Abs. 1a, Abs. 1b Satz 3 geänd. mWv 1.3.2012 durch G v. 24.2.2012 (BGBl. I S. 206); Abs. 1 Satz 1 geänd., Sätze 3–5 angef., Abs. 1a, Abs. 1b Satz 3, Abs. 2 Satz 1 geänd., Abs. 2a eingef., Abs. 4 geänd. mWv 1.1.2013 durch G v. 20.12.2012 (BGBl. I S. 2777); Abs. 1 Satz 1, Abs. 1a und Abs. 1b Satz 3 geänd. mWv 1.1.2015 durch G v. 10.12.2014 (BGBl. I S. 2091); Abs. 1b Satz 1 geänd. mWv 1.1.2019 durch G v. 23.12.2016 (BGBl. I S. 3171); Abs. 1b Satz 4 geänd. mWv 1.1.2026 durch G v. 28.2.2025 (BGBl. 2025 I Nr. 69).

wicklungsanstalt durch Rechtsgeschäft oder Umwandlung zum Zwecke der Abwicklung und in diesem Zusammenhang die Übernahme von Verlustausgleichspflichten durch den Fonds nach § 8a Absatz 4 Satz 1 Nummer 1 und 1a. [3]Im Falle einer nachträglichen Übertragung nach Satz 2 können abweichend von § 8a Absatz 1 Satz 1 auch Risikopositionen übertragen werden, die nach dem 31. Mai 2014 erworben wurden. [4]Für die Entscheidung ***[bis 31.12.2025:*** der Anstalt***][ab 1.1.2026:*** *des Bundesministeriums der Finanzen nach Anhörung der Finanzagentur****]*** über die nachträgliche Übertragung sowie die näheren Bedingungen gilt § 8a Absatz 3 und 4 entsprechend. [5]Bei der Festlegung von Bedingungen nach § 8a Absatz 4, insbesondere einer Verlustausgleichspflicht oder Haftung nach § 8a Absatz 4 Satz 1 Nummer 1 und 1a, bleiben Anteile, die der Fonds nach Errichtung der Abwicklungsanstalt an der übertragenden Gesellschaft erworben hat, außer Betracht.

(2) [1]Nach Abwicklung des Fonds wird das verbleibende Ergebnis für bis zum 31. Dezember 2012 gewährte Maßnahmen zwischen Bund und Ländern im Verhältnis 65 : 35 aufgeteilt. [2]Die Beteiligung der Länder ist auf einen Höchstbetrag von 7,7 Milliarden Euro begrenzt. [3]Die Aufteilung auf die einzelnen Länder erfolgt zur Hälfte nach Einwohnern (Stand 30. Juni 2008) und zur Hälfte nach dem Bruttoinlandsprodukt 2007 in jeweiligen Preisen.

(2a) [1]Das verbleibende Ergebnis für die nach dem 31. Dezember 2012 gewährten Maßnahmen wird zwischen Bund und Ländern im Verhältnis 65:35 aufgeteilt, soweit es positiv ist. [2]Sofern dieses Ergebnis negativ ist, ist der Restrukturierungsfonds im Sinne des § 1 des Restrukturierungsfondsgesetzes[1)] gegenüber dem Fonds zum Ausgleich verpflichtet.

(3) [1]Soweit Landesbanken oder Zweckgesellschaften, die deren Risikopositionen übernommen haben, durch Maßnahmen des Fonds unterstützt werden, tragen hieraus resultierende finanzielle Lasten die Länder entsprechend ihren Anteilen an den Landesbanken oder Zweckgesellschaften zum Zeitpunkt des Inkrafttretens des Gesetzes. [2]Der Bund trägt gemäß seinem Anteil zum Zeitpunkt des Inkrafttretens des Gesetzes die Lasten der Finanzinstitutionen nach § 2, an denen er beteiligt ist.

(4) Die Einzelheiten der Abwicklung und Auflösung des Fonds bestimmt die Bundesregierung jeweils durch Rechtsverordnung, die der Zustimmung des Deutschen Bundestages und des Bundesrates bedarf.

(5) Der Haushaltsausschuss und der Finanzausschuss des Deutschen Bundestages sind über Erlass und Änderungen der Rechtsverordnungen nach Absatz 4 unverzüglich zu unterrichten.

§ 18[2)] Institutioneller Rahmen; Verordnungsermächtigung. (1) [1]Die Verwaltung des Wirtschaftsstabilisierungsfonds mit Ausnahme der Entscheidungen über Stabilisierungsmaßnahmen nach § 20 Absatz 1 und der Wahrnehmung der Aufgaben nach § 20 Absatz 3 obliegt der Finanzagentur. [2]Die Finanzagentur nimmt die Aufgaben im Zusammenhang mit der Verwaltung des Wirtschaftsstabilisierungsfonds, auch im Namen des Wirtschaftsstabilisierungsfonds, als eigene wahr. [3]Die Finanzagentur untersteht hinsichtlich der Wahrnehmung der Aufgaben nach den Sätzen 1 und 2 der Rechts- und Fachaufsicht des

---

[1)] **beck-online, Module Arbeitsrecht Nr. 654.**

[2)] Teil 1 (§§ 15–19) eingef. mWv 28.3.2020 durch G v. 27.3.2020 (BGBl. I S. 543); Abs. 1 Sätze 4 und 5 und Abs. 2 Satz 1 geänd. mWv 4.11.2022 durch G v. 28.10.2022 (BGBl. I S. 1902).

Bundesministeriums der Finanzen. [4]Die Fachaufsicht in Bezug auf die Entscheidungen über Stabilisierungsmaßnahmen nach § 20 wird vom Bundesministerium der Finanzen im Einvernehmen mit dem Bundesministerium für Wirtschaft und Klimaschutz ausgeübt. [5]Das Bundesministerium für Wirtschaft und Klimaschutz ist der Ansprechpartner für die Unternehmen.

(2) [1]Das Bundesministerium der Finanzen kann im Einvernehmen mit dem Bundesministerium für Wirtschaft und Klimaschutz Aufgaben und Befugnisse der Finanzagentur nach diesem Abschnitt vorübergehend selbst wahrnehmen oder auf einen geeigneten Dritten übertragen. [2]Absatz 1 Satz 2 und 3 gilt entsprechend.

(3) Die Finanzagentur kann sich nach Maßgabe einer nach § 20 Absatz 6 erlassenen Rechtsverordnung bei der Erfüllung ihrer Aufgaben nach diesem Abschnitt geeigneter Dritter bedienen.

(4) [1]§ 3a Absatz 6a und § 3b Absatz 1 bis 3 gelten entsprechend. [2]Soweit durch andere inländische Gebietskörperschaften errichtete, mit dem Wirtschaftsstabilisierungsfonds vergleichbare Einrichtungen durch eine Finanzagentur nach dem Recht der inländischen Gebietskörperschaft vertreten und deren Aufgaben durch diese Finanzagentur wahrgenommen werden, gelten § 3a Absatz 6a Satz 1 und 2 für die nach dem Recht der inländischen Gebietskörperschaft errichtete Finanzagentur entsprechend.

§ 25[1)] Voraussetzungen und Bedingungen für Stabilisierungsmaßnahmen; Verordnungsermächtigung. (1) [1]Den Unternehmen dürfen anderweitige Finanzierungsmöglichkeiten nicht zur Verfügung stehen. [2]Durch die Stabilisierungsmaßnahmen muss eine klare eigenständige Fortführungsperspektive nach Überwindung der Pandemie bestehen. [3]Unternehmen, die eine Maßnahme dieses Gesetzes beantragen, dürfen zum 31. Dezember 2019 nicht die EU-Definition von „Unternehmen in Schwierigkeiten" erfüllt haben.

(2) [1]Unternehmen, die Stabilisierungsmaßnahmen des Wirtschaftsstabilisierungsfonds nach den §§ 21 und 22 dieses Gesetzes in Anspruch nehmen, müssen die Gewähr für eine solide und umsichtige Geschäftspolitik bieten. [2]Sie sollen insbesondere einen Beitrag zur Stabilisierung von Produktionsketten und zur Sicherung von Arbeitsplätzen leisten. [3]Zur Sicherstellung der in den Sätzen 1 und 2 genannten Bedingungen können Auflagen mit den Begünstigten der Stabilisierungsmaßnahme vereinbart werden. [4]Soweit in den Sitzungen des Aufsichtsrats von stabilisierten Unternehmen Vertreter der Finanzagentur oder der Kreditanstalt für Wiederaufbau als Sachverständige hinzugezogen oder als Vertreter benannt werden, sind diese von den Vorgaben der §§ 25c und 25d des Kreditwesengesetzes[2)] befreit. [5]Satz 4 gilt entsprechend für Unternehmen, die Gegenstand von durch andere inländische Gebietskörperschaften errichtete, mit dem Wirtschaftsstabilisierungsfonds vergleichbare Einrichtungen gewährten Stabilisierungsmaßnahmen sind, soweit in den Sitzungen dieser stabilisierten Unternehmen Vertreter der entsprechenden Finanzagentur oder einer Landesförderbank oder -anstalt als Sachverständige hinzugezogen oder als Vertreter benannt werden.

[1)] Teil 2 (§§ 20–26) eingef. mWv 28.3.2020 durch G v. 27.3.2020 (BGBl. I S. 543); § 25 Abs. 3 Satz 1 geänd. mWv 4.11.2022 durch G v. 28.10.2022 (BGBl. I S. 1902); Abs. 5 neu gef. mWv 1.1. 2025 durch G v. 30.7.2024 (BGBl. 2024 I Nr. 254).

[2)] **beck-online, Module Arbeitsrecht Nr. 205.**

(3) [1] Das Bundesministerium der Finanzen kann im Einvernehmen mit dem Bundesministerium für Wirtschaft und Klimaschutz durch Rechtsverordnung, die nicht der Zustimmung des Bundesrates bedarf, nähere Bestimmungen erlassen über die von den begünstigten Unternehmen zu erfüllenden Anforderungen an

1. die Verwendung der aufgenommenen Mittel,
2. die Aufnahmen weiterer Kredite,
3. die Vergütung ihrer Organe,
4. die Ausschüttung von Dividenden,
5. den Zeitraum, in dem diese Anforderungen zu erfüllen sind,
6. Maßnahmen zur Vermeidung von Wettbewerbsverzerrungen,
7. branchenspezifische Restrukturierungsauflagen,
8. die Art und Weise, wie der beteiligungsführenden Stelle nach § 20 Absatz 3 und 4 sowie dem Wirtschaftsstabilisierungsfonds Rechenschaft zu legen ist,
9. eine von dem vertretungsberechtigten Organ mit Zustimmung des Aufsichtsorgans abzugebende und zu veröffentlichende Verpflichtungserklärung zur Einhaltung der Anforderungen in den Nummern 1 bis 6,
10. sonstige Bedingungen, die zur Sicherstellung des Zweckes dieses Abschnitts nach Absatz 2 zweckmäßig sind.

[2] Die Anforderungen können sich nach Art und Adressaten der Stabilisierungsmaßnahme unterscheiden. [3] Sie werden auf der Grundlage dieses Abschnitts und der hierzu ergangenen Rechtsverordnung durch Vertrag, Selbstverpflichtung oder Verwaltungsakt festgelegt. [4] In der nach Satz 1 erlassenen Rechtsverordnung können auch Rechtsfolgen einer Nichtbeachtung der vorgenannten Anforderungen geregelt werden.

(4) Der Haushaltsausschuss des Deutschen Bundestages ist über Erlass und Änderungen der Rechtsverordnung nach Absatz 2 unverzüglich zu unterrichten.

(5) [1] Die §§ 10a und 11 gelten entsprechend. [2] Die Kosten für die Verwaltung des Wirtschaftsstabilisierungsfonds werden durch diesen getragen.

§ 30[1)] **Rechtsweg.** [1] Das Bundesverwaltungsgericht entscheidet im ersten und letzten Rechtszug über öffentlich-rechtliche Streitigkeiten nicht verfassungsrechtlicher Art nach diesem Gesetz. [2] Im Übrigen bleibt die Zuständigkeit der ordentlichen Gerichte unberührt. [3] Dabei entscheidet der Bundesgerichtshof in erster und letzter Instanz.

§ 31[2)] *(aufgehoben)*

---

1) Bish. § 16 wird § 30 mWv 28.3.2020 durch G v. 27.3.2020 (BGBl. I S. 543).
2) § 31 aufgeh. mWv 1.1.2023 durch G v. 20.12.2022 (BGBl. I S. 2752).

652. Gesetz zur Beschleunigung und Vereinfachung des Erwerbs von Anteilen an sowie Risikopositionen von Unternehmen des Finanzsektors durch den Fonds „Finanzmarktstabilisierungsfonds – FMS“ und der Realwirtschaft durch den Fonds „Wirtschaftsstabilisierungsfonds – WSF“ (Wirtschaftsstabilisierungsbeschleunigungsgesetz – WStBG)[1) 2)]

Vom 17. Oktober 2008
(BGBl. I S. 1982)

FNA 660-4

zuletzt geänd. durch Art. 2 G zur Änd. des StabilisierungsfondsG und des WirtschaftsstabilisierungsbeschleunigungsG v. 20.12.2021 (BGBl. I S. 5247)

– Auszug –[3)]

§ 10 Stille Gesellschaft. (1) [1]Eine Vereinbarung über die Leistung einer Vermögenseinlage durch den Fonds als stiller Gesellschafter in ein Unternehmen ist kein Unternehmensvertrag nach § 291 oder § 292 des Aktiengesetzes[4)]. [2]Sie bedarf insbesondere nicht der Zustimmung der Hauptversammlung oder der Eintragung in das Handelsregister. [3]Die vorstehenden Sätze gelten entsprechend, wenn sich im Rahmen einer Rekapitalisierung nach § 7 oder § 22 des Stabilisierungsfondsgesetzes[5)] neben dem Fonds auch Dritte als stille Gesellschafter an dem Unternehmen beteiligen oder die stille Beteiligung nach Gewährung der Einlage ganz oder in Teilen an Dritte übertragen wird.

(2) [1]In der Vereinbarung kann auch ein Umtausch oder Bezugsrecht auf Aktien eingeräumt werden. [2]Das Bezugsrecht der Aktionäre ist im Falle einer Wandlung ausgeschlossen. [3]Ein Umtausch- oder Bezugsrecht bedarf der Zustimmung oder Ermächtigung der Hauptversammlung mit einer Mehrheit, die mindestens zwei Drittel der abgegebenen Stimmen oder des vertretenen Grundkapitals umfasst. [4]Die einfache Mehrheit reicht, wenn die Hälfte des gezeichneten Kapitals vertreten ist.

(3) Die Absätze 1 und 2 gelten auch für nachträgliche Änderungen oder Ergänzungen und die Aufhebung einer Vereinbarung über stille Beteiligungen des Fonds an einem von ihm gestützten Unternehmen des Finanzsektors oder einer Vereinbarung über stille Beteiligungen von Dritten an dem Unternehmen, die nach Absatz 1 abgeschlossen wurde.

---

1) Verkündet als Art. 2 des FinanzmarktstabilisierungsfondsG v. 17.10.2008 (BGBl. I S. 1982); Inkrafttreten gem. Art. 7 Abs. 1 dieses G am 18.10.2008.

2) Titel geänd., gesamte Vorschrift neu gef. mWv 28.3.2020 durch G v. 27.3.2020 (BGBl. I S. 543); Titel neu gef. mWv 17.7.2020 durch G v. 10.7.2020 (BGBl. I S. 1633).

3) Vollständig wiedergegeben in **beck-online, Module Arbeitsrecht.**

4) Nr. **567**.

5) **beck-online, Module Arbeitsrecht Nr. 651.**

(4) Die vorzeitige Rückgewähr einer Vermögenseinlage des Fonds oder einvernehmliche Aufhebung einer stillen Gesellschaft nach Absatz 1 gilt nicht als Rückgewähr von Einlagen im Sinne des § 57 des Aktiengesetzes[1)].

§ 11 Keine Informationspflicht gegenüber dem Wirtschaftsausschuss.

§ 106 Absatz 2 Satz 2 und Absatz 3 Nummer 9a sowie § 109a des Betriebsverfassungsgesetzes[2)] finden keine Anwendung auf den Erwerb von Anteilen durch die Fonds.

§ 19 Veränderung und Beendigung von Rekapitalisierungsmaßnahmen. (1) [1] Das Unternehmen ist verpflichtet, auf Verlangen des Fonds zumutbare Maßnahmen vorzunehmen, die für die Rückführung, Veräußerung, Übertragung oder Änderung von im Zusammenhang mit einer Rekapitalisierung erworbenen Beteiligungen des Fonds zweckdienlich sind. [2] Das gilt insbesondere für die Börsenzulassung von Finanzinstrumenten und die Erstellung von Wertpapierprospekten oder sonstigen Angebotsunterlagen, die in Form und Inhalt den anwendbaren gesetzlichen Vorgaben zu entsprechen haben. [3] Auf Verlangen des Fonds sind solche Wertpapierprospekte oder sonstige Angebotsunterlagen auch mehrsprachig und unter Beachtung der Anforderungen an derartige Unterlagen auch für das Angebot an institutionelle Anleger im Ausland zu erstellen.

(2) [1] Kosten von öffentlichen oder nichtöffentlichen Angeboten von Beteiligungen oder Finanzinstrumenten, die im Zusammenhang mit der Beendigung, der Umstrukturierung, der Refinanzierung, der Übertragung, der Veräußerung oder der Änderung von im Zusammenhang mit einer Rekapitalisierung erworbenen Beteiligungen des Fonds stehen, einschließlich der Kosten der Erstellung von Wertpapierprospekten und Unterlagen im Sinne des Absatzes 1 Satz 2, sind von dem Unternehmen zu tragen. [2] Kosten, die dem Fonds in diesem Zusammenhang entstehen, sind dem Fonds zu erstatten.

(3) [1] Das Unternehmen ist verantwortlich für die Gesetzmäßigkeit, Richtigkeit und Vollständigkeit von Wertpapierprospekten oder sonstigen Unterlagen im Sinne des Absatzes 1 Satz 2, die das Unternehmen im Zusammenhang mit Börsenzulassungen oder Angeboten von Finanzinstrumenten erstellt. [2] Der Fonds ist nicht Veranlasser im Sinne des § 9 Absatz 1 des Wertpapierprospektgesetzes. [3] Wird der Fonds auf Grund einer Unrichtigkeit, Unvollständigkeit oder der mangelnden Verständlichkeit derartiger Wertpapierprospekte oder Unterlagen von Dritten in Anspruch genommen, so stellt das Unternehmen den Fonds von sämtlichen daraus entstehenden Schäden, Kosten und Auslagen frei. [4] Dies gilt auch dann, wenn der Fonds an der Erstellung der Wertpapierprospekte oder Unterlagen mitgewirkt hat.

(4) § 57 des Aktiengesetzes[1)] findet auf die Maßnahmen des Unternehmens im Sinne des Absatzes 1, auf die Übernahme und Erstattung von Kosten gemäß Absatz 2 und auf die Freistellung gemäß Absatz 3 keine Anwendung.

---

1) **beck-online, Module Arbeitsrecht Nr. 567.**
2) Nr. **570**.

653. Verordnung zur Durchführung des Stabilisierungsfondsgesetzes (Finanzmarktstabilisierungsfonds-Verordnung)[1]

Vom 20. Oktober 2008

(eBAnz Nr. 123 S. 1)

FNA 660-3-1

zuletzt geänd. durch Art. 4 Abs. 1 G zur Gewährleistungsübernahme im Rahmen eines Europäischen Instruments zur vorübergehenden Unterstützung bei der Minderung von Arbeitslosigkeitsrisiken infolge des Covid-19-Ausbruchs und zur Änd. von Vorschriften sowie erforderl. Folgeänd. v. 10.7. 2020 (BGBl. I S. 1633)

– Auszug –[2]

§ 5[3] Bedingungen für Stabilisierungsmaßnahmen. (1) …

(2) …

1.–3. …

4. die Vergütung ihrer Organmitglieder und Geschäftsleiter auf ein angemessenes Maß zu begrenzen. Im Hinblick auf die Angemessenheit soll der Fonds unbeschadet § 10 Absatz 2a bis 2c des Stabilisierungsfondsgesetzes[4] darauf hinwirken, dass

   a) Organmitglieder und Geschäftsleiter unter Einbeziehung von etwaigen Konzernbezügen keine unangemessene Gesamtvergütung erhalten. Die Gesamtvergütung umfasst die monetäre Vergütung, die Versorgungszusagen und alle sonstigen im Hinblick auf die Tätigkeit für den Konzern erteilten Zusagen und gewährten Leistungen. Sie schließt auch Leistungen und Zusagen von Unternehmen ein, mit denen der Konzern bedeutende geschäftliche Verbindungen unterhält. Die Kriterien für die Angemessenheit bilden insbesondere die Aufgabe, die persönliche Leistung, die wirtschaftliche Lage, der Erfolg und die Zukunftsaussichten des Konzerns unter Berücksichtigung seines Vergleichsumfelds. Bei Organmitgliedern und Geschäftsleitern gilt eine monetäre Vergütung, die 500 000 Euro pro Jahr übersteigt, grundsätzlich als unangemessen. Der Fonds hat darauf hinzuwirken, dass eine Herabsetzung der Organvergütung im Rahmen der zivilrechtlichen Möglichkeiten unter Einbeziehung des § 87 Abs. 2 des Aktiengesetzes vorgenommen wird. Der Fonds kann verlangen, dass die Vergütung der Geschäftsleiter individualisiert und aufgeteilt nach erfolgsunabhängigen und erfolgsbezogenen Komponenten sowie Komponenten mit langfristiger Anreizwirkung in einem Vergütungsbericht veröffentlicht

---

[1] Titel geänd. mWv 17.7.2020 durch G v. 10.7.2020 (BGBl. I S. 1633).

[2] Vollständig wiedergegeben in **beck-online, Module Arbeitsrecht.**

[3] § 5 Abs. 2 Nr. 3 geänd., Abs. 6 aufgeh., bish. Abs. 7–10 werden Abs. 6–9 und neuer Abs. 7 neu gef. mWv 9.4.2009 durch G v. 7.4.2009 (BGBl. I S. 725); Abs. 2 Nr. 4 geänd. mWv 11.2.2011 durch VO v. 4.2.2011 (BGBl. I S. 221); Abs. 2 Nr. 4 geänd. mWv 1.4.2012 durch G v. 22.12.2011 (BGBl. I S. 3044); Abs. 3 und 4 geänd. mWv 1.3.2012 durch G v. 24.2.2012 (BGBl. I S. 206); Abs. 2 einl. Satzteil, Nr. 4 Satz 2 einl. Satzteil und Buchst. c, Abs. 3, 4 und 7 Satz 1 geänd. mWv 17.7.2020 durch G v. 10.7.2020 (BGBl. I S. 1633).

[4] Nr. **651**.

wird; die Veröffentlichung hat im Bundesanzeiger zu erfolgen, soweit die Angaben nicht im Anhang des Jahresabschlusses oder im Lagebericht enthalten sind;

b) keine rechtlich nicht gebotenen Abfindungen bezahlt werden. Bei Neuverträgen von Organmitgliedern und Geschäftsleitern sollen keine Leistungen aus Anlass eines Kontrollwechsels und keine Leistungen bei vorzeitiger Beendigung der Tätigkeit vereinbart werden;

c) Bonifikationen und andere in das freie Ermessen des Unternehmens gestellte Vergütungsbestandteile nicht gezahlt werden, solange das Unternehmen Stabilisierungsmaßnahmen des Fonds in Anspruch nimmt. Dies schließt Bonifikationen, die ein niedriges Festgehalt kompensieren, nicht aus, solange die Gesamtvergütung angemessen ist; diese Regelung gilt nicht für Unternehmen gemäß § 10 Absatz 2a des Stabilisierungsfondsgesetzes[1];

d) Erfolgsziele, Ausübungspreise für Aktienoptionsprogramme und andere Parameter für erfolgsabhängige Vergütungen nicht nachträglich zu Lasten des Unternehmens geändert werden;

5. …

(3) Bei Stabilisierungsmaßnahmen nach § 6 des Stabilisierungsfondsgesetzes[1] gilt Absatz 2 Nummer 1 und 3 entsprechend.

(4) Bei Stabilisierungsmaßnahmen nach § 8 des Stabilisierungsfondsgesetzes gilt Absatz 2 entsprechend.

(5)–(9) …

[1] Nr. **651**.

654. Gesetz zur Errichtung eines Restrukturierungsfonds für Kreditinstitute (Restrukturierungsfondsgesetz – RStruktFG)[1]

Vom 9. Dezember 2010
(BGBl. I S. 1900, 1921)

FNA 660-8

zuletzt geänd. durch Art. 13 Kreditzweitmarktförderungsgesetz v. 22.12.2023 (BGBl. 2023 I Nr. 411)

– Auszug –[2]

§ 4[3] Entscheidung über Restrukturierungsmaßnahmen. (1) Über die Maßnahmen des Restrukturierungsfonds nach den §§ 6 bis 8, 12h bis 12j entscheidet die Abwicklungsbehörde nach pflichtgemäßem Ermessen unter Berücksichtigung der Bedeutung der Maßnahmen für die Finanzmarktstabilität und des Grundsatzes des möglichst effektiven und wirtschaftlichen Einsatzes der Mittel.

(2) [1]Ein Rechtsanspruch auf Leistung des Fonds besteht nicht. [2]Bei der Gewährung von Maßnahmen können Bedingungen und Auflagen durch Vertrag, Selbstverpflichtung oder Verwaltungsakt festgelegt werden.

(3) [1]In Instituten oder gruppenangehörigen Unternehmen oder sonstigen Rechtsträgern, an denen der Restrukturierungsfonds aufgrund einer Restrukturierungsmaßnahme nach § 7 Absatz 1 Satz 3, § 7a Absatz 1 Nummer 2 dieses Gesetzes oder nach § 61 des Sanierungs- und Abwicklungsgesetzes[4] beteiligt ist und bei denen der Restrukturierungsfonds unmittelbar oder mittelbar über ein oder mehrere Tochterunternehmen mindestens 75 Prozent der Anteile hält, darf die monetäre Vergütung der Organmitglieder und Angestellten jeweils 500 000 Euro pro Jahr nicht übersteigen. [2]Variable Vergütungen sind nicht zulässig.

(4) [1]In Instituten oder gruppenangehörigen Unternehmen oder sonstigen Rechtsträgern, an denen der Restrukturierungsfonds aufgrund einer Restrukturierungsmaßnahme nach § 7 Absatz 1 Satz 3, § 7a Absatz 1 Nummer 2 dieses Gesetzes oder nach § 61 des Sanierungs- und Abwicklungsgesetzes[4] beteiligt ist und bei denen der Restrukturierungsfonds unmittelbar oder mittelbar über ein oder mehrere Tochterunternehmen weniger als 75 Prozent der Anteile hält, darf die monetäre Vergütung der Organmitglieder und Angestellten vorbehaltlich der Regelung in Satz 3 jeweils 500 000 Euro pro Jahr nicht übersteigen. [2]Variable Vergütungen sind nicht zulässig, es sei denn, die Summe aus fixer und variabler Vergütung überschreitet nicht die Obergrenze von 500 000 Euro pro Jahr. [3]Die Obergrenze von 500 000 Euro darf überschritten werden, sofern das

---

[1] Verkündet als Art. 3 G zur Restrukturierung und geordneten Abwicklung von Kreditinstituten, zur Errichtung eines Restrukturierungsfonds für Kreditinstitute und zur Verlängerung der Verjährungsfrist der aktienrechtlichen Organhaftung; Inkrafttreten gem. Art. 17 dieses G am 31.12.2010.

[2] Vollständig wiedergegeben in **beck-online, Module Arbeitsrecht.**

[3] § 4 Abs. 6 angef. mWv 8.4.2011 durch G v. 5.4.2011 (BGBl. I S. 538); Abs. 1 Satz 1 geänd., Satz 4 aufgeh., Abs. 3 Satz 1, Abs. 4 Sätze 1 und 3 geänd., Abs. 7 angef. mWv 1.1.2015 durch G v. 10.12.2014 (BGBl. I S. 2091); Abs. 1 neu gef. mWv 1.1.2016 durch G v. 2.11.2015 (BGBl. I S. 1864); Abs. 1 und Abs. 7 Sätze 1 und 2 geänd. mWv 1.1.2018 durch G v. 23.12.2016 (BGBl. I S. 3171).

[4] **beck-online, Module Arbeitsrecht Nr. 656.**

Institut oder gruppenangehörige Unternehmen oder der sonstige Rechtsträger mindestens die Hälfte der geleisteten Rekapitalisierungen zurückgezahlt hat oder soweit die geleistete Kapitalzuführung voll verzinst wird.

(5) [1] Nicht umfasst von den Absätzen 3 und 4 sind Vergütungen, die durch Tarifvertrag oder in seinem Geltungsbereich durch Vereinbarung der Arbeitsvertragsparteien über die Anwendung der tarifvertraglichen Regelungen oder aufgrund eines Tarifvertrages in einer Betriebs- oder Dienstvereinbarung vereinbart sind. [2] Die Vorgaben der Absätze 3 und 4 sind bei Vertragsänderungen und -neuabschlüssen mit Organmitgliedern und Angestellten zu berücksichtigen. [3] Die Verlängerung eines Vertrages gilt als Neuabschluss im Sinne des Satzes 2. [4] Soweit Verträge den Vorgaben der Absätze 3 und 4 nicht entsprechen, können Organmitglieder und Angestellte aus ihnen keine Rechte herleiten. [5] Dies gilt nicht für Ansprüche, die vor dem 1. Januar 2011 entstanden sind.

(6) Die Vereinbarung von Abfindungs- oder Entschädigungsansprüchen in Anstellungsverträgen von Organmitgliedern oder in sonstigen Dienstverträgen des übernehmenden Rechtsträgers ist unwirksam, soweit die Vereinbarung Ansprüche auch für den Fall einer Vertragsbeendigung aus Anlass der Übernahme einer Beteiligung des Restrukturierungsfonds, aus Anlass einer Veränderung der Höhe dieser Beteiligung oder aus Anlass der Wahrnehmung von Rechten aus dieser Beteiligung gewähren würde.

(7) [1] Bei einem Rechtsträger, dem Maßnahmen gemäß den §§ 6 bis 7a gewährt werden, sollen Vertreter der Abwicklungsbehörde als Sachverständige oder Auskunftspersonen im Sinne des § 109 Absatz 1 Satz 2 des Aktiengesetzes[1)] zu den Sitzungen des Aufsichtsrats und seiner Ausschüsse hinzugezogen werden, soweit über Gegenstände beraten wird, bei denen eine Beteiligung von Vertretern der Anstalt als Sachverständige oder als Vertreter der Eigentümerinteressen des Bundes zweckdienlich erscheint. [2] Die Abwicklungsbehörde kann die Teilnahme ihrer Vertreter an solchen Sitzungen verlangen, soweit über Gegenstände beraten wird, die Auswirkungen auf die gewährten Maßnahmen haben können. [3] Die Sätze 1 und 2 gelten auch für die Sitzungen des Aufsichtsrats und seiner Ausschüsse des in Abwicklung befindlichen Instituts oder gruppenangehörigen Unternehmens, wenn die Maßnahmen gemäß den §§ 6 bis 7a im Rahmen seiner Abwicklung einem anderem Rechtsträger gewährt werden.

[1)] Nr. **567**.

656. Gesetz zur Sanierung und Abwicklung von Instituten und Finanzgruppen (Sanierungs- und Abwicklungsgesetz – SAG)[1)]

Vom 10. Dezember 2014
(BGBl. I S. 2091)

FNA 660-10

zuletzt geänd. durch Art. 6 Bankenrichtlinienumsetzungs- und BürokratieentlastungsG v. 25.3.2026 (BGBl. 2026 I Nr. 81)

– Auszug –[2)]

Teil 1. Allgemeine Vorschriften

§ 5[3)] Verschwiegenheitspflicht. (1) [1] Die bei der Abwicklungsbehörde, bei der Aufsichtsbehörde, bei dem Bundesministerium der Finanzen und bei anderen nationalen Behörden beschäftigten Personen dürfen die ihnen bei ihrer Tätigkeit im Rahmen dieses Gesetzes bekanntgewordenen Informationen im Sinne des § 4 Absatz 1 nicht unbefugt offenbaren oder verwerten. [2] Dies gilt auch, wenn die Bediensteten der vorbezeichneten Behörden nicht mehr im Dienst sind oder ihre Tätigkeit im Rahmen dieses Gesetzes beendet haben. [3] Gleiches gilt für andere Personen, welche im Wege dienstlicher Berichterstattung Kenntnis von den in Satz 1 bezeichneten Informationen erhalten.

(2) Absatz 1 gilt für die folgenden Personen oder die bei den folgenden Stellen tätigen Personen entsprechend:

1. Einlagensicherungssysteme;

1a. freiwillige Sicherungssysteme der Institute;

2. potentielle Erwerber, die von den im Rahmen dieses Gesetzes tätigen anderen nationalen Behörden kontaktiert oder von den Abwicklungsbehörden angesprochen wurden;

[1)] Verkündet als Art. 1 G v. 10.12.2014 (BGBl. I S. 2091); Inkrafttreten gem. Art. 10 dieses G am 1.1.2015; § 19 Abs. 3, § 30 Abs. 2, § 36 Abs. 4, § 41 Abs. 4, § 42 Abs. 4, § 45 Abs. 2, § 59 Abs. 10, § 63 Abs. 3, §§ 76, 98 Abs. 3, § 126 Abs. 5 und § 132 treten am 19.12.2014 in Kraft; § 146 Abs. 6 tritt an dem Tag außer Kraft, an dem die technischen Regulierungsstandards gemäß Art. 74 Absatz 4 der Richtlinie 2014/59/EU des Europäischen Parlaments und des Rates vom 15. Mai 2014 in Kraft treten.

Dieses Gesetz dient der Umsetzung der Richtlinie 2014/59/EU des Europäischen Parlaments und des Rates vom 15. Mai 2014 zur Festlegung eines Rahmens für die Sanierung und Abwicklung von Kreditinstituten und Wertpapierfirmen und zur Änderung der Richtlinie 82/891/EWG des Rates, der Richtlinien 2001/24/EG, 2002/47/EG, 2004/25/EG, 2005/56/EG, 2007/36/EG, 2011/35/EU, 2012/30/EU und 2013/36/EU sowie der Verordnungen (EU) Nr. 1093/2010 und (EU) Nr. 648/2012 des Europäischen Parlaments und des Rates (ABl. L 173 vom 12.6.2014, S. 84) sowie der Anpassung an die Verordnung (EU) Nr. 1024/2013 des Rates vom 15. Oktober 2013 zur Übertragung besonderer Aufgaben im Zusammenhang mit der Aufsicht über Kreditinstitute auf die Europäische Zentralbank (ABl. L 287 vom 29.10.2013, S. 63).

[2)] Vollständig wiedergegeben in **beck-online, Module Arbeitsrecht.**

[3)] § 5 Abs. 2 Nr. 5 und 7 geänd. mWv 29.12.2016 durch G v. 23.12.2016 (BGBl. I S. 3171); Abs. 1 Satz 1, Abs. 3 Satz 1, Abs. 5 Satz 2 geänd. mWv 28.12.2020 durch G v. 9.12.2020 (BGBl. I S. 2773); Abs. 4 geänd. mWv 26.6.2021 durch G v. 12.5.2021 (BGBl. I S. 990); Abs. 2 Nr. 1 geänd., Nr. 1a eingef., Abs. 3 Satz 1 geänd. mWv 30.12.2023 durch G v. 22.12.2023 (BGBl. 2023 I Nr. 411).

3. Rechnungsprüfer, Wirtschaftsprüfer, vereidigte Buchprüfer, Rechtsberater, sonstige professionelle Berater, Bewerter und andere von den Abwicklungsbehörden, von anderen im Rahmen dieses Gesetzes tätigen Behörden oder von potentiellen Erwerbern unmittelbar oder mittelbar hinzugezogene Experten;
4. vorläufige Verwalter gemäß § 38 und den Sonderverwalter nach § 87;
5. die von der Abwicklungsbehörde ernannten Mitglieder der Geschäftsleitung und des Aufsichts- oder Verwaltungsorgans eines Brückeninstituts oder einer Vermögensverwaltungsgesellschaft vor, während oder nach ihrer Ernennung;
6. sonstige Personen oder Stellen, die unmittelbar oder mittelbar, dauerhaft oder zeitweise Dienstleistungen für die Abwicklungsbehörde, für die im Rahmen dieses Gesetzes tätigen national zuständigen Behörden und für die in den Nummern 1 bis 5 genannten Personen, Stellen oder Behörden erbringen oder erbracht haben;
7. die Mitarbeiter und Mitarbeiterinnen der nachgelagerten Führungsebene und die Mitglieder der Geschäftsleitung und des Aufsichts- oder Verwaltungsorgans der in den Nummern 1 bis 6 genannten Personen, Stellen oder Behörden vor, während oder nach ihrer Ernennung und Bedienstete oder ehemalige Bedienstete der unter den Nummern 1 bis 6 genannten Personen, Stellen oder Behörden.

(3) [1] Die Abwicklungsbehörde, die Aufsichtsbehörde, das Bundesministerium der Finanzen und andere nationale Behörden, welche im Rahmen dieses Gesetzes tätig werden, Einlagensicherungssysteme, freiwillige Sicherungssysteme der Institute sowie Brückeninstitute und Vermögensverwaltungsgesellschaften haben in ihrem jeweiligen Bereich interne Geheimhaltungsregelungen vorzusehen, welche den Regeln der §§ 4 bis 10 weitgehend entsprechen. [2] Insbesondere ist sicherzustellen, dass Informationen im Sinne des § 4 Absatz 1 nur an Personen gelangen, welche unmittelbar mit dem Abwicklungsprozess befasst sind.

(4) Die Verschwiegenheitspflicht steht einer Weitergabe oder Verwertung von Informationen im Sinne von § 4 Absatz 1 Nummer 1 dann nicht entgegen, wenn die Kreditinstitute, gruppenangehörigen Unternehmen oder sonstigen Dritten, deren Belange durch die Weitergabe oder Verwertung berührt sind, in die Weitergabe oder Verwertung ausdrücklich eingewilligt haben und die Informationen nicht im Interesse der zuständigen Behörden geheim zu halten sind.

(5) [1] Bei Verletzung der Verschwiegenheitspflicht gelten die allgemeinen Haftungs- und Schadensersatzregeln. [2] Hinsichtlich der Inanspruchnahme eines Beschäftigten der Abwicklungsbehörde, Aufsichtsbehörde oder einer im Rahmen des Gesetzes tätigen national zuständigen Behörde gelten die Regelungen des § 181.

§ 10[1] Sonstige Vorschriften. (1) Hinsichtlich der Weitergabe von Informationen für die Zwecke von Straf- oder Zivilverfahren gelten die Regelungen des § 9 des Kreditwesengesetzes[2] entsprechend.

---

[1] § 10 Abs. 2 geänd. mWv 28.12.2020 durch G v. 9.12.2020 (BGBl. I S. 2773).
[2] **beck-online, Module Arbeitsrecht Nr. 205.**

(2) Hinsichtlich einer Inanspruchnahme eines Beschäftigten einer im Rahmen dieses Gesetzes tätigen national zuständigen Behörde, die auf der Verletzung der Verschwiegenheit im Sinne dieses Gesetzes beruht, gelten die Regelungen des § 181.

Teil 2. Aufsichtsrechtliche Vorschriften und Anforderungen zur Vorbereitung der Sanierung und zur Frühintervention

Kapitel 1. Sanierungsplanung

§ 13[1)] Ausgestaltung von Sanierungsplänen. (1) Die Ausgestaltung des Sanierungsplans ist abhängig von Größe, Komplexität und Vernetzung des Instituts oder der Gruppe sowie von Art, Umfang und Komplexität des Geschäftsmodells und des damit einhergehenden Risikos.

(2) Neben den Anforderungen an die Sanierungsplanung der Delegierten Verordnung (EU) 2016/1075 der Kommission vom 23. März 2016 zur Ergänzung der Richtlinie 2014/59/EU des Europäischen Parlaments und des Rates durch technische Regulierungsstandards, in denen der Inhalt von Sanierungsplänen, Abwicklungsplänen und Gruppenabwicklungsplänen, die Mindestkriterien, anhand deren die zuständige Behörde Sanierungs- und Gruppensanierungspläne zu bewerten hat, die Voraussetzungen für gruppeninterne finanzielle Unterstützung, die Anforderungen an die Unabhängigkeit der Bewerter, die vertragliche Anerkennung von Herabschreibungs- und Umwandlungsbefugnissen, die Verfahren und Inhalte von Mitteilungen und Aussetzungsbekanntmachungen und die konkrete Arbeitsweise der Abwicklungskollegien festgelegt wird (ABl. L 184 vom 8.7.2016, S. 1) hat der Sanierungsplan insbesondere folgende wesentliche Bestandteile zu enthalten:

1.–3. …

4. eine Analyse der Auswirkungen jeder der dargestellten Handlungsoptionen auf das Institut oder die Gruppe sowie der Auswirkungen der Handlungsoptionen auf die Fortführung von kritischen Funktionen sowie der Auswirkungen auf andere Marktteilnehmer, Gläubiger und Anteilsinhaber; in diesem Zusammenhang sind auch die Folgen der Handlungsoptionen für die Arbeitnehmer und ihre Vertretungen zu beschreiben;

5.–10. …

(3)–(6) …

Kapitel 3. Frühzeitiges Eingreifen

§ 36[2)] Frühinterventionsmaßnahmen; Verordnungsermächtigung.

(1) [1]Verschlechtert sich die Finanzlage eines Instituts, insbesondere auf Grund seiner Liquiditätssituation, auf Grund seiner Fremdkapitalquote oder auf Grund von Kreditausfällen oder Klumpenrisiken, signifikant und verstößt ein Institut hierdurch gegen die Anforderungen der Verordnung (EU) Nr. 575/

[1)] § 13 Abs. 2 einl. Satzteil neu gef. mWv 28.12.2020 durch G v. 9.12.2020 (BGBl. I S. 2773).

[2)] § 36 Abs. 1 Satz 1 und Satz 3 Nr. 1 Buchst. f geänd. mWv 6.11.2015 durch G v. 2.11.2015 (BGBl. I S. 1864); Abs. 1 Satz 3 Nr. 2 geänd., Abs. 5–7 angef. mWv 29.12.2016 durch G v. 23.12. 2016 (BGBl. I S. 3171); Abs. 1 Satz 3 Nr. 1 Buchst. g geänd., Abs. 8 angef. mWv 28.12.2020 durch G v. 9.12.2020 (BGBl. I S. 2773); Abs. 2 neu gef., Abs. 2a eingef. mWv 30.12.2023 durch G v. 22.12. 2023 (BGBl. 2023 I Nr. 411).

2013[1)], gegen Vorschriften des Kreditwesengesetzes[2)] oder einen der Artikel 3 bis 7, 14 bis 17 und 24, 25 und 26 der Verordnung (EU) Nr. 600/2014 des Europäischen Parlaments und des Rates vom 15. Mai 2014 über Märkte für Finanzinstrumente und zur Änderung der Verordnung (EU) Nr. 648/2012 (ABl. L 173 vom 12.6.2014, S. 84), kann die Aufsichtsbehörde, unbeschadet ihrer Befugnisse nach dem Kreditwesengesetz[2)], gegenüber dem Institut Maßnahmen anordnen, die geeignet und erforderlich sind, um die signifikant verschlechterte wirtschaftliche Situation des Instituts zu verbessern. [2] Gleiches gilt, wenn dem Institut nach einer Bewertung der maßgeblichen Umstände, einschließlich der Eigenmittelanforderungen des Instituts zuzüglich 1,5 Prozentpunkten, in naher Zukunft eine Verschlechterung seiner Finanzlage nach Satz 1 droht. [3] Insbesondere kann die Aufsichtsbehörde

1. von der Geschäftsleitung des Instituts verlangen,
   a) den Sanierungsplan gemäß § 12 Absatz 4 zu aktualisieren, wenn sich die Umstände, die zur Erfüllung oder zur drohenden Erfüllung der in Satz 1 genannten Voraussetzungen geführt haben, von den Annahmen im Sanierungsplan unterscheiden;
   b) eine oder mehrere der im Sanierungsplan genannten Handlungsoptionen umzusetzen;
   c) eine Analyse der Situation vorzunehmen und einen Plan zur Überwindung bestehender Probleme einschließlich eines Zeitplans zu erstellen;
   d) einen Plan für Verhandlungen über eine Umschuldung mit einigen oder allen Gläubigern zu erstellen;
   e) die Geschäftsstrategie sowie die rechtlichen und operativen Strukturen zu ändern;
   f) der Aufsichtsbehörde und der Abwicklungsbehörde, auch im Rahmen einer Prüfung vor Ort, Zugang zu allen Informationen zu gewähren, die zur Aktualisierung des Abwicklungsplans, zur Vorbereitung der Abwicklung des Instituts und zur Bewertung der Vermögenswerte und Verbindlichkeiten des Instituts für Abwicklungszwecke erforderlich sind; § 78 Absatz 2 gilt entsprechend;
   g) eine Versammlung der Anteilsinhaber mit einer von der Aufsichtsbehörde vorgegebenen Tagesordnung einzuberufen; kommt die Geschäftsleitung dem nicht nach, so kann die Aufsichtsbehörde die Einberufung, einschließlich der erforderlichen Bekanntmachungen, Einladungen, Veröffentlichungen und sonstigen Handlungen, anstelle der Geschäftsleitung mit gleicher Wirkung selbst vornehmen;
2. vom Institut verlangen, dass eines oder mehrere der Mitglieder der Geschäftsleitung und des Aufsichts- oder Verwaltungsorgans des Instituts abberufen werden, sofern sie gemäß den Vorschriften des Kreditwesengesetzes[2)] für die Erfüllung ihrer Aufgaben nicht geeignet sind.

(2) [1] Die Aufsichtsbehörde hat die zuständigen Abwicklungsbehörden unverzüglich zu unterrichten, wenn festgestellt wird, dass ein Institut die Voraussetzungen zum Erlass einer Maßnahme nach Absatz 1 erfüllt. [2] Die Abwicklungsbehörde kann die Aufsichtsbehörde ersuchen zu prüfen, ob die Voraussetzungen nach Absatz 1 bezüglich eines Instituts vorliegen.

---

1) Auszugsweise abgedruckt unter Nr. **894b**.
2) Auszugsweise abgedruckt unter Nr. **205**.

(2a) [1]Liegen die Voraussetzungen von Absatz 1 vor, kann die Abwicklungsbehörde von der Geschäftsleitung des Instituts nach Maßgabe von Absatz 1 Satz 3 Nummer 1 Buchstabe f verlangen, den Bediensteten der Abwicklungsbehörde oder von der Abwicklungsbehörde beauftragte Personen sowie einem Prüfer im Sinne des § 70 Absatz 1 Zugang zu Informationen einzuräumen. [2]Die Abwicklungsbehörde kann das Institut verpflichten, unter Beachtung der in § 126 Absatz 2 festgelegten Bedingungen und der Verschwiegenheitspflichten nach den §§ 4 bis 10 an potenzielle Erwerber heranzutreten, um eine Abwicklung des Instituts vorzubereiten, und den potenziellen Erwerbern geeignete Informationen zur Verfügung zu stellen, damit diese die Vorteile und Risiken eines Erwerbs beurteilen können.

(3) Absatz 1 steht der Verpflichtung des Instituts zur Einhaltung der Beteiligungsrechte nach dem Betriebsverfassungsgesetz[1)] nicht entgegen; die Pflicht des Instituts, der Anordnung binnen der von der Aufsichtsbehörde gesetzten Frist in vollem Umfang nachzukommen, bleibt hiervon unberührt.

(4)[2)] [1]Das Bundesministerium der Finanzen wird ermächtigt, durch Rechtsverordnung, die nicht der Zustimmung des Bundesrates bedarf, nähere Bestimmungen bezüglich der Umstände zu treffen, auf Grund derer auf einen in naher Zukunft drohenden Verstoß nach Absatz 1 Satz 2 geschlossen werden kann. [2]Das Bundesministerium der Finanzen kann die Ermächtigung durch Rechtsverordnung auf die Bundesanstalt für Finanzdienstleistungsaufsicht mit der Maßgabe übertragen, dass die Rechtsverordnung im Benehmen mit der Abwicklungsbehörde ergeht.

(5) [1]In der Satzung eines Instituts in der Rechtsform der Aktiengesellschaft kann vorgesehen werden, dass eine Hauptversammlung, deren Tagesordnung allein oder neben anderen Gegenständen die Beschlussfassung über eine Kapitalerhöhung enthält, abweichend von § 123 Absatz 1 Satz 1 des Aktiengesetzes[3)] mindestens zehn Tage vor der Hauptversammlung einzuberufen ist, wenn

1. die Voraussetzungen für ein aufsichtsbehördliches Tätigwerden nach Absatz 1 Satz 1 oder Satz 2 erfüllt sind und
2. eine Kapitalerhöhung erforderlich ist, um zu verhindern, dass die Abwicklungsvoraussetzungen im Sinne von § 62 eintreten.

[2]Der Beschluss der Hauptversammlung zu einer entsprechenden Änderung der Satzung bedarf der Mehrheit von zwei Dritteln der abgegebenen Stimmen.

(6) [1]Bei der Ermittlung der Mindestfrist ist der Tag der Einberufung nicht mitzurechnen. [2]§ 121 Absatz 7 des Aktiengesetzes[3)] gilt entsprechend. [3]Sieht die Satzung vor, dass die Frist des § 123 Absatz 1 Satz 1 des Aktiengesetzes[3)] unterschritten werden kann, und wird davon Gebrauch gemacht, so müssen zwischen Anmeldung und Versammlung mindestens drei Tage liegen und sind Mitteilungen nach § 125 Absatz 1 Satz 1 des Aktiengesetzes[4)] unverzüglich zu machen; § 121 Absatz 7, § 123 Absatz 2 Satz 4 und § 125 Absatz 1 Satz 2 des Aktiengesetzes[4)] gelten entsprechend. [4]§ 122 Absatz 2 Satz 3 des Aktiengesetzes[3)] findet mit der Maßgabe Anwendung, dass das Verlangen der Gesellschaft mindestens sechs Tage vor der Versammlung zugehen muss. [5]Die Gesellschaft

---

[1)] Nr. **570**.

[2)] § 36 Abs. 4 ist bereits am 19.12.2014 in Kraft getreten; vgl. Art. 10 Abs. 3 G v. 10.12.2014 (BGBl. I S. 2091).

[3)] **beck-online, Module Arbeitsrecht Nr. 567.**

[4)] Nr. **567**.

hat den Aktionären die Erteilung von Stimmrechtsvollmachten, soweit nach Gesetz und Satzung möglich, zu erleichtern. [6] Mitteilungen an die Aktionäre und fristgerecht eingereichte Anträge von Aktionären sind allen Aktionären zugänglich und in Kurzfassung bekannt zu machen. [7] Die Zusendung von Mitteilungen kann unterbleiben, wenn zur Überzeugung des Vorstands mit Zustimmung des Aufsichtsrats der rechtzeitige Eingang bei den Aktionären nicht wahrscheinlich ist.

(7) [1] Ein Beschluss der Hauptversammlung über eine Kapitalerhöhung im Sinne des Absatzes 5 ist unverzüglich zur Eintragung in das Handelsregister anzumelden. [2] Er ist, sofern er nicht offensichtlich nichtig ist, unverzüglich in das Handelsregister einzutragen. [3] Klagen oder Anträge auf Erlass von Entscheidungen im einstweiligen Anordnungsverfahren stehen seiner Eintragung nicht entgegen. [4] § 246a Absatz 4 des Aktiengesetzes[1)] gilt entsprechend.

(8) Die Absätze 1 bis 7 sind auf übergeordnete Unternehmen im Sinne des § 10a des Kreditwesengesetzes[2)] sowie auf Institute, die nach Artikel 22 der Verordnung (EU) Nr. 575/2013[3)] zur Teilkonsolidierung verpflichtet sind, entsprechend anzuwenden, wenn auf konsolidierter Ebene gegen die Anforderungen des Absatzes 1 Satz 1 verstoßen wird oder ein solcher Verstoß in naher Zukunft droht.

Teil 3. Abwicklungsrechtliche Vorschriften und Anforderungen zur Vorbereitung der Restrukturierung und Abwicklung

Kapitel 1. Abwicklungsplanung

§ 40[4)] Erstellung und Aktualisierung von Abwicklungsplänen.

(1) [1] Die Abwicklungsbehörde erstellt für jedes Institut, das nicht Teil einer Gruppe ist, die einer Beaufsichtigung auf konsolidierter Basis unterliegt, einen Abwicklungsplan. [2] Die Abwicklungsbehörde stimmt sich bei der Erstellung des Abwicklungsplans mit der Aufsichtsbehörde ab. [3] Gleiches gilt für die Abwicklungsbehörden der Mitgliedstaaten und Drittstaaten, in denen sich bedeutende Zweigniederlassungen befinden, soweit Belange der bedeutenden Zweigniederlassung betroffen sind.

(2) [1] Der Abwicklungsplan

1. sieht Abwicklungsmaßnahmen vor, die die Abwicklungsbehörde treffen kann, sofern das Institut die Abwicklungsvoraussetzungen erfüllt, und legt, sofern ein Insolvenzverfahren nicht in Frage kommt, Optionen für die Anwendung der in Teil 4 vorgesehenen Abwicklungsinstrumente und -befugnisse dar;

2.–4. …

–

(3) Der Abwicklungsplan enthält insbesondere

---

1) **beck-online, Module Arbeitsrecht Nr. 567.**

2) **beck-online, Module Arbeitsrecht Nr. 205.**

3) **beck-online, Module Arbeitsrecht Nr. 894b.**

4) § 40 Abs. 3 Nr. 3 und Nr. 8 geänd. mWv 6.11.2015 durch G v. 2.11.2015 (BGBl. I S. 1864); Abs. 3 Nr. 16 neu gef., Nr. 16a eingef., Abs. 4 Sätze 4 und 5 angef. mWv 28.12.2020 durch G v. 9.12.2020 (BGBl. I S. 2773); Abs. 3 Nr. 3 und 17 geänd. mWv 30.12.2024 durch G v. 27.12.2024 (BGBl. 2024 I Nr. 438); Abs. 4 Satz 5 neu gef. mWv 31.3.2026 durch G v. 25.3.2026 (BGBl. 2026 I Nr. 81).

1.–13. …

14. eine Analyse der Auswirkungen des Abwicklungsplans auf die Arbeitnehmer und ihre Vertreter, insbesondere unter Berücksichtigung möglicher Kosten,

15.–18. …

(4) [1] Nach seiner erstmaligen Erstellung wird der Abwicklungsplan mindestens einmal im Kalenderjahr geprüft und gegebenenfalls aktualisiert. [2] Dasselbe gilt nach wesentlichen Änderungen der Rechts- oder Organisationsstruktur des Instituts, seiner Geschäftstätigkeit oder seiner Finanzlage, die sich nicht unwesentlich auf die Wirkungsweise des Abwicklungsplans auswirken oder in sonstiger Weise dessen Änderung erforderlich machen können. [3] Die Aufsichtsbehörde unterrichtet die Abwicklungsbehörde über jede der Aufsichtsbehörde bekannte Änderung, die im Rahmen einer turnusmäßigen Aktualisierung nach Satz 1 oder einer sonstigen Anpassung nach Satz 2 relevant ist oder eine solche Aktualisierung oder Anpassung erforderlich macht. [4] Die Überprüfung erfolgt auch nach der Durchführung der Abwicklungsmaßnahmen oder nach der Anwendung des Instruments der Beteiligung der Inhaber relevanter Kapitalinstrumente und berücksichtigungsfähiger Verbindlichkeiten gemäß § 65 Absatz 1 und § 89. [5] Bei Festlegung der Frist nach Absatz 3 Nummer 16 oder Nummer 16a unter den in Satz 4 genannten Umständen berücksichtigt die Abwicklungsbehörde die Frist für die Erfüllung der Anforderung nach § 6d des Kreditwesengesetzes[1)].

(5) [1] Die Abwicklungsbehörde übermittelt den Abwicklungsplan und eventuelle Änderungen an die Aufsichtsbehörde. [2] Die zusammenfassende Darstellung der Hauptbestandteile des Plans nach Absatz 3 Nummer 1 soll dem Institut offengelegt werden.

Teil 4. Abwicklung

Kapitel 1. Abwicklungsbefugnis, Voraussetzungen und weitere Befugnisse

§ 68[2)] Allgemeine Grundsätze für eine Abwicklung. (1) Die Abwicklungsbehörde verfolgt bei Abwicklungsmaßnahmen die Grundsätze, dass

1. Verluste von Anteilsinhabern und Gläubigern in demselben Umfang zu tragen sind wie in einem Insolvenzverfahren, das zum Zeitpunkt der Anordnung der Abwicklung eröffnet worden wäre, sofern in diesem Gesetz keine abweichenden Bestimmungen getroffen werden,
2. gedeckte Einlagen vollständig geschützt werden,
3. die Kosten der Abwicklung möglichst gering zu halten sind und eine Vernichtung von Werten, die nicht zur Erreichung der Abwicklungsziele erforderlich ist, vermieden wird,
4. die Geschäftsleiter, die Mitglieder des Aufsichts- oder Verwaltungsorgans sowie die Mitarbeiter und Mitarbeiterinnen der nachgelagerten Führungsebene des in Abwicklung befindlichen Instituts oder gruppenangehörigen Unternehmens ersetzt werden, es sei denn, die Abwicklungsbehörde be-

---

[1)] **beck-online, Module Arbeitsrecht Nr. 205.**

[2)] § 68 Abs. 1 Nr. 4 und 5 geänd. mWv 29.12.2016 durch G v. 23.12.2016 (BGBl. I S. 3171).

trachtet deren vollständige oder teilweise Beibehaltung im Einzelfall als erforderlich, um die Abwicklungsziele zu erreichen,

5. die Geschäftsleiter, die Mitglieder des Aufsichts- oder Verwaltungsorgans sowie die Mitarbeiter und Mitarbeiterinnen der nachgelagerten Führungsebene des in Abwicklung befindlichen Instituts oder gruppenangehörigen Unternehmens zu jeder erforderlichen Unterstützung für die Erreichung der Abwicklungsziele herangezogen werden,
6. die straf- und zivilrechtliche Verantwortung von natürlichen und juristischen Personen für die Bestandsgefährdung des in Abwicklung befindlichen Instituts unberührt bleibt.

(2) Die Abwicklungsbehörde trifft Abwicklungsmaßnahmen gegenüber einem Institut, das einer Gruppe angehört, nach Maßgabe dieses Gesetzes in einer Weise, die die negativen Auswirkungen auf gruppenangehörige Unternehmen und die Gruppe als Ganzes sowie auf die Finanzstabilität in der Europäischen Union und in ihren Mitgliedstaaten, insbesondere in Mitgliedstaaten, in denen gruppenangehörige Unternehmen tätig sind, so gering wie möglich hält.

(3) Bei Abwicklungsmaßnahmen wird die Abwicklungsbehörde den Betriebsrat des Instituts oder gruppenangehörigen Unternehmens informieren, soweit dies ohne Beeinträchtigung der Abwicklungsziele möglich ist.

§ 85[1] Streichung des Gesamtbetrags variabler Vergütungen und zurückbehaltener variabler Vergütungen. (1) [1] Die Abwicklungsbehörde kann bei Vorliegen der Abwicklungsvoraussetzungen gegenüber dem Institut oder gruppenangehörigen Unternehmen anordnen, dass das Institut oder das gruppenangehörige Unternehmen den Jahresgesamtbetrag, der für die variable Vergütung aller Geschäftsleiter und Geschäftsleiterinnen sowie Mitarbeiter und Mitarbeiterinnen vorgesehen ist (Gesamtbetrag der variablen Vergütungen), auf einen bestimmten Anteil des Jahresergebnisses beschränkt oder vollständig streicht. [2] Von der Beschränkung nach Satz 1 ausgenommen sind variable Vergütungsbestandteile, die vereinbart sind

1. durch Tarifvertrag oder
2. im Geltungsbereich eines Tarifvertrags durch Vereinbarung der Arbeitsvertragsparteien über die Anwendung der tarifvertraglichen Regelungen oder auf Grund eines Tarifvertrags in einer Betriebs- oder Dienstvereinbarung.

(2) Die Abwicklungsbehörde kann bei Vorliegen der Abwicklungsvoraussetzungen gegenüber dem Institut oder dem gruppenangehörigen Unternehmen anordnen, dass das Institut oder gruppenangehörige Unternehmen sämtliche bereits zurückbehaltene variable Vergütungen von Geschäftsleitern und Geschäftsleiterinnen sowie von Mitarbeitern und Mitarbeiterinnen im Sinne des § 25a Absatz 5 Satz 3 des Kreditwesengesetzes[2] und des § 20 Absatz 1 und 2 der Institutsvergütungsverordnung[3] reduziert oder streicht.

---

[1] § 85 Abs. 2 geänd. mWv 30.12.2023 durch G v. 22.12.2023 (BGBl. 2023 I Nr. 411).
[2] Nr. **205**.
[3] Nr. **205a**.

Kapitel 2. Abwicklungsinstrumente

Abschnitt 1. Beteiligung der Anteilsinhaber und Gläubiger

§ 91[1] **Bail-in-fähige Verbindlichkeiten.** (1) Das Instrument der Gläubigerbeteiligung ist auf alle Verbindlichkeiten eines Instituts oder eines gruppenangehörigen Unternehmens anzuwenden, die weder gemäß Absatz 2 vom Anwendungsbereich des Instruments der Gläubigerbeteiligung ausgenommen sind noch relevante Kapitalinstrumente sind (bail-in-fähige Verbindlichkeiten).

(2) Folgende Verbindlichkeiten sind vom Anwendungsbereich des Instruments der Gläubigerbeteiligung ausgenommen, und zwar unabhängig davon, ob sie dem Recht eines Mitgliedstaats oder eines Drittstaats unterliegen:

1.–6. …

7. Verbindlichkeiten gegenüber
   a) Beschäftigten auf Grund ausstehender Gehaltsforderungen, Rentenleistungen oder anderer fester Vergütungen mit Ausnahme von
      aa) variablen Vergütungsbestandteilen, die nicht durch Tarifvertrag oder in seinem Geltungsbereich durch Vereinbarung der Arbeitsvertragsparteien über die Anwendung der tarifvertraglichen Regelungen oder auf Grund eines Tarifvertrags in einer Betriebs- oder Dienstvereinbarung geregelt sind, und
      bb) variablen Vergütungsbestandteilen, die in Bezug auf Geschäftsleiter und Geschäftsleiterinnen sowie Mitarbeiter und Mitarbeiterinnen im Sinne des § 18 Absatz 1 der Institutsvergütungsverordnung[2] in der jeweils geltenden Fassung vereinbart sind,

   b), c) …

8. …

§ 103[3] **Anforderungen an den Restrukturierungsplan.** (1) [1]Im Restrukturierungsplan ist festzulegen, wie innerhalb eines angemessenen Zeitrahmens die vollständige oder teilweise Fortführung der Geschäftstätigkeit des Instituts oder des gruppenangehörigen Unternehmens sichergestellt werden kann. [2]Der Restrukturierungsplan berücksichtigt unter anderem die aktuelle Lage und die künftigen Aussichten auf den Finanzmärkten und enthält Annahmen für den besten wie für den schlechtesten Fall. [3]Dabei sind auch Kombinationen von Ereignissen zu berücksichtigen, anhand derer institutsspezifische Gefährdungspotenziale identifiziert werden können. [4]Die im Restrukturierungsplan enthaltenen Maßnahmen sollen auf realistischen Annahmen hinsichtlich der Wirtschafts- und Finanzmarktbedingungen, unter denen das Institut oder gruppenangehörige Unternehmen tätig sein wird, beruhen. [5]Annahmen, die in dem Restrukturierungsplan getroffen wurden, sind mit sektorweiten Referenzwerten zu vergleichen.

(2) Der Restrukturierungsplan hat mindestens die folgenden Bestandteile zu enthalten:

---

[1] § 91 Abs. 2 Nr. 1 geänd. mWv 3.7.2015 durch G v. 28.5.2015 (BGBl. I S. 786); Überschrift neu gef., Abs. 1, Abs. 2 Nr. 2 und 7 Buchst. c geänd., Nr. 6 neu gef., Nr. 8 angef. mWv 28.12.2020 durch G v. 9.12.2020 (BGBl. I S. 2773).

[2] Nr. **205a**.

[3] § 103 Abs. 4 neu gef. mWv 31.3.2026 durch G v. 25.3.2026 (BGBl. 2026 I Nr. 81).

1. eine detaillierte Analyse der Ursachen und Umstände, auf Grund derer die Bestandsgefährdung des Instituts oder des gruppenangehörigen Unternehmens eingetreten ist,
2. eine Beschreibung der zu treffenden Maßnahmen, die die finanzielle Solidität und Überlebensfähigkeit des Instituts oder gruppenangehörigen Unternehmens wiederherstellen sollen, einschließlich der Folgen der Maßnahmen für die Arbeitnehmer und
3. einen Zeitplan für die Umsetzung dieser Maßnahmen.

(3) In Bezug auf das Institut oder gruppenangehörige Unternehmen können insbesondere folgende Maßnahmen, die die finanzielle Solidität und Überlebensfähigkeit des Instituts oder gruppenangehörigen Unternehmens wiederherstellen sollen, getroffen werden:

1. die Restrukturierung von Geschäftsaktivitäten;
2. Änderungen der operativen Systeme und der Institutsinfrastruktur;
3. die Aufgabe von verlustbringenden Geschäftsaktivitäten;
4. die Umstrukturierung bestehender Geschäftsaktivitäten, um deren Wettbewerbsfähigkeit wiederherzustellen;
5. die Veräußerung von Vermögenswerten oder Geschäftsbereichen.

(4) Sind die Vorschriften der Europäischen Union oder des Abkommens über den Europäischen Wirtschaftsraum für staatliche Beihilfen anwendbar, so muss der Restrukturierungsplan mit dem Umstrukturierungsplan, den das Institut oder gruppenangehörige Unternehmen der Kommission oder gegebenenfalls der EFTA-Überwachungsbehörde gemäß den Vorschriften des Unionsrechts oder des Abkommens über den Europäischen Wirtschaftsraum für staatliche Beihilfen vorlegen muss, vereinbar sein.

Abschnitt 3. Abwicklungsanordnung; Vorschriften für das Verfahren; Rechtsformwechsel; Inanspruchnahme von Einlagensicherungssystemen; Schutzbestimmungen

Unterabschnitt 1. Bestimmungen für den Erlass einer Abwicklungsanordnung; sonstige Verfahrensvorschriften; Rechtswirkungen

§ 137[1)] Erlass und Bekanntgabe der Abwicklungsanordnung. (1) [1]Die Abwicklungsanordnung ergeht als Allgemeinverfügung. [2]Einer gesonderten Bekanntgabe an die Beteiligten bedarf es genauso wenig wie einer gesonderten Zuleitung an den zuständigen Betriebsrat.

(2), (3) …

Unterabschnitt 3. Ausgleichszahlung für benachteiligte Anteilsinhaber, Gläubiger und Einlagensicherungssysteme; Schutzbestimmungen

§ 148 Schutzbestimmungen für Sozialpläne. Ansprüche aus einem Sozialplan, der nach dem Zeitpunkt des § 138 Absatz 3 Satz 1 aufgestellt wird, sind vom Anwendungsbereich des Instruments der Gläubigerbeteiligung ausgenommen, soweit sie im hypothetischen Insolvenzfall mit überwiegender Wahrscheinlichkeit in einem Sozialplan nach § 123 Absatz 1 der Insolvenzordnung[2)]

---

1) § 137 Abs. 1 Satz 1 geänd. mWv 29.12.2016 durch G v. 23.12.2016 (BGBl. I S. 3171).
2) Nr. **327**.

enthalten gewesen und als Masseverbindlichkeiten nach § 123 Absatz 2 der Insolvenzordnung[1] beglichen worden wären.

Unterabschnitt 5.[2] *(aufgehoben)*

§ 152 *(aufgehoben)*

[1] Nr. **327**.
[2] Unterabschnitt 5 (§§ 150–152) aufgeh. mWv 28.12.2020 durch G v. 9.12.2020 (BGBl. I S. 2773).

X.

Verfahrensrecht

660. Arbeitsgerichtsgesetz

In der Fassung der Bekanntmachung vom 2. Juli 1979[1)]
(BGBl. I S. 853, ber. S. 1036)

FNA 320-1

zuletzt geänd. durch Art. 2 TariftreueG v. 27.4.2026 (BGBl. 2026 I Nr. 119)

Erster Teil. Allgemeine Vorschriften

§ 1 Gerichte für Arbeitssachen. Die Gerichtsbarkeit in Arbeitssachen – §§ 2 bis 3 – wird ausgeübt durch die Arbeitsgerichte – §§ 14 bis 31 –, die Landesarbeitsgerichte – §§ 33 bis 39 – und das Bundesarbeitsgericht – §§ 40 bis 45 – (Gerichte für Arbeitssachen).

§ 2[2) 3)] Zuständigkeit im Urteilsverfahren. (1) Die Gerichte für Arbeitssachen sind ausschließlich zuständig für

1. bürgerliche Rechtsstreitigkeiten zwischen Tarifvertragsparteien oder zwischen diesen und Dritten aus Tarifverträgen oder über das Bestehen oder Nichtbestehen von Tarifverträgen;
2. bürgerliche Rechtsstreitigkeiten zwischen tariffähigen Parteien oder zwischen diesen und Dritten aus unerlaubten Handlungen, soweit es sich um Maßnahmen zum Zwecke des Arbeitskampfes oder um Fragen der Vereinigungsfreiheit einschließlich des hiermit im Zusammenhang stehenden Betätigungsrechts der Vereinigungen handelt;
3. bürgerliche Rechtsstreitigkeiten zwischen Arbeitnehmern und Arbeitgebern
   a) aus dem Arbeitsverhältnis;
   b) über das Bestehen oder Nichtbestehen eines Arbeitsverhältnisses;
   c) aus Verhandlungen über die Eingehung eines Arbeitsverhältnisses und aus dessen Nachwirkungen;
   d) aus unerlaubten Handlungen, soweit diese mit dem Arbeitsverhältnis im Zusammenhang stehen;
   e) über Arbeitspapiere;
4. bürgerliche Rechtsstreitigkeiten zwischen Arbeitnehmern oder ihren Hinterbliebenen und
   a) Arbeitgebern über Ansprüche, die mit dem Arbeitsverhältnis in rechtlichem oder unmittelbar wirtschaftlichem Zusammenhang stehen;

[1)] Neubekanntmachung des ArbGG v. 3.9.1953 (BGBl. I S. 1267) in der ab 1.7.1979 geltenden Fassung.

[2)] § 2 Überschrift geänd. durch G v. 17.12.1990 (BGBl. I S. 2809); Abs. 1 bish. Nr. 6 wird Nr. 5 und neu gef., bish. Nr. 5 wird Nr. 6 und geänd. durch G v. 26.6.1990 (BGBl. I S. 1206); Abs. 1 Nr. 8 geänd. durch G v. 17.12.1993 (BGBl. I S. 2118); Abs. 1 Nr. 10 angef. durch G v. 23.7.1996 (BGBl. I S. 1088); Abs. 1 Nr. 10 neu gef. mWv 1.7.2001 durch G v. 19.6.2001 (BGBl. I S. 1046); Abs. 1 Nr. 8 neu gef. mWv 1.6.2008 durch G v. 16.5.2008 (BGBl. I S. 842); Abs. 1 Nr. 8a eingef. mWv 3.5.2011 durch G v. 28.4.2011 (BGBl. I S. 687); Abs. 1 Nr. 10 geänd. mWv 1.1.2018 durch G v. 23.12.2016 (BGBl. I S. 3234); Abs. 1 Nr. 4 Buchst. b geänd. mWv 24.6.2020 durch G v. 12.6.2020 (BGBl. I S. 1248).

[3)] Vgl. hierzu auch Art. 56 Zusatzabkommen zum NATO-Truppenstatut (Nr. **53**).

b) gemeinsamen Einrichtungen der Tarifvertragsparteien oder Sozialeinrichtungen des privaten Rechts oder Versorgungseinrichtungen, soweit Letztere reine Beitragszusagen nach § 1 Absatz 2 Nummer 2a des Betriebsrentengesetzes durchführen, über Ansprüche aus dem Arbeitsverhältnis oder Ansprüche, die mit dem Arbeitsverhältnis in rechtlichem oder unmittelbar wirtschaftlichem Zusammenhang stehen,

soweit nicht die ausschließliche Zuständigkeit eines anderen Gerichts gegeben ist;

5. bürgerliche Rechtsstreitigkeiten zwischen Arbeitnehmern oder ihren Hinterbliebenen und dem Träger der Insolvenzsicherung über Ansprüche auf Leistungen der Insolvenzsicherung nach dem Vierten Abschnitt des Ersten Teils des Gesetzes zur Verbesserung der betrieblichen Altersversorgung;
6. bürgerliche Rechtsstreitigkeiten zwischen Arbeitgebern und Einrichtungen nach Nummer 4 Buchstabe b und Nummer 5 sowie zwischen diesen Einrichtungen, soweit nicht die ausschließliche Zuständigkeit eines anderen Gerichts gegeben ist;
7. bürgerliche Rechtsstreitigkeiten zwischen Entwicklungshelfern und Trägern des Entwicklungsdienstes nach dem Entwicklungshelfergesetz;
8. bürgerliche Rechtsstreitigkeiten zwischen den Trägern des freiwilligen sozialen oder ökologischen Jahres oder den Einsatzstellen und Freiwilligen nach dem Jugendfreiwilligendienstegesetz;

8a. bürgerliche Rechtsstreitigkeiten zwischen dem Bund oder den Einsatzstellen des Bundesfreiwilligendienstes oder deren Trägern und Freiwilligen nach dem Bundesfreiwilligendienstgesetz;

9. bürgerliche Rechtsstreitigkeiten zwischen Arbeitnehmern aus gemeinsamer Arbeit und aus unerlaubten Handlungen, soweit diese mit dem Arbeitsverhältnis im Zusammenhang stehen;
10. bürgerliche Rechtsstreitigkeiten zwischen behinderten Menschen im Arbeitsbereich von Werkstätten für behinderte Menschen und den Trägern der Werkstätten aus den in § 221 des Neunten Buches Sozialgesetzbuch[1] geregelten arbeitnehmerähnlichen Rechtsverhältnissen.

(2) Die Gerichte für Arbeitssachen sind auch zuständig für bürgerliche Rechtsstreitigkeiten zwischen Arbeitnehmern und Arbeitgebern,

a) die ausschließlich Ansprüche auf Leistung einer festgestellten oder festgesetzten Vergütung für eine Arbeitnehmererfindung oder für einen technischen Verbesserungsvorschlag nach § 20 Abs. 1 des Gesetzes über Arbeitnehmererfindungen zum Gegenstand haben;
b) die als Urheberrechtsstreitsachen aus Arbeitsverhältnissen ausschließlich Ansprüche auf Leistung einer vereinbarten Vergütung zum Gegenstand haben.

(3) Vor die Gerichte für Arbeitssachen können auch nicht unter die Absätze 1 und 2 fallende Rechtsstreitigkeiten gebracht werden, wenn der Anspruch mit einer bei einem Arbeitsgericht anhängigen oder gleichzeitig anhängig werdenden bürgerlichen Rechtsstreitigkeit der in den Absätzen 1 und 2 bezeichneten Art in rechtlichem oder unmittelbar wirtschaftlichem Zusammenhang steht und für seine Geltendmachung nicht die ausschließliche Zuständigkeit eines *anderen Gerichts* gegeben ist.

---

[1] Nr. **440**.

(4) Auf Grund einer Vereinbarung können auch bürgerliche Rechtsstreitigkeiten zwischen juristischen Personen des Privatrechts und Personen, die kraft Gesetzes allein oder als Mitglieder des Vertretungsorgans der juristischen Person zu deren Vertretung berufen sind, vor die Gerichte für Arbeitssachen gebracht werden.

(5) In Rechtsstreitigkeiten nach diesen Vorschriften findet das Urteilsverfahren statt.

§ 2a[1] Zuständigkeit im Beschlußverfahren. (1) Die Gerichte für Arbeitssachen sind ferner ausschließlich zuständig für

1. Angelegenheiten aus dem Betriebsverfassungsgesetz, soweit nicht für Maßnahmen nach seinen §§ 119 bis 121 die Zuständigkeit eines anderen Gerichts gegeben ist;
2. Angelegenheiten aus dem Sprecherausschußgesetz, soweit nicht für Maßnahmen nach seinen §§ 34 bis 36 die Zuständigkeit eines anderen Gerichts gegeben ist;
3. Angelegenheiten aus dem Mitbestimmungsgesetz, dem Mitbestimmungsergänzungsgesetz und dem Drittelbeteiligungsgesetz, soweit über die Wahl von Vertretern der Arbeitnehmer in den Aufsichtsrat und über ihre Abberufung mit Ausnahme der Abberufung nach § 103 Abs. 3 des Aktiengesetzes[2] zu entscheiden ist;

3a. Angelegenheiten aus den §§ 177, 178 und 222 des Neunten Buches Sozialgesetzbuch;

3b. Angelegenheiten aus dem Gesetz über Europäische Betriebsräte, soweit nicht für Maßnahmen nach seinen §§ 43 bis 45 die Zuständigkeit eines anderen Gerichts gegeben ist;

3c. Angelegenheiten aus § 51 des Berufsbildungsgesetzes;

3d. Angelegenheiten aus § 10 des Bundesfreiwilligendienstgesetzes;

3e. Angelegenheiten aus dem SE-Beteiligungsgesetz vom 22. Dezember 2004 (BGBl. I S. 3675, 3686) mit Ausnahme der §§ 45 und 46 und nach den §§ 34 bis 39 nur insoweit, als über die Wahl von Vertretern der Arbeitnehmer in das Aufsichts- oder Verwaltungsorgan sowie deren Abberufung mit Ausnahme der Abberufung nach § 103 Abs. 3 des Aktiengesetzes zu entscheiden ist;

---

[1] § 2a Überschrift geänd. durch G v. 17.12.1990 (BGBl. I S. 2809); Abs. 1 Nr. 2 geänd. durch G v. 19.12.1985 (BGBl. I S. 2355); Abs. 1 Nr. 2 eingef., frühere Nr. 2 und 3 werden Nr. 3 und 4 durch G v. 20.12.1988 (BGBl. I S. 2312); Abs. 1 Nr. 3a eingef. durch G v. 23.7.1996 (BGBl. I S. 1088); Nr. 3b eingef. durch G v. 28.10.1996 (BGBl. I S. 1548, ber. S. 2022); Nr. 3a geänd. mWv 1.5.2000 durch G v. 30.3.2000 (BGBl. I S. 333); Abs. 1 Nr. 3a neu gef. mWv 1.7.2001 durch G v. 19.6.2001 (BGBl. I S. 1046); Nr. 3c eingef. mWv 15.8.2002 durch G v. 8.8.2002 (BGBl. I S. 3140); Abs. 1 Nr. 3 geänd. mWv 1.7.2004 durch G v. 18.5.2004 (BGBl. I S. 974); Abs. 1 Nr. 3d eingef. mWv 29.12.2004 durch G v. 22.12.2004 (BGBl. I S. 3674); Abs. 1 Nr. 3c geänd. mWv 1.4.2005 durch G v. 23.3.2005 (BGBl. I S. 931); Abs. 1 Nr. 3d geänd., Nr. 3e eingef. mWv 18.8.2006 durch G v. 14.8.2006 (BGBl. I S. 1911); Abs. 1 Nr. 3f eingef. mWv 29.12.2006 durch G v. 21.12.2006 (BGBl. I S. 3332); Abs. 1 Nr. 3d eingef., bish. Nr. 3d–3f werden Nr. 3e–3g mWv 3.5.2011 durch G v. 28.4.2011 (BGBl. I S. 687); Abs. 1 Nr. 4 geänd., Nr. 5 angef. mWv 16.8.2014 durch G v. 11.8.2014 (BGBl. I S. 1348); Abs. 1 Nr. 5 geänd., Nr. 6 angef. mWv 10.7.2015 durch G v. 3.7.2015 (BGBl. I S. 1130); Abs. 1 Nr. 3a geänd. mWv 1.1.2018 durch G v. 23.12.2016 (BGBl. I S. 3234); Abs. 1 Nr. 3g geänd., Nr. 3h eingef mWv 31.1.2023 durch G v. 4.1.2023 (BGBl. 2023 I Nr. 10); Abs. 1 Nr. 5 neu gef. mWv 1.5.2026 durch G v. 27.4.2026 (BGBl. 2026 I Nr. 119).

[2] Nr. **567**.

3f. Angelegenheiten aus dem SCE-Beteiligungsgesetz vom 14. August 2006 (BGBl. I S. 1911, 1917) mit Ausnahme der §§ 47 und 48 und nach den §§ 34 bis 39 nur insoweit, als über die Wahl von Vertretern der Arbeitnehmer in das Aufsichts- oder Verwaltungsorgan sowie deren Abberufung zu entscheiden ist;

3g. Angelegenheiten aus dem Gesetz über die Mitbestimmung der Arbeitnehmer bei einer grenzüberschreitenden Verschmelzung vom 21. Dezember 2006 (BGBl. I S. 3332) in der jeweils geltenden Fassung mit Ausnahme der §§ 34 und 35 und nach den §§ 23 bis 28 nur insoweit, als über die Wahl von Vertretern der Arbeitnehmer in das Aufsichts- oder Verwaltungsorgan sowie deren Abberufung mit Ausnahme der Abberufung nach § 103 Abs. 3 des Aktiengesetzes zu entscheiden ist;

3h. Angelegenheiten aus dem Gesetz über die Mitbestimmung der Arbeitnehmer bei grenzüberschreitendem Formwechsel und grenzüberschreitender Spaltung vom 4. Januar 2023 (BGBl. 2023 I Nr. 10) in der jeweils geltenden Fassung mit Ausnahme der §§ 38 und 39 und nach den §§ 25 bis 30 nur insoweit, als über die Wahl von Vertretern der Arbeitnehmer in das Aufsichts- oder Verwaltungsorgan sowie deren Abberufung mit Ausnahme der Abberufung nach § 103 Absatz 3 des Aktiengesetzes[1] zu entscheiden ist;

4. die Entscheidung über die Tariffähigkeit und die Tarifzuständigkeit einer Vereinigung;

5. die Entscheidung über die Wirksamkeit einer Allgemeinverbindlicherklärung nach § 5 des Tarifvertragsgesetzes, einer Rechtsverordnung nach § 7 oder § 7a des Arbeitnehmer-Entsendegesetzes, einer Rechtsverordnung nach § 3a des Arbeitnehmerüberlassungsgesetzes[2] und einer Rechtsverordnung nach § 5 des Bundestariftreuegesetzes;

6. die Entscheidung über den nach § 4a Absatz 2 Satz 2 des Tarifvertragsgesetzes im Betrieb anwendbaren Tarifvertrag.

(2) In Streitigkeiten nach diesen Vorschriften findet das Beschlußverfahren statt.

§ 3 Zuständigkeit in sonstigen Fällen. Die in den §§ 2 und 2a begründete Zuständigkeit besteht auch in den Fällen, in denen der Rechtsstreit durch einen Rechtsnachfolger oder durch eine Person geführt wird, die kraft Gesetzes an Stelle des sachlich Berechtigten oder Verpflichteten hierzu befugt ist.

§ 4 Ausschluß der Arbeitsgerichtsbarkeit. In den Fällen des § 2 Abs. 1 und 2 kann die Arbeitsgerichtsbarkeit nach Maßgabe der §§ 101 bis 110 ausgeschlossen werden.

§ 5[3] Begriff des Arbeitnehmers. (1) [1] Arbeitnehmer im Sinne dieses Gesetzes sind Arbeiter und Angestellte sowie die zu ihrer Berufsausbildung Be-

---

[1] Nr. **567**.

[2] Nr. **730**.

[3] § 5 Abs. 3 Satz 1 geänd. mWv 1.1.2002 durch G v. 21.12.2000 (BGBl. I S. 1983); Abs. 3 Satz 2 geänd. mWv 7.11.2001 durch VO v. 29.10.2001 (BGBl. I S. 2785); Abs. 3 Satz 2 geänd. mWv 28.11. 2003 durch VO v. 25.11.2003 (BGBl. I S. 2304); Abs. 3 Satz 2 geänd. mWv 8.11.2006 durch VO v. 31.10.2006 (BGBl. I S. 2407); Abs. 3 Satz 2 geänd. mWv 8.9.2015 durch VO v. 31.8.2015 (BGBl. I S. 1474).

schäftigten. [2] Als Arbeitnehmer gelten auch die in Heimarbeit Beschäftigten und die ihnen Gleichgestellten (§ 1 des Heimarbeitsgesetzes vom 14. März 1951 – Bundesgesetzbl. I S. 191 –) sowie sonstige Personen, die wegen ihrer wirtschaftlichen Unselbständigkeit als arbeitnehmerähnliche Personen anzusehen sind. [3] Als Arbeitnehmer gelten nicht in Betrieben einer juristischen Person oder einer Personengesamtheit Personen, die kraft Gesetzes, Satzung oder Gesellschaftsvertrags allein oder als Mitglieder des Vertretungsorgans zur Vertretung der juristischen Person oder der Personengesamtheit berufen sind.

(2) Beamte sind als solche keine Arbeitnehmer.

(3) [1] Handelsvertreter gelten nur dann als Arbeitnehmer im Sinne dieses Gesetzes, wenn sie zu dem Personenkreis gehören, für den nach § 92a des Handelsgesetzbuchs[1)] die untere Grenze der vertraglichen Leistungen des Unternehmers festgesetzt werden kann, und wenn sie während der letzten sechs Monate des Vertragsverhältnisses, bei kürzerer Vertragsdauer während dieser, im Durchschnitt monatlich nicht mehr als 1 000 Euro auf Grund des Vertragsverhältnisses an Vergütung einschließlich Provision und Ersatz für im regelmäßigen Geschäftsbetrieb entstandene Aufwendungen bezogen haben. [2] Das Bundesministerium für Arbeit und Soziales und das Bundesministerium der Justiz und für Verbraucherschutz können im Einvernehmen mit dem Bundesministerium für Wirtschaft und Energie die in Satz 1 bestimmte Vergütungsgrenze durch Rechtsverordnung, die nicht der Zustimmung des Bundesrates bedarf, den jeweiligen Lohn- und Preisverhältnissen anpassen.

§ 6 Besetzung der Gerichte für Arbeitssachen. (1) Die Gerichte für Arbeitssachen sind mit Berufsrichtern und mit ehrenamtlichen Richtern aus den Kreisen der Arbeitnehmer und Arbeitgeber besetzt.

(2) (weggefallen)

§ 6a Allgemeine Vorschriften über das Präsidium und die Geschäftsverteilung. Für die Gerichte für Arbeitssachen gelten die Vorschriften des Zweiten Titels des Gerichtsverfassungsgesetzes[2)] nach Maßgabe der folgenden Vorschriften entsprechend:

1. [1] Bei einem Arbeitsgericht mit weniger als drei Richterplanstellen werden die Aufgaben des Präsidiums durch den Vorsitzenden oder, wenn zwei Vorsitzende bestellt sind, im Einvernehmen der Vorsitzenden wahrgenommen. [2] Einigen sich die Vorsitzenden nicht, so entscheidet das Präsidium des Landesarbeitsgerichts oder, soweit ein solches nicht besteht, der Präsident dieses Gerichts.
2. Bei einem Landesarbeitsgericht mit weniger als drei Richterplanstellen werden die Aufgaben des Präsidiums durch den Präsidenten, soweit ein zweiter Vorsitzender vorhanden ist, im Benehmen mit diesem wahrgenommen.
3. Der aufsichtführende Richter bestimmt, welche richterlichen Aufgaben er wahrnimmt.
4. Jeder ehrenamtliche Richter kann mehreren Spruchkörpern angehören.
5. Den Vorsitz in den Kammern der Arbeitsgerichte führen die Berufsrichter.

---

1) Nr. **105**.
2) Auszugsweise abgedruckt unter Nr. **665**.

§ 7[1)] Geschäftsstelle, Aufbringung der Mittel. (1) [1]Bei jedem Gericht für Arbeitssachen wird eine Geschäftsstelle eingerichtet, die mit der erforderlichen Zahl von Urkundsbeamten besetzt wird. [2]Die Einrichtung der Geschäftsstelle bestimmt bei dem Bundesarbeitsgericht das Bundesministerium für Arbeit und Soziales im Benehmen mit dem Bundesministerium der Justiz und für Verbraucherschutz. [3]Die Einrichtung der Geschäftsstelle bestimmt bei den Arbeitsgerichten und Landesarbeitsgerichten die zuständige oberste Landesbehörde.

(2) [1]Die Kosten der Arbeitsgerichte und der Landesarbeitsgerichte trägt das Land, das sie errichtet. [2]Die Kosten des Bundesarbeitsgerichts trägt der Bund.

§ 8[2)] Gang des Verfahrens. (1) Im ersten Rechtszug sind die Arbeitsgerichte zuständig, soweit durch Gesetz nichts anderes bestimmt ist.

(2) Gegen die Urteile der Arbeitsgerichte findet die Berufung an die Landesarbeitsgerichte nach Maßgabe des § 64 Abs. 1 statt.

(3) Gegen die Urteile der Landesarbeitsgerichte findet die Revision an das Bundesarbeitsgericht nach Maßgabe des § 72 Abs. 1 statt.

(4) Gegen die Beschlüsse der Arbeitsgerichte und ihrer Vorsitzenden im Beschlußverfahren findet die Beschwerde an das Landesarbeitsgericht nach Maßgabe des § 87 statt.

(5) Gegen die Beschlüsse der Landesarbeitsgerichte im Beschlußverfahren findet die Rechtsbeschwerde an das Bundesarbeitsgericht nach Maßgabe des § 92 statt.

§ 9[3)] Allgemeine Verfahrensvorschriften und Rechtsschutz bei überlangen Gerichtsverfahren. (1) Das Verfahren ist in allen Rechtszügen zu beschleunigen.

(2) [1]Die Vorschriften des Gerichtsverfassungsgesetzes[4)] über Zustellungs- und Vollstreckungsbeamte, über die Aufrechterhaltung der Ordnung in der Sitzung, über die Gerichtssprache, über die Wahrnehmung richterlicher Geschäfte durch Referendare und über Beratung und Abstimmung gelten in allen Rechtszügen entsprechend. [2]Abweichend von Satz 1 findet

1. § 185 Absatz 1a des Gerichtsverfassungsgesetzes[5)] mit der Maßgabe Anwendung, dass das Gericht dem Dolmetscher die Teilnahme an der Verhandlung, Anhörung oder Vernehmung per Bild- und Tonübertragung gestatten kann;
2. § 193 Absatz 1 des Gerichtsverfassungsgesetzes[5)] keine Anwendung für die erstmalige gemeinsame Beratung und Abstimmung mit den ehrenamtlichen Richterinnen und Richtern bei einer Entscheidung aufgrund mündlicher Verhandlung.

[1)] § 7 Abs. 1 neu gef. durch G v. 26.6.1990 (BGBl. I S. 1206); Abs. 1 Satz 4 aufgeh. mWv 1.5.2000 durch G v. 30.3.2000 (BGBl. I S. 333); Abs. 1 Satz 2 geänd. mWv 7.11.2001 durch VO v. 29.10.2001 (BGBl. I S. 2785); Abs. 1 Satz 2 geänd. mWv 28.11.2003 durch VO v. 25.11.2003 (BGBl. I S. 2304); Abs. 1 Satz 2 geänd. mWv 8.11.2006 durch VO v. 31.10.2006 (BGBl. I S. 2407); Abs. 1 Satz 2 geänd. mWv 8.9.2015 durch VO v. 31.8.2015 (BGBl. I S. 1474).

[2)] § 8 Abs. 1 geänd. mWv 16.8.2014 durch G v. 11.8.2014 (BGBl. I S. 1348).

[3)] § 9 Abs. 1 Satz 2 aufgeh. durch G v. 28.10.1996 (BGBl. I S. 1546); Abs. 4 geänd. mWv 1.7.2004 durch G v. 5.5.2004 (BGBl. I S. 718); Überschrift geänd., Abs. 2 Satz 2 angef. mWv 3.12.2011 durch G v. 24.11.2011 (BGBl. I S. 2302); Abs. 2 Satz 2 eingef., bish. Satz 2 wird Satz 3 mWv 19.7.2024 *durch G v. 15.7.2024 (BGBl. 2024 I Nr. 237).*

[4)] Auszugsweise abgedruckt unter Nr. **665**.

[5)] **beck-online, Module Arbeitsrecht Nr. 665.**

[3]Die Vorschriften des Siebzehnten Titels des Gerichtsverfassungsgesetzes[1)] sind mit der Maßgabe entsprechend anzuwenden, dass an die Stelle des Oberlandesgerichts das Landesarbeitsgericht, an die Stelle des Bundesgerichtshofs das Bundesarbeitsgericht und an die Stelle der Zivilprozessordnung[2)] das Arbeitsgerichtsgesetz tritt.

(3) [1]Die Vorschriften über die Wahrnehmung der Geschäfte bei den ordentlichen Gerichten durch Rechtspfleger gelten in allen Rechtszügen entsprechend. [2]Als Rechtspfleger können nur Beamte bestellt werden, die die Rechtspflegerprüfung oder die Prüfung für den gehobenen Dienst bei der Arbeitsgerichtsbarkeit bestanden haben.

(4) Zeugen und Sachverständige erhalten eine Entschädigung oder Vergütung nach dem Justizvergütungs- und -entschädigungsgesetz[3)].

(5) [1]Alle mit einem befristeten Rechtsmittel anfechtbaren Entscheidungen enthalten die Belehrung über das Rechtsmittel. [2]Soweit ein Rechtsmittel nicht gegeben ist, ist eine entsprechende Belehrung zu erteilen. [3]Die Frist für ein Rechtsmittel beginnt nur, wenn die Partei oder der Beteiligte über das Rechtsmittel und das Gericht, bei dem das Rechtsmittel einzulegen ist, die Anschrift des Gerichts und die einzuhaltende Frist und Form schriftlich belehrt worden ist. [4]Ist die Belehrung unterblieben oder unrichtig erteilt, so ist die Einlegung des Rechtsmittels nur innerhalb eines Jahres seit Zustellung der Entscheidung zulässig, außer wenn die Einlegung vor Ablauf der Jahresfrist infolge höherer Gewalt unmöglich war oder eine Belehrung dahin erfolgt ist, daß ein Rechtsmittel nicht gegeben sei; § 234 Abs. 1, 2 und § 236 Abs. 2 der Zivilprozeßordnung[4)] gelten für den Fall höherer Gewalt entsprechend.

§ 10[5)] **Parteifähigkeit.** [1]Parteifähig im arbeitsgerichtlichen Verfahren sind auch Gewerkschaften und Vereinigungen von Arbeitgebern sowie Zusammenschlüsse solcher Verbände; in den Fällen des § 2a Abs. 1 Nr. 1 bis 3f sind auch die nach dem Betriebsverfassungsgesetz, dem Sprecherausschussgesetz[6)], dem Mitbestimmungsgesetz, dem Mitbestimmungsergänzungsgesetz, dem Drittelbeteiligungsgesetz, dem § 222 des Neunten Buches Sozialgesetzbuch, dem § 51 des Berufsbildungsgesetzes und den zu diesen Gesetzen ergangenen Rechtsverordnungen sowie die nach dem Gesetz über Europäische Betriebsräte, dem SE-Beteiligungsgesetz, dem SCE-Beteiligungsgesetz, dem Gesetz über die Mitbestimmung der Arbeitnehmer bei einer grenzüberschreitenden Verschmelzung und dem Gesetz über die Mitbestimmung der Arbeitnehmer bei grenzüberschreitendem Formwechsel und grenzüberschreitender Spaltung beteiligten Personen und Stellen Beteiligte. [2]Parteifähig im arbeitsgerichtlichen Verfahren sind in den Fällen des § 2a Abs. 1 Nr. 4 auch die beteiligten Vereinigungen von Arbeitnehmern und Arbeitgebern sowie die oberste Arbeitsbehörde des Bundes

---

[1)] Auszugsweise abgedruckt unter Nr. **665**.
[2)] Auszugsweise abgedruckt unter Nr. **320**.
[3)] Auszugsweise abgedruckt unter Nr. **669**.
[4)] **beck-online, Module Arbeitsrecht Nr. 320.**
[5)] § 10 neu gef. mWv 29.12.2004 durch G v. 22.12.2004 (BGBl. I S. 3675); Satz 1 geänd. mWv 1.4.2005 durch G v. 23.3.2005 (BGBl. I S. 931); Satz 1 geänd. mWv 18.8.2006 durch G v. 14.8.2006 (BGBl. I S. 1911); Satz 1 geänd. mWv 29.12.2006 durch G v. 21.12.2006 (BGBl. I S. 3332); Satz 3 angef. mWv 16.8.2014 durch G v. 11.8.2014 (BGBl. I S. 1348); Satz 1 geänd. mWv 1.1.2018 durch G v. 23.12.2016 (BGBl. I S. 3234); Satz 1 geänd. mWv 31.1.2023 durch G v. 4.1.2023 (BGBl. 2023 I Nr. 10).
[6)] Nr. **571**.

oder derjenigen Länder, auf deren Bereich sich die Tätigkeit der Vereinigung erstreckt. [3] Parteifähig im arbeitsgerichtlichen Verfahren sind in den Fällen des § 2a Absatz 1 Nummer 5 auch die oberste Arbeitsbehörde des Bundes oder die oberste Arbeitsbehörde eines Landes, soweit ihr nach § 5 Absatz 6 des Tarifvertragsgesetzes Rechte übertragen sind.

§ 11[1] Prozessvertretung. (1) [1] Die Parteien können vor dem Arbeitsgericht den Rechtsstreit selbst führen. [2] Parteien, die eine fremde oder ihnen zum Zweck der Einziehung auf fremde Rechnung abgetretene Geldforderung geltend machen, müssen sich durch einen Rechtsanwalt als Bevollmächtigten vertreten lassen, soweit sie nicht nach Maßgabe des Absatzes 2 zur Vertretung des Gläubigers befugt wären oder eine Forderung einziehen, deren ursprünglicher Gläubiger sie sind.

(2) [1] Die Parteien können sich durch einen Rechtsanwalt als Bevollmächtigten vertreten lassen. [2] Darüber hinaus sind als Bevollmächtigte vor dem Arbeitsgericht vertretungsbefugt nur

1. Beschäftigte der Partei oder eines mit ihr verbundenen Unternehmens (§ 15 des Aktiengesetzes); Behörden und juristische Personen des öffentlichen Rechts einschließlich der von ihnen zur Erfüllung ihrer öffentlichen Aufgaben gebildeten Zusammenschlüsse können sich auch durch Beschäftigte anderer Behörden oder juristischer Personen des öffentlichen Rechts einschließlich der von ihnen zur Erfüllung ihrer öffentlichen Aufgaben gebildeten Zusammenschlüsse vertreten lassen,
2. volljährige Familienangehörige (§ 15 der Abgabenordnung, § 11 des Lebenspartnerschaftsgesetzes), Personen mit Befähigung zum Richteramt und Streitgenossen, wenn die Vertretung nicht im Zusammenhang mit einer entgeltlichen Tätigkeit steht,
3. selbständige Vereinigungen von Arbeitnehmern mit sozial- oder berufspolitischer Zwecksetzung für ihre Mitglieder,
4. Gewerkschaften und Vereinigungen von Arbeitgebern sowie Zusammenschlüsse solcher Verbände für ihre Mitglieder oder für andere Verbände oder Zusammenschlüsse mit vergleichbarer Ausrichtung und deren Mitglieder,
5. juristische Personen, deren Anteile sämtlich im wirtschaftlichen Eigentum einer der in Nummer 4 bezeichneten Organisationen stehen, wenn die juristische Person ausschließlich die Rechtsberatung und Prozessvertretung dieser Organisation und ihrer Mitglieder oder anderer Verbände oder Zusammenschlüsse mit vergleichbarer Ausrichtung und deren Mitglieder entsprechend deren Satzung durchführt, und wenn die Organisation für die Tätigkeit der Bevollmächtigten haftet.

[3] Bevollmächtigte, die keine natürlichen Personen sind, handeln durch ihre Organe und mit der Prozessvertretung beauftragten Vertreter.

(3) [1] Das Gericht weist Bevollmächtigte, die nicht nach Maßgabe des Absatzes 2 vertretungsbefugt sind, durch unanfechtbaren Beschluss zurück. [2] Prozesshandlungen eines nicht vertretungsbefugten Bevollmächtigten und Zustellungen oder Mitteilungen an diesen Bevollmächtigten sind bis zu seiner Zurückweisung wirksam. [3] Das Gericht kann den in Absatz 2 Satz 2 Nr. 1 bis 3 bezeichneten Bevollmächtigten durch unanfechtbaren Beschluss die weitere

[1] § 11 neu gef. mWv 1.7.2008 durch G v. 12.12.2007 (BGBl. I S. 2840).

Vertretung untersagen, wenn sie nicht in der Lage sind, das Sach- und Streitverhältnis sachgerecht darzustellen.

(4) [1]Vor dem Bundesarbeitsgericht und dem Landesarbeitsgericht müssen sich die Parteien, außer im Verfahren vor einem beauftragten oder ersuchten Richter und bei Prozesshandlungen, die vor dem Urkundsbeamten der Geschäftsstelle vorgenommen werden können, durch Prozessbevollmächtigte vertreten lassen. [2]Als Bevollmächtigte sind außer Rechtsanwälten nur die in Absatz 2 Satz 2 Nr. 4 und 5 bezeichneten Organisationen zugelassen. [3]Diese müssen in Verfahren vor dem Bundesarbeitsgericht durch Personen mit Befähigung zum Richteramt handeln. [4]Eine Partei, die nach Maßgabe des Satzes 2 zur Vertretung berechtigt ist, kann sich selbst vertreten; Satz 3 bleibt unberührt.

(5) [1]Richter dürfen nicht als Bevollmächtigte vor dem Gericht auftreten, dem sie angehören. [2]Ehrenamtliche Richter dürfen, außer in den Fällen des Absatzes 2 Satz 2 Nr. 1, nicht vor einem Spruchkörper auftreten, dem sie angehören. [3]Absatz 3 Satz 1 und 2 gilt entsprechend.

(6) [1]In der Verhandlung können die Parteien mit Beiständen erscheinen. [2]Beistand kann sein, wer in Verfahren, in denen die Parteien den Rechtsstreit selbst führen können, als Bevollmächtigter zur Vertretung in der Verhandlung befugt ist. [3]Das Gericht kann andere Personen als Beistand zulassen, wenn dies sachdienlich ist und hierfür nach den Umständen des Einzelfalls ein Bedürfnis besteht. [4]Absatz 3 Satz 1 und 3 und Absatz 5 gelten entsprechend. [5]Das von dem Beistand Vorgetragene gilt als von der Partei vorgebracht, soweit es nicht von dieser sofort widerrufen oder berichtigt wird.

§ 11a[1)] Beiordnung eines Rechtsanwalts, Prozeßkostenhilfe. (1) [1]Die Vorschriften der Zivilprozessordnung[2)] über die Prozesskostenhilfe und über die grenzüberschreitende Prozesskostenhilfe innerhalb der Europäischen Union nach der Richtlinie 2003/8/EG mit Ausnahme des § 118 Absatz 1 Satz 6 der Zivilprozessordnung[3)] gelten in Verfahren vor den Gerichten für Arbeitssachen entsprechend. [2]Im Bewilligungsverfahren gilt für den Erörterungstermin nach § 118 Absatz 1 Satz 3 der Zivilprozessordnung[3)] § 50a dieses Gesetzes entsprechend.

(2) Das Bundesministerium für Arbeit und Soziales wird ermächtigt, zur Vereinfachung und Vereinheitlichung des Verfahrens durch Rechtsverordnung mit Zustimmung des Bundesrates Formulare für die Erklärung der Partei über ihre persönlichen und wirtschaftlichen Verhältnisse (§ 117 Abs. 2 der Zivilprozeßordnung[3)]) einzuführen.

§ 12[4)] Kosten. [1]Das Justizverwaltungskostengesetz[5)] und das Justizbeitreibungsgesetz[6)] gelten entsprechend, soweit sie nicht unmittelbar Anwendung

---

[1)] § 11a Überschrift geänd., Abs. 3 neu gef., Abs. 4 angef. durch G v. 13.6.1980 (BGBl. I S. 677); Abs. 4 geänd. mWv 7.11.2001 durch VO v. 29.10.2001 (BGBl. I S. 2785); Abs. 4 geänd. mWv 28.11.2003 durch VO v. 25.11.2003 (BGBl. I S. 2304); Abs. 2a eingef., Abs. 3 neu gef. mWv 21.12.2004 durch G v. 15.12.2004 (BGBl. I S. 3392); Abs. 4 geänd. mWv 1.4.2005 durch G v. 22.3.2005 (BGBl. I S. 837); Abs. 4 geänd. mWv 8.11.2006 durch VO v. 31.10.2006 (BGBl. I S. 2407); Abs. 1–2a aufgeh., bish. Abs. 3 und 4 werden Abs. 1 und 2 mWv 1.1.2014 durch G v. 31.8.2013 (BGBl. I S. 3533); Abs. 1 Satz 1 geänd., Satz 2 angef. mWv 19.7.2024 durch G v. 15.7.2024 (BGBl. 2024 I Nr. 237).

[2)] Auszugsweise abgedruckt unter Nr. **320**.

[3)] **beck-online, Module Arbeitsrecht Nr. 320.**

[4)] § 12 Abs. 4 Satz 5 angef., Abs. 6 neu gef. durch G v. 26.6.1990 (BGBl. I S. 1206); Abs. 2 Sätze 1 und 3 geänd., Satz 4 angef., Abs. 4 Sätze 4 und 5 geänd. durch G v. 24.6.1994 (BGBl. I S. 1325); →

finden. [2] Bei Einziehung der Gerichts- und Verwaltungskosten leisten die Vollstreckungsbehörden der Justizverwaltung oder die sonst nach Landesrecht zuständigen Stellen den Gerichten für Arbeitssachen Amtshilfe, soweit sie diese Aufgaben nicht als eigene wahrnehmen. [3] Vollstreckungsbehörde ist für die Ansprüche, die beim Bundesarbeitsgericht entstehen, die Justizbeitreibungsstelle des Bundesarbeitsgerichts.

§ 12a[1)] Kostentragungspflicht. (1) [1] In Urteilsverfahren des ersten Rechtszugs besteht kein Anspruch der obsiegenden Partei auf Entschädigung wegen Zeitversäumnis und auf Erstattung der Kosten für die Zuziehung eines Prozeßbevollmächtigten oder Beistandes. [2] Vor Abschluß der Vereinbarung über die Vertretung ist auf den Ausschluß der Kostenerstattung nach Satz 1 hinzuweisen. [3] Satz 1 gilt nicht für Kosten, die dem Beklagten dadurch entstanden sind, daß der Kläger ein Gericht der ordentlichen Gerichtsbarkeit, der allgemeinen Verwaltungsgerichtsbarkeit, der Finanz- oder Sozialgerichtsbarkeit angerufen und dieses den Rechtsstreit an das Arbeitsgericht verwiesen hat.

(2) [1] Werden im Urteilsverfahren des zweiten und dritten Rechtszugs die Kosten nach § 92 Abs. 1 der Zivilprozeßordnung[2)] verhältnismäßig geteilt und ist die eine Partei durch einen Rechtsanwalt, die andere Partei durch einen Verbandsvertreter nach § 11 Abs. 2 Satz 2 Nr. 4 und 5 vertreten, so ist diese Partei hinsichtlich der außergerichtlichen Kosten so zu stellen, als wenn sie durch einen Rechtsanwalt vertreten worden wäre. [2] Ansprüche auf Erstattung stehen ihr jedoch nur insoweit zu, als ihr Kosten im Einzelfall tatsächlich erwachsen sind.

§ 13[3)] Rechtshilfe. (1) [1] Die Arbeitsgerichte leisten den Gerichten für Arbeitssachen Rechtshilfe. [2] Ist die Amtshandlung außerhalb des Sitzes eines Arbeitsgerichts vorzunehmen, so leistet das Amtsgericht Rechtshilfe.

(2) Die Vorschriften des Gerichtsverfassungsgesetzes[4)] über Rechtshilfe und des Einführungsgesetzes zum Gerichtsverfassungsgesetz[5)] über verfahrensübergreifende Mitteilungen von Amts wegen[6)] finden entsprechende Anwendung.

(Fortsetzung der Anm. von voriger Seite)
Abs. 2 Sätze 1 und 3 geänd. mWv 1.1.2002 durch G v. 21.12.2000 (BGBl. I S. 1983); Abs. 5b eingef. mWv 1.7.2001 durch G v. 19.6.2001 (BGBl. I S. 1046); Abs. 6 Satz 1 geänd. mWv 15.12.2001 durch G v. 10.12.2001 (BGBl. I S. 3422); Abs. 5b aufgeh. mWv 1.8.2002 durch G v. 23.7.2002 (BGBl. I S. 2850); Abs. 1–5a und 7 aufgeh., bish. Abs. 6 wird alleiniger Wortlaut mWv 1.7.2004 durch G v. 5.5.2004 (BGBl. I S. 718); Satz 1 geänd. mWv 1.8.2013 durch G v. 23.7.2013 (BGBl. I S. 2586); Satz 1 geänd. mWv 1.7.2017 durch G v. 21.11.2016 (BGBl. I S. 2591).

[5)] **Habersack Nr. 120.**

[6)] **Habersack Nr. 122.**

[1)] § 12a Abs. 2 geänd. durch G v. 31.8.1998 (BGBl. I S. 2600); Abs. 2 Satz 1 geänd. mWv 1.7.2008 durch G v. 12.12.2007 (BGBl. I S. 2840); Abs. 2 Satz 1 geänd. mWv 1.8.2013 durch G v. 23.7.2013 (BGBl. I S. 2586).

[2)] **beck-online, Module Arbeitsrecht Nr. 320.**

[3)] § 13 Abs. 2 geänd. durch G v. 18.6.1997 (BGBl. I S. 1430).

[4)] *Auszugsweise abgedruckt unter* Nr. **665**.

[5)] **Habersack Nr. 95a.**

[6)] Vgl. §§ 156 bis 168 GVG (Nr. **665**).

§ 13a[1)] **Internationale Verfahren.** [1]Die Vorschriften des Buches 11 der Zivilprozessordnung[2)] über die justizielle Zusammenarbeit in der Europäischen Union finden in Verfahren vor den Gerichten für Arbeitssachen Anwendung, soweit dieses Gesetz nichts anderes bestimmt. [2]§ 1100 Absatz 1 der Zivilprozessordnung[3)] ist mit der Maßgabe anzuwenden, dass anstelle von § 128a Absatz 6 der Zivilprozessordnung[3)] § 50a Absatz 3 dieses Gesetzes anwendbar ist. [3]*§ 1101 Absatz 2*[4)] findet mit der Maßgabe Anwendung, dass anstelle von § 284 Absatz 2 Satz 3 der Zivilprozessordnung[3)] in Verbindung mit § 128a Absatz 6 und § 284 Absatz 3 der Zivilprozessordnung[3)] § 58 Absatz 4 Satz 3 in Verbindung mit § 50a Absatz 3 dieses Gesetzes anwendbar ist.

Zweiter Teil. Aufbau der Gerichte für Arbeitssachen

Erster Abschnitt. Arbeitsgerichte

§ 14[5)] **Errichtung und Organisation.** (1) In den Ländern werden Arbeitsgerichte errichtet.

(2) Durch Gesetz werden angeordnet

1. die Errichtung und Aufhebung eines Arbeitsgerichts;
2. die Verlegung eines Gerichtssitzes;
3. Änderungen in der Abgrenzung der Gerichtsbezirke;
4. die Zuweisung einzelner Sachgebiete an ein Arbeitsgericht für die Bezirke mehrerer Arbeitsgerichte;
5. die Errichtung von Kammern des Arbeitsgerichts an anderen Orten;
6. der Übergang anhängiger Verfahren auf ein anderes Gericht bei Maßnahmen nach den Nummern 1, 3 und 4, wenn sich die Zuständigkeit nicht nach den bisher geltenden Vorschriften richten soll.

(3) Mehrere Länder können die Errichtung eines gemeinsamen Arbeitsgerichts oder gemeinsamer Kammern eines Arbeitsgerichts oder die Ausdehnung von Gerichtsbezirken über die Landesgrenzen hinaus, auch für einzelne Sachgebiete, vereinbaren.

(4) [1]Die zuständige oberste Landesbehörde kann anordnen, daß außerhalb des Sitzes des Arbeitsgerichts Gerichtstage abgehalten werden. [2]Die Landesregierung kann ferner durch Rechtsverordnung bestimmen, daß Gerichtstage außerhalb des Sitzes des Arbeitsgerichts abgehalten werden. [3]Die Landesregierung kann die Ermächtigung nach Satz 2 durch Rechtsverordnung auf die zuständige oberste Landesbehörde übertragen.

(5) Bei der Vorbereitung gesetzlicher Regelungen nach Absatz 2 Nr. 1 bis 5 und Absatz 3 sind die Gewerkschaften und Vereinigungen von Arbeitgebern,

---

1) § 13a eingef. mWv 21.10.2005 durch G v. 18.8.2005 (BGBl. I S. 2477); geänd. mWv 12.12.2008 durch G v. 30.10.2008 (BGBl. I S. 2122); Sätze 2 und 3 angef. mWv 19.7.2024 durch G v. 15.7.2024 (BGBl. 2024 I Nr. 237).

2) Auszugsweise abgedruckt unter Nr. **320**.

3) **beck-online, Module Arbeitsrecht Nr. 320.**

4) Richtig wohl: „§ 1101 Absatz 2 der Zivilprozessordnung **(beck-online, Module Arbeitsrecht Nr. 320)**".

5) § 14 Abs. 4 neu gef. durch G v. 26.6.1990 (BGBl. I S. 1206); Abs. 4 Sätze 2 und 5 aufgeh., bish. Sätze 3 und 4 werden Sätze 2 und 3, neuer Satz 3 geänd. mWv 1.5.2000 durch G v. 30.3.2000 (BGBl. I S. 333).

die für das Arbeitsleben im Landesgebiet wesentliche Bedeutung haben, zu hören.

§ 15[1] **Verwaltung und Dienstaufsicht.** (1) [1]Die Geschäfte der Verwaltung und Dienstaufsicht führt die zuständige oberste Landesbehörde. [2]Vor Erlaß allgemeiner Anordnungen, die die Verwaltung und Dienstaufsicht betreffen, soweit sie nicht rein technischer Art sind, sind die in § 14 Abs. 5 genannten Verbände zu hören.

(2) [1]Die Landesregierung kann durch Rechtsverordnung Geschäfte der Verwaltung und Dienstaufsicht dem Präsidenten des Landesarbeitsgerichts oder dem Vorsitzenden des Arbeitsgerichts oder, wenn mehrere Vorsitzende vorhanden sind, einem von ihnen übertragen. [2]Die Landesregierung kann die Ermächtigung nach Satz 1 durch Rechtsverordnung auf die zuständige oberste Landesbehörde übertragen.

§ 16 Zusammensetzung. (1) [1]Das Arbeitsgericht besteht aus der erforderlichen Zahl von Vorsitzenden und ehrenamtlichen Richtern. [2]Die ehrenamtlichen Richter werden je zur Hälfte aus den Kreisen der Arbeitnehmer und der Arbeitgeber entnommen.

(2) Jede Kammer des Arbeitsgerichts wird in der Besetzung mit einem Vorsitzenden und je einem ehrenamtlichen Richter aus Kreisen der Arbeitnehmer und der Arbeitgeber tätig.

§ 17[2] **Bildung von Kammern.** (1) [1]Die zuständige oberste Landesbehörde bestimmt die Zahl der Kammern. [2]Die Landesregierung kann diese Befugnis durch Rechtsverordnung auf die Präsidentin oder den Präsidenten des Landesarbeitsgerichts übertragen. [3]Vor Bestimmung der Zahl der Kammern sind die in § 14 Absatz 5 genannten Verbände zu hören.

(2) [1]Soweit ein Bedürfnis besteht, kann die Landesregierung durch Rechtsverordnung für die Streitigkeiten bestimmter Berufe und Gewerbe und bestimmter Gruppen von Arbeitnehmern Fachkammern bilden. [2]Die Zuständigkeit einer Fachkammer kann durch Rechtsverordnung auf die Bezirke anderer Arbeitsgerichte oder Teile von ihnen erstreckt werden, sofern die Erstreckung für eine sachdienliche Förderung oder schnellere Erledigung der Verfahren zweckmäßig ist. [3]Die Rechtsverordnungen auf Grund der Sätze 1 und 2 treffen Regelungen zum Übergang anhängiger Verfahren auf ein anderes Gericht, sofern die Regelungen zur sachdienlichen Erledigung der Verfahren zweckmäßig sind und sich die Zuständigkeit nicht nach den bisher geltenden Vorschriften richten soll. [4]§ 14 Abs. 5 ist entsprechend anzuwenden.

(Fortsetzung nächstes Blatt)

---

[1] § 15 neu gef. durch G v. 26.6.1990 (BGBl. I S. 1206); Abs. 1 Satz 2 aufgeh., bish. Satz 3 wird Satz 2, Abs. 2 Sätze 1 und 2 geänd. mWv 1.5.2000 durch G v. 30.3.2000 (BGBl. I S. 333).

[2] § 17 Abs. 1 und 3 neu gef. sowie Abs. 2 Satz 1 geänd. durch G v. 26.6.1990 (BGBl. I S. 1206); Abs. 1 Satz 2, Abs. 3 Satz 2 aufgeh. mWv 1.5.2000 durch G v. 30.3.2000 (BGBl. I S. 333); Abs. 1 neu gef. mWv 6.12.2019 durch G v. 30.11.2019 (BGBl. I S. 1948).

(3) Die Landesregierung kann die Ermächtigung nach Absatz 2 durch Rechtsverordnung auf die zuständige oberste Landesbehörde übertragen.

§ 18[1] Ernennung der Vorsitzenden. (1) Die Vorsitzenden werden auf Vorschlag der zuständigen obersten Landesbehörde nach Beratung mit einem Ausschuß entsprechend den landesrechtlichen Vorschriften bestellt.

(2) [1] Der Ausschuß ist von der zuständigen obersten Landesbehörde zu errichten. [2] Ihm müssen in gleichem Verhältnis Vertreter der in § 14 Abs. 5 genannten Gewerkschaften und Vereinigungen von Arbeitgebern sowie der Arbeitsgerichtsbarkeit angehören.

(3) Einem Vorsitzenden kann zugleich ein weiteres Richteramt bei einem anderen Arbeitsgericht übertragen werden.

(4)–(6) (weggefallen)

(7) Bei den Arbeitsgerichten können Richter auf Probe und Richter kraft Auftrags verwendet werden.

§ 19 Ständige Vertretung. (1) Ist ein Arbeitsgericht nur mit einem Vorsitzenden besetzt, so beauftragt das Präsidium des Landesarbeitsgerichts einen Richter seines Bezirks mit der ständigen Vertretung des Vorsitzenden.

(2) [1] Wird an einem Arbeitsgericht die vorübergehende Vertretung durch einen Richter eines anderen Gerichts nötig, so beauftragt das Präsidium des Landesarbeitsgerichts einen Richter seines Bezirks längstens für zwei Monate mit der Vertretung. [2] In Eilfällen kann an Stelle des Präsidiums der Präsident des Landesarbeitsgerichts einen zeitweiligen Vertreter bestellen. [3] Die Gründe für die getroffene Anordnung sind schriftlich niederzulegen.

§ 20[2] Berufung der ehrenamtlichen Richter. (1) [1] Die ehrenamtlichen Richter werden von der zuständigen obersten Landesbehörde oder von der von der Landesregierung durch Rechtsverordnung beauftragten Stelle auf die Dauer von fünf Jahren berufen. [2] Die Landesregierung kann die Ermächtigung nach Satz 1 durch Rechtsverordnung auf die zuständige oberste Landesbehörde übertragen.

(2) Die ehrenamtlichen Richter sind in angemessenem Verhältnis unter billiger Berücksichtigung der Minderheiten aus den Vorschlagslisten zu entnehmen, die der zuständigen Stelle von den im Land bestehenden Gewerkschaften, selbständigen Vereinigungen von Arbeitnehmern mit sozial- oder berufspolitischer Zwecksetzung und Vereinigungen von Arbeitgebern sowie von den in § 22 Abs. 2 Nr. 3 bezeichneten Körperschaften oder deren Arbeitgebervereinigungen eingereicht werden.

---

[1] § 18 Abs. 1 neu gef. durch G v. 26.6.1990 (BGBl. I S. 1206); Abs. 1 Satz 2 aufgeh. mWv 1.5.2000 durch G v. 30.3.2000 (BGBl. I S. 333).

[2] § 20 Abs. 1 geänd. durch G v. 26.6.1990 (BGBl. I S. 1206); Abs. 1 neu gef., Abs. 2 angef. mWv 1.5.2000 durch G v. 30.3.2000 (BGBl. I S. 333).

§ 21[1] **Voraussetzungen für die Berufung als ehrenamtlicher Richter.**

(1) Als ehrenamtliche Richter sind Arbeitnehmer und Arbeitgeber zu berufen, die das 25. Lebensjahr vollendet haben und im Bezirk des Arbeitsgerichts tätig sind oder wohnen.

(2) [1] Vom Amt des ehrenamtlichen Richters ist ausgeschlossen,

1. wer infolge Richterspruchs die Fähigkeit zur Bekleidung öffentlicher Ämter nicht besitzt oder wegen einer vorsätzlichen Tat zu einer Freiheitsstrafe von mehr als sechs Monaten verurteilt worden ist;
2. wer wegen einer Tat angeklagt ist, die den Verlust der Fähigkeit zur Bekleidung öffentlicher Ämter zur Folge haben kann;
3. wer das Wahlrecht zum Deutschen Bundestag nicht besitzt.

[2] Personen, die in Vermögensverfall geraten sind, sollen nicht als ehrenamtliche Richter berufen werden.

(3) Beamte und Angestellte eines Gerichts für Arbeitssachen dürfen nicht als ehrenamtliche Richter berufen werden.

(4) [1] Das Amt des ehrenamtlichen Richters, der zum ehrenamtlichen Richter in einem höheren Rechtszug berufen wird, endet mit Beginn der Amtszeit im höheren Rechtszug. [2] Niemand darf gleichzeitig ehrenamtlicher Richter der Arbeitnehmerseite und der Arbeitgeberseite

(Fortsetzung nächstes Blatt)

[1] § 21 Abs. 5 Satz 1 geänd. durch G v. 26.6.1990 (BGBl. I S. 1206); Abs. 2 Satz 2 angef., Satz 1 Nr. 3 aufgeh., bish. Nr. 4 wird Nr. 3 durch G v. 5.10.1994 (BGBl. I S. 2911); Abs. 5 Satz 1 geänd. mWv 1.5.2000 durch G v. 30.3.2000 (BGBl. I S. 333); Abs. 1 neu gef. mWv 1.4.2008 durch G v. 26.3.2008 (BGBl. I S. 444).

sein oder als ehrenamtlicher Richter bei mehr als einem Gericht für Arbeitssachen berufen werden.

(5) [1]Wird das Fehlen einer Voraussetzung für die Berufung nachträglich bekannt oder fällt eine Voraussetzung nachträglich fort, so ist der ehrenamtliche Richter auf Antrag der zuständigen Stelle (§ 20) oder auf eigenen Antrag von seinem Amt zu entbinden. [2]Über den Antrag entscheidet die vom Präsidium für jedes Geschäftsjahr im voraus bestimmte Kammer des Landesarbeitsgerichts. [3]Vor der Entscheidung ist der ehrenamtliche Richter zu hören. [4]Die Entscheidung ist unanfechtbar. [5]Die nach Satz 2 zuständige Kammer kann anordnen, daß der ehrenamtliche Richter bis zu der Entscheidung über die Entbindung vom Amt nicht heranzuziehen ist.

(6) Verliert der ehrenamtliche Richter seine Eigenschaft als Arbeitnehmer oder Arbeitgeber wegen Erreichens der Altersgrenze, findet Absatz 5 mit der Maßgabe Anwendung, daß die Entbindung vom Amt nur auf Antrag des ehrenamtlichen Richters zulässig ist.

§ 22 Ehrenamtlicher Richter aus Kreisen der Arbeitgeber. (1) Ehrenamtlicher Richter aus Kreisen der Arbeitgeber kann auch sein, wer vorübergehend oder regelmäßig zu gewissen Zeiten des Jahres keine Arbeitnehmer beschäftigt.

(2) Zu ehrenamtlichen Richtern aus Kreisen der Arbeitgeber können auch berufen werden

1. bei Betrieben einer juristischen Person oder einer Personengesamtheit Personen, die kraft Gesetzes, Satzung oder Gesellschaftsvertrag allein oder als Mitglieder des Vertretungsorgans zur Vertretung der juristischen Person oder der Personengesamtheit berufen sind;
2. Geschäftsführer, Betriebsleiter oder Personalleiter, soweit sie zur Einstellung von Arbeitnehmern in den Betrieb berechtigt sind, oder Personen, denen Prokura oder Generalvollmacht erteilt ist;
3. bei dem Bunde, den Ländern, den Gemeinden, den Gemeindeverbänden und anderen Körperschaften, Anstalten und Stiftungen des öffentlichen Rechts Beamte und Angestellte nach näherer Anordnung der zuständigen obersten Bundes- oder Landesbehörde;
4. Mitglieder und Angestellte von Vereinigungen von Arbeitgebern sowie Vorstandsmitglieder und Angestellte von Zusammenschlüssen solcher Vereinigungen, wenn diese Personen kraft Satzung oder Vollmacht zur Vertretung befugt sind.

§ 23[1)] Ehrenamtlicher Richter aus Kreisen der Arbeitnehmer. (1) Ehrenamtlicher Richter aus Kreisen der Arbeitnehmer kann auch sein, wer arbeitslos ist.

(2) [1]Den Arbeitnehmern stehen für die Berufung als ehrenamtliche Richter Mitglieder und Angestellte von Gewerkschaften, von selbständigen Vereinigungen von Arbeitnehmern mit sozial- oder berufspolitischer Zwecksetzung sowie Vorstandsmitglieder und Angestellte von Zusammenschlüssen von Gewerkschaften gleich, wenn diese Personen kraft Satzung oder Vollmacht zur Vertretung befugt sind. [2]Gleiches gilt für Bevollmächtigte, die als Angestellte

---

1) § 23 Abs. 2 Satz 2 angef. durch G v. 31. 8. 1998 (BGBl. I S. 2600)

juristischer Personen, deren Anteile sämtlich im wirtschaftlichen Eigentum einer der in Satz 1 genannten Organisationen stehen, handeln und wenn die juristische Person ausschließlich die Rechtsberatung und Prozeßvertretung der Mitglieder der Organisation entsprechend deren Satzung durchführt.

§ 24[1)] Ablehnung und Niederlegung des ehrenamtlichen Richteramtes. (1) Das Amt des ehrenamtlichen Richters kann ablehnen oder niederlegen,

Nr. 1. in der bis 31. 12. 2007 geltenden Fassung:

1. wer das fünfundsechzigste Lebensjahr vollendet hat;

Nr. 1. in der ab 1. 1. 2008 geltenden Fassung:

1. wer die Regelaltersgrenze nach dem Sechsten Buch Sozialgesetzbuch[2)] erreicht hat;
2. wer aus gesundheitlichen Gründen daran gehindert ist, das Amt ordnungsgemäß auszuüben;
3. wer durch ehrenamtliche Tätigkeit für die Allgemeinheit so in Anspruch genommen ist, daß ihm die Übernahme des Amtes nicht zugemutet werden kann;
4. wer in den zehn der Berufung vorhergehenden Jahren als ehrenamtlicher Richter bei einem Gericht für Arbeitssachen tätig gewesen ist;
5. wer glaubhaft macht, daß ihm wichtige Gründe, insbesondere die Fürsorge für seine Familie, die Ausübung des Amtes in besonderem Maße erschweren.

(2) [1]Über die Berechtigung zur Ablehnung oder Niederlegung entscheidet die zuständige Stelle (§ 20). [2]Die Entscheidung ist endgültig.

§ 25 (weggefallen)

§ 26 Schutz der ehrenamtlichen Richter. (1) Niemand darf in der Übernahme oder Ausübung des Amtes als ehrenamtlicher Richter beschränkt oder wegen der Übernahme oder Ausübung des Amtes benachteiligt werden.

(2) Wer einen anderen in der Übernahme oder Ausübung seines Amtes als ehrenamtlicher Richter beschränkt oder wegen der Über-

(Fortsetzung nächste Seite)

---

1) § 24 Abs. 2 Satz 1 geänd. durch G v. 26. 6. 1990 (BGBl. I S. 1206); Abs. 1 Nr. 4, Abs. 2 Satz 1 geänd. mWv 1. 5. 2000 durch G v. 30. 3. 2000 (BGBl. I S. 333); Abs. 1 Nr. 2 neu gef. mWv 1. 5. 2002 durch G v. 27. 4. 2002 (BGBl. I S. 1467) [***ab 1. 1. 2008 geltende Fassung:*** ; Abs. 1 Nr. 1 neu gef. mWv 1. 1. 2008 durch G v. 20. 4. 2007 (BGBl. I S. 554)].

2) **CD Nipperdey plus Nr. 696.**

nahme oder Ausübung des Amtes benachteiligt, wird mit Freiheitsstrafe bis zu einem Jahr oder mit Geldstrafe bestraft.

§ 27[1)] Amtsenthebung der ehrenamtlichen Richter. [1]Ein ehrenamtlicher Richter ist auf Antrag der zuständigen Stelle (§ 20) seines Amtes zu entheben, wenn er seine Amtspflicht grob verletzt. [2]§ 21 Abs. 5 Satz 2 bis 5 ist entsprechend anzuwenden.

§ 28 Ordnungsgeld gegen ehrenamtliche Richter. [1]Die vom Präsidium für jedes Geschäftsjahr im voraus bestimmte Kammer des Landesarbeitsgerichts kann auf Antrag des Vorsitzenden des Arbeitsgerichts gegen einen ehrenamtlichen Richter, der sich der Erfüllung seiner Pflichten entzieht, insbesondere ohne genügende Entschuldigung nicht oder nicht rechtzeitig zu den Sitzungen erscheint, ein Ordnungsgeld festsetzen. [2]Vor dem Antrag hat der Vorsitzende des Arbeitsgerichts den ehrenamtlichen Richter zu hören. [3]Die Entscheidung ist endgültig.

§ 29 Ausschuß der ehrenamtlichen Richter. (1) [1]Bei jedem Arbeitsgericht mit mehr als einer Kammer wird ein Ausschuß der ehrenamtlichen Richter gebildet. [2]Er besteht aus mindestens je drei ehrenamtlichen Richtern aus den Kreisen der Arbeitnehmer und der Arbeitgeber in gleicher Zahl, die von den ehrenamtlichen Richtern aus den Kreisen der Arbeitnehmer und der Arbeitgeber in getrennter Wahl gewählt werden. [3]Der Ausschuß tagt unter der Leitung des aufsichtführenden oder, wenn ein solcher nicht vorhanden oder verhindert ist, des dienstältesten Vorsitzenden des Arbeitsgerichts.

(2) [1]Der Ausschuß ist vor der Bildung von Kammern, vor der Geschäftsverteilung, vor der Verteilung der ehrenamtlichen Richter auf die Kammern und vor der Aufstellung der Listen über die Heranziehung der ehrenamtlichen Richter zu den Sitzungen mündlich oder schriftlich zu hören. [2]Er kann den Vorsitzenden des Arbeitsgerichts und den die Verwaltung und Dienstaufsicht führenden Stellen (§ 15) Wünsche der ehrenamtlichen Richter übermitteln.

§ 30 Besetzung der Fachkammern. [1]Die ehrenamtlichen Richter einer Fachkammer sollen aus den Kreisen der Arbeitnehmer und der Arbeitgeber entnommen werden, für die die Fachkammer gebildet ist. [2]Werden für Streitigkeiten der in § 22 Abs. 2 Nr. 2 bezeichneten Angestellten Fachkammern gebildet, so dürfen ihnen diese Angestellten nicht als ehrenamtliche Richter aus Kreisen der Arbeitgeber angehören. [3]Wird die Zuständigkeit einer Fachkammer gemäß § 17 Abs. 2 erstreckt, so sollen die ehrenamtlichen Richter dieser Kammer aus den Bezirken derjenigen Arbeitsgerichte berufen werden, für deren Bezirke die Fachkammer zuständig ist.

§ 31 Heranziehung der ehrenamtlichen Richter. (1) Die ehrenamtlichen Richter sollen zu den Sitzungen nach der Reihenfolge einer Liste herangezogen werden, die der Vorsitzende vor Beginn des Geschäftsjahres oder vor Beginn der Amtszeit neu berufener ehrenamtlicher Richter gemäß § 29 Abs. 2 aufstellt.

[1)] § 27 Satz 1 geänd. durch G v. 26. 6. 1990 (BGBl. I S. 1206) und geänd. mWv 1. 5. 2000 durch G v. 30. 3. 2000 (BGBl. I S. 333).

(2) Für die Heranziehung von Vertretern bei unvorhergesehener Verhinderung kann eine Hilfsliste von ehrenamtlichen Richtern aufgestellt werden, die am Gerichtssitz oder in der Nähe wohnen oder ihren Dienstsitz haben.

§ 32 (weggefallen)

Zweiter Abschnitt. Landesarbeitsgerichte

§ 33 Errichtung und Organisation. [1]In den Ländern werden Landesarbeitsgerichte errichtet. [2]§ 14 Abs. 2 bis 5 ist entsprechend anzuwenden.

§ 34[1)] Verwaltung und Dienstaufsicht. (1) [1]Die Geschäfte der Verwaltung und Dienstaufsicht führt die zuständige oberste Landesbehörde. [2]§ 15 Abs. 1 Satz 2 gilt entsprechend.

(2) [1]Die Landesregierung kann durch Rechtsverordnung Geschäfte der Verwaltung und Dienstaufsicht dem Präsidenten des Landesarbeitsgerichts übertragen. [2]Die Landesregierung kann die Ermächtigung nach Satz 1 durch Rechtsverordnung auf die zuständige oberste Landesbehörde übertragen.

§ 35[2)] Zusammensetzung, Bildung von Kammern. (1) [1]Das Landesarbeitsgericht besteht aus dem Präsidenten, der erforderlichen Zahl von weiteren Vorsitzenden und von ehrenamtlichen Richtern. [2]Die ehrenamtlichen Richter werden je zur Hälfte aus den Kreisen der Arbeitnehmer und der Arbeitgeber entnommen.

(Fortsetzung nächste Seite)

[1)] § 34 neu gef. durch G v. 26. 6. 1990 (BGBl. I S. 1206); Abs. 1 Satz 2 und Abs. 2 Satz 2 neu gef., Abs. 2 Satz 1 geänd. mWv 1. 5. 2000 durch G v. 30. 3. 2000 (BGBl. I S. 333); Abs. 1 Satz 2 geänd. mWv 1. 1. 2002 durch G v. 27. 7. 2001 (BGBl. I S. 1887).

[2)] § 35 Abs. 3 neu gef. durch G v. 26. 6. 1990 (BGBl. I S. 1206).

(2) Jede Kammer des Landesarbeitsgerichts wird in der Besetzung mit einem Vorsitzenden und je einem ehrenamtlichen Richter aus den Kreisen der Arbeitnehmer und der Arbeitgeber tätig.

(3) [1] Die zuständige oberste Landesbehörde bestimmt die Zahl der Kammern. [2] § 17 gilt entsprechend.

§ 36[1)] **Vorsitzende.**[2)] Der Präsident und die weiteren Vorsitzenden werden auf Vorschlag der zuständigen obersten Landesbehörde nach Anhörung der in § 14 Abs. 5 genannten Gewerkschaften und Vereinigungen von Arbeitgebern als Richter auf Lebenszeit entsprechend den landesrechtlichen Vorschriften bestellt.

§ 37[3)] **Ehrenamtliche Richter.** (1) Die ehrenamtlichen Richter müssen das dreißigste Lebensjahr vollendet haben und sollen mindestens fünf Jahre ehrenamtliche Richter eines Gerichts für Arbeitssachen gewesen sein.

(2) Im übrigen gelten für die Berufung und Stellung der ehrenamtlichen Richter sowie für die Amtsenthebung und die Amtsentbindung die §§ 20 bis 28 entsprechend.

§ 38 Ausschuß der ehrenamtlichen Richter. [1] Bei jedem Landesarbeitsgericht wird ein Ausschuß der ehrenamtlichen Richter gebildet. [2] Die Vorschriften des § 29 Abs. 1 Satz 2 und 3 und Abs. 2 gelten entsprechend.

§ 39 Heranziehung der ehrenamtlichen Richter. [1] Die ehrenamtlichen Richter sollen zu den Sitzungen nach der Reihenfolge einer Liste herangezogen werden, die der Vorsitzende vor Beginn des Geschäftsjahres oder vor Beginn der Amtszeit neu berufener ehrenamtlicher Richter gemäß § 38 Satz 2 aufstellt. [2] § 31 Abs. 2 ist entsprechend anzuwenden.

Dritter Abschnitt. Bundesarbeitsgericht

§ 40[4)] **Errichtung.** (1) Das Bundesarbeitsgericht hat seinen Sitz in Erfurt.

(2) [1] Die Geschäfte der Verwaltung und Dienstaufsicht führt das Bundesministerium für Arbeit und Soziales im Einvernehmen mit dem Bundesministerium der Justiz und für Verbraucherschutz. [2] Das Bundesministerium für Arbeit und Soziales kann im Einvernehmen mit dem Bundesministerium der Justiz und für

---

[1)] § 36 neu gef. durch G v. 26. 6. 1990 (BGBl. I S. 1206); Satz 2 aufgeh. mWv 1. 5. 2000 durch G v. 30. 3. 2000 (BGBl. I S. 333).

[2)] **Amtl. Anm.:** Diese Überschrift wurde bei der deklaratorischen Neufassung eingefügt.

[3)] § 37 Abs. 1 geänd. mWv 1. 5. 2000 durch G v. 30. 3. 2000 (BGBl. I S. 333).

[4)] § 40 Abs. 1 Satz 2 angef. durch G v. 14. 9. 1994 (BGBl. I S. 2323); Abs. 1 Satz 1 geänd., Satz 2 aufgeh., Abs. 1 a eingef. durch G v. 11. 3. 1996 (BGBl. I S. 454); Abs. 1 a aufgeh. mWv 1. 1. 2002 durch G v. 27. 7. 2001 (BGBl. I S. 1887); Abs. 2 Sätze 1 und 2 geänd. mWv 7. 11. 2001 durch VO v. 29. 10. 2001 (BGBl. I S. 2785); Abs. 2 Satz 1 und 2 geänd. mWv 28. 11. 2003 durch VO v. 25. 11. 2003 (BGBl. I S. 2304); Abs. 2 Satz 1 und 2 geänd. mWv 8. 11. 2006 durch VO v. 31. 10. 2006 (BGBl. I S. 2407); Abs. 2 Sätze 1 und 2 geänd. mWv 8. 9. 2015 durch VO v. 31. 8. 2015 (BGBl. I S. 1474).

Verbraucherschutz Geschäfte der Verwaltung und Dienstaufsicht auf den Präsidenten des Bundesarbeitsgerichts übertragen.

§ 41[1)] Zusammensetzung, Senate. (1) [1] Das Bundesarbeitsgericht besteht aus dem Präsidenten, der erforderlichen Zahl von Vorsitzenden Richtern, von berufsrichterlichen Beisitzern sowie ehrenamtlichen Richtern. [2] Die ehrenamtlichen Richter werden je zur Hälfte aus den Kreisen der Arbeitnehmer und der Arbeitgeber entnommen.

(2) Jeder Senat wird in der Besetzung mit einem Vorsitzenden, zwei berufsrichterlichen Beisitzern und je einem ehrenamtlichen Richter aus den Kreisen der Arbeitnehmer und der Arbeitgeber tätig.

(3) Die Zahl der Senate bestimmt das Bundesministerium für Arbeit und Soziales im Einvernehmen mit dem Bundesministerium der Justiz und für Verbraucherschutz.[2)]

§ 42[3)] Bundesrichter. (1) [1] Für die Berufung der Bundesrichter (Präsident, Vorsitzende Richter und berufsrichterliche Beisitzer nach § 41 Abs. 1 Satz 1) gelten die Vorschriften des Richterwahlgesetzes[4)]. [2] Zuständiges Ministerium im Sinne des § 1 Abs. 1 des Richterwahlgesetzes ist das Bundesministerium für Arbeit und Soziales; es entscheidet im Benehmen mit dem Bundesministerium der Justiz und für Verbraucherschutz.

(2) Die zu berufenden Personen müssen das fünfunddreißigste Lebensjahr vollendet haben.

§ 43[5)] Ehrenamtliche Richter. (1) [1] Die ehrenamtlichen Richter werden vom Bundesministerium für Arbeit und Soziales für die Dauer von fünf Jahren berufen. [2] Sie sind im angemessenen Verhältnis unter billiger Berücksichtigung der Minderheiten aus den Vorschlagslisten zu entnehmen, die von den Gewerkschaften, den selbständigen Vereinigungen von Arbeitnehmern mit sozial- oder berufspolitischer Zwecksetzung und Vereinigungen von Arbeitgebern, die für das Arbeitsleben des Bundesgebietes wesentliche Bedeutung haben, sowie von den in § 22 Abs. 2 Nr. 3 bezeichneten Körperschaften eingereicht worden sind.

(Fortsetzung nächstes Blatt)

[1)] § 41 Abs. 3 geänd. mWv 7. 11. 2001 durch VO v. 29. 10. 2001 (BGBl. I S. 2785); Abs. 3 geänd. mWv 28. 11. 2003 durch VO v. 25. 11. 2003 (BGBl. I S. 2304); Abs. 3 geänd. mWv 8. 11. 2006 durch VO v. 31. 10. 2006 (BGBl. I S. 2407); Abs. 3 geänd. mWv 8. 9. 2015 durch VO v. 31. 8. 2015 (BGBl. I S. 1474).

[2)] Zehn Senate: § 1 Geschäftsordnung des Bundesarbeitsgerichts (Nr. **662**).

[3)] § 42 Abs. 1 Satz 2 geänd. mWv 7. 11. 2001 durch VO v. 29. 10. 2001 (BGBl. I S. 2785); Abs. 1 Satz 2 erster Halbsatz geänd. mWv 28. 11. 2003 durch VO v. 25. 11. 2003 (BGBl. I S. 2304); Abs. 1 Satz 2 geänd. mWv 8. 11. 2006 durch VO v. 31. 10. 2006 (BGBl. I S. 2407); Abs. 1 Satz 2 geänd. mWv 8. 9. 2015 durch VO v. 31. 8. 2015 (BGBl. I S. 1474).

[4)] **Sartorius Nr. 610.**

[5)] § 43 Abs. 1 Satz 1, Abs. 2 Satz 1 geänd. mWv 1. 5. 2000 durch G v. 30. 3. 2000 (BGBl. I S. 333); Abs. 1 Satz 1 geänd. mWv 7. 11. 2001 durch VO v. 29. 10. 2001 (BGBl. I S. 2785); Abs. 1 Satz 1 geänd. mWv 28. 11. 2003 durch VO v. 25. 11. 2003 (BGBl. I S. 2304); Abs 1 Satz 1 geänd. mWv 8. 11. 2006 durch VO v. 31. 10. 2006 (BGBl. I S. 2407).

(2) [1]Die ehrenamtlichen Richter müssen das fünfunddreißigste Lebensjahr vollendet haben, besondere Kenntnisse und Erfahrungen auf dem Gebiet des Arbeitsrechts und des Arbeitslebens besitzen und sollen mindestens fünf Jahre ehrenamtliche Richter eines Gerichts für Arbeitssachen gewesen sein. [2]Sie sollen längere Zeit in Deutschland als Arbeitnehmer oder als Arbeitgeber tätig gewesen sein.

(3) Für die Berufung, Stellung und Heranziehung der ehrenamtlichen Richter sowie für die Amtsenthebung und die Amtsentbindung sind im übrigen die Vorschriften der §§ 21 bis 28 und des § 31 entsprechend anzuwenden mit der Maßgabe, daß die in § 21 Abs. 5, § 27 Satz 2 und § 28 Satz 1 bezeichneten Entscheidungen durch den vom Präsidium für jedes Geschäftsjahr im voraus bestimmten Senat des Bundesarbeitsgerichts getroffen werden.

§ 44[1)] Anhörung der ehrenamtlichen Richter, Geschäftsordnung.

(1) Bevor zu Beginn des Geschäftsjahres die Geschäfte verteilt sowie die berufsrichterlichen Beisitzer und die ehrenamtlichen Richter den einzelnen Senaten und dem Großen Senat zugeteilt werden, sind je die beiden lebensältesten ehrenamtlichen Richter aus den Kreisen der Arbeitnehmer und der Arbeitgeber zu hören.

(2) [1]Der Geschäftsgang wird durch eine Geschäftsordnung[2)] geregelt, die das Präsidium beschließt. [2]Absatz 1 gilt entsprechend.

§ 45[3)] Großer Senat. (1) Bei dem Bundesarbeitsgericht wird ein Großer Senat gebildet.

(2) Der Große Senat entscheidet, wenn ein Senat in einer Rechtsfrage von der Entscheidung eines anderen Senats oder des Großen Senats abweichen will.[4)]

(3) [1]Eine Vorlage an den Großen Senat ist nur zulässig, wenn der Senat, von dessen Entscheidung abgewichen werden soll, auf Anfrage des erkennenden Senats erklärt hat, daß er an seiner Rechtsauffassung festhält. [2]Kann der Senat, von dessen Entscheidung abgewichen werden soll, wegen einer Änderung des Geschäftsverteilungsplanes mit der Rechtsfrage nicht mehr befaßt werden, tritt der Senat an seine Stelle, der nach dem Geschäftsverteilungsplan für den Fall, in dem abweichend entschieden wurde, nunmehr zuständig wäre. [3]Über die Anfrage und die Antwort entscheidet der jeweilige Senat durch Beschluß in der für Urteile erforderlichen Besetzung.

(4) Der erkennende Senat kann eine Frage von grundsätzlicher Bedeutung dem Großen Senat zur Entscheidung vorlegen, wenn das nach seiner Auffassung zur Fortbildung des Rechts oder zur Sicherung einer einheitlichen Rechtsprechung erforderlich ist.

(5) [1]Der Große Senat besteht aus dem Präsidenten, je einem Berufsrichter der Senate, in denen der Präsident nicht den Vorsitz führt, und je drei ehrenamtlichen Richtern aus den Kreisen der Arbeitnehmer und Arbeitgeber. [2]Bei

---

[1)] § 44 Abs. 2 Satz 1 geänd. mWv 5.8.2009 durch G v. 30.7.2009 (BGBl. I S. 2449).

[2)] Siehe hierzu die Geschäftsordnung des Bundesarbeitsgerichts (Nr. **662**) und die AO des Bundespräsidenten über die Amtstracht bei dem Bundesarbeitsgericht und bei dem Bundessozialgericht **(beck-online, Module Arbeitsrecht Nr. 662a)**.

[3)] § 45 neu gef. durch G v. 17.12.1990 (BGBl. I S. 2847)

[4)] Siehe hierzu § 8 GeschäftsO (Nr. **662**).

einer Verhinderung des Präsidenten tritt ein Berufsrichter des Senats, dem er angehört, an seine Stelle.

(6) [1] Die Mitglieder und die Vertreter werden durch das Präsidium für ein Geschäftsjahr bestellt. [2] Den Vorsitz im Großen Senat führt der Präsident, bei Verhinderung das dienstälteste Mitglied. [3] Bei Stimmengleichheit gibt die Stimme des Vorsitzenden den Ausschlag.

(7) [1] Der Große Senat entscheidet nur über die Rechtsfrage. [2] Er kann ohne mündliche Verhandlung entscheiden. [3] Seine Entscheidung ist in der vorliegenden Sache für den erkennenden Senat bindend.

Dritter Teil. Verfahren vor den Gerichten für Arbeitssachen

Erster Abschnitt. Urteilsverfahren

Erster Unterabschnitt. Erster Rechtszug

§ 46[1)] Grundsatz. (1) Das Urteilsverfahren findet in den in § 2 Abs. 1 bis 4 bezeichneten bürgerlichen Rechtsstreitigkeiten Anwendung.

(2) [1] Für das Urteilsverfahren des ersten Rechtszugs gelten die Vorschriften der Zivilprozeßordnung über das Verfahren vor den Amtsgerichten entsprechend, soweit dieses Gesetz nichts anderes bestimmt. [2] Die Vorschriften über den frühen ersten Termin zur mündlichen Verhandlung und das schriftliche Vorverfahren (§§ 275 bis 277 der Zivilprozessordnung[2)]), über das vereinfachte Verfahren (§ 495a der Zivilprozessordnung[2)]), über den Urkunden- und Wechselprozess (§§ 592 bis 605a der Zivilprozessordnung[2)]), über die Entscheidung ohne mündliche Verhandlung (§ 128 Absatz 2 der Zivilprozessordnung[2)]), über die Förderung von Videoverhandlungen bei Terminsänderungsanträgen (§ 227 Absatz 1 Satz 3 und Absatz 4 der Zivilprozessordnung[2)]), über die Verlegung von Terminen in der Zeit vom 1. Juli bis 31. August (§ 227 Absatz 3 Satz 1 der Zivilprozessordnung[2)]) und die Äußerung über Bedenken gegen eine Videoverhandlung in der Klageschrift und der Klageerwiderung (§ 253 Absatz 3 Nummer 4 und § 277 Absatz 1 Satz 2 Nummer 2 der Zivilprozessordnung[2)]) finden keine Anwendung. [3] § 127 Abs. 2 der Zivilprozessordnung[2)] findet mit der Maßgabe Anwendung, dass die sofortige Beschwerde bei Bestandsschutzstreitigkeiten unabhängig von dem Streitwert zulässig ist. [4] Abweichend von § 160 Absatz 1 Nummer 4 der Zivilprozessordnung[2)] enthält das Protokoll die Namen der erschienenen Parteien, Nebenintervenienten, Vertreter, Bevollmächtigten, Beistände, Zeugen und Sachverständigen sowie im Fall der §§ 50a und 58 Absatz 4 die Angabe, wer an der Verhandlung oder der Beweisaufnahme per Bild- und Tonübertragung teilnimmt.

[1)] § 46 Abs. 2 Satz 2 geänd. durch G v. 17.12.1990 (BGBl. I S. 2847); Abs. 2 Satz 2 geänd G v. 28.10.1996 (BGBl. I S. 1546); Abs. 2 Satz 2 geänd., Satz 3 angef. mWv 1.1.2002 durch G v. 27.7.2001 (BGBl. I S. 1887); Abs. 2 Satz 2 geänd. mWv 1.11.2018 durch G v. 12.7.2018 (BGBl. I S. 1151); Abs. 2 Satz 2 geänd. mWv 13.10.2023 durch G v. 8.10.2023 (BGBl. 2023 I Nr. 272); Abs. 2 Satz 2 neu gef., Satz 4 angef. mWv 19.7.2024 durch G v. 15.7.2024 (BGBl. 2024 I Nr. 237).

[2)] **beck-online, Module Arbeitsrecht Nr. 320.**

§ 46a[1)] **Mahnverfahren.** (1) [1] Für das Mahnverfahren vor den Gerichten für Arbeitssachen gelten die Vorschriften der Zivilprozeßordnung über das Mahnverfahren einschließlich der maschinellen Bearbeitung entsprechend, soweit dieses Gesetz nichts anderes bestimmt. [2] § 702 Absatz 2 Satz 2 der Zivilprozessordnung[2)] ist nicht anzuwenden. [3] § 689 Absatz 1 Satz 4 der Zivilprozessordnung[2)] gilt mit der Maßgabe, dass die Akten elektronisch geführt werden können.

(2) [1] Zuständig für die Durchführung des Mahnverfahrens ist das Arbeitsgericht, das für die im Urteilsverfahren erhobene Klage zuständig sein würde. [2] Die Landesregierungen werden ermächtigt, einem Arbeitsgericht durch Rechtsverordnung Mahnverfahren für die Bezirke mehrerer Arbeitsgerichte zuzuweisen. [3] Die Zuweisung kann auf Mahnverfahren beschränkt werden, die maschinell bearbeitet werden. [4] Die Landesregierungen können die Ermächtigung durch Rechtsverordnung auf die jeweils zuständige oberste Landesbehörde übertragen. [5] Mehrere Länder können die Zuständigkeit eines Arbeitsgerichts über die Landesgrenzen hinaus vereinbaren.

(3) Die in den Mahnbescheid nach § 692 Abs. 1 Nr. 3 der Zivilprozeßordnung aufzunehmende Frist beträgt eine Woche.

(4) [1] Wird rechtzeitig Widerspruch erhoben und beantragt eine Partei die Durchführung der mündlichen Verhandlung, so gibt das Gericht, das den Mahnbescheid erlassen hat, den Rechtsstreit von Amts wegen an das Gericht ab, das in dem Mahnbescheid gemäß § 692 Absatz 1 Nummer 1 der Zivilprozessordnung[2)] bezeichnet worden ist. [2] Verlangen die Parteien übereinstimmend die Abgabe an ein anderes als das im Mahnbescheid bezeichnete Gericht, erfolgt die Abgabe dorthin. [3] Die Geschäftsstelle hat dem Antragsteller unverzüglich aufzugeben, seinen Anspruch binnen zwei Wochen schriftlich zu begründen. [4] Bei Eingang der Anspruchsbegründung bestimmt der Vorsitzende den Termin zur mündlichen Verhandlung. [5] Geht die Anspruchsbegründung nicht rechtzeitig ein, so wird bis zu ihrem Eingang der Termin nur auf Antrag des Antragsgegners bestimmt.

(5) Die Streitsache gilt als mit Zustellung des Mahnbescheids rechtshängig geworden, wenn alsbald nach Erhebung des Widerspruchs Termin zur mündlichen Verhandlung bestimmt wird.

(6) [1] Im Fall des Einspruchs hat das Gericht von Amts wegen zu prüfen, ob der Einspruch an sich statthaft und ob er in der gesetzlichen Form und Frist eingelegt ist. [2] Fehlt es an einem dieser Erfordernisse, so ist der Einspruch als unzulässig zu verwerfen. [3] Ist der Einspruch zulässig, hat die Geschäftsstelle dem Antragsteller unverzüglich aufzugeben, seinen Anspruch binnen zwei Wochen

---

[1)] § 46a Abs. 4 neu gef., Abs. 6 und 7 geänd. durch G v. 17.12.1990 (BGBl. I S. 2847); Abs. 1 geänd., Abs. 7 eingef., bish. Abs. 7 wird Abs. 8 und neu gef. durch G v. 29.6.1998 (BGBl. I S. 1694); Abs. 7 und Abs. 8 Satz 1 geänd. mWv 28.11.2003 durch VO v. 25.11.2003 (BGBl. I S. 2304); Abs. 8 Sätze 1 und 2 geänd. mWv 1.4.2005 durch G v. 22.3.2005 (BGBl. I S. 837); Abs 7 und 8 Satz 1 geänd. mWv 8.11.2006 durch VO v. 31.10.2006 (BGBl. I S. 2407); Abs. 1 Satz 2 angef. mWv 31.12.2006 durch G v. 22.12.2006 (BGBl. I S. 3416); Abs. 6 neu gef. mWv 1.4.2008 durch G v. 26.3.2008 (BGBl. I S. 444); Abs. 2 Sätze 2–5 angef., Abs. 4 Satz 1 neu gef., Sätze 2 und 3 eingef., bish. Sätze 2 und 3 werden Sätze 4 und 5, Abs. 8 Satz 3 angef. mWv 1.7.2014 durch G v. 10.10.2013 (BGBl. I S. 3786); Abs. 1 Satz 2 geänd. mWv 1.1.2018 durch G v. 5.7.2017 (BGBl. I S. 2208); Abs. 1 Satz 3 angef. mWv 1.1.2026 durch G v. 8.12.2025 (BGBl. 2025 I Nr. 319).

[2)] **beck-online, Module Arbeitsrecht Nr. 320.**

schriftlich zu begründen. 4 Nach Ablauf der Begründungsfrist bestimmt der Vorsitzende unverzüglich Termin zur mündlichen Verhandlung.

(7) Das Bundesministerium für Arbeit und Soziales wird ermächtigt, durch Rechtsverordnung mit Zustimmung des Bundesrates den Verfahrensablauf zu regeln, soweit dies für eine einheitliche maschinelle Bearbeitung der Mahnverfahren erforderlich ist (Verfahrensablaufplan).

(8) 1 Das Bundesministerium für Arbeit und Soziales wird ermächtigt, durch Rechtsverordnung mit Zustimmung des Bundesrates zur Vereinfachung des Mahnverfahrens und zum Schutze der in Anspruch genommenen Partei Formulare einzuführen[1]. 2 Dabei können für Mahnverfahren bei Gerichten, die die Verfahren maschinell bearbeiten, und für Mahnverfahren bei Gerichten, die die Verfahren nicht maschinell bearbeiten, unterschiedliche Formulare eingeführt werden. 3 Die Rechtsverordnung kann ein elektronisches Formular vorsehen; § 130c Satz 2 bis 4 der Zivilprozessordnung[2] gilt entsprechend.

§ 46b[3] Europäisches Mahnverfahren nach der Verordnung (EG) Nr. 1896/2006[4]. (1) Für das Europäische Mahnverfahren nach der Verordnung (EG) Nr. 1896/2006 des Europäischen Parlaments und des Rates vom 12. Dezember 2006 zur Einführung eines Europäischen Mahnverfahrens (ABl. EU Nr. L 399 S. 1) gelten die Vorschriften des Abschnitts 5 des Buchs 11 der Zivilprozessordnung[5] entsprechend, soweit dieses Gesetz nichts anderes bestimmt.

(2) Für die Bearbeitung von Anträgen auf Erlass und Überprüfung sowie die Vollstreckbarerklärung eines Europäischen Zahlungsbefehls nach der Verordnung (EG) Nr. 1896/2006 ist das Arbeitsgericht zuständig, das für die im Urteilsverfahren erhobene Klage zuständig sein würde.

(3) 1 Im Fall des Artikels 17 Abs. 1 der Verordnung (EG) Nr. 1896/2006 ist § 46a Abs. 4 und 5 entsprechend anzuwenden. 2 Der Antrag auf Durchführung der mündlichen Verhandlung gilt als vom Antragsteller gestellt.

§ 46c[6] Elektronisches Dokument; Verordnungsermächtigung.

(1) Vorbereitende Schriftsätze und deren Anlagen, schriftlich einzureichende Anträge und Erklärungen der Parteien sowie schriftlich einzureichende Auskünfte, Aussagen, Gutachten, Übersetzungen, Anträge und Erklärungen Dritter können nach Maßgabe der folgenden Absätze als elektronische Dokumente bei Gericht eingereicht werden.

---

[1] VO zur Einführung von Vordrucken für das arbeitsgerichtliche Mahnverfahren **(beck-online, Module Arbeitsrecht Nr. 660b)**.

[2] **beck-online, Module Arbeitsrecht Nr. 320.**

[3] § 46b eingef. mWv 12.12.2008 durch G v. 30.10.2008 (BGBl. I S. 2122).

[4] **Habersack ErgBd. Nr. 103g.**

[5] Auszugsweise abgedruckt unter Nr. **320**.

[6] § 46c neu gef. mWv 1.1.2018 durch G v. 10.10.2013 (BGBl. I S. 3786); Abs. 1 geänd., Abs. 3 Satz 2 angef. mWv 1.1.2020 durch G v. 12.12.2019 (BGBl. I S. 2633); Abs. 4 Nr. 2 neu gef. mWv 1.8.2022 durch G v. 7.7.2021 (BGBl. I S. 2363); Überschrift geänd., Abs. 2 Satz 2 neu gef., Abs. 4 Nr. 3 geänd., Nrn. 4 und 5 eingef., bish. Nr. 4 wird Nr. 6, Satz 2 angef., Abs. 6 Satz 1 geänd. mWv 1.1.2022 durch G v. 5.10.2021 (BGBl. I S. 4607); Abs. 1, Abs. 2 Satz 2 geänd., Abs. 3 Satz 3 angef. mWv 17.7.2024 durch G v. 12.7.2024 (BGBl. 2024 I Nr. 234); Abs. 2 Satz 2 geänd., Abs. 4 Satz 1 Nr. 1 aufgeh., bish. Nr. 2–6 werden Nr. 1–5, Satz 2 geänd. mWv 23.12.2025 durch G v. 22.12.2025 (BGBl. 2025 I Nr. 349).

(2) [1]Das elektronische Dokument muss für die Bearbeitung durch das Gericht geeignet sein. [2]Die Bundesregierung bestimmt durch Rechtsverordnung mit Zustimmung des Bundesrates technische Rahmenbedingungen für die Übermittlung und die Eignung zur Bearbeitung durch das Gericht sowie das Nähere zur Verarbeitung von Daten der Postfachinhaber nach Absatz 4 Satz 1 Nummer 3 und 4 in einem sicheren elektronischen Verzeichnis.

(3) [1]Das elektronische Dokument muss mit einer qualifizierten elektronischen Signatur der verantwortenden Person versehen sein oder von der verantwortenden Person signiert und auf einem sicheren Übermittlungsweg eingereicht werden. [2]Satz 1 gilt nicht für Anlagen, die vorbereitenden Schriftsätzen beigefügt sind. [3]Soll ein schriftlich einzureichender Antrag oder eine schriftlich einzureichende Erklärung einer Partei oder eines Dritten als elektronisches Dokument eingereicht werden, so kann der unterschriebene Antrag oder die unterschriebene Erklärung in ein elektronisches Dokument übertragen und durch den Bevollmächtigten, den Vertreter oder den Beistand nach Satz 1 übermittelt werden.

(4) [1]Sichere Übermittlungswege sind

1. der Übermittlungsweg zwischen den besonderen elektronischen Anwaltspostfächern nach den §§ 31a und 31b der Bundesrechtsanwaltsordnung[1)] oder einem entsprechenden, auf gesetzlicher Grundlage errichteten elektronischen Postfach und der elektronischen Poststelle des Gerichts,
2. der Übermittlungsweg zwischen einem nach Durchführung eines Identifizierungsverfahrens eingerichteten Postfach einer Behörde oder einer juristischen Person des öffentlichen Rechts und der elektronischen Poststelle des Gerichts,
3. der Übermittlungsweg zwischen einem nach Durchführung eines Identifizierungsverfahrens eingerichteten elektronischen Postfach einer natürlichen oder juristischen Person oder einer sonstigen Vereinigung und der elektronischen Poststelle des Gerichts,
4. der Übermittlungsweg zwischen einem nach Durchführung eines Identifizierungsverfahrens genutzten Postfach- und Versanddienst eines Nutzerkontos im Sinne des § 2 Absatz 5 des Onlinezugangsgesetzes und der elektronischen Poststelle des Gerichts,
5. sonstige bundeseinheitliche Übermittlungswege, die durch Rechtsverordnung der Bundesregierung mit Zustimmung des Bundesrates festgelegt werden, bei denen die Authentizität und Integrität der Daten sowie die Barrierefreiheit gewährleistet sind.

[2]Das Nähere zu den Übermittlungswegen gemäß Satz 1 Nummer 2 bis 4 regelt die Rechtsverordnung nach Absatz 2 Satz 2.

(5) [1]Ein elektronisches Dokument ist eingegangen, sobald es auf der für den Empfang bestimmten Einrichtung des Gerichts gespeichert ist. [2]Dem Absender ist eine automatisierte Bestätigung über den Zeitpunkt des Eingangs zu erteilen.

(6) [1]Ist ein elektronisches Dokument für das Gericht zur Bearbeitung nicht geeignet, ist dies dem Absender unter Hinweis auf die Unwirksamkeit des Eingangs unverzüglich mitzuteilen. [2]Das Dokument gilt als zum Zeitpunkt der früheren Einreichung eingegangen, sofern der Absender es unverzüglich in

---

[1)] beck-online, Module Arbeitsrecht Nr. 133a.

einer für das Gericht zur Bearbeitung geeigneten Form nachreicht und glaubhaft macht, dass es mit dem zuerst eingereichten Dokument inhaltlich übereinstimmt.

§ 46d[1)] Gerichtliches elektronisches Dokument. [1] Soweit dieses Gesetz dem Richter, dem Rechtspfleger, dem Urkundsbeamten der Geschäftsstelle oder dem Gerichtsvollzieher die handschriftliche Unterzeichnung vorschreibt, genügt dieser Form die Aufzeichnung als elektronisches Dokument, wenn die verantwortenden Personen am Ende des Dokuments ihren Namen hinzufügen und das Dokument mit einer qualifizierten elektronischen Signatur versehen. [2] Der in Satz 1 genannten Form genügt auch ein elektronisches Dokument, in welches das handschriftlich unterzeichnete Schriftstück gemäß § 46e Absatz 2 übertragen worden ist.

§ 46e[2)] Elektronische Akte; Verordnungsermächtigung. (1) [1] Die Prozessakten werden elektronisch geführt. [2] Die Bundesregierung und die Landesregierungen bestimmen jeweils für ihren Bereich durch Rechtsverordnung die organisatorischen und dem Stand der Technik entsprechenden technischen Rahmenbedingungen für die Bildung, Führung und Aufbewahrung der elektronischen Akten einschließlich der einzuhaltenden Anforderungen der Barrierefreiheit. [3] Die Landesregierungen können die Ermächtigung nach Satz 2 durch Rechtsverordnung auf die für die Arbeitsgerichtsbarkeit zuständigen obersten Landesbehörden übertragen. [4] Die Rechtsverordnung der Bundesregierung bedarf nicht der Zustimmung des Bundesrates.

(2) [1] Werden die Prozessakten elektronisch geführt, sind in Papierform vorliegende Schriftstücke und sonstige Unterlagen nach dem Stand der Technik zur Ersetzung der Urschrift in ein elektronisches Dokument zu übertragen. [2] Es ist sicherzustellen, dass das elektronische Dokument mit den vorliegenden Schriftstücken und sonstigen Unterlagen bildlich und inhaltlich übereinstimmt. [3] Das elektronische Dokument ist mit einem Übertragungsnachweis zu versehen, der das bei der Übertragung angewandte Verfahren und die bildliche und inhaltliche Übereinstimmung dokumentiert. [4] Wird ein von den verantwortenden Personen handschriftlich unterzeichnetes gerichtliches Schriftstück übertragen, ist der Übertragungsnachweis mit einer qualifizierten elektronischen Signatur des Urkundsbeamten der Geschäftsstelle zu versehen. [5] Die in Papierform vorliegenden Schriftstücke und sonstigen Unterlagen können sechs Monate nach der Übertragung vernichtet werden, sofern sie nicht rückgabepflichtig sind.

(3) [1] Akten, die in Papierform angelegt wurden, können in Papierform weitergeführt werden. [2] Sie können ab einem bestimmten Stichtag oder Ereignis in

---

[1)] Früherer § 46c neu gef. mWv 1.4.2008 durch G v. 26.3.2008 (BGBl. I S. 444); bish. § 46c wird § 46d mWv 12.12.2008 durch G v. 30.10.2008 (BGBl. I S. 2122); Satz 2 angef. mWv 1.1.2018 durch G v. 5.7.2017 (BGBl. I S. 2208).

[2)] Früherer § 46d eingef. mWv 1.4.2005 durch G v. 22.3.2005 (BGBl. I S. 837); Abs. 1 Satz 2, Abs. 2 Satz 2 geänd. mWv 1.4.2008 durch G v. 26.3.2008 (BGBl. I S. 444); bish. § 46d wird § 46e mWv 12.12.2008 durch G v. 30.10.2008 (BGBl. I S. 2122); Abs. 2 neu gef., Abs. 3 aufgeh. mWv 1.1.2018 durch G v. 10.10.2013 (BGBl. I S. 3786); Überschrift neu gef., Abs. 1 Satz 4 geänd. mWv 13.7.2017, Abs. 1a eingef, Abs. 2 neu gef. mWv 1.1.2018 durch G v. 5.7.2017 (BGBl. I S. 2208, geänd. mWv *12.12.2025 durch G v. 8.12.2025,* BGBl. 2025 I Nr. 319); Abs. 3 und 4 angef. mWv 17.7.2024 durch G v. 12.7.2024 (BGBl. 2024 I Nr. 234); Abs. 1 und 3 neu gef., Abs. 1a aufgeh. mWv 1.1.2026 durch G v. 8.12.2025 (BGBl. 2025 I Nr. 319).

elektronischer Form weitergeführt werden. [3]Der Beginn der Weiterführung der Akten in elektronischer Form ist aktenkundig zu machen.

(4) Die Bundesregierung kann durch Rechtsverordnung mit Zustimmung des Bundesrates die für die Übermittlung elektronischer Akten zwischen Behörden und Gerichten geltenden Standards bestimmen.

§ 46f[1)] Formulare; Verordnungsermächtigung. [1]Das Bundesministerium für Arbeit und Soziales kann durch Rechtsverordnung mit Zustimmung des Bundesrates elektronische Formulare einführen. [2]Die Rechtsverordnung kann bestimmen, dass die in den Formularen enthaltenen Angaben ganz oder teilweise in strukturierter maschinenlesbarer Form zu übermitteln sind. [3]Die Formulare sind auf einer in der Rechtsverordnung zu bestimmenden Kommunikationsplattform im Internet zur Nutzung bereitzustellen. [4]Die Rechtsverordnung kann bestimmen, dass eine Identifikation des Formularverwenders abweichend von § 46c Absatz 3 auch durch Nutzung des elektronischen Identitätsnachweises nach § 18 des Personalausweisgesetzes[2)], § 12 des eID-Karte-Gesetzes oder § 78 Absatz 5 des Aufenthaltsgesetzes[3)] erfolgen kann.

§ 46g[4) 5)] Nutzungspflicht für Rechtsanwälte, Behörden und vertretungsberechtigte Bevollmächtigte. [1]Vorbereitende Schriftsätze und deren Anlagen sowie schriftlich einzureichende Anträge und Erklärungen, die durch einen Rechtsanwalt, durch eine Behörde oder durch eine juristische Person des öffentlichen Rechts einschließlich der von ihr zur Erfüllung ihrer öffentlichen Aufgaben gebildeten Zusammenschlüsse eingereicht werden, sind als elektronisches Dokument zu übermitteln. [2]Gleiches gilt für die nach diesem Gesetz vertretungsberechtigten Personen und Bevollmächtigten, für die ein sicherer Übermittlungsweg nach § 46c Absatz 4 Satz 1 Nummer 1 oder 3 zur Verfügung steht; ausgenommen sind nach § 11 Absatz 2 Satz 2 Nummer 1 Halbsatz 1 oder Nummer 2 vertretungsbefugte Personen. [3]Ist eine Übermittlung aus technischen Gründen vorübergehend nicht möglich, bleibt die Übermittlung nach den allgemeinen Vorschriften zulässig. [4]Die vorübergehende Unmöglichkeit ist bei der Ersatzeinreichung oder unverzüglich danach glaubhaft zu machen; auf Anforderung ist ein elektronisches Dokument nachzureichen.

§ 46h[6)] Formfiktion. [1]Ist eine empfangsbedürftige Willenserklärung, die der schriftlichen oder elektronischen Form bedarf, klar erkennbar in einem

---

[1)] § 46f eingef. mWv 1.7.2014 durch G v. 10.10.2013 (BGBl. I S. 3786); Satz 4 geänd. mWv 1.11. 2019 durch G v. 21.6.2019 (BGBl. I S. 846).

[2)] **Sartorius Nr. 255.**

[3)] **beck-online, Module Arbeitsrecht Nr. 760.**

[4)] § 46g eingef. mWv 1.1.2022 durch G v. 10.10.2013 (BGBl. I S. 3786); Satz 2 geänd. mWv 1.1. 2022, Überschrift und Satz 2 neu gef. mWv 1.1.2026 durch G v. 5.10.2021 (BGBl. I S. 4607); Satz 2 geänd. mWv 23.12.2025; und mWv 1.1.2026 durch G v. 22.12.2025 (BGBl. 2025 I Nr. 349).

[5)] Gem. Art. 24 Abs. 2 G v. 10.10.2013 (BGBl. I S. 3786) können die Landesregierungen für ihren Bereich durch VO bestimmen, dass § 46g ganz oder teilweise bereits am 1.1.2020 oder am 1.1.2021 in Kraft tritt.

Gem. § 1 der VO über die Pflicht zur Nutzung des elektronischen Rechtsverkehrs **(beck-online, Module Arbeitsrecht Nr. 661p(3))** tritt § 46g für Schleswig-Holstein am 1.1.2020 in Kraft.

Gem. § 1 der VO über die Pflicht zur Nutzung des elektronischen Rechtsverkehrs für die Fachgerichtsbarkeiten mit Ausnahme des Landessozialgerichts Niedersachsen-Bremen und der Verwaltungsgerichtsbarkeit zum 1. Januar 2021 **(beck-online, Module Arbeitsrecht Nr. 661e(3))** tritt § 46g für Bremen am 1.1.2021 in Kraft.

[6)] § 46h eingef. mWv 17.7.2024 durch G v. 12.7.2024 (BGBl. 2024 I Nr. 234).

vorbereitenden Schriftsatz enthalten, der als elektronisches Dokument nach § 46c bei Gericht eingereicht und dem Empfänger zugestellt oder mitgeteilt wurde, so gilt die Willenserklärung als in schriftlicher oder elektronischer Form zugegangen. [2] Dies gilt auch dann, wenn die Ersetzung der schriftlichen Form durch die elektronische Form ausgeschlossen ist.

§ 47 Sondervorschriften über Ladung und Einlassung[1]. (1) Die Klageschrift muß mindestens eine Woche vor dem Termin zugestellt sein.

(2) Eine Aufforderung an den Beklagten, sich auf die Klage schriftlich zu äußern, erfolgt in der Regel nicht.

§ 48[2) 3)] Rechtsweg und Zuständigkeit. (1) Für die Zulässigkeit des Rechtsweges und der Verfahrensart sowie für die sachliche und örtliche Zuständigkeit gelten die §§ 17 bis 17b des Gerichtsverfassungsgesetzes[4] mit folgender Maßgabe entsprechend:

1. Beschlüsse entsprechend § 17a Abs. 2 und 3 des Gerichtsverfassungsgesetzes[4] über die örtliche Zuständigkeit sind unanfechtbar.
2. Der Beschluß nach § 17a Abs. 4 des Gerichtsverfassungsgesetzes[4] ergeht, sofern er nicht lediglich die örtliche Zuständigkeit zum Gegenstand hat, auch außerhalb der mündlichen Verhandlung stets durch die Kammer.

(1a) [1] Für Streitigkeiten nach § 2 Abs. 1 Nr. 3, 4a, 7, 8 und 10 sowie Abs. 2 ist auch das Arbeitsgericht zuständig, in dessen Bezirk der Arbeitnehmer gewöhnlich seine Arbeit verrichtet oder zuletzt gewöhnlich verrichtet hat. [2] Ist ein gewöhnlicher Arbeitsort im Sinne des Satzes 1 nicht feststellbar, ist das Arbeitsgericht örtlich zuständig, von dessen Bezirk aus der Arbeitnehmer gewöhnlich seine Arbeit verrichtet oder zuletzt gewöhnlich verrichtet hat.

(2) [1] Die Tarifvertragsparteien können im Tarifvertrag die Zuständigkeit eines an sich örtlich unzuständigen Arbeitsgerichts festlegen für

1. bürgerliche Rechtsstreitigkeiten zwischen Arbeitnehmern und Arbeitgebern aus einem Arbeitsverhältnis und aus Verhandlungen über die Eingehung eines Arbeitsverhältnisses, das sich nach einem Tarifvertrag bestimmt,
2. bürgerliche Rechtsstreitigkeiten aus dem Verhältnis einer gemeinsamen Einrichtung der Tarifvertragsparteien zu den Arbeitnehmern oder Arbeitgebern.

[2] Im Geltungsbereich eines Tarifvertrags nach Satz 1 Nr. 1 gelten die tarifvertraglichen Bestimmungen über das örtlich zuständige Arbeitsgericht zwischen nicht tarifgebundenen Arbeitgebern und Arbeitnehmern, wenn die Anwendung des gesamten Tarifvertrags zwischen ihnen vereinbart ist. [3] Die in § 38 Abs. 2 und 3 der Zivilprozeßordnung[5] vorgesehenen Beschränkungen finden keine Anwendung.

---

[1] **Amtl. Anm.:** Die Worte „Ladung und" sind gegenstandslos.

[2] § 48 Überschrift und Abs. 1 neu gef. durch G v. 17.12.1990 (BGBl. I S. 2809); Abs. 1 Nr. 2 geänd. mWv 1.5.2000 durch G v. 30.3.2000 (BGBl. I S. 333); Abs. 1a eingef. mWv 1.4.2008 durch G v. 26.3.2008 (BGBl. I S. 444); Abs. 1a Satz 1 geänd. mWv 1.1.2009 durch G v. 21.12.2008 (BGBl. I S. 2940).

[3] Die Maßgaben für das Gebiet der Bundesländer Brandenburg, Mecklenburg-Vorpommern, Sachsen, Sachsen-Anhalt und Thüringen **aufgeh. mWv 25.4.2006** durch § 1 Abs. 2 G v. 19.4.2006 *(BGBl. I S. 866)*.

[4] Nr. **665**.

[5] **beck-online, Module Arbeitsrecht Nr. 320.**

§ 48a[1] *(aufgehoben)*

§ 49 Ablehnung von Gerichtspersonen. (1) Über die Ablehnung von Gerichtspersonen entscheidet die Kammer des Arbeitsgerichts.

(2) Wird sie durch das Ausscheiden des abgelehnten Mitgliedes beschlußunfähig, so entscheidet das Landesarbeitsgericht.

(3) Gegen den Beschluß findet kein Rechtsmittel statt.

§ 50[2] **Zustellung.** (1) [1] Die Urteile werden von Amts wegen binnen drei Wochen seit Übermittlung an die Geschäftsstelle zugestellt. [2] § 317 Abs. 1 Satz 3 der Zivilprozeßordnung[3] ist nicht anzuwenden.

(2) Die §§ 173, 175 und 178 Absatz 1 Nummer 2 der Zivilprozessordnung[3] sind auf die nach § 11 zur Prozessvertretung zugelassenen Personen entsprechend anzuwenden.

§ 50a[4] **Videoverhandlung.** (1) [1] Die mündliche Verhandlung kann in geeigneten Fällen und soweit ausreichende Kapazitäten zur Verfügung stehen als Videoverhandlung stattfinden. [2] Eine mündliche Verhandlung findet als Videoverhandlung statt, wenn an ihr mindestens ein Verfahrensbeteiligter per Bild- und Tonübertragung teilnimmt. [3] Verfahrensbeteiligte nach dieser Vorschrift sind die Parteien und Nebenintervenienten sowie ihre Bevollmächtigten, Vertreter und Beistände.

(2) [1] Der Vorsitzende kann unter den Voraussetzungen des Absatzes 1 Satz 1 auf Antrag eines Verfahrensbeteiligten oder von Amts wegen die Teilnahme per Bild- und Tonübertragung für einen Verfahrensbeteiligten, mehrere oder alle Verfahrensbeteiligte gestatten. [2] Die Ablehnung eines Antrags auf Teilnahme per Bild- und Tonübertragung ist kurz zu begründen.

(3) [1] Den Verfahrensbeteiligten und Dritten ist es untersagt, die Videoverhandlung aufzuzeichnen. [2] Hierauf sind sie zu Beginn der Verhandlung hinzuweisen. [3] Die Videoverhandlung kann für die Zwecke des § 160a der Zivilprozessordnung[3] ganz oder teilweise aufgezeichnet werden. [4] Über Beginn und Ende der Aufzeichnung sind die Verfahrensbeteiligten zu informieren.

(4) Entscheidungen nach dieser Vorschrift sind unanfechtbar.

§ 51[5] **Persönliches Erscheinen der Parteien.** (1) [1] Der Vorsitzende kann das persönliche Erscheinen der Parteien in jeder Lage des Rechtsstreits anordnen. [2] Als persönliches Erscheinen gilt auch die nach § 50a Absatz 2 Satz 1 gestattete Teilnahme per Bild- und Tonübertragung. [3] Im übrigen finden die Vorschriften des § 141 Abs. 2 und 3 der Zivilprozeßordnung[3] entsprechende Anwendung.

(2) [1] Der Vorsitzende kann die Zulassung eines Prozeßbevollmächtigten ablehnen, wenn die Partei trotz Anordnung ihres persönlichen Erscheinens unbe-

---

[1] § 48a aufgeh. durch G v. 17.12.1990 (BGBl. I S. 2809).

[2] § 50 Abs. 3 angef. durch G v. 26.6.1990 (BGBl. I S. 1206); Abs. 2 neu gef., Abs. 3 aufgeh. mWv 1.7.2002 durch G v. 25.6.2001 (BGBl. I S. 1206); Abs. 1 Satz 1 geänd. mWv 1.4.2005 durch G v. 22.3.2005 (BGBl. I S. 837); Abs. 2 geänd. mWv 1.1.2022 durch G v. 5.10.2021 (BGBl. I S. 4607).

[3] **beck-online, Module Arbeitsrecht Nr. 320.**

[4] § 50a eingef. mWv 19.7.2024 durch G v. 15.7.2024 (BGBl. 2024 I Nr. 237).

[5] § 51 Abs. 1 Satz 2 eingef., bish. Satz 2 wird Satz 3 mWv 19.7.2024 durch G v. 15.7.2024 (BGBl. 2024 I Nr. 237).

gründet ausgeblieben ist und hierdurch der Zweck der Anordnung vereitelt wird. [2] § 141 Abs. 3 Satz 2 und 3 der Zivilprozeßordnung[1)] findet entsprechende Anwendung.

§ 52[2)] Öffentlichkeit. [1]Die Verhandlungen vor dem erkennenden Gericht einschließlich der Beweisaufnahme und der Verkündung der Entscheidung ist öffentlich. [2]Das Arbeitsgericht kann die Öffentlichkeit für die Verhandlung oder für einen Teil der Verhandlung ausschließen, wenn durch die Öffentlichkeit eine Gefährdung der öffentlichen Ordnung, insbesondere der Staatssicherheit, oder eine Gefährdung der Sittlichkeit zu besorgen ist oder wenn eine Partei den Ausschluß der Öffentlichkeit beantragt, weil Betriebs-, Geschäfts- oder Erfindungsgeheimnisse zum Gegenstand der Verhandlung oder der Beweisaufnahme gemacht werden; außerdem ist § 171b des Gerichtsverfassungs-

(Fortsetzung nächstes Blatt)

[1)] **beck-online, *Module* Arbeitsrecht Nr. 320.**

[2)] § 52 Satz 2 geänd. durch G v. 18.12.1986 (BGBl. I S. 2496); Satz 4 geänd. mWv 18.4.2018 durch G v. 8.10.2017 (BGBl. I S. 3546).

gesetzes[1)] entsprechend anzuwenden. [3]Im Güteverfahren kann es die Öffentlichkeit auch aus Zweckmäßigkeitsgründen ausschließen. [4]§ 169 Absatz 1 Satz 2 bis 5, Absatz 2 und 4 sowie die §§ 173 bis 175 des Gerichtsverfassungsgesetzes[1)] sind entsprechend anzuwenden.

§ 53 Befugnisse des Vorsitzenden und der ehrenamtlichen Richter.

(1) [1]Die nicht auf Grund einer mündlichen Verhandlung ergehenden Beschlüsse und Verfügungen erläßt, soweit nichts anderes bestimmt ist, der Vorsitzende allein. [2]Entsprechendes gilt für Amtshandlungen auf Grund eines Rechtshilfeersuchens.

(2) Im übrigen gelten für die Befugnisse des Vorsitzenden und der ehrenamtlichen Richter die Vorschriften der Zivilprozeßordnung über das landgerichtliche Verfahren entsprechend.

§ 54[2)] Güteverfahren. (1) [1]Die mündliche Verhandlung beginnt mit einer Verhandlung vor dem Vorsitzenden zum Zwecke der gütlichen Einigung der Parteien (Güteverhandlung). [2]Der Vorsitzende hat zu diesem Zwecke das gesamte Streitverhältnis mit den Parteien unter freier Würdigung aller Umstände zu erörtern. [3]Zur Aufklärung des Sachverhalts kann er alle Handlungen vornehmen, die sofort erfolgen können. [4]Eidliche Vernehmungen sind jedoch ausgeschlossen. [5]Der Vorsitzende kann die Güteverhandlung mit Zustimmung der Parteien in einem weiteren Termin, der alsbald stattzufinden hat, fortsetzen. [6]§ 50a ist anzuwenden.

(2) [1]Die Klage kann bis zum Stellen der Anträge ohne Einwilligung des Beklagten zurückgenommen werden. [2]In der Güteverhandlung erklärte gerichtliche Geständnisse nach § 288 der Zivilprozeßordnung[3)] haben nur dann bindende Wirkung, wenn sie zu Protokoll erklärt worden sind. [3]§ 39 Satz 1 und § 282 Abs. 3 Satz 1 der Zivilprozeßordnung[3)] sind nicht anzuwenden.

(3) Das Ergebnis der Güteverhandlung, insbesondere der Abschluß eines Vergleichs, ist in das Protokoll aufzunehmen.

(4) Erscheint eine Partei in der Güteverhandlung nicht oder ist die Güteverhandlung erfolglos, schließt sich die weitere Verhandlung unmittelbar an oder es ist, falls der weiteren Verhandlung Hinderungsgründe entgegenstehen, Termin zur streitigen Verhandlung zu bestimmen; diese hat alsbald stattzufinden.

(5) [1]Erscheinen oder verhandeln beide Parteien in der Güteverhandlung nicht, ist das Ruhen des Verfahrens anzuordnen. [2]Auf Antrag einer Partei ist Termin zur streitigen Verhandlung zu bestimmen. [3]Dieser Antrag kann nur innerhalb von sechs Monaten nach der Güteverhandlung gestellt werden. [4]Nach Ablauf der Frist ist § 269 Abs. 3 bis 5 der Zivilprozeßordnung[3)] entsprechend anzuwenden.

(6) [1]Der Vorsitzende kann die Parteien für die Güteverhandlung sowie deren Fortsetzung vor einen hierfür bestimmten und nicht entscheidungsbefugten

---

[1)] Nr. **665**.

[2)] § 54 Abs. 1 Satz 5 angef. mWv 1. 5. 2000 durch G v. 30.3.2000 (BGBl. I S. 333); Abs. 5 Sätze 3 und 4 geänd. mWv 1.1.2002 durch G v. 27.7.2001 (BGBl. I S. 1887); Abs. 6 angef. mWv 26.7.2012 durch G v. 21.7.2012 (BGBl. I S. 1577); Abs. 3 geänd. mWv 1.1.2018 durch G v. 5.7.2017 (BGBl. I S. 2208); Abs. 1 Satz 6 angef. mWv 19.7.2024 durch G v. 15.7.2024 (BGBl. 2024 I Nr. 237).

[3)] **beck-online, Module Arbeitsrecht Nr. 320.**

Richter (Güterichter) verweisen. [2]Der Güterichter kann alle Methoden der Konfliktbeilegung einschließlich der Mediation einsetzen.

§ 54a[1)] Mediation, außergerichtliche Konfliktbeilegung. (1) Das Gericht kann den Parteien eine Mediation oder ein anderes Verfahren der außergerichtlichen Konfliktbeilegung vorschlagen.

(2) [1]Entscheiden sich die Parteien zur Durchführung einer Mediation oder eines anderen Verfahrens der außergerichtlichen Konfliktbeilegung, ordnet das Gericht das Ruhen des Verfahrens an. [2]Auf Antrag einer Partei ist Termin zur mündlichen Verhandlung zu bestimmen. [3]Im Übrigen nimmt das Gericht das Verfahren nach drei Monaten wieder auf, es sei denn, die Parteien legen übereinstimmend dar, dass eine Mediation oder eine außergerichtliche Konfliktbeilegung noch betrieben wird.

§ 55[2)] Alleinentscheidung durch den Vorsitzenden. (1) Der Vorsitzende entscheidet außerhalb der streitigen Verhandlung allein

1. bei Zurücknahme der Klage;
2. bei Verzicht auf den geltend gemachten Anspruch;
3. bei Anerkenntnis des geltend gemachten Anspruchs;
4. bei Säumnis einer Partei;

4a. über die Verwerfung des Einspruchs gegen ein Versäumnisurteil oder einen Vollstreckungsbescheid als unzulässig;

5. bei Säumnis beider Parteien;
6. über die einstweilige Einstellung der Zwangsvollstreckung;
7. über die örtliche Zuständigkeit;
8. über die Aussetzung und Anordnung des Ruhens des Verfahrens;
9. wenn nur noch über die Kosten zu entscheiden ist;
10. bei Entscheidungen über eine Berichtigung des Tatbestandes, soweit nicht eine Partei eine mündliche Verhandlung hierüber beantragt;
11. im Fall des § 11 Abs. 3 über die Zurückweisung des Bevollmächtigten oder die Untersagung der weiteren Vertretung.

(2) [1]Der Vorsitzende kann in den Fällen des Absatzes 1 Nr. 1, 3 und 4a bis 10 eine Entscheidung ohne mündliche Verhandlung treffen. [2]Dies gilt mit Zustimmung der Parteien auch in dem Fall des Absatzes 1 Nr. 2.

(3) Der Vorsitzende entscheidet ferner allein, wenn in der Verhandlung, die sich unmittelbar an die Güteverhandlung anschließt, eine das Verfahren beendende Entscheidung ergehen kann und die Parteien übereinstimmend eine Entscheidung durch den Vorsitzenden beantragen; der Antrag ist in das Protokoll aufzunehmen.

[1)] § 54a eingef. mWv 26.7.2012 durch G v. 21.7.2012 (BGBl. I S. 1577).

[2)] § 55 Abs. 4 neu gef. durch G v. 17.12.1990 (BGBl. I S. 2847); Abs. 1 Nr. 6 geänd., Nr. 7 und 8 angef., Abs. 2 Satz 1, Abs. 4 Satz 2 neu gef., Abs. 4 Satz 1 Nr. 4 geänd., Nr. 5 angef. mWv 1.5.2000 durch G v. 30.3.2000 (BGBl. I S. 333); Abs. 1 Nr. 8 geänd., Nr. 9 angef. mWv 1.1.2002 durch G v. 27.7.2001 (BGBl. I S. 1887); Abs. 1 Nr. 8 geänd., Nr. 9 aufgeh. mWv 1.1.2005 durch G v. 9.12.2004 (BGBl. I S. 3220); Abs. 1 Nr. 11 angef. mWv 1.7.2008 durch G v. 12.12.2007 (BGBl. I S. 2840, geänd. BGBl. I 2008 S. 444); Abs. 1 einl. Satzteil geänd., Nr. 4a eingef., Nr. 8 geänd., Nr. 9 und 10 angef., Abs. 2 Satz 1 neu gef. mWv 1.4.2008 durch G v. 26.3.2008 (BGBl. I S. 444); Abs. 1 Nr. 8 neu gef. mWv 26.7.2012 durch G v. 21.7.2012 (BGBl. I S. 1577); Abs. 3 geänd. mWv 1.1.2018 durch G v. 5.7.2017 (BGBl. I S. 2208).

(4) [1] Der Vorsitzende kann vor der streitigen Verhandlung einen Beweisbeschluß erlassen, soweit er anordnet

1. eine Beweisaufnahme durch den ersuchten Richter;
2. eine schriftliche Beantwortung der Beweisfrage nach § 377 Abs. 3 der Zivilprozeßordnung[1)];
3. die Einholung amtlicher Auskünfte;
4. eine Parteivernehmung;
5. die Einholung eines schriftlichen Sachverständigengutachtens.

[2] Anordnungen nach den Nummern 1 bis 3 und 5 können vor der streitigen Verhandlung ausgeführt werden.

§ 56[2)] Vorbereitung der streitigen Verhandlung. (1) [1] Der Vorsitzende hat die streitige Verhandlung so vorzubereiten, daß sie möglichst in einem Termin zu Ende geführt werden kann. [2] Zu diesem Zweck soll er, soweit es sachdienlich erscheint, insbesondere

1. den Parteien die Ergänzung oder Erläuterung ihrer vorbereitenden Schriftsätze sowie die Vorlegung von Urkunden und von anderen zur Niederlegung bei Gericht geeigneten Gegenständen aufgeben, insbesondere eine Frist zur Erklärung über bestimmte klärungsbedürftige Punkte setzen;
2. Behörden oder Träger eines öffentlichen Amtes um Mitteilung von Urkunden oder um Erteilung amtlicher Auskünfte ersuchen;
3. das persönliche Erscheinen der Parteien anordnen;
4. Zeugen, auf die sich eine Partei bezogen hat, und Sachverständige zur mündlichen Verhandlung laden sowie eine Anordnung nach § 378 der Zivilprozeßordnung[1)] treffen.

[3] Von diesen Maßnahmen sind die Parteien zu benachrichtigen.

(2) [1] Angriffs- und Verteidigungsmittel, die erst nach Ablauf einer nach Absatz 1 Satz 2 Nr. 1 gesetzten Frist vorgebracht werden, sind nur zuzulassen, wenn nach der freien Überzeugung des Gerichts ihre Zulassung die Erledigung des Rechtsstreits nicht verzögern würde oder wenn die Partei die Verspätung genügend entschuldigt. [2] Die Parteien sind über die Folgen der Versäumung der nach Absatz 1 Satz 2 Nr. 1 gesetzten Frist zu belehren.

§ 57 Verhandlung vor der Kammer. (1) [1] Die Verhandlung ist möglichst in einem Termin zu Ende zu führen. [2] Ist das nicht durchführbar, insbesondere weil eine Beweisaufnahme nicht sofort stattfinden kann, so ist der Termin zur weiteren Verhandlung, die sich alsbald anschließen soll, sofort zu verkünden.

(2) Die gütliche Erledigung des Rechtsstreits soll während des ganzen Verfahrens angestrebt werden.

§ 58[3)] Beweisaufnahme. (1) [1] Soweit die Beweisaufnahme an der Gerichtsstelle möglich ist, erfolgt sie vor der Kammer. [2] In den übrigen Fällen kann die Beweisaufnahme, unbeschadet des § 13, dem Vorsitzenden übertragen werden.

[1)] **beck-online, Module Arbeitsrecht Nr. 320.**

[2)] § 56 Abs. 1 Satz 2 Nr. 4 geänd. durch G v. 17.12.1990 (BGBl. I S. 2847).

[3)] § 58 Abs. 2 Satz 2 geänd. durch G v. 17.12.1990 (BGBl. I S. 2847); Abs. 3 angef. mWv 10.7.2015 durch G v. 3.7.2015 (BGBl. I S. 1130); Abs. 4 und 5 angef. mWv 19.7.2024 durch G v. 15.7.2024 (BGBl. 2024 I Nr. 237).

(2) [1] Zeugen und Sachverständige werden nur beeidigt, wenn die Kammer dies im Hinblick auf die Bedeutung des Zeugnisses für die Entscheidung des Rechtsstreits für notwendig erachtet. [2] Im Falle des § 377 Abs. 3 der Zivilprozeßordnung[1)] ist die eidesstattliche Versicherung nur erforderlich, wenn die Kammer sie aus dem gleichen Grunde für notwendig hält.

(3) Insbesondere über die Zahl der in einem Arbeitsverhältnis stehenden Mitglieder oder das Vertretensein einer Gewerkschaft in einem Betrieb kann Beweis auch durch die Vorlegung öffentlicher Urkunden angetreten werden.

(4) [1] Der Vorsitzende kann auf Antrag oder von Amts wegen die Beweisaufnahme per Bild- und Tonübertragung gestatten. [2] Das Antragsrecht steht den Verfahrensbeteiligten, Zeugen und Sachverständigen zu. [3] § 50a Absatz 1, 3 und 4 gilt entsprechend. [4] Satz 1 gilt nicht für den Beweis durch Urkunden.

(5) [1] § 375 Absatz 1 Nummer 2 und 3 der Zivilprozessordnung[1)] ist entsprechend anzuwenden für den Fall, dass eine Zeugenvernehmung nach § 58 Absatz 4 nicht stattfindet. [2] § 479 Absatz 1 der Zivilprozessordnung[1)] ist entsprechend anzuwenden für den Fall, dass die Leistung des Eides nach § 58 Absatz 4 nicht stattfindet. [3] § 411 Absatz 3 der Zivilprozessordnung[1)] ist mit der Maßgabe anzuwenden, dass das Erscheinen des Sachverständigen auch als Teilnahme per Bild- und Tonübertragung nach § 50a gestattet werden kann. [4] § 492 Absatz 3 der Zivilprozessordnung[1)] ist mit der Maßgabe anzuwenden, dass für den Erörterungstermin § 50a entsprechend gilt.

§ 59[2)] **Versäumnisverfahren.** [1] Gegen ein Versäumnisurteil kann eine Partei, gegen die das Urteil ergangen ist, binnen einer Notfrist von einer Woche nach seiner Zustellung Einspruch einlegen. [2] Der Einspruch wird beim Arbeitsgericht schriftlich oder durch Abgabe einer Erklärung zu Protokoll der Geschäftsstelle eingelegt. [3] Hierauf ist die Partei zugleich mit der Zustellung des Urteils schriftlich hinzuweisen. [4] § 345 der Zivilprozeßordnung[1)] bleibt unberührt.

§ 60[3)] **Verkündung des Urteils.** (1) [1] Zur Verkündung des Urteils kann ein besonderer Termin nur bestimmt werden, wenn die sofortige Verkündung in dem Termin, auf Grund dessen es erlassen wird, aus besonderen Gründen nicht möglich ist, insbesondere weil die Beratung nicht mehr am Tage der Verhandlung stattfinden kann. [2] Der Verkündungstermin wird nur dann über drei Wochen hinaus angesetzt, wenn wichtige Gründe, insbesondere der Umfang oder die Schwierigkeit der Sache, dies erfordern. [3] Dies gilt auch dann, wenn ein Urteil nach Lage der Akten erlassen wird. [4] Der Vorsitzende kann den Verfahrensbeteiligten gestatten, an der Urteilsverkündung per Bild- und Tonübertragung teilzunehmen.

(2) [1] Bei Verkündung des Urteils ist der wesentliche Inhalt der Entscheidungsgründe mitzuteilen. [2] Dies gilt nicht, wenn beide Parteien abwesend sind; in diesem Fall genügt die Bezugnahme auf die unterschriebene Urteilsformel.

(3) [1] Die Wirksamkeit der Verkündung ist von der Anwesenheit der ehrenamtlichen Richter nicht abhängig. [2] Wird ein von der Kammer gefälltes Urteil ohne Zuziehung der ehrenamtlichen Richter verkündet, so ist die Urteils-

---

[1)] **beck-online, Module Arbeitsrecht Nr. 320.**

[2)] § 59 Satz 2 geänd. mWv 1.1.2018 durch G v. 5.7.2017 (BGBl. I S. 2208).

[3)] § 60 Abs. 4 Sätze 3 und 4 geänd. mWv 1.4.2005 durch G v. 22.3.2005 (BGBl. I S. 837); Abs. 1 Satz 4 angef. mWv 19.7.2024 durch G v. 15.7.2024 (BGBl. 2024 I Nr. 237).

formel vorher von dem Vorsitzenden und den ehrenamtlichen Richtern zu unterschreiben.

(4) [1] Das Urteil nebst Tatbestand und Entscheidungsgründen ist vom Vorsitzenden zu unterschreiben. [2] Wird das Urteil nicht in dem Termin verkündet, in dem die mündliche Verhandlung geschlossen wird, so muß es bei der Verkündung in vollständiger Form abgefaßt sein. [3] Ein Urteil, das in dem Termin, in dem die mündliche Verhandlung geschlossen wird, verkündet wird, ist vor Ablauf von drei Wochen, vom Tage der Verkündung an gerechnet, vollständig abgefaßt der Geschäftsstelle zu übermitteln; kann dies ausnahmsweise nicht geschehen, so ist innerhalb dieser Frist das von dem Vorsitzenden unterschriebene Urteil ohne Tatbestand und Entscheidungsgründe der Geschäftsstelle zu übermitteln. [4] In diesem Fall sind Tatbestand und Entscheidungsgründe alsbald nachträglich anzufertigen, von dem Vorsitzenden besonders zu unterschreiben und der Geschäftsstelle zu übermitteln.

§ 61 Inhalt des Urteils. (1) Den Wert des Streitgegenstandes setzt das Arbeitsgericht im Urteil fest.

(2) [1] Spricht das Urteil die Verpflichtung zur Vornahme einer Handlung aus, so ist der Beklagte auf Antrag des Klägers zugleich für den Fall, daß die Handlung nicht binnen einer bestimmten Frist vorgenommen ist, zur Zahlung einer vom Arbeitsgericht nach freiem Ermessen festzusetzenden Entschädigung zu verurteilen. [2] Die Zwangsvollstreckung nach §§ 887 und 888 der Zivilprozeßordnung[1)] ist in diesem Falle ausgeschlossen.

(3) Ein über den Grund des Anspruchs vorab entscheidendes Zwischenurteil ist wegen der Rechtsmittel nicht als Endurteil anzusehen.

§ 61a Besondere Prozeßförderung in Kündigungsverfahren. (1) Verfahren in Rechtsstreitigkeiten über das Bestehen, das Nichtbestehen oder die Kündigung eines Arbeitsverhältnisses sind nach Maßgabe der folgenden Vorschriften vorrangig zu erledigen.

(2) Die Güteverhandlung soll innerhalb von zwei Wochen nach Klageerhebung stattfinden.

(3) Ist die Güteverhandlung erfolglos oder wird das Verfahren nicht in einer sich unmittelbar anschließenden weiteren Verhandlung abgeschlossen, fordert der Vorsitzende den Beklagten auf, binnen einer angemessenen Frist, die mindestens zwei Wochen betragen muß, im einzelnen unter Beweisantritt schriftlich die Klage zu erwidern, wenn der Beklagte noch nicht oder nicht ausreichend auf die Klage erwidert hat.

(4) Der Vorsitzende kann dem Kläger eine angemessene Frist, die mindestens zwei Wochen betragen muß, zur schriftlichen Stellungnahme auf die Klageerwiderung setzen.

(5) Angriffs- und Verteidigungsmittel, die erst nach Ablauf der nach Absatz 3 oder 4 gesetzten Fristen vorgebracht werden, sind nur zuzulassen, wenn nach der freien Überzeugung des Gerichts ihre Zulassung die Erledigung des Rechtsstreits nicht verzögert oder wenn die Partei die Verspätung genügend entschuldigt.

(6) Die Parteien sind über die Folgen der Versäumung der nach Absatz 3 oder 4 gesetzten Fristen zu belehren.

[1)] **beck-online, Module Arbeitsrecht Nr. 320.**

§ 61b[1] Klage wegen Benachteiligung. (1) Eine Klage auf Entschädigung nach § 15 des Allgemeinen Gleichbehandlungsgesetzes[2] muss innerhalb von drei Monaten, nachdem der Anspruch schriftlich geltend gemacht worden ist, erhoben werden.

(2) [1] Machen mehrere Bewerber wegen Benachteiligung bei der Begründung eines Arbeitsverhältnisses oder beim beruflichen Aufstieg eine Entschädigung nach § 15 des Allgemeinen Gleichbehandlungsgesetzes gerichtlich geltend, so wird auf Antrag des Arbeitgebers das Arbeitsgericht, bei dem die erste Klage erhoben ist, auch für die übrigen Klagen ausschließlich zuständig. [2] Die Rechtsstreitigkeiten sind von Amts wegen an dieses Arbeitsgericht zu verweisen; die Prozesse sind zur gleichzeitigen Verhandlung und Entscheidung zu verbinden.

(3) Auf Antrag des Arbeitgebers findet die mündliche Verhandlung nicht vor Ablauf von sechs Monaten seit Erhebung der ersten Klage statt.

§ 62[3] Zwangsvollstreckung. (1) [1] Urteile der Arbeitsgerichte, gegen die Einspruch oder Berufung zulässig ist, sind vorläufig vollstreckbar. [2] Macht der Beklagte glaubhaft, daß die Vollstreckung ihm einen nicht zu ersetzenden Nachteil bringen würde, so hat das Arbeitsgericht auf seinen Antrag die vorläufige Vollstreckbarkeit im Urteil auszuschließen. [3] In den Fällen des § 707 Abs. 1 und des § 719 Abs. 1 der Zivilprozeßordnung[4] kann die Zwangsvollstreckung nur unter derselben Voraussetzung eingestellt werden. [4] Die Einstellung der Zwangsvollstreckung nach Satz 3 erfolgt ohne Sicherheitsleistung. [5] Die Entscheidung ergeht durch unanfechtbaren Beschluss.

(2) [1] Im übrigen finden auf die Zwangsvollstreckung einschließlich des Arrestes und der einstweiligen Verfügung die Vorschriften des Achten Buchs der Zivilprozeßordnung Anwendung. [2] Die Entscheidung über den Antrag auf Erlaß einer einstweiligen Verfügung kann in dringenden Fällen, auch dann, wenn der Antrag zurückzuweisen ist, ohne mündliche Verhandlung ergehen. [3] Eine in das Schutzschriftenregister nach § 945a Absatz 1 der Zivilprozessordnung[4] eingestellte Schutzschrift gilt auch als bei allen Arbeitsgerichten der Länder eingereicht.

§ 63[5] Übermittlung von Urteilen in Tarifvertragssachen. [1] Rechtskräftige Urteile, die in bürgerlichen Rechtsstreitigkeiten zwischen Tarifvertragsparteien aus dem Tarifvertrag oder über das Bestehen oder Nichtbestehen des Tarifvertrags ergangen sind, sind alsbald der zuständigen obersten Landesbehörde und dem Bundesministerium für Arbeit und Soziales in vollständiger Form abschriftlich zu übersenden oder elektronisch zu übermitteln. [2] Ist die zuständige oberste Landesbehörde die Landesjustizverwaltung, so sind die Urteils-

---

[1] § 61b eingef. durch G v. 24.6.1994 (BGBl. I S. 1406); Abs. 2 neu gef., Abs. 3 und 5 aufgeh., bish. Abs. 4 wird Abs. 3 durch G v. 29.6.1998 (BGBl. I S. 1694); Überschrift, Abs. 1 neu gef., Abs. 2 Satz 1 geänd. mWv 18.8.2006 durch G v. 14.8.2006 (BGBl. I S. 1897).

[2] Nr. **91**.

[3] § 62 Abs. 2 Satz 2 angef. durch G v. 17.12.1990 (BGBl. I S. 2847); Abs. 1 Sätze 4 und 5 angef. mWv 1.4.2008 durch G v. 26.3.2008 (BGBl. I S. 444); Abs. 2 Satz 3 angef. mWv 1.1.2016 durch G v. 10.10.2013 (BGBl. I S. 3786).

[4] **beck-online, Module Arbeitsrecht Nr. 320.**

[5] § 63 Satz 1 geänd., Satz 2 angef. durch G v. 26.6.1990 (BGBl. I S. 1206); Satz 1 geänd. mWv *7.11.2001 durch VO v. 29.10.2001* (BGBl. I S. 2785); Satz 1 geänd. mWv 28.11.2003 durch VO v. 25.11.2003 (BGBl. I S. 2304); Überschrift, Sätze 1 und 2 geänd. mWv 1.4.2005 durch G v. 22.3.2005 (BGBl. I S. 837); Satz 1 geänd. mWv 8.11.2006 durch VO v. 31.10.2006 (BGBl. I S. 2407).

abschriften oder das Urteil in elektronischer Form auch der obersten Arbeitsbehörde des Landes zu übermitteln.

Zweiter Unterabschnitt. Berufungsverfahren

§ 64[1)] Grundsatz. (1) Gegen die Urteile der Arbeitsgerichte findet, soweit nicht nach § 78 das Rechtsmittel der sofortigen Beschwerde gegeben ist, die Berufung an die Landesarbeitsgerichte statt.

(2) Die Berufung kann nur eingelegt werden,

a) wenn sie in dem Urteil des Arbeitsgerichts zugelassen worden ist,

b) wenn der Wert des Beschwerdegegenstandes 600 Euro übersteigt,

c) in Rechtsstreitigkeiten über das Bestehen, das Nichtbestehen oder die Kündigung eines Arbeitsverhältnisses oder

d) wenn es sich um ein Versäumnisurteil handelt, gegen das der Einspruch an sich nicht statthaft ist, wenn die Berufung oder Anschlussberufung darauf gestützt wird, dass der Fall der schuldhaften Versäumung nicht vorgelegen habe.

(3) Das Arbeitsgericht hat die Berufung zuzulassen, wenn

1. die Rechtssache grundsätzliche Bedeutung hat,
2. die Rechtssache Rechtsstreitigkeiten betrifft
   a) zwischen Tarifvertragsparteien aus Tarifverträgen oder über das Bestehen oder Nichtbestehen von Tarifverträgen,
   b) über die Auslegung eines Tarifvertrags, dessen Geltungsbereich sich über den Bezirk eines Arbeitsgerichts hinaus erstreckt, oder
   c) zwischen tariffähigen Parteien oder zwischen diesen und Dritten aus unerlaubten Handlungen, soweit es sich um Maßnahmen zum Zwecke des Arbeitskampfes oder um Fragen der Vereinigungsfreiheit einschließlich des hiermit im Zusammenhang stehenden Betätigungsrechts der Vereinigungen handelt, oder
3. das Arbeitsgericht in der Auslegung einer Rechtsvorschrift von einem ihm im Verfahren vorgelegten Urteil, das für oder gegen eine Partei des Rechtsstreits ergangen ist, oder von einem Urteil des im Rechtszug übergeordneten Landesarbeitsgerichts abweicht und die Entscheidung auf dieser Abweichung beruht.

(3a) [1]Die Entscheidung des Arbeitsgerichts, ob die Berufung zugelassen oder nicht zugelassen wird, ist in den Urteilstenor aufzunehmen. [2]Ist dies unterblieben, kann binnen zwei Wochen ab Verkündung des Urteils eine entsprechende Ergänzung beantragt werden. [3]Über den Antrag kann die Kammer ohne mündliche Verhandlung entscheiden.

(4) Das Landesarbeitsgericht ist an die Zulassung gebunden.

[1)] § 64 Abs. 2 neu gef., Abs. 3a eingef. mWv 1.5.2000 durch G v. 30.3.2000 (BGBl. I S. 333); Abs. 2 Buchst. b geänd. mWv 1.1.2002 durch G v. 21.12.2000 (BGBl. I S. 1983); Abs. 2 Buchst. b und c geänd., Buchst. d angef. mWv 1.1.2002 durch G v. 27.7.2001 (BGBl. I S. 1887); Abs. 7 geänd. mWv 1.4.2008 durch G v. 26.3.2008 (BGBl. I S. 444); Abs. 7 geänd. mWv 26.7.2012 durch G v. 21.7.2012 (BGBl. I S. 1577); Abs. 7 geänd. mWv 12.10.2021 und mWv 1.1.2022 durch G v. 5.10.2021 (BGBl. I S. 4607); Abs. 7 geänd. mWv 19.7.2024 durch G v. 15.7.2024 (BGBl. 2024 I Nr. 237).

(5) Ist die Berufung nicht zugelassen worden, hat der Berufungskläger den Wert des Beschwerdegegenstandes glaubhaft zu machen; zur Versicherung an Eides Statt darf er nicht zugelassen werden.

(6) [1] Für das Verfahren vor den Landesarbeitsgerichten gelten, soweit dieses Gesetz nichts anderes bestimmt, die Vorschriften der Zivilprozeßordnung über die Berufung entsprechend. [2] Die Vorschriften über das Verfahren vor dem Einzelrichter finden keine Anwendung.

(7) Die Vorschriften der §§ 46c bis 46g, 49 Abs. 1 und 3, der §§ 50 bis 51 Absatz 1, der §§ 52, 53, 55 Abs. 1 Nr. 1 bis 9, Abs. 2 und 4, des § 54 Absatz 6, des § 54a, der §§ 56 bis 59, 61 Abs. 2 und 3 und der §§ 62 und 63 über den elektronischen Rechtsverkehr, Ablehnung von Gerichtspersonen, Zustellungen, Videoverhandlung, persönliches Erscheinen der Parteien, Öffentlichkeit, Befugnisse des Vorsitzenden und der ehrenamtlichen Richter, Güterichter, Mediation und außergerichtliche Konfliktbeilegung, Vorbereitung der streitigen Verhandlung, Verhandlung vor der Kammer, Beweisaufnahme, Versäumnisverfahren, Inhalt des Urteils, Zwangsvollstreckung und Übersendung von Urteilen in Tarifvertragssachen gelten entsprechend.

(8) Berufungen in Rechtsstreitigkeiten über das Bestehen, das Nichtbestehen oder die Kündigung eines Arbeitsverhältnisses sind vorrangig zu erledigen.

§ 65[1] Beschränkung der Berufung. Das Berufungsgericht prüft nicht, ob der beschrittene Rechtsweg und die Verfahrensart zulässig sind und ob bei der Berufung der ehrenamtlichen Richter Verfahrensmängel unterlaufen sind oder Umstände vorgelegen haben, die die Berufung eines ehrenamtlichen Richters zu seinem Amte ausschließen.

§ 66[2] Einlegung der Berufung, Terminbestimmung. (1) [1] Die Frist für die Einlegung der Berufung beträgt einen Monat, die Frist für die Begründung der Berufung zwei Monate. [2] Beide Fristen beginnen mit der Zustellung des in vollständiger Form abgefassten Urteils, spätestens aber mit Ablauf von fünf Monaten nach der Verkündung. [3] Die Berufung muß innerhalb einer Frist von einem Monat nach Zustellung der Berufungsbegründung beantwortet werden. [4] Mit der Zustellung der Berufungsbegründung ist der Berufungsbeklagte auf die Frist für die Berufungsbeantwortung hinzuweisen. [5] Die Fristen zur Begründung der Berufung und zur Berufungsbeantwortung können vom Vorsitzenden einmal auf Antrag verlängert werden, wenn nach seiner freien Überzeugung der Rechtsstreit durch die Verlängerung nicht verzögert wird oder wenn die Partei erhebliche Gründe darlegt.

(2) [1] Die Bestimmung des Termins zur mündlichen Verhandlung muss unverzüglich erfolgen. [2] § 522 Abs. 1 der Zivilprozessordnung[3] bleibt unberührt; die Verwerfung der Berufung ohne mündliche Verhandlung ergeht durch Beschluss des Vorsitzenden. [3] § 522 Abs. 2 und 3 der Zivilprozessordnung[3] findet keine Anwendung.

---

[1] § 65 neu gef. durch G v. 17.12.1990 (BGBl. I S. 2809); geänd. mWv 1.1.2002 durch G v. 27.7.2001 (BGBl. I S. 1887).

[2] § 66 Abs. 1 Satz 1, Abs. 2 neu gef., Abs. 1 Satz 2 eingef., bish. Sätze 2 bis 4 werden Sätze 3 bis 5 mWv 1.1.2002 durch G v. 27.7.2001 (BGBl. I S. 1887); Abs. 2 Satz 2 geänd. mWv 1.4.2008 durch G v. 26.3.2008 (BGBl. I S. 444).

[3] **beck-online, Module Arbeitsrecht Nr. 320.**

§ 67[1)] Zulassung neuer Angriffs- und Verteidigungsmittel. (1) Angriffs- und Verteidigungsmittel, die im ersten Rechtszug zu Recht zurückgewiesen worden sind, bleiben ausgeschlossen.

(2) [1] Neue Angriffs- und Verteidigungsmittel, die im ersten Rechtszug entgegen einer hierfür nach § 56 Abs. 1 Satz 2 Nr. 1 oder § 61a Abs. 3 oder 4 gesetzten Frist nicht vorgebracht worden sind, sind nur zuzulassen, wenn nach der freien Überzeugung des Landesarbeitsgerichts ihre Zulassung die Erledigung des Rechtsstreits nicht verzögern würde oder wenn die Partei die Verspätung genügend entschuldigt. [2] Der Entschuldigungsgrund ist auf Verlangen des Landesarbeitsgerichts glaubhaft zu machen.

(3) Neue Angriffs- und Verteidigungsmittel, die im ersten Rechtszug entgegen § 282 Abs. 1 der Zivilprozessordnung[2)] nicht rechtzeitig vorgebracht oder entgegen § 282 Abs. 2 der Zivilprozessordnung[2)] nicht rechtzeitig mitgeteilt worden sind, sind nur zuzulassen, wenn ihre Zulassung nach der freien Überzeugung des Landesarbeitsgerichts die Erledigung des Rechtsstreits nicht verzögern würde oder wenn die Partei das Vorbringen im ersten Rechtszug nicht aus grober Nachlässigkeit unterlassen hatte.

(4) [1] Soweit das Vorbringen neuer Angriffs- und Verteidigungsmittel nach den Absätzen 2 und 3 zulässig ist, sind diese vom Berufungskläger in der Berufungsbegründung, vom Berufungsbeklagten in der Berufungsbeantwortung vorzubringen. [2] Werden sie später vorgebracht, sind sie nur zuzulassen, wenn sie nach der Berufungsbegründung oder der Berufungsbeantwortung entstanden sind oder das verspätete Vorbringen nach der freien Überzeugung des Landesarbeitsgerichts die Erledigung des Rechtsstreits nicht verzögern würde oder nicht auf Verschulden der Partei beruht.

§ 67a[3)] *(aufgehoben)*

§ 68 Zurückverweisung. Wegen eines Mangels im Verfahren des Arbeitsgerichts ist die Zurückverweisung unzulässig.

§ 69[4)] Urteil. (1) [1] Das Urteil nebst Tatbestand und Entscheidungsgründen ist von sämtlichen Mitgliedern der Kammer zu unterschreiben. [2] § 60 Abs. 1 bis 3 und Abs. 4 Satz 2 bis 4 ist entsprechend mit der Maßgabe anzuwenden, dass die Frist nach Absatz 4 Satz 3 vier Wochen beträgt und im Falle des Absatzes 4 Satz 4 Tatbestand und Entscheidungsgründe von sämtlichen Mitgliedern der Kammer zu unterschreiben sind.

(2) Im Urteil kann von der Darstellung des Tatbestandes und, soweit das Berufungsgericht den Gründen der angefochtenen Entscheidung folgt und dies in seinem Urteil feststellt, auch von der Darstellung der Entscheidungsgründe abgesehen werden.

(3) [1] Ist gegen das Urteil die Revision statthaft, so soll der Tatbestand eine gedrängte Darstellung des Sach- und Streitstandes auf der Grundlage der mündlichen Vorträge der Parteien enthalten. [2] Eine Bezugnahme auf das angefochtene Urteil sowie auf Schriftsätze, Protokolle und andere Unterlagen ist zulässig, soweit

---

[1)] § 67 neu gef. mWv 1.1.2002 durch G v. 27.7.2001 (BGBl. I S. 1887).
[2)] **beck-online, Module Arbeitsrecht Nr. 320.**
[3)] § 67a aufgeh. durch G v. 17.12.1990 (BGBl. I S. 2809).
[4)] § 69 neu gef. mWv 1.1.2002 durch G v. 27.7.2001 (BGBl. I S. 1887).

hierdurch die Beurteilung des Parteivorbringens durch das Revisionsgericht nicht wesentlich erschwert wird.

(4) [1] § 540 Abs. 1 der Zivilprozessordnung[1)] findet keine Anwendung. [2] § 313a Abs. 1 Satz 2 der Zivilprozessordnung[1)] findet mit der Maßgabe entsprechende Anwendung, dass es keiner Entscheidungsgründe bedarf, wenn die Parteien auf sie verzichtet haben; im Übrigen sind die §§ 313a und 313b der Zivilprozessordnung[1)] entsprechend anwendbar.

§ 70[2)] *(aufgehoben)*

§ 71 (weggefallen)

Dritter Unterabschnitt. Revisionsverfahren

§ 72[3)] **Grundsatz.** (1) [1] Gegen das Endurteil eines Landesarbeitsgerichts findet die Revision an das Bundesarbeitsgericht statt, wenn sie in dem Urteil des Landesarbeitsgerichts oder in dem Beschluß des Bundesarbeitsgerichts nach § 72a Abs. 5 Satz 2 zugelassen worden ist. [2] § 64 Abs. 3a ist entsprechend anzuwenden.

(2) Die Revision ist zuzulassen, wenn

1. eine entscheidungserhebliche Rechtsfrage grundsätzliche Bedeutung hat,
2. das Urteil von einer Entscheidung des Bundesverfassungsgerichts, von einer Entscheidung des Gemeinsamen Senats der obersten Gerichtshöfe des Bundes, von einer Entscheidung des Bundesarbeitsgerichts oder, solange eine Entscheidung des Bundesarbeitsgerichts in der Rechtsfrage nicht ergangen ist, von einer Entscheidung einer anderen Kammer desselben Landesarbeitsgerichts oder eines anderen Landesarbeitsgerichts abweicht und die Entscheidung auf dieser Abweichung beruht oder
3. ein absoluter Revisionsgrund gemäß § 547 Nr. 1 bis 5 der Zivilprozessordnung[1)] oder eine entscheidungserhebliche Verletzung des Anspruchs auf rechtliches Gehör geltend gemacht wird und vorliegt.

(3) Das Bundesarbeitsgericht ist an die Zulassung der Revision durch das Landesarbeitsgericht gebunden.

(4) Gegen Urteile, durch die über die Anordnung, Abänderung oder Aufhebung eines Arrestes oder einer einstweiligen Verfügung entschieden wird, ist die Revision nicht zulässig.

(5) Für das Verfahren vor dem Bundesarbeitsgericht gelten, soweit dieses Gesetz nichts anderes bestimmt, die Vorschriften der Zivilprozeßordnung über die Revision mit Ausnahme der §§ 552b, 565 und 566 entsprechend.

(6) Die Vorschriften der §§ 46c bis 46g, 49 Abs. 1, der §§ 50, 50a, 52 und 53, des § 57 Abs. 2, des § 61 Abs. 2 und des § 63 dieses Gesetzes über den elektronischen Rechtsverkehr, Ablehnung von Gerichtspersonen, Zustellung,

---

1) **beck-online, Module Arbeitsrecht Nr. 320.**

2) § 70 aufgeh. mWv 1.1.2002 durch G v. 27.7.2001 (BGBl. I S. 1887).

3) § 72 Abs. 2 Nr. 2 geänd. durch G v. 2.8.1993 (BGBl. I S. 1442); Abs. 1 Satz 2 angef. mWv 1.5.2000 durch G v. 30.3.2000 (BGBl. I S. 333); Abs. 5 geänd. mWv 1.1.2002 durch G v. 27.7.2001 (BGBl. I S. 1887); Abs. 2 Nr. 1 neu gef., Nr. 2 geänd., Nr. 3 angef. mWv 1.1.2005 durch G v. 9.12.2004 (BGBl. I S. 3220); Abs. 6 geänd. mWv 18.4.2018 durch G v. 8.10.2017 (BGBl. I S. 3546); Abs. 6 geänd. mWv 12.10.2021 und mWv 1.1.2022 durch G v. 5.10.2021 (BGBl. I S. 4607); Abs. 6 geänd. mWv 19.7.2024 durch G v. 15.7.2024 (BGBl. 2024 I Nr. 237); Abs. 5 geänd. mWv 31.10.2024 durch G v. 24.10.2024 (BGBl. 2024 I Nr. 328).

Videoverhandlung, Öffentlichkeit, Befugnisse des Vorsitzenden und der ehrenamtlichen Richter, gütliche Erledigung des Rechtsstreits sowie Inhalt des Urteils und Übersendung von Urteilen in Tarifvertragssachen und des § 169 Absatz 3 und 4 des Gerichtsverfassungsgesetzes[1] über die Ton- und Fernseh-Rundfunkaufnahmen sowie Ton- und Filmaufnahmen bei der Entscheidungsverkündung gelten entsprechend.

§ 72a[2] Nichtzulassungsbeschwerde. (1) Die Nichtzulassung der Revision durch das Landesarbeitsgericht kann selbständig durch Beschwerde angefochten werden.

(2) [1]Die Beschwerde ist bei dem Bundesarbeitsgericht innerhalb einer Notfrist von einem Monat nach Zustellung des in vollständiger Form abgefaßten Urteils schriftlich einzulegen. [2]Der Beschwerdeschrift soll eine Ausfertigung oder beglaubigte Abschrift des Urteils beigefügt werden, gegen das die Revision eingelegt werden soll.

(3) [1]Die Beschwerde ist innerhalb einer Notfrist von zwei Monaten nach Zustellung des in vollständiger Form abgefaßten Urteils zu begründen. [2]Die Begründung muss enthalten:

1. die Darlegung der grundsätzlichen Bedeutung einer Rechtsfrage und deren Entscheidungserheblichkeit,
2. die Bezeichnung der Entscheidung, von der das Urteil des Landesarbeitsgerichts abweicht, oder
3. die Darlegung eines absoluten Revisionsgrundes nach § 547 Nr. 1 bis 5 der Zivilprozessordnung[3] oder der Verletzung des Anspruchs auf rechtliches Gehör und der Entscheidungserheblichkeit der Verletzung.

(4) [1]Die Einlegung der Beschwerde hat aufschiebende Wirkung. [2]Die Vorschriften des § 719 Abs. 2 und 3 der Zivilprozeßordnung[3] sind entsprechend anzuwenden.

(5) [1]Das Landesarbeitsgericht ist zu einer Änderung seiner Entscheidung nicht befugt. [2]Das Bundesarbeitsgericht entscheidet unter Hinzuziehung der ehrenamtlichen Richter durch Beschluß, der ohne mündliche Verhandlung ergehen kann. [3]Die ehrenamtlichen Richter wirken nicht mit, wenn die Nichtzulassungsbeschwerde als unzulässig verworfen wird, weil sie nicht statthaft oder nicht in der gesetzlichen Form und Frist eingelegt und begründet ist. [4]Dem Beschluss soll eine kurze Begründung beigefügt werden. [5]Von einer Begründung kann abgesehen werden, wenn sie nicht geeignet wäre, zur Klärung der Voraussetzungen beizutragen, unter denen eine Revision zuzulassen ist, oder wenn der Beschwerde stattgegeben wird. [6]Mit der Ablehnung der Beschwerde durch das Bundesarbeitsgericht wird das Urteil rechtskräftig.

(6) [1]Wird der Beschwerde stattgegeben, so wird das Beschwerdeverfahren als Revisionsverfahren fortgesetzt. [2]In diesem Fall gilt die form- und fristgerechte Einlegung der Nichtzulassungsbeschwerde als Einlegung der Revision. [3]Mit der Zustellung der Entscheidung beginnt die Revisionsbegründungsfrist.

---

[1] Nr. **665**.

[2] § 72a Abs. 1, Abs. 3 Satz 2, Abs. 5 Sätze 3 bis 6 neu gef., Satz 7 aufgeh., Abs. 6 und 7 angef. mWv 1.1.2005 durch G v. 9.12.2004 (BGBl. I S. 3220).

[3] **beck-online, Module Arbeitsrecht Nr. 320.**

(7) Hat das Landesarbeitsgericht den Anspruch des Beschwerdeführers auf rechtliches Gehör in entscheidungserheblicher Weise verletzt, so kann das Bundesarbeitsgericht abweichend von Absatz 6 in dem der Beschwerde stattgebenden Beschluss das angefochtene Urteil aufheben und den Rechtsstreit zur neuen Verhandlung und Entscheidung an das Landesarbeitsgericht zurückverweisen.

§ 72b[1)] Sofortige Beschwerde wegen verspäteter Absetzung des Berufungsurteils. (1) [1] Das Endurteil eines Landesarbeitsgerichts kann durch sofortige Beschwerde angefochten werden, wenn es nicht binnen fünf Monaten nach der Verkündung vollständig abgefasst und mit den Unterschriften sämtlicher Mitglieder der Kammer versehen der Geschäftsstelle übergeben worden ist. [2] § 72a findet keine Anwendung.

(2) [1] Die sofortige Beschwerde ist innerhalb einer Notfrist von einem Monat beim Bundesarbeitsgericht einzulegen und zu begründen. [2] Die Frist beginnt mit dem Ablauf von fünf Monaten nach der Verkündung des Urteils des Landesarbeitsgerichts. [3] § 9 Abs. 5 findet keine Anwendung.

(3) [1] Die sofortige Beschwerde wird durch Einreichung einer Beschwerdeschrift eingelegt. [2] Die Beschwerdeschrift muss die Bezeichnung der angefochtenen Entscheidung sowie die Erklärung enthalten, dass Beschwerde gegen diese Entscheidung eingelegt werde. [3] Die Beschwerde kann nur damit begründet werden, dass das Urteil des Landesarbeitsgerichts mit Ablauf von fünf Monaten nach der Verkündung noch nicht vollständig abgefasst und mit den Unterschriften sämtlicher Mitglieder der Kammer versehen der Geschäftsstelle übergeben worden ist.

(4) [1] Über die sofortige Beschwerde entscheidet das Bundesarbeitsgericht ohne Hinzuziehung der ehrenamtlichen Richter durch Beschluss, der ohne mündliche Verhandlung ergehen kann. [2] Dem Beschluss soll eine kurze Begründung beigefügt werden.

(5) [1] Ist die sofortige Beschwerde zulässig und begründet, ist das Urteil des Landesarbeitsgerichts aufzuheben und die Sache zur neuen Verhandlung und Entscheidung an das Landesarbeitsgericht zurückzuverweisen. [2] Die Zurückverweisung kann an eine andere Kammer des Landesarbeitsgerichts erfolgen.

§ 73[2)] Revisionsgründe. (1) [1] Die Revision kann nur darauf gestützt werden, daß das Urteil des Landesarbeitsgerichts auf der Verletzung einer Rechtsnorm beruht. [2] Sie kann nicht auf die Gründe des § 72b gestützt werden.

(2) § 65 findet entsprechende Anwendung.

§ 74[3)] Einlegung der Revision, Terminbestimmung. (1) [1] Die Frist für die Einlegung der Revision beträgt einen Monat, die Frist für die Begründung der Revision zwei Monate. [2] Beide Fristen beginnen mit der Zustellung des in vollständiger Form abgefassten Urteils, spätestens aber mit Ablauf von fünf Monaten nach der Verkündung. [3] Die Revisionsbegründungsfrist kann einmal bis zu einem weiteren Monat verlängert werden.

---

1) § 72b eingef. mWv 1.1.2005 durch G v. 9.12.2004 (BGBl. I S. 3220).

2) § 73 Abs. 2 neu gef. durch G v. 17.12.1990 (BGBl. I S. 2809); Abs. 1 Satz 2 angef. mWv 1.1.2005 durch G v. *9.12.2004 (BGBl. I S. 3220).*

3) § 74 Abs. 1 Satz 1 neu gef., Satz 2 eingef., bish. Satz 2 wird Satz 3, Abs. 2 Satz 2 geänd. mWv 1.1.2002 durch G v. 27.7.2001 (BGBl. I S. 1887).

(2) [1] Die Bestimmung des Termins zur mündlichen Verhandlung muß unverzüglich erfolgen. [2] § 552 Abs. 1 der Zivilprozeßordnung[1)] bleibt unberührt. [3] Die Verwerfung der Revision ohne mündliche Verhandlung ergeht durch Beschluß des Senats und ohne Zuziehung der ehrenamtlichen Richter.

§ 75 Urteil. (1) [1] Die Wirksamkeit der Verkündung des Urteils ist von der Anwesenheit der ehrenamtlichen Richter nicht abhängig. [2] Wird ein Urteil in Abwesenheit der ehrenamtlichen Richter verkündet, so ist die Urteilsformel vorher von sämtlichen Mitgliedern des erkennenden Senats zu unterschreiben.

(2) Das Urteil nebst Tatbestand und Entscheidungsgründen ist von sämtlichen Mitgliedern des erkennenden Senats zu unterschreiben.

§ 76[2)] Sprungrevision. (1) [1] Gegen das Urteil eines Arbeitsgerichts kann unter Übergehung der Berufungsinstanz unmittelbar die Revision eingelegt werden (Sprungrevision), wenn der Gegner schriftlich zustimmt und wenn sie vom Arbeitsgericht auf Antrag im Urteil oder nachträglich durch Beschluß zugelassen wird. [2] Der Antrag ist innerhalb einer Notfrist von einem Monat nach Zustellung des in vollständiger Form abgefaßten Urteils schriftlich zu stellen. [3] Die Zustimmung des Gegners ist, wenn die Revision im Urteil zugelassen ist, der Revisionsschrift, andernfalls dem Antrag beizufügen.

(2) [1] Die Sprungrevision ist nur zuzulassen, wenn die Rechtssache grundsätzliche Bedeutung hat und Rechtsstreitigkeiten betrifft

1. zwischen Tarifvertragsparteien aus Tarifverträgen oder über das Bestehen oder Nichtbestehen von Tarifverträgen,
2. über die Auslegung eines Tarifvertrags, dessen Geltungsbereich sich über den Bezirk des Landesarbeitsgerichts hinaus erstreckt, oder
3. zwischen tariffähigen Parteien oder zwischen diesen und Dritten aus unerlaubten Handlungen, soweit es sich um Maßnahmen zum Zwecke des Arbeitskampfes oder um Fragen der Vereinigungsfreiheit einschließlich des hiermit im Zusammenhang stehenden Betätigungsrechts der Vereinigungen handelt.

[2] Das Bundesarbeitsgericht ist an die Zulassung gebunden. [3] Die Ablehnung der Zulassung ist unanfechtbar.

(3) [1] Lehnt das Arbeitsgericht den Antrag auf Zulassung der Revision durch Beschluß ab, so beginnt mit der Zustellung dieser Entscheidung der Lauf der Berufungsfrist von neuem, sofern der Antrag in der gesetzlichen Form und Frist gestellt und die Zustimmungserklärung beigefügt war. [2] Läßt das Arbeitsgericht die Revision durch Beschluß zu, so beginnt mit der Zustellung dieser Entscheidung der Lauf der Revisionsfrist.

(4) Die Revision kann nicht auf Mängel des Verfahrens gestützt werden.

(5) Die Einlegung der Revision und die Zustimmung gelten als Verzicht auf die Berufung, wenn das Arbeitsgericht die Revision zugelassen hat.

(6) [1] Verweist das Bundesarbeitsgericht die Sache zur anderweitigen Verhandlung und Entscheidung zurück, so kann die Zurückverweisung nach seinem Ermessen auch an dasjenige Landesarbeitsgericht erfolgen, das für die Berufung zuständig gewesen wäre. [2] In diesem Falle gelten für das Verfahren vor dem

---

[1)] **beck-online, Module Arbeitsrecht Nr. 320.**
[2)] § 76 Abs. 6 neu gef. mWv 1.1.2002 durch G v. 27.7.2001 (BGBl. I S. 1887).

Landesarbeitsgericht die gleichen Grundsätze, wie wenn der Rechtsstreit auf eine ordnungsmäßig eingelegte Berufung beim Landesarbeitsgericht anhängig geworden wäre. [3]Das Arbeitsgericht und das Landesarbeitsgericht haben die rechtliche Beurteilung, die der Aufhebung zugrunde gelegt ist, auch ihrer Entscheidung zugrunde zu legen. [4]Von der Einlegung der Revision nach Absatz 1 hat die Geschäftsstelle des Bundesarbeitsgerichts der Geschäftsstelle des Arbeitsgerichts unverzüglich Nachricht zu geben.

§ 77[1)] Revisionsbeschwerde. [1]Gegen den Beschluss des Landesarbeitsgerichts, der die Berufung als unzulässig verwirft, findet die Revisionsbeschwerde statt, wenn das Landesarbeitsgericht sie in dem Beschluss oder das Bundesarbeitsgericht sie zugelassen hat. [2]Für die Zulassung der Revisionsbeschwerde gelten § 72 Absatz 2 und § 72a entsprechend. [3]Über die Nichtzulassungsbeschwerde und die Revisionsbeschwerde entscheidet das Bundesarbeitsgericht ohne Hinzuziehung der ehrenamtlichen Richter. [4]Die Vorschriften der Zivilprozessordnung über die Rechtsbeschwerde gelten entsprechend.

Vierter Unterabschnitt.[2)] Beschwerdeverfahren, Abhilfe bei Verletzung des Anspruchs auf rechtliches Gehör

§ 78[3)] Beschwerdeverfahren. [1]Hinsichtlich der Beschwerde gegen Entscheidungen der Arbeitsgerichte oder ihrer Vorsitzenden gelten die für die Beschwerde gegen Entscheidungen der Amtsgerichte maßgebenden Vorschriften der Zivilprozessordnung[4)] entsprechend. [2]Für die Zulassung der Rechtsbeschwerde gilt § 72 Abs. 2 entsprechend. [3]Über die sofortige Beschwerde entscheidet das Landesarbeitsgericht ohne Hinzuziehung der ehrenamtlichen Richter, über die Rechtsbeschwerde das Bundesarbeitsgericht.

§ 78a[5)] Abhilfe bei Verletzung des Anspruchs auf rechtliches Gehör.

(1) [1]Auf die Rüge der durch die Entscheidung beschwerten Partei ist das Verfahren fortzuführen, wenn

1. ein Rechtsmittel oder ein anderer Rechtsbehelf gegen die Entscheidung nicht gegeben ist und
2. das Gericht den Anspruch dieser Partei auf rechtliches Gehör in entscheidungserheblicher Weise verletzt hat.

[2]Gegen eine der Endentscheidung vorausgehende Entscheidung findet die Rüge nicht statt.

(2) [1]Die Rüge ist innerhalb einer Notfrist von zwei Wochen nach Kenntnis von der Verletzung des rechtlichen Gehörs zu erheben; der Zeitpunkt der Kenntniserlangung ist glaubhaft zu machen. [2]Nach Ablauf eines Jahres seit Bekanntgabe der angegriffenen Entscheidung kann die Rüge nicht mehr erhoben werden. [3]Formlos mitgeteilte Entscheidungen gelten mit dem ***[bis 31.12.2024:*** dritten***][ab 1.1.2025:*** *vierten****]*** Tage nach Aufgabe zur Post als bekannt gegeben. [4]Die Rüge ist schriftlich bei dem Gericht zu erheben, dessen

---

1) § 77 neu gef. mWv 17.11.2016 durch G v. 11.11.2016 (BGBl. I S. 2500).

2) 4. UAbschnitt Überschrift geänd. mWv 1.1.2005 durch G v. 9.12.2004 (BGBl. I S. 3220).

3) § 78 neu gef. mWv 1.1.2002 durch G v. 27.7.2001 (BGBl. I S. 1887); Überschrift eingef. mWv 1.1.2005 durch G v. 9.12.2004 (BGBl. I S. 3220).

4) Auszugsweise abgedruckt unter Nr. **320**.

5) § 78a eingef. mWv 1.1.2005 durch G v. 9.12.2004 (BGBl. I S. 3220); Abs. 2 Satz 3 geänd. mWv 1.1.2025 durch G v. 15.7.2024 (BGBl. 2024 I Nr. 236).

Entscheidung angegriffen wird. [5]Die Rüge muss die angegriffene Entscheidung bezeichnen und das Vorliegen der in Absatz 1 Satz 1 Nr. 2 genannten Voraussetzungen darlegen.

(3) Dem Gegner ist, soweit erforderlich, Gelegenheit zur Stellungnahme zu geben.

(4) [1]Das Gericht hat von Amts wegen zu prüfen, ob die Rüge an sich statthaft und ob sie in der gesetzlichen Form und Frist erhoben ist. [2]Mangelt es an einem dieser Erfordernisse, so ist die Rüge als unzulässig zu verwerfen. [3]Ist die Rüge unbegründet, weist das Gericht sie zurück. [4]Die Entscheidung ergeht durch unanfechtbaren Beschluss. [5]Der Beschluss soll kurz begründet werden.

(5) [1]Ist die Rüge begründet, so hilft ihr das Gericht ab, indem es das Verfahren fortführt, soweit dies aufgrund der Rüge geboten ist. [2]Das Verfahren wird in die Lage zurückversetzt, in der es sich vor dem Schluss der mündlichen Verhandlung befand. [3]§ 343 der Zivilprozessordnung[1)] gilt entsprechend. [4]In schriftlichen Verfahren tritt an die Stelle des Schlusses der mündlichen Verhandlung der Zeitpunkt, bis zu dem Schriftsätze eingereicht werden können.

(6) [1]Die Entscheidungen nach den Absätzen 4 und 5 erfolgen unter Hinzuziehung der ehrenamtlichen Richter. [2]Die ehrenamtlichen Richter wirken nicht mit, wenn die Rüge als unzulässig verworfen wird oder sich gegen eine Entscheidung richtet, die ohne Hinzuziehung der ehrenamtlichen Richter erlassen wurde.

(7) § 707 der Zivilprozessordnung[1)] ist unter der Voraussetzung entsprechend anzuwenden, dass der Beklagte glaubhaft macht, dass die Vollstreckung ihm einen nicht zu ersetzenden Nachteil bringen würde.

(8) Auf das Beschlussverfahren finden die Absätze 1 bis 7 entsprechende Anwendung.

Fünfter Unterabschnitt. Wiederaufnahme des Verfahrens

§ 79 [Wiederaufnahme des Verfahrens] [1]Die Vorschriften der Zivilprozeßordnung über die Wiederaufnahme des Verfahrens gelten für Rechtsstreitigkeiten nach § 2 Abs. 1 bis 4 entsprechend. [2]Die Nichtigkeitsklage kann jedoch nicht auf Mängel des Verfahrens bei der Berufung der ehrenamtlichen Richter oder auf Umstände, die die Berufung eines ehrenamtlichen Richters zu seinem Amt ausschließen, gestützt werden.

Zweiter Abschnitt. Beschlußverfahren

Erster Unterabschnitt. Erster Rechtszug

§ 80[2)] Grundsatz. (1) Das Beschlußverfahren findet in den in § 2a bezeichneten Fällen Anwendung.

(2) [1]Für das Beschlussverfahren des ersten Rechtszugs gelten die für das Urteilsverfahren des ersten Rechtszugs maßgebenden Vorschriften entsprechend, soweit sich aus den §§ 81 bis 84 nichts anderes ergibt. [2]Der Vorsitzende kann ein Güteverfahren ansetzen; die für das Urteilsverfahren des ersten

---

[1)] **beck-online, Module Arbeitsrecht Nr. 320.**

[2)] § 80 Abs. 3 angef. durch G v. 17.12.1990 (BGBl. I S. 2809); Abs. 2 Satz 2 angef. mWv 1.5.2000 durch G v. 30.3.2000 (BGBl. I S. 333); Abs. 2 Satz 1 geänd. mWv 26.7.2012 durch G v. 21.7.2012 (BGBl. I S. 1577); Abs. 2 Satz 1 neu gef. mWv 12.10.2021 durch G v. 5.10.2021 (BGBl. I S. 4607).

Rechtszugs maßgebenden Vorschriften über das Güteverfahren gelten entsprechend.

(3) § 48 Abs. 1 findet entsprechende Anwendung.

§ 81[1] Antrag. (1) Das Verfahren wird nur auf Antrag eingeleitet; der Antrag ist bei dem Arbeitsgericht schriftlich einzureichen oder bei seiner Geschäftsstelle mündlich zu Protokoll anzubringen.

(2) [1] Der Antrag kann jederzeit in derselben Form zurückgenommen werden. [2] In diesem Fall ist das Verfahren vom Vorsitzenden des Arbeitsgerichts einzustellen. [3] Von der Einstellung ist den Beteiligten Kenntnis zu geben, soweit ihnen der Antrag vom Arbeitsgericht mitgeteilt worden ist.

(3) [1] Eine Änderung des Antrags ist zulässig, wenn die übrigen Beteiligten zustimmen oder das Gericht die Änderung für sachdienlich hält. [2] Die Zustimmung der Beteiligten zu der Änderung des Antrags gilt als erteilt, wenn die Beteiligten sich, ohne zu widersprechen, in einem Schriftsatz oder in der mündlichen Verhandlung auf den geänderten Antrag eingelassen haben. [3] Die Entscheidung, daß eine Änderung des Antrags nicht vorliegt oder zugelassen wird, ist unanfechtbar.

§ 82[2] Örtliche Zuständigkeit. (1) [1] Zuständig ist das Arbeitsgericht, in dessen Bezirk der Betrieb liegt. [2] In Angelegenheiten des Gesamtbetriebsrats, des Konzernbetriebsrats, der Gesamtjugendvertretung oder der Gesamt-Jugend- und Auszubildendenvertretung, des Wirtschaftsausschusses und der Vertretung der Arbeitnehmer im Aufsichtsrat ist das Arbeitsgericht zuständig, in dessen Bezirk das Unternehmen seinen Sitz hat. [3] Satz 2 gilt entsprechend in Angelegenheiten des Gesamtsprecherausschusses, des Unternehmenssprecherausschusses und des Konzernsprecherausschusses.

(2) [1] In Angelegenheiten eines Europäischen Betriebsrats, im Rahmen eines Verfahrens zur Unterrichtung und Anhörung oder des besonderen Verhandlungsgremiums ist das Arbeitsgericht zuständig, in dessen Bezirk das Unternehmen oder das herrschende Unternehmen nach § 2 des Gesetzes über Europäische Betriebsräte[3] seinen Sitz hat. [2] Bei einer Vereinbarung nach § 41 Absatz 1 bis 7 des Gesetzes über Europäische Betriebsräte ist der Sitz des vertragschließenden Unternehmens maßgebend.

(Fortsetzung nächstes Blatt)

---

[1] § 81 Abs. 1 geänd. mWv 1.1.2018 durch G v. 5.7.2017 (BGBl. I S. 2208).

[2] § 82 neu gef. mWv 29.12.2004 durch G v. 22.12.2004 (BGBl. I S. 3674); Abs. 4 angef. mWv 18.8.2006 durch G v. 14.8.2006 (BGBl. I S. 1911); Abs. 5 angef. mWv 29.12.2006 durch G v. 21.12.2006 (BGBl. I S. 3332); Abs. 2 Satz 2 geänd. mWv 18.6.2011 durch G v. 14.6.2011 (BGBl. I S. 1050); Abs. 6 angef. mWv 31.1.2023 durch G v. 4.1.2023 (BGBl. 2023 I Nr. 10).

[3] Nr. **575**.

(3) In Angelegenheiten aus dem SE-Beteiligungsgesetz ist das Arbeitsgericht zuständig, in dessen Bezirk die Europäische Gesellschaft ihren Sitz hat; vor ihrer Eintragung ist das Arbeitsgericht zuständig, in dessen Bezirk die Europäische Gesellschaft ihren Sitz haben soll.

(4) In Angelegenheiten nach dem SCE-Beteiligungsgesetz ist das Arbeitsgericht zuständig, in dessen Bezirk die Europäische Genossenschaft ihren Sitz hat; vor ihrer Eintragung ist das Arbeitsgericht zuständig, in dessen Bezirk die Europäische Genossenschaft ihren Sitz haben soll.

(5) In Angelegenheiten nach dem Gesetz über die Mitbestimmung der Arbeitnehmer bei einer grenzüberschreitenden Verschmelzung ist das Arbeitsgericht zuständig, in dessen Bezirk die aus der grenzüberschreitenden Verschmelzung hervorgegangene Gesellschaft ihren Sitz hat; vor ihrer Eintragung ist das Arbeitsgericht zuständig, in dessen Bezirk die aus der grenzüberschreitenden Verschmelzung hervorgehende Gesellschaft ihren Sitz haben soll.

(6) In Angelegenheiten nach dem Gesetz über die Mitbestimmung der Arbeitnehmer bei grenzüberschreitendem Formwechsel und grenzüberschreitender Spaltung ist das Arbeitsgericht zuständig, in dessen Bezirk die aus dem grenzüberschreitenden Formwechsel oder der grenzüberschreitenden Spaltung hervorgegangene Gesellschaft ihren Sitz hat; vor ihrer Eintragung ist das Arbeitsgericht zuständig, in dessen Bezirk die aus dem grenzüberschreitenden Formwechsel oder der grenzüberschreitenden Spaltung hervorgehende Gesellschaft ihren Sitz haben soll.

§ 83[1)] Verfahren. (1) [1] Das Gericht erforscht den Sachverhalt im Rahmen der gestellten Anträge von Amts wegen. [2] Die am Verfahren Beteiligten haben an der Aufklärung des Sachverhalts mitzuwirken.

(1a) [1] Der Vorsitzende kann den Beteiligten eine Frist für ihr Vorbringen setzen. [2] Nach Ablauf einer nach Satz 1 gesetzten Frist kann das Vorbringen zurückgewiesen werden, wenn nach der freien Überzeugung des Gerichts seine Zulassung die Erledigung des Beschlussverfahrens verzögern würde und der Beteiligte die Verspätung nicht genügend entschuldigt. [3] Die Beteiligten sind über die Folgen der Versäumung einer nach Satz 1 gesetzten Frist zu belehren.

(2) Zur Aufklärung des Sachverhalts können Urkunden eingesehen, Auskünfte eingeholt, Zeugen, Sachverständige und Beteiligte vernommen und der Augenschein eingenommen werden.

(3) In dem Verfahren sind der Arbeitgeber, die Arbeitnehmer und die Stellen zu hören, die nach dem Betriebsverfassungsgesetz, dem Sprecherausschussgesetz, dem Mitbestimmungsgesetz, dem Mitbestimmungsergänzungsgesetz, dem Drittelbeteiligungsgesetz, den §§ 177, 178 und 222 des Neunten Buches Sozialgesetzbuch, dem § 18a des Berufsbildungsgesetzes und den zu diesen Gesetzen ergangenen Rechtsverordnungen sowie nach dem Gesetz über Europäische

---

1) § 83 Abs. 3 neu gef. durch G v. 20.12.1988 (BGBl. I S. 2312); geänd. durch G v. 23 . 7. 1996 (BGBl. I S. 1088) und G v. 28.10.1996 (BGBl. I S. 1548); Abs. 1a eingef., Abs. 3 geänd., Abs. 4 Satz 1 neu gef. mWv 1.5.2000 durch G v. 30.3.2000 (BGBl. I S. 333); Abs. 3 geänd. mWv 1.7.2001 durch G v. 19.6.2001 (BGBl. I S. 1046); Abs. 1a neu gef. mWv 1.1.2002 durch G v. 27.7.2001 (BGBl. I S. 1887); Abs. 3 neu gef. mWv 15.8.2002 durch G v. 8.8.2002 (BGBl. I S. 3140); Abs. 3 geänd. mWv 1.7.2004 durch G v. 18.5.2004 (BGBl. I S. 974); Abs. 3 geänd. mWv 29.12.2004 durch G v. 22.12.2004 (BGBl. I S. 3674); Abs. 3 geänd. mWv 18.8.2006 durch G v. 14.8.2006 (BGBl. I S. 1911); Abs. 3 geänd. mWv 29.12.2006 durch G v. 21.12.2006 (BGBl. I S. 3332); Abs. 3 geänd. mWv 1.1.2018 durch G v. 23.12. 2016 (BGBl. I S. 3234); Abs. 3 geänd. mWv 31.1.2023 durch G v. 4.1.2023 (BGBl. I Nr. 10).

Betriebsräte, dem SE-Beteiligungsgesetz[1)], dem SCE-Beteiligungsgesetz, dem Gesetz über die Mitbestimmung der Arbeitnehmer bei einer grenzüberschreitenden Verschmelzung und dem Gesetz über die Mitbestimmung der Arbeitnehmer bei grenzüberschreitendem Formwechsel und grenzüberschreitender Spaltung im einzelnen Fall beteiligt sind.

(4) [1] Die Beteiligten können sich schriftlich äußern. [2] Bleibt ein Beteiligter auf Ladung unentschuldigt aus, so ist der Pflicht zur Anhörung genügt; hierauf ist in der Ladung hinzuweisen. [3] Mit Einverständnis der Beteiligten kann das Gericht ohne mündliche Verhandlung entscheiden.

(5) Gegen Beschlüsse und Verfügungen des Arbeitsgerichts oder seines Vorsitzenden findet die Beschwerde nach Maßgabe des § 78 statt.

§ 83a[2)] Vergleich, Erledigung des Verfahrens. (1) Die Beteiligten können, um das Verfahren ganz oder zum Teil zu erledigen, zu Protokoll des Gerichts oder des Vorsitzenden oder des Güterichters einen Vergleich schließen, soweit sie über den Gegenstand des Vergleichs verfügen können, oder das Verfahren für erledigt erklären.

(2) [1] Haben die Beteiligten das Verfahren für erledigt erklärt, so ist es vom Vorsitzenden des Arbeitsgerichts einzustellen. [2] § 81 Abs. 2 Satz 3 ist entsprechend anzuwenden.

(3) [1] Hat der Antragsteller das Verfahren für erledigt erklärt, so sind die übrigen Beteiligten binnen einer von dem Vorsitzenden zu bestimmenden Frist von mindestens zwei Wochen aufzufordern, mitzuteilen, ob sie der Erledigung zustimmen. [2] Die Zustimmung gilt als erteilt, wenn sich der Beteiligte innerhalb der vom Vorsitzenden bestimmten Frist nicht äußert.

§ 84 Beschluß. [1] Das Gericht entscheidet nach seiner freien, aus dem Gesamtergebnis des Verfahrens gewonnenen Überzeugung. [2] Der Beschluß ist schriftlich abzufassen. [3] § 60 ist entsprechend anzuwenden.

§ 85[3)] Zwangsvollstreckung. (1) [1] Soweit sich aus Absatz 2 nichts anderes ergibt, findet aus rechtskräftigen Beschlüssen der Arbeitsgerichte oder gerichtlichen Vergleichen, durch die einem Beteiligten eine Verpflichtung auferlegt wird, die Zwangsvollstreckung statt. [2] Beschlüsse der Arbeitsgerichte in vermögensrechtlichen Streitigkeiten sind vorläufig vollstreckbar; § 62 Abs. 1 Satz 2 bis 5 ist entsprechend anzuwenden. [3] Für die Zwangsvollstreckung gelten die Vorschriften des Achten Buches der Zivilprozeßordnung entsprechend mit der Maßgabe, daß der nach dem Beschluß Verpflichtete als Schuldner, derjenige, der die Erfüllung der Verpflichtung auf Grund des Beschlusses verlangen kann, als Gläubiger gilt und in den Fällen des § 23 Abs. 3, des § 98 Abs. 5 sowie der §§ 101 und 104 des Betriebsverfassungsgesetzes eine Festsetzung von Ordnungs- oder Zwangshaft nicht erfolgt.

(2) [1] Der Erlaß einer einstweiligen Verfügung ist zulässig. [2] Für das Verfahren gelten die Vorschriften des Achten Buches der Zivilprozeßordnung über die einstweilige Verfügung entsprechend mit der Maßgabe, daß die Entscheidun-

---

[1)] Nr. **569a**.

[2)] § 83a Abs. 1 geänd. mWv 26.7.2012 durch G v. 21.7.2012 (BGBl. I S. 1577); Abs. 1 geänd. mWv 1.1.2018 durch G v. 5.7.2017 (BGBl. I S. 2208).

[3)] § 85 Abs. 1 Satz 2 geänd. mWv 1.4.2008 durch G v. 26.3.2008 (BGBl. I S. 444); Abs. 2 Satz 3 angef. mWv 1.1.2016 durch G v. 10.10.2013 (BGBl. I S. 3786).

gen durch Beschluß der Kammer ergehen, erforderliche Zustellungen von Amts wegen erfolgen und ein Anspruch auf Schadensersatz nach § 945 der Zivilprozeßordnung[1)] in Angelegenheiten des Betriebsverfassungsgesetzes nicht besteht. [3]Eine in das Schutzschriftenregister nach § 945a Absatz 1 der Zivilprozessordnung[1)] eingestellte Schutzschrift gilt auch als bei allen Arbeitsgerichten der Länder eingereicht.

§ 86 (weggefallen)

Zweiter Unterabschnitt. Zweiter Rechtszug

§ 87[2)] Grundsatz. (1) Gegen die das Verfahren beendenden Beschlüsse der Arbeitsgerichte findet die Beschwerde an das Landesarbeitsgericht statt.

(2) [1]Für das Beschwerdeverfahren gelten die für das Berufungsverfahren maßgebenden Vorschriften sowie die Vorschrift des § 85 über die Zwangsvollstreckung entsprechend, soweit sich aus den §§ 88 bis 91 nichts anderes ergibt. [2]Für die Vertretung der Beteiligten gilt § 11 Abs. 1 bis 3 und 5 entsprechend. [3]Der Antrag kann jederzeit mit Zustimmung der anderen Beteiligten zurückgenommen werden; § 81 Abs. 2 Satz 2 und 3 und Absatz 3 ist entsprechend anzuwenden.

(3) [1]In erster Instanz zu Recht zurückgewiesenes Vorbringen bleibt ausgeschlossen. [2]Neues Vorbringen, das im ersten Rechtszug entgegen einer hierfür nach § 83 Abs. 1a gesetzten Frist nicht vorgebracht wurde, kann zurückgewiesen werden, wenn seine Zulassung nach der freien Überzeugung des Landesarbeitsgerichts die Erledigung des Beschlussverfahrens verzögern würde und der Beteiligte die Verzögerung nicht genügend entschuldigt. [3]Soweit neues Vorbringen nach Satz 2 zulässig ist, muss es der Beschwerdeführer in der Beschwerdebegründung, der Beschwerdegegner in der Beschwerdebeantwortung vortragen. [4]Wird es später vorgebracht, kann es zurückgewiesen werden, wenn die Möglichkeit es vorzutragen vor der Beschwerdebegründung oder der Beschwerdebeantwortung entstanden ist und das verspätete Vorbringen nach der freien Überzeugung des Landesarbeitsgerichts die Erledigung des Rechtsstreits verzögern würde und auf dem Verschulden des Beteiligten beruht.

(4) Die Einlegung der Beschwerde hat aufschiebende Wirkung; § 85 Abs. 1 Satz 2 bleibt unberührt.

§ 88[3)] Beschränkung der Beschwerde. § 65 findet entsprechende Anwendung.

[1)] **beck-online, Module Arbeitsrecht Nr. 320.**

[2)] § 87 Abs. 2 Satz 4 angef. mWv 1.5.2000 durch G v. 30.3.2000 (BGBl. I S. 333); Abs. 2 Satz 4 aufgeh., Abs. 3 eingef., bish. Abs. 3 wird Abs. 4 mWv 1.1.2002 durch G v. 27.7.2001 (BGBl. I S. 1887, geänd. durch G v. 26.11.2001, BGBl. I S. 3138); Abs. 3 Satz 2 geänd. mWv 1.1.2002 durch G v. 26.11.2001 (BGBl. I S. 3138); Abs. 2 Satz 2 geänd. mWv 1.7.2008 durch G v. 12.12.2007 (BGBl. I S. 2840); Abs. 2 Satz 1 geänd. mWv 26.7.2012 durch G v. 21.7.2012 (BGBl. I S. 1577); Abs. 2 Satz 1 neu gef. mWv 12.10.2021 durch G v. 5.10.2021 (BGBl. I S. 4607).

[3)] § 88 neu gef. durch G v. 17.12.1990 (BGBl. I S. 2809); Abs. 1 geänd. durch G v. 31.8.1998 (BGBl. I S. 2600).

§ 89[1] Einlegung. (1) Für die Einlegung und Begründung der Beschwerde gilt § 11 Abs. 4 und 5 entsprechend.

(2) [1] Die Beschwerdeschrift muß den Beschluß bezeichnen, gegen den die Beschwerde gerichtet ist, und die Erklärung enthalten, daß gegen diesen Beschluß die Beschwerde eingelegt wird. [2] Die Beschwerdebegründung muß angeben, auf welche im einzelnen anzuführenden Beschwerdegründe sowie auf welche neuen Tatsachen die Beschwerde gestützt wird.

(3) [1] Ist die Beschwerde nicht in der gesetzlichen Form oder Frist eingelegt oder begründet, so ist sie als unzulässig zu verwerfen. [2] Der Beschluss kann ohne vorherige mündliche Verhandlung durch den Vorsitzenden ergehen; er ist unanfechtbar. [3] Er ist dem Beschwerdeführer zuzustellen. [4] § 522 Abs. 2 und 3 der Zivilprozessordnung[2] ist nicht anwendbar.

(4) [1] Die Beschwerde kann jederzeit in der für ihre Einlegung vorgeschriebenen Form zurückgenommen werden. [2] Im Falle der Zurücknahme stellt der Vorsitzende das Verfahren ein. [3] Er gibt hiervon den Beteiligten Kenntnis, soweit ihnen die Beschwerde zugestellt worden ist.

§ 90[3] Verfahren. (1) [1] Die Beschwerdeschrift und die Beschwerdebegründung werden den Beteiligten zur Äußerung zugestellt. [2] Die Äußerung erfolgt durch Einreichung eines Schriftsatzes beim Beschwerdegericht oder durch Erklärung zu Protokoll der Geschäftsstelle des Arbeitsgerichts, das den angefochtenen Beschluß erlassen hat.

(2) Für das Verfahren sind die §§ 83 und 83a entsprechend anzuwenden.

§ 91 Entscheidung. (1) [1] Über die Beschwerde entscheidet das Landesarbeitsgericht durch Beschluß. [2] Eine Zurückverweisung ist nicht zulässig. [3] § 84 Satz 2 gilt entsprechend.

(2) [1] Der Beschluß nebst Gründen ist von den Mitgliedern der Kammer zu unterschreiben und den Beteiligten zuzustellen. [2] § 69 Abs. 1 Satz 2 gilt entsprechend.

Dritter Unterabschnitt. Dritter Rechtszug

§ 92[4] Rechtsbeschwerdeverfahren, Grundsatz. (1) [1] Gegen den das Verfahren beendenden Beschluß eines Landesarbeitsgerichts findet die Rechtsbeschwerde an das Bundesarbeitsgericht statt, wenn sie in dem Beschluß des Landesarbeitsgerichts oder in dem Beschluß des Bundesarbeitsgerichts nach § 92a Satz 2 zugelassen wird. [2] § 72 Abs. 1 Satz 2, Abs. 2 und 3 ist entsprechend anzuwenden. [3] In den Fällen des § 85 Abs. 2 findet die Rechtsbeschwerde nicht statt.

---

[1] § 89 Abs. 3 Satz 1 geänd. mWv 1.5.2000 durch G v. 30.3.2000 (BGBl. I S. 333); Abs. 3 Satz 4 angef. mWv 1.1.2002 durch G v. 27.7.2001 (BGBl. I S. 1887); Abs. 1 neu gef. mWv 1.7.2008 durch G v. 12.12.2007 (BGBl. I S. 2840); Abs. 3 Satz 1 und 2 neu gef. mWv 1.4.2008 durch G v. 26.3.2008 (BGBl. I S. 444).

[2] **beck-online, Module Arbeitsrecht Nr. 320.**

[3] § 90 Abs. 1 Satz 2 geänd. mWv 1.1.2018 durch G v. 5.7.2017 (BGBl. I S. 2208); Abs. 3 aufgeh. mWv 12.10.2021 durch G v. 5.10.2021 (BGBl. I S. 4607).

[4] § 92 Abs. 1 Satz 2 geänd. mWv 1.5.2000 durch G v. 30.3.2000 (BGBl. I S. 333); Abs. 2 Satz 2 geänd. mWv 1.7.2008 durch G v. 12.12.2007 (BGBl. I S. 2840); Abs. 2 Satz 1 neu gef. mWv 12.10.2021 durch G v. 5.10.2021 (BGBl. I S. 4607).

(2) [1]Für das Rechtsbeschwerdeverfahren gelten die für das Revisionsverfahren maßgebenden Vorschriften sowie die Vorschrift des § 85 über die Zwangsvollstreckung entsprechend, soweit sich aus den §§ 93 bis 96 nichts anderes ergibt. [2]Für die Vertretung der Beteiligten gilt § 11 Abs. 1 bis 3 und 5 entsprechend. [3]Der Antrag kann jederzeit mit Zustimmung der anderen Beteiligten zurückgenommen werden; § 81 Abs. 2 Satz 2 und 3 ist entsprechend anzuwenden.

(3) [1]Die Einlegung der Rechtsbeschwerde hat aufschiebende Wirkung. [2]§ 85 Abs. 1 Satz 2 bleibt unberührt.

§ 92a[1)] Nichtzulassungsbeschwerde. [1]Die Nichtzulassung der Rechtsbeschwerde durch das Landesarbeitsgericht kann selbständig durch Beschwerde angefochten werden. [2]§ 72a Abs. 2 bis 7 ist entsprechend anzuwenden.

§ 92b[2)] Sofortige Beschwerde wegen verspäteter Absetzung der Beschwerdeentscheidung. [1]Der Beschluss eines Landesarbeitsgerichts nach § 91 kann durch sofortige Beschwerde angefochten werden, wenn er nicht binnen fünf Monaten nach der Verkündung vollständig abgefasst und mit den Unterschriften sämtlicher Mitglieder der Kammer versehen der Geschäftsstelle übergeben worden ist. [2]§ 72b Abs. 2 bis 5 gilt entsprechend. [3]§ 92a findet keine Anwendung.

§ 93[3)] Rechtsbeschwerdegründe. (1) [1]Die Rechtsbeschwerde kann nur darauf gestützt werden, daß der Beschluß des Landesarbeitsgerichts auf der Nichtanwendung oder der unrichtigen Anwendung einer Rechtsnorm beruht. [2]Sie kann nicht auf die Gründe des § 92b gestützt werden.

(2) § 65 findet entsprechende Anwendung.

§ 94[4)] Einlegung. (1) Für die Einlegung und Begründung der Rechtsbeschwerde gilt § 11 Abs. 4 und 5 entsprechend.

(2) [1]Die Rechtsbeschwerdeschrift muß den Beschluß bezeichnen, gegen den die Rechtsbeschwerde gerichtet ist, und die Erklärung enthalten, daß gegen diesen Beschluß die Rechtsbeschwerde eingelegt werde. [2]Die Rechtsbeschwerdebegründung muß angeben, inwieweit die Abänderung des angefochtenen Beschlusses beantragt wird, welche Bestimmungen verletzt sein sollen und worin die Verletzung bestehen soll. [3]§ 74 Abs. 2 ist entsprechend anzuwenden.

(3) [1]Die Rechtsbeschwerde kann jederzeit in der für ihre Einlegung vorgeschriebenen Form zurückgenommen werden. [2]Im Falle der Zurücknahme stellt der Vorsitzende das Verfahren ein. [3]Er gibt hiervon den Beteiligten Kenntnis, soweit ihnen die Rechtsbeschwerde zugestellt worden ist.

§ 95[5)] Verfahren. [1]Die Rechtsbeschwerdeschrift und die Rechtsbeschwerdebegründung werden den Beteiligten zur Äußerung zugestellt. [2]Die Äußerung erfolgt durch Einreichung eines Schriftsatzes beim Bundesarbeitsgericht oder

---

[1)] § 92a neu gef. mWv 1.1.2005 durch G v. 9.12.2004 (BGBl. I S. 3220).

[2)] § 92b eingef. mWv 1.1.2005 durch G v. 9.12.2004 (BGBl. I S. 3220).

[3)] § 93 Abs. 2 neu gef. durch G v. 17.12.1990 (BGBl. I S. 2809); Abs. 1 Satz 2 angef. mWv 1.1. 2005 durch G v. 9.12.2004 (BGBl. I S. 3220).

[4)] § 94 Abs. 1 neu gef. mWv 1.7.2008 durch G v. 12.12.2007 (BGBl. I S. 2840).

[5)] § 95 Satz 2 geänd. mWv 1.1.2018 durch G v. 5.7.2017 (BGBl. I S. 2208).

durch Erklärung zu Protokoll der Geschäftsstelle des Landesarbeitsgerichts, das den angefochtenen Beschluß erlassen hat. [3] Geht von einem Beteiligten die Äußerung nicht rechtzeitig ein, so steht dies dem Fortgang des Verfahrens nicht entgegen. [4] § 83a ist entsprechend anzuwenden.

§ 96[1)] Entscheidung. (1) [1] Über die Rechtsbeschwerde entscheidet das Bundesarbeitsgericht durch Beschluß. [2] Die §§ 562, 563 der Zivilprozeßordnung[2)] gelten entsprechend.

(2) Der Beschluß nebst Gründen ist von sämtlichen Mitgliedern des Senats zu unterschreiben und den Beteiligten zuzustellen.

§ 96a Sprungrechtsbeschwerde. (1) [1] Gegen den das Verfahren beendenden Beschluß eines Arbeitsgerichts kann unter Übergehung der Beschwerdeinstanz unmittelbar Rechtsbeschwerde eingelegt werden (Sprungrechtsbeschwerde), wenn die übrigen Beteiligten schriftlich zustimmen und wenn sie vom Arbeitsgericht wegen grundsätzlicher Bedeutung der Rechtssache auf Antrag in dem verfahrensbeendenden Beschluß oder nachträglich durch gesonderten Beschluß zugelassen wird. [2] Der Antrag ist innerhalb einer Notfrist von einem Monat nach Zustellung des in vollständiger Form abgefaßten Beschlusses schriftlich zu stellen. [3] Die Zustimmung der übrigen Beteiligten ist, wenn die Sprungrechtsbeschwerde in dem verfahrensbeendenden Beschluß zugelassen ist, der Rechtsbeschwerdeschrift, andernfalls dem Antrag beizufügen.

(2) § 76 Abs. 2 Satz 2, 3, Abs. 3 bis 6 ist entsprechend anzuwenden.

Vierter Unterabschnitt. Beschlußverfahren in besonderen Fällen

§ 97[3)] Entscheidung über die Tariffähigkeit oder Tarifzuständigkeit einer Vereinigung. (1) In den Fällen des § 2a Abs. 1 Nr. 4 wird das Verfahren auf Antrag einer räumlich und sachlich zuständigen Vereinigung von Arbeitnehmern oder von Arbeitgebern oder der obersten Arbeitsbehörde des Bundes oder der obersten Arbeitsbehörde eines Landes, auf dessen Gebiet sich die Tätigkeit der Vereinigung erstreckt, eingeleitet.

(2) Für Verfahren nach § 2a Absatz 1 Nummer 4 ist das Landesarbeitsgericht zuständig, in dessen Bezirk die Vereinigung, über deren Tariffähigkeit oder Tarifzuständigkeit zu entscheiden ist, ihren Sitz hat.

(2a) [1] Für das Verfahren sind § 80 Absatz 1, 2 Satz 1 und Absatz 3, §§ 81, 83 Absatz 1 und 2 bis 4, §§ 83a, 84 Satz 1 und 2, § 91 Absatz 2 und §§ 92 bis 96 entsprechend anzuwenden. [2] Für die Vertretung der Beteiligten gilt § 11 Absatz 4 und 5 entsprechend.

(3) [1] Der rechtskräftige Beschluss über die Tariffähigkeit oder Tarifzuständigkeit einer Vereinigung wirkt für und gegen jedermann. [2] Die Vorschrift des § 63 über die Übersendung von Urteilen gilt entsprechend für die rechtskräftigen Beschlüsse von Gerichten für Arbeitssachen im Verfahren nach § 2a Abs. 1 Nr. 4.

[1)] § 96 Abs. 1 Satz 2 geänd. mWv 1.1.2002 durch G v. 27.7.2001 (BGBl. I S. 1887).

[2)] **beck-online, Module Arbeitsrecht Nr. 320.**

[3)] § 97 Abs. 1, 3, 4 Satz 1 und Abs. 5 geänd. durch G v. 20.12.1988 (BGBl. I S. 2312); Überschrift geänd., Abs. 2 neu gef., Abs. 2a und Abs. 3 Satz 1 eingef., Abs. 4 Satz 1 geänd. mWv 16.8.2014 durch G v. 11.8.2014 (BGBl. I S. 1348); Abs. 2a Satz 1 geänd. mWv 12.10.2021 durch G v. 5.10.2021 (BGBl. I S. 4607).

(4) [1] In den Fällen des § 2a Abs. 1 Nr. 4 findet eine Wiederaufnahme des Verfahrens auch dann statt, wenn die Entscheidung über die Tariffähigkeit oder Tarifzuständigkeit darauf beruht, daß ein Beteiligter absichtlich unrichtige Angaben oder Aussagen gemacht hat. [2] § 581 der Zivilprozeßordnung[1)] findet keine Anwendung.

(5) [1] Hängt die Entscheidung eines Rechtsstreits davon ab, ob eine Vereinigung tariffähig oder ob die Tarifzuständigkeit der Vereinigung gegeben ist, so hat das Gericht das Verfahren bis zur Erledigung des Beschlußverfahrens nach § 2a Abs. 1 Nr. 4 auszusetzen. [2] Im Falle des Satzes 1 sind die Parteien des Rechtsstreits auch im Beschlußverfahren nach § 2a Abs. 1 Nr. 4 antragsberechtigt.

§ 98[2)] Entscheidung über die Wirksamkeit einer Allgemeinverbindlicherklärung oder einer Rechtsverordnung. (1) In den Fällen des § 2a Absatz 1 Nummer 5 wird das Verfahren eingeleitet auf Antrag

1. jeder natürlichen oder juristischen Person oder
2. einer Gewerkschaft oder einer Vereinigung von Arbeitgebern,

die nach Bekanntmachung der Allgemeinverbindlicherklärung oder der Rechtsverordnung geltend macht, durch die Allgemeinverbindlicherklärung oder die Rechtsverordnung oder deren Anwendung in ihren Rechten verletzt zu sein oder in absehbarer Zeit verletzt zu werden.

(2) Für Verfahren nach § 2a Absatz 1 Nummer 5 ist das Landesarbeitsgericht zuständig, in dessen Bezirk die Behörde ihren Sitz hat, die den Tarifvertrag für allgemeinverbindlich erklärt hat oder die Rechtsverordnung erlassen hat.

(3) [1] Für das Verfahren sind § 80 Absatz 1, 2 Satz 1 und Absatz 3, §§ 81, 83 Absatz 1 und 2 bis 4, §§ 83a, 84 Satz 1 und 2, § 91 Absatz 2 und §§ 92 bis 96 entsprechend anzuwenden. [2] Für die Vertretung der Beteiligten gilt § 11 Absatz 4 und 5 entsprechend. [3] In dem Verfahren ist die Behörde, die den Tarifvertrag für allgemeinverbindlich erklärt hat oder die Rechtsverordnung erlassen hat, Beteiligte.

(4) [1] Der rechtskräftige Beschluss über die Wirksamkeit einer Allgemeinverbindlicherklärung oder einer Rechtsverordnung wirkt für und gegen jedermann. [2] Rechtskräftige Beschlüsse von Gerichten für Arbeitssachen im Verfahren nach § 2a Absatz 1 Nummer 5 sind alsbald der obersten Arbeitsbehörde des Bundes in vollständiger Form abschriftlich zu übersenden oder elektronisch zu übermitteln. [3] Soweit eine Allgemeinverbindlicherklärung oder eine Rechtsverordnung rechtskräftig als wirksam oder unwirksam festgestellt wird, ist die Entscheidungsformel durch die oberste Arbeitsbehörde des Bundes im Bundesanzeiger bekannt zu machen.

(5) [1] In den Fällen des § 2a Absatz 1 Nummer 5 findet eine Wiederaufnahme des Verfahrens auch dann statt, wenn die Entscheidung über die Wirksamkeit einer Allgemeinverbindlicherklärung oder einer Rechtsverordnung darauf beruht, dass ein Beteiligter absichtlich unrichtige Angaben oder Aussagen gemacht hat. [2] § 581 der Zivilprozessordnung[1)] findet keine Anwendung.

[1)] **beck-online, Module Arbeitsrecht Nr. 320.**

[2)] § 98 eingef. mWv 16.8.2014 durch G v. 11.8.2014 (BGBl. I S. 1348); Abs. 6 neu gef. mWv 8.9. 2017 durch G v. 1.9.2017 (BGBl. I S. 3356); Abs. 3 Satz 1 geänd. mWv 12.10.2021 durch G v. 5.10. 2021 (BGBl. I S. 4607).

(6) [1]Hängt die Entscheidung eines Rechtsstreits davon ab, ob eine Allgemeinverbindlicherklärung oder eine Rechtsverordnung wirksam ist und hat das Gericht ernsthafte Zweifel nichtverfassungsrechtlicher Art an der Wirksamkeit der Allgemeinverbindlicherklärung oder der Rechtsverordnung, so hat das Gericht das Verfahren bis zur Erledigung des Beschlussverfahrens nach § 2a Absatz 1 Nummer 5 auszusetzen. [2]Setzt ein Gericht für Arbeitssachen nach Satz 1 einen Rechtsstreit über den Leistungsanspruch einer gemeinsamen Einrichtung aus, hat das Gericht auf deren Antrag den Beklagten zur vorläufigen Leistung zu verpflichten. [3]Die Anordnung unterbleibt, wenn das Gericht die Allgemeinverbindlicherklärung oder die Rechtsverordnung nach dem bisherigen Sach- und Streitstand für offensichtlich unwirksam hält oder der Beklagte glaubhaft macht, dass die vorläufige Leistungspflicht ihm einen nicht zu ersetzenden Nachteil bringen würde. [4]Auf die Entscheidung über die vorläufige Leistungspflicht finden die Vorschriften über die Aussetzung entsprechend Anwendung; die Entscheidung ist ein Vollstreckungstitel gemäß § 794 Absatz 1 Nummer 3 der Zivilprozessordnung[1]. [5]Auch außerhalb eines Beschwerdeverfahrens können die Parteien die Änderung oder Aufhebung der Entscheidung über die vorläufige Leistungspflicht wegen veränderter oder im ursprünglichen Verfahren ohne Verschulden nicht geltend gemachter Umstände beantragen. [6]Ergeht nach Aufnahme des Verfahrens eine Entscheidung, gilt § 717 der Zivilprozessordnung[1] entsprechend. [7]Im Falle des Satzes 1 sind die Parteien des Rechtsstreits auch im Beschlussverfahren nach § 2a Absatz 1 Nummer 5 antragsberechtigt.

§ 99[2] Entscheidung über den nach § 4a Absatz 2 Satz 2 des Tarifvertragsgesetzes im Betrieb anwendbaren Tarifvertrag. (1) In den Fällen des

(Fortsetzung nächstes Blatt)

[1] **beck-online, Module Arbeitsrecht Nr. 320.**
[2] § 99 eingef. mWv 10.7.2015 durch G v. 3.7.2015 (BGBl. I S. 1130).

§ 2a Absatz 1 Nummer 6 wird das Verfahren auf Antrag einer Tarifvertragspartei eines kollidierenden Tarifvertrags eingeleitet.

(2) Für das Verfahren sind die §§ 80 bis 82 Absatz 1 Satz 1, die §§ 83 bis 84 und 87 bis 96a entsprechend anzuwenden.

(3) Der rechtskräftige Beschluss über den nach § 4a Absatz 2 Satz 2 des Tarifvertragsgesetzes[1] im Betrieb anwendbaren Tarifvertrag wirkt für und gegen jedermann.

(4) [1] In den Fällen des § 2a Absatz 1 Nummer 6 findet eine Wiederaufnahme des Verfahrens auch dann statt, wenn die Entscheidung über den nach § 4a Absatz 2 Satz 2 des Tarifvertragsgesetzes im Betrieb anwendbaren Tarifvertrag darauf beruht, dass ein Beteiligter absichtlich unrichtige Angaben oder Aussagen gemacht hat. [2] § 581 der Zivilprozessordnung[2] findet keine Anwendung.

§ 100[3] Entscheidung über die Besetzung der Einigungsstelle. (1) [1] In den Fällen des § 76 Abs. 2 Satz 2 und 3 des Betriebsverfassungsgesetzes[4] entscheidet der Vorsitzende allein. [2] Wegen fehlender Zuständigkeit der Einigungsstelle können die Anträge nur zurückgewiesen werden, wenn die Einigungsstelle offensichtlich unzuständig ist. [3] Für das Verfahren gelten die §§ 80 bis 84 entsprechend. [4] Die Einlassungs- und Ladungsfristen betragen 48 Stunden. [5] Ein Richter darf nur dann zum Vorsitzenden der Einigungsstelle bestellt werden, wenn aufgrund der Geschäftsverteilung ausgeschlossen ist, dass er mit der Überprüfung, der Auslegung oder der Anwendung des Spruchs der Einigungsstelle befasst wird. [6] Der Beschluss des Vorsitzenden soll den Beteiligten innerhalb von zwei Wochen nach Eingang des Antrags zugestellt werden; er ist den Beteiligten spätestens innerhalb von vier Wochen nach diesem Zeitpunkt zuzustellen.

(2) [1] Gegen die Entscheidungen des Vorsitzenden findet die Beschwerde an das Landesarbeitsgericht statt. [2] Die Beschwerde ist innerhalb einer Frist von zwei Wochen einzulegen und zu begründen. [3] Für das Verfahren gelten § 87 Abs. 2 und 3 und die §§ 88 bis 90 Abs. 1 und 2 sowie § 91 Abs. 1 und 2 entsprechend mit der Maßgabe, dass an die Stelle der Kammer des Landesarbeitsgerichts der Vorsitzende tritt. [4] Gegen dessen Entscheidungen findet kein Rechtsmittel statt.

Vierter Teil. Schiedsvertrag in Arbeitsstreitigkeiten

§ 101[5] Grundsatz. (1) Für bürgerliche Rechtsstreitigkeiten zwischen Tarifvertragsparteien aus Tarifverträgen oder über das Bestehen oder Nichtbestehen von Tarifverträgen können die Parteien des Tarifvertrags die Arbeitsgerichtsbarkeit allgemein oder für den Einzelfall durch die ausdrückliche Vereinbarung ausschließen, daß die Entscheidung durch ein Schiedsgericht erfolgen soll.

(2) [1] Für bürgerliche Rechtsstreitigkeiten aus einem Arbeitsverhältnis, das sich *nach einem* Tarifvertrag bestimmt, können die Parteien des Tarifvertrags die Arbeitsgerichtsbarkeit im Tarifvertrag durch die ausdrückliche Vereinbarung aus-

---

[1] Nr. **504**.

[2] **beck-online, Module Arbeitsrecht Nr. 320.**

[3] Früherer § 98 wird § 99 mWv 16.8.2014 durch G v. 11.8.2014 (BGBl. I S. 1348); bish. § 99 wird § 100 mWv 10.7.2015 durch G v. 3.7.2015 (BGBl. I S. 1130).

[4] Nr. **570**.

[5] § 101 Abs. 2 Satz 1 geänd. mWv 1.8.2013 durch G v. 20.4.2013 (BGBl. I S. 868).

schließen, daß die Entscheidung durch ein Schiedsgericht erfolgen soll, wenn der persönliche Geltungsbereich des Tarifvertrags überwiegend Bühnenkünstler, Filmschaffende oder Artisten umfaßt. [2] Die Vereinbarung gilt nur für tarifgebundene Personen. [3] Sie erstreckt sich auf Parteien, deren Verhältnisse sich aus anderen Gründen nach dem Tarifvertrag regeln, wenn die Parteien dies ausdrücklich und schriftlich vereinbart haben; der Mangel der Form wird durch Einlassung auf die schiedsgerichtliche Verhandlung zur Hauptsache geheilt.

(3) Die Vorschriften der Zivilprozeßordnung über das schiedsrichterliche Verfahren finden in Arbeitssachen keine Anwendung.

§ 102[1)] Prozeßhindernde Einrede. (1) Wird das Arbeitsgericht wegen einer Rechtsstreitigkeit angerufen, für die die Parteien des Tarifvertrages einen Schiedsvertrag geschlossen haben, so hat das Gericht die Klage als unzulässig abzuweisen, wenn sich der Beklagte auf den Schiedsvertrag beruft.

(2) Der Beklagte kann sich nicht auf den Schiedsvertrag berufen,

1. wenn in einem Falle, in dem die Streitparteien selbst die Mitglieder des Schiedsgerichts zu ernennen haben, der Kläger dieser Pflicht nachgekommen ist, der Beklagte die Ernennung aber nicht binnen einer Woche nach der Aufforderung des Klägers vorgenommen hat;
2. wenn in einem Falle, in dem nicht die Streitparteien, sondern die Parteien des Schiedsvertrags die Mitglieder des Schiedsgerichts zu ernennen haben, das Schiedsgericht nicht gebildet ist und die den Parteien des Schiedsvertrags von dem Vorsitzenden des Arbeitsgerichts gesetzte Frist zur Bildung des Schiedsgerichts fruchtlos verstrichen ist;
3. wenn das nach dem Schiedsvertrag gebildete Schiedsgericht die Durchführung des Verfahrens verzögert und die ihm von dem Vorsitzenden des Arbeitsgerichts gesetzte Frist zur Durchführung des Verfahrens fruchtlos verstrichen ist;
4. wenn das Schiedsgericht den Parteien des streitigen Rechtsverhältnisses anzeigt, daß die Abgabe eines Schiedsspruchs unmöglich ist.

(3) In den Fällen des Absatzes 2 Nummern 2 und 3 erfolgt die Bestimmung der Frist auf Antrag des Klägers durch den Vorsitzenden des Arbeitsgerichts, das für die Geltendmachung des Anspruchs zuständig wäre.

(4) Kann sich der Beklagte nach Absatz 2 nicht auf den Schiedsvertrag berufen, so ist eine schiedsrichterliche Entscheidung des Rechtsstreits auf Grund des Schiedsvertrags ausgeschlossen.

§ 103 Zusammensetzung des Schiedsgerichts. (1) [1] Das Schiedsgericht muß aus einer gleichen Zahl von Arbeitnehmern und von Arbeitgebern bestehen; außerdem können ihm Unparteiische angehören. [2] Personen, die infolge Richterspruchs die Fähigkeit zur Bekleidung öffentlicher Ämter nicht besitzen, dürfen ihm nicht angehören.

(2) Mitglieder des Schiedsgerichts können unter denselben Voraussetzungen abgelehnt werden, die zur Ablehnung eines Richters berechtigen.

(3) [1] Über die Ablehnung beschließt die Kammer des Arbeitsgerichts, das für die Geltendmachung des Anspruchs zuständig wäre. [2] Vor dem Beschluß sind die Streitparteien und das abgelehnte Mitglied des Schiedsgerichts zu hören. [3] Der

[1)] § 102 Abs. 1 und 4 neu gef. und Abs. 2 geänd. durch G v. 17.12.1990 (BGBl. I S. 2847)

Vorsitzende des Arbeitsgerichts entscheidet, ob sie mündlich oder schriftlich zu hören sind. [4]Die mündliche Anhörung erfolgt vor der Kammer. [5]Gegen den Beschluß findet kein Rechtsmittel statt.

§ 104 Verfahren vor dem Schiedsgericht. Das Verfahren vor dem Schiedsgericht regelt sich nach den §§ 105 bis 110 und dem Schiedsvertrag, im übrigen nach dem freien Ermessen des Schiedsgerichts.

§ 105[1)] Anhörung der Parteien. (1) Vor der Fällung des Schiedsspruchs sind die Streitparteien zu hören.

(2) [1]Die Anhörung erfolgt mündlich. [2]Die Parteien haben persönlich zu erscheinen oder sich durch einen mit schriftlicher Vollmacht versehenen Bevollmächtigten vertreten zu lassen. [3]Die Beglaubigung der Vollmachtsurkunde kann nicht verlangt werden. [4]Die Vorschrift des § 11 Abs. 1 bis 3 gilt entsprechend, soweit der Schiedsvertrag nicht anderes bestimmt.

(3) Bleibt eine Partei in der Verhandlung unentschuldigt aus oder äußert sie sich trotz Aufforderung nicht, so ist der Pflicht zur Anhörung genügt.

§ 106[2)] Beweisaufnahme. (1) [1]Das Schiedsgericht kann Beweise erheben, soweit die Beweismittel ihm zur Verfügung gestellt werden. [2]Zeugen und Sachverständige kann das Schiedsgericht nicht beeidigen, eidesstattliche Versicherungen nicht verlangen oder entgegennehmen.

(2) [1]Hält das Schiedsgericht eine Beweiserhebung für erforderlich, die es nicht vornehmen kann, so ersucht es um die Vornahme den Vorsitzenden desjenigen Arbeitsgerichts oder, falls dies aus Gründen der örtlichen Lage zweckmäßiger ist, dasjenige Amtsgericht, in dessen Bezirk die Beweisaufnahme erfolgen soll. [2]Entsprechend ist zu verfahren, wenn das Schiedsgericht die Beeidigung eines Zeugen oder Sachverständigen gemäß § 58 Abs. 2 Satz 1 für notwendig oder eine eidliche Parteivernehmung für sachdienlich erachtet. [3]Die durch die Rechtshilfe entstehenden baren Auslagen sind dem Gericht zu ersetzen; § 22 Abs. 1 und § 29 des Gerichtskostengesetzes[3)] finden entsprechende Anwendung.

§ 107 Vergleich. Ein vor dem Schiedsgericht geschlossener Vergleich ist unter Angabe des Tages seines Zustandekommens von den Streitparteien und den Mitgliedern des Schiedsgerichts zu unterschreiben.

§ 108 Schiedsspruch. (1) Der Schiedsspruch ergeht mit einfacher Mehrheit der Stimmen der Mitglieder des Schiedsgerichts, falls der Schiedsvertrag nichts anderes bestimmt.

(2) [1]Der Schiedsspruch ist unter Angabe des Tages seiner Fällung von den Mitgliedern des Schiedsgerichts zu unterschreiben und muß schriftlich begründet werden, soweit die Parteien nicht auf schriftliche Begründung ausdrücklich verzichten. [2]Eine vom Verhandlungsleiter unterschriebene Ausfertigung des Schiedsspruchs ist jeder Streitpartei zuzustellen. [3]Die Zustellung kann durch eingeschriebenen Brief gegen Rückschein erfolgen.

---

1) § 105 Satz 4 geänd. mWv 1.7.2008 durch G v. 12.12.2007 (BGBl. I S. 2840).
2) § 106 Abs. 2 Satz 3 geänd. mWv 1.7.2004 durch G v. 5.5.2004 (BGBl. I S. 718).
3) Nr. **667**.

(3) [1] Eine vom Verhandlungsleiter unterschriebene Ausfertigung des Schiedsspruchs soll bei dem Arbeitsgericht, das für die Geltendmachung des Anspruchs zuständig wäre, niedergelegt werden. [2] Die Akten des Schiedsgerichts oder Teile der Akten können ebenfalls dort niedergelegt werden.

(4) Der Schiedsspruch hat unter den Parteien dieselben Wirkungen wie ein rechtskräftiges Urteil des Arbeitsgerichts.

§ 109 Zwangsvollstreckung. (1) [1] Die Zwangsvollstreckung findet aus dem Schiedsspruch oder aus einem vor dem Schiedsgericht geschlossenen Vergleich nur statt, wenn der Schiedsspruch oder der Vergleich von dem Vorsitzenden des Arbeitsgerichts, das für die Geltendmachung des Anspruchs zuständig wäre, für vollstreckbar erklärt worden ist. [2] Der Vorsitzende hat vor der Erklärung den Gegner zu hören. [3] Wird nachgewiesen, daß auf Aufhebung des Schiedsspruchs geklagt ist, so ist die Entscheidung bis zur Erledigung dieses Rechtsstreits auszusetzen.

(2) [1] Die Entscheidung des Vorsitzenden ist endgültig. [2] Sie ist den Parteien zuzustellen.

§ 110 Aufhebungsklage. (1) Auf Aufhebung des Schiedsspruchs kann geklagt werden,

1. wenn das schiedsgerichtliche Verfahren unzulässig war;
2. wenn der Schiedsspruch auf der Verletzung einer Rechtsnorm beruht;
3. wenn die Voraussetzungen vorliegen, unter denen gegen ein gerichtliches Urteil nach § 580 Nr. 1 bis 6 der Zivilprozeßordnung die Restitutionsklage zulässig wäre.

(2) Für die Klage ist das Arbeitsgericht zuständig, das für die Geltendmachung des Anspruchs zuständig wäre.

(3) [1] Die Klage ist binnen einer Notfrist von zwei Wochen zu erheben. [2] Die Frist beginnt in den Fällen des Absatzes 1 Nr. 1 und 2 mit der Zustellung des Schiedsspruchs. [3] Im Falle des Absatzes 1 Nr. 3 beginnt sie mit der Rechtskraft des Urteils, das die Verurteilung wegen der Straftat ausspricht, oder mit dem Tage, an dem der Partei bekannt geworden ist, daß die Einleitung oder die Durchführung des Verfahrens nicht erfolgen kann; nach Ablauf von zehn Jahren, von der Zustellung des Schiedsspruchs an gerechnet, ist die Klage unstatthaft.

(4) Ist der Schiedsspruch für vollstreckbar erklärt, so ist in dem der Klage stattgebenden Urteil auch die Aufhebung der Vollstreckbarkeitserklärung auszusprechen.

Fünfter Teil. Übergangs- und Schlußvorschriften

§ 111[1] Änderung von Vorschriften. (1) [1] Soweit nach anderen Rechtsvorschriften andere Gerichte, Behörden oder Stellen zur Entscheidung oder Beilegung von Arbeitssachen zuständig sind, treten an ihre Stelle die Arbeitsgerichte.

[1] § 111 Abs. 2 Satz 8 aufgeh. mWv 1.5.2000 durch G v. 30.3.2000 (BGBl. I S. 333).

[2]Dies gilt nicht für Seemannsämter, soweit sie zur vorläufigen Entscheidung von Arbeitssachen zuständig sind.

(2) [1]Zur Beilegung von Streitigkeiten zwischen Ausbildenden und Auszubildenden aus einem bestehenden Berufsausbildungsverhältnis können im Bereich des Handwerks die Handwerksinnungen, im übrigen die zuständigen Stellen im Sinne des Berufsbildungsgesetzes[1)] Ausschüsse bilden, denen Arbeitgeber und Arbeitnehmer in gleicher Zahl angehören müssen. [2]Der Ausschuß hat die Parteien mündlich zu hören. [3]Wird der von ihm gefällte Spruch nicht innerhalb einer Woche von beiden Parteien anerkannt, so kann binnen zwei Wochen nach ergangenem Spruch Klage beim zuständigen Arbeitsgericht erhoben werden. [4]§ 9 Abs. 5 gilt entsprechend. [5]Der Klage muß in allen Fällen die Verhandlung vor dem Ausschuß vorangegangen sein. [6]Aus Vergleichen, die vor dem Ausschuß geschlossen sind, und aus Sprüchen des Ausschusses, die von beiden Seiten anerkannt sind, findet die Zwangsvollstreckung statt. [7]Die §§ 107 und 109 gelten entsprechend.

§ 112[2)] Übergangsregelungen *[bis 31.12.2026:*; Verordnungsermächtigung*]*. (1) Für Beschlussverfahren nach § 2a Absatz 1 Nummer 4, die bis zum Ablauf des 15. August 2014 anhängig gemacht worden sind, gilt § 97 in der an diesem Tag geltenden Fassung bis zum Abschluss des Verfahrens durch einen rechtskräftigen Beschluss fort.

(2) § 43 des Einführungsgesetzes zum Gerichtsverfassungsgesetz[3)] gilt entsprechend.

[Abs. 3 bis 31.12.2035:]

(3) [1]Dokumente und Aktenteile, die nach den Verschlusssachenanweisungen des Bundes oder der Länder als Verschlusssache höher als VS-NUR FÜR DEN DIENSTGEBRAUCH eingestuft sind, dürfen abweichend von den §§ 46c bis 46f bis zum 31. Dezember 2035 in Papierform erstellt, geführt und übermittelt werden. [2]Dokumente und Aktenteile, die nach den Verschlusssachenanweisungen des Bundes oder der Länder als Verschlusssache VS-NUR FÜR DEN DIENSTGEBRAUCH eingestuft sind, dürfen bis zum 31. Dezember 2035 abweichend von den §§ 46c bis 46f in Papierform übermittelt werden. [3]Die für die Handhabung von Verschlusssachen geltenden Geheimschutzvorschriften bleiben unberührt.

[Abs. 4 bis 31.12.2026:]

(4) [1]Die Bundesregierung und die Landesregierungen können jeweils für ihren Bereich durch Rechtsverordnung bestimmen, dass Akten abweichend von § 46e Absatz 1 Satz 1 und Absatz 3 Satz 1 bis einschließlich 31. Dezember 2026 in Papierform angelegt sowie von anderer Stelle bis einschließlich 31. Dezember 2026 übermittelte elektronische Akten in Papierform geführt oder weitergeführt werden. [2]Die Bestimmung kann auf einzelne Gerichte oder Verfahren beschränkt werden; wird von dieser Möglichkeit Gebrauch gemacht, so

---

1) Nr. **415**.

2) § 112 eingef. mWv 16.8.2014 durch G v. 11.8.2014 (BGBl. I S. 1348); Überschrift neu gef., Abs. 2 angef. mWv 19.10.2017 durch G v. 8.10.2017 (BGBl. I S. 3546); Überschrift geänd., Abs. 3 und 4 angef. mWv 17.7.2024; Abs. 3 aufgeh. mWv 1.1.2036 durch G v. 12.7.2024 (BGBl. 2024 I Nr. 234, geänd. mWv 12.12.2025 durch G v. 8.12.2025, BGBl. 2025 I Nr. 319); Abs. 5 angef. mWv 12.12.2025, Abs. 4 aufgeh., bish. Abs. 5 wird Abs. 4 und Satz 1 geänd. mWv 1.1.2026, Überschrift neu gef., Abs. 4 aufgeh. mWv 1.1.2027 durch G v. 8.12.2025 (BGBl. 2025 I Nr. 319).

3) **Habersack Nr. 95a.**

kann in der Rechtsverordnung bestimmt werden, dass durch Verwaltungsvorschrift, die öffentlich bekanntzumachen ist, geregelt wird, in welchen Verfahren Akten in Papierform angelegt oder elektronisch übermittelte Akten in Papierform geführt oder weitergeführt werden. [3] Die Rechtsverordnung der Bundesregierung bedarf nicht der Zustimmung des Bundesrates. [4] Die Bundesregierung kann die in Satz 1 genannte Ermächtigung durch Rechtsverordnung auf die zuständigen Bundesministerien übertragen. [5] Die Landesregierungen können die in Satz 1 genannte Ermächtigung durch Rechtsverordnung auf die für die Arbeitsgerichtsbarkeit zuständigen obersten Landesbehörden übertragen.

§ 113[1)] Berichterstattung. Die Bundesregierung berichtet dem Deutschen Bundestag bis zum 8. September 2020 über die Auswirkungen der vorläufigen Leistungspflicht nach § 98 Absatz 6 Satz 2 und gibt eine Einschätzung dazu ab, ob die Regelung fortbestehen soll.

§ 114[2)] *(aufgehoben)*

§§ 115, 116 (weggefallen)

§ 117[3)] [Verfahren bei Meinungsverschiedenheiten der beteiligten Verwaltungen] Soweit in den Fällen der §§ 40 und 41 das Einvernehmen nicht erzielt wird, entscheidet die Bundesregierung.

§§ 118 bis 120 (weggefallen)

§§ 121–122[4)] *(aufgehoben)*

Anl. 1 und 2.[5)] *(aufgehoben)*

[1)] § 113 eingef. mWv 8.9.2017 durch G v. 1.9.2017 (BGBl. I S. 3356).
[2)] § 114 aufgeh. mWv 1.1.2021 durch G v. 20.5.2020 (BGBl. I S. 1055).
[3)] *§ 117 neu gef. mWv 1.5.2000 durch G v. 30.3.2000* (BGBl. I S. 333).
[4)] §§ 121–122 aufgeh. mWv 25.4.2006 durch G v. 19.4.2006 (BGBl. I S. 866).
[5)] Anl. 1 und 2 aufgeh. mWv 1.7.2004 durch G v. 5.5.2004 (BGBl. I S. 718).

661. Übersicht über Ländervorschriften zum Arbeitsgerichtsgesetz[1)]

Baden-Württemberg

Gesetz über die Gerichte für Arbeitssachen vom 11. April 1972 (GBl. S. 134), zuletzt geänd. durch G v. 24.10.2017 (GBl. S. 560).

Verordnung des Justizministeriums über die Dienstaufsicht bei den Gerichten für Arbeitssachen (ArbGDaVO) vom 12.Mai 1995 (GBl. S. 456), geänd. durch VO v. 29.10.2004 (GBl. S. 810).

Verordnung der Landesregierung zur Übertragung von Ermächtigungen im Bereich der Rechtspflege (Subdelegationsverordnung Justiz - SubVOJu) vom 2. April 2019 (GBl. S. 109), zuletzt geänd. durch VO v. 15.4.2026 (GBl. Nr. 46).

Verordnung des Sozialministeriums zur Delegation der Zuständigkeit zur Berufung der ehrenamtlichen Richterinnen und Richter in der Arbeitsgerichtsbarkeit vom 5. November 2002 (GBl. S. 465).

Bayern

Gesetz über die Organisation der Gerichte für Arbeitssachen im Freistaat Bayern (ArbGOrgG) vom 12. Juni 1973 (BayRS VI), zuletzt geänd. durch G v. 9.1.2018 (GVBl. S. 2).

Verordnung über die Abhaltung von Gerichtstagen der Gerichte für Arbeitssachen vom 20. Juni 1973 (BayRS IV 1983 S. 558), zuletzt geänd. durch V v. 20.5.2025 (GVBl. S. 165).

Verordnung zur Übertragung der Dienstaufsicht auf die Gerichte für Arbeitssachen vom 12. Juni 1973 (BayRS VI), zuletzt geänd. durch V v. 26.3.2019 (GVBl. S. 98).

Verordnung über die Geschäftsstellen der Gerichte für Arbeitssachen (GStVO-ArbG) vom 14. Dezember 1982 (BayRS IV S. 559).

Berlin

Gesetz über die Justiz im Land Berlin (Justizgesetz Berlin - JustG Bln) vom 22. Januar 2021 (GVBl. S. 75), zuletzt geänd. durch G v. 11.12.2025 (GVBl. S. 590).

Ausführungsgesetz zum Arbeitsgerichtsgesetz (AG ArbGG) vom 2. Oktober 1980 (GVBl. S. 2196), aufgeh. durch G v. 22.1.2021 (GVBl. S. 88).[2)]

Verordnung über die Bildung von Fachkammern beim Arbeitsgericht Berlin vom 10. Dezember 1996 (GVBl. S. 519).

Verordnung zur Übertragung von Ermächtigungen auf dem Gebiet der Arbeitsgerichtsbarkeit vom 9. November 1961 (GVBl. S. 1620), zuletzt geänd. durch G. v. 15.12.1965 (GVBl. S. 1955).

[1)] Die Übersicht ist nichtamtlich. Die Vorschriften sind vollständig wiedergegeben in **beck-online, Module Arbeitsrecht.**

[2)] **Aufgehoben mit Ablauf des 31.7.2021** durch G v. 22.1.2021 (GVBl. S. 75, 88). Gem. § 2 dieses G bleibt die Vorschrift auf Rechtsverhältnisse und Sachverhalte anwendbar, die während ihrer Geltung ganz oder zum Teil bestanden haben oder entstanden sind; besondere Rechtsvorschriften zu Übergangsregelungen bleiben unberührt.

Verordnung über den elektronischen Rechtsverkehr mit der Arbeitsgerichtsbarkeit im Land Berlin (ERVArbeitV) vom 12. März 2010 (GVBl. S. 170), aufgeh. durch G v. 22.1.2021 (GVBl. S. 88).[1)]

Verordnung zur Übertragung der Geschäfte der Verwaltung und Dienstaufsicht auf die Präsidentin/den Präsidenten des Landesarbeitsgerichts Berlin-Brandenburg vom 24. Oktober 2006 (GVBl. S. 1095), zuletzt geänd. durch VO v. 16.7. 2009 (GVBl. S. 389).

Brandenburg

Gesetz zur Errichtung der Arbeitsgerichtsbarkeit im Land Brandenburg vom 21. Juni 1991 (GVBl. S. 186), zuletzt geänd. durch G v. 8.6.2021 (GVBl. I Nr. 13).

Staatsvertrag über die Errichtung gemeinsamer Fachobergerichte der Länder Berlin und Brandenburg vom 26. April 2004, geänd. durch StV v. 7.2.2011 (GVBl. S. 255).

Bremen

Gesetz über die Arbeitsgerichtsbarkeit vom 16. November 2004 (Brem.GBl. S. 579), geänd. durch G v. 26.2.2025 (Brem.GBl. S. 58).

Verordnung zur Übertragung der Geschäfte der Verwaltung und Dienstaufsicht nach dem Arbeitsgerichtsgesetz vom 2. April 2001 (Brem.GBl. S. 69), zuletzt geänd. durch VO v. 21.12.2004 (Brem.GBl. S. 622).

Anordnung über die Bildung von Beratungsausschüssen für die Ernennung von Vorsitzenden der Arbeitsgerichte und von Berufsrichtern der Sozialgerichte im Lande Bremen vom 22. Dezember 2004 (Brem.ABl. S. 1011), geänd. durch Bek. v. 24.1.2012 (Brem.GBl. S. 24).

Verordnung über die Pflicht zur Nutzung des elektronischen Rechtsverkehrs für die Fachgerichtsbarkeiten mit Ausnahme des Landessozialgerichts Niedersachsen-Bremen und der Verwaltungsgerichtsbarkeit zum 1. Januar 2021[2)] vom 8. Dezember 2020 (Brem.GBl. S. 1666).

Hamburg

Hamburgisches Ausführungsgesetz zum Arbeitsgerichtsgesetz vom 2. Oktober 1953 (BS Hbg I)

Verordnung zur Übertragung von Geschäften der Verwaltung und Dienstaufsicht auf den Präsidenten des Landesarbeitsgerichts vom 7. Juni 2005 (HmbGVBl. S. 227, ber. S. 246), zuletzt geänd. durch VO v. 6.10.2020 (HmbGVBl. S. 523).

Verordnung über den Beratenden Ausschuss nach § 18 des Arbeitsgerichtsgesetzes vom 13. Oktober 1953 (BS Hbg I), zuletzt geänd. durch VO v. 31.8. 1965 (HmbGVBl. S. 144).

[1)] **Aufgehoben mit Ablauf des 31.7.2021** durch G v. 22.1.2021 (GVBl. S. 75, 88). Gem. § 2 dieses G bleibt die Vorschrift auf Rechtsverhältnisse und Sachverhalte anwendbar, die während ihrer Geltung ganz oder zum Teil bestanden haben oder entstanden sind; besondere Rechtsvorschriften zu Übergangsregelungen bleiben unberührt.

[2)] **Diese Verordnung trat mit Ablauf des 31.12.2021 außer Kraft**, vgl. § 5 Satz 2.

Hessen

Hessisches Ausführungsgesetz zum Arbeitsgerichtsgesetz idF der Bek. vom 7. März 2005 (GVBl. I S. 244), geänd. durch G v. 16.2.2023 (GVBl. S. 83).

Verordnung über die Besetzung der Geschäftsstellen der Arbeitsgerichte mit Urkundsbeamten und über die Wahrnehmung von Aufgaben des Urkundsbeamten der Geschäftsstelle vom 9. Februar 1981 (GVBl. I S. 43).

Verordnung über die Amtstracht bei den ordentlichen Gerichten, den Gerichten der allgemeinen Verwaltungsgerichtsbarkeit, den Gerichten für Arbeitssachen, den Gerichten der Sozialgerichtsbarkeit und dem Hessischen Finanzgericht vom 13. August 2002 (GVBl. I S. 541), zuletzt geänd. durch VO v. 28.10. 2020 (GVBl. S. 773).

Mecklenburg-Vorpommern

Gerichtsstrukturgesetz idF der Bek. vom 7. April 1998 (GVOBl. M-V S. 444, ber. S. 549), zuletzt geänd. durch G v. 11.11.2013 (GVOBl. M-V S. 609).

Gesetz zur Ausführung des Gerichtsstrukturgesetzes vom 10. Juni 1992 (GVOBl. M-V S. 314, ber. S. 363), zuletzt geänd. durch G v. 9.12.2022 (GVOBl. M-V S. 587).

Landesverordnung zur Delegation zum Erlass von Rechtsverordnungen im Bereich der Justiz (Subdelegationslandesverordnung Justiz - SubLVOJu M-V) vom 19. Juni 2019 (GVOBl. M-V S. 203, ber. S. 553), zuletzt geänd. durch VO v. 9.10.2025 (GVOBl. M-V S. 600).

Verordnung zur Übertragung der Zuständigkeit zur Berufung der ehrenamtlichen Richter in der Arbeitsgerichtsbarkeit vom 16. Oktober 2000 (GVOBl. M-V S. 530).

Niedersachsen

Niedersächsisches Justizgesetz (NJG) vom 16. Dezember 2014 (Nds. GVBl. S. 436), zuletzt geänd. durch G v. 3.3.2026 (Nds. GVBl. Nr. 19).

Nordrhein-Westfalen

Gesetz über die Justiz im Land Nordrhein-Westfalen (Justizgesetz Nordrhein-Westfalen - JustG NRW) vom 26. Januar 2010 (GV. NRW. S. 30), zuletzt geänd. durch G v. 10.12.2024 (GV. NRW. S. 1207).

Verordnung zur Übertragung richterlicher Aufgaben in der Arbeitsgerichtsbarkeit vom 22. Oktober 2014 (GV. NRW. S. 678), geänd. durch VO v. 2.10.2019 (GV. NRW. S. 758).

Verordnung über Zuständigkeiten in der Justiz (Justizzuständigkeitsverordnung – JuZuVO) vom 4. Dezember 2024 (GV. NRW. S. 1144), zuletzt geänd. durch VO v. 27.1.2026 (GV. NRW. S. 121).

Rheinland-Pfalz

Landesgesetz über die Gliederung und die Bezirke der Gerichte (Gerichtsorganisationsgesetz - GerOrgG -) vom 5. Oktober 1977 (GVBl. S. 333), zuletzt geänd. durch G v. 20.12.2024 (GVBl. S. 485).

Landesverordnung über die Gerichtstage in der Arbeitsgerichtsbarkeit vom 12. Januar 1983 (GVBl. S. 26); zuletzt geänd. durch VO v. 25.1.2018 (GVBl. S. 18).

Saarland

Gesetz über die Gerichte für Arbeitssachen im Saarland idF der Bek. vom 4. Dezember 1975 (Amtsbl. S. 1230), geänd. durch G v. 24.10.2017 (Amtsbl. I S. 1005).

Verordnung zur Übertragung von Geschäften der Verwaltung und der Dienstaufsicht für die Gerichte für Arbeitssachen vom 24. November 1960 (Amtsbl. S. 916).

Verordnung zur Übertragung der Ermächtigung zum Erlaß von Rechtsverordnungen im Bereich der Arbeitsgerichtsbarkeit vom 20. Juli 1960 (Amtsbl. S. 621), geänd. durch VO v. 24.1.2006 (Amtsbl. S. 174).

Sachsen

Gesetz über die Justiz im Freistaat Sachsen (Sächsisches Justizgesetz - SächsJG) vom 24. November 2000 (SächsGVBl. S. 482, ber. 2001 S. 704), zuletzt geänd. durch G v. 15.12.2022 (SächsGVBl. S. 626).

Sachsen-Anhalt

Gesetz über die Gerichte für Arbeitssachen vom 23. August 1991 (GVBl. LSA S. 287), zuletzt geänd. durch G v. 8.3.2021 (GVBl. LSA S. 88).

Schleswig-Holstein

Landesjustizgesetz (LJG) vom 17.4.2018 (GVOBl. Schl.-H. S. 231, ber. S. 441), zuletzt geänd. durch G v. 9.12.2025 (GVOBl. Schl.-H. Nr. 180).

Landesverordnung über die Pflicht zur Nutzung des elektronischen Rechtsverkehrs[1] vom 13. Dezember 2019 (GVOBl. Schl.-H. S. 782).

Landesverordnung zur Bestimmung von Zuständigkeiten in der Justiz (Justizzuständigkeitsverordnung - JZVO) vom 15. November 2019 (GVOBl. Schl.-H. S. 546, 548), zuletzt geänd. durch VO v. 30.7.2025 (GVOBl. Schl.-H. Nr. 125, 128).

Thüringen

Thüringer Gesetz zur Ausführung des Arbeitsgerichtsgesetzes (ThürAGArbGG) vom 22. Dezember 1992 (GVBl. 1993 S. 1), zuletzt geänd. durch G v. 16.10.2019 (GVBl. S. 429).

---

[1] Die VO trat mit Ablauf des 31. Dezember 2021 außer Kraft.

662. Geschäftsordnung des Bundesarbeitsgerichts

Vom 13. Juni 2003
(BAnz. S. 15401)

Geschäftsordnung des Bundesarbeitsgerichts

§ 1 Senate. (1) Die Senate führen die Bezeichnung „Erster Senat", „Zweiter Senat" usw.

(2) [1]Jeder Berufsrichter[1)] gehört mindestens einem Senat als ständiges Mitglied an. [2]Jeder Senat besteht einschließlich des Vorsitzenden aus mindestens drei Berufsrichtern[2)].

§ 2 Präsident. (1) [1]Der Präsident des Bundesarbeitsgerichts leitet und beaufsichtigt den Geschäftsgang des Gerichts. [2]Er regelt insbesondere die Verteilung der Geschäfte auf die nichtrichterlichen Beschäftigten des Gerichts.

(2) Der Präsident ist im Sinne der richter- und beamtenrechtlichen Vorschriften Vorgesetzter und Dienstvorgesetzter der nichtrichterlichen Beschäftigten und Dienstvorgesetzter der Richter.

(3) Soweit nicht gesetzliche Vorschriften oder solche Vorschriften gelten, die das zuständige Bundesministerium auf Grund von Gesetzen erlassen hat, erläßt[3)] der Präsident die Bestimmungen über die zu führenden Geschäftsbücher, Kalender, Register, Listen und Dateien.

§ 3 Vertretung des Präsidenten. (1) In Angelegenheiten, in denen die Vertretung des Präsidenten nicht gesetzlich oder durch den Geschäftsverteilungsplan geregelt ist, vertritt ihn der Vizepräsident.

(2) [1]Ist auch dieser verhindert, so wird er nach der Reihenfolge des Dienstalters durch einen Vorsitzenden Richter oder bei Verhinderung aller Vorsitzenden Richter durch einen Richter am Bundesarbeitsgericht vertreten. [2]Bei gleichem Dienstalter entscheidet das Lebensalter.

§ 4 Richterversammlung. (1) [1]Der Präsident kann eine Versammlung der Richter einberufen. [2]Auf Antrag des Präsidiums oder eines Drittels der Richter ist er hierzu verpflichtet.

(2) [1]Die Einberufungsfrist beträgt in der Regel zwei Wochen. [2]Bei der Einberufung ist die Tagesordnung mitzuteilen.

§ 5 Sitzungen. (1) Die Sitzungen der Senate sowie die Sitzungen des Großen Senats werden von den Vorsitzenden einberufen.

[1)] **Amtl. Anm.:** Soweit in dieser Geschäftsordnung Personen oder Personengruppen in der männlichen Form bezeichnet sind, geschieht dies ausschließlich aus Gründen der besseren Lesbarkeit. Gemeint sind jeweils beide Geschlechter.

[2)] Siehe aktuellen Geschäftsverteilungsplan unter www.bundesarbeitsgericht.de.

[3)] Richtig wohl: „erlässt".

(2) Sitzungen der Senate finden an den vom Präsidenten festgelegten Wochentagen statt, soweit die Umstände des Einzelfalls nicht Abweichungen erfordern.

§ 6 Geschäftsgang im Senat. Der Vorsitzende des Senats regelt den Geschäftsgang im Senat, soweit nicht gesetzlich oder auf Grund dieser Geschäftsordnung etwas anderes bestimmt ist.

§ 7 Berichterstattung. [1]Für jede Sache wird ein Berufsrichter des Senats zum Berichterstatter bestellt. [2]Es kann ein Zweitberichterstatter bestellt werden. [3]Der Berichterstatter leitet dem Vorsitzenden im Regelfall zwei Wochen, spätestens jedoch eine Woche vor dem Termin eine schriftliche Bearbeitung der Sache mit den Akten zu.

§ 8 Großer Senat. (1) Der Senat, der eine Entscheidung des Großen Senats einholen will, stellt die zu entscheidenden Rechtsfragen in einem Beschluss fest und übersendet mit diesem Beschluss auch die Akten der Rechtssache dem Vorsitzenden des Großen Senats.

(2) [1]Es werden zwei Berufsrichter zu Berichterstattern bestellt. [2]Alle Mitglieder des Großen Senats erhalten vor der Sitzung je einen Abdruck der schriftlichen Bearbeitungen der Sache.

(3) Der Große Senat entscheidet durch einen mit Gründen versehenen Beschluss.

§ 9 Ehrenamtliche Richter. (1) [1]Die ehrenamtlichen Richter sollen spätestens zwei Wochen vor der Sitzung geladen werden. [2]Die Geschäftsstelle führt die Ladung aus.

(2) Ist ein ehrenamtlicher Richter an der Teilnahme verhindert, so soll er dies sofort dem Bundesarbeitsgericht mitteilen, damit an seiner Stelle ein anderer ehrenamtlicher Richter geladen werden kann.

(3) [1]Abschriften der angefochtenen Entscheidung, der Schriftsätze und der schriftlichen Bearbeitung der Sache werden den ehrenamtlichen Richtern zur Vorbereitung der Beratung zur Verfügung gestellt. [2]Sie sind vertraulich zu behandeln.

§ 10 Beratung und Abstimmung. [1]Der Gang der Beratung, die Stimmabgaben der einzelnen Mitglieder und die von ihnen geltend gemachten Gründe werden nicht aufgezeichnet. [2]Jedes Mitglied ist jedoch berechtigt, seine von der gefassten Entscheidung abweichende Ansicht mit kurzer Begründung in den Senatsakten (§ 16) niederzulegen; die abweichenden Äußerungen sind in einem verschlossenen Umschlag ohne Namensangabe zusammen mit den Senatsakten aufzubewahren.

§ 11 Form der Entscheidungen. [1]Soweit nicht gesetzlich geregelt, bestimmt der Präsident die formale Gestaltung der Entscheidungen. [2]Beim Bundesarbeitsgericht wird ein Standardisierungskatalog geführt.

§ 12 *Tatbestand und Entscheidungsgründe.* [1]Der Berichterstatter oder im Falle seiner Verhinderung der Vorsitzende oder der andere berufsrichterliche Beisitzer fertigt einen schriftlichen Entwurf des Tatbestands und der Entscheidungsgründe. [2]Erhebt der Vorsitzende oder ein anderer Richter, der an der Entscheidung mitgewirkt hat, Bedenken und beseitigt sie der Verfasser nicht durch eine Änderung des Entwurfs, so stellt ein Senatsbeschluss die Fassung fest.

§ 13 Leitsätze. Die Berufsrichter des Senats beschließen, welchen Entscheidungen Leitsätze vorangestellt werden, und formulieren den Wortlaut.

§ 14 Siegel. Das Bundesarbeitsgericht führt zwei Siegel:
1. ein großes Bundessiegel, das nur bei förmlichen Ausfertigungen, insbesondere bei den Ausfertigungen der Urteile und der Beschlüsse im Beschlussverfahren gebraucht wird;
2. ein kleines Bundessiegel.

§ 15 Geschäftsstelle. (1) [1]Beim Bundesarbeitsgericht ist eine Geschäftsstelle eingerichtet. [2]Diese ist in Senatsgeschäftsstellen gegliedert.

(2) Der Präsident bestimmt eine der Senatsgeschäftsstellen als Geschäftsstelle des Großen Senats sowie für Angelegenheiten des Gemeinsamen Senats der obersten Gerichtshöfe des Bundes.

(3) Die Geschäftsstelle bereitet die Zuteilung der Rechtssachen gemäß dem Geschäftsverteilungsplan vor.

(4) [1]Zu den Aufgaben der Senatsgeschäftsstellen gehört es, die Senatsentscheidungen auf Rechtschreibung und sonstige formale Richtigkeit sowie auf die Berücksichtigung des Standardisierungskatalogs hin zu überprüfen. [2]In Zweifelsfällen ist Rücksprache mit den Berufsrichtern des Senats zu nehmen.

§ 16 Akten. [1]Die in Verfahren vor dem Bundesarbeitsgericht entstehenden Akten verbleiben, soweit sie Voten enthalten, 40 Jahre, im übrigen[1)] 10 Jahre beim Bundesarbeitsgericht. [2]Akten des Großen Senats werden dauernd aufbewahrt. [3]Nähere Bestimmungen über die Aufbewahrung der Akten und sonstigen Unterlagen und die weitere Behandlung nach Ablauf der Aufbewahrungsfristen trifft der Präsident.

§ 17 Bibliothek. Die Bibliothek des Bundesarbeitsgerichts beschafft, erschließt und verwaltet die benötigten fachlichen Informationen.

§ 18 Dokumentationsstelle. Die Dokumentationsstelle des Bundesarbeitsgerichts erfasst und erschließt die für das Arbeitsrecht und die Arbeitsgerichtsbarkeit bedeutsamen gerichtlichen Entscheidungen, das Schrifttum und wesentliche sonstige Dokumente.

§ 19 Inkrafttreten. (1) [1]Diese Geschäftsordnung tritt mit Beginn des zweiten auf die Bestätigung durch den Bundesrat[2)] folgenden Kalendermonats in Kraft. [2]Zugleich tritt die Geschäftsordnung vom 9. November 1984 außer Kraft.

(2) Die Geschäftsordnung wird im Bundesanzeiger bekannt gemacht.

[1)] Richtig wohl: „Übrigen".

[2)] Die vom Präsidium des Bundesarbeitsgerichts am 22. August 2001 beschlossene und am 28. November 2002 geänderte Geschäftsordnung des Bundesarbeitsgerichts ist vom Bundesrat in seiner 787. Sitzung am 11. April 2003 bestätigt worden.

663. Verwaltungsgerichtsordnung (VwGO)

In der Fassung der Bekanntmachung vom 19. März 1991[1)]
(BGBl. I S. 686)

FNA 340-1

zuletzt geänd. durch Art. 12a GEAS-Anpassungsgesetz v. 23.4.2026 (BGBl. 2026 I Nr. 111)

– Auszug –[2)]

Teil I. Gerichtsverfassung

6. Abschnitt. Verwaltungsrechtsweg und Zuständigkeit

§ 40[3) 4)] **[Zulässigkeit des Verwaltungsrechtsweges]** (1) [1]Der Verwaltungsrechtsweg ist in allen öffentlich-rechtlichen Streitigkeiten nichtverfassungsrechtlicher Art gegeben, soweit die Streitigkeiten nicht durch Bundesgesetz einem anderen Gericht ausdrücklich zugewiesen sind. [2]Öffentlich-rechtliche Streitigkeiten auf dem Gebiet des Landesrechts können einem anderen Gericht auch durch Landesgesetz zugewiesen werden.

(2) [1]Für vermögensrechtliche Ansprüche aus Aufopferung für das gemeine Wohl und aus öffentlich-rechtlicher Verwahrung sowie für Schadensersatzansprüche aus der Verletzung öffentlich-rechtlicher Pflichten, die nicht auf einem öffentlich-rechtlichen Vertrag beruhen, ist der ordentliche Rechtsweg gegeben; dies gilt nicht für Streitigkeiten über das Bestehen und die Höhe eines Ausgleichsanspruchs im Rahmen des Artikels 14 Abs. 1 Satz 2 des Grundgesetzes[5)]. [2]Die besonderen Vorschriften des Beamtenrechts sowie über den Rechtsweg bei Ausgleich von Vermögensnachteilen wegen Rücknahme rechtswidriger Verwaltungsakte bleiben unberührt.

§ 41 (weggefallen)

§ 42 [Anfechtungs- und Verpflichtungsklage] (1) Durch Klage kann die Aufhebung eines Verwaltungsakts (Anfechtungsklage) sowie die Verurteilung zum Erlaß eines abgelehnten oder unterlassenen Verwaltungsakts (Verpflichtungsklage) begehrt werden.

(2) Soweit gesetzlich nichts anderes bestimmt ist, ist die Klage nur zulässig, wenn der Kläger geltend macht, durch den Verwaltungsakt oder seine Ablehnung oder Unterlassung in seinen Rechten verletzt zu sein.

§ 43 [Feststellungsklage] (1) Durch Klage kann die Feststellung des Bestehens oder Nichtbestehens eines Rechtsverhältnisses oder der Nichtigkeit eines Verwaltungsakts begehrt werden, wenn der Kläger ein berechtigtes Interesse an der baldigen Feststellung hat (Feststellungsklage).

[1)] Neubekanntmachung der VwGO v. 21.1.1960 (BGBl. I S. 17) in der ab 1.1.1991 geltenden Fassung.

[2)] Vollständig wiedergegeben in **beck-online, Module Arbeitsrecht.**

[3)] Siehe hierzu auch §§ 17, 17a und 17b GVG (Nr. **665**).

[4)] § 40 Abs. 2 Satz 1 zweiter Halbs. angef. mWv 1.1.2002 durch G v. 20.12.2001 (BGBl. I S. 3987).

[5)] Nr. **10**.

(2) [1]Die Feststellung kann nicht begehrt werden, soweit der Kläger seine Rechte durch Gestaltungs- oder Leistungsklage verfolgen kann oder hätte verfolgen können. [2]Dies gilt nicht, wenn die Feststellung der Nichtigkeit eines Verwaltungsakts begehrt wird.

Teil V. Schluß- und Übergangsbestimmungen

§ 187[1)] [Disziplinar-, Schieds- und Berufsgerichtsbarkeit; Personalvertretungsrecht] (1) Die Länder können den Gerichten der Verwaltungsgerichtsbarkeit Aufgaben der Disziplinargerichtsbarkeit und der Schiedsgerichtsbarkeit bei Vermögensauseinandersetzungen öffentlich-rechtlicher Verbände übertragen, diesen Gerichten Berufsgerichte angliedern sowie dabei die Besetzung und das Verfahren regeln.

(2) Die Länder können ferner für das Gebiet des Personalvertretungsrechts von diesem Gesetz abweichende Vorschriften über die Besetzung und das Verfahren der Verwaltungsgerichte und des Oberverwaltungsgerichts erlassen.

[1)] § 187 Abs. 3 aufgeh. durch G v. 1.11.1996 (BGBl. I S. 1626).

665. Gerichtsverfassungsgesetz (GVG)

In der Fassung der Bekanntmachung vom 9. Mai 1975[1)]
(BGBl. I S. 1077)

FNA 300-2

zuletzt geänd. durch Art. 2 Abs. 6 G zur Umsetzung der RL (EU) 2017/541 zur Terrorismusbekämpfung und zur Anpassung des Strafrahmens bei geheimdienstlicher Agententätigkeit v. 20.3.2026 (BGBl. 2026 I Nr. 95)

– Auszug –[2)]

Erster Titel. Gerichtsbarkeit

§ 1 [Richterliche Unabhängigkeit] Die richterliche Gewalt wird durch unabhängige, nur dem Gesetz unterworfene Gerichte ausgeübt.

§§ 2 bis 9 (weggefallen)

§ 10 [Referendare] [1]Unter Aufsicht des Richters können Referendare Rechtshilfeersuchen erledigen und außer in Strafsachen Verfahrensbeteiligte anhören, Beweise erheben und die mündliche Verhandlung leiten. [2]Referendare sind nicht befugt, eine Beeidigung anzuordnen oder einen Eid abzunehmen.

§ 11 (weggefallen)

§ 12[3)] [Ordentliche Gerichte] Die ordentliche Gerichtsbarkeit wird durch Amtsgerichte, Landgerichte, Oberlandesgerichte und durch den Bundesgerichtshof (den obersten Gerichtshof des Bundes für das Gebiet der ordentlichen Gerichtsbarkeit) ausgeübt.

§ 13[4)] [Zuständigkeit der ordentlichen Gerichte] Vor die ordentlichen Gerichte gehören die bürgerlichen Rechtsstreitigkeiten, die Familiensachen und die Angelegenheiten der freiwilligen Gerichtsbarkeit (Zivilsachen) sowie die Strafsachen, für die nicht entweder die Zuständigkeit von Verwaltungsbehörden oder Verwaltungsgerichten begründet ist oder auf Grund von Vorschriften des Bundesrechts besondere Gerichte bestellt oder zugelassen sind.

§ 13a[5)] [Zuweisung durch Landesrecht] (1) [1]Die Landesregierungen werden ermächtigt, durch Rechtsverordnung einem Gericht für die Bezirke mehrerer Gerichte Sachen aller Art ganz oder teilweise zuzuweisen sowie auswärtige Spruchkörper von Gerichten einzurichten, sofern dies für die sachdienliche Förderung oder schnellere Erledigung von Verfahren zweckmäßig ist. [2]Die Landesregierungen können die Ermächtigung auf die Landesjustizverwaltungen übertragen. [3]Besondere Ermächtigungen der Landesregierungen zum Erlass von Rechtsverordnungen gehen vor.

[1)] Neubekanntmachung des GVG v. 27.1.1877 (RGBl. S. 41) in der seit 1.1.1975 geltenden Fassung.

[2)] Vollständig wiedergegeben in **beck-online, Module Arbeitsrecht.**

[3)] § 12 geänd. mWv 1.9.2009 durch G v. 17.12.2008 (BGBl. I S. 2586).

[4)] § 13 geänd. mWv 1.9.2009 durch G v. 17.12.2008 (BGBl. I S. 2586).

[5)] § 13a neu gef. mWv 1.1.2021 durch G v. 12.12.2019 (BGBl. I S. 2633).

(2) Mehrere Länder können die Einrichtung eines gemeinsamen Gerichts oder gemeinsamer Spruchkörper eines Gerichts oder die Ausdehnung von Gerichtsbezirken über die Landesgrenzen hinaus, auch für einzelne Sachgebiete, vereinbaren.

§§ 14, 15 *(hier nicht wiedergegeben)*

§ 16 [Ausnahmegerichte] [1] Ausnahmegerichte sind unstatthaft. [2] Niemand darf seinem gesetzlichen Richter entzogen werden.

§ 17[1)] [Rechtshängigkeit; Entscheidung des Rechtsstreits] (1) [1] Die Zulässigkeit des beschrittenen Rechtsweges wird durch eine nach Rechtshängigkeit eintretende Veränderung der sie begründenden Umstände nicht berührt. [2] Während der Rechtshängigkeit kann die Sache von keiner Partei anderweitig anhängig gemacht werden.

(2) [1] Das Gericht des zulässigen Rechtsweges entscheidet den Rechtsstreit unter allen in Betracht kommenden rechtlichen Gesichtspunkten. [2] Artikel 14 Abs. 3 Satz 4 und Artikel 34 Satz 3 des Grundgesetzes bleiben unberührt.

§ 17a[2)] [Rechtsweg] (1) Hat ein Gericht den zu ihm beschrittenen Rechtsweg rechtskräftig für zulässig erklärt, sind andere Gerichte an diese Entscheidung gebunden.

(2) [1] Ist der beschrittene Rechtsweg unzulässig, spricht das Gericht dies nach Anhörung der Parteien von Amts wegen aus und verweist den Rechtsstreit zugleich an das zuständige Gericht des zulässigen Rechtsweges. [2] Sind mehrere Gerichte zuständig, wird an das vom Kläger oder Antragsteller auszuwählende Gericht verwiesen oder, wenn die Wahl unterbleibt, an das vom Gericht bestimmte. [3] Der Beschluß ist für das Gericht, an das der Rechtsstreit verwiesen worden ist, hinsichtlich des Rechtsweges bindend.

(3) [1] Ist der beschrittene Rechtsweg zulässig, kann das Gericht dies vorab aussprechen. [2] Es hat vorab zu entscheiden, wenn eine Partei die Zulässigkeit des Rechtsweges rügt.

(4) [1] Der Beschluß nach den Absätzen 2 und 3 kann ohne mündliche Verhandlung ergehen. [2] Er ist zu begründen. [3] Gegen den Beschluß ist die sofortige Beschwerde nach den Vorschriften der jeweils anzuwendenden Verfahrensordnung gegeben. [4] Den Beteiligten steht die Beschwerde gegen einen Beschluß des oberen Landesgerichts an den obersten Gerichtshof des Bundes nur zu, wenn sie in dem Beschluß zugelassen worden ist. [5] Die Beschwerde ist zuzulassen, wenn die Rechtsfrage grundsätzliche Bedeutung hat oder wenn das Gericht von der Entscheidung eines obersten Gerichtshofes des Bundes oder des Gemeinsamen Senats der obersten Gerichtshöfe des Bundes abweicht. [6] Der oberste Gerichtshof des Bundes ist an die Zulassung der Beschwerde gebunden.

(5) Das Gericht, das über ein Rechtsmittel gegen eine Entscheidung in der Hauptsache entscheidet, prüft nicht, ob der beschrittene Rechtsweg zulässig ist.

(6) Die Absätze 1 bis 5 gelten für die in bürgerlichen Rechtsstreitigkeiten, Familiensachen und Angelegenheiten der freiwilligen Gerichtsbarkeit zuständigen Spruchkörper in ihrem Verhältnis zueinander entsprechend.

[1)] § 17 neu gef. durch G v. 17.12.1990 (BGBl. I S. 2809).

[2)] § 17a neu gef. durch G v. 17.12.1990 (BGBl. I S. 2809); Abs. 6 angef. mWv 1.9.2009 durch G v. 17.12.2008 (BGBl. I S. 2586).

§ 17b[1)] [Anhängigkeit nach Verweisung; Kosten] (1) [1]Nach Eintritt der Rechtskraft des Verweisungsbeschlusses wird der Rechtsstreit mit Eingang der Akten bei dem im Beschluß bezeichneten Gericht anhängig. [2]Die Wirkungen der Rechtshängigkeit bleiben bestehen.

(2) [1]Wird ein Rechtsstreit an ein anderes Gericht verwiesen, so werden die Kosten im Verfahren vor dem angegangenen Gericht als Teil der Kosten behandelt, die bei dem Gericht erwachsen, an das der Rechtsstreit verwiesen wurde. [2]Dem Kläger sind die entstandenen Mehrkosten auch dann aufzuerlegen, wenn er in der Hauptsache obsiegt.

(3) Absatz 2 Satz 2 gilt nicht in Familiensachen und in Angelegenheiten der freiwilligen Gerichtsbarkeit.

§ 17c *(hier nicht wiedergegeben)*

§ 18 [Exterritorialität von Mitgliedern der diplomatischen Missionen]

[1]Die Mitglieder der im Geltungsbereich dieses Gesetzes errichteten diplomatischen Missionen, ihre Familienmitglieder und ihre privaten Hausangestellten sind nach Maßgabe des Wiener Übereinkommens über diplomatische Beziehungen vom 18. April 1961 (Bundesgesetzbl. 1964 II S. 957 ff.) von der deutschen Gerichtsbarkeit befreit. [2]Dies gilt auch, wenn ihr Entsendestaat nicht Vertragspartei dieses Übereinkommens ist; in diesem Falle findet Artikel 2 des Gesetzes vom 6. August 1964 zu dem Wiener Übereinkommen vom 18. April 1961 über diplomatische Beziehungen (Bundesgesetzbl. 1964 II S. 957) entsprechende Anwendung.

§ 19 [Exterritorialität von Mitgliedern der konsularischen Vertretungen]

(1) [1]Die Mitglieder der im Geltungsbereich dieses Gesetzes errichteten konsularischen Vertretungen einschließlich der Wahlkonsularbeamten sind nach Maßgabe des Wiener Übereinkommens über konsularische Beziehungen vom 24. April 1963 (Bundesgesetzbl. 1969 II S. 1585 ff.) von der deutschen Gerichtsbarkeit befreit. [2]Dies gilt auch, wenn ihr Entsendestaat nicht Vertragspartei dieses Übereinkommens ist; in diesem Falle findet Artikel 2 des Gesetzes vom 26. August 1969 zu dem Wiener Übereinkommen vom 24. April 1963 über konsularische Beziehungen (Bundesgesetzbl. 1969 II S. 1585) entsprechende Anwendung.

(2) Besondere völkerrechtliche Vereinbarungen über die Befreiung der in Absatz 1 genannten Personen von der deutschen Gerichtsbarkeit bleiben unberührt.

§ 20[2)] [Weitere Exterritoriale] (1) Die deutsche Gerichtsbarkeit erstreckt sich auch nicht auf Repräsentanten anderer Staaten und deren Begleitung, die sich auf amtliche Einladung der Bundesrepublik Deutschland im Geltungsbereich dieses Gesetzes aufhalten.

(2) [1]Im übrigen erstreckt sich die deutsche Gerichtsbarkeit auch nicht auf andere als die in Absatz 1 und in den §§ 18 und 19 genannten Personen, soweit sie nach den allgemeinen Regeln des Völkerrechts, auf Grund völkerrechtlicher Vereinbarungen oder sonstiger Rechtsvorschriften von ihr befreit sind. [2]Funktionelle Immunität hindert nicht die Erstreckung deutscher Gerichtsbarkeit auf die Verfolgung von Verbrechen nach dem Völkerstrafgesetzbuch.

[1)] § 17b eingef. durch G v. 17.12.1990 (BGBl. I S. 2809); Abs. 3 angef. mWv 1.9.2009 durch G v. 17.12. 2008 (BGBl. I S. 2586).

[2)] § 20 neu gef. durch G v. 17.7.1984 (BGBl. I S. 990); Abs. 2 Satz 2 angef. mWv 3.8.2024 durch G v. 30.7.2024 (BGBl. 2024 I Nr. 255).

§ 21[1)] **[Ersuchen eines internationalen Strafgerichtshofes]** Die §§ 18 bis 20 stehen der Erledigung eines Ersuchens um Überstellung und Rechtshilfe eines internationalen Strafgerichtshofes, der durch einen für die Bundesrepublik Deutschland verbindlichen Rechtsakt errichtet wurde, nicht entgegen.

Zweiter Titel. Allgemeine Vorschriften über das Präsidium und die Geschäftsverteilung

§ 21a[2)] **[Präsidium]** (1) Bei jedem Gericht wird ein Präsidium gebildet.

(2) Das Präsidium besteht aus dem Präsidenten oder aufsichtführenden Richter als Vorsitzenden und

1. bei Gerichten mit mindestens achtzig Richterplanstellen aus zehn gewählten Richtern,
2. bei Gerichten mit mindestens vierzig Richterplanstellen aus acht gewählten Richtern,
3. bei Gerichten mit mindestens zwanzig Richterplanstellen aus sechs gewählten Richtern,
4. bei Gerichten mit mindestens acht Richterplanstellen aus vier gewählten Richtern,
5. bei den anderen Gerichten aus den nach § 21b Abs. 1 wählbaren Richtern.

§§ 21b–21d *(hier nicht wiedergegeben)*

§ 21e[3)] **[Aufgaben und Befugnisse des Präsidiums; Geschäftsverteilung]**

(1) [1] Das Präsidium bestimmt die Besetzung der Spruchkörper, bestellt die Ermittlungsrichter, regelt die Vertretung und verteilt die Geschäfte. [2] Es trifft diese Anordnungen vor dem Beginn des Geschäftsjahres für dessen Dauer. [3] Der Präsident bestimmt, welche richterlichen Aufgaben er wahrnimmt. [4] Jeder Richter kann mehreren Spruchkörpern angehören.

(2) Vor der Geschäftsverteilung ist den Richtern, die nicht Mitglied des Präsidiums sind, Gelegenheit zur Äußerung zu geben.

(3) [1] Die Anordnungen nach Absatz 1 dürfen im Laufe des Geschäftsjahres nur geändert werden, wenn dies wegen Überlastung oder ungenügender Auslastung eines Richters oder Spruchkörpers oder infolge Wechsels oder dauernder Verhinderung einzelner Richter nötig wird. [2] Vor der Änderung ist den Vorsitzenden Richtern, deren Spruchkörper von der Änderung der Geschäftsverteilung berührt wird, Gelegenheit zu einer Äußerung zu geben.

(4) Das Präsidium kann anordnen, daß ein Richter oder Spruchkörper, der in einer Sache tätig geworden ist, für diese nach einer Änderung der Geschäftsverteilung zuständig bleibt.

(5) Soll ein Richter einem anderen Spruchkörper zugeteilt oder soll sein Zuständigkeitsbereich geändert werden, so ist ihm, außer in Eilfällen, vorher Gelegenheit zu einer Äußerung zu geben.

---

1) § 21 eingef. mWv 1.7.2002 durch G v. 21.6.2002 (BGBl. I S. 2144).

2) § 21a Abs. 2 neu gef. durch G v. 22.12.1999 (BGBl. I S. 2598).

3) § 21e Abs. 2 und 7 neu gef., Abs. 8 eingef., bish. Abs. 8 wird Abs. 9 durch G v. 22.12.1999 (BGBl. I S. 2598).

(6) Soll ein Richter für Aufgaben der Justizverwaltung ganz oder teilweise freigestellt werden, so ist das Präsidium vorher zu hören.

(7) [1] Das Präsidium entscheidet mit Stimmenmehrheit. [2] § 21i Abs. 2 gilt entsprechend.

(8) [1] Das Präsidium kann beschließen, dass Richter des Gerichts bei den Beratungen und Abstimmungen des Präsidiums für die gesamte Dauer oder zeitweise zugegen sein können. [2] § 171b gilt entsprechend.

(9) Der Geschäftsverteilungsplan des Gerichts ist in der von dem Präsidenten oder aufsichtführenden Richter bestimmten Geschäftsstelle des Gerichts zur Einsichtnahme aufzulegen; einer Veröffentlichung bedarf es nicht.

§ 21f *(hier nicht wiedergegeben)*

§ 21g[1)] [Geschäftsverteilung innerhalb der Spruchkörper] (1) [1] Innerhalb des mit mehreren Richtern besetzten Spruchkörpers werden die Geschäfte durch Beschluss aller dem Spruchkörper angehörenden Berufsrichter auf die Mitglieder verteilt. [2] Bei Stimmengleichheit entscheidet das Präsidium.

(2) Der Beschluss bestimmt vor Beginn des Geschäftsjahres für dessen Dauer, nach welchen Grundsätzen die Mitglieder an den Verfahren mitwirken; er kann nur geändert werden, wenn es wegen Überlastung, ungenügender Auslastung, Wechsels oder dauernder Verhinderung einzelner Mitglieder des Spruchkörpers nötig wird.

(3) Absatz 2 gilt entsprechend, soweit nach den Vorschriften der Prozessordnungen die Verfahren durch den Spruchkörper einem seiner Mitglieder zur Entscheidung als Einzelrichter übertragen werden können.

(4) Ist ein Berufsrichter an der Beschlussfassung verhindert, tritt der durch den Geschäftsverteilungsplan bestimmte Vertreter an seine Stelle.

(5) § 21i Abs. 2 findet mit der Maßgabe entsprechende Anwendung, dass die Bestimmung durch den Vorsitzenden getroffen wird.

(6) Vor der Beschlussfassung ist den Berufsrichtern, die von dem Beschluss betroffen werden, Gelegenheit zur Äußerung zu geben.

(7) § 21e Abs. 9 findet entsprechende Anwendung.

Fünfter Titel. Landgerichte

§ 74c[2)] [Zuständigkeit der Wirtschaftsstrafkammer] (1) [1] Für Straftaten

---

[1)] § 21g neu gef. durch G v. 22.12.1999 (BGBl. I S. 2598).

[2)] § 74c neu gef. durch G v. 5.10.1978 (BGBl. I S. 1645); Abs. 1 Nr. 1 geänd., Nr. 5 neu gef. durch G v. 15.5.1986 (BGBl. I S. 721); Abs. 1 Nr. 1 geänd. durch G v. 14.4.1988 (BGBl. I S. 514), G v. 7.3.1990 (BGBl. I S. 422), G v. 25.10.1994 (BGBl. I S. 3082) und G v. 28.10.1994 (BGBl. I S. 3210); Abs. 1 abschl. Satzteil geänd. durch G v. 11.1.1993 (BGBl. I S. 50); Abs. 1 Nr. 2 geänd. durch G v. 26.7.1994 (BGBl. I S. 1749); Abs. 1 Nr. 5a eingef. durch G v. 13.8.1997 (BGBl. I S. 2038); Abs. 1 Nr. 5 und 6 geänd. mWv 1.11.2000 durch G v. 2.8.2000 (BGBl. I S. 1253); Abs. 1 Nr. 6 neu gef. mWv 1.8.2002 durch G v. 23.7.2002 (BGBl. I S. 2787); Abs. 1 Nr. 6 Buchst. b geänd. mWv 1.8.2004 durch G v. 23.7.2004 (BGBl. I S. 1842); Abs. 1 Nr. 1 geänd. mWv 29.12.2004 durch G v. 22.12.2004 (BGBl. I S. 3675); Abs. 1 Nr. 1 geänd. mWv 18.8.2006 durch G v. 14.8.2006 (BGBl. I S. 1911); Abs. 1 Satz 2 angef. mWv 31.12.2006 durch G v. 22.12.2006 (BGBl. I S. 3416); Abs. 1 Satz 1 Nr. 1 geänd. mWv 1.11.2008 durch G v. 23.10.2008 (BGBl. I S. 2026); Abs. 1 Satz 1 Nr. 2, 5, 6 Buchst. a und b geänd. mWv 1.1.2012 durch G v. 6.12.2011 (BGBl. I S. 2554); Abs. 1 Satz 1 Nr. 1 geänd. mWv 1.1.2014 durch G v. 10.10.2013 (BGBl. I S. 3799); Abs. 1 Satz 2 geänd. mWv 1.9.2014 durch G v. 23.4.2014 (BGBl. I S. 410); Abs. 1 Satz 1 Nr. 5a geänd. mWv 4.6.2016 durch G v. 30.5.2016 (BGBl. I S. 1254); Abs. 1 Satz 1 Nr. 1 geänd. mWv 26.4.2019 durch G v. 18.4.2019 (BGBl. I S. 466); Abs. 1 Satz 1 Nr. 6 Buchst. b geänd. mWv 28.6.2019 durch G v. 19.6.2019 (BGBl. I S. 844); Abs. 1 →

1.–5a. …

6. a) der Geldwäsche, des Betruges, des Computerbetruges, der Untreue, des Vorenthaltens und Veruntreuens von Arbeitsentgelt, des Wuchers, der Vorteilsannahme, der Bestechlichkeit, der Vorteilsgewährung und der Bestechung,
   b) nach dem Arbeitnehmerüberlassungsgesetz, dem EU-Finanzschutzstärkungsgesetz und dem Schwarzarbeitsbekämpfungsgesetz,

   soweit zur Beurteilung des Falles besondere Kenntnisse des Wirtschaftslebens erforderlich sind,

ist, soweit nach § 74 Abs. 1 als Gericht des ersten Rechtszuges und nach § 74 Abs. 3 für die Verhandlung und Entscheidung über das Rechtsmittel der Berufung gegen die Urteile des Schöffengerichts das Landgericht zuständig ist, eine Strafkammer als Wirtschaftsstrafkammer zuständig. [2] Die §§ 120 und 120b bleiben unberührt.

(2)–(4) …

Dreizehnter Titel. Rechtshilfe

§ 156[1)] **[Rechtshilfepflicht]** Die Gerichte haben sich in Zivilsachen und in Strafsachen Rechtshilfe zu leisten.

§ 157[2)] **[Rechtshilfegericht]** (1) Das Ersuchen um Rechtshilfe ist an das Amtsgericht zu richten, in dessen Bezirk die Amtshandlung vorgenommen werden soll.

(2) [1] Die Landesregierungen werden ermächtigt, durch Rechtsverordnung die Erledigung von Rechtshilfeersuchen für die Bezirke mehrerer Amtsgerichte einem von ihnen ganz oder teilweise zuzuweisen, sofern dadurch der Rechtshilfeverkehr erleichtert oder beschleunigt wird. [2] Die Landesregierungen können diese Ermächtigung durch Rechtsverordnung auf die Landesjustizverwaltungen übertragen.

§ 158 [Ablehnung der Rechtshilfe] (1) Das Ersuchen darf nicht abgelehnt werden.

(2) [1] Das Ersuchen eines nicht im Rechtszuge vorgesetzten Gerichts ist jedoch abzulehnen, wenn die vorzunehmende Handlung nach dem Recht des ersuchten Gerichts verboten ist. [2] Ist das ersuchte Gericht örtlich nicht zuständig, so gibt es das Ersuchen an das zuständige Gericht ab.

§ 159 [Entscheidung des Oberlandesgerichts] (1) [1] Wird das Ersuchen abgelehnt oder wird der Vorschrift des § 158 Abs. 2 zuwider dem Ersuchen stattgegeben, so entscheidet das Oberlandesgericht, zu dessen Bezirk das ersuchte Gericht gehört. [2] Die Entscheidung ist nur anfechtbar, wenn sie die Rechtshilfe für unzulässig erklärt und das ersuchende und das ersuchte Gericht den Bezirken verschiedener Oberlandesgerichte angehören. [3] Über die Beschwerde entscheidet der Bundesgerichtshof.

(Fortsetzung der Anm. von voriger Seite)
Satz 1 Nr. 1 geänd. mWv 1.1.2021 durch G v. 22.12.2020 (BGBl. I S. 3256); Abs. 1 Satz 1 Nr. 6 Buchst. a geänd. mWv 18.3.2021 durch G v. 9.3.2021 (BGBl. I S. 327); Abs. 1 Satz 1 Nr. 5a geänd. mWv 1.7.2021 durch G v. 25.6.2021 (BGBl. I S. 2099); Abs. 1 Satz 1 Nr. 3 geänd. mWv 28.12.2022 durch G v. 19.12.2022 (BGBl. I S. 2606); Abs. 1 Satz 1 Nr. 2 geänd. mWv 1.7.2024 durch G v. 27.12.2024 (BGBl. 2024 I Nr. 438).

1) § 156 geänd. mWv 1.9.2009 durch G v. 17.12.2008 (BGBl. I S. 2586).

2) § 157 Abs. 2 angef. durch G v. 3.12.1976 (BGBl. I S. 3281).

(2) Die Entscheidungen ergehen auf Antrag der Beteiligten oder des ersuchenden Gerichts ohne mündliche Verhandlung.

§ 160 [Vollstreckungen, Ladungen, Zustellungen] Vollstreckungen, Ladungen und Zustellungen werden nach Vorschrift der Prozeßordnungen bewirkt ohne Rücksicht darauf, ob sie in dem Land, dem das Prozeßgericht angehört, oder in einem anderen deutschen Land vorzunehmen sind.

§ 161 [Vermittlung bei Beauftragung eines Gerichtsvollziehers] [1] Gerichte, Staatsanwaltschaften und Geschäftsstellen der Gerichte können wegen Erteilung eines Auftrags an einen Gerichtsvollzieher die Mitwirkung der Geschäftsstelle des Amtsgerichts in Anspruch nehmen, in dessen Bezirk der Auftrag ausgeführt werden soll. [2] Der von der Geschäftsstelle beauftragte Gerichtsvollzieher gilt als unmittelbar beauftragt.

§§ 162, 163 *(hier nicht wiedergegeben)*

§ 164 [Kostenersatz] (1) Kosten und Auslagen der Rechtshilfe werden von der ersuchenden Behörde nicht erstattet.

(2) Gebühren oder andere öffentliche Abgaben, denen die von der ersuchenden Behörde übersendeten Schriftstücke (Urkunden, Protokolle) nach dem Recht der ersuchten Behörde unterliegen, bleiben außer Ansatz.

§ 165 (weggefallen)

§ 166[1)] [Amtshandlungen außerhalb des Gerichtsbezirks] Ein Gericht darf Amtshandlungen im Geltungsbereich dieses Gesetzes auch außerhalb seines Bezirks vornehmen.

§ 167 *(hier nicht wiedergegeben)*

§ 168 [Mitteilung von Akten] Die in einem deutschen Land bestehenden Vorschriften über die Mitteilung von Akten einer öffentlichen Behörde an ein Gericht dieses Landes sind auch dann anzuwenden, wenn das ersuchende Gericht einem anderen deutschen Land angehört.

Vierzehnter Titel. Öffentlichkeit und Sitzungspolizei

§ 169[2)] [Öffentlichkeit] (1) [1] Die Verhandlung vor dem erkennenden Gericht einschließlich der Verkündung der Urteile und Beschlüsse ist öffentlich. [2] Ton- und Fernseh-Rundfunkaufnahmen sowie Ton- und Filmaufnahmen zum Zwecke der öffentlichen Vorführung oder Veröffentlichung ihres Inhalts sind unzulässig. [3] Die Tonübertragung in einen Arbeitsraum für Personen, die für Presse, Hörfunk, Fernsehen oder für andere Medien berichten, kann von dem Gericht zugelassen werden. [4] Die Tonübertragung kann zur Wahrung schutzwürdiger Interessen der Beteiligten oder Dritter oder zur Wahrung eines ordnungsgemäßen Ablaufs des Verfahrens teilweise untersagt werden. [5] Im Übrigen gilt für den in den Arbeitsraum übertragenen Ton Satz 2 entsprechend.

---

1) § 166 neu gef. durch G v. 17.12.1990 (BGBl. I S. 2847).

2) § 169 Abs. 1 Sätze 3–5, Abs. 2–4 angef. mWv 18.4.2018 durch G v. 8.10.2017 (BGBl. I S. 3546); Abs. 2 Satz 1 geänd. mWv 3.8.2024 durch G v. 30.7.2024 (BGBl. 2024 I Nr. 255).

(2) [1] Tonaufnahmen oder Ton- und Filmaufnahmen der Verhandlung einschließlich der Verkündung der Urteile und Beschlüsse können zu wissenschaftlichen und historischen Zwecken von dem Gericht zugelassen werden, wenn es sich um ein Verfahren von herausragender zeitgeschichtlicher Bedeutung handelt. [2] Zur Wahrung schutzwürdiger Interessen der Beteiligten oder Dritter oder zur Wahrung eines ordnungsgemäßen Ablaufs des Verfahrens können die Aufnahmen teilweise untersagt werden. [3] Die Aufnahmen sind nicht zu den Akten zu nehmen und dürfen weder herausgegeben noch für Zwecke des aufgenommenen oder eines anderen Verfahrens genutzt oder verwertet werden. [4] Sie sind vom Gericht nach Abschluss des Verfahrens demjenigen zuständigen Bundes- oder Landesarchiv zur Übernahme anzubieten, das nach dem Bundesarchivgesetz oder einem Landesarchivgesetz festzustellen hat, ob den Aufnahmen ein bleibender Wert zukommt. [5] Nimmt das Bundesarchiv oder das jeweilige Landesarchiv die Aufnahmen nicht an, sind die Aufnahmen durch das Gericht zu löschen.

(3) [1] Abweichend von Absatz 1 Satz 2 kann das Gericht für die Verkündung von Entscheidungen des Bundesgerichtshofs in besonderen Fällen Ton- und Fernseh-Rundfunkaufnahmen sowie Ton- und Filmaufnahmen zum Zwecke der öffentlichen Vorführung oder der Veröffentlichung ihres Inhalts zulassen. [2] Zur Wahrung schutzwürdiger Interessen der Beteiligten oder Dritter sowie eines ordnungsgemäßen Ablaufs des Verfahrens können die Aufnahmen oder deren Übertragung teilweise untersagt oder von der Einhaltung von Auflagen abhängig gemacht werden.

(4) Die Beschlüsse des Gerichts nach den Absätzen 1 bis 3 sind unanfechtbar.

§ 171b[1)] [Ausschluss der Öffentlichkeit zum Schutz der Privatsphäre]

(1) [1] Die Öffentlichkeit kann ausgeschlossen werden, soweit Umstände aus dem persönlichen Lebensbereich eines Prozessbeteiligten, eines Zeugen oder eines durch eine rechtswidrige Tat (§ 11 Absatz 1 Nummer 5 des Strafgesetzbuchs) Verletzten zur Sprache kommen, deren öffentliche Erörterung schutzwürdige Interessen verletzen würde. [2] Das gilt nicht, soweit das Interesse an der öffentlichen Erörterung dieser Umstände überwiegt. [3] Die besonderen Belastungen, die für Kinder und Jugendliche mit einer öffentlichen Hauptverhandlung verbunden sein können, sind dabei zu berücksichtigen. [4] Entsprechendes gilt bei volljährigen Personen, die als Kinder oder Jugendliche durch die Straftat verletzt worden sind.

(2) [1] Die Öffentlichkeit soll ausgeschlossen werden, soweit in Verfahren wegen Straftaten gegen die sexuelle Selbstbestimmung (§§ 174 bis 184k des Strafgesetzbuchs) oder gegen das Leben (§§ 211 bis 222 des Strafgesetzbuchs), wegen Misshandlung von Schutzbefohlenen (§ 225 des Strafgesetzbuchs) oder wegen Straftaten gegen die persönliche Freiheit nach den §§ 232 bis 233a des Strafgesetzbuchs ein Zeuge unter 18 Jahren vernommen wird. [2] Absatz 1 Satz 4 gilt entsprechend.

(3) [1] Die Öffentlichkeit ist auszuschließen, wenn die Voraussetzungen der Absätze 1 oder 2 vorliegen und der Ausschluss von der Person, deren Lebensbereich betroffen ist, beantragt wird. [2] Für die Schlussanträge in Verfahren wegen der in Absatz 2 genannten Straftaten ist die Öffentlichkeit auszuschließen, ohne dass es eines hierauf gerichteten Antrags bedarf, wenn die Verhandlung unter den Voraussetzungen der

---

1) § 171b neu gef. mWv 1.9.2013 durch G v. 26.6.2013 (BGBl. I S. 1805); Abs. 2 Satz 1 geänd. mWv 27.1.2015 durch G v. 21.1.2015 (BGBl. I S. 10); Abs. 2 Satz 2 geänd. mWv 31.12.2015 durch G v. 21.12. 2015 (BGBl. I S. 2525); Abs. 2 Satz 1 geänd. mWv 10.11.2016 durch G v. 4.11.2016 (BGBl. I S. 2460); Abs. 2 Satz 1 geänd. mWv 1.1.2021 durch G v. 9.10.2020 (BGBl. I S. 2075).

Absätze 1 oder 2 oder des § 172 Nummer 4 ganz oder zum Teil unter Ausschluss der Öffentlichkeit stattgefunden hat.

(4) Abweichend von den Absätzen 1 und 2 darf die Öffentlichkeit nicht ausgeschlossen werden, soweit die Personen, deren Lebensbereiche betroffen sind, dem Ausschluss der Öffentlichkeit widersprechen.

(5) Die Entscheidungen nach den Absätzen 1 bis 4 sind unanfechtbar.

§ 172 *(hier nicht wiedergegeben)*

§ 173[1] **[Öffentliche Urteilsverkündung]** (1) Die Verkündung des Urteils sowie der Endentscheidung in Ehesachen und Familienstreitsachen erfolgt in jedem Falle öffentlich.

(2) Durch einen besonderen Beschluß des Gerichts kann unter den Voraussetzungen der §§ 171b und 172 auch für die Verkündung der Entscheidungsgründe oder eines Teiles davon die Öffentlichkeit ausgeschlossen werden.

§ 174[2] **[Verhandlung über Ausschluss der Öffentlichkeit; Schweigepflicht]** (1) [1] Über die Ausschließung der Öffentlichkeit ist in nicht öffentlicher Sitzung zu verhandeln, wenn ein Beteiligter es beantragt oder das Gericht es für angemessen erachtet. [2] Der Beschluß, der die Öffentlichkeit ausschließt, muß öffentlich verkündet werden; er kann in nicht öffentlicher Sitzung verkündet werden, wenn zu befürchten ist, daß seine öffentliche Verkündung eine erhebliche Störung der Ordnung in der Sitzung zur Folge haben würde. [3] Bei der Verkündung ist in den Fällen der §§ 171b, 172 und 173 anzugeben, aus welchem Grund die Öffentlichkeit ausgeschlossen worden ist.

(2) Soweit die Öffentlichkeit wegen Gefährdung der Staatssicherheit ausgeschlossen wird, dürfen Presse, Rundfunk und Fernsehen keine Berichte über die Verhandlung und den Inhalt eines die Sache betreffenden amtlichen Schriftstücks veröffentlichen.

(3) [1] Ist die Öffentlichkeit wegen Gefährdung der Staatssicherheit oder aus den in §§ 171b und 172 Nr. 2 und 3 bezeichneten Gründen ausgeschlossen, so kann das Gericht den anwesenden Personen die Geheimhaltung von Tatsachen, die durch die Verhandlung oder durch ein die Sache betreffendes amtliches Schriftstück zu ihrer Kenntnis gelangen, zur Pflicht machen. [2] Der Beschluß ist in das Sitzungsprotokoll aufzunehmen. [3] Er ist anfechtbar. [4] Die Beschwerde hat keine aufschiebende Wirkung.

§ 175[3] **[Versagung des Zutritts]** (1) Der Zutritt zu öffentlichen Verhandlungen kann unerwachsenen und solchen Personen versagt werden, die in einer der Würde des Gerichts nicht entsprechenden Weise erscheinen.

(2) [1] Zu nicht öffentlichen Verhandlungen kann der Zutritt einzelnen Personen vom Gericht gestattet werden. [2] In Strafsachen soll dem Verletzten der Zutritt gestattet werden. [3] Einer Anhörung der Beteiligten bedarf es nicht.

(3) Die Ausschließung der Öffentlichkeit steht der Anwesenheit der die Dienstaufsicht führenden Beamten der Justizverwaltung bei den Verhandlungen vor dem erkennenden Gericht nicht entgegen.

---

[1] § 173 Abs. 2 geänd. durch G v. 18.12.1986 (BGBl. I S. 2496); Abs. 1 und 2 geänd. mWv 1.1.2013 durch G v. 5.12.2012 (BGBl. I S. 2418).

[2] § 174 Abs. 1 Satz 3 und Abs. 3 Satz 1 geänd. durch G v. 18.12.1986 (BGBl. I S. 2496).

[3] § 175 Abs. 2 Satz 2 eingef., bish. Satz 2 wird Satz 3 durch G v. 18.12.1986 (BGBl. I S. 2496).

§ 176[1)] **[Sitzungspolizei]** (1) Die Aufrechterhaltung der Ordnung in der Sitzung obliegt dem Vorsitzenden.

(2) [1] An der Verhandlung beteiligte Personen dürfen ihr Gesicht während der Sitzung weder ganz noch teilweise verhüllen. [2] Der Vorsitzende kann Ausnahmen gestatten, wenn und soweit die Kenntlichmachung des Gesichts weder zur Identitätsfeststellung noch zur Beweiswürdigung notwendig ist.

§ 177 [Maßnahmen zur Aufrechterhaltung der Ordnung] [1] Parteien, Beschuldigte, Zeugen, Sachverständige oder bei der Verhandlung nicht beteiligte Personen, die den zur Aufrechterhaltung der Ordnung getroffenen Anordnungen nicht Folge leisten, können aus dem Sitzungszimmer entfernt sowie zur Ordnungshaft abgeführt und während einer zu bestimmenden Zeit, die vierundzwanzig Stunden nicht übersteigen darf, festgehalten werden. [2] Über Maßnahmen nach Satz 1 entscheidet gegenüber Personen, die bei der Verhandlung nicht beteiligt sind, der Vorsitzende, in den übrigen Fällen das Gericht.

§ 178[2) 3)] **[Ordnungsmittel wegen Ungebühr]** (1) [1] Gegen Parteien, Beschuldigte, Zeugen, Sachverständige oder bei der Verhandlung nicht beteiligte Personen, die sich in der Sitzung einer Ungebühr schuldig machen, kann vorbehaltlich der strafgerichtlichen Verfolgung ein Ordnungsgeld bis zu eintausend Euro oder Ordnungshaft bis zu einer Woche festgesetzt und sofort vollstreckt werden. [2] Bei der Festsetzung von Ordnungsgeld ist zugleich für den Fall, daß dieses nicht beigetrieben werden kann, zu bestimmen, in welchem Maße Ordnungshaft an seine Stelle tritt.

(2) Über die Festsetzung von Ordnungsmitteln entscheidet gegenüber Personen, die bei der Verhandlung nicht beteiligt sind, der Vorsitzende, in den übrigen Fällen das Gericht.

(3) Wird wegen derselben Tat später auf Strafe erkannt, so sind das Ordnungsgeld oder die Ordnungshaft auf die Strafe anzurechnen.

§ 179 [Vollstreckung der Ordnungsmittel] Die Vollstreckung der vorstehend bezeichneten Ordnungsmittel hat der Vorsitzende unmittelbar zu veranlassen.

§ 180 [Befugnisse außerhalb der Sitzung] Die in den §§ 176 bis 179 bezeichneten Befugnisse stehen auch einem einzelnen Richter bei der Vornahme von Amtshandlungen außerhalb der Sitzung zu.

§ 181 [Beschwerde gegen Ordnungsmittel] (1) Ist in den Fällen der §§ 178, 180 ein Ordnungsmittel festgesetzt, so kann gegen die Entscheidung binnen der Frist von einer Woche nach ihrer Bekanntmachung Beschwerde eingelegt werden, sofern sie nicht von dem Bundesgerichtshof oder einem Oberlandesgericht getroffen ist.

(2) Die Beschwerde hat in dem Falle des § 178 keine aufschiebende Wirkung, in dem Falle des § 180 aufschiebende Wirkung.

(3) Über die Beschwerde entscheidet das Oberlandesgericht.

---

1) § 176 Abs. 2 angef. mWv 13.12.2019 durch G v. 10.12.2019 (BGBl. I S. 2121).
2) § 178 Abs. 1 Satz 1 geänd. mWv 1.1.2002 durch G v. 27.7.2001 (BGBl. I S. 1887).
3) Beachte hierzu Übergangsvorschrift in § 26 Nr. 2 EGZPO **(Habersack Nr. 101)**.

§ 182 [Protokollierung] Ist ein Ordnungsmittel wegen Ungebühr festgesetzt oder eine Person zur Ordnungshaft abgeführt oder eine bei der Verhandlung beteiligte Person entfernt worden, so ist der Beschluß des Gerichts und dessen Veranlassung in das Protokoll aufzunehmen.

§ 183 [Straftaten in der Sitzung] [1] Wird eine Straftat in der Sitzung begangen, so hat das Gericht den Tatbestand festzustellen und der zuständigen Behörde das darüber aufgenommene Protokoll mitzuteilen. [2] In geeigneten Fällen ist die vorläufige Festnahme des Täters zu verfügen.

Fünfzehnter Titel.[1)] Gerichtssprache

§ 184[2)] [Deutsche Sprache] [1] Die Gerichtssprache ist deutsch. [2] Das Recht der Sorben, in den Heimatkreisen der sorbischen Bevölkerung vor Gericht sorbisch zu sprechen, ist gewährleistet.

[§ 184a ab 1.4.2025:]

§ 184a[3)] [Englische Sprache in Verfahren vor Commercial Chambers, Oberlandesgerichten und Commercial Courts] *(1) [1] Die Landesregierungen werden ermächtigt, jeweils durch Rechtsverordnung zu bestimmen, dass Verfahren, die ausgewählte Sachgebiete der in § 119b Absatz 1 Satz 1 genannten Streitigkeiten betreffen, vollständig in englischer Sprache geführt werden*

1. bei ausgewählten Landgerichten auch für den Bezirk mehrerer Landgerichte durch hierfür bestimmte Zivilkammern und Kammern für Handelssachen (Commercial Chambers) sowie bei den für Berufungen und Beschwerden zuständigen Senaten der Oberlandesgerichte über Entscheidungen der Commercial Chambers und

2. bei dem Commercial Court.

[2] In der Rechtsverordnung nach Satz 1 können die Landesregierungen den Commercial Chambers auch für den Bezirk mehrerer Landgerichte im Rahmen ihrer Zuständigkeit auch in deutscher Sprache zu führende Streitigkeiten übertragen, die ausgewählte Sachgebiete der in § 119b Absatz 1 Satz 1 genannten Streitigkeiten betreffen. [3] In der Rechtsverordnung nach Satz 1 kann die Bestimmung zu den Commercial Chambers auf Zivilkammern oder auf Kammern für Handelssachen beschränkt werden. [4] Werden Zivilkammern als Commercial Chambers bestimmt, findet § 98 keine Anwendung.

(2) [1] Die Landesregierungen können die in Absatz 1 genannte Ermächtigung durch Rechtsverordnung auf die Landesjustizverwaltungen übertragen. [2] Mehrere Länder können die Einrichtung einer oder mehrerer gemeinsamer Commercial Chambers über Ländergrenzen hinaus vereinbaren.

(3) [1] Ist aufgrund einer Rechtsverordnung nach Absatz 1 als Gerichtssprache die englische Sprache bestimmt und haben die Parteien diese ausdrücklich oder stillschweigend vereinbart oder lässt sich der Beklagte in seiner Klageerwiderung rügelos in dieser Sprache darauf ein, so ist das gesamte Verfahren abweichend von § 184 mit folgenden Maßgaben in englischer Sprache zu führen:

1. ein Dolmetscher oder Übersetzer kann in jedem Stadium des Verfahrens hinzugezogen werden, sofern dies im Einzelfall erforderlich ist;

---

1) 15. Titel Überschrift neu gef. mWv 1.8.2002 durch G v. 23.7.2002 (BGBl. I S. 2850); geänd. mWv 1.9.2004 durch G v. 24.8.2004 (BGBl. I S. 2198).

2) § 184 Satz 2 angef. mWv 25.4.2006 durch G v. 19.4.2006 (BGBl. I S. 866).

3) § 184a eingef. mWv 1.4.2025 durch G v. 7.10.2024 (BGBl. 2024 I Nr. 302).

2. *§ 142 Absatz 3 der Zivilprozessordnung ist auf englischsprachige Urkunden nicht anzuwenden;*

3. *für deutschsprachige Urkunden gilt § 142 Absatz 3 der Zivilprozessordnung mit der Maßgabe, dass das Gericht auf Antrag die Beibringung einer Übersetzung in die englische Sprache von der die Urkunde einführenden Partei anordnen kann.*

[2] Ist die Gerichtssprache Deutsch oder nach Satz 1 Englisch, so bleibt es den Parteien unbenommen, vor den in Absatz 1 Satz 1 genannten Spruchkörpern auch in der jeweils anderen Sprache vorzutragen, sofern sie dies ausdrücklich oder stillschweigend vereinbart haben oder keine der Parteien unverzüglich widerspricht.

(4) [1] Wird ein Dritter in ein Verfahren, das nach Absatz 3 vollständig in englischer Sprache zu führen ist, als Nebenintervenient oder im Wege der Streitverkündung einbezogen oder soll das Urteil Rechtskraft für und gegen einen Dritten entfalten, so ist auf Antrag des Dritten ein Dolmetscher hinzuzuziehen. [2] § 185 dieses Gesetzes und § 142 Absatz 3 der Zivilprozessordnung sind anzuwenden.

(5) Wird ein zunächst in englischer Sprache geführtes Verfahren in deutscher Sprache fortgeführt, so wird das Verfahren auch in dem sich anschließenden Instanzenzug in deutscher Sprache geführt.

[§ 184b ab 1.4.2025:]

§ 184b[1)] ***[Englische Sprache in Verfahren vor dem Bundesgerichtshof]*** *(1) [1] Die Zivilsenate des Bundesgerichtshofs führen das Verfahren in englischer Sprache, wenn*

1. *zuvor ein Berufungs- oder Beschwerdeverfahren nach Maßgabe des § 184a Absatz 1 Satz 1 Nummer 1 oder ein Verfahren nach Maßgabe des § 184a Absatz 1 Satz 1 Nummer 2 geführt worden ist,*

2. *dies in der Rechtsmittelschrift beantragt wird und*

3. *der Zivilsenat dem Antrag stattgibt.*

[2] Stimmt der Zivilsenat der Verfahrensführung in englischer Sprache zu, so gilt § 184a Absatz 3 und 4 mit der Maßgabe, dass § 142 Absatz 3 der Zivilprozessordnung anwendbar bleibt.

(2) [1] Der Zivilsenat kann zu jedem Zeitpunkt des Verfahrens anordnen, dass das Verfahren in deutscher Sprache fortgeführt wird. [2] Der Zivilsenat kann zudem jederzeit anordnen, dass Teile der Verfahrensakte in die deutsche Sprache übersetzt werden.

---

1) § 184b eingef. mWv 1.4.2025 durch G v. 7.10.2024 (BGBl. 2024 I Nr. 302).

667. Gerichtskostengesetz (GKG)

In der Fassung der Bekanntmachung vom 27. Februar 2014[1]
(BGBl. I S. 154)

FNA 360-7

zuletzt geänd. durch Art. 24, 25 G zur Entwicklung und Erprobung eines Online-Verfahrens in der Zivilgerichtsbarkeit v. 22.12.2025 (BGBl. 2025 I Nr. 349)

– Auszug –[2]

Abschnitt 1. Allgemeine Vorschriften

§ 1[3] Geltungsbereich. (1) [1] Für Verfahren vor den ordentlichen Gerichten

1. nach der Zivilprozessordnung, einschließlich des Mahnverfahrens nach § 113 Absatz 2 des Gesetzes über das Verfahren in Familiensachen und in den Angelegenheiten der freiwilligen Gerichtsbarkeit und der Verfahren nach dem Gesetz über das Verfahren in Familiensachen und in den Angelegenheiten der freiwilligen Gerichtsbarkeit, soweit das Vollstreckungs- oder Arrestgericht zuständig ist;
2. nach der Insolvenzordnung und dem Einführungsgesetz zur Insolvenzordnung;

3.–22. …

werden Kosten (Gebühren und Auslagen) nur nach diesem Gesetz erhoben. …

(2) Dieses Gesetz ist ferner anzuwenden für Verfahren

1. vor den Gerichten der Verwaltungsgerichtsbarkeit nach der Verwaltungsgerichtsordnung;
2. …
3. vor den Gerichten der Sozialgerichtsbarkeit nach dem Sozialgerichtsgesetz, soweit nach diesem Gesetz das Gerichtskostengesetz anzuwenden ist;
4. vor den Gerichten für Arbeitssachen nach dem Arbeitsgerichtsgesetz und
5. …

(3) …

---

[1] Neubekanntmachung des GKG v. 5.5.2004 (BGBl. I S. 718) in der ab 1.1.2014 geltenden Fassung.

[2] Vollständig wiedergegeben in **beck-online, Module Arbeitsrecht.**

[3] § 1 Abs. 3 neu gef. mWv 10.1.2015 durch G v. 8.7.2014 (BGBl. I S. 890); Abs. 1 Satz 1 Nr. 18 und 19 geänd., Nr. 20 angef. mWv 17.8.2015 durch G v. 29.6.2015 (BGBl. I S. 1042); Abs. 1 Satz 1 Nr. 19 und 20 geänd., Nr. 21 angef. mWv 18.6.2016 durch G v. 11.4.2016 (BGBl. I S. 720); Abs. 3 Nr. 2 und 3 geänd., Nr. 4 angef. mWv 18.1.2017 durch G v. 21.11.2016 (BGBl. I S. 2591); Abs. 1 Satz 1 Nr. 2, Abs. 3 Nr. 3 und 4 geänd., Nr. 5 angef. mWv 26.6.2017 durch G v. 5.6.2017 (BGBl. I S. 1476); Abs. 1 Satz 1 Nr. 20 und 21 geänd., Nr. 22 angef. mWv 1.12.2021 durch G v. 18.7.2017 (BGBl. I S. 2739, geänd. durch G v. 18.1.2021, BGBl. I S. 2; BAnz AT 29.10.2021 B3; BGBl. 2022 I S. 306); Abs. 1 Satz 1 Nr. 17 geänd. mWv 30.6.2020 durch G v. 25.6.2020 (BGBl. I S. 1474); Abs. 1 Satz 1 Nr. 3a eingef. mWv 1.1.2021 durch G v. 22.12.2020 (BGBl. I S. 3256); Abs. 1 Satz 1 Nr. 9a eingef. mWv 9.6.2021 durch G v. 2.6.2021 (BGBl. I S. 1278); Abs. 1 Satz 1 Nr. 17a eingef. mWv 13.10.2023 durch G v. 8.10. 2023 (BGBl. 2023 I Nr. 272); Abs. 1 Satz 1 Nr. 18 geänd. mWv 1.5.2024 durch G v. 14.12.2023 (BGBl. 2023 I Nr. 365; 2024 I Nr. 165); Abs. 1 Satz 1 Nr. 19 geänd. mWv 28.11.2025 durch G v. 25.11. 2025 (BGBl. 2025 I Nr. 282).

(4) Kosten nach diesem Gesetz werden auch erhoben für Verfahren über eine Beschwerde, die mit einem der in den Absätzen 1 bis 3 genannten Verfahren im Zusammenhang steht.

(5) Die Vorschriften dieses Gesetzes über die Erinnerung und die Beschwerde gehen den Regelungen der für das zugrunde liegende Verfahren geltenden Verfahrensvorschriften vor.

§ 2 Kostenfreiheit. (1) [1] In Verfahren vor den ordentlichen Gerichten und den Gerichten der Finanz- und Sozialgerichtsbarkeit sind von der Zahlung der Kosten befreit der Bund und die Länder sowie die nach Haushaltsplänen des Bundes oder eines Landes verwalteten öffentlichen Anstalten und Kassen. [2] In Verfahren der Zwangsvollstreckung wegen öffentlich-rechtlicher Geldforderungen ist maßgebend, wer ohne Berücksichtigung des § 252 der Abgabenordnung[1)] oder entsprechender Vorschriften Gläubiger der Forderung ist.

(2) Für Verfahren vor den Gerichten für Arbeitssachen nach § 2a Absatz 1, § 103 Absatz 3, § 108 Absatz 3 und § 109 des Arbeitsgerichtsgesetzes[2)] sowie nach den §§ 122 und 126 der Insolvenzordnung[3)] werden Kosten nicht erhoben.

(3) [1] Sonstige bundesrechtliche Vorschriften, durch die für Verfahren vor den ordentlichen Gerichten und den Gerichten der Finanz- und Sozialgerichtsbarkeit eine sachliche oder persönliche Befreiung von Kosten gewährt ist, bleiben unberührt. [2] Landesrechtliche Vorschriften, die für diese Verfahren in weiteren Fällen eine sachliche oder persönliche Befreiung von Kosten gewähren, bleiben unberührt.

(4) [1] Vor den Gerichten der Verwaltungsgerichtsbarkeit und den Gerichten für Arbeitssachen finden bundesrechtliche oder landesrechtliche Vorschriften über persönliche Kostenfreiheit keine Anwendung. [2] Vorschriften über sachliche Kostenfreiheit bleiben unberührt.

(5) [1] Soweit jemandem, der von Kosten befreit ist, Kosten des Verfahrens auferlegt werden, sind Kosten nicht zu erheben; bereits erhobene Kosten sind zurückzuzahlen. [2] Das Gleiche gilt, soweit eine von der Zahlung der Kosten befreite Partei Kosten des Verfahrens übernimmt.

§ 3 Höhe der Kosten. (1) Die Gebühren richten sich nach dem Wert des Streitgegenstands (Streitwert), soweit nichts anderes bestimmt ist.

(2) Kosten werden nach dem Kostenverzeichnis der Anlage 1 zu diesem Gesetz erhoben.

§ 4 Verweisungen. (1) Verweist ein erstinstanzliches Gericht oder ein Rechtsmittelgericht ein Verfahren an ein erstinstanzliches Gericht desselben oder eines anderen Zweiges der Gerichtsbarkeit, ist das frühere erstinstanzliche Verfahren als Teil des Verfahrens vor dem übernehmenden Gericht zu behandeln.

(2) [1] Mehrkosten, die durch Anrufung eines Gerichts entstehen, zu dem der Rechtsweg nicht gegeben oder das für das Verfahren nicht zuständig ist, werden nur dann erhoben, wenn die Anrufung auf verschuldeter Unkenntnis der tatsächlichen oder rechtlichen Verhältnisse beruht. [2] Die Entscheidung trifft das Gericht, an das verwiesen worden ist.

[1)] **Steuergesetze Nr. 800.**
[2)] Nr. **660**.
[3)] Nr. **327**.

§ 5[1] Verjährung, Verzinsung. (1) [1] Ansprüche auf Zahlung von Kosten verjähren in vier Jahren nach Ablauf des Kalenderjahrs, in dem das Verfahren durch rechtskräftige Entscheidung über die Kosten, durch Vergleich oder in sonstiger Weise beendet ist. [2] Für die Ansprüche auf Zahlung von Auslagen des erstinstanzlichen Musterverfahrens nach dem Kapitalanleger-Musterverfahrensgesetz beginnt die Frist frühestens mit dem rechtskräftigen Abschluss des Musterverfahrens.

(2) [1] Ansprüche auf Rückerstattung von Kosten verjähren in vier Jahren nach Ablauf des Kalenderjahrs, in dem die Zahlung erfolgt ist. [2] Die Verjährung beginnt jedoch nicht vor dem in Absatz 1 bezeichneten Zeitpunkt. [3] Durch Einlegung eines Rechtsbehelfs mit dem Ziel der Rückerstattung wird die Verjährung wie durch Klageerhebung gehemmt.

(3) [1] Auf die Verjährung sind die Vorschriften des Bürgerlichen Gesetzbuchs anzuwenden; die Verjährung wird nicht von Amts wegen berücksichtigt. [2] Die Verjährung der Ansprüche auf Zahlung von Kosten beginnt auch durch die Aufforderung zur Zahlung oder durch eine dem Schuldner mitgeteilte Stundung erneut. [3] Ist der Aufenthalt des Kostenschuldners unbekannt, genügt die Zustellung durch Aufgabe zur Post unter seiner letzten bekannten Anschrift. [4] Bei Kostenbeträgen unter 25 Euro beginnt die Verjährung weder erneut noch wird sie gehemmt.

(4) Ansprüche auf Zahlung und Rückerstattung von Kosten werden vorbehaltlich der nach Nummer 9018 des Kostenverzeichnisses für das erstinstanzliche Musterverfahren nach dem Kapitalanleger-Musterverfahrensgesetz geltenden Regelung nicht verzinst.

§ 5a Elektronische Akte, elektronisches Dokument. In Verfahren nach diesem Gesetz sind die verfahrensrechtlichen Vorschriften über die elektronische Akte und über das elektronische Dokument anzuwenden, die für das dem kostenrechtlichen Verfahren zugrunde liegende Verfahren gelten.

§ 5b Rechtsbehelfsbelehrung. Jede Kostenrechnung und jede anfechtbare Entscheidung hat eine Belehrung über den statthaften Rechtsbehelf sowie über die Stelle, bei der dieser Rechtsbehelf einzulegen ist, über deren Sitz und über die einzuhaltende Form und Frist zu enthalten.

Abschnitt 2. Fälligkeit

§ 6[2] Fälligkeit der Gebühren im Allgemeinen. (1) [1] In folgenden Verfahren wird die Verfahrensgebühr mit der Einreichung der Klage-, Antrags-, Einspruchs- oder Rechtsmittelschrift oder mit der Abgabe der entsprechenden Erklärung zu Protokoll fällig:

1. in bürgerlichen Rechtsstreitigkeiten,
2. in Insolvenzverfahren und in schifffahrtsrechtlichen Verteilungsverfahren,
3. in Verfahren nach dem Unternehmensstabilisierungs- und -restrukturierungsgesetz,[3]

---

[1] § 5 Abs. 2 Satz 2 geänd. mWv 4.7.2015 durch G v. 29.6.2015 (BGBl. I S. 1042).

[2] § 6 Abs. 1 Satz 1 Nr. 3a eingef. mWv 1.1.2021 durch G v. 22.12.2020 (BGBl. I S. 3256); Abs. 1 Satz 1 Nr. 2 aufgeh., bish. Nr. 3 und 3a werden Nr. 2 und 3 mWv 1.6.2025 durch G v. 7.4.2025 (BGBl. 2025 I Nr. 109).

[3] **Habersack ErgBd. Nr. 110e.**

4. in Rechtsmittelverfahren des gewerblichen Rechtsschutzes und
5. in Prozessverfahren vor den Gerichten der Verwaltungs-, Finanz- und Sozialgerichtsbarkeit.

[2] Im Verfahren über ein Rechtsmittel, das vom Rechtsmittelgericht zugelassen worden ist, wird die Verfahrensgebühr mit der Zulassung fällig.

(2) Soweit die Gebühr eine Entscheidung oder sonstige gerichtliche Handlung voraussetzt, wird sie mit dieser fällig.

(3) In Verfahren vor den Gerichten für Arbeitssachen bestimmt sich die Fälligkeit der Kosten nach § 9.

§ 9[1)] Fälligkeit der Gebühren in sonstigen Fällen, Fälligkeit der Auslagen. (1) [1] Die Gebühr für die Anmeldung eines Anspruchs zum Musterverfahren nach dem Kapitalanleger-Musterverfahrensgesetz[2)] wird mit Einreichung der Anmeldungserklärung fällig. [2] Die Auslagen des Musterverfahrens nach dem Kapitalanleger-Musterverfahrensgesetz werden mit dem rechtskräftigen Abschluss des Musterverfahrens fällig.

(2) Die Gebühr für das Umsetzungsverfahren nach dem Verbraucherrechtedurchsetzungsgesetz[3)] wird mit dessen Eröffnung fällig.

(3) Im Übrigen werden die Gebühren und die Auslagen fällig, wenn
1. eine unbedingte Entscheidung über die Kosten ergangen ist,
2. das Verfahren oder der Rechtszug durch Vergleich oder Zurücknahme beendet ist,
3. das Verfahren sechs Monate ruht oder sechs Monate nicht betrieben worden ist,
4. das Verfahren sechs Monate unterbrochen oder sechs Monate ausgesetzt war oder
5. das Verfahren durch anderweitige Erledigung beendet ist.

(4) Die Dokumentenpauschale sowie die Auslagen für die Versendung von Akten werden sofort nach ihrer Entstehung fällig.

Abschnitt 3. Vorschuss und Vorauszahlung

§ 10 Grundsatz für die Abhängigmachung. In weiterem Umfang als die Prozessordnungen und dieses Gesetz es gestatten, darf die Tätigkeit der Gerichte von der Sicherstellung oder Zahlung der Kosten nicht abhängig gemacht werden.

§ 11 Verfahren nach dem Arbeitsgerichtsgesetz. [1] In Verfahren vor den Gerichten für Arbeitssachen sind die Vorschriften dieses Abschnitts nicht anzuwenden; dies gilt für die Zwangsvollstreckung in Arbeitssachen auch dann, wenn das Amtsgericht Vollstreckungsgericht ist. [2] Satz 1 gilt nicht in Verfahren wegen überlanger Gerichtsverfahren (§ 9 Absatz 2 Satz 2 des Arbeitsgerichtsgesetzes[4)]).

[1)] § 9 Abs. 2 eingef., bish. Abs. 2 und 3 werden Abs. 3 und 4 mWv 13.10.2023 durch G v. 8.10.2023 (BGBl. 2023 I Nr. 272).
[2)] ***Habersack ErgBd. Nr. 105d.***
[3)] **Habersack Nr. 105a.**
[4)] Nr. **660**.

§ 12[1] **Bürgerliche Rechtsstreitigkeiten, Verfahren nach der Zivilprozessordnung.** (1) [1] In bürgerlichen Rechtsstreitigkeiten soll die Klage erst nach Zahlung der Gebühr für das Verfahren im Allgemeinen zugestellt werden. [2] Wird der Klageantrag erweitert, soll vor Zahlung der Gebühr für das Verfahren im Allgemeinen keine gerichtliche Handlung vorgenommen werden; dies gilt auch in der Rechtsmittelinstanz. [3] Die Anmeldung zum Musterverfahren (§ 13 des Kapitalanleger-Musterverfahrensgesetzes) soll erst nach Zahlung der Gebühr nach Nummer 1902 des Kostenverzeichnisses zugestellt werden.

(2)–(7) …

Abschnitt 4. Kostenansatz

§ 19 Kostenansatz. (1) [1] Außer in Strafsachen und in gerichtlichen Verfahren nach dem Gesetz über Ordnungswidrigkeiten[2] werden angesetzt:

1. die Kosten des ersten Rechtszugs bei dem Gericht, bei dem das Verfahren im ersten Rechtszug anhängig ist oder zuletzt anhängig war,
2. die Kosten des Rechtsmittelverfahrens bei dem Rechtsmittelgericht.

[2] Dies gilt auch dann, wenn die Kosten bei einem ersuchten Gericht entstanden sind.

(2), (3) …

(4) Die Dokumentenpauschale sowie die Auslagen für die Versendung von Akten werden bei der Stelle angesetzt, bei der sie entstanden sind.

(5) [1] Der Kostenansatz kann im Verwaltungsweg berichtigt werden, solange nicht eine gerichtliche Entscheidung getroffen ist. [2] Ergeht nach der gerichtlichen Entscheidung über den Kostenansatz eine Entscheidung, durch die der Streitwert anders festgesetzt wird, kann der Kostenansatz ebenfalls berichtigt werden.

§ 20 Nachforderung. (1) [1] Wegen eines unrichtigen Ansatzes dürfen Kosten nur nachgefordert werden, wenn der berichtigte Ansatz dem Zahlungspflichtigen vor Ablauf des nächsten Kalenderjahres nach Absendung der den Rechtszug abschließenden Kostenrechnung (Schlusskostenrechnung), in Zwangsverwaltungsverfahren der Jahresrechnung, mitgeteilt worden ist. [2] Dies gilt nicht, wenn die Nachforderung auf vorsätzlich oder grob fahrlässig falschen Angaben des Kostenschuldners beruht oder wenn der ursprüngliche Kostenansatz unter einem bestimmten Vorbehalt erfolgt ist.

(2) Ist innerhalb der Frist des Absatzes 1 ein Rechtsbehelf in der Hauptsache oder wegen der Kosten eingelegt worden, ist die Nachforderung bis zum Ablauf des nächsten Kalenderjahres nach Beendigung dieser Verfahren möglich.

(3) Ist der Wert gerichtlich festgesetzt worden, genügt es, wenn der berichtigte Ansatz dem Zahlungspflichtigen drei Monate nach der letzten Wertfestsetzung mitgeteilt worden ist.

§ 21 Nichterhebung von Kosten. (1) [1] Kosten, die bei richtiger Behandlung der Sache nicht entstanden wären, werden nicht erhoben. [2] Das Gleiche gilt für

---

[1] § 12 Überschrift neu gef. mWv 13.10.2023 durch G v. 8.10.2023 (BGBl. 2023 I Nr. 272); Abs. 1 Satz 3 geänd. mWv 20.7.2024 durch G v. 16.7.2024 (BGBl. 2024 I Nr. 240); Abs. 6 Satz 1 geänd., Abs. 7 angef. mWv 1.6.2025 durch G v. 7.4.2025 (BGBl. 2025 I Nr. 109).

[2] **Habersack Nr. 94.**

Auslagen, die durch eine von Amts wegen veranlasste Verlegung eines Termins oder Vertagung einer Verhandlung entstanden sind. [3] Für abweisende Entscheidungen sowie bei Zurücknahme eines Antrags kann von der Erhebung von Kosten abgesehen werden, wenn der Antrag auf unverschuldeter Unkenntnis der tatsächlichen oder rechtlichen Verhältnisse beruht.

(2) [1] Die Entscheidung trifft das Gericht. [2] Solange nicht das Gericht entschieden hat, können Anordnungen nach Absatz 1 im Verwaltungsweg erlassen werden. [3] Eine im Verwaltungsweg getroffene Anordnung kann nur im Verwaltungsweg geändert werden.

Abschnitt 5. Kostenhaftung

§ 22[1)] Streitverfahren, Bestätigungen und Bescheinigungen zu inländischen Titeln. (1) [1] In bürgerlichen Rechtsstreitigkeiten mit Ausnahme der Restitutionsklage nach § 580 Nummer 8 der Zivilprozessordnung sowie in Verfahren nach § 1 Absatz 1 Satz 1 Nummer 14, Absatz 2 Nummer 1 bis 3 sowie Absatz 4 schuldet die Kosten, wer das Verfahren des Rechtszugs beantragt hat. [2] Im Verfahren, das gemäß § 696 Absatz 1 der Zivilprozessordnung dem Mahnverfahren folgt, schuldet die Kosten, wer den Mahnbescheid beantragt hat. [3] Im Verfahren, das gemäß § 700 Absatz 3 der Zivilprozessordnung dem Mahnverfahren folgt, schuldet die Kosten, wer den Vollstreckungsbescheid beantragt hat. [4] Im Verfahren, das nach Einspruch dem Europäischen Mahnverfahren folgt, schuldet die Kosten, wer den Zahlungsbefehl beantragt hat. [5] Die Gebühr für den Abschluss eines gerichtlichen Vergleichs schuldet jeder, der an dem Abschluss beteiligt ist.

(2) [1] In Verfahren vor den Gerichten für Arbeitssachen ist Absatz 1 nicht anzuwenden, soweit eine Kostenhaftung nach § 29 Nummer 1 oder 2 besteht. [2] Absatz 1 ist ferner nicht anzuwenden, solange bei einer Zurückverweisung des Rechtsstreits an die Vorinstanz nicht feststeht, wer für die Kosten nach § 29 Nummer 1 oder 2 haftet, und der Rechtsstreit noch anhängig ist; er ist jedoch anzuwenden, wenn das Verfahren nach Zurückverweisung sechs Monate geruht hat oder sechs Monate von den Parteien nicht betrieben worden ist.

(3) In Verfahren über Anträge auf Ausstellung einer Bestätigung nach § 1079 der Zivilprozessordnung, einer Bescheinigung nach § 1110 der Zivilprozessordnung, § 27 des Internationalen Erbrechtsverfahrensgesetzes[2)] oder nach § 57, § 58 oder § 59 des Anerkennungs- und Vollstreckungsausführungsgesetzes[3)] schuldet die Kosten der Antragsteller.

(4) [1] Im erstinstanzlichen Musterverfahren nach dem Kapitalanleger-Musterverfahrensgesetz[4)] ist Absatz 1 nicht anzuwenden. [2] Die Kosten für die Anmeldung eines Anspruchs zum Musterverfahren schuldet der Anmelder. [3] Im Verfahren über die Rechtsbeschwerde nach § 23 des Kapitalanleger-Musterverfahrensgesetzes schuldet neben dem Rechtsbeschwerdeführer auch der Beteiligte,

---

[1)] § 22 Abs. 3 geänd. mWv 16.7.2014 und neu gef. mWv 10.1.2015 durch G v. 8.7.2014 (BGBl. I S. 890); Abs. 3 geänd. mWv 1.10.2015 durch G v. 10.12.2014 (BGBl. I S. 2082; 2015 I S. 1034); Abs. 3 geänd. mWv 1.9.2023 durch G v. 7.11.2022 (BGBl. I S. 1982; 2023 I Nr. 216); Abs. 4 Satz 3 geänd. mWv 20.7.2024 durch G v. 16.7.2024 (BGBl. 2024 I Nr. 240); Abs. 1 Satz 2 eingef., bish. Sätze 2–4 werden Sätze 3–5, Abs. 3 geänd. mWv 1.6.2025 durch G v. 7.4.2025 (BGBl. 2025 I Nr. 109).

[2)] **Habersack ErgBd. Nr. 103p.**

[3)] **Habersack ErgBd. Nr. 103a.**

[4)] **Habersack ErgBd. Nr. 105d.**

der dem Rechtsbeschwerdeverfahren auf Seiten des Rechtsbeschwerdeführers beigetreten ist, die Kosten.

§ 29 Weitere Fälle der Kostenhaftung. Die Kosten schuldet ferner,

1. wem durch gerichtliche oder staatsanwaltschaftliche Entscheidung die Kosten des Verfahrens auferlegt sind;
2. wer sie durch eine vor Gericht abgegebene oder dem Gericht mitgeteilte Erklärung oder in einem vor Gericht abgeschlossenen oder dem Gericht mitgeteilten Vergleich übernommen hat; dies gilt auch, wenn bei einem Vergleich ohne Bestimmung über die Kosten diese als von beiden Teilen je zur Hälfte übernommen anzusehen sind;
3. wer für die Kostenschuld eines anderen kraft Gesetzes haftet und
4. der Vollstreckungsschuldner für die notwendigen Kosten der Zwangsvollstreckung.

§ 30 Erlöschen der Zahlungspflicht. [1]Die durch gerichtliche oder staatsanwaltschaftliche Entscheidung begründete Verpflichtung zur Zahlung von Kosten erlischt, soweit die Entscheidung durch eine andere gerichtliche Entscheidung aufgehoben oder abgeändert wird. [2]Soweit die Verpflichtung zur Zahlung von Kosten nur auf der aufgehobenen oder abgeänderten Entscheidung beruht hat, werden bereits gezahlte Kosten zurückerstattet.

§ 31 Mehrere Kostenschuldner. (1) Mehrere Kostenschuldner haften als Gesamtschuldner.

(2) [1]Soweit ein Kostenschuldner aufgrund von § 29 Nummer 1 oder 2 (Erstschuldner) haftet, soll die Haftung eines anderen Kostenschuldners nur geltend gemacht werden, wenn eine Zwangsvollstreckung in das bewegliche Vermögen des ersteren erfolglos geblieben ist oder aussichtslos erscheint. [2]Zahlungen des Erstschuldners mindern seine Haftung aufgrund anderer Vorschriften dieses Gesetzes auch dann in voller Höhe, wenn sich seine Haftung nur auf einen Teilbetrag bezieht.

(3) [1]Soweit einem Kostenschuldner, der aufgrund von § 29 Nummer 1 haftet (Entscheidungsschuldner), Prozesskostenhilfe bewilligt worden ist, darf die Haftung eines anderen Kostenschuldners nicht geltend gemacht werden; von diesem bereits erhobene Kosten sind zurückzuzahlen, soweit es sich nicht um eine Zahlung nach § 13 Absatz 1 und 3 des Justizvergütungs- und -entschädigungsgesetzes handelt und die Partei, der die Prozesskostenhilfe bewilligt worden ist, der besonderen Vergütung zugestimmt hat. [2]Die Haftung eines anderen Kostenschuldners darf auch nicht geltend gemacht werden, soweit dem Entscheidungsschuldner ein Betrag für die Reise zum Ort einer Verhandlung, Vernehmung oder Untersuchung und für die Rückreise gewährt worden ist.

(4) Absatz 3 ist entsprechend anzuwenden, soweit der Kostenschuldner aufgrund des § 29 Nummer 2 haftet, wenn

1. der Kostenschuldner die Kosten in einem vor Gericht abgeschlossenen oder gegenüber dem Gericht angenommenen Vergleich übernommen hat,
2. der Vergleich einschließlich der Verteilung der Kosten von dem Gericht vorgeschlagen worden ist und
3. das Gericht in seinem Vergleichsvorschlag ausdrücklich festgestellt hat, dass die Kostenregelung der sonst zu erwartenden Kostenentscheidung entspricht.

§ 32 Haftung von Streitgenossen und Beigeladenen. (1) [1]Streitgenossen haften als Gesamtschuldner, wenn die Kosten nicht durch gerichtliche Entscheidung unter sie verteilt sind. [2]Soweit einen Streitgenossen nur Teile des Streitgegenstands betreffen, beschränkt sich seine Haftung als Gesamtschuldner auf den Betrag, der entstanden wäre, wenn das Verfahren nur diese Teile betroffen hätte.

(2) Absatz 1 gilt auch für mehrere Beigeladene, denen Kosten auferlegt worden sind.

Abschnitt 6. Gebührenvorschriften

§ 34[1)] Wertgebühren. (1) [1]Wenn sich die Gebühren nach dem Streitwert richten, beträgt bei einem Streitwert bis 500 Euro die Gebühr 40 Euro. [2]Die Gebühr erhöht sich bei einem

Streitwert bis … Euro	für jeden angefangenen Betrag von weiteren … Euro	um … Euro
2 000	500	21,00
10 000	1 000	22,50
25 000	3 000	30,50
50 000	5 000	40,50
200 000	15 000	140,00
500 000	30 000	210,00
über 500 000	50 000	210,00

[3]Eine Gebührentabelle für Streitwerte bis 500 000 Euro ist diesem Gesetz als Anlage 2 beigefügt.

(2) [1]Der Mindestbetrag einer Gebühr ist 15 Euro. [2]Gebühren werden auf den nächstliegenden Cent auf- oder abgerundet; 0,5 Cent werden aufgerundet.

§ 35 Einmalige Erhebung der Gebühren. Die Gebühr für das Verfahren im Allgemeinen und die Gebühr für eine Entscheidung werden in jedem Rechtszug hinsichtlich eines jeden Teils des Streitgegenstands nur einmal erhoben.

§ 36 Teile des Streitgegenstands. (1) Für Handlungen, die einen Teil des Streitgegenstands betreffen, sind die Gebühren nur nach dem Wert dieses Teils zu berechnen.

(2) Sind von einzelnen Wertteilen in demselben Rechtszug für gleiche Handlungen Gebühren zu berechnen, darf nicht mehr erhoben werden, als wenn die Gebühr von dem Gesamtbetrag der Wertteile zu berechnen wäre.

(Fortsetzung nächstes Blatt)

1) § 34 Abs. 1 Sätze 1 und 2 neu gef. mWv 1.1.2021 durch G v. 21.12.2020 (BGBl. I S. 3229); Abs. 1 Sätze 1 und 2 neu gef., Abs. 2 Satz 2 angef. mWv 1.6.2025 durch G v. 7.4.2025 (BGBl. 2025 I Nr. 109).

(3) Sind für Teile des Gegenstands verschiedene Gebührensätze anzuwenden, sind die Gebühren für die Teile gesondert zu berechnen; die aus dem Gesamtbetrag der Wertteile nach dem höchsten Gebührensatz berechnete Gebühr darf jedoch nicht überschritten werden.

§ 37 Zurückverweisung. Wird eine Sache zur anderweitigen Verhandlung an das Gericht des unteren Rechtszugs zurückverwiesen, bildet das weitere Verfahren mit dem früheren Verfahren vor diesem Gericht im Sinne des § 35 einen Rechtszug.

§ 38 Verzögerung des Rechtsstreits. [1] Wird außer im Fall des § 335 der Zivilprozessordnung[1)] durch Verschulden des Klägers, des Beklagten oder eines Vertreters die Vertagung einer mündlichen Verhandlung oder die Anberaumung eines neuen Termins zur mündlichen Verhandlung nötig oder ist die Erledigung des Rechtsstreits durch nachträgliches Vorbringen von Angriffs- oder Verteidigungsmitteln, Beweismitteln oder Beweiseinreden, die früher vorgebracht werden konnten, verzögert worden, kann das Gericht dem Kläger oder dem Beklagten von Amts wegen eine besondere Gebühr mit einem Gebührensatz von 1,0 auferlegen. [2] Die Gebühr kann bis auf einen Gebührensatz von 0,3 ermäßigt werden. [3] Dem Kläger, dem Beklagten oder dem Vertreter stehen gleich der Nebenintervenient, der Beigeladene, der Vertreter des Bundesinteresses beim Bundesverwaltungsgericht und der Vertreter des öffentlichen Interesses sowie ihre Vertreter.

Abschnitt 7. Wertvorschriften

Unterabschnitt 1. Allgemeine Wertvorschriften

§ 39 Grundsatz. (1) In demselben Verfahren und in demselben Rechtszug werden die Werte mehrerer Streitgegenstände zusammengerechnet, soweit nichts anderes bestimmt ist.

(2) Der Streitwert beträgt höchstens 30 Millionen Euro, soweit kein niedrigerer Höchstwert bestimmt ist.

§ 40 Zeitpunkt der Wertberechnung. Für die Wertberechnung ist der Zeitpunkt der den jeweiligen Streitgegenstand betreffenden Antragstellung maßgebend, die den Rechtszug einleitet.

§ 42 Wiederkehrende Leistungen. (1) [1] Bei Ansprüchen auf wiederkehrende Leistungen aus einem öffentlich-rechtlichen Dienst- oder Amtsverhältnis, einer Dienstpflicht oder einer Tätigkeit, die anstelle einer gesetzlichen Dienstpflicht geleistet werden kann, bei Ansprüchen von Arbeitnehmern auf wiederkehrende Leistungen sowie in Verfahren vor Gerichten der Sozialgerichtsbarkeit, in denen Ansprüche auf wiederkehrende Leistungen dem Grunde oder der Höhe nach geltend gemacht oder abgewehrt werden, ist der dreifache Jahresbetrag der wiederkehrenden Leistungen maßgebend, wenn nicht der Gesamtbetrag der geforderten Leistungen geringer ist. [2] Ist im Ver-

1) **NipperdeyDirekt (online) Nr. 320.**

fahren vor den Gerichten der Verwaltungs- und Sozialgerichtsbarkeit die Höhe des Jahresbetrags nicht nach dem Antrag des Klägers bestimmt oder nach diesem Antrag mit vertretbarem Aufwand bestimmbar, ist der Streitwert nach § 52 Absatz 1 und 2 zu bestimmen.

(2) [1] Für die Wertberechnung bei Rechtsstreitigkeiten vor den Gerichten für Arbeitssachen über das Bestehen, das Nichtbestehen oder die Kündigung eines Arbeitsverhältnisses ist höchstens der Betrag des für die Dauer eines Vierteljahres zu leistenden Arbeitsentgelts maßgebend; eine Abfindung wird nicht hinzugerechnet. [2] Bei Rechtsstreitigkeiten über Eingruppierungen ist der Wert des dreijährigen Unterschiedsbetrags zur begehrten Vergütung maßgebend, sofern nicht der Gesamtbetrag der geforderten Leistungen geringer ist.

(3) [1] Die bei Einreichung der Klage fälligen Beträge werden dem Streitwert hinzugerechnet; dies gilt nicht in Rechtsstreitigkeiten vor den Gerichten für Arbeitssachen. [2] Der Einreichung der Klage steht die Einreichung eines Antrags auf Bewilligung der Prozesskostenhilfe gleich, wenn die Klage alsbald nach Mitteilung der Entscheidung über den Antrag oder über eine alsbald eingelegte Beschwerde eingereicht wird.

§ 43 Nebenforderungen. (1) Sind außer dem Hauptanspruch auch Früchte, Nutzungen, Zinsen oder Kosten als Nebenforderungen betroffen, wird der Wert der Nebenforderungen nicht berücksichtigt.

(2) Sind Früchte, Nutzungen, Zinsen oder Kosten als Nebenforderungen ohne den Hauptanspruch betroffen, ist der Wert der Nebenforderungen maßgebend, soweit er den Wert des Hauptanspruchs nicht übersteigt.

(3) Sind die Kosten des Rechtsstreits ohne den Hauptanspruch betroffen, ist der Betrag der Kosten maßgebend, soweit er den Wert des Hauptanspruchs nicht übersteigt.

§ 44 Stufenklage. Wird mit der Klage auf Rechnungslegung oder auf Vorlegung eines Vermögensverzeichnisses oder auf Abgabe einer eidesstattlichen Versicherung die Klage auf Herausgabe desjenigen verbunden, was der Beklagte aus dem zugrunde liegenden Rechtsverhältnis schuldet, ist für die Wertberechnung nur einer der verbundenen Ansprüche, und zwar der höhere, maßgebend.

§ 45 Klage und Widerklage, Hilfsanspruch, wechselseitige Rechtsmittel, Aufrechnung. (1) [1] In einer Klage und in einer Widerklage geltend gemachte Ansprüche, die nicht in getrennten Prozessen verhandelt werden, werden zusammengerechnet. [2] Ein hilfsweise geltend gemachter Anspruch wird mit dem Hauptanspruch zusammengerechnet, soweit eine Entscheidung über ihn ergeht. [3] Betreffen die Ansprüche im Fall des Satzes 1 oder 2 denselben Gegenstand, ist nur der Wert des höheren Anspruchs maßgebend.

(2) Für wechselseitig eingelegte Rechtsmittel, die nicht in getrennten Prozessen verhandelt werden, ist Absatz 1 Satz 1 und 3 entsprechend anzuwenden.

(3) Macht der Beklagte hilfsweise die Aufrechnung mit einer bestrittenen Gegenforderung geltend, erhöht sich der Streitwert um den Wert der Gegenforderung, soweit eine der Rechtskraft fähige Entscheidung über sie ergeht.

(4) Bei einer Erledigung des Rechtsstreits durch Vergleich sind die Absätze 1 bis 3 entsprechend anzuwenden.

§ 47 Rechtsmittelverfahren. (1) [1]Im Rechtsmittelverfahren bestimmt sich der Streitwert nach den Anträgen des Rechtsmittelführers. [2]Endet das Verfahren, ohne dass solche Anträge eingereicht werden, oder werden, wenn eine Frist für die Rechtsmittelbegründung vorgeschrieben ist, innerhalb dieser Frist Rechtsmittelanträge nicht eingereicht, ist die Beschwer maßgebend.

(2) [1]Der Streitwert ist durch den Wert des Streitgegenstands des ersten Rechtszugs begrenzt. [2]Das gilt nicht, soweit der Streitgegenstand erweitert wird.

(3) Im Verfahren über den Antrag auf Zulassung des Rechtsmittels und im Verfahren über die Beschwerde gegen die Nichtzulassung des Rechtsmittels ist Streitwert der für das Rechtsmittelverfahren maßgebende Wert.

Unterabschnitt 2. Besondere Wertvorschriften

§§ 48 – 51a *(hier nicht wiedergegeben)*

§ 52[1)] Verfahren vor Gerichten der Verwaltungs-, Finanz- und Sozialgerichtsbarkeit. (1) In Verfahren vor den Gerichten der Verwaltungs-, Finanz- und Sozialgerichtsbarkeit ist, soweit nichts anderes bestimmt ist, der Streitwert nach der sich aus dem Antrag des Klägers für ihn ergebenden Bedeutung der Sache nach Ermessen zu bestimmen.

(2) Bietet der Sach- und Streitstand für die Bestimmung des Streitwerts keine genügenden Anhaltspunkte, ist ein Streitwert von 5 000 Euro anzunehmen.

(3) [1]Betrifft der Antrag des Klägers eine bezifferte Geldleistung oder einen hierauf bezogenen Verwaltungsakt, ist deren Höhe maßgebend. [2]Hat der Antrag des Klägers offensichtlich absehbare Auswirkungen auf künftige Geldleistungen oder auf noch zu erlassende, auf derartige Geldleistungen bezogene Verwaltungsakte, ist die Höhe des sich aus Satz 1 ergebenden Streitwerts um den Betrag der offensichtlich absehbaren zukünftigen Auswirkungen für den Kläger anzuheben, wobei die Summe das Dreifache des Werts nach Satz 1 nicht übersteigen darf. [3]In Verfahren in Kindergeldangelegenheiten vor den Gerichten der Finanzgerichtsbarkeit ist § 42 Absatz 1 Satz 1 und Absatz 3 entsprechend anzuwenden; an die Stelle des dreifachen Jahresbetrags tritt der einfache Jahresbetrag.

(4) In Verfahren

1. vor den Gerichten der Finanzgerichtsbarkeit, mit Ausnahme der Verfahren nach § 155 Satz 2 der Finanzgerichtsordnung[2)] und der Verfahren in Kindergeldangelegenheiten, darf der Streitwert nicht unter 1 500 Euro,
2. vor den Gerichten der Sozialgerichtsbarkeit und bei Rechtsstreitigkeiten nach dem Krankenhausfinanzierungsgesetz[3)] nicht über 2 500 000 Euro,
3. vor den Gerichten der Verwaltungsgerichtsbarkeit über Ansprüche nach dem Vermögensgesetz nicht über 500 000 Euro und

---

[1)] § 52 Abs. 3 Satz 3 angef., Abs. 5 eingef., bish. Abs. 5–7 werden Abs. 6–8 mWv 16.7.2014 durch G v. 8.7.2014 (BGBl. I S. 890); Abs. 7 geänd. mWv 4.7.2015 durch G v. 29.6.2015 (BGBl. I S. 1042); Abs. 4 Nr. 2 und 3 geänd., Nr. 4 angef. mWv 1.1.2019 durch G v. 9.8.2019 (BGBl. I S. 1202).

[2)] **Steuergesetze Nr. 802.**

[3)] **Aichberger, SGB Nr. 5/20.**

4. bei Rechtsstreitigkeiten nach § 36 Absatz 6 Satz 1 des Pflegeberufegesetzes[1] nicht über 1 500 000 Euro

angenommen werden.

(5) Solange in Verfahren vor den Gerichten der Finanzgerichtsbarkeit der Wert nicht festgesetzt ist und sich der nach den Absätzen 3 und 4 Nummer 1 maßgebende Wert auch nicht unmittelbar aus den gerichtlichen Verfahrensakten ergibt, sind die Gebühren vorläufig nach dem in Absatz 4 Nummer 1 bestimmten Mindestwert zu bemessen.

(6) [1]In Verfahren, die die Begründung, die Umwandlung, das Bestehen, das Nichtbestehen oder die Beendigung eines besoldeten öffentlich-rechtlichen Dienst- oder Amtsverhältnisses betreffen, ist Streitwert

1. die Summe der für ein Kalenderjahr zu zahlenden Bezüge mit Ausnahme nicht ruhegehaltsfähiger Zulagen, wenn Gegenstand des Verfahrens ein Dienst- oder Amtsverhältnis auf Lebenszeit ist,
2. im Übrigen die Hälfte der für ein Kalenderjahr zu zahlenden Bezüge mit Ausnahme nicht ruhegehaltsfähiger Zulagen.

[2]Maßgebend für die Berechnung ist das laufende Kalenderjahr. [3]Bezügebestandteile, die vom Familienstand oder von Unterhaltsverpflichtungen abhängig sind, bleiben außer Betracht. [4]Betrifft das Verfahren die Verleihung eines anderen Amts oder den Zeitpunkt einer Versetzung in den Ruhestand, ist Streitwert die Hälfte des sich nach den Sätzen 1 bis 3 ergebenden Betrags.

(7) Ist mit einem in Verfahren nach Absatz 6 verfolgten Klagebegehren ein aus ihm hergeleiteter vermögensrechtlicher Anspruch verbunden, ist nur ein Klagebegehren, und zwar das wertmäßig höhere, maßgebend.

(8) Dem Kläger steht gleich, wer sonst das Verfahren des ersten Rechtszugs beantragt hat.

§ 53[2] Einstweiliger Rechtsschutz und Verfahren nach § 148 Absatz 1 und 2 des Aktiengesetzes. (1) In folgenden Verfahren bestimmt sich der Wert nach § 3 der Zivilprozessordnung[3]:

1. über die Anordnung eines Arrests, zur Erwirkung eines Europäischen Beschlusses zur vorläufigen Kontenpfändung, wenn keine Festgebühren bestimmt sind, und auf Erlass einer einstweiligen Verfügung sowie im Verfahren über die Aufhebung, den Widerruf oder die Abänderung der genannten Entscheidungen,
2. über den Antrag auf Zulassung der Vollziehung einer vorläufigen oder sichernden Maßnahme des Schiedsgerichts,
3. auf Aufhebung oder Abänderung einer Entscheidung auf Zulassung der Vollziehung (§ 1041 der Zivilprozessordnung),
4. nach § 47 Absatz 5 des Energiewirtschaftsgesetzes[4] über gerügte Rechtsverletzungen, der Wert beträgt höchstens 100 000 Euro, und

---

[1] **beck-online, Module Arbeitsrecht Nr. 416.**

[2] § 53 Abs. 1 Nr. 1 neu gef. mWv 18.1.2017 durch G v. 21.11.2016 (BGBl. I S. 2591); Abs. 1 Nr. 3 *geänd., Nr. 4 eingef., bish. Nr. 4 wird Nr. 5* mWv 3.2.2017 durch G v. 27.1.2017 (BGBl. I S. 130).

[3] Auszugsweise abgedruckt unter Nr. **320**.

[4] **Sartorius Nr. 830.**

5. nach § 148 Absatz 1 und 2 des Aktiengesetzes[1]; er darf jedoch ein Zehntel des Grundkapitals oder Stammkapitals des übertragenden oder formwechselnden Rechtsträgers oder, falls der übertragende oder formwechselnde Rechtsträger ein Grundkapital oder Stammkapital nicht hat, ein Zehntel des Vermögens dieses Rechtsträgers, höchstens jedoch 500 000 Euro, nur insoweit übersteigen, als die Bedeutung der Sache für die Parteien höher zu bewerten ist.

(2) In folgenden Verfahren bestimmt sich der Wert nach § 52 Absatz 1 und 2:

(Fortsetzung nächstes Blatt)

[1] Auszugsweise abgedruckt unter Nr. **567**.

1. über einen Antrag auf Erlass, Abänderung oder Aufhebung einer einstweiligen Anordnung nach § 123 der Verwaltungsgerichtsordnung[1] oder § 114 der Finanzgerichtsordnung[2],
2. nach § 47 Absatz 6, § 80 Absatz 5 bis 8, § 80a Absatz 3 oder § 80b Absatz 2 und 3 der Verwaltungsgerichtsordnung[1],
3. nach § 69 Absatz 3, 5 der Finanzgerichtsordnung,
4. nach § 86b des Sozialgerichtsgesetzes[3] und
5. nach § 50 Absatz 3 bis 5 des Wertpapiererwerbs- und Übernahmegesetzes[4].

§§ 53a – 60 *(hier nicht wiedergegeben)*

Unterabschnitt 3. Wertfestsetzung

§ 61 Angabe des Werts. [1] Bei jedem Antrag ist der Streitwert, sofern dieser nicht in einer bestimmten Geldsumme besteht, kein fester Wert bestimmt ist oder sich nicht aus früheren Anträgen ergibt, und nach Aufforderung auch der Wert eines Teils des Streitgegenstands schriftlich oder zu Protokoll der Geschäftsstelle anzugeben. [2] Die Angabe kann jederzeit berichtigt werden.

§ 62 Wertfestsetzung für die Zuständigkeit des Prozessgerichts oder die Zulässigkeit des Rechtsmittels. [1] Ist der Streitwert für die Entscheidung über die Zuständigkeit des Prozessgerichts oder die Zulässigkeit des Rechtsmittels festgesetzt, ist die Festsetzung auch für die Berechnung der Gebühren maßgebend, soweit die Wertvorschriften dieses Gesetzes nicht von den Wertvorschriften des Verfahrensrechts abweichen. [2] Satz 1 gilt nicht in Verfahren vor den Gerichten für Arbeitssachen.

§ 63[5] Wertfestsetzung für die Gerichtsgebühren. (1) [1] Sind Gebühren, die sich nach dem Streitwert richten, mit der Einreichung der Klage-, Antrags-, Einspruchs- oder Rechtsmittelschrift oder mit der Abgabe der entsprechenden Erklärung zu Protokoll fällig, setzt das Gericht sogleich den Wert ohne Anhörung der Parteien durch Beschluss vorläufig fest, wenn Gegenstand des Verfahrens nicht eine bestimmte Geldsumme in Euro ist oder gesetzlich kein fester Wert bestimmt ist. [2] Einwendungen gegen die Höhe des festgesetzten Werts können nur im Verfahren über die Beschwerde gegen den Beschluss, durch den die Tätigkeit des Gerichts aufgrund dieses Gesetzes von der vorherigen Zahlung von Kosten abhängig gemacht wird, geltend gemacht werden. [3] Die Sätze 1 und 2 gelten nicht in Verfahren vor den Gerichten der Finanzgerichtsbarkeit.

(2) [1] Soweit eine Entscheidung nach § 62 Satz 1 nicht ergeht oder nicht bindet, setzt das Prozessgericht den Wert für die zu erhebenden Gebühren durch Beschluss fest, sobald eine Entscheidung über den gesamten Streitgegenstand ergeht oder sich das Verfahren anderweitig erledigt. [2] In Verfahren vor den Gerichten für Arbeitssachen oder der Finanzgerichtsbarkeit gilt dies nur dann, wenn ein Beteiligter oder die Staatskasse die Festsetzung beantragt oder das Gericht sie für angemessen hält.

---

[1] **beck-online, Module Arbeitsrecht Nr. 663.**
[2] **Steuergesetze Nr. 802.**
[3] Nr. 680.
[4] **beck-online, Module Arbeitsrecht Nr. 650.**
[5] § 63 Abs. 1 Satz 4 aufgeh. mWv 16.7.2014 durch G v. 8.7.2014 (BGBl. I S. 890).

(3) [1] Die Festsetzung kann von Amts wegen geändert werden
1. von dem Gericht, das den Wert festgesetzt hat, und
2. von dem Rechtsmittelgericht, wenn das Verfahren wegen der Hauptsache oder wegen der Entscheidung über den Streitwert, den Kostenansatz oder die Kostenfestsetzung in der Rechtsmittelinstanz schwebt.

[2] Die Änderung ist nur innerhalb von sechs Monaten zulässig, nachdem die Entscheidung in der Hauptsache Rechtskraft erlangt oder das Verfahren sich anderweitig erledigt hat.

§ 64 Schätzung des Werts. [1] Wird eine Abschätzung durch Sachverständige erforderlich, ist in dem Beschluss, durch den der Wert festgesetzt wird (§ 63), über die Kosten der Abschätzung zu entscheiden. [2] Diese Kosten können ganz oder teilweise der Partei auferlegt werden, welche die Abschätzung durch Unterlassen der ihr obliegenden Wertangabe, durch unrichtige Angabe des Werts, durch unbegründetes Bestreiten des angegebenen Werts oder durch eine unbegründete Beschwerde veranlasst hat.

§ 65 *(hier nicht wiedergegeben)*

Abschnitt 8. Erinnerung und Beschwerde

§ 66[1)] Erinnerung gegen den Kostenansatz, Beschwerde. (1) [1] Über Erinnerungen des Kostenschuldners und der Staatskasse gegen den Kostenansatz entscheidet das Gericht, bei dem die Kosten angesetzt sind. [2] Sind die Kosten bei der Staatsanwaltschaft angesetzt, ist das Gericht des ersten Rechtszugs zuständig. [3] War das Verfahren im ersten Rechtszug bei mehreren Gerichten anhängig, ist das Gericht, bei dem es zuletzt anhängig war, auch insoweit zuständig, als Kosten bei den anderen Gerichten angesetzt worden sind. [4] Soweit sich die Erinnerung gegen den Ansatz der Auslagen des erstinstanzlichen Musterverfahrens nach dem Kapitalanleger-Musterverfahrensgesetz[2)] richtet, entscheidet hierüber das für die Durchführung des Musterverfahrens zuständige Oberlandesgericht.

(2) [1] Gegen die Entscheidung über die Erinnerung findet die Beschwerde statt, wenn der Wert des Beschwerdegegenstands 300 Euro übersteigt. [2] Die Beschwerde ist auch zulässig, wenn sie das Gericht, das die angefochtene Entscheidung erlassen hat, wegen der grundsätzlichen Bedeutung der zur Entscheidung stehenden Frage in dem Beschluss zulässt.

(3) [1] Soweit das Gericht die Beschwerde für zulässig und begründet hält, hat es ihr abzuhelfen; im Übrigen ist die Beschwerde unverzüglich dem Beschwerdegericht vorzulegen. [2] Beschwerdegericht ist das nächsthöhere Gericht. [3] Eine Beschwerde an einen obersten Gerichtshof des Bundes findet nicht statt. [4] Das Beschwerdegericht ist an die Zulassung der Beschwerde gebunden; die Nichtzulassung ist unanfechtbar.

(4) [1] Die weitere Beschwerde ist nur zulässig, wenn das Landgericht als Beschwerdegericht entschieden und sie wegen der grundsätzlichen Bedeutung der zur Entscheidung stehenden Frage in dem Beschluss zugelassen hat. [2] Sie kann nur darauf gestützt werden, dass die Entscheidung auf einer Verletzung

---

[1)] § 66 Abs. 2 Satz 1 geänd. mWv 1.1.2026 durch G v. 8.12.2025 (BGBl. 2025 I Nr. 318).
[2)] **Habersack ErgBd. Nr. 105d.**

des Rechts beruht; die §§ 546 und 547 der Zivilprozessordnung[1)] gelten entsprechend. [3]Über die weitere Beschwerde entscheidet das Oberlandesgericht. [4]Absatz 3 Satz 1 und 4 gilt entsprechend.

(5) [1]Anträge und Erklärungen können ohne Mitwirkung eines Bevollmächtigten schriftlich eingereicht oder zu Protokoll der Geschäftsstelle abgegeben werden; § 129a der Zivilprozessordnung[1)] gilt entsprechend. [2]Für die Bevollmächtigung gelten die Regelungen der für das zugrunde liegende Verfahren geltenden Verfahrensordnung entsprechend. [3]Die Erinnerung ist bei dem Gericht einzulegen, das für die Entscheidung über die Erinnerung zuständig ist. [4]Die Erinnerung kann auch bei der Staatsanwaltschaft eingelegt werden, wenn die Kosten bei dieser angesetzt worden sind. [5]Die Beschwerde ist bei dem Gericht einzulegen, dessen Entscheidung angefochten wird.

(6) [1]Das Gericht entscheidet über die Erinnerung durch eines seiner Mitglieder als Einzelrichter; dies gilt auch für die Beschwerde, wenn die angefochtene Entscheidung von einem Einzelrichter oder einem Rechtspfleger erlassen wurde. [2]Der Einzelrichter überträgt das Verfahren der Kammer oder dem Senat, wenn die Sache besondere Schwierigkeiten tatsächlicher oder rechtlicher Art aufweist oder die Rechtssache grundsätzliche Bedeutung hat. [3]Das Gericht entscheidet jedoch immer ohne Mitwirkung ehrenamtlicher Richter. [4]Auf eine erfolgte oder unterlassene Übertragung kann ein Rechtsmittel nicht gestützt werden.

(7) [1]Erinnerung und Beschwerde haben keine aufschiebende Wirkung. [2]Das Gericht oder das Beschwerdegericht kann auf Antrag oder von Amts wegen die aufschiebende Wirkung ganz oder teilweise anordnen; ist nicht der Einzelrichter zur Entscheidung berufen, entscheidet der Vorsitzende des Gerichts.

(8) [1]Die Verfahren sind gebührenfrei. [2]Kosten werden nicht erstattet.

§ 67 Beschwerde gegen die Anordnung einer Vorauszahlung. (1) [1]Gegen den Beschluss, durch den die Tätigkeit des Gerichts nur aufgrund dieses Gesetzes von der vorherigen Zahlung von Kosten abhängig gemacht wird, und wegen der Höhe des in diesem Fall im Voraus zu zahlenden Betrags findet stets die Beschwerde statt. [2]§ 66 Absatz 3 Satz 1 bis 3, Absatz 4, 5 Satz 1 und 5, Absatz 6 und 8 ist entsprechend anzuwenden. [3]Soweit sich die Partei in dem Hauptsacheverfahren vor dem Gericht, dessen Entscheidung angefochten werden soll, durch einen Prozessbevollmächtigten vertreten lassen muss, gilt dies auch im Beschwerdeverfahren.

(2) Im Fall des § 17 Absatz 2 ist § 66 entsprechend anzuwenden.

§ 68[2)] Beschwerde gegen die Festsetzung des Streitwerts. (1) [1]Gegen den Beschluss, durch den der Wert für die Gerichtsgebühren festgesetzt worden ist (§ 63 Absatz 2), findet die Beschwerde statt, wenn der Wert des Beschwerdegegenstands 300 Euro übersteigt. [2]Die Beschwerde findet auch statt, wenn sie das Gericht, das die angefochtene Entscheidung erlassen hat, wegen der grundsätzlichen Bedeutung der zur Entscheidung stehenden Frage in dem Beschluss zulässt. [3]Die Beschwerde ist nur zulässig, wenn sie innerhalb der in § 63 Absatz 3 Satz 2 bestimmten Frist eingelegt wird; ist der Streitwert später als

---

[1)] **beck-online, Module Arbeitsrecht Nr. 320.**

[2)] § 68 Abs. 1 Satz 4 geänd. mWv 1.1.2025 durch G v. 15.7.2024 (BGBl. 2024 I Nr. 236); Abs. 1 Satz 1 geänd. mWv 1.1.2026 durch G v. 8.12.2025 (BGBl. 2025 I Nr. 318).

einen Monat vor Ablauf dieser Frist festgesetzt worden, kann sie noch innerhalb eines Monats nach Zustellung oder formloser Mitteilung des Festsetzungsbeschlusses eingelegt werden. [4]Im Fall der formlosen Mitteilung gilt der Beschluss mit dem vierten Tag nach Aufgabe zur Post als bekannt gemacht. [5]§ 66 Absatz 3, 4, 5 Satz 1, 2 und 5 sowie Absatz 6 ist entsprechend anzuwenden. [6]Die weitere Beschwerde ist innerhalb eines Monats nach Zustellung der Entscheidung des Beschwerdegerichts einzulegen.

(2) [1]War der Beschwerdeführer ohne sein Verschulden verhindert, die Frist einzuhalten, ist ihm auf Antrag von dem Gericht, das über die Beschwerde zu entscheiden hat, Wiedereinsetzung in den vorigen Stand zu gewähren, wenn er die Beschwerde binnen zwei Wochen nach der Beseitigung des Hindernisses einlegt und die Tatsachen, welche die Wiedereinsetzung begründen, glaubhaft macht. [2]Ein Fehlen des Verschuldens wird vermutet, wenn eine Rechtsbehelfsbelehrung unterblieben oder fehlerhaft ist. [3]Nach Ablauf eines Jahres, von dem Ende der versäumten Frist an gerechnet, kann die Wiedereinsetzung nicht mehr beantragt werden. [4]Gegen die Ablehnung der Wiedereinsetzung findet die Beschwerde statt. [5]Sie ist nur zulässig, wenn sie innerhalb von zwei Wochen eingelegt wird. [6]Die Frist beginnt mit der Zustellung der Entscheidung. [7]§ 66 Absatz 3 Satz 1 bis 3, Absatz 5 Satz 1, 2 und 5 sowie Absatz 6 ist entsprechend anzuwenden.

(3) [1]Die Verfahren sind gebührenfrei. [2]Kosten werden nicht erstattet.

§ 69[1)] Beschwerde gegen die Auferlegung einer Verzögerungsgebühr.

[1]Gegen den Beschluss nach § 38 findet die Beschwerde statt, wenn der Wert des Beschwerdegegenstands 300 Euro übersteigt oder das Gericht, das die angefochtene Entscheidung erlassen hat, die Beschwerde wegen der grundsätzlichen Bedeutung in dem Beschluss der zur Entscheidung stehenden Frage zugelassen hat. [2]§ 66 Absatz 3, 4, 5 Satz 1, 2 und 5, Absatz 6 und 8 ist entsprechend anzuwenden.

§ 69a[2)] Abhilfe bei Verletzung des Anspruchs auf rechtliches Gehör.

(1) Auf die Rüge eines durch die Entscheidung beschwerten Beteiligten ist das Verfahren fortzuführen, wenn

1. ein Rechtsmittel oder ein anderer Rechtsbehelf gegen die Entscheidung nicht gegeben ist und
2. das Gericht den Anspruch dieses Beteiligten auf rechtliches Gehör in entscheidungserheblicher Weise verletzt hat.

(2) [1]Die Rüge ist innerhalb von zwei Wochen nach Kenntnis von der Verletzung des rechtlichen Gehörs zu erheben; der Zeitpunkt der Kenntniserlangung ist glaubhaft zu machen. [2]Nach Ablauf eines Jahres seit Bekanntmachung der angegriffenen Entscheidung kann die Rüge nicht mehr erhoben werden. [3]Formlos mitgeteilte Entscheidungen gelten mit dem vierten Tag nach Aufgabe zur Post als bekannt gemacht. [4]Die Rüge ist bei dem Gericht zu erheben, dessen Entscheidung angegriffen wird; § 66 Absatz 5 Satz 1 und 2 gilt entsprechend. [5]Die Rüge muss die angegriffene Entscheidung bezeichnen und das Vorliegen der in Absatz 1 Nummer 2 genannten Voraussetzungen darlegen.

[1)] § 69 Satz 1 geänd. mWv 1.1.2026 durch G v. 8.12.2025 (BGBl. 2025 I Nr. 318).

[2)] § 69a Abs. 2 Satz 3 geänd. mWv 1.1.2025 durch G v. 15.7.2024 (BGBl. 2024 I Nr. 236).

(3) Den übrigen Beteiligten ist, soweit erforderlich, Gelegenheit zur Stellungnahme zu geben.

(4) [1]Das Gericht hat von Amts wegen zu prüfen, ob die Rüge an sich statthaft und ob sie in der gesetzlichen Form und Frist erhoben ist. [2]Mangelt es an einem dieser Erfordernisse, so ist die Rüge als unzulässig zu verwerfen. [3]Ist die Rüge unbegründet, weist das Gericht sie zurück. [4]Die Entscheidung ergeht durch unanfechtbaren Beschluss. [5]Der Beschluss soll kurz begründet werden.

(5) Ist die Rüge begründet, so hilft ihr das Gericht ab, indem es das Verfahren fortführt, soweit dies aufgrund der Rüge geboten ist.

(6) Kosten werden nicht erstattet.

Abschnitt 9. Schluss- und Übergangsvorschriften

§ 69b[1)] **Verordnungsermächtigung.** [1]Die Landesregierungen werden ermächtigt, durch Rechtsverordnung zu bestimmen, dass die von den Gerichten der Länder zu erhebenden Verfahrensgebühren über die in den Nummern 1211 ***[bis 31.12.2035:***, 1217***]***, 1411, 5111, 5113, 5211, 5221, 6111, 6211, 7111, 7113 und 8211 des Kostenverzeichnisses bestimmte Ermäßigung hinaus weiter ermäßigt werden oder entfallen, wenn das gesamte Verfahren nach einer Mediation oder nach einem anderen Verfahren der außergerichtlichen Konfliktbeilegung durch Zurücknahme der Klage oder des Antrags beendet wird und in der Klage- oder Antragsschrift mitgeteilt worden ist, dass eine Mediation oder ein anderes Verfahren der außergerichtlichen Konfliktbeilegung unternommen wird oder beabsichtigt ist, oder wenn das Gericht den Parteien die Durchführung einer Mediation oder eines anderen Verfahrens der außergerichtlichen Konfliktbeilegung vorgeschlagen hat. [2]Satz 1 gilt entsprechend für die in den Rechtsmittelzügen von den Gerichten der Länder zu erhebenden Verfahrensgebühren; an die Stelle der Klage- oder Antragsschrift tritt der Schriftsatz, mit dem das Rechtsmittel eingelegt worden ist.

§§ 70, 70a *(hier nicht wiedergegeben)*

§ 71 Übergangsvorschrift. (1) [1]In Rechtsstreitigkeiten, die vor dem Inkrafttreten einer Gesetzesänderung anhängig geworden sind, werden die Kosten nach bisherigem Recht erhoben. [2]Dies gilt nicht im Verfahren über ein Rechtsmittel, das nach dem Inkrafttreten einer Gesetzesänderung eingelegt worden ist. [3]Die Sätze 1 und 2 gelten auch, wenn Vorschriften geändert werden, auf die dieses Gesetz verweist.

(2), (3) …

Anlage 1[2)]
(zu § 3 Abs. 2)

[1)] § 69b Satz 1 geänd. mWv 23.12.2025 und mWv 1.1.2036 durch G v. 22.12.2025 (BGBl. 2025 I Nr. 349).

[2)] Anl. 1 geänd. mWv 1.7.2014 durch G v. 15.7.2013 (BGBl. I S. 2379); mWv 1.7.2014 durch G v. 10.10.2013 (BGBl. I S. 3786); mWv 16.7.2014 und mWv 10.1.2015 durch G v. 8.7.2014 (BGBl. I S. 890); mWv 1.10.2015 durch G v. 10.12.2014 (BGBl. I S. 2082; 2015 I S. 1034); mWv 17.8.2015 durch G v. 29.6.2015 (BGBl. I S. 1042); mWv 1.1.2017 durch G v. 21.12.2015 (BGBl. I S. 2525); mWv 18.4.2016 durch G v. 17.2.2016 (BGBl. I S. 203); mWv 1.10.2021 durch G v. 18.7.2016 (BGBl. I S. 1666); mWv 18.1.2017 durch G v. 21.11.2016 (BGBl. I S. 2591); mWv 1.7.2017 durch G v. 13.4.2017 (BGBl. I S. 872); mWv 26.6.2017 und mWv 21.4.2018 durch G v. 5.6.2017 (BGBl. I →

Kostenverzeichnis

Teil 8. Verfahren vor den Gerichten der Arbeitsgerichtsbarkeit

Nr.	Gebührentatbestand	Gebühr oder Satz der Gebühr nach § 34 GKG
	Vorbemerkung 8: Bei Beendigung des Verfahrens durch einen gerichtlichen Vergleich entfällt die in dem betreffenden Rechtszug angefallene Gebühr; im ersten Rechtszug entfällt auch die Gebühr für das Verfahren über den Antrag auf Erlass eines Vollstreckungsbescheids oder eines Europäischen Zahlungsbefehls. Dies gilt nicht, wenn der Vergleich nur einen Teil des Streitgegenstands betrifft (Teilvergleich).	
	Hauptabschnitt 1. Mahnverfahren	
8100	Verfahren über den Antrag auf Erlass eines Vollstreckungsbescheids oder eines Europäischen Zahlungsbefehls .... Die Gebühr entfällt bei Zurücknahme des Antrags auf Erlass des Vollstreckungsbescheids. Sie entfällt auch nach Übergang in das streitige Verfahren, wenn dieses ohne streitige Verhandlung endet; dies gilt nicht, wenn der Einspruch zurückgenommen wird, ein Versäumnisurteil oder ein Urteil nach § 46a Abs. 6 Satz 2 des Arbeitsgerichtsgesetzes ergeht. Bei Erledigungserklärungen nach § 91a ZPO entfällt die Gebühr, wenn keine Entscheidung über die Kosten ergeht oder die Kostenentscheidung einer zuvor mitgeteilten Einigung der Parteien über die Kostentragung oder der Kostenübernahmeerklärung einer Partei folgt.	0,4 – mindestens 31,00 €
	Hauptabschnitt 2. Urteilsverfahren	
	Abschnitt 1. Erster Rechtszug	
8210	Verfahren im Allgemeinen .... (1) Soweit wegen desselben Anspruchs ein Mahnverfahren vorausgegangen ist, entsteht die Gebühr nach Erhebung des Widerspruchs, wenn ein Antrag auf Durchführung der mündlichen Verhandlung	2,0

(Fortsetzung nächstes Blatt)

(Fortsetzung der Anm. von voriger Seite)
S. 1476); mWv 1.1.2018 durch G v. 5.7.2017 (BGBl. I S. 2208); mWv 1.12.2021 durch G v. 18.7. 2017 (BGBl. I S. 2739, geänd. durch G v. 18.1.2021, BGBl. I S. 2; BAnz AT 29.10.2021 B3; BGBl. 2022 I S. 306); mWv 17.12.2019 durch G v. 9.12.2019 (BGBl. I S. 2146); mWv 30.6.2020 durch G v. 25.6.2020 (BGBl. I S. 1474); mWv 23.10.2020 durch G v. 16.10.2020 (BGBl. I S. 2187); mWv 27.11.2020 durch G v. 23.11.2020 (BGBl. I S. 2474); mWv 1.1.2021 durch G v. 21.12.2020 (BGBl. I S. 3229); mWv 1.1.2021 durch G v. 22.12.2020 (BGBl. I S. 3256); mWv 31.12.2020 durch G v. 22.12.2020 (BGBl. I S. 3328); mWv 19.1.2021 durch G v. 18.1.2021 (BGBl. I S. 2); mWv 9.6. 2021 durch G v. 2.6.2021 (BGBl. I S. 1278); mWv 1.10.2021 durch G v. 8.6.2021 (BGBl. I S. 1603); mWv 1.7.2021 durch G v. 25.6.2021 (BGBl. I S. 2099); mWv 1.9.2023 durch G v. 7.11.2022 (BGBl. I S. 1982; 2023 I Nr. 216); mWv 13.10.2023 durch G v. 8.10.2023 (BGBl. 2023 I Nr. 272); mWv 1.5. 2024 durch G v. 14.12.2023 (BGBl. 2023 I Nr. 365; 2024 I Nr. 165); mWv 19.7.2024 durch G v. 15.7.2024 (BGBl. 2024 I Nr. 237); mWv 20.7.2024 durch G v. 16.7.2024 (BGBl. 2024 I Nr. 240); *mWv 1.4.2025 durch G v. 7.10.2024* (BGBl. 2024 I Nr. 302); mWv 1.6.2025 durch G v. 7.4.2025 (BGBl. 2025 I Nr. 109); mWv 28.11.2025 durch G v. 25.11.2025 (BGBl. 2025 I Nr. 282); mWv 23.12.2025 und mWv 1.1.2036 durch G v. 22.12.2025 (BGBl. 2025 I Nr. 349).

Nr.	Gebührentatbestand	Gebühr oder Satz der Gebühr nach § 34 GKG
	gestellt wird, oder mit der Einlegung des Einspruchs; in diesem Fall wird eine Gebühr 8100 nach dem Wert des Streitgegenstands angerechnet, der in das Prozessverfahren übergegangen ist, sofern im Mahnverfahren der Antrag auf Erlass des Vollstreckungsbescheids gestellt wurde. Satz 1 gilt entsprechend, wenn wegen desselben Streitgegenstands ein Europäisches Mahnverfahren vorausgegangen ist. (2) Die Gebühr entfällt bei Beendigung des gesamten Verfahrens ohne streitige Verhandlung, wenn kein Versäumnisurteil oder Urteil nach § 46a Abs. 6 Satz 2 des Arbeitsgerichtsgesetzes ergeht. Bei Erledigungserklärungen nach § 91a ZPO entfällt die Gebühr, wenn keine Entscheidung über die Kosten ergeht oder die Kostenentscheidung einer zuvor mitgeteilten Einigung der Parteien über die Kostentragung oder der Kostenübernahmeerklärung einer Partei folgt.	
8211	Beendigung des gesamten Verfahrens nach streitiger Verhandlung durch 1. Zurücknahme der Klage vor dem Schluss der mündlichen Verhandlung, wenn keine Entscheidung nach § 269 Abs. 3 Satz 3 ZPO über die Kosten ergeht oder die Entscheidung einer zuvor mitgeteilten Einigung der Parteien über die Kostentragung oder der Kostenübernahmeerklärung einer Partei folgt, 2. Anerkenntnisurteil, Verzichtsurteil oder Urteil, das nach § 313a Abs. 2 ZPO keinen Tatbestand und keine Entscheidungsgründe enthält, oder 3. Erledigungserklärungen nach § 91a ZPO, wenn keine Entscheidung über die Kosten ergeht oder die Entscheidung einer zuvor mitgeteilten Einigung der Parteien über die Kostentragung oder der Kostenübernahmeerklärung einer Partei folgt, es sei denn, dass bereits ein anderes als eines der in Nummer 2 genannten Urteile vorausgegangen ist: Die Gebühr 8210 ermäßigt sich auf .... Die Zurücknahme des Widerspruchs gegen den Mahnbescheid oder des Einspruchs gegen den Vollstreckungsbescheid stehen der Zurücknahme der Klage gleich. Die Gebühr ermäßigt sich auch, wenn mehrere Ermäßigungstatbestände erfüllt sind oder Ermäßigungstatbestände mit einem Teilvergleich zusammentreffen.	0,4
8212	Verfahren wegen eines überlangen Gerichtsverfahrens (§ 9 Absatz 2 Satz 2 des Arbeitsgerichtsgesetzes) vor dem Landesarbeitsgericht: Die Gebühr 8210 beträgt	4,0
8213	Verfahren wegen eines überlangen Gerichtsverfahrens (§ 9 Absatz 2 Satz 2 des Arbeitsgerichtsgesetzes) vor dem Landesarbeitsgericht: Die Gebühr 8211 beträgt	2,0
8214	Verfahren wegen eines überlangen Gerichtsverfahrens (§ 9 Absatz 2 Satz 2 des Arbeitsgerichtsgesetzes) vor dem Bundesarbeitsgericht:	

Nr.	Gebührentatbestand	Gebühr oder Satz der Gebühr nach § 34 GKG
	Die Gebühr 8210 beträgt	5,0
8215	Verfahren wegen eines überlangen Gerichtsverfahrens (§ 9 Absatz 2 Satz 2 des Arbeitsgerichtsgesetzes) vor dem Bundesarbeitsgericht:	
	Die Gebühr 8211 beträgt	3,0
	Abschnitt 2. Berufung	
8220	Verfahren im Allgemeinen	3,2
8221	Beendigung des gesamten Verfahrens durch Zurücknahme der Berufung oder der Klage, bevor die Schrift zur Begründung der Berufung bei Gericht eingegangen ist:	
	Die Gebühr 8220 ermäßigt sich auf	0,8
	Erledigungserklärungen nach § 91a ZPO stehen der Zurücknahme gleich, wenn keine Entscheidung über die Kosten ergeht oder die Entscheidung einer zuvor mitgeteilten Einigung der Parteien über die Kostentragung oder der Kostenübernahmeerklärung einer Partei folgt.	
8222	Beendigung des gesamten Verfahrens, wenn nicht Nummer 8221 erfüllt ist, durch 1. Zurücknahme der Berufung oder der Klage vor dem Schluss der mündlichen Verhandlung, 2. Anerkenntnisurteil, Verzichtsurteil oder Urteil, das nach § 313a Abs. 2 ZPO keinen Tatbestand und keine Entscheidungsgründe enthält, oder 3. Erledigungserklärungen nach § 91a ZPO, wenn keine Entscheidung über die Kosten ergeht oder die Entscheidung einer zuvor mitgeteilten Einigung der Parteien über die Kostentragung oder der Kostenübernahmeerklärung einer Partei folgt, es sei denn, dass bereits ein anderes als eines der in Nummer 2 genannten Urteile vorausgegangen ist:	
	Die Gebühr 8220 ermäßigt sich auf	1,6
	Die Gebühr ermäßigt sich auch, wenn mehrere Ermäßigungstatbestände erfüllt sind oder Ermäßigungstatbestände mit einem Teilvergleich zusammentreffen.	
8223	Beendigung des gesamten Verfahrens durch ein Urteil, das wegen eines Verzichts der Parteien nach § 313a Abs. 1 Satz 2 ZPO keine schriftliche Begründung enthält, wenn nicht bereits ein anderes als eines der in Nummer 8222 Nr. 2 genannten Urteile oder ein Beschluss in der Hauptsache vorausgegangen ist:	
	Die Gebühr 8220 ermäßigt sich auf	2,4
	Die Gebühr ermäßigt sich auch, wenn daneben Ermäßigungstatbestände nach Nummer 8222 erfüllt sind oder Ermäßigungstatbestände mit einem Teilvergleich zusammentreffen.	

Nr.	Gebührentatbestand	Gebühr oder Satz der Gebühr nach § 34 GKG
	Abschnitt 3. Revision	
8230	Verfahren im Allgemeinen	4,0
8231	Beendigung des gesamten Verfahrens durch Zurücknahme der Revision oder der Klage, bevor die Schrift zur Begründung der Revision bei Gericht eingegangen ist: Die Gebühr 8230 ermäßigt sich auf	0,8
	Erledigungserklärungen nach § 91a ZPO stehen der Zurücknahme gleich, wenn keine Entscheidung über die Kosten ergeht oder die Entscheidung einer zuvor mitgeteilten Einigung der Parteien über die Kostentragung oder der Kostenübernahmeerklärung einer Partei folgt.	
8232	Beendigung des gesamten Verfahrens, wenn nicht Nummer 8231 erfüllt ist, durch 1. Zurücknahme der Revision oder der Klage vor dem Schluss der mündlichen Verhandlung, 2. Anerkenntnis- oder Verzichtsurteil oder 3. Erledigungserklärungen nach § 91a ZPO, wenn keine Entscheidung über die Kosten ergeht oder die Entscheidung einer zuvor mitgeteilten Einigung der Parteien über die Kostentragung oder der Kostenübernahmeerklärung einer Partei folgt, es sei denn, dass bereits ein anderes als eines der in Nummer 2 genannten Urteile vorausgegangen ist: Die Gebühr 8230 ermäßigt sich auf	2,4
	Die Gebühr ermäßigt sich auch, wenn mehrere Ermäßigungstatbestände erfüllt sind oder Ermäßigungstatbestände mit einem Teilvergleich zusammentreffen.	
8233	Verfahren wegen eines überlangen Gerichtsverfahrens (§ 9 Absatz 2 Satz 2 des Arbeitsgerichtsgesetzes): Die Gebühr 8230 beträgt	5,0
8234	Verfahren wegen eines überlangen Gerichtsverfahrens (§ 9 Absatz 2 Satz 2 des Arbeitsgerichtsgesetzes): Die Gebühr 8231 beträgt	1,0
8235	Verfahren wegen eines überlangen Gerichtsverfahrens (§ 9 Absatz 2 Satz 2 des Arbeitsgerichtsgesetzes): Die Gebühr 8232 beträgt	3,0

Hauptabschnitt 3. Arrest, Europäischer Beschluss zur vorläufigen Kontenpfändung und einstweilige Verfügung

Vorbemerkung 8.3:

(1) Im Verfahren zur Erwirkung eines Europäischen Beschlusses zur vorläufigen Kontenpfändung werden Gebühren nach diesem Hauptabschnitt nur im Fall des Artikels 5 Buchstabe a der Verordnung (EU) Nr. 655/2014 erhoben. In den Fällen des Artikels 5 Buchstabe b der Verordnung (EU) Nr. 655/2014 bestimmen sich die Gebühren nach Teil 2 Hauptabschnitt 1.

(2) Im Verfahren auf Anordnung eines Arrests oder auf Erlass einer einstweiligen Verfügung sowie im Verfahren über die Aufhebung oder die Abänderung (§ 926 Abs. 2, §§ 927, 936 ZPO) werden die

Nr.	Gebührentatbestand	Gebühr oder Satz der Gebühr nach § 34 GKG
	Gebühren jeweils gesondert erhoben. Im Fall des § 942 ZPO gilt das Verfahren vor dem Amtsgericht und dem Gericht der Hauptsache als ein Rechtsstreit. (3) Im Verfahren zur Erwirkung eines Europäischen Beschlusses zur vorläufigen Kontenpfändung sowie im Verfahren über den Widerruf oder die Abänderung werden die Gebühren jeweils gesondert erhoben.	
	Abschnitt 1. Erster Rechtszug	
8310	Verfahren im Allgemeinen	0,4
8311	Es wird durch Urteil entschieden oder es ergeht ein Beschluss nach § 91a oder § 269 Abs. 3 Satz 3 ZPO, es sei denn, der Beschluss folgt einer zuvor mitgeteilten Einigung der Parteien über die Kostentragung oder der Kostenübernahmeerklärung einer Partei: Die Gebühr 8310 erhöht sich auf Die Gebühr wird nicht erhöht, wenn durch Anerkenntnisurteil, Verzichtsurteil oder Urteil, das nach § 313a Abs. 2 ZPO keinen Tatbestand und keine Entscheidungsgründe enthält, entschieden wird. Dies gilt auch, wenn eine solche Entscheidung mit einem Teilvergleich zusammentrifft.	2,0
	Abschnitt 2. Berufung	
8320	Verfahren im Allgemeinen	3,2
8321	Beendigung des gesamten Verfahrens durch Zurücknahme der Berufung, des Antrags oder des Widerspruchs, bevor die Schrift zur Begründung der Berufung bei Gericht eingegangen ist: Die Gebühr 8320 ermäßigt sich auf Erledigungserklärungen nach § 91a ZPO stehen der Zurücknahme gleich, wenn keine Entscheidung über die Kosten ergeht oder die Entscheidung einer zuvor mitgeteilten Einigung der Parteien über die Kostentragung oder der Kostenübernahmeerklärung einer Partei folgt.	0,8
8322	Beendigung des gesamten Verfahrens, wenn nicht Nummer 8321 erfüllt ist, durch 1. Zurücknahme der Berufung oder des Antrags vor dem Schluss der mündlichen Verhandlung, 2. Anerkenntnisurteil, Verzichtsurteil oder Urteil, das nach § 313a Abs. 2 ZPO keinen Tatbestand und keine Entscheidungsgründe enthält, oder 3. Erledigungserklärungen nach § 91a ZPO, wenn keine Entscheidung über die Kosten ergeht oder die Entscheidung einer zuvor mitgeteilten Einigung der Parteien über die Kostentragung oder der Kostenübernahmeerklärung einer Partei folgt, es sei denn, dass bereits ein anderes als eines der in Nummer 2 genannten Urteile vorausgegangen ist: Die Gebühr 8320 ermäßigt sich auf	1,6

Nr.	Gebührentatbestand	Gebühr oder Satz der Gebühr nach § 34 GKG
	Die Gebühr ermäßigt sich auch, wenn mehrere Ermäßigungstatbestände erfüllt sind oder Ermäßigungstatbestände mit einem Teilvergleich zusammentreffen.	
8323	Beendigung des gesamten Verfahrens durch ein Urteil, das wegen eines Verzichts der Parteien nach § 313a Abs. 1 Satz 2 ZPO keine schriftliche Begründung enthält, wenn nicht bereits ein anderes als eines der in Nummer 8322 Nr. 2 genannten Urteile oder ein Beschluss in der Hauptsache vorausgegangen ist: Die Gebühr 8320 ermäßigt sich auf	2,4
	Die Gebühr ermäßigt sich auch, wenn daneben Ermäßigungstatbestände nach Nummer 8322 erfüllt sind oder solche Ermäßigungstatbestände mit einem Teilvergleich zusammentreffen.	
	Abschnitt 3. Beschwerde	
8330	Verfahren über die Beschwerde 1. gegen die Zurückweisung eines Antrags auf Anordnung eines Arrests oder eines Antrags auf Erlass einer einstweiligen Verfügung oder 2. in Verfahren nach der Verordnung (EU) Nr. 655/2014	1,2
8331	Beendigung des gesamten Verfahrens durch Zurücknahme der Beschwerde: Die Gebühr 8330 ermäßigt sich auf	0,8
	Hauptabschnitt 4. Besondere Verfahren	
8400	Selbständiges Beweisverfahren	0,6
8401	Verfahren über Anträge auf Ausstellung einer Bescheinigung nach § 57, § 58 oder § 59 AVAG oder nach § 1110 ZPO sowie Verfahren über Anträge auf Ausstellung einer Bestätigung nach § 1079 ZPO	19,00 €
	Hauptabschnitt 5. Rüge wegen Verletzung des Anspruchs auf rechtliches Gehör	
8500	Verfahren über die Rüge wegen Verletzung des Anspruchs auf rechtliches Gehör (§ 78a des Arbeitsgerichtsgesetzes): Die Rüge wird in vollem Umfang verworfen oder zurückgewiesen	60,00 €
	Hauptabschnitt 6. Sonstige Beschwerden und Rechtsbeschwerden	
	Abschnitt 1. Sonstige Beschwerden	
8610	Verfahren über Beschwerden nach § 71 Abs. 2, § 91a Abs. 2, § 99 Abs. 2, § 269 Abs. 5 oder § 494a Absatz 2 Satz 2 ZPO	84,00 €
8611	Beendigung des Verfahrens ohne Entscheidung: Die Gebühr 8610 ermäßigt sich auf	60,00 €

Nr.	Gebührentatbestand	Gebühr oder Satz der Gebühr nach § 34 GKG
	(1) Die Gebühr ermäßigt sich auch im Fall der Zurücknahme der Beschwerde vor Ablauf des Tages, an dem die Entscheidung der Geschäftsstelle übermittelt wird. (2) Eine Entscheidung über die Kosten steht der Ermäßigung nicht entgegen, wenn die Entscheidung einer zuvor mitgeteilten Einigung der Parteien über die Kostentragung oder der Kostenübernahmeerklärung einer Partei folgt.	
8612	Verfahren über die Beschwerde gegen die Nichtzulassung der Revision: Soweit die Beschwerde verworfen oder zurückgewiesen wird	1,6
8613	Verfahren über die Beschwerde gegen die Nichtzulassung der Revision: Soweit die Beschwerde zurückgenommen oder das Verfahren durch anderweitige Erledigung beendet wird .... Die Gebühr entsteht nicht, soweit die Revision zugelassen wird.	0,8
8614	Verfahren über nicht besonders aufgeführte Beschwerden, die nicht nach anderen Vorschriften gebührenfrei sind: Die Beschwerde wird verworfen oder zurückgewiesen Wird die Beschwerde nur teilweise verworfen oder zurückgewiesen, kann das Gericht die Gebühr nach billigem Ermessen auf die Hälfte ermäßigen oder bestimmen, dass eine Gebühr nicht zu erheben ist.	60,00 €
	Abschnitt 2. Sonstige Rechtsbeschwerden	
8620	Verfahren über Rechtsbeschwerden in den Fällen des § 71 Abs. 1, § 91a Abs. 1, § 99 Abs. 2, § 269 Abs. 4, § 494a Absatz 2 Satz 2 oder § 516 Abs. 3 ZPO	174,00 €
8621	Beendigung des gesamten Verfahrens durch Zurücknahme der Rechtsbeschwerde, des Antrags oder der Klage, bevor die Schrift zur Begründung der Rechtsbeschwerde bei Gericht eingegangen ist: Die Gebühr 8620 ermäßigt sich auf	60,00 €
8622	Beendigung des gesamten Verfahrens durch Zurücknahme der Rechtsbeschwerde, des Antrags oder der Klage vor Ablauf des Tages, an dem die Entscheidung der Geschäftsstelle übermittelt wird, wenn nicht Nummer 8621 erfüllt ist: Die Gebühr 8620 ermäßigt sich auf	84,00 €
8623	Verfahren über nicht besonders aufgeführte Rechtsbeschwerden, die nicht nach anderen Vorschriften gebührenfrei sind: Die Rechtsbeschwerde wird verworfen oder zurückgewiesen .... Wird die Rechtsbeschwerde nur teilweise verworfen oder zurückgewiesen, kann das Gericht die Gebühr nach billigem Ermessen auf	114,00 €

Nr.	Gebührentatbestand	Gebühr oder Satz der Gebühr nach § 34 GKG
	die Hälfte ermäßigen oder bestimmen, dass eine Gebühr nicht zu erheben ist.	
8624	Verfahren über die in Nummer 8623 genannten Rechtsbeschwerden: Beendigung des gesamten Verfahrens durch Zurücknahme der Rechtsbeschwerde, des Antrags oder der Klage vor Ablauf des Tages, an dem die Entscheidung der Geschäftsstelle übermittelt wird	60,00 €
	Hauptabschnitt 7. Besondere Gebühr	
8700	Auferlegung einer Gebühr nach § 38 GKG wegen Verzögerung des Rechtsstreits	wie vom Gericht bestimmt

669. Gesetz über die Vergütung von Sachverständigen, Dolmetscherinnen, Dolmetschern, Übersetzerinnen und Übersetzern sowie die Entschädigung von ehrenamtlichen Richterinnen, ehrenamtlichen Richtern, Zeuginnen, Zeugen und Dritten (Justizvergütungs- und -entschädigungsgesetz – JVEG)[1]

Vom 5. Mai 2004

(BGBl. I S. 718, 776)

FNA 367-3

zuletzt geänd. durch Art. 13 G zur Änd. des Zuständigkeitsstreitwerts der Amtsgerichte, zum Ausbau der Spezialisierung der Justiz in Zivilsachen sowie zur Änd. weiterer prozessualer Regelungen v. 8.12. 2025 (BGBl. 2025 I Nr. 318)

– Auszug –[2]

Abschnitt 1. Allgemeine Vorschriften

§ 1[3] Geltungsbereich und Anspruchsberechtigte. (1) [1]Dieses Gesetz regelt

1. die Vergütung der Sachverständigen, Dolmetscherinnen, Dolmetscher, Übersetzerinnen, Übersetzer und der Protokollpersonen nach § 613 Absatz 2 der Zivilprozessordnung[4], die von dem Gericht, der Staatsanwaltschaft, der Finanzbehörde in den Fällen, in denen diese das Ermittlungsverfahren selbstständig durchführt, der Verwaltungsbehörde im Verfahren nach dem Gesetz über Ordnungswidrigkeiten[5] oder dem Gerichtsvollzieher herangezogen werden;
2. die Entschädigung der ehrenamtlichen Richterinnen und Richter bei den ordentlichen Gerichten und den Gerichten für Arbeitssachen sowie bei den Gerichten der Verwaltungs-, der Finanz- und der Sozialgerichtsbarkeit mit Ausnahme der ehrenamtlichen Richterinnen und Richter in Handelssachen, in berufsgerichtlichen Verfahren oder bei Dienstgerichten sowie
3. die Entschädigung der Zeuginnen, Zeugen und Dritten (§ 23), die von den in Nummer 1 genannten Stellen herangezogen werden.

[2]Eine Vergütung oder Entschädigung wird nur nach diesem Gesetz gewährt. [3]Der Anspruch auf Vergütung nach Satz 1 Nr. 1 steht demjenigen zu, der beauftragt worden ist; dies gilt auch, wenn der Mitarbeiter einer Unternehmung die Leistung erbringt, der Auftrag jedoch der Unternehmung erteilt worden ist.

---

[1] Verkündet als Art. 2 KostenrechtsmodernisierungsG v. 5.5.2004 (BGBl. I S. 718); Inkrafttreten gem. Art. 8 Satz 1 dieses G am 1.7.2004.

[2] Vollständig wiedergegeben in **beck-online, Module Arbeitsrecht.**

[3] § 1 Abs. 5 angef. mWv 1.8.2013 durch G v. 23.7.2013 (BGBl. I S. 2586); Abs. 1 Satz 1 Nr. 1 geänd. mWv 1.4.2025 durch G v. 7.10.2024 (BGBl. 2024 I Nr. 302); Abs. 3 Satz 1 geänd. mWv 1.6. 2025 durch G v. 7.4.2025 (BGBl. 2025 I Nr. 109).

[4] **beck-online, Module Arbeitsrecht Nr. 320.**

[5] **Habersack Nr. 94.**

(2) [1]Dieses Gesetz gilt auch, wenn Behörden oder sonstige öffentliche Stellen von den in Absatz 1 Satz 1 Nr. 1 genannten Stellen zu Sachverständigenleistungen herangezogen werden. [2]Für Angehörige einer Behörde oder einer sonstigen öffentlichen Stelle, die weder Ehrenbeamte noch ehrenamtlich tätig sind, gilt dieses Gesetz nicht, wenn sie ein Gutachten in Erfüllung ihrer Dienstaufgaben erstatten, vertreten oder erläutern.

(3) [1]Einer Heranziehung durch die Staatsanwaltschaft oder durch die Finanzbehörde in den Fällen des Absatzes 1 Satz 1 Nummer 1 und 3 steht eine Heranziehung durch die Polizei oder eine andere Strafverfolgungsbehörde im Auftrag oder mit vorheriger Billigung der Staatsanwaltschaft oder der Finanzbehörde gleich. [2]Satz 1 gilt im Verfahren der Verwaltungsbehörde nach dem Gesetz über Ordnungswidrigkeiten entsprechend.

(4) Die Vertrauenspersonen in den Ausschüssen zur Wahl der Schöffen und die Vertrauensleute in den Ausschüssen zur Wahl der ehrenamtlichen Richter bei den Gerichten der Verwaltungs- und der Finanzgerichtsbarkeit werden wie ehrenamtliche Richter entschädigt.

(5) Die Vorschriften dieses Gesetzes über die gerichtliche Festsetzung und die Beschwerde gehen den Regelungen der für das zugrunde liegende Verfahren geltenden Verfahrensvorschriften vor.

§ 2[1)] Geltendmachung und Erlöschen des Anspruchs, Verjährung.

(1) [1]Der Anspruch auf Vergütung oder Entschädigung erlischt, wenn er nicht binnen drei Monaten bei der Stelle, die den Berechtigten herangezogen oder beauftragt hat, geltend gemacht wird; hierüber und über den Beginn der Frist ist der Berechtigte zu belehren. [2]Die Frist beginnt

1. im Fall der schriftlichen Begutachtung oder der Anfertigung einer Übersetzung mit Eingang des Gutachtens oder der Übersetzung bei der Stelle, die den Berechtigten beauftragt hat,
2. im Fall der Vernehmung als Sachverständiger oder Zeuge oder der Zuziehung als Dolmetscher mit Beendigung der Vernehmung oder Zuziehung,
3. bei vorzeitiger Beendigung der Heranziehung oder des Auftrags in den Fällen der Nummern 1 und 2 mit der Bekanntgabe der Erledigung an den Berechtigten,
4. in den Fällen des § 23 mit Beendigung der Maßnahme und
5. im Fall der Dienstleistung als ehrenamtlicher Richter oder Mitglied eines Ausschusses im Sinne des § 1 Abs. 4 mit Beendigung der Amtsperiode, jedoch nicht vor dem Ende der Amtstätigkeit.

[3]Wird der Berechtigte in den Fällen des Satzes 2 Nummer 1 und 2 in demselben Verfahren, im gerichtlichen Verfahren in demselben Rechtszug, mehrfach herangezogen, ist für den Beginn aller Fristen die letzte Heranziehung maßgebend. [4]Die Frist kann auf begründeten Antrag von der in Satz 1 genannten Stelle verlängert werden; lehnt sie eine Verlängerung ab, hat sie den Antrag unverzüglich dem nach § 4 Abs. 1 für die Festsetzung der Vergütung

---

[1)] § 2 Abs. 1 Satz 1 geänd., Satz 2 Nr. 3 eingef., bish. Nr. 3 und 4 werden Nr. 4 und 5 und neue Nr. 5 geänd., Satz 3 eingef., bish. Sätze 3 und 4 werden Sätze 4 und 5, Abs. 2 Satz 2 eingef., bish. *Sätze 2–6 werden Sätze 3–7* mWv 1.8.2013 durch G v. 23.7.2013 (BGBl. I S. 2586); Abs. 1 Satz 6 angef., Abs. 3 Satz 1 geänd. mWv 1.1.2021 durch G v. 21.12.2020 (BGBl. I S. 3229); Abs. 5 angef. mWv 1.6.2025 durch G v. 7.4.2025 (BGBl. 2025 I Nr. 109).

oder Entschädigung zuständigen Gericht vorzulegen, das durch unanfechtbaren Beschluss entscheidet. [5] Weist das Gericht den Antrag zurück, erlischt der Anspruch, wenn die Frist nach Satz 1 abgelaufen und der Anspruch nicht binnen zwei Wochen ab Bekanntgabe der Entscheidung bei der in Satz 1 genannten Stelle geltend gemacht worden ist. [6] Wurde dem Berechtigten ein Vorschuss nach § 3 bewilligt, so erlischt der Anspruch auf Vergütung oder Entschädigung nur insoweit, als er über den bewilligten Vorschuss hinausgeht.

(2) [1] War der Berechtigte ohne sein Verschulden an der Einhaltung einer Frist nach Absatz 1 gehindert, gewährt ihm das Gericht auf Antrag Wiedereinsetzung in den vorigen Stand, wenn er innerhalb von zwei Wochen nach Beseitigung des Hindernisses den Anspruch beziffert und die Tatsachen glaubhaft macht, welche die Wiedereinsetzung begründen. [2] Ein Fehlen des Verschuldens wird vermutet, wenn eine Belehrung nach Absatz 1 Satz 1 unterblieben oder fehlerhaft ist. [3] Nach Ablauf eines Jahres, von dem Ende der versäumten Frist an gerechnet, kann die Wiedereinsetzung nicht mehr beantragt werden. [4] Gegen die Ablehnung der Wiedereinsetzung findet die Beschwerde statt. [5] Sie ist nur zulässig, wenn sie innerhalb von zwei Wochen eingelegt wird. [6] Die Frist beginnt mit der Zustellung der Entscheidung. [7] § 4 Abs. 4 Satz 1 bis 3 und Abs. 6 bis 8 ist entsprechend anzuwenden.

(3) [1] Der Anspruch auf Vergütung oder Entschädigung verjährt in drei Jahren nach Ablauf des Kalenderjahrs, in dem der nach Absatz 1 Satz 2 maßgebliche Zeitpunkt eingetreten ist. [2] Auf die Verjährung sind die Vorschriften des Bürgerlichen Gesetzbuchs[1] anzuwenden. [3] Durch den Antrag auf gerichtliche Festsetzung (§ 4) wird die Verjährung wie durch Klageerhebung gehemmt. [4] Die Verjährung wird nicht von Amts wegen berücksichtigt.

(4) [1] Der Anspruch auf Erstattung zu viel gezahlter Vergütung oder Entschädigung verjährt in drei Jahren nach Ablauf des Kalenderjahrs, in dem die Zahlung erfolgt ist. [2] § 5 Abs. 3 des Gerichtskostengesetzes[2] gilt entsprechend.

(5) [1] Im Fall des § 1 Absatz 3 ist der Anspruch bei der heranziehenden Polizei oder der anderen heranziehenden Strafverfolgungsbehörde geltend zu machen. [2] Erfolgt die Heranziehung des Berechtigten durch eine zentrale Kontaktstelle (Absatz 2 der Allgemeinen Vorbemerkung der Anlage 3), ist der Anspruch auf Entschädigung bei dieser geltend zu machen.

§ 3[3] Vorschuss. Auf Antrag ist ein angemessener Vorschuss zu bewilligen, wenn dem Berechtigten erhebliche Fahrtkosten oder sonstige Aufwendungen entstanden sind oder voraussichtlich entstehen werden oder wenn die zu erwartende Vergütung für bereits erbrachte Teilleistungen einen Betrag von 1000 Euro übersteigt.

§ 4[4] Gerichtliche Festsetzung und Beschwerde. (1) [1] Die Festsetzung der Vergütung, der Entschädigung oder des Vorschusses erfolgt durch gerichtlichen Beschluss, wenn der Berechtigte oder die Staatskasse die gerichtliche Festset-

---

[1] Auszugsweise abgedruckt unter Nr. **50**.

[2] Nr. **667**.

[3] § 3 geänd. mWv 1.1.2021 durch G v. 21.12.2020 (BGBl. I S. 3229).

[4] § 4 Abs. 6 Satz 1 geänd. mWv 1.4.2005 durch G v. 22.3.2005 (BGBl. I S. 837); Abs. 6 Satz 2 eingef., bish. Satz 2 wird Satz 3 mWv 1.7.2008 durch G v. 12. 12. 2007 (BGBl. I S. 2840); Abs. 6 Satz 1 neu gef. mWv 5.8.2009 durch G v. 30.7.2009 (BGBl. I S. 2449); Abs. 1 Satz 2 eingef., bish. Satz 2 wird Satz 3 mWv 1.1.2021 durch G v. 21.12.2020 (BGBl. I S. 3229); Abs. 3 geänd. mWv 1.1. 2026 durch G v. 8.12.2025 (BGBl. 2025 I Nr. 318).

zung beantragt oder das Gericht sie für angemessen hält. [2] Eine Festsetzung der Vergütung ist in der Regel insbesondere dann als angemessen anzusehen, wenn ein Wegfall oder eine Beschränkung des Vergütungsanspruchs nach § 8a Absatz 1 oder 2 Satz 1 in Betracht kommt. [3] Zuständig ist

1. das Gericht, von dem der Berechtigte herangezogen worden ist, bei dem er als ehrenamtlicher Richter mitgewirkt hat oder bei dem der Ausschuss im Sinne des § 1 Abs. 4 gebildet ist;
2. das Gericht, bei dem die Staatsanwaltschaft besteht, wenn die Heranziehung durch die Staatsanwaltschaft oder in deren Auftrag oder mit deren vorheriger Billigung durch die Polizei oder eine andere Strafverfolgungsbehörde erfolgt ist, nach Erhebung der öffentlichen Klage jedoch das für die Durchführung des Verfahrens zuständige Gericht;
3. das Landgericht, bei dem die Staatsanwaltschaft besteht, die für das Ermittlungsverfahren zuständig wäre, wenn die Heranziehung in den Fällen des § 1 Abs. 1 Satz 1 Nr. 1 durch die Finanzbehörde oder in deren Auftrag oder mit deren vorheriger Billigung durch die Polizei oder eine andere Strafverfolgungsbehörde erfolgt ist, nach Erhebung der öffentlichen Klage jedoch das für die Durchführung des Verfahrens zuständige Gericht;
4. das Amtsgericht, in dessen Bezirk der Gerichtsvollzieher seinen Amtssitz hat, wenn die Heranziehung durch den Gerichtsvollzieher erfolgt ist, abweichend davon im Verfahren der Zwangsvollstreckung das Vollstreckungsgericht.

(2) [1] Ist die Heranziehung durch die Verwaltungsbehörde im Bußgeldverfahren erfolgt, werden die zu gewährende Vergütung oder Entschädigung und der Vorschuss durch gerichtlichen Beschluss festgesetzt, wenn der Berechtigte gerichtliche Entscheidung gegen die Festsetzung durch die Verwaltungsbehörde beantragt. [2] Für das Verfahren gilt § 62 des Gesetzes über Ordnungswidrigkeiten[1)].

(3) Gegen den Beschluss nach Absatz 1 können der Berechtige und die Staatskasse Beschwerde einlegen, wenn der Wert des Beschwerdegegenstands 300 Euro übersteigt oder wenn sie das Gericht, das die angefochtene Entscheidung erlassen hat, wegen der grundsätzlichen Bedeutung der zur Entscheidung stehenden Frage in dem Beschluss zulässt.

(4) [1] Soweit das Gericht die Beschwerde für zulässig und begründet hält, hat es ihr abzuhelfen; im Übrigen ist die Beschwerde unverzüglich dem Beschwerdegericht vorzulegen. [2] Beschwerdegericht ist das nächsthöhere Gericht. [3] Eine Beschwerde an einen obersten Gerichtshof des Bundes findet nicht statt. [4] Das Beschwerdegericht ist an die Zulassung der Beschwerde gebunden; die Nichtzulassung ist unanfechtbar.

(5) [1] Die weitere Beschwerde ist nur zulässig, wenn das Landgericht als Beschwerdegericht entschieden und sie wegen der grundsätzlichen Bedeutung der zur Entscheidung stehenden Frage in dem Beschluss zugelassen hat. [2] Sie kann nur darauf gestützt werden, dass die Entscheidung auf einer Verletzung des Rechts beruht; die §§ 546 und 547 der Zivilprozessordnung[2)] gelten entsprechend. [3] Über die weitere Beschwerde entscheidet das Oberlandesgericht. [4] Absatz 4 Satz 1 und 4 gilt entsprechend.

---

1) Habersack Nr. 94.
2) beck-online, Module Arbeitsrecht Nr. 320.

(6) [1] Anträge und Erklärungen können ohne Mitwirkung eines Bevollmächtigten schriftlich eingereicht oder zu Protokoll der Geschäftsstelle abgegeben werden; § 129a der Zivilprozessordnung[1)] gilt entsprechend. [2] Für die Bevollmächtigung gelten die Regelungen der für das zugrunde liegende Verfahren geltenden Verfahrensordnung entsprechend. [3] Die Beschwerde ist bei dem Gericht einzulegen, dessen Entscheidung angefochten wird.

(7) [1] Das Gericht entscheidet über den Antrag durch eines seiner Mitglieder als Einzelrichter; dies gilt auch für die Beschwerde, wenn die angefochtene Entscheidung von einem Einzelrichter oder einem Rechtspfleger erlassen wurde. [2] Der Einzelrichter überträgt das Verfahren der Kammer oder dem Senat, wenn die Sache besondere Schwierigkeiten tatsächlicher oder rechtlicher Art

(Fortsetzung nächstes Blatt)

[1)] **beck-online, Module Arbeitsrecht Nr. 320.**

aufweist oder die Rechtssache grundsätzliche Bedeutung hat. [3] Das Gericht entscheidet jedoch immer ohne Mitwirkung ehrenamtlicher Richter. [4] Auf eine erfolgte oder unterlassene Übertragung kann ein Rechtsmittel nicht gestützt werden.

(8) [1] Die Verfahren sind gebührenfrei. [2] Kosten werden nicht erstattet.

(9) Die Beschlüsse nach den Absätzen 1, 2, 4 und 5 wirken nicht zu Lasten des Kostenschuldners.

§ 4a[1)] Abhilfe bei Verletzung des Anspruchs auf rechtliches Gehör.

(1) Auf die Rüge eines durch die Entscheidung nach diesem Gesetz beschwerten Beteiligten ist das Verfahren fortzuführen, wenn

1. ein Rechtsmittel oder ein anderer Rechtsbehelf gegen die Entscheidung nicht gegeben ist und
2. das Gericht den Anspruch dieses Beteiligten auf rechtliches Gehör in entscheidungserheblicher Weise verletzt hat.

(2) [1] Die Rüge ist innerhalb von zwei Wochen nach Kenntnis von der Verletzung des rechtlichen Gehörs zu erheben; der Zeitpunkt der Kenntniserlangung ist glaubhaft zu machen. [2] Nach Ablauf eines Jahres seit Bekanntmachung der angegriffenen Entscheidung kann die Rüge nicht mehr erhoben werden. [3] Formlos mitgeteilte Entscheidungen gelten mit dem ***[bis 31.12.2024:*** dritten Tage***][ab 1.1.2025:*** *vierten Tag*]] nach Aufgabe zur Post als bekannt gemacht. [4] Die Rüge ist bei dem Gericht zu erheben, dessen Entscheidung angegriffen wird; § 4 Abs. 6 Satz 1 und 2 gilt entsprechend. [5] Die Rüge muss die angegriffene Entscheidung bezeichnen und das Vorliegen der in Absatz 1 Nr. 2 genannten Voraussetzungen darlegen.

(3) Den übrigen Beteiligten ist, soweit erforderlich, Gelegenheit zur Stellungnahme zu geben.

(4) [1] Das Gericht hat von Amts wegen zu prüfen, ob die Rüge an sich statthaft und ob sie in der gesetzlichen Form und Frist erhoben ist. [2] Mangelt es an einem dieser Erfordernisse, so ist die Rüge als unzulässig zu verwerfen. [3] Ist die Rüge unbegründet, weist das Gericht sie zurück. [4] Die Entscheidung ergeht durch unanfechtbaren Beschluss. [5] Der Beschluss soll kurz begründet werden.

(5) Ist die Rüge begründet, so hilft ihr das Gericht ab, indem es das Verfahren fortführt, soweit dies aufgrund der Rüge geboten ist.

(6) Kosten werden nicht erstattet.

§ 4b[2)] Elektronische Akte, elektronisches Dokument. In Verfahren nach diesem Gesetz sind die verfahrensrechtlichen Vorschriften über die elektronische Akte und über das elektronische Dokument anzuwenden, die für das Verfahren gelten, in dem der Anspruchsberechtigte herangezogen worden ist.

§ 4c[3)] Rechtsbehelfsbelehrung. Jede anfechtbare Entscheidung hat eine Belehrung über den statthaften Rechtsbehelf sowie über die Stelle, bei der

---

[1)] § 4a eingef. mWv 1.1.2005 durch G v. 9.12.2004 (BGBl. I S. 3220); Abs. 2 Satz 4 geänd. mWv 1.7.2008 durch G v. 12.12.2007 (BGBl. I S. 2840); Abs. 2 Satz 3 geänd. mWv 1.1.2025 durch G v. 15.7.2024 (BGBl. 2024 I Nr. 236).

[2)] § 4b eingef. mWv 1.4.2005 durch G v. 22.3.2005 (BGBl. I S. 837); neu gef. mWv 1.8.2013 durch G v. 23.7.2013 (BGBl. I S. 2586).

[3)] § 4c angef. mWv 1.1.2014 durch G v. 5.12.2012 (BGBl. I S. 2418).

dieser Rechtsbehelf einzulegen ist, über deren Sitz und über die einzuhaltende Form zu enthalten.

Abschnitt 2. Gemeinsame Vorschriften

§ 5[1] Fahrtkostenersatz. (1) Bei Benutzung von öffentlichen, regelmäßig verkehrenden Beförderungsmitteln werden die tatsächlich entstandenen Auslagen bis zur Höhe der entsprechenden Kosten für die Benutzung der ersten Wagenklasse der Bahn einschließlich der Auslagen für Platzreservierung und Beförderung des notwendigen Gepäcks ersetzt.

(2) [1] Bei Benutzung eines eigenen oder unentgeltlich zur Nutzung überlassenen Kraftfahrzeugs werden

1. dem Zeugen oder dem Dritten (§ 23) zur Abgeltung der Betriebskosten sowie zur Abgeltung der Abnutzung des Kraftfahrzeugs 0,35 Euro,
2. den in § 1 Abs. 1 Satz 1 Nr. 1 und 2 genannten Anspruchsberechtigten zur Abgeltung der Anschaffungs-, Unterhaltungs- und Betriebskosten sowie zur Abgeltung der Abnutzung des Kraftfahrzeugs 0,42 Euro

für jeden gefahrenen Kilometer ersetzt zuzüglich der durch die Benutzung des Kraftfahrzeugs aus Anlass der Reise regelmäßig anfallenden baren Auslagen, insbesondere der Parkentgelte. [2] Bei der Benutzung durch mehrere Personen kann die Pauschale nur einmal geltend gemacht werden. [3] Bei der Benutzung eines Kraftfahrzeugs, das nicht zu den Fahrzeugen nach Absatz 1 oder Satz 1 zählt, werden die tatsächlich entstandenen Auslagen bis zur Höhe der in Satz 1 genannten Fahrtkosten ersetzt; zusätzlich werden die durch die Benutzung des Kraftfahrzeugs aus Anlass der Reise angefallenen regelmäßigen baren Auslagen, insbesondere die Parkentgelte, ersetzt, soweit sie der Berechtigte zu tragen hat.

(3) Höhere als die in Absatz 1 oder Absatz 2 bezeichneten Fahrtkosten werden ersetzt, soweit dadurch Mehrbeträge an Vergütung oder Entschädigung erspart werden oder höhere Fahrtkosten wegen besonderer Umstände notwendig sind.

(4) Für Reisen während der Terminsdauer werden die Fahrtkosten nur insoweit ersetzt, als dadurch Mehrbeträge an Vergütung oder Entschädigung erspart werden, die beim Verbleiben an der Terminsstelle gewährt werden müssten.

(5) Wird die Reise zum Ort des Termins von einem anderen als dem in der Ladung oder Terminsmitteilung bezeichneten oder der zuständigen Stelle unverzüglich angezeigten Ort angetreten oder wird zu einem anderen als zu diesem Ort zurückgefahren, werden Mehrkosten nach billigem Ermessen nur dann ersetzt, wenn der Berechtigte zu diesen Fahrten durch besondere Umstände genötigt war.

§ 6[2] Entschädigung für Aufwand. (1) Wer innerhalb der Gemeinde, in der der Termin stattfindet, weder wohnt noch berufstätig ist, erhält für die Zeit, während der er aus Anlass der Wahrnehmung des Termins von seiner Wohnung und seinem Tätigkeitsmittelpunkt abwesend sein muss, ein Tagegeld, dessen Höhe sich nach der Verpflegungspauschale zur Abgeltung tatsächlich entstande-

[1] § 5 Abs. 2 Satz 1 Nr. 1 und 2 geänd. mWv 1.1.2021 durch G v. 21.12.2020 (BGBl. I S. 3229).
[2] § 6 Abs. 1 geänd. mWv 18.12.2015 durch G v. 10.12.2015 (BGBl. I S. 2218).

ner, beruflich veranlasster Mehraufwendungen im Inland nach dem Einkommensteuergesetz[1] bemisst.

(2) Ist eine auswärtige Übernachtung notwendig, wird ein Übernachtungsgeld nach den Bestimmungen des Bundesreisekostengesetzes[2] gewährt.

§ 7[3] Ersatz für sonstige Aufwendungen. (1) [1] Auch die in den §§ 5, 6 und 12 nicht besonders genannten baren Auslagen werden ersetzt, soweit sie notwendig sind. [2] Dies gilt insbesondere für die Kosten notwendiger Vertretungen und notwendiger Begleitpersonen.

(2) [1] Für die Anfertigung von Kopien und Ausdrucken werden ersetzt

1. bis zu einer Größe von DIN A3 0,50 Euro je Seite für die ersten 50 Seiten und 0,15 Euro für jede weitere Seite,
2. in einer Größe von mehr als DIN A3 3 Euro je Seite und
3. für Farbkopien und -ausdrucke bis zu einer Größe von DIN A3 1 Euro je Seite für die ersten 50 Seiten und 0,30 Euro für jede weitere Seite, in einer Größe von mehr als DIN A3 6 Euro je Seite.

[2] Der erhöhte Aufwendungsersatz wird jeweils für die ersten 50 Seiten nach Satz 1 Nummer 1 und 3 gewährt. [3] Die Höhe der Pauschalen ist in derselben Angelegenheit einheitlich zu berechnen. [4] Die Pauschale wird nur für Kopien und Ausdrucke aus Behörden- und Gerichtsakten gewährt, soweit deren Herstellung zur sachgemäßen Vorbereitung oder Bearbeitung der Angelegenheit geboten war, sowie für Kopien und zusätzliche Ausdrucke, die nach Aufforderung durch die heranziehende Stelle angefertigt worden sind. [5] Werden Kopien oder Ausdrucke in einer Größe von mehr als DIN A3 gegen Entgelt von einem Dritten angefertigt, kann der Berechtigte anstelle der Pauschale die baren Auslagen ersetzt verlangen.

(3) [1] Für die Überlassung von elektronisch gespeicherten Dateien anstelle der in Absatz 2 genannten Kopien und Ausdrucke werden 1,50 Euro je Datei ersetzt. [2] Für die in einem Arbeitsgang überlassenen oder in einem Arbeitsgang auf denselben Datenträger übertragenen Dokumente werden höchstens 5 Euro ersetzt.

---

[1] **beck-online, Module Arbeitsrecht Nr. 331.**

[2] **Sartorius Nr. 235.**

[3] § 7 Abs. 2 neu gef., Abs. 3 geänd. mWv 1.4.2005 durch G v. 22.3.2005 (BGBl. I S. 837); Abs. 2 Satz 3 geänd. mWv 31.12.2006 durch G v. 22.12.2006 (BGBl. I S. 3416); Abs. 2 neu gef., Abs. 3 Satz 1 geänd., Satz 2 angef. mWv 1.8.2013 durch G v. 23.7.2013 (BGBl. I S. 2586); Abs. 2 Satz 1 Nr. 3 neu gef., Satz 2 eingef., bish. Sätze 2–4 werden Sätze 3–5 mWv 1.1.2021 durch G v. 21.12.2020 (BGBl. I S. 3229).

670. Gesetz über die Vergütung der Rechtsanwältinnen und Rechtsanwälte (Rechtsanwaltsvergütungsgesetz – RVG)

In der Fassung der Bekanntmachung vom 15. März 2022[1)]

(BGBl. I S. 610)

FNA 368-3

zuletzt geänd. durch Art. 14 G zur Änd. des Zuständigkeitsstreitwerts der Amtsgerichte, zum Ausbau der Spezialisierung der Justiz in Zivilsachen sowie zur Änd. weiterer prozessualer Regelungen v. 8.12. 2025 (BGBl. 2025 I Nr. 318)

– Auszug –[2)]

Abschnitt 1. Allgemeine Vorschriften

§ 1[3)] **Geltungsbereich.** (1) [1] Die Vergütung (Gebühren und Auslagen) für anwaltliche Tätigkeiten der Rechtsanwältinnen und Rechtsanwälte bemisst sich nach diesem Gesetz. [2] Dies gilt auch für eine Tätigkeit als besonderer Vertreter nach den §§ 57 und 58 der Zivilprozessordnung[4)], nach § 118e der Bundesrechtsanwaltsordnung[5)], nach § 103b der Patentanwaltsordnung oder nach § 111c des Steuerberatungsgesetzes[6)]. [3] Andere Mitglieder einer Rechtsanwaltskammer, Partnerschaftsgesellschaften und sonstige Gesellschaften stehen einem Rechtsanwalt im Sinne dieses Gesetzes gleich.

(2) [1] Dieses Gesetz gilt nicht für eine Tätigkeit als Syndikusrechtsanwalt (§ 46 Absatz 2 der Bundesrechtsanwaltsordnung). [2] Es gilt ferner nicht für eine Tätigkeit als Vormund, Betreuer, Pfleger, Verfahrenspfleger, Verfahrensbeistand, Testamentsvollstrecker, Insolvenzverwalter, Sachwalter, Mitglied des Gläubigerausschusses, Restrukturierungsbeauftragter, Sanierungsmoderator, Mitglied des Gläubigerbeirats, Nachlassverwalter, Zwangsverwalter, Treuhänder oder Schiedsrichter oder für eine ähnliche Tätigkeit. [3] § 1877 Absatz 3 des Bürgerlichen Gesetzbuchs[7)] und § 4 Absatz 2 des Vormünder- und Betreuervergütungsgesetzes[8)] bleiben unberührt.

(3) Die Vorschriften dieses Gesetzes über die Erinnerung und die Beschwerde gehen den Regelungen der für das zugrunde liegende Verfahren geltenden Verfahrensvorschriften vor.

§ 2 Höhe der Vergütung. (1) Die Gebühren werden, soweit dieses Gesetz nichts anderes bestimmt, nach dem Wert berechnet, den der Gegenstand der anwaltlichen Tätigkeit hat (Gegenstandswert).

---

1) Neubekanntmachung des RVG v. 5.5.2004 (BGBl. I S. 718, 788) in der ab 1.12.2021 geltenden Fassung.

2) Vollständig wiedergegeben in **beck-online, Module Arbeitsrecht.**

3) § 1 Abs. 2 Satz 3 geänd. mWv 1.1.2023 durch G v. 4.5.2021 (BGBl. I S. 882); Abs. 1 Satz 2 geänd. mWv 1.8.2022 durch G v. 7.7.2021 (BGBl. I S. 2363).

4) **beck-online, Module Arbeitsrecht Nr. 320.**

5) **beck-online, Module Arbeitsrecht Nr. 133a.**

6) **beck-online, Module Arbeitsrecht Nr. 133.**

7) **beck-online, Module Arbeitsrecht Nr. 50.**

8) **Habersack ErgBd. Nr. 49b.**

(2) [1]Die Höhe der Vergütung bestimmt sich nach dem Vergütungsverzeichnis der Anlage 1 zu diesem Gesetz. [2]Gebühren werden auf den nächstliegenden Cent auf- oder abgerundet; 0,5 Cent werden aufgerundet.

§ 3 Gebühren in sozialrechtlichen Angelegenheiten. (1) [1]In Verfahren vor den Gerichten der Sozialgerichtsbarkeit, in denen das Gerichtskostengesetz[1)] nicht anzuwenden ist, entstehen Betragsrahmengebühren. [2]In sonstigen Verfahren werden die Gebühren nach dem Gegenstandswert berechnet, wenn der Auftraggeber nicht zu den in § 183 des Sozialgerichtsgesetzes[2)] genannten Personen gehört; im Verfahren nach § 201 Absatz 1 des Sozialgerichtsgesetzes werden die Gebühren immer nach dem Gegenstandswert berechnet. [3]In Verfahren wegen überlanger Gerichtsverfahren (§ 202 Satz 2 des Sozialgerichtsgesetzes) werden die Gebühren nach dem Gegenstandswert berechnet.

(2) Absatz 1 gilt entsprechend für eine Tätigkeit außerhalb eines gerichtlichen Verfahrens.

§ 3a Vergütungsvereinbarung. (1) [1]Eine Vereinbarung über die Vergütung bedarf der Textform. [2]Sie muss als Vergütungsvereinbarung oder in vergleichbarer Weise bezeichnet werden, von anderen Vereinbarungen mit Ausnahme der Auftragserteilung deutlich abgesetzt sein und darf nicht in der Vollmacht enthalten sein. [3]Sie hat einen Hinweis darauf zu enthalten, dass die gegnerische Partei, ein Verfahrensbeteiligter oder die Staatskasse im Falle der Kostenerstattung regelmäßig nicht mehr als die gesetzliche Vergütung erstatten muss. [4]Die Sätze 1 und 2 gelten nicht für eine Gebührenvereinbarung nach § 34.

(2) [1]In der Vereinbarung kann es dem Vorstand der Rechtsanwaltskammer überlassen werden, die Vergütung nach billigem Ermessen festzusetzen. [2]Ist die Festsetzung der Vergütung dem Ermessen eines Vertragsteils überlassen, so gilt die gesetzliche Vergütung als vereinbart.

(3) [1]Ist eine vereinbarte, eine nach Absatz 2 Satz 1 von dem Vorstand der Rechtsanwaltskammer festgesetzte oder eine nach § 4a für den Erfolgsfall vereinbarte Vergütung unter Berücksichtigung aller Umstände unangemessen hoch, kann sie im Rechtsstreit auf den angemessenen Betrag bis zur Höhe der gesetzlichen Vergütung herabgesetzt werden. [2]Vor der Herabsetzung hat das Gericht ein Gutachten des Vorstands der Rechtsanwaltskammer einzuholen; dies gilt nicht, wenn der Vorstand der Rechtsanwaltskammer die Vergütung nach Absatz 2 Satz 1 festgesetzt hat. [3]Das Gutachten ist kostenlos zu erstatten.

(4) [1]Eine Vereinbarung, nach der ein im Wege der Prozesskostenhilfe beigeordneter Rechtsanwalt für die von der Beiordnung erfasste Tätigkeit eine höhere als die gesetzliche Vergütung erhalten soll, ist nichtig. [2]Die Vorschriften des bürgerlichen Rechts über die ungerechtfertigte Bereicherung bleiben unberührt.

§ 4 Unterschreitung der gesetzlichen Vergütung. (1) [1]In außergerichtlichen Angelegenheiten kann eine niedrigere als die gesetzliche Vergütung vereinbart werden. [2]Sie muss in einem angemessenen Verhältnis zu Leistung, Verantwortung und Haftungsrisiko des Rechtsanwalts stehen. [3]Ist Gegenstand der außergerichtlichen Angelegenheit eine Inkassodienstleistung (§ 2 Absatz 2 Satz 1

[1)] Auszugsweise abgedruckt unter Nr. **667**.
[2)] Nr. **680**.

des Rechtsdienstleistungsgesetzes[1]) oder liegen die Voraussetzungen für die Bewilligung von Beratungshilfe vor, gilt Satz 2 nicht und kann der Rechtsanwalt ganz auf eine Vergütung verzichten. [4] § 9 des Beratungshilfegesetzes[2]) bleibt unberührt.

(2) Ist Gegenstand der Angelegenheit eine Inkassodienstleistung in einem der in § 79 Absatz 2 Satz 2 Nummer 4 der Zivilprozessordnung[3]) genannten Verfahren, kann eine niedrigere als die gesetzliche Vergütung vereinbart werden oder kann der Rechtsanwalt ganz auf eine Vergütung verzichten.

§ 4a Erfolgshonorar. (1) [1] Ein Erfolgshonorar (§ 49b Absatz 2 Satz 1 der Bundesrechtsanwaltsordnung[4])) darf nur vereinbart werden, wenn

1. sich der Auftrag auf eine Geldforderung von höchstens 2 000 Euro bezieht,
2. eine Inkassodienstleistung außergerichtlich oder in einem der in § 79 Absatz 2 Satz 2 Nummer 4 der Zivilprozessordnung[3]) genannten Verfahren erbracht wird oder
3. der Auftraggeber im Einzelfall bei verständiger Betrachtung ohne die Vereinbarung eines Erfolgshonorars von der Rechtsverfolgung abgehalten würde.

[2] Eine Vereinbarung nach Satz 1 Nummer 1 oder 2 ist unzulässig, soweit sich der Auftrag auf eine Forderung bezieht, die der Pfändung nicht unterworfen ist. [3] Für die Beurteilung nach Satz 1 Nummer 3 bleibt die Möglichkeit, Beratungs- oder Prozesskostenhilfe in Anspruch zu nehmen, außer Betracht.

(2) In anderen als den in Absatz 1 Satz 1 Nummer 2 genannten Angelegenheiten darf nur dann vereinbart werden, dass für den Fall des Misserfolgs keine oder eine geringere als die gesetzliche Vergütung zu zahlen ist, wenn für den Erfolgsfall ein angemessener Zuschlag auf die gesetzliche Vergütung vereinbart wird.

(3) In eine Vereinbarung über ein Erfolgshonorar sind aufzunehmen:

1. die Angabe, welche Vergütung bei Eintritt welcher Bedingungen verdient sein soll,
2. die Angabe, ob und gegebenenfalls welchen Einfluss die Vereinbarung auf die gegebenenfalls vom Auftraggeber zu zahlenden Gerichtskosten, Verwaltungskosten und die von diesem zu erstattenden Kosten anderer Beteiligter haben soll,
3. die wesentlichen Gründe, die für die Bemessung des Erfolgshonorars bestimmend sind, und
4. im Fall des Absatzes 1 Satz 1 Nummer 3 die voraussichtliche gesetzliche Vergütung und gegebenenfalls die erfolgsunabhängige vertragliche Vergütung, zu der der Rechtsanwalt bereit wäre, den Auftrag zu übernehmen.

§ 4b Fehlerhafte Vergütungsvereinbarung. [1] Aus einer Vergütungsvereinbarung, die nicht den Anforderungen des § 3a Absatz 1 Satz 1 und 2 oder des § 4a Absatz 1 und 3 Nummer 1 und 4 entspricht, kann der Rechtsanwalt keine höhere als die gesetzliche Vergütung fordern. [2] Die Vorschriften des bürgerlichen Rechts über die ungerechtfertigte Bereicherung bleiben unberührt.

---

[1]) Habersack ErgBd. Nr. 99.
[2]) Habersack ErgBd. Nr. 98b.
[3]) beck-online, Module Arbeitsrecht Nr. 320.
[4]) beck-online, Module Arbeitsrecht Nr. 133a.

§§ 5–7 *(hier nicht wiedergegeben)*

§ 8 Fälligkeit, Hemmung der Verjährung. (1) [1] Die Vergütung wird fällig, wenn der Auftrag erledigt oder die Angelegenheit beendet ist. [2] Ist der Rechtsanwalt in einem gerichtlichen Verfahren tätig, wird die Vergütung auch fällig, wenn eine Kostenentscheidung ergangen oder der Rechtszug beendet ist oder wenn das Verfahren länger als drei Monate ruht.

(2) [1] Die Verjährung der Vergütung für eine Tätigkeit in einem gerichtlichen Verfahren wird gehemmt, solange das Verfahren anhängig ist. [2] Die Hemmung endet mit der rechtskräftigen Entscheidung oder anderweitigen Beendigung des Verfahrens. [3] Ruht das Verfahren, endet die Hemmung drei Monate nach Eintritt der Fälligkeit. [4] Die Hemmung beginnt erneut, wenn das Verfahren weiter betrieben wird.

§ 9 Vorschuss. Der Rechtsanwalt kann von seinem Auftraggeber für die entstandenen und die voraussichtlich entstehenden Gebühren und Auslagen einen angemessenen Vorschuss fordern.

§ 10[1)] Berechnung. (1) [1] Der Rechtsanwalt kann die Vergütung nur aufgrund einer von ihm oder auf seine Veranlassung dem Auftraggeber mitgeteilten Berechnung fordern; die Berechnung bedarf der Textform. [2] Der Lauf der Verjährungsfrist ist von der Mitteilung der Berechnung nicht abhängig.

(2) [1] In der Berechnung sind die Beträge der einzelnen Gebühren und Auslagen, Vorschüsse, eine kurze Bezeichnung des jeweiligen Gebührentatbestands, die Bezeichnung der Auslagen sowie die angewandten Nummern des Vergütungsverzeichnisses und bei Gebühren, die nach dem Gegenstandswert berechnet sind, auch dieser anzugeben. [2] Bei Entgelten für Post- und Telekommunikationsdienstleistungen genügt die Angabe des Gesamtbetrags.

(3) Hat der Auftraggeber die Vergütung gezahlt, ohne die Berechnung erhalten zu haben, kann er die Mitteilung der Berechnung noch fordern, solange der Rechtsanwalt zur Aufbewahrung der Handakten verpflichtet ist.

§ 11 Festsetzung der Vergütung. (1) [1] Soweit die gesetzliche Vergütung, eine nach § 42 festgestellte Pauschgebühr und die zu ersetzenden Aufwendungen (§ 670 des Bürgerlichen Gesetzbuchs[2)]) zu den Kosten des gerichtlichen Verfahrens gehören, werden sie auf Antrag des Rechtsanwalts oder des Auftraggebers durch das Gericht des ersten Rechtszugs festgesetzt. [2] Getilgte Beträge sind abzusetzen.

(2) [1] Der Antrag ist erst zulässig, wenn die Vergütung fällig ist. [2] Vor der Festsetzung sind die Beteiligten zu hören. [3] Die Vorschriften der jeweiligen Verfahrensordnung über das Kostenfestsetzungsverfahren mit Ausnahme des § 104 Absatz 2 Satz 3 der Zivilprozessordnung[3)] und die Vorschriften der Zivilprozessordnung über die Zwangsvollstreckung aus Kostenfestsetzungsbeschlüssen gelten entsprechend. [4] Das Verfahren vor dem Gericht des ersten Rechtszugs ist gebührenfrei. [5] In den Vergütungsfestsetzungsbeschluss sind die von dem Rechtsanwalt gezahlten Auslagen für die Zustellung des Beschlusses aufzunehmen. [6] Im Übri-

---

[1)] *§ 10 Abs. 1 Satz 1 neu gef.* mWv 17.7.2024 durch G v. 12.7.2024 (BGBl. 2024 I Nr. 234).
[2)] Nr. **50**.
[3)] **beck-online, Module Arbeitsrecht Nr. 320.**

gen findet eine Kostenerstattung nicht statt; dies gilt auch im Verfahren über Beschwerden.

(3) [1] Im Verfahren vor den Gerichten der Verwaltungsgerichtsbarkeit, der Finanzgerichtsbarkeit und der Sozialgerichtsbarkeit wird die Vergütung vom Urkundsbeamten der Geschäftsstelle festgesetzt. [2] Die für die jeweilige Gerichtsbarkeit geltenden Vorschriften über die Erinnerung im Kostenfestsetzungsverfahren gelten entsprechend.

(4) Wird der vom Rechtsanwalt angegebene Gegenstandswert von einem Beteiligten bestritten, ist das Verfahren auszusetzen, bis das Gericht hierüber entschieden hat (§§ 32, 33 und 38 Absatz 1).

(5) [1] Die Festsetzung ist abzulehnen, soweit der Antragsgegner Einwendungen oder Einreden erhebt, die nicht im Gebührenrecht ihren Grund haben. [2] Hat der Auftraggeber bereits dem Rechtsanwalt gegenüber derartige Einwendungen oder Einreden erhoben, ist die Erhebung der Klage nicht von der vorherigen Einleitung des Festsetzungsverfahrens abhängig.

(6) [1] Anträge und Erklärungen können ohne Mitwirkung eines Bevollmächtigten schriftlich eingereicht oder zu Protokoll der Geschäftsstelle abgegeben werden. [2] § 129a der Zivilprozessordnung gilt entsprechend. [3] Für die Bevollmächtigung gelten die Regelungen der für das zugrunde liegende Verfahren geltenden Verfahrensordnung entsprechend.

(7) Durch den Antrag auf Festsetzung der Vergütung wird die Verjährung wie durch Klageerhebung gehemmt.

(8) [1] Die Absätze 1 bis 7 gelten bei Rahmengebühren nur, wenn die Mindestgebühren geltend gemacht werden oder der Auftraggeber der Höhe der Gebühren ausdrücklich zugestimmt hat. [2] Die Festsetzung auf Antrag des Rechtsanwalts ist abzulehnen, wenn er die Zustimmungserklärung des Auftraggebers nicht mit dem Antrag vorlegt.

§ 12 Anwendung von Vorschriften über die Prozesskostenhilfe. [1] Die Vorschriften dieses Gesetzes für im Wege der Prozesskostenhilfe beigeordnete Rechtsanwälte und für Verfahren über die Prozesskostenhilfe sind bei Verfahrenskostenhilfe und im Fall des § 4a der Insolvenzordnung[1)] entsprechend anzuwenden. [2] Der Bewilligung von Prozesskostenhilfe steht die Stundung nach § 4a der Insolvenzordnung gleich.

§ 12a[2)] Abhilfe bei Verletzung des Anspruchs auf rechtliches Gehör.

(1) Auf die Rüge eines durch die Entscheidung nach diesem Gesetz beschwerten Beteiligten ist das Verfahren fortzuführen, wenn

1. ein Rechtsmittel oder ein anderer Rechtsbehelf gegen die Entscheidung nicht gegeben ist und
2. das Gericht den Anspruch dieses Beteiligten auf rechtliches Gehör in entscheidungserheblicher Weise verletzt hat.

(2) [1] Die Rüge ist innerhalb von zwei Wochen nach Kenntnis von der Verletzung des rechtlichen Gehörs zu erheben; der Zeitpunkt der Kenntniserlangung ist glaubhaft zu machen. [2] Nach Ablauf eines Jahres seit Bekanntmachung der angegriffenen Entscheidung kann die Rüge nicht mehr erhoben werden.

[1)] **beck-online, Module Arbeitsrecht Nr. 327.**

[2)] § 12a Abs. 2 Satz 3 geänd. mWv 1.1.2025 durch G v. 15.7.2024 (BGBl. 2024 I Nr. 236).

[3] Formlos mitgeteilte Entscheidungen gelten mit dem vierten Tag nach Aufgabe zur Post als bekannt gemacht. [4] Die Rüge ist bei dem Gericht zu erheben, dessen Entscheidung angegriffen wird; § 33 Absatz 7 Satz 1 und 2 gilt entsprechend. [5] Die Rüge muss die angegriffene Entscheidung bezeichnen und das Vorliegen der in Absatz 1 Nummer 2 genannten Voraussetzungen darlegen.

(3) Den übrigen Beteiligten ist, soweit erforderlich, Gelegenheit zur Stellungnahme zu geben.

(4) [1] Das Gericht hat von Amts wegen zu prüfen, ob die Rüge an sich statthaft und ob sie in der gesetzlichen Form und Frist erhoben ist. [2] Mangelt es an einem dieser Erfordernisse, so ist die Rüge als unzulässig zu verwerfen. [3] Ist die Rüge unbegründet, weist das Gericht sie zurück. [4] Die Entscheidung ergeht durch unanfechtbaren Beschluss. [5] Der Beschluss soll kurz begründet werden.

(5) Ist die Rüge begründet, so hilft ihr das Gericht ab, indem es das Verfahren fortführt, soweit dies aufgrund der Rüge geboten ist.

(6) Kosten werden nicht erstattet.

§ 12b Elektronische Akte, elektronisches Dokument. [1] In Verfahren nach diesem Gesetz sind die verfahrensrechtlichen Vorschriften über die elektronische Akte und über das elektronische Dokument für das Verfahren anzuwenden, in dem der Rechtsanwalt die Vergütung erhält. [2] Im Fall der Beratungshilfe sind die entsprechenden Vorschriften des Gesetzes über das Verfahren in Familiensachen und in den Angelegenheiten der freiwilligen Gerichtsbarkeit[1)] anzuwenden.

§ 12c Rechtsbehelfsbelehrung. Jede anfechtbare Entscheidung hat eine Belehrung über den statthaften Rechtsbehelf sowie über das Gericht, bei dem dieser Rechtsbehelf einzulegen ist, über dessen Sitz und über die einzuhaltende Form und Frist zu enthalten.

Abschnitt 2. Gebührenvorschriften

§ 13[2)] Wertgebühren. (1) [1] Wenn sich die Gebühren nach dem Gegenstandswert richten, beträgt bei einem Gegenstandswert bis 500 Euro die Gebühr 51,50 Euro. [2] Die Gebühr erhöht sich bei einem

Gegenstandswert bis … Euro	für jeden angefangenen Betrag von weiteren … Euro	um … Euro
2 000	500	41,50
10 000	1 000	59,50
25 000	3 000	55,00
50 000	5 000	86,00
200 000	15 000	99,50
500 000	30 000	140,00
über 500 000	50 000	175,00

[1)] ***Habersack Nr. 112.***

[2)] § 13 Abs. 1 Sätze 1 und 2 neu gef., Abs. 2 geänd. mWv 1.6.2025 durch G v. 7.4.2025 (BGBl. 2025 I Nr. 109).

[3] Eine Gebührentabelle für Gegenstandswerte bis 500 000 Euro ist diesem Gesetz als Anlage 2 beigefügt.

(2) Bei der Geschäftsgebühr für eine außergerichtliche Inkassodienstleistung, die eine unbestrittene Forderung betrifft (Absatz 2 der Anmerkung zu Nummer 2300 des Vergütungsverzeichnisses), beträgt bei einem Gegenstandswert bis 50 Euro die Gebühr abweichend von Absatz 1 Satz 1 31,50 Euro.

(3) Der Mindestbetrag einer Gebühr ist 15 Euro.

§ 14 Rahmengebühren. (1) [1] Bei Rahmengebühren bestimmt der Rechtsanwalt die Gebühr im Einzelfall unter Berücksichtigung aller Umstände, vor allem des Umfangs und der Schwierigkeit der anwaltlichen Tätigkeit, der Bedeutung der Angelegenheit sowie der Einkommens- und Vermögensverhältnisse des Auftraggebers, nach billigem Ermessen. [2] Ein besonderes Haftungsrisiko des Rechtsanwalts kann bei der Bemessung herangezogen werden. [3] Bei Rahmengebühren, die sich nicht nach dem Gegenstandswert richten, ist das Haftungsrisiko zu berücksichtigen. [4] Ist die Gebühr von einem Dritten zu ersetzen, ist die von dem Rechtsanwalt getroffene Bestimmung nicht verbindlich, wenn sie unbillig ist.

(2) Ist eine Rahmengebühr auf eine andere Rahmengebühr anzurechnen, ist die Gebühr, auf die angerechnet wird, so zu bestimmen, als sei der Rechtsanwalt zuvor nicht tätig gewesen.

(3) [1] Im Rechtsstreit hat das Gericht ein Gutachten des Vorstands der Rechtsanwaltskammer einzuholen, soweit die Höhe der Gebühr streitig ist; dies gilt auch im Verfahren nach § 495a der Zivilprozessordnung[1)]. [2] Das Gutachten ist kostenlos zu erstatten.

§ 15[2)] Abgeltungsbereich der Gebühren. (1) Die Gebühren entgelten, soweit dieses Gesetz nichts anderes bestimmt, die gesamte Tätigkeit des Rechtsanwalts vom Auftrag bis zur Erledigung der Angelegenheit.

(2) Der Rechtsanwalt kann die Gebühren in derselben Angelegenheit nur einmal fordern.

(3) Sind für Teile des Gegenstands verschiedene Gebührensätze anzuwenden, entstehen für die Teile gesondert berechnete Gebühren, jedoch nicht mehr als die aus dem Gesamtbetrag der Wertteile nach dem höchsten Gebührensatz berechnete Gebühr.

(4) Auf bereits entstandene Gebühren ist es, soweit dieses Gesetz nichts anderes bestimmt, ohne Einfluss, wenn sich die Angelegenheit vorzeitig erledigt oder der Auftrag endigt, bevor die Angelegenheit erledigt ist.

(5) [1] Wird der Rechtsanwalt, nachdem er in einer Angelegenheit tätig geworden ist, beauftragt, in derselben Angelegenheit weiter tätig zu werden, erhält er nicht mehr an Gebühren, als er erhalten würde, wenn er von vornherein hiermit beauftragt worden wäre. [2] Ist der frühere Auftrag seit mehr als zwei Kalenderjahren erledigt, gilt die weitere Tätigkeit als neue Angelegenheit und in diesem Gesetz bestimmte Anrechnungen von Gebühren entfallen. [3] Satz 2 gilt entsprechend, wenn ein Vergleich mehr als zwei Kalenderjahre nach seinem Abschluss angefochten wird oder wenn mehr als zwei Kalenderjahre nach Zustellung eines Beschlusses nach § 26 Absatz 3 Satz 1 des Kapitalanleger-Musterverfahrensgeset-

---

[1)] **beck-online, Module Arbeitsrecht Nr. 320.**

[2)] § 15 Abs. 5 Satz 3 geänd. mWv 20.7.2024 durch G v. 16.7.2024 (BGBl. 2024 I Nr. 240).

zes[1)] der Kläger einen Antrag nach § 26 Absatz 4 des Kapitalanleger-Musterverfahrensgesetzes auf Wiedereröffnung des Verfahrens stellt.

(6) Ist der Rechtsanwalt nur mit einzelnen Handlungen oder mit Tätigkeiten, die nach § 19 zum Rechtszug oder zum Verfahren gehören, beauftragt, erhält er nicht mehr an Gebühren als der mit der gesamten Angelegenheit beauftragte Rechtsanwalt für die gleiche Tätigkeit erhalten würde.

§ 15a[2)] Anrechnung einer Gebühr. (1) Sieht dieses Gesetz die Anrechnung einer Gebühr auf eine andere Gebühr vor, kann der Rechtsanwalt beide Gebühren fordern, jedoch nicht mehr als den um den Anrechnungsbetrag verminderten Gesamtbetrag der beiden Gebühren.

(2) [1] Sind mehrere Gebühren ganz oder teilweise auf dieselbe Gebühr anzurechnen, so ist der anzurechnende Betrag für jede anzurechnende Gebühr gesondert zu ermitteln. [2] Bei Wertgebühren darf der Gesamtbetrag der Anrechnung jedoch denjenigen Anrechnungsbetrag nicht übersteigen, der sich ergeben würde, wenn eine Gebühr anzurechnen wäre, die sich aus dem Gesamtbetrag der betroffenen Wertteile nach dem höchsten für die Anrechnungen einschlägigen Gebührensatz berechnet. [3] Bei Betragsrahmengebühren darf der Gesamtbetrag der Anrechnung den für die Anrechnung bestimmten Höchstbetrag nicht übersteigen.

(3) Ein Dritter kann sich auf die Anrechnung nur berufen, soweit er den Anspruch auf eine der beiden Gebühren erfüllt hat, wegen eines dieser Ansprüche gegen ihn ein Vollstreckungstitel besteht oder beide Gebühren in demselben Verfahren gegen ihn geltend gemacht werden.

Abschnitt 4. Gegenstandswert

§ 22 Grundsatz. (1) In derselben Angelegenheit werden die Werte mehrerer Gegenstände zusammengerechnet.

(2) [1] Der Wert beträgt in derselben Angelegenheit höchstens 30 Millionen Euro, soweit durch Gesetz kein niedrigerer Höchstwert bestimmt ist. [2] Sind in derselben Angelegenheit mehrere Personen wegen verschiedener Gegenstände Auftraggeber, beträgt der Wert für jede Person höchstens 30 Millionen Euro, insgesamt jedoch nicht mehr als 100 Millionen Euro.

§ 23 Allgemeine Wertvorschrift. (1) [1] Soweit sich die Gerichtsgebühren nach dem Wert richten, bestimmt sich der Gegenstandswert im gerichtlichen Verfahren nach den für die Gerichtsgebühren geltenden Wertvorschriften. [2] In Verfahren, in denen Kosten nach dem Gerichtskostengesetz[3)] oder dem Gesetz über Gerichtskosten in Familiensachen[4)] erhoben werden, sind die Wertvorschriften des jeweiligen Kostengesetzes entsprechend anzuwenden, wenn für das Verfahren keine Gerichtsgebühr oder eine Festgebühr bestimmt ist. [3] Diese Wertvorschriften gelten auch entsprechend für die Tätigkeit außerhalb eines gerichtlichen Verfahrens, wenn der Gegenstand der Tätigkeit auch Gegenstand eines gerichtlichen Verfahrens sein könnte. [4] § 22 Absatz 2 Satz 2 bleibt unberührt.

(Fortsetzung nächstes Blatt)

[1)] **Habersack ErgBd. Nr. 105d.**
[2)] *§ 15a Abs. 2 Satz 1 geänd.* mWv 1.6.2025 durch G v. 7.4.2025 (BGBl. 2025 I Nr. 109).
[3)] Auszugsweise abgedruckt unter Nr. **667**.
[4)] **Habersack Nr. 118.**

(2) [1] In Beschwerdeverfahren, in denen Gerichtsgebühren unabhängig vom Ausgang des Verfahrens nicht erhoben werden oder sich nicht nach dem Wert richten, ist der Wert unter Berücksichtigung des Interesses des Beschwerdeführers nach Absatz 3 Satz 2 zu bestimmen, soweit sich aus diesem Gesetz nichts anderes ergibt. [2] Der Gegenstandswert ist durch den Wert des zugrunde liegenden Verfahrens begrenzt. [3] In Verfahren über eine Erinnerung oder eine Rüge wegen Verletzung des rechtlichen Gehörs richtet sich der Wert nach den für Beschwerdeverfahren geltenden Vorschriften.

(3) [1] Soweit sich aus diesem Gesetz nichts anderes ergibt, gelten in anderen Angelegenheiten für den Gegenstandswert die Bewertungsvorschriften des Gerichts- und Notarkostengesetzes[1)] und die §§ 37, 38, 42 bis 45 sowie 99 bis 102 des Gerichts- und Notarkostengesetzes entsprechend. [2] Soweit sich der Gegenstandswert aus diesen Vorschriften nicht ergibt und auch sonst nicht feststeht, ist er nach billigem Ermessen zu bestimmen; in Ermangelung genügender tatsächlicher Anhaltspunkte für eine Schätzung und bei nichtvermögensrechtlichen Gegenständen ist der Gegenstandswert mit 5000 Euro, nach Lage des Falles niedriger oder höher, jedoch nicht über 500 000 Euro anzunehmen.

§§ 23a – 31b *(hier nicht wiedergegeben)*

§ 32 Wertfestsetzung für die Gerichtsgebühren. (1) Wird der für die Gerichtsgebühren maßgebende Wert gerichtlich festgesetzt, ist die Festsetzung auch für die Gebühren des Rechtsanwalts maßgebend.

(2) [1] Der Rechtsanwalt kann aus eigenem Recht die Festsetzung des Werts beantragen und Rechtsmittel gegen die Festsetzung einlegen. [2] Rechtsbehelfe, die gegeben sind, wenn die Wertfestsetzung unterblieben ist, kann er aus eigenem Recht einlegen.

§ 33[2)] Wertfestsetzung für die Rechtsanwaltsgebühren. (1) Berechnen sich die Gebühren in einem gerichtlichen Verfahren nicht nach dem für die Gerichtsgebühren maßgebenden Wert oder fehlt es an einem solchen Wert, setzt das Gericht des Rechtszugs den Wert des Gegenstands der anwaltlichen Tätigkeit auf Antrag durch Beschluss selbstständig fest.

(2) [1] Der Antrag ist erst zulässig, wenn die Vergütung fällig ist. [2] Antragsberechtigt sind der Rechtsanwalt, der Auftraggeber, ein erstattungspflichtiger Gegner und in den Fällen des § 45 die Staatskasse.

(3) [1] Gegen den Beschluss nach Absatz 1 können die Antragsberechtigten Beschwerde einlegen, wenn der Wert des Beschwerdegegenstands 300 Euro übersteigt. [2] Die Beschwerde ist auch zulässig, wenn sie das Gericht, das die angefochtene Entscheidung erlassen hat, wegen der grundsätzlichen Bedeutung der zur Entscheidung stehenden Frage in dem Beschluss zulässt. [3] Die Beschwerde ist nur zulässig, wenn sie innerhalb von zwei Wochen nach Zustellung der Entscheidung eingelegt wird.

(4) [1] Soweit das Gericht die Beschwerde für zulässig und begründet hält, hat es ihr abzuhelfen; im Übrigen ist die Beschwerde unverzüglich dem Beschwerdegericht vorzulegen. [2] Beschwerdegericht ist das nächsthöhere Gericht, in Zivilsachen der in § 119 Absatz 1 Nummer 1 des Gerichtsverfassungsgesetzes[3)] bezeich-

[1)] **Habersack Nr. 119.**
[2)] § 33 Abs. 3 Satz 1 geänd. mWv 1.1.2026 durch G v. 8.12.2025 (BGBl. 2025 I Nr. 318).
[3)] **beck-online, Module Arbeitsrecht Nr. 665.**

neten Art jedoch das Oberlandesgericht. [3] Eine Beschwerde an einen obersten Gerichtshof des Bundes findet nicht statt. [4] Das Beschwerdegericht ist an die Zulassung der Beschwerde gebunden; die Nichtzulassung ist unanfechtbar.

(5) [1] War der Beschwerdeführer ohne sein Verschulden verhindert, die Frist einzuhalten, ist ihm auf Antrag von dem Gericht, das über die Beschwerde zu entscheiden hat, Wiedereinsetzung in den vorigen Stand zu gewähren, wenn er die Beschwerde binnen zwei Wochen nach der Beseitigung des Hindernisses einlegt und die Tatsachen, welche die Wiedereinsetzung begründen, glaubhaft macht. [2] Ein Fehlen des Verschuldens wird vermutet, wenn eine Rechtsbehelfsbelehrung unterblieben oder fehlerhaft ist. [3] Nach Ablauf eines Jahres, von dem Ende der versäumten Frist an gerechnet, kann die Wiedereinsetzung nicht mehr beantragt werden. [4] Gegen die Ablehnung der Wiedereinsetzung findet die Beschwerde statt. [5] Sie ist nur zulässig, wenn sie innerhalb von zwei Wochen eingelegt wird. [6] Die Frist beginnt mit der Zustellung der Entscheidung. [7] Absatz 4 Satz 1 bis 3 gilt entsprechend.

(6) [1] Die weitere Beschwerde ist nur zulässig, wenn das Landgericht als Beschwerdegericht entschieden und sie wegen der grundsätzlichen Bedeutung der zur Entscheidung stehenden Frage in dem Beschluss zugelassen hat. [2] Sie kann nur darauf gestützt werden, dass die Entscheidung auf einer Verletzung des Rechts beruht; die §§ 546 und 547 der Zivilprozessordnung[1)] gelten entsprechend. [3] Über die weitere Beschwerde entscheidet das Oberlandesgericht. [4] Absatz 3 Satz 3, Absatz 4 Satz 1 und 4 und Absatz 5 gelten entsprechend.

(7) [1] Anträge und Erklärungen können ohne Mitwirkung eines Bevollmächtigten schriftlich eingereicht oder zu Protokoll der Geschäftsstelle abgegeben werden; § 129a der Zivilprozessordnung gilt entsprechend. [2] Für die Bevollmächtigung gelten die Regelungen der für das zugrunde liegende Verfahren geltenden Verfahrensordnung entsprechend. [3] Die Beschwerde ist bei dem Gericht einzulegen, dessen Entscheidung angefochten wird.

(8) [1] Das Gericht entscheidet über den Antrag durch eines seiner Mitglieder als Einzelrichter; dies gilt auch für die Beschwerde, wenn die angefochtene Entscheidung von einem Einzelrichter oder einem Rechtspfleger erlassen wurde. [2] Der Einzelrichter überträgt das Verfahren der Kammer oder dem Senat, wenn die Sache besondere Schwierigkeiten tatsächlicher oder rechtlicher Art aufweist oder die Rechtssache grundsätzliche Bedeutung hat. [3] Das Gericht entscheidet jedoch immer ohne Mitwirkung ehrenamtlicher Richter. [4] Auf eine erfolgte oder unterlassene Übertragung kann ein Rechtsmittel nicht gestützt werden.

(9) [1] Das Verfahren über den Antrag ist gebührenfrei. [2] Kosten werden nicht erstattet; dies gilt auch im Verfahren über die Beschwerde.

Abschnitt 5. Außergerichtliche Beratung und Vertretung

§ 34 Beratung, Gutachten und Mediation. (1) [1] Für einen mündlichen oder schriftlichen Rat oder eine Auskunft (Beratung), die nicht mit einer anderen gebührenpflichtigen Tätigkeit zusammenhängen, für die Ausarbeitung eines schriftlichen Gutachtens und für die Tätigkeit als Mediator soll der Rechtsanwalt auf eine Gebührenvereinbarung hinwirken, soweit in Teil 2 Ab-

1) beck-online, Module Arbeitsrecht Nr. 320.

schnitt 1 des Vergütungsverzeichnisses keine Gebühren bestimmt sind. [2] Wenn keine Vereinbarung getroffen worden ist, erhält der Rechtsanwalt Gebühren nach den Vorschriften des bürgerlichen Rechts. [3] Ist im Fall des Satzes 2 der Auftraggeber Verbraucher, beträgt die Gebühr für die Beratung oder für die Ausarbeitung eines schriftlichen Gutachtens jeweils höchstens 250 Euro; § 14 Absatz 1 gilt entsprechend; für ein erstes Beratungsgespräch beträgt die Gebühr jedoch höchstens 190 Euro.

(2) Wenn nichts anderes vereinbart ist, ist die Gebühr für die Beratung auf eine Gebühr für eine sonstige Tätigkeit, die mit der Beratung zusammenhängt, anzurechnen.

§ 35 *(hier nicht wiedergegeben)*

§ 36 Schiedsrichterliche Verfahren und Verfahren vor dem Schiedsgericht. (1) Teil 3 Abschnitt 1, 2 und 4 des Vergütungsverzeichnisses ist auf die folgenden außergerichtlichen Verfahren entsprechend anzuwenden:

1. schiedsrichterliche Verfahren nach Buch 10 der Zivilprozessordnung[1] und
2. Verfahren vor dem Schiedsgericht (§ 104 des Arbeitsgerichtsgesetzes[2]).

(2) Im Verfahren nach Absatz 1 Nummer 1 erhält der Rechtsanwalt die Terminsgebühr auch, wenn der Schiedsspruch ohne mündliche Verhandlung erlassen wird.

---

[1] Auszugsweise abgedruckt unter Nr. **320**.
[2] Nr. **660**.

680. Sozialgerichtsgesetz (SGG)

In der Fassung der Bekanntmachung vom 23. September 1975[1)]
(BGBl. I S. 2535)

FNA 330-1

zuletzt geänd. durch Art. 1a KrankenhausreformanpassungsG v. 9.4.2026 (BGBl. 2026 I Nr. 98)

Inhaltsübersicht[2)]

§§

Erster Teil. Gerichtsverfassung

Erster Abschnitt. Gerichtsbarkeit und Richteramt

§ 1[3)] [Besondere Verwaltungsgerichte] Die Sozialgerichtsbarkeit wird durch unabhängige, von den Verwaltungsbehörden getrennte, besondere Verwaltungsgerichte ausgeübt.

§ 2 [Gerichte der Sozialgerichtsbarkeit] Als Gerichte der Sozialgerichtsbarkeit werden in den Ländern Sozialgerichte und Landessozialgerichte, im Bund das Bundessozialgericht errichtet.

---

1) Neubekanntmachung des SGG v. 3.9.1953 (BGBl. I S. 1239, ber. S. 1326) in der ab 1.1.1975 geltenden Fassung.

2) Inhaltsübersicht neu gef. mWv 2.1.2002 durch G v. 17.8.2001 (BGBl. I S. 2144); geänd. mWv 1.1.2005 durch G v. 9.12.2004 (BGBl. I S. 3220); geänd. mWv 15.12.2004, mWv 1.1.2006 und mWv 1.1.2009 durch G v. 9.12.2004 (BGBl. I S. 3302); geänd. mWv 1.4.2008 durch G v. 26.3.2008 (BGBl. I S. 444); geänd. mWv 18.12.2008 durch G v. 15.12.2008 (BGBl. I S. 2426); geänd. mWv 1.1.2011 durch G v. 22.12.2010 (BGBl. I S. 2262); geänd. mWv 1.1.2024 durch G v. 12.12.2019 (BGBl. I S. 2652); geänd. mWv 1.1.2025 durch G v. 20.8.2021 (BGBl. I S. 3932).

3) § 1 Satz 2 angef., bish. Wortlaut wird Satz 1 mWv 15.12.2004; Satz 2 aufgeh., bish. Satz 1 wird alleiniger Wortlaut mWv 1.1.2009 durch G v. 9.12.2004 (BGBl. I S. 3302).

§ 3 [Besetzung mit Berufsrichtern und ehrenamtlichen Richtern] Die Gerichte der Sozialgerichtsbarkeit werden mit Berufsrichtern und ehrenamtlichen Richtern[1] besetzt.

§ 4[2] [Geschäftsstelle] [1] Bei jedem Gericht wird eine Geschäftsstelle eingerichtet, die mit der erforderlichen Zahl von Urkundsbeamten besetzt wird. [2] Das Nähere bestimmen für das Bundessozialgericht das Bundesministerium für Arbeit und Soziales, für die Sozialgerichte und Landessozialgerichte die nach Landesrecht zuständigen Stellen.

§ 5 [Rechts- und Amtshilfe] (1) Alle Gerichte, Verwaltungsbehörden und Organe der Versicherungsträger leisten den Gerichten der Sozialgerichtsbarkeit Rechts- und Amtshilfe.

(2) [1] Das Ersuchen an ein Sozialgericht um Rechtshilfe ist an das Sozialgericht zu richten, in dessen Bezirk die Amtshandlung vorgenommen werden soll. [2] Das Ersuchen ist durch den Vorsitzenden einer Kammer durchzuführen. [3] Ist die Amtshandlung außerhalb des Sitzes des ersuchten Sozialgerichts vorzunehmen, so kann dieses Gericht das Amtsgericht um die Vornahme der Rechtshilfe ersuchen.

(3) Die §§ 158 bis 160, 164 bis 166, 168 des Gerichtsverfassungsgesetzes[3] gelten entsprechend.

§ 6 [Anwendung des GVG] Für die Gerichte der Sozialgerichtsbarkeit gelten die Vorschriften des Zweiten Titels des Gerichtsverfassungsgesetzes[4] [5] nach Maßgabe der folgenden Vorschriften entsprechend:

1. [1] Das Präsidium teilt die ehrenamtlichen Richter im voraus für jedes Geschäftsjahr, mindestens für ein Vierteljahr, einem oder mehreren Spruchkörpern zu, stellt die Reihenfolge fest, in der sie zu den Verhandlungen heranzuziehen sind, und regelt die Vertretung für den Fall der Verhinderung. [2] Von der Reihenfolge darf nur aus besonderen Gründen abgewichen werden; die Gründe sind aktenkundig zu machen.
2. Den Vorsitz in den Kammern der Sozialgerichte führen die Berufsrichter.

Zweiter Abschnitt. Sozialgerichte

§ 7 [Errichtung, Bezirk, Zweigstellen] (1) [1] Die Sozialgerichte werden als Landesgerichte errichtet. [2] Die Errichtung und Aufhebung eines Gerichts und die Verlegung eines Gerichtssitzes werden durch Gesetz angeordnet. [3] Änderungen in der Abgrenzung der Gerichtsbezirke können auch durch Rechtsverordnung bestimmt werden. [4] Die Landesregierung oder die von ihr beauftragte

---

[1] Siehe §§ 43, 45 und 45a Deutsches RichterG **(Habersack ErgBd. Nr. 97)**.

[2] § 4 Satz 2 geänd. mWv 2.1.2002 durch G v. 17.8.2001 (BGBl. I S. 2144); Satz 2 geänd. mWv 28.11.2003 durch VO v. 25.11.2003 (BGBl. I S. 2304); Satz 2 geänd. mWv 8.11.2006 durch VO v. 31.10.2006 (BGBl. I S. 2407).

[3] Nr. **665**.

[4] Auszugsweise abgedruckt unter Nr. **665**.

[5] Siehe §§ 21a–21j GVG (Nr. **665**)

Stelle kann anordnen, daß außerhalb des Sitzes eines Sozialgerichts Zweigstellen errichtet werden.

(2) Mehrere Länder können gemeinsame Sozialgerichte errichten oder die Ausdehnung von Gerichtsbezirken über die Landesgrenzen hinaus vereinbaren.

(3) Wird ein Sozialgericht aufgehoben oder wird die Abgrenzung der Gerichtsbezirke geändert, so kann durch Landesgesetz bestimmt werden, daß die bei dem aufgehobenen Gericht oder bei dem von der Änderung in der Abgrenzung der Gerichtsbezirke betroffenen Gericht rechtshängigen Streitsachen auf ein anderes Sozialgericht übergehen.

§ 8 [Sachliche Zuständigkeit] Die Sozialgerichte entscheiden, soweit durch Gesetz nichts anderes bestimmt ist, im ersten Rechtszug über alle Streitigkeiten, für die der Rechtsweg vor den Gerichten der Sozialgerichtsbarkeit offensteht.

§ 9[1] [Besetzung; Dienstaufsicht] (1) Das Sozialgericht besteht aus der erforderlichen Zahl von Berufsrichtern als Vorsitzenden und aus den ehrenamtlichen Richtern.

(2) Die für die allgemeine Dienstaufsicht und die sonstigen Geschäfte der Gerichtsverwaltung zuständige Stelle wird durch Landesrecht bestimmt.

§ 10[2] [Fachkammern] (1) [1] Bei den Sozialgerichten werden Kammern für Angelegenheiten der Sozialversicherung, der Arbeitsförderung einschließlich der übrigen Aufgaben der Bundesagentur für Arbeit, für Angelegenheiten der Grundsicherung für Arbeitsuchende, für Angelegenheiten der Sozialhilfe einschließlich der Angelegenheiten nach Teil 2 des Neunten Buches Sozialgesetzbuch[3] und des Asylbewerberleistungsgesetzes[4] sowie ***[bis 31.12.2024:*** für Angelegenheiten des sozialen Entschädigungsrechts und des Schwerbehindertenrechts***][ab 1.1.2025:*** *für Angelegenheiten des Sozialen Entschädigungsrechts, des Soldatenentschädigungsrechts und des Schwerbehindertenrechts]* gebildet. [2] Für Angelegenheiten der Knappschaftsversicherung einschließlich der Unfallversicherung für den Bergbau können eigene Kammern gebildet werden.

(2) [1] Für Streitigkeiten aufgrund der Beziehungen zwischen Krankenkassen und Vertragsärzten, Psychotherapeuten, Vertragszahnärzten (Vertragsarztrecht) einschließlich ihrer Vereinigungen und Verbände sind eigene Kammern zu bilden. [2] Zu diesen Streitigkeiten gehören auch

1. Klagen gegen Entscheidungen und Richtlinien des Gemeinsamen Bundesausschusses, soweit diese Entscheidungen und die streitgegenständlichen Regelungen der Richtlinien die vertragsärztliche Versorgung betreffen,

---

[1] § 9 Abs. 2 neu gef., Abs. 3 aufgeh. mWv 2.1.2002 durch G v. 17.8.2001 (BGBl. I S. 2144).

[2] § 10 Abs. 2 neu gef. durch G v. 20.12.1988 (BGBl. I S. 2477); Abs. 2 geänd. durch G v. 16.6. 1998 (BGBl. I S. 1311); Abs. 1 Satz 1, Abs. 2 neu gef. mWv 2.1.2002 durch G v. 17.8.2001 (BGBl. I S. 2144); Abs. 1 Satz 1 geänd. mWv 1.1.2004 durch G v. 23.12.2003 (BGBl. I S. 2848); Abs. 1 Satz 1 geänd. mWv 1.1.2005 durch G v. 24.12.2003 (BGBl. I S. 2954, geänd. durch G v. 30.7.2004, BGBl. I S. 2014); Abs. 1 Satz 1 neu gef. mWv 15.12.2004 durch G v. 9.12.2004 (BGBl. I S. 3302); Abs. 1 Satz 2 neu gef. mWv 1.4.2008 durch G v. 26.3.2008 (BGBl. I S. 444); Abs. 2 Satz 2 angef. mWv 1.1. 2012 durch G v. 22.12.2011 (BGBl. I S. 3057); Abs. 1 Satz 1 geänd. mWv 1.1.2020 durch G v. 23.12. 2016 (BGBl. I S. 3234); Abs. 1 Satz 1 geänd. mWv 1.1.2024 durch G v. 12.12.2019 (BGBl. I S. 2652); Abs. 1 Satz 1 geänd. mWv 1.1.2025 durch G v. 20.8.2021 (BGBl. I S. 3932); Abs. 2 Satz 2 Nr. 3 geänd. mWv 1.1.2023 durch G v. 20.12.2022 (BGBl. I S. 2759).

[3] Auszugsweise abgedruckt unter Nr. **440**.

[4] Auszugsweise abgedruckt unter Nr. **781**.

2. Klagen in Aufsichtsangelegenheiten gegenüber dem Gemeinsamen Bundesausschuss, denen die in Nummer 1 genannten Entscheidungen und Regelungen der Richtlinien des Gemeinsamen Bundesausschusses zugrunde liegen, und
3. Klagen aufgrund von Verträgen nach § 73b des Fünften Buches Sozialgesetzbuch[1)] und § 73c des Fünften Buches Sozialgesetzbuch[1)] in der am 22. Juli 2015 geltenden Fassung sowie Klagen im Zusammenhang mit der Teilnahme an der vertragsärztlichen Versorgung aufgrund von Ermächtigungen nach den §§ 116, 116a und 117 bis 119c des Fünften Buches Sozialgesetzbuch[1)], Klagen wegen der Vergütung nach § 120 des Fünften Buches Sozialgesetzbuch[1)] sowie Klagen aufgrund von Verträgen nach § 140a des Fünften Buches Sozialgesetzbuch[1)], soweit es um die Bereinigung der Gesamtvergütung nach § 140d des Fünften Buches Sozialgesetzbuch[1)] geht.

(3) [1]Der Bezirk einer Kammer kann auf Bezirke anderer Sozialgerichte erstreckt werden. [2]Die beteiligten Länder können die Ausdehnung des Bezirks einer Kammer auf das Gebiet oder Gebietsteile mehrerer Länder vereinbaren.

§ 11[2)] [Ernennung der Berufsrichter] (1) Die Berufsrichter werden nach Maßgabe des Landesrechts nach Beratung mit einem für den Bezirk des Landessozialgerichts zu bildenden Ausschuss auf Lebenszeit ernannt.

(2) [1]Der Ausschuss ist von der nach Landesrecht zuständigen Stelle zu errichten. [2]Ihm sollen in angemessenem Verhältnis Vertreter der Versicherten, der Arbeitgeber, der Berechtigten nach dem Vierzehnten Buch Sozialgesetzbuch und ***[bis 31.12.2024:*** mit dem sozialen Entschädigungsrecht***][ab 1.1.2025:*** *mit dem Sozialen Entschädigungsrecht, dem Soldatenentschädigungsrecht]* oder dem Recht der Teilhabe von Menschen mit Behinderungen vertrauten Personen sowie der Sozialgerichtsbarkeit angehören.

(3) Bei den Sozialgerichten können Richter auf Probe und Richter kraft Auftrags verwendet werden.

(4) Bei dem Sozialgericht und bei dem Landessozialgericht können auf Lebenszeit ernannte Richter anderer Gerichte und Rechtslehrer an einer staatlichen oder staatlich anerkannten Hochschule für eine bestimmte Zeit von mindestens zwei Jahren, längstens jedoch für die Dauer ihres Hauptamts, zu Richtern im Nebenamt ernannt werden.

§ 12[3)] [Besetzung der Kammern] (1) [1]Jede Kammer des Sozialgerichts wird in der Besetzung mit einem Vorsitzenden und zwei ehrenamtlichen

---

[1)] **beck-online, Module Arbeitsrecht Nr. 695.**

[2)] § 11 Abs. 2 Satz 2 geänd. durch G v. 24.7.1986 (BGBl. I S. 1110); Abs. 2 Satz 2 geänd. mWv 1.7.2001 durch G v. 19.6.2001 (BGBl. I S. 1046); Abs. 2 Sätze 1 und 2 geänd. mWv 2.1.2002 durch G v. 17.8.2001 (BGBl. I S. 2144); Abs. 4 angef. mWv 15.12.2004 durch G v. 9.12.2004 (BGBl. I S. 3302); Abs. 1, Abs. 2 Satz 1 und Abs. 4 geänd. mWv 1.1.2012 durch G v. 22.12.2011 (BGBl. I S. 3057); Abs. 2 Satz 2 geänd. mWv 1.1.2024 durch G v. 12.12.2019 (BGBl. I S. 2652); Abs. 2 Satz 2 geänd. mWv 1.1.2025 durch G v. 20.8.2021 (BGBl. I S. 3932).

[3)] § 12 Abs. 4 neu gef. durch G v. 24.7.1986 (BGBl. I S. 1110); Abs. 1 Satz 2 angef., bish. Wortlaut wird Satz 1 durch G v. 11.1.1993 (BGBl. I S. 50); Abs. 3 geänd. durch G v. 16.6.1998 (BGBl. I S. 1311); Abs. 4 geänd. mWv 1.7.2001 durch G v. 19.6.2001 (BGBl. I S. 1046); Abs. 2 Satz 1 geänd. sowie Abs. 3 und 4 neu gef. mWv 2.1.2002 durch G v. 17.8.2001 (BGBl. I S. 2144); Abs. 5 angef. mWv 15.12.2004 durch G v. 9.12.2004 (BGBl. I S. 3302); Abs. 2 Satz 1, Abs. 5 Satz 1 geänd. mWv 1.4.2008 durch G v. 26.3.2008 (BGBl. I S. 444); Abs. 2 Satz 1 geänd., Abs. 5 Satz 1 aufgeh., bish. Satz 2 wird alleiniger Wortlaut mWv 25.10.2013 durch G v. 19.10.2013 (BGBl. I S. 3836); Abs. 5 →

Richtern als Beisitzern tätig. [2] Bei Beschlüssen außerhalb der mündlichen Verhandlung und bei Gerichtsbescheiden wirken die ehrenamtlichen Richter nicht mit.

(2) [1] In den Kammern für Angelegenheiten der Sozialversicherung, der Grundsicherung für Arbeitsuchende einschließlich der Streitigkeiten auf Grund des § 6a des Bundeskindergeldgesetzes und der Arbeitsförderung gehört je ein ehrenamtlicher Richter dem Kreis der Versicherten und der Arbeitgeber an. [2] Sind für Angelegenheiten einzelner Zweige der Sozialversicherung eigene Kammern gebildet, so sollen die ehrenamtlichen Richter dieser Kammern an dem jeweiligen Versicherungszweig beteiligt sein.

(3) [1] In den Kammern für Angelegenheiten des Vertragsarztrechts wirken je ein ehrenamtlicher Richter aus den Kreisen der Krankenkassen und der Vertragsärzte, Vertragszahnärzte und Psychotherapeuten mit. [2] In Angelegenheiten der Vertragsärzte, Vertragszahnärzte und Psychotherapeuten wirken als ehrenamtliche Richter nur Vertragsärzte, Vertragszahnärzte und Psychotherapeuten mit. [3] Als Vertragsärzte, Vertragszahnärzte und zur vertragsärztlichen Versorgung zugelassene Psychotherapeuten gelten auch bei diesen oder in medizinischen Versorgungszentren angestellte Ärzte, Zahnärzte und Psychotherapeuten, die Mitglied der Kassenärztlichen oder Kassenzahnärztlichen Vereinigung sind.

(4) In den Kammern für Angelegenheiten des Sozialen Entschädigungsrechts und des Schwerbehindertenrechts wirken je ein ehrenamtlicher Richter aus dem Kreis der mit dem Sozialen Entschädigungsrecht oder dem Recht der Teilhabe von Menschen mit Behinderungen vertrauten Personen und dem Kreis der Berechtigten nach dem Vierzehnten Buch Sozialgesetzbuch[1)] ***[ab 1.1.2025:** und der Berechtigten nach dem Soldatenentschädigungsgesetz**]***, der Menschen mit Behinderungen im Sinne des Neunten Buches Sozialgesetzbuch[2)] und der Versicherten mit; dabei sollen Hinterbliebene von Berechtigten nach dem Vierzehnten Buch Sozialgesetzbuch ***[ab 1.1.2025:** und der Berechtigten nach dem Soldatenentschädigungsgesetz**]*** in angemessener Zahl beteiligt werden.

(5) In den Kammern für Angelegenheiten der Sozialhilfe einschließlich der Angelegenheiten nach Teil 2 des Neunten Buches Sozialgesetzbuch[2)] und des Asylbewerberleistungsgesetzes[3)] wirken ehrenamtliche Richter aus den Vorschlagslisten der Kreise und der kreisfreien Städte mit.

§ 13[4)] [Berufung und Amtsdauer der ehrenamtlichen Richter]

(1) [1] Die ehrenamtlichen Richter werden von der nach Landesrecht zuständigen Stelle aufgrund von Vorschlagslisten (§ 14) für fünf Jahre berufen; sie sind in angemessenem Verhältnis unter billiger Berücksichtigung der Minderheiten

---

(Fortsetzung der Anm. von voriger Seite)
geänd. mWv 1.1.2020 durch G v. 23.12.2016 (BGBl. I S. 3234); Abs. 4 neu gef. mWv 1.1.2024 durch G v. 12.12.2019 (BGBl. I S. 2652); Abs. 3 Satz 3 angef.. mWv 1.7.2020 durch G v. 12.6.2020 (BGBl. I S. 1248); Abs. 4 geänd. mWv 1.1.2025 durch G v. 20.8.2021 (BGBl. I S. 3932).

[1)] **Aichberger, SGB Nr. 14.**

[2)] Auszugsweise abgedruckt unter Nr. **440**.

[3)] Auszugsweise abgedruckt unter Nr. **781**.

[4)] § 13 neu gef. mWv 2.1.2002 durch G v. 17.8.2001 (BGBl. I S. 2144); Abs. 4 erster Halbs. geänd. mWv 15.12.2004 durch G v. 9.12.2004 (BGBl. I S. 3302); Abs. 5 geänd. mWv 1.4.2008 durch G v. 26.3.2008 (BGBl. I S. 444); Abs. 4 geänd. mWv 1.1.2020 durch G v. 23.12.2016 (BGBl. I S. 3234); Abs. 4 geänd., Abs. 6 neu gef. mWv 1.1.2024 durch G v. 12.12.2019 (BGBl. I S. 2652); Abs. 6 geänd. mWv 1.1.2025 durch G v. 20.8.2021 (BGBl. I S. 3932).

aus den Vorschlagslisten zu entnehmen. [2]Die zuständige Stelle kann eine Ergänzung der Vorschlagslisten verlangen.

(2) [1]Die Landesregierungen werden ermächtigt, durch Rechtsverordnung eine einheitliche Amtsperiode festzulegen; sie können diese Ermächtigung durch Rechtsverordnung auf die jeweils zuständige oberste Landesbehörde übertragen. [2]Wird eine einheitliche Amtsperiode festgelegt, endet die Amtszeit der ehrenamtlichen Richter ohne Rücksicht auf den Zeitpunkt ihrer Berufung mit dem Ende der laufenden Amtsperiode.

(3) [1]Die ehrenamtlichen Richter bleiben nach Ablauf ihrer Amtszeit im Amt, bis ihre Nachfolger berufen sind. [2]Erneute Berufung ist zulässig. [3]Bei vorübergehendem Bedarf kann die nach Landesrecht zuständige Stelle weitere ehrenamtliche Richter nur für ein Jahr berufen.

(4) Die Zahl der ehrenamtlichen Richter, die für die Kammern für Angelegenheiten der Sozialversicherung, der Arbeitsförderung, der Grundsicherung für Arbeitsuchende, der Sozialhilfe einschließlich der Angelegenheiten nach Teil 2 des Neunten Buches Sozialgesetzbuch[1)] und des Asylbewerberleistungsgesetzes[2)], des Sozialen Entschädigungsrechts und des Schwerbehindertenrechts zu berufen sind, bestimmt sich nach Landesrecht; die Zahl der ehrenamtlichen Richter für die Kammern für Angelegenheiten der Knappschaftsversicherung und für Angelegenheiten des Vertragsarztrechts ist je besonders festzusetzen.

(5) Bei der Berufung der ehrenamtlichen Richter für die Kammern für Angelegenheiten der Sozialversicherung ist auf ein angemessenes Verhältnis zu der Zahl der im Gerichtsbezirk ansässigen Versicherten der einzelnen Versicherungszweige Rücksicht zu nehmen.

(6) Die ehrenamtlichen Richter für die Kammern für Angelegenheiten des Sozialen Entschädigungsrechts und des Schwerbehindertenrechts sind in angemessenem Verhältnis zu der Zahl der von den Vorschlagsberechtigten vertretenen Berechtigten nach dem Vierzehnten Buch Sozialgesetzbuch[3)], ***[ab 1.1. 2025:** der Berechtigten nach dem Soldatenentschädigungsgesetz,]* der Menschen mit Behinderungen im Sinne des Neunten Buches Sozialgesetzbuch[1)] und der Versicherten zu berufen.

§ 14[4)] [Vorschlagslisten, Vorschlagsrecht] (1) [1]Die Vorschlagslisten für die ehrenamtlichen Richter, die in den Kammern für Angelegenheiten der Sozialversicherung, der Grundsicherung für Arbeitsuchende einschließlich der Streitigkeiten auf Grund des § 6a des Bundeskindergeldgesetzes[5)] und der Arbeitsförderung mitwirken, werden aus dem Kreis der Versicherten und aus dem Kreis der Arbeitgeber aufgestellt. [2]Gewerkschaften, selbständige Vereinigungen von Arbeitnehmern mit sozial- oder berufspolitischer Zwecksetzung und die in

---

[1)] Auszugsweise abgedruckt unter Nr. **440**.
[2)] Auszugsweise abgedruckt unter Nr. **781**.
[3)] **Aichberger, SGB Nr. 14.**
[4)] § 14 neu gef. mWv 2.1.2002 durch G v. 17.8.2001 (BGBl. I S. 2144); Abs. 3 Satz 1 geänd. mWv 2.1.2002 durch G v. 27.4.2002 (BGBl. I S. 1467); Abs. 4 und 5 angef. mWv 15.12.2004 durch G v. 9.12.2004 (BGBl. I S. 3302); Abs. 1 und 4 geänd. mWv 1.4.2008 durch G v. 26.3.2008 (BGBl. I S. 444); Abs. 3 Satz 1 geänd. mWv 1.1.2012 durch G v. 22.12.2011 (BGBl. I S. 3057); Abs. 1 neu gef., Abs. 4 aufgeh., bish. Abs. 5 wird Abs. 4 mWv 25.10.2013 durch G v. 19.10.2013 (BGBl. I S. 3836); Abs. 4 geänd. mWv 1.1.2020 durch G v. 23.12.2016 (BGBl. I S. 3234); Abs. 3 Sätze 1 und 2 neu gef. mWv 1.1.2024 durch G v. 12.12.2019 (BGBl. I S. 2652); Abs. 3 Sätze 1 und 2 geänd. mWv 1.1.2025 durch G v. 20.8.2021 (BGBl. I S. 3932).
[5)] **beck-online, Module Arbeitsrecht Nr. 332.**

Absatz 3 Satz 2 genannten Vereinigungen stellen die Vorschlagslisten für ehrenamtliche Richter aus dem Kreis der Versicherten auf. [3] Vereinigungen von Arbeitgebern und die in § 16 Absatz 4 Nummer 3 bezeichneten obersten Bundes- oder Landesbehörden stellen die Vorschlagslisten aus dem Kreis der Arbeitgeber auf.

(2) Die Vorschlagslisten für die ehrenamtlichen Richter, die in den Kammern für Angelegenheiten des Vertragsarztrechts mitwirken, werden nach Bezirken von den Kassenärztlichen und Kassenzahnärztlichen Vereinigungen und von den Zusammenschlüssen der Krankenkassen aufgestellt.

(3) [1] Für die Kammern für Angelegenheiten des Sozialen Entschädigungsrechts und des Schwerbehindertenrechts werden die Vorschlagslisten für die mit dem Sozialen Entschädigungsrecht oder dem Recht der Teilhabe von Menschen mit Behinderungen vertrauten Personen von den Stellen aufgestellt, die für die Durchführung des Vierzehnten Buches Sozialgesetzbuch[1)] ***[ab 1.1.2025:, des Soldatenentschädigungsgesetzes]*** oder des Rechts der Teilhabe von Menschen mit Behinderungen zuständig sind oder denen nach Maßgabe des Landesrechts deren Aufgaben übertragen worden sind. [2] Die Vorschlagslisten für die Berechtigten nach dem Vierzehnten Buch Sozialgesetzbuch ***[ab 1.1.2025: und nach dem Soldatenentschädigungsgesetz]***, die Menschen mit Behinderungen und die Versicherten werden aufgestellt von den im Gerichtsbezirk vertretenen Vereinigungen, deren satzungsgemäße Aufgaben die gemeinschaftliche Interessenvertretung, die Beratung und Vertretung der Leistungsempfänger nach dem Sozialen Entschädigungsrecht oder der Menschen mit Behinderungen wesentlich umfassen und die unter Berücksichtigung von Art und Umfang ihrer bisherigen Tätigkeit sowie ihres Mitgliederkreises die Gewähr für eine sachkundige Erfüllung dieser Aufgaben bieten. [3] Vorschlagsberechtigt nach Satz 2 sind auch die Gewerkschaften und selbständige Vereinigungen von Arbeitnehmern mit sozial- oder berufspolitischer Zwecksetzung.

(4) Die Vorschlagslisten für die ehrenamtlichen Richter, die in den Kammern für Angelegenheiten der Sozialhilfe einschließlich der Angelegenheiten nach Teil 2 des Neunten Buches Sozialgesetzbuch[2)] und des Asylbewerberleistungsgesetzes[3)] mitwirken, werden von den Kreisen und den kreisfreien Städten aufgestellt.

§ 15 (weggefallen)

§ 16[4)] **[Persönliche Voraussetzungen]** (1) Das Amt des ehrenamtlichen Richters am Sozialgericht kann nur ausüben, wer Deutscher ist und das fünfundzwanzigste Lebensjahr vollendet hat.

(2) *(aufgehoben)*

[1)] **Aichberger, SGB Nr. 14.**

[2)] Auszugsweise abgedruckt unter Nr. **440**.

[3)] Auszugsweise abgedruckt unter Nr. **781**.

[4)] § 16 Abs. 2 geänd., Abs. 4 Nrn. 3 und 4 neu gef., Abs. 3 Satz 2 und Abs. 4 Nr. 5 angef., Abs. 3 bish. Wortlaut wird Satz 1 mWv 2.1.2002 durch G v. 17.8.2001 (BGBl. I S. 2144); Abs. 3 Satz 2 eingef., bish. Satz 2 wird Satz 3 mWv 1.4.2008 durch G v. 26.3.2008 (BGBl. I S. 444); Abs. 2 aufgeh. mWv 1.1.2009 durch G v. 21.12.2008 (BGBl. I S. 2933); Abs. 3 Satz 2 aufgeh., bish. Satz 3 wird Satz 2, Abs. 4 Nr. 4 geänd. mWv 25.10.2013 durch G v. 19.10.2013 (BGBl. I S. 3836); Abs. 4 Satz 2 angef. mWv 1.7.2020 durch G v. 12.6.2020 (BGBl. I S. 1248); Abs. 5 geänd. mWv 17.7.2024 durch G v. 12.7.2024 (BGBl. 2024 I Nr. 234).

(3) [1] Ehrenamtlicher Richter aus Kreisen der Versicherten kann auch sein, wer arbeitslos ist oder Rente aus eigener Versicherung bezieht. [2] Ehrenamtlicher Richter aus Kreisen der Arbeitgeber kann auch sein, wer vorübergehend oder zu gewissen Zeiten des Jahres keine Arbeitnehmer beschäftigt.

(4) [1] Ehrenamtliche Richter aus Kreisen der Arbeitgeber können sein

1. Personen, die regelmäßig mindestens einen versicherungspflichtigen Arbeitnehmer beschäftigen; ist ein Arbeitgeber zugleich Versicherter oder bezieht er eine Rente aus eigener Versicherung, so begründet die Beschäftigung einer Hausgehilfin oder Hausangestellten nicht die Arbeitgebereigenschaft im Sinne dieser Vorschrift;
2. bei Betrieben einer juristischen Person oder einer Personengesamtheit Personen, die kraft Gesetzes, Satzung oder Gesellschaftsvertrags allein oder als Mitglieder des Vertretungsorgans zur Vertretung der juristischen Person oder der Personengesamtheit berufen sind;
3. Beamte und Angestellte des Bundes, der Länder, der Gemeinden und Gemeindeverbände sowie bei anderen Körperschaften, Anstalten und Stiftungen des öffentlichen Rechts nach näherer Anordnung der zuständigen obersten Bundes- oder Landesbehörde;
4. Personen, denen Prokura oder Generalvollmacht erteilt ist, oder Angestellte, die regelmäßig für den Arbeitgeber in Personalangelegenheiten tätig werden, sowie leitende Angestellte;
5. Mitglieder und Angestellte von Vereinigungen von Arbeitgebern sowie Vorstandsmitglieder und Angestellte von Zusammenschlüssen solcher Vereinigungen, wenn diese Personen kraft Satzung oder Vollmacht zur Vertretung befugt sind.

[2] Ehrenamtlicher Richter aus den Kreisen der Arbeitgeber kann auch sein, wer in einem Zeitraum bis zu einem Jahr vor seiner Berufung die Voraussetzungen des Satzes 1 erfüllt hat und zum Zeitpunkt der Berufung weder eine Rente aus eigener Versicherung bezieht noch Versicherter ist, es sei denn, er steht oder stand in einem Beschäftigungsverhältnis nach Satz 1 Nummer 3, 4 oder 5.

(5) Bei Sozialgerichten, in deren Bezirk wesentliche Teile der Bevölkerung in der Seeschiffahrt beschäftigt sind, können ehrenamtliche Richter aus dem Kreis der Versicherten auch befahrene Schiffahrtskundige sein, die nicht Reeder, Reedereileiter (Korrespondentreeder, §§ 492 bis 499 des Handelsgesetzbuchs[1)] in der bis zum 24. April 2013 geltenden Fassung) oder Bevollmächtigte sind.

(6) Die ehrenamtlichen Richter sollen im Bezirk des Sozialgerichts wohnen oder ihren Betriebssitz haben oder beschäftigt sein.

§ 17[2)] [Ausschließungsgründe] (1) [1] Vom Amt des ehrenamtlichen Richters am Sozialgericht ist ausgeschlossen,

---

[1)] **beck-online, Module Arbeitsrecht Nr. 105.**

[2)] § 17 Abs. 4 geänd. durch G v. 20.12.1988 (BGBl. I S. 2477); Abs. 1 Satz 2 angef., bish. Wortlaut wird Satz 1 und Nr. 3 aufgeh., bish. Nr. 4 wird Nr. 3 durch G v. 5.10.1994 (BGBl. I S. 2911); Abs. 2 Satz 2 angef., bish. Wortlaut wird Satz 1, Abs. 4 neu gef. durch G v. 15.12.1995 (BGBl. I S. 1814); Abs. 4 geänd. mWv *2.1.2002* durch G v. 17.8.2001 (BGBl. I S. 2144); Abs. 2 Satz 1, Abs. 3 geänd. mWv 1.1.2004 durch G v. 23.12.2003 (BGBl. I S. 2848); Abs. 3 geänd. mWv 15.12.2004 durch G v. 9.12.2004 (BGBl. I S. 3302).

1. wer infolge Richterspruchs die Fähigkeit zur Bekleidung öffentlicher Ämter nicht besitzt oder wegen einer vorsätzlichen Tat zu einer Freiheitsstrafe von mehr als sechs Monaten verurteilt worden ist,
2. wer wegen einer Tat angeklagt ist, die den Verlust der Fähigkeit zur Bekleidung öffentlicher Ämter zur Folge haben kann,
3. wer das Wahlrecht zum Deutschen Bundestag[1)] nicht besitzt.

[2] Personen, die in Vermögensverfall geraten sind, sollen nicht zu ehrenamtlichen Richtern berufen werden.

(2) [1] Mitglieder der Vorstände von Trägern und Verbänden der Sozialversicherung, der Kassenärztlichen (Kassenzahnärztlichen) Vereinigungen und der Bundesagentur für Arbeit können nicht ehrenamtliche Richter sein. [2] Davon unberührt bleibt die Regelung in Absatz 4.

(3) Die Bediensteten der Träger und Verbände der Sozialversicherung, der Kassenärztlichen (Kassenzahnärztlichen) Vereinigungen, der Dienststellen der Bundesagentur für Arbeit und der Kreise und kreisfreien Städte können nicht ehrenamtliche Richter in der Kammer sein, die über Streitigkeiten aus ihrem Arbeitsgebiet entscheidet.

(4) Mitglieder der Vorstände sowie leitende Beschäftigte bei den Kranken- und Pflegekassen und ihren Verbänden sowie Geschäftsführer und deren Stellvertreter bei den Kassenärztlichen (Kassenzahnärztlichen) Vereinigungen sind als ehrenamtliche Richter in den Kammern für Angelegenheiten des Vertragsarztrechts nicht ausgeschlossen.

(5) Das Amt des ehrenamtlichen Richters am Sozialgericht, der zum ehrenamtlichen Richter in einem höheren Rechtszug der Sozialgerichtsbarkeit berufen wird, endet mit der Berufung in das andere Amt.

§ 18[2)] [Ablehnungsgründe, Entlassung] (1) Die Übernahme des Amtes als ehrenamtlicher Richter kann nur ablehnen,

1. wer die Regelaltersgrenze nach dem Sechsten Buch Sozialgesetzbuch[3)] erreicht hat,
2. wer in den zehn der Berufung vorhergehenden Jahren als ehrenamtlicher Richter bei einem Gericht der Sozialgerichtsbarkeit tätig gewesen ist,
3. wer durch ehrenamtliche Tätigkeit für die Allgemeinheit so in Anspruch genommen ist, daß ihm die Übernahme des Amtes nicht zugemutet werden kann,
4. wer aus gesundheitlichen Gründen verhindert ist, das Amt ordnungsmäßig auszuüben,
5. wer glaubhaft macht, daß wichtige Gründe ihm die Ausübung des Amtes in besonderem Maße erschweren.

(2) Ablehnungsgründe sind nur zu berücksichtigen, wenn sie innerhalb von zwei Wochen, nachdem der ehrenamtliche Richter von seiner Berufung in Kenntnis gesetzt worden ist, von ihm geltend gemacht werden.

---

1) Siehe §§ 12 und 13 BundeswahlG **(Sartorius Nr. 30)**.

2) § 18 Abs. 1 Nr. 2 geänd. mWv 2.1.2002 durch G v. 17.8.2001 (BGBl. I S. 2144); Abs. 1 Nr. 4 geänd. mWv 1.5.2002 durch G v. 27.4.2002 (BGBl. I S. 1467); Abs. 1 Nr. 1 neu gef. mWv 1.1.2008 durch G v. 20.4.2007 (BGBl. I S. 554).

3) Auszugsweise abgedruckt unter Nr. **696**.

(3) [1]Der ehrenamtliche Richter kann auf Antrag aus dem Amt entlassen werden, wenn einer der in Absatz 1 Nr. 3 bis 5 bezeichneten Gründe nachträglich eintritt. [2]Eines Antrages bedarf es nicht, wenn der ehrenamtliche Richter seinen Wohnsitz aus dem Bezirk des Sozialgerichts verlegt und seine Heranziehung zu den Sitzungen dadurch wesentlich erschwert wird.

(4) Über die Berechtigung zur Ablehnung des Amtes oder über die Entlassung aus dem Amt entscheidet die vom Präsidium für jedes Geschäftsjahr im voraus bestimmte Kammer endgültig.

§ 19[1)] **[Ausübung des Ehrenamts; Entschädigung]** (1) Der ehrenamtliche Richter übt sein Amt mit gleichen Rechten wie der Berufsrichter aus.

(2) Die ehrenamtlichen Richter erhalten eine Entschädigung nach dem Justizvergütungs- und -entschädigungsgesetz[2)].

§ 20 **[Strafrechtlicher Schutz]** (1) Der ehrenamtliche Richter darf in der Übernahme oder Ausübung des Amtes nicht beschränkt oder wegen der Übernahme oder Ausübung des Amtes nicht benachteiligt werden.

(2) Wer einen anderen in der Übernahme oder Ausübung seines Amtes als ehrenamtlicher Richter beschränkt oder wegen der Übernahme oder Ausübung des Amtes benachteiligt, wird mit Freiheitsstrafe bis zu einem Jahr oder mit Geldstrafe bestraft.

§ 21 **[Ordnungsgeld]** [1]Der Vorsitzende kann gegen einen ehrenamtlichen Richter, der sich der Erfüllung seiner Pflichten entzieht, insbesondere ohne genügende Entschuldigung nicht oder nicht rechtzeitig zu den Sitzungen erscheint, durch Beschluß ein Ordnungsgeld festsetzen und ihm die durch sein Verhalten verursachten Kosten auferlegen. [2]Bei nachträglicher genügender Entschuldigung ist der Beschluß aufzuheben oder zu ändern. [3]Gegen den Beschluß ist Beschwerde zulässig. [4]Über die Beschwerde entscheidet die durch das Präsidium für jedes Geschäftsjahr im voraus bestimmte Kammer des Sozialgerichts endgültig. [5]Vor der Entscheidung ist der ehrenamtliche Richter zu hören.

§ 22[3)] **[Amtsenthebung]** (1) [1]Der ehrenamtliche Richter ist von seinem Amt zu entbinden, wenn das Berufungsverfahren fehlerhaft war, wenn das Fehlen einer Voraussetzung für seine Berufung oder der Eintritt eines Ausschließungsgrundes bekannt wird oder wenn er die zur Ausübung seines Amtes erforderlichen geistigen oder körperlichen Fähigkeiten nicht mehr besitzt. [2]Er ist seines Amtes zu entheben, wenn er seine Amtspflichten grob verletzt. [3]Wenn eine Voraussetzung für seine Berufung im Laufe seiner Amtszeit wegfällt, ist er nicht von seinem Amt zu entbinden, es sei denn, eine paritätische Besetzung nach § 12 Absatz 2 bis 4 kann anderenfalls nicht gewährleistet werden; Satz 1 und 2 sowie § 18 Absatz 3 Satz 2 bleiben unberührt. [4]Soweit die Voraussetzungen für eine Amtsentbindung vorliegen, liegt in ihrer Nichtdurchführung kein die Zurückverweisung oder Revision begründender Verfahrensmangel.

[1)] § 19 Abs. 2 geänd. mWv 1.7.2004 durch G v. 5.5.2004 (BGBl. I S. 718).
[2)] Auszugsweise abgedruckt unter Nr. **669**.
[3)] § 22 neu gef. mWv 2.1.2002 durch G v. 17.8.2001 (BGBl. I S. 2144); Abs. 1 Sätze 1 und 3 neu gef. mWv 1.7.2020 durch G v. 12.6.2020 (BGBl. I S. 1248).

(2) [1]Die Entscheidung trifft die vom Präsidium für jedes Geschäftsjahr im Voraus bestimmte Kammer. [2]Vor der Entscheidung ist der ehrenamtliche Richter zu hören. [3]Die Entscheidung ist unanfechtbar.

(3) [1]Die nach Absatz 2 Satz 1 zuständige Kammer kann anordnen, dass der ehrenamtliche Richter bis zur Entscheidung über die Amtsentbindung oder Amtsenthebung nicht heranzuziehen ist. [2]Die Anordnung ist unanfechtbar.

§ 23[1)] [Ausschuss der ehrenamtlichen Richter] (1) [1]Bei jedem Sozialgericht wird ein Ausschuss der ehrenamtlichen Richter gebildet. [2]Die Kreise der ehrenamtlichen Richter, die in den bei dem Sozialgericht gebildeten Fachkammern vertreten sind, wählen jeweils aus ihrer Mitte ein Mitglied in den Ausschuss. [3]Das Wahlverfahren legt der bestehende Ausschuss fest. [4]Der Ausschuss tagt unter der Leitung des aufsichtführenden oder, wenn ein solcher nicht vorhanden oder verhindert ist, des dienstältesten Vorsitzenden des Sozialgerichts.

(2) [1]Der Ausschuss ist vor der Bildung von Kammern, vor der Geschäftsverteilung, vor der Verteilung der ehrenamtlichen Richter auf die Kammern und vor Aufstellung der Listen über die Heranziehung der ehrenamtlichen Richter zu den Sitzungen mündlich, schriftlich oder elektronisch zu hören. [2]Er kann dem Vorsitzenden des Sozialgerichts und den die Verwaltung und Dienstaufsicht führenden Stellen Wünsche der ehrenamtlichen Richter übermitteln.

§§ 24–26 (weggefallen)

§ 27 [Vertretung der Vorsitzenden] (1), (2) (weggefallen)

(3) Wenn die Vertretung eines Vorsitzenden nicht durch einen Berufsrichter desselben Gerichts möglich ist, wird sie auf Antrag des Präsidiums durch die Landesregierung oder die von ihr beauftragte Stelle geregelt.

Dritter Abschnitt. Landessozialgerichte

§ 28[2)] [Errichtung, Sitz] (1) [1]Die Landessozialgerichte werden als Landesgerichte errichtet. [2]Die Errichtung und Aufhebung eines Gerichts und die Verlegung eines Gerichtssitzes werden durch Gesetz angeordnet. [3]Änderungen in der Abgrenzung der Gerichtsbezirke können auch durch Rechtsverordnung bestimmt werden. [4]Die Landesregierung oder die von ihr beauftragte Stelle kann anordnen, daß außerhalb des Sitzes des Landessozialgerichts Zweigstellen errichtet werden.

(2) Mehrere Länder können ein gemeinsames Landessozialgericht errichten.

§ 29[3)] [Funktionelle Zuständigkeit] (1) Die Landessozialgerichte entscheiden im zweiten Rechtszug über die Berufung gegen die Urteile und die Beschwerden gegen andere Entscheidungen der Sozialgerichte.

[1)] § 23 Abs. 2 Satz 1 geänd. mWv 1.4.2005 durch G v. 22.3.2005 (BGBl. I S. 837); Abs. 1 Satz 2 neu gef., Sätze 3 und 4 eingef., bish. Satz 3 wird Satz 5 mWv 1.4.2008 durch G v. 26.3.2008 (BGBl. I S. 444); Abs. 1 neu gef., Abs. 2 Satz 1 geänd. mWv 1.1.2012 durch G v. 22.12.2011 (BGBl. I S. 3057).

[2)] § 28 Abs. 1 Satz 4 angef. durch G v. 13.6.1994 (BGBl. I S. 1229).

[3)] § 29 bish. Wortlaut wird Abs. 1, Abs. 2–4 angef. mWv 1.4.2008 durch G v. 26.3.2008 (BGBl. I S. 444); Abs. 3 Nr. 2 geänd., Nr. 3 angef., Abs. 4 Nr. 3 geänd., Nr. 4 aufgeh. mWv 5.11.2008 durch G v. 30.10.2008 (BGBl. I S. 2130); Abs. 5 angef. mWv 18.12.2008 durch G v. 15.12.2008 (BGBl. I →

(2) Die Landessozialgerichte entscheiden im ersten Rechtszug über

1. Klagen gegen Entscheidungen der Landesschiedsämter sowie der sektorenübergreifenden Schiedsgremien auf Landesebene und gegen Beanstandungen von Entscheidungen der Landesschiedsämter und der sektorenübergreifenden Schiedsgremien auf Landesebene nach dem Fünften Buch Sozialgesetzbuch[1)], gegen Entscheidungen der Schiedsstellen nach § 75 Absatz 3c, § 111b Absatz 6, § 120 Absatz 4, § 132a Absatz 3 und § 132l Absatz 4 des Fünften Buches Sozialgesetzbuch[2)], der Schiedsstellen nach § 133 des Neunten Buches[3)] Sozialgesetzbuch, der Schiedsstelle nach § 76 des Elften Buches Sozialgesetzbuch[4)] und des Schiedsgremiums nach § 113c Absatz 4 des Elften Buches Sozialgesetzbuch und der Schiedsstellen nach § 81 des Zwölften Buches Sozialgesetzbuch[5)],
2. Aufsichtsangelegenheiten gegenüber Trägern der Sozialversicherung und ihren Verbänden, gegenüber den Kassenärztlichen und Kassenzahnärztlichen Vereinigungen, gegenüber der Kassenärztlichen und Kassenzahnärztlichen Bundesvereinigung und den Medizinischen Diensten sowie dem Medizinischen Dienst Bund, bei denen die Aufsicht von einer Landes- oder Bundesbehörde ausgeübt wird,
3. Klagen in Angelegenheiten der Erstattung von Aufwendungen nach § 6b des Zweiten Buches Sozialgesetzbuch[6)],
4. Anträge nach § 55a,
5. Streitigkeiten nach § 4a Absatz 7 des Fünften Buches Sozialgesetzbuch[7)].

(3) Das Landessozialgericht Nordrhein-Westfalen entscheidet im ersten Rechtszug über

1. Streitigkeiten zwischen gesetzlichen Krankenkassen untereinander betreffend den Risikostrukturausgleich sowie zwischen gesetzlichen Krankenkassen oder ihren Verbänden und dem Bundesamt für Soziale Sicherung betreffend den Risikostrukturausgleich, die Anerkennung von strukturierten Behandlungsprogrammen und die Verwaltung des Gesundheitsfonds,

---

(Fortsetzung der Anm. von voriger Seite)
S. 2426); Abs. 5 Satz 2 eingef., bish. Satz 2 wird Satz 3 und geänd. mWv 22.7.2009 durch G v. 15.7.2009 (BGBl. I S. 1939); Abs. 4 Nr. 3 geänd., Abs. 5 aufgeh. mWv 1.1.2011 durch G v. 22.12.2010 (BGBl. I S. 2262); Abs. 2 Nr. 2 geänd., Nr. 3 und 4 angef. mWv 1.4.2011 durch G v. 24.3.2011 (BGBl. I S. 453); Abs. 3 Nr. 3 geänd., Nr. 4 angef. mWv 30.6.2013 durch G v. 26.6.2013 (BGBl. I S. 1738); Abs. 2 Nr. 1 geänd. mWv 1.1.2020 durch G v. 23.12.2016 (BGBl. I S. 3234); Abs. 2 Nr. 1, Abs. 4 Nr. 1 und 2 geänd. mWv 11.5.2019 durch G v. 6.5.2019 (BGBl. I S. 646); Abs. 3 Nr. 1 geänd. mWv 1.1.2020 durch G v. 12.12.2019 (BGBl. I S. 2652); Abs. 2 Nr. 4 geänd., Nr. 5 angef., Abs. 3 Nr. 1 geänd. mWv 1.4.2020 durch G v. 22.3.2020 (BGBl. I S. 604); Abs. 2 Nr. 1 und Abs. 4 Nr. 3 geänd. mWv 24.6.2020 durch G v. 12.6.2020 (BGBl. I S. 1248); Abs. 4 Nr. 3 geänd. mWv 9.6.2021 durch G v. 3.6.2021 (BGBl. I S. 1309); Abs. 2 Nr. 1 und 2, Abs. 4 Nr. 3 geänd., Nr. 4 neu gef. mWv 1.1.2023 durch G v. 20.12.2022 (BGBl. I S. 2759); Abs. 4 Nr. 4 geänd. mWv 1.10.2023 durch G v. 19.6.2023 (BGBl. 2023 I Nr. 155); Abs. 3 Nr. 4 geänd., Nr. 5 angef. mWv 28.3.2024 durch G v. 22.3.2024 (BGBl. 2024 I Nr. 105); Abs. 3 Nr. 4 geänd., Nr. 5 aufgeh., Abs. 4 Nr. 4 geänd., Nr. 5 eingef. mWv 15.4.2026 durch G v. 9.4.2026 (BGBl. 2026 I Nr. 98).

[1)] Auszugsweise abgedruckt unter Nr. **695**.
[2)] **beck-online, Module Arbeitsrecht Nr. 695.**
[3)] **beck-online, Module Arbeitsrecht Nr. 440.**
[4)] **Aichberger, SGB Nr. 11.**
[5)] **Aichberger, SGB Nr. 12.**
[6)] Nr. **692**.
[7)] Nr. **695**.

2. Streitigkeiten betreffend den Finanzausgleich der gesetzlichen Pflegeversicherung,
3. Streitigkeiten betreffend den Ausgleich unter den gewerblichen Berufsgenossenschaften nach dem Siebten Buch Sozialgesetzbuch[1],
4. Streitigkeiten über Entscheidungen des Bundeskartellamts, die die freiwillige Vereinigung von Krankenkassen nach § 172a des Fünften Buches Sozialgesetzbuch[2] betreffen.

(4) Das Landessozialgericht Berlin-Brandenburg entscheidet im ersten Rechtszug über

1. Klagen gegen die Entscheidung der Bundesschiedsämter nach § 89 Absatz 2 des Fünften Buches Sozialgesetzbuch[2], des weiteren Schiedsamtes auf Bundesebene nach § 89 Absatz 12 des Fünften Buches Sozialgesetzbuch[2], des sektorenübergreifenden Schiedsgremiums auf Bundesebene nach § 89a des Fünften Buches Sozialgesetzbuch[2] sowie der erweiterten Bewertungsausschüsse nach § 87 Abs. 4 des Fünften Buches Sozialgesetzbuch[2], soweit die Klagen von den Einrichtungen erhoben werden, die diese Gremien bilden,
2. Klagen gegen Entscheidungen des Bundesministeriums für Gesundheit nach § 87 Abs. 6 des Fünften Buches Sozialgesetzbuch[2] gegenüber den Bewertungsausschüssen und den erweiterten Bewertungsausschüssen sowie gegen Beanstandungen des Bundesministeriums für Gesundheit gegenüber den Bundesschiedsämtern und dem sektorenübergreifenden Schiedsgremium auf Bundesebene,
3. Klagen gegen Entscheidungen und Richtlinien des Gemeinsamen Bundesausschusses (§§ 91, 92 des Fünften Buches Sozialgesetzbuch[2]), Klagen in Aufsichtsangelegenheiten gegenüber dem Gemeinsamen Bundesausschuss, Klagen gegen die Festsetzung von Festbeträgen durch die Spitzenverbände der Krankenkassen oder den Spitzenverband Bund der Krankenkassen, Klagen gegen Entscheidungen der Schiedsstellen nach den §§ 125, 129, 130b, 131, 134, 134a des Fünften Buches Sozialgesetzbuch[2] und der Schlichtungsstelle nach § 319 des Fünften Buches Sozialgesetzbuch[2] sowie Klagen gegen Entscheidungen des Schlichtungsausschusses Bund nach § 19 des Krankenhausfinanzierungsgesetzes[3] in der Fassung der Bekanntmachung vom 10. April 1991 (BGBl. I S. 886), das zuletzt durch Artikel 3 des Gesetzes vom 14. Dezember 2019 (BGBl. I S. 2789) geändert worden ist,
4. Klagen gegen Entscheidungen des Qualitätsausschusses nach § 113b Absatz 1 des Elften Buches Sozialgesetzbuch sowie des erweiterten Qualitätsausschusses nach § 113b Absatz 3 des Elften Buches Sozialgesetzbuch und gegen Entscheidungen des Bundesministeriums für Gesundheit nach § 113b Absatz 9 des Elften Buches Sozialgesetzbuch gegenüber dem Qualitätsausschuss und dem erweiterten Qualitätsausschuss sowie über Klagen, welche die Mitwirkung an den Richtlinien des Medizinischen Dienstes Bund betreffen (§ 17 Absatz 1 und 1c, § 112a Absatz 2, § 114a Absatz 7 und § 114c Absatz 1 des Elften Buches Sozialgesetzbuch),
5. Streitigkeiten betreffend die Veröffentlichung des Transparenzverzeichnisses nach § 135d des Fünften Buches Sozialgesetzbuch[2].

---

[1] Auszugsweise abgedruckt unter Nr. **697**.
[2] **beck-online, Module Arbeitsrecht Nr. 695.**
[3] **Aichberger, SGB Nr. 5/20.**

§ 30[1)] **[Besetzung, Dienstaufsicht]** (1) Das Landessozialgericht besteht aus dem Präsidenten, den Vorsitzenden Richtern, weiteren Berufsrichtern und den ehrenamtlichen Richtern.

(2) Die für die allgemeine Dienstaufsicht und die sonstigen Geschäfte der Gerichtsverwaltung zuständige Stelle wird durch Landesrecht bestimmt.

§ 31[2)] **[Fachsenate]** (1) [1]Bei den Landessozialgerichten werden Senate für Angelegenheiten der Sozialversicherung, der Arbeitsförderung einschließlich der übrigen Aufgaben der Bundesagentur für Arbeit, für Angelegenheiten der Grundsicherung für Arbeitsuchende, für Angelegenheiten der Sozialhilfe einschließlich der Angelegenheiten nach Teil 2 des Neunten Buches Sozialgesetzbuch[3)] und des Asylbewerberleistungsgesetzes[4)] sowie für Angelegenheiten des Sozialen Entschädigungsrechts, des Soldatenentschädigungsrechts und des Schwerbehindertenrechts gebildet. [2]Für Angelegenheiten der Knappschaftsversicherung einschließlich der Unfallversicherung für den Bergbau sowie für Verfahren wegen eines überlangen Gerichtsverfahrens (§ 202 Satz 2) kann jeweils ein eigener Senat gebildet werden.

(2) Für die Angelegenheiten des Vertragsarztrechts und für Antragsverfahren nach § 55a ist jeweils ein eigener Senat zu bilden.

(3) Die beteiligten Länder können die Ausdehnung des Bezirks eines Senats auf das Gebiet oder auf Gebietsteile mehrerer Länder vereinbaren.

(Fortsetzung nächstes Blatt)

[1)] § 30 Abs. 2 neu gef. mWv 2.1.2002 durch G v. 17.8.2001 (BGBl. I S. 2144).

[2)] § 31 Abs. 1 Satz 1 neu gef., Abs. 2 geänd. mWv 2.1.2002 durch G v. 17.8.2001 (BGBl. I S. 2144); Abs. 1 Satz 1 geänd. mWv 1.1.2004 durch G v. 23.12.2003 (BGBl. I S. 2848); Abs. 1 Satz 1 neu gef. mWv 15.12.2004 durch G v. 9.12.2004 (BGBl. I S. 3302); Abs. 1 Satz 2 neu gef. mWv 1.4.2008 durch G v. 26.3.2008 (BGBl. I S. 444); Abs. 2 geänd. mWv 1.4.2011 durch G v. 24.3.2011 (BGBl. I S. 453); Abs. 1 Satz 2 geänd. mWv 3.12.2011 durch G v. 24.11.2011 (BGBl. I S. 2302); Abs. 1 Satz 1 geänd. mWv 1.1.2020 durch G v. 23.12.2016 (BGBl. I S. 3234); Abs. 1 Satz 1 geänd. mWv 1.1.2024 durch G v. 12.12.2019 (BGBl. I S. 2652); Abs. 1 Satz 1 geänd. mWv 1.1.2025 durch G v. 20.8.2021 (BGBl. I S. 3932).

[3)] Auszugsweise abgedruckt unter Nr. **440**.

[4)] Auszugsweise abgedruckt unter Nr. **781**.

§ 32 [Richter auf Lebenszeit] (1) Die Berufsrichter werden von der nach Landesrecht zuständigen Stelle auf Lebenszeit ernannt.

(2) (weggefallen)

§ 33[1)] [Besetzung der Senate] (1) [1]Jeder Senat wird in der Besetzung mit einem Vorsitzenden, zwei weiteren Berufsrichtern und zwei ehrenamtlichen Richtern tätig. [2]§ 12 Abs. 1 Satz 2, Abs. 2 bis 5 gilt entsprechend.

(2) In Senaten, die in Verfahren wegen eines überlangen Gerichtsverfahrens (§ 202 Satz 2) entscheiden, wirken die für Angelegenheiten der Sozialversicherung berufenen ehrenamtlichen Richter mit.

§ 34 (weggefallen)

§ 35[2)] [Ehrenamtliche Richter] (1) [1]Die ehrenamtlichen Richter beim Landessozialgericht müssen das dreißigste Lebensjahr vollendet haben; sie sollen mindestens fünf Jahre ehrenamtliche Richter bei einem Sozialgericht gewesen sein. [2]Im übrigen gelten die §§ 13 bis 23.

(2) In den Fällen des § 18 Abs. 4, der §§ 21 und 22 Abs. 2 entscheidet der vom Präsidium für jedes Geschäftsjahr im voraus bestimmte Senat.

§§ 36 und 37 (weggefallen)

Vierter Abschnitt. Bundessozialgericht

§ 38[3) 4)] [Sitz, Besetzung, Berufsrichter, Dienstaufsicht] (1) Das Bundessozialgericht hat seinen Sitz in Kassel.

(2) [1]Das Bundessozialgericht besteht aus dem Präsidenten, den Vorsitzenden Richtern, weiteren Berufsrichtern und den ehrenamtlichen Richtern. [2]Die Berufsrichter müssen das fünfunddreißigste Lebensjahr vollendet haben. [3]Für die Berufung der Berufsrichter gelten die Vorschriften des Richterwahlgesetzes[5)]. [4]Zuständiger Minister im Sinne des § 1 Abs. 1 des Richterwahlgesetzes ist der Bundesminister für Arbeit und Soziales.

(3) [1]Das Bundesministerium für Arbeit und Soziales führt die allgemeine Dienstaufsicht und die sonstigen Geschäfte der Gerichtsverwaltung. [2]Es kann die allgemeine Dienstaufsicht und die sonstigen Geschäfte der Gerichtsverwaltung auf den Präsidenten des Bundessozialgerichts übertragen.

§ 39 [Funktionelle und sachliche Zuständigkeit] (1) Das Bundessozialgericht entscheidet über das Rechtsmittel der Revision.

---

1) § 33 Satz 2 geänd. durch G v. 11.1.1993 (BGBl. I S. 50); Satz 2 geänd. mWv 1.1.2005 durch G v. 9.12.2004 (BGBl. I S. 3220); Abs. 2 angef., bish. Wortlaut wird Abs. 1 mWv 3.12.2011 durch G v. 24.11.2011 (BGBl. I S. 2302).

2) § 35 Abs. 1 Satz 1 zweiter Halbs. geänd. mWv 2.1.2002 durch G v. 17.8.2001 (BGBl. I S. 2144).

3) § 38 Abs. 3 neu gef. mWv 2.1.2002 durch G v. 17.8.2001 (BGBl. I S. 2144); Abs. 2 Satz 4, Abs. 3 Satz 1 geänd. mWv 28.11.2003 durch VO v. 25.11.2003 (BGBl. I S. 2304); Abs. 2 Satz 4, Abs. 3 Satz 1 geänd. mWv 8.11.2006 durch VO v. 31.10.2006 (BGBl. I S. 2407).

4) Vgl. auch Gesetz zur Wahrung der Einheitlichkeit der Rechtsprechung der obersten Gerichtshöfe des Bundes **(Habersack ErgBd. Nr. 95b)** und Anordnung des Bundespräsidenten über die Amtstracht bei dem Bundesarbeitsgericht und bei dem Bundessozialgericht **(beck-online, Module Arbeitsrecht Nr. 662a)**.

5) **Sartorius Nr. 610.**

(2) [1] Das Bundessozialgericht entscheidet im ersten und letzten Rechtszug[1)] über Streitigkeiten nicht verfassungsrechtlicher Art zwischen dem Bund und den Ländern sowie zwischen verschiedenen Ländern in Angelegenheiten des § 51. [2] Hält das Bundessozialgericht in diesen Fällen eine Streitigkeit für verfassungsrechtlich, so legt es die Sache dem Bundesverfassungsgericht zur Entscheidung vor. [3] Das Bundesverfassungsgericht entscheidet mit bindender Wirkung.

§ 40[2)] **[Fachsenate]** [1] Für die Bildung und Besetzung der Senate gelten § 31 Abs. 1 und § 33 entsprechend. [2] Für Angelegenheiten des Vertragsarztrechts ist mindestens ein Senat zu bilden. [3] In den Senaten für Angelegenheiten des § 51 Abs. 1 Nr. 6a wirken ehrenamtliche Richter aus der Vorschlagsliste der Bundesvereinigung der kommunalen Spitzenverbände mit.

§ 41[3)] **[Großer Senat]** (1) Bei dem Bundessozialgericht wird ein Großer Senat gebildet.

(2) Der Große Senat entscheidet, wenn ein Senat in einer Rechtsfrage von der Entscheidung eines anderen Senats oder des Großen Senats abweichen will.

(3) [1] Eine Vorlage an den Großen Senat ist nur zulässig, wenn der Senat, von dessen Entscheidung abgewichen werden soll, auf Anfrage des erkennenden Senats erklärt hat, daß er an seiner Rechtsauffassung festhält. [2] Kann der Senat, von dessen Entscheidung abgewichen werden soll, wegen einer Änderung des Geschäftsverteilungsplanes mit der Rechtsfrage nicht mehr befaßt werden, tritt der Senat an seine Stelle, der nach dem Geschäftsverteilungsplan für den Fall, in dem abweichend entschieden wurde, nunmehr zuständig wäre. [3] Über die Anfrage und die Antwort entscheidet der jeweilige Senat durch Beschluß in der für Urteile erforderlichen Besetzung.

(4) Der erkennende Senat kann eine Frage von grundsätzlicher Bedeutung dem Großen Senat zur Entscheidung vorlegen, wenn das nach seiner Auffassung zur Fortbildung des Rechts oder zur Sicherung einer einheitlichen Rechtsprechung erforderlich ist.

(5) [1] Der Große Senat besteht aus dem Präsidenten, je einem Berufsrichter der Senate, in denen der Präsident nicht den Vorsitz führt, je zwei ehrenamtlichen Richtern aus dem Kreis der Versicherten und dem Kreis der Arbeitgeber sowie je einem ehrenamtlichen Richter aus dem Kreis der mit dem sozialen Entschädigungsrecht oder ***[bis 31.12.2023:*** der Teilhabe behinderter Menschen***][ab 1.1.2024:*** *dem Recht der Teilhabe von Menschen mit Behinderungen]* vertrauten Personen und dem Kreis der ***[bis 31.12.2023:*** Versorgungsberechtigten und der behinderten Menschen im Sinne des Neunten Buches Sozialgesetz-

---

1) Siehe hierzu auch § 88 Abs. 7 Nr. 1 SoldatenversorgungsG **(beck-online, Module Arbeitsrecht Nr. 156b)**.

2) § 40 Satz 2 geänd. mWv 2.1.2002 durch G v. 17.8.2001 (BGBl. I S. 2144); Satz 3 angef. mWv 1.1.2005 durch G v. 9.12.2004 (BGBl. I S. 3220); Satz 2 neu gef., Satz 3 eingef., bish. Satz 3 wird Satz 4 mWv 1.4.2008 durch G v. 26.3.2008 (BGBl. I S. 444); Satz 3 aufgeh., bish. Satz 4 wird neuer Satz 3 mWv 3.12.2011 durch G v. 24.11.2011 (BGBl. I S. 2302).

3) § 41 neu gef. durch G v. 17.12.1990 (BGBl. I S. 2847); Abs. 5 Satz 1 geänd. mWv 1.7.2001 durch G v. 19.6.2001 (BGBl. I S. 1046); Abs. 5 Sätze 1 und 2 geänd. mWv 2.1.2002 durch G v. 17.8. 2001 (BGBl. I S. 2144); Abs. 5 Satz 3 eingef., bish. Sätze 3 und 4 werden Sätze 4 und 5 mWv 1.1. 2005 durch G v. 9.12.2004 (BGBl. I S. 3220); Abs. 5 Satz 1 geänd. mWv 1.1.2024 durch G v. 12.12. 2019 (BGBl. I S. 2652); Abs. 5 Satz 1 geänd. mWv 1.1.2025 durch G v. 20.8.2021 (BGBl. I S. 3932).

buch[1])*][ab 1.1.2024: Berechtigten nach dem Vierzehnten Buch Sozialgesetzbuch*[2]) *[ab 1.1.2025: und nach dem Soldatenentschädigungsgesetz] und Menschen mit Behinderungen im Sinne des Neunten Buches Sozialgesetzbuch*[1])*]*. [2] Legt der Senat für Angelegenheiten des Vertragsarztrechts vor oder soll von dessen Entscheidung abgewichen werden, gehören dem Großen Senat außerdem je ein ehrenamtlicher Richter aus dem Kreis der Krankenkassen und dem Kreis der Vertragsärzte, Vertragszahnärzte und Psychotherapeuten an. [3] Legt der Senat für Angelegenheiten des § 51 Abs. 1 Nr. 6a vor oder soll von dessen Entscheidung abgewichen werden, gehören dem Großen Senat außerdem zwei ehrenamtliche Richter aus dem Kreis der von der Bundesvereinigung der kommunalen Spitzenverbände Vorgeschlagenen an. [4] Sind Senate personengleich besetzt, wird aus ihnen nur ein Berufsrichter bestellt; er hat nur eine Stimme. [5] Bei einer Verhinderung des Präsidenten tritt ein Berufsrichter des Senats, dem er angehört, an seine Stelle.

(6) [1] Die Mitglieder und die Vertreter werden durch das Präsidium für ein Geschäftsjahr bestellt. [2] Den Vorsitz im Großen Senat führt der Präsident, bei Verhinderung das dienstälteste Mitglied. [3] Bei Stimmengleichheit gibt die Stimme des Vorsitzenden den Ausschlag.

(7) [1] Der Große Senat entscheidet nur über die Rechtsfrage. [2] Er kann ohne mündliche Verhandlung entscheiden. [3] Seine Entscheidung ist in der vorliegenden Sache für den erkennenden Senat bindend.

§§ 42–44[3]) *(aufgehoben)*

§ 45[4]) **[Ehrenamtliche Richter, Zahl, Berufung, Amtsdauer]** (1) Das Bundesministerium für Arbeit und Soziales bestimmt nach Anhörung des Präsidenten des Bundessozialgerichts die Zahl der für die einzelnen Zweige der Sozialgerichtsbarkeit zu berufenden ehrenamtlichen Richter.

(2) [1] Die ehrenamtlichen Richter werden vom Bundesministerium für Arbeit und Soziales auf Grund von Vorschlagslisten (§ 46) für die Dauer von fünf Jahren berufen; sie sind in angemessenem Verhältnis unter billiger Berücksichtigung der Minderheiten aus den Vorschlagslisten zu entnehmen. [2] Das Bundesministerium für Arbeit und Soziales kann eine Ergänzung der Vorschlagslisten verlangen. [3] § 13 Abs. 2 gilt entsprechend mit der Maßgabe, dass das Bundesministerium für Arbeit und Soziales durch Rechtsverordnung eine einheitliche Amtsperiode festlegen kann.

(3) [1] Die ehrenamtlichen Richter bleiben nach Ablauf ihrer Amtszeit im Amt, bis ihre Nachfolger berufen sind. [2] Erneute Berufung ist zulässig.

§ 46[5]) **[Vorschlagslisten; Vorschlagsrecht]** (1) Die Vorschlagslisten für die ehrenamtlichen Richter in den Senaten für Angelegenheiten der Sozialver-

---

[1]) Auszugsweise abgedruckt unter Nr. **440**.

[2]) **Aichberger, SGB Nr. 14.**

[3]) §§ 42–44 aufgeh. durch G v. 17.12.1990 (BGBl. I S. 2847).

[4]) § 45 Abs. 1 geänd. sowie Abs. 2 Sätze 2 und 3 angef., Abs. 2 bish. Wortlaut wird Satz 1 und erster Halbs. geänd. mWv 2.1.2002 durch G v. 17.8.2001 (BGBl. I S. 2144); Abs. 1, Abs. 2 Satz 1 erster Halbs. sowie Sätze 2 und 3 geänd. mWv 28.11.2003 durch VO v. 25.11.2003 (BGBl. I S. 2304); Abs. 1, Abs. 2 Satz 1 erster Halbs. sowie Sätze 2 und 3 geänd. mWv 8.11.2006 durch VO v. 31.10. 2006 (BGBl. I S. 2407).

[5]) § 46 Abs. 3 neu gef. durch G v. 24.7.1986 (BGBl. I S. 1110); Abs. 3 geänd. mWv 1.7.2001 durch G v. 19.6.2001 (BGBl. I S. 1046); Abs. 1 und 2 geänd., Abs. 3 neu gef. mWv 2.1.2002 durch G v. →

sicherung und der Arbeitsförderung sowie der Grundsicherung für Arbeitsuchende werden von den in § 14 Abs. 1 aufgeführten Organisationen und Behörden aufgestellt.

(2) Die Vorschlagslisten für die ehrenamtlichen Richter in den Senaten für Angelegenheiten des Vertragsarztrechts werden von den Kassenärztlichen (Kassenzahnärztlichen) Vereinigungen und gemeinsam von den Zusammenschlüssen der Krankenkassen, die sich über das Bundesgebiet erstrecken, aufgestellt.

(3) Die ehrenamtlichen Richter für die Senate für Angelegenheiten des ***[bis 31.12.2023:*** sozialen***][ab 1.1.2024:*** *Sozialen****]*** Entschädigungsrechts und des Schwerbehindertenrechts werden auf Vorschlag der obersten Verwaltungsbehörden der Länder sowie der in ***[bis 31.12.2023:*** § 14 Abs. 3 Satz 2 und 3***]*** ***[ab 1.1.2024:*** *§ 14 Absatz 3 Satz 2 und 3****]*** genannten Vereinigungen, die sich über das Bundesgebiet erstrecken, berufen.

(4) Die ehrenamtlichen Richter für die Senate für Angelegenheiten der Sozialhilfe einschließlich der Angelegenheiten nach Teil 2 des Neunten Buches Sozialgesetzbuch[1] und des Asylbewerberleistungsgesetzes[2] werden auf Vorschlag der Bundesvereinigung der kommunalen Spitzenverbände berufen.

§ 47[3] **[Berufung der ehrenamtlichen Richter]** [1] Die ehrenamtlichen Richter am Bundessozialgericht müssen das fünfunddreißigste Lebensjahr vollendet haben; sie sollen mindestens fünf Jahre ehrenamtliche Richter an einem Sozialgericht oder Landessozialgericht gewesen sein. [2] Im übrigen gelten die §§ 16 bis 23 entsprechend mit der Maßgabe, daß in den Fällen des § 18 Abs. 4, der §§ 21 und 22 Abs. 2 der vom Präsidium für jedes Geschäftsjahr im voraus bestimmte Senat des Bundessozialgerichts entscheidet.

§§ 48 und 49 (weggefallen)

§ 50[4] **[Geschäftsordnung]** Der Geschäftsgang wird durch eine Geschäftsordnung[5] geregelt, die das Präsidium unter Zuziehung der beiden der Geburt nach ältesten ehrenamtlichen Richter beschließt.

Fünfter Abschnitt.[6] Rechtsweg und Zuständigkeit

§ 51[7] **[Zulässigkeit des Rechtsweges; Generalklausel]** (1) Die Gerichte der Sozialgerichtsbarkeit entscheiden über öffentlich-rechtliche Streitigkeiten

---

(Fortsetzung der Anm. von voriger Seite)
17.8.2001 (BGBl. I S. 2144); Abs. 1 geänd., Abs. 4 angef. mWv 15.12.2004 durch G v. 9.12.2004 (BGBl. I S. 3302); Abs. 1 geänd. mWv 1.4.2011 durch G v. 24.3.2011 (BGBl. I S. 453); Abs. 4 geänd. mWv 1.1.2020 durch G v. 23.12.2016 (BGBl. I S. 3234); Abs. 3 geänd. mWv 1.1.2024 durch G v. 12.12.2019 (BGBl. I S. 2652).

[1] Auszugsweise abgedruckt unter Nr. **440**.

[2] Auszugsweise abgedruckt unter Nr. **781**.

[3] § 47 Satz 1 zweiter Halbs. geänd. mWv 2.1.2002 durch G v. 17.8.2001 (BGBl. I S. 2144).

[4] § 50 Satz 2 aufgeh. mWv 5.8.2009 durch G v. 30.7.2009 (BGBl. I S. 2449).

[5] Siehe die Bek. der GeschäftsO des Bundessozialgerichts v. 20.6.2003 (BAnz. Nr. 122 S. 14343).

[6] Erster Teil bish. Fünfter Abschn. wird Sechster Abschn. mWv 15.12.2004; Sechster Abschn. wird Fünfter Abschn. mWv 1.1.2009 durch G v. 9.12.2004 (BGBl. I S. 3302).

[7] § 51 neu gef. mWv 2.1.2002 durch G v. 17.8.2001 (BGBl. I S. 2144); Abs. 1 Nr. 4 geänd. mWv 1.1.2004 durch G v. 23.12.2003 (BGBl. I S. 2848); Abs. 1 Nr. 4 geänd. mWv 1.1.2005 durch G v. 24.12.2003 (BGBl. I S. 2954, geänd. durch G v. 30.7.2004, BGBl. I S. 2014); Abs. 1 Nr. 9 aufgeh. mWv 1.8.2004 durch G v. 23.7.2004 (BGBl. I S. 1842); Abs. 1 Nrn. 4a und 6a eingef. mWv 1.1.2005 durch G v. 9.12.2004 (BGBl. I S. 3302); Abs. 1 Nr. 8 geänd. mWv 1.1.2006 durch G v. 22.12.2005 →

1. in Angelegenheiten der gesetzlichen Rentenversicherung einschließlich der Alterssicherung der Landwirte,
2. in Angelegenheiten der gesetzlichen Krankenversicherung, der sozialen Pflegeversicherung und der privaten Pflegeversicherung (Elftes Buch Sozialgesetzbuch)[1], auch soweit durch diese Angelegenheiten Dritte betroffen werden; dies gilt nicht für Streitigkeiten in Angelegenheiten nach § 110 des Fünften Buches Sozialgesetzbuch[2] aufgrund einer Kündigung von Versorgungsverträgen, die für Hochschulkliniken oder Plankrankenhäuser (§ 108 Nr. 1 und 2 des Fünften Buches Sozialgesetzbuch[2]) gelten,
3. in Angelegenheiten der gesetzlichen Unfallversicherung mit Ausnahme der Streitigkeiten aufgrund der Überwachung der Maßnahmen zur Prävention durch die Träger der gesetzlichen Unfallversicherung,
4. in Angelegenheiten der Arbeitsförderung einschließlich der übrigen Aufgaben der Bundesagentur für Arbeit,

4a. in Angelegenheiten der Grundsicherung für Arbeitsuchende,

5. in sonstigen Angelegenheiten der Sozialversicherung,

[Nr. 6 bis 31.12.2023:]

6. in Angelegenheiten des sozialen Entschädigungsrechts mit Ausnahme der Streitigkeiten aufgrund der §§ 25 bis 27j des Bundesversorgungsgesetzes[3] (Kriegsopferfürsorge), auch soweit andere Gesetze die entsprechende Anwendung dieser Vorschriften vorsehen,

[Nr. 6 ab 1.1.2024:]

6. in Angelegenheiten des Sozialen Entschädigungsrechts,

6a. in Angelegenheiten der Sozialhilfe einschließlich der Angelegenheiten nach Teil 2 des Neunten Buches Sozialgesetzbuch[4] und des Asylbewerberleistungsgesetzes[5],

7. bei der Feststellung von Behinderungen und ihrem Grad sowie weiterer gesundheitlicher Merkmale, ferner der Ausstellung, Verlängerung, Berichtigung und Einziehung von Ausweisen nach § 152 des Neunten Buches Sozialgesetzbuch[6],
8. die aufgrund des Aufwendungsausgleichsgesetzes[7] entstehen,

[Nr. 9 eingef. ab 1.1.2025:]

9. in Angelegenheiten des Soldatenentschädigungsgesetzes,

10. für die durch Gesetz der Rechtsweg vor diesen Gerichten eröffnet wird.

(Fortsetzung der Anm. von voriger Seite)
(BGBl. I S. 3686); Abs. 2 Satz 2 neu gef. mWv 1.4.2008 durch G v. 26.3.2008 (BGBl. I S. 444); Abs. 2 Satz 2 aufgeh., bish. Satz 3 wird Satz 2, Abs. 3 angef. mWv 1.1.2011 durch G v. 22.12.2010 (BGBl. I S. 2262); Abs. 2 Satz 1 geänd. mWv 1.1.2013 durch G v. 5.12.2012 (BGBl. I S. 2467); Abs. 1 Nr. 7 geänd. mWv 1.1.2018, Abs. 1 Nr. 6a geänd. mWv 1.1.2020 durch G v. 23.12.2016 (BGBl. I S. 3234); Abs. 1 Nr. 6 neu gef. mWv 1.1.2024 durch G v. 12.12.2019 (BGBl. I S. 2652); Abs. 1 Nr. 9 neu gef. mWv 1.1.2025 durch G v. 20.8.2021 (BGBl. I S. 3932).

[1] **Aichberger, SGB Nr. 11.**

[2] **beck-online, Module Arbeitsrecht Nr. 695.**

[3] **Aichberger, SGB Nr. 20/10.**

[4] Auszugsweise abgedruckt unter Nr. **440**.

[5] Auszugsweise abgedruckt unter Nr. **781**.

[6] Nr. **440**.

[7] Nr. **220**.

(2) [1] Die Gerichte der Sozialgerichtsbarkeit entscheiden auch über privatrechtliche Streitigkeiten in Angelegenheiten der Zulassung von Trägern und Maßnahmen durch fachkundige Stellen nach dem Fünften Kapitel des Dritten Buches Sozialgesetzbuch[1)] und in Angelegenheiten der gesetzlichen Krankenversicherung, auch soweit durch diese Angelegenheiten Dritte betroffen werden. [2] Satz 1 gilt für die soziale Pflegeversicherung und die private Pflegeversicherung (Elftes Buch Sozialgesetzbuch) entsprechend.

(3) Von der Zuständigkeit der Gerichte der Sozialgerichtsbarkeit nach den Absätzen 1 und 2 ausgenommen sind Streitigkeiten in Verfahren nach dem Gesetz gegen Wettbewerbsbeschränkungen[2)], die Rechtsbeziehungen nach § 69 des Fünften Buches Sozialgesetzbuch[3)] betreffen.

§§ 52, 53[4)] *(aufgehoben)*

§ 54 [Gegenstand der Klage] (1) [1] Durch Klage kann die Aufhebung eines Verwaltungsakts oder seine Abänderung sowie die Verurteilung zum Erlaß eines abgelehnten oder unterlassenen Verwaltungsakts begehrt werden. [2] Soweit gesetzlich nichts anderes bestimmt ist, ist die Klage zulässig, wenn der Kläger behauptet, durch den Verwaltungsakt oder durch die Ablehnung oder Unterlassung eines Verwaltungsakts beschwert zu sein.

(2) [1] Der Kläger ist beschwert, wenn der Verwaltungsakt oder die Ablehnung oder Unterlassung eines Verwaltungsakts rechtswidrig ist. [2] Soweit die Behörde, Körperschaft oder Anstalt des öffentlichen Rechts ermächtigt ist, nach ihrem Ermessen zu handeln, ist Rechtswidrigkeit auch gegeben, wenn die gesetzlichen Grenzen dieses Ermessens überschritten sind oder von dem Ermessen in einer dem Zweck der Ermächtigung nicht entsprechenden Weise Gebrauch gemacht ist.

(3) Eine Körperschaft oder eine Anstalt des öffentlichen Rechts kann mit der Klage die Aufhebung einer Anordnung der Aufsichtsbehörde begehren, wenn sie behauptet, daß die Anordnung das Aufsichtsrecht überschreite.

(4) Betrifft der angefochtene Verwaltungsakt eine Leistung, auf die ein Rechtsanspruch besteht, so kann mit der Klage neben der Aufhebung des Verwaltungsakts gleichzeitig die Leistung verlangt werden.

(5) Mit der Klage kann die Verurteilung zu einer Leistung, auf die ein Rechtsanspruch besteht, auch dann begehrt werden, wenn ein Verwaltungsakt nicht zu ergehen hatte.

§ 55[5)] **[Feststellungsklage]** (1) Mit der Klage kann begehrt werden

1. die Feststellung des Bestehens oder Nichtbestehens eines Rechtsverhältnisses,
2. die Feststellung, welcher Versicherungsträger der Sozialversicherung zuständig ist,

---

[1)] Nr. **700**.

[2)] **beck-online, Module Arbeitsrecht Nr. 509.**

[3)] **beck-online, Module Arbeitsrecht Nr. 695.**

[4)] § 52 aufgeh. mWv 1.1.2009 durch G v. 9.12.2004 (BGBl. I S. 3302), § 53 aufgeh. mWv 2.1.2002 durch G v. 17.8.2001 (BGBl. I S. 2144).

[5)] § 55 Abs. 1 Nr. 3 geänd. mWv 1.1.2024 durch G v. 12.12.2019 (BGBl. I S. 2652), Abs. 3 angef. mWv 1.4.2022 durch G v. 16.7.2021 (BGBl. I S. 2970); Abs. 1 Nr. 3 geänd. mWv 1.1.2025 durch G v. 20.8.2021 (BGBl. I S. 3932).

3. die Feststellung, ob eine Gesundheitsstörung oder der Tod die Folge eines Arbeitsunfalls, einer Berufskrankheit oder einer Schädigung im Sinne des ***[bis 31.12.2023:*** Bundesversorgungsgesetzes[1]***][ab 1.1.2024:** Vierzehnten Buches Sozialgesetzbuch*[2]***][ab 1.1.2025:** oder des Soldatenentschädigungsgesetzes]* ist,
4. die Feststellung der Nichtigkeit eines Verwaltungsakts,

wenn der Kläger ein berechtigtes Interesse an der baldigen Feststellung hat.

(2) Unter Absatz 1 Nr. 1 fällt auch die Feststellung, in welchem Umfange Beiträge zu berechnen oder anzurechnen sind.

[Abs. 3 ab 1.4.2022:]

(3) Mit Klagen, die sich gegen Verwaltungsakte der Deutschen Rentenversicherung Bund nach § 7a des Vierten Buches Sozialgesetzbuch[3] *richten, kann die Feststellung begehrt werden, ob eine Erwerbstätigkeit als Beschäftigung oder selbständige Tätigkeit ausgeübt wird.*

§ 55a[4] **[Überprüfung der Gültigkeit]** (1) Auf Antrag ist über die Gültigkeit von Satzungen oder anderen im Rang unter einem Landesgesetz stehenden Rechtsvorschriften, die nach § 22a Absatz 1 des Zweiten Buches Sozialgesetzbuch[5] und dem dazu ergangenen Landesgesetz erlassen worden sind, zu entscheiden.

(2) [1]Den Antrag kann jede natürliche Person stellen, die geltend macht, durch die Anwendung der Rechtsvorschrift in ihren Rechten verletzt zu sein oder in absehbarer Zeit verletzt zu werden. [2]Er ist gegen die Körperschaft zu richten, welche die Rechtsvorschrift erlassen hat. [3]Das Landessozialgericht kann der obersten Landesbehörde oder der von ihr bestimmten Stelle Gelegenheit zur Äußerung binnen einer bestimmten Frist geben. [4]§ 75 Absatz 1 und 3 sowie Absatz 4 Satz 1 sind entsprechend anzuwenden.

(3) Das Landessozialgericht prüft die Vereinbarkeit der Rechtsvorschrift mit Landesrecht nicht, soweit gesetzlich vorgesehen ist, dass die Rechtsvorschrift ausschließlich durch das Verfassungsgericht eines Landes nachprüfbar ist.

(4) Ist ein Verfahren zur Überprüfung der Gültigkeit der Rechtsvorschrift bei einem Verfassungsgericht anhängig, so kann das Landessozialgericht anordnen, dass die Verhandlung bis zur Erledigung des Verfahrens vor dem Verfassungsgericht auszusetzen ist.

(5) [1]Das Landessozialgericht entscheidet durch Urteil oder, wenn es eine mündliche Verhandlung nicht für erforderlich hält, durch Beschluss. [2]Kommt das Landessozialgericht zu der Überzeugung, dass die Rechtsvorschrift ungültig ist, so erklärt es sie für unwirksam; in diesem Fall ist die Entscheidung allgemein verbindlich und die Entscheidungsformel vom Antragsgegner oder der Antragsgegnerin ebenso zu veröffentlichen wie die Rechtsvorschrift bekannt zu machen wäre. [3]Für die Wirkung der Entscheidung gilt § 183 der Verwaltungsgerichtsordnung[6] entsprechend.

---

[1] **Aichberger, SGB Nr. 20/10.**
[2] **Aichberger, SGB Nr. 14.**
[3] Nr. **694**.
[4] § 55a eingef. mWv 1.4.2011 durch G v. 24.3.2011 (BGBl. I S. 453).
[5] Nr. **692**.
[6] **beck-online, Module Arbeitsrecht Nr. 663.**

(6) Das Landessozialgericht kann auf Antrag eine einstweilige Anordnung erlassen, wenn dies zur Abwehr schwerer Nachteile oder aus anderen wichtigen Gründen dringend geboten ist.

§ 56 [Klagenhäufung] Mehrere Klagebegehren können vom Kläger in einer Klage zusammen verfolgt werden, wenn sie sich gegen denselben Beklagten richten, im Zusammenhang stehen und dasselbe Gericht zuständig ist.

§ 56a[1] [Rechtsbehelfe gegen behördliche Verfahrenshandlungen]

[1] Rechtsbehelfe gegen behördliche Verfahrenshandlungen können nur gleichzeitig mit den gegen die Sachentscheidung zulässigen Rechtsbehelfen geltend gemacht werden. [2] Dies gilt nicht, wenn behördliche Verfahrenshandlungen vollstreckt werden können oder gegen einen Nichtbeteiligten ergehen.

§ 57[2] [Örtliche Zuständigkeit, Gerichtsstand] (1) [1] Örtlich zuständig ist das Sozialgericht, in dessen Bezirk der Kläger zur Zeit der Klageerhebung seinen Sitz oder Wohnsitz oder in Ermangelung dessen seinen Aufenthaltsort hat; steht er in einem Beschäftigungsverhältnis, so kann er auch vor dem für den Beschäftigungsort zuständigen Sozialgericht klagen. [2] Klagt eine Körperschaft oder Anstalt des öffentlichen Rechts, in Angelegenheiten nach dem Elften Buch Sozialgesetzbuch[3] ein Unternehmen der privaten Pflegeversicherung ***[bis 31.12.2024:*** oder in Angelegenheiten ***[bis 31.12.2023:*** des sozialen Entschädigungsrechts***][ab 1.1.2024:*** *des Sozialen Entschädigungsrechts]* oder des Schwerbehindertenrechts***][ab 1.1.2025:*** *oder in Angelegenheiten des Sozialen Entschädigungsrechts, des Soldatenentschädigungsrechts oder des Schwerbehindertenrechts]* ein Land, so ist der Sitz oder Wohnsitz oder Aufenthaltsort des Beklagten maßgebend, wenn dieser eine natürliche Person oder eine juristische Person des Privatrechts ist.

(2) [1] Ist die erstmalige Bewilligung einer Hinterbliebenenrente streitig, so ist der Wohnsitz oder in Ermangelung dessen der Aufenthaltsort der Witwe oder des Witwers maßgebend. [2] Ist eine Witwe oder ein Witwer nicht vorhanden, so ist das Sozialgericht örtlich zuständig, in dessen Bezirk die jüngste Waise im Inland ihren Wohnsitz oder in Ermangelung dessen ihren Aufenthaltsort hat; sind nur Eltern oder Großeltern vorhanden, so ist das Sozialgericht örtlich zuständig, in dessen Bezirk die Eltern oder Großeltern ihren Wohnsitz oder in Ermangelung dessen ihren Aufenthaltsort haben. [3] Bei verschiedenem Wohnsitz oder Aufenthaltsort der Eltern- oder Großelternteile gilt der im Inland gelegene Wohnsitz oder Aufenthaltsort des anspruchsberechtigten Ehemannes oder geschiedenen Mannes.

(3) Hat der Kläger seinen Sitz oder Wohnsitz oder Aufenthaltsort im Ausland, so ist örtlich zuständig das Sozialgericht, in dessen Bezirk der Beklagte

---

[1] § 56a eingef. mWv 25.10.2013 durch G v. 19.10.2013 (BGBl. I S. 3836).

[2] § 57 Abs. 4 angef. durch G v. 20.12.1988 (BGBl. I S. 2477); Abs. 1 Satz 2 geänd. durch G v. 30.3. 1998 (BGBl. I S. 638); Abs. 1 Satz 2, Abs. 2 Sätze 2 und 3 sowie Abs. 3 und 4 geänd. mWv 2.1.2002 durch G v. 17.8.2001 (BGBl. I S. 2144); Abs. 1 Satz 1, Abs. 3 geänd. mWv 1.1.2005 und geänd. mWv 1.1.2009 durch G v. 9.12.2004 (BGBl. I S. 3302); Abs. 5 angef. mWv 1.1.2011 durch G v. 22.12.2010 (BGBl. I S. 2262); Abs. 6 angef. mWv 1.4.2011 durch G v. 24.3.2011 (BGBl. I S. 453); Abs. 7 angef. mWv 22.4.2015 durch G v. 15.4.2015 (BGBl. I S. 583); Abs. 1 Satz 2 geänd. mWv 1.1. 2024 durch G v. 12.12.2019 (BGBl. I S. 2652); Abs. 1 Satz 2 geänd. mWv 1.1.2025 durch G v. 20.8. 2021 (BGBl. I S. 3932).

[3] **Aichberger, SGB Nr. 11.**

seinen Sitz oder Wohnsitz oder in Ermangelung dessen seinen Aufenthaltsort hat.

(4) In Angelegenheiten des § 51 Abs. 1 Nr. 2, die auf Bundesebene festgesetzte Festbeträge betreffen, ist das Sozialgericht örtlich zuständig, in dessen Bezirk die Bundesregierung ihren Sitz hat, in Angelegenheiten, die auf Landesebene festgesetzte Festbeträge betreffen, das Sozialgericht, in dessen Bezirk die Landesregierung ihren Sitz hat.

(5) In Angelegenheiten nach § 130a Absatz 4 und 9 des Fünften Buches Sozialgesetzbuch ist das Sozialgericht örtlich zuständig, in dessen Bezirk die zur Entscheidung berufene Behörde ihren Sitz hat.

(6) Für Antragsverfahren nach § 55a ist das Landessozialgericht örtlich zuständig, in dessen Bezirk die Körperschaft, die die Rechtsvorschrift erlassen hat, ihren Sitz hat.

(7) [1] In Angelegenheiten nach § 7a des Vierten Buches Sozialgesetzbuch ist das Sozialgericht örtlich zuständig, in dessen Bezirk der Auftraggeber seinen Sitz oder in Ermangelung dessen seinen Wohnsitz hat. [2] Hat dieser seinen Sitz oder in Ermangelung dessen seinen Wohnsitz im Ausland, ist das Sozialgericht örtlich zuständig, in dessen Bezirk der Auftragnehmer seinen Wohnsitz oder in Ermangelung dessen seinen Aufenthaltsort hat.

§ 57a[1)] [Vertragsarztangelegenheiten] (1) In Vertragsarztangelegenheiten der gesetzlichen Krankenversicherung ist, wenn es sich um Fragen der Zulassung oder Ermächtigung nach Vertragsarztrecht handelt, das Sozialgericht zuständig, in dessen Bezirk der Vertragsarzt, der Vertragszahnarzt oder der Psychotherapeut seinen Sitz hat.

(2) In anderen Vertragsarztangelegenheiten der gesetzlichen Krankenversicherung ist das Sozialgericht zuständig, in dessen Bezirk die Kassenärztliche Vereinigung oder die Kassenzahnärztliche Vereinigung ihren Sitz hat.

(3) Sind Entscheidungen oder Verträge auf Landesebene Streitgegenstand des Verfahrens, ist – soweit das Landesrecht nichts Abweichendes bestimmt – das Sozialgericht zuständig, in dessen Bezirk die Landesregierung ihren Sitz hat.

(4) Sind Entscheidungen oder Verträge auf Bundesebene Streitgegenstand des Verfahrens, ist das Sozialgericht zuständig, in dessen Bezirk die Kassenärztliche Bundesvereinigung oder die Kassenzahnärztliche Bundesvereinigung ihren Sitz hat.

§ 57b [Wahlen zu den Selbstverwaltungsorganen] In Angelegenheiten, die die Wahlen zu den Selbstverwaltungsorganen der Sozialversicherungsträger und ihrer Verbände oder die Ergänzung der Selbstverwaltungsorgane betreffen, ist das Sozialgericht zuständig, in dessen Bezirk der Versicherungsträger oder der Verband den Sitz hat.

§ 58[2)] [Bestimmung der Zuständigkeit] (1) Das zuständige Gericht innerhalb der Sozialgerichtsbarkeit wird durch das gemeinsam nächsthöhere Gericht bestimmt,

---

[1)] § 57a neu gef. mWv 1.4.2008 durch G v. 26.3.2008 (BGBl. I S. 444); Abs. 3 und 4 geänd. mWv 25.10.2013 durch G v. 19.10.2013 (BGBl. I S. 3836).

[2)] § 58 Abs. 1 Nr. 5 geänd. mWv 22.4.2015 durch G v. 15.4.2015 (BGBl. I S. 583).

1. wenn das an sich zuständige Gericht in einem einzelnen Falle an der Ausübung der Gerichtsbarkeit rechtlich oder tatsächlich verhindert ist,
2. wenn mit Rücksicht auf die Grenzen verschiedener Gerichtsbezirke ungewiß ist, welches Gericht für den Rechtsstreit zuständig ist,
3. wenn in einem Rechtsstreit verschiedene Gerichte sich rechtskräftig für zuständig erklärt haben,
4. wenn verschiedene Gerichte, von denen eines für den Rechtsstreit zuständig ist, sich rechtskräftig für unzuständig erklärt haben,
5. wenn eine örtliche Zuständigkeit weder nach den §§ 57 bis 57b noch nach einer anderen gesetzlichen Zuständigkeitsbestimmung gegeben ist.

(2) Zur Feststellung der Zuständigkeit kann jedes mit dem Rechtsstreit befaßte Gericht und jeder am Rechtsstreit Beteiligte das im Rechtszug höhere Gericht anrufen, das ohne mündliche Verhandlung entscheiden kann.

§ 59 [Keine Zuständigkeitsvereinbarungen] [1] Vereinbarungen der Beteiligten über die Zuständigkeit haben keine rechtliche Wirkung. [2] Eine Zuständigkeit wird auch nicht dadurch begründet, daß die Unzuständigkeit des Gerichts nicht geltend gemacht wird.

Zweiter Teil. Verfahren

Erster Abschnitt. Gemeinsame Verfahrensvorschriften

Erster Unterabschnitt. Allgemeine Vorschriften

§ 60[1)] [Ausschließung und Ablehnung von Gerichtspersonen] (1) Für die Ausschließung und Ablehnung der Gerichtspersonen gelten die §§ 41 bis 46 Absatz 1 und die §§ 47 bis 49 der Zivilprozeßordnung entsprechend.

(2) Von der Ausübung des Amtes als Richter ist auch ausgeschlossen, wer bei dem vorausgegangenen Verwaltungsverfahren mitgewirkt hat.

(3) Die Besorgnis der Befangenheit nach § 42 der Zivilprozeßordnung gilt stets als begründet, wenn der Richter dem Vorstand einer Körperschaft oder Anstalt des öffentlichen Rechts angehört, deren Interessen durch das Verfahren unmittelbar berührt werden.

§ 61[2)] [Öffentlichkeit, Sitzungspolizei, Gerichtssprache, Beratung, Abstimmung] (1) [1] Für die Öffentlichkeit, Sitzungspolizei und Gerichtssprache gelten die §§ 169, 171b bis 191a des Gerichtsverfassungsgesetzes entsprechend. [2] Abweichend von Satz 1 ist § 185 Absatz 1a des Gerichtsverfassungsgesetzes mit der Maßgabe anzuwenden, dass das Gericht dem Dolmetscher die Teilnahme an der Verhandlung, Anhörung oder Vernehmung per Bild- und Tonübertragung gestatten kann.

(2) [1] Für die Beratung und Abstimmung gelten die §§ 192 bis 197 des Gerichtsverfassungsgesetzes entsprechend. [2] Abweichend von Satz 1 findet § 193 Absatz 1 des Gerichtsverfassungsgesetzes keine Anwendung für die erstmalige

---

[1)] § 60 Abs. 4 angef. mWv 1.1.2005 und aufgeh. mWv 1.1.2009 durch G v. 9.12.2004 (BGBl. I S. 3302); Abs. 1 Satz 1 geänd., Satz 2 aufgeh. mWv 1.1.2012 durch G v. 22.12.2011 (BGBl. I S. 3057); Abs. 1 geänd. mWv 25.10.2013 durch G v. 19.10.2013 (BGBl. I S. 3836).

[2)] § 61 Abs. 1 Satz 2 aufgeh., bish. Satz 1 wird alleiniger Wortlaut und geänd. durch G v. 18.12.1986 (BGBl. I S. 2496); Abs. 1 und 2 geänd. mWv 1.9.2004 durch G v. 24.8.2004 (BGBl. I S. 2198); Abs. 1 Satz 2, Abs. 2 Satz 2 angef. mWv 19.7.2024 durch G v. 15.7.2024 (BGBl. 2024 I Nr. 237).

gemeinsame Beratung und Abstimmung mit den ehrenamtlichen Richterinnen und Richtern bei einer Entscheidung aufgrund mündlicher Verhandlung.

§ 62[1)] **[Rechtliches Gehör]** Vor jeder Entscheidung ist den Beteiligten rechtliches Gehör zu gewähren; die Anhörung kann schriftlich oder elektronisch geschehen.

§ 63[2)] **[Zustellungen]** (1) [1] Anordnungen und Entscheidungen, durch die eine Frist in Lauf gesetzt wird, sind den Beteiligten zuzustellen, bei Verkündung jedoch nur, wenn es ausdrücklich vorgeschrieben ist. [2] Terminbestimmungen und Ladungen sind bekannt zu geben.

(2) [1] Zugestellt wird von Amts wegen nach den Vorschriften der Zivilprozessordnung[3)]. [2] Die §§ 173, 175 und 178 Abs. 1 Nr. 2 der Zivilprozessordnung[4)] sind entsprechend anzuwenden auf die nach § 73 Abs. 2 Satz 2 Nr. 3 bis 9 zur Prozessvertretung zugelassenen Personen.

(3) Wer nicht im Inland wohnt, hat auf Verlangen einen Zustellungsbevollmächtigten zu bestellen.

§ 64 [Berechnung der Fristen] (1) Der Lauf einer Frist beginnt, soweit nichts anderes bestimmt ist, mit dem Tage nach der Zustellung oder, wenn diese nicht vorgeschrieben ist, mit dem Tage nach der Eröffnung oder Verkündung.

(2) [1] Eine nach Tagen bestimmte Frist endet mit dem Ablauf ihres letzten Tages, eine nach Wochen oder Monaten bestimmte Frist mit dem Ablauf desjenigen Tages der letzten Woche oder des letzten Monats, welcher nach Benennung oder Zahl dem Tage entspricht, in den das Ereignis oder der Zeitpunkt fällt. [2] Fehlt dem letzten Monat der entsprechende Tag, so endet die Frist mit dem Monat.

(3) Fällt das Ende einer Frist auf einen Sonntag, einen gesetzlichen Feiertag oder einen Sonnabend, so endet die Frist mit Ablauf des nächsten Werktages.

§ 65 [Richterliche Fristen, Abkürzung und Verlängerung] [1] Auf Antrag kann der Vorsitzende richterliche Fristen abkürzen oder verlängern. [2] Im Falle der Verlängerung wird die Frist von dem Ablauf der vorigen Frist an berechnet.

§ 65a[5)] **[Übermittlung elektronischer Dokumente]** (1) Vorbereitende Schriftsätze und deren Anlagen, schriftlich einzureichende Anträge und Erklä-

---

1) § 62 zweiter Halbs. geänd. mWv 1.4.2005 durch G v. 22.3.2005 (BGBl. I S. 837).

2) § 63 Abs. 1 geänd. durch G v. 24.6.1994 (BGBl. I S. 1325); Abs. 2 neu gef. mWv 1.7.2002 durch G v. 25.6.2001 (BGBl. I S. 1206); Abs. 1 Satz 2 angef., bish. Wortlaut wird Satz 1 und geänd. mWv 2.1.2002 durch G v. 17.8.2001 (BGBl. I S. 2144); Abs. 2 Satz 2 geänd. mWv 1.2.2006 durch G v. 12.8.2005 (BGBl. I S. 2354); Abs. 2 Satz 2 geänd. mWv 1.7.2008 durch G v. 12.12.2007 (BGBl. I S. 2840, geänd. durch G v. 12.6.2008, BGBl. I S. 1000); Abs. 2 Satz 2 geänd. mWv 1.1.2022 durch G v. 5.10.2021 (BGBl. I S. 4607).

3) Auszugsweise abgedruckt unter Nr. **320**.

4) **beck-online, Module Arbeitsrecht Nr. 320.**

5) § 65a eingef. mWv 1.4.2005 durch G v. 22.3.2005 (BGBl. I S. 837); Abs. 1 und 2 neu gef., Abs. 3–6 eingef., bish. Abs. 3 wird Abs. 7 mWv 1.1.2018 durch G v. 10.10.2013 (BGBl. I S. 3786); Abs. 7 Satz 2 angef. mWv 1.1.2018 durch G v. 5.7.2017 (BGBl. I S. 2208); Abs. 1 Satz 3, Abs. 3 geänd. mWv 29.7.2017 durch G v. 18.7.2017 (BGBl. I S. 2745); Abs. 1 geänd., Abs. 3 Satz 2 angef. mWv 1.1.2020 durch G v. 12.12.2019 (BGBl. I S. 2633); Abs. 4 Nr. 2 neu gef. mWv 1.8.2022 durch G v. 7.7.2021 (BGBl. I S. 2363); Abs. 2 Satz 2 neu gef., Abs. 4 Nr. 3 geänd., Nr. 4 und 5 eingef., bish. Nr. 4 wird Nr. 6, Satz 2 angef., Abs. 6 Satz 1 geänd. mWv 1.1.2022 durch G v. 5.10.2021 (BGBl. I →

rungen der Beteiligten sowie schriftlich einzureichende Auskünfte, Aussagen, Gutachten, Übersetzungen, Anträge und Erklärungen Dritter können nach Maßgabe der Absätze 2 bis 6 als elektronische Dokumente bei Gericht eingereicht werden.

(2) [1]Das elektronische Dokument muss für die Bearbeitung durch das Gericht geeignet sein. [2]Die Bundesregierung bestimmt durch Rechtsverordnung mit Zustimmung des Bundesrates technische Rahmenbedingungen für die Übermittlung und die Eignung zur Bearbeitung durch das Gericht sowie das Nähere zur Verarbeitung von Daten der Postfachinhaber nach Absatz 4 Satz 1 Nummer 3 und 4 in einem sicheren elektronischen Verzeichnis.

(3) [1]Das elektronische Dokument muss mit einer qualifizierten elektronischen Signatur der verantwortenden Person versehen sein oder von der verantwortenden Person signiert und auf einem sicheren Übermittlungsweg eingereicht werden. [2]Satz 1 gilt nicht für Anlagen, die vorbereitenden Schriftsätzen beigefügt sind. [3]Soll ein schriftlich einzureichender Antrag oder eine schriftlich einzureichende Erklärung eines Beteiligten oder eines Dritten als elektronisches Dokument eingereicht werden, so kann der unterschriebene Antrag oder die unterschriebene Erklärung in ein elektronisches Dokument übertragen und durch den Bevollmächtigten, den Vertreter oder den Beistand nach Satz 1 übermittelt werden.

(4) [1]Sichere Übermittlungswege sind

1. der Übermittlungsweg zwischen den besonderen elektronischen Anwaltspostfächern nach den §§ 31a und 31b der Bundesrechtsanwaltsordnung[1)] oder einem entsprechenden, auf gesetzlicher Grundlage errichteten elektronischen Postfach und der elektronischen Poststelle des Gerichts,
2. der Übermittlungsweg zwischen einem nach Durchführung eines Identifizierungsverfahrens eingerichteten Postfach einer Behörde oder einer juristischen Person des öffentlichen Rechts und der elektronischen Poststelle des Gerichts,
3. der Übermittlungsweg zwischen einem nach Durchführung eines Identifizierungsverfahrens eingerichteten elektronischen Postfach einer natürlichen oder juristischen Person oder einer sonstigen Vereinigung und der elektronischen Poststelle des Gerichts,
4. der Übermittlungsweg zwischen einem nach Durchführung eines Identifizierungsverfahrens genutzten Postfach- und Versanddienst eines Nutzerkontos im Sinne des § 2 Absatz 5 des Onlinezugangsgesetzes und der elektronischen Poststelle des Gerichts,
5. sonstige bundeseinheitliche Übermittlungswege, die durch Rechtsverordnung der Bundesregierung mit Zustimmung des Bundesrates festgelegt werden, bei denen die Authentizität und Integrität der Daten sowie die Barrierefreiheit gewährleistet sind.

[2]Das Nähere zu den Übermittlungswegen gemäß Satz 1 Nummer 2 bis 4 regelt die Rechtsverordnung nach Absatz 2 Satz 2.

(Fortsetzung der Anm. von voriger Seite)
S. 4607); Abs. 1 und Abs. 2 Satz 2 geänd., Abs. 3 Satz 3 angef. mWv 17.7.2024 durch G v. 12.7.2024 (BGBl. 2024 I Nr. 234); Abs. 2 Satz 2 geänd., Abs. 4 Satz 1 Nr. 1 aufgeh., bish. Nr. 2-6 werden Nr. 1-5, Satz 2 geänd. mWv 24.12.2025 durch G v. 22.12.2025 (BGBl. 2025 I Nr. 349).

[1)] **beck-online, Module Arbeitsrecht Nr. 133a.**

(5) [1]Ein elektronisches Dokument ist eingegangen, sobald es auf der für den Empfang bestimmten Einrichtung des Gerichts gespeichert ist. [2]Dem Absender ist eine automatisierte Bestätigung über den Zeitpunkt des Eingangs zu erteilen. [3]Die Vorschriften dieses Gesetzes über die Beifügung von Abschriften für die übrigen Beteiligten finden keine Anwendung.

(6) [1]Ist ein elektronisches Dokument für das Gericht zur Bearbeitung nicht geeignet, ist dies dem Absender unter Hinweis auf die Unwirksamkeit des Eingangs unverzüglich mitzuteilen. [2]Das Dokument gilt als zum Zeitpunkt der früheren Einreichung eingegangen, sofern der Absender es unverzüglich in einer für das Gericht zur Bearbeitung geeigneten Form nachreicht und glaubhaft macht, dass es mit dem zuerst eingereichten Dokument inhaltlich übereinstimmt.

(7) [1]Soweit eine handschriftliche Unterzeichnung durch den Richter oder den Urkundsbeamten der Geschäftsstelle vorgeschrieben ist, genügt dieser Form die Aufzeichnung als elektronisches Dokument, wenn die verantwortenden Personen am Ende des Dokuments ihren Namen hinzufügen und das Dokument mit einer qualifizierten elektronischen Signatur versehen. [2]Der in Satz 1 genannten Form genügt auch ein elektronisches Dokument, in welches das handschriftlich unterzeichnete Schriftstück gemäß § 65b Absatz 6 Satz 4 übertragen worden ist.

§ 65b[1)] **[Führung elektronischer Prozessakten]** (1) [1]Die Prozessakten werden elektronisch geführt. [2]Die Bundesregierung und die Landesregierungen bestimmen jeweils für ihren Bereich durch Rechtsverordnung die organisatorischen und dem Stand der Technik entsprechenden technischen Rahmenbedingungen für die Bildung, Führung und Aufbewahrung der elektronischen Akten einschließlich der einzuhaltenden Anforderungen der Barrierefreiheit. [3]Die Landesregierungen können die Ermächtigung nach Satz 2 auf die für die Sozialgerichtsbarkeit zuständigen obersten Landesbehörden übertragen. [4]Die Rechtsverordnung der Bundesregierung bedarf nicht der Zustimmung des Bundesrates.

(2) [1]Akten, die in Papierform angelegt wurden, können in Papierform weitergeführt werden. [2]Sie können ab einem bestimmten Stichtag oder Ereignis in elektronischer Form weitergeführt werden. [3]Der Beginn der Weiterführung der Akten in elektronischer Form ist aktenkundig zu machen. [4]Werden die Akten in Papierform geführt, ist von einem elektronischen Dokument ein Ausdruck für die Akten zu fertigen. [5]Kann dies bei Anlagen zu vorbereitenden Schriftsätzen nicht oder nur mit unverhältnismäßigem Aufwand erfolgen, so kann ein Ausdruck unterbleiben. [6]Die Daten sind in diesem Fall dauerhaft zu speichern; der Speicherort ist aktenkundig zu machen.

(3) Wird das elektronische Dokument auf einem sicheren Übermittlungsweg eingereicht, so ist dies aktenkundig zu machen.

[1)] § 65b eingef. mWv 1.4.2005 durch G v. 22.3.2005 (BGBl. I S. 837); Abs. 2–5 neu gef., Abs. 6 angef. mWv 1.1.2018 durch G v. 10.10.2013 (BGBl. I S. 3786); Abs. 1 Satz 5 geänd. mWv 13.7.2017, Abs. 1a eingef., Abs. 6 neu gef. mWv 1.1.2018 durch G v. 5.7.2017 (BGBl. I S. 2208, geänd. durch G v. 8.12.2025, BGBl. 2025 I Nr. 319); Abs. 1b eingef., Abs. 7 angef. mWv 17.7.2024 durch G v. 12.7.2024 (BGBl. 2024 I Nr. 234); Abs. 1 und 2 neu gef., Abs. 1a und 1b aufgeh. mWv 1.1.2026 durch G v. 8.12.2025 (BGBl. 2025 I Nr. 319).

(4) Ist das elektronische Dokument mit einer qualifizierten elektronischen Signatur versehen und nicht auf einem sicheren Übermittlungsweg eingereicht, muss der Ausdruck einen Vermerk darüber enthalten,

1. welches Ergebnis die Integritätsprüfung des Dokumentes ausweist,
2. wen die Signaturprüfung als Inhaber der Signatur ausweist,
3. welchen Zeitpunkt die Signaturprüfung für die Anbringung der Signatur ausweist.

(5) Ein eingereichtes elektronisches Dokument kann im Falle von Absatz 2 nach Ablauf von sechs Monaten gelöscht werden.

(6) [1] Werden die Prozessakten elektronisch geführt, sind in Papierform vorliegende Schriftstücke und sonstige Unterlagen nach dem Stand der Technik zur Ersetzung der Urschrift in ein elektronisches Dokument zu übertragen. [2] Es ist sicherzustellen, dass das elektronische Dokument mit den vorliegenden Schriftstücken und sonstigen Unterlagen bildlich und inhaltlich übereinstimmt. [3] Das elektronische Dokument ist mit einem Übertragungsnachweis zu versehen, der das bei der Übertragung angewandte Verfahren und die bildliche und inhaltliche Übereinstimmung dokumentiert. [4] Wird ein von den verantwortenden Personen handschriftlich unterzeichnetes gerichtliches Schriftstück übertragen, ist der Übertragungsnachweis mit einer qualifizierten elektronischen Signatur des Urkundsbeamten der Geschäftsstelle zu versehen. [5] Die in Papierform vorliegenden Schriftstücke und sonstigen Unterlagen können sechs Monate nach der Übertragung vernichtet werden, sofern sie nicht rückgabepflichtig sind.

(7) Die Bundesregierung kann durch Rechtsverordnung mit Zustimmung des Bundesrates die für die Übermittlung elektronischer Akten zwischen Behörden und Gerichten geltenden Standards bestimmen.

§ 65c[1)] Formulare; Verordnungsermächtigung. [1] Das Bundesministerium für Arbeit und Soziales kann durch Rechtsverordnung mit Zustimmung des Bundesrates elektronische Formulare einführen. [2] Die Rechtsverordnung kann bestimmen, dass die in den Formularen enthaltenen Angaben ganz oder teilweise in strukturierter maschinenlesbarer Form zu übermitteln sind. [3] Die Formulare sind auf einer in der Rechtsverordnung zu bestimmenden Kommunikationsplattform im Internet zur Nutzung bereitzustellen. [4] Die Rechtsverordnung kann bestimmen, dass eine Identifikation des Formularverwenders abweichend von § 65a Absatz 3 auch durch Nutzung des elektronischen Identitätsnachweises nach § 18 des Personalausweisgesetzes[2)], § 12 des eID-Karte-Gesetzes oder § 78 Absatz 5 des Aufenthaltsgesetzes[3)] erfolgen kann.

§ 65d[4)] Nutzungspflicht für Rechtsanwälte, Behörden und vertretungsberechtigte Bevollmächtigte. [1] Vorbereitende Schriftsätze und deren Anlagen sowie schriftlich einzureichende Anträge und Erklärungen, die durch

---

[1)] § 65c eingef. mWv 1.7.2014 durch G v. 10.10.2013 (BGBl. I S. 3786); Satz 4 geänd. mWv 1.11. 2019 durch G v. 21.6.2019 (BGBl. I S. 846).

[2)] **Sartorius Nr. 255.**

[3)] **beck-online, Module Arbeitsrecht Nr. 760.**

[4)] § 65d eingef. mWv 1.1.2022 durch G v. 10.10.2013 (BGBl. I S. 3786); Satz 2 geänd. mWv 1.1. *2022, Überschr. und Satz 2 neu gef.* mWv 1.1.2026 durch G v. 5.10.2021 (BGBl. I S. 4607) durch G v. 5.10.2021 (BGBl. I S. 4607); Satz 2 geänd. mWv 23.12.2025 und mWv 1.1.2026 durch G v. 22.12. 2025 (BGBl. 2025 I Nr. 349).

einen Rechtsanwalt, durch eine Behörde oder durch eine juristische Person des öffentlichen Rechts einschließlich der von ihr zur Erfüllung ihrer öffentlichen Aufgaben gebildeten Zusammenschlüsse eingereicht werden, sind als elektronisches Dokument zu übermitteln. [2] Gleiches gilt für die nach diesem Gesetz vertretungsberechtigten Personen und Bevollmächtigten, für die ein sicherer Übermittlungsweg nach § 65a Absatz 4 Satz 1 Nummer 1 oder 3 zur Verfügung steht; ausgenommen sind nach § 73 Absatz 2 Satz 2 Nummer 1 Halbsatz 1 oder Nummer 2 vertretungsbefugte Personen. [3] Ist eine Übermittlung aus technischen Gründen vorübergehend nicht möglich, bleibt die Übermittlung nach den allgemeinen Vorschriften zulässig. [4] Die vorübergehende Unmöglichkeit ist bei der Ersatzeinreichung oder unverzüglich danach glaubhaft zu machen; auf Anforderung ist ein elektronisches Dokument nachzureichen.

§ 66[1)] [Rechtsmittelbelehrung] (1) Die Frist für ein Rechtsmittel oder einen anderen Rechtsbehelf beginnt nur dann zu laufen, wenn der Beteiligte über den Rechtsbehelf, die Verwaltungsstelle oder das Gericht, bei denen der Rechtsbehelf anzubringen ist, den Sitz und die einzuhaltende Frist schriftlich oder elektronisch belehrt worden ist.

(2) [1] Ist die Belehrung unterblieben oder unrichtig erteilt, so ist die Einlegung des Rechtsbehelfs nur innerhalb eines Jahres seit Zustellung, Eröffnung oder Verkündung zulässig, außer wenn die Einlegung vor Ablauf der Jahresfrist infolge höherer Gewalt unmöglich war oder eine schriftliche oder elektronische Belehrung dahin erfolgt ist, daß ein Rechtsbehelf nicht gegeben sei. [2] § 67 Abs. 2 gilt für den Fall höherer Gewalt entsprechend.

§ 67 [Wiedereinsetzung in den vorigen Stand] (1) Wenn jemand ohne Verschulden verhindert war, eine gesetzliche Verfahrensfrist einzuhalten, so ist ihm auf Antrag Wiedereinsetzung in den vorigen Stand zu gewähren.

(2) [1] Der Antrag ist binnen eines Monats nach Wegfall des Hindernisses zu stellen. [2] Die Tatsachen zur Begründung des Antrages sollen glaubhaft gemacht werden. [3] Innerhalb der Antragsfrist ist die versäumte Rechtshandlung nachzuholen. [4] Ist dies geschehen, so kann die Wiedereinsetzung auch ohne Antrag gewährt werden.

(3) Nach einem Jahr seit dem Ende der versäumten Frist ist der Antrag unzulässig, außer wenn der Antrag vor Ablauf der Jahresfrist infolge höherer Gewalt unmöglich war.

(4) [1] Über den Wiedereinsetzungsantrag entscheidet das Gericht, das über die versäumte Rechtshandlung zu befinden hat. [2] Der Beschluß, der die Wiedereinsetzung bewilligt, ist unanfechtbar.

§ 68 (weggefallen)

§ 69 [Beteiligte] Beteiligte am Verfahren sind

1. der Kläger,
2. der Beklagte,
3. der Beigeladene.

[1)] § 66 Abs. 1 und Abs. 2 Satz 1 geänd. mWv 1.4.2005 durch G v. 22.3.2005 (BGBl. I S. 837).

§ 70[1)] **[Beteiligtenfähigkeit]** Fähig, am Verfahren beteiligt zu sein, sind

1. natürliche und juristische Personen,
2. nichtrechtsfähige Personenvereinigungen,
3. Behörden, sofern das Landesrecht dies bestimmt,
4. gemeinsame Entscheidungsgremien von Leistungserbringern und Krankenkassen oder Pflegekassen.

§ 71[2)] **[Prozessfähigkeit]** (1) Ein Beteiligter ist prozeßfähig, soweit er sich durch Verträge verpflichten kann.

(2) [1] Minderjährige sind in eigener Sache prozeßfähig, soweit sie durch Vorschriften des bürgerlichen oder öffentlichen Rechts für den Gegenstand des Verfahrens als geschäftsfähig anerkannt sind. [2] Zur Zurücknahme eines Rechtsbehelfs bedürfen sie der Zustimmung des gesetzlichen Vertreters.

(3) Für rechtsfähige und nichtrechtsfähige Personenvereinigungen sowie für Behörden handeln ihre gesetzlichen Vertreter und Vorstände.

(4) Für Entscheidungsgremien im Sinne von § 70 Nr. 4 handelt der Vorsitzende.

(5) In Angelegenheiten des Sozialen Entschädigungsrechts und des Schwerbehindertenrechts wird das Land durch die Stelle vertreten, die für die Durchführung des Vierzehnten Buches Sozialgesetzbuch[3)] oder des Rechts der Teilhabe

(Fortsetzung nächstes Blatt)

[1)] § 70 Nr. 4 neu gef. mWv 2.1.2002 durch G v. 17.8.2001 (BGBl. I S. 2144).

[2)] § 71 Abs. 2 Satz 1 neu gef. durch G v. 11.12.1975 (BGBl. I S. 3015); Abs. 4 und 5 neu gef. mWv 2.1.2002 durch G v. 17.8.2001 (BGBl. I S. 2144); Abs. 3 geänd. mWv 1.7.2008 durch G v. 12.12. *2007 (BGBl. I S. 2840);* Abs. 5 geänd. mWv 1.1.2012 durch G v. 22.12.2011 (BGBl. I S. 3057); Abs. 5 neu gef. mWv 1.1.2024 durch G v. 12.12.2019 (BGBl. I S. 2652).

[3)] **Aichberger, SGB Nr. 14.**

von Menschen mit Behinderungen zuständig ist oder der nach Maßgabe des Landesrechts diese Aufgaben übertragen worden sind.

(6) Die §§ 53 bis 56 der Zivilprozeßordnung gelten entsprechend.

§ 72[1)] **[Bestellung eines besonderen Vertreters]** (1) Für einen nicht prozeßfähigen Beteiligten ohne gesetzlichen Vertreter kann der Vorsitzende bis zum Eintritt eines Vormundes, Betreuers oder Pflegers für das Verfahren einen besonderen Vertreter bestellen, dem alle Rechte, außer dem Empfang von Zahlungen, zustehen.

(2) Die Bestellung eines besonderen Vertreters ist mit Zustimmung des Beteiligten oder seines gesetzlichen Vertreters auch zulässig, wenn der Aufenthaltsort eines Beteiligten oder seines gesetzlichen Vertreters vom Sitz des Gerichts weit entfernt ist.

§ 73[2)] **[Prozessbeteiligte; Bevollmächtigte; Beistand]** (1) Die Beteiligten können vor dem Sozialgericht und dem Landessozialgericht den Rechtsstreit selbst führen.

(2) [1]Die Beteiligten können sich durch einen Rechtsanwalt oder einen Rechtslehrer an einer staatlichen oder staatlich anerkannten Hochschule eines Mitgliedstaates der Europäischen Union, eines anderen Vertragsstaates des Abkommens über den Europäischen Wirtschaftsraum oder der Schweiz, der die Befähigung zum Richteramt besitzt, als Bevollmächtigten vertreten lassen. [2]Darüber hinaus sind als Bevollmächtigte vor dem Sozialgericht und dem Landessozialgericht vertretungsbefugt nur

1. Beschäftigte des Beteiligten oder eines mit ihm verbundenen Unternehmens (§ 15 des Aktiengesetzes); Behörden und juristische Personen des öffentlichen Rechts einschließlich der von ihnen zur Erfüllung ihrer öffentlichen Aufgaben gebildeten Zusammenschlüsse können sich auch durch Beschäftigte anderer Behörden oder juristischer Personen des öffentlichen Rechts einschließlich der von ihnen zur Erfüllung ihrer öffentlichen Aufgaben gebildeten Zusammenschlüsse vertreten lassen,
2. volljährige Familienangehörige (§ 15 der Abgabenordnung, § 11 des Lebenspartnerschaftsgesetzes), Personen mit Befähigung zum Richteramt und Streitgenossen, wenn die Vertretung nicht im Zusammenhang mit einer entgeltlichen Tätigkeit steht,
3. Rentenberater im Umfang ihrer Befugnisse nach § 10 Absatz 1 Satz 1 Nummer 2, auch in Verbindung mit Satz 2, des Rechtsdienstleistungsgesetzes,
4. Steuerberater, Steuerbevollmächtigte, Wirtschaftsprüfer und vereidigte Buchprüfer, Personen und Vereinigungen im Sinne der §§ 3a und 3c des Steuerberatungsgesetzes im Rahmen ihrer Befugnisse nach § 3a des Steuerberatungs-

---

1) § 72 Abs. 1 geänd. durch G v. 12.9.1990 (BGBl. I S. 2002); Abs. 2 neu gef., Abs. 3 bis 5 aufgeh. durch G v. 13.6.1980 (BGBl. I S. 677); Abs. 1 geänd. durch G v. 12.9.1990 (BGBl. I S. 2002).

2) § 73 neu gef. mWv 1.7.2008 durch G v. 12.12.2007 (BGBl. I S. 2840); Abs. 2 Satz 2 Nr. 4 geänd. mWv 5.8.2009 durch G v. 30.7.2009 (BGBl. I S. 2449); Abs. 2 Satz 1 neu gef. mWv 28.12.2010 durch G v. 22.12.2010 (BGBl. I S. 2248); Abs. 6 Satz 3 eingef., bish. Sätze 3–6 werden Sätze 4–7 mWv 1.1.2012 durch G v. 22.12.2011 (BGBl. I S. 3057); Abs. 2 Satz 2 Nr. 3 geänd. mWv 18.5.2017 durch G v. 12.5.2017 (BGBl. I S. 1121); Abs. 2 Satz 2 Nr. 8 geänd. mWv 1.1.2024 durch G v. 12.12.2019 (BGBl. I S. 2652); Abs. 2 Satz 2 Nr. 4 neu gef. mWv 1.8.2022 durch G v. 7.7.2021 (BGBl. I S. 2363); Abs. 2 Satz 2 Nr. 8 geänd. mWv 1.1.2025 durch G v. 20.8.2021 (BGBl. I S. 3932); Abs. 2 Satz 2 Nr. 4 neu gef. mWv 16.3.2023 durch G v. 10.3.2023 (BGBl. 2023 I Nr. 64).

gesetzes, zu beschränkter geschäftsmäßiger Hilfeleistung in Steuersachen nach den §§ 3d und 3e des Steuerberatungsgesetzes berechtigte Personen im Rahmen dieser Befugnisse sowie Gesellschaften im Sinne des § 3 Satz 1 Nummer 2 und 3 des Steuerberatungsgesetzes, die durch Personen im Sinne des § 3 Satz 2 des Steuerberatungsgesetzes handeln, in Angelegenheiten nach den §§ 28h und 28p des Vierten Buches Sozialgesetzbuch,

5. selbständige Vereinigungen von Arbeitnehmern mit sozial- oder berufspolitischer Zwecksetzung für ihre Mitglieder,
6. berufsständische Vereinigungen der Landwirtschaft für ihre Mitglieder,
7. Gewerkschaften und Vereinigungen von Arbeitgebern sowie Zusammenschlüsse solcher Verbände für ihre Mitglieder oder für andere Verbände oder Zusammenschlüsse mit vergleichbarer Ausrichtung und deren Mitglieder,
8. Vereinigungen, deren satzungsgemäße Aufgaben die gemeinschaftliche Interessenvertretung, die Beratung und Vertretung der Leistungsempfänger nach dem Sozialen Entschädigungsrecht ***[ab 1.1.2025:*** *, dem Soldatenentschädigungsrecht* ***]*** oder der Menschen mit Behinderungen wesentlich umfassen und die unter Berücksichtigung von Art und Umfang ihrer Tätigkeit sowie ihres Mitgliederkreises die Gewähr für eine sachkundige Prozessvertretung bieten, für ihre Mitglieder,
9. juristische Personen, deren Anteile sämtlich im wirtschaftlichen Eigentum einer der in den Nummern 5 bis 8 bezeichneten Organisationen stehen, wenn die juristische Person ausschließlich die Rechtsberatung und Prozessvertretung dieser Organisation und ihrer Mitglieder oder anderer Verbände oder Zusammenschlüsse mit vergleichbarer Ausrichtung und deren Mitglieder entsprechend deren Satzung durchführt, und wenn die Organisation für die Tätigkeit der Bevollmächtigten haftet.

[3] Bevollmächtigte, die keine natürlichen Personen sind, handeln durch ihre Organe und mit der Prozessvertretung beauftragten Vertreter. [4] § 157 der Zivilprozessordnung gilt entsprechend.

(3) [1] Das Gericht weist Bevollmächtigte, die nicht nach Maßgabe des Absatzes 2 vertretungsbefugt sind, durch unanfechtbaren Beschluss zurück. [2] Prozesshandlungen eines nicht vertretungsbefugten Bevollmächtigten und Zustellungen oder Mitteilungen an diesen Bevollmächtigten sind bis zu seiner Zurückweisung wirksam. [3] Das Gericht kann den in Absatz 2 Satz 2 Nr. 1 und 2 bezeichneten Bevollmächtigten durch unanfechtbaren Beschluss die weitere Vertretung untersagen, wenn sie nicht in der Lage sind, das Sach- und Streitverhältnis sachgerecht darzustellen. [4] Satz 3 gilt nicht für Beschäftigte eines Sozialleistungsträgers oder eines Spitzenverbandes der Sozialversicherung.

(4) [1] Vor dem Bundessozialgericht müssen sich die Beteiligten, außer im Prozesskostenhilfeverfahren, durch Prozessbevollmächtigte vertreten lassen. [2] Als Bevollmächtigte sind außer den in Absatz 2 Satz 1 bezeichneten Personen nur die in Absatz 2 Satz 2 Nr. 5 bis 9 bezeichneten Organisationen zugelassen. [3] Diese müssen durch Personen mit Befähigung zum Richteramt handeln. [4] Behörden und juristische Personen des öffentlichen Rechts einschließlich der von ihnen zur Erfüllung ihrer öffentlichen Aufgaben gebildeten Zusammenschlüsse sowie private Pflegeversicherungsunternehmen können sich durch eigene Beschäftigte *mit Befähigung zum* Richteramt oder durch Beschäftigte mit Befähigung zum Richteramt anderer Behörden oder juristischer Personen des öffentlichen Rechts einschließlich der von ihnen zur Erfüllung ihrer öffentlichen Aufgaben gebilde-

ten Zusammenschlüsse vertreten lassen. [5] Ein Beteiligter, der nach Maßgabe des Satzes 2 zur Vertretung berechtigt ist, kann sich selbst vertreten; Satz 3 bleibt unberührt.

(5) [1] Richter dürfen nicht als Bevollmächtigte vor dem Gericht auftreten, dem sie angehören. [2] Ehrenamtliche Richter dürfen, außer in den Fällen des Absatzes 2 Satz 2 Nr. 1, nicht vor einem Spruchkörper auftreten, dem sie angehören. [3] Absatz 3 Satz 1 und 2 gilt entsprechend.

(6) [1] Die Vollmacht ist schriftlich zu den Gerichtsakten einzureichen. [2] Sie kann nachgereicht werden; hierfür kann das Gericht eine Frist bestimmen. [3] Bei Ehegatten oder Lebenspartnern und Verwandten in gerader Linie kann unterstellt werden, dass sie bevollmächtigt sind. [4] Der Mangel der Vollmacht kann in jeder Lage des Verfahrens geltend gemacht werden. [5] Das Gericht hat den Mangel der Vollmacht von Amts wegen zu berücksichtigen, wenn nicht als Bevollmächtigter ein Rechtsanwalt auftritt. [6] Ist ein Bevollmächtigter bestellt, sind die Zustellungen oder Mitteilungen des Gerichts an ihn zu richten. [7] Im Übrigen gelten die §§ 81, 83 bis 86 der Zivilprozessordnung entsprechend.

(7) [1] In der Verhandlung können die Beteiligten mit Beiständen erscheinen. [2] Beistand kann sein, wer in Verfahren, in denen die Beteiligten den Rechtsstreit selbst führen können, als Bevollmächtigter zur Vertretung in der Verhandlung befugt ist. [3] Das Gericht kann andere Personen als Beistand zulassen, wenn dies sachdienlich ist und hierfür nach den Umständen des Einzelfalls ein Bedürfnis besteht. [4] Absatz 3 Satz 1 und 3 und Absatz 5 gelten entsprechend. [5] Das von dem Beistand Vorgetragene gilt als von dem Beteiligten vorgebracht, soweit es nicht von diesem sofort widerrufen oder berichtigt wird.

§ 73a[1)] [Prozesskostenhilfe] (1) [1] Die Vorschriften der Zivilprozeßordnung über die Prozeßkostenhilfe mit Ausnahme des § 118 Absatz 1 Satz 6 und des § 127 Absatz 2 Satz 2 der Zivilprozessordnung gelten entsprechend. [2] Macht der Beteiligte, dem Prozeßkostenhilfe bewilligt ist, von seinem Recht, einen Rechtsanwalt zu wählen, nicht Gebrauch, wird auf Antrag des Beteiligten der beizuordnende Rechtsanwalt vom Gericht ausgewählt. [3] Einem Beteiligten, dem Prozesskostenhilfe bewilligt worden ist, kann auch ein Steuerberater, Steuerbevollmächtigter, Wirtschaftsprüfer, vereidigter Buchprüfer oder Rentenberater beigeordnet werden. [4] Die Vergütung richtet sich nach den für den beigeordneten Rechtsanwalt geltenden Vorschriften des Rechtsanwaltsvergütungsgesetzes.

(2) Prozeßkostenhilfe wird nicht bewilligt, wenn der Beteiligte durch einen Bevollmächtigten im Sinne des § 73 Abs. 2 Satz 2 Nr. 5 bis 9 vertreten ist.

(3) § 109 Abs. 1 Satz 2 bleibt unberührt.

(4) [1] Die Prüfung der persönlichen und wirtschaftlichen Verhältnisse nach den §§ 114 bis 116 der Zivilprozessordnung einschließlich der in § 118 Absatz 2 der Zivilprozessordnung bezeichneten Maßnahmen, der Beurkundung von Vergleichen nach § 118 Absatz 1 Satz 3 der Zivilprozessordnung und der Entscheidungen nach § 118 Absatz 2 Satz 4 der Zivilprozessordnung obliegt dem Urkundsbeamten der Geschäftsstelle des jeweiligen Rechtszugs, wenn der Vorsitzende

---

1) § 73a eingef. durch G v. 13.6.1980 (BGBl. I S. 677); Abs. 2 geänd. mWv 1.7.2008 durch G v. 12.12.2007 (BGBl. I S. 2840); Abs. 1 Sätze 3 und 4, Abs. 4–9 angef. mWv 1.1.2014 durch G v. 31.8. 2013 (BGBl. I S. 3533); Abs. 1 Satz 1 geänd. mWv 25.10.2013 durch G v. 19.10.2013 (BGBl. I S. 3836); Abs. 4 neu gef. mWv 16.7.2014 durch G v. 8.7.2014 (BGBl. I S. 890); Abs. 1 Satz 1 geänd. mWv 19.7. 2024 durch G v. 15.7.2024 (BGBl. 2024 I Nr. 237).

ihm das Verfahren insoweit überträgt. [2]Liegen die Voraussetzungen für die Bewilligung der Prozesskostenhilfe hiernach nicht vor, erlässt der Urkundsbeamte die den Antrag ablehnende Entscheidung; anderenfalls vermerkt der Urkundsbeamte in den Prozessakten, dass dem Antragsteller nach seinen persönlichen und wirtschaftlichen Verhältnissen Prozesskostenhilfe gewährt werden kann und in welcher Höhe gegebenenfalls Monatsraten oder Beträge aus dem Vermögen zu zahlen sind.

(5) Dem Urkundsbeamten obliegen im Verfahren über die Prozesskostenhilfe ferner die Bestimmung des Zeitpunkts für die Einstellung und eine Wiederaufnahme der Zahlungen nach § 120 Absatz 3 der Zivilprozessordnung sowie die Änderung und die Aufhebung der Bewilligung der Prozesskostenhilfe nach den §§ 120a und 124 Absatz 1 Nummer 2 bis 5 der Zivilprozessordnung.

(6) [1]Der Vorsitzende kann Aufgaben nach den Absätzen 4 und 5 zu jedem Zeitpunkt an sich ziehen. [2]§ 5 Absatz 1 Nummer 1, die §§ 6, 7, 8 Absatz 1 bis 4 und § 9 des Rechtspflegergesetzes gelten entsprechend mit der Maßgabe, dass an die Stelle des Rechtspflegers der Urkundsbeamte der Geschäftsstelle tritt.

(7) § 155 Absatz 4 gilt entsprechend.

(8) Gegen Entscheidungen des Urkundsbeamten nach den Absätzen 4 und 5 kann binnen eines Monats nach Bekanntgabe das Gericht angerufen werden, das endgültig entscheidet.

(9) Durch Landesgesetz kann bestimmt werden, dass die Absätze 4 bis 8 für die Gerichte des jeweiligen Landes nicht anzuwenden sind.

§ 74 [Streitgenossenschaft; Hauptintervention] Die §§ 59 bis 65 der Zivilprozeßordnung über die Streitgenossenschaft und die Hauptintervention gelten entsprechend.

§ 75[1)] [Beiladung] (1) [1]Das Gericht kann von Amts wegen oder auf Antrag andere, deren berechtigte Interessen durch die Entscheidung berührt werden, beiladen. ***[Satz 2 bis 31.12.2024:]*** [2]In Angelegenheiten des Sozialen Entschädigungsrechts ist die Bundesrepublik Deutschland auf Antrag beizuladen. ***[Satz 2 ab 1.1.2025:]*** *[2]In Angelegenheiten*

(Fortsetzung nächstes Blatt)

---

1) § 75 Abs. 1 Satz 2, Abs. 2 und Abs. 5 geänd. sowie Abs. 2a eingef. mWv 2.1.2002 durch G v. 17.8. 2001 (BGBl. I S. 2144); Abs. 2a Satz 3 geänd. und Satz 5 eingef., bish. Sätze 5 bis 8 werden Sätze 6 bis 9 mWv 1.4.2005 durch G v. 22.3.2005 (BGBl. I S. 837); Abs. 2 und 5 geänd. mWv 1.8.2006 durch G v. 20.7.2006 (BGBl. I S. 1706); Abs. 2a Satz 3 geänd. mWv 1.4.2012 durch G v. 22.12.2011 (BGBl. I S. 3044); Abs. 2 und 5 geänd. mWv 19.12.2014 durch G v. 10.12.2014 (BGBl. I S. 2187); Abs. 2 und 5 geänd. mWv 1.1.2020 durch G v. 23.12.2016 (BGBl. I S. 3234); Abs. 1 Satz 2, Abs. 2 und 5 geänd. mWv 1.1.2024 durch G v. 12.12.2019 (BGBl. I S. 2652); Abs. 2b eingef. mWv 1.7.2020 durch G v. 12.6.2020 (BGBl. I S. 1248); Abs. 1 Satz 2 neu gef. mWv 1.1.2025 durch G v. 20.8.2021 (BGBl. I S. 3932).

des Sozialen Entschädigungsrechts und des Soldatenentschädigungsrechts ist die Bundesrepublik Deutschland auf Antrag beizuladen.

(2) Sind an dem streitigen Rechtsverhältnis Dritte derart beteiligt, daß die Entscheidung auch ihnen gegenüber nur einheitlich ergehen kann oder ergibt sich im Verfahren, daß bei der Ablehnung des Anspruchs ein anderer Versicherungsträger, ein Träger der Grundsicherung für Arbeitsuchende, ein Träger der Sozialhilfe einschließlich der Leistungen nach Teil 2 des Neunten Buches Sozialgesetzbuch[1)], ein Träger der Leistungen nach dem Asylbewerberleistungsgesetz[2)] oder in Angelegenheiten des ***[bis 31.12.2023:** sozialen**][ab 1.1. 2024:** Sozialen**]*** Entschädigungsrechts ein Land als leistungspflichtig in Betracht kommt, so sind sie beizuladen.

(2a) [1] Kommt nach Absatz 2 erste Alternative die Beiladung von mehr als 20 Personen in Betracht, kann das Gericht durch Beschluss anordnen, dass nur solche Personen beigeladen werden, die dies innerhalb einer bestimmten Frist beantragen. [2] Der Beschluss ist unanfechtbar. [3] Er ist im Bundesanzeiger bekannt zu machen. [4] Er muss außerdem in im gesamten Bundesgebiet verbreiteten Tageszeitungen veröffentlicht werden. [5] Die Bekanntmachung kann zusätzlich in einem von dem Gericht für Bekanntmachungen bestimmten Informations- und Kommunikationssystem erfolgen. [6] Die Frist muss mindestens drei Monate seit der Bekanntgabe betragen. [7] Es ist jeweils anzugeben, an welchem Tag die Antragsfrist abläuft. [8] Für die Wiedereinsetzung in den vorigen Stand wegen Fristversäumnis gilt § 67 entsprechend. [9] Das Gericht soll Personen, die von der Entscheidung erkennbar in besonderem Maße betroffen werden, auch ohne Antrag beiladen.

(2b) [1] In Verfahren gegen Entscheidungen nach § 7a Absatz 1 Satz 3, § 28h Absatz 2 und § 28p Absatz 1 Satz 5 des Vierten Buches Sozialgesetzbuch[3)] sind andere Versicherungsträger abweichend von Absatz 2 nur auf deren Antrag beizuladen. [2] Das Gericht benachrichtigt die anderen Versicherungsträger über die Erhebung einer entsprechenden Klage und über die Möglichkeit der Beiladung auf Antrag. [3] Das Gericht setzt den anderen Versicherungsträgern für die Antragstellung eine angemessene Frist. [4] Für die Wiedereinsetzung in den vorigen Stand wegen Fristversäumnis gilt § 67 entsprechend. [5] Das Gericht kann Versicherungsträger auch von Amts wegen beiladen.

(3) [1] Der Beiladungsbeschluß ist allen Beteiligten zuzustellen. [2] Dabei sollen der Stand der Sache und der Grund der Beiladung angegeben werden. [3] Der Beschluß, den Dritten beizuladen, ist unanfechtbar.

(4) [1] Der Beigeladene kann innerhalb der Anträge der anderen Beteiligten selbständig Angriffs- und Verteidigungsmittel geltend machen und alle Verfahrenshandlungen wirksam vornehmen. [2] Abweichende Sachanträge kann er nur dann stellen, wenn eine Beiladung nach Absatz 2 vorliegt.

(5) Ein Versicherungsträger, ein Träger der Grundsicherung für Arbeitsuchende, ein Träger der Sozialhilfe einschließlich der Leistungen nach Teil 2 des Neunten Buches Sozialgesetzbuch[1)], ein Träger der Leistungen nach dem Asylbewerberleistungsgesetz[2)] oder in Angelegenheiten des ***[bis 31.12.2023:** sozialen**][ab 1.1.2024:** Sozialen**]*** Entschädigungsrechts ein Land kann nach Beiladung verurteilt werden.

[1)] Auszugsweise abgedruckt unter Nr. **440**.
[2)] Auszugsweise abgedruckt unter Nr. **781**.
[3)] Nr. **694**.

Zweiter Unterabschnitt. Beweissicherungsverfahren

§ 76[1] **[Beweissicherungsverfahren]** (1) Auf Gesuch eines Beteiligten kann die Einnahme des Augenscheins und die Vernehmung von Zeugen und Sachverständigen zur Sicherung des Beweises angeordnet werden, wenn zu besorgen ist, daß das Beweismittel verloren gehe oder seine Benutzung erschwert werde, oder wenn der gegenwärtige Zustand einer Person oder einer Sache festgestellt werden soll und der Antragsteller ein berechtigtes Interesse an dieser Feststellung hat.

(2) [1] Das Gesuch ist bei dem für die Hauptsache zuständigen Sozialgericht anzubringen. [2] In Fällen dringender Gefahr kann das Gesuch bei einem anderen Sozialgericht oder einem Amtsgericht angebracht werden, in dessen Bezirk sich die zu vernehmenden Personen aufhalten oder sich der in Augenschein zu nehmende Gegenstand befindet.

(3) Für das Verfahren gelten die §§ 487, 490 bis 494 der Zivilprozeßordnung[2] entsprechend.

Dritter Unterabschnitt.[3] Vorverfahren und einstweiliger Rechtsschutz

§ 77 [Bindungswirkung des Verwaltungsakts] Wird der gegen einen Verwaltungsakt gegebene Rechtsbehelf nicht oder erfolglos eingelegt, so ist der Verwaltungsakt für die Beteiligten in der Sache bindend, soweit durch Gesetz nichts anderes bestimmt ist.

§ 78[4] **[Vorverfahren als Klagevoraussetzung]** (1) [1] Vor Erhebung der Anfechtungsklage sind Rechtmäßigkeit und Zweckmäßigkeit des Verwaltungsaktes in einem Vorverfahren nachzuprüfen. [2] Eines Vorverfahrens bedarf es nicht, wenn

1. ein Gesetz dies für besondere Fälle bestimmt oder
2. der Verwaltungsakt von einer obersten Bundesbehörde, einer obersten Landesbehörde oder von dem Vorstand der Bundesagentur für Arbeit erlassen worden ist, außer wenn ein Gesetz die Nachprüfung vorschreibt, oder
3. ein Land, ein Versicherungsträger oder einer seiner Verbände klagen will.

(2) *(aufgehoben)*

(3) Für die Verpflichtungsklage gilt Absatz 1 entsprechend, wenn der Antrag auf Vornahme des Verwaltungsaktes abgelehnt worden ist.

§§ 79–82 (weggefallen)

§ 83 [Widerspruch] Das Vorverfahren beginnt mit der Erhebung des Widerspruchs.

---

[1] § 76 Abs. 1 geänd. durch G v. 17.12.1990 (BGBl. I S. 2847).

[2] **beck-online, Module Arbeitsrecht Nr. 320.**

[3] Zweiter Teil Erster Abschn. Dritter Unterabschn. Überschr. neu gef. mWv 2.1.2002 durch G v. 17.8.2001 (BGBl. I S. 2144).

[4] § 78 Abs. 2 aufgeh. durch EVertr. v. 31.8.1990 (BGBl. II S. 889, 1032); Abs. 1 Satz 2 Nr. 3 geänd. mWv 2.1.2002 durch G v. 17.8.2001 (BGBl. I S. 2144); Abs. 1 Satz 2 Nr. 2 geänd. mWv 27.3.2002 durch G v. 23.3.2002 (BGBl. I S. 1130); Abs. 1 Satz 2 Nr. 2 geänd. mWv 1.1.2004 durch G v. 23.12. 2003 (BGBl. I S. 2848).

§ 84[1)] **[Frist und Form des Widerspruchs]** (1) [1]Der Widerspruch ist binnen eines Monats, nachdem der Verwaltungsakt dem Beschwerten bekanntgegeben worden ist, schriftlich, in elektronischer Form nach § 36a Absatz 2 des Ersten Buches Sozialgesetzbuch[2)], schriftformersetzend nach § 36a Absatz 2a des Ersten Buches Sozialgesetzbuch und § 9a Absatz 5 des Onlinezugangsgesetzes oder zur Niederschrift bei der Stelle einzureichen, die den Verwaltungsakt erlassen hat. [2]Die Frist beträgt bei Bekanntgabe im Ausland drei Monate.

(2) [1]Die Frist zur Erhebung des Widerspruchs gilt auch dann als gewahrt, wenn die Widerspruchsschrift bei einer anderen inländischen Behörde oder bei einem Versicherungsträger oder bei einer deutschen Konsularbehörde oder, soweit es sich um die Versicherung von Seeleuten handelt, auch bei einem deutschen Seemannsamt eingegangen ist. [2]Die Widerspruchsschrift ist unverzüglich der zuständigen Behörde oder dem zuständigen Versicherungsträger zuzuleiten, der sie der für die Entscheidung zuständigen Stelle vorzulegen hat. [3]Im übrigen gelten die §§ 66 und 67 entsprechend.

§ 84a[3)] **[Akteneinsicht]** Für das Vorverfahren gilt § 25 Abs. 4 des Zehnten Buches Sozialgesetzbuch[4)] nicht.

§ 85[5)] **[Abhilfe oder Widerspruchsbescheid]** (1) Wird der Widerspruch für begründet erachtet, so ist ihm abzuhelfen.

(2) [1]Wird dem Widerspruch nicht abgeholfen, so erläßt den Widerspruchsbescheid

1. die nächsthöhere Behörde oder, wenn diese eine oberste Bundes- oder eine oberste Landesbehörde ist, die Behörde, die den Verwaltungsakt erlassen hat,
2. in Angelegenheiten der Sozialversicherung die von der Vertreterversammlung bestimmte Stelle,
3. in Angelegenheiten der Bundesagentur für Arbeit mit Ausnahme der Angelegenheiten nach dem Zweiten Buch Sozialgesetzbuch[6)] die von dem Vorstand bestimmte Stelle,
4. in Angelegenheiten der kommunalen Selbstverwaltung die Selbstverwaltungsbehörde, soweit nicht durch Gesetz anderes bestimmt wird.

[2]Abweichend von Satz 1 Nr. 1 ist in Angelegenheiten nach dem Zweiten Buch Sozialgesetzbuch und, soweit Landesrecht nichts Abweichendes vorsieht, in

---

[1)] § 84 Abs. 1 Satz 2 angef., bish. Wortlaut wird Satz 1 mWv 2.1.2002 durch G v. 17.8.2001 (BGBl. I S. 2144); Abs. 1 Satz 1 geänd. mWv 1.1.2018 durch G v. 5.7.2017 (BGBl. I S. 2208); Abs. 1 Satz 1 geänd. mWv 1.1.2024 durch G v. 22.12.2023 (BGBl. 2023 I Nr. 408).

[2)] Nr. **691**.

[3)] § 84a eingef. durch EVertr. v. 31.8.1990 (BGBl. 1990 II S. 889, 1032).

[4)] Nr. **699**.

[5)] § 85 Abs. 4 aufgeh. durch G v. 11.1.1993 (BGBl. I S. 50); Abs. 3 Satz 1 geänd. durch G v. 30.3.1998 (BGBl. I S. 638); Abs. 3 Satz 2 eingef., bish. Satz 2 wird Satz 3 mWv 1.7.2002 durch G v. 25.6.2001 (BGBl. I S. 1206); Abs. 2 Nr. 3 geänd. mWv 1.1.2004 durch G v. 23.12.2003 (BGBl. I S. 2848); Abs. 2 Sätze 2 bis 4 angef., bish. Wortlaut wird Satz 1 und Nr. 3 geänd. sowie Nr. 4 angef. mWv 1.1.2005 durch G v. 9.12.2004 (BGBl. I S. 3302); Abs. 3 Satz 2 geänd. und Satz 3 eingef., bish. Satz 3 wird Satz 4 mWv 1.2.2006 durch G v. 12.8.2005 (BGBl. I S. 2354); Abs. 2 Satz 1 Nr. 3 geänd. mWv 31.12.2005 durch G v. 22.12.2005 (BGBl. I S. 3676); Abs. 3 Satz 3 geänd. mWv 1.7.2008 durch G v. 12.12.2007 (BGBl. I S. 2840); Abs. 4 angef. mWv 1.4.2008 durch G v. 26.3.2008 (BGBl. I S. 444); Abs. 2 Satz 2 zweiter Halbs. geänd. mWv 1.1.2011 durch G v. 3.8.2010 (BGBl. I S. 1112); Abs. 4 Satz 2 geänd. mWv 1.4.2012 durch G v. 22.12.2011 (BGBl. I S. 3044); Abs. 2 Satz 2 erster Halbs. geänd. mWv 1.1.2013 durch G v. 20.12.2012 (BGBl. I S. 2783).

[6)] Nr. **692**.

Angelegenheiten nach dem Vierten Kapitel des Zwölften Buches Sozialgesetzbuch[1] der zuständige Träger, der den dem Widerspruch zugrunde liegenden Verwaltungsakt erlassen hat, auch für die Entscheidung über den Widerspruch zuständig; § 44b Absatz 1 Satz 3 des Zweiten Buches Sozialgesetzbuch bleibt unberührt. [3]Vorschriften, nach denen im Vorverfahren Ausschüsse oder Beiräte an die Stelle einer Behörde treten, bleiben unberührt. [4]Die Ausschüsse oder Beiräte können abweichend von Satz 1 Nr. 1 auch bei der Behörde gebildet werden, die den Verwaltungsakt erlassen hat.

(3) [1]Der Widerspruchsbescheid ist schriftlich zu erlassen, zu begründen und den Beteiligten bekanntzugeben. [2]Nimmt die Behörde eine Zustellung vor, gelten die §§ 2 bis 10 des Verwaltungszustellungsgesetzes[2]. [3]§ 5 Abs. 4 des Verwaltungszustellungsgesetzes und § 178 Abs. 1 Nr. 2 der Zivilprozessordnung[3] sind auf die nach § 73 Abs. 2 Satz 2 Nr. 3 bis 9 als Bevollmächtigte zugelassenen Personen entsprechend anzuwenden. [4]Die Beteiligten sind hierbei über die Zulässigkeit der Klage, die einzuhaltende Frist und den Sitz des zuständigen Gerichts zu belehren.

(4) [1]Über ruhend gestellte Widersprüche kann durch eine öffentlich bekannt gegebene Allgemeinverfügung entschieden werden, wenn die den angefochtenen Verwaltungsakten zugrunde liegende Gesetzeslage durch eine Entscheidung des Bundesverfassungsgerichts bestätigt wurde, Widerspruchsbescheide gegenüber einer Vielzahl von Widerspruchsführern zur gleichen Zeit ergehen müssen und durch sie die Rechtsstellung der Betroffenen ausschließlich nach einem für alle identischen Maßstab verändert wird. [2]Die öffentliche Bekanntgabe erfolgt durch Veröffentlichung der Entscheidung über den Internetauftritt der Behörde, im Bundesanzeiger und in mindestens drei überregional erscheinenden Tageszeitungen. [3]Auf die öffentliche Bekanntgabe, den Ort ihrer Bekanntgabe sowie die Klagefrist des § 87 Abs. 1 Satz 3 ist bereits in der Ruhensmitteilung hinzuweisen.

§ 86[4] [Neuer Bescheid während des Vorverfahrens, Wirkung des Widerspruchs] Wird während des Vorverfahrens der Verwaltungsakt abgeändert, so wird auch der neue Verwaltungsakt Gegenstand des Vorverfahrens; er ist der Stelle, die über den Widerspruch entscheidet, unverzüglich mitzuteilen.

§ 86a[5] [Aufschiebende Wirkung] (1) [1]Widerspruch und Anfechtungsklage haben aufschiebende Wirkung. [2]Das gilt auch bei rechtsgestaltenden und feststellenden Verwaltungsakten sowie bei Verwaltungsakten mit Drittwirkung.

(2) Die aufschiebende Wirkung entfällt

1. bei der Entscheidung über Versicherungs-, Beitrags- und Umlagepflichten sowie der Anforderung von Beiträgen, Umlagen und sonstigen öffentlichen Abgaben einschließlich der darauf entfallenden Nebenkosten,

---

[1] **Aichberger, SGB Nr. 12.**

[2] **Sartorius Nr. 110.**

[3] **beck-online, Module Arbeitsrecht Nr. 320.**

[4] § 86 Abs. 2 bis 4 aufgeh., bish. Abs. 1 wird alleiniger Wortlaut mWv 2.1.2002 durch G v. 17.8.2001 (BGBl. I S. 2144).

[5] § 86a eingef. mWv 2.1.2002 durch G v. 17.8.2001 (BGBl. I S. 2144); Abs. 2 Nr. 2 geänd. mWv 1.1.2004 durch G v. 23.12.2003 (BGBl. I S. 2848); Abs. 2 Nr. 2, Abs. 3 Satz 3 geänd. mWv 1.1.2024 durch G v. 12.12.2019 (BGBl. I S. 2652); Abs. 2 Nr. 2 neu gef., Abs. 3 Satz 3 geänd. mWv 1.1.2025 durch G v. 20.8.2021 (BGBl. I S. 3932)

[Nr. 2 bis 31.12.2024:]

2. in Angelegenheiten des Sozialen Entschädigungsrechts und der Bundesagentur für Arbeit bei Verwaltungsakten, die eine laufende Leistung entziehen oder herabsetzen,

[Nr. 2 ab 1.1.2025:]

2. *in Angelegenheiten des Sozialen Entschädigungsrechts, des Soldatenentschädigungsrechts und der Bundesagentur für Arbeit bei Verwaltungsakten, die eine laufende Leistung entziehen oder herabsetzen,*
3. für die Anfechtungsklage in Angelegenheiten der Sozialversicherung bei Verwaltungsakten, die eine laufende Leistung herabsetzen oder entziehen,
4. in anderen durch Bundesgesetz vorgeschriebenen Fällen,
5. in Fällen, in denen die sofortige Vollziehung im öffentlichen Interesse oder im überwiegenden Interesse eines Beteiligten ist und die Stelle, die den Verwaltungsakt erlassen oder über den Widerspruch zu entscheiden hat, die sofortige Vollziehung mit schriftlicher Begründung des besonderen Interesses an der sofortigen Vollziehung anordnet.

(3) [1] In den Fällen des Absatzes 2 kann die Stelle, die den Verwaltungsakt erlassen oder die über den Widerspruch zu entscheiden hat, die sofortige Vollziehung ganz oder teilweise aussetzen. [2] In den Fällen des Absatzes 2 Nr. 1 soll die Aussetzung der Vollziehung erfolgen, wenn ernstliche Zweifel an der Rechtmäßigkeit des angegriffenen Verwaltungsaktes bestehen oder wenn die Vollziehung für den Abgaben- oder Kostenpflichtigen eine unbillige, nicht durch überwiegende öffentliche Interessen gebotene Härte zur Folge hätte. [3] In den Fällen des Absatzes 2 Nr. 2 ist ***[bis 31.12.2024:*** in Angelegenheiten des Sozialen Entschädigungsrechts***][ab 1.1.2025:*** *in Angelegenheiten des Sozialen Entschädigungsrechts und des Soldatenentschädigungsrechts****]*** die nächsthöhere Behörde zuständig, es sei denn, diese ist eine oberste Bundes- oder eine oberste Landesbehörde. [4] Die Entscheidung kann mit Auflagen versehen oder befristet werden. [5] Die Stelle kann die Entscheidung jederzeit ändern oder aufheben.

(4) [1] Die aufschiebende Wirkung entfällt, wenn eine Erlaubnis nach Artikel 1 § 1 des Arbeitnehmerüberlassungsgesetzes[1)] in der Fassung der Bekanntmachung vom 3. Februar 1995 (BGBl. I S. 158), das zuletzt durch Artikel 2 des Gesetzes vom 23. Juli 2001 (BGBl. I S. 1852) geändert worden ist, aufgehoben oder nicht verlängert wird. [2] Absatz 3 gilt entsprechend.

§ 86b[2)] [Einstweilige Maßnahmen] (1) [1] Das Gericht der Hauptsache kann auf Antrag

1. in den Fällen, in denen Widerspruch oder Anfechtungsklage aufschiebende Wirkung haben, die sofortige Vollziehung ganz oder teilweise anordnen,
2. in den Fällen, in denen Widerspruch oder Anfechtungsklage keine aufschiebende Wirkung haben, die aufschiebende Wirkung ganz oder teilweise anordnen,
3. in den Fällen des § 86a Abs. 3 die sofortige Vollziehung ganz oder teilweise wiederherstellen.

[1)] Nr. **730**.

[2)] § 86b eingef. mWv 2.1.2002 durch G v. 17.8.2001 (BGBl. I S. 2144); Abs. 2 Satz 4 geänd. mWv 25.10.2013 durch G v. 19.10.2013 (BGBl. I S. 3836).

[2] Ist der Verwaltungsakt im Zeitpunkt der Entscheidung schon vollzogen oder befolgt worden, kann das Gericht die Aufhebung der Vollziehung anordnen. [3] Die Wiederherstellung der aufschiebenden Wirkung oder die Anordnung der sofortigen Vollziehung kann mit Auflagen versehen oder befristet werden. [4] Das Gericht der Hauptsache kann auf Antrag die Maßnahmen jederzeit ändern oder aufheben.

(2) [1] Soweit ein Fall des Absatzes 1 nicht vorliegt, kann das Gericht der Hauptsache auf Antrag eine einstweilige Anordnung in Bezug auf den Streitgegenstand treffen, wenn die Gefahr besteht, dass durch eine Veränderung des bestehenden Zustands die Verwirklichung eines Rechts des Antragstellers vereitelt oder wesentlich erschwert werden könnte. [2] Einstweilige Anordnungen sind auch zur Regelung eines vorläufigen Zustands in Bezug auf ein streitiges Rechtsverhältnis zulässig, wenn eine solche Regelung zur Abwendung wesentlicher Nachteile nötig erscheint. [3] Das Gericht der Hauptsache ist das Gericht des ersten Rechtszugs und, wenn die Hauptsache im Berufungsverfahren anhängig ist, das Berufungsgericht. [4] Die §§ 920, 921, 923, 926, 928, 929 Absatz 1 und 3, die §§ 930 bis 932, 938, 939 und 945 der Zivilprozessordnung[1)] gelten entsprechend.

(3) Die Anträge nach den Absätzen 1 und 2 sind schon vor Klageerhebung zulässig.

(4) Das Gericht entscheidet durch Beschluss.

Vierter Unterabschnitt. Verfahren im ersten Rechtszug

§ 87[2)] **[Klagefrist]** (1) [1] Die Klage ist binnen eines Monats nach Bekanntgabe des Verwaltungsaktes zu erheben. [2] Die Frist beträgt bei Bekanntgabe im Ausland drei Monate. [3] Bei einer öffentlichen Bekanntgabe nach § 85 Abs. 4 beträgt die Frist ein Jahr. [4] Die Frist beginnt mit dem Tag zu laufen, an dem seit dem Tag der letzten Veröffentlichung zwei Wochen verstrichen sind.

(2) Hat ein Vorverfahren stattgefunden, so beginnt die Frist mit der Bekanntgabe des Widerspruchsbescheids.

§ 88[3)] **[Verpflichtungsklage, Frist]** (1) [1] Ist ein Antrag auf Vornahme eines Verwaltungsakts ohne zureichenden Grund in angemessener Frist sachlich nicht beschieden worden, so ist die Klage nicht vor Ablauf von sechs Monaten seit dem Antrag auf Vornahme des Verwaltungsakts zulässig. [2] Liegt ein zureichender Grund dafür vor, daß der beantragte Verwaltungsakt noch nicht erlassen ist, so setzt das Gericht das Verfahren bis zum Ablauf einer von ihm bestimmten Frist aus, die verlängert werden kann. [3] Wird innerhalb dieser Frist dem Antrag stattgegeben, so ist die Hauptsache für erledigt zu erklären.

(2) Das gleiche gilt, wenn über einen Widerspruch nicht entschieden worden ist, mit der Maßgabe, daß als angemessene Frist eine solche von drei Monaten gilt.

[1)] **beck-online, Module Arbeitsrecht Nr. 320.**

[2)] § 87 Abs. 2 geänd. mWv 1.1.2000 durch G v. 22.12.1999 (BGBl. I S. 2626); Abs. 1 neu gef. mWv 2.1.2002 durch G v. 17.8.2001 (BGBl. I S. 2144); Abs. 1 Sätze 3 und 4 angef. mWv 1.4.2008 durch G v. 26.3.2008 (BGBl. I S. 444).

[3)] § 88 Abs. 2 Satz 2 aufgeh., bish. Satz 1 wird alleiniger Wortlaut durch G v. 24.8.1976 (BGBl. I S. 2437); Abs. 2 geänd. mWv 2.1.2002 durch G v. 17.8.2001 (BGBl. I S. 2144).

§ 89 [Nichtigkeits- und Feststellungsklage] Die Klage ist an keine Frist gebunden, wenn die Feststellung der Nichtigkeit eines Verwaltungsakts oder die Feststellung des zuständigen Versicherungsträgers oder die Vornahme eines unterlassenen Verwaltungsakts begehrt wird.

§ 90[1)] [Klageerhebung] Die Klage ist bei dem zuständigen Gericht der Sozialgerichtsbarkeit schriftlich oder zu Protokoll des Urkundsbeamten der Geschäftsstelle zu erheben.

§ 91 [Fristwahrung bei Unzuständigkeit] (1) Die Frist für die Erhebung der Klage gilt auch dann als gewahrt, wenn die Klageschrift innerhalb der Frist statt bei dem zuständigen Gericht der Sozialgerichtsbarkeit bei einer anderen inländischen Behörde oder bei einem Versicherungsträger oder bei einer deutschen Konsularbehörde oder, soweit es sich um die Versicherung von Seeleuten handelt, auch bei einem deutschen Seemannsamt im Ausland eingegangen ist.

(2) Die Klageschrift ist unverzüglich an das zuständige Gericht der Sozialgerichtsbarkeit abzugeben.

§ 92[2)] [Klageschrift] (1) [1]Die Klage muss den Kläger, den Beklagten und den Gegenstand des Klagebegehrens bezeichnen. [2]Zur Bezeichnung des Beklagten genügt die Angabe der Behörde. [3]Die Klage soll einen bestimmten Antrag enthalten und von dem Kläger oder einer zu seiner Vertretung befugten Person mit Orts- und Zeitangabe unterzeichnet sein. [4]Die zur Begründung dienenden Tatsachen und Beweismittel sollen angegeben, die angefochtene Verfügung und der Widerspruchsbescheid sollen in Abschrift beigefügt werden.

(2) [1]Entspricht die Klage diesen Anforderungen nicht, hat der Vorsitzende den Kläger zu der erforderlichen Ergänzung innerhalb einer bestimmten Frist aufzufordern. [2]Er kann dem Kläger für die Ergänzung eine Frist mit ausschließender Wirkung setzen, wenn es an einem der in Absatz 1 Satz 1 genannten Erfordernisse fehlt. [3]Für die Wiedereinsetzung in den vorigen Stand gilt § 67 entsprechend.

§ 93[3)] [Einreichung von Abschriften] [1]Der Klageschrift, den sonstigen Schriftsätzen und nach Möglichkeit den Unterlagen sind vorbehaltlich des § 65a Absatz 5 Satz 3 Abschriften für die Beteiligten beizufügen. [2]Sind die erforderlichen Abschriften nicht eingereicht, so fordert das Gericht sie nachträglich an oder fertigt sie selbst an. [3]Die Kosten für die Anfertigung können von dem Kläger eingezogen werden.

§ 94[4)] [Rechtshängigkeit] [1]Durch die Erhebung der Klage wird die Streitsache rechtshängig. [2]In Verfahren nach dem Siebzehnten Titel des Gerichtsverfassungsgesetzes[5)] wegen eines überlangen Gerichtsverfahrens wird die Streitsache erst mit Zustellung der Klage rechtshängig.

[1)] § 90 geänd. mWv 1.1.2018 durch G v. 5.7.2017 (BGBl. I S. 2208).

[2)] § 92 neu gef. mWv 1.4.2008 durch G v. 26.3.2008 (BGBl. I S. 444); Abs. 1 Satz 4 geänd. mWv 1.7.2014 durch G v. 10.10.2013 (BGBl. I S. 3786).

[3)] § 93 Satz 1 geänd. mWv 1.4.2005 durch G v. 22.3.2005 (BGBl. I S. 837); Satz 1 geänd. mWv 1.1.2018 durch G v. 10.10.2013 (BGBl. I S. 3786).

[4)] § 94 Abs. 2 und 3 aufgeh., bish. Abs. 1 wird alleiniger Wortlaut durch G v. 17.12.1990 (BGBl. I S. 2809); Satz 2 angef. mWv 15.10.2016 durch G v. 11.10.2016 (BGBl. I S. 2222).

[5)] Auszugsweise abgedruckt unter Nr. **665**.

§ 95 [Streitgegenstand] Hat ein Vorverfahren stattgefunden, so ist Gegenstand der Klage der ursprüngliche Verwaltungsakt in der Gestalt, die er durch den Widerspruchsbescheid gefunden hat.

§ 96[1] [Neuer Bescheid nach Klageerhebung] (1) Nach Klageerhebung wird ein neuer Verwaltungsakt nur dann Gegenstand des Klageverfahrens, wenn er nach Erlass des Widerspruchsbescheides ergangen ist und den angefochtenen Verwaltungsakt abändert oder ersetzt.

(2) Eine Abschrift des neuen Verwaltungsakts ist dem Gericht mitzuteilen, bei dem das Verfahren anhängig ist.

§ 97[2] *(aufgehoben)*

§ 98[3] [Verweisung bei Unzuständigkeit] [1] Für die sachliche und örtliche Zuständigkeit gelten die §§ 17, 17a und 17b Abs. 1, Abs. 2 Satz 1 des Gerichtsverfassungsgesetzes[4] entsprechend. [2] Beschlüsse entsprechend § 17a Abs. 2 und 3 des Gerichtsverfassungsgesetzes[4] sind unanfechtbar.

§ 99 [Klageänderung] (1) Eine Änderung der Klage ist nur zulässig, wenn die übrigen Beteiligten einwilligen oder das Gericht die Änderung für sachdienlich hält.

(2) Die Einwilligung der Beteiligten in die Änderung der Klage ist anzunehmen, wenn sie sich, ohne der Änderung zu widersprechen, in einem Schriftsatz oder in einer mündlichen Verhandlung auf die abgeänderte Klage eingelassen haben.

(3) Als eine Änderung der Klage ist es nicht anzusehen, wenn ohne Änderung des Klagegrundes

1. die tatsächlichen oder rechtlichen Ausführungen ergänzt oder berichtigt werden,
2. der Klageantrag in der Hauptsache oder in bezug auf Nebenforderungen erweitert oder beschränkt wird,
3. statt der ursprünglich geforderten Leistung wegen einer später eingetretenen Veränderung eine andere Leistung verlangt wird.

(4) Die Entscheidung, daß eine Änderung der Klage nicht vorliege oder zuzulassen sei, ist unanfechtbar.

§ 100 [Widerklage] Bei dem Gericht der Klage kann eine Widerklage erhoben werden, wenn der Gegenanspruch mit dem in der Klage geltend gemachten Anspruch oder mit den gegen ihn vorgebrachten Verteidigungsmitteln zusammenhängt.

§ 101[5] [Vergleich; Anerkenntnis] (1) [1] Um den geltend gemachten Anspruch vollständig oder zum Teil zu erledigen, können die Beteiligten zu Protokoll des Gerichts oder des Vorsitzenden oder des beauftragten oder

---

[1] § 96 Abs. 1 neu gef. mWv 1.4.2008 durch G v. 26.3.2008 (BGBl. I S. 444).

[2] § 97 aufgeh. mWv 2.1.2002 durch G v. 17.8.2001 (BGBl. I S. 2144).

[3] § 98 neu gef. durch G v. 17.12.1990 (BGBl. I S. 2809).

[4] Nr. **665**.

[5] § 101 Abs. 1 Satz 2 angef. mWv 25.10.2013 durch G v. 19.10.2013 (BGBl. I S. 3836); Abs. 1 Satz 1 geänd. mWv 1.1.2018 durch G v. 5.7.2017 (BGBl. I S. 2208); Abs. 1 Satz 2 geänd. mWv 1.1.2020 durch G v. 12.12.2019 (BGBl. I S. 2633).

ersuchten Richters einen Vergleich schließen, soweit sie über den Gegenstand der Klage verfügen können. [2]Ein gerichtlicher Vergleich kann auch dadurch geschlossen werden, dass die Beteiligten einen in der Form eines Beschlusses ergangenen Vorschlag des Gerichts, des Vorsitzenden oder des Berichterstatters schriftlich oder durch Erklärung zu Protokoll in der mündlichen Verhandlung gegenüber dem Gericht annehmen.

(2) Das angenommene Anerkenntnis des geltend gemachten Anspruchs erledigt insoweit den Rechtsstreit in der Hauptsache.

§ 102[1)] [Klagerücknahme] (1) [1]Der Kläger kann die Klage bis zur Rechtskraft des Urteils zurücknehmen. [2]Die Klagerücknahme erledigt den Rechtsstreit in der Hauptsache.

(2) [1]Die Klage gilt als zurückgenommen, wenn der Kläger das Verfahren trotz Aufforderung des Gerichts länger als drei Monate nicht betreibt. [2]Absatz 1 gilt entsprechend. [3]Der Kläger ist in der Aufforderung auf die sich aus Satz 1 und gegebenenfalls aus § 197a Abs. 1 Satz 1 in Verbindung mit § 155 Abs. 2 der Verwaltungsgerichtsordnung[2)] ergebenden Rechtsfolgen hinzuweisen.

(3) [1]Ist die Klage zurückgenommen oder gilt sie als zurückgenommen, so stellt das Gericht das Verfahren auf Antrag durch Beschluss ein und entscheidet über Kosten, soweit diese entstanden sind. [2]Der Beschluss ist unanfechtbar.

§ 103 [Untersuchungsmaxime] [1]Das Gericht erforscht den Sachverhalt von Amts wegen; die Beteiligten sind dabei heranzuziehen. [2]Es ist an das Vorbringen und die Beweisanträge der Beteiligten nicht gebunden.

§ 104[3)] [Mitteilung der Klageschrift, Gegenäußerung] [1]Der Vorsitzende übermittelt eine Abschrift der Klage an die übrigen Beteiligten; in Verfahren nach dem Siebzehnten Titel des Gerichtsverfassungsgesetzes[4)] wegen eines überlangen Gerichtsverfahrens ist die Klage zuzustellen. [2]Zugleich mit der Zustellung oder Mitteilung ergeht die Aufforderung, sich schriftlich zu äußern; § 90 gilt entsprechend. [3]Für die Äußerung kann eine Frist gesetzt werden, die nicht kürzer als ein Monat sein soll. [4]Die Aufforderung muß den Hinweis enthalten, daß auch verhandelt und entschieden werden kann, wenn die Äußerung nicht innerhalb der Frist eingeht. [5]Soweit das Gericht die Übersendung von Verwaltungsakten anfordert, soll diese binnen eines Monats nach Eingang der Aufforderung bei dem zuständigen Verwaltungsträger erfolgen. [6]Die Übersendung einer beglaubigten Abschrift oder einer beglaubigten elektronischen Abschrift, die mit einer qualifizierten elektronischen Signatur des zuständigen Verwaltungsträgers versehen ist, steht der Übersendung der Originalverwaltungsakten gleich, sofern nicht das Gericht die Übersendung der Originalverwaltungsakten wünscht.

[1)] § 102 Satz 1 neu gef. mWv 2.1.2002 durch G v. 17.8.2001 (BGBl. I S. 2144); bish. alleinige Sätze 1 und 2 werden Abs. 1 Sätze 1 und 2, bish. Satz 3 aufgeh., Abs. 2 und 3 angef. mWv 1.4.2008 durch G v. 26.3.2008 (BGBl. I S. 444).

[2)] **beck-online, Module Arbeitsrecht Nr. 663.**

[3)] § 104 Satz 1 geänd. mWv 1.4.2005 durch G v. 22.3.2005 (BGBl. I S. 837); Satz 2 zweiter Halbs., Sätze 5 und 6 angef. mWv 1.4.2008 durch G v. 26.3.2008 (BGBl. I S. 444); Satz 1 geänd. mWv 15.10.2016 durch G v. 11.10.2016 (BGBl. I S. 2222); Satz 6 geänd. mWv 1.1.2018 durch G v. 5.7. 2017 (BGBl. I S. 2208).

[4)] Auszugsweise abgedruckt unter Nr. **665**.

§ 105[1] **[Gerichtsbescheid]** (1) [1]Das Gericht kann ohne mündliche Verhandlung durch Gerichtsbescheid entscheiden, wenn die Sache keine besonderen Schwierigkeiten tatsächlicher oder rechtlicher Art aufweist und der Sachverhalt geklärt ist. [2]Die Beteiligten sind vorher zu hören. [3]Die Vorschriften über Urteile gelten entsprechend.

(2) [1]Die Beteiligten können innerhalb eines Monats nach Zustellung des Gerichtsbescheids das Rechtsmittel einlegen, das zulässig wäre, wenn das Gericht durch Urteil entschieden hätte. [2]Ist die Berufung nicht gegeben, kann mündliche Verhandlung beantragt werden. [3]Wird sowohl ein Rechtsmittel eingelegt als auch mündliche Verhandlung beantragt, findet mündliche Verhandlung statt.

(3) Der Gerichtsbescheid wirkt als Urteil; wird rechtzeitig mündliche Verhandlung beantragt, gilt er als nicht ergangen.

(4) Wird mündliche Verhandlung beantragt, kann das Gericht in dem Urteil von einer weiteren Darstellung des Tatbestandes und der Entscheidungsgründe absehen, soweit es der Begründung des Gerichtsbescheids folgt und dies in seiner Entscheidung feststellt.

§ 106[2] **[Aufklärungspflicht des Vorsitzenden]** (1) Der Vorsitzende hat darauf hinzuwirken, daß Formfehler beseitigt, unklare Anträge erläutert, sachdienliche Anträge gestellt, ungenügende Angaben tatsächlicher Art ergänzt sowie alle für die Feststellung und Beurteilung des Sachverhalts wesentlichen Erklärungen abgegeben werden.

(2) Der Vorsitzende hat bereits vor der mündlichen Verhandlung alle Maßnahmen zu treffen, die notwendig sind, um den Rechtsstreit möglichst in einer mündlichen Verhandlung zu erledigen.

(3) Zu diesem Zweck kann er insbesondere

1. um Mitteilung von Urkunden sowie um Übermittlung elektronischer Dokumente ersuchen,
2. Krankenpapiere, Aufzeichnungen, Krankengeschichten, Sektions- und Untersuchungsbefunde sowie Röntgenbilder beiziehen,
3. Auskünfte jeder Art einholen,
4. Zeugen und Sachverständige in geeigneten Fällen vernehmen oder, auch eidlich, durch den ersuchten Richter vernehmen lassen,
5. die Einnahme des Augenscheins sowie die Begutachtung durch Sachverständige anordnen und ausführen,
6. andere beiladen,
7. einen Termin anberaumen, das persönliche Erscheinen der Beteiligten hierzu anordnen und den Sachverhalt mit diesen erörtern.

(4) Für die Beweisaufnahme gelten die §§ 116, 118 und 119 entsprechend.

§ 106a[3] **[Fristsetzung]** (1) Der Vorsitzende kann dem Kläger eine Frist setzen zur Angabe der Tatsachen, durch deren Berücksichtigung oder Nichtberücksichtigung im Verwaltungsverfahren er sich beschwert fühlt.

---

[1] § 105 neu gef. durch G v. 30.3.1998 (BGBl. I S. 638).
[2] § 106 Abs. 3 Nr. 1 geänd. mWv 1.4.2005 durch G v. 22.3.2005 (BGBl. I S. 837).
[3] § 106a eingef. mWv 1.4.2008 durch G v. 26.3.2008 (BGBl. I S. 444).

(2) Der Vorsitzende kann einem Beteiligten unter Fristsetzung aufgeben, zu bestimmten Vorgängen

1. Tatsachen anzugeben oder Beweismittel zu bezeichnen,
2. Urkunden oder andere bewegliche Sachen vorzulegen sowie elektronische Dokumente zu übermitteln, soweit der Beteiligte dazu verpflichtet ist.

(3) [1] Das Gericht kann Erklärungen und Beweismittel, die erst nach Ablauf einer nach den Absätzen 1 und 2 gesetzten Frist vorgebracht werden, zurückweisen und ohne weitere Ermittlungen entscheiden, wenn

1. ihre Zulassung nach der freien Überzeugung des Gerichts die Erledigung des Rechtsstreits verzögern würde und
2. der Beteiligte die Verspätung nicht genügend entschuldigt und
3. der Beteiligte über die Folgen einer Fristversäumung belehrt worden ist.

[2] Der Entschuldigungsgrund ist auf Verlangen des Gerichts glaubhaft zu machen. [3] Satz 1 gilt nicht, wenn es mit geringem Aufwand möglich ist, den Sachverhalt auch ohne Mitwirkung des Beteiligten zu ermitteln.

§ 107[1)] [Mitteilung von Beweisergebnissen] Den Beteiligten ist nach Anordnung des Vorsitzenden entweder eine Abschrift des Protokolls der Beweisaufnahme oder deren Inhalt mitzuteilen.

§ 108 [Vorbereitende Schriftsätze] [1] Die Beteiligten können zur Vorbereitung der mündlichen Verhandlung Schriftsätze einreichen. [2] Die Schriftsätze sind den übrigen Beteiligten von Amts wegen mitzuteilen.

§ 108a[2)] *(aufgehoben)*

§ 109[3)] [Anhörung eines bestimmten Arztes] (1) [1] Auf Antrag des Versicherten, des Menschen mit Behinderungen, des Berechtigten nach dem Vierzehnten Buch Sozialgesetzbuch[4)] ***[ab 1.1.2025:**, des Berechtigten nach dem Soldatenentschädigungsgesetz**]*** oder Hinterbliebenen muß ein bestimmter Arzt gutachtlich gehört werden. [2] Die Anhörung kann davon abhängig gemacht werden, daß der Antragsteller die Kosten vorschießt und vorbehaltlich einer anderen Entscheidung des Gerichts endgültig trägt.

(2) Das Gericht kann einen Antrag ablehnen, wenn durch die Zulassung die Erledigung des Rechtsstreits verzögert werden würde und der Antrag nach der freien Überzeugung des Gerichts in der Absicht, das Verfahren zu verschleppen, oder aus grober Nachlässigkeit nicht früher vorgebracht worden ist.

§ 110[5)] [Terminsbestimmung, Ladung] (1) [1] Der Vorsitzende bestimmt Ort und Zeit der mündlichen Verhandlung und teilt sie den Beteiligten in der

---

1) § 107 geänd. mWv 1.1.2018 durch G v. 5.7.2017 (BGBl. I S. 2208).

2) § 108a eingef. mWv 1.8.2001 durch G v. 13.7.2001 (BGBl. I S. 1542); aufgeh. mWv 1.4.2005 durch G v. 22.3.2005 (BGBl. I S. 837).

3) § 109 Abs. 1 Satz 1 geänd. mWv 2.1.2002 durch G v. 17.8.2001 (BGBl. I S. 2144); Abs. 1 Satz 1 geänd. mWv 1.4.2008 durch G v. 26.3.2008 (BGBl. I S. 444); Abs. 1 Satz 1 geänd. mWv 1.1.2024 durch G v. 12.12.2019 (BGBl. I S. 2652); Abs. 1 Satz 1 geänd. mWv 1.1.2025 durch G v. 20.8.2021 (BGBl. I S. 3932).

4) **Aichberger, SGB Nr. 14.**

5) § 110 Abs. 2 angef., bish. Wortlaut wird Abs. 1 durch G v. 24.8.1976 (BGBl. I S. 2437); Abs. 3 angef. durch G v. 18.6.1997 (BGBl. I S. 1430); Abs. 3 geänd. mWv 19.7.2024 durch G v. 15.7.2024 (BGBl. 2024 I Nr. 237).

Regel zwei Wochen vorher mit. [2]Die Beteiligten sind darauf hinzuweisen, daß im Falle ihres Ausbleibens nach Lage der Akten entschieden werden kann.

(2) Das Gericht kann Sitzungen auch außerhalb des Gerichtssitzes abhalten, wenn dies zur sachdienlichen Erledigung notwendig ist.

(3) § 227 Absatz 1 Satz 3 und Absatz 3 Satz 1 der Zivilprozessordnung[1)] ist nicht anzuwenden.

§ 110a[2)] [Übertragung der Verhandlung in Bild und Ton] (1) [1]Die mündliche Verhandlung kann in geeigneten Fällen und soweit ausreichende Kapazitäten zur Verfügung stehen als Videoverhandlung stattfinden. [2]Eine mündliche Verhandlung findet als Videoverhandlung statt, wenn an ihr mindestens ein Verfahrensbeteiligter per Bild- und Tonübertragung teilnimmt. [3]Verfahrensbeteiligte nach dieser Vorschrift sind die Beteiligten, ihre Bevollmächtigten und Beistände.

(2) [1]Das Gericht kann unter den Voraussetzungen des Absatzes 1 Satz 1 auf Antrag eines Verfahrensbeteiligten oder von Amts wegen die Teilnahme per Bild- und Tonübertragung für einen Verfahrensbeteiligten, mehrere oder alle Verfahrensbeteiligte gestatten. [2]Die Ablehnung eines Antrags auf Teilnahme per Bild- und Tonübertragung ist kurz zu begründen.

(3) [1]Das Gericht kann auf Antrag oder von Amts wegen die Teilnahme per Bild- und Tonübertragung für einen Zeugen oder einen Sachverständigen gestatten. [2]Das Antragsrecht steht den Verfahrensbeteiligten, Zeugen und Sachverständigen zu. [3]Absatz 1 gilt entsprechend.

(4) [1]Den Verfahrensbeteiligten und Dritten ist es untersagt, die Übertragung aufzuzeichnen. [2]Hierauf sind sie zu Beginn der Verhandlung hinzuweisen. [3]Das Gericht kann die Videoverhandlung oder die Bild- und Tonübertragung nach Absatz 3 für die Zwecke des § 160a der Zivilprozessordnung[1)] ganz oder teilweise aufzeichnen. [4]Über Beginn und Ende der Aufzeichnung hat das Gericht die Verfahrensbeteiligten und im Falle von Absatz 3 auch die Zeugen und Sachverständigen zu informieren.

(5) Entscheidungen nach dieser Vorschrift sind unanfechtbar.

(6) Die Absätze 1 bis 5 gelten entsprechend für § 106 Absatz 3 Nummer 7 und § 73a Absatz 1 Satz 1 dieses Gesetzes in Verbindung mit § 118 Absatz 1 Satz 3 der Zivilprozessordnung[1)].

§ 111[3)] [Anordnung des persönlichen Erscheinens, Ladung von Zeugen, Vertreter von Behörden] (1) [1]Der Vorsitzende kann das persönliche Erscheinen eines Beteiligten zur mündlichen Verhandlung anordnen sowie Zeugen und Sachverständige laden. [2]Als persönliches Erscheinen gilt auch die nach § 110a Absatz 2 Satz 1 gestattete Teilnahme per Bild- und Tonübertragung. [3]Auf die Folgen des Ausbleibens ist dabei hinzuweisen.

(2) Die Ladung von Zeugen und Sachverständigen ist den Beteiligten bei der Mitteilung des Termins zur mündlichen Verhandlung bekanntzugeben.

[1)] **beck-online, Module Arbeitsrecht Nr. 320.**

[2)] § 110a neu gef. mWv 19.7.2024 durch G v. 15.7.2024 (BGBl. 2024 I Nr. 237).

[3)] § 111 Abs. 3 aufgeh. mWv 1.7.2008 durch G v. 12.12.2007 (BGBl. I S. 2840); Abs. 3 neu gef. mWv 1.1.2012 durch G v. 22.12.2011 (BGBl. I S. 3057); Abs. 1 Satz 2 eingef., bish. Satz 2 wird Satz 3, Abs. 3 geänd. mWv 19.7.2024 durch G v. 15.7.2024 (BGBl. 2024 I Nr. 237).

(3) Der Vorsitzende kann einem Beteiligten, der keine natürliche Person ist, aufgeben, zur mündlichen Verhandlung oder zu einem Termin nach § 106 Absatz 3 Nummer 7 einen Beamten oder Angestellten zu entsenden, der mit einem schriftlichen Nachweis über die Vertretungsbefugnis versehen und über die Sach- und Rechtslage ausreichend unterrichtet ist.

§ 112 [Leitung und Gang der mündlichen Verhandlung] (1) [1] Der Vorsitzende eröffnet und leitet die mündliche Verhandlung. [2] Sie beginnt nach Aufruf der Sache mit der Darstellung des Sachverhalts.

(2) [1] Sodann erhalten die Beteiligten das Wort. [2] Der Vorsitzende hat das Sach- und Streitverhältnis mit den Beteiligten zu erörtern und dahin zu wirken, daß sie sich über erhebliche Tatsachen vollständig erklären sowie angemessene und sachdienliche Anträge stellen.

(3) Die Anträge können ergänzt, berichtigt oder im Rahmen des § 99 geändert werden.

(4) [1] Der Vorsitzende hat jedem Beisitzer auf Verlangen zu gestatten, sachdienliche Fragen zu stellen. [2] Wird eine Frage von einem Beteiligten beanstandet, so entscheidet das Gericht endgültig.

§ 113 [Verbindung und Trennung mehrerer Rechtsstreitigkeiten]

(1) Das Gericht kann durch Beschluß mehrere bei ihm anhängige Rechtsstreitigkeiten derselben Beteiligten oder verschiedener Beteiligter zur gemeinsamen Verhandlung und Entscheidung verbinden, wenn die Ansprüche, die den Gegenstand dieser Rechtsstreitigkeiten bilden, in Zusammenhang stehen oder von vornherein in einer Klage hätten geltend gemacht werden können.

(2) Die Verbindung kann, wenn es zweckmäßig ist, auf Antrag oder von Amts wegen wieder aufgehoben werden.

§ 114[1)] [Aussetzung wegen Vorfragen] (1) Hängt die Entscheidung eines Rechtsstreits von einem familien- oder erbrechtlichen Verhältnis ab, so kann das Gericht das Verfahren solange aussetzen, bis dieses Verhältnis im Zivilprozeß festgestellt worden ist.

(2) [1] Hängt die Entscheidung des Rechtsstreits ganz oder zum Teil vom Bestehen oder Nichtbestehen eines Rechtsverhältnisses ab, das den Gegenstand eines anderen anhängigen Rechtsstreits bildet oder von einer Verwaltungsstelle festzustellen ist, so kann das Gericht anordnen, daß die Verhandlung bis zur Erledigung des anderen Rechtsstreits oder bis zur Entscheidung der Verwaltungsstelle auszusetzen sei. [2] Auf Antrag kann das Gericht die Verhandlung zur Heilung von Verfahrens- und Formfehlern aussetzen, soweit dies im Sinne der Verfahrenskonzentration sachdienlich ist.

(2a) Hängt die Entscheidung des Rechtsstreits ab von der Gültigkeit einer Satzung oder einer anderen im Rang unter einem Landesgesetz stehenden Vorschrift, die nach § 22a Absatz 1 des Zweiten Buches Sozialgesetzbuch[2)] und dem dazu ergangenen Landesgesetz erlassen worden ist, so kann das Gericht anordnen, dass die Verhandlung bis zur Erledigung des Antragsverfahrens nach § 55a auszusetzen ist.

[1)] § 114 Abs. 2 Satz 2 angef., bish. Wortlaut wird Satz 1 mWv 1.1.2001 durch G v. 21.12.2000 (BGBl. I S. 1983); Abs. 2a eingef. mWv 1.4.2011 durch G v. 24.3.2011 (BGBl. I S. 453).

[2)] Nr. **692**.

(3) Das Gericht kann, wenn sich im Laufe eines Rechtsstreits der Verdacht einer Straftat ergibt, deren Ermittlung auf die Entscheidung von Einfluß ist, die Aussetzung der Verhandlung bis zur Erledigung des Strafverfahrens anordnen.

§ 114a[1] **[Musterverfahren]** (1) [1]Ist die Rechtmäßigkeit einer behördlichen Maßnahme Gegenstand von mehr als 20 Verfahren an einem Gericht, kann das Gericht eines oder mehrere geeignete Verfahren vorab durchführen (Musterverfahren) und die übrigen Verfahren aussetzen. [2]Die Beteiligten sind vorher zu hören. [3]Der Beschluss ist unanfechtbar.

(2) [1]Ist über die durchgeführten Musterverfahren rechtskräftig entschieden worden, kann das Gericht nach Anhörung der Beteiligten über die ausgesetzten Verfahren durch Beschluss entscheiden, wenn es einstimmig der Auffassung ist, dass die Sachen gegenüber dem rechtskräftig entschiedenen Musterverfahren keine wesentlichen Besonderheiten tatsächlicher oder rechtlicher Art aufweisen und der Sachverhalt geklärt ist. [2]Das Gericht kann in einem Musterverfahren erhobene Beweise einführen; es kann nach seinem Ermessen die wiederholte Vernehmung eines Zeugen oder eine neue Begutachtung durch denselben oder andere Sachverständige anordnen. [3]Beweisanträge zu Tatsachen, über die bereits im Musterverfahren Beweis erhoben wurde, kann das Gericht ablehnen, wenn ihre Zulassung nach seiner freien Überzeugung nicht zum Nachweis neuer entscheidungserheblicher Tatsachen beitragen und die Erledigung des Rechtsstreits verzögern würde. [4]Die Ablehnung kann in der Entscheidung nach Satz 1 erfolgen. [5]Den Beteiligten steht gegen den Beschluss nach Satz 1 das Rechtsmittel zu, das zulässig wäre, wenn das Gericht durch Urteil entschieden hätte. [6]Die Beteiligten sind über das Rechtsmittel zu belehren.

§ 115[2] **[Folgen sitzungspolizeilicher Maßnahmen]** [1]Ist ein bei der Verhandlung Beteiligter zur Aufrechterhaltung der Ordnung von dem Ort der Verhandlung entfernt worden, so kann gegen ihn in gleicher Weise verfahren werden, als wenn er sich freiwillig entfernt hätte. [2]Das gleiche gilt im Falle des § 73 Abs. 3 Satz 1 und 3, sofern die Zurückweisung bereits in einer früheren Verhandlung geschehen war.

§ 116 [Ladung zu Beweisterminen, Fragerecht] [1]Die Beteiligten werden von allen Beweisaufnahmeterminen benachrichtigt und können der Beweisaufnahme beiwohnen. [2]Sie können an Zeugen und Sachverständige sachdienliche Fragen richten lassen. [3]Wird eine Frage beanstandet, so entscheidet das Gericht.

§ 117 [Beweiserhebung vor Prozessgericht] Das Gericht erhebt Beweis in der mündlichen Verhandlung, soweit die Beweiserhebung nicht einen besonderen Termin erfordert.

§ 118[3] **[Durchführung der Beweisaufnahme]** (1) [1]Soweit dieses Gesetz nichts anderes bestimmt, sind auf die Beweisaufnahme die §§ 358 bis 363, 365 bis 378, 380 bis 386, 387 Abs. 1 und 2, §§ 388 bis 390, 392 bis 406 Absatz 1

---

[1] § 114a eingef. mWv 1.4.2008 durch G v. 26.3.2008 (BGBl. I S. 444).
[2] *§ 115 Satz 2 geänd. mWv 1.7.2008 durch G v. 12.12.2007* (BGBl. I S. 2840).
[3] § 118 Abs. 1 Satz 1 geänd. durch G v. 17.12.1990 (BGBl. I S. 2847); Abs. 1 Satz 1 geänd. mWv 25.10.2013 durch G v. 19.10.2013 (BGBl. I S. 3836).

bis 4, die §§ 407 bis 444, 478 bis 484 der Zivilprozeßordnung[1)] entsprechend anzuwenden. [2]Die Entscheidung über die Rechtmäßigkeit der Weigerung nach § 387 der Zivilprozeßordnung[1)] ergeht durch Beschluß.

(2) Zeugen und Sachverständige werden nur beeidigt, wenn das Gericht dies im Hinblick auf die Bedeutung des Zeugnisses oder Gutachtens für die Entscheidung des Rechtsstreits für notwendig erachtet.

(3) Der Vorsitzende kann das Auftreten eines Prozeßbevollmächtigten untersagen, solange die Partei trotz Anordnung ihres persönlichen Erscheinens unbegründet ausgeblieben ist und hierdurch der Zweck der Anordnung vereitelt wird.

§ 119[2)] **[Vorlage von Urkunden durch Behörden]** (1) Eine Behörde ist zur Vorlage von Urkunden oder Akten, zur Übermittlung elektronischer Dokumente und zu Auskünften nicht verpflichtet, wenn die zuständige oberste Aufsichtsbehörde erklärt, dass das Bekanntwerden des Inhalts dieser Urkunden, Akten, elektronischer Dokumente oder Auskünfte dem Wohl des Bundes oder eines deutschen Landes nachteilig sein würde oder dass die Vorgänge nach einem Gesetz oder ihrem Wesen nach geheim gehalten werden müssen.

(2) [1]Handelt es sich um Urkunden, elektronische Dokumente oder Akten und um Auskünfte einer obersten Bundesbehörde, so darf die Vorlage der Urkunden oder Akten, die Übermittlung elektronischer Dokumente und die Erteilung der Auskunft nur unterbleiben, wenn die Erklärung nach Absatz 1 von der Bundesregierung abgegeben wird. [2]Die Landesregierung hat die Erklärung abzugeben, wenn diese Voraussetzungen bei einer obersten Landesbehörde vorliegen.

§ 120[3)] **[Akteneinsicht; Erteilung von Abschriften]** (1) [1]Die Beteiligten haben das Recht der Einsicht in die Akten, soweit die übermittelnde Behörde dieses nicht ausschließt. [2]Beteiligte können sich auf ihre Kosten durch die Geschäftsstelle Ausfertigungen, Auszüge, Ausdrucke und Abschriften erteilen lassen. [3]Für die Versendung von Akten, die Übermittlung elektronischer Dokumente und die Gewährung des elektronischen Zugriffs auf Akten werden Kosten nicht erhoben, sofern nicht nach § 197a das Gerichtskostengesetz[4)] gilt.

(2) [1]Werden die Prozessakten elektronisch geführt, wird Akteneinsicht durch Bereitstellung des Inhalts der Akten zum Abruf oder durch Übermittlung des Inhalts der Akten auf einem sicheren Übermittlungsweg gewährt. [2]Auf besonderen Antrag wird Akteneinsicht durch Einsichtnahme in die Akten in Diensträumen gewährt. [3]Ein Aktenausdruck oder ein Datenträger mit dem Inhalt der Akten wird auf besonders zu begründenden Antrag nur übermittelt,

---

[1)] **beck-online, Module Arbeitsrecht Nr. 320.**

[2)] § 119 Abs. 1 neu gef. und Abs. 2 Satz 1 geänd. mWv 1.4.2005 durch G v. 22.3.2005 (BGBl. I S. 837).

[3)] § 120 Abs. 2 Satz 2 angef., bish. Wortlaut wird Satz 1 durch G v. 3.12.1976 (BGBl. I S. 3281); Abs. 2 Satz 2 geänd. mWv 1.8.2001 durch G v. 13.7.2001 (BGBl. I S. 1542); Abs. 2 Satz 3 angef. mWv 2.1.2002 durch G v. 17.8.2001 (BGBl. I S. 2144); Abs. 1 und 4 geänd. sowie Abs. 2 neu gef. mWv 1.4.2005 durch G v. 22.3.2005 (BGBl. I S. 837); Abs. 2 Satz 2 geänd. mWv 1.7.2008 durch G v. 12.12.2007 (BGBl. I S. 2840); Abs. 1 Sätze 2 und 3 angef., Abs. 2 neu gef., Abs. 3 eingef., bish. Abs. 3 und 4 werden Abs. 4 und 5 mWv 1.1.2018 durch G v. 5.7.2017 (BGBl. I S. 2208); Abs. 2 Satz 5 geänd. mWv 29.7.2017 durch G v. 18.7.2017 (BGBl. I S. 2745); Abs. 2 Satz 1 und Abs. 3 Satz 2 geänd. mWv 1.7.2021 durch G v. 25.6.2021 (BGBl. I S. 2099).

[4)] **beck-online, Module Arbeitsrecht Nr. 667.**

wenn der Antragsteller hieran ein berechtigtes Interesse darlegt. [4]Stehen der Akteneinsicht in der nach Satz 1 vorgesehenen Form wichtige Gründe entgegen, kann die Akteneinsicht in der nach den Sätzen 2 und 3 vorgesehenen Form auch ohne Antrag gewährt werden. [5]Über einen Antrag nach Satz 3 entscheidet der Vorsitzende; die Entscheidung ist unanfechtbar. [6]§ 155 Absatz 4 gilt entsprechend.

(3) [1]Werden die Prozessakten in Papierform geführt, wird Akteneinsicht durch Einsichtnahme in die Akten in Diensträumen gewährt. [2]Die Akteneinsicht kann, soweit nicht wichtige Gründe entgegenstehen, auch durch Bereitstellung des Inhalts der Akten zum Abruf oder durch Übermittlung des Inhalts der Akten auf einem sicheren Übermittlungsweg gewährt werden. [3]Nach dem Ermessen des Vorsitzenden kann einem Bevollmächtigten, der zu den in § 73 Absatz 2 Satz 1 und 2 Nummer 3 bis 9 bezeichneten natürlichen Personen gehört, die Mitnahme der Akten in die Wohnung oder Geschäftsräume gestattet werden. [4]§ 155 Absatz 4 gilt entsprechend.

(4) [1]Der Vorsitzende kann aus besonderen Gründen die Einsicht in die Akten oder in Aktenteile sowie die Fertigung oder Erteilung von Auszügen und Abschriften versagen oder beschränken. [2]Gegen die Versagung oder die Beschränkung der Akteneinsicht kann das Gericht angerufen werden; es entscheidet endgültig.

(5) Die Entwürfe zu Urteilen, Beschlüssen und Verfügungen, die zu ihrer Vorbereitung angefertigten Arbeiten sowie die Dokumente, welche Abstimmungen betreffen, werden weder vorgelegt noch abschriftlich mitgeteilt.

§ 121 [Schließung der mündlichen Verhandlung] [1]Nach genügender Erörterung der Streitsache erklärt der Vorsitzende die mündliche Verhandlung für geschlossen. [2]Das Gericht kann die Wiedereröffnung beschließen.

§ 122[1)] [Sitzungsprotokoll] Für das Protokoll gelten die §§ 159 bis 165 der Zivilprozessordnung[2)] entsprechend, soweit dieses Gesetz nichts anderes bestimmt.

Fünfter Unterabschnitt. Urteile und Beschlüsse

§ 123 [Grundlage] Das Gericht entscheidet über die vom Kläger erhobenen Ansprüche, ohne an die Fassung der Anträge gebunden zu sein.

§ 124 [Grundsatz der mündlichen Verhandlung] (1) Das Gericht entscheidet, soweit nichts anderes bestimmt ist, auf Grund mündlicher Verhandlung.

(2) Mit Einverständnis der Beteiligten kann das Gericht ohne mündliche Verhandlung durch Urteil entscheiden.

(3) Entscheidungen des Gerichts, die nicht Urteile sind, können ohne mündliche Verhandlung ergehen, soweit nichts anderes bestimmt ist.

§ 125 [Urteil] Über die Klage wird, soweit nichts anderes bestimmt ist, durch Urteil entschieden.

[1)] *§ 122* geänd. mWv 1.1.2018 durch G v. 5.7.2017 (BGBl. I S. 2208); geänd. mWv 19.7.2024 durch G v. 15.7.2024 (BGBl. 2024 I Nr. 237).

[2)] **beck-online, Module Arbeitsrecht Nr. 320.**

§ 126 [Entscheidung nach Aktenlage] Das Gericht kann, sofern in der Ladung auf diese Möglichkeit hingewiesen worden ist, nach Lage der Akten entscheiden, wenn in einem Termin keiner der Beteiligten erscheint oder beim Ausbleiben von Beteiligten die erschienenen Beteiligten es beantragen.

§ 127 [Urteil nach Beweisaufnahme] Ist ein Beteiligter nicht benachrichtigt worden, daß in der mündlichen Verhandlung eine Beweiserhebung stattfindet, und ist er in der mündlichen Verhandlung nicht zugegen oder vertreten, so kann in diesem Termin ein ihm ungünstiges Urteil nicht erlassen werden.

§ 128 [Grundlagen des Urteils] (1) [1] Das Gericht entscheidet nach seiner freien, aus dem Gesamtergebnis des Verfahrens gewonnenen Überzeugung. [2] In dem Urteil sind die Gründe anzugeben, die für die richterliche Überzeugung leitend gewesen sind.

(2) Das Urteil darf nur auf Tatsachen und Beweisergebnisse gestützt werden, zu denen sich die Beteiligten äußern *konnen*[1)].

§ 129 [Mitwirkende Richter] Das Urteil kann nur von den Richtern gefällt werden, die an der dem Urteil zugrunde liegenden Verhandlung teilgenommen haben.

§ 130[2)] **[Grundurteil]** (1) [1] Wird gemäß § 54 Abs. 4 oder 5 eine Leistung in Geld begehrt, auf die ein Rechtsanspruch besteht, so kann auch zur Leistung nur dem Grunde nach verurteilt werden. [2] Hierbei kann im Urteil eine einmalige oder laufende vorläufige Leistung angeordnet werden. [3] Die Anordnung der vorläufigen Leistung ist nicht anfechtbar.

(2) Das Gericht kann durch Zwischenurteil über eine entscheidungserhebliche Sach- oder Rechtsfrage vorab entscheiden, wenn dies sachdienlich ist.

§ 131[3)] **[Urteilsformel]** (1) [1] Wird ein Verwaltungsakt oder ein Widerspruchsbescheid, der bereits vollzogen ist, aufgehoben, so kann das Gericht aussprechen, daß und in welcher Weise die Vollziehung des Verwaltungsakts rückgängig zu machen ist. [2] Dies ist nur zulässig, wenn die Verwaltungsstelle rechtlich dazu in der Lage und diese Frage ohne weiteres in jeder Beziehung spruchreif ist. [3] Hat sich der Verwaltungsakt vorher durch Zurücknahme oder anders erledigt, so spricht das Gericht auf Antrag durch Urteil aus, daß der Verwaltungsakt rechtswidrig ist, wenn der Kläger ein berechtigtes Interesse an dieser Feststellung hat.

(2) [1] Hält das Gericht die Verurteilung zum Erlaß eines abgelehnten Verwaltungsakts für begründet und diese Frage in jeder Beziehung für spruchreif, so ist im Urteil die Verpflichtung auszusprechen, den beantragten Verwaltungsakt zu erlassen. [2] Im Übrigen gilt Absatz 3 entsprechend.

[1)] Richtig wohl: „konnten".

[2)] § 130 Abs. 2 angef., bish. Wortlaut wird Abs. 1 mWv 2.1.2002 durch G v. 17.8.2001 (BGBl. I S. 2144).

[3)] § 131 Abs. 5 angef. mWv 1.9.2004 durch G v. 24.8.2004 (BGBl. I S. 2198); Abs. 2 Sätze 2 und 3 angef., Abs. 5 Satz 1 geänd. mWv 1.4.2008 durch G v. 26.3.2008 (BGBl. I S. 444); Abs. 2 Satz 2 aufgeh., bish. Satz 3 wird Satz 2 und neu gef., Abs. 5 Satz 1 geänd., Satz 2 eingef., bish. Sätze 2–4 werden Sätze 3–5 mWv 1.1.2009 durch G v. 21.12.2008 (BGBl. I S. 2933).

(3) Hält das Gericht die Unterlassung eines Verwaltungsakts für rechtswidrig, so ist im Urteil die Verpflichtung auszusprechen, den Kläger unter Beachtung der Rechtsauffassung des Gerichts zu bescheiden.

(4) Hält das Gericht eine Wahl im Sinne des § 57b oder eine Wahl zu den Selbstverwaltungsorganen der Kassenärztlichen Vereinigungen oder der Kassenärztlichen Bundesvereinigungen ganz oder teilweise oder eine Ergänzung der Selbstverwaltungsorgane für ungültig, so spricht es dies im Urteil aus und bestimmt die Folgerungen, die sich aus der Ungültigkeit ergeben.

(5) [1] Hält das Gericht eine weitere Sachaufklärung für erforderlich, kann es, ohne in der Sache selbst zu entscheiden, den Verwaltungsakt und den Widerspruchsbescheid aufheben, soweit nach Art oder Umfang die noch erforderlichen Ermittlungen erheblich sind und die Aufhebung auch unter Berücksichtigung der Belange der Beteiligten sachdienlich ist. [2] Satz 1 gilt auch bei Klagen auf Verurteilung zum Erlass eines Verwaltungsakts und bei Klagen nach § 54 Abs. 4; Absatz 3 ist entsprechend anzuwenden. [3] Auf Antrag kann das Gericht bis zum Erlass des neuen Verwaltungsakts eine einstweilige Regelung treffen, insbesondere bestimmen, dass Sicherheiten geleistet werden oder ganz oder zum Teil bestehen bleiben und Leistungen zunächst nicht zurückgewährt werden müssen. [4] Der Beschluss kann jederzeit geändert oder aufgehoben werden. [5] Eine Entscheidung nach Satz 1 kann nur binnen sechs Monaten seit Eingang der Akten der Behörde bei Gericht ergehen.

§ 132[1)] [Urteilsverkündung] (1) [1] Das Urteil ergeht im Namen des Volkes. [2] Es wird grundsätzlich in dem Termin verkündet, in dem die mündliche Verhandlung geschlossen wird. [3] Ausnahmsweise kann das Urteil in einem sofort anzuberaumenden Termin, der nicht über zwei Wochen hinaus angesetzt werden soll, verkündet werden. [4] Eine Ladung der Beteiligten ist nicht erforderlich. [5] Der Vorsitzende kann den Beteiligten, ihren Bevollmächtigten und Beiständen gestatten, an der Urteilsverkündung per Bild- und Tonübertragung teilzunehmen.

(Fortsetzung nächstes Blatt)

1) § 132 Abs. 1 Satz 5 angef. mWv 19.7.2024 durch G v. 15.7.2024 (BGBl. 2024 I Nr. 237).

(2) [1]Das Urteil wird durch Verlesen der Urteilsformel verkündet. [2]Bei der Verkündung soll der wesentliche Inhalt der Entscheidungsgründe mitgeteilt werden, wenn Beteiligte anwesend sind.

§ 133 [Verkündung durch Zustellung] [1]Bei Urteilen, die nicht auf Grund mündlicher Verhandlung ergehen, wird die Verkündung durch Zustellung ersetzt. [2]Dies gilt für die Verkündung von Beschlüssen entsprechend.

§ 134[1)] [Unterschrift; Übergabe an die Geschäftsstelle] (1) Das Urteil ist vom Vorsitzenden zu unterschreiben.

(2) [1]Das Urteil soll vor Ablauf eines Monats, vom Tag der Verkündung an gerechnet, vollständig abgefasst der Geschäftsstelle übermittelt werden. [2]Im Falle des § 170a verlängert sich die Frist um die zur Anhörung der ehrenamtlichen Richter benötigte Zeit.

(3) [1]Der Urkundsbeamte der Geschäftsstelle hat auf dem Urteil den Tag der Verkündung oder Zustellung zu vermerken und diesen Vermerk zu unterschreiben. [2]Werden die Akten elektronisch geführt, hat der Urkundsbeamte der Geschäftsstelle den Vermerk in einem gesonderten Dokument festzuhalten. [3]Das Dokument ist mit dem Urteil untrennbar zu verbinden.

§ 135[2)] [Zustellungszwang] Das Urteil ist den Beteiligten unverzüglich zuzustellen.

§ 136[3)] [Inhalt des Urteils] (1) Das Urteil enthält

1. die Bezeichnung der Beteiligten, ihrer gesetzlichen Vertreter und der Bevollmächtigten nach Namen, Wohnort und ihrer Stellung im Verfahren,
2. die Bezeichnung des Gerichts und die Namen der Mitglieder, die bei der Entscheidung mitgewirkt haben,
3. den Ort und Tag der mündlichen Verhandlung,
4. die Urteilsformel,
5. die gedrängte Darstellung des Tatbestandes,
6. die Entscheidungsgründe,
7. die Rechtsmittelbelehrung.

(2) [1]Die Darstellung des Tatbestandes kann durch eine Bezugnahme auf den Inhalt der vorbereitenden Schriftsätze und auf die zu Protokoll erfolgten Feststellungen ersetzt werden, soweit sich aus ihnen der Sach- und Streitstand richtig und vollständig ergibt. [2]In jedem Falle sind jedoch die erhobenen Ansprüche genügend zu kennzeichnen und die dazu vorgebrachten Angriffs- und Verteidigungsmittel ihrem Wesen nach hervorzuheben.

(3) Das Gericht kann von einer weiteren Darstellung der Entscheidungsgründe absehen, soweit es der Begründung des Verwaltungsaktes oder des Widerspruchsbescheides folgt und dies in seiner Entscheidung feststellt.

---

1) § 134 neu gef. mWv 2.1.2002 durch G v. 17.8.2001 (BGBl. I S. 2144); Abs. 2 Satz 1 geänd. sowie Abs. 3 Sätze 2 und 3 angef., bish. Wortlaut wird Satz 1 mWv 1.4.2005 durch G v. 22.3.2005 (BGBl. I S. 837).

2) § 135 neu gef. mWv 2.1.2002 durch G v. 17.8.2001 (BGBl. I S. 2144).

3) § 136 Abs. 3 angef. durch G v. 11.1.1993 (BGBl. I S. 50); Abs. 1 Nr. 1 geänd. mWv 2.1.2002 durch G v. 17.8.2001 (BGBl. I S. 2144); Abs. 4 angef. mWv 1.4.2008 durch G v. 26.3.2008 (BGBl. I S. 444); Abs. 2 Satz 1 geänd. mWv 1.1.2018 durch G v. 5.7.2017 (BGBl. I S. 2208).

(4) Wird das Urteil in dem Termin, in dem die mündliche Verhandlung geschlossen worden ist, verkündet, so bedarf es des Tatbestandes und der Entscheidungsgründe nicht, wenn Kläger, Beklagter und sonstige rechtsmittelberechtigte Beteiligte auf Rechtsmittel gegen das Urteil verzichten.

§ 137[1)] **[Urteilsausfertigung]** [1] Die Ausfertigungen des Urteils sind von dem Urkundsbeamten der Geschäftsstelle zu unterschreiben und mit dem Gerichtssiegel zu versehen. [2] Ausfertigungen, Auszüge und Abschriften eines als elektronisches Dokument (§ 65a Absatz 7) vorliegenden Urteils können von einem Urteilsausdruck erteilt werden. [3] Auszüge und Abschriften eines in Papierform vorliegenden Urteils können durch Telekopie oder als elektronisches Dokument erteilt werden. [4] Die Telekopie hat eine Wiedergabe des Gerichtssiegels, die Telekopie zur Erteilung eines Auszugs zusätzlich die Unterschrift des Urkundsbeamten der Geschäftsstelle zu enthalten. [5] Bei der Erteilung von beglaubigten Auszügen und Abschriften ist das elektronische Dokument mit einer qualifizierten elektronischen Signatur des Urkundsbeamten der Geschäftsstelle zu versehen.

§ 138[2)] **[Berichtigung des Urteils]** [1] Schreibfehler, Rechenfehler und ähnliche offenbare Unrichtigkeiten im Urteil sind jederzeit von Amts wegen zu berichtigen. [2] Der Vorsitzende entscheidet hierüber durch Beschluß. [3] Der Berichtigungsbeschluß wird auf dem Urteil und den Ausfertigungen vermerkt. [4] Werden die Akten elektronisch geführt, hat der Urkundsbeamte der Geschäftsstelle den Vermerk in einem gesonderten Dokument festzuhalten. [5] Das Dokument ist mit dem Urteil untrennbar zu verbinden.

§ 139[3)] **[Berichtigung des Tatbestandes]** (1) Enthält der Tatbestand des Urteils andere Unrichtigkeiten oder Unklarheiten, so kann die Berichtigung binnen zwei Wochen nach Zustellung des Urteils beantragt werden.

(2) [1] Das Gericht entscheidet ohne Beweisaufnahme durch Beschluß. [2] Der Beschluß ist unanfechtbar. [3] Bei der Entscheidung wirken nur die Richter mit, die beim Urteil mitgewirkt haben. [4] Ist ein Richter verhindert, so entscheidet bei Stimmengleichheit die Stimme des Vorsitzenden. [5] Der Berichtigungsbeschluß wird auf dem Urteil und den Ausfertigungen vermerkt.

(3) Ist das Urteil elektronisch abgefasst, ist auch der Beschluss elektronisch abzufassen und mit dem Urteil untrennbar zu verbinden.

§ 140[4)] **[Ergänzung des Urteils]** (1) [1] Hat das Urteil einen von einem Beteiligten erhobenen Anspruch oder den Kostenpunkt ganz oder teilweise übergangen, so wird es auf Antrag nachträglich ergänzt. [2] Die Entscheidung muß binnen eines Monats nach Zustellung des Urteils beantragt werden.

---

1) § 137 geänd. mWv 2.1.2002 durch G v. 17.8.2001 (BGBl. I S. 2144); Sätze 2 bis 5 angef., bish. Wortlaut wird Satz 1 mWv 1.4.2005 durch G v. 22.3.2005 (BGBl. I S. 837); Satz 3 geänd. mWv 1.7.2014, Sätze 2 und 3 geänd. mWv 1.1.2018 durch G v. 10.10.2013 (BGBl. I S. 3786); Satz 4 neu gef. mWv 22.4.2015 durch G v. 15.4.2015 (BGBl. I S. 583); Sätze 2, 3 und 5 geänd. mWv 1.7.2020 durch G v. 12.6.2020 (BGBl. I S. 1248); Satz 2 geänd. mWv 1.1.2022 durch G v. 5.10.2021 (BGBl. I S. 4607).

2) § 138 Sätze 4 und 5 angef. mWv 1.4.2005 durch G v. 22.3.2005 (BGBl. I S. 837).

3) *§ 139 Abs. 1 geänd. durch G v.* 3.12.1976 (BGBl. I S. 3281); Abs. 3 angef. mWv 1.4.2005 durch G v. 22.3.2005 (BGBl. I S. 837).

4) § 140 Abs. 4 Satz 2 angef. mWv 1.1.2018 durch G v. 5.7.2017 (BGBl. I S. 2208).

(2) [1]Über den Antrag wird in einem besonderen Verfahren entschieden. [2]Die Entscheidung ergeht, wenn es sich nur um den Kostenpunkt handelt, durch Beschluß, der lediglich mit der Entscheidung in der Hauptsache angefochten werden kann, im übrigen durch Urteil, das mit dem bei dem übergangenen Anspruch zulässigen Rechtsmittel angefochten werden kann.

(3) Die mündliche Verhandlung hat nur den nicht erledigten Teil des Rechtsstreits zum Gegenstand.

(4) [1]Die ergänzende Entscheidung wird auf der Urschrift des Urteils und den Ausfertigungen vermerkt. [2]Liegt das Urteil als elektronisches Dokument mit einer qualifizierten elektronischen Signatur (§ 65a Absatz 3) vor, bedarf auch die ergänzende Entscheidung dieser Form und ist mit dem Urteil untrennbar zu verbinden.

§ 141[1)] [Rechtskraftwirkungen] (1) Rechtskräftige Urteile binden, soweit über den Streitgegenstand entschieden worden ist,

1. die Beteiligten und ihre Rechtsnachfolger,
2. im Falle des § 75 Absatz 2a die Personen und im Falle des § 75 Absatz 2b die Versicherungsträger, die einen Antrag auf Beiladung nicht oder nicht fristgemäß gestellt haben.

(2) Hat der Beklagte die Aufrechnung einer Gegenforderung geltend gemacht, so ist die Entscheidung, daß die Gegenforderung nicht besteht, bis zur Höhe des Betrags der Rechtskraft fähig, für den die Aufrechnung geltend gemacht worden ist.

§ 142[2)] [Beschlüsse, Form und Inhalt] (1) Für Beschlüsse gelten § 128 Abs. 1 Satz 1, die §§ 134 und 138, nach mündlicher Verhandlung auch die §§ 129, 132, 135 und 136 entsprechend.

(2) [1]Beschlüsse sind zu begründen, wenn sie durch Rechtsmittel angefochten werden können oder über einen Rechtsbehelf entscheiden. [2]Beschlüsse über die Wiederherstellung der aufschiebenden Wirkung und über einstweilige Anordnungen (§ 86b) sowie Beschlüsse nach Erledigung des Rechtsstreits in der Hauptsache sind stets zu begründen. [3]Beschlüsse, die über ein Rechtsmittel entscheiden, bedürfen keiner weiteren Begründung, soweit das Gericht das Rechtsmittel aus den Gründen der angefochtenen Entscheidung als unbegründet zurückweist.

(3) Ausfertigungen der Beschlüsse sind von dem Urkundsbeamten der Geschäftsstelle zu unterschreiben.

Sechster Unterabschnitt.[3)] *(aufgehoben)*

§ 142a[3)] *(aufgehoben)*

[1)] § 141 Abs. 1 neu gef. mWv 2.1.2002 durch G v. 17.8.2001 (BGBl. I S. 2144); Abs. 1 Nr. 2 geänd. mWv 1.7.2020 durch G v. 12.6.2020 (BGBl. I S. 1248).

[2)] § 142 Abs. 2 neu gef. mWv 2.1.2002 durch G v. 17.8.2001 (BGBl. I S. 2144).

[3)] Sechster Unterabschn. (§ 142a) aufgeh. mWv 1.1.2011 durch G v. 22.12.2010 (BGBl. I S. 2262).

Zweiter Abschnitt. Rechtsmittel

Erster Unterabschnitt. Berufung

§ 143 [Zulässigkeit der Berufung] Gegen die Urteile der Sozialgerichte findet die Berufung an das Landessozialgericht statt, soweit sich aus den Vorschriften dieses Unterabschnitts nichts anderes ergibt.

§ 144[1] [Zulassung der Berufung] (1) [1] Die Berufung bedarf der Zulassung in dem Urteil des Sozialgerichts oder auf Beschwerde durch Beschluß des Landessozialgerichts, wenn der Wert des Beschwerdegegenstandes

1. bei einer Klage, die eine Geld-, Dienst- oder Sachleistung oder einen hierauf gerichteten Verwaltungsakt betrifft, 750 Euro oder
2. bei einer Erstattungsstreitigkeit zwischen juristischen Personen des öffentlichen Rechts oder Behörden 10 000 Euro

nicht übersteigt. [2] Das gilt nicht, wenn die Berufung wiederkehrende oder laufende Leistungen für mehr als ein Jahr betrifft.

(2) Die Berufung ist zuzulassen, wenn

1. die Rechtssache grundsätzliche Bedeutung hat,
2. das Urteil von einer Entscheidung des Landessozialgerichts, des Bundessozialgerichts, des Gemeinsamen Senats der obersten Gerichtshöfe des Bundes oder des Bundesverfassungsgerichts abweicht und auf dieser Abweichung beruht oder
3. ein der Beurteilung des Berufungsgerichts unterliegender Verfahrensmangel geltend gemacht wird und vorliegt, auf dem die Entscheidung beruhen kann.

(3) Das Landessozialgericht ist an die Zulassung gebunden.

(4) Die Berufung ist ausgeschlossen, wenn es sich um die Kosten des Verfahrens handelt.

§ 145[2] [Beschwerde gegen Nichtzulassung] (1) [1] Die Nichtzulassung der Berufung durch das Sozialgericht kann durch Beschwerde angefochten werden. [2] Die Beschwerde ist bei dem Landessozialgericht innerhalb eines Monats nach Zustellung des vollständigen Urteils schriftlich oder zu Protokoll des Urkundsbeamten einzulegen.

(2) Die Beschwerde soll das angefochtene Urteil bezeichnen und die zur Begründung dienenden Tatsachen und Beweismittel angeben.

(3) Die Einlegung der Beschwerde hemmt die Rechtskraft des Urteils.

(4) [1] Das Landessozialgericht entscheidet durch Beschluss. [2] Die Zulassung der Berufung bedarf keiner Begründung. [3] Der Ablehnung der Beschwerde soll eine kurze Begründung beigefügt werden. [4] Mit der Ablehnung der Beschwerde wird das Urteil rechtskräftig.

---

[1] § 144 neu gef. durch G v. 11.1.1993 (BGBl. I S. 50); Abs. 1 Satz 1 Nrn. 1 und 2 geänd. mWv 1.1.2002 durch G v. 21.12.2000 (BGBl. I S. 1983); Abs. 2 Nr. 2 geänd. mWv 2.1.2002 durch G v. 17.8.2001 (BGBl. I S. 2144); Abs. 1 Satz 1 Nr. 1 und 2 geänd. mWv 1.4.2008 durch G v. 26.3.2008 (BGBl. I S. 444).

[2] § 145 neu gef. durch G v. 11.1.1993 (BGBl. I S. 50); Abs. 1 Satz 2 und Abs. 4 neu gef., Abs. 1 Satz 3 aufgeh. sowie Abs. 5 Satz 1 erster Halbs. geänd. mWv 2.1.2002 durch G v. 17.8.2001 (BGBl. I S. 2144); Abs. 4 Satz 1 aufgeh., bish. Sätze 2–5 werden Sätze 1–4 mWv 1.4.2008 durch G v. 26.3.2008 (BGBl. I S. 444); Abs. 1 Satz 2 geänd. mWv 1.1.2018 durch G v. 5.7.2017 (BGBl. I S. 2208).

(5) [1]Läßt das Landessozialgericht die Berufung zu, wird das Beschwerdeverfahren als Berufungsverfahren fortgesetzt; der Einlegung einer Berufung durch den Beschwerdeführer bedarf es nicht. [2]Darauf ist in dem Beschluß hinzuweisen.

§§ 146–150[1)] *(aufgehoben)*

§ 151[2)] [Einlegung, Frist, Form] (1) Die Berufung ist bei dem Landessozialgericht innerhalb eines Monats nach Zustellung des Urteils schriftlich oder zu Protokoll des Urkundsbeamten der Geschäftsstelle einzulegen.

(2) [1]Die Berufungsfrist ist auch gewahrt, wenn die Berufung innerhalb der Frist bei dem Sozialgericht schriftlich oder zu Protokoll des Urkundsbeamten der Geschäftsstelle eingelegt wird. [2]In diesem Falle legt das Sozialgericht die Berufungsschrift oder das Protokoll mit seinen Akten unverzüglich dem Landessozialgericht vor.

(3) Die Berufungsschrift soll das angefochtene Urteil bezeichnen, einen bestimmten Antrag enthalten und die zur Begründung dienenden Tatsachen und Beweismittel angeben.

§ 152[3)] [Aktenanforderung] (1) Die Geschäftsstelle des Landessozialgerichts hat unverzüglich, nachdem die Berufungsschrift eingereicht ist, von der Geschäftsstelle des Sozialgerichts die Prozeßakten anzufordern.

(2) Nach Erledigung der Berufung sind die Akten der Geschäftsstelle des Sozialgerichts nebst einer beglaubigten Abschrift oder einer beglaubigten elektronischen Abschrift, die mit einer qualifizierten elektronischen Signatur des Urkundsbeamten der Geschäftsstelle versehen ist, des in der Berufungsinstanz erlassenen Urteils zurückzusenden.

§ 153[4)] [Verfahren in der Berufung] (1) Für das Verfahren vor den Landessozialgerichten gelten die Vorschriften über das Verfahren im ersten Rechtszug mit Ausnahme der §§ 91, 105 entsprechend, soweit sich aus diesem Unterabschnitt nichts anderes ergibt.

(2) Das Landessozialgericht kann in dem Urteil über die Berufung von einer weiteren Darstellung der Entscheidungsgründe absehen, soweit es die Berufung aus den Gründen der angefochtenen Entscheidung als unbegründet zurückweist.

(3) [1]Das Urteil ist von den Mitgliedern des Senats zu unterschreiben. [2]Ist ein Mitglied verhindert, so vermerkt der Vorsitzende, bei dessen Verhinderung der dienstälteste beisitzende Berufsrichter, dies unter dem Urteil mit Angabe des Hinderungsgrundes.

(4) [1]Das Landessozialgericht kann, außer in den Fällen des § 105 Abs. 2 Satz 1, die Berufung durch Beschluß zurückweisen, wenn es sie einstimmig für unbegründet und eine mündliche Verhandlung nicht für erforderlich hält. [2]Die Beteiligten sind vorher zu hören. [3]§ 158 Satz 3 und 4 gilt entsprechend.

---

1) §§ 146–150 aufgeh. durch G v. 11.1.1993 (BGBl. I S. 50).

2) § 151 Abs. 1, Abs. 2 Sätze 1 und 2 geänd. mWv 1.1.2018 durch G v. 5.7.2017 (BGBl. I S. 2208).

3) § 152 Abs. 2 geänd. mWv 1.1.2018 durch G v. 5.7.2017 (BGBl. I S. 2208).

4) § 153 Abs. 1 geänd., Abs. 2 eingef., bish. Abs. 2 wird Abs. 3 und Abs. 4 angef. durch G v. 11.1.1993 (BGBl. I S. 50); Abs. 5 angef. mWv 1.4.2008 durch G v. 26.3.2008 (BGBl. I S. 444).

(5) Der Senat kann in den Fällen des § 105 Abs. 2 Satz 1 durch Beschluss die Berufung dem Berichterstatter übertragen, der zusammen mit den ehrenamtlichen Richtern entscheidet.

§ 154[1)] **[Aufschiebende Wirkung]** (1) Die Berufung und die Beschwerde nach § 144 Abs. 1 haben aufschiebende Wirkung, soweit die Klage nach § 86a Aufschub bewirkt.

(2) Die Berufung und die Beschwerde nach § 144 Abs. 1 eines Versicherungsträgers oder ***[bis 31.12.2023:*** in der Kriegsopferversorgung eines Landes***]*** ***[ab 1.1.2024:** eines Trägers der Sozialen Entschädigung**]*** ***[ab 1.1.2025:** oder des Trägers der Soldatenentschädigung**]*** bewirken Aufschub, soweit es sich um Beträge handelt, die für die Zeit vor Erlaß des angefochtenen Urteils nachgezahlt werden sollen.

§ 155[2)] **[Berichterstatter]** (1) Der Vorsitzende kann seine Aufgaben nach den §§ 104, 106 bis 108 und 120 einem Berufsrichter des Senats übertragen.

(2) [1] Der Vorsitzende entscheidet, wenn die Entscheidung im vorbereitenden Verfahren ergeht,

1. über die Aussetzung und das Ruhen des Verfahrens;
2. bei Zurücknahme der Klage oder der Berufung, Verzicht auf den geltend gemachten Anspruch oder Anerkenntnis des Anspruchs, auch über einen Antrag auf Prozesskostenhilfe;
3. bei Erledigung des Rechtsstreits in der Hauptsache, auch über einen Antrag auf Prozesskostenhilfe;
4. über den Streitwert;
5. über Kosten.

[2] In dringenden Fällen entscheidet der Vorsitzende auch über den Antrag nach § 86b Abs. 1 oder 2.

(3) Im Einverständnis der Beteiligten kann der Vorsitzende auch sonst anstelle des Senats entscheiden.

(4) Ist ein Berichterstatter bestellt, so entscheidet dieser anstelle des Vorsitzenden.

§ 156[3)] **[Berufungsrücknahme]** (1) [1] Die Berufung kann bis zur Rechtskraft des Urteils oder des nach § 153 Abs. 4 oder § 158 Satz 2 ergangenen Beschlusses zurückgenommen werden. [2] Die Zurücknahme nach Schluss der mündlichen Verhandlung setzt die Einwilligung des Berufungsbeklagten voraus.

(2) [1] Die Berufung gilt als zurückgenommen, wenn der Berufungskläger das Verfahren trotz Aufforderung des Gerichts länger als drei Monate nicht be-

---

[1)] § 154 neu gef. durch G v. 11.1.1993 (BGBl. I S. 50); Abs. 1 neu gef. mWv 2.1.2002 durch G v. 17.8.2001 (BGBl. I S. 2144); Abs. 2 geänd. mWv 1.1.2024 durch G v. 12.12.2019 (BGBl. I S. 2652); Abs. 2 geänd. mWv 1.1.2025 durch G v. 20.8.2021 (BGBl. I S. 3932).

[2)] § 155 Abs. 2 bis 4 angef., bish. Wortlaut wird Abs. 1 durch G v. 11.1.1993 (BGBl. I S. 50); Abs. 1 Satz 2 aufgeh., bish. Satz 1 wird alleiniger Wortlaut sowie Abs. 2 Satz 2 angef., bish. Wortlaut wird Satz 1 mWv 2.1.2002 durch G v. 17.8.2001 (BGBl. I S. 2144); Abs. 2 Satz 1 Nrn. 2 und 3 geänd. mWv 1.9.2004 durch G v. 24.8.2004 (BGBl. I S. 2198).

[3)] § 156 Abs. 1 neu gef. mWv 2.1.2002 durch G v. 17.8.2001 (BGBl. I S. 2144); Abs. 2 eingef., bish. Abs. 2 wird Abs. 3 mWv 1.1.2012 durch G v. 22.12.2011 (BGBl. I S. 3057).

treibt. [2]Der Berufungskläger ist in der Aufforderung auf die Rechtsfolgen hinzuweisen, die sich aus Satz 1 und gegebenenfalls aus § 197a Absatz 1 Satz 1 in Verbindung mit § 155 Absatz 2 der Verwaltungsgerichtsordnung[1)] ergeben. [3]Das Gericht stellt durch Beschluss fest, dass die Berufung als zurückgenommen gilt.

(3) [1]Die Zurücknahme bewirkt den Verlust des Rechtsmittels. [2]Über die Kosten entscheidet das Gericht auf Antrag durch Beschluß.

§ 157 [Umfang der Prüfung, neue Tatsachen und Beweismittel]

[1]Das Landessozialgericht prüft den Streitfall im gleichen Umfang wie das Sozialgericht. [2]Es hat auch neu vorgebrachte Tatsachen und Beweismittel zu berücksichtigen.

§ 157a[2)] [Fristversäumnis] (1) Neue Erklärungen und Beweismittel, die im ersten Rechtszug entgegen einer hierfür gesetzten Frist (§ 106a Abs. 1 und 2) nicht vorgebracht worden sind, kann das Gericht unter den Voraussetzungen des § 106a Abs. 3 zurückweisen.

(2) Erklärungen und Beweismittel, die das Sozialgericht zu Recht zurückgewiesen hat, bleiben auch im Berufungsverfahren ausgeschlossen.

§ 158[3)] [Verwerfung der Berufung] [1]Ist die Berufung nicht statthaft oder nicht in der gesetzlichen Frist oder nicht schriftlich oder nicht in elektronischer Form oder nicht zu Protokoll des Urkundsbeamten der Geschäftsstelle eingelegt, so ist sie als unzulässig zu verwerfen. [2]Die Entscheidung kann durch Beschluß ergehen. [3]Gegen den Beschluß steht den Beteiligten das Rechtsmittel zu, das zulässig wäre, wenn das Gericht durch Urteil entschieden hätte. [4]Die Beteiligten sind über dieses Rechtsmittel zu belehren.

§ 159[4)] [Zurückverweisung an das Sozialgericht] (1) Das Landessozialgericht kann durch Urteil die angefochtene Entscheidung aufheben und die Sache an das Sozialgericht zurückverweisen, wenn

1. dieses die Klage abgewiesen hat, ohne in der Sache selbst zu entscheiden,
2. das Verfahren an einem wesentlichen Mangel leidet und auf Grund dieses Mangels eine umfangreiche und aufwändige Beweisaufnahme notwendig ist.

(2) Das Sozialgericht hat die rechtliche Beurteilung, die der Aufhebung zugrunde gelegt ist, seiner Entscheidung zugrunde zu legen.

Zweiter Unterabschnitt. Revision

§ 160[5)] [Zulässigkeit der Revision] (1) Gegen das Urteil eines Landessozialgerichts und gegen den Beschluss nach § 55a Absatz 5 Satz 1 steht den Beteiligten die Revision an das Bundessozialgericht nur zu, wenn sie in der

---

[1)] **beck-online, Module Arbeitsrecht Nr. 663.**

[2)] § 157a eingef. mWv 1.4.2008 durch G v. 26.3.2008 (BGBl. I S. 444).

[3)] § 158 neu gef. durch G v. 11.1.1993 (BGBl. I S. 50); Satz 1 geänd. mWv 1.4.2005 durch G v. 22.3.2005 (BGBl. I S. 837); Satz 1 geänd. mWv 1.1.2018 durch G v. 5.7.2017 (BGBl. I S. 2208).

[4)] § 159 Abs. 1 Nr. 2 geänd., Nr. 3 aufgeh. mWv 1.1.2012 durch G v. 22.12.2011 (BGBl. I S. 3057).

[5)] § 160 Abs. 2 Nr. 2 geänd. durch G v. 2.8.1993 (BGBl. I S. 1442); Abs. 1 geänd. mWv 5.11.2008 durch G v. 30.10.2008 (BGBl. I S. 2130); Abs. 1 geänd. mWv 1.4.2011 durch G v. 24.3.2011 (BGBl. I S. 453).

Entscheidung des Landessozialgerichts oder in dem Beschluß des Bundessozialgerichts nach § 160a Abs. 4 Satz 1 zugelassen worden ist.

(2) Sie ist nur zuzulassen, wenn

1. die Rechtssache grundsätzliche Bedeutung hat oder
2. das Urteil von einer Entscheidung des Bundessozialgerichts, des Gemeinsamen Senats der obersten Gerichtshöfe des Bundes oder des Bundesverfassungsgerichts abweicht und auf dieser Abweichung beruht oder
3. ein Verfahrensmangel geltend gemacht wird, auf dem die angefochtene Entscheidung beruhen kann; der geltend gemachte Verfahrensmangel kann nicht auf eine Verletzung der §§ 109 und 128 Abs. 1 Satz 1 und auf eine Verletzung des § 103 nur gestützt werden, wenn er sich auf einen Beweisantrag bezieht, dem das Landessozialgericht ohne hinreichende Begründung nicht gefolgt ist.

(3) Das Bundessozialgericht ist an die Zulassung gebunden.

§ 160a[1)] [Nichtzulassungsbeschwerde] (1) [1]Die Nichtzulassung der Revision kann selbständig durch Beschwerde angefochten werden. [2]Die Beschwerde ist bei dem Bundessozialgericht innerhalb eines Monats nach Zustellung des Urteils einzulegen. [3]Der Beschwerdeschrift soll eine Ausfertigung oder beglaubigte Abschrift des Urteils, gegen das die Revision eingelegt werden soll, beigefügt werden. [4]Satz 3 gilt nicht, soweit nach § 65a elektronische Dokumente übermittelt werden.

(2) [1]Die Beschwerde ist innerhalb von zwei Monaten nach Zustellung des Urteils zu begründen. [2]Die Begründungsfrist kann auf einen vor ihrem Ablauf gestellten Antrag von dem Vorsitzenden einmal bis zu einem Monat verlängert werden. [3]In der Begründung muß die grundsätzliche Bedeutung der Rechtssache dargelegt oder die Entscheidung, von der das Urteil des Landessozialgerichts abweicht, oder der Verfahrensmangel bezeichnet werden.

(3) Die Einlegung der Beschwerde hemmt die Rechtskraft des Urteils.

(4) [1]Das Bundessozialgericht entscheidet unter Zuziehung der ehrenamtlichen Richter durch Beschluss; § 169 gilt entsprechend. [2]Dem Beschluß soll eine kurze Begründung beigefügt werden; von einer Begründung kann abgesehen werden, wenn sie nicht geeignet ist, zur Klärung der Voraussetzungen der Revisionszulassung beizutragen. [3]Mit der Ablehnung der Beschwerde durch das Bundessozialgericht wird das Urteil rechtskräftig. [4]Wird der Beschwerde stattgegeben, so beginnt mit der Zustellung dieser Entscheidung der Lauf der Revisionsfrist.

(5) Liegen die Voraussetzungen des § 160 Abs. 2 Nr. 3 vor, kann das Bundessozialgericht in dem Beschluss das angefochtene Urteil aufheben und die Sache zur erneuten Verhandlung und Entscheidung zurückverweisen.

§ 161[2)] [Sprungrevision] (1) [1]Gegen das Urteil eines Sozialgerichts steht den Beteiligten die Revision unter Übergehung der Berufungsinstanz zu, wenn der Gegner schriftlich zustimmt und wenn sie von dem Sozialgericht im Urteil oder auf Antrag durch Beschluß zugelassen wird. [2]Der Antrag ist innerhalb

---

1) § 160a Abs. 4 Satz 2 geänd. und Abs. 5 angef. mWv 2.1.2002 durch G v. 17.8.2001 (BGBl. I S. 2144); Abs. 1 Satz 4 angef. mWv 1.4.2005 durch G v. 22.3.2005 (BGBl. I S. 837); Abs. 4 Satz 1 aufgeh., bish. Sätze 2–5 werden Sätze 1–4 mWv 1.4.2008 durch G v. 26.3.2008 (BGBl. I S. 444).

2) § 161 Abs. 3 Satz 1 geänd. durch G v. 11.1.1993 (BGBl. I S. 50).

eines Monats nach Zustellung des Urteils schriftlich zu stellen. [3]Die Zustimmung des Gegners ist dem Antrag oder, wenn die Revision im Urteil zugelassen ist, der Revisionsschrift beizufügen.

(2) [1]Die Revision ist nur zuzulassen, wenn die Voraussetzungen des § 160 Abs. 2 Nr. 1 oder 2 vorliegen. [2]Das Bundessozialgericht ist an die Zulassung gebunden. [3]Die Ablehnung der Zulassung ist unanfechtbar.

(3) [1]Lehnt das Sozialgericht den Antrag auf Zulassung der Revision durch Beschluß ab, so beginnt mit der Zustellung dieser Entscheidung der Lauf der Berufungsfrist oder der Frist für die Beschwerde gegen die Nichtzulassung der Berufung von neuem, sofern der Antrag in der gesetzlichen Form und Frist gestellt und die Zustimmungserklärung des Gegners beigefügt war. [2]Läßt das Sozialgericht die Revision durch Beschluß zu, so beginnt mit der Zustellung dieser Entscheidung der Lauf der Revisionsfrist.

(4) Die Revision kann nicht auf Mängel des Verfahrens gestützt werden.

(5) Die Einlegung der Revision und die Zustimmung des Gegners gelten als Verzicht auf die Berufung, wenn das Sozialgericht die Revision zugelassen hat.

§ 162 [Revisionsgründe] Die Revision kann nur darauf gestützt werden, daß das angefochtene Urteil auf der Verletzung einer Vorschrift des Bundesrechts oder einer sonstigen im Bezirk des Berufungsgerichts geltenden Vorschrift beruht, deren Geltungsbereich sich über den Bezirk des Berufungsgerichts hinaus erstreckt.

§ 163 [Bindung an die tatsächlichen Feststellungen] Das Bundessozialgericht ist an die in dem angefochtenen Urteil getroffenen tatsächlichen Feststellungen gebunden, außer wenn in bezug auf diese Feststellungen zulässige und begründete Revisionsgründe vorgebracht sind.

§ 164[1)] [Einlegung, Frist, Begründung] (1) [1]Die Revision ist bei dem Bundessozialgericht innerhalb eines Monats nach Zustellung des Urteils oder des Beschlusses über die Zulassung der Revision (§ 160a Absatz 4 Satz 1 oder § 161 Abs. 3 Satz 2) schriftlich einzulegen. [2]Die Revision muß das angefochtene Urteil angeben; eine Ausfertigung oder beglaubigte Abschrift des angefochtenen Urteils soll beigefügt werden, sofern dies nicht schon nach § 160a Abs. 1 Satz 3 geschehen ist. [3]Satz 2 zweiter Halbsatz gilt nicht, soweit nach § 65a elektronische Dokumente übermittelt werden.

(2) [1]Die Revision ist innerhalb von zwei Monaten nach Zustellung des Urteils oder des Beschlusses über die Zulassung der Revision zu begründen. [2]Die Begründungsfrist kann auf einen vor ihrem Ablauf gestellten Antrag von dem Vorsitzenden verlängert werden. [3]Die Begründung muß einen bestimmten Antrag enthalten, die verletzte Rechtsnorm und, soweit Verfahrensmängel gerügt werden, die Tatsachen bezeichnen, die den Mangel ergeben.

§ 165[2)] [Verfahren in der Revision] [1]Für die Revision gelten die Vorschriften über die Berufung entsprechend, soweit sich aus diesem Unterabschnitt nichts anderes ergibt. [2]§ 153 Abs. 2 und 4 sowie § 155 Abs. 2 bis 4 finden keine Anwendung.

[1)] § 164 Abs. 1 Satz 3 angef. mWv 1.4.2005 durch G v. 22.3.2005 (BGBl. I S. 837); Abs. 1 Satz 1 geänd. mWv 1.1.2012 durch G v. 22.12.2011 (BGBl. I S. 3057).

[2)] § 165 Satz 2 angef., bish. Wortlaut wird Satz 1 durch G v. 11.1.1993 (BGBl. I S. 50).

§§ 166–167[1] *(aufgehoben)*

§ 168[2] **[Klageänderung; Beiladung]** [1] Klageänderungen und Beiladungen sind im Revisionsverfahren unzulässig. [2] Dies gilt nicht für die Beiladung der Bundesrepublik Deutschland in Angelegenheiten des ***[bis 31.12.2023:** sozialen**]*** ***[ab 1.1.2024:** Sozialen**]*** Entschädigungsrechts***[ab 1.1.2025:** oder des Soldatenentschädigungsrechts**]*** nach § 75 Abs. 1 Satz 2 und, sofern der Beizuladende zustimmt, für Beiladungen nach § 75 Abs. 2.

§ 169 [Umfang der Prüfung; Unzulässigkeit] [1] Das Bundessozialgericht hat zu prüfen, ob die Revision statthaft und ob sie in der gesetzlichen Form und Frist eingelegt und begründet worden ist. [2] Mangelt es an einem dieser Erfordernisse, so ist die Revision als unzulässig zu verwerfen. [3] Die Verwerfung ohne mündliche Verhandlung erfolgt durch Beschluß ohne Zuziehung der ehrenamtlichen Richter.

§ 170[3] **[Zurückweisung; Zurückverweisung]** (1) [1] Ist die Revision unbegründet, so weist das Bundessozialgericht die Revision zurück. [2] Ergeben die Entscheidungsgründe zwar eine Gesetzesverletzung, stellt sich die Entscheidung selbst aber aus anderen Gründen als richtig dar, so ist die Revision ebenfalls zurückzuweisen.

(2) [1] Ist die Revision begründet, so hat das Bundessozialgericht in der Sache selbst zu entscheiden. [2] Sofern dies untunlich ist, kann es das angefochtene Urteil mit den ihm zugrunde liegenden Feststellungen aufheben und die Sache zur erneuten Verhandlung und Entscheidung an das Gericht zurückverweisen, welches das angefochtene Urteil erlassen hat.

(3) [1] Die Entscheidung über die Revision braucht nicht begründet zu werden, soweit das Bundessozialgericht Rügen von Verfahrensmängeln nicht für durchgreifend erachtet. [2] Dies gilt nicht für Rügen nach § 202 in Verbindung mit § 547 der Zivilprozeßordnung[4] und, wenn mit der Revision ausschließlich Verfahrensmängel geltend gemacht werden, für Rügen, auf denen die Zulassung der Revision beruht.

(4) [1] Verweist das Bundessozialgericht die Sache bei der Sprungrevision nach § 161 zur anderweitigen Verhandlung und Entscheidung zurück, so kann es nach seinem Ermessen auch an das Landessozialgericht zurückverweisen, das für die Berufung zuständig gewesen wäre. [2] Für das Verfahren vor dem Landessozialgericht gelten dann die gleichen Grundsätze, wie wenn der Rechtsstreit auf eine ordnungsgemäß eingelegte Berufung beim Landessozialgericht anhängig geworden wäre.

(Fortsetzung nächstes Blatt)

---

[1] § 166 aufgeh. mWv 1.7.2008 durch G v. 12.12.2007 (BGBl. I S. 2840), § 167 aufgeh. durch G v. 13.6.1980 (BGBl. I S. 677).

[2] § 168 neu gef. durch G v. 11.1.1993 (BGBl. I S. 50); Satz 2 geänd. mWv 2.1.2002 durch G v. 17.8.2001 (BGBl. I S. 2144); Satz 2 geänd. mWv 1.1.2024 durch G v. 12.12.2019 (BGBl. I S. 2652); Satz 2 geänd. mWv 1.1.2025 durch G v. 20.8.2021 (BGBl. I S. 3932).

[3] § 170 Abs. 3 Satz 2 geänd. mWv 1.1.2002 durch G v. 27.7.2001 (BGBl. I S. 1887).

[4] **beck-online, Module Arbeitsrecht Nr. 320.**

(5) Das Gericht, an das die Sache zur erneuten Verhandlung und Entscheidung zurückverwiesen ist, hat seiner Entscheidung die rechtliche Beurteilung des Revisionsgerichts zugrunde zu legen.

§ 170a[1)] **[Urteilsabschriften an ehrenamtliche Richter]** [1]Eine Abschrift des Urteils ist den ehrenamtlichen Richtern, die bei der Entscheidung mitgewirkt haben, vor Übermittlung an die Geschäftsstelle zu übermitteln. [2]Die ehrenamtlichen Richter können sich dazu innerhalb von zwei Wochen gegenüber dem Vorsitzenden des erkennenden Senats äußern.

§ 171[2)] **[Neuer Bescheid]** Wird während des Revisionsverfahrens der angefochtene Verwaltungsakt durch einen neuen abgeändert oder ersetzt, so gilt der neue Verwaltungsakt als mit der Klage beim Sozialgericht angefochten, es sei denn, daß der Kläger durch den neuen Verwaltungsakt klaglos gestellt oder dem Klagebegehren durch die Entscheidung des Revisionsgerichts zum ersten Verwaltungsakt in vollem Umfange genügt wird.

Dritter Unterabschnitt.[3)] Beschwerde, Erinnerung, Anhörungsrüge

§ 172[4)] **[Zulässigkeit]** (1) Gegen die Entscheidungen der Sozialgerichte mit Ausnahme der Urteile und gegen Entscheidungen der Vorsitzenden dieser Gerichte findet die Beschwerde an das Landessozialgericht statt, soweit nicht in diesem Gesetz anderes bestimmt ist.

(2) Prozeßleitende Verfügungen, Aufklärungsanordnungen, Vertagungsbeschlüsse, Fristbestimmungen, Beweisbeschlüsse, Beschlüsse über Ablehnung von Beweisanträgen, über Verbindung und Trennung von Verfahren und Ansprüchen und über die Ablehnung von Gerichtspersonen und Sachverständigen können nicht mit der Beschwerde angefochten werden.

(3) Die Beschwerde ist ausgeschlossen

1. in Verfahren des einstweiligen Rechtsschutzes, wenn in der Hauptsache die Berufung der Zulassung bedürfte,
2. gegen die Ablehnung von Prozesskostenhilfe, wenn
   a) das Gericht die persönlichen oder wirtschaftlichen Voraussetzungen für die Prozesskostenhilfe verneint,
   b) in der Hauptsache die Berufung der Zulassung bedürfte oder
   c) das Gericht in der Sache durch Beschluss entscheidet, gegen den die Beschwerde ausgeschlossen ist,
3. gegen Kostengrundentscheidungen nach § 193,
4. gegen Entscheidungen nach § 192 Abs. 4, wenn in der Hauptsache kein Rechtsmittel gegeben ist und der Wert des Beschwerdegegenstandes 200 Euro nicht übersteigt.

---

1) § 170a Satz 1 geänd. mWv 1.4.2005 durch G v. 22.3.2005 (BGBl. I S. 837).

2) § 171 Abs. 1 aufgeh., bish. Abs. 2 wird alleiniger Wortlaut mWv 1.1.2012 durch G v. 22.12.2011 (BGBl. I S. 3057).

3) Zweiter Teil Zweiter Abschn. Dritter Unterabschn. Überschr. neu gef. mWv 1.1.2005 durch G v. 9.12.2004 (BGBl. I S. 3220).

4) § 172 Abs. 1 geänd. durch G v. 11.1.1993 (BGBl. I S. 50); Abs. 2 geänd., Abs. 3 angef. mWv 1.4. 2008 durch G v. 26.3.2008 (BGBl. I S. 444); Abs. 3 Nr. 4 geänd. mWv 5.11.2008 durch G v. 30.10. 2008 (BGBl. I S. 2130); Abs. 3 Nr. 1 zweiter Halbs. angef. mWv 11.8.2010 durch G v. 5.8.2010 (BGBl. I S. 1127); Abs. 2 geänd., Abs. 3 Nr. 1 und 2 neu gef. mWv 25.10.2013 durch G v. 19.10. 2013 (BGBl. I S. 3836).

§ 173[1] **[Frist, Form]** ¹Die Beschwerde ist binnen eines Monats nach Bekanntgabe der Entscheidung beim Sozialgericht schriftlich oder zu Protokoll des Urkundsbeamten der Geschäftsstelle einzulegen; § 181 des Gerichtsverfassungsgesetzes[2] bleibt unberührt. ²Die Beschwerdefrist ist auch gewahrt, wenn die Beschwerde innerhalb der Frist bei dem Landessozialgericht schriftlich oder zu Protokoll des Urkundsbeamten der Geschäftsstelle eingelegt wird. ³Die Belehrung über das Beschwerderecht ist auch mündlich möglich; sie ist dann aktenkundig zu machen.

§ 174[3] *(aufgehoben)*

§ 175 [Aufschiebende Wirkung] ¹Die Beschwerde hat aufschiebende Wirkung, wenn sie die Festsetzung eines Ordnungs- oder Zwangsmittels zum Gegenstand hat. ²Soweit dieses Gesetz auf Vorschriften der Zivilprozeßordnung[4] und des Gerichtsverfassungsgesetzes[5] verweist, regelt sich die aufschiebende Wirkung nach diesen Gesetzen. ³Das Gericht oder der Vorsitzende, dessen Entscheidung angefochten wird, kann bestimmen, daß der Vollzug der angefochtenen Entscheidung einstweilen auszusetzen ist.

§ 176 [Entscheidung] Über die Beschwerde entscheidet das Landessozialgericht durch Beschluß.

§ 177[6] **[Ausschluss der Beschwerde]** Entscheidungen des Landessozialgerichts, seines Vorsitzenden oder des Berichterstatters können vorbehaltlich des § 160a Abs. 1 dieses Gesetzes und des § 17a Abs. 4 Satz 4 des Gerichtsverfassungsgesetzes[2] nicht mit der Beschwerde an das Bundessozialgericht angefochten werden.

§ 178 [Beschwerde bei Entscheidungen des beauftragten oder ersuchten Richters oder des Urkundsbeamten] ¹Gegen die Entscheidungen des ersuchten oder beauftragten Richters oder des Urkundsbeamten kann binnen eines Monats nach Bekanntgabe das Gericht angerufen werden, das endgültig entscheidet. ²Die §§ 173 bis 175 gelten entsprechend.

§ 178a[7] **[Anhörungsrüge]** (1) ¹Auf die Rüge eines durch eine gerichtliche Entscheidung beschwerten Beteiligten ist das Verfahren fortzuführen, wenn

1. ein Rechtsmittel oder ein anderer Rechtsbehelf gegen die Entscheidung nicht gegeben ist und
2. das Gericht den Anspruch dieses Beteiligten auf rechtliches Gehör in entscheidungserheblicher Weise verletzt hat.

---

[1] § 173 Satz 2 eingef., bish. Satz 2 wird Satz 3 mWv 2.1.2002 durch G v. 17.8.2001 (BGBl. I S. 2144); Sätze 1 und 2 geänd. mWv 1.1.2018 durch G v. 5.7.2017 (BGBl. I S. 2208).

[2] Nr. **665**.

[3] § 174 aufgeh. mWv 1.4.2008 durch G v. 26.3.2008 (BGBl. I S. 444).

[4] Auszugsweise abgedruckt unter Nr. **320**.

[5] Auszugsweise abgedruckt unter Nr. **665**.

[6] § 177 neu gef. durch G v. 17.12.1990 (BGBl. I S. 2809); geänd. durch G v. 11.1.1993 (BGBl. I S. 50).

[7] § 178a eingef. mWv 1.1.2005 durch G v. 9.12.2004 (BGBl. I S. 3220); Abs. 2 Satz 5 aufgeh., bish. Satz 6 wird Satz 5 mWv 1.7.2008 durch G v. 12.12.2007 (BGBl. I S. 2840); Abs. 2 Satz 4 geänd. mWv 1.1.2018 durch G v. 5.7.2017 (BGBl. I S. 2208); Abs. 2 Satz 3 geänd. mWv 1.1.2025 durch G v. 15.7.2024 (BGBl. 2024 I Nr. 236).

[2]Gegen eine der Endentscheidung vorausgehende Entscheidung findet die Rüge nicht statt.

(2) [1]Die Rüge ist innerhalb von zwei Wochen nach Kenntnis von der Verletzung des rechtlichen Gehörs zu erheben; der Zeitpunkt der Kenntniserlangung ist glaubhaft zu machen. [2]Nach Ablauf eines Jahres seit Bekanntgabe der angegriffenen Entscheidung kann die Rüge nicht mehr erhoben werden. [3]Formlos mitgeteilte Entscheidungen gelten mit dem ***[bis 31.12.2024:*** dritten Tage***][ab 1.1.2025:*** *vierten Tage****]*** nach Aufgabe zur Post als bekannt gegeben. [4]Die Rüge ist schriftlich oder zu Protokoll des Urkundsbeamten der Geschäftsstelle bei dem Gericht zu erheben, dessen Entscheidung angegriffen wird. [5]Die Rüge muss die angegriffene Entscheidung bezeichnen und das Vorliegen der in Absatz 1 Satz 1 Nr. 2 genannten Voraussetzungen darlegen.

(3) Den übrigen Beteiligten ist, soweit erforderlich, Gelegenheit zur Stellungnahme zu geben.

(4) [1]Ist die Rüge nicht statthaft oder nicht in der gesetzlichen Form oder Frist erhoben, so ist sie als unzulässig zu verwerfen. [2]Ist die Rüge unbegründet, weist das Gericht sie zurück. [3]Die Entscheidung ergeht durch unanfechtbaren Beschluss. [4]Der Beschluss soll kurz begründet werden.

(5) [1]Ist die Rüge begründet, so hilft ihr das Gericht ab, indem es das Verfahren fortführt, soweit dies aufgrund der Rüge geboten ist. [2]Das Verfahren wird in die Lage zurückversetzt, in der es sich vor dem Schluss der mündlichen Verhandlung befand. [3]In schriftlichen Verfahren tritt an die Stelle des Schlusses der mündlichen Verhandlung der Zeitpunkt, bis zu dem Schriftsätze eingereicht werden können. [4]Für den Ausspruch des Gerichts ist § 343 der Zivilprozessordnung[1)] entsprechend anzuwenden.

(6) § 175 Satz 3 ist entsprechend anzuwenden.

Dritter Abschnitt. Wiederaufnahme des Verfahrens und besondere Verfahrensvorschriften

§ 179 [Zulässigkeit] (1) Ein rechtskräftig beendetes Verfahren kann entsprechend den Vorschriften des Vierten Buches der Zivilprozeßordnung[2)] [3)] wieder aufgenommen werden.

(2) Die Wiederaufnahme des Verfahrens ist ferner zulässig, wenn ein Beteiligter strafgerichtlich verurteilt worden ist, weil er Tatsachen, die für die Entscheidung der Streitsache von wesentlicher Bedeutung waren, wissentlich falsch behauptet oder vorsätzlich verschwiegen hat.

(3) Auf Antrag kann das Gericht anordnen, daß die gewährten Leistungen zurückzuerstatten sind.

§ 180[4)] [Weitere Zulässigkeit] (1) Eine Wiederaufnahme des Verfahrens ist auch zulässig, wenn

---

[1)] **beck-online, Module Arbeitsrecht Nr. 320.**

[2)] Auszugsweise abgedruckt unter Nr. **320**.

[3)] Siehe §§ 578–591 ZPO **(beck-online, Module Arbeitsrecht Nr. 320)**.

[4)] § 180 Abs. 2 geänd. und Abs. 6 aufgeh. mWv 2.1.2002 durch G v. 17.8.2001 (BGBl. I S. 2144); Abs. 2 geänd. mWv 1.1.2024 durch G v. 12.12.2019 (BGBl. I S. 2652).

1. mehrere Versicherungsträger denselben Anspruch endgültig anerkannt haben oder wegen desselben Anspruchs rechtskräftig zur Leistung verurteilt worden sind,
2. ein oder mehrere Versicherungsträger denselben Anspruch endgültig abgelehnt haben oder wegen desselben Anspruchs rechtskräftig von der Leistungspflicht befreit worden sind, weil ein anderer Versicherungsträger leistungspflichtig sei, der seine Leistung bereits endgültig abgelehnt hat oder von ihr rechtskräftig befreit worden ist.

(2) Das gleiche gilt im Verhältnis zwischen Versicherungsträgern und einem Land, wenn streitig ist, ob eine Leistung aus der Sozialversicherung oder nach dem Sozialen Entschädigungsrecht zu gewähren ist.

(3) [1] Der Antrag auf Wiederaufnahme des Verfahrens ist bei einem der gemäß § 179 Abs. 1 für die Wiederaufnahme zuständigen Gerichte der Sozialgerichtsbarkeit zu stellen. [2] Dieses verständigt die an den Wiederaufnahmeverfahren Beteiligten und die Gerichte, die über den Anspruch entschieden haben. [3] Es gibt die Sache zur Entscheidung an das gemeinsam nächsthöhere Gericht ab.

(4) Das zur Entscheidung berufene Gericht bestimmt unter Aufhebung der entgegenstehenden Bescheide oder richterlichen Entscheidungen den Leistungspflichtigen.

(5) Für die Durchführung des Verfahrens nach Absatz 4 gelten im übrigen die Vorschriften über die Wiederaufnahme des Verfahrens entsprechend.

§ 181[1] **[Gemeinsames nächsthöheres Gericht]** [1] Will das Gericht die Klage gegen einen Versicherungsträger ablehnen, weil es einen anderen Versicherungsträger für leistungspflichtig hält, obwohl dieser bereits den Anspruch endgültig abgelehnt hat oder in einem früheren Verfahren rechtskräftig befreit worden ist, so verständigt es den anderen Versicherungsträger und das Gericht, das über den Anspruch rechtskräftig entschieden hat, und gibt die Sache zur Entscheidung an das gemeinsam nächsthöhere Gericht ab. [2] Im übrigen gilt § 180 Abs. 2 und Abs. 4 und 5.

§ 182[2] **[Zwei leistungspflichtige Versicherungsträger]** (1) Hat das Bundessozialgericht oder ein Landessozialgericht die Leistungspflicht eines Versicherungsträgers rechtskräftig verneint, weil ein anderer Versicherungsträger verpflichtet sei, so kann der Anspruch gegen den anderen Versicherungsträger nicht abgelehnt werden, weil der im früheren Verfahren befreite Versicherungsträger leistungspflichtig sei.

(2) Das gleiche gilt im Verhältnis zwischen einem Versicherungsträger und einem Land, wenn die Leistungspflicht nach dem Sozialen Entschädigungsrecht streitig ist.

§ 182a[3] **[Sachliche Zuständigkeit bei Ansprüchen privater Pflegeversicherungen]** (1) [1] Beitragsansprüche von Unternehmen der privaten Pflegeversicherung nach dem Elften Buch Sozialgesetzbuch[4] können nach den Vor-

---

[1] § 181 Satz 2 geänd. mWv 2.1.2002 durch G v. 17.8.2001 (BGBl. I S. 2144).
[2] § 182 Abs. 2 geänd. mWv 2.1.2002 durch G v. 17.8.2001 (BGBl. I S. 2144); Abs. 2 geänd. mWv *1.1.2024 durch G v. 12.12.2019* (BGBl. I S. 2652).
[3] § 182a eingef. durch G v. 30.3.1998 (BGBl. I S. 638).
[4] **Aichberger, SGB Nr. 11.**

schriften der Zivilprozeßordnung[1)] im Mahnverfahren vor dem Amtsgericht geltend gemacht werden. [2]In dem Antrag auf Erlaß des Mahnbescheids können mit dem Beitragsanspruch Ansprüche anderer Art nicht verbunden werden. [3]Der Widerspruch gegen den Mahnbescheid kann zurückgenommen werden, solange die Abgabe an das Sozialgericht nicht verfügt ist.

(2) [1]Mit Eingang der Akten beim Sozialgericht ist nach den Vorschriften dieses Gesetzes zu verfahren. [2]Für die Entscheidung des Sozialgerichts über den Einspruch gegen den Vollstreckungsbescheid gelten § 700 Abs. 1 und § 343 der Zivilprozeßordnung[2)] entsprechend.

Vierter Abschnitt. Kosten und Vollstreckung

Erster Unterabschnitt. Kosten

§ 183[3)] [Kostenfreiheit] [1]Das Verfahren vor den Gerichten der Sozialgerichtsbarkeit ist für Versicherte, Leistungsempfänger einschließlich Hinterbliebenenleistungsempfänger, Menschen mit Behinderungen oder deren Sonderrechtsnachfolger nach § 56 des Ersten Buches Sozialgesetzbuch[4)] kostenfrei, soweit sie in dieser jeweiligen Eigenschaft als Kläger oder Beklagte beteiligt sind. [2]Nimmt ein sonstiger Rechtsnachfolger das Verfahren auf, bleibt das Verfahren in dem Rechtszug kostenfrei. [3]Den in Satz 1 und 2 genannten Personen steht gleich, wer im Falle des Obsiegens zu diesen Personen gehören würde. [4]Leistungsempfängern nach Satz 1 stehen Antragsteller nach § 55a Absatz 2 Satz 1 zweite Alternative gleich. [5]§ 93 Satz 3, § 109 Abs. 1 Satz 2, § 120 Absatz 1 Satz 2 und § 192 bleiben unberührt. [6]Die Kostenfreiheit nach dieser Vorschrift gilt nicht in einem Verfahren wegen eines überlangen Gerichtsverfahrens (§ 202 Satz 2).

§ 184[5)] [Pauschgebühr] (1) [1]Kläger und Beklagte, die nicht zu den in § 183 genannten Personen gehören, haben für jede Streitsache eine Gebühr zu entrichten. [2]Die Gebühr entsteht, sobald die Streitsache rechtshängig geworden ist; sie ist für jeden Rechtszug zu zahlen. [3]Soweit wegen derselben Streitsache ein Mahnverfahren (§ 182a) vorausgegangen ist, wird die Gebühr für das Verfahren über den Antrag auf Erlass eines Mahnbescheids nach dem Gerichtskostengesetz[6)] angerechnet.

(2) Die Höhe der Gebühr wird für das Verfahren

vor den Sozialgerichten auf	150 Euro,
vor den Landessozialgerichten auf	225 Euro,
vor dem Bundessozialgericht auf	300 Euro

festgesetzt.

[1)] Auszugsweise abgedruckt unter Nr. **320**.
[2)] **beck-online, Module Arbeitsrecht Nr. 320.**
[3)] § 183 neu gef. mWv 2.1.2002 durch G v. 17.8.2001 (BGBl. I S. 2144); Satz 1 geänd. mWv 1.4.2008 durch G v. 26.3.2008 (BGBl. I S. 444); Satz 4 eingef., bish. Satz 4 wird Satz 5 mWv 1.4.2011 durch G v. 24.3.2011 (BGBl. I S. 453); Satz 6 angef. mWv 3.12.2011 durch G v. 24.11.2011 (BGBl. I S. 2302); Satz 5 geänd. mWv 1.1.2018 durch G v. 5.7.2017 (BGBl. I S. 2208); Satz 1 geänd. mWv 1.1.2024 durch G v. 12.12.2019 (BGBl. I S. 2652).
[4)] Nr. **691**.
[5)] § 184 neu gef. mWv 2.1.2002 durch G v. 17.8.2001 (BGBl. I S. 2144).
[6)] Auszugsweise abgedruckt unter Nr. **667**.

(3) § 2 des Gerichtskostengesetzes[1)] gilt entsprechend.

§ 185[2)] [Fälligkeit der Pauschgebühr] Die Gebühr wird fällig, sobald die Streitsache durch Zurücknahme des Rechtsbehelfs, durch Vergleich, Anerkenntnis, Beschluß oder durch Urteil erledigt ist.

§ 186 [Ermäßigung der Pauschgebühr] [1] Wird eine Sache nicht durch Urteil erledigt, so ermäßigt sich die Gebühr auf die Hälfte. [2] Die Gebühr entfällt, wenn die Erledigung auf einer Rechtsänderung beruht.

§ 187[3)] [Mehrere Gebührenschuldner] Sind an einer Streitsache mehrere nach § 184 Abs. 1 Gebührenpflichtige beteiligt, so haben sie die Gebühr zu gleichen Teilen zu entrichten.

§ 188 [Pauschgebühr bei Wiederaufnahme] Wird ein durch rechtskräftiges Urteil abgeschlossenes Verfahren wieder aufgenommen, so ist das neue Verfahren eine besondere Streitsache.

§ 189[4)] [Feststellung der Pauschgebühr, Verzeichnis] (1) [1] Die Gebühren für die Streitsachen werden in einem Verzeichnis zusammengestellt. [2] Die Mitteilung eines Auszuges aus diesem Verzeichnis an die nach § 184 Abs. 1 Gebührenpflichtigen gilt als Feststellung der Gebührenschuld und als Aufforderung, den Gebührenbetrag binnen eines Monats an die in der Mitteilung angegebene Stelle zu zahlen.

(2) [1] Die Feststellung erfolgt durch den Urkundsbeamten der Geschäftsstelle. [2] Gegen diese Feststellung kann binnen eines Monats nach Mitteilung das Gericht angerufen werden, das endgültig entscheidet.

§ 190 [Niederschlagung der Pauschgebühr] [1] Die Präsidenten und die aufsichtführenden Richter der Gerichte der Sozialgerichtsbarkeit sind befugt, eine Gebühr, die durch unrichtige Behandlung der Sache ohne Schuld der gebührenpflichtigen Beteiligten entstanden ist, niederzuschlagen. [2] Sie können von der Einziehung absehen, wenn sie mit Kosten oder Verwaltungsaufwand verknüpft ist, die in keinem Verhältnis zu der Einnahme stehen.

§ 191 [Auslagenvergütung für Beteiligte] Ist das persönliche Erscheinen eines Beteiligten angeordnet worden, so werden ihm auf Antrag bare Auslagen und Zeitverlust wie einem Zeugen vergütet; sie können vergütet werden, wenn er ohne Anordnung erscheint und das Gericht das Erscheinen für geboten hält.

§ 192[5)] [Verschuldenskosten] (1) [1] Das Gericht kann im Urteil oder, wenn das Verfahren anders beendet wird, durch Beschluss einem Beteiligten ganz oder teilweise die Kosten auferlegen, die dadurch verursacht werden, dass

---

[1)] Nr. **667**.

[2)] § 185 geänd. durch G v. 11.1.1993 (BGBl. I S. 50).

[3)] § 187 geänd. mWv 2.1.2002 durch G v. 17.8.2001 (BGBl. I S. 2144).

[4)] § 189 Abs. 1 Satz 2 geänd. mWv 2.1.2002 durch G v. 17.8.2001 (BGBl. I S. 2144).

[5)] § 192 neu gef. mWv 2.1.2002 durch G v. 17.8.2001 (BGBl. I S. 2144); Abs. 1a eingef. und Abs. 2 Satz 1 geänd. mWv 1.1.2007 durch G v. 22.12.2006 (BGBl. I S. 3439); Abs. 1 Satz 1 Nr. 2 geänd., Abs. 1a wird Abs. 2, *bish.* Abs. 2 wird Abs. 3 und geänd., Abs. 4 angef. mWv 1.4.2008 durch G v. 26.3.2008 (BGBl. I S. 444); Abs. 2 aufgeh., Abs. 3 Satz 1 geänd. mWv 1.1.2013 durch G v. 20.12.2012 (BGBl. I S. 2789).

1. durch Verschulden des Beteiligten die Vertagung einer mündlichen Verhandlung oder die Anberaumung eines neuen Termins zur mündlichen Verhandlung nötig geworden ist oder
2. der Beteiligte den Rechtsstreit fortführt, obwohl ihm vom Vorsitzenden die Missbräuchlichkeit der Rechtsverfolgung oder -verteidigung dargelegt worden und er auf die Möglichkeit der Kostenauferlegung bei Fortführung des Rechtsstreites hingewiesen worden ist.

[2] Dem Beteiligten steht gleich sein Vertreter oder Bevollmächtigter. [3] Als verursachter Kostenbetrag gilt dabei mindestens der Betrag nach § 184 Abs. 2 für die jeweilige Instanz.

(2) *(aufgehoben)*

(3) [1] Die Entscheidung nach Absatz 1 wird in ihrem Bestand nicht durch die Rücknahme der Klage berührt. [2] Sie kann nur durch eine zu begründende Kostenentscheidung im Rechtsmittelverfahren aufgehoben werden.

(4) [1] Das Gericht kann der Behörde ganz oder teilweise die Kosten auferlegen, die dadurch verursacht werden, dass die Behörde erkennbare und notwendige Ermittlungen im Verwaltungsverfahren unterlassen hat, die im gerichtlichen Verfahren nachgeholt wurden. [2] Die Entscheidung ergeht durch gesonderten Beschluss.

§ 193[1)] [Kostenentscheidung] (1) [1] Das Gericht hat im Urteil zu entscheiden, ob und in welchem Umfang die Beteiligten einander Kosten zu erstatten haben. [2] Ist ein Mahnverfahren vorausgegangen (§ 182a), entscheidet das Gericht auch, welcher Beteiligte die Gerichtskosten zu tragen hat. [3] Das Gericht entscheidet auf Antrag durch Beschluß, wenn das Verfahren anders beendet wird.

(2) Kosten sind die zur zweckentsprechenden Rechtsverfolgung oder Rechtsverteidigung notwendigen Aufwendungen der Beteiligten.

(3) Die gesetzliche Vergütung eines Rechtsanwalts oder Rechtsbeistands ist stets erstattungsfähig.

(4) Nicht erstattungsfähig sind die Aufwendungen der in § 184 Abs. 1 genannten Gebührenpflichtigen.

§ 194 [Mehrheit von Kostenschuldnern] [1] Sind mehrere Beteiligte kostenpflichtig, so gilt § 100 der Zivilprozeßordnung[2)] entsprechend. [2] Die Kosten können ihnen als Gesamtschuldnern auferlegt werden, wenn das Streitverhältnis ihnen gegenüber nur einheitlich entschieden werden kann.

§ 195 [Kostentragung bei Vergleich] Wird der Rechtsstreit durch gerichtlichen Vergleich erledigt und haben die Beteiligten keine Bestimmung über die Kosten getroffen, so trägt jeder Beteiligte seine Kosten.

§ 196 (weggefallen)

[1)] § 193 Abs. 4 neu gef. durch G v. 21.12.1992 (BGBl. I S. 2266); Abs. 1 neu gef. durch G v. 30.3. 1998 (BGBl. I S 638); Abs. 4 Satz 2 aufgeh., bish. Satz 1 wird alleiniger Wortlaut und geänd. mWv 2.1.2002 durch G v. 17.8.2001 (BGBl. I S. 2144); Abs. 4 geänd. mWv 1.8.2003 durch G v. 24.7.2003 (BGBl. I S. 1526); Abs. 3 neu gef. mWv 1.7.2004 durch G v. 5.5.2004 (BGBl. I S. 718).

[2)] **beck-online, Module Arbeitsrecht Nr. 320.**

§ 197[1)] **[Kostenfestsetzung]** (1) [1]Auf Antrag der Beteiligten oder ihrer Bevollmächtigten setzt der Urkundsbeamte des Gerichts des ersten Rechtszugs den Betrag der zu erstattenden Kosten fest. [2]§ 104 Abs. 1 Satz 2 und Abs. 2 der Zivilprozeßordnung[2)] findet entsprechende Anwendung.

(2) Gegen die Entscheidung des Urkundsbeamten der Geschäftsstelle kann binnen eines Monats nach Bekanntgabe das Gericht angerufen werden, das endgültig entscheidet.

§ 197a[3)] **[Kostenpflichtigkeit]** (1) [1]Gehört in einem Rechtszug weder der Kläger noch der Beklagte zu den in § 183 genannten Personen oder handelt es sich um ein Verfahren wegen eines überlangen Gerichtsverfahrens (§ 202 Satz 2), werden Kosten nach den Vorschriften des Gerichtskostengesetzes[4)] erhoben; die §§ 184 bis 195 finden keine Anwendung; die §§ 154 bis 162 der Verwaltungsgerichtsordnung[5)] sind entsprechend anzuwenden. [2]Wird die Klage zurückgenommen, findet § 161 Abs. 2 der Verwaltungsgerichtsordnung[5)] keine Anwendung. ***[Satz 3 ab 1.7.2026:]*** *[3]§ 163 der Verwaltungsgerichtsordnung[5)] ist mit der Maßgabe entsprechend anzuwenden, dass § 138 Satz 2 bis 5 an die Stelle von § 118 Absatz 2 der Verwaltungsgerichtsordnung[5)] und § 197 Absatz 2 an die Stelle von § 165 der Verwaltungsgerichtsordnung[5)] tritt.*

(2) [1]Dem Beigeladenen werden die Kosten außer in den Fällen des § 154 Abs. 3 der Verwaltungsgerichtsordnung[5)] auch auferlegt, soweit er verurteilt wird (§ 75 Abs. 5). [2]Ist eine der in § 183 genannten Personen beigeladen, können dieser Kosten nur unter den Voraussetzungen von § 192 auferlegt werden. [3]Aufwendungen des Beigeladenen werden unter den Voraussetzungen des § 191 vergütet; sie gehören nicht zu den Gerichtskosten.

(3) Die Absätze 1 und 2 gelten auch für Träger der Sozialhilfe einschließlich der Leistungen nach Teil 2 des Neunten Buches Sozialgesetzbuch[6)], soweit sie an Erstattungsstreitigkeiten mit anderen Trägern beteiligt sind.

§ 197b[7)] **[Ansprüche beim Bundessozialgericht]** [1]Für Ansprüche, die beim Bundessozialgericht entstehen, gelten das Justizverwaltungskostengesetz[8)] und das Justizbeitreibungsgesetz[9)] entsprechend, soweit sie nicht unmittelbar Anwendung finden. [2]Vollstreckungsbehörde ist die Justizbeitreibungsstelle des Bundessozialgerichts.

---

1) § 197 Abs. 1 Satz 2 geänd. mWv 2.1.2002 durch G v. 17.8.2001 (BGBl. I S. 2144).

2) **beck-online, Module Arbeitsrecht Nr. 320.**

3) § 197a eingef. mWv 2.1.2002 durch G v. 17.8.2001 (BGBl. I S. 2144); Abs. 3 angef. mWv 1.1. 2005 durch G v. 9.12.2004 (BGBl. I S. 3302); Abs. 1 Satz 1 geänd. mWv 3.12.2011 durch G v. 24.11. 2011 (BGBl. I S. 2302); Abs. 3 geänd. mWv 1.1.2020 durch G v. 23.12.2016 (BGBl. I S. 3234); Abs. 1 Satz 3 angef. mWv 1.7.2026 durch G v. 8.12.2025 (BGBl. 2025 I Nr. 318).

4) Auszugsweise abgedruckt unter Nr. **667**.

5) **beck-online, Module Arbeitsrecht Nr. 663.**

6) Auszugsweise abgedruckt unter Nr. **440**.

7) § 197b eingef. mWv 1.4.2008 durch G v. 26.3.2008 (BGBl. I S. 444); Satz 1 geänd. mWv 1.8. 2013 durch G v. 23.7.2013 (BGBl. I S. 2586); Satz 1 geänd. mWv 1.7.2017 durch G v. 21.11.2016 *(BGBl. I S. 2591).*

8) **Habersack Nr. 120.**

9) **Habersack Nr. 122.**

Zweiter Unterabschnitt. Vollstreckung

§ 198[1] **[Geltung der ZPO]** (1) Für die Vollstreckung gilt das Achte Buch der Zivilprozeßordnung[2] entsprechend, soweit sich aus diesem Gesetz nichts anderes ergibt.

(2) Die Vorschriften über die vorläufige Vollstreckbarkeit sind nicht anzuwenden.

(3) An die Stelle der sofortigen Beschwerde tritt die Beschwerde (§§ 172 bis 177).

§ 199[3] **[Vollstreckungstitel]** (1) Vollstreckt wird

1. aus gerichtlichen Entscheidungen, soweit nach den Vorschriften dieses Gesetzes kein Aufschub eintritt,
2. aus einstweiligen Anordnungen,
3. aus Anerkenntnissen und gerichtlichen Vergleichen,
4. aus Kostenfestsetzungsbeschlüssen,
5. aus Vollstreckungsbescheiden.

(2) [1] Hat ein Rechtsmittel keine aufschiebende Wirkung, so kann der Vorsitzende des Gerichts, das über das Rechtsmittel zu entscheiden hat, die Vollstreckung durch einstweilige Anordnung aussetzen. [2] Er kann die Aussetzung und Vollstreckung von einer Sicherheitsleistung abhängig machen; die §§ 108, 109, 113 der Zivilprozeßordnung[4] gelten entsprechend. [3] Die Anordnung ist unanfechtbar; sie kann jederzeit aufgehoben werden.

(3) [1] Absatz 2 Satz 1 gilt entsprechend, wenn ein Urteil nach § 131 Abs. 4 bestimmt hat, daß eine Wahl oder eine Ergänzung der Selbstverwaltungsorgane zu wiederholen ist. [2] Die einstweilige Anordnung ergeht dahin, daß die Wiederholungswahl oder die Ergänzung der Selbstverwaltungsorgane für die Dauer des Rechtsmittelverfahrens unterbleibt.

(4) Für die Vollstreckung können den Beteiligten auf ihren Antrag Ausfertigungen des Urteils ohne Tatbestand und ohne Entscheidungsgründe erteilt werden, deren Zustellung in den Wirkungen der Zustellung eines vollständigen Urteils gleichsteht.

§ 200 **[Vollstreckung zugunsten der öffentlichen Hand]** (1) Soll zugunsten einer Bundesbehörde oder einer bundesunmittelbaren Körperschaft des öffentlichen Rechts oder einer bundesunmittelbaren Anstalt des öffentlichen Rechts vollstreckt werden, so richtet sich die Vollstreckung nach dem Verwaltungsvollstreckungsgesetz[5].

(2) [1] Bei der Vollstreckung zugunsten einer Behörde, die nicht Bundesbehörde ist, sowie zugunsten einer nicht bundesunmittelbaren Körperschaft oder Anstalt des öffentlichen Rechts gelten die Vorschriften des Verwaltungsvollstreckungsgesetzes entsprechend. [2] In diesem Falle bestimmt das Land die Vollstreckungsbehörde.

---

[1] § 198 Abs. 2 geänd. mWv 2.1.2002 durch G v. 17.8.2001 (BGBl. I S. 2144).

[2] Auszugsweise abgedruckt unter Nr. **320**.

[3] § 199 Abs. 1 Nr. 3 geänd. und Nr. 4 angef. durch G v. 30.3.1998 (BGBl. I S. 638); Abs. 1 Nr. 2 eingef., bish. Nrn. 2 bis 4 werden Nrn. 3 bis 5 mWv 2.1.2002 durch G v. 17.8.2001 (BGBl. I S. 2144).

[4] **beck-online, Module Arbeitsrecht Nr. 320.**

[5] **Sartorius Nr. 112.**

§ 201[1)] **[Vollstreckung von Verpflichtungsurteilen]** (1) [1]Kommt die Behörde in den Fällen des § 131 der im Urteil auferlegten Verpflichtung nicht nach, so kann das Gericht des ersten Rechtszugs auf Antrag unter Fristsetzung ein Zwangsgeld bis zu tausend Euro durch Beschluß androhen und nach vergeblichem Fristablauf festsetzen. [2]Das Zwangsgeld kann wiederholt festgesetzt werden.

(2) Für die Vollstreckung gilt § 200.

Dritter Teil. Übergangs- und Schlußvorschriften

§ 202[2)] **[Entsprechende Anwendung des GVG und der ZPO]** [1]Soweit dieses Gesetz keine Bestimmungen über das Verfahren enthält, sind das Gerichtsverfassungsgesetz[3)] und die Zivilprozeßordnung[4)] einschließlich der §§ 129a, 278 Absatz 5 und § 278a entsprechend anzuwenden, wenn die grundsätzlichen Unterschiede der beiden Verfahrensarten dies nicht ausschließen; das Leitentscheidungsverfahren nach den §§ 552b und 565 der Zivilprozessordnung[5)] ist nicht anzuwenden. [2]Die Vorschriften des Siebzehnten Titels des Gerichtsverfassungsgesetzes[3)] sind mit der Maßgabe entsprechend anzuwenden, dass an die Stelle des Oberlandesgerichts das Landessozialgericht, an die Stelle des Bundesgerichtshofs das Bundessozialgericht und an die Stelle der Zivilprozessordnung[4)] das Sozialgerichtsgesetz tritt. [3]In Streitigkeiten über Entscheidungen des Bundeskartellamts, die die freiwillige Vereinigung von Krankenkassen nach § 172a des Fünften Buches Sozialgesetzbuch[6)] betreffen, sind die §§ 63 bis 80 des Gesetzes gegen Wettbewerbsbeschränkungen[7)] mit der Maßgabe entsprechend anzuwenden, dass an die Stelle des Oberlandesgerichts das Landessozialgericht, an die Stelle des Bundesgerichtshofs das Bundessozialgericht und an die Stelle der Zivilprozessordnung[4)] das Sozialgerichtsgesetz tritt.

§ 203 **[Verweisungen auf aufgehobene Vorschriften]** Soweit in anderen Gesetzen auf Vorschriften oder Bezeichnungen verwiesen wird, die durch dieses Gesetz aufgehoben werden, treten an deren Stelle die entsprechenden Vorschriften oder die Bezeichnungen dieses Gesetzes.

§ 203a **[Sitzungen des BSG in Berlin]** Die Senate des Bundessozialgerichts können Sitzungen auch in Berlin abhalten.

§ 204 **[Zuständigkeit früherer Versicherungsbehörden und Versorgungsgerichte]** Vor die Gerichte der Sozialgerichtsbarkeit gehören auch Streitigkeiten, für welche durch Rechtsverordnung die Zuständigkeit der frü-

---

[1)] § 201 Abs. 1 Satz 1 geänd. mWv 1.1.2002 durch G v. 21.12.2000 (BGBl. I S. 1983).

[2)] § 202 Satz 2 angef. mWv 3.12.2011 durch G v. 24.11.2011 (BGBl. I S. 2302); Satz 1 geänd. mWv 26.7.2012 durch G v. 21.7.2012 (BGBl. I S. 1577); Satz 3 angef. mWv 30.6.2013 durch G v. 26.6.2013 (BGBl. I S. 1738); Satz 3 geänd. mWv 9.6.2017 durch G v. 1.6.2017 (BGBl. I S. 1416); Satz 1 geänd. mWv 1.11.2018 durch G v. 12.7.2018 (BGBl. I S. 1151); Satz 3 geänd. mWv 19.1.2021 durch G v. 18.1.2021 (BGBl. I S. 2); Satz 1 geänd. mWv 13.10.2023 durch G v. 8.10.2023 (BGBl. 2023 I Nr. 272); Satz 1 geänd. mWv 19.7.2024 durch G v. 15.7.2024 (BGBl. 2024 I Nr. 237); Satz 1 geänd. mWv 31.10.2024 durch G v. 24.10.2024 (BGBl. 2024 I Nr. 328).

[3)] Auszugsweise abgedruckt unter Nr. **665**.

[4)] Auszugsweise abgedruckt unter Nr. **320**.

[5)] ***beck-online, Module Arbeitsrecht Nr. 320.***

[6)] **beck-online, Module Arbeitsrecht Nr. 695.**

[7)] **beck-online, Module Arbeitsrecht Nr. 509.**

heren Versicherungsbehörden oder Versorgungsgerichte begründet worden war.

§ 205[1] **[Vernehmung durch bestimmten Richter]** [1]Erfolgt die Vernehmung oder die Verteidigung von Zeugen und Sachverständigen nach dem Zehnten Buch Sozialgesetzbuch[2] durch das Sozialgericht, findet sie vor dem dafür im Geschäftsverteilungsplan bestimmten Richter statt. [2]Über die Rechtmäßigkeit einer Verweigerung des Zeugnisses, des Gutachtens oder der Eidesleistung nach dem Zehnten Buch Sozialgesetzbuch[2] entscheidet das Sozialgericht durch Beschluß.

§ 206[3] **[Übergangsvorschriften]** (1) Auf Verfahren in Angelegenheiten der Sozialhilfe und des Asylbewerberleistungsgesetzes[4], die nicht auf die Gerichte der Sozialgerichtsbarkeit übergehen, ist § 188 der Verwaltungsgerichtsordnung[5] in der bis zum 31. Dezember 2004 geltenden Fassung anzuwenden.

(2) [1]Auf Verfahren, die am 1. Januar 2009 bei den besonderen Spruchkörpern der Gerichte der Verwaltungsgerichtsbarkeit anhängig sind, sind die §§ 1, 50a bis 50c und 60 in der bis zum 31. Dezember 2008 geltenden Fassung anzuwenden. [2]Für einen Rechtsbehelf gegen Entscheidungen eines besonderen Spruchkörpers des Verwaltungsgerichts, die nach dem 31. Dezember 2008 ergehen, ist das Landessozialgericht zuständig.

§ 207[6] **Vergabekammern, Übergangsvorschriften.** [1]Verfahren in Streitigkeiten über Entscheidungen von Vergabekammern, die Rechtsbeziehungen nach § 69 des Fünften Buches Sozialgesetzbuch[7] betreffen und die am 28. Dezember 2010 bei den Landessozialgerichten anhängig sind, gehen in dem Stadium, in dem sie sich befinden, auf das für den Sitz der Vergabekammer zuständige Oberlandesgericht über. [2]Verfahren in Streitigkeiten über Entscheidungen von Vergabekammern, die Rechtsbeziehungen nach § 69 des Fünften Buches Sozialgesetzbuch[7] betreffen und die am 28. Dezember 2010 beim Bundessozialgericht anhängig sind, gehen auf den Bundesgerichtshof über. [3]Die Sätze 1 und 2 gelten nicht für Verfahren, die sich in der Hauptsache erledigt haben.

§ 208[8] **[Ehrenamtliche Richter]** (1) [1]Ehrenamtliche Richter, die vor dem 1. Januar 2012 nach § 23 Absatz 1 Satz 2 als Mitglieder des Ausschusses der ehrenamtlichen Richter gewählt worden sind, bleiben bis zum Ende der für sie geltenden Wahlperiode im Amt. [2]Dies gilt auch für ehrenamtliche Richter, die aus den Vorschlagslisten für den Kreis der Arbeitnehmer vor dem 25. Oktober 2013 in das Amt berufen worden sind.

(2) Ehrenamtliche Richter, die aus den Vorschlagslisten für den Kreis der Arbeitnehmer vor dem 25. Oktober 2013 in das Amt berufen worden sind,

---

[1] § 205 eingef. durch G v. 18.8.1980 (BGBl. I S. 1469).

[2] Auszugsweise abgedruckt unter Nr. **699**.

[3] § 206 eingef. mWv 1.1.2005 durch G v. 9.12.2004 (BGBl. I S. 3302).

[4] Auszugsweise abgedruckt unter Nr. **781**.

[5] **beck-online, Module Arbeitsrecht Nr. 663.**

[6] § 207 neu gef. mWv 1.1.2011 durch G v. 22.12.2010 (BGBl. I S. 2262); Satz 4 aufgeh. mWv 18.4.2016 durch G v. 17.2.2016 (BGBl. I S. 203).

[7] **beck-online, Module Arbeitsrecht Nr. 695.**

[8] § 208 neu gef. mWv 1.1.2012 durch G v. 22.12.2011 (BGBl. I S. 3057); Abs. 1 Satz 2 und Abs. 2 angef. mWv 25.10.2013 durch G v. 19.10.2013 (BGBl. I S. 3836).

bleiben bis zum Ende der Zeit, für die sie berufen worden sind, im Amt und gehören so lange den für Angelegenheiten der Grundsicherung für Arbeitsuchende einschließlich der Streitigkeiten auf Grund des § 6a des Bundeskindergeldgesetzes[1] und der Arbeitsförderung zuständigen Kammern an.

§ 209[2] **[Geltung des § 43 des Einführungsgesetzes zum GVG]** § 43 des Einführungsgesetzes zum Gerichtsverfassungsgesetz[3] gilt entsprechend.

§ 210[4] **[Verfahrensübergang auf Landessozialgerichte]** (1) [1]Verfahren in Streitigkeiten über Entscheidungen der Schiedsstellen nach § 133 des Neunten Buches Sozialgesetzbuch[5], die am 23. Juni 2020 bei den Sozialgerichten anhängig sind, gehen in dem Stadium, in dem sie sich befinden, auf die Landessozialgerichte über. [2]Dies gilt nicht für Verfahren, die sich in der Hauptsache erledigt haben.

(2) [1]Verfahren gegen Entscheidungen der Schiedsstellen nach § 75 Absatz 3c, § 111b Absatz 6, § 132a Absatz 3, § 132l Absatz 4 des Fünften Buches Sozialgesetzbuch[6] und des Schiedsgremiums nach § 113c Absatz 4 des Elften Buches Sozialgesetzbuch[7], die am 1. Januar 2023 anhängig sind, gehen in dem Stadium, in dem sie sich befinden, auf die Landessozialgerichte über. [2]Satz 1 gilt nicht für Verfahren, die sich in der Hauptsache erledigt haben.

(3) [1]Verfahren gegen Entscheidungen der Schiedsstellen nach den §§ 125, 131 und 134a des Fünften Buches Sozialgesetzbuch[6], der Schlichtungsstelle nach § 319 des Fünften Buches Sozialgesetzbuch[6], des Qualitätsausschusses nach § 113b Absatz 1 des Elften Buches Sozialgesetzbuch und des erweiterten Qualitätsausschusses nach § 113b Absatz 3 des Elften Buches Sozialgesetzbuch sowie Klagen, welche die Mitwirkung an den Richtlinien des Medizinischen Dienstes Bund betreffen (§ 17 Absatz 1, §§ 18b, 112a Absatz 2, § 114a Absatz 7 und § 114c Absatz 1 des Elften Buches Sozialgesetzbuch in der am 31. Dezember 2022 geltenden Fassung), die am 1. Januar 2023 anhängig sind, gehen in dem Stadium, in dem sie sich befinden, auf das Landessozialgericht Berlin-Brandenburg über. [2]Satz 1 gilt nicht für Verfahren, die sich in der Hauptsache erledigt haben.

[§ 211 bis 31.12.2035:]

§ 211[8] **[Verschlusssachen und Akten in Papierform]** (1) [1]Dokumente und Aktenteile, die nach den Verschlusssachenanweisungen des Bundes oder der Länder als Verschlusssache höher als VS-NUR FÜR DEN DIENSTGEBRAUCH eingestuft sind, dürfen bis zum 31. Dezember 2035 abweichend von den §§ 65a bis 65d in Papierform erstellt, geführt und übermittelt werden.

---

[1] **beck-online, Module Arbeitsrecht Nr. 332.**

[2] § 209 eingef. mWv 19.10.2017 durch G v. 8.10.2017 (BGBl. I S. 3546).

[3] **Habersack Nr. 95a.**

[4] § 210 eingef. mWv 1.7.2020 durch G v. 12.6.2020 (BGBl. I S. 1248); Abs. 2 und 3 angef. mWv 1.1.2023 durch G v. 20.12.2022 (BGBl. I S. 2759); Abs. 3 Satz 1 geänd. mWv 1.10.2023 durch G v. 19.6.2023 (BGBl. 2023 I Nr. 155).

[5] **beck-online, Module Arbeitsrecht Nr. 440.**

[6] **beck-online, Module Arbeitsrecht Nr. 695.**

[7] **Aichberger, SGB Nr. 11.**

[8] § 211 neu gef. mWv 17.7.2024 durch G v. 12.7.2024 (BGBl. 2024 I Nr. 234, geänd. durch G v. *8.12.2025, BGBl. 2025 I Nr. 319*); Abs. 3 angef. mWv 12.12.2025, Abs. 2 aufgeh., bish. Abs. 3 wird Abs. 2 und Satz 1 geänd. mWv 1.1.2026, Abs. 2 aufgeh. mWv 1.1.2027 durch G v. 8.12.2025 (BGBl. 2025 I Nr. 319).

[2]Dokumente und Aktenteile, die nach den Verschlusssachenanweisungen des Bundes oder der Länder als Verschlusssache VS-NUR FÜR DEN DIENSTGEBRAUCH eingestuft sind, dürfen bis zum 31. Dezember 2035 abweichend von den §§ 65a bis 65d in Papierform übermittelt werden. [3]Die für die Handhabung von Verschlusssachen geltenden Geheimschutzvorschriften bleiben unberührt.

[Abs. 2 aufgeh. ab 1.1.2027:]

(2) [1]Die Bundesregierung und die Landesregierungen können jeweils für ihren Bereich durch Rechtsverordnung bestimmen, dass Akten abweichend von § 65b Absatz 1 Satz 1 und Absatz 2 Satz 1 bis einschließlich 31. Dezember 2026 in Papierform angelegt sowie von anderer Stelle bis einschließlich 31. Dezember 2026 übermittelte elektronische Akten in Papierform geführt oder weitergeführt werden. [2]Die Bestimmung kann auf einzelne Gerichte oder Verfahren beschränkt werden; wird von dieser Möglichkeit Gebrauch gemacht, so kann in der Rechtsverordnung bestimmt werden, dass durch Verwaltungsvorschrift, die öffentlich bekanntzumachen ist, geregelt wird, in welchen Verfahren Akten in Papierform angelegt oder elektronisch übermittelte Akten in Papierform geführt oder weitergeführt werden. [3]Die Rechtsverordnung der Bundesregierung bedarf nicht der Zustimmung des Bundesrates. [4]Die Bundesregierung kann die in Satz 1 genannte Ermächtigung durch Rechtsverordnung auf die zuständigen Bundesministerien übertragen. [5]Die Landesregierungen können die in Satz 1 genannte Ermächtigung durch Rechtsverordnung auf die für die Sozialgerichtsbarkeit zuständigen obersten Landesbehörden übertragen.

[§ 211 ab 1.1.2036:]

§ 211[1)] *(aufgehoben)*

§§ 212–217 (weggefallen)

§ 218 *(gegenstandslos)*

§ 219[2)] **[Abweichungen der Länder]** Die Länder können Abweichungen von den Vorschriften des § 85 Abs. 2 Nr. 1 zulassen.

§ 220[3)] *(aufgehoben)*

§§ 221–223 (weggefallen)

[1)] § 211 aufgeh. mWv 1.1.2036 durch G v. 12.7.2024 (BGBl. 2024 I Nr. 234).
[2)] § 219 geänd. mWv 2.1.2002 durch G v. 17.8.2001 (BGBl. I S. 2144).
[3)] § 220 aufgeh. mWv 1.1.2025 durch G v. 20.8.2021 (BGBl. I S. 3932).

XI.

Sozialgesetzbuch

691. Sozialgesetzbuch (SGB) Erstes Buch (I) Allgemeiner Teil[1)]

Vom 11. Dezember 1975
(BGBl. I S. 3015)

FNA 860-1

zuletzt geänd. durch Art. 62 Abs. 3 StandortförderG v. 4.2.2026 (BGBl. 2026 I Nr. 33)

(Vom Abdruck des Inhaltsverzeichnisses wurde abgesehen)

Erster Abschnitt. Aufgaben des Sozialgesetzbuchs und soziale Rechte

§ 1 Aufgaben des Sozialgesetzbuchs. (1) [1]Das Recht des Sozialgesetzbuchs soll zur Verwirklichung sozialer Gerechtigkeit und sozialer Sicherheit Sozialleistungen einschließlich sozialer und erzieherischer Hilfen gestalten. [2]Es soll dazu beitragen,

ein menschenwürdiges Dasein zu sichern,

gleiche Voraussetzungen für die freie Entfaltung der Persönlichkeit, insbesondere auch für junge Menschen zu schaffen,

die Familie zu schützen und zu fördern,

den Erwerb des Lebensunterhalts durch eine frei gewählte Tätigkeit zu ermöglichen und

besondere Belastungen des Lebens, auch durch Hilfe zur Selbsthilfe, abzuwenden oder auszugleichen.

(2) Das Recht des Sozialgesetzbuchs soll auch dazu beitragen, daß die zur Erfüllung der in Absatz 1 genannten Aufgaben erforderlichen sozialen Dienste und Einrichtungen rechtzeitig und ausreichend zur Verfügung stehen.

§ 2 Soziale Rechte. (1) [1]Der Erfüllung der in § 1 genannten Aufgaben dienen die nachfolgenden sozialen Rechte. [2]Aus ihnen können Ansprüche nur insoweit geltend gemacht oder hergeleitet werden, als deren Voraussetzungen und Inhalt durch die Vorschriften der besonderen Teile dieses Gesetzbuchs im einzelnen bestimmt sind.

(2) Die nachfolgenden sozialen Rechte sind bei der Auslegung der Vorschriften dieses Gesetzbuchs und bei der Ausübung von Ermessen zu beachten; dabei ist sicherzustellen, daß die sozialen Rechte möglichst weitgehend verwirklicht werden.

§ 3[2)] Bildungs- und Arbeitsförderung. (1) Wer an einer Ausbildung teilnimmt, die seiner Neigung, Eignung und Leistung entspricht, hat ein Recht

---

[1)] Verkündet als Art. I Sozialgesetzbuch (SGB) – Allgemeiner Teil – v. 11.12.1975 (BGBl. I S. 3015); Inkrafttreten gem. Art. II § 23 Abs. 1 Satz 1 dieses G am 1.1.1976 mit Ausnahme des § 44, der gem. Art. II § 23 Abs. 2 Satz 1 am 1.1.1978 in Kraft getreten ist.

[2)] § 3 Abs. 2 Nr. 2 geänd. durch G v. 24.3.1997 (BGBl. I S. 594).

auf individuelle Förderung seiner Ausbildung, wenn ihm die hierfür erforderlichen Mittel nicht anderweitig zur Verfügung stehen.

(2) Wer am Arbeitsleben teilnimmt oder teilnehmen will, hat ein Recht auf

1. Beratung bei der Wahl des Bildungswegs und des Berufs,
2. individuelle Förderung seiner beruflichen Weiterbildung,
3. Hilfe zur Erlangung und Erhaltung eines angemessenen Arbeitsplatzes und
4. wirtschaftliche Sicherung bei Arbeitslosigkeit und bei Zahlungsunfähigkeit des Arbeitgebers.

§ 4[1)] Sozialversicherung. (1) Jeder hat im Rahmen dieses Gesetzbuchs ein Recht auf Zugang zur Sozialversicherung.

(2) [1] Wer in der Sozialversicherung versichert ist, hat im Rahmen der gesetzlichen Kranken-, Pflege-, Unfall- und Rentenversicherung einschließlich der Alterssicherung der Landwirte ein Recht auf

1. die notwendigen Maßnahmen zum Schutz, zur Erhaltung, zur Besserung und zur Wiederherstellung der Gesundheit und der Leistungsfähigkeit und
2. wirtschaftliche Sicherung bei Krankheit, Mutterschaft, Minderung der Erwerbsfähigkeit und Alter.

[2] Ein Recht auf wirtschaftliche Sicherung haben auch die Hinterbliebenen eines Versicherten.

§ 5[2)] Soziale Entschädigung. [1] Wer einen Gesundheitsschaden erleidet, für dessen Folgen die staatliche Gemeinschaft in Abgeltung eines besonderen Opfers oder aus anderen Gründen nach Grundsätzen des Sozialen Entschädigungsrechts einsteht, hat ein Recht auf

1. die notwendigen Maßnahmen zur Erhaltung, zur Besserung und zur Wiederherstellung der Gesundheit und der Leistungsfähigkeit und
2. angemessene wirtschaftliche Versorgung.

[2] Ein Recht auf angemessene Leistungen der Sozialen Entschädigung haben auch die Hinterbliebenen eines Geschädigten.

§ 6 Minderung des Familienaufwands. Wer Kindern Unterhalt zu leisten hat oder leistet, hat ein Recht auf Minderung der dadurch entstehenden wirtschaftlichen Belastungen.

§ 7 Zuschuß für eine angemessene Wohnung. Wer für eine angemessene Wohnung Aufwendungen erbringen muß, die ihm nicht zugemutet werden können, hat ein Recht auf Zuschuß zur Miete oder zu vergleichbaren Aufwendungen.

§ 8[3)] Kinder- und Jugendhilfe. [1] Junge Menschen und Personensorgeberechtigte haben im Rahmen dieses Gesetzbuchs ein Recht, Leistungen der

---

[1)] § 4 Abs. 2 Satz 1 geänd. durch G v. 26.5.1994 (BGBl. I S. 1014); Abs. 2 Satz 1 geänd. durch G v. 29.7.1994 (BGBl. I S. 1890).

[2)] § 5 Überschrift, Sätze 1 und 2 geänd. mWv 1.1.2024 durch G v. 12.12.2019 (BGBl. I S. 2652).

[3)] § 8 neu gef. durch G v. 26.6.1990 (BGBl. I S. 1163).

öffentlichen Jugendhilfe in Anspruch zu nehmen. [2] Sie sollen die Entwicklung junger Menschen fördern und die Erziehung in der Familie unterstützen und ergänzen.

§ 9[1)] Sozialhilfe. [1] Wer nicht in der Lage ist, aus eigenen Kräften seinen Lebensunterhalt zu bestreiten oder in besonderen Lebenslagen sich selbst zu helfen, und auch von anderer Seite keine ausreichende Hilfe erhält, hat ein Recht auf persönliche und wirtschaftliche Hilfe, die seinem besonderen Bedarf entspricht, ihn zur Selbsthilfe befähigt, die Teilnahme am Leben in der Gemeinschaft ermöglicht und die Führung eines menschenwürdigen Lebens sichert. [2] Hierbei müssen Leistungsberechtigte nach ihren Kräften mitwirken.

§ 10[2)] Teilhabe behinderter Menschen. Menschen, die körperlich, geistig oder seelisch behindert sind oder denen eine solche Behinderung droht, haben unabhängig von der Ursache der Behinderung zur Förderung ihrer Selbstbestimmung und gleichberechtigten Teilhabe ein Recht auf Hilfe, die notwendig ist, um

1. die Behinderung abzuwenden, zu beseitigen, zu mindern, ihre Verschlimmerung zu verhüten oder ihre Folgen zu mildern,
2. Einschränkungen der Erwerbsfähigkeit oder Pflegebedürftigkeit zu vermeiden, zu überwinden, zu mindern oder eine Verschlimmerung zu verhüten sowie den vorzeitigen Bezug von Sozialleistungen zu vermeiden oder laufende Sozialleistungen zu mindern,
3. ihnen einen ihren Neigungen und Fähigkeiten entsprechenden Platz im Arbeitsleben zu sichern,
4. ihre Entwicklung zu fördern und ihre Teilhabe am Leben in der Gesellschaft und eine möglichst selbständige und selbstbestimmte Lebensführung zu ermöglichen oder zu erleichtern sowie
5. Benachteiligungen auf Grund der Behinderung entgegenzuwirken.

Zweiter Abschnitt. Einweisungsvorschriften

Erster Titel. Allgemeines über Sozialleistungen und Leistungsträger

§ 11 Leistungsarten. [1] Gegenstand der sozialen Rechte sind die in diesem Gesetzbuch vorgesehenen Dienst-, Sach- und Geldleistungen (Sozialleistungen). [2] Die persönliche und erzieherische Hilfe gehört zu den Dienstleistungen.

§ 12 Leistungsträger. [1] Zuständig für die Sozialleistungen sind die in den §§ 18 bis 29 genannten Körperschaften, Anstalten und Behörden (Leistungsträger). [2] Die Abgrenzung ihrer Zuständigkeit ergibt sich aus den besonderen Teilen dieses Gesetzbuchs.

§ 13 Aufklärung. Die Leistungsträger, ihre Verbände und die sonstigen in diesem Gesetzbuch genannten öffentlich-rechtlichen Vereinigungen sind verpflichtet, im Rahmen ihrer Zuständigkeit die Bevölkerung über die Rechte und Pflichten nach diesem Gesetzbuch aufzuklären.

---

1) § 9 Satz 2 angef. mWv 1.1.2005 durch G v. 27.12.2003 (BGBl. I S. 3022).
2) § 10 neu gef. mWv 1.7.2001 durch G v. 19.6.2001 (BGBl. I S. 1046).

§ 14 Beratung. [1]Jeder hat Anspruch auf Beratung über seine Rechte und Pflichten nach diesem Gesetzbuch. [2]Zuständig für die Beratung sind die Leistungsträger, denen gegenüber die Rechte geltend zu machen oder die Pflichten zu erfüllen sind.

§ 15[1)] Auskunft. (1) Die nach Landesrecht zuständigen Stellen, die Träger der gesetzlichen Krankenversicherung und der sozialen Pflegeversicherung sind verpflichtet, über alle sozialen Angelegenheiten nach diesem Gesetzbuch Auskünfte zu erteilen.

(2) Die Auskunftspflicht erstreckt sich auf die Benennung der für die Sozialleistungen zuständigen Leistungsträger sowie auf alle Sach- und Rechtsfragen, die für die Auskunftsuchenden von Bedeutung sein können und zu deren Beantwortung die Auskunftsstelle imstande ist.

(3) Die Auskunftsstellen sind verpflichtet, untereinander und mit den anderen Leistungsträgern mit dem Ziel zusammenzuarbeiten, eine möglichst umfassende Auskunftserteilung durch eine Stelle sicherzustellen.

(4) Die Träger der gesetzlichen Rentenversicherung sollen über Möglichkeiten zum Aufbau einer staatlich geförderten zusätzlichen Altersvorsorge produkt- und anbieterneutral Auskünfte erteilen.

§ 16 Antragstellung. (1) [1]Anträge auf Sozialleistungen sind beim zuständigen Leistungsträger zu stellen. [2]Sie werden auch von allen anderen Leistungsträgern, von allen Gemeinden und bei Personen, die sich im Ausland aufhalten, auch von den amtlichen Vertretungen der Bundesrepublik Deutschland im Ausland entgegengenommen.

(2) [1]Anträge, die bei einem unzuständigen Leistungsträger, bei einer für die Sozialleistung nicht zuständigen Gemeinde oder bei einer amtlichen Vertretung der Bundesrepublik Deutschland im Ausland gestellt werden, sind unverzüglich an den zuständigen Leistungsträger weiterzuleiten. [2]Ist die Sozialleistung von einem Antrag abhängig, gilt der Antrag als zu dem Zeitpunkt gestellt, in dem er bei einer der in Satz 1 genannten Stellen eingegangen ist.

(3) Die Leistungsträger sind verpflichtet, darauf hinzuwirken, daß unverzüglich klare und sachdienliche Anträge gestellt und unvollständige Angaben ergänzt werden.

§ 17[2)] Ausführung der Sozialleistungen. (1) Die Leistungsträger sind verpflichtet, darauf hinzuwirken, daß

1. jeder Berechtigte die ihm zustehenden Sozialleistungen in zeitgemäßer Weise, umfassend und zügig erhält,
2. die zur Ausführung von Sozialleistungen erforderlichen sozialen Dienste und Einrichtungen rechtzeitig und ausreichend zur Verfügung stehen,

---

[1)] § 15 Abs. 1 geänd. durch G v. 26.5.1994 (BGBl. I S. 1014); Abs. 4 angef. mWv 1.1.2002 durch G v. 26.6.2001 (BGBl. I S. 1310); Abs. 4 neu gef. mWv 1.1.2018 durch G v. 17.8.2017 (BGBl. I S. 3214).

[2)] § 17 Abs. 2 aufgeh. und Abs. 3 Satz 4 geänd. durch G v. 4.11.1982 (BGBl. I S. 1450); Abs. 1 Nr. 1 geänd. mWv 1.1.2001 durch G v. 21.12.2000 (BGBl. I S. 1983); Abs. 1 Nrn. 2 und 3 geänd., Nr. 4 angef. und Abs. 2 eingef. mWv 1.7.2001 durch G v. 19.6.2001 (BGBl. I S. 1046); Abs. 3 Satz 4 geänd. mWv 30.3.2005 durch G v. 21.3.2005 (BGBl. I S. 818); Abs. 2 Satz 2 geänd. mWv 1.1.2008 durch G v. 19.12.2007 (BGBl. I S. 3024); Abs. 2 Satz 1 geänd., Abs. 2a eingef. mWv 27.7.2016, Abs. 2 Satz 2 geänd., Satz 3 angef. mWv 1.1.2017 durch G v. 19.7.2016 (BGBl. I S. 1757); Abs. 4 angef. mWv 1.1. 2023 durch G v. 4.5.2021 (BGBl. I S. 882).

3. der Zugang zu den Sozialleistungen möglichst einfach gestaltet wird, insbesondere durch Verwendung allgemein verständlicher Antragsvordrucke und
4. ihre Verwaltungs- und Dienstgebäude frei von Zugangs- und Kommunikationsbarrieren sind und Sozialleistungen in barrierefreien Räumen und Anlagen ausgeführt werden.

(2) [1] Menschen mit Hörbehinderungen und Menschen mit Sprachbehinderungen haben das Recht, bei der Ausführung von Sozialleistungen, insbesondere auch bei ärztlichen Untersuchungen und Behandlungen, in Deutscher Gebärdensprache, mit lautsprachbegleitenden Gebärden oder über andere geeignete Kommunikationshilfen zu kommunizieren. [2] Die für die Sozialleistung zuständigen Leistungsträger sind verpflichtet, die durch die Verwendung der Kommunikationshilfen entstehenden Kosten zu tragen. [3] § 5 der Kommunikationshilfenverordnung[1)] in der jeweils geltenden Fassung gilt entsprechend.

(2a) § 11 des Behindertengleichstellungsgesetzes[2)] gilt in seiner jeweils geltenden Fassung bei der Ausführung von Sozialleistungen entsprechend.

(3) [1] In der Zusammenarbeit mit gemeinnützigen und freien Einrichtungen und Organisationen wirken die Leistungsträger darauf hin, daß sich ihre Tätigkeit und die der genannten Einrichtungen und Organisationen zum Wohl der Leistungsempfänger wirksam ergänzen. [2] Sie haben dabei deren Selbständigkeit in Zielsetzung und Durchführung ihrer Aufgaben zu achten. [3] Die Nachprüfung zweckentsprechender Verwendung bei der Inanspruchnahme öffentlicher Mittel bleibt unberührt. [4] Im übrigen ergibt sich ihr Verhältnis zueinander aus den besonderen Teilen dieses Gesetzbuchs; § 97 Abs. 1 Satz 1 bis 4 und Abs. 2 des Zehnten Buches[3)] findet keine Anwendung.

[Abs. 4 ab 1.1.2023:]

(4) [1] Die Leistungsträger arbeiten mit den Betreuungsbehörden bei der Erfüllung ihrer Aufgaben zur Vermittlung geeigneter Hilfen zur Betreuungsvermeidung zusammen. [2] Soziale Rechte dürfen nicht deshalb abgelehnt, versagt oder eingeschränkt werden, weil ein rechtlicher Betreuer nach § 1814 Absatz 1 des Bürgerlichen Gesetzbuchs[4)] bestellt worden ist oder bestellt werden könnte.

Zweiter Titel. Einzelne Sozialleistungen und zuständige Leistungsträger

§ 18[5)] Leistungen der Ausbildungsförderung. (1) Nach dem Recht der Ausbildungsförderung können Zuschüsse und Darlehen für den Lebensunterhalt und die Ausbildung in Anspruch genommen werden.

(2) Zuständig sind die Ämter und die Landesämter für Ausbildungsförderung nach Maßgabe der §§ 39, 40, 40a und 45 des Bundesausbildungsförderungsgesetzes[6)].

[1)] **Aichberger, SGB Nr. 9/24.**
[2)] **Aichberger, SGB Nr. 9/10.**
[3)] Nr. **699.**
[4)] **beck-online, Module Arbeitsrecht Nr. 50.**
[5)] § 18 Abs. 1 geänd. durch G v. 4.11.1982 (BGBl. I S. 1450).
[6)] **Sartorius Nr. 420.**

§ 19[1] **Leistungen der Arbeitsförderung.** (1) Nach dem Recht der Arbeitsförderung können in Anspruch genommen werden:

1. Berufsberatung und Arbeitsmarktberatung,
2. Ausbildungsvermittlung und Arbeitsvermittlung,
3. Leistungen
   a) zur Aktivierung und beruflichen Eingliederung,
   b) zur Berufswahl und Berufsausbildung,
   c) zur beruflichen Weiterbildung,
   d) zur Aufnahme einer Erwerbstätigkeit,
   e) zum Verbleib in Beschäftigung,
   f) der Teilhabe behinderter Menschen am Arbeitsleben,
4. Arbeitslosengeld, Teilarbeitslosengeld, Arbeitslosengeld bei Weiterbildung und Insolvenzgeld.

(2) Zuständig sind die Agenturen für Arbeit und die sonstigen Dienststellen der Bundesagentur für Arbeit.

§ 19a[2] **Leistungen der Grundsicherung für Arbeitsuchende.** (1) Nach dem Recht der Grundsicherung für Arbeitsuchende können in Anspruch genommen werden

1. Leistungen zur Eingliederung in Arbeit,
2. Leistungen zur Sicherung des Lebensunterhalts.

(2) [1] Zuständig sind die Agenturen für Arbeit und die sonstigen Dienststellen der Bundesagentur für Arbeit, sowie die kreisfreien Städte und Kreise, soweit durch Landesrecht nicht andere Träger bestimmt sind. [2] In den Fällen des § 6a des Zweiten Buches[3] ist abweichend von Satz 1 der zugelassene kommunale Träger zuständig.

§ 19b[4] **Leistungen bei gleitendem Übergang älterer Arbeitnehmer in den Ruhestand.** (1) Nach dem Recht der Förderung eines gleitenden Übergangs älterer Arbeitnehmer in den Ruhestand können in Anspruch genommen werden:

1. Erstattung der Beiträge zur Höherversicherung in der gesetzlichen Rentenversicherung und der nicht auf das Arbeitsentgelt entfallenden Beiträge zur gesetzlichen Rentenversicherung für ältere Arbeitnehmer, die ihre Arbeitszeit verkürzt haben.
2. Erstattung der Aufstockungsbeträge zum Arbeitsentgelt für die Altersteilzeitarbeit.

---

[1] § 19 Abs. 1 neu gef. durch G v. 24.3.1997 (BGBl. I S. 594); Abs. 1 Nr. 3 Buchst. e geänd. mWv 1.7.2001 durch G v. 19.6.2001 (BGBl. I S. 1046); Abs. 1 Nr. 3 Buchst. g neu gef. und Abs. 2 geänd. mWv 1.1.2004 sowie Abs. 1 Nr. 6 geänd. mWv 1.1.2005 durch G v. 23.12.2003 (BGBl. I S. 2848) und durch G v. 24.12.2003 (BGBl. I S. 2954); Abs. 1 Nr. 5 neu gef. mWv 1.4.2006 durch G v. 24.4.2006 (BGBl. I S. 926); Abs. 1 Nr. 3 Buchst. a neu gef., Buchst. b aufgeh. mWv 1.1.2009, Nr. 4 aufgeh., bish. Nr. 5 und 6 werden Nr. 4 und 5 mWv 1.1.2010 durch G v. 21.12.2008 (BGBl. I S. 2917); Abs. 1 neu gef. mWv 1.4.2012 durch G v. 20.12.2011 (BGBl. I S. 2854).

[2] § 19a eingef. mWv 1.1.2005 durch G v. 24.12.2003 (BGBl. I S. 2954, geänd. durch G v. 30.7.2004, BGBl. I S. 2014).

[3] *Nr. 692.*

[4] § 19b eingef. durch G v. 20.12.1988 (BGBl. I S. 2343); Abs. 1 Nr. 1 neu gef. durch G v. 23.7.1996 (BGBl. I S. 1078); Abs. 2 geänd. mWv 1.1.2004 durch G v. 23.12.2003 (BGBl. I S. 2848).

(2) Zuständig sind die Agenturen für Arbeit und die sonstigen Dienststellen der Bundesagentur für Arbeit.

§ 20[1] *(aufgehoben)*

§ 21[2] **Leistungen der gesetzlichen Krankenversicherung.** (1) Nach dem Recht der gesetzlichen Krankenversicherung können in Anspruch genommen werden:

(Fortsetzung nächstes Blatt)

---

[1] § 20 aufgeh. mWv 1.7.2001 durch G v. 19.6.2001 (BGBl. I S. 1046).

[2] § 21 Abs. 1 Nrn. 1 bis 8 geänd. und Nr. 4a eingef. durch G v. 4.11.1982 (BGBl. I S. 1450); Abs. 1 Nrn. 1 bis 4 neu gef. und Nrn. 5 bis 7 aufgeh., bish. Nr. 8 wird Nr. 5 durch G v. 20.12.1988 (BGBl. I S. 2477); Abs. 1 Nr. 3 aufgeh., bish. Nrn. 4 und 4a werden Nrn. 3 und 4 durch G v. 26.5.1994 (BGBl. I S. 1014); Abs. 1 Nrn. 3 und 4 geänd. und Nr. 5 aufgeh. mWv 1.1.2004 durch G v. 14.11. 2003 (BGBl. I S. 2190); Abs. 2 geänd. mWv 1.10.2005 durch G v. 9.12.2004 (BGBl. I S. 3242); Abs. 2 geänd. mWv 28.12.2007 durch G v. 19.12.2007 (BGBl. I S. 3024); Abs. 2 geänd. mWv 1.1.2013 durch G v. 12.4.2012 (BGBl. I S. 579).

1. Leistungen zur Förderung der Gesundheit, zur Verhütung und zur Früherkennung von Krankheiten,
2. bei Krankheit Krankenbehandlung, insbesondere
   a) ärztliche und zahnärztliche Behandlung,
   b) Versorgung mit Arznei-, Verband-, Heil- und Hilfsmitteln,
   c) häusliche Krankenpflege und Haushaltshilfe,
   d) Krankenhausbehandlung,
   e) medizinische und ergänzende Leistungen zur Rehabilitation,
   f) Betriebshilfe für Landwirte,
   g) Krankengeld,
3. bei Schwangerschaft und Mutterschaft ärztliche Betreuung, Hebammenhilfe, stationäre Entbindung, häusliche Pflege, Haushaltshilfe, Betriebshilfe für Landwirte, Mutterschaftsgeld,
4. Hilfe zur Familienplanung und Leistungen bei durch Krankheit erforderlicher Sterilisation und bei nicht rechtswidrigem Schwangerschaftsabbruch.

(2) Zuständig sind die Orts-, Betriebs- und Innungskrankenkassen, die Sozialversicherung für Landwirtschaft, Forsten und Gartenbau als landwirtschaftliche Krankenkasse, die Deutsche Rentenversicherung Knappschaft-Bahn-See und die Ersatzkassen.

§ 21a[1)] Leistungen der sozialen Pflegeversicherung. (1) Nach dem Recht der sozialen Pflegeversicherung können in Anspruch genommen werden:

1. Leistungen bei häuslicher Pflege:
   a) Pflegesachleistung,
   b) Pflegegeld für selbst beschaffte Pflegehilfen,
   c) häusliche Pflege bei Verhinderung der Pflegeperson,
   d) Pflegehilfsmittel und technische Hilfen,
2. teilstationäre Pflege und Kurzzeitpflege,
3. Leistungen für Pflegepersonen, insbesondere
   a) soziale Sicherung und
   b) Pflegekurse,
4. vollstationäre Pflege.

(2) Zuständig sind die bei den Krankenkassen errichteten Pflegekassen.

§ 21b[2)] Leistungen bei Schwangerschaftsabbrüchen. (1) Nach dem Fünften Abschnitt des Schwangerschaftskonfliktgesetzes können bei einem nicht rechtwidrigen oder unter den Voraussetzungen des § 218a Abs. 1 des Strafgesetzbuches[3)] vorgenommenen Abbruch einer Schwangerschaft Leistungen in Anspruch genommen werden.

---

1) § 21a eingef. durch G v. 26.5.1994 (BGBl. I S. 1014).

2) § 21b eingef. durch G v. 21.8.1995 (BGBl. I S. 1050); Abs. 2 geänd. mWv 1.10.2005 durch G v. 9.12.2004 (BGBl. I S. 3242); Abs. 2 geänd. mWv 28.12.2007 durch G v. 19.12.2007 (BGBl. I S. 3024); Abs. 1 geänd. mWv 15.12.2010 durch G v. 8.12.2010 (BGBl. I S. 1864); Abs. 2 geänd. mWv 1.1.2013 durch G v. 12.4.2012 (BGBl. I S. 579).

3) **Schönfelder Nr. 85.**

(2) Zuständig sind die Orts-, Betriebs- und Innungskrankenkassen, die Sozialversicherung für Landwirtschaft, Forsten und Gartenbau als landwirtschaftliche Krankenkasse, die Deutsche Rentenversicherung Knappschaft-Bahn-See und die Ersatzkassen.

§ 22[1)] Leistungen der gesetzlichen Unfallversicherung. (1) Nach dem Recht der gesetzlichen Unfallversicherung können in Anspruch genommen werden:

1. Maßnahmen zur Verhütung von Arbeitsunfällen, Berufskrankheiten und arbeitsbedingten Gesundheitsgefahren und zur Ersten Hilfe sowie Maßnahmen zur Früherkennung von Berufskrankheiten und arbeitsbedingten Gesundheitsgefahren,
2. Heilbehandlung, Leistungen zur Teilhabe am Arbeitsleben und andere Leistungen zur Erhaltung, Besserung und Wiederherstellung der Erwerbsfähigkeit sowie zur Erleichterung der Verletzungsfolgen einschließlich wirtschaftlicher Hilfen,
3. Renten wegen Minderung der Erwerbsfähigkeit,
4. Renten an Hinterbliebene, Sterbegeld und Beihilfen,
5. Rentenabfindungen,
6. Haushaltshilfe,
7. Betriebshilfe für Landwirte.

(2) Zuständig sind die gewerblichen Berufsgenossenschaften, die Sozialversicherung für Landwirtschaft, Forsten und Gartenbau als landwirtschaftliche Berufsgenossenschaft, die Gemeindeunfallversicherungsverbände, die Feuerwehr-Unfallkassen, die Unfallkassen der Länder und Gemeinden, die gemeinsamen Unfallkassen für den Landes- und kommunalen Bereich und die Unfallversicherung Bund und Bahn.

§ 23[2)] Leistungen der gesetzlichen Rentenversicherung einschließlich der Alterssicherung der Landwirte. (1) Nach dem Recht der gesetzlichen

---

[1)] § 22 Abs. 1 Nrn. 1 bis 7 geänd. durch G v. 4.11.1982 (BGBl. I S. 1450); Abs. 1 Nr. 1 und Abs. 2 neu gef. durch G v. 7.8.1996 (BGBl. I S. 1254); Abs. 1 Nr. 2 geänd. mWv 1.7.2001 durch G v. 19.6. 2001 (BGBl. I S. 1046); Abs. 2 geänd. mWv 1.1.2003 durch G v. 21.6.2002 (BGBl. I S. 2167); Abs. 2 geänd. mWv 1.1.2013 durch G v. 12.4.2012 (BGBl. I S. 579); Abs. 2 geänd. mWv 1.1.2015 und mWv 1.1.2016 durch G v. 19.10.2013 (BGBl. I S. 3836).

[2)] § 23 Abs. 1 Nr. 1 Buchst. e aufgeh. durch G v. 25.7.1978 (BGBl. I S. 1089); Abs. 1 Nr. 2 neu gef. durch G v. 9.7.1980 (BGBl. I S. 905); Abs. 1 Nrn. 1 und 2 geänd. durch G v. 4.11.1982 (BGBl. I S. 1450); Abs. 1 Nr. 1 Buchst. e eingef. durch G v. 22.12.1983 (BGBl. I S. 1532); Abs. 1 Nr. 2 Buchst. f eingef., bish. Buchst. f und g werden Buchst. g und h und Buchst. h geänd. durch G v. 20.12.1985 (BGBl. I S. 2475); Abs. 1 Nr. 1 Buchst. g angef. durch G v. 12.7.1987 (BGBl. I S. 1585); Abs. 1 Nr. 1 Buchst. b und c geänd. und Buchst. f aufgeh., bish. Buchst. g wird Buchst. f durch G v. 18.12.1989 (BGBl. I S. 2261); Abs. 2 Nr. 1 geänd. durch G v. 27.12.1993 (BGBl. I S. 2378); Überschr., Abs. 1 Einleitungssatz und Abs. 2 geänd., Abs. 1 Nr. 2 Buchst. b und c neu gef., Buchst. d, g und h aufgeh., Buchst. e und f werden Buchst. d und e sowie Buchst. e neu gef. durch G v. 29.7.1994 (BGBl. I S. 1890); Abs. 1 Nr. 2 Buchst. b geänd. durch G v. 16.12.1997 (BGBl. I S. 2998); Abs. 1 Nr. 2 Buchst. b geänd. mWv 1.1.2001 durch G v. 20.12.2000 (BGBl. I S. 1827); Abs. 1 Nr. 1 Buchst. e und Nr. 2 neu gef. mWv 1.1.2001 durch G v. 21.12.2000 (BGBl. I S. 1983); Abs. 1 Nr. 1 Buchst. a geänd. mWv 1.7. 2001 durch G v. 19.6.2001 (BGBl. I S. 1046); Abs. 1 Nr. 1 Buchst. e geänd. mWv 1.4.2004 durch G v. 27.12.2003 (*BGBl. I S. 3013*); Abs. 2 neu gef. mWv 1.1.2005 durch G v. 9.12.2004 (BGBl. I S. 3242); Abs. 2 Nr. 3 geänd. mWv 1.1.2013 durch G v. 12.4.2012 (BGBl. I S. 579); Abs. 1 Nr. 1 Buchst. a, Nr. 2 Buchst. a neu gef. mWv 14.12.2016 durch G v. 8.12.2016 (BGBl. I S. 2838).

Rentenversicherung einschließlich der Alterssicherung der Landwirte können in Anspruch genommen werden:

1. in der gesetzlichen Rentenversicherung:
   a) Leistungen zur Prävention, Leistungen zur medizinischen Rehabilitation, Leistungen zur Teilhabe am Arbeitsleben, Leistungen zur Nachsorge sowie sonstige Leistungen zur Teilhabe einschließlich wirtschaftlicher Hilfen,
   b) Renten wegen Alters, Renten wegen verminderter Erwerbsfähigkeit und Knappschaftsausgleichsleistung,
   c) Renten wegen Todes,
   d) Witwen- und Witwerrentenabfindungen sowie Beitragserstattungen,
   e) Zuschüsse zu den Aufwendungen für die Krankenversicherung,
   f) Leistungen für Kindererziehung,
2. in der Alterssicherung der Landwirte:
   a) Leistungen zur Prävention, Leistungen zur medizinischen Rehabilitation, Leistungen zur Nachsorge sowie ergänzende und sonstige Leistungen zur Teilhabe einschließlich Betriebs- oder Haushaltshilfe,
   b) Renten wegen Erwerbsminderung und Alters,
   c) Renten wegen Todes,
   d) Beitragszuschüsse,
   e) Betriebs- und Haushaltshilfe oder sonstige Leistungen zur Aufrechterhaltung des Unternehmens der Landwirtschaft.

(2) Zuständig sind

1. in der allgemeinen Rentenversicherung die Regionalträger, die Deutsche Rentenversicherung Bund und die Deutsche Rentenversicherung Knappschaft-Bahn-See,
2. in der knappschaftlichen Rentenversicherung die Deutsche Rentenversicherung Knappschaft-Bahn-See,
3. in der Alterssicherung der Landwirte die Sozialversicherung für Landwirtschaft, Forsten und Gartenbau als landwirtschaftliche Alterskasse.

[§ 24 bis 31.12.2023:]

§ 24[1] Versorgungsleistungen bei Gesundheitsschäden. (1) Nach dem Recht der sozialen Entschädigung bei Gesundheitsschäden können in Anspruch genommen werden:

1. Heil- und Krankenbehandlung sowie andere Leistungen zur Erhaltung, Besserung und Wiederherstellung der Leistungsfähigkeit einschließlich wirtschaftlicher Hilfen,
2. besondere Hilfen im Einzelfall einschließlich Leistungen zur Teilhabe am Arbeitsleben,
3. Renten wegen anerkannten Schädigungsfolgen,
4. Renten an Hinterbliebene, Bestattungsgeld und Sterbegeld,
5. Kapitalabfindung, insbesondere zur Wohnraumbeschaffung.

---

[1] § 24 Abs. 1 Nrn. 1 bis 5 geänd. durch G v. 4.11.1982 (BGBl. I S. 1450); Abs. 1 Nr. 2 geänd. mWv 1.7.2001 durch G v. 19.6.2001 (BGBl. I S. 1046); Abs. 1 Nr. 3 geänd. mWv 21.12.2007 durch G v. 13.12.2007 (BGBl. I S. 2904); Abs. 2 neu gef. mWv 1.1.2015, Abs. 2 Satz 4 geänd. mWv 1.1.2016 durch G v. 15.7.2013 (BGBl. I S. 2416).

(2) [1] Zuständig sind die Versorgungsämter, die Landesversorgungsämter und die orthopädischen Versorgungsstellen. [2] Für die besonderen Hilfen im Einzelfall sind die Kreise und kreisfreien Städte sowie die Hauptfürsorgestellen zuständig. [3] Bei der Durchführung der Heil- und Krankenbehandlung wirken die Träger der gesetzlichen Krankenversicherung mit. [4] Für die Leistungen nach den §§ 80, 81a bis 83a des Soldatenversorgungsgesetzes[1)] ist die Bundeswehrverwaltung zuständig.

[§ 24 ab 1.1.2024:]

§ 24[2)] Leistungen der Sozialen Entschädigung. *(1) Nach dem Recht der Sozialen Entschädigung können in Anspruch genommen werden:*

1. *Leistungen des Fallmanagements und Leistungen in einer Traumaambulanz als Schnelle Hilfen,*
2. *Krankenbehandlung,*
3. *Leistungen zur Teilhabe,*
4. *Leistungen bei Pflegebedürftigkeit,*
5. *Leistungen bei Blindheit,*
6. *Entschädigungszahlungen,*
7. *Berufsschadensausgleich,*
8. *Besondere Leistungen im Einzelfall,*
9. *Leistungen bei Überführung und Bestattung,*
10. *Ausgleich in Härtefällen,*
11. *Leistungen bei Wohnsitz oder gewöhnlichem Aufenthalt im Ausland sowie*
12. *Leistungen nach den Vorschriften zu Besitzständen.*

(2) [1] Zuständig sind die nach Bundesrecht oder Landesrecht bestimmten Träger der Sozialen Entschädigung. [2] Bei der Durchführung der Krankenbehandlung wirken die Träger der gesetzlichen Krankenversicherung und bei der Durchführung der Hilfsmittelversorgung die Träger der gesetzlichen Unfallversicherung mit. ***[Satz 3 bis 31.12.2024:]*** *[3] Für die Leistungen nach den §§ 80, 81a bis 83a des Soldatenversorgungsgesetzes[1)] ist die Bundeswehrverwaltung zuständig.*

[§ 24a ab 1.1.2025:]

§ 24a[3)] Leistungen der Soldatenentschädigung. *[1] Die Entschädigung für Soldatinnen und Soldaten sowie frühere Soldatinnen und Soldaten richtet sich nach dem Soldatenentschädigungsgesetz. [2] Zuständig für die Durchführung ist die Bundeswehrverwaltung.*

§ 25[4)] Kindergeld, Kinderzuschlag, Elterngeld und Leistungen für Bildung und Teilhabe. (1) [1] Nach dem Bundeskindergeldgesetz[5)] kann nur dann

---

[1)] **beck-online, Module Arbeitsrecht Nr. 156b.**

[2)] § 24 neu gef. mWv 1.1.2024 durch G v. 12.12.2019 (BGBl. I S. 2652); Abs. 2 Satz 3 aufgeh. mWv 1.1.2025 durch G v. 20.8.2021 (BGBl. I S. 3932).

[3)] § 24a eingef. mWv 1.1.2025 durch G v. 20.8.2021 (BGBl. I S. 3932).

[4)] § 25 Abs. 1 geänd. durch G v. 4.11.1982 (BGBl. I S. 1450); Überschr. neu gef. und Abs. 2 eingef., bish. Abs. 2 wird Abs. 3 und neu gef. durch G v. 6.12.1985 (BGBl. I S. 2154); Abs. 3 geänd. durch G v. 20.7.1988 (BGBl. I S. 1046); Abs. 1 und 3 neu gef. durch G v. 7.8.1996 (BGBl. I S. 1254); Überschr. und Abs. 3 neu gef., Abs. 2 Satz 2 angef. mWv 1.1.2007 durch G v. 5.12.2006 (BGBl. I S. 2748); Überschr. neu gef., Abs. 1 Satz 2 angef., Abs. 3 geänd. mWv 1.1.2011 durch G v. 24.3.2011 (BGBl. I S. 453); Überschr. und Abs. 3 geänd., Abs. 2 neu gef. mWv 1.8.2013 durch G v. 15.2.2013 →

Kindergeld in Anspruch genommen werden, wenn nicht der Familienleistungsausgleich nach § 31 des Einkommensteuergesetzes[1] zur Anwendung kommt. [2] Nach dem Bundeskindergeldgesetz[2] können auch der Kinderzuschlag und Leistungen für Bildung und Teilhabe in Anspruch genommen werden.

(2) Nach dem Recht des Bundeselterngeld- und Elternzeitgesetzes[3] kann Elterngeld in Anspruch genommen werden.

(3) Für die Ausführung des Absatzes 1 sind die nach § 7 des Bundeskindergeldgesetzes[4] bestimmten Stellen und für die Ausführung des Absatzes 2 die nach § 12 des Bundeselterngeld- und Elternzeitgesetzes[5] bestimmten Stellen zuständig.

§ 26[6] **Wohngeld.** (1) Nach dem Wohngeldrecht kann als Zuschuß zur Miete oder als Zuschuß zu den Aufwendungen für den eigengenutzten Wohnraum Wohngeld in Anspruch genommen werden.

(2) Zuständig sind die durch Landesrecht bestimmten Behörden.

§ 27[7] **Leistungen der Kinder- und Jugendhilfe.** (1) Nach dem Recht der Kinder- und Jugendhilfe können in Anspruch genommen werden:

1. Angebote der Jugendarbeit, der Jugendsozialarbeit und des erzieherischen Jugendschutzes,
2. Angebote zur Förderung der Erziehung in der Familie,
3. Angebote zur Förderung von Kindern in Tageseinrichtungen und in Tagespflege,
4. Hilfe zur Erziehung, Eingliederungshilfe für seelisch behinderte Kinder und Jugendliche sowie Hilfe für junge Volljährige.

(2) Zuständig sind die Kreise und die kreisfreien Städte, nach Maßgabe des Landesrechts auch kreisangehörige Gemeinden; sie arbeiten mit der freien Jugendhilfe zusammen.

§ 28[8] **Leistungen der Sozialhilfe.** (1) Nach dem Recht der Sozialhilfe können in Anspruch genommen werden:

1. Hilfe zum Lebensunterhalt,

1a. Grundsicherung im Alter und bei Erwerbsminderung,

(Fortsetzung der Anm. von voriger Seite)
(BGBl. I S. 254); Abs. 2 geänd. mWv 1.1.2015 durch G v. 18.12.2014 (BGBl. I S. 2325); Überschrift neu gef., Abs. 2 geänd. mWv 1.9.2021 durch G v. 15.2.2021 (BGBl. I S. 239).

[5] Auszugsweise abgedruckt unter Nr. **332**.

[1] **beck-online, Module Arbeitsrecht Nr. 331.**

[2] Auszugsweise abgedruckt unter Nr. **332**.

[3] Auszugsweise abgedruckt unter Nr. **401**.

[4] Nr. **332**.

[5] **beck-online, Module Arbeitsrecht Nr. 401.**

[6] § 26 Abs. 1 geänd. durch G v. 4.11.1982 (BGBl. I S. 1450).

[7] § 27 neu gef. durch G v. 26.6.1990 (BGBl. I S. 1163); Abs. 1 Nr. 4 neu gef. durch G v. 23.7. 1996 (BGBl. I S. 1088).

[8] § 28 Abs. 1 Nrn. 1 bis 4 geänd. durch G v. 4.11.1982 (BGBl. I S. 1450); Abs. 1 Nr. 2 Buchst. d aufgeh. durch G v. 16.12.1986 (BGBl. I S. 2441); Abs. 1 Nr. 2 Buchst. b geänd. durch G v. 21.8.1995 (BGBl. I S. 1050); Abs. 1 Nr. 2 Buchst. c neu gef. und Nr. 3 geänd. mWv 1.7.2001 durch G v. 19.6. 2001 (BGBl. I S. 1046); Abs. 1 neu gef. mWv 1.1.2005 durch G v. 27.12.2003 (BGBl. I S. 3022); Abs. 1 neu gef. mWv 30.3.2005 durch G v. 21.3.2005 (BGBl. I S. 818); Abs. 1 Nr. 3 aufgeh. mWv 1.1.2018 durch G v. 23.12.2016 (BGBl. I S. 3234).

2. Hilfen zur Gesundheit,
3. *(aufgehoben)*
4. Hilfe zur Pflege,
5. Hilfe zur Überwindung besonderer sozialer Schwierigkeiten,
6. Hilfe in anderen Lebenslagen

sowie die jeweils gebotene Beratung und Unterstützung.

(2) Zuständig sind die Kreise und kreisfreien Städte, die überörtlichen Träger der Sozialhilfe und für besondere Aufgaben die Gesundheitsämter; sie arbeiten mit den Trägern der freien Wohlfahrtspflege zusammen.

§ 28a[1] Leistungen der Eingliederungshilfe. (1) Nach dem Recht der Eingliederungshilfe können in Anspruch genommen werden:
1. Leistungen zur medizinischen Rehabilitation,
2. Leistungen zur Teilhabe am Arbeitsleben,
3. Leistungen zur Teilhabe an Bildung,
4. Leistungen zur Sozialen Teilhabe.

(2) Zuständig sind die durch Landesrecht bestimmten Behörden.

§ 29[2] Leistungen zur Rehabilitation und Teilhabe behinderter Menschen. (1) Nach dem Recht der Rehabilitation und Teilhabe behinderter Menschen können in Anspruch genommen werden

1. Leistungen zur medizinischen Rehabilitation, insbesondere
   a) Frühförderung behinderter und von Behinderung bedrohter Kinder,
   b) ärztliche und zahnärztliche Behandlung,
   c) Arznei- und Verbandmittel sowie Heilmittel einschließlich physikalischer, Sprach- und Beschäftigungstherapie,
   d) Körperersatzstücke, orthopädische und andere Hilfsmittel,
   e) Belastungserprobung und Arbeitstherapie,
2. Leistungen zur Teilhabe am Arbeitsleben, insbesondere
   a) Hilfen zum Erhalten oder Erlangen eines Arbeitsplatzes,
   b) Berufsvorbereitung, berufliche Anpassung, Ausbildung und Weiterbildung,
   c) sonstige Hilfen zur Förderung der Teilhabe am Arbeitsleben,

2a. Leistungen zur Teilhabe an Bildung, insbesondere
   a) Hilfen zur Schulbildung, insbesondere im Rahmen der allgemeinen Schulpflicht und zum Besuch weiterführender Schulen einschließlich der Vorbereitung hierzu,
   b) Hilfen zur schulischen Berufsausbildung,
   c) Hilfen zur Hochschulbildung,
   d) Hilfen zur schulischen beruflichen Weiterbildung,

---

[1] § 28a eingef. mWv 1.1.2018 durch G v. 23.12.2016 (BGBl. I S. 3234).

[2] § 29 neu gef. mWv 1.7.2001 durch G v. 19.6.2001 (BGBl. I S. 1046); Abs. 1 Nr. 4 Buchst. b geänd. mWv 1.1.2004 durch G v. 23.12.2003 (BGBl. I S. 2848); Abs. 1 Nr. 2a eingef., Nr. 3 neu gef. mWv 1.1.2018 durch G v. 23.12.2016 (BGBl. I S. 3234); Abs. 1 Nr. 4 Buchst. a geänd. mWv 1.1.2024 durch G v. 12.12.2019 (BGBl. I S. 2652); Abs. 1 Nr. 4 Buchst. a und Abs. 2 geänd. mWv 1.1.2025 durch G v. 20.8.2021 (BGBl. I S. 3932).

3. Leistungen zur Sozialen Teilhabe, insbesondere
   a) Leistungen für Wohnraum,
   b) Assistenzleistungen,
   c) heilpädagogische Leistungen,
   d) Leistungen zur Betreuung in einer Pflegefamilie,
   e) Leistungen zum Erwerb und Erhalt praktischer Kenntnisse und Fähigkeiten,
   f) Leistungen zur Förderung der Verständigung,
   g) Leistungen zur Mobilität,
   h) Hilfsmittel,
4. unterhaltssichernde und andere ergänzende Leistungen, insbesondere
   a) Krankengeld, ***[bis 31.12.2023:*** Versorgungskrankengeld***][ab 1.1.2024:*** *Krankengeld der Sozialen Entschädigung]*, ***[ab 1.1.2025:*** *Krankengeld der Soldatenentschädigung,]* Verletztengeld, Übergangsgeld, Ausbildungsgeld oder Unterhaltsbeihilfe,
   b) Beiträge zur gesetzlichen Kranken-, Unfall-, Renten- und Pflegeversicherung sowie zur Bundesagentur für Arbeit,
   c) Reisekosten,
   d) Haushalts- oder Betriebshilfe und Kinderbetreuungskosten,
   e) Rehabilitationssport und Funktionstraining,
5. besondere Leistungen und sonstige Hilfen zur Teilhabe schwerbehinderter Menschen am Leben in der Gesellschaft, insbesondere am Arbeitsleben.

(2) Zuständig sind die in den §§ 19 bis ***[bis 31.12.2024:*** 24***][ab 1.1.2025:*** *24a]*, 27 und 28 genannten Leistungsträger und die Integrationsämter.

Dritter Abschnitt. Gemeinsame Vorschriften für alle Sozialleistungsbereiche dieses Gesetzbuchs

Erster Titel. Allgemeine Grundsätze

§ 30[1)] Geltungsbereich. (1) Die Vorschriften dieses Gesetzbuchs gelten für alle Personen, die ihren Wohnsitz oder gewöhnlichen Aufenthalt in seinem Geltungsbereich haben.

(2) Regelungen des über- und zwischenstaatlichen Rechts bleiben unberührt.

(3) [1] Einen Wohnsitz hat jemand dort, wo er eine Wohnung unter Umständen innehat, die darauf schließen lassen, daß er die Wohnung beibehalten und benutzen wird. [2] Den gewöhnlichen Aufenthalt hat jemand dort, wo er sich unter Umständen aufhält, die erkennen lassen, daß er an diesem Ort oder in diesem Gebiet nicht nur vorübergehend verweilt.

§ 31 Vorbehalt des Gesetzes. Rechte und Pflichten in den Sozialleistungsbereichen dieses Gesetzbuchs dürfen nur begründet, festgestellt, geändert oder aufgehoben werden, soweit ein Gesetz es vorschreibt oder zuläßt.

---

1) § 30 Abs. 2 geänd. durch G v. 4.11.1982 (BGBl. I S. 1450).

§ 32 Verbot nachteiliger Vereinbarungen. Privatrechtliche Vereinbarungen, die zum Nachteil des Sozialleistungsberechtigten von Vorschriften dieses Gesetzbuchs abweichen, sind nichtig.

§ 33 Ausgestaltung von Rechten und Pflichten. [1]Ist der Inhalt von Rechten oder Pflichten nach Art oder Umfang nicht im einzelnen bestimmt, sind bei ihrer Ausgestaltung die persönlichen Verhältnisse des Berechtigten oder Verpflichteten, sein Bedarf und seine Leistungsfähigkeit sowie die örtlichen Verhältnisse zu berücksichtigen, soweit Rechtsvorschriften nicht entgegenstehen. [2]Dabei soll den Wünschen des Berechtigten oder Verpflichteten entsprochen werden, soweit sie angemessen sind.

§ 33a[1] Altersabhängige Rechte und Pflichten. (1) Sind Rechte oder Pflichten davon abhängig, daß eine bestimmte Altersgrenze erreicht oder nicht überschritten ist, ist das Geburtsdatum maßgebend, das sich aus der ersten Angabe des Berechtigten oder Verpflichteten oder seiner Angehörigen gegenüber einem Sozialleistungsträger oder, soweit es sich um eine Angabe im Rahmen des Dritten oder Sechsten Abschnitts des Vierten Buches[2] handelt, gegenüber dem Arbeitgeber ergibt.

(2) Von einem nach Absatz 1 maßgebenden Geburtsdatum darf nur abgewichen werden, wenn der zuständige Leistungsträger feststellt, daß
1. ein Schreibfehler vorliegt, oder
2. sich aus einer Urkunde, deren Original vor dem Zeitpunkt der Angabe nach Absatz 1 ausgestellt worden ist, ein anderes Geburtsdatum ergibt.

(3) Die Absätze 1 und 2 gelten für Geburtsdaten, die Bestandteil der Versicherungsnummer oder eines anderen in den Sozialleistungsbereichen dieses Gesetzbuchs verwendeten Kennzeichens sind, entsprechend.

§ 33b[3] Lebenspartnerschaften. Lebenspartnerschaften im Sinne dieses Gesetzbuches sind Lebenspartnerschaften nach dem Lebenspartnerschaftsgesetz[4].

§ 33c[5] Benachteiligungsverbot. [1]Bei der Inanspruchnahme sozialer Rechte darf niemand aus Gründen der Rasse, wegen der ethnischen Herkunft oder einer Behinderung benachteiligt werden. [2]Ansprüche können nur insoweit geltend gemacht oder hergeleitet werden, als deren Voraussetzungen und Inhalt durch die Vorschriften der besonderen Teile dieses Gesetzbuchs im Einzelnen bestimmt sind.

§ 34[6] Begrenzung von Rechten und Pflichten. (1) Soweit Rechte und Pflichten nach diesem Gesetzbuch ein familienrechtliches Rechtsverhältnis voraussetzen, reicht ein Rechtsverhältnis, das gemäß Internationalem Privatrecht dem Recht eines anderen Staates unterliegt und nach diesem Recht besteht, nur aus, wenn es dem Rechtsverhältnis im Geltungsbereich dieses Gesetzbuchs entspricht.

---

[1] § 33a eingef. durch G v. 16.12.1997 (BGBl. I S. 2970).
[2] Auszugsweise abgedruckt unter Nr. **694**.
[3] § 33b eingef. mWv 1.8.2001 durch G v. 16.2.2001 (BGBl. I S. 266).
[4] **Habersack ErgBd. Nr. 43.**
[5] § 33c eingef. mWv *18.8.2006* durch G v. 14.8.2006 (BGBl. I S. 1897).
[6] § 34 eingef. durch G v. 25.7.1986 (BGBl. I S. 1142); Abs. 2 geänd. durch G v. 18.12.1989 (BGBl. I S. 2261).

(2) Ansprüche mehrerer Ehegatten auf Witwenrente oder Witwerrente werden anteilig und endgültig aufgeteilt.

§ 35[1] **Sozialgeheimnis.** (1) [1]Jeder hat Anspruch darauf, dass die ihn betreffenden Sozialdaten (§ 67 Absatz 2 Zehntes Buch[2]) von den Leistungsträgern nicht unbefugt verarbeitet werden (Sozialgeheimnis). [2]Die Wahrung des Sozialgeheimnisses umfasst die Verpflichtung, auch innerhalb des Leistungsträgers sicherzustellen, dass die Sozialdaten nur Befugten zugänglich sind oder nur an diese weitergegeben werden. [3]Sozialdaten der Beschäftigten und ihrer Angehörigen dürfen Personen, die Personalentscheidungen treffen oder daran mitwirken können, weder zugänglich sein noch von Zugriffsberechtigten weitergegeben werden. [4]Der Anspruch richtet sich auch gegen die Verbände der Leistungsträger, die Arbeitsgemeinschaften der Leistungsträger und ihrer Verbände, die Datenstelle der Rentenversicherung, die in diesem Gesetzbuch genannten öffentlich-rechtlichen Vereinigungen, Integrationsfachdienste, die Künstlersozialkasse, die Deutsche Post AG, soweit sie mit der Berechnung oder Auszahlung von Sozialleistungen betraut ist, die Behörden der Zollverwaltung, soweit sie Aufgaben nach § 2 oder § 25 des Schwarzarbeitsbekämpfungsgesetzes[3] und § 66 des Zehnten Buches[2] durchführen, die Versicherungsämter und Gemeindebehörden sowie die anerkannten Adoptionsvermittlungsstellen (§ 2 Absatz 3 des Adoptionsvermittlungsgesetzes[4]), soweit sie Aufgaben nach diesem Gesetzbuch wahrnehmen, und die Stellen, die Aufgaben nach § 67c Absatz 4 des Zehnten Buches[5] wahrnehmen. [5]Die Beschäftigten haben auch nach Beendigung ihrer Tätigkeit bei den genannten Stellen das Sozialgeheimnis zu wahren.

(2) [1]Die Vorschriften des Zweiten Kapitels des Zehnten Buches[6] und der übrigen Bücher des Sozialgesetzbuches regeln die Verarbeitung von Sozialdaten abschließend, soweit nicht die Verordnung (EU) 2016/679[7] des Europäischen Parlaments und des Rates vom 27. April 2016 zum Schutz natürlicher Personen bei der Verarbeitung personenbezogener Daten, zum freien Datenverkehr und zur Aufhebung der Richtlinie 95/46/EG (Datenschutz-Grundverordnung) (ABl. L 119 vom 4.5.2016, S. 1; L 314 vom 22.11.2016, S. 72; L 127 vom 23.5.2018, S. 2) in der jeweils geltenden Fassung unmittelbar gilt. [2]Für die Verarbeitungen von Sozialdaten im Rahmen von nicht in den Anwendungsbereich der Verordnung (EU) 2016/679 fallenden Tätigkeiten finden die Verordnung (EU) 2016/679 und dieses Gesetz entsprechende Anwendung, soweit nicht in diesem oder einem anderen Gesetz Abweichendes geregelt ist.

(2a) Die Verpflichtung zur Wahrung gesetzlicher Geheimhaltungspflichten oder von Berufs- oder besonderen Amtsgeheimnissen, die nicht auf gesetzlichen Vorschriften beruhen, bleibt unberührt.

---

[1] § 35 neu gef. mWv 25.5.2018 durch G v. 17.7.2017 (BGBl. I S. 2541); Abs. 2 Satz 1 geänd. mWv 26.11.2019 durch G v. 20.11.2019 (BGBl. I S. 1626); Abs. 1 Satz 4 geänd. mWv 1.4.2021 durch G v. 12.2.2021 (BGBl. I S. 226); Abs. 1 Satz 4 geänd. mWv 24.12.2025 durch G v. 22.12.2025 (BGBl. 2025 I Nr. 355); Abs. 1 Satz 4 geänd. mWv 30.12.2025 durch G v. 22.12.2025 (BGBl. 2025 I Nr. 369).

[2] Nr. **699**.

[3] Nr. **110**.

[4] **Habersack ErgBd. Nr. 45i.**

[5] **beck-online, Module Arbeitsrecht Nr. 699.**

[6] Auszugsweise abgedruckt unter Nr. **699**.

[7] Nr. **489**.

(3) Soweit eine Übermittlung von Sozialdaten nicht zulässig ist, besteht keine Auskunftspflicht, keine Zeugnispflicht und keine Pflicht zur Vorlegung oder Auslieferung von Schriftstücken, nicht automatisierten Dateisystemen und automatisiert verarbeiteten Sozialdaten.

(4) Betriebs- und Geschäftsgeheimnisse stehen Sozialdaten gleich.

(5) [1] Sozialdaten Verstorbener dürfen nach Maßgabe des Zweiten Kapitels des Zehnten Buches verarbeitet werden. [2] Sie dürfen außerdem verarbeitet werden, wenn schutzwürdige Interessen des Verstorbenen oder seiner Angehörigen dadurch nicht beeinträchtigt werden können.

(6) [1] Die Absätze 1 bis 5 finden neben den in Absatz 1 genannten Stellen auch Anwendung auf solche Verantwortliche oder deren Auftragsverarbeiter,

1. die Sozialdaten im Inland verarbeiten, sofern die Verarbeitung nicht im Rahmen einer Niederlassung in einem anderen Mitgliedstaat der Europäischen Union oder in einem anderen Vertragsstaat des Abkommens über den Europäischen Wirtschaftsraum erfolgt, oder
2. die Sozialdaten im Rahmen der Tätigkeiten einer inländischen Niederlassung verarbeiten.

[2] Sofern die Absätze 1 bis 5 nicht gemäß Satz 1 anzuwenden sind, gelten für den Verantwortlichen oder dessen Auftragsverarbeiter nur die §§ 81 bis 81c des Zehnten Buches[1)].

(7) [1] Bei der Verarbeitung zu Zwecken gemäß Artikel 2 der Verordnung (EU) 2016/679 stehen die Vertragsstaaten des Abkommens über den Europäischen Wirtschaftsraum und die Schweiz den Mitgliedstaaten der Europäischen Union gleich. [2] Andere Staaten gelten insoweit als Drittstaaten.

§ 36 Handlungsfähigkeit. (1) [1] Wer das fünfzehnte Lebensjahr vollendet hat, kann Anträge auf Sozialleistungen stellen und verfolgen sowie Sozialleistungen entgegennehmen. [2] Der Leistungsträger soll den gesetzlichen Vertreter über die Antragstellung und die erbrachten Sozialleistungen unterrichten.

(2) [1] Die Handlungsfähigkeit nach Absatz 1 Satz 1 kann vom gesetzlichen Vertreter durch schriftliche Erklärung gegenüber dem Leistungsträger eingeschränkt werden. [2] Die Rücknahme von Anträgen, der Verzicht auf Sozialleistungen und die Entgegennahme von Darlehen bedürfen der Zustimmung des gesetzlichen Vertreters.

§ 36a[2)] Elektronische Kommunikation. (1) Die Übermittlung elektronischer Dokumente ist zulässig, soweit der Empfänger hierfür einen Zugang eröffnet.

(2) [1] Eine durch Rechtsvorschrift angeordnete Schriftform kann, soweit nicht durch Rechtsvorschrift etwas anderes bestimmt ist, durch die elektro-

---

[1)] **beck-online, Module Arbeitsrecht Nr. 699.**

[2)] § 36a eingef. mWv 1.2.2003 durch G v. 21.8.2002 (BGBl. I S. 3322); Abs. 4 Satz 1 geänd. mWv 1.1.2004 durch G v. 23.12.2003 (BGBl. I S. 2848); Abs. 2 neu gef., Abs. 2a eingef. mWv 1.8.2013, Abs. 2 Satz 4 Nr. 2 und 3 neu gef. mWv 1.7.2014 durch G v. 25.7.2013 (BGBl. I S. 2749); Abs. 2 Satz 5 geänd. mWv 29.12.2015 durch G v. 21.12.2015 (BGBl. I S. 2408); Abs. 2 Satz 2, Abs. 4 Sätze 1 und 2 geänd. mWv 29.7.2017 durch G v. 18.7.2017 (BGBl. I S. 2745); Abs. 2 Satz 5 geänd. mWv 1.11.2019 durch G v. 21.6.2019 (BGBl. I S. 846); Abs. 2 Satz 5 geänd. mWv 9.6.2021 durch G v. 3.6. *2021 (BGBl. I S. 1309)*; Abs. 2 Sätze 4 und 5 aufgeh., Abs. 2a und 2b eingef., bish. Abs. 2a wird Abs. 2c mWv 1.1.2024 durch G v. 22.12.2023 (BGBl. 2023 I Nr. 408); Abs. 5 angef. mWv 24.7.2024 durch G v. 19.7.2024 (BGBl. 2024 I Nr. 245).

nische Form ersetzt werden. ²Der elektronischen Form genügt ein elektronisches Dokument, das mit einer qualifizierten elektronischen Signatur versehen ist. ³Die Signierung mit einem Pseudonym, das die Identifizierung der Person des Signaturschlüsselinhabers nicht unmittelbar durch die Behörde ermöglicht, ist nicht zulässig.

(2a) Die Schriftform kann auch ersetzt werden

1. durch unmittelbare Abgabe der Erklärung in einem elektronischen Formular, das von der Behörde in einem Eingabegerät oder über öffentlich zugängliche Netze zur Verfügung gestellt wird, wenn
   a) bei einer Eingabe über öffentlich zugängliche Netze ein elektronischer Identitätsnachweis nach § 18 des Personalausweisgesetzes[1], nach § 12 des eID-Karte-Gesetzes oder nach § 78 Absatz 5 des Aufenthaltsgesetzes[2] erfolgt;
   b) bei der Kommunikation zwischen dem Versicherten und seiner Krankenkasse die Identität mit der elektronischen Gesundheitskarte nach § 291a des Fünften Buches[3] oder mit der digitalen Identität nach § 291 Absatz 8 des Fünften Buches[3] elektronisch nachgewiesen wird;
   c) die Voraussetzungen nach § 9a Absatz 5 des Onlinezugangsgesetzes vorliegen;
2. durch Übermittlung einer von dem Erklärenden elektronisch signierten Erklärung an die Behörde
   a) aus einem besonderen elektronischen Anwaltspostfach nach den §§ 31a und 31b der Bundesrechtsanwaltsordnung[4] oder aus einem entsprechenden, auf gesetzlicher Grundlage errichteten elektronischen Postfach;
   b) aus einem elektronischen Postfach einer Behörde oder einer juristischen Person des öffentlichen Rechts, das nach Durchführung eines Identifizierungsverfahrens nach den Regelungen der auf Grund des § 130a Absatz 2 Satz 2 der Zivilprozessordnung[5] erlassenen Rechtsverordnung eingerichtet wurde;
   c) aus einem elektronischen Postfach einer natürlichen oder juristischen Person oder einer sonstigen Vereinigung, das nach Durchführung eines Identifizierungsverfahrens nach den Regelungen der auf Grund des § 130a Absatz 2 Satz 2 der Zivilprozessordnung[5] erlassenen Rechtsverordnung eingerichtet wurde;
   d) mit der Versandart nach § 5 Absatz 5 des De-Mail-Gesetzes;
3. bei elektronischen Verwaltungsakten oder sonstigen elektronischen Dokumenten der Behörde
   a) indem diese mit dem qualifizierten elektronischen Siegel der Behörde versehen werden;
   b) durch Versendung einer De-Mail-Nachricht nach § 5 Absatz 5 des De-Mail-Gesetzes, bei der die Bestätigung des akkreditierten Diensteanbieters die erlassende Behörde als Nutzer des De-Mail-Kontos erkennen lässt.

---

[1] **Sartorius Nr. 255.**
[2] **beck-online, Module Arbeitsrecht Nr. 760.**
[3] **beck-online, Module Arbeitsrecht Nr. 695.**
[4] **beck-online, Module Arbeitsrecht Nr. 133a.**
[5] **beck-online, Module Arbeitsrecht Nr. 320.**

(2b) [1] Ermöglicht die Behörde die unmittelbare Abgabe einer Erklärung in einem elektronischen Formular, das von der Behörde in einem Eingabegerät oder über öffentlich zugängliche Netze zur Verfügung gestellt wird, so hat sie dem Erklärenden vor Abgabe der Erklärung Gelegenheit zu geben, die gesamte Erklärung auf Vollständigkeit und Richtigkeit zu prüfen. [2] Nach der Abgabe ist dem Erklärenden eine Kopie der Erklärung zur Verfügung zu stellen. [3] Die Sätze 1 und 2 gelten nicht für Absatz 2a Nummer 1 Buchstabe c.

(2c) [1] Ist durch Rechtsvorschrift die Verwendung eines bestimmten Formulars vorgeschrieben, das ein Unterschriftsfeld vorsieht, wird allein dadurch nicht die Anordnung der Schriftform bewirkt. [2] Bei einer für die elektronische Versendung an die Behörde bestimmten Fassung des Formulars entfällt das Unterschriftsfeld.

(3) [1] Ist ein der Behörde übermitteltes elektronisches Dokument für sie zur Bearbeitung nicht geeignet, teilt sie dies dem Absender unter Angabe der für sie geltenden technischen Rahmenbedingungen unverzüglich mit. [2] Macht ein Empfänger geltend, er könne das von der Behörde übermittelte elektronische Dokument nicht bearbeiten, übermittelt sie es ihm erneut in einem geeigneten elektronischen Format oder als Schriftstück.

(4) [1] Die Träger der Sozialversicherung einschließlich der Bundesagentur für Arbeit, ihre Verbände und Arbeitsgemeinschaften verwenden unter Beachtung der Grundsätze der Wirtschaftlichkeit und Sparsamkeit im jeweiligen Sozialleistungsbereich Vertrauensdienste, die eine gemeinsame und bundeseinheitliche Kommunikation und Übermittlung der Daten und die Überprüfbarkeit der qualifizierten elektronischen Signatur auf Dauer sicherstellen. [2] Diese Träger sollen über ihren jeweiligen Bereich hinaus Vertrauensdienste im Sinne des Satzes 1 verwenden. [3] Die Sätze 1 und 2 gelten entsprechend für die Leistungserbringer nach dem Fünften[1)] und dem Elften Buch[2)] und die von ihnen gebildeten Organisationen.

(5) Die Identifizierung und Authentifizierung der Nutzer im Sinne des § 2 Absatz 4 Nummer 1 des Onlinezugangsgesetzes für die Inanspruchnahme elektronischer Verwaltungsleistungen nach dem Sozialgesetzbuch kann in Ergänzung zum zentralen Bürgerkonto nach § 3 Absatz 1 Satz 1 des Onlinezugangsgesetzes auch über die Nutzerkonten der Leistungsträger erfolgen.

§ 37[3)] Vorbehalt abweichender Regelungen. [1] Das Erste und Zehnte Buch[4)] gelten für alle Sozialleistungsbereiche dieses Gesetzbuchs, soweit sich aus den übrigen Büchern nichts Abweichendes ergibt; § 68 bleibt unberührt. [2] Der Vorbehalt gilt nicht für die §§ 1 bis 17 und 31 bis 36. [3] Das Zweite Kapitel des Zehnten Buches[4)] geht dessen Erstem Kapitel vor, soweit sich die Ermittlung des Sachverhaltes auf Sozialdaten erstreckt.

Zweiter Titel. Grundsätze des Leistungsrechts

§ 38 Rechtsanspruch. Auf Sozialleistungen besteht ein Anspruch, soweit nicht nach den besonderen Teilen dieses Gesetzbuchs die Leistungsträger

---

1) Auszugsweise abgedruckt unter Nr. **695**.

2) **Aichberger, SGB Nr. 11.**

3) *§ 37 neu gef. durch G v. 13.6.1994* (BGBl. I S. 1229); Satz 1 geänd. mWv 1.1.2001 durch G v. 21.12.2000 (BGBl. I S. 1983).

4) Auszugsweise abgedruckt unter Nr. **699**.

ermächtigt sind, bei der Entscheidung über die Leistung nach ihrem Ermessen zu handeln.

§ 39 Ermessensleistungen. (1) [1] Sind die Leistungsträger ermächtigt, bei der Entscheidung über Sozialleistungen nach ihrem Ermessen zu handeln, haben sie ihr Ermessen entsprechend dem Zweck der Ermächtigung auszuüben und die gesetzlichen Grenzen des Ermessens einzuhalten. [2] Auf pflichtgemäße Ausübung des Ermessens besteht ein Anspruch.

(2) Für Ermessensleistungen gelten die Vorschriften über Sozialleistungen, auf die ein Anspruch besteht, entsprechend, soweit sich aus den Vorschriften dieses Gesetzbuchs nichts Abweichendes ergibt.

§ 40 Entstehen der Ansprüche. (1) Ansprüche auf Sozialleistungen entstehen, sobald ihre im Gesetz oder auf Grund eines Gesetzes bestimmten Voraussetzungen vorliegen.

(2) Bei Ermessensleistungen ist der Zeitpunkt maßgebend, in dem die Entscheidung über die Leistung bekanntgegeben wird, es sei denn, daß in der Entscheidung ein anderer Zeitpunkt bestimmt ist.

§ 41 Fälligkeit. Soweit die besonderen Teile dieses Gesetzbuchs keine Regelung enthalten, werden Ansprüche auf Sozialleistungen mit ihrem Entstehen fällig.

§ 42[1)] Vorschüsse. (1) [1] Besteht ein Anspruch auf Geldleistungen dem Grunde nach und ist zur Feststellung seiner Höhe voraussichtlich längere Zeit erforderlich, kann der zuständige Leistungsträger Vorschüsse zahlen, deren Höhe er nach pflichtgemäßem Ermessen bestimmt. [2] Er hat Vorschüsse nach Satz 1 zu zahlen, wenn der Berechtigte es beantragt; die Vorschußzahlung beginnt spätestens nach Ablauf eines Kalendermonats nach Eingang des Antrags.

(2) [1] Die Vorschüsse sind auf die zustehende Leistung anzurechnen. [2] Soweit sie diese übersteigen, sind sie vom Empfänger zu erstatten. [3] § 50 Abs. 4 des Zehnten Buches[2)] gilt entsprechend.

(3) Für die Stundung, Niederschlagung und den Erlaß des Erstattungsanspruchs gilt § 76 Abs. 2 des Vierten Buches[3)] entsprechend.

§ 43[4)] Vorläufige Leistungen. (1) [1] Besteht ein Anspruch auf Sozialleistungen und ist zwischen mehreren Leistungsträgern streitig, wer zur Leistung verpflichtet ist, kann der unter ihnen zuerst angegangene Leistungsträger vorläufig Leistungen erbringen, deren Umfang er nach pflichtgemäßen Ermessen bestimmt. [2] Er hat Leistungen nach Satz 1 zu erbringen, wenn der Berechtigte es beantragt; die vorläufigen Leistungen beginnen spätestens nach Ablauf eines Kalendermonats nach Eingang des Antrags.

(2) [1] Für die Leistungen nach Absatz 1 gilt § 42 Abs. 2 und 3 entsprechend. [2] Ein Erstattungsanspruch gegen den Empfänger steht nur dem zur Leistung verpflichteten Leistungsträger zu.

---

1) § 42 Abs. 2 Satz 3 angef. durch G v. 4.11.1982 (BGBl. I S. 1450); Abs. 3 neu gef. durch G v. 13.6.1994 (BGBl. I S. 1229).

2) Nr. **699**.

3) **beck-online, Module Arbeitsrecht Nr. 694.**

4) § 43 Abs. 3 aufgeh. durch G v. 4.11.1982 (BGBl. I S. 1450).

§ 44[1] Verzinsung. (1) Ansprüche auf Geldleistungen sind nach Ablauf eines Kalendermonats nach dem Eintritt ihrer Fälligkeit bis zum Ablauf des Kalendermonats vor der Zahlung mit vier vom Hundert zu verzinsen.

(2) Die Verzinsung beginnt frühestens nach Ablauf von sechs Kalendermonaten nach Eingang des vollständigen Leistungsantrags beim zuständigen Leistungsträger, beim Fehlen eines Antrags nach Ablauf eines Kalendermonats nach der Bekanntgabe der Entscheidung über die Leistung.

(3) [1] Verzinst werden volle Euro-Beträge. [2] Dabei ist der Kalendermonat mit dreißig Tagen zugrunde zu legen.

§ 45[2] Verjährung. (1) Ansprüche auf Sozialleistungen verjähren in vier Jahren nach Ablauf des Kalenderjahrs, in dem sie entstanden sind.

(2) Für die Hemmung, die Ablaufhemmung, den Neubeginn und die Wirkung der Verjährung gelten die Vorschriften des Bürgerlichen Gesetzbuchs[3] sinngemäß.

(3) [1] Die Verjährung wird auch durch schriftlichen Antrag auf die Sozialleistung oder durch Erhebung eines Widerspruchs gehemmt. [2] Die Hemmung endet sechs Monate nach Bekanntgabe der Entscheidung über den Antrag oder den Widerspruch.

§ 46 Verzicht. (1) Auf Ansprüche auf Sozialleistungen kann durch schriftliche Erklärung gegenüber dem Leistungsträger verzichtet werden; der Verzicht kann jederzeit mit Wirkung für die Zukunft widerrufen werden.

(2) Der Verzicht ist unwirksam, soweit durch ihn andere Personen oder Leistungsträger belastet oder Rechtsvorschriften umgangen werden.

§ 47[4] Auszahlung von Geldleistungen. (1) [1] Soweit die besonderen Teile dieses Gesetzbuchs keine Regelung enthalten, werden Geldleistungen kostenfrei auf das angegebene Konto bei einem Geldinstitut, für das die Verordnung (EU) Nr. 260/2012 des Europäischen Parlaments und des Rates vom 14. März 2012 zur Festlegung der technischen Vorschriften und der Geschäftsanforderungen für Überweisungen und Lastschriften in Euro und zur Änderung der Verordnung (EG) Nr. 924/2009 (ABl. L 94 vom 30.3.2012, S. 22), die zuletzt durch die Verordnung (EU) 2024/886 (ABl. L, 2024/886, 19.3.2024) geändert worden ist, gilt, überwiesen. [2] Abweichend von Satz 1 werden Geldleistungen kostenfrei an den Wohnsitz oder gewöhnlichen Aufenthalt des Empfängers innerhalb des Geltungsbereiches der in Satz 1 genannten Verordnung übermittelt, wenn

1. der Empfänger nachweist, dass ihm die Einrichtung eines Kontos bei einem Geldinstitut ohne eigenes Verschulden nicht möglich ist, oder
2. die Auszahlung im Einzelfall keinen Aufschub duldet.

(2) Bei Zahlungen außerhalb des Geltungsbereiches der in Absatz 1 genannten Verordnung trägt der Leistungsträger die Kosten bis zu dem von ihm mit der Zahlung beauftragten Geldinstitut.

---

[1] § 44 Abs. 3 Satz 1 geänd. mWv 1.1.2002 durch G v. 21.12.2000 (BGBl. I S. 1983).

[2] § 45 Abs. 4 aufgeh. durch G v. 4.11.1982 (BGBl. I S. 1450); Abs. 2 und 3 neu gef. mWv 1.1.2002 durch G v. 21.6.2002 (BGBl. I S. 2167).

[3] Auszugsweise abgedruckt unter Nr. **50**.

[4] § 47 neu gef. mWv 25.10.2013 durch G v. 19.10.2013 (BGBl. I S. 3836); Abs. 1 Satz 1 geänd., Sätze 2 und 3 angef. mWv 1.12.2021 durch G v. 12.6.2020 (BGBl. I S. 1248); Abs. 1 Satz 1 geänd., Satz 2 neu gef., Satz 3 aufgeh. mWv 1.1.2026 durch G v. 22.12.2025 (BGBl. 2025 I Nr. 355); Abs. 1 Satz 1 geänd. mWv 10.2.2026 durch G v. 4.2.2026 (BGBl. 2026 I Nr. 33).

§ 48[1)] Auszahlung bei Verletzung der Unterhaltspflicht. (1) [1] Laufende Geldleistungen, die der Sicherung des Lebensunterhalts zu dienen bestimmt sind, können in angemessener Höhe an den Ehegatten, den Lebenspartner oder die Kinder des Leistungsberechtigten ausgezahlt werden, wenn er ihnen gegenüber seiner gesetzlichen Unterhaltspflicht nicht nachkommt. [2] Kindergeld, Kinderzuschläge und vergleichbare Rentenbestandteile (Geldleistungen für Kinder) können an Kinder, die bei der Festsetzung der Geldleistungen berücksichtigt werden, bis zur Höhe des Betrages, der sich bei entsprechender Anwendung des § 54 Abs. 5 Satz 2 ergibt, ausgezahlt werden. [3] Für das Kindergeld gilt dies auch dann, wenn der Kindergeldberechtigte mangels Leistungsfähigkeit nicht unterhaltspflichtig ist oder nur Unterhalt in Höhe eines Betrages zu leisten braucht, der geringer ist als das für die Auszahlung in Betracht kommende Kindergeld. [4] Die Auszahlung kann auch an die Person oder Stelle erfolgen, die dem Ehegatten, dem Lebenspartner oder den Kindern Unterhalt gewährt.

(2) Absatz 1 Satz 1, 2 und 4 gilt entsprechend, wenn unter Berücksichtigung von Kindern, denen gegenüber der Leistungsberechtigte nicht kraft Gesetzes unterhaltspflichtig ist, Geldleistungen erbracht werden und der Leistungsberechtigte diese Kinder nicht unterhält.

§ 49[2)] Auszahlung bei Unterbringung. (1) Ist ein Leistungsberechtigter auf Grund richterlicher Anordnung länger als einen Kalendermonat in einer Anstalt oder Einrichtung untergebracht, sind laufende Geldleistungen, die der Sicherung des Lebensunterhalts zu dienen bestimmt sind, an die Unterhaltsberechtigten auszuzahlen, soweit der Leistungsberechtigte kraft Gesetzes unterhaltspflichtig ist und er oder die Unterhaltsberechtigten es beantragen.

(2) Absatz 1 gilt entsprechend, wenn für Kinder, denen gegenüber der Leistungsberechtigte nicht kraft Gesetzes unterhaltspflichtig ist, Geldleistungen erbracht werden.

(3) § 48 Abs. 1 Satz 4 bleibt unberührt.

§ 50[3)] Überleitung bei Unterbringung. (1) Ist der Leistungsberechtigte untergebracht (§ 49 Abs. 1), kann die Stelle, der die Kosten der Unterbringung zur Last fallen, seine Ansprüche auf laufende Geldleistungen, die der Sicherung des Lebensunterhalts zu dienen bestimmt sind, durch schriftliche Anzeige an den zuständigen Leistungsträger auf sich überleiten.

(2) Die Anzeige bewirkt den Anspruchsübergang nur insoweit, als die Leistung nicht an Unterhaltsberechtigte oder die in § 49 Abs. 2 genannten Kinder zu zahlen ist, der Leistungsberechtigte die Kosten der Unterbringung zu erstatten hat und die Leistung auf den für die Erstattung maßgebenden Zeitraum entfällt.

[1)] § 48 Abs. 1 Satz 2 eingef., bish. Satz 2 wird Satz 3 und Abs. 2 geänd. durch G v. 20. 7. 1988 (BGBl. I S. 1046); Abs. 1 Satz 3 eingef., bish. Satz 3 wird Satz 4 und Abs. 2 geänd. durch G v. 30. 6. 1989 (BGBl. I S. 1294); Abs. 1 Satz 2 geänd. durch G v. 13. 6. 1994 (BGBl. I S. 1229); Abs. 1 Sätze 1 und 4 geänd. mWv 26. 11. 2015 durch G v. 20. 11. 2015 (BGBl. I S. 2010).

[2)] § 49 Abs. 3 geänd. durch G v. 20. 7. 1988 (BGBl. I S. 1046).

[3)] § 50 Abs. 3 geänd. durch G v. 24. 6. 1985 (BGBl. I S. 1144).

(3) Die Absätze 1 und 2 gelten entsprechend, wenn für ein Kind (§ 56 Abs. 1 Satz 1 Nr. 2, Abs. 2), das untergebracht ist (§ 49 Abs. 1), ein Anspruch auf eine laufende Geldleistung besteht.

§ 51[1] **Aufrechnung.** (1) Gegen Ansprüche auf Geldleistungen kann der zuständige Leistungsträger mit Ansprüchen gegen den Berechtigten aufrechnen, soweit die Ansprüche auf Geldleistungen nach § 54 Abs. 2 und 4 pfändbar sind.

(2) Mit Ansprüchen auf Erstattung zu Unrecht erbrachter Sozialleistungen und mit Beitragsansprüchen nach diesem Gesetzbuch kann der zuständige Leistungsträger gegen Ansprüche auf laufende Geldleistungen bis zu deren Hälfte aufrechnen, wenn der Leistungsberechtigte nicht nachweist, dass er dadurch hilfebedürftig im Sinne der Vorschriften des Zwölften Buches[2] über die Hilfe zum Lebensunterhalt oder der Grundsicherung für Arbeitsuchende nach dem Zweiten Buch[3] wird.

§ 52 Verrechnung. Der für eine Geldleistung zuständige Leistungsträger kann mit Ermächtigung eines anderen Leistungsträgers dessen Ansprüche gegen den Berechtigten mit der ihm obliegenden Geldleistung verrechnen, soweit nach § 51 die Aufrechnung zulässig ist.

§ 53[4] **Übertragung und Verpfändung.** (1) Ansprüche auf Dienst- und Sachleistungen können weder übertragen noch verpfändet werden.

(2) Ansprüche auf Geldleistungen können übertragen und verpfändet werden

1. zur Erfüllung oder zur Sicherung von Ansprüchen auf Rückzahlung von Darlehen und auf Erstattung von Aufwendungen, die im Vorgriff auf fällig gewordene Sozialleistungen zu einer angemessenen Lebensführung gegeben oder gemacht worden sind oder,
2. wenn der zuständige Leistungsträger feststellt, daß die Übertragung oder Verpfändung im wohlverstandenen Interesse des Berechtigten liegt.

(3) Ansprüche auf laufende Geldleistungen, die der Sicherung des Lebensunterhalts zu dienen bestimmt sind, können in anderen Fällen übertragen und verpfändet werden, soweit sie den für Arbeitseinkommen geltenden unpfändbaren Betrag übersteigen.

(4) Der Leistungsträger ist zur Auszahlung an den neuen Gläubiger nicht vor Ablauf des Monats verpflichtet, der dem Monat folgt, in dem er von der Übertragung oder Verpfändung Kenntnis erlangt hat.

(5) Eine Übertragung oder Verpfändung von Ansprüchen auf Geldleistungen steht einer Aufrechnung oder Verrechnung auch dann nicht

---

[1] § 51 Abs. 2 zweiter Halbs. angef. durch G v. 18. 8. 1980 (BGBl. I S. 1469); Abs. 1 geänd. durch G v. 13. 6. 1994 (BGBl. I S. 1229); Abs. 2 zweiter Halbs. geänd. mWv 1. 1. 2005 durch G v. 24. 12. 2003 (BGBl. I S. 2954); Abs. 2 zweiter Halbs. geänd. mWv 1. 1. 2005 durch G v. 27. 12. 2003 (BGBl. I S. 3022); Abs. 2 geänd. mWv 6. 8. 2004 durch G v. 30. 7. 2004 (BGBl. I S. 2014).

[2] **Aichberger, SGB Nr. 12.**

[3] *Auszugsweise abgedruckt unter* Nr. **692**.

[4] § 53 Abs. 4 und 5 angef. durch G v. 20. 7. 1988 (BGBl. I S. 1046); Abs. 6 angef. mWv 30. 3. 2005 durch G v. 21. 3. 2005 (BGBl. I S. 818).

entgegen, wenn der Leistungsträger beim Erwerb des Anspruchs von der Übertragung oder Verpfändung Kenntnis hatte.

(6) [1] Soweit bei einer Übertragung oder Verpfändung Geldleistungen zu Unrecht erbracht worden sind, sind sowohl der Leistungsberechtigte als auch der neue Gläubiger als Gesamtschuldner dem Leistungsträger zur Erstattung des entsprechenden Betrages verpflichtet. [2] Der Leistungsträger hat den Erstattungsanspruch durch Verwaltungsakt geltend zu machen.

§ 54[1)] Pfändung. (1) Ansprüche auf Dienst- und Sachleistungen können nicht gepfändet werden.

(2) Ansprüche auf einmalige Geldleistungen können nur gepfändet werden, soweit nach den Umständen des Falles, insbesondere nach den Einkommens- und Vermögensverhältnissen des Leistungsberechtigten, der Art des beizutreibenden Anspruchs sowie der Höhe und der Zweckbestimmung der Geldleistung, die Pfändung der Billigkeit entspricht.

(3) Unpfändbar sind Ansprüche auf

1. Elterngeld ***[bis 31.8.2021:** und Betreuungsgeld**]*** bis zur Höhe der nach § 10 des Bundeselterngeld- und Elternzeitgesetzes anrechnungsfreien Beträge sowie dem Erziehungsgeld vergleichbare Leistungen der Länder,
2. Mutterschaftsgeld nach § 19 Absatz 1 des Mutterschutzgesetzes[2)], soweit das Mutterschaftsgeld nicht aus einer Teilzeitbeschäftigung während der Elternzeit herrührt, bis zur Höhe des Elterngeldes nach § 2 des Bundeselterngeld- und Elternzeitgesetzes[3)], soweit es die anrechnungsfreien Beträge nach § 10 des Bundeselterngeld- und Elternzeitgesetzes nicht übersteigt,

2a. Wohngeld, soweit nicht die Pfändung wegen Ansprüchen erfolgt, die Gegenstand der §§ 9 und 10 des Wohngeldgesetzes[4)] sind,

3. Geldleistungen, die dafür bestimmt sind, den durch einen Körper- oder Gesundheitsschaden bedingten Mehraufwand auszugleichen.

(4) Im übrigen können Ansprüche auf laufende Geldleistungen wie Arbeitseinkommen gepfändet werden.

(5) [1] Ein Anspruch des Leistungsberechtigten auf Geldleistungen für Kinder (§ 48 Abs. 1 Satz 2) kann nur wegen gesetzlicher Unterhaltsansprüche eines Kindes, das bei der Festsetzung der Geldleistungen berücksichtigt wird, gepfändet werden. [2] Für die Höhe des pfändbaren Betrages bei Kindergeld gilt:

1. Gehört das unterhaltsberechtigte Kind zum Kreis der Kinder, für die dem Leistungsberechtigten Kindergeld gezahlt wird, so ist eine Pfändung bis zu dem Betrag möglich, der bei gleichmäßiger Verteilung des Kindergeldes auf jedes dieser Kinder entfällt. Ist das Kindergeld durch die Berücksichtigung

---

1) § 54 Abs. 4 bis 6 angef. durch G v. 20.7.1988 (BGBl. I S. 1046); Abs. 3 neu gef., Abs. 4 eingef. und Abs. 5 und 6 aufgeh., bish. Abs. 4 wird Abs. 5 durch G v. 13.6.1994 (BGBl. I S. 1229); Abs. 3 Nr. 2 geänd. mWv 2.1.2001 durch G v. 30.11.2000 (BGBl. I S. 1638); Abs. 3 Nr. 2 geänd. und Nr. 2a eingef. mWv 1.1.2005 durch G v. 24.12.2003 (BGBl. I S. 2954); Abs. 6 angef. mWv 30.3.2005 durch G v. 21.3.2005 (BGBl. I S. 818); Abs. 3 Nrn. 1 und 2 geänd. mWv 1.1.2007 durch G v. 5.12.2006 (BGBl. I S. 2748); Abs. 3 Nr. 2a geänd. mWv 1.1.2009 durch G v. 24.9.2008 (BGBl. I S. 1856); Abs. 3 Nr. 2 geänd. mWv 18.9.2012 durch G v. 10.9.2012 (BGBl. I S. 1878); Abs. 3 neu gef. mWv 1.8.2013 durch G v. 15.2.2013 (BGBl. I S. 254); Abs. 3 Nr. 2 geänd. mWv 1.1.2018 durch G v. 23.5.2017 (BGBl. I S. 1228); Abs. 3 Nr. 1 geänd. mWv 1.9.2021 durch G v. 15.2.2021 (BGBl. I S. 239).

2) Nr. **400**.

3) Nr. **401**.

4) **Sartorius Nr. 385.**

eines weiteren Kindes erhöht, für das einer dritten Person Kindergeld oder dieser oder dem Leistungsberechtigten eine andere Geldleistung für Kinder zusteht, so bleibt der Erhöhungsbetrag bei der Bestimmung des pfändbaren Betrages des Kindergeldes nach Satz 1 außer Betracht.

2. Der Erhöhungsbetrag (Nummer 1 Satz 2) ist zugunsten jedes bei der Festsetzung des Kindergeldes berücksichtigten unterhaltsberechtigten Kindes zu dem Anteil pfändbar, der sich bei gleichmäßiger Verteilung auf alle Kinder, die bei der Festsetzung des Kindergeldes zugunsten des Leistungsberechtigten berücksichtigt werden, ergibt.

(6) In den Fällen der Absätze 2, 4 und 5 gilt § 53 Abs. 6 entsprechend.

§ 55[1] *(aufgehoben)*

§ 56[2] **Sonderrechtsnachfolge.** (1) [1] Fällige Ansprüche auf laufende Geldleistungen stehen beim Tode des Berechtigten nacheinander

1. dem Ehegatten,
1a. dem Lebenspartner,
2. den Kindern,
3. den Eltern,
4. dem Haushaltsführer

zu, wenn diese mit dem Berechtigten zur Zeit seines Todes in einem gemeinsamen Haushalt gelebt haben oder von ihm wesentlich unterhalten worden sind. [2] Mehreren Personen einer Gruppe stehen die Ansprüche zu gleichen Teilen zu.

(2) Als Kinder im Sinne des Absatzes 1 Satz 1 Nr. 2 gelten auch

1. Stiefkinder und Enkel, die in den Haushalt des Berechtigten aufgenommen sind,
2. Pflegekinder (Personen, die mit dem Berechtigten durch ein auf längere Dauer angelegtes Pflegeverhältnis mit häuslicher Gemeinschaft wie Kinder mit Eltern verbunden sind),
3. Geschwister des Berechtigten, die in seinen Haushalt aufgenommen worden sind.

(3) Als Eltern im Sinne des Absatzes 1 Satz 1 Nr. 3 gelten auch

1. sonstige Verwandte der geraden aufsteigenden Linie,
2. Stiefeltern,
3. Pflegeeltern (Personen, die den Berechtigten als Pflegekind aufgenommen haben).

(4) Haushaltsführer im Sinne des Absatzes 1 Satz 1 Nr. 4 ist derjenige Verwandte oder Verschwägerte, der an Stelle des verstorbenen oder geschiedenen oder an der Führung des Haushalts aus gesundheitlichen Gründen dauernd gehinderten Ehegatten oder Lebenspartners den Haushalt des Berechtigten

---

[1] § 55 aufgeh. mWv 1.1.2012 durch G v. 7.7.2009 (BGBl. I S. 1707).

[2] § 56 Abs. 2 und 3 neu gef. durch G v. 24.6.1985 (BGBl. I S. 1144); Abs. 2 bis 4 geänd. mWv 1.1.2001 durch G v. *21.12.2000* (BGBl. I S. 1983); Abs. 1 Satz 1 Nr. 1a eingef. und Abs. 4 geänd. mWv 1.8.2001 durch G v. 16.2.2001 (BGBl. I S. 266); Abs. 4 neu gef. mWv 1.5.2002 durch G v. 27.4.2002 (BGBl. I S. 1467).

mindestens ein Jahr lang vor dessen Tod geführt hat und von diesem überwiegend unterhalten worden ist.

§ 57 Verzicht und Haftung des Sonderrechtsnachfolgers. (1) [1]Der nach § 56 Berechtigte kann auf die Sonderrechtsnachfolge innerhalb von sechs Wochen nach ihrer Kenntnis durch schriftliche Erklärung gegenüber dem Leistungsträger verzichten. [2]Verzichtet er innerhalb dieser Frist, gelten die Ansprüche als auf ihn nicht übergegangen. [3]Sie stehen den Personen zu, die ohne den Verzichtenden nach § 56 berechtigt wären.

(2) [1]Soweit Ansprüche auf den Sonderrechtsnachfolger übergegangen sind, haftet er für die nach diesem Gesetzbuch bestehenden Verbindlichkeiten des Verstorbenen gegenüber dem für die Ansprüche zuständigen Leistungsträger. [2]Insoweit entfällt eine Haftung des Erben. [3]Eine Aufrechnung und Verrechnung nach den §§ 51 und 52 ist ohne die dort genannten Beschränkungen der Höhe zulässig.

§ 58 Vererbung. [1]Soweit fällige Ansprüche auf Geldleistungen nicht nach den §§ 56 und 57 einem Sonderrechtsnachfolger zustehen, werden sie nach den Vorschriften des Bürgerlichen Gesetzbuchs[1)] vererbt. [2]Der Fiskus als gesetzlicher Erbe kann die Ansprüche nicht geltend machen.

§ 59 Ausschluß der Rechtsnachfolge. [1]Ansprüche auf Dienst- und Sachleistungen erlöschen mit dem Tode des Berechtigten. [2]Ansprüche auf Geldleistungen erlöschen nur, wenn sie im Zeitpunkt des Todes des Berechtigten weder festgestellt sind noch ein Verwaltungsverfahren über sie anhängig ist.

Dritter Titel. Mitwirkung des Leistungsberechtigten

§ 60[2)] Angabe von Tatsachen. (1) [1]Wer Sozialleistungen beantragt oder erhält, hat

1. alle Tatsachen anzugeben, die für die Leistung erheblich sind, und auf Verlangen des zuständigen Leistungsträgers der Erteilung der erforderlichen Auskünfte durch Dritte zuzustimmen,
2. Änderungen in den Verhältnissen, die für die Leistung erheblich sind oder über die im Zusammenhang mit der Leistung Erklärungen abgegeben worden sind, unverzüglich mitzuteilen,
3. Beweismittel zu bezeichnen und auf Verlangen des zuständigen Leistungsträgers Beweisurkunden vorzulegen oder ihrer Vorlage zuzustimmen.

[2]Satz 1 gilt entsprechend für denjenigen, der Leistungen zu erstatten hat.

(2) [1]Soweit für die in Absatz 1 Satz 1 Nummer 1 und 2 genannten Angaben Vordrucke vorgesehen sind, sollen diese benutzt werden. [2]Soweit diese Vordrucke als elektronische Formulare über öffentlich zugängliche Netze oder in einem Eingabegerät zur Verfügung stehen, sollen diese vorrangig benutzt werden.

[1)] Auszugsweise abgedruckt unter Nr. **50**.

[2)] § 60 Abs. 1 Satz 2 angef. durch G v. 6.12.1985 (BGBl. I S. 2154); Abs. 2 geänd. mWv 1.1.2001 durch G v. 21.12.2000 (BGBl. I S. 1983; Abs. 2 neu gef. mWv 22.1.2026 durch G v. 16.1.2026 (BGBl. 2026 I Nr. 14)).

§ 61 Persönliches Erscheinen. Wer Sozialleistungen beantragt oder erhält, soll auf Verlangen des zuständigen Leistungsträgers zur mündlichen Erörterung des Antrags oder zur Vornahme anderer für die Entscheidung über die Leistung notwendiger Maßnahmen persönlich erscheinen.

§ 62 Untersuchungen. Wer Sozialleistungen beantragt oder erhält, soll sich auf Verlangen des zuständigen Leistungsträgers ärztlichen und psychologischen Untersuchungsmaßnahmen unterziehen, soweit diese für die Entscheidung über die Leistung erforderlich sind.

§ 63 Heilbehandlung. Wer wegen Krankheit oder Behinderung Sozialleistungen beantragt oder erhält, soll sich auf Verlangen des zuständigen Leistungsträgers einer Heilbehandlung unterziehen, wenn zu erwarten ist, daß sie eine Besserung seines Gesundheitszustands herbeiführen oder eine Verschlechterung verhindern wird.

§ 64[1] Leistungen zur Teilhabe am Arbeitsleben. Wer wegen Minderung der Erwerbsfähigkeit, anerkannten Schädigungsfolgen oder wegen Arbeitslosigkeit Sozialleistungen beantragt oder erhält, soll auf Verlangen des zuständigen Leistungsträgers an Leistungen zur Teilhabe am Arbeitsleben teilnehmen, wenn bei angemessener Berücksichtigung seiner beruflichen Neigung und seiner Leistungsfähigkeit zu erwarten ist, daß sie seine Erwerbs- oder Vermittlungsfähigkeit auf Dauer fördern oder erhalten werden.

§ 65[2] Grenzen der Mitwirkung. (1) Die Mitwirkungspflichten nach den §§ 60 bis 64 bestehen nicht, soweit

1. ihre Erfüllung nicht in einem angemessenen Verhältnis zu der in Anspruch genommenen Sozialleistung oder ihrer Erstattung steht oder
2. ihre Erfüllung dem Betroffenen aus einem wichtigen Grund nicht zugemutet werden kann oder
3. der Leistungsträger sich durch einen geringeren Aufwand als der Antragsteller oder Leistungsberechtigte die erforderlichen Kenntnisse selbst beschaffen kann.

(2) Behandlungen und Untersuchungen,

1. bei denen im Einzelfall ein Schaden für Leben oder Gesundheit nicht mit hoher Wahrscheinlichkeit ausgeschlossen werden kann,
2. die mit erheblichen Schmerzen verbunden sind oder
3. die einen erheblichen Eingriff in die körperliche Unversehrtheit bedeuten,

können abgelehnt werden.

(3) Angaben, die dem Antragsteller, dem Leistungsberechtigten oder ihnen nahestehende Personen (§ 383 Abs. 1 Nr. 1 bis 3 der Zivilprozeßordnung[3]) die Gefahr zuziehen würde, wegen einer Straftat oder einer Ordnungswidrigkeit verfolgt zu werden, können verweigert werden.

---

[1] § 64 Überschr. und Wortlaut geänd. mWv 1.7.2001 durch G v. 19.6.2001 (BGBl. I S. 1046); geänd. mWv 21.12.2007 durch G v. 13.12.2007 (BGBl. I S. 2904).

[2] *§ 65 Abs. 3 neu gef. durch* G v. 4.11.1982 (BGBl. I S. 1450); Abs. 1 Nr. 1 geänd. durch G v. 6.12.1985 (BGBl. I S. 2154).

[3] **beck-online, Module Arbeitsrecht Nr. 320.**

§ 65a[1)] Aufwendungsersatz. (1) [1]Wer einem Verlangen des zuständigen Leistungsträgers nach den §§ 61 oder 62 nachkommt, kann auf Antrag Ersatz seiner notwendigen Auslagen und seines Verdienstausfalles in angemessenem Umfang erhalten. [2]Bei einem Verlangen des zuständigen Leistungsträgers nach § 61 sollen Aufwendungen nur in Härtefällen ersetzt werden.

(2) Absatz 1 gilt auch, wenn der zuständige Leistungsträger ein persönliches Erscheinen oder eine Untersuchung nachträglich als notwendig anerkennt.

§ 66[2)] Folgen fehlender Mitwirkung. (1) [1]Kommt derjenige, der eine Sozialleistung beantragt oder erhält, seinen Mitwirkungspflichten nach § 60 Absatz 1, den §§ 61, 62 und 65 nicht nach und wird hierdurch die Aufklärung des Sachverhalts erheblich erschwert, kann der Leistungsträger ohne weitere Ermittlungen die Leistung bis zur Nachholung der Mitwirkung ganz oder teilweise versagen oder entziehen, soweit die Voraussetzungen der Leistung nicht nachgewiesen sind. [2]Dies gilt entsprechend, wenn der Antragsteller oder Leistungsberechtigte in anderer Weise absichtlich die Aufklärung des Sachverhalts erheblich erschwert.

(2) Kommt derjenige, der eine Sozialleistung wegen Pflegebedürftigkeit, wegen Arbeitsunfähigkeit, wegen Gefährdung oder Minderung der Erwerbsfähigkeit, anerkannten Schädigungsfolgen oder wegen Arbeitslosigkeit beantragt oder erhält, seinen Mitwirkungspflichten nach den §§ 62 bis 65 nicht nach und ist unter Würdigung aller Umstände mit Wahrscheinlichkeit anzunehmen, daß deshalb die Fähigkeit zur selbständigen Lebensführung, die Arbeits-, Erwerbs- oder Vermittlungsfähigkeit beeinträchtigt oder nicht verbessert wird, kann der Leistungsträger die Leistung bis zur Nachholung der Mitwirkung ganz oder teilweise versagen oder entziehen.

(3) Sozialleistungen dürfen wegen fehlender Mitwirkung nur versagt oder entzogen werden, nachdem der Leistungsberechtigte auf diese Folge schriftlich hingewiesen worden ist und seiner Mitwirkungspflicht nicht innerhalb einer ihm gesetzten angemessenen Frist nachgekommen ist.

§ 67 Nachholung der Mitwirkung. Wird die Mitwirkung nachgeholt und liegen die Leistungsvoraussetzungen vor, kann der Leistungsträger Sozialleistungen, die er nach § 66 versagt oder entzogen hat, nachträglich ganz oder teilweise erbringen.

Vierter Abschnitt.[3)] Übergangs- und Schlussvorschriften

§ 68[4)] Besondere Teile dieses Gesetzbuches. Bis zu ihrer Einordnung in dieses Gesetzbuch gelten die nachfolgenden Gesetze mit den zu ihrer Ergänzung und Änderung erlassenen Gesetzen als dessen besondere Teile:

[1)] § 65a eingef. durch G v. 18.8.1980 (BGBl. I S. 1469).

[2)] § 66 Abs. 2 geänd. durch G v. 26.5.1994 (BGBl. I S. 1014); Abs. 2 geänd. mWv 21.12.2007 durch G v. 13.12.2007 (BGBl. I S. 2904); Abs. 1 Satz 1 geänd. mWv 22.1.2026 durch G v. 16.1.2026 (BGBl. 2026 I Nr. 14).

[3)] 4. Abschnitt (§§ 68 und 69) angef. mWv 1.1.2001 durch G v. 21.12.2000 (BGBl. I S. 1983).

[4)] § 68 angef. mWv 1.1.2001 durch G v. 21.12.2000 (BGBl. I S. 1983); Nrn. 2 und 13 aufgeh. mWv 1.7.2001 durch G v. 19.6.2001 (BGBl. I S. 1046); Nr. 17 geänd. und Nr. 18 angef. mWv 1.1. 2003 durch G v. 26.6.2001 (BGBl. I S. 1310); Nr. 11 aufgeh. mWv 1.1.2005 durch G v. 27.12.2003 (BGBl. I S. 3022); Nr. 10 geänd. mWv 1.1.2005 durch G v. 15.12.2004 (BGBl. I S. 3450); Nr. 17 geänd., Nr. 18 aufgeh. mWv 30.3.2005 durch G v. 21.3.2005 (BGBl. I S. 818); Nr. 15a eingef. mWv →

1. das Bundesausbildungsförderungsgesetz[1)],
2. *(aufgehoben)*
3. die Reichsversicherungsordnung[2)],
4. das Gesetz über die Alterssicherung der Landwirte[3)],
5. *(aufgehoben)*
6. das Zweite Gesetz über die Krankenversicherung der Landwirte[4)],
7. Gesetze, die eine entsprechende Anwendung der Leistungsvorschriften des Vierzehnten Buches[5)] vorsehen, insbesondere
   a) § 59 Absatz 1 des Bundesgrenzschutzgesetzes,
   b) die §§ 4 und 5 des Häftlingshilfegesetzes[6)],
   c) die §§ 21 und 22 des Strafrechtlichen Rehabilitierungsgesetzes sowie
   d) die §§ 3 und 4 des Verwaltungsrechtlichen Rehabilitierungsgesetzes,
8. *(aufgehoben)*
9. das Bundeskindergeldgesetz[7)],
10. das Wohngeldgesetz[8)],
11. *(aufgehoben)*
12. das Adoptionsvermittlungsgesetz[9)],
13. *(aufgehoben)*
14. das Unterhaltsvorschussgesetz[10)],
15. der Erste und Zweite Abschnitt des Bundeselterngeld- und Elternzeitgesetzes[11)]

15a. *(aufgehoben)*

16. das Altersteilzeitgesetz[12)],
17. der Fünfte Abschnitt des Schwangerschaftskonfliktgesetzes[13)],
18. das das Soldatenentschädigungsgesetz.

(Fortsetzung der Anm. von voriger Seite)
1.1.2007 durch G v. 5.12.2006 (BGBl. I S. 2748); Nr. 17 geänd. mWv 15.12.2010 durch G v. 8.12. 2010 (BGBl. I S. 1864); Nr. 5 aufgeh. mWv 30.10.2012 durch G v. 23.10.2012 (BGBl. I S. 2246); Nr. 15 neu gef., Nr. 15a aufgeh. mWv 1.8.2013 durch G v. 15.2.2013 (BGBl. I S. 254); Nr. 7 Buchst. a neu gef. mWv 1.1.2015 durch G v. 15.7.2013 (BGBl. I S. 2416); Nr. 7 neu gef., Nr. 8 aufgeh. mWv 1.1.2024 durch G v. 12.12.2019 (BGBl. I S. 2652, aufgeh. durch G v. 20.12.2022, BGBl. I S. 2759); Nr. 15 geänd. mWv 1.9.2021 durch G v. 15.2.2021 (BGBl. I S. 239).; Nr. 7 Buchst. a aufgeh., Nr. 17 geänd., Nr. 18 angef. mWv 1.1.2025 durch G v. 20.8.2021 (BGBl. I S. 3932, aufgeh. durch G v. 20.12.2022, BGBl. I S. 2759); Nr. 7 neu gef., Nr. 8 aufgeh., Nr. 17 geänd., Nr. 18 neu gef. mWv 1.1. 2024 und neu gef. mWv 1.1.2025 durch G v. 20.12.2022 (BGBl. I S. 2759).

[1)] **Sartorius Nr. 420.**
[2)] **beck-online, Module Arbeitsrecht Nr. 400d.**
[3)] **Aichberger, SGB Nr. 30/10.**
[4)] **Aichberger, SGB Nr. 30/22.**
[5)] **Aichberger, SGB Nr. 14.**
[6)] **Aichberger, SGB Nr. 20/50.**
[7)] Auszugsweise abgedruckt unter Nr. 332.
[8)] **Sartorius Nr. 385.**
[9)] **Habersack ErgBd. Nr. 45i.**
[10)] **Aichberger, SGB Nr. 8/30.**
[11)] *Auszugsweise abgedruckt unter* Nr. **401**.
[12)] Nr. **721**.
[13)] **Habersack ErgBd. Nr. 85e.**

§ 69[1] **Stadtstaaten-Klausel.** Die Senate der Länder Berlin, Bremen und Hamburg werden ermächtigt, die Vorschriften dieses Buches über die Zuständigkeit von Behörden dem besonderen Verwaltungsaufbau ihrer Länder anzupassen.

§ 70[2] **Überleitungsvorschrift zum Verjährungsrecht.** Artikel 229 § 6 Abs. 1 und 2 des Einführungsgesetzes zum Bürgerlichen Gesetzbuche[3] gilt entsprechend bei der Anwendung des § 45 Abs. 2 und 3 in der seit dem 1. Januar 2002 geltenden Fassung.

§ 71[4] **Überleitungsvorschrift zur Übertragung, Verpfändung und Pfändung.** § 53 Abs. 6 und § 54 Abs. 6 sind nur auf Geldleistungen anzuwenden, soweit diese nach dem 30. März 2005 ganz oder teilweise zu Unrecht erbracht werden.

§ 72[5] *(aufgehoben)*

---

[1] § 69 angef. mWv 1.1.2001 durch G v. 21.12.2000 (BGBl. I S. 1983).
[2] § 70 angef. mWv 1.1.2002 durch G v. 21.6.2002 (BGBl. I S. 2167).
[3] Nr. **51**.
[4] § 71 angef. mWv 30.3.2005 durch G v. 21.3.2005 (BGBl. I S. 818).
[5] § 72 aufgeh. mWv 1.1.2025 durch G v. 20.8.2021 (BGBl. I S. 3932).

692. Sozialgesetzbuch (SGB) Zweites Buch (II) – Grundsicherung für Arbeitsuchende[1)]

In der Fassung der Bekanntmachung vom 13. Mai 2011[2)]
(BGBl. I S. 850, ber. S. 2094)

FNA 860-2

zuletzt geänd. durch Art. 1, Art. 1a 13. G zur Änd. des Zweiten Buches Sozialgesetzbuch und anderer Gesetze v. 16.4.2026 (BGBl. 2026 I Nr. 107)

– Auszug –[3)]

Kapitel 1. Fördern und Fordern

§ 1[4)] Aufgabe und Ziel der Grundsicherung für Arbeitsuchende.

(1) Die Grundsicherung für Arbeitsuchende soll es Leistungsberechtigten ermöglichen, ein Leben zu führen, das der Würde des Menschen entspricht.

(2) [1]Die Grundsicherung für Arbeitsuchende soll die Eigenverantwortung von erwerbsfähigen Leistungsberechtigten und Personen, die mit ihnen in einer Bedarfsgemeinschaft leben, stärken und dazu beitragen, dass sie ihren Lebensunterhalt unabhängig von der Grundsicherung aus eigenen Mitteln und Kräften bestreiten können. [2]Sie soll erwerbsfähige Leistungsberechtigte bei der Aufnahme oder Beibehaltung einer Erwerbstätigkeit unterstützen und den Lebensunterhalt sichern, soweit sie ihn nicht auf andere Weise bestreiten können. [3]Die Gleichstellung von Männern und Frauen ist als durchgängiges Prinzip zu verfolgen. [4]Die Leistungen der Grundsicherung sind insbesondere darauf auszurichten, dass

1. durch eine Erwerbstätigkeit Hilfebedürftigkeit vermieden oder beseitigt, die Dauer der Hilfebedürftigkeit verkürzt oder der Umfang der Hilfebedürftigkeit verringert wird,
2. die Erwerbsfähigkeit einer leistungsberechtigten Person erhalten, verbessert oder wieder hergestellt wird,
3. Nachteile, die erwerbsfähigen Leistungsberechtigten aus einem der in § 1 des Allgemeinen Gleichbehandlungsgesetzes[5)] genannten Gründe entstehen können, überwunden werden,
4. die familienspezifischen Lebensverhältnisse von erwerbsfähigen Leistungsberechtigten, die Kinder erziehen oder pflegebedürftige Angehörige betreuen, berücksichtigt werden,
5. Anreize zur Aufnahme und Ausübung einer Erwerbstätigkeit geschaffen und aufrechterhalten werden.

(3) Die Grundsicherung für Arbeitsuchende umfasst Leistungen zur

---

[1)] Überschrift neu gef. mWv 1.7.2026 durch G v. 16.4.2026 (BGBl. 2026 I Nr. 107).

[2)] Neubekanntmachung des SGB II v. 24.12.2003 (BGBl. I S. 2954) in der ab 1.4.2011 geltenden Fassung.

[3)] Vollständig wiedergegeben in **beck-online, Module Arbeitsrecht.**

[4)] § 1 Abs. 3 neu gef. mWv 1.8.2016 durch G v. 26.7.2016 (BGBl. I S. 1824); Abs. 2 Satz 4 Nr. 5 geänd. mWv 1.1.2022 durch G v. 2.6.2021 (BGBl. I S. 1387); Abs. 2 Satz 4 Nr. 3 neu gef., Nr. 5 aufgeh., bish. Nr. 6 wird Nr. 5 mWv 1.1.2023 durch G v. 16.12.2022 (BGBl. I S. 2328).

[5)] Nr. **91**.

1. Beratung,
2. Beendigung oder Verringerung der Hilfebedürftigkeit insbesondere durch Eingliederung in Ausbildung oder Arbeit und
3. Sicherung des Lebensunterhalts.

§ 2[1)] Grundsatz des Forderns. (1) [1]Erwerbsfähige Leistungsberechtigte und die mit ihnen in einer Bedarfsgemeinschaft lebenden Personen müssen alle Möglichkeiten zur Beendigung oder Verringerung ihrer Hilfebedürftigkeit ausschöpfen. [2]Eine erwerbsfähige leistungsberechtigte Person muss aktiv an allen Maßnahmen zu ihrer Eingliederung in Arbeit mitwirken, insbesondere einen Kooperationsplan abschließen. [3]Im Rahmen der vorrangigen Selbsthilfe und Eigenverantwortung sollen erwerbsfähige leistungsberechtigte Personen eigene Potenziale nutzen und Leistungen anderer Träger in Anspruch nehmen.

(2) [1]Erwerbsfähige Leistungsberechtigte und die mit ihnen in einer Bedarfsgemeinschaft lebenden Personen haben in eigener Verantwortung alle Möglichkeiten zu nutzen, ihren Lebensunterhalt aus eigenen Mitteln und Kräften zu bestreiten. [2]Erwerbsfähige Leistungsberechtigte müssen ihre Arbeitskraft in dem Umfang einsetzen, der zur vollständigen Überwindung ihrer Hilfebedürftigkeit und der mit ihnen in einer Bedarfsgemeinschaft lebenden Personen erforderlich ist. [3]Sofern es zu diesem Zweck erforderlich und individuell zumutbar ist, bedeutet dies insbesondere die Aufnahme einer Vollzeittätigkeit.

§ 3[2)] Leistungsgrundsätze. (1) [1]Leistungen zur Eingliederung in Arbeit können erbracht werden, soweit sie zur Vermeidung oder Beseitigung, Verkürzung oder Verminderung der Hilfebedürftigkeit für die Eingliederung erforderlich sind. [2]Bei den Leistungen zur Eingliederung in Arbeit sind zu berücksichtigen

1. die Eignung der erwerbsfähigen Leistungsberechtigten,
2. die individuelle Lebenssituation der erwerbsfähigen Leistungsberechtigten, insbesondere ihre familiäre Situation,
3. die voraussichtliche Dauer der Hilfebedürftigkeit der erwerbsfähigen Leistungsberechtigten und
4. die Dauerhaftigkeit der Eingliederung der erwerbsfähigen Leistungsberechtigten.

(2) Ab der Beantragung von Leistungen nach diesem Buch sollen unverzüglich Leistungen zur Eingliederung in Arbeit nach dem Ersten Abschnitt des Dritten Kapitels erbracht werden.

(3) Bei der Erbringung von Leistungen nach dem Ersten Abschnitt des Dritten Kapitels sind die Grundsätze von Wirtschaftlichkeit und Sparsamkeit zu beachten.

(4) [1]Die Agentur für Arbeit hat darauf hinzuwirken, dass erwerbsfähige teilnahmeberechtigte Leistungsberechtigte, die

---

[1)] § 2 Abs. 1 Satz 2 geänd., neuer Satz 3 eingef., bish. Satz 3 wird Satz 4 mWv 1.7.2023 durch G v. 16.12.2022 (BGBl. I S. 2328); Abs. 2 Satz 2 neu gef., Satz 3 angef. mWv 1.7.2026 durch G v. 16.4.2026 (BGBl. 2026 I Nr. 107).

[2)] § 3 neu gef. mWv 1.1.2023 durch G v. 16.12.2022 (BGBl. I S. 2328); Abs. 1 Satz 4 geänd. mWv 1.1.2025 durch G v. 22.12.2023 (BGBl. 2023 I Nr. 412); Abs. 1 Sätze 3-5 aufgeh., Abs. 2 und Abs. 4 Sätze 2 und 3 geänd. mWv 1.7.2026 durch G v. 16.4.2026 (BGBl. 2026 I Nr. 107).

1. nicht über ausreichende deutsche Sprachkenntnisse verfügen, vorrangig an einem Integrationskurs nach § 43 des Aufenthaltsgesetzes[1] teilnehmen, oder
2. darüber hinaus notwendige berufsbezogene Sprachkenntnisse benötigen, vorrangig an der berufsbezogenen Deutschsprachförderung nach § 45a Absatz 1 des Aufenthaltsgesetzes[2] teilnehmen.

[2] § 3a Absatz 2 gilt entsprechend. [3] In den Fällen des Satzes 1 ist die Teilnahme am Integrationskurs nach § 43 des Aufenthaltsgesetzes[1] oder an der berufsbezogenen Deutschsprachförderung nach § 45a des Aufenthaltsgesetzes[2] in der Regel erfolgversprechender als die unmittelbare Vermittlung in Ausbildung oder Arbeit. [4] Für die Teilnahmeberechtigung, die Verpflichtung zur Teilnahme und die Zugangsvoraussetzungen gelten die §§ 44, 44a und 45a des Aufenthaltsgesetzes[2] sowie des § 9 Absatz 1 Satz 1 des Bundesvertriebenengesetzes in Verbindung mit der Verordnung über die Durchführung von Integrationskursen für Ausländer und Spätaussiedler und der Verordnung über die berufsbezogene Deutschsprachförderung.

(5) [1] Leistungen zur Sicherung des Lebensunterhalts dürfen nur erbracht werden, soweit die Hilfebedürftigkeit nicht anderweitig beseitigt werden kann. [2] Die nach diesem Buch vorgesehenen Leistungen decken den Bedarf der erwerbsfähigen Leistungsberechtigten und der mit ihnen in einer Bedarfsgemeinschaft lebenden Personen.

§ 3a[3] Vorrang der Vermittlung. (1) Die Vermittlung von erwerbsfähigen Leistungsberechtigten in Ausbildung oder Arbeit hat Vorrang vor den Leistungen zur Sicherung des Lebensunterhaltes.

(2) [1] Der Vermittlungsvorrang gilt auch im Verhältnis zu den sonstigen Leistungen zur Eingliederung in Arbeit. [2] Eine Ausnahme kann bestehen, wenn eine Leistung zur Eingliederung in Arbeit für eine dauerhafte Eingliederung in Arbeit erfolgversprechender ist als eine unmittelbare Vermittlung, insbesondere bei Personen, die das 30. Lebensjahr noch nicht vollendet haben. [3] Der Vermittlungsvorrang gilt nicht im Verhältnis zur Förderung von Existenzgründungen mit einem Einstiegsgeld für eine selbständige Erwerbstätigkeit nach § 16b.

§ 4 Leistungsformen. (1) Die Leistungen der Grundsicherung für Arbeitsuchende werden erbracht in Form von

1. Dienstleistungen,
2. Geldleistungen und
3. Sachleistungen.

(2) [1] Die nach § 6 zuständigen Träger wirken darauf hin, dass erwerbsfähige Leistungsberechtigte und die mit ihnen in einer Bedarfsgemeinschaft lebenden Personen die erforderliche Beratung und Hilfe anderer Träger, insbesondere der Kranken- und Rentenversicherung, erhalten. [2] Die nach § 6 zuständigen Träger wirken auch darauf hin, dass Kinder und Jugendliche Zugang zu geeigneten vorhandenen Angeboten der gesellschaftlichen Teilhabe erhalten. [3] Sie arbeiten zu diesem Zweck mit Schulen und Kindertageseinrichtungen, den Trägern der Jugendhilfe, den Gemeinden und Gemeindeverbänden, freien Trägern, Vereinen und Verbänden und sonstigen handelnden Personen vor Ort

---

[1] **beck-online, Module Arbeitsrecht Nr. 760.**
[2] Nr. **760**.
[3] § 3a eingef. mWv 1.7.2026 durch G v. 16.4.2026 (BGBl. 2026 I Nr. 107).

zusammen. [4]Sie sollen die Eltern unterstützen und in geeigneter Weise dazu beitragen, dass Kinder und Jugendliche Leistungen für Bildung und Teilhabe möglichst in Anspruch nehmen.

§ 5[1)] Verhältnis zu anderen Leistungen. (1) [1]Auf Rechtsvorschriften beruhende Leistungen Anderer, insbesondere der Träger anderer Sozialleistungen, werden durch dieses Buch nicht berührt. [2]Ermessensleistungen dürfen nicht deshalb versagt werden, weil dieses Buch entsprechende Leistungen vorsieht.

(2) [1]Der Anspruch auf Leistungen zur Sicherung des Lebensunterhalts nach diesem Buch schließt Leistungen nach dem Dritten Kapitel des Zwölften Buches[2)] aus. [2]Leistungen nach dem Vierten Kapitel des Zwölften Buches sind gegenüber dem Grundsicherungsgeld nach § 19 Absatz 1 Satz 2 vorrangig.

(3) [1]Stellen Leistungsberechtigte trotz Aufforderung einen erforderlichen Antrag auf Leistungen eines anderen Trägers nicht, können die Leistungsträger nach diesem Buch den Antrag stellen sowie Rechtsbehelfe und Rechtsmittel einlegen. [2]Der Ablauf von Fristen, die ohne Verschulden der Leistungsträger nach diesem Buch verstrichen sind, wirkt nicht gegen die Leistungsträger nach diesem Buch; dies gilt nicht für Verfahrensfristen, soweit die Leistungsträger nach diesem Buch das Verfahren selbst betreiben. [3]Wird eine Leistung aufgrund eines Antrages nach Satz 1 von einem anderen Träger nach § 66 des Ersten Buches[3)] bestandskräftig entzogen oder versagt, sind die Leistungen zur Sicherung des Lebensunterhalts nach diesem Buch ganz oder teilweise so lange zu entziehen oder zu versagen, bis die leistungsberechtigte Person ihrer Verpflichtung nach den §§ 60 bis 64 des Ersten Buches gegenüber dem anderen Träger nachgekommen ist. [4]Eine Entziehung oder Versagung nach Satz 3 ist nur möglich, wenn die leistungsberechtigte Person vom zuständigen Leistungsträger nach diesem Buch zuvor schriftlich auf diese Folgen hingewiesen wurde. [5]Wird die Mitwirkung gegenüber dem anderen Träger nachgeholt, ist die Versagung oder Entziehung rückwirkend aufzuheben.

(4) Leistungen zur Eingliederung in Arbeit nach dem Ersten Abschnitt des Dritten Kapitels werden nicht an oder für erwerbsfähige Leistungsberechtigte erbracht, die einen Anspruch auf Arbeitslosengeld oder Teilarbeitslosengeld haben.

(5) Leistungen nach den §§ 16a, 16b, 16d sowie 16f bis 16i und 16k können auch an erwerbsfähige Leistungsberechtigte erbracht werden, sofern ein Rehabilitationsträger im Sinne des Neunten Buches[4)] zuständig ist; § 22 Absatz 2 Satz 1 und 2 des Dritten Buches[5)] ist entsprechend anzuwenden.

[1)] § 5 Abs. 3 Sätze 3–6 und Abs. 4 angef. mWv 1.1.2017 durch G v. 26.7.2016 (BGBl. I S. 1824); Abs. 5 angef. mWv 1.1.2022 durch G v. 2.6.2021 (BGBl. I S. 1387); Abs. 2 Satz 2 geänd., Abs. 3 Satz 6 aufgeh. mWv 1.1.2023, Abs. 5 geänd. mWv 1.7.2023 durch G v. 16.12.2022 (BGBl. I S. 2328); Abs. 5 geänd. mWv 28.3.2024 durch G v. 27.3.2024 (BGBl. 2024 I Nr. 107); Abs. 2 Satz 2 geänd. mWv 1.7.2026 durch G v. 16.4.2026 (BGBl. 2026 I Nr. 107).

[2)] **Aichberger, SGB Nr. 12.**

[3)] Nr. **691**.

[4)] Auszugsweise abgedruckt unter Nr. **440**.

[5)] Nr. **700**.

§ 6[1] Träger der Grundsicherung für Arbeitsuchende. (1) [1]Träger der Leistungen nach diesem Buch sind:

1. die Bundesagentur für Arbeit (Bundesagentur), soweit Nummer 2 nichts Anderes bestimmt,
2. die kreisfreien Städte und Kreise für die Leistungen nach § 16a, für das Grundsicherungsgeld nach § 19 Absatz 1 Satz 1 und 2 und die Leistungen nach § 27 Absatz 3, soweit diese Leistungen für den Bedarf für Unterkunft und Heizung geleistet werden, für die Leistungen nach § 24 Absatz 3 Satz 1 Nummer 1 und 2 sowie für die Leistungen nach § 28, soweit durch Landesrecht nicht andere Träger bestimmt sind (kommunale Träger).

[2]Zu ihrer Unterstützung können sie Dritte mit der Wahrnehmung von Aufgaben beauftragen; sie sollen einen Außendienst zur Bekämpfung von Leistungsmissbrauch einrichten.

(2) [1]Die Länder können bestimmen, dass und inwieweit die Kreise ihnen zugehörige Gemeinden oder Gemeindeverbände zur Durchführung der in Absatz 1 Satz 1 Nummer 2 genannten Aufgaben nach diesem Gesetz heranziehen und ihnen dabei Weisungen erteilen können; in diesen Fällen erlassen die Kreise den Widerspruchsbescheid nach dem Sozialgerichtsgesetz[2]. [2]§ 44b Absatz 1 Satz 3 bleibt unberührt. [3]Die Sätze 1 und 2 gelten auch in den Fällen des § 6a mit der Maßgabe, dass eine Heranziehung auch für die Aufgaben nach § 6b Absatz 1 Satz 1 erfolgen kann.

(3) Die Länder Berlin, Bremen und Hamburg werden ermächtigt, die Vorschriften dieses Gesetzes über die Zuständigkeit von Behörden für die Grundsicherung für Arbeitsuchende dem besonderen Verwaltungsaufbau ihrer Länder anzupassen.

§ 6a Zugelassene kommunale Träger. (1) Die Zulassungen der aufgrund der Kommunalträger-Zulassungsverordnung[3] vom 24. September 2004 (BGBl. I S. 2349) anstelle der Bundesagentur als Träger der Leistungen nach § 6 Absatz 1 Satz 1 Nummer 1 zugelassenen kommunalen Träger werden vom Bundesministerium für Arbeit und Soziales durch Rechtsverordnung über den 31. Dezember 2010 hinaus unbefristet verlängert, wenn die zugelassenen kommunalen Träger gegenüber der zuständigen obersten Landesbehörde die Verpflichtungen nach Absatz 2 Satz 1 Nummer 4 und 5 bis zum 30. September 2010 anerkennen.

(2) [1]Auf Antrag wird eine begrenzte Zahl weiterer kommunaler Träger vom Bundesministerium für Arbeit und Soziales als Träger im Sinne des § 6 Absatz 1 Satz 1 Nummer 1 durch Rechtsverordnung ohne Zustimmung des Bundesrates zugelassen, wenn sie

1. geeignet sind, die Aufgaben zu erfüllen,
2. sich verpflichten, eine besondere Einrichtung nach Absatz 5 zu schaffen,
3. sich verpflichten, mindestens 90 Prozent der Beamtinnen und Beamten, Arbeitnehmerinnen und Arbeitnehmer der Bundesagentur, die zum Zeitpunkt der Zulassung mindestens seit 24 Monaten in der im Gebiet des

[1] § 6 Abs. 1 Satz 1 Nr. 2 geänd. mWv 1.8.2016 durch G v. 26.7.2016 (BGBl. I S. 1824); Abs. 1 Satz 1 Nr. 2 neu gef. mWv 1.1.2023 durch G v. 16.12.2022 (BGBl. I S. 2328); Abs. 1 Satz 1 Nr. 2 geänd. mWv 1.7.2026 durch G v. 16.4.2026 (BGBl. 2026 I Nr. 107).

[2] Nr. **680**.

[3] **Aichberger, SGB Nr. 2/45.**

kommunalen Trägers gelegenen Arbeitsgemeinschaft oder Agentur für Arbeit in getrennter Aufgabenwahrnehmung im Aufgabenbereich nach § 6 Absatz 1 Satz 1 tätig waren, vom Zeitpunkt der Zulassung an, dauerhaft zu beschäftigen,

4. sich verpflichten, mit der zuständigen Landesbehörde eine Zielvereinbarung über die Leistungen nach diesem Buch abzuschließen, und
5. sich verpflichten, die in der Rechtsverordnung nach § 51b Absatz 1 Satz 2 festgelegten Daten zu erheben und gemäß den Regelungen nach § 51b Absatz 4 an die Bundesagentur zu übermitteln, um bundeseinheitliche Datenerfassung, Ergebnisberichterstattung, Wirkungsforschung und Leistungsvergleiche zu ermöglichen.

[2] Für die Antragsberechtigung gilt § 6 Absatz 3 entsprechend. [3] *Der Antrag bedarf in den dafür zuständigen Vertretungskörperschaften der kommunalen Träger einer Mehrheit von zwei Dritteln der Mitglieder sowie der Zustimmung der zuständigen obersten Landesbehörde.*[1)] [4] Die Anzahl der nach den Absätzen 1 und 2 zugelassenen kommunalen Träger beträgt höchstens 25 Prozent der zum 31. Dezember 2010 bestehenden Arbeitsgemeinschaften nach § 44b in der bis zum 31. Dezember 2010 geltenden Fassung, zugelassenen kommunalen Trägern sowie der Kreise und kreisfreien Städte, in denen keine Arbeitsgemeinschaft nach § 44b in der bis zum 31. Dezember 2010 geltenden Fassung errichtet wurde (Aufgabenträger).

(3) Das Bundesministerium für Arbeit und Soziales wird ermächtigt, Voraussetzungen der Eignung nach Absatz 2 Nummer 1 und deren Feststellung sowie die Verteilung der Zulassungen nach den Absätzen 2 und 4 auf die Länder durch Rechtsverordnung[2)] mit Zustimmung des Bundesrates zu regeln.

(4) [1] Der Antrag nach Absatz 2 kann bis zum 31. Dezember 2010 mit Wirkung zum 1. Januar 2012 gestellt werden. [2] Darüber hinaus kann vom 30. Juni 2015 bis zum 31. Dezember 2015 mit Wirkung zum 1. Januar 2017 ein Antrag auf Zulassung gestellt werden, soweit die Anzahl der nach den Absätzen 1 und 2 zugelassenen kommunalen Träger 25 Prozent der zum 1. Januar 2015 bestehenden Aufgabenträger nach Absatz 2 Satz 4 unterschreitet. [3] Die Zulassungen werden unbefristet erteilt.

(5) Zur Wahrnehmung der Aufgaben anstelle der Bundesagentur errichten und unterhalten die zugelassenen kommunalen Träger besondere Einrichtungen für die Erfüllung der Aufgaben nach diesem Buch.

(6) [1] Das Bundesministerium für Arbeit und Soziales kann mit Zustimmung der zuständigen obersten Landesbehörde durch Rechtsverordnung ohne Zustimmung des Bundesrates die Zulassung widerrufen. [2] Auf Antrag des zugelassenen kommunalen Trägers, der der Zustimmung der zuständigen obersten Landesbehörde bedarf, widerruft das Bundesministerium für Arbeit und Soziales die Zulassung durch Rechtsverordnung ohne Zustimmung des Bundesrates.

[1)] Gem. Urt. des BVerfG v. 7.10.2014 – 2 BvR 1641/11 – (BGBl. I S. 1638) ist § 6a Abs. 2 Satz 3 SGB II idF des G zur Weiterentwicklung der Organisation der Grundsicherung für Arbeitsuchende vom 3.8.2010 mit Art. 28 Abs. 2 in Verbindung mit Art. 70 Abs. 1 GG (Nr. **10**) unvereinbar, soweit er anordnet, dass der Antrag in den dafür zuständigen Vertretungskörperschaften der kommunalen Träger einer Mehrheit von zwei Dritteln der Mitglieder bedarf. Die Vorschrift gilt für bestehende Zulassungen fort.

[2)] Siehe ua die VO über das Verfahren zur Feststellung der Eignung als zugelassener kommunaler Träger der Grundsicherung für Arbeitsuchende (Kommunalträger-EignungsfeststellungsVO – KtEfV) **(Aichberger, SGB Nr. 2/46)**.

[3]Die Trägerschaft endet mit Ablauf des auf die Antragstellung folgenden Kalenderjahres.

(7) [1]Auf Antrag des kommunalen Trägers, der der Zustimmung der obersten Landesbehörde bedarf, widerruft, beschränkt oder erweitert das Bundesministerium für Arbeit und Soziales die Zulassung nach Absatz 1 oder 2 durch Rechtsverordnung ohne Zustimmung des Bundesrates, wenn und soweit die Zulassung aufgrund einer kommunalen Neugliederung nicht mehr dem Gebiet des kommunalen Trägers entspricht. [2]Absatz 2 Satz 1 Nummer 2 bis 5 gilt bei Erweiterung der Zulassung entsprechend. [3]Der Antrag nach Satz 1 kann bis zum 1. Juli eines Kalenderjahres mit Wirkung zum 1. Januar des folgenden Kalenderjahres gestellt werden.

§ 6b[1)] Rechtsstellung der zugelassenen kommunalen Träger. (1) [1]Die zugelassenen kommunalen Träger sind anstelle der Bundesagentur im Rahmen ihrer örtlichen Zuständigkeit Träger der Aufgaben nach § 6 Absatz 1 Satz 1 Nummer 1 mit Ausnahme der sich aus den §§ 44b, 48b, 50, 51a, 51b, 53, 55, 56 Absatz ***[bis 31.12.2026: 2][ab 1.1.2027: 4]***, §§ 64 und 65d ergebenden Aufgaben. [2]Sie haben insoweit die Rechte und Pflichten der Agentur für Arbeit.

(2) [1]Der Bund trägt die Aufwendungen der Grundsicherung für Arbeitsuchende einschließlich der Verwaltungskosten mit Ausnahme der Aufwendungen für Aufgaben nach § 6 Absatz 1 Satz 1 Nummer 2. [2]§ 46 Absatz 1 Satz 4, Absatz 2 und 3 Satz 1 gilt entsprechend. [3]§ 46 Absatz 5 bis 11 bleibt unberührt.

(2a) Für die Bewirtschaftung von Haushaltsmitteln des Bundes durch die zugelassenen kommunalen Träger gelten die haushaltsrechtlichen Bestimmungen des Bundes, soweit in Rechtsvorschriften des Bundes oder Vereinbarungen des Bundes mit den zugelassenen kommunalen Trägern nicht etwas anderes bestimmt ist.

(3) Der Bundesrechnungshof ist berechtigt, die Leistungsgewährung zu prüfen.

(4) [1]Das Bundesministerium für Arbeit und Soziales prüft, ob Einnahmen und Ausgaben in der besonderen Einrichtung nach § 6a Absatz 5 begründet und belegt sind und den Grundsätzen der Wirtschaftlichkeit und Sparsamkeit entsprechen. [2]Die Prüfung kann in einem vereinfachten Verfahren erfolgen, wenn der zugelassene kommunale Träger ein Verwaltungs- und Kontrollsystem errichtet hat, das die Ordnungsmäßigkeit der Berechnung und Zahlung gewährleistet und er dem Bundesministerium für Arbeit und Soziales eine Beurteilung ermöglicht, ob Aufwendungen nach Grund und Höhe vom Bund zu tragen sind. [3]Das Bundesministerium für Arbeit und Soziales kündigt örtliche Prüfungen bei einem zugelassenen kommunalen Träger gegenüber der nach § 48 Absatz 1 zuständigen Landesbehörde an und unterrichtet sie über das Ergebnis der Prüfung.

(5) [1]Das Bundesministerium für Arbeit und Soziales kann von dem zugelassenen kommunalen Träger die Erstattung von Mitteln verlangen, die er zu Lasten des Bundes ohne Rechtsgrund erlangt hat. [2]Der zu erstattende Betrag ist während des Verzugs zu verzinsen. [3]Der Verzugszinssatz beträgt für das Jahr 3 Prozentpunkte über dem Basiszinssatz.

[1)] § 6b Abs. 2 Satz 3 geänd. mWv 7.12.2016 durch G v. 1.12.2016 (BGBl. I S. 2755); Abs. 1 Satz 1 geänd. mWv 1.1.2027 durch G v. 23.10.2024 (BGBl. 2024 I Nr. 323).

§ 6c[1] Personalübergang bei Zulassung weiterer kommunaler Träger und bei Beendigung der Trägerschaft. (1) [1] Die Beamtinnen und Beamten, Arbeitnehmerinnen und Arbeitnehmer der Bundesagentur, die am Tag vor der Zulassung eines weiteren kommunalen Trägers nach § 6a Absatz 2 und mindestens seit 24 Monaten Aufgaben der Bundesagentur als Träger nach § 6 Absatz 1 Satz 1 Nummer 1 in dem Gebiet des kommunalen Trägers wahrgenommen haben, treten zum Zeitpunkt der Neuzulassung kraft Gesetzes in den Dienst des kommunalen Trägers über. [2] Für die Auszubildenden bei der Bundesagentur gilt Satz 1 entsprechend. [3] Die Versetzung von nach Satz 1 übergetretenen Beamtinnen und Beamten vom kommunalen Träger zur Bundesagentur bedarf nicht der Zustimmung der Bundesagentur, bis sie 10 Prozent der nach Satz 1 übergetretenen Beamtinnen und Beamten, Arbeitnehmerinnen und Arbeitnehmer wieder aufgenommen hat. [4] Bis zum Erreichen des in Satz 3 genannten Anteils ist die Bundesagentur zur Wiedereinstellung von nach Satz 1 übergetretenen Arbeitnehmerinnen und Arbeitnehmern verpflichtet, die auf Vorschlag des kommunalen Trägers dazu bereit sind. [5] Die Versetzung und Wiedereinstellung im Sinne der Sätze 3 und 4 ist innerhalb von drei Monaten nach dem Zeitpunkt der Neuzulassung abzuschließen. [6] Die Sätze 1 bis 5 gelten entsprechend für Zulassungen nach § 6a Absatz 4 Satz 2 sowie Erweiterungen der Zulassung nach § 6a Absatz 7.

(2) [1] Endet die Trägerschaft eines kommunalen Trägers nach § 6a, treten die Beamtinnen und Beamten, Arbeitnehmerinnen und Arbeitnehmer des kommunalen Trägers, die am Tag vor der Beendigung der Trägerschaft Aufgaben anstelle der Bundesagentur als Träger nach § 6 Absatz 1 Nummer 1 durchgeführt haben, zum Zeitpunkt der Beendigung der Trägerschaft kraft Gesetzes in den Dienst der Bundesagentur über. [2] Für die Auszubildenden bei dem kommunalen Träger gilt Satz 1 entsprechend.

(3) [1] Treten Beamtinnen und Beamte aufgrund des Absatzes 1 oder 2 kraft Gesetzes in den Dienst eines anderen Trägers über, wird das Beamtenverhältnis mit dem anderen Träger fortgesetzt. [2] Treten Arbeitnehmerinnen und Arbeitnehmer aufgrund des Absatzes 1 oder 2 kraft Gesetzes in den Dienst eines anderen Trägers über, tritt der neue Träger unbeschadet des Satzes 3 in die Rechte und Pflichten aus den Arbeitsverhältnissen ein, die im Zeitpunkt des Übertritts bestehen. [3] Vom Zeitpunkt des Übertritts an sind die für Arbeitnehmerinnen und Arbeitnehmer des neuen Trägers jeweils geltenden Tarifverträge ausschließlich anzuwenden. [4] Den Beamtinnen und Beamten, Arbeitnehmerinnen oder Arbeitnehmern ist die Fortsetzung des Beamten- oder Arbeitsverhältnisses von dem aufnehmenden Träger schriftlich zu bestätigen. [5] Für die Verteilung der Versorgungslasten hinsichtlich der aufgrund des Absatzes 1 oder 2 übertretenden Beamtinnen und Beamten gilt § 107b des Beamtenversorgungsgesetzes[2] entsprechend. [6] Mit Inkrafttreten des Versorgungslastenteilungs-Staatsvertrags sind für die jeweils beteiligten Dienstherrn die im Versorgungslastenteilungs-Staatsvertrag bestimmten Regelungen entsprechend anzuwenden.

(4) [1] Beamtinnen und Beamten, die nach Absatz 1 oder 2 kraft Gesetzes in den Dienst eines anderen Trägers übertreten, soll ein gleich zu bewertendes Amt übertragen werden, das ihrem bisherigen Amt nach Bedeutung und Inhalt

---

[1] § 6c Abs. 1 Satz 3 geänd. mWv 1.8.2016 durch G v. 26.7.2016 (BGBl. I S. 1824).
[2] **Sartorius Nr. 155.**

ohne Berücksichtigung von Dienststellung und Dienstalter entspricht. [2] Wenn eine dem bisherigen Amt entsprechende Verwendung im Ausnahmefall nicht möglich ist, kann ihnen auch ein anderes Amt mit geringerem Grundgehalt übertragen werden. [3] Verringert sich nach Satz 1 oder 2 der Gesamtbetrag von Grundgehalt, allgemeiner Stellenzulage oder entsprechender Besoldungsbestandteile und anteiliger Sonderzahlung (auszugleichende Dienstbezüge), hat der aufnehmende Träger eine Ausgleichszulage zu gewähren. [4] Die Ausgleichszulage bemisst sich nach der Differenz zwischen den auszugleichenden Dienstbezügen beim abgebenden Träger und beim aufnehmenden Träger zum Zeitpunkt des Übertritts. [5] Auf die Ausgleichszulage werden alle Erhöhungen der auszugleichenden Dienstbezüge beim aufnehmenden Träger angerechnet. [6] Die Ausgleichszulage ist ruhegehaltfähig. [7] Als Bestandteil der Versorgungsbezüge vermindert sich die Ausgleichszulage bei jeder auf das Grundgehalt bezogenen Erhöhung der Versorgungsbezüge um diesen Erhöhungsbetrag. [8] Im Fall des Satzes 2 dürfen die Beamtinnen und Beamten neben der neuen Amtsbezeichnung die des früheren Amtes mit dem Zusatz „außer Dienst" („a. D.") führen.

(5) [1] Arbeitnehmerinnen und Arbeitnehmern, die nach Absatz 1 oder 2 kraft Gesetzes in den Dienst eines anderen Trägers übertreten, soll grundsätzlich eine tarifrechtlich gleichwertige Tätigkeit übertragen werden. [2] Wenn eine derartige Verwendung im Ausnahmefall nicht möglich ist, kann ihnen eine niedriger bewertete Tätigkeit übertragen werden. [3] Verringert sich das Arbeitsentgelt nach den Sätzen 1 und 2, ist eine Ausgleichszahlung in Höhe des Unterschiedsbetrages zwischen dem Arbeitsentgelt bei dem abgebenden Träger zum Zeitpunkt des Übertritts und dem jeweiligen Arbeitsentgelt bei dem aufnehmenden Träger zu zahlen.

§ 6d Jobcenter. Die gemeinsamen Einrichtungen nach § 44b und die zugelassenen kommunalen Träger nach § 6a führen die Bezeichnung Jobcenter.

Kapitel 2. Anspruchsvoraussetzungen

§ 7[1)] Leistungsberechtigte. (1) [1] Leistungen nach diesem Buch erhalten Personen, die

1. das 15. Lebensjahr vollendet und die Altersgrenze nach § 7a noch nicht erreicht haben,
2. erwerbsfähig sind,
3. hilfebedürftig sind und
4. ihren gewöhnlichen Aufenthalt in der Bundesrepublik Deutschland haben (erwerbsfähige Leistungsberechtigte).

[2] Ausgenommen sind

[1)] § 7 Abs. 5, Abs. 6 Nr. 1 und 2 geänd. mWv 1.4.2012 durch G v. 20.12.2011 (BGBl. I S. 2854); Abs. 4 Satz 3 Nr. 2 geänd., Abs. 5 und 6 neu gef. mWv 1.8.2016 durch G v. 26.7.2016 (BGBl. I S. 1824); Abs. 1 neu gef. mWv 29.12.2016 durch G v. 22.12.2016 (BGBl. I S. 3155); Abs. 5 Satz 2 geänd. mWv 1.8.2019 durch G v. 8.7.2019 (BGBl. I S. 1025); Abs. 4 Satz 4 angef. mWv 1.1.2020 durch G v. 30.11.2019 (BGBl. I S. 1948); Abs. 1 Satz 2 Nr. 2 neu gef. mWv 1.1.2021 durch G v. 9.12.2020 (BGBl. I S. 2855); Abs. 4a aufgeh. mWv 1.7.2023 durch G v. 16.12.2022 (BGBl. I S. 2328); Abs. 1 Satz 2 Nr. 2 Buchst. b neu gef. mWv 1.6.2024 durch G v. 16.8.2023 (BGBl. 2023 I Nr. 217); Abs. 4a neu gef., Abs. 5 Satz 2 geänd. mWv 1.1.2024 durch G v. 22.12.2023 (BGBl. 2023 I Nr. 408).

1. Ausländerinnen und Ausländer, die weder in der Bundesrepublik Deutschland Arbeitnehmerinnen, Arbeitnehmer oder Selbständige noch aufgrund des § 2 Absatz 3 des Freizügigkeitsgesetzes/EU[1)] freizügigkeitsberechtigt sind, und ihre Familienangehörigen für die ersten drei Monate ihres Aufenthalts,
2. Ausländerinnen und Ausländer,
   a) die kein Aufenthaltsrecht haben oder
   b) deren Aufenthaltsrecht sich allein aus dem Zweck der Arbeitsuche, der Ausbildungs- oder Studienplatzsuche oder aus einer Aufenthaltserlaubnis nach § 20a des Aufenthaltsgesetzes[2)] ergibt,

   und ihre Familienangehörigen,
3. Leistungsberechtigte nach § 1 des Asylbewerberleistungsgesetzes[3)].

[3] Satz 2 Nummer 1 gilt nicht für Ausländerinnen und Ausländer, die sich mit einem Aufenthaltstitel nach Kapitel 2 Abschnitt 5 des Aufenthaltsgesetzes[4)] in der Bundesrepublik Deutschland aufhalten. [4] Abweichend von Satz 2 Nummer 2 erhalten Ausländerinnen und Ausländer und ihre Familienangehörigen Leistungen nach diesem Buch, wenn sie seit mindestens fünf Jahren ihren gewöhnlichen Aufenthalt im Bundesgebiet haben; dies gilt nicht, wenn der Verlust des Rechts nach § 2 Absatz 1 des Freizügigkeitsgesetzes/EU festgestellt wurde. [5] Die Frist nach Satz 4 beginnt mit der Anmeldung bei der zuständigen Meldebehörde. [6] Zeiten des nicht rechtmäßigen Aufenthalts, in denen eine Ausreisepflicht besteht, werden auf Zeiten des gewöhnlichen Aufenthalts nicht angerechnet. [7] Aufenthaltsrechtliche Bestimmungen bleiben unberührt.

(2) [1] Leistungen erhalten auch Personen, die mit erwerbsfähigen Leistungsberechtigten in einer Bedarfsgemeinschaft leben. [2] Dienstleistungen und Sachleistungen werden ihnen nur erbracht, wenn dadurch Hemmnisse bei der Eingliederung der erwerbsfähigen Leistungsberechtigten beseitigt oder vermindert werden. [3] Zur Deckung der Bedarfe nach § 28 erhalten die dort genannten Personen auch dann Leistungen für Bildung und Teilhabe, wenn sie mit Personen in einem Haushalt zusammenleben, mit denen sie nur deshalb keine Bedarfsgemeinschaft bilden, weil diese aufgrund des zu berücksichtigenden Einkommens oder Vermögens selbst nicht leistungsberechtigt sind.

(3) Zur Bedarfsgemeinschaft gehören
1. die erwerbsfähigen Leistungsberechtigten,
2. die im Haushalt lebenden Eltern oder der im Haushalt lebende Elternteil eines unverheirateten erwerbsfähigen Kindes, welches das 25. Lebensjahr noch nicht vollendet hat, und die im Haushalt lebende Partnerin oder der im Haushalt lebende Partner dieses Elternteils,
3. als Partnerin oder Partner der erwerbsfähigen Leistungsberechtigten
   a) die nicht dauernd getrennt lebende Ehegattin oder der nicht dauernd getrennt lebende Ehegatte,
   b) die nicht dauernd getrennt lebende Lebenspartnerin oder der nicht dauernd getrennt lebende Lebenspartner,

[1)] Nr. **770**.
[2)] Nr. **760**.
[3)] **beck-online, Module Arbeitsrecht Nr. 781.**
[4)] Auszugsweise abgedruckt unter Nr. **760**.

c) eine Person, die mit der erwerbsfähigen leistungsberechtigten Person in einem gemeinsamen Haushalt so zusammenlebt, dass nach verständiger Würdigung der wechselseitige Wille anzunehmen ist, Verantwortung füreinander zu tragen und füreinander einzustehen.

4. die dem Haushalt angehörenden unverheirateten Kinder der in den Nummern 1 bis 3 genannten Personen, wenn sie das 25. Lebensjahr noch nicht vollendet haben, soweit sie die Leistungen zur Sicherung ihres Lebensunterhalts nicht aus eigenem Einkommen oder Vermögen beschaffen können.

(3a) Ein wechselseitiger Wille, Verantwortung füreinander zu tragen und füreinander einzustehen, wird vermutet, wenn Partner

1. länger als ein Jahr zusammenleben,
2. mit einem gemeinsamen Kind zusammenleben,
3. Kinder oder Angehörige im Haushalt versorgen oder
4. befugt sind, über Einkommen oder Vermögen des anderen zu verfügen.

(4) [1] Leistungen nach diesem Buch erhält nicht, wer in einer stationären Einrichtung untergebracht ist, Rente wegen Alters oder Knappschaftsausgleichsleistung oder ähnliche Leistungen öffentlich-rechtlicher Art bezieht. [2] Dem Aufenthalt in einer stationären Einrichtung ist der Aufenthalt in einer Einrichtung zum Vollzug richterlich angeordneter Freiheitsentziehung gleichgestellt. [3] Abweichend von Satz 1 erhält Leistungen nach diesem Buch,

1. wer voraussichtlich für weniger als sechs Monate in einem Krankenhaus (§ 107 des Fünften Buches[1)]) untergebracht ist, oder
2. wer in einer stationären Einrichtung nach Satz 1 untergebracht und unter den üblichen Bedingungen des allgemeinen Arbeitsmarktes mindestens 15 Stunden wöchentlich erwerbstätig ist.

[4] Die Sätze 1 und 3 Nummer 2 gelten für Bewohner von Räumlichkeiten im Sinne des § 42a Absatz 2 Satz 1 Nummer 2 und Satz 3 des Zwölften Buches[2)] entsprechend.

(4a) Personen, denen Leistungen zum Lebensunterhalt nach § 93 des Vierzehnten Buches[3)] zuerkannt worden sind, haben keinen Anspruch auf Leistungen zur Sicherung des Lebensunterhalts.

(5) [1] Auszubildende, deren Ausbildung im Rahmen des Bundesausbildungsförderungsgesetzes[4)] dem Grunde nach förderungsfähig ist, haben über die Leistungen nach § 27 hinaus keinen Anspruch auf Leistungen zur Sicherung des Lebensunterhalts. [2] Satz 1 gilt auch für Auszubildende, deren Bedarf sich nach § 61 Absatz 2, § 62 Absatz 3, § 123 Satz 1 Nummer 2 sowie § 124 Nummer 2 des Dritten Buches[5)] bemisst.

(6) Absatz 5 Satz 1 ist nicht anzuwenden auf Auszubildende,

1. die aufgrund von § 2 Absatz 1a des Bundesausbildungsförderungsgesetzes keinen Anspruch auf Ausbildungsförderung haben,
2. deren Bedarf sich nach den §§ 12, 13 Absatz 1 in Verbindung mit Absatz 2 Nummer 1 oder nach § 13 Absatz 1 Nummer 1 in Verbindung mit Absatz 2

[1)] **beck-online, Module Arbeitsrecht Nr. 695.**
[2)] **Aichberger, SGB Nr. 12.**
[3)] Nr. **694**.
[4)] **Sartorius Nr. 420.**
[5)] Nr. **700**.

Nummer 2 des Bundesausbildungsförderungsgesetzes bemisst und die Leistungen nach dem Bundesausbildungsförderungsgesetz

a) erhalten oder nur wegen der Vorschriften zur Berücksichtigung von Einkommen und Vermögen nicht erhalten oder

b) beantragt haben und über deren Antrag das zuständige Amt für Ausbildungsförderung noch nicht entschieden hat; lehnt das zuständige Amt für Ausbildungsförderung die Leistungen ab, findet Absatz 5 mit Beginn des folgenden Monats Anwendung, oder

3. die eine Abendhauptschule, eine Abendrealschule oder ein Abendgymnasium besuchen, sofern sie aufgrund des § 10 Absatz 3 des Bundesausbildungsförderungsgesetzes keinen Anspruch auf Ausbildungsförderung haben.

§ 7a Altersgrenze. [1] Personen, die vor dem 1. Januar 1947 geboren sind, erreichen die Altersgrenze mit Ablauf des Monats, in dem sie das 65. Lebensjahr vollenden. [2] Für Personen, die nach dem 31. Dezember 1946 geboren sind, wird die Altersgrenze wie folgt angehoben:

für den Geburtsjahrgang	erfolgt eine Anhebung um Monate	auf den[1)] Ablauf des Monats, in dem ein Lebensalter vollendet wird von
1947	1	65 Jahren und 1 Monat
1948	2	65 Jahren und 2 Monaten
1949	3	65 Jahren und 3 Monaten
1950	4	65 Jahren und 4 Monaten
1951	5	65 Jahren und 5 Monaten
1952	6	65 Jahren und 6 Monaten
1953	7	65 Jahren und 7 Monaten
1954	8	65 Jahren und 8 Monaten
1955	9	65 Jahren und 9 Monaten
1956	10	65 Jahren und 10 Monaten
1957	11	65 Jahren und 11 Monaten
1958	12	66 Jahren
1959	14	66 Jahren und 2 Monaten
1960	16	66 Jahren und 4 Monaten
1961	18	66 Jahren und 6 Monaten
1962	20	66 Jahren und 8 Monaten
1963	22	66 Jahren und 10 Monaten
ab 1964	24	67 Jahren.

§ 7b[2)] Erreichbarkeit. (1) [1] Erwerbsfähige Leistungsberechtigte erhalten Leistungen, wenn sie erreichbar sind. [2] Erreichbar sind erwerbsfähige Leistungsberechtigte, wenn sie sich im näheren Bereich des zuständigen Jobcenters

---

[1)] Wortlaut gem. G v. 20.4.2007 (BGBl. I S. 554) iVm G v. 24.3.2011 (BGBl. I S. 453); in der Neubek. v. 13.5.2011 (BGBl. I S. 850) fehlt das Wort „auf".

[2)] § 7b eingef. mWv 1.7.2023 durch G v. 16.12.2022 (BGBl. I S. 2328); Abs. 4 angef. mWv 1.7.2026 durch G v. 16.4.2026 (BGBl. 2026 I Nr. 107).

aufhalten und werktäglich dessen Mitteilungen und Aufforderungen zur Kenntnis nehmen können. [3] Ein Aufenthalt im näheren Bereich liegt vor, wenn es den erwerbsfähigen Leistungsberechtigten möglich ist, eine Dienststelle des zuständigen Jobcenters, einen möglichen Arbeitgeber oder den Durchführungsort einer Integrationsmaßnahme im örtlichen Zuständigkeitsbereich des Jobcenters in einer für den Vermittlungsprozess angemessenen Zeitspanne und ohne unzumutbaren oder die Eigenleistungsfähigkeit übersteigenden Aufwand aufzusuchen. [4] Der nähere Bereich schließt auch einen Bereich im grenznahen Ausland ein.

(2) [1] Erwerbsfähige Leistungsberechtigte, die nicht erreichbar sind, erhalten nur dann Leistungen, wenn für den Aufenthalt außerhalb des näheren Bereichs ein wichtiger Grund vorliegt und das Jobcenter dem Aufenthalt außerhalb des näheren Bereichs zugestimmt hat. [2] Ein wichtiger Grund liegt insbesondere vor bei

1. Teilnahme an einer ärztlich verordneten Maßnahme der medizinischen Vorsorge oder Rehabilitation,
2. Teilnahme an einer Veranstaltung, die kirchlichen oder gewerkschaftlichen Zwecken dient oder im öffentlichen Interesse liegt,
3. Aufenthalten außerhalb des näheren Bereichs, die überwiegend der Eingliederung in Ausbildung oder Arbeit dienen, oder
4. Ausübung einer ehrenamtlichen Tätigkeit, wenn die Eingliederung in Ausbildung oder Arbeit nicht wesentlich beeinträchtigt wird.

[3] Für Abwesenheiten außerhalb des näheren Bereichs aufgrund der Ausübung einer Erwerbstätigkeit ist abweichend von Satz 1 keine Zustimmung des Jobcenters erforderlich.

(3) [1] Erwerbsfähige Leistungsberechtigte, die ohne wichtigen Grund nicht erreichbar sind, erhalten Leistungen, wenn das Jobcenter dem Aufenthalt außerhalb des näheren Bereichs zugestimmt hat und die Eingliederung in Ausbildung oder Arbeit nicht wesentlich beeinträchtigt wird. [2] Die Zustimmung zu Abwesenheiten ohne wichtigen Grund soll in der Regel für insgesamt längstens drei Wochen im Kalenderjahr erteilt werden. [3] Bei erwerbsfähigen Leistungsberechtigten, die weder arbeitslos noch erwerbstätig sind, ist die Zustimmung nach Satz 1 zu erteilen.

(4) [1] Erwerbsfähige Leistungsberechtigte gelten als nicht erreichbar, wenn sie trotz schriftlicher Belehrung über die Rechtsfolgen oder deren Kenntnis drei aufeinanderfolgenden Meldeaufforderungen des Jobcenters ohne Darlegung und Nachweis eines wichtigen Grundes nicht nachkommen. [2] Der Leistungsanspruch entfällt mit Beginn des Kalendermonats, der auf die Feststellung des dritten versäumten Meldetermins im Sinne des Satzes 1 folgt; § 31b Absatz 4 gilt entsprechend. [3] Die Nichterreichbarkeit nach Satz 1 gilt bis zum Ablauf des ursprünglichen Bewilligungszeitraums, es sei denn, die erwerbsfähige leistungsberechtigte Person meldet sich vorher persönlich bei dem zuständigen Jobcenter. [4] Bei Vorliegen der übrigen Leistungsvoraussetzungen erhalten erwerbsfähige Leistungsberechtigte ab dem in Satz 2 genannten Zeitpunkt für einen Kalendermonat Grundsicherungsgeld mit Ausnahme von Leistungen zur Deckung des Regelbedarfs; § 31a Absatz 4 Satz 3 gilt entsprechend. [5] Meldet sich die erwerbsfähige leistungsberechtigte Person innerhalb dieses Monats persönlich in dem zuständigen Jobcenter, gilt sie als durchgehend erreichbar; § 32 Absatz 3 bleibt unberührt.

§ 8 Erwerbsfähigkeit. (1) Erwerbsfähig ist, wer nicht wegen Krankheit oder Behinderung auf absehbare Zeit außerstande ist, unter den üblichen Bedingungen des allgemeinen Arbeitsmarktes mindestens drei Stunden täglich erwerbstätig zu sein.

(2) [1] Im Sinne von Absatz 1 können Ausländerinnen und Ausländer nur erwerbstätig sein, wenn ihnen die Aufnahme einer Beschäftigung erlaubt ist oder erlaubt werden könnte. [2] Die rechtliche Möglichkeit, eine Beschäftigung vorbehaltlich einer Zustimmung nach § 39 des Aufenthaltsgesetzes[1)] aufzunehmen, ist ausreichend.

§ 9 Hilfebedürftigkeit. (1) Hilfebedürftig ist, wer seinen Lebensunterhalt nicht oder nicht ausreichend aus dem zu berücksichtigenden Einkommen oder Vermögen sichern kann und die erforderliche Hilfe nicht von anderen, insbesondere von Angehörigen oder von Trägern anderer Sozialleistungen, erhält.

(2) [1] Bei Personen, die in einer Bedarfsgemeinschaft leben, sind auch das Einkommen und Vermögen des Partners zu berücksichtigen. [2] Bei unverheirateten Kindern, die mit ihren Eltern oder einem Elternteil in einer Bedarfsgemeinschaft leben und die ihren Lebensunterhalt nicht aus eigenem Einkommen oder Vermögen sichern können, sind auch das Einkommen und Vermögen der Eltern oder des Elternteils und dessen in Bedarfsgemeinschaft lebender Partnerin oder lebenden Partners zu berücksichtigen. [3] Ist in einer Bedarfsgemeinschaft nicht der gesamte Bedarf aus eigenen Kräften und Mitteln gedeckt, gilt jede Person der Bedarfsgemeinschaft im Verhältnis des eigenen Bedarfs zum Gesamtbedarf als hilfebedürftig, dabei bleiben die Bedarfe nach § 28 außer Betracht. [4] In den Fällen des § 7 Absatz 2 Satz 3 ist Einkommen und Vermögen, soweit es die nach Satz 3 zu berücksichtigenden Bedarfe übersteigt, im Verhältnis mehrerer Leistungsberechtigter zueinander zu gleichen Teilen zu berücksichtigen.

(3) Absatz 2 Satz 2 findet keine Anwendung auf ein Kind, das schwanger ist oder sein Kind bis zur Vollendung des sechsten Lebensjahres betreut.

(4) Hilfebedürftig ist auch derjenige, dem der sofortige Verbrauch oder die sofortige Verwertung von zu berücksichtigendem Vermögen nicht möglich ist oder für den dies eine besondere Härte bedeuten würde.

(5) Leben Hilfebedürftige in Haushaltsgemeinschaft mit Verwandten oder Verschwägerten, so wird vermutet, dass sie von ihnen Leistungen erhalten, soweit dies nach deren Einkommen und Vermögen erwartet werden kann.

§ 10[2)] Zumutbarkeit. (1) Einer erwerbsfähigen leistungsberechtigten Person ist jede Arbeit zumutbar, es sei denn, dass

1. sie zu der bestimmten Arbeit körperlich, geistig oder seelisch nicht in der Lage ist,
2. die Ausübung der Arbeit die künftige Ausübung der bisherigen überwiegenden Arbeit wesentlich erschweren würde, weil die bisherige Tätigkeit besondere körperliche Anforderungen stellt,
3. die Ausübung der Arbeit die Erziehung ihres Kindes oder des Kindes ihrer Partnerin oder ihres Partners gefährden würde; die Erziehung eines Kindes,

---

[1)] Nr. **760**.

[2)] § 10 Abs. 1 Nr. 3, Abs. 2 Nr. 5 und Abs. 3 geänd. mWv 1.7.2026 durch G v. 16.4.2026 (BGBl. 2026 I Nr. 107).

das den 14. Lebensmonat vollendet hat, ist in der Regel nicht gefährdet, soweit die Betreuung in einer Tageseinrichtung oder in Tagespflege im Sinne der Vorschriften des Achten Buches[1)] oder auf sonstige Weise sichergestellt ist; die zuständigen kommunalen Träger sollen darauf hinwirken, dass erwerbsfähigen Erziehenden vorrangig ein Platz zur Tagesbetreuung des Kindes angeboten wird,

4. die Ausübung der Arbeit mit der Pflege einer oder eines Angehörigen nicht vereinbar wäre und die Pflege nicht auf andere Weise sichergestellt werden kann,
5. der Ausübung der Arbeit ein sonstiger wichtiger Grund entgegensteht.

(2) Eine Arbeit ist nicht allein deshalb unzumutbar, weil

1. sie nicht einer früheren beruflichen Tätigkeit entspricht, für die die erwerbsfähige leistungsberechtigte Person ausgebildet ist oder die früher ausgeübt wurde,
2. sie im Hinblick auf die Ausbildung der erwerbsfähigen leistungsberechtigten Person als geringerwertig anzusehen ist,
3. der Beschäftigungsort vom Wohnort der erwerbsfähigen leistungsberechtigten Person weiter entfernt ist als ein früherer Beschäftigungs- oder Ausbildungsort,
4. die Arbeitsbedingungen ungünstiger sind als bei den bisherigen Beschäftigungen der erwerbsfähigen leistungsberechtigten Person,
5. sie mit der Beendigung einer Erwerbstätigkeit verbunden ist, es sei denn, es liegen begründete Anhaltspunkte vor, dass durch die bisherige Tätigkeit künftig die Hilfebedürftigkeit beendet werden kann; bei Leistungsberechtigten, die selbständig tätig sind, wird spätestens nach einem Jahr ununterbrochenen Leistungsbezuges geprüft, ob ein Verweis auf eine Beschäftigung zumutbar ist.

(3) Die Absätze 1 und 2 gelten für die Teilnahme an Maßnahmen zur Eingliederung in Arbeit sowie an einem Integrationskurs nach § 43 des Aufenthaltsgesetzes[2)] oder an einer Maßnahme der berufsbezogenen Deutschsprachförderung nach § 45a des Aufenthaltsgesetzes[3)] entsprechend.

§ 11[4)] Zu berücksichtigendes Einkommen. (1) [1]Als Einkommen zu berücksichtigen sind Einnahmen in Geld abzüglich der nach § 11b abzusetzenden Beträge mit Ausnahme der in § 11a genannten Einnahmen sowie Einnahmen, die nach anderen Vorschriften des Bundesrechts nicht als Einkommen im Sinne dieses Buches zu berücksichtigen sind. [2]Dies gilt auch für Einnahmen in Geldeswert, die im Rahmen einer Erwerbstätigkeit, des Bundesfreiwilligendienstes oder eines Jugendfreiwilligendienstes zufließen. [3]Als Einkommen zu berücksichtigen sind auch Zuflüsse aus darlehensweise gewährten Sozialleistungen, soweit sie dem Lebensunterhalt dienen. [4]Der Kinderzuschlag nach § 6a des Bundeskindergeldgesetzes[5)] ist als Einkommen dem jeweiligen Kind zu-

---

1) Auszugsweise abgedruckt unter Nr. **494a**.

2) **beck-online, Module Arbeitsrecht Nr. 760.**

3) Nr. **760**.

4) § 11 Abs. 1 Satz 1 geänd., Satz 2 eingef., bish. Sätze 2–4 werden Sätze 3–5, Abs. 3 Satz 2 eingef., bish. Sätze 2 und 3 werden Sätze 3 und 4 mWv 1.8.2016 durch G v. 26.7.2016 (BGBl. I S. 1824); Abs. 1 Satz 1 geänd., Abs. 2 und 3 neu gef. mWv 1.7.2023 durch G v. 16.12.2022 (BGBl. I S. 2328).

5) **beck-online, Module Arbeitsrecht Nr. 332.**

zurechnen. [5]Dies gilt auch für das Kindergeld für zur Bedarfsgemeinschaft gehörende Kinder, soweit es bei dem jeweiligen Kind zur Sicherung des Lebensunterhalts, mit Ausnahme der Bedarfe nach § 28, benötigt wird.

(2) [1]Einnahmen sind für den Monat zu berücksichtigen, in dem sie zufließen. [2]Dies gilt auch für Einnahmen, die an einzelnen Tagen eines Monats aufgrund von kurzzeitigen Beschäftigungsverhältnissen erzielt werden.

(3) Würde der Leistungsanspruch durch die Berücksichtigung einer als Nachzahlung zufließenden Einnahme, die nicht für den Monat des Zuflusses erbracht wird, in diesem Monat entfallen, so ist diese Einnahme auf einen Zeitraum von sechs Monaten gleichmäßig aufzuteilen und monatlich ab dem Monat des Zuflusses mit einem entsprechenden monatlichen Teilbetrag zu berücksichtigen.

§ 11a[1)] Nicht zu berücksichtigendes Einkommen. (1) Nicht als Einkommen zu berücksichtigen sind

1. Leistungen nach diesem Buch,
2. Ausgleich für gesundheitliche Schädigungsfolgen nach dem Soldatenentschädigungsgesetz sowie Ausgleichszahlungen an Hinterbliebene nach dem Soldatenentschädigungsgesetz,
3. die Renten oder Beihilfen, die nach dem Bundesentschädigungsgesetz für Schaden an Leben sowie an Körper oder Gesundheit erbracht werden, bis zur Höhe der vergleichbaren Entschädigungszahlungen nach Kapitel 9 des Vierzehnten Buches[2)],
4. Aufwandspauschalen nach § 1878 des Bürgerlichen Gesetzbuchs[3)] kalenderjährlich bis zu dem in § 3 Nummer 26 Satz 1 des Einkommensteuergesetzes[4)] genannten Betrag,
5. Aufwandsentschädigungen oder Einnahmen aus nebenberuflichen Tätigkeiten, die nach § 3 Nummer 12, Nummer 26 oder Nummer 26a des Einkommensteuergesetzes steuerfrei sind, bis zur Höhe des in § 3 Nummer 26 des Einkommensteuergesetzes genannten Betrags,
6. Mutterschaftsgeld nach § 19 des Mutterschutzgesetzes[5)],
7. Einmalige Einnahmen aus Erbschaften, Vermächtnissen und Pflichtteilszuwendungen.

(2) Entschädigungen, die wegen eines Schadens, der kein Vermögensschaden ist, nach § 253 Absatz 2 des Bürgerlichen Gesetzbuchs[6)] geleistet werden, sind nicht als Einkommen zu berücksichtigen.

(3) [1]Leistungen, die aufgrund öffentlich-rechtlicher Vorschriften zu einem ausdrücklich genannten Zweck erbracht werden, sind nur so weit als Einkom-

---

[1)] § 11a Abs. 3 Satz 2 Nr. 2 geänd., Nr. 3–5 und Abs. 6 angef. mWv 1.8.2016 durch G v. 26.7.2016 (BGBl. I S. 1824); Abs. 1 Nr. 3 geänd., Nr. 4 angef., Abs. 3 Satz 2 Nr. 5 geänd., Abs. 6 neu gef. mWv 1.7.2021 durch G v. 2.6.2021 (BGBl. I S. 1387); Abs. 1 Nr. 4 geänd., Nr. 5-7 und Abs. 7 angef. mWv 1.7.2023 durch G v. 16.12.2022 (BGBl. I S. 2328); Abs. 1 Nr. 2 aufgeh., Nr. 3 geänd., Nr. 7 neu gef mWv 1.1.2024, Abs. 1 Nr. 2 neu gef. mWv 1.1.2025 durch G v. 22.12.2023 (BGBl. 2023 I Nr. 408); Abs. 1 Nr. 5 neu gef. mWv 1.1.2026 durch G v. 22.12.2025 (BGBl. 2025 I Nr. 363).

[2)] **Aichberger, SGB Nr. 14.**

[3)] **beck-online, Module Arbeitsrecht Nr. 50.**

[4)] ***beck-online*, Module Arbeitsrecht Nr. 331.**

[5)] Nr. **400**.

[6)] Nr. **50**.

men zu berücksichtigen, als die Leistungen nach diesem Buch im Einzelfall demselben Zweck dienen. [2] Abweichend von Satz 1 sind als Einkommen zu berücksichtigen

1. die Leistungen nach § 39 des Achten Buches[1)], die für den erzieherischen Einsatz erbracht werden,
   a) für das dritte Pflegekind zu 75 Prozent,
   b) für das vierte und jedes weitere Pflegekind vollständig,
2. die Leistungen nach § 23 des Achten Buches[1)],
3. die Leistungen der Ausbildungsförderung nach dem Bundesausbildungsförderungsgesetz[2)] sowie vergleichbare Leistungen der Begabtenförderungswerke; § 14b Absatz 2 Satz 1 des Bundesausbildungsförderungsgesetzes bleibt unberührt,
4. die Berufsausbildungsbeihilfe nach dem Dritten Buch[3)] mit Ausnahme der Bedarfe nach § 64 Absatz 3 Satz 1 des Dritten Buches sowie
5. Reisekosten zur Teilhabe am Arbeitsleben nach § 127 Absatz 1 Satz 1 des Dritten Buches in Verbindung mit § 73 des Neunten Buches[4)].

(4) Zuwendungen der freien Wohlfahrtspflege sind nicht als Einkommen zu berücksichtigen, soweit sie die Lage der Empfängerinnen und Empfänger nicht so günstig beeinflussen, dass daneben Leistungen nach diesem Buch nicht gerechtfertigt wären.

(5) Zuwendungen, die ein anderer erbringt, ohne hierzu eine rechtliche oder sittliche Pflicht zu haben, sind nicht als Einkommen zu berücksichtigen, soweit

1. ihre Berücksichtigung für die Leistungsberechtigten grob unbillig wäre oder
2. sie die Lage der Leistungsberechtigten nicht so günstig beeinflussen, dass daneben Leistungen nach diesem Buch nicht gerechtfertigt wären.

(6) Überbrückungsgeld nach § 51 des Strafvollzugsgesetzes[5)] oder vergleichbare Leistungen nach landesrechtlichen Regelungen sind nicht als Einkommen zu berücksichtigen.

(7) [1] Nicht als Einkommen zu berücksichtigen sind Einnahmen von Schülerinnen und Schülern allgemein- oder berufsbildender Schulen, die das 25. Lebensjahr noch nicht vollendet haben, aus Erwerbstätigkeiten, die in den Schulferien ausgeübt werden. [2] Satz 1 gilt nicht für eine Ausbildungsvergütung, auf die eine Schülerin oder ein Schüler einen Anspruch hat.

§ 11b[6)] Absetzbeträge. (1) [1] Vom Einkommen abzusetzen sind

---

[1)] **beck-online, Module Arbeitsrecht Nr. 494a.**
[2)] **Sartorius Nr. 420.**
[3)] **Nr. 700.**
[4)] **beck-online, Module Arbeitsrecht Nr. 440.**
[5)] **Habersack ErgBd. Nr. 91.**
[6)] § 11b Abs. 1 Satz 1 Nr. 8 geänd. mWv 1.4.2012 durch G v. 20.12.2011 (BGBl. I S. 2854); Abs. 2 Satz 3 geänd. mWv 1.1.2013 durch G v. 21.3.2013 (BGBl. I S. 556); Abs. 1 Satz 2, Abs. 2 Sätze 1 und 2 geänd., Satz 3 neu gef., Sätze 5 und 6 angef. mWv 1.8.2016 durch G v. 26.7.2016 (BGBl. I S. 1824); Abs. 2a eingef. mWv 1.1.2021 durch G v. 12.8.2020 (BGBl. I S. 1879); Abs. 2 Satz 3 Nr. 1 und Satz 6 geänd. mWv 1.1.2021 durch G v. 21.12.2020 (BGBl. I S. 3096); Abs. 2 Sätze 3 und 6 sowie Abs. 3 Satz 2 Nr. 1 und 2 geänd. mWv 1.7.2021 durch G v. 2.6.2021 (BGBl. I S. 1387); Abs. 2 Sätze 3-6 aufgeh., Abs. 2b eingef., Abs. 3 Satz 2 neu gef., Satz 4 angef. mWv 1.7.2023 durch G v. 16.12.2022 (BGBl. I S. 2328); Abs. 2b Sätze 2 und 3 eingef., bish. Sätze 2 und 3 werden Sätze 3 und 4, →

1. auf das Einkommen entrichtete Steuern,
2. Pflichtbeiträge zur Sozialversicherung einschließlich der Beiträge zur Arbeitsförderung,
3. Beiträge zu öffentlichen oder privaten Versicherungen oder ähnlichen Einrichtungen, soweit diese Beiträge gesetzlich vorgeschrieben oder nach Grund und Höhe angemessen sind; hierzu gehören Beiträge
   a) zur Vorsorge für den Fall der Krankheit und der Pflegebedürftigkeit für Personen, die in der gesetzlichen Krankenversicherung nicht versicherungspflichtig sind,
   b) zur Altersvorsorge von Personen, die von der Versicherungspflicht in der gesetzlichen Rentenversicherung befreit sind,

   soweit die Beiträge nicht nach § 26 bezuschusst werden,
4. geförderte Altersvorsorgebeiträge nach § 82 des Einkommensteuergesetzes[1], soweit sie den Mindesteigenbeitrag nach § 86 des Einkommensteuergesetzes nicht überschreiten,
5. die mit der Erzielung des Einkommens verbundenen notwendigen Ausgaben,
6. für Erwerbstätige ferner ein Betrag nach Absatz 3,
7. Aufwendungen zur Erfüllung gesetzlicher Unterhaltsverpflichtungen bis zu dem in einem Unterhaltstitel oder in einer notariell beurkundeten Unterhaltsvereinbarung festgelegten Betrag,
8. bei erwerbsfähigen Leistungsberechtigten, deren Einkommen nach dem Vierten Abschnitt des Bundesausbildungsförderungsgesetzes[2] oder nach § 67 oder § 126 des Dritten Buches[3] bei der Berechnung der Leistungen der Ausbildungsförderung für mindestens ein Kind berücksichtigt wird, der nach den Vorschriften der Ausbildungsförderung berücksichtigte Betrag.

[2] Bei der Verteilung einer einmaligen Einnahme nach § 11 Absatz 3 sind die auf die einmalige Einnahme im Zuflussmonat entfallenden Beträge nach den Nummern 1, 2, 5 und 6 vorweg abzusetzen.

(2) [1] Bei erwerbsfähigen Leistungsberechtigten, die erwerbstätig sind, ist anstelle der Beträge nach Absatz 1 Satz 1 Nummer 3 bis 5 ein Betrag von insgesamt 100 Euro monatlich von dem Einkommen aus Erwerbstätigkeit abzusetzen. [2] Beträgt das monatliche Einkommen aus Erwerbstätigkeit mehr als 400 Euro, gilt Satz 1 nicht, wenn die oder der erwerbsfähige Leistungsberechtigte nachweist, dass die Summe der Beträge nach Absatz 1 Satz 1 Nummer 3 bis 5 den Betrag von 100 Euro übersteigt.

(2a) § 82a des Zwölften Buches[4] gilt entsprechend.

(2b) [1] Abweichend von Absatz 2 Satz 1 ist anstelle der Beträge nach Absatz 1 Satz 1 Nummer 3 bis 5 der Betrag nach § 8 Absatz 1a des Vierten Buches[5] von

---

(Fortsetzung der Anm. von voriger Seite)
neuer Satz 4 geänd. mWv 1.7.2023 durch G v. 6.6.2023 (BGBl. 2023 I Nr. 146); Abs. 1 Satz 2 geänd. mWv 1.7.2023 durch G v. 22.12.2023 (BGBl. 2023 I Nr. 408).

[1] **beck-online, Module Arbeitsrecht Nr. 331.**

[2] **Sartorius Nr. 420.**

[3] Nr. **700**.

[4] **Aichberger, SGB Nr. 12.**

[5] Nr. **694**.

dem Einkommen aus Erwerbstätigkeit abzusetzen bei erwerbsfähigen Leistungsberechtigten, die das 25. Lebensjahr noch nicht vollendet haben und die

1. eine nach dem Bundesausbildungsförderungsgesetz dem Grunde nach förderungsfähige Ausbildung durchführen,
2. eine nach § 57 Absatz 1 des Dritten Buches dem Grunde nach förderungsfähige Ausbildung, eine nach § 51 des Dritten Buches dem Grunde nach förderungsfähige berufsvorbereitende Bildungsmaßnahme oder eine nach § 54a des Dritten Buches geförderte Einstiegsqualifizierung durchführen,
3. einem Freiwilligendienst nach dem Bundesfreiwilligendienstgesetz[1] oder dem Jugendfreiwilligendienstegesetz[2] nachgehen oder
4. als Schülerinnen und Schüler allgemein- oder berufsbildender Schulen außerhalb der in § 11a Absatz 7 genannten Zeiten erwerbstätig sind; dies gilt nach dem Besuch allgemeinbildender Schulen auch bis zum Ablauf des dritten auf das Ende der Schulausbildung folgenden Monats.

²Bei der Anwendung des Satzes 1 Nummer 3 gilt das Taschengeld nach § 2 Nummer 4 des Bundesfreiwilligendienstgesetzes und nach § 2 Absatz 1 Satz 1 Nummer 4 des Jugendfreiwilligendienstegesetzes als Einkommen aus Erwerbstätigkeit. ³Bei Leistungsberechtigten, die das 25. Lebensjahr vollendet haben, tritt in den Fällen des Satzes 1 Nummer 3 an die Stelle des Betrages nach § 8 Absatz 1a des Vierten Buches[3] der Betrag von 250 Euro monatlich. ⁴Sofern die unter Satz 1 Nummer 1 bis 4 genannten Personen die in § 11a Absatz 3 Satz 2 Nummer 3 bis 5 genannten Leistungen, Ausbildungsgeld nach dem Dritten Buch oder einen Unterhaltsbeitrag nach § 10 Absatz 2 des Aufstiegsfortbildungsförderungsgesetzes[4] erhalten, ist von diesen Leistungen für die Absetzbeträge nach Absatz 1 Satz 1 Nummer 3 bis 5 ein Betrag in Höhe von mindestens 100 Euro abzusetzen, wenn die Absetzung nicht bereits nach Satz 1 oder nach Absatz 2 Satz 1 erfolgt ist. ⁵Satz 4 gilt auch für Leistungsberechtigte, die das 25. Lebensjahr vollendet haben.

(3) ¹Bei erwerbsfähigen Leistungsberechtigten, die erwerbstätig sind, ist von dem monatlichen Einkommen aus Erwerbstätigkeit ein weiterer Betrag abzusetzen. ²Dieser beläuft sich

1. für den Teil des monatlichen Erwerbseinkommens, der 100 Euro übersteigt und nicht mehr als 520 Euro beträgt, auf 20 Prozent,
2. für den Teil des monatlichen Erwerbseinkommens, der 520 Euro übersteigt und nicht mehr als 1 000 Euro beträgt, auf 30 Prozent und
3. für den Teil des monatlichen Erwerbseinkommens, der 1000 Euro übersteigt und nicht mehr als 1200 Euro beträgt, auf 10 Prozent.

³Anstelle des Betrages von 1200 Euro tritt für erwerbsfähige Leistungsberechtigte, die entweder mit mindestens einem minderjährigen Kind in Bedarfsgemeinschaft leben oder die mindestens ein minderjähriges Kind haben, ein Betrag von 1500 Euro. ⁴In den Fällen des Absatzes 2b ist Satz 2 Nummer 1 nicht anzuwenden.

---

[1] Nr. 422a.
[2] Nr. 422.
[3] Nr. 694.
[4] Nr. 418.

§ 12[1] Zu berücksichtigendes Vermögen. (1) [1] Alle verwertbaren Vermögensgegenstände sind vorbehaltlich des Satzes 2 als Vermögen zu berücksichtigen. [2] Nicht zu berücksichtigen sind

1. angemessener Hausrat; für die Beurteilung der Angemessenheit sind die Lebensumstände während des Bezugs von Grundsicherungsgeld maßgebend,
2. ein angemessenes Kraftfahrzeug für jede in der Bedarfsgemeinschaft lebende erwerbsfähige Person; die Angemessenheit wird vermutet, wenn die Antragstellerin oder der Antragsteller dies im Antrag erklärt,
3. für die Altersvorsorge bestimmte Versicherungsverträge; zudem andere Formen der Altersvorsorge, wenn sie nach Bundesrecht ausdrücklich als Altersvorsorge gefördert werden,
4. weitere Vermögensgegenstände, die unabhängig von der Anlageform als für die Altersvorsorge bestimmt bezeichnet werden; hierbei ist für jedes angefangene Jahr einer hauptberuflich selbständigen Tätigkeit, in dem keine Beiträge an die gesetzliche Rentenversicherung, an eine öffentlich-rechtliche Versicherungseinrichtung oder an eine Versorgungseinrichtung einer Berufsgruppe entrichtet wurden, höchstens der Betrag nicht zu berücksichtigen, der sich ergibt, wenn der zum Zeitpunkt der Antragstellung geltende Beitragssatz zur allgemeinen Rentenversicherung nach § 158 des Sechsten Buches[2] mit dem zuletzt festgestellten endgültigen Durchschnittsentgelt gemäß Anlage 1 des Sechsten Buches[3] multipliziert und anschließend auf den nächsten durch 500 teilbaren Betrag aufgerundet wird,
5. ein selbst genutztes Hausgrundstück mit einer Wohnfläche von bis zu 140 Quadratmetern oder eine selbst genutzte Eigentumswohnung von bis zu 130 Quadratmetern; bewohnen mehr als vier Personen das Hausgrundstück beziehungsweise die Eigentumswohnung, erhöht sich die maßgebende Wohnfläche um jeweils 20 Quadratmeter für jede weitere Person; höhere Wohnflächen sind anzuerkennen, sofern die Berücksichtigung als Vermögen eine besondere Härte bedeuten würde,
6. Vermögen, solange es nachweislich zur baldigen Beschaffung oder Erhaltung eines Hausgrundstücks oder einer Eigentumswohnung von angemessener Größe bestimmt ist, und das Hausgrundstück oder die Eigentumswohnung Menschen mit Behinderungen oder pflegebedürftigen Menschen zu Wohnzwecken dient oder dienen soll und dieser Zweck durch den Einsatz oder die Verwertung des Vermögens gefährdet würde sowie
7. Sachen und Rechte, soweit ihre Verwertung für die betroffene Person eine besondere Härte bedeuten würde.

[3] Abweichend von Satz 2 Nummer 5 wird ein selbstgenutztes Hausgrundstück oder eine selbstgenutzte Eigentumswohnung während der Karenzzeit nach § 22 Absatz 1 Satz 2 nicht als Vermögen berücksichtigt.

(2) [1] Von dem zu berücksichtigenden Vermögen ist für jede Person der Bedarfsgemeinschaft ein Betrag abhängig vom Lebensalter abzusetzen:

---

[1] § 12 neu gef. mWv 1.1.2023 durch G v. 16.12.2022 (BGBl. I S. 2328); Abs. 6 Satz 3 neu gef. mWv 1.1.2024 durch G v. 22.12.2023 (BGBl. 2023 I Nr. 408); Abs. 1 Satz 2 Nr. 1 geänd., Satz 3 angef., Abs. 2 Satz 1 neu gef., Satz 2 eingef., bish. Satz 2 wird Satz 3, Abs. 3 und 4 aufgeh., bish. Abs. 5 wird Abs. 3, Abs. 6 aufgeh. mWv 1.7.2026 durch G v. 16.4.2026 (BGBl. 2026 I Nr. 107).

[2] Nr. **696**.

[3] **beck-online, Module Arbeitsrecht Nr. 696.**

Alter	Freibetrag in Euro
bis zur Vollendung des 30. Lebensjahres	5 000
ab dem 31. Lebensjahr	10 000
ab dem 41. Lebensjahr	12 500
ab dem 51. Lebensjahr	20 000

[2] Der erhöhte Freibetrag gilt ab Beginn des Monats, in dem die jeweilige Altersgrenze des Satzes 1 erreicht wird. [3] Übersteigt das Vermögen einer Person in der Bedarfsgemeinschaft den Betrag nach Satz 1, sind nicht ausgeschöpfte Freibeträge der anderen Personen in der Bedarfsgemeinschaft auf diese Person zu übertragen.

(3) [1] Das Vermögen ist mit seinem Verkehrswert zu berücksichtigen. [2] Für die Bewertung ist der Zeitpunkt maßgebend, in dem der Antrag auf Bewilligung oder erneute Bewilligung der Leistungen der Grundsicherung für Arbeitsuchende gestellt wird, bei späterem Erwerb von Vermögen der Zeitpunkt des Erwerbs.

§ 12a[1)] Vorrangige Leistungen. [1] Leistungsberechtigte sind verpflichtet, Sozialleistungen anderer Träger in Anspruch zu nehmen und die dafür erforderlichen Anträge zu stellen, sofern dies zur Vermeidung, Beseitigung, Verkürzung oder Verminderung der Hilfebedürftigkeit erforderlich ist. [2] Abweichend von Satz 1 sind Leistungsberechtigte nicht verpflichtet,

1. bis zur Vollendung des 63. Lebensjahres eine Rente wegen Alters vorzeitig in Anspruch zu nehmen oder
2. Wohngeld nach dem Wohngeldgesetz oder Kinderzuschlag nach dem Bundeskindergeldgesetz in Anspruch zu nehmen, wenn dadurch nicht die Hilfebedürftigkeit aller Mitglieder der Bedarfsgemeinschaft für einen zusammenhängenden Zeitraum von mindestens drei Monaten beseitigt würde.

[3] Für die Zeit vom 1. Januar 2023 bis zum Ablauf des 31. Dezember 2026 findet Satz 2 Nummer 1 mit der Maßgabe Anwendung, dass Leistungsberechtigte nicht verpflichtet sind, eine Rente wegen Alters vorzeitig in Anspruch zu nehmen.

§ 13[2)] Verordnungsermächtigung. (1) Das Bundesministerium für Arbeit und Soziales wird ermächtigt, im Einvernehmen mit dem Bundesministerium der Finanzen ohne Zustimmung des Bundesrates durch Rechtsverordnung[3)] zu bestimmen,

1. welche weiteren Einnahmen nicht als Einkommen zu berücksichtigen sind und wie das Einkommen im Einzelnen zu berechnen ist,
2. welche weiteren Vermögensgegenstände nicht als Vermögen zu berücksichtigen sind und wie der Wert des Vermögens zu ermitteln ist,
3. welche Pauschbeträge für die von dem Einkommen abzusetzenden Beträge zu berücksichtigen sind,
4. welche durchschnittlichen monatlichen Beträge für einzelne Bedarfe nach § 28 für die Prüfung der Hilfebedürftigkeit zu berücksichtigen sind und

---

[1)] § 12a Satz 3 angef. mWv 1.1.2023 durch G v. 16.12.2022 (BGBl. I S. 2328).
[2)] § 13 Abs. 3 neu gef. mWv 1.7.2023 durch G v. 16.12.2022 (BGBl. I S. 2328).
[3)] Siehe ua die Grundsicherungsgeld-VO **(beck-online, Module Arbeitsrecht Nr. 692a)**.

welcher Eigenanteil des maßgebenden Regelbedarfs bei der Bemessung des Bedarfs nach § 28 Absatz 6 zugrunde zu legen ist.

(2) Das Bundesministerium für Arbeit und Soziales wird ermächtigt, ohne Zustimmung des Bundesrates durch Rechtsverordnung zu bestimmen, unter welchen Voraussetzungen und für welche Dauer Leistungsberechtigte nach Vollendung des 63. Lebensjahres ausnahmsweise zur Vermeidung von Unbilligkeiten nicht verpflichtet sind, eine Rente wegen Alters vorzeitig in Anspruch zu nehmen.

(3) Das Bundesministerium für Arbeit und Soziales wird ermächtigt, durch Rechtsverordnung, die nicht der Zustimmung des Bundesrates bedarf, nähere Bestimmungen zum näheren Bereich im Sinne des § 7b Absatz 1 Satz 2 zu treffen sowie dazu, für welchen Zeitraum und unter welchen Voraussetzungen erwerbsfähige Leistungsberechtigte bei einem Aufenthalt außerhalb des näheren Bereichs einen Leistungsanspruch haben können, ohne erreichbar zu sein.

Kapitel 3. Leistungen

Abschnitt 1. Leistungen zur Eingliederung in Arbeit

§ 14[1)] Grundsatz des Förderns. (1) [1] Die Träger der Leistungen nach diesem Buch unterstützen erwerbsfähige Leistungsberechtigte umfassend und nachhaltig mit dem Ziel der Eingliederung in Arbeit und Überwindung der Hilfebedürftigkeit. [2] Dies gilt sowohl für arbeitslose als auch für nicht arbeitslose erwerbsfähige Leistungsberechtigte.

(2) [1] Leistungsberechtigte Personen erhalten Beratung. [2] Im Rahmen der Beratung wird gemeinsam eine individuelle Strategie zur Erreichung der in Absatz 1 genannten Ziele erarbeitet und deren schrittweise Umsetzung begleitet. [3] Aufgabe der Beratung ist darüber hinaus die Erteilung von Auskunft und Rat, insbesondere zur Berechnung der Leistungen zur Sicherung des Lebensunterhalts, zum Eingliederungsprozess und zu den Mitwirkungspflichten und Selbsthilfeobliegenheiten, zu den Leistungen der Eingliederung nach diesem Abschnitt sowie zur Möglichkeit der Inanspruchnahme von Leistungen anderer Träger. [4] Zum Erhalt oder zur Verbesserung der Erwerbsfähigkeit wird bei Bedarf frühzeitig insbesondere auch bei der Inanspruchnahme von Präventions- und Gesundheitsleistungen anderer Träger unterstützt und auf Leistungen im Sinne von § 5 des Neunten Buches[2)] verwiesen. [5] Art und Umfang der Beratung richten sich nach dem Beratungsbedarf der leistungsberechtigten Person. [6] Beratungsleistungen, die Leistungsberechtigte nach den §§ 29 bis 33 des Dritten Buches[3)] von den für die Arbeitsförderung zuständigen Dienststellen der Bundesagentur für Arbeit erhalten, sollen dabei Berücksichtigung finden. [7] Hierbei arbeiten die Träger der Leistungen nach diesem Buch mit den in Satz 6 genannten Dienststellen eng zusammen.

(3) [1] Die Agentur für Arbeit soll eine persönliche Ansprechpartnerin oder einen persönlichen Ansprechpartner für jede erwerbsfähige leistungsberechtigte

---

[1)] § 14 neu gef. mWv 1.7.2023 durch G v. 16.12.2022 (BGBl. I S. 2328); Abs. 2 Satz 3 geänd., Satz 4 eingef., bish. Sätze 4-6 werden Sätze 5-7, neuer Satz 7 geänd. mWv 1.7.2026 durch G v. 16.4. 2026 (BGBl. 2026 I Nr. 107).

[2)] Nr. **440**.

[3)] Nr. **700**.

Person und die mit dieser in einer Bedarfsgemeinschaft lebenden Personen benennen. [2]Die Beratung kann aufsuchend und sozialraumorientiert erfolgen.

(4) Die Träger der Leistungen nach diesem Buch erbringen unter Beachtung der Grundsätze von Wirtschaftlichkeit und Sparsamkeit alle im Einzelfall für die Eingliederung in Arbeit erforderlichen Leistungen.

§ 15[1)] Potenzialanalyse und Kooperationsplan. (1) [1]Die Agentur für Arbeit soll unverzüglich zusammen mit jeder erwerbsfähigen leistungsberechtigten Person die für die Eingliederung in Ausbildung oder Arbeit erforderlichen persönlichen Merkmale, die beruflichen Fähigkeiten und die Eignung feststellen; diese Feststellungen erstrecken sich auch auf die individuellen Stärken sowie darauf, ob und durch welche Umstände die berufliche Eingliederung voraussichtlich erschwert sein wird (Potenzialanalyse). [2]Tatsachen, über die die Agentur für Arbeit nach § 9a Satz 2 Nummer 2 des Dritten Buches[2)] unterrichtet wird, müssen nicht erneut festgestellt werden, es sei denn, es liegen Anhaltspunkte dafür vor, dass sich Umstände, die für die Eingliederung maßgebend sind, verändert haben.

(2) [1]Die Agentur für Arbeit soll im Einvernehmen mit dem kommunalen Träger unverzüglich nach der Potenzialanalyse mit jeder erwerbsfähigen leistungsberechtigten Person unter Berücksichtigung der Feststellungen nach Absatz 1 gemeinsam einen Kooperationsplan erstellen. [2]Der Kooperationsplan enthält unter Berücksichtigung der §§ 3 und 3a ein persönliches Angebot der Beratung, Unterstützung oder Vermittlung. [3]Er hält das Eingliederungsziel und die wesentlichen Schritte zur Eingliederung fest. [4]Insbesondere soll im Kooperationsplan festgelegt werden,

1. in welche Ausbildungen, Tätigkeiten oder Tätigkeitsbereiche die erwerbsfähige leistungsberechtigte Person vermittelt werden soll,
2. welche für eine erfolgreiche Überwindung der Hilfebedürftigkeit, vor allem durch Eingliederung in Ausbildung oder Arbeit, erforderlichen Eigenbemühungen die erwerbsfähige leistungsberechtigte Person mindestens zu unternehmen und nachzuweisen hat,
3. welche Leistungen zur Eingliederung in Ausbildung oder Arbeit nach diesem Abschnitt für die erwerbsfähige leistungsberechtigte Person in Betracht kommen,
4. dass eine Teilnahme der erwerbsfähigen leistungsberechtigten Person an einem Integrationskurs nach § 43 des Aufenthaltsgesetzes[3)] oder an einer Maßnahme der berufsbezogenen Deutschsprachförderung nach § 45a des Aufenthaltsgesetzes[4)] vorgesehen ist,
5. ob und wie Leistungen anderer Leistungsträger in den Eingliederungsprozess einbezogen werden und
6. dass im Falle eines Bedarfs an Leistungen gemäß § 5 des Neunten Buches[5)] auf eine entsprechende Antragstellung hingewirkt wird.

[1)] § 15 neu gef. mWv 1.7.2023 durch G v. 16.12.2022 (BGBl. I S. 2328); Abs. 2 Sätze 1 und 2 neu gef., Sätze 3–5 eingef., bish. Satz 3 wird Satz 6, Abs. 4 neu gef., Abs. 5 und 6 aufgeh. mWv 1.7.2026 durch G v. 16.4.2026 (BGBl. 2026 I Nr. 107).

[2)] Nr. **700**.

[3)] **beck-online, Module Arbeitsrecht Nr. 760.**

[4)] Nr. **760**.

[5)] Nr. **440**.

[5] Die besonderen Bedürfnisse von Menschen mit Behinderungen und schwerbehinderten Menschen sollen angemessen berücksichtigt werden. [6] Im Kooperationsplan kann auch festgehalten werden,

1. welche Maßnahmen und Leistungen der aktiven Arbeitsförderung im Hinblick auf mögliche gesundheitliche Beeinträchtigungen, die einer Integration in den Arbeitsmarkt entgegenstehen, in Betracht kommen und welche anderen Leistungsträger im Hinblick auf diese Beeinträchtigungen voraussichtlich zu beteiligen sind und
2. welche Leistungen nach diesem Abschnitt für Personen in Betracht kommen, die mit der oder dem erwerbsfähigen Leistungsberechtigten in einer Bedarfsgemeinschaft leben, um Hemmnisse der erwerbsfähigen leistungsberechtigten Person zu beseitigen oder zu verringern; diese Personen sind hierbei zu beteiligen.

(3) [1] Die erwerbsfähige leistungsberechtigte Person erhält den Kooperationsplan in Textform. [2] Der Kooperationsplan soll spätestens nach Ablauf von jeweils sechs Monaten gemeinsam aktualisiert und fortgeschrieben werden.

(4) [1] Das erste Gespräch zur Erstellung der Potenzialanalyse und des Kooperationsplans findet persönlich im Jobcenter statt. [2] Hiervon kann nur in begründeten Ausnahmefällen abgewichen werden.

§ 15a[1)] Verpflichtung. (1) [1] Wird eine Einladung zu einem Gespräch durch die erwerbsfähige leistungsberechtigte Person ohne wichtigen Grund nicht wahrgenommen, kann die Agentur für Arbeit diese Person durch schriftlichen Verwaltungsakt zu Folgendem verpflichten:

1. zur Vornahme von erforderlichen Eigenbemühungen,
2. zur Aufnahme oder Fortführung einer zumutbaren Arbeit, Ausbildung oder eines nach § 16e geförderten Arbeitsverhältnisses,
3. zur Teilnahme an einer Maßnahme zur Eingliederung in Arbeit, an einem Integrationskurs nach § 43 des Aufenthaltsgesetzes[2)] oder an einer Maßnahme der berufsbezogenen Deutschsprachförderung nach § 45a des Aufenthaltsgesetzes[3)].

[2] Liegt ein Kooperationsplan vor, ist dieser bei dem Erlass des Verwaltungsaktes nach Satz 1 zu berücksichtigen.

(2) Erbringt die erwerbsfähige leistungsberechtigte Person die aus dem Kooperationsplan folgenden Schritte zur Eingliederung in Arbeit nicht, verpflichtet die Agentur für Arbeit sie durch schriftlichen Verwaltungsakt zur Vornahme der erforderlichen Mitwirkungshandlungen.

(3) Wenn ein Kooperationsplan nicht zustande kommt oder nicht fortgeschrieben werden kann, verpflichtet die Agentur für Arbeit die erwerbsfähige leistungsberechtigte Person durch schriftlichen Verwaltungsakt zur Vornahme der erforderlichen Mitwirkungshandlungen.

(4) [1] In der Verpflichtung nach Absatz 1 Satz 1 Nummer 1 hat die Agentur für Arbeit zu bestimmen, welche konkreten Eigenbemühungen die erwerbsfähige leistungsberechtigte Person in welcher Häufigkeit zu erbringen hat und

---

[1)] § 15a neu gef. mWv 1.7.2026 durch G v. 16.4.2026 (BGBl. 2026 I Nr. 107).
[2)] **beck-online, Module Arbeitsrecht Nr. 760.**
[3)] Nr. **760**.

in welcher Form und Frist diese nachzuweisen sind. [2]Die nach Satz 1 bestimmte Häufigkeit und Frist müssen angemessen sein.

§ 16[1)] Leistungen zur Eingliederung. (1) [1]Zur Eingliederung in Arbeit erbringt die Agentur für Arbeit Leistungen nach § 35 des Dritten Buches[2)]. [2]Sie kann folgende Leistungen des Dritten Kapitels des Dritten Buches erbringen:

1. die übrigen Leistungen der Beratung und Vermittlung nach dem Ersten Abschnitt mit Ausnahme der ***[bis 31.7.2027:*** Leistungen nach den §§ 31a und 31b***][vom 1.8.2027 bis 31.12.2028:*** *Leistungen nach den §§ 31a und 31b]* ***[ab 1.1.2029:*** *Leistungen nach den §§ 30a, 31a und 31b]*,
2. Leistungen zur Aktivierung und beruflichen Eingliederung nach dem Zweiten Abschnitt,
3. Leistungen zur Berufsausbildung nach dem Vierten Unterabschnitt des Dritten Abschnitts und Leistungen nach den §§ 48a und 54a Absatz 1 bis 5,
4. *(aufgehoben)*
5. Leistungen zur Aufnahme einer sozialversicherungspflichtigen Beschäftigung nach dem Ersten Unterabschnitt des Fünften Abschnitts.

[3]§ 1 Absatz 2 Nummer 4 sowie die §§ 36 und 76 des Dritten Buches sind entsprechend anzuwenden.

(2) [1]Soweit dieses Buch nichts Abweichendes regelt, gelten für die Leistungen nach Absatz 1 die Regelungen des Dritten Buches mit Ausnahme der Verordnungsermächtigung nach § 47 des Dritten Buches sowie der Anordnungsermächtigungen für die Bundesagentur und mit der Maßgabe, dass an die Stelle des Arbeitslosengeldes das Grundsicherungsgeld nach § 19 Absatz 1 Satz 1 tritt. [2]§ 44 Absatz 3 Satz 3 des Dritten Buches gilt mit der Maßgabe, dass die Förderung aus dem Vermittlungsbudget auch die anderen Leistungen nach dem Zweiten Buch nicht aufstocken, ersetzen oder umgehen darf.

(3) Abweichend von § 44 Absatz 1 Satz 1 des Dritten Buches können Leistungen auch für die Anbahnung und Aufnahme einer schulischen Berufsausbildung erbracht werden.

(4) [1]Die Agentur für Arbeit als Träger der Grundsicherung für Arbeitsuchende kann die Ausbildungsvermittlung durch die für die Arbeitsförderung

---

[1)] § 16 Abs. 1 Sätze 2–4 neu gef., Abs. 2 Satz 2 geänd., Satz 3 aufgeh., Abs. 3 Satz 1 geänd., Satz 2 angef., Abs. 3a eingef., Abs. 5 aufgeh. mWv 1.4.2012, Abs. 1 Satz 2 Nr. 5 geänd. mWv 1.1.2015 durch G v. 20.12.2011 (BGBl. I S. 2854); Abs. 1 Satz 2 Nr. 4 geänd. mWv 19.3.2013 durch G v. 13.3.2013 (BGBl. I S. 446); Abs. 1 Satz 2 Nr. 3 geänd. mWv 1.5.2015 durch G v. 15.4.2015 (BGBl. I S. 583); Abs. 3 Satz 2 aufgeh. mWv 1.8.2016 durch G v. 18.7.2016 (BGBl. I S. 1710); Abs. 2 Satz 3 angef. mWv 1.1.2019 durch G v. 18.12.2018 (BGBl. I S. 2651); Abs. 1 Satz 3 geänd. mWv 1.8.2019 durch G v. 8.7.2019 (BGBl. I S. 1025); Abs. 1 Satz 2 Nr. 3 und Satz 4, Abs. 2 Satz 1 geänd. mWv 29.5.2020, Abs. 1 Satz 2 Nr. 4 geänd. mWv 1.1.2021 durch G v. 20.5.2020 (BGBl. I S. 1044); Abs. 1 Satz 2 Nr. 1 geänd. mWv 1.7.2020 durch G v. 12.6.2020 (BGBl. I S. 1248); Abs. 1 Satz 3 neu gef. mWv 1.1.2022 durch G v. 2.6.2021 (BGBl. I S. 1387); Abs. 2 Satz 1 geänd. mWv 1.1.2023, Abs. 3b eingef. mWv 1.7.2023 durch G v. 16.12.2022 (BGBl. I S. 2328); Abs. 1 Satz 2 Nr. 3 und 4 geänd. mWv 1.4.2024, Abs. 1 Satz 4 neu gef. mWv 1.8.2024 durch G v. 17.7.2023 (BGBl. 2023 I Nr. 191); Abs. 1 Satz 2 Nr. 4 und Satz 3 aufgeh., bish. Satz 4 wird Satz 3, Abs. 3a und 3b aufgeh. mWv 1.1.2025 durch G v. 22.12.2023 (BGBl. 2023 I Nr. 412); Abs. 1 Satz 3 neu gef., Abs. 2 Satz 3 aufgeh. mWv 24.12.2025 durch G v. 22.12.2025 (BGBl. 2025 I Nr. 355; Abs. 2 Satz 1 geänd. mWv 1.7.2026, Abs. 1 Satz 2 Nr. 1 geänd. mWv 1.8.2027, Abs. 1 Satz 2 Nr. 1 geänd. mWv 1.1.2029 durch G v. 16.4.2026 (BGBl. 2026 I Nr. 107).

[2)] Nr. **700**.

zuständigen Stellen der Bundesagentur wahrnehmen lassen. [2]Das Bundesministerium für Arbeit und Soziales wird ermächtigt, durch Rechtsverordnung ohne Zustimmung des Bundesrates das Nähere über die Höhe, Möglichkeiten der Pauschalierung und den Zeitpunkt der Fälligkeit der Erstattung von Aufwendungen bei der Ausführung des Auftrags nach Satz 1 festzulegen.

§ 16a[1)] Kommunale Eingliederungsleistungen. Zur Verwirklichung einer ganzheitlichen und umfassenden Betreuung und Unterstützung bei der Eingliederung in Arbeit können die folgenden Leistungen, die für die Eingliederung der oder des erwerbsfähigen Leistungsberechtigten in das Erwerbsleben erforderlich sind, erbracht werden:

1. die Betreuung minderjähriger Kinder oder von Kindern mit Behinderungen oder die häusliche Pflege von Angehörigen,
2. die Schuldnerberatung,
3. die psychosoziale Betreuung,
4. die Suchtberatung.

§ 16b[2)] Einstiegsgeld. (1) [1]Zur Überwindung von Hilfebedürftigkeit kann erwerbsfähigen Leistungsberechtigten bei Aufnahme einer sozialversicherungspflichtigen oder selbständigen Erwerbstätigkeit ein Einstiegsgeld erbracht werden, wenn dies zur Eingliederung in den allgemeinen Arbeitsmarkt erforderlich ist. [2]Das Einstiegsgeld kann auch erbracht werden, wenn die Hilfebedürftigkeit durch oder nach Aufnahme der Erwerbstätigkeit entfällt.

(2) [1]Das Einstiegsgeld wird, soweit für diesen Zeitraum eine Erwerbstätigkeit besteht, für höchstens 24 Monate erbracht. [2]Bei der Bemessung der Höhe des Einstiegsgeldes sollen die vorherige Dauer der Arbeitslosigkeit sowie die Größe der Bedarfsgemeinschaft berücksichtigt werden, in der die oder der erwerbsfähige Leistungsberechtigte lebt.

(3) [1]Das Bundesministerium für Arbeit und Soziales wird ermächtigt, im Einvernehmen mit dem Bundesministerium der Finanzen ohne Zustimmung des Bundesrates durch Rechtsverordnung[3)] zu bestimmen, wie das Einstiegsgeld zu bemessen ist. [2]Bei der Bemessung ist neben der Berücksichtigung der in Absatz 2 Satz 2 genannten Kriterien auch ein Bezug zu dem für die oder den erwerbsfähigen Leistungsberechtigten jeweils maßgebenden Regelbedarf herzustellen.

§ 16c[4)] Leistungen zur Eingliederung von Selbständigen. (1) [1]Erwerbsfähige Leistungsberechtigte, die eine selbständige, hauptberufliche Tätigkeit aufnehmen oder ausüben, können Darlehen und Zuschüsse für die Beschaffung von Sachgütern erhalten, die für die Ausübung der selbständigen Tätigkeit notwendig und angemessen sind. [2]Zuschüsse dürfen einen Betrag von 5 000 Euro nicht übersteigen.

(2) [1]Erwerbsfähige Leistungsberechtigte, die eine selbständige, hauptberufliche Tätigkeit ausüben, können durch geeignete Dritte durch Beratung oder

---

1) § 16a Nr. 1 geänd. mWv 1.1.2022 durch G v. 2.6.2021 (BGBl. I S. 1387).

2) § 16b Abs. 1 Satz 1 geänd. mWv 1.8.2016 durch G v. 26.7.2016 (BGBl. I S. 1824).

3) Siehe ua die VO zur Bemessung von Einstiegsgeld (Einstiegsgeld-VO – ESGV) **(Aichberger, SGB Nr. 2/25)**.

4) § 16c bish. Abs. 1 wird Abs. 3, bish. Abs. 2 wird Abs. 1, Abs. 2 eingef. mWv 1.4.2012 durch G v. 20.12.2011 (BGBl. I S. 2854).

Vermittlung von Kenntnissen und Fertigkeiten gefördert werden, wenn dies für die weitere Ausübung der selbständigen Tätigkeit erforderlich ist. [2]Die Vermittlung von beruflichen Kenntnissen ist ausgeschlossen.

(3) [1]Leistungen zur Eingliederung von erwerbsfähigen Leistungsberechtigten, die eine selbständige, hauptberufliche Tätigkeit aufnehmen oder ausüben, können nur gewährt werden, wenn zu erwarten ist, dass die selbständige Tätigkeit wirtschaftlich tragfähig ist und die Hilfebedürftigkeit durch die selbständige Tätigkeit innerhalb eines angemessenen Zeitraums dauerhaft überwunden oder verringert wird. [2]Zur Beurteilung der Tragfähigkeit der selbständigen Tätigkeit soll die Agentur für Arbeit die Stellungnahme einer fachkundigen Stelle verlangen.

§ 16d[1)] Arbeitsgelegenheiten. (1) [1]Erwerbsfähige Leistungsberechtigte können zur Erhaltung oder Wiedererlangung ihrer Beschäftigungsfähigkeit, die für eine Eingliederung in Arbeit erforderlich ist, in Arbeitsgelegenheiten zugewiesen werden, wenn die darin verrichteten Arbeiten zusätzlich sind, im öffentlichen Interesse liegen und wettbewerbsneutral sind. [2]§ 18d Satz 2 findet Anwendung.

(2) [1]Arbeiten sind zusätzlich, wenn sie ohne die Förderung nicht, nicht in diesem Umfang oder erst zu einem späteren Zeitpunkt durchgeführt würden. [2]Arbeiten, die auf Grund einer rechtlichen Verpflichtung durchzuführen sind oder die üblicherweise von juristischen Personen des öffentlichen Rechts durchgeführt werden, sind nur förderungsfähig, wenn sie ohne die Förderung voraussichtlich erst nach zwei Jahren durchgeführt würden. [3]Ausgenommen sind Arbeiten zur Bewältigung von Naturkatastrophen und sonstigen außergewöhnlichen Ereignissen.

(3) [1]Arbeiten liegen im öffentlichen Interesse, wenn das Arbeitsergebnis der Allgemeinheit dient. [2]Arbeiten, deren Ergebnis überwiegend erwerbswirtschaftlichen Interessen oder den Interessen eines begrenzten Personenkreises dient, liegen nicht im öffentlichen Interesse. [3]Das Vorliegen des öffentlichen Interesses wird nicht allein dadurch ausgeschlossen, dass das Arbeitsergebnis auch den in der Maßnahme beschäftigten Leistungsberechtigten zugute kommt, wenn sichergestellt ist, dass die Arbeiten nicht zu einer Bereicherung Einzelner führen.

(4) Arbeiten sind wettbewerbsneutral, wenn durch sie eine Beeinträchtigung der Wirtschaft infolge der Förderung nicht zu befürchten ist und Erwerbstätigkeit auf dem allgemeinen Arbeitsmarkt weder verdrängt noch in ihrer Entstehung verhindert wird.

(5) Leistungen zur Eingliederung in Arbeit nach diesem Buch, mit denen die Aufnahme einer Erwerbstätigkeit auf dem allgemeinen Arbeitsmarkt unmittelbar unterstützt werden kann, haben Vorrang gegenüber der Zuweisung in Arbeitsgelegenheiten.

(6) [1]Erwerbsfähige Leistungsberechtigte dürfen innerhalb eines Zeitraums von fünf Jahren nicht länger als insgesamt 24 Monate in Arbeitsgelegenheiten zugewiesen werden. [2]Der Zeitraum beginnt mit Eintritt in die erste Arbeits-

---

[1)] § 16d neu gef. mWv 1.4.2012 durch G v. 20.12.2011 (BGBl. I S. 2854); Abs. 6 Satz 3 angef., Abs. 8 Satz 1 geänd., Satz 2 angef. mWv 1.8.2016 durch G v. 26.7.2016 (BGBl. I S. 1824); Abs. 7 Satz 1 geänd. mWv 1.1.2023 durch G v. 16.12.2022 (BGBl. I S. 2328); Abs. 7 Satz 1 geänd. mWv 1.7.2026 durch G v. 16.4.2026 (BGBl. 2026 I Nr. 107).

gelegenheit. [3] Abweichend von Satz 1 können erwerbsfähige Leistungsberechtigte nach Ablauf der 24 Monate bis zu zwölf weitere Monate in Arbeitsgelegenheiten zugewiesen werden, wenn die Voraussetzungen der Absätze 1 und 5 weiterhin vorliegen.

(7) [1] Den erwerbsfähigen Leistungsberechtigten ist während einer Arbeitsgelegenheit zuzüglich zum Grundsicherungsgeld nach § 19 Absatz 1 Satz 1 von der Agentur für Arbeit eine angemessene Entschädigung für Mehraufwendungen zu zahlen. [2] Die Arbeiten begründen kein Arbeitsverhältnis im Sinne des Arbeitsrechts und auch kein Beschäftigungsverhältnis im Sinne des Vierten Buches[1)]; die Vorschriften über den Arbeitsschutz und das Bundesurlaubsgesetz[2)] mit Ausnahme der Regelungen über das Urlaubsentgelt sind entsprechend anzuwenden. [3] Für Schäden bei der Ausübung ihrer Tätigkeit haften die erwerbsfähigen Leistungsberechtigten wie Arbeitnehmerinnen und Arbeitnehmer.

(8) [1] Auf Antrag werden die unmittelbar im Zusammenhang mit der Verrichtung von Arbeiten nach Absatz 1 erforderlichen Kosten erstattet. [2] Hierzu können auch Personalkosten gehören, die entstehen, wenn eine besondere Anleitung, eine tätigkeitsbezogene Unterweisung oder eine sozialpädagogische Betreuung notwendig ist.

§ 16e[3)] Eingliederung von Langzeitleistungsbeziehenden. (1) Arbeitgeber können für die nicht nur geringfügige Beschäftigung einer erwerbsfähigen leistungsberechtigten Person einen Zuschuss zum Arbeitsentgelt dieser Person erhalten, wenn

1. es sich um ein Arbeitsverhältnis handelt, das für die Dauer von mindestens zwei Jahren begründet wird, und
2. die erwerbsfähige leistungsberechtigte Person innerhalb der letzten 24 Monate trotz vermittlerischer Unterstützung nach § 16 Absatz 1 Satz 1 unter Einbeziehung der übrigen Eingliederungsleistungen
   a) für insgesamt mindestens 21 Monate Leistungen zur Sicherung des Lebensunterhalts nach diesem Buch erhalten hat und
   b) nicht oder nur kurzzeitig sozialversicherungspflichtig oder geringfügig beschäftigt oder selbständig tätig war.

(2) [1] Der Zuschuss nach Absatz 1 wird in den ersten beiden Jahren des Bestehens des Arbeitsverhältnisses geleistet. [2] Er beträgt im ersten Jahr des Arbeitsverhältnisses 75 Prozent des zu berücksichtigenden Arbeitsentgelts und im zweiten Jahr des Arbeitsverhältnisses 50 Prozent des zu berücksichtigenden Arbeitsentgelts. [3] Für das zu berücksichtigende Arbeitsentgelt ist § 91 Absatz 1 des Dritten Buches[4)] entsprechend anzuwenden. [4] § 22 Absatz 4 Satz 1 des Mindestlohngesetzes[5)] gilt nicht für Arbeitsverhältnisse, für die der Arbeitgeber einen Zuschuss nach Absatz 1 erhält.

(3) [1] § 92 Absatz 1 des Dritten Buches findet entsprechende Anwendung. [2] § 92 Absatz 2 Satz 1 erste Alternative, Satz 2 und 3 des Dritten Buches ist mit

---

1) Auszugsweise abgedruckt unter Nr. **694**.

2) Nr. **134**.

3) § 16e neu gef. mWv 1.1.2019 durch G v. 17.12.2018 (BGBl. I S. 2583); Überschrift, Abs. 1 und 2 neu gef. mWv 1.7.2026 durch G v. 16.4.2026 (BGBl. 2026 I Nr. 107).

4) Nr. **700**.

5) Nr. **505**.

der Maßgabe entsprechend anzuwenden, dass abweichend von § 92 Absatz 2 Satz 3 zweiter Halbsatz des Dritten Buches der für die letzten sechs Monate bewilligte Förderbetrag zurückzuzahlen ist.

(4) [1] Während einer Beschäftigung in einem Arbeitsverhältnis nach Absatz 1 soll eine erforderliche ganzheitliche beschäftigungsbegleitende Betreuung durch die Agentur für Arbeit oder einen durch diese beauftragten Dritten erbracht werden. [2] In den ersten sechs Monaten der Beschäftigung in einem Arbeitsverhältnis nach Absatz 1 hat der Arbeitgeber die Arbeitnehmerin oder den Arbeitnehmer in angemessenem Umfang für eine ganzheitliche beschäftigungsbegleitende Betreuung nach Satz 1 unter Fortzahlung des Arbeitsentgelts freizustellen.

§ 16f[1)] Freie Förderung. (1) [1] Die Agentur für Arbeit kann bis zu 10 Prozent der nach § 46 Absatz 2 auf sie entfallenden Eingliederungsmittel für Leistungen zur Eingliederung in Arbeit einsetzen und die Möglichkeiten der gesetzlich geregelten Eingliederungsleistungen durch freie Leistungen zur Eingliederung in Arbeit erweitern. [2] Die freien Leistungen müssen den Zielen und Grundsätzen dieses Buches entsprechen.

(2) [1] Die Ziele der Leistungen sind vor Förderbeginn zu beschreiben. [2] Eine Kombination oder Modularisierung von Inhalten ist zulässig. [3] Freie Leistungen sind insbesondere vorgesehen für

1. Langzeitarbeitslose,
2. erwerbsfähige Leistungsberechtigte, die das 25. Lebensjahr noch nicht vollendet haben und deren berufliche Eingliederung auf Grund von schwerwiegenden Vermittlungshemmnissen besonders erschwert sind und
3. erwerbsfähige Leistungsberechtigte, bei denen im Beratungsgespräch Bedarfe an gesundheitsfördernden Maßnahmen oder Rehabilitationsbedarfe festgestellt wurden,

bei denen in angemessener Zeit von in der Regel sechs Monaten nicht mit Aussicht auf Erfolg auf einzelne Gesetzesgrundlagen dieses Buches oder des Dritten Buches[2)] zurückgegriffen werden kann. [4] Bei Leistungen an Arbeitgeber ist darauf zu achten, Wettbewerbsverfälschungen zu vermeiden. [5] Projektförderungen im Sinne von Zuwendungen sind nach Maßgabe der §§ 23 und 44 der Bundeshaushaltsordnung[3)] zulässig. [6] Bei längerfristig angelegten Förderungen ist der Erfolg regelmäßig zu überprüfen und zu dokumentieren.

§ 16g[4)] Förderung bei Wegfall der Hilfebedürftigkeit. (1) Entfällt die Hilfebedürftigkeit der oder des Erwerbsfähigen während einer Maßnahme zur Eingliederung, kann sie weiter gefördert werden, wenn dies wirtschaftlich

---

[1)] § 16f Abs. 1 Satz 1 neu gef., Abs. 2 Sätze 1–3 geänd., Satz 4 neu gef., Satz 5 aufgeh., bish. Sätze 6–8 werden Sätze 5–7, neuer Satz 7 geänd. mWv 1.4.2012 durch G v. 20.12.2011 (BGBl. I S. 2854); Abs. 1 Satz 1 geänd., Abs. 2 Satz 3 aufgeh., bish. Satz 4 wird Satz 3 und einl. Satzteil sowie Nr. 1 und 2 neu gef., Nr. 3 angef., bish. Sätze 5-7 werden Sätze 4–6 mWv 1.7.2026 durch G v. 16.4.2026 (BGBl. 2026 I Nr. 107).

[2)] Nr. **700**.

[3)] **Sartorius Nr. 700.**

[4)] § 16g Abs. 2 Satz 1 geänd. mWv 1.4.2012 durch G v. 20.12.2011 (BGBl. I S. 2854); Abs. 1 Satz 2 aufgeh., Abs. 2 Satz 1 neu gef. mWv 1.8.2016 durch G v. 26.7.2016 (BGBl. I S. 1824); Abs. 3 angef. mWv 1.1.2019 durch G v. 17.12.2018 (BGBl. I S. 2583); Abs. 2 Satz 1 geänd. mWv 1.7.2023 durch G v. 16.12.2022 (BGBl. I S. 2328).

erscheint und die oder der Erwerbsfähige die Maßnahme voraussichtlich erfolgreich abschließen wird.

(2) [1] Zur nachhaltigen Eingliederung in Arbeit können Leistungen nach dem Ersten Abschnitt des Dritten Kapitels, nach § 44 oder § 45 Absatz 1 Satz 1 Nummer 5 des Dritten Buches[1)] oder nach § 16a, § 16f oder § 16k bis zu sechs Monate nach Beschäftigungsaufnahme auch erbracht werden, wenn die Hilfebedürftigkeit der oder des Erwerbsfähigen aufgrund des zu berücksichtigenden Einkommens entfallen ist. [2] Während der Förderdauer nach Satz 1 gilt § 15 entsprechend.

(3) Leistungen zur ganzheitlichen beschäftigungsbegleitenden Betreuung nach § 16e Absatz 4 und § 16i Absatz 4 dieses Buches können während der gesamten Dauer der jeweiligen Förderung auch erbracht werden, wenn die Hilfebedürftigkeit entfällt.

§ 16h[2)] Förderung schwer zu erreichender junger Menschen. (1) [1] Für Leistungsberechtigte, die das 25. Lebensjahr noch nicht vollendet haben, kann die Agentur für Arbeit Leistungen mit dem Ziel erbringen, die individuellen Schwierigkeiten der Leistungsberechtigten, eine schulische, ausbildungsbezogene oder berufliche Qualifikation abzuschließen oder anders ins Arbeitsleben einzumünden, zu überwinden. [2] Die Förderung umfasst zusätzliche Betreuungs- und Unterstützungsleistungen mit dem Ziel, dass Sozialleistungen in Anspruch genommen werden, erforderliche therapeutische Behandlungen eingeleitet werden und an Regelangebote dieses Buches zur Aktivierung und Stabilisierung und eine frühzeitige intensive berufsorientierte Förderung herangeführt wird.

(2) [1] Leistungen nach Absatz 1 können erbracht werden, wenn die Voraussetzungen der Leistungsberechtigung mit hinreichender Wahrscheinlichkeit vorliegen oder zu erwarten sind oder eine Leistungsberechtigung dem Grunde nach besteht. [2] Einer Leistung nach Absatz 1 steht eine fehlende Antragstellung der leistungsberechtigten Person nicht entgegen.

(3) Über die Leistungserbringung stimmen sich die Agentur für Arbeit und der örtlich zuständige Träger der öffentlichen Jugendhilfe ab.

(4) Träger bedürfen einer Zulassung nach dem Fünften Kapitel des Dritten Buches[1)], um Maßnahmen nach Absatz 1 durchzuführen.

(5) Zuwendungen sind nach Maßgabe der §§ 23 und 44 der Bundeshaushaltsordnung[3)] zulässig.

§ 16i[4)] Teilhabe am Arbeitsmarkt. (1) Zur Förderung von Teilhabe am Arbeitsmarkt können Arbeitgeber für die Beschäftigung von zugewiesenen erwerbsfähigen Leistungsberechtigten Zuschüsse zum Arbeitsentgelt erhalten, wenn sie mit einer erwerbsfähigen leistungsberechtigten Person ein sozialversicherungspflichtiges Arbeitsverhältnis begründen.

(2) [1] Der Zuschuss nach Absatz 1 beträgt

[1)] Nr. **700**.

[2)] § 16h eingef. mWv 1.8.2016 durch G v. 26.7.2016 (BGBl. I S. 1824); Abs. 1 Satz 1 neu gef., Satz 2 geänd. mWv 1.7.2026 durch G v. 16.4.2026 (BGBl. 2026 I Nr. 107).

[3)] **Sartorius Nr. 700.**

[4)] § 16i eingef. mWv 1.1.2019 durch G v. 17.12.2018 (BGBl. I S. 2583); Abs. 2 Satz 1 abschl. Satzteil geänd. mWv 1.1.2023 durch G v. 16.12.2022 (BGBl. I S. 2328).

1. in den ersten beiden Jahren des Arbeitsverhältnisses 100 Prozent,
2. im dritten Jahr des Arbeitsverhältnisses 90 Prozent,
3. im vierten Jahr des Arbeitsverhältnisses 80 Prozent,
4. im fünften Jahr des Arbeitsverhältnisses 70 Prozent

der Höhe des Mindestlohns nach § 1 Absatz 2 Satz 1 des Mindestlohngesetzes[1] in Verbindung mit der auf der Grundlage des § 11 Absatz 1 Satz 1 des Mindestlohngesetzes jeweils erlassenen Verordnung zuzüglich des auf dieser Basis berechneten pauschalierten Anteils des Arbeitgebers am Gesamtsozialversicherungsbeitrag abzüglich des Beitrags zur Arbeitsförderung. [2] Ist der Arbeitgeber durch oder aufgrund eines Tarifvertrages oder nach kirchlichen Arbeitsrechtsregelungen zur Zahlung eines höheren Arbeitsentgelts verpflichtet, bemisst sich der Zuschuss nach Satz 1 auf Grundlage des zu zahlenden Arbeitsentgelts. [3] § 91 Absatz 1 des Dritten Buches[2] findet mit der Maßgabe entsprechende Anwendung, dass nur der pauschalierte Anteil des Arbeitgebers am Gesamtsozialversicherungsbeitrag abzüglich des Beitrags zur Arbeitsförderung zu berücksichtigen ist. [4] Der Zuschuss bemisst sich nach der im Arbeitsvertrag vereinbarten Arbeitszeit. [5] § 22 Absatz 4 Satz 1 des Mindestlohngesetzes gilt nicht für Arbeitsverhältnisse, für die der Arbeitgeber einen Zuschuss nach Absatz 1 erhält.

(3) [1] Eine erwerbsfähige leistungsberechtigte Person kann einem Arbeitgeber zugewiesen werden, wenn

1. sie das 25. Lebensjahr vollendet hat,
2. sie für insgesamt mindestens sechs Jahre innerhalb der letzten sieben Jahre Leistungen zur Sicherung des Lebensunterhalts nach diesem Buch erhalten hat,
3. sie in dieser Zeit nicht oder nur kurzzeitig sozialversicherungspflichtig oder geringfügig beschäftigt oder selbständig tätig war und
4. für sie Zuschüsse an Arbeitgeber nach Absatz 1 noch nicht für eine Dauer von fünf Jahren erbracht worden sind.

[2] In der Regel soll die erwerbsfähige leistungsberechtigte Person bereits für einen Zeitraum von mindestens zwei Monaten eine ganzheitliche Unterstützung erhalten haben. [3] Abweichend von Satz 1 Nummer 2 kann eine erwerbsfähige leistungsberechtigte Person, die in den letzten fünf Jahren Leistungen zur Sicherung des Lebensunterhalts nach diesem Buch erhalten hat, einem Arbeitgeber zugewiesen werden, wenn sie in einer Bedarfsgemeinschaft mit mindestens einem minderjährigen Kind lebt oder schwerbehindert im Sinne des § 2 Absatz 2 und 3 des Neunten Buches[3] ist.

(4) [1] Während einer Förderung nach Absatz 1 soll eine erforderliche ganzheitliche beschäftigungsbegleitende Betreuung durch die Agentur für Arbeit oder einen durch diese beauftragten Dritten erbracht werden. [2] Im ersten Jahr der Beschäftigung in einem Arbeitsverhältnis nach Absatz 1 hat der Arbeitgeber die Arbeitnehmerin oder den Arbeitnehmer in angemessenem Umfang für eine ganzheitliche beschäftigungsbegleitende Betreuung nach Satz 1 unter Fortzahlung des Arbeitsentgelts freizustellen. [3] Begründet die Arbeitnehmerin oder der Arbeitnehmer im Anschluss an eine nach Absatz 1 geförderte Beschäftigung ein

---

[1] Nr. **505**.
[2] Nr. **700**.
[3] Nr. **440**.

sozialversicherungspflichtiges Arbeitsverhältnis bei einem anderen Arbeitgeber, so können Leistungen nach Satz 1 bis zu sechs Monate nach Aufnahme der Anschlussbeschäftigung erbracht werden, auch wenn die Hilfebedürftigkeit während der Förderung nach Absatz 1 entfallen ist, sofern sie ohne die Aufnahme der Anschlussbeschäftigung erneut eintreten würde; § 16g Absatz 2 bleibt im Übrigen unberührt.

(5) [1] Angemessene Zeiten einer erforderlichen Weiterbildung oder eines betrieblichen Praktikums bei einem anderen Arbeitgeber, für die der Arbeitgeber die Arbeitnehmerin oder den Arbeitnehmer unter Fortzahlung des Arbeitsentgelts freistellt, sind förderfähig. [2] Für Weiterbildung nach Satz 1 kann der Arbeitgeber je Förderfall Zuschüsse zu den Weiterbildungskosten von insgesamt bis zu 3 000 Euro erhalten.

(6) [1] Die Agentur für Arbeit soll die Arbeitnehmerin oder den Arbeitnehmer umgehend abberufen, wenn sie diese Person in eine zumutbare Arbeit oder Ausbildung vermitteln kann oder die Förderung aus anderen Gründen beendet wird. [2] Die Arbeitnehmerin oder der Arbeitnehmer kann das Arbeitsverhältnis ohne Einhaltung einer Frist kündigen, wenn sie oder er eine Arbeit oder Ausbildung aufnehmen kann, an einer Maßnahme der Berufsausbildung oder beruflichen Weiterbildung zum Erwerb eines Berufsabschlusses teilnehmen kann oder nach Satz 1 abberufen wird. [3] Der Arbeitgeber kann das Arbeitsverhältnis ohne Einhaltung einer Frist kündigen, wenn die Arbeitnehmerin oder der Arbeitnehmer nach Satz 1 abberufen wird.

(7) Die Zahlung eines Zuschusses nach Absatz 1 ist ausgeschlossen, wenn zu vermuten ist, dass der Arbeitgeber
1. die Beendigung eines anderen Arbeitsverhältnisses veranlasst hat, um einen Zuschuss nach Absatz 1 zu erhalten, oder
2. eine bisher für das Arbeitsverhältnis erbrachte Förderung ohne besonderen Grund nicht mehr in Anspruch nimmt.

(8) [1] Die Befristung eines Arbeitsvertrages mit einer zugewiesenen erwerbsfähigen leistungsberechtigten Person im Sinne von Absatz 3 ist bis zu einer Dauer von fünf Jahren zulässig, wenn dem Arbeitgeber zur Förderung der Teilhabe am Arbeitsmarkt ein Zuschuss zum Arbeitsentgelt nach Absatz 1 gewährt wird. [2] Bis zu der Gesamtdauer von fünf Jahren ist auch die höchstens einmalige Verlängerung des Arbeitsvertrages zulässig.

(9) [1] Zu den Einsatzfeldern der nach Absatz 1 geförderten Arbeitsverhältnisse hat die Agentur für Arbeit jährlich eine Stellungnahme der Vertreterinnen und Vertreter der Sozialpartner im Örtlichen Beirat, insbesondere zu möglichen Wettbewerbsverzerrungen sowie Verdrängungseffekten, einzuholen. [2] Die Stellungnahme muss einvernehmlich erfolgen. [3] Eine von der Stellungnahme abweichende Festlegung der Einsatzfelder hat die Agentur für Arbeit schriftlich zu begründen. [4] § 18d Satz 2 gilt entsprechend.

(10) [1] Abweichend von Absatz 3 Nummer 2 und 3 kann eine erwerbsfähige leistungsberechtigte Person auch dann einem Arbeitgeber zugewiesen werden, wenn sie seit dem 1. Januar 2015 für mehr als sechs Monate in einem Arbeitsverhältnis beschäftigt war, das durch einen Zuschuss nach § 16e in der bis zum 31. Dezember 2018 geltenden Fassung oder im Rahmen des Bundesprogramms *„Soziale Teilhabe am Arbeitsmarkt"* gefördert wurde, und sie dieses Arbeitsverhältnis nicht selbst gekündigt hat. [2] Zeiten eines nach § 16e in der bis zum 31. Dezember 2018 geltenden Fassung oder nach dem Bundesprogramm

„Soziale Teilhabe am Arbeitsmarkt" geförderten Arbeitsverhältnisses werden bei der Ermittlung der Förderdauer und Förderhöhe nach Absatz 2 Satz 1 berücksichtigt und auf die Förderdauer nach Absatz 3 Nummer 4 angerechnet.

§ 16j[1] *(aufgehoben)*

§ 16k[2] **Ganzheitliche Betreuung.** (1) [1] Zum Aufbau der Beschäftigungsfähigkeit von erwerbsfähigen Leistungsberechtigten kann die Agentur für Arbeit oder ein durch diese beauftragter Dritter eine erforderliche ganzheitliche und gegebenenfalls aufsuchende Betreuung erbringen. [2] Die Agentur für Arbeit kann auch Rahmenverträge nutzen und einen Gutschein ausgeben. [3] § 45 Absatz 1 Satz 4, Absatz 2 Satz 1, Absatz 4 Satz 1, 2, 3 Nummer 1, Absatz 5 und 6 Satz 1 und 2 des Dritten Buches[3] gilt entsprechend.

(2) [1] Eine ganzheitliche Betreuung kann für junge Menschen auch zur Heranführung an eine oder zur Begleitung während einer Ausbildung erfolgen. [2] Sofern keine an die Ausbildung unmittelbar anschließende Beschäftigungsaufnahme erfolgt, kann die ganzheitliche Betreuung bis zu zwölf Monate nach Ende der Ausbildung fortgeführt werden.

(3) § 16g gilt mit der Maßgabe, dass der Zeitraum des Absatzes 2 Satz 1 um weitere drei Monate überschritten werden kann, soweit und solange dies im Einzelfall erforderlich ist.

(4) § 31 Absatz 1 Satz 1 Nummer 3 findet keine Anwendung.

(5) Träger bedürfen einer Zulassung nach dem Fünften Kapitel des Dritten Buches, um Maßnahmen nach den Absätzen 1 und 2 durchzuführen oder durchführen zu lassen.

§ 17 Einrichtungen und Dienste für Leistungen zur Eingliederung.

(1) [1] Zur Erbringung von Leistungen zur Eingliederung in Arbeit sollen die zuständigen Träger der Leistungen nach diesem Buch eigene Einrichtungen und Dienste nicht neu schaffen, soweit geeignete Einrichtungen und Dienste Dritter vorhanden sind, ausgebaut oder in Kürze geschaffen werden können. [2] Die zuständigen Träger der Leistungen nach diesem Buch sollen Träger der freien Wohlfahrtspflege in ihrer Tätigkeit auf dem Gebiet der Grundsicherung für Arbeitsuchende angemessen unterstützen.

(2) [1] Wird die Leistung von einem Dritten erbracht und sind im Dritten Buch[3] keine Anforderungen geregelt, denen die Leistung entsprechen muss, sind die Träger der Leistungen nach diesem Buch zur Vergütung für die Leistung nur verpflichtet, wenn mit dem Dritten oder seinem Verband eine Vereinbarung insbesondere über

1. Inhalt, Umfang und Qualität der Leistungen,
2. die Vergütung, die sich aus Pauschalen und Beträgen für einzelne Leistungsbereiche zusammensetzen kann, und
3. die Prüfung der Wirtschaftlichkeit und Qualität der Leistungen

---

[1] § 16j aufgeh. mWv 28.3.2024 durch G v. 27.3.2024 (BGBl. 2024 I Nr. 107).

[2] § 16k eingef. mWv 1.7.2023 durch G v. 16.12.2022 (BGBl. I S. 2328); Abs. 5 angef. mWv 1.7. 2023 (gem. Art. 21 Abs. 2; gem. Art. 21 Abs. 4 mWv 29.12.2023) durch G v. 22.12.2023 (BGBl. 2023 I Nr. 408).

[3] Nr. **700**.

besteht. [2]Die Vereinbarungen müssen den Grundsätzen der Wirtschaftlichkeit, Sparsamkeit und Leistungsfähigkeit entsprechen.

§ 18[1)] Örtliche Zusammenarbeit. (1) Die zuständigen Träger der Leistungen arbeiten im Rahmen ihrer Aufgaben und Befugnisse mit den Gemeinden, Kreisen und Bezirken sowie den weiteren Beteiligten des örtlichen Ausbildungs- und Arbeitsmarktes zusammen, insbesondere mit den

1. Leistungsträgern im Sinne des § 12 des Ersten Buches[2)] sowie Trägern von Leistungen nach dem Asylbewerberleistungsgesetz[3)],
2. Vertreterinnen und Vertretern der Arbeitgeber sowie der Arbeitnehmerinnen und Arbeitnehmer,
3. Kammern und berufsständischen Organisationen,
4. Ausländerbehörden und dem Bundesamt für Migration und Flüchtlinge,
5. allgemein- und berufsbildenden Schulen und Stellen der Schulverwaltung sowie Hochschulen,
6. Einrichtungen und Stellen des öffentlichen Gesundheitsdienstes und sonstigen Einrichtungen und Diensten des Gesundheitswesens sowie
7. Trägern der freien Wohlfahrtspflege und Dritten, die Leistungen nach diesem Buch erbringen.

(2) [1]Die Zusammenarbeit mit den Stellen nach Absatz 1 erfolgt auf der Grundlage der Gegenseitigkeit insbesondere, um

1. eine gleichmäßige oder gemeinsame Durchführung von Maßnahmen zu beraten oder zu sichern und
2. Leistungsmissbrauch zu verhindern oder aufzudecken.

[2]Dies gilt insbesondere, wenn

1. Hemmnisse bei der Eingliederung der erwerbsfähigen leistungsberechtigten Person in Ausbildung und Arbeit nur unter Einbeziehung der gesamten Bedarfsgemeinschaft beseitigt werden können und für die Mitglieder der Bedarfsgemeinschaft die Erbringung weiterer Leistungen erforderlich ist, oder
2. zur Eingliederung insbesondere sozial benachteiligter und individuell beeinträchtigter junger Menschen zwischen den nach Absatz 1 beteiligten Stellen und Einrichtungen abgestimmte, den individuellen Bedarf deckende Leistungen erforderlich sind.

(3) Die Leistungen nach diesem Buch sind in das regionale Arbeitsmarktmonitoring der Agenturen für Arbeit nach § 9 Absatz 2 des Dritten Buches[4)] einzubeziehen.

(4) [1]Die Agenturen für Arbeit sollen mit Gemeinden, Kreisen und Bezirken auf deren Verlangen Vereinbarungen über das Erbringen von Leistungen zur Eingliederung nach diesem Gesetz mit Ausnahme der Leistungen nach § 16 Absatz 1 schließen, wenn sie den durch eine Rechtsverordnung festgelegten

---

[1)] § 18 Abs. 1 neu gef., Abs. 1a aufgeh., Abs. 2 eingef., bish. Abs. 2–4 werden Abs. 3–5 mWv 1.8. 2016 durch G v. 26.7.2016 (BGBl. I S. 1824); Abs. 1 Nr. 1 geänd. mWv 1.1.2024 durch G v. 22.12. 2023 (BGBl. 2023 I Nr. 408).

[2)] Nr. **691**.

[3)] Auszugsweise abgedruckt unter Nr. **781**.

[4)] Nr. **700**.

Mindestanforderungen entsprechen. [2]Satz 1 gilt nicht für die zugelassenen kommunalen Träger.

(5) Das Bundesministerium für Arbeit und Soziales wird ermächtigt, ohne Zustimmung des Bundesrates durch Rechtsverordnung[1)] zu bestimmen, welchen Anforderungen eine Vereinbarung nach Absatz 3 mindestens genügen muss.

§ 18a[2)] Zusammenarbeit mit den für die Arbeitsförderung zuständigen Stellen. [1]Beziehen erwerbsfähige Leistungsberechtigte auch Leistungen der Arbeitsförderung, so sind die Agenturen für Arbeit, die zugelassenen kommunalen Träger und die gemeinsamen Einrichtungen verpflichtet, bei der Wahrnehmung der Aufgaben nach diesem Buch mit den für die Arbeitsförderung zuständigen Dienststellen der Bundesagentur eng zusammenzuarbeiten. [2]Sie unterrichten diese unverzüglich über die ihnen insoweit bekannten, für die Wahrnehmung der Aufgaben der Arbeitsförderung erforderlichen Tatsachen, insbesondere über

1. die für erwerbsfähige Leistungsberechtigte, die auch Leistungen der Arbeitsförderung beziehen, vorgesehenen und erbrachten Leistungen zur Eingliederung in Arbeit,
2. den Wegfall der Hilfebedürftigkeit bei diesen Personen.

§ 18b Kooperationsausschuss. (1) [1]Die zuständige oberste Landesbehörde und das Bundesministerium für Arbeit und Soziales bilden einen Kooperationsausschuss. [2]Der Kooperationsausschuss koordiniert die Umsetzung der Grundsicherung für Arbeitsuchende auf Landesebene. [3]Im Kooperationsausschuss vereinbaren das Land und der Bund jährlich die Ziele und Schwerpunkte der Arbeitsmarkt- und Integrationspolitik in der Grundsicherung für Arbeitsuchende auf Landesebene. [4]§ 48b bleibt unberührt. [5]Die Verfahren zum Abschluss der Vereinbarungen zwischen Bund und Ländern werden mit den Verfahren zum Abschluss der Zielvereinbarungen zwischen dem Bundesministerium für Arbeit und Soziales und der Bundesagentur sowie deren Konkretisierung in den Zielvereinbarungen der Bundesagentur und den gemeinsamen Einrichtungen abgestimmt. [6]Der Kooperationsausschuss kann sich über die Angelegenheiten der gemeinsamen Einrichtungen unterrichten lassen. [7]Der Kooperationsausschuss entscheidet darüber hinaus bei einer Meinungsverschiedenheit über die Weisungszuständigkeit im Verfahren nach § 44e, berät die Trägerversammlung bei der Bestellung und Abberufung eines Geschäftsführers nach § 44c Absatz 2 Nummer 1 und gibt in den Fällen einer Weisung in grundsätzlichen Angelegenheiten nach § 44b Absatz 3 Satz 4 eine Empfehlung ab.

(2) [1]Der Kooperationsausschuss besteht aus sechs Mitgliedern, von denen drei Mitglieder von der zuständigen obersten Landesbehörde und drei Mitglieder vom Bundesministerium für Arbeit und Soziales entsandt werden. [2]Die Mitglieder des Kooperationsausschusses können sich vertreten lassen. [3]An den Sitzungen soll in der Regel jeweils mindestens eine Mitarbeiterin oder ein Mitarbeiter der zuständigen obersten Landesbehörde und des Bundesministeriums für Arbeit und Soziales teilnehmen.

---

1) Siehe ua die Mindestanforderungs-VO **(Aichberger, SGB Nr. 2/30).**
2) § 18a Satz 1 geänd. mWv 1.4.2012 durch G v. 20.12.2011 (BGBl. I S. 2854).

(3) [1]Die Mitglieder wählen eine Vorsitzende oder einen Vorsitzenden. [2]Kann im Kooperationsausschuss keine Einigung über die Person der oder des Vorsitzenden erzielt werden, wird die oder der Vorsitzende von den Vertreterinnen und Vertretern des Bundesministeriums für Arbeit und Soziales oder den Vertreterinnen und Vertretern der zuständigen obersten Landesbehörde abwechselnd jeweils für zwei Jahre bestimmt; die erstmalige Bestimmung erfolgt durch die Vertreterinnen und Vertreter des Bundesministeriums für Arbeit und Soziales. [3]Der Kooperationsausschuss gibt sich eine Geschäftsordnung.

§ 18c Bund-Länder-Ausschuss. (1) [1]Beim Bundesministerium für Arbeit und Soziales wird ein Ausschuss für die Grundsicherung für Arbeitsuchende gebildet. [2]Er beobachtet und berät die zentralen Fragen der Umsetzung der Grundsicherung für Arbeitsuchende und Fragen der Aufsicht nach den §§ 47 und 48, Fragen des Kennzahlenvergleichs nach § 48a Absatz 2 sowie Fragen der zu erhebenden Daten nach § 51b Absatz 1 Satz 2 und erörtert die Zielvereinbarungen nach § 48b Absatz 1.

(2) [1]Bei der Beobachtung und Beratung zentraler Fragen der Umsetzung der Grundsicherung für Arbeitsuchende sowie Fragen des Kennzahlenvergleichs nach § 48a Absatz 2 und Fragen der zu erhebenden Daten nach § 51b Absatz 1 Satz 2 ist der Ausschuss besetzt mit Vertreterinnen und Vertretern der Bundesregierung, der Länder, der kommunalen Spitzenverbände und der Bundesagentur. [2]Der Ausschuss kann sich von den Trägern berichten lassen.

(3) [1]Bei der Beratung von Fragen der Aufsicht nach den §§ 47 und 48 ist der Ausschuss besetzt mit Vertreterinnen und Vertretern der Bundesregierung und der Aufsichtsbehörden der Länder. [2]Bund und Länder können dazu einvernehmlich Vertreterinnen und Vertreter der kommunalen Spitzenverbände und der Bundesagentur einladen, sofern dies sachdienlich ist.

§ 18d[1)] Örtlicher Beirat. [1]Bei jeder gemeinsamen Einrichtung nach § 44b wird ein Beirat gebildet. [2]Der Beirat berät die Einrichtung bei der Auswahl und Gestaltung der Eingliederungsinstrumente und -maßnahmen; Stellungnahmen des Beirats, insbesondere diejenigen der Vertreter der Arbeitgeber und Arbeitnehmer, hat die gemeinsame Einrichtung zu berücksichtigen. [3]Die Trägerversammlung beruft die Mitglieder des Beirats auf Vorschlag der Beteiligten des örtlichen Arbeitsmarktes, insbesondere den Trägern der freien Wohlfahrtspflege, den Vertreterinnen und Vertretern der Arbeitgeber und Arbeitnehmer sowie den Kammern und berufsständischen Organisationen. [4]Vertreterinnen und Vertreter von Beteiligten des örtlichen Arbeitsmarktes, die Eingliederungsleistungen nach diesem Buch anbieten, dürfen nicht Mitglied des Beirats sein. [5]Der Beirat gibt sich eine Geschäftsordnung. [6]Die Sätze 1 bis 5 gelten entsprechend für die zugelassenen kommunalen Träger mit der Maßgabe, dass die Berufung der Mitglieder des Beirats durch den zugelassenen kommunalen Träger erfolgt.

§ 18e Beauftragte für Chancengleichheit am Arbeitsmarkt. (1) [1]Die Trägerversammlungen bei den gemeinsamen Einrichtungen bestellen Beauftragte für Chancengleichheit am Arbeitsmarkt aus dem Kreis der Beamtinnen und Beamten, Arbeitnehmerinnen und Arbeitnehmer, denen in den gemein-

---

[1)] § 18d Satz 2 geänd. mWv 1.8.2016 durch G v. 26.7.2016 (BGBl. I S. 1824).

samen Einrichtungen Tätigkeiten zugewiesen worden sind. [2] Sie sind unmittelbar der jeweiligen Geschäftsführerin oder dem jeweiligen Geschäftsführer zugeordnet.

(2) [1] Die Beauftragten unterstützen und beraten die gemeinsamen Einrichtungen in Fragen der Gleichstellung von Frauen und Männern in der Grundsicherung für Arbeitsuchende, der Frauenförderung sowie der Vereinbarkeit von Familie und Beruf bei beiden Geschlechtern. [2] Hierzu zählen insbesondere Fragen der Beratung, der Eingliederung in Arbeit und Ausbildung sowie des beruflichen Wiedereinstiegs von Frauen und Männern nach einer Familienphase.

(3) [1] Die Beauftragten sind bei der Erarbeitung des örtlichen Arbeitsmarkt- und Integrationsprogramms der Grundsicherung für Arbeitsuchende sowie bei der geschlechter- und familiengerechten fachlichen Aufgabenerledigung der gemeinsamen Einrichtung zu beteiligen. [2] Sie haben ein Informations-, Beratungs- und Vorschlagsrecht in Fragen, die Auswirkungen auf die Chancengleichheit von Frauen und Männern haben.

(4) [1] Die Beauftragten unterstützen und beraten erwerbsfähige Leistungsberechtigte und die mit diesen in einer Bedarfsgemeinschaft lebenden Personen, Arbeitgeber sowie Arbeitnehmer- und Arbeitgeberorganisationen in übergeordneten Fragen der Gleichstellung von Frauen und Männern in der Grundsicherung für Arbeitsuchende, der Frauenförderung sowie der Vereinbarkeit von Familie und Beruf bei beiden Geschlechtern. [2] Zur Sicherung der gleichberechtigten Teilhabe von Frauen und Männern am Arbeitsmarkt arbeiten die Beauftragten mit den in Fragen der Gleichstellung im Erwerbsleben tätigen Stellen im Zuständigkeitsbereich der gemeinsamen Einrichtung zusammen.

(5) Die gemeinsamen Einrichtungen werden in den Sitzungen kommunaler Gremien zu Themen, die den Aufgabenbereich der Beauftragten betreffen, von den Beauftragten vertreten.

(6) Die Absätze 1 bis 5 gelten entsprechend für die zugelassenen kommunalen Träger.

Abschnitt 2. Leistungen zur Sicherung des Lebensunterhalts

Unterabschnitt 1. Leistungsanspruch

§ 19[1)] Grundsicherungsgeld und Leistungen für Bildung und Teilhabe.

(1) [1] Erwerbsfähige Leistungsberechtigte erhalten Grundsicherungsgeld. [2] Nichterwerbsfähige Leistungsberechtigte, die mit erwerbsfähigen Leistungsberechtigten in einer Bedarfsgemeinschaft leben, erhalten Grundsicherungsgeld, soweit sie keinen Anspruch auf Leistungen nach dem Vierten Kapitel des Zwölften Buches[2)] haben. [3] Die Leistungen umfassen den Regelbedarf, Mehrbedarfe und den Bedarf für Unterkunft und Heizung.

(2) [1] Leistungsberechtigte haben unter den Voraussetzungen des § 28 Anspruch auf Leistungen für Bildung und Teilhabe, soweit sie keinen Anspruch auf Leistungen nach dem Vierten Kapitel des Zwölften Buches haben. [2] Soweit

[1)] § 19 Überschrift neu gef., Abs. 1 Sätze 1 und 2 geänd. mWv 1.1.2023 durch G v. 16.12.2022 (BGBl. I S. 2328); Überschrift neu gef., Abs. 1 Sätze 1 und 2 geänd. mWv 1.7.2026 durch G v. 16.4. 2026 (BGBl. 2026 I Nr. 107).

[2)] **Aichberger, SGB Nr. 12.**

für Kinder Leistungen zur Deckung von Bedarfen für Bildung und Teilhabe nach § 6b des Bundeskindergeldgesetzes[1] gewährt werden, haben sie keinen Anspruch auf entsprechende Leistungen zur Deckung von Bedarfen nach § 28.

(3) [1]Die Leistungen zur Sicherung des Lebensunterhalts werden in Höhe der Bedarfe nach den Absätzen 1 und 2 erbracht, soweit diese nicht durch das zu berücksichtigende Einkommen und Vermögen gedeckt sind. [2]Zu berücksichtigendes Einkommen und Vermögen deckt zunächst die Bedarfe nach den §§ 20, 21 und 23, darüber hinaus die Bedarfe nach § 22. [3]Sind nur noch Leistungen für Bildung und Teilhabe zu leisten, deckt weiteres zu berücksichtigendes Einkommen und Vermögen die Bedarfe in der Reihenfolge der Absätze 2 bis 7 nach § 28.

Unterabschnitt 2.[2] Grundsicherungsgeld

§ 20[3] Regelbedarf zur Sicherung des Lebensunterhalts. (1) [1]Der Regelbedarf zur Sicherung des Lebensunterhalts umfasst insbesondere Ernährung, Kleidung, Körperpflege, Hausrat, Haushaltsenergie ohne die auf die Heizung und Erzeugung von Warmwasser entfallenden Anteile sowie persönliche Bedürfnisse des täglichen Lebens. [2]Zu den persönlichen Bedürfnissen des täglichen Lebens gehört in vertretbarem Umfang eine Teilhabe am sozialen und kulturellen Leben in der Gemeinschaft. [3]Der Regelbedarf wird als monatlicher Pauschalbetrag berücksichtigt. [4]Über die Verwendung der zur Deckung des Regelbedarfs erbrachten Leistungen entscheiden die Leistungsberechtigten eigenverantwortlich; dabei haben sie das Eintreten unregelmäßig anfallender Bedarfe zu berücksichtigen.

(1a) [1]Der Regelbedarf wird in Höhe der jeweiligen Regelbedarfsstufe entsprechend § 28 des Zwölften Buches[4] in Verbindung mit dem Regelbedarfs-Ermittlungsgesetz[5] und den §§ 28a und 40 des Zwölften Buches in Verbindung mit der für das jeweilige Jahr geltenden Regelbedarfsstufen-Fortschreibungsverordnung anerkannt. [2]Soweit in diesem Buch auf einen Regelbedarf oder eine Regelbedarfsstufe verwiesen wird, ist auf den Betrag der für den jeweiligen Zeitraum geltenden Neuermittlung entsprechend § 28 des Zwölften Buches in Verbindung mit dem Regelbedarfs-Ermittlungsgesetz abzustellen. [3]In Jahren, in denen keine Neuermittlung nach § 28 des Zwölften Buches erfolgt, ist auf den Betrag abzustellen, der sich für den jeweiligen Zeitraum entsprechend der Regelbedarfsstufen-Fortschreibungsverordnung nach den §§ 28a und 40 des Zwölften Buches ergibt.

(2) [1]Als Regelbedarf wird bei Personen, die alleinstehend oder alleinerziehend sind oder deren Partnerin oder Partner minderjährig ist, monatlich ein Betrag in Höhe der Regelbedarfsstufe 1 anerkannt. [2]Für sonstige erwerbsfähige Angehörige der Bedarfsgemeinschaft wird als Regelbedarf anerkannt:

1. monatlich ein Betrag in Höhe der Regelbedarfsstufe 4, sofern sie das 18. Lebensjahr noch nicht vollendet haben,

---

[1] **beck-online, Module Arbeitsrecht Nr. 332.**

[2] UAbschnitt 2 Überschrift neu gef. mWv 1.7.2026 durch G v. 16.4.2026 (BGBl. 2026 I Nr. 107).

[3] § 20 Abs. 5 Satz 3 geänd. mWv 1.8.2016 durch G v. 26.7.2016 (BGBl. I S. 1824); Abs. 1a eingef., Abs. 2 neu gef., Abs. 4 geänd., Abs. 5 aufgeh. mWv 1.1.2017 durch G v. 22.12.2016 (BGBl. I S. 3159).

[4] **Aichberger, SGB Nr. 12.**

[5] **Aichberger, SGB Nr. 12/10.**

2. monatlich ein Betrag in Höhe der Regelbedarfsstufe 3 in den übrigen Fällen.

(3) Abweichend von Absatz 2 Satz 1 ist bei Personen, die das 25. Lebensjahr noch nicht vollendet haben und ohne Zusicherung des zuständigen kommunalen Trägers nach § 22 Absatz 5 umziehen, bis zur Vollendung des 25. Lebensjahres der in Absatz 2 Satz 2 Nummer 2 genannte Betrag als Regelbedarf anzuerkennen.

(4) Haben zwei Partner der Bedarfsgemeinschaft das 18. Lebensjahr vollendet, ist als Regelbedarf für jede dieser Personen monatlich ein Betrag in Höhe der Regelbedarfsstufe 2 anzuerkennen.

§ 21[1] Mehrbedarfe. (1) Mehrbedarfe umfassen Bedarfe nach den Absätzen 2 bis 7, die nicht durch den Regelbedarf abgedeckt sind.

(2) Bei werdenden Müttern wird nach der zwölften Schwangerschaftswoche bis zum Ende des Monats, in welchen die Entbindung fällt, ein Mehrbedarf von 17 Prozent des nach § 20 maßgebenden Regelbedarfs anerkannt.

(3) Bei Personen, die mit einem oder mehreren minderjährigen Kindern zusammenleben und allein für deren Pflege und Erziehung sorgen, ist ein Mehrbedarf anzuerkennen

1. in Höhe von 36 Prozent des nach § 20 Absatz 2 maßgebenden Bedarfs, wenn sie mit einem Kind unter sieben Jahren oder mit zwei oder drei Kindern unter 16 Jahren zusammenleben, oder
2. in Höhe von 12 Prozent des nach § 20 Absatz 2 maßgebenden Bedarfs für jedes Kind, wenn sich dadurch ein höherer Prozentsatz als nach der Nummer 1 ergibt, höchstens jedoch in Höhe von 60 Prozent des nach § 20 Absatz 2 maßgebenden Regelbedarfs.

(4) [1]Bei erwerbsfähigen Leistungsberechtigten mit Behinderungen, denen Leistungen zur Teilhabe am Arbeitsleben nach § 49 des Neunten Buches[2] mit Ausnahme der Leistungen nach § 49 Absatz 3 Nummer 2 und 5 des Neunten Buches[2] sowie sonstige Hilfen zur Erlangung eines geeigneten Platzes im Arbeitsleben oder Eingliederungshilfen nach § 112 des Neunten Buches[3] erbracht werden, wird ein Mehrbedarf von 35 Prozent des nach § 20 maßgebenden Regelbedarfs anerkannt. [2]Satz 1 kann auch nach Beendigung der dort genannten Maßnahmen während einer angemessenen Übergangszeit, vor allem einer Einarbeitungszeit, angewendet werden.

(5) Bei Leistungsberechtigten, die aus medizinischen Gründen einer kostenaufwändigen Ernährung bedürfen, wird ein Mehrbedarf in angemessener Höhe anerkannt.

(6) [1]Bei Leistungsberechtigten wird ein Mehrbedarf anerkannt, soweit im Einzelfall ein unabweisbarer, besonderer Bedarf besteht; bei einmaligen Bedarfen ist weitere Voraussetzung, dass ein Darlehen nach § 24 Absatz 1 ausnahmsweise nicht zumutbar oder wegen der Art des Bedarfs nicht möglich ist. [2]Der Mehrbedarf ist unabweisbar, wenn er insbesondere nicht durch die Zuwendun-

---

[1] § 21 Abs. 1, Abs. 4 Satz 1 geänd. mWv 1.8.2016 durch G v. 26.7.2016 (BGBl. I S. 1824); Abs. 4 Satz 1 geänd. mWv 1.1.2018 durch G v. 23.12.2016 (BGBl. I S. 3234); Abs. 4 Satz 1 geänd. mWv 4.5.2019 durch G v. 29.4.2019 (BGBl. I S. 530); Abs. 4 Satz 1 geänd. mWv 1.1.2020; Abs. 2 geänd., Abs. 6 Satz 1 neu gef., Abs. 6a eingef., Abs. 7 Satz 2 Nr. 4 geänd., abschl. Satzteil aufgeh., Satz 3 angef. mWv 1.1.2021 durch G v. 9.12.2020 (BGBl. I S. 2855).

[2] Nr. **440**.

[3] **beck-online, Module Arbeitsrecht Nr. 440.**

gen Dritter sowie unter Berücksichtigung von Einsparmöglichkeiten der Leistungsberechtigten gedeckt ist und seiner Höhe nach erheblich von einem durchschnittlichen Bedarf abweicht.

(6a) Soweit eine Schülerin oder ein Schüler aufgrund der jeweiligen schulrechtlichen Bestimmungen oder schulischen Vorgaben Aufwendungen zur Anschaffung oder Ausleihe von Schulbüchern oder gleichstehenden Arbeitsheften hat, sind sie als Mehrbedarf anzuerkennen.

(7) [1] Bei Leistungsberechtigten wird ein Mehrbedarf anerkannt, soweit Warmwasser durch in der Unterkunft installierte Vorrichtungen erzeugt wird (dezentrale Warmwassererzeugung) und deshalb keine Bedarfe für zentral bereitgestelltes Warmwasser nach § 22 anerkannt werden. [2] Der Mehrbedarf beträgt für jede im Haushalt lebende leistungsberechtigte Person jeweils

1. 2,3 Prozent des für sie geltenden Regelbedarfs nach § 20 Absatz 2 Satz 1 oder Satz 2 Nummer 2, Absatz 3 oder 4,
2. 1,4 Prozent des für sie geltenden Regelbedarfs nach § 20 Absatz 2 Satz 2 Nummer 1 oder § 23 Nummer 1 bei Leistungsberechtigten im 15. Lebensjahr,
3. 1,2 Prozent des Regelbedarfs nach § 23 Nummer 1 bei Leistungsberechtigten vom Beginn des siebten bis zur Vollendung des 14. Lebensjahres oder
4. 0,8 Prozent des Regelbedarfs nach § 23 Nummer 1 bei Leistungsberechtigten bis zur Vollendung des sechsten Lebensjahres.

[3] Höhere Aufwendungen sind abweichend von Satz 2 nur zu berücksichtigen, soweit sie durch eine separate Messeinrichtung nachgewiesen werden.

(8) Die Summe des insgesamt anerkannten Mehrbedarfs nach den Absätzen 2 bis 5 darf die Höhe des für erwerbsfähige Leistungsberechtigte maßgebenden Regelbedarfs nicht übersteigen.

§ 22[1)] Bedarfe für Unterkunft und Heizung. (1) [1] Bedarfe für Unterkunft und Heizung werden in Höhe der tatsächlichen Aufwendungen anerkannt, soweit diese angemessen sind. [2] Für die Anerkennung der Bedarfe für Unterkunft gilt eine Karenzzeit von einem Jahr ab Beginn des Monats, für den erstmals Leistungen nach diesem Buch bezogen werden. [3] Innerhalb dieser Karenzzeit werden die Bedarfe für Unterkunft in Höhe der tatsächlichen Aufwendungen anerkannt. [4] Wird der Leistungsbezug in der Karenzzeit für mindestens einen Monat unterbrochen, verlängert sich die Karenzzeit um volle Monate ohne Leistungsbezug. [5] Eine neue Karenzzeit beginnt, wenn zuvor mindestens drei Jahre keine Leistungen nach diesem oder dem Zwölften Buch bezogen worden sind. [6] Abweichend von den Sätzen 1 bis 3 werden tatsächliche

[1)] § 22 Abs. 1 Satz 2 und Abs. 3 geänd., Abs. 4 neu gef., Abs. 6 Satz 1 geänd., Satz 3 neu gef., Abs. 10 angef. mWv 1.8.2016 durch G v. 26.7.2016 (BGBl. I S. 1824); Abs. 1a eingef. mWv 6.8.2016 durch G v. 31.7.2016 (BGBl. I S. 1939); Abs. 1a aufgeh. mWv 25.7.2017 durch G v. 17.7.2017 (BGBl. I S. 2541); Abs. 11 und 12 angef. mWv 1.7.2022 durch G v. 10.8.2021 (BGBl. I S. 3515); Abs. 1 Sätze 2-5 eingef., bish. Sätze 2 und 3 werden Sätze 6 und 7, neuer Satz 7 geänd., Sätze 8 und 9 eingef., bish. Satz 4 wird Satz 10, Abs. 2 Satz 1 geänd., Satz 3 angef., Abs. 4 Satz 2 eingef., bish. Satz 2 wird Satz 3, Abs. 7 Satz 1, Abs. 8 Sätze 1 und 3 geänd. mWv 1.1.2023 durch G v. 16.12.2022 (BGBl. I S. 2328); Abs. 1 Satz 7 geänd., Abs. 10 Satz 3 neu gef. mWv 1.1.2024 durch G v. 22.12.2023 (BGBl. 2023 I Nr. 408); Abs. 1 Satz 3 geänd., Satz 6 neu gef., Sätze 7 und 8 eingef., bish. Sätze 7-10 werden Sätze *9-12*, neue Sätze *10-12* geänd., Abs. 1a eingef., Abs. 4 Sätze 2 und 3 neu gef., Satz 4 angef., Abs. 7 Satz 1 und Satz 3 Nr. 4 geänd., Nr. 5 angef., Satz 4 eingef., bish. Satz 4 wird Satz 5, Abs. 8 Sätze 1 und 3 geänd. mWv 1.7.2026 durch G v. 16.4.2026 (BGBl. 2026 I Nr. 107).

Aufwendungen für die Unterkunft nicht als Bedarf anerkannt, soweit sie mehr als eineinhalbmal so hoch sind wie die abstrakt als angemessen geltenden Aufwendungen; nach einer Verminderung der Anzahl der Mitglieder der Bedarfsgemeinschaft ist Satz 9 anzuwenden. [7] In der Karenzzeit können im Einzelfall höhere Aufwendungen für die Unterkunft anerkannt werden, wenn sie unabweisbar sind oder in Bedarfsgemeinschaften mit Kindern anfallen. [8] Tatsächliche Aufwendungen für die Unterkunft gelten als unangemessen und die Sätze 2 und 3 gelten nicht, soweit

1. in dem für die Angemessenheitsprüfung maßgeblichen Gebiet eine Obergrenze für tatsächliche Aufwendungen bezogen auf einen Quadratmeter Wohnfläche bestimmt ist und die tatsächlichen Aufwendungen darüber liegen oder
2. die vereinbarte Miete die nach den §§ 556d bis 556g des Bürgerlichen Gesetzbuchs[1)] zulässige Miethöhe übersteigt; in diesem Fall ist die Mieterin oder der Mieter durch den zuständigen kommunalen Träger aufzufordern, den angenommenen Verstoß gegen die §§ 556d bis 556g des Bürgerlichen Gesetzbuchs[1)] zu rügen.

[9] Soweit die Aufwendungen für Heizung und, nach Ablauf der Karenzzeit, die Aufwendungen der Unterkunft den der Besonderheit des Einzelfalles angemessenen Umfang übersteigen, sind sie als Bedarf so lange anzuerkennen, wie es der oder dem alleinstehenden Leistungsberechtigten oder der Bedarfsgemeinschaft nicht möglich oder nicht zuzumuten ist, durch einen Wohnungswechsel, durch Vermieten oder auf andere Weise die Aufwendungen zu senken, in der Regel jedoch längstens für sechs Monate. [10] Nach Ablauf der Karenzzeit ist Satz 9 mit der Maßgabe anzuwenden, dass der Zeitraum der Karenzzeit nicht auf die in Satz 9 genannte Frist anzurechnen ist. [11] Verstirbt ein Mitglied der Bedarfs- oder Haushaltsgemeinschaft und waren die Aufwendungen für die Unterkunft und Heizung davor angemessen, ist die Senkung der Aufwendungen für die weiterhin bewohnte Unterkunft für die Dauer von mindestens zwölf Monaten nach dem Sterbemonat nicht zumutbar; Satz 6 ist nicht anzuwenden. [12] Eine Absenkung der nach Satz 1 oder 8 unangemessenen Aufwendungen muss nicht gefordert werden, wenn diese unter Berücksichtigung der bei einem Wohnungswechsel zu erbringenden Leistungen unwirtschaftlich wäre.

(1a) [1] Die Angemessenheit der Aufwendungen für Unterkunft und Heizung wird für den Bewilligungszeitraum geprüft. [2] Übersteigen die Aufwendungen für Unterkunft und Heizung den abstrakt angemessenen Umfang, teilt der kommunale Träger dies den Leistungsberechtigten mit und unterrichtet sie über die Dauer und die Voraussetzungen für die Anerkennung unangemessener Aufwendungen.

(2) [1] Als Bedarf für die Unterkunft werden auch unabweisbare Aufwendungen für Instandhaltung und Reparatur bei selbst bewohntem Wohneigentum im Sinne des § 12 Absatz 1 Satz 2 Nummer 5 anerkannt, soweit diese unter Berücksichtigung der im laufenden sowie den darauffolgenden elf Kalendermonaten anfallenden Aufwendungen insgesamt angemessen sind. [2] Übersteigen unabweisbare Aufwendungen für Instandhaltung und Reparatur den Bedarf für die Unterkunft nach Satz 1, kann der kommunale Träger zur Deckung dieses

---

[1)] **beck-online, Module Arbeitsrecht Nr. 50.**

Teils der Aufwendungen ein Darlehen erbringen, das dinglich gesichert werden soll. [3] Für die Bedarfe nach Satz 1 gilt Absatz 1 Satz 2 bis 4 nicht.

(3) Rückzahlungen und Guthaben, die dem Bedarf für Unterkunft und Heizung zuzuordnen sind, mindern die Aufwendungen für Unterkunft und Heizung nach dem Monat der Rückzahlung oder der Gutschrift; Rückzahlungen, die sich auf die Kosten für Haushaltsenergie oder nicht anerkannte Aufwendungen für Unterkunft und Heizung beziehen, bleiben außer Betracht.

(4) [1] Vor Abschluss eines Vertrages über eine neue Unterkunft soll die leistungsberechtigte Person die Zusicherung des für die neue Unterkunft örtlich zuständigen kommunalen Trägers zur Berücksichtigung der Aufwendungen für die neue Unterkunft einholen. [2] Bei einem Umzug in ein anderes für die Prüfung der Angemessenheit maßgebliches Gebiet sichert der für die neue Unterkunft örtlich zuständige kommunale Träger die Berücksichtigung der Aufwendungen für die neue Unterkunft zu, wenn diese angemessen sind. [3] Höhere als angemessene Aufwendungen für die Unterkunft werden nach einem Umzug nur dann als Bedarf anerkannt, wenn der nach Satz 1 zuständige Träger die Anerkennung vorab schriftlich zugesichert hat. [4] Bei einem Umzug innerhalb des für die Prüfung der Angemessenheit maßgeblichen Gebiets wird höchstens der bisherige Bedarf für die Unterkunft anerkannt, wenn der Umzug nicht erforderlich ist oder war.

(5) [1] Sofern Personen, die das 25. Lebensjahr noch nicht vollendet haben, umziehen, werden Bedarfe für Unterkunft und Heizung für die Zeit nach einem Umzug bis zur Vollendung des 25. Lebensjahres nur anerkannt, wenn der kommunale Träger dies vor Abschluss des Vertrages über die Unterkunft zugesichert hat. [2] Der kommunale Träger ist zur Zusicherung verpflichtet, wenn

1. die oder der Betroffene aus schwerwiegenden sozialen Gründen nicht auf die Wohnung der Eltern oder eines Elternteils verwiesen werden kann,
2. der Bezug der Unterkunft zur Eingliederung in den Arbeitsmarkt erforderlich ist oder
3. ein sonstiger, ähnlich schwerwiegender Grund vorliegt.

[3] Unter den Voraussetzungen des Satzes 2 kann vom Erfordernis der Zusicherung abgesehen werden, wenn es der oder dem Betroffenen aus wichtigem Grund nicht zumutbar war, die Zusicherung einzuholen. [4] Bedarfe für Unterkunft und Heizung werden bei Personen, die das 25. Lebensjahr noch nicht vollendet haben, nicht anerkannt, wenn diese vor der Beantragung von Leistungen in eine Unterkunft in der Absicht umziehen, die Voraussetzungen für die Gewährung der Leistungen herbeizuführen.

(6) [1] Wohnungsbeschaffungskosten und Umzugskosten können bei vorheriger Zusicherung durch den bis zum Umzug örtlich zuständigen kommunalen Träger als Bedarf anerkannt werden; Aufwendungen für eine Mietkaution und für den Erwerb von Genossenschaftsanteilen können bei vorheriger Zusicherung durch den am Ort der neuen Unterkunft zuständigen kommunalen Träger als Bedarf anerkannt werden. [2] Die Zusicherung soll erteilt werden, wenn der Umzug durch den kommunalen Träger veranlasst oder aus anderen Gründen notwendig ist und wenn ohne die Zusicherung eine Unterkunft in einem angemessenen Zeitraum nicht gefunden werden kann. [3] Aufwendungen für eine Mietkaution und für Genossenschaftsanteile sollen als Darlehen erbracht werden.

(7) [1]Soweit Grundsicherungsgeld für den Bedarf für Unterkunft und Heizung geleistet wird, ist es auf Antrag der leistungsberechtigten Person an den Vermieter oder andere Empfangsberechtigte zu zahlen. [2]Es soll an den Vermieter oder andere Empfangsberechtigte gezahlt werden, wenn die zweckentsprechende Verwendung durch die leistungsberechtigte Person nicht sichergestellt ist. [3]Das ist insbesondere der Fall, wenn

1. Mietrückstände bestehen, die zu einer außerordentlichen Kündigung des Mietverhältnisses berechtigen,
2. Energiekostenrückstände bestehen, die zu einer Unterbrechung der Energieversorgung berechtigen,
3. konkrete Anhaltspunkte für ein krankheits- oder suchtbedingtes Unvermögen der leistungsberechtigten Person bestehen, die Mittel zweckentsprechend zu verwenden, oder
4. konkrete Anhaltspunkte dafür bestehen, dass die im Schuldnerverzeichnis eingetragene leistungsberechtigte Person die Mittel nicht zweckentsprechend verwendet,
5. in den Fällen des § 7b Absatz 4 eine nicht erreichbare Person Leistungen erhält oder mit anderen Personen in einer Bedarfsgemeinschaft lebt.

[4]Im Fall des Satzes 3 Nummer 5 ist der auf die nicht erreichbare Person entfallende Anteil der Bedarfe für Unterkunft und Heizung auf die übrigen Mitglieder der Bedarfsgemeinschaft zu verteilen. [5]Der kommunale Träger hat die leistungsberechtigte Person über eine Zahlung der Leistungen für die Unterkunft und Heizung an den Vermieter oder andere Empfangsberechtigte schriftlich zu unterrichten.

(8) [1]Sofern Grundsicherungsgeld für den Bedarf für Unterkunft und Heizung erbracht wird, können auch Schulden übernommen werden, soweit dies zur Sicherung der Unterkunft oder zur Behebung einer vergleichbaren Notlage gerechtfertigt ist. [2]Sie sollen übernommen werden, wenn dies gerechtfertigt und notwendig ist und sonst Wohnungslosigkeit einzutreten droht. [3]Vermögen nach § 12 Absatz 2 Satz 1 ist vorrangig einzusetzen. [4]Geldleistungen sollen als Darlehen erbracht werden.

(9) [1]Geht bei einem Gericht eine Klage auf Räumung von Wohnraum im Falle der Kündigung des Mietverhältnisses nach § 543 Absatz 1, 2 Satz 1 Nummer 3 in Verbindung mit § 569 Absatz 3 des Bürgerlichen Gesetzbuchs[1)] ein, teilt das Gericht dem örtlich zuständigen Träger nach diesem Buch oder der von diesem beauftragten Stelle zur Wahrnehmung der in Absatz 8 bestimmten Aufgaben unverzüglich Folgendes mit:

1. den Tag des Eingangs der Klage,
2. die Namen und die Anschriften der Parteien,
3. die Höhe der monatlich zu entrichtenden Miete,
4. die Höhe des geltend gemachten Mietrückstandes und der geltend gemachten Entschädigung und
5. den Termin zur mündlichen Verhandlung, sofern dieser bereits bestimmt ist.

[2]Außerdem kann der Tag der Rechtshängigkeit mitgeteilt werden. [3]Die Übermittlung unterbleibt, wenn die Nichtzahlung der Miete nach dem Inhalt der

[1)] **beck-online, Module Arbeitsrecht Nr. 50.**

Klageschrift offensichtlich nicht auf Zahlungsunfähigkeit der Mieterin oder des Mieters beruht.

(10) [1] Zur Beurteilung der Angemessenheit der Aufwendungen für Unterkunft und Heizung nach Absatz 1 Satz 1 ist die Bildung einer Gesamtangemessenheitsgrenze zulässig. [2] Dabei kann für die Aufwendungen für Heizung der Wert berücksichtigt werden, der bei einer gesonderten Beurteilung der Angemessenheit der Aufwendungen für Unterkunft und der Aufwendungen für Heizung ohne Prüfung der Angemessenheit im Einzelfall höchstens anzuerkennen wäre. [3] Absatz 1 Satz 6 bis 10 gilt entsprechend.

(11) [1] Die für die Erstellung von Mietspiegeln nach § 558c Absatz 1 des Bürgerlichen Gesetzbuchs[1)] nach Landesrecht zuständigen Behörden sind befugt, die in Artikel 238 § 2 Absatz 2 Nummer 1 Buchstabe a, d und e des Einführungsgesetzes zum Bürgerlichen Gesetzbuche[2)] genannten Daten zu verarbeiten, soweit dies für die Erstellung von Übersichten über die Angemessenheit von Aufwendungen für eine Unterkunft nach Absatz 1 Satz 1 erforderlich ist. [2] Erstellen die nach Landesrecht zuständigen Behörden solche Übersichten nicht, so sind sie befugt, die Daten nach Satz 1 auf Ersuchen an die kommunalen Träger der Grundsicherung für Arbeitsuchende für ihren örtlichen Zuständigkeitsbereich zu übermitteln, soweit dies für die Erstellung von Übersichten über die Angemessenheit von Aufwendungen für die Unterkunft erforderlich ist. [3] Werden den kommunalen Trägern der Grundsicherung für Arbeitsuchende die Übersichten nicht zur Verfügung gestellt, so sind sie befugt, die Daten nach Satz 1 für ihren örtlichen Zuständigkeitsbereich bei den nach Landesrecht für die Erstellung von Mietspiegeln zuständigen Behörden zu erheben und in sonstiger Weise zu verarbeiten, soweit dies für die Erstellung von Übersichten über und die Bestimmung der Angemessenheit von Aufwendungen für die Unterkunft nach Absatz 1 Satz 1 erforderlich ist.

(12) Die Daten nach Absatz 11 Satz 1 und 3 sind zu löschen, wenn sie für die dort genannten Zwecke nicht mehr erforderlich sind.

§ 22a Satzungsermächtigung. (1) [1] Die Länder können die Kreise und kreisfreien Städte durch Gesetz ermächtigen oder verpflichten, durch Satzung zu bestimmen, in welcher Höhe Aufwendungen für Unterkunft und Heizung in ihrem Gebiet angemessen sind. [2] Eine solche Satzung bedarf der vorherigen Zustimmung der obersten Landesbehörde oder einer von ihr bestimmten Stelle, wenn dies durch Landesgesetz vorgesehen ist. [3] Die Länder Berlin und Hamburg bestimmen, welche Form der Rechtsetzung an die Stelle einer nach Satz 1 vorgesehenen Satzung tritt. [4] Das Land Bremen kann eine Bestimmung nach Satz 3 treffen.

(2) [1] Die Länder können die Kreise und kreisfreien Städte auch ermächtigen, abweichend von § 22 Absatz 1 Satz 1 die Bedarfe für Unterkunft und Heizung in ihrem Gebiet durch eine monatliche Pauschale zu berücksichtigen, wenn auf dem örtlichen Wohnungsmarkt ausreichend freier Wohnraum verfügbar ist und dies dem Grundsatz der Wirtschaftlichkeit entspricht. [2] In der Satzung sind Regelungen für den Fall vorzusehen, dass die Pauschalierung im Einzelfall zu unzumutbaren Ergebnissen führt. [3] Absatz 1 Satz 2 bis 4 gilt entsprechend.

[1)] **beck-online, Module Arbeitsrecht Nr. 50.**
[2)] **beck-online, Module Arbeitsrecht Nr. 51.**

(3) [1] Die Bestimmung der angemessenen Aufwendungen für Unterkunft und Heizung soll die Verhältnisse des einfachen Standards auf dem örtlichen Wohnungsmarkt abbilden. [2] Sie soll die Auswirkungen auf den örtlichen Wohnungsmarkt berücksichtigen hinsichtlich:

1. der Vermeidung von Mietpreis erhöhenden Wirkungen,
2. der Verfügbarkeit von Wohnraum des einfachen Standards,
3. aller verschiedenen Anbietergruppen und
4. der Schaffung und Erhaltung sozial ausgeglichener Bewohnerstrukturen.

§ 22b Inhalt der Satzung. (1) [1] In der Satzung ist zu bestimmen,

1. welche Wohnfläche entsprechend der Struktur des örtlichen Wohnungsmarktes als angemessen anerkannt wird und
2. in welcher Höhe Aufwendungen für die Unterkunft als angemessen anerkannt werden.

[2] In der Satzung kann auch die Höhe des als angemessen anerkannten Verbrauchswertes oder der als angemessen anerkannten Aufwendungen für die Heizung bestimmt werden. [3] Bei einer Bestimmung nach Satz 2 kann sowohl eine Quadratmeterhöchstmiete als auch eine Gesamtangemessenheitsgrenze unter Berücksichtigung der in den Sätzen 1 und 2 genannten Werte gebildet werden. [4] Um die Verhältnisse des einfachen Standards auf dem örtlichen Wohnungsmarkt realitätsgerecht abzubilden, können die Kreise und kreisfreien Städte ihr Gebiet in mehrere Vergleichsräume unterteilen, für die sie jeweils eigene Angemessenheitswerte bestimmen.

(2) [1] Der Satzung ist eine Begründung beizufügen. [2] Darin ist darzulegen, wie die Angemessenheit der Aufwendungen für Unterkunft und Heizung ermittelt wird. [3] Die Satzung ist mit ihrer Begründung ortsüblich bekannt zu machen.

(3) [1] In der Satzung soll für Personen mit einem besonderen Bedarf für Unterkunft und Heizung eine Sonderregelung getroffen werden. [2] Dies gilt insbesondere für Personen, die einen erhöhten Raumbedarf haben wegen

1. einer Behinderung oder
2. der Ausübung ihres Umgangsrechts.

§ 22c Datenerhebung, -auswertung und -überprüfung. (1) [1] Zur Bestimmung der angemessenen Aufwendungen für Unterkunft und Heizung sollen die Kreise und kreisfreien Städte insbesondere

1. Mietspiegel, qualifizierte Mietspiegel und Mietdatenbanken und
2. geeignete eigene statistische Datenerhebungen und -auswertungen oder Erhebungen Dritter

einzeln oder kombiniert berücksichtigen. [2] Hilfsweise können auch die monatlichen Höchstbeträge nach § 12 Absatz 1 des Wohngeldgesetzes[1)] berücksichtigt werden. [3] In die Auswertung sollen sowohl Neuvertrags- als auch Bestandsmieten einfließen. [4] Die Methodik der Datenerhebung und -auswertung ist in der Begründung der Satzung darzulegen.

[1)] **Sartorius Nr. 385.**

(2) Die Kreise und kreisfreien Städte müssen die durch Satzung bestimmten Werte für die Unterkunft mindestens alle zwei Jahre und die durch Satzung bestimmten Werte für die Heizung mindestens jährlich überprüfen und gegebenenfalls neu festsetzen.

§ 23[1)] Besonderheiten beim Grundsicherungsgeld für nicht erwerbsfähige Leistungsberechtigte. Beim Grundsicherungsgeld nach § 19 Absatz 1 Satz 2 gelten ergänzend folgende Maßgaben:

1. Als Regelbedarf wird bis zur Vollendung des sechsten Lebensjahres ein Betrag in Höhe der Regelbedarfsstufe 6, vom Beginn des siebten bis zur Vollendung des 14. Lebensjahres ein Betrag in Höhe der Regelbedarfsstufe 5 und im 15. Lebensjahr ein Betrag in Höhe der Regelbedarfsstufe 4 anerkannt;
2. Mehrbedarfe nach § 21 Absatz 4 werden auch bei Menschen mit Behinderungen, die das 15. Lebensjahr vollendet haben, anerkannt, wenn Leistungen der Eingliederungshilfe nach § 112 des Neunten Buches[2)] erbracht werden;
3. § 21 Absatz 4 Satz 2 gilt auch nach Beendigung der in § 112 des Neunten Buches[2)] genannten Maßnahmen;
4. bei nicht erwerbsfähigen Personen, die voll erwerbsgemindert nach dem Sechsten Buch[3)] sind, wird ein Mehrbedarf von 17 Prozent der nach § 20 maßgebenden Regelbedarfe anerkannt, wenn sie Inhaberin oder Inhaber eines Ausweises nach § 152 Absatz 5 des Neunten Buches[4)] mit dem Merkzeichen G sind; dies gilt nicht, wenn bereits ein Anspruch auf einen Mehrbedarf wegen Behinderung nach § 21 Absatz 4 oder nach der vorstehenden Nummer 2 oder 3 besteht.

Unterabschnitt 3. Abweichende Leistungserbringung und weitere Leistungen

§ 24[5)] Abweichende Erbringung von Leistungen. (1) [1] Kann im Einzelfall ein vom Regelbedarf zur Sicherung des Lebensunterhalts umfasster und nach den Umständen unabweisbarer Bedarf nicht gedeckt werden, erbringt die Agentur für Arbeit bei entsprechendem Nachweis den Bedarf als Sachleistung oder als Geldleistung und gewährt der oder dem Leistungsberechtigten ein entsprechendes Darlehen. [2] Bei Sachleistungen wird das Darlehen in Höhe des für die Agentur für Arbeit entstandenen Anschaffungswertes gewährt. [3] Weiter gehende Leistungen sind ausgeschlossen.

[1)] § 23 Nr. 1 neu gef. mWv 1.1.2017 durch G v. 22.12.2016 (BGBl. I S. 3159); Nr. 4 geänd. mWv 1.1.2018 durch G v. 23.12.2016 (BGBl. I S. 3234); Nr. 2 und 3 geänd. mWv 1.1.2020 durch G v. 9.12.2020 (BGBl. I S. 2855); Überschrift neu gef., einl. Satzteil geänd. mWv 1.1.2023 durch G v. 16.12.2022 (BGBl. I S. 2328); Überschrift neu gef., einl. Satzteil geänd. mWv 1.7.2026 durch G v. 16.4.2026 (BGBl. 2026 I Nr. 107).

[2)] **beck-online, Module Arbeitsrecht Nr. 440.**

[3)] Auszugsweise abgedruckt unter Nr. **696**.

[4)] Nr. **440**.

[5)] § 24 Abs. 4 Satz 2 angef. mWv 1.1.2017 durch G v. 26.7.2016 (BGBl. I S. 1824); Abs. 2 geänd. mWv 1.1.2023 durch G v. 16.12.2022 (BGBl. I S. 2328); Abs. 4 Satz 2 geänd. mWv 1.7.2023 durch G v. 22.12.2023 (BGBl. 2023 I Nr. 408); Abs. 2 geänd. mWv 1.7.2026 durch G v. 16.4.2026 (BGBl. 2026 I Nr. 107).

(2) Solange sich Leistungsberechtigte, insbesondere bei Drogen- oder Alkoholabhängigkeit sowie im Falle unwirtschaftlichen Verhaltens, als ungeeignet erweisen, mit den Leistungen für den Regelbedarf nach § 20 ihren Bedarf zu decken, kann das Grundsicherungsgeld bis zur Höhe des Regelbedarfs für den Lebensunterhalt in voller Höhe oder anteilig in Form von Sachleistungen erbracht werden.

(3) [1] Nicht vom Regelbedarf nach § 20 umfasst sind Bedarfe für

1. Erstausstattungen für die Wohnung einschließlich Haushaltsgeräten,
2. Erstausstattungen für Bekleidung und Erstausstattungen bei Schwangerschaft und Geburt sowie
3. Anschaffung und Reparaturen von orthopädischen Schuhen, Reparaturen von therapeutischen Geräten und Ausrüstungen sowie die Miete von therapeutischen Geräten.

[2] Leistungen für diese Bedarfe werden gesondert erbracht. [3] Leistungen nach Satz 2 werden auch erbracht, wenn Leistungsberechtigte keine Leistungen zur Sicherung des Lebensunterhalts einschließlich der angemessenen Kosten für Unterkunft und Heizung benötigen, den Bedarf nach Satz 1 jedoch aus eigenen Kräften und Mitteln nicht voll decken können. [4] In diesem Fall kann das Einkommen berücksichtigt werden, das Leistungsberechtigte innerhalb eines Zeitraumes von bis zu sechs Monaten nach Ablauf des Monats erwerben, in dem über die Leistung entschieden wird. [5] Die Leistungen für Bedarfe nach Satz 1 Nummer 1 und 2 können als Sachleistung oder Geldleistung, auch in Form von Pauschalbeträgen, erbracht werden. [6] Bei der Bemessung der Pauschalbeträge sind geeignete Angaben über die erforderlichen Aufwendungen und nachvollziehbare Erfahrungswerte zu berücksichtigen.

(4) [1] Leistungen zur Sicherung des Lebensunterhalts können als Darlehen erbracht werden, soweit in dem Monat, für den die Leistungen erbracht werden, voraussichtlich Einnahmen anfallen. [2] Satz 1 gilt auch, soweit Leistungsberechtigte einmalige Einnahmen nach § 11 Absatz 3 vorzeitig verbraucht haben.

(5) [1] Soweit Leistungsberechtigten der sofortige Verbrauch oder die sofortige Verwertung von zu berücksichtigendem Vermögen nicht möglich ist oder für sie eine besondere Härte bedeuten würde, sind Leistungen als Darlehen zu erbringen. [2] Die Leistungen können davon abhängig gemacht werden, dass der Anspruch auf Rückzahlung dinglich oder in anderer Weise gesichert wird.

(6) In Fällen des § 22 Absatz 5 werden Leistungen für Erstausstattungen für die Wohnung nur erbracht, wenn der kommunale Träger die Übernahme der Leistungen für Unterkunft und Heizung zugesichert hat oder vom Erfordernis der Zusicherung abgesehen werden konnte.

§ 25[1)] Leistungen bei medizinischer Rehabilitation der Rentenversicherung und bei Anspruch auf Verletztengeld aus der Unfallversicherung. [1] Haben Leistungsberechtigte dem Grunde nach Anspruch auf Verletztengeld der gesetzlichen Unfallversicherung, erbringen die Träger der Leistungen nach diesem Buch die bisherigen Leistungen als Vorschuss auf die Leistungen der gesetzlichen Unfallversicherung weiter. [2] Werden Vorschüsse länger

[1)] § 25 Satz 1 geänd. mWv 18.2.2021 durch G v. 11.2.2021 (BGBl. I S. 154); Satz 1 geänd. mWv 1.1.2023, Satz 1 neu gef. mWv 1.7.2023 durch G v. 16.12.2022 (BGBl. I S. 2328).

als einen Monat geleistet, erhalten die Träger der Leistungen nach diesem Buch von den zur Leistung verpflichteten Trägern monatliche Abschlagszahlungen in Höhe der Vorschüsse des jeweils abgelaufenen Monats. [3] § 102 des Zehnten Buches[1)] gilt entsprechend.

§ 26[2)] Zuschüsse zu Beiträgen zur Krankenversicherung und Pflegeversicherung. (1) [1] Für Bezieherinnen und Bezieher von Grundsicherungsgeld, die gegen das Risiko Krankheit bei einem privaten Krankenversicherungsunternehmen im Rahmen von Versicherungsverträgen, die der Versicherungspflicht nach § 193 Absatz 3 des Versicherungsvertragsgesetzes[3)] genügen, versichert sind, wird für die Dauer des Leistungsbezugs ein Zuschuss zum Beitrag geleistet; der Zuschuss ist begrenzt auf die Höhe des nach § 152 Absatz 4 des Versicherungsaufsichtsgesetzes[4)] halbierten Beitrags für den Basistarif in der privaten Krankenversicherung, den Hilfebedürftige zu leisten haben. [2] Für Bezieherinnen und Bezieher von Grundsicherungsgeld nach § 19 Absatz 1 Satz 2, die in der gesetzlichen Krankenversicherung versicherungspflichtig oder freiwillig versichert sind, wird für die Dauer des Leistungsbezugs ein Zuschuss in Höhe des Beitrags geleistet, soweit dieser nicht nach § 11b Absatz 1 Satz 1 Nummer 2 abgesetzt wird; Gleiches gilt für Bezieherinnen und Bezieher von Grundsicherungsgeld nach § 19 Absatz 1 Satz 1, die nicht nach § 5 Absatz 1 Nummer 2a des Fünften Buches[5)] versicherungspflichtig sind.

(2) [1] Für Personen, die

1. in der gesetzlichen Krankenversicherung versicherungspflichtig oder freiwillig versichert sind oder
2. unter den Voraussetzungen des Absatzes 1 Satz 1 erster Halbsatz privat krankenversichert sind und die

allein durch die Zahlung des Beitrags hilfebedürftig würden, wird ein Zuschuss zum Beitrag in Höhe des Betrages geleistet, der notwendig ist, um die Hilfebedürftigkeit zu vermeiden. [2] In den Fällen des Satzes 1 Nummer 2 gilt die Begrenzung des Zuschusses nach Absatz 1 Satz 1 zweiter Halbsatz entsprechend.

(3) [1] Für Bezieherinnen und Bezieher von Grundsicherungsgeld, die gegen das Risiko Pflegebedürftigkeit bei einem privaten Versicherungsunternehmen in Erfüllung ihrer Versicherungspflicht nach § 23 des Elften Buches[6)] versichert sind, wird für die Dauer des Leistungsbezugs ein Zuschuss zum Beitrag geleistet; der Zuschuss ist begrenzt auf die Hälfte des Höchstbeitrags in der sozialen Pflegeversicherung. [2] Für Bezieherinnen und Bezieher von Grundsicherungsgeld nach § 19 Absatz 1 Satz 2, die in der sozialen Pflegeversicherung versicherungspflichtig sind, wird für die Dauer des Leistungsbezugs ein Zuschuss in Höhe des Beitrags geleistet, soweit dieser nicht nach § 11b Absatz 1 Satz 1 Nummer 2 abgesetzt wird; Gleiches gilt für Bezieherinnen und Bezieher

---

[1)] **beck-online, Module Arbeitsrecht Nr. 699.**

[2)] § 26 neu gef. mWv 1.1.2017 durch G v. 26.7.2016 (BGBl. I S. 1824); Abs. 1 Sätze 1 und 2, Abs. 3 Sätze 1 und 2 geänd. mWv 1.1.2023 durch G v. 16.12.2022 (BGBl. I S. 2328); Abs. 6 angef. mWv 1.7.2023 durch G v. 6.6.2023 (BGBl. 2023 I Nr. 146); Abs. 1 Sätze 1 und 2, Abs. 3 Sätze 1 und 2, Abs. 6 Sätze 1 und 2 geänd. mWv 1.7.2026 durch G v. 16.4.2026 (BGBl. 2026 I Nr. 107).

[3)] **Habersack Nr. 62.**

[4)] **beck-online, Module Arbeitsrecht Nr. 206.**

[5)] Nr. **695.**

[6)] **Aichberger, SGB Nr. 11.**

von Grundsicherungsgeld nach § 19 Absatz 1 Satz 1, die nicht nach § 20 Absatz 1 Satz 2 Nummer 2a des Elften Buches versicherungspflichtig sind.

(4) [1] Für Personen, die

1. in der sozialen Pflegeversicherung versicherungspflichtig sind oder
2. unter den Voraussetzungen des Absatzes 3 Satz 1 erster Halbsatz privat pflegeversichert sind und die

allein durch die Zahlung des Beitrags hilfebedürftig würden, wird ein Zuschuss zum Beitrag in Höhe des Betrages geleistet, der notwendig ist, um die Hilfebedürftigkeit zu vermeiden. [2] In den Fällen des Satzes 1 Nummer 2 gilt die Begrenzung des Zuschusses nach Absatz 3 Satz 1 zweiter Halbsatz entsprechend.

(5) [1] Der Zuschuss nach Absatz 1 Satz 1, nach Absatz 2 Satz 1 Nummer 2, nach Absatz 3 Satz 1 und nach Absatz 4 Satz 1 Nummer 2 ist an das private Versicherungsunternehmen zu zahlen, bei dem die leistungsberechtigte Person versichert ist. [2] Der Zuschuss nach Absatz 1 Satz 2 und Absatz 3 Satz 2 ist an die Krankenkasse zu zahlen, bei der die leistungsberechtigte Person versichert ist.

(6) [1] Für Bezieherinnen und Bezieher von Grundsicherungsgeld, die Mitglied in einer in § 176 Absatz 1 des Fünften Buches[1)] genannten Solidargemeinschaft sind, gelten die Absätze 1 und 2 Satz 1 Nummer 2 und Satz 2 entsprechend. [2] Für Bezieherinnen und Bezieher von Grundsicherungsgeld, die nach § 21a Absatz 1 Satz 1 des Elften Buches in der sozialen Pflegeversicherung versicherungspflichtig sind, wird für die Dauer des Leistungsbezugs ein Zuschuss in Höhe des Beitrags geleistet, soweit dieser nicht nach § 11b Absatz 1 Satz 1 Nummer 2 abgesetzt wird.

§ 27[2)] Leistungen für Auszubildende. (1) [1] Auszubildende im Sinne des § 7 Absatz 5 erhalten Leistungen zur Sicherung des Lebensunterhalts nach Maßgabe der folgenden Absätze. [2] Die Leistungen für Auszubildende im Sinne des § 7 Absatz 5 gelten nicht als Grundsicherungsgeld nach § 19 Absatz 1 Satz 1.

(2) Leistungen werden in Höhe der Mehrbedarfe nach § 21 Absatz 2, 3, 5 und 6 und in Höhe der Leistungen nach § 24 Absatz 3 Nummer 2 erbracht, soweit die Mehrbedarfe nicht durch zu berücksichtigendes Einkommen oder Vermögen gedeckt sind.

(3) [1] Leistungen können für Regelbedarfe, den Mehrbedarf nach § 21 Absatz 7, Bedarfe für Unterkunft und Heizung, Bedarfe für Bildung und Teilhabe und notwendige Beiträge zur Kranken- und Pflegeversicherung als Darlehen erbracht werden, sofern der Leistungsausschluss nach § 7 Absatz 5 eine besondere Härte bedeutet. [2] Eine besondere Härte ist auch anzunehmen, wenn Auszubildenden, deren Bedarf sich nach §§ 12 oder 13 Absatz 1 Nummer 1 des Bundesausbildungsförderungsgesetzes[3)] bemisst, aufgrund von § 10 Absatz 3

[1)] **beck-online, Module Arbeitsrecht Nr. 695.**

[2)] § 27 Abs. 3 Satz 1 geänd. mWv 1.4.2012 durch G v. 20.12.2011 (BGBl. I S. 2854); Abs. 1 Satz 2 geänd., Abs. 3 und 5 aufgeh., bish. Abs. 4 wird Abs. 3 und neu gef. mWv 1.8.2016 durch G v. 26.7. 2016 (BGBl. I S. 1824); Abs. 3 Satz 3 aufgeh., bish. Sätze 4 und 5 werden Sätze 3 und 4 mWv 1.1. 2021 durch G v. 9.12.2020 (BGBl. I S. 2855); Abs. 1 Satz 2 geänd. mWv 1.1.2023 durch G v. 16.12. 2022 (BGBl. I S. 2328); Abs. 1 Satz 2 geänd. mWv 1.7.2026 durch G v. 16.4.2026 (BGBl. 2026 I Nr. 107).

[3)] **Sartorius Nr. 420.**

des Bundesausbildungsförderungsgesetzes keine Leistungen zustehen, diese Ausbildung im Einzelfall für die Eingliederung der oder des Auszubildenden in das Erwerbsleben zwingend erforderlich ist und ohne die Erbringung von Leistungen zum Lebensunterhalt der Abbruch der Ausbildung droht; in diesem Fall sind Leistungen als Zuschuss zu erbringen. [3] Für den Monat der Aufnahme einer Ausbildung können Leistungen entsprechend § 24 Absatz 4 Satz 1 erbracht werden. [4] Leistungen nach Satz 1 sind gegenüber den Leistungen nach Absatz 2 nachrangig.

Unterabschnitt 4. Leistungen für Bildung und Teilhabe

§ 28[1)] [2)] Bedarfe für Bildung und Teilhabe. (1) [1] Bedarfe für Bildung und Teilhabe am sozialen und kulturellen Leben in der Gemeinschaft werden bei Kindern, Jugendlichen und jungen Erwachsenen neben dem Regelbedarf nach Maßgabe der Absätze 2 bis 7 gesondert berücksichtigt. [2] Bedarfe für Bildung werden nur bei Personen berücksichtigt, die das 25. Lebensjahr noch nicht vollendet haben, eine allgemein- oder berufsbildende Schule besuchen und keine Ausbildungsvergütung erhalten (Schülerinnen und Schüler).

(2) [1] Bei Schülerinnen und Schülern werden die tatsächlichen Aufwendungen anerkannt für

1. Schulausflüge und
2. mehrtägige Klassenfahrten im Rahmen der schulrechtlichen Bestimmungen.

[2] Für Kinder, die eine Tageseinrichtung besuchen oder für die Kindertagespflege geleistet wird, gilt Satz 1 entsprechend.

(3) Für die Ausstattung von Schülerinnen und Schülern mit persönlichem Schulbedarf ist § 34 Absatz 3 und 3a des Zwölften Buches[3)] mit der Maßgabe entsprechend anzuwenden, dass der nach § 34 Absatz 3 Satz 1 und Absatz 3a des Zwölften Buches anzuerkennende Bedarf für das erste Schulhalbjahr regelmäßig zum 1. August und für das zweite Schulhalbjahr regelmäßig zum 1. Februar zu berücksichtigen ist.

(4) [1] Bei Schülerinnen und Schülern, die für den Besuch der nächstgelegenen Schule des gewählten Bildungsgangs auf Schülerbeförderung angewiesen sind, werden die dafür erforderlichen tatsächlichen Aufwendungen berücksichtigt, soweit sie nicht von Dritten übernommen werden. [2] Als nächstgelegene Schule des gewählten Bildungsgangs gilt auch eine Schule, die aufgrund ihres Profils gewählt wurde, soweit aus diesem Profil eine besondere inhaltliche oder organisatorische Ausgestaltung des Unterrichts folgt; dies sind insbesondere Schulen mit naturwissenschaftlichem, musischem, sportlichem oder sprachlichem Profil sowie bilinguale Schulen, und Schulen mit ganztägiger Ausrichtung.

(5) [1] Bei Schülerinnen und Schülern wird eine schulische Angebote ergänzende angemessene Lernförderung berücksichtigt, soweit diese geeignet und zusätzlich erforderlich ist, um die nach den schulrechtlichen Bestimmungen

---

[1)] § 28 Abs. 4 Satz 2 und Abs. 7 Satz 2 angef. mWv 1.8.2013 durch G v. 7.5.2013 (BGBl. I S. 1167); Abs. 2 Satz 2 geänd., Abs. 3 Satz 2 angef. mWv 1.8.2016 durch G v. 26.7.2016 (BGBl. I S. 1824); Abs. 4 Satz 2 geänd. mWv 1.1.2017 durch G v. 22.12.2016 (BGBl. I S. 3159); Abs. 3 und 4 neu gef., Abs. 5 Satz 2 angef., Abs. 6 Satz 1 einl. Satzteil geänd., Satz 2 neu gef., Abs. 7 Satz 1 neu gef., Satz 2 geänd. mWv 1.8.2019 durch G v. 29.4.2019 (BGBl. I S. 530).

[2)] Siehe hierzu ua Schl.-H. FlüchtlingsbundesmittelVerteilungsVO 2020.

[3)] **Aichberger, SGB Nr. 12.**

festgelegten wesentlichen Lernziele zu erreichen. [2] Auf eine bestehende Versetzungsgefährdung kommt es dabei nicht an.

(6) [1] Bei Teilnahme an einer gemeinschaftlichen Mittagsverpflegung werden die entstehenden Aufwendungen berücksichtigt für

1. Schülerinnen und Schüler und
2. Kinder, die eine Tageseinrichtung besuchen oder für die Kindertagespflege geleistet wird.

[2] Für Schülerinnen und Schüler gilt dies unter der Voraussetzung, dass die Mittagsverpflegung in schulischer Verantwortung angeboten wird oder durch einen Kooperationsvertrag zwischen Schule und Tageseinrichtung vereinbart ist. [3] In den Fällen des Satzes 2 ist für die Ermittlung des monatlichen Bedarfs die Anzahl der Schultage in dem Land zugrunde zu legen, in dem der Schulbesuch stattfindet.

(7) [1] Für die Teilhabe am sozialen und kulturellen Leben in der Gemeinschaft werden pauschal 15 Euro monatlich berücksichtigt, sofern bei Leistungsberechtigten, die das 18. Lebensjahr noch nicht vollendet haben, tatsächliche Aufwendungen entstehen im Zusammenhang mit der Teilnahme an

1. Aktivitäten in den Bereichen Sport, Spiel, Kultur und Geselligkeit,
2. Unterricht in künstlerischen Fächern (zum Beispiel Musikunterricht) und vergleichbare angeleitete Aktivitäten der kulturellen Bildung und
3. Freizeiten.

[2] Neben der Berücksichtigung von Bedarfen nach Satz 1 können auch weitere tatsächliche Aufwendungen berücksichtigt werden, wenn sie im Zusammenhang mit der Teilnahme an Aktivitäten nach Satz 1 Nummer 1 bis 3 entstehen und es den Leistungsberechtigten im Einzelfall nicht zugemutet werden kann, diese aus den Leistungen nach Satz 1 und aus dem Regelbedarf zu bestreiten.

§ 29[1)] Erbringung der Leistungen für Bildung und Teilhabe. (1) [1] Leistungen zur Deckung der Bedarfe nach § 28 Absatz 2 und 5 bis 7 werden erbracht durch

1. Sach- und Dienstleistungen, insbesondere in Form von personalisierten Gutscheinen,
2. Direktzahlungen an Anbieter von Leistungen zur Deckung dieser Bedarfe (Anbieter) oder
3. Geldleistungen.

[2] Die kommunalen Träger bestimmen, in welcher Form sie die Leistungen erbringen. [3] Die Leistungen zur Deckung der Bedarfe nach § 28 Absatz 3 und 4 werden jeweils durch Geldleistungen erbracht. [4] Die kommunalen Träger können mit Anbietern pauschal abrechnen.

(2) [1] Werden die Bedarfe durch Gutscheine gedeckt, gelten die Leistungen mit Ausgabe des jeweiligen Gutscheins als erbracht. [2] Die kommunalen Träger gewährleisten, dass Gutscheine bei geeigneten vorhandenen Anbietern oder zur Wahrnehmung ihrer eigenen Angebote eingelöst werden können. [3] Gutscheine können für den gesamten Bewilligungszeitraum im Voraus ausgegeben werden.

[1)] § 29 Abs. 1 Satz 2 eingef., bish. Sätze 2 und 3 werden Sätze 3 und 4 mWv 1.8.2013 durch G v. 7.5.2013 (BGBl. I S. 1167); Abs. 1 neu gef., Abs. 4 eingef., bish. Abs. 4 wird Abs. 5 und Satz 1 geänd., Abs. 6 angef. mWv 1.8.2019 durch G v. 29.4.2019 (BGBl. I S. 530).

[4] Die Gültigkeit von Gutscheinen ist angemessen zu befristen. [5] Im Fall des Verlustes soll ein Gutschein erneut in dem Umfang ausgestellt werden, in dem er noch nicht in Anspruch genommen wurde.

(3) [1] Werden die Bedarfe durch Direktzahlungen an Anbieter gedeckt, gelten die Leistungen mit der Zahlung als erbracht. [2] Eine Direktzahlung ist für den gesamten Bewilligungszeitraum im Voraus möglich.

(4) Werden die Leistungen für Bedarfe nach § 28 Absatz 2 und 5 bis 7 durch Geldleistungen erbracht, erfolgt dies

1. monatlich in Höhe der im Bewilligungszeitraum bestehenden Bedarfe oder
2. nachträglich durch Erstattung verauslagter Beträge.

(5) [1] Im Einzelfall kann ein Nachweis über eine zweckentsprechende Verwendung der Leistung verlangt werden. [2] Soweit der Nachweis nicht geführt wird, soll die Bewilligungsentscheidung widerrufen werden.

(6) [1] Abweichend von den Absätzen 1 bis 4 können Leistungen nach § 28 Absatz 2 Satz 1 Nummer 1 gesammelt für Schülerinnen und Schüler an eine Schule ausgezahlt werden, wenn die Schule

1. dies bei dem örtlich zuständigen kommunalen Träger (§ 36 Absatz 3) beantragt,
2. die Leistungen für die leistungsberechtigten Schülerinnen und Schüler verauslagt und
3. sich die Leistungsberechtigung von den Leistungsberechtigten nachweisen lässt.

[2] Der kommunale Träger kann mit der Schule vereinbaren, dass monatliche oder schulhalbjährliche Abschlagszahlungen geleistet werden.

§ 30[1)] Berechtigte Selbsthilfe. [1] Geht die leistungsberechtigte Person durch Zahlung an Anbieter in Vorleistung, ist der kommunale Träger zur Übernahme der berücksichtigungsfähigen Aufwendungen verpflichtet, soweit

1. unbeschadet des Satzes 2 die Voraussetzungen einer Leistungsgewährung zur Deckung der Bedarfe im Zeitpunkt der Selbsthilfe nach § 28 Absatz 2 und 5 bis 7 vorlagen und
2. zum Zeitpunkt der Selbsthilfe der Zweck der Leistung durch Erbringung als Sach- oder Dienstleistung ohne eigenes Verschulden nicht oder nicht rechtzeitig zu erreichen war.

[2] War es dem Leistungsberechtigten nicht möglich, rechtzeitig einen Antrag zu stellen, gilt dieser als zum Zeitpunkt der Selbstvornahme gestellt.

Unterabschnitt 5.[2)] Leistungsminderungen

§ 31[3)] Pflichtverletzungen. (1) [1] Erwerbsfähige Leistungsberechtigte verletzen ihre Pflichten, wenn sie trotz schriftlicher Belehrung über die Rechtsfolgen oder deren Kenntnis

---

[1)] § 30 neu gef. mWv 1.8.2013 durch G v. 7.5.2013 (BGBl. I S. 1167).

[2)] Überschrift neu gef. mWv 1.1.2023 durch G v. 16.12.2022 (BGBl. I S. 2328).

[3)] § 31 Abs. 1 Satz 1 Nr. 2 geänd. mWv 1.4.2012 durch G v. 20.12.2011 (BGBl. I S. 2854); Abs. 1 Satz 1 Nr. 1 geänd. mWv 1.8.2016 durch G v. 26.7.2016 (BGBl. I S. 1824); Abs. 1 Satz 1 Nr. 2, Abs. 2 Nr. 1 geänd. mWv 1.1.2023, Abs. 1 Satz 1 Nr. 1 neu gef. mWv 1.7.2023 durch G v. 16.12.2022 →

1. die von der Agentur für Arbeit geforderten Eigenbemühungen nicht nachweisen,
2. sich weigern, eine zumutbare Arbeit, Ausbildung oder ein nach § 16e gefördertes Arbeitsverhältnis aufzunehmen, fortzuführen oder deren Anbahnung durch ihr Verhalten verhindern,
3. eine zumutbare Maßnahme zur Eingliederung in Arbeit, einen Integrationskurs nach § 43 des Aufenthaltsgesetzes[1] oder eine Maßnahme der berufsbezogenen Deutschsprachförderung nach § 45a des Aufenthaltsgesetzes[2] nicht antreten, abbrechen oder Anlass für den Abbruch gegeben haben.

[2] Dies gilt nicht, wenn erwerbsfähige Leistungsberechtigte einen wichtigen Grund für ihr Verhalten darlegen und nachweisen.

(2) Eine Pflichtverletzung von erwerbsfähigen Leistungsberechtigten ist auch anzunehmen, wenn
1. sie nach Vollendung des 18. Lebensjahres ihr Einkommen oder Vermögen in der Absicht vermindert haben, die Voraussetzungen für die Gewährung oder Erhöhung des Grundsicherungsgeldes nach § 19 Absatz 1 Satz 1 herbeizuführen,
2. sie trotz Belehrung über die Rechtsfolgen oder deren Kenntnis ihr unwirtschaftliches Verhalten fortsetzen,
3. ihr Anspruch auf Arbeitslosengeld ruht oder erloschen ist, weil die Agentur für Arbeit das Eintreten einer Sperrzeit oder das Erlöschen des Anspruchs nach den Vorschriften des Dritten Buches[3] festgestellt hat, oder
4. sie die im Dritten Buch genannten Voraussetzungen für das Eintreten einer Sperrzeit erfüllen, die das Ruhen oder Erlöschen eines Anspruchs auf Arbeitslosengeld begründen.

§ 31a[4) 5)] Rechtsfolgen bei Pflichtverletzungen. (1) [1] Bei einer Pflichtverletzung nach § 31 mindert sich das Grundsicherungsgeld um 30 Prozent des nach § 20 jeweils maßgebenden Regelbedarfs. [2] Minderungen sind aufzuheben, sobald erwerbsfähige Leistungsberechtigte ihre Pflichten erfüllen oder sich nachträglich ernsthaft und nachhaltig dazu bereit erklären, diesen künftig nachzukommen. [3] Abweichend von Satz 1 gelten bei Pflichtverletzungen nach § 31 Absatz 2 Nummer 3 in Fällen einer Sperrzeit bei Meldeversäumnis nach § 159 Absatz 1 Satz 2 Nummer 8 des Dritten Buches[3] die Rechtsfolgen des § 32.

(2) [1] Vor der Feststellung der Minderung nach Absatz 1 soll auf Verlangen der erwerbsfähigen Leistungsberechtigten die Anhörung nach § 24 des Zehnten Buches[6] persönlich erfolgen. [2] Eine persönliche Anhörung soll erfolgen, wenn

---

(Fortsetzung der Anm. von voriger Seite)
(BGBl. I S. 2328); Abs. 1 Satz 1 Nr. 1 und 3 neu gef., Abs. 2 Nr. 1 geänd. mWv 1.7.2026 durch G v. 16.4.2026 (BGBl. 2026 I Nr. 107).

1) **beck-online, Module Arbeitsrecht Nr. 760.**

2) Nr. **760**.

3) Nr. **700**.

4) § 31a neu gef. mWv 1.1.2023 durch G v. 16.12.2022 (BGBl. I S. 2328); Abs. 7 angef. mWv 28.3.2024 durch G v. 27.3.2024 (BGBl. 2024 I Nr. 107); Abs. 7 eingef. mWv 23.4.2026, Abs. 1 und Abs. 2 Satz 2 neu gef., Satz 3 und Abs. 4 Satz 3 angef. mWv 1.7.2026, durch G v. 16.4.2026 (BGBl. 2026 I Nr. 107).

5) § 31a Abs. 7 tritt mit Ablauf des 27.3.2026 außer Kraft, vgl. § 86.

6) Nr. **699**.

der Agentur für Arbeit psychische Erkrankungen von erwerbsfähigen Leistungsberechtigten bekannt sind oder andere Anhaltspunkte dafür vorliegen, dass die erwerbsfähigen Leistungsberechtigen nicht in der Lage sind, sich zu den für die Entscheidung über die Minderung erheblichen Tatsachen in einer schriftlichen Anhörung zu äußern. [3] Eine Gelegenheit zur persönlichen Anhörung soll erfolgen, wenn ein drittes aufeinander folgendes Meldeversäumnis geprüft wird.

(3) Eine Leistungsminderung erfolgt nicht, wenn sie im Einzelfall eine außergewöhnliche Härte bedeuten würde.

(4) [1] Leistungsminderungen bei wiederholten Pflichtverletzungen oder wiederholten Meldeversäumnissen nach § 32 sind auf insgesamt 30 Prozent des nach § 20 maßgebenden Regelbedarfs begrenzt. [2] Die sich rechnerisch ergebenden Zahlbeträge für die Kosten der Unterkunft und Heizung dürfen durch eine Leistungsminderung nicht verringert werden. [3] Sofern sich nur aufgrund einer Leistungsminderung oder wegen des Entfalls des Leistungsanspruchs in Höhe des Regelbedarfes nach Absatz 7 rechnerisch kein Leistungsanspruch ergeben würde, wird für die Dauer der Leistungsminderung, des Entfalls oder des Entzuges Grundsicherungsgeld in Höhe von monatlich 1 Euro bewilligt.

(5) Für nicht erwerbsfähige Leistungsberechtigte gelten die Absätze 1 bis 4 bei Pflichtverletzungen nach § 31 Absatz 2 Nummer 1 und 2 entsprechend.

(6) Erwerbsfähige Leistungsberechtigte, die das 25. Lebensjahr noch nicht vollendet haben, sollen innerhalb von vier Wochen nach Feststellung einer Leistungsminderung ein Beratungsangebot erhalten, in dem die Inhalte des Kooperationsplans überprüft und bei Bedarf fortgeschrieben werden.

(7) [1] Abweichend von Absatz 4 Satz 1 entfällt der Leistungsanspruch in Höhe des Regelbedarfes, wenn erwerbsfähige Leistungsberechtigte eine zumutbare Arbeit nicht aufnehmen. [2] Die Arbeitsaufnahme muss tatsächlich und unmittelbar möglich sein und willentlich verweigert werden. [3] In diesem Fall soll das Grundsicherungsgeld, soweit es für die Bedarfe für Unterkunft und Heizung erbracht wird, für die gesamte Bedarfsgemeinschaft an den Vermieter oder andere Empfangsberechtigte gezahlt werden. [4] Absatz 1 Satz 2, die Absätze 2 und 3 sowie § 31 Absatz 1 Satz 2 finden Anwendung.

§ 31b[1)] Beginn und Dauer der Minderung. (1) [1] Der Auszahlungsanspruch mindert sich mit Beginn des Kalendermonats, der auf das Wirksamwerden des Verwaltungsaktes folgt, der die Pflichtverletzung und den Umfang der Minderung der Leistung feststellt. [2] In den Fällen des § 31 Absatz 2 Nummer 3 tritt die Minderung mit Beginn der Sperrzeit oder mit dem Erlöschen des Anspruchs nach dem Dritten Buch[2)] ein. [3] Die Feststellung der Minderung ist nur innerhalb von sechs Monaten ab dem Zeitpunkt der Pflichtverletzung zulässig.

(2) [1] Der Minderungszeitraum beträgt drei Monate. [2] In den Fällen des § 31a Absatz 1 Satz 2 ist die Minderung ab dem Zeitpunkt der Pflichterfüllung oder

---

[1)] § 31b Abs. 1 Sätze 3 und 4 aufgeh., bish. Satz 5 wird Satz 3, Abs. 2 eingef., bish. Abs. 2 wird Abs. 3 mWv 1.1.2023 durch G v. 16.12.2022 (BGBl. I S. 2328); Abs. 3 eingef., bish. Abs. 3 wird Abs. 4 mWv 28.3.2024 durch G v. 27.3.2024 (BGBl. 2024 I Nr. 107); Abs. 3 angef. mWv 23.4.2026, Abs. 2 Satz 1 neu gef., Satz 2 geänd. mWv 1.7.2026 durch G v. 16.4.2026 (BGBl. 2026 I Nr. 107).

[2)] Nr. **700**.

der Erklärung der Bereitschaft zur Pflichterfüllung aufzuheben, soweit der Minderungszeitraum mindestens einen Monat betragen hat, andernfalls nach Ablauf dieses Monats.

(3) [1] In den Fällen des § 31a Absatz 7 wird die Minderung nach Ablauf eines Minderungszeitraums von einem Monat aufgehoben, wenn die Möglichkeit der Arbeitsaufnahme nicht mehr besteht, spätestens aber mit dem Ablauf eines Zeitraums von zwei Monaten. [2] Absatz 1 Satz 1 und 3 ist entsprechend anzuwenden.

(4) Während der Minderung des Auszahlungsanspruchs besteht kein Anspruch auf ergänzende Hilfe zum Lebensunterhalt nach den Vorschriften des Zwölften Buches[1].

§ 32[2] Meldeversäumnisse. (1) [1] Kommen Leistungsberechtigte trotz schriftlicher Belehrung über die Rechtsfolgen oder deren Kenntnis einer Aufforderung des zuständigen Trägers, sich bei ihm zu melden oder bei einem ärztlichen oder psychologischen Untersuchungstermin zu erscheinen, wiederholt nicht nach, mindert sich das Grundsicherungsgeld jeweils um 30 Prozent des für sie nach § 20 maßgebenden Regelbedarfs. [2] Dies gilt nicht, wenn Leistungsberechtigte einen wichtigen Grund für ihr Verhalten darlegen und nachweisen.

(2) [1] § 31a Absatz 2 bis 5 und § 31b Absatz 1 und 4 gelten entsprechend. [2] Der Minderungszeitraum beträgt einen Monat.

(3) [1] Eine Minderung nach Absatz 1 Satz 1 erfolgt nicht in den Fällen des § 7b Absatz 4 Satz 1. [2] In den Fällen des § 7b Absatz 4 Satz 5 ist der Regelbedarf in der nach Absatz 1 Satz 1 und Absatz 2 Satz 2 geminderten Höhe zu erbringen.

(4) [1] Liegen zum Zeitpunkt des ersten Meldeversäumnisses nach Absatz 1 Anhaltspunkte für eine psychische Erkrankung vor, die einer Überwindung oder Verringerung der Hilfebedürftigkeit entgegensteht, kann das Jobcenter erwerbsfähige Leistungsberechtigte zu einem ärztlichen oder psychologischen Untersuchungstermin verpflichten. [2] § 59 und § 309 des Dritten Buches[3] bleiben unberührt.

Unterabschnitt 6. Verpflichtungen Anderer

§ 33[4] Übergang von Ansprüchen. (1) [1] Haben Personen, die Leistungen zur Sicherung des Lebensunterhalts beziehen, für die Zeit, für die Leistungen erbracht werden, einen Anspruch gegen einen Anderen, der nicht Leistungsträger ist, geht der Anspruch bis zur Höhe der geleisteten Aufwendungen auf die Träger der Leistungen nach diesem Buch über, wenn bei rechtzeitiger Leistung des Anderen Leistungen zur Sicherung des Lebensunterhalts nicht erbracht worden wären. [2] Satz 1 gilt auch, soweit Kinder unter Berücksichtigung von Kindergeld nach § 11 Absatz 1 Satz 4 keine Leistungen empfangen haben und bei rechtzeitiger Leistung des Anderen keine oder geringere Leis-

---

[1] **Aichberger, SGB Nr. 12.**

[2] § 32 Abs. 1 Satz 1 geänd., Abs. 2 neu gef. mWv 1.1.2023 durch G v. 16.12.2022 (BGBl. I S. 2328); Abs. 2 Satz 1 geänd. mWv 28.3.2024 durch G v. 27.3.2024 (BGBl. 2024 I Nr. 107); Abs. 1 Satz 1 neu gef., Abs. 3 und 4 angef. mWv 1.7.2026 durch G v. 16.4.2026 (BGBl. 2026 I Nr. 107).

[3] Nr. **700**.

[4] § 33 ber. BGBl. 2011 I S. 2094; Abs. 4 Satz 3 geänd. mWv 1.8.2016 durch G v. 26.7.2016 (BGBl. I S. 1824).

tungen an die Mitglieder der Haushaltsgemeinschaft erbracht worden wären. [3]Der Übergang wird nicht dadurch ausgeschlossen, dass der Anspruch nicht übertragen, verpfändet oder gepfändet werden kann. [4]Unterhaltsansprüche nach bürgerlichem Recht gehen zusammen mit dem unterhaltsrechtlichen Auskunftsanspruch auf die Träger der Leistungen nach diesem Buch über.

(2) [1]Ein Unterhaltsanspruch nach bürgerlichem Recht geht nicht über, wenn die unterhaltsberechtigte Person

1. mit der oder dem Verpflichteten in einer Bedarfsgemeinschaft lebt,
2. mit der oder dem Verpflichteten verwandt ist und den Unterhaltsanspruch nicht geltend macht; dies gilt nicht für Unterhaltsansprüche
   a) minderjähriger Leistungsberechtigter,
   b) Leistungsberechtigter, die das 25. Lebensjahr noch nicht vollendet und die Erstausbildung noch nicht abgeschlossen haben,

   gegen ihre Eltern,
3. in einem Kindschaftsverhältnis zur oder zum Verpflichteten steht und
   a) schwanger ist oder
   b) ihr leibliches Kind bis zur Vollendung seines sechsten Lebensjahres betreut.

[2]Der Übergang ist auch ausgeschlossen, soweit der Unterhaltsanspruch durch laufende Zahlung erfüllt wird. [3]Der Anspruch geht nur über, soweit das Einkommen und Vermögen der unterhaltsverpflichteten Person das nach den §§ 11 bis 12 zu berücksichtigende Einkommen und Vermögen übersteigt.

(3) [1]Für die Vergangenheit können die Träger der Leistungen nach diesem Buch außer unter den Voraussetzungen des bürgerlichen Rechts nur von der Zeit an den Anspruch geltend machen, zu welcher sie der oder dem Verpflichteten die Erbringung der Leistung schriftlich mitgeteilt haben. [2]Wenn die Leistung voraussichtlich auf längere Zeit erbracht werden muss, können die Träger der Leistungen nach diesem Buch bis zur Höhe der bisherigen monatlichen Aufwendungen auch auf künftige Leistungen klagen.

(4) [1]Die Träger der Leistungen nach diesem Buch können den auf sie übergegangenen Anspruch im Einvernehmen mit der Empfängerin oder dem Empfänger der Leistungen auf diese oder diesen zur gerichtlichen Geltendmachung rückübertragen und sich den geltend gemachten Anspruch abtreten lassen. [2]Kosten, mit denen die Leistungsempfängerin oder der Leistungsempfänger dadurch selbst belastet wird, sind zu übernehmen. [3]Über die Ansprüche nach Absatz 1 Satz 4 ist im Zivilrechtsweg zu entscheiden.

(5) Die §§ 115 und 116 des Zehnten Buches[1)] gehen der Regelung des Absatzes 1 vor.

§ 34[2)] Ersatzansprüche bei sozialwidrigem Verhalten. (1) [1]Wer nach Vollendung des 18. Lebensjahres vorsätzlich oder grob fahrlässig die Voraussetzungen für die Gewährung von Leistungen nach diesem Buch an sich oder an Personen, die mit ihr oder ihm in einer Bedarfsgemeinschaft leben, ohne wichtigen Grund herbeigeführt hat, ist zum Ersatz der deswegen erbrachten Geld- und Sachleistungen verpflichtet. [2]Als Herbeiführung im Sinne des Satzes

---

[1)] Nr. **699**.

[2)] § 34 Abs. 1 neu gef., Abs. 3 Satz 1 geänd. mWv 1.8.2016 durch G v. 26.7.2016 (BGBl. I S. 1824).

1 gilt auch, wenn die Hilfebedürftigkeit erhöht, aufrechterhalten oder nicht verringert wurde. [3] Sachleistungen sind, auch wenn sie in Form eines Gutscheins erbracht wurden, in Geld zu ersetzen. [4] § 40 Absatz 6 Satz 2 gilt entsprechend. [5] Der Ersatzanspruch umfasst auch die geleisteten Beiträge zur Sozialversicherung. [6] Von der Geltendmachung eines Ersatzanspruchs ist abzusehen, soweit sie eine Härte bedeuten würde.

(2) [1] Eine nach Absatz 1 eingetretene Verpflichtung zum Ersatz der Leistungen geht auf den Erben über. [2] Sie ist auf den Nachlasswert zum Zeitpunkt des Erbfalls begrenzt.

(3) [1] Der Ersatzanspruch erlischt drei Jahre nach Ablauf des Jahres, für das die Leistung erbracht worden ist. [2] Die Bestimmungen des Bürgerlichen Gesetzbuchs über die Hemmung, die Ablaufhemmung, den Neubeginn und die Wirkung der Verjährung gelten sinngemäß; der Erhebung der Klage steht der Erlass eines Leistungsbescheides gleich.

§ 34a[1)] Ersatzansprüche für rechtswidrig erbrachte Leistungen.

(1) [1] Zum Ersatz rechtswidrig erbrachter Geld- und Sachleistungen nach diesem Buch ist verpflichtet, wer diese durch vorsätzliches oder grob fahrlässiges Verhalten an Dritte herbeigeführt hat. [2] Sachleistungen sind, auch wenn sie in Form eines Gutscheins erbracht wurden, in Geld zu ersetzen. [3] § 40 Absatz 6 Satz 2 gilt entsprechend. [4] Der Ersatzanspruch umfasst auch die geleisteten Beiträge zur Sozialversicherung entsprechend § 40 Absatz 2 Nummer 5.

(2) [1] Der Ersatzanspruch verjährt in vier Jahren nach Ablauf des Kalenderjahres, in dem der Verwaltungsakt, mit dem die Erstattung nach § 50 des Zehnten Buches[2)] festgesetzt worden ist, unanfechtbar geworden ist. [2] Soweit gegenüber einer rechtswidrig begünstigten Person ein Verwaltungsakt nicht aufgehoben werden kann, beginnt die Frist nach Satz 1 mit dem Zeitpunkt, ab dem die Behörde Kenntnis von der Rechtswidrigkeit der Leistungserbringung hat. [3] § 34 Absatz 3 Satz 2 gilt entsprechend.

(3) [1] § 34 Absatz 2 gilt entsprechend. [2] Der Ersatzanspruch erlischt drei Jahre nach dem Tod der Person, die gemäß Absatz 1 zum Ersatz verpflichtet war; § 34 Absatz 3 Satz 2 gilt entsprechend.

(4) Zum Ersatz nach Absatz 1 und zur Erstattung nach § 50 des Zehnten Buches[2)] Verpflichtete haften als Gesamtschuldner.

§ 34b[3)] Erstattungsanspruch bei Doppelleistungen. (1) [1] Hat ein vorrangig verpflichteter Leistungsträger in Unkenntnis der Leistung durch Träger nach diesem Buch an eine leistungsberechtigte Person geleistet, ist diese zur Erstattung der Leistung des vorrangigen Trägers an die Träger nach diesem Buch verpflichtet. [2] Der Erstattungsanspruch besteht in der Höhe, in der ein Erstattungsanspruch nach dem Zweiten Abschnitt des Dritten Kapitels des Zehnten Buches[4)] bestanden hätte. [3] § 34c ist entsprechend anwendbar.

(2) Ein Erstattungsanspruch besteht nicht, soweit der geleistete Betrag als Einkommen nach den Vorschriften dieses Buches berücksichtigt werden kann.

---

1) § 34a Überschrift und Abs. 1 Satz 1 geänd., Satz 2 neu gef., Sätze 3 und 4 angef., Abs. 2 Satz 4 aufgeh., Abs. 3 neu gef. mWv 1.8.2016 durch G v. 26.7.2016 (BGBl. I S. 1824).

2) Nr. **699**.

3) § 34b eingef. mWv 1.8.2016 durch G v. 26.7.2016 (BGBl. I S. 1824).

4) Auszugsweise abgedruckt unter Nr. **699**.

(3) Der Erstattungsanspruch verjährt vier Jahre nach Ablauf des Kalenderjahres, in dem der vorrangig verpflichtete Leistungsträger die Leistung erbracht hat.

§ 34c[1)] Ersatzansprüche nach sonstigen Vorschriften. Bestimmt sich das Recht des Trägers nach diesem Buch, Ersatz seiner Aufwendungen von einem anderen zu verlangen, gegen den die Leistungsberechtigten einen Anspruch haben, nach sonstigen gesetzlichen Vorschriften, die dem § 33 vorgehen, gelten als Aufwendungen auch solche Leistungen zur Sicherung des Lebensunterhalts, die an die mit der leistungsberechtigten Person in einer Bedarfsgemeinschaft lebenden Personen erbracht wurden.

§ 35[2)] *(aufgehoben)*

Kapitel 4. Gemeinsame Vorschriften für Leistungen

Abschnitt 1. Zuständigkeit und Verfahren

§ 36[3)] Örtliche Zuständigkeit. (1) [1] Für die Leistungen nach § 6 Absatz 1 Satz 1 Nummer 1 ist die Agentur für Arbeit zuständig, in deren Bezirk die erwerbsfähige leistungsberechtigte Person ihren gewöhnlichen Aufenthalt hat. [2] Für die Leistungen nach § 6 Absatz 1 Satz 1 Nummer 2 ist der kommunale Träger zuständig, in dessen Gebiet die erwerbsfähige leistungsberechtigte Person ihren gewöhnlichen Aufenthalt hat. [3] Für Leistungen nach den Sätzen 1 und 2 an Minderjährige, die Leistungen für die Zeit der Ausübung des Umgangsrechts nur für einen kurzen Zeitraum beanspruchen, ist der jeweilige Träger an dem Ort zuständig, an dem die umgangsberechtigte Person ihren gewöhnlichen Aufenthalt hat. [4] Kann ein gewöhnlicher Aufenthaltsort nicht festgestellt werden, so ist der Träger nach diesem Buch örtlich zuständig, in dessen Bereich sich die oder der erwerbsfähige Leistungsberechtigte tatsächlich aufhält. [5] Für nicht erwerbsfähige Personen, deren Leistungsberechtigung sich aus § 7 Absatz 2 Satz 3 ergibt, gelten die Sätze 1 bis 4 entsprechend.

(2) [1] Abweichend von Absatz 1 ist für die jeweiligen Leistungen nach diesem Buch der Träger zuständig, in dessen Gebiet die leistungsberechtigte Person nach § 12a Absatz 1 bis 3 des Aufenthaltsgesetzes[4)] ihren Wohnsitz zu nehmen hat. [2] Ist die leistungsberechtigte Person nach § 12a Absatz 4 des Aufenthaltsgesetzes[4)] verpflichtet, ihren Wohnsitz an einem bestimmten Ort nicht zu nehmen, kann eine Zuständigkeit der Träger in diesem Gebiet für die jeweiligen Leistungen nach diesem Buch nicht begründet werden; im Übrigen gelten die Regelungen des Absatzes 1.

(3) [1] Abweichend von den Absätzen 1 und 2 ist im Fall der Auszahlung der Leistungen nach § 28 Absatz 2 Satz 1 Nummer 1 nach § 29 Absatz 6 der kommunale Träger zuständig, in dessen Gebiet die Schule liegt. [2] Die Zuständigkeit nach Satz 1 umfasst auch Leistungen an Schülerinnen und Schüler, für

1) Bish. § 34b wird § 34c und geänd. mWv 1.8.2016 durch G v. 26.7.2016 (BGBl. I S. 1824).

2) § 35 aufgeh. mWv 1.8.2016 durch G v. 26.7.2016 (BGBl. I S. 1824).

3) § 36 Satz 1 geänd. mWv 1.8.2016 durch G v. 26.7.2016 (BGBl. I S. 1824); Abs. 2 angef. mWv 6.8.2016 durch G v. 31.7.2016 (BGBl. I S. 1939); Abs. 3 angef. mWv 1.8.2019 durch G v. 29.4.2019 (BGBl. I S. 530).

4) Nr. **760**.

die im Übrigen ein anderer kommunaler Träger nach den Absätzen 1 oder 2 zuständig ist oder wäre.

§ 36a[1] **Kostenerstattung bei Aufenthalt im Frauenhaus.** (1) Sucht eine Person in einem Frauenhaus Zuflucht, ist der kommunale Träger am bisherigen gewöhnlichen Aufenthaltsort verpflichtet, dem durch die Aufnahme im Frauenhaus zuständigen kommunalen Träger am Ort des Frauenhauses die Kosten für die Zeit des Aufenthaltes im Frauenhaus zu erstatten.

(2) Bei Zeiträumen ab 1. Januar 2032 sind Kosten für die Zeit des Aufenthaltes im Frauenhaus nach Absatz 1 nicht mehr unter den kommunalen Trägern erstattungsfähig.

§ 37[2] **Antragserfordernis.** (1) [1] Leistungen nach diesem Buch werden auf Antrag erbracht. [2] Leistungen nach § 24 Absatz 1 und 3 und Leistungen für die Bedarfe nach § 28 Absatz 5 sind gesondert zu beantragen.

(2) [1] Leistungen nach diesem Buch werden nicht für Zeiten vor der Antragstellung erbracht. [2] Der Antrag auf Leistungen zur Sicherung des Lebensunterhalts wirkt auf den Ersten des Monats zurück. [3] Wird ein Antrag auf Leistungen zur Sicherung des Lebensunterhalts für einen einzelnen Monat gestellt, in dem aus Jahresabrechnungen von Heizenergiekosten oder aus der angemessenen Bevorratung mit Heizmitteln resultierende Aufwendungen für die Heizung fällig sind, wirkt dieser Antrag, wenn er bis zum Ablauf des dritten Monats nach dem Fälligkeitsmonat gestellt wird, auf den Ersten des Fälligkeitsmonats zurück. [4] Satz 3 gilt nur für Anträge, die bis zum 31. Dezember 2023 gestellt werden.

§ 38 Vertretung der Bedarfsgemeinschaft. (1) [1] Soweit Anhaltspunkte dem nicht entgegenstehen, wird vermutet, dass die oder der erwerbsfähige Leistungsberechtigte bevollmächtigt ist, Leistungen nach diesem Buch auch für die mit ihm in einer Bedarfsgemeinschaft lebenden Personen zu beantragen und entgegenzunehmen. [2] Leben mehrere erwerbsfähige Leistungsberechtigte in einer Bedarfsgemeinschaft, gilt diese Vermutung zugunsten der Antrag stellenden Person.

(2) Für Leistungen an Kinder im Rahmen der Ausübung des Umgangsrechts hat die umgangsberechtigte Person die Befugnis, Leistungen nach diesem Buch zu beantragen und entgegenzunehmen, soweit das Kind dem Haushalt angehört.

§ 39[3] **Sofortige Vollziehbarkeit.** Keine aufschiebende Wirkung haben Widerspruch und Anfechtungsklage gegen einen Verwaltungsakt,

1. der Leistungen der Grundsicherung für Arbeitsuchende aufhebt, zurücknimmt, widerruft, entzieht, die Pflichtverletzung und die Minderung des Auszahlungsanspruchs feststellt oder Leistungen zur Eingliederung in Arbeit oder Pflichten erwerbsfähiger Leistungsberechtigter bei der Eingliederung in Arbeit regelt,

---

[1] § 36a Abs. 2 angef. mWv 28.2.2025 durch G v. 24.2.2025 (BGBl. 2025 I Nr. 57).

[2] § 37 Abs. 2 Satz 3 angef. mWv 1.8.2013 durch G v. 7.5.2013 (BGBl. I S. 1167); Abs. 2 Satz 3 geänd. mWv 1.8.2016 durch G v. 26.7.2016 (BGBl. I S. 1824); Abs. 1 Satz 2 geänd., Abs. 2 Satz 3 aufgeh. mWv 1.8.2019 durch G v. 29.4.2019 (BGBl. I S. 530); Abs. 2 Sätze 3 und 4 angef. mWv 1.1. 2023 durch G v. 16.12.2022 (BGBl. I S. 2328).

[3] § 39 Nr. 1 geänd., Nr. 2 aufgeh., bish. Nr. 3 und 4 werden Nr. 2 und 3 mWv 1.8.2016 durch G v. 26.7.2016 (BGBl. I S. 1824).

2. mit dem zur Beantragung einer vorrangigen Leistung aufgefordert wird oder
3. mit dem nach § 59 in Verbindung mit § 309 des Dritten Buches[1)] zur persönlichen Meldung bei der Agentur für Arbeit aufgefordert wird.

§ 40[2)] Anwendung von Verfahrensvorschriften. (1) [1] Für das Verfahren nach diesem Buch gilt das Zehnte Buch. [2] Abweichend von Satz 1 gilt § 44 des Zehnten Buches[3)] mit der Maßgabe, dass

1. rechtswidrige nicht begünstigende Verwaltungsakte nach den Absätzen 1 und 2 nicht später als vier Jahre nach Ablauf des Jahres, in dem der Verwaltungsakt bekanntgegeben wurde, zurückzunehmen sind; ausreichend ist, wenn die Rücknahme innerhalb dieses Zeitraums beantragt wird,
2. anstelle des Zeitraums von vier Jahren nach Absatz 4 Satz 1 ein Zeitraum von einem Jahr tritt.

[3] Abweichend von Satz 1 gelten die §§ 45, 47 und 48 des Zehnten Buches[3)] mit der Maßgabe, dass ein Verwaltungsakt mit Wirkung für die Vergangenheit nicht aufzuheben ist, wenn sich ausschließlich Erstattungsforderungen nach § 50 Absatz 1 des Zehnten Buches[3)] von insgesamt weniger als 50 Euro für die Gesamtheit der Mitglieder der Bedarfsgemeinschaft ergäben. [4] Bei der Prüfung der Aufhebung nach Satz 3 sind Umstände, die bereits Gegenstand einer vorherigen Prüfung nach Satz 3 waren, nicht zu berücksichtigen. [5] Die Sätze 3 und 4 gelten in den Fällen des § 50 Absatz 2 des Zehnten Buches[3)] entsprechend.

(2) Entsprechend anwendbar sind die Vorschriften des Dritten Buches[1)] über

1., 2. *(aufgehoben)*

3. die Aufhebung von Verwaltungsakten (§ 330 Absatz 2, 3 Satz 1 und 4);
4. die vorläufige Zahlungseinstellung nach § 331 mit der Maßgabe, dass die Träger auch zur teilweisen Zahlungseinstellung berechtigt sind, wenn sie von Tatsachen Kenntnis erhalten, die zu einem geringeren Leistungsanspruch führen;
5. die Erstattung von Beiträgen zur Kranken-, Renten- und Pflegeversicherung (§ 335 Absatz 1, 2 und 5); § 335 Absatz 1 Satz 1 und Absatz 5 in Verbindung mit Absatz 1 Satz 1 ist nicht anwendbar, wenn in einem Kalendermonat für mindestens einen Tag rechtmäßig Grundsicherungsgeld nach § 19 Absatz 1 Satz 1 gewährt wurde; in den Fällen des § 335 Absatz 1 Satz 2 und Absatz 5 in Verbindung mit Absatz 1 Satz 2 besteht kein Beitragserstattungsanspruch.

(3) [1] Liegen die in § 44 Absatz 1 Satz 1 des Zehnten Buches[3)] genannten Voraussetzungen für die Rücknahme eines rechtswidrigen nicht begünstigenden Verwaltungsaktes vor, weil dieser auf einer Rechtsnorm beruht, die nach Erlass des Verwaltungsaktes

---

[1)] Nr. **700**.

[2)] § 40 Abs. 2 Nr. 5 geänd. mWv 1.1.2016 durch G v. 21.7.2014 (BGBl. I S. 1133); Abs. 1 Satz 2 neu gef., Abs. 2 Nr. 1 und 2 aufgeh., Abs. 3–5 eingef., bish. Abs. 3 wird Abs. 6, bish. Abs. 5 und 6 werden Abs. 7 und 8, bish. Abs. 4 wird Abs. 9 mWv 1.8.2016, Abs. 9 aufgeh. mWv 1.1.2017 durch G v. 26.7.2016 (BGBl. I S. 1824); Abs. 6 Satz 4 angef. mWv 1.8.2019 durch G v. 29.4.2019 (BGBl. I S. 530); Abs. 1 Sätze 3-5 angef., Abs. 2 Nr. 5 geänd., Abs. 9 und 10 angef. mWv 1.1.2023 durch G v. 16.12.2022 (BGBl. I S. 2328); Abs. 2 Nr. 5 geänd. mWv 1.7.2026 durch G v. 16.4.2026 (BGBl. 2026 I Nr. 107).

[3)] Nr. **699**.

1. durch eine Entscheidung des Bundesverfassungsgerichts für nichtig oder für unvereinbar mit dem Grundgesetz[1)] erklärt worden ist oder
2. in ständiger Rechtsprechung anders als durch den für die jeweilige Leistungsart zuständigen Träger der Grundsicherung für Arbeitsuchende ausgelegt worden ist,

so ist der Verwaltungsakt, wenn er unanfechtbar geworden ist, nur mit Wirkung für die Zeit nach der Entscheidung des Bundesverfassungsgerichts oder ab dem Bestehen der ständigen Rechtsprechung zurückzunehmen. [2]Bei der Unwirksamkeit einer Satzung oder einer anderen im Rang unter einem Landesgesetz stehenden Rechtsvorschrift, die nach § 22a Absatz 1 und dem dazu ergangenen Landesgesetz erlassen worden ist, ist abweichend von Satz 1 auf die Zeit nach der Entscheidung durch das Landessozialgericht abzustellen.

(4) Der Verwaltungsakt, mit dem über die Gewährung von Leistungen nach diesem Buch abschließend entschieden wurde, ist mit Wirkung für die Zukunft ganz aufzuheben, wenn in den tatsächlichen Verhältnissen der leistungsberechtigten Person Änderungen eintreten, aufgrund derer nach Maßgabe des § 41a vorläufig zu entscheiden wäre.

(5) [1]Verstirbt eine leistungsberechtigte Person oder eine Person, die mit der leistungsberechtigten Person in häuslicher Gemeinschaft lebt, bleiben im Sterbemonat allein die dadurch eintretenden Änderungen in den bereits bewilligten Leistungsansprüchen der leistungsberechtigten Person und der mit ihr in Bedarfsgemeinschaft lebenden Personen unberücksichtigt; die §§ 48 und 50 Absatz 2 des Zehnten Buches[2)] sind insoweit nicht anzuwenden. [2]§ 118 Absatz 3 bis 4a des Sechsten Buches[3)] findet mit der Maßgabe entsprechend Anwendung, dass Geldleistungen, die für die Zeit nach dem Monat des Todes der leistungsberechtigten Person überwiesen wurden, als unter Vorbehalt erbracht gelten.

(6) [1]§ 50 Absatz 1 des Zehnten Buches[2)] ist mit der Maßgabe anzuwenden, dass Gutscheine in Geld zu erstatten sind. [2]Die leistungsberechtigte Person kann die Erstattungsforderung auch durch Rückgabe des Gutscheins erfüllen, soweit dieser nicht in Anspruch genommen wurde. [3]Eine Erstattung der Leistungen nach § 28 erfolgt nicht, soweit eine Aufhebungsentscheidung allein wegen dieser Leistungen zu treffen wäre. [4]Satz 3 gilt nicht im Fall des Widerrufs einer Bewilligungsentscheidung nach § 29 Absatz 5 Satz 2.

(7) § 28 des Zehnten Buches[2)] gilt mit der Maßgabe, dass der Antrag unverzüglich nach Ablauf des Monats, in dem die Ablehnung oder Erstattung der anderen Leistung bindend geworden ist, nachzuholen ist.

(8) Für die Vollstreckung von Ansprüchen der in gemeinsamen Einrichtungen zusammenwirkenden Träger nach diesem Buch gilt das Verwaltungs-Vollstreckungsgesetz des Bundes; im Übrigen gilt § 66 des Zehnten Buches[2)].

(9) § 1629a des Bürgerlichen Gesetzbuchs[4)] gilt mit der Maßgabe, dass sich die Haftung eines Kindes auf das Vermögen beschränkt, das bei Eintritt der Volljährigkeit den Betrag von 15 000 Euro übersteigt.

[1)] Auszugsweise abgedruckt unter Nr. **10**.
[2)] Nr. **699**.
[3)] **beck-online, Module Arbeitsrecht Nr. 696.**
[4)] **beck-online, Module Arbeitsrecht Nr. 50.**

(10) [1]Erstattungsansprüche nach § 50 des Zehnten Buches[1)], die auf die Aufnahme einer bedarfsdeckenden sozialversicherungspflichtigen Beschäftigung zurückzuführen sind, sind in monatlichen Raten in Höhe von 10 Prozent des maßgebenden Regelbedarfs zu tilgen. [2]Dies gilt nicht, wenn vor Tilgung der gesamten Summe erneute Hilfebedürftigkeit eintritt.

§ 40a[2)] Erstattungsanspruch. [1]Wird einer leistungsberechtigten Person für denselben Zeitraum, für den ein Träger der Grundsicherung für Arbeitsuchende Leistungen nach diesem Buch erbracht hat, eine andere Sozialleistung bewilligt, so steht dem Träger der Grundsicherung für Arbeitsuchende unter den Voraussetzungen des § 104 des Zehnten Buches[3)] ein Erstattungsanspruch gegen den anderen Sozialleistungsträger zu. [2]Der Erstattungsanspruch besteht auch, soweit die Erbringung des Grundsicherungsgeldes allein auf Grund einer nachträglich festgestellten vollen Erwerbsminderung rechtswidrig war oder rückwirkend eine Rente wegen Alters oder eine Knappschaftsausgleichsleistung zuerkannt wird. [3]Die §§ 106 bis 114 des Zehnten Buches[3)] gelten entsprechend. [4]§ 44a Absatz 3 bleibt unberührt.

§ 41[4)] Berechnung der Leistungen und Bewilligungszeitraum.

(1) [1]Anspruch auf Leistungen zur Sicherung des Lebensunterhalts besteht für jeden Kalendertag. [2]Der Monat wird mit 30 Tagen berechnet. [3]Stehen die Leistungen nicht für einen vollen Monat zu, wird die Leistung anteilig erbracht.

(2) [1]Berechnungen werden auf zwei Dezimalstellen durchgeführt, wenn nichts Abweichendes bestimmt ist. [2]Bei einer auf Dezimalstellen durchgeführten Berechnung wird die letzte Dezimalstelle um eins erhöht, wenn sich in der folgenden Dezimalstelle eine der Ziffern 5 bis 9 ergeben würde.

(3) [1]Über den Anspruch auf Leistungen zur Sicherung des Lebensunterhalts ist in der Regel für ein Jahr zu entscheiden (Bewilligungszeitraum). [2]Der Bewilligungszeitraum soll insbesondere in den Fällen regelmäßig auf sechs Monate verkürzt werden, in denen

1. über den Leistungsanspruch vorläufig entschieden wird (§ 41a) oder
2. die Aufwendungen für die Unterkunft und Heizung unangemessen sind.

[3]Die Festlegung des Bewilligungszeitraums erfolgt einheitlich für die Entscheidung über die Leistungsansprüche aller Mitglieder einer Bedarfsgemeinschaft. [4]Wird mit dem Bescheid über Leistungen zur Sicherung des Lebensunterhalts nicht auch über die Leistungen zur Deckung der Bedarfe nach § 28 Absatz 2, 4, 6 und 7 entschieden, ist die oder der Leistungsberechtigte in dem Bescheid über Leistungen zur Sicherung des Lebensunterhalts darauf hinzuweisen, dass die Entscheidung über Leistungen zur Deckung der Bedarfe nach § 28 Absatz 2, 4, 6 und 7 gesondert erfolgt.

---

1) Nr. **699**.

2) § 40a eingef. mWv 1.1.2009 durch G v. 28.7.2014 (BGBl. I S. 1306); Satz 2 geänd. mWv 1.7.2026 durch G v. 16.4.2026 (BGBl. 2026 I Nr. 107).

3) **beck-online, Module Arbeitsrecht Nr. 699.**

4) § 41 neu gef. mWv 1.8.2016 durch G v. 26.7.2016 (BGBl. I S. 1824); Abs. 3 Satz 4 angef. mWv 1.7.2019 durch G v. 29.4.2019 (BGBl. I S. 530).

§ 41a[1] Vorläufige Entscheidung. (1) [1] Über die Erbringung von Geld- und Sachleistungen ist vorläufig zu entscheiden, wenn

1. zur Feststellung der Voraussetzungen des Anspruchs auf Geld- und Sachleistungen voraussichtlich längere Zeit erforderlich ist und die Voraussetzungen für den Anspruch mit hinreichender Wahrscheinlichkeit vorliegen oder
2. ein Anspruch auf Geld- und Sachleistungen dem Grunde nach besteht und zur Feststellung seiner Höhe voraussichtlich längere Zeit erforderlich ist.

[2] Besteht eine Bedarfsgemeinschaft aus mehreren Personen, ist unter den Voraussetzungen des Satzes 1 über den Leistungsanspruch aller Mitglieder der Bedarfsgemeinschaft vorläufig zu entscheiden. [3] Eine vorläufige Entscheidung ergeht nicht, wenn Leistungsberechtigte die Umstände, die einer sofortigen abschließenden Entscheidung entgegenstehen, zu vertreten haben.

(2) [1] Der Grund der Vorläufigkeit ist anzugeben. [2] Die vorläufige Leistung ist so zu bemessen, dass der monatliche Bedarf der Leistungsberechtigten zur Sicherung des Lebensunterhalts gedeckt ist; davon ist auszugehen, wenn das vorläufig berücksichtigte Einkommen voraussichtlich höchstens in Höhe des Absetzbetrages nach § 11b Absatz 1 Satz 1 Nummer 6 von dem nach Satz 3 zugrunde zu legenden Einkommen abweicht. [3] Hierbei sind die im Zeitpunkt der Entscheidung bekannten und prognostizierten Verhältnisse zugrunde zu legen. [4] Soweit die vorläufige Entscheidung nach Absatz 1 rechtswidrig ist, ist sie für die Zukunft zurückzunehmen. [5] § 45 Absatz 2 des Zehnten Buches[2] findet keine Anwendung.

(3) [1] Die Träger der Grundsicherung für Arbeitsuchende entscheiden abschließend über den monatlichen Leistungsanspruch, sofern die vorläufig bewilligte Leistung nicht der abschließend festzustellenden entspricht oder die leistungsberechtigte Person eine abschließende Entscheidung beantragt. [2] Die leistungsberechtigte Person und die mit ihr in Bedarfsgemeinschaft lebenden Personen sind nach Ablauf des Bewilligungszeitraums verpflichtet, die von den Trägern der Grundsicherung für Arbeitsuchende zum Erlass einer abschließenden Entscheidung geforderten leistungserheblichen Tatsachen nachzuweisen; die §§ 60, 61, 65 und 65a des Ersten Buches[3] gelten entsprechend. [3] Kommen die leistungsberechtigte Person oder die mit ihr in Bedarfsgemeinschaft lebenden Personen ihrer Nachweis- oder Auskunftspflicht bis zur abschließenden Entscheidung nicht, nicht vollständig oder trotz angemessener Fristsetzung und schriftlicher Belehrung über die Rechtsfolgen nicht fristgemäß nach, setzen die Träger der Grundsicherung für Arbeitsuchende den Leistungsanspruch für diejenigen Kalendermonate nur in der Höhe abschließend fest, in welcher seine Voraussetzungen ganz oder teilweise nachgewiesen wurden. [4] Für die übrigen Kalendermonate wird festgestellt, dass ein Leistungsanspruch nicht bestand. [5] Die Berücksichtigung von Nachweisen und Auskünften, die zur abschließenden Entscheidung über den Leistungsanspruch nach Abschluss des Verwaltungsverfahrens, spätestens am Tag nach Bekanntgabe des Widerspruchsbescheides, zugegangen sind, ist ausgeschlossen.

---

[1] § 41a eingef. mWv 1.8.2016 durch G v. 26.7.2016 (BGBl. I S. 1824); Abs. 4 neu gef. mWv 1.4. 2021 durch G v. 10.3.2021 (BGBl. I S. 335); Abs. 2 Satz 2, Abs. 6 Satz 3 neu gef. mWv 1.1.2023 durch G v. 16.12.2022 (BGBl. I S. 2328); Abs. 3 Satz 5 angef. mWv 1.7.2026 durch G v. 16.4.2026 (BGBl. 2026 I Nr. 107).

[2] Nr. **699**.

[3] Nr. **691**.

(4) Die abschließende Entscheidung nach Absatz 3 soll nach Ablauf des Bewilligungszeitraums erfolgen.

(5) [1] Ergeht innerhalb eines Jahres nach Ablauf des Bewilligungszeitraums keine abschließende Entscheidung nach Absatz 3, gelten die vorläufig bewilligten Leistungen als abschließend festgesetzt. [2] Dies gilt nicht, wenn

1. die leistungsberechtigte Person innerhalb der Frist nach Satz 1 eine abschließende Entscheidung beantragt oder
2. der Leistungsanspruch aus einem anderen als dem nach Absatz 2 Satz 1 anzugebenden Grund nicht oder nur in geringerer Höhe als die vorläufigen Leistungen besteht und der Träger der Grundsicherung für Arbeitsuchende über den Leistungsanspruch innerhalb eines Jahres seit Kenntnis von diesen Tatsachen, spätestens aber nach Ablauf von zehn Jahren nach der Bekanntgabe der vorläufigen Entscheidung, abschließend entscheidet.

(6) [1] Die aufgrund der vorläufigen Entscheidung erbrachten Leistungen sind auf die abschließend festgestellten Leistungen anzurechnen. [2] Soweit im Bewilligungszeitraum in einzelnen Kalendermonaten vorläufig zu hohe Leistungen erbracht wurden, sind die sich daraus ergebenden Überzahlungen auf die abschließend bewilligten Leistungen anzurechnen, die für andere Kalendermonate dieses Bewilligungszeitraums nachzuzahlen wären. [3] Überzahlungen, die nach der Anrechnung fortbestehen, sind zu erstatten, sofern sie insgesamt mindestens 50 Euro für die Gesamtheit der Mitglieder der Bedarfsgemeinschaft betragen. [4] Das gilt auch im Fall des Absatzes 3 Satz 3 und 4.

(7) [1] Über die Erbringung von Geld- und Sachleistungen kann vorläufig entschieden werden, wenn

1. die Vereinbarkeit einer Vorschrift dieses Buches, von der die Entscheidung über den Antrag abhängt, mit höherrangigem Recht Gegenstand eines Verfahrens bei dem Bundesverfassungsgericht oder dem Gerichtshof der Europäischen Union ist oder
2. eine entscheidungserhebliche Rechtsfrage von grundsätzlicher Bedeutung Gegenstand eines Verfahrens beim Bundessozialgericht ist.

[2] Absatz 2 Satz 1, Absatz 3 Satz 2 bis 4 sowie Absatz 6 gelten entsprechend.

§ 42[1)] Fälligkeit, Auszahlung und Unpfändbarkeit der Leistungen.

(1) Leistungen sollen monatlich im Voraus erbracht werden.

(2) [1] Auf Antrag der leistungsberechtigten Person können durch Bewilligungsbescheid festgesetzte, zum nächsten Zahlungszeitpunkt fällige Leistungsansprüche vorzeitig erbracht werden. [2] Die Höhe der vorzeitigen Leistung ist auf 100 Euro begrenzt. [3] Der Auszahlungsanspruch im Folgemonat verringert sich entsprechend. [4] Soweit eine Verringerung des Auszahlungsanspruchs im Folgemonat nicht möglich ist, verringert sich der Auszahlungsanspruch für den zweiten auf die Bewilligung der vorzeitigen Leistung folgenden Monat. [5] Die vorzeitige Leistung ist ausgeschlossen,

1. wenn im laufenden Monat oder im Monat der Verringerung des Leistungsanspruches eine Aufrechnung zu erwarten ist,

[1)] § 42 neu gef. mWv 1.8.2016 durch G v. 26.7.2016 (BGBl. I S. 1824); Abs. 3 aufgeh. mWv 1.12.2021 durch G v. 12.6.2020 (BGBl. I S. 1248).

2. wenn der Leistungsanspruch im Folgemonat durch eine Sanktion gemindert ist oder

3. wenn sie bereits in einem der vorangegangenen zwei Kalendermonate in Anspruch genommen wurde.

(3) *(aufgehoben)*

(4) [1] Der Anspruch auf Leistungen zur Sicherung des Lebensunterhaltes kann nicht abgetreten, übertragen, verpfändet oder gepfändet werden. [2] Die Abtretung und Übertragung nach § 53 Absatz 2 des Ersten Buches[1)] bleibt unberührt.

§ 42a[2)] Darlehen. (1) [1] Darlehen werden nur erbracht, wenn ein Bedarf weder durch Vermögen nach § 12 Absatz 2 Satz 1 noch auf andere Weise gedeckt werden kann. [2] Darlehen können an einzelne Mitglieder von Bedarfsgemeinschaften oder an mehrere gemeinsam vergeben werden. [3] Die Rückzahlungsverpflichtung trifft die Darlehensnehmer.

(2) [1] Solange Darlehensnehmer Leistungen zur Sicherung des Lebensunterhalts beziehen, werden Rückzahlungsansprüche aus Darlehen ab dem Monat, der auf die Auszahlung folgt, durch monatliche Aufrechnung in Höhe von 5 Prozent des maßgebenden Regelbedarfs getilgt. [2] § 43 Absatz 3 gilt entsprechend. [3] Die Aufrechnung ist gegenüber den Darlehensnehmern schriftlich durch Verwaltungsakt zu erklären. [4] Satz 1 gilt nicht, soweit Leistungen zur Sicherung des Lebensunterhalts als Darlehen erbracht werden oder soweit bereits gemäß § 43 in Höhe von mehr als 20 Prozent des für die Darlehensnehmer maßgebenden Regelbedarfs gegen deren Ansprüche auf Geldleistungen zur Sicherung des Lebensunterhalts aufgerechnet wird.

(3) [1] Rückzahlungsansprüche aus Darlehen nach § 24 Absatz 5 sind nach erfolgter Verwertung sofort in voller Höhe und Rückzahlungsansprüche aus Darlehen nach § 22 Absatz 6 bei Rückzahlung durch den Vermieter sofort in Höhe des noch nicht getilgten Darlehensbetrages fällig. [2] Deckt der erlangte Betrag den noch nicht getilgten Darlehensbetrag nicht, soll eine Vereinbarung über die Rückzahlung des ausstehenden Betrags unter Berücksichtigung der wirtschaftlichen Verhältnisse der Darlehensnehmer getroffen werden.

(4) [1] Nach Beendigung des Leistungsbezuges ist der noch nicht getilgte Darlehensbetrag sofort fällig. [2] Über die Rückzahlung des ausstehenden Betrags soll eine Vereinbarung unter Berücksichtigung der wirtschaftlichen Verhältnisse der Darlehensnehmer getroffen werden.

(5) [1] Rückzahlungsansprüche aus Darlehen nach § 27 Absatz 3 sind abweichend von Absatz 4 Satz 1 erst nach Abschluss der Ausbildung fällig. [2] Absatz 4 Satz 2 gilt entsprechend.

(6) Sofern keine abweichende Tilgungsbestimmung getroffen wird, werden Zahlungen, die zur Tilgung der gesamten fälligen Schuld nicht ausreichen, zunächst auf das zuerst erbrachte Darlehen angerechnet.

---

1) Nr. **691**.

2) § 42a Abs. 2 Satz 2 eingef., bish. Sätze 2 und 3 werden Sätze 3 und 4, neuer Satz 4 neu gef., Abs. 5 Satz 1 geänd. mWv 1.8.2016 durch G v. 26.7.2016 (BGBl. I S. 1824); Abs. 1 Satz 1, Abs. 2 Satz 4 neu gef. mWv 1.1.2023, Abs. 2 Satz 1 geänd. mWv 1.7.2023 durch G v. 16.12.2022 (BGBl. I S. 2328); Abs. 1 Satz 1 geänd. mWv 1.7.2026 durch G v. 16.4.2026 (BGBl. 2026 I Nr. 107).

§ 43[1] **Aufrechnung.** (1) [1]Die Jobcenter können gegen Ansprüche leistungsberechtigter Personen auf Geldleistungen zur Sicherung des Lebensunterhalts aufrechnen mit

1. Erstattungsansprüchen nach § 50 des Zehnten Buches[2],
2. Ersatzansprüchen nach den §§ 34 und 34a,
3. Erstattungsansprüchen nach § 34b oder
4. Erstattungsansprüchen nach § 41a Absatz 6 Satz 3.

[2]Die Jobcenter rechnen gegen Ansprüche von leistungsberechtigten Personen auf Geldleistungen zur Sicherung des Lebensunterhalts mit Erstattungs- oder Ersatzansprüchen nach Satz 1 auf, wenn nach § 24 Absatz 2 Nummer 7 des Zehnten Buches[2] von einer Anhörung abgesehen werden kann.

(2) [1]Die Höhe der Aufrechnung beträgt bei Erstattungsansprüchen, die auf § 41a oder auf § 48 Absatz 1 Satz 2 Nummer 3 in Verbindung mit § 50 des Zehnten Buches[2] beruhen, 10 Prozent des für die leistungsberechtigte Person maßgebenden Regelbedarfs, in den übrigen Fällen 30 Prozent. [2]Die Aufrechnung, die zusammen mit bereits laufenden Aufrechnungen nach Absatz 1 und nach § 42a Absatz 2 insgesamt 30 Prozent des maßgebenden Regelbedarfs übersteigen würde, ist unzulässig.

(3) [1]Eine Aufrechnung ist nicht zulässig für Zeiträume, in denen der Auszahlungsanspruch nach § 31b Absatz 1 Satz 1 um mindestens 30 Prozent des maßgebenden Regelbedarfs gemindert ist. [2]Ist die Minderung des Auszahlungsanspruchs geringer, ist die Höhe der Aufrechnung auf die Differenz zwischen dem Minderungsbetrag und 30 Prozent des maßgebenden Regelbedarfs begrenzt.

(4) [1]Die Aufrechnung ist gegenüber der leistungsberechtigten Person schriftlich durch Verwaltungsakt zu erklären. [2]Sie endet spätestens drei Jahre nach dem Monat, der auf die Bestandskraft der in Absatz 1 genannten Entscheidungen folgt. [3]Zeiten, in denen die Aufrechnung nicht vollziehbar ist, verlängern den Aufrechnungszeitraum entsprechend.

§ 43a Verteilung von Teilzahlungen. Teilzahlungen auf Ersatz- und Erstattungsansprüche der Träger nach diesem Buch gegen Leistungsberechtigte oder Dritte mindern die Aufwendungen der Träger der Aufwendungen im Verhältnis des jeweiligen Anteils an der Forderung zueinander.

§ 44 Veränderung von Ansprüchen. Die Träger von Leistungen nach diesem Buch dürfen Ansprüche erlassen, wenn deren Einziehung nach Lage des einzelnen Falles unbillig wäre.

Abschnitt 2. Einheitliche Entscheidung

§ 44a[3] **Feststellung von Erwerbsfähigkeit und Hilfebedürftigkeit.**

(1) [1]Die Agentur für Arbeit stellt fest, ob die oder der Arbeitsuchende erwerbsfähig ist. [2]Der Entscheidung können widersprechen:

---

[1] § 43 neu gef. mWv 1.8.2016 durch G v. 26.7.2016 (BGBl. I S. 1824); Abs. 1 neu gef. mWv 1.7.2026 durch G v. 16.4.2026 (BGBl. 2026 I Nr. 107).

[2] Nr. **699**.

[3] § 44a Abs. 1 Satz 5 geänd. mWv 1.8.2016 durch G v. 26.7.2016 (BGBl. I S. 1824); Abs. 3 Satz 2 geänd. mWv 1.1.2024 durch G v. 22.12.2023 (BGBl. 2023 I Nr. 408).

1. der kommunale Träger,
2. ein anderer Träger, der bei voller Erwerbsminderung zuständig wäre, oder
3. die Krankenkasse, die bei Erwerbsfähigkeit Leistungen der Krankenversicherung zu erbringen hätte.

³Der Widerspruch ist zu begründen. ⁴Im Widerspruchsfall entscheidet die Agentur für Arbeit, nachdem sie eine gutachterliche Stellungnahme eingeholt hat. ⁵Die gutachterliche Stellungnahme erstellt der nach § 109a Absatz 4 des Sechsten Buches[1] zuständige Träger der Rentenversicherung. ⁶Die Agentur für Arbeit ist bei der Entscheidung über den Widerspruch an die gutachterliche Stellungnahme nach Satz 5 gebunden. ⁷Bis zu der Entscheidung über den Widerspruch erbringen die Agentur für Arbeit und der kommunale Träger bei Vorliegen der übrigen Voraussetzungen Leistungen der Grundsicherung für Arbeitsuchende.

(1a) ¹Der Einholung einer gutachterlichen Stellungnahme nach Absatz 1 Satz 4 bedarf es nicht, wenn der zuständige Träger der Rentenversicherung bereits nach § 109a Absatz 2 Satz 2 des Sechsten Buches[1] eine gutachterliche Stellungnahme abgegeben hat. ²Die Agentur für Arbeit ist an die gutachterliche Stellungnahme gebunden.

(2) Die gutachterliche Stellungnahme des Rentenversicherungsträgers zur Erwerbsfähigkeit ist für alle gesetzlichen Leistungsträger nach dem Zweiten, Dritten[2], Fünften[3], Sechsten[4] und Zwölften Buch[5] bindend; § 48 des Zehnten Buches[6] bleibt unberührt.

(3) ¹Entscheidet die Agentur für Arbeit, dass ein Anspruch auf Leistungen der Grundsicherung für Arbeitsuchende nicht besteht, stehen ihr und dem kommunalen Träger Erstattungsansprüche nach § 103 des Zehnten Buches[7] zu, wenn der oder dem Leistungsberechtigten eine andere Sozialleistung zuerkannt wird. ²§ 103 Absatz 3 des Zehnten Buches[7] gilt mit der Maßgabe, dass Zeitpunkt der Kenntnisnahme der Leistungsverpflichtung des Trägers der Sozialhilfe, der Sozialen Entschädigung nach dem Vierzehnten Buch[8], soweit er Besondere Leistungen im Einzelfall erbringt, und der Jugendhilfe der Tag des Widerspruchs gegen die Feststellung der Agentur für Arbeit ist.

(4) ¹Die Agentur für Arbeit stellt fest, ob und in welchem Umfang die erwerbsfähige Person und die dem Haushalt angehörenden Personen hilfebedürftig sind. ²Sie ist dabei und bei den weiteren Entscheidungen nach diesem Buch an die Feststellung der Angemessenheit der Kosten für Unterkunft und Heizung durch den kommunalen Träger gebunden. ³Die Agentur für Arbeit stellt fest, ob die oder der erwerbsfähige Leistungsberechtigte oder die dem Haushalt angehörenden Personen vom Bezug von Leistungen nach diesem Buch ausgeschlossen sind.

(5) ¹Der kommunale Träger stellt die Höhe der in seiner Zuständigkeit zu erbringenden Leistungen fest. ²Er ist dabei und bei den weiteren Entscheidun-

[1] **beck-online, Module Arbeitsrecht Nr. 696.**
[2] Nr. **700**.
[3] Auszugsweise abgedruckt unter Nr. **695**.
[4] Auszugsweise abgedruckt unter Nr. **696**.
[5] **Aichberger, SGB Nr. 12.**
[6] Nr. **699**.
[7] **beck-online, Module Arbeitsrecht Nr. 699.**
[8] **Aichberger, SGB Nr. 14.**

gen nach diesem Buch an die Feststellungen der Agentur für Arbeit nach Absatz 4 gebunden. [3] Satz 2 gilt nicht, sofern der kommunale Träger zur vorläufigen Zahlungseinstellung berechtigt ist und dies der Agentur für Arbeit vor dieser Entscheidung mitteilt.

(6) [1] Der kommunale Träger kann einer Feststellung der Agentur für Arbeit nach Absatz 4 Satz 1 oder 3 innerhalb eines Monats schriftlich widersprechen, wenn er aufgrund der Feststellung höhere Leistungen zu erbringen hat. [2] Der Widerspruch ist zu begründen; er befreit nicht von der Verpflichtung, die Leistungen entsprechend der Feststellung der Agentur für Arbeit zu gewähren. [3] Die Agentur für Arbeit überprüft ihre Feststellung und teilt dem kommunalen Träger innerhalb von zwei Wochen ihre endgültige Feststellung mit. [4] Hält der kommunale Träger seinen Widerspruch aufrecht, sind die Träger bis zu einer anderen Entscheidung der Agentur für Arbeit oder einer gerichtlichen Entscheidung an die Feststellung der Agentur für Arbeit gebunden.

§ 44b[1)] Gemeinsame Einrichtung. (1) [1] Zur einheitlichen Durchführung der Grundsicherung für Arbeitsuchende bilden die Träger im Gebiet jedes kommunalen Trägers nach § 6 Absatz 1 Satz 1 Nummer 2 eine gemeinsame Einrichtung. [2] Die gemeinsame Einrichtung nimmt die Aufgaben der Träger nach diesem Buch wahr; die Trägerschaft nach § 6 sowie nach den §§ 6a und 6b bleibt unberührt. [3] Die gemeinsame Einrichtung ist befugt, Verwaltungsakte und Widerspruchsbescheide zu erlassen. [4] Die Aufgaben werden von Beamtinnen und Beamten sowie Arbeitnehmerinnen und Arbeitnehmern wahrgenommen, denen entsprechende Tätigkeiten zugewiesen worden sind.

(2) [1] Die Träger bestimmen den Standort sowie die nähere Ausgestaltung und Organisation der gemeinsamen Einrichtung durch Vereinbarung. [2] Die Ausgestaltung und Organisation der gemeinsamen Einrichtung sollen die Besonderheiten der beteiligten Träger, des regionalen Arbeitsmarktes und der regionalen Wirtschaftsstruktur berücksichtigen. [3] Die Träger können die Zusammenlegung mehrerer gemeinsamer Einrichtungen zu einer gemeinsamen Einrichtung vereinbaren.

(3) [1] Den Trägern obliegt die Verantwortung für die rechtmäßige und zweckmäßige Erbringung ihrer Leistungen. [2] Sie haben in ihrem Aufgabenbereich nach § 6 Absatz 1 Nummer 1 oder 2 gegenüber der gemeinsamen Einrichtung ein Weisungsrecht; dies gilt nicht im Zuständigkeitsbereich der Trägerversammlung nach § 44c. [3] Die Träger sind berechtigt, von der gemeinsamen Einrichtung die Erteilung von Auskunft und Rechenschaftslegung über die Leistungserbringung zu fordern, die Wahrnehmung der Aufgaben in der gemeinsamen Einrichtung zu prüfen und die gemeinsame Einrichtung an ihre Auffassung zu binden. [4] Vor Ausübung ihres Weisungsrechts in Angelegenheiten grundsätzlicher Bedeutung befassen die Träger den Kooperationsausschuss nach § 18b. [5] Der Kooperationsausschuss kann innerhalb von zwei Wochen nach Anrufung eine Empfehlung abgeben.

(4) [1] Die gemeinsame Einrichtung kann einzelne Aufgaben auch durch die Träger wahrnehmen lassen. [2] Im Übrigen gelten die §§ 88 bis 92 des Zehnten Buches[2)] für die gemeinsamen Einrichtungen im Aufgabenbereich dieses Buches entsprechend.

---

1) § 44b Abs. 4 Satz 2 angef. mWv 1.8.2016 durch G v. 26.7.2016 (BGBl. I S. 1824).

2) **beck-online, Module Arbeitsrecht Nr. 699.**

(5) Die Bundesagentur stellt der gemeinsamen Einrichtung Angebote an Dienstleistungen zur Verfügung.

(6) Die Träger teilen der gemeinsamen Einrichtung alle Tatsachen und Feststellungen mit, von denen sie Kenntnis erhalten und die für die Leistungen erforderlich sind.

§ 44c[1] Trägerversammlung. (1) [1]Die gemeinsame Einrichtung hat eine Trägerversammlung. [2]In der Trägerversammlung sind Vertreterinnen und Vertreter der Agentur für Arbeit und des kommunalen Trägers je zur Hälfte vertreten. [3]In der Regel entsenden die Träger je drei Vertreterinnen oder Vertreter. [4]Jede Vertreterin und jeder Vertreter hat eine Stimme. [5]Die Vertreterinnen und Vertreter wählen eine Vorsitzende oder einen Vorsitzenden für eine Amtszeit von bis zu fünf Jahren. [6]Kann in der Trägerversammlung keine Einigung über die Person der oder des Vorsitzenden erzielt werden, wird die oder der Vorsitzende von den Vertreterinnen und Vertretern der Agentur für Arbeit und des kommunalen Trägers abwechselnd jeweils für zwei Jahre bestimmt; die erstmalige Bestimmung erfolgt durch die Vertreterinnen und Vertreter der Agentur für Arbeit. [7]Die Trägerversammlung entscheidet durch Beschluss mit Stimmenmehrheit. [8]Bei Stimmengleichheit entscheidet die Stimme der oder des Vorsitzenden; dies gilt nicht für Entscheidungen nach Absatz 2 Satz 2 Nummer 1, 4 und 8. [9]Die Beschlüsse sind von der oder dem Vorsitzenden schriftlich oder elektronisch niederzulegen. [10]Die Trägerversammlung gibt sich eine Geschäftsordnung.

(2) [1]Die Trägerversammlung entscheidet über organisatorische, personalwirtschaftliche, personalrechtliche und personalvertretungsrechtliche Angelegenheiten der gemeinsamen Einrichtung. [2]Dies sind insbesondere

1. die Bestellung und Abberufung der Geschäftsführerin oder des Geschäftsführers,
2. der Verwaltungsablauf und die Organisation,
3. die Änderung des Standorts der gemeinsamen Einrichtung,
4. die Entscheidungen nach § 6 Absatz 1 Satz 2 und § 44b Absatz 4, ob einzelne Aufgaben durch die Träger oder durch Dritte wahrgenommen werden,
5. die Regelung der Ordnung in der Dienststelle und des Verhaltens der Beschäftigten,
6. die Arbeitsplatzgestaltung,
7. die Genehmigung von Dienstvereinbarungen mit der Personalvertretung,
8. die Aufstellung des Stellenplans und der Richtlinien zur Stellenbewirtschaftung,
9. die grundsätzlichen Regelungen der innerdienstlichen, sozialen und persönlichen Angelegenheiten der Beschäftigten.

(3) Die Trägerversammlung nimmt in Streitfragen zwischen Personalvertretung und Geschäftsführerin oder Geschäftsführer die Aufgaben einer übergeordneten Dienststelle und obersten Dienstbehörde nach den §§ 71 bis 75, 77 und 82 des Bundespersonalvertretungsgesetzes[2] wahr.

---

[1] § 44c Abs. 1 Satz 9 geänd. mWv 5.4.2017 durch G v. 29.3.2017 (BGBl. I S. 626); Abs. 3 geänd. mWv 15.6.2021 durch G v. 9.6.2021 (BGBl. I S. 1614).

[2] Nr. **572**.

(4) [1]Die Trägerversammlung berät zu gemeinsamen Betreuungsschlüsseln. [2]Sie hat dabei die zur Verfügung stehenden Haushaltsmittel zu berücksichtigen. [3]Bei der Personalbedarfsermittlung sind im Regelfall folgende Anteilsverhältnisse zwischen eingesetztem Personal und Leistungsberechtigten nach diesem Buch zu berücksichtigen:

1. 1:75 bei der Gewährung der Leistungen zur Eingliederung in Arbeit von erwerbsfähigen Leistungsberechtigten bis zur Vollendung des 25. Lebensjahres,
2. 1:150 bei der Gewährung der Leistungen zur Eingliederung in Arbeit von erwerbsfähigen Leistungsberechtigten, die das 25. Lebensjahr vollendet und die Altersgrenze nach § 7a noch nicht erreicht haben.

(5) [1]Die Trägerversammlung stellt einheitliche Grundsätze der Qualifizierungsplanung und Personalentwicklung auf, die insbesondere der individuellen Entwicklung der Mitarbeiterinnen und Mitarbeiter dienen und ihnen unter Beachtung ihrer persönlichen Interessen und Fähigkeiten die zur Wahrnehmung ihrer Aufgaben erforderliche Qualifikation vermitteln sollen. [2]Die Trägerversammlung stimmt die Grundsätze der Personalentwicklung mit den Personalentwicklungskonzepten der Träger ab. [3]Die Geschäftsführerin oder der Geschäftsführer berichtet der Trägerversammlung regelmäßig über den Stand der Umsetzung.

(6) In der Trägerversammlung wird das örtliche Arbeitsmarkt- und Integrationsprogramm der Grundsicherung für Arbeitsuchende unter Beachtung von Zielvorgaben der Träger abgestimmt.

§ 44d Geschäftsführerin, Geschäftsführer. (1) [1]Die Geschäftsführerin oder der Geschäftsführer führt hauptamtlich die Geschäfte der gemeinsamen Einrichtung, soweit durch Gesetz nichts Abweichendes bestimmt ist. [2]Sie oder er vertritt die gemeinsame Einrichtung gerichtlich und außergerichtlich. [3]Sie oder er hat die von der Trägerversammlung in deren Aufgabenbereich beschlossenen Maßnahmen auszuführen und nimmt an deren Sitzungen beratend teil.

(2) [1]Die Geschäftsführerin oder der Geschäftsführer wird für fünf Jahre bestellt. [2]Für die Ausschreibung der zu besetzenden Stelle findet § 4 der Bundeslaufbahnverordnung[1)] entsprechende Anwendung. [3]Kann in der Trägerversammlung keine Einigung über die Person der Geschäftsführerin oder des Geschäftsführers erzielt werden, unterrichtet die oder der Vorsitzende der Trägerversammlung den Kooperationsausschuss. [4]Der Kooperationsausschuss hört die Träger der gemeinsamen Einrichtung an und unterbreitet einen Vorschlag. [5]Können sich die Mitglieder des Kooperationsausschusses nicht auf einen Vorschlag verständigen oder kann in der Trägerversammlung trotz Vorschlags keine Einigung erzielt werden, wird die Geschäftsführerin oder der Geschäftsführer von der Agentur für Arbeit und dem kommunalen Träger abwechselnd jeweils für zweieinhalb Jahre bestimmt. [6]Die erstmalige Bestimmung erfolgt durch die Agentur für Arbeit; abweichend davon erfolgt die erstmalige Bestimmung durch den kommunalen Träger, wenn die Agentur für Arbeit erstmalig die Vorsitzende oder den Vorsitzenden der Trägerversammlung bestimmt hat. [7]Die Geschäftsführerin oder der Geschäftsführer kann auf Beschluss der Trägerversammlung vorzeitig abberufen werden. [8]Bis zur Bestellung

---

1) **Sartorius Nr. 180.**

einer neuen Geschäftsführerin oder eines neuen Geschäftsführers führt sie oder er die Geschäfte der gemeinsamen Einrichtung kommissarisch.

(3) [1]Die Geschäftsführerin oder der Geschäftsführer ist Beamtin, Beamter, Arbeitnehmerin oder Arbeitnehmer eines Trägers und untersteht dessen Dienstaufsicht. [2]Soweit sie oder er Beamtin, Beamter, Arbeitnehmerin oder Arbeitnehmer einer nach § 6 Absatz 2 Satz 1 herangezogenen Gemeinde ist, untersteht sie oder er der Dienstaufsicht ihres oder seines Dienstherrn oder Arbeitgebers.

(4) Die Geschäftsführerin oder der Geschäftsführer übt über die Beamtinnen und Beamten sowie die Arbeitnehmerinnen und Arbeitnehmer, denen in der gemeinsamen Einrichtung Tätigkeiten zugewiesen worden sind, die dienst-, personal- und arbeitsrechtlichen Befugnisse der Bundesagentur und des kommunalen Trägers und die Dienstvorgesetzten- und Vorgesetztenfunktion, mit Ausnahme der Befugnisse zur Begründung und Beendigung der mit den Beamtinnen und Beamten sowie Arbeitnehmerinnen und Arbeitnehmern bestehenden Rechtsverhältnisse, aus.

(5) Die Geschäftsführerin ist Leiterin, der Geschäftsführer ist Leiter der Dienststelle im personalvertretungsrechtlichen Sinn und Arbeitgeber im Sinne des Arbeitsschutzgesetzes.

(6) Bei personalrechtlichen Entscheidungen, die in der Zuständigkeit der Träger liegen, hat die Geschäftsführerin oder der Geschäftsführer ein Anhörungs- und Vorschlagsrecht.

(7) [1]Bei der besoldungsrechtlichen Einstufung der Dienstposten der Geschäftsführerinnen und der Geschäftsführer sind Höchstgrenzen einzuhalten. [2]Die Besoldungsgruppe A 16 der Bundesbesoldungsordnung A, in Ausnahmefällen die Besoldungsgruppe B 3 der Bundesbesoldungsordnung B, oder die entsprechende landesrechtliche Besoldungsgruppe darf nicht überschritten werden. [3]Das Entgelt für Arbeitnehmerinnen und Arbeitnehmer darf die für Beamtinnen und Beamte geltende Besoldung nicht übersteigen.

§ 44e[1)] Verfahren bei Meinungsverschiedenheit über die Weisungszuständigkeit. (1) [1]Zur Beilegung einer Meinungsverschiedenheit über die Zuständigkeit nach § 44b Absatz 3 und § 44c Absatz 2 können die Träger oder die Trägerversammlung den Kooperationsausschuss anrufen. [2]Stellt die Geschäftsführerin oder der Geschäftsführer fest, dass sich Weisungen der Träger untereinander oder mit einer Weisung der Trägerversammlung widersprechen, unterrichtet sie oder er unverzüglich die Träger, um diesen Gelegenheit zur Überprüfung der Zuständigkeit zum Erlass der Weisungen zu geben. [3]Besteht die Meinungsverschiedenheit danach fort, kann die Geschäftsführerin oder der Geschäftsführer den Kooperationsausschuss anrufen.

(2) [1]Der Kooperationsausschuss entscheidet nach Anhörung der Träger und der Geschäftsführerin oder des Geschäftsführers durch Beschluss mit Stimmenmehrheit. [2]Bei Stimmengleichheit entscheidet die Stimme der oder des Vorsitzenden. [3]Die Beschlüsse des Ausschusses sind von der Vorsitzenden oder von dem Vorsitzenden schriftlich oder elektronisch niederzulegen. [4]Die oder der Vorsitzende teilt den Trägern, der Trägerversammlung sowie der Geschäftsführerin oder dem Geschäftsführer die Beschlüsse mit.

[1)] § 44e Abs. 2 Satz 3 geänd. mWv 5.4.2017 durch G v. 29.3.2017 (BGBl. I S. 626).

(3) [1]Die Entscheidung des Kooperationsausschusses bindet die Träger. [2]Soweit nach anderen Vorschriften der Rechtsweg gegeben ist, wird er durch die Anrufung des Kooperationsausschusses nicht ausgeschlossen.

§ 44f[1)] Bewirtschaftung von Bundesmitteln. (1) [1]Die Bundesagentur überträgt der gemeinsamen Einrichtung die Bewirtschaftung von Haushaltsmitteln des Bundes, die sie im Rahmen von § 46 bewirtschaftet. [2]Für die Übertragung und die Bewirtschaftung gelten die haushaltsrechtlichen Bestimmungen des Bundes.

(2) [1]Zur Bewirtschaftung der Haushaltsmittel des Bundes bestellt die Geschäftsführerin oder der Geschäftsführer eine Beauftragte oder einen Beauftragten für den Haushalt. [2]Die Geschäftsführerin oder der Geschäftsführer und die Trägerversammlung haben die Beauftragte oder den Beauftragten für den Haushalt an allen Maßnahmen von finanzieller Bedeutung zu beteiligen.

(3) Die Bundesagentur hat die Übertragung der Bewirtschaftung zu widerrufen, wenn die gemeinsame Einrichtung bei der Bewirtschaftung wiederholt oder erheblich gegen Rechts- oder Verwaltungsvorschriften verstoßen hat und durch die Bestellung einer oder eines anderen Beauftragten für den Haushalt keine Abhilfe zu erwarten ist.

(4) [1]Näheres zur Übertragung und Durchführung der Bewirtschaftung von Haushaltsmitteln des Bundes kann zwischen der Bundesagentur und der gemeinsamen Einrichtung vereinbart werden. [2]Der kommunale Träger kann die gemeinsame Einrichtung auch mit der Bewirtschaftung von kommunalen Haushaltsmitteln beauftragen.

(5) Auf Beschluss der Trägerversammlung kann die Befugnis nach Absatz 1 auf die Bundesagentur zurückübertragen werden.

(6) [1]Über einen Passiv-Aktiv-Transfer können Förderungen in Höhe von 50 Prozent aus Mitteln für Leistungen nach den §§ 20 und 21 finanziert werden,

1. zur Aufnahme einer sozialversicherungspflichtigen Beschäftigung nach § 16 Absatz 1 Satz 2 Nummer 5,
2. zur Aufnahme einer sozialversicherungspflichtigen Beschäftigung oder selbständigen Erwerbstätigkeit nach § 16b,
3. zur Eingliederung von Langzeitleistungsbeziehenden nach § 16e und
4. zur Teilhabe am Arbeitsmarkt nach § 16i.

[2]Die Finanzierung nach Satz 1 ist bis zur Höhe des dadurch im konkreten Einzelfall eingesparten Grundsicherungsgeldes und Bundesanteils an den Kosten der Unterkunft und Heizung (Passiv-Aktiv-Transfer), insgesamt auf höchstens 700 Millionen Euro pro Jahr begrenzt.

§ 44g[2)] Zuweisung von Tätigkeiten bei der gemeinsamen Einrichtung. (1) [1]Beamtinnen und Beamten sowie Arbeitnehmerinnen und Arbeitnehmern der Träger und der nach § 6 Absatz 2 Satz 1 herangezogenen Gemeinden und Gemeindeverbände können mit Zustimmung der Geschäftsführerin oder des Geschäftsführers der gemeinsamen Einrichtung nach den beamten- und tarifrechtlichen Regelungen Tätigkeiten bei den gemeinsamen

---

[1)] § 44f Abs. 6 angef. mWv 1.7.2026 durch G v. 16.4.2026 (BGBl. 2026 I Nr. 107).

[2)] § 44g Abs. 1 und 2 neu gef. mWv 1.1.2015 durch G v. 28.7.2014 (BGBl. I S. 1306); Abs. 2 aufgeh. mWv 1.1.2023 durch G v. 16.12.2022 (BGBl. I S. 2328).

Einrichtungen zugewiesen werden; diese Zuweisung kann auch auf Dauer erfolgen. [2]Die Zuweisung ist auch ohne Zustimmung der Beamtinnen und Beamten sowie Arbeitnehmerinnen und Arbeitnehmer zulässig, wenn dringende dienstliche Interessen es erfordern.

(2) *(aufgehoben)*

(3) [1]Die Rechtsstellung der Beamtinnen und der Beamten bleibt unberührt. [2]Ihnen ist eine ihrem Amt entsprechende Tätigkeit zu übertragen.

(4) [1]Die mit der Bundesagentur, dem kommunalen Träger oder einer nach § 6 Absatz 2 Satz 1 herangezogenen Gemeinde oder einem Gemeindeverband bestehenden Arbeitsverhältnisse bleiben unberührt. [2]Werden einer Arbeitnehmerin oder einem Arbeitnehmer aufgrund der Zuweisung Tätigkeiten übertragen, die einer niedrigeren Entgeltgruppe oder Tätigkeitsebene zuzuordnen sind, bestimmt sich die Eingruppierung nach der vorherigen Tätigkeit.

(5) [1]Die Zuweisung kann

1. aus dienstlichen Gründen mit einer Frist von drei Monaten,
2. auf Verlangen der Beamtin, des Beamten, der Arbeitnehmerin oder des Arbeitnehmers aus wichtigem Grund jederzeit

beendet werden. [2]Die Geschäftsführerin oder der Geschäftsführer kann der Beendigung nach Nummer 2 aus zwingendem dienstlichem Grund widersprechen.

§ 44h Personalvertretung. (1) [1]In den gemeinsamen Einrichtungen wird eine Personalvertretung gebildet. [2]Die Regelungen des Bundespersonalvertretungsgesetzes gelten entsprechend.

(2) Die Beamtinnen und Beamten sowie Arbeitnehmerinnen und Arbeitnehmer in der gemeinsamen Einrichtung besitzen für den Zeitraum, für den ihnen Tätigkeiten in der gemeinsamen Einrichtung zugewiesen worden sind, ein aktives und passives Wahlrecht zu der Personalvertretung.

(3) Der Personalvertretung der gemeinsamen Einrichtung stehen alle Rechte entsprechend den Regelungen des Bundespersonalvertretungsgesetzes zu, soweit der Trägerversammlung oder der Geschäftsführerin oder dem Geschäftsführer Entscheidungsbefugnisse in personalrechtlichen, personalwirtschaftlichen, sozialen oder die Ordnung der Dienststelle betreffenden Angelegenheiten zustehen.

(4) [1]Zur Erörterung und Abstimmung gemeinsamer personalvertretungsrechtlich relevanter Angelegenheiten wird eine Arbeitsgruppe der Vorsitzenden der Personalvertretungen der gemeinsamen Einrichtungen eingerichtet. [2]Die Arbeitsgruppe hält bis zu zwei Sitzungen im Jahr ab. [3]Sie beschließt mit der Mehrheit der Stimmen ihrer Mitglieder eine Geschäftsordnung, die Regelungen über den Vorsitz, das Verfahren zur internen Willensbildung und zur Beschlussfassung enthalten muss. [4]Die Arbeitsgruppe kann Stellungnahmen zu Maßnahmen der Träger, die Einfluss auf die Arbeitsbedingungen aller Arbeitnehmerinnen und Arbeitnehmer sowie Beamtinnen und Beamten in den gemeinsamen Einrichtungen haben können, an die zuständigen Träger abgeben.

(5) Die Rechte der Personalvertretungen der abgebenden Dienstherren und Arbeitgeber bleiben unberührt, soweit die Entscheidungsbefugnisse bei den Trägern verbleiben.

§ 44i Schwerbehindertenvertretung; Jugend- und Auszubildendenvertretung. Auf die Schwerbehindertenvertretung und Jugend- und Auszubildendenvertretung ist § 44h entsprechend anzuwenden.

§ 44j Gleichstellungsbeauftragte. [1]In der gemeinsamen Einrichtung wird eine Gleichstellungsbeauftragte bestellt. [2]Das Bundesgleichstellungsgesetz gilt entsprechend. [3]Der Gleichstellungsbeauftragten stehen die Rechte entsprechend den Regelungen des Bundesgleichstellungsgesetzes zu, soweit die Trägerversammlung und die Geschäftsführer entscheidungsbefugt sind.

§ 44k[1)] Stellenbewirtschaftung. (1) Mit der Zuweisung von Tätigkeiten nach § 44g Absatz 1 übertragen die Träger der gemeinsamen Einrichtung die entsprechenden Planstellen und Stellen sowie Ermächtigungen für die Beschäftigung von Arbeitnehmerinnen und Arbeitnehmern mit befristeten Arbeitsverträgen zur Bewirtschaftung.

(2) [1]Der von der Trägerversammlung aufzustellende Stellenplan bedarf der Genehmigung der Träger. [2]Bei Aufstellung und Bewirtschaftung des Stellenplanes unterliegt die gemeinsame Einrichtung den Weisungen der Träger.

§ 45 (weggefallen)

Kapitel 5. Finanzierung und Aufsicht

§ 46[2)] Finanzierung aus Bundesmitteln. (1) [1]Der Bund trägt die Aufwendungen der Grundsicherung für Arbeitsuchende einschließlich der Verwaltungskosten, soweit die Leistungen von der Bundesagentur erbracht werden. [2]Der Bundesrechnungshof prüft die Leistungsgewährung. [3]Dies gilt auch, soweit die Aufgaben von gemeinsamen Einrichtungen nach § 44b wahrgenommen werden. [4]Eine Pauschalierung von Eingliederungsleistungen und Verwaltungskosten ist zulässig. [5]Die Mittel für die Erbringung von Eingliederungsleistungen und Verwaltungskosten werden in einem Gesamtbudget veranschlagt.

(2) [1]Der Bund kann festlegen, nach welchen Maßstäben die Mittel nach Absatz 1 Satz 4 auf die Agenturen für Arbeit zu verteilen sind. [2]Bei der Zuweisung wird die Zahl der erwerbsfähigen Leistungsberechtigten nach diesem Buch zugrunde gelegt. [3]Das Bundesministerium für Arbeit und Soziales kann im Einvernehmen mit dem Bundesministerium der Finanzen durch

---

[1)] § 44k Abs. 1 geänd. mWv 1.1.2023 durch G v. 16.12.2022 (BGBl. I S. 2328).

[2)] § 46 Abs. 2 Satz 3 neu gef. mWv 1.4.2012 durch G v. 20.12.2011 (BGBl. I S. 2854); Abs. 2 Satz 3 geänd. mWv 1.1.2013 durch G v. 5.12.2012 (BGBl. I S. 2467); Abs. 4 aufgeh. mWv 1.1.2013 durch G v. 20.12.2012 (BGBl. I S. 2781); Abs. 7a eingef. mWv 1.1.2014 durch G v. 2.12.2014 (BGBl. I S. 1922); Abs. 5 neu gef., Abs. 6 Satz 1 geänd. mWv 31.12.2014 durch G v. 22.12.2014 (BGBl. I S. 2411); Abs. 5 neu gef., Abs. 6 Satz 1 geänd. mWv 30.6.2015 durch G v. 24.6.2015 (BGBl. I S. 974); Abs. 2 Satz 3 geänd. mWv 1.8.2016 durch G v. 26.7.2016 (BGBl. I S. 1824); Abs. 5–7 neu gef., Abs. 7a aufgeh., Abs. 8–10 eingef., bish. Abs. 8 wird Abs. 11 und Satz 1 geänd., Satz 4 eingef., bish. Sätze 4 und 5 werden Sätze 5 und 6 mWv 7.12.2016 durch G v. 1.12.2016 (BGBl. I S. 2755); Abs. 7 und 9 neu gef., Abs. 10 Satz 1 neu gef., Satz 4 geänd., Sätze 5–7 neu gef., Sätze 8 und 9 aufgeh. mWv 21.12.2018 durch G v. 17.12.2018 (BGBl. I S. 2522); Abs. 2 Satz 3 aufgeh., bish. Satz 4 wird Satz 3 mWv 1.1.2019 durch G v. 17.12.2018 (BGBl. I S. 2583); Abs. 7 Nr. 2 geänd., Nr. 3 neu gef., Nr. 4 und 5 angef., Abs. 9 geänd. Abs. 10 Satz 1 neu gef., Satz 7 geänd., Abs. 11 Sätze 1, 2 und 5 geänd., Satz 6 neu gef., Sätze 7 und 8 angef. mWv 13.12.2019 durch G v. 9.12.2019 (BGBl. I S. 2051); Abs. 5 Satz 2 geänd., Abs. 7 neu gef., Abs. 10 Sätze 6 und 7 geänd. mWv 15.10.2020 durch G v. 6.10.2020 (BGBl. I S. 2072).

Rechtsverordnungohne Zustimmung des Bundesrates andere oder ergänzende Maßstäbe für die Verteilung der Mittel nach Absatz 1 Satz 4 festlegen.

(3) [1]Der Anteil des Bundes an den Gesamtverwaltungskosten der gemeinsamen Einrichtungen beträgt 84,8 Prozent. [2]Durch Rechtsverordnung mit Zustimmung des Bundesrates kann das Bundesministerium für Arbeit und Soziales im Einvernehmen mit dem Bundesministerium der Finanzen festlegen, nach welchen Maßstäben

1. kommunale Träger die Aufwendungen der Grundsicherung für Arbeitsuchende bei der Bundesagentur abrechnen, soweit sie Aufgaben nach § 6 Absatz 1 Satz 1 Nummer 1 wahrnehmen,
2. die Gesamtverwaltungskosten, die der Berechnung des Finanzierungsanteils nach Satz 1 zugrunde liegen, zu bestimmen sind.

(4) *(aufgehoben)*

(5) [1]Der Bund beteiligt sich zweckgebunden an den Ausgaben für die Leistungen für Unterkunft und Heizung nach § 22 Absatz 1. [2]Der Bund beteiligt sich höchstens mit 74 Prozent an den bundesweiten Ausgaben für die Leistungen nach § 22 Absatz 1. [3]Es gelten landesspezifische Beteiligungsquoten, deren Höhe sich nach den Absätzen 6 bis 10 bestimmt.

(6) Der Bund beteiligt sich an den Ausgaben für die Leistungen nach § 22 Absatz 1 ab dem Jahr 2016

1. im Land Baden-Württemberg mit 31,6 Prozent,
2. im Land Rheinland-Pfalz mit 37,6 Prozent sowie
3. in den übrigen Ländern mit 27,6 Prozent.

(7) Die in Absatz 6 genannten Prozentsätze erhöhen sich jeweils

1. im Jahr 2018 um 7,9 Prozentpunkte,
2. im Jahr 2019 um 3,3 Prozentpunkte,
3. im Jahr 2020 um 27,7 Prozentpunkte,
4. im Jahr 2021 um 26,2 Prozentpunkte sowie
5. ab dem Jahr 2022 um 35,2 Prozentpunkte.

(8) [1]Die in Absatz 6 genannten Prozentsätze erhöhen sich jeweils um einen landesspezifischen Wert in Prozentpunkten. [2]Dieser entspricht den Gesamtausgaben des jeweiligen Landes für die Leistungen nach § 28 dieses Gesetzes sowie nach § 6b des Bundeskindergeldgesetzes[1)] des abgeschlossenen Vorjahres geteilt durch die Gesamtausgaben des jeweiligen Landes für die Leistungen nach § 22 Absatz 1 des abgeschlossenen Vorjahres multipliziert mit 100.

(9) Die in Absatz 6 genannten Prozentsätze erhöhen sich in den Jahren 2016 bis 2021 jeweils um einen weiteren landesspezifischen Wert in Prozentpunkten.

(10) [1]Das Bundesministerium für Arbeit und Soziales wird ermächtigt, durch Rechtsverordnung mit Zustimmung des Bundesrates

1. die landesspezifischen Werte nach Absatz 8 Satz 1 jährlich für das Folgejahr festzulegen und für das laufende Jahr rückwirkend anzupassen,
2. die weiteren landesspezifischen Werte nach Absatz 9
   a) im Jahr 2019 für das Jahr 2020 festzulegen sowie für das laufende Jahr 2019 und das Vorjahr 2018 rückwirkend anzupassen,

---

[1)] **beck-online, Module Arbeitsrecht Nr. 332.**

b) im Jahr 2020 für das Jahr 2021 festzulegen sowie für das laufende Jahr 2020 und das Vorjahr 2019 rückwirkend anzupassen,

c) im Jahr 2021 für das laufende Jahr 2021 und das Vorjahr 2020 rückwirkend anzupassen,

d) im Jahr 2022 für das Vorjahr 2021 rückwirkend anzupassen sowie

3. die landesspezifischen Beteiligungsquoten jährlich für das Folgejahr festzulegen und für das laufende Jahr rückwirkend anzupassen sowie in den Jahren 2019 bis 2022 für das jeweilige Vorjahr rückwirkend anzupassen.

[2] Die Festlegung und Anpassung der Werte nach Satz 1 Nummer 1 erfolgen in Höhe des jeweiligen Wertes nach Absatz 8 Satz 2 des abgeschlossenen Vorjahres. [3] Für die Festlegung und Anpassung der Werte nach Satz 1 Nummer 2 werden auf der Grundlage statistischer Daten die Vorjahresausgaben eines Landes für Leistungen nach § 22 Absatz 1 für solche Bedarfsgemeinschaften ermittelt, in denen mindestens eine erwerbsfähige leistungsberechtigte Person, die nicht vor Oktober 2015 erstmals leistungsberechtigt war, über eine Aufenthaltsgestattung, eine Duldung oder eine Aufenthaltserlaubnis aus völkerrechtlichen, humanitären oder politischen Gründen nach den §§ 22 bis 26 des Aufenthaltsgesetzes[1)] verfügt. [4] Bei der Ermittlung der Vorjahresausgaben nach Satz 3 ist nur der Teil zu berücksichtigen, der nicht vom Bund auf Basis der geltenden landesspezifischen Werte nach Absatz 6 erstattet wurde. [5] Die Festlegung und Anpassung der Werte nach Satz 1 Nummer 2 erfolgen in Höhe des prozentualen Verhältnisses der nach den Sätzen 3 und 4 abgegrenzten Ausgaben zu den entsprechenden Vorjahresausgaben eines Landes für die Leistungen nach § 22 Absatz 1 für alle Bedarfsgemeinschaften. [6] Soweit die Festlegung und Anpassung nach Satz 1 Nummer 1 und 2 zu landesspezifischen Beteiligungsquoten führen, auf Grund derer sich der Bund mit mehr als 74 Prozent an den bundesweiten Gesamtausgaben für die Leistungen nach § 22 Absatz 1 beteiligt, sind die Werte nach Absatz 7 proportional in dem Umfang zu mindern, dass die Beteiligung an den bundesweiten Gesamtausgaben für die Leistungen nach § 22 Absatz 1 nicht mehr als 74 Prozent beträgt. [7] Soweit eine vollständige Minderung nach Satz 6 nicht ausreichend ist, sind anschließend die Werte nach Absatz 9 proportional in dem Umfang zu mindern, dass die Beteiligung an den bundesweiten Gesamtausgaben für die Leistungen nach § 22 Absatz 1 nicht mehr als 74 Prozent beträgt.

(11) [1] Die Anteile des Bundes an den Leistungen nach § 22 Absatz 1 werden den Ländern erstattet. [2] Der Abruf der Erstattungen ist höchstens zweimal monatlich zulässig. [3] Soweit eine Bundesbeteiligung für Zahlungen geltend gemacht wird, die wegen des fristgerechten Eingangs beim Empfänger bereits am Ende eines Haushaltsjahres geleistet wurden, aber erst im folgenden Haushaltsjahr fällig werden, ist die für das folgende Haushaltsjahr geltende Bundesbeteiligung maßgeblich. [4] Im Rahmen der rückwirkenden Anpassung nach Absatz 10 Satz 1 wird die Differenz, die sich aus der Anwendung der bis zur Anpassung geltenden landesspezifischen Beteiligungsquoten und der durch die Verordnung rückwirkend geltenden landesspezifischen Beteiligungsquoten ergibt, zeitnah im Erstattungsverfahren ausgeglichen. [5] Die Gesamtausgaben für die Leistungen nach § 28 sowie nach § 6b des Bundeskindergeldgesetzes[2)] sowie die Gesamtausgaben für Leistungen nach § 22 Absatz 1 sind durch die

---

[1)] **beck-online, Module Arbeitsrecht Nr. 760.**
[2)] **beck-online, Module Arbeitsrecht Nr. 332.**

Länder bis zum 31. März des Folgejahres zu ermitteln und dem Bundesministerium für Arbeit und Soziales mitzuteilen. [6]Bei der Ermittlung ist maßgebend, dass diese Ausgaben im entsprechenden Jahr vom kommunalen Träger tatsächlich geleistet wurden; davon abweichend sind geleistete Ausgaben in Fällen des Satzes 3 den Gesamtausgaben des Jahres zuzurechnen, in dem sie fällig geworden sind. [7]Die Ausgaben nach Satz 6 sind um entsprechende Einnahmen für die jeweiligen Leistungen im entsprechenden Jahr zu mindern. [8]Die Länder gewährleisten, dass geprüft wird, dass die Ausgaben der kommunalen Träger nach Satz 5 begründet und belegt sind und den Grundsätzen der Wirtschaftlichkeit und Sparsamkeit entsprechen.

§ 47 Aufsicht. (1) [1]Das Bundesministerium für Arbeit und Soziales führt die Rechts- und Fachaufsicht über die Bundesagentur, soweit dieser nach § 44b Absatz 3 ein Weisungsrecht gegenüber den gemeinsamen Einrichtungen zusteht. [2]Das Bundesministerium für Arbeit und Soziales kann der Bundesagentur Weisungen erteilen und sie an seine Auffassung binden; es kann organisatorische Maßnahmen zur Wahrung der Interessen des Bundes an der Umsetzung der Grundsicherung für Arbeitsuchende treffen.

(2) [1]Die zuständigen Landesbehörden führen die Aufsicht über die kommunalen Träger, soweit diesen nach § 44b Absatz 3 ein Weisungsrecht gegenüber den gemeinsamen Einrichtungen zusteht. [2]Im Übrigen bleiben landesrechtliche Regelungen unberührt.

(3) [1]Im Aufgabenbereich der Trägerversammlung führt das Bundesministerium für Arbeit und Soziales die Rechtsaufsicht über die gemeinsamen Einrichtungen im Einvernehmen mit der zuständigen obersten Landesbehörde. [2]Kann ein Einvernehmen nicht hergestellt werden, gibt der Kooperationsausschuss eine Empfehlung ab. [3]Von der Empfehlung kann das Bundesministerium für Arbeit und Soziales nur aus wichtigem Grund abweichen. [4]Im Übrigen ist der Kooperationsausschuss bei Aufsichtsmaßnahmen zu unterrichten.

(4) Das Bundesministerium für Arbeit und Soziales kann durch Rechtsverordnung ohne Zustimmung des Bundesrates die Wahrnehmung seiner Aufgaben nach den Absätzen 1 und 3 auf eine Bundesoberbehörde übertragen.

(5) Die aufsichtführenden Stellen sind berechtigt, die Wahrnehmung der Aufgaben bei den gemeinsamen Einrichtungen zu prüfen.

§ 48 Aufsicht über die zugelassenen kommunalen Träger. (1) Die Aufsicht über die zugelassenen kommunalen Träger obliegt den zuständigen Landesbehörden.

(2) [1]Die Rechtsaufsicht über die obersten Landesbehörden übt die Bundesregierung aus, soweit die zugelassenen kommunalen Träger Aufgaben anstelle der Bundesagentur erfüllen. [2]Zu diesem Zweck kann die Bundesregierung mit Zustimmung des Bundesrates allgemeine Verwaltungsvorschriften zu grundsätzlichen Rechtsfragen der Leistungserbringung erlassen. [3]Die Bundesregierung kann die Ausübung der Rechtsaufsicht auf das Bundesministerium für Arbeit und Soziales übertragen.

(3) Das Bundesministerium für Arbeit und Soziales kann mit Zustimmung des Bundesrates allgemeine Verwaltungsvorschriften für die Abrechnung der Aufwendungen der Grundsicherung für Arbeitsuchende erlassen.

§ 48a Vergleich der Leistungsfähigkeit. (1) Zur Feststellung und Förderung der Leistungsfähigkeit der örtlichen Aufgabenwahrnehmung der Träger der Grundsicherung für Arbeitsuchende erstellt das Bundesministerium für Arbeit und Soziales auf der Grundlage der Kennzahlen nach § 51b Absatz 3 Nummer 3 Kennzahlenvergleiche und veröffentlicht die Ergebnisse vierteljährlich.

(2) Das Bundesministerium für Arbeit und Soziales wird ermächtigt, durch Rechtsverordnung mit Zustimmung des Bundesrates die für die Vergleiche erforderlichen Kennzahlen sowie das Verfahren zu deren Weiterentwicklung und die Form der Veröffentlichung der Ergebnisse festzulegen.

§ 48b Zielvereinbarungen. (1) [1] Zur Erreichung der Ziele nach diesem Buch schließen

1. das Bundesministerium für Arbeit und Soziales im Einvernehmen mit dem Bundesministerium der Finanzen mit der Bundesagentur,
2. die Bundesagentur und die kommunalen Träger mit den Geschäftsführerinnen und Geschäftsführern der gemeinsamen Einrichtungen,
3. das Bundesministerium für Arbeit und Soziales mit der zuständigen Landesbehörde sowie
4. die zuständige Landesbehörde mit den zugelassenen kommunalen Trägern

Vereinbarungen ab. [2] Die Vereinbarungen nach Satz 1 Nummer 2 bis 4 umfassen alle Leistungen dieses Buches. [3] Die Beratungen über die Vereinbarung nach Satz 1 Nummer 3 führen die Kooperationsausschüsse nach § 18b. [4] Im Bund-Länder-Ausschuss nach § 18c wird für die Vereinbarungen nach diesem Absatz über einheitliche Grundlagen beraten.

(2) Die Vereinbarungen werden nach Beschlussfassung des Bundestages über das jährliche Haushaltsgesetz abgeschlossen.

(3) [1] Die Vereinbarungen umfassen insbesondere die Ziele der Verringerung der Hilfebedürftigkeit, Verbesserung der Integration in Erwerbstätigkeit und Vermeidung von langfristigem Leistungsbezug. [2] Die Vereinbarungen nach Absatz 1 Satz 1 Nummer 2 bis 4 umfassen zusätzlich das Ziel der Verbesserung der sozialen Teilhabe.

(4) Die Vereinbarungen nach Absatz 1 Satz 1 Nummer 4 sollen sich an den Vereinbarungen nach Absatz 1 Satz 1 Nummer 3 orientieren.

(5) Für den Abschluss der Vereinbarungen und die Nachhaltung der Zielerreichung sind die Daten nach § 51b und die Kennzahlen nach § 48a Absatz 2 maßgeblich.

(6) Die Vereinbarungen nach Absatz 1 Satz 1 Nummer 1 können

1. erforderliche Genehmigungen oder Zustimmungen des Bundesministeriums für Arbeit und Soziales ersetzen,
2. die Selbstbewirtschaftung von Haushaltsmitteln für Leistungen zur Eingliederung in Arbeit sowie für Verwaltungskosten zulassen.

§ 49 Innenrevision. (1) [1] Die Bundesagentur stellt durch organisatorische Maßnahmen sicher, dass in allen Dienststellen und gemeinsamen Einrichtungen *durch eigenes, nicht der Dienststelle* angehörendes Personal geprüft wird, ob von ihr Leistungen nach diesem Buch unter Beachtung der gesetzlichen Bestimmungen nicht hätten erbracht werden dürfen oder zweckmäßiger oder wirtschaftlicher hätten eingesetzt werden können. 2 Mit der Durchführung der Prüfungen können Dritte beauftragt werden.

(2) Das Prüfpersonal der Bundesagentur ist für die Zeit seiner Prüftätigkeit fachlich unmittelbar der Leitung der Dienststelle unterstellt, in der es beschäftigt ist.

(3) Der Vorstand legt die Berichte nach Absatz 1 unverzüglich dem Bundesministerium für Arbeit und Soziales vor.

Kapitel 6.[1] Datenverarbeitung und datenschutzrechtliche Verantwortung

§ 50[2] Datenübermittlung. (1) 1 Die Bundesagentur, die kommunalen Träger, die zugelassenen kommunalen Träger, gemeinsame Einrichtungen, die für die Bekämpfung von Leistungsmissbrauch und illegaler Beschäftigung zuständigen Stellen und mit der Wahrnehmung von Aufgaben beauftragte Dritte sollen sich gegenseitig Sozialdaten übermitteln, soweit dies zur Erfüllung ihrer Aufgaben nach diesem Buch oder dem Dritten Buch[3] erforderlich ist. 2 Hat die Agentur für Arbeit oder ein zugelassener kommunaler Träger eine externe Gutachterin oder einen externen Gutachter beauftragt, eine ärztliche oder psychologische Untersuchung oder Begutachtung durchzuführen, ist die Übermittlung von Daten an die Agentur für Arbeit oder den zugelassenen kommunalen Träger durch die externe Gutachterin oder den externen Gutachter zulässig, soweit dies zur Erfüllung des Auftrages erforderlich ist.

(2) Die gemeinsame Einrichtung ist Verantwortliche für die Verarbeitung von Sozialdaten nach § 67 Absatz 4 des Zehnten Buches[4] sowie Stelle im Sinne des § 35 Absatz 1 des Ersten Buches[5].

(3) 1 Die gemeinsame Einrichtung nutzt zur Erfüllung ihrer Aufgaben durch die Bundesagentur zentral verwaltete Verfahren der Informationstechnik. 2 Sie ist verpflichtet, auf einen auf dieser Grundlage erstellten gemeinsamen zentralen Datenbestand zuzugreifen. 3 Verantwortliche für die zentral verwalteten Verfahren der Informationstechnik nach § 67 Absatz 4 des Zehnten Buches[4] ist die Bundesagentur.

(4) 1 Eine Verarbeitung von Sozialdaten durch die gemeinsame Einrichtung ist nur unter den Voraussetzungen der Verordnung (EU) 2016/679[6] des Europäischen Parlaments und des Rates vom 27. April 2016 zum Schutz natürlicher Personen bei der Verarbeitung personenbezogener Daten, zum freien Datenverkehr und zur Aufhebung der Richtlinie 95/46/EG[7] (Datenschutz-Grundverordnung) (ABl. L 119 vom 4.5.2016, S. 1; L 314 vom 22.11.2016, S. 72; L 127 vom 23.5.2018, S. 2) in der jeweils geltenden Fassung sowie des Zweiten Kapitels des Zehnten Buches[8] und der übrigen Bücher des Sozialgesetzbuches

---

[1] Kapitel 6 Überschr. neu gef. mWv 26.11.2019 durch G v. 20.11.2019 (BGBl. I S. 1626).

[2] § 50 Abs. 1 Satz 2 angef. mWv 1.8.2016 durch G v. 26.7.2016 (BGBl. I S. 1824); Abs. 2, Abs. 3 Satz 3 geänd., Abs. 4 Satz 1 neu gef., Satz 3 geänd. mWv 26.11.2019 durch G v. 20.11.2019 (BGBl. I S. 1626).

[3] Nr. **700**.

[4] Nr. **699**.

[5] Nr. **691**.

[6] Nr. **489**.

[7] **beck-online, Module Arbeitsrecht Nr. 488.**

[8] Auszugsweise abgedruckt unter Nr. **699**.

zulässig. [2]Der Anspruch auf Zugang zu amtlichen Informationen gegenüber der gemeinsamen Einrichtung richtet sich nach dem Informationsfreiheitsgesetz des Bundes. [3]Die Datenschutzkontrolle und die Kontrolle der Einhaltung der Vorschriften über die Informationsfreiheit bei der gemeinsamen Einrichtung sowie für die zentralen Verfahren der Informationstechnik obliegen nach § 9 Absatz 1 Satz 1 des Bundesdatenschutzgesetzes[1)] der oder dem Bundesbeauftragten für den Datenschutz und die Informationsfreiheit.

§ 50a[2)] Speicherung, Veränderung, Nutzung, Übermittlung, Einschränkung der Verarbeitung oder Löschung von Daten für die Ausbildungsvermittlung. [1]Gemeinsame Einrichtungen und zugelassene kommunale Träger dürfen die ihnen nach § 282b Absatz 4 des Dritten Buches[3)] von der Bundesagentur übermittelten Daten über eintragungsfähige oder eingetragene Ausbildungsverhältnisse ausschließlich speichern, verändern, nutzen, übermitteln oder in der Verarbeitung einschränken zur Verbesserung der

1. Ausbildungsvermittlung,
2. Zuverlässigkeit und Aktualität der Ausbildungsvermittlungsstatistik oder
3. Feststellung von Angebot und Nachfrage auf dem Ausbildungsmarkt.

[2]Die zu diesen Zwecken übermittelten Daten sind spätestens zum Ende des Kalenderjahres zu löschen.

§ 50b[4)] Zentral verwaltete Verfahren der Informationstechnik.

(1) Die Bundesagentur kann neue Technologien erproben, um die Wirtschaftlichkeit der Entwicklung oder Weiterentwicklung eines zentral verwalteten Verfahrens der Informationstechnik zu bewerten.

(2) Die Bundesagentur verfolgt bei der Entwicklung und Weiterentwicklung zentral verwalteter Verfahren der Informationstechnik und hierfür erforderlicher Basisdienste folgende Ziele:

1. nutzerinnen- und nutzerzentrierte Entwicklung und Ausgestaltung von elektronischen Verwaltungsleistungen und -abläufen;
2. Ende-zu-Ende Digitalisierung und Automatisierung von Verwaltungsverfahren;
3. Entwicklung und Betrieb informationstechnischer Infrastrukturen, die eine zügige Anpassung zentral verwalteter Verfahren der Informationstechnik an gesetzliche Vorgaben sicherstellen.

§ 51[5)] Verarbeitung von Sozialdaten durch nicht-öffentliche Stellen.

Die Träger der Leistungen nach diesem Buch dürfen abweichend von § 80 Absatz 3 des Zehnten Buches[6)] zur Erfüllung ihrer Aufgaben nach diesem Buch einschließlich der Erbringung von Leistungen zur Eingliederung in Arbeit und Bekämpfung von Leistungsmissbrauch nicht-öffentliche Stellen mit der Verarbeitung von Sozialdaten beauftragen.

---

1) Nr. **490**.

2) § 50a eingef. mWv 1.8.2016 durch G v. 26.7.2016 (BGBl. I S. 1824); Überschr. neu gef., Satz 1 einl. Satzteil geänd. mWv 26.11.2019 durch G v. 20.11.2019 (BGBl. I S. 1626).

3) Nr. **700**.

4) § 50b eingef. mWv 1.7.2026 durch G v. 16.4.2026 (BGBl. 2026 I Nr. 107).

5) § 51 neu gef. mWv 26.11.2019 durch G v. 20.11.2019 (BGBl. I S. 1626).

6) **beck-online, Module Arbeitsrecht Nr. 699.**

§ 51a Kundennummer. [1]Jeder Person, die Leistungen nach diesem Gesetz bezieht, wird einmalig eine eindeutige, von der Bundesagentur oder im Auftrag der Bundesagentur von den zugelassenen kommunalen Trägern vergebene Kundennummer zugeteilt. [2]Die Kundennummer ist vom Träger der Grundsicherung für Arbeitsuchende als Identifikationsmerkmal zu nutzen und dient ausschließlich diesem Zweck sowie den Zwecken nach § 51b Absatz 3. [3]Soweit vorhanden, ist die schon beim Vorbezug von Leistungen nach dem Dritten Buch[1)] vergebene Kundennummer der Bundesagentur zu verwenden. [4]Die Kundennummer bleibt der jeweiligen Person auch zugeordnet, wenn sie den Träger wechselt. [5]Bei erneuter Leistung nach längerer Zeit ohne Inanspruchnahme von Leistungen nach diesem Buch oder nach dem Dritten Buch wird eine neue Kundennummer vergeben. [6]Diese Regelungen gelten entsprechend auch für Bedarfsgemeinschaften. [7]Als Bedarfsgemeinschaft im Sinne dieser Vorschrift gelten auch ein oder mehrere Kinder eines Haushalts, die nach § 7 Absatz 2 Satz 3 Leistungen erhalten. [8]Bei der Übermittlung der Daten verwenden die Träger eine eindeutige, von der Bundesagentur vergebene Trägernummer.

§ 51b[2)] Verarbeitung von Daten durch die Träger der Grundsicherung für Arbeitsuchende. (1) [1]Die zuständigen Träger der Grundsicherung für Arbeitsuchende erheben laufend die für die Durchführung der Grundsicherung für Arbeitsuchende erforderlichen Daten. [2]Das Bundesministerium für Arbeit und Soziales wird ermächtigt, durch Rechtsverordnung mit Zustimmung des Bundesrates die nach Satz 1 zu erhebenden Daten, die zur Nutzung für die in Absatz 3 genannten Zwecke erforderlich sind, einschließlich des Verfahrens zu deren Weiterentwicklung festzulegen.

(2) Die kommunalen Träger und die zugelassenen kommunalen Träger übermitteln der Bundesagentur die Daten nach Absatz 1 unter Angabe eines eindeutigen Identifikationsmerkmals, personenbezogene Datensätze unter Angabe der Kundennummer sowie der Nummer der Bedarfsgemeinschaft nach § 51a.

(3) Die nach den Absätzen 1 und 2 erhobenen und an die Bundesagentur übermittelten Daten dürfen nur – unbeschadet auf sonstiger gesetzlicher Grundlagen bestehender Mitteilungspflichten – für folgende Zwecke gespeichert, verändert, genutzt, übermittelt, in der Verarbeitung eingeschränkt oder gelöscht werden:

1. die zukünftige Gewährung von Leistungen nach diesem und dem Dritten Buch[1)] an die von den Erhebungen betroffenen Personen,
2. Überprüfungen der Träger der Grundsicherung für Arbeitsuchende auf korrekte und wirtschaftliche Leistungserbringung,
3. die Erstellung von Statistiken, Kennzahlen für die Zwecke nach § 48a Absatz 2 und § 48b Absatz 5 und Controllingberichten durch die Bundesagentur, der laufenden Berichterstattung und der Wirkungsforschung nach den §§ 53 bis 55,
4. die Durchführung des automatisierten Datenabgleichs nach § 52,
5. die Bekämpfung von Leistungsmissbrauch.

[1)] Nr. **700**.

[2)] § 51b Überschr. neu gef., Abs. 3 einl. Satzteil geänd. mWv 26.11.2019 durch G v. 20.11.2019 (BGBl. I S. 1626); Abs. 3 Nr. 3 geänd. mWv 1.1.2023 durch G v. 16.12.2022 (BGBl. I S. 2328).

(4) [1]Die Bundesagentur regelt im Benehmen mit den kommunalen Spitzenverbänden auf Bundesebene den genauen Umfang der nach den Absätzen 1 und 2 zu übermittelnden Informationen, einschließlich einer Inventurmeldung, sowie die Fristen für deren Übermittlung. [2]Sie regelt ebenso die zu verwendenden Systematiken, die Art der Übermittlung der Datensätze einschließlich der Datenformate sowie Aufbau, Vergabe, Verwendung und Löschungsfristen von Kunden- und Bedarfsgemeinschaftsnummern nach § 51a.

§ 51c (weggefallen)

§ 52[1)] Automatisierter Datenabgleich. (1) [1]Die Bundesagentur und die zugelassenen kommunalen Träger überprüfen Personen, die Leistungen nach diesem Buch beziehen, zum 1. Januar, 1. April, 1. Juli und 1. Oktober im Wege des automatisierten Datenabgleichs daraufhin,

1. ob und in welcher Höhe und für welche Zeiträume von ihnen Leistungen der Träger der gesetzlichen Unfall- oder Rentenversicherung bezogen werden oder wurden,
2. ob und in welchem Umfang Zeiten des Leistungsbezuges nach diesem Buch mit Zeiten einer Versicherungspflicht oder Zeiten einer geringfügigen Beschäftigung zusammentreffen,
3. ob und welche Daten nach § 45d Absatz 1 und § 45e des Einkommensteuergesetzes[2)] an das Bundeszentralamt für Steuern übermittelt worden sind,
4. ob und in welcher Höhe ein Kapital nach § 12 Absatz 1 Satz 2 Nummer 3 nicht mehr dem Zweck einer geförderten zusätzlichen Altersvorsorge im Sinne des § 10a oder des Abschnitts XI des Einkommensteuergesetzes dient,
5. ob und in welcher Höhe und für welche Zeiträume von ihnen Leistungen der Bundesagentur als Träger der Arbeitsförderung nach dem Dritten Buch[3)] bezogen werden oder wurden,
6. ob und in welcher Höhe und für welche Zeiträume von ihnen Leistungen anderer Träger der Grundsicherung für Arbeitsuchende bezogen werden oder wurden.

[2]Satz 1 gilt entsprechend für nicht leistungsberechtigte Personen, die mit Personen, die Leistungen nach diesem Buch beziehen, in einer Bedarfsgemeinschaft leben. [3]Abweichend von Satz 1 können die dort genannten Träger die Überprüfung nach Satz 1 Nummer 2 zum ersten jedes Kalendermonats durchführen.

(2) Zur Durchführung des automatisierten Datenabgleichs dürfen die Träger der Leistungen nach diesem Buch die folgenden Daten einer Person, die Leistungen nach diesem Buch bezieht, an die in Absatz 1 genannten Stellen übermitteln:

1. Name und Vorname,
2. Geburtsdatum und -ort,

[1)] § 52 Abs. 1 Satz 1 Nr. 4 geänd., Nr. 5 aufgeh., bish. Nr. 6 und 7 werden Nr. 5 und 6, Sätze 2 und 3 angef. mWv 1.8.2016 durch G v. 26.7.2016 (BGBl. I S. 1824); Abs. 2a Sätze 1 und 3 geänd. mWv 1.1.2017 durch G v. 11.11.2016 (BGBl. I S. 2500); Abs. 2a Satz 2, Abs. 4 geänd. mWv 26.11. 2019 durch G v. 20.11.2019 (BGBl. I S. 1626); Abs. 1 Satz 1 Nr. 4 geänd. mWv 1.7.2026 durch G v. 16.4.2026 (BGBl. 2026 I Nr. 107).

[2)] **beck-online, Module Arbeitsrecht Nr. 331.**

[3)] Nr. **700**.

3. Anschrift,
4. Versicherungsnummer.

(2a) [1] Die Datenstelle der Rentenversicherung darf als Vermittlungsstelle die nach den Absätzen 1 und 2 übermittelten Daten speichern und nutzen, soweit dies für die Datenabgleiche nach den Absätzen 1 und 2 erforderlich ist. [2] Sie darf die Daten der Stammsatzdatei (§ 150 des Sechsten Buches[1)]) und des bei ihr für die Prüfung bei den Arbeitgebern geführten Dateisystems (§ 28p Absatz 8 Satz 2 des Vierten Buches[2)]) nutzen, soweit die Daten für die Datenabgleiche erforderlich sind. [3] Die nach Satz 1 bei der Datenstelle der Rentenversicherung gespeicherten Daten sind unverzüglich nach Abschluss des Datenabgleichs zu löschen.

(3) [1] Die den in Absatz 1 genannten Stellen überlassenen Daten und Datenträger sind nach Durchführung des Abgleichs unverzüglich zurückzugeben, zu löschen oder zu vernichten. [2] Die Träger der Leistungen nach diesem Buch dürfen die ihnen übermittelten Daten nur zur Überprüfung nach Absatz 1 nutzen. [3] Die übermittelten Daten der Personen, bei denen die Überprüfung zu keinen abweichenden Feststellungen führt, sind unverzüglich zu löschen.

(4) Das Bundesministerium für Arbeit und Soziales wird ermächtigt, durch Rechtsverordnung[3)] das Nähere über das Verfahren des automatisierten Datenabgleichs und die Kosten des Verfahrens zu regeln; dabei ist vorzusehen, dass die Übermittlung an die Auskunftsstellen durch eine zentrale Vermittlungsstelle (Kopfstelle) zu erfolgen hat, deren Zuständigkeitsbereich zumindest das Gebiet eines Bundeslandes umfasst.

§ 52a[4)] Überprüfung von Daten. (1) Die Agentur für Arbeit darf zur Sicherstellung einer ordnungsgemäßen Leistungserbringung bei Personen, die Leistungen nach diesem Buch beantragt haben, beziehen oder bezogen haben, Auskunft einholen

1. über die in § 39 Absatz 1 Nummer 5 und 11 des Straßenverkehrsgesetzes[5)] angeführten Daten über ein Fahrzeug, für das die Person als Halter eingetragen ist, bei dem Zentralen Fahrzeugregister;
2. aus dem Melderegister nach den §§ 34 und 38 bis 41 des Bundesmeldegesetzes[6)] und dem Ausländerzentralregister.

(2) [1] Die Agentur für Arbeit darf Daten von Personen, die Leistungen nach diesem Buch beantragt haben, beziehen oder bezogen haben und die Wohngeld beantragt haben, beziehen oder bezogen haben, an die nach dem Wohngeldgesetz zuständige Behörde übermitteln, soweit dies zur Feststellung der Voraussetzungen des Ausschlusses vom Wohngeld (§§ 7 und 8 Absatz 1 des Wohngeldgesetzes[7)]) erforderlich ist. [2] Die Übermittlung der in § 52 Absatz 2 Nummer 1 bis 3 genannten Daten ist zulässig. [3] Die in Absatz 1 genannten Behörden führen die Überprüfung durch und teilen das Ergebnis der Überprüfungen der

---

[1)] **beck-online, Module Arbeitsrecht Nr. 696.**
[2)] Nr. **694**.
[3)] Siehe ua die Grundsicherungs-DatenabgleichsVO **(Aichberger, SGB Nr. 2/35)**.
[4)] § 52a Abs. 1 Nr. 2 geänd. mWv 1.11.2015 durch G v. 3.5.2013 (BGBl. I S. 1084, geänd. durch G v. 20.11.2014, BGBl. I S. 1738); Abs. 1 einl. Satzteil und Nr. 2 geänd., abschl. Satzteil aufgeh. mWv 1.11.2025 durch G v. 8.5.2024 (BGBl. 2024 I Nr. 152).
[5)] **Habersack Nr. 35.**
[6)] **Sartorius Nr. 256.**
[7)] **Sartorius Nr. 385.**

Agentur für Arbeit unverzüglich mit. [4]Die in Absatz 1 und Satz 1 genannten Behörden haben die ihnen übermittelten Daten nach Abschluss der Überprüfung unverzüglich zu löschen.

Kapitel 7. Statistik und Forschung

§ 53 Statistik und Übermittlung statistischer Daten. (1) [1]Die Bundesagentur erstellt aus den bei der Durchführung der Grundsicherung für Arbeitsuchende von ihr nach § 51b erhaltenen und den ihr von den kommunalen Trägern und den zugelassenen kommunalen Trägern nach § 51b übermittelten Daten Statistiken. [2]Sie übernimmt die laufende Berichterstattung und bezieht die Leistungen nach diesem Buch in die Arbeitsmarkt- und Berufsforschung ein.

(2) Das Bundesministerium für Arbeit und Soziales kann Art und Umfang sowie Tatbestände und Merkmale der Statistiken und der Berichterstattung näher bestimmen.

(3) [1]Die Bundesagentur legt die Statistiken nach Absatz 1 dem Bundesministerium für Arbeit und Soziales vor und veröffentlicht sie in geeigneter Form. [2]Sie gewährleistet, dass auch kurzfristigem Informationsbedarf des Bundesministeriums für Arbeit und Soziales entsprochen werden kann.

(4) Die Bundesagentur stellt den statistischen Stellen der Kreise und kreisfreien Städte die für Zwecke der Planungsunterstützung und für die Sozialberichterstattung erforderlichen Daten und Tabellen der Arbeitsmarkt- und Grundsicherungsstatistik zur Verfügung.

(5) [1]Die Bundesagentur kann dem Statistischen Bundesamt und den statistischen Ämtern der Länder für Zwecke der Planungsunterstützung und für die Sozialberichterstattung für ihren Zuständigkeitsbereich Daten und Tabellen der Arbeitsmarkt- und Grundsicherungsstatistik zur Verfügung stellen. [2]Sie ist berechtigt, dem Statistischen Bundesamt und den statistischen Ämtern der Länder für ergänzende Auswertungen anonymisierte und pseudonymisierte Einzeldaten zu übermitteln. [3]Bei der Übermittlung von pseudonymisierten Einzeldaten sind die Namen durch jeweils neu zu generierende Pseudonyme zu ersetzen. [4]Nicht pseudonymisierte Anschriften dürfen nur zum Zwecke der Zuordnung zu statistischen Blöcken übermittelt werden.

(6) [1]Die Bundesagentur ist berechtigt, für ausschließlich statistische Zwecke den zur Durchführung statistischer Aufgaben zuständigen Stellen der Gemeinden und Gemeindeverbände für ihren Zuständigkeitsbereich Daten und Tabellen der Arbeitsmarkt- und Grundsicherungsstatistik sowie anonymisierte und pseudonymisierte Einzeldaten zu übermitteln, soweit die Voraussetzungen nach § 16 Absatz 5 Satz 2 des Bundesstatistikgesetzes gegeben sind. [2]Bei der Übermittlung von pseudonymisierten Einzeldaten sind die Namen durch jeweils neu zu generierende Pseudonyme zu ersetzen. [3]Dabei dürfen nur Angaben zu kleinräumigen Gebietseinheiten, nicht aber die genauen Anschriften übermittelt werden.

(7) [1]Die §§ 280 und 281 des Dritten Buches[1)] gelten entsprechend. [2]§ 282a des Dritten Buches gilt mit der Maßgabe, dass Daten und Tabellen der Arbeitsmarkt- und Grundsicherungsstatistik auch den zur Durchführung statistischer

[1)] Nr. **700**.

Aufgaben zuständigen Stellen der Kreise und kreisfreien Städte sowie der Gemeinden und Gemeindeverbänden übermittelt werden dürfen, soweit die Voraussetzungen nach § 16 Absatz 5 Satz 2 des Bundesstatistikgesetzes gegeben sind.

§ 53a[1] Arbeitslose. Arbeitslose im Sinne dieses Gesetzes sind erwerbsfähige Leistungsberechtigte, die die Voraussetzungen des § 16 des Dritten Buches[2] in sinngemäßer Anwendung erfüllen.

§ 54[3] *(aufgehoben)*

§ 55 Wirkungsforschung. (1) [1] Die Wirkungen der Leistungen zur Eingliederung und der Leistungen zur Sicherung des Lebensunterhalts sind regelmäßig und zeitnah zu untersuchen und in die Arbeitsmarkt- und Berufsforschung nach § 282 des Dritten Buches[2] einzubeziehen. [2] Das Bundesministerium für Arbeit und Soziales und die Bundesagentur können in Vereinbarungen Einzelheiten der Wirkungsforschung festlegen. [3] Soweit zweckmäßig, können Dritte mit der Wirkungsforschung beauftragt werden.

(2) Das Bundesministerium für Arbeit und Soziales untersucht vergleichend die Wirkung der örtlichen Aufgabenwahrnehmung durch die Träger der Leistungen nach diesem Buch.

Kapitel 8. Mitwirkungspflichten

§ 56[4] Anzeige- und Bescheinigungspflicht bei Arbeitsunfähigkeit.

(1) ***[Satz 1 bis 31.12.2026:]*** [1] Erwerbsfähige Leistungsberechtigte, die Leistungen zur Sicherung des Lebensunterhalts beantragt haben oder beziehen, sind verpflichtet,

1. eine eingetretene Arbeitsunfähigkeit und deren voraussichtliche Dauer unverzüglich anzuzeigen und
2. spätestens vor Ablauf des dritten Kalendertages nach Eintritt der Arbeitsunfähigkeit eine ärztliche Bescheinigung über die Arbeitsunfähigkeit und deren voraussichtliche Dauer vorzulegen.

[Satz 1 ab 1.1.2027:] [1] *Erwerbsfähige Leistungsberechtigte, die Leistungen zur Sicherung des Lebensunterhalts beantragt haben oder beziehen, sind verpflichtet,*

1. eine eingetretene Arbeitsunfähigkeit und deren voraussichtliche Dauer
   a) unverzüglich anzuzeigen und
   b) spätestens vor Ablauf des dritten Kalendertages nach Eintritt der Arbeitsunfähigkeit eine ärztliche Bescheinigung über die Arbeitsunfähigkeit und deren voraussichtliche Dauer vorzulegen;

---

[1] § 53a Abs. 2 aufgeh. mWv 1.1.2023 durch G v. 16.12.2022 (BGBl. I S. 2328).

[2] Nr. **700**.

[3] § 54 aufgeh. mWv 1.1.2023 durch G v. 16.12.2022 (BGBl. I S. 2328).

[4] § 56 Abs. 1 Satz 1 neu gef., Satz 2 eingef., bish. Sätze 2–5 werden Sätze 3–6 mWv 1.8.2016 durch G v. 26.7.2016 (BGBl. I S. 1824); Abs. 2 Satz 1 geänd. mWv 25.7.2017 durch G v. 17.7.2017 (BGBl. I S. 2541); Abs. 2 Sätze 1 und 2 geänd. mWv 1.1.2020 durch G v. 14.12.2019 (BGBl. I S. 2789); Abs. 2 eingef., bish. Abs. 2 wird Abs. 3 mWv 1.1.2023, Abs. 1 Satz 1 neu gef. mWv 1.7.2023 durch G v. 16.12.2022 (BGBl. I S. 2328); Abs. 1 Satz 1 neu gef., Abs. 2 und 3 eingef., bish. Abs. 2 und 3 werden Abs. 4 und 5 mWv 1.1.2027 durch G v. 23.10.2024 (BGBl. 2024 I Nr. 323); Abs. 1 Satz 7 angef. mWv 1.7.2026 durch G v. 16.4.2026 (BGBl. 2026 I Nr. 107).

2. eine stationäre Behandlung auf Kosten der Krankenkasse unverzüglich anzuzeigen und deren Beginn und Ende nachzuweisen.

[2] § 31 Absatz 1 findet keine Anwendung. [3] Die Agentur für Arbeit ist berechtigt, die Vorlage der ärztlichen Bescheinigung früher zu verlangen. [4] Dauert die Arbeitsunfähigkeit länger als in der Bescheinigung angegeben, so ist der Agentur für Arbeit eine neue ärztliche Bescheinigung vorzulegen. [5] Die Bescheinigungen müssen einen Vermerk des behandelnden Arztes darüber enthalten, dass dem Träger der Krankenversicherung unverzüglich eine Bescheinigung über die Arbeitsunfähigkeit mit Angaben über den Befund und die voraussichtliche Dauer der Arbeitsunfähigkeit übersandt wird. [6] Zweifelt die Agentur für Arbeit an der Arbeitsunfähigkeit der oder des erwerbsfähigen Leistungsberechtigten, so gilt § 275 Absatz 1 Nummer 3b und Absatz 1a des Fünften Buches[1)] entsprechend. [7] Zweifel an der Arbeitsunfähigkeit sind insbesondere anzunehmen, wenn Leistungsberechtigte Arbeitsunfähigkeitsbescheinigungen wiederholt zur Entschuldigung der Nichtwahrnehmung von Meldeterminen nach § 59 oder von Terminen bei potenziellen Arbeitgebern vorlegen

[Abs. 2 ab 1.1.2027:]

(2) Die Pflicht zur Vorlage einer ärztlichen Bescheinigung nach Absatz 1 Satz 1 Nummer 1 Buchstabe b, Nummer 2 und Satz 4 entfällt, wenn

1. die in § 295 Absatz 1 Satz 1 Nummer 1 des Fünften Buches[2)] genannten Arbeitsunfähigkeitsdaten nach § 295 Absatz 1 Satz 10 des Fünften Buches[2)] elektronisch an die Krankenkasse zu übermitteln sind,

2. die in § 301 Absatz 1 Satz 1 Nummer 3 und 7 des Fünften Buches[2)] genannten Daten zur stationären Behandlung elektronisch an die Krankenkasse zu übermitteln sind oder

3. die Arbeitsunfähigkeitsdaten nach § 201 Absatz 2 des Siebten Buches[3)] elektronisch an die Krankenkassen zu übermitteln sind.

[Abs. 3 ab 1.1.2027:]

(3) Absatz 2 gilt entsprechend auch für Teilnehmende an Maßnahmen der beruflichen Weiterbildung nach § 16 Absatz 1 Satz 2 Nummer 4 oder Teilnehmende einer Maßnahme nach § 16 Absatz 1 Satz 2 Nummer 2 in Verbindung mit § 45 des Dritten Buches[4)] oder Teilnehmende an einer Maßnahme nach § 16f oder § 16k, auch sofern diese keine Leistungen zur Sicherung des Lebensunterhalts erhalten.

(2) ***[ab 1.1.2027: (4)]*** [1] Absatz 1 Satz 1 gilt nicht für erwerbsfähige Leistungsberechtigte, die einen Anspruch auf Arbeitslosengeld oder Teilarbeitslosengeld haben. [2] Die Agentur für Arbeit kann erwerbsfähige Leistungsberechtigte im Einzelfall von der Verpflichtung nach Absatz 1 Satz 1 befreien. [3] Sie soll erwerbsfähige Leistungsberechtigte befreien, sofern die Eingliederung in Arbeit oder Ausbildung hierdurch nicht gefährdet wird.

(3) ***[ab 1.1.2027: (5)]*** [1] Die Bundesagentur erstattet den Krankenkassen die Kosten für die Begutachtung durch den Medizinischen Dienst nach Absatz 1 Satz 6. [2] Die Bundesagentur und der Spitzenverband Bund der Krankenkassen vereinbaren das Nähere über das Verfahren und die Höhe der Kostenerstattung;

---

1) Nr. **695**.
2) **beck-online, Module Arbeitsrecht Nr. 695.**
3) **beck-online, Module Arbeitsrecht Nr. 697.**
4) Nr. **700**.

der Medizinische Dienst Bund ist zu beteiligen. [3] In der Vereinbarung kann auch eine pauschale Abgeltung der Kosten geregelt werden.

§ 57 Auskunftspflicht von Arbeitgebern. [1] Arbeitgeber haben der Agentur für Arbeit auf deren Verlangen Auskunft über solche Tatsachen zu geben, die für die Entscheidung über einen Anspruch auf Leistungen nach diesem Buch erheblich sein können; die Agentur für Arbeit kann hierfür die Benutzung eines Vordrucks verlangen. [2] Die Auskunftspflicht erstreckt sich auch auf Angaben über das Ende und den Grund für die Beendigung des Beschäftigungsverhältnisses.

§ 58 Einkommensbescheinigung. (1) [1] Wer jemanden, der laufende Geldleistungen nach diesem Buch beantragt hat oder bezieht, gegen Arbeitsentgelt beschäftigt, ist verpflichtet, diesem unverzüglich Art und Dauer dieser Erwerbstätigkeit sowie die Höhe des Arbeitsentgelts oder der Vergütung für die Zeiten zu bescheinigen, für die diese Leistung beantragt worden ist oder bezogen wird. [2] Dabei ist der von der Agentur für Arbeit vorgesehene Vordruck zu benutzen. [3] Die Bescheinigung ist der- oder demjenigen, die oder der die Leistung beantragt hat oder bezieht, unverzüglich auszuhändigen.

(2) Wer eine laufende Geldleistung nach diesem Buch beantragt hat oder bezieht und gegen Arbeitsentgelt beschäftigt wird, ist verpflichtet, dem Arbeitgeber den für die Bescheinigung des Arbeitsentgelts vorgeschriebenen Vordruck unverzüglich vorzulegen.

§ 59 Meldepflicht. Die Vorschriften über die allgemeine Meldepflicht, § 309 des Dritten Buches[1)], und über die Meldepflicht bei Wechsel der Zuständigkeit, § 310 des Dritten Buches, sind entsprechend anzuwenden.

§ 60[2)] Auskunfts-, Mitwirkungs- und Nachweispflicht Dritter.

(1) Wer jemandem, der Leistungen nach diesem Buch beantragt hat oder bezieht, Leistungen erbringt, die geeignet sind, diese Leistungen nach diesem Buch auszuschließen oder zu mindern, hat der Agentur für Arbeit auf Verlangen hierüber Auskunft zu erteilen, soweit es zur Durchführung der Aufgaben nach diesem Buch erforderlich ist.

(2) [1] Wer jemandem, der eine Leistung nach diesem Buch beantragt hat oder bezieht, zu Leistungen verpflichtet ist, die geeignet sind, Leistungen nach diesem Buch auszuschließen oder zu mindern, oder wer für ihn Guthaben führt oder Vermögensgegenstände verwahrt, hat der Agentur für Arbeit auf Verlangen hierüber sowie über damit im Zusammenhang stehendes Einkommen oder Vermögen Auskunft zu erteilen, soweit es zur Durchführung der Aufgaben nach diesem Buch erforderlich ist. [2] § 21 Absatz 3 Satz 4 des Zehnten Buches[3)] gilt entsprechend. [3] Für die Feststellung einer Unterhaltsverpflichtung ist § 1605 Absatz 1 des Bürgerlichen Gesetzbuchs[4)] anzuwenden.

(3) Wer jemanden, der

---

1) Nr. **700**.

2) § 60 Abs. 4 Satz 1 Nr. 1 neu gef. mWv 1.8.2016 durch G v. 26.7.2016 (BGBl. I S. 1824); Überschrift neu gef., Abs. 6-8 angef. mWv 1.7.2026 durch G v. 16.4.2026 (BGBl. 2026 I Nr. 107).

3) Nr. **699**.

4) **beck-online, Module Arbeitsrecht Nr. 50.**

1. Leistungen nach diesem Buch beantragt hat oder bezieht oder dessen Partnerin oder Partner oder
2. nach Absatz 2 zur Auskunft verpflichtet ist,

beschäftigt, hat der Agentur für Arbeit auf Verlangen über die Beschäftigung, insbesondere über das Arbeitsentgelt, Auskunft zu erteilen, soweit es zur Durchführung der Aufgaben nach diesem Buch erforderlich ist.

(4) [1] Sind Einkommen oder Vermögen der Partnerin oder des Partners zu berücksichtigen, haben

1. diese Partnerin oder dieser Partner,
2. Dritte, die für diese Partnerin oder diesen Partner Guthaben führen oder Vermögensgegenstände verwahren,

der Agentur für Arbeit auf Verlangen hierüber Auskunft zu erteilen, soweit es zur Durchführung der Aufgaben nach diesem Buch erforderlich ist. [2] § 21 Absatz 3 Satz 4 des Zehnten Buches[1)] gilt entsprechend.

(5) Wer jemanden, der Leistungen nach diesem Buch beantragt hat, bezieht oder bezogen hat, beschäftigt, hat der Agentur für Arbeit auf Verlangen Einsicht in Geschäftsbücher, Geschäftsunterlagen und Belege sowie in Listen, Entgeltverzeichnisse und Entgeltbelege für Heimarbeiterinnen oder Heimarbeiter zu gewähren, soweit es zur Durchführung der Aufgaben nach diesem Buch erforderlich ist.

(6) [1] Wer jemandem, der Leistungen nach diesem Buch beantragt hat, bezieht oder bezogen hat, eine Unterkunft zur Verfügung stellt, für die Aufwendungen als Bedarf nach § 22 Absatz 1 anerkannt werden, hat dem zuständigen Träger der Grundsicherung für Arbeitsuchende auf Verlangen hierüber Auskünfte zu erteilen, insbesondere über die Höhe etwaiger Entgelte, Dauer der Rechtsbeziehung, Anzahl der die Unterkunft Nutzenden und Abrechnungsmodalitäten, soweit dies zur Durchführung der Aufgaben nach diesem Buch erforderlich ist. [2] Dasselbe gilt für Vermieter von Gewerberäumen oder Gewerbeflächen, die von den in Satz 1 genannten Personen zum Zwecke einer Erwerbstätigkeit angemietet werden. [3] § 21 Absatz 3 Satz 4 des Zehnten Buches[1)] gilt entsprechend.

(7) Wer Auskünfte nach den Absätzen 1 bis 6 erteilen muss, hat auf Verlangen des zuständigen Trägers entsprechende Beweismittel zu bezeichnen und vorzulegen, wenn die vorgelegten Auskünfte zur Sachverhaltsaufklärung nicht ausreichen.

(8) Soweit für die in den Absätzen 1 bis 6 genannten Auskünfte Vordrucke vorgesehen sind, sollen diese benutzt werden.

§ 61[2)] Auskunftspflichten bei Leistungen zur Eingliederung in Arbeit.

(1) [1] Träger, die eine Leistung zur Eingliederung in Arbeit erbracht haben oder erbringen, haben der Agentur für Arbeit unverzüglich Auskünfte über Tatsachen zu erteilen, die Aufschluss darüber geben, ob und inwieweit Leistungen zu Recht erbracht worden sind oder werden. [2] Sie haben Änderungen, die für die Leistungen erheblich sind, unverzüglich der Agentur für Arbeit mitzuteilen.

[1)] Nr. **699**.

[2)] § 61 Abs. 2 Satz 2 neu gef., Satz 3 angef. mWv 1.1.2023 durch G v. 16.12.2022 (BGBl. I S. 2328).

(2) [1] Die Teilnehmerinnen und Teilnehmer an Maßnahmen zur Eingliederung sind verpflichtet,

1. der Agentur für Arbeit auf Verlangen Auskunft über den Eingliederungserfolg der Maßnahme sowie alle weiteren Auskünfte zu erteilen, die zur Qualitätsprüfung benötigt werden, und
2. eine Beurteilung ihrer Leistung und ihres Verhaltens durch den Maßnahmeträger zuzulassen.

[2] Die Maßnahmeträger sind verpflichtet,

1. ihre Beurteilung der oder des Teilnehmenden unverzüglich der Agentur für Arbeit zu übermitteln,
2. der für die einzelne Teilnehmerin oder den einzelnen Teilnehmer zuständigen Agentur für Arbeit kalendermonatlich die Fehltage der Teilnehmerin oder des Teilnehmers sowie die Gründe für die Fehltage mitzuteilen.

[3] Dabei haben sie jeweils die von der Agentur für Arbeit vorgegebenen Verfahren und Formate zu nutzen.

§ 62 Schadenersatz. Wer vorsätzlich oder fahrlässig

1. eine Einkommensbescheinigung nicht, nicht richtig oder nicht vollständig ausfüllt,
2. eine Auskunft nach § 57 oder § 60 nicht, nicht richtig oder nicht vollständig erteilt,

ist zum Ersatz des daraus entstehenden Schadens verpflichtet.

§ 62a[1] Haftung des Arbeitgebers. (1) [1] Beschäftigt ein Arbeitgeber eine Person, die Leistungen nach diesem Buch erhält, ohne die Beschäftigung gemäß § 28a des Vierten Buches[2] zu melden oder erfolgt die Meldung, ohne dass eine Beschäftigung tatsächlich ausgeübt wird oder werden soll, so ist der Arbeitgeber zum Ersatz der deswegen rechtswidrig erbrachten Leistungen verpflichtet. [2] Die zu ersetzenden Leistungen sind schriftlich durch Verwaltungsakt festzusetzen.

(2) [1] Der zur Erstattung nach § 50 des Zehnten Buches[3] verpflichtete Leistungsempfänger und der zum Ersatz nach Absatz 1 verpflichtete Arbeitgeber haften als Gesamtschuldner für die Leistungen, die nach § 50 des Zehnten Buches[3] zu erstatten sind. [2] Sachleistungen sind, auch wenn sie in Form eines Gutscheins erbracht wurden, in Geld zu ersetzen. [3] Der Ersatzanspruch umfasst auch die geleisteten Beiträge zur Sozialversicherung entsprechend § 40 Absatz 2 Nummer 5.

(3) § 34a Absatz 2 gilt entsprechend.

(4) Die Absätze 1 und 2 sind entsprechend anzuwenden, wenn die Leistungen nach § 41a Absatz 6 Satz 3 zu erstatten sind.

---

[1] § 62a eingef. mWv 1.7.2026 durch G v. 16.4.2026 (BGBl. 2026 I Nr. 107).
[2] Nr. **694**.
[3] Nr. **699**.

Kapitel 9.[1] Straf- und Bußgeldvorschriften

§ 63[2] Bußgeldvorschriften. (1) Ordnungswidrig handelt, wer vorsätzlich oder fahrlässig

1. entgegen § 57 Satz 1 eine Auskunft nicht, nicht richtig, nicht vollständig oder nicht rechtzeitig erteilt,
2. entgegen § 58 Absatz 1 Satz 1 oder 3 Art oder Dauer der Erwerbstätigkeit oder die Höhe des Arbeitsentgelts oder der Vergütung nicht, nicht richtig, nicht vollständig oder nicht rechtzeitig bescheinigt oder eine Bescheinigung nicht oder nicht rechtzeitig aushändigt,
3. entgegen § 58 Absatz 2 einen Vordruck nicht oder nicht rechtzeitig vorlegt,
4. entgegen § 60 Absatz 1, 2 Satz 1, Absatz 3 oder 4 Satz 1 oder als privater Träger entgegen § 61 Absatz 1 Satz 1 eine Auskunft nicht, nicht richtig, nicht vollständig oder nicht rechtzeitig erteilt,
5. entgegen § 60 Absatz 5 Einsicht nicht oder nicht rechtzeitig gewährt,
6. entgegen § 60 Absatz 7 ein Beweismittel nicht, nicht richtig, nicht vollständig oder nicht rechtzeitig vorlegt,
7. entgegen § 60 Absatz 1 Satz 1 Nummer 1 des Ersten Buches[3] eine Angabe nicht, nicht richtig, nicht vollständig oder nicht rechtzeitig macht oder
8. entgegen § 60 Absatz 1 Satz 1 Nummer 2 des Ersten Buches eine Änderung in den Verhältnissen, die für einen Anspruch auf eine laufende Leistung erheblich ist, nicht, nicht richtig, nicht vollständig oder nicht rechtzeitig mitteilt.

(1a) Die Bestimmungen des Absatzes 1 Nummer 1 und 4 bis 8 gelten auch in Verbindung mit § 6b Absatz 1 Satz 2 oder § 44b Absatz 1 Satz 2 erster Halbsatz.

(2) Die Ordnungswidrigkeit kann in den Fällen des Absatzes 1 Nummer 7 und 8 mit einer Geldbuße bis zu fünftausend Euro, in den übrigen Fällen mit einer Geldbuße bis zu zweitausend Euro geahndet werden.

§§ 63a, 63b[4] *(aufgehoben)*

Kapitel 10. Bekämpfung von Leistungsmissbrauch

§ 64[5] Zuständigkeit und Zusammenarbeit mit anderen Behörden. (1) Für die Bekämpfung von Leistungsmissbrauch gilt § 319 des Dritten Buches[6] entsprechend.

---

[1] 9. Kapitel Überschrift neu gef. mWv 1.1.2015 durch G v. 28.7.2014 (BGBl. I S. 1306).

[2] § 63 Abs. 1 Nr. 5 geänd., Nr. 6 eingef., bish. Nr. 6 wird Nr. 7, Abs. 1a eingef., Abs. 2 geänd. mWv 1.8.2016 durch G v. 26.7.2016 (BGBl. I S. 1824); Abs. 1 Nr. 6 eingef., bish. Nr. 6 und 7 werden Nr. 7 und 8, Abs. 1a und Abs. 2 geänd. mWv 1.7.2026 durch G v. 16.4.2026 (BGBl. 2026 I Nr. 107).

[3] Nr. **691**.

[4] §§ 63a, 63b aufgeh. mWv 26.11.2019 durch G v. 20.11.2019 (BGBl. I S. 1626).

[5] § 64 Überschrift und Abs. 2 Nr. 2 geänd., Abs. 3 eingef., bish. Abs. 3 wird Abs. 4 mWv 1.8.2016 durch G v. 26.7.2016 (BGBl. I S. 1824); Abs. 3 geänd. mWv 18.7.2019 durch G v. 11.7.2019 (BGBl. I S. 1066); Abs. 2 Nr. 1 und 2 geänd., Abs. 3 neu gef. mWv 1.7.2026 durch G v. 16.4.2026 (BGBl. 2026 I Nr. 107).

[6] Nr. **700**.

(2) Verwaltungsbehörden im Sinne des § 36 Absatz 1 Nummer 1 des Gesetzes über Ordnungswidrigkeiten[1] sind in den Fällen

1. des § 63 Absatz 1 Nummer 1 bis 6 die gemeinsame Einrichtung oder der nach § 6a zugelassene kommunale Träger,
2. des § 63 Absatz 1 Nummer 7 und 8
   a) die gemeinsame Einrichtung oder der nach § 6a zugelassene kommunale Träger sowie
   b) die Behörden der Zollverwaltung

jeweils für ihren Geschäftsbereich.

(3) [1] Bei der Verfolgung und Ahndung der Ordnungswidrigkeiten nach § 63 Absatz 1 Nummer 7 und 8 arbeiten die Behörden nach Absatz 2 Nummer 2 mit den in § 2 Absatz 4 des Schwarzarbeitsbekämpfungsgesetzes[2] genannten Behörden zusammen. [2] Die gemeinsamen Einrichtungen und die zugelassenen kommunalen Träger unterrichten die zuständigen Behörden der Zollverwaltung, wenn sich im Einzelfall konkrete Anhaltspunkte für Schwarzarbeit im Sinne des § 1 Absatz 2 Satz 1 Nummer 3 und Satz 2 des Schwarzarbeitsbekämpfungsgesetzes oder eine Unterschreitung des gesetzlichen Mindestlohns nach dem Mindestlohngesetz ergeben. [3] Die Aufgaben zur Zusammenarbeit mit den Behörden der Zollverwaltung nach § 6 Absatz 1 Satz 1 in Verbindung mit § 2 Absatz 4 Satz 1 Nummer 7 des Schwarzarbeitsbekämpfungsgesetzes und zur Zusammenarbeit in Bußgeldverfahren nach § 13 Absatz 2 in Verbindung mit § 8 des Schwarzarbeitsbekämpfungsgesetzes bleiben davon unberührt.

(4) [1] Soweit die gemeinsame Einrichtung Verwaltungsbehörde nach Absatz 2 ist, fließen die Geldbußen in die Bundeskasse. [2] § 66 des Zehnten Buches[3] gilt entsprechend. [3] Die Bundeskasse trägt abweichend von § 105 Absatz 2 des Gesetzes über Ordnungswidrigkeiten die notwendigen Auslagen. [4] Sie ist auch ersatzpflichtig im Sinne des § 110 Absatz 4 des Gesetzes über Ordnungswidrigkeiten.

§ 64a[4] Unterstützung durch die Bundesagentur bei der Bekämpfung von organisiertem Leistungsmissbrauch. (1) Die Bundesagentur unterstützt die gemeinsamen Einrichtungen bei der Bekämpfung des organisierten Leistungsmissbrauchs, insbesondere durch präventive, analytische und koordinierende Maßnahmen.

(2) [1] Die Zuständigkeit der Träger der Grundsicherung und die Aufgabenwahrnehmung der gemeinsamen Einrichtungen bleiben unberührt. [2] Ergeben sich bei der Wahrnehmung der Aufgabe nach Absatz 1 Anhaltspunkte für nicht rechtmäßig erbrachte Leistungen, sind die für diese Leistungen zuständigen Stellen zu unterrichten. [3] Die Bundesagentur kann auf regionaler oder zentraler Ebene die zuständigen Stellen im Einvernehmen bei der Wahrnehmung ihrer Aufgaben im Zusammenhang mit der Bekämpfung von organisiertem Leistungsmissbrauch unterstützen.

---

[1] **Habersack Nr. 94.**
[2] Nr. **110**.
[3] Nr. **699**.
[4] § 64a eingef. mWv 1.7.2026 durch G v. 16.4.2026 (BGBl. 2026 I Nr. 107).

Kapitel 11. Übergangs- und Schlussvorschriften

§ 65[1)] Übergangsregelungen aus Anlass des Zwölften Gesetzes zur Änderung des Zweiten Buches Sozialgesetzbuch und anderer Gesetze – Einführung eines Bürgergeldes. (1) Sofern die Träger der Grundsicherung für Arbeitsuchende vor dem 1. Januar 2023 nach § 5 Absatz 3 Satz 1 Leistungsberechtigte aufgefordert haben, eine Rente wegen Alters vorzeitig in Anspruch zu nehmen, ist die Stellung eines entsprechenden Antrages durch die Träger nach diesem Buch nach dem 31. Dezember 2022 unzulässig.

(2) Zeiten eines Leistungsbezugs bis zum 31. Dezember 2022 bleiben bei den Karenzzeiten nach § 22 Absatz 1 Satz 2 unberücksichtigt.

(3) Abweichend von § 20 Absatz 1a Satz 3 SGB II ist für das Jahr 2023 auf den Betrag abzustellen, der sich aus der Tabelle in der Anlage zu § 28 SGB XII[2)] in Verbindung mit § 134 Absatz 2 SGB XII ergibt.

(4) § 22 Absatz 1 Satz 2 gilt nicht in den Fällen, in denen in einem der vorangegangenen Bewilligungszeiträume für die aktuell bewohnte Unterkunft die angemessenen und nicht die tatsächlichen Aufwendungen als Bedarf anerkannt wurden.

(5) In den Fällen des Absatz 4 ist § 31 Absatz 1 Nummer 1 in der bis zum Ablauf des 30. Juni 2022 geltenden Fassung weiter anzuwenden.

(6) [1] § 40 Absatz 1 Satz 3 bis 5 ist bei Prüfungen ab dem 1. Januar 2023 anzuwenden. [2] § 41a Absatz 6 Satz 3 in der ab dem 1. Januar 2023 geltenden Fassung ist bei abschließenden Entscheidungen anzuwenden, die ab dem 1. Januar 2023 getroffen werden.

(7) [1] Erwerbsfähige Leistungsberechtigte, die am 31. Dezember 2022 aufgrund von § 53a Absatz 2 in der bis zum 31. Dezember 2022 geltenden Fassung nicht als arbeitslos galten, gelten auch weiterhin nicht als arbeitslos, sofern die Voraussetzungen des § 53a Absatz 2 in der bis zum 31. Dezember 2022 geltenden Fassung weiter vorliegen. [2] Die Vorschrift hat keine Auswirkungen auf die Erbringung von Eingliederungsleistungen.

§ 65a[3)] Übergangsregelung aus Anlass des Dreizehnten Gesetzes zur Änderung des Zweiten Buches Sozialgesetzbuch und anderer Gesetze.

(1) Für Bewilligungszeiträume, die vor dem 1. Juli 2026 begonnen haben, ist § 12 in der bis einschließlich 30. Juni 2026 geltenden Fassung weiter anzuwenden.

(2) Bei Pflichtverletzungen nach § 31 und Meldeversäumnissen nach § 32, die vor dem 1. Juli 2026 stattgefunden haben, gelten die Rechtsfolgen der §§ 31a, 31b sowie 32 in der bis einschließlich 30. Juni 2026 geltenden Fassung.

(3) § 31 Absatz 1 Satz 1 Nummer 1 ist auch nach 30. Juni 2026 weiter in der bis einschließlich 30. Juni 2026 geltenden Fassung anzuwenden, soweit die erwerbsfähigen Leistungsberechtigten zu den bis zum 30. Juni 2026 geltenden Rechtsfolgen belehrt wurden.

[1)] § 65 neu gef. mWv 1.1.2023 durch G v. 16.12.2022 (BGBl. I S. 2328); Abs. 1 aufgeh., bish. Abs. 2 wird Abs. 1, bish. Abs. 3 wird Abs. 2 und geänd., Abs. 4 aufgeh., bish. Abs. 5–8 werden Abs. 3–7, Abs. 9 aufgeh. mWv 1.7.2026 durch G v. 16.4.2026 (BGBl. 2026 I Nr. 107).

[2)] **Aichberger, SGB Nr. 12.**

[3)] § 65a eingef. mWv 1.7.2026 durch G v. 16.4.2026 (BGBl. 2026 I Nr. 107).

(4) Bis zum Ablauf des 31. Dezember 2026 kann von den zuständigen Behörden für den Begriff Grundsicherungsgeld auch der Begriff Bürgergeld verwendet werden.

§§ 65b, 65c (weggefallen)

§ 65d Übermittlung von Daten. (1) Der Träger der Sozialhilfe und die Agentur für Arbeit machen dem zuständigen Leistungsträger auf Verlangen die bei ihnen vorhandenen Unterlagen über die Gewährung von Leistungen für Personen, die Leistungen der Grundsicherung für Arbeitsuchende beantragt haben oder beziehen, zugänglich, soweit deren Kenntnis im Einzelfall für die Erfüllung der Aufgaben nach diesem Buch erforderlich ist.

(2) Die Bundesagentur erstattet den Trägern der Sozialhilfe die Sachkosten, die ihnen durch das Zugänglichmachen von Unterlagen entstehen; eine Pauschalierung ist zulässig.

§ 65e Übergangsregelung zur Aufrechnung. [1] Der zuständige Träger der Leistungen nach diesem Buch kann mit Zustimmung des Trägers der Sozialhilfe dessen Ansprüche gegen den Leistungsberechtigten mit Geldleistungen zur Sicherung des Lebensunterhalts nach den Voraussetzungen des § 43 Absatz 2, 3 und 4 Satz 1 aufrechnen. [2] Die Aufrechnung wegen eines Anspruchs nach Satz 1 ist auf die ersten zwei Jahre der Leistungserbringung nach diesem Buch beschränkt.

§ 66 Rechtsänderungen bei Leistungen zur Eingliederung in Arbeit.

(1) Wird dieses Gesetzbuch geändert, so sind, soweit nichts Abweichendes bestimmt ist, auf Leistungen zur Eingliederung in Arbeit bis zum Ende der Leistungen oder der Maßnahme die Vorschriften in der vor dem Tag des Inkrafttretens der Änderung geltenden Fassung weiter anzuwenden, wenn vor diesem Tag

1. der Anspruch entstanden ist,
2. die Leistung zuerkannt worden ist oder
3. die Maßnahme begonnen hat, wenn die Leistung bis zum Beginn der Maßnahme beantragt worden ist.

(2) Ist eine Leistung nur für einen begrenzten Zeitraum zuerkannt worden, richtet sich eine Verlängerung nach den zum Zeitpunkt der Entscheidung über die Verlängerung geltenden Vorschriften.

§ 66a[1)] Übergangsregelung aus Anlass des Haushaltsfinanzierungsgesetzes 2024. § 66 findet entsprechende Anwendung beim Übergang der Förderung der beruflichen Weiterbildung und der beruflichen Rehabilitation von den Jobcentern auf die Agenturen für Arbeit zum 1. Januar 2025.

[1)] § 66a eingef. mWv 1.1.2025 durch G v. 22.12.2023 (BGBl. 2023 I Nr. 412).

§ 67[1] **Vereinfachtes Verfahren für den Zugang zu sozialer Sicherung aus Anlass der COVID-19-Pandemie; Verordnungsermächtigung.**

(1) Leistungen für Bewilligungszeiträume, die in der Zeit vom 1. März 2020 bis zum *31. März 2022*[2] beginnen, werden nach Maßgabe der Absätze 2 bis 4 erbracht.

(2) [1] Abweichend von den §§ 9, 12 und 19 Absatz 3 wird Vermögen für die Dauer von sechs Monaten nicht berücksichtigt. [2] Satz 1 gilt nicht, wenn das Vermögen erheblich ist; es wird vermutet, dass kein erhebliches Vermögen vorhanden ist, wenn die Antragstellerin oder der Antragsteller dies im Antrag erklärt.

(3) [1] § 22 Absatz 1 ist mit der Maßgabe anzuwenden, dass die tatsächlichen Aufwendungen für Unterkunft und Heizung für die Dauer von sechs Monaten als angemessen gelten. [2] Nach Ablauf des Zeitraums nach Satz 1 ist § 22 Absatz 1 Satz 3 mit der Maßgabe anzuwenden, dass der Zeitraum nach Satz 1 nicht auf die in § 22 Absatz 1 Satz 3 genannte Frist anzurechnen ist. [3] Satz 1 gilt nicht in den Fällen, in denen im vorangegangenen Bewilligungszeitraum die angemessenen und nicht die tatsächlichen Aufwendungen als Bedarf anerkannt wurden.

(4) [1] Sofern über die Leistungen nach § 41a Absatz 1 Satz 1 vorläufig zu entscheiden ist, ist über den Anspruch auf Leistungen zur Sicherung des Lebensunterhalts abweichend von § 41 Absatz 3 Satz 1 und 2 für sechs Monate zu entscheiden. [2] In den Fällen des Satzes 1 entscheiden die Träger der Grundsicherung für Arbeitsuchende für Bewilligungszeiträume, die bis zum 31. März 2021 begonnen haben, abweichend von § 41a Absatz 3 nur auf Antrag abschließend über den monatlichen Leistungsanspruch.

(5) Die Bundesregierung wird ermächtigt, den in Absatz 1 genannten Zeitraum durch Rechtsverordnung[3] ohne Zustimmung des Bundesrates längstens bis zum 31. Dezember 2022 zu verlängern.

§ 68[4] **Abweichende Leistungserbringung in Gemeinschaftsunterkünften.** [1] Ist eine leistungsberechtigte Person in einer Gemeinschaftsunterkunft ohne Selbstversorgungsmöglichkeit untergebracht, kann der Anspruch auf Grundsicherungsgeld, soweit er sich auf die Bedarfe für Ernährung und Haushaltsenergie bezieht, in Form von Sachleistungen erfüllt werden. [2] Der Wert der Sachleistung nach Satz 1 beträgt

---

[1] § 67 neu gef. mWv 28.3.2020 durch G v. 27.3.2020 (BGBl. I S. 575); Überschr. geänd. mWv 29.5.2020 durch G v. 20.5.2020 (BGBl. I S. 1055); Abs. 1 geänd., Abs. 5 aufgeh. mWv 1.1.2021 durch G v. 9.12.2020 (BGBl. I S. 2855); Überschrift, Abs. 1 und Abs. 4 Satz 2 geänd., Abs. 6 aufgeh. mWv 1.4.2021 durch G v. 10.3.2021 (BGBl. I S. 335); Überschrift und Abs. 1 geänd., Abs. 5 neu gef. mWv 24.11.2021 durch G v. 22.11.2021 (BGBl. I S. 4906); Abs. 1 geänd. mWv 18.3.2022 durch VO v. 10.3.2022 (BGBl. I S. 426, 427).

[2] Gem. Art. 1 § 1 Abs. 1 VO zur Verlängerung des Zeitraums für das vereinfachte Verfahren für den Zugang zu den Grundsicherungssystemen und für den Mehrbedarf für die gemeinschaftliche Mittagsverpflegung für Menschen mit Behinderungen aus Anlass der COVID-19-Pandemie (VZVV) v. 10.3.2022 (BGBl. I S. 426, 427) werden die in § 67 Abs. 1 genannten Zeiträume bis zum 31. Dezember 2022 verlängert.

[3] Siehe hierzu ua die VO zur Verlängerung des Zeitraums für das vereinfachte Verfahren für den Zugang zu den Grundsicherungssystemen und für den Mehrbedarf für die gemeinschaftliche Mittagsverpflegung für Menschen mit Behinderungen aus Anlass der COVID-19-Pandemie (VZVV) v. 10.3. 2022 (BGBl. I S. 426, 427).

[4] § 68 neu gef. mWv 1.1.2024 durch G v. 22.12.2023 (BGBl. 2023 I Nr. 408); Satz 1 geänd. mWv 1.7.2026 durch G v. 16.4.2026 (BGBl. 2026 I Nr. 107).

1. bei Erwachsenen, bei denen der Regelbedarf für eine alleinstehende Person anerkannt wird, 186 Euro,
2. bei Erwachsenen, die mit einem Partner zusammenleben, 167 Euro,
3. bei jungen Erwachsenen, die das 18. Lebensjahr vollendet, aber das 25. Lebensjahr noch nicht vollendet haben 149 Euro,
4. bei Jugendlichen von 14 bis unter 18 Jahren 178 Euro,
5. bei Kindern von sechs bis unter 14 Jahren 131 Euro und
6. bei Kindern von null bis unter 6 Jahren 98 Euro.

[3] Wird die Sachleistung im Auftrag oder mit Zustimmung der Agentur für Arbeit durch einen anderen öffentlich-rechtlichen Träger oder einen privaten Dritten erbracht, gilt dies als Leistung nach diesem Buch. [4] Die Agentur für Arbeit hat dem öffentlich-rechtlichen Träger der Gemeinschaftsunterkunft oder, soweit ein solcher nicht vorhanden ist, dem privaten Betreiber der Gemeinschaftsunterkunft Aufwendungen für die Verpflegung einschließlich Haushaltsstrom in Höhe der in Satz 2 benannten Beträge zu erstatten.

§ 69[1)] Übergangsregelung zum Freibetrag für Grundrentenzeiten und vergleichbare Zeiten. Über die Erbringung der Leistungen zur Sicherung des Lebensunterhalts ist ohne Berücksichtigung eines möglichen Freibetrages nach § 11b Absatz 2a in Verbindung mit § 82a des Zwölften Buches[2)] zu entscheiden, solange nicht durch eine Mitteilung des Rentenversicherungsträgers oder einer berufsständischen Versicherungs- oder Versorgungseinrichtung nachgewiesen ist, dass die Voraussetzungen für die Einräumung des Freibetrages vorliegen.

§ 70[3)] Einmalzahlung aus Anlass der COVID-19-Pandemie. [1] Leistungsberechtigte, die für den Monat Mai 2021 Anspruch auf Arbeitslosengeld II oder Sozialgeld haben und deren Bedarf sich nach Regelbedarfsstufe 1 oder 2 richtet, erhalten für den Zeitraum vom 1. Januar 2021 bis zum 30. Juni 2021 zum Ausgleich der mit der COVID-19-Pandemie in Zusammenhang stehenden Mehraufwendungen eine Einmalzahlung in Höhe von 150 Euro. [2] Satz 1 gilt auch für Leistungsberechtigte, deren Bedarf sich nach Regelbedarfsstufe 3 richtet, sofern bei ihnen kein Kindergeld als Einkommen berücksichtigt wird.

§ 71[4)] Kinderfreizeitbonus und weitere Regelung aus Anlass der COVID-19-Pandemie. (1) [1] Abweichend von § 37 Absatz 1 Satz 2 gilt der Antrag auf Leistungen nach § 28 Absatz 5 in der Zeit vom 1. Juli 2021 bis zum Ablauf des 31. Dezember 2023 als von dem Antrag auf Leistungen zur Sicherung des Lebensunterhalts mit umfasst. [2] Dies gilt für ab dem 1. Juli 2021 entstehende Lernförderungsbedarfe auch dann, wenn die jeweiligen Bewilligungszeiträume nur teilweise in den in Satz 1 genannten Zeitraum fallen, weil sie entweder bereits vor dem 1. Juli 2021 begonnen haben oder erst nach dem 31. Dezember 2023 enden.

(2) [1] Leistungsberechtigte, die für den Monat August 2021 Anspruch auf Arbeitslosengeld II oder Sozialgeld und das 18. Lebensjahr noch nicht vollendet haben, erhalten eine Einmalzahlung in Höhe von 100 Euro. [2] Satz 1 gilt nicht

---

1) § 69 neu gef. mWv 1.1.2021 durch G v. 9.12.2020 (BGBl. I S. 2855).
2) **Aichberger, SGB Nr. 12.**
3) § 70 neu gef. mWv 1.4.2021 durch G v. 10.3.2021 (BGBl. I S. 335).
4) § 71 neu gef. mWv 1.7.2021 durch G v. 25.6.2021 (BGBl. I S. 2020).

für Leistungsberechtigte, für die im Monat August 2021 Kinderzuschlag nach § 6a des Bundeskindergeldgesetzes[1] gezahlt wird. [3] Eines gesonderten Antrags bedarf es nicht. [4] Erhält die leistungsberechtigte Person Arbeitslosengeld II oder Sozialgeld in zwei Bedarfsgemeinschaften, wird die Leistung nach Satz 1 in der Bedarfsgemeinschaft erbracht, in der das Kindergeld für die leistungsberechtigte Person berücksichtigt wird.

§ 72[2] Sofortzuschlag. (1) [1] Kinder, Jugendliche und junge Erwachsene, die Anspruch auf Grundsicherungsgeld haben, dem ein Regelbedarf nach den Regelbedarfsstufen 3, 4, 5 oder 6 zu Grunde liegt, haben zusätzlich Anspruch auf einen monatlichen Sofortzuschlag in Höhe von 25 Euro. [2] Satz 1 gilt auch für Kinder, Jugendliche und junge Erwachsene, die

1. nur einen Anspruch auf eine Bildungs- und Teilhabeleistung haben oder
2. nur deshalb keinen Anspruch auf Grundsicherungsgeld haben, weil im Rahmen der Prüfung der Hilfebedürftigkeit Kindergeld berücksichtigt wurde (§ 11 Absatz 1 Satz 5).

[3] Der Sofortzuschlag wird erstmalig für den Monat Juli 2022 erbracht.

(2) [1] Wird die Entscheidung über die Bewilligung von Grundsicherungsgeld oder der Bildungs- und Teilhabeleistung rückwirkend geändert oder fällt sie rückwirkend weg, erfolgt keine rückwirkende Aufhebung der Bewilligung und keine Rückforderung des Sofortzuschlages. [2] Dies gilt auch, wenn sich aufgrund einer abschließenden Entscheidung nach § 41a Absatz 3 kein Anspruch auf Grundsicherungsgeld oder eine Bildungs- und Teilhabeleistung ergibt.

(3) § 42 Absatz 4 gilt auch für den Anspruch auf den Sofortzuschlag.

§ 73[3] Einmalzahlung für den Monat Juli 2022. Leistungsberechtigte, die für den Monat Juli 2022 Anspruch auf Arbeitslosengeld II oder Sozialgeld haben und deren Bedarf sich nach der Regelbedarfsstufe 1 oder 2 richtet, erhalten für diesen Monat zum Ausgleich der mit der COVID-19-Pandemie in Zusammenhang stehenden Mehraufwendungen eine Einmalzahlung in Höhe von 200 Euro.

§ 74[4] Ansprüche von Ausländerinnen und Ausländern mit einer Fiktionsbescheinigung. (1) [1] Abweichend von § 7 Absatz 1 Satz 2 Nummer 1 und 2 erhalten Leistungen nach diesem Buch auch Personen, die gemäß § 49 des Aufenthaltsgesetzes[5] erkennungsdienstlich behandelt worden sind, eine

(Fortsetzung nächstes Blatt)

---

[1] **beck-online, Module Arbeitsrecht Nr. 332.**
[2] § 72 neu gef. mWv 1.6.2022 durch G v. 23.5.2022 (BGBl. I S. 760); Abs. 1 Sätze 1 und 2 Nr. 2, Abs. 2 Sätze 1 und 2 geänd. mWv 1.1.2023 durch G v. 16.12.2022 (BGBl. I S. 2328); Abs. 1 Satz 1 geänd. mWv 1.1.2025 durch G v. 23.12.2024 (BGBl. 2024 I Nr. 449); Abs. 1 Satz 1, Satz 2 Nr. 2 und Abs. 2 geänd. mWv 1.7.2026 durch G v. 16.4.2026 (BGBl. 2026 I Nr. 107).
[3] § 73 neu gef. mWv 1.6.2022 durch G v. 23.5.2022 (BGBl. I S. 760).
[4] § 74 neu gef. mWv 1.6.2022 durch G v. 23.5.2022 (BGBl. I S. 760).
[5] Nr. **760**.

Aufenthaltserlaubnis nach § 24 Absatz 1 des Aufenthaltsgesetzes[1] beantragt haben und denen eine entsprechende Fiktionsbescheinigung nach § 81 Absatz 5 in Verbindung mit Absatz 3 des Aufenthaltsgesetzes[1] ausgestellt worden ist. [2] § 7 Absatz 1 Satz 1 Nummer 4 und § 8 Absatz 2 sind nicht anzuwenden. [3] Der Bewilligungszeitraum ist abweichend von § 41 Absatz 3 Satz 1 auf längstens sechs Monate zu verkürzen.

(2) Absatz 1 gilt auch für Personen, die gemäß § 49 des Aufenthaltsgesetzes[2] erkennungsdienstlich behandelt worden sind, eine Aufenthaltserlaubnis nach § 24 Absatz 1 des Aufenthaltsgesetzes[1] beantragt haben und denen daher eine entsprechende Fiktionsbescheinigung nach § 81 Absatz 5 in Verbindung mit Absatz 4 des Aufenthaltsgesetzes[3] ausgestellt worden ist.

(3) [1] Die Absätze 1 und 2 sind bei Personen, denen nach dem 24. Februar 2022 und vor dem 1. Juni 2022 auf Grund eines Antrages auf eine Aufenthaltserlaubnis nach § 24 Absatz 1 des Aufenthaltsgesetzes[1] eine entsprechende Fiktionsbescheinigung nach § 81 Absatz 5 in Verbindung mit Absatz 3 oder Absatz 4 des Aufenthaltsgesetzes[1] ausgestellt worden ist, mit der Maßgabe anzuwenden, dass anstelle der erkennungsdienstlichen Behandlung die Speicherung der Daten nach § 3 Absatz 1 des AZR-Gesetzes[4] erfolgt ist. [2] Eine nicht durchgeführte erkennungsdienstliche Behandlung nach § 49 des Aufenthaltsgesetzes[2] oder nach § 16 des Asylgesetzes[5] ist in diesen Fällen durch die zuständige Behörde bis zum Ablauf des 31. Oktober 2022 nachzuholen.

(4) Das Erfordernis des Nachholens einer erkennungsdienstlichen Behandlung in Absatz 3 gilt nicht, soweit eine erkennungsdienstliche Behandlung nach § 49 des Aufenthaltsgesetzes[2] nicht vorgesehen ist.

(5) [1] In der Zeit vom 1. Juni 2022 bis einschließlich 31. August 2022 gilt der Antrag auf Leistungen zur Sicherung des Lebensunterhalts nach diesem Buch für Leistungsberechtigte nach § 18 des Asylbewerberleistungsgesetzes[6] als gestellt. [2] Die Leistungen nach diesem Buch sind gegenüber den Leistungen nach § 18 des Asylbewerberleistungsgesetzes[6] vorrangig. [3] Wenn die Träger der Grundsicherung für Arbeitsuchende Leistungsberechtigten nach § 18 des Asylbewerberleistungsgesetzes[6] laufende Leistungen zur Sicherung des Lebensunterhalts bewilligt haben, haben sie den Zeitpunkt der Aufnahme der laufenden Leistungsgewährung den für die Durchführung des Asylbewerberleistungsgesetzes[7] zuständigen Behörden unverzüglich anzuzeigen. [4] Der für die Durchführung des Asylbewerberleistungsgesetzes[7] zuständigen Behörde stehen Erstattungsansprüche nach Maßgabe des § 104 des Zehnten Buches[8] zu.

§ 75[9] *(aufgehoben)*

---

[1] **beck-online, Module Arbeitsrecht Nr. 760.**
[2] Nr. **760**.
[3] Auszugsweise abgedruckt unter Nr. **760**.
[4] **Sartorius ErgBd. Nr. 569.**
[5] **beck-online, Module Arbeitsrecht Nr. 780.**
[6] **beck-online, Module Arbeitsrecht Nr. 781.**
[7] Auszugsweise abgedruckt unter Nr. **781**.
[8] **beck-online, Module Arbeitsrecht Nr. 699.**
[9] § 75 aufgeh. mWv 1.8.2016 durch G v. 26.7.2016 (BGBl. I S. 1824).

§ 76[1] Gesetz zur Weiterentwicklung der Organisation der Grundsicherung für Arbeitsuchende. (1) Nimmt im Gebiet eines kommunalen Trägers nach § 6 Absatz 1 Satz 1 Nummer 2 mehr als eine Arbeitsgemeinschaft nach § 44b in der bis zum 31. Dezember 2010 geltenden Fassung die Aufgaben nach diesem Buch wahr, kann insoweit abweichend von § 44b Absatz 1 Satz 1 mehr als eine gemeinsame Einrichtung gebildet werden.

(2) [1] Bei Wechsel der Trägerschaft oder der Organisationsform tritt der zuständige Träger oder die zuständige Organisationsform an die Stelle des bisherigen Trägers oder der bisherigen Organisationsform; dies gilt auch für laufende Verwaltungs- und Gerichtsverfahren. [2] Die Träger teilen sich alle Tatsachen mit, die zur Vorbereitung eines Wechsels der Organisationsform erforderlich sind. [3] Sie sollen sich auch die zu diesem Zweck erforderlichen Sozialdaten in automatisierter und standardisierter Form übermitteln.

§ 77[2] *(aufgehoben)*

§ 78[3] *(aufgehoben)*

§ 79[4] Achtes Gesetz zur Änderung des Zweiten Buches Sozialgesetzbuch – Ergänzung personalrechtlicher Bestimmungen. (1) Hat ein nach § 40a zur Erstattung verpflichteter Sozialleistungsträger in der Zeit vom 31. Oktober 2012 bis zum 5. Juni 2014 in Unkenntnis des Bestehens der Erstattungspflicht bereits an die leistungsberechtigte Person geleistet, entfällt der Erstattungsanspruch.

(2) Eine spätere Zuweisung von Tätigkeiten in den gemeinsamen Einrichtungen, die nach § 44g Absatz 2 in der bis zum 31. Dezember 2014 geltenden Fassung erfolgt ist, gilt fort.

[§ 80 vom 1.1.2024 bis 31.12.2024:]

§ 80[5] Übergangsregelung aus Anlass des Gesetzes zur Regelung des Sozialen Entschädigungsrechts. Für Personen, die Leistungen nach dem Soldatenversorgungsgesetz[6] in Verbindung mit dem Bundesversorgungsgesetz erhalten, gelten § 11a Absatz 1 Nummer 2, § 18 Absatz 1 Nummer 1 und § 44a Absatz 3 Satz 2 in der bis zum 31. Dezember 2023 geltenden Fassung weiter.

§ 81[7] *(aufgehoben)*

§ 82[8] Gesetz zur Förderung der beruflichen Weiterbildung im Strukturwandel und zur Weiterentwicklung der Ausbildungsförderung. Für Maßnahmen der ausbildungsbegleitenden Hilfen, die bis zum 28. Februar 2021

---

[1] § 76 Abs. 1, 4, 5 und 6 aufgeh., bish. Abs. 2 wird Abs. 1, bish. Abs. 3 wird Abs. 2 mWv 1.8.2016 durch G v. 26.7.2016 (BGBl. I S. 1824).

[2] § 77 aufgeh. mWv 1.1.2023 durch G v. 16.12.2022 (BGBl. I S. 2328).

[3] § 78 aufgeh. mWv 1.1.2023 durch G v. 16.12.2022 (BGBl. I S. 2328).

[4] § 79 angef. mWv 5.8.2014, Abs. 2 Satz 1 aufgeh. mWv 1.1.2016 durch G v. 28.7.2014 (BGBl. I S. 1306).

[5] § 80 neu gef. mWv 1.1.2024 und aufgeh. mWv 1.1.2025 durch G v. 22.12.2023 (BGBl. 2023 I Nr. 408).

[6] Auszugsweise abgedruckt unter Nr. **156b**.

[7] § 81 aufgeh. mWv 1.1.2023 durch G v. 16.12.2022 (BGBl. I S. 2328).

[8] § 82 angef. mWv 29.5.2020 und geänd. mWv 1.1.2021 durch G v. 20.5.2020 (BGBl. I S. 1044).

beginnen und bis zum 30. September 2021, im Fall des § 75 Absatz 2 Satz 2 des Dritten Buches[1] in der bis zum 28. Mai 2020 geltenden Fassung bis zum 31. März 2022, enden, und für Maßnahmen der Assistierten Ausbildung, die bis zum 30. September 2020 beginnen, gelten § 16 Absatz 1 Satz 2 Nummer 3 in der bis zum 28. Mai 2020 geltenden Fassung in Verbindung mit § 450 Absatz 2 Satz 1 und Absatz 3 Satz 1 des Dritten Buches.

§ 83[2] Übergangsregelung aus Anlass des Gesetzes zur Ermittlung der Regelbedarfe und zur Änderung des Zwölften Buches[3] Sozialgesetzbuch sowie weiterer Gesetze. (1) [1] § 21 Absatz 4 Satz 1 in der bis zum 31. Dezember 2019 geltenden Fassung ist für erwerbsfähige Leistungsberechtigte mit Behinderungen, bei denen bereits bis zu diesem Zeitpunkt Eingliederungshilfe nach § 54 Absatz 1 Satz 1 Nummer 1 bis 3 des Zwölften Buches erbracht wurde und deswegen ein Mehrbedarf anzuerkennen war, ab dem 1. Januar 2020 für die Dauer der Maßnahme weiter anzuwenden, sofern der zugrundeliegende Maßnahmenbescheid noch wirksam ist. [2] Der Mehrbedarf kann auch nach Beendigung der Maßnahme während einer angemessenen Übergangszeit, vor allem einer Einarbeitungszeit, anerkannt werden.

(2) [1] § 23 Nummer 2 in der bis zum 31. Dezember 2019 geltenden Fassung ist für nichterwerbsfähige Leistungsberechtigte mit Behinderungen, bei denen bereits bis zu diesem Zeitpunkt Eingliederungshilfe nach § 54 Absatz 1 Satz 1 Nummer 1 und 2 des Zwölften Buches erbracht wurde und deswegen ein Mehrbedarf anzuerkennen war, ab dem 1. Januar 2020 für die Dauer der Maßnahme weiter anzuwenden, sofern der zugrundeliegende Maßnahmenbescheid noch wirksam ist. [2] Der Mehrbedarf kann auch nach Beendigung der Maßnahme während einer angemessenen Übergangszeit, vor allem einer Einarbeitungszeit, anerkannt werden.

§ 84[4] *(aufgehoben)*

§ 85[5] Übergangsregelung aus Anlass des Wohngeld-Plus-Gesetzes.

Abweichend von § 12a Satz 1 sind Leistungsberechtigte für am 31. Dezember 2022 laufende Bewilligungszeiträume oder Bewilligungszeiträume, die in der Zeit vom 1. Januar 2023 bis 30. Juni 2023 beginnen, nicht verpflichtet, Wohngeld nach dem Wohngeldgesetz[6] in Anspruch zu nehmen.

§ 86[7] Zweites Haushaltsfinanzierungsgesetz 2024. § 31a Absatz 7 und § 31b Absatz 3 werden mit Ablauf des 27. März 2026 aufgehoben.

---

[1] Nr. **700**.
[2] § 83 angef. mWv 15.12.2020 durch G v. 9.12.2020 (BGBl. I S. 2855).
[3] **Aichberger, SGB Nr. 12.**
[4] § 84 aufgeh. mWv 1.1.2023 durch G v. 16.12.2022 (BGBl. I S. 2328).
[5] § 85 angef. mWv 1.1.2023 durch G v. 5.12.2022 (BGBl. I S. 2160).
[6] **Sartorius Nr. 385.**
[7] § 86 angef. mWv 28.3.2024 durch G v. 27.3.2024 (BGBl. 2024 I Nr. 107).

693. Sozialgesetzbuch (SGB) Drittes Buch (III)
– Arbeitsförderung –

Vom 24. März 1997
(BGBl. I S. 594)

FNA 860-3

(Wiedergegeben unter Nr. 700)

694. Viertes Buch Sozialgesetzbuch – Gemeinsame Vorschriften für die Sozialversicherung – (SGB IV)

In der Fassung der Bekanntmachung vom 12. November 2009[1]
(BGBl. I S. 3710, ber. S. 3973 und BGBl. 2011 I S. 363)

FNA 860-4-1

zuletzt geänd. durch Art. 8 TariftreueG v. 27.4.2026 (BGBl. 2026 I Nr. 119)

– Auszug –[2]

Erster Abschnitt. Grundsätze und Begriffsbestimmungen

Erster Titel. Geltungsbereich und Umfang der Versicherung

§ 1[3] Sachlicher Geltungsbereich. (1) [1]Die Vorschriften dieses Buches gelten für die gesetzliche Kranken-, Unfall- und Rentenversicherung einschließlich der Alterssicherung der Landwirte sowie die soziale Pflegeversicherung (Versicherungszweige). [2]Die Vorschriften dieses Buches gelten mit Ausnahme des Ersten und Zweiten Titels des Vierten Abschnitts und des Fünften Abschnitts auch für die Arbeitsförderung. [3]Die Bundesagentur für Arbeit gilt im Sinne dieses Buches als Versicherungsträger.

(2) Die §§ 18f, 18g ***[bis 31.12.2026:*** und 19a***][ab 1.1.2027:****, 19a und 109a]* gelten auch für die Grundsicherung für Arbeitsuchende.

(3) Regelungen in den Sozialleistungsbereichen dieses Gesetzbuches, die in den Absätzen 1 und 2 genannt sind, bleiben unberührt, soweit sie von den Vorschriften dieses Buches abweichen.

§ 2[4] Versicherter Personenkreis. (1) Die Sozialversicherung umfasst Personen, die kraft Gesetzes oder Satzung (Versicherungspflicht) oder auf Grund freiwilligen Beitritts oder freiwilliger Fortsetzung der Versicherung (Versicherungsberechtigung) versichert sind.

(1a) Deutsche im Sinne der Vorschriften über die Sozialversicherung und die Arbeitsförderung sind Deutsche im Sinne des Artikels 116 des Grundgesetzes[5].

(2) In allen Zweigen der Sozialversicherung sind nach Maßgabe der besonderen Vorschriften für die einzelnen Versicherungszweige versichert

1. Personen, die gegen Arbeitsentgelt oder zu ihrer Berufsausbildung beschäftigt sind,

---

[1] Neubekanntmachung des SGB IV idF der Bek. v. 23.1.2006 (BGBl. I S. 86) in der ab 1.9.2009 geltenden Fassung.

[2] Vollständig wiedergegeben in **beck-online, Module Arbeitsrecht.**

[3] § 1 Abs. 4 aufgeh. mWv 3.12.2011 durch G v. 23.11.2011 (BGBl. I S. 2298); Abs. 2 neu gef. mWv 1.1.2023 durch G v. 20.12.2022 (BGBl. I S. 2759); Abs. 2 geänd. mWv 1.1.2027 durch G v. 23.10.2024 (BGBl. 2024 I Nr. 323).

[4] § 2 Abs. 3 Satz 1 Nr. 2 geänd. mWv 11.8.2010 durch G v. 5.8.2010 (BGBl. I S. 1127); Abs. 3 Nr. 2 geänd. mWv 1.1.2016 durch G v. 19.10.2013 (BGBl. I S. 3836).

[5] Nr. **10**.

2. behinderte Menschen, die in geschützten Einrichtungen beschäftigt werden,
3. Landwirte.

(3) [1] Deutsche Seeleute, die auf einem Seeschiff beschäftigt sind, das nicht berechtigt ist, die Bundesflagge zu führen, werden auf Antrag des Reeders

1. in der gesetzlichen Kranken-, Renten- und Pflegeversicherung versichert und in die Versicherungspflicht nach dem Dritten Buch[1)] einbezogen,
2. in der gesetzlichen Unfallversicherung versichert, wenn der Reeder das Seeschiff der Unfallverhütung und Schiffssicherheitsüberwachung durch die Berufsgenossenschaft Verkehrswirtschaft Post-Logistik Telekommunikation unterstellt hat und der Staat, dessen Flagge das Seeschiff führt, dem nicht widerspricht.

[2] Für deutsche Seeleute, die ihren Wohnsitz oder gewöhnlichen Aufenthalt im Inland haben und auf einem Seeschiff beschäftigt sind, das im überwiegenden wirtschaftlichen Eigentum eines deutschen Reeders mit Sitz im Inland steht, ist der Reeder verpflichtet, einen Antrag nach Satz 1 Nummer 1 und unter den Voraussetzungen des Satzes 1 Nummer 2 einen Antrag nach Satz 1 Nummer 2 zu stellen. [3] Der Reeder hat auf Grund der Antragstellung gegenüber den Versicherungsträgern die Pflichten eines Arbeitgebers. [4] Ein Reeder mit Sitz im Ausland hat für die Erfüllung seiner Verbindlichkeiten gegenüber den Versicherungsträgern einen Bevollmächtigten im Inland zu bestellen. [5] Der Reeder und der Bevollmächtigte haften gegenüber den Versicherungsträgern als Gesamtschuldner; sie haben auf Verlangen entsprechende Sicherheit zu leisten.

(4) Die Versicherung weiterer Personengruppen in einzelnen Versicherungszweigen ergibt sich aus den für sie geltenden besonderen Vorschriften.

§ 3[2)] Persönlicher und räumlicher Geltungsbereich. Die Vorschriften über die Versicherungspflicht und die Versicherungsberechtigung gelten,

1. soweit sie eine Beschäftigung oder eine selbständige Tätigkeit voraussetzen, für alle Personen, die im Geltungsbereich dieses Gesetzbuchs beschäftigt oder selbständig tätig sind,
2. soweit sie eine Beschäftigung oder eine selbständige Tätigkeit nicht voraussetzen, für alle Personen, die ihren Wohnsitz oder gewöhnlichen Aufenthalt im Geltungsbereich dieses Gesetzbuchs haben.

§ 4 Ausstrahlung. (1) Soweit die Vorschriften über die Versicherungspflicht und die Versicherungsberechtigung eine Beschäftigung voraussetzen, gelten sie auch für Personen, die im Rahmen eines im Geltungsbereich dieses Gesetzbuchs bestehenden Beschäftigungsverhältnisses in ein Gebiet außerhalb dieses Geltungsbereichs entsandt werden, wenn die Entsendung infolge der Eigenart der Beschäftigung oder vertraglich im Voraus zeitlich begrenzt ist.

(2) Für Personen, die eine selbständige Tätigkeit ausüben, gilt Absatz 1 entsprechend.

---

1) Nr. **700**.

2) § 3 Abs. 2 aufgeh., bish. Abs. 1 wird alleiniger Wortlaut mWv 3.12.2011 durch G v. 23.11.2011 (BGBl. I S. 2298).

§ 5 Einstrahlung. (1) Soweit die Vorschriften über die Versicherungspflicht und die Versicherungsberechtigung eine Beschäftigung voraussetzen, gelten sie nicht für Personen, die im Rahmen eines außerhalb des Geltungsbereichs dieses Gesetzbuchs bestehenden Beschäftigungsverhältnisses in diesen Geltungsbereich entsandt werden, wenn die Entsendung infolge der Eigenart der Beschäftigung oder vertraglich im Voraus zeitlich begrenzt ist.

(Fortsetzung nächstes Blatt)

(2) Für Personen, die eine selbständige Tätigkeit ausüben, gilt Absatz 1 entsprechend.

§ 6 Vorbehalt abweichender Regelungen. Regelungen des über- und zwischenstaatlichen Rechts bleiben unberührt.

Zweiter Titel. Beschäftigung und selbständige Tätigkeit

§ 7[1] Beschäftigung. (1) [1]Beschäftigung ist die nichtselbständige Arbeit, insbesondere in einem Arbeitsverhältnis. [2]Anhaltspunkte für eine Beschäftigung sind eine Tätigkeit nach Weisungen und eine Eingliederung in die Arbeitsorganisation des Weisungsgebers.

(1a) [1]Eine Beschäftigung besteht auch in Zeiten der Freistellung von der Arbeitsleistung von mehr als einem Monat, wenn

1. während der Freistellung Arbeitsentgelt aus einem Wertguthaben nach § 7b fällig ist und
2. das monatlich fällige Arbeitsentgelt in der Zeit der Freistellung nicht unangemessen von dem für die vorausgegangenen zwölf Kalendermonate abweicht, in denen Arbeitsentgelt bezogen wurde.

[2]Satz 1 gilt entsprechend, wenn während einer bis zu dreimonatigen Freistellung Arbeitsentgelt aus einer Vereinbarung zur flexiblen Gestaltung der werktäglichen oder wöchentlichen Arbeitszeit oder dem Ausgleich betrieblicher Produktions- und Arbeitszeitzyklen fällig ist. [3]Beginnt ein Beschäftigungsverhältnis mit einer Zeit der Freistellung, gilt Satz 1 Nummer 2 mit der Maßgabe, dass das monatlich fällige Arbeitsentgelt in der Zeit der Freistellung nicht unangemessen von dem für die Zeit der Arbeitsleistung abweichen darf, mit der das Arbeitsentgelt später erzielt werden soll. [4]Eine Beschäftigung gegen Arbeitsentgelt besteht während der Zeit der Freistellung auch, wenn die Arbeitsleistung, mit der das Arbeitsentgelt später erzielt werden soll, wegen einer im Zeitpunkt der Vereinbarung nicht vorhersehbaren vorzeitigen Beendigung des Beschäftigungsverhältnisses nicht mehr erbracht werden kann. [5]Die Vertragsparteien können beim Abschluss der Vereinbarung nur für den Fall, dass Wertguthaben wegen der Beendigung der Beschäftigung auf Grund verminderter Erwerbsfähigkeit, des Erreichens einer Altersgrenze, zu der eine Rente wegen Alters beansprucht werden kann, oder des Todes des Beschäftigten nicht mehr für Zeiten einer Freistellung von der Arbeitsleistung verwendet werden können, einen anderen Verwendungszweck vereinbaren. [6]Die Sätze 1 bis 4 gelten nicht für Beschäftigte, auf die Wertguthaben übertragen werden.

(1b) Die Möglichkeit eines Arbeitnehmers zur Vereinbarung flexibler Arbeitszeiten gilt nicht als eine die Kündigung des Arbeitsverhältnisses durch den Arbeitgeber begründende Tatsache im Sinne des § 1 Absatz 2 Satz 1 des Kündigungsschutzgesetzes[2].

---

[1] § 7 Abs. 1a Satz 2 eingef., bish. Sätze 2–6 werden Sätze 3–7, Abs. 4 angef. mWv 1.1.2012 durch G v. 22.12.2011 (BGBl. I S. 3057); Abs. 4 geänd. mWv 19.4.2012 durch G v. 12.4.2012 (BGBl. I S. 579); Abs. 3 Sätze 3 und 4 geänd. mWv 1.1.2015 durch G v. 23.12.2014 (BGBl. I S. 2462); Abs. 1a Satz 7 geänd. mWv 1.7.2018, Abs. 1a Satz 7 aufgeh. mWv 1.1.2025 durch G v. 17.7.2017 (BGBl. I S. 2575); Abs. 4 geänd. mWv 1.3.2020 durch G v. 15.8.2019 (BGBl. I S. 1307); Abs. 3 Satz 3 geänd. mWv 1.1.2024 durch G v. 12.12.2019 (BGBl. I S. 2652); Abs. 3 Satz 3 geänd. mWv 1.1.2025 durch G v. 20.8.2021 (BGBl. I S. 3932).

[2] Nr. **152**.

(2) Als Beschäftigung gilt auch der Erwerb beruflicher Kenntnisse, Fertigkeiten oder Erfahrungen im Rahmen betrieblicher Berufsbildung.

(3) [1] Eine Beschäftigung gegen Arbeitsentgelt gilt als fortbestehend, solange das Beschäftigungsverhältnis ohne Anspruch auf Arbeitsentgelt fortdauert, jedoch nicht länger als einen Monat. [2] Eine Beschäftigung gilt auch als fortbestehend, wenn Arbeitsentgelt aus einem der Deutschen Rentenversicherung Bund übertragenen Wertguthaben bezogen wird. [3] Satz 1 gilt nicht, wenn Krankengeld, Krankentagegeld, Verletztengeld, Krankengeld der Sozialen Entschädigung, Krankengeld der Soldatenentschädigung, Übergangsgeld, Pflegeunterstützungsgeld oder Mutterschaftsgeld oder nach gesetzlichen Vorschriften Erziehungsgeld oder Elterngeld bezogen oder Elternzeit in Anspruch genommen oder Wehrdienst oder Zivildienst geleistet wird. [4] Satz 1 gilt auch nicht für die Freistellung nach § 3 des Pflegezeitgesetzes[1)].

(4) Beschäftigt ein Arbeitgeber einen Ausländer ohne die nach § 284 Absatz 1 des Dritten Buches[2)] erforderliche Genehmigung oder ohne die nach § 4a Absatz 5 des Aufenthaltsgesetzes[3)] erforderliche Berechtigung zur Erwerbstätigkeit, wird vermutet, dass ein Beschäftigungsverhältnis gegen Arbeitsentgelt für den Zeitraum von drei Monaten bestanden hat.

§ 7a[4)] Feststellung des Erwerbsstatus. (1) [1] Die Beteiligten können bei der Deutschen Rentenversicherung Bund schriftlich oder elektronisch eine Entscheidung beantragen, ob bei einem Auftragsverhältnis eine Beschäftigung oder eine selbständige Tätigkeit vorliegt, es sei denn, die Einzugsstelle oder ein anderer Versicherungsträger hatte im Zeitpunkt der Antragstellung bereits ein Verfahren zur Feststellung von Versicherungspflicht auf Grund einer Beschäftigung eingeleitet. [2] Die Einzugsstelle hat einen Antrag nach Satz 1 zu stellen, wenn sich aus der Meldung des Arbeitgebers (§ 28a) ergibt, dass der Beschäftigte Ehegatte, Lebenspartner oder Abkömmling des Arbeitgebers oder geschäftsführender Gesellschafter einer Gesellschaft mit beschränkter Haftung ist.

(2) [1] Die Deutsche Rentenversicherung Bund entscheidet auf Grund einer Gesamtwürdigung aller Umstände des Einzelfalles, ob eine Beschäftigung oder eine selbständige Tätigkeit vorliegt. [2] Wird die vereinbarte Tätigkeit für einen Dritten erbracht und liegen Anhaltspunkte dafür vor, dass der Auftragnehmer in dessen Arbeitsorganisation eingegliedert ist und dessen Weisungen unterliegt, stellt sie bei Vorliegen einer Beschäftigung auch fest, ob das Beschäftigungsverhältnis zu dem Dritten besteht. [3] Der Dritte kann bei Vorliegen von Anhaltspunkten im Sinne des Satzes 2 ebenfalls eine Entscheidung nach Absatz 1 Satz 1 beantragen. [4] Bei der Beurteilung von Versicherungspflicht auf Grund des Auftragsverhältnisses sind andere Versicherungsträger an die Entscheidungen der Deutschen Rentenversicherung Bund gebunden.

(3) [1] Die Deutsche Rentenversicherung Bund teilt den Beteiligten schriftlich oder elektronisch mit, welche Angaben und Unterlagen sie für ihre Entschei-

---

[1)] Nr. **409**.
[2)] Nr. **700**.
[3)] Nr. **760**.
[4)] § 7a Abs. 1 Satz 1, Abs. 3 Satz 1 geänd. mWv 5.4.2017 durch G v. 29.3.2017 (BGBl. I S. 626); Überschrift und Abs. 1 Satz 1 neu gef., Satz 3 aufgeh., Abs. 2 Satz 1 geänd., Sätze 2–4, Abs. 4 Satz 2 sowie Abs. 4a–4c angef., Abs. 5 aufgeh., bish. Abs. 6 wird Abs. 5 und Satz 1 geänd., Satz 2 eingef., bish. Satz 2 wird Satz 3, bish. Abs. 7 wird Abs. 6 und Satz 1 geänd., Satz 2 eingef., bish. Satz 2 wird Satz 3, Abs. 7 angef. mWv 1.4.2022 durch G v. 16.7.2021 (BGBl. I S. 2970).

dung benötigt. [2] Sie setzt den Beteiligten eine angemessene Frist, innerhalb der diese die Angaben zu machen und die Unterlagen vorzulegen haben.

(4) [1] Die Deutsche Rentenversicherung Bund teilt den Beteiligten mit, welche Entscheidung sie zu treffen beabsichtigt, bezeichnet die Tatsachen, auf die sie ihre Entscheidung stützen will, und gibt den Beteiligten Gelegenheit, sich zu der beabsichtigten Entscheidung zu äußern. [2] Satz 1 gilt nicht, wenn die Deutsche Rentenversicherung Bund einem übereinstimmenden Antrag der Beteiligten entspricht.

(4a) [1] Auf Antrag der Beteiligten entscheidet die Deutsche Rentenversicherung Bund bereits vor Aufnahme der Tätigkeit nach Absatz 2. [2] Neben den schriftlichen Vereinbarungen sind die beabsichtigten Umstände der Vertragsdurchführung zu Grunde zu legen. [3] Ändern sich die schriftlichen Vereinbarungen oder die Umstände der Vertragsdurchführung bis zu einem Monat nach der Aufnahme der Tätigkeit, haben die Beteiligten dies unverzüglich mitzuteilen. [4] Ergibt sich eine wesentliche Änderung, hebt die Deutsche Rentenversicherung Bund die Entscheidung nach Maßgabe des § 48 des Zehnten Buches[1)] auf. [5] Die Aufnahme der Tätigkeit gilt als Zeitpunkt der Änderung der Verhältnisse.

(4b) [1] Entscheidet die Deutsche Rentenversicherung Bund in einem Einzelfall über den Erwerbsstatus, äußert sie sich auf Antrag des Auftraggebers gutachterlich zu dem Erwerbsstatus von Auftragnehmern in gleichen Auftragsverhältnissen. [2] Auftragsverhältnisse sind gleich, wenn die vereinbarten Tätigkeiten ihrer Art und den Umständen der Ausübung nach übereinstimmen und ihnen einheitliche vertragliche Vereinbarungen zu Grunde liegen. [3] In der gutachterlichen Äußerung sind die Art der Tätigkeit, die zu Grunde gelegten vertraglichen Vereinbarungen und die Umstände der Ausübung sowie ihre Rechtswirkungen anzugeben. [4] Bei Abschluss eines gleichen Auftragsverhältnisses hat der Auftraggeber dem Auftragnehmer eine Kopie der gutachterlichen Äußerung auszuhändigen. [5] Der Auftragnehmer kann für gleiche Auftragsverhältnisse mit demselben Auftraggeber ebenfalls eine gutachterliche Äußerung beantragen.

(4c) [1] Hat die Deutsche Rentenversicherung Bund in einer gutachterlichen Äußerung nach Absatz 4b das Vorliegen einer selbständigen Tätigkeit angenommen und stellt sie in einem Verfahren nach Absatz 1 oder ein anderer Versicherungsträger in einem Verfahren auf Feststellung von Versicherungspflicht für ein gleiches Auftragsverhältnis eine Beschäftigung fest, so tritt eine Versicherungspflicht auf Grund dieser Beschäftigung erst mit dem Tag der Bekanntgabe dieser Entscheidung ein, wenn die Voraussetzungen des Absatzes 5 Satz 1 Nummer 2 erfüllt sind. [2] Im Übrigen findet Absatz 5 Satz 1 keine Anwendung. [3] Satz 1 gilt nur für Auftragsverhältnisse, die innerhalb von zwei Jahren seit Zugang der gutachterlichen Äußerung geschlossen werden. [4] Stellt die Deutsche Rentenversicherung Bund die Beschäftigung in einem Verfahren nach Absatz 1 fest, so entscheidet sie auch darüber, ob die Voraussetzungen des Absatzes 5 Satz 1 Nummer 2 erfüllt sind.

(5) [1] Wird der Antrag auf Feststellung des Erwerbsstatus innerhalb eines Monats nach Aufnahme der Tätigkeit gestellt und stellt die Deutsche Rentenversicherung Bund eine Beschäftigung fest, gilt der Tag der Bekanntgabe der

---

[1)] Nr. **699**.

Entscheidung als Tag des Eintritts in das Beschäftigungsverhältnis, wenn der Beschäftigte

1. zustimmt und
2. er für den Zeitraum zwischen Aufnahme der Beschäftigung und der Entscheidung eine Absicherung gegen das finanzielle Risiko von Krankheit und zur Altersvorsorge vorgenommen hat, die der Art nach den Leistungen der gesetzlichen Krankenversicherung und der gesetzlichen Rentenversicherung entspricht.

[2] Die Deutsche Rentenversicherung Bund stellt den Zeitpunkt fest, der als Tag des Eintritts in das Beschäftigungsverhältnis gilt. [3] Der Gesamtsozialversicherungsbeitrag wird erst zu dem Zeitpunkt fällig, zu dem die Entscheidung, dass eine Beschäftigung vorliegt, unanfechtbar geworden ist.

(6) [1] Widerspruch und Klage gegen Entscheidungen nach den Absätzen 2 und 4a haben aufschiebende Wirkung. [2] Im Widerspruchsverfahren können die Beteiligten nach Begründung des Widerspruchs eine mündliche Anhörung beantragen, die gemeinsam mit den anderen Beteiligten erfolgen soll. [3] Eine Klage auf Erlass der Entscheidung ist abweichend von § 88 Absatz 1 des Sozialgerichtsgesetzes[1)] nach Ablauf von drei Monaten zulässig.

(7) [1] Absatz 2 Satz 2 und 3, Absätze 4a bis 4c und Absatz 6 Satz 2 treten mit Ablauf des 30. Juni 2027 außer Kraft. [2] Die Deutsche Rentenversicherung Bund legt dem Bundesministerium für Arbeit und Soziales bis zum 31. Dezember 2025 einen Bericht über die Erfahrungen bei der Anwendung des Absatzes 2 Satz 2 und 3, der Absätze 4a bis 4c und des Absatzes 6 Satz 2 vor.

§ 7b[2)] Wertguthabenvereinbarung. Eine Wertguthabenvereinbarung liegt vor, wenn

1. der Aufbau des Wertguthabens auf Grund einer schriftlichen Vereinbarung erfolgt,
2. diese Vereinbarung nicht das Ziel der flexiblen Gestaltung der werktäglichen oder wöchentlichen Arbeitszeit oder den Ausgleich betrieblicher Produktions- und Arbeitszeitzyklen verfolgt,
3. Arbeitsentgelt in das Wertguthaben eingebracht wird, um es für Zeiten der Freistellung von der Arbeitsleistung oder der Verringerung der vertraglich vereinbarten Arbeitszeit zu entnehmen,
4. das aus dem Wertguthaben fällige Arbeitsentgelt mit einer vor oder nach der Freistellung von der Arbeitsleistung oder der Verringerung der vertraglich vereinbarten Arbeitszeit erbrachten Arbeitsleistung erzielt wird und
5. das fällige Arbeitsentgelt insgesamt die Geringfügigkeitsgrenze übersteigt, es sei denn, die Beschäftigung wurde vor der Freistellung als geringfügige Beschäftigung ausgeübt.

§ 7c[3)] Verwendung von Wertguthaben. (1) [1] Das Wertguthaben auf Grund einer Vereinbarung nach § 7b kann bis zum Ablauf des Kalendermonats des

---

[1)] Nr. 680.

[2)] § 7b Nr. 5 geänd. mWv 1.1.2013 durch G v. 5.12.2012 (BGBl. I S. 2474); Nr. 5 geänd. mWv 1.10.2022 durch G v. 28.6.2022 (BGBl. I S. 969).

[3)] *§ 7c Abs. 1 Nr. 1 Buchst. a neu gef. mWv 1.1.2015 durch G v. 23.12.2014 (BGBl. I S. 2462);* Abs. 1 Nr. 1 Buchst. c geänd. mWv 1.1.2019 durch G v. 11.12.2018 (BGBl. I S. 2384); Abs. 1 neu gef. mWv 22.1.2026 durch G v. 16.1.2026 (BGBl. 2026 I Nr. 14).

Erreichens der Regelaltersgrenze nach dem Sechsten Buch in Anspruch genommen werden

1. für gesetzlich geregelte vollständige oder teilweise Freistellungen von der Arbeitsleistung oder gesetzlich geregelte Verringerungen der Arbeitszeit, insbesondere für Zeiten,
   a) in denen der Beschäftigte eine Freistellung nach § 3 des Pflegezeitgesetzes[1] oder nach § 2 des Familienpflegezeitgesetzes[2] verlangen kann,
   b) in denen der Beschäftigte nach § 15 des Bundeselterngeld- und Elternzeitgesetzes[3] ein Kind selbst betreut und erzieht,
   c) für die der Beschäftigte eine Verringerung seiner vertraglich vereinbarten Arbeitszeit nach § 8 oder § 9a des Teilzeit- und Befristungsgesetzes[4] verlangen kann; § 8 des Teilzeit- und Befristungsgesetzes gilt mit der Maßgabe, dass die Verringerung der Arbeitszeit auf die Dauer der Entnahme aus dem Wertguthaben befristet werden kann,
2. für vertraglich vereinbarte vollständige oder teilweise Freistellungen von der Arbeitsleistung oder vertraglich vereinbarte Verringerungen der Arbeitszeit, insbesondere für Zeiten,
   a) die unmittelbar vor dem Zeitpunkt liegen, zu dem der Beschäftigte eine Rente wegen Alters nach dem Sechsten Buch[5] bezieht oder beziehen könnte oder die darüber hinaus längstens bis zum Ablauf des Kalendermonats des Erreichens der Regelaltersgrenze nach dem Sechsten Buch reichen oder
   b) in denen der Beschäftigte an beruflichen Qualifizierungsmaßnahmen teilnimmt.

(2) Die Vertragsparteien können die Zwecke, für die das Wertguthaben in Anspruch genommen werden kann, in der Vereinbarung nach § 7b abweichend von Absatz 1 auf bestimmte Zwecke beschränken.

§ 7d Führung und Verwaltung von Wertguthaben. (1) [1] Wertguthaben sind als Arbeitsentgeltguthaben einschließlich des darauf entfallenden Arbeitgeberanteils am Gesamtsozialversicherungsbeitrag zu führen. [2] Die Arbeitszeitguthaben sind in Arbeitsentgelt umzurechnen.

(2) Arbeitgeber haben Beschäftigte mindestens einmal jährlich in Textform über die Höhe ihres im Wertguthaben enthaltenen Arbeitsentgeltguthabens zu unterrichten.

(3) [1] Für die Anlage von Wertguthaben gelten die Vorschriften über die Anlage der Mittel von Versicherungsträgern nach dem Vierten Titel des Vierten Abschnitts entsprechend, mit der Maßgabe, dass eine Anlage in Aktien oder Aktienfonds bis zu einer Höhe von 20 Prozent zulässig und ein Rückfluss zum Zeitpunkt der Inanspruchnahme des Wertguthabens mindestens in der Höhe des angelegten Betrages gewährleistet ist. [2] Ein höherer Anlageanteil in Aktien oder Aktienfonds ist zulässig, wenn

---

[1] Nr. **409**.
[2] Nr. **410**.
[3] Nr. **401**.
[4] Nr. **80**.
[5] Auszugsweise abgedruckt unter Nr. **696**.

1. dies in einem Tarifvertrag oder auf Grund eines Tarifvertrages in einer Betriebsvereinbarung vereinbart ist oder
2. das Wertguthaben nach der Wertguthabenvereinbarung ausschließlich für Freistellungen nach § 7c Absatz 1 Nummer 2 Buchstabe a in Anspruch genommen werden kann.

§ 7e Insolvenzschutz. (1) [1]Die Vertragsparteien treffen im Rahmen ihrer Vereinbarung nach § 7b durch den Arbeitgeber zu erfüllende Vorkehrungen, um das Wertguthaben einschließlich des darin enthaltenen Gesamtsozialversicherungsbeitrages gegen das Risiko der Insolvenz des Arbeitgebers vollständig abzusichern, soweit

1. ein Anspruch auf Insolvenzgeld nicht besteht und wenn
2. das Wertguthaben des Beschäftigten einschließlich des darin enthaltenen Gesamtsozialversicherungsbeitrages einen Betrag in Höhe der monatlichen Bezugsgröße übersteigt.

[2]In einem Tarifvertrag oder auf Grund eines Tarifvertrages in einer Betriebsvereinbarung kann ein von Satz 1 Nummer 2 abweichender Betrag vereinbart werden.

(2) [1]Zur Erfüllung der Verpflichtung nach Absatz 1 sind Wertguthaben unter Ausschluss der Rückführung durch einen Dritten zu führen, der im Fall der Insolvenz des Arbeitgebers für die Erfüllung der Ansprüche aus dem Wertguthaben für den Arbeitgeber einsteht, insbesondere in einem Treuhandverhältnis, das die unmittelbare Übertragung des Wertguthabens in das Vermögen des Dritten und die Anlage des Wertguthabens auf einem offenen Treuhandkonto oder in anderer geeigneter Weise sicherstellt. [2]Die Vertragsparteien können in der Vereinbarung nach § 7b ein anderes, einem Treuhandverhältnis im Sinne des Satzes 1 gleichwertiges Sicherungsmittel vereinbaren, insbesondere ein Versicherungsmodell oder ein schuldrechtliches Verpfändungs- oder Bürgschaftsmodell mit ausreichender Sicherung gegen Kündigung.

(3) Keine geeigneten Vorkehrungen sind bilanzielle Rückstellungen sowie zwischen Konzernunternehmen (§ 18 des Aktiengesetzes[1)]) begründete Einstandspflichten, insbesondere Bürgschaften, Patronatserklärungen oder Schuldbeitritte.

(4) Der Arbeitgeber hat den Beschäftigten unverzüglich über die Vorkehrungen zum Insolvenzschutz in geeigneter Weise schriftlich zu unterrichten, wenn das Wertguthaben die in Absatz 1 Satz 1 Nummer 2 genannten Voraussetzungen erfüllt.

(5) Hat der Beschäftigte den Arbeitgeber schriftlich aufgefordert, seinen Verpflichtungen nach den Absätzen 1 bis 3 nachzukommen und weist der Arbeitgeber dem Beschäftigten nicht innerhalb von zwei Monaten nach der Aufforderung die Erfüllung seiner Verpflichtung zur Insolvenzsicherung des Wertguthabens nach, kann der Beschäftigte die Vereinbarung nach § 7b mit sofortiger Wirkung kündigen; das Wertguthaben ist nach Maßgabe des § 23b Absatz 2 aufzulösen.

(6) [1]Stellt der Träger der Rentenversicherung bei der Prüfung des Arbeitgebers nach § 28p fest, dass

---

[1)] Nr. **567**.

1. für ein Wertguthaben keine Insolvenzschutzregelung getroffen worden ist,
2. die gewählten Sicherungsmittel nicht geeignet sind im Sinne des Absatzes 3,
3. die Sicherungsmittel in ihrem Umfang das Wertguthaben um mehr als 30 Prozent unterschreiten oder
4. die Sicherungsmittel den im Wertguthaben enthaltenen Gesamtsozialversicherungsbeitrag nicht umfassen,

weist er in dem Verwaltungsakt nach § 28p Absatz 1 Satz 5 den in dem Wertguthaben enthaltenen und vom Arbeitgeber zu zahlenden Gesamtsozialversicherungsbeitrag aus. [2] Weist der Arbeitgeber dem Träger der Rentenversicherung innerhalb von zwei Monaten nach der Feststellung nach Satz 1 nach, dass er seiner Verpflichtung nach Absatz 1 nachgekommen ist, entfällt die Verpflichtung zur sofortigen Zahlung des Gesamtsozialversicherungsbeitrages. [3] Hat der Arbeitgeber den Nachweis nach Satz 2 nicht innerhalb der dort vorgesehenen Frist erbracht, ist die Vereinbarung nach § 7b als von Anfang an unwirksam anzusehen; das Wertguthaben ist aufzulösen.

(7) [1] Kommt es wegen eines nicht geeigneten oder nicht ausreichenden Insolvenzschutzes zu einer Verringerung oder einem Verlust des Wertguthabens, haftet der Arbeitgeber für den entstandenen Schaden. [2] Ist der Arbeitgeber eine juristische Person oder eine Gesellschaft ohne Rechtspersönlichkeit haften auch die organschaftlichen Vertreter gesamtschuldnerisch für den Schaden. [3] Der Arbeitgeber oder ein organschaftlicher Vertreter haften nicht, wenn sie den Schaden nicht zu vertreten haben.

(8) Eine Beendigung, Auflösung oder Kündigung der Vorkehrungen zum Insolvenzschutz vor der bestimmungsgemäßen Auflösung des Wertguthabens ist unzulässig, es sei denn, die Vorkehrungen werden mit Zustimmung des Beschäftigten durch einen mindestens gleichwertigen Insolvenzschutz abgelöst.

(9) Die Absätze 1 bis 8 finden keine Anwendung gegenüber dem Bund, den Ländern, Gemeinden, Körperschaften, Stiftungen und Anstalten des öffentlichen Rechts, über deren Vermögen die Eröffnung des Insolvenzverfahrens nicht zulässig ist, sowie solchen juristischen Personen des öffentlichen Rechts, bei denen der Bund, ein Land oder eine Gemeinde kraft Gesetzes die Zahlungsfähigkeit sichert.

§ 7f Übertragung von Wertguthaben. (1) [1] Bei Beendigung der Beschäftigung kann der Beschäftigte durch schriftliche Erklärung gegenüber dem bisherigen Arbeitgeber verlangen, dass das Wertguthaben nach § 7b

1. auf den neuen Arbeitgeber übertragen wird, wenn dieser mit dem Beschäftigten eine Wertguthabenvereinbarung nach § 7b abgeschlossen und der Übertragung zugestimmt hat,
2. auf die Deutsche Rentenversicherung Bund übertragen wird, wenn das Wertguthaben einschließlich des Gesamtsozialversicherungsbeitrages einen Betrag in Höhe des Sechsfachen der monatlichen Bezugsgröße übersteigt; die Rückübertragung ist ausgeschlossen.

[2] Nach der Übertragung sind die mit dem Wertguthaben verbundenen Arbeitgeberpflichten vom neuen Arbeitgeber oder von der Deutschen Rentenversicherung Bund zu erfüllen.

(2) [1] Im Fall der Übertragung auf die Deutsche Rentenversicherung Bund kann der Beschäftigte das Wertguthaben für Zeiten der Freistellung von der Arbeitsleistung und Zeiten der Verringerung der vertraglich vereinbarten Ar-

beitszeit nach § 7c Absatz 1 sowie auch außerhalb eines Arbeitsverhältnisses für die in § 7c Absatz 1 Nummer 2 Buchstabe a genannten Zeiten in Anspruch nehmen. [2] Der Antrag ist spätestens einen Monat vor der begehrten Freistellung schriftlich bei der Deutschen Rentenversicherung Bund zu stellen; in dem Antrag ist auch anzugeben, in welcher Höhe Arbeitsentgelt aus dem Wertguthaben entnommen werden soll; dabei ist § 7 Absatz 1a Satz 1 Nummer 2 zu berücksichtigen.

(3) [1] Die Deutsche Rentenversicherung Bund verwaltet die ihr übertragenen Wertguthaben einschließlich des darin enthaltenen Gesamtsozialversicherungsbeitrages als ihr übertragene Aufgabe bis zu deren endgültiger Auflösung getrennt von ihrem sonstigen Vermögen treuhänderisch. [2] Die Wertguthaben sind nach den Vorschriften über die Anlage der Mittel von Versicherungsträgern nach dem Vierten Titel des Vierten Abschnitts anzulegen. [3] Die der Deutschen Rentenversicherung Bund durch die Übertragung, Verwaltung und Verwendung von Wertguthaben entstehenden Kosten sind vollständig vom Wertguthaben in Abzug zu bringen und in der Mitteilung an den Beschäftigten nach § 7d Absatz 2 gesondert auszuweisen.

§ 7g[1)] *(aufgehoben)*

§ 8[2)] **Geringfügige Beschäftigung und geringfügige selbständige Tätigkeit; Geringfügigkeitsgrenze.** (1) Eine geringfügige Beschäftigung liegt vor, wenn

1. das Arbeitsentgelt aus dieser Beschäftigung regelmäßig die Geringfügigkeitsgrenze nicht übersteigt,
2. die Beschäftigung innerhalb eines Kalenderjahres auf längstens drei Monate oder 70 Arbeitstage nach ihrer Eigenart begrenzt zu sein pflegt oder im Voraus vertraglich begrenzt ist, es sei denn, dass die Beschäftigung berufsmäßig ausgeübt wird und die Geringfügigkeitsgrenze übersteigt; bei einer Beschäftigung in einem landwirtschaftlichen Betrieb gilt eine zeitliche Grenze von 15 Wochen oder 90 Arbeitstagen.

(1a) [1] Die Geringfügigkeitsgrenze im Sinne des Sozialgesetzbuchs bezeichnet das monatliche Arbeitsentgelt, das bei einer Arbeitszeit von zehn Wochenstunden zum Mindestlohn nach § 1 Absatz 2 Satz 1 des Mindestlohngesetzes[3)] in Verbindung mit der auf der Grundlage des § 11 Absatz 1 Satz 1 des Mindestlohngesetzes jeweils erlassenen Verordnung erzielt wird. [2] Sie wird berechnet, indem der Mindestlohn mit 130 vervielfacht, durch drei geteilt und auf volle Euro aufgerundet wird. [3] Die Geringfügigkeitsgrenze wird jeweils vom Bundesministerium für Arbeit und Soziales im Bundesanzeiger bekannt gegeben.

(1b) Ein unvorhersehbares Überschreiten der Geringfügigkeitsgrenze steht dem Fortbestand einer geringfügigen Beschäftigung nach Absatz 1 Nummer 1 nicht entgegen, wenn die Geringfügigkeitsgrenze innerhalb des für den jeweili-

---

[1)] § 7g aufgeh. mWv 1.1.2013 durch G v. 21.12.2008 (BGBl. I S. 2940).

[2)] § 8 Abs. 2 Satz 3 neu gef. mWv 11.8.2010 durch G v. 5.8.2010 (BGBl. I S. 1127); Abs. 1 Nr. 1 und 2 geänd. mWv 1.1.2013 durch G v. 5.12.2012 (BGBl. I S. 2474); Abs. 1 Nr. 2 geänd. mWv 1.1.2019 durch G v. 18.12.2018 (BGBl. I S. 2651); Überschrift neu gef., Abs. 1 Nr. 1 und 2 geänd., Abs. 1a und 1b eingef., Abs. 3 Satz 1 geänd. mWv 1.10.2022 durch G v. 28.6.2022 (BGBl. I S. 969); Abs. 2a eingef. mWv *1.3.2024 durch* G v. *16.8.2023* (BGBl. 2023 I Nr. 217); Abs. 1 Nr. 2 neu gef. mWv 1.1.2026 durch G v. 22.12.2025 (BGBl. 2025 I Nr. 355).

[3)] Nr. **505**.

gen Entgeltabrechnungszeitraum zu bildenden Zeitjahres in nicht mehr als zwei Kalendermonaten um jeweils einen Betrag bis zur Höhe der Geringfügigkeitsgrenze überschritten wird.

(2) [1] Bei der Anwendung des Absatzes 1 sind mehrere geringfügige Beschäftigungen nach Nummer 1 oder Nummer 2 sowie geringfügige Beschäftigungen nach Nummer 1 mit Ausnahme einer geringfügigen Beschäftigung nach Nummer 1 und nicht geringfügige Beschäftigungen zusammenzurechnen. [2] Eine geringfügige Beschäftigung liegt nicht mehr vor, sobald die Voraussetzungen des Absatzes 1 entfallen. [3] Wird beim Zusammenrechnen nach Satz 1 festgestellt, dass die Voraussetzungen einer geringfügigen Beschäftigung nicht mehr vorliegen, tritt die Versicherungspflicht erst mit dem Tag ein, an dem die Entscheidung über die Versicherungspflicht nach § 37 des Zehnten Buches[1)] durch die Einzugsstelle nach § 28i Satz 5 oder einen anderen Träger der Rentenversicherung bekannt gegeben wird. [4] Dies gilt nicht, wenn der Arbeitgeber vorsätzlich oder grob fahrlässig versäumt hat, den Sachverhalt für die versicherungsrechtliche Beurteilung der Beschäftigung aufzuklären.

[Abs. 2a ab 1.3.2024:]

(2a) Absatz 1 Nummer 2 gilt nicht für aufgrund der Beschäftigungsverordnung[2)] zugelassene kontingentierte kurzzeitige Beschäftigungen.

(3) [1] Die Absätze 1, 1a und 2 gelten entsprechend, soweit anstelle einer Beschäftigung eine selbständige Tätigkeit ausgeübt wird. [2] Dies gilt nicht für das Recht der Arbeitsförderung.

§ 8a Geringfügige Beschäftigung in Privathaushalten. [1] Werden geringfügige Beschäftigungen ausschließlich in Privathaushalten ausgeübt, gilt § 8. [2] Eine geringfügige Beschäftigung im Privathaushalt liegt vor, wenn diese durch einen privaten Haushalt begründet ist und die Tätigkeit sonst gewöhnlich durch Mitglieder des privaten Haushalts erledigt wird.

§ 9[3)] Beschäftigungsort. (1) Beschäftigungsort ist der Ort, an dem die Beschäftigung tatsächlich ausgeübt wird.

(2) Als Beschäftigungsort gilt der Ort, an dem eine feste Arbeitsstätte errichtet ist, wenn Personen

1. von ihr aus mit einzelnen Arbeiten außerhalb der festen Arbeitsstätte beschäftigt werden oder
2. außerhalb der festen Arbeitsstätte beschäftigt werden und diese Arbeitsstätte sowie der Ort, an dem die Beschäftigung tatsächlich ausgeübt wird, im Bezirk desselben Versicherungsamts liegen.

(3) Sind Personen bei einem Arbeitgeber an mehreren festen Arbeitsstätten beschäftigt, gilt als Beschäftigungsort die Arbeitsstätte, in der sie überwiegend beschäftigt sind.

(4) Erstreckt sich eine feste Arbeitsstätte über den Bezirk mehrerer Gemeinden, gilt als Beschäftigungsort der Ort, an dem die Arbeitsstätte ihren wirtschaftlichen Schwerpunkt hat.

---

1) Nr. **699**.

2) Nr. **762**.

3) § 9 Abs. 7 angef. mWv 29.6.2011 durch G v. 22.6.2011 (BGBl. I S. 1202); Abs. 7 Satz 2 geänd. mWv 1.1.2025 durch G v. 17.7.2017 (BGBl. I S. 2575).

(5) [1] Ist eine feste Arbeitsstätte nicht vorhanden und wird die Beschäftigung an verschiedenen Orten ausgeübt, gilt als Beschäftigungsort der Ort, an dem der Betrieb seinen Sitz hat. [2] Leitet eine Außenstelle des Betriebs die Arbeiten unmittelbar, ist der Sitz der Außenstelle maßgebend. [3] Ist nach den Sätzen 1 und 2 ein Beschäftigungsort im Geltungsbereich dieses Gesetzbuchs nicht vorhanden, gilt als Beschäftigungsort der Ort, an dem die Beschäftigung erstmals im Geltungsbereich dieses Gesetzbuchs ausgeübt wird.

(6) [1] In den Fällen der Ausstrahlung gilt der bisherige Beschäftigungsort als fortbestehend. [2] Ist ein solcher nicht vorhanden, gilt als Beschäftigungsort der Ort, an dem der Betrieb, von dem der Beschäftigte entsandt wird, seinen Sitz hat.

(7) [1] Gelten für einen Arbeitnehmer auf Grund über- oder zwischenstaatlichen Rechts die deutschen Rechtsvorschriften über soziale Sicherheit und übt der Arbeitnehmer die Beschäftigung nicht im Geltungsbereich dieses Buches aus, gilt Absatz 6 entsprechend. [2] Ist auch danach kein Beschäftigungsort im Geltungsbereich dieses Buches gegeben, gilt der Arbeitnehmer als in Berlin ***[bis 31.12.2024:*** (Ost)***]*** beschäftigt.

§ 10[1)] Beschäftigungsort für besondere Personengruppen. (1) Für Personen, die ein freiwilliges soziales Jahr oder ein freiwilliges ökologisches Jahr im Sinne des Jugendfreiwilligendienstegesetzes[2)] leisten, gilt als Beschäftigungsort der Ort, an dem der Träger des freiwilligen sozialen Jahres oder des freiwilligen ökologischen Jahres seinen Sitz hat.

(2) [1] Für Entwicklungshelfer gilt als Beschäftigungsort der Sitz des Trägers des Entwicklungsdienstes. [2] Für auf Antrag im Ausland versicherte Personen gilt als Beschäftigungsort der Sitz der antragstellenden Stelle.

(3) [1] Für Seeleute gilt als Beschäftigungsort der Heimathafen des Seeschiffs. [2] Ist ein Heimathafen im Geltungsbereich dieses Gesetzbuchs nicht vorhanden, gilt als Beschäftigungsort Hamburg.

§ 11 Tätigkeitsort. (1) Die Vorschriften über den Beschäftigungsort gelten für selbständige Tätigkeiten entsprechend, soweit sich nicht aus Absatz 2 Abweichendes ergibt.

(2) Ist eine feste Arbeitsstätte nicht vorhanden und wird die selbständige Tätigkeit an verschiedenen Orten ausgeübt, gilt als Tätigkeitsort der Ort des Wohnsitzes oder des gewöhnlichen Aufenthalts.

§ 12 Hausgewerbetreibende, Heimarbeiter und Zwischenmeister.

(1) Hausgewerbetreibende sind selbständig Tätige, die in eigener Arbeitsstätte im Auftrag und für Rechnung von Gewerbetreibenden, gemeinnützigen Unternehmen oder öffentlich-rechtlichen Körperschaften gewerblich arbeiten, auch wenn sie Roh- oder Hilfsstoffe selbst beschaffen oder vorübergehend für eigene Rechnung tätig sind.

(2) Heimarbeiter sind sonstige Personen, die in eigener Arbeitsstätte im Auftrag und für Rechnung von Gewerbetreibenden, gemeinnützigen Unternehmen oder öffentlich-rechtlichen Körperschaften erwerbsmäßig arbeiten,

---

1) § 10 Abs. 2 Satz 2 geänd. mWv 29.6.2011 durch G v. 22.6.2011 (BGBl. I S. 1202).
2) Nr. **422**.

auch wenn sie Roh- oder Hilfsstoffe selbst beschaffen; sie gelten als Beschäftigte.

(3) Als Arbeitgeber der Hausgewerbetreibenden oder Heimarbeiter gilt, wer die Arbeit unmittelbar an sie vergibt, als Auftraggeber der, in dessen Auftrag und für dessen Rechnung sie arbeiten.

(4) Zwischenmeister ist, wer, ohne Arbeitnehmer zu sein, die ihm übertragene Arbeit an Hausgewerbetreibende oder Heimarbeiter weitergibt.

(5) [1] Als Hausgewerbetreibende, Heimarbeiter oder Zwischenmeister gelten auch die nach § 1 Absatz 2 Satz 1 Buchstaben a, c und d des Heimarbeitsgesetzes gleichgestellten Personen. [2] Dies gilt nicht für das Recht der Arbeitsförderung.

§ 13[1)] Reeder, Seeleute und Deutsche Seeschiffe. (1) [1] Reeder sind die Eigentümer von Seeschiffen. [2] Seeleute sind alle abhängig beschäftigten Besatzungsmitglieder an Bord von Seeschiffen; Kanalsteurer auf dem Nord-Ostsee-Kanal stehen den Seeleuten gleich.

(2) Als deutsche Seeschiffe gelten alle zur Seefahrt bestimmten Schiffe, die berechtigt sind, die Bundesflagge zu führen.

Dritter Titel. Arbeitsentgelt und sonstiges Einkommen[2)]

§ 14[3)] Arbeitsentgelt. (1) [1] Arbeitsentgelt sind alle laufenden oder einmaligen Einnahmen aus einer Beschäftigung, gleichgültig, ob ein Rechtsanspruch auf die Einnahmen besteht, unter welcher Bezeichnung oder in welcher Form sie geleistet werden und ob sie unmittelbar aus der Beschäftigung oder im Zusammenhang mit ihr erzielt werden. [2] Arbeitsentgelt sind auch Entgeltteile, die durch Entgeltumwandlung nach § 1 Absatz 2 Nummer 3 des Betriebsrentengesetzes für betriebliche Altersversorgung in den Durchführungswegen Direktzusage oder Unterstützungskasse verwendet werden, soweit sie 4 vom Hundert der jährlichen Beitragsbemessungsgrenze der allgemeinen Rentenversicherung übersteigen.

(2) [1] Ist ein Nettoarbeitsentgelt vereinbart, gelten als Arbeitsentgelt die Einnahmen des Beschäftigten einschließlich der darauf entfallenden Steuern und der seinem gesetzlichen Anteil entsprechenden Beiträge zur Sozialversicherung und zur Arbeitsförderung. [2] Sind bei illegalen Beschäftigungsverhältnissen Steuern und Beiträge zur Sozialversicherung und zur Arbeitsförderung nicht gezahlt worden, gilt ein Nettoarbeitsentgelt als vereinbart.

(3) Wird ein Haushaltsscheck (§ 28a Absatz 7) verwendet, bleiben Zuwendungen unberücksichtigt, die nicht in Geld gewährt worden sind.

§ 15[4)] Arbeitseinkommen. (1) [1] Arbeitseinkommen ist der nach den allgemeinen Gewinnermittlungsvorschriften des Einkommensteuerrechts ermittelte Gewinn aus einer selbständigen Tätigkeit. [2] Einkommen ist als Arbeits-

---

[1)] § 13 Abs. 1 Satz 2 neu gef. mWv 1.8.2013 durch G v. 20.4.2013 (BGBl. I S. 868).

[2)] Der Ertragsanteil der Renten als sonstige Einkünfte ergibt sich aus § 2 iVm § 22 Nummer 1 Satz 3 Buchst. a Einkommensteuergesetz 2002 (EStG 2002) **(beck-online, Module Arbeitsrecht Nr. 331)**.

[3)] § 14 Abs. 3 neu gef. mWv 11.8.2010 durch G v. 5.8.2010 (BGBl. I S. 1127); Abs. 1 Satz 3 aufgeh. mWv 22.4.2015 durch G v. 15.4.2015 (BGBl. I S. 583).

[4)] § 15 Abs. 2 aufgeh. mWv 1.1.2025 durch G v. 22.12.2023 (BGBl. 2023 I Nr. 408).

einkommen zu werten, wenn es als solches nach dem Einkommensteuerrecht zu bewerten ist.

[Abs. 2 bis 31.12.2024:]

(2) Bei Landwirten, deren Gewinn aus Land- und Forstwirtschaft nach § 13a des Einkommensteuergesetzes ermittelt wird, ist als Arbeitseinkommen der sich aus § 32 Absatz 6 des Gesetzes über die Alterssicherung der Landwirte ergebende Wert anzusetzen.

§ 16 Gesamteinkommen. Gesamteinkommen ist die Summe der Einkünfte im Sinne des Einkommensteuerrechts; es umfasst insbesondere das Arbeitsentgelt und das Arbeitseinkommen.

§ 17[1] Verordnungsermächtigung. (1) [1] Das Bundesministerium für Arbeit und Soziales wird ermächtigt, durch Rechtsverordnung mit Zustimmung des Bundesrates zur Wahrung der Belange der Sozialversicherung und der Arbeitsförderung, zur Förderung der betrieblichen Altersversorgung oder zur Vereinfachung des Beitragseinzugs zu bestimmen,

1. dass einmalige Einnahmen oder laufende Zulagen, Zuschläge, Zuschüsse oder ähnliche Einnahmen, die zusätzlich zu Löhnen oder Gehältern gewährt werden, und steuerfreie Einnahmen ganz oder teilweise nicht als Arbeitsentgelt gelten[2],
2. dass Beiträge an Direktversicherungen und Zuwendungen an Pensionskassen oder Pensionsfonds ganz oder teilweise nicht als Arbeitsentgelt gelten,
3. wie das Arbeitsentgelt, das Arbeitseinkommen und das Gesamteinkommen zu ermitteln und zeitlich zuzurechnen sind,
4. den Wert der Sachbezüge nach dem tatsächlichen Verkehrswert im Voraus für jedes Kalenderjahr.

[2] Dabei ist eine möglichst weitgehende Übereinstimmung mit den Regelungen des Steuerrechts sicherzustellen.

(2) [1] Das Bundesministerium für Arbeit und Soziales bestimmt im Voraus für jedes Kalenderjahr durch Rechtsverordnung[3] mit Zustimmung des Bundesrates die Bezugsgröße (§ 18). [2] Das Bundesministerium für Arbeit und Soziales wird ermächtigt, durch Rechtsverordnung mit Zustimmung des Bundesrates auch sonstige aus der Bezugsgröße abzuleitende Beträge zu bestimmen.

§ 17a Umrechnung von ausländischem Einkommen. (1) [1] Ist Einkommen zu berücksichtigen, das in fremder Währung erzielt wird, wird es in Euro nach dem Referenzkurs umgerechnet, den die Europäische Zentralbank öffentlich bekannt gibt. [2] Wird für die fremde Währung von der Europäischen Zentralbank ein Referenzkurs nicht veröffentlicht, wird das Einkommen nach dem von der Deutschen Bundesbank ermittelten Mittelkurs für die Währung des betreffenden Landes umgerechnet; für Länder mit differenziertem Kurssystem ist der Kurs für den nichtkommerziellen Bereich zugrunde zu legen.

(2) [1] Bei Berücksichtigung von Einkommen ist in den Fällen, in denen der Beginn der Leistung oder der neu berechneten Leistung in der Vergangenheit liegt, der Umrechnungskurs für den Kalendermonat maßgebend, in dem die

---

[1] § 17 Abs. 1 Satz 1 einl. Satzteil geänd. mWv 11.8.2010 durch G v. 5.8.2010 (BGBl. I S. 1127).

[2] Siehe die SozialversicherungsentgeltVO (Nr. **694a**).

[3] Siehe die Sozialversicherungs-RechengrößenVO 2023 **(Aichberger, SGB Nr. 6/60w)**.

Anrechnung des Einkommens beginnt. [2]Bei Berücksichtigung von Einkommen ist in den Fällen, in denen der Beginn der Leistung oder der neu berechneten Leistung nicht in der Vergangenheit liegt, der Umrechnungskurs für den ersten Monat des Kalendervierteljahres maßgebend, das dem Beginn der Berücksichtigung von Einkommen vorausgeht. [3]Überstaatliches Recht bleibt unberührt.

(3) [1]Der angewandte Umrechnungskurs bleibt so lange maßgebend, bis
1. die Sozialleistung zu ändern ist,
2. sich das zu berücksichtigende Einkommen ändert oder
3. eine Kursveränderung von mehr als 10 vom Hundert gegenüber der letzten Umrechnung eintritt, jedoch nicht vor Ablauf von drei Kalendermonaten.

[2]Die Kursveränderung nach Nummer 3 sowie der neue Umrechnungskurs werden in entsprechender Anwendung von Absatz 2 ermittelt.

(4) [1]Die Absätze 1 bis 3 finden entsprechende Anwendung auf
1. Unterhaltsleistungen,
2. Prämien für eine Krankenversicherung.

[2]Sie finden keine Anwendung bei der Ermittlung von Bemessungsgrundlagen von Sozialleistungen.

(5) Die Absätze 1 bis 4 sind auch anzuwenden, wenn der Versicherungsfall vor dem 1. Juli 1985 eingetreten ist.

§ 18[1)] Bezugsgröße. Bezugsgröße im Sinne der Vorschriften für die Sozialversicherung ist, soweit in den besonderen Vorschriften für die einzelnen Versicherungszweige nichts Abweichendes bestimmt ist, das Durchschnittsentgelt der gesetzlichen Rentenversicherung im vorvergangenen Kalenderjahr, aufgerundet auf den nächsthöheren, durch 420 teilbaren Betrag.[2)]

Vierter Titel. Einkommen beim Zusammentreffen mit Renten wegen Todes

§ 18a[3)] Art des zu berücksichtigenden Einkommens. (1) [1]Bei Renten wegen Todes sind als Einkommen zu berücksichtigen
1. Erwerbseinkommen,

[1)] § 18 Abs. 2 Satz 1 geänd., Satz 2 angef. mWv 1.7.2018, Abs. 2 und 3 aufgeh. mWv 1.1.2025 durch G v. 17.7.2017 (BGBl. I S. 2575).

[2)] Gem. § 1 Sozialversicherungsrechengrößen-VO 2025 **(Aichberger, SGB Nr. 6/60x)** beträgt die Bezugsgröße nach § 18 Abs. 1 für das Jahr 2025 44 940 Euro; umgerechnet auf den Monat ergeben sich 3 745 Euro.

[3)] § 18a Abs. 3 Satz 1 Nr. 4 geänd. mWv 1.7.2011 durch G v. 20.6.2011 (BGBl. I S. 1114); Abs. 3 Satz 1 Nr. 5 geänd. mWv 4.9.2013 durch G v. 28.8.2013 (BGBl. I S. 3386); Abs. 3 Satz 1 Nr. 1 geänd. mWv 1.1.2015 durch G v. 23.12.2014 (BGBl. I S. 2462); Abs. 1 Satz 1 Nr. 3 und 4 geänd., Nr. 5 angef., Satz 2 Nr. 1 neu gef., Nr. 2 geänd., Nr. 3 und 4 angef., Abs. 2 Satz 2 aufgeh., Abs. 3 Satz 1 Nr. 5 und 9 geänd. mWv 1.1.2017 durch G v. 11.11.2016 (BGBl. I S. 2500); Abs. 3 Satz 1 Nr. 4 neu gef. mWv 1.7.2021, Abs. 3 Satz 1 Nr. 1 geänd., Nr. 8 neu gef. mWv 1.1.2024 durch G v. 12.12.2019 (BGBl. I S. 2652); Abs. 3 Satz 1 Nr. 1 geänd., Nr. 8 neu gef. mWv 1.1.2025 durch G v. 20.8.2021 (BGBl. I S. 3932, geänd. BGBl. 2024 I Nr. 423); Abs. 3 Satz 1 Nr. 2 geänd. mWv 1.1.2023 durch G v. 20.12.2022 (BGBl. I S. 2759); Abs. 3 Satz 1 Nr. 1 geänd. mWv 1.4.2024 durch G v. 17.7.2023 (BGBl. 2023 I Nr. 191); Abs. 2a Nr. 1 geänd. mWv 1.1.2025 durch G v. 22.12.2023 (BGBl. 2023 I Nr. 408); Abs. 4 Nr. 3 geänd. mWv 1.1.2024 durch G v. 27.3.2024 (BGBl. 2024 I Nr. 108); Abs. 3 Satz 1 Nr. 8 neu gef. mWv 1.1.2025 durch G v. 18.12.2024 (BGBl. 2024 I Nr. 423).

2. Leistungen, die erbracht werden, um Erwerbseinkommen zu ersetzen (Erwerbsersatzeinkommen),
3. Vermögenseinkommen,
4. Elterngeld und
5. Aufstockungsbeträge und Zuschläge nach § 3 Nummer 28 des Einkommensteuergesetzes[1].

[2] Nicht zu berücksichtigen sind

1. Arbeitsentgelt, das eine Pflegeperson von dem Pflegebedürftigen erhält, wenn das Entgelt das dem Umfang der Pflegetätigkeit entsprechende Pflegegeld nach § 37 des Elften Buches[2] nicht übersteigt,
2. Einnahmen aus Altersvorsorgeverträgen, soweit sie nach § 10a oder Abschnitt XI des Einkommensteuergesetzes gefördert worden sind,
3. Renten nach § 3 Nummer 8a des Einkommensteuergesetzes und
4. Arbeitsentgelt, das ein behinderter Mensch von einem Träger einer in § 1 Satz 1 Nummer 2 des Sechsten Buches[3] genannten Einrichtung erhält.

[3] Die Sätze 1 und 2 gelten auch für vergleichbare ausländische Einkommen.

(2) Erwerbseinkommen im Sinne des Absatzes 1 Satz 1 Nummer 1 sind Arbeitsentgelt, Arbeitseinkommen und vergleichbares Einkommen.

(2a) Arbeitseinkommen im Sinne des Absatzes 2 Satz 1 ist die positive Summe der Gewinne oder Verluste aus folgenden Arbeitseinkommensarten:

1. Gewinne aus Land- und Forstwirtschaft im Sinne der §§ 13, 13a und 14 des Einkommensteuergesetzes,
2. Gewinne aus Gewerbebetrieb im Sinne der §§ 15, 16 und 17 des Einkommensteuergesetzes und
3. Gewinne aus selbständiger Arbeit im Sinne des § 18 des Einkommensteuergesetzes.

(3) [1] Erwerbsersatzeinkommen im Sinne des Absatzes 1 Satz 1 Nummer 2 sind

1. das Krankengeld, das Verletztengeld, das Krankengeld der Sozialen Entschädigung, das Krankengeld der Soldatenentschädigung, das Mutterschaftsgeld, das Übergangsgeld, das Pflegeunterstützungsgeld, das Kurzarbeitergeld, das Arbeitslosengeld, das Qualifizierungsgeld, das Insolvenzgeld, das Krankentagegeld und vergleichbare Leistungen,
2. Renten der Rentenversicherung wegen Alters oder verminderter Erwerbsfähigkeit, die Erziehungsrente, die Knappschaftsausgleichsleistung, das Anpassungsgeld für entlassene Arbeitnehmer des Bergbaus, das Anpassungsgeld an Arbeitnehmerinnen und Arbeitnehmer des Braunkohlentagebaus und der Stein- und Braunkohleanlagen und Leistungen nach den §§ 27 und 28 des Sozialversicherungs-Angleichungsgesetzes Saar,
3. Altersrenten und Renten wegen Erwerbsminderung der Alterssicherung der Landwirte, die an ehemalige Landwirte oder mitarbeitende Familienangehörige gezahlt werden,

---

[1] **beck-online, *Module Arbeitsrecht* Nr. 331.**
[2] **Aichberger, SGB Nr. 11.**
[3] Nr. **696**.

4. die Verletztenrente der Unfallversicherung, soweit sie die Beträge nach § 93 Absatz 2 Nummer 2 Buchstabe a in Verbindung mit Absatz 2a und 2b des Sechsten Buches[1] übersteigt; eine Kürzung oder ein Wegfall der Verletztenrente wegen Anstaltspflege oder Aufnahme in ein Alters- oder Pflegeheim bleibt unberücksichtigt,
5. das Ruhegehalt und vergleichbare Bezüge aus einem öffentlich-rechtlichen Dienst- oder Amtsverhältnis oder aus einem versicherungsfreien Arbeitsverhältnis mit Anspruch auf Versorgung nach beamtenrechtlichen Vorschriften oder Grundsätzen, Altersgeld oder vergleichbare Alterssicherungsleistungen sowie vergleichbare Bezüge aus der Versorgung der Abgeordneten, Leistungen nach dem Bundesversorgungsteilungsgesetz und vergleichbare Leistungen nach entsprechenden länderrechtlichen Regelungen,
6. das Unfallruhegehalt und vergleichbare Bezüge aus einem öffentlich-rechtlichen Dienst- oder Amtsverhältnis oder aus einem versicherungsfreien Arbeitsverhältnis mit Anspruch auf Versorgung nach beamtenrechtlichen Vorschriften oder Grundsätzen sowie vergleichbare Bezüge aus der Versorgung der Abgeordneten; wird daneben kein Unfallausgleich gezahlt, gilt Nummer 4 letzter Teilsatz entsprechend,
7. Renten der öffentlich-rechtlichen Versicherungs- oder Versorgungseinrichtungen bestimmter Berufsgruppen wegen Minderung der Erwerbsfähigkeit oder Alters,
8. der Berufsschadensausgleich nach Kapitel 10 des Vierzehnten Buches[2] und nach Rechtsvorschriften, die die entsprechende Anwendung des Vierzehnten Buches vorsehen, und der Erwerbsschadensausgleich nach Kapitel 6 des Soldatenentschädigungsgesetzes sowie der Berufsschadensausgleich nach § 82 des Soldatenentschädigungsgesetzes,
9. Renten wegen Alters oder verminderter Erwerbsfähigkeit, die aus Anlass eines Arbeitsverhältnisses zugesagt worden sind sowie Leistungen aus der Versorgungsausgleichskasse,
10. Renten wegen Alters oder verminderter Erwerbsfähigkeit aus privaten Lebens- und Rentenversicherungen, allgemeinen Unfallversicherungen sowie sonstige private Versorgungsrenten.

[2] Kinderzuschuss, Kinderzulage und vergleichbare kindbezogene Leistungen bleiben außer Betracht. [3] Wird eine Kapitalleistung oder anstelle einer wiederkehrenden Leistung eine Abfindung gezahlt, ist der Betrag als Einkommen zu berücksichtigen, der bei einer Verrentung der Kapitalleistung oder als Rente ohne die Abfindung zu zahlen wäre.

(4) Vermögenseinkommen im Sinne des Absatzes 1 Satz 1 Nummer 3 ist die positive Summe der positiven oder negativen Überschüsse, Gewinne oder Verluste aus folgenden Vermögenseinkommensarten:

1. a) Einnahmen aus Kapitalvermögen im Sinne des § 20 des Einkommensteuergesetzes; Einnahmen im Sinne des § 20 Absatz 1 Nummer 6 des Einkommensteuergesetzes in der ab dem 1. Januar 2005 geltenden Fassung sind auch bei einer nur teilweisen Steuerpflicht jeweils die vollen Unterschiedsbeträge zwischen den Versicherungsleistungen einerseits und den

[1] **beck-online, Module Arbeitsrecht Nr. 696.**
[2] **Aichberger, SGB Nr. 14.**

auf sie entrichteten Beiträgen oder den Anschaffungskosten bei entgeltlichem Erwerb des Anspruchs auf die Versicherungsleistung andererseits,

b) Einnahmen aus Versicherungen auf den Erlebens- oder Todesfall im Sinne des § 10 Absatz 1 Nummer 2 Buchstabe b Doppelbuchstabe cc und dd des Einkommensteuergesetzes in der am 1. Januar 2004 geltenden Fassung, wenn die Laufzeit dieser Versicherungen vor dem 1. Januar 2005 begonnen hat und ein Versicherungsbeitrag bis zum 31. Dezember 2004 entrichtet wurde, es sei denn, sie werden wegen Todes geleistet; zu den Einnahmen gehören außerrechnungsmäßige und rechnungsmäßige Zinsen aus den Sparanteilen, die in den Beiträgen zu diesen Versicherungen enthalten sind, im Sinne des § 20 Absatz 1 Nummer 6 des Einkommensteuergesetzes in der am 21. September 2002 geltenden Fassung.

Bei der Ermittlung der Einnahmen ist als Werbungskostenpauschale der Sparer-Pauschbetrag abzuziehen,

2. Einnahmen aus Vermietung und Verpachtung im Sinne des § 21 des Einkommensteuergesetzes nach Abzug der Werbungskosten und

3. Gewinne aus privaten Veräußerungsgeschäften im Sinne des § 23 des Einkommensteuergesetzes, soweit sie mindestens 1000 Euro im Kalenderjahr betragen.

§ 18b[1)] **Höhe des zu berücksichtigenden Einkommens.** (1) [1] Maßgebend ist das für denselben Zeitraum erzielte monatliche Einkommen. [2] Mehrere zu berücksichtigende Einkommen sind zusammenzurechnen. [3] Wird die Rente nur für einen Teil des Monats gezahlt, ist das entsprechend gekürzte monatliche Einkommen maßgebend. [4] Einmalig gezahltes Vermögenseinkommen gilt als für die dem Monat der Zahlung folgenden zwölf Kalendermonate als erzielt. [5] Einmalig gezahltes Vermögenseinkommen ist Einkommen, das

(Fortsetzung nächstes Blatt)

[1)] § 18b Abs. 5 Satz 1 Nr. 3–5 und 7 geänd., Nr. 8 angef., Satz 2 neu gef., Satz 3 aufgeh. mWv 11.8.2010 durch G v. 5.8.2010 (BGBl. I S. 1127); Abs. 5 Satz 1 Nr. 1 ausl. Satzteil geänd. mWv 1.1. 2013 durch G v. 5.12.2012 (BGBl. I S. 2474); Abs. 2 Satz 6 angef. mWv 1.1.2017 durch G v. 11.11. 2016 (BGBl. I S. 2500); Abs. 3 Satz 2 geänd., Satz 3 eingef., bish. Satz 3 wird Satz 4 mWv 1.1.2023 durch G v. 20.12.2022 (BGBl. I S. 2759); Abs. 2 Satz 4 geänd. mWv 1.4.2024 durch G v. 17.7.2023 (BGBl. 2023 I Nr. 191).

einem bestimmten Zeitraum nicht zugeordnet werden kann oder in einem Betrag für mehr als zwölf Monate gezahlt wird.

(2) [1] Bei Erwerbseinkommen und Erwerbsersatzeinkommen nach § 18a Absatz 3 Satz 1 Nummer 1 gilt als monatliches Einkommen im Sinne von Absatz 1 Satz 1 das im letzten Kalenderjahr aus diesen Einkommensarten erzielte Einkommen, geteilt durch die Zahl der Kalendermonate, in denen es erzielt wurde. [2] Wurde Erwerbseinkommen neben Erwerbsersatzeinkommen nach § 18a Absatz 3 Satz 1 Nummer 1 erzielt, sind diese Einkommen zusammenzurechnen; wurden diese Einkommen zeitlich aufeinander folgend erzielt, ist das Erwerbseinkommen maßgebend. [3] Die für einmalig gezahltes Arbeitsentgelt in § 23a getroffene zeitliche Zuordnung gilt entsprechend. [4] Für die Zeiten des Bezugs von Kurzarbeitergeld ***[ab 1.4.2024:** und Qualifizierungsgeld]* ist das dem Versicherungsträger gemeldete Arbeitsentgelt maßgebend. [5] Bei Vermögenseinkommen gilt als monatliches Einkommen im Sinne von Absatz 1 Satz 1 ein Zwölftel dieses im letzten Kalenderjahr erzielten Einkommens; bei einmalig gezahltem Vermögenseinkommen gilt ein Zwölftel des gezahlten Betrages als monatliches Einkommen nach Absatz 1 Satz 1. [6] Steht das zu berücksichtigende Einkommen des vorigen Kalenderjahres noch nicht fest, so wird das voraussichtlich erzielte Einkommen zugrunde gelegt.

(3) [1] Ist im letzten Kalenderjahr Einkommen nach Absatz 2 nicht oder nur Erwerbsersatzeinkommen nach § 18a Absatz 3 Satz 1 Nummer 1 erzielt worden, gilt als monatliches Einkommen im Sinne von Absatz 1 Satz 1 das laufende Einkommen. [2] Satz 1 gilt auch bei der erstmaligen Feststellung der Rente, wenn das laufende Einkommen um wenigstens zehn vom Hundert geringer ist als das nach Absatz 2 maßgebende Einkommen; bei Arbeits- und Vermögenseinkommen gilt das im Durchschnitt voraussichtliche Einkommen. [3] Einmalig gezahltes Arbeitsentgelt des Vorjahres ist beim laufenden Arbeitsentgelt mit einem Zwölftel zu berücksichtigen. [4] Umfasst das laufende Einkommen Erwerbsersatzeinkommen im Sinne von § 18a Absatz 3 Satz 1 Nummer 1, ist dieses nur zu berücksichtigen, solange diese Leistung gezahlt wird.

(4) Bei Erwerbsersatzeinkommen nach § 18a Absatz 3 Satz 1 Nummer 2 bis 10 gilt als monatliches Einkommen im Sinne von Absatz 1 Satz 1 das laufende Einkommen; jährliche Sonderzuwendungen sind beim laufenden Einkommen mit einem Zwölftel zu berücksichtigen.

(5) [1] Das monatliche Einkommen ist zu kürzen

1. bei Arbeitsentgelt um 40 vom Hundert, jedoch bei
   a) Bezügen aus einem öffentlich-rechtlichen Dienst- oder Amtsverhältnis oder aus einem versicherungsfreien Arbeitsverhältnis mit Anwartschaft auf Versorgung nach beamtenrechtlichen Vorschriften oder Grundsätzen und bei Einkommen, das solchen Bezügen vergleichbar ist, um 27,5 vom Hundert,
   b) Beschäftigten, die die Voraussetzungen des § 172 Absatz 1 des Sechsten Buches[1] erfüllen, um 30,5 vom Hundert;

   das Arbeitsentgelt von Beschäftigten, die die Voraussetzungen des § 172 Absatz 3 oder § 276a des Sechsten Buches[1] erfüllen, und Aufstockungsbeträge nach § 3 Absatz 1 Satz 1 Nummer 1 Buchstabe a des Altersteilzeitge-

[1] **beck-online, Module Arbeitsrecht Nr. 696.**

setzes[1] werden nicht gekürzt, Zuschläge nach § 6 Absatz 2 des Bundesbesoldungsgesetzes[2] werden um 7,65 vom Hundert gekürzt,

2. bei Arbeitseinkommen um 39,8 vom Hundert, bei steuerfreien Einnahmen im Rahmen des Halbeinkünfteverfahrens oder des Teileinkünfteverfahrens um 24,8 vom Hundert,
3. bei Leistungen nach § 18a Absatz 3 Satz 1 Nummer 7 um 27,5 vom Hundert bei Leistungsbeginn vor dem Jahre 2011 und um 29,6 vom Hundert bei Leistungsbeginn nach dem Jahre 2010,
4. bei Leistungen nach § 18a Absatz 3 Satz 1 Nummer 5 und 6 um 23,7 vom Hundert bei Leistungsbeginn vor dem Jahre 2011 und um 25 vom Hundert bei Leistungsbeginn nach dem Jahre 2010,
5. bei Leistungen nach § 18a Absatz 3 Satz 1 Nummer 9 um 17,5 vom Hundert; sofern es sich dabei um Leistungen handelt, die der nachgelagerten Besteuerung unterliegen, ist das monatliche Einkommen um 21,2 vom Hundert bei Leistungsbeginn vor dem Jahre 2011 und um 23 vom Hundert bei Leistungsbeginn nach dem Jahre 2010 zu kürzen,
6. bei Leistungen nach § 18a Absatz 3 Satz 1 Nummer 10 um 12,7 vom Hundert,
7. bei Vermögenseinkommen um 25 vom Hundert; bei steuerfreien Einnahmen nach dem Halbeinkünfteverfahren um 5 vom Hundert; bei Besteuerung nach dem gesonderten Steuertarif für Einkünfte aus Kapitalvermögen um 30 vom Hundert; Einnahmen aus Versicherungen nach § 18a Absatz 4 Nummer 1 werden nur gekürzt, soweit es sich um steuerpflichtige Kapitalerträge handelt,
8. bei Leistungen nach § 18a Absatz 3 Satz 1 Nummer 2 und 3 um 13 vom Hundert bei Leistungsbeginn vor dem Jahre 2011 und um 14 vom Hundert bei Leistungsbeginn nach dem Jahre 2010.

[2] Die Leistungen nach § 18a Absatz 3 Satz 1 Nummer 1 und 4 sind um den Anteil der vom Berechtigten zu tragenden Beiträge zur Bundesagentur für

(Fortsetzung nächstes Blatt)

[1] Nr. **721**.
[2] **Sartorius Nr. 230.**

Arbeit und, soweit Beiträge zur sonstigen Sozialversicherung oder zu einem Krankenversicherungsunternehmen gezahlt werden, zusätzlich um 10 vom Hundert zu kürzen.

(5a) Elterngeld wird um den anrechnungsfreien Betrag nach § 10 des Bundeselterngeld- und Elternzeitgesetzes[1] gekürzt.

(6) Soweit ein Versicherungsträger über die Höhe des zu berücksichtigenden Einkommens entschieden hat, ist diese Entscheidung auch für einen anderen Versicherungsträger bindend.

§ 18c Erstmalige Ermittlung des Einkommens. (1) Der Berechtigte hat das zu berücksichtigende Einkommen nachzuweisen.

(2) [1]Bezieher von Arbeitsentgelt und diesem vergleichbaren Einkommen können verlangen, dass ihnen der Arbeitgeber eine Bescheinigung über das von ihnen für das letzte Kalenderjahr erzielte Arbeitsentgelt oder vergleichbare Einkommen und den Zeitraum, für den es gezahlt wurde, ausstellt. [2]Der Arbeitgeber ist zur Ausstellung der Bescheinigung nicht verpflichtet, wenn er der Sozialversicherung das Arbeitsentgelt gemäß den Vorschriften über die Erfassung von Daten und Datenübermittlung bereits gemeldet hat. [3]Satz 2 gilt nicht, wenn das tatsächliche Entgelt die Beitragsbemessungsgrenze übersteigt oder die abgegebene Meldung nicht für die Rentenversicherung bestimmt war.

(3) Bezieher von Erwerbsersatzeinkommen können verlangen, dass ihnen die Zahlstelle eine Bescheinigung über das von ihr im maßgebenden Zeitraum gezahlte Erwerbsersatzeinkommen und den Zeitraum, für den es gezahlt wurde, ausstellt.

(4) Bezieher von Vermögenseinkommen können verlangen, dass ihnen die Kapitalerträge nach § 20 des Einkommensteuergesetzes[2] auszahlende Stelle eine Bescheinigung über die von ihr im letzten Kalenderjahr gezahlten Erträge ausstellt.

§ 18d[3] Einkommensänderungen. (1) [1]Einkommensänderungen sind erst vom nächstfolgenden 1. Juli an zu berücksichtigen; einmalig gezahltes Vermögenseinkommen ist vom Beginn des Kalendermonats an zu berücksichtigen, für den es als erzielt gilt. [2]Eine Änderung des Einkommens ist auch die Änderung des zu berücksichtigenden voraussichtlichen Einkommens oder die Feststellung des tatsächlichen Einkommens nach der Berücksichtigung voraussichtlichen Einkommens.

(2) [1]Minderungen des berücksichtigten Einkommens können vom Zeitpunkt ihres Eintritts an berücksichtigt werden, wenn das laufende Einkommen um wenigstens zehn vom Hundert geringer ist als das berücksichtigte Einkommen; bei Arbeits- und Vermögenseinkommen gilt das im Durchschnitt voraussichtliche Einkommen. [2]Erwerbsersatzeinkommen im Sinne von § 18a Absatz 3 Satz 1 Nummer 1 ist zu berücksichtigen, solange das Erwerbsersatzeinkommen gezahlt wird. [3]Einmalig gezahltes Arbeitsentgelt des Vorjahres ist beim laufenden Arbeitsentgelt mit einem Zwölftel zu berücksichtigen; § 18b Absatz 4 zweiter Halbsatz bleibt unberührt.

---

[1] **beck-online, Module Arbeitsrecht Nr. 401.**

[2] **beck-online, Module Arbeitsrecht Nr. 331.**

[3] § 18d Abs. 1 Satz 2 angef. mWv 1.1.2017 durch G v. 11.11.2016 (BGBl. I S. 2500); Abs. 2 Satz 1 geänd., Satz 2 eingef., bish. Satz 2 wird Satz 3 und neu gef. mWv 1.1.2023 durch G v. 20.12.2022 (BGBl. I S. 2759).

§ 18e[1] Ermittlung von Einkommensänderungen. (1) [1] Für Bezieher von Arbeitsentgelt und diesem vergleichbaren Einkommen hat der Arbeitgeber auf Verlangen des Versicherungsträgers das von ihnen für das letzte Kalenderjahr erzielte Arbeitsentgelt und vergleichbare Einkommen und den Zeitraum, für den es gezahlt wurde, mitzuteilen. [2] Der Arbeitgeber ist zur Mitteilung nicht verpflichtet, wenn er der Sozialversicherung das Arbeitsentgelt gemäß den Vorschriften über die Erfassung von Daten und Datenübermittlung bereits gemeldet hat. [3] Satz 2 gilt nicht, wenn das tatsächliche Entgelt die Beitragsbemessungsgrenze übersteigt.

(2) Bezieher von Arbeitseinkommen haben auf Verlangen des Versicherungsträgers ihr im letzten Kalenderjahr erzieltes Arbeitseinkommen und den Zeitraum, in dem es erzielt wurde, bis zum 31. März des Folgejahres mitzuteilen.

(3) Für Bezieher von Erwerbsersatzeinkommen haben die Zahlstellen auf Verlangen des Versicherungsträgers das von ihnen im maßgebenden Zeitraum gezahlte Erwerbsersatzeinkommen und den Zeitraum, für den es gezahlt wurde, mitzuteilen.

(3a) [1] Bezieher von Vermögenseinkommen haben auf Verlangen des Versicherungsträgers ihr im letzten Kalenderjahr erzieltes Einkommen mitzuteilen. [2] Für Bezieher von Kapitalerträgen nach § 20 des Einkommensteuergesetzes[2] haben die auszahlenden Stellen eine Bescheinigung über die von ihr gezahlten Erträge auszustellen.

(4) *(aufgehoben)*

(5) Im Fall des § 18d Absatz 2 findet § 18c für den erforderlichen Nachweis der Einkommensminderung entsprechende Anwendung.

(6) Bei der Berücksichtigung von Einkommensänderungen bedarf es nicht der vorherigen Anhörung des Berechtigten.

(7) Wird eine Rente wegen Todes wegen der Höhe des zu berücksichtigenden Einkommens nach dem 1. Juli eines jeden Jahres weiterhin in vollem Umfang nicht gezahlt, ist der Erlass eines erneuten Verwaltungsaktes nicht erforderlich.

Fünfter bis Siebter Titel

§§ 18f–18o *(hier nicht wiedergegeben)*

Zweiter Abschnitt. Leistungen und Beiträge

Erster Titel. Leistungen

§ 19 Leistungen auf Antrag oder von Amts wegen. [1] Leistungen in der gesetzlichen Kranken- und Rentenversicherung, nach dem Recht der Arbeitsförderung sowie in der sozialen Pflegeversicherung werden auf Antrag erbracht, soweit sich aus den Vorschriften für die einzelnen Versicherungszweige nichts Abweichendes ergibt. [2] Leistungen in der gesetzlichen Unfallversicherung werden von Amts wegen erbracht, soweit sich aus den Vorschriften für die gesetzliche Unfallversicherung nichts Abweichendes ergibt.

---

[1] § 18e Abs. 4 aufgeh. mWv 1.1.2017 durch G v. 11.11.2016 (BGBl. I S. 2500).
[2] **beck-online, Module Arbeitsrecht Nr. 331.**

§ 19a Benachteiligungsverbot. [1]Bei der Inanspruchnahme von Leistungen, die den Zugang zu allen Formen und allen Ebenen der Berufsberatung, der Berufsbildung, der beruflichen Weiterbildung, der Umschulung einschließlich der praktischen Berufserfahrung betreffen, darf niemand aus Gründen der Rasse oder wegen der ethnischen Herkunft, des Geschlechts, der Religion oder Weltanschauung, einer Behinderung, des Alters oder der sexuellen Identität benachteiligt werden. [2]Ansprüche können nur insoweit geltend gemacht oder hergeleitet werden, als deren Voraussetzungen und Inhalt durch die Vorschriften der besonderen Teile dieses Gesetzbuchs im Einzelnen bestimmt sind.

Zweiter Titel. Beiträge

§ 20[1)] Aufbringung der Mittel, Übergangsbereich. (1) Die Mittel der Sozialversicherung einschließlich der Arbeitsförderung werden nach Maßgabe der besonderen Vorschriften für die einzelnen Versicherungszweige durch Beiträge der Versicherten, der Arbeitgeber und Dritter, durch staatliche Zuschüsse und durch sonstige Einnahmen aufgebracht.

(2) Der Übergangsbereich im Sinne dieses Gesetzbuches umfasst Arbeitsentgelte aus mehr als geringfügigen Beschäftigungen nach § 8 Absatz 1 Nummer 1, die regelmäßig 2000 Euro im Monat nicht übersteigen; bei mehreren Beschäftigungsverhältnissen ist das insgesamt erzielte Arbeitsentgelt maßgebend.

(2a) [1]Bei Beschäftigten, deren monatliches Arbeitsentgelt aus einer mehr als geringfügigen Beschäftigung den oberen Grenzbetrag des Übergangsbereichs nach Absatz 2 nicht übersteigt, ist die beitragspflichtige Einnahme BE der Betrag in Euro, der sich nach folgender Formel berechnet:

$$BE = F \times G + \left(\frac{2\,000}{2\,000 - G} - \frac{G}{2\,000 - G} \times F \right) \times (AE - G).$$

[2]Dabei ist AE das Arbeitsentgelt in Euro, G die Geringfügigkeitsgrenze und F der Faktor, der sich berechnet, indem der Wert 28 Prozent geteilt wird durch den Gesamtsozialversicherungsbeitragssatz des Kalenderjahres, in dem der Anspruch auf das Arbeitsentgelt entstanden ist. [3]Der Gesamtsozialversicherungsbeitragssatz eines Kalenderjahres ist die Summe der zum 1. Januar desselben Kalenderjahres geltenden Beitragssätze in der allgemeinen Rentenversicherung, in der sozialen Pflegeversicherung sowie zur Arbeitsförderung und des um den durchschnittlichen Zusatzbeitragssatz erhöhten allgemeinen Beitragssatzes in der gesetzlichen Krankenversicherung. [4]Für die Zeit vom 1. Oktober 2022 bis zum 31. Dezember 2022 beträgt der Faktor F 0,7009. [5]Der Gesamtsozialversicherungsbeitragssatz und der Faktor F sind vom Bundesministerium für Arbeit und Soziales bis zum 31. Dezember eines Jahres für das folgende Kalenderjahr im Bundesanzeiger bekannt zu geben. [6]Zur Bestimmung des vom Arbeitnehmer zu tragenden Anteils am Sozialversicherungsbeitrag wird als beitragspflichtige Einnahme der Betrag zu Grunde gelegt, der sich nach folgender Formel berechnet:

[1)] § 20 Abs. 3 Satz 1 Nr. 2 geänd. mWv 3.5.2011 durch G v. 28.4.2011 (BGBl. I S. 687); Abs. 2 geänd. mWv 1.1.2013 durch G v. 5.12.2012 (BGBl. I S. 2474); Überschrift und Abs. 2 geänd. mWv 1.7.2019 durch G v. 28.11.2018 (BGBl. I S. 2016); Abs. 2 geänd., Abs. 2a eingef. mWv 1.10.2022 durch G v. 28.6.2022 (BGBl. I S. 969); Abs. 2, 2a Sätze 1 und 6 geänd. mWv 1.1.2023 durch G v. 7.11.2022 (BGBl. I S. 1985).

$$BE = \left(\frac{2\,000}{2\,000 - G}\right) \times (AE - G).$$

[7]Dabei ist BE die beitragspflichtige Einnahme in Euro, AE das Arbeitsentgelt in Euro und G die Geringfügigkeitsgrenze. [8]Die §§ 121 und 123 des Sechsten Buches[1)] sind anzuwenden. [9]Die Sätze 1 und 6 gelten nicht für Personen, die zu ihrer Berufsausbildung beschäftigt sind.

(3) [1]Der Arbeitgeber trägt abweichend von den besonderen Vorschriften für Beschäftigte für die einzelnen Versicherungszweige den Gesamtsozialversicherungsbeitrag allein, wenn

1. Versicherte, die zu ihrer Berufsausbildung beschäftigt sind, ein Arbeitsentgelt erzielen, das auf den Monat bezogen 325 Euro nicht übersteigt, oder
2. Versicherte ein freiwilliges soziales Jahr oder ein freiwilliges ökologisches Jahr im Sinne des Jugendfreiwilligendienstegesetzes[2)] oder einen Bundesfreiwilligendienst nach dem Bundesfreiwilligendienstgesetz[3)] leisten.

[2]Wird infolge einmalig gezahlten Arbeitsentgelts die in Satz 1 genannte Grenze überschritten, tragen die Versicherten und die Arbeitgeber den Gesamtsozialversicherungsbeitrag von dem diese Grenze übersteigenden Teil des Arbeitsentgelts jeweils zur Hälfte; in der gesetzlichen Krankenversicherung gilt dies nur für den um den Beitragsanteil, der allein vom Arbeitnehmer zu tragen ist, reduzierten Beitrag.

§ 21 Bemessung der Beiträge. Die Versicherungsträger haben die Beiträge, soweit diese von ihnen festzusetzen sind, so zu bemessen, dass die Beiträge zusammen mit den anderen Einnahmen

1. die gesetzlich vorgeschriebenen und zugelassenen Ausgaben des Versicherungsträgers decken und
2. sicherstellen, dass die gesetzlich vorgeschriebenen oder zugelassenen Betriebsmittel und Rücklagen bereitgehalten werden können.

§ 22[4)] Entstehen der Beitragsansprüche, Zusammentreffen mehrerer Versicherungsverhältnisse. (1) [1]Die Beitragsansprüche der Versicherungsträger entstehen, sobald ihre im Gesetz oder auf Grund eines Gesetzes bestimmten Voraussetzungen vorliegen. [2]Bei einmalig gezahltem Arbeitsentgelt sowie bei Arbeitsentgelt, das aus dem aus Arbeitszeitguthaben abgeleiteten Entgeltguthaben errechnet wird, entstehen die Beitragsansprüche, sobald dieses ausgezahlt worden ist. [3]Satz 2 gilt nicht, soweit das einmalig gezahlte Arbeitsentgelt nur wegen eines Insolvenzereignisses im Sinne des § 165 Absatz 1 des Dritten Buches[5)] vom Arbeitgeber nicht ausgezahlt worden ist oder die Beiträge für aus

---

[1)] **beck-online, Module Arbeitsrecht Nr. 696.**

[2)] Nr. **422**.

[3)] Nr. **422a**.

[4)] § 22 Abs. 1 Satz 3 geänd. mWv 1.4.2012 durch G v. 20.12.2011 (BGBl. I S. 2854); Abs. 2 Satz 2 eingef., bish. Satz 2 wird Satz 3 mWv 1.1.2012 durch G v. 22.12.2011 (BGBl. I S. 3057); Abs. 2 Satz 4 angef. mWv 1.1.2021 durch G v. 4.8.2019 (BGBl. I S. 1147); Abs. 1 Sätze 2 und 3 geänd. mWv 1.7.2020 durch G v. 12.6.2020 (BGBl. I S. 1248).

[5)] Nr. **700**.

Arbeitszeitguthaben abgeleiteten Entgeltguthaben schon aus laufendem Arbeitsentgelt gezahlt wurden.

(2) [1] Treffen beitragspflichtige Einnahmen aus mehreren Versicherungsverhältnissen zusammen und übersteigen sie die für das jeweilige Versicherungsverhältnis maßgebliche Beitragsbemessungsgrenze, so vermindern sie sich zum Zwecke der Beitragsberechnung nach dem Verhältnis ihrer Höhe so zueinander, dass sie zusammen höchstens die Beitragsbemessungsgrenze erreichen. [2] Die beitragspflichtigen Einnahmen aus dem jeweiligen Versicherungsverhältnis sind vor der Verhältnisrechnung nach Satz 1 auf die maßgebliche Beitragsbemessungsgrenze zu reduzieren. [3] Für die knappschaftliche Rentenversicherung und die allgemeine Rentenversicherung sind die Berechnungen nach Satz 1 getrennt durchzuführen. [4] Die Sätze 1 bis 3 gelten nicht für Personen, die als ehemalige Soldaten auf Zeit Übergangsgebührnisse beziehen (§ 166 Absatz 1 Nummer 1c des Sechsten Buches[1)]).

§ 23[2)] Fälligkeit. (1) [1] Laufende Beiträge, die geschuldet werden, werden entsprechend den Regelungen der Satzung der Krankenkasse und den Entscheidungen des Spitzenverbandes Bund der Krankenkassen fällig. [2] Beiträge, die nach dem Arbeitsentgelt oder dem Arbeitseinkommen zu bemessen sind, sind in voraussichtlicher Höhe der Beitragsschuld spätestens am drittletzten Bankarbeitstag des Monats fällig, in dem die Beschäftigung oder Tätigkeit, mit der das Arbeitsentgelt oder Arbeitseinkommen erzielt wird, ausgeübt worden ist oder als ausgeübt gilt; ein verbleibender Restbeitrag wird zum drittletzten Bankarbeitstag des Folgemonats fällig. [3] Der Arbeitgeber kann abweichend von Satz 2 den Betrag in Höhe der Beiträge des Vormonats zahlen; für einen verbleibenden Restbetrag bleibt es bei der Fälligkeit zum drittletzten Bankarbeitstag des Folgemonats. [4] In den Fällen des Satzes 3 sind Beiträge, die auf eine Einmalzahlung im Vormonat entfallen, nicht zu berücksichtigen. [5] Sonstige Beiträge werden spätestens am Fünfzehnten des Monats fällig, der auf den Monat folgt, für den sie zu entrichten sind. [6] Die erstmalige Fälligkeit der Beiträge für die nach § 26 Absatz 2b des Dritten Buches[3)] sowie für die nach § 3 Satz 1 Nummer 1a des Sechsten Buches[4)] versicherten Pflegepersonen ist abhängig von dem Zeitpunkt, zu dem die Pflegekasse, das private Versicherungsunternehmen, die Festsetzungsstelle für die Beihilfe oder der Dienstherr bei Heilfürsorgeberechtigten die Versicherungspflicht der Pflegeperson festgestellt hat oder ohne Verschulden hätte feststellen können. [7] Wird die Feststellung in der Zeit vom Ersten bis zum Fünfzehnten eines Monats getroffen, werden die Beiträge erstmals spätestens am Fünfzehnten des folgenden Monats fällig; wird die Feststellung in der Zeit vom Sechzehnten bis zum Ende eines Monats getroffen, werden die Beiträge erstmals am Fünfzehnten des zwei-

[1)] **beck-online, Module Arbeitsrecht Nr. 696.**

[2)] § 23 Abs. 2 Satz 1 geänd. mWv 1.1.2011 durch G v. 9.12.2010 (BGBl. I S. 1885); Abs. 1 Satz 4 eingef., bish. Sätze 4–6 werden Sätze 5–7 mWv 1.1.2012 durch G v. 22.12.2010 (BGBl. I S. 2309); Abs. 3 Satz 2 geänd. mWv 1.1.2013 durch G v. 12.4.2012 (BGBl. I S. 579); Abs. 1 Satz 4 aufgeh., bish. Sätze 5–7 werden Sätze 4–6 mWv 1.1.2015 durch G v. 21.7.2014 (BGBl. I S. 1133); Abs. 2a geänd. mWv 1.1.2015 durch G v. 15.4.2015 (BGBl. I S. 583); Abs. 1 Satz 3 neu gef. mWv 1.1.2017 durch G v. 30.6.2017 (BGBl. I S. 2143); Abs. 2 Satz 2 geänd. mWv 1.1.2020 durch G v. 12.12.2019 (BGBl. I S. 2652); Abs. 1 Satz 4 eingef., bish. Sätze 4–6 werden Sätze 5–7 mWv 1.7.2020 durch G v. 12.6.2020 (BGBl. I S. 1248); Abs. 2 Satz 1 geänd. mWv 1.1.2023 durch G v. 16.12.2022 (BGBl. I S. 2328); Abs. 1 Satz 6 geänd. mWv 1.1.2024 durch G v. 20.12.2022 (BGBl. I S. 2759); Abs. 2 Satz 1 geänd. mWv 1.7.2026 durch G v. 16.4.2026 (BGBl. 2026 I Nr. 107).

[3)] Nr. **700**.

[4)] Nr. **696**.

ten darauffolgenden Monats fällig; das Nähere vereinbaren die Spitzenverbände der beteiligten Träger der Sozialversicherung, der Verband der privaten Krankenversicherung e.V. und die Festsetzungsstellen für die Beihilfe.

(2) [1] Die Beiträge für eine Sozialleistung im Sinne des § 3 Satz 1 Nummer 3 des Sechsten Buches[1)] einschließlich Sozialleistungen, auf die die Vorschriften des Fünften[2)] und des Sechsten Buches[3)] über die Kranken- und Rentenversicherung der Bezieher von Arbeitslosengeld oder die Krankenversicherung der Bezieher von Grundsicherungsgeld nach § 19 Absatz 1 Satz 1 des Zweiten Buches[4)] entsprechend anzuwenden sind, werden am Achten des auf die Zahlung der Sozialleistung folgenden Monats fällig. [2] Die Träger der Rentenversicherung und die Bundesagentur für Arbeit können unbeschadet des Satzes 1 vereinbaren, dass die Beiträge zur Rentenversicherung aus Sozialleistungen der Bundesagentur für Arbeit zu den vom Bundesamt für Soziale Sicherung festgelegten Fälligkeitsterminen für die Rentenzahlungen im Inland gezahlt werden. [3] Die Träger der Rentenversicherung mit Ausnahme der Deutschen Rentenversicherung Knappschaft-Bahn-See als Träger der knappschaftlichen Rentenversicherung, die Bundesagentur für Arbeit und die Behörden des sozialen Entschädigungsrechts können unbeschadet des Satzes 1 vereinbaren, dass die Beiträge zur Rentenversicherung und nach dem Recht der Arbeitsförderung aus Sozialleistungen nach dem sozialen Entschädigungsrecht in voraussichtlicher Höhe der Beitragsschuld spätestens zum 30. Juni des laufenden Jahres und ein verbleibender Restbetrag zum nächsten Fälligkeitstermin gezahlt werden.

(2a) Bei Verwendung eines Haushaltsschecks (§ 28a Absatz 7) sind die Beiträge für das in den Monaten Januar bis Juni erzielte Arbeitsentgelt am 31. Juli des laufenden Jahres und für das in den Monaten Juli bis Dezember erzielte Arbeitsentgelt am 31. Januar des folgenden Jahres fällig.

(3) [1] Geschuldete Beiträge der Unfallversicherung werden am Fünfzehnten des Monats fällig, der dem Monat folgt, in dem der Beitragsbescheid dem Zahlungspflichtigen bekannt gegeben worden ist; Entsprechendes gilt für Beitragsvorschüsse, wenn der Bescheid hierüber keinen anderen Fälligkeitstermin bestimmt. [2] Die landwirtschaftliche Berufsgenossenschaft kann in ihrer Satzung von Satz 1 abweichende Fälligkeitstermine bestimmen. [3] Für den Tag der Zahlung und die zulässigen Zahlungsmittel gelten die für den Gesamtsozialversicherungsbeitrag geltenden Bestimmungen entsprechend. [4] Die Fälligkeit von Beiträgen für geringfügig Beschäftigte in Privathaushalten, die nach § 28a Absatz 7 der Einzugsstelle gemeldet worden sind, richtet sich abweichend von Satz 1 nach Absatz 2a.

(4) Besondere Vorschriften für einzelne Versicherungszweige, die von den Absätzen 1 bis 3 abweichen oder abweichende Bestimmungen zulassen, bleiben unberührt.

§ 23a[5)] Einmalig gezahltes Arbeitsentgelt als beitragspflichtige Einnahmen. (1) [1] Einmalig gezahltes Arbeitsentgelt sind Zuwendungen, die dem

---

[1)] Nr. **696**.

[2)] Auszugsweise abgedruckt unter Nr. **695**.

[3)] Auszugsweise abgedruckt unter Nr. **696**.

[4)] Nr. **692**.

[5)] § 23a Abs. 1 Satz 2 Nr. 3 geänd. mWv 22.4.2015 durch G v. 15.4.2015 (BGBl. I S. 583); Abs. 1 Satz 3, Abs. 3 Satz 1 geänd. mWv 1.1.2017 durch G v. 11.11.2016 (BGBl. I S. 2500); Abs. 3 Satz 2 geänd. mWv 1.7.2020 durch G v. 12.6.2020 (BGBl. I S. 1248).

Arbeitsentgelt zuzurechnen sind und nicht für die Arbeit in einem einzelnen Entgeltabrechnungszeitraum gezahlt werden. [2] Als einmalig gezahltes Arbeitsentgelt gelten nicht Zuwendungen nach Satz 1, wenn sie

1. üblicherweise zur Abgeltung bestimmter Aufwendungen des Beschäftigten, die auch im Zusammenhang mit der Beschäftigung stehen,
2. als Waren oder Dienstleistungen, die vom Arbeitgeber nicht überwiegend für den Bedarf seiner Beschäftigten hergestellt, vertrieben oder erbracht werden und monatlich in Anspruch genommen werden können,
3. als sonstige Sachbezüge, die monatlich gewährt werden, oder
4. als vermögenswirksame Leistungen

vom Arbeitgeber erbracht werden. [3] Einmalig gezahltes Arbeitsentgelt ist dem Entgeltabrechnungszeitraum zuzuordnen, in dem es gezahlt wird, soweit die Absätze 2 und 4 nichts Abweichendes bestimmen.

(2) Einmalig gezahltes Arbeitsentgelt, das nach Beendigung oder bei Ruhen des Beschäftigungsverhältnisses gezahlt wird, ist dem letzten Entgeltabrechnungszeitraum des laufenden Kalenderjahres zuzuordnen, auch wenn dieser nicht mit Arbeitsentgelt belegt ist.

(3) [1] Das einmalig gezahlte Arbeitsentgelt ist bei der Feststellung des beitragspflichtigen Arbeitsentgelts für Beschäftigte zu berücksichtigen, soweit das bisher gezahlte beitragspflichtige Arbeitsentgelt die anteilige Beitragsbemessungsgrenze nicht erreicht. [2] Die anteilige Beitragsbemessungsgrenze ist der Teil der Beitragsbemessungsgrenze, der der Dauer aller Beschäftigungsverhältnisse bei demselben Arbeitgeber im laufenden Kalenderjahr bis zum Ablauf des Entgeltabrechnungszeitraumes entspricht, dem einmalig gezahltes Arbeitsentgelt zuzuordnen ist; auszunehmen sind Zeiten, die nicht mit Beiträgen aus laufendem Arbeitsentgelt belegt sind.

(4) [1] In der Zeit vom 1. Januar bis zum 31. März einmalig gezahltes Arbeitsentgelt ist dem letzten Entgeltabrechnungszeitraum des vergangenen Kalenderjahres zuzuordnen, wenn es vom Arbeitgeber dieses Entgeltabrechnungszeitraumes gezahlt wird und zusammen mit dem sonstigen für das laufende Kalenderjahr festgestellten beitragspflichtigen Arbeitsentgelt die anteilige Beitragsbemessungsgrenze nach Absatz 3 Satz 2 übersteigt. [2] Satz 1 gilt nicht für nach dem 31. März einmalig gezahltes Arbeitsentgelt, das nach Absatz 2 einem in der Zeit vom 1. Januar bis zum 31. März liegenden Entgeltabrechnungszeitraum zuzuordnen ist.

(5) Ist der Beschäftigte in der gesetzlichen Krankenversicherung pflichtversichert, ist für die Zuordnung des einmalig gezahlten Arbeitsentgelts nach Absatz 4 Satz 1 allein die Beitragsbemessungsgrenze der gesetzlichen Krankenversicherung maßgebend.

§ 23b[1)] Beitragspflichtige Einnahmen bei flexiblen Arbeitszeitregelungen. (1) [1] Bei Vereinbarungen nach § 7b ist für Zeiten der tatsächlichen Arbeitsleistung und für Zeiten der Inanspruchnahme des Wertguthabens nach § 7c das in dem jeweiligen Zeitraum fällige Arbeitsentgelt als Arbeitsentgelt im Sinne des § 23 Absatz 1 maßgebend. [2] Im Falle des § 23a Absatz 3 und 4 gilt das

[1)] § 23b Abs. 3 erster Halbs. geänd. mWv 11.8.2010 durch G v. 5.8.2010 (BGBl. I S. 1127); Abs. 2 Sätze 4 und 10 geänd. mWv 1.7.2020 durch G v. 12.6.2020 (BGBl. I S. 1248); Abs. 2 Satz 4 und Abs. 3 geänd. mWv 22.1.2026 durch G v. 16.1.2026 (BGBl. 2026 I Nr. 14).

in dem jeweils maßgebenden Zeitraum erzielte Arbeitsentgelt bis zu einem Betrag in Höhe der Beitragsbemessungsgrenze als bisher gezahltes beitragspflichtiges Arbeitsentgelt; in Zeiten einer Freistellung von der Arbeitsleistung tritt an die Stelle des erzielten Arbeitsentgelts das fällige Arbeitsentgelt.

(2) [1] Soweit das Wertguthaben nicht gemäß § 7c verwendet wird, insbesondere

1. nicht laufend für eine Zeit der Freistellung von der Arbeitsleistung oder der Verringerung der vertraglich vereinbarten Arbeitszeit in Anspruch genommen wird oder
2. nicht mehr für solche Zeiten gezahlt werden kann, da das Beschäftigungsverhältnis vorzeitig beendet wurde,

ist als Arbeitsentgelt im Sinne des § 23 Absatz 1 ohne Berücksichtigung einer Beitragsbemessungsgrenze die Summe der Arbeitsentgelte maßgebend, die zum Zeitpunkt der tatsächlichen Arbeitsleistung ohne Berücksichtigung der Vereinbarung nach § 7b beitragspflichtig gewesen wäre. [2] Maßgebend ist jedoch höchstens der Betrag des Wertguthabens aus diesen Arbeitsentgelten zum Zeitpunkt der nicht zweckentsprechenden Verwendung des Arbeitsentgelts. [3] Zugrunde zu legen ist der Zeitraum ab dem Abrechnungsmonat der ersten Gutschrift auf einem Wertguthaben bis zum Zeitpunkt der nicht zweckentsprechenden Verwendung des Arbeitsentgelts. [4] Bei einem nach § 7f Absatz 1 Satz 1 Nummer 2 übertragenen Wertguthaben gelten die Sätze 1 bis 3 entsprechend, soweit das Wertguthaben wegen der Inanspruchnahme einer Rente wegen verminderter Erwerbsfähigkeit, wegen Ablaufs des Kalendermonats des Erreichens der Regelaltersgrenze nach dem Sechsten Buch[1)] oder wegen des Todes des Versicherten nicht mehr in Anspruch genommen werden kann. [5] Wird das Wertguthaben vereinbarungsgemäß an einen bestimmten Wertmaßstab gebunden, ist der im Zeitpunkt der nicht zweckentsprechenden Verwendung des Arbeitsentgelts maßgebende angepasste Betrag als Höchstbetrag der Berechnung zugrunde zu legen. [6] Im Falle der Insolvenz des Arbeitgebers gilt auch als beitragspflichtiges Arbeitsentgelt höchstens der Betrag, der als Arbeitsentgelt den gezahlten Beiträgen zugrunde liegt. [7] Für die Berechnung der Beiträge sind der für den Entgeltabrechnungszeitraum nach den Sätzen 8 und 9 für den einzelnen Versicherungszweig geltende Beitragssatz und die für diesen Zeitraum für den Einzug des Gesamtsozialversicherungsbeitrags zuständige Einzugsstelle maßgebend; für Beschäftigte, die bei keiner Krankenkasse versichert sind, gilt § 28i Satz 2 entsprechend. [8] Die Beiträge sind mit den Beiträgen der Entgeltabrechnung für den Kalendermonat fällig, der dem Kalendermonat folgt, in dem

1. im Fall der Insolvenz die Mittel für die Beitragszahlung verfügbar sind,
2. das Arbeitsentgelt nicht zweckentsprechend verwendet wird.

[9] Wird durch einen Bescheid eines Trägers der Rentenversicherung der Eintritt von verminderter Erwerbsfähigkeit festgestellt, gilt der Zeitpunkt des Eintritts der verminderten Erwerbsfähigkeit als Zeitpunkt der nicht zweckentsprechenden Verwendung des bis dahin erzielten Wertguthabens; in diesem Fall sind die Beiträge mit den Beiträgen der auf das Ende des Beschäftigungsverhältnisses folgenden Entgeltabrechnung fällig. [10] Wird eine Rente wegen verminderter Erwerbsfähigkeit in Anspruch genommen und besteht ein nach § 7f Absatz 1

[1)] Auszugsweise abgedruckt unter Nr. **696**.

Satz 1 Nummer 2 übertragenes Wertguthaben, kann der Versicherte der Auflösung dieses Wertguthabens widersprechen. [11] Ist für den Fall der Insolvenz des Arbeitgebers ein Dritter Schuldner des Arbeitsentgelts, erfüllt dieser insoweit die Pflichten des Arbeitgebers.

(2a) [1] Als Arbeitsentgelt im Sinne des § 23 Absatz 1 gilt im Falle des Absatzes 2 auch der positive Betrag, der sich ergibt, wenn die Summe der ab dem Abrechnungsmonat der ersten Gutschrift auf einem Wertguthaben für die Zeit der Arbeitsleistung maßgebenden Beträge der jeweiligen Beitragsbemessungsgrenze um die Summe der in dieser Zeit der Arbeitsleistung abgerechneten beitragspflichtigen Arbeitsentgelte gemindert wird, höchstens der Betrag des Wertguthabens im Zeitpunkt der nicht zweckentsprechenden Verwendung des Arbeitsentgelts. [2] Absatz 2 Satz 5 bis 11 findet Anwendung, Absatz 1 Satz 2 findet keine Anwendung.

(3) Kann das Wertguthaben wegen Beendigung des Beschäftigungsverhältnisses nicht mehr nach § 7c oder § 7f Absatz 2 Satz 1 verwendet werden und ist der Versicherte unmittelbar anschließend wegen Arbeitslosigkeit bei einer deutschen Agentur für Arbeit als Arbeitsuchender gemeldet und bezieht eine öffentlich-rechtliche Leistung oder nur wegen des zu berücksichtigenden Einkommens oder Vermögens nicht, sind die Beiträge spätestens sieben Kalendermonate nach dem Kalendermonat, in dem das Arbeitsentgelt nicht zweckentsprechend verwendet worden ist, oder bei Aufnahme einer Beschäftigung in diesem Zeitraum zum Zeitpunkt des Beschäftigungsbeginns fällig, es sei denn, eine zweckentsprechende Verwendung wird vereinbart; erreicht der Versicherte in diesem Zeitraum die Regelaltersgrenze nach dem Sechsten Buch[1)], tritt verminderte Erwerbsfähigkeit oder der Tod des Versicherten ein, gelten diese Zeitpunkte als Zeitpunkt der nicht zweckentsprechenden Verwendung.

(3a) [1] Sieht die Vereinbarung nach § 7b bereits bei ihrem Abschluss für den Fall, dass Wertguthaben wegen der Beendigung der Beschäftigung auf Grund verminderter Erwerbsfähigkeit, des Erreichens einer Altersgrenze, zu der eine Rente wegen Alters beansprucht werden kann, oder des Todes des Beschäftigten nicht mehr für Zeiten einer Freistellung von der Arbeitsleistung oder der Verringerung der vertraglich vereinbarten Arbeitszeit verwendet werden können, deren Verwendung für Zwecke der betrieblichen Altersversorgung vor, gilt das bei Eintritt dieser Fälle für Zwecke der betrieblichen Altersversorgung verwendete Wertguthaben nicht als beitragspflichtiges Arbeitsentgelt; dies gilt nicht,

1. wenn die Vereinbarung über die betriebliche Altersversorgung eine Abfindung vorsieht oder zulässt oder Leistungen im Fall des Todes, der Invalidität und des Erreichens einer Altersgrenze, zu der eine Rente wegen Alters beansprucht werden kann, nicht gewährleistet sind oder
2. soweit bereits im Zeitpunkt der Ansammlung des Wertguthabens vorhersehbar ist, dass es nicht für Zwecke nach § 7c oder § 7f Absatz 2 Satz 1 verwendet werden kann.

[2] Die Bestimmungen dieses Absatzes finden keine Anwendung auf Vereinbarungen, die nach dem 13. November 2008 geschlossen worden sind.

(4) Werden Wertguthaben auf Dritte übertragen, gelten die Absätze 2 bis 3a nur für den Übertragenden, der die Arbeitsleistung tatsächlich erbringt.

---

1) Auszugsweise abgedruckt unter Nr. **696**.

§ 23c[1] Sonstige nicht beitragspflichtige Einnahmen. (1) [1] Zuschüsse des Arbeitgebers zum Krankengeld, Verletztengeld, Übergangsgeld, Pflegeunterstützungsgeld oder Krankentagegeld und sonstige Einnahmen aus einer Beschäftigung, die für die Zeit des Bezuges von Krankengeld, Krankentagegeld, Krankengeld der Sozialen Entschädigung, Krankengeld der Soldatenentschädigung, Verletztengeld, Übergangsgeld, Pflegeunterstützungsgeld, Mutterschaftsgeld, Erziehungsgeld oder Elterngeld weiter erzielt werden, gelten nicht als beitragspflichtiges Arbeitsentgelt, wenn die Einnahmen zusammen mit den genannten Sozialleistungen das Nettoarbeitsentgelt im Sinne des § 47 des Fünften Buches[2] nicht um mehr als 50 Euro im Monat übersteigen. [2] Zur Berechnung des Nettoarbeitsentgelts bei freiwilligen Mitgliedern der gesetzlichen Krankenversicherung ist der um den Beitragszuschuss für Beschäftigte verminderte Beitrag des Versicherten zur Kranken- und Pflegeversicherung abzuziehen; dies gilt entsprechend für Personen und für ihre nicht selbstversicherten Angehörigen, die bei einem privaten Krankenversicherungsunternehmen versichert sind einschließlich der Versicherung für das Krankentagegeld. [3] Für Beschäftigte, die nach § 6 Absatz 1 Satz 1 Nummer 1 des Sechsten Buches[3] von der Versicherungspflicht befreit sind und Pflichtbeiträge an eine berufsständische Versorgungseinrichtung entrichten, sind bei der Ermittlung des Nettoentgeltes die um den Arbeitgeberzuschuss nach § 172a des Sechsten Buches[4] verminderten Pflichtbeiträge des Beschäftigten entsprechend abzuziehen.

(2) [1] Einnahmen aus Tätigkeiten als Notärztin oder Notarzt im Rettungsdienst sind nicht beitragspflichtig, wenn diese Tätigkeiten neben

1. einer Beschäftigung mit einem Umfang von regelmäßig mindestens 15 Stunden wöchentlich außerhalb des Rettungsdienstes oder
2. einer Tätigkeit als zugelassener Vertragsarzt oder als Arzt in privater Niederlassung

ausgeübt werden. [2] Für Tätigkeiten, bei denen die Einnahmen nach Satz 1 nicht beitragspflichtig sind, bestehen keine Meldepflichten nach diesem Buch.

§ 23d[5] Abgeltung von abgeleiteten Entgeltguthaben. Für die Abgeltung von Entgeltguthaben, die aus Arbeitszeitguthaben abgeleitet sind, ist § 23a mit der Maßgabe anzuwenden, dass ausgezahlte Entgeltguthaben dem letzten, mit laufendem beitragspflichtigem Arbeitsentgelt belegten Entgeltabrechnungszeit-

---

[1] § 23c Abs. 2 Satz 2 geänd. mWv 1.1.2011 durch G v. 19.12.2007 (BGBl. I S. 3024); Abs. 1 Satz 1 geänd. mWv 11.8.2010 durch G v. 5.8.2010 (BGBl. I S. 1127); Abs. 1 Satz 3 und Abs. 2 Satz 2 geänd. mWv 1.1.2012 durch G v. 22.12.2011 (BGBl. I S. 3057); Abs. 2 Satz 5 angef. mWv 9.4.2013 durch G v. 3.4.2013 (BGBl. I S. 617); Abs. 2a eingef. mWv 1.1.2014 durch G v. 19.10.2013 (BGBl. I S. 3836); Abs. 1 Satz 1, Abs. 2 Sätze 1 und 5 geänd. mWv 1.1.2015 durch G v. 23.12.2014 (BGBl. I S. 2462); Überschrift, Abs. 2 und 3 neu gef., Abs. 2b eingef. mWv 1.1.2016 durch G v. 15.4.2015 (BGBl. I S. 583, ber. S. 1008); Überschrift neu gef., Abs. 2–3 aufgeh. mWv 1.1.2017 durch G v. 11.11.2016 (BGBl. I S. 2500); Abs. 2 angef. mWv 11.4.2017 durch G v. 4.4.2017 (BGBl. I S. 778); Abs. 1 Satz 1 geänd. mWv 1.1.2024 durch G v. 12.12.2019 (BGBl. I S. 2652); Abs. 1 Satz 1 geänd. mWv 1.7.2020 durch G v. 12.6.2020 (BGBl. I S. 1248); Abs. 1 Satz 1 geänd. mWv 1.1.2025 durch G v. 20.8.2021 (BGBl. I S. 3932).

[2] Nr. **695**.

[3] *Nr. **696**.*

[4] **beck-online, Module Arbeitsrecht Nr. 696.**

[5] § 23d neu gef. mWv 24.12.2024 durch G v. 22.12.2025 (BGBl. 2025 I Nr. 355).

raum zuzuordnen sind; dies gilt auch dann, wenn dieser nicht im laufenden Kalenderjahr liegt.

§ 24[1)] Säumniszuschlag. (1) [1]Für Beiträge und Beitragsvorschüsse, die der Zahlungspflichtige nicht bis zum Ablauf des Fälligkeitstages gezahlt hat, ist für jeden angefangenen Monat der Säumnis ein Säumniszuschlag von 1 Prozent des rückständigen, auf 50 Euro nach unten abgerundeten Betrages zu zahlen. [2]Eine jeweils gesonderte Abrundung rückständiger Beiträge und Beitragsvorschüsse unterschiedlicher Fälligkeit ohne vorherige Addition ist zulässig. [3]Bei einem rückständigen Betrag unter 150 Euro ist der Säumniszuschlag nicht zu erheben, wenn dieser gesondert anzufordern wäre. [4]Für die Erhebung von Säumniszuschlägen in der gesetzlichen Unfallversicherung gilt § 169 des Siebten Buches[2)].

(2) Wird eine Beitragsforderung durch Bescheid mit Wirkung für die Vergangenheit festgestellt, ist ein darauf entfallender Säumniszuschlag nicht zu erheben, soweit der Beitragsschuldner glaubhaft macht, dass er unverschuldet keine Kenntnis von der Zahlungspflicht hatte.

(3) [1]Hat der Zahlungspflichtige ein Lastschriftmandat zum Einzug der Beiträge erteilt, so sind Säumniszuschläge zu erheben, wenn der Beitragseinzug aus Gründen, die vom Zahlungspflichtigen zu vertreten sind, nicht ausgeführt werden kann oder zurückgerufen wird. [2]Zusätzlich zum Säumniszuschlag soll der Gläubiger vom Zahlungspflichtigen den Ersatz der von einem Geldinstitut erhobenen Entgelte für Rücklastschriften verlangen; dieser Kostenersatz ist wie die Gebühren, die im Zusammenhang mit der Durchsetzung von Beitragsansprüchen erhoben werden, zu behandeln.

§ 25[3)] Verjährung. (1) [1]Ansprüche auf Beiträge verjähren in vier Jahren nach Ablauf des Kalenderjahrs, in dem sie fällig geworden sind. [2]Ansprüche auf vorsätzlich vorenthaltene Beiträge verjähren in dreißig Jahren nach Ablauf des Kalenderjahrs, in dem sie fällig geworden sind.

(2) [1]Für die Hemmung, die Ablaufhemmung, den Neubeginn und die Wirkung der Verjährung gelten die Vorschriften des Bürgerlichen Gesetzbuchs sinngemäß. [2]Die Verjährung ist für die Dauer einer Prüfung beim Arbeitgeber gehemmt; diese Hemmung der Verjährung bei einer Prüfung gilt auch gegenüber den auf Grund eines Werkvertrages für den Arbeitgeber tätigen Nachunternehmern und deren weiteren Nachunternehmern. [3]Satz 2 gilt nicht, wenn die Prüfung unmittelbar nach ihrem Beginn für die Dauer von mehr als sechs Monaten aus Gründen unterbrochen wird, die die prüfende Stelle zu vertreten hat. [4]Die Hemmung beginnt mit dem Tag des Beginns der Prüfung beim Arbeitgeber oder bei der vom Arbeitgeber mit der Lohn- und Gehaltsabrechnung beauftragten Stelle und endet mit der Bekanntgabe des Beitragsbescheides, spätestens nach Ablauf von sechs Kalendermonaten nach Abschluss der Prüfung. [5]Kommt es aus Gründen, die die prüfende Stelle nicht zu vertreten hat, zu einem späteren Beginn der Prüfung, beginnt die Hemmung mit

---

[1)] § 24 Abs. 1a aufgeh. mWv 1.8.2013 durch G v. 15.7.2013 (BGBl. I S. 2423); Abs. 3 angef. mWv 1.1.2017 durch G v. 11.11.2016 (BGBl. I S. 2500); Abs. 1 Satz 1 geänd., Satz 2 eingef., bish. Satz 2 wird Satz 3 und geänd., Satz 4 angef. mWv 1.1.2023 durch G v. 20.12.2022 (BGBl. I S. 2759).

[2)] **beck-online, Module Arbeitsrecht Nr. 697.**

[3)] § 25 Abs. 2 Satz 6 geänd. mWv 11.8.2010 durch G v. 5.8.2010 (BGBl. I S. 1127); Abs. 2 Satz 7 angef. mWv 1.1.2017 durch G v. 11.11.2016 (BGBl. I S. 2500); Abs. 2 Satz 5 geänd., Satz 7 neu gef. mWv 1.7.2020 durch G v. 12.6.2020 (BGBl. I S. 1248).

dem in der Prüfungsankündigung ursprünglich bestimmten Tag. [6]Die Sätze 2 bis 5 gelten für Prüfungen der Beitragszahlung bei sonstigen Versicherten, in Fällen der Nachversicherung und bei versicherungspflichtigen Selbständigen entsprechend. [7]Die Sätze 1 bis 5 gelten auch für Prüfungen nach § 28q Absatz 1 und 1a sowie nach § 251 Absatz 5 und § 252 Absatz 5 des Fünften Buches[1)].

§ 26[2)] Beanstandung und Erstattung zu Unrecht entrichteter Beiträge.

(1) [1]Sind Pflichtbeiträge in der Rentenversicherung für Zeiten nach dem 31. Dezember 1972 trotz Fehlens der Versicherungspflicht nicht spätestens bei der nächsten Prüfung beim Arbeitgeber beanstandet worden, gilt § 45 Absatz 2 des Zehnten Buches[3)] entsprechend. [2]Beiträge, die nicht mehr beanstandet werden dürfen, gelten als zu Recht entrichtete Pflichtbeiträge. [3]Gleiches gilt für zu Unrecht entrichtete Beiträge nach Ablauf der in § 27 Absatz 2 Satz 1 bestimmten Frist.

(2) Zu Unrecht entrichtete Beiträge sind zu erstatten, es sei denn, dass der Versicherungsträger bis zur Geltendmachung des Erstattungsanspruchs auf Grund dieser Beiträge oder für den Zeitraum, für den die Beiträge zu Unrecht entrichtet worden sind, Leistungen erbracht oder zu erbringen hat; Beiträge, die für Zeiten entrichtet worden sind, die während des Bezugs von Leistungen beitragsfrei sind, sind jedoch zu erstatten.

(3) [1]Der Erstattungsanspruch steht dem zu, der die Beiträge getragen hat. [2]Soweit dem Arbeitgeber Beiträge, die er getragen hat, von einem Dritten ersetzt worden sind, entfällt sein Erstattungsanspruch.

(4) [1]In den Fällen, in denen eine Mehrfachbeschäftigung vorliegt und nicht auszuschließen ist, dass die Voraussetzungen des § 22 Absatz 2 vorliegen, hat die Einzugsstelle nach Eingang der Entgeltmeldungen von Amts wegen die Ermittlung einzuleiten, ob Beiträge zu Unrecht entrichtet wurden. [2]Die Einzugsstelle kann weitere Angaben zur Ermittlung der zugrunde zu legenden Entgelte von den Meldepflichtigen anfordern. [3]Die elektronische Anforderung hat durch gesicherte und verschlüsselte Datenübertragung zu erfolgen. [4]Dies gilt auch für die Rückübermittlung der ermittelten Gesamtentgelte an die Meldepflichtigen. [5]Die Einzugsstelle hat das Verfahren innerhalb von zwei Monaten nach Vorliegen aller insoweit erforderlichen Meldungen abzuschließen. [6]Das Verfahren gilt für Abrechnungszeiträume ab dem 1. Januar 2015. [7]Das Nähere zum Verfahren, zu den zu übermittelnden Daten sowie den Datensätzen regeln die Gemeinsamen Grundsätze nach § 28b Absatz 1.

§ 27[4)] Verzinsung und Verjährung des Erstattungsanspruchs. (1) [1]Der Erstattungsanspruch ist nach Ablauf eines Kalendermonats nach Eingang des vollständigen Erstattungsantrags, beim Fehlen eines Antrags nach der Bekanntgabe der Entscheidung über die Erstattung bis zum Ablauf des Kalendermonats vor der Zahlung mit vier vom Hundert zu verzinsen. [2]Verzinst werden volle Euro-Beträge. [3]Dabei ist der Kalendermonat mit dreißig Tagen zugrunde zu legen.

[1)] **beck-online, Module Arbeitsrecht Nr. 695.**

[2)] § 26 Abs. 4 angef. mWv 1.1.2015 durch G v. 21.7.2014 (BGBl. I S. 1133); Abs. 4 Satz 7 geänd. mWv 1.7.2015 durch G v. 15.4.2015 (BGBl. I S. 583).

[3)] Nr. **699**.

[4)] § 27 Abs. 3 Satz 2 geänd. mWv 1.1.2023 durch G v. 20.12.2022 (BGBl. I S. 2759).

(2) [1]Der Erstattungsanspruch verjährt in vier Jahren nach Ablauf des Kalenderjahrs, in dem die Beiträge entrichtet worden sind. [2]Beanstandet der Versicherungsträger die Rechtswirksamkeit von Beiträgen, beginnt die Verjährung mit dem Ablauf des Kalenderjahrs der Beanstandung.

(3) [1]Für die Hemmung, die Ablaufhemmung, den Neubeginn und die Wirkung der Verjährung gelten die Vorschriften des Bürgerlichen Gesetzbuchs sinngemäß. [2]Die Verjährung wird auch durch Antrag auf Erstattung oder durch Erhebung eines Widerspruchs gehemmt. [3]Die Hemmung endet sechs Monate nach Bekanntgabe der Entscheidung über den Antrag oder den Widerspruch.

§ 28 Verrechnung und Aufrechnung des Erstattungsanspruchs. Der für die Erstattung zuständige Leistungsträger kann

1. mit Ermächtigung eines anderen Leistungsträgers dessen Ansprüche gegen den Berechtigten mit dem ihm obliegenden Erstattungsbetrag verrechnen,
2. mit Zustimmung des Berechtigten die zu Unrecht entrichteten Beiträge mit künftigen Beitragsansprüchen aufrechnen.

Dritter Abschnitt. Meldepflichten des Arbeitgebers, Gesamtsozialversicherungsbeitrag

Erster Titel. Meldungen des Arbeitgebers und ihre Weiterleitung

§ 28a[1)] Meldepflicht. (1) [1]Der Arbeitgeber oder ein anderer Meldepflichtiger hat der Einzugsstelle für jeden in der Kranken-, Pflege-, Rentenversicherung oder nach dem Recht der Arbeitsförderung kraft Gesetzes Versicherten

---

1) § 28a Abs. 3a eingef. mWv 1.1.2010 durch G v. 30.10.2008 (BGBl. I S. 2130); Abs. 1 Nr. 10 und 11 aufgeh., Abs. 3 Satz 2 Nr. 1 Buchst. f angef., Nr. 2 Buchst. a neu gef., Nr. 3 aufgeh. mWv 1.11.2009 durch G v. 21.12.2008 (BGBl. I S. 2933); Abs. 1 Satz 1 Nr. 10 neu gef., Abs. 4a eingef. mWv 1.1.2012 durch G v. 22.12.2010 (BGBl. I S. 2309); Abs. 1 Satz 2 aufgeh. mWv 3.12.2011 durch G v. 23.11.2011 (BGBl. I S. 2298); Abs. 1 Satz 1 Nr. 10 geänd., Abs. 4a Nr. 4 neu gef., Abs. 5 zweiter Halbs. angef., Abs. 7 Sätze 1 und 2 neu gef., Abs. 10 Satz 1 zweiter Halbs. angef., Abs. 13 Satz 1 geänd. mWv 1.1.2012 durch G v. 22.12.2011 (BGBl. I S. 3057); Abs. 3 Satz 3 geänd. mWv 1.1.2013 durch G v. 12.4.2012 (BGBl. I S. 579); Abs. 1 Nr. 11 neu gef., Abs. 7 Satz 1, Abs. 8 Satz 1 Nr. 4 Buchst. e geänd., Buchst. f angef. mWv 1.1.2013 durch G v. 5.12.2012 (BGBl. I S. 2474); Abs. 3 Satz 2 Nr. 2 einl. Satzteil geänd. mWv 1.7.2013 durch G v. 19.10.2013 (BGBl. I S. 3836); Abs. 1 Nr. 10, Abs. 4a neu gef., Abs. 13 Satz 1 geänd. mWv 1.1.2015 durch G v. 21.7.2014 (BGBl. I S. 1133); Abs. 3 a neu gef., Abs. 13 Satz 2 geänd. mWv 1.7.2015; Abs. 1 Satz 1 Nr. 12 neu gef., Nr. 15 und abschl. Satzteil geänd., Sätze 2–4 angef., Abs. 2a eingef., Abs. 3 Satz 2 Nr. 2 Buchst. c, f–h aufgeh., Nr. 4 einl. Satzteil geänd., Satz 3 aufgeh., Abs. 4a Satz 1, Abs. 7 Satz 2, Abs. 10 Satz 1, Abs. 11 Satz 1 und Satz 3 Nr. 10 geänd. mWv 1.1.2016 durch G v. 15.4.2015 (BGBl. I S. 583); Abs. 4 Satz 1 Nr. 9 geänd., Nr. 10 angef. mWv 1.7.2017 durch G v. 21.10.2016 (BGBl. I S. 2372); Abs. 2a Sätze 3 und 4 angef. mWv 17.11.2016, Abs. 3a Sätze 1 und 2, Abs. 4 und 6a geänd., Abs. 7 Satz 2 eingef., bish. Satz 2 wird Satz 3 und geänd., bish. Satz 3 aufgeh., Abs. 9 neu gef. mWv 1.1.2017 durch G v. 11.11. 2016 (BGBl. I S. 2500); Abs. 1 Satz 1 Nr. 15 und 20 geänd. mWv 1.7.2018 durch G v. 17.7.2017 (BGBl. I S. 2575); Abs. 3 Satz 2 Nr. 2 Buchst. c neu gef. mWv 1.7.2019 durch G v. 28.11.2018 (BGBl. I S. 2016); Abs. 4 Satz 1 Nr. 10 geänd., Nr. 11 angef. mWv 18.7.2019 durch G v. 11.7.2019 (BGBl. I S. 1066); Abs. 3 Satz 1 Nr. 7a eingef., Abs. 9 Satz 3 angef. mWv 1.1.2023 durch G v. 22.11. 2019 (BGBl. I S. 1746, geänd. durch G v. 11.2.2021, BGBl. I S. 154 und G v. 23.3.2022, BGBl. I S. 482); Abs. 1 Sätze 3 und 4 aufgeh., Abs. 1a eingef., Abs. 7 Satz 1, Abs. 8 Satz 1 Nr. 4 Buchst. a–c geänd., Abs. 13 aufgeh. mWv 1.7.2020; Abs. 3b eingef. mWv 1.1.2022, Abs. 2a Satz 2 Nr. 1 neu gef., Abs. 3 Satz 1 Nr. 7a und Abs. 9 Satz 3 aufgeh. mWv 1.1.2023 durch G v. 12.6.2020 (BGBl. I S. 1248, geänd. durch G v. 11.2.2021 BGBl. I S. 154); Abs. 9a eingef. mWv 1.1.2022 durch G v. 26.5.2021 (BGBl. I S. 1170); Abs. 3 Satz 2 Nr. 1 Buchst. d und e geänd. mWv 1.1.2022 durch G v. 16.7.2021 (BGBl. I S. 2970); Abs. 1 Satz 1 Nr. 18, Abs. 3 Satz 2 Nr. 2 Buchst. c und Abs. 7 Satz 1 geänd. mWv 1.10.2022 durch G v. 28.6.2022 (BGBl. I S. 969); Abs. 1a aufgeh., Abs. 3a Satz 1, Abs. 7 Satz 3 geänd. →

1. bei Beginn der versicherungspflichtigen Beschäftigung,
2. bei Ende der versicherungspflichtigen Beschäftigung,
3. bei Eintritt eines Insolvenzereignisses,
4. bei Beginn der Elternzeit,
4a. bei Ende der Elternzeit,
5. bei Änderungen in der Beitragspflicht,
6. bei Wechsel der Einzugsstelle,
7. bei Anträgen auf Altersrenten oder Auskunftsersuchen des Familiengerichts in Versorgungsausgleichsverfahren,
8. bei Unterbrechung der Entgeltzahlung,
9. bei Auflösung des Arbeitsverhältnisses,
10. auf Anforderung der Einzugsstelle nach § 26 Absatz 4 Satz 2,
11. bei Antrag des geringfügig Beschäftigten nach § 6 Absatz 1b des Sechsten Buches[1] auf Befreiung von der Versicherungspflicht,
12. bei einmalig gezahltem Arbeitsentgelt,
13. bei Beginn der Berufsausbildung,
14. bei Ende der Berufsausbildung,
15. bei Wechsel im Zeitraum bis zum 31. Dezember 2024 von einem Beschäftigungsbetrieb im Beitrittsgebiet zu einem Beschäftigungsbetrieb im übrigen Bundesgebiet oder umgekehrt,
16. bei Beginn der Altersteilzeitarbeit,
17. bei Ende der Altersteilzeitarbeit,
18. bei Änderung des Arbeitsentgelts, wenn die Geringfügigkeitsgrenze über- oder unterschritten wird,
19. bei nach § 23b Absatz 2 bis 3 gezahltem Arbeitsentgelt oder
20. bei Wechsel im Zeitraum bis zum 31. Dezember 2024 von einem Wertguthaben, das im Beitrittsgebiet und einem Wertguthaben, das im übrigen Bundesgebiet erzielt wurde,

eine Meldung zu erstatten. [2]Jede Meldung sowie die darin enthaltenen Datensätze sind mit einem eindeutigen Kennzeichen zur Identifizierung zu versehen.

(2) Der Arbeitgeber hat jeden am 31. Dezember des Vorjahres Beschäftigten nach Absatz 1 zu melden (Jahresmeldung).

(2a) [1]Der Arbeitgeber hat für jeden in einem Kalenderjahr Beschäftigten, der in der Unfallversicherung versichert ist, zum 16. Februar des Folgejahres eine besondere Jahresmeldung zur Unfallversicherung zu erstatten. [2]Diese Meldung enthält über die Angaben nach Absatz 3 Satz 1 Nummer 1 bis 3, 6 und 9 hinaus folgende Angaben:

(Fortsetzung der Anm. von voriger Seite)
mWv 1.1.2023; Abs. 1 Satz 1 Nr. 4 neu gef., Nr. 4a und Abs. 3c-3e eingef., Abs. 9 Satz 3 angef. mWv 1.1.2024 durch G v. 20.12.2022 (BGBl. I S. 2759); Abs. 13 neu gef. mWv 1.7.2025 durch G v. 27.3.2024 (BGBl. 2024 I Nr. 108); Abs. 5 neu gef. mWv 24.12.2025, Abs. 3a Sätze 2 und 3 eingef., bish. Satz 2 wird Satz 4 mWv 1.1.2026 durch G v. 22.12.2025 (BGBl. 2025 I Nr. 355); Abs. 4 Satz 1 Nr. 4 geänd., Nr. 6 aufgeh., bish. Nr. 7 und 8 werden Nr. 6 und 7, bish. Nr. 9 wird Nr. 8 und neu gef., *bish. Nr. 10 wird Nr. 9*, bish. Nr. 11 wird Nr. 10 und geänd., Nr. 11 eingef. mWv 30.12.2025, Abs. 4 Satz 1 Nr. 8 neu gef. mWv 29.12.2030 durch G v. 22.12.2025 (BGBl. 2025 I Nr. 369).

[1] Nr. **696**.

1. die Unternehmernummer nach § 136a des Siebten Buches[1];
2. die Betriebsnummer des zuständigen Unfallversicherungsträgers;
3. das in der Unfallversicherung beitragspflichtige Arbeitsentgelt in Euro und seine Zuordnung zur jeweilig anzuwendenden Gefahrtarifstelle.

[3] Arbeitgeber, die Mitglied der landwirtschaftlichen Berufsgenossenschaft sind und für deren Beitragsberechnung der Arbeitswert keine Anwendung findet, haben Meldungen nach Satz 2 Nummer 1 bis 3 nicht zu erstatten. [4] Abweichend von Satz 1 ist die Meldung bei Eintritt eines Insolvenzereignisses, bei einer endgültigen Einstellung des Unternehmens oder bei der Beendigung aller Beschäftigungsverhältnisse mit der nächsten Entgeltabrechnung, spätestens innerhalb von sechs Wochen, abzugeben.

(3) [1] Die Meldungen enthalten für jeden Versicherten insbesondere

1. seine Versicherungsnummer, soweit bekannt,
2. seinen Familien- und Vornamen,
3. sein Geburtsdatum,
4. seine Staatsangehörigkeit,
5. Angaben über seine Tätigkeit nach dem Schlüsselverzeichnis der Bundesagentur für Arbeit,
6. die Betriebsnummer seines Beschäftigungsbetriebes,
7. die Beitragsgruppen,

7a. *(aufgehoben)*

8. die zuständige Einzugsstelle und
9. den Arbeitgeber.

[2] Zusätzlich sind anzugeben

1. bei der Anmeldung
   a) die Anschrift,
   b) der Beginn der Beschäftigung,
   c) sonstige für die Vergabe der Versicherungsnummer erforderliche Angaben,
   d) nach Absatz 1 Satz 1 Nummer 1 die Angabe, ob zum Arbeitgeber eine Beziehung als Ehegatte, Lebenspartner oder Abkömmling besteht,
   e) nach Absatz 1 Satz 1 Nummer 1 die Angabe, ob es sich um eine Tätigkeit als geschäftsführender Gesellschafter einer Gesellschaft mit beschränkter Haftung handelt,
   f) die Angabe der Staatsangehörigkeit,
2. bei allen Entgeltmeldungen
   a) eine Namens-, Anschriften- oder Staatsangehörigkeitsänderung, soweit diese Änderung nicht schon anderweitig gemeldet ist,
   b) das in der Rentenversicherung oder nach dem Recht der Arbeitsförderung beitragspflichtige Arbeitsentgelt in Euro, in den Fällen, in denen kein beitragspflichtiges Arbeitsentgelt in der Rentenversicherung oder nach dem Recht der Arbeitsförderung vorliegt, das beitragspflichtige Arbeitsentgelt in der Krankenversicherung,
   c) in Fällen, in denen die beitragspflichtige Einnahme in der gesetzlichen Rentenversicherung nach § 20 Absatz 2a oder § 134 bemessen wird, das

---

[1] **beck-online, Module Arbeitsrecht Nr. 697.**

Arbeitsentgelt, das ohne Anwendung dieser Regelung zu berücksichtigen wäre,

d) der Zeitraum, in dem das angegebene Arbeitsentgelt erzielt wurde,

e) Wertguthaben, die auf die Zeit nach Eintritt der Erwerbsminderung entfallen,

f) für geringfügig Beschäftigte zusätzlich die Steuernummer des Arbeitgebers, die Identifikationsnummer nach § 139b der Abgabenordnung[1] des Beschäftigten und die Art der Besteuerung.

3. *(aufgehoben)*

4. bei der Meldung nach Absatz 1 Satz 1 Nummer 19

a) das Arbeitsentgelt in Euro, für das Beiträge gezahlt worden sind,

b) im Falle des § 23b Absatz 2 der Kalendermonat und das Jahr der nicht zweckentsprechenden Verwendung des Arbeitsentgelts, im Falle der Zahlungsunfähigkeit des Arbeitgebers jedoch der Kalendermonat und das Jahr der Beitragszahlung.

(3a) [1] Der Arbeitgeber oder eine Zahlstelle nach § 202 Absatz 2 des Fünften Buches[2] hat in den Fällen, in denen für eine Meldung keine Versicherungsnummer des Beschäftigten oder Versorgungsempfängers vorliegt, im Verfahren nach Absatz 1 eine Meldung zur Abfrage der Versicherungsnummer an die Datenstelle der Rentenversicherung zu übermitteln; die weiteren Meldepflichten bleiben davon unberührt. [2] Satz 1 gilt für Arbeitgeber und Zahlstellen in den Fällen, in denen vor der Anmeldung einer Beschäftigung oder vor der Abgabe der ersten Meldung für einen Versorgungsempfänger programmseitig keine Versicherungsnummer vorliegt. [3] Dies gilt nicht für eine Meldung nach Absatz 4. [4] Die Datenstelle der Rentenversicherung übermittelt dem Arbeitgeber oder der Zahlstelle unverzüglich durch Datenübertragung die Versicherungsnummer oder den Hinweis, dass die Vergabe der Versicherungsnummer mit der Anmeldung erfolgt.

(3b) [1] Der Arbeitgeber hat auf elektronische Anforderung der Einzugsstelle mit der nächsten Entgeltabrechnung die notwendigen Angaben zur Einrichtung eines Arbeitgeberkontos elektronisch zu übermitteln. [2] Das Nähere über die Angaben, die Datensätze und das Verfahren regeln die Gemeinsamen Grundsätze nach § 28b Absatz 1.

(3c) [1] Der Arbeitgeber oder eine Zahlstelle nach § 202 Absatz 2 des Fünften Buches[2] können in den Fällen, in denen ihnen trotz vorheriger Aufforderung an den Beschäftigten keine, unvollständige oder falsche Angaben über die Mitgliedschaft in einer Krankenkasse des Beschäftigten für die Erstattung von Meldungen vorliegen, über den Spitzenverband Bund der Krankenkassen die aktuelle Mitgliedschaft des Beschäftigten in einer gesetzlichen Krankenkasse elektronisch abfragen. [2] Der Spitzenverband Bund der Krankenkassen ermittelt die aktuelle Mitgliedschaft durch eine Abfrage bei den Krankenkassen. [3] Für die Abfrage sind Name, Vorname, Geburtsdatum, Geburtsort und Versicherungsnummer des Versicherten anzugeben. [4] Der Spitzenverband Bund der Krankenkassen hat der anfragenden Stelle nach Satz 1 unverzüglich eine Rückmeldung mit der Betriebsnummer der Krankenkasse, in der der Beschäftigte zum Zeitpunkt der Abfrage Mitglied ist, zu erstatten.

---

[1] **Steuergesetze Nr. 800.**
[2] **beck-online, Module Arbeitsrecht Nr. 695.**

(3d) [1]Die Bundesagentur für Arbeit und die für die Durchführung der Grundsicherung für Arbeitsuchende zuständigen Stellen können bei Vorliegen einer Meldepflicht nach § 203a des Fünften Buches[1)] über den Spitzenverband Bund der Krankenkassen die aktuelle Mitgliedschaft in einer gesetzlichen Krankenkasse eines Versicherten elektronisch abfragen, wenn ihnen trotz vorheriger Aufforderung an den Versicherten keine, unvollständige oder falsche Angaben über die Mitgliedschaft des Versicherten in einer Krankenkasse vorliegen; Absatz 3c Satz 2 und 3 gilt entsprechend. [2]Absatz 3c Satz 1 gilt entsprechend für den Abruf von Daten nach § 109a durch die Bundesagentur für Arbeit.

(3e) [1]Das Nähere zum Verfahren und zum Datensatz nach den Absätzen 3c und 3d regelt der Spitzenverband Bund der Krankenkassen in Grundsätzen, die vom Bundesministerium für Arbeit und Soziales im Einvernehmen mit dem Bundesministerium für Gesundheit zu genehmigen sind; die Bundesagentur für Arbeit und die Bundesvereinigung der Deutschen Arbeitgeberverbände sind vorher anzuhören. [2]In den Fällen, in denen die Grundsätze Auswirkungen auf die Verfahren der für die Durchführung der Grundsicherung für Arbeitsuchende zuständigen Stellen haben, ist der Bund-Länder-Ausschuss nach § 18c des Zweiten Buches[2)] anzuhören.

(4) [1]Arbeitgeber haben den Tag des Beginns eines Beschäftigungsverhältnisses spätestens bei dessen Aufnahme an die Datenstelle der Rentenversicherung nach Satz 2 zu melden, sofern sie Personen in folgenden Wirtschaftsbereichen oder Wirtschaftszweigen beschäftigen:

1. im Baugewerbe,
2. im Gaststätten- und Beherbergungsgewerbe,
3. im Personenbeförderungsgewerbe,
4. im Speditions-, Transport- und damit verbundenen Logistikgewerbe einschließlich der plattformbasierten Lieferdienste,
5. im Schaustellergewerbe,
6. im Gebäudereinigungsgewerbe,
7. bei Unternehmen, die sich am Auf- und Abbau von Messen und Ausstellungen beteiligen,

[Nr. 8 bis 28.12.2030:]

8. in der Fleischwirtschaft mit Ausnahme des Fleischerhandwerks nach § 2 Absatz 2 Satz 2 des Gesetzes zur Sicherung von Arbeitnehmerrechten in der Fleischwirtschaft[3)],

[Nr. 8 ab 29.12.2030:]

8. in der Fleischwirtschaft,

9. im Prostitutionsgewerbe,
10. im Wach- und Sicherheitsgewerbe,
11. im Friseur- und Kosmetikgewerbe.

[2]Die Meldung enthält folgende Angaben über den Beschäftigten:

1. den Familien- und die Vornamen,

[1)] **beck-online, Module Arbeitsrecht Nr. 695.**
[2)] Nr. **692**.
[3)] Nr. **508**.

2. die Versicherungsnummer, soweit bekannt, ansonsten die zur Vergabe einer Versicherungsnummer notwendigen Angaben (Tag und Ort der Geburt, Anschrift),
3. die Betriebsnummer des Arbeitgebers und
4. den Tag der Beschäftigungsaufnahme.

[3] Die Meldung wird in der Stammsatzdatei nach § 150 Absatz 1 und 2 des Sechsten Buches[1)] gespeichert. [4] Die Meldung gilt nicht als Meldung nach Absatz 1 Satz 1 Nummer 1.

(4a) [1] Der Meldepflichtige erstattet die Meldungen nach Absatz 1 Satz 1 Nummer 10 an die zuständige Einzugsstelle. [2] In der Meldung sind insbesondere anzugeben:

1. die Versicherungsnummer des Beschäftigten,
2. die Betriebsnummer des Beschäftigungsbetriebes,
3. das monatliche laufende und einmalig gezahlte Arbeitsentgelt, von dem Beiträge zur Renten-, Arbeitslosen-, Kranken- und Pflegeversicherung für das der Ermittlung nach § 26 Absatz 4 zugrunde liegende Kalenderjahr berechnet wurden.

(5) [1] Der Meldepflichtige hat der zu meldenden Person mindestens einmal jährlich zum 30. April eines Jahres den Inhalt der Meldung in Textform mit der laufenden, spätestens mit der folgenden Entgeltabrechnung mitzuteilen; dies gilt nicht, wenn die Meldung ausschließlich aufgrund einer Veränderung der Daten für die gesetzliche Unfallversicherung erfolgt. [2] Bei Auflösung des Arbeitsverhältnisses ist die Bescheinigung unverzüglich nach Abgabe der letzten Meldung auszustellen. [3] Die Mitteilung hat gesondert oder als Anhang zur monatlichen Entgeltbescheinigung zu erfolgen.

(6) Soweit der Arbeitgeber eines Hausgewerbetreibenden Arbeitgeberpflichten erfüllt, gilt der Hausgewerbetreibende als Beschäftigter.

(6a) Beschäftigt ein Arbeitgeber, der

1. im privaten Bereich nichtgewerbliche Zwecke oder
2. mildtätige, kirchliche, religiöse, wissenschaftliche oder gemeinnützige Zwecke im Sinne des § 10b des Einkommensteuergesetzes[2)]

verfolgt, Personen geringfügig nach § 8, kann er auf Antrag abweichend von Absatz 1 Meldungen auf Vordrucken erstatten, wenn er glaubhaft macht, dass ihm eine Meldung auf maschinell verwertbaren Datenträgern oder durch Datenübertragung nicht möglich ist.

(7) [1] Der Arbeitgeber hat der Einzugsstelle für einen im privaten Haushalt Beschäftigten anstelle einer Meldung nach Absatz 1 unverzüglich eine vereinfachte Meldung (Haushaltsscheck) mit den Angaben nach Absatz 8 Satz 1 zu erstatten, wenn das Arbeitsentgelt nach § 14 Absatz 3 aus dieser Beschäftigung regelmäßig die Geringfügigkeitsgrenze nicht übersteigt. [2] Der Arbeitgeber kann die Meldung nach Satz 1 auch durch Datenübertragung aus systemgeprüften Programmen oder mit maschinell erstellten Ausfüllhilfen übermitteln. [3] Der Arbeitgeber hat der Einzugsstelle gesondert ein Lastschriftmandat zum Einzug des Gesamtsozialversicherungsbeitrags zu erteilen. [4] Die Absätze 2 bis 5 gelten nicht.

[1)] beck-online, Module Arbeitsrecht Nr. 696.
[2)] beck-online, Module Arbeitsrecht Nr. 331.

(8) [1]Der Haushaltsscheck enthält

1. den Familiennamen, Vornamen, die Anschrift und die Betriebsnummer des Arbeitgebers,
2. den Familiennamen, Vornamen, die Anschrift und die Versicherungsnummer des Beschäftigten; kann die Versicherungsnummer nicht angegeben werden, ist das Geburtsdatum des Beschäftigten einzutragen,
3. die Angabe, ob der Beschäftigte im Zeitraum der Beschäftigung bei mehreren Arbeitgebern beschäftigt ist, und
4. a) bei einer Meldung bei jeder Lohn- oder Gehaltszahlung den Zeitraum der Beschäftigung, das Arbeitsentgelt nach § 14 Absatz 3 für diesen Zeitraum sowie am Ende der Beschäftigung den Zeitpunkt der Beendigung,
   b) bei einer Meldung zu Beginn der Beschäftigung deren Beginn und das monatliche Arbeitsentgelt nach § 14 Absatz 3, die Steuernummer des Arbeitgebers, die Identifikationsnummer nach § 139b der Abgabenordnung des Beschäftigten und die Art der Besteuerung,
   c) bei einer Meldung wegen Änderung des Arbeitsentgelts nach § 14 Absatz 3 den neuen Betrag und den Zeitpunkt der Änderung,
   d) bei einer Meldung am Ende der Beschäftigung den Zeitpunkt der Beendigung,
   e) bei Erklärung des Verzichts auf Versicherungsfreiheit nach § 230 Absatz 8 Satz 2 des Sechsten Buches[1)] den Zeitpunkt des Verzichts,
   f) bei Antrag auf Befreiung von der Versicherungspflicht nach § 6 Absatz 1b des Sechsten Buches[2)] den Tag des Zugangs des Antrags beim Arbeitgeber.

[2]Bei sich anschließenden Meldungen kann von der Angabe der Anschrift des Arbeitgebers und des Beschäftigten abgesehen werden.

(9) [1]Soweit nicht anders geregelt, gelten für versicherungsfrei oder von der Versicherungspflicht befreite geringfügig Beschäftigte die Absätze 1 bis 6 entsprechend. [2]Eine Jahresmeldung nach Absatz 2 ist für geringfügig Beschäftigte nach § 8 Absatz 1 Nummer 2 nicht zu erstatten. [3]Meldungen nach Absatz 1 Satz 1 Nummer 4 und 4a sind für geringfügig Beschäftigte nicht zu erstatten.

(9a) [1]Für geringfügig Beschäftigte nach § 8 Absatz 1 Nummer 2 hat der Arbeitgeber bei der Meldung nach Absatz 1 Satz 1 Nummer 1 zusätzlich anzugeben, wie diese für die Dauer der Beschäftigung krankenversichert sind. [2]Die Evaluierung der Regelung erfolgt im Rahmen eines Berichts der Bundesregierung über die Wirkung der Maßnahme bis Ende des Jahres 2026.

(10) [1]Der Arbeitgeber hat für Beschäftigte, die nach § 6 Absatz 1 Satz 1 Nummer 1 des Sechsten Buches[2)] von der Versicherungspflicht befreit und Mitglied einer berufsständischen Versorgungseinrichtung sind, die Meldungen nach den Absätzen 1, 2 und 9 zusätzlich an die Annahmestelle der berufsständischen Versorgungseinrichtungen zu erstatten; dies gilt nicht für Meldungen nach Absatz 1 Satz 1 Nummer 10. [2]Die Datenübermittlung hat durch gesicherte und verschlüsselte Datenübertragung aus systemgeprüften Programmen oder mittels systemgeprüfter maschinell erstellter Ausfüllhilfen zu erfolgen. [3]Zusätzlich zu den Angaben nach Absatz 3 enthalten die Meldungen die Mitglieds-

---

[1)] **beck-online, Module Arbeitsrecht Nr. 696.**
[2)] Nr. **696.**

nummer des Beschäftigten bei der Versorgungseinrichtung. [4]Die Absätze 5 bis 6a gelten entsprechend.

(11) [1]Der Arbeitgeber hat für Beschäftigte, die nach § 6 Absatz 1 Satz 1 Nummer 1 des Sechsten Buches[1)] von der Versicherungspflicht befreit und Mitglied in einer berufsständischen Versorgungseinrichtung sind, der Annahmestelle der berufsständischen Versorgungseinrichtungen monatliche Meldungen zur Beitragserhebung zu erstatten. [2]Absatz 10 Satz 2 gilt entsprechend. [3]Diese Meldungen enthalten für den Beschäftigten

1. die Mitgliedsnummer bei der Versorgungseinrichtung oder, wenn die Mitgliedsnummer nicht bekannt ist, die Personalnummer beim Arbeitgeber, den Familien- und Vornamen, das Geschlecht und das Geburtsdatum,
2. den Zeitraum, für den das Arbeitsentgelt gezahlt wird,
3. das beitragspflichtige ungekürzte laufende Arbeitsentgelt für den Zahlungszeitraum,
4. das beitragspflichtige ungekürzte einmalig gezahlte Arbeitsentgelt im Monat der Abrechnung,
5. die Anzahl der Sozialversicherungstage im Zahlungszeitraum,
6. den Beitrag, der bei Firmenzahlern für das Arbeitsentgelt nach Nummer 3 und 4 anfällt,
7. die Betriebsnummer der Versorgungseinrichtung,
8. die Betriebsnummer des Beschäftigungsbetriebes,
9. den Arbeitgeber,
10. den Ort des Beschäftigungsbetriebes,
11. den Monat der Abrechnung.

[4]Soweit nicht aus der Entgeltbescheinigung des Beschäftigten zu entnehmen ist, dass die Meldung erfolgt ist und welchen Inhalt sie hatte, gilt Absatz 5.

(12) Der Arbeitgeber hat auch für ausschließlich nach § 2 Absatz 1 Nummer 1 des Siebten Buches[2)] versicherte Beschäftigte mit beitragspflichtigem Entgelt Meldungen nach den Absätzen 1 und 3 Satz 2 Nummer 2 abzugeben.

(13) [1]Der Arbeitgeber hat bei Beginn einer in der sozialen Pflegeversicherung versicherungspflichtigen Beschäftigung eine Meldung nach § 55a Absatz 3 des Elften Buches[3)] an die Datenstelle der Rentenversicherung nach § 145 Absatz 1 Satz 1 des Sechsten Buches[4)] zu erstatten. [2]Bei Ende der versicherungspflichtigen Beschäftigung hat er eine Meldung nach § 55a Absatz 6 des Elften Buches zu erstatten. [3]Bei Beschäftigungsaufnahme hat dies innerhalb von sieben Tagen zu erfolgen; die Meldung zur Beendigung einer Beschäftigung wird zeitgleich mit der Meldung nach Absatz 1 Nummer 2 erstattet. [4]Bei Beendigung der Versicherungspflicht in der sozialen Pflegeversicherung ist eine Abmeldung mit der nächsten Entgeltabrechnung vorzunehmen. [5]In der Meldung sind insbesondere anzugeben:

1. das Geburtsdatum des Beschäftigten,
2. die steuerliche Identifikationsnummer des Beschäftigten nach § 139b der Abgabenordnung,

---

[1)] Nr. 696.
[2)] Nr. 697.
[3)] **Aichberger, SGB Nr. 11.**
[4)] **beck-online, Module Arbeitsrecht Nr. 696.**

3. der Tag des Beginns oder des Endes der Beschäftigung,
4. die Betriebsnummer des Arbeitgebers.

⁶Bei Meldung einer Beschäftigungsaufnahme hat die Datenstelle der Rentenversicherung nach § 145 Absatz 1 Satz 1 des Sechsten Buches[1)] dem Arbeitgeber unverzüglich die zum Zeitpunkt der Beschäftigungsaufnahme zum Nachweis der Elterneigenschaft sowie die zur Ermittlung der Anzahl der berücksichtigungsfähigen Kinder erforderlichen Daten nach Maßgabe des § 55a Absatz 4 Satz 1 und 3 des Elften Buches weiterzuleiten. ⁷Änderungen bei der Elterneigenschaft oder der Anzahl der berücksichtigungsfähigen Kinder während eines laufenden Beschäftigungsverhältnisses werden dem Arbeitgeber nach Maßgabe des § 55a Absatz 5 des Elften Buches mitgeteilt. ⁸Die Deutsche Rentenversicherung Bund, der Spitzenverband Bund der Pflegekassen und das Bundeszentralamt für Steuern regeln das Nähere zum Verfahren sowie den Aufbau und den Inhalt der Datensätze für die Meldungen nach den Sätzen 1 bis 4 in Gemeinsamen Grundsätzen, die vom Bundesministerium für Arbeit und Soziales im Einvernehmen mit dem Bundesministerium der Finanzen und dem Bundesministerium für Gesundheit zu genehmigen sind; die Bundesvereinigung der Deutschen Arbeitgeberverbände ist vorher anzuhören.

§ 28b[2)] Inhalte und Verfahren für die Gemeinsamen Grundsätze und die Datenfeldbeschreibung. (1) ¹Der Spitzenverband Bund der Krankenkassen, die Deutsche Rentenversicherung Bund, die Deutsche Rentenversicherung Knappschaft-Bahn-See, die Bundesagentur für Arbeit und die Deutsche Gesetzliche Unfallversicherung e.V. bestimmen in Gemeinsamen Grundsätzen bundeseinheitlich:

1. die Schlüsselzahlen für Personengruppen, Beitragsgruppen und für Abgabegründe der Meldungen,
2. den Aufbau, den Inhalt und die Identifizierung der einzelnen Datensätze sowie die Verfahren für die Übermittlung von Meldungen und Beitragsnachweisen durch den Arbeitgeber an die Sozialversicherungsträger, soweit nichts Abweichendes in diesem Buch geregelt ist,
3. den Aufbau und den Inhalt der einzelnen Datensätze für die Übermittlung von Eingangs- und Weiterleitungsbestätigungen, Fehlermeldungen und sonstigen Meldungen der Sozialversicherungsträger und anderer am Meldeverfahren beteiligter Stellen an die Arbeitgeber in den Verfahren nach Nummer 2,
4. gesondert den Aufbau und den Inhalt der Datensätze für die Kommunikationsdaten, die einheitlich am Beginn und am Ende jedes Dateisystems in den Verfahren nach Nummer 2 bei jeder Datenübertragung vom Arbeitgeber an

---

[1)] **beck-online, Module Arbeitsrecht Nr. 696.**

[2)] § 28b Abs. 1 Satz 2 eingef., bish. Satz 2 wird Satz 3 mWv 1.11.2009 durch G v. 21.12.2008 (BGBl. I S. 2933); Abs. 6 Satz 2 eingef., bish. Satz 2 wird Satz 3 mWv 11.8.2010 durch G v. 5.8.2010 (BGBl. I S. 1127); Abs. 6 aufgeh. mWv 3.12.2011 durch G v. 23.11.2011 (BGBl. I S. 2298); Überschr. neu gef., Abs. 1 aufgeh., bish. Abs. 2 wird Abs. 1 und Satz 1 einl. Satzteil geänd., Nr. 2 neu gef., Nr. 3–5 angef., Satz 2 geänd., Abs. 3 aufgeh., bish. Abs. 4 und 5 werden Abs. 2 und 3 und neu gef., Abs. 4 angef. mWv 1.7.2015 durch G v. 15.4.2015 (BGBl. I S. 583, ber. S. 1008); Abs. 1 Satz 1 Nr. 3–5 geänd., Satz 2 eingef., bish. Satz 2 wird Satz 3 mWv 1.1.2017 durch G v. 11.11.2016 (BGBl. I S. 2500); Abs. 1 Satz 1 Nr. 4 geänd. mWv 26.11.2019 durch G v. 20.11.2019 (BGBl. I S. 1626); Abs. 4 aufgeh. mWv 1.7.2020 durch G v. 12.6.2020 (BGBl. I S. 1248); Abs. 1 Satz 1 Nr. 4 geänd., Nr. 5 aufgeh., Satz 2 geänd. mWv 1.1.2023 durch G v. 20.12.2022 (BGBl. I S. 2759); Abs. 1 Satz 1 Nr. 2 und Abs. 2 Satz 1 geänd. mWv 24.12.2025 durch G v. 22.12.2025 (BGBl. 2025 I Nr. 355).

die Sozialversicherung und bei Meldungen an den Arbeitgeber zu übermitteln sind.

[2]Satz 1 Nummer 3 und 4 gilt auch für das Zahlstellenmeldeverfahren nach § 202 des Fünften Buches[1)] und für das Antragsverfahren nach § 2 Absatz 3 des Aufwendungsausgleichsgesetzes[2)]. [3]Die Gemeinsamen Grundsätze bedürfen der Genehmigung des Bundesministeriums für Arbeit und Soziales, das vorher die Bundesvereinigung der Deutschen Arbeitgeberverbände anzuhören hat.

(2) [1]Der Spitzenverband Bund der Krankenkassen, die Deutsche Rentenversicherung Bund, die Deutsche Rentenversicherung Knappschaft-Bahn-See und die Deutsche Gesetzliche Unfallversicherung e.V. bestimmen bundeseinheitlich das Verfahren, die Gestaltung des Haushaltsschecks nach § 28a Absatz 7 und das der Einzugsstelle in diesem Verfahren zu erteilende Lastschriftmandat durch Gemeinsame Grundsätze. [2]Die Grundsätze bedürfen der Genehmigung des Bundesministeriums für Arbeit und Soziales, das vorher in Bezug auf die steuerrechtlichen Angaben das Bundesministerium der Finanzen anzuhören hat.

(3) Soweit Meldungen nach § 28a Absatz 10 oder 11 betroffen sind, gilt Absatz 1 entsprechend mit der Maßgabe, dass die Arbeitsgemeinschaft berufsständischer Versorgungseinrichtungen e.V. zu beteiligen ist.

§ 28c[3)] Verordnungsermächtigung. Das Bundesministerium für Arbeit und Soziales wird ermächtigt, durch Rechtsverordnung mit Zustimmung des Bundesrates das Nähere über die Melde- und Beitragsverfahren zu bestimmen, insbesondere

1. die Frist der Meldungen und Beitragsnachweise,
2. die Voraussetzungen für die Zulassung sowie die Gründe für eine Verweigerung, Rücknahme oder den Verlust einer Zulassung eines Programms oder einer maschinell erstellten Ausfüllhilfe im Rahmen einer Systemprüfung,
3. welche zusätzlichen, für die Verarbeitung der Meldungen und Beitragsnachweise oder die Durchführung der Versicherung erforderlichen Angaben zu machen sind,
4. das Verfahren über die Prüfung, Sicherung und Weiterleitung der Daten,
5. unter welchen Voraussetzungen Meldungen und Beitragsnachweise durch Datenübertragung zu erstatten sind,
6. in welchen Fällen auf einzelne Meldungen oder Angaben verzichtet wird,

6a. in welchen Fällen die Einzugsstellen Korrekturen an Meldungen vornehmen dürfen,

7. in welcher Form und Frist der Arbeitgeber die Beschäftigten über die Meldungen zu unterrichten hat.

[1)] **beck-online, Module Arbeitsrecht Nr. 695.**

[2)] Nr. **220**.

[3)] § 28c Abs. 2 aufgeh., bish. Abs. 1 wird alleiniger Wortlaut mWv 3.12.2011 durch G v. 23.11. 2011 (BGBl. I S. 2298); Nr. 2 neu gef., Nr. 5 geänd. mWv 1.1.2021 durch G v. 12.6.2020 (BGBl. I S. 1248); einl. Satzteil geänd. mWv 1.1.2023 durch G v. 20.12.2022 (BGBl. I S. 2759); Nr. 6a eingef. mWv 1.1.2026 durch G v. 22.12.2025 (BGBl. 2025 I Nr. 355).

Zweiter Titel. Verfahren und Haftung bei der Beitragszahlung

§ 28d Gesamtsozialversicherungsbeitrag. [1] Die Beiträge in der Kranken- oder Rentenversicherung für einen kraft Gesetzes versicherten Beschäftigten oder Hausgewerbetreibenden sowie der Beitrag aus Arbeitsentgelt aus einer versicherungspflichtigen Beschäftigung nach dem Recht der Arbeitsförderung werden als Gesamtsozialversicherungsbeitrag gezahlt. [2] Satz 1 gilt auch für den Beitrag zur Pflegeversicherung für einen in der Krankenversicherung kraft Gesetzes versicherten Beschäftigten. [3] Die nicht nach dem Arbeitsentgelt zu bemessenden Beiträge in der landwirtschaftlichen Krankenversicherung für einen kraft Gesetzes versicherten Beschäftigten gelten zusammen mit den Beiträgen zur Rentenversicherung und Arbeitsförderung im Sinne des Satzes 1 ebenfalls als Gesamtsozialversicherungsbeitrag.

§ 28e[1] Zahlungspflicht, Vorschuss. (1) [1] Den Gesamtsozialversicherungsbeitrag hat der Arbeitgeber und in den Fällen der nach § 7f Absatz 1 Satz 1 Nummer 2 auf die Deutsche Rentenversicherung Bund übertragenen Wertguthaben die Deutsche Rentenversicherung Bund zu zahlen. [2] Die Zahlung des vom Beschäftigten zu tragenden Teils des Gesamtsozialversicherungsbeitrags gilt als aus dem Vermögen des Beschäftigten erbracht. [3] Ist ein Träger der Kranken- oder Rentenversicherung oder die Bundesagentur für Arbeit der Arbeitgeber, gilt der jeweils für diesen Leistungsträger oder, wenn eine Krankenkasse der Arbeitgeber ist, auch der für die Pflegekasse bestimmte Anteil am Gesamtsozialversicherungsbeitrag als gezahlt; dies gilt für die Beiträge zur Rentenversicherung auch im Verhältnis der Träger der Rentenversicherung untereinander.

(2) [1] Für die Erfüllung der Zahlungspflicht des Arbeitgebers haftet bei einem wirksamen Vertrag der Entleiher wie ein selbstschuldnerischer Bürge, soweit ihm Arbeitnehmer gegen Vergütung zur Arbeitsleistung überlassen worden sind. [2] Er kann die Zahlung verweigern, solange die Einzugsstelle den Arbeitgeber nicht gemahnt hat und die Mahnfrist nicht abgelaufen ist. [3] Zahlt der Verleiher das vereinbarte Arbeitsentgelt oder Teile des Arbeitsentgelts an den Leiharbeitnehmer, obwohl der Vertrag nach § 9 Absatz 1 Nummer 1 bis 1b des Arbeitnehmerüberlassungsgesetzes[2] unwirksam ist, so hat er auch den hierauf entfallenden Gesamtsozialversicherungsbeitrag an die Einzugsstelle zu zahlen. [4] Hinsichtlich der Zahlungspflicht nach Satz 3 gilt der Verleiher neben dem Entleiher als Arbeitgeber; beide haften insoweit als Gesamtschuldner.

(2a) [1] Für die Erfüllung der Zahlungspflicht, die sich für den Arbeitgeber knappschaftlicher Arbeiten im Sinne von § 134 Absatz 4 des Sechsten Buches[3] ergibt, haftet der Arbeitgeber des Bergwerksbetriebes, mit dem die Arbeiten räumlich und betrieblich zusammenhängen, wie ein selbstschuldnerischer Bürge. [2] Absatz 2 Satz 2 gilt entsprechend.

---

[1] § 28e Abs. 3b Satz 2 angef., Abs. 3d Satz 1 geänd., Abs. 3f neu gef. mWv 1.10.2009 durch G v. 15.7.2009 (BGBl. I S. 1939); Abs. 3a Satz 1 geänd. mWv 1.4.2012 durch G v. 20.12.2011 (BGBl. I S. 2854); Abs. 2 Satz 3 geänd. mWv 1.4.2017 durch G v. 21.2.2017 (BGBl. I S. 258); Abs. 3g und 3h eingef. mWv 23.11.2019 durch G v. 15.11.2019 (BGBl. I S. 1602, geänd. BGBl. 2025 I Nr. 302); Abs. 2a Satz 2 neu gef., Abs. 3a Satz 2 eingef., bish. Sätze 2 und 3 werden Sätze 3 und 4, Abs. 3b Satz 2 geänd., Abs. 3d aufgeh., Abs. 3f Satz 1 neu gef., Satz 3 aufgeh. mWv 1.7.2020 durch G v. 12.6.2020 (BGBl. I S. 1248); Abs. 3a Satz 2 aufgeh., bish. Sätze 3 und 4 werden Sätze 2 und 3, Abs. 3d neu gef. mWv 1.1.2023 durch G v. 20.12.2022 (BGBl. I S. 2759); Abs. 3h aufgeh. mWv 6.12.2025 durch G v. 2.12.2025 (BGBl. 2025 I Nr. 302).

[2] Nr. **730**.

[3] **beck-online, Module Arbeitsrecht Nr. 696.**

(3) Für die Erfüllung der Zahlungspflicht des Arbeitgebers von Seeleuten nach § 13 Absatz 1 Satz 2 haften Arbeitgeber und Reeder als Gesamtschuldner.

(3a) [1] Ein Unternehmer des Baugewerbes, der einen anderen Unternehmer mit der Erbringung von Bauleistungen im Sinne des § 101 Absatz 2 des Dritten Buches[1)] beauftragt, haftet für die Erfüllung der Zahlungspflicht dieses Unternehmers oder eines von diesem Unternehmer beauftragten Verleihers wie ein selbstschuldnerischer Bürge. [2] Satz 1 gilt entsprechend für die vom Nachunternehmer gegenüber ausländischen Sozialversicherungsträgern abzuführenden Beiträge. [3] Absatz 2 Satz 2 gilt entsprechend.

(3b) [1] Die Haftung nach Absatz 3a entfällt, wenn der Unternehmer nachweist, dass er ohne eigenes Verschulden davon ausgehen konnte, dass der Nachunternehmer oder ein von ihm beauftragter Verleiher seine Zahlungspflicht erfüllt. [2] Ein Verschulden des Unternehmers ist ausgeschlossen, soweit und solange er Fachkunde, Zuverlässigkeit und Leistungsfähigkeit des Nachunternehmers oder des von diesem beauftragten Verleihers durch eine Präqualifikation nachweist, die die Eignungsvoraussetzungen nach § 6a der Vergabe- und Vertragsordnung für Bauleistungen Teil A in der Fassung der Bekanntmachung vom 31. Januar 2019 (BAnz. AT 19.02.2019 B2) erfüllt.

(3c) [1] Ein Unternehmer, der Bauleistungen im Auftrag eines anderen Unternehmers erbringt, ist verpflichtet, auf Verlangen der Einzugstelle Firma und Anschrift dieses Unternehmers mitzuteilen. [2] Kann der Auskunftsanspruch nach Satz 1 nicht durchgesetzt werden, hat ein Unternehmer, der einen Gesamtauftrag für die Erbringung von Bauleistungen für ein Bauwerk erhält, der Einzugsstelle auf Verlangen Firma und Anschrift aller Unternehmer, die von ihm mit der Erbringung von Bauleistungen beauftragt wurden, zu benennen.

(3d) Absatz 3a gilt ab einem geschätzten Gesamtwert aller für ein Bauwerk in Auftrag gegebenen Bauleistungen von 275 000 Euro, wobei für Schätzungen die Vergabeverordnung vom 12. April 2016 (BGBl. I S. 624) in der jeweils geltenden Fassung gilt.

(3e) [1] Die Haftung des Unternehmers nach Absatz 3a erstreckt sich in Abweichung von der dort getroffenen Regelung auf das von dem Nachunternehmer beauftragte nächste Unternehmen, wenn die Beauftragung des unmittelbaren Nachunternehmers bei verständiger Würdigung der Gesamtumstände als ein Rechtsgeschäft anzusehen ist, dessen Ziel vor allem die Auflösung der Haftung nach Absatz 3a ist. [2] Maßgeblich für die Würdigung ist die Verkehrsanschauung im Baubereich. [3] Ein Rechtsgeschäft im Sinne dieser Vorschrift, das als Umgehungstatbestand anzusehen ist, ist in der Regel anzunehmen,

a) wenn der unmittelbare Nachunternehmer weder selbst eigene Bauleistungen noch planerische oder kaufmännische Leistungen erbringt oder
b) wenn der unmittelbare Nachunternehmer weder technisches noch planerisches oder kaufmännisches Fachpersonal in nennenswertem Umfang beschäftigt oder
c) wenn der unmittelbare Nachunternehmer in einem gesellschaftsrechtlichen Abhängigkeitsverhältnis zum Hauptunternehmer steht.

[4] Besonderer Prüfung bedürfen die Umstände des Einzelfalles vor allem in den Fällen, in denen der unmittelbare Nachunternehmer seinen handelsrechtlichen Sitz außerhalb des Europäischen Wirtschaftsraums hat.

---

1) Nr. **700**.

(3f) [1] Der Unternehmer kann den Nachweis nach Absatz 3b Satz 2 anstelle der Präqualifikation auch für den Zeitraum des Auftragsverhältnisses durch Vorlage von lückenlosen Unbedenklichkeitsbescheinigungen der zuständigen Einzugsstellen für den Nachunternehmer oder den von diesem beauftragten Verleiher erbringen. [2] Die Unbedenklichkeitsbescheinigung enthält Angaben über die ordnungsgemäße Zahlung der Sozialversicherungsbeiträge und die Zahl der gemeldeten Beschäftigten.

(3g) [1] Für einen Unternehmer im Speditions-, Transport- und damit verbundenen Logistikgewerbe, der im Bereich der Kurier-, Express- und Paketdienste tätig ist und der einen anderen Unternehmer mit der Beförderung von Paketen beauftragt, gelten die Absätze 3a, 3b Satz 1, 3e und 3f entsprechend. [2] Absatz 3b Satz 2 gilt entsprechend mit der Maßgabe, dass die Präqualifikation die Voraussetzung erfüllt, dass der Nachunternehmer in einem amtlichen Verzeichnis eingetragen ist oder über eine Zertifizierung verfügt, die jeweils den Anforderungen des Artikels 64 der Richtlinie 2014/24/EU des Europäischen Parlaments und des Rates vom 26. Februar 2014 über die öffentliche Auftragsvergabe und zur Aufhebung der Richtlinie 2004/18/EG (ABl. L 94 vom 28.3. 2014, S. 65), die zuletzt durch die Delegierte Verordnung (EU) 2017/2365 (ABl. L 337 vom 19.12.2017, S. 19) geändert worden ist, entsprechen. [3] Für einen Unternehmer, der im Auftrag eines anderen Unternehmers Pakete befördert, gilt Absatz 3c entsprechend. [4] Beförderung von Paketen im Sinne dieses Buches ist

a) die Beförderung adressierter Pakete mit einem Einzelgewicht von bis zu 32 Kilogramm, soweit diese mit Kraftfahrzeugen mit einem zulässigen Gesamtgewicht von bis zu 3,5 Tonnen erfolgt,
b) die stationäre Bearbeitung von adressierten Paketen bis zu 32 Kilogramm mit Ausnahme der Bearbeitung im Filialbereich.

(4) Die Haftung umfasst die Beiträge und Säumniszuschläge, die infolge der Pflichtverletzung zu zahlen sind, sowie die Zinsen für gestundete Beiträge (Beitragsansprüche).

(5) Die Satzung der Einzugsstelle kann bestimmen, unter welchen Voraussetzungen vom Arbeitgeber Vorschüsse auf den Gesamtsozialversicherungsbeitrag verlangt werden können.

§ 28f[1)] Aufzeichnungspflicht, Nachweise der Beitragsabrechnung und der Beitragszahlung. (1) [1] Der Arbeitgeber hat für jeden Beschäftigten, getrennt nach Kalenderjahren, Entgeltunterlagen im Geltungsbereich dieses Gesetzes in deutscher Sprache zu führen und bis zum Ablauf des auf die letzte Prüfung (§ 28p) folgenden Kalenderjahres geordnet aufzubewahren. [2] Satz 1 gilt nicht hinsichtlich der Beschäftigten in privaten Haushalten. [3] Die landwirtschaftliche Krankenkasse kann wegen der mitarbeitenden Familienangehörigen

[1)] § 28f Abs. 3 Satz 5 angef. mWv 1.1.2012 durch G v. 22.12.2010 (BGBl. I S. 2309); Abs. 1 Satz 1, Abs. 1a, Abs. 5 Sätze 1 und 2 geänd. mWv 1.1.2012 durch G v. 22.12.2011 (BGBl. I S. 3057); Abs. 1 Satz 3, Abs. 4 Satz 2 geänd. mWv 1.1.2013 durch G v. 12.4.2012 (BGBl. I S. 579); Abs. 3 Satz 5 aufgeh. mWv 1.1.2015 durch G v. 21.7.2014 (BGBl. I S. 1133); Abs. 5 aufgeh. mWv 1.7.2018 durch G v. 17.7.2017 (BGBl. I S. 2575); Abs. 1a Satz 1 geänd., Satz 2 angef. mWv 23.11.2019 durch G v. 15.11.2019 (BGBl. I S. 1602, geänd. BGBl. 2025 I Nr. 302); Abs. 1b eingef. mWv 1.1.2021 durch G v. 12.6.2020 (BGBl. I S. 1248); Abs. 4 aufgeh. mWv 1.1.2023 durch G v. 20.12.2022 (BGBl. I S. 2759).

Ausnahmen zulassen. [4]Für die Aufbewahrung der Beitragsabrechnungen und der Beitragsnachweise gilt Satz 1.

(1a) [1]Bei der Ausführung eines Dienst- oder Werkvertrages im Baugewerbe oder durch Unternehmer im Speditions-, Transport- und damit verbundenen Logistikgewerbe, die im Bereich der Kurier-, Express- und Paketdienste tätig sind und im Auftrag eines anderen Unternehmers Pakete befördern, hat der Unternehmer die Entgeltunterlagen und die Beitragsabrechnung so zu gestalten, dass eine Zuordnung der Arbeitnehmer, des Arbeitsentgelts und des darauf entfallenden Gesamtsozialversicherungsbeitrags zu dem jeweiligen Dienst- oder Werkvertrag möglich ist. [2]Die Pflicht nach Satz 1 ruht für einen Unternehmer im Speditions-, Transport- und damit verbundenen Logistikgewerbe, der im Bereich der Kurier-, Express- und Paketdienste tätig ist, solange er eine Präqualifikation oder eine Unbedenklichkeitsbescheinigung im Sinne von § 28e Absatz 3f Satz 1 und 2 oder eine Unbedenklichkeitsbescheinigung nach § 150 Absatz 3 Satz 2 des Siebten Buches[1)] vorlegen kann.

(1b) [1]Hat ein Arbeitgeber keinen Sitz im Inland, hat er zur Erfüllung der Pflichten nach Absatz 1 Satz 1 einen Bevollmächtigten mit Sitz im Inland zu bestellen. [2]Als Sitz des Arbeitgebers gilt der Beschäftigungsbetrieb des Bevollmächtigten im Inland, in Ermangelung eines solchen der Wohnsitz oder gewöhnliche Aufenthalt des Bevollmächtigten. [3]Im Fall von Satz 2 zweiter Halbsatz findet § 98 Absatz 1 Satz 4 des Zehnten Buches[2)] keine Anwendung.

(2) [1]Hat ein Arbeitgeber die Aufzeichnungspflicht nicht ordnungsgemäß erfüllt und können dadurch die Versicherungs- oder Beitragspflicht oder die Beitragshöhe nicht festgestellt werden, kann der prüfende Träger der Rentenversicherung den Beitrag in der Kranken-, Pflege- und Rentenversicherung und zur Arbeitsförderung von der Summe der vom Arbeitgeber gezahlten Arbeitsentgelte geltend machen. [2]Satz 1 gilt nicht, soweit ohne unverhältnismäßig großen Verwaltungsaufwand festgestellt werden kann, dass Beiträge nicht zu zahlen waren oder Arbeitsentgelt einem bestimmten Beschäftigten zugeordnet werden kann. [3]Soweit der prüfende Träger der Rentenversicherung die Höhe der Arbeitsentgelte nicht oder nicht ohne unverhältnismäßig großen Verwaltungsaufwand ermitteln kann, hat er diese zu schätzen. [4]Dabei ist für das monatliche Arbeitsentgelt eines Beschäftigten das am Beschäftigungsort ortsübliche Arbeitsentgelt mitzuberücksichtigen. [5]Der prüfende Träger der Rentenversicherung hat einen auf Grund der Sätze 1, 3 und 4 ergangenen Bescheid insoweit zu widerrufen, als nachträglich Versicherungs- oder Beitragspflicht oder Versicherungsfreiheit festgestellt und die Höhe des Arbeitsentgelts nachgewiesen werden. [6]Die von dem Arbeitgeber auf Grund dieses Bescheides geleisteten Zahlungen sind insoweit mit der Beitragsforderung zu verrechnen.

(3) [1]Der Arbeitgeber hat der Einzugsstelle einen Beitragsnachweis zwei Arbeitstage vor Fälligkeit der Beiträge durch Datenübertragung zu übermitteln; dies gilt nicht hinsichtlich der Beschäftigten in privaten Haushalten bei Verwendung von Haushaltsschecks. [2]Übermittelt der Arbeitgeber den Beitragsnachweis nicht zwei Arbeitstage vor Fälligkeit der Beiträge, so kann die Einzugsstelle das für die Beitragsberechnung maßgebende Arbeitsentgelt schätzen, bis der Nachweis ordnungsgemäß übermittelt wird. [3]Der Beitragsnachweis gilt für die Vollstreckung als Leistungsbescheid der Einzugsstelle und im Insolvenz-

---

[1)] **beck-online, Module Arbeitsrecht Nr. 697.**
[2)] Nr. 699.

verfahren als Dokument zur Glaubhaftmachung der Forderungen der Einzugsstelle. [4]Im Beitragsnachweis ist auch die Steuernummer des Arbeitgebers anzugeben, wenn der Beitragsnachweis die Pauschsteuer für geringfügig Beschäftigte enthält.

§ 28g Beitragsabzug. [1]Der Arbeitgeber und in den Fällen der nach § 7f Absatz 1 Satz 1 Nummer 2 auf die Deutsche Rentenversicherung Bund übertragenen Wertguthaben die Deutsche Rentenversicherung Bund hat gegen den Beschäftigten einen Anspruch auf den vom Beschäftigten zu tragenden Teil des Gesamtsozialversicherungsbeitrags. [2]Dieser Anspruch kann nur durch Abzug vom Arbeitsentgelt geltend gemacht werden. [3]Ein unterbliebener Abzug darf nur bei den drei nächsten Lohn- oder Gehaltszahlungen nachgeholt werden, danach nur dann, wenn der Abzug ohne Verschulden des Arbeitgebers unterblieben ist. [4]Die Sätze 2 und 3 gelten nicht, wenn der Beschäftigte seinen Pflichten nach § 28o Absatz 1 vorsätzlich oder grob fahrlässig nicht nachkommt oder er den Gesamtsozialversicherungsbeitrag allein trägt oder solange der Beschäftigte nur Sachbezüge erhält.

§ 28h[1)] Einzugsstellen. (1) [1]Der Gesamtsozialversicherungsbeitrag ist an die Krankenkassen (Einzugsstellen) zu zahlen. [2]Die Einzugsstelle überwacht die Einreichung des Beitragsnachweises und die Zahlung des Gesamtsozialversicherungsbeitrags. [3]Beitragsansprüche, die nicht rechtzeitig erfüllt worden sind, hat die Einzugsstelle geltend zu machen.

(2) [1]Die Einzugsstelle entscheidet über die Versicherungspflicht und Beitragshöhe in der Kranken-, Pflege- und Rentenversicherung sowie nach dem Recht der Arbeitsförderung auf Verlangen des Arbeitgebers durch einen schriftlichen oder elektronischen Bescheid; sie erlässt auch den Widerspruchsbescheid. [2]Soweit die Einzugsstelle die Höhe des Arbeitsentgelts nicht oder nicht ohne unverhältnismäßig großen Verwaltungsaufwand ermitteln kann, hat sie dieses zu schätzen. [3]Dabei ist für das monatliche Arbeitsentgelt des Beschäftigten das am Beschäftigungsort ortsübliche Arbeitsentgelt mit zu berücksichtigen. [4]Die nach § 28i Satz 5 zuständige Einzugsstelle prüft die Einhaltung der Arbeitsentgeltgrenze bei geringfügiger Beschäftigung nach den §§ 8 und 8a und entscheidet bei deren Überschreiten über die Versicherungspflicht in der Kranken-, Pflege- und Rentenversicherung sowie nach dem Recht der Arbeitsförderung; sie erlässt auch den Widerspruchsbescheid.

(3) [1]Bei Verwendung eines Haushaltsschecks vergibt die Einzugsstelle im Auftrag der Bundesagentur für Arbeit die Betriebsnummer des Arbeitgebers, berechnet den Gesamtsozialversicherungsbeitrag und die Umlagen nach dem Aufwendungsausgleichsgesetz[2)] und zieht diese vom Arbeitgeber im Wege des Lastschriftverfahrens ein. [2]Die Einzugsstelle meldet bei Beginn und Ende der Beschäftigung und zum Jahresende der Datenstelle der Rentenversicherung die für die Rentenversicherung und die Bundesagentur für Arbeit erforderlichen

---

[1)] § 28h Abs. 2 Satz 1 geänd., Satz 4 angef. mWv 11.8.2010 durch G v. 5.8.2010 (BGBl. I S. 1127); Abs. 2a eingef. mWv 1.1.2012 durch G v. 22.12.2010 (BGBl. I S. 2309); Abs. 2a Nr. 2 und 3 neu gef. mWv 1.1.2012 und Nr. 3 neu gef. mWv 1.1.2013 durch G v. 22.12.2011 (BGBl. I S. 3057, ber. BGBl. 2012 I S. 670); Abs. 2a aufgeh. mWv 1.1.2015 durch G v. 21.7.2014 (BGBl. I S. 1133); Abs. 3 Sätze 2 und 3 geänd. mWv 1.1.2017 durch G v. 11.11.2016 (BGBl. I S. 2500); Abs. 2 Satz 1 geänd. mWv 1.1.2023; Abs. 4 Nr. 1 und 2 geänd., Nr. 3 angef. mWv 1.1.2026 durch G v. 20.12.2022 (BGBl. I S. 2759).

[2)] Nr. **220**.

Daten eines jeden Beschäftigten. [3] Die Einzugsstelle teilt dem Beschäftigten den Inhalt der abgegebenen Meldung schriftlich oder durch gesicherte Datenübertragung mit.

(4) Bei Verwendung eines Haushaltsschecks bescheinigt die Einzugsstelle dem Arbeitgeber zum Jahresende

1. den Zeitraum, für den Beiträge zur Rentenversicherung gezahlt wurden,
2. die Höhe des Arbeitsentgelts (§ 14 Absatz 3), des von ihm getragenen Gesamtsozialversicherungsbeitrags und der Umlagen und
3. die Höhe der in diesem Jahr erfolgten Erstattungen nach dem Aufwendungsausgleichsgesetz.

§ 28i[1] Zuständige Einzugsstelle. [1] Zuständige Einzugsstelle für den Gesamtsozialversicherungsbeitrag ist die Krankenkasse, von der die Krankenversicherung durchgeführt wird. [2] Für Beschäftigte, die bei keiner Krankenkasse versichert sind, werden Beiträge zur Rentenversicherung und zur Arbeitsförderung an die Einzugsstelle gezahlt, die der Arbeitgeber in entsprechender Anwendung des § 175 Absatz 3 Satz 2 des Fünften Buches[2] gewählt hat. [3] Zuständige Einzugsstelle ist in den Fällen des § 28f Absatz 2 die nach § 175 Absatz 3 Satz 4 des Fünften Buches[2] bestimmte Krankenkasse. [4] Zuständige Einzugsstelle ist in den Fällen des § 2 Absatz 3 die Deutsche Rentenversicherung Knappschaft-Bahn-See. [5] Bei geringfügigen Beschäftigungen ist zuständige Einzugsstelle die Deutsche Rentenversicherung Knappschaft-Bahn-See als Träger der Rentenversicherung.

§ 28k[3] Weiterleitung von Beiträgen. (1) [1] Die Einzugsstelle leitet dem zuständigen Träger der Pflegeversicherung, der Rentenversicherung und der Bundesagentur für Arbeit die für diese gezahlten Beiträge einschließlich der Zinsen auf Beiträge und Säumniszuschläge arbeitstäglich weiter; dies gilt entsprechend für die Weiterleitung der Beiträge zur gesetzlichen Krankenversicherung an den Gesundheitsfonds. [2] Die Deutsche Rentenversicherung Bund teilt den Einzugsstellen die zuständigen Träger der Rentenversicherung und deren Beitragsanteil spätestens bis zum 31. Oktober eines jeden Jahres für das folgende Kalenderjahr mit. [3] Die Deutsche Rentenversicherung Bund legt den Verteilungsschlüssel für die Aufteilung der Beitragseinnahmen der allgemeinen Rentenversicherung auf die einzelnen Träger unter Berücksichtigung der folgenden Parameter fest:

1. Für die Aufteilung zwischen Deutsche Rentenversicherung Bund und Regionalträgern:
   a) Für 2005 die prozentuale Aufteilung der gezahlten Pflichtbeiträge zur Rentenversicherung der Arbeiter und der Rentenversicherung der Angestellten im Jahr 2003,
   b) Fortschreibung dieser Anteile in den folgenden Jahren unter Berücksichtigung der Veränderung des Anteils der bei den Regionalträgern Pflichtversicherten gegenüber dem jeweiligen vorvergangenen Kalenderjahr.

---

[1] § 28i Satz 5 geänd. mWv 11.8.2010 durch G v. 5.8.2010 (BGBl. I S. 1127); Satz 3 geänd. mWv 1.1.2021 durch G v. 11.2.2021 (BGBl. I S. 154).

[2] **beck-online, Module Arbeitsrecht Nr. 695.**

[3] § 28k Abs. 2 Sätze 1 und 2 geänd. mWv 1.1.2013 durch G v. 12.4.2012 (BGBl. I S. 579).

2. Für die Aufteilung der Beiträge unter den Regionalträgern: Das Verhältnis der Pflichtversicherten dieser Träger untereinander.
3. Für die Aufteilung zwischen Deutsche Rentenversicherung Bund und Deutsche Rentenversicherung Knappschaft-Bahn-See: Das Verhältnis der in der allgemeinen Rentenversicherung Pflichtversicherten dieser Träger untereinander.

(2) [1]Bei geringfügigen Beschäftigungen werden die Beiträge zur Krankenversicherung an den Gesundheitsfonds, bei Versicherten in der landwirtschaftlichen Krankenversicherung an die Sozialversicherung für Landwirtschaft, Forsten und Gartenbau weitergeleitet. [2]Das Nähere zur Bestimmung des Anteils der Sozialversicherung für Landwirtschaft, Forsten und Gartenbau, insbesondere über eine pauschale Berechnung und Aufteilung, vereinbaren die Sozialversicherung für Landwirtschaft, Forsten und Gartenbau und die Spitzenverbände der beteiligten Träger der Sozialversicherung.

§ 28l[1)] Vergütung. (1) [1]Die Einzugsstellen, die Träger der Rentenversicherung und die Bundesagentur für Arbeit erhalten für

1. die Geltendmachung der Beitragsansprüche,
2. den Einzug, die Verwaltung, die Weiterleitung, die Abrechnung und die Abstimmung der Beiträge,
3. die Prüfung bei den Arbeitgebern,
4. die Durchführung der Meldeverfahren,
5. die Ausstellung der Versicherungsnummernachweise,
6. die Durchführung des Haushaltsscheckverfahrens, soweit es über die Verfahren nach den Nummern 1 bis 5 hinausgeht und Aufgaben der Sozialversicherung betrifft und
7. die Beratung der Arbeitgeber zu versicherungs-, beitrags- und melderechtlichen Fragen

eine pauschale Vergütung, mit der alle dadurch entstehenden Kosten abgegolten werden, dies gilt entsprechend für die Künstlersozialkasse. [2]Die Höhe und die Verteilung der Vergütung werden durch Vereinbarung zwischen dem Spitzenverband Bund der Krankenkassen, der Deutschen Rentenversicherung Bund, der Deutschen Rentenversicherung Knappschaft-Bahn-See, der Bundesagentur für Arbeit und der Künstlersozialkasse geregelt; vor dem Abschluss und vor Änderungen der Vereinbarung ist die Sozialversicherung für Landwirtschaft, Forsten und Gartenbau anzuhören. [3]In der Vereinbarung ist auch für den Fall, dass eine Einzugsstelle ihre Pflichten nicht ordnungsgemäß erfüllt und dadurch erhebliche Beitragsrückstände entstehen, festzulegen, dass sich die Vergütung für diesen Zeitraum angemessen mindert. [4]Die Deutsche Rentenversicherung Knappschaft-Bahn-See wird ermächtigt, die ihr von den Krankenkassen nach Satz 1 zustehende Vergütung mit den nach § 28k Absatz 2 Satz 1 an den Gesundheitsfonds weiterzuleitenden Beiträgen zur Krankenversicherung für geringfügige Beschäftigungen aufzurechnen.

[1)] § 28l Abs. 1 Satz 4 geänd., Abs. 1a aufgeh. mWv 11.8.2010 durch G v. 5.8.2010 (BGBl. I S. 1127); Abs. 1 Satz 2 geänd. mWv 1.1.2013 durch G v. 12.4.2012 (BGBl. I S. 579); Abs. 1 Satz 2 geänd. mWv 1.7.2020 durch G v. 12.6.2020 (BGBl. I S. 1248); Abs. 1 Satz 1 Nr. 5, Abs. 2 geänd. mWv 1.1.2023; Abs. 1 Satz 1 Nr. 6 geänd., Nr. 7 angef. mWv 1.1.2025 durch G v. 20.12.2022 (BGBl. I S. 2759).

(2) Soweit die Einzugsstellen bei der Verwaltung von Fremdbeiträgen Gewinne erzielen, wird deren Aufteilung durch Vereinbarungen zwischen den Krankenkassen oder ihren Verbänden und der Deutschen Rentenversicherung Bund sowie der Bundesagentur für Arbeit geregelt.

§ 28m Sonderregelungen für bestimmte Personengruppen. (1) Der Beschäftigte hat den Gesamtsozialversicherungsbeitrag zu zahlen, wenn sein Arbeitgeber ein ausländischer Staat, eine über- oder zwischenstaatliche Organisation oder eine Person ist, die nicht der inländischen Gerichtsbarkeit untersteht und die Zahlungspflicht nach § 28e Absatz 1 Satz 1 nicht erfüllt.

(2) [1] Heimarbeiter und Hausgewerbetreibende können, falls der Arbeitgeber seiner Verpflichtung nach § 28e bis zum Fälligkeitstage nicht nachkommt, den Gesamtsozialversicherungsbeitrag selbst zahlen. [2] Soweit sie den Gesamtsozialversicherungsbeitrag selbst zahlen, entfallen die Pflichten des Arbeitgebers; § 28f Absatz 1 bleibt unberührt.

(3) Zahlt der Beschäftigte oder der Hausgewerbetreibende den Gesamtsozialversicherungsbeitrag, hat er auch die Meldungen nach § 28a abzugeben; bei den Meldungen hat die Einzugsstelle mitzuwirken.

(4) Der Beschäftigte oder der Hausgewerbetreibende, der den Gesamtsozialversicherungsbeitrag gezahlt hat, hat gegen den Arbeitgeber einen Anspruch auf den vom Arbeitgeber zu tragenden Teil des Gesamtsozialversicherungsbeitrags.

§ 28n[1)] Verordnungsermächtigung. Das Bundesministerium für Arbeit und Soziales wird ermächtigt, durch Rechtsverordnung mit Zustimmung des Bundesrates zu bestimmen,

1. die Berechnung des Gesamtsozialversicherungsbeitrags und der Beitragsbemessungsgrenzen für kürzere Zeiträume als ein Kalenderjahr,
2. zu welchem Zeitpunkt die Beiträge als eingezahlt gelten, in welcher Reihenfolge eine Schuld getilgt wird und welche Zahlungsmittel verwendet werden dürfen,
3. Näheres über die Weiterleitung und Abrechnung der Beiträge einschließlich Zinsen auf Beiträge und der Säumniszuschläge durch die Einzugsstellen an die Träger der Pflegeversicherung, der Rentenversicherung, den Gesundheitsfonds und die Bundesagentur für Arbeit, wobei von der arbeitstäglichen Weiterleitung bei Beträgen unter 2 500 Euro abgesehen werden kann,
4. Näheres über die Führung von Entgeltunterlagen und zur Beitragsabrechnung sowie zur Verwendung des Beitragsnachweises.

Dritter Titel. Auskunfts- und Vorlagepflicht, Prüfung, Schadensersatzpflicht und Verzinsung

§ 28o[2)] Auskunfts- und Vorlagepflicht des Beschäftigten. (1) Der Beschäftigte hat dem Arbeitgeber die zur Durchführung des Meldeverfahrens und der Beitragszahlung erforderlichen Angaben zu machen und, soweit erforderlich, Unterlagen vorzulegen; dies gilt bei mehreren Beschäftigungen sowie bei

---

[1)] § 28n Nr. 4 geänd. mWv 1.1.2012 durch G v. 22.12.2011 (BGBl. I S. 3057); Nr. 3 geänd. mWv 1.1.2023 durch G v. 20.12.2022 (BGBl. I S. 2759).

[2)] § 28o Abs. 1 zweiter Halbs. geänd. mWv 1.1.2012 durch G v. 22.12.2010 (BGBl. I S. 2309).

Bezug weiterer in der gesetzlichen Krankenversicherung beitragspflichtiger Einnahmen gegenüber allen beteiligten Arbeitgebern.

(2) [1]Der Beschäftigte hat auf Verlangen den zuständigen Versicherungsträgern unverzüglich Auskunft über die Art und Dauer seiner Beschäftigungen, die hierbei erzielten Arbeitsentgelte, seine Arbeitgeber und die für die Erhebung von Beiträgen notwendigen Tatsachen zu erteilen und alle für die Prüfung der Meldungen und der Beitragszahlung erforderlichen Unterlagen vorzulegen. [2]Satz 1 gilt für den Hausgewerbetreibenden, soweit er den Gesamtsozialversicherungsbeitrag zahlt, entsprechend.

§ 28p[1)] Prüfung bei den Arbeitgebern. (1) [1]Die Träger der Rentenversicherung prüfen bei den Arbeitgebern, ob diese ihre Meldepflichten und ihre sonstigen Pflichten nach diesem Gesetzbuch, die im Zusammenhang mit dem Gesamtsozialversicherungsbeitrag stehen, ordnungsgemäß erfüllen; sie prüfen insbesondere die Richtigkeit der Beitragszahlungen und der Meldungen (§ 28a) mindestens alle vier Jahre. [2]Die Prüfung soll in kürzeren Zeitabständen erfolgen, wenn der Arbeitgeber dies verlangt. [3]Die Einzugsstelle unterrichtet den für den Arbeitgeber zuständigen Träger der Rentenversicherung, wenn sie eine alsbaldige Prüfung bei dem Arbeitgeber für erforderlich hält. [4]Die Prüfung umfasst auch die Entgeltunterlagen der Beschäftigten, für die Beiträge nicht gezahlt wurden. [5]Die Träger der Rentenversicherung erlassen im Rahmen der Prüfung Verwaltungsakte zur Versicherungspflicht und Beitragshöhe in der Kranken-, Pflege- und Rentenversicherung sowie nach dem Recht der Arbeitsförderung einschließlich der Widerspruchsbescheide gegenüber den Arbeitgebern; insoweit gelten § 28h Absatz 2 sowie § 93 in Verbindung mit § 89 Absatz 5 des Zehnten Buches[2)] nicht. [6]Die landwirtschaftliche Krankenkasse nimmt abweichend von Satz 1 die Prüfung für die bei ihr versicherten mitarbeitenden Familienangehörigen vor.

(1a) [1]Die Prüfung nach Absatz 1 umfasst die ordnungsgemäße Erfüllung der Meldepflichten nach dem Künstlersozialversicherungsgesetz[3)] und die rechtzeitige und vollständige Entrichtung der Künstlersozialabgabe durch die Arbeitgeber. [2]Die Prüfung erfolgt

1. mindestens alle vier Jahre bei den Arbeitgebern, die als abgabepflichtige Unternehmer nach § 24 des Künstlersozialversicherungsgesetzes bei der Künstlersozialkasse erfasst wurden,

---

[1)] § 28p Abs. 1 Satz 4 geänd., Abs. 6a eingef. mWv 1.1.2012 durch G v. 22.12.2011 (BGBl. I S. 3057); Abs. 1 Satz 6 geänd. mWv 1.1.2013 durch G v. 12.4.2012 (BGBl. I S. 579); Abs. 1a neu gef., Abs. 1b eingef., bish. Abs. 1b wird Abs. 1c mWv 1.1.2015 durch G v. 30.7.2014 (BGBl. I S. 1311); Abs. 8 Satz 4 geänd. mWv 1.1.2016 durch G v. 15.4.2015 (BGBl. I S. 583); Abs. 8 Satz 3 geänd. mWv 1.1.2017 durch G v. 11.11.2016 (BGBl. I S. 2500); Abs. 8 Sätze 1-3 geänd., Satz 4 neu gef., Satz 5 Nr. 1 und abschl. Satzteil geänd, Abs. 9 Nr. 3 neu gef. mWv 26.11.2019 durch G v. 20.11.2019 (BGBl. I S. 1626); Abs. 1a Satz 3 neu gef., Abs. 8 Satz 3 geänd., Sätze 9-12 angef. mWv 1.7.2020, Abs. 6a Satz 1 neu gef. mWv 1.1.2023 durch G v. 12.6.2020 (BGBl. I S. 1248); Abs. 4 neu gef. mWv 1.1.2022 durch G v. 16.7.2021 (BGBl. I S. 2970); Abs. 6a Satz 1 geänd. mWv 1.1.2023 durch G v. 20.12.2022 (BGBl. I S. 2730); Abs. 9 Nr. 1 geänd. mWv 1.1.2023; Abs. 8 Satz 3 neu gef. mWv 1.1.2024; Abs. 6a Satz 1 geänd., Abs. 6b eingef., Abs. 8 Sätze 9-12 aufgeh. mWv 1.1.2025 durch G v. 20.12.2022 (BGBl. I S. 2759); Abs. 2 Satz 2 geänd., Abs. 6a Satz 1 neu gef., Abs. 8 Satz 3 Nr. 6, Satz 5 Nr. 4 und 5 geänd., Nr. 6 angef., Abs. 8a eingef. mWv 24.12.2025 durch G v. 22.12.2025 (BGBl. 2025 I Nr. 355); Abs. 8 Sätze 9-13 eingef. mWv 30.12.2025 durch G v. 22.12.2025 (BGBl. 2025 I Nr. 369).

[2)] **beck-online, Module Arbeitsrecht Nr. 699.**

[3)] **Aichberger, SGB Nr. 30/50.**

2. mindestens alle vier Jahre bei den Arbeitgebern mit mehr als 19 Beschäftigten und
3. bei mindestens 40 Prozent der im jeweiligen Kalenderjahr zur Prüfung nach Absatz 1 anstehenden Arbeitgeber mit weniger als 20 Beschäftigten.

[3] Hat ein Arbeitgeber mehrere Beschäftigungsbetriebe, wird er insgesamt geprüft. [4] Das Prüfverfahren kann mit der Aufforderung zur Meldung eingeleitet werden. [5] Die Träger der Deutschen Rentenversicherung erlassen die erforderlichen Verwaltungsakte zur Künstlersozialabgabepflicht, zur Höhe der Künstlersozialabgabe und zur Höhe der Vorauszahlungen nach dem Künstlersozialversicherungsgesetz einschließlich der Widerspruchsbescheide. [6] Die Träger der Rentenversicherung unterrichten die Künstlersozialkasse über Sachverhalte, welche die Melde- und Abgabepflichten der Arbeitgeber nach dem Künstlersozialversicherungsgesetz betreffen. [7] Für die Prüfung der Arbeitgeber durch die Künstlersozialkasse gilt § 35 des Künstlersozialversicherungsgesetzes.

(1b) [1] Die Träger der Rentenversicherung legen im Benehmen mit der Künstlersozialkasse die Kriterien zur Auswahl der nach Absatz 1a Satz 2 Nummer 3 zu prüfenden Arbeitgeber fest. [2] Die Auswahl dient dem Ziel, alle abgabepflichtigen Arbeitgeber zu erfassen. [3] Arbeitgeber mit weniger als 20 Beschäftigten, die nicht nach Absatz 1a Satz 2 Nummer 3 zu prüfen sind, werden durch die Träger der Rentenversicherung im Rahmen der Prüfung nach Absatz 1 im Hinblick auf die Künstlersozialabgabe beraten. [4] Dazu erhalten sie mit der Prüfankündigung Hinweise zur Künstlersozialabgabe. [5] Im Rahmen der Prüfung nach Absatz 1 lässt sich der zuständige Träger der Rentenversicherung durch den Arbeitgeber schriftlich oder elektronisch bestätigen, dass der Arbeitgeber über die Künstlersozialabgabe unterrichtet wurde und abgabepflichtige Sachverhalte melden wird. [6] Bestätigt der Arbeitgeber dies nicht, wird die Prüfung nach Absatz 1a Satz 1 unverzüglich durchgeführt. [7] Erlangt ein Träger der Rentenversicherung im Rahmen einer Prüfung nach Absatz 1 bei Arbeitgebern mit weniger als 20 Beschäftigten, die nicht nach Absatz 1a Satz 2 Nummer 3 geprüft werden, Hinweise auf einen künstlersozialabgabepflichtigen Sachverhalt, muss er diesen nachgehen.

(1c) [1] Die Träger der Rentenversicherung teilen den Trägern der Unfallversicherung die Feststellungen aus der Prüfung bei den Arbeitgebern nach § 166 Absatz 2 des Siebten Buches[1)] mit. [2] Die Träger der Unfallversicherung erlassen die erforderlichen Bescheide.

(2) [1] Im Bereich der Regionalträger richtet sich die örtliche Zuständigkeit nach dem Sitz der Lohn- und Gehaltsabrechnungsstelle des Arbeitgebers. [2] Die Träger der Rentenversicherung stimmen sich untereinander darüber ab, welche Arbeitgeber sie prüfen; ein Arbeitgeber ist jeweils nur von einem Träger der Rentenversicherung zu prüfen.

(3) Die Träger der Rentenversicherung unterrichten die Einzugsstellen über Sachverhalte, soweit sie die Zahlungspflicht oder die Meldepflicht des Arbeitgebers betreffen.

(4) [1] Die Deutsche Rentenversicherung Bund führt ein Dateisystem, in dem die Träger der Rentenversicherung ihre elektronischen Akten führen, die im Zusammenhang mit der Durchführung der Prüfungen nach den Absätzen 1, 1a und 1c stehen. [2] Die in diesem Dateisystem gespeicherten Daten dürfen nur für

[1)] **beck-online, Module Arbeitsrecht Nr. 697.**

die Prüfung bei den Arbeitgebern durch die jeweils zuständigen Träger der Rentenversicherung verarbeitet werden.

(5) [1]Die Arbeitgeber sind verpflichtet, angemessene Prüfhilfen zu leisten. [2]Abrechnungsverfahren, die mit Hilfe automatischer Einrichtungen durchgeführt werden, sind in die Prüfung einzubeziehen.

(6) [1]Zu prüfen sind auch steuerberatende Stellen, Rechenzentren und vergleichbare Einrichtungen, die im Auftrag des Arbeitgebers oder einer von ihm beauftragten Person Löhne und Gehälter abrechnen oder Meldungen erstatten. [2]Die örtliche Zuständigkeit richtet sich im Bereich der Regionalträger nach dem Sitz dieser Stellen. [3]Absatz 5 gilt entsprechend.

(6a) [1]Für die Prüfung nach Absatz 1 sind dem zuständigen Rentenversicherungsträger über die Datenstelle der Rentenversicherung die notwendigen Daten elektronisch aus einem nach § 95b systemgeprüften Programm zu übermitteln. [2]Die Deutsche Rentenversicherung Bund bestimmt in Grundsätzen bundeseinheitlich das Nähere zum Verfahren der Datenübermittlung und der dafür erforderlichen Datensätze und Datenbausteine. [3]Die Grundsätze bedürfen der Genehmigung des Bundesministeriums für Arbeit und Soziales, das vorher die Bundesvereinigung der Deutschen Arbeitgeberverbände anzuhören hat.

(6b) [1]Arbeitgeber haben beim Wechsel der von ihnen verwendeten systemgeprüften Programme für die Unterlagen, die der nächsten Prüfung unterliegen, die Daten im Verfahren nach Absatz 6a Satz 1 an die Datenstelle der Rentenversicherung zu übermitteln. [2]Die Datenstelle der Rentenversicherung speichert diese Daten bis zum Abschluss der Prüfung. [3]Dies gilt auch bei Wechsel eines Dienstleisters.

(7) [1]Die Träger der Rentenversicherung haben eine Übersicht über die Ergebnisse ihrer Prüfungen zu führen und bis zum 31. März eines jeden Jahres für das abgelaufene Kalenderjahr den Aufsichtsbehörden vorzulegen. [2]Das Nähere über Inhalt und Form der Übersicht bestimmen einvernehmlich die Aufsichtsbehörden der Träger der Rentenversicherung mit Wirkung für diese.

(8) [1]Die Deutsche Rentenversicherung Bund führt ein Dateisystem, in dem der Name, die Anschrift, die Betriebsnummer, der für den Arbeitgeber zuständige Unfallversicherungsträger und weitere Identifikationsmerkmale eines jeden Arbeitgebers sowie die für die Planung der Prüfungen bei den Arbeitgebern und die für die Übersichten nach Absatz 7 erforderlichen Daten gespeichert sind; die Deutsche Rentenversicherung Bund darf die in diesem Dateisystem gespeicherten Daten nur für die Prüfung bei den Arbeitgebern und zur Ermittlung der nach dem Künstlersozialversicherungsgesetz abgabepflichtigen Unternehmer verarbeiten. [2]In das Dateisystem ist eine Kennzeichnung aufzunehmen, wenn nach § 166 Absatz 2 Satz 2 des Siebten Buches[1)] die Prüfung der Arbeitgeber für die Unfallversicherung nicht von den Trägern der Rentenversicherung durchzuführen ist; die Träger der Unfallversicherung haben die erforderlichen Angaben zu übermitteln. [3]Die Datenstelle der Rentenversicherung führt für die Prüfung bei den Arbeitgebern ein Dateisystem, das die folgenden Daten enthält:

1. die Betriebsnummern eines jeden Arbeitgebers,
2. die Absendernummern,
3. die Betriebsnummern der Abrechnungsstellen,

[1)] **beck-online, Module Arbeitsrecht Nr. 697.**

4. das Aktenzeichen des Arbeitgebers,
5. die Betriebsnummern des für den Arbeitgeber zuständigen Unfallversicherungsträgers,
6. die Unternehmernummer des Arbeitgebers nach § 136a des Siebten Buches[1)] und die Unternehmensnummer einschließlich des Anhangs nach § 136a Absatz 1 Satz 4 des Siebten Buches[1)],
7. das in der Unfallversicherung beitragspflichtige Entgelt der beim Arbeitgeber Beschäftigten in Euro,
8. die anzuwendenden Gefahrtarifstellen der beim Arbeitgeber Beschäftigten,
9. die Versicherungsnummern der beim Arbeitgeber Beschäftigten einschließlich des Beginns und des Endes von deren Beschäftigung,
10. die Betriebsnummern der für jeden Beschäftigten zuständigen Einzugsstellen,
11. eine Kennzeichnung des Vorliegens einer geringfügigen Beschäftigung,
12. die Kennung des verwendeten Entgeltabrechnungsprogramms oder die Ausfüllhilfe sowie deren Version,
13. das Identifikationskennzeichen jeder Meldung sowie
14. bei Stornierung einer Meldung zusätzlich das Identifikationskennzeichen der ursprünglichen Meldung.

[4] Sie darf die Daten der Stammsatzdatei nach § 150 Absatz 1 und 2 des Sechsten Buches[2)] sowie die Daten des Dateisystems nach § 150 Absatz 3 des Sechsten Buches[2)] und der Stammdatendatei nach § 101 für die Prüfung bei den Arbeitgebern speichern, verändern, nutzen, übermitteln oder in der Verarbeitung einschränken; dies gilt für die Daten der Stammsatzdatei auch für Prüfungen nach § 212a des Sechsten Buches[2)]. [5] Sie ist verpflichtet, auf Anforderung des prüfenden Trägers der Rentenversicherung

1. die in den Dateisystemen nach den Sätzen 1 und 3 gespeicherten Daten,
2. die in den Versicherungskonten der Träger der Rentenversicherung gespeicherten, auf den Prüfungszeitraum entfallenden Daten der bei dem zu prüfenden Arbeitgeber Beschäftigten,
3. die bei den für den Arbeitgeber zuständigen Einzugsstellen gespeicherten Daten aus den Beitragsnachweisen (§ 28f Absatz 3) für die Zeit nach dem Zeitpunkt, bis zu dem der Arbeitgeber zuletzt geprüft wurde,
4. die bei der Künstlersozialkasse über den Arbeitgeber gespeicherten Daten zur Melde- und Abgabepflicht für den Zeitraum seit der letzten Prüfung,
5. die bei den Trägern der Unfallversicherung gespeicherten Daten zur Melde- und Beitragspflicht sowie zur Gefahrtarifstelle für den Zeitraum seit der letzten Prüfung sowie
6. die im Verfahren nach Absatz 6a Satz 1 übermittelten Daten

zu verarbeiten, soweit dies für die Prüfung, ob die Arbeitgeber ihre Meldepflichten und ihre sonstigen Pflichten nach diesem Gesetzbuch, die im Zusammenhang mit dem Gesamtsozialversicherungsbeitrag stehen, sowie ihre Pflichten als zur Abgabe Verpflichtete nach dem Künstlersozialversicherungsgesetz und ihre Pflichten nach dem Siebten Buch[3)] zur Meldung und Beitragszahlung

---

1) **beck-online, Module Arbeitsrecht Nr. 697.**
2) **beck-online, Module Arbeitsrecht Nr. 696.**
3) Auszugsweise abgedruckt unter Nr. **697**.

ordnungsgemäß erfüllen, erforderlich ist. [6]Die dem prüfenden Träger der Rentenversicherung übermittelten Daten sind unverzüglich nach Abschluss der Prüfung bei der Datenstelle und beim prüfenden Träger der Rentenversicherung zu löschen. [7]Die Träger der Rentenversicherung, die Einzugsstellen, die Künstlersozialkasse und die Bundesagentur für Arbeit sind verpflichtet, der Deutschen Rentenversicherung Bund und der Datenstelle die für die Prüfung bei den Arbeitgebern erforderlichen Daten zu übermitteln. [8]Sind für die Prüfung bei den Arbeitgebern Daten zu übermitteln, so dürfen sie auch durch Abruf im automatisierten Verfahren übermittelt werden, ohne dass es einer Genehmigung nach § 79 Absatz 1 des Zehnten Buches[1)] bedarf. [9]Die Datenstelle der Rentenversicherung darf zur Erkennung von Risikofällen in den Wirtschaftsbereichen oder Wirtschaftszweigen nach § 26 Absatz 1 Satz 3 des Schwarzarbeitsbekämpfungsgesetzes[2)] in Vorbereitung der automationsgestützten Analyse und Bewertung durch die Zentralstelle nach § 26 Absatz 1 Satz 1 des Schwarzarbeitsbekämpfungsgesetzes nach Maßgabe von Satz 10 und 11 eine Datenselektion durchführen. [10]Zu diesem Zweck darf die Datenstelle der Rentenversicherung die Daten nach Satz 3 sowie die ihr nach § 18m Absatz 1 von der Bundesagentur für Arbeit übermittelten Betriebsnummern und Angaben nach § 18i Absatz 2 und 4 aus dem Dateisystem der Beschäftigungsbetriebe verarbeiten. [11]Für die Datenselektion verwendet die Datenstelle der Rentenversicherung die nach § 26 Absatz 1 Satz 1 und 2 des Schwarzarbeitsbekämpfungsgesetzes von ihr und der Zentralstelle im Einvernehmen sowie im Einvernehmen mit der oder dem Bundesbeauftragten für den Datenschutz und die Informationsfreiheit festgelegten Risikoindikatoren und Risikoparametern. [12]Sie darf der Zentralstelle die hierdurch ermittelten Risikofälle einschließlich der einschlägigen Risikoindikatoren und Risikoparameter sowie zur eindeutigen Identifikation des Arbeitgebers die ihr von der Bundesagentur für Arbeit für die betroffenen Arbeitgeber übermittelten Daten nach § 18m Absatz 1 der betroffenen Arbeitgeber übermitteln. [13]Soweit die festgelegten Risikoindikatoren und Risikoparameter zur Erstellung von Risikofällen einen Datenabgleich bei der Zentralstelle mit weiteren nach § 26 des Schwarzarbeitsbekämpfungsgesetzes vorliegenden Daten erfordern, darf die Datenstelle der Rentenversicherung zu diesem Zweck und unabhängig von der Datenselektion nach den Sätzen 9 bis 11 neben den Daten nach Satz 12 auch folgende Daten an die Zentralstelle übermitteln:

1. die Anzahl der bei dem Arbeitgeber Beschäftigten,
2. die monatsbezogene Anzahl der An- und Abmeldungen von Beschäftigten,
3. die Kennzeichnung, in wie vielen Fällen es sich bei den zu den Nummern 1 und 2 genannten um geringfügige Beschäftigungen handelt,
4. das in der Unfallversicherung beitragspflichtige Entgelt der bei dem Arbeitgeber Beschäftigten als Gesamtsumme.

(8a) [1]Die Deutsche Rentenversicherung Bund führt für die Vorbereitung der Prüfung bei einem Arbeitgeber nach Absatz 1 eine automatisierte Datenanalyse mittels eines KI-Systems im Sinne von Artikel 3 Nummer 1 der Verordnung (EU) 2024/1689 durch. [2]Die Datenanalyse dient dem Zweck, den prüfenden Träger der Rentenversicherung bei der Erfüllung seiner Aufgaben nach den Absätzen 1, 1a und 1c zu unterstützen, indem durch das Aufzeigen

---

[1)] **beck-online, Module Arbeitsrecht Nr. 699.**
[2)] Nr. **110**.

von Wahrscheinlichkeiten Hinweise zur Verfügung gestellt werden, die auf mögliche Verstöße gegen Pflichten nach diesem Gesetz durch den Arbeitgeber, insbesondere auf unrichtige Beitragszahlungen oder Meldungen, hindeuten. [3] Zum Zwecke der Datenanalyse nach Satz 1 verarbeitet die Deutsche Rentenversicherung Bund Daten nach den Absätzen 4, 6a und 8 Satz 5. [4] Sie ist dabei Verantwortlicher im Sinne von Artikel 4 Nummer 7 der Verordnung (EU) 2016/679[1)]. [5] Die Datenstelle der Rentenversicherung übermittelt die Daten nach den Absätzen 6a und 8 Satz 5 an die Deutsche Rentenversicherung Bund für die Verarbeitung nach Satz 3. [6] Die Deutsche Rentenversicherung Bund übermittelt dem prüfenden Träger der Rentenversicherung die Ergebnisse der Datenanalyse nach Satz 1 für die Durchführung der Prüfung bei dem Arbeitgeber. [7] Absatz 8 Satz 6 gilt entsprechend.

(9) Das Bundesministerium für Arbeit und Soziales bestimmt im Einvernehmen mit dem Bundesministerium für Gesundheit durch Rechtsverordnung[2)] mit Zustimmung des Bundesrates das Nähere über

1. den Umfang der Pflichten des Arbeitgebers, der Beschäftigten und der in Absatz 6 genannten Stellen bei Abrechnungsverfahren, die mit Hilfe automatischer Einrichtungen durchgeführt werden,

(Fortsetzung nächstes Blatt)

[1)] Nr. **489**.

[2)] Siehe die BeitragsverfahrensVO **(beck-online, Module Arbeitsrecht Nr. 694b)**.

2. die Durchführung der Prüfung sowie die Behebung von Mängeln, die bei der Prüfung festgestellt worden sind, und
3. den Inhalt des Dateisystems nach Absatz 8 Satz 1 hinsichtlich der für die Planung der Prüfungen bei Arbeitgebern und der für die Prüfung bei Einzugsstellen erforderlichen Daten, über den Aufbau und die Aktualisierung dieses Dateisystems sowie über den Umfang der Daten aus diesem Dateisystem, die von den Einzugsstellen und der Bundesagentur für Arbeit nach § 28q Absatz 5 abgerufen werden können.

(10) Arbeitgeber werden wegen der Beschäftigten in privaten Haushalten nicht geprüft.

(11) [1] Sind beim Übergang der Prüfung der Arbeitgeber von Krankenkassen auf die Träger der Rentenversicherung Angestellte übernommen worden, die am 1. Januar 1995 ganz oder überwiegend mit der Prüfung der Arbeitgeber beschäftigt waren, sind die bis zum Zeitpunkt der Übernahme gültigen Tarifverträge oder sonstigen kollektiven Vereinbarungen für die übernommenen Arbeitnehmer bis zum Inkrafttreten neuer Tarifverträge oder sonstiger kollektiver Vereinbarungen maßgebend. [2] Soweit es sich bei einem gemäß Satz 1 übernommenen Beschäftigten um einen Dienstordnungs-Angestellten handelt, tragen der aufnehmende Träger der Rentenversicherung und die abgebende Krankenkasse bei Eintritt des Versorgungsfalles die Versorgungsbezüge anteilig, sofern der Angestellte im Zeitpunkt der Übernahme das 45. Lebensjahr bereits vollendet hatte. [3] § 107b Absatz 2 bis 5 des Beamtenversorgungsgesetzes[1)] gilt sinngemäß.

§§ 28q, 28r *(hier nicht wiedergegeben)*

Vierter Abschnitt.[2)] Träger der Sozialversicherung

Erster Titel. Verfassung

§ 29 Rechtsstellung. (1) Die Träger der Sozialversicherung (Versicherungsträger) sind rechtsfähige Körperschaften des öffentlichen Rechts mit Selbstverwaltung.

(2) Die Selbstverwaltung wird, soweit § 44 nichts Abweichendes bestimmt, durch die Versicherten und die Arbeitgeber ausgeübt.

(3) Die Versicherungsträger erfüllen im Rahmen des Gesetzes und des sonstigen für sie maßgebenden Rechts ihre Aufgaben in eigener Verantwortung.

§§ 30 – 90a *(hier nicht wiedergegeben)*

Fünfter Abschnitt. Versicherungsbehörden

§ 91[3)] Arten. (1) [1] Versicherungsbehörden sind die Versicherungsämter und das Bundesamt für Soziale Sicherung. [2] Durch Landesrecht können weitere Versicherungsbehörden errichtet werden.

[1)] **Sartorius Nr. 155.**

[2)] Nach dem Einigungsvertrag (auszugsweise abgedruckt unter Nr. **10a**) gilt für das Gebiet der ehem. DDR zur Abwicklung der Träger der Sozialversicherung eine Sonderregelung.

[3)] § 91 Abs. 1 Satz 1 geänd. mWv 1.1.2020 durch G v. 12.12.2019 (BGBl. I S. 2652).

(2) Die Landesregierungen können einzelne Aufgaben, die dieses Gesetzbuch den obersten Landesbehörden zuweist, auf Versicherungsbehörden und andere Behörden ihres Landes durch Rechtsverordnung übertragen; die Landesregierungen können diese Ermächtigung auf die obersten Landesbehörden weiter übertragen.

§ 92 Versicherungsämter. [1]Versicherungsamt ist die untere Verwaltungsbehörde. [2]Die Landesregierungen werden ermächtigt, durch Rechtsverordnung zu bestimmen, welche Behörde zuständige Behörde im Sinne von Satz 1 ist. [3]Sie können diese Ermächtigung auf die obersten Verwaltungsbehörden der Länder übertragen. [4]Die Landesregierungen oder die von ihnen bestimmten Stellen können durch Rechtsverordnung bestimmen, dass ein gemeinsames Versicherungsamt für die Bezirke mehrerer unterer Verwaltungsbehörden bei einer dieser Behörden errichtet wird. [5]Durch Vereinbarung der beteiligten Landesregierungen oder der von ihnen bestimmten Stellen kann ein gemeinsames Versicherungsamt bei einer unteren Verwaltungsbehörde auch für Gebietsteile mehrerer Länder errichtet werden.

§ 93 Aufgaben der Versicherungsämter. (1) [1]Die Versicherungsämter haben in allen Angelegenheiten der Sozialversicherung Auskunft zu erteilen und die sonstigen ihnen durch Gesetz oder sonstiges Recht übertragenen Aufgaben wahrzunehmen. [2]Die Landesregierungen können einzelne Aufgaben der Versicherungsämter den Gemeindebehörden durch Rechtsverordnung übertragen; die Landesregierungen können diese Ermächtigung auf die obersten Landesbehörden weiter übertragen.

(2) [1]Die Versicherungsämter haben Anträge auf Leistungen aus der Sozialversicherung entgegenzunehmen. [2]Auf Verlangen des Versicherungsträgers haben sie den Sachverhalt aufzuklären, Beweismittel beizufügen, sich, soweit erforderlich, zu den entscheidungserheblichen Tatsachen zu äußern und Unterlagen unverzüglich an den Versicherungsträger weiterzuleiten.

(3) [1]Zuständig ist das Versicherungsamt, in dessen Bezirk der Leistungsberechtigte zur Zeit des Antrags seinen Wohnsitz oder gewöhnlichen Aufenthalt oder seinen Beschäftigungsort oder Tätigkeitsort hat. [2]Ist ein solcher Ort im Geltungsbereich dieses Gesetzbuchs nicht vorhanden, richtet sich die Zuständigkeit nach dem Ort, in dem zuletzt die Voraussetzungen des Satzes 1 erfüllt waren.

§ 94[1)] Bundesamt für Soziale Sicherung. (1) [1]Das Bundesamt für Soziale Sicherung ist eine selbständige Bundesoberbehörde. [2]Es hat seinen Sitz in Bonn.

(2) [1]Das Bundesamt für Soziale Sicherung hat die ihm durch Gesetz oder sonstiges Recht übertragenen Aufgaben wahrzunehmen. [2]Es untersteht dem Bundesministerium für Arbeit und Soziales, für den Bereich der gesetzlichen Krankenversicherung und sozialen Pflegeversicherung dem Bundesministerium für Gesundheit. [3]Es ist, soweit es die Aufsicht nach diesem Gesetzbuch ausübt, nur an allgemeine Weisungen des zuständigen Bundesministeriums gebunden.

[1)] *§ 94 Abs. 3 angef. mWv 1.1.2013 durch G v. 12.4.2012 (BGBl. I S. 579); Abs. 3 Satz 1 geänd. mWv 8.9.2015 durch VO v. 31.8.2015 (BGBl. I S. 1474); Überschrift, Abs. 1 Satz 1, Abs. 2 Satz 1 und Abs. 3 Sätze 1 und 2 geänd. mWv 1.1.2020 durch G v. 12.12.2019 (BGBl. I S. 2652).*

(3) [1] Das Bundesamt für Soziale Sicherung begleitet in Abstimmung mit dem Bundesministerium für Arbeit und Soziales und dem Bundesministerium für Ernährung und Landwirtschaft die Sozialversicherung für Landwirtschaft, Forsten und Gartenbau bei der Weiterentwicklung der Informationstechnik. [2] Die Kosten des Bundesamtes für Soziale Sicherung werden von der Sozialversicherung für Landwirtschaft, Forsten und Gartenbau erstattet. [3] Die Kosten werden nach dem tatsächlich entstandenen Personal- und Sachaufwand berechnet.

Sechster Abschnitt.[1)] Verarbeitung von elektronischen Daten in der Sozialversicherung

Erster Titel.[2)] Übermittlung von Daten zur und innerhalb der Sozialversicherung

§§ 95 – 110 *(hier nicht wiedergegeben)*

Neunter Abschnitt.[3)] Aufbewahrung von Unterlagen

§ 110a[4)] Aufbewahrungspflicht. (1) Die Behörde bewahrt Unterlagen, die für ihre öffentlich-rechtliche Verwaltungstätigkeit, insbesondere für die Durchführung eines Verwaltungsverfahrens oder für die Feststellung einer Leistung, erforderlich sind, nach den Grundsätzen ordnungsmäßiger Aufbewahrung auf.

(2) [1] Die Behörde kann an Stelle der schriftlichen Unterlagen diese als Wiedergabe auf einem Bildträger oder auf anderen dauerhaften Datenträgern aufbewahren, soweit dies unter Beachtung der Grundsätze der Wirtschaftlichkeit und Sparsamkeit den Grundsätzen ordnungsmäßiger Aufbewahrung entspricht. [2] Nach den Grundsätzen ordnungsmäßiger Aufbewahrung von auf Datenträgern aufbewahrten Unterlagen ist insbesondere sicherzustellen, dass

1. die Wiedergabe auf einem Bildträger oder die Daten auf einem anderen dauerhaften Datenträger
   a) mit der diesen zugrunde gelegten schriftlichen Unterlage bildlich und inhaltlich vollständig übereinstimmen, wenn sie lesbar gemacht werden,
   b) während der Dauer der Aufbewahrungsfrist jederzeit verfügbar sind und unverzüglich bildlich und inhaltlich unverändert lesbar gemacht werden können,
2. die Ausdrucke oder sonstigen Reproduktionen mit der schriftlichen Unterlage bildlich und inhaltlich übereinstimmen und
3. als Unterlage für die Herstellung der Wiedergabe nur dann der Abdruck einer Unterlage verwendet werden darf, wenn die dem Abdruck zugrunde liegende Unterlage bei der Behörde nicht mehr vorhanden ist.

[3] Die Sätze 1 und 2 gelten auch für die Aufbewahrung von Unterlagen, die nur mit Hilfe einer Datenverarbeitungsanlage erstellt worden sind, mit der Maß-

---

[1)] 6. Abschnitt 1. Titel (§ 95) und 2. Titel (§§ 96–98) eingef. mWv 1.1.2016 durch G v. 15.4.2015 (BGBl. I S. 583); Überschr. neu gef. mWv 26.11.2019 durch G v. 20.11.2019 (BGBl. I S. 1626).

[2)] 6. Abschnitt 1. Titel (§ 95) eingef. mWv 1.1.2016 durch G v. 15.4.2015 (BGBl. I S. 583).

[3)] Bish. 6. Abschnitt (§§ 110a–110d) wird 7. Abschnitt mWv 1.1.2016 durch G v. 15.4.2015 (BGBl. I S. 583); bish. 7. Abschnitt wird 9. Abschnitt mWv 1.1.2017 durch G v. 11.11.2016 (BGBl. I S. 2500).

[4)] § 110a Abs. 2 Satz 2 Nr. 1 Buchst. a geänd. mWv 1.1.2016 durch G v. 15.4.2015 (BGBl. I S. 583).

gabe, dass eine bildliche Übereinstimmung der Wiedergabe auf dem dauerhaften Datenträger mit der erstmals erstellten Unterlage nicht sichergestellt sein muss.

(3) [1] Können aufzubewahrende Unterlagen nur in der Form einer Wiedergabe auf einem Bildträger oder als Daten auf anderen dauerhaften Datenträgern vorgelegt werden, sind, soweit die Akteneinsicht zu gestatten ist, bei der Behörde auf ihre Kosten diejenigen Hilfsmittel zur Verfügung zu stellen, die erforderlich sind, die Unterlagen lesbar zu machen. [2] Soweit erforderlich, ist die Behörde verpflichtet, die Unterlagen ganz oder teilweise auszudrucken oder ohne Hilfsmittel lesbare Reproduktionen beizubringen; die Behörde kann Ersatz ihrer Aufwendungen in angemessenem Umfang verlangen.

(4) Absatz 2 gilt nicht für Unterlagen, die als Wiedergabe auf einem Bildträger aufbewahrt werden, wenn diese Wiedergabe vor dem 1. Februar 2003 durchgeführt wird.

§ 110b Rückgabe, Vernichtung und Archivierung von Unterlagen.

(1) [1] Unterlagen, die für eine öffentlich-rechtliche Verwaltungstätigkeit einer Behörde nicht mehr erforderlich sind, können nach den Absätzen 2 und 3 zurückgegeben oder vernichtet werden. [2] Die Anbietungs- und Übergabepflichten nach den Vorschriften des Bundesarchivgesetzes und der entsprechenden gesetzlichen Vorschriften der Länder bleiben unberührt. [3] Satz 1 gilt insbesondere für

1. Unterlagen, deren Aufbewahrungsfristen abgelaufen sind,
2. Unterlagen, die nach Maßgabe des § 110a Absatz 2 als Wiedergabe auf einem maschinell verwertbaren dauerhaften Datenträger aufbewahrt werden und
3. der Behörde vom Betroffenen oder von Dritten zur Verfügung gestellte Unterlagen.

(2) Unterlagen, die einem Träger der gesetzlichen Rentenversicherung von Versicherten, Antragstellern oder von anderen Stellen zur Verfügung gestellt worden sind, sind diesen zurückzugeben, soweit sie nicht als Ablichtung oder Abschrift dem Träger auf Anforderung von den genannten Stellen zur Verfügung gestellt worden sind; werden die Unterlagen anderen Stellen zur Verfügung gestellt, sind sie von diesen Stellen auf Anforderung zurückzugeben.

(3) Die übrigen Unterlagen im Sinne von Absatz 1 werden vernichtet, soweit kein Grund zu der Annahme besteht, dass durch die Vernichtung schutzwürdige Interessen des Betroffenen beeinträchtigt werden.

§ 110c[1)] Verwaltungsvereinbarungen, Verordnungsermächtigung.

(1) [1] Die Spitzenverbände der Träger der Sozialversicherung und die Bundesagentur für Arbeit vereinbaren gemeinsam unter besonderer Berücksichtigung der schutzwürdigen Interessen der Betroffenen das Nähere zu den Grundsätzen ordnungsmäßiger Aufbewahrung im Sinne des § 110a, den Voraussetzungen der Rückgabe und Vernichtung von Unterlagen sowie die Aufbewahrungsfristen für Unterlagen. [2] Dies gilt entsprechend für die ergänzenden Vorschriften des E-Government-Gesetzes. [3] Die Vereinbarung kann auf bestimmte Sozialleistungsbereiche beschränkt werden; sie ist von den beteiligten Spitzenverbän-

---

[1)] § 110c Abs. 1 Satz 2 eingef., bish. Sätze 2 und 3 werden Sätze 3 und 4 mWv 1.8.2013 durch G v. 25.7.2013 (BGBl. I S. 2749); Abs. 1 Satz 1 geänd. mWv 29.7.2017 durch G v. 18.7.2017 (BGBl. I S. 2745).

den abzuschließen. [4]Die Vereinbarungen bedürfen der Genehmigung der beteiligten Bundesministerien.

(2) Soweit Vereinbarungen nicht getroffen sind, wird die Bundesregierung ermächtigt, durch Rechtsverordnung mit Zustimmung des Bundesrates unter besonderer Berücksichtigung der schutzwürdigen Interessen der Betroffenen

1. das Nähere zu bestimmen über
   a) die Grundsätze ordnungsmäßiger Aufbewahrung im Sinne des § 110a,
   b) die Rückgabe und Vernichtung von Unterlagen,
2. für bestimmte Unterlagen allgemeine Aufbewahrungsfristen festzulegen.

§ 110d[1)] *(aufgehoben)*

Zehnter Abschnitt.[2)] Bußgeldvorschriften

§ 111[3)] **Bußgeldvorschriften.** (1) [1]Ordnungswidrig handelt, wer vorsätzlich oder leichtfertig

1. *(aufgehoben)*

1a. entgegen § 18i Absatz 4 eine Änderung oder Meldung nicht, nicht richtig, nicht vollständig, nicht in der vorgeschriebenen Weise oder nicht rechtzeitig übermittelt,

2. entgegen
   a) § 28a Absatz 1 bis 3 oder 9, oder
   b) § 28a Absatz 4 Satz 1,

   jeweils in Verbindung mit einer Rechtsverordnung nach § 28c Nummer 1, eine Meldung nicht, nicht richtig, nicht vollständig, nicht in der vorgeschriebenen Weise oder nicht rechtzeitig erstattet,

2a. entgegen § 28a Absatz 7 Satz 1 oder 2 ***[ab 1.7.2025:** oder Absatz 13 Satz 1 oder § 124 Satz 1**]*** eine Meldung nicht, nicht richtig, nicht vollständig oder nicht rechtzeitig erstattet,

2b. entgegen § 28a Absatz 10 Satz 1 oder Absatz 11 Satz 1, jeweils in Verbindung mit einer Rechtsverordnung nach § 28c Nummer 1, eine Meldung nicht, nicht richtig, nicht vollständig oder nicht rechtzeitig erstattet,

2c. entgegen § 28a Absatz 12 in Verbindung mit einer Rechtsverordnung nach § 28c Nummer 1 eine Meldung nicht, nicht richtig, nicht vollständig oder nicht rechtzeitig abgibt,

---

[1)] § 110d aufgeh. mWv 1.1.2016 durch G v. 15.4.2015 (BGBl. I S. 583).

[2)] Bish. 7. Abschnitt (§§ 111–113) wird 8. Abschnitt mWv 1.1.2016 durch G v. 15.4.2015 (BGBl. I S. 583); bish. 8. Abschnitt wird 10. Abschnitt mWv 1.1.2017 durch G v. 11.11.2016 (BGBl. I S. 2500).

[3)] § 111 Abs. 1 ber. BGBl. 2009 I S. 3973; Abs. 5 und 6 angef. mWv 1.1.2010 durch G v. 15.12.2008 (BGBl. I S. 2426); Abs. 1 Nr. 2b und 2c eingef., bish. Nr. 2b wird Nr. 2d, Nr. 8 geänd., Abs. 3 neu gef., Abs. 4 geänd., Abs. 5 und 6 aufgeh. mWv 30.7.2010 durch G v. 24.7.2010 (BGBl. I S. 983); Abs. 1 Satz 1 Nr. 1, Nr. 4 Buchst. b und Nr. 8 geänd., Nr. 9–14 aufgeh., Abs. 4 geänd. mWv 3.12.2011 durch G v. 23.11.2011 (BGBl. I S. 2298); Abs. 1 Nr. 4 Buchst. b geänd., Nr. 5 und 6 neu gef., Abs. 4 geänd. mWv 1.1.2016 durch G v. 15.4.2015 (BGBl. I S. 583); Abs. 1 Satz 1 Nr. 1a eingef. mWv 1.1.2017 durch G v. 11.11.2016 (BGBl. I S. 2500); Abs. 1 Satz 1 Nr. 2 neu gef. mWv 10.3.2017 durch G v. 6.3.2017 (BGBl. I S. 399); Abs. 1 Satz 1 Nr. 1 aufgeh., Nr. 2b, 2c und 8 geänd. mWv 26.11.2019 durch G v. 20.11.2019 (BGBl. I S. 1626); Abs. 1 Satz 1 Nr. 3 und 3a geänd., Nr. 3b aufgeh. mWv 1.7.2020 durch G v. 12.6.2020 (BGBl. I S. 1248); Abs. 1 Satz 1 Nr. 2a geänd. mWv 1.7.2025 durch G v. 27.3.2024 (BGBl. 2024 I Nr. 108).

2d. entgegen § 28e Absatz 3c eine Auskunft nicht, nicht richtig oder nicht vollständig erteilt,
3. entgegen § 28f Absatz 1 Satz 1 eine Entgeltunterlage nicht führt oder nicht aufbewahrt,
3a. entgegen § 28f Absatz 1a eine Entgeltunterlage oder eine Beitragsabrechnung nicht oder nicht richtig gestaltet,
4. entgegen § 28o,
   a) eine Auskunft nicht, nicht richtig, nicht vollständig oder nicht rechtzeitig erteilt oder
   b) die erforderlichen Unterlagen nicht, nicht vollständig oder nicht rechtzeitig vorlegt,
5. entgegen § 99 Absatz 1 Satz 1 einen Lohnnachweis nicht, nicht richtig, nicht vollständig, nicht in der vorgeschriebenen Weise oder nicht rechtzeitig übermittelt,
6. entgegen § 99 Absatz 3, auch in Verbindung mit Absatz 4 Satz 1, eine Meldung nicht, nicht richtig, nicht vollständig oder nicht rechtzeitig erstattet oder
7. (weggefallen)
8. einer Rechtsverordnung nach § 28c Nummer 3 bis 5 oder 7, § 28n Nummer 4 oder § 28p Absatz 9 oder einer vollziehbaren Anordnung auf Grund einer solchen Rechtsverordnung zuwiderhandelt, soweit die Rechtsverordnung für einen bestimmten Tatbestand auf diese Bußgeldvorschrift verweist.

[2] In den Fällen der Nummer 2a findet § 266a Absatz 2 des Strafgesetzbuches[1)] keine Anwendung.

(2) Ordnungswidrig handelt, wer als Arbeitgeber einem Beschäftigten oder Hausgewerbetreibenden einen höheren Betrag von dessen Arbeitsentgelt abzieht, als den Teil, den der Beschäftigte oder Hausgewerbetreibende vom Gesamtsozialversicherungsbeitrag zu tragen hat.

(3) Ordnungswidrig handelt, wer
1. entgegen § 40 Absatz 2 einen anderen behindert oder benachteiligt oder
2. entgegen § 77 Absatz 1a Satz 2 eine Versicherung nicht, nicht richtig oder nicht in der vorgeschriebenen Weise abgibt.

(3a) Ordnungswidrig handelt, wer
1. entgegen § 55 Absatz 2 in Verbindung mit einer Rechtsverordnung nach § 56 als Arbeitgeber eine Wahlunterlage nicht, nicht richtig, nicht vollständig oder nicht rechtzeitig ausstellt oder
2. entgegen § 55 Absatz 3 in Verbindung mit einer Rechtsverordnung nach § 56 eine Angabe nicht, nicht richtig, nicht vollständig oder nicht rechtzeitig macht.

(4) Die Ordnungswidrigkeit kann in den Fällen des Absatzes 1 Nummer 2d und 3 und des Absatzes 3 Nummer 2 mit einer Geldbuße bis zu fünfzigtausend Euro, in den Fällen des Absatzes 1 Nummer 2, 2b, 2c und 5 mit einer Geldbuße bis zu fünfundzwanzigtausend Euro, in den übrigen Fällen mit einer Geldbuße bis zu fünftausend Euro geahndet werden.

[1)] **Habersack Nr. 85.**

§ 112[1] Allgemeines über Bußgeldvorschriften. (1) Verwaltungsbehörden im Sinne des § 36 Absatz 1 Nummer 1 des Gesetzes über Ordnungswidrigkeiten[2] sind

1. der Versicherungsträger, soweit das Gesetz nichts anderes bestimmt,
2. *(aufgehoben)*
3. die Behörden der Zollverwaltung bei Ordnungswidrigkeiten
   a) nach § 111 Absatz 1 Satz 1 Nummer 2 Buchstabe a, soweit sie einen Verstoß im Rahmen der ihnen zugewiesenen Tätigkeiten feststellen,
   b) nach § 111 Absatz 1 Satz 1 Nummer 2 Buchstabe b, soweit sie einen Verstoß im Rahmen ihrer Prüfungstätigkeit nach § 2 des Schwarzarbeitsbekämpfungsgesetzes[3] feststellen,
4. die Einzugsstelle bei Ordnungswidrigkeiten nach § 111 Absatz 1 Satz 1 Nummer 2 Buchstabe a und b, soweit nicht die Zuständigkeit der Behörden der Zollverwaltung nach Nummer 3 gegeben ist, sowie bei Ordnungswidrigkeiten nach § 111 Absatz 1 Satz 1 Nummer 2a, 4, 8 und Absatz 2,

4a. der Träger der Rentenversicherung bei Ordnungswidrigkeiten nach § 111 Absatz 1 Nummer 3 bis 3b sowie bei Ordnungswidrigkeiten nach § 111 Absatz 1 Satz 1 Nummer 2, 4, 8 und Absatz 2, wenn die Prüfung nach § 28p vom Träger der Rentenversicherung durchgeführt oder eine Meldung direkt an sie erstattet wird,

4b. die landwirtschaftliche Krankenkasse bei Ordnungswidrigkeiten nach § 111 Absatz 1 Nummer 3 bis 3b im Falle der Prüfung von mitarbeitenden Familienangehörigen nach § 28p Absatz 1 Satz 6,

4c. *(aufgehoben)*

5. die Aufsichtsbehörde des Versicherungsträgers bei Ordnungswidrigkeiten nach § 111 Absatz 3.

(2) Wird in den Fällen des Absatzes 1 Nummer 1 und 4 gegen den Bußgeldbescheid ein zulässiger Einspruch eingelegt, nimmt die von der Vertreterversammlung bestimmte Stelle die weiteren Aufgaben der Verwaltungsbehörde (§ 69 Absatz 2, 3 und 5 des Gesetzes über Ordnungswidrigkeiten) wahr.

(3) [1] Die Geldbußen fließen in den Fällen des Absatzes 1 Nummer 1, 3 und 4 in die Kasse der Verwaltungsbehörde, die den Bußgeldbescheid erlassen hat; § 66 des Zehnten Buches[4] gilt entsprechend. [2] Diese Kasse trägt abweichend von § 105 Absatz 2 des Gesetzes über Ordnungswidrigkeiten die notwendigen Auslagen; sie ist auch ersatzpflichtig im Sinne des § 110 Absatz 4 des Gesetzes über Ordnungswidrigkeiten.

§ 113[5] Zusammenarbeit mit anderen Behörden. [1] Zur Verfolgung und Ahndung der Ordnungswidrigkeiten nach § 111 arbeiten die Behörden der Zollverwaltung, die Einzugsstellen und die Träger der Rentenversicherung zusammen, wenn sich im Einzelfall konkrete Anhaltspunkte für Verstöße gegen

---

[1] § 112 Abs. 1 Nr. 5 geänd. mWv 1.1.2010 durch G v. 15.12.2008 (BGBl. I S. 2426); Abs. 1 Nr. 5 geänd. mWv 30.7.2010 durch G v. 24.7.2010 (BGBl. I S. 983); Abs. 1 Nr. 4c aufgeh. mWv 3.12.2011 durch G v. 23.11.2011 (BGBl. I S. 2298); Abs. 1 Nr. 3 und 4 neu gef. mWv 10.3.2017 durch G v. 6.3. 2017 (BGBl. I S. 399); Abs. 1 Nr. 2 aufgeh. mWv 1.1.2023 durch G v. 20.12.2022 (BGBl. I S. 2759).

[2] **Habersack Nr. 94.**

[3] Nr. **110**.

[4] Nr. **699**.

[5] § 113 Satz 1 geänd. mWv 11.8.2010 durch G v. 5.8.2010 (BGBl. I S. 1127).

die in § 2 Absatz 1 des Schwarzarbeitsbekämpfungsgesetzes[1] genannten Vorschriften ergeben. [2]Sie unterrichten sich gegenseitig über die für die Verfolgung und Ahndung der Ordnungswidrigkeiten notwendigen Tatsachen. [3]Ergeben sich Anhaltspunkte für Verstöße gegen die Mitwirkungspflicht nach § 60 Absatz 1 Satz 1 Nummer 2 des Ersten Buches[2] gegenüber einem Träger der Sozialhilfe oder die Meldepflicht nach § 8a des Asylbewerberleistungsgesetzes[3], unterrichten sie die Träger der Sozialhilfe oder die für die Durchführung des Asylbewerberleistungsgesetzes[4] zuständigen Behörden.

Elfter Abschnitt.[5] Übergangsvorschriften

§ 114[6] Einkommen beim Zusammentreffen mit Renten wegen Todes. (1) Wenn der versicherte Ehegatte vor dem 1. Januar 2002 verstorben ist oder die Ehe vor diesem Tag geschlossen wurde und mindestens ein Ehegatte vor dem 2. Januar 1962 geboren ist, sind bei Renten wegen Todes als Einkommen zu berücksichtigen:

1. Erwerbseinkommen,
2. Leistungen, die auf Grund oder in entsprechender Anwendung öffentlich-rechtlicher Vorschriften erbracht werden, um Erwerbseinkommen zu ersetzen (Erwerbsersatzeinkommen), mit Ausnahme von Zusatzleistungen.

(2) Absatz 1 gilt auch für Erziehungsrenten, wenn der geschiedene Ehegatte vor dem 1. Januar 2002 verstorben ist oder die geschiedene Ehe vor diesem Tag geschlossen wurde und mindestens einer der geschiedenen Ehegatten vor dem 2. Januar 1962 geboren ist.

(3) [1]Erwerbsersatzeinkommen im Sinne des Absatzes 1 Nummer 2 sind Leistungen nach § 18a Absatz 3 Satz 1 Nummer 1 bis 8. [2]Als Zusatzleistungen im Sinne des Absatzes 1 Nummer 2 gelten Leistungen der öffentlich-rechtlichen Zusatzversorgungen sowie bei Leistungen nach § 18a Absatz 3 Satz 1 Nummer 2 der Teil, der auf einer Höherversicherung beruht.

(4) [1]Wenn der versicherte Ehegatte vor dem 1. Januar 2002 verstorben ist oder die Ehe vor diesem Tag geschlossen wurde und mindestens ein Ehegatte vor dem 2. Januar 1962 geboren ist, ist das monatliche Einkommen zu kürzen

1. bei Leistungen nach § 18a Absatz 3 Satz 1 Nummer 2, die nach den besonderen Vorschriften für die knappschaftliche Rentenversicherung berechnet sind, um 25 vom Hundert,
2. bei Leistungen nach § 18a Absatz 3 Satz 1 Nummer 5 und 6 um 42,7 vom Hundert bei Leistungsbeginn vor dem Jahre 2011 und um 43,6 vom Hundert bei Leistungsbeginn nach dem Jahre 2010 und

---

[1] Nr. **110**.
[2] Nr. **691**.
[3] Nr. **781**.
[4] Auszugsweise abgedruckt unter Nr. **781**.
[5] Bish. 8. Abschnitt (§§ 114–120) wird 9. Abschnitt mWv 1.1.2016 durch G v. 15.4.2015 (BGBl. I S. 583); bish. 9. Abschnitt wird 11. Abschnitt mWv 1.1.2017 durch G v. 11.11.2016 (BGBl. I S. 2500).
[6] § 114 Abs. 4 Satz 1 Nr. 2 und 3 geänd. mWv 11.8.2010 durch G v. 5.8.2010 (BGBl. I S. 1127); *Abs. 2, Abs. 4 Satz 2 geänd. mWv 1.7.2015* durch G v. 15.4.2015 (BGBl. I S. 583); Abs. 6 angef. mWv 1.7.2024 durch G v. 30.5.2024 (BGBl. 2024 I Nr. 173); Abs. 7 angef. mWv 1.1.2027 durch G v. 22.12.2025 (BGBl. 2025 I Nr. 362).

3. bei Leistungen nach § 18a Absatz 3 Satz 1 Nummer 7 um 29 vom Hundert bei Leistungsbeginn vor dem Jahre 2011 und um 31 vom Hundert bei Leistungsbeginn nach dem Jahre 2010.

[2] Dies gilt auch für Erziehungsrenten, wenn der geschiedene Ehegatte vor dem 1. Januar 2002 verstorben ist oder die geschiedene Ehe vor diesem Tag geschlossen wurde und mindestens einer der geschiedenen Ehegatten vor dem 2. Januar 1962 geboren ist.

(5) Bestand am 31. Dezember 2001 Anspruch auf eine Rente wegen Todes, ist das monatliche Einkommen bis zum 30. Juni 2002 zu kürzen

1. bei Arbeitsentgelt um 35 vom Hundert, bei Arbeitseinkommen um 30 vom Hundert, bei Bezügen aus einem öffentlich-rechtlichen Dienst- oder Amtsverhältnis oder aus einem versicherungsfreien Arbeitsverhältnis mit Anwartschaften auf Versorgung nach beamtenrechtlichen Vorschriften oder Grundsätzen und bei Einkommen, das solchen Bezügen vergleichbar ist, jedoch nur um 27,5 vom Hundert,
2. bei Leistungen nach § 18a Absatz 3 Satz 1 Nummer 2, die nach den besonderen Vorschriften für die knappschaftliche Rentenversicherung berechnet sind, um 25 vom Hundert und bei Leistungen nach § 18a Absatz 3 Satz 1 Nummer 7 um 27,5 vom Hundert,
3. bei Leistungen nach § 18a Absatz 3 Satz 1 Nummer 5 und 6 um 37,5 vom Hundert.

(6) Der Rentenzuschlag nach § 307j des Sechsten Buches[1] ist bei Renten wegen Todes kein zu berücksichtigendes Einkommen nach § 18a Absatz 3 Satz 1 Nummer 2.

[Abs. 7 ab 1.1.2027:]

(7) Der für den Zeitraum vom 1. Januar 2027 bis zum 31. Dezember 2027 gewährte Zuschlag nach § 307d Absatz 1 Satz 4, Absatz 1a Satz 3, Absatz 1b, 1c und 5 Satz 2 des Sechsten Buches[1] ist bei der Bestimmung der Höhe der nach § 18b Absatz 4 anzurechnenden Rentenleistung bis zum 31. Dezember 2027 unberücksichtigt zu lassen.

§ 115[2] *(aufgehoben)*

§ 116[3] **Übergangsregelungen für bestehende Wertguthaben.** (1) Wertguthaben für Beschäftigte, die am 1. Januar 2009 abweichend von § 7d Absatz 1 als Zeitguthaben geführt werden, können als Zeitguthaben oder als Entgeltguthaben geführt werden; dies gilt auch für neu vereinbarte Wertguthabenvereinbarungen auf der Grundlage früherer Vereinbarungen.

(2) [1] § 7c Absatz 1 findet nur auf Wertguthabenvereinbarungen Anwendung, die nach dem 1. Januar 2009 geschlossen worden sind. [2] Wertguthaben aufgrund einer vor dem 1. Januar 2009 geschlossenen Vereinbarung können neben einer Inanspruchnahme einer Rente wegen Alters bis zum Ablauf des Kalendermonats des Erreichens der Regelaltersgrenze nach dem Sechsten Buch[4] in Anspruch genommen werden.

---

[1] **beck-online, Module Arbeitsrecht Nr. 696.**

[2] § 115 aufgeh. mWv 1.11.2020 durch G v. 27.3.2020 (BGBl. I S. 575).

[3] § 116 Abs. 2 neu gef., Abs. 3 aufgeh. mWv 22.1.2026 durch G v. 16.1.2026 (BGBl. 2026 I Nr. 14).

[4] Auszugsweise abgedruckt unter Nr. **696**.

§ 116a[1] *(aufgehoben)*

§§ 117–135 *(hier nicht wiedergegeben)*

---

[1] § 116a aufgeh. mWv 1.1.2023 durch G v. 20.12.2022 (BGBl. I S. 2759).

694a. Verordnung über die sozialversicherungsrechtliche Beurteilung von Zuwendungen des Arbeitgebers als Arbeitsentgelt (Sozialversicherungsentgeltverordnung – SvEV)[1)]

Vom 21. Dezember 2006

(BGBl. I S. 3385)

FNA 860-4-1-16

zuletzt geänd. durch Art. 11 Zweites BetriebsrentenstärkungsG v. 16.1.2026 (BGBl. 2026 I Nr. 14)

§ 1[2)] **Dem sozialversicherungspflichtigen Arbeitsentgelt nicht zuzurechnende Zuwendungen.** (1) [1] Dem Arbeitsentgelt sind nicht zuzurechnen:

1. einmalige Einnahmen, laufende Zulagen, Zuschläge, Zuschüsse sowie ähnliche Einnahmen, die zusätzlich zu Löhnen oder Gehältern gewährt werden, soweit sie lohnsteuerfrei sind; dies gilt nicht für Sonntags-, Feiertags- und Nachtarbeitszuschläge, soweit das Entgelt, auf dem sie berechnet werden, mehr als 25 Euro für jede Stunde beträgt, nicht für Vermögensbeteiligungen nach § 19a Absatz 1 Satz 1 des Einkommensteuergesetzes[3)] und nicht für Einnahmen, die allein nach § 3 Nummer 21 des Einkommensteuergesetzes steuerfrei sind,
2. sonstige Bezüge nach § 40 Abs. 1 Satz 1 Nr. 1 des Einkommensteuergesetzes, die nicht einmalig gezahltes Arbeitsentgelt nach § 23a des Vierten Buches Sozialgesetzbuch[4)] sind,
3. Einnahmen nach § 40 Abs. 2 des Einkommensteuergesetzes,
4. Beiträge nach § 40b des Einkommensteuergesetzes in der am 31. Dezember 2004 geltenden Fassung, die zusätzlich zu Löhnen und Gehältern gewährt werden; dies gilt auch für darin enthaltene Beiträge, die aus einer Entgeltumwandlung (§ 1 Abs. 2 Nr. 3 des Betriebsrentengesetzes[5)]) stammen,

---

[1)] Verkündet als Art. 1 VO zur NeuO der Regelungen über die sozialversicherungsrechtl. Beurteilung von Zuwendungen des Arbeitgebers als Arbeitsentgelt; Inkrafttreten gem. Art. 4 dieser VO am 1.1.2007.

[2)] § 1 Abs. 1 Satz 1 Nr. 4 neu gef., Nr. 9 geänd. mWv 1.1.2009 durch G v. 10.12.2007 (BGBl. I S. 2838); Abs. 1 Satz 1 Nr. 4 neu gef., Nr. 4a eingef., Satz 3 geänd., Satz 4 angef. mWv 1.1.2008 durch G v. 19.12.2007 (BGBl. I S. 3024); Abs. 1 Satz 1 Nr. 4 neu gef., Nr. 12 geänd., Nr. 13 und 14 angef. mWv 1.1.2009 durch VO v. 18.11.2008 (BGBl. I S. 2220); Abs. 1 Satz 1 Nr. 14 geänd., Nr. 15 angef. mWv 22.7.2009 durch G v. 15.7.2009 (BGBl. I S. 1939); Abs. 1 Satz 2 geänd. mWv 1.1.2012 durch G v. 7.12.2011 (BGBl. I S. 2592); Abs. 1 Satz 1 Nr. 8 geänd. mWv 1.4.2012 durch G v. 20.12.2011 (BGBl. I S. 2854); Abs. 1 Satz 1 Nr. 12 und 15 geänd., Nr. 16 angef., Satz 2 neu gef., Satz 3 geänd. mWv 22.4.2015 durch G v. 15.4.2015 (BGBl. I S. 583); Abs. 1 Satz 1 Nr. 6 geänd. mWv 1.1.2018 durch G v. 23.5.2017 (BGBl. I S. 1228); Abs. 1 Satz 1 Nr. 9 geänd. mWv 1.1.2018 durch G v. 17.8.2017 (BGBl. I S. 3214); Abs. 1 Satz 1 Nr. 1 geänd. mWv 1.7.2021 durch G v. 3.6.2021 (BGBl. I S. 1498); Abs. 1 Satz 1 Nr. 1 neu gef. mWv 1.1.2026 durch G v. 22.12.2025 (BGBl. 2025 I Nr. 361); Abs. 1 Satz 1 Nr. 12 neu gef. mWv 22.1.2026 durch G v. 16.1.2026 (BGBl. 2026 I Nr. 14).

[3)] **beck-online, Module Arbeitsrecht Nr. 331.**

[4)] Nr. **694**.

[5)] Nr. **180**.

4a. Zuwendungen nach § 3 Nr. 56 und § 40b des Einkommensteuergesetzes, die zusätzlich zu Löhnen und Gehältern gewährt werden und für die Satz 3 und 4 nichts Abweichendes bestimmen,
5. Beträge nach § 10 des Entgeltfortzahlungsgesetzes[1],
6. Zuschüsse zum Mutterschaftsgeld nach § 20 des Mutterschutzgesetzes[2],
7. in den Fällen des § 3 Abs. 3 der vom Arbeitgeber insoweit übernommene Teil des Gesamtsozialversicherungsbeitrags,
8. Zuschüsse des Arbeitgebers zum Kurzarbeitergeld und Saison-Kurzarbeitergeld, soweit sie zusammen mit dem Kurzarbeitergeld 80 Prozent des Unterschiedsbetrages zwischen dem Sollentgelt und dem Ist-Entgelt nach § 106 des Dritten Buches Sozialgesetzbuch[3] nicht übersteigen,
9. steuerfreie Zuwendungen an Pensionskassen, Pensionsfonds oder Direktversicherungen nach § 3 Nr. 63 Satz 1 und 2 sowie § 100 Absatz 6 Satz 1 des Einkommensteuergesetzes im Kalenderjahr bis zur Höhe von insgesamt 4 Prozent der Beitragsbemessungsgrenze in der allgemeinen Rentenversicherung; dies gilt auch für darin enthaltene Beträge, die aus einer Entgeltumwandlung (§ 1 Abs. 2 Nr. 3 des Betriebsrentengesetzes) stammen,
10. Leistungen eines Arbeitgebers oder einer Unterstützungskasse an einen Pensionsfonds zur Übernahme bestehender Versorgungsverpflichtungen oder Versorgungsanwartschaften durch den Pensionsfonds, soweit diese nach § 3 Nr. 66 des Einkommensteuergesetzes steuerfrei sind,
11. steuerlich nicht belastete Zuwendungen des Beschäftigten zugunsten von durch Naturkatastrophen im Inland Geschädigten aus Arbeitsentgelt einschließlich Wertguthaben,
12. nach § 19 Absatz 1 Satz 1 Nummer 3 Satz 2 bis 4 des Einkommensteuergesetzes nicht zu den Einkünften aus nichtselbständiger Arbeit gehörende Sonderzahlungen des Arbeitgebers,
13. Sachprämien nach § 37a des Einkommensteuergesetzes,
14. Zuwendungen nach § 37b Abs. 1 des Einkommensteuergesetzes, soweit die Zuwendungen an Arbeitnehmer eines Dritten erbracht werden und diese Arbeitnehmer nicht Arbeitnehmer eines mit dem Zuwendenden verbundenen Unternehmens sind,
15. vom Arbeitgeber getragene oder übernommene Studiengebühren für ein Studium des Beschäftigten, soweit sie steuerrechtlich kein Arbeitslohn sind,
16. steuerfreie Aufwandsentschädigungen und die in § 3 Nummer 26 und 26a des Einkommensteuergesetzes genannten steuerfreien Einnahmen.

[2] Dem Arbeitsentgelt sind die in Satz 1 Nummer 1 bis 4a, 9 bis 11, 13, 15 und 16 genannten Einnahmen, Zuwendungen und Leistungen nur dann nicht zuzurechnen, soweit diese vom Arbeitgeber oder von einem Dritten mit der Entgeltabrechnung für den jeweiligen Abrechnungszeitraum lohnsteuerfrei belassen oder pauschal besteuert werden. [3] Die Summe der in Satz 1 Nr. 4a genannten Zuwendungen nach § 3 Nr. 56 und § 40b des Einkommensteuergesetzes, die vom Arbeitgeber oder von einem Dritten mit der Entgeltabrechnung für den jeweiligen Abrechnungszeitraum lohnsteuerfrei belassen oder pauschal besteuert werden, höchstens jedoch monatlich 100 Euro, sind bis zur Höhe von

---

[1] Nr. **215**.
[2] Nr. **400**.
[3] Nr. **700**.

2,5 Prozent des für ihre Bemessung maßgebenden Entgelts dem Arbeitsentgelt zuzurechnen, wenn die Versorgungsregelung mindestens bis zum 31. Dezember 2000 vor der Anwendung etwaiger Nettobegrenzungsregelungen eine allgemein erreichbare Gesamtversorgung von mindestens 75 Prozent des gesamtversorgungsfähigen Entgelts und nach dem Eintritt des Versorgungsfalles eine Anpassung nach Maßgabe der Entwicklung der Arbeitsentgelte im Bereich der entsprechenden Versorgungsregelung oder gesetzlicher Versorgungsbezüge vorsieht; die dem Arbeitsentgelt zuzurechnenden Beiträge und Zuwendungen vermindern sich um monatlich 13,30 Euro. [4] Satz 3 gilt mit der Maßgabe, dass die Zuwendungen nach § 3 Nr. 56 und § 40b des Einkommensteuergesetzes dem Arbeitsentgelt insoweit zugerechnet werden, als sie in der Summe monatlich 100 Euro übersteigen.

(2) In der gesetzlichen Unfallversicherung und in der Seefahrt sind auch lohnsteuerfreie Zuschläge für Sonntags-, Feiertags- und Nachtarbeit dem Arbeitsentgelt zuzurechnen; dies gilt in der Unfallversicherung nicht für Erwerbseinkommen, das bei einer Hinterbliebenenrente zu berücksichtigen ist.

§ 2[1)] Verpflegung, Unterkunft und Wohnung als Sachbezug. (1) [1] Der Wert der als Sachbezug zur Verfügung gestellten Verpflegung wird auf monatlich 345 Euro festgesetzt. [2] Dieser Wert setzt sich zusammen aus dem Wert für

1. Frühstück von 71 Euro,
2. Mittagessen von 137 Euro und
3. Abendessen von 137 Euro.

(2) [1] Für Verpflegung, die nicht nur dem Beschäftigten, sondern auch seinen nicht bei demselben Arbeitgeber beschäftigten Familienangehörigen zur Verfügung gestellt wird, erhöhen sich die nach Absatz 1 anzusetzenden Werte je Familienangehörigen,

1. der das 18. Lebensjahr vollendet hat, um 100 Prozent,
2. der das 14., aber noch nicht das 18. Lebensjahr vollendet hat, um 80 Prozent,

---

1) § 2 Abs. 1, Abs. 3 Satz 1 und Abs. 4 Satz 2 geänd. mWv 1.1.2009 durch VO v. 18.11.2008 (BGBl. I S. 2220); Abs. 1 Satz 1, Satz 2 Nr. 1–3 geänd. mWv 1.1.2010 durch VO v. 19.10.2009 (BGBl. I S. 3667); Abs. 1 Sätze 1 und 2, Abs. 3 Satz 1, Abs. 4 Satz 2 geänd. mWv 1.1.2011 durch VO v. 10.11.2010 (BGBl. I S. 1751); Abs. 1 Satz 1, Satz 2 Nr. 2 und 3, Abs. 3 Satz 1, Abs. 4 Satz 2 geänd. mWv 1.1.2012 durch VO v. 2.12.2011 (BGBl. I S. 2453); Abs. 1 Satz 1, Satz 2 Nr. 1, 2 und 3, Abs. 3 Satz 1, Abs. 4 Satz 2 geänd. mWv 1.1.2013 durch VO v. 19.12.2012 (BGBl. I S. 2714); Abs. 1 Satz 1, Satz 2 Nr. 1–3, Abs. 3 Satz 1, Abs. 4 Satz 2 geänd. mWv 1.1.2014 durch VO v. 21.10.2013 (BGBl. I S. 3871); Abs. 3 Satz 1, Abs. 4 Satz 2 geänd. mWv 1.1.2015 durch VO v. 24.11.2014 (BGBl. I S. 1799); Abs. 1 Satz 1, Satz 2 Nr. 1–3 geänd. mWv 1.1.2016 durch VO v. 18.11.2015 (BGBl. I S. 2075); Abs. 1 Satz 1 und Satz 2 Nr. 1–3 geänd. mWv 1.1.2017 durch VO v. 21.11.2016 (BGBl. I S. 2637); Abs. 1 Satz 1, Satz 2 Nr. 1–3, Abs. 3 Satz 1, Abs. 4 Satz 2 geänd. mWv 1.1.2018 durch VO v. 7.12.2017 (BGBl. I S. 3906); Abs. 1 Satz 1, Satz 2 Nr. 1–3, Abs. 3 Satz 1, Abs. 4 Satz 2 geänd. mWv 1.1.2019 durch VO v. 6.11.2018 (BGBl. I S. 1842); Abs. 1 Satz 1, Satz 2 Nr. 1–3, Abs. 3 Satz 1, Abs. 4 Satz 2 geänd. mWv 1.1.2020 durch VO v. 29.11.2019 (BGBl. I S. 1997); Abs. 1 Satz 1, Satz 2 Nr. 1-3, Abs. 3 Satz 1, Abs. 4 Sätze 1 und 2 geänd. mWv 1.1.2021 durch VO v. 15.12.2020 (BGBl. I S. 2933); Abs. 1 Satz 1, Satz 2 Nr. 1-3, Abs. 3 Satz 1, Abs. 4 Satz 2 geänd. mWv 1.1.2022 durch VO v. 6.12.2021 (BGBl. I S. 5187); Abs. 1 Satz 1, Satz 2 Nr. 1-3, Abs. 3 Satz 1, Abs. 4 Satz 2 geänd. mWv 1.1.2023 durch VO v. 16.12.2022 (BGBl. I S. 2431); Abs. 1 Satz 1, Satz 2 Nr. 1-3, Abs. 3 Satz 1, Abs. 4 Satz 2 geänd. mWv 1.1.2024 durch VO v. 27.11.2023 (BGBl. 2023 I Nr. 328); Abs. 1 Satz 1, Satz 2 Nr. 1, 2 und 3, Abs. 3 Satz 1 und Abs. 4 Satz 2 geänd. mWv 1.1.2025 durch VO v. 3.12.2024 (BGBl. 2024 I Nr. 394); Abs. 1 Satz 1, Satz 2 Nr. 1–3, Abs. 3 Satz 1, Abs. 4 Satz 2 geänd. mWv 1.1.2026 durch VO v. 19.12.2025 (BGBl. 2025 I Nr. 377).

3. der das 7., aber noch nicht das 14. Lebensjahr vollendet hat, um 40 Prozent und
4. der das 7. Lebensjahr noch nicht vollendet hat, um 30 Prozent.

[2] Bei der Berechnung des Wertes ist das Lebensalter des Familienangehörigen im ersten Entgeltabrechnungszeitraum des Kalenderjahres maßgebend. [3] Sind Ehegatten bei demselben Arbeitgeber beschäftigt, sind die Erhöhungswerte nach Satz 1 für Verpflegung der Kinder beiden Ehegatten je zur Hälfte zuzurechnen.

(3) [1] Der Wert einer als Sachbezug zur Verfügung gestellten Unterkunft wird auf monatlich 285 Euro festgesetzt. [2] Der Wert der Unterkunft nach Satz 1 vermindert sich

1. bei Aufnahme des Beschäftigten in den Haushalt des Arbeitgebers oder bei Unterbringung in einer Gemeinschaftsunterkunft um 15 Prozent,
2. für Jugendliche bis zur Vollendung des 18. Lebensjahres und Auszubildende um 15 Prozent und
3. bei der Belegung
   a) mit zwei Beschäftigten um 40 Prozent,
   b) mit drei Beschäftigten um 50 Prozent und
   c) mit mehr als drei Beschäftigten um 60 Prozent.

[3] Ist es nach Lage des einzelnen Falles unbillig, den Wert einer Unterkunft nach Satz 1 zu bestimmen, kann die Unterkunft mit dem ortsüblichen Mietpreis bewertet werden; Absatz 4 Satz 2 gilt entsprechend.

(4) [1] Für eine als Sachbezug zur Verfügung gestellte Wohnung ist als Wert der ortsübliche Mietpreis unter Berücksichtigung der sich aus der Lage der Wohnung zum Betrieb ergebenden Beeinträchtigungen sowie unter entsprechender Anwendung des § 8 Absatz 2 Satz 12 des Einkommensteuergesetzes[1)] anzusetzen. [2] Ist im Einzelfall die Feststellung des ortsüblichen Mietpreises mit außergewöhnlichen Schwierigkeiten verbunden, kann die Wohnung mit 5,01 Euro je Quadratmeter monatlich, bei einfacher Ausstattung (ohne Sammelheizung oder ohne Bad oder Dusche) mit 4,10 Euro je Quadratmeter monatlich bewertet werden. [3] Bestehen gesetzliche Mietpreisbeschränkungen, sind die durch diese Beschränkungen festgelegten Mietpreise als Werte anzusetzen. [4] Dies gilt auch für die vertraglichen Mietpreisbeschränkungen im sozialen Wohnungsbau, die nach den jeweiligen Förderrichtlinien des Landes für den betreffenden Förderjahrgang sowie für die mit Wohnungsfürsorgemitteln aus öffentlichen Haushalten geförderten Wohnungen vorgesehen sind. [5] Für Energie, Wasser und sonstige Nebenkosten ist der übliche Preis am Abgabeort anzusetzen.

(5) Werden Verpflegung, Unterkunft oder Wohnung verbilligt als Sachbezug zur Verfügung gestellt, ist der Unterschiedsbetrag zwischen dem vereinbarten Preis und dem Wert, der sich bei freiem Bezug nach den Absätzen 1 bis 4 ergeben würde, dem Arbeitsentgelt zuzurechnen.

(6) [1] Bei der Berechnung des Wertes für kürzere Zeiträume als einen Monat ist für jeden Tag ein Dreißigstel der Werte nach den Absätzen 1 bis 5 zugrunde zu legen. [2] Die Prozentsätze der Absätze 2 und 3 sind auf den Tageswert nach Satz 1 anzuwenden. [3] Die Berechnungen werden jeweils auf 2 Dezimalstellen

---

[1)] **beck-online, Module Arbeitsrecht Nr. 331.**

durchgeführt; die zweite Dezimalstelle wird um 1 erhöht, wenn sich in der dritten Dezimalstelle eine der Zahlen 5 bis 9 ergibt.

§ 3[1)] Sonstige Sachbezüge. (1) [1]Werden Sachbezüge, die nicht von § 2 erfasst werden, unentgeltlich zur Verfügung gestellt, ist als Wert für diese Sachbezüge der um übliche Preisnachlässe geminderte übliche Endpreis am Abgabeort anzusetzen. [2]Sind auf Grund des § 8 Absatz 2 Satz 10 des Einkommensteuergesetzes[2)] Durchschnittswerte festgesetzt worden, sind diese Werte maßgebend. [3]Findet § 8 Abs. 2 Satz 2, 3, 4 oder 5 oder Abs. 3 Satz 1 des Einkommensteuergesetzes Anwendung, sind die dort genannten Werte maßgebend. [4]§ 8 Absatz 2 Satz 11 des Einkommensteuergesetzes gilt entsprechend.

(2) Werden Sachbezüge, die nicht von § 2 erfasst werden, verbilligt zur Verfügung gestellt, ist als Wert für diese Sachbezüge der Unterschiedsbetrag zwischen dem vereinbarten Preis und dem Wert, der sich bei freiem Bezug nach Absatz 1 ergeben würde, dem Arbeitsentgelt zuzurechnen.

(3) [1]Waren und Dienstleistungen, die vom Arbeitgeber nicht überwiegend für den Bedarf seiner Arbeitnehmer hergestellt, vertrieben oder erbracht werden und die nach § 40 Abs. 1 Satz 1 Nr. 1 des Einkommensteuergesetzes pauschal versteuert werden, können mit dem Durchschnittsbetrag der pauschal versteuerten Waren und Dienstleistungen angesetzt werden; dabei kann der Durchschnittsbetrag des Vorjahres angesetzt werden. [2]Besteht das Beschäftigungsverhältnis nur während eines Teils des Kalenderjahres, ist für jeden Tag des Beschäftigungsverhältnisses der dreihundertsechzigste Teil des Durchschnittswertes nach Satz 1 anzusetzen. [3]Satz 1 gilt nur, wenn der Arbeitgeber den von dem Beschäftigten zu tragenden Teil des Gesamtsozialversicherungsbeitrags übernimmt. [4]Die Sätze 1 bis 3 gelten entsprechend für Sachzuwendungen im Wert von nicht mehr als 80 Euro, die der Arbeitnehmer für Verbesserungsvorschläge sowie für Leistungen in der Unfallverhütung und im Arbeitsschutz erhält. [5]Die mit einem Durchschnittswert angesetzten Sachbezüge, die in einem Kalenderjahr gewährt werden, sind insgesamt dem letzten Entgeltabrechnungszeitraum in diesem Kalenderjahr zuzuordnen.

§ 4[3)] *(aufgehoben)*

---

1) § 3 Abs. 1 Sätze 2 und 4 geänd. mWv 1.1.2014 durch VO v. 21.10.2013 (BGBl. I S. 3871).
2) **beck-online, Module Arbeitsrecht Nr. 331.**
3) § 4 aufgeh. mWv 1.1.2009 durch VO v. 21.12.2006 (BGBl. I S. 3385).

695. Sozialgesetzbuch (SGB) Fünftes Buch (V) – Gesetzliche Krankenversicherung –[1)]

Vom 20. Dezember 1988

(BGBl. I S. 2477)

FNA 860-5

zuletzt geänd. durch Art. 4 GEAS-Anpassungsfolgegesetz v. 23.4.2026 (BGBl. 2026 I Nr. 112)

– Auszug –[2)]

Erstes Kapitel. Allgemeine Vorschriften

§ 1[3)] Solidarität und Eigenverantwortung. [1] Die Krankenversicherung als Solidargemeinschaft hat die Aufgabe, die Gesundheit der Versicherten zu erhalten, wiederherzustellen oder ihren Gesundheitszustand zu bessern. [2] Das umfasst auch die Förderung der gesundheitlichen Eigenkompetenz und Eigenverantwortung der Versicherten. [3] Die Versicherten sind für ihre Gesundheit mit verantwortlich; sie sollen durch eine gesundheitsbewußte Lebensführung, durch frühzeitige Beteiligung an gesundheitlichen Vorsorgemaßnahmen sowie durch aktive Mitwirkung an Krankenbehandlung und Rehabilitation dazu beitragen, den Eintritt von Krankheit und Behinderung zu vermeiden oder ihre Folgen zu überwinden. [4] Die Krankenkassen haben den Versicherten dabei durch Aufklärung, Beratung und Leistungen zu helfen und unter Berücksichtigung von geschlechts-, alters- und behinderungsspezifischen Besonderheiten auf gesunde Lebensverhältnisse hinzuwirken.

§ 2[4)] Leistungen. (1) [1] Die Krankenkassen stellen den Versicherten die im Dritten Kapitel genannten Leistungen unter Beachtung des Wirtschaftlichkeitsgebots (§ 12) zur Verfügung, soweit diese Leistungen nicht der Eigenverantwortung der Versicherten zugerechnet werden. [2] Behandlungsmethoden, Arznei- und Heilmittel der besonderen Therapierichtungen sind nicht ausgeschlossen. [3] Qualität und Wirksamkeit der Leistungen haben dem allgemein anerkannten Stand der medizinischen Erkenntnisse zu entsprechen und den medizinischen Fortschritt zu berücksichtigen.

(1a) [1] Versicherte mit einer lebensbedrohlichen oder regelmäßig tödlichen Erkrankung oder mit einer zumindest wertungsmäßig vergleichbaren Erkrankung, für die eine allgemein anerkannte, dem medizinischen Standard entsprechende Leistung nicht zur Verfügung steht, können auch eine von Absatz 1 Satz 3

[1)] Verkündet als Art. 1 Gesetz zur Strukturreform im Gesundheitswesen (Gesundheits-Reformgesetz – GRG) v. 20.12.1988 (BGBl. I S. 2477); Inkrafttreten gem. Art. 79 Abs. 1 dieses G am 1.1.1989, mit Ausnahme der in Abs. 2 bis 5 dieses Artikels genannten Abweichungen.

[2)] Vollständig wiedergegeben in **beck-online, Module Arbeitsrecht.**

[3)] § 1 Satz 2 eingef., bish. Sätze 2 und 3 werden Sätze 3 und 4 mWv 25.7.2015 durch G v. 17.7.2015 (BGBl. I S. 1368); Satz 4 neu gef. mWv 10.6.2021 durch G v. 3.6.2021 (BGBl. I S. 1444).

[4)] § 2 Abs. 2 Satz 1 geänd. mWv 1.7.2001 durch G v. 19.6.2001 (BGBl. I S. 1046); Abs. 2 Satz 2 eingef., bish. Satz 2 wird Satz 3 mWv 1.7.2004 durch G v. 27.12.2003 (BGBl. I S. 3022); Abs. 1a eingef. mWv 1.1.2012 durch G v. 22.12.2011 (BGBl. I S. 2983); Abs. 2 Satz 2 neu gef. mWv 1.1.2018 durch G v. 23.12.2016 (BGBl. I S. 3234).

abweichende Leistung beanspruchen, wenn eine nicht ganz entfernt liegende Aussicht auf Heilung oder auf eine spürbare positive Einwirkung auf den Krankheitsverlauf besteht. [2]Die Krankenkasse erteilt für Leistungen nach Satz 1 vor Beginn der Behandlung eine Kostenübernahmeerklärung, wenn Versicherte oder behandelnde Leistungserbringer dies beantragen. [3]Mit der Kostenübernahmeerklärung wird die Abrechnungsmöglichkeit der Leistung nach Satz 1 festgestellt.

(2) [1]Die Versicherten erhalten die Leistungen als Sach- und Dienstleistungen, soweit dieses oder das Neunte Buch[1)] nichts Abweichendes vorsehen. [2]Die Leistungen werden auf Antrag durch ein Persönliches Budget erbracht; § 29 des Neunten Buches[2)] gilt entsprechend. [3]Über die Erbringung der Sach- und Dienstleistungen schließen die Krankenkassen nach den Vorschriften des Vierten Kapitels Verträge mit den Leistungserbringern.

(3) [1]Bei der Auswahl der Leistungserbringer ist ihre Vielfalt zu beachten. [2]Den religiösen Bedürfnissen der Versicherten ist Rechnung zu tragen.

(4) Krankenkassen, Leistungserbringer und Versicherte haben darauf zu achten, daß die Leistungen wirksam und wirtschaftlich erbracht und nur im notwendigen Umfang in Anspruch genommen werden.

§ 2a[3)] Leistungen an behinderte und chronisch kranke Menschen. Den besonderen Belangen behinderter und chronisch kranker Menschen ist Rechnung zu tragen.

§ 2b[4)] Geschlechts- und altersspezifische Besonderheiten. Bei den Leistungen der Krankenkassen ist geschlechts- und altersspezifischen Besonderheiten Rechnung zu tragen.

§ 3 Solidarische Finanzierung. [1]Die Leistungen und sonstigen Ausgaben der Krankenkassen werden durch Beiträge finanziert. [2]Dazu entrichten die Mitglieder und die Arbeitgeber Beiträge, die sich in der Regel nach den beitragspflichtigen Einnahmen der Mitglieder richten. [3]Für versicherte Familienangehörige werden Beiträge nicht erhoben.

§ 4[5)] Krankenkassen. (1) Die Krankenkassen sind rechtsfähige Körperschaften des öffentlichen Rechts mit Selbstverwaltung.

(2) Die Krankenversicherung ist in folgende Kassenarten gegliedert:

---

1) Auszugsweise abgedruckt unter Nr. **440**.

2) **beck-online, Module Arbeitsrecht Nr. 440.**

3) § 2a eingef. mWv 1.1.2004 durch G v. 14.11.2003 (BGBl. I S. 2190).

4) § 2b eingef. mWv 25.7.2015 durch G v. 17.7.2015 (BGBl. I S. 1368); Überschrift und Wortlaut geänd. mWv 10.6.2021 durch G v. 3.6.2021 (BGBl. I S. 1444).

5) § 4 Abs. 4 geänd. mWv 1.1.2000 durch G v. 22.12.1999 (BGBl. I S. 2626); Abs. 4 Sätze 2 und 3 angef. mWv 1.1.2003 durch G v. 12.6.2003 (BGBl. I S. 844); Abs. 4 Sätze 4 bis 9 angef. mWv 1.1.2004 durch G v. 14.11.2003 (BGBl. I S. 2190); Abs. 2 geänd. mWv 1.10.2005 durch G v. 9.12.2004 (BGBl. I S. 3242); Abs. 4 Satz 8 geänd. mWv 1.10.2005 durch G v. 22.12.2005 (BGBl. I S. 3686); Abs. 2 geänd. mWv 1.4.2007, Abs. 4 Satz 1 geänd. mWv 1.1.2009 durch G v. 26.3.2007 (BGBl. I S. 378); Abs. 2 geänd. mWv 28.12.2007 durch G v. 19.12.2007 (BGBl. I S. 3024); Abs. 4 Sätze 2–6 neu gef., Sätze 7–9 aufgeh., Abs. 5 und 6 angef. mWv 1.1.2011 durch G v. 22.12.2010 (BGBl. I S. 2309); Abs. 6 Satz 2 eingef., bish. Sätze 2 und 3 werden Sätze 3 und 4, neuer Satz 3 neu gef. mWv 1.1.2012 durch G v. 22.12.2011 (BGBl. I S. 2983); Abs. 2 geänd. mWv 1.1.2013 durch G v. 12.4.2012 (BGBl. I S. 579); Abs. 3 Satz 2 angef. mWv 30.6.2013 durch G v. 26.6.2013 (BGBl. I S. 1738); Abs. 6 aufgeh. mWv 11.5.2019 durch G v. 6.5.2019 (BGBl. I S. 646); Abs. 3 Satz 2, Abs. 4 Sätze 2–6 und Abs. 5 aufgeh. mWv 1.4.2020 durch G v. 22.3.2020 (BGBl. I S. 604); Abs. 5 angef. mWv 12.11.2022 durch G v. 7.11.2022 →

Allgemeine Ortskrankenkassen,

Betriebskrankenkassen,

Innungskrankenkassen,

Sozialversicherung für Landwirtschaft, Forsten und Gartenbau als Träger der Krankenversicherung der Landwirte,

die Deutsche Rentenversicherung Knappschaft-Bahn-See als Träger der Krankenversicherung (Deutsche Rentenversicherung Knappschaft-Bahn-See),

Ersatzkassen.

(3) Im Interesse der Leistungsfähigkeit und Wirtschaftlichkeit der gesetzlichen Krankenversicherung arbeiten die Krankenkassen und ihre Verbände sowohl innerhalb einer Kassenart als auch kassenartenübergreifend miteinander und mit allen anderen Einrichtungen des Gesundheitswesens eng zusammen.

(4) Die Krankenkassen haben bei der Durchführung ihrer Aufgaben und in ihren Verwaltungsangelegenheiten sparsam und wirtschaftlich zu verfahren und dabei ihre Ausgaben so auszurichten, dass Beitragserhöhungen ausgeschlossen werden, es sei denn, die notwendige medizinische Versorgung ist auch nach Ausschöpfung von Wirtschaftlichkeitsreserven nicht zu gewährleisten.

(5) *(aufgehoben)*

(6) [1] Im Jahr 2026 dürfen sich die sächlichen Verwaltungsausgaben einer Krankenkasse nicht um mehr als 8 Prozent gegenüber dem Jahr 2024 erhöhen. [2] Die Begrenzung nach Satz 1 gilt nicht für Aufwendungen für Datentransparenz nach den §§ 303a bis 303e.

§ 4a[1)] Wettbewerb der Krankenkassen, Verordnungsermächtigung.

(1) [1] Der Wettbewerb der Krankenkassen dient dem Ziel, das Leistungsangebot und die Qualität der Leistungen zu verbessern sowie die Wirtschaftlichkeit der Versorgung zu erhöhen. [2] Dieser Wettbewerb muss unter Berücksichtigung der Finanzierung der Krankenkassen durch Beiträge und des sozialen Auftrags der Krankenkassen angemessen sein. [3] Maßnahmen, die der Risikoselektion dienen oder diese unmittelbar oder mittelbar fördern, sind unzulässig.

(2) Unlautere geschäftliche Handlungen der Krankenkassen sind unzulässig.

(3) [1] Krankenkassen sind berechtigt, um Mitglieder und für ihre Leistungen zu werben. [2] Bei Werbemaßnahmen der Krankenkassen muss die sachbezogene Information im Vordergrund stehen. [3] Die Werbung hat in einer Form zu erfolgen, die mit der Eigenschaft der Krankenkassen als Körperschaften des öffentlichen Rechts unter Berücksichtigung ihrer Aufgaben vereinbar ist.

(4) [1] Das Bundesministerium für Gesundheit wird ermächtigt, durch Rechtsverordnung mit Zustimmung des Bundesrates das Nähere über die Zulässigkeit von Werbemaßnahmen der Krankenkassen zu regeln im Hinblick auf

1. Inhalt und Art der Werbung,
2. Höchstgrenzen für Werbeausgaben einschließlich der Aufwandsentschädigungen für externe Dienstleister, die zu Werbezwecken beauftragt werden,

---

(Fortsetzung der Anm. von voriger Seite)
(BGBl. I S. 1990); Abs. 6 neu gef. mWv 1.1.2026 durch G v. 22.12.2025 (BGBl. 2025 I Nr. 371); Abs. 5 aufgeh. mWv 22.1.2026 durch G v. 16.1.2026 (BGBl. 2026 I Nr. 14).

[1)] § 4a eingef. mWv 1.4.2020 durch G v. 22.3.2020 (BGBl. I S. 604).

3. die Trennung der Werbung von der Erfüllung gesetzlicher Informationspflichten,
4. die Beauftragung und Vergütung von Mitarbeitern, Arbeitsgemeinschaften, Beteiligungsgesellschaften und Dritten zu Werbezwecken,
5. die Vermittlung privater Zusatzversicherungsverträge nach § 194 Absatz 1a.

2 Das Bundesministerium für Gesundheit kann die Ermächtigung nach Satz 1 durch Rechtsverordnung mit Zustimmung des Bundesrates auf das Bundesamt für Soziale Sicherung übertragen.

(5) Beauftragen Krankenkassen Arbeitsgemeinschaften, Beteiligungsgesellschaften oder Dritte zu Zwecken des Wettbewerbs und insbesondere der Werbung, haben sie sicherzustellen, dass die Beauftragten die für entsprechende Maßnahmen der Krankenkassen geltenden Vorschriften einschließlich der Vorgaben der Absätze 1 bis 3 sowie der Rechtsverordnung nach Absatz 4 einhalten.

(6) In den Verwaltungsvorschriften nach § 78 Satz 1 des Vierten Buches[1] und § 77 Absatz 1a des Vierten Buches[1] ist sicherzustellen, dass Verwaltungsausgaben, die der Werbung neuer Mitglieder dienen, nach für alle Krankenkassen gleichen Grundsätzen gebucht werden.

(7) 1 Krankenkassen können von anderen Krankenkassen die Beseitigung und Unterlassung unzulässiger Maßnahmen verlangen, die geeignet sind, ihre Interessen im Wettbewerb zu beeinträchtigen. 2 Die zur Geltendmachung des Anspruchs berechtigte Krankenkasse soll die Schuldnerin vor der Einleitung eines gerichtlichen Verfahrens abmahnen und ihr Gelegenheit geben, den Streit durch Abgabe einer mit einer angemessenen Vertragsstrafe bewehrten Unterlassungsverpflichtung beizulegen. 3 Soweit die Abmahnung berechtigt ist, kann die Abmahnende von der Abgemahnten Ersatz der erforderlichen Aufwendungen verlangen. 4 Zur Sicherung der Ansprüche nach Satz 1 können einstweilige Anordnungen auch ohne die Darlegung und Glaubhaftmachung der in § 86b Absatz 2 Satz 1 und 2 des Sozialgerichtsgesetzes[2] bezeichneten Voraussetzungen erlassen werden. 5 Ist auf Grund von Satz 1 Klage auf Unterlassung erhoben worden, so kann das Gericht der obsiegenden Partei die Befugnis zusprechen, das Urteil auf Kosten der unterliegenden Partei öffentlich bekannt zu machen, wenn sie ein berechtigtes Interesse dartut. 6 Art und Umfang der Bekanntmachung werden im Urteil bestimmt. 7 Die Befugnis erlischt, wenn von ihr nicht innerhalb von drei Monaten nach Eintritt der Rechtskraft Gebrauch gemacht worden ist. 8 Der Ausspruch nach Satz 5 ist nicht vorläufig vollstreckbar.

§ 4b[3] Sonderregelungen zum Verwaltungsverfahren. Abweichungen von den Regelungen des Verwaltungsverfahrens gemäß den §§ 266, 267 und 269 durch Landesrecht sind ausgeschlossen.

---

[1] **beck-online, Module Arbeitsrecht Nr. 694.**

[2] Nr. **680**.

[3] Früherer § 4a eingef. mWv 1.4.2007 durch G v. 26.3.2007 (BGBl. I S. 378); geänd. mWv 28.3.2020 durch G v. 27.3.2020 (BGBl. I S. 587); bish. § 4a wird § 4b mWv 1.4.2020 durch G v. 22.3.2020 (BGBl. I S. 604); geänd. mWv 26.3.2024 durch G v. 22.3.2024 (BGBl. 2024 I Nr. 102; 2024 I Nr. 102a).

Zweites Kapitel. Versicherter Personenkreis

Erster Abschnitt. Versicherung kraft Gesetzes

§ 5[1] Versicherungspflicht. (1) Versicherungspflichtig sind

1. Arbeiter, Angestellte und zu ihrer Berufsausbildung Beschäftigte, die gegen Arbeitsentgelt beschäftigt sind,
2. Personen in der Zeit, für die sie Arbeitslosengeld nach dem Dritten Buch[2] beziehen oder nur deshalb nicht beziehen, weil der Anspruch wegen einer Sperrzeit (§ 159 des Dritten Buches) oder wegen einer Urlaubsabgeltung (§ 157 Absatz 2 des Dritten Buches) ruht; dies gilt auch, wenn die Entscheidung, die zum Bezug der Leistung geführt hat, rückwirkend aufgehoben oder die Leistung zurückgefordert oder zurückgezahlt worden ist,

2a. Personen in der Zeit, für die sie Grundsicherungsgeld nach § 19 Absatz 1 Satz 1 des Zweiten Buches[3] beziehen, es sei denn, dass diese Leistung nur darlehensweise gewährt wird oder nur Leistungen nach § 24 Absatz 3 Satz 1 des Zweiten Buches bezogen werden; dies gilt auch, wenn die Entscheidung, die zum Bezug der Leistung geführt hat, rückwirkend aufgehoben oder die Leistung zurückgefordert oder zurückgezahlt worden ist.

---

[1] § 5 Abs. 1 Nr. 6 geänd. durch G v. 18.12.1989 (BGBl. I S. 2261); Abs. 1 Nr. 12 neu gef. durch G v. 25.7.1991 (BGBl. I S. 1606); Abs. 1 Nrn. 9 und 12 sowie Abs. 4 geänd., Abs. 6 Satz 2 neu gef. durch G v. 20.12.1991 (BGBl. I S. 2325); Abs. 1 Nr. 11 neu gef. durch G v. 10.5.1995 (BGBl. I S. 678); Abs. 1 Nr. 11 geänd. mWv 1.1.1997 durch G v. 7.8.1996 (BGBl. I S. 1254); Abs. 1 Nr. 2 neu gef. mWv 1.1. 1998 durch G v. 24.3.1997 (BGBl. I S. 594, 692); Abs. 1 Nr. 10 geänd., Abs. 4a eingef., Abs. 10 angef. mWv 1.1.2000 durch G v. 22.12.1999 (BGBl. I S. 2626); Abs. 7 Satz 1 geänd. mWv 1.8.2001 durch G v. 16.2.2001 (BGBl. I S. 266); Abs. 1 Nr. 11a eingef. mWv 1.7.2001 durch G v. 13.6.2001 (BGBl. I S. 1027); Abs. 1 Nrn. 6, 7 und 8 geänd. mWv 1.7.2001 durch G v. 19.6.2001 (BGBl. I S. 1046); Abs. 1 Nr. 2 geänd., Abs. 4a Satz 1 eingef. mWv 1.1.2002 durch G v. 10.12.2001 (BGBl. I S. 3443); Abs. 8 Sätze 2 und 3 angefügt mWv 29.3.2002 durch G v. 23.3.2002 (BGBl. I S. 1169); Abs. 1 Nr. 7 geänd. mWv 1.5.2002 durch G v. 27.4.2002 (BGBl. I S. 1467); Abs. 1 Nr. 2 geänd., Nr. 2a eingef. mWv 1.1. 2005 durch G v. 24.12.2003 (BGBl. I S. 2954); Abs. 1 Nrn. 11 und 12 geänd., Nr. 13 und Abs. 11 angef., Abs. 8a eingef. mWv 1.4.2007, Abs. 5a eingef. mWv 1.1.2009 durch G v. 26.3.2007 (BGBl. I S. 378); Abs. 1 Nr. 7 geänd. mWv 14.9.2007 durch G v. 7.9.2007 (BGBl. I S. 2246); Abs. 9 aufgeh., bish. Abs. 10 wird Abs. 9 und Satz 7 angef. (Abs. 11 amtlich nicht umnummeriert) mWv 1.1.2008 durch G v. 23.11.2007 (BGBl. I S. 2631); Abs. 1 Nr. 2a geänd. mWv 1.1.2011 durch G v. 24.3.2011 (BGBl. I S. 453); Abs. 1 Nr. 2 geänd. mWv 1.4.2012 durch G v. 20.12.2011 (BGBl. I S. 2854); Abs. 4a Satz 2 eingef., bish. Satz 2 wird Satz 3 mWv 1.1.2012 durch G v. 22.12.2011 (BGBl. I S. 3057); Abs. 5a Satz 1 geänd. mWv 25.7.2014; Abs. 1 Nr. 11a geänd. mWv 1.1.2015; Abs. 1 Nr. 2a geänd. mWv 1.1.2016 durch G v. 21.7.2014 (BGBl. I S. 1133); Abs. 5 Satz 2 angef. mWv 23.7.2015 durch G v. 16.7.2015 (BGBl. I S. 1211); Abs. 5a Sätze 3 und 4 angef. mWv 1.1.2016, Abs. 1 Nr. 11b eingef., Abs. 7 Satz 1, Abs. 8 Satz 1 geänd. mWv 1.1.2017 durch G v. 21.12.2015 (BGBl. I S. 2408); Abs. 1 Nr. 7 geänd. mWv 1.1.2018, Abs. 8a Satz 2 geänd. mWv 1.1.2020 durch G v. 23.12.2016 (BGBl. I S. 3234); Abs. 1 Nr. 2 geänd., Abs. 2 Satz 3 angef. mWv 1.8.2017 durch G v. 4.4.2017 (BGBl. I S. 778); Abs. 2 Satz 4 angef., Abs. 8 Satz 3 geänd. mWv 11.5.2019 durch G v. 6.5.2019 (BGBl. I S. 646); Abs. 1 Nr. 6 geänd. mWv 1.1.2024 durch G v. 12.12.2019 (BGBl. I S. 2652); Abs. 1 Nr. 9 und 10 geänd. mWv 1.1.2020 durch G v. 14.12.2019 (BGBl. I S. 2789); Abs. 4a Satz 1 neu gef., Satz 2 aufgeh., bish. Satz 3 wird Satz 2 mWv 1.7.2020 durch G v. 12.6.2020 (BGBl. I S. 1248); Abs. 1 Nr. 6 geänd. mWv 1.1.2025 durch G v. 20.8. 2021 (BGBl. I S. 3932); Abs. 1 Satz 1 Nr. 2a und Abs. 5a Satz 1 geänd. mWv 1.1.2023 durch G v. 16.12. 2022 (BGBl. I S. 2328); Abs. 1 Nr. 2a, Abs. 5a Satz 1 geänd. mWv 1.7.2026 durch G v. 16.4.2026 (BGBl. 2026 I Nr. 107).

[2] Nr. **700**.

[3] Nr. **692**.

3. Landwirte, ihre mitarbeitenden Familienangehörigen und Altenteiler nach näherer Bestimmung des Zweiten Gesetzes über die Krankenversicherung der Landwirte[1],
4. Künstler und Publizisten nach näherer Bestimmung des Künstlersozialversicherungsgesetzes[2],
5. Personen, die in Einrichtungen der Jugendhilfe für eine Erwerbstätigkeit befähigt werden sollen,
6. Teilnehmer an Leistungen zur Teilhabe am Arbeitsleben sowie an Abklärungen der beruflichen Eignung oder Arbeitserprobung, es sei denn, sie gehören zum Personenkreis nach § 151 des Vierzehnten Buches[3] oder zum Personenkreis nach § 81 Absatz 3 des Soldatenentschädigungsgesetzes,
7. behinderte Menschen, die in anerkannten Werkstätten für behinderte Menschen oder in Blindenwerkstätten im Sinne des § 226 des Neunten Buches[4] oder für diese Einrichtungen in Heimarbeit oder bei einem anderen Leistungsanbieter nach § 60 des Neunten Buches[4] tätig sind,
8. behinderte Menschen, die in Anstalten, Heimen oder gleichartigen Einrichtungen in gewisser Regelmäßigkeit eine Leistung erbringen, die einem Fünftel der Leistung eines voll erwerbsfähigen Beschäftigten in gleichartiger Beschäftigung entspricht; hierzu zählen auch Dienstleistungen für den Träger der Einrichtung,
9. Studenten, die an staatlichen oder staatlich anerkannten Hochschulen eingeschrieben sind, unabhängig davon, ob sie ihren Wohnsitz oder gewöhnlichen Aufenthalt im Inland haben, wenn für sie auf Grund über- oder zwischenstaatlichen Rechts kein Anspruch auf Sachleistungen besteht, längstens bis zur Vollendung des dreißigsten Lebensjahres; Studenten nach Vollendung des dreißigsten Lebensjahres sind nur versicherungspflichtig, wenn die Art der Ausbildung oder familiäre sowie persönliche Gründe, insbesondere der Erwerb der Zugangsvoraussetzungen in einer Ausbildungsstätte des Zweiten Bildungswegs, die Überschreitung der Altersgrenze rechtfertigen,
10. Personen, die eine in Studien- oder Prüfungsordnungen vorgeschriebene berufspraktische Tätigkeit ohne Arbeitsentgelt verrichten, längstens bis zur Vollendung des 30. Lebensjahres, sowie zu ihrer Berufsausbildung ohne Arbeitsentgelt Beschäftigte; Auszubildende des Zweiten Bildungswegs, die sich in einem förderungsfähigen Teil eines Ausbildungsabschnitts nach dem Bundesausbildungsförderungsgesetz[5] befinden, sind Praktikanten gleichgestellt,
11. Personen, die die Voraussetzungen für den Anspruch auf eine Rente aus der gesetzlichen Rentenversicherung erfüllen und diese Rente beantragt haben, wenn sie seit der erstmaligen Aufnahme einer Erwerbstätigkeit bis zur Stellung des Rentenantrags mindestens neun Zehntel der zweiten Hälfte des Zeitraums Mitglied oder nach § 10 versichert waren,

11a. Personen, die eine selbständige künstlerische oder publizistische Tätigkeit vor dem 1. Januar 1983 aufgenommen haben, die Voraussetzungen für den

---

[1] **Aichberger, SGB Nr. 30/22.**
[2] **Aichberger, SGB Nr. 30/50.**
[3] **Aichberger, SGB Nr. 14.**
[4] Nr. **440.**
[5] **Sartorius Nr. 420.**

Anspruch auf eine Rente aus der Rentenversicherung erfüllen und diese Rente beantragt haben, wenn sie mindestens neun Zehntel des Zeitraums zwischen dem 1. Januar 1985 und der Stellung des Rentenantrags nach dem Künstlersozialversicherungsgesetz in der gesetzlichen Krankenversicherung versichert waren; für Personen, die am 3. Oktober 1990 ihren Wohnsitz im Beitrittsgebiet hatten, ist anstelle des 1. Januar 1985 der 1. Januar 1992 maßgebend,

11b. Personen, die die Voraussetzungen für den Anspruch
   a) auf eine Waisenrente nach § 48 des Sechsten Buches[1] oder
   b) auf eine entsprechende Leistung einer berufsständischen Versorgungseinrichtung, wenn der verstorbene Elternteil zuletzt als Beschäftigter von der Versicherungspflicht in der gesetzlichen Rentenversicherung wegen einer Pflichtmitgliedschaft in einer berufsständischen Versorgungseinrichtung nach § 6 Absatz 1 Satz 1 Nummer 1 des Sechsten Buches[2] befreit war,

   erfüllen und diese beantragt haben; dies gilt nicht für Personen, die zuletzt vor der Stellung des Rentenantrags privat krankenversichert waren, es sei denn, sie erfüllen die Voraussetzungen für eine Familienversicherung mit Ausnahme des § 10 Absatz 1 Satz 1 Nummer 2 oder die Voraussetzungen der Nummer 11,

12. Personen, die die Voraussetzungen für den Anspruch auf eine Rente aus der gesetzlichen Rentenversicherung erfüllen und diese Rente beantragt haben, wenn sie zu den in § 1 oder § 17a des Fremdrentengesetzes[3] oder zu den in § 20 des Gesetzes zur Wiedergutmachung nationalsozialistischen Unrechts[4] in der Sozialversicherung genannten Personen gehören und ihren Wohnsitz innerhalb der letzten 10 Jahre vor der Stellung des Rentenantrags in das Inland verlegt haben,

13. Personen, die keinen anderweitigen Anspruch auf Absicherung im Krankheitsfall haben und
   a) zuletzt gesetzlich krankenversichert waren oder
   b) bisher nicht gesetzlich oder privat krankenversichert waren, es sei denn, dass sie zu den in Absatz 5 oder den in § 6 Abs. 1 oder 2 genannten Personen gehören oder bei Ausübung ihrer beruflichen Tätigkeit im Inland gehört hätten.

(2) [1]Der nach Absatz 1 Nr. 11 erforderlichen Mitgliedszeit steht bis zum 31. Dezember 1988 die Zeit der Ehe mit einem Mitglied gleich, wenn die mit dem Mitglied verheiratete Person nicht mehr als nur geringfügig beschäftigt oder geringfügig selbständig tätig war. [2]Bei Personen, die ihren Rentenanspruch aus der Versicherung einer anderen Person ableiten, gelten die Voraussetzungen des Absatzes 1 Nr. 11 oder 12 als erfüllt, wenn die andere Person diese Voraussetzungen erfüllt hatte. [3]Auf die nach Absatz 1 Nummer 11 erforderliche Mitgliedszeit wird für jedes Kind, Stiefkind oder Pflegekind (§ 56 Absatz 2 Nummer 2 des Ersten Buches[5]) eine Zeit von drei Jahren angerechnet. [4]Eine Anrechnung erfolgt nicht für

---

[1] **beck-online, Module Arbeitsrecht Nr. 696.**
[2] Nr. **696**.
[3] **Aichberger, SGB Nr. 6/50.**
[4] **Aichberger, SGB Nr. 6/20.**
[5] Nr. **691**.

1. ein Adoptivkind, wenn das Kind zum Zeitpunkt des Wirksamwerdens der Adoption bereits die in § 10 Absatz 2 vorgesehenen Altersgrenzen erreicht hat, oder
2. ein Stiefkind, wenn das Kind zum Zeitpunkt der Eheschließung mit dem Elternteil des Kindes bereits die in § 10 Absatz 2 vorgesehenen Altersgrenzen erreicht hat oder wenn das Kind vor Erreichen dieser Altersgrenzen nicht in den gemeinsamen Haushalt mit dem Mitglied aufgenommen wurde.

(3) Als gegen Arbeitsentgelt beschäftigte Arbeiter und Angestellte im Sinne des Absatzes 1 Nr. 1 gelten Bezieher von Vorruhestandsgeld, wenn sie unmittelbar vor Bezug des Vorruhestandsgeldes versicherungspflichtig waren und das Vorruhestandsgeld mindestens in Höhe von 65 vom Hundert des Bruttoarbeitsentgelts im Sinne des § 3 Abs. 2 des Vorruhestandsgesetzes[1)] gezahlt wird.

(4) Als Bezieher von Vorruhestandsgeld ist nicht versicherungspflichtig, wer im Ausland seinen Wohnsitz oder gewöhnlichen Aufenthalt in einem Staat hat, mit dem für Arbeitnehmer mit Wohnsitz oder gewöhnlichem Aufenthalt in diesem Staat keine über- oder zwischenstaatlichen Regelungen über Sachleistungen bei Krankheit bestehen.

(4a) [1] Die folgenden Personen stehen Beschäftigten zur Berufsausbildung im Sinne des Absatzes 1 Nummer 1 gleich:

1. Auszubildende, die im Rahmen eines Berufsausbildungsvertrages nach dem Berufsbildungsgesetz[2)] in einer außerbetrieblichen Einrichtung ausgebildet werden,
2. Teilnehmerinnen und Teilnehmer an dualen Studiengängen und
3. Teilnehmerinnen und Teilnehmer an Ausbildungen mit Abschnitten des schulischen Unterrichts und der praktischen Ausbildung, für die ein Ausbildungsvertrag und Anspruch auf Ausbildungsvergütung besteht (praxisintegrierte Ausbildungen).

[2] Als zu ihrer Berufsausbildung Beschäftigte im Sinne des Absatzes 1 Nr. 1 gelten Personen, die als nicht satzungsmäßige Mitglieder geistlicher Genossenschaften oder ähnlicher religiöser Gemeinschaften für den Dienst in einer solchen Genossenschaft oder ähnlichen religiösen Gemeinschaft außerschulisch ausgebildet werden.

(5) [1] Nach Absatz 1 Nr. 1 oder 5 bis 12 ist nicht versicherungspflichtig, wer hauptberuflich selbständig erwerbstätig ist. [2] Bei Personen, die im Zusammenhang mit ihrer selbständigen Erwerbstätigkeit regelmäßig mindestens einen Arbeitnehmer mehr als geringfügig beschäftigen, wird vermutet, dass sie hauptberuflich selbständig erwerbstätig sind; als Arbeitnehmer gelten für Gesellschafter auch die Arbeitnehmer der Gesellschaft.

(5a) [1] Nach Absatz 1 Nr. 2a ist nicht versicherungspflichtig, wer zuletzt vor dem Bezug von Bürgergeld privat krankenversichert war oder weder gesetzlich noch privat krankenversichert war und zu den in Absatz 5 oder den

(Fortsetzung nächstes Blatt)

[1)] Nr. **720**.
[2)] Nr. **415**.

in § 6 Abs. 1 oder 2 genannten Personen gehört oder bei Ausübung seiner beruflichen Tätigkeit im Inland gehört hätte. [2]Satz 1 gilt nicht für Personen, die am 31. Dezember 2008 nach § 5 Abs. 1 Nr. 2a versicherungspflichtig waren, für die Dauer ihrer Hilfebedürftigkeit. [3]Personen nach Satz 1 sind nicht nach § 10 versichert. [4]Personen nach Satz 1, die am 31. Dezember 2015 die Voraussetzungen des § 10 erfüllt haben, sind ab dem 1. Januar 2016 versicherungspflichtig nach Absatz 1 Nummer 2a, solange sie diese Voraussetzungen erfüllen.

(6) [1]Nach Absatz 1 Nr. 5 bis 7 oder 8 ist nicht versicherungspflichtig, wer nach Absatz 1 Nr. 1 versicherungspflichtig ist. [2]Trifft eine Versicherungspflicht nach Absatz 1 Nr. 6 mit einer Versicherungspflicht nach Absatz 1 Nr. 7 oder 8 zusammen, geht die Versicherungspflicht vor, nach der die höheren Beiträge zu zahlen sind.

(7) [1]Nach Absatz 1 Nr. 9 oder 10 ist nicht versicherungspflichtig, wer nach Absatz 1 Nr. 1 bis 8, 11 bis 12 versicherungspflichtig oder nach § 10 versichert ist, es sei denn, der Ehegatte, der Lebenspartner oder das Kind des Studenten oder Praktikanten ist nicht versichert oder die Versicherungspflicht nach Absatz 1 Nummer 11b besteht über die Altersgrenze des § 10 Absatz 2 Nummer 3 hinaus. [2]Die Versicherungspflicht nach Absatz 1 Nr. 9 geht der Versicherungspflicht nach Absatz 1 Nr. 10 vor.

(8) [1]Nach Absatz 1 Nr. 11 bis 12 ist nicht versicherungspflichtig, wer nach Absatz 1 Nr. 1 bis 7 oder 8 versicherungspflichtig ist. [2]Satz 1 gilt für die in § 190 Abs. 11a genannten Personen entsprechend. [3]Bei Beziehern einer Rente der gesetzlichen Rentenversicherung, die nach dem 31. März 2002 nach § 5 Abs. 1 Nr. 11 versicherungspflichtig geworden sind, deren Anspruch auf Rente schon an diesem Tag bestand und die bis zu diesem Zeitpunkt nach § 10 oder nach § 7 des Zweiten Gesetzes über die Krankenversicherung der Landwirte versichert waren, aber nicht die Vorversicherungszeit des § 5 Abs. 1 Nr. 11 in der seit dem 1. Januar 1993 geltenden Fassung erfüllt hatten und deren Versicherung nach § 10 oder nach § 7 des Zweiten Gesetzes über die Krankenversicherung der Landwirte nicht von einer der in § 9 Absatz 1 Satz 1 Nummer 6 in der am 10. Mai 2019 geltenden Fassung genannten Personen abgeleitet worden ist, geht die Versicherung nach § 10 oder nach § 7 des Zweiten Gesetzes über die Krankenversicherung der Landwirte der Versicherung nach § 5 Abs. 1 Nr. 11 vor.

(8a) [1]Nach Absatz 1 Nr. 13 ist nicht versicherungspflichtig, wer nach Absatz 1 Nr. 1 bis 12 versicherungspflichtig, freiwilliges Mitglied oder nach § 10 versichert ist. [2]Satz 1 gilt entsprechend für Empfänger laufender Leistungen nach dem Dritten, Vierten und Siebten Kapitel des Zwölften Buches[1)], dem Teil 2 des Neunten Buches[2)] und für Empfänger laufender Leistungen nach § 2 des Asylbewerberleistungsgesetzes[3)]. [3]Satz 2 gilt auch, wenn der Anspruch auf diese Leistungen für weniger als einen Monat unterbrochen wird. [4]Der Anspruch auf Leistungen nach § 19 Abs. 2 gilt nicht als Absicherung im Krankheitsfall im Sinne von Absatz 1 Nr. 13, sofern im Anschluss daran kein anderweitiger Anspruch auf Absicherung im Krankheitsfall besteht.

(9) [1]Kommt eine Versicherung nach den §§ 5, 9 oder 10 nach Kündigung des Versicherungsvertrages nicht zu Stande oder endet eine Versicherung nach den §§ 5 oder 10 vor Erfüllung der Vorversicherungszeit nach § 9, ist das private

---

[1)] **Aichberger, SGB Nr. 12.**

[2)] Auszugsweise abgedruckt unter Nr. **440**.

[3)] **beck-online, Module Arbeitsrecht Nr. 781.**

Krankenversicherungsunternehmen zum erneuten Abschluss eines Versicherungsvertrages verpflichtet, wenn der vorherige Vertrag für mindestens fünf Jahre vor seiner Kündigung ununterbrochen bestanden hat. [2] Der Abschluss erfolgt ohne Risikoprüfung zu gleichen Tarifbedingungen, die zum Zeitpunkt der Kündigung bestanden haben; die bis zum Ausscheiden erworbenen Alterungsrückstellungen sind dem Vertrag zuzuschreiben. [3] Wird eine gesetzliche Krankenversicherung nach Satz 1 nicht begründet, tritt der neue Versicherungsvertrag am Tag nach der Beendigung des vorhergehenden Versicherungsvertrages in Kraft. [4] Endet die gesetzliche Krankenversicherung nach Satz 1 vor Erfüllung der Vorversicherungszeit, tritt der neue Versicherungsvertrag am Tag nach Beendigung der gesetzlichen Krankenversicherung in Kraft. [5] Die Verpflichtung nach Satz 1 endet drei Monate nach der Beendigung des Versicherungsvertrages, wenn eine Versicherung nach den §§ 5, 9 oder 10 nicht begründet wurde. [6] Bei Beendigung der Versicherung nach den §§ 5 oder 10 vor Erfüllung der Vorversicherungszeiten nach § 9 endet die Verpflichtung nach Satz 1 längstens zwölf Monate nach der Beendigung des privaten Versicherungsvertrages. [7] Die vorstehenden Regelungen zum Versicherungsvertrag sind auf eine Anwartschaftsversicherung in der privaten Krankenversicherung entsprechend anzuwenden.

(10) *(nicht belegt)*

(11) [1] Ausländer, die nicht Angehörige eines Mitgliedstaates der Europäischen Union, Angehörige eines Vertragsstaates des Abkommens über den Europäischen Wirtschaftsraum oder Staatsangehörige der Schweiz sind, werden von der Versicherungspflicht nach Absatz 1 Nr. 13 erfasst, wenn sie eine Niederlassungserlaubnis oder eine Aufenthaltserlaubnis mit einer Befristung auf mehr als zwölf Monate nach dem Aufenthaltsgesetz besitzen und für die Erteilung dieser Aufenthaltstitel keine Verpflichtung zur Sicherung des Lebensunterhalts nach § 5 Abs. 1 Nr. 1 des Aufenthaltsgesetzes[1)] besteht. [2] Angehörige eines anderen Mitgliedstaates der Europäischen Union, Angehörige eines anderen Vertragsstaates des Abkommens über den Europäischen Wirtschaftsraum oder Staatsangehörige der Schweiz werden von der Versicherungspflicht nach Absatz 1 Nr. 13 nicht erfasst, wenn die Voraussetzung für die Wohnortnahme in Deutschland die Existenz eines Krankenversicherungsschutzes nach § 4 des Freizügigkeitsgesetzes/EU[2)] ist. [3] Bei Leistungsberechtigten nach dem Asylbewerberleistungsgesetz liegt eine Absicherung im Krankheitsfall bereits dann vor, wenn ein Anspruch auf Leistungen bei Krankheit, Schwangerschaft und Geburt nach § 4 des Asylbewerberleistungsgesetzes[3)] dem Grunde nach besteht.

§ 6[4)] Versicherungsfreiheit. (1) Versicherungsfrei sind

[1)] Nr. **760**.

[2)] Nr. **770**.

[3)] **beck-online, Module Arbeitsrecht Nr. 781.**

[4)] § 6 Abs. 1 Nr. 1 geänd. durch G v. 18.12.1989 (BGBl. I S. 2261); Abs. 3a eingef. mWv 1.7.2000 durch G v. 22.12.1999 (BGBl. I S. 2626); Abs. 3a Satz 3 geänd. mWv 1.8.2001 durch G v. 16.2.2001 (BGBl. I S. 266); Abs. 1 Nr. 1, Abs. 5 geänd., Abs. 6 bis 8 angef. mWv 1.1.2003 durch G v. 23.12.2002 (BGBl. I S. 4637); Abs. 1 Nr. 1a eingef. mWv 1.1.2004 durch G v. 23.12.2003 (BGBl. I S. 2848); Abs. 3a Satz 4 angef. mWv 1.1.2005 durch G v. 24.12.2003 (BGBl. I S. 2954); Abs. 5 geänd. mWv 1.10.2005 durch G v. 9.12.2004 (BGBl. I S. 3242); Abs. 6 Satz 2 geänd. mWv 12.12.2006 durch G v. 2.12.2006 (BGBl. I S. 2742), Abs. 1 Nr. 1 geänd., Abs. 4 Sätze 1 und 3 neu gef., Sätze 4 bis 6 und Abs. 9 angef. mWv 2.2.2007, Abs. 3a Satz 4 geänd., Abs. 5 aufgeh. mWv 1.4.2007, Abs. 1 Nr. 1 geänd. mWv 28.12. 2007 und Abs. 3a Satz 4 geänd. mWv 1.1.2009 durch G v. 26.3.2007 (BGBl. I S. 378, geänd. durch G v. 19.12.2007, BGBl. I S. 3024); Abs. 4 Satz 6 erster und zweiter Halbs. geänd. mWv 1.7.2008 durch G v. 28.5.2008 (BGBl. I S. 874); Abs. 3 Satz 1 geänd. mWv 1.1.2009 durch G v. 15.12.2008 (BGBl. I →

1. Arbeiter und Angestellte, deren regelmäßiges Jahresarbeitsentgelt die Jahresarbeitsentgeltgrenze nach den Absätzen 6 oder 7 übersteigt; Zuschläge, die mit Rücksicht auf den Familienstand gezahlt werden, bleiben unberücksichtigt,

1a. nicht-deutsche Besatzungsmitglieder deutscher Seeschiffe, die ihren Wohnsitz oder gewöhnlichen Aufenthalt nicht in einem Mitgliedstaat der Europäischen Union, einem Vertragsstaat des Abkommens über den Europäischen Wirtschaftsraum oder der Schweiz haben,

2. Beamte, Richter, Soldaten auf Zeit sowie Berufssoldaten der Bundeswehr und sonstige Beschäftigte des Bundes, eines Landes, eines Gemeindeverbandes, einer Gemeinde, von öffentlich-rechtlichen Körperschaften, Anstalten, Stiftungen oder Verbänden öffentlich-rechtlicher Körperschaften oder deren Spitzenverbänden, wenn sie nach beamtenrechtlichen Vorschriften oder Grundsätzen bei Krankheit Anspruch auf Fortzahlung der Bezüge und auf Beihilfe oder Heilfürsorge haben,

3. Personen, die während der Dauer ihres Studiums als ordentliche Studierende einer Hochschule oder einer der fachlichen Ausbildung dienenden Schule gegen Arbeitsentgelt beschäftigt sind,

4. Geistliche der als öffentlich-rechtliche Körperschaften anerkannten Religionsgesellschaften, wenn sie nach beamtenrechtlichen Vorschriften oder Grundsätzen bei Krankheit Anspruch auf Fortzahlung der Bezüge und auf Beihilfe haben,

5. Lehrer, die an privaten genehmigten Ersatzschulen hauptamtlich beschäftigt sind, wenn sie nach beamtenrechtlichen Vorschriften oder Grundsätzen bei Krankheit Anspruch auf Fortzahlung der Bezüge und auf Beihilfe haben,

6. die in den Nummern 2, 4 und 5 genannten Personen, wenn ihnen ein Anspruch auf Ruhegehalt oder ähnliche Bezüge zuerkannt ist und sie Anspruch auf Beihilfe im Krankheitsfalle nach beamtenrechtlichen Vorschriften oder Grundsätzen haben,

7. satzungsmäßige Mitglieder geistlicher Genossenschaften, Diakonissen und ähnliche Personen, wenn sie sich aus überwiegend religiösen oder sittlichen Beweggründen mit Krankenpflege, Unterricht oder anderen gemeinnützigen Tätigkeiten beschäftigen und nicht mehr als freien Unterhalt oder ein geringes Entgelt beziehen, das nur zur Beschaffung der unmittelbaren Lebensbedürfnisse an Wohnung, Verpflegung, Kleidung und dergleichen ausreicht,

8. Personen, die nach dem Krankheitsfürsorgesystem der Europäischen Gemeinschaften bei Krankheit geschützt sind.

(2) Nach § 5 Abs. 1 Nr. 11 versicherungspflichtige Hinterbliebene der in Absatz 1 Nr. 2 und 4 bis 6 genannten Personen sind versicherungsfrei, wenn sie ihren Rentenanspruch nur aus der Versicherung dieser Personen ableiten und nach beamtenrechtlichen Vorschriften oder Grundsätzen bei Krankheit Anspruch auf Beihilfe haben.

(Fortsetzung der Anm. von voriger Seite)
S. 2426); Abs. 1 Nr. 1 geänd., Abs. 4 Satz 1 neu gef., Sätze 4–6 und Abs. 9 aufgeh. mWv 31.12.2010 durch G v. 22.12.2010 (BGBl. I S. 2309); Abs. 1 Nr. 1a geänd. mWv 29.6.2011 durch G v. 22.6.2011 (BGBl. I S. 1202); Abs. 8 aufgeh. mWv 11.5.2019 durch G v. 6.5.2019 (BGBl. I S. 646); Abs. 3a neu gef., Abs. 3b eingef. mWv 1.1.2026 durch G v. 22.12.2025 (BGBl. 2025 I Nr. 371).

(3) [1] Die nach Absatz 1 oder anderen gesetzlichen Vorschriften mit Ausnahme von Absatz 2 und § 7 versicherungsfreien oder von der Versicherungspflicht befreiten Personen bleiben auch dann versicherungsfrei, wenn sie eine der in § 5 Abs. 1 Nr. 1 oder Nr. 5 bis 13 genannten Voraussetzungen erfüllen. [2] Dies gilt nicht für die in Absatz 1 Nr. 3 genannten Personen, solange sie während ihrer Beschäftigung versicherungsfrei sind.

(3a) [1] Personen, die nach Vollendung des 55. Lebensjahres versicherungspflichtig werden, sind versicherungsfrei, wenn sie in den letzten fünf Jahren vor Eintritt der Versicherungspflicht nicht gesetzlich versichert waren. [2] Weitere Voraussetzung ist, dass diese Personen mindestens die Hälfte dieser Zeit versicherungsfrei, von der Versicherungspflicht befreit oder nach § 5 Absatz 5 nicht versicherungspflichtig waren. [3] Entfällt für diese Personen die Versicherungsfreiheit, die Befreiung von der Versicherungspflicht oder die hauptberufliche selbständige Erwerbstätigkeit nach Vollendung des 55. Lebensjahres, gelten die Versicherungsfreiheit, die Befreiung von der Versicherungspflicht oder die wegen hauptberuflich selbständiger Erwerbstätigkeit nicht bestehende Versicherungspflicht nach § 5 Absatz 5 als im Sinne des Satzes 2 fortbestehend. [4] Der Voraussetzung nach Satz 2 auch in Verbindung mit Satz 3 steht die Ehe oder die Lebenspartnerschaft mit einer in den Sätzen 2 und 3 genannten Person gleich. [5] Satz 1 gilt nicht für Personen, die nach § 5 Absatz 1 Nummer 13 versicherungspflichtig sind.

(3b) [1] Personen, die nach Vollendung des 55. Lebensjahres eine Absicherung im Krankheitsfall begründen, die nach zwischenstaatlichen oder supranationalen Vorschriften einer Versicherung in der gesetzlichen Krankenversicherung gleichgestellt ist, sind, auch wenn sie nach Begründung dieser Absicherung im Krankheitsfall nach diesem Buch versicherungspflichtig werden, versicherungsfrei, wenn sie in den letzten fünf Jahren vor der Begründung dieser Absicherung im Krankheitsfall nicht gesetzlich versichert waren und mindestens die Hälfte dieser Zeit versicherungsfrei, von der Versicherungspflicht befreit oder nach § 5 Absatz 5 nicht versicherungspflichtig waren. [2] Absatz 3a Satz 4 gilt entsprechend.

(4) [1] Wird die Jahresarbeitsentgeltgrenze überschritten, endet die Versicherungspflicht mit Ablauf des Kalenderjahres, in dem sie überschritten wird. [2] Dies gilt nicht, wenn das Entgelt die vom Beginn des nächsten Kalenderjahres an geltende Jahresarbeitsentgeltgrenze nicht übersteigt. [3] Rückwirkende Erhöhungen des Entgelts werden dem Kalenderjahr zugerechnet, in dem der Anspruch auf das erhöhte Entgelt entstanden ist.

(5) *(aufgehoben)*

(6) [1] Die Jahresarbeitsentgeltgrenze nach Absatz 1 Nr. 1 beträgt im Jahr 2003 45 900 Euro. [2] Sie ändert sich zum 1. Januar eines jeden Jahres in dem Verhältnis, in dem die Bruttolöhne und -gehälter je Arbeitnehmer (§ 68 Abs. 2 Satz 1 des Sechsten Buches[1)]) im vergangenen Kalenderjahr zu den entsprechenden Bruttolöhnen und -gehältern im vorvergangenen Kalenderjahr stehen. [3] Die veränderten Beträge werden nur für das Kalenderjahr, für das die Jahresarbeitsentgeltgrenze bestimmt wird, auf das nächsthöhere Vielfache von 450 aufgerundet. [4] Die Bundesregierung setzt die Jahresarbeitsentgeltgrenze in der Rechtsverordnung nach § 160 des Sechsten Buches Sozialgesetzbuch[2)] fest.

[1)] **beck-online, Module Arbeitsrecht Nr. 696.**

[2)] Nr. 696.

(7) [1] Abweichend von Absatz 6 Satz 1 beträgt die Jahresarbeitsentgeltgrenze für Arbeiter und Angestellte, die am 31. Dezember 2002 wegen Überschreitens der an diesem Tag geltenden Jahresarbeitsentgeltgrenze versicherungsfrei und bei einem privaten Krankenversicherungsunternehmen in einer substitutiven Krankenversicherung versichert waren, im Jahr 2003 41 400 Euro. [2] Absatz 6 Satz 2 bis 4 gilt entsprechend.

§ 7[1)] Versicherungsfreiheit bei geringfügiger Beschäftigung. (1) [1] Wer eine geringfügige Beschäftigung nach §§ 8, 8a des Vierten Buches[2)] ausübt, ist in dieser Beschäftigung versicherungsfrei; dies gilt nicht für eine Beschäftigung
1. im Rahmen betrieblicher Berufsbildung,
2. nach dem Jugendfreiwilligendienstegesetz[3)],
3. nach dem Bundesfreiwilligendienstgesetz[4)].

[2] § 8 Abs. 2 des Vierten Buches[2)] ist mit der Maßgabe anzuwenden, daß eine Zusammenrechnung mit einer nicht geringfügigen Beschäftigung nur erfolgt, wenn diese Versicherungspflicht begründet.

(2) [1] Personen, die am 30. September 2022 in einer mehr als geringfügigen Beschäftigung versicherungspflichtig waren, welche die Merkmale einer geringfügigen Beschäftigung nach § 8 oder § 8a des Vierten Buches[2)] in Verbindung mit § 8 Absatz 1 Nummer 1 des Vierten Buches[2)] in der ab dem 1. Oktober 2022 geltenden Fassung erfüllt, bleiben in dieser Beschäftigung längstens bis zum 31. Dezember 2023 versicherungspflichtig, sofern sie nicht die Voraussetzungen für eine Versicherung nach § 10 erfüllen und solange ihr Arbeitsentgelt 450 Euro monatlich übersteigt. [2] Sie werden auf ihren Antrag von der Versicherungspflicht nach Satz 1 befreit. [3] § 8 Absatz 2 gilt entsprechend mit der Maßgabe, dass an die Stelle des Zeitpunkts des Beginns der Versicherungspflicht der 1. Oktober 2022 tritt.

§ 8[5)] Befreiung von der Versicherungspflicht. (1) [1] Auf Antrag wird von der Versicherungspflicht befreit, wer versicherungspflichtig wird

---

[1)] § 7 Nr. 3 angef. durch G v. 17.12.1993 (BGBl. I S. 2118); Satz 2 angef. durch G v. 24.3.1999 (BGBl. I S. 388); Abs. 1 Satz 1 geänd., Abs. 2 angef. mWv 1.4.2003 durch G v. 23.12.2002 (BGBl. I S. 4621); Abs. 1 Satz 1 Nr. 2 neu gef., Nr. 3 aufgeh. mWv 1.6.2008 durch G v. 16.5.2008 (BGBl. I S. 842); Abs. 1 Satz 1 Nr. 2 geänd., Nr. 3 angef. mWv 3.5.2011 durch G v. 28.4.2011 (BGBl. I S. 687); Abs. 3 angef. mWv 1.1.2013 durch G v. 5.12.2012 (BGBl. I S. 2474); Abs. 3 aufgeh. mWv 11.5.2019 durch G v. 6.5.2019 (BGBl. I S. 646); Abs. 2 neu gef. mWv 1.10.2022 durch G v. 28.6.2022 (BGBl. I S. 969).

[2)] Nr. **694**.

[3)] Nr. **422**.

[4)] Nr. **422a**.

[5)] § 8 Abs. 1 Nr. 1a eingef. mWv 1.4.1998 durch G v. 16.12.1997 (BGBl. I S. 2970) und geänd. mWv 1.1.2000 durch G v. 22.12.1999 (BGBl. I S. 2626); Abs. 1 Nr. 2 geänd. mWv 2.1.2001 durch G v. 30.11.2000 (BGBl. I S. 1638); Abs. 1 Nrn. 4 und 7 geänd. mWv 1.7.2001 durch G v. 19.6.2001 (BGBl. I S. 1046); Abs. 1 Nr. 1 neu gef. mWv 1.1.2003 durch G v. 23.12.2002 (BGBl. I S. 4637); Abs. 1 Nr. 1a geänd. mWv 1.1.2005 durch G v. 24.12.2003 (BGBl. I S. 2954); Abs. 1 Nr. 2 geänd. mWv 1.1.2007 durch G v. 5.12.2006 (BGBl. I S. 2748); Abs. 1 Nr. 1a geänd. mWv 1.1.2009 durch G v. 26.3.2007 (BGBl. I S. 378); Abs. 1 Nr. 2a eingef. mWv 1.7.2008 durch G v. 28.5.2008 (BGBl. I S. 874); Abs. 1 Nr. 3 geänd. mWv 1.1.2011 durch G v. 22.12.2010 (BGBl. I S. 2309); Abs. 1 Nr. 2a erster und zweiter Halbs., Nr. 3 zweiter und vierter Halbs. geänd. mWv 1.1.2012 durch G v. 22.12.2011 (BGBl. I S. 2983); Abs. 2 Satz 4 angef. mWv 1.8.2013 durch G v. 15.7.2013 (BGBl. I S. 2423); Abs. 1 Nr. 2a neu gef., Nr. 3 geänd., Abs. 3 angef. mWv 1.1.2015 durch G v. 23.12.2014 (BGBl. I S. 2462); Abs. 1 Nr. 4 geänd. mWv 1.1.2017 durch G v. 21.12.2015 (BGBl. I S. 2408); Abs. 1 Satz 2 angef. mWv 15.12.2018 durch G v. 11.12.2018 (BGBl. I S. 2387).

1. wegen Änderung der Jahresarbeitsentgeltgrenze nach § 6 Abs. 6 Satz 2 oder Abs. 7,

1a. durch den Bezug von Arbeitslosengeld oder Unterhaltsgeld (§ 5 Abs. 1 Nr. 2) und in den letzten fünf Jahren vor dem Leistungsbezug nicht gesetzlich krankenversichert war, wenn er bei einem Krankenversicherungsunternehmen versichert ist und Vertragsleistungen erhält, die der Art und dem Umfang nach den Leistungen dieses Buches entsprechen,

2. durch Aufnahme einer nicht vollen Erwerbstätigkeit nach § 2 des Bundeserziehungsgeldgesetzes[1)] oder nach § 1 Abs. 6 des Bundeselterngeld- und Elternzeitgesetzes[2)] während der Elternzeit; die Befreiung erstreckt sich nur auf die Elternzeit,

2a. durch Herabsetzung der regelmäßigen Wochenarbeitszeit während einer Freistellung nach § 3 des Pflegezeitgesetzes[3)] oder der Familienpflegezeit nach § 2 des Familienpflegezeitgesetzes[4)]; die Befreiung erstreckt sich nur auf die Dauer einer Freistellung oder die Dauer der Familienpflegezeit,

3. weil seine Arbeitszeit auf die Hälfte oder weniger als die Hälfte der regelmäßigen Wochenarbeitszeit vergleichbarer Vollbeschäftigter des Betriebes herabgesetzt wird; dies gilt auch für Beschäftigte, die im Anschluß an ihr bisheriges Beschäftigungsverhältnis bei einem anderen Arbeitgeber ein Beschäftigungsverhältnis aufnehmen, das die Voraussetzungen des vorstehenden Halbsatzes erfüllt, sowie für Beschäftigte, die im Anschluss an die Zeiten des Bezugs von Elterngeld oder der Inanspruchnahme von Elternzeit oder einer Freistellung nach § 3 des Pflegezeitgesetzes oder § 2 des Familienpflegezeitgesetzes ein Beschäftigungsverhältnis im Sinne des ersten Teilsatzes aufnehmen, das bei Vollbeschäftigung zur Versicherungsfreiheit nach § 6 Absatz 1 Nummer 1 führen würde; Voraussetzung ist ferner, daß der Beschäftigte seit mindestens fünf Jahren wegen Überschreitens der Jahresarbeitsentgeltgrenze versicherungsfrei ist; Zeiten des Bezugs von Erziehungsgeld oder Elterngeld oder der Inanspruchnahme von Elternzeit oder einer Freistellung nach § 3 des Pflegezeitgesetzes oder § 2 des Familienpflegezeitgesetzes werden angerechnet,

4. durch den Antrag auf Rente oder den Bezug von Rente oder die Teilnahme an einer Leistung zur Teilhabe am Arbeitsleben (§ 5 Abs. 1 Nr. 6, 11 bis 12),

5. durch die Einschreibung als Student oder die berufspraktische Tätigkeit (§ 5 Abs. 1 Nr. 9 oder 10),

6. durch die Beschäftigung als Arzt im Praktikum,

7. durch die Tätigkeit in einer Einrichtung für behinderte Menschen (§ 5 Abs. 1 Nr. 7 oder 8).

[2]Das Recht auf Befreiung setzt nicht voraus, dass der Antragsteller erstmals versicherungspflichtig wird.

(2) [1]Der Antrag ist innerhalb von drei Monaten nach Beginn der Versicherungspflicht bei der Krankenkasse zu stellen. [2]Die Befreiung wirkt vom Beginn der Versicherungspflicht an, wenn seit diesem Zeitpunkt noch keine Leistungen in Anspruch genommen wurden, sonst vom Beginn des Kalendermonats an, der

---

[1)] **beck-online, Module Arbeitsrecht Nr. 401a.**
[2)] Nr. **401**.
[3)] Nr. **409**.
[4)] Nr. **410**.

auf die Antragstellung folgt. [3] Die Befreiung kann nicht widerrufen werden. [4] Die Befreiung wird nur wirksam, wenn das Mitglied das Bestehen eines anderweitigen Anspruchs auf Absicherung im Krankheitsfall nachweist.

(3) [1] Personen, die am 31. Dezember 2014 von der Versicherungspflicht nach Absatz 1 Nummer 2a befreit waren, bleiben auch für die Dauer der Nachpflegephase nach § 3 Absatz 1 Nummer 1 Buchstabe c des Familienpflegezeitgesetzes in der am 31. Dezember 2014 geltenden Fassung befreit. [2] Bei Anwendung des Absatzes 1 Nummer 3 steht der Freistellung nach § 2 des Familienpflegezeitgesetzes die Nachpflegephase nach § 3 Absatz 1 Nummer 1 Buchstabe c des Familienpflegezeitgesetzes in der am 31. Dezember 2014 geltenden Fassung gleich.

Zweiter Abschnitt. Versicherungsberechtigung

§ 9 *(hier nicht wiedergegeben)*

Dritter Abschnitt. Versicherung der Familienangehörigen

§ 10[1)] Familienversicherung. (1) [1] Versichert sind der Ehegatte, der Lebenspartner und die Kinder von Mitgliedern sowie die Kinder von familienversicherten Kindern, wenn diese Familienangehörigen

1. ihren Wohnsitz oder gewöhnlichen Aufenthalt im Inland haben,
2. nicht nach § 5 Absatz 1 Nummer 1 bis 8, 11 bis 12 oder nicht freiwillig versichert sind,
3. nicht versicherungsfrei oder nicht von der Versicherungspflicht befreit sind,
4. nicht hauptberuflich selbständig erwerbstätig sind und
5. kein Gesamteinkommen haben, das regelmäßig im Monat ein Siebtel der monatlichen Bezugsgröße nach § 18 des Vierten Buches[2)] überschreitet.

[1)] § 10 Abs. 1 Nr. 1 geänd. durch G v. 20.12.1991 (BGBl. I S. 2325); Abs. 6 angef. durch G v. 21.12.1992 (BGBl. I S. 2266); Abs. 2 Nr. 3 geänd. durch G v. 17.12.1993 (BGBl. I S. 2118) sowie Abs. 1 Satz 2 angef. mWv 1.1.1995 durch G v. 29.7.1994 (BGBl. I S. 1890); Abs. 1 Satz 1 Nr. 5 geänd. mWv 1.7.1998 durch G v.16.12.1997 (BGBl. I S. 2998); Abs. 1 Satz 3 angef. mWv 1.1.2000 durch G v. 22.12.1999 (BGBl. I S. 2626); Abs. 1 Satz 3 geänd. mWv 2.1.2001 durch G v. 30.11.2000 (BGBl. I S. 1638); Abs. 1 Satz 1 und 3, Abs. 3 geänd., Abs. 4 Satz 3 angef. mWv 1.8.2001 durch G v. 16.2.2001 (BGBl. I S. 266); Abs. 2 Nr. 4 geänd. mWv 1.7.2001 durch G v. 19.6.2001 (BGBl. I S. 1046); Abs. 1 Satz 1 Nr. 5 geänd. mWv 1.4.2003 durch G v. 23.12.2002 (BGBl. I S. 4621); Abs. 1 Satz 1 Nr. 2 geänd. mWv 1.1.2005 durch G v. 24.12.2003 (BGBl. I S. 2954); Abs. 1 Satz 1 geänd. mWv 30.3.2005 durch G v. 21.3.2005 (BGBl. I S. 818); Abs. 6 Satz 2 neu gef. mWv 1.7.2008 durch G v. 26.3.2007 (BGBl. I S. 378); Abs. 2 Nr. 3 geänd. mWv 1.6.2008 durch G v. 16.5.2008 (BGBl. I S. 842); Abs. 1 Satz 3 eingef., bish. Satz 3 wird Satz 4 mWv 16.12.2008 durch G v. 10.12.2008 (BGBl. I S. 2403); Abs. 2 Nr. 3 geänd. mWv 3.5.2011 durch G v. 28.4.2011 (BGBl. I S. 687); Abs. 2 Nr. 3 dritter Halbs. angef. mWv 1.1.2012 durch G v. 22.12.2011 (BGBl. I S. 2983); Abs. 1 Satz 1 Nr. 5 geänd. mWv 1.1.2013 durch G v. 5.12.2012 (BGBl. I S. 2474); Abs. 1 Satz 3 geänd. mWv 21.2.2013 durch G v. 15.2.2013 (BGBl. I S. 250); Abs. 2 Nr. 3 geänd. mWv 13.4.2013 durch G v. 8.4.2013 (BGBl. I S. 730); Abs. 1 Satz 1 Nr. 2 geänd. mWv 1.1.2016 durch G v. 21.7.2014 (BGBl. I S. 1133); Abs. 1 Satz 3 geänd. mWv 23.7.2015 durch G v. 16.7.2015 (BGBl. I S. 1211); Abs. 1 Satz 1 Nr. 2 geänd. mWv 1.1.2017 durch G v. 21.12.2015 (BGBl. I S. 2408); Abs. 1 Satz 4 geänd. mWv 1.1.2018 durch G v. 23.5.2017 (BGBl. I S. 1228); Abs. 1 Satz 3 aufgeh., bish. Satz 4 wird Satz 3 mWv 1.1.2019 durch G v. 11.12.2018 (BGBl. I S. 2387); Abs. 1 Satz 1 Nr. 5, Abs. 2 Nr. 3 und 4, Abs. 4 Satz 1 geänd. mWv 11.5.2019 durch G v. 6.5.2019 (BGBl. I S. 646); Abs. 2 Nr. 3 geänd. mWv 1.1.2020 durch G v. 14.12.2019 (BGBl. I S. 2789); Abs. 1 Satz 1 Nr. 5 geänd. mWv 1.1.2020 durch G v. 12.6.2020 (BGBl. I S. 1248); Abs. 2 Nr. 3 geänd. mWv 20.7.2021 durch G v. 11.7.2021 (BGBl. I S. 2754); Abs. 1 Satz 1 Nr. 5 geänd. mWv 1.10.2022 durch G v. 28.6.2022 (BGBl. I S. 969); Abs. 1 neu gef. mWv 1.1.2026 durch G v. 22.12.2025 (BGBl. 2025 I Nr. 371).

[2)] Nr. **694**.

[2]Die Versicherungsfreiheit nach § 7 bleibt bei der Prüfung der Voraussetzung nach Satz 1 Nummer 3 außer Betracht. [3]Eine hauptberufliche selbständige Tätigkeit im Sinne des Satzes 1 Nummer 4 ist nicht deshalb anzunehmen, weil eine Versicherung nach § 1 Absatz 3 des Gesetzes über die Alterssicherung der Landwirte[1)] besteht. [4]Bei Abfindungen, Entschädigungen oder ähnlichen Leistungen (Entlassungsentschädigungen), die wegen der Beendigung eines Arbeitsverhältnisses in Form nicht monatlich wiederkehrender Leistungen gezahlt werden, wird zur Ermittlung des Gesamteinkommens nach Satz 1 Nummer 5 das zuletzt erzielte monatliche Arbeitsentgelt für die der Auszahlung der Entlassungsentschädigung folgenden Monate bis zu dem Monat berücksichtigt, in dem im Fall der Fortzahlung des Arbeitsentgelts die Höhe der gezahlten Entlassungsentschädigung erreicht worden wäre. [5]Renten werden für das Gesamteinkommen nach Satz 1 Nummer 5 mit dem Zahlbetrag ohne den auf Entgeltpunkte für Kindererziehungszeiten entfallenden Teil berücksichtigt. [6]Für Familienangehörige, die eine geringfügige Beschäftigung nach § 8 Absatz 1 Nummer 1 des Vierten Buches oder § 8a des Vierten Buches in Verbindung mit § 8 Absatz 1 Nummer 1 des Vierten Buches[2)] ausüben, ist ein regelmäßiges monatliches Gesamteinkommen im Sinne des Satzes 1 Nummer 5 bis zur Geringfügigkeitsgrenze zulässig. [7]Ehegatten und Lebenspartner sind abweichend von Satz 1 für die Dauer der Schutzfristen nach § 3 des Mutterschutzgesetzes[3)] und für die Dauer der Elternzeit nicht versichert, wenn sie zuletzt vor diesen Zeiträumen nicht gesetzlich krankenversichert waren. [8]Ehegatten und Lebenspartner sind abweichend von Satz 1 nicht versichert, wenn sie

1. eine Rente wegen Alters als Teilrente in Anspruch nehmen,
2. die in Satz 1 Nummer 5 genannte Voraussetzung nicht erfüllen würden, wenn sie die Rente stattdessen in voller Höhe in Anspruch nehmen würden und
3. zuletzt vor Inanspruchnahme der Teilrente nicht gesetzlich krankenversichert waren.

(2) Kinder sind versichert

1. bis zur Vollendung des achtzehnten Lebensjahres,
2. bis zur Vollendung des dreiundzwanzigsten Lebensjahres, wenn sie nicht erwerbstätig sind,
3. bis zur Vollendung des fünfundzwanzigsten Lebensjahres, wenn sie sich in Schul- oder Berufsausbildung befinden oder ein freiwilliges soziales Jahr oder ein freiwilliges ökologisches Jahr im Sinne des Jugendfreiwilligendienstegesetzes[4)] leisten; wird die Schul- oder Berufsausbildung durch Erfüllung einer gesetzlichen Dienstpflicht des Kindes unterbrochen oder verzögert, besteht die Versicherung auch für einen der Dauer dieses Dienstes entsprechenden Zeitraum über das fünfundzwanzigste Lebensjahr hinaus; dies gilt auch bei einer Unterbrechung oder Verzögerung durch den freiwilligen Wehrdienst

(Fortsetzung nächstes Blatt)

[1)] **Aichberger, SGB Nr. 30/10.**
[2)] Nr. **694**.
[3)] Nr. **400**.
[4)] Nr. **422**.

nach § 58b des Soldatengesetzes, einen Freiwilligendienst nach dem Bundesfreiwilligendienstgesetz, dem Jugendfreiwilligendienstegesetz oder einen vergleichbaren anerkannten Freiwilligendienst oder durch eine Tätigkeit als Entwicklungshelfer im Sinne des § 1 Absatz 1 des Entwicklungshelfer-Gesetzes für die Dauer von höchstens zwölf Monaten; wird als Berufsausbildung ein Studium an einer staatlichen oder staatlich anerkannten Hochschule abgeschlossen, besteht die Versicherung bis zum Ablauf des Semesters fort, längstens bis zur Vollendung des 25. Lebensjahres; § 186 Absatz 7 Satz 2 und 3 gilt entsprechend,

4. ohne Altersgrenze, wenn sie als Menschen mit Behinderungen (§ 2 Abs. 1 Satz 1 des Neunten Buches) außerstande sind, sich selbst zu unterhalten; Voraussetzung ist, daß die Behinderung zu einem Zeitpunkt vorlag, in dem das Kind innerhalb der Altersgrenzen nach den Nummern 1, 2 oder 3 familienversichert war oder die Familienversicherung nur wegen einer Vorrangversicherung nach Absatz 1 Satz 1 Nummer 2 ausgeschlossen war.

(3) Kinder sind nicht versichert, wenn der mit den Kindern verwandte Ehegatte oder Lebenspartner des Mitglieds nicht Mitglied einer Krankenkasse ist und sein Gesamteinkommen regelmäßig im Monat ein Zwölftel der Jahresarbeitsentgeltgrenze übersteigt und regelmäßig höher als das Gesamteinkommen des Mitglieds ist; bei Renten wird der Zahlbetrag berücksichtigt.

(4) [1] Als Kinder im Sinne der Absätze 1 bis 3 gelten auch Stiefkinder und Enkel, die das Mitglied überwiegend unterhält oder in seinen Haushalt aufgenommen hat, sowie Pflegekinder (§ 56 Abs. 2 Nr. 2 des Ersten Buches). [2] Kinder, die mit dem Ziel der Annahme als Kind in die Obhut des Annehmenden aufgenommen sind und für die die zur Annahme erforderliche Einwilligung der Eltern erteilt ist, gelten als Kinder des Annehmenden und nicht mehr als Kinder der leiblichen Eltern. [3] Stiefkinder im Sinne des Satzes 1 sind auch die Kinder des Lebenspartners eines Mitglieds.

(5) Sind die Voraussetzungen der Absätze 1 bis 4 mehrfach erfüllt, wählt das Mitglied die Krankenkasse.

(6) [1] Das Mitglied hat die nach den Absätzen 1 bis 4 Versicherten mit den für die Durchführung der Familienversicherung notwendigen Angaben sowie die Änderung dieser Angaben an die zuständige Krankenkasse zu melden. [2] Der Spitzenverband Bund der Krankenkassen legt für die Meldung nach Satz 1 ein einheitliches Verfahren und einheitliche Meldevordrucke fest.

Drittes Kapitel. Leistungen der Krankenversicherung

Erster Abschnitt. Übersicht über die Leistungen

§ 11[1] Leistungsarten. (1) Versicherte haben nach den folgenden Vorschriften Anspruch auf Leistungen

[1] § 11 Abs. 1 Satz 1 Nr. 5 aufgeh. sowie Abs. 2 neu gef. durch G v. 26.5.1994 (BGBl. I S. 1014); Abs. 1 Nr. 2 geänd. durch G v. 21.8.1995 (BGBl. I S. 1050); Abs. 1 Nr. 1 aufgeh. sowie Nr. 2 geänd. durch G v. 1.11.1996 (BGBl. I S. 1631); Abs. 1 Satz 1 Nr. 2, Abs. 2 Satz 1 geänd. mWv 1.1.2000 durch G v. 22.12.1999 (BGBl. I S. 2626); Abs. 2 Satz 1 neu gef., Abs. 2 Satz 3 angef. mWv 1.7.2001 durch G v. 19.6.2001 (BGBl. I S. 1046); Abs. 1 Satz 2 aufgeh. mWv 1.1.2004 durch G v. 14.11.2003 (BGBl. I S. 2190); ; Abs. 1 Satz 1 Nr. 4 geänd., Nr. 5 angef. mWv 1.7.2004 durch G v. 27.12.2003 (BGBl. I S. 3022); Abs. 4 eingef., bish. Abs. 4 wird Abs. 5 mWv 1.4.2007 durch G v. 26.3.2007 (BGBl. I S. 378); Abs. 4 Satz 4 eingef., bish. Sätze 4 und 5 werden Sätze 5 und 6 mWv 1.7.2008 durch G v. 28.5.2008 (BGBl. I S. 874); Abs. 3 geänd. mWv 5.8.2009 durch G v. 30.7.2009 (BGBl. I S. 2495); →

1. bei Schwangerschaft und Mutterschaft (§§ 24c bis 24i),
2. zur Verhütung von Krankheiten und von deren Verschlimmerung sowie zur Empfängnisverhütung, bei Sterilisation und bei Schwangerschaftsabbruch (§§ 20 bis 24b),
3. zur Erfassung von gesundheitlichen Risiken und Früherkennung von Krankheiten (§§ 25 und 26),
4. zur Behandlung einer Krankheit (§§ 27 bis 52),
5. des Persönlichen Budgets nach § 29 des Neunten Buches.

(2) [1] Versicherte haben auch Anspruch auf Leistungen zur medizinischen Rehabilitation sowie auf unterhaltssichernde und andere ergänzende Leistungen, die notwendig sind, um eine Behinderung oder Pflegebedürftigkeit abzuwenden, zu beseitigen, zu mindern, auszugleichen, ihre Verschlimmerung zu verhüten oder ihre Folgen zu mildern. [2] Leistungen der aktivierenden Pflege nach Eintritt von Pflegebedürftigkeit werden von den Pflegekassen erbracht. [3] Die Leistungen nach Satz 1 werden unter Beachtung des Neunten Buches erbracht, soweit in diesem Buch nichts anderes bestimmt ist.

(3) [1] Bei stationärer Behandlung umfassen die Leistungen auch die aus medizinischen Gründen notwendige Mitaufnahme einer Begleitperson des Versicherten oder bei stationärer Behandlung in einem Krankenhaus nach § 108 oder einer Vorsorge- oder Rehabilitationseinrichtung nach § 107 Absatz 2 die Mitaufnahme einer Pflegekraft, soweit Versicherte ihre Pflege nach § 63b Absatz 6 Satz 1 des Zwölften Buches durch von ihnen beschäftigte besondere Pflegekräfte sicherstellen. [2] Bei der stationären Behandlung eines versicherten Kindes, das das neunte Lebensjahr noch nicht vollendet hat, wird die Notwendigkeit der Mitaufnahme einer Begleitperson aus medizinischen Gründen unwiderlegbar vermutet. [3] Ist bei stationärer Behandlung die Anwesenheit einer Begleitperson aus medizinischen Gründen notwendig, eine Mitaufnahme in die stationäre Einrichtung jedoch nicht möglich, kann die Unterbringung der Begleitperson auch außerhalb des Krankenhauses oder der Vorsorge- oder Rehabilitationseinrichtung erfolgen. [4] Die Krankenkasse bestimmt nach den medizinischen Erfordernissen des Einzelfalls Art und Dauer der Leistungen für eine Unterbringung nach Satz 3 nach pflichtgemäßem Ermessen; die Kosten dieser Leistungen dürfen nicht höher sein als die für eine Mitaufnahme der Begleitperson in die stationäre Einrichtung nach Satz 1 anfallenden Kosten.

(4) [1] Versicherte haben Anspruch auf ein Versorgungsmanagement insbesondere zur Lösung von Problemen beim Übergang in die verschiedenen Versorgungsbereiche; dies umfasst auch die fachärztliche Anschlussversorgung.

(Fortsetzung der Anm. von voriger Seite)
Abs. 4 Satz 1 zweiter Halbs. angef., Satz 6 geänd., Abs. 6 angef. mWv 1.1.2012 durch G v. 22.12.2011 (BGBl. I S. 2983); Abs. 5 Satz 2 angef. mWv 1.8.2012 durch G v. 21.7.2012 (BGBl. I S. 1601); Abs. 1 Nr. 1 neu gef., Abs. 6 Satz 1 geänd. mWv 30.10.2012 durch G v. 23.10.2012 (BGBl. I S. 2246); Abs. 3 geänd. mWv 28.12.2012 durch G v. 20.12.2012 (BGBl. I S. 2789); Abs. 4 Satz 6 geänd. mWv 23.7.2015 durch G v. 16.7.2015 (BGBl. I S. 1211); Abs. 1 Nr. 3 geänd. mWv 25.7.2015 durch G v. 17.7.2015 (BGBl. I S. 1368); Abs. 3 geänd. mWv 1.1.2017 durch G v. 23.12.2016 (BGBl. I S. 3191); Abs. 1 Nr. 5 geänd. mWv 1.1.2018 durch G v. 23.12.2016 (BGBl. I S. 3234); Abs. 3 Sätze 2 und 3 angef. mWv 1.1.2019 durch G v. 11.12.2018 (BGBl. I S. 2394); Abs. 6 Satz 1 geänd. mWv 20.10.2020 durch G v. 14.10.2020 (BGBl. I S. 2115); Abs. 3 Satz 2 eingef., bish. Sätze 2 und 3 werden Sätze 3 und 4, neuer Satz 4 geänd. mWv 1.1.2024 durch G v. 12.12.2023 (BGBl. 2023 I Nr. 359).

²Die betroffenen Leistungserbringer sorgen für eine sachgerechte Anschlussversorgung des Versicherten und übermitteln sich gegenseitig die erforderlichen Informationen. ³Sie sind zur Erfüllung dieser Aufgabe von den Krankenkassen zu unterstützen. ⁴In das Versorgungsmanagement sind die Pflegeeinrichtungen einzubeziehen; dabei ist eine enge Zusammenarbeit mit Pflegeberatern und Pflegeberaterinnen nach § 7a des Elften Buches[1] zu gewährleisten. ⁵Das Versorgungsmanagement und eine dazu erforderliche Übermittlung von Daten darf nur mit Einwilligung und nach vorheriger Information des Versicherten erfolgen. ⁶Soweit in Verträgen nach § 140a nicht bereits entsprechende Regelungen vereinbart sind, ist das Nähere im Rahmen von Verträgen mit sonstigen Leistungserbringern der gesetzlichen Krankenversicherung und mit Leistungserbringern nach dem Elften Buch sowie mit den Pflegekassen zu regeln.

(5) ¹Auf Leistungen besteht kein Anspruch, wenn sie als Folge eines Arbeitsunfalls oder einer Berufskrankheit im Sinne der gesetzlichen Unfallversicherung zu erbringen sind. ²Dies gilt auch in Fällen des § 12a des Siebten Buches[2].

(6) ¹Die Krankenkasse kann in ihrer Satzung zusätzliche vom Gemeinsamen Bundesausschuss nicht ausgeschlossene Leistungen in der fachlich gebotenen Qualität im Bereich der medizinischen Vorsorge und Rehabilitation (§§ 23, 40), der Leistungen von Hebammen bei Schwangerschaft und Mutterschaft (§ 24d), der künstlichen Befruchtung (§ 27a), der zahnärztlichen Behandlung ohne die Versorgung mit Zahnersatz (§ 28 Absatz 2), bei der Versorgung mit nicht verschreibungspflichtigen apothekenpflichtigen Arzneimitteln (§ 34 Absatz 1 Satz 1), mit Heilmitteln (§ 32), mit Hilfsmitteln (§ 33) und mit digitalen Gesundheitsanwendungen (§ 33a), im Bereich der häuslichen Krankenpflege (§ 37) und der Haushaltshilfe (§ 38) sowie Leistungen von nicht zugelassenen Leistungserbringern vorsehen. ²Die Satzung muss insbesondere die Art, die Dauer und den Umfang der Leistung bestimmen; sie hat hinreichende Anforderungen an die Qualität der Leistungserbringung zu regeln. ³Die zusätzlichen Leistungen sind von den Krankenkassen in ihrer Rechnungslegung gesondert auszuweisen.

Zweiter Abschnitt. Gemeinsame Vorschriften

§ 12[3] Wirtschaftlichkeitsgebot. (1) ¹Die Leistungen müssen ausreichend, zweckmäßig und wirtschaftlich sein; sie dürfen das Maß des Notwendigen nicht überschreiten. ²Leistungen, die nicht notwendig oder unwirtschaftlich sind, können Versicherte nicht beanspruchen, dürfen die Leistungserbringer nicht bewirken und die Krankenkassen nicht bewilligen.

(2) Ist für eine Leistung ein Festbetrag festgesetzt, erfüllt die Krankenkasse ihre Leistungspflicht mit dem Festbetrag.

(3) Hat die Krankenkasse Leistungen ohne Rechtsgrundlage oder entgegen geltendem Recht erbracht und hat ein Vorstandsmitglied hiervon gewußt oder hätte es hiervon wissen müssen, hat die zuständige Aufsichtsbehörde nach Anhörung des Vorstandsmitglieds den Verwaltungsrat zu veranlassen, das Vorstandsmitglied auf Ersatz des aus der Pflichtverletzung entstandenen Schadens

[1] **Aichberger, SGB Nr. 11.**
[2] Nr. **697**.
[3] § 12 Abs. 3 neu gef. durch G v. 21.12.1992 (BGBl. I S. 2266).

in Anspruch zu nehmen, falls der Verwaltungsrat das Regreßverfahren nicht bereits von sich aus eingeleitet hat.

§ 13[1] Kostenerstattung. (1) Die Krankenkasse darf anstelle der Sach- oder Dienstleistung (§ 2 Abs. 2) Kosten nur erstatten, soweit es dieses oder das Neunte Buch[2] vorsieht.

(2) [1]Versicherte können anstelle der Sach- oder Dienstleistungen Kostenerstattung wählen. [2]Hierüber haben sie ihre Krankenkasse vor Inanspruchnahme der Leistung in Kenntnis zu setzen. [3]Der Leistungserbringer hat die Versicherten vor Inanspruchnahme der Leistung darüber zu informieren, dass Kosten, die nicht von der Krankenkasse übernommen werden, von dem Versicherten zu tragen sind. [4]Eine Einschränkung der Wahl auf den Bereich der ärztlichen Versorgung, der zahnärztlichen Versorgung, den stationären Bereich oder auf veranlasste Leistungen ist möglich. [5]Nicht im Vierten Kapitel genannte Leistungserbringer dürfen nur nach vorheriger Zustimmung der Krankenkasse in Anspruch genommen werden. [6]Eine Zustimmung kann erteilt werden, wenn medizinische oder soziale Gründe eine Inanspruchnahme dieser Leistungserbringer rechtfertigen und eine zumindest gleichwertige Versorgung gewährleistet ist. [7]Die Inanspruchnahme von Leistungserbringern nach § 95b Absatz 3 Satz 1 im Wege der Kostenerstattung ist ausgeschlossen. [8]Anspruch auf Erstattung besteht höchstens in Höhe der Vergütung, die die Krankenkasse bei Erbringung als Sachleistung zu tragen hätte. [9]Die Satzung hat das Verfahren der Kostenerstattung zu regeln. [10]Sie kann dabei Abschläge vom Erstattungsbetrag für Verwaltungskosten in Höhe von höchstens 5 Prozent in Abzug bringen. [11]Im Falle der Kostenerstattung nach § 129 Absatz 1 Satz 6 sind die der Krankenkasse entgangenen Rabatte nach § 130a Absatz 8 sowie die Mehrkosten im Vergleich zur Abgabe eines Arzneimittels nach § 129 Absatz 1 Satz 3 und 5 zu berücksichtigen; die Abschläge sollen pauschaliert werden. [12]Die Versicherten sind an ihre Wahl der Kostenerstattung mindestens ein Kalendervierteljahr gebunden.

(3) [1]Konnte die Krankenkasse eine unaufschiebbare Leistung nicht rechtzeitig erbringen oder hat sie eine Leistung zu Unrecht abgelehnt und sind dadurch Versicherten für die selbstbeschaffte Leistung Kosten entstanden, sind diese von der Krankenkasse in der entstandenen Höhe zu erstatten, soweit die

---

[1] § 13 Abs. 2 eingef., bish. Abs. 2 wird Abs. 3, Abs. 4 angef. mWv 1.1.1993 durch G v. 21.12.1992 (BGBl. I S. 2266); Abs. 4 aufgeh. durch G v. 23.6.1997 (BGBl. I S. 1520); Abs. 2 neu gef. durch G v. 19.12.1998 (BGBl. I S. 3853); Abs. 1 geänd., Abs. 3 Satz 2 angef. mWv 1.7.2001 durch G v. 19.6. 2001 (BGBl. I S. 1046); Abs. 2 Sätze 1 und 2 neu gef., Sätze 3 bis 5 eingef., bish. Sätze 3 bis 6 werden Sätze 6 bis 9, Satz 9 geänd., Satz 10 und Abs. 4 bis 6 angef. mWv 1.1.2004 durch G v. 14.11.2003 (BGBl. I S. 2190); Abs. 4 Satz 1, Abs. 5 Satz 1 neu gef. mWv 1.1.2007 durch G v. 22.12.2006 (BGBl. I S. 3439); Abs. 2 Sätze 2 und 3 neu gef., Sätze 4 und 5 eingef., bish. Sätze 4 bis 10 werden Sätze 6 bis 12, Satz 13 angef. mWv 1.4.2007 durch G v. 26.3.2007 (BGBl. I S. 378); Abs. 2 Satz 11 zweiter Halbs. angef. mWv 1.1.2011 durch G v. 22.12.2010 (BGBl. I S. 2262); Abs. 2 neu gef. mWv 2.1.2011 durch G v. 22.12.2010 (BGBl. I S. 2309); Abs. 4 Satz 1 und Abs. 5 Satz 1 geänd. mWv 29.6.2011 durch G v. 22.6.2011 (BGBl. I S. 1202); Abs. 3a eingef. mWv 26.2.2013 durch G v. 20.2.2013 (BGBl. I S. 277); Abs. 3 Satz 2 geänd., Abs. 3a Satz 9 neu gef. mWv 1.1.2018 durch G v. 23.12.2016 (BGBl. I S. 3234); Abs. 3a Satz 4 und Abs. 4 Satz 5 geänd. mWv 11.5.2019 durch G v. 6.5.2019 (BGBl. I S. 646); Abs. 3 Satz 3 angef. mWv 1.9.2020 durch G v. 15.11.2019 (BGBl. I S. 1604); Abs. 3a Satz 1 geänd. mWv 1.1.2020 durch G v. 14.12.2019 (BGBl. I S. 2789); Abs. 3a Satz 5 geänd. mWv 1.7.2020 durch G v. 12.6.2020 (BGBl. I S. 1248); Abs. 2 Satz 11 geänd. mWv 20.7.2021 durch G v. 11.7.2021 (BGBl. I S. 2754).

[2] Auszugsweise abgedruckt unter Nr. **440**.

Leistung notwendig war. [2] Die Kosten für selbstbeschaffte Leistungen zur medizinischen Rehabilitation nach dem Neunten Buch werden nach § 18 des Neunten Buches[1)] erstattet. [3] Die Kosten für selbstbeschaffte Leistungen, die durch einen Psychotherapeuten erbracht werden, sind erstattungsfähig, sofern dieser die Voraussetzungen des § 95c erfüllt.

(3a) [1] Die Krankenkasse hat über einen Antrag auf Leistungen zügig, spätestens bis zum Ablauf von drei Wochen nach Antragseingang oder in Fällen, in denen eine gutachtliche Stellungnahme, insbesondere des Medizinischen Dienstes, eingeholt wird, innerhalb von fünf Wochen nach Antragseingang zu entscheiden. [2] Wenn die Krankenkasse eine gutachtliche Stellungnahme für erforderlich hält, hat sie diese unverzüglich einzuholen und die Leistungsberechtigten hierüber zu unterrichten. [3] Der Medizinische Dienst nimmt innerhalb von drei Wochen gutachtlich Stellung. [4] Wird ein im Bundesmantelvertrag für Zahnärzte vorgesehenes Gutachterverfahren gemäß § 87 Absatz 1c durchgeführt, hat die Krankenkasse ab Antragseingang innerhalb von sechs Wochen zu entscheiden; der Gutachter nimmt innerhalb von vier Wochen Stellung. [5] Kann die Krankenkasse Fristen nach Satz 1 oder Satz 4 nicht einhalten, teilt sie dies den Leistungsberechtigten unter Darlegung der Gründe rechtzeitig schriftlich oder elektronisch mit; für die elektronische Mitteilung gilt § 37 Absatz 2b des Zehnten Buches[2)] entsprechend. [6] Erfolgt keine Mitteilung eines hinreichenden Grundes, gilt die Leistung nach Ablauf der Frist als genehmigt. [7] Beschaffen sich Leistungsberechtigte nach Ablauf der Frist eine erforderliche Leistung selbst, ist die Krankenkasse zur Erstattung der hierdurch entstandenen Kosten verpflichtet. [8] Die Krankenkasse berichtet dem Spitzenverband Bund der Krankenkassen jährlich über die Anzahl der Fälle, in denen Fristen nicht eingehalten oder Kostenerstattungen vorgenommen wurden. [9] Für Leistungen zur medizinischen Rehabilitation gelten die §§ 14 bis 24 des Neunten Buches[1)] zur Koordinierung der Leistungen und zur Erstattung selbst beschaffter Leistungen.

(4) [1] Versicherte sind berechtigt, auch Leistungserbringer in einem anderen Mitgliedstaat der Europäischen Union, einem anderen Vertragsstaat des Abkommens über den Europäischen Wirtschaftsraum oder der Schweiz anstelle der Sach- oder Dienstleistung im Wege der Kostenerstattung in Anspruch zu nehmen, es sei denn, Behandlungen für diesen Personenkreis im anderen Staat sind auf der Grundlage eines Pauschbetrages zu erstatten oder unterliegen auf Grund eines vereinbarten Erstattungsverzichts nicht der Erstattung. [2] Es dürfen nur solche Leistungserbringer in Anspruch genommen werden, bei denen die Bedingungen des Zugangs und der Ausübung des Berufes Gegenstand einer Richtlinie der Europäischen Gemeinschaft sind oder die im jeweiligen nationalen System der Krankenversicherung des Aufenthaltsstaates zur Versorgung der Versicherten berechtigt sind. [3] Der Anspruch auf Erstattung besteht höchstens in Höhe der Vergütung, die die Krankenkasse bei Erbringung als Sachleistung im Inland zu tragen hätte. [4] Die Satzung hat das Verfahren der Kostenerstattung zu regeln. [5] Sie hat dabei ausreichende Abschläge vom Erstattungsbetrag für Verwaltungskosten in Höhe von höchstens 5 Prozent vorzusehen sowie vorgesehene Zuzahlungen in Abzug zu bringen. [6] Ist eine dem allgemein anerkannten Stand der medizinischen Erkenntnisse entsprechende Behandlung einer Krankheit nur in einem anderen Mitgliedstaat der Europäischen Union oder einem anderen Vertragsstaat

---

[1)] Nr. **440**.
[2)] Nr. **699**.

des Abkommens über den Europäischen Wirtschaftsraum möglich, kann die Krankenkasse die Kosten der erforderlichen Behandlung auch ganz übernehmen.

(5) [1] Abweichend von Absatz 4 können in einem anderen Mitgliedstaat der Europäischen Union, einem anderen Vertragsstaat des Abkommens über den Europäischen Wirtschaftsraum oder der Schweiz Krankenhausleistungen nach § 39 nur nach vorheriger Zustimmung durch die Krankenkassen in Anspruch genommen werden. [2] Die Zustimmung darf nur versagt werden, wenn die gleiche oder eine für den Versicherten ebenso wirksame, dem allgemein anerkannten Stand der medizinischen Erkenntnisse entsprechende Behandlung einer Krankheit rechtzeitig bei einem Vertragspartner der Krankenkasse im Inland erlangt werden kann.

(6) § 18 Abs. 1 Satz 2 und Abs. 2 gilt in den Fällen der Absätze 4 und 5 entsprechend.

§§ 14, 15 *(hier nicht wiedergegeben)*

§ 16[1)] Ruhen des Anspruchs. (1) [1] Der Anspruch auf Leistungen ruht, solange Versicherte

1. sich im Ausland aufhalten, und zwar auch dann, wenn sie dort während eines vorübergehenden Aufenthalts erkranken, soweit in diesem Gesetzbuch nichts Abweichendes bestimmt ist,
2. Dienst auf Grund einer gesetzlichen Dienstpflicht oder Dienstleistungen und Übungen nach dem Vierten Abschnitt des Soldatengesetzes leisten,

2a. in einem Wehrdienstverhältnis besonderer Art nach § 6 des Einsatz-Weiterverwendungsgesetzes[2)] stehen,

3. nach dienstrechtlichen Vorschriften Anspruch auf Heilfürsorge haben oder als Entwicklungshelfer Entwicklungsdienst leisten,
4. sich in Untersuchungshaft befinden, nach § 126a der Strafprozeßordnung[3)] einstweilen untergebracht sind oder gegen sie eine Freiheitsstrafe oder freiheitsentziehende Maßregel der Besserung und Sicherung vollzogen wird, soweit die Versicherten als Gefangene Anspruch auf Gesundheitsfürsorge nach dem Strafvollzugsgesetz[4)] haben oder sonstige Gesundheitsfürsorge erhalten.

[2] Satz 1 gilt nicht für den Anspruch auf Mutterschaftsgeld.

(2) Der Anspruch auf Leistungen ruht, soweit Versicherte gleichartige Leistungen von einem Träger der Unfallversicherung im Ausland erhalten.

[1)] § 16 Abs. 3a eingef. mWv 31.12.1988 durch G v. 20.12.1988 (BGBl. I S. 2606); Abs. 5 aufgeh. mWv 30.6.1990 durch G v. 25.6.1990 (BGBl. II S. 518); Abs. 1 Nr. 1, Abs. 2 und Abs. 4 geänd. mWv 1.1.1992 durch G v. 20.12.1991 (BGBl. I S. 2325); Abs. 1 Nr. 2 geänd. durch G v. 24.7.1995 (BGBl. I S. 962); Abs. 1 Nr. 2 geänd. mWv 24.12.2000 durch G v. 19.12.2000 (BGBl. I S. 1815); Abs. 1 Nr. 2 geänd. mWv 30.4.2005 durch G v. 22.4.2005 (BGBl. I S. 1106); Abs. 3a Satz 2 angef. mWv 1.4.2007 durch G v. 26.3.2007 (BGBl. I S. 378); Abs. 1 Nr. 2a eingef. mWv 18.12.2007 durch G v. 12.12.2007 (BGBl. I S. 2861); Abs. 3a Satz 2 erster Halbs. geänd., Satz 3 angef. mWv 23.7.2009 durch G v. 17.7.2009 (BGBl. I S. 1990); Abs. 1 Satz 2 angef. mWv 30.10.2012 durch G v. 23.10.2012 (BGBl. I S. 2246); Abs. 3 Satz 1 geänd., Satz 2 neu gef. mWv 1.8.2013 durch G v. 20.4.2013 (BGBl. I S. 868); Abs. 3a Satz 2 geänd., Satz 4 angef. mWv 23.7.2015 durch G v. 16.7.2015 (BGBl. I S. 1211); Abs. 3b eingef. mWv 15.12.2018 durch G v. 11.12.2018 (BGBl. I S. 2387); Abs. 3a Satz 2 neu gef., Satz 3 eingef., bish. Sätze 3 und 4 werden Sätze 4 und 5 mWv 1.1.2023 durch G v. 20.12.2022 (BGBl. I S. 2759).

[2)] **beck-online, Module Arbeitsrecht Nr. 156b.1.**

[3)] **Habersack Nr. 90.**

[4)] **Habersack ErgBd. Nr. 91.**

(3) [1] Der Anspruch auf Leistungen ruht, soweit durch das Seearbeitsgesetz[1)] für den Fall der Erkrankung oder Verletzung Vorsorge getroffen ist. [2] Er ruht insbesondere, solange sich das Besatzungsmitglied an Bord des Schiffes oder auf der Reise befindet, es sei denn, das Besatzungsmitglied hat nach § 100 Absatz 1 des Seearbeitsgesetzes die Leistungen der Krankenkasse gewählt oder der Reeder hat das Besatzungsmitglied nach § 100 Absatz 2 des Seearbeitsgesetzes an die Krankenkasse verwiesen.

(3a) [1] Der Anspruch auf Leistungen für nach dem Künstlersozialversicherungsgesetz Versicherte, die mit einem Betrag in Höhe von Beitragsanteilen für zwei Monate im Rückstand sind und trotz Mahnung nicht zahlen, ruht nach näherer Bestimmung des § 16 Abs. 2 des Künstlersozialversicherungsgesetzes[2)]. [2] Satz 1 gilt nicht für den Anspruch auf Untersuchungen zur Früherkennung von Krankheiten nach den §§ 25 und 26 und für den Anspruch auf Leistungen, die zur Behandlung akuter Erkrankungen und Schmerzzustände sowie bei Schwangerschaft und Mutterschaft erforderlich sind. [3] Die Sätze 1 und 2 gelten entsprechend für Mitglieder nach den Vorschriften dieses Buches, die mit einem Betrag in Höhe von Beitragsanteilen für zwei Monate im Rückstand sind und trotz Mahnung nicht zahlen; das Ruhen endet, wenn alle rückständigen und die auf die Zeit des Ruhens entfallenden Beitragsanteile gezahlt sind. [4] Ist eine wirksame Ratenzahlungsvereinbarung zu Stande gekommen, hat das Mitglied ab diesem Zeitpunkt wieder Anspruch auf Leistungen, solange die Raten vertragsgemäß entrichtet werden. [5] Das Ruhen tritt nicht ein oder endet, wenn Versicherte hilfebedürftig im Sinne des Zweiten[3)] oder Zwölften Buches[4)] sind oder werden.

(3b) Sind Versicherte mit einem Betrag in Höhe von Beitragsanteilen für zwei Monate im Rückstand, hat die Krankenkasse sie schriftlich darauf hinzuweisen, dass sie im Fall der Hilfebedürftigkeit die Übernahme der Beiträge durch den zuständigen Sozialleistungsträger beantragen können.

(4) Der Anspruch auf Krankengeld ruht nicht, solange sich Versicherte nach Eintritt der Arbeitsunfähigkeit mit Zustimmung der Krankenkasse im Ausland aufhalten.

§ 17[5)] Leistungen bei Beschäftigung im Ausland. (1) [1] Mitglieder, die im Ausland beschäftigt sind und während dieser Beschäftigung erkranken oder bei denen Leistungen bei Schwangerschaft oder Mutterschaft erforderlich sind, erhalten die ihnen nach diesem Kapitel zustehenden Leistungen von ihrem Arbeitgeber. [2] Satz 1 gilt entsprechend für

1. die nach § 10 versicherten Familienangehörigen und
2. Familienangehörige in Elternzeit, wenn sie wegen § 10 Absatz 1 Satz 1 Nummer 2 nicht familienversichert sind,

soweit die Familienangehörigen das Mitglied für die Zeit dieser Beschäftigung begleiten oder besuchen.

[1)] Nr. **114**.

[2)] **Aichberger, SGB Nr. 30/50.**

[3)] Nr. **692**.

[4)] **Aichberger, SGB Nr. 12.**

[5)] § 17 Überschrift sowie Abs. 1 und 2 geänd. mWv 1. 1.1992 durch G v. 20.12. 1991 (BGBl. I S. 2325); Abs. 1 Satz 1 geänd. mWv 30.3.2005 durch G v. 21.3.2005 (BGBl. I S. 818); Abs. 3 geänd. mWv 28.12.2007 durch G v. 19.12.2007 (BGBl. I S. 3024); Abs. 1 Satz 1 geänd. mWv 30.10.2012 durch G v. 23.10.2012 (BGBl. I S. 2246); Abs. 3 geänd. mWv 1.8.2013 durch G v. 20.4.2013 (BGBl. I S. 868); Abs. 1 Satz 2 neu gef., Abs. 2 geänd. mWv 20.7.2021 durch G v. 11.7.2021 (BGBl. I S. 2754).

(2) Die Krankenkasse des Versicherten hat dem Arbeitgeber die ihm nach Absatz 1 entstandenen Kosten bis zu der Höhe zu erstatten, in der sie ihr im Inland entstanden wären.

(3) Die zuständige Krankenkasse hat dem Reeder die Aufwendungen zu erstatten, die ihm nach § 104 Absatz 2 des Seearbeitsgesetzes[1] entstanden sind.

§ 18 *(hier nicht wiedergegeben)*

§ 19[2] **Erlöschen des Leistungsanspruchs.** (1) Der Anspruch auf Leistungen erlischt mit dem Ende der Mitgliedschaft, soweit in diesem Gesetzbuch nichts Abweichendes bestimmt ist.

(1a) [1] Endet die Mitgliedschaft durch die Schließung oder Insolvenz einer Krankenkasse, gelten die von dieser Krankenkasse getroffenen Leistungsentscheidungen mit Wirkung für die aufnehmende Krankenkasse fort. [2] Hiervon ausgenommen sind Leistungen aufgrund von Satzungsregelungen. [3] Beim Abschluss von Wahltarifen, die ein Mitglied zum Zeitpunkt der Schließung in vergleichbarer Form bei der bisherigen Krankenkasse abgeschlossen hatte, dürfen von der aufnehmenden Krankenkasse keine Wartezeiten geltend gemacht werden. [4] Die Vorschriften des Zehnten Buches[3], insbesondere zur Rücknahme von Leistungsentscheidungen, bleiben hiervon unberührt.

(2) [1] Endet die Mitgliedschaft Versicherungspflichtiger, besteht Anspruch auf Leistungen längstens für einen Monat nach dem Ende der Mitgliedschaft, solange keine Erwerbstätigkeit ausgeübt wird. [2] Eine Versicherung nach § 10 hat Vorrang vor dem Leistungsanspruch nach Satz 1.

(3) Endet die Mitgliedschaft durch Tod, erhalten die nach § 10 versicherten Angehörigen Leistungen längstens für einen Monat nach dem Tode des Mitglieds.

Dritter Abschnitt.[4] Leistungen zur Verhütung von Krankheiten, betriebliche Gesundheitsförderung und Prävention arbeitsbedingter Gesundheitsgefahren, Förderung der Selbsthilfe sowie Leistungen bei Schwangerschaft und Mutterschaft

§ 24c[5] **Leistungen bei Schwangerschaft und Mutterschaft.** [1] Die Leistungen bei Schwangerschaft und Mutterschaft umfassen

1. ärztliche Betreuung und Hebammenhilfe,
2. Versorgung mit Arznei-, Verband-, Heil-, Hilfsmitteln und digitalen Gesundheitsanwendungen,

(Fortsetzung nächstes Blatt)

---

[1] Nr. **114**.

[2] § 19 Abs. 2 Satz 2 angef. mWv 1.1.2004 durch G v. 14.11.2003 (BGBl. I S. 2190); Abs. 1a eingef. mWv 1.5.2011 durch G v. 22.12.2011 (BGBl. I S. 2983).

[3] Auszugsweise abgedruckt unter Nr. **699**.

[4] 3. Abschnitt Überschrift geänd. durch G v. 1.11.1996 (BGBl. I S. 1631); Überschrift neu gef. mWv 1.4.2007 durch G v. 26.3.2007 (BGBl. I S. 378); Überschrift geänd. mWv 30.10.2012 durch G v. 23.10.2012 (BGBl. I S. 2246).

[5] § 24c eingef. mWv 30.10.2012 durch G v. 23.10.2012 (BGBl. I S. 2246); Satz 2 angef. mWv 20.7.2021 durch G v. 11.7.2021 (BGBl. I S. 2754); Satz 1 Nr. 2 geänd. mWv 26.3.2024 durch G v. 22.3.2024 (BGBl. 2024 I Nr. 101; 2024 I Nr. 101a).

3. Entbindung,
4. häusliche Pflege,
5. Haushaltshilfe,
6. Mutterschaftsgeld.

[2] Anspruch auf Leistungen nach Satz 1 hat bei Vorliegen der übrigen Voraussetzungen jede Person, die schwanger ist, ein Kind geboren hat oder stillt.

§ 24i[1)] Mutterschaftsgeld. (1) [1] Weibliche Mitglieder, die bei Arbeitsunfähigkeit Anspruch auf Krankengeld haben oder denen wegen der Schutzfristen nach § 3 des Mutterschutzgesetzes[2)] kein Arbeitsentgelt gezahlt wird, erhalten Mutterschaftsgeld. [2] Mutterschaftsgeld erhalten auch Frauen, deren Arbeitsverhältnis unmittelbar vor Beginn der Schutzfrist nach § 3 Absatz 1 des Mutterschutzgesetzes endet, wenn sie am letzten Tag des Arbeitsverhältnisses Mitglied einer Krankenkasse waren.

(2) [1] Für Mitglieder, die bei Beginn der Schutzfrist vor der Entbindung nach § 3 Absatz 1 des Mutterschutzgesetzes in einem Arbeitsverhältnis stehen oder in Heimarbeit beschäftigt sind oder deren Arbeitsverhältnis nach Maßgabe von § 17 Absatz 2 des Mutterschutzgesetzes gekündigt worden ist, wird als Mutterschaftsgeld das um die gesetzlichen Abzüge verminderte durchschnittliche kalendertägliche Arbeitsentgelt der letzten drei abgerechneten Kalendermonate vor Beginn der Schutzfrist nach § 3 Absatz 1 des Mutterschutzgesetzes gezahlt. [2] Es beträgt höchstens 13 Euro für den Kalendertag. [3] Für die Ermittlung des durchschnittlichen kalendertäglichen Arbeitsentgelts gilt § 21 des Mutterschutzgesetzes entsprechend. [4] Übersteigt das durchschnittliche Arbeitsentgelt 13 Euro kalendertäglich, wird der übersteigende Betrag vom Arbeitgeber oder von der für die Zahlung des Mutterschaftsgeldes zuständigen Stelle nach den Vorschriften des Mutterschutzgesetzes gezahlt. [5] Für Frauen nach Absatz 1 Satz 2 sowie für andere Mitglieder wird das Mutterschaftsgeld in Höhe des Krankengeldes gezahlt.

(3) [1] Das Mutterschaftsgeld wird für die Zeit der Schutzfrist nach § 3 des Mutterschutzgesetzes sowie für den Entbindungstag gezahlt. [2] Für die Zahlung des Mutterschaftsgeldes vor der Entbindung ist das Zeugnis eines Arztes oder einer Hebamme maßgebend, in dem der voraussichtliche Tag der Entbindung angegeben ist. [3] Für Mitglieder, deren Arbeitsverhältnis während der Schutzfristen nach § 3 des Mutterschutzgesetzes beginnt, wird das Mutterschaftsgeld von Beginn des Arbeitsverhältnisses an gezahlt.

(4) [1] Der Anspruch auf Mutterschaftsgeld ruht, soweit und solange das Mitglied beitragspflichtiges Arbeitsentgelt, Arbeitseinkommen oder Urlaubsabgeltung erhält. [2] Dies gilt nicht für einmalig gezahltes Arbeitsentgelt.

(5) [1] Bei Personen, die nach einem Abkommen zur Vermeidung der Doppelbesteuerung nicht in der Bundesrepublik Deutschland ansässig sind und deren

[1)] § 24i eingef. mWv 30.10.2012 durch G v. 23.10.2012 (BGBl. I S. 2246); Abs. 1 Satz 2 angef., Abs. 4 Satz 1 geänd. mWv 23.7.2015 durch G v. 16.7.2015 (BGBl. I S. 1211); Abs. 1 Satz 2 neu gef. mWv 1.8.2017 durch G v. 4.4.2017 (BGBl. I S. 778); Abs. 3 Satz 1 geänd. mWv 30.5.2017 ; Abs. 1 Sätze 1 und 2 geänd., Abs. 2 und Abs. 3 Satz 1 neu gef., Abs. 3 Satz 2 eingef., bish. Sätze 2-4 werden Sätze 3-5 und geänd., Satz 6 angef. mWv 1.1.2018 durch G v. 23.5.2017 (BGBl. I S. 1228); Abs. 3 neu gef. mWv 1.6.2025 durch G v. 24.2.2025 (BGBl. 2025 I Nr. 59); Abs. 5 angef. mWv 1.1.2026 durch G v. 22.12.2025 (BGBl. 2025 I Nr. 371).

[2)] Nr. **400**.

Ansässigkeitsstaat nach diesem Abkommen das Besteuerungsrecht für das Mutterschaftsgeld zusteht, sind für die Berechnung des Mutterschaftsgeldes nur die Beiträge zur Sozialversicherung als das durchschnittliche kalendertägliche Arbeitsentgelt nach Absatz 2 Satz 1 vermindernde gesetzliche Abzüge zu berücksichtigen. [2] Unterliegt das Mutterschaftsgeld im Ansässigkeitsstaat nach dessen maßgebenden Vorschriften nicht der Steuer, sind alle gesetzlichen Abzüge nach Absatz 2 Satz 1 zu berücksichtigen.

Fünfter Abschnitt. Leistungen bei Krankheit

Erster Titel. Krankenbehandlung

§ 27[1)] Krankenbehandlung. (1) [1] Versicherte haben Anspruch auf Krankenbehandlung, wenn sie notwendig ist, um eine Krankheit zu erkennen, zu heilen, ihre Verschlimmerung zu verhüten oder Krankheitsbeschwerden zu lindern. [2] Die Krankenbehandlung umfaßt

1. Ärztliche Behandlung einschließlich Psychotherapie als ärztliche und psychotherapeutische Behandlung,
2. zahnärztliche Behandlung,

2a. Versorgung mit Zahnersatz einschließlich Zahnkronen und Suprakonstruktionen,

3. Versorgung mit Arznei-, Verband-, Heil- und Hilfsmitteln sowie mit digitalen Gesundheitsanwendungen,
4. häusliche Krankenpflege, außerklinische Intensivpflege und Haushaltshilfe,
5. Krankenhausbehandlung,
6. Leistungen zur medizinischen Rehabilitation und ergänzende Leistungen.

[3] Zur Krankenbehandlung gehört auch die palliative Versorgung der Versicherten. [4] Bei der Krankenbehandlung ist den besonderen Bedürfnissen psychisch Kranker Rechnung zu tragen, insbesondere bei der Versorgung mit Heilmitteln und bei der medizinischen Rehabilitation. [5] Zur Krankenbehandlung gehören auch Leistungen zur Herstellung der Zeugungs- oder Empfängnisfähigkeit, wenn diese Fähigkeit nicht vorhanden war oder durch Krankheit oder wegen einer durch Krankheit erforderlichen Sterilisation verlorengegangen war. [6] Zur Krankenbehandlung gehören auch Leistungen zur vertraulichen Spurensicherung am Körper, einschließlich der erforderlichen Dokumentation sowie Laboruntersuchungen und einer ordnungsgemäßen Aufbewahrung der sichergestellten Befunde, bei Hinweisen auf drittverursachte Gesundheitsschäden, die

---

1) § 27 Satz 5 aufgeh. mWv 1.7.1990 durch G v. 26.6.1990 (BGBl. I S. 1211); bish. Text wird Abs. 1 und Abs. 2 angef. durch G v. 21.12.1992 (BGBl. I S. 2266); Abs. 1 Satz 2 Nr. 1 neu gef. mWv 1.1.1999 durch G v. 16.6.1998 (BGBl. I S. 1311); Abs. 2 neu gef. mWv 1.1.2000 durch G v. 22.12.1999 (BGBl. I S. 2626); Abs. 2 Nr. 2 geänd. mWv 1.8.2001 duch G v. 16.2.2001 (BGBl. I S. 266); Abs. 1 Satz 1 Nr. 6 neu gef. mWv 1.7.2001 durch G v. 19.6.2001 (BGBl. I S. 1046); Abs. 1 Satz 2 Nr. 2 geänd., Nr. 2a eingef. mWv 1.1.2005 durch G v. 14.11.2003 (BGBl. I S. 2190); Abs. 2 geänd. mWv 1.1.2005 durch G v. 30.7.2004 (BGBl. I S. 1950); Abs. 2 geänd. mWv 28.8.2007 durch G v. 19.8.2007 (BGBl. I S. 1970); Abs. 1a eingef. mWv 1.8.2012 durch G v. 21.7.2012 (BGBl. I S. 1601); Abs. 1a Sätze 1 und 4 neu gef., Sätze 5 und 6 eingef., bish. Sätze 5-9 werden Sätze 7-11 mWv 23.7.2015 durch G v. 16.7.2015 (BGBl. I S. 1211); Abs. 1 Satz 3 eingef., bish. Sätze 3 und 4 werden Sätze 4 und 5 mWv 8.12.2015 durch G v. 1.12.2015 (BGBl. I S. 2114); Abs. 1a Sätze 10 und 11 geänd. mWv 26.11.2019 durch G v. 20.11.2019 (BGBl. I S. 1626); Abs. 1 Satz 2 Nr. 3 geänd. mWv 19.12.2019 *durch G v. 9.12.2019 (BGBl. I S.* 2562); Abs. 1 Satz 6 angef. mWv 1.3.2020 durch G v. 10.2.2020 (BGBl. I S. 148); Abs. 1 Satz 2 Nr. 4 geänd. mWv 29.10.2020 durch G v. 23.10.2020 (BGBl. I S. 2220).

Folge einer Misshandlung, eines sexuellen Missbrauchs, eines sexuellen Übergriffs, einer sexuellen Nötigung oder einer Vergewaltigung sein können.

(1a) [1] Spender von Organen oder Geweben oder von Blut zur Separation von Blutstammzellen oder anderen Blutbestandteilen (Spender) haben bei einer nach den §§ 8 und 8a des Transplantationsgesetzes[1)] erfolgenden Spende von Organen oder Geweben oder im Zusammenhang mit einer im Sinne von § 9 des Transfusionsgesetzes erfolgenden Spende zum Zwecke der Übertragung auf Versicherte (Entnahme bei lebenden Spendern) Anspruch auf Leistungen der Krankenbehandlung. [2] Dazu gehören die ambulante und stationäre Behandlung der Spender, die medizinisch erforderliche Vor- und Nachbetreuung, Leistungen zur medizinischen Rehabilitation sowie die Erstattung des Ausfalls von Arbeitseinkünften als Krankengeld nach § 44a und erforderlicher Fahrkosten; dies gilt auch für Leistungen, die über die Leistungen nach dem Dritten Kapitel dieses Gesetzes, auf die ein Anspruch besteht, hinausgehen, soweit sie vom Versicherungsschutz des Spenders umfasst sind. [3] Zuzahlungen sind von den Spendern nicht zu leisten. [4] Zuständig für Leistungen nach den Sätzen 1 und 2 ist die Krankenkasse der Empfänger von Organen, Geweben oder Blutstammzellen sowie anderen Blutbestandteilen (Empfänger). [5] Im Zusammenhang mit der Spende von Knochenmark nach den §§ 8 und 8a des Transplantationsgesetzes, von Blutstammzellen oder anderen Blutbestandteilen nach § 9 des Transfusionsgesetzes können die Erstattung der erforderlichen Fahrkosten des Spenders und die Erstattung der Entgeltfortzahlung an den Arbeitgeber nach § 3a Absatz 2 Satz 1 des Entgeltfortzahlungsgesetzes[2)] einschließlich der Befugnis zum Erlass der hierzu erforderlichen Verwaltungsakte auf Dritte übertragen werden. [6] Das Nähere kann der Spitzenverband Bund der Krankenkassen mit den für die nationale und internationale Suche nach nichtverwandten Spendern von Blutstammzellen aus Knochenmark oder peripherem Blut maßgeblichen Organisationen vereinbaren. [7] Für die Behandlung von Folgeerkrankungen der Spender ist die Krankenkasse der Spender zuständig, sofern der Leistungsanspruch nicht nach § 11 Absatz 5 ausgeschlossen ist. [8] Ansprüche nach diesem Absatz haben auch nicht gesetzlich krankenversicherte Personen. [9] Die Krankenkasse der Spender ist befugt, die für die Leistungserbringung nach den Sätzen 1 und 2 erforderlichen personenbezogenen Daten an die Krankenkasse oder das private Krankenversicherungsunternehmen der Empfänger zu übermitteln; dies gilt auch für personenbezogene Daten von nach dem Künstlersozialversicherungsgesetz[3)] Krankenversicherungspflichtigen. [10] Die nach Satz 9 übermittelten Daten dürfen nur für die Erbringung von Leistungen nach den Sätzen 1 und 2 verarbeitet werden. [11] Die Datenverarbeitung nach den Sätzen 9 und 10 darf nur mit schriftlicher Einwilligung der Spender, der eine umfassende Information vorausgegangen ist, erfolgen.

(2) Versicherte, die sich nur vorübergehend im Inland aufhalten, Ausländer, denen eine Aufenthaltserlaubnis nach § 25 Abs. 4 bis 5 des Aufenthaltsgesetzes[4)] erteilt wurde, sowie

1. asylsuchende Ausländer, deren Asylverfahren noch nicht unanfechtbar abgeschlossen ist,

---

[1)] **Sartorius ErgBd. Nr. 280.**
[2)] Nr. **215**.
[3)] **Aichberger, SGB Nr. 30/50.**
[4)] **beck-online, Module Arbeitsrecht Nr. 760.**

2. Vertriebene im Sinne des § 1 Abs. 2 Nr. 2 und 3 des Bundesvertriebenengesetzes sowie Spätaussiedler im Sinne des § 4 des Bundesvertriebenengesetzes, ihre Ehegatten, Lebenspartner und Abkömmlinge im Sinne des § 7 Abs. 2 des Bundesvertriebenengesetzes

haben Anspruch auf Versorgung mit Zahnersatz, wenn sie unmittelbar vor Inanspruchnahme mindestens ein Jahr lang Mitglied einer Krankenkasse (§ 4) oder nach § 10 versichert waren oder wenn die Behandlung aus medizinischen Gründen ausnahmsweise unaufschiebbar ist.

Zweiter Titel. Krankengeld

§ 44[1)] Krankengeld. (1) Versicherte haben Anspruch auf Krankengeld, wenn die Krankheit sie arbeitsunfähig macht oder sie auf Kosten der Krankenkasse stationär in einem Krankenhaus, einer Vorsorge- oder Rehabilitationseinrichtung (§ 23 Abs. 4, §§ 24, 40 Abs. 2 und § 41) behandelt werden.

(2) [1] Keinen Anspruch auf Krankengeld haben

1. die nach § 5 Abs. 1 Nr. 2a, 5, 6, 9, 10 oder 13 sowie die nach § 10 Versicherten; dies gilt nicht für die nach § 5 Abs. 1 Nr. 6 Versicherten, wenn sie Anspruch auf Übergangsgeld haben, und für Versicherte nach § 5 Abs. 1 Nr. 13, sofern sie abhängig beschäftigt und nicht nach den §§ 8 und 8a des Vierten Buches[2)] geringfügig beschäftigt sind oder sofern sie hauptberuflich selbständig erwerbstätig sind und eine Wahlerklärung nach Nummer 2 abgegeben haben,
2. hauptberuflich selbständig Erwerbstätige, es sei denn, das Mitglied erklärt gegenüber der Krankenkasse, dass die Mitgliedschaft den Anspruch auf Krankengeld umfassen soll (Wahlerklärung),
3. Versicherte nach § 5 Absatz 1 Nummer 1, die bei Arbeitsunfähigkeit nicht mindestens sechs Wochen Anspruch auf Fortzahlung des Arbeitsentgelts auf Grund des Entgeltfortzahlungsgesetzes, eines Tarifvertrags, einer Betriebsvereinbarung oder anderer vertraglicher Zusagen oder auf Zahlung einer die Versicherungspflicht begründenden Sozialleistung haben, es sei denn, das Mitglied gibt eine Wahlerklärung ab, dass die Mitgliedschaft den Anspruch auf Krankengeld umfassen soll. Dies gilt nicht für Versicherte, die nach § 10 des Entgeltfortzahlungsgesetzes[3)] Anspruch auf Zahlung eines Zuschlages zum Arbeitsentgelt haben,
4. Versicherte, die eine Rente aus einer öffentlich-rechtlichen Versicherungseinrichtung oder Versorgungseinrichtung ihrer Berufsgruppe oder von anderen vergleichbaren Stellen beziehen, die ihrer Art nach den in § 50 Abs. 1 genannten Leistungen entspricht. Für Versicherte nach Satz 1 Nr. 4 gilt § 50 Abs. 2 entsprechend, soweit sie eine Leistung beziehen, die ihrer Art nach den in dieser Vorschrift aufgeführten Leistungen entspricht.

[1)] § 44 Abs. 1 Satz 2 geänd. mWv 1.1.2005 durch G v. 21.3.2005 (BGBl. I S. 818); Abs. 1 Satz 2 neu gef. mWv 1.4.2007, Abs. 1 Satz 2 aufgeh., Abs. 2 neu gef. mWv 1.1.2009 durch G v. 26.3.2007 (BGBl. I S. 378); Abs. 2 Satz 1 Nr. 2 und 3 neu gef., Satz 2 eingef., bish. Satz 2 wird Satz 3 mWv 1.8. 2009 durch G v. 17.7.2009 (BGBl. I S. 1990); Abs. 4 angef. mWv 23.7.2015 durch G v. 16.7.2015 (BGBl. I S. 1211); Abs. 2 Satz 1 Nr. 1 geänd., Satz 4 angef., Abs. 4 Satz 5 aufgeh. mWv 11.5.2019 durch G v. 6.5.2019 (BGBl. I S. 646); Abs. 4 Sätze 2 und 3 geänd. mWv 26.11.2019 durch G v. *20.11.2019 (BGBl. I S. 1626)*.

[2)] Nr. **694**.

[3)] Nr. **215**.

[2] Für die Wahlerklärung nach Satz 1 Nummer 2 und 3 gilt § 53 Absatz 8 Satz 1 entsprechend. [3] Für die nach Nummer 2 und 3 aufgeführten Versicherten bleibt § 53 Abs. 6 unberührt. [4] Geht der Krankenkasse die Wahlerklärung nach Satz 1 Nummer 2 und 3 zum Zeitpunkt einer bestehenden Arbeitsunfähigkeit zu, wirkt die Wahlerklärung erst zu dem Tag, der auf das Ende dieser Arbeitsunfähigkeit folgt.

(3) Der Anspruch auf Fortzahlung des Arbeitsentgelts bei Arbeitsunfähigkeit richtet sich nach arbeitsrechtlichen Vorschriften.

(4) [1] Versicherte haben Anspruch auf individuelle Beratung und Hilfestellung durch die Krankenkasse, welche Leistungen und unterstützende Angebote zur Wiederherstellung der Arbeitsfähigkeit erforderlich sind. [2] Maßnahmen nach Satz 1 und die dazu erforderliche Verarbeitung personenbezogener Daten dürfen nur mit schriftlicher oder elektronischer Einwilligung und nach vorheriger schriftlicher oder elektronischer Information des Versicherten erfolgen. [3] Die Einwilligung kann jederzeit schriftlich oder elektronisch widerrufen werden. [4] Die Krankenkassen dürfen ihre Aufgaben nach Satz 1 an die in § 35 des Ersten Buches[1)] genannten Stellen übertragen.

§ 44a[2)] Krankengeld bei Spende von Organen, Geweben oder Blut zur Separation von Blutstammzellen oder anderen Blutbestandteilen.

[1] Spender von Organen, Geweben oder Blut zur Separation von Blutstammzellen oder anderen Blutbestandteilen nach § 27 Absatz 1a Satz 1 haben Anspruch auf Krankengeld, wenn die Spende an Versicherte sie arbeitsunfähig macht. [2] Das Krankengeld wird den Spendern von der Krankenkasse der Empfänger in Höhe des vor Beginn der Arbeitsunfähigkeit regelmäßig erzielten Nettoarbeitsentgelts oder Arbeitseinkommens bis zur Höhe des Betrages der kalendertäglichen Beitragsbemessungsgrenze geleistet. [3] Für nach dem Künstlersozialversicherungsgesetz[3)] versicherungspflichtige Spender ist das ausgefallene Arbeitseinkommen im Sinne von Satz 2 aus demjenigen Arbeitseinkommen zu berechnen, das der Beitragsbemessung für die letzten zwölf Kalendermonate vor Beginn der Arbeitsunfähigkeit im Hinblick auf die Spende zugrunde gelegen hat. [4] § 44 Absatz 3, § 47 Absatz 2 bis 5, die §§ 47b, 49 und 50 gelten entsprechend; Ansprüche nach § 44 Absatz 1 und 4 sind gegenüber Ansprüchen nach dieser Vorschrift ausgeschlossen. [5] Ansprüche nach dieser Vorschrift haben auch nicht gesetzlich krankenversicherte Personen.

§ 44b[4)] Krankengeld für eine bei stationärer Behandlung mitaufgenommene Begleitperson aus dem engsten persönlichen Umfeld.

(1) [1] Ab dem 1. November 2022 haben Versicherte Anspruch auf Krankengeld, wenn sie

1. zur Begleitung eines Versicherten bei einer stationären Krankenhausbehandlung nach § 39 mitaufgenommen werden,

---

[1)] Nr. **691**.

[2)] § 44a eingef. mWv 1.8.2012 durch G v. 21.7.2012 (BGBl. I S. 1601); Überschrift und Satz 1 neu gef. mWv 23.7.2015 durch G v. 16.7.2015 (BGBl. I S. 1211); Satz 4 neu gef. mWv 1.1.2026 durch G v. 22.12.2025 (BGBl. 2025 I Nr. 371).

[3)] **Aichberger, SGB Nr. 30/50.**

[4)] § 44b eingef. mWv 5.10.2021 durch G v. 27.9.2021 (BGBl. I S. 4530); Abs. 3 geänd. mWv 1.1. 2024 durch G v. 12.12.2023 (BGBl. 2023 I Nr. 359); Abs. 1 Satz 1 Nr. 1 Buchst. c und Nr. 3 geänd. mWv 1.1.2024 durch G v. 22.12.2023 (BGBl. 2023 I Nr. 408).

a) der die Begleitung aus medizinischen Gründen benötigt,
b) bei dem die Voraussetzungen des § 2 Absatz 1 des Neunten Buches[1] vorliegen,
c) der Leistungen nach Teil 2 des Neunten Buches[2], § 35a des Achten Buches[3] oder Leistungen nach dem Sechsten Kapitel des Vierzehnten Buches[4] erhält und
d) der keine Leistungen nach § 113 Absatz 6 des Neunten Buches[5] in Anspruch nimmt,

2. im Verhältnis zu dem begleiteten Versicherten
a) ein naher Angehöriger im Sinne von § 7 Absatz 3 des Pflegezeitgesetzes[6] sind oder
b) eine Person aus dem engsten persönlichen Umfeld sind,
3. gegenüber dem begleiteten Versicherten keine Leistungen der Eingliederungshilfe gegen Entgelt nach Teil 2 des Neunten Buches[2] oder § 35a des Achten Buches[3] und keine Leistungen nach dem Sechsten Kapitel des Vierzehnten Buches[4] erbringen und
4. ihnen durch die Begleitung ein Verdienstausfall entsteht.

[2]Der Anspruch besteht für die Dauer der Mitaufnahme. [3]Der Mitaufnahme steht die ganztägige Begleitung gleich.

(2) [1]Der Gemeinsame Bundesausschuss bestimmt in einer Richtlinie nach § 92 bis zum 1. August 2022 Kriterien zur Abgrenzung des Personenkreises, der die Begleitung aus medizinischen Gründen benötigt. [2]Vor der Entscheidung ist den für die Wahrnehmung der Interessen von Menschen mit Behinderungen maßgeblichen Organisationen, der Bundesarbeitsgemeinschaft der überörtlichen Träger der Sozialhilfe und der Eingliederungshilfe sowie der Bundesarbeitsgemeinschaft der Landesjugendämter Gelegenheit zur Stellungnahme zu geben. [3]Die Stellungnahmen sind in die Entscheidung einzubeziehen.

(3) Der Anspruch auf Krankengeld bei Erkrankung des Kindes nach § 45 Absatz 1 bleibt unberührt.

(4) [1]§ 45 Absatz 3 gilt entsprechend. [2]Den Anspruch auf unbezahlte Freistellung von der Arbeitsleistung haben auch Arbeitnehmer, die nicht Versicherte mit Anspruch auf Krankengeld nach Absatz 1 sind.

§ 45[7] Krankengeld bei Erkrankung des Kindes. (1) [1]Versicherte haben Anspruch auf Krankengeld, wenn es nach ärztlichem Zeugnis erforderlich ist,

---

[1] Nr. **440**.
[2] Auszugsweise abgedruckt unter Nr. **440**.
[3] **beck-online, Module Arbeitsrecht Nr. 494a.**
[4] Auszugsweise abgedruckt unter Nr. **694**.
[5] **beck-online, Module Arbeitsrecht Nr. 440.**
[6] Nr. **409**.
[7] § 45 Abs. 1 Satz 1 geänd., Abs. 2 neu gef. durch G v. 20.12.1991 (BGBl. I S. 2325); Abs. 1 Satz 1 geänd. mWv 1.7.2001 durch G v. 19.6.2001 (BGBl. I S. 1046); Abs. 4 und 5 angef. mWv 1.8.2002 durch G v. 26.7.2002 (BGBl. I S. 2872); Abs. 1 Satz 2 geänd. mWv 1.8.2009 durch G v. 17.7.2009 (BGBl. I S. 1990); Abs. 2 Sätze 3-5 angef., Abs. 4 Satz 3 neu gef. mWv 1.1.2015 durch G v. 23.12. 2014 (BGBl. I S. 2462); Abs. 2a eingef. mWv 29.10.2020 und Abs. 2a aufgeh. mWv 1.1.2021 durch *G v. 23.10.2020 (BGBl. I S. 2208)*; Abs. 2a und 2b eingef. mWv 5.1.2021 und aufgeh. mWv 1.1.2022 durch G v. 18.1.2021 (BGBl. I S. 2); Abs. 2a Sätze 1-3 geänd. mWv 5.1.2021 durch G v. 22.4.2021 (BGBl. I S. 802); Abs. 2a und 2b eingef. mWv 1.1.2022 und aufgeh. mWv 1.1.2023 durch G v. →

daß sie zur Beaufsichtigung, Betreuung oder Pflege ihres erkrankten und versicherten Kindes der Arbeit fernbleiben, eine andere in ihrem Haushalt lebende Person das Kind nicht beaufsichtigen, betreuen oder pflegen kann und das Kind das zwölfte Lebensjahr noch nicht vollendet hat oder behindert und auf Hilfe angewiesen ist. [2] § 10 Abs. 4 und § 44 Absatz 2 gelten für den Anspruch nach Satz 1 entsprechend.

(1a) [1] Ein Anspruch auf Krankengeld besteht auch für Versicherte, die nach § 11 Absatz 3 bei stationärer Behandlung ihres versicherten Kindes aus medizinischen Gründen als Begleitperson mitaufgenommen werden, sofern das Kind das zwölfte Lebensjahr noch nicht vollendet hat oder behindert und auf Hilfe angewiesen ist. [2] Das Vorliegen der in Satz 1 genannten medizinischen Gründe, die eine Mitaufnahme notwendig machen, sowie die Dauer der notwendigen Mitaufnahme sind von der stationären Einrichtung gegenüber der Begleitperson des versicherten Kindes zu bescheinigen; im Fall des § 11 Absatz 3 Satz 2 ist die Bescheinigung auf die Dauer der in Satz 1 genannten Mitaufnahme zu beschränken. [3] Der Anspruch nach Satz 1 besteht nur für einen Elternteil. [4] § 10 Absatz 4 und § 44 Absatz 2 gelten für den Anspruch nach Satz 1 entsprechend. [5] Der Anspruch auf Krankengeld nach Absatz 1 bleibt unberührt. [6] Kein Anspruch auf Krankengeld nach Satz 1 besteht, wenn Krankengeld nach Absatz 4 oder nach § 44b in Anspruch genommen wird.

(2) [1] Anspruch auf Krankengeld nach Absatz 1 besteht in jedem Kalenderjahr für jedes Kind längstens für 10 Arbeitstage, für alleinerziehende Versicherte längstens für 20 Arbeitstage. [2] Der Anspruch nach Satz 1 besteht für Versicherte für nicht mehr als 25 Arbeitstage, für alleinerziehende Versicherte für nicht mehr als 50 Arbeitstage je Kalenderjahr. [3] Das Krankengeld nach Absatz 1 oder Absatz 1a beträgt 90 Prozent des ausgefallenen Nettoarbeitsentgelts aus beitragspflichtigem Arbeitsentgelt der Versicherten, bei Bezug von beitragspflichtigem einmalig gezahltem Arbeitsentgelt (§ 23a des Vierten Buches[1]) in den der Freistellung von Arbeitsleistung nach Absatz 3 vorangegangenen zwölf Kalendermonaten 100 Prozent des ausgefallenen Nettoarbeitsentgelts aus beitragspflichtigem Arbeitsentgelt; es darf 70 Prozent der Beitragsbemessungsgrenze nach § 223 Absatz 3 nicht überschreiten. [4] Erfolgt die Berechnung des Krankengeldes nach Absatz 1 oder Absatz 1a aus Arbeitseinkommen, beträgt dies 70 Prozent des erzielten regelmäßigen Arbeitseinkommens, soweit es der Beitragsberechnung unterliegt. [5] § 47 Absatz 1 Satz 6 bis 8, Absatz 4 Satz 3 bis 5, Absatz 5 und § 47b gelten entsprechend.

(2a) [1] Abweichend von Absatz 2 Satz 1 besteht der Anspruch auf Krankengeld nach Absatz 1 in dem Kalenderjahr 2026 für jedes Kind längstens für 15 Arbeitstage, für alleinerziehende Versicherte längstens für 30 Arbeitstage. [2] Der Anspruch nach Satz 1 besteht für Versicherte für nicht mehr als 35 Arbeitstage, für alleinerziehende Versicherte für nicht mehr als 70 Arbeitstage.

(Fortsetzung der Anm. von voriger Seite)
22.11.2021 (BGBl. I S. 4906); Abs. 2a Satz 3 geänd. mWv 19.3.2022 durch G v. 18.3.2022 (BGBl. I S. 473); Abs. 2a Satz 3 geänd. mWv 17.9.2022, Abs. 2a und 2b neu eingef. mWv 1.1.2023 durch G v. 16.9.2022 (BGBl. I S. 1454); Abs. 1 Satz 2 geänd., Abs. 1a eingef., Abs. 2 Sätze 3–5, Abs. 2a Sätze 1 und 2 geänd., Sätze 3 und 4 und Abs. 2b aufgeh., Abs. 3 Sätze 1 und 2, Abs. 4 Satz 3 und Absl. 5 geänd. mWv 1.1.2024 durch G v. 12.12.2023 (BGBl. 2023 I Nr. 359); Abs. 2 Satz 5 und Abs. 2a Satz 1 neu gef. mWv 1.1.2026 durch G v. 22.12.2025 (BGBl. 2025 I Nr. 371).

[1] Nr. **694**.

(3) [1] Versicherte mit Anspruch auf Krankengeld nach Absatz 1 oder Absatz 1a haben für die Dauer dieses Anspruchs gegen ihren Arbeitgeber Anspruch auf unbezahlte Freistellung von der Arbeitsleistung, soweit nicht aus dem gleichen Grund Anspruch auf bezahlte Freistellung besteht. [2] Wird der Freistellungsanspruch nach Satz 1 geltend gemacht, bevor die Krankenkasse ihre Leistungsverpflichtung nach Absatz 1 oder Absatz 1a anerkannt hat, und sind die Voraussetzungen dafür nicht erfüllt, ist der Arbeitgeber berechtigt, die gewährte Freistellung von der Arbeitsleistung auf einen späteren Freistellungsanspruch zur Beaufsichtigung, Betreuung oder Pflege eines erkrankten Kindes anzurechnen. [3] Der Freistellungsanspruch nach Satz 1 kann nicht durch Vertrag ausgeschlossen oder beschränkt werden.

(4) [1] Versicherte haben ferner Anspruch auf Krankengeld, wenn sie zur Beaufsichtigung, Betreuung oder Pflege ihres erkrankten und versicherten Kindes der Arbeit fernbleiben, sofern das Kind das zwölfte Lebensjahr noch nicht vollendet hat oder behindert und auf Hilfe angewiesen ist und nach ärztlichem Zeugnis an einer Erkrankung leidet,

a) die progredient verläuft und bereits ein weit fortgeschrittenes Stadium erreicht hat,
b) bei der eine Heilung ausgeschlossen und eine palliativ-medizinische Behandlung notwendig oder von einem Elternteil erwünscht ist und
c) die lediglich eine begrenzte Lebenserwartung von Wochen oder wenigen Monaten erwarten lässt.

[2] Der Anspruch besteht nur für ein Elternteil. [3] Absatz 1 Satz 2, Absatz 3 und die §§ 47 und 47b gelten entsprechend.

(5) Anspruch auf unbezahlte Freistellung nach den Absätzen 3 und 4 haben auch Arbeitnehmer, die nicht Versicherte mit Anspruch auf Krankengeld nach Absatz 1 oder Absatz 1a sind.

§ 46[1)] Entstehen des Anspruchs auf Krankengeld. [1] Der Anspruch auf Krankengeld entsteht

1. bei Krankenhausbehandlung oder Behandlung in einer Vorsorge- oder Rehabilitationseinrichtung (§ 23 Abs. 4, §§ 24, 40 Abs. 2 und § 41) von ihrem Beginn an,
2. im Übrigen von dem Tag der ärztlichen Feststellung der Arbeitsunfähigkeit an.

[2] Der Anspruch auf Krankengeld bleibt jeweils bis zu dem Tag bestehen, an dem die weitere Arbeitsunfähigkeit wegen derselben Krankheit ärztlich festgestellt wird, wenn diese ärztliche Feststellung spätestens am nächsten Werktag nach dem zuletzt bescheinigten Ende der Arbeitsunfähigkeit erfolgt; Samstage gelten insoweit nicht als Werktage. [3] Für Versicherte, deren Mitgliedschaft nach § 192 Absatz 1 Nummer 2 vom Bestand des Anspruchs auf Krankengeld abhängig ist, bleibt der Anspruch auf Krankengeld auch dann bestehen, wenn

---

[1)] § 46 Sätze 3 bis 5 angef. durch G v. 20.12.1988 (BGBl. I S. 2606); Satz 3 geänd., Sätze 4 und 5 aufgeh. mWv 1.1.2009 durch G v. 26.3.2007 (BGBl. I S. 378); Satz 2 neu gef., Satz 3 geänd. mWv 1.8.2009 durch G v. 17.7.2009 (BGBl. I S. 1990); Satz 1 Nr. 2 neu gef., Satz 2 eingef., bish. Sätze 2 und 3 werden Sätze 3 und 4, neuer Satz 4 geänd. mWv 23.7.2015 durch G v. 16.7.2015 (BGBl. I S. 1211); Satz 3 eingef., bish. Sätze 3 und 4 werden Sätze 4 und 5 mWv 11.5.2019 durch G v. 6.5. 2019 (BGBl. I S. 646).

die weitere Arbeitsunfähigkeit wegen derselben Krankheit nicht am nächsten Werktag im Sinne von Satz 2, aber spätestens innerhalb eines Monats nach dem zuletzt bescheinigten Ende der Arbeitsunfähigkeit ärztlich festgestellt wird. [4] Für die nach dem Künstlersozialversicherungsgesetz[1)] Versicherten sowie für Versicherte, die eine Wahlerklärung nach § 44 Absatz 2 Satz 1 Nummer 2 abgegeben haben, entsteht der Anspruch von der siebten Woche der Arbeitsunfähigkeit an. [5] Der Anspruch auf Krankengeld für die in Satz 3 genannten Versicherten nach dem Künstlersozialversicherungsgesetz entsteht bereits vor der siebten Woche der Arbeitsunfähigkeit zu dem von der Satzung bestimmten Zeitpunkt, spätestens jedoch mit Beginn der dritten Woche der Arbeitsunfähigkeit, wenn der Versicherte bei seiner Krankenkasse einen Tarif nach § 53 Abs. 6 gewählt hat.

§ 47[2)] Höhe und Berechnung des Krankengeldes. (1) [1] Das Krankengeld beträgt 70 vom Hundert des erzielten regelmäßigen Arbeitsentgelts und Arbeitseinkommens, soweit es der Beitragsberechnung unterliegt (Regelentgelt). [2] Das aus dem Arbeitsentgelt berechnete Krankengeld darf 90 vom Hundert des bei entsprechender Anwendung des Absatzes 2 berechneten Nettoarbeitsentgelts nicht übersteigen. [3] Für die Berechnung des Nettoarbeitsentgelts nach Satz 2 ist der sich aus dem kalendertäglichen Hinzurechnungsbetrag nach Absatz 2 Satz 6 ergebende Anteil am Nettoarbeitsentgelt mit dem Vomhundertsatz anzusetzen, der sich aus dem Verhältnis des kalendertäglichen Regelentgeltbetrages nach Absatz 2 Satz 1 bis 5 zu dem sich aus diesem Regelentgeltbetrag ergebenden Nettoarbeitsentgelt ergibt. [4] Das nach Satz 1 bis 3 berechnete kalendertägliche Krankengeld darf das sich aus dem Arbeitsentgelt nach Absatz 2 Satz 1 bis 5 ergebende kalendertägliche Nettoarbeitsentgelt nicht übersteigen. [5] Das Regelentgelt wird nach den Absätzen 2, 4 und 6 berechnet. [6] Das Krankengeld wird für Kalendertage gezahlt. [7] Ist es für einen ganzen Kalendermonat zu zahlen, ist dieser mit dreißig Tagen anzusetzen. [8] Bei der Berechnung des Regelentgelts nach Satz 1 und des Nettoarbeitsentgelts nach den Sätzen 2 und 4 sind die für die jeweilige Beitragsbemessung und Beitragstragung geltenden Besonderheiten des Übergangsbereichs nach § 20 Abs. 2 des Vierten Buches[3)] nicht zu berücksichtigen.

(2) [1] Für die Berechnung des Regelentgelts ist das von dem Versicherten im letzten vor Beginn der Arbeitsunfähigkeit abgerechneten Entgeltabrechnungs-

---

[1)] **Aichberger, SGB Nr. 30/50.**

[2)] § 47 Abs. 4 Sätze 3 bis 5 angef. durch G v. 20.12.1988 (BGBl. I S. 2606); Abs. 5 Satz 1 geänd. durch G v. 18.12.1989 (BGBl. I S. 2261); Abs. 5 Satz 2 eingef. durch G v. 25.7.1991 (BGBl. I S. 1606); Abs. 1 Satz 1 geänd., Satz 2 neu gef. durch G v. 1.11.1996 (BGBl. I S. 1631); Abs. 4 Satz 5 geänd. durch G v. 12.12.1996 (BGBl. I S. 1859); Abs. 5 Sätze 1 und 2 geänd. mWv 1.1.2001 durch G v. 16.12.1997 (BGBl. I S. 2998, geänd. durch G v. 19.12.1998, BGBl. I S. 3843); Abs. 2 Satz 4 und 5 angef. durch G v. 6.4.1998 (BGBl. I S. 688); Abs. 5 Satz 4 eingef. mWv 1.1.2000 durch G v. 22.12. 1999 (BGBl. I S. 2534); Abs. 1 Sätze 3 und 4, Abs. 2 Satz 6 eingef., Abs. 1 bish. Sätze 3 bis 5 werden Sätze 5 bis 7, Abs. 4 Satz 5 neu gef., Abs. 5 Satz 3 geänd. mWv 22.6.2000 durch G v. 21.12.2000 (BGBl. I S. 1971); Abs. 5 Satz 1 und 2 geänd. mWv 1.1.2001, Satz 4 geänd. mWv 27.3.2001 durch G v. 21.3.2001 (BGBl. I S. 403); Abs. 5 aufgeh. mWv 1.7.2001 durch G v. 19.6.2001 (BGBl. I S. 1046); Abs. 1 Satz 8 angef. mWv 1.4.2003 durch G v. 23.12.2002 (BGBl. I S. 4621); Abs. 4 Satz 2 geänd. mWv 30.3.2005 durch G v. 21.3.2005 (BGBl. I S. 818); Abs. 2 Satz 4 geänd. mWv 1.1.2009 durch G v. 21.12.2008 (BGBl. I S. 2940); Abs. 1 Satz 8 geänd. mWv 1.7.2019 durch G v. 28.11.2018 (BGBl. I S. 2016); Abs. 4 Satz 4 geänd. mWv 1.1.2023 durch G v. 20.12.2022 (BGBl. I S. 2759); Abs. 4 Satz 1 aufgeh., bish. Sätze 2–5 werden Sätze 1–4 mWv 1.1.2027 durch G v. 22.12.2025 (BGBl. 2025 I Nr. 355); Abs. 5 neu gef. mWv 1.1.2026 durch G v. 22.12.2025 (BGBl. 2025 I Nr. 371).

[3)] Nr. **694**.

zeitraum, mindestens das während der letzten abgerechneten vier Wochen (Bemessungszeitraum) erzielte und um einmalig gezahltes Arbeitsentgelt verminderte Arbeitsentgelt durch die Zahl der Stunden zu teilen, für die es gezahlt wurde.[1] [2]Das Ergebnis ist mit der Zahl der sich aus dem Inhalt des Arbeitsverhältnisses ergebenden regelmäßigen wöchentlichen Arbeitsstunden zu vervielfachen und durch sieben zu teilen. [3]Ist das Arbeitsentgelt nach Monaten bemessen oder ist eine Berechnung des Regelentgelts nach den Sätzen 1 und 2 nicht möglich, gilt der dreißigste Teil des im letzten vor Beginn der Arbeitsunfähigkeit abgerechneten Kalendermonat erzielten und um einmalig gezahltes Arbeitsentgelt verminderten Arbeitsentgelts als Regelentgelt. [4]Wenn mit einer Arbeitsleistung Arbeitsentgelt erzielt wird, das für Zeiten einer Freistellung vor oder nach dieser Arbeitsleistung fällig wird (Wertguthaben nach § 7b des Vierten Buches[2]), ist für die Berechnung des Regelentgelts das im Bemessungszeitraum der Beitragsberechnung zugrundeliegende und um einmalig gezahltes Arbeitsentgelt verminderte Arbeitsentgelt maßgebend; Wertguthaben, die nicht gemäß einer Vereinbarung über flexible Arbeitszeitregelungen verwendet werden (§ 23b Abs. 2 des Vierten Buches[2]), bleiben außer Betracht. [5]Bei der Anwendung des Satzes 1 gilt als regelmäßige wöchentliche Arbeitszeit die Arbeitszeit, die dem gezahlten Arbeitsentgelt entspricht. [6]Für die Berechnung des Regelentgelts ist der dreihundertsechzigste Teil des einmalig gezahlten Arbeitsentgelts, das in den letzten zwölf Kalendermonaten vor Beginn der Arbeitsunfähigkeit nach § 23a des Vierten Buches[2] der Beitragsberechnung zugrunde gelegen hat, dem nach Satz 1 bis 5 berechneten Arbeitsentgelt hinzuzurechnen.

(3) Die Satzung kann bei nicht kontinuierlicher Arbeitsverrichtung und -vergütung abweichende Bestimmungen zur Zahlung und Berechnung des Krankengeldes vorsehen, die sicherstellen, daß das Krankengeld seine Entgeltersatzfunktion erfüllt.

(4) ***[Satz 1 aufgeh. ab 1.1.2027:]*** [1]Für Seeleute gelten als Regelentgelt die beitragspflichtigen Einnahmen nach § 233 Abs. 1. [2]Für Versicherte, die nicht Arbeitnehmer sind, gilt als Regelentgelt der kalendertägliche Betrag, der zuletzt vor Beginn der Arbeitsunfähigkeit für die Beitragsbemessung aus Arbeitseinkommen maßgebend war. [3]Für nach dem Künstlersozialversicherungsgesetz[3] Versicherte ist das Regelentgelt aus dem Arbeitseinkommen zu berechnen, das der Beitragsbemessung für die letzten zwölf Kalendermonate vor Beginn der Arbeitsunfähigkeit zugrunde gelegen hat; dabei ist für den Kalendertag der dreihundertsechzigste Teil dieses Betrages anzusetzen. [4]Die Zahl dreihundertsechzig ist um die Zahl der Kalendertage zu vermindern, in denen eine Versicherungspflicht nach dem Künstlersozialversicherungsgesetz nicht bestand oder für die nach § 234 Absatz 1 Satz 2 Arbeitseinkommen nicht zugrunde zu legen ist. [5]Die Beträge nach § 226 Abs. 1 Satz 1 Nr. 2 und 3 bleiben außer Betracht.

(5) [1]Bei Personen, die nach einem Abkommen zur Vermeidung der Doppelbesteuerung nicht in der Bundesrepublik Deutschland ansässig sind und deren

---

[1] Die Regelungen des § 47 Abs. 2 Satz 1 sind gemäß BVerfGE v. 24.5.2000 – 1 BvL 1/98, 1 BvL 4/98, 1 BvL 15/99 (BGBl. 2000 I S. 1082) – mit Art. 3 Abs. 1 des Grundgesetzes unvereinbar, soweit danach einmalig gezahltes Arbeitsentgelt zu Sozialversicherungsbeiträgen herangezogen wird, ohne dass es bei der Berechnung sämtlicher beitragsfinanzierter Lohnersatzleistungen berücksichtigt wird.

[2] Nr. **694**.

[3] **Aichberger, SGB Nr. 30/50.**

Ansässigkeitsstaat nach diesem Abkommen das Besteuerungsrecht für das Krankengeld zusteht, ist zur Berechnung des Krankengeldes anstelle des Nettoarbeitsentgelts nach Absatz 1 das Regelentgelt abzüglich der Beiträge zur Sozialversicherung zugrunde zu legen. [2] Unterliegt das Krankengeld im Ansässigkeitsstaat nach dessen maßgebenden Vorschriften nicht der Steuer, ist entsprechend Absatz 1 das Nettoarbeitsentgelt zugrunde zu legen.

(6) Das Regelentgelt wird bis zur Höhe des Betrages der kalendertäglichen Beitragsbemessungsgrenze berücksichtigt.

§ 47a[1)] Beitragszahlungen der Krankenkassen an berufsständische Versorgungseinrichtungen. (1) [1] Für Bezieher von Krankengeld, die wegen einer Pflichtmitgliedschaft in einer berufsständischen Versorgungseinrichtung von der Versicherungspflicht in der gesetzlichen Rentenversicherung befreit sind, zahlen die Krankenkassen auf Antrag des Mitglieds diejenigen Beiträge an die zuständige berufsständische Versorgungseinrichtung, wie sie bei Eintritt von Versicherungspflicht nach § 3 Satz 1 Nummer 3 des Sechsten Buches[2)] an die gesetzliche Rentenversicherung zu entrichten wären. [2] Die von der Krankenkasse zu zahlenden Beiträge sind auf die Höhe der Beiträge begrenzt, die die Krankenkasse ohne die Befreiung von der Versicherungspflicht in der gesetzlichen Rentenversicherung für die Dauer des Leistungsbezugs zu tragen hätte; sie dürfen die Hälfte der in der Zeit des Leistungsbezugs vom Mitglied an die berufsständische Versorgungseinrichtung zu zahlenden Beiträge nicht übersteigen.

(2) [1] Die Krankenkassen haben der zuständigen berufsständischen Versorgungseinrichtung den Beginn und das Ende der Beitragszahlung sowie die Höhe der der Beitragsberechnung zugrunde liegenden beitragspflichtigen Einnahmen und den zu zahlenden Beitrag für das Mitglied zu übermitteln; ab dem 1. Januar 2017 erfolgt die Übermittlung durch elektronischen Nachweis. [2] Das Nähere zum Verfahren, zu notwendigen weiteren Angaben und den Datensatz regeln der Spitzenverband Bund der Krankenkassen und die Arbeitsgemeinschaft berufsständischer Versorgungseinrichtungen bis zum 31. Juli 2016 in gemeinsamen Grundsätzen, die vom Bundesministerium für Gesundheit zu genehmigen sind.

§ 47b[3)] Höhe und Berechnung des Krankengeldes bei Beziehern von Arbeitslosengeld, Unterhaltsgeld, Kurzarbeitergeld oder Qualifizierungsgeld. (1) Das Krankengeld für Versicherte nach § 5 Abs. 1 Nr. 2 wird in Höhe des Betrages des Arbeitslosengeldes oder des Unterhaltsgeldes gewährt, den der Versicherte zuletzt bezogen hat.

(2) [1] Ändern sich während des Bezuges von Krankengeld die für den Anspruch auf Arbeitslosengeld oder Unterhaltsgeld maßgeblichen Verhältnisse des Versicherten, so ist auf Antrag des Versicherten als Krankengeld derjenige

---

1) § 47a eingef. mWv 1.1.2016 durch G v. 16.7.2015 (BGBl. I S. 1211).

2) Nr. **696**.

3) § 47b eingef. mWv 1.1.1998 durch G v. 24.3.1997 (BGBl. I S. 594, 692); Abs. 1 Satz 3 aufgeh. mWv 1.1.2003 durch G v. 23.12.2002 (BGBl. I S. 4621); Überschrift, Abs. 1 Satz 1 und Abs. 2 Satz 1 geänd. mWv 1.1.2005 durch G v. 24.12.2003 (BGBl. I S. 2954); Überschrift, Abs. 1 Satz 1 und Abs. 2 Satz 1 geänd. mWv 1.1.2005 durch G v. 21.3.2005 (BGBl. I S. 818); Überschrift, Abs. 3 und Abs. 4 Satz 1 geänd. mWv 1.1.2007 durch G v. 24.4.2006 (BGBl. I S. 926); Abs. 1 Satz 2 aufgeh. mWv 11.5.2019 durch G v. 6.5.2019 (BGBl. I S. 646); Überschrift neu gef., Abs. 3 geänd. mWv 1.4.2024 durch G v. 17.7.2023 (BGBl. 2023 I Nr. 191).

Betrag zu gewähren, den der Versicherte als Arbeitslosengeld oder Unterhaltsgeld erhalten würde, wenn er nicht erkrankt wäre. [2]Änderungen, die zu einer Erhöhung des Krankengeldes um weniger als zehn vom Hundert führen würden, werden nicht berücksichtigt.

(3) Für Versicherte, die während des Bezuges von Kurzarbeitergeld oder Qualifizierungsgeld arbeitsunfähig erkranken, wird das Krankengeld nach dem regelmäßigen Arbeitsentgelt, das zuletzt vor Eintritt des Arbeitsausfalls erzielt wurde (Regelentgelt), berechnet.

(4) [1]Für Versicherte, die arbeitsunfähig erkranken, bevor in ihrem Betrieb die Voraussetzungen für den Bezug von Kurzarbeitergeld nach dem Dritten Buch[1)] erfüllt sind, wird, solange Anspruch auf Fortzahlung des Arbeitsentgelts im Krankheitsfalle besteht, neben dem Arbeitsentgelt als Krankengeld der Betrag des Kurzarbeitergeldes gewährt, den der Versicherte erhielte, wenn er nicht arbeitsunfähig wäre. [2]Der Arbeitgeber hat das Krankengeld kostenlos zu errechnen und auszuzahlen. [3]Der Arbeitnehmer hat die erforderlichen Angaben zu machen.

(5) Bei der Ermittlung der Bemessungsgrundlage für die Leistungen der gesetzlichen Krankenversicherung ist von dem Arbeitsentgelt auszugehen, das bei der Bemessung der Beiträge zur gesetzlichen Krankenversicherung zugrunde gelegt wurde.

(6) [1]In den Fällen des § 232a Abs. 3 wird das Krankengeld abweichend von Absatz 3 nach dem Arbeitsentgelt unter Hinzurechnung des Winterausfallgeldes berechnet. [2]Die Absätze 4 und 5 gelten entsprechend.

§ 48[2)] Dauer des Krankengeldes. (1) [1]Versicherte erhalten Krankengeld ohne zeitliche Begrenzung, für den Fall der Arbeitsunfähigkeit wegen derselben Krankheit jedoch für längstens achtundsiebzig Wochen innerhalb von je drei Jahren, gerechnet vom Tage des Beginns der Arbeitsunfähigkeit an. [2]Tritt während der Arbeitsunfähigkeit eine weitere Krankheit hinzu, wird die Leistungsdauer nicht verlängert.

(2) Für Versicherte, die im letzten Dreijahreszeitraum wegen derselben Krankheit für achtundsiebzig Wochen Krankengeld bezogen haben, besteht nach Beginn eines neuen Dreijahreszeitraums ein neuer Anspruch auf Krankengeld wegen derselben Krankheit, wenn sie bei Eintritt der erneuten Arbeitsunfähigkeit mit Anspruch auf Krankengeld versichert sind und in der Zwischenzeit mindestens sechs Monate

1. nicht wegen dieser Krankheit arbeitsunfähig waren und
2. erwerbstätig waren oder der Arbeitsvermittlung zur Verfügung standen.

(3) [1]Bei der Feststellung der Leistungsdauer des Krankengeldes werden Zeiten, in denen der Anspruch auf Krankengeld ruht oder für die das Krankengeld versagt wird, wie Zeiten des Bezugs von Krankengeld berücksichtigt. [2]Zeiten, für die kein Anspruch auf Krankengeld besteht, bleiben unberücksichtigt. [3]Satz 2 gilt nicht für Zeiten des Bezuges von Verletztengeld nach dem Siebten Buch[3)].

[1)] Nr. **700**.
[2)] § 48 Abs. 3 Satz 3 angef. mWv 11.5.2019 durch G v. 6.5.2019 (BGBl. I S. 646).
[3)] Auszugsweise abgedruckt unter Nr. **697**.

§ 49[1] **Ruhen des Krankengeldes.** (1) Der Anspruch auf Krankengeld ruht,

1. soweit und solange Versicherte beitragspflichtiges Arbeitsentgelt oder Arbeitseinkommen erhalten; dies gilt nicht für einmalig gezahltes Arbeitsentgelt,
2. solange Versicherte Elternzeit nach dem Bundeselterngeld- und Elternzeitgesetz in Anspruch nehmen; dies gilt nicht, wenn die Arbeitsunfähigkeit vor Beginn der Elternzeit eingetreten ist oder das Krankengeld aus dem Arbeitsentgelt zu berechnen ist, das aus einer versicherungspflichtigen Beschäftigung während der Elternzeit erzielt worden ist,
3. soweit und solange Versicherte Versorgungskrankengeld, Krankengeld der Sozialen Entschädigung, ***[ab 1.1.2025:** Krankengeld der Soldatenentschädigung,*[2]***]*** Übergangsgeld, Unterhaltsgeld ***[bis 31.3.2024:*** oder***]******[ab 1.4.2024:*** ,***]*** Kurzarbeitergeld ***[ab 1.4.2024:** oder Qualifizierungsgeld**]*** beziehen,

3a. soweit er auf der Erkrankung eines Kindes beruht, das für die Versicherte oder den Versicherten Anspruch auf Versorgungskrankengeld oder Krankengeld der Sozialen Entschädigung, ***[ab 1.1.2025:** Krankengeld der Soldatenentschädigung**]*** hat.[3]

3b. solange Versicherte Mutterschaftsgeld oder Arbeitslosengeld beziehen oder der Anspruch wegen einer Sperrzeit nach dem Dritten Buch ruht,

4. soweit und solange Versicherte Entgeltersatzleistungen, die ihrer Art nach den in Nummer 3 genannten Leistungen vergleichbar sind, von einem Träger der Sozialversicherung oder einer staatlichen Stelle im Ausland erhalten,
5. solange die Arbeitsunfähigkeit der Krankenkasse nicht gemeldet wird; dies gilt nicht, wenn die Meldung innerhalb einer Woche nach Beginn der Arbeitsunfähigkeit oder die Übermittlung der Arbeitsunfähigkeitsdaten im elektronischen Verfahren nach § 295 Absatz 1 Satz 10 erfolgt,
6. soweit und solange für Zeiten einer Freistellung von der Arbeitsleistung (§ 7 Abs. 1a des Vierten Buches) eine Arbeitsleistung nicht geschuldet wird,
7. während der ersten sechs Wochen der Arbeitsunfähigkeit für Versicherte, die eine Wahlerklärung nach § 44 Absatz 2 Satz 1 Nummer 3 abgegeben haben,

---

[1] § 49 bish. Text wird Abs. 1, Abs. 2 angef., Abs. 1 Nr. 3 neu gef. und Nr. 4 geänd. durch G v. 18.12.1989 (BGBl. I S. 2261); Abs. 1 Nr. 4 geänd. durch G v. 20.12.1991 (BGBl. I S. 2325); Abs. 1 Nr. 3 geänd. durch G v. 15.12.1995 (BGBl. I S. 1809); Abs. 1 Nr. 3 geänd., Nr. 3a eingef. mWv 1.1. 1997 durch G v. 7.8.1996 (BGBl. I S. 1254); Abs. 3 angef. durch G v. 1.11.1996 (BGBl. I S. 1631); Abs. 1 Nr. 5 geänd., Nr. 6 angef. durch G v. 6.4.1998 (BGBl. I S. 688); Abs. 1 Nr. 3 geänd. durch G v. 21.7.1999 (BGBl. I S. 1648); Abs. 1 Nr. 2 geänd. mWv 2.1.2001 durch G v. 30.11.2000 (BGBl. I S. 1638); Abs. 4 angef. mWv 1.7.2001 durch G v. 19.6.2001 (BGBl. I S. 1046); Abs. 1 Nr. 3a geänd. mWv 1.1.2005 durch G v. 24.12.2003 (BGBl. I S. 2954) ; Abs. 1 Nr. 3a neu gef. mWv 1.1.2005, Abs. 1 Nrn. 1 und 3 geänd. mWv 30.3.2005 durch G v. 21.3.2005 (BGBl. I S. 818); Abs. 1 Nr. 3 geänd. mWv 1.1.2007 durch G v. 24.4.2006 (BGBl. I S. 926); Abs. 1 Nr. 2 geänd. mWv 1.1.2007 durch G v. 5.12.2006 (BGBl. I S. 2748); Abs. 1 Nr. 6 geänd., Nr. 7 angef. mWv 1.8.2009 durch G v. 17.7.2009 (BGBl. I S. 1990); Abs. 2 aufgeh. mWv 1.1.2012 durch G v. 22.12.2011 (BGBl. I S. 2983); Abs. 4 aufgeh. mWv 1.1.2018 durch G v. 23.12.2016 (BGBl. I S. 3234); Abs. 1 Nr. 7 geänd., Nr. 8 angef. mWv 11.5.2019; Abs. 1 Nr. 5 geänd. mWv 1.1.2021 durch G v. 6.5.2019 (BGBl. I S. 646); Abs. 1 Nr. 3 geänd., Nr. 3a eingef., bish. Nr. 3a wird Nr. 3b mWv 1.1.2024 durch G v. 12.12.2019 (BGBl. I S. 2652); Abs. 1 Nr. 5 geänd. mWv 9.6.2021 durch G v. 3.6.2021 (BGBl. I S. 1309); Abs. 1 Nr. 3 und 3a geänd. mWv 1.1.2025 durch G v. 20.8.2021 (BGBl. I S. 3932); Abs. 1 Nr. 3 geänd. mWv 1.4.2024 durch G v. 17.7.2023 (BGBl. 2023 I Nr. 191).

[2] Nichtamtliche Zeichensetzung.

[3] Satzzeichen amtlich.

8. solange bis die weitere Arbeitsunfähigkeit wegen derselben Krankheit nach § 46 Satz 3 ärztlich festgestellt wurde.

(2) *(aufgehoben)*

(3) Auf Grund gesetzlicher Bestimmungen gesenkte Entgelt- oder Entgeltersatzleistungen dürfen bei der Anwendung des Absatzes 1 nicht aufgestockt werden.

§ 50[1)] Ausschluß und Kürzung des Krankengeldes. (1) [1] Für Versicherte, die

1. Rente wegen voller Erwerbsminderung oder Vollrente wegen Alters aus der gesetzlichen Rentenversicherung,
2. Ruhegehalt, das nach beamtenrechtlichen Vorschriften oder Grundsätzen gezahlt wird,
3. Vorruhestandsgeld nach § 5 Abs. 3,
4. Leistungen, die ihrer Art nach den in den Nummern 1 und 2 genannten Leistungen vergleichbar sind, wenn sie von einem Träger der gesetzlichen Rentenversicherung oder einer staatlichen Stelle im Ausland gezahlt werden,
5. Leistungen, die ihrer Art nach den in den Nummern 1 und 2 genannten Leistungen vergleichbar sind, wenn sie nach den ausschließlich für das in Artikel 3 des Einigungsvertrages genannte Gebiet geltenden Bestimmungen gezahlt werden,

beziehen, endet ein Anspruch auf Krankengeld vom Beginn dieser Leistungen an; nach Beginn dieser Leistungen entsteht ein neuer Krankengeldanspruch nicht. [2] Ist über den Beginn der in Satz 1 genannten Leistungen hinaus Krankengeld gezahlt worden und übersteigt dieses den Betrag der Leistungen, kann die Krankenkasse den überschießenden Betrag vom Versicherten nicht zurückfordern. [3] In den Fällen der Nummer 4 gilt das überzahlte Krankengeld bis zur Höhe der dort genannten Leistungen als Vorschuß des Trägers oder der Stelle; es ist zurückzuzahlen. [4] Wird eine der in Satz 1 genannten Leistungen nicht mehr gezahlt, entsteht ein Anspruch auf Krankengeld, wenn das Mitglied bei Eintritt einer erneuten Arbeitsunfähigkeit mit Anspruch auf Krankengeld versichert ist.

(2) Das Krankengeld wird um den Zahlbetrag

1. der Altersrente, der Rente wegen Erwerbsminderung oder der Landabgaberente aus der Alterssicherung der Landwirte,
2. der Rente wegen teilweiser Erwerbsminderung oder der Teilrente wegen Alters aus der gesetzlichen Rentenversicherung,
3. der Knappschaftsausgleichsleistung oder der Rente für Bergleute oder
4. einer vergleichbaren Leistung, die von einem Träger oder einer staatlichen Stelle im Ausland gezahlt wird,

---

[1)] § 50 Abs. 2 und 3 neu gef. durch G v. 18.12.1989 (BGBl. I S. 2261); Abs. 2 Nr. 5 eingef. durch G v. 25.7.1991 (BGBl. I S. 1606); Abs. 2 Nr. 4 geänd. durch G v. 20.12.1991 (BGBl. I S. 2325); Abs. 2 Nr. 1 neu gef. durch G v. 29.7.1994 (BGBl. I S. 1890); Überschrift geänd., Abs. 1 Satz 1 neu gef., Satz 4 angef. durch G v. 10.5.1995 (BGBl. I S. 678); Abs. 1 Nr. 1, Abs. 2 Nrn. 1 und 2 geänd. mWv 1.1.2001 durch G v. 20.12.2000 (BGBl. I S. 1827); Abs. 1 Satz 1 Nr. 1, Abs. 2 Nr. 2 geänd. mWv 11.5.2019 durch G v. 6.5.2019 (BGBl. I S. 646).

5. von Leistungen, die ihrer Art nach den in den Nummern 1 bis 3 genannten Leistungen vergleichbar sind, wenn sie nach den ausschließlich für das in dem in Artikel 3 des Einigungsvertrages[1)] genannten Gebiets geltenden Bestimmungen gezahlt werden,

gekürzt, wenn die Leistung von einem Zeitpunkt nach dem Beginn der Arbeitsunfähigkeit oder der stationären Behandlung an zuerkannt wird.

§ 51[2)] Wegfall des Krankengeldes, Antrag auf Leistungen zur Teilhabe.

(1) [1] Versicherten, deren Erwerbsfähigkeit nach ärztlichem Gutachten erheblich gefährdet oder gemindert ist, kann die Krankenkasse eine Frist von zehn Wochen setzen, innerhalb der sie einen Antrag auf Leistungen zur medizinischen Rehabilitation und zur Teilhabe am Arbeitsleben zu stellen haben. [2] Haben diese Versicherten ihren Wohnsitz oder gewöhnlichen Aufenthalt im Ausland, kann ihnen die Krankenkasse eine Frist von zehn Wochen setzen, innerhalb der sie entweder einen Antrag auf Leistungen zur medizinischen Rehabilitation und zur Teilhabe am Arbeitsleben bei einem Leistungsträger mit Sitz im Inland oder einen Antrag auf Rente wegen voller Erwerbsminderung bei einem Träger der gesetzlichen Rentenversicherung mit Sitz im Inland zu stellen haben.

(2) Erfüllen Versicherte die Voraussetzungen für den Bezug der Regelaltersrente der gesetzlichen Rentenversicherung oder der Alterssicherung der Landwirte mit Erreichen der Regelaltersgrenze, kann ihnen die Krankenkasse eine Frist von zehn Wochen setzen, innerhalb der sie den Antrag auf diese Leistung zu stellen haben.

(3) [1] Stellen Versicherte innerhalb der Frist den Antrag nicht, entfällt der Anspruch auf Krankengeld mit Ablauf der Frist. [2] Wird der Antrag später gestellt, lebt der Anspruch auf Krankengeld mit dem Tag der Antragstellung wieder auf.

Dritter Titel. Leistungsbeschränkungen

§ 52[3)] Leistungsbeschränkung bei Selbstverschulden. (1) Haben sich Versicherte eine Krankheit vorsätzlich oder bei einem von ihnen begangenen Verbrechen oder vorsätzlichen Vergehen zugezogen, kann die Krankenkasse sie an den Kosten der Leistungen in angemessener Höhe beteiligen und das Krankengeld ganz oder teilweise für die Dauer dieser Krankheit versagen und zurückfordern.

(2) Haben sich Versicherte eine Krankheit durch eine medizinisch nicht indizierte ästhetische Operation, eine Tätowierung oder ein Piercing zugezogen, hat die Krankenkasse die Versicherten in angemessener Höhe an den Kosten zu beteiligen und das Krankengeld für die Dauer dieser Behandlung ganz oder teilweise zu versagen oder zurückzufordern.

[1)] **beck-online, Module Arbeitsrecht Nr. 10a.**

[2)] § 51 Abs. 1 Satz 1 neu gef., Abs. 2 geänd. durch G v. 18.12.1989 (BGBl. I S. 2261); Abs. 1 Satz 2 neu gef. durch G v. 20.12.1991 (BGBl. I S. 2325); Abs. 2 geänd. durch G v. 29.7.1994 (BGBl. I S. 1890); Abs. 1 Satz 2 geänd. mWv 1.1.2001 durch G v. 20.12.2000 (BGBl. I S. 1827); Überschrift, Abs. 1 geänd. mWv 1.7.2001 durch G v. 19.6.2001 (BGBl. I S. 1046); Abs. 1a eingef., Abs. 3 Satz 3 angef. mWv 11.5.2019 durch G v. 6.5.2019 (BGBl. I S. 646); Abs. 2 neu gef. mWv 1.7.2020 durch G v. 12.6.2020 (BGBl. I S. 1248); Abs. 1a, Abs. 3 Satz 3 aufgeh. mWv 1.1.2023 durch G v. 20.12.2022 (BGBl. I S. 2759).

[3)] § 52 Abs. 2 angef. mWv 1.4.2007 durch G v. 26.3.2007 (BGBl. I S. 378); Abs. 2 geänd. mWv 1.7.2008 durch G v. 28.5.2008 (BGBl. I S. 874).

§ 52a[1)] Leistungsausschluss. [1]Auf Leistungen besteht kein Anspruch, wenn sich Personen in den Geltungsbereich dieses Gesetzbuchs begeben, um in einer Versicherung nach § 5 Abs. 1 Nr. 13 oder auf Grund dieser Versicherung in einer Versicherung nach § 10 missbräuchlich Leistungen in Anspruch zu nehmen. [2]Das Nähere zur Durchführung regelt die Krankenkasse in ihrer Satzung.

Viertes Kapitel. Beziehungen der Krankenkassen zu den Leistungserbringern

Zweiter Abschnitt.[2)] Beziehungen zu Ärzten, Zahnärzten und Psychotherapeuten

Erster Titel. Sicherstellung der vertragsärztlichen und vertragszahnärztlichen Versorgung

§ 74[3)] Stufenweise Wiedereingliederung. [1]Können arbeitsunfähige Versicherte nach ärztlicher Feststellung ihre bisherige Tätigkeit teilweise verrichten und können sie durch eine stufenweise Wiederaufnahme ihrer Tätigkeit voraussichtlich besser wieder in das Erwerbsleben eingegliedert werden, soll der Arzt auf der Bescheinigung über die Arbeitsunfähigkeit Art und Umfang der möglichen Tätigkeiten angeben und dabei in geeigneten Fällen die Stellungnahme des Betriebsarztes oder mit Zustimmung der Krankenkasse die Stellungnahme des Medizinischen Dienstes (§ 275) einholen. [2]Spätestens ab einer Dauer der Arbeitsunfähigkeit von sechs Wochen hat die ärztliche Feststellung nach Satz 1 regelmäßig mit der Bescheinigung über die Arbeitsunfähigkeit zu erfolgen. [3]Der Gemeinsame Bundesausschuss legt in seinen Richtlinien nach § 92 bis zum 30. November 2019 das Verfahren zur regelmäßigen Feststellung über eine stufenweise Wiedereingliederung nach Satz 2 fest.

Sechstes Kapitel. Organisation der Krankenkassen

Dritter Abschnitt. Mitgliedschaft und Verfassung

Erster Titel. Mitgliedschaft

§ 186[4)] Beginn der Mitgliedschaft Versicherungspflichtiger. (1) Die Mitgliedschaft versicherungspflichtig Beschäftigter beginnt mit dem Tag des Eintritts in das Beschäftigungsverhältnis.

(2) [1]Die Mitgliedschaft unständig Beschäftigter (§ 179 Abs. 2) beginnt mit dem Tag der Aufnahme der unständigen Beschäftigung, für die die zuständige Krankenkasse erstmalig Versicherungspflicht festgestellt hat, wenn die Feststellung innerhalb eines Monats nach Aufnahme der Beschäftigung erfolgt, andern-

---

[1)] § 52a eingef. mWv 1.4.2007 durch G v. 26.3.2007 (BGBl. I S. 378).

[2)] 2. Abschnitt Überschrift neu gef. mWv 1.1.1999 durch G v. 16.6.1998 (BGBl. I S. 1311).

[3)] § 74 Sätze 2 und 3 angef. mWv 11.5.2019 durch G v. 6.5.2019 (BGBl. I S. 646).

[4)] § 186 Abs. 3 neu gef. durch G v. 20.12.1988 (BGBl. I S. 2606); Abs. 10 angef. durch G v. 21.12.1992 (BGBl. I S. 2266), Abs. 2a eingef. durch G v. 24.3.1997 (BGBl. I S. 594); Abs. 1 geänd. durch G v. 6.4.1998 (BGBl. I S. 688); Abs. 5 und 6 geänd. mWv 1.7.2001 durch G v. 19.6.2001 (BGBl. I S. 1046); Abs. 2a geänd. mWv 1.1.2005 durch G v. 24.12.2003 (BGBl. I S. 2954); Abs. 11 angef. mWv 1.4.2007 durch G v. 26.3.2007 (BGBl. I S. 378); Abs. 11 Satz 4 aufgeh. mWv 1.8.2013 durch G v. 15.7.2013 (BGBl. I S. 2423); Abs. 7 Sätze 2 und 3 angef. mWv 1.1.2020 durch G v. 14.12.2019 (BGBl. I S. 2789); Abs. 2a geänd. mWv 1.1.2023 durch G v. 16.12.2022 (BGBl. I S. 2328); Abs. 2a geänd. mWv 1.7.2026 durch G v. 16.4.2026 (BGBl. 2026 I Nr. 107).

falls mit dem Tag der Feststellung. [2] Die Mitgliedschaft besteht auch an den Tagen fort, an denen der unständig Beschäftigte vorübergehend, längstens für drei Wochen nicht beschäftigt wird.

(2a) Die Mitgliedschaft der Bezieher von Grundsicherungsgeld nach § 19 Absatz 1 Satz 1 des Zweiten Buches[1)] und Arbeitslosengeld oder Unterhaltsgeld nach dem Dritten Buch[2)] beginnt mit dem Tag, von dem an die Leistung bezogen wird.

(3) [1] Die Mitgliedschaft der nach dem Künstlersozialversicherungsgesetz Versicherten beginnt mit dem Tage, an dem die Versicherungspflicht auf Grund der Feststellung der Künstlersozialkasse beginnt. [2] Ist die Versicherungspflicht nach dem Künstlersozialversicherungsgesetz durch eine unständige Beschäftigung (§ 179 Abs. 2) unterbrochen worden, beginnt die Mitgliedschaft mit dem Tage nach dem Ende der unständigen Beschäftigung. [3] Kann nach § 9 des Künstlersozialversicherungsgesetzes[3)] ein Versicherungsvertrag gekündigt werden, beginnt die Mitgliedschaft mit dem auf die Kündigung folgenden Monat, spätestens zwei Monate nach der Feststellung der Versicherungspflicht.

(4) Die Mitgliedschaft von Personen, die in Einrichtungen der Jugendhilfe für eine Erwerbstätigkeit befähigt werden, beginnt mit dem Beginn der Maßnahme.

(5) Die Mitgliedschaft versicherungspflichtiger Teilnehmer an Leistungen zur Teilhabe am Arbeitsleben beginnt mit dem Beginn der Maßnahme.

(6) Die Mitgliedschaft versicherungspflichtiger behinderter Menschen beginnt mit dem Beginn der Tätigkeit in den anerkannten Werkstätten für behinderte Menschen, Anstalten, Heimen oder gleichartigen Einrichtungen.

(7) [1] Die Mitgliedschaft versicherungspflichtiger Studenten beginnt mit dem Semester, frühestens mit dem Tag der Einschreibung oder der Rückmeldung an der Hochschule. [2] Bei Hochschulen, in denen das Studienjahr in Trimester eingeteilt ist, tritt an die Stelle des Semesters das Trimester. [3] Für Hochschulen, die keine Semestereinteilung haben, gelten als Semester im Sinne des Satzes 1 die Zeiten vom 1. April bis 30. September und vom 1. Oktober bis 31. März.

(8) [1] Die Mitgliedschaft versicherungspflichtiger Praktikanten beginnt mit dem Tag der Aufnahme der berufspraktischen Tätigkeit. [2] Die Mitgliedschaft von zu ihrer Berufsausbildung ohne Arbeitsentgelt Beschäftigten beginnt mit dem Tag des Eintritts in die Beschäftigung.

(9) Die Mitgliedschaft versicherungspflichtiger Rentner beginnt mit dem Tag der Stellung des Rentenantrags.

(10) Wird die Mitgliedschaft Versicherungspflichtiger zu einer Krankenkasse gekündigt (§ 175), beginnt die Mitgliedschaft bei der neugewählten Krankenkasse abweichend von den Absätzen 1 bis 9 mit dem Tag nach Eintritt der Rechtswirksamkeit der Kündigung.

(11) [1] Die Mitgliedschaft der nach § 5 Abs. 1 Nr. 13 Versicherungspflichtigen beginnt mit dem ersten Tag ohne anderweitigen Anspruch auf Absicherung im Krankheitsfall im Inland. [2] Die Mitgliedschaft von Ausländern, die nicht Angehörige eines Mitgliedstaates der Europäischen Union, eines Vertragsstaates des Abkommens über den Europäischen Wirtschaftsraum oder Staatsangehörige der Schweiz sind, beginnt mit dem ersten Tag der Geltung der Niederlassungserlaub-

---

[1)] Nr. **692**.
[2)] Nr. **700**.
[3)] **Aichberger, SGB Nr. 30/50.**

nis oder der Aufenthaltserlaubnis. [3] Für Personen, die am 1. April 2007 keinen anderweitigen Anspruch auf Absicherung im Krankheitsfall haben, beginnt die Mitgliedschaft an diesem Tag.

§§ 187–189 *(hier nicht wiedergegeben)*

§ 190[1)] **Ende der Mitgliedschaft Versicherungspflichtiger.** (1) Die Mitgliedschaft Versicherungspflichtiger endet mit dem Tod des Mitglieds.

(2) Die Mitgliedschaft versicherungspflichtig Beschäftigter endet mit Ablauf des Tages, an dem das Beschäftigungsverhältnis gegen Arbeitsentgelt endet.

(3) *(aufgehoben)*

(4) Die Mitgliedschaft unständig Beschäftigter endet, wenn das Mitglied die berufsmäßige Ausübung der unständigen Beschäftigung nicht nur vorübergehend aufgibt, spätestens mit Ablauf von drei Wochen nach dem Ende der letzten unständigen Beschäftigung.

(5) Die Mitgliedschaft der nach dem Künstlersozialversicherungsgesetz[2)] Versicherten endet mit dem Tage, an dem die Versicherungspflicht auf Grund der Feststellung der Künstlersozialkasse endet; § 192 Abs. 1 Nr. 2 und 3 bleibt unberührt.

(6) Die Mitgliedschaft von Personen, die in Einrichtungen der Jugendhilfe für eine Erwerbstätigkeit befähigt werden, endet mit dem Ende der Maßnahme.

(7) Die Mitgliedschaft versicherungspflichtiger Teilnehmer an Leistungen zur Teilhabe am Arbeitsleben endet mit dem Ende der Maßnahme, bei Weiterzahlung des Übergangsgeldes mit Ablauf des Tages, bis zu dem Übergangsgeld gezahlt wird.

(8) Die Mitgliedschaft von versicherungspflichtigen behinderten Menschen in anerkannten Werkstätten für behinderte Menschen, Anstalten, Heimen oder gleichartigen Einrichtungen endet mit Aufgabe der Tätigkeit.

(9) [1] Die Mitgliedschaft versicherungspflichtiger Studenten endet mit Ablauf des Semesters, für das sie sich zuletzt eingeschrieben oder zurückgemeldet haben, wenn sie

1. bis zum Ablauf oder mit Wirkung zum Ablauf dieses Semesters exmatrikuliert worden sind oder
2. bis zum Ablauf dieses Semesters das 30. Lebensjahr vollendet haben.

[2] Bei Anerkennung von Hinderungsgründen, die eine Überschreitung der Altersgrenze nach Satz 1 Nummer 2 rechtfertigen, endet die Mitgliedschaft mit Ablauf des Verlängerungszeitraums zum Semesterende. [3] Abweichend von Satz 1 Num-

---

[1)] § 190 Abs. 5 neu gef. mWv 31.12.1988 durch G v. 20.12.1988 (BGBl. I S. 2606); Abs. 12 aufgeh. mWv 1.1.1996 durch G v. 21.12.1992 (BGBl. I S. 2266); Abs. 9 neu gef. durch G v. 10.5.1995 (BGBl. I S. 678); neuer Abs. 12 angef. mWv 1.1.1998 durch G v. 24.3.1997 (BGBl. I S. 594, 692); Abs. 2 geänd. mWv 1.1.1999 durch G v. 16.12.1997 (BGBl. I S. 2998); Abs. 7 und 8 geänd. mWv 1.7.2001 durch G v. 19.6.2001 (BGBl. I S. 1046); Abs. 11a eingef. mWv 29.3.2002 durch G v. 23.3.2002 (BGBl. I S. 1169); Abs. 12 geänd. mWv 1.1.2005 durch G v. 24.12.2003 (BGBl. I S. 2954); Abs. 3 Satz 2 geänd., Abs. 13 angef. mWv 1.4.2007 durch G v. 26.3.2007 (BGBl. I S. 378); Abs. 3 Satz 2 geänd., Satz 3 angef. mWv 1.1.2011 durch G v. 22.12.2010 (BGBl. I S. 2309); Abs. 3 aufgeh. mWv 1.8.2013 durch G v. 15.7.2013 (BGBl. I S. 2423); Abs. 11a geänd. mWv 11.5.2019 durch G v. 6.5.2019 (BGBl. I S. 646); Abs. 9 neu gef., Abs. 10 Satz 1 geänd. mWv 1.1.2020 durch G v. 14.12.2019 (BGBl. I S. 2789); Abs. 12 geänd. mWv 1.1.2023 durch G v. 16.12.2022 (BGBl. I S. 2328); Abs. 12 geänd. mWv 1.7.2026 durch G v. 16.4.2026 (BGBl. 2026 I Nr. 107).

[2)] **Aichberger, SGB Nr. 30/50.**

mer 1 endet im Fall der Exmatrikulation die Mitgliedschaft mit Ablauf des Tages, an dem der Student seinen Wohnsitz oder gewöhnlichen Aufenthalt im Geltungsbereich des Sozialgesetzbuchs aufgegeben hat oder an dem er dauerhaft an seinen Wohnsitz oder Ort des gewöhnlichen Aufenthalts außerhalb des Geltungsbereichs des Sozialgesetzbuchs zurückkehrt. [4] Satz 1 Nummer 1 gilt nicht, wenn sich der Student nach Ablauf des Semesters, in dem oder mit Wirkung zu dessen Ablauf er exmatrikuliert wurde, innerhalb eines Monats an einer staatlichen oder staatlich anerkannten Hochschule einschreibt. [5] § 186 Absatz 7 Satz 2 und 3 gilt entsprechend.

(10) [1] Die Mitgliedschaft versicherungspflichtiger Praktikanten endet mit dem Tag der Aufgabe der berufspraktischen Tätigkeit oder vor Aufgabe des Praktikums mit Vollendung des 30. Lebensjahres. [2] Die Mitgliedschaft von zu ihrer Berufsausbildung ohne Arbeitsentgelt Beschäftigten endet mit dem Tag der Aufgabe der Beschäftigung.

(11) Die Mitgliedschaft versicherungspflichtiger Rentner endet

1. mit Ablauf des Monats, in dem der Anspruch auf Rente wegfällt oder die Entscheidung über den Wegfall oder den Entzug der Rente unanfechtbar geworden ist, frühestens mit Ablauf des Monats, für den letztmalig Rente zu zahlen ist,
2. bei Gewährung einer Rente für zurückliegende Zeiträume mit Ablauf des Monats, in dem die Entscheidung unanfechtbar wird.

(11a) Die Mitgliedschaft der in § 9 Abs. 1 Satz 1 Nummer 6 in der am 10. Mai 2019 geltenden Fassung genannten Personen, die das Beitrittsrecht ausgeübt haben, sowie ihrer Familienangehörigen, die nach dem 31. März 2002 nach § 5 Abs. 1 Nr. 11 versicherungspflichtig geworden sind, deren Anspruch auf Rente schon an diesem Tag bestand, die aber nicht die Vorversicherungszeit des § 5 Abs. 1 Nr. 11 in der seit dem 1. Januar 1993 geltenden Fassung erfüllt hatten und die bis zum 31. März 2002 nach § 10 oder nach § 7 des Zweiten Gesetzes über die Krankenversicherung der Landwirte[1)] versichert waren, endet mit dem Eintritt der Versicherungspflicht nach § 5 Abs. 1 Nr. 11.

(12) Die Mitgliedschaft der Bezieher von Grundsicherungsgeld nach § 19 Absatz 1 Satz 1 des Zweiten Buches[2)] und Arbeitslosengeld oder Unterhaltsgeld nach dem Dritten Buch[3)] endet mit Ablauf des letzten Tages, für den die Leistung bezogen wird.

(13) [1] Die Mitgliedschaft der in § 5 Abs. 1 Nr. 13 genannten Personen endet mit Ablauf des Vortages, an dem

1. ein anderweitiger Anspruch auf Absicherung im Krankheitsfall begründet wird oder
2. der Wohnsitz oder gewöhnliche Aufenthalt in einen anderen Staat verlegt wird.

[2] Satz 1 Nr. 1 gilt nicht für Mitglieder, die Empfänger von Leistungen nach dem Dritten, Vierten, Sechsten und Siebten Kapitel des Zwölften Buches[4)] sind.

§ 191 *(hier nicht wiedergegeben)*

---

1) **Aichberger, SGB Nr. 30/22.**
2) Nr. 692.
3) Nr. 700.
4) **Aichberger, SGB Nr. 12.**

§ 192[1] Fortbestehen der Mitgliedschaft Versicherungspflichtiger.

(1) Die Mitgliedschaft Versicherungspflichtiger bleibt erhalten, solange

1. sie sich in einem rechtmäßigen Arbeitskampf befinden,
2. Anspruch auf Krankengeld oder Mutterschaftsgeld besteht oder eine dieser Leistungen oder nach gesetzlichen Vorschriften Erziehungsgeld oder Elterngeld bezogen oder Elternzeit in Anspruch genommen oder Pflegeunterstützungsgeld bezogen wird,

2a. von einem privaten Krankenversicherungsunternehmen, von einem Beihilfeträger des Bundes, von sonstigen öffentlich-rechtlichen Trägern von Kosten in Krankheitsfällen auf Bundesebene, von dem Träger der Heilfürsorge im Bereich des Bundes, von dem Träger der truppenärztlichen Versorgung oder von einem öffentlich-rechtlichen Träger von Kosten in Krankheitsfällen auf Landesebene, soweit das Landesrecht dies vorsieht, Leistungen für den Ausfall von Arbeitseinkünften im Zusammenhang mit einer nach den §§ 8 und 8a des Transplantationsgesetzes[2] erfolgenden Spende von Organen oder Geweben oder im Zusammenhang mit einer Spende von Blut zur Separation von Blutstammzellen oder anderen Blutbestandteilen im Sinne von § 9 des Transfusionsgesetzes bezogen werden oder diese beansprucht werden können,

3. von einem Rehabilitationsträger während einer Leistung zur medizinischen Rehabilitation Verletztengeld, Versorgungskrankengeld, Krankengeld der Sozialen Entschädigung,[3] Krankengeld der Soldatenentschädigung oder Übergangsgeld gezahlt wird oder
4. Kurzarbeitergeld oder Qualifizierungsgeld nach dem Dritten Buch[4] bezogen wird.

(2) Während der Schwangerschaft bleibt die Mitgliedschaft Versicherungspflichtiger auch erhalten, wenn das Beschäftigungsverhältnis vom Arbeitgeber zulässig aufgelöst oder das Mitglied unter Wegfall des Arbeitsentgelts beurlaubt

(Fortsetzung nächstes Blatt)

---

[1] § 192 Abs. 1 Nr. 2 geänd. durch G v. 6.12.1991 (BGBl. I S. 2142); Abs. 1 Nr. 2 geänd. mWv 1.1. 1992 durch G v. 21.12.1992 (BGBl. I S. 2266); Abs. 1 Nrn. 2 und 3 geänd., Nr. 4 angef. mWv 1.1.1998 durch G v. 24.3.1997 (BGBl. I S. 594, 692); Abs. 1 Nr. 1 neu gef. mWv 1.1.1999 durch G v.16.12.1997 (BGBl. I S. 2998); Abs. 1 Nr. 2 geänd. mWv 2.1.2001 durch G v. 30.11.2000 (BGBl. I S. 1638); Abs. 1 Nr. 3 geänd. mWv 1.7.2001 (BGBl. I S. 1046).; Abs. 1 Nr. 3 neu gef. mWv 1.5.2002 durch G v. 27.4. 2002 (BGBl. I S. 1467); Abs. 1 Nr. 4 geänd. mWv 1.1.2007 durch G v. 24.4.2006 (BGBl. I S. 926); Abs. 1 Nr. 2 geänd. mWv 1.1.2007 durch G v. 5.12.2006 (BGBl. I S. 2748); Abs. 1 Nr. 2a eingef. mWv 1.8.2012 durch G v. 21.7.2012 (BGBl. I S. 1601); Abs. 1 Nr. 2 geänd. mWv 1.1.2015 durch G v. 23.12. 2014 (BGBl. I S. 2462); Abs. 1 Nr. 2a geänd. mWv 23.7.2015 durch G v. 16.7.2015 (BGBl. I S. 1211); Abs. 1 Nr. 3 geänd. mWv 1.1.2024 durch G v. 12.12.2019 (BGBl. I S. 2652); Abs. 1 Nr. 3 geänd. mWv 1.1.2025 durch G v. 20.8.2021 (BGBl. I S. 3932); Abs. 1 Nr. 4 geänd. mWv 1.4.2024 durch G v. 17.7. 2023 (BGBl. 2023 I Nr. 191).

[2] **Sartorius ErgBd. Nr. 280.**

[3] Nichtamtliche Zeichensetzung.

[4] Nr. **700**.

worden ist, es sei denn, es besteht eine Mitgliedschaft nach anderen Vorschriften.

§ 193[1) 2)] **Fortbestehen der Mitgliedschaft bei Wehrdienst oder Zivildienst.** (1) [1]Bei versicherungspflichtig Beschäftigten, denen nach § 1 Abs. 2 des Arbeitsplatzschutzgesetzes[3)] Entgelt weiterzugewähren ist, gilt das Beschäftigungsverhältnis als durch den Wehrdienst nach § 4 Absatz 1 und § 6a Absatz 1 des Wehrpflichtgesetzes[4)] nicht unterbrochen. [2]Dies gilt auch für Personen in einem Wehrdienstverhältnis besonderer Art nach § 6 des Einsatz-Weiterverwendungsgesetzes[5)], wenn sie den Einsatzunfall in einem Versicherungsverhältnis erlitten haben.

(2) [1]Bei Versicherungspflichtigen, die nicht unter Absatz 1 fallen, sowie bei freiwilligen Mitgliedern berührt der Wehrdienst nach § 4 Absatz 1 und § 6a Absatz 1 des Wehrpflichtgesetzes eine bestehende Mitgliedschaft bei einer Krankenkasse nicht. [2]Die versicherungspflichtige Mitgliedschaft gilt als fortbestehend, wenn die Versicherungspflicht am Tag vor dem Beginn des Wehrdienstes endet oder wenn zwischen dem letzten Tag der Mitgliedschaft und dem Beginn des Wehrdienstes ein Samstag, Sonntag oder gesetzlicher Feiertag liegt. [3]Absatz 1 Satz 2 gilt entsprechend.

(3) Die Absätze 1 und 2 gelten für den Zivildienst entsprechend.

(4) [1]Die Absätze 1 und 2 gelten für Personen, die Dienstleistungen oder Übungen nach dem Vierten Abschnitt des Soldatengesetzes leisten. [2]Die Dienstleistungen und Übungen gelten nicht als Beschäftigungen im Sinne des § 5 Abs. 1 Nr. 1 und § 6 Abs. 1 Nr. 3.

(5) Die Zeit in einem Wehrdienstverhältnis besonderer Art nach § 6 des Einsatz-Weiterverwendungsgesetzes gilt nicht als Beschäftigung im Sinne von § 5 Abs. 1 Nr. 1 und § 6 Abs. 1 Nr. 3.

Achtes Kapitel. Finanzierung

Erster Abschnitt. Beiträge

Fünfter Titel. Zahlung der Beiträge

§ 253 Beitragszahlung aus dem Arbeitsentgelt. Für die Zahlung der Beiträge aus Arbeitsentgelt bei einer versicherungspflichtigen Beschäftigung gelten die Vorschriften über den Gesamtsozialversicherungsbeitrag nach den §§ 28d bis 28n und § 28r des Vierten Buches[6)].

[1)] § 193 Abs. 4 angef. durch G v. 24.7.1995 (BGBl. I S. 962); Abs. 1 und Abs. 2 geänd. durch G v. 15.12.1995 (BGBl. I S. 1726); Abs. 2 Satz 2 angef. mWv 1.1.2000 durch G v. 22.12.1999 (BGBl. I S. 2626); Abs. 4 Satz 1 geänd. mWv 24.12.2000 durch G v. 19.12.2000 (BGBl. I S. 1815); Abs. 4 Sätze 1 und 2 geänd. mWv 30.4.2005 durch G v. 22.4.2005 (BGBl. I S. 1106); Abs. 1 Satz 2, Abs. 2 Satz 3 und Abs. 5 angef. mWv 18.12.2007 durch G v. 12.12.2007 (BGBl. I S. 2861); Abs. 1 Satz 1 und Abs. 2 Satz 1 geänd. mWv 1.1.2026 durch G v. 22.12.2025 (BGBl. 2025 I Nr. 370).

[2)] Siehe hierzu ua die KV-/PV-PauschalbeitragsVO **(Aichberger, SGB Nr. 5/52)**.

[3)] Nr. **156**.

[4)] **beck-online, Module Arbeitsrecht Nr. 156a.**

[5)] **beck-online, Module Arbeitsrecht Nr. 156b.1.**

[6)] Nr. **694**.

Zweiter Abschnitt. Beitragszuschüsse

§ 257[1)] Beitragszuschüsse für Beschäftigte. (1) [1] Freiwillig in der gesetzlichen Krankenversicherung versicherte Beschäftigte, die nur wegen Überschreitens der Jahresarbeitsentgeltgrenze versicherungsfrei sind, erhalten von ihrem Arbeitgeber als Beitragszuschuß den Betrag, den der Arbeitgeber entsprechend § 249 Absatz 1 oder 2 bei Versicherungspflicht des Beschäftigten zu tragen hätte. [2] Satz 1 gilt für freiwillig in der gesetzlichen Krankenversicherung versicherte Beschäftigte, deren Mitgliedschaft auf der Versicherungsberechtigung nach § 9 Absatz 1 Satz 1 Nummer 8 beruht, entsprechend. [3] Bestehen innerhalb desselben Zeitraums mehrere Beschäftigungsverhältnisse, sind die beteiligten Arbeitgeber anteilig nach dem Verhältnis der Höhe der jeweiligen Arbeitsentgelte zur Zahlung des Beitragszuschusses verpflichtet. [4] Freiwillig in der gesetzlichen Krankenversicherung Versicherte, die eine Beschäftigung nach dem Jugendfreiwilligendienstegesetz[2)] oder nach dem Bundesfreiwilligendienstgesetz[3)] ausüben, erhalten von ihrem Arbeitgeber als Beitragszuschuss den Betrag, den der Arbeitgeber bei Versicherungspflicht der Freiwilligendienstleistenden nach § 20 Absatz 3 Satz 1 Nummer 2 des Vierten Buches[4)] für die Krankenversicherung zu tragen hätte.

(2) [1] Beschäftigte, die nur wegen Überschreitens der Jahresarbeitsentgeltgrenze oder auf Grund von § 6 Abs. 3a versicherungsfrei oder die von der Versicherungspflicht befreit und bei einem privaten Krankenversicherungsunternehmen versichert sind und für sich und ihre Angehörigen, die bei Versicherungspflicht des Beschäftigten nach § 10 versichert wären, Vertragsleistungen beanspruchen können, die der Art nach den Leistungen dieses Buches entsprechen, erhalten von ihrem Arbeitgeber einen Beitragszuschuß. [2] Der Zuschuss wird in Höhe des Betrages gezahlt, der sich bei Anwendung der Hälfte des Beitragssatzes nach § 241 zuzüglich der Hälfte des durchschnittlichen Zusatzbeitragssatzes nach § 242a und der nach § 226 Absatz 1 Satz 1 Nummer 1

---

1) § 257 Abs. 2 Satz 2 neu gef. mWv 1.1.1996 sowie Abs. 2a bis 2c eingef. mWv 1.1.1993 durch G v. 21.12.1992 (BGBl. I S. 2266); Abs. 1 Satz 3 angef., Abs. 2 neu gef., Abs. 2a Satz 2, Abs. 3 Satz 1 geänd., Abs. 4 angef. mWv 1.1.1998 durch G v. 24.3.1997 (BGBl. I S. 594, 692); Abs. 2 Satz 1, Abs. 2a Satz 1 Nr. 5, Satz 3, Abs. 2b geänd., Abs. 2a Satz 1 Nr. 2 neu gef., Abs. 2a Nrn. 2a bis 2c, Abs. 2b Satz 2 eingef. mWv 1.7.2000 durch G v. 22.12.1999 (BGBl. I S. 2626); Abs. 2a Satz 1 Nr. 2 geänd. mWv 1.8.2001 durch G v. 16.2.2001 (BGBl. I S. 266); Abs. 2a Satz 1 Nr. 5 neu gef. mWv 1.7.2002 durch G v. 21.6.2002 (BGBl. I S. 2167); Abs. 2 Satz 1, Abs. 2a Nr. 2 geänd. mWv 1.1.2003 durch G v. 23.12.2002 (BGBl. I S. 4637); Abs. 1 Satz 1, Abs. 2b Satz 1 geänd. mWv 1.7.2005 durch G v. 14.11.2003 (BGBl. I S. 2190, geänd. durch G v. 15.12.2004, BGBl. I S. 3445); Abs. 1 Satz 3, Abs. 2 Satz 4 geänd. mWv 1.1.2007 durch G v. 24.4.2006 (BGBl. I S. 926); Abs. 1 Satz 1 und Abs. 4 Satz 2 geänd., Abs. 2a neu gef., Abs. 2b und 2c aufgeh. mWv 1.4.2007, Abs. 2 Sätze 2 und 3 geänd. mWv 1.1.2009 durch G v. 26.3.2007 (BGBl. I S. 378); Abs. 1 Satz 1 geänd., Abs. 2a neu gef., Abs. 2b und 2c eingef., Abs. 4 Satz 2 geänd. mWv 1.4.2007 und Abs. 1 Satz 1 geänd., Abs. 2a neu gef., Abs. 2b und 2c aufgeh., Abs. 4 Satz 2 geänd. mWv 1.1.2009 durch G v. 14.6.2007 (BGBl. I S. 1066); Abs. 1 Satz 1 geänd., Satz 3 aufgeh., Abs. 2 Sätze 2-4, Abs. 3 Satz 2, Abs. 4 Satz 2 neu gef., Sätze 3 und 4 aufgeh. mWv 1.1.2012 durch G v. 22.12.2011 (BGBl. I S. 2983); Abs. 2 Satz 2, Abs. 4 Satz 2 geänd. mWv 1.1.2015 durch G v. 21.7.2014 (BGBl. I S. 1133); Abs. 2a Satz 1 Nr. 2 geänd., Nr. 2a eingef. mWv 1.1.2016 durch G v. 1.4.2015 (BGBl. I S. 434); Abs. 2 Satz 4 geänd. mWv 23.7.2015 durch G v. 16.7.2015 (BGBl. I S. 1211); Abs. 1 Satz 2 eingef., bish. Satz 2 wird Satz 3, Abs. 2 Sätze 2 und 5 geänd. mWv 1.1.2019 durch G v. 11.12.2018 (BGBl. I S. 2387); Abs. 1 Satz 4 angef. mWv 20.7.2021 durch G v. 11.7.2021 (BGBl. I S. 2754); Abs. 2 Satz 4 geänd. mWv 1.4.2024 durch G v. 17.7.2023 (BGBl. 2023 I Nr. 191).

2) *Nr.* **422**.

3) Nr. **422a**.

4) Nr. **694**.

bei Versicherungspflicht zugrunde zu legenden beitragspflichtigen Einnahmen als Beitrag ergibt, höchstens jedoch in Höhe der Hälfte des Betrages, den der Beschäftigte für seine Krankenversicherung zu zahlen hat. [3] Für Beschäftigte, die bei Versicherungspflicht keinen Anspruch auf Krankengeld hätten, tritt an die Stelle des Beitragssatzes nach § 241 der Beitragssatz nach § 243. [4] Soweit Kurzarbeitergeld ***[ab 1.4.2024:** oder Qualifizierungsgeld**]*** bezogen wird, ist der Beitragszuschuss in Höhe des Betrages zu zahlen, den der Arbeitgeber bei Versicherungspflicht des Beschäftigten entsprechend § 249 Absatz 2 zu tragen hätte, höchstens jedoch in Höhe des Betrages, den der Beschäftigte für seine Krankenversicherung zu zahlen hat; für die Berechnung gilt der um den durchschnittlichen Zusatzbeitragssatz nach § 242a erhöhte allgemeine Beitragssatz nach § 241. [5] Absatz 1 Satz 3 gilt.

(2a) [1] Der Zuschuss nach Absatz 2 wird ab 1. Januar 2009 für eine private Krankenversicherung nur gezahlt, wenn das Versicherungsunternehmen

1. diese Krankenversicherung nach Art der Lebensversicherung betreibt,
2. einen Basistarif im Sinne des § 152 Absatz 1 des Versicherungsaufsichtsgesetzes[1)] anbietet,

2a. sich verpflichtet, Interessenten vor Abschluss der Versicherung das amtliche Informationsblatt der Bundesanstalt für Finanzdienstleistungsaufsicht gemäß § 146 Absatz 1 Nummer 6 des Versicherungsaufsichtsgesetzes[1)] auszuhändigen, welches über die verschiedenen Prinzipien der gesetzlichen sowie der privaten Krankenversicherung aufklärt,

3. soweit es über versicherte Personen im brancheneinheitlichen Standardtarif im Sinne von § 257 Abs. 2a in der bis zum 31. Dezember 2008 geltenden Fassung verfügt, sich verpflichtet, die in § 257 Abs. 2a in der bis zum 31. Dezember 2008 geltenden Fassung in Bezug auf den Standardtarif genannten Pflichten einzuhalten,
4. sich verpflichtet, den überwiegenden Teil der Überschüsse, die sich aus dem selbst abgeschlossenen Versicherungsgeschäft ergeben, zugunsten der Versicherten zu verwenden,
5. vertraglich auf das ordentliche Kündigungsrecht verzichtet,
6. die Krankenversicherung nicht zusammen mit anderen Versicherungssparten betreibt, wenn das Versicherungsunternehmen seinen Sitz im Geltungsbereich dieses Gesetzes hat.

[2] Der Versicherungsnehmer hat dem Arbeitgeber jeweils nach Ablauf von drei Jahren eine Bescheinigung des Versicherungsunternehmens darüber vorzulegen, dass die Aufsichtsbehörde dem Versicherungsunternehmen bestätigt hat, dass es die Versicherung, die Grundlage des Versicherungsvertrages ist, nach den in Satz 1 genannten Voraussetzungen betreibt.

(3) [1] Für Bezieher von Vorruhestandsgeld nach § 5 Abs. 3, die als Beschäftigte bis unmittelbar vor Beginn der Vorruhestandsleistungen Anspruch auf den vollen oder anteiligen Beitragszuschuß nach Absatz 1 hatten, bleibt der Anspruch für die Dauer der Vorruhestandsleistungen gegen den zur Zahlung des Vorruhestandsgeldes Verpflichteten erhalten. [2] Der Zuschuss wird in Höhe des Betrages gezahlt, den der Arbeitgeber bei Versicherungspflicht des Beziehers von Vorruhestandsgeld zu tragen hätte. [3] Absatz 1 Satz 2 gilt entsprechend.

---

1) beck-online, Module Arbeitsrecht Nr. 206.

(4) [1] Für Bezieher von Vorruhestandsgeld nach § 5 Abs. 3, die als Beschäftigte bis unmittelbar vor Beginn der Vorruhestandsleistungen Anspruch auf den vollen oder anteiligen Beitragszuschuß nach Absatz 2 hatten, bleibt der Anspruch für die Dauer der Vorruhestandsleistungen gegen den zur Zahlung des Vorruhestandsgeldes Verpflichteten erhalten. [2] Der Zuschuss wird in Höhe des Betrages gezahlt, der sich bei Anwendung der Hälfte des Beitragssatzes nach § 243 und des Vorruhestandsgeldes bis zur Beitragsbemessungsgrenze (§ 223 Absatz 3) als Beitrag ergibt, höchstens jedoch in Höhe der Hälfte des Betrages, den der Bezieher von Vorruhestandsgeld für seine Krankenversicherung zu zahlen hat; Absatz 1 Satz 2 gilt entsprechend.

(Fortsetzung nächstes Blatt)

Neuntes Kapitel.[1] Medizinischer Dienst

Erster Abschnitt. Aufgaben

§ 275[2] Begutachtung und Beratung. (1) [1]Die Krankenkassen sind in den gesetzlich bestimmten Fällen oder wenn es nach Art, Schwere, Dauer oder Häufigkeit der Erkrankung oder nach dem Krankheitsverlauf erforderlich ist, verpflichtet,

1. bei Erbringung von Leistungen, insbesondere zur Prüfung von Voraussetzungen, Art und Umfang der Leistung, sowie bei Auffälligkeiten zur Prüfung der ordnungsgemäßen Abrechnung,
2. zur Einleitung von Leistungen zur Teilhabe, insbesondere zur Koordinierung der Leistungen nach den §§ 14 bis 24 des Neunten Buches[3], im Benehmen mit dem behandelnden Arzt,
3. bei Arbeitsunfähigkeit
   a) zur Sicherung des Behandlungserfolgs, insbesondere zur Einleitung von Maßnahmen der Leistungsträger für die Wiederherstellung der Arbeitsfähigkeit, oder
   b) zur Beseitigung von Zweifeln an der Arbeitsunfähigkeit

eine gutachtliche Stellungnahme des Medizinischen Dienstes einzuholen. [2]Die Regelungen des § 87 Absatz 1c zu dem im Bundesmantelvertrag für Zahnärzte vorgesehenen Gutachterverfahren bleiben unberührt.

(1a) [1]Zweifel an der Arbeitsunfähigkeit nach Absatz 1 Nr. 3 Buchstabe b sind insbesondere in Fällen anzunehmen, in denen

a) Versicherte auffällig häufig oder auffällig häufig nur für kurze Dauer arbeitsunfähig sind oder der Beginn der Arbeitsunfähigkeit häufig auf einen Arbeitstag am Beginn oder am Ende einer Woche fällt oder

---

[1] 9. Kapitel Überschrift geänd. mWv 1.1.2020 durch G v. 14.12.2019 (BGBl. I S. 2789).

[2] § 275 Abs. 2 Nr. 3 geänd. mWv 1.1.1992 durch G v. 20.12.1991 (BGBl. I S. 2325); Abs. 2 Nr. 5 angef., Abs. 3a eingef. durch G v. 21.12.1992 (BGBl. I S. 2266); Abs. 1 Nr. 3 Buchst. b neu gef., Abs. 1a und 1b eingef., Abs. 2 Nr. 2 aufgeh. mWv 1.4.1995 durch G v. 26.5.1994 (BGBl. I S. 1014); Abs. 3a geänd. durch G v. 23.6.1997 (BGBl. I S. 1520); Abs. 1b Satz 2 geänd. mWv 1.1.2000 durch G v. 22.12.1999 (BGBl. I S. 2626); Abs. 1 Nr. 2 neu gef., Abs. 2 Nr. 1 geänd. mWv 1.7.2001 durch G v. 19.6.2001 (BGBl. I S. 1046); Abs. 1 Satz 1 Nr. 1 neu gef. mWv 1.1.2003 durch G v. 23.4.2002 (BGBl. I S. 1412); Abs. 3 Nr. 1 aufgeh., bish. Nrn. 2 und 3 werden Nrn. 1 und 2 mWv 1.1.2004 durch G v. 14.11.2003 (BGBl. I S. 2190); Abs. 1c eingef., Abs. 2 Nr. 1 erster Halbs., Abs. 3 Nr. 2 und Abs. 4 geänd., Abs. 3 Nrn. 3 und 4 angef. mWv 1.4.2007, Abs. 2 Nr. 1 zweiter Halbs. geänd. mWv 1.7.2008 durch G v. 26.3.2007 (BGBl. I S. 378); Abs. 1c Satz 3 geänd. mWv 25.3.2009 durch G v. 17.3.2009 (BGBl. I S. 534); Abs. 4 Satz 2 angef. mWv 1.1.2012 durch G v. 22.12.2011 (BGBl. I S. 2983); Abs. 4a eingef. mWv 23.7.2015 durch G v. 16.7.2015 (BGBl. I S. 1211); Abs. 1b Sätze 1 und 2 geänd. mWv 1.1.2017 durch G v. 16.7.2015 (BGBl. I S. 1211); Abs. 1c Satz 4 angef. mWv 1.1.2016 durch G v. 10.12.2015 (BGBl. I S. 2229); Abs. 1 Satz 1 Nr. 2 neu gef. geänd. mWv 1.1.2018 durch G v. 23.12.2016 (BGBl. I S. 3234); Abs. 1 Satz 2 angef., Abs. 1b aufgeh. mWv 11.5.2019 durch G v. 6.5.2019 (BGBl. I S. 646); Abs. 1 abschl. Satzteil geänd., Abs. 1c aufgeh., Abs. 2 Nr. 3–5 werden Nr. 2–4, Abs. 3 Satz 2 angef., Abs. 3b und 3c eingef., Abs. 4a Sätze 3 und 4 geänd., Abs. 5 Sätze 1 und 2 geänd. mWv 1.1.2020 durch G v. 14.12.2019 (BGBl. I S. 2789); Abs. 4a Satz 4 geänd. mWv 27.6.2020 durch VO v. 19.6.2020 (BGBl. I S. 1328); Abs. 2 Nr. 1 und 4 geänd., Nr. 5 angef. mWv 29.10.2020 durch G v. 23.10.2020 (BGBl. I S. 2220); Abs. 4b eingef. mWv 19.11.2020 durch G v. 18.11.2020 (BGBl. I S. 2397); Abs. 1b eingef., Abs. 6 angef. mWv 20.7.2021 durch G v. 11.7.2021 (BGBl. I S. 2754); Abs. 4b Satz 1 geänd. mWv 12.12.2021 durch G v. 10.12.2021 (BGBl. I S. 5162).

[3] Nr. **440**.

b) die Arbeitsunfähigkeit von einem Arzt festgestellt worden ist, der durch die Häufigkeit der von ihm ausgestellten Bescheinigungen über Arbeitsunfähigkeit auffällig geworden ist.

[2]Die Prüfung hat unverzüglich nach Vorlage der ärztlichen Feststellung über die Arbeitsunfähigkeit zu erfolgen. [3]Der Arbeitgeber kann verlangen, daß die Krankenkasse eine gutachtliche Stellungnahme des Medizinischen Dienstes zur Überprüfung der Arbeitsunfähigkeit einholt. [4]Die Krankenkasse kann von einer Beauftragung des Medizinischen Dienstes absehen, wenn sich die medizinischen Voraussetzungen der Arbeitsunfähigkeit eindeutig aus den der Krankenkasse vorliegenden ärztlichen Unterlagen ergeben.

(1b) [1]Die Krankenkassen dürfen für den Zweck der Feststellung, ob bei Arbeitsunfähigkeit nach Absatz 1 Satz 1 Nummer 3 eine gutachtliche Stellungnahme des Medizinischen Dienstes einzuholen ist, im jeweils erforderlichen Umfang grundsätzlich nur die bereits nach § 284 Absatz 1 rechtmäßig erhobenen und gespeicherten versichertenbezogenen Daten verarbeiten. [2]Sollte die Verarbeitung bereits bei den Krankenkassen vorhandener Daten für den Zweck nach Satz 1 nicht ausreichen, dürfen die Krankenkassen abweichend von Satz 1 zu dem dort bezeichneten Zweck bei den Versicherten nur folgende versichertenbezogene Angaben im jeweils erforderlichen Umfang erheben und verarbeiten:

1. Angaben dazu, ob eine Wiederaufnahme der Arbeit absehbar ist und gegebenenfalls zu welchem Zeitpunkt eine Wiederaufnahme der Arbeit voraussichtlich erfolgt, und
2. Angaben zu konkret bevorstehenden diagnostischen und therapeutischen Maßnahmen, die einer Wiederaufnahme der Arbeit entgegenstehen.

[3]Die Krankenkassen dürfen die Angaben nach Satz 2 bei den Versicherten grundsätzlich nur schriftlich oder elektronisch erheben. [4]Abweichend von Satz 3 ist eine telefonische Erhebung zulässig, wenn die Versicherten in die telefonische Erhebung zuvor schriftlich oder elektronisch eingewilligt haben. [5]Die Krankenkassen haben jede telefonische Erhebung beim Versicherten zu protokollieren; die Versicherten sind hierauf sowie insbesondere auf das Auskunftsrecht nach Artikel 15 der Verordnung (EU) 2016/679[1)] hinzuweisen. [6]Versichertenanfragen der Krankenkassen im Rahmen der Durchführung der individuellen Beratung und Hilfestellung nach § 44 Absatz 4 bleiben unberührt. [7]Abweichend von Satz 1 dürfen die Krankenkassen zu dem in Satz 1 bezeichneten Zweck im Rahmen einer Anfrage bei dem die Arbeitsunfähigkeitsbescheinigung ausstellenden Leistungserbringer weitere Angaben erheben und verarbeiten. [8]Den Umfang der Datenerhebung nach Satz 7 regelt der Gemeinsame Bundesausschuss in seiner Richtlinie nach § 92 Absatz 1 Satz 2 Nummer 7 unter der Voraussetzung, dass diese Angaben erforderlich sind

1. zur Konkretisierung der auf der Arbeitsunfähigkeitsbescheinigung aufgeführten Diagnosen,
2. zur Kenntnis von weiteren diagnostischen und therapeutischen Maßnahmen, die in Bezug auf die die Arbeitsunfähigkeit auslösenden Diagnosen vorgesehenen sind,
3. zur Ermittlung von Art und Umfang der zuletzt vor der Arbeitsunfähigkeit ausgeübten Beschäftigung oder

---

[1)] Nr. **489**.

4. bei Leistungsempfängern nach dem Dritten Buch zur Feststellung des zeitlichen Umfangs, für den diese Versicherten zur Arbeitsvermittlung zur Verfügung stehen.

[9] Die nach diesem Absatz erhobenen und verarbeiteten versichertenbezogenen Daten dürfen von den Krankenkassen nicht mit anderen Daten zu einem anderen Zweck zusammengeführt werden und sind zu löschen, sobald sie nicht mehr für die Entscheidung, ob bei Arbeitsunfähigkeit nach Absatz 1 Satz 1 Nummer 3 eine gutachtliche Stellungnahme des Medizinischen Dienstes einzuholen ist, benötigt werden.

(2) Die Krankenkassen haben durch den Medizinischen Dienst prüfen zu lassen

1. die Notwendigkeit der Leistungen nach den §§ 23, 24, 40 und 41, mit Ausnahme von Verordnungen nach § 40 Absatz 3 Satz 2, unter Zugrundelegung eines ärztlichen Behandlungsplans in Stichproben vor Bewilligung und regelmäßig bei beantragter Verlängerung; der Spitzenverband Bund der Krankenkassen regelt in Richtlinien den Umfang und die Auswahl der Stichprobe und kann Ausnahmen zulassen, wenn Prüfungen nach Indikation und Personenkreis nicht notwendig erscheinen; dies gilt insbesondere für Leistungen zur medizinischen Rehabilitation im Anschluß an eine Krankenhausbehandlung (Anschlußheilbehandlung),
2. bei Kostenübernahme einer Behandlung im Ausland, ob die Behandlung einer Krankheit nur im Ausland möglich ist (§ 18),
3. ob und für welchen Zeitraum häusliche Krankenpflege länger als vier Wochen erforderlich ist (§ 37 Abs. 1),
4. ob Versorgung mit Zahnersatz aus medizinischen Gründen ausnahmsweise unaufschiebbar ist (§ 27 Abs. 2),
5. den Anspruch auf Leistungen der außerklinischen Intensivpflege nach § 37c Absatz 2 Satz 1.

(3) [1] Die Krankenkassen können in geeigneten Fällen durch den Medizinischen Dienst prüfen lassen

1. vor Bewilligung eines Hilfsmittels, ob das Hilfsmittel erforderlich ist (§ 33); der Medizinische Dienst hat hierbei den Versicherten zu beraten; er hat mit den Orthopädischen Versorgungsstellen zusammenzuarbeiten,
2. bei Dialysebehandlung, welche Form der ambulanten Dialysebehandlung unter Berücksichtigung des Einzelfalls notwendig und wirtschaftlich ist,
3. die Evaluation durchgeführter Hilfsmittelversorgungen,
4. ob Versicherten bei der Inanspruchnahme von Versicherungsleistungen aus Behandlungsfehlern ein Schaden entstanden ist (§ 66).

[2] Der Medizinische Dienst hat den Krankenkassen das Ergebnis seiner Prüfung nach Satz 1 Nummer 4 durch eine gutachterliche Stellungnahme mitzuteilen, die auch in den Fällen nachvollziehbar zu begründen ist, in denen gutachterlich kein Behandlungsfehler festgestellt wird, wenn dies zur angemessenen Unterrichtung des Versicherten im Einzelfall erforderlich ist.

(3a) Ergeben sich bei der Auswertung der Unterlagen über die Zuordnung von Patienten zu den Behandlungsbereichen nach § 4 der Psychiatrie-Personalverordnung in vergleichbaren Gruppen Abweichungen, so können die Landesverbände der Krankenkassen und die Verbände der Ersatzkassen die Zuordnungen durch den Medizinischen Dienst überprüfen lassen; das zu übermittelnde Ergebnis der Überprüfung darf keine Sozialdaten enthalten.

(3b) Hat in den Fällen des Absatzes 3 die Krankenkasse den Leistungsantrag des Versicherten ohne vorherige Prüfung durch den Medizinischen Dienst wegen fehlender medizinischer Erforderlichkeit abgelehnt, hat sie vor dem Erlass eines Widerspruchsbescheids eine gutachterliche Stellungnahme des Medizinischen Dienstes einzuholen.

(3c) Lehnt die Krankenkasse einen Leistungsantrag einer oder eines Versicherten ab und liegt dieser Ablehnung eine gutachtliche Stellungnahme des Medizinischen Dienstes nach den Absätzen 1 bis 3 zugrunde, ist die Krankenkasse verpflichtet, in ihrem Bescheid der oder dem Versicherten das Ergebnis der gutachtlichen Stellungnahme des Medizinischen Dienstes und die wesentlichen Gründe für dieses Ergebnis in einer verständlichen und nachvollziehbaren Form mitzuteilen sowie auf die Möglichkeit hinzuweisen, sich bei Beschwerden vertraulich an die Ombudsperson nach § 278 Absatz 3 zu wenden.

(4) [1] Die Krankenkassen und ihre Verbände sollen bei der Erfüllung anderer als der in Absatz 1 bis 3 genannten Aufgaben im notwendigen Umfang den Medizinischen Dienst oder andere Gutachterdienste zu Rate ziehen, insbesondere für allgemeine medizinische Fragen der gesundheitlichen Versorgung und Beratung der Versicherten, für Fragen der Qualitätssicherung, für Vertragsverhandlungen mit den Leistungserbringern und für Beratungen der gemeinsamen Ausschüsse von Ärzten und Krankenkassen, insbesondere der Prüfungsausschüsse. [2] Der Medizinische Dienst führt die Aufgaben nach § 116b Absatz 2 durch, wenn der erweiterte Landesausschuss ihn hiermit nach § 116b Absatz 3 Satz 8 ganz oder teilweise beauftragt.

(4a) [1] Soweit die Erfüllung der sonstigen dem Medizinischen Dienst obliegenden Aufgaben nicht beeinträchtigt wird, kann er Beamte nach den §§ 44 bis 49 des Bundesbeamtengesetzes[1)] ärztlich untersuchen und ärztliche Gutachten fertigen. [2] Die hierdurch entstehenden Kosten sind von der Behörde, die den Auftrag erteilt hat, zu erstatten. [3] § 280 Absatz 2 Satz 2 gilt entsprechend. [4] Der Medizinische Dienst Bund und das Bundesministerium des Innern, für Bau und Heimat vereinbaren unter Beteiligung der Medizinischen Dienste, die ihre grundsätzliche Bereitschaft zur Durchführung von Untersuchungen und zur Fertigung von Gutachten nach Satz 1 erklärt haben, das Nähere über das Verfahren und die Höhe der Kostenerstattung. [5] Die Medizinischen Dienste legen die Vereinbarung ihrer Aufsichtsbehörde vor, die der Vereinbarung innerhalb von drei Monaten nach Vorlage widersprechen kann, wenn die Erfüllung der sonstigen Aufgaben des Medizinischen Dienstes gefährdet wäre.

(4b) [1] Soweit die Erfüllung der dem Medizinischen Dienst gesetzlich obliegenden Aufgaben nicht beeinträchtigt wird, kann der Medizinische Dienst Mitarbeiterinnen und Mitarbeitern auf Ersuchen insbesondere einer für die Bekämpfung übertragbarer Krankheiten zuständigen Einrichtung des öffentlichen Gesundheitsdienstes, eines zugelassenen Krankenhauses im Sinne des § 108, eines nach § 95 Absatz 1 Satz 1 an der vertragsärztlichen Versorgung teilnehmenden Leistungserbringers sowie eines Trägers einer zugelassenen Pflegeeinrichtung im Sinne des § 72 des Elften Buches[2)] befristet eine unterstützende Tätigkeit bei diesen Behörden, Einrichtungen oder Leistungserbringern

---

1) Sartorius Nr. 160.
2) Aichberger, SGB Nr. 11.

zuweisen. [2] Die hierdurch dem Medizinischen Dienst entstehenden Personal- und Sachkosten sind von der Behörde, der Einrichtung, dem Einrichtungsträger oder dem Leistungserbringer, die oder der die Unterstützung erbeten hat, zu erstatten. [3] Das Nähere über den Umfang der Unterstützungsleistung sowie zu Verfahren und Höhe der Kostenerstattung vereinbaren der Medizinische Dienst und die um Unterstützung bittende Behörde oder Einrichtung oder der um Unterstützung bittende Einrichtungsträger oder Leistungserbringer. [4] Eine Verwendung von Umlagemitteln nach § 280 Absatz 1 Satz 1 zur Finanzierung der Unterstützung nach Satz 1 ist auszuschließen. [5] Der Medizinische Dienst legt die Zuweisungsverfügung seiner Aufsichtsbehörde vor, die dieser innerhalb einer Woche nach Vorlage widersprechen kann, wenn die Erfüllung der dem Medizinischen Dienst gesetzlich obliegenden Aufgaben beeinträchtigt wäre.

(5) [1] Die Gutachterinnen und Gutachter des Medizinischen Dienstes sind bei der Wahrnehmung ihrer fachlichen Aufgaben nur ihrem Gewissen unterworfen. [2] Sie sind nicht berechtigt, in die Behandlung und pflegerische Versorgung der Versicherten einzugreifen.

(6) Jede fallabschließende gutachtliche Stellungnahme des Medizinischen Dienstes ist in schriftlicher oder elektronischer Form zu verfassen und muss zumindest eine kurze Darlegung der Fragestellung und des Sachverhalts, das Ergebnis der Begutachtung und die wesentlichen Gründe für dieses Ergebnis umfassen.

§§ 275a–275d *(hier nicht wiedergegeben)*

§ 276[1)] Zusammenarbeit. (1) [1] Die Krankenkassen sind verpflichtet, dem Medizinischen Dienst die für die Beratung und Begutachtung erforderlichen Unterlagen vorzulegen und Auskünfte zu erteilen. [2] Unterlagen, die der Versicherte über seine Mitwirkungspflicht nach den §§ 60 und 65 des Ersten Buches[2)] hinaus seiner Krankenkasse freiwillig selbst überlassen hat, dürfen an den Medizinischen Dienst nur weitergegeben werden, soweit der Versicherte eingewilligt hat. [3] Für die Einwilligung gilt § 67b Abs. 2 des Zehnten Buches[3)].

(2) [1] Der Medizinische Dienst darf Sozialdaten erheben und speichern sowie einem anderen Medizinischen Dienst übermitteln, soweit dies für die Prüfungen, Beratungen und gutachtlichen Stellungnahmen nach den §§ 275 bis 275c erforderlich ist. [2] Haben die Krankenkassen oder der Medizinische Dienst für

---

[1)] § 276 Abs. 2 Satz 1 geänd., Abs. 4 Satz 2 angef. durch G v. 21.12.1992 (BGBl. I S. 2266); Abs. 5 und 6 angef. durch G v. 26.5.1994 (BGBl. I S. 1014); Abs. 1 Satz 3, Abs. 2 Satz 1 geänd., neuer Satz 2 eingef., bish. Sätze 2 und 3 werden Sätze 3 und 4 und geänd., Abs. 2a eingef. durch G v. 13.6.1994 (BGBl. I S. 1229); Abs. 2 Satz 6 neu gef., Sätze 7 bis 9 angef. mWv 1.1.2004 durch G v. 14.11.2003 (BGBl. I S. 2190); Abs. 2 Satz 2 aufgeh., bish. Sätze 3 bis 9 werden Sätze 2 bis 8, Abs. 2a eingef., bish. Abs. 2a wird Abs. 2b mWv 1.4.2007 durch G v. 26.3.2007 (BGBl. I S. 378); Abs. 2 Satz 1 neu gef., Satz 2 eingef., bish. Sätze 2-8 werden Sätze 3-9, Abs. 4a eingef. mWv 1.1.2016 durch G v. 10.12.2015 (BGBl. I S. 2229); Abs. 2 Satz 1 geänd. mWv 11.4.2017 durch G v. 4.4.2017 (BGBl. I S. 778); Abs. 2 Sätze 1 und 3 geänd. mWv 11.5.2019 durch G v. 6.5.2019 (BGBl. I S. 646); Abs. 2 Satz 3, Abs. 4a Satz 1 geänd. mWv 26.11.2019 durch G v. 20.11.2019 (BGBl. I S. 1626); Abs. 2 Sätze 1-3 und Satz 5, Abs. 2b, Abs. 4 Sätze 1 und 2 geänd. mWv 1.1.2020 durch G v. 14.12.2019 (BGBl. I S. 2789); Abs. 2 Sätze 2 und 5 geänd. mWv 20.7.2021 durch G v. 11.7.2021 (BGBl. I S. 2754); Abs. 2 Sätze 1-3, Abs. 4a Sätze 1-4 geänd. mWv 12.12.2024 durch G v. 5.12.2024 (BGBl. 2024 I Nr. 400); Abs. 4a Sätze 1-3 geänd. mWv 15.4.2026 durch G v. 9.4.2026 (BGBl. 2026 I Nr. 98).

[2)] Nr. **691**.

[3)] **beck-online, Module Arbeitsrecht Nr. 699.**

eine gutachtliche Stellungnahme oder Prüfung nach § 275 Absatz 1 bis 3 und 3b, § 275a Absatz 1 Satz 1 Nummer 2 oder § 275c erforderliche versichertenbezogene Daten bei den Leistungserbringern unter Nennung des Begutachtungszwecks angefordert, so sind die Leistungserbringer verpflichtet, diese Daten unmittelbar an den Medizinischen Dienst zu übermitteln. [3]Die rechtmäßig erhobenen und gespeicherten Sozialdaten dürfen nur für die in den §§ 275 bis 275c genannten Zwecke verarbeitet werden, für andere Zwecke, soweit dies durch Rechtsvorschriften des Sozialgesetzbuchs angeordnet oder erlaubt ist. [4]Die Sozialdaten sind nach fünf Jahren zu löschen. [5]Die §§ 286, 287 und 304 Absatz 1 Satz 2 und Absatz 2 sowie § 35 des Ersten Buches gelten für den Medizinischen Dienst entsprechend. [6]Der Medizinische Dienst hat Sozialdaten zur Identifikation des Versicherten getrennt von den medizinischen Sozialdaten des Versicherten zu speichern. [7]Durch technische und organisatorische Maßnahmen ist sicherzustellen, dass die Sozialdaten nur den Personen zugänglich sind, die sie zur Erfüllung ihrer Aufgaben benötigen. [8]Der Schlüssel für die Zusammenführung der Daten ist vom Beauftragten für den Datenschutz des Medizinischen Dienstes aufzubewahren und darf anderen Personen nicht zugänglich gemacht werden. [9]Jede Zusammenführung ist zu protokollieren.

(2a) [1]Ziehen die Krankenkassen den Medizinischen Dienst oder einen anderen Gutachterdienst nach § 275 Abs. 4 zu Rate, können sie ihn mit Erlaubnis der Aufsichtsbehörde beauftragen, Datenbestände leistungserbringer- oder fallbezogen für zeitlich befristete und im Umfang begrenzte Aufträge nach § 275 Abs. 4 auszuwerten; die versichertenbezogenen Sozialdaten sind vor der Übermittlung an den Medizinischen Dienst oder den anderen Gutachterdienst zu anonymisieren. [2]Absatz 2 Satz 2 gilt entsprechend.

(2b) Beauftragt der Medizinische Dienst einen Gutachter (§ 278 Absatz 2), ist die Übermittlung von erforderlichen Daten zwischen Medizinischem Dienst und dem Gutachter zulässig, soweit dies zur Erfüllung des Auftrages erforderlich ist.

(3) Für das Akteneinsichtsrecht des Versicherten gilt § 25 des Zehnten Buches[1)] entsprechend.

(4) [1]Wenn es im Einzelfall zu einer gutachtlichen Stellungnahme über die Notwendigkeit, Dauer und ordnungsgemäße Abrechnung der stationären Behandlung des Versicherten erforderlich ist, sind die Gutachterinnen und Gutachter des Medizinischen Dienstes befugt, zwischen 8.00 und 18.00 Uhr die Räume der Krankenhäuser und Vorsorge- oder Rehabilitationseinrichtungen zu betreten, um dort die Krankenunterlagen einzusehen und, soweit erforderlich, den Versicherten untersuchen zu können. [2]In den Fällen des § 275 Abs. 3a sind die Gutachterinnen und Gutachter des Medizinischen Dienstes befugt, zwischen 8.00 und 18.00 Uhr die Räume der Krankenhäuser zu betreten, um dort die zur Prüfung erforderlichen Unterlagen einzusehen.

(4a) [1]Der Medizinische Dienst ist im Rahmen der Prüfungen nach § 275a Absatz 1 Satz 1 Nummer 1 und 3 bis 5 befugt, zu den üblichen Geschäfts- und Betriebszeiten die Räume des Krankenhauses zu betreten, die erforderlichen Unterlagen einzusehen und personenbezogene Daten zu verarbeiten, soweit dies in der Richtlinie des Gemeinsamen Bundesausschusses nach § 137 Absatz 3 oder in der Richtlinie des Medizinischen Dienstes Bund nach § 283 Absatz 2 *Satz 1 Nummer* 3 festgelegt und für die Prüfungen erforderlich ist. [2]Absatz 2

---

1) Nr. **699**.

Satz 3 bis 9 gilt für die Durchführung von Prüfungen nach § 275a Absatz 1 Satz 1 Nummer 1 und 3 bis 5 entsprechend. [3]Das Krankenhaus ist zur Mitwirkung verpflichtet und hat dem Medizinischen Dienst Zugang zu den Räumen und den Unterlagen zu verschaffen sowie die Voraussetzungen dafür zu schaffen, dass er die Prüfungen nach § 275a Absatz 1 Satz 1 Nummer 1 und 3 bis 5 ordnungsgemäß durchführen kann; das Krankenhaus ist hierbei befugt und verpflichtet, dem Medizinischen Dienst Einsicht in personenbezogene Daten zu gewähren oder diese auf Anforderung des Medizinischen Dienstes zu übermitteln. [4]Die Sätze 1 und 2 gelten für Prüfungen nach § 275a Absatz 1 Satz 1 Nummer 4 nur unter der Voraussetzung, dass das Landesrecht entsprechende Mitwirkungspflichten und datenschutzrechtliche Befugnisse der Krankenhäuser zur Gewährung von Einsicht in personenbezogene Daten vorsieht.

(5) [1]Wenn sich im Rahmen der Überprüfung der Feststellungen von Arbeitsunfähigkeit (§ 275 Abs. 1 Nr. 3b, Abs. 1a und Abs. 1b) aus den ärztlichen Unterlagen ergibt, daß der Versicherte auf Grund seines Gesundheitszustandes nicht in der Lage ist, einer Vorladung des Medizinischen Dienstes Folge zu leisten oder wenn der Versicherte einen Vorladungstermin unter Berufung auf seinen Gesundheitszustand absagt und der Untersuchung fernbleibt, soll die Untersuchung in der Wohnung des Versicherten stattfinden. [2]Verweigert er hierzu seine Zustimmung, kann ihm die Leistung versagt werden. [3]Die §§ 65, 66 des Ersten Buches bleiben unberührt.

(6) Die Aufgaben des Medizinischen Dienstes im Rahmen der sozialen Pflegeversicherung ergeben sich zusätzlich zu den Bestimmungen dieses Buches aus den Vorschriften des Elften Buches[1)].

§ 277[2)] Mitteilungspflichten. (1) [1]Der Medizinische Dienst hat der Krankenkasse das Ergebnis der Begutachtung und die wesentlichen Gründe für dieses Ergebnis mitzuteilen. [2]Der Medizinische Dienst ist befugt und in dem Fall, dass das Ergebnis seiner Begutachtung von der Verordnung, der Einordnung der erbrachten Leistung als Leistung der gesetzlichen Krankenversicherung oder der Abrechnung der Leistung mit der Krankenkasse durch den Leistungserbringer abweicht, verpflichtet, diesem Leistungserbringer das Ergebnis seiner Begutachtung mitzuteilen; dies gilt bei Prüfungen nach § 275 Absatz 3 Satz 1 Nummer 4 nur, wenn die betroffenen Versicherten in die Übermittlung an den Leistungserbringer eingewilligt haben. [3]Fordern Leistungserbringer nach der Mitteilung nach Satz 2 erster Halbsatz mit Einwilligung der Versicherten die wesentlichen Gründe für das Ergebnis der Begutachtung durch den Medizinischen Dienst an, ist der Medizinische Dienst zur Übermittlung dieser Gründe verpflichtet. [4]Bei Prüfungen nach § 275c gilt Satz 2 erster Halbsatz auch für die wesentlichen Gründe für das Ergebnis der Begutachtung, soweit diese keine zusätzlichen, vom Medizinischen Dienst erhobenen versichertenbezogenen Daten enthalten. [5]Der Medizinische Dienst hat den Versicherten die sie betreffenden Gutachten nach § 275 Absatz 3 Satz 1 Nummer 4 schriftlich oder elektronisch vollständig zu übermitteln. [6]Nach

---

[1)] **Aichberger, SGB Nr. 11.**

[2)] § 277 Abs. 1 geänd. durch G v. 21.12.1992 (BGBl. I S. 2266); Abs. 1 Satz 1 geänd., neuer Satz 2 eingef., bish. Satz 2 wird Satz 3 durch G v. 13.6.1994 (BGBl. I S. 1229); Abs. 1 Sätze 4–6 angef. mWv 1.1.2016 durch G v. 10.12.2015 (BGBl. I S. 2229); Abs. 1 Sätze 1–3 neu gef., Sätze 4 und 5 eingef., bish. Sätze 4–6 werden Sätze 6–8 mWv 20.7.2021 durch G v. 11.7.2021 (BGBl. I S. 2754); Abs. 1 Satz 6 neu gef., Satz 7 geänd. mWv 12.12.2024 durch G v. 5.12.2024 (BGBl. 2024 I Nr. 400); Abs. 1 Satz 6 geänd. mWv 15.4.2026 durch G v. 9.4.2026 (BGBl. 2026 I Nr. 98).

Abschluss der Prüfungen nach § 275a Absatz 1 Satz 1 Nummer 3 bis 5 hat der Medizinische Dienst die Prüfergebnisse dem geprüften Krankenhaus und der jeweiligen beauftragenden Stelle mitzuteilen. [7] Soweit in der Richtlinie nach § 137 Absatz 3 Fälle festgelegt sind, in denen Dritte wegen erheblicher Verstöße gegen Qualitätsanforderungen unverzüglich einrichtungsbezogen über das Prüfergebnis zu informieren sind, hat der Medizinische Dienst sein Prüfergebnis unverzüglich an die in dieser Richtlinie abschließend benannten Dritten zu übermitteln. [8] Soweit erforderlich und in der Richtlinie des Gemeinsamen Bundesausschusses nach § 137 Absatz 3 vorgesehen, dürfen diese Mitteilungen auch personenbezogene Angaben enthalten; in der Mitteilung an den Auftraggeber und den Dritten sind personenbezogene Daten zu anonymisieren.

(2) [1] Die Krankenkasse hat, solange ein Anspruch auf Fortzahlung des Arbeitsentgelts besteht, dem Arbeitgeber und dem Versicherten das Ergebnis des Gutachtens des Medizinischen Dienstes über die Arbeitsunfähigkeit mitzuteilen, wenn das Gutachten mit der Bescheinigung des Kassenarztes im Ergebnis nicht übereinstimmt. [2] Die Mitteilung darf keine Angaben über die Krankheit des Versicherten enthalten.

696. Sozialgesetzbuch (SGB) Sechstes Buch (VI) – Gesetzliche Rentenversicherung –

In der Fassung der Bekanntmachung vom 19. Februar 2002[1)]
(BGBl. I S. 754, 1404, 3384)

FNA 860-6

zuletzt geänd. durch Art. 9 Tariftreuegesetz v. 27.4.2026 (BGBl. 2026 I Nr. 119)

– Auszug –[2)]

Erstes Kapitel.[3)] Versicherter Personenkreis

Erster Abschnitt. Versicherung kraft Gesetzes

§ 1[4)] Beschäftigte. [1] Versicherungspflichtig sind

1. Personen, die gegen Arbeitsentgelt oder zu ihrer Berufsausbildung beschäftigt sind; während des Bezugs von Kurzarbeitergeld oder von Qualifizierungsgeld nach dem Dritten Buch[5)] besteht die Versicherungspflicht fort,
2. behinderte Menschen, die
   a) in anerkannten Werkstätten für behinderte Menschen oder in Blindenwerkstätten im Sinne des § 226 des Neunten Buches[6)] oder für diese Einrichtungen in Heimarbeit oder bei einem anderen Leistungsanbieter nach § 60 des Neunten Buches[6)] tätig sind,
   b) in Anstalten, Heimen oder gleichartigen Einrichtungen in gewisser Regelmäßigkeit eine Leistung erbringen, die einem Fünftel der Leistung eines voll erwerbsfähigen Beschäftigten in gleichartiger Beschäftigung entspricht; hierzu zählen auch Dienstleistungen für den Träger der Einrichtung,
3. Personen, die in Einrichtungen der Jugendhilfe oder in Berufsbildungswerken oder ähnlichen Einrichtungen für behinderte Menschen für eine Erwerbstätigkeit befähigt werden sollen; dies gilt auch für Personen während der individuellen

---

1) Neubekanntmachung des SGB VI vom 18.12.1989 (BGBl. I S. 2261; 1990 I S. 1337) in der ab 1.1.2002 geltenden Fassung.

2) Vollständig wiedergegeben in **beck-online, Module Arbeitsrecht.**

3) Beachte hierzu Übergangsrecht für Renten nach den Vorschriften des Beitrittsgebiets gem. Art. 2 Renten-Überleitungsgesetz v. 25.7.1991 (BGBl. I S. 1606), zuletzt geänd. durch G v. 17.7.2017 (BGBl. I S. 2575); Anspruchs- und Anwartschaftsüberführungsgesetz **(Aichberger, SGB Nr. 6/11)** und Versorgungsruhensgesetz v. 25.7.1991 (BGBl. I S. 1606, 1684), zuletzt geänd. durch G v. 20.12.2022 (BGBl. I S. 2759).

4) § 1 Satz 4 neu gef. mWv 1.1.2004 durch G v. 27.12.2003 (BGBl. I S. 3013); Satz 1 Nr. 1 geänd. mWv 1.1.2007 durch G v. 24.4.2006 (BGBl. I S. 926); Nr. 2 Buchst. a geänd. mWv 14.9.2007 durch G v. 7.9.2007 (BGBl. I S. 2246); Satz 3 neu gef. mWv 18.12.2007 durch G v. 12.12.2007 (BGBl. I S. 2861); Satz 1 Nr. 3 geänd. mWv 30.12.2008 durch G v. 22.12.2008 (BGBl. I S. 2959); Satz 2 aufgeh., bish. Sätze 3–5 werden Sätze 2–4 mWv 29.6.2011 durch G v. 22.6.2011 (BGBl. I S. 1202); Satz 5 angef. mWv 1.1.2012 durch G v. 22.12.2011 (BGBl. I S. 3057); Satz 1 Nr. 2 Buchst. a und Nr. 3 geänd. mWv 1.1.2018 durch G v. 23.12.2016 (BGBl. I S. 3234); Satz 1 Nr. 3a aufgeh., Satz 5 geänd. mWv 1.1.2020 durch G v. 12.12.2019 (BGBl. I S. 2522); Satz 5 neu gef. mWv 1.7.2020 durch G v. 12.6.2020 (BGBl. I S. 1248); Satz 1 Nr. 1 geänd. mWv 1.4.2024 durch G v. 17.7.2023 (BGBl. 2023 I Nr. 191).

5) Nr. **700**.

6) Nr. **440**.

betrieblichen Qualifizierung im Rahmen der Unterstützten Beschäftigung nach § 55 des Neunten Buches[1],

4. Mitglieder geistlicher Genossenschaften, Diakonissen und Angehörige ähnlicher Gemeinschaften während ihres Dienstes für die Gemeinschaft und während der Zeit ihrer außerschulischen Ausbildung.

[2] Personen, die Wehrdienst leisten und nicht in einem Dienstverhältnis als Berufssoldat oder Soldat auf Zeit stehen, sind in dieser Beschäftigung nicht nach Satz 1 Nr. 1 versicherungspflichtig; sie gelten als Wehrdienstleistende im Sinne des § 3 Satz 1 Nr. 2 oder 2a und Satz 4. [3] Mitglieder des Vorstandes einer Aktiengesellschaft sind in dem Unternehmen, dessen Vorstand sie angehören, nicht versicherungspflichtig beschäftigt, wobei Konzernunternehmen im Sinne des § 18 des Aktiengesetzes[2] als ein Unternehmen gelten. [4] Die in Satz 1 Nr. 2 bis 4 genannten Personen gelten als Beschäftigte im Sinne des Rechts der Rentenversicherung. [5] Die folgenden Personen stehen den Beschäftigten zur Berufsausbildung im Sinne des Satzes 1 Nummer 1 gleich:

1. Auszubildende, die in einer außerbetrieblichen Einrichtung im Rahmen eines Berufsausbildungsvertrages nach dem Berufsbildungsgesetz[3] ausgebildet werden,
2. Teilnehmer an dualen Studiengängen und
3. Teilnehmer an Ausbildungen mit Abschnitten des schulischen Unterrichts und der praktischen Ausbildung, für die ein Ausbildungsvertrag und Anspruch auf Ausbildungsvergütung besteht (praxisintegrierte Ausbildungen).

§ 2[4] Selbständig Tätige. [1] Versicherungspflichtig sind selbständig tätige

1. Lehrer und Erzieher, die im Zusammenhang mit ihrer selbständigen Tätigkeit regelmäßig keinen versicherungspflichtigen Arbeitnehmer beschäftigen,
2. Pflegepersonen, die in der Kranken-, Wochen-, Säuglings- oder Kinderpflege tätig sind und im Zusammenhang mit ihrer selbständigen Tätigkeit regelmäßig keinen versicherungspflichtigen Arbeitnehmer beschäftigen,
3. Hebammen und Entbindungspfleger,
4. Seelotsen der Reviere im Sinne des Gesetzes über das Seelotswesen,
5. Künstler und Publizisten nach näherer Bestimmung des Künstlersozialversicherungsgesetzes[5],
6. Hausgewerbetreibende,
7. Küstenschiffer und Küstenfischer, die zur Besatzung ihres Fahrzeuges gehören oder als Küstenfischer ohne Fahrzeug fischen und regelmäßig nicht mehr als vier versicherungspflichtige Arbeitnehmer beschäftigen,

---

[1] Nr. **440**.
[2] Nr. **567**.
[3] Nr. **415**.
[4] § 2 Satz 1 Nr. 9 geänd., Nr. 10 angef., Satz 2 eingef., bish. Satz 2 wird Satz 3 mWv 1.1.2003, Satz 1 Nr. 9 geänd. mWv 1.4.2003 durch G v. 23.12.2002 (BGBl. I S. 4621); Satz 3 eingef., bish. Satz 3 wird Satz 4 mWv 1.1.2003 durch G v. 24.7.2003 (BGBl. I S. 1526); Satz 1 Nr. 8 neu gef. mWv 1.1.2004 durch G v. 24.12.2003 (BGBl. I S. 2934); Satz 1 Nr. 8 neu gef. mWv 1.1.2004 durch G v. 4.12.2004 (BGBl. I S. 3183); Satz 1 Nr. 9 Buchst. b zweiter Halbs. angef., Satz 4 Nr 2 geänd., Nr. 3 angef. mWv 1.7.2006 durch G v. 29.6.2006 (BGBl. I S. 1402); Satz 1 Nrn. 1 und 2, Nr. 9 Buchst. a geänd. mWv 1.5.2007 durch G v. 20.4.2007 (BGBl. I S. 554); Satz 1 Nr. 9 Buchst. b geänd., Nr. 10 aufgeh., Sätze 2 und 3 aufgeh., bish. Satz 4 wird Satz 2 mWv 1.4.2012 durch G v. 20.12.2011 (BGBl. I S. 2854); Satz 2 Nr. 2 geänd. mWv 1.1.2013 durch G v. 5.12.2012 (BGBl. I S. 2474); Satz 1 Nr. 8 geänd. mWv 1.1.2024 durch G v. 10.8.2021 (BGBl. I S. 3436).
[5] **Aichberger, SGB Nr. 30/50.**

8. Gewerbetreibende, die in die Handwerksrolle eingetragen sind und in ihrer Person die für die Eintragung in die Handwerksrolle erforderlichen Voraussetzungen erfüllen, wobei Handwerksbetriebe im Sinne der §§ 2 und 3 der Handwerksordnung[1] sowie Betriebsfortführungen auf Grund von § 4 der Handwerksordnung[2] außer Betracht bleiben; ist eine rechtsfähige Personengesellschaft in die Handwerksrolle eingetragen, gilt als Gewerbetreibender, wer als Gesellschafter in seiner Person die Voraussetzungen für die Eintragung in die Handwerksrolle erfüllt,
9. Personen, die
   a) im Zusammenhang mit ihrer selbständigen Tätigkeit regelmäßig keinen versicherungspflichtigen Arbeitnehmer beschäftigen und
   b) auf Dauer und im Wesentlichen nur für einen Auftraggeber tätig sind; bei Gesellschaftern gelten als Auftraggeber die Auftraggeber der Gesellschaft.

[2] Als Arbeitnehmer im Sinne des Satzes 1 Nr. 1, 2, 7 und 9 gelten
1. auch Personen, die berufliche Kenntnisse, Fertigkeiten oder Erfahrungen im Rahmen beruflicher Bildung erwerben,
2. nicht Personen, die geringfügig beschäftigt sind,
3. für Gesellschafter auch die Arbeitnehmer der Gesellschaft.

§ 3[3] Sonstige Versicherte. [1] Versicherungspflichtig sind Personen in der Zeit,
1. für die ihnen Kindererziehungszeiten anzurechnen sind (§ 56),

1a. in der sie eine oder mehrere pflegebedürftige Personen mit mindestens Pflegegrad 2 wenigstens zehn Stunden wöchentlich, verteilt auf regelmäßig mindestens zwei Tage in der Woche, in ihrer häuslichen Umgebung nicht erwerbsmäßig pflegen (nicht erwerbsmäßig tätige Pflegepersonen), wenn der Pflegebedürftige Anspruch auf Leistungen aus der sozialen Pflegeversicherung oder einer privaten Pflege-Pflichtversicherung hat,

2. in der sie aufgrund gesetzlicher Pflicht Wehrdienst oder Zivildienst leisten,

---

[1] Nr. **107**.
[2] **beck-online, Module Arbeitsrecht Nr. 107.**
[3] § 3 Satz 1 Nr. 3 geänd. mWv 1.1.2005 durch G v. 23.12.2003 (BGBl. I S. 2848); Satz 1 Nr. 3 geänd., Nr. 3a eingef. mWv 1.1.2005 durch G v. 24.12.2003 (BGBl. I S. 2954, geänd. durch G v. 30.7.2004, BGBl. I S. 2014) und Satz 1 Nr. 3a geänd. mWv 6.8.2004 durch G v. 30.7.2004 (BGBl. I S. 2014); Satz 1 Nr. 2 geänd. mWv 30.4.2005 durch G v. 22.4.2005 (BGBl. I S. 1106); Satz 1 Nr. 3a Buchst. d geänd., Buchst. e angef. mWv 1.1.2007 durch G v. 24.3.2006 (BGBl. I S. 558); Satz 1 Nr. 3a erster Halbs. geänd. mWv 1.8.2006 durch G v. 20.7.2006 (BGBl. I S. 1706); Satz 1 Nr. 2a eingef. mWv 18.12.2007 durch G v. 12.12.2007 (BGBl. I S. 2861); Satz 5 geänd. mWv 30.12.2008 durch G v. 22.12.2008 (BGBl. I S. 2959); Satz 1 Nr. 3 zweiter Halbs. angef., Nr. 3a aufgeh. mWv 1.1.2011 durch G v. 9.12.2010 (BGBl. I S. 1885); Satz 1 Nr. 3a neu gef. mWv 1.8.2012 durch G v. 21.7.2012 (BGBl. I S. 1601); Satz 1 Nr. 1a zweiter Halbs. angef., Satz 2 geänd. mWv 1.1.2013 durch G v. 23.10.2012 (BGBl. I S. 2246); Satz 1 Nr. 3 geänd. mWv 1.1.2015 durch G v. 23.12.2014 (BGBl. I S. 2462); Satz 4 geänd. mWv 1.11.2015 durch G v. 29.6.2015 (BGBl. I S. 1061); Satz 1 Nr. 3a geänd. mWv 23.7.2015 durch G v. 16.7.2015 (BGBl. I S. 1211); Satz 1 Nr. 1a neu gef., Satz 2 geänd. mWv 1.1.2017 durch G v. 21.12.2015 (BGBl. I S. 2424); Satz 1 Nr. 2a geänd. mWv 9.8.2019, Satz 4 geänd. mWv 1.1.2020, Nr. 2b eingef. mWv 1.1.2021 durch G v. 4.8.2019 (BGBl. I S. 1147, geänd. S. 2053); Satz 1 Nr. 2a geänd. mWv 1.1.2020 durch G v. 9.12.2019 (BGBl. I S. 2053); Satz 1 Nr. 3 geänd. mWv 1.1.2024 durch G v. 12.12.2019 (BGBl. I S. 2652); Satz 6 geänd. mWv 1.10.2021, Satz 1 Nr. 2b neu gef. mWv 1.1.2025 durch G v. 20.8.2021 (BGBl. I S. 3932, geänd. durch G v. 18.12.2024, BGBl. 2024 I Nr. 423); Satz 1 Nr. 3 und 3a geänd. mWv 1.1.2023 durch G v. 16.12.2022 (BGBl. I S. 2328); Satz 1 Nr. 2b geänd. mWv 1.1.2023 durch G v. 20.12.2022 (BGBl. I S. 2759); Satz 1 Nr. 3 und 3a geänd. mWv 1.7.2026 durch G v. 16.4.2026 (BGBl. 2026 I Nr. 107).

2a. in der sie sich in einem Wehrdienstverhältnis besonderer Art nach § 6 des Einsatz-Weiterverwendungsgesetzes[1] befinden, wenn sich der Einsatzunfall während einer Zeit ereignet hat, in der sie nach Nummer 2 versicherungspflichtig waren; sind zwischen dem Einsatzunfall und der Einstellung in ein Wehrdienstverhältnis besonderer Art nicht mehr als sechs Wochen vergangen, gilt das Wehrdienstverhältnis besonderer Art als mit dem Tag nach Ende einer Versicherungspflicht nach Nummer 2 begonnen,

2b. in der sie als ehemalige Soldaten auf Zeit Übergangsgebührnisse beziehen, es sei denn, sie sind für die Zeiten als Soldaten auf Zeit nach § 186 nachversichert worden,

3. für die sie von einem Leistungsträger Krankengeld, Verletztengeld, Krankengeld der Sozialen Entschädigung, Krankengeld der Soldatenentschädigung, Übergangsgeld, Arbeitslosengeld oder von der sozialen oder einer privaten Pflegeversicherung Pflegeunterstützungsgeld beziehen, wenn sie im letzten Jahr vor Beginn der Leistung zuletzt versicherungspflichtig waren; der Zeitraum von einem Jahr verlängert sich um Anrechnungszeiten wegen des Bezugs von Grundsicherungsgeld nach § 19 Absatz 1 Satz 1 des Zweiten Buches[2],

3a. für die sie von einem privaten Krankenversicherungsunternehmen, von einem Beihilfeträger des Bundes, von einem sonstigen öffentlich-rechtlichen Träger von Kosten in Krankheitsfällen auf Bundesebene, von dem Träger der Heilfürsorge im Bereich des Bundes, von dem Träger der truppenärztlichen Versorgung oder von einem öffentlich-rechtlichen Träger von Kosten in Krankheitsfällen auf Landesebene, soweit das Landesrecht dies vorsieht, Leistungen für den Ausfall von Arbeitseinkünften im Zusammenhang mit einer nach den §§ 8 und 8a des Transplantationsgesetzes[3] erfolgenden Spende von Organen oder Geweben oder im Zusammenhang mit einer im Sinne von § 9 des Transfusionsgesetzes erfolgenden Spende von Blut zur Separation von Blutstammzellen oder anderen Blutbestandteilen beziehen, wenn sie im letzten Jahr vor Beginn dieser Zahlung zuletzt versicherungspflichtig waren; der Zeitraum von einem Jahr verlängert sich um Anrechnungszeiten wegen des Bezugs von Grundsicherungsgeld nach § 19 Absatz 1 Satz 1 des Zweiten Buches,

4. für die sie Vorruhestandsgeld beziehen, wenn sie unmittelbar vor Beginn der Leistung versicherungspflichtig waren.

[2] Pflegepersonen, die für ihre Tätigkeit von dem oder den Pflegebedürftigen ein Arbeitsentgelt erhalten, das das dem Umfang der jeweiligen Pflegetätigkeit entsprechende Pflegegeld im Sinne des § 37 des Elften Buches[4] nicht übersteigt, gelten als nicht erwerbsmäßig tätig; sie sind insoweit nicht nach § 1 Satz 1 Nr. 1 versicherungspflichtig. [3] Nicht erwerbsmäßig tätige Pflegepersonen, die daneben regelmäßig mehr als 30 Stunden wöchentlich beschäftigt oder selbständig tätig sind, sind nicht nach Satz 1 Nr. 1a versicherungspflichtig. [4] Wehrdienstleistende oder Zivildienstleistende, die für die Zeit ihres Dienstes Arbeitsentgelt weitererhalten oder Leistungen an Selbständige nach § 6 des Unterhaltssicherungsgesetzes erhalten, sind nicht nach Satz 1 Nr. 2 versicherungspflichtig;

---

[1] **beck-online, Module Arbeitsrecht Nr. 156b.1.**
[2] Nr. **692.**
[3] **Sartorius ErgBd. Nr. 280.**
[4] **Aichberger, SGB Nr. 11.**

die Beschäftigung oder selbständige Tätigkeit gilt in diesen Fällen als nicht unterbrochen. [5]Trifft eine Versicherungspflicht nach Satz 1 Nr. 3 im Rahmen von Leistungen zur Teilhabe am Arbeitsleben mit einer Versicherungspflicht nach § 1 Satz 1 Nr. 2 oder 3 zusammen, geht die Versicherungspflicht vor, nach der die höheren Beiträge zu zahlen sind. [6]Die Versicherungspflicht nach Satz 1 Nummer 2b bis 4 erstreckt sich auch auf Personen, die ihren gewöhnlichen Aufenthalt im Ausland haben.

§ 4[1)] Versicherungspflicht auf Antrag. (1) [1]Auf Antrag versicherungspflichtig sind folgende Personen, wenn die Versicherung von einer Stelle beantragt wird, die ihren Sitz im Inland hat:

1. Entwicklungshelfer im Sinne des Entwicklungshelfer-Gesetzes[2)], die Entwicklungsdienst oder Vorbereitungsdienst leisten,
2. Angehörige eines Mitgliedstaates der Europäischen Union, Angehörige eines Vertragsstaates des Abkommens über den Europäischen Wirtschaftsraum oder Staatsangehörige der Schweiz, die für eine begrenzte Zeit im Ausland beschäftigt sind,
3. sekundierte Personen nach dem Sekundierungsgesetz[3)].

[2]Auf Antrag ihres Arbeitgebers versicherungspflichtig sind auch Angehörige eines Mitgliedstaates der Europäischen Union, Angehörige eines Vertragsstaates des Abkommens über den Europäischen Wirtschaftsraum oder Staatsangehörige der Schweiz, die im Ausland bei einer amtlichen Vertretung des Bundes oder der Länder oder bei einem Leiter, Mitglied oder Bediensteten einer amtlichen Vertretung des Bundes oder der Länder beschäftigt sind. [3]Personen, denen für die Zeit des Dienstes oder der Beschäftigung im Ausland Versorgungsanwartschaften gewährleistet sind, gelten im Rahmen der Nachversicherung auch ohne Antrag als versicherungspflichtig.

(2) Auf Antrag versicherungspflichtig sind Personen, die nicht nur vorübergehend selbständig tätig sind, wenn sie die Versicherungspflicht innerhalb von fünf Jahren nach der Aufnahme der selbständigen Tätigkeit oder dem Ende einer Versicherungspflicht aufgrund dieser Tätigkeit beantragen.

(3) [1]Auf Antrag versicherungspflichtig sind Personen, die

1. eine der in § 3 Satz 1 Nr. 3 genannten Sozialleistungen oder Leistungen für den Ausfall von Arbeitseinkünften nach § 3 Satz 1 Nummer 3a beziehen und nicht nach diesen Vorschriften versicherungspflichtig sind,
2. nur deshalb keinen Anspruch auf Krankengeld haben, weil sie nicht in der gesetzlichen Krankenversicherung versichert sind oder in der gesetzlichen Krankenversicherung ohne Anspruch auf Krankengeld versichert sind, für die Zeit der Arbeitsunfähigkeit oder der Ausführung von Leistungen zur medizinischen Rehabilitation oder zur Teilhabe am Arbeitsleben, wenn sie im letzten Jahr vor Beginn der Arbeitsunfähigkeit oder der Ausführung von

---

1) § 4 Abs. 1 Satz 1 Nr. 3 neu gef. mWv 1.1.2009 durch G v. 21.12.2008 (BGBl. I S. 2933); Abs. 1 neu gef. mWv 29.6.2011 durch G v. 22.6.2011 (BGBl. I S. 1202); Abs. 3 Nr. 1 geänd. mWv 1.8.2012 durch G v. 21.7.2012 (BGBl. I S. 1601); Abs. 4 Satz 1 Nr. 1 neu gef. mWv 22.4.2015 durch G v. 15.4.2015 (BGBl. I S. 583); Abs. 1 Satz 1 Nr. 2 geänd., Nr. 3 angef. mWv 5.7.2017 durch G v. 27.6. 2017 (BGBl. I S. 2070); Abs. 3 Satz 1 Nr. 2 geänd., Nr. 3 angef., Abs. 4 Satz 1 Nr. 1 neu gef. mWv 1.1.2025 durch G v. 20.8.2021 (BGBl. I S. 3932).

2) **beck-online, Module Arbeitsrecht Nr. 425.**

3) **beck-online, Module Arbeitsrecht Nr. 118.**

Leistungen zur medizinischen Rehabilitation oder zur Teilhabe am Arbeitsleben zuletzt versicherungspflichtig waren, längstens jedoch für 18 Monate,

3. Erwerbsschadensausgleich nach dem Soldatenentschädigungsgesetz beziehen, wenn die zuständige Behörde den Antrag nach § 41 des Soldatenentschädigungsgesetzes stellt.

[2] Dies gilt auch für Personen, die ihren gewöhnlichen Aufenthalt im Ausland haben.

(3a) [1] Die Vorschriften über die Versicherungsfreiheit und die Befreiung von der Versicherungspflicht gelten auch für die Versicherungspflicht auf Antrag nach Absatz 3. [2] Bezieht sich die Versicherungsfreiheit oder die Befreiung von der Versicherungspflicht auf jede Beschäftigung oder selbständige Tätigkeit, kann ein Antrag nach Absatz 3 nicht gestellt werden. [3] Bezieht sich die Versicherungsfreiheit oder die Befreiung von der Versicherungspflicht auf eine bestimmte Beschäftigung oder bestimmte selbständige Tätigkeit, kann ein Antrag nach Absatz 3 nicht gestellt werden, wenn die Versicherungsfreiheit oder die Befreiung von der Versicherungspflicht auf der Zugehörigkeit zu einem anderweitigen Alterssicherungssystem, insbesondere einem abgeschlossenen Lebensversicherungsvertrag oder der Mitgliedschaft in einer öffentlich-rechtlichen Versicherungseinrichtung oder Versorgungseinrichtung einer Berufsgruppe (§ 6 Abs. 1 Satz 1 Nr. 1), beruht und die Zeit des Bezugs der jeweiligen Sozialleistung in dem anderweitigen Alterssicherungssystem abgesichert ist oder abgesichert werden kann.

(4) [1] Die Versicherungspflicht beginnt

1. in den Fällen der Absätze 1 und 2 sowie des Absatzes 3 Satz 1 Nummer 3 mit dem Tag, an dem die dort genannten Voraussetzungen erstmals vorliegen, wenn sie innerhalb von drei Monaten danach beantragt wird, sonst mit dem Tag, der dem Eingang des Antrags folgt,
2. in den Fällen des Absatzes 3 Satz 1 Nr. 1 mit Beginn der Leistung und in den Fällen des Absatzes 3 Satz 1 Nr. 2 mit Beginn der Arbeitsunfähigkeit oder Rehabilitation, wenn der Antrag innerhalb von drei Monaten danach gestellt wird, andernfalls mit dem Tag, der dem Eingang des Antrags folgt, frühestens jedoch mit dem Ende der Versicherungspflicht aufgrund einer vorausgehenden versicherungspflichtigen Beschäftigung oder Tätigkeit.

[2] Sie endet mit Ablauf des Tages, an dem die Voraussetzungen weggefallen sind.

§ 5[1)] Versicherungsfreiheit. (1) [1] Versicherungsfrei sind

---

[1)] § 5 Abs. 1 Satz 3 angef. mWv 17.4.2002 durch G v. 11.4.2002 (BGBl. I S. 1302); Abs. 2 Satz 1 Nrn. 1 und 2, Satz 2 und 4, Abs. 3 Nr. 2 geänd. mWv 1.4.2003 durch G v. 23.12.2002 (BGBl. I S. 4621); Abs. 2 Satz 3 geänd., Abs. 3 neu gef. mWv 1.8.2004 durch G v. 21.7.2004 (BGBl. I S. 1791); Abs. 4 Nr. 3 neu gef. mWv 1.1.2008 durch G v. 20.4.2007 (BGBl. I S. 554); Abs. 2 Satz 3 geänd. mWv 1.6.2008 durch G v. 16.5.2008 (BGBl. I S. 842); Abs. 1 Satz 1 Nr. 2 und 3 geänd., Satz 2 eingef., bish. Sätze 2 und 3 werden Sätze 3 und 4, neuer Satz 3 geänd. mWv 1.1.2009 durch G v. 21.12.2008 (BGBl. I S. 2933); Abs. 2 Satz 3 geänd. mWv 3.5.2011 durch G v. 28.4.2011 (BGBl. I S. 687); Abs. 2 neu gef. mWv 1.1.2013 durch G v. 5.12.2012 (BGBl. I S. 2474); Abs. 2 Satz 1 neu gef., Satz 3 aufgeh. mWv 1.1.2017 durch G v. 21.12.2015 (BGBl. I S. 2424); Abs. 2 Satz 4 angef. mWv 17.11.2016 und wird Satz 3 mWv 1.1.2017 durch G v. 11.11.2016 (BGBl. I S. 2500); Abs. 4 Satz 1 Nr. 1 geänd., Sätze 2–4 angef. mWv 1.1.2017 durch G v. 8.12.2016 (BGBl. I S. 2838); Abs. 2 Satz 2 eingef., *bish.* Sätze 2 und 3 werden Sätze 3 und 4 mWv 1.10.2022 durch G v. 28.6.2022 (BGBl. I S. 969); Abs. 4 Satz 2 geänd. mWv 24.12.2025 durch G v. 22.12.2025 (BGBl. 2025 I Nr. 355).

1. Beamte und Richter auf Lebenszeit, auf Zeit oder auf Probe, Berufssoldaten und Soldaten auf Zeit sowie Beamte auf Widerruf im Vorbereitungsdienst,
2. sonstige Beschäftigte von Körperschaften, Anstalten oder Stiftungen des öffentlichen Rechts, deren Verbänden einschließlich der Spitzenverbände oder ihrer Arbeitsgemeinschaften, wenn ihnen nach beamtenrechtlichen Vorschriften oder Grundsätzen Anwartschaft auf Versorgung bei verminderter Erwerbsfähigkeit und im Alter sowie auf Hinterbliebenenversorgung gewährleistet und die Erfüllung der Gewährleistung gesichert ist,
3. Beschäftigte im Sinne von Nummer 2, wenn ihnen nach kirchenrechtlichen Regelungen eine Anwartschaft im Sinne von Nummer 2 gewährleistet und die Erfüllung der Gewährleistung gesichert ist, sowie satzungsmäßige Mitglieder geistlicher Genossenschaften, Diakonissen und Angehörige ähnlicher Gemeinschaften, wenn ihnen nach den Regeln der Gemeinschaft Anwartschaft auf die in der Gemeinschaft übliche Versorgung bei verminderter Erwerbsfähigkeit und im Alter gewährleistet und die Erfüllung der Gewährleistung gesichert ist,

in dieser Beschäftigung und in weiteren Beschäftigungen, auf die die Gewährleistung einer Versorgungsanwartschaft erstreckt wird. [2] Für Personen nach Satz 1 Nr. 2 gilt dies nur, wenn sie

1. nach beamtenrechtlichen Vorschriften oder Grundsätzen Anspruch auf Vergütung und bei Krankheit auf Fortzahlung der Bezüge haben oder
2. nach beamtenrechtlichen Vorschriften oder Grundsätzen bei Krankheit Anspruch auf Beihilfe oder Heilfürsorge haben oder
3. innerhalb von zwei Jahren nach Beginn des Beschäftigungsverhältnisses in ein Rechtsverhältnis nach Nummer 1 berufen werden sollen oder
4. in einem öffentlich-rechtlichen Ausbildungsverhältnis stehen.

[3] Über das Vorliegen der Voraussetzungen nach Satz 1 Nr. 2 und 3 sowie nach Satz 2 und die Erstreckung der Gewährleistung auf weitere Beschäftigungen entscheidet für Beschäftigte beim Bund und bei Dienstherren oder anderen Arbeitgebern, die der Aufsicht des Bundes unterstehen, das zuständige Bundesministerium, im Übrigen die oberste Verwaltungsbehörde des Landes, in dem die Arbeitgeber, Genossenschaften oder Gemeinschaften ihren Sitz haben. [4] Die Gewährleistung von Anwartschaften begründet die Versicherungsfreiheit von Beginn des Monats an, in dem die Zusicherung der Anwartschaften vertraglich erfolgt.

(2) [1] Versicherungsfrei sind Personen, die eine

1. Beschäftigung nach § 8 Absatz 1 Nummer 2 oder § 8a in Verbindung mit § 8 Absatz 1 Nummer 2 des Vierten Buches[1)] oder
2. geringfügige selbständige Tätigkeit nach § 8 Absatz 3 in Verbindung mit § 8 Absatz 1 oder nach § 8 Absatz 3 in Verbindung mit den §§ 8a und 8 Absatz 1 des Vierten Buches[1)]

ausüben, in dieser Beschäftigung oder selbständigen Tätigkeit. [2] Bei Anwendung von Satz 1 Nummer 2 ist im gesamten Kalenderjahr die zum 1. Januar des jeweiligen Kalenderjahres geltende Geringfügigkeitsgrenze maßgebend. [3] § 8 Absatz 2 des Vierten Buches[1)] ist mit der Maßgabe anzuwenden, dass eine Zusammenrechnung mit einer nicht geringfügigen selbständigen Tätigkeit nur

[1)] Nr. **694**.

erfolgt, wenn diese versicherungspflichtig ist. [4] Satz 1 Nummer 1 gilt nicht für Personen, die im Rahmen betrieblicher Berufsbildung beschäftigt sind.

(3) Versicherungsfrei sind Personen, die während der Dauer eines Studiums als ordentliche Studierende einer Fachschule oder Hochschule ein Praktikum ableisten, das in ihrer Studienordnung oder Prüfungsordnung vorgeschrieben ist.

(4) [1] Versicherungsfrei sind Personen, die

1. nach Ablauf des Monats, in dem die Regelaltersgrenze erreicht wurde, eine Vollrente wegen Alters beziehen,
2. nach beamtenrechtlichen Vorschriften oder Grundsätzen oder entsprechenden kirchenrechtlichen Regelungen oder nach den Regelungen einer berufsständischen Versorgungseinrichtung eine Versorgung nach Erreichen einer Altersgrenze beziehen oder die in der Gemeinschaft übliche Versorgung im Alter nach Absatz 1 Satz 1 Nr. 3 erhalten oder
3. bis zum Erreichen der Regelaltersgrenze nicht versichert waren oder nach Erreichen der Regelaltersgrenze eine Beitragserstattung aus ihrer Versicherung erhalten haben.

[2] Satz 1 gilt nicht für Beschäftigte in einer Beschäftigung, in der sie durch schriftliche oder elektronische Erklärung gegenüber dem Arbeitgeber auf die Versicherungsfreiheit verzichten. [3] Der Verzicht kann nur mit Wirkung für die Zukunft erklärt werden und ist für die Dauer der Beschäftigung bindend. [4] Die Sätze 2 und 3 gelten entsprechend für selbständig Tätige, die den Verzicht gegenüber dem zuständigen Träger der Rentenversicherung erklären.

§ 6[1)] Befreiung von der Versicherungspflicht. (1) [1] Von der Versicherungspflicht werden befreit

1. Beschäftigte und selbständig Tätige für die Beschäftigung oder selbständige Tätigkeit, wegen der sie aufgrund einer durch Gesetz angeordneten oder auf Gesetz beruhenden Verpflichtung Mitglied einer öffentlich-rechtlichen Versicherungseinrichtung oder Versorgungseinrichtung ihrer Berufsgruppe (berufsständische Versorgungseinrichtung) und zugleich kraft gesetzlicher Verpflichtung Mitglied einer berufsständischen Kammer sind, wenn

---

[1)] § 6 Abs. 1a Satz 3 eingef., bish. Satz 3 wird Satz 4 mWv 1.1.2003 durch G v. 23.12.2002 (BGBl. I S. 4621); Abs. 1b eingef. mWv 1.1.2005 durch G v. 24.12.2003 (BGBl. I S. 2954); Abs. 1 Satz 1 Nr. 4 geänd. mWv 1.1.2004 durch G v. 4.12.2004 (BGBl. I S. 3183); Abs. 1 Satz 1 Nr. 1 geänd. mWv 1.1. 2005 durch G v. 9.12.2004 (BGBl. I S. 3242); Abs. 1b Nrn. 1 und 2 geänd., Nr. 3 angef. mWv 1.5. 2007 durch G v. 20.4.2007 (BGBl. I S. 554); Abs. 1 Satz 1 Nr. 4 geänd. mWv 29.11.2008 durch G v. 26.11.2008 (BGBl. I S. 2242); Abs. 1 Satz 1 Nr. 2 geänd. mWv 1.1.2009 durch G v. 21.12.2008 (BGBl. I S. 2933); Abs. 1b aufgeh. mWv 1.1.2011 durch G v. 9.12.2010 (BGBl. I S. 1885); Abs. 1 Satz 1 Nr. 3 geänd. mWv 29.6.2011 durch G v. 22.6.2011 (BGBl. I S. 1202); Abs. 1 Satz 1 Nr. 4 geänd. mWv 1.1.2013 durch G v. 5.12.2012 (BGBl. I S. 2467); Abs. 1b eingef., Abs. 3 Sätze 2 und 3, Abs. 4 Sätze 2–4 angef. mWv 1.1.2013 durch G v. 5.12.2012 (BGBl. I S. 2474); Abs. 1a Satz 3 aufgeh., bish. Satz 4 wird Satz 3 mWv 1.7.2020, Abs. 2 Sätze 2–7 angef. mWv 1.7.2023 durch G v. 12.6.2020 (BGBl. I S. 1248, geänd. 2021 S. 2970); Abs. 3 Satz 1 neu gef., Satz 2 eingef., bish. Sätze 2 und 3 werden Sätze 3 und 4 mWv 18.2.2021 durch G v. 11.2.2021 (BGBl. I S. 154); Abs. 1b Satz 2 geänd. mWv 1.1.2023, Abs. 2 Satz 5 eingef., bish. Sätze 5-7 werden Sätze 6-8 mWv 1.1.2025 durch G v. *20.12.2022 (BGBl. I S. 2759)*; Abs. 2 Satz 4 geänd., Satz 5 aufgeh., bish. Sätze 6–8 werden Sätze 5–7 mWv 24.12.2025, Abs. 1b Satz 4 neu gef., Abs. 6 angef. mWv 1.7.2026 durch G v. 22.12.2025 (BGBl. 2025 I Nr. 355).

a) am jeweiligen Ort der Beschäftigung oder selbständigen Tätigkeit für ihre Berufsgruppe bereits vor dem 1. Januar 1995 eine gesetzliche Verpflichtung zur Mitgliedschaft in der berufsständischen Kammer bestanden hat,

b) für sie nach näherer Maßgabe der Satzung einkommensbezogene Beiträge unter Berücksichtigung der Beitragsbemessungsgrenze zur berufsständischen Versorgungseinrichtung zu zahlen sind und

c) aufgrund dieser Beiträge Leistungen für den Fall verminderter Erwerbsfähigkeit und des Alters sowie für Hinterbliebene erbracht und angepasst werden, wobei auch die finanzielle Lage der berufsständischen Versorgungseinrichtung zu berücksichtigen ist,

2.–4. …

…

(1a) [1] Personen, die nach § 2 Satz 1 Nr. 9 versicherungspflichtig sind, werden von der Versicherungspflicht befreit

1. für einen Zeitraum von drei Jahren nach erstmaliger Aufnahme einer selbständigen Tätigkeit, die die Merkmale des § 2 Satz 1 Nr. 9 erfüllt,
2. nach Vollendung des 58. Lebensjahres, wenn sie nach einer zuvor ausgeübten selbständigen Tätigkeit erstmals nach § 2 Satz 1 Nr. 9 versicherungspflichtig werden.

[2] Satz 1 Nr. 1 gilt entsprechend für die Aufnahme einer zweiten selbständigen Tätigkeit, die die Merkmale des § 2 Satz 1 Nr. 9 erfüllt. [3] Eine Aufnahme einer selbständigen Tätigkeit liegt nicht vor, wenn eine bestehende selbständige Existenz lediglich umbenannt oder deren Geschäftszweck gegenüber der vorangegangenen nicht wesentlich verändert worden ist.

(1b) [1] Personen, die eine geringfügige Beschäftigung nach § 8 Absatz 1 Nummer 1 oder § 8a in Verbindung mit § 8 Absatz 1 Nummer 1 des Vierten Buches[1)] ausüben, werden auf Antrag von der Versicherungspflicht befreit. [2] Der schriftliche oder elektronische Befreiungsantrag ist dem Arbeitgeber zu übergeben. [3] § 8 Absatz 2 des Vierten Buches[1)] ist mit der Maßgabe anzuwenden, dass eine Zusammenrechnung mit einer nicht geringfügigen Beschäftigung nur erfolgt, wenn diese versicherungspflichtig ist. ***[Satz 4 bis 30.6.2026:]*** [4] Der Antrag kann bei mehreren geringfügigen Beschäftigungen nur einheitlich gestellt werden und ist für die Dauer der Beschäftigungen bindend. ***[Satz 4 ab 1.7.2026:]*** *[4] Der Antrag kann bei mehreren geringfügigen Beschäftigungen nur einheitlich gestellt werden und ist vorbehaltlich des Absatzes 6 für die Dauer der Beschäftigungen bindend.* [5] Satz 1 gilt nicht für Personen, die im Rahmen betrieblicher Berufsbildung, nach dem Jugendfreiwilligendienstegesetz[2)], nach dem Bundesfreiwilligendienstgesetz[3)] oder nach § 1 Satz 1 Nummer 2 bis 4 beschäftigt sind oder von der Möglichkeit einer stufenweisen Wiederaufnahme einer nicht geringfügigen Tätigkeit (§ 74 des Fünften Buches[4)]) Gebrauch machen.

(2)–(5) …

[1)] Nr. **694**.
[2)] Nr. **422**.
[3)] Nr. **422a**.
[4)] Nr. **695**.

[Abs. 6 ab 1.7.2026:]

(6) [1] Eine Befreiung von der Versicherungspflicht nach Absatz 1b Satz 1 ist auf Antrag des Beschäftigten einmalig aufzuheben. [2] Für den Antrag auf Aufhebung gelten Absatz 1b Satz 2 und 4 entsprechend. [3] Die Aufhebung der Befreiung wirkt ab dem nächsten Monat, der auf den Monat der Antragstellung des Beschäftigten bei seinem Arbeitgeber folgt. [4] Die Befreiung gilt als aufgehoben, wenn die nach § 28i Satz 5 des Vierten Buches[1)] zuständige Einzugsstelle nicht innerhalb eines Monats nach Eingang der Meldung des Arbeitgebers nach § 28a des Vierten Buches[1)] dem Antrag auf Aufhebung des Beschäftigten widerspricht. [5] Insoweit finden Absatz 3 Satz 4 und Absatz 4 Satz 4 Anwendung. [6] Der Antrag auf Aufhebung der Befreiung nach Satz 1 ist für die Dauer der Beschäftigungen bindend.

Zweites Kapitel. Leistungen

Zweiter Abschnitt. Renten

Erster Unterabschnitt. Rentenarten und Voraussetzungen für einen Rentenanspruch

§ 33[2)] Rentenarten. (1) Renten werden geleistet wegen Alters, wegen verminderter Erwerbsfähigkeit oder wegen Todes.

(2) Renten wegen Alters sind

1. Regelaltersrente,
2. Altersrente für langjährig Versicherte,
3. Altersrente für schwerbehinderte Menschen,

3a. Altersrente für besonders langjährig Versicherte,

4. Altersrente für langjährig unter Tage beschäftigte Bergleute

sowie nach den Vorschriften des Fünften Kapitels

5. Altersrente wegen Arbeitslosigkeit oder nach Altersteilzeitarbeit,
6. Altersrente für Frauen.

(3) Renten wegen verminderter Erwerbsfähigkeit sind

1. Rente wegen teilweiser Erwerbsminderung,
2. Rente wegen voller Erwerbsminderung,
3. Rente für Bergleute.

(4) Renten wegen Todes sind

1. kleine Witwenrente oder Witwerrente,
2. große Witwenrente oder Witwerrente,
3. Erziehungsrente,
4. Waisenrente.

(5) Renten nach den Vorschriften des Fünften Kapitels sind auch die Knappschaftsausgleichsleistung, Rente wegen teilweiser Erwerbsminderung bei Be-

---

[1)] Nr. **694**.

[2)] § 33 Abs. 2 bis 5 geänd. **mWv 1.1.1992** durch G v. 21.7.2004 (BGBl. I S. 1791); Abs. 2 und Abs. 3 geänd. mWv *1.5.2007*, Abs. 2 Nr. 3a eingef. mWv 1.1.2012 durch G v. 20.4.2007 (BGBl. I S. 554); Abs. 3 Nr. 3 geänd., Satzteil nach Nr. 3 und Nr. 4 und 5 aufgeh. mWv 22.7.2017 durch G v. 17.7.2017 (BGBl. I S. 2509).

rufsunfähigkeit und Witwenrente und Witwerrente an vor dem 1. Juli 1977 geschiedene Ehegatten.

§ 34[1)] Voraussetzungen für einen Rentenanspruch. (1) Versicherte und ihre Hinterbliebenen haben Anspruch auf Rente, wenn die für die jeweilige Rente erforderliche Mindestversicherungszeit (Wartezeit) erfüllt ist und die jeweiligen besonderen versicherungsrechtlichen und persönlichen Voraussetzungen vorliegen.

[Abs. 2 bis 30.6.2026:]

(2) Nach bindender Bewilligung einer Rente wegen Alters oder für Zeiten des Bezugs einer solchen Rente ist der Wechsel ausgeschlossen in eine

1. Rente wegen verminderter Erwerbsfähigkeit,
2. Erziehungsrente oder
3. andere Rente wegen Alters.

[Abs. 2 ab 1.7.2026:]

(2) [1] Nach bindender Bewilligung einer Rente wegen Alters oder für Zeiten des Bezugs einer solchen Rente ist der Wechsel ausgeschlossen in eine

1. Rente wegen verminderter Erwerbsfähigkeit,
2. Erziehungsrente oder
3. andere Rente wegen Alters.

[2] Satz 1 Nummer 3 gilt nicht für einen Wechsel in eine Regelaltersrente, wenn der Anspruch auf Rente wegen Alters nur deshalb besteht, weil ein rechtswidriger begünstigender Verwaltungsakt nach § 45 des Zehnten Buches[2)] nicht zurückgenommen werden kann.

Zweiter Unterabschnitt. Anspruchsvoraussetzungen für einzelne Renten

Erster Titel. Renten wegen Alters

§ 35[3)] Regelaltersrente. [1] Versicherte haben Anspruch auf Regelaltersrente, wenn sie

1. die Regelaltersgrenze erreicht und
2. die allgemeine Wartezeit erfüllt

haben. [2] Die Regelaltersgrenze wird mit Vollendung des 67. Lebensjahres erreicht.

§ 36[4)] Altersrente für langjährig Versicherte. [1] Versicherte haben Anspruch auf Altersrente für langjährig Versicherte, wenn sie

1. das 67. Lebensjahr vollendet und
2. die Wartezeit von 35 Jahren erfüllt

haben. [2] Die vorzeitige Inanspruchnahme dieser Altersrente ist nach Vollendung des 63. Lebensjahres möglich.

[1)] § 34 neu gef. mWv 1.1.2023 durch G v. 20.12.2022 (BGBl. I S. 2759); Abs. 2 neu gef. mWv 1.7.2026 durch G v. 22.12.2025 (BGBl. 2025 I Nr. 355).

[2)] Nr. **699**.

[3)] § 35 neu gef. mWv 1.1.2008 durch G v. 20.4.2007 (BGBl. I S. 554).

[4)] § 36 neu gef. mWv 1.1.2008 durch G v. 20.4.2007 (BGBl. I S. 554).

§ 37[1] Altersrente für schwerbehinderte Menschen. [1]Versicherte haben Anspruch auf Altersrente für schwerbehinderte Menschen, wenn sie

1. das 65. Lebensjahr vollendet haben,
2. bei Beginn der Altersrente als schwerbehinderte Menschen (§ 2 Abs. 2 Neuntes Buch[2]) anerkannt sind und
3. die Wartezeit von 35 Jahren erfüllt haben.

[2]Die vorzeitige Inanspruchnahme dieser Altersrente ist nach Vollendung des 62. Lebensjahres möglich.

§ 38[3] Altersrente für besonders langjährig Versicherte. Versicherte haben Anspruch auf Altersrente für besonders langjährig Versicherte, wenn sie

1. das 65. Lebensjahr vollendet und
2. die Wartezeit von 45 Jahren erfüllt

haben.

§ 39 (weggefallen)

§ 40[4] Altersrente für langjährig unter Tage beschäftigte Bergleute.

Versicherte haben Anspruch auf Altersrente für langjährig unter Tage beschäftigte Bergleute, wenn sie

1. das 62. Lebensjahr vollendet und
2. die Wartezeit von 25 Jahren erfüllt

haben.

§ 41[5] Altersrente und Ende des Arbeitsverhältnisses. (1) [1]Der Anspruch des Versicherten auf eine Rente wegen Alters ist nicht als ein Grund anzusehen, der die Kündigung eines Arbeitsverhältnisses durch den Arbeitgeber nach dem Kündigungsschutzgesetz[6] bedingen kann. [2]Eine Vereinbarung, die die Beendigung des Arbeitsverhältnisses eines Arbeitnehmers ohne Kündigung zu einem Zeitpunkt vorsieht, zu dem der Arbeitnehmer vor Erreichen der Regelaltersgrenze eine Rente wegen Alters beantragen kann, gilt dem Arbeitnehmer gegenüber als auf das Erreichen der Regelaltersgrenze abgeschlossen, es sei denn, dass die Vereinbarung innerhalb der letzten drei Jahre vor diesem Zeitpunkt abgeschlossen oder von dem Arbeitnehmer innerhalb der letzten drei Jahre vor diesem Zeitpunkt bestätigt worden ist. [3]Sieht eine Vereinbarung die Beendigung des Arbeitsverhältnisses mit dem Erreichen der Regelaltersgrenze vor, können die Arbeitsvertragsparteien durch Vereinbarung während des Arbeitsverhältnisses den Beendigungszeitpunkt, gegebenenfalls auch mehrfach, hinausschieben.

---

[1] § 37 neu gef. mWv 1.1.2008 durch G v. 20.4.2007 (BGBl. I S. 554).
[2] Nr. **440**.
[3] § 38 eingef. mWv 1.1.2012 durch G v. 20.4.2007 (BGBl. I S. 554).
[4] § 40 neu gef. mWv 1.1.2008 durch G v. 20.4.2007 (BGBl. I S. 554).
[5] § 41 Satz 2 neu gef. mWv 1.1.2008 durch G v. 20.4.2007 (BGBl. I S. 554); Satz 3 angef. mWv 1.7.2014 durch G v. 23.6.2014 (BGBl. I S. 787); Überschr. neu gef., Abs. 2 angef. mWv 1.1.2025 durch G v. 23.10.2024 (BGBl. 2024 I Nr. 323); Abs. 2 eingef., bish. Abs. 2 wird Abs. 3 mWv 1.1.2026 durch G v. 22.12.2025 (BGBl. 2025 I Nr. 362).
[6] Nr. **152**.

(2) [1] § 14 Absatz 2 Satz 2 des Teilzeit- und Befristungsgesetzes[1)] gilt nicht für Arbeitnehmer, die die Regelaltersgrenze erreicht haben, wenn mit befristeten Arbeitsverhältnissen nach § 14 Absatz 2 Satz 1 des Teilzeit- und Befristungsgesetzes bei demselben Arbeitgeber

1. die Voraussetzungen des § 14 Absatz 2 Satz 1 des Teilzeit- und Befristungsgesetzes eingehalten werden und
2. keine der folgenden Grenzen überschritten wird:
   a) eine Höchstdauer von insgesamt acht Jahren und
   b) die Anzahl von zwölf befristeten Arbeitsverträgen.

[2] § 14 Absatz 2 Satz 3 und 4 des Teilzeit- und Befristungsgesetzes bleibt unberührt.

(3) [1] Eine Vereinbarung, die die Beendigung des Arbeitsverhältnisses mit dem Erreichen der Regelaltersgrenze vorsieht, bedarf zu ihrer Wirksamkeit der Textform. [2] § 14 Absatz 4 des Teilzeit- und Befristungsgesetzes gilt nicht.

§ 42[2)] Vollrente und Teilrente. (1) Versicherte können eine Rente wegen Alters in voller Höhe (Vollrente) oder als Teilrente in Höhe von mindestens 10 Prozent der Vollrente in Anspruch nehmen.

(2), (3) *(aufgehoben)*

Zweiter Titel. Renten wegen verminderter Erwerbsfähigkeit

§ 43[3)] Rente wegen Erwerbsminderung. (1) [1] Versicherte haben bis zum Erreichen der Regelaltersgrenze Anspruch auf Rente wegen teilweiser Erwerbsminderung, wenn sie

1. teilweise erwerbsgemindert sind,
2. in den letzten fünf Jahren vor Eintritt der Erwerbsminderung drei Jahre Pflichtbeiträge für eine versicherte Beschäftigung oder Tätigkeit haben und
3. vor Eintritt der Erwerbsminderung die allgemeine Wartezeit erfüllt haben.

[2] Teilweise erwerbsgemindert sind Versicherte, die wegen Krankheit oder Behinderung auf nicht absehbare Zeit außerstande sind, unter den üblichen Bedingungen des allgemeinen Arbeitsmarktes mindestens sechs Stunden täglich erwerbstätig zu sein.

(2) [1] Versicherte haben bis zum Erreichen der Regelaltersgrenze Anspruch auf Rente wegen voller Erwerbsminderung, wenn sie

1. voll erwerbsgemindert sind,
2. in den letzten fünf Jahren vor Eintritt der Erwerbsminderung drei Jahre Pflichtbeiträge für eine versicherte Beschäftigung oder Tätigkeit haben und
3. vor Eintritt der Erwerbsminderung die allgemeine Wartezeit erfüllt haben.

[2] Voll erwerbsgemindert sind Versicherte, die wegen Krankheit oder Behinderung auf nicht absehbare Zeit außerstande sind, unter den üblichen Bedin-

---

1) Nr. **80**.

2) § 42 Abs. 2 neu gef. mWv 1.7.2017 durch G v. 8.12.2016 (BGBl. I S. 2838); Abs. 1 geänd., Abs. 2 aufgeh. mWv 1.1.2023 durch G v. 20.12.2022 (BGBl. I S. 2759); Abs. 3 aufgeh. mWv 24.12.2024 durch G v. 22.12.2025 (BGBl. 2025 I Nr. 355).

3) § 43 Abs. 1 Satz 1 und Abs. 2 Satz 1 geänd. mWv 1.1.2008 durch G v. 20.4.2007 (BGBl. I S. 554); Abs. 7 angef. mWv 1.1.2024 durch G v. 22.12.2023 (BGBl. 2023 I Nr. 408).

gungen des allgemeinen Arbeitsmarktes mindestens drei Stunden täglich erwerbstätig zu sein. [3] Voll erwerbsgemindert sind auch

1. Versicherte nach § 1 Satz 1 Nr. 2, die wegen Art oder Schwere der Behinderung nicht auf dem allgemeinen Arbeitsmarkt tätig sein können, und
2. Versicherte, die bereits vor Erfüllung der allgemeinen Wartezeit voll erwerbsgemindert waren, in der Zeit einer nicht erfolgreichen Eingliederung in den allgemeinen Arbeitsmarkt.

(3) Erwerbsgemindert ist nicht, wer unter den üblichen Bedingungen des allgemeinen Arbeitsmarktes mindestens sechs Stunden täglich erwerbstätig sein kann; dabei ist die jeweilige Arbeitsmarktlage nicht zu berücksichtigen.

(4) Der Zeitraum von fünf Jahren vor Eintritt der Erwerbsminderung verlängert sich um folgende Zeiten, die nicht mit Pflichtbeiträgen für eine versicherte Beschäftigung oder Tätigkeit belegt sind:

1. Anrechnungszeiten und Zeiten des Bezugs einer Rente wegen verminderter Erwerbsfähigkeit,
2. Berücksichtigungszeiten,
3. Zeiten, die nur deshalb keine Anrechnungszeiten sind, weil durch sie eine versicherte Beschäftigung oder selbständige Tätigkeit nicht unterbrochen ist, wenn in den letzten sechs Kalendermonaten vor Beginn dieser Zeiten wenigstens ein Pflichtbeitrag für eine versicherte Beschäftigung oder Tätigkeit oder eine Zeit nach Nummer 1 oder 2 liegt,
4. Zeiten einer schulischen Ausbildung nach Vollendung des 17. Lebensjahres bis zu sieben Jahren, gemindert um Anrechnungszeiten wegen schulischer Ausbildung.

(5) Eine Pflichtbeitragszeit von drei Jahren für eine versicherte Beschäftigung oder Tätigkeit ist nicht erforderlich, wenn die Erwerbsminderung aufgrund eines Tatbestandes eingetreten ist, durch den die allgemeine Wartezeit vorzeitig erfüllt ist.

(6) Versicherte, die bereits vor Erfüllung der allgemeinen Wartezeit voll erwerbsgemindert waren und seitdem ununterbrochen voll erwerbsgemindert sind, haben Anspruch auf Rente wegen voller Erwerbsminderung, wenn sie die Wartezeit von 20 Jahren erfüllt haben.

(7) Wird neben einer Rente nach Absatz 1 oder 2 unter den üblichen Bedingungen des allgemeinen Arbeitsmarktes eine Erwerbstätigkeit ausgeübt, deren Umfang das der Rentengewährung zugrunde liegende zeitliche Leistungsvermögen überschreitet, besteht für einen Zeitraum von regelmäßig sechs Monaten ab Beginn der Ausübung weiterhin Anspruch auf die gewährte Rente.

Drittes Kapitel.[1] Organisation, Datenschutz und Datensicherheit

Erster Abschnitt.[1] Organisation

Erster Unterabschnitt.[1] Deutsche Rentenversicherung

§ 125[2] **Träger der gesetzlichen Rentenversicherung.** (1) [1]Die Aufgaben der gesetzlichen Rentenversicherung (allgemeine Rentenversicherung und knappschaftliche Rentenversicherung) werden von Regionalträgern und Bundesträgern wahrgenommen. [2]Der Name der Regionalträger der gesetzlichen Rentenversicherung besteht aus der Bezeichnung „Deutsche Rentenversicherung" und einem Zusatz für ihre jeweilige regionale Zuständigkeit.

(2) [1]Bundesträger sind die Deutsche Rentenversicherung Bund und die Deutsche Rentenversicherung Knappschaft-Bahn-See. [2]Die Deutsche Rentenversicherung Bund nimmt auch die Grundsatz- und Querschnittsaufgaben und die gemeinsamen Angelegenheiten der Träger der Rentenversicherung wahr.

Zweiter Unterabschnitt.[1] Zuständigkeit in der allgemeinen Rentenversicherung

§ 126[3] **Zuständigkeit der Träger der Rentenversicherung.** [1]Für die Erfüllung der Aufgaben der Rentenversicherung sind in der allgemeinen Rentenversicherung die Regionalträger, die Deutsche Rentenversicherung Bund und die Deutsche Rentenversicherung Knappschaft-Bahn-See zuständig. [2]Dies gilt auch für die Anwendung des über- und zwischenstaatlichen Rechts.

Viertes Kapitel. Finanzierung

Zweiter Abschnitt. Beiträge und Verfahren

Erster Unterabschnitt. Beiträge

Erster Titel. Allgemeines

§ 157 Grundsatz. Die Beiträge werden nach einem Vomhundertsatz (Beitragssatz) von der Beitragsbemessungsgrundlage erhoben, die nur bis zur jeweiligen Beitragsbemessungsgrenze berücksichtigt wird.

§ 158[4] **Beitragssätze.** (1) [1]Der Beitragssatz in der allgemeinen Rentenversicherung ist vom 1. Januar eines Jahres an zu verändern, wenn am 31. Dezember dieses Jahres bei Beibehaltung des bisherigen Beitragssatzes die Mittel der Nachhaltigkeitsrücklage

---

[1] 3. Kapitel 1. Abschnitt 1.–5. UAbschnitt (§§ 125–142) neu gef. mWv 1.1.2005 durch G v. 9.12. 2004 (BGBl. I S. 3242).

[2] § 125 neu gef. mWv 1.1.2005, Abs. 1 Satz 2 angef. mWv 1.10.2005 durch G v. 9.12.2004 (BGBl. I S. 3242).

[3] § 126 neu gef. mWv 1.1.2005 durch G v. 9.12.2004 (BGBl. I S. 3242); Satz 2 angef. mWv 29.6. 2011 durch G v. 22.6.2011 (BGBl. I S. 1202).

[4] § 158 neu gef. mWv 1.1.2003 durch G v. 23.12.2002 (BGBl. I S. 4637); Abs. 1 Satz 1 Nr. 1 geänd. mWv 1.1.2004 durch G v. 27.12.2003 (BGBl. I S. 3013); Abs. 1 Satz 1 einl. Satzteil, Nrn. 1 und 2 sowie Abs. 2 Satz 1 einl. Satzteil, Nrn. 1 und 2 geänd. mWv 1.8.2004 durch G v. 21.7.2004 (BGBl. I S. 1791); Abs. 1 Satz 1 einl. Satzteil und Nr. 1, Abs. 3 und 4 geänd. mWv 1.1.2005 durch G v. 9.12.2004 (BGBl. I S. 3242); Abs. 4 geänd. mWv 8.11.2006 durch VO v. 31.10.2006 (BGBl. I S. 2407); Abs. 2 Satz 1 geänd. mWv 12.12.2006 durch G v. 2.12.2006 (BGBl. I S. 2742); Abs. 1 Satz 1 Nr. 1 geänd. mWv 1.1.2026 durch G v. 22.12.2025 (BGBl. 2025 I Nr. 362).

1. das 0,3fache der durchschnittlichen Ausgaben zu eigenen Lasten der Träger der allgemeinen Rentenversicherung für einen Kalendermonat (Mindestrücklage) voraussichtlich unterschreiten oder
2. das 1,5fache der in Nummer 1 genannten Ausgaben für einen Kalendermonat (Höchstnachhaltigkeitsrücklage) voraussichtlich übersteigen.

[2] Ausgaben zu eigenen Lasten sind alle Ausgaben nach Abzug des Bundeszuschusses nach § 213 Abs. 2, der Erstattungen und der empfangenen Ausgleichszahlungen.

(2) [1] Der Beitragssatz ist so neu festzusetzen, dass die voraussichtlichen Beitragseinnahmen unter Berücksichtigung der voraussichtlichen Entwicklung der Bruttolöhne und -gehälter je Arbeitnehmer (§ 68 Abs. 2 Satz 1) und der Zahl der Pflichtversicherten zusammen mit den Zuschüssen des Bundes und den sonstigen Einnahmen unter Berücksichtigung von Entnahmen aus der Nachhaltigkeitsrücklage ausreichen, um die voraussichtlichen Ausgaben in dem auf die Festsetzung folgenden Kalenderjahr zu decken und sicherzustellen, dass die Mittel der Nachhaltigkeitsrücklage am Ende dieses Kalenderjahres

1. im Falle von Absatz 1 Nr. 1 dem Betrag der Mindestrücklage oder
2. im Falle von Absatz 1 Nr. 2 dem Betrag der Höchstnachhaltigkeitsrücklage

voraussichtlich entsprechen. [2] Der Beitragssatz ist auf eine Dezimalstelle aufzurunden.

(3) Der Beitragssatz in der knappschaftlichen Rentenversicherung wird jeweils in dem Verhältnis verändert, in dem er sich in der allgemeinen Rentenversicherung ändert; der Beitragssatz ist nur für das jeweilige Kalenderjahr auf eine Dezimalstelle aufzurunden.

(4) Wird der Beitragssatz in der allgemeinen Rentenversicherung vom 1. Januar des Jahres an nicht verändert, macht das Bundesministerium für Arbeit und Soziales im Bundesgesetzblatt das Weitergelten der Beitragssätze bekannt.

§ 159[1)] Beitragsbemessungsgrenzen. [1] Die Beitragsbemessungsgrenzen in der allgemeinen Rentenversicherung sowie in der knappschaftlichen Rentenversicherung ändern sich zum 1. Januar eines jeden Jahres in dem Verhältnis, in dem die Bruttolöhne und -gehälter je Arbeitnehmer (§ 68 Abs. 2 Satz 1) im vergangenen zu den entsprechenden Bruttolöhnen und -gehältern im vorvergangenen Kalenderjahr stehen. [2] Die veränderten Beträge werden nur für das Kalenderjahr, für das die Beitragsbemessungsgrenze bestimmt wird, auf das nächsthöhere Vielfache von 600 aufgerundet.

§ 160 Verordnungsermächtigung. Die Bundesregierung hat durch Rechtsverordnung mit Zustimmung des Bundesrates

1. die Beitragssätze in der Rentenversicherung,
2. in Ergänzung der Anlage 2 die Beitragsbemessungsgrenzen

festzusetzen.

Zweiter Titel. Beitragsbemessungsgrundlagen

§ 161 Grundsatz. (1) Beitragsbemessungsgrundlage für Versicherungspflichtige sind die beitragspflichtigen Einnahmen.

---

1) § 159 Satz 1 geänd. mWv 1.1.2005 durch G v. 9.12.2004 (BGBl. I S. 3242); Satz 1 geänd. mWv 12.12.2006 durch G v. 2.12.2006 (BGBl. I S. 2742).

(2) Beitragsbemessungsgrundlage für freiwillig Versicherte ist jeder Betrag zwischen der Mindestbeitragsbemessungsgrundlage (§ 167) und der Beitragsbemessungsgrenze.

§ 162[1)] Beitragspflichtige Einnahmen Beschäftigter. Beitragspflichtige Einnahmen sind

1. bei Personen, die gegen Arbeitsentgelt beschäftigt werden, das Arbeitsentgelt aus der versicherungspflichtigen Beschäftigung, jedoch bei Personen, die zu ihrer Berufsausbildung beschäftigt werden, mindestens 1 vom Hundert der Bezugsgröße,
2. bei behinderten Menschen das Arbeitsentgelt, mindestens 80 vom Hundert der Bezugsgröße,

2a. bei behinderten Menschen, die im Anschluss an eine Beschäftigung in einer nach dem Neunten Buch[2)] anerkannten Werkstatt für behinderte Menschen oder nach einer Beschäftigung bei einem anderen Leistungsanbieter nach § 60 des Neunten Buches[3)] in einem Inklusionsbetrieb (§ 215 des Neunten Buches[3)]) beschäftigt sind, das Arbeitsentgelt, mindestens 80 vom Hundert der Bezugsgröße,

3. bei Personen, die für eine Erwerbstätigkeit befähigt werden sollen oder im Rahmen einer Unterstützten Beschäftigung nach § 55 des Neunten Buches[3)] individuell betrieblich qualifiziert werden, ein Arbeitsentgelt in Höhe von 20 vom Hundert der monatlichen Bezugsgröße,
4. bei Mitgliedern geistlicher Genossenschaften, Diakonissen und Angehörigen ähnlicher Gemeinschaften die Geld- und Sachbezüge, die sie persönlich erhalten, jedoch bei Mitgliedern, denen nach Beendigung ihrer Ausbildung eine Anwartschaft auf die in der Gemeinschaft übliche Versorgung nicht gewährleistet oder für die die Gewährleistung nicht gesichert ist (§ 5 Abs. 1 Satz 1 Nr. 3), mindestens 40 vom Hundert der Bezugsgröße,
5. bei Personen, deren Beschäftigung nach dem Einkommensteuerrecht als selbständige Tätigkeit bewertet wird, ein Einkommen in Höhe der Bezugsgröße, bei Nachweis eines niedrigeren oder höheren Einkommens jedoch dieses Einkommen, mindestens jedoch das Zwölffache der Geringfügigkeitsgrenze. § 165 Abs. 1 Satz 2 bis 10 gilt entsprechend.

§§ 163, 164 *(hier nicht wiedergegeben)*

§ 165[4)] Beitragspflichtige Einnahmen selbständig Tätiger. (1) [1]Beitragspflichtige Einnahmen sind

---

[1)] § 162 Nr. 5 neu gef. mWv 1.4.2003 durch G v. 23.12.2002 (BGBl. I S. 4621); Nr. 3 geänd. mWv 30.12.2008 durch G v. 22.12.2008 (BGBl. I S. 2959); Nr. 5 geänd. mWv 1.1.2013 durch G v. 5.12.2012 (BGBl. I S. 2474); Nr. 2a und 3 geänd. mWv 1.1.2018 durch G v. 23.12.2016 (BGBl. I S. 3234); Nr. 3a aufgeh. mWv 1.1.2020 durch G v. 12.12.2019 (BGBl. I S. 2522); Nr. 5 geänd. mWv 1.10.2022 durch G v. 28.6.2022 (BGBl. I S. 969).

[2)] Auszugsweise abgedruckt unter Nr. **440**.

[3)] Nr. **440**.

[4)] § 165 Abs. 1 Satz 2 geänd. mWv 1.1.2003, Abs. 1 Satz 1 Nr. 1 geänd. mWv 1.4.2003 durch G v. 23.12.2002 (BGBl. I S. 4621); Abs. 1b geänd. mWv 1.1.2007 durch G v. 5.12.2006 (BGBl. I S. 2748); Abs. 1 Satz 1 Nr. 5 geänd., Nr. 6 aufgeh. mWv 29.11.2008 durch G v. 26.11.2008 (BGBl. I S. 2242); Abs. 1 Satz 3 geänd. mWv 22.7.2009 durch G v. 15.7.2009 (BGBl. I S. 1939); Abs. 1 Satz 1 Nr. 1 geänd. mWv 1.1.2013 durch G v. 5.12.2012 (BGBl. I S. 2474); Abs. 1a Sätze 6–8 angef. mWv 1.7. 2015 durch G v. 15.4.2015 (BGBl. I S. 583); Abs. 1 Sätze 3, 4 und 9, Abs. 1a Satz 1 geänd. mWv →

1. bei selbständig Tätigen ein Arbeitseinkommen in Höhe der Bezugsgröße, bei Nachweis eines niedrigeren oder höheren Arbeitseinkommens jedoch dieses Arbeitseinkommen, mindestens jedoch das Zwölffache der am 1. Januar des jeweiligen Kalenderjahres geltenden Geringfügigkeitsgrenze,
2. bei Seelotsen das Arbeitseinkommen,
3. bei Künstlern und Publizisten das voraussichtliche Jahresarbeitseinkommen (§ 12 Künstlersozialversicherungsgesetz[1)]), mindestens jedoch 3 900 Euro, wobei Arbeitseinkommen auch die Vergütung für die Verwertung und Nutzung urheberrechtlich geschützter Werke oder Leistungen sind,
4. bei Hausgewerbetreibenden das Arbeitseinkommen,
5. bei Küstenschiffern und Küstenfischern das in der Unfallversicherung maßgebende beitragspflichtige Arbeitseinkommen.

[2] Beitragspflichtige Einnahmen sind bei selbständig Tätigen abweichend von Satz 1 Nr. 1 bis zum Ablauf von drei Kalenderjahren nach dem Jahr der Aufnahme der selbständigen Tätigkeit ein Arbeitseinkommen in Höhe von 50 vom Hundert der Bezugsgröße, auf Antrag des Versicherten jedoch ein Arbeitseinkommen in Höhe der Bezugsgröße. [3] Für den Nachweis des von der Bezugsgröße abweichenden Arbeitseinkommens nach Satz 1 Nummer 1 sind die sich aus dem letzten Einkommensteuerbescheid für das zeitnaheste Kalenderjahr ergebenden Einkünfte aus der versicherungspflichtigen selbständigen Tätigkeit so lange maßgebend, bis ein neuer Einkommensteuerbescheid vorgelegt wird; wurden diese Einkünfte nicht während des gesamten Kalenderjahres erzielt, sind sie auf ein Jahresarbeitseinkommen hochzurechnen. [4] Das nach Satz 3 festgestellte Arbeitseinkommen ist mit dem Vomhundertsatz zu vervielfältigen, der sich aus dem Verhältnis des vorläufigen Durchschnittsentgelts (Anlage 1) für das Kalenderjahr, für das das Arbeitseinkommen nachzuweisen ist, zu dem Durchschnittsentgelt (Anlage 1) für das maßgebende Veranlagungsjahr des Einkommensteuerbescheides ergibt. [5] Übersteigt das nach Satz 4 festgestellte Arbeitseinkommen die Beitragsbemessungsgrenze des nachzuweisenden Kalenderjahres, wird ein Arbeitseinkommen in Höhe der jeweiligen Beitragsbemessungsgrenze so lange zugrunde gelegt, bis sich aus einem neuen Einkommensteuerbescheid niedrigere Einkünfte ergeben. [6] Der Einkommensteuerbescheid ist dem Träger der Rentenversicherung spätestens zwei Kalendermonate nach seiner Ausfertigung vorzulegen. [7] Statt des Einkommensteuerbescheides kann auch eine Bescheinigung des Finanzamtes vorgelegt werden, die die für den Nachweis des Arbeitseinkommens erforderlichen Daten des Einkommensteuerbescheides enthält. [8] Änderungen des Arbeitseinkommens werden vom Ersten des auf die Vorlage des Bescheides oder der Bescheinigung folgenden Kalendermonats, spätestens aber vom Beginn des dritten Kalendermonats nach Ausfertigung des Einkommensteuerbescheides, an berücksichtigt. [9] Ist eine Veranlagung zur Einkommensteuer aufgrund der versicherungspflichtigen selbständigen Tätigkeit noch nicht erfolgt, ist für das Jahr des Beginns der Versicherungspflicht ein Jahresarbeitseinkommen zugrunde zu legen, das sich aus den vom Versicherten vorzulegenden Unterlagen ergibt. [10] Für die Folgejahre ist Satz 4 sinngemäß anzuwenden.

(Fortsetzung der Anm. von voriger Seite)
17.11.2016 durch G v. 11.11.2016 (BGBl. I S. 2500); Abs. 1 Satz 1 Nr. 1 geänd. mWv 1.10.2022 durch G v. 28.6.2022 (BGBl. I S. 969).

[1)] **Aichberger, SGB Nr. 30/50.**

(1a) [1] Abweichend von Absatz 1 Satz 3 ist auf Antrag des Versicherten vom laufenden Arbeitseinkommen auszugehen, wenn dieses im Durchschnitt voraussichtlich um wenigstens 30 vom Hundert geringer ist als das Arbeitseinkommen nach Absatz 1 Satz 3. [2] Das laufende Arbeitseinkommen ist durch entsprechende Unterlagen nachzuweisen. [3] Änderungen des Arbeitseinkommens werden vom Ersten des auf die Vorlage der Nachweise folgenden Kalendermonats an berücksichtigt. [4] Das festgestellte laufende Arbeitseinkommen bleibt so lange maßgebend, bis der Einkommensteuerbescheid über dieses Veranlagungsjahr vorgelegt wird und zu berücksichtigen ist. [5] Für die Folgejahre ist Absatz 1 Satz 4 sinngemäß anzuwenden. [6] Die Sätze 1 bis 3 gelten entsprechend für Küstenschiffer und Küstenfischer, wenn das laufende Arbeitseinkommen im Durchschnitt voraussichtlich um wenigstens 30 vom Hundert geringer ist als das Arbeitseinkommen nach Absatz 1 Satz 1 Nummer 5. [7] Das für Küstenschiffer und Küstenfischer festgestellte laufende Arbeitseinkommen bleibt für ein Jahr maßgebend. [8] Für die Folgejahre sind die Sätze 6 und 7 erneut anzuwenden.

(1b) Bei Künstlern und Publizisten wird für die Dauer des Bezugs von Elterngeld oder Erziehungsgeld oder für die Zeit, in der Erziehungsgeld nur wegen des zu berücksichtigenden Einkommens nicht bezogen wird, auf Antrag des Versicherten das in diesen Zeiten voraussichtlich erzielte Arbeitseinkommen, wenn es im Durchschnitt monatlich 325 Euro übersteigt, zugrunde gelegt.

(2), (3) …

§§ 166, 167 *(hier nicht wiedergegeben)*

Dritter Titel. Verteilung der Beitragslast

§ 168[1)] Beitragstragung bei Beschäftigten. (1) Die Beiträge werden getragen

1. bei Personen, die gegen Arbeitsentgelt beschäftigt werden, von den Versicherten und von den Arbeitgebern je zur Hälfte,

(Fortsetzung nächstes Blatt)

[1)] § 168 Abs. 1 Nr. 7 geänd., Nrn. 8 und 9 angef. mWv 1.1.2003 durch G v. 23.12.2002 (BGBl. I S. 4607); Abs. 1 Nr. 1 geänd., Nrn. 1c und 1d angef mWv 1.4.2003 durch G v. 23.12.2002 (BGBl. I S. 4621); Abs. 1 Nr. 1 neu gef., Abs. 2 geänd. mWv 1.8.2003 durch G v. 24.7.2003 (BGBl. I S. 1526); Abs. 1 Nr. 6 geänd., Nr. 7 neu gef. mWv 1.7.2004 durch G v. 23.12.2003 (BGBl. I S. 2848); Abs. 1 Nrn. 8 und 9 geänd. mWv 27.11.2004 durch G v. 19.11.2004 (BGBl. I S. 2902); Abs. 3 geänd. mWv 1.1.2005 durch G v. 9.12.2004 (BGBl. I S. 3242); Abs. 1 Nrn. 1a und 9 geänd. mWv 1.1.2007 durch G v. 24.4.2006 (BGBl. I S. 926); Abs. 1 Nr. 1b geänd. mWv 1.7.2006 durch G v. 29.6.2006 (BGBl. I S. 1402); Abs. 1 Nr. 3b eingef. mWv 30.12.2008 durch G v. 22.12.2008 (BGBl. I S. 2959); Abs. 1 Nr. 8 und 9 geänd. mWv 1.4.2012, Abs. 1 Nr. 7 Buchst. b geänd., Nr. 8 und 9 aufgeh. mWv 1.1. 2015 durch G v. 20.12.2011 (BGBl. I S. 2854); Abs. 1 Nr. 1d geänd. mWv 22.4.2015 durch G v. 15.4.2015 (BGBl. I S. 583); Abs. 1 Nr. 2, 2a und 3b geänd. mWv 1.1.2018 durch G v. 23.12.2016 (BGBl. I S. 3234); Abs. 1 Nr. 3a aufgeh., bish. Nr. 3b wird Nr. 3a mWv 1.1.2020 durch G v. 12.12. 2019 (BGBl. I S. 2522); Abs. 1 Nr. 7 geänd. mWv 1.1.2024 durch G v. 12.12.2019 (BGBl. I S. 2652); Abs. 1 Nr. 7 geänd. mWv 1.1.2025 durch G v. 20.8.2021 (BGBl. I S. 3932); Abs. 1 Nr. 1d neu gef. mWv 1.10.2022 durch G v. 28.6.2022 (BGBl. I S. 969); Abs. 1 Nr. 1a geänd. mWv 1.4.2024 durch G v. 17.7.2023 (BGBl. 2023 I Nr. 191).

1a. bei Arbeitnehmern, die Kurzarbeitergeld ***[ab 1.4.2024:** oder Qualifizierungsgeld**]*** beziehen, vom Arbeitgeber,

1b. bei Personen, die gegen Arbeitsentgelt geringfügig versicherungspflichtig beschäftigt werden, von den Arbeitgebern in Höhe des Betrages, der 15 vom Hundert des der Beschäftigung zugrunde liegenden Arbeitsentgelts entspricht, im Übrigen vom Versicherten,

1c. bei Personen, die gegen Arbeitsentgelt in Privathaushalten geringfügig versicherungspflichtig beschäftigt werden, von den Arbeitgebern in Höhe des Betrages, der 5 vom Hundert des der Beschäftigung zugrunde liegenden Arbeitsentgelts entspricht, im Übrigen vom Versicherten,

1d. bei Beschäftigten, deren beitragspflichtige Einnahme sich nach § 163 Absatz 7 bestimmt, von den Beschäftigten in Höhe der Hälfte des Betrages, der sich ergibt, wenn der Beitragssatz auf die nach Maßgabe von § 20 Absatz 2a Satz 6 des Vierten Buches[1] ermittelte beitragspflichtige Einnahme angewendet wird, im Übrigen von den Arbeitgebern,

2. bei behinderten Menschen von den Trägern der Einrichtung oder dem anderen Leistungsanbieter nach § 60 des Neunten Buches[2], wenn ein Arbeitsentgelt nicht bezogen wird oder das monatliche Arbeitsentgelt 20 vom Hundert der monatlichen Bezugsgröße nicht übersteigt, sowie für den Betrag zwischen dem monatlichen Arbeitsentgelt und 80 vom Hundert der monatlichen Bezugsgröße, wenn das monatliche Arbeitsentgelt 80 vom Hundert der monatlichen Bezugsgröße nicht übersteigt, im Übrigen von den Versicherten und den Trägern der Einrichtung oder dem anderen Leistungsanbieter nach § 60 des Neunten Buches[2] je zur Hälfte,

2a. bei behinderten Menschen, die im Anschluss an eine Beschäftigung in einer nach dem Neunten Buch[3] anerkannten Werkstatt für behinderte Menschen oder nach einer Beschäftigung bei einem anderen Leistungsanbieter nach § 60 des Neunten Buches[2] in einem Inklusionsbetrieb (§ 215 des Neunten Buches[2]) beschäftigt sind, von den Trägern der Inklusionsbetriebe für den Betrag zwischen dem monatlichen Arbeitsentgelt und 80 vom Hundert der monatlichen Bezugsgröße, wenn das monatliche Arbeitsentgelt 80 vom Hundert der monatlichen Bezugsgröße nicht übersteigt, im Übrigen von den Versicherten und den Trägern der Inklusionsbetriebe je zur Hälfte,

3. bei Personen, die für eine Erwerbstätigkeit befähigt werden sollen, von den Trägern der Einrichtung,

3a. bei behinderten Menschen während der individuellen betrieblichen Qualifizierung im Rahmen der Unterstützten Beschäftigung nach § 55 des Neunten Buches[2] von dem zuständigen Rehabilitationsträger,

4. bei Mitgliedern geistlicher Genossenschaften, Diakonissen und Angehörigen ähnlicher Gemeinschaften von den Genossenschaften oder Gemeinschaften, wenn das monatliche Arbeitsentgelt 40 vom Hundert der monatlichen Bezugsgröße nicht übersteigt, im Übrigen von den Mitgliedern und den Genossenschaften oder Gemeinschaften je zur Hälfte,

5. bei Arbeitnehmern, die ehrenamtlich tätig sind, für den Unterschiedsbetrag von ihnen selbst,

---

[1] Nr. **694**.
[2] Nr. **440**.
[3] Auszugsweise abgedruckt unter Nr. **440**.

6. bei Arbeitnehmern, die nach dem Altersteilzeitgesetz[1] Aufstockungsbeträge zum Arbeitsentgelt erhalten, für die sich nach § 163 Abs. 5 Satz 1 ergebende beitragspflichtige Einnahme von den Arbeitgebern,
7. bei Arbeitnehmern, die nach dem Altersteilzeitgesetz Aufstockungsbeträge zum Krankengeld, Krankengeld der Sozialen Entschädigung ***[ab 1.1.2025:** , Krankengeld der Soldatenentschädigung*]*, Verletztengeld, Übergangsgeld oder Krankentagegeld erhalten, für die sich nach § 163 Abs. 5 Satz 2 ergebende beitragspflichtige Einnahme
   a) von der Bundesagentur oder, im Fall der Leistungserbringung nach § 10 Abs. 2 Satz 2 des Altersteilzeitgesetzes, von den Arbeitgebern, wenn die Voraussetzungen des § 4 des Altersteilzeitgesetzes vorliegen,
   b) von den Arbeitgebern, wenn die Voraussetzungen des § 4 des Altersteilzeitgesetzes nicht vorliegen.

(2) Wird infolge einmalig gezahlten Arbeitsentgelts die in Absatz 1 Nr. 2 genannte Grenze von 20 vom Hundert der monatlichen Bezugsgröße überschritten, tragen die Versicherten und die Arbeitgeber die Beiträge von dem diese Grenze übersteigenden Teil des Arbeitsentgelts jeweils zur Hälfte; im Übrigen tragen die Arbeitgeber den Beitrag allein.

(3) Personen, die in der knappschaftlichen Rentenversicherung versichert sind, tragen die Beiträge in Höhe des Vomhundertsatzes, den sie zu tragen hätten, wenn sie in der allgemeinen Rentenversicherung versichert wären; im Übrigen tragen die Arbeitgeber die Beiträge.

§§ 169 – 172a *(hier nicht wiedergegeben)*

Vierter Titel. Zahlung der Beiträge

§ 173[2] **Grundsatz.** Die Beiträge sind, soweit nicht etwas anderes bestimmt ist, von denjenigen, die sie zu tragen haben (Beitragsschuldner), unmittelbar an die Träger der Rentenversicherung zu zahlen.

(Fortsetzung nächstes Blatt)

---

[1] Nr. **721.**

[2] § 173 Satz 2 geänd. mWv 1.1.2004 durch G v. 23.12.2003 (BGBl. I S. 2848); Satz 2 geänd. mWv 1.1.2005 durch G v. 24.12.2003 (BGBl. I S. 2954); Satz 2 neu gef. mWv 6.8.2004 durch G v. 30.7. 2004 (BGBl. I S. 2014); Satz 2 aufgeh. mWv 1.1.2011 durch G v. 9.12.2010 (BGBl. I S. 1885).

§ 174[1] **Beitragszahlung aus dem Arbeitsentgelt und Arbeitseinkommen.** (1) Für die Zahlung der Beiträge von Versicherungspflichtigen aus Arbeitsentgelt und von Hausgewerbetreibenden gelten die Vorschriften über den Gesamtsozialversicherungsbeitrag (§§ 28d bis 28n und 28r Viertes Buch[2]).

(2) Für die Beitragszahlung
1. aus dem Arbeitseinkommen von Seelotsen,
2. aus Vorruhestandsgeld,
3. aus der maßgebenden beitragspflichtigen Einnahme für Entwicklungshelfer, für Personen, die für eine begrenzte Zeit im Ausland beschäftigt sind, für sekundierte Personen oder für die sonstigen im Ausland beschäftigten Personen

gilt Absatz 1 entsprechend.

(3) Für die Beitragszahlung nach Absatz 2 gelten als Arbeitgeber
1. die Lotsenbrüderschaften,
2. die zur Zahlung des Vorruhestandsgeldes Verpflichteten,
3. die antragstellenden Stellen.

Fünftes Kapitel. Sonderregelungen

Erster Abschnitt. Ergänzungen für Sonderfälle

Zweiter Unterabschnitt. Versicherter Personenkreis

§ 231[3] **Befreiung von der Versicherungspflicht.** (1)–(4) …

(4a) Die Änderungen der Bundesrechtsanwaltsordnung[4] und der Patentanwaltsordnung durch Artikel 1 Nummer 3 und Artikel 6 des Gesetzes zur Neuordnung des Rechts der Syndikusanwälte und zur Änderung der Finanzgerichtsordnung vom 21. Dezember 2015 (BGBl. I S. 2517) gelten nicht als Änderungen, mit denen der Kreis der Pflichtmitglieder einer berufsständischen Kammer im Sinne des § 6 Absatz 1 Satz 3 erweitert wird.

(4b) [1] Eine Befreiung von der Versicherungspflicht als Syndikusrechtsanwalt oder Syndikuspatentanwalt nach § 6 Absatz 1 Satz 1 Nummer 1, die unter Berücksichtigung der Bundesrechtsanwaltsordnung in der ab dem 1. Januar 2016 geltenden Fassung oder der Patentanwaltsordnung in der ab dem 1. Januar 2016 geltenden Fassung erteilt wurde, wirkt auf Antrag vom Beginn derjenigen Beschäftigung an, für die die Befreiung von der Versicherungspflicht erteilt wird. [2] Sie wirkt auch vom Beginn davor liegender Beschäftigungen an, wenn während dieser Beschäftigungen eine Pflichtmitgliedschaft in einem berufsständischen Versorgungswerk bestand. [3] Die Befreiung nach den Sätzen 1 und 2 wirkt frühestens ab dem 1. April 2014. [4] Die Befreiung wirkt jedoch auch für

---

[1] § 174 Abs. 2 Nr. 3 geänd. mWv 1.1.2012 durch G v. 22.12.2011 (BGBl. I S. 3057); Abs. 2 Nr. 3 neu gef. mWv 17.11.2016 durch G v. 11.11.2016 (BGBl. I S. 2500); Abs. 2 Nr. 3 geänd. mWv 5.7.2017 durch G v. 27.6.2017 (BGBl. I S. 2070).

[2] Nr. **694**.

[3] § 231 Abs. 3 Satz 2 und Abs. 4 Satz 2 aufgeh. mWv 1.8.2004 durch G v. 21.7.2004 (BGBl. I S. 1791); Abs. 7 aufgeh. mWv 1.1.2009 durch G v. 30.10.2008 (BGBl. I S. 2130); Abs. 7 und 8 angef. mWv 1.1.2009 durch G v. 21.12.2008 (BGBl. I S. 2933); Abs. 9 angef. mWv 1.1.2013 durch G v. 5.12.2012 (BGBl. I S. 2474); Abs. 4a–4d eingef. mWv 1.1.2016 durch G v. 21.12.2015 (BGBl. I S. 2517); Abs. 10 angef. mWv 1.1.2023 durch G v. 20.12.2022 (BGBl. I S. 2759).

[4] **beck-online, Module Arbeitsrecht Nr. 133a.**

Zeiten vor dem 1. April 2014, wenn für diese Zeiten einkommensbezogene Pflichtbeiträge an ein berufsständisches Versorgungswerk gezahlt wurden. [5] Die Sätze 1 bis 4 gelten nicht für Beschäftigungen, für die eine Befreiung von der Versicherungspflicht als Syndikusrechtsanwalt oder Syndikuspatentanwalt auf Grund einer vor dem 4. April 2014 ergangenen Entscheidung bestandskräftig abgelehnt wurde. [6] Der Antrag auf rückwirkende Befreiung nach den Sätzen 1 und 2 kann nur bis zum Ablauf des 1. April 2016 gestellt werden.

(4c) [1] Eine durch Gesetz angeordnete oder auf Gesetz beruhende Verpflichtung zur Mitgliedschaft in einer berufsständischen Versorgungseinrichtung im Sinne des § 6 Absatz 1 Satz 1 Nummer 1 gilt als gegeben für Personen, die

1. nach dem 3. April 2014 auf ihre Rechte aus der Zulassung zur Rechtsanwaltschaft oder Patentanwaltschaft verzichtet haben und
2. bis zum Ablauf des 1. April 2016 die Zulassung als Syndikusrechtsanwalt oder Syndikuspatentanwalt nach der Bundesrechtsanwaltsordnung in der ab dem 1. Januar 2016 geltenden Fassung oder der Patentanwaltsordnung in der ab dem 1. Januar 2016 geltenden Fassung beantragen.

[2] Satz 1 gilt nur, solange die Personen als Syndikusrechtsanwalt oder Syndikuspatentanwalt zugelassen sind und als freiwilliges Mitglied in einem Versorgungswerk einkommensbezogene Beiträge zahlen. [3] Satz 1 gilt nicht, wenn vor dem 1. Januar 2016 infolge eines Ortswechsels der anwaltlichen Tätigkeit eine Pflichtmitgliedschaft in dem neu zuständigen berufsständischen Versorgungswerk wegen Überschreitens einer Altersgrenze nicht mehr begründet werden konnte.

(4d) [1] Tritt in einer berufsständischen Versorgungseinrichtung, in der am 1. Januar 2016 eine Altersgrenze für die Begründung einer Pflichtmitgliedschaft bestand, eine Aufhebung dieser Altersgrenze bis zum Ablauf des 31. Dezember 2018 in Kraft, wirkt eine Befreiung von der Versicherungspflicht bei Personen, die infolge eines Ortswechsels eine Pflichtmitgliedschaft in einer solchen berufsständischen Versorgungseinrichtung bisher nicht begründen konnten und Beiträge als freiwillige Mitglieder entrichtet haben, auf Antrag vom Beginn des 36. Kalendermonats vor Inkrafttreten der Aufhebung der Altersgrenze in der jeweiligen berufsständischen Versorgungseinrichtung. [2] Der Antrag kann nur bis zum Ablauf von drei Kalendermonaten nach Inkrafttreten der Aufhebung der Altersgrenze gestellt werden.

(5) [1] Personen, die am 31. Dezember 1998 eine selbständige Tätigkeit ausgeübt haben, in der sie nicht versicherungspflichtig waren, und danach gemäß § 2 Satz 1 Nr. 9 versicherungspflichtig werden, werden auf Antrag von dieser Versicherungspflicht befreit, wenn sie

1. vor dem 2. Januar 1949 geboren sind oder
2. vor dem 10. Dezember 1998 mit einem öffentlichen oder privaten Versicherungsunternehmen einen Lebens- oder Rentenversicherungsvertrag abgeschlossen haben, der so ausgestaltet ist oder bis zum 30. Juni 2000 oder binnen eines Jahres nach Eintritt der Versicherungspflicht so ausgestaltet wird, dass
   a) Leistungen für den Fall der Invalidität und des Erlebens des 60. oder eines höheren Lebensjahres sowie im Todesfall Leistungen an Hinterbliebene erbracht werden und
   b) für die Versicherung mindestens ebensoviel Beiträge aufzuwenden sind, wie Beiträge zur Rentenversicherung zu zahlen wären, oder

3. vor dem 10. Dezember 1998 eine vergleichbare Form der Vorsorge betrieben haben oder nach diesem Zeitpunkt bis zum 30. Juni 2000 oder binnen eines Jahres nach Eintritt der Versicherungspflicht entsprechend ausgestalten; eine vergleichbare Vorsorge liegt vor, wenn
   a) vorhandenes Vermögen oder
   b) Vermögen, das aufgrund einer auf Dauer angelegten vertraglichen Verpflichtung angespart wird,

insgesamt gewährleisten, dass eine Sicherung für den Fall der Invalidität und des Erlebens des 60. oder eines höheren Lebensjahres sowie im Todesfall für Hinterbliebene vorhanden ist, deren wirtschaftlicher Wert nicht hinter dem einer Lebens- oder Rentenversicherung nach Nummer 2 zurückbleibt. [2] Satz 1 Nr. 2 gilt entsprechend für eine Zusage auf eine betriebliche Altersversorgung, durch die die leistungsbezogenen und aufwandsbezogenen Voraussetzungen des Satzes 1 Nr. 2 erfüllt werden. [3] Die Befreiung ist binnen eines Jahres nach Eintritt der Versicherungspflicht zu beantragen; die Frist läuft nicht vor dem 30. Juni 2000 ab. [4] Die Befreiung wirkt vom Eintritt der Versicherungspflicht an.

(6)–(8) …

(9) § 6 Absatz 1b gilt bis zum 31. Dezember 2014 nicht für Personen, die am 31. Dezember 2012 in einer mehr als geringfügigen Beschäftigung nach § 8 Absatz 1 Nummer 1 oder § 8a in Verbindung mit § 8 Absatz 1 Nummer 1 des Vierten Buches[1] versicherungspflichtig waren, die die Merkmale einer geringfügigen Beschäftigung nach diesen Vorschriften in der ab dem 1. Januar 2013 geltenden Fassung erfüllt, solange das Arbeitsentgelt aus dieser Beschäftigung 400 Euro monatlich übersteigt.

(10) [1] Personen, die vor dem 1. Januar 2023 nach § 3 Satz 1 Nummer 2b[2] versicherungspflichtig waren und die vor dem 1. Januar 2023 nach § 186 in einer berufsständischen Versorgungseinrichtung nachversichert wurden, werden auf Antrag mit Wirkung vom Beginn der Versicherungspflicht nach § 3 Satz 1 Nummer 2b[2] befreit. [2] Der Antrag ist bis zum 31. Juli 2023 bei der Deutschen Rentenversicherung Bund zu stellen.

Vierter Unterabschnitt. Anspruchsvoraussetzungen für einzelne Renten

§ 236b[3] Altersrente für besonders langjährig Versicherte. (1) Versicherte, die vor dem 1. Januar 1964 geboren sind, haben frühestens Anspruch auf Altersrente für besonders langjährig Versicherte, wenn sie

1. das 63. Lebensjahr vollendet und
2. die Wartezeit von 45 Jahren erfüllt

haben.

(2) [1] Versicherte, die vor dem 1. Januar 1953 geboren sind, haben Anspruch auf diese Altersrente nach Vollendung des 63. Lebensjahres. [2] Für Versicherte, die nach dem 31. Dezember 1952 geboren sind, wird die Altersgrenze von 63 Jahren wie folgt angehoben:

---

[1] Nr. **694**.
[2] Nr. **696**.
[3] § 236b eingef. mWv 1.7.2014 durch G v. 23.6.2014 (BGBl. I S. 787).

Versicherte Geburtsjahr	Anhebung um Monate	auf Alter Jahr	Monat
1953	2	63	2
1954	4	63	4
1955	6	63	6
1956	8	63	8
1957	10	63	10
1958	12	64	0
1959	14	64	2
1960	16	64	4
1961	18	64	6
1962	20	64	8
1963	22	64	10.

§ 237[1)] Altersrente wegen Arbeitslosigkeit oder nach Altersteilzeitarbeit. (1) Versicherte haben Anspruch auf Altersrente, wenn sie

1. vor dem 1. Januar 1952 geboren sind,
2. das 60. Lebensjahr vollendet haben,
3. entweder
   a) bei Beginn der Rente arbeitslos sind und nach Vollendung eines Lebensalters von 58 Jahren und 6 Monaten insgesamt 52 Wochen arbeitslos waren oder Anpassungsgeld für entlassene Arbeitnehmer des Bergbaus bezogen haben

   oder

   b) die Arbeitszeit aufgrund von Altersteilzeitarbeit im Sinne der §§ 2 und 3 Abs. 1 Nr. 1 des Altersteilzeitgesetzes[2)] für mindestens 24 Kalendermonate vermindert haben,
4. in den letzten zehn Jahren vor Beginn der Rente acht Jahre Pflichtbeiträge für eine versicherte Beschäftigung oder Tätigkeit haben, wobei sich der Zeitraum von zehn Jahren um Anrechnungszeiten, Berücksichtigungszeiten und Zeiten des Bezugs einer Rente aus eigener Versicherung, die nicht

(Fortsetzung nächstes Blatt)

[1)] § 237 Abs. 2 Satz 3 geänd. mWv 1.1.2003 durch G v. 23.12.2002 (BGBl. I S. 4621); Abs. 1 Nr. 4, Abs. 2 Satz 1 und Abs. 4 Satz 1 Nr. 1 Buchst. b geänd. mWv 1.8.2004, Abs. 5 angef. mWv 1.1.2006 durch G v. 21.7.2004 (BGBl. I S. 1791); Abs. 4 Satz 1 Nr. 3 geänd. mWv 1.1.2005, Abs. 5 Satz 1 Nr. 3 geänd. mWv 1.1.2006 durch G v. 4.12.2004 (BGBl. I S. 3183); Abs. 2 Satz 3 geänd. mWv 31.12.2005 durch G v. 22.12.2005 (BGBl. I S. 3676); Abs. 2 Satz 1 neu gef. mWv 1.1.2005 durch G v. 20.4.2007 (BGBl. I S. 554); Abs. 2 Satz 1 Nr. 1 und 2 geänd., Nr. 3 angef., Satz 3 geänd. mWv 1.1.2008 durch G v. 8.4.2008 (BGBl. I S. 681); Abs. 2 Satz 1 Nr. 3 geänd. mWv 1.4.2011 durch G v. 24.3.2011 (BGBl. I S. 453); Abs. 5 Satz 1 Nr. 3 geänd. mWv 1.4.2012 durch G v. 20.12.2011 (BGBl. I S. 2854); Abs. 2 Satz 3 geänd. mWv 17.11.2016 durch G v. 11.11.2016 (BGBl. I S. 2500).

[2)] Nr. **721**.

auch Pflichtbeitragszeiten aufgrund einer versicherten Beschäftigung oder Tätigkeit sind, verlängert, und

5. die Wartezeit von 15 Jahren erfüllt haben.

(2) [1] Anspruch auf diese Altersrente haben auch Versicherte, die

1. während der Arbeitslosigkeit von 52 Wochen nur deshalb der Arbeitsvermittlung nicht zur Verfügung standen, weil sie nicht arbeitsbereit waren und nicht alle Möglichkeiten nutzten und nutzen wollten, um ihre Beschäftigungslosigkeit zu beenden,
2. nur deswegen nicht 52 Wochen arbeitslos waren, weil sie im Rahmen einer Arbeitsgelegenheit mit Entschädigung für Mehraufwendungen nach dem Zweiten Buch[1)] eine Tätigkeit von 15 Stunden wöchentlich oder mehr ausgeübt haben, oder
3. während der 52 Wochen und zu Beginn der Rente nur deswegen nicht als Arbeitslose galten, weil sie erwerbsfähige Leistungsberechtigte waren, die nach Vollendung des 58. Lebensjahres mindestens für die Dauer von zwölf Monaten Leistungen der Grundsicherung für Arbeitsuchende bezogen haben, ohne dass ihnen eine sozialversicherungspflichtige Beschäftigung angeboten worden ist.

[2] Der Zeitraum von zehn Jahren, in dem acht Jahre Pflichtbeiträge für eine versicherte Beschäftigung oder Tätigkeit vorhanden sein müssen, verlängert sich auch um

1. Arbeitslosigkeitszeiten nach Satz 1,
2. Ersatzzeiten,

soweit diese Zeiten nicht auch Pflichtbeiträge für eine versicherte Beschäftigung oder Tätigkeit sind. [3] Vom 1. Januar 2008 an werden Arbeitslosigkeitszeiten nach Satz 1 Nr. 1 nur berücksichtigt, wenn die Arbeitslosigkeit vor dem 1. Januar 2008 begonnen hat und die Versicherten vor dem 2. Januar 1950 geboren sind.

(3)[2)] [1] Die Altersgrenze von 60 Jahren wird bei Altersrenten wegen Arbeitslosigkeit oder nach Altersteilzeitarbeit für Versicherte, die nach dem 31. Dezember 1936 geboren sind, angehoben. [2] Die vorzeitige Inanspruchnahme einer solchen Altersrente ist möglich. [3] Die Anhebung der Altersgrenzen und die Möglichkeit der vorzeitigen Inanspruchnahme der Altersrenten bestimmen sich nach Anlage 19.

(4) [1] Die Altersgrenze von 60 Jahren bei der Altersrente wegen Arbeitslosigkeit oder nach Altersteilzeitarbeit wird für Versicherte, die

1. bis zum 14. Februar 1941 geboren sind und
   a) am 14. Februar 1996 arbeitslos waren oder Anpassungsgeld für entlassene Arbeitnehmer des Bergbaus bezogen haben oder

---

1) Auszugsweise abgedruckt unter Nr. **692**.

2) Gem. Entscheidung des BVerfG v. 11. 11. 2008 – 1 BvL 3/05, 1 BvL 4/05, 1 BvL 5/05, 1 BvL 6/05, 1 BvL 7/05 – (BGBl. I S. 2792) ist § 237 Abs. 3 des Sechsten Buches Sozialgesetzbuch in der Fassung des Artikel 1 Nummer 76 des Gesetzes zur Reform der gesetzlichen Rentenversicherung (Rentenreformgesetz 1999 – RRG 1999) vom 16. 12. 1997 (BGBl. I S. 2998) in Verbindung mit § 77 Abs. 2 Satz 1 Nr. 2 Buchst. a des Sechsten Buches Sozialgesetzbuch in der Fassung des Artikel 1 Nummer 22 des Gesetzes zur Reform der Renten wegen verminderter Erwerbsfähigkeit vom 20. Dezember 2000 (BGBl. I S. 1827) mit dem Grundgesetz vereinbar.

b) deren Arbeitsverhältnis aufgrund einer Kündigung oder Vereinbarung, die vor dem 14. Februar 1996 erfolgt ist, nach dem 13. Februar 1996 beendet worden ist,

2. bis zum 14. Februar 1944 geboren sind und aufgrund einer Maßnahme nach Artikel 56 § 2 Buchstabe b des Vertrages über die Gründung der Europäischen Gemeinschaft für Kohle und Stahl (EGKS-V), die vor dem 14. Februar 1996 genehmigt worden ist, aus einem Betrieb der Montanindustrie ausgeschieden sind oder

3.[1] vor dem 1. Januar 1942 geboren sind und 45 Jahre mit Pflichtbeiträgen für eine versicherte Beschäftigung oder Tätigkeit haben, wobei § 55 Abs. 2 nicht für Zeiten anzuwenden ist, in denen Versicherte wegen des Bezugs von Arbeitslosengeld, Arbeitslosenhilfe oder Arbeitslosengeld II versicherungspflichtig waren,

wie folgt angehoben:

Versicherte Geburtsjahr Geburtsmonat	Anhebung um Monate	auf Alter		vorzeitige Inanspruchnahme möglich ab Alter	
		Jahr	Monat	Jahr	Monat
vor 1941	0	60	0	60	0
1941					
Januar-April	1	60	1	60	0
Mai-August	2	60	2	60	0
September-Dezember	3	60	3	60	0
1942					
Januar-April	4	60	4	60	0
Mai-August	5	60	5	60	0
September-Dezember	6	60	6	60	0
1943					
Januar-April	7	60	7	60	0
Mai-August	8	60	8	60	0
September-Dezember	9	60	9	60	0
1944					
Januar-Februar	10	60	10	60	0

[2] Einer vor dem 14. Februar 1996 abgeschlossenen Vereinbarung über die Beendigung des Arbeitsverhältnisses steht eine vor diesem Tag vereinbarte Befristung des Arbeitsverhältnisses oder Bewilligung einer befristeten arbeits-

---

[1] Gem. Entscheidung des BVerfG v. 11. 11. 2008 – 1 BvL 3/05, 1 BvL 4/05, 1 BvL 5/05, 1 BvL 6/05, 1 BvL 7/05 – (BGBl. I S. 2792) ist § 237 Abs. 4 Satz 1 Nr. 3 des Sechsten Buches Sozialgesetzbuch in der Fassung des Artikel 1 Nummer 76 des Gesetzes zur Reform der gesetzlichen Rentenversicherung (Rentenreformgesetz 1999 – RRG 1999) vom 16. 12. 1997 (BGBl. I S. 2998), zuletzt geändert durch Artikel 1 Nummer 8 des Fünften Gesetzes zur Änderung des Sechsten Buches Sozialgesetzbuch vom 4. Dezember 2004 (BGBl. I S. 3183), mit dem allgemeinen Gleichheitssatz (Artikel 3 Absatz 1 Grundgesetz) vereinbar.

marktpolitischen Maßnahme gleich. [3] Ein bestehender Vertrauensschutz wird insbesondere durch die spätere Aufnahme eines Arbeitsverhältnisses oder den Eintritt in eine neue arbeitsmarktpolitische Maßnahme nicht berührt.

(5) [1] Die Altersgrenze von 60 Jahren für die vorzeitige Inanspruchnahme wird für Versicherte,

1. die am 1. Januar 2004 arbeitslos waren,
2. deren Arbeitsverhältnis aufgrund einer Kündigung oder Vereinbarung, die vor dem 1. Januar 2004 erfolgt ist, nach dem 31. Dezember 2003 beendet worden ist,
3. deren letztes Arbeitsverhältnis vor dem 1. Januar 2004 beendet worden ist und die am 1. Januar 2004 beschäftigungslos im Sinne des § 138 Abs. 1 Nr. 1 des Dritten Buches[1)] waren,
4. die vor dem 1. Januar 2004 Altersteilzeitarbeit im Sinne der §§ 2 und 3 Abs. 1 Nr. 1 des Altersteilzeitgesetzes vereinbart haben oder
5. die Anpassungsgeld für entlassene Arbeitnehmer des Bergbaus bezogen haben,

nicht angehoben. [2] Einer vor dem 1. Januar 2004 abgeschlossenen Vereinbarung über die Beendigung des Arbeitsverhältnisses steht eine vor diesem Tag vereinbarte Befristung des Arbeitsverhältnisses oder Bewilligung einer befristeten arbeitsmarktpolitischen Maßnahme gleich. [3] Ein bestehender Vertrauensschutz wird insbesondere durch die spätere Aufnahme eines Arbeitsverhältnisses oder den Eintritt in eine neue arbeitsmarktpolitische Maßnahme nicht berührt.

§ 237 a Altersrente für Frauen. (1) Versicherte Frauen haben Anspruch auf Altersrente, wenn sie

1. vor dem 1. Januar 1952 geboren sind,
2. das 60. Lebensjahr vollendet,
3. nach Vollendung des 40. Lebensjahres mehr als zehn Jahre Pflichtbeiträge für eine versicherte Beschäftigung oder Tätigkeit und
4. die Wartezeit von 15 Jahren erfüllt

haben.

(2) [1] Die Altersgrenze von 60 Jahren wird bei Altersrenten für Frauen für Versicherte, die nach dem 31. Dezember 1939 geboren sind, angehoben. [2] Die vorzeitige Inanspruchnahme einer solchen Altersrente ist möglich. [3] Die Anhebung der Altersgrenzen und die Möglichkeit der vorzeitigen Inanspruchnahme der Altersrenten bestimmen sich nach Anlage 20.

(3) [1] Die Altersgrenze von 60 Jahren bei der Altersrente für Frauen wird für Frauen, die

1. bis zum 7. Mai 1941 geboren sind und
   a) am 7. Mai 1996 arbeitslos waren, Anpassungsgeld für entlassene Arbeitnehmer des Bergbaus, Vorruhestandsgeld oder Überbrückungsgeld der Seemannskasse bezogen haben oder

---

1) Nr. **700**.

b) deren Arbeitsverhältnis aufgrund einer Kündigung oder Vereinbarung, die vor dem 7. Mai 1996 erfolgt ist, nach dem 6. Mai 1996 beendet worden ist,

2. bis zum 7. Mai 1944 geboren sind und aufgrund einer Maßnahme nach Artikel 56 § 2 Buchstabe b des Vertrages über die Gründung der Europäischen Gemeinschaft für Kohle und Stahl (EGKS-V), die vor dem 7. Mai 1996 genehmigt worden ist, aus einem Betrieb der Montanindustrie ausgeschieden sind oder

3. vor dem 1. Januar 1942 geboren sind und 45 Jahre mit Pflichtbeiträgen für eine versicherte Beschäftigung oder Tätigkeit haben, wobei § 55 Abs. 2 nicht für Zeiten anzuwenden ist, in denen Versicherte wegen des Bezugs von Arbeitslosengeld oder Arbeitslosenhilfe versicherungspflichtig waren,

wie folgt angehoben:

Versicherte Geburtsjahr Geburtsmonat	Anhebung um Monate	auf Alter		vorzeitige Inanspruchnahme möglich ab Alter	
		Jahr	Monat	Jahr	Monat
vor 1941	0	60	0	60	0
1941					
Januar–April	1	60	1	60	0
Mai–August	2	60	2	60	0
September–Dezember	3	60	3	60	0
1942					
Januar–April	4	60	4	60	0
Mai–August	5	60	5	60	0
September–Dezember	6	60	6	60	0
1943					
Januar–April	7	60	7	60	0
Mai–August	8	60	8	60	0
September–Dezember	9	60	9	60	0
1944					
Januar–April	10	60	10	60	0
Mai	11	60	11	60	0

[2] Einer vor dem 7. Mai 1996 abgeschlossenen Vereinbarung über die Beendigung des Arbeitsverhältnisses steht eine vor diesem Tag vereinbarte Befristung des Arbeitsverhältnisses oder Bewilligung einer befristeten arbeitsmarktpolitischen Maßnahme gleich. [3] Ein bestehender Vertrauensschutz wird insbesondere durch die spätere Aufnahme eines Arbeitsverhältnisses oder den Eintritt in eine neue arbeitsmarktpolitische Maßnahme nicht berührt.

697. Siebtes Buch Sozialgesetzbuch Gesetzliche Unfallversicherung[1)]

Vom 7. August 1996
(BGBl. I S. 1254)

FNA 860-7

zuletzt geänd. durch Art. 6 13. G zur Änd. des Zweiten Buches Sozialgesetzbuch und anderer Gesetze v. 16.4.2026 (BGBl. 2026 I Nr. 107)

– Auszug –[2)]

Erstes Kapitel. Aufgaben, versicherter Personenkreis, Versicherungsfall

Erster Abschnitt. Aufgaben der Unfallversicherung

§ 1 Prävention, Rehabilitation, Entschädigung. Aufgabe der Unfallversicherung ist es, nach Maßgabe der Vorschriften dieses Buches

1. mit allen geeigneten Mitteln Arbeitsunfälle und Berufskrankheiten sowie arbeitsbedingte Gesundheitsgefahren zu verhüten,
2. nach Eintritt von Arbeitsunfällen oder Berufskrankheiten die Gesundheit und die Leistungsfähigkeit der Versicherten mit allen geeigneten Mitteln wiederherzustellen und sie oder ihre Hinterbliebenen durch Geldleistungen zu entschädigen.

Zweiter Abschnitt. Versicherter Personenkreis

§ 2[3)] Versicherung kraft Gesetzes. (1) Kraft Gesetzes sind versichert

---

[1)] Verkündet als Art. 1 Unfallversicherungs-EinordnungsG v. 7.8.1996 (BGBl. I S. 1254, geänd. durch G v. 12.12.1996, BGBl. I S. 1859); Inkrafttreten gem. Art. 36 Satz 1 dieses G am 1.1.1997 mit Ausnahme des § 1 Nr. 1 und der §§ 14 bis 25, die gem. Art. 36 Satz 2 am 21.8.1996 in Kraft getreten sind.

[2)] Vollständig wiedergegeben in **beck-online, Module Arbeitsrecht.**

[3)] § 2 Abs. 1 Nr. 14 geänd. durch G v. 24.3.1997 (BGBl. I S. 594); Abs. 1 Nr. 5 geänd., Buchstabe c neu gef. durch G v. 29.4.1997 (BGBl. I S. 968) und Abs. 1 Nr. 13 Buchstabe b neu gef. durch G v. 5.11.1997 (BGBl. I S. 2631); Abs. 1 Nr. 5 Buchst. a, Nrn. 6 und 7, Abs. 4 geänd. mWv 1.8.2001 durch G v. 16.2.2001 (BGBl. I S. 266); Abs. 1 Nr. 4 neu gef., Nr. 15 Buchst. a und b geänd. mWv 1.7.2001 durch G v. 19. 6.2001 (BGBl. I S. 1046); Abs. 1 Nr. 16 neu gef. mWv 1.1.2002 durch G v. 13.9.2001 (BGBl. I S. 2376); Abs. 1 Nr. 14 und 15 Buchst. b geänd. mWv 1.1.2004 durch G v. 23.12.2003 (BGBl. I S. 2848); Abs. 1 Nr. 14 geänd. mWv 1.1.2005 durch G v. 24.12.2003 (BGBl. I S. 2954) und durch G v. 27.12.2003 (BGBl. I S. 3022); Abs. 1 Nr. 14 geänd. mWv 6.8.2004 durch G v. 30.7.2004 (BGBl. I S. 2014); Abs. 1 Nr. 10 neu gef., Abs. 3 Satz 1 Nr. 2 geänd., Nr. 3 angef. mWv 1.1.2005 durch G v. 9.12.2004 (BGBl. I S. 3299); Abs. 1 Nr. 8 Buchst. a geänd. mWv 1.10.2005 durch G v. 8.9.2005 (BGBl. I S. 2729); Abs. 1 Nr. 4 geänd. mWv 14.9.2007 durch G v. 7.9.2007 (BGBl. I S. 2246); Abs. 1 Nr. 14 und 16 geänd. mWv 5.11.2008 durch G v. 30.10.2008 (BGBl. I S. 2130); Abs. 1a eingef. mWv 1.1.2009 durch G v. 21.12.2008 (BGBl. I S. 2940); Abs. 3 Satz 1 Nr. 2 neu gef., Satz 2 geänd. mWv 1.1.2009 durch G v. 15.7.2009 (BGBl. I S. 1939); Abs. 3 Satz 1 Nr. 3 neu gef., Sätze 2 und 3 eingef., bish. Sätze 2 und 3 werden Sätze 4 und 5 mWv 23.7.2009 durch G v. 17.7.2009 (BGBl. I S. 1974); Abs. 1 Nr. 14 geänd. mWv 11.8.2010 durch G v. 5.8.2010 (BGBl. I S. 1127); Abs. 3 Satz 1 Nr. 2 Buchst. c angef. mWv 3.5.2011 durch G v. 28.4.2011 (BGBl. I S. 687); Abs. 3 Satz 1 Nr. 1 neu gef. mWv 29.6.2011 durch G v. 22.6.2011 (BGBl. I S. 1202); Abs. 1 Nr. 14 neu gef. mWv 1.1.2012 durch G v. 22.12.2011 (BGBl. I S. 3057); Abs. 1 Nr. 5 Buchst. e, Nr. 15 Buchst. a geänd. mWv 1.1.2013 durch G v. 12.4.2012 (BGBl. I S. 579); Abs. 1 Nr. 13 Buchst. b geänd. mWv 1.8.2012 durch G v. 21.7.2012 (BGBl. I S. 1601); Abs. 1 Nr. 8 Buchst. a geänd. mWv 22.4.2015, Nr. 12 geänd. mWv 1.1.1997 durch G v. 15.4.2015 (BGBl. I S. 583); Abs. 1 Nr. 17 neu gef. mWv 1.1.2017 durch G v. 21.12.2015 (BGBl. I S. 2424); Abs. 1 Nr. 4 geänd. mWv 1.1.2018 durch G v. 23.12.2016 (BGBl. I S. 3234); Abs. 1 Nr. 13 Buchst. d angef. mWv 11.4.2017 durch G v. 4.4.2017 (BGBl. I S. 778); Abs. 3 Satz 1 Nr. 3 Buchst. c geänd. mWv 5.7.2017 durch G v. 27.6.2017 (BGBl. I S. 2070); Abs. 1 Nr. 15 Buchst. d angef. mWv 1.7.2020 durch G v. →

1. Beschäftigte,
2. Lernende während der beruflichen Aus- und Fortbildung in Betriebsstätten, Lehrwerkstätten, Schulungskursen und ähnlichen Einrichtungen,
3. Personen, die sich Untersuchungen, Prüfungen oder ähnlichen Maßnahmen unterziehen, die aufgrund von Rechtsvorschriften zur Aufnahme einer versicherten Tätigkeit oder infolge einer abgeschlossenen versicherten Tätigkeit erforderlich sind, soweit diese Maßnahmen vom Unternehmen oder einer Behörde veranlaßt worden sind,
4. behinderte Menschen, die in anerkannten Werkstätten für behinderte Menschen, bei einem anderen Leistungsanbieter nach § 60 des Neunten Buches[1] oder in Blindenwerkstätten im Sinne des § 226 des Neunten Buches[1] oder für diese Einrichtungen in Heimarbeit tätig sind,
5. Personen, die
   a) Unternehmer eines landwirtschaftlichen Unternehmens sind und ihre im Unternehmen mitarbeitenden Ehegatten oder Lebenspartner,
   b) im landwirtschaftlichen Unternehmen nicht nur vorübergehend mitarbeitende Familienangehörige sind,
   c) in landwirtschaftlichen Unternehmen in der Rechtsform von Kapital- oder rechtsfähigen Personengesellschaften regelmäßig wie Unternehmer selbständig tätig sind,
   d) ehrenamtlich in Unternehmen tätig sind, die unmittelbar der Sicherung, Überwachung oder Förderung der Landwirtschaft überwiegend dienen,
   e) ehrenamtlich in den Berufsverbänden der Landwirtschaft tätig sind, wenn für das Unternehmen die landwirtschaftliche Berufsgenossenschaft zuständig ist,
6. Hausgewerbetreibende und Zwischenmeister sowie ihre mitarbeitenden Ehegatten oder Lebenspartner,
7. selbständig tätige Küstenschiffer und Küstenfischer, die zur Besatzung ihres Fahrzeugs gehören oder als Küstenfischer ohne Fahrzeug fischen und regelmäßig nicht mehr als vier Arbeitnehmer beschäftigen, sowie ihre mitarbeitenden Ehegatten oder Lebenspartner,
8. a) Kinder während des Besuchs von Tageseinrichtungen, deren Träger für den Betrieb der Einrichtungen der Erlaubnis nach § 45 des Achten Buches[2] oder einer Erlaubnis aufgrund einer entsprechenden landesrechtlichen Regelung bedürfen, während der Betreuung durch geeignete Tagespflegepersonen im Sinne von § 23 des Achten Buches[3] sowie während der Teilnahme an vorschulischen Sprachförderungskursen, wenn die Teilnahme auf Grund landesrechtlicher Regelungen erfolgt,
   b) Schüler während des Besuchs von allgemein- oder berufsbildenden Schulen und während der Teilnahme an unmittelbar vor oder nach dem Unter-

(Fortsetzung nächstes Blatt)

(Fortsetzung der Anm. von voriger Seite)
12.6.2020 (BGBl. I S. 1248); Abs. 1 Nr. 5 Buchst. c geänd. mWv 1.1.2024 durch G v. 20.12.2022 (BGBl. I S. 2759); Abs. 1 Nr. 17 geänd. mWv 1.10.2023 durch G v. 19.6.2023 (BGBl. 2023 I Nr. 155).

[1] Nr. **440**.

[2] Nr. **494a**.

[3] **beck-online, Module Arbeitsrecht Nr. 494a.**

richt von der Schule oder im Zusammenwirken mit ihr durchgeführten Betreuungsmaßnahmen,

c) Studierende während der Aus- und Fortbildung an Hochschulen,

9. Personen, die selbständig oder unentgeltlich, insbesondere ehrenamtlich im Gesundheitswesen oder in der Wohlfahrtspflege tätig sind,

10. Personen, die

a) für Körperschaften, Anstalten oder Stiftungen des öffentlichen Rechts oder deren Verbände oder Arbeitsgemeinschaften, für die in den Nummern 2 und 8 genannten Einrichtungen oder für privatrechtliche Organisationen im Auftrag oder mit ausdrücklicher Einwilligung, in besonderen Fällen mit schriftlicher Genehmigung von Gebietskörperschaften ehrenamtlich tätig sind oder an Ausbildungsveranstaltungen für diese Tätigkeit teilnehmen,

b) für öffentlich-rechtliche Religionsgemeinschaften und deren Einrichtungen oder für privatrechtliche Organisationen im Auftrag oder mit ausdrücklicher Einwilligung, in besonderen Fällen mit schriftlicher Genehmigung von öffentlich-rechtlichen Religionsgemeinschaften ehrenamtlich tätig sind oder an Ausbildungsveranstaltungen für diese Tätigkeit teilnehmen,

11. Personen, die

a) von einer Körperschaft, Anstalt oder Stiftung des öffentlichen Rechts zur Unterstützung einer Diensthandlung herangezogen werden,

b) von einer dazu berechtigten öffentlichen Stelle als Zeugen zur Beweiserhebung herangezogen werden,

12. Personen, die in Unternehmen zur Hilfe bei Unglücksfällen oder im Zivilschutz unentgeltlich, insbesondere ehrenamtlich tätig sind oder an Ausbildungsveranstaltungen dieser Unternehmen einschließlich der satzungsmäßigen Veranstaltungen, die der Nachwuchsförderung dienen, teilnehmen,

13. Personen, die

a) bei Unglücksfällen oder gemeiner Gefahr oder Not Hilfe leisten oder einen anderen aus erheblicher gegenwärtiger Gefahr für seine Gesundheit retten,

b) Blut oder körpereigene Organe, Organteile oder Gewebe spenden oder bei denen Voruntersuchungen oder Nachsorgemaßnahmen anlässlich der Spende vorgenommen werden,

c) sich bei der Verfolgung oder Festnahme einer Person, die einer Straftat verdächtig ist oder zum Schutz eines widerrechtlich Angegriffenen persönlich einsetzen,

d) Tätigkeiten als Notärztin oder Notarzt im Rettungsdienst ausüben, wenn diese Tätigkeiten neben

aa) einer Beschäftigung mit einem Umfang von regelmäßig mindestens 15 Stunden wöchentlich außerhalb des Rettungsdienstes oder

bb) einer Tätigkeit als zugelassener Vertragsarzt oder als Arzt in privater Niederlassung

ausgeübt werden,

14. Personen, die

a) nach den Vorschriften des Zweiten oder des Dritten Buches der Meldepflicht unterliegen, wenn sie einer besonderen, an sie im Einzelfall gerichteten Aufforderung der Bundesagentur für Arbeit, des nach § 6 Absatz 1 Satz 1 Nummer 2 des Zweiten Buches zuständigen Trägers oder eines nach § 6a des Zweiten Buches zugelassenen kommunalen Trägers nachkommen, diese oder eine andere Stelle aufzusuchen,

b) an einer Maßnahme teilnehmen, wenn die Person selbst oder die Maßnahme über die Bundesagentur für Arbeit, einen nach § 6 Absatz 1 Satz 1 Nummer 2 des Zweiten Buches zuständigen Träger oder einen nach § 6a des Zweiten Buches zugelassenen kommunalen Träger gefördert wird,

15. Personen, die

a) auf Kosten einer Krankenkasse oder eines Trägers der gesetzlichen Rentenversicherung oder der landwirtschaftlichen Alterskasse stationäre oder teilstationäre Behandlung oder stationäre, teilstationäre oder ambulante Leistungen zur medizinischen Rehabilitation erhalten,

b) zur Vorbereitung von Leistungen zur Teilhabe am Arbeitsleben auf Aufforderung eines Trägers der gesetzlichen Rentenversicherung oder der Bundesagentur für Arbeit einen dieser Träger oder eine andere Stelle aufsuchen,

c) auf Kosten eines Unfallversicherungsträgers an vorbeugenden Maßnahmen nach § 3 der Berufskrankheiten-Verordnung teilnehmen,

d) auf Kosten eines Trägers der gesetzlichen Rentenversicherung, der landwirtschaftlichen Alterskasse oder eines Trägers der gesetzlichen Unfallversicherung an Präventionsmaßnahmen teilnehmen,

16. Personen, die bei der Schaffung öffentlich geförderten Wohnraums im Sinne des Zweiten Wohnungsbaugesetzes oder im Rahmen der sozialen Wohnraumförderung bei der Schaffung von Wohnraum im Sinne des § 16 Abs. 1 Nr. 1 bis 3 des Wohnraumförderungsgesetzes oder entsprechender landesrechtlicher Regelungen im Rahmen der Selbsthilfe tätig sind,

17. Pflegepersonen im Sinne des § 19 Satz 1 und 2 des Elften Buches bei der Pflege eines Pflegebedürftigen mit mindestens Pflegegrad 2 im Sinne der §§ 14 und 15 Absatz 3 des Elften Buches; die versicherte Tätigkeit umfasst pflegerische Maßnahmen in den in § 14 Absatz 2 des Elften Buches genannten Bereichen sowie Hilfen bei der Haushaltsführung nach ***[bis 30.9.2023:*** § 18 Absatz 5a Satz 3 Nummer 2 des Elften Buches***][ab 1.10.2023:*** *§ 18a Absatz 3 Satz 4 Nummer 2 des Elften Buches]*.

(1a) [1] Versichert sind auch Personen, die nach Erfüllung der Schulpflicht auf der Grundlage einer schriftlichen Vereinbarung im Dienst eines geeigneten Trägers im Umfang von durchschnittlich mindestens acht Wochenstunden und für die Dauer von mindestens sechs Monaten als Freiwillige einen Freiwilligendienst aller Generationen unentgeltlich leisten. [2] Als Träger des Freiwilligendienstes aller Generationen geeignet sind inländische juristische Personen des öffentlichen Rechts oder unter § 5 Abs. 1 Nr. 9 des Körperschaftsteuergesetzes fallende Einrichtungen zur Förderung gemeinnütziger, mildtätiger oder kirchlicher Zwecke (§§ 52 bis 54 der Abgabenordnung), wenn sie die Haftpflichtversicherung und eine kontinuierliche Begleitung der Freiwilligen und deren Fort- und Weiterbildung im Umfang von mindestens durchschnittlich 60 Stunden je Jahr sicherstellen. [3] Die Träger haben fortlaufende Aufzeichnungen zu führen über die bei ihnen nach Satz 1 tätigen Personen, die Art und den

Umfang der Tätigkeiten und die Einsatzorte. [4] Die Aufzeichnungen sind mindestens fünf Jahre lang aufzubewahren.

(2) [1] Ferner sind Personen versichert, die wie nach Absatz 1 Nr. 1 Versicherte tätig werden. [2] Satz 1 gilt auch für Personen, die während einer aufgrund eines Gesetzes angeordneten Freiheitsentziehung oder aufgrund einer strafrichterlichen, staatsanwaltlichen oder jugendbehördlichen Anordnung wie Beschäftigte tätig werden.

(3) [1] Absatz 1 Nr. 1 gilt auch für

1. Personen, die im Ausland bei einer amtlichen Vertretung des Bundes oder der Länder oder bei deren Leitern, Mitgliedern oder Bediensteten beschäftigt und in der gesetzlichen Rentenversicherung nach § 4 Absatz 1 Satz 2 des Sechsten Buches pflichtversichert sind,
2. Personen, die
   a) im Sinne des Entwicklungshelfer-Gesetzes Entwicklungsdienst oder Vorbereitungsdienst leisten,
   b) einen entwicklungspolitischen Freiwilligendienst „weltwärts" im Sinne der Richtlinie des Bundesministeriums für wirtschaftliche Zusammenarbeit und Entwicklung vom 1. August 2007 (BAnz. 2008 S. 1297) leisten,
   c) einen Internationalen Jugendfreiwilligendienst im Sinne der Richtlinie Internationaler Jugendfreiwilligendienst des Bundesministeriums für Familie, Senioren, Frauen und Jugend vom 20. Dezember 2010 (GMBl S. 1778) leisten,
3. Personen, die
   a) eine Tätigkeit bei einer zwischenstaatlichen oder überstaatlichen Organisation ausüben und deren Beschäftigungsverhältnis im öffentlichen Dienst während dieser Zeit ruht,
   b) als Lehrkräfte vom Auswärtigen Amt durch das Bundesverwaltungsamt an Schulen im Ausland vermittelt worden sind oder
   c) für ihre Tätigkeit bei internationalen Einsätzen zur zivilen Krisenprävention als Sekundierte nach dem Sekundierungsgesetz abgesichert werden.

[2] Die Versicherung nach Satz 1 Nummer 3 Buchstabe a und c erstreckt sich auch auf Unfälle oder Krankheiten, die infolge einer Verschleppung oder einer Gefangenschaft eintreten oder darauf beruhen, dass der Versicherte aus sonstigen mit seiner Tätigkeit zusammenhängenden Gründen, die er nicht zu vertreten hat, dem Einflussbereich seines Arbeitgebers oder der für die Durchführung seines Einsatzes verantwortlichen Einrichtung entzogen ist. [3] Gleiches gilt, wenn Unfälle oder Krankheiten auf gesundheitsschädigende oder sonst vom Inland wesentlich abweichende Verhältnisse bei der Tätigkeit oder dem Einsatz im Ausland zurückzuführen sind. [4] Soweit die Absätze 1 bis 2 weder eine Beschäftigung noch eine selbständige Tätigkeit voraussetzen, gelten sie abweichend von § 3 Nr. 2 des Vierten Buches für alle Personen, die die in diesen Absätzen genannten Tätigkeiten im Inland ausüben; § 4 des Vierten Buches gilt entsprechend. [5] Absatz 1 Nr. 13 gilt auch für Personen, die im Ausland tätig werden, wenn sie im Inland ihren Wohnsitz oder gewöhnlichen Aufenthalt haben.

(4) Familienangehörige im Sinne des Absatzes 1 Nr. 5 Buchstabe b sind

1. Verwandte bis zum dritten Grade,
2. Verschwägerte bis zum zweiten Grade,

3. Pflegekinder (§ 56 Abs. 2 Nr. 2 des Ersten Buches)

der Unternehmer, ihrer Ehegatten oder ihrer Lebenspartner.

§ 3[1)] Versicherung kraft Satzung. (1) Die Satzung kann bestimmen, daß und unter welchen Voraussetzungen sich die Versicherung erstreckt auf

1. Unternehmer und ihre im Unternehmen mitarbeitenden Ehegatten oder Lebenspartner,
2. Personen, die sich auf der Unternehmensstätte aufhalten; § 2 Abs. 3 Satz 4 erster Halbsatz gilt entsprechend,
3. Personen, die
   a) im Ausland bei einer staatlichen deutschen Einrichtung beschäftigt werden,
   b) im Ausland von einer staatlichen deutschen Einrichtung anderen Staaten zur Arbeitsleistung zur Verfügung gestellt werden;

   Versicherungsschutz besteht nur, soweit die Personen nach dem Recht des Beschäftigungsstaates nicht unfallversichert sind,
4. ehrenamtlich Tätige und bürgerschaftlich Engagierte,
5. Kinder und Jugendliche während der Teilnahme an Sprachförderungskursen, wenn die Teilnahme auf Grund landesrechtlicher Regelungen erfolgt.

(2) Absatz 1 gilt nicht für

1. Haushaltsführende,
2. Unternehmer von nicht gewerbsmäßig betriebenen Binnenfischereien oder Imkereien und ihre im Unternehmen mitarbeitenden Ehegatten oder Lebenspartner,
3. Personen, die aufgrund einer vom Fischerei- oder Jagdausübungsberechtigten erteilten Erlaubnis als Fischerei- oder Jagdgast fischen oder jagen,
4. Reeder, die nicht zur Besatzung des Fahrzeugs gehören, und ihre im Unternehmen mitarbeitenden Ehegatten oder Lebenspartner.

§ 4[2)] Versicherungsfreiheit. (1) Versicherungsfrei sind

1. Personen, soweit für sie beamtenrechtliche Unfallfürsorgevorschriften oder entsprechende Grundsätze gelten; ausgenommen sind Ehrenbeamte und ehrenamtliche Richter,

[Nr. 2 bis 31.12.2023:]

2. Personen, soweit für sie das Bundesversorgungsgesetz oder Gesetze, die eine entsprechende Anwendung des Bundesversorgungsgesetzes vorsehen, gelten, es sei denn, daß
   a) der Versicherungsfall zugleich die Folge einer Schädigung im Sinne dieser Gesetze ist oder

---

1) § 3 Abs. 1 Nr. 1, Abs. 2 Nrn. 2 und 4 geänd. mWv 1.8.2001 durch G v. 16.2.2001 (BGBl. I S. 266); Abs. 1 Nr. 2 geänd., Nrn. 3 und 4 angef. mWv 1.1.2005 durch G v. 9.12.2004 (BGBl. I S. 3299); Abs. 1 Nr. 4 geänd., Nr. 5 angef. mWv 22.4.2015 durch G v. 15.4.2015 (BGBl. I S. 583); Abs. 1 Nr. 2 geänd. mWv 1.1.2023 durch G v. 20.12.2022 (BGBl. I S. 2759).

2) § 4 Abs. 3 geänd. durch G v. 16.6.1998 (BGBl. I S. 1311); Abs. 2 Nr. 2, Abs. 4 geänd. mWv 1.8.2001 durch G v. 16.2.2001 (BGBl. I S. 266); Abs. 2 Nr. 2 Satz 2, Abs. 5 angef. mWv 1.1.2008 durch G v. 18.12.2007 (BGBl. I S. 2984); Abs. 3 geänd. mWv 1.9.2020 durch G v. 15.11.2019 (BGBl. I S. 1604); Abs. 1 Nr. 2 neu gef. mWv 1.1.2024 durch G v. 12.12.2019 (BGBl. I S. 2652); Abs. 1 Nr. 2 neu gef. mWv 1.1.2025 durch G v. 20.8.2021 (BGBl. I S. 3932).

b) es sich um eine Schädigung im Sinne des § 5 Abs. 1 Buchstabe e des Bundesversorgungsgesetzes handelt,

[Nr. 2 vom 1.1.2024 bis 31.12.2024:]

2. Personen in der Zeit, in der sie aufgrund gesetzlicher Pflicht Wehrdienst oder Zivildienst leisten.

[Nr. 2 ab 1.1.2025:]

2. Personen in der Zeit, in der sie Zivildienst leisten, und Personen, für die das Soldatenentschädigungsgesetz gilt,

3. satzungsmäßige Mitglieder geistlicher Genossenschaften, Diakonissen und Angehörige ähnlicher Gemeinschaften, wenn ihnen nach den Regeln der Gemeinschaft Anwartschaft auf die in der Gemeinschaft übliche Versorgung gewährleistet und die Erfüllung der Gewährleistung gesichert ist.

(2) Von der Versicherung nach § 2 Abs. 1 Nr. 5 sind frei

1. Personen, die aufgrund einer vom Fischerei- oder Jagdausübungsberechtigten erteilten Erlaubnis als Fischerei- oder Jagdgast fischen oder jagen,
2. Unternehmer von Binnenfischereien, Imkereien und Unternehmen nach § 123 Abs. 1 Nr. 2, wenn diese Unternehmen nicht gewerbsmäßig betrieben werden und nicht Neben- oder Hilfsunternehmen eines anderen landwirtschaftlichen Unternehmens sind, sowie ihre im Unternehmen mitarbeitenden Ehegatten oder Lebenspartner; das gleiche gilt für Personen, die in diesen Unternehmen als Verwandte oder Verschwägerte bis zum zweiten Grad oder als Pflegekind der Unternehmer, ihrer Ehegatten oder Lebenspartner unentgeltlich tätig sind. Ein Unternehmen der Imkerei gilt als nicht gewerbsmäßig betrieben, wenn nicht mehr als 25 Bienenvölker gehalten werden.

(3) Von der Versicherung nach § 2 Abs. 1 Nr. 9 sind frei selbständig tätige Ärzte, Zahnärzte, Tierärzte, Psychotherapeuten, Psychologische Psychotherapeuten, Kinder- und Jugendlichenpsychotherapeuten, Heilpraktiker und Apotheker.

(4) Von der Versicherung nach § 2 Abs. 2 ist frei, wer in einem Haushalt als Verwandter oder Verschwägerter bis zum zweiten Grad oder als Pflegekind der Haushaltsführenden, der Ehegatten oder der Lebenspartner unentgeltlich tätig ist, es sei denn, er ist in einem in § 124 Nr. 1 genannten Haushalt tätig.

(5) Von der Versicherung nach § 2 Abs. 2 sind frei Personen, die als Familienangehörige (§ 2 Abs. 4) der Unternehmer, ihrer Ehegatten oder Lebenspartner in einem Unternehmen nach § 123 Abs. 1 Nr. 1 bis 5 unentgeltlich tätig sind, wenn sie die Voraussetzungen für den Anspruch auf eine Rente wegen Alters nach dem Recht der gesetzlichen Rentenversicherung einschließlich der Alterssicherung der Landwirte erfüllen und die Rente beantragt haben.

§ 5[1)] Versicherungsbefreiung. [1] Von der Versicherung nach § 2 Abs. 1 Nr. 5 werden auf Antrag Unternehmer landwirtschaftlicher Unternehmen im Sinne des § 123 Abs. 1 Nr. 1 bis zu einer Größe von 0,25 Hektar und ihre Ehegatten oder Lebenspartner unwiderruflich befreit; dies gilt nicht für Spezialkulturen. [2] Das Nähere bestimmt die Satzung.

---

1) § 5 geänd. mWv 30.3.2005 durch G v. 21.3.2005 (BGBl. I S. 818); Satz 1 geänd. mWv 11.8.2010 durch G v. 5.8.2010 (BGBl. I S. 1127).

§ 6[1)] **Freiwillige Versicherung.** (1) [1] Auf schriftlichen oder elektronischen Antrag können sich versichern

1. Unternehmer und ihre im Unternehmen mitarbeitenden Ehegatten oder Lebenspartner; ausgenommen sind Haushaltsführende, Unternehmer von nicht gewerbsmäßig betriebenen Binnenfischereien, von nicht gewerbsmäßig betriebenen Unternehmen nach § 123 Abs. 1 Nr. 2 und ihre Ehegatten oder Lebenspartner sowie Fischerei- und Jagdgäste,
2. Personen, die in Kapital- oder ***[bis 31.12.2023:*** Personenhandelsgesellschaften***][ab 1.1.2024:*** *rechtsfähigen Personengesellschaften****]*** regelmäßig wie Unternehmer selbständig tätig sind,
3. gewählte oder beauftragte Ehrenamtsträger in gemeinnützigen Organisationen,
4. Personen, die in Verbandsgremien und Kommissionen für Arbeitgeberorganisationen und Gewerkschaften sowie anderen selbständigen Arbeitnehmervereinigungen mit sozial- oder berufspolitischer Zielsetzung (sonstige Arbeitnehmervereinigungen) ehrenamtlich tätig sind oder an Ausbildungsveranstaltungen für diese Tätigkeit teilnehmen,
5. Personen, die ehrenamtlich für Parteien im Sinne des Parteiengesetzes tätig sind oder an Ausbildungsveranstaltungen für diese Tätigkeit teilnehmen.

[2] In den Fällen des Satzes 1 Nummer 3 kann auch die Organisation, für die die Ehrenamtsträger tätig sind, oder ein Verband, in dem die Organisation Mitglied ist, den Antrag stellen; eine namentliche Bezeichnung der Versicherten ist in diesen Fällen nicht erforderlich. [3] In den Fällen des Satzes 1 Nummer 4 und 5 gilt Satz 2 entsprechend.

(2) [1] Die Versicherung beginnt mit dem Tag, der dem Eingang des Antrags folgt. [2] Die Versicherung erlischt, wenn der Beitrag oder Beitragsvorschuß binnen zwei Monaten nach Fälligkeit nicht gezahlt worden ist. [3] Eine Neuanmeldung bleibt so lange unwirksam, bis der rückständige Beitrag oder Beitragsvorschuß entrichtet worden ist.

Dritter Abschnitt. Versicherungsfall

§ 7 Begriff. (1) Versicherungsfälle sind Arbeitsunfälle und Berufskrankheiten.

(2) Verbotswidriges Handeln schließt einen Versicherungsfall nicht aus.

(Fortsetzung nächstes Blatt)

---

1) § 6 Abs. 1 Nr. 2 geänd., Nrn. 3 und 4 angef. mWv 1.1.2005 durch G v. 9.12.2004 (BGBl. I S. 3299); Abs. 1 Nr. 1 geänd. mWv 1.1.2008 durch G v. 18.12.2007 (BGBl. I S. 2984); Abs. 1 Nr. 3 und 4 geänd., Nr. 5 angef. mWv 5.11.2008 durch G v. 30.10.2008 (BGBl. I S. 2130); Abs. 1 Nr. 1 erster und zweiter Halbs. geänd. mWv 11.8.2010 durch G v. 5.8.2010 (BGBl. I S. 1127); Abs. 1 Sätze 2 und 3 angef. mWv 1.1.2005 durch G v. 5.12.2012 (BGBl. I S. 2447); Abs. 1 Satz 1 einl. Satzteil geänd. mWv 5.4.2017 durch G v. 29.3.2017 (BGBl. I S. 626); Abs. 1 Satz 1 Nr. 2 geänd. mWv 1.1.2024 durch G v. 20.12.2022 (BGBl. I S. 2759).

§ 8[1] **Arbeitsunfall.** (1) [1]Arbeitsunfälle sind Unfälle von Versicherten infolge einer den Versicherungsschutz nach § 2, 3 oder 6 begründenden Tätigkeit (versicherte Tätigkeit). [2]Unfälle sind zeitlich begrenzte, von außen auf den Körper einwirkende Ereignisse, die zu einem Gesundheitsschaden oder zum Tod führen. [3]Wird die versicherte Tätigkeit im Haushalt der Versicherten oder an einem anderen Ort ausgeübt, besteht Versicherungsschutz in gleichem Umfang wie bei Ausübung der Tätigkeit auf der Unternehmensstätte.

(2) Versicherte Tätigkeiten sind auch

1. das Zurücklegen des mit der versicherten Tätigkeit zusammenhängenden unmittelbaren Weges nach und von dem Ort der Tätigkeit,
2. das Zurücklegen des von einem unmittelbaren Weg nach und von dem Ort der Tätigkeit abweichenden Weges, um
   a) Kinder von Versicherten (§ 56 des Ersten Buches[2]), die mit ihnen in einem gemeinsamen Haushalt leben, wegen ihrer, ihrer Ehegatten oder ihrer Lebenspartner beruflichen Tätigkeit fremder Obhut anzuvertrauen oder
   b) mit anderen Berufstätigen oder Versicherten gemeinsam ein Fahrzeug zu benutzen,

2a. das Zurücklegen des unmittelbaren Weges nach und von dem Ort, an dem Kinder von Versicherten nach Nummer 2 Buchstabe a fremder Obhut anvertraut werden, wenn die versicherte Tätigkeit an dem Ort des gemeinsamen Haushalts ausgeübt wird,

3. das Zurücklegen des von einem unmittelbaren Weg nach und von dem Ort der Tätigkeit abweichenden Weges der Kinder von Personen (§ 56 des Ersten Buches), die mit ihnen in einem gemeinsamen Haushalt leben, wenn die Abweichung darauf beruht, daß die Kinder wegen der beruflichen Tätigkeit dieser Personen oder deren Ehegatten oder deren Lebenspartner fremder Obhut anvertraut werden,
4. das Zurücklegen des mit der versicherten Tätigkeit zusammenhängenden Weges von und nach der ständigen Familienwohnung, wenn die Versicherten wegen der Entfernung ihrer Familienwohnung von dem Ort der Tätigkeit an diesem oder in dessen Nähe eine Unterkunft haben,
5. das mit einer versicherten Tätigkeit zusammenhängende Verwahren, Befördern, Instandhalten und Erneuern eines Arbeitsgeräts oder einer Schutzausrüstung sowie deren Erstbeschaffung, wenn diese auf Veranlassung der Unternehmer erfolgt.

(3) Als Gesundheitsschaden gilt auch die Beschädigung oder der Verlust eines Hilfsmittels.

§ 9[3] **Berufskrankheit.** (1) [1]Berufskrankheiten sind Krankheiten, die die Bundesregierung durch Rechtsverordnung mit Zustimmung des Bundesrates als Berufskrankheiten bezeichnet und die Versicherte infolge einer den Versicherungsschutz nach § 2, 3 oder 6 begründenden Tätigkeit erleiden. [2]Die

---

[1] § 8 Abs. 2 Nr. 2 Buchst. a, Nr. 3 geänd. mWv 1.8.2001 durch G v. 16.2.2001 (BGBl. I S. 266); Abs. 1 Satz 3 angef., Abs. 2 Nr. 2a eingef. mWv 18.6.2021 durch G v. 14.6.2021 (BGBl. I S. 1762).

[2] Nr. **691**.

[3] § 9 Abs. 9 Sätze 1 und 2 geänd. mWv 26.11.2019 durch G v. 20.11.2019 (BGBl. I S. 1626); Abs. 1 Satz 2 geänd., Abs. 1a, 2a und 3a eingef., Abs. 4 neu gef., Abs. 8 Sätze 2 und 3 angef. mWv 1.1.2021 durch G v. 12.6.2020 (BGBl. I S. 1248).

Bundesregierung wird ermächtigt, in der Rechtsverordnung solche Krankheiten als Berufskrankheiten zu bezeichnen, die nach den Erkenntnissen der medizinischen Wissenschaft durch besondere Einwirkungen verursacht sind, denen bestimmte Personengruppen durch ihre versicherte Tätigkeit in erheblich höherem Grade als die übrige Bevölkerung ausgesetzt sind; sie kann dabei bestimmen, daß die Krankheiten nur dann Berufskrankheiten sind, wenn sie durch Tätigkeiten in bestimmten Gefährdungsbereichen verursacht worden sind. [3] In der Rechtsverordnung kann ferner bestimmt werden, inwieweit Versicherte in Unternehmen der Seefahrt auch in der Zeit gegen Berufskrankheiten versichert sind, in der sie an Land beurlaubt sind.

(1a) [1] Beim Bundesministerium für Arbeit und Soziales wird ein Ärztlicher Sachverständigenbeirat Berufskrankheiten gebildet. [2] Der Sachverständigenbeirat ist ein wissenschaftliches Gremium, das das Bundesministerium bei der Prüfung der medizinischen Erkenntnisse zur Bezeichnung neuer und zur Erarbeitung wissenschaftlicher Stellungnahmen zu bestehenden Berufskrankheiten unterstützt. [3] Bei der Bundesanstalt für Arbeitsschutz und Arbeitsmedizin wird eine Geschäftsstelle eingerichtet, die den Sachverständigenbeirat bei der Erfüllung seiner Arbeit organisatorisch und wissenschaftlich, insbesondere durch die Erstellung systematischer Reviews, unterstützt. [4] Das Nähere über die Stellung und die Organisation des Sachverständigenbeirats und der Geschäftsstelle regelt die Bundesregierung in der Rechtsverordnung nach Absatz 1.

(2) Die Unfallversicherungsträger haben eine Krankheit, die nicht in der Rechtsverordnung bezeichnet ist oder bei der die dort bestimmten Voraussetzungen nicht vorliegen, wie eine Berufskrankheit als Versicherungsfall anzuerkennen, sofern im Zeitpunkt der Entscheidung nach neuen Erkenntnissen der medizinischen Wissenschaft die Voraussetzungen für eine Bezeichnung nach Absatz 1 Satz 2 erfüllt sind.

(2a) Krankheiten, die bei Versicherten vor der Bezeichnung als Berufskrankheiten bereits entstanden waren, sind rückwirkend frühestens anzuerkennen

1. in den Fällen des Absatzes 1 als Berufskrankheit zu dem Zeitpunkt, in dem die Bezeichnung in Kraft getreten ist,
2. in den Fällen des Absatzes 2 wie eine Berufskrankheit zu dem Zeitpunkt, in dem die neuen Erkenntnisse der medizinischen Wissenschaft vorgelegen haben; hat der Ärztliche Sachverständigenbeirat Berufskrankheiten eine Empfehlung für die Bezeichnung einer neuen Berufskrankheit beschlossen, ist für die Anerkennung maßgebend der Tag der Beschlussfassung.

(3) Erkranken Versicherte, die infolge der besonderen Bedingungen ihrer versicherten Tätigkeit in erhöhtem Maße der Gefahr der Erkrankung an einer in der Rechtsverordnung nach Absatz 1 genannten Berufskrankheit ausgesetzt waren, an einer solchen Krankheit und können Anhaltspunkte für eine Verursachung außerhalb der versicherten Tätigkeit nicht festgestellt werden, wird vermutet, daß diese infolge der versicherten Tätigkeit verursacht worden ist.

(3a) [1] Der Unfallversicherungsträger erhebt alle Beweise, die zur Ermittlung des Sachverhalts erforderlich sind. [2] Dabei hat er neben den in § 21 Absatz 1 Satz 1 des Zehnten Buches[1)] genannten Beweismitteln auch Erkenntnisse zu berücksichtigen, die er oder ein anderer Unfallversicherungsträger an vergleichbaren Arbeitsplätzen oder zu vergleichbaren Tätigkeiten gewonnen hat. [3] Dies

---

[1)] Nr. **699**.

gilt insbesondere in den Fällen, in denen die Ermittlungen zu den Einwirkungen während der versicherten Tätigkeit dadurch erschwert sind, dass der Arbeitsplatz des Versicherten nicht mehr oder nur in veränderter Gestaltung vorhanden ist. [4]Die Unfallversicherungsträger sollen zur Erfüllung der Aufgaben nach den Sätzen 2 und 3 einzeln oder gemeinsam tätigkeitsbezogene Expositionskataster erstellen. [5]Grundlage für diese Kataster können die Ergebnisse aus systematischen Erhebungen, aus Ermittlungen in Einzelfällen sowie aus Forschungsvorhaben sein. [6]Die Unfallversicherungsträger können außerdem Erhebungen an vergleichbaren Arbeitsplätzen durchführen.

(4) [1]Besteht für Versicherte, bei denen eine Berufskrankheit anerkannt wurde, die Gefahr, dass bei der Fortsetzung der versicherten Tätigkeit die Krankheit wiederauflebt oder sich verschlimmert und lässt sich diese Gefahr nicht durch andere geeignete Mittel beseitigen, haben die Unfallversicherungsträger darauf hinzuwirken, dass die Versicherten die gefährdende Tätigkeit unterlassen. [2]Die Versicherten sind von den Unfallversicherungsträgern über die mit der Tätigkeit verbundenen Gefahren und mögliche Schutzmaßnahmen umfassend aufzuklären. [3]Zur Verhütung einer Gefahr nach Satz 1 sind die Versicherten verpflichtet, an individualpräventiven Maßnahmen der Unfallversicherungsträger teilzunehmen und an Maßnahmen zur Verhaltensprävention mitzuwirken; die §§ 60 bis 65a des Ersten Buches[1)] gelten entsprechend. [4]Pflichten der Unternehmer und Versicherten nach dem Zweiten Kapitel und nach arbeitsschutzrechtlichen Vorschriften bleiben hiervon unberührt. [5]Kommen Versicherte ihrer Teilnahme- oder Mitwirkungspflicht nach Satz 3 nicht nach, können die Unfallversicherungsträger Leistungen zur Teilhabe am Arbeitsleben oder die Leistung einer danach erstmals festzusetzenden Rente wegen Minderung der Erwerbsfähigkeit oder den Anteil einer Rente, der auf eine danach eingetretene wesentliche Änderung im Sinne des § 73 Absatz 3 zurückgeht, bis zur Nachholung der Teilnahme oder Mitwirkung ganz oder teilweise versagen. [6]Dies setzt voraus, dass infolge der fehlenden Teilnahme oder Mitwirkung der Versicherten die Teilhabeleistungen erforderlich geworden sind oder die Erwerbsminderung oder die wesentliche Änderung eingetreten ist; § 66 Absatz 3 und § 67 des Ersten Buches gelten entsprechend.

(5) Soweit Vorschriften über Leistungen auf den Zeitpunkt des Versicherungsfalls abstellen, ist bei Berufskrankheiten auf den Beginn der Arbeitsunfähigkeit oder der Behandlungsbedürftigkeit oder, wenn dies für den Versicherten günstiger ist, auf den Beginn der rentenberechtigenden Minderung der Erwerbsfähigkeit abzustellen.

(6) Die Bundesregierung regelt durch Rechtsverordnung mit Zustimmung des Bundesrates

1. Voraussetzungen, Art und Umfang von Leistungen zur Verhütung des Entstehens, der Verschlimmerung oder des Wiederauflebens von Berufskrankheiten,
2. die Mitwirkung der für den medizinischen Arbeitsschutz zuständigen Stellen bei der Feststellung von Berufskrankheiten sowie von Krankheiten, die nach Absatz 2 wie Berufskrankheiten zu entschädigen sind; dabei kann bestimmt werden, daß die für den medizinischen Arbeitsschutz zuständigen Stellen berechtigt sind, Zusammenhangsgutachten zu erstellen sowie zur Vorbereitung ihrer Gutachten Versicherte zu untersuchen oder auf Kosten der Unfall-

---

[1)] Nr. **691**.

versicherungsträger andere Ärzte mit der Vornahme der Untersuchungen zu beauftragen,

3. die von den Unfallversicherungsträgern für die Tätigkeit der Stellen nach Nummer 2 zu entrichtenden Gebühren; diese Gebühren richten sich nach dem für die Begutachtung erforderlichen Aufwand und den dadurch entstehenden Kosten.

(7) Die Unfallversicherungsträger haben die für den medizinischen Arbeitsschutz zuständige Stelle über den Ausgang des Berufskrankheitenverfahrens zu unterrichten, soweit ihre Entscheidung von der gutachterlichen Stellungnahme der zuständigen Stelle abweicht.

(8) [1] Die Unfallversicherungsträger wirken bei der Gewinnung neuer medizinisch-wissenschaftlicher Erkenntnisse insbesondere zur Fortentwicklung des Berufskrankheitenrechts mit; sie sollen durch eigene Forschung oder durch Beteiligung an fremden Forschungsvorhaben dazu beitragen, den Ursachenzusammenhang zwischen Erkrankungshäufigkeiten in einer bestimmten Personengruppe und gesundheitsschädlichen Einwirkungen im Zusammenhang mit der versicherten Tätigkeit aufzuklären. [2] Die Verbände der Unfallversicherungsträger veröffentlichen jährlich einen gemeinsamen Bericht über ihre Forschungsaktivitäten und die Forschungsaktivitäten der Träger der gesetzlichen Unfallversicherung. [3] Der Bericht erstreckt sich auf die Themen der Forschungsvorhaben, die Höhe der aufgewendeten Mittel sowie die Zuwendungsempfänger und Forschungsnehmer externer Projekte.

(9) [1] Die für den medizinischen Arbeitsschutz zuständigen Stellen dürfen zur Feststellung von Berufskrankheiten sowie von Krankheiten, die nach Absatz 2 wie Berufskrankheiten zu entschädigen sind, Daten verarbeiten sowie zur Vorbereitung von Gutachten Versicherte untersuchen, soweit dies im Rahmen ihrer Mitwirkung nach Absatz 6 Nr. 2 erforderlich ist; sie dürfen diese Daten insbesondere an den zuständigen Unfallversicherungsträger übermitteln. [2] Die erhobenen Daten dürfen auch zur Verhütung von Arbeitsunfällen, Berufskrankheiten und arbeitsbedingten Gesundheitsgefahren gespeichert, verändert, genutzt, übermittelt oder in der Verarbeitung eingeschränkt werden. [3] Soweit die in Satz 1 genannten Stellen andere Ärzte mit der Vornahme von Untersuchungen beauftragen, ist die Übermittlung von Daten zwischen diesen Stellen und den beauftragten Ärzten zulässig, soweit dies im Rahmen des Untersuchungsauftrages erforderlich ist.

§ 10[1] Erweiterung in der See- und Binnenschiffahrt. (1) In der See- und Binnenschiffahrt sind Versicherungsfälle auch Unfälle infolge

1. von Elementarereignissen,
2. der einem Hafen oder dem Liegeplatz eines Fahrzeugs eigentümlichen Gefahren,
3. der Beförderung von Land zum Fahrzeug oder vom Fahrzeug zum Land.

(Fortsetzung nächstes Blatt)

---

[1] § 10 Abs. 2 geänd. mWv 1.8.2013 durch G v. 20.4.2013 (BGBl. I S. 868).

(2) In Unternehmen der Seefahrt gilt als versicherte Tätigkeit auch die freie Rückbeförderung nach dem Seearbeitsgesetz[1)] oder tariflichen Vorschriften.

§ 11[2)] **Mittelbare Folgen eines Versicherungsfalls.** (1) Folgen eines Versicherungsfalls sind auch Gesundheitsschäden oder der Tod von Versicherten infolge

1. der Durchführung einer Heilbehandlung, von Leistungen zur Teilhabe am Arbeitsleben oder einer Maßnahme nach § 3 der Berufskrankheiten-Verordnung[3)],
2. der Wiederherstellung oder Erneuerung eines Hilfsmittels,
3. der zur Aufklärung des Sachverhalts eines Versicherungsfalls angeordneten Untersuchung

einschließlich der dazu notwendigen Wege.

(2) [1] Absatz 1 gilt entsprechend, wenn die Versicherten auf Aufforderung des Unfallversicherungsträgers diesen oder eine von ihm bezeichnete Stelle zur Vorbereitung von Maßnahmen der Heilbehandlung, der Leistungen zur Teilhabe am Arbeitsleben oder von Maßnahmen nach § 3 der Berufskrankheiten-Verordnung aufsuchen. [2] Der Aufforderung durch den Unfallversicherungsträger nach Satz 1 steht eine Aufforderung durch eine mit der Durchführung der genannten Maßnahmen beauftragte Stelle gleich.

§ 12 Versicherungsfall einer Leibesfrucht. [1] Versicherungsfall ist auch der Gesundheitsschaden einer Leibesfrucht infolge eines Versicherungsfalls der Mutter während der Schwangerschaft; die Leibesfrucht steht insoweit einem Versicherten gleich. [2] Bei einer Berufskrankheit als Versicherungsfall genügt, daß der Gesundheitsschaden der Leibesfrucht durch besondere Einwirkungen verursacht worden ist, die generell geeignet sind, eine Berufskrankheit der Mutter zu verursachen.

§ 12a[4)] **Gesundheitsschaden im Zusammenhang mit der Spende von Blut oder körpereigenen Organen, Organteilen oder Gewebe.** (1) [1] Als Versicherungsfall im Sinne des § 7 Absatz 1 gilt bei Versicherten nach § 2 Absatz 1 Nummer 13 Buchstabe b auch der Gesundheitsschaden, der über die durch die Blut-, Organ-, Organteil- oder Gewebeentnahme regelmäßig entstehenden Beeinträchtigungen hinausgeht und in ursächlichem Zusammenhang mit der Spende steht. [2] Werden dadurch Nachbehandlungen erforderlich oder treten Spätschäden auf, die als Aus- oder Nachwirkungen der Spende oder des aus der Spende resultierenden erhöhten Gesundheitsrisikos anzusehen sind, wird vermutet, dass diese hierdurch verursacht worden sind. [3] Dies gilt nicht, wenn offenkundig ist, dass der Gesundheitsschaden nicht im ursächlichen Zusammenhang mit der Spende steht; eine Obduktion zum Zwecke einer solchen Feststellung darf nicht gefordert werden.

(2) [1] Absatz 1 gilt auch bei Gesundheitsschäden im Zusammenhang mit den für die Spende von Blut oder körpereigenen Organen, Organteilen oder Gewebe erforderlichen Voruntersuchungen sowie Nachsorgemaßnahmen.

[1)] Nr. **114**.
[2)] § 11 Abs. 1 Nr. 1, Abs. 2 Satz 1 geänd. mWv 1.7.2001 durch G v. 19.6.2001 (BGBl. I S. 1046).
[3)] **Aichberger, SGB Nr. 7/10.**
[4)] § 12a eingef. mWv 1.8.2012 durch G v. 21.7.2012 (BGBl. I S. 1601).

[2] Satz 1 findet auch Anwendung, wenn es nach der Voruntersuchung nicht zur Spende kommt

§ 13[1)] Sachschäden bei Hilfeleistungen. [1] Den nach § 2 Abs. 1 Nr. 11 Buchstabe a, Nr. 12 und Nr. 13 Buchstabe a und c Versicherten sind auf Antrag Schäden, die infolge einer der dort genannten Tätigkeiten an in ihrem Besitz befindlichen Sachen entstanden sind, sowie die Aufwendungen zu ersetzen, die sie den Umständen nach für erforderlich halten durften, soweit kein anderweitiger öffentlich-rechtlicher Ersatzanspruch besteht. [2] Versicherten nach § 2 Abs. 1 Nr. 12 steht ein Ersatz von Sachschäden nur dann zu, wenn der Einsatz der infolge der versicherten Tätigkeit beschädigten Sache im Interesse des Hilfsunternehmens erfolgte, für das die Tätigkeit erbracht wurde. [3] Die Sätze 1 und 2 finden keine Anwendung bei Teilnahme an Ausbildungsveranstaltungen einschließlich der satzungsmäßigen Veranstaltungen, die der Nachwuchsförderung dienen, nach § 2 Abs. 1 Nr. 12 sowie bei Versicherungsfällen nach § 8 Abs. 2. [4] § 116 des Zehnten Buches[2)] gilt entsprechend.

Zweites Kapitel. Prävention

§ 14[3)] Grundsatz. (1) [1] Die Unfallversicherungsträger haben mit allen geeigneten Mitteln für die Verhütung von Arbeitsunfällen, Berufskrankheiten und arbeitsbedingten Gesundheitsgefahren und für eine wirksame Erste Hilfe zu sorgen. [2] Sie sollen dabei auch den Ursachen von arbeitsbedingten Gefahren für Leben und Gesundheit nachgehen.

(2) Bei der Verhütung arbeitsbedingter Gesundheitsgefahren arbeiten die Unfallversicherungsträger mit den Krankenkassen zusammen.

(3) Die Unfallversicherungsträger nehmen an der Entwicklung, Umsetzung und Fortschreibung der gemeinsamen deutschen Arbeitsschutzstrategie gemäß den Bestimmungen des Fünften Abschnitts des Arbeitsschutzgesetzes[4)] und der nationalen Präventionsstrategie nach §§ 20d bis 20f des Fünften Buches teil.

(4) [1] Die Deutsche Gesetzliche Unfallversicherung e.V. unterstützt die Unfallversicherungsträger bei der Erfüllung ihrer Präventionsaufgaben nach Absatz 1. [2] Sie nimmt insbesondere folgende Aufgaben wahr:

1. Koordinierung, Durchführung und Förderung gemeinsamer Maßnahmen sowie der Forschung auf dem Gebiet der Prävention von Arbeitsunfällen, Berufskrankheiten und arbeitsbedingten Gesundheitsgefahren,
2. Klärung von grundsätzlichen Fach- und Rechtsfragen zur Sicherung der einheitlichen Rechtsanwendung in der Prävention.

§ 15[5)] Unfallverhütungsvorschriften. (1) [1] Die Unfallversicherungsträger können unter Mitwirkung der Deutschen Gesetzlichen Unfallversicherung e.V.

[1)] § 13 Satz 1 geänd., Sätze 2 und 3 eingef., bish. Satz 2 wird Satz 4 mWv 1.1.2005 durch G v. 9.12.2004 (BGBl. I S. 3299); Satz 1 geänd. mWv 5.11.2008 durch G v. 30.10.2008 (BGBl. I S. 2130); Satz 3 (eingef. mWv 1.1.2005) geänd. mWv 1.1.1997 durch G v. 15.4.2015 (BGBl. I S. 583).

[2)] Nr. **699**.

[3)] § 14 Abs. 3 und 4 angef. mWv 5.11.2008 durch G v. 30.10.2008 (BGBl. I S. 2130); Abs. 3 geänd. mWv 25.7.2015 durch G v. 17.7.2015 (BGBl. I S. 1368).

[4)] Nr. **370**.

[5)] § 15 Abs. 4 Sätze 1 und 3 geänd. mWv 28.11.2003 durch VO v. 25.11.2003 (BGBl. I S. 2304); Abs. 4 Sätze 1 und 3 geänd. mWv 8.11.2006 durch VO v. 31.10.2006 (BGBl. I S. 2407); Abs. 1 Satz 1 geänd., Satz 3 angef., Abs. 4 Sätze 4–7 angef. mWv 5.11.2008, Abs. 1a eingef. mWv 1.1.2009 durch als autonomes Recht Unfallverhütungsvorschriften über Maßnahmen zur Verhütung von Arbeitsunfällen, Berufskrankheiten und arbeitsbedingten Gesundheitsgefahren oder für eine wirksame Erste Hilfe erlassen, soweit dies zur Prävention geeignet und erforderlich ist und staatliche Arbeitsschutzvorschriften hierüber keine Regelung treffen; in diesem Rahmen können Unfallverhütungsvorschriften erlassen werden über

1. Einrichtungen, Anordnungen und Maßnahmen, welche die Unternehmer zur Verhütung von Arbeitsunfällen, Berufskrankheiten und arbeitsbedingten Gesundheitsgefahren zu treffen haben, sowie die Form der Übertragung dieser Aufgaben auf andere Personen,
2. das Verhalten der Versicherten zur Verhütung von Arbeitsunfällen, Berufskrankheiten und arbeitsbedingten Gesundheitsgefahren,
3. vom Unternehmer zu veranlassende arbeitsmedizinische Untersuchungen und sonstige arbeitsmedizinische Maßnahmen vor, während und nach der Verrichtung von Arbeiten, die für Versicherte oder für Dritte mit arbeitsbedingten Gefahren für Leben und Gesundheit verbunden sind,
4. Voraussetzungen, die der Arzt, der mit Untersuchungen oder Maßnahmen nach Nummer 3 beauftragt ist, zu erfüllen hat, sofern die ärztliche Untersuchung nicht durch eine staatliche Rechtsvorschrift vorgesehen ist,
5. die Sicherstellung einer wirksamen Ersten Hilfe durch den Unternehmer,
6. die Maßnahmen, die der Unternehmer zur Erfüllung der sich aus dem Gesetz über Betriebsärzte, Sicherheitsingenieure und andere Fachkräfte[1)] für Arbeitssicherheit ergebenden Pflichten zu treffen hat,
7. die Zahl der Sicherheitsbeauftragten, die nach § 22 unter Berücksichtigung der in den Unternehmen für Leben und Gesundheit der Versicherten bestehenden arbeitsbedingten Gefahren und der Zahl der Beschäftigten zu bestellen sind.

[2] In der Unfallverhütungsvorschrift nach Satz 1 Nr. 3 kann bestimmt werden, daß arbeitsmedizinische Vorsorgeuntersuchungen auch durch den Unfallversicherungsträger veranlaßt werden können. [3] Die Deutsche Gesetzliche Unfallversicherung e.V. wirkt beim Erlass von Unfallverhütungsvorschriften auf Rechtseinheitlichkeit hin.

(1a) In der landwirtschaftlichen Unfallversicherung ist Absatz 1 mit der Maßgabe anzuwenden, dass Unfallverhütungsvorschriften von der landwirtschaftlichen Berufsgenossenschaft erlassen werden.

(2) [1] Soweit die Unfallversicherungsträger Vorschriften nach Absatz 1 Satz 1 Nr. 3 erlassen, können sie zu den dort genannten Zwecken auch die Verarbeitung von folgenden Daten über die untersuchten Personen durch den Unternehmer vorsehen:

1. Vor- und Familienname, Geburtsdatum sowie Geschlecht,
2. Wohnanschrift,
3. Tag der Einstellung und des Ausscheidens,
4. Ordnungsnummer,

(Fortsetzung der Anm. von voriger Seite)
G v. 30.10.2008 (BGBl. I S. 2130); Abs. 1a neu gef. mWv 1.1.2013 durch G v. 12.4.2012 (BGBl. I S. 579); Abs. 2 Satz 1 einl. Satzteil geänd. mWv 26.11.2019 durch G v. 20.11.2019 (BGBl. I S. 1626).

1) Nr. **383**.

5. zuständige Krankenkasse,
6. Art der vom Arbeitsplatz ausgehenden Gefährdungen,
7. Art der Tätigkeit mit Angabe des Beginns und des Endes der Tätigkeit,
8. Angaben über Art und Zeiten früherer Tätigkeiten, bei denen eine Gefährdung bestand, soweit dies bekannt ist,
9. Datum und Ergebnis der ärztlichen Vorsorgeuntersuchungen; die Übermittlung von Diagnosedaten an den Unternehmer ist nicht zulässig,
10. Datum der nächsten regelmäßigen Nachuntersuchung,
11. Name und Anschrift des untersuchenden Arztes.

[2] Soweit die Unfallversicherungsträger Vorschriften nach Absatz 1 Satz 2 erlassen, gelten Satz 1 sowie § 24 Abs. 1 Satz 3 und 4 entsprechend.

(3) Absatz 1 Satz 1 Nr. 1 bis 5 gilt nicht für die unter bergbehördlicher Aufsicht stehenden Unternehmen.

(4) [1] Die Vorschriften nach Absatz 1 bedürfen der Genehmigung durch das Bundesministerium für Arbeit und Soziales. [2] Die Entscheidung hierüber wird im Benehmen mit den zuständigen obersten Verwaltungsbehörden der Länder getroffen. [3] Soweit die Vorschriften von einem Unfallversicherungsträger erlassen werden, welcher der Aufsicht eines Landes untersteht, entscheidet die zuständige oberste Landesbehörde über die Genehmigung im Benehmen mit dem Bundesministerium für Arbeit und Soziales. [4] Die Genehmigung ist zu erteilen, wenn die Vorschriften sich im Rahmen der Ermächtigung nach Absatz 1 halten und ordnungsgemäß von der Vertreterversammlung beschlossen worden sind. [5] Die Erfüllung der Genehmigungsvoraussetzungen nach Satz 4 ist im Antrag auf Erteilung der Genehmigung darzulegen. [6] Dabei hat der Unfallversicherungsträger insbesondere anzugeben, dass
1. eine Regelung der in den Vorschriften vorgesehenen Maßnahmen in staatlichen Arbeitsschutzvorschriften nicht zweckmäßig ist,
2. das mit den Vorschriften angestrebte Präventionsziel ausnahmsweise nicht durch Regeln erreicht wird, die von einem gemäß § 18 Abs. 2 Nr. 5 des Arbeitsschutzgesetzes[1] eingerichteten Ausschuss ermittelt werden, und
3. die nach Nummer 1 und 2 erforderlichen Feststellungen in einem besonderen Verfahren unter Beteiligung von Arbeitsschutzbehörden des Bundes und der Länder getroffen worden sind.

[7] Für die Angabe nach Satz 6 reicht bei Unfallverhütungsvorschriften nach Absatz 1 Satz 1 Nr. 6 ein Hinweis darauf aus, dass das Bundesministerium für Arbeit und Soziales von der Ermächtigung zum Erlass einer Rechtsverordnung nach § 14 des Gesetzes über Betriebsärzte, Sicherheitsingenieure und andere Fachkräfte für Arbeitssicherheit keinen Gebrauch macht.

(5) Die Unternehmer sind über die Vorschriften nach Absatz 1 zu unterrichten und zur Unterrichtung der Versicherten verpflichtet.

§ 16 Geltung bei Zuständigkeit anderer Unfallversicherungsträger und für ausländische Unternehmen. (1) Die Unfallverhütungsvorschriften eines Unfallversicherungsträgers gelten auch, soweit in dem oder für das Unternehmen Versicherte tätig werden, für die ein anderer Unfallversicherungsträger zuständig ist.

---
[1] Nr. **370**.

(2) Die Unfallverhütungsvorschriften eines Unfallversicherungsträgers gelten auch für Unternehmer und Beschäftigte von ausländischen Unternehmen, die eine Tätigkeit im Inland ausüben, ohne einem Unfallversicherungsträger anzugehören.

§ 17[1)] Überwachung und Beratung. (1) Die Unfallversicherungsträger haben die Durchführung der Maßnahmen zur Verhütung von Arbeitsunfällen, Berufskrankheiten, arbeitsbedingten Gesundheitsgefahren und für eine wirksame Erste Hilfe in den Unternehmen zu überwachen sowie die Unternehmer und die Versicherten zu beraten.

(2) [1] Soweit in einem Unternehmen Versicherte tätig sind, für die ein anderer Unfallversicherungsträger zuständig ist, kann auch dieser die Durchführung der Maßnahmen zur Verhütung von Arbeitsunfällen, Berufskrankheiten, arbeitsbedingten Gesundheitsgefahren und für eine wirksame Erste Hilfe überwachen. [2] Beide Unfallversicherungsträger sollen, wenn nicht sachliche Gründe entgegenstehen, die Überwachung und Beratung abstimmen und sich mit deren Wahrnehmung auf einen Unfallversicherungsträger verständigen.

(3) Erwachsen dem Unfallversicherungsträger durch Pflichtversäumnis eines Unternehmers bare Auslagen für die Überwachung seines Unternehmens, so kann der Vorstand dem Unternehmer diese Kosten auferlegen.

§ 18 Aufsichtspersonen. (1) Die Unfallversicherungsträger sind verpflichtet, Aufsichtspersonen in der für eine wirksame Überwachung und Beratung gemäß § 17 erforderlichen Zahl zu beschäftigen.

(2) [1] Als Aufsichtsperson darf nur beschäftigt werden, wer seine Befähigung für diese Tätigkeit durch eine Prüfung nachgewiesen hat. [2] Die Unfallversicherungsträger erlassen Prüfungsordnungen. [3] Die Prüfungsordnungen bedürfen der Genehmigung durch die Aufsichtsbehörde.

§ 19[2)] Befugnisse der Aufsichtspersonen. (1) [1] Die Aufsichtspersonen können im Einzelfall anordnen, welche Maßnahmen Unternehmerinnen und Unternehmer oder Versicherte zu treffen haben

1. zur Erfüllung ihrer Pflichten aufgrund der Unfallverhütungsvorschriften nach § 15,
2. zur Abwendung besonderer Unfall- und Gesundheitsgefahren.

[2] Die Aufsichtspersonen sind berechtigt, bei Gefahr im Verzug sofort vollziehbare Anordnungen zur Abwendung von arbeitsbedingten Gefahren für Leben und Gesundheit zu treffen. [3] Anordnungen nach den Sätzen 1 und 2 können auch gegenüber Unternehmerinnen und Unternehmern sowie gegenüber Beschäftigten von ausländischen Unternehmen getroffen werden, die eine Tätigkeit im Inland ausüben, ohne einem Unfallversicherungsträger anzugehören.

(2) [1] Zur Überwachung der Maßnahmen zur Verhütung von Arbeitsunfällen, Berufskrankheiten, arbeitsbedingten Gesundheitsgefahren und für eine wirksame Erste Hilfe sind die Aufsichtspersonen insbesondere befugt,

---

1) § 17 Abs. 1 Satz 2 aufgeh., Abs. 3 und 5 aufgeh., bish. Abs. 4 wird Abs. 3 mWv 5.11.2008 durch G v. 30.10.2008 (BGBl. I S. 2130).

2) § 19 Abs. 2 geänd. durch G v. 29.4.1997 (BGBl. I S. 968); Abs. 1 eingef., bish. Abs. 1 wird Abs. 2, bish. Abs. 2 aufgeh. mWv 5.11.2008 durch G v. 30.10.2008 (BGBl. I S. 2130).

1. zu den Betriebs- und Geschäftszeiten Grundstücke und Betriebsstätten zu betreten, zu besichtigen und zu prüfen,
2. von dem Unternehmer die zur Durchführung ihrer Überwachungsaufgabe erforderlichen Auskünfte zu verlangen,
3. geschäftliche und betriebliche Unterlagen des Unternehmers einzusehen, soweit es die Durchführung ihrer Überwachungsaufgabe erfordert,
4. Arbeitsmittel und persönliche Schutzausrüstungen sowie ihre bestimmungsgemäße Verwendung zu prüfen,
5. Arbeitsverfahren und Arbeitsabläufe zu untersuchen und insbesondere das Vorhandensein und die Konzentration gefährlicher Stoffe und Zubereitungen zu ermitteln oder, soweit die Aufsichtspersonen und der Unternehmer die erforderlichen Feststellungen nicht treffen können, auf Kosten des Unternehmers ermitteln zu lassen,
6. gegen Empfangsbescheinigung Proben nach ihrer Wahl zu fordern oder zu entnehmen; soweit der Unternehmer nicht ausdrücklich darauf verzichtet, ist ein Teil der Proben amtlich verschlossen oder versiegelt zurückzulassen,
7. zu untersuchen, ob und auf welche betriebliche Ursachen ein Unfall, eine Erkrankung oder ein Schadensfall zurückzuführen ist,
8. die Begleitung durch den Unternehmer oder eine von ihm beauftragte Person zu verlangen.

[2] Der Unternehmer hat die Maßnahmen nach Satz 1 Nr. 1 und 3 bis 7 zu dulden. [3] Zur Verhütung dringender Gefahren können die Maßnahmen nach Satz 1 auch in Wohnräumen und zu jeder Tages- und Nachtzeit getroffen werden. [4] Das Grundrecht der Unverletzlichkeit der Wohnung (Artikel 13 des Grundgesetzes) wird insoweit eingeschränkt. [5] Die Eigentümer und Besitzer der Grundstücke, auf denen der Unternehmer tätig ist, haben das Betreten der Grundstücke zu gestatten.

(3) [1] Der Unternehmer hat die Aufsichtsperson zu unterstützen, soweit dies zur Erfüllung ihrer Aufgaben erforderlich ist. [2] Auskünfte auf Fragen, deren Beantwortung den Unternehmer selbst oder einen seiner in § 383 Abs. 1 Nr. 1 bis 3 der Zivilprozeßordnung bezeichneten Angehörigen der Gefahr der Verfolgung wegen einer Straftat oder Ordnungswidrigkeit aussetzen würde, können verweigert werden.

§ 20[1)] Zusammenarbeit mit Dritten. (1) [1] Die Unfallversicherungsträger und die für den Arbeitsschutz zuständigen Behörden wirken bei der Beratung und Überwachung der Unternehmen auf der Grundlage einer gemeinsamen Beratungs- und Überwachungsstrategie gemäß § 20a Abs. 2 Nr. 4 des Arbeitsschutzgesetzes[2)] eng zusammen und stellen den Erfahrungsaustausch sicher. [2] Die gemeinsame Beratungs- und Überwachungsstrategie umfasst die Abstimmung allgemeiner Grundsätze zur methodischen Vorgehensweise bei

---

[1)] § 20 Abs. 3 Satz 2 geänd. mWv 7.11.2001 durch VO v. 29.10.2001 (BGBl. I S. 2785); Abs. 3 Satz 2 neu gef. mWv 1.8.2003 durch G v. 24.7.2003 (BGBl. I S. 1526); Abs. 3 Satz 2 geänd. mWv 8.11.2006 durch VO v. 31.10.2006 (BGBl. I S. 2407); Abs. 1 und 2 neu gef., Abs. 3 Satz 3 angef. mWv 5.11.2008, Abs. 2 Satz 5 angef. mWv 1.1.2009 durch G v. 30.10.2008 (BGBl. I S. 2130); Abs. 2 Satz 4 geänd., Satz 5 aufgeh. mWv 1.1.2013 durch G v. 12.4.2012 (BGBl. I S. 579); Abs. 3 Satz 2 geänd. mWv 27.6.2020 durch VO v. 19.6.2020 (BGBl. I S. 1328); Abs. 1a eingef. mWv 1.1.2023 durch G v. 22.12.2020 (BGBl. I S. 3334).

[2)] Nr. **370**.

1. der Beratung und Überwachung der Betriebe,
2. der Festlegung inhaltlicher Beratungs- und Überwachungsschwerpunkte, aufeinander abgestimmter oder gemeinsamer Schwerpunktaktionen und Arbeitsprogramme und
3. der Förderung eines Daten- und sonstigen Informationsaustausches, insbesondere über Betriebsbesichtigungen und deren wesentliche Ergebnisse.

[Abs. 1a ab 1.1.2023:]

(1a) [1] Zu nach dem 1. Januar 2023 durchgeführten Betriebsbesichtigungen und deren Ergebnissen übermitteln die Unfallversicherungsträger an die für die besichtigte Betriebsstätte zuständige Arbeitsschutzbehörde im Wege elektronischer Datenübertragung folgende Informationen:

1. *Name und Anschrift des Betriebs,*
2. *Anschrift der besichtigten Betriebsstätte, soweit nicht mit Nummer 1 identisch,*
3. *Kennnummer zur Identifizierung,*
4. *Wirtschaftszweig des Betriebs,*
5. *Datum der Besichtigung,*
6. *Anzahl der Beschäftigten zum Zeitpunkt der Besichtigung,*
7. *Vorhandensein einer betrieblichen Interessenvertretung,*
8. *Art der sicherheitstechnischen Betreuung,*
9. *Art der betriebsärztlichen Betreuung,*
10. *Bewertung der Arbeitsschutzorganisation einschließlich*
    a) der Unterweisung,
    b) der arbeitsmedizinischen Vorsorge und
    c) der Ersten Hilfe und sonstiger Notfallmaßnahmen,
11. *Bewertung der Gefährdungsbeurteilung einschließlich*
    a) der Ermittlung von Gefährdungen und Festlegung von Maßnahmen,
    b) der Prüfung der Umsetzung der Maßnahmen und ihrer Wirksamkeit und
    c) der Dokumentation der Gefährdungen und Maßnahmen,
12. *Verwaltungshandeln in Form von Feststellungen, Anordnungen oder Bußgeldern.*

[2] Die übertragenen Daten dürfen von den für den Arbeitsschutz zuständigen Behörden nur zur Erfüllung der in ihrer Zuständigkeit nach § 21 Absatz 1 des Arbeitsschutzgesetzes liegenden Arbeitsschutzaufgaben verarbeitet werden.

(2) [1] Zur Förderung der Zusammenarbeit nach Absatz 1 wird für den Bereich eines oder mehrerer Länder eine gemeinsame landesbezogene Stelle bei einem Unfallversicherungsträger oder einem Landesverband mit Sitz im jeweiligen örtlichen Zuständigkeitsbereich eingerichtet. [2] Die Deutsche Gesetzliche Unfallversicherung e.V. koordiniert die organisatorisch und verfahrensmäßig notwendigen Festlegungen für die Bildung, Mandatierung und Tätigkeit der gemeinsamen landesbezogenen Stellen. [3] Die gemeinsame landesbezogene Stelle hat die Aufgabe, mit Wirkung für die von ihr vertretenen Unfallversicherungsträger mit den für den Arbeitsschutz zuständigen Behörden Vereinbarungen über

1. die zur Umsetzung der gemeinsamen Beratungs- und Überwachungsstrategie notwendigen Maßnahmen,
2. gemeinsame Arbeitsprogramme, insbesondere zur Umsetzung der Eckpunkte im Sinne des § 20a Abs. 2 Nr. 2 des Arbeitsschutzgesetzes,

abzuschließen und deren Zielerreichung mit den von der Nationalen Arbeitsschutzkonferenz nach § 20a Abs. 2 Nr. 3 des Arbeitsschutzgesetzes bestimmten Kennziffern zu evaluieren. [4] Die landwirtschaftliche Berufsgenossenschaft wirkt an der Tätigkeit der gemeinsamen landesbezogenen Stelle mit.

(3) [1] Durch allgemeine Verwaltungsvorschriften, die der Zustimmung des Bundesrates bedürfen, wird geregelt das Zusammenwirken

1. der Unfallversicherungsträger mit den Betriebsräten oder Personalräten,
2. der Unfallversicherungsträger einschließlich der gemeinsamen landesbezogenen Stellen nach Absatz 2 mit den für den Arbeitsschutz zuständigen Landesbehörden,
3. der Unfallversicherungsträger mit den für die Bergaufsicht zuständigen Behörden.

[2] Die Verwaltungsvorschriften nach Satz 1 Nr. 1 werden vom Bundesministerium für Arbeit und Soziales im Einvernehmen mit dem Bundesministerium des Innern, für Bau und Heimat, die Verwaltungsvorschriften nach Satz 1 Nr. 2 und 3 werden von der Bundesregierung erlassen. [3] Die Verwaltungsvorschriften nach Satz 1 Nr. 2 werden erst erlassen, wenn innerhalb einer vom Bundesministerium für Arbeit und Soziales gesetzten angemessenen Frist nicht für jedes Land eine Vereinbarung nach Absatz 2 Satz 3 abgeschlossen oder eine unzureichend gewordene Vereinbarung nicht geändert worden ist.

§ 21[1)] **Verantwortung des Unternehmers, Mitwirkung der Versicherten.** (1) Der Unternehmer ist für die Durchführung der Maßnahmen zur Verhütung von Arbeitsunfällen und Berufskrankheiten, für die Verhütung von arbeitsbedingten Gesundheitsgefahren sowie für eine wirksame Erste Hilfe verantwortlich.

(2) [1] Ist bei einer Schule der Unternehmer nicht Schulhoheitsträger, ist auch der Schulhoheitsträger in seinem Zuständigkeitsbereich für die Durchführung der in Absatz 1 genannten Maßnahmen verantwortlich. [2] Der Schulhoheitsträger ist verpflichtet, im Benehmen mit dem für die Versicherten nach § 2 Abs. 1 Nr. 8 Buchstabe b zuständigen Unfallversicherungsträger Regelungen über die Durchführung der in Absatz 1 genannten Maßnahmen im inneren Schulbereich zu treffen.

(3) Die Versicherten haben nach ihren Möglichkeiten alle Maßnahmen zur Verhütung von Arbeitsunfällen, Berufskrankheiten und arbeitsbedingten Gesundheitsgefahren sowie für eine wirksame Erste Hilfe zu unterstützen und die entsprechenden Anweisungen des Unternehmers zu befolgen.

§ 22 Sicherheitsbeauftragte. (1) [1] In Unternehmen mit regelmäßig mehr als 20 Beschäftigten hat der Unternehmer unter Beteiligung des Betriebsrates oder Personalrates Sicherheitsbeauftragte unter Berücksichtigung der im Unternehmen für die Beschäftigten bestehenden Unfall- und Gesundheitsgefahren und der Zahl der Beschäftigten zu bestellen. [2] Als Beschäftigte gelten auch die nach § 2 Abs. 1 Nr. 2, 8 und 12 Versicherten. [3] In Unternehmen mit besonderen Gefahren für Leben und Gesundheit kann der Unfallversicherungsträger anordnen, daß Sicherheitsbeauftragte auch dann zu bestellen sind, wenn die Mindestbeschäftigtenzahl nach Satz 1 nicht erreicht wird. [4] Für Unternehmen

---

1) § 21 Abs. 1 geänd. durch G v. 29.4.1997 (BGBl. I S. 968).

mit geringen Gefahren für Leben und Gesundheit kann der Unfallversicherungsträger die Zahl 20 in seiner Unfallverhütungsvorschrift erhöhen.

(2) Die Sicherheitsbeauftragten haben den Unternehmer bei der Durchführung der Maßnahmen zur Verhütung von Arbeitsunfällen und Berufskrankheiten zu unterstützen, insbesondere sich von dem Vorhandensein und der ordnungsgemäßen Benutzung der vorgeschriebenen Schutzeinrichtungen und persönlichen Schutzausrüstungen zu überzeugen und auf Unfall- und Gesundheitsgefahren für die Versicherten aufmerksam zu machen.

(3) Die Sicherheitsbeauftragten dürfen wegen der Erfüllung der ihnen übertragenen Aufgaben nicht benachteiligt werden.

§ 23 Aus- und Fortbildung. (1) [1] Die Unfallversicherungsträger haben für die erforderliche Aus- und Fortbildung der Personen in den Unternehmen zu sorgen, die mit der Durchführung der Maßnahmen zur Verhütung von Arbeitsunfällen, Berufskrankheiten und arbeitsbedingten Gesundheitsgefahren sowie mit der Ersten Hilfe betraut sind. [2] Für nach dem Gesetz über Betriebsärzte, Sicherheitsingenieure und andere Fachkräfte[1)] für Arbeitssicherheit zu verpflichtende Betriebsärzte und Fachkräfte für Arbeitssicherheit, die nicht dem Unternehmen angehören, können die Unfallversicherungsträger entsprechende Maßnahmen durchführen. [3] Die Unfallversicherungsträger haben Unternehmer und Versicherte zur Teilnahme an Aus- und Fortbildungslehrgängen anzuhalten.

(2) [1] Die Unfallversicherungsträger haben die unmittelbaren Kosten ihrer Aus- und Fortbildungsmaßnahmen sowie die erforderlichen Fahr-, Verpflegungs- und Unterbringungskosten zu tragen. [2] Bei Aus- und Fortbildungsmaßnahmen für Ersthelfer, die von Dritten durchgeführt werden, haben die Unfallversicherungsträger nur die Lehrgangsgebühren zu tragen.

(3) Für die Arbeitszeit, die wegen der Teilnahme an einem Lehrgang ausgefallen ist, besteht gegen den Unternehmer ein Anspruch auf Fortzahlung des Arbeitsentgelts.

(4) Bei der Ausbildung von Sicherheitsbeauftragten und Fachkräften für Arbeitssicherheit sind die für den Arbeitsschutz zuständigen Landesbehörden zu beteiligen.

§ 24 Überbetrieblicher arbeitsmedizinischer und sicherheitstechnischer Dienst. (1) [1] Unfallversicherungsträger können überbetriebliche arbeitsmedizinische und sicherheitstechnische Dienste einrichten; das Nähere bestimmt die Satzung. [2] Die von den Diensten gespeicherten Daten dürfen nur mit Einwilligung des Betroffenen an die Unfallversicherungsträger übermittelt werden; § 203 bleibt unberührt. [3] Die Dienste sind organisatorisch, räumlich und personell von den übrigen Organisationseinheiten der Unfallversicherungsträger zu trennen. [4] Zugang zu den Daten dürfen nur Beschäftigte der Dienste haben.

(2) [1] In der Satzung nach Absatz 1 kann auch bestimmt werden, daß die Unternehmer verpflichtet sind, sich einem überbetrieblichen arbeitsmedizinischen und sicherheitstechnischen Dienst anzuschließen, wenn sie innerhalb einer vom Unfallversicherungsträger gesetzten angemessenen Frist keine oder nicht in ausreichendem Umfang Betriebsärzte und Fachkräfte für Arbeitssicher-

---

1) Nr. 383.

heit bestellen. [2] Unternehmer sind von der Anschlußpflicht zu befreien, wenn sie nachweisen, daß sie ihre Pflicht nach dem Gesetz über Betriebsärzte, Sicherheitsingenieure und andere Fachkräfte für Arbeitssicherheit[1)] erfüllt haben.

[§ 25 bis 31.12.2025:]

§ 25[2)] **Bericht gegenüber dem Bundestag.** (1) [1] Die Bundesregierung hat dem Deutschen Bundestag und dem Bundesrat alljährlich bis zum 31. Dezember des auf das Berichtsjahr folgenden Jahres einen statistischen Bericht über den Stand von Sicherheit und Gesundheit bei der Arbeit und über das Unfall- und Berufskrankheitengeschehen in der Bundesrepublik Deutschland zu erstatten, der die Berichte der Unfallversicherungsträger und die Jahresberichte der für den Arbeitsschutz zuständigen Landesbehörden zusammenfaßt. [2] Alle vier Jahre hat der Bericht einen umfassenden Überblick über die Entwicklung der Arbeitsunfälle und Berufskrankheiten, ihre Kosten und die Maßnahmen zur Sicherheit und Gesundheit bei der Arbeit zu enthalten.

(2) [1] Die Unfallversicherungsträger haben dem Bundesministerium für Arbeit und Soziales alljährlich bis zum 31. Juli des auf das Berichtsjahr folgenden Jahres über die Durchführung der Maßnahmen zur Sicherheit und Gesundheit bei der Arbeit sowie über das Unfall- und Berufskrankheitengeschehen zu berichten. [2] Landesunmittelbare Versicherungsträger reichen die Berichte über die für sie zuständigen obersten Verwaltungsbehörden der Länder ein.

[§ 25 ab 1.1.2026:]

§ 25[3)] ***Bericht gegenüber dem Bundestag.*** *(1) [1] Die Bundesregierung hat dem Deutschen Bundestag und dem Bundesrat alle vier Jahre einen statistischen Bericht über den Stand von Sicherheit und Gesundheit bei der Arbeit und über das Unfall- und Berufskrankheitengeschehen in der Bundesrepublik Deutschland zu erstatten, der die Berichte der Unfallversicherungsträger und die Jahresberichte der für den Arbeitsschutz zuständigen Landesbehörden zusammenfasst sowie einen umfassenden Überblick über die Entwicklung der Arbeitsunfälle und Berufskrankheiten, ihre Kosten und die Maßnahmen zur Sicherheit und Gesundheit bei der Arbeit enthält. [2] Der Bericht ist dem Deutschen Bundestag und dem Bundesrat bis zum 31. Dezember des auf den Berichtszeitraum folgenden Jahres zu übermitteln.*

(2) [1] Die Unfallversicherungsträger haben dem Bundesministerium für Arbeit und Soziales alljährlich bis zum 31. Juli über die Durchführung der Maßnahmen zur Sicherheit und Gesundheit bei der Arbeit sowie über das Unfall- und Berufskrankheitengeschehen im Vorjahr zu berichten. [2] Landesunmittelbare Versicherungsträger reichen die Berichte über die für sie zuständigen obersten Verwaltungsbehörden der Länder ein.

(3) Das Bundesministerium für Arbeit und Soziales veröffentlicht alljährlich bis zum 31. Dezember eine statistische Übersicht über den Stand von Sicherheit und Gesundheit bei der Arbeit und über das Unfall- und Berufskrankheitengeschehen in der Bundesrepublik Deutschland im Vorjahr, die die Berichte der Unfallversicherungsträger und die Jahresberichte der für den Arbeitsschutz zuständigen Landesbehörden zusammenfasst.

[1)] Nr. **383**.

[2)] § 25 Abs. 2 Satz 1 geänd. mWv 28.11.2003 durch VO v. 25.11.2003 (BGBl. I S. 2304); Abs. 2 Satz 1 geänd. mWv 8.11.2006 durch VO v. 31.10.2006 (BGBl. I S. 2407).

[3)] § 25 neu gef. mWv 1.1.2026 durch G v. 23.10.2024 (BGBl. 2024 I Nr. 323).

Drittes Kapitel. Leistungen nach Eintritt eines Versicherungsfalls

Erster Abschnitt.[1] Heilbehandlung, Leistungen zur Teilhabe am Arbeitsleben, Leistungen zur Sozialen Teilhabe und ergänzende Leistungen, Pflege, Geldleistungen

Erster Unterabschnitt. Anspruch und Leistungsarten

§ 26[2] Grundsatz. (1) [1]Versicherte haben nach Maßgabe der folgenden Vorschriften und unter Beachtung des Neunten Buches[3] Anspruch auf Heilbehandlung einschließlich Leistungen zur medizinischen Rehabilitation, auf Leistungen zur Teilhabe am Arbeitsleben und zur Sozialen Teilhabe, auf ergänzende Leistungen, auf Leistungen bei Pflegebedürftigkeit sowie auf Geldleistungen. [2]Die Leistungen werden auf Antrag durch ein Persönliches Budget nach § 29 des Neunten Buches[4] erbracht; dies gilt im Rahmen des Anspruchs auf Heilbehandlung nur für die Leistungen zur medizinischen Rehabilitation.

(2) Der Unfallversicherungsträger hat mit allen geeigneten Mitteln möglichst frühzeitig

1. den durch den Versicherungsfall verursachten Gesundheitsschaden zu beseitigen oder zu bessern, seine Verschlimmerung zu verhüten und seine Folgen zu mildern,
2. den Versicherten einen ihren Neigungen und Fähigkeiten entsprechenden Platz im Arbeitsleben zu sichern,
3. Hilfen zur Bewältigung der Anforderungen des täglichen Lebens und zur Teilhabe am Leben in der Gemeinschaft sowie zur Führung eines möglichst selbständigen Lebens unter Berücksichtigung von Art und Schwere des Gesundheitsschadens bereitzustellen,
4. ergänzende Leistungen zur Heilbehandlung und zu Leistungen zur Teilhabe am Arbeitsleben und zur Sozialen Teilhabe zu erbringen,
5. Leistungen bei Pflegebedürftigkeit zu erbringen.

(3) Die Leistungen zur Heilbehandlung und zur Rehabilitation haben Vorrang vor Rentenleistungen.

(4) [1]Qualität und Wirksamkeit der Leistungen zur Heilbehandlung und Teilhabe haben dem allgemein anerkannten Stand der medizinischen Erkenntnisse zu entsprechen und den medizinischen Fortschritt zu berücksichtigen. [2]Sie werden als Dienst- und Sachleistungen zur Verfügung gestellt, soweit dieses oder das Neunte Buch[3] keine Abweichungen vorsehen.

(5) [1]Die Unfallversicherungsträger bestimmen im Einzelfall Art, Umfang und Durchführung der Heilbehandlung und der Leistungen zur Teilhabe sowie die Einrichtungen, die diese Leistungen erbringen, nach pflichtgemäßem Ermessen. [2]Dabei prüfen sie auch, welche Leistungen geeignet und zumutbar

---

[1] 1. Abschn. Überschr. geänd. mWv 1.7.2001 durch G v. 19.6.2001 (BGBl. I S. 1046); geänd. mWv 1.7.2020 durch G v. 12.6.2020 (BGBl. I S. 1248).

[2] § 26 Abs. 1, Abs. 2 Nrn. 2 und 3 neu gef., Abs. 2 Nr. 4, Abs. 4 Sätze 1 und 2 sowie Abs. 5 Satz 1 geänd. mWv 1.7.2001 durch G v. 19.6.2001 (BGBl. I S. 1046); Abs. 1 Satz 2 angef. mWv 1.7.2004 durch G v. 27.12.2003 (BGBl. I S. 3022); Abs. 1 Satz 2 neu gef. mWv 1.1.2018 durch G v. 23.12. 2016 (BGBl. I S. 3234); Abs. 1 Satz 1, Abs. 2 Nr. 4 geänd. mWv 1.7.2020 durch G v. 12.6.2020 (BGBl. I S. 1248).

[3] Auszugsweise abgedruckt unter Nr. **440**.

[4] **beck-online, Module Arbeitsrecht Nr. 440.**

sind, Pflegebedürftigkeit zu vermeiden, zu überwinden, zu mindern oder ihre Verschlimmerung zu verhüten.

Zweiter Unterabschnitt. Heilbehandlung

§ 27[1] Umfang der Heilbehandlung, Anschluss an die Telematikinfrastruktur. (1) [1] Die Heilbehandlung umfaßt insbesondere

1. Erstversorgung,
2. ärztliche Behandlung,
3. zahnärztliche Behandlung einschließlich der Versorgung mit Zahnersatz,
4. Versorgung mit Arznei-, Verband-, Heil- und Hilfsmitteln,
5. häusliche Krankenpflege,
6. Behandlung in Krankenhäusern und Rehabilitationseinrichtungen,
7. Leistungen zur medizinischen Rehabilitation nach § 42 Abs. 2 Nr. 1 und 3 bis 7 und Abs. 3 des Neunten Buches[2].

[2] Für die an der Heilbehandlung nach Satz 1 beteiligten Ärzte, Zahnärzte, Einrichtungen und sonstigen Leistungserbringer, die Leistungen für die gesetzliche Unfallversicherung erbringen und für die aufgrund der Regelungen des Fünften Buches[3] noch keine Möglichkeit zur Anbindung an die Telematikinfrastruktur besteht, gilt eine Pflicht zur Anbindung ab dem 1. Januar 2027. [3] Satz 2 gilt ebenso für die Verpflichtung zur Empfangsbereitschaft elektronischer Briefe nach § 295 Absatz 1c des Fünften Buches[4]. [4] Zum Ausgleich der in § 376 des Fünften Buches[4] genannten Ausstattungs- und Betriebskosten erhalten die in Satz 2 genannten Leistungserbringer die in der jeweils geltenden Fassung der Vereinbarung nach § 378 Absatz 2 des Fünften Buches[4] für die an der vertragsärztlichen Versorgung teilnehmenden Leistungserbringer vereinbarten Erstattungen von der gesetzlichen Unfallversicherung.

(1a) Sofern bei der Erbringung von Leistungen nach Absatz 1 telemedizinische Verfahren angewandt werden, sollen diese die nach den §§ 364 bis 368 des Fünften Buches[4] festgelegten Anforderungen erfüllen.

(2) In den Fällen des § 8 Abs. 3 wird ein beschädigtes oder verlorengegangenes Hilfsmittel wiederhergestellt oder erneuert

(3) Während einer aufgrund eines Gesetzes angeordneten Freiheitsentziehung wird Heilbehandlung erbracht, soweit Belange des Vollzugs nicht entgegenstehen.

§ 27a[5] Nutzung der Telematikinfrastruktur. (1) Bei der Erbringung von Leistungen nach § 27 Absatz 1 gelten die §§ 31a, 347, 348 und 374a des Fünften Buches[4] entsprechend, sofern der Leistungserbringer an die Telematikinfrastruktur angebunden ist.

---

[1] § 27 Abs. 1 Nr. 7 geänd. mWv 1.7.2001 durch G v. 19.6.2001 (BGBl. I S. 1046); Abs. 1 Nr. 7 geänd. mWv 1.1.2018 durch G v. 23.12.2016 (BGBl. I S. 3234); Überschrift neu gef., Abs. 1 Sätze 2–4 angef., Abs. 1a eingef. mWv 26.3.2024 durch G v. 22.3.2024 (BGBl. 2024 I Nr. 101; 2024 I Nr. 101a).

[2] **beck-online, Module Arbeitsrecht Nr. 440.**

[3] Auszugsweise abgedruckt unter Nr. **695**.

[4] **beck-online, Module Arbeitsrecht Nr. 695.**

[5] *§ 27a eingef. mWv 26.3.2024 durch G v. 22.3.2024* (BGBl. 2024 I Nr. 101; 2024 I Nr. 101a), Abs. 3 und 4 treten erst mWv 1.1.2025 in Kraft, vgl. Art. 9 Abs. 2 Nr. 2 dieses G; Abs. 2 geänd. mWv 24.12.2025 durch G v. 22.12.2025 (BGBl. 2025 I Nr. 355).

(2) § 360 des Fünften Buches[1)] gilt entsprechend für die *Leistungserbinger*[2)] nach § 27 Absatz 1 sowie die Unfallversicherungsträger, sobald die Verordnung von Leistungen nach § 27 Absatz 1 Nummer 4 und 5 elektronisch erfolgt und der Leistungserbringer an die Telematikinfrastruktur angebunden ist.

(3) § 350a des Fünften Buches[1)] gilt entsprechend für Versicherte dieses Buches.

(4) § 351 des Fünften Buches[1)] gilt entsprechend für den zuständigen Unfallversicherungsträger.

§ 28 Ärztliche und zahnärztliche Behandlung. (1) [1] Die ärztliche und zahnärztliche Behandlung wird von Ärzten oder Zahnärzten erbracht. [2] Sind Hilfeleistungen anderer Personen erforderlich, dürfen sie nur erbracht werden, wenn sie vom Arzt oder Zahnarzt angeordnet und von ihm verantwortet werden.

(2) Die ärztliche Behandlung umfaßt die Tätigkeit der Ärzte, die nach den Regeln der ärztlichen Kunst erforderlich und zweckmäßig ist.

(3) Die zahnärztliche Behandlung umfaßt die Tätigkeit der Zahnärzte, die nach den Regeln der zahnärztlichen Kunst erforderlich und zweckmäßig ist.

(4) [1] Bei Versicherungsfällen, für die wegen ihrer Art oder Schwere besondere unfallmedizinische Behandlung angezeigt ist, wird diese erbracht. [2] Die freie Arztwahl kann insoweit eingeschränkt werden.

§ 29[3)] Arznei- und Verbandmittel. (1) [1] Arznei- und Verbandmittel sind alle ärztlich verordneten, zur ärztlichen und zahnärztlichen Behandlung erforderlichen Mittel. [2] Ist das Ziel der Heilbehandlung mit Arznei- und Verbandmitteln zu erreichen, für die Festbeträge im Sinne des § 35 oder § 35a des Fünften Buches[1)] festgesetzt sind, trägt der Unfallversicherungsträger die Kosten bis zur Höhe dieser Beträge. [3] Verordnet der Arzt in diesen Fällen ein Arznei- oder Verbandmittel, dessen Preis den Festbetrag überschreitet, hat der Arzt die Versicherten auf die sich aus seiner Verordnung ergebende Übernahme der Mehrkosten hinzuweisen.

(2) [1] Die Rabattregelungen der §§ 130 und 130a des Fünften Buches[1)] gelten entsprechend. [2] Die Erstattungsbeträge nach § 130b des Fünften Buches[1)] gelten auch für die Abrechnung mit den Trägern der gesetzlichen Unfallversicherung.

§ 30 Heilmittel. [1] Heilmittel sind alle ärztlich verordneten Dienstleistungen, die einem Heilzweck dienen oder einen Heilerfolg sichern und nur von entsprechend ausgebildeten Personen erbracht werden dürfen. [2] Hierzu gehören insbesondere Maßnahmen der physikalischen Therapie sowie der Sprach- und Beschäftigungstherapie.

§ 31 Hilfsmittel. (1) [1] Hilfsmittel sind alle ärztlich verordneten Sachen, die den Erfolg der Heilbehandlung sichern oder die Folgen von Gesundheitsschäden mildern oder ausgleichen. [2] Dazu gehören insbesondere Körperersatzstücke, orthopädische und andere Hilfsmittel einschließlich der notwendigen

---

[1)] **beck-online, Module Arbeitsrecht Nr. 695.**

[2)] Richtig wohl: „Leistungserbringer".

[3)] § 29 Abs. 1 Satz 2 geänd. mWv 3.8.2001 durch G v. 27.7.2001 (BGBl. I S. 1948); Abs. 2 neu gef. mWv 1.1.2004 durch G v. 14.11.2003 (BGBl. I S. 2190); Abs. 2 Satz 2 angef. mWv 22.4.2015 durch G v. 15.4.2015 (BGBl. I S. 583).

Änderung, Instandsetzung und Ersatzbeschaffung sowie der Ausbildung im Gebrauch der Hilfsmittel. [3] Soweit für Hilfsmittel Festbeträge im Sinne des § 36 des Fünften Buches[1)] festgesetzt sind, gilt § 29 Abs. 1 Satz 2 und 3 entsprechend.

(2) [1] Die Bundesregierung wird ermächtigt, durch Rechtsverordnung mit Zustimmung des Bundesrates die Ausstattung mit Körperersatzstücken, orthopädischen und anderen Hilfsmitteln zu regeln sowie bei bestimmten Gesundheitsschäden eine Entschädigung für Kleider- und Wäscheverschleiß vorzuschreiben. [2] Das Nähere regeln die Verbände der Unfallversicherungsträger durch gemeinsame Richtlinien.

§ 32 Häusliche Krankenpflege. (1) Versicherte erhalten in ihrem Haushalt oder ihrer Familie neben der ärztlichen Behandlung häusliche Krankenpflege durch geeignete Pflegekräfte, wenn Krankenhausbehandlung geboten, aber nicht ausführbar ist oder wenn sie durch die häusliche Krankenpflege vermieden oder verkürzt werden kann und das Ziel der Heilbehandlung nicht gefährdet wird.

(2) Die häusliche Krankenpflege umfaßt die im Einzelfall aufgrund ärztlicher Verordnung erforderliche Grund- und Behandlungspflege sowie hauswirtschaftliche Versorgung.

(3) [1] Ein Anspruch auf häusliche Krankenpflege besteht nur, soweit es einer im Haushalt des Versicherten lebenden Person nicht zuzumuten ist, Krankenpflege zu erbringen. [2] Kann eine Pflegekraft nicht gestellt werden oder besteht Grund, von einer Gestellung abzusehen, sind die Kosten für eine selbstbeschaffte Pflegekraft in angemessener Höhe zu erstatten.

(4) Das Nähere regeln die Verbände der Unfallversicherungsträger durch gemeinsame Richtlinien.

§ 33 Behandlung in Krankenhäusern und Rehabilitationseinrichtungen. (1) [1] Stationäre Behandlung in einem Krankenhaus oder in einer Rehabilitationseinrichtung wird erbracht, wenn die Aufnahme erforderlich ist, weil das Behandlungsziel anders nicht erreicht werden kann. [2] Sie wird voll- oder teilstationär erbracht. [3] Sie umfaßt im Rahmen des Versorgungsauftrags des Krankenhauses oder der Rehabilitationseinrichtung alle Leistungen, die im Einzelfall für die medizinische Versorgung der Versicherten notwendig sind, insbesondere ärztliche Behandlung, Krankenpflege, Versorgung mit Arznei-, Verband-, Heil- und Hilfsmitteln, Unterkunft und Verpflegung.

(Fortsetzung nächstes Blatt)

[1)] **beck-online, Module Arbeitsrecht Nr. 695.**

(2) Krankenhäuser und Rehabilitationseinrichtungen im Sinne des Absatzes 1 sind die Einrichtungen nach § 107 des Fünften Buches.

(3) Bei Gesundheitsschäden, für die wegen ihrer Art oder Schwere besondere unfallmedizinische stationäre Behandlung angezeigt ist, wird diese in besonderen Einrichtungen erbracht.

§ 34[1)] Durchführung der Heilbehandlung. (1) [1]Die Unfallversicherungsträger haben alle Maßnahmen zu treffen, durch die eine möglichst frühzeitig nach dem Versicherungsfall einsetzende und sachgemäße Heilbehandlung und, soweit erforderlich, besondere unfallmedizinische oder Berufskrankheiten-Behandlung gewährleistet wird. [2]Sie können zu diesem Zweck die von den Ärzten und Krankenhäusern zu erfüllenden Voraussetzungen im Hinblick auf die fachliche Befähigung, die sächliche und personelle Ausstattung sowie die zu übernehmenden Pflichten festlegen. [3]Sie können daneben nach Art und Schwere des Gesundheitsschadens besondere Verfahren für die Heilbehandlung vorsehen.

(2) Die Unfallversicherungsträger haben an der Durchführung der besonderen unfallmedizinischen Behandlung die Ärzte und Krankenhäuser zu beteiligen, die den nach Absatz 1 Satz 2 festgelegten Anforderungen entsprechen.

(3) [1]Die Verbände der Unfallversicherungsträger sowie die Kassenärztliche Bundesvereinigung und die Kassenzahnärztliche Bundesvereinigung (Kassenärztliche Bundesvereinigungen) schließen unter Berücksichtigung der von den Unfallversicherungsträgern gemäß Absatz 1 Satz 2 und 3 getroffenen Festlegungen mit Wirkung für ihre Mitglieder Verträge über die Durchführung der Heilbehandlung, die Vergütung der Ärzte und Zahnärzte sowie die Art und Weise der Abrechnung. [2]Dem oder der Bundesbeauftragten für den Datenschutz und die Informationsfreiheit ist rechtzeitig vor Abschluß Gelegenheit zur Stellungnahme zu geben, sofern in den Verträgen die Verarbeitung von personenbezogenen Daten geregelt werden sollen.

(4) Die Kassenärztlichen Bundesvereinigungen haben gegenüber den Unfallversicherungsträgern und deren Verbänden die Gewähr dafür zu übernehmen, daß die Durchführung der Heilbehandlung den gesetzlichen und vertraglichen Erfordernissen entspricht.

(5) [1]Kommt ein Vertrag nach Absatz 3 ganz oder teilweise nicht zustande, setzt ein Schiedsamt mit der Mehrheit seiner Mitglieder innerhalb von drei Monaten den Vertragsinhalt fest. [2]Wird ein Vertrag gekündigt, ist dies dem zuständigen Schiedsamt mitzuteilen. [3]Kommt bis zum Ablauf eines Vertrags ein neuer Vertrag nicht zustande, setzt ein Schiedsamt mit der Mehrheit seiner Mitglieder innerhalb von drei Monaten nach Vertragsablauf den neuen Inhalt fest. [4]In diesem Fall gelten die Bestimmungen des bisherigen Vertrags bis zur Entscheidung des Schiedsamts vorläufig weiter.

(6) [1]Die Verbände der Unfallversicherungsträger und die Kassenärztlichen Bundesvereinigungen bilden je ein Schiedsamt für die medizinische und zahnmedizinische Versorgung. [2]Das Schiedsamt besteht aus drei Vertretern der

---

[1)] § 34 Abs. 8 Satz 2 angef. mWv 1.7.2001 durch G v. 19.6.2001 (BGBl. I S. 1046); Abs. 7 geänd. mWv 28.11.2003 durch VO v. 25.11.2003 (BGBl. I S. 2304); Abs. 7 geänd. mWv 8.11.2006 durch VO v. 31.10.2006 (BGBl. I S. 2407); Abs. 8 Satz 2 geänd. mWv 1.1.2018 durch G v. 23.12.2016 (BGBl. I S. 3234); Abs. 5 Satz 2 geänd. mWv 5.4.2017 durch G v. 29.3.2017 (BGBl. I S. 626); Abs. 6 Satz 3 geänd. mWv 11.5.2019 durch G v. 6.5.2019 (BGBl. I S. 646); Abs. 3 Satz 2 geänd. mWv 26.11.2019 durch G v. 20.11.2019 (BGBl. I S. 1626).

Kassenärztlichen Bundesvereinigungen und drei Vertretern der Verbände der Unfallversicherungsträger sowie einem unparteiischen Vorsitzenden und zwei weiteren unparteiischen Mitgliedern. [3] § 89 Absatz 6 des Fünften Buches sowie die aufgrund des § 89 Absatz 11 des Fünften Buches erlassenen Rechtsverordnungen gelten entsprechend.

(7) Die Aufsicht über die Geschäftsführung der Schiedsämter nach Absatz 6 führt das Bundesministerium für Arbeit und Soziales.

(8) [1] Die Beziehungen zwischen den Unfallversicherungsträgern und anderen als den in Absatz 3 genannten Stellen, die Heilbehandlung durchführen oder an ihrer Durchführung beteiligt sind, werden durch Verträge geregelt. [2] Soweit die Stellen Leistungen zur medizinischen Rehabilitation ausführen oder an ihrer Ausführung beteiligt sind, werden die Beziehungen durch Verträge nach § 38 des Neunten Buches geregelt.

Dritter Unterabschnitt.[1] Leistungen zur Teilhabe am Arbeitsleben

§ 35[2] Leistungen zur Teilhabe am Arbeitsleben. (1) [1] Die Unfallversicherungsträger erbringen die Leistungen zur Teilhabe am Arbeitsleben nach den §§ 49 bis 55 des Neunten Buches[3], in Werkstätten für behinderte Menschen nach den §§ 57 und 58 des Neunten Buches[3], bei anderen Leistungsanbietern nach § 60 des Neunten Buches[3], als Budget für Arbeit nach § 61 des Neunten Buches[3] sowie als Budget für Ausbildung nach § 61a des Neunten Buches[3]. [2] Das Budget für Ausbildung wird nur für die Erstausbildung erbracht. [3] Ein Anspruch auf Übergangsgeld nach § 49 besteht während der Erbringung des Budgets für Ausbildung nicht.

(2) Die Leistungen zur Teilhabe am Arbeitsleben umfassen auch Hilfen zu einer angemessenen Schulbildung einschließlich der Vorbereitung hierzu oder zur Entwicklung der geistigen und körperlichen Fähigkeiten vor Beginn der Schulpflicht.

(3) Ist eine von Versicherten angestrebte höherwertige Tätigkeit nach ihrer Leistungsfähigkeit und unter Berücksichtigung ihrer Eignung, Neigung und bisherigen Tätigkeit nicht angemessen, kann eine Maßnahme zur Teilhabe am Arbeitsleben bis zur Höhe des Aufwandes gefördert werden, der bei einer angemessenen Maßnahme entstehen würde.

(4) Während einer auf Grund eines Gesetzes angeordneten Freiheitsentziehung werden Leistungen zur Teilhabe am Arbeitsleben erbracht, soweit Belange des Vollzugs nicht entgegenstehen.

§§ 36–38[4] *(aufgehoben)*

---

[1] 3. UAbschn. Überschr. geänd. mWv 1.7.2001 durch G v. 19.6.2001 (BGBl. I S. 1046).

[2] § 35 neu gef. mWv 1.7.2001 durch G v. 19.6.2001 (BGBl. I S. 1046); Abs. 1 geänd. mWv 30.12.2008 durch G v. 22.12.2008 (BGBl. I S. 2959); Abs. 1 neu gef. mWv 1.1.2018 durch G v. 23.12.2016 (BGBl. I S. 3234); Abs. 1 Satz 1 geänd., Sätze 2 und 3 angef. mWv 1.1.2020 durch G v. 10.12.2019 (BGBl. I S. 2135).

[3] Nr. **440**.

[4] §§ 36–38 aufgeh. mWv 1.7.2001 durch G v. 19.6.2001 (BGBl. I S. 1046).

Vierter Unterabschnitt.[1] Leistungen zur Sozialen Teilhabe und ergänzende Leistungen

§ 39[2] Leistungen zur Sozialen Teilhabe und ergänzende Leistungen.

(1) Neben den in § 64 Abs. 1 Nr. 2 bis 6 und Abs. 2 sowie in den §§ 73 und 74 des Neunten Buches[3] genannten Leistungen umfassen die Leistungen zur Sozialen Teilhabe und die ergänzenden Leistungen

1. Kraftfahrzeughilfe,
2. sonstige Leistungen zur Erreichung und zur Sicherstellung des Erfolges der Leistungen zur medizinischen Rehabilitation und zur Teilhabe.

(2) Zum Ausgleich besonderer Härten kann den Versicherten oder deren Angehörigen eine besondere Unterstützung gewährt werden.

§ 40[4] Kraftfahrzeughilfe. (1) Kraftfahrzeughilfe wird erbracht, wenn die Versicherten infolge Art oder Schwere des Gesundheitsschadens nicht nur vorübergehend auf die Benutzung eines Kraftfahrzeugs angewiesen sind, um die Teilhabe am Arbeitsleben oder am Leben in der Gemeinschaft zu ermöglichen.

(2) Die Kraftfahrzeughilfe umfaßt Leistungen zur Beschaffung eines Kraftfahrzeugs, für eine behinderungsbedingte Zusatzausstattung und zur Erlangung einer Fahrerlaubnis.

(3) [1] Für die Kraftfahrzeughilfe gilt die Verordnung über Kraftfahrzeughilfe zur beruflichen Rehabilitation vom 28. September 1987 (BGBl. I S. 2251), geändert durch Verordnung vom 30. September 1991 (BGBl. I S. 1950), in der jeweils geltenden Fassung. [2] Diese Verordnung ist bei der Kraftfahrzeughilfe zur Teilhabe am Leben in der Gemeinschaft entsprechend anzuwenden.

(4) Der Unfallversicherungsträger kann im Einzelfall zur Vermeidung einer wirtschaftlichen Notlage auch einen Zuschuß zahlen, der über demjenigen liegt, der in den §§ 6 und 8 der Verordnung[5] nach Absatz 3 vorgesehen ist.

(5) Das Nähere regeln die Verbände der Unfallversicherungsträger durch gemeinsame Richtlinien.

§ 41 Wohnungshilfe. (1) Wohnungshilfe wird erbracht, wenn infolge Art oder Schwere des Gesundheitsschadens nicht nur vorübergehend die behindertengerechte Anpassung vorhandenen oder die Bereitstellung behindertengerechten Wohnraums erforderlich ist.

(2) Wohnungshilfe wird ferner erbracht, wenn sie zur Sicherung der beruflichen Eingliederung erforderlich ist.

(3) Die Wohnungshilfe umfaßt auch Umzugskosten sowie Kosten für die Bereitstellung von Wohnraum für eine Pflegekraft.

(4) Das Nähere regeln die Verbände der Unfallversicherungsträger durch gemeinsame Richtlinien.

---

[1] 4. UAbschn. Überschr. neu gef. mWv 1.7.2001 durch G v. 19.6.2001 (BGBl. I S. 1046); geänd. mWv 1.7.2020 durch G v. 12.6.2020 (BGBl. I S. 1248).

[2] § 39 Überschr. und Abs. 1 neu gef. mWv 1.7.2001 durch G v. 19.6.2001 (BGBl. I S. 1046); Abs. 1 einl. Satzteil geänd. mWv 1.1.2018 durch G v. 23.12.2016 (BGBl. I S. 3234); Überschr. und Abs. 1 geänd. mWv 1.7.2020 durch G v. 12.6.2020 (BGBl. I S. 1248).

[3] **beck-online, Module Arbeitsrecht Nr. 440.**

[4] § 40 Abs. 1, Abs. 3 Satz 2 geänd. mWv 1.7.2001 durch G v. 19.6.2001 (BGBl. I S. 1046).

[5] **beck-online, Module Arbeitsrecht Nr. 698a.**

§ 42[1)] Haushaltshilfe und Kinderbetreuungskosten. Haushaltshilfe und Leistungen zur Kinderbetreuung nach § 74 Abs. 1 bis 3 des Neunten Buches[2)] werden auch bei Leistungen zur Sozialen Teilhabe erbracht.

§ 43[3)] Reisekosten. (1) [1]Die im Zusammenhang mit der Ausführung von Leistungen zur medizinischen Rehabilitation oder zur Teilhabe am Arbeitsleben erforderlichen Reisekosten werden nach § 73 des Neunten Buches[2)] übernommen. [2]Im Übrigen werden Reisekosten zur Ausführung der Heilbehandlung nach den Absätzen 2 bis 5 übernommen.

(2) Zu den Reisekosten gehören

1. Fahr- und Transportkosten,
2. Verpflegungs- und Übernachtungskosten,
3. Kosten des Gepäcktransports,
4. Wegstreckenentschädigung

für die Versicherten und für eine wegen des Gesundheitsschadens erforderliche Begleitperson.

(3) Reisekosten werden im Regelfall für zwei Familienheimfahrten im Monat oder anstelle von Familienheimfahrten für zwei Fahrten eines Angehörigen zum Aufenthaltsort des Versicherten übernommen.

(4) Entgangener Arbeitsverdienst einer Begleitperson wird ersetzt, wenn der Ersatz in einem angemessenen Verhältnis zu den sonst für eine Pflegekraft entstehenden Kosten steht.

(5) Das Nähere regeln die Verbände der Unfallversicherungsträger durch gemeinsame Richtlinien.

Fünfter Unterabschnitt. Leistungen bei Pflegebedürftigkeit

§ 44[4)] Pflege. (1) Solange Versicherte infolge des Versicherungsfalls für die gewöhnlichen und regelmäßig wiederkehrenden Verrichtungen im Ablauf des täglichen Lebens in erheblichem Umfang der Hilfe durch andere bedürfen, wird Pflegegeld gezahlt, eine Pflegekraft gestellt oder Heimpflege erbracht.

(2) [1]Das Pflegegeld ist unter Berücksichtigung der Art oder Schwere des Gesundheitsschadens sowie des Umfangs der erforderlichen Hilfe auf einen Monatsbetrag zwischen 300 Euro und 1 199 Euro (Beträge am 1. Juli 2008) festzusetzen. [2]Diese Beträge werden jeweils zum gleichen Zeitpunkt, zu dem die Renten der gesetzlichen Rentenversicherung angepasst werden, entsprechend dem Faktor angepasst, der für die Anpassung der vom Jahresarbeitsver-

---

[1)] § 42 neu gef. mWv 1.7.2001 durch G v. 19.6.2001 (BGBl. I S. 1046); geänd. mWv 1.1.2018 durch G v. 23.12.2016 (BGBl. I S. 3234); geänd. mWv 1.7.2020 durch G v. 12.6.2020 (BGBl. I S. 1248).

[2)] **beck-online, Module Arbeitsrecht Nr. 440.**

[3)] § 43 Abs. 1 geänd. mWv 1.7.2001 durch G v. 19.6.2001 (BGBl. I S. 1046); Abs. 1 neu gef. mWv 1.1.2004 durch G v. 23.12.2003 (BGBl. I S. 2848); Abs. 2 Nr. 4 geänd. mWv 1.9.2005 durch G v. 26.5.2005 (BGBl. I S. 1418); Abs. 1 Satz 1 geänd. mWv 1.7.2020 durch G v. 12.6.2020 (BGBl. I S. 1248).

[4)] § 44 Abs. 2 Satz 2 eingef., bish. Sätze 2 und 3 werden Sätze 3 und 4 mWv 1.1.2002 durch G v. 21.12.2000 (BGBl. I S. 1983); Abs. 3 Satz 1 geänd. mWv 1.7.2001 durch G v. 19.6.2001 (BGBl. I S. 1046); Abs. 2 Satz 2 neu gef., Abs. 6 angef. mWv 1.7.2001 durch G v. 17.7.2001 (BGBl. I S. 1600); Abs. 2 Satz 3 geänd. mWv 1.8.2004 durch G v. 21.7.2004 (BGBl. I S. 1791); Abs. 2 Satz 1 geänd., Satz 2 aufgeh., bish. Sätze 3 und 4 werden Sätze 2 und 3 mWv 5.11.2008 durch G v. 30.10.2008 (BGBl. I S. 2130); Abs. 1 neu gef. mWv 1.1.2023 durch G v. 20.12.2022 (BGBl. I S. 2759).

dienst abhängigen Geldleistungen maßgebend ist. [3]Übersteigen die Aufwendungen für eine Pflegekraft das Pflegegeld, kann es angemessen erhöht werden.

(3) [1]Während einer stationären Behandlung oder der Unterbringung der Versicherten in einer Einrichtung der Teilhabe am Arbeitsleben oder einer Werkstatt für behinderte Menschen wird das Pflegegeld bis zum Ende des ersten auf die Aufnahme folgenden Kalendermonats weitergezahlt und mit dem ersten Tag des Entlassungsmonats wieder aufgenommen. [2]Das Pflegegeld kann in den Fällen des Satzes 1 ganz oder teilweise weitergezahlt werden, wenn das Ruhen eine weitere Versorgung der Versicherten gefährden würde.

(4)[1)] Mit der Anpassung der Renten wird das Pflegegeld entsprechend dem Faktor angepaßt, der für die Anpassung der vom Jahresarbeitsverdienst abhängigen Geldleistungen maßgeblich ist.

(5) [1]Auf Antrag der Versicherten kann statt des Pflegegeldes eine Pflegekraft gestellt (Hauspflege) oder die erforderliche Hilfe mit Unterkunft und Verpflegung in einer geeigneten Einrichtung (Heimpflege) erbracht werden. [2]Absatz 3 Satz 2 gilt entsprechend.

(6) Die Bundesregierung setzt mit Zustimmung des Bundesrates die neuen Mindest- und Höchstbeträge nach Absatz 2 und den Anpassungsfaktor nach Absatz 4 in der Rechtsverordnung über die Bestimmung des für die Rentenanpassung in der gesetzlichen Rentenversicherung maßgebenden aktuellen Rentenwertes fest.

Sechster Unterabschnitt.[2)] Geldleistungen während der Heilbehandlung und der Leistungen zur Teilhabe am Arbeitsleben

§ 45[3)] Voraussetzungen für das Verletztengeld. (1) Verletztengeld wird erbracht, wenn Versicherte

1. infolge des Versicherungsfalls arbeitsunfähig sind oder wegen einer Maßnahme der Heilbehandlung eine ganztägige Erwerbstätigkeit nicht ausüben können und
2. unmittelbar vor Beginn der Arbeitsunfähigkeit oder der Heilbehandlung Anspruch auf Arbeitsentgelt, Arbeitseinkommen, Krankengeld, Pflegeunterstützungsgeld, Verletztengeld, Krankengeld der Sozialen Entschädigung, Krankengeld der Soldatenentschädigung, Übergangsgeld, Unterhaltsgeld, Kurzarbeitergeld, Qualifizierungsgeld, Arbeitslosengeld, nicht nur darlehensweise gewährtes Grundsicherungsgeld nach § 19 Absatz 1 Satz 1 des Zweiten Buches[4)] oder nicht nur Leistungen für Erstausstattungen für Bekleidung bei

---

[1)] Der Anpassungsfaktor für die zum 1.7.2025 anzupassenden Geldleistungen der gesetzlichen Unfallversicherung im Sinne des § 44 Abs. 4 und des § 95 des Siebten Buches Sozialgesetzbuch beträgt 1,0374; vgl. § 5 Abs. 1 RentenwertbestimmungsVO 2025 **(Aichberger, SGB Nr. 6/70a)**.

[2)] 6. UAbschn. Überschr. geänd. mWv 1.7.2001 durch G v. 19.6.2001 (BGBl. I S. 1046).

[3)] § 45 Abs. 1 Nr. 2 durch G v. 29.4.1997 (BGBl. I S. 968); Abs. 2 Satz 1 Nr. 1, Abs. 2 Satz 2, Abs. 3 geänd. mWv 1.7.2001 durch G v. 19.6.2001 (BGBl. I S. 1046); Abs. 1 Nr. 2 geänd. mWv 1.1.2005 durch G v. 24.12.2003 (BGBl. I S. 2954); Abs. 1 Nr. 2 geänd. mWv 1.1.2007 durch G v. 24.4.2006 (BGBl. I S. 926); Abs. 1 Nr. 2 geänd., Abs. 4 neu gef mWv 1.1.2015 durch G v. 23.12.2014 (BGBl. I S. 2462); Abs. 1 Nr. 2 geänd. mWv 1.1.2024 durch G v. 12.12.2019 (BGBl. I S. 2652); Abs. 1 Nr. 2 geänd. mWv 1.1.2025 durch G v. 20.8.2021 (BGBl. I S. 3932); Abs. 1 Nr. 2 geänd. mWv 1.1.2023 durch G v. 16.12.2022 (BGBl. I S. 2328); Abs. 1 Nr. 2 geänd. mWv 1.4.2024 durch G v. 17.7.2023 (BGBl. 2023 I Nr. 191); Abs. 1 Nr. 2 geänd. mWv 1.7.2026 durch G v. 16.4.2026 (BGBl. 2026 I Nr. 107).

[4)] Nr. **692**.

Schwangerschaft und Geburt nach dem Zweiten Buch oder Mutterschaftsgeld hatten.

(2) [1] Verletztengeld wird auch erbracht, wenn

1. Leistungen zur Teilhabe am Arbeitsleben erforderlich sind,
2. diese Maßnahmen sich aus Gründen, die die Versicherten nicht zu vertreten haben, nicht unmittelbar an die Heilbehandlung anschließen,
3. die Versicherten ihre bisherige berufliche Tätigkeit nicht wieder aufnehmen können oder ihnen eine andere zumutbare Tätigkeit nicht vermittelt werden kann oder sie diese aus wichtigem Grund nicht ausüben können und
4. die Voraussetzungen des Absatzes 1 Nr. 2 erfüllt sind.

[2] Das Verletztengeld wird bis zum Beginn der Leistungen zur Teilhabe am Arbeitsleben erbracht. [3] Die Sätze 1 und 2 gelten entsprechend für die Zeit bis zum Beginn und während der Durchführung einer Maßnahme der Berufsfindung und Arbeitserprobung.

(3) Werden in einer Einrichtung Maßnahmen der Heilbehandlung und gleichzeitig Leistungen zur Teilhabe am Arbeitsleben für Versicherte erbracht, erhalten Versicherte Verletztengeld, wenn sie arbeitsunfähig sind oder wegen der Maßnahmen eine ganztägige Erwerbstätigkeit nicht ausüben können und die Voraussetzungen des Absatzes 1 Nr. 2 erfüllt sind.

(4) [1] Im Fall der Beaufsichtigung, Betreuung oder Pflege eines durch einen Versicherungsfall verletzten Kindes gilt § 45 des Fünften Buches[1)] entsprechend mit der Maßgabe, dass

1. das Verletztengeld 100 Prozent des ausgefallenen Nettoarbeitsentgelts beträgt und
2. das Arbeitsentgelt bis zu einem Betrag in Höhe des 450. Teils des Höchstjahresarbeitsverdienstes zu berücksichtigen ist.

[2] Erfolgt die Berechnung des Verletztengeldes aus Arbeitseinkommen, beträgt dies 80 Prozent des erzielten regelmäßigen Arbeitseinkommens bis zu einem Betrag in Höhe des 450. Teils des Höchstjahresarbeitsverdienstes.

§ 46[2)] Beginn und Ende des Verletztengeldes. (1) Verletztengeld wird von dem Tag an gezahlt, ab dem die Arbeitsunfähigkeit ärztlich festgestellt wird, oder mit dem Tag des Beginns einer Heilbehandlungsmaßnahme, die den Versicherten an der Ausübung einer ganztägigen Erwerbstätigkeit hindert.

(2) [1] Die Satzung kann bestimmen, daß für Unternehmer, ihre Ehegatten oder ihre Lebenspartner und für den Unternehmern nach § 6 Abs. 1 Nr. 2 Gleichgestellte Verletztengeld längstens für die Dauer der ersten 13 Wochen nach dem sich aus Absatz 1 ergebenden Zeitpunkt ganz oder teilweise nicht gezahlt wird. [2] Satz 1 gilt nicht für Versicherte, die bei einer Krankenkasse mit Anspruch auf Krankengeld versichert sind.

(3) [1] Das Verletztengeld endet

1. mit dem letzten Tag der Arbeitsunfähigkeit oder der Hinderung an einer ganztägigen Erwerbstätigkeit durch eine Heilbehandlungsmaßnahme,

---

[1)] Nr. **695**.

[2)] § 46 Abs. 2 geänd. mWv 1.8.2001 durch G v. 16.2.2001 (BGBl. I S. 266); Abs. 3 Satz 2 geänd. mWv 1.7.2001 durch G v. 19.6.2001 (BGBl. I S. 1046).

2. mit dem Tag, der dem Tag vorausgeht, an dem ein Anspruch auf Übergangsgeld entsteht.

[2] Wenn mit dem Wiedereintritt der Arbeitsfähigkeit nicht zu rechnen ist und Leistungen zur Teilhabe am Arbeitsleben nicht zu erbringen sind, endet das Verletztengeld

1. mit dem Tag, an dem die Heilbehandlung so weit abgeschlossen ist, daß die Versicherten eine zumutbare, zur Verfügung stehende Berufs- oder Erwerbstätigkeit aufnehmen können,
2. mit Beginn der in § 50 Abs. 1 Satz 1 des Fünften Buches[1)] genannten Leistungen, es sei denn, daß diese Leistungen mit dem Versicherungsfall im Zusammenhang stehen,
3. im übrigen mit Ablauf der 78. Woche, gerechnet vom Tag des Beginns der Arbeitsunfähigkeit an, jedoch nicht vor dem Ende der stationären Behandlung.

§ 47[2)] Höhe des Verletztengeldes. (1) [1] Versicherte, die Arbeitsentgelt oder Arbeitseinkommen erzielt haben, erhalten Verletztengeld entsprechend § 47 Absatz 1, 2 und 5 des Fünften Buches[1)] mit der Maßgabe, daß

1. das Regelentgelt aus dem Gesamtbetrag des regelmäßigen Arbeitsentgelts und des Arbeitseinkommens zu berechnen und bis zu einem Betrag in Höhe des 360. Teils des Höchstjahresarbeitsverdienstes zu berücksichtigen ist,
2. das Verletztengeld 80 vom Hundert des Regelentgelts beträgt und das bei Anwendung des § 47 Absatz 1, 2 und 5 des Fünften Buches[1)] berechnete Nettoarbeitsentgelt nicht übersteigt.

[2] Arbeitseinkommen ist bei der Ermittlung des Regelentgelts mit dem 360. Teil des im Kalenderjahr vor Beginn der Arbeitsunfähigkeit oder der Maßnahmen der Heilbehandlung erzielten Arbeitseinkommens zugrunde zu legen. [3] Die Satzung hat bei nicht kontinuierlicher Arbeitsverrichtung und -vergütung abweichende Bestimmungen zur Zahlung und Berechnung des Verletztengeldes vorzusehen, die sicherstellen, daß das Verletztengeld seine Entgeltersatzfunktion erfüllt.

(1a) [1] Für Ansprüche auf Verletztengeld, die vor dem 1. Januar 2001 entstanden sind, ist § 47 Abs. 1 und 2 des Fünften Buches[1)] in der vor dem 22. Juni 2000 jeweils geltenden Fassung für Zeiten nach dem 31. Dezember 1996 mit

---

[1)] Nr. **695**.

[2)] § 47 Abs. 1 Satz 1 neu gef. durch G v. 12.12.1996 (BGBl. I S. 1859); Abs. 1 Satz 3 aufgeh., bish. Satz 4 wird Satz 3, Abs. 2 neu gef. durch G v. 24.3.1997 (BGBl. I S. 594); Abs. 1 Nr. 2 geänd., Abs. 1a eingef., Abs. 5 Satz 2 neu gef. mWv 1.1.2001 durch G v. 21.12.2000 (BGBl. I S. 1971); Abs. 7 aufgeh. mWv 1.7.2001 durch G v. 19.6.2001 (BGBl. I S. 1046); Abs. 5 geänd. mWv 1.1.2003 durch G v. 21.6.2002 (BGBl. I S. 2167); Abs. 2 geänd. mWv 1.1.2005 durch G v. 24.12.2003 (BGBl. I S. 2954); Abs. 2 Satz 1 geänd., Satz 2 angef. mWv 1.1.2005 durch G v. 21.3.2005 (BGBl. I S. 818); Abs. 2 Satz 1 geänd. mWv 1.1.2007 durch G v. 24.4.2006 (BGBl. I S. 926); Abs. 2 Sätze 1 und 2 geänd. mWv 5.11. 2008 durch G v. 30.10.2008 (BGBl. I S. 2130); Abs. 1 Satz 3 geänd. mWv 11.8.2010 durch G v. 5.8. 2010 (BGBl. I S. 1127); Abs. 4 geänd. mWv 1.1.2015 durch G v. 23.12.2014 (BGBl. I S. 2462); Abs. 4 geänd. mWv 1.1.2024 durch G v. 12.12.2019 (BGBl. I S. 2652); Abs. 8 neu gef. mWv 1.1.2021 durch G v. 12.6.2020 (BGBl. I S. 1248); Abs. 4 geänd. mWv 1.1.2025 durch G v. 20.8.2021 (BGBl. I S. 3932); Abs. 2 Satz 2 geänd. mWv 1.1.2023 durch G v. 16.12.2022 (BGBl. I S. 2328); Abs. 2 Satz 1 geänd. mWv 1.4.2024 durch G v. 17.7.2023 (BGBl. 2023 I Nr. 191); Abs. 1 Satz 1 einl. Satzteil und Nr. 2 geänd. mWv 1.1.2026 durch G v. 22.12.2025 (BGBl. 2025 I Nr. 371); Abs. 2 Satz 2 geänd. mWv 1.7.2026 durch G v. 16.4.2026 (BGBl. 2026 I Nr. 107).

der Maßgabe entsprechend anzuwenden, dass sich das Regelentgelt um 10 vom Hundert, höchstens aber bis zu einem Betrag in Höhe des dreihundertsechzigsten Teils des Höchstjahresarbeitsverdienstes erhöht. [2] Das regelmäßige Nettoarbeitsentgelt ist um denselben Vomhundertsatz zu erhöhen. [3] Satz 1 und 2 gilt für Ansprüche, über die vor dem 22. Juni 2000 bereits unanfechtbar entschieden war, nur für Zeiten vom 22. Juni 2000 an bis zum Ende der Leistungsdauer. [4] Entscheidungen über die Ansprüche, die vor dem 22. Juni 2000 unanfechtbar geworden sind, sind nicht nach § 44 Abs. 1 des Zehnten Buches[1)] zurückzunehmen.

(2) [1] Versicherte, die Arbeitslosengeld, Unterhaltsgeld, Kurzarbeitergeld oder Qualifizierungsgeld bezogen haben, erhalten Verletztengeld in Höhe des Krankengeldes nach § 47b des Fünften Buches[2)]. [2] Versicherte, die nicht nur darlehensweise gewährtes Grundsicherungsgeld nach § 19 Absatz 1 Satz 1 des Zweiten Buches[3)] oder nicht nur Leistungen für Erstausstattungen für Bekleidung bei Schwangerschaft und Geburt nach dem Zweiten Buch bezogen haben, erhalten Verletztengeld in Höhe des Betrages des Grundsicherungsgeldes nach § 19 Absatz 1 Satz 1 des Zweiten Buches.

(3) Versicherte, die als Entwicklungshelfer Unterhaltsleistungen nach § 4 Abs. 1 Nr. 1 des Entwicklungshelfer-Gesetzes[4)] bezogen haben, erhalten Verletztengeld in Höhe dieses Betrages.

(4) Bei Versicherten, die unmittelbar vor dem Versicherungsfall Krankengeld, Pflegeunterstützungsgeld, Verletztengeld, Krankengeld der Sozialen Entschädigung, Krankengeld der Soldatenentschädigung oder Übergangsgeld bezogen haben, wird bei der Berechnung des Verletztengeldes von dem bisher zugrunde gelegten Regelentgelt ausgegangen.

(5) [1] Abweichend von Absatz 1 erhalten Versicherte, die den Versicherungsfall infolge einer Tätigkeit als Unternehmer, mitarbeitende Ehegatten oder Lebenspartner oder den Unternehmern nach § 6 Abs. 1 Nr. 2 Gleichgestellte erlitten haben, Verletztengeld je Kalendertag in Höhe des 450. Teils des Jahresarbeitsverdienstes. [2] Ist das Verletztengeld für einen ganzen Kalendermonat zu zahlen, ist dieser mit 30 Tagen anzusetzen.

(6) Hat sich der Versicherungsfall während einer aufgrund eines Gesetzes angeordneten Freiheitsentziehung ereignet, gilt für die Berechnung des Verletztengeldes Absatz 1 entsprechend; nach der Entlassung erhalten die Versicherten Verletztengeld je Kalendertag in Höhe des 450. Teils des Jahresarbeitsverdienstes, wenn dies für die Versicherten günstiger ist.

(7) *(aufgehoben)*

(8) Die Regelungen der §§ 90 und 91 über die Neufestsetzung des Jahresarbeitsverdienstes nach Altersstufen oder nach der Schul- oder Berufsausbildung gelten für das Verletztengeld entsprechend.

[1)] Nr. **699**.
[2)] Nr. **695**.
[3)] Nr. **692**.
[4)] **beck-online, Module Arbeitsrecht Nr. 425.**

§ 47a[1] Beitragszahlung der Unfallversicherungsträger an berufsständische Versorgungseinrichtungen und private Krankenversicherungen.

(1) Für Bezieher von Verletztengeld, die wegen einer Pflichtmitgliedschaft in einer berufsständischen Versorgungseinrichtung von der Versicherungspflicht in der gesetzlichen Rentenversicherung befreit sind, gilt § 47a Absatz 1 des Fünftes Buches[2] entsprechend.

(2) [1] Die Unfallversicherungsträger haben der zuständigen berufsständischen Versorgungseinrichtung den Beginn und das Ende der Beitragszahlung sowie die Höhe der der Beitragsberechnung zugrunde liegenden beitragspflichtigen Einnahmen und den zu zahlenden Beitrag für den Versicherten zu übermitteln. [2] Das Nähere zum Verfahren regeln die Deutsche Gesetzliche Unfallversicherung e.V., die Sozialversicherung für Landwirtschaft, Forsten und Gartenbau und die Arbeitsgemeinschaft berufsständischer Versorgungseinrichtungen bis zum 31. Dezember 2017 in gemeinsamen Grundsätzen.

(3) [1] Bezieher von Verletztengeld, die nach § 257 Absatz 2 des Fünften Buches[2] und § 61 Absatz 2 des Elften Buches[3] als Beschäftigte Anspruch auf einen Zuschuss zu dem Krankenversicherungsbeitrag und Pflegeversicherungsbeitrag hatten, die an ein privates Krankenversicherungsunternehmen zu zahlen sind, erhalten einen Zuschuss zu ihrem Krankenversicherungsbeitrag und Pflegeversicherungsbeitrag. [2] Als Zuschuss ist der Betrag zu zahlen, der als Beitrag bei Krankenversicherungspflicht oder Pflegeversicherungspflicht zu zahlen wäre, höchstens jedoch der Betrag, der an das private Versicherungsunternehmen zu zahlen ist.

§ 48 Verletztengeld bei Wiedererkrankung. Im Fall der Wiedererkrankung an den Folgen des Versicherungsfalls gelten die §§ 45 bis 47 mit der Maßgabe entsprechend, daß anstelle des Zeitpunkts der ersten Arbeitsunfähigkeit auf den der Wiedererkrankung abgestellt wird.

§ 49[4] Übergangsgeld. Übergangsgeld wird erbracht, wenn Versicherte infolge des Versicherungsfalls Leistungen zur Teilhabe am Arbeitsleben erhalten.

§ 50[5] Höhe und Berechnung des Übergangsgeldes. Höhe und Berechnung des Übergangsgeldes bestimmen sich nach den §§ 66 bis 71 des Neunten Buches[6], soweit dieses Buch nichts Abweichendes bestimmt; im Übrigen gelten die Vorschriften für das Verletztengeld entsprechend.

§ 51[7] *(aufgehoben)*

§ 52[8] Anrechnung von Einkommen auf Verletzten- und Übergangsgeld. Auf das Verletzten- und Übergangsgeld werden von dem gleichzeitig erzielten Einkommen angerechnet

---

[1] § 47a eingef. mWv 25.7.2017 durch G v. 17.7.2017 (BGBl. I S. 2541).
[2] Nr. **695**.
[3] **Aichberger, SGB Nr. 11.**
[4] § 49 neu gef. mWv 1.7.2001 durch G v. 19.6.2001 (BGBl. I S. 1046).
[5] § 50 Abs. 2 neu gef. durch G v. 24.3.1997 (BGBl. I S. 594); § 50 neu gef. mWv 1.7.2001 durch G v. 19.6.2001 (BGBl. I S. 1046); geänd. mWv 1.1.2018 durch G v. 23.12.2016 (BGBl. I S. 3234).
[6] **beck-online, Module Arbeitsrecht Nr. 440.**
[7] § 51 aufgeh. mWv 1.7.2001 durch G v. 19.6.2001 (BGBl. I S. 1046).
[8] § 52 Nr. 2 geänd. durch G v. 24.3.1997 (BGBl. I S. 594); Nr. 2 neu gef. durch G v. 29.4.1997 (BGBl. I S. 968) und Nr. 2 geänd. durch G v. 16.12.1997 (BGBl. I S. 2998); Nr. 2 geänd. mWv 1.1. →

1. beitragspflichtiges Arbeitsentgelt oder Arbeitseinkommen, das bei Arbeitnehmern um die gesetzlichen Abzüge und bei sonstigen Versicherten um 20 vom Hundert vermindert ist; dies gilt nicht für einmalig gezahltes Arbeitsentgelt,
2. Mutterschaftsgeld, Krankengeld der Sozialen Entschädigung, Krankengeld der Soldatenentschädigung, Unterhaltsgeld, Kurzarbeitergeld, Qualifizierungsgeld, Arbeitslosengeld, nicht nur darlehensweise gewährtes Grundsicherungsgeld nach § 19 Absatz 1 Satz 1 des Zweiten Buches[1]; dies gilt auch, wenn Ansprüche auf Leistungen nach dem Dritten Buch[2] wegen einer Sperrzeit ruhen oder der Auszahlungsanspruch auf Grundsicherungsgeld nach § 19 Absatz 1 Satz 1 des Zweiten Buches gemindert ist.

Siebter Unterabschnitt. Besondere Vorschriften für die Versicherten in der Seefahrt

§ 53[3] Vorrang der medizinischen Betreuung durch die Reeder.

(1) [1] Der Anspruch von Versicherten in der Seefahrt auf Leistungen nach diesem Abschnitt ruht, soweit und solange die Reeder ihre Verpflichtung zur medizinischen Betreuung nach dem Seearbeitsgesetz[4] erfüllen. [2] Kommen die Reeder der Verpflichtung nicht nach, kann der Unfallversicherungsträger von den Reedern die Erstattung in Höhe der von ihm erbrachten Leistungen verlangen.

(2) Endet die Verpflichtung der Reeder zur medizinischen Betreuung, haben sie hinsichtlich der Folgen des Versicherungsfalls die medizinische Betreuung auf Kosten des Unfallversicherungsträgers fortzusetzen, soweit dieser sie dazu beauftragt.

Achter Unterabschnitt.[5] Besondere Vorschriften für die Versicherten der landwirtschaftlichen Unfallversicherung

§ 54[6] Betriebs- und Haushaltshilfe. (1) [1] Betriebshilfe erhalten landwirtschaftliche Unternehmer mit einem Unternehmen im Sinne des § 1 Abs. 2 des Gesetzes über die Alterssicherung der Landwirte[7] während einer stationären Behandlung, wenn ihnen wegen dieser Behandlung die Weiterführung des

(Fortsetzung der Anm. von voriger Seite)
2005 durch G v. 24.12.2003 (BGBl. I S. 2954); Nr. 2 geänd. mWv 6.8.2004 durch G v. 30.7.2004 (BGBl. I S. 2014); Nr. 1 neu gef. mWv 30.3.2005 durch G v. 21.3.2005 (BGBl. I S. 818); Nr. 2 geänd. mWv 1.1.2007 durch G v. 24.4.2006 (BGBl. I S. 926); Nr. 2 geänd. mWv 1.8.2016 durch G v. 26.7.2016 (BGBl. I S. 1824); Nr. 2 geänd. mWv 1.1.2024 durch G v. 12.12.2019 (BGBl. I S. 2652); Nr. 2 geänd. mWv 1.1.2025 durch G v. 20.8.2021 (BGBl. I S. 3932); Nr. 2 geänd. mWv 1.1.2023 durch G v. 16.12.2022 (BGBl. I S. 2328); Nr. 2 geänd. mWv 1.4.2024 durch G v. 17.7.2023 (BGBl. 2023 I Nr. 191); Nr. 2 geänd. mWv 1.7.2026 durch G v. 16.4.2026 (BGBl. 2026 I Nr. 107).

[1] Nr. **692**.

[2] Nr. **700**.

[3] § 53 Überschr., Abs. 1 Satz 1 und Abs. 2 geänd. mWv 1.8.2013 durch G v. 20.4.2013 (BGBl. I S. 868).

[4] Nr. **114**.

[5] 8. UAbschn. Überschr. geänd. mWv 1.1.2013 durch G v. 12.4.2012 (BGBl. I S. 579).

[6] § 54 Abs. 2 Satz 1 neu gef., Abs. 3 Nrn. 1, 2 und 3 geänd. mWv 1.8.2001 durch G v. 16.2.2001 (BGBl. I S. 266); Abs. 3 Satz 2 angef. mWv 30.3.2005 durch G v. 21.3.2005 (BGBl. I S. 818); Abs. 3 Satz 2 und Abs. 5 aufgeh., Abs. 4 neu gef. mWv 1.1.2008 durch G v. 18.12.2007 (BGBl. I S. 2984); Abs. 3 Nr. 3 geänd. mWv 11.8.2010 durch G v. 5.8.2010 (BGBl. I S. 1127); Abs. 4 Satz 2 geänd. mWv 1.1.2013 durch G v. 12.4.2012 (BGBl. I S. 579).

[7] **Aichberger, SGB Nr. 30/10.**

Unternehmens nicht möglich ist und in dem Unternehmen Arbeitnehmer und mitarbeitende Familienangehörige nicht ständig beschäftigt werden. [2] Betriebshilfe wird für längstens drei Monate erbracht.

(2) [1] Haushaltshilfe erhalten landwirtschaftliche Unternehmer mit einem Unternehmen im Sinne des § 1 Abs. 2 des Gesetzes über die Alterssicherung der Landwirte, ihre im Unternehmen mitarbeitenden Ehegatten oder mitarbeitenden Lebenspartner während einer stationären Behandlung, wenn den Unternehmern, ihren Ehegatten oder Lebenspartnern wegen dieser Behandlung die Weiterführung des Haushalts nicht möglich und diese auf andere Weise nicht sicherzustellen ist. [2] Absatz 1 Satz 2 gilt entsprechend.

(3) Die Satzung kann bestimmen,

1. daß die Betriebshilfe auch an den mitarbeitenden Ehegatten oder Lebenspartner eines landwirtschaftlichen Unternehmers erbracht wird,
2. unter welchen Voraussetzungen und für wie lange Betriebs- und Haushaltshilfe den landwirtschaftlichen Unternehmern und ihren Ehegatten oder Lebenspartnern auch während einer nicht stationären Heilbehandlung erbracht wird,
3. unter welchen Voraussetzungen Betriebs- und Haushaltshilfe auch an landwirtschaftliche Unternehmer, deren Unternehmen nicht die Voraussetzungen des § 1 Absatz 5 des Gesetzes über die Alterssicherung der Landwirte erfüllen, und an ihre Ehegatten oder Lebenspartner erbracht wird,
4. daß die Betriebs- und Haushaltshilfe auch erbracht wird, wenn in dem Unternehmen Arbeitnehmer oder mitarbeitende Familienangehörige ständig beschäftigt werden,
5. unter welchen Voraussetzungen die Betriebs- und Haushaltshilfe länger als drei Monate erbracht wird,
6. von welchem Tag der Heilbehandlung an die Betriebs- oder Haushaltshilfe erbracht wird.

(4) [1] Leistungen nach den Absätzen 1 bis 3 müssen wirksam und wirtschaftlich sein; sie dürfen das Maß des Notwendigen nicht übersteigen. [2] Leistungen, die diese Voraussetzungen nicht erfüllen, können nicht beansprucht und dürfen von der landwirtschaftlichen Berufsgenossenschaft nicht bewilligt werden.

§ 55[1)] Art und Form der Betriebs- und Haushaltshilfe. (1) [1] Bei Vorliegen der Voraussetzungen des § 54 wird Betriebs- und Haushaltshilfe in Form der Gestellung einer Ersatzkraft oder durch Erstattung der Kosten für eine selbst beschaffte betriebsfremde Ersatzkraft in angemessener Höhe gewährt. [2] Die Satzung kann die Erstattungsfähigkeit der Kosten für selbst beschaffte Ersatzkräfte begrenzen. [3] Für Verwandte und Verschwägerte bis zum zweiten Grad werden Kosten nicht erstattet; die Berufsgenossenschaft kann jedoch die erforderlichen Fahrkosten und den Verdienstausfall erstatten, wenn die Erstattung in einem angemessenen Verhältnis zu den sonst für eine Ersatzkraft entstehenden Kosten steht.

(2) [1] Die Versicherten haben sich angemessen an den entstehenden Aufwendungen für die Betriebs- und Haushaltshilfe zu beteiligen (Selbstbeteiligung); die Selbstbeteiligung beträgt für jeden Tag der Leistungsgewährung mindestens 10 Euro. [2] Das Nähere zur Selbstbeteiligung bestimmt die Satzung.

---

1) § 55 neu gef. mWv 1.1.2008 durch G v. 18.12.2007 (BGBl. I S. 2984).

§ 55a[1]) Sonstige Ansprüche, Verletztengeld. (1) Für regelmäßig wie landwirtschaftliche Unternehmer selbständig Tätige, die kraft Gesetzes versichert sind, gelten die §§ 54 und 55 entsprechend.

(2) Versicherte, die die Voraussetzungen nach § 54 Abs. 1 bis 3 erfüllen, ohne eine Leistung nach § 55 in Anspruch zu nehmen, erhalten auf Antrag Verletztengeld, wenn dies im Einzelfall unter Berücksichtigung der Besonderheiten landwirtschaftlicher Betriebe und Haushalte sachgerecht ist.

(3) [1] Für die Höhe des Verletztengeldes gilt in den Fällen des Absatzes 2 sowie bei den im Unternehmen mitarbeitenden Familienangehörigen, soweit diese nicht nach § 2 Abs. 1 Nr. 1 versichert sind, § 13 Abs. 1 des Zweiten Gesetzes über die Krankenversicherung der Landwirte[2]) entsprechend. [2] Die Satzung bestimmt, unter welchen Voraussetzungen die in Satz 1 genannten Personen auf Antrag mit einem zusätzlichen Verletztengeld versichert werden. [3] Abweichend von § 46 Abs. 3 Satz 2 Nr. 3 endet das Verletztengeld vor Ablauf der 78. Woche mit dem Tage, an dem abzusehen ist, dass mit dem Wiedereintritt der Arbeitsfähigkeit nicht zu rechnen ist und Leistungen zur Teilhabe am Arbeitsleben nicht zu erbringen sind, jedoch nicht vor Ende der stationären Behandlung.

Zweiter Abschnitt. Renten, Beihilfen, Abfindungen

Erster Unterabschnitt. Renten an Versicherte

§ 56[3]) Voraussetzungen und Höhe des Rentenanspruchs. (1) [1] Versicherte, deren Erwerbsfähigkeit infolge eines Versicherungsfalls über die 26. Woche nach dem Versicherungsfall hinaus um wenigstens 20 vom Hundert gemindert ist, haben Anspruch auf eine Rente. [2] Ist die Erwerbsfähigkeit infolge mehrerer Versicherungsfälle gemindert und erreichen die Vomhundertsätze zusammen wenigstens die Zahl 20, besteht für jeden, auch für einen früheren Versicherungsfall, Anspruch auf Rente. [3] Die Folgen eines Versicherungsfalls sind nur zu berücksichtigen, wenn sie die Erwerbsfähigkeit um wenigstens 10 vom Hundert mindern. [4] Den Versicherungsfällen stehen gleich Unfälle oder Entschädigungsfälle nach den Beamtengesetzen, dem Vierzehnten Buch[4]), dem Soldatenentschädigungsgesetz, dem Gesetz über den zivilen Ersatzdienst, dem Gesetz über die Abgeltung von Besatzungsschäden, dem Häftlingshilfegesetz[5]) und den entsprechenden Gesetzen, die Entschädigung für Unfälle oder Beschädigungen gewähren.

(2) [1] Die Minderung der Erwerbsfähigkeit richtet sich nach dem Umfang der sich aus der Beeinträchtigung des körperlichen und geistigen Leistungsvermögens ergebenden verminderten Arbeitsmöglichkeiten auf dem gesamten Gebiet des Erwerbslebens. [2] Bei jugendlichen Versicherten wird die Minderung der Erwerbsfähigkeit nach den Auswirkungen bemessen, die sich bei Erwachsenen mit gleichem Gesundheitsschaden ergeben würden. [3] Bei der Bemessung der Minderung der Erwerbsfähigkeit werden Nachteile berücksichtigt, die die Versicherten dadurch erleiden, daß sie bestimmte von ihnen erworbene beson-

---

[1]) § 55a eingef. mWv 1.1.2008 durch G v. 18.12.2007 (BGBl. I S. 2984).

[2]) **Aichberger, SGB Nr. 30/22.**

[3]) § 56 Abs. 1 Satz 4 geänd. mWv 1.1.2024 durch G v. 12.12.2019 (BGBl. I S. 2652); Abs. 1 Satz 4 geänd. mWv 1.1.2025 durch G v. 20.8.2021 (BGBl. I S. 3932).

[4]) **Aichberger, SGB Nr. 14.**

[5]) **Aichberger, SGB Nr. 20/50.**

dere berufliche Kenntnisse und Erfahrungen infolge des Versicherungsfalls nicht mehr oder nur noch in vermindertem Umfang nutzen können, soweit solche Nachteile nicht durch sonstige Fähigkeiten, deren Nutzung ihnen zugemutet werden kann, ausgeglichen werden.

(3) [1] Bei Verlust der Erwerbsfähigkeit wird Vollrente geleistet; sie beträgt zwei Drittel des Jahresarbeitsverdienstes. [2] Bei einer Minderung der Erwerbsfähigkeit wird Teilrente geleistet; sie wird in der Höhe des Vomhundertsatzes der Vollrente festgesetzt, der dem Grad der Minderung der Erwerbsfähigkeit entspricht.

§ 57 Erhöhung der Rente bei Schwerverletzten. Können Versicherte mit Anspruch auf eine Rente nach einer Minderung der Erwerbsfähigkeit von 50 vom Hundert oder mehr oder auf mehrere Renten, deren Vomhundertsätze zusammen wenigstens die Zahl 50 erreichen (Schwerverletzte), infolge des Versicherungsfalls einer Erwerbstätigkeit nicht mehr nachgehen und haben sie keinen Anspruch auf Rente aus der gesetzlichen Rentenversicherung, erhöht sich die Rente um 10 vom Hundert.

§ 58[1)] Erhöhung der Rente bei Arbeitslosigkeit. [1] Solange Versicherte infolge des Versicherungsfalls ohne Anspruch auf Arbeitsentgelt oder Arbeitseinkommen sind und die Rente zusammen mit dem Arbeitslosengeld oder dem Grundsicherungsgeld nach § 19 Absatz 1 Satz 1 des Zweiten Buches[2)] nicht den sich aus § 66 Abs. 1 des Neunten Buches[3)] ergebenden Betrag des Übergangsgeldes erreicht, wird die Rente längstens für zwei Jahre nach ihrem Beginn um den Unterschiedsbetrag erhöht. [2] Der Unterschiedsbetrag wird bei dem Grundsicherungsgeld nach § 19 Absatz 1 Satz 1 des Zweiten Buches nicht als Einkommen berücksichtigt. [3] Satz 1 gilt nicht, solange Versicherte Anspruch auf weiteres Erwerbsersatzeinkommen (§ 18a Abs. 3 des Vierten Buches[4)]) haben, das zusammen mit der Rente das Übergangsgeld erreicht. [4] Wird Grundsicherungsgeld nach § 19 Absatz 1 Satz 1 des Zweiten Buches nur darlehensweise gewährt oder erhält der Versicherte nur Leistungen nach § 24 Absatz 3 Satz 1 des Zweiten Buches, finden die Sätze 1 und 2 keine Anwendung.

§ 59 Höchstbetrag bei mehreren Renten. (1) [1] Beziehen Versicherte mehrere Renten, so dürfen diese ohne die Erhöhung für Schwerverletzte zusammen zwei Drittel des höchsten der Jahresarbeitsverdienste nicht übersteigen, die diesen Renten zugrunde liegen. [2] Soweit die Renten den Höchstbetrag übersteigen, werden sie verhältnismäßig gekürzt.

(2) Haben Versicherte eine Rentenabfindung erhalten, wird bei der Feststellung des Höchstbetrages nach Absatz 1 die der Abfindung zugrunde gelegte Rente so berücksichtigt, wie sie ohne die Abfindung noch zu zahlen wäre.

[1)] § 58 Satz 1 geänd. mWv 1.5.2002 durch G v. 27.4.2002 (BGBl. I S. 1467); Sätze 1 und 2 geänd., Satz 4 angef. mWv 1.1.2005 durch G v. 24.12.2003 (BGBl. I S. 2954); Satz 4 geänd. mWv 1.1.2011 durch G v. 24.3.2011 (BGBl. I S. 453); Satz 1 geänd. mWv 1.1.2018 durch G v. 23.12.2016 (BGBl. I S. 3234); Sätze 1, 2 und 4 geänd. mWv 1.1.2023 durch G v. 16.12.2022 (BGBl. I S. 2328); Sätze 1, 2 und 4 geänd. mWv 1.7.2026 durch G v. 16.4.2026 (BGBl. 2026 I Nr. 107).

[2)] Nr. **692**.

[3)] **beck-online, Module Arbeitsrecht Nr. 440.**

[4)] Nr. **694**.

§ 60 Minderung bei Heimpflege. Für die Dauer einer Heimpflege von mehr als einem Kalendermonat kann der Unfallversicherungsträger die Rente um höchstens die Hälfte mindern, soweit dies nach den persönlichen Bedürfnissen und Verhältnissen der Versicherten angemessen ist.

§ 61[1)] Renten für Beamte und Berufssoldaten. (1) [1] Die Renten von Beamten, die nach § 82 Abs. 4 berechnet werden, werden nur insoweit gezahlt, als sie die Dienst- oder Versorgungsbezüge übersteigen; den Beamten verbleibt die Rente jedoch mindestens in Höhe des Betrages, der bei Vorliegen eines Dienstunfalls als Unfallausgleich zu gewähren wäre. [2] Endet das Dienstverhältnis wegen Dienstunfähigkeit infolge des Versicherungsfalls, wird Vollrente insoweit gezahlt, als sie zusammen mit den Versorgungsbezügen aus dem Dienstverhältnis die Versorgungsbezüge, auf die der Beamte bei Vorliegen eines Dienstunfalls Anspruch hätte, nicht übersteigt. [3] Die Höhe dieser Versorgungsbezüge stellt die Dienstbehörde fest. [4] Für die Hinterbliebenen gilt dies entsprechend.

(2) [1] Absatz 1 gilt für die Berufssoldaten entsprechend. [2] Anstelle des Unfallausgleichs wird der Ausgleich für gesundheitliche Schädigungsfolgen nach § 11 des Soldatenentschädigungsgesetzes gezahlt.

§ 62 Rente als vorläufige Entschädigung. (1) [1] Während der ersten drei Jahre nach dem Versicherungsfall soll der Unfallversicherungsträger die Rente als vorläufige Entschädigung festsetzen, wenn der Umfang der Minderung der Erwerbsfähigkeit noch nicht abschließend festgestellt werden kann. [2] Innerhalb dieses Zeitraums kann der Vomhundertsatz der Minderung der Erwerbsfähigkeit jederzeit ohne Rücksicht auf die Dauer der Veränderung neu festgestellt werden.

(2) [1] Spätestens mit Ablauf von drei Jahren nach dem Versicherungsfall wird die vorläufige Entschädigung als Rente auf unbestimmte Zeit geleistet. [2] Bei der erstmaligen Feststellung der Rente nach der vorläufigen Entschädigung kann der Vomhundertsatz der Minderung der Erwerbsfähigkeit abweichend von der vorläufigen Entschädigung festgestellt werden, auch wenn sich die Verhältnisse nicht geändert haben.

Zweiter Unterabschnitt. Leistungen an Hinterbliebene

§ 63[2)] Leistungen bei Tod. (1) [1] Hinterbliebene haben Anspruch auf

1. Sterbegeld,
2. Erstattung der Kosten der Überführung an den Ort der Bestattung,
3. Hinterbliebenenrenten,
4. Beihilfe.

[2] Der Anspruch auf Leistungen nach Satz 1 Nr. 1 bis 3 besteht nur, wenn der Tod infolge eines Versicherungsfalls eingetreten ist.

(Fortsetzung nächstes Blatt)

---

1) § 61 Abs. 2 Satz 2 neu gef. mWv 1.1.2025 durch G v. 20.8.2021 (BGBl. I S. 3932).
2) § 63 Abs. 1a eingef. mWv 1.1.2005 durch G v. 15.12.2004 (BGBl. I S. 3396).

(1 a) Die Vorschriften dieses Unterabschnitts über Hinterbliebenenleistungen an Witwen und Witwer gelten auch für Hinterbliebenenleistungen an Lebenspartner.

(2) [1] Dem Tod infolge eines Versicherungsfalls steht der Tod von Versicherten gleich, deren Erwerbsfähigkeit durch die Folgen einer Berufskrankheit nach den Nummern 4101 bis 4104 der Anlage 1 der Berufskrankheiten-Verordnung[1)] vom 20. Juni 1968 (BGBl. I S. 721) in der Fassung der Zweiten Verordnung zur Änderung der Berufskrankheiten-Verordnung vom 18. Dezember 1992 (BGBl. I S. 2343) um 50 vom Hundert oder mehr gemindert war. [2] Dies gilt nicht, wenn offenkundig ist, daß der Tod mit der Berufskrankheit nicht in ursächlichem Zusammenhang steht; eine Obduktion zum Zwecke einer solchen Feststellung darf nicht gefordert werden.

(3) Ist ein Versicherter getötet worden, so kann der Unfallversicherungsträger die Entnahme einer Blutprobe zur Feststellung von Tatsachen anordnen, die für die Entschädigungspflicht von Bedeutung sind.

(4) [1] Sind Versicherte im Zusammenhang mit der versicherten Tätigkeit verschollen, gelten sie als infolge eines Versicherungsfalls verstorben, wenn die Umstände ihren Tod wahrscheinlich machen und seit einem Jahr Nachrichten über ihr Leben nicht eingegangen sind. [2] Der Unfallversicherungsträger kann von den Hinterbliebenen die Versicherung an Eides Statt verlangen, daß ihnen weitere als die angezeigten Nachrichten über die Verschollenen nicht bekannt sind. [3] Der Unfallversicherungsträger ist berechtigt, für die Leistungen den nach den Umständen mutmaßlichen Todestag festzustellen. [4] Bei Versicherten in der Seeschiffahrt wird spätestens der dem Ablauf des Heuerverhältnisses folgende Tag als Todestag festgesetzt.

§ 64[2)] Sterbegeld und Erstattung von Überführungskosten. (1) Witwen, Witwer, Kinder, Stiefkinder, Pflegekinder, Enkel, Geschwister, frühere Ehegatten und Verwandte der aufsteigenden Linie der Versicherten erhalten Sterbegeld in Höhe eines Siebtels der im Zeitpunkt des Todes geltenden Bezugsgröße.

(2) Kosten der Überführung an den Ort der Bestattung werden erstattet, wenn der Tod nicht am Ort der ständigen Familienwohnung der Versicherten eingetreten ist und die Versicherten sich dort aus Gründen aufgehalten haben, die im Zusammenhang mit der versicherten Tätigkeit oder mit den Folgen des Versicherungsfalls stehen.

(3) Das Sterbegeld und die Überführungskosten werden an denjenigen Berechtigten gezahlt, der die Bestattungs- und Überführungskosten trägt.

(4) Ist ein Anspruchsberechtigter nach Absatz 1 nicht vorhanden, werden die Bestattungskosten bis zur Höhe des Sterbegeldes nach Absatz 1 an denjenigen gezahlt, der diese Kosten trägt.

---

1) **Aichberger, SGB Nr. 7/10.**
2) § 64 neu gef. mWv 1. 8. 2001 durch G v. 17. 7. 2001 (BGBl. I S. 1600).

§ 65[1] Witwen- und Witwerrente. (1) [1] Witwen oder Witwer von Versicherten erhalten eine Witwen- oder Witwerrente, solange sie nicht wieder geheiratet haben. [2] Der Anspruch auf eine Rente nach Absatz 2 Nr. 2 besteht längstens für 24 Kalendermonate nach Ablauf des Monats, in dem der Ehegatte verstorben ist.

(2) Die Rente beträgt

1. zwei Drittel des Jahresarbeitsverdienstes bis zum Ablauf des dritten Kalendermonats nach Ablauf des Monats, in dem der Ehegatte verstorben ist,
2. 30 vom Hundert des Jahresarbeitsverdienstes nach Ablauf des dritten Kalendermonats,
3. 40 vom Hundert des Jahresarbeitsverdienstes nach Ablauf des dritten Kalendermonats,
   a) solange Witwen oder Witwer ein waisenrentenberechtigtes Kind erziehen oder für ein Kind sorgen, das wegen körperlicher, geistiger oder seelischer Behinderung Anspruch auf Waisenrente hat oder nur deswegen nicht hat, weil das 27. Lebensjahr vollendet wurde,
   b) wenn Witwen oder Witwer das 47. Lebensjahr vollendet haben oder
   c) solange Witwen oder Witwer erwerbsgemindert, berufs- oder erwerbsunfähig im Sinne des Sechsten Buches[2] sind; Entscheidungen des Trägers der Rentenversicherung über Erwerbsminderung, Berufs- oder Erwerbsunfähigkeit sind für den Unfallversicherungsträger bindend.

(3) [1] Einkommen (§§ 18a bis 18e des Vierten Buches[3]) von Witwen oder Witwern, das mit einer Witwenrente oder Witwerrente nach Absatz 2 Nr. 2 und 3 zusammentrifft, wird hierauf angerechnet. [2] Anrechenbar ist das Einkommen, das monatlich das 26,4fache des aktuellen Rentenwerts der gesetzlichen Rentenversicherung übersteigt. [3] Das nicht anrechenbare Einkommen erhöht sich um das 5,6fache des aktuellen Rentenwerts für jedes waisenrentenberechtigtes Kind von Witwen oder Witwern. [4] Von den danach verbleibenden anrechenbaren Einkommen werden 40 vom Hundert angerechnet.

(4) [1] Für die Einkommensanrechnung ist bei Anspruch auf mehrere Renten folgende Rangfolge maßgebend:

1. *(aufgehoben)*
2. Witwenrente oder Witwerrente,
3. Witwenrente oder Witwerrente nach dem vorletzten Ehegatten.

[2] Das auf eine Rente anrechenbare Einkommen mindert sich um den Betrag, der bereits zu einer Einkommensanrechnung auf eine vorrangige Rente geführt hat.

(5) [1] Witwenrente oder Witwerrente wird auf Antrag auch an überlebende Ehegatten gezahlt, die wieder geheiratet haben, wenn die erneute Ehe auf-

---

[1] § 65 Abs. 2 Nr. 3 Buchst. c neu gef. mWv 1. 1. 2001 durch G v. 20. 12. 2000 (BGBl. I S. 1827); Abs. 1 Satz 2 angef. mWv 1. 1. 2002 durch G v. 21. 3. 2001 (BGBl. I S. 403, geänd. durch G v. 17. 7. 2001, BGBl. I S. 1598); Abs. 7 angef. mWv 1. 1. 2005 durch G v. 15. 12. 2004 (BGBl. I S. 3396); Abs. 2 Nr. 3 Buchst. b geänd. mWv 1. 1. 2008 durch G v. 20. 4. 2007 (BGBl. I S. 554); Abs. 4 Satz 1 Nr. 1 aufgeh. mWv 1. 7. 2015 durch G v. 15. 4. 2015 (BGBl. I S. 583); *Abs. 7 aufgeh. mWv 26. 11. 2015 durch G v. 20. 11. 2015 (BGBl. I S. 2010).*

[2] Auszugsweise abgedruckt unter Nr. **696**.

[3] Nr. **694**.

gelöst oder für nichtig erklärt ist und sie im Zeitpunkt der Wiederheirat Anspruch auf eine solche Rente hatten. [2] Auf eine solche Witwenrente oder Witwerrente nach dem vorletzten Ehegatten werden für denselben Zeitraum bestehende Ansprüche auf Witwenrente oder Witwerrente, auf Versorgung, auf Unterhalt oder auf sonstige Rente nach dem letzten Ehegatten angerechnet, es sei denn, daß die Ansprüche nicht zu verwirklichen sind; dabei werden die Vorschriften über die Einkommensanrechnung auf Renten wegen Todes nicht berücksichtigt.

(6) Witwen oder Witwer haben keinen Anspruch, wenn die Ehe erst nach dem Versicherungsfall geschlossen worden ist und der Tod innerhalb des ersten Jahres dieser Ehe eingetreten ist, es sei denn, daß nach den besonderen Umständen des Einzelfalls die Annahme nicht gerechtfertigt ist, daß es der alleinige oder überwiegende Zweck der Heirat war, einen Anspruch auf Hinterbliebenenversorgung zu begründen.

§ 66[1)] Witwen- und Witwerrente an frühere Ehegatten; mehrere Berechtigte. (1) [1] Frühere Ehegatten von Versicherten, deren Ehe mit ihnen geschieden, für nichtig erklärt oder aufgehoben ist, erhalten auf Antrag eine Rente entsprechend § 65, wenn die Versicherten ihnen während des letzten Jahres vor ihrem Tod Unterhalt geleistet haben oder den früheren Ehegatten im letzten wirtschaftlichen Dauerzustand vor dem Tod der Versicherten ein Anspruch auf Unterhalt zustand; § 65 Abs. 2 Nr. 1 findet keine Anwendung. [2] Beruhte der Unterhaltsanspruch auf §§ 1572, 1573, 1575 oder 1576 des Bürgerlichen Gesetzbuchs[2)], wird die Rente gezahlt, solange der frühere Ehegatte ohne den Versicherungsfall unterhaltsberechtigt gewesen wäre.

(2) Sind mehrere Berechtigte nach Absatz 1 oder nach Absatz 1 und § 65 vorhanden, erhält jeder von ihnen den Teil der für ihn nach § 65 Abs. 2 zu berechnenden Rente, der im Verhältnis zu den anderen Berechtigten der Dauer seiner Ehe mit dem Verletzten entspricht; anschließend ist § 65 Abs. 3 entsprechend anzuwenden.

(3) Renten nach Absatz 1 und § 65 sind gemäß Absatz 2 zu mindern, wenn nach Feststellung der Rente einem weiteren früheren Ehegatten Rente zu zahlen ist.

§ 67[3)] Voraussetzungen der Waisenrente. (1) Kinder von verstorbenen Versicherten erhalten eine

1. Halbwaisenrente, wenn sie noch einen Elternteil haben,
2. Vollwaisenrente, wenn sie keine Eltern mehr haben.

(2) Als Kinder werden auch berücksichtigt

1. Stiefkinder und Pflegekinder (§ 56 Abs. 2 Nr. 1 und 2 des Ersten Buches[4)]), die in den Haushalt der Versicherten aufgenommen waren,

---

[1)] § 66 Abs. 1 Satz 1 zweiter Halbs. angef. durch G v. 29. 4. 1997 (BGBl. I S. 968).

[2)] **NipperdeyDirekt (online) Nr. 50.**

[3)] § 67 Abs. 3 neu gef., Abs. 4 Satz 2 angef. mWv 1. 8. 2004 durch G v. 21. 7. 2004 (BGBl. I S. 1791); Abs. 3 Satz 1 Nr. 2 Buchst. c neu gef. mWv 1. 6. 2008 durch G v. 16. 5. 2008 (BGBl. I S. 842); Abs. 3 Satz 1 Nr. 2 Buchst. c, Abs. 4 Satz 2 geänd. mWv 3. 5. 2011 durch G v. 28. 4. 2011 (BGBl. I S. 687); Abs. 3 Satz 1 Nr. 2 Buchst. c neu gef. mWv 1. 7. 2015 durch G v. 15. 4. 2015 (BGBl. I S. 583).

[4)] Nr. **691**.

2. Enkel und Geschwister, die in den Haushalt der Versicherten aufgenommen waren oder von ihnen überwiegend unterhalten wurden.

(3) [1] Halb- oder Vollwaisenrente wird gezahlt

1. bis zur Vollendung des 18. Lebensjahres,
2. bis zur Vollendung des 27. Lebensjahres, wenn die Waise
   a) sich in Schulausbildung oder Berufsausbildung befindet oder
   b) sich in einer Übergangszeit von höchstens vier Kalendermonaten befindet, die zwischen zwei Ausbildungsabschnitten oder zwischen einem Ausbildungsabschnitt und der Ableistung des gesetzlichen Wehr- oder Zivildienstes oder der Ableistung eines freiwilligen Dienstes im Sinne des Buchstabens c liegt, oder
   c) einen freiwilligen Dienst im Sinne des § 32 Absatz 4 Satz 1 Nummer 2 Buchstabe d des Einkommensteuergesetzes[1)] leistet oder
   d) wegen körperlicher, geistiger oder seelischer Behinderung außerstande ist, sich selbst zu unterhalten.

[2] Eine Schulausbildung oder Berufsausbildung im Sinne des Satzes 1 liegt nur vor, wenn die Ausbildung einen tatsächlichen zeitlichen Aufwand von wöchentlich mehr als 20 Stunden erfordert. [3] Der tatsächliche zeitliche Aufwand ist ohne Bedeutung für Zeiten, in denen das Ausbildungsverhältnis trotz einer Erkrankung fortbesteht und damit gerechnet werden kann, dass die Ausbildung fortgesetzt wird. [4] Das gilt auch für die Dauer der Schutzfristen nach dem Mutterschutzgesetz[2)].

(4) [1] In den Fällen des Absatzes 3 Nr. 2 Buchstabe a erhöht sich die maßgebende Altersgrenze bei Unterbrechung oder Verzögerung der Schulausbildung oder Berufsausbildung durch den gesetzlichen Wehrdienst, Zivildienst oder einen gleichgestellten Dienst um die Zeit dieser Dienstleistung, höchstens um einen der Dauer des gesetzlichen Grundwehrdienstes oder Zivildienstes entsprechenden Zeitraum. [2] Die Ableistung eines Dienstes im Sinne von Absatz 3 Nr. 2 Buchstabe c ist kein gleichgestellter Dienst im Sinne von Satz 1.

(5) Der Anspruch auf Waisenrente endet nicht dadurch, daß die Waise als Kind angenommen wird.

§ 68[3)] Höhe der Waisenrente. (1) Die Rente beträgt

1. 20 vom Hundert des Jahresarbeitsverdienstes für eine Halbwaise,
2. 30 vom Hundert des Jahresarbeitsverdienstes für eine Vollwaise.

(2) *(aufgehoben)*

(3) Liegen bei einem Kind die Voraussetzungen für mehrere Waisenrenten aus der Unfallversicherung vor, wird nur die höchste Rente gezahlt und bei Renten gleicher Höhe diejenige, die wegen des frühesten Versicherungsfalls zu zahlen ist.

[1)] **Nipperdey*Direkt* (online) Nr. *331*.**
[2)] Nr. **400**.
[3)] § 68 Abs. 2 aufgeh. mWv 1. 7. 2015 durch G v. 15. 4. 2015 (BGBl. I S. 583).

§ 69 Rente an Verwandte der aufsteigenden Linie. (1) Verwandte der aufsteigenden Linie, Stief- oder Pflegeeltern der Verstorbenen, die von den Verstorbenen zur Zeit des Todes aus deren Arbeitsentgelt oder Arbeitseinkommen wesentlich unterhalten worden sind oder ohne den Versicherungsfall wesentlich unterhalten worden wären, erhalten eine Rente, solange sie ohne den Versicherungsfall gegen die Verstorbenen einen Anspruch auf Unterhalt wegen Unterhaltsbedürftigkeit hätten geltend machen können.

(2) [1] Sind aus der aufsteigenden Linie Verwandte verschiedenen Grades vorhanden, gehen die näheren den entfernteren vor. [2] Den Eltern stehen Stief- oder Pflegeeltern gleich.

(3) Liegen bei einem Elternteil oder bei einem Elternpaar die Voraussetzungen für mehrere Elternrenten aus der Unfallversicherung vor, wird nur die höchste Rente gezahlt und bei Renten gleicher Höhe diejenige, die wegen des frühesten Versicherungsfalls zu zahlen ist.

(4) Die Rente beträgt

1. 20 vom Hundert des Jahresarbeitsverdienstes für einen Elternteil,
2. 30 vom Hundert des Jahresarbeitsverdienstes für ein Elternpaar.

(5) Stirbt bei Empfängern einer Rente für ein Elternpaar ein Ehegatte, wird dem überlebenden Ehegatten anstelle der Rente für einen Elternteil die für den Sterbemonat zustehende Elternrente für ein Elternpaar für die folgenden drei Kalendermonate weitergezahlt.

§ 70[1)] Höchstbetrag der Hinterbliebenenrenten. (1) [1] Die Renten der Hinterbliebenen dürfen zusammen 80 vom Hundert des Jahresarbeitsverdienstes nicht übersteigen, sonst werden sie gekürzt, und zwar bei Witwen und Witwern, früheren Ehegatten und Waisen nach dem Verhältnis ihrer Höhe. [2] Bei Anwendung von Satz 1 wird von der nach § 65 Abs. 2 Nr. 2 und 3 oder § 68 Abs. 1 berechneten Rente ausgegangen; anschließend wird § 65 Abs. 3 angewendet. [3] § 65 Abs. 2 Nr. 1 bleibt unberührt. [4] Verwandte der aufsteigenden Linie, Stief- oder Pflegeeltern sowie Pflegekinder haben nur Anspruch, soweit Witwen und Witwer, frühere Ehegatten oder Waisen den Höchstbetrag nicht ausschöpfen.

(2) Sind für die Hinterbliebenen 80 vom Hundert des Jahresarbeitsverdienstes festgestellt und tritt später ein neuer Berechtigter hinzu, werden die Hinterbliebenenrenten nach Absatz 1 neu berechnet.

(3) Beim Wegfall einer Hinterbliebenenrente erhöhen sich die Renten der übrigen bis zum zulässigen Höchstbetrag.

§ 71 Witwen-, Witwer- und Waisenbeihilfe. (1) [1] Witwen oder Witwer von Versicherten erhalten eine einmalige Beihilfe von 40 vom Hundert des Jahresarbeitsverdienstes, wenn

1. ein Anspruch auf Hinterbliebenenrente nicht besteht, weil der Tod der Versicherten nicht Folge eines Versicherungsfalls war, und
2. die Versicherten zur Zeit ihres Todes Anspruch auf eine Rente nach einer Minderung der Erwerbsfähigkeit von 50 vom Hundert oder mehr oder auf

---

1) § 70 Abs. 1 Satz 4 geänd. mWv 1. 8. 2003 durch G v. 24. 7. 2003 (BGBl. I S. 1526); Abs. 1 Satz 2 geänd. mWv 1. 7. 2015 durch G v. 15. 4. 2015 (BGBl. I S. 583).

mehrere Renten hatten, deren Vomhundertsätze zusammen mindestens die Zahl 50 erreichen; soweit Renten abgefunden wurden, wird von dem Vomhundertsatz der abgefundenen Rente ausgegangen.

[2] § 65 Abs. 6 gilt entsprechend.

(Fortsetzung nächstes Blatt)

(2) [1]Beim Zusammentreffen mehrerer Renten oder Abfindungen wird die Beihilfe nach dem höchsten Jahresarbeitsverdienst berechnet, der den Renten oder Abfindungen zugrunde lag. [2]Die Beihilfe zahlt der Unfallversicherungsträger, der die danach berechnete Leistung erbracht hat, bei gleich hohen Jahresarbeitsverdiensten derjenige, der für den frühesten Versicherungsfall zuständig ist.

(3) [1]Für Vollwaisen, die bei Tod der Versicherten infolge eines Versicherungsfalls Anspruch auf Waisenrente hätten, gelten die Absätze 1 und 2 entsprechend, wenn sie zur Zeit des Todes der Versicherten mit ihnen in häuslicher Gemeinschaft gelebt haben und von ihnen überwiegend unterhalten worden sind. [2]Sind mehrere Waisen vorhanden, wird die Waisenbeihilfe gleichmäßig verteilt.

(4) [1]Haben Versicherte länger als zehn Jahre eine Rente nach einer Minderung der Erwerbsfähigkeit von 80 vom Hundert oder mehr bezogen und sind sie nicht an den Folgen eines Versicherungsfalls gestorben, kann anstelle der Beihilfe nach Absatz 1 oder 3 den Berechtigten eine laufende Beihilfe bis zur Höhe einer Hinterbliebenenrente gezahlt werden, wenn die Versicherten infolge des Versicherungsfalls gehindert waren, eine entsprechende Erwerbstätigkeit auszuüben, und wenn dadurch die Versorgung der Hinterbliebenen um mindestens 10 vom Hundert gemindert ist. [2]Auf die laufende Beihilfe finden im übrigen die Vorschriften für Hinterbliebenenrenten Anwendung.

Dritter Unterabschnitt. Beginn, Änderung und Ende von Renten

§ 72[1)] Beginn von Renten. (1) Renten an Versicherte werden von dem Tag an gezahlt, der auf den Tag folgt, an dem
1. der Anspruch auf Verletztengeld endet,
2. der Versicherungsfall eingetreten ist, wenn kein Anspruch auf Verletztengeld entstanden ist.

(2) [1]Renten an Hinterbliebene werden vom Todestag an gezahlt. [2]Hinterbliebenenrenten, die auf Antrag geleistet werden, werden vom Beginn des Monats an gezahlt, der der Antragstellung folgt.

(3) [1]Die Satzung kann bestimmen, daß für Unternehmer, ihre im Unternehmen mitarbeitenden Ehegatten oder mitarbeitenden Lebenspartner und für den Unternehmern im Versicherungsschutz Gleichgestellte Rente für die ersten 13 Wochen nach dem sich aus § 46 Abs. 1 ergebenden Zeitpunkt ganz oder teilweise nicht gezahlt wird. [2]Die Rente beginnt spätestens am Tag nach Ablauf der 13. Woche, sofern Verletztengeld nicht zu zahlen ist.

§ 73 Änderungen und Ende von Renten. (1) Ändern sich aus tatsächlichen oder rechtlichen Gründen die Voraussetzungen für die Höhe einer Rente nach ihrer Feststellung, wird die Rente in neuer Höhe nach Ablauf des Monats geleistet, in dem die Änderung wirksam geworden ist.

(2) [1]Fallen aus tatsächlichen oder rechtlichen Gründen die Anspruchsvoraussetzungen für eine Rente weg, wird die Rente bis zum Ende des Monats geleistet, in dem der Wegfall wirksam geworden ist. [2]Satz 1 gilt entspre-

---

[1)] § 72 Abs. 3 Satz 1 geänd. mWv 1. 8. 2001 durch G v. 16. 2. 2001 (BGBl. I S. 266); Abs. 4 angef. mWv 30. 3. 2005 durch G v. 21. 3. 2005 (BGBl. I S. 818); Abs. 4 aufgeh. mWv 1. 1. 2008 durch G v. 18. 12. 2007 (BGBl. I S. 2984).

chend, wenn festgestellt wird, daß Versicherte, die als verschollen gelten, noch leben.

(3) Bei der Feststellung der Minderung der Erwerbsfähigkeit ist eine Änderung im Sinne des § 48 Abs. 1 des Zehnten Buches[1] nur wesentlich, wenn sie mehr als 5 vom Hundert beträgt; bei Renten auf unbestimmte Zeit muß die Veränderung der Minderung der Erwerbsfähigkeit länger als drei Monate andauern.

(4) [1]Sind Renten befristet, enden sie mit Ablauf der Frist. [2]Das schließt eine vorherige Änderung oder ein Ende der Rente aus anderen Gründen nicht aus. [3]Renten dürfen nur auf das Ende eines Kalendermonats befristet werden.

(5) [1]Witwen- und Witwerrenten nach § 65 Abs. 2 Nr. 3 Buchstabe a wegen Kindererziehung werden auf das Ende des Kalendermonats befristet, in dem die Kindererziehung voraussichtlich endet. [2]Waisenrenten werden auf das Ende des Kalendermonats befristet, in dem voraussichtlich der Anspruch auf die Waisenrente entfällt. [3]Die Befristung kann wiederholt werden.

(6) Renten werden bis zum Ende des Kalendermonats geleistet, in dem die Berechtigten gestorben sind.

§ 74 Ausnahmeregelungen für die Änderung von Renten. (1) [1]Der Anspruch auf eine Rente, die auf unbestimmte Zeit geleistet wird, kann aufgrund einer Änderung der Minderung der Erwerbsfähigkeit zuungunsten der Versicherten nur in Abständen von mindestens einem Jahr geändert werden. [2]Das Jahr beginnt mit dem Zeitpunkt, von dem an die vorläufige Entschädigung Rente auf unbestimmte Zeit geworden oder die letzte Rentenfeststellung bekanntgegeben worden ist.

(2) Renten dürfen nicht für die Zeit neu festgestellt werden, in der Verletztengeld zu zahlen ist oder ein Anspruch auf Verletztengeld wegen des Bezugs von Einkommen oder des Erhalts von Betriebs- und Haushaltshilfe oder wegen der Erfüllung der Voraussetzungen für den Erhalt von Betriebs- und Haushaltshilfe nicht besteht.

(Fortsetzung nächste Seite)

[1] Nr. **699**.

Viertes Kapitel. Haftung von Unternehmern, Unternehmensangehörigen und anderen Personen

Erster Abschnitt. Beschränkung der Haftung gegenüber Versicherten, ihren Angehörigen und Hinterbliebenen

§ 104 Beschränkung der Haftung der Unternehmer. (1) [1]Unternehmer sind den Versicherten, die für ihre Unternehmen tätig sind oder zu ihren Unternehmen in einer sonstigen die Versicherung begründenden Beziehung stehen, sowie deren Angehörigen und Hinterbliebenen nach anderen gesetzlichen Vorschriften zum Ersatz des Personenschadens, den ein Versicherungsfall verursacht hat, nur verpflichtet, wenn sie den Versicherungsfall vorsätzlich oder auf einem nach § 8 Abs. 2 Nr. 1 bis 4 versicherten Weg herbeigeführt haben. [2]Ein Forderungsübergang nach § 116 des Zehnten Buches[1)] findet nicht statt.

(2) Absatz 1 gilt entsprechend für Personen, die als Leibesfrucht durch einen Versicherungsfall im Sinne des § 12 geschädigt worden sind.

(3) Die nach Absatz 1 oder 2 verbleibenden Ersatzansprüche vermindern sich um die Leistungen, die Berechtigte nach Gesetz oder Satzung infolge des Versicherungsfalls erhalten.

§ 105 Beschränkung der Haftung anderer im Betrieb tätiger Personen. (1) [1]Personen, die durch eine betriebliche Tätigkeit einen Versicherungsfall von Versicherten desselben Betriebs verursachen, sind diesen sowie deren Angehörigen und Hinterbliebenen nach anderen gesetzlichen Vorschriften zum Ersatz des Personenschadens nur verpflichtet, wenn sie den Versicherungsfall vorsätzlich oder auf einem nach § 8 Abs. 2 Nr. 1 bis 4 versicherten Weg herbeigeführt haben. [2]Satz 1 gilt entsprechend bei der Schädigung von Personen, die für denselben Betrieb tätig und nach § 4 Abs. 1 Nr. 1 versicherungsfrei sind. [3]§ 104 Abs. 1 Satz 2, Abs. 2 und 3 gilt entsprechend.

(2) [1]Absatz 1 gilt entsprechend, wenn nicht versicherte Unternehmer geschädigt worden sind. [2]Soweit nach Satz 1 eine Haftung ausgeschlossen ist, werden die Unternehmer wie Versicherte, die einen Versicherungsfall erlitten haben, behandelt, es sei denn, eine Ersatzpflicht des Schädigers gegenüber dem Unternehmer ist zivilrechtlich ausgeschlossen. [3]Für die Berechnung von Geldleistungen gilt der Mindestjahresarbeitsverdienst als Jahresarbeitsverdienst. [4]Geldleistungen werden jedoch nur bis zur Höhe eines zivilrechtlichen Schadenersatzanspruchs erbracht.

§ 106 Beschränkung der Haftung anderer Personen. (1) In den in § 2 Abs. 1 Nr. 2, 3 und 8 genannten Unternehmen gelten die §§ 104 und 105 entsprechend für die Ersatzpflicht

1. der in § 2 Abs. 1 Nr. 2, 3 und 8 genannten Versicherten untereinander,
2. der in § 2 Abs. 1 Nr. 2, 3 und 8 genannten Versicherten gegenüber den Betriebsangehörigen desselben Unternehmens,
3. der Betriebsangehörigen desselben Unternehmens gegenüber den in § 2 Abs. 1 Nr. 2, 3 und 8 genannten Versicherten.

[1)] Nr. **699**.

(2) Im Fall des § 2 Abs. 1 Nr. 17 gelten die §§ 104 und 105 entsprechend für die Ersatzpflicht

1. der Pflegebedürftigen gegenüber den Pflegepersonen,
2. der Pflegepersonen gegenüber den Pflegebedürftigen,
3. der Pflegepersonen desselben Pflegebedürftigen untereinander.

(3) Wirken Unternehmen zur Hilfe bei Unglücksfällen oder Unternehmen des Zivilschutzes zusammen oder verrichten Versicherte mehrerer Unternehmen vorübergehend betriebliche Tätigkeiten auf einer gemeinsamen Betriebsstätte, gelten die §§ 104 und 105 für die Ersatzpflicht der für die beteiligten Unternehmen Tätigen untereinander.

(4) Die §§ 104 und 105 gelten ferner für die Ersatzpflicht von Betriebsangehörigen gegenüber den nach § 3 Abs. 1 Nr. 2 Versicherten.

§ 107[1)] Besonderheiten in der Seefahrt. (1) [1] Bei Unternehmen der Seefahrt gilt § 104 auch für die Ersatzpflicht anderer das Arbeitsentgelt schuldender Personen entsprechend. [2] § 105 gilt für den Lotsen entsprechend.

(2) Beim Zusammenstoß mehrerer Seeschiffe von Unternehmen, für die die Berufsgenossenschaft Verkehrswirtschaft Post-Logistik Telekommunikation zuständig ist, gelten die §§ 104 und 105 entsprechend für die Ersatzpflicht, auch untereinander, der Reeder der dabei beteiligten Fahrzeuge, sonstiger das Arbeitsentgelt schuldender Personen, der Lotsen und der auf den beteiligten Fahrzeugen tätigen Versicherten.

§ 108 Bindung der Gerichte. (1) Hat ein Gericht über Ersatzansprüche der in den §§ 104 bis 107 genannten Art zu entscheiden, ist es an eine unanfechtbare Entscheidung nach diesem Buch oder nach dem Sozialgerichtsgesetz[2)] in der jeweils geltenden Fassung gebunden, ob ein Versicherungsfall vorliegt, in welchem Umfang Leistungen zu erbringen sind und ob der Unfallversicherungsträger zuständig ist.

(2) [1] Das Gericht hat sein Verfahren auszusetzen, bis eine Entscheidung nach Absatz 1 ergangen ist. [2] Falls ein solches Verfahren noch nicht eingeleitet ist, bestimmt das Gericht dafür eine Frist, nach deren Ablauf die Aufnahme des ausgesetzten Verfahrens zulässig ist.

§ 109 Feststellungsberechtigung von in der Haftung beschränkten Personen. [1] Personen, deren Haftung nach den §§ 104 bis 107 beschränkt ist und gegen die Versicherte, ihre Angehörigen und Hinterbliebene Schadenersatzforderungen erheben, können statt der Berechtigten die Feststellungen nach § 108 beantragen oder das entsprechende Verfahren nach dem Sozialgerichtsgesetz[2)] betreiben. [2] Der Ablauf von Fristen, die ohne ihr Verschulden verstrichen sind, wirkt nicht gegen sie; dies gilt nicht, soweit diese Personen das Verfahren selbst betreiben.

[1)] § 107 Abs. 2 geänd. mWv 11.8.2010 durch G v. 5.8.2010 (BGBl. I S. 1127); Abs. 2 geänd. mWv 1.1.2016 durch G v. 19.10.2013 (BGBl. I S. 3836).

[2)] Nr. **680**.

Zweiter Abschnitt. Haftung gegenüber den Sozialversicherungsträgern

§ 110[1] **Haftung gegenüber den Sozialversicherungsträgern.** (1) [1] Haben Personen, deren Haftung nach den §§ 104 bis 107 beschränkt ist, den Versicherungsfall vorsätzlich oder grob fahrlässig herbeigeführt, haften sie den Sozialversicherungsträgern für die infolge des Versicherungsfalls entstandenen Aufwendungen, jedoch nur bis zur Höhe des zivilrechtlichen Schadenersatzanspruchs. [2] Statt der Rente kann der Kapitalwert gefordert werden. [3] Das Verschulden braucht sich nur auf das den Versicherungsfall verursachende Handeln oder Unterlassen zu beziehen.

(1a) [1] Unternehmer, die Schwarzarbeit nach § 1 des Schwarzarbeitsbekämpfungsgesetzes[2] erbringen und dadurch bewirken, dass Beiträge nach dem Sechsten Kapitel nicht, nicht in der richtigen Höhe oder nicht rechtzeitig entrichtet werden, erstatten den Unfallversicherungsträgern die Aufwendungen, die diesen infolge von Versicherungsfällen bei Ausführung der Schwarzarbeit entstanden sind. [2] Eine nicht ordnungsgemäße Beitragsentrichtung wird vermutet, wenn die Unternehmer die Personen, bei denen die Versicherungsfälle eingetreten sind, nicht nach § 28a des Vierten Buches[3] bei der Einzugsstelle oder der Datenstelle der Rentenversicherung angemeldet hatten.

(2) Die Sozialversicherungsträger können nach billigem Ermessen, insbesondere unter Berücksichtigung der wirtschaftlichen Verhältnisse des Schuldners, auf den Ersatzanspruch ganz oder teilweise verzichten.

§ 111[4] **Haftung des Unternehmens.** [1] Haben ein Mitglied eines vertretungsberechtigten Organs, Abwickler oder Liquidatoren juristischer Personen, vertretungsberechtigte Gesellschafter oder Liquidatoren einer ***[bis 31.12.2023:*** Personengesellschaft des Handelsrechts***][ab 1.1.2024:*** *rechtsfähigen Personengesellschaft****]*** oder gesetzliche Vertreter der Unternehmer in Ausführung ihnen zustehender Verrichtungen den Versicherungsfall vorsätzlich oder grob fahrlässig verursacht, haften nach Maßgabe des § 110 auch die Vertretenen. [2] Eine nach § 110 bestehende Haftung derjenigen, die den Versicherungsfall verursacht haben, bleibt unberührt. ***[Satz 3 bis 31.12.2023:]*** [3] Das gleiche gilt für Mitglieder des Vorstandes eines nicht rechtsfähigen Vereins oder für vertretungsberechtigte Gesellschafter einer Personengesellschaft des bürgerlichen Rechts mit der Maßgabe, daß sich die Haftung auf das Vereins- oder das Gesellschaftsvermögen beschränkt. ***[Satz 3 ab 1.1.2024:]*** *[3] Das Gleiche gilt für Mitglieder des Vorstandes eines nicht rechtsfähigen Vereins mit der Maßgabe, dass sich die Haftung auf das Vereinsvermögen beschränkt.*

§ 112 Bindung der Gerichte. § 108 über die Bindung der Gerichte gilt auch für die Ansprüche nach den §§ 110 und 111.

§ 113[5] **Verjährung.** [1] Für die Verjährung der Ansprüche nach den §§ 110 und 111 gelten die §§ 195, 199 Abs. 1 und 2 und § 203 des Bürgerlichen

---

[1] § 110 Abs. 1a eingef., Abs. 2 geänd. mWv 1.8.2004 durch G v. 23.7.2004 (BGBl. I S. 1842); Abs. 1a Satz 2 geänd. mWv 1.1.2009 durch G v. 21.12.2008 (BGBl. I S. 2933); Abs. 1a Satz 2 geänd. mWv 17.11.2016 durch G v. 11.11.2016 (BGBl. I S. 2500).

[2] Nr. **110**.

[3] Nr. **694**.

[4] § 111 Satz 1 geänd., Satz 3 neu gef. mWv 1.1.2024 durch G v. 20.12.2022 (BGBl. I S. 2759).

[5] § 113 Satz 1 geänd., Satz 2 angef. mWv 1.1.2002 durch G v. 21.6.2002 (BGBl. I S. 2167).

Gesetzbuchs[1] entsprechend mit der Maßgabe, daß die Frist von dem Tag an gerechnet wird, an dem die Leistungspflicht für den Unfallversicherungsträger bindend festgestellt oder ein entsprechendes Urteil rechtskräftig geworden ist. 2 Artikel 229 § 6 Abs. 1 des Einführungsgesetzes zum Bürgerlichen Gesetzbuche[2] gilt entsprechend.

§§ 114–187a *(hier nicht wiedergegeben)*

Siebtes Kapitel. Zusammenarbeit der Unfallversicherungsträger mit anderen Leistungsträgern und ihre Beziehungen zu Dritten

Erster Abschnitt. Zusammenarbeit der Unfallversicherungsträger mit anderen Leistungsträgern

§§ 188–190 *(hier nicht wiedergegeben)*

Zweiter Abschnitt. Beziehungen der Unfallversicherungsträger zu Dritten

§ 191 Unterstützungspflicht der Unternehmer. Die Unternehmer haben die für ihre Unternehmen zuständigen Unfallversicherungsträger bei der Durchführung der Unfallversicherung zu unterstützen; das Nähere regelt die Satzung.

§ 192[3] Mitteilungs- und Auskunftspflichten von Unternehmern und Bauherren. (1) 1 Die Unternehmer haben binnen einer Woche nach Beginn des Unternehmens dem zuständigen Unfallversicherungsträger

1. die Art und den Gegenstand des Unternehmens,
2. die Zahl der Versicherten,
3. den Eröffnungstag oder den Tag der Aufnahme der vorbereitenden Arbeiten für das Unternehmen und
4. in den Fällen des § 130 Abs. 2 und 3 den Namen und den Wohnsitz oder gewöhnlichen Aufenthalt des Bevollmächtigten

mitzuteilen. 2 Die Mitteilungspflicht gilt als erfüllt, wenn eine Anzeige nach den §§ 14, 55c der Gewerbeordnung[4] binnen einer Woche nach Beginn des Unternehmens gegenüber der zuständigen Stelle erstattet wurde.

(2) Die Unternehmer haben Änderungen von

1. Art und Gegenstand ihrer Unternehmen, die für die Prüfung der Zuständigkeit der Unfallversicherungsträger von Bedeutung sein können,
2. Voraussetzungen für die Zuordnung zu den Gefahrklassen,
3. sonstigen Grundlagen für die Berechnung der Beiträge

innerhalb von vier Wochen dem Unfallversicherungsträger mitzuteilen.

(3) 1 Die Unternehmer haben ferner auf Verlangen des zuständigen Unfallversicherungsträgers die Auskünfte zu geben und die Beweisurkunden vorzulegen, die zur Erfüllung der gesetzlichen Aufgaben des Unfallversicherungs-

---

[1] Nr. **50**.
[2] Nr. **51**.
[3] § 192 Abs. 1 Satz 2 angef. mWv 1.7.2020 durch G v. 22.11.2019 (BGBl. I S. 1746).
[4] **beck-online, Module Arbeitsrecht Nr. 106.**

trägers (§ 199) erforderlich sind. [2]Ist bei einer Schule der Schulhoheitsträger nicht Unternehmer, hat auch der Schulhoheitsträger die Verpflichtung zur Auskunft nach Satz 1.

(4) [1]Den Wechsel von Personen der Unternehmer haben die bisherigen Unternehmer und ihre Nachfolger innerhalb von vier Wochen nach dem Wechsel dem Unfallversicherungsträger mitzuteilen. [2]Den Wechsel von Personen der Bevollmächtigten haben die Unternehmer innerhalb von vier Wochen nach dem Wechsel mitzuteilen.

(5) [1]Bauherren sind verpflichtet, auf Verlangen des zuständigen Unfallversicherungsträgers die Auskünfte zu geben, die zur Erfüllung der gesetzlichen Aufgaben des Unfallversicherungsträgers (§ 199) erforderlich sind. [2]Dazu gehören

1. die Auskunft darüber, ob und welche nicht gewerbsmäßigen Bauarbeiten ausgeführt werden,
2. die Auskunft darüber, welche Unternehmer mit der Ausführung der gewerbsmäßigen Bauarbeiten beauftragt sind.

§ 193[1)] Pflicht zur Anzeige eines Versicherungsfalls durch die Unternehmer. (1) [1]Die Unternehmer haben Unfälle von Versicherten in ihren Unternehmen dem Unfallversicherungsträger anzuzeigen, wenn Versicherte getötet oder so verletzt sind, daß sie mehr als drei Tage arbeitsunfähig werden. [2]Satz 1 gilt entsprechend für Unfälle von Versicherten, deren Versicherung weder eine Beschäftigung noch eine selbständige Tätigkeit voraussetzt. [3]Unfälle der nach § 2 Absatz 1 Nummer 8 Versicherten sind anzuzeigen, wenn der Unfall infolge einer Tätigkeit eingetreten ist, die mit dem Besuch der Einrichtung zusammenhängt, und eine versicherte Person infolge des Unfalles ärztlich behandelt werden muss oder zu Tode gekommen ist.

(2) Haben Unternehmer im Einzelfall Anhaltspunkte, daß bei Versicherten ihrer Unternehmen eine Berufskrankheit vorliegen könnte, haben sie diese dem Unfallversicherungsträger anzuzeigen.

(3) [1]Bei Unfällen der nach § 2 Abs. 1 Nr. 8 Buchstabe b Versicherten hat der Schulhoheitsträger die Unfälle auch dann anzuzeigen, wenn er nicht Unternehmer ist. [2]Bei Unfällen der nach § 2 Absatz 1 Nummer 15 Buchstabe a und d Versicherten hat der Träger der Einrichtung, in der die stationäre oder teilstationäre Behandlung, die stationären, teilstationären oder ambulanten Leistungen zur medizinischen Rehabilitation oder zur Prävention erbracht werden, die Unfälle anzuzeigen.

(4) [1]Die Anzeige ist binnen drei Tagen zu erstatten, nachdem die Unternehmer von dem Unfall oder von den Anhaltspunkten für eine Berufskrankheit Kenntnis erlangt haben. [2]Der Versicherte hat das Recht, die Inhalte der An-

---

[1)] § 193 Abs. 3 Satz 2 geänd. mWv 1.7.2001 durch G v. 19.6.2001 (BGBl. I S. 1046); Abs. 8 geänd. mWv 1.7.2001 durch G v. 17.7.2001 (BGBl. I S. 1600); Abs. 6 aufgeh. mWv 1.1.2003 durch G v. 21.6.2002 (BGBl. I S. 2167); Abs. 8 geänd. mWv 28.11.2003 durch VO v. 25.11.2003 (BGBl. I S. 2304); Abs. 8 geänd. mWv 8.11.2006 durch VO v. 31.10.2006 (BGBl. I S. 2407); Abs. 3 Satz 2, Abs. 7 Satz 1 geänd. mWv 5.11.2008 durch G v. 30.10.2008 (BGBl. I S. 2130); Abs. 5 Satz 1 geänd. mWv 5.4.2017 durch G v. 29.3.2017 (BGBl. I S. 626); Abs. 3 Satz 2 neu gef. mWv 1.1.2023 durch G v. 20.12.2022 (BGBl. I S. 2759); Abs. 1 Satz 3 angef., Abs. 4 Satz 2 neu gef. mWv 1.1.2025, Abs. 7 Sätze 1-4 geänd. mWv 1.1.2028 durch G v. 23.10.2024 (BGBl. 2024 I Nr. 323).

zeige von dem anzeigenden Unternehmer in einem barrierefreien Format zu erhalten.

(5) [1] Die Anzeige ist vom Betriebs- oder Personalrat mit zu unterzeichnen; bei Erstattung der Anzeige durch Datenübertragung ist anzugeben, welches Mitglied des Betriebs- oder Personalrats vor der Absendung von ihr Kenntnis genommen hat. [2] Der Unternehmer hat die Sicherheitsfachkraft und den Betriebsarzt über jede Unfall- oder Berufskrankheitenanzeige in Kenntnis zu setzen. [3] Verlangt der Unfallversicherungsträger zur Feststellung, ob eine Berufskrankheit vorliegt, Auskünfte über gefährdende Tätigkeiten von Versicherten, haben die Unternehmer den Betriebs- oder Personalrat über dieses Auskunftsersuchen unverzüglich zu unterrichten.

(6) *(aufgehoben)*

(7) [1] Bei Unfällen in Unternehmen, die der allgemeinen Arbeitsschutzaufsicht unterstehen, hat der ***[bis 31.12.2027:*** Unternehmer eine Durchschrift der Anzeige***][ab 1.1.2028:*** *Unfallversicherungsträger die Anzeigedaten]* der für den Arbeitsschutz zuständigen Behörde zu übersenden. [2] Bei Unfällen in Unternehmen, die der bergbehördlichen Aufsicht unterstehen, ***[bis 31.12.2027:*** ist die Durchschrift***][ab 1.1.2028:*** *hat der Unfallversicherungsträger die Anzeigedaten]* an die zuständige untere Bergbehörde zu übersenden. [3] Wird eine Berufskrankheit angezeigt, übersendet der Unfallversicherungsträger ***[bis 31.12.2027:*** eine Durchschrift der Anzeige***][ab 1.1.2028:*** *die Anzeigedaten]* unverzüglich der für den medizinischen Arbeitsschutz zuständigen Landesbehörde. [4] Wird der für den medizinischen Arbeitsschutz zuständigen Landesbehörde eine Berufskrankheit angezeigt, übersendet sie dem Unfallversicherungsträger unverzüglich ***[bis 31.12.2027:*** eine Durchschrift der Anzeige***][ab 1.1.2028:*** *die Anzeigedaten]*.

(8) Das Bundesministerium für Arbeit und Soziales bestimmt durch Rechtsverordnung mit Zustimmung des Bundesrates den für Aufgaben der Prävention und der Einleitung eines Feststellungsverfahrens erforderlichen Inhalt der Anzeige, ihre Form und die Art und Weise ihrer Übermittlung sowie die Empfänger, die Anzahl und den Inhalt der Durchschriften.

(9) [1] Unfälle nach Absatz 1, die während der Fahrt auf einem Seeschiff eingetreten sind, sind ferner in das Schiffstagebuch einzutragen und dort oder in einem Anhang kurz darzustellen. [2] Ist ein Schiffstagebuch nicht zu führen, haben die Schiffsführer Unfälle nach Satz 1 in einer besonderen Niederschrift nachzuweisen.

§§ 194–208 *(hier nicht wiedergegeben)*

(Fortsetzung nächstes Blatt)

Neuntes Kapitel. Bußgeldvorschriften

§ 209[1] **Bußgeldvorschriften.** (1) [1]Ordnungswidrig handelt, wer vorsätzlich oder fahrlässig

1. einer Unfallverhütungsvorschrift nach § 15 Abs. 1 oder 2 zuwiderhandelt, soweit sie für einen bestimmten Tatbestand auf diese Bußgeldvorschrift verweist,
2. einer vollziehbaren Anordnung nach § 19 Abs. 1 zuwiderhandelt,[2]
3. entgegen § 19 Abs. 2 Satz 2 eine Maßnahme nicht duldet,
4. entgegen § 138 die Versicherten nicht unterrichtet,
5. entgegen
   a) § 165 Absatz 1 Satz 1, auch in Verbindung mit einer Satzung nach § 165 Absatz 1 Satz 2 oder Satz 3 dieses Buches, jeweils in Verbindung mit § 34 Absatz 1 Satz 1 des Vierten Buches[3], oder
   b) § 194

   eine Meldung nicht, nicht richtig, nicht vollständig oder nicht rechtzeitig macht,
6. entgegen § 165 Absatz 2 Satz 1 in Verbindung mit einer Satzung nach § 34 Absatz 1 Satz 1 des Vierten Buches[3] einen dort genannten Nachweis nicht, nicht richtig, nicht vollständig oder nicht rechtzeitig einreicht,
7. entgegen § 165 Abs. 4 eine Aufzeichnung nicht führt oder nicht oder nicht mindestens fünf Jahre aufbewahrt,

7a. entgegen § 183 Absatz 6 Satz 1 in Verbindung mit einer Satzung nach § 34 Absatz 1 Satz 1 des Vierten Buches[3] eine Auskunft nicht, nicht richtig, nicht vollständig oder nicht rechtzeitig gibt,

8. entgegen § 192 Abs. 1 Nr. 1 bis 3 oder Abs. 4 Satz 1 eine Mitteilung nicht, nicht richtig, nicht vollständig oder nicht rechtzeitig macht,
9. entgegen § 193 Abs. 1 Satz 1, auch in Verbindung mit Satz 2, Abs. 2, 3 Satz 2, Abs. 4 oder 6 eine Anzeige nicht, nicht richtig oder nicht rechtzeitig erstattet,
10. entgegen § 193 Abs. 9 einen Unfall nicht in das Schiffstagebuch einträgt, nicht darstellt oder nicht in einer besonderen Niederschrift nachweist oder
11. entgegen § 198 oder 203 Abs. 1 Satz 1 eine Auskunft nicht, nicht richtig, nicht vollständig oder nicht rechtzeitig erteilt.

[2]In den Fällen der Nummer 5, die sich auf geringfügige Beschäftigungen in Privathaushalten im Sinne von § 8a des Vierten Buches[4] beziehen, findet § 266a Abs. 2 des Strafgesetzbuches[5] keine Anwendung.

---

[1] § 209 Abs. 1 Nr. 2 geänd. durch G v. 29.4.1997 (BGBl. I S. 968); Abs. 3 geänd. mWv 1.1.2002 durch G v. 21.12.2000 (BGBl. I S. 1983); Abs. 1 Satz 2 angef. mWv 1.8.2004 durch G v. 23.7.2004 (BGBl. I S. 1842); Abs. 1 Satz 1 Nr. 5 neu gef. mWv 1.1.2017 durch G v. 30.10.2008 (BGBl. I S. 2130, geänd. durch G v. 5.8.2010, BGBl. I S. 1127, G v. 12.4.2012, BGBl. I S. 579, durch G v. 5.12.2012, BGBl. I S. 2447 und durch G v. 15.4.2015, BGBl. I S. 583); Abs. 1 Satz 1 Nr. 2 neu gef., Nr. 3 geänd. mWv 30.12.2008 durch G v. 21.12.2008 (BGBl. I S. 2940); Abs. 1 Satz 1 Nr. 6 neu gef., Nr. 7a eingef. mWv 1.1.2013 durch G v. 12.4.2012 (BGBl. I S. 579).

[2] Satzzeichen redaktionell ergänzt.

[3] **beck-online, Module Arbeitsrecht Nr. 694.**

[4] Nr. **694**.

[5] **Habersack Nr. 85.**

(2) Ordnungswidrig handelt, wer als Unternehmer Versicherten Beiträge ganz oder zum Teil auf das Arbeitsentgelt anrechnet.

(3) Die Ordnungswidrigkeit kann in den Fällen des Absatzes 1 Nr. 1 bis 3 mit einer Geldbuße bis zu zehntausend Euro, in den Fällen des Absatzes 2 mit einer Geldbuße bis zu fünftausend Euro, in den übrigen Fällen mit einer Geldbuße bis zu zweitausendfünfhundert Euro geahndet werden.

§ 210[1)] Zuständige Verwaltungsbehörde. Verwaltungsbehörde im Sinne des § 36 Abs. 1 Nr. 1 des Gesetzes über Ordnungswidrigkeiten[2)] ist der Unfallversicherungsträger.

§ 211[3)] Zusammenarbeit bei der Verfolgung und Ahndung von Ordnungswidrigkeiten. [1] Zur Verfolgung und Ahndung von Ordnungswidrigkeiten arbeiten die Unfallversicherungsträger insbesondere mit den Behörden der Zollverwaltung, der Bundesagentur für Arbeit, den nach § 6 Abs. 1 Satz 1 Nr. 2 des Zweiten Buches[4)] zuständigen Trägern oder den nach § 6a des Zweiten Buches zugelassenen kommunalen Trägern, den Krankenkassen als Einzugsstellen für die Sozialversicherungsbeiträge, den in § 71 des Aufenthaltsgesetzes[5)] genannten Behörden, den Finanzbehörden, den nach Landesrecht für die Verfolgung und Ahndung von Ordnungswidrigkeiten nach dem Schwarzarbeitsbekämpfungsgesetz[6)] zuständigen Behörden, den Trägern der Sozialhilfe und den für den Arbeitsschutz zuständigen Landesbehörden zusammen, wenn sich im Einzelfall konkrete Anhaltspunkte für

1. Verstöße gegen das Schwarzarbeitsbekämpfungsgesetz,
2. eine Beschäftigung oder Tätigkeit von Ausländern ohne erforderlichen Aufenthaltstitel nach § 4a Absatz 5 Satz 1 des Aufenthaltsgesetzes[7)], eine Erlaubnis oder Berechtigung nach § 4a Absatz 5 Satz 2 in Verbindung mit Absatz 4 des Aufenthaltsgesetzes[7)], eine Aufenthaltsgestattung oder eine Duldung, die zur Ausübung der Beschäftigung berechtigen, oder eine Genehmigung nach § 284 Abs. 1 des Dritten Buches[8)];
3. Verstöße gegen die Mitwirkungspflicht nach § 60 Abs. 1 Satz 1 Nr. 2 des Ersten Buches[9)] gegenüber einer Dienststelle der Bundesagentur für Arbeit, einem Träger der gesetzlichen Kranken-, Pflege- oder Rentenversicherung, einem nach § 6 Abs. 1 Satz 1 Nr. 2 des Zweiten Buches zuständigen Träger oder einem nach § 6a des Zweiten Buches zugelassenen kommunalen

---

[1)] § 210 Abs. 2 und 3 aufgeh. mWv 5.11.2008 durch G v. 30.10.2008 (BGBl. I S. 2130).

[2)] **Habersack Nr. 94.**

[3)] § 211 Satz 1 Nr. 2 geänd. durch G v. 24.3.1997 (BGBl. I S. 594); Satz 4 aufgeh., bish. Satz 5 wird Satz 4 durch G v. 29.4.1997 (BGBl. I S. 968); Satz 1 einl. Satzteil geänd. und Nr. 3 neu gef., Satz 2 neu gef., Satz 3 geänd. durch G v. 16.12.1997 (BGBl. I S. 2970); Satz 1 geänd. mWv 1.1.2005 durch G v. 24.12.2003 (BGBl. I S. 2954); Satz 1 einl. Satzteil, Nrn. 2 und 7 sowie Satz 2 geänd. mWv 1.1.2005 durch G v. 30.7.2004 (BGBl. I S. 1950); einl. Satzteil und Nr. 3 geänd. mWv 6.8.2004 durch G v. 30.7.2004 (BGBl. I S. 2014); Satz 1 einl. Satzteil, Nrn. 1 und 2 geänd. mWv 18.3.2005 durch G v. 14.3.2005 (BGBl. I S. 721); Satz 1 Nr. 2 und 7 geänd., Nr. 8–10 eingef. mWv 30.12.2025 durch G v. 22.12.2025 (BGBl. 2025 I Nr. 369).

[4)] Nr. **692**.

[5)] **beck-online, Module Arbeitsrecht Nr. 760.**

[6)] Nr. **110**.

[7)] Nr. ***760***.

[8)] Nr. **700**.

[9)] Nr. **691**.

Träger oder einem Träger der Sozialhilfe oder gegen die Meldepflicht nach § 8a des Asylbewerberleistungsgesetzes[1)],
4. Verstöße gegen das Arbeitnehmerüberlassungsgesetz[2)],
5. Verstöße gegen die Bestimmungen des Vierten[3)] und Fünften Buches[4)] sowie dieses Buches über die Verpflichtung zur Zahlung von Sozialversicherungsbeiträgen, soweit sie im Zusammenhang mit den in den Nummern 1 bis 4 genannten Verstößen stehen,
6. Verstöße gegen die Steuergesetze,
7. Verstöße gegen das Aufenthaltsgesetz[5)],
8. Verstöße gegen das Gesetz zur Sicherung von Arbeitnehmerrechten in der Fleischwirtschaft[6)],
9. Verstöße gegen das Mindestlohngesetz[7)],
10. Verstöße gegen das Arbeitnehmer-Entsendegesetz[8)]

ergeben. [2] Sie unterrichten die für die Verfolgung und Ahndung zuständigen Behörden, die Träger der Sozialhilfe sowie die Behörden nach § 71 des Aufenthaltsgesetzes[9)]. [3] Die Unterrichtung kann auch Angaben über die Tatsachen, die für die Einziehung der Beitrage zur Unfallversicherung erforderlich sind, enthalten. [4] Medizinische und psychologische Daten, die über einen Versicherten erhoben worden sind, dürfen die Unfallversicherungsträger nicht übermitteln.

Zehntes Kapitel. Übergangsrecht

§ 212 Grundsatz. Die Vorschriften des Ersten bis Neunten Kapitels gelten für Versicherungsfälle, die nach dem Inkrafttreten dieses Gesetzes eintreten, soweit in den folgenden Vorschriften nicht etwas anderes bestimmt ist.

§ 213[10)] Versicherungsschutz. (1) [1] Unternehmer und ihre Ehegatten, die am Tag vor dem Inkrafttreten dieses Gesetzes nach § 539 Abs. 1 Nr. 3 oder 7 der Reichsversicherungsordnung[11)] in der zu diesem Zeitpunkt geltenden Fassung pflichtversichert waren und die nach § 2 nicht pflichtversichert sind, bleiben versichert, ohne daß es eines Antrags auf freiwillige Versicherung bedarf. [2] Die Versicherung wird als freiwillige Versicherung weitergeführt. [3] Sie erlischt mit Ablauf des Monats, in dem ein Antrag auf Beendigung dieser Versicherung beim Unfallversicherungsträger eingegangen ist; § 6 Abs. 2 Satz 2 bleibt unberührt.

---

1) Nr. **781**.
2) Nr. **730**.
3) Auszugsweise abgedruckt unter Nr. **694**.
4) Auszugsweise abgedruckt unter Nr. **695**.
5) Auszugsweise abgedruckt unter Nr. **760**.
6) Nr. **508**.
7) Nr. **505**.
8) Nr. **506**.
9) **beck-online, Module Arbeitsrecht Nr. 760.**
10) § 213 Überschr. geänd., Abs. 2 angef. mWv 1.1.2001 durch G v. 21.12.2000 (BGBl. I S. 1983); Abs. 3 angef. mWv 1.1.2009 durch G v. 21.12.2008 (BGBl. I S. 2940); Abs. 4 angef. mWv 1.8.2012 durch G v. 21.7.2012 (BGBl. I S. 1601); Abs. 5 angef. mWv 22.4.2015 durch G v. 15.4.2015 (BGBl. I S. 583); Abs. 1 Satz 3 geänd. mWv 5.4.2017 durch G v. 29.3.2017 (BGBl. I S. 626); Abs. 5 aufgeh. mWv 1.7.2020 durch G v. 12.6.2020 (BGBl. I S. 1248).
11) **beck-online, Module Arbeitsrecht Nr. 400d.**

(2) Die §§ 555a und 636 Abs. 3 der Reichsversicherungsordnung in der Fassung des Artikels II § 4 Nr. 12 und 15 des Gesetzes vom 18. August 1980 (BGBl. I S. 1469, 2218) gelten auch für Versicherungsfälle, die in der Zeit vom 24. Mai 1949 bis zum 31. Oktober 1977 eingetreten sind.

(3) § 2 Abs. 1 Nr. 16 in der Fassung des Artikels 1 Nr. 2 Buchstabe b des Unfallversicherungsmodernisierungsgesetzes vom 30. Oktober 2008 (BGBl. I S. 2130) gilt auch für Versicherungsfälle, die in der Zeit vom 1. Mai 2007 bis zum 4. November 2008 eingetreten sind.

(4) [1] § 12a gilt auch für Gesundheitsschäden, die in der Zeit vom 1. Dezember 1997 bis zum 31. Juli 2012 eingetreten sind. [2] Ansprüche auf Leistungen bestehen in diesen Fällen ab dem 1. August 2012.

§ 214[1)] Geltung auch für frühere Versicherungsfälle. (1) Die Vorschriften des Ersten und Fünften Abschnitts des Dritten Kapitels gelten auch für Versicherungsfälle, die vor dem Tag des Inkrafttretens dieses Gesetzes eingetreten sind; dies gilt nicht für die Vorschrift über Leistungen an Berechtigte im Ausland.

(2) [1] Die Vorschriften über den Jahresarbeitsverdienst gelten auch für Versicherungsfälle, die vor dem Tag des Inkrafttretens dieses Gesetzes eingetreten sind, wenn der Jahresarbeitsverdienst nach dem Inkrafttreten dieses Gesetzes erstmals oder aufgrund der §§ 90 und 91 neu festgesetzt wird. [2] Die Vorschrift des § 93 über den Jahresarbeitsverdienst für die Versicherten der landwirtschaftlichen Berufsgenossenschaften und ihre Hinterbliebenen gilt auch für Versicherungsfälle, die vor dem Inkrafttreten dieses Gesetzes eingetreten sind; die Geldleistungen sind von dem auf das Inkrafttreten dieses Gesetzes folgenden 1. Juli an neu festzustellen; die generelle Bestandsschutzregelung bleibt unberührt.

(3) [1] Die Vorschriften über Renten, Beihilfen, Abfindungen und Mehrleistungen gelten auch für Versicherungsfälle, die vor dem Tag des Inkrafttretens dieses Gesetzes eingetreten sind, wenn diese Leistungen nach dem Inkrafttreten dieses Gesetzes erstmals festzusetzen sind. [2] § 73 gilt auch für Versicherungsfälle, die vor dem Tag des Inkrafttretens dieses Gesetzes eingetreten sind.

(4) Soweit sich die Vorschriften über das Verfahren, den Datenschutz sowie die Beziehungen der Versicherungsträger zueinander und zu Dritten auf bestimmte Versicherungsfälle beziehen, gelten sie auch hinsichtlich der Versicherungsfälle, die vor dem Tag des Inkrafttretens dieses Gesetzes eingetreten sind.

§ 215 *(hier nicht wiedergegeben)*

§ 216[2)] *(aufgehoben)*

§ 217[3)] Bestandsschutz. (1) [1] Ist eine Geldleistung, die aufgrund des bis zum Inkrafttreten dieses Gesetzes geltenden Rechts festgestellt worden ist oder

---

[1)] § 214 Abs. 3 Satz 2 angef., Abs. 4 geänd. durch G v. 29.4.1997 (BGBl. I S. 968); Abs. 1 Satz 2 geänd. mWv 1.7.2001 durch G v. 19.6.2001 (BGBl. I S. 1046); Abs. 1 Satz 2 aufgeh. mWv 17.11. 2016 durch G v. 11.11.2016 (BGBl. I S. 2500); Abs. 2 Satz 1 geänd. mWv 1.1.2021 durch G v. 12.6. 2020 (BGBl. I S. 1248).

[2)] § 216 aufgeh. mWv 1.1.2025 durch G v. 17.7.2017 (BGBl. I S. 2575).

[3)] *§ 217 Abs. 4 geänd. durch G v. 29.4.1997* (BGBl. I S. 968); Abs. 3 Satz 2 aufgeh. mWv 1.1.2005 durch G v. 21.3.2005 (BGBl. I S. 818); Abs. 2 Satz 4 aufgeh. mWv 1.7.2015 durch G v. 15.4.2015 (BGBl. I S. 583); Abs. 3 aufgeh. mWv 1.7.2020 durch G v. 12.6.2020 (BGBl. I S. 1248).

hätte festgestellt werden müssen, höher, als sie nach diesem Buch sein würde, wird dem Berechtigten die höhere Leistung gezahlt. 2 Satz 1 gilt entsprechend für die Dauer einer Geldleistung. 3 Bei den nach § 2 Abs. 1 Nr. 5 Buchstabe b versicherten mitarbeitenden Familienangehörigen sind dabei auch die bisher gezahlten Zulagen an Schwerverletzte zu berücksichtigen.

(2) 1 Die §§ 590 bis 593, 598 und 600 Abs. 3 in Verbindung mit den §§ 602 und 614 der Reichsversicherungsordnung[1] in der am 31. Dezember 1985 geltenden Fassung sind weiter anzuwenden, wenn der Tod des Versicherten vor dem 1. Januar 1986 eingetreten ist. 2 § 80 Abs. 1 ist auch anzuwenden, wenn der Tod des Versicherten vor dem 1. Januar 1986 eingetreten ist und die neue Ehe nach dem Inkrafttreten dieses Gesetzes geschlossen wird. 3 Bei der Anwendung des § 65 Abs. 3 und des § 80 Abs. 3 gilt § 617 Abs. 2 und 6 der Reichsversicherungsordnung in der am Tag vor dem Inkrafttreten dieses Gesetzes geltenden Fassung.

(3) *(aufgehoben)*

(4) Artikel 1 § 9 Abs. 3 und § 10 Abs. 1 Satz 2 des Einundzwanzigsten Rentenanpassungsgesetzes vom 25. Juli 1978 (BGBl. I S. 1089) sind für die Anpassung der dort genannten Geldleistungen nach § 95 weiter anzuwenden.

§ 218[2] *(aufgehoben)*

§ 218a[3] **Leistungen an Hinterbliebene.** (1) Ist der Ehegatte vor dem 1. Januar 2002 verstorben oder wurde die Ehe vor diesem Tag geschlossen und ist mindestens ein Ehegatte vor dem 2. Januar 1962 geboren, gelten die Vorschriften über Renten an Witwen oder Witwer und Abfindungen mit der Maßgabe, dass

1. der Anspruch auf eine Rente nach § 65 Abs. 2 Nr. 2 ohne Beschränkung auf 24 Kalendermonate besteht,
2. auf eine Witwenrente oder eine Witwerrente das Einkommen anrechenbar ist, das monatlich das 26,4fache des aktuellen Rentenwerts übersteigt,
3. auf eine Abfindung nach § 80 Abs. 1 eine Rente nach § 65 Abs. 2 Nr. 2 nicht angerechnet wird.

(2) 1 Ist der Ehegatte vor dem 1. Januar 2012 verstorben, gelten die Vorschriften über Renten an Witwen oder Witwer mit der Maßgabe, dass der Anspruch auf eine Rente nach § 65 Abs. 2 Nr. 3 Buchstabe b ab Vollendung des 45. Lebensjahres besteht. 2 Ist der Ehegatte nach dem 31. Dezember 2011 verstorben, gilt für die Altersgrenze des § 65 Abs. 2 Nr. 3 Buchstabe b der § 242a Abs. 5 des Sechsten Buches[4] entsprechend.

§ 218b[5] **Rückwirkende Anerkennung von Berufskrankheiten.** Für die rückwirkende Anerkennung von Berufskrankheiten, die vor dem 1. Januar 2021 in der Verordnung nach § 9 Absatz 1 bezeichnet worden sind, gilt § 6 der Verordnung in der am 1. Januar 2021 geltenden Fassung.

---

[1] **beck-online, Module Arbeitsrecht Nr. 400d.**

[2] § 218 aufgeh. mWv 17.11.2016 durch G v. 11.11.2016 (BGBl. I S. 2500).

[3] § 218a eingef. mWv 1.1.2002 durch G v. 21.3.2001 (BGBl. I S. 403, geänd. durch G v. 17.7. 2001, BGBl. I S. 1598); Abs. 2 angef. mWv 1.1.2008 durch G v. 20.4.2007 (BGBl. I S. 554).

[4] **beck-online, Module Arbeitsrecht Nr. 696.**

[5] § 218b neu gef. mWv 1.1.2021 durch G v. 12.6.2020 (BGBl. I S. 1248).

§ 218c *(hier nicht wiedergegeben)*

§ 218d[1)] Besondere Zuständigkeiten. (1) Verändert sich aufgrund des § 128 Absatz 1 Nummer 1a, des § 129 Absatz 1 Nummer 1a und Absatz 4 oder des § 129a die Zuständigkeit für ein am 1. Januar 2013 bestehendes Unternehmen, ist dieses nach § 136 Absatz 1 Satz 4 zweite Alternative an den zuständigen Unfallversicherungsträger zu überweisen; die am 1. Januar 2013 in Kraft getretene Fassung des § 128 Absatz 1 Nummer 1a, des § 129 Absatz 1 Nummer 1a und Absatz 4 sowie des § 129a gilt insoweit als wesentliche Änderung.

(2) [1] Absatz 1 gilt nicht für Unternehmen im Sinne des § 128 Absatz 1 Nummer 1a und des § 129 Absatz 1 Nummer 1a, die am 31. Dezember 1996 bestanden haben und bei denen seitdem keine wesentliche Änderung im Sinne des § 136 Absatz 1 Satz 4 zweite Alternative eingetreten ist. [2] Dabei sind auch solche Änderungen wesentlich, die nach dem 31. Dezember 1996 eingetreten sind und nach dem § 128 Absatz 1 Nummer 1a, dem § 129 Absatz 1 Nummer 1a oder dem § 129a eine andere Zuständigkeit begründen.

(3) Absatz 1 gilt nicht für Unternehmen im Sinne des § 129 Absatz 1 Nummer 1, wenn deren Schwerpunkt im Ausnahmebereich des § 129 Absatz 4 Satz 1 liegt.

(4) Ab dem 1. Januar 2013 eintretende wesentliche Änderungen sind zu berücksichtigen.

§ 218e[2)] Übergangsregelungen aus Anlass des Übergangs der Beitragsüberwachung auf die Träger der Deutschen Rentenversicherung.

(1) [1] Soweit der Übergang der Prüfung nach § 166 Abs. 2 auf die Träger der Rentenversicherung bei diesen Personalbedarf auslöst, können die Träger der Rentenversicherung in entsprechendem Umfang Beschäftigte der Unfallversicherungsträger übernehmen, die am 31. Dezember 2009 ganz oder überwiegend die Prüfung der Arbeitgeber vornehmen. [2] Die Übernahme erfolgt im Zeitraum vom 1. Januar 2010 bis zum 31. Dezember 2011.

(2) [1] Der jeweilige Träger der Rentenversicherung tritt in den Fällen der nach Absatz 1 übergetretenen Beschäftigten in die Rechte und Pflichten aus den Arbeits- und Dienstverhältnissen ein. [2] Mit dem Zeitpunkt des Übertritts sind die bei dem neuen Arbeitgeber geltenden tarifvertraglichen Regelungen,

(Fortsetzung nächstes Blatt)

[1)] § 218d neu gef. mWv 1.1.2013 durch G v. 5.12.2012 (BGBl. I S. 2447); Abs. 5 aufgeh. mWv *1.7.2020 durch G v. 12.6.2020 (BGBl. I S. 1248).*

[2)] § 218e eingef. mWv 1.1.2010 durch G v. 30.10.2008 (BGBl. I S. 2130); Abs. 4 aufgeh. mWv 1.7. 2020 durch G v. 12.6.2020 (BGBl. I S. 1248).

Dienstvereinbarungen, Dienstordnungen oder sonstigen Vereinbarungen maßgebend. [3] Bei Beamten erfolgt die Übernahme im Wege der Versetzung; entsprechende beamtenrechtliche Vorschriften bleiben unberührt. [4] Die in einem Beschäftigungsverhältnis bei einem Träger der gesetzlichen Unfallversicherung verbrachten Zeiten gelten bei der Anwendung beamtenrechtlicher einschließlich besoldungs- und versorgungsrechtlicher Vorschriften und tarifvertraglicher Regelungen als bei der Deutschen Rentenversicherung verbrachte Zeiten. [5] Haben Beschäftigte aufgrund einer bisherigen tarifvertraglichen Regelung Anspruch auf ein höheres Arbeitsentgelt, erhalten sie, solange die Tätigkeit der Arbeitgeberprüfung weiterhin ausgeübt wird, eine Ausgleichszulage in Höhe der Differenz zwischen dem bisherigen Entgelt und dem Entgelt, das nach den Regelungen des Satzes 2 zusteht. [6] Der Anspruch auf Ausgleichszulage entfällt, sobald dazu eine neue tarifvertragliche Regelung vereinbart wird.

(3) [1] Handelt es sich bei übernommenen Beschäftigten um Dienstordnungsangestellte, tragen der aufnehmende Träger der Rentenversicherung und der abgebende Unfallversicherungsträger die Versorgungsbezüge anteilig, wenn der Versorgungsfall eintritt. [2] § 107b des Beamtenversorgungsgesetzes[1)] gilt sinngemäß. [3] Die übergetretenen Dienstordnungsangestellten sind innerhalb eines Jahres nach dem Übertritt in das Beamtenverhältnis zu berufen, wenn sie die erforderlichen beamtenrechtlichen Voraussetzungen erfüllen. [4] Sie sind unmittelbar in das Beamtenverhältnis auf Lebenszeit unter Verleihung des Amtes zu berufen, das ihrer besoldungsrechtlichen Stellung nach dem Dienstvertrag am Tag vor der Berufung in das Beamtenverhältnis entspricht, sofern sie die erforderlichen beamtenrechtlichen Voraussetzungen erfüllen.

§ 218f *(hier nicht wiedergegeben)*

§ 218g[2)] Übergangsregelungen bei epidemischer Lage von nationaler Tragweite. (1) [1] § 62 Absatz 2 Satz 1 gilt bis zum Ablauf von sechs Monaten nach Beendigung der durch das Coronavirus SARS-CoV-2 verursachten epidemischen Lage von nationaler Tragweite mit der Maßgabe, dass in den Fällen, in denen der Dreijahreszeitraum innerhalb dieser Zeit endet, die vorläufige Entschädigung spätestens nach Ablauf dieser Frist als Rente auf unbestimmte Zeit geleistet wird. [2] Voraussetzung für die Anwendung des Satzes 1 ist, dass der Umfang der Minderung der Erwerbsfähigkeit aufgrund dieser epidemischen Lage nicht abschließend festgestellt werden kann. [3] Satz 1 gilt nicht für Renten, die bereits auf unbestimmte Zeit geleistet werden.

(2) Anspruch auf eine Waisenrente besteht auch dann, wenn wegen der durch das Coronavirus SARS-CoV-2 verursachten epidemischen Lage von nationaler Tragweite

1. eine Schul- oder Berufsausbildung oder ein freiwilliger Dienst im Sinne des § 67 Absatz 3 Satz 1 Nummer 2 Buchstabe a und c nicht angetreten werden kann oder
2. die Übergangszeit nach § 67 Absatz 3 Satz 1 Nummer 2 Buchstabe b überschritten wird.

[1)] **Sartorius Nr. 155.**

[2)] § 218g eingef. mWv 1.1.2020 durch G v. 20.5.2020 (BGBl. I S. 1055); Abs. 3 angef. mWv 15.12.2020 und Abs. 3 Satz 1 geänd. mWv 4.3.2021 durch G v. 24.2.2021 (BGBl. I S. 274); Abs. 3 Satz 1 geänd. mWv 12.12.2021 durch G v. 10.12.2021 (BGBl. I S. 5162).

(3) [1] Personen, die eine Tätigkeit als Ärztin oder Arzt, Zahnärztin oder Zahnarzt, Tierärztin oder Tierarzt oder Apothekerin oder Apotheker in einem Impfzentrum im Sinne der Coronavirus-Impfverordnung oder einem Testzentrum im Sinne der Coronavirus-Testverordnung oder in den jeweils dort angegliederten mobilen Teams ausüben, sind kraft Gesetzes versichert. [2] Die Versicherung nach Satz 1 geht der Versicherung nach § 2 Absatz 1 Nummer 1 und 9 vor.

§§ 219–220 *(hier nicht wiedergegeben)*

§ 221[1)] Besondere Vorschriften für die landwirtschaftliche Unfallversicherung. (1) *(aufgehoben)*

(2) § 80a ist nur auf Versicherungsfälle anwendbar, die nach dem 31. Dezember 2007 eingetreten sind.

(3)–(5) *(aufgehoben)*

§§ 221a–225 *(hier nicht wiedergegeben)*

Anlagen
(hier nicht wiedergegeben)

[1)] § 221 neu gef. mWv 1.1.2008 durch G v. 18.12.2007 (BGBl. I S. 2984); Abs. 6 neu gef. mWv *22.7.2009 durch G v. 15.7.2009 (BGBl. I S. 1939)*; Abs. 5 neu gef. mWv 19.4.2012 ; Abs. 3 und 4 neu gef., Abs. 6 und 7 aufgeh. mWv 1.1.2013 durch G v. 12.4.2012 (BGBl. I S. 579); Abs. 1, 3–5 aufgeh. mWv 1.7.2020 durch G v. 12.6.2020 (BGBl. I S. 1248).

698. Sozialgesetzbuch (SGB) Neuntes Buch (IX) – Rehabilitation und Teilhabe behinderter Menschen –

Vom 19. Juni 2001
(BGBl. I S. 1046)

FNA 860-9

zuletzt geänd. durch Art. 165 G zum Abbau verzichtbarer Anordnungen der Schriftform im Verwaltungsrecht des Bundes v. 29.3.2017 (BGBl. I S. 626)

Wiedergegeben in beck-online, Module Arbeitsrecht.
Die Vorschrift tritt am 1.1.2018 außer Kraft, siehe ab diesem Zeitpunkt das Sozialgesetzbuch (SGB) Neuntes Buch (IX) - Rehabilitation und Teilhabe von Menschen mit Behinderungen - (Nr. 440).

699. Zehntes Buch Sozialgesetzbuch – Sozialverwaltungsverfahren und Sozialdatenschutz – (SGB X)

In der Fassung der Bekanntmachung vom 18. Januar 2001[1)]
(BGBl. I S. 130)

FNA 860-10-1

zuletzt geänd. durch Art. 2 G zur Änd. des RegisterzensuserprobungsG v. 16.4.2026 (BGBl. 2026 I Nr. 106)

– Auszug –[2)]

Erstes Kapitel. Verwaltungsverfahren

Erster Abschnitt. Anwendungsbereich, Zuständigkeit, Amtshilfe

§ 1 Anwendungsbereich. (1) [1] Die Vorschriften dieses Kapitels gelten für die öffentlich-rechtliche Verwaltungstätigkeit der Behörden, die nach diesem Gesetzbuch ausgeübt wird. [2] Für die öffentlich-rechtliche Verwaltungstätigkeit der Behörden der Länder, der Gemeinden und Gemeindeverbände, der sonstigen der Aufsicht des Landes unterstehenden juristischen Personen des öffentlichen Rechts zur Ausführung von besonderen Teilen dieses Gesetzbuches, die nach Inkrafttreten der Vorschriften dieses Kapitels Bestandteil des Sozialgesetzbuches werden, gilt dies nur, soweit diese besonderen Teile mit Zustimmung des Bundesrates die Vorschriften dieses Kapitels für anwendbar erklären. [3] Die Vorschriften gelten nicht für die Verfolgung und Ahndung von Ordnungswidrigkeiten.

(2) Behörde im Sinne dieses Gesetzbuches ist jede Stelle, die Aufgaben der öffentlichen Verwaltung wahrnimmt.

§ 2 Örtliche Zuständigkeit. (1) [1] Sind mehrere Behörden örtlich zuständig, entscheidet die Behörde, die zuerst mit der Sache befasst worden ist, es sei denn, die gemeinsame Aufsichtsbehörde bestimmt, dass eine andere örtlich zuständige Behörde zu entscheiden hat. [2] Diese Aufsichtsbehörde entscheidet ferner über die örtliche Zuständigkeit, wenn sich mehrere Behörden für zuständig oder für unzuständig halten oder wenn die Zuständigkeit aus anderen Gründen zweifelhaft ist. [3] Fehlt eine gemeinsame Aufsichtsbehörde, treffen die Aufsichtsbehörden die Entscheidung gemeinsam.

(2) Ändern sich im Lauf des Verwaltungsverfahrens die die Zuständigkeit begründenden Umstände, kann die bisher zuständige Behörde das Verwaltungsverfahren fortführen, wenn dies unter Wahrung der Interessen der Beteiligten der einfachen und zweckmäßigen Durchführung des Verfahrens dient und die nunmehr zuständige Behörde zustimmt.

(3) [1] Hat die örtliche Zuständigkeit gewechselt, muss die bisher zuständige Behörde die Leistungen noch solange erbringen, bis sie von der nunmehr zuständigen Behörde fortgesetzt werden. [2] Diese hat der bisher zuständigen

---

1) Neubekanntmachung des SGB X v. 18.8.1980 (BGBl. I S. 1469, 2218) in der ab 1.1.2001 geltenden Fassung.

2) Vollständig wiedergegeben in **beck-online, Module Arbeitsrecht.**

Behörde die nach dem Zuständigkeitswechsel noch erbrachten Leistungen auf Anforderung zu erstatten. [3] § 102 Abs. 2 gilt entsprechend.

(4) [1] Bei Gefahr im Verzug ist für unaufschiebbare Maßnahmen jede Behörde örtlich zuständig, in deren Bezirk der Anlass für die Amtshandlung hervortritt. [2] Die nach den besonderen Teilen dieses Gesetzbuches örtlich zuständige Behörde ist unverzüglich zu unterrichten.

§ 3 Amtshilfepflicht. (1) Jede Behörde leistet anderen Behörden auf Ersuchen ergänzende Hilfe (Amtshilfe).

(2) Amtshilfe liegt nicht vor, wenn

1. Behörden einander innerhalb eines bestehenden Weisungsverhältnisses Hilfe leisten,
2. die Hilfeleistung in Handlungen besteht, die der ersuchten Behörde als eigene Aufgabe obliegen.

§ 4 Voraussetzungen und Grenzen der Amtshilfe. (1) Eine Behörde kann um Amtshilfe insbesondere dann ersuchen, wenn sie

1. aus rechtlichen Gründen die Amtshandlung nicht selbst vornehmen kann,
2. aus tatsächlichen Gründen, besonders weil die zur Vornahme der Amtshandlung erforderlichen Dienstkräfte oder Einrichtungen fehlen, die Amtshandlung nicht selbst vornehmen kann,
3. zur Durchführung ihrer Aufgaben auf die Kenntnis von Tatsachen angewiesen ist, die ihr unbekannt sind und die sie selbst nicht ermitteln kann,
4. zur Durchführung ihrer Aufgaben Urkunden oder sonstige Beweismittel benötigt, die sich im Besitz der ersuchten Behörde befinden,
5. die Amtshandlung nur mit wesentlich größerem Aufwand vornehmen könnte als die ersuchte Behörde.

(2) [1] Die ersuchte Behörde darf Hilfe nicht leisten, wenn

1. sie hierzu aus rechtlichen Gründen nicht in der Lage ist,
2. durch die Hilfeleistung dem Wohl des Bundes oder eines Landes erhebliche Nachteile bereitet würden.

[2] Die ersuchte Behörde ist insbesondere zur Vorlage von Urkunden oder Akten sowie zur Erteilung von Auskünften nicht verpflichtet, wenn die Vorgänge nach einem Gesetz oder ihrem Wesen nach geheim gehalten werden müssen.

(3) Die ersuchte Behörde braucht Hilfe nicht zu leisten, wenn

1. eine andere Behörde die Hilfe wesentlich einfacher oder mit wesentlich geringerem Aufwand leisten kann,
2. sie die Hilfe nur mit unverhältnismäßig großem Aufwand leisten könnte,
3. sie unter Berücksichtigung der Aufgaben der ersuchenden Behörde durch die Hilfeleistung die Erfüllung ihrer eigenen Aufgaben ernstlich gefährden würde.

(4) Die ersuchte Behörde darf die Hilfe nicht deshalb verweigern, weil sie das Ersuchen aus anderen als den in Absatz 3 genannten Gründen oder weil sie die mit der Amtshilfe zu verwirklichende Maßnahme für unzweckmäßig hält.

(5) [1] Hält die ersuchte Behörde sich zur Hilfe nicht für verpflichtet, teilt sie der ersuchenden Behörde ihre Auffassung mit. [2] Besteht diese auf der Amtshilfe, entscheidet über die Verpflichtung zur Amtshilfe die gemeinsame Aufsichts-

behörde oder, sofern eine solche nicht besteht, die für die ersuchte Behörde zuständige Aufsichtsbehörde.

§ 5 Auswahl der Behörde. Kommen für die Amtshilfe mehrere Behörden in Betracht, soll nach Möglichkeit eine Behörde der untersten Verwaltungsstufe des Verwaltungszweiges ersucht werden, dem die ersuchende Behörde angehört.

§ 6 Durchführung der Amtshilfe. (1) Die Zulässigkeit der Maßnahme, die durch die Amtshilfe verwirklicht werden soll, richtet sich nach dem für die ersuchende Behörde, die Durchführung der Amtshilfe nach dem für die ersuchte Behörde geltenden Recht.

(2) [1] Die ersuchende Behörde trägt gegenüber der ersuchten Behörde die Verantwortung für die Rechtmäßigkeit der zu treffenden Maßnahme. [2] Die ersuchte Behörde ist für die Durchführung der Amtshilfe verantwortlich.

§ 7[1)] Kosten der Amtshilfe. (1) [1] Die ersuchende Behörde hat der ersuchten Behörde für die Amtshilfe keine Verwaltungsgebühr zu entrichten. [2] Auslagen hat sie der ersuchten Behörde auf Anforderung zu erstatten, wenn sie im Einzelfall 35 Euro, bei Amtshilfe zwischen Versicherungsträgern 100 Euro übersteigen. [3] Abweichende Vereinbarungen werden dadurch nicht berührt. [4] Leisten Behörden desselben Rechtsträgers einander Amtshilfe, werden die Auslagen nicht erstattet.

(2) Nimmt die ersuchte Behörde zur Durchführung der Amtshilfe eine kostenpflichtige Amtshandlung vor, stehen ihr die von einem Dritten hierfür geschuldeten Kosten (Verwaltungsgebühren, Benutzungsgebühren und Auslagen) zu.

Zweiter Abschnitt. Allgemeine Vorschriften über das Verwaltungsverfahren

Erster Titel. Verfahrensgrundsätze

§ 8 Begriff des Verwaltungsverfahrens. Das Verwaltungsverfahren im Sinne dieses Gesetzbuches ist die nach außen wirkende Tätigkeit der Behörden, die auf die Prüfung der Voraussetzungen, die Vorbereitung und den Erlass eines Verwaltungsaktes oder auf den Abschluss eines öffentlich-rechtlichen Vertrages gerichtet ist; es schließt den Erlass des Verwaltungsaktes oder den Abschluss des öffentlich-rechtlichen Vertrages ein.

§ 9 Nichtförmlichkeit des Verwaltungsverfahrens. [1] Das Verwaltungsverfahren ist an bestimmte Formen nicht gebunden, soweit keine besonderen Rechtsvorschriften für die Form des Verfahrens bestehen. [2] Es ist einfach, zweckmäßig und zügig durchzuführen.

§ 10 Beteiligungsfähigkeit. Fähig, am Verfahren beteiligt zu sein, sind
1. natürliche und juristische Personen,
2. Vereinigungen, soweit ihnen ein Recht zustehen kann,
3. Behörden.

[1)] § 7 Abs. 1 Satz 2 geänd. mWv 1.1.2002 durch G v. 21.12.2000 (BGBl. I S. 1983).

§ 11[1] Vornahme von Verfahrenshandlungen. (1) Fähig zur Vornahme von Verfahrenshandlungen sind

1. natürliche Personen, die nach bürgerlichem Recht geschäftsfähig sind,
2. natürliche Personen, die nach bürgerlichem Recht in der Geschäftsfähigkeit beschränkt sind, soweit sie für den Gegenstand des Verfahrens durch Vorschriften des bürgerlichen Rechts als geschäftsfähig oder durch Vorschriften des öffentlichen Rechts als handlungsfähig anerkannt sind,
3. juristische Personen und Vereinigungen (§ 10 Nr. 2) durch ihre gesetzlichen Vertreter oder durch besonders Beauftragte,
4. Behörden durch ihre Leiter, deren Vertreter oder Beauftragte.

(2) Betrifft ein Einwilligungsvorbehalt nach § 1825 des Bürgerlichen Gesetzbuches[2] den Gegenstand des Verfahrens, so ist ein geschäftsfähiger Betreuter nur insoweit zur Vornahme von Verfahrenshandlungen fähig, als er nach den Vorschriften des bürgerlichen Rechts ohne Einwilligung des Betreuers handeln kann oder durch Vorschriften des öffentlichen Rechts als handlungsfähig anerkannt ist.

(3) Die §§ 53 und 55 der Zivilprozessordnung[3] gelten entsprechend.

§ 12 Beteiligte. (1) Beteiligte sind

1. Antragsteller und Antragsgegner,
2. diejenigen, an die die Behörde den Verwaltungsakt richten will oder gerichtet hat,
3. diejenigen, mit denen die Behörde einen öffentlich-rechtlichen Vertrag schließen will oder geschlossen hat,
4. diejenigen, die nach Absatz 2 von der Behörde zu dem Verfahren hinzugezogen worden sind.

(2) [1] Die Behörde kann von Amts wegen oder auf Antrag diejenigen, deren rechtliche Interessen durch den Ausgang des Verfahrens berührt werden können, als Beteiligte hinzuziehen. [2] Hat der Ausgang des Verfahrens rechtsgestaltende Wirkung für einen Dritten, ist dieser auf Antrag als Beteiligter zu dem Verfahren hinzuzuziehen; soweit er der Behörde bekannt ist, hat diese ihn von der Einleitung des Verfahrens zu benachrichtigen.

(3) Wer anzuhören ist, ohne dass die Voraussetzungen des Absatzes 1 vorliegen, wird dadurch nicht Beteiligter.

§ 13[4] Bevollmächtigte und Beistände. (1) [1] Ein Beteiligter kann sich durch einen Bevollmächtigten vertreten lassen. [2] Die Vollmacht ermächtigt zu allen das Verwaltungsverfahren betreffenden Verfahrenshandlungen, sofern sich aus ihrem Inhalt nicht etwas anderes ergibt. [3] Der Bevollmächtigte hat auf Verlangen seine Vollmacht schriftlich nachzuweisen. [4] Ein Widerruf der Vollmacht wird der Behörde gegenüber erst wirksam, wenn er ihr zugeht.

(2) Die Vollmacht wird weder durch den Tod des Vollmachtgebers noch durch eine Veränderung in seiner Handlungsfähigkeit oder seiner gesetzlichen Vertretung aufgehoben; der Bevollmächtigte hat jedoch, wenn er für den Rechts-

---

[1] § 11 Abs. 2 geänd. mWv 1.1.2023 durch G v. 4.5.2021 (BGBl. I S. 882).

[2] **beck-online, Module Arbeitsrecht Nr. 50.**

[3] **beck-online, *Module* Arbeitsrecht Nr. 320.**

[4] § 13 Abs. 6 Satz 1 neu gef. mWv 1.2.2003 durch G v. 21.8.2002 (BGBl. I S. 3322); Abs. 5, Abs. 6 Satz 2 neu gef. mWv 18.12.2008 durch G v. 11.12.2008 (BGBl. I S. 2418).

nachfolger im Verwaltungsverfahren auftritt, dessen Vollmacht auf Verlangen schriftlich beizubringen.

(3) [1] Ist für das Verfahren ein Bevollmächtigter bestellt, muss sich die Behörde an ihn wenden. [2] Sie kann sich an den Beteiligten selbst wenden, soweit er zur Mitwirkung verpflichtet ist. [3] Wendet sich die Behörde an den Beteiligten, muss der Bevollmächtigte verständigt werden. [4] Vorschriften über die Zustellung an Bevollmächtigte bleiben unberührt.

(4) [1] Ein Beteiligter kann zu Verhandlungen und Besprechungen mit einem Beistand erscheinen. [2] Das von dem Beistand Vorgetragene gilt als von dem Beteiligten vorgebracht, soweit dieser nicht unverzüglich widerspricht.

(5) Bevollmächtigte und Beistände sind zurückzuweisen, wenn sie entgegen § 3 des Rechtsdienstleistungsgesetzes[1)] Rechtsdienstleistungen erbringen.

(6) [1] Bevollmächtigte und Beistände können vom Vortrag zurückgewiesen werden, wenn sie hierzu ungeeignet sind; vom mündlichen Vortrag können sie nur zurückgewiesen werden, wenn sie zum sachgemäßen Vortrag nicht fähig sind. [2] Nicht zurückgewiesen werden können Personen, die nach § 73 Abs. 2 Satz 1 und 2 Nr. 3 bis 9 des Sozialgerichtsgesetzes[2)] zur Vertretung im sozialgerichtlichen Verfahren befugt sind.

(7) [1] Die Zurückweisung nach den Absätzen 5 und 6 ist auch dem Beteiligten, dessen Bevollmächtigter oder Beistand zurückgewiesen wird, schriftlich mitzuteilen. [2] Verfahrenshandlungen des zurückgewiesenen Bevollmächtigten oder Beistandes, die dieser nach der Zurückweisung vornimmt, sind unwirksam.

§ 14[3)] Bestellung eines Empfangsbevollmächtigten. [1] Ein Beteiligter ohne Wohnsitz oder gewöhnlichen Aufenthalt, Sitz oder Geschäftsleitung im Inland hat der Behörde auf Verlangen innerhalb einer angemessenen Frist einen Empfangsbevollmächtigten im Inland zu benennen. [2] Unterlässt er dies, gilt ein an ihn gerichtetes Schriftstück am siebenten Tage nach der Aufgabe zur Post und ein elektronisch übermitteltes Dokument ***[bis 31.12.2024:*** am dritten Tage***][ab 1.1. 2025:*** *am vierten Tage]* nach der Absendung als zugegangen. [3] Dies gilt nicht, wenn feststeht, dass das Dokument den Empfänger nicht oder zu einem späteren Zeitpunkt erreicht hat. [4] Auf die Rechtsfolgen der Unterlassung ist der Beteiligte hinzuweisen.

§ 15[4)] Bestellung eines Vertreters von Amts wegen. (1) Ist ein Vertreter nicht vorhanden, hat das Gericht auf Ersuchen der Behörde einen geeigneten Vertreter zu bestellen

1. für einen Beteiligten, dessen Person unbekannt ist,
2. für einen abwesenden Beteiligten, dessen Aufenthalt unbekannt ist oder der an der Besorgung seiner Angelegenheiten verhindert ist,
3. für einen Beteiligten ohne Aufenthalt im Inland, wenn er der Aufforderung der Behörde, einen Vertreter zu bestellen, innerhalb der ihm gesetzten Frist nicht nachgekommen ist,

---

[1)] **Habersack ErgBd. Nr. 99.**

[2)] Nr. **680.**

[3)] § 14 neu gef. mWv 1.2.2003 durch G v. 21.8.2002 (BGBl. I S. 3322); Satz 2 geänd. mWv 1.1.2025 durch G v. 15.7.2024 (BGBl. 2024 I Nr. 236).

[4)] § 15 Abs. 1 einl. Satzteil, Abs. 2 Satz 1 geänd., Satz 2 angef. mWv 1.9.2009 durch G v. 17.12.2008 (BGBl. I S. 2586); Abs. 4 geänd. mWv 1.1.2023 durch G v. 4.5.2021 (BGBl. I S. 882).

4. für einen Beteiligten, der infolge einer psychischen Krankheit oder körperlichen, geistigen oder seelischen Behinderung nicht in der Lage ist, in dem Verwaltungsverfahren selbst tätig zu werden.

(2) [1] Für die Bestellung des Vertreters ist in den Fällen des Absatzes 1 Nr. 4 das Betreuungsgericht zuständig, in dessen Bezirk der Beteiligte seinen gewöhnlichen Aufenthalt hat; im Übrigen ist das Betreuungsgericht zuständig, in dessen Bezirk die ersuchende Behörde ihren Sitz hat. [2] Ist der Beteiligte minderjährig, tritt an die Stelle des Betreuungsgerichts das Familiengericht.

(3) [1] Der Vertreter hat gegen den Rechtsträger der Behörde, die um seine Bestellung ersucht hat, Anspruch auf eine angemessene Vergütung und auf die Erstattung seiner baren Auslagen. [2] Die Behörde kann von dem Vertretenen Ersatz ihrer Aufwendungen verlangen. [3] Sie bestimmt die Vergütung und stellt die Auslagen und Aufwendungen fest.

(4) Im Übrigen gelten für die Bestellung und für das Amt des Vertreters in den Fällen des Absatzes 1 Nr. 4 die Vorschriften über die Betreuung, in den übrigen Fällen die Vorschriften über die sonstige Pflegschaft entsprechend.

§ 16[1)] Ausgeschlossene Personen. (1) [1] In einem Verwaltungsverfahren darf für eine Behörde nicht tätig werden,

1. wer selbst Beteiligter ist,
2. wer Angehöriger eines Beteiligten ist,
3. wer einen Beteiligten kraft Gesetzes oder Vollmacht allgemein oder in diesem Verwaltungsverfahren vertritt oder als Beistand zugezogen ist,
4. wer Angehöriger einer Person ist, die einen Beteiligten in diesem Verfahren vertritt,
5. wer bei einem Beteiligten gegen Entgelt beschäftigt ist oder bei ihm als Mitglied des Vorstandes, des Aufsichtsrates oder eines gleichartigen Organs tätig ist; dies gilt nicht für den, dessen Anstellungskörperschaft Beteiligte ist, und nicht für Beschäftigte bei Betriebskrankenkassen,
6. wer außerhalb seiner amtlichen Eigenschaft in der Angelegenheit ein Gutachten abgegeben hat oder sonst tätig geworden ist.

[2] Dem Beteiligten steht gleich, wer durch die Tätigkeit oder durch die Entscheidung einen unmittelbaren Vorteil oder Nachteil erlangen kann. [3] Dies gilt nicht, wenn der Vor- oder Nachteil nur darauf beruht, dass jemand einer Berufs- oder Bevölkerungsgruppe angehört, deren gemeinsame Interessen durch die Angelegenheit berührt werden.

(2) [1] Absatz 1 gilt nicht für Wahlen zu einer ehrenamtlichen Tätigkeit und für die Abberufung von ehrenamtlich Tätigen. [2] Absatz 1 Nr. 3 und 5 gilt auch nicht für das Verwaltungsverfahren auf Grund der Beziehungen zwischen Ärzten, Zahnärzten und Krankenkassen.

(3) Wer nach Absatz 1 ausgeschlossen ist, darf bei Gefahr im Verzug unaufschiebbare Maßnahmen treffen.

[1)] *§ 16 Abs. 5 Satz 1 Nr. 1 und 6* geänd., Nr. 2 neu gef., Satz 2 Nr. 1 geänd. mWv 26.11.2015 durch G v. 20.11.2015 (BGBl. I S. 2010); Abs. 5 Satz 1 Nr. 1 geänd. mWv 22.12.2018 durch G v. 18.12.2018 (BGBl. I S. 2639).

(4) [1] Hält sich ein Mitglied eines Ausschusses oder Beirats für ausgeschlossen oder bestehen Zweifel, ob die Voraussetzungen des Absatzes 1 gegeben sind, ist dies dem Ausschuss oder Beirat mitzuteilen. [2] Der Ausschuss oder Beirat entscheidet über den Ausschluss. [3] Der Betroffene darf an dieser Entscheidung nicht mitwirken. [4] Das ausgeschlossene Mitglied darf bei der weiteren Beratung und Beschlussfassung nicht zugegen sein.

(5) [1] Angehörige im Sinne des Absatzes 1 Nr. 2 und 4 sind
1. der Verlobte,
2. der Ehegatte oder Lebenspartner,
3. Verwandte und Verschwägerte gerader Linie,
4. Geschwister,
5. Kinder der Geschwister,
6. Ehegatten oder Lebenspartner der Geschwister und Geschwister der Ehegatten oder Lebenspartner,
7. Geschwister der Eltern,
8. Personen, die durch ein auf längere Dauer angelegtes Pflegeverhältnis mit häuslicher Gemeinschaft wie Eltern und Kind miteinander verbunden sind (Pflegeeltern und Pflegekinder).

[2] Angehörige sind die in Satz 1 aufgeführten Personen auch dann, wenn
1. in den Fällen der Nummern 2, 3 und 6 die die Beziehung begründende Ehe oder Lebenspartnerschaft nicht mehr besteht,
2. in den Fällen der Nummern 3 bis 7 die Verwandtschaft oder Schwägerschaft durch Annahme als Kind erloschen ist,
3. im Falle der Nummer 8 die häusliche Gemeinschaft nicht mehr besteht, sofern die Personen weiterhin wie Eltern und Kind miteinander verbunden sind.

§ 17[1)] Besorgnis der Befangenheit. (1) [1] Liegt ein Grund vor, der geeignet ist, Misstrauen gegen eine unparteiische Amtsausübung zu rechtfertigen, oder wird von einem Beteiligten das Vorliegen eines solchen Grundes behauptet, hat, wer in einem Verwaltungsverfahren für eine Behörde tätig werden soll, den Leiter der Behörde oder den von diesem Beauftragten zu unterrichten und sich auf dessen Anordnung der Mitwirkung zu enthalten. [2] Betrifft die Besorgnis der Befangenheit den Leiter der Behörde, trifft diese Anordnung die Aufsichtsbehörde, sofern sich der Behördenleiter nicht selbst einer Mitwirkung enthält. [3] Bei den Geschäftsführern der Versicherungsträger tritt an die Stelle der Aufsichtsbehörde der Vorstand.

(2) Für Mitglieder eines Ausschusses oder Beirats gilt § 16 Abs. 4 entsprechend.

§ 18 Beginn des Verfahrens. [1] Die Behörde entscheidet nach pflichtgemäßem Ermessen, ob und wann sie ein Verwaltungsverfahren durchführt. [2] Dies gilt nicht, wenn die Behörde auf Grund von Rechtsvorschriften
1. von Amts wegen oder auf Antrag tätig werden muss,
2. nur auf Antrag tätig werden darf und ein Antrag nicht vorliegt.

---

1) § 17 Abs. 1 Satz 3 geänd. mWv 27.3.2002 durch G v. 23.3.2002 (BGBl. I S. 1130).

§ 19[1] **Amtssprache.** (1) [1]Die Amtssprache ist deutsch. [2]Menschen mit Hörbehinderungen und Menschen mit Sprachbehinderungen haben das Recht, in Deutscher Gebärdensprache, mit lautsprachbegleitenden Gebärden oder über andere geeignete Kommunikationshilfen zu kommunizieren; Kosten für Kommunikationshilfen sind von der Behörde oder dem für die Sozialleistung zuständigen Leistungsträger zu tragen. [3]§ 5 der Kommunikationshilfenverordnung[2] in der jeweils geltenden Fassung gilt entsprechend.

(1a) § 11 des Behindertengleichstellungsgesetzes[3] gilt in seiner jeweils geltenden Fassung für das Sozialverwaltungsverfahren entsprechend.

(2) [1]Werden bei einer Behörde in einer fremden Sprache Anträge gestellt oder Eingaben, Belege, Urkunden oder sonstige Dokumente vorgelegt, soll die Behörde unverzüglich die Vorlage einer Übersetzung innerhalb einer von ihr zu setzenden angemessenen Frist verlangen, sofern sie nicht in der Lage ist, die Anträge oder Dokumente zu verstehen. [2]In begründeten Fällen kann die Vorlage einer beglaubigten oder von einem öffentlich bestellten oder beeidigten Dolmetscher oder Übersetzer angefertigten Übersetzung verlangt werden. [3]Wird die verlangte Übersetzung nicht innerhalb der gesetzten Frist vorgelegt, kann die Behörde eine Übersetzung beschaffen und hierfür Ersatz ihrer Aufwendungen in angemessenem Umfang verlangen. [4]Falls die Behörde Dolmetscher oder Übersetzer herangezogen hat, die nicht Kommunikationshilfe im Sinne von Absatz 1 Satz 2 sind, erhalten sie auf Antrag in entsprechender Anwendung des Justizvergütungs- und -entschädigungsgesetzes[4] eine Vergütung; mit Dolmetschern oder Übersetzern kann die Behörde eine Vergütung vereinbaren.

(3) Soll durch eine Anzeige, einen Antrag oder die Abgabe einer Willenserklärung eine Frist in Lauf gesetzt werden, innerhalb deren die Behörde in einer bestimmten Weise tätig werden muss, und gehen diese in einer fremden Sprache ein, beginnt der Lauf der Frist erst mit dem Zeitpunkt, in dem der Behörde eine Übersetzung vorliegt.

(4) [1]Soll durch eine Anzeige, einen Antrag oder eine Willenserklärung, die in fremder Sprache eingehen, zugunsten eines Beteiligten eine Frist gegenüber der Behörde gewahrt, ein öffentlich-rechtlicher Anspruch geltend gemacht oder eine Sozialleistung begehrt werden, gelten die Anzeige, der Antrag oder die Willenserklärung als zum Zeitpunkt des Eingangs bei der Behörde abgegeben, wenn die Behörde in der Lage ist, die Anzeige, den Antrag oder die Willenserklärung zu verstehen, oder wenn innerhalb der gesetzten Frist eine Übersetzung vorgelegt wird. [2]Anderenfalls ist der Zeitpunkt des Eingangs der Übersetzung maßgebend. [3]Auf diese Rechtsfolge ist bei der Fristsetzung hinzuweisen.

§ 20 Untersuchungsgrundsatz. (1) [1]Die Behörde ermittelt den Sachverhalt von Amts wegen. [2]Sie bestimmt Art und Umfang der Ermittlungen; an das Vorbringen und an die Beweisanträge der Beteiligten ist sie nicht gebunden.

---

[1] § 19 Abs. 1 Satz 2 angef. mWv 1.7.2001 durch G v. 19.6.2001 (BGBl. I S. 1046); Abs. 2 Satz 1 geänd. mWv 1.2.2003 durch G v. 21.8.2002 (BGBl. I S. 3322); Abs. 2 Satz 4 geänd. mWv 1.7.2004 durch G v. 5.5.2004 (BGBl. I S. 718); Abs. 1 Satz 2 neu gef., Abs. 1a eingef. mWv 27.7.2016, Abs. 1 Satz 3 angef., Abs. 2 Satz 4 geänd. mWv 1.1.2017 durch G v. 19.7.2016 (BGBl. I S. 1757).

[2] ***Aichberger, SGB Nr. 9/24.***

[3] ***Aichberger, SGB Nr. 9/10.***

[4] Auszugsweise abgedruckt unter Nr. **669**.

(2) Die Behörde hat alle für den Einzelfall bedeutsamen, auch die für die Beteiligten günstigen Umstände zu berücksichtigen.

(3) Die Behörde darf die Entgegennahme von Erklärungen oder Anträgen, die in ihren Zuständigkeitsbereich fallen, nicht deshalb verweigern, weil sie die Erklärung oder den Antrag in der Sache für unzulässig oder unbegründet hält.

§ 21[1)] Beweismittel. (1) [1] Die Behörde bedient sich der Beweismittel, die sie nach pflichtgemäßem Ermessen zur Ermittlung des Sachverhalts für erforderlich hält. [2] Sie kann insbesondere

1. Auskünfte jeder Art, auch elektronisch und als elektronisches Dokument, einholen,
2. Beteiligte anhören, Zeugen und Sachverständige vernehmen oder die schriftliche oder elektronische Äußerung von Beteiligten, Sachverständigen und Zeugen einholen,
3. Urkunden und Akten beiziehen,
4. den Augenschein einnehmen.

[3] Urkunden und Akten können auch in elektronischer Form beigezogen werden, es sei denn, durch Rechtsvorschrift ist etwas anderes bestimmt.

(2) [1] Die Beteiligten sollen bei der Ermittlung des Sachverhalts mitwirken. [2] Sie sollen insbesondere ihnen bekannte Tatsachen und Beweismittel angeben. [3] Eine weitergehende Pflicht, bei der Ermittlung des Sachverhalts mitzuwirken, insbesondere eine Pflicht zum persönlichen Erscheinen oder zur Aussage, besteht nur, soweit sie durch Rechtsvorschrift besonders vorgesehen ist.

(3) [1] Für Zeugen und Sachverständige besteht eine Pflicht zur Aussage oder zur Erstattung von Gutachten, wenn sie durch Rechtsvorschrift vorgesehen ist. [2] Eine solche Pflicht besteht auch dann, wenn die Aussage oder die Erstattung von Gutachten im Rahmen von § 407 der Zivilprozessordnung[2)] zur Entscheidung über die Entstehung, Erbringung, Fortsetzung, das Ruhen, die Entziehung oder den Wegfall einer Sozialleistung sowie deren Höhe unabweisbar ist. [3] Die Vorschriften der Zivilprozessordnung über das Recht, ein Zeugnis oder ein Gutachten zu verweigern, über die Ablehnung von Sachverständigen sowie über die Vernehmung von Angehörigen des öffentlichen Dienstes als Zeugen oder Sachverständige gelten entsprechend. [4] Falls die Behörde Zeugen, Sachverständige und Dritte herangezogen hat, erhalten sie auf Antrag in entsprechender Anwendung des Justizvergütungs- und -entschädigungsgesetzes[3)] eine Entschädigung oder Vergütung; mit Sachverständigen kann die Behörde eine Vergütung vereinbaren.

(4) Die Finanzbehörden haben, soweit es im Verfahren nach diesem Gesetzbuch erforderlich ist, Auskunft über die ihnen bekannten Einkommens- oder Vermögensverhältnisse des Antragstellers, Leistungsempfängers, Erstattungspflichtigen, Unterhaltsverpflichteten, Unterhaltsberechtigten oder der zum Haushalt rechnenden Familienmitglieder zu erteilen.

[1)] § 21 Abs. 1 Satz 2 Nr. 2 geänd. mWv 1.2.2003 durch G v. 21.8.2002 (BGBl. I S. 3322); Abs. 3 Satz 4 geänd. mWv 1.7.2004 durch G v. 5.5.2004 (BGBl. I S. 718); Abs. 1 Satz 2 Nr. 1 geänd., Satz 3 angef. mWv 1.8.2013 durch G v. 25.7.2013 (BGBl. I S. 2749).

[2)] **beck-online, Module Arbeitsrecht Nr. 320.**

[3)] Auszugsweise abgedruckt unter Nr. **669**.

§ 22[1)] Vernehmung durch das Sozial- oder Verwaltungsgericht.

(1) [1] Verweigern Zeugen oder Sachverständige in den Fällen des § 21 Abs. 3 ohne Vorliegen eines der in den §§ 376, 383 bis 385 und 408 der Zivilprozessordnung[2)] bezeichneten Gründe die Aussage oder die Erstattung des Gutachtens, kann die Behörde je nach dem gegebenen Rechtsweg das für den Wohnsitz oder den Aufenthaltsort des Zeugen oder des Sachverständigen zuständige Sozial- oder Verwaltungsgericht um die Vernehmung ersuchen. [2] Befindet sich der Wohnsitz oder der Aufenthaltsort des Zeugen oder des Sachverständigen nicht am Sitz eines Sozial- oder Verwaltungsgerichts oder einer Zweigstelle eines Sozialgerichts oder einer besonders errichteten Kammer eines Verwaltungsgerichts, kann auch das zuständige Amtsgericht um die Vernehmung ersucht werden. [3] In dem Ersuchen hat die Behörde den Gegenstand der Vernehmung darzulegen sowie die Namen und Anschriften der Beteiligten anzugeben. [4] Das Gericht hat die Beteiligten von den Beweisterminen zu benachrichtigen.

(2) Hält die Behörde mit Rücksicht auf die Bedeutung der Aussage eines Zeugen oder des Gutachtens eines Sachverständigen oder zur Herbeiführung einer wahrheitsgemäßen Aussage die Beeidigung für geboten, kann sie das nach Absatz 1 zuständige Gericht um die eidliche Vernehmung ersuchen.

(3) Das Gericht entscheidet über die Rechtmäßigkeit einer Verweigerung des Zeugnisses, des Gutachtens oder der Eidesleistung.

(4) Ein Ersuchen nach Absatz 1 oder 2 an das Gericht darf nur von dem Behördenleiter, seinem allgemeinen Vertreter oder einem Angehörigen des öffentlichen Dienstes gestellt werden, der die Befähigung zum Richteramt hat.

§ 23[3)] Glaubhaftmachung, Versicherung an Eides statt. (1) [1] Sieht eine Rechtsvorschrift vor, dass für die Feststellung der erheblichen Tatsachen deren Glaubhaftmachung genügt, kann auch die Versicherung an Eides statt zugelassen werden. [2] Eine Tatsache ist dann als glaubhaft anzusehen, wenn ihr Vorliegen nach dem Ergebnis der Ermittlungen, die sich auf sämtliche erreichbaren Beweismittel erstrecken sollen, überwiegend wahrscheinlich ist.

(2) [1] Die Behörde darf bei der Ermittlung des Sachverhalts eine Versicherung an Eides statt nur verlangen und abnehmen, wenn die Abnahme der Versicherung über den betreffenden Gegenstand und in dem betreffenden Verfahren durch Gesetz oder Rechtsverordnung vorgesehen und die Behörde durch Rechtsvorschrift für zuständig erklärt worden ist. [2] Eine Versicherung an Eides statt soll nur gefordert werden, wenn andere Mittel zur Erforschung der Wahrheit nicht vorhanden sind, zu keinem Ergebnis geführt haben oder einen unverhältnismäßigen Aufwand erfordern. [3] Von eidesunfähigen Personen im Sinne des § 393 der Zivilprozessordnung[2)] darf eine eidesstattliche Versicherung nicht verlangt werden.

(3) [1] Wird die Versicherung an Eides statt von einer Behörde zur Niederschrift aufgenommen, sind zur Aufnahme nur der Behördenleiter, sein allgemeiner Vertreter sowie Angehörige des öffentlichen Dienstes befugt, welche die Befähigung zum Richteramt haben. [2] Andere Angehörige des öffentlichen

---

[1)] § 22 Abs. 4 geänd. mWv 1.8.2021 durch G v. 25.6.2021 (BGBl. I S. 2154).
[2)] **beck-online, Module Arbeitsrecht Nr. 320.**
[3)] § 23 Abs. 3 Satz 1 geänd. mWv 1.8.2021 durch G v. 25.6.2021 (BGBl. I S. 2154).

Dienstes kann der Behördenleiter oder sein allgemeiner Vertreter hierzu allgemein oder im Einzelfall schriftlich ermächtigen.

(4) [1]Die Versicherung besteht darin, dass der Versichernde die Richtigkeit seiner Erklärung über den betreffenden Gegenstand bestätigt und erklärt: „Ich versichere an Eides statt, dass ich nach bestem Wissen die reine Wahrheit gesagt und nichts verschwiegen habe." [2]Bevollmächtigte und Beistände sind berechtigt, an der Aufnahme der Versicherung an Eides statt teilzunehmen.

(5) [1]Vor der Aufnahme der Versicherung an Eides statt ist der Versichernde über die Bedeutung der eidesstattlichen Versicherung und die strafrechtlichen Folgen einer unrichtigen oder unvollständigen eidesstattlichen Versicherung zu belehren. [2]Die Belehrung ist in der Niederschrift zu vermerken.

(6) [1]Die Niederschrift hat ferner die Namen der anwesenden Personen sowie den Ort und den Tag der Niederschrift zu enthalten. [2]Die Niederschrift ist demjenigen, der die eidesstattliche Versicherung abgibt, zur Genehmigung vorzulesen oder auf Verlangen zur Durchsicht vorzulegen. [3]Die erteilte Genehmigung ist zu vermerken und von dem Versichernden zu unterschreiben. [4]Die Niederschrift ist sodann von demjenigen, der die Versicherung an Eides statt aufgenommen hat, sowie von dem Schriftführer zu unterschreiben.

§ 24[1)] Anhörung Beteiligter. (1) Bevor ein Verwaltungsakt erlassen wird, der in Rechte eines Beteiligten eingreift, ist diesem Gelegenheit zu geben, sich zu den für die Entscheidung erheblichen Tatsachen zu äußern.

(2) Von der Anhörung kann abgesehen werden, wenn

1. eine sofortige Entscheidung wegen Gefahr im Verzug oder im öffentlichen Interesse notwendig erscheint,
2. durch die Anhörung die Einhaltung einer für die Entscheidung maßgeblichen Frist in Frage gestellt würde,
3. von den tatsächlichen Angaben eines Beteiligten, die dieser in einem Antrag oder einer Erklärung gemacht hat, nicht zu seinen Ungunsten abgewichen werden soll,
4. Allgemeinverfügungen oder gleichartige Verwaltungsakte in größerer Zahl erlassen werden sollen,
5. einkommensabhängige Leistungen den geänderten Verhältnissen angepasst werden sollen,
6. Maßnahmen in der Verwaltungsvollstreckung getroffen werden sollen oder
7. gegen Ansprüche oder mit Ansprüchen von weniger als 70 Euro aufgerechnet oder verrechnet werden soll; Nummer 5 bleibt unberührt.

§ 25[2)] Akteneinsicht durch Beteiligte. (1) [1]Die Behörde hat den Beteiligten Einsicht in die das Verfahren betreffenden Akten zu gestatten, soweit deren Kenntnis zur Geltendmachung oder Verteidigung ihrer rechtlichen Interessen erforderlich ist. [2]Satz 1 gilt bis zum Abschluss des Verwaltungsverfahrens nicht für Entwürfe zu Entscheidungen sowie die Arbeiten zu ihrer unmittelbaren Vorbereitung.

[1)] § 24 Abs. 2 Nr. 7 geänd. mWv 1.1.2002 durch G v. 21.12.2000 (BGBl. I S. 1983).

[2)] § 25 Abs. 5 Satz 2 eingef., bish. Satz 2 wird Satz 3 mWv 1.8.2013 durch G v. 25.7.2013 (BGBl. I S. 2749).

(2) [1]Soweit die Akten Angaben über gesundheitliche Verhältnisse eines Beteiligten enthalten, kann die Behörde statt dessen den Inhalt der Akten dem Beteiligten durch einen Arzt vermitteln lassen. [2]Sie soll den Inhalt der Akten durch einen Arzt vermitteln lassen, soweit zu befürchten ist, dass die Akteneinsicht dem Beteiligten einen unverhältnismäßigen Nachteil, insbesondere an der Gesundheit, zufügen würde. [3]Soweit die Akten Angaben enthalten, die die Entwicklung und Entfaltung der Persönlichkeit des Beteiligten beeinträchtigen können, gelten die Sätze 1 und 2 mit der Maßgabe entsprechend, dass der Inhalt der Akten auch durch einen Bediensteten der Behörde vermittelt werden kann, der durch Vorbildung sowie Lebens- und Berufserfahrung dazu geeignet und befähigt ist. [4]Das Recht nach Absatz 1 wird nicht beschränkt.

(Fortsetzung nächstes Blatt)

(3) Die Behörde ist zur Gestattung der Akteneinsicht nicht verpflichtet, soweit die Vorgänge wegen der berechtigten Interessen der Beteiligten oder dritter Personen geheim gehalten werden müssen.

(4) [1]Die Akteneinsicht erfolgt bei der Behörde, die die Akten führt. [2]Im Einzelfall kann die Einsicht auch bei einer anderen Behörde oder bei einer diplomatischen oder berufskonsularischen Vertretung der Bundesrepublik Deutschland im Ausland erfolgen; weitere Ausnahmen kann die Behörde, die die Akten führt, gestatten.

(5) [1]Soweit die Akteneinsicht zu gestatten ist, können die Beteiligten Auszüge oder Abschriften selbst fertigen oder sich Ablichtungen durch die Behörde erteilen lassen. [2]Soweit die Akteneinsicht in eine elektronische Akte zu gestatten ist, kann die Behörde Akteneinsicht gewähren, indem sie Unterlagen ganz oder teilweise ausdruckt, elektronische Dokumente auf einem Bildschirm wiedergibt, elektronische Dokumente zur Verfügung stellt oder den elektronischen Zugriff auf den Inhalt der Akte gestattet. [3]Die Behörde kann Ersatz ihrer Aufwendungen in angemessenem Umfang verlangen.

Zweiter Titel. Fristen, Termine, Wiedereinsetzung

§ 26 Fristen und Termine. (1) Für die Berechnung von Fristen und für die Bestimmung von Terminen gelten die §§ 187 bis 193 des Bürgerlichen Gesetzbuches[1)] entsprechend, soweit nicht durch die Absätze 2 bis 5 etwas anderes bestimmt ist.

(2) Der Lauf einer Frist, die von einer Behörde gesetzt wird, beginnt mit dem Tag, der auf die Bekanntgabe der Frist folgt, außer wenn dem Betroffenen etwas anderes mitgeteilt wird.

(3) [1]Fällt das Ende einer Frist auf einen Sonntag, einen gesetzlichen Feiertag oder einen Sonnabend, endet die Frist mit dem Ablauf des nächstfolgenden Werktages. [2]Dies gilt nicht, wenn dem Betroffenen unter Hinweis auf diese Vorschrift ein bestimmter Tag als Ende der Frist mitgeteilt worden ist.

(4) Hat eine Behörde Leistungen nur für einen bestimmten Zeitraum zu erbringen, endet dieser Zeitraum auch dann mit dem Ablauf seines letzten Tages, wenn dieser auf einen Sonntag, einen gesetzlichen Feiertag oder einen Sonnabend fällt.

(5) Der von einer Behörde gesetzte Termin ist auch dann einzuhalten, wenn er auf einen Sonntag, gesetzlichen Feiertag oder Sonnabend fällt.

(6) Ist eine Frist nach Stunden bestimmt, werden Sonntage, gesetzliche Feiertage oder Sonnabende mitgerechnet.

(7) [1]Fristen, die von einer Behörde gesetzt sind, können verlängert werden. [2]Sind solche Fristen bereits abgelaufen, können sie rückwirkend verlängert werden, insbesondere wenn es unbillig wäre, die durch den Fristablauf eingetretenen Rechtsfolgen bestehen zu lassen. [3]Die Behörde kann die Verlängerung der Frist nach § 32 mit einer Nebenbestimmung verbinden.

§ 27 Wiedereinsetzung in den vorigen Stand. (1) [1]War jemand ohne Verschulden verhindert, eine gesetzliche Frist einzuhalten, ist ihm auf Antrag Wiedereinsetzung in den vorigen Stand zu gewähren. [2]Das Verschulden eines Vertreters ist dem Vertretenen zuzurechnen.

---

1) Nr. **50**.

(2) [1]Der Antrag ist innerhalb von zwei Wochen nach Wegfall des Hindernisses zu stellen. [2]Die Tatsachen zur Begründung des Antrages sind bei der Antragstellung oder im Verfahren über den Antrag glaubhaft zu machen. [3]Innerhalb der Antragsfrist ist die versäumte Handlung nachzuholen. [4]Ist dies geschehen, kann Wiedereinsetzung auch ohne Antrag gewährt werden.

(3) Nach einem Jahr seit dem Ende der versäumten Frist kann die Wiedereinsetzung nicht mehr beantragt oder die versäumte Handlung nicht mehr nachgeholt werden, außer wenn dies vor Ablauf der Jahresfrist infolge höherer Gewalt unmöglich war.

(4) Über den Antrag auf Wiedereinsetzung entscheidet die Behörde, die über die versäumte Handlung zu befinden hat.

(5) Die Wiedereinsetzung ist unzulässig, wenn sich aus einer Rechtsvorschrift ergibt, dass sie ausgeschlossen ist.

§ 28[1)] Wiederholte Antragstellung. (1) [1]Hat ein Leistungsberechtigter von der Stellung eines Antrages auf eine Sozialleistung abgesehen, weil ein Anspruch auf eine andere Sozialleistung geltend gemacht worden ist, und wird diese Leistung versagt oder ist sie zu erstatten, wirkt der nunmehr nachgeholte Antrag bis zu einem Jahr zurück, wenn er innerhalb von sechs Monaten nach Ablauf des Monats gestellt ist, in dem die Ablehnung oder Erstattung der anderen Leistung bindend geworden ist. [2]Satz 1 gilt auch dann, wenn der Antrag auf die zunächst geltend gemachte Sozialleistung zurückgenommen wird.

(2) Absatz 1 gilt auch dann, wenn der rechtzeitige Antrag auf eine andere Leistung aus Unkenntnis über deren Anspruchsvoraussetzung unterlassen wurde und die zweite Leistung gegenüber der ersten Leistung, wenn diese erbracht worden wäre, nachrangig gewesen wäre.

Dritter Abschnitt. Verwaltungsakt

Erster Titel. Zustandekommen des Verwaltungsaktes

§ 31 Begriff des Verwaltungsaktes. [1]Verwaltungsakt ist jede Verfügung, Entscheidung oder andere hoheitliche Maßnahme, die eine Behörde zur Regelung eines Einzelfalles auf dem Gebiet des öffentlichen Rechts trifft und die auf unmittelbare Rechtswirkung nach außen gerichtet ist. [2]Allgemeinverfügung ist ein Verwaltungsakt, der sich an einen nach allgemeinen Merkmalen bestimmten oder bestimmbaren Personenkreis richtet oder die öffentlich-rechtliche Eigenschaft einer Sache oder ihre Benutzung durch die Allgemeinheit betrifft.

§ 31a[2)] Vollständig automatisierter Erlass eines Verwaltungsaktes.

[1]Ein Verwaltungsakt kann vollständig durch automatische Einrichtungen erlassen werden, sofern kein Anlass besteht, den Einzelfall durch Amtsträger zu bearbeiten. [2]Setzt die Behörde automatische Einrichtungen zum Erlass von Verwaltungsakten ein, muss sie für den Einzelfall bedeutsame tatsächliche Angaben des Beteiligten berücksichtigen, die im automatischen Verfahren nicht ermittelt würden.

---

1) § 28 bish. Satz 1 wird Absatz 1 und Satz 2 angef., bish. Satz 2 wird Abs. 2 und geänd. mWv 1.7.2020 durch G v. 12.6.2020 (BGBl. I S. 1248).

2) § 31a eingef. mWv 1.1.2017 durch G v. 18.7.2016 (BGBl. I S. 1679).

§ 32 Nebenbestimmungen zum Verwaltungsakt. (1) Ein Verwaltungsakt, auf den ein Anspruch besteht, darf mit einer Nebenbestimmung nur versehen werden, wenn sie durch Rechtsvorschrift zugelassen ist oder wenn sie sicherstellen soll, dass die gesetzlichen Voraussetzungen des Verwaltungsaktes erfüllt werden.

(2) Unbeschadet des Absatzes 1 darf ein Verwaltungsakt nach pflichtgemäßem Ermessen erlassen werden mit

1. einer Bestimmung, nach der eine Vergünstigung oder Belastung zu einem bestimmten Zeitpunkt beginnt, endet oder für einen bestimmten Zeitraum gilt (Befristung),
2. einer Bestimmung, nach der der Eintritt oder der Wegfall einer Vergünstigung oder einer Belastung von dem ungewissen Eintritt eines zukünftigen Ereignisses abhängt (Bedingung),
3. einem Vorbehalt des Widerrufs

oder verbunden werden mit

4. einer Bestimmung, durch die dem Begünstigten ein Tun, Dulden oder Unterlassen vorgeschrieben wird (Auflage),
5. einem Vorbehalt der nachträglichen Aufnahme, Änderung oder Ergänzung einer Auflage.

(3) Eine Nebenbestimmung darf dem Zweck des Verwaltungsaktes nicht zuwiderlaufen.

§ 33[1)] Bestimmtheit und Form des Verwaltungsaktes. (1) Ein Verwaltungsakt muss inhaltlich hinreichend bestimmt sein.

(2) [1] Ein Verwaltungsakt kann schriftlich, elektronisch, mündlich oder in anderer Weise erlassen werden. [2] Ein mündlicher Verwaltungsakt ist schriftlich oder elektronisch zu bestätigen, wenn hieran ein berechtigtes Interesse besteht und der Betroffene dies unverzüglich verlangt. [3] Ein elektronischer Verwaltungsakt ist unter denselben Voraussetzungen schriftlich zu bestätigen; § 36a Absatz 2 und 2a des Ersten Buches[2)] findet insoweit keine Anwendung.

(3) [1] Ein schriftlicher oder elektronischer Verwaltungsakt muss die erlassende Behörde erkennen lassen und die Unterschrift oder die Namenswiedergabe des Behördenleiters, seines Vertreters oder seines Beauftragten enthalten. [2] Wird für einen Verwaltungsakt, für den durch Rechtsvorschrift die Schriftform angeordnet ist, die elektronische Form verwendet, muss auch das der Signatur zugrunde liegende qualifizierte Zertifikat oder ein zugehöriges qualifiziertes Attributzertifikat die erlassende Behörde erkennen lassen. [3] Im Fall des § 36a Absatz 2a Nummer 3 Buchstabe b des Ersten Buches muss die Bestätigung nach § 5 Absatz 5 des De-Mail-Gesetzes die erlassende Behörde als Nutzer des De-Mail-Kontos erkennen lassen.

(4) Für einen Verwaltungsakt kann für die nach § 36a Absatz 2 des Ersten Buches erforderliche Signatur oder für das nach § 36a Absatz 2a Nummer 3 Buchstabe a des Ersten Buches erforderliche Siegel durch Rechtsvorschrift die dauerhafte Überprüfbarkeit vorgeschrieben werden.

[1)] § 33 Abs. 2 Sätze 1 und 2 geänd., Satz 3 angef., Abs. 3 neu gef. sowie Abs. 4 eingef., bish. Abs. 4 wird Abs. 5 und Satz 1 neu gef. mWv 1.2.2003 durch G v. 21.8.2002 (BGBl. I S. 3322); Abs. 3 Satz 3 angef. mWv 1.8.2013 durch G v. 25.7.2013 (BGBl. I S. 2749); Abs. 2 Satz 3, Abs. 3 Satz 3 und Abs. 4 geänd. mWv 1.1.2024 durch G v. 22.12.2023 (BGBl. 2023 I Nr. 408).

[2)] Nr. **691**.

(5) [1] Bei einem Verwaltungsakt, der mit Hilfe automatischer Einrichtungen erlassen wird, können abweichend von Absatz 3 Satz 1 Unterschrift und Namenswiedergabe fehlen; bei einem elektronischen Verwaltungsakt muss auch das der Signatur zugrunde liegende Zertifikat nur die erlassende Behörde erkennen lassen. [2] Zur Inhaltsangabe können Schlüsselzeichen verwendet werden, wenn derjenige, für den der Verwaltungsakt bestimmt ist oder der von ihm betroffen wird, auf Grund der dazu gegebenen Erläuterungen den Inhalt des Verwaltungsaktes eindeutig erkennen kann.

§ 34 Zusicherung. (1) [1] Eine von der zuständigen Behörde erteilte Zusage, einen bestimmten Verwaltungsakt später zu erlassen oder zu unterlassen (Zusicherung), bedarf zu ihrer Wirksamkeit der schriftlichen Form. [2] Ist vor dem Erlass des zugesicherten Verwaltungsaktes die Anhörung Beteiligter oder die Mitwirkung einer anderen Behörde oder eines Ausschusses auf Grund einer Rechtsvorschrift erforderlich, darf die Zusicherung erst nach Anhörung der Beteiligten oder nach Mitwirkung dieser Behörde oder des Ausschusses gegeben werden.

(2) Auf die Unwirksamkeit der Zusicherung finden, unbeschadet des Absatzes 1 Satz 1, § 40, auf die Heilung von Mängeln bei der Anhörung Beteiligter und der Mitwirkung anderer Behörden oder Ausschüsse § 41 Abs. 1 Nr. 3 bis 6 sowie Abs. 2, auf die Rücknahme §§ 44 und 45, auf den Widerruf, unbeschadet des Absatzes 3, §§ 46 und 47 entsprechende Anwendung.

(3) Ändert sich nach Abgabe der Zusicherung die Sach- oder Rechtslage derart, dass die Behörde bei Kenntnis der nachträglich eingetretenen Änderung die Zusicherung nicht gegeben hätte oder aus rechtlichen Gründen nicht hätte geben dürfen, ist die Behörde an die Zusicherung nicht mehr gebunden.

§ 35[1)] Begründung des Verwaltungsaktes. (1) [1] Ein schriftlicher oder elektronischer sowie ein schriftlich oder elektronisch bestätigter Verwaltungsakt ist mit einer Begründung zu versehen. [2] In der Begründung sind die wesentlichen tatsächlichen und rechtlichen Gründe mitzuteilen, die die Behörde zu ihrer Entscheidung bewogen haben. [3] Die Begründung von Ermessensentscheidungen muss auch die Gesichtspunkte erkennen lassen, von denen die Behörde bei der Ausübung ihres Ermessens ausgegangen ist.

(2) Einer Begründung bedarf es nicht,

1. soweit die Behörde einem Antrag entspricht oder einer Erklärung folgt und der Verwaltungsakt nicht in Rechte eines anderen eingreift,
2. soweit demjenigen, für den der Verwaltungsakt bestimmt ist oder der von ihm betroffen wird, die Auffassung der Behörde über die Sach- und Rechtslage bereits bekannt oder auch ohne Begründung für ihn ohne weiteres erkennbar ist,
3. wenn die Behörde gleichartige Verwaltungsakte in größerer Zahl oder Verwaltungsakte mit Hilfe automatischer Einrichtungen erlässt und die Begründung nach den Umständen des Einzelfalles nicht geboten ist,
4. wenn sich dies aus einer Rechtsvorschrift ergibt,
5. wenn eine Allgemeinverfügung öffentlich bekannt gegeben wird.

[1)] § 35 Abs. 1 Satz 1 neu gef. sowie Abs. 2 Nr. 2 und Abs. 3 geänd. mWv 1.2.2003 durch G v. 21.8.2002 (BGBl. I S. 3322).

(3) In den Fällen des Absatzes 2 Nr. 1 bis 3 ist der Verwaltungsakt schriftlich oder elektronisch zu begründen, wenn der Beteiligte, dem der Verwaltungsakt bekannt gegeben ist, es innerhalb eines Jahres seit Bekanntgabe verlangt.

§ 36[1)] Rechtsbehelfsbelehrung. [1]Erlässt die Behörde einen schriftlichen Verwaltungsakt oder bestätigt sie schriftlich einen Verwaltungsakt, ist der durch ihn beschwerte Beteiligte über den Rechtsbehelf und die Behörde oder das Gericht, bei denen der Rechtsbehelf anzubringen ist, deren Sitz, die einzuhaltende Frist und die Form schriftlich zu belehren. [2]Erlässt die Behörde einen elektronischen Verwaltungsakt oder bestätigt sie elektronisch einen Verwaltungsakt, hat die Rechtsbehelfsbelehrung nach Satz 1 elektronisch zu erfolgen.

§ 37[2)] Bekanntgabe des Verwaltungsaktes. (1) [1]Ein Verwaltungsakt ist demjenigen Beteiligten bekannt zu geben, für den er bestimmt ist oder der von ihm betroffen wird. [2]Ist ein Bevollmächtigter bestellt, kann die Bekanntgabe ihm gegenüber vorgenommen werden.

(2) [1]Ein schriftlicher Verwaltungsakt, der im Inland durch die Post übermittelt wird, gilt am vierten Tag nach der Aufgabe zur Post als bekannt gegeben. [2]Ein Verwaltungsakt, der im Inland oder Ausland elektronisch übermittelt wird, gilt am vierten Tag nach der Absendung als bekannt gegeben. [3]Dies gilt nicht, wenn der Verwaltungsakt nicht oder zu einem späteren Zeitpunkt zugegangen ist; im Zweifel hat die Behörde den Zugang des Verwaltungsaktes und den Zeitpunkt des Zugangs nachzuweisen.

(2a) [1]Mit Einwilligung des Beteiligten können elektronische Verwaltungsakte bekannt gegeben werden, indem sie dem Beteiligten zum Abruf über öffentlich zugängliche Netze bereitgestellt werden. [2]Die Einwilligung kann jederzeit mit Wirkung für die Zukunft widerrufen werden. [3]Die Behörde hat zu gewährleisten, dass der Abruf nur nach Authentifizierung der berechtigten Person möglich ist und der elektronische Verwaltungsakt von ihr gespeichert werden kann. [4]Ein zum Abruf bereitgestellter Verwaltungsakt gilt am vierten Tag nach Absendung der elektronischen Benachrichtigung über die Bereitstellung des Verwaltungsaktes an die abrufberechtigte Person als bekannt gegeben. [5]Im Zweifel hat die Behörde den Zugang der Benachrichtigung nachzuweisen. [6]Kann die Behörde den von der abrufberechtigten Person bestrittenen Zugang der Benachrichtigung nicht nachweisen, gilt der Verwaltungsakt an dem Tag als bekannt gegeben, an dem die abrufberechtigte Person den Verwaltungsakt abgerufen hat. [7]Das Gleiche gilt, wenn die abrufberechtigte Person unwiderlegbar vorträgt, die Benachrichtigung nicht innerhalb von vier Tagen nach der Absendung erhalten zu haben. [8]Die Möglichkeit einer erneuten Bereitstellung zum Abruf oder der Bekanntgabe auf andere Weise bleibt unberührt.

[1)] § 36 Satz 2 angef. mWv 5.4.2017 durch G v. 29.3.2017 (BGBl. I S. 626).

[2)] § 37 Abs. 2 neu gef. und Abs. 4 Satz 1 geänd. mWv 1.2.2003 durch G v. 21.8.2002 (BGBl. I S. 3322); Abs. 2 Satz 1 neu gef., Satz 2 eingef., bish. Satz 2 wird Satz 3 mWv 1.1.2009 durch G v. 21.12.2008 (BGBl. I S. 2940); Abs. 2a eingef. mWv 1.1.2017 durch G v. 18.7.2016 (BGBl. I S. 1679); Abs. 2b eingef. mWv 1.7.2020 durch G v. 12.6.2020 (BGBl. I S. 1248); Abs. 2a und 2b neu gef. mWv 10.12.2020 durch G v. 3.12.2020 (BGBl. I S. 2668); Abs. 2 Satz 1 und 2, Abs. 2a Satz 4 geänd. mWv 1.1.2025 durch G v. 15.7.2024 (BGBl. 2024 I Nr. 236); Abs. 2a Satz 7 geänd. mWv 24.12.2025 durch G v. 22.12.2025 (BGBl. 2025 I Nr. 355).

(2b) In Angelegenheiten nach dem Abschnitt 1 des Bundeselterngeld- und Elternzeitgesetzes[1] gilt abweichend von Absatz 2a für die Bekanntgabe von elektronischen Verwaltungsakten § 9 des Onlinezugangsgesetzes.

(3) [1] Ein Verwaltungsakt darf öffentlich bekannt gegeben werden, wenn dies durch Rechtsvorschrift zugelassen ist. [2] Eine Allgemeinverfügung darf auch dann öffentlich bekannt gegeben werden, wenn eine Bekanntgabe an die Beteiligten untunlich ist.

(4) [1] Die öffentliche Bekanntgabe eines schriftlichen oder elektronischen Verwaltungsaktes wird dadurch bewirkt, dass sein verfügender Teil in der jeweils vorgeschriebenen Weise entweder ortsüblich oder in der sonst für amtliche Veröffentlichungen vorgeschriebenen Art bekannt gemacht wird. [2] In der Bekanntmachung ist anzugeben, wo der Verwaltungsakt und seine Begründung eingesehen werden können. [3] Der Verwaltungsakt gilt zwei Wochen nach der Bekanntmachung als bekannt gegeben. [4] In einer Allgemeinverfügung kann ein hiervon abweichender Tag, jedoch frühestens der auf die Bekanntmachung folgende Tag bestimmt werden.

(5) Vorschriften über die Bekanntgabe eines Verwaltungsaktes mittels Zustellung bleiben unberührt.

§ 38[2] Offenbare Unrichtigkeiten im Verwaltungsakt. [1] Die Behörde kann Schreibfehler, Rechenfehler und ähnliche offenbare Unrichtigkeiten in einem Verwaltungsakt jederzeit berichtigen. [2] Bei berechtigtem Interesse des Beteiligten ist zu berichtigen. [3] Die Behörde ist berechtigt, die Vorlage des Dokumentes zu verlangen, das berichtigt werden soll.

Zweiter Titel. Bestandskraft des Verwaltungsaktes

§ 39 Wirksamkeit des Verwaltungsaktes. (1) [1] Ein Verwaltungsakt wird gegenüber demjenigen, für den er bestimmt ist oder der von ihm betroffen wird, in dem Zeitpunkt wirksam, in dem er ihm bekannt gegeben wird. [2] Der Verwaltungsakt wird mit dem Inhalt wirksam, mit dem er bekannt gegeben wird.

(Fortsetzung nächstes Blatt)

[1] Auszugsweise abgedruckt unter Nr. **401**.
[2] § 38 Satz 3 geänd. mWv 1.2.2003 durch G v. 21.8.2002 (BGBl. I S. 3322).

(2) Ein Verwaltungsakt bleibt wirksam, solange und soweit er nicht zurückgenommen, widerrufen, anderweitig aufgehoben oder durch Zeitablauf oder auf andere Weise erledigt ist.

(3) Ein nichtiger Verwaltungsakt ist unwirksam.

§ 40[1] Nichtigkeit des Verwaltungsaktes. (1) Ein Verwaltungsakt ist nichtig, soweit er an einem besonders schwerwiegenden Fehler leidet und dies bei verständiger Würdigung aller in Betracht kommenden Umstände offensichtlich ist.

(2) Ohne Rücksicht auf das Vorliegen der Voraussetzungen des Absatzes 1 ist ein Verwaltungsakt nichtig,
1. der schriftlich oder elektronisch erlassen worden ist, die erlassende Behörde aber nicht erkennen lässt,
2. der nach einer Rechtsvorschrift nur durch die Aushändigung einer Urkunde erlassen werden kann, aber dieser Form nicht genügt,
3. den aus tatsächlichen Gründen niemand ausführen kann,
4. der die Begehung einer rechtswidrigen Tat verlangt, die einen Straf- oder Bußgeldtatbestand verwirklicht,
5. der gegen die guten Sitten verstößt.

(3) Ein Verwaltungsakt ist nicht schon deshalb nichtig, weil
1. Vorschriften über die örtliche Zuständigkeit nicht eingehalten worden sind,
2. eine nach § 16 Abs. 1 Satz 1 Nr. 2 bis 6 ausgeschlossene Person mitgewirkt hat,
3. ein durch Rechtsvorschrift zur Mitwirkung berufener Ausschuss den für den Erlass des Verwaltungsaktes vorgeschriebenen Beschluss nicht gefasst hat oder nicht beschlussfähig war,
4. die nach einer Rechtsvorschrift erforderliche Mitwirkung einer anderen Behörde unterblieben ist.

(4) Betrifft die Nichtigkeit nur einen Teil des Verwaltungsaktes, ist er im Ganzen nichtig, wenn der nichtige Teil so wesentlich ist, dass die Behörde den Verwaltungsakt ohne den nichtigen Teil nicht erlassen hätte.

(5) Die Behörde kann die Nichtigkeit jederzeit von Amts wegen feststellen; auf Antrag ist sie festzustellen, wenn der Antragsteller hieran ein berechtigtes Interesse hat.

§ 41 Heilung von Verfahrens- und Formfehlern. (1) Eine Verletzung von Verfahrens- oder Formvorschriften, die nicht den Verwaltungsakt nach § 40 nichtig macht, ist unbeachtlich, wenn
1. der für den Erlass des Verwaltungsaktes erforderliche Antrag nachträglich gestellt wird,
2. die erforderliche Begründung nachträglich gegeben wird,
3. die erforderliche Anhörung eines Beteiligten nachgeholt wird,
4. der Beschluss eines Ausschusses, dessen Mitwirkung für den Erlass des Verwaltungsaktes erforderlich ist, nachträglich gefasst wird,
5. die erforderliche Mitwirkung einer anderen Behörde nachgeholt wird,
6. die erforderliche Hinzuziehung eines Beteiligten nachgeholt wird.

---

[1] § 40 Abs. 2 Nr. 1 geänd. mWv 1. 2. 2003 durch G v. 21. 8. 2002 (BGBl. I S. 3322).

(2) Handlungen nach Absatz 1 Nr. 2 bis 6 können bis zur letzten Tatsacheninstanz eines sozial- oder verwaltungsgerichtlichen Verfahrens nachgeholt werden.

(3) [1] Fehlt einem Verwaltungsakt die erforderliche Begründung oder ist die erforderliche Anhörung eines Beteiligten vor Erlass des Verwaltungsaktes unterblieben und ist dadurch die rechtzeitige Anfechtung des Verwaltungsaktes versäumt worden, gilt die Versäumung der Rechtsbehelfsfrist als nicht verschuldet. [2] Das für die Wiedereinsetzungsfrist maßgebende Ereignis tritt im Zeitpunkt der Nachholung der unterlassenen Verfahrenshandlung ein.

§ 42 Folgen von Verfahrens- und Formfehlern. [1] Die Aufhebung eines Verwaltungsaktes, der nicht nach § 40 nichtig ist, kann nicht allein deshalb beansprucht werden, weil er unter Verletzung von Vorschriften über das Verfahren, die Form oder die örtliche Zuständigkeit zustande gekommen ist, wenn offensichtlich ist, dass die Verletzung die Entscheidung in der Sache nicht beeinflusst hat. [2] Satz 1 gilt nicht, wenn die erforderliche Anhörung unterblieben oder nicht wirksam nachgeholt ist.

§ 43 Umdeutung eines fehlerhaften Verwaltungsaktes. (1) Ein fehlerhafter Verwaltungsakt kann in einen anderen Verwaltungsakt umgedeutet werden, wenn er auf das gleiche Ziel gerichtet ist, von der erlassenden Behörde in der geschehenen Verfahrensweise und Form rechtmäßig hätte erlassen werden können und wenn die Voraussetzungen für dessen Erlass erfüllt sind.

(Fortsetzung nächste Seite)

(2) [1] Absatz 1 gilt nicht, wenn der Verwaltungsakt, in den der fehlerhafte Verwaltungsakt umzudeuten wäre, der erkennbaren Absicht der erlassenden Behörde widerspräche oder seine Rechtsfolgen für den Betroffenen ungünstiger wären als die des fehlerhaften Verwaltungsaktes. [2] Eine Umdeutung ist ferner unzulässig, wenn der fehlerhafte Verwaltungsakt nicht zurückgenommen werden dürfte.

(3) Eine Entscheidung, die nur als gesetzlich gebundene Entscheidung ergehen kann, kann nicht in eine Ermessensentscheidung umgedeutet werden.

(4) § 24 ist entsprechend anzuwenden.

§ 44 Rücknahme eines rechtswidrigen nicht begünstigenden Verwaltungsaktes. (1) [1] Soweit sich im Einzelfall ergibt, dass bei Erlass eines Verwaltungsaktes das Recht unrichtig angewandt oder von einem Sachverhalt ausgegangen worden ist, der sich als unrichtig erweist, und soweit deshalb Sozialleistungen zu Unrecht nicht erbracht oder Beiträge zu Unrecht erhoben worden sind, ist der Verwaltungsakt, auch nachdem er unanfechtbar geworden ist, mit Wirkung für die Vergangenheit zurückzunehmen. [2] Dies gilt nicht, wenn der Verwaltungsakt auf Angaben beruht, die der Betroffene vorsätzlich in wesentlicher Beziehung unrichtig oder unvollständig gemacht hat.

(2) [1] Im Übrigen ist ein rechtswidriger nicht begünstigender Verwaltungsakt, auch nachdem er unanfechtbar geworden ist, ganz oder teilweise mit Wirkung für die Zukunft zurückzunehmen. [2] Er kann auch für die Vergangenheit zurückgenommen werden.

(3) Über die Rücknahme entscheidet nach Unanfechtbarkeit des Verwaltungsaktes die zuständige Behörde; dies gilt auch dann, wenn der zurückzunehmende Verwaltungsakt von einer anderen Behörde erlassen worden ist.

(4) [1] Ist ein Verwaltungsakt mit Wirkung für die Vergangenheit zurückgenommen worden, werden Sozialleistungen nach den Vorschriften der besonderen Teile dieses Gesetzbuches längstens für einen Zeitraum bis zu vier Jahren vor der Rücknahme erbracht. [2] Dabei wird der Zeitpunkt der Rücknahme von Beginn des Jahres an gerechnet, in dem der Verwaltungsakt zurückgenommen wird. [3] Erfolgt die Rücknahme auf Antrag, tritt bei der Berechnung des Zeitraumes, für den rückwirkende Leistungen zu erbringen sind, anstelle der Rücknahme der Antrag.

§ 45 Rücknahme eines rechtswidrigen begünstigenden Verwaltungsaktes. (1) Soweit ein Verwaltungsakt, der ein Recht oder einen rechtlich erheblichen Vorteil begründet oder bestätigt hat (begünstigender Verwaltungsakt), rechtswidrig ist, darf er, auch nachdem er unanfechtbar geworden ist, nur unter den Einschränkungen der Absätze 2 bis 4 ganz oder teilweise mit Wirkung für die Zukunft oder für die Vergangenheit zurückgenommen werden.

(2) [1]Ein rechtswidriger begünstigender Verwaltungsakt darf nicht zurückgenommen werden, soweit der Begünstigte auf den Bestand des Verwaltungsaktes vertraut hat und sein Vertrauen unter Abwägung mit dem öffentlichen Interesse an einer Rücknahme schutzwürdig ist. [2]Das Vertrauen ist in der Regel schutzwürdig, wenn der Begünstigte erbrachte Leistungen verbraucht oder eine Vermögensdisposition getroffen hat, die er nicht mehr oder nur unter unzumutbaren Nachteilen rückgängig machen kann. [3]Auf Vertrauen kann sich der Begünstigte nicht berufen, soweit

1. er den Verwaltungsakt durch arglistige Täuschung, Drohung oder Bestechung erwirkt hat,
2. der Verwaltungsakt auf Angaben beruht, die der Begünstigte vorsätzlich oder grob fahrlässig in wesentlicher Beziehung unrichtig oder unvollständig gemacht hat, oder
3. er die Rechtswidrigkeit des Verwaltungsaktes kannte oder infolge grober Fahrlässigkeit nicht kannte; grobe Fahrlässigkeit liegt vor, wenn der Begünstigte die erforderliche Sorgfalt in besonders schwerem Maße verletzt hat.

(3) [1]Ein rechtswidriger begünstigender Verwaltungsakt mit Dauerwirkung kann nach Absatz 2 nur bis zum Ablauf von zwei Jahren nach seiner Bekanntgabe zurückgenommen werden. [2]Satz 1 gilt nicht, wenn Wiederaufnahmegründe entsprechend § 580 der Zivilprozessordnung vorliegen. [3]Bis zum Ablauf von zehn Jahren nach seiner Bekanntgabe kann ein rechtswidriger begünstigender Verwaltungsakt mit Dauerwirkung nach Absatz 2 zurückgenommen werden, wenn

1. die Voraussetzungen des Absatzes 2 Satz 3 Nr. 2 oder 3 gegeben sind oder
2. der Verwaltungsakt mit einem zulässigen Vorbehalt des Widerrufs erlassen wurde.

[4]In den Fällen des Satzes 3 kann ein Verwaltungsakt über eine laufende Geldleistung auch nach Ablauf der Frist von zehn Jahren zurückgenommen werden, wenn diese Geldleistung mindestens bis zum Beginn des Verwaltungsverfahrens über die Rücknahme gezahlt wurde. [5]War die Frist von zehn Jahren am 15. April 1998 bereits abgelaufen, gilt Satz 4 mit der Maßgabe, dass der Verwaltungsakt nur mit Wirkung für die Zukunft aufgehoben wird.

(4) [1]Nur in den Fällen von Absatz 2 Satz 3 und Absatz 3 Satz 2 wird *der Verwaltungsakt mit* Wirkung für die Vergangenheit zurückgenommen. [2]Die Behörde muss dies innerhalb eines Jahres seit Kenntnis

der Tatsachen tun, welche die Rücknahme eines rechtswidrigen begünstigenden Verwaltungsaktes für die Vergangenheit rechtfertigen.

(5) § 44 Abs. 3 gilt entsprechend.

§ 46 Widerruf eines rechtmäßigen nicht begünstigenden Verwaltungsaktes. (1) Ein rechtsmäßiger nicht begünstigender Verwaltungsakt kann, auch nachdem er unanfechtbar geworden ist, ganz oder teilweise mit Wirkung für die Zukunft widerrufen werden, außer wenn ein Verwaltungsakt gleichen Inhalts erneut erlassen werden müsste oder aus anderen Gründen ein Widerruf unzulässig ist.

(2) § 44 Abs. 3 gilt entsprechend.

§ 47 Widerruf eines rechtmäßigen begünstigenden Verwaltungsaktes. (1) Ein rechtmäßiger begünstigender Verwaltungsakt darf, auch nachdem er unanfechtbar geworden ist, ganz oder teilweise mit Wirkung für die Zukunft nur widerrufen werden, soweit

1. der Widerruf durch Rechtsvorschrift zugelassen oder im Verwaltungsakt vorbehalten ist,
2. mit dem Verwaltungsakt eine Auflage verbunden ist und der Begünstigte diese nicht oder nicht innerhalb einer ihm gesetzten Frist erfüllt hat.

(2) [1] Ein rechtsmäßiger begünstigender Verwaltungsakt, der eine Geld- oder Sachleistung zur Erfüllung eines bestimmten Zweckes zuerkennt oder hierfür Voraussetzung ist, kann, auch nachdem er unanfechtbar geworden ist, ganz oder teilweise auch mit Wirkung für die Vergangenheit widerrufen werden, wenn

1. die Leistung nicht, nicht alsbald nach der Erbringung oder nicht mehr für den in dem Verwaltungsakt bestimmten Zweck verwendet wird,
2. mit dem Verwaltungsakt eine Auflage verbunden ist und der Begünstigte diese nicht oder nicht innerhalb einer ihm gesetzten Frist erfüllt hat.

[2] Der Verwaltungsakt darf mit Wirkung für die Vergangenheit nicht widerrufen werden, soweit der Begünstige auf den Bestand des Verwaltungsaktes vertraut hat und sein Vertrauen unter Abwägung mit dem öffentlichen Interesse an einem Widerruf schutzwürdig ist. [3] Das Vertrauen ist in der Regel schutzwürdig, wenn der Begünstigte erbrachte Leistungen verbraucht oder eine Vermögensdisposition getroffen hat, die er nicht mehr oder nur unter unzumutbaren Nachteilen rückgängig machen kann. [4] Auf Vertrauen kann sich der Begünstigte nicht berufen, soweit er die Umstände kannte oder infolge grober

Fahrlässigkeit nicht kannte, die zum Widerruf des Verwaltungsaktes geführt haben. [5] § 45 Abs. 4 Satz 2 gilt entsprechend.

(3) § 44 Abs. 3 gilt entsprechend.

§ 48 Aufhebung eines Verwaltungsaktes mit Dauerwirkung bei Änderung der Verhältnisse. (1) [1] Soweit in den tatsächlichen oder rechtlichen Verhältnissen, die beim Erlass eines Verwaltungsaktes mit Dauerwirkung vorgelegen haben, eine wesentliche Änderung eintritt, ist der Verwaltungsakt mit Wirkung für die Zukunft aufzuheben. [2] Der Verwaltungsakt soll mit Wirkung vom Zeitpunkt der Änderung der Verhältnisse aufgehoben werden, soweit

1. die Änderung zugunsten des Betroffenen erfolgt,
2. der Betroffene einer durch Rechtsvorschrift vorgeschriebenen Pflicht zur Mitteilung wesentlicher für ihn nachteiliger Änderungen der Verhältnisse vorsätzlich oder grob fahrlässig nicht nachgekommen ist,
3. nach Antragstellung oder Erlass des Verwaltungsaktes Einkommen oder Vermögen erzielt worden ist, das zum Wegfall oder zur Minderung des Anspruchs geführt haben würde, oder
4. der Betroffene wusste oder nicht wusste, weil er die erforderliche Sorgfalt in besonders schwerem Maße verletzt hat, dass der sich aus dem Verwaltungsakt ergebende Anspruch kraft Gesetzes zum Ruhen gekommen oder ganz oder teilweise weggefallen ist.

[3] Als Zeitpunkt der Änderung der Verhältnisse gilt in Fällen, in denen Einkommen oder Vermögen auf einen zurückliegenden Zeitraum auf Grund der besonderen Teile dieses Gesetzbuches anzurechnen ist, der Beginn des Anrechnungszeitraumes.

(2) Der Verwaltungsakt ist im Einzelfall mit Wirkung für die Zukunft auch dann aufzuheben, wenn der zuständige oberste Gerichtshof des Bundes in ständiger Rechtsprechung nachträglich das Recht anders auslegt als die Behörde bei Erlass des Verwaltungsaktes und sich dieses zugunsten des Berechtigten auswirkt; § 44 bleibt unberührt.

(3) [1] Kann ein rechtswidriger begünstigender Verwaltungsakt nach § 45 nicht zurückgenommen werden und ist eine Änderung nach Absatz 1 oder 2 zugunsten des Betroffenen eingetreten, darf die neu festzustellende Leistung nicht über den Betrag hinausgehen, wie er sich der Höhe nach ohne Berücksichtigung der Bestandskraft ergibt. [2] Satz 1 gilt entsprechend, soweit einem rechtmäßigen begünstigenden Verwaltungsakt ein rechtswidriger begünstigender Verwaltungsakt zugrunde liegt, der nach § 45 nicht zurückgenommen werden kann.

(4) [1] § 44 Abs. 3 und 4, § 45 Abs. 3 Satz 3 bis 5 und Abs. 4 Satz 2 *gelten entsprechend.* [2] § 45 Abs. 4 Satz 2 gilt nicht im Fall des Absatzes 1 Satz 2 Nr. 1.

§ 49 Rücknahme und Widerruf im Rechtsbehelfsverfahren. § 45 Abs. 1 bis 4, §§ 47 und 48 gelten nicht, wenn ein begünstigender Verwaltungsakt, der von einem Dritten angefochten worden ist, während des Vorverfahrens oder während des sozial- oder verwaltungsgerichtlichen Verfahrens aufgehoben wird, soweit dadurch dem Widerspruch abgeholfen oder der Klage stattgegeben wird.

§ 50[1] Erstattung zu Unrecht erbrachter Leistungen. (1) [1]Soweit ein Verwaltungsakt aufgehoben worden ist, sind bereits erbrachte Leistungen zu erstatten. [2]Sach- und Dienstleistungen sind in Geld zu erstatten.

(2) [1]Soweit Leistungen ohne Verwaltungsakt zu Unrecht erbracht worden sind, sind sie zu erstatten. [2]§§ 45 und 48 gelten entsprechend.

(2a) [1]Der zu erstattende Betrag ist vom Eintritt der Unwirksamkeit eines Verwaltungsaktes, auf Grund dessen Leistungen zur Förderung von Einrichtungen oder ähnliche Leistungen erbracht worden sind, mit fünf Prozentpunkten über dem Basiszinssatz jährlich zu verzinsen. [2]Von der Geltendmachung des Zinsanspruchs kann insbesondere dann abgesehen werden, wenn der Begünstigte die Umstände, die zur Rücknahme, zum Widerruf oder zur Unwirksamkeit des Verwaltungsaktes geführt haben, nicht zu vertreten hat und den zu erstattenden Betrag innerhalb der von der Behörde festgesetzten Frist leistet. [3]Wird eine Leistung nicht alsbald nach der Auszahlung für den bestimmten Zweck verwendet, können für die Zeit bis zur zweckentsprechenden Verwendung Zinsen nach Satz 1 verlangt werden; Entsprechendes gilt, soweit eine Leistung in Anspruch genommen wird, obwohl andere Mittel anteilig oder vorrangig einzusetzen sind; § 47 Abs. 2 Satz 1 Nr. 1 bleibt unberührt.

(3) [1]Die zu erstattende Leistung ist durch schriftlichen Verwaltungsakt festzusetzen. [2]Die Festsetzung soll, sofern die Leistung auf Grund eines Verwaltungsaktes erbracht worden ist, mit der Aufhebung des Verwaltungsaktes verbunden werden.

(4) [1]Der Erstattungsanspruch verjährt in vier Jahren nach Ablauf des Kalenderjahres, in dem der Verwaltungsakt nach Absatz 3 unanfechtbar geworden ist. [2]Für die Hemmung, die Ablaufhemmung, den Neubeginn und die Wirkung der Verjährung gelten die Vorschriften des Bürgerlichen Gesetzbuchs sinngemäß. [3]§ 52 bleibt unberührt.

(5) Die Absätze 1 bis 4 gelten bei Berichtigungen nach § 38 entsprechend.

---

[1] § 50 Abs. 2a Satz 1 geänd. mWv 1. 1. 2002 durch G v. 21. 12. 2000 (BGBl. I S. 1983), Abs. 2a Satz 1 geänd., Satz 3 neugef. mWv 29. 6. 2002, Abs. 4 Satz 2 neugef. mWv 1. 1. 2002 durch G v. 21. 6. 2002 (BGBl. I S. 2167).

§ 51 Rückgabe von Urkunden und Sachen. [1]Ist ein Verwaltungsakt unanfechtbar widerrufen oder zurückgenommen oder ist seine Wirksamkeit aus einem anderen Grund nicht oder nicht mehr gegeben, kann die Behörde die auf Grund dieses Verwaltungsaktes erteilten Urkunden oder Sachen, die zum Nachweis der Rechte aus dem Verwaltungsakt oder zu deren Ausübung bestimmt sind, zurückfordern. [2]Der Inhaber und, sofern er nicht der Besitzer ist, auch der Besitzer dieser Urkunden oder Sachen sind zu ihrer Herausgabe verpflichtet. [3]Der Inhaber oder der Besitzer kann jedoch verlangen, dass ihm die Urkunden oder Sachen wieder ausgehändigt werden, nachdem sie von der Behörde als ungültig gekennzeichnet sind; dies gilt nicht bei Sachen, bei denen eine solche Kennzeichnung nicht oder nicht mit der erforderlichen Offensichtlichkeit oder Dauerhaftigkeit möglich ist.

Dritter Titel. Verjährungsrechtliche Wirkungen des Verwaltungsaktes

§ 52[1)] Hemmung der Verjährung durch Verwaltungsakt. (1) [1]Ein Verwaltungsakt, der zur Feststellung oder Durchsetzung des Anspruchs eines öffentlich-rechtlichen Rechtsträgers erlassen wird, hemmt die Verjährung dieses Anspruchs. [2]Die Hemmung endet mit Eintritt der Unanfechtbarkeit des Verwaltungsakts oder sechs Monate nach seiner anderweitigen Erledigung.

(2) Ist ein Verwaltungsakt im Sinne des Absatzes 1 unanfechtbar geworden, beträgt die Verjährungsfrist 30 Jahre.

Vierter Abschnitt. Öffentlich-rechtlicher Vertrag

§ 53 Zulässigkeit des öffentlich-rechtlichen Vertrages. (1) [1]Ein Rechtsverhältnis auf dem Gebiet des öffentlichen Rechts kann durch Vertrag begründet, geändert oder aufgehoben werden (öffentlich-rechtlicher Vertrag), soweit Rechtsvorschriften nicht entgegenstehen. [2]Insbesondere kann die Behörde, anstatt einen Verwaltungsakt zu erlassen, einen öffentlich-rechtlichen Vertrag mit demjenigen schließen, an den sie sonst den Verwaltungsakt richten würde.

(2) Ein öffentlich-rechtlicher Vertrag über Sozialleistungen kann nur geschlossen werden, soweit die Erbringung der Leistungen im Ermessen des Leistungsträgers steht.

§ 54 Vergleichsvertrag. (1) Ein öffentlich-rechtlicher Vertrag im Sinne des § 53 Abs. 1 Satz 2, durch den eine bei verständiger Würdigung des Sachverhalts oder der Rechtslage bestehende Ungewissheit

---

[1)] § 52 neugef. mWv 1. 1. 2002 durch G v. 21. 6. 2002 (BGBl. I S. 2167).

durch gegenseitiges Nachgeben beseitigt wird (Vergleich), kann geschlossen werden, wenn die Behörde den Abschluss des Vergleichs zur Beseitigung der Ungewissheit nach pflichtgemäßem Ermessen für zweckmäßig hält.

(2) § 53 Abs. 2 gilt im Fall des Absatzes 1 nicht.

§ 55 Austauschvertrag. (1) [1] Ein öffentlich-rechtlicher Vertrag im Sinne des § 53 Abs. 1 Satz 2, in dem sich der Vertragspartner der Behörde zu einer Gegenleistung verpflichtet, kann geschlossen werden, wenn die Gegenleistung für einen bestimmten Zweck im Vertrag vereinbart wird und der Behörde zur Erfüllung ihrer öffentlichen Aufgaben dient. [2] Die Gegenleistung muss den gesamten Umständen nach angemessen sein und im sachlichen Zusammenhang mit der vertraglichen Leistung der Behörde stehen.

(2) Besteht auf die Leistung der Behörde ein Anspruch, kann nur eine solche Gegenleistung vereinbart werden, die bei Erlass eines Verwaltungsaktes Inhalt einer Nebenbestimmung nach § 32 sein könnte.

(3) § 53 Abs. 2 gilt in den Fällen der Absätze 1 und 2 nicht.

§ 56 Schriftform. Ein öffentlich-rechtlicher Vertrag ist schriftlich zu schließen, soweit nicht durch Rechtsvorschrift eine andere Form vorgeschrieben ist.

§ 57 Zustimmung von Dritten und Behörden. (1) Ein öffentlich-rechtlicher Vertrag, der in Rechte eines Dritten eingreift, wird erst wirksam, wenn der Dritte schriftlich zustimmt.

(2) Wird anstatt eines Verwaltungsaktes, bei dessen Erlass nach einer Rechtsvorschrift die Genehmigung, die Zustimmung oder das Einvernehmen einer anderen Behörde erforderlich ist, ein Vertrag geschlossen, so wird dieser erst wirksam, nachdem die andere Behörde in der vorgeschriebenen Form mitgewirkt hat.

§ 58 Nichtigkeit des öffentlich-rechtlichen Vertrages. (1) Ein öffentlich-rechtlicher Vertrag ist nichtig, wenn sich die Nichtigkeit aus der entsprechenden Anwendung von Vorschriften des Bürgerlichen Gesetzbuches[1)] ergibt.

(2) Ein Vertrag im Sinne des § 53 Abs. 1 Satz 2 ist ferner nichtig, wenn

1. ein Verwaltungsakt mit entsprechendem Inhalt nichtig wäre,
2. ein Verwaltungsakt mit entsprechendem Inhalt nicht nur wegen eines Verfahrens- oder Formfehlers im Sinne des § 42 rechtswidrig wäre und dies den Vertragschließenden bekannt war,
3. die Voraussetzungen zum Abschluss eines Vergleichsvertrages nicht vorlagen und ein Verwaltungsakt mit entsprechendem Inhalt nicht nur wegen eines Verfahrens- oder Formfehlers im Sinne des § 42 rechtswidrig wäre,
4. sich die Behörde eine nach § 55 unzulässige Gegenleistung versprechen lässt.

(3) Betrifft die Nichtigkeit nur einen Teil des Vertrages, so ist er im Ganzen nichtig, wenn nicht anzunehmen ist, dass er auch ohne den nichtigen Teil geschlossen worden wäre.

§ 59 Anpassung und Kündigung in besonderen Fällen. (1) [1] Haben die Verhältnisse, die für die Festsetzung des Vertragsinhalts maßgebend gewesen sind, sich seit Abschluss des Vertrages so wesentlich geändert, dass einer Ver-

---

[1)] Auszugsweise abgedruckt unter Nr. **50**.

tragspartei das Festhalten an der ursprünglichen vertraglichen Regelung nicht zuzumuten ist, so kann diese Vertragspartei eine Anpassung des Vertragsinhalts an die geänderten Verhältnisse verlangen oder, sofern eine Anpassung nicht möglich oder einer Vertragspartei nicht zuzumuten ist, den Vertrag kündigen. [2] Die Behörde kann den Vertrag auch kündigen, um schwere Nachteile für das Gemeinwohl zu verhüten oder zu beseitigen.

(2) [1] Die Kündigung bedarf der Schriftform, soweit nicht durch Rechtsvorschrift eine andere Form vorgeschrieben ist. [2] Sie soll begründet werden.

§ 60[1)] Unterwerfung unter die sofortige Vollstreckung. (1) [1] Jeder Vertragschließende kann sich der sofortigen Vollstreckung aus einem öffentlich-rechtlichen Vertrag im Sinne des § 53 Abs. 1 Satz 2 unterwerfen. [2] Die Behörde muss hierbei von dem Behördenleiter, seinem allgemeinen Vertreter oder einem Angehörigen des öffentlichen Dienstes, der die Befähigung zum Richteramt hat, vertreten werden.

(2) [1] Auf öffentlich-rechtliche Verträge im Sinne des Absatzes 1 Satz 1 ist § 66 entsprechend anzuwenden. [2] Will eine natürliche oder juristische Person des Privatrechts oder eine ***[bis 31.12.2023:*** nichtrechtsfähige Vereinigung***][ab 1.1.2024:*** *sonstige Personenvereinigung*] die Vollstreckung wegen einer Geldforderung betreiben, so ist § 170 Abs. 1 bis 3 der Verwaltungsgerichtsordnung[2)] entsprechend anzuwenden. [3] Richtet sich die Vollstreckung wegen der Erzwingung einer Handlung, Duldung oder Unterlassung gegen eine Behörde, ist § 172 der Verwaltungsgerichtsordnung[2)] entsprechend anzuwenden.

§ 61 Ergänzende Anwendung von Vorschriften. [1] Soweit sich aus den §§ 53 bis 60 nichts Abweichendes ergibt, gelten die übrigen Vorschriften dieses Gesetzbuches. [2] Ergänzend gelten die Vorschriften des Bürgerlichen Gesetzbuches[3)] entsprechend.

Fünfter Abschnitt. Rechtsbehelfsverfahren

§ 62 Rechtsbehelfe gegen Verwaltungsakte. Für förmliche Rechtsbehelfe gegen Verwaltungsakte gelten, wenn der Sozialrechtsweg gegeben ist, das Sozialgerichtsgesetz[4)], wenn der Verwaltungsrechtsweg gegeben ist, die Verwaltungsgerichtsordnung[5)] und die zu ihrer Ausführung ergangenen Rechtsvorschriften, soweit nicht durch Gesetz etwas anderes bestimmt ist; im Übrigen gelten die Vorschriften dieses Gesetzbuches.

§ 63 Erstattung von Kosten im Vorverfahren. (1) [1] Soweit der Widerspruch erfolgreich ist, hat der Rechtsträger, dessen Behörde den angefochtenen Verwaltungsakt erlassen hat, demjenigen, der Widerspruch erhoben hat, die zur zweckentsprechenden Rechtsverfolgung oder Rechtsverteidigung notwendigen Aufwendungen zu erstatten. [2] Dies gilt auch, wenn der Widerspruch nur deshalb keinen Erfolg hat, weil die Verletzung einer Verfahrens- oder Form-

---

[1)] § 60 Abs. 1 Sätze 3 und 4 aufgeh. mWv 1.2.2003 durch G v. 21.8.2002 (BGBl. I S. 3322); Abs. 1 Satz 2 geänd. mWv 1.8.2021 durch G v. 25.6.2021 (BGBl. I S. 2154); Abs. 2 Satz 2 geänd. mWv 1.1.2024 durch G v. 10.8.2021 (BGBl. I S. 3436).

[2)] **beck-online, Module Arbeitsrecht Nr. 663.**

[3)] Auszugsweise abgedruckt unter Nr. **50**.

[4)] Nr. **680**.

[5)] Auszugsweise abgedruckt unter Nr. **663**.

vorschrift nach § 41 unbeachtlich ist. [3] Aufwendungen, die durch das Verschulden eines Erstattungsberechtigten entstanden sind, hat dieser selbst zu tragen; das Verschulden eines Vertreters ist dem Vertretenen zuzurechnen.

(2) Die Gebühren und Auslagen eines Rechtsanwalts oder eines sonstigen Bevollmächtigten im Vorverfahren sind erstattungsfähig, wenn die Zuziehung eines Bevollmächtigten notwendig war.

(3) [1] Die Behörde, die die Kostenentscheidung getroffen hat, setzt auf Antrag den Betrag der zu erstattenden Aufwendungen fest; hat ein Ausschuss oder Beirat die Kostenentscheidung getroffen, obliegt die Kostenfestsetzung der Behörde, bei der der Ausschuss oder Beirat gebildet ist. [2] Die Kostenentscheidung bestimmt auch, ob die Zuziehung eines Rechtsanwalts oder eines sonstigen Bevollmächtigten notwendig war.

Sechster Abschnitt. Kosten, Zustellung und Vollstreckung

§ 64[1)] Kostenfreiheit. (1) [1] Für das Verfahren bei den Behörden nach diesem Gesetzbuch werden keine Gebühren und Auslagen erhoben. [2] Abweichend von Satz 1 erhalten die Träger der gesetzlichen Rentenversicherung für jede auf der Grundlage des ***[bis 31.10.2022:*** § 74a Abs. 2 Satz 1***][ab 1.11.2022:** § 74a Absatz 2 und 3**]*** erteilte Auskunft eine Gebühr von 10,20 Euro.

(2) [1] Geschäfte und Verhandlungen, die aus Anlass der Beantragung, Erbringung oder der Erstattung einer Sozialleistung nötig werden, sind kostenfrei. [2] Dies gilt auch für die im Gerichts- und Notarkostengesetz[2)] bestimmten Gerichtskosten. [3] Von Beurkundungs- und Beglaubigungskosten sind befreit Urkunden, die

1. in der Sozialversicherung bei den Versicherungsträgern und Versicherungsbehörden erforderlich werden, um die Rechtsverhältnisse zwischen den Versicherungsträgern einerseits und den Arbeitgebern, Versicherten oder ihren Hinterbliebenen andererseits abzuwickeln,

[Nr. 2 bis 31.12.2023:]

2. im Sozialhilferecht, im Recht der Eingliederungshilfe, im Recht der Grundsicherung für Arbeitsuchende, im Kinder- und Jugendhilferecht sowie im Recht der Kriegsopferfürsorge aus Anlass der Beantragung, Erbringung oder Erstattung einer nach dem Zwölften Buch[3)], dem Neunten Buch[4)], dem Zweiten[5)] und dem Achten Buch[6)] oder dem Bundesversorgungsgesetz[7)] vorgesehenen Leistung benötigt werden,

---

[1)] § 64 Abs. 2 Satz 3 Nr. 2 neu gef. mWv 1.1.2005 durch G v. 24.12.2003 (BGBl. I S. 2954) und geänd. mWv 1.1.2005 durch G v. 27.12.2003 (BGBl. I S. 3022); Abs. 3 Satz 2 zweiter Halbs. angef. mWv 1.1.2005 durch G v. 9.12.2004 (BGBl. I S. 3302); Abs. 3 Satz 2 geänd. mWv 1.8.2006 durch G v. 20.7.2006 (BGBl. I S. 1706); Abs. 3 Sätze 1 und 2 geänd. mWv 1.9.2009 durch G v. 17.12.2008 (BGBl. I S. 2586); Abs. 1 Satz 2 angef. mWv 1.1.2013 durch G v. 29.7.2009 (BGBl. I S. 2258); Abs. 2 Satz 2 geänd. mWv 1.8.2013 durch G v. 23.7.2013 (BGBl. I S. 2586); Abs. 2 Nr. 2, Abs. 3 Satz 2 geänd. mWv 1.1.2020 durch G v. 23.12.2016 (BGBl. I S. 3234); Abs. 2 Satz 3 Nr. 2 und 4 neu gef., Abs. 3 Satz 2 geänd. mWv 1.1.2024 durch G v. 12.12.2019 (BGBl. I S. 2652); Abs. 1 Satz 2 geänd. mWv 1.11.2022 durch G v. 7.5.2021 (BGBl. I S. 850); Abs. 2 Satz 3 Nr. 4 neu gef. mWv 1.1.2025 durch G v. 20.8.2021 (BGBl. I S. 3932).

[2)] **Habersack Nr. 119.**

[3)] **Aichberger, SGB Nr. 12.**

[4)] Auszugsweise abgedruckt unter Nr. **440**.

[5)] Nr. **692**.

[6)] Auszugsweise abgedruckt unter Nr. **494a**.

[7)] **Aichberger, SGB Nr. 20/10.**

[Nr. 2 ab 1.1.2024:]

2. im Sozialhilferecht, im Recht der Grundsicherung für Arbeitsuchende sowie im Kinder- und Jugendhilferecht aus Anlass der Beantragung, Erbringung oder Erstattung einer nach dem Zwölften Buch, dem Zweiten oder dem Achten Buch vorgesehenen Leistung benötigt werden,

3. im Schwerbehindertenrecht von der zuständigen Stelle im Zusammenhang mit der Verwendung der Ausgleichsabgabe für erforderlich gehalten werden,

[Nr. 4 bis 31.12.2023:]

4. im Recht der sozialen Entschädigung bei Gesundheitsschäden für erforderlich gehalten werden,

[Nr. 4 vom 1.1.2024 bis 31.12.2024:]

4. im Recht der Sozialen Entschädigung für erforderlich gehalten werden,

[Nr. 4 ab 1.1.2025:]

4. im Recht der Sozialen Entschädigung und der Soldatenentschädigung für erforderlich gehalten werden,

5. im Kindergeldrecht für erforderlich gehalten werden.

(3) [1] Absatz 2 Satz 1 gilt auch für gerichtliche Verfahren, auf die das Gesetz über das Verfahren in Familiensachen und in den Angelegenheiten der freiwilligen Gerichtsbarkeit[1)] anzuwenden ist. [2] Im Verfahren nach der Zivilprozessordnung[2)], dem Gesetz über das Verfahren in Familiensachen und in den Angelegenheiten der freiwilligen Gerichtsbarkeit sowie im Verfahren vor Gerichten der Sozial- und Finanzgerichtsbarkeit sind die Träger der Eingliederungshilfe, der Sozialhilfe, der Grundsicherung für Arbeitsuchende, der Leistungen nach dem Asylbewerberleistungsgesetz[3)], der Jugendhilfe und der ***[bis 31.12.2023:*** Kriegsopferfürsorge***][ab 1.1.2024:*** *Sozialen Entschädigung,****]*** von den Gerichtskosten befreit; § 197a des Sozialgerichtsgesetzes[4)] bleibt unberührt.

(Fortsetzung nächstes Blatt)

[1)] **Habersack Nr. 112.**
[2)] Auszugsweise abgedruckt unter Nr. **320**.
[3)] Auszugsweise abgedruckt unter Nr. **781**.
[4)] Nr. **680**.

§ 65[1] **Zustellung.** (1) [1] Soweit Zustellungen durch Behörden des Bundes, der bundesunmittelbaren Körperschaften, Anstalten und Stiftungen des öffentlichen Rechts vorgeschrieben sind, gelten die §§ 2 bis 10 des Verwaltungszustellungsgesetzes[2]. [2] § 5 Abs. 4 des Verwaltungszustellungsgesetzes und § 178 Abs. 1 Nr. 2 der Zivilprozessordnung[3] sind auf die nach § 73 Absatz 2 Satz 2 Nummer 5 bis 9 und Satz 3 des Sozialgerichtsgesetzes[4] als Bevollmächtigte zugelassenen Personen entsprechend anzuwenden. [3] Diese Vorschriften gelten auch, soweit Zustellungen durch ***[bis 31.12.2023:*** Verwaltungsbehörden der Kriegsopferversorgung***]*** ***[ab 1.1.2024:*** *die nach Landesrecht zur Durchführung des Vierzehnten Buches zuständigen Stellen****]*** vorgeschrieben sind.

(2) Für die übrigen Behörden gelten die jeweiligen landesrechtlichen Vorschriften über das Zustellungsverfahren.

§ 66[5] **Vollstreckung.** (1) [1] Für die Vollstreckung zugunsten der Behörden des Bundes, der bundesunmittelbaren Körperschaften, Anstalten und Stiftungen des öffentlichen Rechts gilt das Verwaltungs-Vollstreckungsgesetz[6]. [2] In Angelegenheiten des § 51 des Sozialgerichtsgesetzes[4] ist für die Anordnung der Ersatzzwangshaft das Sozialgericht zuständig. [3] Die oberste Verwaltungsbehörde kann bestimmen, dass die Aufsichtsbehörde nach Anhörung der in Satz 1 genannten Behörden für die Vollstreckung fachlich geeignete Bedienstete als Vollstreckungsbeamte und sonstige hierfür fachlich geeignete Bedienstete dieser Behörde als Vollziehungsbeamte bestellen darf; die fachliche Eignung ist durch einen qualifizierten beruflichen Abschluss, die Teilnahme an einem Lehrgang einschließlich berufspraktischer Tätigkeit oder entsprechende mehrjährige Berufserfahrung nachzuweisen. [4] Die oberste Verwaltungsbehörde kann auch bestimmen, dass die Aufsichtsbehörde nach Anhörung der in Satz 1 genannten Behörden für die Vollstreckung von Ansprüchen auf Gesamtsozialversicherungsbeiträge fachlich geeignete Bedienstete

1. der Verbände der Krankenkassen oder
2. einer bestimmten Krankenkasse

als Vollstreckungsbeamte und sonstige hierfür fachlich geeignete Bedienstete der genannten Verbände und Krankenkassen als Vollziehungsbeamte bestellen darf. [5] Der nach Satz 4 beauftragte Verband der Krankenkassen ist berechtigt, Verwaltungsakte zur Erfüllung der mit der Vollstreckung verbundenen Aufgabe zu erlassen.

(2) Absatz 1 Satz 1 bis 3 gilt auch für die Vollstreckung durch ***[bis 31.12. 2023:*** Verwaltungsbehörden der Kriegsopferversorgung***]*** ***[ab 1.1.2024:*** *die nach Landesrecht zur Durchführung des Vierzehnten Buches zuständigen Stellen****]***; das Land bestimmt die Vollstreckungsbehörde.

---

[1] § 65 Abs. 1 Satz 1 geänd., Satz 2 eingef., bish. Satz 2 wird Satz 3 mWv 1.2.2006 durch G v. 12.8. 2005 (BGBl. I S. 2354); Abs. 1 Satz 2 geänd. mWv 17.11.2016 durch G v. 11.11.2016 (BGBl. I S. 2500); Abs. 1 Satz 3 geänd. mWv 1.1.2024 durch G v. 12.12.2019 (BGBl. I S. 2652).

[2] **Sartorius Nr. 110.**

[3] Auszugsweise abgedruckt unter Nr. **320**.

[4] Nr. **680**.

[5] § 66 Abs. 4 Satz 4 geänd. mWv 1.1.2004 durch G v. 23.12.2003 (BGBl. I S. 2848); Abs. 1 Satz 3 und Abs. 3 Satz 2 neu gef., Abs. 1 Sätze 4 und 5 angef., Abs. 2 geänd. mWv 30.3.2005 durch G v. 21.3.2005 (BGBl. I S. 818); Abs. 3 Satz 3 angef. mWv 1.1.2012 durch G v. 22.12.2011 (BGBl. I S. 2983); Abs. 2 geänd. mWv 1.1.2024 durch G v. 12.12.2019 (BGBl. I S. 2652).

[6] **Sartorius Nr. 112.**

(3) [1]Für die Vollstreckung zugunsten der übrigen Behörden gelten die jeweiligen landesrechtlichen Vorschriften über das Verwaltungsvollstreckungsverfahren. [2]Für die landesunmittelbaren Körperschaften, Anstalten und Stiftungen des öffentlichen Rechts gilt Absatz 1 Satz 2 bis 5 entsprechend. [3]Abweichend von Satz 1 vollstrecken die nach Landesrecht zuständigen Vollstreckungsbehörden zugunsten der landesunmittelbaren Krankenkassen, die sich über mehr als ein Bundesland erstrecken, nach den Vorschriften des Verwaltungs-Vollstreckungsgesetzes.

(4) [1]Aus einem Verwaltungsakt kann auch die Zwangsvollstreckung in entsprechender Anwendung der Zivilprozessordnung[1)] stattfinden. [2]Der Vollstreckungsschuldner soll vor Beginn der Vollstreckung mit einer Zahlungsfrist von einer Woche gemahnt werden. [3]Die vollstreckbare Ausfertigung erteilt der Behördenleiter, sein allgemeiner Vertreter oder ein anderer auf Antrag eines Leistungsträgers von der Aufsichtsbehörde ermächtigter Angehöriger des öffentlichen Dienstes. [4]Bei den Versicherungsträgern und der Bundesagentur für Arbeit tritt in Satz 3 an die Stelle der Aufsichtsbehörden der Vorstand.

Zweites Kapitel.[2)] Schutz der Sozialdaten

Erster Abschnitt.[3)] Begriffsbestimmungen

§ 67[4)] Begriffsbestimmungen. (1) Die nachfolgenden Begriffsbestimmungen gelten ergänzend zu Artikel 4 der Verordnung (EU) 2016/679[5)] des Europäischen Parlaments und des Rates vom 27. April 2016 zum Schutz natürlicher Personen bei der Verarbeitung personenbezogener Daten, zum freien Datenverkehr und zur Aufhebung der Richtlinie 95/46/EG (Datenschutz-Grundverordnung) (ABl. L 119 vom 4.5.2016, S. 1; L 314 vom 22.11. 2016, S. 72; L 127 vom 23.5.2018, S. 2) in der jeweils geltenden Fassung.

(2) [1]Sozialdaten sind personenbezogene Daten (Artikel 4 Nummer 1 der Verordnung (EU) 2016/679), die von einer in § 35 des Ersten Buches[6)] genannten Stelle im Hinblick auf ihre Aufgaben nach diesem Gesetzbuch verarbeitet werden. [2]Betriebs- und Geschäftsgeheimnisse sind alle betriebs- oder geschäftsbezogenen Daten, auch von juristischen Personen, die Geheimnischarakter haben.

(3) Aufgaben nach diesem Gesetzbuch sind, soweit dieses Kapitel angewandt wird, auch

1. Aufgaben auf Grund von Verordnungen, deren Ermächtigungsgrundlage sich im Sozialgesetzbuch befindet,
2. Aufgaben auf Grund von über- und zwischenstaatlichem Recht im Bereich der sozialen Sicherheit,
3. Aufgaben auf Grund von Rechtsvorschriften, die das Erste und das Zehnte Buch für entsprechend anwendbar erklären, und

---

1) Auszugsweise abgedruckt unter Nr. **320**.

2) 2. Kapitel (§§ 67–85a) neu gef. mWv 25.5.2018 durch G v. 17.7.2017 (BGBl. I S. 2541).

3) 2. Kapitel 1. Abschnitt (§ 67) neu gef. mWv 25.5.2018 durch G v. 17.7.2017 (BGBl. I S. 2541).

4) § 67 neu gef. mWv 25.5.2018 durch G v. 17.7.2017 (BGBl. I S. 2541); Abs. 1 geänd. mWv 26.11.2019 durch *G v. 20.11.2019* (BGBl. I S. 1626).

5) Auszugsweise abgedruckt unter Nr. **489**.

6) Nr. **691**.

4. Aufgaben auf Grund des Arbeitssicherheitsgesetzes[1)] und Aufgaben, soweit sie den in § 35 des Ersten Buches genannten Stellen durch Gesetz zugewiesen sind. § 8 Absatz 1 Satz 3 des Arbeitssicherheitsgesetzes bleibt unberührt.

(4) [1] Werden Sozialdaten von einem Leistungsträger im Sinne von § 12 des Ersten Buches verarbeitet, ist der Verantwortliche der Leistungsträger. [2] Ist der Leistungsträger eine Gebietskörperschaft, so sind der Verantwortliche die Organisationseinheiten, die eine Aufgabe nach einem der besonderen Teile dieses Gesetzbuches funktional durchführen.

(5) Nicht-öffentliche Stellen sind natürliche und juristische Personen, Gesellschaften und andere Personenvereinigungen des privaten Rechts, soweit sie nicht unter § 81 Absatz 3 fallen.

Drittes Kapitel. Zusammenarbeit der Leistungsträger und ihre Beziehungen zu Dritten

Erster Abschnitt. Zusammenarbeit der Leistungsträger untereinander und mit Dritten

Erster Titel. Allgemeine Vorschriften

§ 86 Zusammenarbeit. Die Leistungsträger, ihre Verbände und die in diesem Gesetzbuch genannten öffentlich-rechtlichen Vereinigungen sind verpflichtet, bei der Erfüllung ihrer Aufgaben nach diesem Gesetzbuch eng zusammenzuarbeiten.

Dritter Titel. Zusammenarbeit der Leistungsträger mit Dritten

§ 97[2)] Durchführung von Aufgaben durch Dritte. (1) [1] Kann ein Leistungsträger, ein Verband von Leistungsträgern oder eine Arbeitsgemeinschaft von einem Dritten Aufgaben wahrnehmen lassen, muss sichergestellt sein, dass der Dritte die Gewähr für eine sachgerechte, die Rechte und Interessen des Betroffenen wahrende Erfüllung der Aufgaben bietet. [2] Soweit Aufgaben aus dem Bereich der Sozialversicherung von einem Dritten, an dem ein Leistungsträger, ein Verband oder eine Arbeitsgemeinschaft unmittelbar oder mittelbar beteiligt ist, wahrgenommen werden sollen, hat der Leistungsträger, der Verband oder die Arbeitsgemeinschaft den Dritten zu verpflichten, dem Auftraggeber auf Verlangen alle Unterlagen vorzulegen und über alle Tatsachen Auskunft zu erteilen, die zur Ausübung des Aufsichtsrechts über die Auftraggeber auf Grund pflichtgemäßer Prüfung der Aufsichtsbehörde des Auftraggebers erforderlich sind. [3] Die Aufsichtsbehörde ist durch den Leistungsträger, den Verband oder die Arbeitsgemeinschaft so rechtzeitig und umfassend zu unterrichten, dass ihr vor der Aufgabenübertragung oder einer Änderung ausreichend Zeit zur Prüfung bleibt. [4] Die Aufsichtsbehörde kann auf eine Unterrichtung verzichten. [5] Die Sätze 3 und 4 gelten nicht für die Bundesagentur für Arbeit.

(2) § 89 Abs. 3 bis 5, § 91 Abs. 1 bis 3 sowie § 92 gelten entsprechend.

[1)] Nr. **383**.

[2)] § 97 Abs. 1 neu gef. mWv 30.3.2005 durch G v. 21.3.2005 (BGBl. I S. 818).

§ 98[1] **Auskunftspflicht des Arbeitgebers.** (1) [1] Soweit es in der Sozialversicherung einschließlich der Arbeitslosenversicherung im Einzelfall für die Erbringung von Sozialleistungen erforderlich ist, hat der Arbeitgeber auf Verlangen dem Leistungsträger oder der zuständigen Einzugsstelle Auskunft über die Art und Dauer der Beschäftigung, den Beschäftigungsort und das Arbeitsentgelt zu erteilen. [2] Wegen der Entrichtung von Beiträgen hat der Arbeitgeber auf Verlangen über alle Tatsachen Auskunft zu erteilen, die für die Erhebung der Beiträge notwendig sind. [3] Der Arbeitgeber hat auf Verlangen die Geschäftsbücher, Listen oder andere Unterlagen, aus denen die Angaben über die Beschäftigung hervorgehen, während der Betriebszeit nach seiner Wahl den in Satz 1 bezeichneten Stellen entweder in deren oder in seinen eigenen Geschäftsräumen zur Einsicht vorzulegen. [4] Das Wahlrecht nach Satz 3 entfällt, wenn besondere Gründe eine Prüfung in den Geschäftsräumen des Arbeitgebers gerechtfertigt erscheinen lassen. [5] Satz 4 gilt nicht gegenüber Arbeitgebern des öffentlichen Dienstes. [6] Die Sätze 2 bis 5 gelten auch für Stellen im Sinne des § 28p Abs. 6 des Vierten Buches[2].

(1a) Soweit die Träger der Rentenversicherung nach § 28p des Vierten Buches prüfberechtigt sind, bestehen die Verpflichtungen nach Absatz 1 Satz 3 bis 6 gegenüber den Einzugsstellen wegen der Entrichtung des Gesamtsozialversicherungsbeitrags nicht; die Verpflichtung nach Absatz 1 Satz 2 besteht gegenüber den Einzugsstellen nur im Einzelfall.

(2) [1] Wird die Auskunft wegen der Erbringung von Sozialleistungen verlangt, gilt § 65 Abs. 1 des Ersten Buches[3] entsprechend. [2] Auskünfte auf Fragen, deren Beantwortung dem Arbeitgeber selbst oder einer ihm nahe stehenden Person (§ 383 Abs. 1 Nr. 1 bis 3 der Zivilprozessordnung[4]) die Gefahr zuziehen würde, wegen einer Straftat oder einer Ordnungswidrigkeit verfolgt zu werden, können verweigert werden; dem Arbeitgeber stehen die in Absatz 1 Satz 6 genannten Stellen gleich.

(3) Hinsichtlich des Absatzes 1 Satz 2 und 3 sowie des Absatzes 2 stehen einem Arbeitgeber die Personen gleich, die wie ein Arbeitgeber Beiträge für eine kraft Gesetzes versicherte Person zu entrichten haben.

(4) Das Bundesministerium für Arbeit und Soziales kann durch Rechtsverordnung mit Zustimmung des Bundesrates das Nähere über die Durchführung der in Absatz 1 genannten Mitwirkung bestimmen.

(5) [1] Ordnungswidrig handelt, wer vorsätzlich oder leichtfertig

1. entgegen Absatz 1 Satz 1 oder
2. entgegen Absatz 1 Satz 2 oder Satz 3, jeweils auch in Verbindung mit Absatz 1 Satz 6 oder Absatz 3,

eine Auskunft nicht, nicht richtig, nicht vollständig oder nicht rechtzeitig erteilt oder eine Unterlage nicht, nicht richtig, nicht vollständig oder nicht rechtzeitig vorlegt. [2] Die Ordnungswidrigkeit kann mit einer Geldbuße bis zu fünftausend Euro geahndet werden. [3] Die Sätze 1 und 2 gelten nicht für die

---

[1] § 98 Abs. 5 Satz 2 geänd. mWv 1.1.2002 durch G v. 21.12.2000 (BGBl. I S. 1983); Abs. 4 geänd. mWv 28.11.2003 durch VO v. 25.11.2003 (BGBl. I S. 2304); Abs. 4 geänd. mWv 8.11.2006 durch VO v. 31.10.2006 (BGBl. I S. 2407).

[2] Auszugsweise abgedruckt unter Nr. **694**.

[3] Nr. **691**.

[4] Auszugsweise abgedruckt unter Nr. **320**.

Leistungsträger, wenn sie wie ein Arbeitgeber Beiträge für eine kraft Gesetzes versicherte Person zu entrichten haben.

§ 99[1] Auskunftspflicht von Angehörigen, Unterhaltspflichtigen oder sonstigen Personen. [1] Ist nach dem Recht der Sozialversicherung einschließlich der Arbeitslosenversicherung oder dem sozialen Entschädigungsrecht

1. das Einkommen oder das Vermögen von Angehörigen des Leistungsempfängers oder sonstiger Personen bei einer Sozialleistung oder ihrer Erstattung zu berücksichtigen oder
2. die Sozialleistung oder ihre Erstattung von der Höhe eines Unterhaltsanspruchs abhängig, der dem Leistungsempfänger gegen einen Unterhaltspflichtigen zusteht,

gelten für diese Personen § 60 Abs. 1 Nr. 1 und 3 sowie § 65 Abs. 1 des Ersten Buches[2] entsprechend. [2] Das Gleiche gilt für den in Satz 1 genannten Anwendungsbereich in den Fällen, in denen Unterhaltspflichtige, Angehörige, der frühere Ehegatte, der frühere Lebenspartner oder Erben zum Ersatz der Aufwendungen des Leistungsträgers herangezogen werden. [3] Auskünfte auf Fragen, deren Beantwortung einem nach Satz 1 oder Satz 2 Auskunftspflichtigen oder einer ihm nahe stehenden Person (§ 383 Abs. 1 Nr. 1 bis 3 der Zivilprozessordnung[3]) die Gefahr zuziehen würde, wegen einer Straftat oder einer Ordnungswidrigkeit verfolgt zu werden, können verweigert werden.

§ 100[4] Auskunftspflicht des Arztes oder Angehörigen eines anderen Heilberufs. (1) [1] Der Arzt oder Angehörige eines anderen Heilberufs ist verpflichtet, dem Leistungsträger im Einzelfall auf Verlangen Auskunft zu erteilen, soweit es für die Durchführung von dessen Aufgaben nach diesem Gesetzbuch erforderlich und

1. es gesetzlich zugelassen ist oder
2. der Betroffene im Einzelfall eingewilligt hat.

[2] Die Einwilligung soll zum Nachweis im Sinne des Artikels 7 Absatz 1 der Verordnung (EU) 2016/679[5], dass die betroffene Person in die Verarbeitung ihrer personenbezogenen Daten eingewilligt hat, schriftlich oder elektronisch erfolgen. [3] Die Sätze 1 und 2 gelten entsprechend für Krankenhäuser sowie für Vorsorge- oder Rehabilitationseinrichtungen.

(2) Auskünfte auf Fragen, deren Beantwortung dem Arzt, dem Angehörigen eines anderen Heilberufs oder ihnen nahe stehenden Personen (§ 383 Abs. 1 Nr. 1 bis 3 der Zivilprozessordnung[3]) die Gefahr zuziehen würde, wegen einer Straftat oder einer Ordnungswidrigkeit verfolgt zu werden, können verweigert werden.

§ 101 Auskunftspflicht der Leistungsträger. [1] Die Leistungsträger haben auf Verlangen eines behandelnden Arztes Untersuchungsbefunde, die für die Behandlung von Bedeutung sein können, mitzuteilen, sofern der Betroffene im

---

[1] § 99 Satz 2 geänd. mWv 26.11.2015 durch G v. 20.11.2015 (BGBl. I S. 2010).
[2] Nr. **691**.
[3] **beck-online, Module Arbeitsrecht Nr. 320.**
[4] § 100 Abs. 1 Satz 2 neu gef. mWv 25.5.2018 durch G v. 17.7.2017 (BGBl. I S. 2541).
[5] Nr. **489**.

Einzelfall in die Mitteilung eingewilligt hat. [2] § 100 Abs. 1 Satz 2 gilt entsprechend.

§ 101a[1)] Mitteilungen der Meldebehörden. (1) Die Datenstelle der Rentenversicherung übermittelt unverzüglich an die Deutsche Post AG:

1. die Mitteilungen aller Sterbefälle und Anschriftenänderungen und jede Änderung des Vor- und des Familiennamens unter den Voraussetzungen von § 196 Absatz 2 des Sechsten Buches[2)];
2. bei einem Sterbefall zusätzlich das Datum der letzten Eheschließung oder der Begründung der letzten Lebenspartnerschaft unter den Voraussetzungen von § 196 Absatz 2a des Sechsten Buches[2)];
3. bei einer Eheschließung oder einer Begründung einer Lebenspartnerschaft eines Einwohners das Datum dieser Eheschließung oder dieser Begründung einer Lebenspartnerschaft unter den Voraussetzungen von § 196 Absatz 2a des Sechsten Buches[2)].

(2) Die Mitteilungen, die von der Datenstelle der Rentenversicherung an die Deutsche Post AG übermittelt werden, dürfen von der Deutschen Post AG

1. nur dazu verwendet werden, um einen Sterbequartalsvorschuss auszuzahlen, um laufende Geldleistungen der Leistungsträger, der in § 69 Abs. 2 genannten Stellen sowie ausländischer Leistungsträger mit laufenden Geldleistungen in die Bundesrepublik Deutschland einzustellen oder deren Einstellung zu veranlassen sowie um Anschriften von Empfängern laufender Geldleistungen der Leistungsträger und der in § 69 Abs. 2 genannten Stellen zu berichtigen oder deren Berichtigung zu veranlassen, und darüber hinaus
2. nur weiter übermittelt werden, um den Trägern der Unfallversicherung, der Sozialversicherung für Landwirtschaft, Forsten und Gartenbau und den in § 69 Abs. 2 genannten Zusatzversorgungseinrichtungen eine Aktualisierung ihrer Versichertenbestände oder Mitgliederbestände zu ermöglichen; dies gilt auch für die Übermittlung der Mitteilungen an berufsständische Versorgungseinrichtungen, soweit diese nach Landesrecht oder Satzungsrecht zur Erhebung dieser Daten befugt sind.

(3) Die Verwendung und Übermittlung der Mitteilungen erfolgt

1. in der allgemeinen Rentenversicherung im Rahmen des gesetzlichen Auftrags der Deutschen Post AG nach § 119 Abs. 1 Satz 1 des Sechsten Buches[2)],
2. im Übrigen im Rahmen eines öffentlich-rechtlichen oder privatrechtlichen Vertrages der Deutschen Post AG mit den Leistungsträgern, den berufsständischen Versorgungseinrichtungen oder den in § 69 Abs. 2 genannten Stellen.

§§ 102–114 *(hier nicht wiedergegeben)*

[1)] § 101a Abs. 3 Nr. 1 geänd. mWv 1.1.2005 durch G v. 9.12.2004 (BGBl. I S. 3242); Überschrift, Abs. 1 und Abs. 2 Nr. 1 neu gef., Abs. 2 einl. Satzteil und Nr. 2 geänd. mWv 1.11.2009 durch G v. 21.12.2008 (BGBl. I S. 2933); Abs. 2 Nr. 2 geänd. mWv 1.1.2013 durch G v. 12.4.2012 (BGBl. I S. 579); Abs. 1, Abs. 2 einl. Satzteil geänd. mWv 17.11.2016 durch G v. 11.11.2016 (BGBl. I S. 2500); *Abs. 1, Abs. 2 Nr. 2, Abs. 3 Nr. 2* geänd. mWv 1.7.2020 durch G v. 12.6.2020 (BGBl. I S. 1248); Abs. 1 neu gef., Abs. 2 Nr. 1 geänd. mWv 22.1.2026 durch G v. 16.1.2026 (BGBl. 2026 I Nr. 14).

[2)] **beck-online, Module Arbeitsrecht Nr. 696.**

Dritter Abschnitt. Erstattungs- und Ersatzansprüche der Leistungsträger gegen Dritte

§ 115[1] **Ansprüche gegen den Arbeitgeber.** (1) Soweit der Arbeitgeber den Anspruch des Arbeitnehmers auf Arbeitsentgelt nicht erfüllt und deshalb ein Leistungsträger Sozialleistungen erbracht hat, geht der Anspruch des Arbeitnehmers gegen den Arbeitgeber auf den Leistungsträger bis zur Höhe der erbrachten Sozialleistungen über.

(2) Der Übergang wird nicht dadurch ausgeschlossen, dass der Anspruch nicht übertragen, verpfändet oder gepfändet werden kann.

(3) An Stelle der Ansprüche des Arbeitnehmers auf Sachbezüge tritt im Fall des Absatzes 1 der Anspruch auf Geld; die Höhe bestimmt sich nach den nach § 17 Absatz 1 Satz 1 Nummer 4 des Vierten Buches[2] festgelegten Werten der Sachbezüge.

§ 116[3] **Ansprüche gegen Schadenersatzpflichtige.** (1) [1]Ein auf anderen gesetzlichen Vorschriften beruhender Anspruch auf Ersatz eines Schadens geht auf den Versicherungsträger oder Träger der Eingliederungshilfe oder der Sozialhilfe über, soweit dieser auf Grund des Schadensereignisses Sozialleistungen zu erbringen hat, die der Behebung eines Schadens der gleichen Art dienen und sich auf denselben Zeitraum wie der vom Schädiger zu leistende Schadenersatz beziehen. [2]Dazu gehören auch

1. die Beiträge, die von Sozialleistungen zu zahlen sind, und
2. die Beiträge zur Krankenversicherung, die für die Dauer des Anspruchs auf Krankengeld unbeschadet des § 224 Abs. 1 des Fünften Buches[4] zu zahlen wären.

(2) Ist der Anspruch auf Ersatz eines Schadens durch Gesetz der Höhe nach begrenzt, geht er auf den Versicherungsträger oder Träger der Eingliederungshilfe oder der Sozialhilfe über, soweit er nicht zum Ausgleich des Schadens des Geschädigten oder seiner Hinterbliebenen erforderlich ist.

(3) [1]Ist der Anspruch auf Ersatz eines Schadens durch ein mitwirkendes Verschulden oder eine mitwirkende Verantwortlichkeit des Geschädigten begrenzt, geht auf den Versicherungsträger oder Träger der Eingliederungshilfe oder der Sozialhilfe von dem nach Absatz 1 bei unbegrenzter Haftung übergehenden Ersatzanspruch der Anteil über, welcher dem Vomhundertsatz entspricht, für den der Schädiger ersatzpflichtig ist. [2]Dies gilt auch, wenn der Ersatzanspruch durch Gesetz der Höhe nach begrenzt ist. [3]Der Anspruchsübergang ist ausgeschlossen, soweit der Geschädigte oder seine Hinterbliebenen dadurch hilfebedürftig im Sinne der Vorschriften des Zwölften Buches[5] werden.

---

[1] § 115 Abs. 3 geänd. mWv 1.7.2020 durch G v. 12.6.2020 (BGBl. I S. 1248).

[2] Nr. **694**.

[3] § 116 Abs. 10 geänd. mWv 1.1.2004 durch G v. 23.12.2003 (BGBl. I S. 2848); Abs. 3 Satz 3 geänd. mWv 1.1.2005 durch G v. 27.12.2003 (BGBl. I S. 3022); Abs. 10 neu gef. mWv 1.8.2006 durch G v. 20.7.2006 (BGBl. I S. 1706); Abs. 6 Satz 2 geänd. mWv 26.11.2015 durch G v. 20.11.2015 (BGBl. I S. 2010); Abs. 1 Satz 1, Abs. 2, Abs. 3 Satz 1, Abs. 5 und Abs. 7 Satz 1 geänd. mWv 1.1.2020 durch G v. 23.12.2016 (BGBl. I S. 3234); Abs. 6 neu gef. mWv 1.1.2021 durch G v. 12.6.2020 (BGBl. I S. 1248); Abs. 6 Satz 3 geänd. mWv 17.4.2024 durch G v. 11.4.2024 (BGBl. 2024 I Nr. 119).

[4] **beck-online, Module Arbeitsrecht Nr. 695.**

[5] **Aichberger, SGB Nr. 12.**

(4) Stehen der Durchsetzung der Ansprüche auf Ersatz eines Schadens tatsächliche Hindernisse entgegen, hat die Durchsetzung der Ansprüche des Geschädigten und seiner Hinterbliebenen Vorrang vor den übergegangenen Ansprüchen nach Absatz 1.

(5) Hat ein Versicherungsträger oder Träger der Eingliederungshilfe oder der Sozialhilfe auf Grund des Schadensereignisses dem Geschädigten oder seinen Hinterbliebenen keine höheren Sozialleistungen zu erbringen als vor diesem Ereignis, geht in den Fällen des Absatzes 3 Satz 1 und 2 der Schadenersatzanspruch nur insoweit über, als der geschuldete Schadenersatz nicht zur vollen Deckung des eigenen Schadens des Geschädigten oder seiner Hinterbliebenen erforderlich ist.

(6) [1] Ein nach Absatz 1 übergegangener Ersatzanspruch kann bei nicht vorsätzlichen Schädigungen durch eine Person, die im Zeitpunkt des Schadensereignisses mit dem Geschädigten oder seinen Hinterbliebenen in häuslicher Gemeinschaft lebt, nicht geltend gemacht werden. [2] Ein Ersatzanspruch nach Absatz 1 kann auch dann nicht geltend gemacht werden, wenn der Schädiger mit dem Geschädigten oder einem Hinterbliebenen nach Eintritt des Schadensereignisses die Ehe geschlossen oder eine Lebenspartnerschaft begründet hat und in häuslicher Gemeinschaft lebt. [3] Abweichend von den Sätzen 1 und 2 kann ein Ersatzanspruch bis zur Höhe der zur Verfügung stehenden Versicherungssumme geltend gemacht werden, wenn der Schaden bei dem Betrieb eines Fahrzeugs entstanden ist, für das Versicherungsschutz nach § 1 des Pflichtversicherungsgesetzes oder § 3 des Auslandsfahrzeug-Pflichtversicherungsgesetzes besteht. [4] Der Ersatzanspruch kann in den Fällen des Satzes 3 gegen den Schädiger in voller Höhe geltend gemacht werden, wenn er den Versicherungsfall vorsätzlich verursacht hat.

(7) [1] Haben der Geschädigte oder seine Hinterbliebenen von dem zum Schadenersatz Verpflichteten auf einen übergegangenen Anspruch mit befreiender Wirkung gegenüber dem Versicherungsträger oder Träger der Eingliederungshilfe oder der Sozialhilfe Leistungen erhalten, haben sie insoweit dem Versicherungsträger oder Träger der Eingliederungshilfe oder der Sozialhilfe die erbrachten Leistungen zu erstatten. [2] Haben die Leistungen gegenüber dem Versicherungsträger oder Träger der Sozialhilfe keine befreiende Wirkung, haften der zum Schadenersatz Verpflichtete und der Geschädigte oder dessen Hinterbliebene dem Versicherungsträger oder Träger der Sozialhilfe als Gesamtschuldner.

(8) Weist der Versicherungsträger oder Träger der Sozialhilfe nicht höhere Leistungen nach, sind vorbehaltlich der Absätze 2 und 3 je Schadensfall für nicht stationäre ärztliche Behandlung und Versorgung mit Arznei- und Verbandmitteln 5 vom Hundert der monatlichen Bezugsgröße nach § 18 des Vierten Buches[1)] zu ersetzen.

(9) Die Vereinbarung einer Pauschalierung der Ersatzansprüche ist zulässig.

(10) Die Bundesagentur für Arbeit und die Träger der Grundsicherung für Arbeitsuchende nach dem Zweiten Buch[2)] gelten als Versicherungsträger im Sinne dieser Vorschrift.

[1)] Nr. **694**.
[2)] Nr. **692**.

§ 117 Schadenersatzansprüche mehrerer Leistungsträger. [1] Haben im Einzelfall mehrere Leistungsträger Sozialleistungen erbracht und ist in den Fällen des § 116 Abs. 2 und 3 der übergegangene Anspruch auf Ersatz des Schadens begrenzt, sind die Leistungsträger Gesamtgläubiger. [2] Untereinander sind sie im Verhältnis der von ihnen erbrachten Sozialleistungen zum Ausgleich verpflichtet. [3] Soweit jedoch eine Sozialleistung allein von einem Leistungsträger erbracht ist, steht der Ersatzanspruch im Innenverhältnis nur diesem zu. [4] Die Leistungsträger können ein anderes Ausgleichsverhältnis vereinbaren.

§ 118 Bindung der Gerichte. Hat ein Gericht über einen nach § 116 übergegangenen Anspruch zu entscheiden, ist es an eine unanfechtbare Entscheidung gebunden, dass und in welchem Umfang der Leistungsträger zur Leistung verpflichtet ist.

§ 119 Übergang von Beitragsansprüchen. (1) [1] Soweit der Schadenersatzanspruch eines Versicherten den Anspruch auf Ersatz von Beiträgen zur Rentenversicherung umfasst, geht dieser auf den Versicherungsträger über, wenn der Geschädigte im Zeitpunkt des Schadensereignisses bereits Pflichtbeitragszeiten nachweist oder danach pflichtversichert wird; dies gilt nicht, soweit

1. der Arbeitgeber das Arbeitsentgelt fortzahlt oder sonstige der Beitragspflicht unterliegende Leistungen erbringt oder
2. der Anspruch auf Ersatz von Beiträgen nach § 116 übergegangen ist.

[2] Für den Anspruch auf Ersatz von Beiträgen zur Rentenversicherung gilt § 116 Abs. 3 Satz 1 und 2 entsprechend, soweit die Beiträge auf den Unterschiedsbetrag zwischen dem bei unbegrenzter Haftung zu ersetzenden Arbeitsentgelt oder Arbeitseinkommen und der bei Bezug von Sozialleistungen beitragspflichtigen Einnahme entfallen.

(2) [1] Der Versicherungsträger, auf den ein Teil des Anspruchs auf Ersatz von Beiträgen zur Rentenversicherung nach § 116 übergeht, übermittelt den von ihm festgestellten Sachverhalt dem Träger der Rentenversicherung auf einem einheitlichen Meldevordruck. [2] Das Nähere über den Inhalt des Meldevordrucks und das Mitteilungsverfahren bestimmen die Spitzenverbände der Sozialversicherungsträger.

(3) [1] Die eingegangenen Beiträge oder Beitragsanteile gelten in der Rentenversicherung als Pflichtbeiträge. [2] Durch den Übergang des Anspruchs auf Ersatz von Beiträgen darf der Versicherte nicht schlechter gestellt werden, als er ohne den Schadenersatzanspruch gestanden hätte.

(4) [1] Die Vereinbarung der Abfindung von Ansprüchen auf Ersatz von Beiträgen zur Rentenversicherung mit einem ihrem Kapitalwert entsprechenden Betrag ist im Einzelfall zulässig. [2] Im Fall des Absatzes 1 Satz 1 Nr. 1 gelten für die Mitwirkungspflichten des Geschädigten die §§ 60, 61, 65 Abs. 1 und 3 sowie § 65a des Ersten Buches[1)] entsprechend.

[1)] Nr. **691**.

Viertes Kapitel. Übergangs- und Schlussvorschriften

§ 120[1] Übergangsregelung. (1) [1]Die §§ 116 bis 119 sind nur auf Schadensereignisse nach dem 30. Juni 1983 anzuwenden; für frühere Schadensereignisse gilt das bis 30. Juni 1983 geltende Recht weiter. [2]Ist das Schadensereignis nach dem 30. Juni 1983 eingetreten, sind § 116 Abs. 1 Satz 2 und § 119 Abs. 1, 3 und 4 in der ab 1. Januar 2001 geltenden Fassung auf einen Sachverhalt auch dann anzuwenden, wenn der Sachverhalt bereits vor diesem Zeitpunkt bestanden hat und darüber noch nicht abschließend entschieden ist. [3]§ 116 Absatz 6 ist nur auf Schadensereignisse nach dem 31. Dezember 2020 anzuwenden; für frühere Schadensereignisse gilt das bis 31. Dezember 2020 geltende Recht weiter.

(2) § 111 Satz 2 und § 113 Abs. 1 Satz 1 sind in der vom 1. Januar 2001 an geltenden Fassung auf die Erstattungsverfahren anzuwenden, die am 1. Juni 2000 noch nicht abschließend entschieden waren.

(3) Eine Rückerstattung ist in den am 1. Januar 2001 bereits abschließend entschiedenen Fällen ausgeschlossen, wenn die Erstattung nach § 111 Satz 2 in der ab 1. Januar 2001 geltenden Fassung zu Recht erfolgt ist.

(4) *(aufgehoben)*

(5) Artikel 229 § 6 Abs. 1 bis 4 des Einführungsgesetzes zum Bürgerlichen Gesetzbuche[2] gilt entsprechend bei der Anwendung des § 50 Abs. 4 Satz 2 und der §§ 52 und 113 Abs. 2 in der seit dem 1. Januar 2002 geltenden Fassung.

(6) § 66 Abs. 1 Satz 3 bis 5, Abs. 2 und 3 Satz 2 in der ab dem 30. März 2005 geltenden Fassung gilt nur für Bestellungen zu Vollstreckungs- und Vollziehungsbeamten ab dem 30. März 2005.

(7) § 94 Absatz 1a Satz 3 findet nur Anwendung auf die Bildung von oder den Beitritt zu Arbeitsgemeinschaften, wenn die Bildung oder der Beitritt nach dem 30. Juni 2020 erfolgt; die am 30. Juni 2020 bereits bestehenden Arbeitsgemeinschaften dürfen weitergeführt werden.

---

[1] § 120 Abs. 4 angef. mWv 23.5.2001 durch G v. 18.5.2001 (BGBl. I S. 904); Abs. 5 angef. mWv 1.1.2002 durch G v. 21.6.2002 (BGBl. I S. 2167); Abs. 6 angef. mWv 30.3.2005 durch G v. 21.3.2005 (BGBl. I S. 818); Abs. 7 angef. mWv 1.1.2024 durch G v. 12.12.2019 (BGBl. I S. 2652, aufgeh. BGBl. 2021 I S. 3932); Abs. 4 aufgeh., Abs. 7 angef. mWv 1.7.2020; Abs. 1 Satz 3 angef. mWv 1.1. *2021 durch G v. 12.6.2020* (BGBl. I S. 1248); Abs. 8 angef. mWv 1.1.2024 und aufgeh. mWv 1.1. 2025 durch G v. 20.8.2021 (BGBl. I S. 3932).

[2] Nr. **51**.

XII.

Arbeitsförderung und Arbeitnehmerüberlassung

700. Sozialgesetzbuch (SGB) Drittes Buch (III) – Arbeitsförderung –[1)]

Vom 24. März 1997

(BGBl. I S. 594)

FNA 860-3

zuletzt geänd. durch Art. 2 13. G zur Änd. des Zweiten Buches Sozialgesetzbuch und anderer Gesetze v. 16.4.2026 (BGBl. 2026 I Nr. 107)

Inhaltsübersicht[2) 3)]

Erstes Kapitel. Allgemeine Vorschriften

Erster Abschnitt. Grundsätze

[1)] Verkündet als Art. 1 G v. 24.3.1997 (BGBl. I S. 594); Inkrafttreten gem. Art. 83 dieses G am 1.1. 1998, mit Ausnahme der in Abs. 2 und 5 dieses Artikels genannten Abweichungen.

[2)] Inhaltsübersicht geänd. durch G v. 22.10.1997 (BGBl. I S. 2486); geänd. durch G v. 16.12.1997 (BGBl. I S. 2970); geänd. durch G v. 19.12.1998 (BGBl. I S. 3843); geänd. durch G v. 24.3.1999 (BGBl. I S. 396); geänd. durch G v. 21.7.1999 (BGBl. I S. 1648); geänd. mWv 1.1.2000 durch G v. 22.12.1999 (BGBl. I S. 2534); geänd. mWv 1.1.2000 durch G v. 22.12.1999 (BGBl. I S. 2624); geänd. mWv 1.10.2000 durch G v. 29.9.2000 (BGBl. I S. 1394); geänd. mWv 1.1.2001 durch G v. 20.12. 2000 (BGBl. I S. 1827); geänd. mWv 1.1.2001 durch G v. 21.12.2000 (BGBl. I S. 1971); geänd. mWv 1.7.2001 und 1.8.2001 durch G v. 19.6.2001 (BGBl. I S. 1046); geänd. mWv 1.1.2002, 1.1. 2003 und 1.1.2004 durch G v. 10.12.2001 (BGBl. I S. 3443); geänd. mWv 27.3.2002 durch G v. 23.3. 2002 (BGBl. I S. 1130); geänd. mWv 30.5.2002 durch G v. 22.5.2002 (BGBl. I S. 1644); geänd. mWv 1.8.2002 durch G v. 23.7.2002 (BGBl. I S. 2787, ber. S. 3760); geänd. mWv 1.1.2003 durch G v. 23.12.2002 (BGBl. I S. 4607); geänd. mWv 1.1.2003 und mWv 1.4.2003 durch G v. 23.12.2002 (BGBl. I S. 4621); geänd. mWv 1.1.2004 , 1.1.2005 und 1.2.2006 durch G v. 23.12.2003 (BGBl. I S. 2848); geänd. mWv 1.1.2004 durch G v. 24.12.2003 (BGBl. I S. 3002); geänd. mWv 1.1.2005 durch G v. 24.12.2003 (BGBl. I S. 2954); geänd. mWv 1.5.2004 durch G v. 23.4.2004 (BGBl. I S. 602); geänd. mWv 1.8.2004 durch G v. 23.7.2004 (BGBl. I S. 1842); geänd. mWv 1.1.2005 durch G v. 30.7.2004 (BGBl. I S. 1950); geänd. mWv 6.8.2004 durch G v. 30.7.2004 (BGBl. I S. 2014); geänd. mWv 1.4.2005 durch G v. 23.3.2005 (BGBl. I S. 931); geänd. mWv 31.12.2005 durch G v. 22.12.2005 (BGBl. I S. 3676); geänd. mWv 1.4.2006 durch G v. 24.4.2006 (BGBl. I S. 926); geänd. mWv 1.1.2007 durch G v. 29.6.2006 (BGBl. I S. 1402); geänd. mWv 1.8.2006 durch G v. 20.7.2006 (BGBl. I S. 1706); geänd. mWv 1.5.2007 durch G v. 19.4.2007 (BGBl. I S. 538); geänd. mWv 26.7. 2007 durch G v. 19.7.2007 (BGBl. I S. 1457); geänd. mWv 1.10.2007 durch G v. 10.10.2007 (BGBl. I S. 2329); geänd. mWv 1.1.2008 durch G v. 19.12.2007 (BGBl. I S. 3024); geänd. mWv 1.1.2008 durch G v. 22.12.2007 (BGBl. I S. 3245); geänd. mWv 1.8.2008 durch G v. 23.12.2007 (BGBl. I S. 3254); geänd. mWv 1.1.2008 durch G v. 8.4.2008 (BGBl. I S. 681); geänd. mWv 30.8.2008 durch G v. 26.8.2008 (BGBl. I S. 1728, geänd. durch G v. 24.10.2010, BGBl. I S. 1417 und G v. 20.12.2011, BGBl. I S. 2854); geänd. mWv 1.1.2009 durch G v. 30.10.2008 (BGBl. I S. 2130); geänd. mWv 1.1. 2009, mWv 1.8.2009, mWv 1.1.2010 und mWv 18.9.2010 durch G v. 21.12.2008 (BGBl. I S. 2917); geänd. mWv 30.12.2008 durch G v. 22.12.2008 (BGBl. I S. 2959); geänd. mWv 1.2.2009 und mWv 1.8.2009 durch G v. 2.3.2009 (BGBl. I S. 416); geänd. mWv 22.7.2009 durch G v. 15.7.2009 (BGBl. I S. 1939); geänd. mWv 17.4.2010 durch G v. 14.4.2010 (BGBl. I S. 410); geänd. mWv 1.1.2011 durch G v. 3.8.2010 (BGBl. I S. 1112); geänd. mWv 1.1.2011 durch G v. 24.10.2010 (BGBl. I S. 1417); geänd. mWv 28.10.2010 durch G v. 24.10.2010 (BGBl. I S. 1422); geänd. mWv 29.6.2011 durch G v. 22.6.2011 (BGBl. I S. 1202); geänd. mWv 28.12.2011, mWv 1.4.2012, mWv 1.1.2014 und mWv 1.1.2015 durch G v. 20.12.2011 (BGBl. I S. 2854); geänd. mWv 30.12.2011 durch G v. 22.12.2011 (BGBl. I S. 3057); geänd. mWv 1.1.2013 durch G v. 5.12.2012 (BGBl. I S. 2467); geänd. mWv 1.1. 2013 durch G v. 5.12.2012 (BGBl. I S. 2474); geänd. mWv 19.3.2013 durch G v. 13.3.2013 (BGBl. I S. 446); geänd. mWv 1.1.2014 durch G v. 19.10.2013 (BGBl. I S. 3836); geänd. mWv 1.1.2015 durch G v. 23.12.2014 (BGBl. I S. 2475); geänd. mWv 1.5.2015 durch G v. 15.4.2015 (BGBl. I S. 583); →

(Fortsetzung der Anm. von voriger Seite)
geänd. mWv 24.10.2015 durch G v. 20.10.2015 (BGBl. I S. 1722); geänd. mWv 1.1.2017 durch G v. 21.12.2015 (BGBl. I S. 2424); geänd. mWv 15.7.2016 durch G v. 8.7.2016 (BGBl. I S. 1594); geänd. mWv 1.8.2016 durch G v. 18.7.2016 (BGBl. I S. 1710); geänd. mWv 1.8.2016 durch G v. 26.7.2016 (BGBl. I S. 1824); geänd. mWv 6.8.2016 durch G v. 31.7.2016 (BGBl. I S. 1939); geänd. mWv 1.1. 2018 durch G v. 23.12.2016 (BGBl. I S. 3234); geänd. mWv 25.7.2017 durch G v. 17.7.2017 (BGBl. I S. 2541); geänd. mWv 1.1.2025 durch G v. 17.7.2017 (BGBl. I S. 2575); geänd. mWv 1.1.2019 durch G v. 18.12.2018 (BGBl. I S. 2651); geänd. mWv 1.8.2019 durch G v. 8.7.2019 (BGBl. I S. 1025); geänd. mWv 1.8.2019 durch G v. 8.7.2019 (BGBl. I S. 1029); geänd. mWv 21.8.2019 und mWv 1.1. 2027 durch G v. 15.8.2019 (BGBl. I S. 1307, geänd. BGBl. 2023 I Nr. 217); geänd. mWv 26.11.2019 durch G v. 20.11.2019 (BGBl. I S. 1626); geänd. mWv 1.1.2024 durch G v. 12.12.2019 (BGBl. I S. 2652); geänd. mWv 1.1.2020 durch G v. 4.3.2020 (BGBl. I S. 437); geänd. mWv 28.3.2020 durch G v. 27.3.2020 (BGBl. I S. 575); geänd. mWv 29.5.2020 und mWv 1.1.2022 durch G v. 20.5.2020 (BGBl. I S. 1044); geänd. mWv 29.5.2020 durch G v. 20.5.2020 (BGBl. I S. 1055); geänd. mWv 1.7. 2020, mWv 1.1.2023 und mWv 1.1.2024 durch G v. 12.6.2020 (BGBl. I S. 1248); geänd. mWv 17.7. 2020 durch G v. 14.7.2020 (BGBl. I S. 1683); geänd. mWv 24.11.2020 durch G v. 12.11.2020 (BGBl. I S. 2416); geänd. mWv 10.12.2020 und mWv 1.1.2021 durch G v. 3.12.2020 (BGBl. I S. 2691); geänd. mWv 1.1.2022 durch G v. 2.6.2021 (BGBl. I S. 1387); geänd. mWv 1.1.2022 und mWv 1.4.2022 durch G v. 16.7.2021 (BGBl. I S. 2970); geänd. mWv 1.1.2024 durch G v. 20.8.2021 (BGBl. I S. 3932); geänd. mWv 1.7.2022 durch G v. 28.6.2022 (BGBl. I S. 969); geänd. mWv 1.8. 2022 durch G v. 15.7.2022 (BGBl. I S. 1150); geänd. mWv 1.1.2023 und mWv 1.7.2023 durch G v. 16.12.2022 (BGBl. I S. 2328); geänd. mWv 1.1.2023 und mWv 1.1.2024 durch G v. 20.12.2022 (BGBl. I S. 2759); geänd. mWv 1.4.2024 durch G v. 17.7.2023 (BGBl. 2023 I Nr. 191); geänd. mWv 1.1.2025 durch G v. 22.12.2023 (BGBl. 2023 I Nr. 412); geänd. mWv 1.8.2024 durch G v. 19.7.2024 (BGBl. 2024 I Nr. 249); geänd. mWv 24.12.2025 und mWv 1.1.2026 sowie mWv 1.1.2029 durch G v. 22.12.2025 (BGBl. 2025 I Nr. 355); geänd. mWv 1.7.2026 und mWv 1.8.2027 durch G v. 16.4. 2026 (BGBl. 2026 I Nr. 107).

[3] Die Inhaltsübersicht wurde nichtamtlich an vom Gesetzgeber nicht berücksichtigte bzw. nur unvollständig berücksichtigte Änderungen durch G v. 20.11.2000 (BGBl. I S. 1590), G v. 17.8.2001 (BGBl. I S. 2144), G v. 10.12.2001 (BGBl. I S. 3443), G v. 20.12.2001 (BGBl. I S. 4013), Berichtigung v. 26.4.2002 (BGBl. I S. 1542), G v. 24.4.2006 (BGBl. I S. 926), G v. 20.7.2006 (BGBl. I S. 1706), G v. 19.4.2007 (BGBl. I S. 538), G v. 16.7.2009 (BGBl. I S. 1959) und G v. 8.12.2010 (BGBl. I S. 1864) angepasst.

Erstes Kapitel. Allgemeine Vorschriften

Erster Abschnitt. Grundsätze

§ 1[1] Ziele der Arbeitsförderung. (1) [1] Die Arbeitsförderung soll dem Entstehen von Arbeitslosigkeit entgegenwirken, die Dauer der Arbeitslosigkeit verkürzen und den Ausgleich von Angebot und Nachfrage auf dem Ausbildungs- und Arbeitsmarkt unterstützen. [2] Dabei ist insbesondere durch die Verbesserung der individuellen Beschäftigungsfähigkeit Langzeitarbeitslosigkeit zu vermeiden. [3] Die Gleichstellung von Frauen und Männern ist als durchgängiges Prinzip der Arbeitsförderung zu verfolgen. [4] Die Arbeitsförderung soll dazu beitragen, dass ein hoher Beschäftigungsstand erreicht und die Beschäftigungsstruktur ständig verbessert wird. [5] Sie ist so auszurichten, dass sie der beschäftigungspolitischen Zielsetzung der Sozial-, Wirtschafts- und Finanzpolitik der Bundesregierung entspricht.

(2) Die Leistungen der Arbeitsförderung sollen insbesondere

1. die Transparenz auf dem Ausbildungs- und Arbeitsmarkt erhöhen, die berufliche und regionale Mobilität unterstützen und die zügige Besetzung offener Stellen ermöglichen,
2. die individuelle Beschäftigungsfähigkeit durch Erhalt und Ausbau von Fertigkeiten, Kenntnissen und Fähigkeiten fördern,
3. unterwertiger Beschäftigung entgegenwirken und
4. die berufliche Situation von Frauen verbessern, indem sie auf die Beseitigung bestehender Nachteile sowie auf die Überwindung eines geschlechtsspezifisch geprägten Ausbildungs- und Arbeitsmarktes hinwirken und Frauen mindestens entsprechend ihrem Anteil an den Arbeitslosen und ihrer relativen Betroffenheit von Arbeitslosigkeit gefördert werden.

(3) [1] Die Bundesregierung soll mit der Bundesagentur zur Durchführung der Arbeitsförderung Rahmenziele vereinbaren. [2] Diese dienen der Umsetzung der Grundsätze dieses Buches. [3] Die Rahmenziele werden spätestens zu Beginn einer Legislaturperiode überprüft.

§ 2[2] Zusammenwirken mit den Agenturen für Arbeit. (1) Die Agenturen für Arbeit erbringen insbesondere Dienstleistungen für Arbeitgeber, Arbeitnehmerinnen und Arbeitnehmer, indem sie

1. Arbeitgeber regelmäßig über Ausbildungs- und Arbeitsmarktentwicklungen, Ausbildungsuchende, Fachkräfteangebot und berufliche Bildungsmaßnah-

---

[1] § 1 neu gef. mWv 1.1.2009 durch G v. 21.12.2008 (BGBl. I S. 2917).

[2] § 2 neu gef. mWv 1.1.2002 durch G v. 10.12.2001 (BGBl. I S. 3443); Abs. 2 Satz 2 Nr. 2 geänd., Nr. 3 angef., Abs. 5 Nr. 2 neu gef. mWv 1.1.2003 durch G v. 23.12.2002 (BGBl. I S. 4607); Überschrift, Abs. 1 einl. Satzteil, Abs. 2 Satz 2 Nr. 3 und Abs. 3 Satz 1 geänd. mWv 1.1.2004 durch G v. 23.12.2003 (BGBl. I S. 2848); Abs. 2 Satz 2 Nr. 3 geänd. mWv 31.12.2005 durch G v. 22.12.2005 (BGBl. I S. 3676); Abs. 2 Satz 2 Nr. 3 geänd. mWv 1.1.2009 durch G v. 21.12.2008 (BGBl. I S. 2917); Überschrift, Abs. 1 einl. Satzteil, Nr. 1 und 2, Abs. 2 Satz 1, Satz 2 Nr. 1–3, Abs. 3 Satz 2 Nr. 1, 3 und 5, Abs. 4 Satz 1 und Abs. 5 einl. Satzteil geänd. mWv 1.4.2012 durch G v. 20.12.2011 (BGBl. I S. 2854).

men informieren sowie auf den Betrieb zugeschnittene Arbeitsmarktberatung und Vermittlung anbieten und

2. Arbeitnehmerinnen und Arbeitnehmer zur Vorbereitung der Berufswahl und zur Erschließung ihrer beruflichen Entwicklungsmöglichkeiten beraten, Vermittlungsangebote zur Ausbildungs- oder Arbeitsaufnahme entsprechend ihren Fähigkeiten unterbreiten sowie sonstige Leistungen der Arbeitsförderung erbringen.

(2) [1] Die Arbeitgeber haben bei ihren Entscheidungen verantwortungsvoll deren Auswirkungen auf die Beschäftigung der Arbeitnehmerinnen und Arbeitnehmer und von Arbeitslosen und damit die Inanspruchnahme von Leistungen der Arbeitsförderung einzubeziehen. [2] Sie sollen dabei insbesondere

1. im Rahmen ihrer Mitverantwortung für die Entwicklung der beruflichen Leistungsfähigkeit der Arbeitnehmerinnen und Arbeitnehmer zur Anpassung an sich ändernde Anforderungen sorgen,
2. vorrangig durch betriebliche Maßnahmen die Inanspruchnahme von Leistungen der Arbeitsförderung sowie Entlassungen von Arbeitnehmerinnen und Arbeitnehmern vermeiden,
3. Arbeitnehmer vor der Beendigung des Arbeitsverhältnisses frühzeitig über die Notwendigkeit eigener Aktivitäten bei der Suche nach einer anderen Beschäftigung sowie über die Verpflichtung zur Meldung nach § 38 Abs. 1 bei der Agentur für Arbeit informieren, sie hierzu freistellen und die Teilnahme an erforderlichen Maßnahmen der beruflichen Weiterbildung ermöglichen.

(3) [1] Die Arbeitgeber sollen die Agenturen für Arbeit frühzeitig über betriebliche Veränderungen, die Auswirkungen auf die Beschäftigung haben können, unterrichten. [2] Dazu gehören insbesondere Mitteilungen über

1. zu besetzende Ausbildungs- und Arbeitsstellen,
2. geplante Betriebserweiterungen und den damit verbundenen Arbeitskräftebedarf,
3. die Qualifikationsanforderungen an die einzustellenden Arbeitnehmerinnen und Arbeitnehmer,
4. geplante Betriebseinschränkungen oder Betriebsverlagerungen sowie die damit verbundenen Auswirkungen und
5. Planungen, wie Entlassungen von Arbeitnehmerinnen und Arbeitnehmern vermieden oder Übergänge in andere Beschäftigungsverhältnisse organisiert werden können.

(4) [1] Die Arbeitnehmerinnen und Arbeitnehmer haben bei ihren Entscheidungen verantwortungsvoll deren Auswirkungen auf ihre beruflichen Möglichkeiten einzubeziehen. [2] Sie sollen insbesondere ihre berufliche Leistungsfähigkeit den sich ändernden Anforderungen anpassen.

(5) Die Arbeitnehmerinnen und Arbeitnehmer haben zur Vermeidung oder zur Beendigung von Arbeitslosigkeit insbesondere

1. ein zumutbares Beschäftigungsverhältnis fortzusetzen,
2. eigenverantwortlich nach Beschäftigung zu suchen, bei bestehendem Beschäftigungsverhältnis frühzeitig vor dessen Beendigung,
3. eine zumutbare Beschäftigung aufzunehmen und
4. an einer beruflichen Eingliederungsmaßnahme teilzunehmen.

§ 3[1)] Leistungen der Arbeitsförderung. (1) Leistungen der Arbeitsförderung sind Leistungen nach Maßgabe des Dritten und Vierten Kapitels dieses Buches.

(2) Leistungen der aktiven Arbeitsförderung sind Leistungen nach Maßgabe des Dritten Kapitels dieses Buches und Arbeitslosengeld bei beruflicher Weiterbildung.

(3) Leistungen der aktiven Arbeitsförderung sind Ermessensleistungen mit Ausnahme
1. des Aktivierungs- und Vermittlungsgutscheins nach § 45 Absatz 7,
2. der Berufsausbildungsbeihilfe während der ersten Berufsausbildung oder einer berufsvorbereitenden Bildungsmaßnahme,
3. der Leistung zur Vorbereitung auf den nachträglichen Erwerb des Hauptschulabschlusses oder eines gleichwertigen Schulabschlusses im Rahmen einer berufsvorbereitenden Bildungsmaßnahme,
4. der Weiterbildungskosten zum nachträglichen Erwerb eines Berufsabschlusses, des Hauptschulabschlusses oder eines gleichwertigen Schulabschlusses,
5. des Kurzarbeitergeldes bei Arbeitsausfall,
6. des Wintergeldes,
7. der Leistungen zur Förderung der Teilnahme an Transfermaßnahmen,
8. der besonderen Leistungen zur Teilhabe am Arbeitsleben und
9. des Arbeitslosengeldes bei beruflicher Weiterbildung.

(4) Entgeltersatzleistungen sind
1. Arbeitslosengeld bei Arbeitslosigkeit und bei beruflicher Weiterbildung,
2. Teilarbeitslosengeld bei Teilarbeitslosigkeit,
3. Übergangsgeld bei Teilnahme an Maßnahmen zur Teilhabe am Arbeitsleben,
4. Kurzarbeitergeld bei Arbeitsausfall,
5. Insolvenzgeld bei Zahlungsunfähigkeit des Arbeitgebers und
6. Qualifizierungsgeld bei strukturwandelbedingtem Qualifizierungsbedarf.

§ 4[2)] Vorrang der Vermittlung. (1) Die Vermittlung in Ausbildung und Arbeit hat Vorrang vor den Leistungen zum Ersatz des Arbeitsentgelts bei Arbeitslosigkeit.

(2) [1] Der Vermittlungsvorrang gilt auch im Verhältnis zu den sonstigen Leistungen der aktiven Arbeitsförderung, es sei denn, die Leistung ist für eine dauerhafte Eingliederung erforderlich. [2] Von der Erforderlichkeit für die dauerhafte Eingliederung ist insbesondere auszugehen, wenn Arbeitnehmerinnen und Arbeitnehmer mit fehlendem Berufsabschluss an einer nach § 81 geförderten beruflichen Weiterbildung teilnehmen oder voraussichtlich teilnehmen werden. [3] Der Vermittlungsvorrang gilt nicht im Verhältnis zur Förderung von Existenzgründungen mit einem Gründungszuschuss nach § 93.

[1)] § 3 neu gef. mWv 1.4.2012 durch G v. 20.12.2011 (BGBl. I S. 2854); Abs. 3 Nr. 4 geänd. mWv 29.5.2020 durch G v. 20.5.2020 (BGBl. I S. 1044); Abs. 4 Nr. 5 geänd., Nr. 6 angef. mWv 1.4.2024 durch G v. 17.7.2023 (BGBl. 2023 I Nr. 191).

[2)] § 4 Abs. 2 Satz 2 angef. mWv 1.8.2016 durch G v. 18.7.2016 (BGBl. I S. 1710); Abs. 2 Satz 2 geänd., Satz 3 angef. mWv 1.1.2023 durch G v. 16.12.2022 (BGBl. I S. 2328).

§ 5[1] **Vorrang der aktiven Arbeitsförderung.** Die Leistungen der aktiven Arbeitsförderung sind entsprechend ihrer jeweiligen Zielbestimmung und den Ergebnissen der Beratungs- und Vermittlungsgespräche einzusetzen, um sonst erforderliche Leistungen zum Ersatz des Arbeitsentgelts bei Arbeitslosigkeit nicht nur vorübergehend zu vermeiden und dem Entstehen von Langzeitarbeitslosigkeit vorzubeugen.

§ 6[2] *(aufgehoben)*

§ 7[3] **Auswahl von Leistungen der aktiven Arbeitsförderung.** [1] Bei der Auswahl von Ermessensleistungen der aktiven Arbeitsförderung hat die Agentur für Arbeit unter Beachtung des Grundsatzes der Wirtschaftlichkeit und Sparsamkeit die für den Einzelfall am besten geeignete Leistung oder Kombination von Leistungen zu wählen. [2] Dabei ist grundsätzlich auf

1. die Fähigkeiten der zu fördernden Personen,
2. die Aufnahmefähigkeit des Arbeitsmarktes und
3. den anhand der Ergebnisse der Beratungs- und Vermittlungsgespräche ermittelten arbeitsmarktpolitischen Handlungsbedarf

abzustellen.

§ 8[4] **Vereinbarkeit von Familie und Beruf.** (1) Die Leistungen der aktiven Arbeitsförderung sollen in ihrer zeitlichen, inhaltlichen und organisatorischen Ausgestaltung die Lebensverhältnisse von Frauen und Männern berücksichtigen, die aufsichtsbedürftige Kinder betreuen und erziehen oder pflegebedürftige Personen betreuen oder nach diesen Zeiten wieder in die Erwerbstätigkeit zurückkehren wollen.

(2) [1] Berufsrückkehrende sollen die zu ihrer Rückkehr in die Erwerbstätigkeit notwendigen Leistungen der aktiven Arbeitsförderung unter den Voraussetzungen dieses Buches erhalten. [2] Hierzu gehören insbesondere Beratung und Vermittlung sowie die Förderung der beruflichen Weiterbildung durch Übernahme der Weiterbildungskosten.

§§ 8a, 8b[5] *(aufgehoben)*

§ 9[6] **Ortsnahe Leistungserbringung.** (1) [1] Die Leistungen der Arbeitsförderung sollen vorrangig durch die örtlichen Agenturen für Arbeit erbracht

---

[1] § 5 neu gef. mWv 1.1.2002 durch G v. 10.12.2001 (BGBl. I S. 3443).

[2] § 6 aufgeh. mWv 1.1.2009 durch G v. 21.12.2008 (BGBl. I S. 2917).

[3] § 7 neu gef. mWv 1.1.2002 durch G v. 10.12.2001 (BGBl. I S. 3443); Satz 1 geänd. mWv 1.1.2004 durch G v. 23.12.2003 (BGBl. I S. 2848).

[4] § 8 neu gef. mWv 1.1.2009 durch G v. 21.12.2008 (BGBl. I S. 2917); Abs. 2 Satz 1 geänd. mWv 1.4.2012 durch G v. 20.12.2011 (BGBl. I S. 2854); Abs. 1 geänd. mWv 1.1.2017 durch G v. 21.12.2015 (BGBl. I S. 2424).

[5] §§ 8a, 8b aufgeh. mWv 1.1.2009 durch G v. 21.12.2008 (BGBl. I S. 2917).

[6] § 9 Abs. 2 Sätze 3– 5 angef. mWv 1.1.2003 durch G v. 23.12.2002 (BGBl. I S. 4607); Abs. 1 Sätze 1 und 2, Abs. 2 Sätze 1 und 3 geänd., Abs. 3 Satz 1 neu gef. mWv 1.1.2004 durch G v. 23.12.2003 (BGBl. I S. 2848); Abs. 1a eingef. mWv 1.1.2005 durch G v. 24.12.2003 (BGBl. I S. 2954); Abs. 1a aufgeh. mWv 1.8.2006 durch G v. 20.7.2006 (BGBl. I S. 1706); Abs. 3 Satz 1 geänd. mWv 1.4.2012 durch G v. 20.12.2011 (BGBl. I S. 2854); Abs. 3 neu gef. mWv 1.8.2016 durch G v. 26.7.2016 (BGBl. I S. 1824); Abs. 3 Satz 1 Nr. 1 geänd. mWv 1.1.2024 durch G v. 12.12.2019 (BGBl. I S. 2652).

werden. [2]Dabei haben die Agenturen für Arbeit die Gegebenheiten des örtlichen und überörtlichen Arbeitsmarktes zu berücksichtigen.

(2) [1]Die Agenturen für Arbeit sollen die Vorgänge am Arbeitsmarkt besser durchschaubar machen. [2]Sie haben zum Ausgleich von Angebot und Nachfrage auf dem örtlichen und überörtlichen Arbeitsmarkt beizutragen. [3]Der Einsatz der aktiven Arbeitsmarktpolitik ist zur Verbesserung der Wirksamkeit und Steuerung regelmäßig durch die Agenturen für Arbeit zu überprüfen. [4]Dazu ist ein regionales Arbeitsmarktmonitoring einzurichten. [5]Arbeitsmarktmonitoring ist ein System wiederholter Beobachtungen, Bilanzierungen, Trendbeschreibungen und Bewertungen der Vorgänge auf dem Arbeitsmarkt einschließlich der den Arbeitsmarktausgleich unterstützenden Maßnahmen.

(3) [1]Die Agenturen für Arbeit arbeiten zur Erfüllung ihrer Aufgaben mit den Gemeinden, Kreisen und Bezirken sowie den weiteren Beteiligten des örtlichen Ausbildungs- und Arbeitsmarktes zusammen, insbesondere mit den

1. Leistungsträgern im Sinne des § 12 des Ersten Buches[1)] sowie Trägern von Leistungen nach dem Asylbewerberleistungsgesetz[2)],
2. Vertreterinnen und Vertretern der Arbeitgeber sowie der Arbeitnehmerinnen und Arbeitnehmer,
3. Kammern und berufsständischen Organisationen,
4. Ausländerbehörden und dem Bundesamt für Migration und Flüchtlinge,
5. allgemein- und berufsbildenden Schulen und Stellen der Schulverwaltung sowie Hochschulen,
6. Einrichtungen und Stellen des öffentlichen Gesundheitsdienstes und sonstigen Einrichtungen und Diensten des Gesundheitswesens sowie
7. Trägern der freien Wohlfahrtspflege und Dritten, die Leistungen nach diesem Buch erbringen.

[2]Die Zusammenarbeit mit den Stellen nach Satz 1 erfolgt auf der Grundlage der Gegenseitigkeit insbesondere, um

1. eine gleichmäßige oder gemeinsame Durchführung von Maßnahmen zu beraten oder zu sichern und
2. Leistungsmissbrauch zu verhindern oder aufzudecken.

[3]Die Agenturen für Arbeit sollen ihre Planungen rechtzeitig mit Trägern von Maßnahmen der Arbeitsförderung erörtern.

§ 9a[3)] Zusammenarbeit mit den für die Wahrnehmung der Aufgaben der Grundsicherung für Arbeitsuchende zuständigen gemeinsamen Einrichtungen und zugelassenen kommunalen Trägern. [1]Beziehen erwerbsfähige Leistungsberechtigte nach dem Zweiten Buch[4)] auch Leistungen der Arbeitsförderung, so sind die Agenturen für Arbeit verpflichtet, eng mit den für die Wahrnehmung der Aufgaben der Grundsicherung für Arbeitsuchende zuständigen gemeinsamen Einrichtungen und zugelassenen kom-

---

[1)] Nr. **691**.

[2)] Auszugsweise abgedruckt unter Nr. **781**.

[3)] § 9a eingef. mWv 1.8.2006 durch G v. 20.7.2006 (BGBl. I S. 1706); Überschrift neu gef., Satz 1 geänd. mWv 1.1.2011 durch G v. 3.8.2010 (BGBl. I S. 1112); Satz 1 einl. Satzteil und Satz 2 Nr. 1 geänd. mWv 1.4.2011 durch G v. 24.3.2011 (BGBl. I S. 453); Satz 2 Nr. 1 geänd., Nr. 2 eingef., bish. Nr. 2 wird Nr. 3 und geänd. mWv 1.1.2019 durch G v. 18.12.2018 (BGBl. I S. 2651).

[4)] Nr. **692**.

munalen Trägern zusammenzuarbeiten. [2]Sie unterrichten diese unverzüglich über die ihnen insoweit bekannten, für die Wahrnehmung der Aufgaben der Grundsicherung für Arbeitsuchende erforderlichen Tatsachen, insbesondere über

1. die für erwerbsfähige Leistungsberechtigte im Sinne des Zweiten Buches vorgesehenen und erbrachten Leistungen der aktiven Arbeitsförderung,
2. Feststellungen zu diesen Personen, die entsprechend § 37 Absatz 1 bei einer Berufsberatung nach § 31 Satz 2 getroffen werden, sowie
3. die bei diesen Personen eintretenden Sperrzeiten.

§ 9b[1)] Zusammenarbeit mit den für die Förderung junger Menschen zuständigen Beteiligten. [1]Bei der Förderung junger Menschen sind die Agenturen für Arbeit verpflichtet, mit den wesentlichen Beteiligten des örtlichen Ausbildungs- und Arbeitsmarktes eng zusammenzuarbeiten. [2]Zu den wesentlichen Beteiligten zählen insbesondere die

1. für die Wahrnehmung der Aufgaben der Grundsicherung für Arbeitsuchende zuständigen gemeinsamen Einrichtungen und zugelassenen kommunalen Träger,
2. Träger der Jugendhilfe,
3. Gemeinden, Kreise und Bezirke,
4. Träger der Eingliederungshilfe,
5. Ausländerbehörden und das Bundesamt für Migration und Flüchtlinge und
6. allgemein- und berufsbildenden Schulen sowie Schulverwaltungen und -behörden.

§ 10[2)] Jugendberufsagentur. (1) [1]Eine Jugendberufsagentur ist eine rechtskreisübergreifende Kooperation zur umfassenden Förderung junger Menschen am Übergang von der Schule in den Beruf zwischen den Agenturen für Arbeit, den Beteiligten nach § 9b Satz 2 Nummer 1 und 2 und gegebenenfalls weiteren Beteiligten. [2]Die Agenturen für Arbeit sollen auf die Entstehung oder Fortführung von Jugendberufsagenturen hinwirken.

(2) In den Jugendberufsagenturen können die Agenturen für Arbeit gemeinsam und gleichberechtigt mit den Beteiligten nach § 9b Satz 2 Nummer 1 und 2 eine Zielgruppe sowie im Rahmen der jeweiligen Zuständigkeiten aufeinander abgestimmte Leistungsangebote festlegen.

(3) Die Agenturen für Arbeit können im Rahmen der Zusammenarbeit nach § 9b in gleichberechtigter Abstimmung mit den Beteiligten nach § 9b Satz 2 Nummer 1 und 2 koordinierende Tätigkeiten innerhalb der Jugendberufsagentur übernehmen.

§ 11[3)] *(aufgehoben)*

Zweiter Abschnitt. Berechtigte

§ 12 Geltung der Begriffsbestimmungen. Die in diesem Abschnitt enthaltenen Begriffsbestimmungen sind nur für dieses Buch maßgeblich.

---

1) § 9b eingef. mWv 1.7.2026 durch G v. 16.4.2026 (BGBl. 2026 I Nr. 107).
2) § 10 eingef. mWv 1.7.2026 durch G v. 16.4.2026 (BGBl. 2026 I Nr. 107).
3) § 11 aufgeh. mWv 1.1.2023 durch G v. 16.12.2022 (BGBl. I S. 2328).

§ 13[1)] Heimarbeiterinnen und Heimarbeiter. Arbeitnehmerinnen und Arbeitnehmer im Sinne dieses Buches sind auch Heimarbeiterinnen und Heimarbeiter (§ 12 Abs. 2 des Vierten Buches[2)]).

§ 14[3)] Auszubildende. Auszubildende sind die zur Berufsausbildung Beschäftigten und Teilnehmende an nach diesem Buch förderungsfähigen berufsvorbereitenden Bildungsmaßnahmen sowie Teilnehmende an einer Einstiegsqualifizierung.

§ 15[4)] Ausbildung- und Arbeitsuchende. [1]Ausbildungsuchende sind Personen, die eine Berufsausbildung suchen. [2]Arbeitsuchende sind Personen, die eine Beschäftigung als Arbeitnehmerin oder Arbeitnehmer suchen. [3]Dies gilt auch, wenn sie bereits eine Beschäftigung oder eine selbständige Tätigkeit ausüben.

§ 16[5)] Arbeitslose. (1) Arbeitslose sind Personen, die wie beim Anspruch auf Arbeitslosengeld

1. vorübergehend nicht in einem Beschäftigungsverhältnis stehen,
2. eine versicherungspflichtige Beschäftigung suchen und dabei den Vermittlungsbemühungen der Agentur für Arbeit zur Verfügung stehen und
3. sich bei der Agentur für Arbeit arbeitslos gemeldet haben.

(2) An Maßnahmen der aktiven Arbeitsmarktpolitik Teilnehmende gelten als nicht arbeitslos.

§ 17[6)] Drohende Arbeitslosigkeit. Von Arbeitslosigkeit bedroht sind Personen, die

1. versicherungspflichtig beschäftigt sind,
2. alsbald mit der Beendigung der Beschäftigung rechnen müssen und
3. voraussichtlich nach Beendigung der Beschäftigung arbeitslos werden.

§ 18[7)] Langzeitarbeitslose. (1) [1]Langzeitarbeitslose sind Arbeitslose, die ein Jahr und länger arbeitslos sind. [2]Die Teilnahme an einer Maßnahme nach § 45 sowie Zeiten einer Erkrankung oder sonstiger Nicht-Erwerbstätigkeit bis zu sechs Wochen unterbrechen die Dauer der Arbeitslosigkeit nicht.

(2) Für Leistungen, die Langzeitarbeitslosigkeit voraussetzen, bleiben folgende Unterbrechungen der Arbeitslosigkeit innerhalb eines Zeitraums von fünf Jahren unberücksichtigt:

[1)] § 13 Überschrift und Wortlaut geänd. mWv 1.4.2012 durch G v. 20.12.2011 (BGBl. I S. 2854).

[2)] Nr. **694**.

[3)] § 14 geänd. mWv 1.10.2007 durch G v. 10.10.2007 (BGBl. I S. 2329); geänd. mWv 1.4.2012 durch G v. 20.12.2011 (BGBl. I S. 2854).

[4)] § 15 Satz 2 geänd. mWv 1.4.2012 durch G v. 20.12.2011 (BGBl. I S. 2854).

[5)] § 16 Abs. 1 Nr. 2 und 3 geänd., Abs. 2 angef. mWv 1.1.2004 durch G v. 23.12.2003 (BGBl. I S. 2848); Abs. 2 neu gef. mWv 1.4.2012 durch G v. 20.12.2011 (BGBl. I S. 2854).

[6)] § 17 Überschrift neu gef., einl. Satzteil geänd. mWv 1.4.2012 durch G v. 20.12.2011 (BGBl. I S. 2854).

[7)] § 18 Abs. 2 einl. Satzteil und Nr. 2 geänd., Nr. 1 neu gef. mWv 1.1.2009 durch G v. 21.12.2008 (BGBl. I S. 2917); Abs. 1 Satz 2 angef. mWv 16.8.2014 durch G v. 11.8.2014 (BGBl. I S. 1348); Abs. 2 Nr. 3 geänd. mWv 1.1.2017 durch G v. 21.12.2015 (BGBl. I S. 2424); Abs. 2 Nr. 4 eingef., bish. Nr. 4–6 werden Nr. 5–7 mWv 6.8.2016 durch G v. 31.7.2016 (BGBl. I S. 1939).

1. Zeiten einer Maßnahme der aktiven Arbeitsförderung oder zur Eingliederung in Arbeit nach dem Zweiten Buch[1)],
2. Zeiten einer Krankheit, einer Pflegebedürftigkeit oder eines Beschäftigungsverbots nach dem Mutterschutzgesetz[2)],
3. Zeiten der Betreuung und Erziehung aufsichtsbedürftiger Kinder oder der Betreuung pflegebedürftiger Personen,
4. Zeiten eines Integrationskurses nach § 43 des Aufenthaltsgesetzes[3)] oder einer berufsbezogenen Deutschsprachförderung nach § 45a des Aufenthaltsgesetzes[4)] sowie Zeiten einer Maßnahme, die für die Feststellung der Gleichwertigkeit der im Ausland erworbenen Berufsqualifikation mit einer inländischen Berufsqualifikation, für die Erteilung der Befugnis zur Berufsausübung oder für die Erteilung der Erlaubnis zum Führen der Berufsbezeichnung erforderlich ist,
5. Beschäftigungen oder selbständige Tätigkeiten bis zu einer Dauer von insgesamt sechs Monaten,
6. Zeiten, in denen eine Beschäftigung rechtlich nicht möglich war, und
7. kurze Unterbrechungen der Arbeitslosigkeit ohne Nachweis.

(3) Ergibt sich der Sachverhalt einer unschädlichen Unterbrechung üblicherweise nicht aus den Unterlagen der Arbeitsvermittlung, so reicht Glaubhaftmachung aus.

§ 19[5)] Menschen mit Behinderungen. (1) Menschen mit Behinderungen im Sinne dieses Buches sind Menschen, deren Aussichten, am Arbeitsleben teilzuhaben oder weiter teilzuhaben, wegen Art oder Schwere ihrer Behinderung im Sinne von § 2 Abs. 1 des Neunten Buches[6)] nicht nur vorübergehend wesentlich gemindert sind und die deshalb Hilfen zur Teilhabe am Arbeitsleben benötigen, einschließlich Menschen mit Lernbehinderungen.

(2) Menschen mit Behinderungen stehen Menschen gleich, denen eine Behinderung mit den in Absatz 1 genannten Folgen droht.

§ 20[7)] Berufsrückkehrende. Berufsrückkehrende sind Frauen und Männer, die

1. ihre Erwerbstätigkeit oder Arbeitslosigkeit oder eine betriebliche Berufsausbildung wegen der Betreuung und Erziehung von aufsichtsbedürftigen Kindern oder der Betreuung pflegebedürftiger Personen unterbrochen haben und
2. in angemessener Zeit danach in die Erwerbstätigkeit zurückkehren wollen.

[1)] Nr. **692**.

[2)] Nr. **400**.

[3)] **beck-online, Module Arbeitsrecht Nr. 760.**

[4)] Nr. **760**.

[5)] § 19 neu gef. mWv 1.7.2001 durch G v. 19.6.2001 (BGBl. I S. 1046); Überschrift neu gef., Abs. 1 und 2 geänd. mWv 1.1.2022 durch G v. 2.6.2021 (BGBl. I S. 1387).

[6)] Nr. **440**.

[7)] § 20 Nr. 1 geänd. durch G v. 21.7.1999 (BGBl. I S. 1648); Überschrift neu gef., einl. Satzteil geänd. mWv 1.4.2012 durch G v. 20.12.2011 (BGBl. I S. 2854); Nr. 1 geänd. mWv 1.1.2017 durch G v. 21.12.2015 (BGBl. I S. 2424).

§ 21[1] Träger. Träger sind natürliche oder juristische Personen oder rechtsfähige Personengesellschaften, die Maßnahmen der Arbeitsförderung selbst durchführen oder durch Dritte durchführen lassen.

Dritter Abschnitt. Verhältnis der Leistungen aktiver Arbeitsförderung zu anderen Leistungen

§ 22[2] Verhältnis zu anderen Leistungen. (1) [1] Leistungen der aktiven Arbeitsförderung dürfen nur erbracht werden, wenn nicht andere Leistungsträger oder andere öffentlich-rechtliche Stellen zur Erbringung gleichartiger Leistungen gesetzlich verpflichtet sind. [2] Leistungen nach den §§ 82 und 82a dürfen auch erbracht werden, wenn ein anderer Rehabilitationsträger im Sinne des Neunten Buches[3] zuständig ist.

(1a) [1] Leistungen nach den §§ 82 und 82a dürfen nur erbracht werden, wenn die berufliche Weiterbildung nicht auf ein nach § 2 Absatz 1 des Aufstiegsfortbildungsförderungsgesetzes[4] förderfähiges Fortbildungsziel vorbereitet. [2] Abweichend von Satz 1 dürfen nach § 82a Arbeitnehmerinnen und Arbeitnehmer gefördert werden, die vor dem 1. April 2028 eine Maßnahme beginnen, die auf einen Fortbildungsabschluss zu öffentlich-rechtlich geregelten Prüfungen auf Grundlage des § 53b des Berufsbildungsgesetzes[5] oder des § 42b der Handwerksordnung[6] vorbereitet.

(2) [1] Allgemeine und besondere Leistungen zur Teilhabe am Arbeitsleben dürfen nur erbracht werden, sofern nicht ein anderer Rehabilitationsträger im Sinne des Neunten Buches[3] zuständig ist. [2] Dies gilt nicht für Leistungen nach den §§ 44 und 45, sofern nicht bereits der nach Satz 1 zuständige Rehabilitationsträger nach dem jeweiligen für ihn geltenden Leistungsgesetz gleichartige

---

[1] § 21 geänd. mWv 1.1.2002 durch G v. 10.12.2001 (BGBl. I S. 3443); geänd. mWv 1.1.2024 durch G v. 10.8.2021 (BGBl. I S. 3436).

[2] § 22 Abs. 3 Satz 3 angef. durch G v. 16.12.1997 (BGBl. I S. 2970); Abs. 2 Sätze 2 und 3 angef. mWv 1.10.2000 durch G v. 29.9.2000 (BGBl. I S. 1394); Abs. 2 Satz 1 neu gef. mWv 1.7.2001 durch G v. 19.6.2001 (BGBl. I S. 1046); Abs. 2 Satz 2 geänd. mWv 1.1.2002 durch G v. 10.12.2001 (BGBl. I S. 3443); Abs. 2 Satz 2 und Abs. 3 Satz 3 geänd. mWv 1.1.2004 durch G v. 23.12.2003 (BGBl. I S. 2848); Abs. 4 angef. mWv 1.1.2005 durch G v. 24.12.2003 (BGBl. I S. 2954); Abs. 4 neu gef. mWv 6.8.2004 durch G v. 30.7.2004 (BGBl. I S. 2014); Abs. 4 neu gef. mWv 1.8.2006 durch G v. 20.7.2006 (BGBl. I S. 1706); Abs. 4 Satz 1 geänd. mWv 1.10.2007 durch G v. 10.10.2007 (BGBl. I S. 2329); Abs. 4 Satz 1 neu gef., Satz 5 geänd. mWv 1.1.2009 durch G v. 21.12.2008 (BGBl. I S. 2917); Abs. 4 Satz 1 geänd. mWv 1.2.2009 und mWv 1.8.2009 durch G v. 2.3.2009 (BGBl. I S. 416); Abs. 4 Sätze 1–3 und 5 geänd. mWv 1.4.2011 durch G v. 24.3.2011 (BGBl. I S. 453); Abs. 2 Sätze 1 und 2 geänd., Abs. 4 Satz 1 und 5 neu gef., Satz 2 geänd. mWv 1.4.2012 durch G v. 20.12.2011 (BGBl. I S. 2854); Abs. 4 Satz 1 Nr. 5 geänd. mWv 1.1.2015 durch G v. 20.12.2011 (BGBl. I S. 2854); Abs. 4 Satz 1 Nr. 4 geänd. mWv 19.3.2013 durch G v. 13.3.2013 (BGBl. I S. 446); Abs. 4 Satz 1 Nr. 3 geänd. mWv 1.5.2015 durch G v. 15.4.2015 (BGBl. I S. 583); Abs. 4 Satz 5 neu gef. mWv 1.1.2017 durch G v. 26.7.2016 (BGBl. I S. 1824); Abs. 1a eingef. mWv 1.1.2019 durch G v. 18.12.2018 (BGBl. I S. 2651); Abs. 4 Satz 1 Nr. 6 geänd. mWv 1.8.2019 durch G v. 8.7.2019 (BGBl. I S. 1025); Abs. 4 Satz 1 Nr. 3 geänd. mWv 29.5.2020, Abs. 4 Satz 1 Nr. 4 geänd. mWv 1.1.2021 durch G v. 20.5.2020 (BGBl. I S. 1044); Abs. 2 Satz 2 eingef., bish. Sätze 2 und 3 werden Sätze 3 und 4, Abs. 4 Satz 1 Nr. 6 neu gef. mWv 1.1.2022 durch G v. 2.6.2021 (BGBl. I S. 1387); Abs. 1 Satz 2 angef., Abs. 1a Satz 1 geänd., Satz 2 angef., Abs. 4 Satz 1 Nr. 3 und 4 geänd. mWv 1.4.2024 durch G v. 17.7.2023 (BGBl. 2023 I Nr. 191); Abs. 4 Satz 1 Nr. 4 aufgeh., Nr. 6 neu gef. mWv 1.1.2025 durch G v. 22.12.2023 (BGBl. 2023 I Nr. 412); Abs. 4 Satz 1 Nr. 1 geänd. mWv 1.8.2027 durch G v. 16.4.2026 (BGBl. 2026 I Nr. 107).

[3] Auszugsweise abgedruckt unter Nr. **440**.

[4] Nr. **418**.

[5] Nr. **415**.

[6] Nr. **107**.

Leistungen erbringt. [3]Der Eingliederungszuschuss für besonders betroffene schwerbehinderte Menschen nach § 90 Absatz 2 bis 4 und Zuschüsse zur Ausbildungsvergütung für schwerbehinderte Menschen nach § 73 dürfen auch dann erbracht werden, wenn ein anderer Leistungsträger zur Erbringung gleichartiger Leistungen gesetzlich verpflichtet ist oder, ohne gesetzlich verpflichtet zu sein, Leistungen erbringt. [4]In diesem Fall werden die Leistungen des anderen Leistungsträgers angerechnet.

(3) [1]Soweit Leistungen zur Förderung der Berufsausbildung und zur Förderung der beruflichen Weiterbildung der Sicherung des Lebensunterhaltes dienen, gehen sie der Ausbildungsbeihilfe nach § 44 des Strafvollzugsgesetzes[1] vor. [2]Die Leistungen für Gefangene dürfen die Höhe der Ausbildungsbeihilfe nach § 44 des Strafvollzugsgesetzes nicht übersteigen. [3]Sie werden den Gefangenen nach einer Förderzusage der Agentur für Arbeit in Vorleistung von den Ländern erbracht und von der Bundesagentur erstattet.

(4) [1]Folgende Leistungen des Dritten Kapitels werden nicht an oder für erwerbsfähige Leistungsberechtigte im Sinne des Zweiten Buches[2] erbracht:

1. Leistungen nach ***[bis 31.7.2027:** § 35**][ab 1.8.2027:** den §§ 28b und 35**]***,
2. Leistungen zur Aktivierung und beruflichen Eingliederung nach dem Zweiten Abschnitt,
3. Leistungen zur Berufsausbildung nach dem Vierten Unterabschnitt des Dritten Abschnitts und Leistungen nach den §§ 48a und 54a,
4. *(aufgehoben)*
5. Leistungen zur Aufnahme einer sozialversicherungspflichtigen Beschäftigung nach dem Ersten Unterabschnitt des Fünften Abschnitts,
6. Leistungen zur Teilhabe von Menschen mit Behinderungen am Arbeitsleben nach den §§ 119 bis 121.

[2]Sofern die Bundesagentur für die Erbringung von Leistungen nach § 35 besondere Dienststellen nach § 367 Abs. 2 Satz 2 eingerichtet oder zusätzliche Vermittlungsdienstleistungen agenturübergreifend organisiert hat, erbringt sie die dort angebotenen Vermittlungsleistungen abweichend von Satz 1 auch an oder für erwerbsfähige Leistungsberechtigte im Sinne des Zweiten Buches. [3]Eine Leistungserbringung an oder für erwerbsfähige Leistungsberechtigte im Sinne des Zweiten Buches nach den Grundsätzen der §§ 88 bis 92 des Zehnten Buches[3] bleibt ebenfalls unberührt. [4]Die Agenturen für Arbeit dürfen Aufträge nach Satz 3 zur Ausbildungsvermittlung nur aus wichtigem Grund ablehnen. [5]Satz 1 gilt nicht für erwerbsfähige Leistungsberechtigte im Sinne des Zweiten Buches, die einen Anspruch auf Arbeitslosengeld oder Teilarbeitslosengeld haben; die Sätze 2 bis 4 finden insoweit keine Anwendung.

§ 23[4] Vorleistungspflicht der Arbeitsförderung. (1) Solange und soweit *eine vorrangige* Stelle Leistungen nicht gewährt, sind Leistungen der aktiven Arbeitsförderung so zu erbringen, als wenn die Verpflichtung dieser Stelle nicht bestünde.

---

[1] **Habersack ErgBd. Nr. 91.**

[2] Nr. 692.

[3] **beck-online, Module Arbeitsrecht Nr. 699.**

[4] § 23 Abs. 2 angef. durch G v. 16.12.1997 (BGBl. I S. 2970); Abs. 2 Satz 1 geänd. mWv 1.1.2004 durch G v. 23.12.2003 (BGBl. I S. 2848).

(2) [1] Hat die Agentur für Arbeit für eine andere öffentlich-rechtliche Stelle vorgeleistet, ist die zur Leistung verpflichtete öffentlich-rechtliche Stelle der Bundesagentur erstattungspflichtig. [2] Für diese Erstattungsansprüche gelten die Vorschriften des Zehnten Buches[1)] über die Erstattungsansprüche der Sozialleistungsträger untereinander entsprechend.

Zweites Kapitel. Versicherungspflicht

Erster Abschnitt.[2)] Beschäftigte, Sonstige Versicherungspflichtige

§ 24[3)] Versicherungspflichtverhältnis. (1) In einem Versicherungspflichtverhältnis stehen Personen, die als Beschäftigte oder aus sonstigen Gründen versicherungspflichtig sind.

(2) Das Versicherungspflichtverhältnis beginnt für Beschäftigte mit dem Tag des Eintritts in das Beschäftigungsverhältnis oder mit dem Tag nach dem Erlöschen der Versicherungsfreiheit, für die sonstigen Versicherungspflichtigen mit dem Tag, an dem erstmals die Voraussetzungen für die Versicherungspflicht erfüllt sind.

(3) Das Versicherungspflichtverhältnis für Beschäftigte besteht während eines Arbeitsausfalls mit Entgeltausfall im Sinne der Vorschriften über das Kurzarbeitergeld oder während eines weiterbildungsbedingten Entgeltausfalls im Sinne der Vorschriften über das Qualifizierungsgeld fort.

(4) Das Versicherungspflichtverhältnis endet für Beschäftigte mit dem Tag des Ausscheidens aus dem Beschäftigungsverhältnis oder mit dem Tag vor Eintritt der Versicherungsfreiheit, für die sonstigen Versicherungspflichtigen mit dem Tag, an dem die Voraussetzungen für die Versicherungspflicht letztmals erfüllt waren.

§ 25[4)] Beschäftigte. (1) [1] Versicherungspflichtig sind Personen, die gegen Arbeitsentgelt oder zu ihrer Berufsausbildung beschäftigt (versicherungspflichtige Beschäftigung) sind. [2] Die folgenden Personen stehen Beschäftigten zur Berufsausbildung im Sinne des Satzes 1 gleich:

1. Auszubildende, die im Rahmen eines Berufsausbildungsvertrages nach dem Berufsbildungsgesetz in einer außerbetrieblichen Einrichtung ausgebildet werden,
2. Teilnehmerinnen und Teilnehmer an dualen Studiengängen und
3. Teilnehmerinnen und Teilnehmer an Ausbildungen mit Abschnitten des schulischen Unterrichts und der praktischen Ausbildung, für die ein Aus-

---

[1)] Auszugsweise abgedruckt unter Nr. **699**.

[2)] 1. Abschnitt Überschrift eingef. mWv 1.2.2006 durch G v. 23.12.2003 (BGBl. I S. 2848).

[3)] § 24 Abs. 3 neu gef. durch G v. 16.12.1997 (BGBl. I S. 2998; geänd. durch G v. 20.12.2000, BGBl. I S. 1827); Abs. 3 geänd. mWv 1.4.2006 durch G v. 24.4.2006 (BGBl. I S. 926); Abs. 3 geänd. mWv 1.4.2024 durch G v. 17.7.2023 (BGBl. 2023 I Nr. 191).

[4)] § 25 Abs. 2 Satz 2 geänd. mWv 24.12.2000 durch G v. 19.12.2000 (BGBl. I S. 1815); Abs. 1 Satz 1 geänd., Satz 2 angef. mWv 1.1.2002 durch G v. 10.12.2001 (BGBl. I S. 3443); Abs. 2 Satz 2 zweiter Halbs. geänd. mWv 1.2.2006 durch G v. 23.12.2003 (BGBl. I S. 2848); Abs. 2 Satz 3 angef. mWv 18.12.2007 durch G v. 12.12.2007 (BGBl. I S. 2861); Abs. 2 Satz 2 neu gef. mWv 9.8.2008 durch G v. 31.7.2008 (BGBl. I S. 1629); Abs. 1 Satz 2 geänd. mWv 1.4.2012 durch G v. 20.12.2011 (BGBl. I S. 2854); Abs. 1 Satz 2 geänd. mWv 1.1.2012 durch G v. 22.12.2011 (BGBl. I S. 3057); Abs. 1 Satz 2 neu gef. mWv 1.7.2020 durch G v. 12.6.2020 (BGBl. I S. 1248).

bildungsvertrag und Anspruch auf Ausbildungsvergütung besteht (praxisintegrierte Ausbildungen).

(2) [1] Bei Wehrdienstleistenden und Zivildienstleistenden, denen nach gesetzlichen Vorschriften für die Zeit ihres Dienstes Arbeitsentgelt weiterzugewähren ist, gilt das Beschäftigungsverhältnis durch den Wehrdienst oder Zivildienst als nicht unterbrochen. [2] Personen, die nach dem Vierten Abschnitt des Soldatengesetzes Wehrdienst leisten, sind in dieser Beschäftigung nicht nach Absatz 1 versicherungspflichtig; sie gelten als Wehrdienst Leistende im Sinne des § 26 Abs. 1 Nr. 2. [3] Die Sätze 1 und 2 gelten auch für Personen in einem Wehrdienstverhältnis besonderer Art nach § 6 des Einsatz-Weiterverwendungsgesetzes[1)], wenn sie den Einsatzunfall in einem Versicherungspflichtverhältnis erlitten haben.

§ 26[2)] Sonstige Versicherungspflichtige. (1) Versicherungspflichtig sind

1. Jugendliche, die in Einrichtungen der beruflichen Rehabilitation nach § 51 des Neunten Buches[3)] Leistungen zur Teilhabe am Arbeitsleben erhalten, die ihnen eine Erwerbstätigkeit auf dem allgemeinen Arbeitsmarkt ermöglichen sollen, sowie Personen, die in Einrichtungen der Jugendhilfe für eine Erwerbstätigkeit befähigt werden sollen,
2. Personen, die nach Maßgabe des Wehrpflichtgesetzes[4)], des § 58b des Soldatengesetzes oder des Zivildienstgesetzes[5)] Wehrdienst oder Zivildienst leisten und während dieser Zeit nicht als Beschäftigte versicherungspflichtig sind,
3. *(aufgehoben)*

3a. *(aufgehoben)*

4. Gefangene, die Arbeitsentgelt, Ausbildungsbeihilfe oder Ausfallentschädigung (§§ 43 bis 45, 176 und 177 des Strafvollzugsgesetzes[6)]) erhalten oder

---

[1)] **beck-online, Module Arbeitsrecht Nr. 156b.1.**

[2)] § 26 Abs. 2 Nr. 2 geänd. durch G v. 16.12.1997 (BGBl. I S. 2970); Abs. 1 Nr. 4 geänd., Nr. 5 angef. mWv 1.1.2000 durch G v. 22.12.1999 (BGBl. I S. 2626); Abs. 1 Nr. 1 neu gef. mWv 1.7.2001 durch G v. 19.6.2001 (BGBl. I S. 1046); Abs. 2 Nr. 1 und 2 geänd., Abs. 2 Nr. 3, Abs. 3 Satz 5 angef., Abs. 2a, Abs. 3 Satz 3 eingef., Abs. 3 bish. Satz 3 wird Satz 4 mWv 1.1.2003 durch G v. 10.12.2001 (BGBl. I S. 3443); Abs. 1 Nr. 2 Buchst. b, Abs. 4 Nr. 1 geänd., Abs. 1 Nr. 3 neu gef. mWv 1.1.2002 durch G v. 20.12.2001 (BGBl. I S. 4013); Abs. 1 Nr. 2 neu gef., Nr. 3 und Abs. 4 aufgeh. mWv 1.2.2006 durch G v. 23.12.2003 (BGBl. I S. 2848, geänd. durch G v. 22.4.2005, BGBl. I S. 1106); Abs. 2 und Abs. 2a Satz 1 Nr. 1 neu gef. mWv 1.1.2004 durch G v. 19.11.2004 (BGBl. I S. 2902); Abs. 1 Nr. 2 geänd., Nr. 3a eingef. mWv 30.4.2005 durch G v. 22.4.2005 (BGBl. I S. 1106); Abs. 2b eingef., Abs. 3 Satz 5 geänd., Satz 6 angef. mWv 1.7.2008 durch G v. 28.5.2008 (BGBl. I S. 874); Abs. 1 Nr. 2 neu gef., Nr. 3a aufgeh. mWv 9.8.2008 durch G v. 31.7.2008 (BGBl. I S. 1629); Abs. 2a Satz 2 neu gef. mWv 1.4.2012 durch G v. 20.12.2011 (BGBl. I S. 2854); Abs. 2 Nr. 2 geänd., Nr. 2a eingef. mWv 1.8.2012 durch G v. 21.7.2012 (BGBl. I S. 1601); Abs. 1 Nr. 2 geänd. mWv 13.4.2013 durch G v. 8.4.2013 (BGBl. I S. 730); Abs. 2 Nr. 2a geänd., Nr. 2b eingef. mWv 1.1.2015 durch G v. 23.12.2014 (BGBl. I S. 2462); Abs. 2 Nr. 2a geänd. mWv 23.7.2015 durch G v. 16.7.2015 (BGBl. I S. 1211); Abs. 2b neu gef. mWv 1.1.2017 durch G v. 21.12.2015 (BGBl. I S. 2424); Abs. 1 Nr. 4 Satz 1 geänd., Abs. 2 ausl. Satzteil und Abs. 2a Satz 1 Nr. 1 neu gef., Abs. 3 Satz 4 geänd. mWv 1.8.2016 durch G v. 18.7.2016 (BGBl. I S. 1710); Abs. 1 Nr. 1 geänd. mWv 1.1.2018 durch G v. 23.12.2016 (BGBl. I S. 3234); Abs. 1 Nr. 4 geänd. mWv 1.1.2019 durch G v. 18.12.2018 (BGBl. I S. 2651); Abs. 2 Nr. 1 geänd. mWv 1.1.2024 durch G v. 12.12.2019 (BGBl. I S. 2652); Abs. 2 Nr. 1 geänd. mWv 1.1.2025 durch G v. 20.8.2021 (BGBl. I S. 3932).

[3)] Nr. **440**.

[4)] **beck-online, Module Arbeitsrecht Nr. 156a.**

[5)] **beck-online, Module Arbeitsrecht Nr. 156c.**

[6)] **Habersack ErgBd. Nr. 91.**

Ausbildungsbeihilfe nur wegen des Vorrangs von Leistungen zur Förderung der Berufsausbildung nach diesem Buch nicht erhalten; das Versicherungspflichtverhältnis gilt während arbeitsfreier Sonnabende, Sonntage und gesetzlicher Feiertage als fortbestehend, wenn diese Tage innerhalb eines zusammenhängenden Arbeits- oder Ausbildungsabschnittes liegen. Gefangene im Sinne dieses Buches sind Personen, die im Vollzug von Untersuchungshaft, Freiheitsstrafen und freiheitsentziehenden Maßregeln der Besserung und Sicherung oder einstweilig nach § 126a Abs. 1 der Strafprozeßordnung[1] untergebracht sind,

5. Personen, die als nicht satzungsmäßige Mitglieder geistlicher Genossenschaften oder ähnlicher religiöser Gemeinschaften für den Dienst in einer solchen Genossenschaft oder ähnlichen religiösen Gemeinschaft außerschulisch ausgebildet werden.

(2) Versicherungspflichtig sind Personen in der Zeit, für die sie

1. von einem Leistungsträger Mutterschaftsgeld, Krankengeld, Krankengeld der Sozialen Entschädigung, Krankengeld der Soldatenentschädigung, Verletztengeld oder von einem Träger der medizinischen Rehabilitation Übergangsgeld beziehen,
2. von einem privaten Krankenversicherungsunternehmen Krankentagegeld beziehen,

2a. von einem privaten Krankenversicherungsunternehmen, von einem Beihilfeträger des Bundes, von einem sonstigen öffentlich-rechtlichen Träger von Kosten in Krankheitsfällen auf Bundesebene, von dem Träger der Heilfürsorge im Bereich des Bundes, von dem Träger der truppenärztlichen Versorgung oder von einem öffentlich-rechtlichen Träger von Kosten in Krankheitsfällen auf Landesebene, soweit Landesrecht dies vorsieht, Leistungen für den Ausfall von Arbeitseinkünften im Zusammenhang mit einer nach den §§ 8 und 8a des Transplantationsgesetzes[2] erfolgenden Spende von Organen oder Geweben oder im Zusammenhang mit einer im Sinne von § 9 des Transfusionsgesetzes erfolgenden Spende von Blut zur Separation von Blutstammzellen oder anderen Blutbestandteilen beziehen,

2b. von einer Pflegekasse, einem privaten Versicherungsunternehmen, der Festsetzungsstelle für die Beihilfe oder dem Dienstherrn Pflegeunterstützungsgeld beziehen oder

3. von einem Träger der gesetzlichen Rentenversicherung eine Rente wegen voller Erwerbsminderung beziehen,

wenn sie unmittelbar vor Beginn der Leistung versicherungspflichtig waren oder Anspruch auf eine laufende Entgeltersatzleistung nach diesem Buch hatten.

(2a) [1] Versicherungspflichtig sind Personen in der Zeit, in der sie ein Kind, das das dritte Lebensjahr noch nicht vollendet hat, erziehen, wenn sie

1. unmittelbar vor der Kindererziehung versicherungspflichtig waren oder Anspruch auf eine laufende Entgeltersatzleistung nach diesem Buch hatten und
2. sich mit dem Kind im Inland gewöhnlich aufhalten oder bei Aufenthalt im Ausland Anspruch auf Kindergeld nach dem Einkommensteuergesetz oder Bundeskindergeldgesetz haben oder ohne die Anwendung des § 64 oder

---

[1] **Habersack Nr. 90.**
[2] **Sartorius ErgBd. Nr. 280.**

§ 65 des Einkommensteuergesetzes[1)] oder des § 3 oder § 4 des Bundeskindergeldgesetzes[2)] haben würden.

[2] Satz 1 gilt nur für Kinder

1. der oder des Erziehenden,
2. seiner nicht dauernd getrennt lebenden Ehegattin oder ihres nicht dauernd getrennt lebenden Ehegatten oder
3. ihrer nicht dauernd getrennt lebenden Lebenspartnerin oder seines nicht dauernd getrennt lebenden Lebenspartners.

[3] Haben mehrere Personen ein Kind gemeinsam erzogen, besteht Versicherungspflicht nur für die Person, der nach den Regelungen des Rechts der gesetzlichen Rentenversicherung die Erziehungszeit zuzuordnen ist (§ 56 Abs. 2 des Sechsten Buches[3)]).

(2b) [1] Versicherungspflichtig sind Personen in der Zeit, in der sie als Pflegeperson einen Pflegebedürftigen mit mindestens Pflegegrad 2 im Sinne des Elften Buches[4)], der Leistungen aus der Pflegeversicherung nach dem Elften Buch oder Hilfe zur Pflege nach dem Zwölften Buch[5)] oder gleichartige Leistungen nach anderen Vorschriften bezieht, nicht erwerbsmäßig wenigstens zehn Stunden wöchentlich, verteilt auf regelmäßig mindestens zwei Tage in der Woche, in seiner häuslichen Umgebung pflegen, wenn sie unmittelbar vor Beginn der Pflegetätigkeit versicherungspflichtig waren oder Anspruch auf eine laufende Entgeltersatzleistung nach diesem Buch hatten. [2] Versicherungspflicht besteht auch, wenn die Voraussetzungen durch die Pflege mehrerer Pflegebedürftiger erfüllt werden.

(3) [1] Nach Absatz 1 Nr. 1 ist nicht versicherungspflichtig, wer nach § 25 Abs. 1 versicherungspflichtig ist. [2] Nach Absatz 1 Nr. 4 ist nicht versicherungspflichtig, wer nach anderen Vorschriften dieses Buches versicherungspflichtig ist. [3] Versicherungspflichtig wegen des Bezuges von Mutterschaftsgeld nach Absatz 2 Nr. 1 ist nicht, wer nach Absatz 2a versicherungspflichtig ist. [4] Nach Absatz 2 Nr. 2 ist nicht versicherungspflichtig, wer nach Absatz 2 Nr. 1 versicherungspflichtig ist oder während des Bezugs von Krankentagegeld Anspruch auf Entgeltersatzleistungen nach diesem Buch hat. [5] Nach Absatz 2a und 2b ist nicht versicherungspflichtig, wer nach anderen Vorschriften dieses Buches versicherungspflichtig ist oder während der Zeit der Erziehung oder Pflege Anspruch auf Entgeltersatzleistungen nach diesem Buch hat; Satz 3 bleibt unberührt. [6] Trifft eine Versicherungspflicht nach Absatz 2a mit einer Versicherungspflicht nach Absatz 2b zusammen, geht die Versicherungspflicht nach Absatz 2a vor.

§ 27[6)] Versicherungsfreie Beschäftigte. (1) Versicherungsfrei sind Personen in einer Beschäftigung als

[1)] **beck-online, Module Arbeitsrecht Nr. 331.**

[2)] Nr. 332.

[3)] **beck-online, Module Arbeitsrecht Nr. 696.**

[4)] **Aichberger, SGB Nr. 11.**

[5)] **Aichberger, SGB Nr. 12.**

[6)] § 27 Abs. 1 Nr. 1 geänd., Abs. 3 Nr. 4 und Abs. 5 angef. durch G v. 16.12.1997 (BGBl. I S. 2970); Abs. 2 Satz 1 neu gef. durch G v. 24.3.1999 (BGBl. I S. 388); Abs. 2 Satz 2 Nr. 3 geänd. mWv 1.7. 2001 durch G v. 19.6.2001 (BGBl. I S. 1046); Abs. 3 Nr. 4 geänd., Nr. 5 angef. mWv 1.1.2004 und Abs. 5 neu gef. mWv 1.1.2005 durch G v. 23.12.2003 (BGBl. I S. 2848); Abs. 2 Satz 2 Nr. 2 geänd. mWv 1.4.2006 durch G v. 24.4.2006 (BGBl. I S. 926); Abs. 3 Nr. 5 geänd., Nr. 6 angef. mWv 1.10. →

1. Beamtin, Beamter, Richterin, Richter, Soldatin auf Zeit, Soldat auf Zeit, Berufssoldatin oder Berufssoldat der Bundeswehr sowie als sonstige Beschäftigte oder sonstiger Beschäftigter des Bundes, eines Landes, eines Gemeindeverbandes, einer Gemeinde, einer öffentlich-rechtlichen Körperschaft, Anstalt, Stiftung oder eines Verbandes öffentlich-rechtlicher Körperschaften oder deren Spitzenverbänden, wenn sie nach beamtenrechtlichen Vorschriften oder Grundsätzen bei Krankheit Anspruch auf Fortzahlung der Bezüge und auf Beihilfe oder Heilfürsorge haben,
2. Geistliche der als öffentlich-rechtliche Körperschaften anerkannten Religionsgesellschaften, wenn sie nach beamtenrechtlichen Vorschriften oder Grundsätzen bei Krankheit Anspruch auf Fortzahlung der Bezüge und auf Beihilfe haben,
3. Lehrerin oder Lehrer an privaten genehmigten Ersatzschulen, wenn sie hauptamtlich beschäftigt sind und nach beamtenrechtlichen Vorschriften oder Grundsätzen bei Krankheit Anspruch auf Fortzahlung der Bezüge und auf Beihilfe haben,
4. satzungsmäßige Mitglieder von geistlichen Genossenschaften, Diakonissen und ähnliche Personen, wenn sie sich aus überwiegend religiösen oder sittlichen Beweggründen mit Krankenpflege, Unterricht oder anderen gemeinnützigen Tätigkeiten beschäftigen und nicht mehr als freien Unterhalt oder ein geringes Entgelt beziehen, das nur zur Beschaffung der unmittelbaren Lebensbedürfnisse an Wohnung, Verpflegung, Kleidung und dergleichen ausreicht,
5. Mitglieder des Vorstandes einer Aktiengesellschaft für das Unternehmen, dessen Vorstand sie angehören. Konzernunternehmen im Sinne des § 18 des Aktiengesetzes[1)] gelten als ein Unternehmen.

(2) [1] Versicherungsfrei sind Personen in einer geringfügigen Beschäftigung; abweichend von § 8 Abs. 2 Satz 1 des Vierten Buches[2)] werden geringfügige Beschäftigungen und nicht geringfügige Beschäftigungen nicht zusammengerechnet. [2] Versicherungsfreiheit besteht nicht für Personen, die

1. im Rahmen betrieblicher Berufsbildung, nach dem Jugendfreiwilligendienstegesetz[3)], nach dem Bundesfreiwilligendienstgesetz[4)],
2. wegen eines Arbeitsausfalls mit Entgeltausfall im Sinne der Vorschriften über das Kurzarbeitergeld oder wegen eines weiterbildungsbedingten Entgeltausfalls im Sinne der Vorschriften über das Qualifizierungsgeld oder

---

(Fortsetzung der Anm. von voriger Seite)
2007 durch G v. 10.10.2007 (BGBl. I S. 2326); Abs. 2 Satz 2 Nr. 1 neu gef. mWv 1.6.2008 durch G v. 16.5.2008 (BGBl. I S. 842); Abs. 3 Nr. 5 neu gef., Nr. 6 aufgeh. mWv 1.1.2009 durch G v. 21.12. 2008 (BGBl. I S. 2917); Abs. 2 Satz 2 Nr. 1 geänd. mWv 3.5.2011 durch G v. 28.4.2011 (BGBl. I S. 687); Abs. 1 Nr. 1 neu gef., Nr. 3 und Abs. 2 Satz 2 Nr. 3, Abs. 3 Nr. 2, Nr. 3 einl. Satzteil, Buchst a und c geänd., Nr. 4 und 5 neu gef., Abs. 4 Satz 2 geänd. mWv 1.4.2012 durch G v. 20.12.2011 (BGBl. I S. 2854); Abs. 2 Satz 2 Nr. 3 geänd. mWv 1.1.2018 durch G v. 23.12.2016 (BGBl. I S. 3234); Abs. 3 Nr. 5 geänd. mWv 1.1.2019 durch G v. 17.12.2018 (BGBl. I S. 2583); Abs. 2 Satz 2 Nr. 2 geänd. mWv 1.4.2024 durch G v. 17.7.2023 (BGBl. 2023 I Nr. 191); Abs. 3 Nr. 5 geänd. mWv 1.7. 2026 durch G v. 16.4.2026 (BGBl. 2026 I Nr. 107).

[1)] Nr. **567**.
[2)] Nr. **694**.
[3)] Nr. **422**.
[4)] Nr. **422a**.

3. wegen stufenweiser Wiedereingliederung in das Erwerbsleben (§ 74 Fünftes Buch[1], § 44 Neuntes Buch[2]) oder aus einem sonstigen der in § 146 Absatz 1 genannten Gründe

nur geringfügig beschäftigt sind.

(3) Versicherungsfrei sind Personen in einer

1. unständigen Beschäftigung, die sie berufsmäßig ausüben. Unständig ist eine Beschäftigung, die auf weniger als eine Woche der Natur der Sache nach beschränkt zu sein pflegt oder im voraus durch Arbeitsvertrag beschränkt ist,
2. Beschäftigung als Heimarbeiterin oder Heimarbeiter, die gleichzeitig mit einer Tätigkeit als Zwischenmeisterin oder Zwischenmeister (§ 12 Abs. 4 Viertes Buch[3]) ausgeübt wird, wenn der überwiegende Teil des Verdienstes aus der Tätigkeit als Zwischenmeisterin oder Zwischenmeister bezogen wird,
3. Beschäftigung als ausländische Arbeitnehmerin oder ausländischer Arbeitnehmer zur beruflichen Aus- oder Fortbildung, wenn
   a) die berufliche Aus- oder Fortbildung aus Mitteln des Bundes, eines Landes, einer Gemeinde oder eines Gemeindeverbandes oder aus Mitteln einer Einrichtung oder einer Organisation, die sich der Aus- oder Fortbildung von Ausländerinnen oder Ausländern widmet, gefördert wird,
   b) sie verpflichtet sind, nach Beendigung der geförderten Aus- oder Fortbildung das Inland zu verlassen, und
   c) die im Inland zurückgelegten Versicherungszeiten weder nach dem Recht der Europäischen Gemeinschaft noch nach zwischenstaatlichen Abkommen oder dem Recht des Wohnlandes der Arbeitnehmerin oder des Arbeitnehmers einen Anspruch auf Leistungen für den Fall der Arbeitslosigkeit in dem Wohnland der oder des Betreffenden begründen können,
4. Beschäftigung als Bürgermeisterin, Bürgermeister, Beigeordnete oder Beigeordneter, wenn diese Beschäftigung ehrenamtlich ausgeübt wird,
5. Beschäftigung, die nach § 16i des Zweiten Buches[4] gefördert wird.

(4) ¹Versicherungsfrei sind Personen, die während der Dauer

1. ihrer Ausbildung an einer allgemeinbildenden Schule oder
2. ihres Studiums als ordentliche Studierende einer Hochschule oder einer der fachlichen Ausbildung dienenden Schule

eine Beschäftigung ausüben. ²Satz 1 Nr. 1 gilt nicht, wenn die oder der Beschäftigte schulische Einrichtungen besucht, die der Fortbildung außerhalb der üblichen Arbeitszeit dienen.

(5) ¹Versicherungsfrei sind Personen, die während einer Zeit, in der ein Anspruch auf Arbeitslosengeld besteht, eine Beschäftigung ausüben. ²Satz 1 gilt nicht für Beschäftigungen, die während der Zeit, in der ein Anspruch auf Teilarbeitslosengeld besteht, ausgeübt werden.

---

[1] Nr. **695**.
[2] Nr. **440**.
[3] Nr. **694**.
[4] Nr. **692**.

§ 28[1] **Sonstige versicherungsfreie Personen.** (1) Versicherungsfrei sind Personen,

1. die das Lebensjahr für den Anspruch auf Regelaltersrente im Sinne des Sechsten Buches[2] vollenden, mit Ablauf des Monats, in dem sie das maßgebliche Lebensjahr vollenden,
2. die wegen einer Minderung ihrer Leistungsfähigkeit dauernd nicht mehr verfügbar sind, von dem Zeitpunkt an, an dem die Agentur für Arbeit diese Minderung der Leistungsfähigkeit und der zuständige Träger der gesetzlichen Rentenversicherung volle Erwerbsminderung im Sinne der gesetzlichen Rentenversicherung festgestellt haben,
3. während der Zeit, für die ihnen eine dem Anspruch auf Rente wegen voller Erwerbsminderung vergleichbare Leistung eines ausländischen Leistungsträgers zuerkannt ist.

(2) Versicherungsfrei sind Personen in einer Beschäftigung oder auf Grund des Bezuges einer Sozialleistung (§ 26 Abs. 2 Nr. 1 und 2), soweit ihnen während dieser Zeit ein Anspruch auf Rente wegen voller Erwerbsminderung aus der gesetzlichen Rentenversicherung zuerkannt ist.

(3) Versicherungsfrei sind nicht-deutsche Besatzungsmitglieder deutscher Seeschiffe, die ihren Wohnsitz oder gewöhnlichen Aufenthalt nicht in einem Mitgliedstaat der Europäischen Union, einem Vertragsstaat des Abkommens über den Europäischen Wirtschaftsraum oder der Schweiz haben.

Zweiter Abschnitt.[3] Versicherungspflichtverhältnis auf Antrag

§ 28a[4] **Versicherungspflichtverhältnis auf Antrag.** (1) [1]Ein Versicherungspflichtverhältnis auf Antrag können Personen begründen, die

1. *(aufgehoben)*
2. eine selbständige Tätigkeit mit einem Umfang von mindestens 15 Stunden wöchentlich aufnehmen und ausüben,
3. eine Beschäftigung mit einem Umfang von mindestens 15 Stunden wöchentlich in einem Staat außerhalb eines Mitgliedstaates der Europäischen Union, eines Vertragsstaates des Europäischen Wirtschaftsraums oder der Schweiz aufnehmen und ausüben,
4. eine Elternzeit nach § 15 des Bundeselterngeld- und Elternzeitgesetzes[5] in Anspruch nehmen oder

---

[1] § 28 neu gef. mWv 1.1.2003 durch G v. 10.12.2001 (BGBl. I S. 3443); Abs. 1 Nr. 2 geänd., Abs. 3 angef. mWv 1.1.2004 durch G v. 23.12.2003 (BGBl. I S. 2848); Abs. 1 Nr. 1 neu gef. mWv 1.1.2008 durch G v. 20.4.2007 (BGBl. I S. 554); Abs. 3 geänd. mWv 29.6.2011 durch G v. 22.6.2011 (BGBl. I S. 1202).

[2] Auszugsweise abgedruckt unter Nr. **696**.

[3] 2. Abschnitt eingef. mWv 1.2.2006 durch G v. 23.12.2003 (BGBl. I S. 2848); Überschrift neu gef. mWv 1.1.2011 durch G v. 24.10.2010 (BGBl. I S. 1417).

[4] § 28a neu gef. mWv 1.1.2011 durch G v. 24.10.2010 (BGBl. I S. 1417); Abs. 1 Satz 1 Nr. 3 geänd. mWv 29.6.2011 durch G v. 22.6.2011 (BGBl. I S. 1202); Abs. 2 einl. Satzteil und Satz 2, Abs. 5 Nr. 1, 3 und 5 geänd. mWv 1.4.2012 durch G v. 20.12.2011 (BGBl. I S. 2854); Abs. 1 Satz 1 Nr. 1 zweiter Halbs. angef. mWv 1.1.2013 durch G v. 23.10.2012 (BGBl. I S. 2246); Abs. 1 Satz 1 Nr. 1 aufgeh., Satz 2 geänd., Abs. 3 Satz 2 aufgeh., bish. Satz 3 wird Satz 2 und geänd. mWv 1.1.2017 durch G v. 21.12.2015 (BGBl. I S. 2424); Abs. 1 Satz 1 Nr. 2 und 3 geänd., Nr. 4 und 5 angef., Abs. 2 neu gef., Abs. 3 Satz 1 geänd., Satz 4 angef. mWv 1.8.2016 durch G v. 18.7.2016 (BGBl. I S. 1710); Abs. 2 Satz 1 Nr. 1 geänd. mWv 1.1.2020 durch G v. 18.12.2018 (BGBl. I S. 2651).

[5] Nr. **401**.

5. sich beruflich weiterbilden, wenn dadurch ein beruflicher Aufstieg ermöglicht, ein beruflicher Abschluss vermittelt oder zu einer anderen beruflichen Tätigkeit befähigt wird; ausgeschlossen sind Weiterbildungen im Sinne des § 180 Absatz 3 Satz 1 Nummer 1, es sei denn, die berufliche Weiterbildung findet in einem berufsqualifizierenden Studiengang an einer Hochschule oder einer ähnlichen Bildungsstätte unter Anrechnung beruflicher Qualifikationen statt.

[2] Gelegentliche Abweichungen von der *in den Satz 1*[1)] Nummer 2 und 3 genannten wöchentlichen Mindeststundenzahl bleiben unberücksichtigt, wenn sie von geringer Dauer sind.

(2) [1] Voraussetzung für die Versicherungspflicht ist, dass die antragstellende Person

1. innerhalb der letzten 30 Monate vor der Aufnahme der Tätigkeit oder Beschäftigung oder dem Beginn der Elternzeit oder beruflichen Weiterbildung mindestens zwölf Monate in einem Versicherungspflichtverhältnis gestanden hat oder
2. unmittelbar vor der Aufnahme der Tätigkeit oder der Beschäftigung oder dem Beginn der Elternzeit oder der beruflichen Weiterbildung Anspruch auf eine Entgeltersatzleistung nach diesem Buch hatte

und weder versicherungspflichtig (§§ 25, 26) noch versicherungsfrei (§§ 27, 28) ist; eine geringfügige Beschäftigung (§ 27 Absatz 2) schließt die Versicherungspflicht nicht aus. [2] Die Begründung eines Versicherungspflichtverhältnisses auf Antrag nach Absatz 1 Satz 1 Nummer 2 ist ausgeschlossen, wenn die antragstellende Person bereits versicherungspflichtig nach Absatz 1 Satz 1 Nummer 2 war, die zu dieser Versicherungspflicht führende Tätigkeit zweimal unterbrochen hat und in den Unterbrechungszeiten einen Anspruch auf Arbeitslosengeld geltend gemacht hat. [3] Die Begründung eines Versicherungspflichtverhältnisses auf Antrag nach Absatz 1 Satz 1 Nummer 4 ist ausgeschlossen, soweit für dasselbe Kind bereits eine andere Person nach § 26 Absatz 2a versicherungspflichtig ist.

(3) [1] Der Antrag muss spätestens innerhalb von drei Monaten nach Aufnahme der Tätigkeit oder Beschäftigung oder dem Beginn der Elternzeit oder beruflichen Weiterbildung, die zur Begründung eines Versicherungspflichtverhältnisses auf Antrag berechtigt, gestellt werden. [2] Das Versicherungspflichtverhältnis beginnt mit dem Tag, an dem erstmals die Voraussetzungen nach den Absätzen 1 und 2 erfüllt sind. [3] Kann ein Versicherungspflichtverhältnis auf Antrag allein deshalb nicht begründet werden, weil dies wegen einer vorrangigen Versicherungspflicht (§§ 25, 26) oder Versicherungsfreiheit (§§ 27, 28) ausgeschlossen ist, muss der Antrag abweichend von Satz 1 spätestens innerhalb von drei Monaten nach dem Wegfall des Ausschlusstatbestandes gestellt werden.

(4) [1] Die Versicherungspflicht nach Absatz 1 ruht, wenn während der Versicherungspflicht nach Absatz 1 eine weitere Versicherungspflicht (§§ 25, 26) oder Versicherungsfreiheit nach § 27 eintritt. [2] Eine geringfügige Beschäftigung (§ 27 Absatz 2) führt nicht zum Ruhen der Versicherungspflicht nach Absatz 1.

(5) Das Versicherungspflichtverhältnis endet,

---

1) Richtig wohl: „in Satz 1".

1. wenn die oder der Versicherte eine Entgeltersatzleistung nach § 3 Absatz 4 Nummer 1 bis 3 bezieht,
2. mit Ablauf des Tages, an dem die Voraussetzungen nach Absatz 1 letztmals erfüllt waren,
3. wenn die oder der Versicherte mit der Beitragszahlung länger als drei Monate in Verzug ist, mit Ablauf des Tages, für den letztmals Beiträge gezahlt wurden,
4. in den Fällen des § 28,
5. durch Kündigung der oder des Versicherten; die Kündigung ist erstmals nach Ablauf von fünf Jahren zulässig; die Kündigungsfrist beträgt drei Monate zum Ende eines Kalendermonats.

Drittes Kapitel.[1] Aktive Arbeitsförderung

Erster Abschnitt. Beratung und Vermittlung

Erster Unterabschnitt. Beratung

[§ 28b ab 1.8.2027:]

§ 28b[2] ***Umfassende Beratung.*** *(1) ¹Die Agentur für Arbeit berät junge Menschen umfassend und nachhaltig mit dem Ziel der Heranführung an eine Ausbildung oder Arbeit oder der Aufnahme, Beibehaltung oder Ausweitung einer solchen. ²Sie berät auch über Möglichkeiten der Inanspruchnahme von Leistungen anderer Träger, insbesondere der Träger der Jugendhilfe.*

(2) ¹Bei jungen Menschen mit besonderem Unterstützungsbedarf erbringt die Agentur für Arbeit eine ganzheitliche bedarfsspezifische Beratung und Betreuung, wenn dies für die Erreichung der Ziele des Absatzes 1 erforderlich ist. ²Dabei sind alle Lebensumstände des jungen Menschen zu berücksichtigen. ³Die ganzheitliche Beratung und Betreuung kann auch aufsuchend erfolgen. ⁴Sie kann zur Koordinierung und intensiven Begleitung der Unterstützung im Rahmen eines Fallmanagements umgesetzt werden.

(3) ¹Die Agenturen für Arbeit sollen mit den Gemeinden, Kreisen und Bezirken zusammenarbeiten, damit junge Menschen die für ihre Eingliederung in das Erwerbsleben erforderlichen kommunalen Leistungen entsprechend § 16a des Zweiten Buches[3] *erhalten. ²Zur Erfüllung ihrer Pflicht zur Leistungserbringung nach den Absätzen 1 und 2 arbeiten die Agenturen für Arbeit insbesondere mit den Trägern der Jugendhilfe zusammen. ³§ 9 bleibt unberührt.*

(4) Die Zusammenarbeit im Sinne des Absatzes 3 Satz 1 erfolgt auch, damit Erwachsene zur Heranführung, Aufnahme, Beibehaltung oder Ausweitung einer Ausbildung oder Arbeit die für ihre Eingliederung in das Erwerbsleben erforderlichen kommunalen Leistungen entsprechend § 16a des Zweiten Buches erhalten.

§ 29[4] **Beratungsangebot.** (1) Die Agentur für Arbeit hat jungen Menschen und Erwachsenen, die am Arbeitsleben teilnehmen oder teilnehmen wollen, Berufsberatung, einschließlich einer Weiterbildungsberatung, und Arbeitgebern

---

[1] 3. Kapitel (§§ 29–135) neu gef. mWv 1.4.2012 durch G v. 20.12.2011 (BGBl. I S. 2854).

[2] § 28b eingef. mWv 1.8.2027 durch G v. 16.4.2026 (BGBl. 2026 I Nr. 107).

[3] Nr. **692**.

[4] § 29 neu gef. mWv 1.4.2012 durch G v. 20.12.2011 (BGBl. I S. 2854); Abs. 2 Sätze 2 und 3 angef. mWv 6.7.2017 durch G v. 30.6.2017 (BGBl. I S. 2152); Abs. 1 geänd., Abs. 3 eingef., bish. Abs. 3 wird Abs. 4 mWv 1.1.2019 durch G v. 18.12.2018 (BGBl. I S. 2651).

Arbeitsmarktberatung, einschließlich einer Qualifizierungsberatung, anzubieten.

(2) [1] Art und Umfang der Beratung richten sich nach dem Beratungsbedarf der oder des Ratsuchenden. [2] Die Agentur für Arbeit berät geschlechtersensibel. [3] Insbesondere wirkt sie darauf hin, das Berufswahlspektrum von Frauen und Männern zu erweitern.

(3) Die Agentur für Arbeit hat Auszubildenden, Arbeitnehmerinnen und Arbeitnehmern Beratung auch zur Festigung des Ausbildungs- oder Arbeitsverhältnisses nach Beginn einer Berufsausbildung oder nach der Aufnahme einer Arbeit anzubieten.

(4) Die Agentur für Arbeit soll bei der Beratung die Kenntnisse über den Arbeitsmarkt des europäischen Wirtschaftsraumes und die Erfahrungen aus der Zusammenarbeit mit den Arbeitsverwaltungen anderer Staaten nutzen.

§ 30[1)] Berufsberatung. Die Berufsberatung umfasst die Erteilung von Auskunft und Rat

1. zur Berufswahl, zur beruflichen ***[bis 31.12.2028:*** Entwicklung***][bis 23.12.2028:,][bis 31.12.2028:*** zum Berufswechsel sowie zu Möglichkeiten der Anerkennung ausländischer Berufsabschlüsse***][ab 1.1.2029:*** *Entwicklung sowie zum Berufswechsel****]***,
2. zur Lage und Entwicklung des Arbeitsmarktes und der Berufe,
3. zu den Möglichkeiten der beruflichen Bildung sowie zur Verbesserung der individuellen Beschäftigungsfähigkeit und zur Entwicklung individueller beruflicher Perspektiven,
4. zur Ausbildungs- und Arbeitsstellensuche,
5. zu Leistungen der Arbeitsförderung,
6. zu Fragen der Ausbildungsförderung und der schulischen Bildung, soweit sie für die Berufswahl und die berufliche Bildung von Bedeutung sind.

[§ 30a ab 1.1.2029:]

§ 30a[2)] Anerkennungs- und Qualifizierungsberatung. *[1] Die Bundesagentur bietet Personen mit ausländischen Berufsqualifikationen im In- und Ausland sowie Arbeitgebern Beratung zur Anerkennung und Nutzung ausländischer Berufsqualifikationen an und berät zu den damit im Zusammenhang stehenden Ausgleichsmaßnahmen und Anpassungsqualifizierungen. [2] Die Möglichkeit der Länder und anderer arbeitsmarktpolitischer Akteure, Anerkennungs- und Qualifizierungsberatung in eigener Verantwortung anzubieten, bleibt durch diese Regelung unberührt.*

§ 31[3)] Grundsätze der Berufsberatung. [1] Bei der Berufsberatung sind Neigung, Eignung, berufliche Fähigkeiten und Leistungsfähigkeit der Ratsuchenden sowie aktuelle und zu erwartende Beschäftigungsmöglichkeiten zu berücksichtigen. [2] Die Durchführung einer Potenzialanalyse entsprechend § 37 Absatz 1 kann angeboten werden.

[1)] § 30 neu gef. mWv 1.4.2012 durch G v. 20.12.2011 (BGBl. I S. 2854); Nr. 3 geänd. mWv 1.1.2019 durch G v. 18.12.2018 (BGBl. I S. 2651); Nr. 1 geänd. mWv 1.3.2020 durch G v. 15.8.2019 (BGBl. I S. 1307); Nr. 1 geänd. mWv 1.1.2029 durch G v. 22.12.2025 (BGBl. 2025 I Nr. 355).

[2)] § 30a eingef. mWv 1.1.2029 durch G v. 22.12.2025 (BGBl. 2025 I Nr. 355).

[3)] § 31 neu gef. mWv 1.1.2019 durch G v. 18.12.2018 (BGBl. I S. 2651).

§ 31a[1)] Informationen an junge Menschen ohne Anschlussperspektive; erforderliche Datenerhebung und Datenübermittlung. (1) [1] Die Agentur für Arbeit hat junge Menschen, die nach ihrer Kenntnis bei Beendigung der Schule oder einer vergleichbaren Ersatzmaßnahme keine konkrete berufliche Anschlussperspektive haben, zu kontaktieren und über ihre Leistungen zu informieren, soweit diese noch nicht genutzt werden. [2] Zu diesem Zweck soll die Agentur für Arbeit auch über die Leistungen der Akteure einer Jugendberufsagentur informieren. [3] Zu diesem Zweck erhebt die Agentur für Arbeit folgende Daten, soweit sie ihr von den Ländern übermittelt werden:

1. Name,
2. Vorname,
3. Geburtsdatum,
4. Geschlecht,
5. Wohnanschrift,
6. voraussichtlich beendete Schulform oder Ersatzmaßnahme,
7. erreichter Abschluss,
8. Telefonnummer.

(2) [1] Nimmt der junge Mensch nach einer Kontaktaufnahme nach Absatz 1 das Angebot der Agentur für Arbeit nicht in Anspruch, hat die Agentur für Arbeit den nach Landesrecht bestimmten Stellen des Landes, in dem der junge Mensch seinen Wohnsitz hat, die Sozialdaten zu übermitteln, die erforderlich sind, damit das Land dem jungen Menschen weitere Angebote unterbreiten kann. [2] Erforderlich sind folgende Daten:

1. Name,
2. Vorname,
3. Geburtsdatum,
4. Wohnanschrift, falls sich diese gegenüber der vom Land übermittelten Anschrift geändert hat, oder wenn die nach Landesrecht bestimmte Stelle nach Satz 1 nicht der Stelle entspricht, die nach Absatz 1 die Daten an die Agentur für Arbeit übermittelt hat,
5. Telefonnummer, wenn die nach Landesrecht bestimmte Stelle nach Satz 1 nicht der Stelle entspricht, die nach Absatz 1 die Daten an die Agentur für Arbeit übermittelt hat.

[3] Eine Datenübermittlung darf nur erfolgen, wenn die jeweiligen landesrechtlichen Regelungen die Erhebung der Daten erlauben. [4] Die Daten werden nicht an die jeweiligen Stellen der Länder übermittelt, wenn der junge Mensch der Übermittlung widerspricht. [5] Auf sein Widerspruchsrecht ist er hinzuweisen.

(3) Die Agentur für Arbeit hat die personenbezogenen Daten zu löschen, sobald sie für die Kontaktaufnahme nach Absatz 1 und die Übermittlung nach Absatz 2 nicht mehr erforderlich sind, spätestens jedoch sechs Monate nach Erhebung.

[1)] § 31a eingef. mWv 1.7.2020 durch G v. 12.6.2020 (BGBl. I S. 1248); Abs. 1 Satz 1 geänd., Satz 2 eingef., bish. Satz 2 wird Satz 3 und Nr. 7 neu gef. sowie Nr. 8 angef., Abs. 2 Satz 2 Nr. 4 geänd., Nr. 5 angef. mWv 1.7.2026 durch G v. 16.4.2026 (BGBl. 2026 I Nr. 107).

[§ 31b ab 1.8.2027:]

§ 31b[1] Förderung schwer zu erreichender junger Menschen. *(1) [1] Für schwer zu erreichende junge Menschen, die das 25. Lebensjahr noch nicht vollendet haben und die mit hinreichender Wahrscheinlichkeit keinen Anspruch auf Leistungen nach dem Zweiten Buch haben, kann die Agentur für Arbeit Leistungen mit dem Ziel erbringen, die individuellen Schwierigkeiten dieser jungen Menschen, eine schulische, ausbildungsbezogene oder berufliche Qualifikation abzuschließen oder anders ins Arbeitsleben einzumünden, zu überwinden. [2] Die Förderung umfasst auch Unterstützung, um an die weiteren Leistungen dieses Buches heranzuführen.*

(2) Leistungen nach Absatz 1 können auch von Amts wegen erbracht werden und bedürfen keines Antrages.

(3) Über die Leistungserbringung stimmt sich die Agentur für Arbeit mit dem örtlich zuständigen Träger der öffentlichen Jugendhilfe sowie der örtlich für die Wahrnehmung der Aufgaben der Grundsicherung für Arbeitsuchende zuständigen gemeinsamen Einrichtung oder dem insoweit zuständigen zugelassenen kommunalen Träger ab.

(4) Zuwendungen sind nach Maßgabe der §§ 23 und 44 der Bundeshaushaltsordnung[2] zulässig.

§ 32[3] Eignungsfeststellung. Die Agentur für Arbeit soll Ratsuchende mit deren Einverständnis ärztlich und psychologisch untersuchen und begutachten, soweit dies für die Feststellung der Berufseignung oder Vermittlungsfähigkeit erforderlich ist.

§ 33[3] Berufsorientierung. [1] Die Agentur für Arbeit hat Berufsorientierung durchzuführen

1. zur Vorbereitung von jungen Menschen und Erwachsenen auf die Berufswahl und
2. zur Unterrichtung der Ausbildungsuchenden, Arbeitsuchenden, Arbeitnehmerinnen und Arbeitnehmer und Arbeitgeber.

[2] Dabei soll sie umfassend Auskunft und Rat geben zu Fragen der Berufswahl, über die Berufe und ihre Anforderungen und Aussichten, über die Wege und die Förderung der beruflichen Bildung sowie über beruflich bedeutsame Entwicklungen in den Betrieben, Verwaltungen und auf dem Arbeitsmarkt.

§ 34[4] Arbeitsmarktberatung. (1) [1] Die Arbeitsmarktberatung der Agentur für Arbeit soll die Arbeitgeber bei der Besetzung von Ausbildungs- und Arbeitsstellen sowie bei Qualifizierungsbedarfen ihrer Beschäftigten unterstützen. [2] Sie umfasst die Erteilung von Auskunft und Rat

1. zur Lage und Entwicklung des Arbeitsmarktes und der Berufe,
2. zur Besetzung von Ausbildungs- und Arbeitsstellen auch einschließlich der Beschäftigungsmöglichkeiten von Arbeitnehmerinnen und Arbeitnehmern aus dem Ausland,

---

[1] § 31b eingef. mWv 1.8.2027 durch G v. 16.4.2026 (BGBl. 2026 I Nr. 107).

[2] **Sartorius Nr. 700.**

[3] 3. Kapitel (§§ 29–135) neu gef. mWv 1.4.2012 durch G v. 20.12.2011 (BGBl. I S. 2854).

[4] § 34 neu gef. mWv 1.4.2012 durch G v. 20.12.2011 (BGBl. I S. 2854); Abs. 1 Satz 1 geänd. mWv 1.1.2019 durch G v. 18.12.2018 (BGBl. I S. 2651); Abs. 1 Satz 2 Nr. 2 geänd. mWv 1.3.2020 durch G v. 15.8.2019 (BGBl. I S. 1307).

3. zur Gestaltung von Arbeitsplätzen, Arbeitsbedingungen und der Arbeitszeit von Auszubildenden sowie Arbeitnehmerinnen und Arbeitnehmern,
4. zur betrieblichen Aus- und Weiterbildung,
5. zur Eingliederung von förderungsbedürftigen Auszubildenden und von förderungsbedürftigen Arbeitnehmerinnen und Arbeitnehmern,
6. zu Leistungen der Arbeitsförderung.

(2) [1] Die Agentur für Arbeit soll die Beratung nutzen, um Ausbildungs- und Arbeitsstellen für die Vermittlung zu gewinnen. [2] Sie soll auch von sich aus Kontakt zu den Arbeitgebern aufnehmen und unterhalten.

Zweiter Unterabschnitt. Vermittlung

§ 35[1)] Vermittlungsangebot. (1) [1] Die Agentur für Arbeit hat Ausbildungsuchenden, Arbeitsuchenden und Arbeitgebern Ausbildungsvermittlung und Arbeitsvermittlung (Vermittlung) anzubieten. [2] Die Vermittlung umfasst alle Tätigkeiten, die darauf gerichtet sind, Ausbildungsuchende mit Arbeitgebern zur Begründung eines Ausbildungsverhältnisses und Arbeitsuchende mit Arbeitgebern zur Begründung eines Beschäftigungsverhältnisses zusammenzuführen. [3] Die Agentur für Arbeit stellt sicher, dass Ausbildungsuchende und Arbeitslose, deren berufliche Eingliederung voraussichtlich erschwert sein wird, eine verstärkte vermittlerische Unterstützung erhalten.

(Fortsetzung nächstes Blatt)

1) 3. Kapitel (§§ 29–135) neu gef. mWv 1.4.2012 durch G v. 20.12.2011 (BGBl. I S. 2854).

(2) [1]Die Agentur für Arbeit hat durch Vermittlung darauf hinzuwirken, dass Ausbildungsuchende eine Ausbildungsstelle, Arbeitsuchende eine Arbeitsstelle und Arbeitgeber geeignete Auszubildende sowie geeignete Arbeitnehmerinnen und Arbeitnehmer erhalten. [2]Sie hat dabei die Neigung, Eignung und Leistungsfähigkeit der Ausbildungsuchenden und Arbeitsuchenden sowie die Anforderungen der angebotenen Stellen zu berücksichtigen.

(3) [1]Die Agentur für Arbeit hat Vermittlung auch über die Selbstinformationseinrichtungen nach § 40 Absatz 2 im Internet durchzuführen. [2]Soweit es für diesen Zweck erforderlich ist, darf sie die Daten aus den Selbstinformationseinrichtungen nutzen und übermitteln.

§ 36[1)] Grundsätze der Vermittlung. (1) Die Agentur für Arbeit darf nicht vermitteln, wenn ein Ausbildungs- oder Arbeitsverhältnis begründet werden soll, das gegen ein Gesetz oder die guten Sitten verstößt.

(2) [1]Die Agentur für Arbeit darf Einschränkungen, die der Arbeitgeber für eine Vermittlung hinsichtlich Geschlecht, Alter, Gesundheitszustand, Staatsangehörigkeit oder ähnlicher Merkmale der Ausbildungsuchenden und Arbeitsuchenden vornimmt, die regelmäßig nicht die berufliche Qualifikation betreffen, nur berücksichtigen, wenn diese Einschränkungen nach Art der auszuübenden Tätigkeit unerlässlich sind. [2]Die Agentur für Arbeit darf Einschränkungen, die der Arbeitgeber für eine Vermittlung aus Gründen der Rasse oder wegen der ethnischen Herkunft, der Religion oder Weltanschauung, einer Behinderung oder der sexuellen Identität der Ausbildungsuchenden und der Arbeitsuchenden vornimmt, nur berücksichtigen, soweit sie nach dem Allgemeinen Gleichbehandlungsgesetz[2)] zulässig sind. [3]Im Übrigen darf eine Einschränkung hinsichtlich der Zugehörigkeit zu einer Gewerkschaft, Partei oder vergleichbaren Vereinigung nur berücksichtigt werden, wenn

1. es sich um eine Ausbildungs- oder Arbeitsstelle in einem Tendenzunternehmen oder -betrieb im Sinne des § 118 Absatz 1 Satz 1 des Betriebsverfassungsgesetzes[3)] handelt und
2. die Art der auszuübenden Tätigkeit diese Einschränkung rechtfertigt.

(3) Die Agentur für Arbeit darf in einen durch einen Arbeitskampf unmittelbar betroffenen Bereich nur dann vermitteln, wenn die oder der Arbeitsuchende und der Arbeitgeber dies trotz eines Hinweises auf den Arbeitskampf verlangen.

(4) [1]Die Agentur für Arbeit ist bei der Vermittlung nicht verpflichtet zu prüfen, ob der vorgesehene Vertrag ein Arbeitsvertrag ist. [2]Wenn ein Arbeitsverhältnis erkennbar nicht begründet werden soll, kann die Agentur für Arbeit auf Angebote zur Aufnahme einer selbständigen Tätigkeit hinweisen; Absatz 1 gilt entsprechend.

§ 37[4)] Potenzialanalyse und Eingliederungsvereinbarung. (1) [1]Die Agentur für Arbeit hat unverzüglich nach der Ausbildungsuchendmeldung oder Arbeitsuchendmeldung zusammen mit der oder dem Ausbildungsuchenden oder der oder dem Arbeitsuchenden die für die Vermittlung erforderlichen berufli-

---

1) 3. Kapitel (§§ 29–135) neu gef. mWv 1.4.2012 durch G v. 20.12.2011 (BGBl. I S. 2854).
2) Nr. **91**.
3) Nr. **570**.
4) § 37 neu gef. mWv 1.4.2012 durch G v. 20.12.2011 (BGBl. I S. 2854); Abs. 3 Satz 2 zweiter Halbs. geänd. mWv 1.1.2013 durch G v. 5.12.2012 (BGBl. I S. 2467).

chen und persönlichen Merkmale, beruflichen Fähigkeiten und die Eignung festzustellen (Potenzialanalyse). [2] Die Potenzialanalyse erstreckt sich auch auf die Feststellung, ob und durch welche Umstände die berufliche Eingliederung voraussichtlich erschwert sein wird.

(2) [1] In einer Eingliederungsvereinbarung, die die Agentur für Arbeit zusammen mit der oder dem Ausbildungsuchenden oder der oder dem Arbeitsuchenden trifft, werden für einen zu bestimmenden Zeitraum festgelegt

1. das Eingliederungsziel,
2. die Vermittlungsbemühungen der Agentur für Arbeit,
3. welche Eigenbemühungen zur beruflichen Eingliederung die oder der Ausbildungsuchende oder die oder der Arbeitsuchende in welcher Häufigkeit mindestens unternehmen muss und in welcher Form diese nachzuweisen sind,
4. die vorgesehenen Leistungen der aktiven Arbeitsförderung.

[2] Die besonderen Bedürfnisse behinderter und schwerbehinderter Menschen sollen angemessen berücksichtigt werden.

(3) [1] Der oder dem Ausbildungsuchenden oder der oder dem Arbeitsuchenden ist eine Ausfertigung der Eingliederungsvereinbarung auszuhändigen. [2] Die Eingliederungsvereinbarung ist sich ändernden Verhältnissen anzupassen; sie ist fortzuschreiben, wenn in dem Zeitraum, für den sie zunächst galt, die Ausbildungssuche oder Arbeitsuche nicht beendet wurde. [3] Sie ist spätestens nach sechsmonatiger Arbeitslosigkeit, bei arbeitslosen und ausbildungsuchenden jungen Menschen spätestens nach drei Monaten, zu überprüfen. [4] Kommt eine Eingliederungsvereinbarung nicht zustande, sollen die nach Absatz 2 Satz 1 Nummer 3 erforderlichen Eigenbemühungen durch Verwaltungsakt festgesetzt werden.

§ 38[1)] Rechte und Pflichten der Ausbildung- und Arbeitsuchenden.

(1) [1] Personen, deren Ausbildungs- oder Arbeitsverhältnis endet, sind verpflichtet, sich spätestens drei Monate vor dessen Beendigung bei der Agentur für Arbeit unter Angabe der persönlichen Daten und des Beendigungszeitpunktes des Ausbildungs- oder Arbeitsverhältnisses arbeitsuchend zu melden. [2] Liegen zwischen der Kenntnis des Beendigungszeitpunktes und der Beendigung des Ausbildungs- oder Arbeitsverhältnisses weniger als drei Monate, haben sie sich innerhalb von drei Tagen nach Kenntnis des Beendigungszeitpunktes zu melden. [3] Die Pflicht zur Meldung besteht unabhängig davon, ob der Fortbestand des Ausbildungs- oder Arbeitsverhältnisses gerichtlich geltend gemacht oder vom Arbeitgeber in Aussicht gestellt wird. [4] Die Pflicht zur Meldung gilt nicht bei einem betrieblichen Ausbildungsverhältnis.

(1a) Die zuständige Agentur für Arbeit soll mit der nach Absatz 1 arbeitsuchend gemeldeten Person unverzüglich nach der Arbeitsuchendmeldung ein erstes Beratungs- und Vermittlungsgespräch führen, das persönlich oder bei Einvernehmen zwischen Agentur für Arbeit und der arbeitsuchenden Person auch per Videotelefonie erfolgen kann.

[1)] § 38 neu gef. mWv 1.4.2012 durch G v. 20.12.2011 (BGBl. I S. 2854); Abs. 2 eingef., bish. Abs. 2–4 werden Abs. 3–5 mWv 1.1.2019 durch G v. 18.12.2018 (BGBl. I S. 2651); Abs. 1 Satz 1 geänd., Satz 3 aufgeh., bish. Sätze 4–6 werden Sätze 3–5, Abs. 1a eingef. mWv 1.1.2022 durch G v. 20.5.2020 (BGBl. I S. 1044); Abs. 4 Satz 2 und Abs. 5 Satz 2 geänd. mWv 1.7.2020, Abs. 3 Satz 3 geänd. mWv 1.1.2024 durch G v. 12.6.2020 (BGBl. I S. 1248); Abs. 1 Satz 5 aufgeh. mWv 24.12.2025 durch G v. 22.12.2025 (BGBl. 2025 I Nr. 355).

(2) Die Agentur für Arbeit hat unverzüglich nach der Meldung nach Absatz 1 auch Berufsberatung durchzuführen.

(3) [1] Ausbildung- und Arbeitsuchende, die Dienstleistungen der Bundesagentur in Anspruch nehmen, haben dieser die für eine Vermittlung erforderlichen Auskünfte zu erteilen, Unterlagen vorzulegen und den Abschluss eines Ausbildungs- oder Arbeitsverhältnisses unter Benennung des Arbeitgebers und seines Sitzes unverzüglich mitzuteilen. [2] Sie können die Weitergabe ihrer Unterlagen von deren Rückgabe an die Agentur für Arbeit abhängig machen oder ihre Weitergabe an namentlich benannte Arbeitgeber ausschließen. [3] Die Anzeige- und Nachweispflichten im Leistungsverfahren bei Arbeitsunfähigkeit nach § 311 gelten entsprechend.

(4) [1] Die Arbeitsvermittlung ist durchzuführen,

1. solange die oder der Arbeitsuchende Leistungen zum Ersatz des Arbeitsentgelts bei Arbeitslosigkeit oder Transferkurzarbeitergeld beansprucht oder
2. bis bei Meldepflichtigen nach Absatz 1 der angegebene Beendigungszeitpunkt des Ausbildungs- oder Arbeitsverhältnisses erreicht ist.

[2] Im Übrigen kann die Agentur für Arbeit die Arbeitsvermittlung einstellen, wenn die oder der Arbeitsuchende die ihr oder ihm nach Absatz 3 oder der Eingliederungsvereinbarung oder dem Verwaltungsakt nach § 37 Absatz 3 Satz 4 obliegenden Pflichten nicht erfüllt, ohne dafür einen wichtigen Grund zu haben. [3] Die oder der Arbeitsuchende kann die Arbeitsvermittlung erneut nach Ablauf von zwölf Wochen in Anspruch nehmen.

(5) [1] Die Ausbildungsvermittlung ist durchzuführen,

1. bis die oder der Ausbildungsuchende in Ausbildung, schulische Bildung oder Arbeit einmündet oder sich die Vermittlung anderweitig erledigt oder
2. solange die oder der Ausbildungsuchende dies verlangt.

[2] Absatz 4 Satz 2 gilt entsprechend.

§ 39[1] Rechte und Pflichten der Arbeitgeber. (1) [1] Arbeitgeber, die Dienstleistungen der Bundesagentur in Anspruch nehmen, haben die für eine Vermittlung erforderlichen Auskünfte zu erteilen und Unterlagen vorzulegen. [2] Sie können deren Überlassung an namentlich benannte Ausbildung- und Arbeitsuchende ausschließen oder die Vermittlung darauf begrenzen, dass ihnen Daten von geeigneten Ausbildung- und Arbeitsuchenden überlassen werden.

(2) [1] Die Agentur für Arbeit soll dem Arbeitgeber eine Arbeitsmarktberatung anbieten, wenn sie erkennt, dass eine gemeldete freie Ausbildungs- oder Arbeitsstelle durch ihre Vermittlung nicht in angemessener Zeit besetzt werden kann. [2] Sie soll diese Beratung spätestens nach drei Monaten anbieten.

(3) [1] Die Agentur für Arbeit kann die Vermittlung zur Besetzung einer Ausbildungs- oder Arbeitsstelle einstellen, wenn

1. *sie erfolglos* bleibt, weil die Arbeitsbedingungen der angebotenen Stelle gegenüber denen vergleichbarer Ausbildungs- oder Arbeitsstellen so ungünstig sind, dass sie den Ausbildung- oder Arbeitsuchenden nicht zumutbar sind, und die Agentur für Arbeit den Arbeitgeber darauf hingewiesen hat,
2. der Arbeitgeber keine oder unzutreffende Mitteilungen über das Nichtzustandekommen eines Ausbildungs- oder Arbeitsvertrags mit einer oder einem

---

[1] 3. Kapitel (§§ 29–135) neu gef. mWv 1.4.2012 durch G v. 20.12.2011 (BGBl. I S. 2854).

vorgeschlagenen Ausbildungsuchenden oder einer oder einem vorgeschlagenen Arbeitsuchenden macht und die Vermittlung dadurch erschwert wird,

3. die Stelle auch nach erfolgter Arbeitsmarktberatung nicht besetzt werden kann, jedoch frühestens nach Ablauf von sechs Monaten, die Ausbildungsvermittlung jedoch frühestens drei Monate nach Beginn eines Ausbildungsjahres.

2 Der Arbeitgeber kann die Vermittlung erneut in Anspruch nehmen.

§ 39a[1] Frühzeitige Förderung von Ausländerinnen und Ausländern mit Aufenthaltsgestattung. 1 Für Ausländerinnen und Ausländer, die eine Aufenthaltsgestattung nach dem Asylgesetz besitzen und auf Grund des § 61 des Asylgesetzes[2] keine Erwerbstätigkeit ausüben dürfen, können Leistungen nach diesem Unterabschnitt erbracht werden, wenn bei ihnen ein rechtmäßiger und dauerhafter Aufenthalt zu erwarten ist. 2 Stammen sie aus einem sicheren Herkunftsstaat nach § 29a des Asylgesetzes[3] oder einer auf Grundlage von § 29b des Asylgesetzes[3] erlassenen Rechtsverordnung, so wird vermutet, dass ein rechtmäßiger und dauerhafter Aufenthalt nicht zu erwarten ist.

Dritter Unterabschnitt. Gemeinsame Vorschriften

§ 40[4] Allgemeine Unterrichtung. (1) Die Agentur für Arbeit soll Ausbildung- und Arbeitsuchenden sowie Arbeitgebern in geeigneter Weise Gelegenheit geben, sich über freie Ausbildungs- und Arbeitsstellen sowie über Ausbildung- und Arbeitsuchende zu unterrichten.

(2) 1 Bei der Beratung, Vermittlung und Berufsorientierung sind Selbstinformationseinrichtungen einzusetzen. 2 Diese sind an die technischen Entwicklungen anzupassen.

(3) 1 Die Agentur für Arbeit darf in die Selbstinformationseinrichtungen Daten über Ausbildungsuchende, Arbeitsuchende und Arbeitgeber nur aufnehmen, soweit sie für die Vermittlung erforderlich sind und von Dritten keiner bestimmten oder bestimmbaren Person zugeordnet werden können. 2 Daten, die von Dritten einer bestimmten oder bestimmbaren Person zugeordnet werden können, dürfen nur mit Einwilligung der betroffenen Person aufgenommen werden. 3 Der betroffenen Person ist auf Verlangen ein Ausdruck der aufgenommenen Daten zuzusenden. 4 Die Agentur für Arbeit kann von der Aufnahme von Daten über Ausbildungs- und Arbeitsstellen in die Selbstinformationseinrichtungen absehen, wenn diese dafür nicht geeignet sind.

(4) Die Absätze 1 bis 3 gelten entsprechend für die in § 39a genannten Personen.

(Fortsetzung nächstes Blatt)

---

[1] § 39a eingef. mWv 1.8.2019 durch G v. 8.7.2019 (BGBl. I S. 1029); Satz 2 geänd. mWv 24.12.2025 durch G v. 22.12.2025 (BGBl. 2025 I Nr. 364).

[2] Nr. **780**.

[3] **beck-online, Module Arbeitsrecht Nr. 780.**

[4] *§ 40* neu gef. mWv 1.4.2012 durch G v. 20.12.2011 (BGBl. I S. 2854); Abs. 4 angef. mWv 1.8.2019 durch G v. 8.7.2019 (BGBl. I S. 1029); Abs. 3 Sätze 2 und 3 geänd. mWv 26.11.2019 durch G v. 20.11.2019 (BGBl. I S. 1626).

§ 41[1] Einschränkung des Fragerechts. (1) [1] Die Agentur für Arbeit darf von Ausbildung- und Arbeitsuchenden keine Daten erheben, die ein Arbeitgeber vor Begründung eines Ausbildungs- oder Arbeitsverhältnisses nicht erfragen darf. [2] Daten über die Zugehörigkeit zu einer Gewerkschaft, Partei, Religionsgemeinschaft oder vergleichbaren Vereinigung dürfen nur bei der oder dem Ausbildungsuchenden und der oder dem Arbeitsuchenden erhoben werden. [3] Die Agentur für Arbeit darf diese Daten nur erheben, speichern und nutzen, wenn

1. eine Vermittlung auf eine Ausbildungs- oder Arbeitsstelle
   a) in einem Tendenzunternehmen oder -betrieb im Sinne des § 118 Absatz 1 Satz 1 des Betriebsverfassungsgesetzes[2] oder
   b) bei einer Religionsgemeinschaft oder in einer zu ihr gehörenden karitativen oder erzieherischen Einrichtung

   vorgesehen ist,
2. die oder der Ausbildungsuchende oder die oder der Arbeitsuchende bereit ist, auf eine solche Ausbildungs- oder Arbeitsstelle vermittelt zu werden, und
3. bei einer Vermittlung nach Nummer 1 Buchstabe a die Art der auszuübenden Tätigkeit diese Beschränkung rechtfertigt.

(2) Absatz 1 gilt entsprechend für die in § 39a genannten Personen.

§ 42[3] Grundsatz der Unentgeltlichkeit. (1) Die Agentur für Arbeit übt die Beratung und Vermittlung unentgeltlich aus.

(2) Die Agentur für Arbeit kann vom Arbeitgeber die Erstattung besonderer, bei einer Arbeitsvermittlung entstehender Aufwendungen (Aufwendungsersatz) verlangen, wenn

1. die Aufwendungen den gewöhnlichen Umfang erheblich übersteigen und
2. sie den Arbeitgeber bei Beginn der Arbeitsvermittlung über die Erstattungspflicht unterrichtet hat.

(3) [1] Die Agentur für Arbeit kann von einem Arbeitgeber, der die Auslandsvermittlung auf Grund zwischenstaatlicher Vereinbarungen oder Vermittlungsabsprachen der Bundesagentur mit ausländischen Arbeitsverwaltungen in Anspruch nimmt, eine Gebühr (Vermittlungsgebühr) erheben. [2] Die Vorschriften des Verwaltungskostengesetzes vom 23. Juni 1970 (BGBl. I S. 821) in der am 14. August 2013 geltenden Fassung sind anzuwenden.

(4) Der Arbeitgeber darf sich den Aufwendungsersatz oder die Vermittlungsgebühr weder ganz noch teilweise von der vermittelten Arbeitnehmerin oder dem vermittelten Arbeitnehmer oder einem Dritten erstatten lassen.

§ 43[4] Anordnungsermächtigung. [1] Die Bundesagentur wird ermächtigt, durch Anordnung die gebührenpflichtigen Tatbestände für die Vermittlungsgebühr zu bestimmen und dabei feste Sätze vorzusehen. [2] Für die Bestimmung der Gebührenhöhe können auch Aufwendungen für Maßnahmen, die geeignet sind, die Eingliederung ausländischer Arbeitnehmerinnen und Arbeitnehmer in

---

[1] § 41 neu gef. mWv 1.4.2012 durch G v. 20.12.2011 (BGBl. I S. 2854); Abs. 2 angef. mWv 1.8.2019 durch G v. 8.7.2019 (BGBl. I S. 1029); Abs. 1 Satz 3 einl. Satzteil geänd. mWv 26.11.2019 durch G v. 20.11.2019 (BGBl. I S. 1626).

[2] Nr. **570**.

[3] § 42 neu gef. mWv 1.4.2012 durch G v. 20.12.2011 (BGBl. I S. 2854); Abs. 3 Satz 2 geänd. mWv 23.7.2021 durch G v. 16.7.2021 (BGBl. I S. 2970).

[4] 3. Kapitel (§§ 29–135) neu gef. mWv 1.4.2012 durch G v. 20.12.2011 (BGBl. I S. 2854).

die Wirtschaft und in die Gesellschaft zu erleichtern oder die der Überwachung der Einhaltung der zwischenstaatlichen Vereinbarungen oder Absprachen über die Vermittlung dienen, berücksichtigt werden.

Zweiter Abschnitt. Aktivierung und berufliche Eingliederung

§ 44[1] **Förderung aus dem Vermittlungsbudget.** (1) [1] Ausbildungsuchende, von Arbeitslosigkeit bedrohte Arbeitsuchende und Arbeitslose können aus dem Vermittlungsbudget der Agentur für Arbeit bei der Anbahnung oder Aufnahme einer versicherungspflichtigen Beschäftigung gefördert werden, wenn dies für die berufliche Eingliederung notwendig ist. [2] Sie sollen insbesondere bei der Erreichung der in der Eingliederungsvereinbarung festgelegten Eingliederungsziele unterstützt werden. [3] Die Förderung umfasst die Übernahme der angemessenen Kosten, soweit der Arbeitgeber gleichartige Leistungen nicht oder voraussichtlich nicht erbringen wird.

(2) Nach Absatz 1 kann auch die Anbahnung oder die Aufnahme einer versicherungspflichtigen Beschäftigung mit einer Arbeitszeit von mindestens 15 Stunden wöchentlich in einem anderen Mitgliedstaat der Europäischen Union, einem anderen Vertragsstaat des Abkommens über den Europäischen Wirtschaftsraum oder in der Schweiz gefördert werden.

(3) [1] Die Agentur für Arbeit entscheidet über den Umfang der zu erbringenden Leistungen; sie kann Pauschalen festlegen. [2] Leistungen zur Sicherung des Lebensunterhalts sind ausgeschlossen. [3] Die Förderung aus dem Vermittlungsbudget darf die anderen Leistungen nach diesem Buch nicht aufstocken, ersetzen oder umgehen.

(4) Die Absätze 1 bis 3 gelten entsprechend für die in § 39a genannten Personen.

§ 45[2] **Maßnahmen zur Aktivierung und beruflichen Eingliederung.**

(1) [1] Ausbildungsuchende, von Arbeitslosigkeit bedrohte Arbeitsuchende und Arbeitslose können bei Teilnahme an Maßnahmen gefördert werden, die ihre berufliche Eingliederung durch

1. Heranführung an den Ausbildungs- und Arbeitsmarkt sowie Feststellung, Verringerung oder Beseitigung von Vermittlungshemmnissen,
2. *(aufgehoben)*
3. Vermittlung in eine versicherungspflichtige Beschäftigung,
4. Heranführung an eine selbständige Tätigkeit oder
5. Stabilisierung einer Beschäftigungsaufnahme

unterstützen (Maßnahmen zur Aktivierung und beruflichen Eingliederung). [2] Für die Aktivierung von Arbeitslosen, deren berufliche Eingliederung auf Grund von schwerwiegenden Vermittlungshemmnissen, insbesondere auf Grund der Dauer ihrer Arbeitslosigkeit, besonders erschwert ist, sollen Maßnahmen gefördert werden, die nach inhaltlicher Ausgestaltung und Dauer den erhöhten

---

[1] § 44 neu gef. mWv 1.4.2012 durch G v. 20.12.2011 (BGBl. I S. 2854); Abs. 4 angef. mWv 1.8.2019 durch G v. 8.7.2019 (BGBl. I S. 1029).

[2] § 45 neu gef. mWv 1.4.2012 durch G v. 20.12.2011 (BGBl. I S. 2854); Abs. 8 angef. mWv 1.8.2016 durch G v. 18.7.2016 (BGBl. I S. 1710); Abs. 9 angef. mWv 1.8.2019 durch G v. 8.7.2019 (BGBl. I S. 1029); Abs. 1 Satz 1 Nr. 1 geänd., Nr. 2 aufgeh. mWv 1.1.2021 durch G v. 20.5.2020 (BGBl. I S. 1044); Abs. 6 Satz 4 geänd. mWv 1.1.2022 durch G v. 2.6.2021 (BGBl. I S. 1387); Abs. 6 Sätze 3–5 geänd. mWv 1.1.2022 durch G v. 16.7.2021 (BGBl. I S. 2970).

Stabilisierungs- und Unterstützungsbedarf der Arbeitslosen berücksichtigen. [3]Versicherungspflichtige Beschäftigungen mit einer Arbeitszeit von mindestens 15 Stunden wöchentlich in einem anderen Mitgliedstaat der Europäischen Union oder einem anderen Vertragsstaat des Abkommens über den Europäischen Wirtschaftsraum sind den versicherungspflichtigen Beschäftigungen nach Satz 1 Nummer 3 gleichgestellt. [4]Die Förderung umfasst die Übernahme der angemessenen Kosten für die Teilnahme, soweit dies für die berufliche Eingliederung notwendig ist. [5]Die Förderung kann auf die Weiterleistung von Arbeitslosengeld beschränkt werden.

(2) [1]Die Dauer der Einzel- oder Gruppenmaßnahmen muss deren Zweck und Inhalt entsprechen. [2]Soweit Maßnahmen oder Teile von Maßnahmen nach Absatz 1 bei oder von einem Arbeitgeber durchgeführt werden, dürfen diese jeweils die Dauer von sechs Wochen nicht überschreiten. [3]Die Vermittlung von beruflichen Kenntnissen in Maßnahmen zur Aktivierung und beruflichen Eingliederung darf die Dauer von acht Wochen nicht überschreiten. [4]Maßnahmen des Dritten Abschnitts sind ausgeschlossen.

(3) Die Agentur für Arbeit kann unter Anwendung des Vergaberechts Träger mit der Durchführung von Maßnahmen nach Absatz 1 beauftragen.

(4) [1]Die Agentur für Arbeit kann der oder dem Berechtigten das Vorliegen der Voraussetzungen für eine Förderung nach Absatz 1 bescheinigen und Maßnahmeziel und -inhalt festlegen (Aktivierungs- und Vermittlungsgutschein). [2]Der Aktivierungs- und Vermittlungsgutschein kann zeitlich befristet sowie regional beschränkt werden. [3]Der Aktivierungs- und Vermittlungsgutschein berechtigt zur Auswahl

1. eines Trägers, der eine dem Maßnahmeziel und -inhalt entsprechende und nach § 179 zugelassene Maßnahme anbietet,
2. eines Trägers, der eine ausschließlich erfolgsbezogen vergütete Arbeitsvermittlung in versicherungspflichtige Beschäftigung anbietet, oder
3. eines Arbeitgebers, der eine dem Maßnahmeziel und -inhalt entsprechende betriebliche Maßnahme von einer Dauer bis zu sechs Wochen anbietet.

[4]Der ausgewählte Träger nach Satz 3 Nummer 1 und der ausgewählte Arbeitgeber nach Satz 3 Nummer 3 haben der Agentur für Arbeit den Aktivierungs- und Vermittlungsgutschein vor Beginn der Maßnahme vorzulegen. [5]Der ausgewählte Träger nach Satz 3 Nummer 2 hat der Agentur für Arbeit den Aktivierungs- und Vermittlungsgutschein nach erstmaligem Vorliegen der Auszahlungsvoraussetzungen vorzulegen.

(5) Die Agentur für Arbeit soll die Entscheidung über die Ausgabe eines Aktivierungs- und Vermittlungsgutscheins nach Absatz 4 von der Eignung und den persönlichen Verhältnissen der Förderberechtigten oder der örtlichen Verfügbarkeit von Arbeitsmarktdienstleistungen abhängig machen.

(6) [1]Die Vergütung richtet sich nach Art und Umfang der Maßnahme und kann aufwands- oder erfolgsbezogen gestaltet sein; eine Pauschalierung ist zulässig. [2]§ 83 Absatz 2 gilt entsprechend. [3]Bei einer erfolgreichen Arbeitsvermittlung in versicherungspflichtige Beschäftigung durch einen Träger nach Absatz 4 Satz 3 Nummer 2 beträgt die Vergütung 2 500 Euro. [4]Bei Langzeitarbeitslosen und Menschen mit Behinderungen nach § 2 Absatz 1 des Neunten Buches[1)] kann die Vergütung auf eine Höhe von bis zu 3 000 Euro festgelegt werden. [5]Die

---

[1)] Nr. **440**.

Vergütung nach den Sätzen 3 und 4 wird in Höhe von 1 250 Euro nach einer sechswöchigen und der Restbetrag nach einer sechsmonatigen Dauer des Beschäftigungsverhältnisses gezahlt. [6] Eine erfolgsbezogene Vergütung für die Arbeitsvermittlung in versicherungspflichtige Beschäftigung ist ausgeschlossen, wenn das Beschäftigungsverhältnis

1. von vornherein auf eine Dauer von weniger als drei Monaten begrenzt ist oder
2. bei einem früheren Arbeitgeber begründet wird, bei dem die Arbeitnehmerin oder der Arbeitnehmer während der letzten vier Jahre vor Aufnahme der Beschäftigung mehr als drei Monate lang versicherungspflichtig beschäftigt war; dies gilt nicht, wenn es sich um die befristete Beschäftigung besonders betroffener schwerbehinderter Menschen handelt.

(7) [1] Arbeitslose, die Anspruch auf Arbeitslosengeld haben, dessen Dauer nicht allein auf § 147 Absatz 3 beruht, und nach einer Arbeitslosigkeit von sechs Wochen innerhalb einer Frist von drei Monaten noch nicht vermittelt sind, haben Anspruch auf einen Aktivierungs- und Vermittlungsgutschein nach Absatz 4 Satz 3 Nummer 2. [2] In die Frist werden Zeiten nicht eingerechnet, in denen die oder der Arbeitslose an Maßnahmen zur Aktivierung und beruflichen Eingliederung sowie an Maßnahmen der beruflichen Weiterbildung teilgenommen hat.

(8) Abweichend von Absatz 2 Satz 2 und Absatz 4 Satz 3 Nummer 3 darf bei Langzeitarbeitslosen oder Arbeitslosen, deren berufliche Eingliederung auf Grund von schwerwiegenden Vermittlungshemmnissen besonders erschwert ist, die Teilnahme an Maßnahmen oder Teilen von Maßnahmen, die bei oder von einem Arbeitgeber durchgeführt werden, jeweils die Dauer von zwölf Wochen nicht überschreiten.

(9) Die Absätze 1 bis 8 gelten entsprechend für die in § 39a genannten Personen.

§ 46[1)] Probebeschäftigung und Arbeitshilfe für Menschen mit Behinderungen. (1) Arbeitgebern können die Kosten für eine befristete Probebeschäftigung von Menschen mit Behinderungen sowie schwerbehinderter und ihnen gleichgestellter Menschen im Sinne des § 2 des Neunten Buches[2)] bis zu einer Dauer von drei Monaten erstattet werden, wenn dadurch die Möglichkeit einer Teilhabe am Arbeitsleben verbessert wird oder eine vollständige und dauerhafte Teilhabe am Arbeitsleben zu erreichen ist.

(2) Arbeitgeber können Zuschüsse für eine behinderungsgerechte Ausgestaltung von Ausbildungs- oder Arbeitsplätzen erhalten, soweit dies erforderlich ist, um die dauerhafte Teilhabe am Arbeitsleben zu erreichen oder zu sichern und eine entsprechende Verpflichtung des Arbeitgebers nach dem Teil 3 des Neunten Buches[3)] nicht besteht.

§ 47[4)] Verordnungsermächtigung. Das Bundesministerium für Arbeit und Soziales wird ermächtigt, durch Rechtsverordnung, die nicht der Zustimmung

---

[1)] § 46 neu gef. mWv 1.4.2012 durch G v. 20.12.2011 (BGBl. I S. 2854); Abs. 2 geänd. mWv 1.1. 2018 durch G v. 23.12.2016 (BGBl. I S. 3234); Überschrift neu gef., Abs. 1 und 2 geänd. mWv 1.1.2022 durch G v. 2.6.2021 (BGBl. I S. 1387).

[2)] Nr. **440**.

[3)] Auszugsweise abgedruckt unter Nr. **440**.

[4)] 3. Kapitel (§§ 29–135) neu gef. mWv 1.4.2012 durch G v. 20.12.2011 (BGBl. I S. 2854).

des Bundesrates bedarf, das Nähere über Voraussetzungen, Grenzen, Pauschalierung und Verfahren der Förderung nach den §§ 44 und 45 zu bestimmen.

Dritter Abschnitt. Berufswahl und Berufsausbildung

Erster Unterabschnitt. Übergang von der Schule in die Berufsausbildung

§ 48[1)] Berufsorientierungsmaßnahmen. (1) [1] Die Agentur für Arbeit kann Schülerinnen und Schüler allgemeinbildender Schulen durch vertiefte Berufsorientierung und Berufswahlvorbereitung fördern (Berufsorientierungsmaßnahmen), wenn sich Dritte mit mindestens 50 Prozent an der Förderung beteiligen. [2] Die Agentur für Arbeit kann sich auch mit bis zu 50 Prozent an der Förderung von Maßnahmen beteiligen, die von Dritten eingerichtet werden.

(2) Die besonderen Bedürfnisse von Schülerinnen und Schülern mit sonderpädagogischem Förderbedarf und von schwerbehinderten Schülerinnen und Schülern sollen bei der Ausgestaltung der Maßnahmen berücksichtigt werden.

§ 48a[2)] Berufsorientierungspraktikum. (1) [1] Die Agentur für Arbeit kann junge Menschen, die ihre Berufswahl noch nicht abschließend getroffen haben, durch ein Berufsorientierungspraktikum fördern, um sie beim Übergang in eine Berufsausbildung zu unterstützen. [2] Voraussetzung für die Förderung ist, dass die jungen Menschen

1. die Vollzeitschulpflicht nach den Gesetzen der Länder erfüllt haben,
2. keine Schule besuchen und
3. bei der Agentur für Arbeit ausbildungsuchend gemeldet sind.

(2) [1] Das Berufsorientierungspraktikum kann bei einem oder bei mehreren Arbeitgebern durchgeführt werden. [2] Die Dauer des Berufsorientierungspraktikums muss dessen Zweck und Inhalt entsprechen. [3] Das Berufsorientierungspraktikum bei dem jeweiligen Arbeitgeber soll

1. eine Dauer von einer Woche nicht unterschreiten und
2. eine Dauer von sechs Wochen nicht überschreiten.

(3) [1] Die Förderung umfasst im Regelfall die Übernahme der Kosten

1. für Fahrten zwischen Unterkunft und Praktikumsbetrieb sowie
2. für Unterkunft, sofern der Praktikumsbetrieb vom Wohnort des jungen Menschen nicht in angemessener Zeit erreicht werden kann.

[2] Für die Höhe der Fahrkosten gilt § 63 Absatz 3 entsprechend. [3] Für die Höhe der Kosten für Unterkunft gilt § 86 Nummer 1 entsprechend. [4] Hinsichtlich der Übernahme sonstiger Aufwendungen gilt § 64 Absatz 1 und 3 entsprechend.

§ 49[3)] Berufseinstiegsbegleitung. (1) Die Agentur für Arbeit kann förderungsbedürftige junge Menschen durch Maßnahmen der Berufseinstiegsbegleitung fördern, um sie beim Übergang von der allgemeinbildenden Schule

---

[1)] § 48 neu gef. mWv 1.4.2012 durch G v. 20.12.2011 (BGBl. I S. 2854); Abs. 2 aufgeh., bish. Abs. 3 wird Abs. 2 mWv 1.1.2013 durch G v. 5.12.2012 (BGBl. I S. 2467).

[2)] § 48a eingef. mWv 1.4.2024 durch G v. 17.7.2023 (BGBl. 2023 I Nr. 191); Abs. 3 Satz 3 neu gef. mWv 1.7.2026 durch G v. 16.4.2026 (BGBl. 2026 I Nr. 107).

[3)] 3. Kapitel (§§ 29–135) neu gef. mWv 1.4.2012 durch G v. 20.12.2011 (BGBl. I S. 2854).

in eine Berufsausbildung zu unterstützen, wenn sich Dritte mit mindestens 50 Prozent an der Förderung beteiligen.

(2) [1] Förderungsfähig sind Maßnahmen zur individuellen Begleitung und Unterstützung förderungsbedürftiger junger Menschen durch Berufseinstiegsbegleiterinnen und Berufseinstiegsbegleiter, um die Eingliederung der jungen Menschen in eine Berufsausbildung zu erreichen (Berufseinstiegsbegleitung). [2] Unterstützt werden sollen insbesondere das Erreichen des Abschlusses einer allgemeinbildenden Schule, die Berufsorientierung und -wahl, die Suche nach einer Ausbildungsstelle und die Stabilisierung des Berufsausbildungsverhältnisses. [3] Hierzu sollen die Berufseinstiegsbegleiterinnen und Berufseinstiegsbegleiter insbesondere mit Verantwortlichen in der allgemeinbildenden Schule, mit Dritten, die junge Menschen in der Region mit ähnlichen Inhalten unterstützen, und mit den Arbeitgebern in der Region eng zusammenarbeiten.

(3) [1] Die Berufseinstiegsbegleitung beginnt in der Regel mit dem Besuch der Vorabgangsklasse der allgemeinbildenden Schule und endet in der Regel ein halbes Jahr nach Beginn einer Berufsausbildung. [2] Die Berufseinstiegsbegleitung endet spätestens 24 Monate nach Beendigung der allgemeinbildenden Schule.

(4) Förderungsbedürftig sind junge Menschen, die voraussichtlich Schwierigkeiten haben werden, den Abschluss der allgemeinbildenden Schule zu erreichen oder den Übergang in eine Berufsausbildung zu bewältigen.

(5) Als Maßnahmekosten werden dem Träger die angemessenen Aufwendungen für die Durchführung der Maßnahme einschließlich der erforderlichen Kosten für die Berufseinstiegsbegleiterinnen und Berufseinstiegsbegleiter erstattet.

§ 50[1] Anordnungsermächtigung. Die Bundesagentur wird ermächtigt, durch Anordnung das Nähere über Voraussetzungen, Art, Umfang und Verfahren der Förderung zu bestimmen.

Zweiter Unterabschnitt. Berufsvorbereitung

§ 51[2] Berufsvorbereitende Bildungsmaßnahmen. (1) Die Agentur für Arbeit kann förderungsberechtigte junge Menschen durch berufsvorbereitende Bildungsmaßnahmen fördern, um sie auf die Aufnahme einer Berufsausbildung vorzubereiten oder, wenn die Aufnahme einer Berufsausbildung wegen in ihrer Person liegender Gründe nicht möglich ist, ihnen die berufliche Eingliederung zu erleichtern.

(2) [1] Eine berufsvorbereitende Bildungsmaßnahme ist förderungsfähig, wenn sie

1. nicht den Schulgesetzen der Länder unterliegt und
2. nach Aus- und Fortbildung sowie Berufserfahrung der Leitung und der Lehr- und Fachkräfte, nach Gestaltung des Lehrplans, nach Unterrichtsmethode und Güte der zum Einsatz vorgesehenen Lehr- und Lernmittel eine erfolgreiche berufliche Bildung erwarten lässt.

[2] Eine berufsvorbereitende Bildungsmaßnahme, die teilweise im Ausland durchgeführt wird, ist auch für den im Ausland durchgeführten Teil för-

---

[1] 3. Kapitel (§§ *29–135*) neu gef. mWv 1.4.2012 durch G v. 20.12.2011 (BGBl. I S. 2854).

[2] § 51 neu gef. mWv 1.4.2012 durch G v. 20.12.2011 (BGBl. I S. 2854); Abs. 1 geänd. mWv 1.8. 2019 durch G v. 8.7.2019 (BGBl. I S. 1029).

derungsfähig, wenn dieser Teil im Verhältnis zur Gesamtdauer der berufsvorbereitenden Bildungsmaßnahme angemessen ist und die Hälfte der vorgesehenen Förderdauer nicht übersteigt.

(3) Eine berufsvorbereitende Bildungsmaßnahme kann zur Erleichterung der beruflichen Eingliederung auch allgemeinbildende Fächer enthalten und auf den nachträglichen Erwerb des Hauptschulabschlusses oder eines gleichwertigen Schulabschlusses vorbereiten.

(4) Betriebliche Praktika können abgestimmt auf den individuellen Förderbedarf in angemessenem Umfang vorgesehen werden.

§ 52[1)] Förderungsberechtigte junge Menschen. (1) Förderungsberechtigt sind junge Menschen,

1. bei denen die berufsvorbereitende Bildungsmaßnahme zur Vorbereitung auf eine Berufsausbildung oder, wenn die Aufnahme einer Berufsausbildung wegen in ihrer Person liegender Gründe nicht möglich ist, zur beruflichen Eingliederung erforderlich ist,
2. die die Vollzeitschulpflicht nach den Gesetzen der Länder erfüllt haben und
3. deren Fähigkeiten erwarten lassen, dass sie das Ziel der Maßnahme erreichen.

(2) [1] Ausländerinnen und Ausländer sind förderungsberechtigt, wenn die Voraussetzungen nach Absatz 1 vorliegen und sie eine Erwerbstätigkeit ausüben dürfen oder ihnen eine Erwerbstätigkeit erlaubt werden kann. [2] Zudem müssen Ausländerinnen und Ausländer, die zum Zeitpunkt der Entscheidung über die Förderberechtigung eine Aufenthaltsgestattung nach dem Asylgesetz besitzen,

1. sich seit mindestens 15 Monaten erlaubt, gestattet oder geduldet im Bundesgebiet aufhalten und
2. schulische Kenntnisse und Kenntnisse der deutschen Sprache besitzen, die einen erfolgreichen Übergang in eine Berufsausbildung erwarten lassen.

[3] Gestattete Ausländerinnen oder Ausländer, die vor dem 1. August 2019 in das Bundesgebiet eingereist sind, müssen sich abweichend von Satz 2 Nummer 1 seit mindestens drei Monaten erlaubt, gestattet oder geduldet dort aufhalten. [4] Für Ausländerinnen und Ausländer, die zum Zeitpunkt der Entscheidung über die Förderberechtigung eine Duldung besitzen, gilt Satz 2 mit der Maßgabe, dass abweichend von Nummer 1 ihre Abschiebung seit mindestens neun Monaten ausgesetzt ist. [5] Für geduldete Ausländerinnen oder Ausländer, die vor dem 1. August 2019 in das Bundesgebiet eingereist sind, muss abweichend von Satz 4 ihre Abschiebung seit mindestens drei Monaten ausgesetzt sein.

§ 53[2)] Vorbereitung auf einen Hauptschulabschluss im Rahmen einer berufsvorbereitenden Bildungsmaßnahme. [1] Förderungsberechtigte junge Menschen ohne Schulabschluss haben einen Anspruch, im Rahmen einer berufsvorbereitenden Bildungsmaßnahme auf den nachträglichen Erwerb des Hauptschulabschlusses oder eines gleichwertigen Schulabschlusses vorbereitet zu werden. [2] Die Leistung wird nur erbracht, soweit sie nicht für den gleichen Zweck durch Dritte erbracht wird. [3] Die Agentur für Arbeit hat darauf hin-

---

[1)] § 52 neu gef. mWv 1.4.2012 durch G v. 20.12.2011 (BGBl. I S. 2854); Überschrift und Abs. 1 einl. Satzteil geänd., Abs. 2 neu gef. mWv 1.8.2019 durch G v. 8.7.2019 (BGBl. I S. 1029).

[2)] § 53 neu gef. mWv 1.4.2012 durch G v. 20.12.2011 (BGBl. I S. 2854); Satz 1 geänd. mWv 1.8.2019 durch G v. 8.7.2019 (BGBl. I S. 1029).

zuwirken, dass sich die für die allgemeine Schulbildung zuständigen Länder an den Kosten der Maßnahme beteiligen. [4]Leistungen Dritter zur Aufstockung der Leistung bleiben anrechnungsfrei.

§ 54[1)] Maßnahmekosten. Bei einer berufsvorbereitenden Bildungsmaßnahme werden dem Träger als Maßnahmekosten erstattet:
1. die angemessenen Aufwendungen für das zur Durchführung der Maßnahme eingesetzte erforderliche Ausbildungs- und Betreuungspersonal, einschließlich dessen regelmäßiger fachlicher Weiterbildung, sowie für das erforderliche Leitungs- und Verwaltungspersonal,
2. die angemessenen Sachkosten, einschließlich der Kosten für Lernmittel und Arbeitskleidung, und die angemessenen Verwaltungskosten sowie
3. erfolgsbezogene Pauschalen bei Vermittlung von Teilnehmenden in eine betriebliche Berufsausbildung im Sinne des § 57 Absatz 1.

§ 54a[2)] Einstiegsqualifizierung. (1) [1]Arbeitgeber, die eine betriebliche Einstiegsqualifizierung durchführen, können durch Zuschüsse in Höhe der von ihnen mit der oder dem Auszubildenden vereinbarten Vergütung zuzüglich des pauschalierten Anteils am durchschnittlichen Gesamtsozialversicherungsbeitrag gefördert werden. [2]Der Zuschuss zur Vergütung ist auf 276 Euro monatlich begrenzt. [3]Die betriebliche Einstiegsqualifizierung dient der Vermittlung und Vertiefung von Grundlagen für den Erwerb beruflicher Handlungsfähigkeit. [4]Soweit die betriebliche Einstiegsqualifizierung als Berufsausbildungsvorbereitung nach dem Berufsbildungsgesetz durchgeführt wird, gelten die §§ 68 bis 70 des Berufsbildungsgesetzes[3)].

(2) [1]Eine Einstiegsqualifizierung kann für die Dauer von vier bis längstens zwölf Monaten gefördert werden, wenn sie
1. auf der Grundlage eines Vertrags im Sinne des § 26 des Berufsbildungsgesetzes mit der oder dem Auszubildenden durchgeführt wird,
2. auf einen anerkannten Ausbildungsberuf im Sinne des § 4 Absatz 1 des Berufsbildungsgesetzes, § 25 Absatz 1 Satz 1 der Handwerksordnung[4)], des Seearbeitsgesetzes[5)], nach Teil 2 des Pflegeberufegesetzes[6)] ***[ab 1.1.2027:****, nach Teil 2 des Pflegefachassistenzgesetzes* ***]*** oder des Altenpflegegesetzes vorbereitet und
3. in Vollzeit oder in Teilzeit von mindestens 20 Wochenstunden durchgeführt wird.

[1)] 3. Kapitel (§§ 29–135) neu gef. mWv 1.4.2012 durch G v. 20.12.2011 (BGBl. I S. 2854).

[2)] § 54a neu gef. mWv 1.4.2012 durch G v. 20.12.2011 (BGBl. I S. 2854); Abs. 2 Nr. 2 geänd. mWv 1.8.2013 durch G v. 20.4.2013 (BGBl. I S. 868); Abs. 1 Satz 1 geänd. mWv 1.8.2016 durch G v. 23.12.2014 (BGBl. I S. 2475); Abs. 2 Nr. 2, Abs. 3 Satz 1 geänd. mWv 1.1.2020 durch G v. 17.7. 2017 (BGBl. I S. 2581); Abs. 1 Satz 1 geänd. mWv 1.8.2019 und mWv 1.8.2020 durch G v. 8.7.2019 (BGBl. I S. 1025); Abs. 1 Satz 1 geänd., Satz 2 eingef., bish. Sätze 2 und 3 werden Sätze 3 und 4, Abs. 6 angef. mWv 1.8.2020 durch G v. 20.5.2020 (BGBl. I S. 1044); Abs. 1 Satz 2 geänd. mWv 1.8. 2022 durch G v. 15.7.2022 (BGBl. I S. 1150); Abs. 2 Satz 1 einl. Satzteil und Nr. 3 geänd., Satz 2 angef., Abs. 5 Satz 3 angef. mWv 1.4.2024 durch G v. 17.7.2023 (BGBl. 2023 I Nr. 191); Abs. 1 Satz 2 geänd. mWv 1.8.2024 durch G v. 19.7.2024 (BGBl. 2024 I Nr. 249); Abs. 2 Satz 1 Nr. 2, Abs. 3 Satz 1 geänd. mWv 1.1.2027 durch G v. 28.10.2025 (BGBl. 2025 I Nr. 259).

[3)] Nr. **415**.

*[4)] Nr. **107**.*

[5)] Nr. **114**.

[6)] Nr. **416**.

[2]Eine Einstiegsqualifizierung kann für Menschen mit Behinderungen im Sinne des § 19 auch gefördert werden, wenn sie auf eine Ausbildung nach den Ausbildungsregelungen des § 66 des Berufsbildungsgesetzes oder des § 42r der Handwerksordnung[1)] vorbereitet.

(3) [1]Der Abschluss des Vertrags ist der nach dem Berufsbildungsgesetz, im Fall der Vorbereitung auf einen nach Teil 2 des Pflegeberufegesetzes ***[ab 1.1. 2027:**, nach Teil 2 des Pflegefachassistenzgesetzes**]*** oder nach dem Altenpflegegesetz[2)] anerkannten Ausbildungsberuf der nach Landesrecht zuständigen Stelle anzuzeigen. [2]Die vermittelten Fertigkeiten, Kenntnisse und Fähigkeiten sind vom Betrieb zu bescheinigen. [3]Die zuständige Stelle stellt über die erfolgreich durchgeführte betriebliche Einstiegsqualifizierung ein Zertifikat aus.

(4) Förderungsfähig sind

1. bei der Agentur für Arbeit gemeldete Ausbildungsbewerberinnen und -bewerber mit aus individuellen Gründen eingeschränkten Vermittlungsperspektiven, die auch nach den bundesweiten Nachvermittlungsaktionen keine Ausbildungsstelle haben,
2. Ausbildungsuchende, die noch nicht in vollem Maße über die erforderliche Ausbildungsreife verfügen, und
3. lernbeeinträchtigte und sozial benachteiligte Ausbildungsuchende.

(5) [1]Die Förderung einer oder eines Auszubildenden, die oder der bereits eine betriebliche Einstiegsqualifizierung bei dem Antrag stellenden Betrieb oder in einem anderen Betrieb des Unternehmens durchlaufen hat, oder in einem Betrieb des Unternehmens oder eines verbundenen Unternehmens in den letzten drei Jahren vor Beginn der Einstiegsqualifizierung versicherungspflichtig beschäftigt war, ist ausgeschlossen. [2]Gleiches gilt, wenn die Einstiegsqualifizierung im Betrieb der Ehegatten, Lebenspartnerinnen oder Lebenspartner oder Eltern durchgeführt wird. [3]Satz 1 gilt nicht in Fällen, in denen ein betriebliches Berufsausbildungsverhältnis vorzeitig gelöst worden ist.

(6) [1]Teilnehmende an einer Einstiegsqualifizierung können durch Übernahme der Fahrkosten gefördert werden. [2]Für die Übernahme und die Höhe der Fahrkosten gilt § 63 Absatz 1 Satz 1 Nummer 1 und Absatz 3 entsprechend.

§ 55[3)] Anordnungsermächtigung. Die Bundesagentur wird ermächtigt, durch Anordnung das Nähere zu bestimmen

1. über Art und Inhalt der berufsvorbereitenden Bildungsmaßnahmen und die hieran gestellten Anforderungen,
2. zu den Voraussetzungen für die Erstattung von Pauschalen, zum Verfahren der Erstattung von Pauschalen sowie zur Höhe von Pauschalen nach § 54 Nummer 3 sowie
3. über Voraussetzungen, Art, Umfang und Verfahren der Einstiegsqualifizierung.

[1)] Nr. **107**.
[2)] **beck-online, Module Arbeitsrecht Nr. 416b.**
[3)] 3. Kapitel (§§ 29–135) neu gef. mWv 1.4.2012 durch G v. 20.12.2011 (BGBl. I S. 2854).

Dritter Unterabschnitt. Berufsausbildungsbeihilfe

§ 56[1] **Berufsausbildungsbeihilfe.** (1) Auszubildende haben Anspruch auf Berufsausbildungsbeihilfe während einer Berufsausbildung, wenn

1. die Berufsausbildung förderungsfähig ist,
2. sie zum förderungsberechtigten Personenkreis gehören und
3. ihnen die erforderlichen Mittel zur Deckung des Bedarfs für den Lebensunterhalt, die Fahrkosten und die sonstigen Aufwendungen (Gesamtbedarf) nicht anderweitig zur Verfügung stehen.

(2) [1] Auszubildende haben Anspruch auf Berufsausbildungsbeihilfe während einer berufsvorbereitenden Bildungsmaßnahme nach § 51. [2] Teilnehmende an einer Vorphase nach § 74 Absatz 1 Satz 2 haben Anspruch auf Berufsausbildungsbeihilfe wie Auszubildende in einer berufsvorbereitenden Bildungsmaßnahme. [3] Ausländerinnen und Ausländer, die eine Aufenthaltsgestattung nach dem Asylgesetz[2] besitzen, sind in den Fällen der Sätze 1 und 2 nicht zum Bezug von Berufsausbildungsbeihilfe berechtigt.

§ 57[3] **Förderungsfähige Berufsausbildung.** (1) Eine Berufsausbildung ist förderungsfähig, wenn sie in einem nach dem Berufsbildungsgesetz[4], der Handwerksordnung[5] oder dem Seearbeitsgesetz[6] staatlich anerkannten Ausbildungsberuf betrieblich oder außerbetrieblich oder nach Teil 2, auch in Verbindung mit Teil 5, des Pflegeberufegesetzes[7] ***[ab 1.1.2027:*** *oder nach Teil 2 des Pflegefachassistenzgesetzes]* oder dem Altenpflegegesetz[8] betrieblich durchgeführt wird und der dafür vorgeschriebene Berufsausbildungsvertrag abgeschlossen worden ist.

(2) [1] Förderungsfähig ist die erste Berufsausbildung. [2] Eine zweite Berufsausbildung kann gefördert werden, wenn zu erwarten ist, dass eine berufliche Eingliederung dauerhaft auf andere Weise nicht erreicht werden kann und durch die zweite Berufsausbildung die berufliche Eingliederung erreicht wird.

(3) Nach der vorzeitigen Lösung eines Berufsausbildungsverhältnisses darf erneut gefördert werden, wenn für die Lösung ein berechtigter Grund bestand.

§ 58[9] **Förderung im Ausland.** (1) Eine Berufsausbildung, die teilweise im Ausland durchgeführt wird, ist auch für den im Ausland durchgeführten Teil förderungsfähig, wenn dieser Teil im Verhältnis zur Gesamtdauer der Berufsausbildung angemessen ist und die Dauer von einem Jahr nicht übersteigt.

---

[1] § 56 neu gef. mWv 1.4.2012 durch G v. 20.12.2011 (BGBl. I S. 2854); Abs. 2 Satz 2 angef. mWv 1.5.2015 durch G v. 15.4.2015 (BGBl. I S. 583); Abs. 1 Nr. 2 geänd., Abs. 2 Satz 3 angef. mWv 1.8.2019 durch G v. 8.7.2019 (BGBl. I S. 1029); Abs. 2 Satz 2 geänd. mWv 29.5.2020 durch G v. 20.5.2020 (BGBl. I S. 1044).

[2] Auszugsweise abgedruckt unter Nr. **780**.

[3] § 57 neu gef. mWv 1.4.2012 durch G v. 20.12.2011 (BGBl. I S. 2854); Abs. 1 geänd. mWv 1.8.2013 durch G v. 20.4.2013 (BGBl. I S. 868); Abs. 1 geänd. mWv 1.1.2020 durch G v. 17.7.2017 (BGBl. I S. 2581); Abs. 1 geänd. mWv 29.5.2020 durch G v. 20.5.2020 (BGBl. I S. 1044); Abs. 1 geänd. mWv 1.1.2027 durch G v. 28.10.2025 (BGBl. 2025 I Nr. 259).

[4] Nr. **415**.

[5] Auszugsweise abgedruckt unter Nr. **107**.

[6] Nr. **114**.

[7] Nr. **416**.

[8] ***beck-online, Module Arbeitsrecht Nr. 416b.***

[9] § 58 neu gef. mWv 1.4.2012 durch G v. 20.12.2011 (BGBl. I S. 2854); Abs. 2 neu gef. mWv 1.1.2015 durch G v. 23.12.2014 (BGBl. I S. 2475).

(2) Eine betriebliche Berufsausbildung, die vollständig im angrenzenden Ausland oder in den übrigen Mitgliedstaaten der Europäischen Union durchgeführt wird, ist förderungsfähig, wenn

1. eine nach Bundes- oder Landesrecht zuständige Stelle bestätigt, dass die Berufsausbildung einer entsprechenden betrieblichen Berufsausbildung gleichwertig ist und
2. die Berufsausbildung im Ausland dem Erreichen des Bildungsziels und der Beschäftigungsfähigkeit besonders dienlich ist.

§ 59[1] *(aufgehoben)*

§ 60[2] **Förderungsberechtigter Personenkreis bei Berufsausbildung.**

(1) Die oder der Auszubildende ist bei einer Berufsausbildung förderungsberechtigt, wenn sie oder er

1. außerhalb des Haushalts der Eltern oder eines Elternteils wohnt und
2. die Ausbildungsstätte von der Wohnung der Eltern oder eines Elternteils aus nicht in angemessener Zeit erreichen kann.

(2) Absatz 1 Nummer 2 gilt nicht, wenn die oder der Auszubildende

1. 18 Jahre oder älter ist,
2. verheiratet oder in einer Lebenspartnerschaft verbunden ist oder war,
3. mit mindestens einem Kind zusammenlebt oder
4. aus schwerwiegenden sozialen Gründen nicht auf die Wohnung der Eltern oder eines Elternteils verwiesen werden kann.

(3) [1] Ausländerinnen und Ausländer, die eine Aufenthaltsgestattung nach dem Asylgesetz[3] besitzen, sind während einer Berufsausbildung nicht zum Bezug von Berufsausbildungsbeihilfe berechtigt. [2] Geduldete Ausländerinnen und Ausländer sind während einer Berufsausbildung zum Bezug von Berufsausbildungsbeihilfe berechtigt, wenn die Voraussetzungen nach Absatz 1 in Verbindung mit Absatz 2 vorliegen und sie sich seit mindestens 15 Monaten ununterbrochen erlaubt, gestattet oder geduldet im Bundesgebiet aufhalten.

§ 61[4] **Bedarf für den Lebensunterhalt bei Berufsausbildung.** (1) Ist die oder der Auszubildende während der Berufsausbildung außerhalb des Haushalts der Eltern oder eines Elternteils untergebracht, wird der jeweils geltende Bedarf nach § 13 Absatz 1 Nummer 1 und Absatz 2 Nummer 2 des Bundesausbildungsförderungsgesetzes[5] zugrunde gelegt.

---

[1] § 59 aufgeh. mWv 1.8.2019 durch G v. 8.7.2019 (BGBl. I S. 1029).

[2] § 60 neu gef. mWv 1.4.2012 durch G v. 20.12.2011 (BGBl. I S. 2854); Überschrift neu gef., Abs. 1 einl. Satzteil geänd., Abs. 3 angef. mWv 1.8.2019 durch G v. 8.7.2019 (BGBl. I S. 1029).

[3] Auszugsweise abgedruckt unter Nr. **780**.

[4] § 61 neu gef. mWv 1.4.2012 durch G v. 20.12.2011 (BGBl. I S. 2854); Abs. 1 Sätze 2 und 3, Abs. 2 und Abs. 3 Satz 1 geänd. mWv 1.8.2016 durch G v. 23.12.2014 (BGBl. I S. 2475); Abs. 1 Satz 1 geänd., Sätze 2 und 3 und Abs. 2 aufgeh., bish. Abs. 3 wird Abs. 2 und Satz 1 geänd. mWv 1.8.2019, Abs. 2 Satz 1 geänd. mWv 1.8.2020 durch G v. 8.7.2019 (BGBl. I S. 1025); Abs. 2 Sätze 1 und 2 geänd., Satz 3 angef. mWv 29.5.2020 durch G v. 20.5.2020 (BGBl. I S. 1044); Abs. 2 Satz 1 geänd. mWv 1.8.2022 durch G v. 15.7.2022 (BGBl. I S. 1150); Abs. 2 Satz 1 geänd. mWv 1.8.2024 durch G v. 19.7.2024 (BGBl. 2024 I Nr. 249).

[5] **Sartorius Nr. 420.**

(2) [1] Ist die oder der Auszubildende mit voller Verpflegung in einem Wohnheim, einem Internat oder in einer anderen sozialpädagogisch begleiteten Wohnform im Sinne des Achten Buches[1)] untergebracht, werden abweichend von Absatz 1 als Bedarf für den Lebensunterhalt die im Rahmen der §§ 78a bis 78g des Achten Buches[2)] vereinbarten Entgelte für Verpflegung und Unterbringung ohne sozialpädagogische Begleitung zuzüglich 115 Euro monatlich für sonstige Bedürfnisse zugrunde gelegt. [2] Als Bedarf für den Lebensunterhalt von Auszubildenden unter 27 Jahren werden zusätzlich die Entgelte für die sozialpädagogische Begleitung zugrunde gelegt, soweit diese nicht von Dritten erstattet werden. [3] Ist die oder der Auszubildende bereits in einer anderen sozialpädagogisch begleiteten Wohnform untergebracht, werden Leistungen für junge Menschen, die die Voraussetzungen des § 13 Absatz 1 des Achten Buchs[2)] erfüllen, vorrangig nach § 13 Absatz 3 des Achten Buches[2)] erbracht.

§ 62[3)] Bedarf für den Lebensunterhalt bei berufsvorbereitenden Bildungsmaßnahmen. (1) Ist die oder der Auszubildende während einer berufsvorbereitenden Bildungsmaßnahme im Haushalt der Eltern oder eines Elternteils untergebracht, wird der jeweils geltende Bedarf nach § 12 Absatz 1 Nummer 1 des Bundesausbildungsförderungsgesetzes[4)] zugrunde gelegt.

(2) Ist die oder der Auszubildende außerhalb des Haushalts der Eltern oder eines Elternteils untergebracht, wird als Bedarf für den Lebensunterhalt der jeweils geltende Bedarf nach § 12 Absatz 2 Nummer 1 des Bundesausbildungsförderungsgesetzes zugrunde gelegt.

(3) [1] Ist die oder der Auszubildende mit voller Verpflegung in einem Wohnheim oder einem Internat untergebracht, werden abweichend von Absatz 2 als Bedarf für den Lebensunterhalt die im Rahmen der §§ 78a bis 78g des Achten Buches[2)] vereinbarten Entgelte für Verpflegung und Unterbringung ohne sozialpädagogische Begleitung zuzüglich 115 Euro monatlich für sonstige Bedürfnisse zugrunde gelegt. [2] Als Bedarf für den Lebensunterhalt von Auszubildenden unter 18 Jahren werden zusätzlich die Entgelte für die sozialpädagogische Begleitung zugrunde gelegt, soweit diese nicht von Dritten erstattet werden.

§ 63[5)] Fahrkosten. (1) [1] Als Bedarf für Fahrkosten werden folgende Kosten der oder des Auszubildenden zugrunde gelegt:

1. Kosten für Fahrten zwischen Unterkunft, Ausbildungsstätte und Berufsschule (Pendelfahrten),
2. bei einer erforderlichen auswärtigen Unterbringung Kosten für die An- und Abreise und für eine monatliche Familienheimfahrt oder anstelle der Familienheimfahrt für eine monatliche Fahrt einer oder eines Angehörigen zum Aufenthaltsort der oder des Auszubildenden.

[1)] Auszugsweise abgedruckt unter Nr. **494a.**

[2)] **beck-online, Module Arbeitsrecht Nr. 494a.**

[3)] § 62 neu gef. mWv 1.4.2012 durch G v. 20.12.2011 (BGBl. I S. 2854); Abs. 2 Sätze 1 und 2, Abs. 3 Satz 1 geänd. mWv 1.8.2016 durch G v. 23.12.2014 (BGBl. I S. 2475); Abs. 1 und Abs. 2 Satz 1 geänd., Satz 2 aufgeh., Abs. 3 Satz 1 geänd. mWv 1.8.2019, Abs. 3 Satz 1 geänd. mWv 1.8.2020 durch G v. 8.7.2019 (BGBl. I S. 1025); Abs. 3 Satz 1 geänd. mWv 1.8.2022 durch G v. 15.7.2022 (BGBl. I S. 1150); Abs. 3 Satz 1 geänd. mWv 1.8.2024 durch G v. 19.7.2024 (BGBl. 2024 I Nr. 249).

[4)] **Sartorius Nr. 420.**

[5)] 3. Kapitel (§§ 29–135) neu gef. mWv 1.4.2012 durch G v. 20.12.2011 (BGBl. I S. 2854).

[2]Eine auswärtige Unterbringung ist erforderlich, wenn die Ausbildungsstätte vom Familienwohnort aus nicht in angemessener Zeit erreicht werden kann.

(2) [1]Abweichend von Absatz 1 Nummer 2 werden bei einer Förderung im Ausland folgende Kosten der oder des Auszubildenden zugrunde gelegt:

1. bei einem Ausbildungsort innerhalb Europas die Kosten für eine Hin- und Rückreise je Ausbildungshalbjahr,
2. bei einem Ausbildungsort außerhalb Europas die Kosten für eine Hin- und Rückreise je Ausbildungsjahr.

[2]In besonderen Härtefällen können die notwendigen Aufwendungen für eine weitere Hin- und Rückreise zugrunde gelegt werden.

(3) [1]Die Fahrkosten werden in Höhe des Betrags zugrunde gelegt, der bei Benutzung des zweckmäßigsten regelmäßig verkehrenden öffentlichen Verkehrsmittels in der niedrigsten Klasse zu zahlen ist; bei Benutzung sonstiger Verkehrsmittel wird für Fahrkosten die Höhe der Wegstreckenentschädigung nach § 5 Absatz 1 des Bundesreisekostengesetzes[1)] zugrunde gelegt. [2]Bei nicht geringfügigen Fahrpreiserhöhungen hat auf Antrag eine Anpassung zu erfolgen, wenn der Bewilligungszeitraum noch mindestens zwei weitere Monate andauert. [3]Kosten für Pendelfahrten werden nur bis zur Höhe des Betrags zugrunde gelegt, der nach § 86 insgesamt erbracht werden kann.

§ 64[2)] Sonstige Aufwendungen. (1) Bei einer Berufsausbildung wird als Bedarf für sonstige Aufwendungen eine Pauschale für Kosten der Arbeitskleidung in Höhe von 16 Euro monatlich zugrunde gelegt.

(2) Bei einer berufsvorbereitenden Bildungsmaßnahme werden als Bedarf für sonstige Aufwendungen bei Auszubildenden, deren Schutz im Krankheits- oder Pflegefall nicht anderweitig sichergestellt ist, die Beiträge für eine freiwillige Krankenversicherung ohne Anspruch auf Krankengeld und die Beiträge zur Pflegepflichtversicherung bei einem Träger der gesetzlichen Kranken- und Pflegeversicherung oder, wenn dort im Einzelfall ein Schutz nicht gewährleistet ist, bei einem privaten Krankenversicherungsunternehmen zugrunde gelegt.

(3) [1]Bei einer Berufsausbildung und einer berufsvorbereitenden Bildungsmaßnahme werden als Bedarf für sonstige Aufwendungen die Kosten für die Betreuung der aufsichtsbedürftigen Kinder der oder des Auszubildenden in Höhe von 160 Euro monatlich je Kind zugrunde gelegt. [2]Darüber hinaus können sonstige Kosten anerkannt werden,

1. soweit sie durch die Berufsausbildung oder die Teilnahme an der berufsvorbereitenden Bildungsmaßnahme unvermeidbar entstehen,
2. soweit die Berufsausbildung oder die Teilnahme an der berufsvorbereitenden Bildungsmaßnahme andernfalls gefährdet ist und
3. wenn die Aufwendungen von der oder dem Auszubildenden oder ihren oder seinen Erziehungsberechtigten zu tragen sind.

[1)] **Sartorius Nr. 235.**

[2)] § 64 neu gef. mWv 1.4.2012 durch G v. 20.12.2011 (BGBl. I S. 2854); Abs. 1 geänd. mWv 1.8.2016 durch G v. 23.12.2014 (BGBl. I S. 2475); Abs. 1 und Abs. 3 Satz 1 geänd. mWv 1.8.2019, Abs. 3 Satz 1 geänd. mWv 1.8.2020 durch G v. 8.7.2019 (BGBl. I S. 1025); Abs. 1 und Abs. 3 Satz 1 geänd. mWv 1.8.2022 durch G v. 15.7.2022 (BGBl. I S. 1150); Abs. 1 geänd. mWv 1.8.2024 durch G v. 19.7.2024 (BGBl. 2024 I Nr. 249).

§ 65[1] Besonderheiten beim Besuch des Berufsschulunterrichts in Blockform. (1) Für die Zeit des Berufsschulunterrichts in Blockform wird ein Bedarf zugrunde gelegt, der für Zeiten ohne Berufsschulunterricht zugrunde zu legen wäre.

(2) Eine Förderung allein für die Zeit des Berufsschulunterrichts in Blockform ist ausgeschlossen.

§ 66[1] Anpassung der Bedarfssätze. Für die Anpassung der Bedarfssätze gilt § 35 Satz 1 und 2 des Bundesausbildungsförderungsgesetzes[2] entsprechend.

§ 67[3] Einkommensanrechnung. (1) Auf den Gesamtbedarf sind die Einkommen der folgenden Personen in der Reihenfolge ihrer Nennung anzurechnen:

1. der oder des Auszubildenden,
2. der Person, mit der die oder der Auszubildende verheiratet oder in einer Lebenspartnerschaft verbunden ist und von der sie oder er nicht dauernd getrennt lebt, und
3. der Eltern der oder des Auszubildenden.

(2) [1] Für die Ermittlung des Einkommens und dessen Anrechnung sowie die Berücksichtigung von Freibeträgen gelten § 11 Absatz 4 sowie die Vorschriften des Vierten Abschnitts des Bundesausbildungsförderungsgesetzes mit den hierzu ergangenen Rechtsverordnungen entsprechend. [2] Abweichend von

1. § 21 Absatz 1 des Bundesausbildungsförderungsgesetzes[2] werden Werbungskosten der oder des Auszubildenden auf Grund der Berufsausbildung nicht berücksichtigt;
2. § 22 Absatz 1 des Bundesausbildungsförderungsgesetzes ist das Einkommen der oder des Auszubildenden maßgebend, das zum Zeitpunkt der Antragstellung absehbar ist; Änderungen bis zum Zeitpunkt der Entscheidung sind zu berücksichtigen;
3. § 23 Absatz 3 des Bundesausbildungsförderungsgesetzes bleiben 85 Euro der Ausbildungsvergütung und abweichend von § 25 Absatz 1 des Bundesausbildungsförderungsgesetzes zusätzlich 901 Euro anrechnungsfrei, wenn die Ausbildungsstätte von der Wohnung der Eltern oder eines Elternteils aus nicht in angemessener Zeit erreicht werden kann;
4. § 23 Absatz 4 Nummer 2 des Bundesausbildungsförderungsgesetzes werden Leistungen Dritter, die zur Aufstockung der Berufsausbildungsbeihilfe erbracht werden, nicht angerechnet.

(3) Bei einer Berufsausbildung im Betrieb der Eltern, der Ehefrau oder des Ehemanns oder der Lebenspartnerin oder des Lebenspartners ist für die Feststellung des Einkommens der oder des Auszubildenden mindestens die tarifliche Bruttoausbildungsvergütung als vereinbart zugrunde zu legen oder, soweit eine tarifliche Regelung nicht besteht, die ortsübliche Bruttoausbildungsver-

---

[1] 3. Kapitel (§§ 29–135) neu gef. mWv 1.4.2012 durch G v. 20.12.2011 (BGBl. I S. 2854).

[2] **Sartorius Nr. 420.**

[3] § 67 neu gef. mWv 1.4.2012 durch G v. 20.12.2011 (BGBl. I S. 2854); Abs. 2 Satz 2 Nr. 3 geänd. mWv 1.8.2016 durch G v. 23.12.2014 (BGBl. I S. 2475); Abs. 2 Satz 2 Nr. 3 geänd. mWv 1.8.2019, *mWv 1.8.2020 und mWv 1.8.2021 durch G* v. 8.7.2019 (BGBl. I S. 1025); Abs. 2 Satz 2 Nr. 3 geänd. mWv 1.8.2022 durch G v. 15.7.2022 (BGBl. I S. 1150); Abs. 2 Satz 2 Nr. 3 geänd. mWv 1.8.2024 durch G v. 19.7.2024 (BGBl. 2024 I Nr. 249).

gütung, die in diesem Ausbildungsberuf bei einer Berufsausbildung in einem fremden Betrieb geleistet wird.

(4) [1] Für an berufsvorbereitenden Bildungsmaßnahmen Teilnehmende wird von einer Anrechnung des Einkommens abgesehen. [2] Satz 1 gilt nicht für Einkommen der Teilnehmenden aus einer nach diesem Buch oder vergleichbaren öffentlichen Programmen geförderten Maßnahme.

(5) [1] Das Einkommen der Eltern bleibt außer Betracht, wenn ihr Aufenthaltsort nicht bekannt ist oder sie rechtlich oder tatsächlich gehindert sind, im Inland Unterhalt zu leisten. [2] Das Einkommen ist ferner nicht anzurechnen, soweit ein Unterhaltsanspruch nicht besteht oder dieser verwirkt ist.

§ 68[1] Vorausleistung von Berufsausbildungsbeihilfe. (1) [1] Macht die oder der Auszubildende glaubhaft, dass ihre oder seine Eltern den nach den Vorschriften dieses Buches angerechneten Unterhaltsbetrag nicht leisten, oder kann das Einkommen der Eltern nicht berechnet werden, weil diese die erforderlichen Auskünfte nicht erteilen oder Urkunden nicht vorlegen, und ist die Berufsausbildung, auch unter Berücksichtigung des Einkommens der Ehefrau oder des Ehemanns oder der Lebenspartnerin oder des Lebenspartners im Bewilligungszeitraum, gefährdet, so wird nach Anhörung der Eltern ohne Anrechnung dieses Betrags Berufsausbildungsbeihilfe geleistet. [2] Von der Anhörung der Eltern kann aus wichtigem Grund abgesehen werden. [3] Eine Anrechnung des weitergeleiteten oder direkt ausgezahlten Kindergeldes auf den vorausgeleisteten Betrag sowie eine Anrechnung überobligatorischer Leistungen eines Elternteils auf den angerechneten Unterhaltsbetrag des anderen Elternteils findet nicht statt.

(2) [1] Ein Anspruch der oder des Auszubildenden auf Unterhaltsleistungen gegen ihre oder seine Eltern geht bis zur Höhe des anzurechnenden Unterhaltsanspruchs zusammen mit dem unterhaltsrechtlichen Auskunftsanspruch mit der Zahlung der Berufsausbildungsbeihilfe auf die Agentur für Arbeit über. [2] Die Agentur für Arbeit hat den Eltern die Förderung anzuzeigen. [3] Der Übergang wird nicht dadurch ausgeschlossen, dass der Anspruch nicht übertragen, nicht verpfändet oder nicht gepfändet werden kann. [4] Ist die Unterhaltsleistung trotz des Rechtsübergangs mit befreiender Wirkung an die Auszubildende oder den Auszubildenden gezahlt worden, hat die oder der Auszubildende diese insoweit zu erstatten.

(3) Für die Vergangenheit können die Eltern der oder des Auszubildenden nur von dem Zeitpunkt an in Anspruch genommen werden, ab dem

1. die Voraussetzungen des bürgerlichen Rechts vorgelegen haben oder
2. sie bei dem Antrag auf Ausbildungsförderung mitgewirkt haben oder von ihm Kenntnis erhalten haben und darüber belehrt worden sind, unter welchen Voraussetzungen dieses Buch eine Inanspruchnahme von Eltern ermöglicht.

(4) Berufsausbildungsbeihilfe wird nicht vorausgeleistet, soweit die Eltern bereit sind, Unterhalt entsprechend einer nach § 1612 Absatz 2 des Bürgerlichen Gesetzbuchs[2] getroffenen Bestimmung zu leisten.

---

[1] 3. Kapitel (§§ 29–135) neu gef. mWv 1.4.2012 durch G v. 20.12.2011 (BGBl. I S. 2854); Abs. 1 Satz 3 angef. mWv 1.8.2024 durch G v. 19.7.2024 (BGBl. 2024 I Nr. 249).

[2] **beck-online, Module Arbeitsrecht Nr. 50.**

(5) [1]Die Agentur für Arbeit kann den auf sie übergegangenen Unterhaltsanspruch im Einvernehmen mit der oder dem Unterhaltsberechtigten auf diese oder diesen zur gerichtlichen Geltendmachung rückübertragen und sich den geltend gemachten Unterhaltsanspruch abtreten lassen. [2]Kosten, mit denen die

(Fortsetzung nächstes Blatt)

oder der Unterhaltsberechtigte dadurch selbst belastet wird, sind zu übernehmen.

§ 69[1] **Dauer der Förderung.** (1) [1]Anspruch auf Berufsausbildungsbeihilfe besteht für die Dauer der Berufsausbildung oder die Dauer der berufsvorbereitenden Bildungsmaßnahme. [2]Über den Anspruch wird bei Berufsausbildung in der Regel für 18 Monate, im Übrigen in der Regel für ein Jahr (Bewilligungszeitraum) entschieden.

(2) Für Fehlzeiten besteht in folgenden Fällen Anspruch auf Berufsausbildungsbeihilfe:

1. bei Krankheit längstens bis zum Ende des dritten auf den Eintritt der Krankheit folgenden Kalendermonats, im Fall einer Berufsausbildung jedoch nur, solange das Berufsausbildungsverhältnis fortbesteht,
2. für Zeiten einer Schwangerschaft oder nach der Entbindung, wenn
   a) bei einer Berufsausbildung die Fehlzeit durch ein Beschäftigungsverbot oder eine Schutzfrist aufgrund der Schwangerschaft oder der Geburt entsteht oder
   b) bei einer berufsvorbereitenden Bildungsmaßnahme die Maßnahme nicht länger als 14 Wochen, im Fall von Früh- oder Mehrlingsgeburten oder, wenn vor Ablauf von acht Wochen nach der Entbindung bei dem Kind eine Behinderung im Sinne von § 2 Absatz 1 des Neunten Buches Sozialgesetzbuch[2] ärztlich festgestellt wird, nicht länger als 18 Wochen (§ 3 des Mutterschutzgesetzes[3]) unterbrochen wird,
3. wenn bei einer Berufsausbildung die oder der Auszubildende aus einem sonstigen Grund der Berufsausbildung fernbleibt und die Ausbildungsvergütung weitergezahlt oder an deren Stelle eine Ersatzleistung erbracht wird oder
4. wenn bei einer berufsvorbereitenden Bildungsmaßnahme ein sonstiger wichtiger Grund für das Fernbleiben der oder des Auszubildenden vorliegt.

§ 70[4] **Berufsausbildungsbeihilfe für Arbeitslose.** [1]Arbeitslose, die zu Beginn der berufsvorbereitenden Bildungsmaßnahme anderenfalls Anspruch auf Arbeitslosengeld gehabt hätten, der höher ist als der zugrunde zu legende Bedarf für den Lebensunterhalt, haben Anspruch auf Berufsausbildungsbeihilfe in Höhe des Arbeitslosengeldes. [2]In diesem Fall wird Einkommen, das die oder der Arbeitslose aus einer neben der berufsvorbereitenden Bildungsmaßnahme ausgeübten Beschäftigung oder selbständigen Tätigkeit erzielt, in gleicher Weise angerechnet wie bei der Leistung von Arbeitslosengeld.

§ 71[4] **Auszahlung.** [1]Monatliche Förderungsbeträge der Berufsausbildungsbeihilfe, die nicht volle Euro ergeben, sind bei Restbeträgen unter 0,50 Euro abzurunden und im Übrigen aufzurunden. [2]Nicht geleistet werden monatliche Förderungsbeträge unter 10 Euro.

---

[1] § 69 neu gef. mWv 1.4.2012 durch G v. 20.12.2011 (BGBl. I S. 2854); Abs. 2 Nr. 2 Buchst. a und b geänd. mWv 1.1.2018 durch G v. 23.5.2017 (BGBl. I S. 1228).

[2] Nr. **440**.

[3] Nr. **400**.

[4] 3. Kapitel (§§ 29–135) neu gef. mWv 1.4.2012 durch G v. 20.12.2011 (BGBl. I S. 2854).

§ 72[1)] Anordnungsermächtigung. Die Bundesagentur wird ermächtigt, durch Anordnung das Nähere über Voraussetzungen, Umfang und Verfahren der Förderung zu bestimmen.

Vierter Unterabschnitt. Berufsausbildung

§ 73[2)] Zuschüsse zur Ausbildungsvergütung für Menschen mit Behinderungen und schwerbehinderte Menschen. (1) Arbeitgeber können für die betriebliche Aus- oder Weiterbildung von Menschen mit Behinderungen und schwerbehinderten Menschen im Sinne des § 187 Absatz 1 Nummer 3 Buchstabe e des Neunten Buches[3)] durch Zuschüsse zur Ausbildungsvergütung oder zu einer vergleichbaren Vergütung gefördert werden, wenn die Aus- oder Weiterbildung sonst nicht zu erreichen ist.

(2) [1] Die monatlichen Zuschüsse sollen regelmäßig 60 Prozent, bei schwerbehinderten Menschen 80 Prozent der monatlichen Ausbildungsvergütung für das letzte Ausbildungsjahr oder der vergleichbaren Vergütung einschließlich des darauf entfallenden pauschalierten Arbeitgeberanteils am Gesamtsozialversicherungsbeitrag nicht übersteigen. [2] In begründeten Ausnahmefällen können Zuschüsse jeweils bis zur Höhe der Ausbildungsvergütung für das letzte Ausbildungsjahr erbracht werden.

(3) Bei Übernahme schwerbehinderter Menschen in ein Arbeitsverhältnis durch den ausbildenden oder einen anderen Arbeitgeber im Anschluss an eine abgeschlossene Aus- oder Weiterbildung kann ein Eingliederungszuschuss in Höhe von bis zu 70 Prozent des zu berücksichtigenden Arbeitsentgelts (§ 91) für die Dauer von einem Jahr erbracht werden, sofern während der Aus- oder Weiterbildung Zuschüsse erbracht wurden.

[§ 73a ab 1.4.2024:]

§ 73a[4)] Mobilitätszuschuss. *(1) [1] Die Agentur für Arbeit kann junge Menschen während des ersten Ausbildungsjahres einer nach § 57 Absatz 1 förderungsfähigen Berufsausbildung mit einem Mobilitätszuschuss fördern, wenn*

1. die Ausbildungsstätte vom bisherigen Wohnort der oder des Auszubildenden nicht in angemessener Zeit erreicht werden kann und

2. ein Wechsel des Wohnortes für die Aufnahme der Ausbildung erforderlich ist.

[2] § 116 Absatz 2 gilt entsprechend.

(2) [1] Die Höhe des Mobilitätszuschusses richtet sich nach den erforderlichen Fahrkosten für zwei monatliche Familienheimfahrten. [2] Für die Höhe der Fahrkosten gilt § 63 Absatz 3 entsprechend.

(3) § 56 Absatz 1 Nummer 3 und § 63 dieses Buches sowie § 73 des Neunten Buches[5)] bleiben unberührt.

[1)] 3. Kapitel (§§ 29–135) neu gef. mWv 1.4.2012 durch G v. 20.12.2011 (BGBl. I S. 2854).

[2)] § 73 neu gef. mWv 1.4.2012 durch G v. 20.12.2011 (BGBl. I S. 2854); Abs. 1 geänd. mWv 1.1.2018 durch G v. 23.12.2016 (BGBl. I S. 3234); Überschrift neu gef., Abs. 1 geänd. mWv 1.1.2022 durch G v. 2.6.2021 (BGBl. I S. 1387).

[3)] *Nr.* ***440****.*

[4)] § 73a eingef. mWv 1.4.2024 durch G v. 17.7.2023 (BGBl. 2023 I Nr. 191).

[5)] **beck-online, Module Arbeitsrecht Nr. 440.**

§ 74[1)] Assistierte Ausbildung. (1) [1]Die Agentur für Arbeit kann förderungsberechtigte junge Menschen und deren Ausbildungsbetriebe während einer betrieblichen Berufsausbildung oder einer Einstiegsqualifizierung (begleitende Phase) durch Maßnahmen der Assistierten Ausbildung fördern. [2]Die Maßnahme kann auch eine vorgeschaltete Phase enthalten, die die Aufnahme einer betrieblichen Berufsausbildung unterstützt (Vorphase).

(2) [1] Ziele der Assistierten Ausbildung sind
1. die Aufnahme einer Berufsausbildung und
2. die Hinführung auf den Abschluss der betrieblichen Berufsausbildung.

[2]Das Ziel der Assistierten Ausbildung ist auch erreicht, wenn der junge Mensch seine betriebliche Berufsausbildung ohne die Unterstützung fortsetzen und abschließen kann.

(3) [1] Förderungsberechtigt sind junge Menschen, die ohne Unterstützung
1. eine Berufsausbildung nicht aufnehmen oder fortsetzen können oder voraussichtlich Schwierigkeiten haben werden, die Berufsausbildung abzuschließen, oder
2. wegen in ihrer Person liegender Gründe
   a) nach der vorzeitigen Lösung eines betrieblichen Berufsausbildungsverhältnisses eine weitere Berufsausbildung nicht aufnehmen oder
   b) nach Abschluss einer mit Assistierter Ausbildung unterstützten Berufsausbildung ein Arbeitsverhältnis nicht begründen oder festigen können.

[2]Förderungsberechtigt sind auch junge Menschen, die wegen in ihrer Person liegender Gründe während einer Einstiegsqualifizierung zusätzlicher Unterstützung bedürfen. [3]Die Förderungsberechtigung endet im Fall des Satzes 1 Nummer 2 Buchstabe b spätestens sechs Monate nach Begründung eines Arbeitsverhältnisses oder spätestens ein Jahr nach Ende der Berufsausbildung.

(4) [1]Der junge Mensch wird, auch im Betrieb, individuell und kontinuierlich unterstützt und sozialpädagogisch begleitet. [2]Ihm steht beim Träger der Assistierten Ausbildung über die gesamte Laufzeit der Förderung insbesondere eine feste Ausbildungsbegleiterin oder ein fester Ausbildungsbegleiter zur Verfügung.

(5) § 57 Absatz 1 gilt entsprechend.

(6) Mit der Durchführung von Maßnahmen der Assistierten Ausbildung beauftragt die Agentur für Arbeit Träger unter Anwendung des Vergaberechts.

(7) [1]Die Bundesagentur soll bei der Umsetzung der Assistierten Ausbildung mit den Ländern zusammenarbeiten. [2]Durch die Zusammenarbeit sollen unter Berücksichtigung regionaler Besonderheiten Möglichkeiten einer Koordination der Akteure eröffnet und dadurch eine hohe Wirksamkeit der Maßnahme im Ausbildungsmarkt erreicht werden. [3]Die Bundesagentur kann ergänzende Leistungen der Länder berücksichtigen. [4]Das gilt insbesondere für Leistungen der Länder zur Förderung nicht nach Absatz 5 förderungsfähiger Berufsausbildungen.

§ 75[2)] Begleitende Phase der Assistierten Ausbildung. (1) In der begleitenden Phase sind auch junge Menschen förderungsberechtigt, die zusätzlich zu

---

[1)] § 74 neu gef. mWv 29.5.2020 durch G v. 20.5.2020 (BGBl. I S. 1044).
[2)] § 75 neu gef. mWv 29.5.2020 durch G v. 20.5.2020 (BGBl. I S. 1044).

der in § 74 Absatz 3 Satz 1 Nummer 1 genannten Voraussetzung abweichend von § 30 Absatz 1 des Ersten Buches[1)] ihren Wohnsitz und ihren gewöhnlichen Aufenthalt außerhalb von Deutschland haben, deren Ausbildungsbetrieb aber in Deutschland liegt.

(2) Die begleitende Phase umfasst

1. sozialpädagogische Begleitung,
2. Maßnahmen zur Stabilisierung des Berufsausbildungsverhältnisses oder der Einstiegsqualifizierung,
3. Angebote zum Abbau von Bildungs- und Sprachdefiziten und
4. Angebote zur Vermittlung fachtheoretischer Fertigkeiten, Kenntnissen und Fähigkeiten.

(3) [1] Die Agentur für Arbeit legt die erforderlichen Unterstützungselemente nach Beratung des förderungsberechtigten jungen Menschen in Abstimmung mit dem Träger der Maßnahme im Einzelfall fest. [2] Sie überprüft die Erforderlichkeit regelmäßig in Abstimmung mit dem Träger.

(4) Die individuelle Unterstützung des jungen Menschen ist durch den Träger der Maßnahme mit dem Ausbildungsbetrieb abzustimmen.

(5) In den Fällen des § 74 Absatz 3 Satz 1 Nummer 2 in Verbindung mit Satz 3 kann der junge Mensch in der begleitenden Phase gefördert werden, ohne dass ein betriebliches Berufsausbildungsverhältnis besteht oder eine Einstiegsqualifizierung durchgeführt wird.

(6) Aufgaben des Ausbildungsbetriebes bei der und Verantwortung desselben für die Durchführung der Berufsausbildung oder der Einstiegsqualifizierung bleiben unberührt.

(7) Betriebe, die einen mit Assistierter Ausbildung geförderten jungen Menschen ausbilden, können bei der Durchführung der Berufsausbildung oder der Einstiegsqualifizierung

1. administrativ und organisatorisch sowie
2. zur Stabilisierung des Berufsausbildungsverhältnisses oder der Einstiegsqualifizierung

unterstützt werden.

§ 75a[2)] Vorphase der Assistierten Ausbildung. (1) [1] In der Vorphase sind junge Menschen förderungsberechtigt, wenn sie zusätzlich zu der in § 74 Absatz 3 Satz 1 Nummer 1 genannten Voraussetzung die Vollzeitschulpflicht nach den Gesetzen der Länder erfüllt haben. [2] Ausländerinnen und Ausländer sind förderungsberechtigt, wenn die Voraussetzungen nach Satz 1 vorliegen und sie eine Erwerbstätigkeit ausüben dürfen oder ihnen eine Erwerbstätigkeit erlaubt werden kann. [3] Für eine Unterstützung in dieser Phase müssen Ausländerinnen und Ausländer, die eine Aufenthaltsgestattung nach dem Asylgesetz[3)] oder eine Duldung besitzen, zudem

1. sich seit mindestens 15 Monaten erlaubt, gestattet oder geduldet im Bundesgebiet aufhalten und

---

[1)] Nr. **691**.
[2)] § 75a eingef. mWv 29.5.2020 durch G v. 20.5.2020 (BGBl. I S. 1044).
[3)] Auszugsweise abgedruckt unter Nr. **780**.

2. schulische Kenntnisse und Kenntnisse der deutschen Sprache besitzen, die einen erfolgreichen Übergang in eine Berufsausbildung erwarten lassen.

[4] Gestattete oder geduldete Ausländerinnen oder Ausländer, die vor dem 1. August 2019 in das Bundesgebiet eingereist sind, müssen sich abweichend von Satz 3 Nummer 1 seit mindestens drei Monaten erlaubt, gestattet oder geduldet dort aufhalten.

(2) [1] In der Vorphase wird der junge Mensch bei der Suche nach und Aufnahme einer betrieblichen Berufsausbildung unterstützt. [2] Abgestimmt auf den individuellen Förderbedarf sind in angemessenem Umfang betriebliche Praktika vorzusehen.

(3) [1] Die Vorphase darf eine Dauer von bis zu sechs Monaten umfassen. [2] Konnte der junge Mensch in dieser Zeit nicht in eine betriebliche Berufsausbildung vermittelt werden, kann die ausbildungsvorbereitende Phase bis zu zwei weitere Monate fortgesetzt werden.

(4) Die Vorphase darf nicht den Schulgesetzen der Länder unterliegen.

(5) Betriebe, die das Ziel verfolgen, einen förderungsberechtigten jungen Menschen auszubilden, können bei der Vorbereitung zur Aufnahme der Berufsausbildung durch den jungen Menschen durch die Vorphase im Sinne von § 75 Absatz 7 unterstützt werden.

§ 76[1)] Außerbetriebliche Berufsausbildung. (1) ***[Satz 1 bis 31.7.2024:]*** [1] Die Agentur für Arbeit kann förderungsberechtigte junge Menschen durch eine nach § 57 Absatz 1 förderungsfähige Berufsausbildung in einer außerbetrieblichen Einrichtung (außerbetriebliche Berufsausbildung) fördern. ***[Satz 1 ab 1.8.2024:]*** *[1] Die Agentur für Arbeit fördert förderungsberechtigte junge Menschen durch eine nach § 57 Absatz 1 förderungsfähige Berufsausbildung in einer außerbetrieblichen Einrichtung (außerbetriebliche Berufsausbildung).* [2] Der Anteil betrieblicher Ausbildungsphasen je Ausbildungsjahr muss angemessen sein.

(2) [1] Während der Durchführung einer außerbetrieblichen Berufsausbildung sind alle Möglichkeiten wahrzunehmen, um den Übergang der oder des Auszubildenden in ein betriebliches Berufsausbildungsverhältnis zu unterstützen. [2] Die Agentur für Arbeit zahlt dem Träger, der die außerbetriebliche Berufsausbildung durchführt, für jede vorzeitige und nachhaltige Vermittlung aus einer außerbetrieblichen Berufsausbildung in eine betriebliche Berufsausbildung eine Pauschale in Höhe von ***[bis 31.7.2024:** 2 000**]*** ***[ab 1.8.2024:** *3 000* **]*** Euro. [3] Die Vermittlung gilt als vorzeitig, wenn die oder der Auszubildende spätestens zwölf Monate vor dem vertraglichen Ende der außerbetrieblichen Berufsausbildung vermittelt worden ist. [4] Die Vermittlung gilt als nachhaltig, wenn das Berufsausbildungsverhältnis länger als vier Monate fortbesteht. [5] Die Pauschale wird für jede Auszubildende und jeden Auszubildenden nur einmal gezahlt. ***[Sätze 6–8 ab 1.8.2024:]*** *[6] Zur Sicherstellung des erfolgreichen Abschlusses der betrieblichen Berufsausbildung kann eine Förderung des jungen Menschen auch nach*

[1)] § 76 neu gef. mWv 1.4.2012 durch G v. 20.12.2011 (BGBl. I S. 2854); Abs. 1 einl. Satzteil geänd., Abs. 3 neu gef., Abs. 5 und 6 angef. mWv 1.8.2019 durch G v. 8.7.2019 (BGBl. I S. 1029); Abs. 1 neu gef., Abs. 2 Satz 1 geänd., Sätze 2–5 angef., Abs. 2a eingef., Abs. 3 und Abs. 5 Nr. 1 geänd., Abs. 7 und 8 angef. mWv 29.5.2020 durch G v. 20.5.2020 (BGBl. I S. 1044); Abs. 6 Satz 1 Nr. 2 neu gef. mWv 1.1.2021 durch G v. 9.12.2020 (BGBl. I S. 2855); Abs. 7 Satz 2 eingef., bish. Satz 2 wird Satz 3 mWv 1.7.2022 durch G v. 28.6.2022 (BGBl. I S. 969); Abs. 1 Satz 1 neu gef., Abs. 2 Satz 2 geänd., Sätze 6–8 sowie Abs. 5 Satz 2 angef. mWv 1.8.2024 durch G v. 17.7.2023 (BGBl. 2023 I Nr. 191).

Übergang in ein betriebliches Berufsausbildungsverhältnis erfolgen. [7] Die Agentur für Arbeit legt die erforderlichen Unterstützungselemente in Abstimmung mit dem Träger der Maßnahme im Einzelfall fest. [8] Diese Förderung endet spätestens mit dem Abschluss der betrieblichen Berufsausbildung.

(2a) Die Gestaltung des Lehrplans, die Unterrichtsmethode und die Güte der zum Einsatz vorgesehenen Lehr- und Lernmittel müssen eine erfolgreiche Berufsausbildung erwarten lassen.

(3) Ist ein betriebliches oder außerbetriebliches Berufsausbildungsverhältnis vorzeitig gelöst worden, kann die Agentur für Arbeit die Auszubildende oder den Auszubildenden auch durch Fortsetzung der Berufsausbildung in einer außerbetrieblichen Einrichtung fördern.

(4) Wird ein außerbetriebliches Berufsausbildungsverhältnis vorzeitig gelöst, hat der Träger der Maßnahme eine Bescheinigung über bereits erfolgreich absolvierte Teile der Berufsausbildung auszustellen.

(5) [1] Förderungsberechtigt sind junge Menschen,

1. die lernbeeinträchtigt oder sozial benachteiligt sind und wegen in ihrer Person liegender Gründe auch mit ausbildungsfördernden Leistungen nach diesem Buch eine Berufsausbildung in einem Betrieb nicht aufnehmen können oder
2. deren betriebliches oder außerbetriebliches Berufsausbildungsverhältnis vorzeitig gelöst worden ist und deren Eingliederung in betriebliche Berufsausbildung auch mit ausbildungsfördernden Leistungen nach diesem Buch aussichtslos ist, sofern zu erwarten ist, dass sie die Berufsausbildung erfolgreich abschließen können.

[Satz 2 ab 1.8.2024:] *[2] Förderungsberechtigt sind auch junge Menschen, die hinreichende Bewerbungsbemühungen nachgewiesen sowie Angebote der Berufsberatung wahrgenommen haben und bei denen ungeachtet der Vermittlungsbemühungen der Agentur für Arbeit die Aufnahme einer betrieblichen Berufsausbildung auch mit ausbildungsfördernden Leistungen nach diesem Buch nicht zu erwarten ist, wenn sie in einer Region wohnen, in der die Agenturen für Arbeit unter Einbindung der Sozialpartner eine erhebliche Unterversorgung an Ausbildungsplätzen festgestellt haben.*

(6) [1] Nicht förderungsberechtigt sind

1. Ausländerinnen und Ausländer, die weder in der Bundesrepublik Deutschland Arbeitnehmerinnen, Arbeitnehmer oder Selbständige noch auf Grund des § 2 Absatz 3 des Freizügigkeitsgesetzes/EU[1)] freizügigkeitsberechtigt sind, und ihre Familienangehörigen für die ersten drei Monate ihres Aufenthalts,
2. Ausländerinnen und Ausländer,
   a) die kein Aufenthaltsrecht haben oder
   b) deren Aufenthaltsrecht sich allein aus dem Zweck der Arbeitsuche, der Suche nach einem Ausbildungs- oder Studienplatz, der Ausbildung oder des Studiums ergibt,

   und ihre Familienangehörigen,
3. Leistungsberechtigte nach § 1 des Asylbewerberleistungsgesetzes[2)].

[1)] Nr. **770**.
[2)] **beck-online, Module Arbeitsrecht Nr. 781.**

[2]Satz 1 Nummer 1 gilt nicht für Ausländerinnen und Ausländer, die sich mit einem Aufenthaltstitel nach Kapitel 2 Abschnitt 5 des Aufenthaltsgesetzes[1)] in der Bundesrepublik Deutschland aufhalten. [3]Abweichend von Satz 1 Nummer 2 können Ausländerinnen und Ausländer und ihre Familienangehörigen gefördert werden, wenn sie seit mindestens fünf Jahren ihren gewöhnlichen Aufenthalt im Bundesgebiet haben; dies gilt nicht, wenn der Verlust des Rechts nach § 2 Absatz 1 des Freizügigkeitsgesetzes/EU festgestellt wurde. [4]Die Frist nach Satz 3 beginnt mit der Anmeldung bei der zuständigen Meldebehörde. [5]Zeiten des nicht rechtmäßigen Aufenthalts, in denen eine Ausreisepflicht besteht, werden auf Zeiten des gewöhnlichen Aufenthalts nicht angerechnet.

(7) [1]Die Agentur für Arbeit erstattet dem Träger, der die außerbetriebliche Berufsausbildung durchführt, die von diesem an die Auszubildende oder den Auszubildenden zu zahlende Ausbildungsvergütung, jedoch höchstens den Betrag nach § 17 Absatz 2 des Berufsbildungsgesetzes[2)]. [2]Wird die Berufsausbildung in Teilzeit durchgeführt, bemisst sich dieser Betrag unter entsprechender Berücksichtigung des § 17 Absatz 5 Satz 3 des Berufsbildungsgesetzes. [3]Der Betrag erhöht sich um den vom Träger zu tragenden Anteil am Gesamtsozialversicherungsbeitrag.

(8) Mit der Durchführung von Maßnahmen der außerbetrieblichen Berufsausbildung beauftragt die Agentur für Arbeit Träger unter Anwendung des Vergaberechts.

§ 77[3)] *(aufgehoben)*

§ 78[4)] *(aufgehoben)*

§ 79[5)] *(aufgehoben)*

§ 80[6)] Anordnungsermächtigung. Die Bundesagentur wird ermächtigt, durch Anordnung das Nähere über Voraussetzungen, Art, Umfang und Verfahren der Förderung zu bestimmen.

Fünfter Unterabschnitt. Jugendwohnheime

§ 80a[6)] Förderung von Jugendwohnheimen. [1]Träger von Jugendwohnheimen können durch Darlehen und Zuschüsse gefördert werden, wenn dies zum Ausgleich auf dem Ausbildungsmarkt und zur Förderung der Berufsausbildung erforderlich ist und die Träger oder Dritte sich in angemessenem Umfang an den Kosten beteiligen. [2]Leistungen können erbracht werden für den Aufbau, die Erweiterung, den Umbau und die Ausstattung von Jugendwohnheimen.

§ 80b[6)] Anordnungsermächtigung. Die Bundesagentur wird ermächtigt, durch Anordnung das Nähere über Voraussetzungen, Art, Umfang und Verfahren der Förderung zu bestimmen.

---

1) Auszugsweise abgedruckt unter Nr. **760**.
2) Nr. **415**.
3) § 77 aufgeh. mWv 29.5.2020 durch G v. 20.5.2020 (BGBl. I S. 1044).
4) § 78 aufgeh. mWv 1.8.2019 durch G v. 8.7.2019 (BGBl. I S. 1029).
5) § 79 aufgeh. mWv 29.5.2020 durch G v. 20.5.2020 (BGBl. I S. 1044).
6) 3. Kapitel (§§ 29–135) neu gef. mWv 1.4.2012 durch G v. 20.12.2011 (BGBl. I S. 2854).

Vierter Abschnitt. Berufliche Weiterbildung

§ 81[1)] Grundsatz. (1) [1] Arbeitnehmerinnen und Arbeitnehmer können bei beruflicher Weiterbildung durch Übernahme der Weiterbildungskosten gefördert werden, wenn

1. die Weiterbildung notwendig ist, um sie bei Arbeitslosigkeit beruflich einzugliedern oder eine ihnen drohende Arbeitslosigkeit abzuwenden,
2. die Agentur für Arbeit sie vor Beginn der Teilnahme beraten hat und
3. die Maßnahme und der Träger der Maßnahme für die Förderung zugelassen sind.

[2] Als Weiterbildung gilt die Zeit vom ersten Tag bis zum letzten Tag der Maßnahme mit Unterrichtsveranstaltungen, es sei denn, die Maßnahme ist vorzeitig beendet worden.

(1a) Anerkannt wird die Notwendigkeit der Weiterbildung bei arbeitslosen Arbeitnehmerinnen und Arbeitnehmern auch, wenn durch den Erwerb erweiterter beruflicher Kompetenzen die individuelle Beschäftigungsfähigkeit verbessert wird und sie nach Lage und Entwicklung des Arbeitsmarktes zweckmäßig ist.

(2) [1] Der nachträgliche Erwerb eines Berufsabschlusses durch Arbeitnehmerinnen und Arbeitnehmer wird durch Übernahme der Weiterbildungskosten gefördert, wenn die Arbeitnehmerinnen und Arbeitnehmer

1. nicht über einen Berufsabschluss verfügen, für den nach bundes- oder landesrechtlichen Vorschriften eine Ausbildungsdauer von mindestens zwei Jahren festgelegt ist, oder aufgrund einer mehr als vier Jahre ausgeübten Beschäftigung in an- oder ungelernter Tätigkeit eine ihrem Berufsabschluss entsprechende Beschäftigung voraussichtlich nicht mehr ausüben können,
2. für den angestrebten Beruf geeignet sind,
3. voraussichtlich erfolgreich an der Maßnahme teilnehmen werden und
4. mit dem angestrebten Beruf ihre Beschäftigungschancen verbessern.

[2] Arbeitnehmerinnen und Arbeitnehmer ohne Berufsabschluss, die noch nicht drei Jahre beruflich tätig gewesen sind, werden nur gefördert, wenn eine Berufsausbildung oder eine berufsvorbereitende Bildungsmaßnahme aus in ihrer Person liegenden Gründen nicht möglich oder nicht zumutbar ist oder die Weiterbildung in einem Engpassberuf angestrebt wird. [3] Zeiten der Arbeitslosigkeit, der Kindererziehung und der Pflege pflegebedürftiger Personen mit mindestens Pflegegrad 2 stehen Zeiten einer Beschäftigung nach Satz 1 Nummer 1 gleich. [4] Absatz 1 Satz 1 Nummer 2 und 3 und Satz 2 gelten entsprechend.

(3) [1] Arbeitnehmerinnen und Arbeitnehmer werden durch Übernahme der Weiterbildungskosten zum nachträglichen Erwerb des Hauptschulabschlusses oder eines gleichwertigen Schulabschlusses gefördert, wenn

---

[1)] § 81 neu gef. mWv 1.4.2012 durch G v. 20.12.2011 (BGBl. I S. 2854); Abs. 2 Satz 2 geänd. mWv 1.1.2017 durch G v. 21.12.2015 (BGBl. I S. 2424); Abs. 3a eingef. mWv 1.8.2016 durch G v. 18.7.2016 (BGBl. I S. 1710); Abs. 1a eingef., Abs. 2 Satz 1 Nr. 2 geänd., Abs. 5 aufgeh. mWv 1.1. 2019 durch G v. 18.12.2018 (BGBl. I S. 2651); Abs. 1 Satz 1 Nr. 1 geänd., Abs. 2 neu gef., Abs. 3 Satz 2 geänd. mWv *29.5.2020*, Abs. 4 Satz 4 neu gef. mWv 1.1.2021 durch G v. 20.5.2020 (BGBl. I S. 1044); Abs. 3a neu gef. mWv 1.7.2023 durch G v. 16.12.2022 (BGBl. I S. 2328); Abs. 4 Satz 4 Nr. 2 geänd. mWv 1.4.2024 durch G v. 17.7.2023 (BGBl. 2023 I Nr. 191).

1. sie die Voraussetzungen für die Förderung der beruflichen Weiterbildung nach Absatz 1 erfüllen und
2. zu erwarten ist, dass sie an der Maßnahme erfolgreich teilnehmen werden.

[2] Absatz 2 Satz 2 gilt entsprechend. [3] Die Leistung wird nur erbracht, soweit sie nicht für den gleichen Zweck durch Dritte erbracht wird. [4] Die Agentur für Arbeit hat darauf hinzuwirken, dass sich die für die allgemeine Schulbildung zuständigen Länder an den Kosten der Maßnahme beteiligen. [5] Leistungen Dritter zur Aufstockung der Leistung bleiben anrechnungsfrei.

(3a) Arbeitnehmerinnen und Arbeitnehmer können zum Erwerb von Grundkompetenzen durch die Übernahme der Weiterbildungskosten gefördert werden, wenn

1. die in Absatz 1 genannten Voraussetzungen für die Förderung der beruflichen Weiterbildung erfüllt sind und
2. der Erwerb der Grundkompetenzen die Grundlage schafft für eine erfolgreiche berufliche Weiterbildung oder allgemein die Beschäftigungsfähigkeit verbessert.

(4) [1] Der Arbeitnehmerin oder dem Arbeitnehmer wird das Vorliegen der Voraussetzungen für eine Förderung bescheinigt (Bildungsgutschein). [2] Der Bildungsgutschein kann zeitlich befristet sowie regional und auf bestimmte Bildungsziele beschränkt werden. [3] Der von der Arbeitnehmerin oder vom Arbeitnehmer ausgewählte Träger hat der Agentur für Arbeit den Bildungsgutschein vor Beginn der Maßnahme vorzulegen. [4] Die Agentur für Arbeit kann auf die Ausstellung eines Bildungsgutscheins bei beschäftigten Arbeitnehmerinnen und Arbeitnehmern verzichten, wenn

1. der Arbeitgeber und die Arbeitnehmerin oder der Arbeitnehmer damit einverstanden sind oder
2. die Arbeitnehmerin oder der Arbeitnehmer oder die Betriebsvertretung das Einverständnis zu der Qualifizierung nach § 82 Absatz 5 Satz 1 Nummer 2 erklärt haben.

§ 82[1)] Förderung beschäftigter Arbeitnehmerinnen und Arbeitnehmer. (1) [1] Arbeitnehmerinnen und Arbeitnehmer können abweichend von § 81 bei beruflicher Weiterbildung im Rahmen eines bestehenden Arbeitsverhältnisses durch volle oder teilweise Übernahme der Weiterbildungskosten gefördert werden, wenn

1. Fertigkeiten, Kenntnisse und Fähigkeiten vermittelt werden, die über ausschließlich arbeitsplatzbezogene kurzfristige Anpassungsfortbildungen hinausgehen,

---

[1)] § 82 neu gef. mWv 1.1.2019 durch G v. 18.12.2018 (BGBl. I S. 2651); Abs. 1 Satz 1 Nr. 4 geänd. mWv 29.5.2020, Abs. 2 Satz 2 Nr. 3 geänd., Abs. 4 und 5 eingef., bish. Abs. 4 wird Abs. 6 und Satz 3 neu gef., bish. Abs. 5 wird Abs. 7 mWv 1.10.2020, Abs. 6 eingef., bish. Abs. 6 und 7 werden Abs. 7 und 8 mWv 1.1.2021 durch G v. 20.5.2020 (BGBl. I S. 1044); Abs. 9 angef. mWv 1.1.2021 durch G v. 3.12.2020 (BGBl. I S. 2691); Abs. 9 geänd. mWv 21.7.2023, Abs. 1 Satz 1 Nr. 2 und 3 geänd., Nr. 4 neu gef., Sätze 2–4 aufgeh., bish. Satz 5 wird Satz 2, Abs. 2 Satz 2 Nr. 1 und 2 neu gef., Nr. 3 aufgeh., Sätze 3 und 4, Abs. 3 Satz 4 Nr. 1–3, Abs. 4 Satz 1 geänd., Abs. 5 aufgeh., bish. Abs. 6 wird Abs. 5 und Satz 2 geänd., Abs. 7–9 werden Abs. 6–8, Abs. 9 angef. mWv 1.4.2024 durch G v. 17.7.2023 (BGBl. 2023 I Nr. 191); Abs. 7 aufgeh., bish. Abs. 8 und 9 werden Abs. 7 und 8 mWv 1.1.2025 durch G v. 23.10.2024 (BGBl. 2024 I Nr. 323).

2. der Erwerb des Berufsabschlusses, für den nach bundes- oder landesrechtlichen Vorschriften eine Ausbildungsdauer von mindestens zwei Jahren festgelegt ist, in der Regel mindestens zwei Jahre zurückliegt,
3. die Arbeitnehmerin oder der Arbeitnehmer in den letzten zwei Jahren vor Antragsstellung nicht an einer nach dieser Vorschrift geförderten beruflichen Weiterbildung teilgenommen hat,
4. die Maßnahme mehr als 120 Stunden dauert und
5. die Maßnahme und der Träger der Maßnahme für die Förderung zugelassen sind.

[2] Ausgeschlossen von der Förderung ist die Teilnahme an Maßnahmen, zu deren Durchführung der Arbeitgeber auf Grund bundes- oder landesrechtlicher Regelungen verpflichtet ist.

(2) [1] Nach Absatz 1 soll nur gefördert werden, wenn sich der Arbeitgeber in angemessenem Umfang an den Lehrgangskosten beteiligt. [2] Angemessen ist die Beteiligung, wenn der Betrieb, dem die Arbeitnehmerin oder der Arbeitnehmer angehört,

1. mindestens 50 und weniger als 500 Beschäftigte hat und der Arbeitgeber 50 Prozent,
2. 500 Beschäftigte oder mehr hat und der Arbeitgeber 75 Prozent

der Lehrgangskosten trägt. [3] Abweichend von Satz 1 soll in Betrieben mit weniger als 50 Beschäftigten von einer Kostenbeteiligung des Arbeitgebers abgesehen werden. [4] Bei Betrieben mit weniger als 500 Beschäftigten soll von einer Kostenbeteiligung des Arbeitgebers abgesehen werden, wenn die Arbeitnehmerin oder der Arbeitnehmer

1. bei Beginn der Teilnahme das 45. Lebensjahr vollendet hat oder
2. schwerbehindert im Sinne des § 2 Absatz 2 des Neunten Buches[1] ist.

(3) [1] Für die berufliche Weiterbildung von Arbeitnehmerinnen und Arbeitnehmern können Arbeitgeber durch Zuschüsse zum Arbeitsentgelt gefördert werden, soweit die Weiterbildung im Rahmen eines bestehenden Arbeitsverhältnisses durchgeführt wird. [2] Die Zuschüsse können für Arbeitnehmerinnen und Arbeitnehmer, bei denen die Voraussetzungen für eine Weiterbildungsförderung wegen eines fehlenden Berufsabschlusses nach § 81 Absatz 2 erfüllt sind, bis zur Höhe des Betrags erbracht werden, der sich als anteiliges Arbeitsentgelt für weiterbildungsbedingte Zeiten ohne Arbeitsleistung errechnet. [3] Dieses umfasst auch den darauf entfallenden pauschalen Arbeitgeberanteil am Gesamtsozialversicherungsbeitrag. [4] Im Übrigen können bei Vorliegen der Voraussetzungen nach Absatz 1 Zuschüsse für Arbeitnehmerinnen und Arbeitnehmer in Betrieben mit

1. weniger als 50 Beschäftigten in Höhe von 75 Prozent,
2. mindestens 50 und weniger als 500 Beschäftigten in Höhe von 50 Prozent,
3. 500 Beschäftigten oder mehr in Höhe von 25 Prozent

des berücksichtigungsfähigen Arbeitsentgelts nach den Sätzen 2 und 3 erbracht werden.

(4) [1] Bei Vorliegen einer Betriebsvereinbarung über die berufliche Weiterbildung oder eines Tarifvertrages, der betriebsbezogen berufliche Weiterbil-

---

[1] Nr. **440**.

dung vorsieht, verringert sich die Beteiligung des Arbeitgebers an den Lehrgangskosten nach Absatz 2 unabhängig von der Betriebsgröße um fünf Prozentpunkte. [2]Die Zuschüsse zum Arbeitsentgelt nach Absatz 3 Satz 4 können bei Vorliegen der Voraussetzungen nach Satz 1 um fünf Prozentpunkte erhöht werden.

(5) [1]Der Antrag auf Förderung nach Absatz 1 kann auch vom Arbeitgeber gestellt und die Förderleistungen an diesen erbracht werden, wenn

1. der Antrag mehrere Arbeitnehmerinnen oder Arbeitnehmer betrifft, bei denen Vergleichbarkeit hinsichtlich Qualifikation, Bildungsziel oder Weiterbildungsbedarf besteht, und
2. diese Arbeitnehmerinnen oder Arbeitnehmer oder die Betriebsvertretung ihr Einverständnis hierzu erklärt haben.

[2]Bei der Ermessensentscheidung nach den Absätzen 1 bis 4 kann die Agentur für Arbeit die individuellen und betrieblichen Belange pauschalierend für alle betroffenen Arbeitnehmerinnen und Arbeitnehmer einheitlich und maßnahmebezogen berücksichtigen und die Leistungen als Gesamtleistung bewilligen. [3]Der Arbeitgeber hat der Agentur für Arbeit die Weiterleitung der Leistungen für Kosten, die den Arbeitnehmerinnen und Arbeitnehmern sowie dem Träger der Maßnahme unmittelbar entstehen, spätestens drei Monate nach Ende der Maßnahme nachzuweisen. [4]§ 83 Absatz 2 bleibt unberührt.

(6) [1]§ 81 Absatz 4 findet Anwendung. [2]Der Bildungsgutschein kann in Förderhöhe und Förderumfang beschränkt werden. [3]Bei der Feststellung der Zahl der Beschäftigten sind zu berücksichtigen,

1. Teilzeitbeschäftigte mit einer regelmäßigen wöchentlichen Arbeitszeit von
   a) nicht mehr als zehn Stunden mit 0,25,
   b) nicht mehr als 20 Stunden mit 0,50 und
   c) nicht mehr als 30 Stunden mit 0,75 und
2. im Rahmen der Bestimmung der Betriebsgröße nach den Absätzen 1 bis 3 sämtliche Beschäftigte des Unternehmens, dem der Betrieb angehört, und, falls das Unternehmen einem Konzern angehört, die Zahl der Beschäftigten des Konzerns.

(7) Die Förderung von Arbeitnehmerinnen und Arbeitnehmern in Maßnahmen, die während des Bezugs von Kurzarbeitergeld beginnen, ist bis zum 31. Juli 2024 ausgeschlossen.

(8) Behinderungsbedingt erforderliche Mehraufwendungen, die im Zusammenhang mit der Teilnahme an einer nach Absatz 1 geförderten Maßnahme entstehen, werden übernommen.

§ 82a[1] Qualifizierungsgeld. (1) Arbeitnehmerinnen und Arbeitnehmer können bei beruflicher Weiterbildung für die Dauer der Maßnahme ein Qualifizierungsgeld von der Agentur für Arbeit erhalten, wenn

1. die betrieblichen Voraussetzungen erfüllt sind,
2. die persönlichen Voraussetzungen erfüllt sind,
3. Fertigkeiten, Kenntnisse und Fähigkeiten vermittelt werden, die über ausschließlich arbeitsplatzbezogene kurzfristige Anpassungsfortbildungen hinausgehen,

---

[1] § 82a eingef. mWv 1.4.2024 durch G v. 17.7.2023 (BGBl. 2023 I Nr. 191).

4. der Träger der Maßnahme für die Förderung zugelassen ist und
5. die Maßnahme mehr als 120 Stunden dauert und maximal die Dauer einer Vollzeitmaßnahme nach § 180 Absatz 4 umfasst.

(2) [1] Die betrieblichen Voraussetzungen sind erfüllt, wenn

1. strukturwandelbedingte Qualifizierungsbedarfe im Betrieb bestehen und diese mindestens 20 Prozent der Arbeitnehmerinnen und Arbeitnehmer betreffen,
2. der Arbeitgeber die berufliche Weiterbildung finanziert und
3. beim Arbeitgeber durch eine Betriebsvereinbarung oder durch einen Tarifvertrag betriebsbezogene Regelungen getroffen wurden über
   a) das Bestehen des strukturwandelbedingten Qualifizierungsbedarfs,
   b) die damit verbundenen Perspektiven der Arbeitnehmerinnen und Arbeitnehmer für eine nachhaltige Beschäftigung im Betrieb und
   c) die Inanspruchnahme des Qualifizierungsgeldes.

[2] Abweichend von Satz 1 Nummer 1 ist es in Betrieben mit weniger als 250 Arbeitnehmerinnen und Arbeitnehmern ausreichend, wenn mindestens 10 Prozent der Arbeitnehmerinnen und Arbeitnehmer von strukturwandelbedingtem Qualifizierungsbedarf betroffen sind. [3] Die Anzahl der Arbeitnehmerinnen und Arbeitnehmer nach Satz 1 Nummer 1 und Satz 2 ist in dem Betrieb zu ermitteln, für den die Betriebsvereinbarung oder der Tarifvertrag abgeschlossen wurde. [4] Der nach Satz 1 Nummer 1 oder Satz 2 ermittelte Anteil der betroffenen Arbeitnehmerinnen und Arbeitnehmer gilt für die Dauer von drei Jahren ab Antragstellung. [5] Arbeitnehmerinnen und Arbeitnehmer dürfen nicht an den Kosten nach Satz 1 Nummer 2 beteiligt werden; zulässig ist eine Kostenübernahme durch Dritte. [6] Abweichend von Satz 1 Nummer 3 ist in Betrieben mit weniger als zehn Arbeitnehmerinnen und Arbeitnehmern anstelle einer Betriebsvereinbarung oder eines Tarifvertrags eine schriftliche Erklärung des Arbeitgebers ausreichend.

(3) Bei der Ausübung des Ermessens hat die Agentur für Arbeit die Notwendigkeit der strukturwandelbedingten Qualifizierungsbedarfe, die mit der beruflichen Weiterbildung verbundenen Beschäftigungsperspektiven und das Ausmaß der Inanspruchnahme nach § 323 Absatz 3 angemessen zu berücksichtigen.

(4) [1] Die persönlichen Voraussetzungen sind erfüllt, wenn

1. die Weiterbildung im Rahmen eines bestehenden Arbeitsverhältnisses durchgeführt wird,
2. die Arbeitnehmerin oder der Arbeitnehmer in den letzten vier Jahren vor Antragstellung nicht an einer nach dieser Vorschrift geförderten beruflichen Weiterbildung teilgenommen hat und
3. das Arbeitsverhältnis nicht gekündigt oder durch Aufhebungsvertrag aufgelöst ist.

[2] Die persönlichen Voraussetzungen sind auch erfüllt, wenn die Arbeitnehmerin oder der Arbeitnehmer während des Bezugs von Qualifizierungsgeld arbeitsunfähig wird, solange Anspruch auf Fortzahlung des Arbeitsentgelts im Krank-

heitsfall besteht oder ohne den Arbeitsausfall bestehen würde. [3] § 98 Absatz 3 gilt entsprechend. [4] Die persönlichen Voraussetzungen sind in Zeiten, in denen ein Anspruch der Arbeitnehmerin oder des Arbeitnehmers auf Urlaubsentgelt besteht, nicht erfüllt.

(5) [1] Eine Förderung ist nicht möglich, wenn

1. der Arbeitgeber auf Grund bundes- oder landesrechtlicher Regelungen zur Durchführung der Maßnahme verpflichtet ist oder
2. für die gleiche Maßnahme Leistungen nach § 82 beantragt wurden.

[2] Die §§ 107 und 108 gelten entsprechend, das Qualifizierungsgeld tritt an die Stelle des Kurzarbeitergeldes.

(6) Behinderungsbedingt erforderliche Mehraufwendungen, die im Zusammenhang mit der Teilnahme an einer nach Absatz 1 geförderten Maßnahme entstehen, werden übernommen.

(7) [1] § 318 Absatz 1 findet mit der Maßgabe Anwendung, dass die Pflichten nur für den Arbeitgeber gelten, auch wenn die Maßnahme bei einem Träger durchgeführt wurde oder wird. [2] § 318 Absatz 2 findet keine Anwendung.

§ 82b[1)] Höhe und Bemessung des Qualifizierungsgeldes. (1) [1] Das Qualifizierungsgeld beträgt

1. für Arbeitnehmerinnen und Arbeitnehmer, die beim Arbeitslosengeld die Voraussetzungen für den erhöhten Leistungssatz erfüllen würden, 67 Prozent,
2. für die übrigen Arbeitnehmerinnen und Arbeitnehmer 60 Prozent

der durchschnittlich auf den Tag entfallenden Nettoentgeltdifferenz im Referenzzeitraum. [2] Die Nettoentgeltdifferenz entspricht der Differenz zwischen dem pauschalierten Nettoentgelt aus dem beitragspflichtigen Bruttoarbeitsentgelt im Referenzzeitraum (Soll-Entgelt) und dem pauschalierten Nettoentgelt aus einem fiktiven beitragspflichtigen Bruttoarbeitsentgelt, das sich unter Annahme des Entgeltausfalls durch den weiterbildungsbedingten Arbeitsausfall wegen einer Maßnahme im Rahmen von § 82a im Referenzzeitraum ergibt (Ist-Entgelt). [3] Der Referenzzeitraum ist der letzte Entgeltabrechnungszeitraum, welcher spätestens drei Monate vor Anspruchsbeginn abgerechnet wurde.

(2) Bei der Bestimmung der Nettoentgeltdifferenz bleiben Arbeitsentgelte außer Betracht,

1. die Arbeitnehmerinnen und Arbeitnehmer für Mehrarbeit erhalten haben,
2. die Arbeitnehmerinnen oder Arbeitnehmern einmalig gewährt werden,
3. die im Hinblick auf den weiterbildungsbedingten Arbeitsausfall für den Referenzzeitraum zusätzlich vereinbart worden sind oder
4. die als Wertguthaben einer Vereinbarung nach § 7b des Vierten Buches[2)] nicht nach dieser Vereinbarung verwendet werden.

(3) [1] Erzielt die Arbeitnehmerin oder der Arbeitnehmer aus anderen Gründen als wegen der Teilnahme an einer Maßnahme im Rahmen von § 82a kein Arbeitsentgelt, so ist das Ist-Entgelt um den Betrag zu erhöhen, um den das Arbeitsentgelt aus diesen Gründen gemindert ist. [2] Bei der Berechnung der Nettoentgeltdifferenz nach Absatz 1 bleiben auf Grund von kollektivrecht-

---

[1)] § 82b eingef. mWv 1.4.2024 durch G v. 17.7.2023 (BGBl. 2023 I Nr. 191).
[2)] Nr. **694**.

lichen Beschäftigungssicherungsvereinbarungen durchgeführte vorübergehende Änderungen der vertraglich vereinbarten Arbeitszeit außer Betracht; Satz 1 ist insoweit nicht anzuwenden.

(4) Als Arbeitsentgelt ist für Zeiten, in denen die Arbeitnehmerin oder der Arbeitnehmer Kurzarbeitergeld bezogen hat, das Bruttoarbeitsentgelt zugrunde zu legen, das die Arbeitnehmerin oder der Arbeitnehmer ohne den Arbeitsausfall erzielt hätte.

(5) [1] Lässt sich das Soll-Entgelt einer Arbeitnehmerin oder eines Arbeitnehmers in dem Referenzzeitraum nicht hinreichend bestimmt feststellen, so ist als Soll-Entgelt das Arbeitsentgelt maßgebend, das die Arbeitnehmerin oder der Arbeitnehmer in den letzten drei abgerechneten Kalendermonaten vor Beginn des Referenzzeitraumes im Betrieb durchschnittlich erzielt hat, vermindert um Entgelt für Mehrarbeit. [2] Ist eine Berechnung nach Satz 1 nicht möglich, so ist das durchschnittliche Soll-Entgelt einer vergleichbaren Arbeitnehmerin oder eines vergleichbaren Arbeitnehmers zugrunde zu legen.

(6) [1] Soll-Entgelt und Ist-Entgelt sind auf den nächsten durch 20 teilbaren Euro-Betrag zu runden. [2] Mit Ausnahme der Regelungen über den Zeitpunkt der Zuordnung der Lohnsteuerklassen und den Steuerklassenwechsel gilt § 153 für die Berechnung der pauschalierten Nettoentgelte beim Qualifizierungsgeld entsprechend; bei der Berechnung der pauschalierten Nettoentgelte wird die Steuerklasse zugrunde gelegt, die im Referenzzeitraum zuletzt galt. [3] § 317 gilt entsprechend.

§ 82c[1)] Anrechnung von Nebeneinkommen und sonstigen Zahlungen des Arbeitgebers. (1) [1] Ist eine Arbeitnehmerin oder ein Arbeitnehmer während einer Zeit erwerbstätig, für die ihr oder ihm Qualifizierungsgeld zusteht, ist das daraus erzielte Einkommen nach Abzug der Steuern, der Sozialversicherungsbeiträge, der Werbungskosten sowie eines Freibetrages in Höhe von 165 Euro in dem Kalendermonat, in dem die Tätigkeit neben der Weiterbildung ausgeübt wird, auf das Qualifizierungsgeld anzurechnen. [2] Handelt es sich um eine selbständige Tätigkeit, eine Tätigkeit als mithelfende Familienangehörige oder mithelfender Familienangehöriger, sind bei der Anrechnung pauschal 30 Prozent der Betriebseinnahmen als Betriebsausgaben abzusetzen, es sei denn, die Arbeitnehmerin oder der Arbeitnehmer weist höhere Betriebsausgaben nach. [3] Die Sätze 1 und 2 gelten nicht für Einkommen aus Erwerbstätigkeiten, die bereits im maßgeblichen Referenzzeitraum ausgeübt wurden.

(2) Leistungen, die eine Bezieherin oder ein Bezieher von Qualifizierungsgeld

1. vom Arbeitgeber wegen der Teilnahme an einer Maßnahme im Rahmen von § 82a erhält oder
2. auf Grund eines bestehenden Arbeitsverhältnisses ohne Ausübung einer Beschäftigung für die Zeit der Teilnahme an einer Maßnahme im Rahmen von § 82a erhält,

werden nicht auf das Qualifizierungsgeld angerechnet, soweit sie zusammen mit dem Qualifizierungsgeld das Soll-Entgelt nicht übersteigen.

---

1) § 82c eingef. mWv 1.4.2024 durch G v. 17.7.2023 (BGBl. 2023 I Nr. 191).

§ 83[1] **Weiterbildungskosten.** (1) Weiterbildungskosten sind die durch die Weiterbildung unmittelbar entstehenden

1. Lehrgangskosten und Kosten für die Eignungsfeststellung,
2. Fahrkosten,
3. Kosten für auswärtige Unterbringung und Verpflegung,
4. Kosten für die Betreuung von Kindern.

(2) [1] Leistungen können unmittelbar an den Träger der Maßnahme ausgezahlt werden, soweit Kosten bei dem Träger unmittelbar entstehen. [2] Soweit ein Bescheid über die Bewilligung von unmittelbar an den Träger erbrachten Leistungen aufgehoben worden ist, sind diese Leistungen ausschließlich von dem Träger zu erstatten.

§ 84[2] **Lehrgangskosten.** (1) Lehrgangskosten sind Lehrgangsgebühren einschließlich

1. der Kosten für erforderliche Lernmittel, notwendige sozialpädagogische Begleitung, Arbeitskleidung und Prüfungsstücke,
2. der Prüfungsgebühren für gesetzlich geregelte oder allgemein anerkannte Zwischen- und Abschlussprüfungen sowie
3. der Kosten für eine notwendige Eignungsfeststellung.

(2) Lehrgangskosten können auch für die Zeit vom Ausscheiden einer Teilnehmerin oder eines Teilnehmers bis zum planmäßigen Ende der Maßnahme übernommen werden, wenn

1. die Teilnehmerin oder der Teilnehmer wegen Arbeitsaufnahme vorzeitig ausgeschieden ist,
2. das Arbeitsverhältnis durch Vermittlung des Trägers der Maßnahme zustande gekommen ist und
3. eine Nachbesetzung des frei gewordenen Platzes in der Maßnahme nicht möglich ist.

§ 85[1] **Fahrkosten.** Für Übernahme und Höhe der Fahrkosten gilt § 63 Absatz 1 und 3 entsprechend.

§ 86[3] **Kosten für auswärtige Unterbringung und für Verpflegung.** Ist eine auswärtige Unterbringung erforderlich, so kann

1. für die Unterbringung je Tag ein Betrag in Höhe von 60 Euro gezahlt werden, je Kalendermonat jedoch höchstens 420 Euro, und
2. für die Verpflegung je Tag ein Betrag in Höhe von 24 Euro gezahlt werden, je Kalendermonat jedoch höchstens 168 Euro.

---

[1] 3. Kapitel (§§ 29–135) neu gef. mWv 1.4.2012 durch G v. 20.12.2011 (BGBl. I S. 2854).

[2] § 84 neu gef. mWv 1.4.2012 durch G v. 20.12.2011 (BGBl. I S. 2854); Abs. 1 Nr. 1 geänd. mWv 1.1.2023 durch G v. 16.12.2022 (BGBl. I S. 2328).

[3] § 86 neu gef. mWv 1.4.2012 durch G v. 20.12.2011 (BGBl. I S. 2854); Nr. 1 und 2 geänd. mWv 1.8.2019 durch G v. 8.7.2019 (BGBl. I S. 1025).

§ 87[1] Kinderbetreuungskosten. Kosten für die Betreuung der aufsichtsbedürftigen Kinder der Arbeitnehmerin oder des Arbeitnehmers können pauschal in Höhe von 160 Euro monatlich je Kind übernommen werden.

§ 87a[2] Weiterbildungsprämie und Weiterbildungsgeld. (1) Arbeitnehmerinnen und Arbeitnehmer erhalten folgende Prämien, wenn sie an einer nach § 81 geförderten beruflichen Weiterbildung teilnehmen, die zu einem Abschluss in einem Ausbildungsberuf führt, für den nach bundes- oder landesrechtlichen Vorschriften eine Ausbildungsdauer von mindestens zwei Jahren festgelegt ist:

1. nach Bestehen einer in den genannten Vorschriften geregelten Zwischenprüfung oder des ersten Teils einer gestreckten Abschlussprüfung eine Prämie von 1000 Euro und
2. nach Bestehen einer in den genannten Vorschriften geregelten Abschlussprüfung eine Prämie von 1500 Euro.

(2) Arbeitslose Arbeitnehmerinnen und Arbeitnehmer erhalten bei Teilnahme an einer Weiterbildung nach Absatz 1 zusätzlich einen monatlichen Zuschuss in Höhe von 150 Euro (Weiterbildungsgeld).

[Abs. 3 ab 1.1.2025:]

(3) Erwerbsfähige Leistungsberechtigte im Sinne des Zweiten Buches[3] erhalten auch im Rahmen eines bestehenden Arbeitsverhältnisses das Weiterbildungsgeld, wenn sie an einer nach § 81 oder § 82 geförderten Weiterbildung teilnehmen, die zu einem Abschluss in einem Ausbildungsberuf führt, für den nach bundes- oder landesrechtlichen Vorschriften eine Ausbildungsdauer von mindestens zwei Jahren festgelegt ist.

Fünfter Abschnitt. Aufnahme einer Erwerbstätigkeit

Erster Unterabschnitt. Sozialversicherungspflichtige Beschäftigung

§ 88[4] Eingliederungszuschuss. Arbeitgeber können zur Eingliederung von Arbeitnehmerinnen und Arbeitnehmern, deren Vermittlung wegen in ihrer Person liegender Gründe erschwert ist, einen Zuschuss zum Arbeitsentgelt zum Ausgleich einer Minderleistung erhalten (Eingliederungszuschuss).

§ 89[5] Höhe und Dauer der Förderung. [1]Die Förderhöhe und die Förderdauer richten sich nach dem Umfang der Einschränkung der Arbeitsleistung der Arbeitnehmerin oder des Arbeitnehmers und nach den Anforderungen des jeweiligen Arbeitsplatzes (Minderleistung). [2]Der Eingliederungszuschuss kann bis zu 50 Prozent des zu berücksichtigenden Arbeitsentgelts und die Förderdauer bis zu zwölf Monate betragen. [3]Bei Arbeitnehmerinnen und Arbeitnehmern, die das 55. Lebensjahr vollendet haben, kann die Förderdauer bis zu 36

---

[1] § 87 neu gef. mWv 1.4.2012 durch G v. 20.12.2011 (BGBl. I S. 2854); geänd. mWv 1.8.2019 und mWv 1.8.2020 durch G v. 8.7.2019 (BGBl. I S. 1025); geänd. mWv 1.8.2022 durch G v. 15.7. 2022 (BGBl. I S. 1150); geänd. mWv 1.1.2023 durch G v. 16.12.2022 (BGBl. I S. 2328).

[2] § 87a eingef. mWv 1.7.2023 durch G v. 16.12.2022 (BGBl. I S. 2328); Abs. 3 angef. mWv 1.1. 2025 durch G v. 22.12.2023 (BGBl. 2023 I Nr. 412).

[3] Nr. **692**.

[4] 3. Kapitel (§§ 29–135) neu gef. mWv 1.4.2012 durch G v. 20.12.2011 (BGBl. I S. 2854).

[5] *§ 89 neu gef. mWv 1.4.2012* durch G v. 20.12.2011 (BGBl. I S. 2854); Satz 3 angef. mWv 1.1. 2015 durch G v. 10.12.2014 (BGBl. I S. 2082); Satz 3 geänd. mWv 29.11.2019 durch G v. 22.11.2019 (BGBl. I S. 1756); Satz 3 geänd. mWv 1.1.2024 durch G v. 22.12.2023 (BGBl. 2023 I Nr. 408).

Monate betragen, wenn die Förderung bis zum 31. Dezember 2028 begonnen hat.

§ 90[1)] Eingliederungszuschuss für Menschen mit Behinderungen und schwerbehinderte Menschen. (1) Für Menschen mit Behinderungen und schwerbehinderte Menschen kann der Eingliederungszuschuss bis zu 70 Prozent des zu berücksichtigenden Arbeitsentgelts und die Förderdauer bis zu 24 Monate betragen.

(2) [1] Für schwerbehinderte Menschen im Sinne des § 187 Absatz 1 Nummer 3 Buchstabe a bis d des Neunten Buches[2)] und ihnen nach § 2 Absatz 3 des Neunten Buches[2)] von den Agenturen für Arbeit gleichgestellte behinderte Menschen, deren Vermittlung wegen in ihrer Person liegender Gründe erschwert ist (besonders betroffene schwerbehinderte Menschen), kann der Eingliederungszuschuss bis zu 70 Prozent des zu berücksichtigenden Arbeitsentgelts und die Förderdauer bis zu 60 Monate betragen. [2] Die Förderdauer kann bei besonders betroffenen schwerbehinderten Menschen, die das 55. Lebensjahr vollendet haben, bis zu 96 Monate betragen.

(3) Bei der Entscheidung über Höhe und Dauer der Förderung von schwerbehinderten und besonders betroffenen schwerbehinderten Menschen ist zu berücksichtigen, ob der schwerbehinderte Mensch ohne gesetzliche Verpflichtung oder über die Beschäftigungspflicht nach dem Teil 3 des Neunten Buches[3)] hinaus eingestellt und beschäftigt wird.

(4) [1] Nach Ablauf von zwölf Monaten ist die Höhe des Eingliederungszuschusses um zehn Prozentpunkte jährlich zu vermindern. [2] Sie darf 30 Prozent des zu berücksichtigenden Arbeitsentgelts nicht unterschreiten. [3] Der Eingliederungszuschuss für besonders betroffene schwerbehinderte Menschen ist erst nach Ablauf von 24 Monaten zu vermindern.

§ 91[4)] Zu berücksichtigendes Arbeitsentgelt und Auszahlung des Zuschusses. (1) [1] Für den Eingliederungszuschuss ist zu berücksichtigen

1. das vom Arbeitgeber regelmäßig gezahlte Arbeitsentgelt, soweit es das tarifliche Arbeitsentgelt oder, wenn eine tarifliche Regelung nicht besteht, das für vergleichbare Tätigkeiten ortsübliche Arbeitsentgelt nicht übersteigt und soweit es die Beitragsbemessungsgrenze in der Arbeitsförderung nicht überschreitet, sowie
2. der pauschalierte Anteil des Arbeitgebers am Gesamtsozialversicherungsbeitrag.

[2] Einmalig gezahltes Arbeitsentgelt ist nicht zu berücksichtigen.

(2) [1] Der Eingliederungszuschuss wird zu Beginn der Maßnahme in monatlichen Festbeträgen für die Förderdauer festgelegt. [2] Die monatlichen Festbeträge werden vermindert, wenn sich das zu berücksichtigende Arbeitsentgelt verringert.

---

1) § 90 neu gef. mWv 1.4.2012 durch G v. 20.12.2011 (BGBl. I S. 2854); Abs. 2 Satz 1, Abs. 3 geänd. mWv 1.1.2018 durch G v. 23.12.2016 (BGBl. I S. 3234); Überschrift neu gef., Abs. 1 geänd. mWv 1.1.2022 durch G v. 2.6.2021 (BGBl. I S. 1387).

2) Nr. **440**.

3) Auszugsweise abgedruckt unter Nr. **440**.

4) 3. Kapitel (§§ 29–135) neu gef. mWv 1.4.2012 durch G v. 20.12.2011 (BGBl. I S. 2854).

§ 92[1] Förderungsausschluss und Rückzahlung. (1) Eine Förderung ist ausgeschlossen, wenn

1. zu vermuten ist, dass der Arbeitgeber die Beendigung eines Beschäftigungsverhältnisses veranlasst hat, um einen Eingliederungszuschuss zu erhalten, oder
2. die Arbeitnehmerin oder der Arbeitnehmer bei einem früheren Arbeitgeber eingestellt wird, bei dem sie oder er während der letzten vier Jahre vor Förderungsbeginn mehr als drei Monate versicherungspflichtig beschäftigt war; dies gilt nicht, wenn es sich um die befristete Beschäftigung besonders betroffener schwerbehinderter Menschen handelt.

(2) [1] Der Eingliederungszuschuss ist teilweise zurückzuzahlen, wenn das Beschäftigungsverhältnis während des Förderungszeitraums oder einer Nachbeschäftigungszeit beendet wird. [2] Dies gilt nicht, wenn

1. der Arbeitgeber berechtigt war, das Arbeitsverhältnis aus Gründen, die in der Person oder dem Verhalten der Arbeitnehmerin oder des Arbeitnehmers liegen, zu kündigen,
2. eine Kündigung aus dringenden betrieblichen Erfordernissen, die einer Weiterbeschäftigung im Betrieb entgegenstehen, berechtigt war,
3. das Arbeitsverhältnis auf das Bestreben der Arbeitnehmerin oder des Arbeitnehmers hin beendet wird, ohne dass der Arbeitgeber den Grund hierfür zu vertreten hat,

(Fortsetzung nächstes Blatt)

[1] 3. Kapitel (§§ 29–135) neu gef. mWv 1.4.2012 durch G v. 20.12.2011 (BGBl. I S. 2854).

4. die Arbeitnehmerin oder der Arbeitnehmer das Mindestalter für den Bezug der gesetzlichen Altersrente erreicht hat, oder
5. der Eingliederungszuschuss für die Einstellung eines besonders betroffenen schwerbehinderten Menschen geleistet wird.

[3] Die Rückzahlung ist auf die Hälfte des geleisteten Förderbetrags begrenzt und darf den in den letzten zwölf Monaten vor Beendigung des Beschäftigungsverhältnisses geleisteten Förderbetrag nicht überschreiten. [4] Ungeförderte Nachbeschäftigungszeiten sind anteilig zu berücksichtigen. [5] Die Nachbeschäftigungszeit entspricht der Förderdauer; sie beträgt längstens zwölf Monate.

Zweiter Unterabschnitt. Selbständige Tätigkeit

§ 93[1)] Gründungszuschuss. (1) Arbeitnehmerinnen und Arbeitnehmer, die durch Aufnahme einer selbständigen, hauptberuflichen Tätigkeit die Arbeitslosigkeit beenden, können zur Sicherung des Lebensunterhalts und zur sozialen Sicherung in der Zeit nach der Existenzgründung einen Gründungszuschuss erhalten.

(2) [1] Ein Gründungszuschuss kann geleistet werden, wenn die Arbeitnehmerin oder der Arbeitnehmer

1. bis zur Aufnahme der selbständigen Tätigkeit einen Anspruch auf Arbeitslosengeld hat, dessen Dauer bei Aufnahme der selbständigen Tätigkeit noch mindestens 150 Tage beträgt und nicht allein auf § 147 Absatz 3 beruht,
2. der Agentur für Arbeit die Tragfähigkeit der Existenzgründung nachweist und
3. ihre oder seine Kenntnisse und Fähigkeiten zur Ausübung der selbständigen Tätigkeit darlegt.

[2] Zum Nachweis der Tragfähigkeit der Existenzgründung ist der Agentur für Arbeit die Stellungnahme einer fachkundigen Stelle vorzulegen; fachkundige Stellen sind insbesondere die Industrie- und Handelskammern, Handwerkskammern, berufsständische Kammern, Fachverbände und Kreditinstitute.

(3) Der Gründungszuschuss wird nicht geleistet, solange Ruhenstatbestände nach den §§ 156 bis 159 vorliegen oder vorgelegen hätten.

(4) Die Förderung ist ausgeschlossen, wenn nach Beendigung einer Förderung der Aufnahme einer selbständigen Tätigkeit nach diesem Buch noch nicht 24 Monate vergangen sind; von dieser Frist kann wegen besonderer in der Person der Arbeitnehmerin oder des Arbeitnehmers liegender Gründe abgesehen werden.

(5) Geförderte Personen, die das für die Regelaltersrente im Sinne des Sechsten Buches[2)] erforderliche Lebensjahr vollendet haben, können vom Beginn des folgenden Monats an keinen Gründungszuschuss erhalten.

§ 94[1)] Dauer und Höhe der Förderung. (1) Als Gründungszuschuss wird für die Dauer von sechs Monaten der Betrag geleistet, den die Arbeitnehmerin oder der Arbeitnehmer als Arbeitslosengeld zuletzt bezogen hat, zuzüglich monatlich 300 Euro.

[1)] 3. Kapitel (§§ 29–135) neu gef. mWv 1.4.2012 durch G v. 20.12.2011 (BGBl. I S. 2854).
[2)] Auszugsweise abgedruckt unter Nr. **696**.

(2) [1]Der Gründungszuschuss kann für weitere neun Monate in Höhe von monatlich 300 Euro geleistet werden, wenn die geförderte Person ihre Geschäftstätigkeit anhand geeigneter Unterlagen darlegt. [2]Bestehen begründete Zweifel an der Geschäftstätigkeit, kann die Agentur für Arbeit verlangen, dass ihr erneut eine Stellungnahme einer fachkundigen Stelle vorgelegt wird.

Sechster Abschnitt. Verbleib in Beschäftigung

Erster Unterabschnitt. Kurzarbeitergeld

Erster Titel. Regelvoraussetzungen

§ 95[1)] Anspruch. [1]Arbeitnehmerinnen und Arbeitnehmer haben Anspruch auf Kurzarbeitergeld, wenn

1. ein erheblicher Arbeitsausfall mit Entgeltausfall vorliegt,
2. die betrieblichen Voraussetzungen erfüllt sind,
3. die persönlichen Voraussetzungen erfüllt sind und
4. der Arbeitsausfall der Agentur für Arbeit angezeigt worden ist.

[2]Arbeitnehmerinnen und Arbeitnehmer in Betrieben nach § 101 Absatz 1 Nummer 1 haben in der Schlechtwetterzeit Anspruch auf Kurzarbeitergeld in Form des Saison-Kurzarbeitergeldes.

§ 96[1)] Erheblicher Arbeitsausfall. (1) [1]Ein Arbeitsausfall ist erheblich, wenn

1. er auf wirtschaftlichen Gründen oder einem unabwendbaren Ereignis beruht,
2. er vorübergehend ist,
3. er nicht vermeidbar ist und
4. im jeweiligen Kalendermonat (Anspruchszeitraum) mindestens ein Drittel der in dem Betrieb beschäftigten Arbeitnehmerinnen und Arbeitnehmer von einem Entgeltausfall von jeweils mehr als 10 Prozent ihres monatlichen Bruttoentgelts betroffen ist; der Entgeltausfall kann auch jeweils 100 Prozent des monatlichen Bruttoentgelts betragen.

[2]Bei den Berechnungen nach Satz 1 Nummer 4 sind Auszubildende nicht mitzuzählen.

(2) Ein Arbeitsausfall beruht auch auf wirtschaftlichen Gründen, wenn er durch eine Veränderung der betrieblichen Strukturen verursacht wird, die durch die allgemeine wirtschaftliche Entwicklung bedingt ist.

(3) [1]Ein unabwendbares Ereignis liegt insbesondere vor, wenn ein Arbeitsausfall auf ungewöhnlichen, von dem üblichen Witterungsverlauf abweichenden Witterungsverhältnissen beruht. [2]Ein unabwendbares Ereignis liegt auch vor, wenn ein Arbeitsausfall durch behördliche oder behördlich anerkannte Maßnahmen verursacht ist, die vom Arbeitgeber nicht zu vertreten sind.

(4) [1]Ein Arbeitsausfall ist nicht vermeidbar, wenn in einem Betrieb alle zumutbaren Vorkehrungen getroffen wurden, um den Eintritt des Arbeitsausfalls zu verhindern. [2]Als vermeidbar gilt insbesondere ein Arbeitsausfall, der

---

[1)] 3. Kapitel (§§ 29–135) neu gef. mWv 1.4.2012 durch G v. 20.12.2011 (BGBl. I S. 2854).

1. überwiegend branchenüblich, betriebsüblich oder saisonbedingt ist oder ausschließlich auf betriebsorganisatorischen Gründen beruht,
2. durch die Gewährung von bezahltem Erholungsurlaub ganz oder teilweise verhindert werden kann, soweit vorrangige Urlaubswünsche der Arbeitnehmerinnen und Arbeitnehmer der Urlaubsgewährung nicht entgegenstehen, oder
3. durch die Nutzung von im Betrieb zulässigen Arbeitszeitschwankungen ganz oder teilweise vermieden werden kann.

[3] Die Auflösung eines Arbeitszeitguthabens kann von der Arbeitnehmerin oder dem Arbeitnehmer nicht verlangt werden, soweit es

1. vertraglich ausschließlich zur Überbrückung von Arbeitsausfällen außerhalb der Schlechtwetterzeit (§ 101 Absatz 1) bestimmt ist und den Umfang von 50 Stunden nicht übersteigt,
2. ausschließlich für die in § 7c Absatz 1 des Vierten Buches[1)] genannten Zwecke bestimmt ist,
3. zur Vermeidung der Inanspruchnahme von Saison-Kurzarbeitergeld angespart worden ist und den Umfang von 150 Stunden nicht übersteigt,
4. den Umfang von 10 Prozent der ohne Mehrarbeit geschuldeten Jahresarbeitszeit einer Arbeitnehmerin oder eines Arbeitnehmers übersteigt oder
5. länger als ein Jahr unverändert bestanden hat.

[4] In einem Betrieb, in dem eine Vereinbarung über Arbeitszeitschwankungen gilt, nach der mindestens 10 Prozent der ohne Mehrarbeit geschuldeten Jahresarbeitszeit je nach Arbeitsanfall eingesetzt werden, gilt ein Arbeitsausfall, der im Rahmen dieser Arbeitszeitschwankungen nicht mehr ausgeglichen werden kann, als nicht vermeidbar.

§ 97[2)] Betriebliche Voraussetzungen. [1] Die betrieblichen Voraussetzungen sind erfüllt, wenn in dem Betrieb mindestens eine Arbeitnehmerin oder ein Arbeitnehmer beschäftigt ist. [2] Betrieb im Sinne der Vorschriften über das Kurzarbeitergeld ist auch eine Betriebsabteilung.

§ 98[3)] Persönliche Voraussetzungen. (1) Die persönlichen Voraussetzungen sind erfüllt, wenn

1. die Arbeitnehmerin oder der Arbeitnehmer nach Beginn des Arbeitsausfalls eine versicherungspflichtige Beschäftigung
   a) fortsetzt,
   b) aus zwingenden Gründen aufnimmt oder
   c) im Anschluss an die Beendigung eines Berufsausbildungsverhältnisses aufnimmt,
2. das Arbeitsverhältnis nicht gekündigt oder durch Aufhebungsvertrag aufgelöst ist und

---

[1)] Nr. **694**.

[2)] 3. Kapitel (§§ 29–135) neu gef. mWv 1.4.2012 durch G v. 20.12.2011 (BGBl. I S. 2854).

[3)] § 98 neu gef. mWv 1.4.2012 durch G v. 20.12.2011 (BGBl. I S. 2854); Abs. 3 Nr. 1 und 2 geänd., Nr. 3 angef. mWv 1.8.2012 durch G v. 21.7.2012 (BGBl. I S. 1601); Abs. 3 Nr. 3 geänd. mWv 23.7.2015 durch G v. 16.7.2015 (BGBl. I S. 1211); Abs. 3 Nr. 1 geänd. mWv 1.4.2024 durch G v. 17.7.2023 (BGBl. 2023 I Nr. 191).

3. die Arbeitnehmerin oder der Arbeitnehmer nicht vom Kurzarbeitergeldbezug ausgeschlossen ist.

(2) Die persönlichen Voraussetzungen sind auch erfüllt, wenn die Arbeitnehmerin oder der Arbeitnehmer während des Bezugs von Kurzarbeitergeld arbeitsunfähig wird, solange Anspruch auf Fortzahlung des Arbeitsentgelts im Krankheitsfall besteht oder ohne den Arbeitsausfall bestehen würde.

(3) Die persönlichen Voraussetzungen sind nicht erfüllt bei Arbeitnehmerinnen und Arbeitnehmern

1. während der Teilnahme an einer beruflichen Weiterbildungsmaßnahme mit Bezug von Arbeitslosengeld ***[ab 1.4.2024:**, Qualifizierungsgeld**]*** oder Übergangsgeld, wenn diese Leistung nicht für eine neben der Beschäftigung durchgeführte Teilzeitmaßnahme gezahlt wird,
2. während des Bezugs von Krankengeld sowie
3. während der Zeit, in der sie von einem privaten Krankenversicherungsunternehmen, von einem Beihilfeträger des Bundes, von einem sonstigen öffentlich-rechtlichen Träger von Kosten in Krankheitsfällen auf Bundesebene, von dem Träger der Heilfürsorge im Bereich des Bundes, von dem Träger der truppenärztlichen Versorgung oder von einem öffentlich-rechtlichen Träger von Kosten in Krankheitsfällen auf Landesebene, soweit Landesrecht dies vorsieht, Leistungen für den Ausfall von Arbeitseinkünften im Zusammenhang mit einer nach den §§ 8 und 8a des Transplantationsgesetzes[1)] erfolgenden Spende von Organen oder Geweben oder im Zusammenhang mit einer im Sinne von § 9 des Transfusionsgesetzes erfolgenden Spende von Blut zur Separation von Blutstammzellen oder anderen Blutbestandteilen beziehen.

(4) [1] Die persönlichen Voraussetzungen sind auch nicht erfüllt, wenn und solange Arbeitnehmerinnen und Arbeitnehmer bei einer Vermittlung nicht in der von der Agentur für Arbeit verlangten und gebotenen Weise mitwirken. [2] Arbeitnehmerinnen und Arbeitnehmer, die von einem erheblichen Arbeitsausfall mit Entgeltausfall betroffen sind, sind in die Vermittlungsbemühungen der Agentur für Arbeit einzubeziehen. [3] Hat die Arbeitnehmerin oder der Arbeitnehmer trotz Belehrung über die Rechtsfolgen eine von der Agentur für Arbeit angebotene zumutbare Beschäftigung nicht angenommen oder nicht angetreten, ohne für dieses Verhalten einen wichtigen Grund zu haben, sind die Vorschriften über die Sperrzeit beim Arbeitslosengeld entsprechend anzuwenden.

§ 99[2)] Anzeige des Arbeitsausfalls. (1) [1] Der Arbeitsausfall ist bei der Agentur für Arbeit, in deren Bezirk der Betrieb seinen Sitz hat, schriftlich oder elektronisch anzuzeigen. [2] Die Anzeige kann nur vom Arbeitgeber oder der Betriebsvertretung erstattet werden. [3] Der Anzeige des Arbeitgebers ist eine Stellungnahme der Betriebsvertretung beizufügen. [4] Mit der Anzeige ist glaubhaft zu machen, dass ein erheblicher Arbeitsausfall besteht und die betrieblichen Voraussetzungen für das Kurzarbeitergeld erfüllt sind.

[1)] ***Sartorius ErgBd. Nr. 280.***

[2)] § 99 neu gef. mWv 1.4.2012 durch G v. 20.12.2011 (BGBl. I S. 2854); Abs. 1 Satz 1 geänd. mWv 5.4.2017 durch G v. 29.3.2017 (BGBl. I S. 626).

(2) [1]Kurzarbeitergeld wird frühestens von dem Kalendermonat an geleistet, in dem die Anzeige über den Arbeitsausfall bei der Agentur für Arbeit eingegangen ist. [2]Beruht der Arbeitsausfall auf einem unabwendbaren Ereignis, gilt die Anzeige für den entsprechenden Kalendermonat als erstattet, wenn sie unverzüglich erstattet worden ist.

(3) Die Agentur für Arbeit hat der oder dem Anzeigenden unverzüglich einen schriftlichen Bescheid darüber zu erteilen, ob auf Grund der vorgetragenen und glaubhaft gemachten Tatsachen ein erheblicher Arbeitsausfall vorliegt und die betrieblichen Voraussetzungen erfüllt sind.

§ 100[1)] **Kurzarbeitergeld bei Arbeitskämpfen.** (1) § 160 über das Ruhen des Anspruchs auf Arbeitslosengeld bei Arbeitskämpfen gilt entsprechend für den Anspruch auf Kurzarbeitergeld bei Arbeitnehmerinnen und Arbeitnehmern, deren Arbeitsausfall Folge eines inländischen Arbeitskampfes ist, an dem sie nicht beteiligt sind.

(2) [1]Macht der Arbeitgeber geltend, der Arbeitsausfall sei die Folge eines Arbeitskampfes, so hat er dies darzulegen und glaubhaft zu machen. [2]Der Erklärung ist eine Stellungnahme der Betriebsvertretung beizufügen. [3]Der Arbeitgeber hat der Betriebsvertretung die für die Stellungnahme erforderlichen Angaben zu machen. [4]Bei der Feststellung des Sachverhalts kann die Agentur für Arbeit insbesondere auch Feststellungen im Betrieb treffen.

(3) [1]Stellt die Agentur für Arbeit fest, dass ein Arbeitsausfall entgegen der Erklärung des Arbeitgebers nicht Folge eines Arbeitskampfes ist, und liegen die Voraussetzungen für einen Anspruch auf Kurzarbeitergeld allein deshalb nicht vor, weil der Arbeitsausfall vermeidbar ist, wird das Kurzarbeitergeld insoweit geleistet, als die Arbeitnehmerin oder der Arbeitnehmer Arbeitsentgelt (Arbeitsentgelt im Sinne des § 115 des Zehnten Buches[2)]) tatsächlich nicht erhält. [2]Bei der Feststellung nach Satz 1 hat die Agentur für Arbeit auch die wirtschaftliche Vertretbarkeit einer Fortführung der Arbeit zu berücksichtigen. [3]Hat der Arbeitgeber das Arbeitsentgelt trotz des Rechtsübergangs mit befreiender Wirkung an die Arbeitnehmerin oder den Arbeitnehmer oder an einen Dritten gezahlt, hat die Empfängerin oder der Empfänger des Kurzarbeitergeldes dieses insoweit zu erstatten.

Zweiter Titel. Sonderformen des Kurzarbeitergeldes

§ 101[3)] **Saison-Kurzarbeitergeld.** (1) Arbeitnehmerinnen und Arbeitnehmer haben in der Zeit vom 1. Dezember bis zum 31. März (Schlechtwetterzeit) Anspruch auf Saison-Kurzarbeitergeld, wenn

1. sie in einem Betrieb beschäftigt sind, der dem Baugewerbe oder einem Wirtschaftszweig angehört, der von saisonbedingtem Arbeitsausfall betroffen ist,
2. der Arbeitsausfall nach Absatz 5 erheblich ist und
3. die betrieblichen Voraussetzungen des § 97 sowie die persönlichen Voraussetzungen des § 98 erfüllt sind.

[1)] 3. Kapitel (§§ 29–135) neu gef. mWv 1.4.2012 durch G v. 20.12.2011 (BGBl. I S. 2854).
[2)] Nr. **699**.
[3)] § 101 neu gef. mWv 1.4.2012 durch G v. 20.12.2011 (BGBl. I S. 2854); Abs. 1 Nr. 2 und 3 geänd., Nr. 4 aufgeh., Abs. 7 aufgeh., bish. Abs. 8 wird Abs. 7 und neu gef. mWv 1.8.2016 durch G v. 18.7.2016 (BGBl. I S. 1710).

(2) [1] Ein Betrieb des Baugewerbes ist ein Betrieb, der gewerblich überwiegend Bauleistungen auf dem Baumarkt erbringt. [2] Bauleistungen sind alle Leistungen, die der Herstellung, Instandsetzung, Instandhaltung, Änderung oder Beseitigung von Bauwerken dienen. [3] Ein Betrieb, der überwiegend Bauvorrichtungen, Baumaschinen, Baugeräte oder sonstige Baubetriebsmittel ohne Personal Betrieben des Baugewerbes gewerblich zur Verfügung stellt oder überwiegend Baustoffe oder Bauteile für den Markt herstellt, sowie ein Betrieb, der Betonentladegeräte gewerblich zur Verfügung stellt, ist kein Betrieb des Baugewerbes.

(3) [1] Erbringt ein Betrieb Bauleistungen auf dem Baumarkt, wird vermutet, dass er ein Betrieb des Baugewerbes im Sinne des Absatzes 2 Satz 1 ist. [2] Satz 1 gilt nicht, wenn gegenüber der Bundesagentur nachgewiesen wird, dass Bauleistungen arbeitszeitlich nicht überwiegen.

(4) Ein Wirtschaftszweig ist von saisonbedingtem Arbeitsausfall betroffen, wenn der Arbeitsausfall regelmäßig in der Schlechtwetterzeit auf witterungsbedingten oder wirtschaftlichen Gründen beruht.

(5) [1] Ein Arbeitsausfall ist erheblich, wenn er auf witterungsbedingten oder wirtschaftlichen Gründen oder einem unabwendbaren Ereignis beruht, vorübergehend und nicht vermeidbar ist. [2] Als nicht vermeidbar gilt auch ein Arbeitsausfall, der überwiegend branchenüblich, betriebsüblich oder saisonbedingt ist. [3] Wurden seit der letzten Schlechtwetterzeit Arbeitszeitguthaben, die nicht mindestens ein Jahr bestanden haben, zu anderen Zwecken als zum Ausgleich für einen verstetigten Monatslohn, bei witterungsbedingtem Arbeitsausfall oder der Freistellung zum Zwecke der Qualifizierung aufgelöst, gelten im Umfang der aufgelösten Arbeitszeitguthaben Arbeitsausfälle als vermeidbar.

(6) [1] Ein Arbeitsausfall ist witterungsbedingt, wenn

1. er ausschließlich durch zwingende Witterungsgründe verursacht ist und
2. an einem Arbeitstag mindestens eine Stunde der regelmäßigen betrieblichen Arbeitszeit ausfällt (Ausfalltag).

[2] Zwingende Witterungsgründe liegen nur vor, wenn es auf Grund von atmosphärischen Einwirkungen (insbesondere Regen, Schnee, Frost) oder deren Folgewirkungen technisch unmöglich, wirtschaftlich unvertretbar oder für die Arbeitnehmerinnen und Arbeitnehmer unzumutbar ist, die Arbeiten fortzuführen. [3] Der Arbeitsausfall ist nicht ausschließlich durch zwingende Witterungsgründe verursacht, wenn er durch Beachtung der besonderen arbeitsschutzrechtlichen Anforderungen an witterungsabhängige Arbeitsplätze vermieden werden kann.

(7) Die weiteren Vorschriften über das Kurzarbeitergeld sind mit Ausnahme der Anzeige des Arbeitsausfalls nach § 99 anzuwenden.

§ 102[1)] Ergänzende Leistungen. (1) Arbeitnehmerinnen und Arbeitnehmer haben Anspruch auf Wintergeld als Zuschuss-Wintergeld und Mehraufwands-Wintergeld und Arbeitgeber haben Anspruch auf Erstattung der von ihnen zu tragenden Beiträge zur Sozialversicherung, soweit für diese Zwecke Mittel durch eine Umlage aufgebracht werden.

---

1) 3. Kapitel (§§ 29–135) neu gef. mWv 1.4.2012 durch G v. 20.12.2011 (BGBl. I S. 2854).

(2) Zuschuss-Wintergeld wird in Höhe von bis zu 2,50 Euro je ausgefallener Arbeitsstunde gezahlt, wenn zu deren Ausgleich Arbeitszeitguthaben aufgelöst und die Inanspruchnahme des Saison-Kurzarbeitergeldes vermieden wird.

(3) [1] Mehraufwands-Wintergeld wird in Höhe von 1,00 Euro für jede in der Zeit vom 15. Dezember bis zum letzten Kalendertag des Monats Februar geleistete berücksichtigungsfähige Arbeitsstunde an Arbeitnehmerinnen und Arbeitnehmer gezahlt, die auf einem witterungsabhängigen Arbeitsplatz beschäftigt sind. [2] Berücksichtigungsfähig sind im Dezember bis zu 90 Arbeitsstunden, im Januar und Februar jeweils bis zu 180 Arbeitsstunden.

(4) Die von den Arbeitgebern allein zu tragenden Beiträge zur Sozialversicherung für Bezieherinnen und Bezieher von Saison-Kurzarbeitergeld werden auf Antrag erstattet.

(5) Die Absätze 1 bis 4 gelten im Baugewerbe ausschließlich für solche Arbeitnehmerinnen und Arbeitnehmer, deren Arbeitsverhältnis in der Schlechtwetterzeit nicht aus witterungsbedingten Gründen gekündigt werden kann.

§ 103[1)] Kurzarbeitergeld für Heimarbeiterinnen und Heimarbeiter.

(1) Anspruch auf Kurzarbeitergeld haben auch Heimarbeiterinnen und Heimarbeiter, wenn sie ihren Lebensunterhalt ausschließlich oder weitaus überwiegend aus dem Beschäftigungsverhältnis als Heimarbeiterin oder Heimarbeiter beziehen und soweit nicht nachfolgend Abweichendes bestimmt ist.

(2) [1] An die Stelle der im Betrieb beschäftigten Arbeitnehmerinnen und Arbeitnehmer treten die für den Auftraggeber beschäftigten Heimarbeiterinnen und Heimarbeiter. [2] Im Übrigen tritt an die Stelle des erheblichen Arbeitsausfalls mit Entgeltausfall der erhebliche Entgeltausfall und an die Stelle des Betriebs und des Arbeitgebers der Auftraggeber; Auftraggeber kann eine Gewerbetreibende oder ein Gewerbetreibender oder eine Zwischenmeisterin oder ein Zwischenmeister sein. [3] Ein Entgeltausfall ist erheblich, wenn das Entgelt der Heimarbeiterin oder des Heimarbeiters im Anspruchszeitraum um mehr als 20 Prozent gegenüber dem durchschnittlichen monatlichen Bruttoentgelt der letzten sechs Kalendermonate vermindert ist.

(3) Eine versicherungspflichtige Beschäftigung als Heimarbeiterin oder Heimarbeiter gilt während des Entgeltausfalls als fortbestehend, solange

1. der Auftraggeber bereit ist, der Heimarbeiterin oder dem Heimarbeiter so bald wie möglich Aufträge in dem vor Eintritt der Kurzarbeit üblichen Umfang zu erteilen, und
2. die Heimarbeiterin oder der Heimarbeiter bereit ist, Aufträge im Sinne der Nummer 1 zu übernehmen.

Dritter Titel. Leistungsumfang

§ 104[2)] Dauer. (1) [1] Kurzarbeitergeld wird für den Arbeitsausfall für eine Dauer von längstens zwölf Monaten von der Agentur für Arbeit geleistet. [2] Die Bezugsdauer gilt einheitlich für alle in einem Betrieb beschäftigten Arbeitneh-

---

[1)] 3. Kapitel (§§ 29–135) neu gef. mWv 1.4.2012 durch G v. 20.12.2011 (BGBl. I S. 2854).

[2)] § 104 neu gef. mWv 1.4.2012 durch G v. 20.12.2011 (BGBl. I S. 2854); Abs. 1 Satz 1 geänd. mWv 1.1.2016 durch G v. 21.12.2015 (BGBl. I S. 2557).

merinnen und Arbeitnehmer. [3] Sie beginnt mit dem ersten Kalendermonat, für den in einem Betrieb Kurzarbeitergeld vom Arbeitgeber gezahlt wird.

(2) Wird innerhalb der Bezugsdauer für einen zusammenhängenden Zeitraum von mindestens einem Monat kein Kurzarbeitergeld gezahlt, verlängert sich die Bezugsdauer um diesen Zeitraum.

(3) Sind seit dem letzten Kalendermonat, für den Kurzarbeitergeld gezahlt worden ist, drei Monate vergangen und liegen die Voraussetzungen für einen Anspruch auf Kurzarbeitergeld erneut vor, beginnt eine neue Bezugsdauer.

(4) [1] Saison-Kurzarbeitergeld wird abweichend von den Absätzen 1 bis 3 für die Dauer des Arbeitsausfalls während der Schlechtwetterzeit von der Agentur für Arbeit geleistet. [2] Zeiten des Bezugs von Saison-Kurzarbeitergeld werden nicht auf die Bezugsdauer für das Kurzarbeitergeld angerechnet. [3] Sie gelten nicht als Zeiten der Unterbrechung im Sinne des Absatzes 3.

§ 105[1)] Höhe. Das Kurzarbeitergeld beträgt

1. für Arbeitnehmerinnen und Arbeitnehmer, die beim Arbeitslosengeld die Voraussetzungen für den erhöhten Leistungssatz erfüllen würden, 67 Prozent,
2. für die übrigen Arbeitnehmerinnen und Arbeitnehmer 60 Prozent

der Nettoentgeltdifferenz im Anspruchszeitraum.

§ 106[2)] Nettoentgeltdifferenz. (1) [1] Die Nettoentgeltdifferenz entspricht der Differenz zwischen

1. dem pauschalierten Nettoentgelt aus dem Soll-Entgelt und
2. dem pauschalierten Nettoentgelt aus dem Ist-Entgelt.

[2] Soll-Entgelt ist das Bruttoarbeitsentgelt, das die Arbeitnehmerin oder der Arbeitnehmer ohne den Arbeitsausfall in dem Anspruchszeitraum erzielt hätte, vermindert um Entgelt für Mehrarbeit. [3] Ist-Entgelt ist das Bruttoarbeitsentgelt, das die Arbeitnehmerin oder der Arbeitnehmer in dem Anspruchszeitraum tatsächlich erzielt hat, zuzüglich aller zustehenden Entgeltanteile. [4] Arbeitsentgelt, das einmalig gezahlt wird, bleibt bei der Berechnung von Soll-Entgelt und Ist-Entgelt außer Betracht. [5] Soll-Entgelt und Ist-Entgelt sind auf den nächsten durch 20 teilbaren Euro-Betrag zu runden. [6] § 153 über die Berechnung des Leistungsentgelts beim Arbeitslosengeld gilt mit Ausnahme der Regelungen über den Zeitpunkt der Zuordnung der Lohnsteuerklassen und den Steuerklassenwechsel für die Berechnung der pauschalierten Nettoentgelte beim Kurzarbeitergeld entsprechend. [7] Das Bundesministerium für Arbeit und Soziales wird ermächtigt, einen Programmablauf zur Berechnung der pauschalierten Nettoentgelte für das Kurzarbeitergeld im Bundesanzeiger bekannt zu machen.

(2) [1] Erzielt die Arbeitnehmerin oder der Arbeitnehmer aus anderen als wirtschaftlichen Gründen kein Arbeitsentgelt, ist das Ist-Entgelt um den Betrag zu erhöhen, um den das Arbeitsentgelt aus diesen Gründen gemindert ist. [2] Arbeitsentgelt, das unter Anrechnung des Kurzarbeitergeldes gezahlt wird, bleibt bei der Berechnung des Ist-Entgelts außer Betracht. [3] Bei der Berechnung der Nettoentgeltdifferenz nach Absatz 1 bleiben auf Grund von kollektivrecht-

---

1) 3. Kapitel (§§ 29–135) neu gef. mWv 1.4.2012 durch G v. 20.12.2011 (BGBl. I S. 2854).

2) § 106 neu gef. mWv 1.4.2012 durch G v. 20.12.2011 (BGBl. I S. 2854); Abs. 1 Satz 7 angef. mWv 29.5.2020 durch G v. 20.5.2020 (BGBl. I S. 1044).

lichen Beschäftigungssicherungsvereinbarungen durchgeführte vorübergehende Änderungen der vertraglich vereinbarten Arbeitszeit außer Betracht; die Sätze 1 und 2 sind insoweit nicht anzuwenden.

(3) Erzielt die Arbeitnehmerin oder der Arbeitnehmer für Zeiten des Arbeitsausfalls ein Entgelt aus einer anderen während des Bezugs von Kurzarbeitergeld aufgenommenen Beschäftigung, selbständigen Tätigkeit oder Tätigkeit als mithelfende Familienangehörige oder mithelfender Familienangehöriger, ist das Ist-Entgelt um dieses Entgelt zu erhöhen.

(4) [1] Lässt sich das Soll-Entgelt einer Arbeitnehmerin oder eines Arbeitnehmers in dem Anspruchszeitraum nicht hinreichend bestimmt feststellen, ist als Soll-Entgelt das Arbeitsentgelt maßgebend, das die Arbeitnehmerin oder der Arbeitnehmer in den letzten drei abgerechneten Kalendermonaten vor Beginn des Arbeitsausfalls in dem Betrieb durchschnittlich erzielt hat, vermindert um Entgelt für Mehrarbeit. [2] Ist eine Berechnung nach Satz 1 nicht möglich, ist das durchschnittliche Soll-Entgelt einer vergleichbaren Arbeitnehmerin oder eines vergleichbaren Arbeitnehmers zugrunde zu legen. [3] Änderungen der Grundlage für die Berechnung des Arbeitsentgelts sind zu berücksichtigen, wenn und solange sie auch während des Arbeitsausfalls wirksam sind.

(5) [1] Die Absätze 1 bis 4 gelten für Heimarbeiterinnen und Heimarbeiter mit der Maßgabe, dass als Soll-Entgelt das durchschnittliche Bruttoarbeitsentgelt der letzten sechs abgerechneten Kalendermonate vor Beginn des Entgeltausfalls zugrunde zu legen ist. [2] War die Heimarbeiterin oder der Heimarbeiter noch nicht sechs Kalendermonate für den Auftraggeber tätig, so ist das in der kürzeren Zeit erzielte Arbeitsentgelt maßgebend.

§ 106a[1)] Erstattungen bei beruflicher Weiterbildung während Kurzarbeit. (1) [1] Dem Arbeitgeber werden von der Agentur für Arbeit auf Antrag für den jeweiligen Kalendermonat 50 Prozent der von ihm allein zu tragenden Beiträge zur Sozialversicherung in pauschalierter Form für Arbeitnehmerinnen und Arbeitnehmer erstattet, wenn diese

1. vor dem 31. Juli 2024 Kurzarbeitergeld beziehen und
2. an einer während der Kurzarbeit begonnenen beruflichen Weiterbildungsmaßnahme teilnehmen, die
   a) insgesamt mehr als 120 Stunden dauert und die Maßnahme und der Träger nach den Vorschriften des Fünften Kapitels zugelassen sind oder
   b) auf ein nach § 2 Absatz 1 des Aufstiegsfortbildungsförderungsgesetzes[2)] förderfähiges Fortbildungsziel vorbereitet und von einem für die Durchführung dieser Maßnahme nach § 2a des Aufstiegsfortbildungsförderungsgesetzes geeigneten Träger durchgeführt wird.

[2] Die Erstattung erfolgt für die Zeit, in der die Arbeitnehmerin oder der Arbeitnehmer jeweils vom vorübergehenden Arbeitsausfall betroffen ist. [3] Für die Pauschalierung wird die Sozialversicherungspauschale nach § 153 Absatz 1 Satz 2 Nummer 1 abzüglich des Beitrages zur Arbeitsförderung zu Grunde gelegt.

[1)] § 106a neu gef. mWv 1.1.2021 durch G v. 3.12.2020 (BGBl. I S. 2691); Abs. 1 Satz 1 Nr. 1 und Abs. 2 Satz 1 geänd. mWv 21.7.2023 durch G v. 17.7.2023 (BGBl. 2023 I Nr. 191).

[2)] Nr. **418**.

(2) [1] Dem Arbeitgeber werden bis zum 31. Juli 2024 von der Agentur für Arbeit auf Antrag die Lehrgangskosten für Weiterbildungsmaßnahmen nach Absatz 1 Satz 1 Nummer 2 Buchstabe a für Betriebe mit weniger als zehn Beschäftigten zu 100 Prozent, mit zehn bis 249 Beschäftigten zu 50 Prozent, mit 250 und weniger als 2 500 Beschäftigten zu 25 Prozent und für Betriebe mit 2 500 oder mehr Beschäftigten zu 15 Prozent pauschal für die Zeit der Teilnahme der Arbeitnehmerin oder des Arbeitnehmers an dieser Maßnahme erstattet. [2] Die Anwendung des § 82 ist ausgeschlossen.

(3) Ausgeschlossen von der Erstattung der Sozialversicherungsbeiträge nach Absatz 1 und der Erstattung der Lehrgangskosten nach Absatz 2 ist die Teilnahme an Maßnahmen, zu deren Durchführung der Arbeitgeber auf Grund bundes- oder landesrechtlicher Regelungen verpflichtet ist.

Vierter Titel. Anwendung anderer Vorschriften

§ 107[1)] Anwendung anderer Vorschriften. (1) § 159 Absatz 1 Satz 2 Nummer 8 über das Ruhen des Anspruchs auf Arbeitslosengeld wegen Sperrzeiten bei Meldeversäumnis gilt für den Anspruch auf Kurzarbeitergeld entsprechend.

(2) § 156 über das Ruhen des Anspruchs auf Arbeitslosengeld bei Zusammentreffen mit anderen Sozialleistungen gilt für den Anspruch auf Kurzarbeitergeld entsprechend für die Fälle, in denen eine Altersrente als Vollrente zuerkannt ist.

Fünfter Titel. Verfügung über das Kurzarbeitergeld

§ 108[2)] Verfügung über das Kurzarbeitergeld. (1) § 48 des Ersten Buches[3)] zur Auszahlung von Leistungen bei Verletzung der Unterhaltspflicht ist nicht anzuwenden.

(2) [1] Für die Zwangsvollstreckung in den Anspruch auf Kurzarbeitergeld gilt der Arbeitgeber als Drittschuldner. [2] Die Abtretung oder Verpfändung des Anspruchs ist nur wirksam, wenn der Gläubiger sie dem Arbeitgeber anzeigt.

(3) [1] Hat ein Arbeitgeber oder eine von ihm bestellte Person durch eine der in § 45 Absatz 2 Satz 3 des Zehnten Buches[4)] bezeichneten Handlungen bewirkt, dass Kurzarbeitergeld zu Unrecht geleistet worden ist, so ist der zu Unrecht geleistete Betrag vom Arbeitgeber zu ersetzen. [2] Sind die zu Unrecht geleisteten Beträge sowohl vom Arbeitgeber zu ersetzen als auch von der Bezieherin oder dem Bezieher der Leistung zu erstatten, so haften beide als Gesamtschuldner.

(4) Wird über das Vermögen eines Arbeitgebers, der von der Agentur für Arbeit Beträge zur Auszahlung an die Arbeitnehmerinnen und Arbeitnehmer erhalten hat, diese aber noch nicht ausgezahlt hat, das Insolvenzverfahren eröffnet, so kann die Agentur für Arbeit diese Beträge als Insolvenzgläubigerin zurückverlangen.

[1)] § 107 neu gef. mWv 1.4.2012 durch G v. 20.12.2011 (BGBl. I S. 2854); Abs. 1 geänd. mWv 1.8.2019 durch G v. 8.7.2019 (BGBl. I S. 1029).

[2)] *3. Kapitel (§§ 29–135)* neu gef. mWv 1.4.2012 durch G v. 20.12.2011 (BGBl. I S. 2854).

[3)] Nr. **691**.

[4)] Nr. **699**.

Sechster Titel. Verordnungsermächtigung

§ 109[1] Verordnungsermächtigung. (1) [1]Das Bundesministerium für Arbeit und Soziales wird ermächtigt, durch Rechtsverordnung, die nicht der Zustimmung des Bundesrates bedarf, die Wirtschaftszweige nach § 101 Absatz 1 Nummer 1 festzulegen. [2]In der Regel sollen hierbei der fachliche Geltungsbereich tarifvertraglicher Regelungen berücksichtigt und die Tarifvertragsparteien vorher angehört werden.

(2) Das Bundesministerium für Arbeit und Soziales wird ermächtigt, auf Grundlage von Vereinbarungen der Tarifvertragsparteien durch Rechtsverordnung, die nicht der Zustimmung des Bundesrates bedarf, festzulegen, ob, in welcher Höhe und für welche Arbeitnehmerinnen und Arbeitnehmer die ergänzenden Leistungen nach § 102 Absatz 2 bis 4 in den Zweigen des Baugewerbes und den einzelnen Wirtschaftszweigen erbracht werden.

(3) Bei den Festlegungen nach den Absätzen 1 und 2 ist zu berücksichtigen, ob diese voraussichtlich in besonderem Maße dazu beitragen, die wirtschaftliche Tätigkeit in der Schlechtwetterzeit zu beleben oder die Beschäftigungsverhältnisse der von saisonbedingten Arbeitsausfällen betroffenen Arbeitnehmerinnen und Arbeitnehmer zu stabilisieren.

(4) [1]Die Bundesregierung wird ermächtigt, für den Fall außergewöhnlicher Verhältnisse auf dem Arbeitsmarkt durch Rechtsverordnung, die nicht der Zustimmung des Bundesrates bedarf, die Bezugsdauer für das Kurzarbeitergeld über die gesetzliche Bezugsdauer hinaus bis zur Dauer von 24 Monaten zu verlängern. [2]Die Rechtsverordnung ist zeitlich zu befristen.

(5) [1]Die Bundesregierung wird ermächtigt, für den Fall außergewöhnlicher Verhältnisse auf dem Arbeitsmarkt durch Rechtsverordnung, die nicht der Zustimmung des Bundesrates bedarf,

1. abweichend von § 96 Absatz 1 Satz 1 Nummer 4 den Anteil der in dem Betrieb beschäftigten Arbeitnehmerinnen und Arbeitnehmer, die von einem Entgeltausfall von jeweils mehr als 10 Prozent ihres monatlichen Bruttoentgelts betroffen sein müssen, auf bis zu 10 Prozent herabzusetzen,
2. abweichend von § 96 Absatz 4 Satz 2 Nummer 2 die Vermeidbarkeit eines Arbeitsausfalls zu regeln, indem auf den vollständigen oder teilweisen Einsatz von Erholungsurlaub verzichtet wird,
3. abweichend von § 96 Absatz 4 Satz 2 Nummer 3 die Vermeidbarkeit eines Arbeitsausfalls zu regeln, indem auf den Einsatz von Arbeitszeitguthaben und negativen Arbeitszeitsalden vollständig oder teilweise verzichtet wird.

[2]Die Rechtsverordnung ist zeitlich zu befristen. [3]Die Ermächtigungen nach Satz 1 treten mit Ablauf des 30. Juni 2023 außer Kraft.

(6) [1]Die Bundesregierung wird ermächtigt, für den Fall außergewöhnlicher Verhältnisse auf dem Arbeitsmarkt durch Rechtsverordnung, die nicht der Zustimmung des Bundesrates bedarf, eine vollständige oder teilweise Erstattung

[1] § 109 neu gef. mWv 1.4.2012 durch G v. 20.12.2011 (BGBl. I S. 2854); Abs. 1 Nr. 2 neu gef. mWv 1.1.2016 durch G v. 21.12.2015 (BGBl. I S. 2557); Abs. 5 angef. mWv 15.3.2020 durch G v. 13.3.2020 (BGBl. I S. 493); Abs. 1 Nr. 1 aufgeh., Nr. 2 wird Wortlaut von Abs. 1, Abs. 1a eingef. mWv 29.5.2020 durch G v. 20.5.2020 (BGBl. I S. 1044); Abs. 5 Satz 3 geänd. mWv 1.1.2022 durch G v. 10.12.2021 (BGBl. I S. 5162); Abs. 5 neu gef. mWv 1.4.2022 durch G v. 18.3.2022 (BGBl. I S. 466); Abs. 1 und 1a aufgeh., bish. Abs. 2–4 werden Abs. 1–3 und neuer Abs. 3 geänd., bish. Abs. 5 wird Abs. 4 und neu gef., Abs. 5–8 angef. mWv 1.10.2022 durch G v. 19.10.2022 (BGBl. I S. 1790).

der von den Arbeitgebern allein zu tragenden Beiträge zur Sozialversicherung für Arbeitnehmerinnen und Arbeitnehmer, die Kurzarbeitergeld beziehen, einzuführen. 2 Die Rechtsverordnung ist zeitlich zu befristen. 3 Die Ermächtigung nach Satz 1 tritt mit Ablauf des 30. Juni 2023 außer Kraft.

(7) 1 Die Bundesregierung wird ermächtigt, für den Fall außergewöhnlicher Verhältnisse auf dem Arbeitsmarkt durch Rechtsverordnung, die nicht der Zustimmung des Bundesrates bedarf, abweichend von § 99 Absatz 2 Satz 1 zu bestimmen, dass die Anzeige über den Arbeitsausfall auch dann als rechtzeitig erstattet gilt, wenn die Anzeige im Folgemonat erstattet wird. 2 Die Rechtsverordnung ist zeitlich zu befristen. 3 Die Ermächtigung nach Satz 1 tritt mit Ablauf des 30. Juni 2023 außer Kraft.

(8) 1 Die Bundesregierung wird ermächtigt, für den Fall außergewöhnlicher Verhältnisse auf dem Arbeitsmarkt durch Rechtsverordnung, die nicht der Zustimmung des Bundesrates bedarf, festzulegen, dass Entgelt aus einer geringfügigen Beschäftigung nach § 8 Absatz 1 Nummer 1 des Vierten Buches[1)], die während des Bezuges von Kurzarbeitergeld aufgenommen worden ist, abweichend von § 106 Absatz 3 dem Ist-Entgelt nicht hinzugerechnet wird. 2 Die Rechtsverordnung ist zeitlich zu befristen. 3 Die Ermächtigung nach Satz 1 tritt mit Ablauf des 30. Juni 2023 außer Kraft.

Zweiter Unterabschnitt. Transferleistungen

§ 110[2)] Transfermaßnahmen. (1) 1 Nehmen Arbeitnehmerinnen und Arbeitnehmer, die auf Grund einer Betriebsänderung oder im Anschluss an die Beendigung eines Berufsausbildungsverhältnisses von Arbeitslosigkeit bedroht sind, an Transfermaßnahmen teil, wird diese Teilnahme gefördert, wenn

1. sich die Betriebsparteien im Vorfeld der Entscheidung über die Einführung von Transfermaßnahmen, insbesondere im Rahmen ihrer Verhandlungen über einen die Integration der Arbeitnehmerinnen und Arbeitnehmer fördernden Interessenausgleich oder Sozialplan nach § 112 des Betriebsverfassungsgesetzes[3)], von der Agentur für Arbeit beraten lassen haben,
2. die Maßnahme von einem Dritten durchgeführt wird,
3. die Maßnahme der Eingliederung der Arbeitnehmerinnen und Arbeitnehmer in den Arbeitsmarkt dienen soll und
4. die Durchführung der Maßnahme gesichert ist.

2 Transfermaßnahmen sind alle Maßnahmen zur Eingliederung von Arbeitnehmerinnen und Arbeitnehmern in den Arbeitsmarkt, an deren Finanzierung sich Arbeitgeber angemessen beteiligen. 3 Als Betriebsänderung gilt eine Betriebsänderung im Sinne des § 111 des Betriebsverfassungsgesetzes, unabhängig von der Unternehmensgröße und unabhängig davon, ob im jeweiligen Betrieb das Betriebsverfassungsgesetz anzuwenden ist.

(2) 1 Die Förderung wird als Zuschuss geleistet. 2 Der Zuschuss beträgt 50 Prozent der erforderlichen und angemessenen Maßnahmekosten, jedoch höchstens 2 500 Euro je geförderter Arbeitnehmerin oder gefördertem Arbeitnehmer.

---

1) Nr. **694**.

2) § 110 neu gef. mWv 1.4.2012 durch G v. 20.12.2011 (BGBl. I S. 2854); Abs. 3 Satz 1 geänd. mWv 29.5.2020 durch G v. 20.5.2020 (BGBl. I S. 1044).

3) Nr. **570**.

(3) [1] Eine Förderung ist ausgeschlossen, wenn die Maßnahme dazu dient, die Arbeitnehmerin oder den Arbeitnehmer auf eine Anschlussbeschäftigung im selben Betrieb oder in einem anderen Betrieb des selben Unternehmens vorzubereiten oder, falls das Unternehmen einem Konzern angehört, auf eine Anschlussbeschäftigung in einem Betrieb eines anderen Konzernunternehmens des Konzerns vorzubereiten. [2] Durch die Förderung darf der Arbeitgeber nicht von bestehenden Verpflichtungen entlastet werden. [3] Von der Förderung ausgeschlossen sind Arbeitnehmerinnen und Arbeitnehmer des öffentlichen Dienstes mit Ausnahme der Beschäftigten von Unternehmen, die in selbständiger Rechtsform erwerbswirtschaftlich betrieben werden.

(4) Während der Teilnahme an Transfermaßnahmen sind andere Leistungen der aktiven Arbeitsförderung mit gleichartiger Zielsetzung ausgeschlossen.

§ 111[1)] Transferkurzarbeitergeld. (1) [1] Um Entlassungen von Arbeitnehmerinnen und Arbeitnehmern zu vermeiden und ihre Vermittlungsaussichten zu verbessern, haben diese Anspruch auf Kurzarbeitergeld zur Förderung der Eingliederung bei betrieblichen Restrukturierungen (Transferkurzarbeitergeld), wenn

1. und solange sie von einem dauerhaften nicht vermeidbaren Arbeitsausfall mit Entgeltausfall betroffen sind,
2. die betrieblichen Voraussetzungen erfüllt sind,
3. die persönlichen Voraussetzungen erfüllt sind,
4. sich die Betriebsparteien im Vorfeld der Entscheidung über die Inanspruchnahme von Transferkurzarbeitergeld, insbesondere im Rahmen ihrer Verhandlungen über einen die Integration der Arbeitnehmerinnen und Arbeitnehmer fördernden Interessenausgleich oder Sozialplan nach § 112 des Betriebsverfassungsgesetzes[2)], von der Agentur für Arbeit beraten lassen haben und
5. der dauerhafte Arbeitsausfall der Agentur für Arbeit angezeigt worden ist.

[2] Die Agentur für Arbeit leistet Transferkurzarbeitergeld für längstens zwölf Monate.

(2) [1] Ein dauerhafter Arbeitsausfall liegt vor, wenn auf Grund einer Betriebsänderung im Sinne des § 110 Absatz 1 Satz 3 die Beschäftigungsmöglichkeiten für die Arbeitnehmerinnen und Arbeitnehmer nicht nur vorübergehend entfallen. [2] Der Entgeltausfall kann auch jeweils 100 Prozent des monatlichen Bruttoentgelts betragen.

(3) [1] Die betrieblichen Voraussetzungen für die Gewährung von Transferkurzarbeitergeld sind erfüllt, wenn

1. in einem Betrieb Personalanpassungsmaßnahmen auf Grund einer Betriebsänderung durchgeführt werden,
2. die von Arbeitsausfall betroffenen Arbeitnehmerinnen und Arbeitnehmer in einer betriebsorganisatorisch eigenständigen Einheit zusammengefasst wer-

---

[1)] § 111 neu gef. mWv 1.4.2012 durch G v. 20.12.2011 (BGBl. I S. 2854); Abs. 1 Satz 1 Nr. 1 geänd. mWv 1.1.2013 durch G v. 5.12.2012 (BGBl. I S. 2467); Abs. 9 aufgeh., bish. Abs. 10 wird Abs. 9 mWv 1.8.2016 durch G v. 18.7.2016 (BGBl. I S. 1710); Abs. 9 geänd. mWv 29.5.2020 durch G v. 20.5.2020 (BGBl. I S. 1044).

[2)] Nr. **570**.

den, um Entlassungen zu vermeiden und ihre Eingliederungschancen zu verbessern,

3. die Organisation und Mittelausstattung der betriebsorganisatorisch eigenständigen Einheit den angestrebten Integrationserfolg erwarten lassen und
4. ein System zur Sicherung der Qualität angewendet wird.

[2] Wird die betriebsorganisatorisch eigenständige Einheit von einem Dritten durchgeführt, tritt an die Stelle der Voraussetzung nach Satz 1 Nummer 4 die Trägerzulassung nach § 178.

(4) [1] Die persönlichen Voraussetzungen sind erfüllt, wenn die Arbeitnehmerin oder der Arbeitnehmer

1. von Arbeitslosigkeit bedroht ist,
2. nach Beginn des Arbeitsausfalls eine versicherungspflichtige Beschäftigung fortsetzt oder im Anschluss an die Beendigung eines Berufsausbildungsverhältnisses aufnimmt,
3. nicht vom Kurzarbeitergeldbezug ausgeschlossen ist und
4. vor der Überleitung in die betriebsorganisatorisch eigenständige Einheit aus Anlass der Betriebsänderung
   a) sich bei der Agentur für Arbeit arbeitsuchend meldet und
   b) an einer arbeitsmarktlich zweckmäßigen Maßnahme zur Feststellung der Eingliederungsaussichten teilgenommen hat; können in berechtigten Ausnahmefällen trotz Mithilfe der Agentur für Arbeit die notwendigen Feststellungsmaßnahmen nicht rechtzeitig durchgeführt werden, sind diese im unmittelbaren Anschluss an die Überleitung innerhalb eines Monats nachzuholen.

[2] § 98 Absatz 2 bis 4 gilt entsprechend.

(5) Arbeitnehmerinnen und Arbeitnehmer des Steinkohlenbergbaus, denen Anpassungsgeld nach § 5 des Steinkohlefinanzierungsgesetzes gezahlt werden kann, haben vor der Inanspruchnahme des Anpassungsgeldes Anspruch auf Transferkurzarbeitergeld.

(6) [1] Für die Anzeige des Arbeitsausfalls gilt § 99 Absatz 1, 2 Satz 1 und Absatz 3 entsprechend. [2] Der Arbeitsausfall ist bei der Agentur für Arbeit anzuzeigen, in deren Bezirk der personalabgebende Betrieb seinen Sitz hat.

(7) [1] Während des Bezugs von Transferkurzarbeitergeld hat der Arbeitgeber den geförderten Arbeitnehmerinnen und Arbeitnehmern Vermittlungsvorschläge zu unterbreiten. [2] Stellt der Arbeitgeber oder die Agentur für Arbeit fest, dass Arbeitnehmerinnen oder Arbeitnehmer Qualifizierungsdefizite aufweisen, soll der Arbeitgeber geeignete Maßnahmen zur Verbesserung der Eingliederungsaussichten anbieten. [3] Als geeignet gelten insbesondere

1. Maßnahmen der beruflichen Weiterbildung, für die und für deren Träger eine Zulassung nach dem Fünften Kapitel vorliegt, oder
2. eine zeitlich begrenzte, längstens sechs Monate dauernde Beschäftigung zum Zwecke der Qualifizierung bei einem anderen Arbeitgeber.

[4] Bei der Festlegung von Maßnahmen nach Satz 3 ist die Agentur für Arbeit zu beteiligen. [5] Nimmt die Arbeitnehmerin oder der Arbeitnehmer während der Beschäftigung in einer betriebsorganisatorisch eigenständigen Einheit an einer Qualifizierungsmaßnahme teil, deren Ziel die anschließende Beschäftigung bei einem anderen Arbeitgeber ist, und wurde das Ziel der Maßnahme nicht

erreicht, steht die Rückkehr der Arbeitnehmerin oder des Arbeitnehmers in den bisherigen Betrieb dem Anspruch auf Transferkurzarbeitergeld nicht entgegen.

(8) [1]Der Anspruch ist ausgeschlossen, wenn Arbeitnehmerinnen und Arbeitnehmer nur vorübergehend in der betriebsorganisatorisch eigenständigen Einheit zusammengefasst werden, um anschließend einen anderen Arbeitsplatz in dem gleichen oder einem anderen Betrieb des Unternehmens zu besetzen, oder, falls das Unternehmen einem Konzern angehört, einen Arbeitsplatz in einem Betrieb eines anderen Konzernunternehmens des Konzerns zu besetzen. [2]§ 110 Absatz 3 Satz 3 gilt entsprechend.

(9) Soweit nichts Abweichendes geregelt ist, sind die für das Kurzarbeitergeld geltenden Vorschriften des Ersten Unterabschnitts anzuwenden, mit Ausnahme der ersten beiden Titel und des § 109.

§ 111a[1)] Förderung der beruflichen Weiterbildung bei Transferkurzarbeitergeld. (1) [1]Arbeitnehmerinnen und Arbeitnehmer, die einen Anspruch auf Transferkurzarbeitergeld nach § 111 haben, können bei Teilnahme an Maßnahmen der beruflichen Weiterbildung, die während des Bezugs von Transferkurzarbeitergeld enden, durch Übernahme der Weiterbildungskosten gefördert werden, wenn

1. die Agentur für Arbeit sie vor Beginn der Teilnahme beraten hat,
2. der Träger der Maßnahme und die Maßnahme für die Förderung zugelassen sind und
3. der Arbeitgeber mindestens 50 Prozent der Lehrgangskosten trägt.

[2]Die Grundsätze für die berufliche Weiterbildung nach § 81 Absatz 1 Satz 2 und Absatz 4 und § 83 gelten entsprechend.

(2) [1]Bei Teilnahme an einer Maßnahme der beruflichen Weiterbildung, die erst nach dem Bezug des Transferkurzarbeitergeldes endet, können Arbeitnehmerinnen und Arbeitnehmer nach § 81 gefördert werden, wenn

1. die Maßnahme spätestens drei Monate oder bei länger als ein Jahr dauernden Maßnahmen spätestens sechs Monate vor der Ausschöpfung des Anspruchs auf Transferkurzarbeitergeld beginnt und
2. der Arbeitgeber während des Bezugs des Transferkurzarbeitergeldes mindestens 50 Prozent der Lehrgangskosten trägt.

[2]Ein Anspruch auf Arbeitslosengeld bei beruflicher Weiterbildung nach § 144 ruht während der Zeit, für die ein Anspruch auf Transferkurzarbeitergeld zuerkannt ist.

(3) [1]In Betrieben mit weniger als 250 Beschäftigten verringert sich der von dem Arbeitgeber während des Bezugs des Transferkurzarbeitergeldes zu tragende Mindestanteil an den Lehrgangskosten abweichend von Absatz 1 Satz 1 Nummer 3 und Absatz 2 Satz 1 Nummer 2 auf 25 Prozent. [2]Wenn ein Insolvenzereignis im Sinne des § 165 Absatz 1 Satz 2 vorliegt, kann die Agentur für Arbeit abweichend von Satz 1, von Absatz 1 Satz 1 Nummer 3 und von Absatz 2 Satz 1 Nummer 2 eine niedrigere Beteiligung des Arbeitgebers an den Lehrgangskosten festlegen.

[1)] § 111a neu gef. mWv 29.5.2020 durch G v. 20.5.2020 (BGBl. I S. 1044).

Siebter Abschnitt.[1] Teilhabe von Menschen mit Behinderungen am Arbeitsleben

Erster Unterabschnitt. Grundsätze

§ 112[2] Teilhabe am Arbeitsleben. (1) Für Menschen mit Behinderungen können Leistungen zur Förderung der Teilhabe am Arbeitsleben erbracht werden, um ihre Erwerbsfähigkeit zu erhalten, zu verbessern, herzustellen oder wiederherzustellen und ihre Teilhabe am Arbeitsleben zu sichern, soweit Art oder Schwere der Behinderung dies erfordern.

(2) [1] Bei der Auswahl der Leistungen sind Eignung, Neigung, bisherige Tätigkeit sowie Lage und Entwicklung des Arbeitsmarktes angemessen zu berücksichtigen. [2] Soweit erforderlich, ist auch die berufliche Eignung abzuklären oder eine Arbeitserprobung durchzuführen.

§ 113[3] Leistungen zur Teilhabe. (1) Für Menschen mit Behinderungen können erbracht werden

1. allgemeine Leistungen sowie
2. besondere Leistungen zur Teilhabe am Arbeitsleben und diese ergänzende Leistungen.

(2) Besondere Leistungen zur Teilhabe am Arbeitsleben werden nur erbracht, soweit nicht bereits durch die allgemeinen Leistungen eine Teilhabe am Arbeitsleben erreicht werden kann.

§ 114[4] Leistungsrahmen. (1) Die allgemeinen und besonderen Leistungen richten sich nach den Vorschriften des Zweiten bis Fünften Abschnitts, soweit nachfolgend nichts Abweichendes bestimmt ist.

(2) Die allgemeinen und besonderen Leistungen zur Teilhabe am Arbeitsleben werden auf Antrag durch ein Persönliches Budget erbracht; § 29 des Neunten Buches[5] gilt entsprechend.

Zweiter Unterabschnitt. Allgemeine Leistungen

§ 115[6] Leistungen. Die allgemeinen Leistungen umfassen

1. Leistungen zur Aktivierung und beruflichen Eingliederung,
2. Leistungen zur Förderung der Berufsvorbereitung und Berufsausbildung einschließlich der Berufsausbildungsbeihilfe und ***[bis 31.3.2024:** der Assistierten Ausbildung**]** **[ab 1.4.2024:** *des Berufsorientierungspraktikums***]**,
3. Leistungen zur Förderung der beruflichen Weiterbildung ***[ab 1.4.2024:** mit Ausnahme der Leistungen nach den §§ 82 und 82a***]**,
4. Leistungen zur Förderung der Aufnahme einer selbständigen Tätigkeit.

---

[1] Überschrift 7. Abschnitt geänd. mWv 1.1.2022 durch G v. 2.6.2021 (BGBl. I S. 1387).

[2] § 112 neu gef. mWv 1.4.2012 durch G v. 20.12.2011 (BGBl. I S. 2854); Abs. 1 geänd. mWv 1.1. 2022 durch G v. 2.6.2021 (BGBl. I S. 1387).

[3] § 113 neu gef. mWv 1.4.2012 durch G v. 20.12.2011 (BGBl. I S. 2854); Abs. 1 einl. Satzteil geänd. mWv 1.1.2022 durch G v. 2.6.2021 (BGBl. I S. 1387).

[4] § 114 neu gef. mWv 1.4.2012 durch G v. 20.12.2011 (BGBl. I S. 2854); Abs. 2 angef. mWv 1.1. 2022 durch G v. 2.6.2021 (BGBl. I S. 1387).

[5] **beck-online, Module Arbeitsrecht Nr. 440.**

[6] *§ 115* neu gef. mWv *1.4.2012* durch G v. 20.12.2011 (BGBl. I S. 2854); Nr. 2 geänd. mWv 1.5. 2015 durch G v. 15.4.2015 (BGBl. I S. 583); Nr. 2 und 3 geänd. mWv 1.4.2024 durch G v. 17.7.2023 (BGBl. 2023 I Nr. 191).

§ 116[1] **Besonderheiten.** (1) Leistungen zur Aktivierung und beruflichen Eingliederung können auch erbracht werden, wenn Menschen mit Behinderungen nicht arbeitslos sind und durch diese Leistungen eine dauerhafte Teilhabe am Arbeitsleben erreicht werden kann.

(Fortsetzung nächstes Blatt)

[1] § 116 neu gef. mWv 1.4.2012 durch G v. 20.12.2011 (BGBl. I S. 2854); Abs. 3 Sätze 2 und 3 geänd. mWv 1.8.2016 durch G v. 23.12.2014 (BGBl. I S. 2475); Abs. 6 angef. mWv 1.8.2016 durch G v. 18.7.2016 (BGBl. I S. 1710); Abs. 3 neu gef., Abs. 4 eingef., bish. Abs. 4–6 werden Abs. 5–7 mWv 1.8.2019 durch G v. 8.7.2019 (BGBl. I S. 1025); Abs. 1 und 2, Abs. 3 Satz 1, Abs. 4 Satz 1, Abs. 6 Satz 1 einl. Satzteil und Nr. 3, Abs. 7 geänd. mWv 1.1.2022 durch G v. 2.6.2021 (BGBl. I S. 1387).

(2) Förderungsfähig sind auch berufliche Aus- und Weiterbildungen, die im Rahmen des Berufsbildungsgesetzes[1] oder der Handwerksordnung[2] abweichend von den Ausbildungsordnungen für staatlich anerkannte Ausbildungsberufe oder in Sonderformen für Menschen mit Behinderungen durchgeführt werden.

(3) [1] Ein Anspruch auf Berufsausbildungsbeihilfe besteht auch, wenn der Mensch mit Behinderungen während der Berufsausbildung im Haushalt der Eltern oder eines Elternteils wohnt. [2] In diesem Fall wird der jeweils geltende Bedarf nach § 13 Absatz 1 Nummer 1 des Bundesausbildungsförderungsgesetzes[3] zugrunde gelegt. [3] Für die Unterkunft wird der jeweils geltende Bedarf nach § 13 Absatz 2 Nummer 1 des Bundesausbildungsförderungsgesetzes zugrunde gelegt.

(4) [1] Ein Anspruch auf Berufsausbildungsbeihilfe besteht auch, wenn der Mensch mit Behinderungen, der das 18. Lebensjahr noch nicht vollendet hat, außerhalb des Haushalts der Eltern oder eines Elternteils wohnt, auch wenn die Ausbildungsstätte von der Wohnung der Eltern oder eines Elternteils aus in angemessener Zeit zu erreichen ist. [2] In diesem Fall wird der Bedarf nach Absatz 3 Satz 2 und 3 zugrunde gelegt.

(5) Eine Verlängerung der Ausbildung über das vorgesehene Ausbildungsende hinaus, eine Wiederholung der Ausbildung ganz oder in Teilen oder eine erneute Berufsausbildung wird gefördert, wenn Art oder Schwere der Behinderung es erfordern und ohne die Förderung eine dauerhafte Teilhabe am Arbeitsleben nicht erreicht werden kann.

(6) [1] Berufliche Weiterbildung kann auch gefördert werden, wenn Menschen mit Behinderungen

1. nicht arbeitslos sind,
2. als Arbeitnehmerinnen oder Arbeitnehmer ohne Berufsabschluss noch nicht drei Jahre beruflich tätig gewesen sind oder
3. einer längeren Förderung als Menschen ohne Behinderungen oder einer erneuten Förderung bedürfen, um am Arbeitsleben teilzuhaben oder weiter teilzuhaben.

[2] Förderungsfähig sind auch schulische Ausbildungen, deren Abschluss für die Weiterbildung erforderlich ist.

(7) Ein Gründungszuschuss kann auch geleistet werden, wenn der Mensch mit Behinderungen einen Anspruch von weniger als 150 Tagen oder keinen Anspruch auf Arbeitslosengeld hat.

Dritter Unterabschnitt. Besondere Leistungen

Erster Titel. Allgemeines

§ 117[4] Grundsatz. (1) [1] Die besonderen Leistungen sind anstelle der allgemeinen Leistungen insbesondere zur Förderung der beruflichen Aus- und

---

[1] Nr. **415**.

[2] Auszugsweise abgedruckt unter Nr. **107**.

[3] **Sartorius Nr. 420.**

[4] § 117 neu gef. mWv 1.4.2012 durch G v. 20.12.2011 (BGBl. I S. 2854); Abs. 2 neu gef. mWv 1.1.2018 durch G v. 23.12.2016 (BGBl. I S. 3234); Abs. 2 geänd. mWv 1.1.2020 durch G v. 10.12.2019 (BGBl. I S. 2135); Abs. 1 Satz 1 einl. Satzteil, Nr. 1 Buchst a und b, Satz 2 geänd. mWv 1.1.2022 durch G v. 2.6.2021 (BGBl. I S. 1387).

Weiterbildung, einschließlich Berufsvorbereitung, sowie der wegen der Behinderung erforderlichen Grundausbildung zu erbringen, wenn

1. Art oder Schwere der Behinderung oder die Sicherung der Teilhabe am Arbeitsleben die Teilnahme an
   a) einer Maßnahme in einer besonderen Einrichtung für Menschen mit Behinderungen oder
   b) einer sonstigen, auf die besonderen Bedürfnisse von Menschen mit Behinderungen ausgerichteten Maßnahme

   unerlässlich machen oder
2. die allgemeinen Leistungen die wegen Art oder Schwere der Behinderung erforderlichen Leistungen nicht oder nicht im erforderlichen Umfang vorsehen.

[2] In besonderen Einrichtungen für Menschen mit Behinderungen können auch Aus- und Weiterbildungen außerhalb des Berufsbildungsgesetzes[1)] und der Handwerksordnung[2)] gefördert werden.

(2) Leistungen im Eingangsverfahren und Berufsbildungsbereich werden von anerkannten Werkstätten für behinderte Menschen oder anderen Leistungsanbietern nach den §§ 57, 60, 61a und 62 des Neunten Buches[3)] erbracht.

§ 118[4)] **Leistungen.** Die besonderen Leistungen umfassen

1. das Übergangsgeld,
2. das Ausbildungsgeld, wenn ein Übergangsgeld nicht gezahlt werden kann,
3. die Übernahme der Teilnahmekosten für eine Maßnahme.

Zweiter Titel. Übergangsgeld und Ausbildungsgeld

§ 119[5)] **Übergangsgeld.** [1] Menschen mit Behinderungen haben Anspruch auf Übergangsgeld, wenn

1. die Voraussetzung der Vorbeschäftigungszeit für das Übergangsgeld erfüllt ist und
2. sie an einer Maßnahme der Berufsausbildung, der Berufsvorbereitung einschließlich einer wegen der Behinderung erforderlichen Grundausbildung, der individuellen betrieblichen Qualifizierung im Rahmen der Unterstützten Beschäftigung nach § 55 des Neunten Buches[3)], einer Maßnahme im Eingangsverfahren oder Berufsbildungsbereich einer Werkstatt für behinderte Menschen oder bei einem anderen Leistungsanbieter nach § 60 des Neunten Buches[3)] oder an einer Maßnahme der beruflichen Weiterbildung teilnehmen, für die die besonderen Leistungen erbracht werden.

[1)] Nr. **415**.

[2)] Auszugsweise abgedruckt unter Nr. **107**.

[3)] Nr. **440**.

[4)] § 118 neu gef. mWv 1.4.2012 durch G v. 20.12.2011 (BGBl. I S. 2854); Satz 2 neu gef. mWv 1.1.2018 durch G v. 23.12.2016 (BGBl. I S. 3234); Satz 2 aufgeh. mWv 1.1.2022 durch G v. 2.6.2021 (BGBl. I S. 1387).

[5)] § 119 neu gef. mWv 1.4.2012 durch G v. 20.12.2011 (BGBl. I S. 2854); Satz 1 Nr. 2 und Satz 2 geänd. mWv *1.1.2018 durch G* v. 23.12.2016 (BGBl. I S. 3234); Satz 1 Nr. 2 geänd. mWv 1.1.2020 durch G v. 10.12.2019 (BGBl. I S. 2135); Satz 1 einl. Satzteil und Satz 3 geänd. mWv 1.1.2022 durch G v. 2.6.2021 (BGBl. I S. 1387).

[2]Im Übrigen gelten die Vorschriften des Kapitels 11 des Teils 1 des Neunten Buches[1)], soweit in diesem Buch nichts Abweichendes bestimmt ist. [3]Besteht bei Teilnahme an einer Maßnahme, für die die allgemeinen Leistungen erbracht werden, kein Anspruch auf Arbeitslosengeld bei beruflicher Weiterbildung, erhalten Menschen mit Behinderungen Übergangsgeld in Höhe des Arbeitslosengeldes, wenn sie bei Teilnahme an einer Maßnahme, für die die besonderen Leistungen erbracht werden, Übergangsgeld erhalten würden.

§ 120[2)] Vorbeschäftigungszeit für das Übergangsgeld. (1) Die Voraussetzung der Vorbeschäftigungszeit für das Übergangsgeld ist erfüllt, wenn der Mensch mit Behinderungen innerhalb der letzten drei Jahre vor Beginn der Teilnahme

1. mindestens zwölf Monate in einem Versicherungspflichtverhältnis gestanden hat oder
2. die Voraussetzungen für einen Anspruch auf Arbeitslosengeld erfüllt und Leistungen beantragt hat.

(2) [1]Der Zeitraum von drei Jahren gilt nicht für Berufsrückkehrende mit Behinderungen. [2]Er verlängert sich um die Dauer einer Beschäftigung als Arbeitnehmerin oder Arbeitnehmer im Ausland, die für die weitere Ausübung des Berufes oder für den beruflichen Aufstieg nützlich und üblich ist, längstens jedoch um zwei Jahre.

(3) Wenn der Mensch mit Behinderungen bereits an einer berufsvorbereitenden Bildungsmaßnahme teilgenommen hat und anschließend an einer Maßnahme der Berufsausbildung teilnimmt, so ist der Eintritt in die berufsvorbereitende Bildungsmaßnahme der maßgebliche Zeitpunkt für den Beginn der Teilnahme nach Absatz 1.

§ 121[3)] Übergangsgeld ohne Vorbeschäftigungszeit. [1]Ein Mensch mit Behinderungen kann auch dann Übergangsgeld erhalten, wenn die Voraussetzung der Vorbeschäftigungszeit nicht erfüllt ist, jedoch innerhalb des letzten Jahres vor Beginn der Teilnahme

1. durch den Menschen mit Behinderungen ein Berufsausbildungsabschluss auf Grund einer Zulassung zur Prüfung nach § 43 Absatz 2 des Berufsbildungsgesetzes[4)] oder § 36 Absatz 2 der Handwerksordnung[5)] erworben worden ist oder
2. sein Prüfungszeugnis auf Grund einer Rechtsverordnung nach § 50 Absatz 1 des Berufsbildungsgesetzes oder § 40 Absatz 1 der Handwerksordnung[5)] dem Zeugnis über das Bestehen der Abschlussprüfung in einem nach dem Berufsbildungsgesetz oder der Handwerksordnung anerkannten Ausbildungsberuf gleichgestellt worden ist.

[1)] Auszugsweise abgedruckt unter Nr. **440**.

[2)] 3. Kapitel (§§ 29–135) neu gef. mWv 1.4.2012 durch G v. 20.12.2011 (BGBl. I S. 2854); Abs. 1 einl. Satzteil und Abs. 2 Satz 1 geänd. mWv 1.1.2022 durch G v. 2.6.2021 (BGBl. I S. 1387); Abs. 3 angef. mWv 14.6.2023 durch G v. 6.6.2023 (BGBl. 2023 I Nr. 146).

[3)] 3. Kapitel (§§ 29–135) neu gef. mWv 1.4.2012 durch G v. 20.12.2011 (BGBl. I S. 2854); Satz 1 einl. Satzteil, Nr. 1 und Satz 2 geänd. mWv 1.1.2022 durch G v. 2.6.2021 (BGBl. I S. 1387).

[4)] Nr. **415**.

[5)] Nr. **107**.

[2] Der Zeitraum von einem Jahr verlängert sich um Zeiten, in denen der Mensch mit Behinderungen nach dem Erwerb des Prüfungszeugnisses bei der Agentur für Arbeit arbeitslos gemeldet war.

§ 122[1)] Ausbildungsgeld. (1) Menschen mit Behinderungen haben Anspruch auf Ausbildungsgeld während

1. einer Berufsausbildung oder berufsvorbereitenden Bildungsmaßnahme einschließlich einer Grundausbildung,
2. einer individuellen betrieblichen Qualifizierung im Rahmen der Unterstützten Beschäftigung nach § 55 des Neunten Buches[2)] und
3. einer Maßnahme im Eingangsverfahren oder Berufsbildungsbereich einer Werkstatt für behinderte Menschen oder bei einem anderen Leistungsanbieter nach § 60 des Neunten Buches[2)],

wenn Übergangsgeld nicht gezahlt werden kann.

(2) Für das Ausbildungsgeld gelten die Vorschriften über die Berufsausbildungsbeihilfe entsprechend, soweit nachfolgend nichts Abweichendes bestimmt ist.

§ 123[3)] Ausbildungsgeld bei Berufsausbildung und Unterstützter Beschäftigung. [1] Bei einer Berufsausbildung und bei einer individuellen betrieblichen Qualifizierung im Rahmen der Unterstützten Beschäftigung wird folgender Bedarf zugrunde gelegt:

1. bei Unterbringung im Haushalt der Eltern oder eines Elternteils der jeweils geltende Bedarf nach § 13 Absatz 1 Nummer 1 des Bundesausbildungsförderungsgesetzes[4)] zuzüglich des jeweils geltenden Bedarfs für die Unterkunft nach § 13 Absatz 2 Nummer 1 des Bundesausbildungsförderungsgesetzes,
2. bei Unterbringung in einem Wohnheim, einem Internat oder einer besonderen Einrichtung für Menschen mit Behinderungen 133 Euro monatlich, wenn die Kosten für Unterbringung und Verpflegung von der Agentur für Arbeit oder einem anderen Leistungsträger übernommen werden,
3. bei anderweitiger Unterbringung der jeweils geltende Bedarf nach § 13 Absatz 1 Nummer 1 des Bundesausbildungsförderungsgesetzes zuzüglich des jeweils geltenden Bedarfs für die Unterkunft nach § 13 Absatz 2 Nummer 2 des Bundesausbildungsförderungsgesetzes; § 128 ist mit Ausnahme der Erstattung behinderungsbedingter Mehraufwendungen nicht anzuwenden.

[2] Bei einer Berufsausbildung ist in den Fällen der Nummern 1 und 3 mindestens ein Betrag zugrunde zu legen, der der Ausbildungsvergütung nach § 17 Absatz 2 des Berufsbildungsgesetzes[5)] nach Abzug der Steuern und einer Sozialversicherungspauschale nach § 153 Absatz 1 entspricht. [3] Übersteigt in den Fällen der

---

[1)] § 122 neu gef. mWv 1.4.2012 durch G v. 20.12.2011 (BGBl. I S. 2854); Abs. 1 Nr. 2 und 3 geänd. mWv 1.1.2018 durch G v. 23.12.2016 (BGBl. I S. 3234); Abs. 1 einl. Satzteil geänd. mWv 1.1.2022 durch G v. 2.6.2021 (BGBl. I S. 1387).

[2)] Nr. **440**.

[3)] § 123 neu gef. mWv 1.8.2019, Nr. 2 geänd. mWv 1.8.2020 durch G v. 8.7.2019 (BGBl. I S. 1025); Sätze 2 und 3 angef. mWv 1.1.2020 durch G v. 12.12.2019 (BGBl. I S. 2522); Satz 1 Nr. 2 geänd. mWv 1.1.2022 durch G v. 2.6.2021 (BGBl. I S. 1387); Satz 1 Nr. 2 geänd. mWv 1.8.2022 durch G v. 15.7.2022 (BGBl. I S. 1150); Satz 1 Nr. 2 geänd. mWv 1.8.2024 durch G v. 19.7.2024 *(BGBl. 2024 I Nr. 249)*.

[4)] **Sartorius Nr. 420.**

[5)] Nr. **415**.

Nummer 2 die Ausbildungsvergütung nach § 17 Absatz 2 des Berufsbildungsgesetzes nach Abzug der Steuern und einer Sozialversicherungspauschale nach § 153 Absatz 1 den Bedarf zuzüglich der Beträge nach § 2 Absatz 1 und 3 Nummer 2 der Sozialversicherungsentgeltverordnung[1], so wird die Differenz als Ausgleichsbetrag gezahlt.

§ 124[2] Ausbildungsgeld bei berufsvorbereitenden Bildungsmaßnahmen und bei Grundausbildung. Bei berufsvorbereitenden Bildungsmaßnahmen und bei Grundausbildung wird folgender Bedarf zugrunde gelegt:

1. bei Unterbringung im Haushalt der Eltern oder eines Elternteils der jeweils geltende Bedarf nach § 12 Absatz 1 Nummer 1 des Bundesausbildungsförderungsgesetzes[3],
2. bei Unterbringung in einem Wohnheim, einem Internat oder einer besonderen Einrichtung für Menschen mit Behinderungen 133 Euro monatlich, wenn die Kosten für Unterbringung und Verpflegung von der Agentur für Arbeit oder einem anderen Leistungsträger übernommen werden,
3. bei anderweitiger Unterbringung der jeweils geltende Bedarf nach § 12 Absatz 2 Nummer 1 des Bundesausbildungsförderungsgesetzes; § 128 ist mit Ausnahme der Erstattung behinderungsbedingter Mehraufwendungen nicht anzuwenden.

§ 125[4] Ausbildungsgeld bei Maßnahmen in anerkannten Werkstätten für behinderte Menschen und bei Maßnahmen anderer Leistungsanbieter nach § 60 des Neunten Buches. Bei Maßnahmen im Eingangsverfahren und Berufsbildungsbereich anerkannter Werkstätten für behinderte Menschen und bei vergleichbaren Maßnahmen anderer Leistungsanbieter nach § 60 des Neunten Buches[5] wird ein Ausbildungsgeld in Höhe von 133 Euro monatlich gezahlt.

§ 126[6] Einkommensanrechnung. (1) Das Einkommen, das ein Mensch mit Behinderungen während einer Maßnahme in einer anerkannten Werkstatt für behinderte Menschen oder bei einem anderen Leistungsanbieter nach § 60 des Neunten Buches[5] erzielt, wird nicht auf den Bedarf angerechnet.

(2) Anrechnungsfrei bei der Einkommensanrechnung bleibt im Übrigen das Einkommen

---

[1] Nr. **694a**.

[2] § 124 neu gef. mWv 1.8.2019, Nr. 2 geänd. mWv 1.8.2020 durch G v. 8.7.2019 (BGBl. I S. 1025); Nr. 2 geänd. mWv 1.1.2022 durch G v. 2.6.2021 (BGBl. I S. 1387); Nr. 2 geänd. mWv 1.8.2022 durch G v. 15.7.2022 (BGBl. I S. 1150); Nr. 2 geänd. mWv 1.8.2024 durch G v. 19.7.2024 (BGBl. 2024 I Nr. 249).

[3] **Sartorius Nr. 420.**

[4] § 125 neu gef. mWv 1.8.2019, geänd. mWv 1.8.2020 durch G v. 8.7.2019 (BGBl. I S. 1025); geänd. mWv 1.8.2022 durch G v. 15.7.2022 (BGBl. I S. 1150); geänd. mWv 1.8.2024 durch G v. 19.7.2024 (BGBl. 2024 I Nr. 249).

[5] Nr. **440**.

[6] § 126 neu gef. mWv 1.4.2012 durch G v. 20.12.2011 (BGBl. I S. 2854); Abs. 2 Nr. 1–3 geänd. mWv 1.8.2016 durch G v. 23.12.2014 (BGBl. I S. 2475); Abs. 1 geänd. mWv 1.1.2018 durch G v. 23.12.2016 (BGBl. I S. 3234); Abs. 2 Nr. 1–3 geänd. mWv 1.8.2019 und mWv 1.8.2020, Nr. 2 und 3 geänd. mWv 1.8.2021 durch G v. 8.7.2019 (BGBl. I S. 1025); Abs. 1, Abs. 2 Nr. 1 und 2 geänd. mWv 1.1.2022 durch G v. 2.6.2021 (BGBl. I S. 1387); Abs. 2 Nr. 1–3 geänd. mWv 1.8.2022 durch G v. 15.7.2022 (BGBl. I S. 1150); Abs. 2 Nr. 1-3 geänd. mWv 1.8.2024 durch G v. 19.7.2024 (BGBl. 2024 I Nr. 249).

1. des Menschen mit Behinderungen aus Waisenrenten, Waisengeld oder aus Unterhaltsleistungen bis zu 352 Euro monatlich,
2. der Eltern bis zu 4623 Euro monatlich, des verwitweten Elternteils oder, bei getrennt lebenden Eltern, das Einkommen des Elternteils, bei dem der Mensch mit Behinderungen lebt, ohne Anrechnung des Einkommens des anderen Elternteils, bis zu 2880 Euro monatlich und
3. der Ehegattin oder des Ehegatten oder der Lebenspartnerin oder des Lebenspartners bis zu 2880 Euro monatlich.

Dritter Titel. Teilnahmekosten für Maßnahmen

§ 127[1)] Teilnahmekosten für Maßnahmen. (1) [1] Teilnahmekosten bestimmen sich nach den §§ 49, 64, 73 und 74 des Neunten Buches[2)]. [2] Sie beinhalten auch weitere Aufwendungen, die wegen Art und Schwere der Behinderung unvermeidbar entstehen, sowie Kosten für Unterkunft und Verpflegung bei anderweitiger auswärtiger Unterbringung.

(2) Die Teilnahmekosten nach Absatz 1 können Aufwendungen für erforderliche eingliederungsbegleitende Dienste während der und im Anschluss an die Maßnahme einschließen.

§ 128[3)] Kosten für Unterkunft und Verpflegung bei anderweitiger auswärtiger Unterbringung. Sind Menschen mit Behinderungen auswärtig untergebracht, aber nicht in einem Wohnheim, einem Internat oder einer besonderen Einrichtung für Menschen mit Behinderungen mit voller Verpflegung, so wird ein Betrag nach § 86 zuzüglich der behinderungsbedingten Mehraufwendungen erbracht.

Vierter Titel. Anordnungsermächtigung

§ 129[4)] Anordnungsermächtigung. Die Bundesagentur wird ermächtigt, durch Anordnung das Nähere über Voraussetzungen, Art, Umfang und Ausführung der Leistungen in Übereinstimmung mit den für die anderen Träger der Leistungen zur Teilhabe am Arbeitsleben geltenden Regelungen zu bestimmen.

Achter Abschnitt.[5)] Befristete Leistungen und innovative Ansätze

§ 130[6)] *(aufgehoben)*

(Fortsetzung nächstes Blatt)

[1)] § 127 neu gef. mWv 1.4.2012 durch G v. 20.12.2011 (BGBl. I S. 2854); Abs. 1 Satz 1 geänd. mWv 1.1.2018 durch G v. 23.12.2016 (BGBl. I S. 3234); Abs. 1 Satz 2 geänd. mWv 1.8.2019 durch G v. 8.7.2019 (BGBl. I S. 1025).

[2)] Nr. **440**.

[3)] § 128 neu gef. mWv 1.8.2019 durch G v. 8.7.2019 (BGBl. I S. 1025); geänd. mWv 1.1.2022 durch G v. 2.6.2021 (BGBl. I S. 1387).

[4)] *3. Kapitel (§§ 29–135) neu gef. mWv 1.4.2012 durch G v. 20.12.2011 (BGBl. I S. 2854).*

[5)] Achter Abschn. Überschrift neu gef. mWv 1.8.2016 durch G v. 18.7.2016 (BGBl. I S. 1710).

[6)] § 130 aufgeh. mWv 29.5.2020 durch G v. 20.5.2020 (BGBl. I S. 1044).

§ 131[1] *(aufgehoben)*

§ 131a[2] **Sonderregelungen zur beruflichen Weiterbildung.** (1) *(aufgehoben)*

(2) [1] Abweichend von § 81 Absatz 4 kann die Agentur für Arbeit unter Anwendung des Vergaberechts Träger mit der Durchführung von folgenden Maßnahmen beauftragen, wenn die Maßnahmen vor Ablauf des ***[bis 30.6.2023:*** 31. Dezember 2023***][ab 1.7.2023:*** *31. Dezember 2026****]*** beginnen:

1. Maßnahmen, die zum Erwerb von Grundkompetenzen nach § 81 Absatz 3a führen,
2. Maßnahmen, die zum Erwerb von Grundkompetenzen nach § 81 Absatz 3a und zum Erwerb eines Abschlusses in einem Ausbildungsberuf führen, für den nach bundes- oder landesrechtlichen Vorschriften eine Ausbildungsdauer von mindestens zwei Jahren festgelegt ist, oder
3. Maßnahmen, die eine Weiterbildung in einem Betrieb, die auf den Erwerb eines Berufsabschlusses im Sinne des § 81 Absatz 2 Nummer 1 gerichtet ist, begleitend unterstützen.

[2] Für Maßnahmen nach Nummer 2 gilt § 180 Absatz 4 entsprechend. [3] § 176 Absatz 2 Satz 2 findet keine Anwendung.

[Abs. 3 bis 30.6.2023:]

(3) Arbeitnehmerinnen und Arbeitnehmer, die an einer nach § 81 geförderten beruflichen Weiterbildung teilnehmen, die zu einem Abschluss in einem Ausbildungsberuf führt, für den nach bundes- oder landesrechtlichen Vorschriften eine Ausbildungsdauer von mindestens zwei Jahren festgelegt ist, erhalten folgende Prämien, wenn die Maßnahme vor Ablauf des 31. Dezember 2023 beginnt:

1. nach Bestehen einer in diesen Vorschriften geregelten Zwischenprüfung eine Prämie von 1 000 Euro und
2. nach Bestehen der Abschlussprüfung eine Prämie von 1 500 Euro.

§ 131b[3] **Weiterbildungsförderung in der Altenpflege.** [1] Abweichend von § 180 Absatz 4 Satz 1 ist die Dauer einer Vollzeitmaßnahme der beruflichen Weiterbildung in der Altenpflege, die in der Zeit vom 1. April 2013 bis zum 31. Dezember 2019 beginnt, auch dann angemessen, wenn sie nach dem Altenpflegegesetz[4] nicht um mindestens ein Drittel verkürzt werden kann. [2] Insoweit ist § 180 Absatz 4 Satz 2 nicht anzuwenden.

§ 132[5] *(aufgehoben)*

---

[1] § 131 aufgeh. mWv 1.8.2019 durch G v. 8.7.2019 (BGBl. I S. 1029).

[2] § 131a neu gef. mWv 1.8.2016 durch G v. 18.7.2016 (BGBl. I S. 1710); Abs. 1 aufgeh. mWv 1.1. 2019 durch G v. 18.12.2018 (BGBl. I S. 2651); Abs. 2 Satz 1 einl. Satzteil und Nr. 3, Abs. 3 einl. Satzteil geänd. mWv 29.5.2020 durch G v. 20.5.2020 (BGBl. I S. 1044); Abs. 2 Satz 1 geänd., Abs. 3 aufgeh. mWv 1.7.2023 durch G v. 16.12.2022 (BGBl. I S. 2328).

[3] § 131b eingef. mWv 19.3.2013 durch G v. 13.3.2013 (BGBl. I S. 446); Satz 1 geänd. mWv 11.3. 2016 durch G v. 3.3.2016 (BGBl. I S. 369); Satz 1 geänd. mWv 25.7.2017 durch G v. 17.7.2017 (BGBl. I S. 2581).

[4] **beck-online, Module Arbeitsrecht Nr. 416b.**

[5] § 132 aufgeh. mWv 1.8.2019 durch G v. 8.7.2019 (BGBl. I S. 1029).

§ 133[1)] Saison-Kurzarbeitergeld und ergänzende Leistungen im Gerüstbauerhandwerk. (1) In Betrieben des Gerüstbauerhandwerks (§ 1 Absatz 3 Nummer 1 der Baubetriebe-Verordnung[2)]) werden bis zum 31. März 2021 Leistungen nach den §§ 101 und 102 nach Maßgabe der folgenden Regelungen erbracht.

(2) Die Schlechtwetterzeit beginnt am 1. November und endet am 31. März.

(3) [1] Ergänzende Leistungen nach § 102 Absatz 2 und 4 werden ausschließlich zur Vermeidung oder Überbrückung witterungsbedingter Arbeitsausfälle erbracht. [2] Zuschuss-Wintergeld wird in Höhe von 1,03 Euro je Ausfallstunde gezahlt.

(4) [1] Anspruch auf Zuschuss-Wintergeld nach § 102 Absatz 2 haben auch Arbeitnehmerinnen und Arbeitnehmer, die zur Vermeidung witterungsbedingter Arbeitsausfälle eine Vorausleistung erbringen, die das Arbeitsentgelt bei witterungsbedingtem Arbeitsausfall in der Schlechtwetterzeit für mindestens 120 Stunden ersetzt, in angemessener Höhe im Verhältnis zum Saison-Kurzarbeitergeld steht und durch Tarifvertrag, Betriebsvereinbarung oder Arbeitsvertrag geregelt ist. [2] Der Anspruch auf Zuschuss-Wintergeld besteht für Zeiten des Bezugs der Vorausleistung, wenn diese niedriger ist als das ohne den witterungsbedingten Arbeitsausfall erzielte Arbeitsentgelt.

§ 134[3)] *(aufgehoben)*

§ 135[4)] Erprobung innovativer Ansätze. (1) [1] Die Zentrale der Bundesagentur kann bis zu einem Prozent der im Eingliederungstitel enthaltenen Mittel einsetzen, um innovative Ansätze der aktiven Arbeitsförderung zu erproben. [2] Die einzelnen Projekte dürfen den Höchstbetrag von 2 Millionen Euro jährlich und eine Dauer von 24 Monaten nicht übersteigen.

(2) [1] Die Umsetzung und die Wirkung der Projekte sind zu beobachten und auszuwerten. [2] Über die Ergebnisse der Projekte ist dem Verwaltungsrat nach deren Beendigung ein Bericht vorzulegen. [3] Zu Beginn jedes Jahres übermittelt die Bundesagentur dem Verwaltungsrat eine Übersicht über die laufenden Projekte.

Viertes Kapitel.[5)] Arbeitslosengeld und Insolvenzgeld

Erster Abschnitt. Arbeitslosengeld

Erster Unterabschnitt. Regelvoraussetzungen

§ 136[5)] Anspruch auf Arbeitslosengeld. (1) Arbeitnehmerinnen und Arbeitnehmer haben Anspruch auf Arbeitslosengeld

1. bei Arbeitslosigkeit oder

[1)] § 133 neu gef. mWv 1.4.2012 durch G v. 20.12.2011 (BGBl. I S. 2854); Abs. 1 geänd. mWv 1.1. 2015 durch G v. 10.12.2014 (BGBl. I S. 2082); Abs. 1 geänd. mWv 14.7.2018 durch G v. 10.7.2018 (BGBl. I S. 1117).

[2)] Nr. **704**.

[3)] § 134 aufgeh. mWv 1.8.2016 durch G v. 18.7.2016 (BGBl. I S. 1710).

[4)] § 135 neu gef. mWv 1.4.2012 durch G v. 20.12.2011 (BGBl. I S. 2854); Abs. 1 Satz 3 geänd. mWv *1.1.2013 durch G v. 5.12.2012 (BGBl.* I S. 2467); Abs. 1 Satz 3 aufgeh. mWv 1.8.2016 durch G v. 18.7.2016 (BGBl. I S. 1710).

[5)] 4. Kapitel (§§ 136–175) neu gef. mWv 1.4.2012 durch G v. 20.12.2011 (BGBl. I S. 2854).

2. bei beruflicher Weiterbildung.

(2) Wer das für die Regelaltersrente im Sinne des Sechsten Buches[1] erforderliche Lebensjahr vollendet hat, hat vom Beginn des folgenden Monats an keinen Anspruch auf Arbeitslosengeld.

§ 137[2] Anspruchsvoraussetzungen bei Arbeitslosigkeit. (1) Anspruch auf Arbeitslosengeld bei Arbeitslosigkeit hat, wer

1. arbeitslos ist,
2. sich bei der Agentur für Arbeit arbeitslos gemeldet und
3. die Anwartschaftszeit erfüllt hat.

(2) Bis zur Entscheidung über den Anspruch kann die antragstellende Person bestimmen, dass der Anspruch nicht oder zu einem späteren Zeitpunkt entstehen soll.

§ 138[2] Arbeitslosigkeit. (1) Arbeitslos ist, wer Arbeitnehmerin oder Arbeitnehmer ist und

1. nicht in einem Beschäftigungsverhältnis steht (Beschäftigungslosigkeit),
2. sich bemüht, die eigene Beschäftigungslosigkeit zu beenden (Eigenbemühungen), und
3. den Vermittlungsbemühungen der Agentur für Arbeit zur Verfügung steht (Verfügbarkeit).

(2) Eine ehrenamtliche Betätigung schließt Arbeitslosigkeit nicht aus, wenn dadurch die berufliche Eingliederung der oder des Arbeitslosen nicht beeinträchtigt wird.

(3) [1] Die Ausübung einer Beschäftigung, selbständigen Tätigkeit, Tätigkeit als mithelfende Familienangehörige oder mithelfender Familienangehöriger (Erwerbstätigkeit) schließt die Beschäftigungslosigkeit nicht aus, wenn die Arbeits- oder Tätigkeitszeit (Arbeitszeit) weniger als 15 Stunden wöchentlich umfasst; gelegentliche Abweichungen von geringer Dauer bleiben unberücksichtigt. [2] Die Arbeitszeiten mehrerer Erwerbstätigkeiten werden zusammengerechnet.

(4) [1] Im Rahmen der Eigenbemühungen hat die oder der Arbeitslose alle Möglichkeiten zur beruflichen Eingliederung zu nutzen. [2] Hierzu gehören insbesondere

1. die Wahrnehmung der Verpflichtungen aus der Eingliederungsvereinbarung,
2. die Mitwirkung bei der Vermittlung durch Dritte und
3. die Inanspruchnahme der Selbstinformationseinrichtungen der Agentur für Arbeit.

(5) Den Vermittlungsbemühungen der Agentur für Arbeit steht zur Verfügung, wer

1. eine versicherungspflichtige, mindestens 15 Stunden wöchentlich umfassende zumutbare Beschäftigung unter den üblichen Bedingungen des für sie oder ihn in Betracht kommenden Arbeitsmarktes ausüben kann und darf,

---

[1] Auszugsweise abgedruckt unter Nr. **696**.
[2] 4. Kapitel (§§ 136–175) neu gef. mWv 1.4.2012 durch G v. 20.12.2011 (BGBl. I S. 2854).

2. Vorschlägen der Agentur für Arbeit zur beruflichen Eingliederung zeit- und ortsnah Folge leisten kann,
3. bereit ist, jede Beschäftigung im Sinne der Nummer 1 anzunehmen und auszuüben, und
4. bereit ist, an Maßnahmen zur beruflichen Eingliederung in das Erwerbsleben teilzunehmen.

§ 139[1] **Sonderfälle der Verfügbarkeit.** (1) [1] Nimmt eine leistungsberechtigte Person an einer Maßnahme nach § 45 oder an einer Berufsfindung oder Arbeitserprobung im Sinne des Rechts der beruflichen Rehabilitation teil, leistet sie vorübergehend zur Verhütung oder Beseitigung öffentlicher Notstände Dienste, die nicht auf einem Arbeitsverhältnis beruhen, übt sie eine freie Arbeit im Sinne des Artikels 293 Absatz 1 des Einführungsgesetzes zum Strafgesetzbuch[2] oder auf Grund einer Anordnung im Gnadenwege aus oder erbringt sie gemeinnützige Leistungen oder Arbeitsleistungen nach den in Artikel 293 Absatz 3 des Einführungsgesetzes zum Strafgesetzbuch genannten Vorschriften oder auf Grund deren entsprechender Anwendung, so schließt dies die Verfügbarkeit nicht aus. [2] Nimmt eine leistungsberechtigte Person an einem Integrationskurs nach § 43 des Aufenthaltsgesetzes[3] oder an einem Kurs der berufsbezogenen Deutschsprachförderung nach § 45a des Aufenthaltsgesetzes[4] teil, der jeweils für die dauerhafte berufliche Eingliederung notwendig ist, so schließt dies die Verfügbarkeit nicht aus.

(2) [1] Bei Schülerinnen, Schülern, Studentinnen oder Studenten einer Schule, Hochschule oder sonstigen Ausbildungsstätte wird vermutet, dass sie nur versicherungsfreie Beschäftigungen ausüben können. [2] Die Vermutung ist widerlegt, wenn die Schülerin, der Schüler, die Studentin oder der Student darlegt und nachweist, dass der Ausbildungsgang die Ausübung einer versicherungspflichtigen, mindestens 15 Stunden wöchentlich umfassenden Beschäftigung bei ordnungsgemäßer Erfüllung der in den Ausbildungs- und Prüfungsbestimmungen vorgeschriebenen Anforderungen zulässt.

(3) Nimmt eine leistungsberechtigte Person an einer Maßnahme der beruflichen Weiterbildung teil, für die die Voraussetzungen nach § 81 nicht erfüllt sind, schließt dies die Verfügbarkeit nicht aus, wenn

1. die Agentur für Arbeit der Teilnahme zustimmt und
2. die leistungsberechtigte Person ihre Bereitschaft erklärt, die Maßnahme abzubrechen, sobald eine berufliche Eingliederung in Betracht kommt, und zu diesem Zweck die Möglichkeit zum Abbruch mit dem Träger der Maßnahme vereinbart hat.

(4) [1] Ist die leistungsberechtigte Person nur bereit, Teilzeitbeschäftigungen auszuüben, so schließt dies Verfügbarkeit nicht aus, wenn sich die Arbeitsbereitschaft auf Teilzeitbeschäftigungen erstreckt, die versicherungspflichtig sind, mindestens 15 Stunden wöchentlich umfassen und den üblichen Bedingungen des für sie in Betracht kommenden Arbeitsmarktes entsprechen. [2] Eine Einschränkung auf Teilzeitbeschäftigungen aus Anlass eines konkreten Arbeits-

---

[1] § 139 neu gef. mWv 1.4.2012 durch G v. 20.12.2011 (BGBl. I S. 2854); Abs. 1 Satz 2 angef. mWv 1.8.2019 durch G v. 8.7.2019 (BGBl. I S. 1029).

[2] ***Habersack Nr. 85a.***

[3] **beck-online, Module Arbeitsrecht Nr. 760.**

[4] Nr. **760**.

oder Maßnahmeangebotes ist nicht zulässig. [3]Die Einschränkung auf Heimarbeit schließt die Verfügbarkeit nicht aus, wenn die Anwartschaftszeit durch eine Beschäftigung als Heimarbeiterin oder Heimarbeiter erfüllt worden ist und die leistungsberechtigte Person bereit und in der Lage ist, Heimarbeit unter den üblichen Bedingungen auf dem für sie in Betracht kommenden Arbeitsmarkt auszuüben.

§ 140[1)] Zumutbare Beschäftigungen. (1) Einer arbeitslosen Person sind alle ihrer Arbeitsfähigkeit entsprechenden Beschäftigungen zumutbar, soweit allgemeine oder personenbezogene Gründe der Zumutbarkeit einer Beschäftigung nicht entgegenstehen.

(2) Aus allgemeinen Gründen ist eine Beschäftigung einer arbeitslosen Person insbesondere nicht zumutbar, wenn die Beschäftigung gegen gesetzliche, tarifliche oder in Betriebsvereinbarungen festgelegte Bestimmungen über Arbeitsbedingungen oder gegen Bestimmungen des Arbeitsschutzes verstößt.

(3) [1]Aus personenbezogenen Gründen ist eine Beschäftigung einer arbeitslosen Person insbesondere nicht zumutbar, wenn das daraus erzielbare Arbeitsentgelt erheblich niedriger ist als das der Bemessung des Arbeitslosengeldes zugrunde liegende Arbeitsentgelt. [2]In den ersten drei Monaten der Arbeitslosigkeit ist eine Minderung um mehr als 20 Prozent und in den folgenden drei Monaten um mehr als 30 Prozent dieses Arbeitsentgelts nicht zumutbar. [3]Vom siebten Monat der Arbeitslosigkeit an ist einer arbeitslosen Person eine Beschäftigung nur dann nicht zumutbar, wenn das daraus erzielbare Nettoeinkommen unter Berücksichtigung der mit der Beschäftigung zusammenhängenden Aufwendungen niedriger ist als das Arbeitslosengeld.

(4) [1]Aus personenbezogenen Gründen ist einer arbeitslosen Person eine Beschäftigung auch nicht zumutbar, wenn die täglichen Pendelzeiten zwischen ihrer Wohnung und der Arbeitsstätte im Vergleich zur Arbeitszeit unverhältnismäßig lang sind. [2]Als unverhältnismäßig lang sind im Regelfall Pendelzeiten von insgesamt mehr als zweieinhalb Stunden bei einer Arbeitszeit von mehr als sechs Stunden und Pendelzeiten von mehr als zwei Stunden bei einer Arbeitszeit von sechs Stunden und weniger anzusehen. [3]Sind in einer Region unter vergleichbaren Beschäftigten längere Pendelzeiten üblich, bilden diese den Maßstab. [4]Ein Umzug zur Aufnahme einer Beschäftigung außerhalb des zumutbaren Pendelbereichs ist einer arbeitslosen Person zumutbar, wenn nicht zu erwarten ist, dass sie innerhalb der ersten drei Monate der Arbeitslosigkeit eine Beschäftigung innerhalb des zumutbaren Pendelbereichs aufnehmen wird. [5]Vom vierten Monat der Arbeitslosigkeit an ist einer arbeitslosen Person ein Umzug zur Aufnahme einer Beschäftigung außerhalb des zumutbaren Pendelbereichs in der Regel zumutbar. [6]Die Sätze 4 und 5 sind nicht anzuwenden, wenn dem Umzug ein wichtiger Grund entgegensteht. [7]Ein wichtiger Grund kann sich insbesondere aus familiären Bindungen ergeben.

(5) Eine Beschäftigung ist nicht schon deshalb unzumutbar, weil sie befristet ist, vorübergehend eine getrennte Haushaltsführung erfordert oder nicht zum Kreis der Beschäftigungen gehört, für die die Arbeitnehmerin oder der Arbeitnehmer ausgebildet ist oder die sie oder er bisher ausgeübt hat.

[1)] 4. Kapitel (§§ 136–175) neu gef. mWv 1.4.2012 durch G v. 20.12.2011 (BGBl. I S. 2854).

§ 141[1)] Arbeitslosmeldung. (1) [1]Die oder der Arbeitslose hat sich elektronisch im Fachportal der Bundesagentur oder persönlich bei der zuständigen Agentur für Arbeit arbeitslos zu melden. [2]Das in Satz 1 genannte elektronische Verfahren muss die Voraussetzungen des § 36a Absatz 2a Nummer 1 Buchstabe a des Ersten Buches[2)] erfüllen. [3]Eine Meldung ist auch zulässig, wenn die Arbeitslosigkeit noch nicht eingetreten, der Eintritt der Arbeitslosigkeit aber innerhalb der nächsten drei Monate zu erwarten ist.

(2) Ist die zuständige Agentur für Arbeit am ersten Tag der Beschäftigungslosigkeit der oder des Arbeitslosen nicht dienstbereit, so wirkt eine Meldung an dem nächsten Tag, an dem die Agentur für Arbeit dienstbereit ist, auf den Tag zurück, an dem die Agentur für Arbeit nicht dienstbereit war.

(3) Die Wirkung der Meldung erlischt

1. bei einer mehr als sechswöchigen Unterbrechung der Arbeitslosigkeit,
2. mit der Aufnahme der Beschäftigung, selbständigen Tätigkeit, Tätigkeit als mithelfende Familienangehörige oder als mithelfender Familienangehöriger, wenn die oder der Arbeitslose diese der Agentur für Arbeit nicht unverzüglich mitgeteilt hat.

(4) [1]Die zuständige Agentur für Arbeit soll mit der oder dem Arbeitslosen unverzüglich nach Eintritt der Arbeitslosigkeit ein persönliches Beratungs- und Vermittlungsgespräch führen. [2]Dies ist entbehrlich, wenn das persönliche Beratungs- und Vermittlungsgespräch bereits in zeitlicher Nähe vor Eintritt der Arbeitslosigkeit, in der Regel innerhalb von vier Wochen, vor Eintritt der Arbeitslosigkeit geführt worden ist.

§ 142[3)] Anwartschaftszeit. (1) [1]Die Anwartschaftszeit hat erfüllt, wer in der Rahmenfrist (§ 143) mindestens zwölf Monate in einem Versicherungspflichtverhältnis gestanden hat. [2]Zeiten, die vor dem Tag liegen, an dem der Anspruch auf Arbeitslosengeld wegen des Eintritts einer Sperrzeit erloschen ist, dienen nicht zur Erfüllung der Anwartschaftszeit.

(2) [1]Für Arbeitslose, die die Anwartschaftszeit nach Absatz 1 nicht erfüllen sowie darlegen und nachweisen, dass

1. sich die in der Rahmenfrist zurückgelegten Beschäftigungstage überwiegend aus versicherungspflichtigen Beschäftigungen ergeben, die auf nicht mehr als 14 Wochen im Voraus durch Arbeitsvertrag zeit- oder zweckbefristet sind, und
2. das in den letzten zwölf Monaten vor der Beschäftigungslosigkeit erzielte Arbeitsentgelt das 1,5fache der zum Zeitpunkt der Anspruchsentstehung

---

[1)] § 141 neu gef. mWv 1.4.2012 durch G v. 20.12.2011 (BGBl. I S. 2854); Überschrift neu gef., Abs. 1 Satz 1 geänd., Satz 2 eingef., bish. Satz 2 wird Satz 3, bish. Abs. 2 wird Abs. 3, bish. Abs. 3 wird Abs. 2 und geänd., Abs. 4 angef. mWv 1.1.2022 durch G v. 20.5.2020 (BGBl. I S. 1044); Abs. 1 Satz 2 geänd. mWv 1.1.2024 durch G v. 22.12.2023 (BGBl. 2023 I Nr. 408).

[2)] Nr. **691**.

[3)] § 142 neu gef. mWv 1.4.2012 durch G v. 20.12.2011 (BGBl. I S. 2854); Abs. 2 Satz 1 Nr. 1 und ausl. Satzteil geänd. mWv 1.8.2012 durch G v. 21.7.2012 (BGBl. I S. 1613); Abs. 2 Satz 1 abschl. Satzteil geänd. mWv 1.1.2015 durch G v. 10.12.2014 (BGBl. I S. 2082); Abs. 2 Satz 1 abschl. Satzteil geänd. mWv 1.1.2016 durch G v. 21.12.2015 (BGBl. I S. 2557); Abs. 2 Satz 1 abschl. Satzteil geänd. mWv 1.8.2016 durch G v. 18.7.2016 (BGBl. I S. 1710); Abs. 2 Satz 1 abschl. Satzteil geänd. mWv 14.7.2018 durch G v. 10.7.2018 (BGBl. I S. 1117); Abs. 2 Satz 1 abschl. Satzteil geänd. mWv 1.1. 2019, Abs. 2 Satz 1 Nr. 1 und 2 geänd. mWv 1.1.2020 durch G v. 18.12.2018 (BGBl. I S. 2651); Abs. 2 Satz 1 abschl. Satzteil geänd. mWv 1.1.2023 durch G v. 20.12.2022 (BGBl. I S. 2759).

maßgeblichen Bezugsgröße nach § 18 Absatz 1 des Vierten Buches[1] nicht übersteigt,

beträgt die Anwartschaftszeit sechs Monate. ² § 27 Absatz 3 Nummer 1 bleibt unberührt.

§ 143[2] Rahmenfrist. (1) Die Rahmenfrist beträgt 30 Monate und beginnt mit dem Tag vor der Erfüllung aller sonstigen Voraussetzungen für den Anspruch auf Arbeitslosengeld.

(2) Die Rahmenfrist reicht nicht in eine vorangegangene Rahmenfrist hinein, in der die oder der Arbeitslose eine Anwartschaftszeit erfüllt hatte.

(3) ¹ In die Rahmenfrist werden Zeiten nicht eingerechnet, in denen die oder der Arbeitslose von einem Rehabilitationsträger Übergangsgeld wegen einer berufsfördernden Maßnahme bezogen hat. ² In diesem Fall endet die Rahmenfrist spätestens fünf Jahre nach ihrem Beginn.

§ 144[3] Anspruchsvoraussetzungen bei beruflicher Weiterbildung.

(1) Anspruch auf Arbeitslosengeld hat auch, wer die Voraussetzungen für einen Anspruch auf Arbeitslosengeld bei Arbeitslosigkeit allein wegen einer nach § 81 geförderten beruflichen Weiterbildung nicht erfüllt.

(2) Bei einer Arbeitnehmerin oder einem Arbeitnehmer, die oder der vor Eintritt in die Maßnahme nicht arbeitslos war, gelten die Voraussetzungen eines Anspruchs auf Arbeitslosengeld bei Arbeitslosigkeit als erfüllt, wenn sie oder er

1. bei Eintritt in die Maßnahme einen Anspruch auf Arbeitslosengeld bei Arbeitslosigkeit hätte, der weder ausgeschöpft noch erloschen ist, oder
2. die Anwartschaftszeit im Fall von Arbeitslosigkeit am Tag des Eintritts in die Maßnahme der beruflichen Weiterbildung erfüllt hätte; insoweit gilt der Tag des Eintritts in die Maßnahme als Tag der Arbeitslosmeldung.

Zweiter Unterabschnitt. Sonderformen des Arbeitslosengeldes

§ 145[4] Minderung der Leistungsfähigkeit. (1) ¹ Anspruch auf Arbeitslosengeld hat auch eine Person, die allein deshalb nicht arbeitslos ist, weil sie wegen einer mehr als sechsmonatigen Minderung ihrer Leistungsfähigkeit versicherungspflichtige, mindestens 15 Stunden wöchentlich umfassende Beschäftigungen nicht unter den Bedingungen ausüben kann, die auf dem für sie in Betracht kommenden Arbeitsmarkt ohne Berücksichtigung der Minderung der Leistungsfähigkeit üblich sind, wenn eine verminderte Erwerbsfähigkeit im Sinne der gesetzlichen Rentenversicherung nicht festgestellt worden ist. ² Die Feststellung, ob eine verminderte Erwerbsfähigkeit vorliegt, trifft der zuständige Träger der gesetzlichen Rentenversicherung. ³ Kann sich die leistungsgeminderte Person wegen gesundheitlicher Einschränkungen nicht persönlich arbeitslos melden, so kann die Meldung durch eine Vertreterin oder einen Vertreter erfolgen. ⁴ Die leistungsgeminderte Person hat sich unverzüglich persönlich bei

---

[1] Nr. **694**.

[2] § 143 neu gef. mWv 1.4.2012 durch G v. 20.12.2011 (BGBl. I S. 2854); Abs. 1 neu gef. mWv 1.1.2020 durch G v. 18.12.2018 (BGBl. I S. 2651).

[3] § 144 neu gef. mWv 1.4.2012 durch G v. 20.12.2011 (BGBl. I S. 2854); Abs. 2 Nr. 2 geänd. mWv 1.1.2022 durch G v. 20.5.2020 (BGBl. I S. 1044).

[4] 4. Kapitel (§§ 136–175) neu gef. mWv 1.4.2012 durch G v. 20.12.2011 (BGBl. I S. 2854).

der Agentur für Arbeit zu melden, sobald der Grund für die Verhinderung entfallen ist.

(2) [1] Die Agentur für Arbeit hat die leistungsgeminderte Person unverzüglich aufzufordern, innerhalb eines Monats einen Antrag auf Leistungen zur medizinischen Rehabilitation oder zur Teilhabe am Arbeitsleben zu stellen. [2] Stellt sie diesen Antrag fristgemäß, so gilt er im Zeitpunkt des Antrags auf Arbeitslosengeld als gestellt. [3] Stellt die leistungsgeminderte Person den Antrag nicht, ruht der Anspruch auf Arbeitslosengeld vom Tag nach Ablauf der Frist an bis zum Tag, an dem sie einen Antrag auf Leistungen zur medizinischen Rehabilitation oder zur Teilhabe am Arbeitsleben oder einen Antrag auf Rente wegen Erwerbsminderung stellt. [4] Kommt die leistungsgeminderte Person ihren Mitwirkungspflichten gegenüber dem Träger der medizinischen Rehabilitation oder der Teilhabe am Arbeitsleben nicht nach, so ruht der Anspruch auf Arbeitslosengeld von dem Tag nach Unterlassen der Mitwirkung bis zu dem Tag, an dem die Mitwirkung nachgeholt wird. [5] Satz 4 gilt entsprechend, wenn die leistungsgeminderte Person durch ihr Verhalten die Feststellung der Erwerbsminderung verhindert.

(3) [1] Wird der leistungsgeminderten Person von einem Träger der gesetzlichen Rentenversicherung wegen einer Maßnahme zur Rehabilitation Übergangsgeld oder eine Rente wegen Erwerbsminderung zuerkannt, steht der Bundesagentur ein Erstattungsanspruch entsprechend § 103 des Zehnten Buches[1)] zu. [2] Hat der Träger der gesetzlichen Rentenversicherung Leistungen nach Satz 1 mit befreiender Wirkung an die leistungsgeminderte Person oder einen Dritten gezahlt, hat die Empfängerin oder der Empfänger des Arbeitslosengeldes dieses insoweit zu erstatten.

§ 146[2)] Leistungsfortzahlung bei Arbeitsunfähigkeit. (1) [1] Wer während des Bezugs von Arbeitslosengeld infolge Krankheit unverschuldet arbeitsunfähig oder während des Bezugs von Arbeitslosengeld auf Kosten der Krankenkasse stationär behandelt wird, verliert dadurch nicht den Anspruch auf Arbeitslosengeld für die Zeit der Arbeitsunfähigkeit oder stationären Behandlung mit einer Dauer von bis zu sechs Wochen (Leistungsfortzahlung). [2] Als unverschuldet im Sinne des Satzes 1 gilt auch eine Arbeitsunfähigkeit, die infolge einer durch Krankheit erforderlichen Sterilisation durch eine Ärztin oder einen Arzt oder infolge eines nicht rechtswidrigen Abbruchs der Schwangerschaft eintritt. [3] Dasselbe gilt für einen Abbruch der Schwangerschaft, wenn die Schwangerschaft innerhalb von zwölf Wochen nach der Empfängnis durch eine Ärztin oder einen Arzt abgebrochen wird, die Schwangere den Abbruch verlangt und der Ärztin oder dem Arzt durch eine Bescheinigung nachgewiesen hat, dass sie sich mindestens drei Tage vor dem Eingriff von einer anerkannten Beratungsstelle beraten lassen hat.

(2) [1] Eine Leistungsfortzahlung erfolgt auch im Fall einer nach ärztlichem Zeugnis erforderlichen Beaufsichtigung, Betreuung oder Pflege eines erkrankten Kindes der oder des Arbeitslosen mit einer Dauer von bis zu zehn Tagen, bei alleinerziehenden Arbeitslosen mit einer Dauer von bis zu 20 Tagen für jedes Kind in jedem Kalenderjahr, wenn eine andere im Haushalt der oder des Arbeitslosen lebende Person diese Aufgabe nicht übernehmen kann und das

---

[1)] **beck-online, Module Arbeitsrecht Nr. 699.**

[2)] 4. Kapitel (§§ 136–175) neu gef. mWv 1.4.2012 durch G v. 20.12.2011 (BGBl. I S. 2854).

Kind das zwölfte Lebensjahr noch nicht vollendet hat oder behindert und auf Hilfe angewiesen ist. 2 Arbeitslosengeld wird jedoch für nicht mehr als 25 Tage, für alleinerziehende Arbeitslose für nicht mehr als 50 Tage in jedem Kalenderjahr fortgezahlt.

(3) Die Vorschriften des Fünften Buches[1)], die bei Fortzahlung des Arbeitsentgelts durch den Arbeitgeber im Krankheitsfall sowie bei Zahlung von Krankengeld im Fall der Erkrankung eines Kindes anzuwenden sind, gelten entsprechend.

Dritter Unterabschnitt. Anspruchsdauer

§ 147[2)] Grundsatz. (1) 1 Die Dauer des Anspruchs auf Arbeitslosengeld richtet sich nach

1. der Dauer der Versicherungspflichtverhältnisse innerhalb der um 30 Monate erweiterten Rahmenfrist und
2. dem Lebensalter, das die oder der Arbeitslose bei der Entstehung des Anspruchs vollendet hat.

2 Die Vorschriften des Ersten Unterabschnitts zum Ausschluss von Zeiten bei der Erfüllung der Anwartschaftszeit und zur Begrenzung der Rahmenfrist durch eine vorangegangene Rahmenfrist gelten entsprechend.

(2) Die Dauer des Anspruchs auf Arbeitslosengeld beträgt

nach Versicherungspflichtverhältnissen mit einer Dauer von insgesamt mindestens … Monaten	und nach Vollendung des … Lebensjahres	… Monate
12		6
16		8
20		10
24		12
30	50.	15
36	55.	18
48	58.	24

(3) 1 Bei Erfüllung der Anwartschaftszeit nach § 142 Absatz 2 beträgt die Dauer des Anspruchs auf Arbeitslosengeld unabhängig vom Lebensalter

nach Versicherungspflichtverhältnissen mit einer Dauer von insgesamt mindestens … Monaten	… Monate
6	3
8	4
10	5

2 Abweichend von Absatz 1 sind nur die Versicherungspflichtverhältnisse innerhalb der Rahmenfrist des § 143 zu berücksichtigen.

[1)] Auszugsweise abgedruckt unter Nr. **695**.

[2)] § 147 neu gef. mWv 1.4.2012 durch G v. 20.12.2011 (BGBl. I S. 2854); Abs. 1 Satz 1 Nr. 1 geänd. mWv 1.1.2020 durch G v. 18.12.2018 (BGBl. I S. 2651).

(4) Die Dauer des Anspruchs verlängert sich um die Restdauer des wegen Entstehung eines neuen Anspruchs erloschenen Anspruchs, wenn nach der Entstehung des erloschenen Anspruchs noch nicht fünf Jahre verstrichen sind; sie verlängert sich längstens bis zu der dem Lebensalter der oder des Arbeitslosen zugeordneten Höchstdauer.

§ 148[1] Minderung und Verlängerung der Anspruchsdauer. (1) Die Dauer des Anspruchs auf Arbeitslosengeld mindert sich um

1. die Anzahl von Tagen, für die der Anspruch auf Arbeitslosengeld bei Arbeitslosigkeit erfüllt worden ist,
2. jeweils einen Tag für jeweils zwei Tage, für die ein Anspruch auf Teilarbeitslosengeld innerhalb der letzten zwei Jahre vor der Entstehung des Anspruchs erfüllt worden ist,
3. die Anzahl von Tagen einer Sperrzeit wegen Arbeitsablehnung, unzureichender Eigenbemühungen, Ablehnung oder Abbruch einer beruflichen Eingliederungsmaßnahme, Ablehnung oder Abbruch eines Integrationskurses oder einer berufsbezogenen Deutschsprachförderung, Meldeversäumnis oder verspäteter Arbeitsuchendmeldung,
4. die Anzahl von Tagen einer Sperrzeit wegen Arbeitsaufgabe; in Fällen einer Sperrzeit von zwölf Wochen mindestens jedoch um ein Viertel der Anspruchsdauer, die der oder dem Arbeitslosen bei erstmaliger Erfüllung der Voraussetzungen für den Anspruch auf Arbeitslosengeld nach dem Ereignis, das die Sperrzeit begründet, zusteht,
5. die Anzahl von Tagen, für die der oder dem Arbeitslosen das Arbeitslosengeld wegen fehlender Mitwirkung (§ 66 des Ersten Buches[2]) versagt oder entzogen worden ist,
6. die Anzahl von Tagen der Beschäftigungslosigkeit nach der Erfüllung der Voraussetzungen für den Anspruch auf Arbeitslosengeld, an denen die oder der Arbeitslose nicht arbeitsbereit ist, ohne für sein Verhalten einen wichtigen Grund zu haben,
7. jeweils einen Tag für jeweils zwei Tage, für die ein Anspruch auf Arbeitslosengeld bei beruflicher Weiterbildung nach diesem Buch erfüllt worden ist,
8. die Anzahl von Tagen, für die ein Gründungszuschuss in der Höhe des zuletzt bezogenen Arbeitslosengeldes geleistet worden ist.

(2) [1] In den Fällen des Absatzes 1 Nummer 5 und 6 mindert sich die Dauer des Anspruchs auf Arbeitslosengeld höchstens um vier Wochen. [2] In den Fällen des Absatzes 1 Nummer 3 und 4 entfällt die Minderung für Sperrzeiten bei Abbruch einer beruflichen Eingliederungsmaßnahme, bei Abbruch eines Integrationskurses oder einer berufsbezogenen Deutschsprachförderung oder bei Arbeitsaufgabe, wenn das Ereignis, das die Sperrzeit begründet, bei Erfüllung der Voraussetzungen für den Anspruch auf Arbeitslosengeld länger als ein Jahr zurückliegt. [3] In den Fällen des Absatzes 1 Nummer 7 unterbleibt eine Minderung, soweit sich dadurch eine Anspruchsdauer von weniger als drei Monaten ergibt. [4] Ist ein

[1] § 148 neu gef. mWv 1.4.2012 durch G v. 20.12.2011 (BGBl. I S. 2854); Abs. 3 angef. mWv 1.8. 2016 durch G v. 18.7.2016 (BGBl. I S. 1710); Abs. 1 Nr. 3 geänd. mWv 1.8.2019 durch G v. 8.7.2019 (BGBl. I S. 1029); Überschrift neu gef., Abs. 2 Sätze 2 und 3 geänd., Abs. 3 eingef., bish. Abs. 3 wird Abs. 4 mWv 1.7.2023 durch G v. 16.12.2022 (BGBl. I S. 2328).

[2] Nr. **691**.

neuer Anspruch entstanden, erstreckt sich die Minderung nur auf die Restdauer des erloschenen Anspruchs (§ 147 Absatz 4).

(3) Ist in den Fällen des Absatzes 1 Nummer 7 die oder der Arbeitslose wegen einer beruflichen Weiterbildung für eine Dauer von mindestens sechs Monaten gefördert worden und beträgt die Restdauer ihres oder seines Anspruchs weniger als drei Monate, erfolgt einmalig für den Anspruch auf Arbeitslosengeld eine Verlängerung der Anspruchsdauer auf drei Monate.

(4) In den Fällen des Absatzes 1 Nummer 1, 2 und 7 entfällt die Minderung für Tage, für die der Bundesagentur das nach den §§ 145, 157 Absatz 3 oder nach § 158 Absatz 4 geleistete Arbeitslosengeld einschließlich der darauf entfallenden Beiträge zur Kranken-, Renten- und Pflegeversicherung erstattet oder ersetzt wurde; Bruchteile von Tagen sind auf volle Tage aufzurunden.

Vierter Unterabschnitt. Höhe des Arbeitslosengeldes

§ 149[1] Grundsatz. Das Arbeitslosengeld beträgt

1. für Arbeitslose, die mindestens ein Kind im Sinne des § 32 Absatz 1, 3 bis 5 des Einkommensteuergesetzes[2] haben, sowie für Arbeitslose, deren Ehegattin, Ehegatte, Lebenspartnerin oder Lebenspartner mindestens ein Kind im Sinne des § 32 Absatz 1, 3 bis 5 des Einkommensteuergesetzes hat, wenn beide Ehegatten oder Lebenspartner unbeschränkt einkommensteuerpflichtig sind und nicht dauernd getrennt leben, 67 Prozent (erhöhter Leistungssatz),
2. für die übrigen Arbeitslosen 60 Prozent (allgemeiner Leistungssatz)

des pauschalierten Nettoentgelts (Leistungsentgelt), das sich aus dem Bruttoentgelt ergibt, das die oder der Arbeitslose im Bemessungszeitraum erzielt hat (Bemessungsentgelt).

§ 150[3] Bemessungszeitraum und Bemessungsrahmen. (1) [1]Der Bemessungszeitraum umfasst die beim Ausscheiden aus dem jeweiligen Beschäftigungsverhältnis abgerechneten Entgeltabrechnungszeiträume der versicherungspflichtigen Beschäftigungen im Bemessungsrahmen. [2]Der Bemessungsrahmen umfasst ein Jahr; er endet mit dem letzten Tag des letzten Versicherungspflichtverhältnisses vor der Entstehung des Anspruchs.

(2) [1]Bei der Ermittlung des Bemessungszeitraums bleiben außer Betracht

1. Zeiten einer Beschäftigung, neben der Übergangsgeld wegen einer Leistung zur Teilhabe am Arbeitsleben, Teilübergangsgeld oder Teilarbeitslosengeld geleistet worden ist,
2. Zeiten einer Beschäftigung als Freiwillige oder Freiwilliger im Sinne des Jugendfreiwilligendienstegesetzes[4] oder des Bundesfreiwilligendienstgesetzes[5], wenn sich die beitragspflichtige Einnahme nach § 344 ***[bis 31.12.2026:*** Absatz 2***][ab 1.1.2027: Absatz 1]*** bestimmt,
3. Zeiten, in denen Arbeitslose Elterngeld oder Erziehungsgeld bezogen oder nur wegen der Berücksichtigung von Einkommen nicht bezogen haben oder

---

[1] § 149 neu gef. mWv 1.4.2012 durch G v. 20.12.2011 (BGBl. I S. 2854); Nr. 1 geänd. mWv 1.1. 2013 durch G v. 5.12.2012 (BGBl. I S. 2467).

[2] **beck-online, Module Arbeitsrecht Nr. 331.**

[3] 4. Kapitel (§§ 136–175) neu gef. mWv 1.4.2012 durch G v. 20.12.2011 (BGBl. I S. 2854); § 150 Abs. 2 Satz 1 Nr. 2 geänd. mWv 1.1.2027 durch G v. 22.12.2025 (BGBl. 2025 I Nr. 355).

[4] Nr. **422**.

[5] Nr. **422a**.

ein Kind unter drei Jahren betreut und erzogen haben, wenn wegen der Betreuung und Erziehung des Kindes das Arbeitsentgelt oder die durchschnittliche wöchentliche Arbeitszeit gemindert war,

4. Zeiten, in denen Arbeitslose eine Pflegezeit nach § 3 Absatz 1 Satz 1 des Pflegezeitgesetzes[1] in Anspruch genommen haben sowie Zeiten einer Familienpflegezeit oder Nachpflegephase nach dem Familienpflegezeitgesetz[2], wenn wegen der Pflege das Arbeitsentgelt oder die durchschnittliche wöchentliche Arbeitszeit gemindert war; insoweit gilt § 151 Absatz 3 Nummer 2 nicht,
5. Zeiten, in denen die durchschnittliche regelmäßige wöchentliche Arbeitszeit auf Grund einer Teilzeitvereinbarung nicht nur vorübergehend auf weniger als 80 Prozent der durchschnittlichen regelmäßigen Arbeitszeit einer vergleichbaren Vollzeitbeschäftigung, mindestens um fünf Stunden wöchentlich, vermindert war, wenn die oder der Arbeitslose Beschäftigungen mit einer höheren Arbeitszeit innerhalb der letzten dreieinhalb Jahre vor der Entstehung des Anspruchs während eines sechs Monate umfassenden zusammenhängenden Zeitraums ausgeübt hat.

[2] Satz 1 Nummer 5 gilt nicht in Fällen einer Teilzeitvereinbarung nach dem Altersteilzeitgesetz[3], es sei denn, das Beschäftigungsverhältnis ist wegen Zahlungsunfähigkeit des Arbeitgebers beendet worden.

(3) [1] Der Bemessungsrahmen wird auf zwei Jahre erweitert, wenn

1. der Bemessungszeitraum weniger als 150 Tage mit Anspruch auf Arbeitsentgelt enthält,
2. in den Fällen des § 142 Absatz 2 der Bemessungszeitraum weniger als 90 Tage mit Anspruch auf Arbeitsentgelt enthält oder
3. es mit Rücksicht auf das Bemessungsentgelt im erweiterten Bemessungsrahmen unbillig hart wäre, von dem Bemessungsentgelt im Bemessungszeitraum auszugehen.

[2] Satz 1 Nummer 3 ist nur anzuwenden, wenn die oder der Arbeitslose dies verlangt und die zur Bemessung erforderlichen Unterlagen vorlegt.

§ 151[4] Bemessungsentgelt. (1) [1] Bemessungsentgelt ist das durchschnittlich auf den Tag entfallende beitragspflichtige Arbeitsentgelt, das die oder der Arbeitslose im Bemessungszeitraum erzielt hat; Besonderheiten des Übergangsbereichs nach § 20 Absatz 2 des Vierten Buches[5] sind nicht zu berücksichtigen. [2] Arbeitsentgelte, auf die die oder der Arbeitslose beim Ausscheiden aus dem Beschäftigungsverhältnis Anspruch hatte, gelten als erzielt, wenn sie zugeflossen oder nur wegen Zahlungsunfähigkeit des Arbeitgebers nicht zugeflossen sind.

(2) Außer Betracht bleiben Arbeitsentgelte,

---

[1] Nr. **409**.

[2] Nr. **410**.

[3] Nr. **721**.

[4] § 151 neu gef. mWv 1.4.2012 durch G v. 20.12.2011 (BGBl. I S. 2854); Abs. 3 Nr. 2 geänd., Nr. 3 angef. mWv 1.8.2016 durch G v. 18.7.2016 (BGBl. I S. 1710); Abs. 3 Nr. 3 geänd. mWv 1.8.2019 durch G v. 8.7.2019 (BGBl. I S. 1025); Abs. 3 Nr. 3 geänd. mWv 1.1.2020 durch G v. 12.12.2019 (BGBl. I S. 2522); Abs. 3 Nr. 3 geänd. mWv 1.7.2020 durch G v. 12.6.2020 (BGBl. I S. 1248); Abs. 1 Satz 1, Abs. 3 Nr. 1 und Abs. 4 geänd. mWv 1.1.2023, Abs. 3a eingef. mWv 1.1.2024 durch G v. 20.12.2022 *(BGBl. I S. 2759)*; Abs. 3 Nr. 3 geänd., Nr. 4 angef. mWv 1.4.2024 durch G v. 17.7.2023 (BGBl. 2023 I Nr. 191).

[5] Nr. **694**.

1. die Arbeitslose wegen der Beendigung des Arbeitsverhältnisses erhalten oder die im Hinblick auf die Arbeitslosigkeit vereinbart worden sind,
2. die als Wertguthaben einer Vereinbarung nach § 7b des Vierten Buches[1)] nicht nach dieser Vereinbarung verwendet werden.

(3) Als Arbeitsentgelt ist zugrunde zu legen

1. für Zeiten, in denen Arbeitslose Kurzarbeitergeld oder eine vertraglich vereinbarte Leistung zur Vermeidung der Inanspruchnahme von Saison-Kurzarbeitergeld bezogen haben, das Arbeitsentgelt, das Arbeitslose ohne den Arbeitsausfall und ohne Mehrarbeit erzielt hätten; dies gilt auch, wenn die Entscheidung über den Anspruch auf Kurzarbeitergeld rückwirkend aufgehoben wird oder die Leistung zurückgefordert oder zurückgezahlt worden ist,
2. für Zeiten einer Vereinbarung nach § 7b des Vierten Buches[1)] das Arbeitsentgelt, das Arbeitslose für die geleistete Arbeitszeit ohne eine Vereinbarung nach § 7b des Vierten Buches[1)] erzielt hätten; für Zeiten einer Freistellung das erzielte Arbeitsentgelt,
3. für Zeiten einer Berufsausbildung, die im Rahmen eines Berufsausbildungsvertrages nach dem Berufsbildungsgesetz in einer außerbetrieblichen Einrichtung durchgeführt wurde (§ 25 Absatz 1 Satz 2 Nummer 1), die erzielte Ausbildungsvergütung; wurde keine Ausbildungsvergütung erzielt, der nach § 17 Absatz 2 des Berufsbildungsgesetzes[2)] als Mindestvergütung maßgebliche Betrag ***[bis 31.3.2024:.][ab 1.4.2024:,]***

[Nr. 4 ab 1.4.2024:]

4. *für Zeiten, in denen Arbeitslose Qualifizierungsgeld bezogen haben, das Arbeitsentgelt, das Arbeitslose ohne den weiterbildungsbedingten Arbeitsausfall und ohne Mehrarbeit erzielt hätten; dies gilt auch, wenn die Entscheidung über den Anspruch auf Qualifizierungsgeld rückwirkend aufgehoben wird oder die Leistung zurückgefordert oder zurückgezahlt worden ist.*

(3a) War die oder der Arbeitslose innerhalb des auf zwei Jahre erweiterten Bemessungsrahmens in einer berufsvorbereitenden Bildungsmaßnahme versicherungspflichtig nach § 26 Absatz 1 Nummer 1 und kann ein Bemessungszeitraum von 150 Tagen mit Anspruch auf Arbeitsentgelt nicht festgestellt werden, ist Bemessungsentgelt ein Dreißigstel des Betrages, der bei Entstehung des Anspruchs als Mindestausbildungsvergütung nach § 17 Absatz 2 Satz 1 Nummer 1 des Berufsbildungsgesetzes maßgeblich ist; insoweit gilt § 152 nicht.

(4) Haben Arbeitslose innerhalb der letzten zwei Jahre vor der Entstehung des Anspruchs Arbeitslosengeld bezogen, ist Bemessungsentgelt mindestens das Entgelt, nach dem das Arbeitslosengeld zuletzt bemessen worden ist; dies gilt auch, wenn sie das Arbeitslosengeld nur deshalb nicht bezogen haben, weil der Anspruch geruht hat.

(5) [1] Ist die oder der Arbeitslose nicht mehr bereit oder in der Lage, die im Bemessungszeitraum durchschnittlich auf die Woche entfallende Zahl von Arbeitsstunden zu leisten, vermindert sich das Bemessungsentgelt für die Zeit der Einschränkung entsprechend dem Verhältnis der Zahl der durchschnittlichen regelmäßigen wöchentlichen Arbeitsstunden, die die oder der Arbeitslose künftig leisten will oder kann, zu der Zahl der durchschnittlich auf die Woche entfallenden Arbeitsstunden im Bemessungszeitraum. [2] Einschränkungen des Leistungs-

---

[1)] Nr. **694**.
[2)] Nr. **415**.

vermögens bleiben unberücksichtigt, wenn Arbeitslosengeld nach § 145 geleistet wird. [3] Bestimmt sich das Bemessungsentgelt nach § 152, ist insoweit die tarifliche regelmäßige wöchentliche Arbeitszeit maßgebend, die bei Entstehung des Anspruchs für Angestellte im öffentlichen Dienst des Bundes gilt.

§ 152[1)] Fiktive Bemessung. (1) [1] Kann ein Bemessungszeitraum von mindestens 150 Tagen mit Anspruch auf Arbeitsentgelt innerhalb des auf zwei Jahre erweiterten Bemessungsrahmens nicht festgestellt werden, ist als Bemessungsentgelt ein fiktives Arbeitsentgelt zugrunde zu legen. [2] In den Fällen des § 142 Absatz 2 gilt Satz 1 mit der Maßgabe, dass ein Bemessungszeitraum von mindestens 90 Tagen nicht festgestellt werden kann.

(2) [1] Für die Festsetzung des fiktiven Arbeitsentgelts ist die oder der Arbeitslose der Qualifikationsgruppe zuzuordnen, die der beruflichen Qualifikation entspricht, die für die Beschäftigung erforderlich ist, auf die die Agentur für Arbeit die Vermittlungsbemühungen für die Arbeitslose oder den Arbeitslosen in erster Linie zu erstrecken hat. [2] Dabei ist zugrunde zu legen für Beschäftigungen, die

1. eine Hochschul- oder Fachhochschulausbildung erfordern (Qualifikationsgruppe 1), ein Arbeitsentgelt in Höhe von einem Dreihundertstel der Bezugsgröße,
2. einen Fachschulabschluss, den Nachweis über eine abgeschlossene Qualifikation als Meisterin oder Meister oder einen Abschluss in einer vergleichbaren Einrichtung erfordern (Qualifikationsgruppe 2), ein Arbeitsentgelt in Höhe von einem Dreihundertsechzigstel der Bezugsgröße,
3. eine abgeschlossene Ausbildung in einem Ausbildungsberuf erfordern (Qualifikationsgruppe 3), ein Arbeitsentgelt in Höhe von einem Vierhundertfünfzigstel der Bezugsgröße,
4. keine Ausbildung erfordern (Qualifikationsgruppe 4), ein Arbeitsentgelt in Höhe von einem Sechshundertstel der Bezugsgröße, mindestens jedoch ein Arbeitsentgelt in Höhe des Betrages, der sich ergibt, wenn der Mindestlohn je Zeitstunde nach § 1 Absatz 2 Satz 1 des Mindestlohngesetzes[2)] in Verbindung mit der auf der Grundlage des § 11 Absatz 1 Satz 1 des Mindestlohngesetzes jeweils erlassenen Verordnung mit einem Siebtel der tariflichen regelmäßigen wöchentlichen Arbeitszeit, die für Tarifbeschäftigte im öffentlichen Dienst des Bundes gilt, vervielfacht wird.

§ 153[3)] Leistungsentgelt. (1) [1] Leistungsentgelt ist das um pauschalierte Abzüge verminderte Bemessungsentgelt. [2] Abzüge sind

1. eine Sozialversicherungspauschale in Höhe von 20 Prozent des Bemessungsentgelts,

---

[1)] § 152 neu gef. mWv 1.4.2012 durch G v. 20.12.2011 (BGBl. I S. 2854); Abs. 2 Satz 2 Nr. 4 geänd. mWv 1.10.2022 durch G v. 28.6.2022 (BGBl. I S. 969).

[2)] Nr. **505**.

[3)] § 153 neu gef. mWv 1.4.2012 durch G v. 20.12.2011 (BGBl. I S. 2854); Abs. 3 Satz 1 geänd. mWv 24.7.2014 durch G v. 18.7.2014 (BGBl. I S. 1042); Abs. 1 Satz 4 Nr. 2 geänd. mWv 1.1.2016 durch G v. 21.12.2015 (BGBl. I S. 2557); Abs. 1 Satz 4 Nr. 1 geänd. mWv 1.1.2025 durch G v. 17.7.2017 (BGBl. I S. 2575); *Abs. 1 Satz 2 Nr. 1* geänd. mWv 1.1.2019 durch G v. 18.12.2018 (BGBl. I S. 2651); Abs. 1 Satz 2 Nr. 2, Satz 4 Nr. 1 geänd. mWv 1.1.2024 durch G v. 21.12.2020 (BGBl. I S. 3096); Abs. 4 angef. mWv 1.1.2023 durch G v. 20.12.2022 (BGBl. I S. 2759).

2. die Lohnsteuer, die sich nach dem vom Bundesministerium der Finanzen auf Grund des § 51 Absatz 4 Nummer 1a des Einkommensteuergesetzes[1] bekannt gegebenen Programmablaufplan ***[bis 31.12.2023:*** bei Berücksichtigung der Vorsorgepauschale nach § 39b Absatz 2 Satz 5 Nummer 3 Buchstabe a bis c des Einkommensteuergesetzes***][ab 1.1.2024:** bei Berücksichtigung der Vorsorgepauschale nach § 39b Absatz 2 Satz 5 Nummer 3 Buchstabe a bis c und e des Einkommensteuergesetzes]* zu Beginn des Jahres, in dem der Anspruch entstanden ist, ergibt und
3. der Solidaritätszuschlag.

[3]Bei der Berechnung der Abzüge nach Satz 2 Nummer 2 und 3 sind

1. Freibeträge und Pauschalen, die nicht jeder Arbeitnehmerin oder jedem Arbeitnehmer zustehen, nicht zu berücksichtigen und
2. der als Lohnsteuerabzugsmerkmal gebildete Faktor nach § 39f des Einkommensteuergesetzes zu berücksichtigen.

[4]Für die Feststellung der Lohnsteuer wird die Vorsorgepauschale mit folgenden Maßgaben berücksichtigt:

1. für Beiträge zur Rentenversicherung ***[ab 1.1.2024:** und zur Arbeitsförderung]* als Beitragsbemessungsgrenze die ***[bis 31.12.2024:*** für das Bundesgebiet West maßgebliche Beitragsbemessungsgrenze***][ab 1.1.2025:** maßgebliche Beitragsbemessungsgrenze der allgemeinen Rentenversicherung]*,
2. für Beiträge zur Krankenversicherung der ermäßigte Beitragssatz nach § 243 des Fünften Buches[2] zuzüglich des durchschnittlichen Zusatzbeitragssatzes nach § 242a des Fünften Buches[2],
3. für Beiträge zur Pflegeversicherung der Beitragssatz des § 55 Absatz 1 Satz 1 des Elften Buches[3].

(2) [1]Die Feststellung der Lohnsteuer richtet sich nach der Lohnsteuerklasse, die zu Beginn des Jahres, in dem der Anspruch entstanden ist, als Lohnsteuerabzugsmerkmal gebildet war. [2]Spätere Änderungen der als Lohnsteuerabzugsmerkmal gebildeten Lohnsteuerklasse werden mit Wirkung des Tages berücksichtigt, an dem erstmals die Voraussetzungen für die Änderung vorlagen.

(3) [1]Haben Ehegatten oder Lebenspartner die Lohnsteuerklassen gewechselt, so werden die als Lohnsteuerabzugsmerkmal neu gebildeten Lohnsteuerklassen von dem Tag an berücksichtigt, an dem sie wirksam werden, wenn

1. die neuen Lohnsteuerklassen dem Verhältnis der monatlichen Arbeitsentgelte beider Ehegatten oder Lebenspartner entsprechen oder
2. sich auf Grund der neuen Lohnsteuerklassen ein Arbeitslosengeld ergibt, das geringer ist als das Arbeitslosengeld, das sich ohne den Wechsel der Lohnsteuerklassen ergäbe.

[2]Bei der Prüfung nach Satz 1 ist der Faktor nach § 39f des Einkommensteuergesetzes zu berücksichtigen; ein Ausfall des Arbeitsentgelts, der den Anspruch auf eine lohnsteuerfreie Entgeltersatzleistung begründet, bleibt bei der Beurteilung des Verhältnisses der monatlichen Arbeitsentgelte außer Betracht.

---

[1] **beck-online, Module Arbeitsrecht Nr. 331.**
[2] **beck-online, Module Arbeitsrecht Nr. 695.**
[3] **Aichberger, SGB Nr. 11.**

(4) [1] Abzüge nach Absatz 1 Satz 2 Nummer 2 und 3 sind nicht zu berücksichtigen bei Personen, deren Ansässigkeitsstaat nach einem Abkommen zur Vermeidung der Doppelbesteuerung das Besteuerungsrecht für das Arbeitslosengeld zusteht und wenn das aus Deutschland gezahlte Arbeitslosengeld nach den maßgebenden Vorschriften des Ansässigkeitsstaats der Steuer unterliegt. [2] Unterliegt das Arbeitslosengeld im Ansässigkeitsstaat nach dessen maßgebenden Vorschriften nicht der Steuer, sind die Abzüge nach Absatz 1 Satz 2 entsprechend zu berücksichtigen.

§ 154[1)] Berechnung und Leistung. [1] Das Arbeitslosengeld wird für Kalendertage berechnet und geleistet. [2] Ist es für einen vollen Kalendermonat zu zahlen, ist dieser mit 30 Tagen anzusetzen.

Fünfter Unterabschnitt. Minderung des Arbeitslosengeldes, Zusammentreffen des Anspruchs mit sonstigem Einkommen und Ruhen des Anspruchs

§ 155[1)] Anrechnung von Nebeneinkommen. (1) [1] Übt die oder der Arbeitslose während einer Zeit, für die ihr oder ihm Arbeitslosengeld zusteht, eine Erwerbstätigkeit im Sinne des § 138 Absatz 3 aus, ist das daraus erzielte Einkommen nach Abzug der Steuern, der Sozialversicherungsbeiträge und der Werbungskosten sowie eines Freibetrags in Höhe von 165 Euro in dem Kalendermonat der Ausübung anzurechnen. [2] Handelt es sich um eine selbständige Tätigkeit, eine Tätigkeit als mithelfende Familienangehörige oder mithelfender Familienangehöriger, sind pauschal 30 Prozent der Betriebseinnahmen als Betriebsausgaben abzusetzen, es sei denn, die oder der Arbeitslose weist höhere Betriebsausgaben nach.

(2) Hat die oder der Arbeitslose in den letzten 18 Monaten vor der Entstehung des Anspruchs neben einem Versicherungspflichtverhältnis eine Erwerbstätigkeit (§ 138 Absatz 3) mindestens zwölf Monate lang ausgeübt, so bleibt das Einkommen bis zu dem Betrag anrechnungsfrei, der in den letzten zwölf Monaten vor der Entstehung des Anspruchs aus einer Erwerbstätigkeit (§ 138 Absatz 3) durchschnittlich auf den Monat entfällt, mindestens jedoch ein Betrag in Höhe des Freibetrags, der sich nach Absatz 1 ergeben würde.

(3) Leistungen, die eine Bezieherin oder ein Bezieher von Arbeitslosengeld bei beruflicher Weiterbildung

1. vom Arbeitgeber oder dem Träger der Weiterbildung wegen der Teilnahme oder
2. auf Grund eines früheren oder bestehenden Arbeitsverhältnisses ohne Ausübung einer Beschäftigung für die Zeit der Teilnahme

erhält, werden nach Abzug der Steuern, des auf die Arbeitnehmerin oder den Arbeitnehmer entfallenden Anteils der Sozialversicherungsbeiträge und eines Freibetrags von 400 Euro monatlich auf das Arbeitslosengeld angerechnet.

§ 156[2)] Ruhen des Anspruchs bei anderen Sozialleistungen. (1) [1] Der Anspruch auf Arbeitslosengeld ruht während der Zeit, für die ein Anspruch auf eine der folgenden Leistungen zuerkannt ist:

[1)] *4. Kapitel (§§ 136–175)* neu gef. mWv 1.4.2012 durch G v. 20.12.2011 (BGBl. I S. 2854).

[2)] § 156 neu gef. mWv 1.4.2012 durch G v. 20.12.2011 (BGBl. I S. 2854); Abs. 1 Satz 1 Nr. 2 geänd. mWv 1.1.2024 durch G v. 12.12.2019 (BGBl. I S. 2652); Abs. 1 Satz 1 Nr. 2 geänd. mWv 1.1. →

1. Berufsausbildungsbeihilfe für Arbeitslose,
2. Krankengeld, ***[bis 31.12.2023:*** Versorgungskrankengeld***][ab 1.1.2024:*** *Krankengeld der Sozialen Entschädigung]*, ***[ab 1.1.2025:*** *Krankengeld der Soldatenentschädigung,]* Verletztengeld, Mutterschaftsgeld oder Übergangsgeld nach diesem oder einem anderen Gesetz, dem eine Leistung zur Teilhabe zugrunde liegt, wegen der keine ganztägige Erwerbstätigkeit ausgeübt wird,
3. Rente wegen voller Erwerbsminderung aus der gesetzlichen Rentenversicherung oder
4. Altersrente aus der gesetzlichen Rentenversicherung oder Knappschaftsausgleichsleistung oder ähnliche Leistungen öffentlich-rechtlicher Art.

[2] Ist der oder dem Arbeitslosen eine Rente wegen teilweiser Erwerbsminderung zuerkannt, kann sie ihr oder er sein Restleistungsvermögen jedoch unter den üblichen Bedingungen des allgemeinen Arbeitsmarktes nicht mehr verwerten, hat die Agentur für Arbeit die Arbeitslose oder den Arbeitslosen unverzüglich aufzufordern, innerhalb eines Monats einen Antrag auf Rente wegen voller Erwerbsminderung zu stellen. [3] Wird der Antrag nicht gestellt, ruht der Anspruch auf Arbeitslosengeld vom Tag nach Ablauf der Frist an bis zu dem Tag, an dem der Antrag gestellt wird.

(2) [1] Abweichend von Absatz 1 ruht der Anspruch

1. im Fall der Nummer 2 nicht, wenn für denselben Zeitraum Anspruch auf Verletztengeld und Arbeitslosengeld nach § 146 besteht,
2. im Fall der Nummer 3 vom Beginn der laufenden Zahlung der Rente an und
3. im Fall der Nummer 4
   a) mit Ablauf des dritten Kalendermonats nach Erfüllung der Voraussetzungen für den Anspruch auf Arbeitslosengeld, wenn der oder dem Arbeitslosen für die letzten sechs Monate einer versicherungspflichtigen Beschäftigung eine Teilrente oder eine ähnliche Leistung öffentlich-rechtlicher Art zuerkannt ist,
   b) nur bis zur Höhe der zuerkannten Leistung, wenn die Leistung auch während einer Beschäftigung und ohne Rücksicht auf die Höhe des Arbeitsentgelts gewährt wird; dies gilt nicht für Altersrenten aus der gesetzlichen Rentenversicherung.

[2] Im Fall des Satzes 1 Nummer 2 gilt § 145 Absatz 3 entsprechend.

(3) Die Absätze 1 und 2 gelten auch für einen vergleichbaren Anspruch auf eine andere Sozialleistung, den ein ausländischer Träger zuerkannt hat.

(4) Der Anspruch auf Arbeitslosengeld ruht auch während der Zeit, für die die oder der Arbeitslose wegen ihres oder seines Ausscheidens aus dem Erwerbsleben Vorruhestandsgeld oder eine vergleichbare Leistung des Arbeitgebers mindestens in Höhe von 65 Prozent des Bemessungsentgelts bezieht.

(Fortsetzung der Anm. von voriger Seite)
2025 durch G v. 20.8.2021 (BGBl. I S. 3932); Abs. 2 Satz 1 Nr. 3 Buchst. b geänd. mWv 1.1.2023 durch G v. 20.12.2022 (BGBl. I S. 2759).

§ 157[1] Ruhen des Anspruchs bei Arbeitsentgelt und Urlaubsabgeltung. (1) Der Anspruch auf Arbeitslosengeld ruht während der Zeit, für die die oder der Arbeitslose Arbeitsentgelt erhält oder zu beanspruchen hat.

(2) [1] Hat die oder der Arbeitslose wegen Beendigung des Arbeitsverhältnisses eine Urlaubsabgeltung erhalten oder zu beanspruchen, so ruht der Anspruch auf Arbeitslosengeld für die Zeit des abgegoltenen Urlaubs. [2] Der Ruhenszeitraum beginnt mit dem Ende des die Urlaubsabgeltung begründenden Arbeitsverhältnisses.

(3) [1] Soweit die oder der Arbeitslose die in den Absätzen 1 und 2 genannten Leistungen (Arbeitsentgelt im Sinne des § 115 des Zehnten Buches[2]) tatsächlich nicht erhält, wird das Arbeitslosengeld auch für die Zeit geleistet, in der der Anspruch auf Arbeitslosengeld ruht. [2] Hat der Arbeitgeber die in den Absätzen 1 und 2 genannten Leistungen trotz des Rechtsübergangs mit befreiender Wirkung an die Arbeitslose, den Arbeitslosen oder an eine dritte Person gezahlt, hat die Bezieherin oder der Bezieher des Arbeitslosengeldes dieses insoweit zu erstatten.

§ 158[3] Ruhen des Anspruchs bei Entlassungsentschädigung. (1) [1] Hat die oder der Arbeitslose wegen der Beendigung des Arbeitsverhältnisses eine Abfindung, Entschädigung oder ähnliche Leistung (Entlassungsentschädigung) erhalten oder zu beanspruchen und ist das Arbeitsverhältnis ohne Einhaltung einer der ordentlichen Kündigungsfrist des Arbeitgebers entsprechenden Frist beendet worden, so ruht der Anspruch auf Arbeitslosengeld von dem Ende des Arbeitsverhältnisses an bis zu dem Tag, an dem das Arbeitsverhältnis bei Einhaltung dieser Frist geendet hätte. [2] Diese Frist beginnt mit der Kündigung, die der Beendigung des Arbeitsverhältnisses vorausgegangen ist, bei Fehlen einer solchen Kündigung mit dem Tag der Vereinbarung über die Beendigung des Arbeitsverhältnisses. [3] Ist die ordentliche Kündigung des Arbeitsverhältnisses durch den Arbeitgeber ausgeschlossen, so gilt bei

1. zeitlich unbegrenztem Ausschluss eine Kündigungsfrist von 18 Monaten,
2. zeitlich begrenztem Ausschluss oder Vorliegen der Voraussetzungen für eine fristgebundene Kündigung aus wichtigem Grund die Kündigungsfrist, die ohne den Ausschluss der ordentlichen Kündigung maßgebend gewesen wäre.

[4] Kann der Arbeitnehmerin oder dem Arbeitnehmer nur bei Zahlung einer Entlassungsentschädigung ordentlich gekündigt werden, so gilt eine Kündigungsfrist von einem Jahr. [5] Hat die oder der Arbeitslose auch eine Urlaubsabgeltung (§ 157 Absatz 2) erhalten oder zu beanspruchen, verlängert sich der Ruhenszeitraum nach Satz 1 um die Zeit des abgegoltenen Urlaubs. [6] Leistungen, die der Arbeitgeber für eine arbeitslose Person, deren Arbeitsverhältnis frühestens mit Vollendung des 50. Lebensjahres beendet wird, unmittelbar für deren Rentenversicherung nach § 187a Absatz 1 des Sechsten Buches[4] aufwendet, bleiben unberücksichtigt. [7] Satz 6 gilt entsprechend für Beiträge des Arbeitgebers zu einer berufsständischen Versorgungseinrichtung.

---

[1] 4. Kapitel (§§ 136–175) neu gef. mWv 1.4.2012 durch G v. 20.12.2011 (BGBl. I S. 2854).

[2] Nr. **699**.

[3] § 158 neu gef. mWv 1.4.2012 durch G v. 20.12.2011 (BGBl. I S. 2854); Abs. 1 Satz 6 geänd. *mWv 1.8.2016 durch G v. 18.7.2016* (BGBl. I S. 1710); Abs. 1 Satz 6 geänd. mWv 1.1.2017 durch G v. 8.12.2016 (BGBl. I S. 2838).

[4] **beck-online, Module Arbeitsrecht Nr. 696.**

(2) [1] Der Anspruch auf Arbeitslosengeld ruht nach Absatz 1 längstens ein Jahr. [2] Er ruht nicht über den Tag hinaus,

1. bis zu dem die oder der Arbeitslose bei Weiterzahlung des während der letzten Beschäftigungszeit kalendertäglich verdienten Arbeitsentgelts einen Betrag in Höhe von 60 Prozent der nach Absatz 1 zu berücksichtigenden Entlassungsentschädigung als Arbeitsentgelt verdient hätte,
2. an dem das Arbeitsverhältnis infolge einer Befristung, die unabhängig von der Vereinbarung über die Beendigung des Arbeitsverhältnisses bestanden hat, geendet hätte, oder
3. an dem der Arbeitgeber das Arbeitsverhältnis aus wichtigem Grund ohne Einhaltung einer Kündigungsfrist hätte kündigen können.

[3] Der nach Satz 2 Nummer 1 zu berücksichtigende Anteil der Entlassungsentschädigung vermindert sich sowohl für je fünf Jahre des Arbeitsverhältnisses in demselben Betrieb oder Unternehmen als auch für je fünf Lebensjahre nach Vollendung des 35. Lebensjahres um je 5 Prozent; er beträgt nicht weniger als 25 Prozent der nach Absatz 1 zu berücksichtigenden Entlassungsentschädigung. [4] Letzte Beschäftigungszeit sind die am Tag des Ausscheidens aus dem Beschäftigungsverhältnis abgerechneten Entgeltabrechnungszeiträume der letzten zwölf Monate; § 150 Absatz 2 Satz 1 Nummer 3 und Absatz 3 gilt entsprechend. [5] Arbeitsentgeltkürzungen infolge von Krankheit, Kurzarbeit, Arbeitsausfall oder Arbeitsversäumnis bleiben außer Betracht.

(3) Hat die oder der Arbeitslose wegen Beendigung des Beschäftigungsverhältnisses unter Aufrechterhaltung des Arbeitsverhältnisses eine Entlassungsentschädigung erhalten oder zu beanspruchen, gelten die Absätze 1 und 2 entsprechend.

(4) [1] Soweit die oder der Arbeitslose die Entlassungsentschädigung (Arbeitsentgelt im Sinne des § 115 des Zehnten Buches[1)]) tatsächlich nicht erhält, wird das Arbeitslosengeld auch für die Zeit geleistet, in der der Anspruch auf Arbeitslosengeld ruht. [2] Hat der Verpflichtete die Entlassungsentschädigung trotz des Rechtsübergangs mit befreiender Wirkung an die Arbeitslose, den

(Fortsetzung nächstes Blatt)

[1)] Nr. **699**.

Arbeitslosen oder an eine dritte Person gezahlt, hat die Bezieherin oder der Bezieher des Arbeitslosengeldes dieses insoweit zu erstatten.

§ 159[1] Ruhen bei Sperrzeit. (1) [1] Hat die Arbeitnehmerin oder der Arbeitnehmer sich versicherungswidrig verhalten, ohne dafür einen wichtigen Grund zu haben, ruht der Anspruch für die Dauer einer Sperrzeit. [2] Versicherungswidriges Verhalten liegt vor, wenn

1. die oder der Arbeitslose das Beschäftigungsverhältnis gelöst oder durch ein arbeitsvertragswidriges Verhalten Anlass für die Lösung des Beschäftigungsverhältnisses gegeben und dadurch vorsätzlich oder grob fahrlässig die Arbeitslosigkeit herbeigeführt hat (Sperrzeit bei Arbeitsaufgabe),
2. die bei der Agentur für Arbeit als arbeitsuchend gemeldete (§ 38 Absatz 1) oder die arbeitslose Person trotz Belehrung über die Rechtsfolgen eine von der Agentur für Arbeit unter Benennung des Arbeitgebers und der Art der Tätigkeit angebotene Beschäftigung nicht annimmt oder nicht antritt oder die Anbahnung eines solchen Beschäftigungsverhältnisses, insbesondere das Zustandekommen eines Vorstellungsgespräches, durch ihr Verhalten verhindert (Sperrzeit bei Arbeitsablehnung),
3. die oder der Arbeitslose trotz Belehrung über die Rechtsfolgen die von der Agentur für Arbeit geforderten Eigenbemühungen nicht nachweist (Sperrzeit bei unzureichenden Eigenbemühungen),
4. die oder der Arbeitslose sich weigert, trotz Belehrung über die Rechtsfolgen an einer Maßnahme zur Aktivierung und beruflichen Eingliederung (§ 45) oder einer Maßnahme zur beruflichen Ausbildung oder Weiterbildung oder einer Maßnahme zur Teilhabe am Arbeitsleben teilzunehmen (Sperrzeit bei Ablehnung einer beruflichen Eingliederungsmaßnahme),
5. die oder der Arbeitslose die Teilnahme an einer in Nummer 4 genannten Maßnahme abbricht oder durch maßnahmewidriges Verhalten Anlass für den Ausschluss aus einer dieser Maßnahmen gibt (Sperrzeit bei Abbruch einer beruflichen Eingliederungsmaßnahme),
6. die oder der Arbeitslose sich nach einer Aufforderung der Agentur für Arbeit weigert, trotz Belehrung über die Rechtsfolgen an einem Integrationskurs nach § 43 des Aufenthaltsgesetzes[2] oder an einem Kurs der berufsbezogenen Deutschsprachförderung nach § 45a des Aufenthaltsgesetzes teilzunehmen, der jeweils für die dauerhafte berufliche Eingliederung notwendig ist (Sperrzeit bei Ablehnung eines Integrationskurses oder einer berufsbezogenen Deutschsprachförderung),
7. die oder der Arbeitslose die Teilnahme an einem in Nummer 6 genannten Kurs abbricht oder durch maßnahmewidriges Verhalten Anlass für den Ausschluss aus einem dieser Kurse gibt (Sperrzeit bei Abbruch eines Integrationskurses oder einer berufsbezogenen Deutschsprachförderung),
8. die oder der Arbeitslose einer Aufforderung der Agentur für Arbeit, sich zu melden oder zu einem ärztlichen oder psychologischen Untersuchungster-

---

[1] 4. Kapitel (§§ 136–175) neu gef. mWv 1.4.2012 durch G v. 20.12.2011 (BGBl. I S. 2854); Abs. 1 Satz 2 Nr. 1 geänd. mWv 1.1.2013 durch G v. 5.12.2012 (BGBl. I S. 2467); Abs. 1 Satz 2 Nr. 6 und 7 eingef., bish. Nr. 6 und 7 werden Nr. 8 und 9, Abs. 2 Satz 2 und Abs. 4 Satz 1 einl. Satzteil geänd. mWv 1.8.2019 durch G v. 8.7.2019 (BGBl. I S. 1029).

[2] Nr. **760**.

min zu erscheinen (§ 309), trotz Belehrung über die Rechtsfolgen nicht nachkommt oder nicht nachgekommen ist (Sperrzeit bei Meldeversäumnis),

9. die oder der Arbeitslose der Meldepflicht nach § 38 Absatz 1 nicht nachgekommen ist (Sperrzeit bei verspäteter Arbeitsuchendmeldung).

[3] Die Person, die sich versicherungswidrig verhalten hat, hat die für die Beurteilung eines wichtigen Grundes maßgebenden Tatsachen darzulegen und nachzuweisen, wenn diese Tatsachen in ihrer Sphäre oder in ihrem Verantwortungsbereich liegen.

(2) [1] Die Sperrzeit beginnt mit dem Tag nach dem Ereignis, das die Sperrzeit begründet, oder, wenn dieser Tag in eine Sperrzeit fällt, mit dem Ende dieser Sperrzeit. [2] Werden mehrere Sperrzeiten durch dasselbe Ereignis begründet, folgen sie in der Reihenfolge des Absatzes 1 Satz 2 Nummer 1 bis 9 einander nach.

(3) [1] Die Dauer der Sperrzeit bei Arbeitsaufgabe beträgt zwölf Wochen. [2] Sie verkürzt sich

1. auf drei Wochen, wenn das Arbeitsverhältnis innerhalb von sechs Wochen nach dem Ereignis, das die Sperrzeit begründet, ohne eine Sperrzeit geendet hätte,
2. auf sechs Wochen, wenn
   a) das Arbeitsverhältnis innerhalb von zwölf Wochen nach dem Ereignis, das die Sperrzeit begründet, ohne eine Sperrzeit geendet hätte oder
   b) eine Sperrzeit von zwölf Wochen für die arbeitslose Person nach den für den Eintritt der Sperrzeit maßgebenden Tatsachen eine besondere Härte bedeuten würde.

(4) [1] Die Dauer der Sperrzeit bei Arbeitsablehnung, bei Ablehnung einer beruflichen Eingliederungsmaßnahme, bei Abbruch einer beruflichen Eingliederungsmaßnahme, bei Ablehnung eines Integrationskurses oder einer berufsbezogenen Deutschsprachförderung oder bei Abbruch eines Integrationskurses oder einer berufsbezogenen Deutschsprachförderung beträgt

1. im Fall des erstmaligen versicherungswidrigen Verhaltens dieser Art drei Wochen,
2. im Fall des zweiten versicherungswidrigen Verhaltens dieser Art sechs Wochen,
3. in den übrigen Fällen zwölf Wochen.

[2] Im Fall der Arbeitsablehnung oder der Ablehnung einer beruflichen Eingliederungsmaßnahme nach der Meldung zur frühzeitigen Arbeitsuche (§ 38 Absatz 1) im Zusammenhang mit der Entstehung des Anspruchs gilt Satz 1 entsprechend.

(5) Die Dauer einer Sperrzeit bei unzureichenden Eigenbemühungen beträgt zwei Wochen.

(6) Die Dauer einer Sperrzeit bei Meldeversäumnis oder bei verspäteter Arbeitsuchendmeldung beträgt eine Woche.

§ 160[1)] Ruhen bei Arbeitskämpfen. (1) [1]Durch die Leistung von Arbeitslosengeld darf nicht in Arbeitskämpfe eingegriffen werden. [2]Ein Eingriff in den Arbeitskampf liegt nicht vor, wenn Arbeitslosengeld Arbeitslosen geleistet wird, die zuletzt in einem Betrieb beschäftigt waren, der nicht dem fachlichen Geltungsbereich des umkämpften Tarifvertrags zuzuordnen ist.

(2) Ist die Arbeitnehmerin oder der Arbeitnehmer durch Beteiligung an einem inländischen Arbeitskampf arbeitslos geworden, so ruht der Anspruch auf Arbeitslosengeld bis zur Beendigung des Arbeitskampfes.

(3) [1]Ist die Arbeitnehmerin oder der Arbeitnehmer durch einen inländischen Arbeitskampf arbeitslos geworden, ohne an dem Arbeitskampf beteiligt gewesen zu sein, so ruht der Anspruch auf Arbeitslosengeld bis zur Beendigung des Arbeitskampfes nur, wenn der Betrieb, in dem die oder der Arbeitslose zuletzt beschäftigt war,

1. dem räumlichen und fachlichen Geltungsbereich des umkämpften Tarifvertrags zuzuordnen ist oder
2. nicht dem räumlichen, aber dem fachlichen Geltungsbereich des umkämpften Tarifvertrags zuzuordnen ist und im räumlichen Geltungsbereich des Tarifvertrags, dem der Betrieb zuzuordnen ist,
   a) eine Forderung erhoben worden ist, die einer Hauptforderung des Arbeitskampfes nach Art und Umfang gleich ist, ohne mit ihr übereinstimmen zu müssen, und

(Fortsetzung nächstes Blatt)

[1)] 4. Kapitel (§§ 136–175) neu gef. mWv 1.4.2012 durch G v. 20.12.2011 (BGBl. I S. 2854).

b) das Arbeitskampfergebnis aller Voraussicht nach in dem räumlichen Geltungsbereich des nicht umkämpften Tarifvertrags im Wesentlichen übernommen wird.

2 Eine Forderung ist erhoben, wenn sie von der zur Entscheidung berufenen Stelle beschlossen worden ist oder auf Grund des Verhaltens der Tarifvertragspartei im Zusammenhang mit dem angestrebten Abschluss des Tarifvertrags als beschlossen anzusehen ist. 3 Der Anspruch auf Arbeitslosengeld ruht nach Satz 1 nur, wenn die umkämpften oder geforderten Arbeitsbedingungen nach Abschluss eines entsprechenden Tarifvertrags für die Arbeitnehmerin oder den Arbeitnehmer gelten oder auf sie oder ihn angewendet würden.

(4) Ist bei einem Arbeitskampf das Ruhen des Anspruchs nach Absatz 3 für eine bestimmte Gruppe von Arbeitslosen ausnahmsweise nicht gerechtfertigt, so kann der Verwaltungsrat bestimmen, dass ihnen Arbeitslosengeld zu leisten ist.

(5) 1 Die Feststellung, ob die Voraussetzungen nach Absatz 3 Satz 1 Nummer 2 Buchstabe a und b erfüllt sind, trifft der Neutralitätsausschuss (§ 380). 2 Er hat vor seiner Entscheidung den Fachspitzenverbänden der am Arbeitskampf beteiligten Tarifvertragsparteien Gelegenheit zur Stellungnahme zu geben.

(6) 1 Die Fachspitzenverbände der am Arbeitskampf beteiligten Tarifvertragsparteien können durch Klage die Aufhebung der Entscheidung des Neutralitätsausschusses nach Absatz 5 und eine andere Feststellung begehren. 2 Die Klage ist gegen die Bundesagentur zu richten. 3 Ein Vorverfahren findet nicht statt. 4 Über die Klage entscheidet das Bundessozialgericht im ersten und letzten Rechtszug. 5 Das Verfahren ist vorrangig zu erledigen. 6 Auf Antrag eines Fachspitzenverbandes kann das Bundessozialgericht eine einstweilige Anordnung erlassen.

Sechster Unterabschnitt. Erlöschen des Anspruchs

§ 161[1)] **Erlöschen des Anspruchs.** (1) Der Anspruch auf Arbeitslosengeld erlischt

1. mit der Entstehung eines neuen Anspruchs,
2. wenn die oder der Arbeitslose Anlass für den Eintritt von Sperrzeiten mit einer Dauer von insgesamt mindestens 21 Wochen gegeben hat, über den Eintritt der Sperrzeiten schriftliche Bescheide erhalten hat und auf die Rechtsfolgen des Eintritts von Sperrzeiten mit einer Dauer von insgesamt mindestens 21 Wochen hingewiesen worden ist; dabei werden auch Sperrzeiten berücksichtigt, die in einem Zeitraum von zwölf Monaten vor der Entstehung des Anspruchs eingetreten sind und nicht bereits zum Erlöschen eines Anspruchs geführt haben.

(2) Der Anspruch auf Arbeitslosengeld kann nicht mehr geltend gemacht werden, wenn nach seiner Entstehung vier Jahre verstrichen sind.

Siebter Unterabschnitt. Teilarbeitslosengeld

§ 162[1)] **Teilarbeitslosengeld.** (1) Anspruch auf Teilarbeitslosengeld hat, wer als Arbeitnehmerin oder Arbeitnehmer

---

1) 4. Kapitel (§§ 136–175) neu gef. mWv 1. 4. 2012 durch G v. 20. 12. 2011 (BGBl. I S. 2854).

1. teilarbeitslos ist,
2. sich teilarbeitslos gemeldet und
3. die Anwartschaftszeit für Teilarbeitslosengeld erfüllt hat.

(2) Für das Teilarbeitslosengeld gelten die Vorschriften über das Arbeitslosengeld bei Arbeitslosigkeit sowie für Empfängerinnen und Empfänger dieser Leistung entsprechend, soweit sich aus den Besonderheiten des Teilarbeitslosengeldes nichts anderes ergibt, mit folgenden Maßgaben:

1. Teilarbeitslos ist, wer eine versicherungspflichtige Beschäftigung verloren hat, die er neben einer weiteren versicherungspflichtigen Beschäftigung ausgeübt hat, und eine versicherungspflichtige Beschäftigung sucht.
2. Die Anwartschaftszeit für das Teilarbeitslosengeld hat erfüllt, wer in der Teilarbeitslosengeld-Rahmenfrist von zwei Jahren neben der weiterhin ausgeübten versicherungspflichtigen Beschäftigung mindestens zwölf Monate eine weitere versicherungspflichtige Beschäftigung ausgeübt hat. Für die Teilarbeitslosengeld-Rahmenfrist gelten die Regelungen zum Arbeitslosengeld über die Rahmenfrist entsprechend.
3. Die Dauer des Anspruchs auf Teilarbeitslosengeld beträgt sechs Monate.
4. Bei der Feststellung der Lohnsteuer (§ 153 Absatz 2) ist die Lohnsteuerklasse maßgeblich, die für das Beschäftigungsverhältnis zuletzt galt, das den Anspruch auf Teilarbeitslosengeld begründet.
5. Der Anspruch auf Teilarbeitslosengeld erlischt,
   a) wenn die Arbeitnehmerin oder der Arbeitnehmer nach der Entstehung des Anspruchs eine Erwerbstätigkeit für mehr als zwei Wochen oder mit einer Arbeitszeit von mehr als fünf Stunden wöchentlich aufnimmt,
   b) wenn die Voraussetzungen für einen Anspruch auf Arbeitslosengeld erfüllt sind oder
   c) spätestens nach Ablauf eines Jahres seit Entstehung des Anspruchs.

Achter Unterabschnitt. Verordnungsermächtigung und Anordnungsermächtigung

§ 163[1)] Verordnungsermächtigung. Das Bundesministerium für Arbeit und Soziales wird ermächtigt, durch Rechtsverordnung, die nicht der Zustimmung des Bundesrates bedarf,

1. Versorgungen im Sinne des § 9 Absatz 1 des Anspruchs- und Anwartschaftsüberführungsgesetzes[2)] der Altersrente oder der Rente wegen voller Erwerbsminderung gleichzustellen, soweit dies zur Vermeidung von Doppelleistungen erforderlich ist; es hat dabei zu bestimmen, ob das Arbeitslosengeld voll oder nur bis zur Höhe der Versorgungsleistung ruht, und
2. das Nähere zur Abgrenzung der ehrenamtlichen Betätigung im Sinne des § 138 Absatz 2 und zu den dabei maßgebenden Erfordernissen der beruflichen Eingliederung zu bestimmen.

§ 164[1)] Anordnungsermächtigung. Die Bundesagentur wird ermächtigt, durch Anordnung Näheres zu bestimmen

---

[1)] 4. Kapitel (§§ 136–175) neu gef. mWv 1. 4. 2012 durch G v. 20. 12. 2011 (BGBl. I S. 2854).
[2)] **Aichberger, SGB Nr. 6/11.**

1. zu den Eigenbemühungen von Arbeitslosen (§ 138 Absatz 1 Nummer 2, Absatz 4),
2. zu den Pflichten von Arbeitslosen, Vorschlägen der Agentur für Arbeit zur beruflichen Eingliederung Folge leisten zu können (§ 138 Absatz 5 Nummer 2), und
3. zu den Voraussetzungen einer Zustimmung zur Teilnahme an Bildungsmaßnahmen nach § 139 Absatz 3.

Zweiter Abschnitt. Insolvenzgeld

§ 165[1] **Anspruch.** (1) [1] Arbeitnehmerinnen und Arbeitnehmer haben Anspruch auf Insolvenzgeld, wenn sie im Inland beschäftigt waren und bei einem Insolvenzereignis für die vorausgegangenen drei Monate des Arbeitsverhältnisses noch Ansprüche auf Arbeitsentgelt haben. [2] Als Insolvenzereignis gilt

1. die Eröffnung des Insolvenzverfahrens über das Vermögen des Arbeitgebers,
2. die Abweisung des Antrags auf Eröffnung des Insolvenzverfahrens mangels Masse oder
3. die vollständige Beendigung der Betriebstätigkeit im Inland, wenn ein Antrag auf Eröffnung des Insolvenzverfahrens nicht gestellt worden ist und ein Insolvenzverfahren offensichtlich mangels Masse nicht in Betracht kommt.

[3] Auch bei einem ausländischen Insolvenzereignis haben im Inland beschäftigte Arbeitnehmerinnen und Arbeitnehmer einen Anspruch auf Insolvenzgeld.

(2) [1] Zu den Ansprüchen auf Arbeitsentgelt gehören alle Ansprüche auf Bezüge aus dem Arbeitsverhältnis. [2] Als Arbeitsentgelt für Zeiten, in denen auch während der Freistellung eine Beschäftigung gegen Arbeitsentgelt besteht (§ 7 Absatz 1 a des Vierten Buches[2]), gilt der Betrag, der auf Grund der schriftlichen Vereinbarung zur Bestreitung des Lebensunterhalts im jeweiligen Zeitraum bestimmt war. [3] Hat die Arbeitnehmerin oder der Arbeitnehmer einen Teil ihres oder seines Arbeitsentgelts nach § 1 Absatz 2 Nummer 3 des Betriebsrentengesetzes[3] umgewandelt und wird dieser Entgeltteil in einem Pensionsfonds, in einer Pensionskasse oder in einer Direktversicherung angelegt, gilt die Entgeltumwandlung für die Berechnung des Insolvenzgeldes als nicht vereinbart, soweit der Arbeitgeber keine Beiträge an den Versorgungsträger abgeführt hat.

(3) Hat eine Arbeitnehmerin oder ein Arbeitnehmer in Unkenntnis eines Insolvenzereignisses weitergearbeitet oder die Arbeit aufgenommen, besteht der Anspruch auf Insolvenzgeld für die dem Tag der Kenntnisnahme vorausgegangenen drei Monate des Arbeitsverhältnisses.

(4) Anspruch auf Insolvenzgeld hat auch der Erbe der Arbeitnehmerin oder des Arbeitnehmers.

(5) Der Arbeitgeber ist verpflichtet, einen Beschluss des Insolvenzgerichts über die Abweisung des Antrags auf Insolvenzeröffnung mangels Masse dem Betriebsrat oder, wenn kein Betriebsrat besteht, den Arbeitnehmerinnen und Arbeitnehmern unverzüglich bekannt zu geben.

---

[1] 4. Kapitel (§§ 136–175) neu gef. mWv 1. 4. 2012 durch G v. 20. 12. 2011 (BGBl. I S. 2854).
[2] Nr. **694**.
[3] Nr. **180**.

§ 166[1)] Anspruchsausschluss. (1) Arbeitnehmerinnen und Arbeitnehmer haben keinen Anspruch auf Insolvenzgeld für Ansprüche auf Arbeitsentgelt, die

1. sie wegen der Beendigung des Arbeitsverhältnisses oder für die Zeit nach der Beendigung des Arbeitsverhältnisses haben,
2. sie durch eine nach der Insolvenzordnung[2)] angefochtene Rechtshandlung oder eine Rechtshandlung, die im Fall der Eröffnung des Insolvenzverfahrens anfechtbar wäre, erworben haben oder
3. die Insolvenzverwalterin oder der Insolvenzverwalter wegen eines Rechts zur Leistungsverweigerung nicht erfüllt.

(2) Soweit Insolvenzgeld gezahlt worden ist, obwohl dies nach Absatz 1 ausgeschlossen ist, ist es zu erstatten.

§ 167[1)] Höhe. (1) Insolvenzgeld wird in Höhe des Nettoarbeitsentgelts gezahlt, das sich ergibt, wenn das auf die monatliche Beitragsbemessungsgrenze (§ 341 Absatz 4) begrenzte Bruttoarbeitsentgelt um die gesetzlichen Abzüge vermindert wird.

(2) Ist die Arbeitnehmerin oder der Arbeitnehmer

1. im Inland einkommensteuerpflichtig, ohne dass Steuern durch Abzug vom Arbeitsentgelt erhoben werden, oder
2. im Inland nicht einkommensteuerpflichtig und unterliegt das Insolvenzgeld nach den für sie oder ihn maßgebenden Vorschriften nicht der Steuer,

sind vom Arbeitsentgelt die Steuern abzuziehen, die bei einer Einkommensteuerpflicht im Inland durch Abzug vom Arbeitsentgelt erhoben würden.

§ 168[1)] Vorschuss. [1]Die Agentur für Arbeit kann einen Vorschuss auf das Insolvenzgeld leisten, wenn

1. die Eröffnung des Insolvenzverfahrens über das Vermögen des Arbeitgebers beantragt ist,
2. das Arbeitsverhältnis beendet ist und
3. die Voraussetzungen für den Anspruch auf Insolvenzgeld mit hinreichender Wahrscheinlichkeit erfüllt werden.

[2]Die Agentur für Arbeit bestimmt die Höhe des Vorschusses nach pflichtgemäßem Ermessen. [3]Der Vorschuss ist auf das Insolvenzgeld anzurechnen. [4]Er ist zu erstatten,

1. wenn ein Anspruch auf Insolvenzgeld nicht zuerkannt wird oder
2. soweit ein Anspruch auf Insolvenzgeld nur in geringerer Höhe zuerkannt wird.

§ 169[1)] Anspruchsübergang. [1]Ansprüche auf Arbeitsentgelt, die einen Anspruch auf Insolvenzgeld begründen, gehen mit dem Antrag auf Insolvenzgeld auf die Bundesagentur über. [2]§ 165 Absatz 2 Satz 3 gilt entsprechend. [3]Die gegen die Arbeitnehmerin oder den Arbeitnehmer begründete Anfechtung nach der Insolvenzordnung[2)] findet gegen die Bundesagentur statt.

---

1) 4. Kapitel (§§ 136–175) neu gef. mWv 1. 4. 2012 durch G v. 20. 12. 2011 (BGBl. I S. 2854).
2) Auszugsweise abgedruckt unter Nr. **327**.

§ 170[1] Verfügungen über das Arbeitsentgelt. (1) Soweit die Arbeitnehmerin oder der Arbeitnehmer vor Antragstellung auf Insolvenzgeld Ansprüche auf Arbeitsentgelt einem Dritten übertragen hat, steht der Anspruch auf Insolvenzgeld diesem zu.

(2) Von einer vor dem Antrag auf Insolvenzgeld vorgenommenen Pfändung oder Verpfändung des Anspruchs auf Arbeitsentgelt wird auch der Anspruch auf Insolvenzgeld erfasst.

(3) Die an den Ansprüchen auf Arbeitsentgelt bestehenden Pfandrechte erlöschen, wenn die Ansprüche auf die Bundesagentur übergegangen sind und diese Insolvenzgeld an die berechtigte Person erbracht hat.

(4) [1] Der neue Gläubiger oder Pfandgläubiger hat keinen Anspruch auf Insolvenzgeld für Ansprüche auf Arbeitsentgelt, die ihm vor dem Insolvenzereignis ohne Zustimmung der Agentur für Arbeit zur Vorfinanzierung der Arbeitsentgelte übertragen oder verpfändet wurden. [2] Die Agentur für Arbeit darf der Übertragung oder Verpfändung nur zustimmen, wenn Tatsachen die Annahme rechtfertigen, dass durch die Vorfinanzierung der Arbeitsentgelte ein erheblicher Teil der Arbeitsstellen erhalten bleibt.

§ 171[1] Verfügungen über das Insolvenzgeld. [1] Nachdem das Insolvenzgeld beantragt worden ist, kann der Anspruch auf Insolvenzgeld wie Arbeitseinkommen gepfändet, verpfändet oder übertragen werden. [2] Eine Pfändung des Anspruchs vor diesem Zeitpunkt wird erst mit dem Antrag wirksam.

§ 172[1] Datenaustausch und Datenübermittlung. (1) [1] Ist der insolvente Arbeitgeber auch in einem anderen Mitgliedstaat der Europäischen Union tätig, teilt die Bundesagentur dem zuständigen ausländischen Träger von Leistungen bei Zahlungsunfähigkeit des Arbeitgebers das Insolvenzereignis und die im Zusammenhang mit der Erbringung von Insolvenzgeld getroffenen Entscheidungen mit, soweit dies für die Aufgabenwahrnehmung dieses ausländischen Trägers erforderlich ist. [2] Übermittelt ein ausländischer Träger der Bundesagentur entsprechende Daten, darf sie diese Daten zwecks Zahlung von Insolvenzgeld nutzen.

(2) Die Bundesagentur ist berechtigt, Daten über gezahltes Insolvenzgeld für jede Empfängerin und jeden Empfänger durch Datenfernübertragung an die in § 32b Absatz 3 des Einkommensteuergesetzes bezeichnete Übermittlungsstelle der Finanzverwaltung zu übermitteln.

Dritter Abschnitt. Ergänzende Regelungen zur Sozialversicherung

§ 173[2] Übernahme und Erstattung von Beiträgen bei Befreiung von der Versicherungspflicht in der Rentenversicherung. (1) [1] Wer Arbeitslosengeld oder Übergangsgeld bezieht und von der Versicherungspflicht in der gesetzlichen Rentenversicherung befreit ist (§ 6 Absatz 1 Satz 1 Nummer 1, § 231 Absatz 1 und 2 des Sechsten Buches), hat Anspruch auf

1. Übernahme der Beiträge, die für die Dauer des Leistungsbezugs an eine öffentlich-rechtliche Versicherungs- oder Versorgungseinrichtung einer Berufsgruppe oder an ein Versicherungsunternehmen zu zahlen sind, und

---

[1] 4. Kapitel (§§ 136–175) neu gef. mWv 1.4.2012 durch G v. 20.12.2011 (BGBl. I S. 2854).

[2] 4. Kapitel (§§ 136–175) neu gef. mWv 1.4.2012 durch G v. 20.12.2011 (BGBl. I S. 2854); Abs. 5 angef. mWv 1.1.2027 durch G v. 20.12.2022 (BGBl. I S. 2759).

2. Erstattung der von der Leistungsbezieherin oder vom Leistungsbezieher für die Dauer des Leistungsbezugs freiwillig an die gesetzliche Rentenversicherung gezahlten Beiträge.

[2] Freiwillig an die gesetzliche Rentenversicherung gezahlte Beiträge werden nur bei Nachweis auf Antrag der Leistungsbezieherin oder des Leistungsbeziehers erstattet.

(2) [1] Die Bundesagentur übernimmt höchstens die von der Leistungsbezieherin oder dem Leistungsbezieher nach der Satzung der Versicherungs- oder Versorgungseinrichtung geschuldeten oder im Lebensversicherungsvertrag spätestens sechs Monate vor Beginn des Leistungsbezugs vereinbarten Beiträge. [2] Sie erstattet höchstens die von der Leistungsbezieherin oder dem Leistungsbezieher freiwillig an die gesetzliche Rentenversicherung gezahlten Beiträge.

(3) [1] Die von der Bundesagentur zu übernehmenden und zu erstattenden Beiträge sind auf die Höhe der Beiträge begrenzt, die die Bundesagentur ohne die Befreiung von der Versicherungspflicht in der gesetzlichen Rentenversicherung für die Dauer des Leistungsbezugs zu tragen hätte. [2] Die Leistungsbezieherin oder der Leistungsbezieher kann bestimmen, ob vorrangig Beiträge übernommen oder erstattet werden sollen. [3] Trifft die Leistungsbezieherin oder der Leistungsbezieher keine Bestimmung, sind die Beiträge in dem Verhältnis zu übernehmen und zu erstatten, in dem die von der Leistungsbezieherin oder dem Leistungsbezieher zu zahlenden oder freiwillig gezahlten Beiträge stehen.

(4) Die Leistungsbezieherin oder der Leistungsbezieher wird insoweit von der Verpflichtung befreit, Beiträge an die Versicherungs- oder Versorgungseinrichtung oder an das Versicherungsunternehmen zu zahlen, als die Bundesagentur die Beitragszahlung für sie oder ihn übernommen hat.

[Abs. 5 ab 1.1.2027:]

(5) [1] In den Fällen des Absatzes 1 Satz 1 Nummer 1 erfolgt die Datenübermittlung zwischen der Bundesagentur für Arbeit und den berufsständischen Versorgungseinrichtungen durch Datenübertragung nach § 95 des Vierten Buches. [2] Das Nähere zum Verfahren und den Datensätzen regeln Gemeinsame Grundsätze der Bundesagentur für Arbeit und der Arbeitsgemeinschaft der berufsständischen Versorgungseinrichtungen e. V., die vom Bundesministerium für Arbeit und Soziales zu genehmigen sind.

§ 174[1)] Übernahme von Beiträgen bei Befreiung von der Versicherungspflicht in der Kranken- und Pflegeversicherung. (1) Bezieherinnen und Bezieher von Arbeitslosengeld, die

1. nach § 6 Absatz 3a des Fünften Buches in der gesetzlichen Krankenversicherung versicherungsfrei oder nach § 8 Absatz 1 Nummer 1a des Fünften Buches von der Versicherungspflicht befreit sind,
2. nach § 22 Absatz 1 des Elften Buches oder nach Artikel 42 des Pflege-Versicherungsgesetzes von der Versicherungspflicht in der sozialen Pflegeversicherung befreit oder nach § 23 Absatz 1 des Elften Buches bei einem privaten Krankenversicherungsunternehmen gegen das Risiko der Pflegebedürftigkeit versichert sind,

---

[1)] § 174 neu gef. mWv 1.4.2012 durch G v. 20.12.2011 (BGBl. I S. 2854); Abs. 2 Satz 2 Nr. 1 geänd. mWv 1.1.2015 durch G v. 21.7.2014 (BGBl. I S. 1133); Abs. 4 angef. mWv 1.7.2023 durch G v. 6.6.2023 (BGBl. 2023 I Nr. 146).

haben Anspruch auf Übernahme der Beiträge, die für die Dauer des Leistungsbezugs für eine Versicherung gegen Krankheit oder Pflegebedürftigkeit an ein privates Krankenversicherungsunternehmen zu zahlen sind.

(2) [1] Die Bundesagentur übernimmt die von der Leistungsbezieherin oder dem Leistungsbezieher an das private Krankenversicherungsunternehmen zu zahlenden Beiträge, höchstens jedoch die Beiträge, die sie ohne die Befreiung von der Versicherungspflicht in der gesetzlichen Krankenversicherung oder in der sozialen Pflegeversicherung zu tragen hätte. [2] Hierbei sind zugrunde zu legen

1. für die Beiträge zur gesetzlichen Krankenversicherung der allgemeine Beitragssatz der gesetzlichen Krankenversicherung zuzüglich des durchschnittlichen Zusatzbeitragssatzes (§§ 241, 242a des Fünften Buches),
2. für die Beiträge zur sozialen Pflegeversicherung der Beitragssatz nach § 55 Absatz 1 Satz 1 des Elften Buches.

(3) Die Leistungsbezieherin oder der Leistungsbezieher wird insoweit von der Verpflichtung befreit, Beiträge an das private Krankenversicherungsunternehmen zu zahlen, als die Bundesagentur die Beitragszahlung für sie oder ihn übernommen hat.

(4) [1] Für Bezieherinnen und Bezieher von Arbeitslosengeld, die Mitglied in einer in § 176 Absatz 1 des Fünften Buches genannten Solidargemeinschaft sind, gelten Absatz 1 Nummer 1 und Absatz 2 Satz 1 und 2 Nummer 1 entsprechend. [2] Für Bezieherinnen und Bezieher von Arbeitslosengeld, die nach § 21a Absatz 1 Satz 1 des Elften Buches in der sozialen Pflegeversicherung versicherungspflichtig sind oder nach § 23 Absatz 4a des Elften Buches bei einem privaten Versicherungsunternehmen gegen das Risiko der Pflegebedürftigkeit versichert sind, wird für die Dauer des Leistungsbezugs ein Zuschuss zum Beitrag geleistet; für die Höhe des Zuschusses gelten Absatz 2 Satz 1 und 2 Nummer 2 entsprechend.

§ 175[1)] Zahlung von Pflichtbeiträgen bei Insolvenzereignis. (1) [1] Den Gesamtsozialversicherungsbeitrag nach § 28d des Vierten Buches, der auf Arbeitsentgelte für die letzten dem Insolvenzereignis vorausgegangenen drei Monate des Arbeitsverhältnisses entfällt und bei Eintritt des Insolvenzereignisses noch nicht gezahlt worden ist, zahlt die Agentur für Arbeit auf Antrag der zuständigen Einzugsstelle; davon ausgenommen sind Säumniszuschläge, die infolge von Pflichtverletzungen des Arbeitgebers zu zahlen sind, sowie die Zinsen für dem Arbeitgeber gestundete Beiträge. [2] Die Einzugsstelle hat der Agentur für Arbeit die Beiträge nachzuweisen und dafür zu sorgen, dass die Beschäftigungszeit und das beitragspflichtige Bruttoarbeitsentgelt einschließlich des Arbeitsentgelts, für das Beiträge nach Satz 1 gezahlt werden, dem zuständigen Rentenversicherungsträger mitgeteilt werden. [3] Die §§ 166, 314, 323 Absatz 1 Satz 1 und § 327 Absatz 3 gelten entsprechend.

(2) [1] Die Ansprüche auf die in Absatz 1 Satz 1 genannten Beiträge bleiben gegenüber dem Arbeitgeber bestehen. [2] Soweit Zahlungen geleistet werden, hat die Einzugsstelle der Agentur für Arbeit die nach Absatz 1 Satz 1 gezahlten Beiträge zu erstatten.

---

1) 4. Kapitel (§§ 136–175) neu gef. mWv 1.4.2012 durch G v. 20.12.2011 (BGBl. I S. 2854).

Fünftes Kapitel.[1)] Zulassung von Trägern und Maßnahmen

§ 176[1)] Grundsatz. (1) [1] Träger bedürfen der Zulassung durch eine fachkundige Stelle, um Maßnahmen der Arbeitsförderung selbst durchzuführen oder durchführen zu lassen. [2] Arbeitgeber, die ausschließlich betriebliche Maßnahmen oder betriebliche Teile von Maßnahmen durchführen, bedürfen keiner Zulassung.

(2) [1] Maßnahmen nach § 45 Absatz 4 Satz 3 Nummer 1 bedürfen der Zulassung nach § 179 durch eine fachkundige Stelle. [2] Maßnahmen der beruflichen Weiterbildung nach den §§ 81 und 82 bedürfen der Zulassung nach den §§ 179 und 180.

§ 177[2)] Fachkundige Stelle. (1) [1] Fachkundige Stellen im Sinne des § 176 sind die von der Akkreditierungsstelle für die Zulassung nach dem Recht der Arbeitsförderung akkreditierten Zertifizierungsstellen. [2] Mit der Akkreditierung als fachkundige Stelle ist keine Beleihung verbunden. [3] Die Bundesagentur übt im Anwendungsbereich dieses Gesetzes die Fachaufsicht über die Akkreditierungsstelle aus.

(2) [1] Eine Zertifizierungsstelle ist von der Akkreditierungsstelle als fachkundige Stelle zu akkreditieren, wenn

1. sie über die für die Zulassung notwendigen Organisationsstrukturen sowie personellen und finanziellen Mittel verfügt,
2. die bei ihr mit den entsprechenden Aufgaben beauftragten Personen auf Grund ihrer Ausbildung, beruflichen Bildung und beruflichen Praxis befähigt sind, die Leistungsfähigkeit und Qualität von Trägern und Maßnahmen der aktiven Arbeitsförderung einschließlich der Prüfung und Bewertung eines Systems zur Sicherung der Qualität zu beurteilen; dies schließt besondere Kenntnisse der jeweiligen Aufgabengebiete der Träger sowie der Inhalte und rechtlichen Ausgestaltung der zuzulassenden Maßnahmen ein,
3. sie über die erforderliche Unabhängigkeit verfügt und damit gewährleistet, dass sie über die Zulassung von Trägern und Maßnahmen nur entscheidet, wenn sie weder mit diesen wirtschaftlich, personell oder organisatorisch verflochten ist noch zu diesen ein Beratungsverhältnis besteht oder bestanden hat; zur Überprüfbarkeit der Unabhängigkeit sind bei der Antragstellung personelle, wirtschaftliche und organisatorische Verflechtungen oder Beratungsverhältnisse mit Trägern offenzulegen,
4. die bei ihr mit den entsprechenden Aufgaben beauftragten Personen über die erforderliche Zuverlässigkeit verfügen, um die Zulassung ordnungsgemäß durchzuführen,
5. sie gewährleistet, dass die Empfehlungen des Beirats nach § 182 bei der Prüfung angewendet werden,
6. sie die ihr bei der Zulassung bekannt gewordenen Betriebs- und Geschäftsgeheimnisse schützt,
7. sie ein Qualitätsmanagementsystem anwendet,

[1)] 5. Kapitel (§§ 176–184) neu gef. mWv 1.4.2012 durch G v. 20.12.2011 (BGBl. I S. 2854).

[2)] § 177 neu gef. mWv 1.4.2012 durch G v. 20.12.2011 (BGBl. I S. 2854); Abs. 1 Satz 2 eingef., bish. Satz 2 wird Satz 3 mWv 1.1.2013 durch G v. 5.12.2012 (BGBl. I S. 2467).

8. sie ein Verfahren zur Prüfung von Beschwerden und zum Entziehen der Zulassung bei erheblichen Verstößen eingerichtet hat und
9. sie über ein transparentes und dokumentiertes Verfahren zur Ermittlung und Abrechnung des Aufwands der Prüfung von Trägern und Maßnahmen verfügt.

²Das Gesetz über die Akkreditierungsstelle bleibt unberührt.

(3) ¹Die Akkreditierung ist bei der Akkreditierungsstelle unter Beifügung der erforderlichen Unterlagen zu beantragen. ²Die Akkreditierung ist auf längstens fünf Jahre zu befristen. ³Die wirksame Anwendung des Qualitätsmanagementsystems ist von der Akkreditierungsstelle in jährlichen Abständen zu überprüfen.

(4) Der Akkreditierungsstelle sind Änderungen, die Auswirkungen auf die Akkreditierung haben können, unverzüglich anzuzeigen.

(5) ¹Liegt ein besonderes arbeitsmarktpolitisches Interesse vor, kann die innerhalb der Bundesagentur zuständige Stelle im Einzelfall die Aufgaben einer fachkundigen Stelle für die Zulassung von Trägern und Maßnahmen der beruflichen Weiterbildung wahrnehmen. ²Ein besonderes arbeitsmarktpolitisches Interesse liegt insbesondere dann vor, wenn die Teilnahme an individuell ausgerichteten Weiterbildungsmaßnahmen im Einzelfall gefördert werden soll.

§ 178[1)] Trägerzulassung. Ein Träger ist von einer fachkundigen Stelle zuzulassen, wenn

1. er die erforderliche Leistungsfähigkeit und Zuverlässigkeit besitzt,
2. er in der Lage ist, durch eigene Bemühungen die berufliche Eingliederung von Teilnehmenden in den Arbeitsmarkt zu unterstützen,
3. Leitung, Lehr- und Fachkräfte über Aus- und Fortbildung sowie Berufserfahrung verfügen, die eine erfolgreiche Durchführung einer Maßnahme erwarten lassen,
4. er ein System zur Sicherung der Qualität anwendet und
5. seine vertraglichen Vereinbarungen mit den Teilnehmenden angemessene Bedingungen insbesondere über Rücktritts- und Kündigungsrechte enthalten.

§ 179[2)] Maßnahmezulassung. (1) Eine Maßnahme ist von der fachkundigen Stelle zuzulassen, wenn sie

1. nach Gestaltung der Inhalte, der Methoden und Materialien ihrer Vermittlung sowie der Lehrorganisation eine erfolgreiche Teilnahme erwarten lässt und nach Lage und Entwicklung des Arbeitsmarktes zweckmäßig ist,
2. angemessene Teilnahmebedingungen bietet und die räumliche, personelle und technische Ausstattung die Durchführung der Maßnahme gewährleisten und
3. nach den Grundsätzen der Wirtschaftlichkeit und Sparsamkeit geplant und durchgeführt wird, insbesondere die Kosten und die Dauer angemessen sind; die Dauer ist angemessen, wenn sie sich auf den Umfang beschränkt, der notwendig ist, um das Maßnahmeziel zu erreichen.

---

1) 5. Kapitel (§§ 176–184) neu gef. mWv 1.4.2012 durch G v. 20.12.2011 (BGBl. I S. 2854).

2) § 179 neu gef. mWv 1.4.2012 durch G v. 20.12.2011 (BGBl. I S. 2854); Abs. 1 Satz 2 aufgeh., Abs. 2 eingef., bish. Abs. 2 wird Abs. 3 mWv 1.10.2020 durch G v. 20.5.2020 (BGBl. I S. 1044).

(2) [1] Die Kosten einer Maßnahme nach § 45 Absatz 4 Satz 3 Nummer 1 und nach den §§ 81 und 82 sind angemessen, wenn sie sachgerecht ermittelt worden sind und die von der Bundesagentur für das jeweilige Maßnahme- oder Bildungsziel zweijährlich ermittelten durchschnittlichen Kostensätze nicht überschreiten oder die Überschreitung der durchschnittlichen Kostensätze auf notwendige besondere Aufwendungen zurückzuführen ist. [2] Überschreiten die kalkulierten Maßnahmekosten aufgrund dieser Aufwendungen die durchschnittlichen Kostensätze um mehr als 25 Prozent, bedarf die Zulassung dieser Maßnahmen der Zustimmung der Bundesagentur.

(3) Eine Maßnahme, die im Ausland durchgeführt wird, kann nur zugelassen werden, wenn die Durchführung im Ausland für das Erreichen des Maßnahmeziels besonders dienlich ist.

§ 180[1)] Ergänzende Anforderungen an Maßnahmen der beruflichen Weiterbildung. (1) Für eine Maßnahme der beruflichen Weiterbildung nach den §§ 81 und 82 gelten für die Zulassung durch die fachkundige Stelle ergänzend die Anforderungen der nachfolgenden Absätze.

(2) [1] Eine Maßnahme ist zuzulassen, wenn

1. durch sie berufliche Fertigkeiten, Kenntnisse und Fähigkeiten erhalten, erweitert, der technischen Entwicklung angepasst werden oder ein beruflicher Aufstieg ermöglicht wird,
2. sie einen beruflichen Abschluss vermittelt oder die Weiterbildung in einem Betrieb, die zu einem solchen Abschluss führt, unterstützend begleitet oder
3. sie zu einer anderen beruflichen Tätigkeit befähigt

und mit einem Zeugnis, das Auskunft über den Inhalt des vermittelten Lehrstoffs gibt, abschließt. [2] Sofern es dem Wiedereingliederungserfolg förderlich ist, soll die Maßnahme im erforderlichen Umfang Grundkompetenzen vermitteln und betriebliche Lernphasen vorsehen.

(3) [1] Ausgeschlossen von der Zulassung ist eine Maßnahme, wenn

1. überwiegend Wissen vermittelt wird, das dem von allgemeinbildenden Schulen angestrebten Bildungsziel entspricht, oder die Maßnahme auf den Erwerb eines Studienabschlusses an Hochschulen oder ähnlichen Bildungsstätten gerichtet ist oder
2. überwiegend nicht berufsbezogene Inhalte vermittelt werden.

[Satz 2 bis 30.6.2023:] [2] Satz 1 gilt nicht für Maßnahmen, die

1. auf den nachträglichen Erwerb des Hauptschulabschlusses vorbereiten,
2. Grundkompetenzen vermitteln, die für den Erwerb eines Abschlusses in einem anerkannten Ausbildungsberuf erforderlich sind, oder
3. die Weiterbildung in einem Betrieb, die zum Erwerb eines solchen Abschlusses führt, unterstützend begleiten.

[Satz 2 ab 1.7.2023:] *[2] Satz 1 gilt nicht für Maßnahmen, die*

[1)] § 180 neu gef. mWv 1.4.2012 durch G v. 20.12.2011 (BGBl. I S. 2854); Abs. 2 Satz 1 Nr. 2 und Satz 2 geänd., Abs. 3 Satz 2 neu gef. mWv 1.8.2016 durch G v. 18.7.2016 (BGBl. I S. 1710); Abs. 4 Satz 3 angef. mWv 1.1.2020 durch G v. 17.7.2017 (BGBl. I S. 2581); Abs. 3 Satz 1 Nr. 1 neu gef. mWv *29.5.2020*, *Abs. 3 Satz 1 Nr. 2 geänd.*, Nr. 3 aufgeh., Satz 2 und Abs. 4 Satz 1 geänd. mWv 1.10.2020 durch G v. 20.5.2020 (BGBl. I S. 1044); Abs. 3 Satz 2 und Abs. 4 neu gef. mWv 1.7.2023 durch G v. 16.12.2022 (BGBl. I S. 2328).

1. auf den nachträglichen Erwerb des Hauptschulabschlusses vorbereiten oder

2. Grundkompetenzen vermitteln, deren Erwerb die Grundlage für eine erfolgreiche berufliche Weiterbildung schafft oder allgemein die Beschäftigungsfähigkeit verbessert.

[Abs. 4 bis 30.6.2023:]

(4) [1] Die Dauer einer Vollzeitmaßnahme, die zu einem Abschluss in einem allgemein anerkannten Ausbildungsberuf führt, ist angemessen im Sinne des § 179 Absatz 1 Nummer 3, wenn sie gegenüber einer entsprechenden Berufsausbildung um mindestens ein Drittel der Ausbildungszeit verkürzt ist. [2] Ist eine Verkürzung um mindestens ein Drittel der Ausbildungszeit auf Grund bundes- oder landesgesetzlicher Regelungen ausgeschlossen, so ist ein Maßnahmeteil von bis zu zwei Dritteln nur förderungsfähig, wenn bereits zu Beginn der Maßnahme die Finanzierung für die gesamte Dauer der Maßnahme auf Grund bundes- oder landesrechtlicher Regelungen gesichert ist. [3] Abweichend von Satz 1 ist die Dauer einer Vollzeitmaßnahme der beruflichen Weiterbildung auch dann angemessen, wenn sie nach dem Pflegeberufegesetz[1)] nicht um mindestens ein Drittel verkürzt werden kann; insoweit ist Satz 2 nicht anzuwenden.

[Abs. 4 ab 1.7.2023:]

(4) [1] Die Dauer einer Vollzeitmaßnahme, die zu einem Abschluss in einem allgemein anerkannten Ausbildungsberuf führt, ist angemessen im Sinne des § 179 Absatz 1 Nummer 3, wenn sie gegenüber einer entsprechenden Berufsausbildung um mindestens ein Drittel der Ausbildungszeit verkürzt ist, es sei denn, die Maßnahme ist auf Arbeitnehmerinnen und Arbeitnehmer ausgerichtet, bei denen aufgrund ihrer Eignung oder ihrer persönlichen Verhältnisse eine erfolgreiche Teilnahme nur bei einer nicht verkürzten Dauer erwartet werden kann. [2] Abweichend von Satz 1 ist die Dauer einer Vollzeitmaßnahme der beruflichen Weiterbildung auch dann angemessen, wenn sie auf Grund bundes- oder landesrechtlichen Regelungen nicht um mindestens ein Drittel verkürzt werden kann.

(5) Zeiten einer der beruflichen Weiterbildung folgenden Beschäftigung, die der Erlangung der staatlichen Anerkennung oder der staatlichen Erlaubnis zur Ausübung des Berufes dienen, sind nicht berufliche Weiterbildung im Sinne dieses Buches.

§ 181[2)] Zulassungsverfahren. (1) [1] Die Zulassung ist unter Beifügung der erforderlichen Unterlagen bei einer fachkundigen Stelle zu beantragen. [2] Der Antrag muss alle Angaben und Nachweise enthalten, die erforderlich sind, um das Vorliegen der Voraussetzungen festzustellen.

(2) [1] Soweit bereits eine Zulassung bei einer anderen fachkundigen Stelle beantragt worden ist, ist dies und die Entscheidung dieser fachkundigen Stelle mitzuteilen. [2] Beantragt der Träger die Zulassung von Maßnahmen nicht bei der fachkundigen Stelle, bei der er seine Zulassung als Träger beantragt hat, so hat er der fachkundigen Stelle, bei der er die Zulassung von Maßnahmen beantragt, alle Unterlagen für seine Zulassung und eine gegebenenfalls bereits erteilte Zulassung zur Verfügung zu stellen.

(3) [1] Der Träger kann beantragen, dass die fachkundige Stelle eine durch sie bestimmte Referenzauswahl von Maßnahmen prüft, die in einem angemesse-

---

1) Nr. **416**.

2) 5. Kapitel (§§ 176–184) neu gef. mWv 1.4.2012 durch G v. 20.12.2011 (BGBl. I S. 2854); Abs. 9 angef. mWv 1.10.2020 durch G v. 20.5.2020 (BGBl. I S. 1044).

nen Verhältnis zur Zahl der Maßnahmen des Trägers stehen, für die er die Zulassung beantragt. [2]Die Zulassung aller Maßnahmen setzt voraus, dass die gesetzlichen Voraussetzungen für die geprüften Maßnahmen erfüllt sind. [3]Für nach der Zulassung angebotene weitere Maßnahmen des Trägers ist das Zulassungsverfahren in entsprechender Anwendung der Sätze 1 und 2 wieder zu eröffnen.

(4) [1]Die fachkundige Stelle entscheidet über den Antrag auf Zulassung des Trägers einschließlich seiner Zweigstellen sowie der Maßnahmen nach Prüfung der eingereichten Antragsunterlagen und örtlichen Prüfungen. [2]Sie soll dabei Zertifikate oder Anerkennungen unabhängiger Stellen, die in einem dem Zulassungsverfahren entsprechenden Verfahren erteilt worden sind, ganz oder teilweise berücksichtigen. [3]Sie kann das Zulassungsverfahren einmalig zur Nachbesserung nicht erfüllter Kriterien für längstens drei Monate aussetzen oder die Zulassung endgültig ablehnen. [4]Die Entscheidung bedarf der Schriftform. [5]An der Entscheidung dürfen Personen, die im Rahmen des Zulassungsverfahrens gutachterliche oder beratende Funktionen ausgeübt haben, nicht beteiligt sein.

(5) [1]Die fachkundige Stelle kann die Zulassung maßnahmebezogen und örtlich einschränken, wenn dies unter Berücksichtigung aller Umstände sowie von Lage und voraussichtlicher Entwicklung des Arbeitsmarktes gerechtfertigt ist oder dies beantragt wird. [2]§ 177 Absatz 3 Satz 2 und 3 und Absatz 4 gilt entsprechend.

(6) [1]Mit der Zulassung wird ein Zertifikat vergeben. [2]Die Zertifikate für die Zulassung des Trägers und für die Zulassung von Maßnahmen nach § 45 Absatz 4 Satz 3 Nummer 1 und den §§ 81 und 82 werden wie folgt bezeichnet:

1. „Zugelassener Träger nach dem Recht der Arbeitsförderung. Zugelassen durch (Name der fachkundigen Stelle) – von (Name der Akkreditierungsstelle) akkreditierte Zertifizierungsstelle",
2. „Zugelassene Maßnahme zur Aktivierung und beruflichen Eingliederung nach dem Recht der Arbeitsförderung. Zugelassen durch (Name der fachkundigen Stelle) – von (Name der Akkreditierungsstelle) akkreditierte Zertifizierungsstelle" oder
3. „Zugelassene Weiterbildungsmaßnahme für die Förderung der beruflichen Weiterbildung nach dem Recht der Arbeitsförderung. Zugelassen durch (Name der fachkundigen Stelle) – von (Name der Akkreditierungsstelle) akkreditierte Zertifizierungsstelle".

(7) Die fachkundige Stelle ist verpflichtet, die Zulassung zu entziehen, wenn der Träger die rechtlichen Anforderungen auch nach Ablauf einer von ihr gesetzten, drei Monate nicht überschreitenden Frist nicht erfüllt.

(8) Die fachkundige Stelle hat die Kostensätze der zugelassenen Maßnahmen zu erfassen und der Bundesagentur vorzulegen.

(9) [1]Die fachkundige Stelle hat der Akkreditierungsstelle jährlich in einer von der Akkreditierungsstelle vorgegebenen Form jeweils bis 31. März die Zahl

1. der im vorangegangenen Kalenderjahr neu erteilten Zulassungen von Trägern und Maßnahmen und
2. der am 31. Dezember des vorangegangenen Kalenderjahres gültigen Zulassungen von Trägern und Maßnahmen

für die jeweiligen Fachbereiche nach § 5 Absatz 1 Satz 3 der Akkreditierungs- und Zulassungsverordnung Arbeitsförderung zu übermitteln. [2]Die Akkreditierungsstelle hat die ihr übermittelten Zahlen der Zulassungen von Trägern und Maßnahmen nach der in Satz 1 genannten Untergliederung zu veröffentlichen.

§ 182[1)] Beirat. (1) Bei der Bundesagentur wird ein Beirat eingerichtet, der Empfehlungen für die Zulassung von Trägern und Maßnahmen aussprechen kann.

(2) [1]Dem Beirat gehören elf Mitglieder an. [2]Er setzt sich zusammen aus

1. je einer Vertreterin oder einem Vertreter
   a) der Länder,
   b) der kommunalen Spitzenverbände,
   c) der Arbeitnehmerinnen und Arbeitnehmer,
   d) der Arbeitgeber,
   e) der Bildungsverbände,
   f) der Verbände privater Arbeitsvermittler,
   g) des Bundesministeriums für Arbeit und Soziales,
   h) des Bundesministeriums für Bildung und Forschung,
   i) der Akkreditierungsstelle sowie
2. zwei unabhängigen Expertinnen oder Experten.

(Fortsetzung nächstes Blatt)

1) 5. Kapitel (§§ 176–184) neu gef. mWv 1.4.2012 durch G v. 20.12.2011 (BGBl. I S. 2854).

[3] Die Mitglieder des Beirats werden durch die Bundesagentur im Einvernehmen mit dem Bundesministerium für Arbeit und Soziales und dem Bundesministerium für Bildung und Forschung berufen.

(3) [1] Vorschlagsberechtigt für die Vertreterin oder den Vertreter

1. der Länder ist der Bundesrat,
2. der kommunalen Spitzenverbände ist die Bundesvereinigung der kommunalen Spitzenverbände,
3. der Arbeitnehmerinnen und Arbeitnehmer ist der Deutsche Gewerkschaftsbund,
4. der Arbeitgeber ist die Bundesvereinigung der Deutschen Arbeitgeberverbände,
5. der Bildungsverbände sind die Bildungsverbände, die sich auf einen Vorschlag einigen,
6. der Verbände privater Arbeitsvermittler sind die Verbände privater Arbeitsvermittler, die sich auf einen Vorschlag einigen.

[2] § 377 Absatz 3 gilt entsprechend.

(4) [1] Der Beirat gibt sich eine Geschäftsordnung. [2] Die Bundesagentur übernimmt für die Mitglieder des Beirats die Reisekostenvergütung nach § 376.

§ 183[1)] Qualitätsprüfung. (1) [1] Die Agentur für Arbeit kann die Durchführung einer Maßnahme nach § 176 Absatz 2 prüfen und deren Erfolg beobachten. [2] Sie kann insbesondere

1. von dem Träger der Maßnahme sowie den Teilnehmenden Auskunft über den Verlauf der Maßnahme und den Eingliederungserfolg verlangen und
2. die Einhaltung der Voraussetzungen für die Zulassung des Trägers und der Maßnahme prüfen, indem sie Einsicht in alle die Maßnahme betreffenden Unterlagen des Trägers nimmt.

(2) [1] Die Agentur für Arbeit ist berechtigt, zum Zweck nach Absatz 1 Grundstücke, Geschäfts- und Unterrichtsräume des Trägers während der Geschäfts- oder Unterrichtszeit zu betreten. [2] Wird die Maßnahme bei einem Dritten durchgeführt, ist die Agentur für Arbeit berechtigt, die Grundstücke, Geschäfts- und Unterrichtsräume des Dritten während dieser Zeit zu betreten. [3] Stellt die Agentur für Arbeit bei der Prüfung der Maßnahme hinreichende Anhaltspunkte für Verstöße gegen datenschutzrechtliche Vorschriften fest, soll sie die zuständige Kontrollbehörde für den Datenschutz hiervon unterrichten.

(3) [1] Die Agentur für Arbeit kann vom Träger die Beseitigung festgestellter Mängel innerhalb einer angemessenen Frist verlangen. [2] Die Agentur für Arbeit kann die Geltung des Aktivierungs- und Vermittlungsgutscheins oder des Bildungsgutscheins für einen Träger ausschließen und die Entscheidung über die Förderung aufheben, wenn

1. der Träger dem Verlangen nach Satz 1 nicht nachkommt,
2. die Agentur für Arbeit schwerwiegende und kurzfristig nicht zu behebende Mängel festgestellt hat,
3. die in Absatz 1 genannten Auskünfte nicht, nicht rechtzeitig oder nicht vollständig erteilt werden oder

---

1) 5. Kapitel (§§ 176–184) neu gef. mWv 1.4.2012 durch G v. 20.12.2011 (BGBl. I S. 2854).

4. die Prüfungen oder das Betreten der Grundstücke, Geschäfts- und Unterrichtsräume durch die Agentur für Arbeit nicht geduldet werden.

(4) Die Agentur für Arbeit teilt der fachkundigen Stelle und der Akkreditierungsstelle die nach den Absätzen 1 bis 3 gewonnenen Erkenntnisse mit.

§ 184[1] Verordnungsermächtigung. Das Bundesministerium für Arbeit und Soziales wird ermächtigt, durch Rechtsverordnung, die nicht der Zustimmung des Bundesrates bedarf, die Voraussetzungen für die Akkreditierung als fachkundige Stelle und für die Zulassung von Trägern und Maßnahmen einschließlich der jeweiligen Verfahren zu regeln.

Sechstes Kapitel.[2] Ergänzende vergabespezifische Regelungen

§ 185[2] Vergabespezifisches Mindestentgelt für Aus- und Weiterbildungsdienstleistungen. (1) [1] Träger haben bei der Ausführung eines öffentlichen Auftrags über Aus- und Weiterbildungsdienstleistungen nach diesem Buch im Gebiet der Bundesrepublik Deutschland ihren Arbeitnehmerinnen und Arbeitnehmern das Mindestentgelt zu zahlen, das durch eine Rechtsverordnung des Bundesministeriums für Arbeit und Soziales nach Absatz 2 verbindlich vorgegeben wird. [2] Setzt der Träger Leiharbeitnehmerinnen oder Leiharbeitnehmer ein, so hat der Verleiher zumindest das Mindestentgelt nach Satz 1 zu zahlen. [3] Die Verpflichtung zur Zahlung des Mindestentgelts nach der jeweils geltenden Verordnung nach § 7 Absatz 1 des Arbeitnehmer-Entsendegesetzes[3] über zwingende Arbeitsbedingungen für Aus- und Weiterbildungsdienstleistungen nach dem Zweiten oder diesem Buch bleibt unberührt.

(2) [1] Das Bundesministerium für Arbeit und Soziales wird ermächtigt, durch Rechtsverordnung[4], die nicht der Zustimmung des Bundesrates bedarf, festzulegen:

1. das Nähere zum sachlichen, persönlichen und zeitlichen Geltungsbereich des vergabespezifischen Mindestentgelts sowie
2. die Höhe des vergabespezifischen Mindestentgelts und dessen Fälligkeit.

[2] Hierbei übernimmt die Rechtsverordnung die Vorgaben aus der jeweils geltenden Verordnung nach § 7 Absatz 1 des Arbeitnehmer-Entsendegesetzes in der Branche der Aus- und Weiterbildungsdienstleistungen nach dem Zweiten oder diesem Buch nach § 4 Absatz 1 Nummer 8 des Arbeitnehmer-Entsendegesetzes.

(3) Die Vorschriften des Gesetzes gegen Wettbewerbsbeschränkungen[5] und der Vergabeverordnung sind anzuwenden.

§§ 186–239[6] *(nicht mehr belegt)*

§§ 240–279a[7] *(aufgehoben)*

---

[1] 5. Kapitel (§§ 176–184) neu gef. mWv 1.4.2012 durch G v. 20.12.2011 (BGBl. I S. 2854).
[2] 6. Kapitel (§ 185) neu gef. mWv 25.7.2017 durch G v. 17.7.2017 (BGBl. I S. 2541).
[3] Nr. **506**.
[4] Siehe hierzu ua die VergabemindestentgeltVO 2019 **(beck-online, Module Arbeitsrecht Nr. 511)**.
[5] ***beck-online, Module Arbeitsrecht Nr. 509.***
[6] Bish. §§ 186–239 nicht mehr belegt.
[7] Bish. 6. Kapitel (§§ 240–279a) aufgeh. mWv 1.4.2012 durch G v. 20.12.2011 (BGBl. I S. 2854).

Siebtes Kapitel.[1] Weitere Aufgaben der Bundesagentur

Erster Abschnitt. Statistiken, Arbeitsmarkt- und Berufsforschung, Berichterstattung

§ 280[2] **Aufgaben.** Die Bundesagentur hat Lage und Entwicklung der Beschäftigung und des Arbeitsmarktes im allgemeinen und nach Berufen, Wirtschaftszweigen und Regionen sowie die Wirkungen der aktiven Arbeitsförderung zu beobachten, zu untersuchen und auszuwerten, indem sie

1. Statistiken erstellt,
2. Arbeitsmarkt- und Berufsforschung betreibt und
3. Bericht erstattet.

§ 281[3] **Arbeitsmarktstatistiken, Verordnungsermächtigung.** (1) [1] Die Bundesagentur erstellt amtliche Statistiken über

1. Arbeitslosigkeit und Arbeitsuche von Arbeitnehmerinnen und Arbeitnehmern sowie deren Eingliederung in den Arbeitsmarkt,
2. Entgeltersatzleistungen nach diesem Buch und Leistungen zur Sicherung des Lebensunterhaltes nach dem Zweiten Buch[4],
3. Leistungen der aktiven Arbeitsförderung nach diesem Buch und Leistungen zur Eingliederung in Arbeit nach dem Zweiten Buch[4],
4. sozialversicherungspflichtige und geringfügige Beschäftigung,
5. Angebot und Nachfrage auf dem Ausbildungs- und Arbeitsmarkt sowie
6. weitere, in ihrem Geschäftsbereich anfallende Aufgaben.

[2] Die Bundesagentur hat die einheitliche und termingerechte Erstellung von Statistiken sicherzustellen, die Ergebnisse der Statistik in angemessener Gliederung zu veröffentlichen sowie die Daten zu analysieren. [3] Für Ausländerinnen und Ausländer, die keine Unionsbürgerinnen oder Unionsbürger sind und sich nicht nur vorübergehend im Geltungsbereich des Gesetzes über das Ausländerzentralregister[5] aufhalten, wird die Statistik der sozialversicherungspflichtig und geringfügig Beschäftigten zusätzlich nach dem Aufenthaltsstatus auf der Grundlage der nach § 23a des AZR-Gesetzes übermittelten Daten gegliedert.

(2) Die Bundesagentur verarbeitet für die in Absatz 1 genannten Zwecke

1. Daten, die im Rahmen der Erfüllung ihrer Aufgaben nach diesem Buch erhoben oder übermittelt werden,
2. Daten, die von den zuständigen Trägern der Grundsicherung für Arbeitsuchende nach § 51b des Zweiten Buches[6] erhoben und übermittelt werden,
3. Daten aus den Meldungen nach § 28a des Vierten Buches[7],

---

[1] 7. Kapitel Überschrift geänd. mWv 1.1.2004 durch G v. 23.12.2003 (BGBl. I S. 2848).
[2] § 280 geänd. mWv 1.1.2004 durch G v. 23.12.2003 (BGBl. I S. 2848).
[3] § 281 neu gef. mWv 1.7.2020 durch G v. 12.6.2020 (BGBl. I S. 1248).
[4] Auszugsweise abgedruckt unter Nr. **692**.
[5] **Sartorius ErgBd. Nr. 569.**
[6] Nr. **692**.
[7] Nr. **694**.

4. Daten aus dem Anzeigeverfahren zur Beschäftigung schwerbehinderter Menschen nach § 163 Absatz 2 des Neunten Buches[1)],
5. Daten, die ihr auf Grundlage von § 23a des AZR-Gesetzes übermittelt werden,
6. Daten, die ihr zur Verarbeitung für statistische Zwecke auf Grund anderer einzelgesetzlicher Vorschriften übermittelt werden oder wurden.

(3) [1] Für die Statistiken der Bundesagentur gelten die Grundsätze der Neutralität und Objektivität. [2] Die Vorschriften der Geheimhaltung nach § 16 des Bundesstatistikgesetzes gelten entsprechend. [3] Das Statistikgeheimnis ist durch technische und organisatorische Maßnahmen der Trennung zwischen statistischen und nichtstatistischen Aufgaben einzuhalten.

(4) [1] Die Bundesagentur hat zusätzlich den Migrationshintergrund in ihren Statistiken zu berücksichtigen und die hierfür erforderlichen Merkmale zu erheben. [2] Die erhobenen Merkmale dürfen ausschließlich für statistische Zwecke verarbeitet werden. [3] Sie sind in einem durch technische und organisatorische Maßnahmen von sonstiger Datenverarbeitung getrennten Bereich zu verarbeiten. [4] Das Bundesministerium für Arbeit und Soziales bestimmt durch Rechtsverordnung ohne Zustimmung des Bundesrates das Nähere über die zu erhebenden Merkmale und die Durchführung des Verfahrens, insbesondere über Erhebung, Übermittlung und Speicherung der erhobenen Daten.

§ 282[2)] Arbeitsmarkt- und Berufsforschung. (1) [1] Die Bundesagentur hat bei der Festlegung von Inhalt, Art und Umfang der Arbeitsmarkt- und Berufsforschung ihren eigenen Informationsbedarf sowie den des Bundesministeriums für Arbeit und Soziales zu berücksichtigen. [2] Die Bundesagentur hat den Forschungsbedarf mindestens in jährlichen Zeitabständen mit dem Bundesministerium für Arbeit und Soziales abzustimmen.

(2) [1] Die Untersuchung der Wirkungen der Arbeitsförderung ist ein Schwerpunkt der Arbeitsmarktforschung. [2] Sie soll zeitnah erfolgen und ist ständige Aufgabe des Instituts für Arbeitsmarkt- und Berufsforschung.

(3) Die Wirkungsforschung soll unter Berücksichtigung der unterschiedlichen Zielsetzungen dieses Buches insbesondere

1. untersuchen, in welchem Ausmaß die Teilnahme an einer Maßnahme die Vermittlungsaussichten der Teilnehmenden verbessert und ihre Beschäftigungsfähigkeit erhöht,
2. vergleichend die Kosten von Maßnahmen im Verhältnis zu ihrem Nutzen ermitteln,
3. volkswirtschaftliche Nettoeffekte beim Einsatz von Leistungen der aktiven Arbeitsförderung messen und

---

[1)] Nr. **440**.

[2)] § 282 Abs. 2 und 3 angef. durch G v. 16.12.1997 (BGBl. I S. 2970); bish. Abs. 3 geänd., Abs. 2–4 eingef., bish. Abs. 2 und 3 werden Abs. 5 und 6, Abs. 7 angef. mWv 1.1.2002 durch G v. 10.12.2001 (BGBl. I S. 3443); Abs. 7 Satz 2 geänd. mWv 1.1.2003 durch G v. 23.12.2002 (BGBl. I S. 4607); Abs. 1 neu gef., Abs. 5 Sätze 1, 2 und 3, Abs. 6 Satz 1 und Abs. 7 Satz 1 geänd. mWv 1.1.2004 durch G v. 23.12.2003 (BGBl. I S. 2848); Abs. 1 Sätze 1 und 2 geänd. mWv 8.11.2006 durch VO v. 31.10. 2006 (BGBl. I S. 2407); Abs. 1 Satz 1 geänd. mWv 1.1.2009 durch G v. 21.12.2008 (BGBl. I S. 2917); Abs. 3 neu gef. mWv *1.4.2012* durch G v. 20.12.2011 (BGBl. I S. 2854); Abs. 5 Satz 1, Abs. 6 Sätze 1 und 2 geänd. mWv 26.11.2019 durch G v. 20.11.2019 (BGBl. I S. 1626); Abs. 5 Satz 1, Abs. 7 Satz 2 geänd. mWv 1.7.2020 durch G v. 12.6.2020 (BGBl. I S. 1248).

4. Auswirkungen auf Erwerbsverläufe analysieren.

(4) Arbeitsmarktforschung soll auch die Wirkungen der Arbeitsförderung auf regionaler Ebene untersuchen.

(5) [1] Innerhalb der Bundesagentur dürfen die Daten aus ihrem Geschäftsbereich und der Migrationshintergrund nach § 281 Absatz 4 Satz 1 dem Institut für Arbeitsmarkt- und Berufsforschung zur Verfügung gestellt und dort für dessen Zwecke gespeichert, verändert, genutzt, übermittelt oder in der Verarbeitung eingeschränkt werden. [2] Das Institut für Arbeitsmarkt- und Berufsforschung darf ergänzend Erhebungen ohne Auskunftspflicht der zu Befragenden durchführen, wenn sich die Informationen nicht bereits aus den im Geschäftsbereich der Bundesagentur vorhandenen Daten oder aus anderen statistischen Quellen gewinnen lassen. [3] Das Institut, das räumlich, organisatorisch und personell vom Verwaltungsbereich der Bundesagentur zu trennen ist, hat die Daten vor unbefugter Kenntnisnahme durch Dritte zu schützen. [4] Die Daten dürfen nur für den Zweck der wissenschaftlichen Forschung genutzt werden. [5] Die personenbezogenen Daten sind zu anonymisieren, sobald dies nach dem Forschungszweck möglich ist. [6] Bis dahin sind die Merkmale gesondert zu speichern, mit denen Einzelangaben über persönliche oder sachliche Verhältnisse einer bestimmten oder bestimmbaren Person zugeordnet werden können. [7] Das Statistische Bundesamt und die statistischen Ämter der Länder dürfen dem Institut für Arbeitsmarkt- und Berufsforschung Daten entsprechend § 16 Abs. 6 des Bundesstatistikgesetzes übermitteln.

(6) [1] Das Institut hat die nach § 28a des Vierten Buches[1)] gemeldeten und der Bundesagentur weiter übermittelten Daten der in der Bundesrepublik Deutschland Beschäftigten ohne Vor- und Zunamen nach der Versicherungsnummer langfristig in einem besonders geschützten Dateisystem zu speichern. [2] Die in diesem Dateisystem gespeicherten Daten dürfen nur für Zwecke der wissenschaftlichen Forschung, der Arbeitsmarktstatistik und der nicht einzelfallbezogenen Planung gespeichert, verändert, genutzt, übermittelt oder in der Verarbeitung eingeschränkt werden. [3] Sie sind zu anonymisieren, sobald dies mit dem genannten Zweck vereinbar ist.

(7) [1] Die Bundesagentur übermittelt wissenschaftlichen Einrichtungen auf Antrag oder Ersuchen anonymisierte Daten, die für Zwecke der Arbeitsmarkt- und Berufsforschung erforderlich sind. [2] § 282a Absatz 5 gilt entsprechend. [3] Für Sozialdaten gilt § 75 des Zehnten Buches.

§ 282a[2)] Übermittlung von Daten. (1) [1] Die Bundesagentur ist berechtigt, dem Statistischen Bundesamt und den statistischen Ämtern der Länder Tabellen

---

[1)] Nr. **694**.

[2)] § 282a eingef. durch G v. 16.12.1997 (BGBl. I S. 2970); Abs. 1 eingef., bish. Abs. 1–5 werden Abs. 2–6 mWv 3.8.2001 durch G v. 27.7.2001 (BGBl. I S. 1882); Abs. 2a eingef. mWv 6.11.2003, aufgeh. mWv 1.7.2008 durch G v. 31.10.2003 (BGBl. I S. 2149); Abs. 1–4 geänd. mWv 1.1.2004 durch G v. 23.12.2003 (BGBl. I S. 2848); Abs. 2b eingef. mWv 14.9.2005 durch G v. 6.9.2005 (BGBl. I S. 2725); Abs. 2b Sätze 1 und 2 geänd. mWv 1.1.2009 durch G v. 31.7.2008 (BGBl. I S. 1626); Abs. 2a neu gef. mWv 12.11.2010 durch G v. 4.11.2010 (BGBl. I S. 1480); Abs. 1 und Abs. 3 Satz 1 geänd. mWv 1.4.2012 durch G v. 20.12.2011 (BGBl. I S. 2854); Abs. 2 Satz 2 angef. mWv 16.8.2014 durch G v. 11.8.2014 (BGBl. I S. 1348); Abs. 2b Sätze 1 und 2 geänd. mWv 1.1.2018 durch G v. 21.11.2016 (BGBl. I S. 2613); Abs. 2 Satz 2 geänd. mWv 25.7.2017 durch G v. 17.7.2017 (BGBl. I S. 2541); Abs. 2b Satz 3, Abs. 4 geänd. mWv 26.11.2019 durch G v. 20.11.2019 (BGBl. I S. 1626); Abs. 1 und Abs. 2b Satz 1 geänd., Satz 2 eingef., bish. Sätze 2–5 werden Sätze 3–6, neue mit statistischen Ergebnissen zu übermitteln, soweit dies für Zwecke eines Zensus erforderlich ist. [2] Diese Ergebnisse können auch Einzelfälle ausweisen.

(2) [1] Die Bundesagentur ist berechtigt, dem Statistischen Bundesamt und den statistischen Ämtern der Länder anonymisierte Einzeldaten zu sozialversicherungspflichtig Beschäftigten zu übermitteln, soweit diese Daten dort für die Erstellung der Erwerbstätigenstatistiken erforderlich sind. [2] Die in Satz 1 genannten Daten dürfen den Statistischen Ämtern des Bundes und der Länder auch übermittelt werden, wenn sie für Zwecke des Verdienststatistikgesetzes[1)] oder für Statistiken über die Gesundheitsversorgung nach dem Anhang II der Verordnung (EG) Nr. 1338/2008 des Europäischen Parlaments und des Rates vom 16. Dezember 2008 zu Gemeinschaftsstatistiken über öffentliche Gesundheit und über Gesundheitsschutz und Sicherheit am Arbeitsplatz (ABl. L 354 vom 31.12.2008, S. 70) erforderlich sind.

(2a) [1] Die Bundesagentur ist berechtigt, dem Statistischen Bundesamt die in § 3 des Verwaltungsdatenverwendungsgesetzes bezeichneten Daten für die in § 1 desselben Gesetzes genannten Zwecke zu übermitteln. [2] Satz 1 gilt auch für Daten, die nach Maßgabe einer Rechtsverordnung im Sinne des § 5 des Verwaltungsdatenverwendungsgesetzes zu übermitteln sind.

(2b) [1] Die Bundesagentur darf dem Statistischen Bundesamt und den statistischen Ämtern der Länder nach Gemeinden Tabellen mit statistischen Ergebnissen über die Zahl der sozialversicherungspflichtig Beschäftigten und die sozialversicherungspflichtigen Entgelte – jeweils ohne Beschäftigte von Gebietskörperschaften und Sozialversicherungen sowie deren Einrichtungen – übermitteln, soweit diese zur Festsetzung des Verteilungsschlüssels für den Gemeindeanteil am Aufkommen der Umsatzsteuer nach § 5a des Gemeindefinanzreformgesetzes[2)] erforderlich sind. [2] Diese Ergebnisse können auch Einzelfälle ausweisen. [3] Das Statistische Bundesamt und die statistischen Ämter der Länder dürfen die in Satz 1 genannten Angaben dem Bundesministerium der Finanzen sowie den zuständigen obersten Landesbehörden übermitteln, soweit die Angaben für die Festsetzung des Verteilungsschlüssels nach § 5a des Gemeindefinanzreformgesetzes erforderlich sind. [4] Die Angaben dürfen nur auf Ersuchen übermittelt und nur für die in den Sätzen 1 und 2 genannten Zwecke gespeichert, verändert, genutzt, übermittelt oder in der Verarbeitung eingeschränkt werden. [5] Sie sind vier Jahre nach Festsetzung des Verteilungsschlüssels zu löschen. [6] Werden innerhalb dieser Frist Einwendungen gegen die Berechnung des Verteilungsschlüssels erhoben, dürfen die Angaben bis zur abschließenden Klärung der Einwendungen aufbewahrt werden, soweit sie für die Klärung erforderlich sind.

(3) [1] Das Statistische Bundesamt und die statistischen Ämter der Länder sind berechtigt, der zur Durchführung ausschließlich statistischer Aufgaben zuständigen Stelle der Bundesagentur nach Gemeinden Tabellen mit statistischen Ergebnissen über Selbständige, mithelfende Familienangehörige, Beamtinnen und Beamte sowie geringfügig Beschäftigte zu übermitteln, soweit sie für die Berechnung von Arbeitslosenquoten im Rahmen der Arbeitsmarktstatistik er-

---

(Fortsetzung der Anm. von voriger Seite)
Sätze 3, 4 und 6 geänd., Abs. 3 Satz 1 geänd., Satz 2 neu gef., Satz 3 angef., Abs. 4 geänd. Abs. 5 aufgeh., bish. Abs. 6 wird Abs. 5 mWv 1.7.2020 durch G v. 12.6.2020 (BGBl. I S. 1248).

[1)] Nr. **201**.

[2)] **Steuergesetze Nr. 810.**

forderlich sind. [2]Diese Ergebnisse können auch Einzelfälle ausweisen. [3]Diese übermittelten Angaben dürfen ausschließlich für statistische Zwecke verarbeitet werden.

(4) Für die Speicherung und für die Nutzung gegenüber den gesetzgebenden Körperschaften und für Zwecke der Planung, jedoch nicht für die Regelung von Einzelfällen, dürfen den obersten Bundes- oder Landesbehörden von der Bundesagentur Tabellen mit statistischen Ergebnissen übermittelt werden, auch soweit Tabellenfelder nur einen einzigen Fall ausweisen.

(5) Bedarf die Übermittlung einer Datenaufbereitung in erheblichem Umfang, ist über die Daten- oder Tabellenübermittlung eine schriftliche Vereinbarung zu schließen, die eine Regelung zur Erstattung der durch die Aufbereitung entstehenden Kosten vorsehen kann.

§ 282b[1)] Speicherung, Veränderung, Nutzung, Übermittlung, Einschränkung der Verarbeitung oder Löschung von Daten für die Ausbildungsvermittlung durch die Bundesagentur. (1) Die Bundesagentur darf die ihr von den Auskunftsstellen übermittelten Daten über eintragungsfähige oder eingetragene Ausbildungsverhältnisse vorbehaltlich des Absatzes 4 ausschließlich speichern, verändern, nutzen, übermitteln oder in der Verarbeitung einschränken zur Verbesserung der

1. Ausbildungsvermittlung,
2. Zuverlässigkeit und Aktualität der Ausbildungsvermittlungsstatistik oder
3. Feststellung von Angebot und Nachfrage auf dem Ausbildungsmarkt.

(2) Auskunftsstellen sind die nach dem Berufsbildungsgesetz[2)] zuständigen Stellen.

(3) Die Bundesagentur hat die ihr zu den Zwecken des Absatzes 1 übermittelten Daten und Datenträger spätestens zum Ende des Kalenderjahres zu löschen.

(4) Die Bundesagentur übermittelt die ihr von den Auskunftsstellen übermittelten Daten zu den in Absatz 1 genannten Zwecken an die für den Wohnort der oder des Auszubildenden zuständige gemeinsame Einrichtung nach § 44b des Zweiten Buches[3)] oder an den für den Wohnort der oder des Auszubildenden zuständigen zugelassenen kommunalen Träger nach § 6a des Zweiten Buches.

§ 283[4)] Arbeitsmarktberichterstattung, Weisungsrecht. (1) [1]Die Bundesagentur hat die Arbeitsmarktstatistiken und die Ergebnisse der Arbeitsmarkt- und Berufsforschung dem Bundesministerium für Arbeit und Soziales vorzulegen und in geeigneter Form zu veröffentlichen. [2]Die Bundesagentur hat zu gewährleisten, dass bei der Wahrnehmung der Aufgaben dieses Abschnitts neben einem eigenen kurzfristigen arbeitsmarktpolitischen Informationsbedarf

---

[1)] § 282b eingef. mWv 1.4.2005 durch G v. 23.3.2005 (BGBl. I S. 931); Überschrift und Abs. 1 neu gef., Abs. 4 angef. mWv 1.8.2016 durch G v. 26.7.2016 (BGBl. I S. 1824); Überschrift neu gef., Abs. 1 einl. Satzteil geänd. mWv 26.11.2019 durch G v. 20.11.2019 (BGBl. I S. 1626).

[2)] Nr. **415**.

[3)] Nr. **692**.

[4)] § 283 neu gef. mWv 1.1.2004 durch G v. 23.12.2003 (BGBl. I S. 2848); Abs. 1 Sätze 1 und 2 geänd., Satz 3 aufgeh., Abs. 2 Satz 1 geänd., Satz 2 aufgeh. mWv 8.11.2006 durch VO v. 31.10.2006 (BGBl. I S. 2407).

auch dem des Bundesministeriums für Arbeit und Soziales entsprochen werden kann.

(2) Das Bundesministerium für Arbeit und Soziales kann Art und Umfang sowie Tatbestände und Merkmale der Statistiken und der Arbeitsmarktberichterstattung näher bestimmen und der Bundesagentur entsprechende fachliche Weisungen erteilen.

Zweiter Abschnitt. Erteilung von Genehmigungen und Erlaubnissen

Erster Unterabschnitt.[1] Beschäftigung von Ausländerinnen und Ausländern

§ 284[2] Arbeitsgenehmigung-EU für Staatsangehörige der neuen EU-Mitgliedstaaten. (1) Soweit nach Maßgabe des Beitrittsvertrages eines Mitgliedstaates zur Europäischen Union abweichende Regelungen als Übergangsregelungen von der Arbeitnehmerfreizügigkeit anzuwenden sind, dürfen Staatsangehörige dieses Mitgliedstaates und ihre freizügigkeitsberechtigten Familienangehörigen eine Beschäftigung nur mit Genehmigung der Bundesagentur ausüben sowie von Arbeitgebern nur beschäftigt werden, wenn sie eine solche Genehmigung besitzen.

(2) [1] Die Genehmigung wird befristet als Arbeitserlaubnis-EU erteilt, wenn nicht Anspruch auf eine unbefristete Erteilung als Arbeitsberechtigung-EU besteht. [2] Die Genehmigung ist vor Aufnahme der Beschäftigung einzuholen.

(3) Die Arbeitserlaubnis-EU kann nach Maßgabe des § 39 Abs. 2 bis 4 des Aufenthaltsgesetzes[3] erteilt werden.

(4) [1] Unionsbürgerinnen und Unionsbürger nach Absatz 1 und ihre freizügigkeitsberechtigten Familienangehörigen, die ihren Wohnsitz oder gewöhnlichen Aufenthalt im Ausland haben und eine Beschäftigung im Bundesgebiet aufnehmen wollen, darf eine Arbeitserlaubnis-EU nur erteilt werden, wenn dies durch zwischenstaatliche Vereinbarung bestimmt oder aufgrund einer Rechtsverordnung zulässig ist. [2] Für die Beschäftigungen, die durch Rechtsverordnung zugelassen werden, ist Staatsangehörigen aus den Mitgliedstaaten der Europäischen Union nach Absatz 1 gegenüber Staatsangehörigen aus Drittstaaten vorrangig eine Arbeitserlaubnis-EU zu erteilen, soweit dies der EU-Beitrittsvertrag vorsieht.

(5) Die Erteilung der Arbeitsberechtigung-EU bestimmt sich nach der aufgrund des § 288 erlassenen Rechtsverordnung.

(6) [1] Das Aufenthaltsgesetz und die aufgrund des § 42 des Aufenthaltsgesetzes[3] erlassenen Rechtsverordnungen gelten entsprechend, soweit nicht eine aufgrund des § 288 erlassene Rechtsverordnung günstigere Regelungen enthält. [2] Bei Anwendung der Vorschriften steht die Arbeitsgenehmigung-EU der

[1] 1. UAbschnitt Überschrift neu gef. mWv 1.4.2012 durch G v. 20.12.2011 (BGBl. I S. 2854).

[2] § 284 neu gef. mWv 1.1.2005 durch G v. 30.7.2004 (BGBl. I S. 1950); Abs. 2 Satz 2 angef. mWv 18.3.2005 durch G v. 14.3.2005 (BGBl. I S. 721); Abs. 1 Satz 2 und Abs. 7 angef. mWv 1.1.2007 durch G v. 7.12.2006 (BGBl. I S. 2814); Abs. 1 neu gef., Abs. 7 Satz 1 geänd. mWv 1.5.2011; Abs. 4 Satz 1 und Abs. 6 Satz 1 geänd. mWv 1.4.2012 durch G v. 20.12.2011 (BGBl. I S. 2854); Abs. 1 Satz 2 und Abs. 8 angef. mWv 1.7.2013, Abs. 1 neu gef., Abs. 7 aufgeh., bish. Abs. 8 wird Abs. 7 mWv 1.1.2014 durch G v. 17.6.2013 (BGBl. I S. 1555 iVm Bek. v. 21.6.2013, BGBl. II S. 680); Abs. 1 neu gef., *Abs. 3 geänd., Abs. 4 Satz 1,* Abs. 5, Abs. 6 Satz 1 und Abs. 7 Satz 1 neu gef., Satz 2 eingef., bish. Satz 2 wird Satz 3 mWv 1.7.2015 durch G v. 21.12.2015 (BGBl. I S. 2557).

[3] Nr. **760**.

Zustimmung zu einem Aufenthaltstitel nach § 4 Abs. 3 des Aufenthaltsgesetzes[1] gleich.

(7) [1]Ein Aufenthaltstitel zur Ausübung einer Beschäftigung, der vor dem Tag, an dem der Beitrittsvertrag eines Mitgliedstaates zur Europäischen Union, der Übergangsregelungen hinsichtlich der Arbeitnehmerfreizügigkeit vorsieht, für die Bundesrepublik Deutschland in Kraft getreten ist, erteilt wurde, gilt als Arbeitserlaubnis-EU fort. [2]Beschränkungen des Aufenthaltstitels hinsichtlich der Ausübung der Beschäftigung bleiben als Beschränkungen der Arbeitserlaubnis-EU bestehen. [3]Ein vor diesem Zeitpunkt erteilter Aufenthaltstitel, der zur unbeschränkten Ausübung einer Beschäftigung berechtigt, gilt als Arbeitsberechtigung-EU fort.

§§ 285, 286[2] *(aufgehoben)*

§ 287[3] Gebühren für die Durchführung der Vereinbarungen über Werkvertragsarbeitnehmerinnen und Werkvertragsarbeitnehmer.

(1) Für die Aufwendungen, die der Bundesagentur und den Behörden der Zollverwaltung bei der Durchführung der zwischenstaatlichen Vereinbarungen über die Beschäftigung von Arbeitnehmerinnen und Arbeitnehmern auf der Grundlage von Werkverträgen entstehen, kann vom Arbeitgeber der ausländischen Arbeitnehmerinnen und Arbeitnehmer eine Gebühr erhoben werden.

(2) [1]Die Gebühr wird für die Aufwendungen der Bundesagentur und der Behörden der Zollverwaltung erhoben, die im Zusammenhang mit dem Antragsverfahren und der Überwachung der Einhaltung der Vereinbarungen stehen, insbesondere für die

1. Prüfung der werkvertraglichen Grundlagen,
2. Prüfung der Voraussetzungen für die Beschäftigung der ausländischen Arbeitnehmerinnen und Arbeitnehmer,
3. Zusicherung, Erteilung und Aufhebung der Zustimmung zur Erteilung einer Aufenthaltserlaubnis zum Zwecke der Beschäftigung oder der Arbeitserlaubnis-EU,
4. Überwachung der Einhaltung der für die Ausführung eines Werkvertrages festgesetzten Zahl der Arbeitnehmerinnen und Arbeitnehmer,
5. Überwachung der Einhaltung der für die Arbeitgeber nach den Vereinbarungen bei der Beschäftigung ihrer Arbeitnehmerinnen und Arbeitnehmer bestehenden Pflichten einschließlich der Durchführung der dafür erforderlichen Prüfungen nach § 2 Abs. 1 Nr. 4 des Schwarzarbeitsbekämpfungsgesetzes[4] durch die Behörden der Zollverwaltung sowie
6. Durchführung von Ausschlussverfahren nach den Vereinbarungen.

---

[1] Nr. **760**.

[2] §§ 285, 286 aufgeh. mWv 1.1.2005 durch G v. 30.7.2004 (BGBl. I S. 1950).

[3] § 287 Überschrift, Abs. 1 und 2 neu gef. mWv 1.1.1998 durch G v. 13.6.2001 (BGBl. I S. 1027); Abs. 1, Abs. 2 Satz 1 einl. Satzteil und Nr. 5 sowie Satz 2 geänd., Abs. 4 neu gef. mWv 1.1.2004 durch G v. 23.12.2003 (BGBl. I S. 2848); Abs. 2 Satz 1 Nr. 5 geänd. mWv 1.8.2004 durch G v. 23.7.2004 (BGBl. I S. 1842) ; Abs. 2 Satz 1 Nr. 3 neu gef. mWv 1.1.2005 durch G v. 30.7.2004 (BGBl. I S. 1950); Abs. 2 Satz 1 Nr. 3 neu gef. mWv 18.3.2005 durch G v. 14.3.2005 (BGBl. I S. 721); Abs. 2 Satz 1 Nr. 5 geänd. mWv 1.8.2004 durch G v. 8.6.2005 (BGBl. I S. 1530); Überschrift, Abs. 1, Abs. 2 Satz 1 Nr. 2, 4 und 5, Abs. 3 geänd. mWv 1.4.2012 durch G v. 20.12.2011 (BGBl. I S. 2854); Abs. 4 geänd. mWv 23.7.2021 durch G v. 16.7.2021 (BGBl. I S. 2970).

[4] Nr. **110**.

[2] Die Bundesagentur wird ermächtigt, durch Anordnung die gebührenpflichtigen Tatbestände zu bestimmen, für die Gebühr feste Sätze vorzusehen und den auf die Behörden der Zollverwaltung entfallenden Teil der Gebühren festzulegen und zu erheben.

(3) Der Arbeitgeber darf sich die Gebühr nach den Absätzen 1 und 2 weder ganz noch teilweise erstatten lassen.

(4) Im Übrigen sind die Vorschriften des Verwaltungskostengesetzes vom 23. Juni 1970 (BGBl. I S. 821) in der am 14. August 2013 geltenden Fassung anzuwenden.

§ 288[1)] Verordnungsermächtigung und Weisungsrecht. (1) Das Bundesministerium für Arbeit und Soziales kann durch Rechtsverordnung[2)]

1. Ausnahmen für die Erteilung einer Arbeitserlaubnis an Ausländerinnen und Ausländer, die keine Aufenthaltsgenehmigung besitzen,
2. Ausnahmen für die Erteilung einer Arbeitserlaubnis unabhängig von der Arbeitsmarktlage,
3. Ausnahmen für die Erteilung einer Arbeitserlaubnis an Ausländerinnen und Ausländer mit Wohnsitz oder gewöhnlichem Aufenthalt im Ausland,
4. die Voraussetzungen für die Erteilung einer Arbeitserlaubnis sowie das Erfordernis einer ärztlichen Untersuchung von Ausländerinnen und Ausländern mit Wohnsitz oder gewöhnlichem Aufenthalt im Ausland mit deren Einwilligung für eine erstmalige Beschäftigung,
5. das Nähere über Umfang und Geltungsdauer der Arbeitserlaubnis,
6. weitere Personengruppen, denen eine Arbeitsberechtigung erteilt wird, sowie die zeitliche, betriebliche, berufliche und regionale Beschränkung der Arbeitsberechtigung,
7. weitere Ausnahmen von der Genehmigungspflicht sowie
8. die Voraussetzungen für das Verfahren und die Aufhebung einer Genehmigung

näher bestimmen.

(2) Das Bundesministerium für Arbeit und Soziales kann der Bundesagentur zur Durchführung der Bestimmungen dieses Unterabschnittes und der hierzu erlassenen Rechtsverordnungen sowie der von den Organen der Europäischen Gemeinschaften erlassenen Bestimmungen über den Zugang zum Arbeitsmarkt und der zwischenstaatlichen Vereinbarungen über die Beschäftigung von Arbeitnehmerinnen und Arbeitnehmern Weisungen erteilen.

Zweiter Unterabschnitt. Beratung und Vermittlung durch Dritte

Erster Titel. Berufsberatung

§ 288a[3)] Untersagung der Berufsberatung. (1) [1] Die Agentur für Arbeit hat einer natürlichen oder juristischen Person oder ***[bis 31.12.2023:*** Personengesellschaft***][ab 1.1.2024:*** *rechtsfähigen Personengesellschaft****]***, die Berufsberatung

---

[1)] § 288 Abs. 1 und 2 geänd. mWv 1.1.2004 durch G v. 23.12.2003 (BGBl. I S. 2848); Abs. 1 und 2 geänd. mWv 8.11.2006 durch VO v. 31.10.2006 (BGBl. I S. 2407); Abs. 1 Nr. 1, 3 und 4, Abs. 2 geänd. mWv 1.4.2012 durch G v. 20.12.2011 (BGBl. I S. 2854).

[2)] *Siehe die BeschäftigungsVO* (Nr. **762**).

[3)] § 288a eingef. durch G v. 16.12.1997 (BGBl. I S. 2970); Abs. 1 Satz 1, Abs. 2 Satz 1, Abs. 3 Satz 1 und Abs. 4 geänd. mWv 1.1.2004 durch G v. 23.12.2003 (BGBl. I S. 2848); Abs. 1 Satz 1 geänd. →

betreibt (Berufsberatende), die Ausübung dieser Tätigkeit ganz oder teilweise zu untersagen, sofern dies zum Schutz der Ratsuchenden erforderlich ist. [2] Bei einer juristischen Person oder ***[bis 31.12.2023:*** Personengesellschaft***][ab 1.1. 2024:*** *rechtsfähigen Personengesellschaft]* kann auch einer von ihr für die Leitung des Betriebes bestellten Person die Ausübung der Tätigkeit ganz oder teilweise untersagt werden, sofern dies zum Schutz der Ratsuchenden erforderlich ist.

(2) [1] Im Untersagungsverfahren hat die betreffende Person auf Verlangen der Agentur für Arbeit

1. die Auskünfte zu erteilen, die zur Durchführung des Verfahrens erforderlich sind, und
2. die geschäftlichen Unterlagen vorzulegen, aus denen sich die Richtigkeit ihrer Angaben ergibt.

[2] Sie kann die Auskunft auf solche Fragen verweigern, deren Beantwortung sie selbst oder einen in § 383 Abs. 1 Nr. 1 bis 3 der Zivilprozeßordnung[1)] bezeichneten Angehörigen der Gefahr strafrechtlicher Verfolgung oder eines Verfahrens nach dem Gesetz über Ordnungswidrigkeiten[2)] aussetzen würde.

(3) [1] Soweit es zur Durchführung der Überprüfung erforderlich ist, sind die von der Agentur für Arbeit beauftragten Personen befugt, Geschäftsräume der betreffenden Person während der üblichen Geschäftszeiten zu betreten. [2] Die Person hat Maßnahmen nach Satz 1 zu dulden.

(4) Untersagt die Agentur für Arbeit die Ausübung der Berufsberatung, so hat es die weitere Ausübung dieser Tätigkeit nach den Vorschriften des Verwaltungs-Vollstreckungsgesetzes[3)] zu verhindern.

§ 289[4)] Offenbarungspflicht. [1] Berufsberatende, die die Interessen eines Arbeitgebers oder einer Einrichtung wahrnehmen, sind verpflichtet, Ratsuchenden die Identität des Trägers oder der Einrichtung mitzuteilen; sie haben darauf hinzuweisen, dass sich die Interessenwahrnehmung auf die Beratungstätigkeit auswirken kann. [2] Die Offenbarungspflicht besteht auch, wenn Berufsberatende zu einer Einrichtung Verbindungen unterhalten, deren Kenntnis für die Ratsuchenden zur Beurteilung einer Beratung von Bedeutung sein kann.

§ 290[5)] Vergütungen. [1] Für eine Berufsberatung dürfen Vergütungen von Ratsuchenden nur dann verlangt oder entgegengenommen werden, wenn die oder der Berufsberatende nicht zugleich eine Vermittlung von Ausbildungs- oder Arbeitsplätzen betreibt oder eine entsprechende Vermittlung in damit zusammenhängenden Geschäftsräumen betrieben wird. [2] Entgegen Satz 1 geschlossene Vereinbarungen sind unwirksam.

Zweiter Titel. Ausbildungsvermittlung und Arbeitsvermittlung

§ 291[6)] *(aufgehoben)*

(Fortsetzung der Anm. von voriger Seite)
mWv 1.4.2012 durch G v. 20.12.2011 (BGBl. I S. 2854); Abs. 1 Sätze 1 und 2 geänd. mWv 1.1.2024 durch G v. 10.8.2021 (BGBl. I S. 3436).

[1)] **beck-online, Module Arbeitsrecht Nr. 320.**

[2)] **Habersack Nr. 94.**

[3)] **Sartorius Nr. 112.**

[4)] § 289 neu gef. mWv 1.4.2012 durch G v. 20.12.2011 (BGBl. I S. 2854).

[5)] § 290 Satz 1 geänd. mWv 1.4.2012 durch G v. 20.12.2011 (BGBl. I S. 2854).

[6)] § 291 aufgeh. mWv 27.3.2002 durch G v. 23.3.2002 (BGBl. I S. 1130).

§ 292[1] Auslandsvermittlung, Anwerbung aus dem Ausland. Das Bundesministerium für Arbeit und Soziales kann durch Rechtsverordnung[2] bestimmen, dass die Vermittlung für eine Beschäftigung im Ausland außerhalb der Europäischen Gemeinschaft oder eines anderen Vertragsstaates des Abkommens über den Europäischen Wirtschaftsraum sowie die Vermittlung und die Anwerbung aus diesem Ausland für eine Beschäftigung im Inland (Auslandsvermittlung) für bestimmte Berufe und Tätigkeiten nur von der Bundesagentur durchgeführt werden dürfen.

§§ 293–295[3] *(aufgehoben)*

§ 296[4] Vermittlungsvertrag zwischen Vermittlern und Arbeitsuchenden. (1) [1]Ein Vertrag, nach dem sich ein Vermittler verpflichtet, einer oder einem Arbeitsuchenden eine Arbeitsstelle zu vermitteln, bedarf der schriftlichen Form. [2]In dem Vertrag ist insbesondere die Vergütung des Vermittlers anzugeben. [3]Zu den Leistungen der Vermittlung gehören auch alle Leistungen, die zur Vorbereitung und Durchführung der Vermittlung erforderlich sind, insbesondere die Feststellung der Kenntnisse der oder des Arbeitsuchenden sowie die mit der Vermittlung verbundene Berufsberatung. [4]Der Vermittler hat der oder dem Arbeitsuchenden den Vertragsinhalt in Textform mitzuteilen.

(2) [1]Die oder der Arbeitsuchende ist zur Zahlung der Vergütung nach Absatz 3 nur verpflichtet, wenn infolge der Vermittlung des Vermittlers der Arbeitsvertrag zustande gekommen ist und der Vermittler die Arbeitsuchende oder den Arbeitsuchenden bei grenzüberschreitenden Vermittlungen entsprechend der Regelung des § 299 informiert hat. [2]Der Vermittler darf keine Vorschüsse auf die Vergütungen verlangen oder entgegennehmen.

(3) [1]Die Vergütung einschließlich der darauf entfallenden gesetzlichen Umsatzsteuer darf 2 000 Euro nicht übersteigen, soweit nicht ein gültiger Aktivierungs- und Vermittlungsgutschein in einer abweichenden Höhe nach § 45 Absatz 6 Satz 3 und Satz 4 vorgelegt wird oder durch eine Rechtsverordnung nach § 301 für bestimmte Berufe oder Personengruppen etwas anderes bestimmt ist. [2]Für die Vermittlung einer geringfügigen Beschäftigung nach § 8 des Vierten Buches[5] darf der Vermittler eine Vergütung weder verlangen noch entgegennehmen. [3]Bei der Vermittlung von Personen in Au-pair-Verhältnisse darf die Vergütung 150 Euro nicht übersteigen.

(4) [1]Arbeitsuchende, die dem Vermittler einen Aktivierungs- und Vermittlungsgutschein vorlegen, können die Vergütung abweichend von § 266 des

---

[1] § 292 neu gef. mWv 27.3.2002 durch G v. 23.3.2002 (BGBl. I S. 1130); geänd. mWv 1.1.2004 durch G v. 23.12.2003 (BGBl. I S. 2848); geänd. mWv 8.11.2006 durch VO v. 31.10.2006 (BGBl. I S. 2407).

[2] Siehe die BeschäftigungsVO (Nr. **762**).

[3] §§ 293–295 aufgeh. mWv 27.3.2002 durch G v. 23.3.2002 (BGBl. I S. 1130).

[4] § 296 neu gef. mWv 27.3.2002 durch G v. 23.3.2002 (BGBl. I S. 1130); Abs. 4 Satz 2 geänd. mWv 1.1.2004 durch G v. 23.12.2003 (BGBl. I S. 2848); Abs. 3 Satz 1 geänd., Satz 2 aufgeh., bish. Satz 3 wird neuer Satz 2 mWv 1.1.2005 durch G v. 19.11.2004 (BGBl. I S. 2902); Abs. 3 Satz 1 neu gef. mWv 1.1.2008 durch G v. 10.12.2007 (BGBl. I S. 2838); Abs. 4 Satz 1 geänd. mWv 1.1.2011 durch G v. 24.10.2010 (BGBl. I S. 1417); Überschrift neu gef., Abs. 1 Sätze 1, 3 und 4, Abs. 2 Satz 1, Abs. 3 Satz 1 geänd., Abs. 4 Satz 1 neu gef., Satz 2 geänd. mWv 1.4.2012 durch G v. 20.12.2011 *(BGBl. I S. 2854); Abs. 2 Satz 1* geänd., Abs. 3 Satz 1 geänd., Satz 2 eingef., bish. Satz 2 wird Satz 3 mWv 1.1.2022 durch G v. 16.7.2021 (BGBl. I S. 2970).

[5] Nr. **694**.

Bürgerlichen Gesetzbuchs[1] in Teilbeträgen zahlen. [2]Die Vergütung ist nach Vorlage des Aktivierungs- und Vermittlungsgutscheins bis zu dem Zeitpunkt gestundet, in dem die Agentur für Arbeit nach Maßgabe von § 45 Absatz 6 gezahlt hat.

§ 296a[2] Vergütungen bei Ausbildungsvermittlung. [1]Für die Leistungen zur Ausbildungsvermittlung dürfen nur vom Arbeitgeber Vergütungen verlangt oder entgegengenommen werden. [2]Zu den Leistungen zur Ausbildungsvermittlung gehören auch alle Leistungen, die zur Vorbereitung und Durchführung der Vermittlung erforderlich sind, insbesondere die Feststellung der Kenntnisse der oder des Ausbildungsuchenden sowie die mit der Ausbildungsvermittlung verbundene Berufsberatung.

§ 297[3] Unwirksamkeit von Vereinbarungen. Unwirksam sind

1. Vereinbarungen zwischen einem Vermittler und einer oder einem Arbeitsuchenden über die Zahlung der Vergütung, wenn deren Höhe die nach § 296 Abs. 3 zulässige Höchstgrenze überschreitet, wenn Vergütungen für Leistungen verlangt oder entgegengenommen werden, die nach § 296 Abs. 1 Satz 3 zu den Leistungen der Vermittlung gehören oder wenn die erforderliche Schriftform nicht eingehalten wird und

1a. Vereinbarungen zwischen einem Vermittler und einer oder einem Arbeitsuchenden über die Zahlung einer Vergütung, wenn eine geringfügige Beschäftigung nach § 8 des Vierten Buches[4] vermittelt werden soll oder vermittelt wurde,

2. Vereinbarungen zwischen einem Vermittler und einer oder einem Ausbildungsuchenden über die Zahlung einer Vergütung,
3. Vereinbarungen zwischen einem Vermittler und einem Arbeitgeber, wenn der Vermittler eine Vergütung mit einer oder einem Ausbildungsuchenden vereinbart oder von dieser oder diesem entgegennimmt, obwohl dies nicht zulässig ist, und
4. Vereinbarungen, die sicherstellen sollen, dass ein Arbeitgeber oder eine Person, die eine Ausbildung oder Arbeit sucht, sich ausschließlich eines bestimmten Vermittlers bedient.

§ 298[5] Behandlung von Daten. (1) [1]Vermittler dürfen Daten über zu besetzende Ausbildungs- und Arbeitsplätze und über Ausbildungsuchende sowie Arbeitnehmerinnen und Arbeitnehmer nur verarbeiten, soweit dies für die Verrichtung ihrer Vermittlungstätigkeit erforderlich ist. [2]Sind diese Daten personenbezogen oder Geschäfts- oder Betriebsgeheimnisse, dürfen sie nur ver-

---

[1] Nr. **50**.

[2] § 296a eingef. mWv 27.3.2002 durch G v. 23.3.2002 (BGBl. I S. 1130); Satz 2 geänd. mWv 1.4. 2012 durch G v. 20.12.2011 (BGBl. I S. 2854).

[3] § 297 neu gef. mWv 27.3.2002 durch G v. 23.3.2002 (BGBl. I S. 1130); Nr. 1 geänd. mWv 1.1. 2005 durch G v. 19.11.2004 (BGBl. I S. 2902); Nr. 1 geänd. mWv 1.1.2011 durch G v. 24.10.2010 (BGBl. I S. 1417); Nr. 1–3 geänd., Nr. 4 neu gef. mWv 1.4.2012 durch G v. 20.12.2011 (BGBl. I S. 2854); Nr. 1a eingef. mWv 1.1.2022 durch G v. 16.7.2021 (BGBl. I S. 2970).

[4] Nr. **694**.

[5] § 298 Abs. 1 Satz 2 geänd. mWv 23.5.2001 durch G v. 18.5.2001 (BGBl. I S. 904); Abs. 1 Satz 1 geänd., Abs. 2 neu gef. mWv 27.3.2002 durch G v. 23.3.2002 (BGBl. I S. 1130); Abs. 1 Sätze 1 und 2, Abs. 2 Sätze 1 und 5 geänd. mWv 1.4.2012 durch G v. 20.12.2011 (BGBl. I S. 2854); Abs. 1 Sätze 1-3, Abs. 2 Sätze 1 und 5 geänd. mWv 26.11.2019 durch G v. 20.11.2019 (BGBl. I S. 1626).

arbeitet werden, soweit die betroffene Person im Einzelfall eingewilligt hat; § 67b Absatz 2 und 3 des Zehnten Buches[1] gilt entsprechend. [3] Übermittelt der Vermittler diese Daten im Rahmen seiner Vermittlungstätigkeit einer weiteren Person oder Einrichtung, darf diese sie nur zu dem Zweck speichern, verändern, nutzen, übermitteln oder in der Verarbeitung einschränken, zu dem sie ihr befugt übermittelt worden sind.

(2) [1] Von betroffenen Personen zur Verfügung gestellte Unterlagen sind unmittelbar nach Abschluss der Vermittlungstätigkeit zurückzugeben. [2] Die übrigen Geschäftsunterlagen des Vermittlers sind nach Abschluss der Vermittlungstätigkeit drei Jahre aufzubewahren. [3] Die Verwendung der Geschäftsunterlagen ist zur Kontrolle des Vermittlers durch die zuständigen Behörden sowie zur Wahrnehmung berechtigter Interessen des Vermittlers zulässig. [4] Personenbezogene Daten sind nach Ablauf der Aufbewahrungspflicht zu löschen. [5] Betroffene Personen können nach Abschluss der Vermittlungstätigkeit Abweichungen von den Sätzen 1, 3 und 4 gestatten; die Gestattung bedarf der Schriftform.

§ 299[2] Informationspflicht bei grenzüberschreitender Vermittlung.

Bei einer grenzüberschreitenden Vermittlung hat der Vermittler die Arbeitsuchende oder den Arbeitsuchenden vor Abschluss des Arbeitsvertrages in schriftlicher Form und auf seine Kosten in der eigenen Sprache der oder des Arbeitsuchenden oder in einer Sprache, die die oder der Arbeitsuchende versteht, zu informieren über:

1. den Namen und die Anschrift des Arbeitgebers,
2. den vorgesehenen Zeitpunkt des Beginns und die vorgesehene Dauer des Arbeitsverhältnisses,
3. den Arbeitsort oder, falls die Arbeitnehmerin oder der Arbeitnehmer nicht nur an einem bestimmten Arbeitsort tätig sein soll, einen Hinweis, dass die Arbeitnehmerin oder der Arbeitnehmer an verschiedenen Orten beschäftigt werden kann,
4. die zu leistende Tätigkeit,
5. die vertragliche Arbeitszeit,
6. das vertragliche Arbeitsentgelt, einschließlich vorgesehener Abzüge,
7. die Dauer des vertraglichen Erholungsurlaubs,
8. die Fristen für die Kündigung des Arbeitsverhältnisses,
9. einen in allgemeiner Form gehaltenen Hinweis auf die Tarifverträge, Betriebs- oder Dienstvereinbarungen, die auf das Arbeitsverhältnis anzuwenden sind und
10. die Möglichkeit, die Beratungsdienste der Sozialpartner und staatlicher Stellen in Anspruch zu nehmen; hierbei sind mindestens beispielhaft die Beratungsstellen nach § 31 des Arbeitnehmer-Entsendegesetzes[3] oder im Fall von Staatsangehörigen aus Drittstaaten mindestens beispielhaft die Beratungsstellen nach § 45b Absatz 1 Satz 1 und 2 des Aufenthaltsgesetzes[4]

---

[1] **beck-online, Module Arbeitsrecht Nr. 699.**

[2] § 299 neu gef. mWv 1.1.2022 durch G v. 16.7.2021 (BGBl. I S. 2970); Nr. 10 geänd. mWv 1.7. 2023 durch G v. 28.6.2023 (BGBl. 2023 I Nr. 172); Nr. 10 neu gef. mWv 1.1.2026 durch G v. 16.8. 2023 *(BGBl. 2023 I Nr. 217).*

[3] Nr. **506**.

[4] Nr. **760**.

zu nennen und die jeweils aktuellen Kontaktdaten der erwähnten Beratungsdienste anzugeben.

§ 300[1] *(aufgehoben)*

Dritter Titel.[2] **Verordnungsermächtigung**

§ 301[3] **Verordnungsermächtigung.** Das Bundesministerium für Arbeit und Soziales wird ermächtigt, durch Rechtsverordnung[4] zu bestimmen, dass für bestimmte Berufe oder Personengruppen Vergütungen vereinbart werden dürfen, die sich nach dem der Arbeitnehmerin oder dem Arbeitnehmer zustehenden Arbeitsentgelt bemessen.

Vierter Titel.[5] **Verordnungsermächtigung**

§§ 302, 303[5] *(aufgehoben)*

Dritter Abschnitt.[6] (weggefallen)

§§ 304–308[7] *(aufgehoben)*

Achtes Kapitel. Pflichten

Erster Abschnitt. Pflichten im Leistungsverfahren

Erster Unterabschnitt. Meldepflichten

§ 309[8] **Allgemeine Meldepflicht.** (1) [1] Arbeitslose haben sich während der Zeit, für die sie einen Anspruch auf Arbeitslosengeld erheben, bei der Agentur für Arbeit oder einer sonstigen Dienststelle der Bundesagentur persönlich zu melden oder zu einem ärztlichen oder psychologischen Untersuchungstermin zu erscheinen, wenn die Agentur für Arbeit sie dazu auffordert (allgemeine Meldepflicht). [2] Die Meldung muss bei der in der Aufforderung zur Meldung bezeichneten Stelle erfolgen. [3] Die allgemeine Meldepflicht besteht auch in Zeiten, in denen der Anspruch auf Arbeitslosengeld ruht.

(2) Die Aufforderung zur Meldung kann zum Zwecke der

1. Berufsberatung,
2. Vermittlung in Ausbildung oder Arbeit,
3. Vorbereitung aktiver Arbeitsförderungsleistungen,
4. Vorbereitung von Entscheidungen im Leistungsverfahren und

---

[1] § 300 aufgeh. mWv 27.3.2002 durch G v. 23.3.2002 (BGBl. I S. 1130).

[2] 3. Titel Überschrift neu gef. mWv 27.3.2002 durch G v. 23.3.2002 (BGBl. I S. 1130).

[3] § 301 neu gef. mWv 27.3.2002 durch G v. 23.3.2002 (BGBl. I S. 1130); geänd. mWv 1.1.2004 durch G v. 23.12.2003 (BGBl. I S. 2848); geänd. mWv 8.11.2006 durch VO v. 31.10.2006 (BGBl. I S. 2407); geänd. mWv 1.4.2012 durch G v. 20.12.2011 (BGBl. I S. 2854).

[4] Siehe die Vermittler-VergütungsVO **(Aichberger, SGB Nr. 3/72)**.

[5] 4. Titel (§§ 302, 303) aufgeh. mWv 27.3.2002 durch G v. 23.3.2002 (BGBl. I S. 1130).

[6] 3. Abschnitt (§§ 304–308) aufgeh. mWv 1.8.2004 durch G v. 23.7.2004 (BGBl. I S. 1842); § 307 aufgeh. mWv 1.1.2004 durch G v. 23.12.2003 (BGBl. I S. 2848).

[7] 3. Abschnitt (§§ 304–308) aufgeh. mWv 1.8.2004 durch G v. 23.7.2004 (BGBl. I S. 1842).

[8] § 309 Abs. 1 Satz 1 und Abs. 3 Satz 1 geänd., Abs. 3 Satz 3 angef. mWv 1.1.2004 durch G v. 23.12.2003 (BGBl. I S. 2848); Abs. 1 Satz 1 und 3 geänd. mWv 1.1.2005 durch G v. 24.12.2003 (BGBl. I S. 2954); Abs. 1 neu gef., Abs. 3 Sätze 1 und 3 geänd., Satz 2 neu gef., Abs. 4 geänd. mWv 1.4.2012 durch G v. 20.12.2011 (BGBl. I S. 2854).

5. Prüfung des Vorliegens der Voraussetzungen für den Leistungsanspruch

erfolgen.

(3) [1] Die meldepflichtige Person hat sich zu der von der Agentur für Arbeit bestimmten Zeit zu melden. [2] Ist der Meldetermin nach Tag und Tageszeit bestimmt, so ist die meldepflichtige Person der allgemeinen Meldepflicht auch dann nachgekommen, wenn sie sich zu einer anderen Zeit am selben Tag meldet und der Zweck der Meldung erreicht wird. [3] Ist die meldepflichtige Person am Meldetermin arbeitsunfähig, so wirkt die Meldeaufforderung auf den ersten Tag der Arbeitsfähigkeit fort, wenn die Agentur für Arbeit dies in der Meldeaufforderung bestimmt.

(4) Die notwendigen Reisekosten, die der meldepflichtigen Person und einer erforderlichen Begleitperson aus Anlaß der Meldung entstehen, können auf Antrag übernommen werden, soweit sie nicht bereits nach anderen Vorschriften oder auf Grund anderer Vorschriften dieses Buches übernommen werden können.

§ 310[1)] Meldepflicht bei Wechsel der Zuständigkeit. Wird für die Arbeitslose oder den Arbeitslosen nach der Arbeitslosmeldung eine andere Agentur für Arbeit zuständig, hat sie oder er sich bei der nunmehr zuständigen Agentur für Arbeit unverzüglich zu melden.

§ 310a[2)] Meldepflicht für sonstige Personen. [1] Für Ratsuchende, Ausbildung- und Arbeitsuchende sowie für Arbeitslose, die keinen Anspruch auf Arbeitslosengeld erheben, gilt § 309 entsprechend. [2] Satz 1 gilt auch, wenn die Agentur für Arbeit Leistungen nach dem Dritten Kapitel für erwerbsfähige Leistungsberechtigte nach dem Zweiten Buch erbringen darf.

Zweiter Unterabschnitt.[3)] Anzeige-, Nachweis- und Bescheinigungspflichten

§ 311[4)] Anzeige- und Nachweispflichten bei Arbeitsunfähigkeit und stationärer Behandlung. (1) [1] Wer Anspruch auf Arbeitslosengeld erhebt, ist verpflichtet,

1. eine Arbeitsunfähigkeit und deren voraussichtliche Dauer
   a) unverzüglich der Agentur für Arbeit anzuzeigen, ärztlich feststellen und sich eine ärztliche Bescheinigung aushändigen zu lassen und
   b) spätestens vor Ablauf des dritten Kalendertages nach Eintritt der Arbeitsunfähigkeit der Agentur für Arbeit durch eine ärztliche Bescheinigung nachzuweisen;
2. eine stationäre Behandlung auf Kosten der Krankenkasse unverzüglich bei der Agentur für Arbeit anzuzeigen und deren Beginn und Ende nachzuweisen.

---

1) § 310 geänd. mWv 1.1.2004 durch G v. 23.12.2003 (BGBl. I S. 2848); geänd. mWv 1.4.2012 durch G v. 20.12.2011 (BGBl. I S. 2854).

2) § 310a eingef. mWv 24.12.2025 durch G v. 22.12.2025 (BGBl. 2025 I Nr. 355).

3) Überschrift 8. Kapitel 1. Abschnitt 2. UAbschnitt neu gef. mWv 1.1.2024 durch G v. 12.6.2020 (BGBl. I S. 1248).

4) *§ 311 neu gef. mWv 1.1.2024* durch G v. 12.6.2020 (BGBl. I S. 1248); Abs. 2 Satz 2 eingef., bish. Satz 2 wird Satz 3 mWv 1.1.2024 durch G v. 14.10.2020 (BGBl. I S. 2112); Abs. 3 neu gef. mWv 1.1. 2025 durch G v. 23.10.2024 (BGBl. 2024 I Nr. 323).

[2]Dauert die Arbeitsunfähigkeit länger als in der Bescheinigung nach Satz 1 Nummer 1 angegeben, gilt Satz 1 Nummer 1 Buchstabe a entsprechend. [3]Das Fortbestehen der Arbeitsunfähigkeit und die voraussichtliche Dauer sind der Agentur für Arbeit durch eine neue ärztliche Bescheinigung nachzuweisen.

(2) [1]Der Nachweis durch die ärztliche Bescheinigung nach Absatz 1 Satz 1 Nummer 1 Buchstabe b und Satz 3 entfällt, wenn die in § 295 Absatz 1 Satz 1 Nummer 1 des Fünften Buches[1)] genannten Arbeitsunfähigkeitsdaten nach § 295 Absatz 1 Satz 10 des Fünften Buches[1)] elektronisch an die Krankenkasse zu übermitteln sind. [2]Satz 1 gilt entsprechend, wenn die Arbeitsunfähigkeitsdaten nach § 201 Absatz 2 des Siebten Buches[2)] elektronisch an die Krankenkassen zu übermitteln sind. [3]Der Nachweis nach Absatz 1 Satz 1 Nummer 2 entfällt, wenn die in § 301 Absatz 1 Satz 1 Nummer 3 und 7 des Fünften Buches[1)] genannten Daten zur stationären Behandlung nach § 301 Absatz 1 des Fünften Buches[1)] elektronisch an die Krankenkasse zu übermitteln sind.

(3) Die Absätze 1 und 2 gelten entsprechend auch für Teilnehmende an einer Maßnahme zur Aktivierung und beruflichen Eingliederung nach § 45 oder an einer nach § 81 geförderten Weiterbildung, die keinen Anspruch auf Arbeitslosengeld erheben und nicht versicherungspflichtig beschäftigt sind.

§ 312[3)] Arbeitsbescheinigung. (1) [1]Der Arbeitgeber hat auf Verlangen der Arbeitnehmerin oder des Arbeitnehmers oder auf Verlangen der Bundesagentur alle Tatsachen zu bescheinigen, die für die Entscheidung über den Anspruch auf Arbeitslosengeld erheblich sein können (Arbeitsbescheinigung), insbesondere

1. die Art der Tätigkeit der Arbeitnehmerin oder des Arbeitnehmers,
2. Beginn, Ende, Unterbrechung und Grund für die Beendigung des Beschäftigungsverhältnisses und
3. das Arbeitsentgelt und die sonstigen Geldleistungen, die die Arbeitnehmerin oder der Arbeitnehmer erhalten oder zu beanspruchen hat;

es gilt das Bescheinigungsverfahren nach § 313a Absatz 1. [2]Für die Bescheinigung von Tatsachen, die für die Entscheidung über ein Versicherungspflichtverhältnis auf Antrag oder einen Anspruch auf Teilarbeitslosengeld erheblich sein können, gilt Satz 1 entsprechend. [3]Für Zwischenmeisterinnen, Zwischenmeister und andere Auftraggeber von Heimarbeiterinnen und Heimarbeitern gelten die Sätze 1 und 2 entsprechend.

(2) [1]Macht der Bescheinigungspflichtige nach Absatz 1 geltend, die Arbeitslosigkeit sei die Folge eines Arbeitskampfes, so hat er dies darzulegen, glaubhaft zu machen und eine Stellungnahme der Betriebsvertretung beizufügen. [2]Der

---

[1)] **beck-online, Module Arbeitsrecht Nr. 695.**

[2)] **beck-online, Module Arbeitsrecht Nr. 697.**

[3)] § 312 Ab§ 34s. 3 geänd., Abs. 4 angef. durch G v. 16.12.1997 (BGBl. I S. 2970); Abs. 1 Satz 1 geänd. mWv 1.1.2004 und geänd. mWv 1.1.2005 durch G v. 23.12.2003 (BGBl. I S. 2848); Abs. 1 Satz 1 geänd. mWv 1.1.2005 durch G v. 24.12.2003 (BGBl. I S. 2954); Abs. 1 Satz 2 Nr. 1 und 3, Satz 3 geänd., Abs. 3 neu gef., Abs. 4 geänd. mWv 1.4.2012 durch G v. 20.12.2011 (BGBl. I S. 2854); Abs. 3 neu gef. mWv 1.8.2012 durch G v. 21.7.2012 (BGBl. I S. 1601); Abs. 1 neu gef. mWv 25.10.2013 durch G v. 19.10.2013 (BGBl. I S. 3836); Abs. 3 geänd. mWv 23.7.2015 durch G v. 16.7.2015 (BGBl. I S. 1211); Abs. 1 und Abs. 3 neu gef., Abs. 2 Sätze 1 und 2 geänd., Abs. 4 aufgeh. mWv 1.1.2023 durch G v. 12.6.2020 (BGBl. I S. 1248); Abs. 1 Satz 2 eingef., bish. Satz 2 wird Satz 3 und geänd mWv 1.1.2024 durch G v. 20.12.2022 (BGBl. I S. 2759).

Bescheinigungspflichtige nach Absatz 1 hat der Betriebsvertretung die für die Stellungnahme erforderlichen Angaben zu machen.

(3) Sozialversicherungsträger haben auf Verlangen der Bundesagentur, die übrigen Leistungsträger, Unternehmen und sonstige Stellen auf Verlangen der betroffenen Person oder der Bundesagentur alle Tatsachen zu bescheinigen, die für die Feststellung der Versicherungspflicht nach § 26 erheblich sein können; es gilt das Bescheinigungsverfahren nach § 313a Absatz 2.

§ 312a[1)] Arbeitsbescheinigung für Zwecke des über- und zwischenstaatlichen Rechts. (1) [1]Der Bescheinigungspflichtige nach § 312 Absatz 1 hat auf Verlangen der Bundesagentur alle Tatsachen zu bescheinigen, deren Kenntnis für die Entscheidung über einen Anspruch auf Leistungen bei Arbeitslosigkeit eines von der Verordnung erfassten Staates notwendig ist und zu deren Bescheinigung die Bundesagentur nach Artikel 54 der Verordnung (EG) Nr. 987/2009[2)] des Europäischen Parlaments und des Rates vom 16. September 2009 zur Festlegung der Modalitäten für die Durchführung der Verordnung (EG) Nr. 883/2004 über die Koordinierung der Systeme der sozialen Sicherheit (ABl. L 284 vom 30.10. 2009, S. 1) verpflichtet ist; es gilt das Bescheinigungsverfahren nach § 313a Absatz 1. [2]Satz 1 gilt entsprechend für Bescheinigungspflichten der Bundesagentur gegenüber einem ausländischen Träger nach anderen Regelungen des über- oder zwischenstaatlichen Rechts. [3]Die Bescheinigungspflichten umfassen nur Daten, zu deren Aufbewahrung der Arbeitgeber nach deutschen Rechtsvorschriften verpflichtet ist.

(2) Die Bescheinigungspflicht gilt auch in den Fällen des § 312 Absatz 3.

§ 313[3)] Nebeneinkommensbescheinigung. (1) Wer eine Person, die Berufsausbildungsbeihilfe, Ausbildungsgeld, Arbeitslosengeld oder Übergangsgeld (laufende Geldleistungen) beantragt hat oder bezieht, gegen Arbeitsentgelt beschäftigt oder dieser Person gegen Vergütung eine selbständige Tätigkeit überträgt, hat auf Verlangen dieser Person oder auf Verlangen der Bundesagentur unverzüglich Art und Dauer der Beschäftigung oder der selbständigen Tätigkeit sowie die Höhe des Arbeitsentgelts oder der Vergütung für die Zeiten zu bescheinigen (Nebeneinkommensbescheinigung), für die diese Person die Leistung beantragt hat oder bezieht; es gilt das Bescheinigungsverfahren nach § 313a Absatz 1.

(2) Wer eine laufende Geldleistung beantragt hat oder bezieht, ist verpflichtet, die Bescheinigung nach Absatz 1 unverzüglich nach Aufnahme der Beschäftigung oder der selbständigen Tätigkeit zu verlangen.

[1)] § 312a eingef. mWv 29.6.2011 durch G v. 22.6.2011 (BGBl. I S. 1202); Abs. 1 Sätze 1–3 geänd. mWv 25.10.2013 durch G v. 19.10.2013 (BGBl. I S. 3836); Abs. 1 Satz 1 geänd., Satz 2 aufgeh., bish. Sätze 3 und 4 werden Sätze 2 und 3, neuer Satz 2 und Abs. 2 geänd. mWv 1.1.2023 durch G v. 12.6. 2020 (BGBl. I S. 1248).

[2)] Nr. **868**.

[3)] § 313 Abs. 1 Satz 2 geänd. mWv 1.1.2004, Satz 1 geänd. mWv 1.1.2005 durch G v. 23.12.2003 (BGBl. I S. 2848); Abs. 1 Satz 1 geänd. mWv 1.1.2005 durch G v. 24.12.2003 (BGBl. I S. 2954); Abs. 3 geänd. mWv 1.11.2006 durch G v. 24.4.2006 (BGBl. I S. 926); Abs. 1 Satz 1 neu gef., Sätze 2 und 3 geänd. mWv 1.4.2012 durch G v. 20.12.2011 (BGBl. I S. 2854); Abs. 1 und 2 neu gef. mWv 1.1.2023 durch G v. 12.6.2020 (BGBl. I S. 1248); Abs. 3 geänd. mWv 1.4.2024 durch G v. 17.7.2023 (BGBl. 2023 I Nr. 191).

(3) Die Absätze 1 und 2 gelten für Personen, die Kurzarbeitergeld oder Qualifizierungsgeld beziehen oder für die Kurzarbeitergeld oder Qualifizierungsgeld beantragt worden ist, entsprechend.

§ 313a[1] **Bescheinigungsverfahren.** (1) [1]Die Bescheinigungen nach § 312 Absatz 1, § 312a Absatz 1 und § 313 sind von dem Bescheinigungspflichtigen der Bundesagentur elektronisch unter den Voraussetzungen des § 108 Absatz 1 Satz 1 des Vierten Buches[2] zu übermitteln; die Bundesagentur hat der Person, für die die Bescheinigung übermittelt worden ist, unverzüglich einen Nachweis über die übermittelten Daten zuzuleiten. [2]Ist eine Bescheinigung nach § 313 für eine Beschäftigung oder selbständige Tätigkeit im privaten Haushalt zu erstellen, kann abweichend von Satz 1 erster Halbsatz das Formular genutzt werden, das im Fachportal der Bundesagentur zur Verfügung gestellt ist; hat der Bescheinigungspflichtige die Bescheinigung unmittelbar an die Bundesagentur übermittelt, hat er der Person, für die er die Bescheinigung erstellt hat, unverzüglich einen Nachweis über die übermittelten Daten zuzuleiten.

(2) ***[Satz 1 bis 31.12.2026:]*** [1]Sozialversicherungsträger haben die Bescheinigungen nach § 312 Absatz 3 elektronisch zu übermitteln; die Bundesagentur hat die Person, für die die Bescheinigung übermittelt worden ist, spätestens bei Erlass des Verwaltungsaktes über die übermittelten Daten zu informieren. ***[Satz 1 ab 1.1.2027:]*** [1]*Die Bescheinigungen nach § 312 Absatz 3 sind von den Sozialversicherungsträgern nach § 95c des Vierten Buches*[2] *durch Datenübertragung zu übermitteln; die Bundesagentur hat die Person, für die die Bescheinigung übermittelt worden ist, spätestens bei Erlass des Verwaltungsaktes über die übermittelten Daten zu informieren.* [2]Die übrigen Leistungsträger, Unternehmen und sonstigen Stellen haben für Bescheinigungen nach § 312 Absatz 3 das Formular zu nutzen, das im Fachportal der Bundesagentur zur Verfügung gestellt ist. [3]Das Formular ist unverzüglich demjenigen zu übermitteln, der die Ausstellung verlangt hat.

§ 314[3] **Insolvenzgeldbescheinigung.** (1) [1]Die Insolvenzverwalterin oder der Insolvenzverwalter hat auf Verlangen der Agentur für Arbeit für jede Arbeitnehmerin und jeden Arbeitnehmer, für die oder den ein Anspruch auf Insolvenzgeld in Betracht kommt, Folgendes zu bescheinigen:

1. die Höhe des Arbeitsentgelts für die letzten drei Monate des Arbeitsverhältnisses, die der Eröffnung des Insolvenzverfahrens vorausgegangen sind, sowie
2. die Höhe der gesetzlichen Abzüge und derjenigen Leistungen, die zur Erfüllung der Ansprüche auf Arbeitsentgelt erbracht worden sind.

[2]Das Gleiche gilt hinsichtlich der Höhe von Entgeltteilen, die gemäß § 1 Abs. 2 Nr. 3 des Betriebsrentengesetzes[4] umgewandelt und vom Arbeitgeber nicht an den Versorgungsträger abgeführt worden sind. [3]Dabei ist anzugeben, ob der Entgeltteil in einem Pensionsfonds, in einer Pensionskasse oder in einer Direkt-

---

[1] § 313a neu gef. mWv 1.1.2023 durch G v. 12.6.2020 (BGBl. I S. 1248); Abs. 2 Satz 1 neu gef. mWv 1.1.2027 durch G v. 22.12.2025 (BGBl. 2025 I Nr. 355)

[2] **beck-online, Module Arbeitsrecht Nr. 694.**

[3] § 314 Abs. 1 Sätze 1 und 3 geänd., Satz 4 angef. mWv 1.1.2004 durch G v. 23.12.2003 (BGBl. I S. 2848); Abs. 1 Sätze 2 und 3 eingef., bish. Sätze 2–4 werden Sätze 4–6 mWv 12.12.2006 durch G v. 2.12.2006 (BGBl. I S. 2742); Abs. 1 Sätze 1, 3 und 5 neu gef., Sätze 4 und 6, Abs. 2 geänd. mWv 1.4. 2012 durch G v. 20.12.2011 (BGBl. I S. 2854); Abs. 1 Satz 5 neu gef. mWv 1.1.2023 durch G v. 12.6. 2020 (BGBl. I S. 1248); Abs. 2 Satz 2 angef. mWv 1.1.2021 durch G v. 22.12.2020 (BGBl. I S. 3256).

[4] Nr. **180**.

versicherung angelegt und welcher Versorgungsträger für die betriebliche Altersversorgung gewählt worden ist. [4]Es ist auch zu bescheinigen, inwieweit die Ansprüche auf Arbeitsentgelt gepfändet, verpfändet oder abgetreten sind. [5]Dabei soll das Formular genutzt werden, das im Fachportal der Bundesagentur zur Verfügung gestellt ist. [6]Wird die Insolvenzgeldbescheinigung durch die Insolvenzverwalterin oder den Insolvenzverwalter nach § 36a des Ersten Buches[1)] übermittelt, sind zusätzlich die Anschrift und die Daten des Überweisungsweges mitzuteilen.

(2) [1]In den Fällen, in denen ein Insolvenzverfahren nicht eröffnet wird oder nach § 207 der Insolvenzordnung[2)] eingestellt worden ist, sind die Pflichten der Insolvenzverwalterin oder des Insolvenzverwalters vom Arbeitgeber zu erfüllen. [2]Satz 1 gilt entsprechend in den Fällen, in denen eine Eigenverwaltung nach § 270 Absatz 1 Satz 1 der Insolvenzordnung[3)] angeordnet worden ist.

Dritter Unterabschnitt.[4)] Auskunfts-, Mitwirkungs- und Duldungspflichten

§ 315[5)] Allgemeine Auskunftspflicht Dritter. (1) Wer einer Person, die eine laufende Geldleistung beantragt hat oder bezieht, Leistungen erbringt, die geeignet sind, die laufende Geldleistung auszuschließen oder zu mindern, hat der Agentur für Arbeit auf Verlangen hierüber Auskunft zu erteilen, soweit es zur Durchführung der Aufgaben nach diesem Buch erforderlich ist.

(2) [1]Wer einer Person, die eine laufende Geldleistung beantragt hat oder bezieht, zu Leistungen verpflichtet ist, die geeignet sind, die laufende Geldleistung auszuschließen oder zu mindern, oder für diese Person Guthaben führt oder Vermögensgegenstände verwahrt, hat der Agentur für Arbeit auf Verlangen hierüber sowie über das Einkommen oder Vermögen dieser Person Auskunft zu erteilen, soweit es zur Durchführung der Aufgaben nach diesem Buch erforderlich ist. [2]§ 21 Abs. 3 Satz 4 des Zehnten Buches[6)] gilt entsprechend. [3]Für die Feststellung einer Unterhaltsverpflichtung ist § 1605 Abs. 1 des Bürgerlichen Gesetzbuchs[7)] anzuwenden.

(3) Wer eine Person beschäftigt, die

1. selbst oder deren Ehegattin, Ehegatte, Lebenspartnerin oder Lebenspartner eine laufende Geldleistung beantragt hat oder bezieht oder
2. nach Absatz 2 zur Auskunft verpflichtet ist,

hat der Agentur für Arbeit auf Verlangen über die Beschäftigung, insbesondere über das Arbeitsentgelt, Auskunft zu erteilen, soweit es zur Durchführung der Aufgaben nach diesem Buch erforderlich ist.

(4) Die Absätze 1 bis 3 gelten entsprechend, wenn jemand anstelle einer laufenden Geldleistung Kurzarbeitergeld bezieht oder für ihn Kurzarbeitergeld beantragt worden ist.

---

1) Nr. **691**.

2) **beck-online, Module Arbeitsrecht Nr. 327.**

3) Nr. **327**.

4) 3. UAbschnitt Überschrift geänd. mWv 1.1.2004 durch G v. 23.12.2003 (BGBl. I S. 2848).

5) § 315 Abs. 2 Satz 1 geänd. durch G v. 16.12.1997 (BGBl. I S. 2970); Abs. 3 Nr. 1, Abs. 5 Satz 1 geänd. mWv 1.8.2001 durch G v. 16.2.2001 (BGBl I S. 266); Abs. 1, Abs. 2 Satz 1, Abs. 3 und Abs. 5 Satz 1 geänd. mWv 1.1.2004 durch G v. 23.12.2003 (BGBl. I S. 2848); Abs. 4 geänd. mWv 1.11.2006 durch G v. 24.4.2006 (BGBl. I S. 926); Abs. 1 und Abs. 2 Satz 1 geänd., Abs. 3 und 5 neu gef. mWv *1.4.2012 durch G v. 20.12.2011* (BGBl. I S. 2854).

6) Nr. **699**.

7) **beck-online, Module Arbeitsrecht Nr. 50.**

(5) [1] Sind bei einer Bedürftigkeitsprüfung Einkommen oder Vermögen der Ehegattin oder des Ehegatten, der Lebenspartnerin oder des Lebenspartners oder der Partnerin oder des Partners einer eheähnlichen Gemeinschaft zu berücksichtigen, hat diese oder dieser der Agentur für Arbeit auf Verlangen hierüber Auskunft zu erteilen, soweit es zur Durchführung der Vorschriften dieses Buches erforderlich ist. [2] Haben die Ehegattin oder der Ehegatte, die Lebenspartnerin oder der Lebenspartner oder die Partnerin oder der Partner einer eheähnlichen Gemeinschaft Dritte beauftragt, für diese oder diesen das Guthaben zu führen oder Vermögensgegenstände zu verwahren, haben sie entsprechend Auskunft zu erteilen. [3] § 21 Absatz 3 Satz 4 des Zehnten Buches[1)] gilt entsprechend.

(Fortsetzung nächstes Blatt)

[1)] Nr. **699**.

§ 316[1)] Auskunftspflicht bei Leistung von Insolvenzgeld. (1) Der Arbeitgeber, die Insolvenzverwalterin oder der Insolvenzverwalter, die Arbeitnehmerinnen oder Arbeitnehmer sowie sonstige Personen, die Einblick in die Arbeitsentgeltunterlagen hatten, sind verpflichtet, der Agentur für Arbeit auf Verlangen alle Auskünfte zu erteilen, die für die Durchführung der §§ 165 bis 171, 175, 320 Absatz 2, des § 327 Absatz 3 erforderlich sind.

(2) Der Arbeitgeber, die Arbeitnehmerinnen und Arbeitnehmer sowie sonstige Personen, die Einblick in die Arbeitsunterlagen hatten, sind verpflichtet, der Insolvenzverwalterin oder dem Insolvenzverwalter auf Verlangen alle Auskünfte zu erteilen, die diese oder dieser für die Insolvenzgeldbescheinigung nach § 314 benötigt.

§ 317[1)] Auskunftspflicht bei Kurzarbeitergeld und Wintergeld. Wer Kurzarbeitergeld oder Wintergeld bezieht oder für wen diese Leistungen beantragt worden sind, hat dem zur Errechnung und Auszahlung der Leistungen Verpflichteten auf Verlangen die erforderlichen Auskünfte zu erteilen.

§ 318[2)] Auskunftspflicht bei Maßnahmen der beruflichen Aus- oder Weiterbildung, Leistungen zur Teilhabe am Arbeitsleben zur Aktivierung und beruflichen Eingliederung. (1) [1] Arbeitgeber und Träger, bei denen eine Maßnahme der beruflichen Aus- und Weiterbildung, eine Leistung zur Teilhabe am Arbeitsleben oder eine Maßnahme nach § 45 durchgeführt wurde oder wird, haben der Agentur für Arbeit unverzüglich Auskünfte über Tatsachen zu erteilen, die Aufschluss darüber geben, ob und inwieweit Leistungen zu Recht erbracht worden sind oder werden. [2] Sie haben Änderungen, die für die Leistungen erheblich sind, unverzüglich der Agentur für Arbeit mitzuteilen.

(2) [1] Personen, die bei Teilnahme an Maßnahmen der beruflichen Aus- oder Weiterbildung, der Teilhabe am Arbeitsleben oder einer Maßnahme nach § 45 gefördert werden oder gefördert worden sind, sind verpflichtet,

1. der Agentur für Arbeit oder dem Träger der Maßnahme auf Verlangen Auskunft über den Eingliederungserfolg der Maßnahme sowie alle weiteren Auskünfte zu erteilen, die zur Qualitätsprüfung nach § 183 benötigt werden, und
2. eine Beurteilung ihrer Leistung und ihres Verhaltens durch den Träger zuzulassen.

[2] Träger sind verpflichtet,

1. ihre Beurteilungen der Teilnehmerin oder des Teilnehmers unverzüglich der Agentur für Arbeit zu übermitteln,
2. der für die einzelne Teilnehmerin oder den einzelnen Teilnehmer zuständigen Agentur für Arbeit kalendermonatlich die Fehltage der Teilnehmerin oder des Teilnehmers sowie die Gründe für die Fehltage mitzuteilen; dabei haben sie die Formulare zu nutzen, die im Fachportal der Bundesagentur zur Verfügung

---

[1)] §§ 316, 317 neu gef. mWv 1.4.2012 durch G v. 20.12.2011 (BGBl. I S. 2854).

[2)] § 318 Überschrift, Satz 1 geänd. mWv 1.7.2001 durch G v. 19.6.2001 (BGBl. I S. 1046); Abs. 2 angef. mWv 1.1.2002 durch G v. 10.12.2001 (BGBl. I S. 3443); Abs. 1 Satz 1 geänd. mWv 1.5.2002 durch G v. 27.4.2002 (BGBl. I S. 1467); Überschrift, Abs. 1 Satz 1 und Abs. 2 neu gef., Abs. 1 Satz 2 geänd. mWv 1.1.2004 durch G v. 23.12.2003 (BGBl. I S. 2848); Überschrift, Abs. 1 Satz 1, Abs. 2 Satz 1 geänd. mWv 1.1.2009 durch G v. 21.12.2008 (BGBl. I S. 2917); Abs. 1 Satz 1, Abs. 2 Satz 1 einl. Satzteil und Nr. 1, Satz 2 Nr. 1 und 2 geänd. mWv 1.4.2012 durch G v. 20.12.2011 (BGBl. I S. 2854); Abs. 2 Satz 1 einl. Satzteil geänd. mWv 1.7.2020, Abs. 2 Satz 2 Nr. 2 geänd. mWv 1.1.2023 durch G v. 12.6.2020 (BGBl. I S. 1248) durch G v. 12.6.2020 (BGBl. I S. 1248).

gestellt sind, soweit die Bundesagentur nicht eine anderweitige Art der Datenübertragung vorschreibt.

§ 319[1)] Mitwirkungs- und Duldungspflichten. (1) [1] Wer eine Leistung der Arbeitsförderung beantragt, bezogen hat oder bezieht oder wer jemanden, bei dem dies der Fall ist oder für den eine Leistung beantragt wurde, beschäftigt oder mit Arbeiten beauftragt, hat der Bundesagentur, soweit dies zur Durchführung der Aufgaben nach diesem Buch erforderlich ist, Einsicht in Lohn-, Meldeunterlagen, Bücher und andere Geschäftsunterlagen und Aufzeichnungen und während der Geschäftszeit Zutritt zu seinen Grundstücken und Geschäftsräumen zu gewähren. [2] Werden die Unterlagen nach Satz 1 bei einem Dritten verwahrt, ist die Bundesagentur zur Durchführung der Aufgaben nach diesem Buch berechtigt, auch dessen Grundstücke und Geschäftsräume während der Geschäftszeit zu betreten und Einsicht in diese Unterlagen zu nehmen.

(2) [1] In automatisierten Dateisystemen gespeicherte Daten hat der Arbeitgeber auf Verlangen und auf Kosten der Agenturen für Arbeit auszusondern und auf maschinenverwertbaren Datenträgern oder in Listen zur Verfügung zu stellen. [2] Der Arbeitgeber darf maschinenverwertbare Datenträger oder Datenlisten, die die erforderlichen Daten enthalten, ungesondert zur Verfügung stellen, wenn die Aussonderung mit einem unverhältnismäßigen Aufwand verbunden wäre und überwiegende schutzwürdige Interessen der Betroffenen nicht entgegenstehen. [3] In diesem Fall haben die Agenturen für Arbeit die erforderlichen Daten auszusondern. [4] Die übrigen Daten dürfen darüber hinaus nicht verarbeitet werden. [5] Sind die zur Verfügung gestellten Datenträger oder Datenlisten zur Durchführung der Aufgaben nach diesem Buch nicht mehr erforderlich, sind sie unverzüglich zu vernichten oder auf Verlangen des Arbeitgebers zurückzugeben.

Vierter Unterabschnitt. Sonstige Pflichten

§ 320[2)] Berechnungs-, Auszahlungs-, Aufzeichnungs- und Anzeigepflichten. (1) [1] Der Arbeitgeber hat der Agentur für Arbeit auf Verlangen die Voraussetzungen für die Erbringung von Kurzarbeitergeld und Wintergeld nachzuweisen. [2] Er hat diese Leistungen kostenlos zu errechnen und auszuzahlen. [3] Dabei hat er beim Kurzarbeitergeld von den Lohnsteuerabzugsmerkmalen in dem maßgeblichen Antragszeitraum auszugehen; auf Grund einer Bescheinigung der für die Arbeitnehmerin oder den Arbeitnehmer zuständigen Agentur für Arbeit hat er den erhöhten Leistungssatz auch anzuwenden, wenn für ein Kind ein Kinderfreibetrag nicht als Lohnsteuerabzugsmerkmal gebildet ist.

(1a) [1] Der Arbeitgeber hat der Agentur für Arbeit mit dem Antrag nach § 323 Absatz 3 und auf Verlangen die Voraussetzungen für die Erbringung von Qualifi-

---

[1)] § 319 neu gef. mWv 1.1.2004 durch G v. 23.12.2003 (BGBl. I S. 2848); Abs. 2 angef. mWv 1.8. 2004 durch G v. 23.7.2004 (BGBl. I S. 1842); Abs. 2 Satz 2 geänd. mWv 1.4.2012 durch G v. 20.12. 2011 (BGBl. I S. 2854); Abs. 2 Sätze 1 und 4 geänd. mWv 26.11.2019 durch G v. 20.11.2019 (BGBl. I S. 1626).

[2)] § 320 Abs. 1 Sätze 1 und 3, Abs. 2 Sätze 1 und 2, Abs. 3 Satz 3, Abs. 4 und Abs. 5 Satz 1 geänd., Abs. 4a eingef. mWv 1.1.2004 durch G v. 23.12.2003 (BGBl. I S. 2848); Abs. 1 und 4 neu gef., Abs. 3 Sätze 1 und 2 geänd. mWv 1.11.2006 durch G v. 24.4.2006 (BGBl. I S. 926); Abs. 1 Satz 3 geänd. mWv 1.1.2012 durch G v. 7.12.2011 (BGBl. I S. 2592); Abs. 1 Satz 3 zweiter Halbs. geänd., Abs. 2 Satz 1 neu gef., Satz 2 geänd., Abs. 4 aufgeh., Abs. 5 Sätze 2 und 3 geänd. mWv 1.4.2012 durch G v. 20.12.2011 (BGBl. I S. 2854); Abs. 2 Satz 2 aufgeh., bish. Satz 3 wird Satz 2 mWv 1.7.2020 durch G v. 12.6.2020 (BGBl. I S. 1248); Abs. 1a eingef. mWv 1.4.2024 durch G v. 17.7.2023 (BGBl. 2023 I Nr. 191).

zierungsgeld nachzuweisen. [2] Er hat diese Leistung kostenlos zu errechnen und nach Bewilligung durch die Agentur für Arbeit auszuzahlen.

(2) [1] Die Insolvenzverwalterin oder der Insolvenzverwalter hat auf Verlangen der Agentur für Arbeit das Insolvenzgeld zu errechnen und auszuzahlen, wenn ihr oder ihm dafür geeignete Arbeitnehmerinnen oder Arbeitnehmer des Betriebs zur Verfügung stehen und die Agentur für Arbeit die Mittel für die Auszahlung des Insolvenzgeldes bereitstellt. [2] Kosten werden nicht erstattet.

(3) [1] Arbeitgeber, in deren Betrieben Wintergeld geleistet wird, haben für jeden Arbeitstag während der Dauer der beantragten Förderung Aufzeichnungen über die im Betrieb oder auf der Baustelle geleisteten sowie die ausgefallenen Arbeitsstunden zu führen. [2] Arbeitgeber, in deren Betrieben Saison-Kurzarbeitergeld geleistet wird, haben diese Aufzeichnungen für jeden Arbeitstag während der Schlechtwetterzeit zu führen. [3] Die Aufzeichnungen nach Satz 1 und 2 sind vier Jahre aufzubewahren.

(4) *(aufgehoben)*

(4a) [1] Der Arbeitgeber hat der Agentur für Arbeit die Voraussetzungen für die Erbringung von Leistungen zur Förderung der Teilnahme an Transfermaßnahmen nachzuweisen. [2] Auf Anforderung der Agentur für Arbeit hat der Arbeitgeber das Ergebnis von Maßnahmen zur Feststellung der Eingliederungsaussichten mitzuteilen.

(5) [1] Arbeitgeber, in deren Betrieben ein Arbeitskampf stattfindet, haben bei dessen Ausbruch und Beendigung der Agentur für Arbeit unverzüglich Anzeige zu erstatten. [2] Die Anzeige bei Ausbruch des Arbeitskampfes muß Name und Anschrift des Betriebes, Datum des Beginns der Arbeitseinstellung und Zahl der betroffenen Arbeitnehmerinnen und Arbeitnehmer enthalten. [3] Die Anzeige bei Beendigung des Arbeitskampfes muß außer Name und Anschrift des Betriebes das Datum der Beendigung der Arbeitseinstellung, die Zahl der an den einzelnen Tagen betroffenen Arbeitnehmerinnen und Arbeitnehmer sowie die Zahl der durch Arbeitseinstellung ausgefallenen Arbeitstage enthalten.

Zweiter Abschnitt. Schadensersatz bei Pflichtverletzungen

§ 321[1] Schadensersatz. Wer vorsätzlich oder fahrlässig

1. eine Arbeitsbescheinigung nach § 312, eine Nebeneinkommensbescheinigung nach § 313 oder eine Insolvenzgeldbescheinigung nach § 314 nicht, nicht richtig oder nicht vollständig ausfüllt,
2. eine Auskunft auf Grund der allgemeinen Auskunftspflicht Dritter nach § 315, der Auskunftspflicht bei beruflicher Aus- und Weiterbildung und bei einer Leistung zur Teilhabe am Arbeitsleben nach § 318 oder der Auskunftspflicht bei Leistung von Insolvenzgeld nach § 316 nicht, nicht richtig oder nicht vollständig erteilt,
3. als Arbeitgeber seine Berechnungs-, Auszahlungs-, Aufzeichnungs- und Mitteilungspflichten bei Kurzarbeitergeld, Wintergeld und Leistungen zur För-

[1] § 321 Nr. 2 geänd. mWv 1.7.2001 durch G v. 19.6.2001 (BGBl. I S. 1046); Nr. 3 neu gef., letzter Satzteil geänd. mWv 1.1.2004 durch G v. 23.12.2003 (BGBl. I S. 2848); Nr. 3 geänd. mWv 1.11.2006 durch G v. 24.4.2006 (BGBl. I S. 926); Nr. 4 geänd. mWv 1.4.2012 durch G v. 20.12.2011 (BGBl. I S. 2854); Nr. 3a eingef. mWv 1.1.2021 durch G v. 20.5.2020 (BGBl. I S. 1044); Nr. 3a geänd., Nr. 5 eingef. mWv 1.4.2024 durch G v. 17.7.2023 (BGBl. 2023 I Nr. 191).

derung von Transfermaßnahmen nach § 320 Abs. 1 Satz 2 und 3, Abs. 3 und 4a nicht erfüllt,

3a. als Arbeitgeber Leistungen zur Förderung nach § 82 Absatz 5 Satz 3 nicht, nicht richtig, nicht vollständig oder nicht rechtzeitig an die Arbeitnehmerinnen und Arbeitnehmer und den Träger der Maßnahme weiterleitet,

4. als Insolvenzverwalterin oder Insolvenzverwalter die Verpflichtung zur Errechnung und Auszahlung des Insolvenzgeldes nach § 320 Abs. 2 Satz 1 nicht erfüllt,

5. als Arbeitgeber seine Pflichten nach § 320 Absatz 1a beim Qualifizierungsgeld nicht erfüllt,

ist der Bundesagentur zum Ersatz des daraus entstandenen Schadens verpflichtet.

Dritter Abschnitt.[1] Verordnungsermächtigung und Anordnungsermächtigung

§ 321a[2] Verordnungsermächtigung. Das Bundesministerium für Arbeit und Soziales wird ermächtigt, durch Rechtsverordnung mit Zustimmung des Bundesrates das Nähere über Art und Umfang der Pflichten nach dem Zweiten bis Vierten Unterabschnitt des Ersten Abschnitts sowie dem Zweiten Abschnitt dieses Kapitels einschließlich des zu beachtenden Verfahrens und der einzuhaltenden Fristen zu bestimmen.

§ 322[3] Anordnungsermächtigung. [1] Die Bundesagentur wird ermächtigt, durch Anordnung Näheres über die Meldepflicht der Arbeitslosen zu bestimmen. [2] Sie kann auch bestimmen, inwieweit Einrichtungen außerhalb der Bundesagentur auf ihren Antrag zur Entgegennahme der Meldung zuzulassen sind.

Neuntes Kapitel. Gemeinsame Vorschriften für Leistungen

Erster Abschnitt. Antrag und Fristen

§ 323[4] Antragserfordernis. (1) [1] Leistungen der Arbeitsförderung werden auf Antrag erbracht. [2] Arbeitslosengeld gilt mit der Arbeitslosmeldung als beantragt, wenn die oder der Arbeitslose keine andere Erklärung abgibt. [3] Leistungen der aktiven Arbeitsförderung können auch von Amts wegen erbracht werden, wenn die Berechtigten zustimmen. [4] Die Zustimmung gilt insoweit als Antrag. [5] Die Sätze 3 und 4 gelten nicht für das Qualifizierungsgeld.

---

[1] 3. Abschnitt Überschrift neu gef. durch G v. 16.12.1997 (BGBl. I S. 2970).

[2] § 321a eingef. durch G v. 16.12.1997 (BGBl. I S. 2970); geänd. mWv 1.1.2004 durch G v. 23.12.2003 (BGBl. I S. 2848); geänd. mWv 8.11.2006 durch VO v. 31.10.2006 (BGBl. I S. 2407).

[3] § 322 geänd. mWv 1.1.2004 durch G v. 23.12.2003 (BGBl. I S. 2848); Satz 1 geänd. mWv 1.4.2012 durch G v. 20.12.2011 (BGBl. I S. 2854).

[4] § 323 Abs. 2 Satz 1 und 3 geänd., Satz 4 neu gef. durch G v. 22.10.1997 (BGBl. I S. 2486); Abs. 2 Sätze 1 und 3 geänd. mWv 1.1.2001 durch G v. 21.12.2000 (BGBl. I S. 1971); Abs. 2 Satz 1 geänd. mWv 1.1.2004 durch G v. 23.12.2003 (BGBl. I S. 2848); Abs. 1 Satz 2 geänd. mWv 1.1.2005 durch G v. 24.12.2003 (BGBl. I S. 2954); Abs. 2 neu gef. mWv 1.11.2006 durch G v. 24.4.2006 (BGBl. I S. 926); Abs. 1 Satz 2, Abs. 2 Sätze 1, 3 und 4 geänd. mWv 1.4.2012 durch G v. 20.12.2011 (BGBl. I S. 2854); Abs. 2 Satz 1 geänd. mWv 5.4.2017 durch G v. 29.3.2017 (BGBl. I S. 626); Abs. 2 Satz 3 eingef., bish. Sätze 3 und 4 werden Sätze 4 und 5 mWv 29.5.2020, Abs. 1 Satz 2 geänd. mWv 1.1.2022 durch G v. *20.5.2020 (BGBl. I S. 1044)*; Abs. 2 Satz 3 geänd. mWv 1.1.2021 durch G v. 3.12.2020 (BGBl. I S. 2691); Abs. 2 Satz 6 angef. mWv 1.7.2021 durch G v. 2.6.2021 (BGBl. I S. 1387); Abs. 1 Satz 5 und Abs. 3 angef. mWv 1.4.2024 durch G v. 17.7.2023 (BGBl. 2023 I Nr. 191).

(2) [1] Kurzarbeitergeld, Leistungen zur Förderung der Teilnahme an Transfermaßnahmen und ergänzende Leistungen nach § 102 sind vom Arbeitgeber schriftlich oder elektronisch unter Beifügung einer Stellungnahme der Betriebsvertretung zu beantragen. [2] Der Antrag kann auch von der Betriebsvertretung gestellt werden. [3] Für den Antrag des Arbeitgebers auf Erstattung der Sozialversicherungsbeiträge und Lehrgangskosten für die Bezieherinnen und Bezieher von Kurzarbeitergeld gilt Satz 1 entsprechend mit der Maßgabe, dass die Erstattung ohne Stellungnahme des Betriebsrates beantragt werden kann. [4] Mit einem Antrag auf Saison-Kurzarbeitergeld oder ergänzende Leistungen nach § 102 sind die Namen, Anschriften und Sozialversicherungsnummern der Arbeitnehmerinnen und Arbeitnehmer mitzuteilen, für die die Leistung beantragt wird. [5] Saison-Kurzarbeitergeld oder ergänzende Leistungen nach § 102 sollen bis zum 15. des Monats beantragt werden, der dem Monat folgt, in dem die Tage liegen, für die die Leistungen beantragt werden. [6] In den Fällen, in denen ein Antrag auf Kurzarbeitergeld, Saison-Kurzarbeitergeld, Erstattung der Sozialversicherungsbeiträge für die Bezieherinnen und Bezieher von Kurzarbeitergeld oder ergänzende Leistungen nach § 102 elektronisch gestellt wird, kann das Verfahren nach § 108 Absatz 1 des Vierten Buches[1)] genutzt werden.

(3) [1] Qualifizierungsgeld ist vom Arbeitgeber schriftlich zu beantragen. [2] Dem Antrag ist eine Zustimmung der Arbeitnehmerinnen und Arbeitnehmer, die Qualifizierungsgeld erhalten sollen, zur Teilnahme an der Maßnahme beizufügen. [3] Der Arbeitgeber hat in Folgeanträgen darzulegen, wie viele der für die Erfüllung der betrieblichen Voraussetzungen betroffenen Arbeitnehmerinnen und Arbeitnehmer auf Grundlage der Betriebsvereinbarung, des Tarifvertrags oder der schriftlichen Erklärung des Arbeitgebers eine Maßnahme im Rahmen von § 82a abgeschlossen haben und ob diese noch im Betrieb beschäftigt sind. [4] Sind zum Zeitpunkt eines Folgeantrags seit dem letzten Nachweis des nach § 82a Absatz 2 Satz 1 Nummer 1 und Satz 2 zu belegenden Anteils der betroffenen Arbeitnehmerinnen und Arbeitnehmer weniger als drei Jahre vergangen, ist kein erneuter Nachweis hierüber erforderlich.

§ 324[2)] Antrag vor Leistung. (1) [1] Leistungen der Arbeitsförderung werden nur erbracht, wenn sie vor Eintritt des leistungsbegründenden Ereignisses beantragt worden sind. [2] Zur Vermeidung unbilliger Härten kann die Agentur für Arbeit eine verspätete Antragstellung zulassen.

(2) [1] Berufsausbildungsbeihilfe, Ausbildungsgeld und Arbeitslosengeld können auch nachträglich beantragt werden. [2] Kurzarbeitergeld, die Erstattung der Sozialversicherungsbeiträge und Lehrgangskosten für die Bezieherinnen und Bezieher von Kurzarbeitergeld und ergänzende Leistungen nach § 102 sind nachträglich zu beantragen.

(3) [1] Insolvenzgeld ist abweichend von Absatz 1 Satz 1 innerhalb einer Ausschlußfrist von zwei Monaten nach dem Insolvenzereignis zu beantragen. [2] Wur-

---

[1)] **beck-online, Module Arbeitsrecht Nr. 694.**

[2)] § 324 Abs. 1 Satz 2 und Abs. 2 Satz 1 geänd. mWv 1.1.2004 durch G v. 23.12.2003 (BGBl. I S. 2848); Abs. 2 geänd. mWv 1.1.2005 durch G v. 24.12.2003 (BGBl. I S. 2954); Abs. 2 Satz 1 geänd. mWv 1.5.2004 durch G v. 23.4.2004 (BGBl. I S. 602); Abs. 2 Satz 1 neu gef. mWv 1.5.2004 und mWv 1.1.2005 durch G v. 19.11.2004 (BGBl. I S. 2902); Abs. 2 neu gef. mWv 1.4.2006 durch G v. 24.4.2006 (BGBl. I S. 926); Abs. 2 Satz 2 geänd., Abs. 3 Sätze 2 und 3 neu gef. mWv 1.4.2012 durch G v. 20.12. 2011 (BGBl. I S. 2854); Abs. 2 Satz 2 geänd. mWv 29.5.2020 durch G v. 20.5.2020 (BGBl. I S. 1044); Abs. 2 Satz 2 geänd. mWv 1.1.2021 durch G v. 3.12.2020 (BGBl. I S. 2691).

de die Frist aus nicht selbst zu vertretenden Gründen versäumt, wird Insolvenzgeld geleistet, wenn der Antrag innerhalb von zwei Monaten nach Wegfall des Hinderungsgrundes gestellt worden ist. [3]Ein selbst zu vertretender Grund liegt vor, wenn sich Arbeitnehmerinnen und Arbeitnehmer nicht mit der erforderlichen Sorgfalt um die Durchsetzung ihrer Ansprüche bemüht haben.

§ 325[1)] Wirkung des Antrages. (1) Berufsausbildungsbeihilfe und Ausbildungsgeld werden rückwirkend längstens vom Beginn des Monats an geleistet, in dem die Leistungen beantragt worden sind.

(2) [1]Arbeitslosengeld wird nicht rückwirkend geleistet. [2]Ist die zuständige Agentur für Arbeit an einem Tag, an dem die oder der Arbeitslose Arbeitslosengeld beantragen will, nicht dienstbereit, so wirkt ein Antrag auf Arbeitslosengeld in gleicher Weise wie eine Arbeitslosmeldung zurück.

(3) Kurzarbeitergeld, die Erstattung von Sozialversicherungsbeiträgen und Lehrgangskosten für Bezieherinnen und Bezieher von Kurzarbeitergeld und ergänzende Leistungen nach § 102 sind für den jeweiligen Kalendermonat innerhalb einer Ausschlussfrist von drei Kalendermonaten zu beantragen; die Frist beginnt mit Ablauf des Monats, in dem die Tage liegen, für die die Leistungen beantragt werden.

(4) *(aufgehoben)*

(5) Leistungen zur Förderung der Teilnahme an Transfermaßnahmen sind innerhalb einer Ausschlussfrist von drei Monaten nach Ende der Maßnahme zu beantragen.

§ 326[2)] Ausschlußfrist für Gesamtabrechnung. (1) [1]Für Leistungen an Träger hat der Träger der Maßnahme der Agentur für Arbeit innerhalb einer Ausschlußfrist von sechs Monaten die Unterlagen vorzulegen, die für eine

(Fortsetzung nächstes Blatt)

[1)] § 325 Abs. 4 geänd. durch G v. 22.10.1997 (BGBl. I S. 2486); neu gef. durch G v. 23.11.1999 (BGBl. I S. 2230); Abs. 2 Satz 2 geänd., Abs. 5 angef. mWv 1.1.2004 durch G v. 23.12.2003 (BGBl. I S. 2848); Abs. 2 Satz 1 und 2 geänd. mWv 1.1.2005 durch G v. 24.12.2003 (BGBl. I S. 2954); Abs. 3 neu gef., Abs. 5 bish. Satz 1 geänd., Satz 2 aufgeh. mWv 1.4.2006, Abs. 4 aufgeh. mWv 1.11.2006 durch G v. 24.4.2006 (BGBl. I S. 926); Abs. 2 Satz 2 und Abs. 3 geänd. mWv 1.4.2012 durch G v. 20.12.2011 (BGBl. I S. 2854); Abs. 3 geänd. mWv 29.5.2020, Abs. 2 Satz 2 geänd. mWv 1.1.2022 durch G v. 20.5.2020 (BGBl. I S. 1044) durch G v. 20.5.2020 (BGBl. I S. 1044); Abs. 3 geänd. mWv 1.1.2021 durch G v. *3.12.2020 (BGBl. I S. 2691)*; Abs. 6 angef. mWv 1.4.2024 durch G v. 17.7.2023 (BGBl. 2023 I Nr. 191); Abs. 6 aufgeh. mWv 1.1.2025 durch G v. 23.10.2024 (BGBl. 2024 I Nr. 323).

[2)] § 326 Abs. 1 Satz 1 geänd. mWv 1.1.2004 durch G v. 23.12.2003 (BGBl. I S. 2848).

abschließende Entscheidung über den Umfang der zu erbringenden Leistungen erforderlich sind (Gesamtabrechnung). [2] Die Frist beginnt mit Ablauf des Kalendermonats, in dem die Maßnahme beendet worden ist.

(2) Erfolgt die Gesamtabrechnung nicht rechtzeitig, sind die erbrachten Leistungen von dem Träger in dem Umfang zu erstatten, in dem die Voraussetzungen für die Leistungen nicht nachgewiesen worden sind.

Zweiter Abschnitt. Zuständigkeit

§ 327[1)] Grundsatz. (1) [1] Für Leistungen an Arbeitnehmerinnen und Arbeitnehmer, mit Ausnahme des Kurzarbeitergeldes, des Wintergeldes, ***[bis 31.3. 2024:*** des Insolvenzgeldes und***][ab 1.4.2024:*** *des Insolvenzgeldes,****]*** der Leistungen zur Förderung der Teilnahme an Transfermaßnahmen ***[ab 1.4.2024:*** *und des Qualifizierungsgeldes****]***, ist die Agentur für Arbeit zuständig, in deren Bezirk die Arbeitnehmerin oder der Arbeitnehmer bei Eintritt der leistungsbegründenden Tatbestände ihren oder seinen Wohnsitz hat. [2] Solange die Arbeitnehmerin oder der Arbeitnehmer sich nicht an ihrem oder seinem Wohnsitz aufhält, ist die Agentur für Arbeit zuständig, in deren Bezirk die Arbeitnehmerin oder der Arbeitnehmer bei Eintritt der leistungsbegründenden Tatbestände ihren oder seinen gewöhnlichen Aufenthalt hat.

(2) Auf Antrag der oder des Arbeitslosen hat die Agentur für Arbeit eine andere Agentur für Arbeit für zuständig zu erklären, wenn nach der Arbeitsmarktlage keine Bedenken entgegenstehen oder die Ablehnung für die Arbeitslose oder den Arbeitslosen eine unbillige Härte bedeuten würde.

(3) [1] Für Kurzarbeitergeld, die Erstattung der Sozialversicherungsbeiträge und Lehrgangskosten für die Bezieherinnen und Bezieher von Kurzarbeitergeld, ergänzende Leistungen nach § 102 und Insolvenzgeld ist die Agentur für Arbeit zuständig, in deren Bezirk die für den Arbeitgeber zuständige Lohnabrechnungsstelle liegt. [2] Für Insolvenzgeld ist, wenn der Arbeitgeber im Inland keine Lohnabrechnungsstelle hat, die Agentur für Arbeit zuständig, in deren Bezirk das Insolvenzgericht seinen Sitz hat. [3] Für Leistungen zur Förderung der Teilnahme an Transfermaßnahmen ***[ab 1.4.2024:*** *und für Qualifizierungsgeld****]*** ist die Agentur für Arbeit zuständig, in deren Bezirk der Betrieb des Arbeitgebers liegt.

(4) Für Leistungen an Arbeitgeber, mit Ausnahme der Erstattung von Beiträgen zur Sozialversicherung für Personen, die Saison-Kurzarbeitergeld beziehen, ist die Agentur für Arbeit zuständig, in deren Bezirk der Betrieb des Arbeitgebers liegt.

(5) Für Leistungen an Träger ist die Agentur für Arbeit zuständig, in deren Bezirk das Projekt oder die Maßnahme durchgeführt wird.

[1)] § 327 Abs. 3 Satz 1 geänd. durch G v. 23.11.1999 (BGBl. I S. 2230); Abs. 1 Sätze 1 und 2, Abs. 2, Abs. 3 Sätze 1 und 2 sowie Abs. 4 geänd., Abs. 3 Satz 3 angef., Abs. 5 und 6 neu gef. mWv 1.1.2004 durch G v. 23.12.2003 (BGBl. I S. 2848); Abs. 1 Sätze 1 und 2, Abs. 3 Sätze 1 und 2, Abs. 4 und 5 geänd. mWv 1.5.2004 durch G v. 23.4.2004 (BGBl. I S. 602); Abs. 1 Satz 1, Abs. 3 Satz 1 und Abs. 4 geänd. mWv 1.11.2006 durch G v. 24.4.2006 (BGBl. I S. 926); Abs. 1 neu gef., Abs. 2, Abs. 3 Satz 1 und Abs. 4 geänd. mWv 1.4.2012 durch G v. 20.12.2011 (BGBl. I S. 2854); Abs. 3 Satz 1 geänd. mWv 29.5.2020 durch G v. 20.5.2020 (BGBl. I S. 1044); Abs. 3 Satz 1 geänd. mWv 1.1.2021 durch G v. 3.12.2020 (BGBl. I S. 2691); Abs. 1 Satz 1 und Abs. 3 Satz 3 geänd. mWv 1.4.2024 durch G v. 17.7.2023 (BGBl. 2023 I Nr. 191).

(6) Die Bundesagentur kann die Zuständigkeit abweichend von den Absätzen 1 bis 5 auf andere Dienststellen übertragen.

Dritter Abschnitt. Leistungsverfahren in Sonderfällen

§ 328[1] Vorläufige Entscheidung. (1) [1] Über die Erbringung von Geldleistungen kann vorläufig entschieden werden, wenn

1. die Vereinbarkeit einer Vorschrift dieses Buches, von der die Entscheidung über den Antrag abhängt, mit höherrangigem Recht Gegenstand eines Verfahrens bei dem Bundesverfassungsgericht oder dem Gerichtshof der Europäischen Gemeinschaften ist,
2. eine entscheidungserhebliche Rechtsfrage von grundsätzlicher Bedeutung Gegenstand eines Verfahrens beim Bundessozialgericht ist oder
3. zur Feststellung der Voraussetzungen des Anspruchs einer Arbeitnehmerin oder eines Arbeitnehmers auf Geldleistungen voraussichtlich längere Zeit erforderlich ist, die Voraussetzungen für den Anspruch mit hinreichender Wahrscheinlichkeit vorliegen und die Arbeitnehmerin oder der Arbeitnehmer die Umstände, die einer sofortigen abschließenden Entscheidung entgegenstehen, nicht zu vertreten hat.

[2] Umfang und Grund der Vorläufigkeit sind anzugeben. [3] In den Fällen des Satzes 1 Nr. 3 ist auf Antrag vorläufig zu entscheiden.

(2) Eine vorläufige Entscheidung ist nur auf Antrag der berechtigten Person für endgültig zu erklären, wenn sie nicht aufzuheben oder zu ändern ist.

(3) [1] Auf Grund der vorläufigen Entscheidung erbrachte Leistungen sind auf die zustehende Leistung anzurechnen. [2] Soweit mit der abschließenden Entscheidung ein Leistungsanspruch nicht oder nur in geringerer Höhe zuerkannt wird, sind auf Grund der vorläufigen Entscheidung erbrachte Leistungen zu erstatten; auf Grund einer vorläufigen Entscheidung erbrachtes Kurzarbeitergeld und Wintergeld ist vom Arbeitgeber zurückzuzahlen.

(4) Absatz 1 Satz 1 Nr. 3 und Satz 2 und 3, Absatz 2 sowie Absatz 3 Satz 1 und 2 sind für die Erstattung von Arbeitgeberbeiträgen zur Sozialversicherung entsprechend anwendbar.

§ 329[2] Einkommensberechnung in besonderen Fällen. Die Agentur für Arbeit kann das zu berücksichtigende Einkommen nach Anhörung der oder des Leistungsberechtigten schätzen, soweit Einkommen nur für kurze Zeit zu berücksichtigen ist.

§ 330[3] Sonderregelungen für die Aufhebung von Verwaltungsakten.

(1) Liegen die in § 44 Abs. 1 Satz 1 des Zehnten Buches[4] genannten Voraussetzungen für die Rücknahme eines rechtswidrigen nicht begünstigenden Ver-

---

[1] § 328 Abs. 3 Satz 2 neu gef. durch G v. 16.12.1997 (BGBl. I S. 2970); Abs. 4 angef. durch G v. 23.11.1999 (BGBl. I S. 2230); Abs. 3 Satz 3 aufgeh. mWv 1.1.2005 durch G v. 23.12.2003 (BGBl. I S. 2848); Abs. 3 Satz 2 zweiter Halbs. geänd. mWv 1.11.2006 durch G v. 24.4.2006 (BGBl. I S. 926); Abs. 1 Satz 1 Nr. 3 und Abs. 2 geänd. mWv 1.4.2012 durch G v. 20.12.2011 (BGBl. I S. 2854).

[2] § 329 Abs. 2 angef. durch G v. 16.12.1997 (BGBl. I S. 2970); Abs. 1 geänd., Abs. 2 aufgeh. durch G v. 24.3.1999 (BGBl. I S. 396); geänd. mWv 1.1.2004 durch G v. 23.12.2003 (BGBl. I S. 2848); geänd. mWv 1.4.2012 durch G v. 20.12.2011 (BGBl. I S. 2854).

[3] § 330 Abs. 5 aufgeh. mWv 2.1.2002 durch G v. 17.8.2001 (BGBl. I S. 2144); Abs. 3 Satz 2 geänd. mWv 1.1.2002 durch G v. 10.12.2001 (BGBl. I S. 3443); Abs. 3 Satz 2 geänd. mWv 1.1.2003 durch →

waltungsaktes vor, weil er auf einer Rechtsnorm beruht, die nach Erlaß des Verwaltungsaktes für nichtig oder für unvereinbar mit dem Grundgesetz[1] erklärt oder in ständiger Rechtsprechung anders als durch die Agentur für Arbeit ausgelegt worden ist, so ist der Verwaltungsakt, wenn er unanfechtbar geworden ist, nur mit Wirkung für die Zeit nach der Entscheidung des Bundesverfassungsgerichts oder ab dem Bestehen der ständigen Rechtsprechung zurückzunehmen.

(2) Liegen die in § 45 Abs. 2 Satz 3 des Zehnten Buches[2] genannten Voraussetzungen für die Rücknahme eines rechtswidrigen begünstigenden Verwaltungsaktes vor, ist dieser auch mit Wirkung für die Vergangenheit zurückzunehmen.

(3) [1] Liegen die in § 48 Abs. 1 Satz 2 des Zehnten Buches[2] genannten Voraussetzungen für die Aufhebung eines Verwaltungsaktes mit Dauerwirkung vor, ist dieser mit Wirkung vom Zeitpunkt der Änderung der Verhältnisse aufzuheben. [2] Abweichend von § 48 Abs. 1 Satz 1 des Zehnten Buches[2] ist mit Wirkung vom Zeitpunkt der Änderung der Verhältnisse an ein Verwaltungsakt auch aufzuheben, soweit sich das Bemessungsentgelt auf Grund einer Absen-

(Fortsetzung nächstes Blatt)

(Fortsetzung der Anm. von voriger Seite)
G v. 23.12.2002 (BGBl. I S. 4607); Abs. 1 geänd. mWv 1.1.2004, Abs. 3 Satz 2 geänd. mWv 1.1.2005 durch G v. 23.12.2003 (BGBl. I S. 2848); Abs. 4 geänd. mWv 1.1.2005 durch G v. 24.12.2003 (BGBl. I S. 2954); Abs. 1 geänd. mWv 1.5.2007 durch G v. 20.4.2007 (BGBl. I S. 554); Abs. 3 Satz 2 geänd. mWv 1.4.2012 durch G v. 20.12.2011 (BGBl. I S. 2854).

[4] Nr. **699**.

[1] Auszugsweise abgedruckt unter Nr. **10**.

[2] Nr. **699**.

kung nach § 200 Abs. 3 zu Ungunsten der Betroffenen oder des Betroffenen ändert.

(4) Liegen die Voraussetzungen für die Rücknahme eines Verwaltungsaktes vor, mit dem ein Anspruch auf Erstattung des Arbeitslosengeldes durch Arbeitgeber geltend gemacht wird, ist dieser mit Wirkung für die Vergangenheit zurückzunehmen.

§ 331[1)] Vorläufige Zahlungseinstellung. (1) [1] Die Agentur für Arbeit kann die Zahlung einer laufenden Leistung ohne Erteilung eines Bescheides vorläufig einstellen, wenn sie Kenntnis von Tatsachen erhält, die kraft Gesetzes zum Ruhen oder zum Wegfall des Anspruchs führen und wenn der Bescheid, aus dem sich der Anspruch ergibt, deshalb mit Wirkung für die Vergangenheit aufzuheben ist. [2] Soweit die Kenntnis nicht auf Angaben der Person beruht, die die laufende Leistung erhält, sind ihr unverzüglich die vorläufige Einstellung der Leistung sowie die dafür maßgeblichen Gründe mitzuteilen, und es ist ihr Gelegenheit zu geben, sich zu äußern.

(2) Die Agentur für Arbeit hat eine vorläufig eingestellte laufende Leistung unverzüglich nachzuzahlen, soweit der Bescheid, aus dem sich der Anspruch ergibt, zwei Monate nach der vorläufigen Einstellung der Zahlung nicht mit Wirkung für die Vergangenheit aufgehoben ist.

§ 332[2)] Übergang von Ansprüchen. (1) [1] Die Agentur für Arbeit kann durch schriftliche Anzeige an die leistungspflichtige Person bewirken, daß Ansprüche einer erstattungspflichtigen Person auf Leistungen zur Deckung des Lebensunterhalts, insbesondere auf

1. Renten der Sozialversicherung,

[Nr. 2 bis 31.12.2023:]

2. Renten nach dem Bundesversorgungsgesetz[3)] sowie Renten, die nach anderen Gesetzen in entsprechender Anwendung des Bundesversorgungsgesetzes gewährt werden,

[Nr. 2 vom 1.1.2024 bis 31.12.2024:]

2. *Leistungen des Berufsschadensausgleichs nach Kapitel 10 des Vierzehnten Buches[4)] sowie nach Gesetzen, die eine entsprechende Anwendung des Vierzehnten Buches vorsehen,*

[Nr. 2 ab 1.1.2025:]

2. *Leistungen des Berufsschadensausgleichs nach Kapitel 10 des Vierzehnten Buches sowie nach Gesetzen, die eine entsprechende Anwendung des Vierzehnten Buches vorsehen, und Leistungen des Erwerbsschadensausgleichs nach dem Soldatenentschädigungsgesetz,*

[1)] § 331 Abs. 2 geänd. durch G v. 16.12.1997 (BGBl. I S. 2970) und durch G v. 21.7.1999 (BGBl. I S. 1648); Abs. 1 Satz 1 und Abs. 2 geänd. mWv 1.1.2004 durch G v. 23.12.2003 (BGBl. I S. 2848); Abs. 1 Sätze 1 und 2 geänd. mWv 1.1.2013 durch G v. 5.12.2012 (BGBl. I S. 2467).

[2)] § 332 Abs. 1 Sätze 1 und 3, Abs. 2, Abs. 3 Sätze 1 und 3 geänd. mWv 1.1.2004 durch G v. 23.12.2003 (BGBl. I S. 2848); Abs. 3 Satz 1 geänd. mWv 1.5.2004 durch G v. 23.4.2004 (BGBl. I S. 602); Abs. 1 Satz 1 einl. Satzteil, Sätze 2 und 3, Abs. 2, Abs. 3 Sätze 1 und 3 geänd. mWv 1.4.2012 durch G v. 20.12.2011 (BGBl. I S. 2854); Abs. 1 Satz 1 Nr. 2 neu gef. mWv 1.1.2024 durch G v. 12.12.2019 (BGBl. I S. 2652); Abs. 1 Satz 1 Nr. 2 neu gef. mWv 1.1.2025 durch G v. 20.8.2021 (BGBl. I S. 3932).

[3)] **Aichberger, SGB Nr. 20/10.**

[4)] **Aichberger, SGB Nr. 14.**

3. Renten nach dem Gesetz zur Regelung der Rechtsverhältnisse der unter Artikel 131 des Grundgesetzes[1] fallenden Personen,
4. Unterhaltsbeihilfe nach dem Gesetz über die Unterhaltsbeihilfe für Angehörige von Kriegsgefangenen,
5. Unterhaltshilfe nach dem Lastenausgleichsgesetz,
6. Mutterschaftsgeld oder auf Sonderunterstützung nach dem Mutterschutzgesetz[2],
7. Arbeitsentgelt aus einem Arbeitsverhältnis, das während des Bezugs der zurückzuzahlenden Leistung bestanden hat,

in Höhe der zurückzuzahlenden Leistung auf die Bundesagentur übergehen, es sei denn, die Bundesagentur hat insoweit aus dem gleichen Grund einen Erstattungsanspruch nach den §§ 102 bis 105 des Zehnten Buches[3]. [2] Der Übergang beschränkt sich auf Ansprüche, die der rückzahlungspflichtigen Person für den Zeitraum in der Vergangenheit zustehen, für den die zurückzuzahlenden Leistungen gewährt worden sind. [3] Hat die rückzahlungspflichtige Person den unrechtmäßigen Bezug der Leistung vorsätzlich oder grob fahrlässig herbeigeführt, so geht in den Fällen nach Satz 1 Nr. 1 bis 5 auch der Anspruch auf die Hälfte der laufenden Bezüge auf die Agentur für Arbeit insoweit über, als die rückzahlungspflichtige Person dieses Teils der Bezüge zur Deckung ihres Lebensunterhalts und des Lebensunterhalts ihrer unterhaltsberechtigten Angehörigen nicht bedarf.

(2) Die leistungspflichtige Person hat ihre Leistungen in Höhe des nach Absatz 1 übergegangenen Anspruchs an die Bundesagentur abzuführen.

(3) [1] Wer nach Absatz 1 Satz 1 Nummer 1 bis 5 leistungspflichtig ist, hat den Eingang eines Antrags auf Rente, Unterhaltsbeihilfe oder Unterhaltshilfe der Agentur für Arbeit mitzuteilen, von der die Antragstellerin oder der Antragsteller zuletzt Leistungen nach diesem Buch bezogen hat. [2] Die Mitteilungspflicht entfällt, wenn der Bezug dieser Leistungen im Zeitpunkt der Antragstellung länger als drei Jahre zurückliegt. [3] Bezüge für eine zurückliegende Zeit dürfen an die Antragstellerin oder den Antragsteller frühestens zwei Wochen nach Abgang der Mitteilung an die Bundesagentur ausgezahlt werden, falls bis zur Auszahlung eine Anzeige der Agentur für Arbeit nach Absatz 1 nicht vorliegt.

(4) Der Rechtsübergang wird nicht dadurch ausgeschlossen, daß der Anspruch nicht übertragen, verpfändet oder gepfändet werden kann.

§ 333[4] Aufrechnung. (1) Wurde eine Entgeltersatzleistung zu Unrecht bezogen, weil der Anspruch wegen der Anrechnung von Nebeneinkommen gemindert war oder wegen einer Sperrzeit ruhte, so kann die Agentur für Arbeit mit dem Anspruch auf Erstattung gegen einen Anspruch auf die genann-

---

[1] **beck-online, Module Arbeitsrecht Nr. 10.**

[2] Nr. **400**.

[3] **beck-online, Module Arbeitsrecht Nr. 699.**

[4] § 333 Abs. 1 geänd. durch G v. 23.11.1999 (BGBl. I S. 2230); Abs. 3 angef. mWv 1.1.2002 durch G v. 10.12.2001 (BGBl. I S. 3443); Abs. 1 und 3 geänd. mWv 1.1.2004 und Abs. 1 geänd. mWv 1.1. 2005 durch G v. 23.12.2003 (BGBl. I S. 2848); Abs. 3 neu gef. mWv 1.4.2006 und geänd. mWv *1.11.2006 durch G v. 24.4.2006* (BGBl. I S. 926); Abs. 1 und Abs. 3 erster Halbs. geänd. mWv 1.4. 2012 durch G v. 20.12.2011 (BGBl. I S. 2854); Abs. 3 neu gef. mWv 29.5.2020 durch G v. 20.5.2020 (BGBl. I S. 1044); Abs. 3 Nr. 1 geänd. mWv 1.1.2021 durch G v. 3.12.2020 (BGBl. I S. 2691).

ten Leistungen abweichend von § 51 Abs. 2 des Ersten Buches[1)] in voller Höhe aufrechnen.

(2) Der Anspruch auf Rückzahlung von Leistungen kann gegen einen Anspruch auf Rückzahlung zu Unrecht entrichteter Beiträge zur Arbeitsförderung aufgerechnet werden.

(3) Die Bundesagentur kann mit Ansprüchen auf

1. Rückzahlung von erstatteten Sozialversicherungsbeiträgen und Lehrgangskosten für Bezieherinnen und Bezieher von Kurzarbeitergeld, von Kurzarbeitergeld und von ergänzenden Leistungen nach § 102, die vorläufig erbracht wurden, und
2. Winterbeschäftigungs-Umlage

gegen Ansprüche auf Kurzarbeitergeld und Wintergeld, die vom Arbeitgeber verauslagt sind, aufrechnen; insoweit gilt der Arbeitgeber als anspruchsberechtigt.

§ 334[2)] Pfändung von Leistungen. Bei Pfändung eines Geldleistungs- oder Erstattungsanspruchs gilt die Agentur für Arbeit, die über den Anspruch entschieden oder zu entscheiden hat, als Drittschuldner im Sinne der §§ 829 und 845 der Zivilprozeßordnung[3)].

§ 335[4)] Erstattung von Beiträgen zur Kranken-, Renten- und Pflegeversicherung. (1) [1] Wurden von der Bundesagentur für eine Bezieherin oder für einen Bezieher von Arbeitslosengeld Beiträge zur gesetzlichen Krankenversicherung gezahlt, so hat die Bezieherin oder der Bezieher dieser Leistungen der Bundesagentur die Beiträge zu ersetzen, soweit die Entscheidung über die Leistung rückwirkend aufgehoben und die Leistung zurückgefordert worden ist. [2] Hat für den Zeitraum, für den die Leistung zurückgefordert worden ist, ein weiteres Krankenversicherungsverhältnis bestanden, so erstattet diejenige Stelle, an die die Beiträge aufgrund der Versicherungspflicht nach § 5 Absatz 1 Nummer 2 des Fünften Buches[5)] gezahlt wurden, der Bundesagentur die für diesen Zeitraum entrichteten Beiträge; die Bezieherin oder der Bezieher wird insoweit von der Ersatzpflicht nach Satz 1 befreit; § 5 Absatz 1 Nummer 2 zweiter Halbsatz des Fünften Buches[5)] gilt nicht. [3] Werden die beiden Versicherungsverhältnisse bei verschiedenen Krankenkassen durchgeführt und wurden in dem Zeitraum, in dem die Versicherungsverhältnisse nebeneinander bestanden, Leistungen von der Krankenkasse erbracht, bei der die Bezieherin

---

[1)] Nr. **691**.

[2)] § 334 geänd. mWv 1.1.2004 durch G v. 23.12.2003 (BGBl. I S. 2848); geänd. mWv 1.5.2004 durch G v. 23.4.2004 (BGBl. I S. 602).

[3)] **beck-online, Module Arbeitsrecht Nr. 320.**

[4)] § 335 Abs. 1 Satz 5 angef., Abs. 2 Sätze 1 und 2, Abs. 5 geänd. durch G v. 16.12.1997 (BGBl. I S. 2970); Abs. 2 Satz 2 geänd. mWv 1.1.2001 durch G v. 20.12.2000 (BGBl. I S. 1827); Abs. 2 Satz 2 geänd. mWv 1.7.2001 durch G v. 19.6.2001 (BGBl. I S. 1046); Abs. 1 Sätze 1, 2, 4 und 5, Abs. 2 Satz 1, Abs. 3 Satz 1 und Abs. 5 geänd. mWv 1.1.2004 durch G v. 23.12.2003 (BGBl. I S. 2848); Abs. 1 Satz 1, Abs. 2 Satz 1 und Abs. 4 geänd. mWv 1.1.2005 durch G v. 24.12.2003 (BGBl. I S. 2954); Abs. 1 Satz 2 geänd., Satz 4 neu gef. mWv 1.1.2009 durch G v. 15.7.2009 (BGBl. I S. 1939); Abs. 1 Satz 1, Satz 2 zweiter Halbs. und Satz 3, Abs. 2 Satz 2, Satz 3 Nr. 1 und 2, Satz 5, Abs. 3 Satz 1, Abs. 4 Satz 1 geänd. mWv 1.4.2012 durch G v. 20.12.2011 (BGBl. I S. 2854); Abs. 1 Satz 1, Abs. 2 Sätze 1 und 2, Abs. 4 geänd. mWv 1.8.2016 durch G v. 18.7.2016 (BGBl. I S. 1710); Abs. 1 Satz 4 geänd. mWv 1.1.2020 durch G v. 12.12.2019 (BGBl. I S. 2652); Abs. 1 Sätze 2 und 3, Abs. 2 Satz 1, Satz 3 Nr. 2 und Satz 5 geänd. mWv 1.1.2023 durch G v. 20.12.2022 (BGBl. I S. 2759).

[5)] Nr. **695**.

oder der Bezieher nach § 5 Absatz 1 Nummer 2 des Fünften Buches[1)] versicherungspflichtig war, so besteht kein Beitragserstattungsanspruch nach Satz 2. [4]Die Bundesagentur, der Spitzenverband Bund der Krankenkassen (§ 217a des Fünften Buches[2)]) und das Bundesamt für Soziale Sicherung in seiner Funktion als Verwalter des Gesundheitsfonds können das Nähere über die Erstattung der Beiträge nach den Sätzen 2 und 3 durch Vereinbarung regeln. [5]Satz 1 gilt entsprechend, soweit die Bundesagentur Beiträge, die für die Dauer des Leistungsbezuges an ein privates Versicherungsunternehmen zu zahlen sind, übernommen hat.

(2) [1]Beiträge für Versicherungspflichtige nach § 5 Absatz 1 Nummer 2 des Fünften Buches[1)], denen eine Rente aus der gesetzlichen Rentenversicherung oder Übergangsgeld von einem nach § 251 Absatz 1 des Fünften Buches[2)] beitragspflichtigen Rehabilitationsträger gewährt worden ist, sind der Bundesagentur vom Träger der Rentenversicherung oder vom Rehabilitationsträger zu ersetzen, wenn und soweit wegen der Gewährung von Arbeitslosengeld ein Erstattungsanspruch der Bundesagentur gegen den Träger der Rentenversicherung oder den Rehabilitationsträger besteht. [2]Satz 1 ist entsprechend anzuwenden in den Fällen, in denen der oder dem Arbeitslosen von einem Träger der gesetzlichen Rentenversicherung wegen einer Leistung zur medizinischen Rehabilitation oder zur Teilhabe am Arbeitsleben Übergangsgeld oder eine Rente wegen verminderter Erwerbsfähigkeit zuerkannt wurde (§ 145 Absatz 3). [3]Zu ersetzen sind

1. vom Rentenversicherungsträger die Beitragsanteile der versicherten Rentnerin oder des versicherten Rentners und des Trägers der Rentenversicherung, die diese ohne die Regelung dieses Absatzes für dieselbe Zeit aus der Rente zu entrichten gehabt hätten,
2. vom Rehabilitationsträger der Betrag, den er als Krankenversicherungsbeitrag hätte leisten müssen, wenn die versicherte Person nicht nach § 5 Absatz 1 Nummer 2 des Fünften Buches[1)] versichert gewesen wäre.

[4]Der Träger der Rentenversicherung und der Rehabilitationsträger sind nicht verpflichtet, für dieselbe Zeit Beiträge zur Krankenversicherung zu entrichten. [5]Die versicherte Person ist abgesehen von Satz 3 Nummer 1 nicht verpflichtet, für dieselbe Zeit Beiträge aus der Rente zur Krankenversicherung zu entrichten.

(3) [1]Der Arbeitgeber hat der Bundesagentur die im Falle des § 157 Absatz 3 geleisteten Beiträge zur Kranken- und Rentenversicherung zu ersetzen, soweit er für dieselbe Zeit Beiträge zur Kranken- und Rentenversicherung der Arbeitnehmerin oder des Arbeitnehmers zu entrichten hat. [2]Er wird insoweit von seiner Verpflichtung befreit, Beiträge an die Kranken- und Rentenversicherung zu entrichten. [3]Die Sätze 1 und 2 gelten entsprechend für den Zuschuss nach § 257 des Fünften Buches[1)].

(4) Hat auf Grund des Bezuges von Arbeitslosengeld nach § 157 Absatz 3 eine andere Krankenkasse die Krankenversicherung durchgeführt als diejenige Kasse, die für das Beschäftigungsverhältnis zuständig ist, aus dem die Leistungsempfängerin oder der Leistungsempfänger Arbeitsentgelt bezieht oder zu be-

---

[1)] Nr. 695.
[2)] **beck-online, Module Arbeitsrecht Nr. 695.**

anspruchen hat, so erstatten die Krankenkassen einander Beiträge und Leistungen wechselseitig.

(5) Für die Beiträge der Bundesagentur zur sozialen Pflegeversicherung für Versicherungspflichtige nach § 20 Abs. 1 Satz 2 Nummer 2 des Elften Buches[1] sind die Absätze 1 bis 3 entsprechend anzuwenden.

§ 336[2] *(aufgehoben)*

§ 336a[3] **Wirkung von Widerspruch und Klage.** [1]Die aufschiebende Wirkung von Widerspruch und Klage entfällt

1. bei Entscheidungen, die Arbeitsgenehmigungen-EU aufheben oder ändern,
2. bei Entscheidungen, die die Berufsberatung nach § 288a untersagen,
3. bei Aufforderungen nach § 309, sich bei der Agentur für Arbeit oder einer sonstigen Dienststelle der Bundesagentur persönlich zu melden.

[2]Bei Entscheidungen über die Herabsetzung oder Entziehung laufender Leistungen gelten die Vorschriften des Sozialgerichtsgesetzes[4] (§ 86a Abs. 2 Nr. 2).

Vierter Abschnitt. Auszahlung von Geldleistungen

§ 337[5] **Auszahlung im Regelfall.** (1) *(aufgehoben)*

(2) Laufende Geldleistungen werden regelmäßig monatlich nachträglich ausgezahlt.

(3) [1]Andere als laufende Geldleistungen werden mit der Entscheidung über den Antrag auf Leistung oder, soweit der oder dem Berechtigten Kosten erst danach entstehen, zum entsprechenden Zeitpunkt ausgezahlt. [2]Insolvenzgeld wird nachträglich für den Zeitraum ausgezahlt, für den es beantragt worden ist. [3]Weiterbildungskosten und Teilnahmekosten werden, soweit sie nicht unmittelbar an den Träger der Maßnahme erbracht werden, monatlich im voraus ausgezahlt.

(4) Zur Vermeidung unbilliger Härten können angemessene Abschlagszahlungen geleistet werden.

Fünfter Abschnitt. Berechnungsgrundsätze

§ 338[6] **Allgemeine Berechnungsgrundsätze.** (1) Berechnungen werden auf zwei Dezimalstellen durchgeführt, wenn nichts Abweichendes bestimmt ist.

---

[1] **Aichberger, SGB Nr. 11.**

[2] § 336 aufgeh. mWv 1.4.2022 durch G v. 16.7.2021 (BGBl. I S. 2970).

[3] § 336a eingef. mWv 2.1.2002 durch G v. 17.8.2001 (BGBl. I S. 2144); Satz 1 Nr. 4 aufgeh., bish. Nr. 5 wird Nr. 4 mWv 1.1.2003 durch G v. 23.12.2002 (BGBl. I S. 4607); Satz 1 Nr. 1 und 4 geänd., Nr. 5 angef. mWv 1.1.2004 durch G v. 23.12.2003 (BGBl. I S. 2848); Satz 1 Nr. 5 aufgeh. mWv 1.8.2004 durch G v. 23.7.2004 (BGBl. I S. 1842); Satz 1 Nr. 2 neu gef. mWv 18.3.2005 durch G v. 14.3.2005 (BGBl. I S. 721); Satz 1 Nr. 1 aufgeh., bish. Nr. 2–4 werden Nr. 1–3, neue Nr. 3 geänd. mWv 1.4.2012 durch G v. 20.12.2011 (BGBl. I S. 2854).

[4] Nr. **680**.

[5] § 337 Abs. 1 Satz 3 angef. durch G v. 6.4.1998 (BGBl. I S. 688); Abs. 1 neu gef., Abs. 3 Satz 1 geänd. mWv 1.4.2012 durch G v. 20.12.2011 (BGBl. I S. 2854); Abs. 1 Satz 1 geänd. mWv 9.4.2013 durch G v. 3.4.2013 (BGBl. I S. 610); Abs. 1 aufgeh. mWv 1.12.2021 durch G v. 12.6.2020 (BGBl. I S. 1248).

[6] § 338 Abs. 3 geänd. durch G v. 16.12.1997 (BGBl. I S. 2970); Abs. 3 aufgeh. mWv 1.1.2002 durch G v. 10.12.2001 (BGBl. I S. 3443).

(2) Bei einer auf Dezimalstellen durchgeführten Berechnung wird die letzte Dezimalstelle um 1 erhöht, wenn sich in der folgenden Dezimalstelle eine der Zahlen 5 bis 9 ergeben würde.

(3) *(aufgehoben)*

(4) Bei einer Berechnung wird eine Multiplikation vor einer Division durchgeführt.

§ 339[1)] Berechnung von Zeiten. [1] Für die Berechnung von Leistungen wird ein Monat mit 30 Tagen und eine Woche mit sieben Tagen berechnet. [2] Bei der Anwendung der Vorschriften über die Erfüllung der für einen Anspruch auf Arbeitslosengeld erforderlichen Anwartschaftszeit sowie der Vorschriften über die Dauer eines Anspruchs auf Arbeitslosengeld nach dem Ersten Abschnitt des Vierten Kapitels dieses Buches entspricht ein Monat 30 Kalendertagen. [3] Satz 2 gilt entsprechend bei der Anwendung der Vorschriften über die Erfüllung der erforderlichen Vorbeschäftigungszeiten sowie der Vorschrift über die Dauer des Anspruchs auf Übergangsgeld im Anschluß an eine abgeschlossene Leistung zur Teilhabe am Arbeitsleben.

Zehntes Kapitel. Finanzierung

Erster Abschnitt. Finanzierungsgrundsatz

§ 340[2)] Aufbringung der Mittel. Die Leistungen der Arbeitsförderung und die sonstigen Ausgaben der Bundesagentur werden durch Beiträge der Versicherungspflichtigen, der Arbeitgeber und Dritter (Beitrag zur Arbeitsförderung), Umlagen, Mittel des Bundes und sonstige Einnahmen finanziert.

Zweiter Abschnitt. Beiträge und Verfahren

Erster Unterabschnitt. Beiträge

§ 341[3)] Beitragssatz und Beitragsbemessung. (1) Die Beiträge werden nach einem Prozentsatz (Beitragssatz) von der Beitragsbemessungsgrundlage erhoben.

(2) Der Beitragssatz beträgt 2,6 Prozent.

(3) [1] Beitragsbemessungsgrundlage sind die beitragspflichtigen Einnahmen, die bis zur Beitragsbemessungsgrenze berücksichtigt werden. [2] Für die Berechnung der Beiträge ist die Woche zu sieben, der Monat zu dreißig und das Jahr zu dreihundertsechzig Tagen anzusetzen, soweit dieses Buch nichts anderes bestimmt. [3] Beitragspflichtige Einnahmen sind bis zu einem Betrag von einem Dreihundertsechzigstel der Beitragsbemessungsgrenze für den Kalendertag zu

(Fortsetzung nächstes Blatt)

[1)] § 339 Satz 3 Nr. 1 geänd. mWv 1.7.2001 durch G v. 19.6.2001 (BGBl. I S. 1046); Satz 3 Nr. 1 geänd. mWv 1.1.2003 durch G v. 23.12.2002 (BGBl. I S. 4607); Satz 3 geänd. mWv 1.1.2005 durch G v. 24.12.2003 (BGBl. I S. 2954); Satz 2 geänd. mWv 1.4.2012 durch G v. 20.12.2011 (BGBl. I S. 2854).

[2)] § 340 geänd. mWv 1.1.2004 durch G v. 23.12.2003 (BGBl. I S. 2848).

[3)] § 341 Abs. 4 geänd. mWv 1.1.2005 durch G v. 9.12.2004 (BGBl. I S. 3242); Abs. 2 geänd. mWv 1.1.2007 durch G v. 29.6.2006 (BGBl. I S. 1402, geänd. durch G v. 21.12.2006, BGBl. I S. 3286); *Abs. 2 geänd. mWv 1.1.2008 durch G v. 22.12.2007* (BGBl. I S. 3245); Abs. 2 geänd. mWv 1.1.2009 durch G v. 20.12.2008 (BGBl. I S. 2860); Abs. 2 geänd. mWv 1.2.2009 und mWv 1.1.2011 durch G v. 2.3.2009 (BGBl. I S. 416); Abs. 2 geänd. mWv 1.1.2019 durch G v. 18.12.2018 (BGBl. I S. 2651).

berücksichtigen. [4] Einnahmen, die diesen Betrag übersteigen, bleiben außer Ansatz, soweit dieses Buch nichts Abweichendes bestimmt.

(4) Beitragsbemessungsgrenze ist die Beitragsbemessungsgrenze der allgemeinen Rentenversicherung.

§ 342 Beitragspflichtige Einnahmen Beschäftigter. Beitragspflichtige Einnahme ist bei Personen, die beschäftigt sind, das Arbeitsentgelt, bei Personen, die zur Berufsausbildung beschäftigt sind, jedoch mindestens ein Arbeitsentgelt in Höhe von einem Prozent der Bezugsgröße.

§ 343[1)] *(aufgehoben)*

§ 344[2)] **Sonderregelungen für beitragspflichtige Einnahmen Beschäftigter.** (1) [1] Für Personen, die unmittelbar nach einem Versicherungspflichtverhältnis einen Freiwilligendienst im Sinne des Jugendfreiwilligendienstegesetzes[3)] oder des Bundesfreiwilligendienstgesetzes[4)] leisten, gilt als beitragspflichtige Einnahme ein Arbeitsentgelt in Höhe der monatlichen Bezugsgröße. [2] Dies gilt auch, wenn der Jugendfreiwilligendienst oder der Bundesfreiwilligendienst nach einer Unterbrechung, die sechs Monate nicht überschreitet, fortgesetzt wird.

(2) Für Menschen mit Behinderungen, die in einer anerkannten Werkstatt für behinderte Menschen oder Blindenwerkstätte beschäftigt sind, ist als beitragspflichtige Einnahme das tatsächlich erzielte Arbeitsentgelt, mindestens jedoch ein Betrag in Höhe von 20 Prozent der monatlichen Bezugsgröße zugrunde zu legen.

(3) Bei Arbeitnehmerinnen und Arbeitnehmern, die gegen ein monatliches Arbeitsentgelt bis zum oberen Grenzbetrag des Übergangsbereichs (§ 20 Absatz 2 des Vierten Buches[5)]) mehr als geringfügig beschäftigt sind, gilt der Betrag der beitragspflichtigen Einnahme nach § 20 Absatz 2a Satz 1 des Vierten Buches[5)] entsprechend.[6)]

§ 345[7)] **Beitragspflichtige Einnahmen sonstiger Versicherungspflichtiger.** Als beitragspflichtige Einnahme gilt bei Personen,

---

[1)] § 343 aufgeh. durch G v. 16.12.1997 (BGBl. I S. 2970).

[2)] § 344 Abs. 1 Satz 1 geänd. durch G v. 16.12.1997 (BGBl. I S. 2970); Abs. 3 geänd. mWv 1.7. 2001 durch G v. 19.6.2001 (BGBl. I S. 1046); Abs. 4 angef. mWv 1.4.2003 durch G v. 23.12.2002 (BGBl. I S. 4621); Abs. 4 Satz 2 geänd. mWv 1.7.2006 durch G v. 29.6.2006 (BGBl. I S. 1402); Abs. 1 neu gef. mWv 1.1.2009 durch G v. 19.12.2007 (BGBl. I S. 3024); Abs. 2 neu gef. mWv 1.6.2008 durch G v. 16.5.2008 (BGBl. I S. 842); Abs. 4 neu gef. mWv 22.7.2009 durch G v. 15.7.2009 (BGBl. I S. 1939); Abs. 2 Sätze 1 und 2 geänd. mWv 3.5.2011 durch G v. 28.4.2011 (BGBl. I S. 687); Abs. 4 geänd. mWv 1.4.2012 durch G v. 20.12.2011 (BGBl. I S. 2854); Abs. 4 geänd. mWv 1.7.2019 durch G v. 28.11.2018 (BGBl. I S. 2016); Abs. 3 geänd. mWv 1.1.2022 durch G v. 2.6.2021 (BGBl. I S. 1387); Abs. 4 geänd. mWv 1.10.2022 durch G v. 28.6.2022 (BGBl. I S. 969); Abs. 1 aufgeh., bish. Abs. 2–4 werden Abs. 1–3 geänd. mWv 24.12.2025 durch G v. 22.12.2025 (BGBl. 2025 I Nr. 355).

[3)] Nr. **422**.

[4)] Nr. **422a**.

[5)] Nr. **694**.

[6)] Siehe hierzu ua die Bek. des Gesamtsozialversicherungsbeitragssatzes und des Faktors F für das Jahr 2022 v. 8.12.2021 (BAnz AT 20.12.2021 B1).

[7)] § 345 Nr. 4 eingef., bish. Nr. 4 und 5 werden Nr. 5 und 6 mWv 1.1.2000 durch G v. 22.12.1999 (BGBl. I S. 2626); Nr. 1 geänd. mWv 1.7.2001 durch G v. 19.6.2001 (BGBl. I S. 1046); Nr. 6 geänd., Nr. 7 angef. mWv 1.1.2003 durch G v. 10.12.2001 (BGBl. I S. 3443); Nr. 6 geänd. mWv 1.1.2004 durch G v. 14.11.2003 (BGBl. I S. 2190); Nr. 2 geänd. mWv 1.2.2006 durch G v. 23.12.2003 (BGBl. I S. 2848); Nr. 7 geänd., Nr. 8 angef. mWv 1.7.2008 durch G v. 28.5.2008 (BGBl. I S. 874); Nr. 5 und 6 →

1. die in Einrichtungen der beruflichen Rehabilitation Leistungen erhalten, die ihnen eine Erwerbstätigkeit ermöglichen sollen, oder die in Einrichtungen der Jugendhilfe für eine Erwerbstätigkeit befähigt werden sollen, ein Arbeitsentgelt in Höhe von einem Fünftel der monatlichen Bezugsgröße,
2. die als Wehrdienstleistende oder als Zivildienstleistende versicherungspflichtig sind (§ 25 Abs. 2 Satz 2, § 26 Abs. 1 Nr. 2), ein Betrag in Höhe von 40 Prozent der monatlichen Bezugsgröße,
3. die als Gefangene versicherungspflichtig sind, ein Arbeitsentgelt in Höhe von 90 Prozent der Bezugsgröße,
4. die als nicht satzungsmäßige Mitglieder geistlicher Genossenschaften oder ähnlicher religiöser Gemeinschaften für den Dienst in einer solchen Genossenschaft oder ähnlichen religiösen Gemeinschaft außerschulisch ausgebildet werden, ein Entgelt in Höhe der gewährten Geld- und Sachbezüge,
5. die als Bezieherinnen oder Bezieher von Krankengeld, Krankengeld der Sozialen Entschädigung, Krankengeld der Soldatenentschädigung, Verletztengeld oder Übergangsgeld versicherungspflichtig sind, 80 Prozent des der Leistung zugrunde liegenden Arbeitsentgelts oder Arbeitseinkommens, wobei 80 Prozent des beitragspflichtigen Arbeitsentgelts aus einem versicherungspflichtigen Beschäftigungsverhältnis abzuziehen sind; bei gleichzeitigem Bezug von Krankengeld neben einer anderen Leistung ist das dem Krankengeld zugrunde liegende Einkommen nicht zu berücksichtigen,

5a. die Krankengeld nach § 44a des Fünften Buches[1] beziehen, das der Leistung zugrunde liegende Arbeitsentgelt oder Arbeitseinkommen; wird Krankengeld in Höhe der Entgeltersatzleistungen nach diesem Buch gezahlt, gilt Nummer 5,

5b. die Krankengeld nach § 45 Absatz 1 des Fünften Buches[1] oder Verletztengeld nach § 45 Absatz 4 des Siebten Buches[2] in Verbindung mit § 45 Absatz 1 oder Absatz 1a des Fünften Buches[1] beziehen, 80 Prozent des während der Freistellung ausgefallenen, laufenden Arbeitsentgelts oder des der Leistung zugrunde liegenden Arbeitseinkommens,

6. die als Bezieherinnen oder Bezieher von Krankentagegeld versicherungspflichtig sind, ein Arbeitsentgelt in Höhe von 70 Prozent der für die Erhebung der Beiträge zur gesetzlichen Krankenversicherung maßgeblichen Beitragsbemessungsgrenze (§ 223 Abs. 3 Satz 1 des Fünften Buches[3]). Für den Kalendermonat ist ein Zwölftel und für den Kalendertag ein Dreihundertsechzigstel des Arbeitsentgelts zugrunde zu legen,

6a. die von einem privaten Krankenversicherungsunternehmen, von einem Beihilfeträger des Bundes, von einem sonstigen öffentlich-rechtlichen Träger von Kosten in Krankheitsfällen auf Bundesebene, von dem Träger der

---

(Fortsetzung der Anm. von voriger Seite)
geänd. mWv 1.4.2012 durch G v. 20.12.2011 (BGBl. I S. 2854); Nr. 5a und 6a eingef. mWv 1.8.2012 durch G v. 21.7.2012 (BGBl. I S. 1601); Nr. 5b und 6b eingef. mWv 1.1.2015 durch G v. 23.12.2014 (BGBl. I S. 2462); Nr. 6a geänd. mWv 23.7.2015 durch G v. 16.7.2015 (BGBl. I S. 1211); Nr. 8 geänd. mWv 1.1.2017 durch G v. 21.12.2015 (BGBl. I S. 2424); Nr. 8 geänd. mWv 1.1.2025 durch G v. 17.7.2017 (BGBl. I S. 2575); Nr. 5 geänd. mWv 1.1.2024 durch G v. 12.12.2019 (BGBl. I S. 2652); Nr. 5 geänd. mWv 1.1.2025 durch G v. 20.8.2021 (BGBl. I S. 3932); Nr. 5b geänd. mWv 1.1.2024 durch G v. 12.12.2023 (BGBl. 2023 I Nr. 359).

[1] Nr. ***695***.
[2] Nr. **697**.
[3] **beck-online, Module Arbeitsrecht Nr. 695.**

Heilfürsorge im Bereich des Bundes, von dem Träger der truppenärztlichen Versorgung oder von öffentlich-rechtlichen Trägern von Kosten in Krankheitsfällen auf Landesebene, soweit Landesrecht dies vorsieht, Leistungen für den Ausfall von Arbeitseinkünften im Zusammenhang mit einer nach den §§ 8 und 8a des Transplantationsgesetzes[1] erfolgenden Spende von Organen oder Geweben oder im Zusammenhang mit einer im Sinne von § 9 des Transfusionsgesetzes erfolgenden Spende von Blut zur Separation von Blutstammzellen oder anderen Blutbestandteilen beziehen, das diesen Leistungen zugrunde liegende Arbeitsentgelt oder Arbeitseinkommen,

6b. die als Bezieherinnen oder Bezieher von Pflegeunterstützungsgeld versicherungspflichtig sind, 80 Prozent des während der Freistellung ausgefallenen, laufenden Arbeitsentgelts,

7. die als Bezieherinnen von Mutterschaftsgeld versicherungspflichtig sind, ein Arbeitsentgelt in Höhe des Mutterschaftsgeldes,

8. die als Pflegepersonen versicherungspflichtig sind (§ 26 Abs. 2b), ein Arbeitsentgelt in Höhe von 50 Prozent der monatlichen Bezugsgröße.

§ 345a[2] Pauschalierung der Beiträge. [1] Für die Personen, die als Bezieherinnen oder Bezieher einer Rente wegen voller Erwerbsminderung versicherungspflichtig sind (§ 26 Abs. 2 Nr. 3) wird für jedes Kalenderjahr ein Gesamtbeitrag festgesetzt. [2] Der Gesamtbeitrag beträgt

1. für das Jahr 2003	5 Millionen Euro,
2. für das Jahr 2004	18 Millionen Euro,
3. für das Jahr 2005	36 Millionen Euro,
4. für das Jahr 2006	19 Millionen Euro und
5. für das Jahr 2007	26 Millionen Euro.

[3] Der jährliche Gesamtbeitrag verändert sich im jeweils folgenden Kalenderjahr in dem Verhältnis, in dem

1. die Bezugsgröße der Sozialversicherung,
2. die Zahl der Zugänge an Arbeitslosengeldbezieherinnen und Arbeitslosengeldbeziehern aus dem Bezug einer Rente wegen voller Erwerbsminderung und
3. die durchschnittlich durch Zeiten des Bezuges einer Rente wegen voller Erwerbsminderung erworbene Anspruchsdauer

des vergangenen Kalenderjahres zu den entsprechenden Werten des vorvergangenen Kalenderjahres stehen. [4] Das Bundesministerium für Arbeit und Soziales macht den Gesamtbeitrag eines Kalenderjahres bis zum 1. Juli desselben Jahres im Bundesanzeiger bekannt.

---

[1] **Sartorius ErgBd. Nr. 280.**

[2] § 345a eingef. mWv 1.1.2003 durch G v. 10.12.2001 (BGBl. I S. 3443); Abs. 1 neu gef. mWv 1.1.2006 durch G v. 19.4.2007 (BGBl. I S. 538); Abs. 2 aufgeh. mWv 1.1.2007 durch G v. 22.12.2007 (BGBl. I S. 3245); Abs. 2 angef. mWv 1.1.2007 durch G v. 8.4.2008 (BGBl. I S. 681); Abs. 2 aufgeh. mWv 1.1.2008 durch G v. 20.12.2008 (BGBl. I S. 2860); Satz 1, Satz 3 Nr. 2 geänd. mWv 1.4.2012 durch G v. 20.12.2011 (BGBl. I S. 2854).

§ 345b[1] **Beitragspflichtige Einnahmen bei einem Versicherungspflichtverhältnis auf Antrag.** [1] Für Personen, die ein Versicherungspflichtverhältnis auf Antrag begründen, gilt als beitragspflichtige Einnahme

1. *(aufgehoben)*
2. in Fällen des § 28a Absatz 1 Nummer 2 und 3 ein Arbeitsentgelt in Höhe der monatlichen Bezugsgröße,
3. in Fällen des § 28a Absatz 1 Nummer 4 und 5 ein Arbeitsentgelt in Höhe von 50 Prozent der monatlichen Bezugsgröße.

[2] Abweichend von Satz 1 Nummer 2 gilt in Fällen des § 28a Absatz 1 Nummer 2 bis zum Ablauf von einem Kalenderjahr nach dem Jahr der Aufnahme der selbständigen Tätigkeit als beitragspflichtige Einnahme ein Arbeitsentgelt in Höhe von 50 Prozent der monatlichen Bezugsgröße.

Zweiter Unterabschnitt. Verfahren

§ 346[2] **Beitragstragung bei Beschäftigten.** (1) [1] Die Beiträge werden von den versicherungspflichtig Beschäftigten und den Arbeitgebern je zur Hälfte getragen. [2] Arbeitgeber im Sinne der Vorschriften dieses Titels sind auch die Auftraggeber von Heimarbeiterinnen und Heimarbeitern sowie Träger außerbetrieblicher Ausbildung.

(1a) Bei versicherungspflichtig Beschäftigten, deren beitragspflichtige Einnahme sich nach § 344 ***[bis 31.12.2026:*** Absatz 4***][ab 1.1.2027:*** *Absatz 3]* bestimmt, werden die Beiträge abweichend von Absatz 1 Satz 1 getragen

1. von den versicherungspflichtig Beschäftigten in Höhe der Hälfte des Betrages, der sich ergibt, wenn der Beitragssatz auf die nach Maßgabe von § 20 Absatz 2a Satz 6 des Vierten Buches[3] ermittelte beitragspflichtige Einnahme angewendet wird,
2. im Übrigen von den Arbeitgebern.

(1b) *(aufgehoben)*

(2) Der Arbeitgeber trägt die Beiträge allein für Menschen mit Behinderungen, die in einer anerkannten Werkstatt für behinderte Menschen, bei einem

---

[1] § 345b eingef. mWv 1.2.2006 durch G v. 23.12.2003 (BGBl. I S. 2848); Überschrift, Satz 1 Nr. 1 und 2 geänd., Satz 2 eingef., bish. Satz 2 wird Satz 3 mWv 1.1.2011 durch G v. 24.10.2010 (BGBl. I S. 1417); Satz 1 Nr. 1 aufgeh. mWv 1.1.2017 durch G v. 21.12.2015 (BGBl. I S. 2424); Satz 1 Nr. 2 geänd., Nr. 3 angef. mWv 1.8.2016 durch G v. 18.7.2016 (BGBl. I S. 1710); Satz 3 aufgeh. mWv 1.1.2025 durch G v. 17.7.2017 (BGBl. I S. 2575).

[2] § 346 Abs. 2 Satz 1 Nr. 1 geänd. durch G v. 16.12.1997 (BGBl. I S. 2970); Abs. 2 Satz 1 Nr. 1 neu gef. durch G v. 24.3.1999 (BGBl. I S. 388); Abs. 2 Satz 1 Nr. 1 geänd. mWv 1.1.2002 durch G v. 21.12.2000 (BGBl. I S. 1983); Abs. 2 Nr. 2 neu gef. mWv 1.7.2001 durch G v. 19.6.2001 (BGBl. I S. 1046); Abs. 1 Satz 2 geänd. mWv 1.1.2002 durch G v. 10.12.2001 (BGBl. I S. 3443); Abs. 1a eingef., Abs. 2 Satz 1 Nr. 1 geänd. mWv 1.4.2003 durch G v. 23.12.2002 (BGBl. I S. 4621); Abs. 2 neu gef. mWv 1.8.2003 durch G v. 24.7.2003 (BGBl. I S. 1526); Abs. 3 Satz 1 geänd. mWv 1.1.2008 durch G v. 20.4.2007 (BGBl. I S. 554); Abs. 2 geänd. mWv 14.9.2007 durch G v. 7.9.2007 (BGBl. I S. 2246); Abs. 1b eingef. mWv 1.1.2008 durch G v. 19.12.2007 (BGBl. I S. 3024); Abs. 1 Satz 2 geänd. mWv 1.4.2012 durch G v. 20.12.2011 (BGBl. I S. 2854); Abs. 3 Satz 3 angef. mWv 1.1.2017 durch G v. 8.12.2016 (BGBl. I S. 2838); Abs. 2 geänd. mWv 1.1.2018 durch G v. 23.12.2016 (BGBl. I S. 3234); Abs. 1b aufgeh. mWv 1.1.2020 durch G v. 12.12.2019 (BGBl. I S. 2522); Abs. 2 geänd. mWv 1.1.2022 durch G v. 2.6.2021 (BGBl. I S. 1387); Abs. 1a neu gef. mWv 1.10.2022 durch G v. *28.6.2022 (BGBl. I S. 969)*; Abs. 1a einl. Satzteil geänd. mWv 1.1.2027 durch G v. 22.12.2025 (BGBl. 2025 I Nr. 355).

[3] Nr. **694**.

anderen Leistungsanbieter nach § 60 des Neunten Buches[1] oder in einer Blindenwerkstätte im Sinne des § 226 des Neunten Buches[1] beschäftigt sind und deren monatliches Bruttoarbeitsentgelt ein Fünftel der monatlichen Bezugsgröße nicht übersteigt.

(3) [1] Für Beschäftigte, die wegen Vollendung des für die Regelaltersrente im Sinne des Sechsten Buches[2] erforderlichen Lebensjahres versicherungsfrei sind, tragen die Arbeitgeber die Hälfte des Beitrages, der zu zahlen wäre, wenn die Beschäftigten versicherungspflichtig wären. [2] Für den Beitragsanteil gelten die Vorschriften des Dritten Abschnitts des Vierten Buches[3] und die Bußgeldvorschriften des § 111 Abs. 1 Nr. 2 bis 4, 8 und Abs. 4 des Vierten Buches[4] entsprechend. [3] Die Sätze 1 und 2 sind bis zum 31. Dezember 2021 nicht anzuwenden.

§ 347[5] Beitragstragung bei sonstigen Versicherten. Die Beiträge werden getragen

1. für Personen, die in Einrichtungen der beruflichen Rehabilitation Leistungen erhalten, die eine Erwerbstätigkeit ermöglichen sollen, oder die in Einrichtungen der Jugendhilfe für eine Erwerbstätigkeit befähigt werden sollen, vom Träger der Einrichtung,
2. für Wehrdienstleistende oder für Zivildienstleistende nach der Hälfte des Beitragssatzes vom Bund,
3. für Gefangene von dem für die Vollzugsanstalt zuständigen Land,
4. für nicht satzungsmäßige Mitglieder geistlicher Genossenschaften oder ähnlicher religiöser Gemeinschaften während der Zeit der außerschulischen Ausbildung für den Dienst in einer solchen Genossenschaft oder ähnlichen religiösen Gemeinschaft von der geistlichen Genossenschaft oder ähnlichen religiösen Gemeinschaft,
5. für Personen, die Krankengeld oder Verletztengeld beziehen, von diesen und den Leistungsträgern je zur Hälfte, soweit sie auf die Leistung entfallen, im übrigen von den Leistungsträgern; die Leistungsträger tragen die Beiträge auch allein, soweit sie folgende Leistungen zahlen:

---

[1] Nr. **440**.
[2] Auszugsweise abgedruckt unter Nr. **696**.
[3] Auszugsweise abgedruckt unter Nr. **694**.
[4] Nr. **694**.
[5] § 347 Nr. 1 und 4 Buchst. c geänd. durch G v. 16.12.1997 (BGBl. I S. 2970); Nr. 4 Buchst. c geänd. durch G v. 24.3.1999 (BGBl. I S. 388); Nr. 4 eingef., bish. Nr. 4 und 5 werden Nr. 5 und 6 mWv 1.1.2000 durch G v. 22.12.1999 (BGBl. I S. 2626); Nr. 5 Buchst. c geänd. mWv 1.1.2002 durch G v. 21.12.2000 (BGBl. I S. 1983); Nr. 1 geänd. mWv 1.7.2001 durch G v. 19.6.2001 (BGBl. I S. 1046); Nr. 6 geänd., Nr. 7, 8 und 9 angef. mWv 1.1.2003 durch G v. 10.12.2001 (BGBl. I S. 3443); Nr. 5 Buchst. c geänd. mWv 1.4.2003 durch G v. 23.12.2002 (BGBl. I S. 4621); Nr. 8 geänd., Nr. 9 aufgeh. mWv 1.1.2007 durch G v. 22.12.2007 (BGBl. I S. 3245); Nr. 8 geänd., Nr. 9 angef. mWv 1.1.2007 durch G v. 8.4.2008 (BGBl. I S. 681); Nr. 9 geänd., Nr. 10 angef. mWv 1.7.2008 durch G v. 28.5.2008 (BGBl. I S. 874); Nr. 9 aufgeh. mWv 1.1.2008 durch G v. 20.12.2008 (BGBl. I S. 2860); Nr. 5 einl. Satzteil, Nr. 7 und Nr. 10 einl. Satzteil, Buchst. a, b und c geänd. mWv 1.4.2012 durch G v. 20.12.2011 (BGBl. I S. 2854); Nr. 5a und 6a eingef. mWv 1.8.2012 durch G v. 21.7.2012 (BGBl. I S. 1601); Nr. 5 Buchst. c geänd. mWv 1.1.2013 durch G v. 5.12.2012 (BGBl. I S. 2474); Nr. 6b eingef. mWv 1.1.2015 durch G v. 23.12.2014 (BGBl. I S. 2462); Nr. 6a geänd. mWv 23.7.2015 durch G v. 16.7.2015 (BGBl. I S. 1211); Nr. 10 geänd. mWv 1.1.2017 durch G v. 21.12.2015 (BGBl. I S. 2424); Nr. 5 Buchst. a geänd. mWv 1.1.2024 durch G v. 12.12.2019 (BGBl. I S. 2652); Nr. 5 Buchst. a geänd. mWv 1.1.2025 durch G v. 20.8.2021 (BGBl. I S. 3932); Nr. 5 Buchst. c und Nr. 6b geänd. mWv 1.10.2022 durch G v. 28.6.2022 (BGBl. I S. 969).

a) Krankengeld der Sozialen Entschädigung, Krankengeld der Soldatenentschädigung oder Übergangsgeld,

b) Krankengeld oder Verletztengeld in Höhe der Entgeltersatzleistungen nach diesem Buch oder

c) eine Leistung, die nach einem monatlichen Arbeitsentgelt bemessen wird, das die Geringfügigkeitsgrenze nicht übersteigt,

5a. für Personen, die Krankengeld nach § 44a des Fünften Buches[1] beziehen, vom Leistungsträger,

6. für Personen, die Krankentagegeld beziehen, von privaten Krankenversicherungsunternehmen,

6a. für Personen, die Leistungen für den Ausfall von Arbeitseinkünften im Zusammenhang mit einer nach den §§ 8 und 8a des Transplantationsgesetzes[2] erfolgenden Spende von Organen oder Geweben oder im Zusammenhang mit einer im Sinne von § 9 des Transfusionsgesetzes erfolgenden Spende von Blut zur Separation von Blutstammzellen oder anderen Blutbestandteilen beziehen, von der Stelle, die die Leistung erbringt; wird die Leistung von mehreren Stellen erbracht, sind die Beiträge entsprechend anteilig zu tragen,

6b. für Personen, die Pflegeunterstützungsgeld beziehen, von den Bezieherinnen oder Beziehern der Leistung zur Hälfte, soweit sie auf die Leistung entfallen, im Übrigen

a) von der Pflegekasse, wenn die oder der Pflegebedürftige in der sozialen Pflegeversicherung versichert ist,

b) vom privaten Versicherungsunternehmen, wenn die oder der Pflegebedürftige in der privaten Pflege-Pflichtversicherung versichert ist,

c) von der Festsetzungsstelle für die Beihilfe oder dem Dienstherrn und der Pflegekasse oder dem privaten Versicherungsunternehmen anteilig, wenn die oder der Pflegebedürftige Anspruch auf Beihilfe oder Heilfürsorge hat und in der sozialen Pflegeversicherung oder bei einem privaten Versicherungsunternehmen versichert ist;

die Beiträge werden von den Stellen, die die Leistung zu erbringen haben, allein getragen, wenn das der Leistung zugrunde liegende Arbeitsentgelt auf den Monat bezogen die Geringfügigkeitsgrenze nicht übersteigt,

(Fortsetzung nächstes Blatt)

---

[1] **Nr. 695.**
[2] **Sartorius ErgBd. Nr. 280.**

7. für Personen, die als Bezieherinnen oder Bezieher einer Rente wegen voller Erwerbsminderung versicherungspflichtig sind, von den Leistungsträgern,
8. für Personen, die als Bezieherinnen von Mutterschaftsgeld versicherungspflichtig sind, von den Leistungsträgern,
9. *(aufgehoben)*
10. für Personen, die als Pflegepersonen versicherungspflichtig sind (§ 26 Absatz 2b) und eine
    a) in der sozialen Pflegeversicherung versicherte pflegebedürftige Person pflegen, von der Pflegekasse,
    b) in der privaten Pflege-Pflichtversicherung versicherte pflegebedürftige Person pflegen, von dem privaten Versicherungsunternehmen,
    c) pflegebedürftige Person pflegen, die wegen Pflegebedürftigkeit Beihilfeleistungen oder Leistungen der Heilfürsorge und Leistungen einer Pflegekasse oder eines privaten Versicherungsunternehmens erhält, von der Festsetzungsstelle für die Beihilfe oder vom Dienstherrn und der Pflegekasse oder dem privaten Versicherungsunternehmen anteilig.

§ 348[1] Beitragszahlung für Beschäftigte. (1) Die Beiträge sind, soweit nichts Abweichendes bestimmt ist, von der- oder demjenigen zu zahlen, die oder der sie zu tragen hat.

(2) Für die Zahlung der Beiträge aus Arbeitsentgelt bei einer versicherungspflichtigen Beschäftigung gelten die Vorschriften des Vierten Buches[2] über den Gesamtsozialversicherungsbeitrag.

§ 349[3] Beitragszahlung für sonstige Versicherungspflichtige. (1) Für die Zahlung der Beiträge für Personen, die in Einrichtungen der beruflichen Rehabilitation Leistungen erhalten, die ihnen eine Erwerbstätigkeit ermöglichen soll, oder die in Einrichtungen der Jugendhilfe für eine Erwerbstätigkeit befähigt werden sollen, gelten die Vorschriften über die Beitragszahlung aus Arbeitsentgelt entsprechend.

(2) Die Beiträge für Wehrdienstleistende, für Zivildienstleistende und für Gefangene sind an die Bundesagentur zu zahlen.

(3) [1] Die Beiträge für Personen, die Sozialleistungen beziehen, sind von den Leistungsträgern an die Bundesagentur zu zahlen. [2] Die Bundesagentur und die

---

[1] § 348 Abs. 1 geänd. mWv 1.4.2012 durch G v. 20.12.2011 (BGBl. I S. 2854).

[2] Auszugsweise abgedruckt unter Nr. **694**.

[3] § 349 Abs. 1 geänd. durch G v. 16.12.1997 (BGBl. I S. 2970); Abs. 1 geänd. mWv 1.7.2001 durch G v. 19.6.2001 (BGBl. I S. 1046); Abs. 2 geänd. mWv 1.1.2003 durch G v. 10.12.2001 (BGBl. I S. 3443); Abs. 2 und 3, Abs 4 Sätze 1, 3 und 4 sowie Abs. 5 geänd. mWv 1.1.2004 durch G v. 23.12. 2003 (BGBl. I S. 2848); Abs. 2 geänd. mWv 1.1.2008 durch G v. 22.12.2007 (BGBl. I S. 3245); Abs. 2 geänd. mWv 1.1.2008 durch G v. 8.4.2008 (BGBl. I S. 681); Abs. 4a eingef., Abs. 5 Satz 1 geänd., Sätze 2 und 3 angef. mWv 1.7.2008 durch G v. 28.5.2008 (BGBl. I S. 874); Abs. 2 geänd. mWv 1.1. 2008 durch G v. 20.12.2008 (BGBl. I S. 2860); Abs. 3 Satz 1, Abs. 4 Sätze 1 und 3 zweiter Halbs. geänd. mWv 1.4.2012 durch G v. 20.12.2011 (BGBl. I S. 2854); Abs. 4b eingef., Abs. 5 Satz 1 geänd. mWv 1.8.2012 durch G v. 21.7.2012 (BGBl. I S. 1601); Abs. 4a Satz 2 eingef., bish. Satz 2 wird Satz 3, Abs. 5 Satz 2 geänd. mWv 1.1.2015 durch G v. 23.12.2014 (BGBl. I S. 2462); Nr. 6b eingef. mWv 1.1.2015 durch G v. 23.12.2014 (BGBl. I S. 2462); Abs. 4b Satz 1 geänd. mWv 23.7.2015 durch G v. 16.7.2015 (BGBl. I S. 1211); Abs. 4a Satz 1 und Abs. 5 Satz 2 geänd. mWv 1.1.2017 durch G v. 21.12.2015 (BGBl. I S. 2424); Abs. 4a Satz 3 geänd. mWv 1.1.2020 durch G v. 12.12.2019 (BGBl. I S. 2652); Abs. 5 Sätze 2 und 3 aufgeh. mWv 1.1.2024 durch G v. 20.12.2022 (BGBl. I S. 2759).

Leistungsträger regeln das Nähere über Zahlung und Abrechnung der Beiträge durch Vereinbarung.

(4) [1] Die Beiträge für Personen, die Krankentagegeld beziehen, sind von den privaten Krankenversicherungsunternehmen an die Bundesagentur zu zahlen. [2] Die Beiträge können durch eine Einrichtung dieses Wirtschaftszweiges gezahlt werden. [3] Mit dieser Einrichtung kann die Bundesagentur Näheres über Zahlung, Einziehung und Abrechnung vereinbaren; sie kann auch vereinbaren, daß der Beitragsabrechnung statistische Durchschnittswerte über die Zahl der Arbeitnehmerinnen und Arbeitnehmer, für die Beiträge zu zahlen sind, und über Zeiten der Arbeitsunfähigkeit zugrunde gelegt werden. [4] Der Bundesagentur sind Verwaltungskosten für den Einzug der Beiträge in Höhe von zehn Prozent der Beiträge pauschal zu erstatten, wenn die Beiträge nicht nach Satz 2 gezahlt werden.

(4a) [1] Die Beiträge für Personen, die als Pflegepersonen versicherungspflichtig sind (§ 26 Abs. 2b), sind von den Stellen, die die Beiträge zu tragen haben, an die Bundesagentur zu zahlen. [2] Die Beiträge für Bezieherinnen und Bezieher von Pflegeunterstützungsgeld sind von den Stellen, die die Leistung zu erbringen haben, an die Bundesagentur zu zahlen. [3] Das Nähere über das Verfahren der Beitragszahlung und Abrechnung der Beiträge können der Spitzenverband Bund der Pflegekassen, der Verband der privaten Krankenversicherung e.V., die Festsetzungsstellen für die Beihilfe, das Bundesamt für Soziale Sicherung und die Bundesagentur durch Vereinbarung regeln.

(4b) [1] Die Beiträge für Personen, die Leistungen für den Ausfall von Arbeitseinkünften im Zusammenhang mit einer nach den §§ 8 und 8a des Transplantationsgesetzes[1)] erfolgenden Spende von Organen oder Geweben oder im Zusammenhang mit einer im Sinne von § 9 des Transfusionsgesetzes erfolgenden Spende von Blut zur Separation von Blutstammzellen oder anderen Blutbestandteilen beziehen, sind von den Stellen, die die Beiträge zu tragen haben, an die Bundesagentur zu zahlen. [2] Absatz 4a Satz 2 gilt entsprechend.

(5) [1] Für die Zahlung der Beiträge nach den Absätzen 3 bis 4b sowie für die Zahlung der Beiträge für Gefangene gelten die Vorschriften für den Einzug der Beiträge, die an die Einzugsstellen zu zahlen sind, entsprechend, soweit die Besonderheiten der Beiträge nicht entgegenstehen; die Bundesagentur ist zur Prüfung der Beitragszahlung berechtigt. ***[Satz 2 bis 31.12.2023:]*** [2] Die Zahlung der Beiträge nach Absatz 4a erfolgt in Form eines Gesamtbeitrags für das Kalenderjahr, in dem die Pflegetätigkeit geleistet oder das Pflegeunterstützungsgeld in Anspruch genommen wurde (Beitragsjahr). ***[Satz 3 bis 31.12.2023:]*** [3] Abweichend von § 23 Abs. 1 Satz 4 des Vierten Buches[2)] ist der Gesamtbeitrag spätestens im März des Jahres fällig, das dem Beitragsjahr folgt.

§ 349a[3)] Beitragstragung und Beitragszahlung bei einem Versicherungspflichtverhältnis auf Antrag. [1] Personen, die ein Versicherungspflichtverhältnis auf Antrag begründen, tragen die Beiträge allein. [2] Die Beiträge sind an die Bundesagentur zu zahlen. [3] § 24 des Vierten Buches[2)] findet keine Anwendung.

[1)] **Sartorius ErgBd. Nr. 280.**

[2)] *Nr. 694.*

[3)] § 349a eingef. mWv 1.2.2006 durch G v. 23.12.2003 (BGBl. I S. 2848); Überschrift geänd., Satz 3 angef. mWv 1.1.2011 durch G v. 24.10.2010 (BGBl. I S. 1417).

§ 350[1] Meldungen der Sozialversicherungsträger. (1) [1] Die Einzugsstellen (§ 28i Viertes Buch[2]) haben monatlich der Bundesagentur die Zahl der nach diesem Buch versicherungspflichtigen Personen mitzuteilen. [2] Die Bundesagentur kann in die Geschäftsunterlagen und Statistiken der Einzugsstellen Einsicht nehmen, soweit dies zur Erfüllung ihrer Aufgaben erforderlich ist.

(2) Die Träger der Sozialversicherung haben der Bundesagentur auf Verlangen bei ihnen vorhandene Geschäftsunterlagen und Statistiken vorzulegen, soweit dies zur Erfüllung der Aufgaben der Bundesagentur erforderlich ist.

§ 351[3] Beitragserstattung. (1) [1] Für die Erstattung zu Unrecht gezahlter Beiträge gilt abweichend von § 26 Abs. 2 des Vierten Buches[2], daß sich der zu erstattende Betrag um den Betrag der Leistung mindert, der in irrtümlicher Annahme der Versicherungspflicht gezahlt worden ist. [2] § 27 Abs. 2 Satz 2 des Vierten Buches[2] gilt nicht.

(2) Die Beiträge werden erstattet durch

1. die Agentur für Arbeit, in deren Bezirk die Stelle ihren Sitz hat, an welche die Beiträge entrichtet worden sind,
2. die zuständige Einzugsstelle oder den Leistungsträger, soweit die Bundesagentur dies mit den Einzugsstellen oder den Leistungsträgern vereinbart hat.

Dritter Unterabschnitt.[4] Verordnungsermächtigung, Anordnungsermächtigung und Ermächtigung zum Erlass von Verwaltungsvorschriften

§ 352[5] Verordnungsermächtigung. (1) Die Bundesregierung wird ermächtigt, durch Rechtsverordnung nach Maßgabe der Finanzlage der Bundesagentur sowie unter Berücksichtigung der Beschäftigungs- und Wirtschaftslage sowie deren voraussichtlicher Entwicklung zu bestimmen, daß die Beiträge zeitweise nach einem niedrigeren Beitragssatz erhoben werden.

(2) Das Bundesministerium für Arbeit und Soziales wird ermächtigt, durch Rechtsverordnung

1. im Einvernehmen mit dem Bundesministerium der Finanzen, dem Bundesministerium der Verteidigung und dem Bundesministerium für Familie, Senioren, Frauen und Jugend eine Pauschalberechnung sowie die Fälligkeit, Zahlung und Abrechnung für einen Gesamtbeitrag der Wehrdienstleistenden und für einen Gesamtbeitrag der Zivildienstleistenden vorzuschreiben; es kann dabei eine geschätzte Durchschnittszahl der beitragspflichtigen Dienstleistenden zugrunde legen sowie die Besonderheiten berücksichtigen, die sich aus der Zusammensetzung dieses Personenkreises hinsichtlich der Bemessungsgrundlage und der Regelungen zur Anwartschaftszeit für das Arbeitslosengeld ergeben,

---

[1] § 350 geänd. mWv 1.1.2004 durch G v. 23.12.2003 (BGBl. I S. 2848).

[2] Nr. **694**.

[3] § 351 Abs. 2 Nr. 1–3 geänd. mWv 1.1.2004 durch G v. 23.12.2003 (BGBl. I S. 2848); Abs. 2 Satz 1 Nr. 1 geänd. mWv 1.5.2004 durch G v. 23.4.2004 (BGBl. I S. 602); Abs. 2 Nr. 2 geänd. mWv 1.1.2009 durch G v. 21.12.2008 (BGBl. I S. 2917); Abs. 2 Nr. 2 aufgeh., bish. Nr. 3 wird Nr. 2 mWv 1.8.2016 durch G v. 18.7.2016 (BGBl. I S. 1710).

[4] 3. UAbschnitt Überschrift neu gef. mWv 1.2.2006 durch G v. 23.12.2003 (BGBl. I S. 2848).

[5] § 352 Abs. 2 Nr. 1 geänd. durch G v. 16.12.1997 (BGBl. I S. 2970); Abs. 1, 2 und 3 geänd. mWv 1.1.2004 durch G v. 23.12.2003 (BGBl. I S. 2848); Abs. 2 und 3 geänd. mWv 8.11.2006 durch VO v. 31.10.2006 (BGBl. I S. 2407).

2. das Nähere über die Zahlung, Einziehung und Abrechnung der Beiträge, die von privaten Krankenversicherungsunternehmen zu zahlen sind, zu regeln.

(3) Das Bundesministerium für Arbeit und Soziales wird ermächtigt, durch Rechtsverordnung mit Zustimmung des Bundesrates eine Pauschalberechnung für die Beiträge der Gefangenen und der für die Vollzugsanstalten zuständigen Länder vorzuschreiben und die Zahlungsweise zu regeln.

§ 352a[1] Anordnungsermächtigung. Die Bundesagentur wird ermächtigt, durch Anordnung das Nähere zum Antragsverfahren, zur Kündigung, zur Fälligkeit, Zahlung und Abrechnung der Beiträge bei einem Versicherungspflichtverhältnis auf Antrag (§ 28a) zu bestimmen.

§ 353[2] Ermächtigung zum Erlaß von Verwaltungsvorschriften. Das Bundesministerium für Arbeit und Soziales kann mit Zustimmung des Bundesrates zur Durchführung der Meldungen der Sozialversicherungsträger Verwaltungsvorschriften erlassen.

Dritter Abschnitt. Umlagen

Erster Unterabschnitt.[3] Winterbeschäftigungs-Umlage

§ 354[4] Grundsatz. [1] Die Mittel für die ergänzenden Leistungen nach § 102 werden einschließlich der Verwaltungskosten und der sonstigen Kosten, die mit der Gewährung dieser Leistungen zusammenhängen, in den durch Verordnung nach § 109 Absatz 2 bestimmten Wirtschaftszweigen durch Umlage aufgebracht. [2] Die Umlage wird unter Berücksichtigung von Vereinbarungen der Tarifvertragsparteien der Wirtschaftszweige von Arbeitgebern oder gemeinsam von Arbeitgebern sowie Arbeitnehmerinnen und Arbeitnehmern aufgebracht und getrennt nach Zweigen des Baugewerbes und weiteren Wirtschaftszweigen abgerechnet.

§ 355[5] Höhe der Umlage. [1] Die Umlage ist in den einzelnen Zweigen des Baugewerbes und in weiteren Wirtschaftszweigen, die von saisonbedingtem Arbeitsausfall betroffen sind, monatlich nach einem Prozentsatz der Bruttoarbeitsentgelte der dort beschäftigten Arbeitnehmerinnen und Arbeitnehmer, die ergänzende Leistungen nach § 102 erhalten können, zu erheben. [2] Die Verwaltungskosten und die sonstigen Kosten können pauschaliert und für die einzelnen Wirtschaftszweige im Verhältnis der Anteile an den Ausgaben berücksichtigt werden.

---

[1] § 352a eingef. mWv 1.2.2006 durch G v. 23.12.2003 (BGBl. I S. 2848); geänd. mWv 1.1.2011 durch G v. 24.10.2010 (BGBl. I S. 1417).

[2] § 353 geänd. mWv 1.4.2012 durch G v. 20.12.2011 (BGBl. I S. 2854).

[3] 1. UAbschnitt Überschrift neu gef. durch G v. 22.10.1997 (BGBl. I S. 2486); Überschrift neu gef. mWv 1.1.2008 durch G v. 19.12.2007 (BGBl. I S. 3024).

[4] § 354 neu gef. mWv 1.4.2006 durch G v. 24.4.2006 (BGBl. I S. 926); Sätze 1 und 2 geänd. mWv 1.4.2012 durch G v. 20.12.2011 (BGBl. I S. 2854); Satz 1 geänd. mWv 1.10.2022 durch G v. 19.10.2022 (BGBl. I S. 1790).

[5] § 355 neu gef. durch G v. 22.10.1997 (BGBl. I S. 2486); Satz 1 neu gef., Satz 2 geänd. mWv 1.4.2006 durch G v. 24.4.2006 (BGBl. I S. 926); Satz 1 geänd. mWv 1.4.2012 durch G v. 20.12.2011 (BGBl. I S. 2854).

§ 356[1)] Umlageabführung. (1) [1]Die Arbeitgeber führen die Umlagebeträge über die gemeinsame Einrichtung ihres Wirtschaftszweiges oder über eine Ausgleichskasse ab. [2]Dies gilt auch, wenn die Umlage gemeinsam von Arbeitgebern sowie Arbeitnehmerinnen und Arbeitnehmern aufgebracht wird; in diesen Fällen gelten § 28e Abs. 1 Satz 1 und § 28g des Vierten Buches[2)] entsprechend. [3]Kosten werden der gemeinsamen Einrichtung oder der Ausgleichskasse nicht erstattet. [4]Die Bundesagentur kann mit der gemeinsamen Einrichtung oder der Ausgleichskasse ein vereinfachtes Abrechnungsverfahren vereinbaren und dabei auf Einzelnachweise verzichten.

(2) [1]Umlagepflichtige Arbeitgeber, auf die die Tarifverträge über die gemeinsamen Einrichtungen oder Ausgleichskassen keine Anwendung finden, führen die Umlagebeträge unmittelbar an die Bundesagentur ab. [2]Sie haben der Bundesagentur die Mehraufwendungen für die Einziehung pauschal zu erstatten.

§ 357[3)] Verordnungsermächtigung. (1) Das Bundesministerium für Arbeit und Soziales wird ermächtigt, durch Rechtsverordnung

1. die Höhe der pauschalierten Verwaltungskosten, die von der Umlage in einzelnen Wirtschaftszweigen aufzubringen sind,
2. den jeweiligen Prozentsatz zur Berechnung der Umlage, eine gemeinsame Tragung der Umlage durch Arbeitgeber sowie Arbeitnehmerinnen und Arbeitnehmer und, bei gemeinsamer Tragung, die jeweiligen Anteile,
3. zur Berechnung der Umlage die umlagepflichtigen Bestandteile der Bruttoarbeitsentgelte in den einzelnen Zweigen des Baugewerbes und weiteren Wirtschaftszweigen, die von saisonbedingtem Arbeitsausfall betroffen sind,
4. die Höhe der Pauschale für die Mehraufwendungen in Fällen, in denen die Arbeitgeber ihre Umlagebeträge nicht über eine gemeinsame Einrichtung oder Ausgleichskasse abführen,
5. die Voraussetzungen zur Entrichtung der Umlagebeträge in längeren Abrechnungsintervallen und
6. das Nähere über die Zahlung und Einziehung der Umlage

festzulegen.

(2) [1]Bei der Festsetzung des jeweiligen Prozentsatzes ist zu berücksichtigen, welche ergänzenden Leistungen nach § 102 in Anspruch genommen werden können. [2]Der jeweilige Prozentsatz ist so festzusetzen, dass das Aufkommen aus der Umlage unter Berücksichtigung von eventuell bestehenden Fehlbeträgen oder Überschüssen für die einzelnen Wirtschaftszweige ausreicht, um den voraussichtlichen Bedarf der Bundesagentur für die Aufwendungen nach § 354 Satz 1 zu decken.

[1)] § 356 neu gef. mWv 1.4.2006 durch G v. 24.4.2006 (BGBl. I S. 926); Abs. 1 Satz 2 erster Halbs. geänd. mWv 1.4.2012 durch G v. 20.12.2011 (BGBl. I S. 2854).

[2)] Nr. **694**.

[3)] § 357 neu gef. mWv 1.4.2006 durch G v. 24.4.2006 (BGBl. I S. 926); Abs. 1 Nr. 2 und Abs. 2 Satz 1 geänd. mWv 1.4.2012 durch G v. 20.12.2011 (BGBl. I S. 2854).

Zweiter Unterabschnitt.[1] Umlage für das Insolvenzgeld

§ 358[2] **Aufbringung der Mittel.** (1) [1] Die Mittel für die Zahlung des Insolvenzgeldes werden durch eine monatliche Umlage von den Arbeitgebern aufgebracht. [2] Der Bund, die Länder, die Gemeinden sowie Körperschaften, Stiftungen und Anstalten des öffentlichen Rechts, über deren Vermögen ein Insolvenzverfahren nicht zulässig ist, und solche juristischen Personen des öffentlichen Rechts, bei denen der Bund, ein Land oder eine Gemeinde kraft Gesetzes die Zahlungsfähigkeit sichert, und private Haushalte werden nicht in die Umlage einbezogen.

(2) [1] Die Umlage ist nach einem Prozentsatz des Arbeitsentgelts (Umlagesatz) zu erheben. [2] Maßgebend ist das Arbeitsentgelt, nach dem die Beiträge zur gesetzlichen Rentenversicherung für die im Betrieb beschäftigten Arbeitnehmerinnen, Arbeitnehmer und Auszubildenden bemessen werden oder im Fall einer Versicherungspflicht in der gesetzlichen Rentenversicherung zu bemessen wären. [3] Für die Zeit des Bezugs von Kurzarbeitergeld, Saisonkurzarbeitergeld ***[bis 31.3.2024:*** oder***][ab 1.4.2024:***,***]*** Transferkurzarbeitergeld ***[ab 1.4.2024:*** *oder Qualifizierungsgeld****]*** bemessen sich die Umlagebeträge nach dem tatsächlich erzielten Arbeitsentgelt bis zur Beitragsbemessungsgrenze der gesetzlichen Rentenversicherung.

(3) [1] Zu den durch die Umlage zu deckenden Aufwendungen gehören

1. das Insolvenzgeld einschließlich des von der Bundesagentur gezahlten Gesamtsozialversicherungsbeitrages,
2. die Verwaltungskosten und
3. die Kosten für den Einzug der Umlage und der Prüfung der Arbeitgeber.

[2] Die Kosten für den Einzug der Umlage und der Prüfung der Arbeitgeber werden pauschaliert.

§ 359[3] **Einzug und Weiterleitung der Umlage.** (1) [1] Die Umlage ist zusammen mit dem Gesamtsozialversicherungsbeitrag an die Einzugsstelle zu zahlen. [2] Die für den Gesamtsozialversicherungsbeitrag geltenden Vorschriften des Vierten Buches[4] finden entsprechende Anwendung, soweit dieses Gesetz nichts anderes bestimmt.

(2) Die Einzugsstelle leitet die Umlage einschließlich der Zinsen und Säumniszuschläge arbeitstäglich an die Bundesagentur weiter.

§ 360[5] **Umlagesatz.** Der Umlagesatz beträgt 0,15 Prozent.

§ 361[6] **Verordnungsermächtigung.** Das Bundesministerium für Arbeit und Soziales wird ermächtigt, durch Rechtsverordnung mit Zustimmung des Bundesrates

---

[1] 2. UAbschnitt (§§ 358–362) neu gef. mWv 1.1.2009 durch G v. 30.10.2008 (BGBl. I S. 2130).

[2] § 358 neu gef. mWv 1.1.2009 durch G v. 30.10.2008 (BGBl. I S. 2130); Abs. 3 Satz 1 Nr. 1 geänd. mWv 1.4.2012 durch G v. 20.12.2011 (BGBl. I S. 2854); Abs. 2 Satz 3 geänd. mWv 1.4.2024 durch G v. 17.7.2023 (BGBl. 2023 I Nr. 191).

[3] § 359 neu gef. mWv 1.1.2009 durch G v. 30.10.2008 (BGBl. I S. 2130); Abs. 2 geänd. mWv 1.4.2012 durch G v. 20.12.2011 (BGBl. I S. 2854).

[4] Auszugsweise abgedruckt unter Nr. **694**.

[5] § 360 neu gef. mWv 1.1.2013 durch G v. 5.12.2012 (BGBl. I S. 2447); geänd. mWv 1.1.2021 und mWv 1.1.2022 durch G v. 3.12.2020 (BGBl. I S. 2691).

[6] § 361 neu gef. mWv 1.1.2009 durch G v. 30.10.2008 (BGBl. I S. 2130); Satz 1 Nr. 2 geänd. mWv 1.4.2012 durch G v. 20.12.2011 (BGBl. I S. 2854); Satz 1 Nr. 2 geänd. mWv 1.1.2013 durch G

1. im Einvernehmen mit dem Bundesministerium der Finanzen und dem Bundesministerium für Wirtschaft und Energie zum Ausgleich von Überschüssen oder Fehlbeständen unter Berücksichtigung der Beschäftigungs- und Wirtschaftslage zu bestimmen, dass die Umlage jeweils für ein Kalenderjahr nach einem von § 360 abweichenden Umlagesatz erhoben wird; dabei soll ein niedrigerer Umlagesatz angesetzt werden, wenn die Rücklage die durchschnittlichen jährlichen Aufwendungen der vorhergehenden fünf Kalenderjahre übersteigt, und ein höherer, wenn der Fehlbestand mehr als die durchschnittlichen jährlichen Aufwendungen der vorhergehenden fünf Kalenderjahre beträgt,
2. die Höhe der Pauschale für die Kosten des Einzugs der Umlage und der Prüfung der Arbeitgeber nach Anhörung der Bundesagentur, der Deutschen Rentenversicherung Bund, des Spitzenverbandes Bund der Krankenkassen und der Sozialversicherung für Landwirtschaft, Forsten und Gartenbau sowie der Deutschen Rentenversicherung Knappschaft-Bahn-See festzusetzen.

§ 362[1)] *(aufgehoben)*

Vierter Abschnitt. Beteiligung des Bundes

§ 363[2)] **Finanzierung aus Bundesmitteln.** (1) [1]Der Bund trägt die Ausgaben für die Aufgaben, deren Durchführung die Bundesregierung auf Grund dieses Buches der Bundesagentur übertragen hat. [2]Verwaltungskosten der Bundesagentur werden nicht erstattet.

(2) [1]Der Bund trägt die Ausgaben für die weiteren Aufgaben, die er der Bundesagentur durch Gesetz übertragen hat. [2]Hierfür werden der Bundesagentur die Verwaltungskosten erstattet, soweit in dem jeweiligen Gesetz nichts Abweichendes bestimmt ist.

§ 364[3)] **Liquiditätshilfen.** (1) Der Bund leistet die zur Aufrechterhaltung einer ordnungsgemäßen Kassenwirtschaft notwendigen Liquiditätshilfen als zinslose Darlehen, wenn die Mittel der Bundesagentur zur Erfüllung der Zahlungsverpflichtungen nicht ausreichen.

(2) Die Darlehen sind zurückzuzahlen, sobald und soweit am Ende eines Tages die Einnahmen die Ausgaben übersteigen.

(Fortsetzung der Anm. von voriger Seite)
v. 12.4.2012 (BGBl. I S. 579); Satz 1 Nr. 1 neu gef., Sätze 2 und 3 aufgeh. mWv 1.1.2013 durch G v. 5.12.2012 (BGBl. I S. 2447); Nr. 1 geänd. mWv 8.9.2015 durch VO v. 31.8.2015 (BGBl. I S. 1474).

[1)] § 362 aufgeh. mWv 1.4.2012 durch G v. 20.12.2011 (BGBl. I S. 2854).

[2)] § 363 Abs. 2 aufgeh. mWv 1.1.2001 durch G v. 21.12.2000 (BGBl. I S. 1971); Abs. 1 Satz 2, Abs. 3 Sätze 1 und 2 geänd. mWv 1.1.2004 durch G v. 23.12.2003 (BGBl. I S. 2848); Abs. 1 Satz 1 geänd. mWv 1.1.2005 durch G v. 24.12.2003 (BGBl. I S. 2954); Abs. 1 eingef., bish. Abs. 1 wird Abs. 2 mWv 1.1.2007 durch G v. 29.6.2006 (BGBl. I S. 1402); Abs. 1 Satz 4 angef. mWv 1.1.2009 durch G v. 20.12.2008 (BGBl. I S. 2860); Abs. 1 Satz 5 angef. mWv 22.7.2009 durch G v. 15.7.2009 (BGBl. I S. 1939); Abs. 1 Satz 2 neu gef., Satz 3 geänd. mWv 1.1.2012 durch G v. 6.12.2011 (BGBl. I S. 2563); Abs. 1 aufgeh., bish. Abs. 2 und 3 werden Abs. 1 und 2 mWv 1.1.2013 durch G v. 20.12.2012 (BGBl. I S. 2781).

[3)] § 364 Abs. 1 geänd. mWv 1.1.2004 durch G v. 23.12.2003 (BGBl. I S. 2848); Abs. 2 neu gef. mWv 1.1.2005 durch G v. 30.7.2004 (BGBl. I S. 2014).

§ 365[1] **Stundung von Darlehen.** Kann die Bundesagentur als Liquiditätshilfen geleistete Darlehen des Bundes bis zum Schluss des Haushaltsjahres nicht zurückzahlen, gilt die Rückzahlung als bis zum Schluss des folgenden Haushaltsjahres gestundet.

Fünfter Abschnitt.[2] Rücklage und Versorgungsfonds

§ 366[3] **Bildung und Anlage der Rücklage.** (1) Die Bundesagentur hat aus den Überschüssen der Einnahmen über die Ausgaben eine Rücklage zu bilden.

(2) Soweit in einem Haushaltsjahr die Einnahmen aus einer Umlage die aus dieser zu zahlenden Ausgaben übersteigen, sind die Überschüsse der Einnahmen über die Ausgaben jeweils einer gesonderten Rücklage zuzuführen.

(3) [1] Die Rücklage ist nach wirtschaftlichen Grundsätzen so anzulegen, daß bis zur vollen Höhe der Rücklage die jederzeitige Zahlungsfähigkeit der Bundesagentur gewährleistet ist. [2] Die Bundesagentur kann mit Zustimmung des Bundesministeriums für Arbeit und Soziales sowie des Bundesministeriums der Finanzen Verwaltungsvorschriften über die Anlage der Rücklage erlassen.

§ 366a[4] **Versorgungsfonds.** (1) [1] Zur Finanzierung der Versorgungsausgaben (Versorgungsaufwendungen und Beihilfen) für

1. Versorgungsempfängerinnen und Versorgungsempfänger,
2. Beamtinnen und Beamte und
3. Beschäftigte, denen eine Anwartschaft auf Versorgung nach beamtenrechtlichen Vorschriften oder Grundsätzen gewährleistet wird,

wird ein Sondervermögen der Bundesagentur unter dem Namen „Versorgungsfonds der Bundesagentur für Arbeit" errichtet. [2] Dies gilt nicht für Personen im Beamtenverhältnis auf Widerruf.

(2) Das Sondervermögen „Versorgungsfonds der Bundesagentur für Arbeit" wird finanziert aus

1. regelmäßigen sowie ergänzenden Zuweisungen der Bundesagentur,
2. den sich nach § 14a Absatz 2 und 3 des Bundesbesoldungsgesetzes[5] ergebenden Beträgen und
3. den Erträgen des Versorgungsfonds.

(3) [1] Die ergänzenden Zuweisungen werden dem Versorgungsfonds aus der Rücklage der Bundesagentur nach § 366 Absatz 1 zugeführt. [2] Sie können sowohl zum Ausgleich einer festgestellten Unterfinanzierung als auch anstelle zukünftiger regelmäßiger Zuweisungen nach Absatz 2 Nummer 1 vorgenommen werden. [3] Über Zeitpunkt und Höhe der ergänzenden Zuweisungen entscheidet die Bundesagentur mit Zustimmung des Bundesministeriums für Arbeit und Soziales und des Bundesministeriums der Finanzen.

---

[1] § 365 neu gef. mWv 1.2.2009 durch G v. 2.3.2009 (BGBl. I S. 416).

[2] 5. Abschnitt Überschrift neu gef. mWv 1.1.2008 durch G v. 22.12.2007 (BGBl. I S. 3245).

[3] § 366 Abs. 1 und 2 geänd. mWv 1.1.2004 durch G v. 23.12.2003 (BGBl. I S. 2848); Abs. 2 Satz 2 geänd. mWv 8.11.2006 durch VO v. 31.10.2006 (BGBl. I S. 2407); Abs. 2 eingef., bish. Abs. 2 wird Abs. 3 mWv 31.12.2012 durch G v. 20.12.2011 (BGBl. I S. 2854).

[4] § 366a eingef. mWv 1.1.2008 durch G v. 22.12.2007 (BGBl. I S. 3245); Abs. 2 einl. Satzteil geänd., Nr. 1 und 2 aufgeh., bish. Nr. 3–5 werden Nr. 1–3, neue Nr. 1 und 2 geänd., Abs. 3 neu gef., *Abs. 4 Satz 1 geänd.* mWv 11.1.2017 durch G v. 5.1.2017 (BGBl. I S. 17); Abs. 2 Nr. 1 geänd. mWv 1.1.2019 durch G v. 18.12.2018 (BGBl. I S. 2651).

[5] **Sartorius Nr. 230.**

(4) [1] Die regelmäßigen Zuweisungen nach Absatz 2 Nummer 1 dienen dazu, die Versorgungsanwartschaften des in Absatz 1 Nr. 2 und 3 genannten Personenkreises der Bundesagentur abzudecken. [2] Die Höhe der monatlich für jede Person abzuführenden Zuweisung bestimmt sich nach Prozentsätzen der jeweiligen ruhegehaltfähigen Dienstbezüge oder Entgeltzahlungen auf der Grundlage versicherungsmathematischer Berechnungen und ist regelmäßig zu überprüfen. [3] Die Höhe und das Verfahren der Zuweisungen sowie das Verfahren der Überprüfung legt das Bundesministerium für Arbeit und Soziales unter Beachtung der Liquidität des Sondervermögens durch Rechtsverordnung im Einvernehmen mit dem Bundesministerium der Finanzen fest. [4] Unter Berücksichtigung der Abflüsse ist die Zahlungsfähigkeit des Sondervermögens jederzeit sicherzustellen. [5] Das Bundesministerium für Arbeit und Soziales kann die Befugnis nach Satz 3 im Einvernehmen mit dem Bundesministerium der Finanzen durch Rechtsverordnung auf den Vorstand der Bundesagentur übertragen. [6] Für Beamtinnen und Beamte, die nach § 387 Abs. 3 bis 6 beurlaubt sind oder denen die Zeit ihrer Beurlaubung als ruhegehaltfähig anerkannt worden ist, sind regelmäßige Zuweisungen auf der Grundlage der ihnen ohne die Beurlaubung jeweils zustehenden ruhegehaltfähigen Dienstbezüge zu leisten.

(5) [1] Der Versorgungsfonds ist ein nicht rechtsfähiges Sondervermögen der Bundesagentur. [2] Die Bundesagentur hat den Versorgungsfonds getrennt von ihrem sonstigen Vermögen zu verwalten. [3] Sie hat einen jährlichen Wirtschaftsplan zu erstellen, der der Genehmigung durch die Bundesregierung bedarf. [4] Für jedes Rechnungsjahr ist auf der Grundlage des Wirtschaftsplanes eine Jahresrechnung aufzustellen, in der der Bestand des Versorgungsfonds, die Einnahmen und Ausgaben sowie die Forderungen und Verbindlichkeiten nachzuweisen sind. [5] Die Jahresrechnung ist dem Bundesministerium für Arbeit und Soziales zum Ende des zweiten Monats eines Haushaltsjahres vorzulegen.

(6) [1] Die Verwaltung der Mittel des Versorgungsfonds der Bundesagentur wird der Deutschen Bundesbank übertragen. [2] Die Mittel des Versorgungsfonds sind einschließlich der Erträge entsprechend der für den Versorgungsfonds des Bundes nach dem Versorgungsrücklagegesetz geltenden Grundsätze und Richtlinien auf der Grundlage einer von der Bundesagentur jährlich aufzustellenden langfristigen Planung der Nettozuweisungen und Abflüsse zu verwalten und anzulegen. [3] Über die Terminierung der Anlage der einmaligen Zuweisung nach Absatz 2 Nr. 1 schließen die Bundesagentur und die Deutsche Bundesbank eine Vereinbarung.

(7) Mit Errichtung des Versorgungsfonds werden alle Versorgungsausgaben der Bundesagentur aus diesem geleistet.

Elftes Kapitel.[1] Organisation und Datenschutz

Erster Abschnitt. Bundesagentur für Arbeit

§ 367[2] Bundesagentur für Arbeit. (1) Die Bundesagentur für Arbeit (Bundesagentur) ist eine rechtsfähige bundesunmittelbare Körperschaft des öffentlichen Rechts mit Selbstverwaltung.

---

[1] 11. Kapitel (§§ 367–403) neu gef. mWv 1.1.2004 durch G v. 23.12.2003 (BGBl. I S. 2848).

[2] § 367 neu gef. mWv 1.1.2004 durch G v. 24.12.2003 (BGBl. I S. 2954).

(2) [1]Die Bundesagentur gliedert sich in eine Zentrale auf der oberen Verwaltungsebene, Regionaldirektionen auf der mittleren Verwaltungsebene und Agenturen für Arbeit auf der örtlichen Verwaltungsebene. [2]Die Bundesagentur kann besondere Dienststellen errichten.

(3) [1]Die Regionaldirektionen tragen Verantwortung für den Erfolg der regionalen Arbeitsmarktpolitik. [2]Zur Abstimmung der Leistungen der Arbeitsförderung mit der Arbeitsmarkt-, Struktur- und Wirtschaftspolitik der Länder arbeiten sie mit den Landesregierungen zusammen.

(4) Die Bundesagentur hat ihren Sitz in Nürnberg.

§ 368[1)] Aufgaben der Bundesagentur. (1) [1]Die Bundesagentur ist der für die Durchführung der Aufgaben nach diesem Buch zuständige Verwaltungsträger. [2]Sie darf ihre Mittel nur für die gesetzlich vorgeschriebenen oder zugelassenen Zwecke verwenden.

(1a) [1]Die Bundesagentur für Arbeit nimmt auf der Grundlage des über- und zwischenstaatlichen Rechts die Funktion der Verbindungsstelle für die Aufgaben nach diesem Buch oder nach dem Zweiten Buch[2)] wahr. [2]Hierzu gehören insbesondere

1. die Koordinierung der Verwaltungshilfe und des Datenaustauschs bei grenzüberschreitenden Sachverhalten für den Bereich der Leistungen bei Arbeitslosigkeit,
2. Aufklärung, Beratung und Information.

(2) [1]Die Bundesagentur darf für Bundesbehörden Dienstleistungen im Rahmen der Festlegungen des Rates der IT-Beauftragten in den Bereichen Internet-Webhosting, Dienstausweis mit elektronischer Signatur, Druck- und Kuvertierleistungen sowie Archivierung von elektronischen Informationsobjekten erbringen, soweit dies ihre durch dieses Gesetz oder andere Bundesgesetze oder auf Grund dieser Gesetze zugewiesenen Aufgaben nicht beeinträchtigt. [2]Dadurch entstehende Kosten sind ihr zu erstatten. [3]Das Nähere ist jeweils in Verwaltungsvereinbarungen zu regeln.

(2a) Um die örtliche rechtskreisübergreifende Zusammenarbeit zur Integration junger Menschen in den Ausbildungs- und Arbeitsmarkt zu unterstützen, entwickelt, betreibt und finanziert die Bundesagentur ein IT-System, welches den im jeweiligen Einzelfall beteiligten Leistungsträgern zur Verfügung gestellt werden kann.

[Abs. 2b bis 31.12.2027:]

(2b) [1]Um die Transparenz auf dem Arbeitsmarkt zu erhöhen und die Weiterbildungsbeteiligung von Arbeitnehmerinnen und Arbeitnehmern zu steigern, prüft die Bundesagentur den Aufbau und Betrieb eines Weiterbildungsportals. [2]Abhängig von den Ergebnissen der Prüfung kann sie ein Weiterbil-

---

[1)] § 368 neu gef. mWv 1.1.2004 durch G v. 23.12.2003 (BGBl. I S. 2848); Abs. 3 neu gef. mWv 1.1.2004 durch G v. 24.12.2003 (BGBl. I S. 2954); Abs. 1a eingef. mWv 29.6.2011 durch G v. 22.6. 2011 (BGBl. I S. 1202); Abs. 2 eingef., bish. Abs. 2–4 werden Abs. 3–5 mWv 30.12.2011 durch G v. 22.12.2011 (BGBl. I S. 3057); Abs. 2a eingef. mWv 1.4.2020 durch G v. 4.3.2020 (BGBl. I S. 437); Abs. 2b eingef. mWv 10.12.2020 durch G v. 3.12.2020 (BGBl. I S. 2691); Abs. 2b aufgeh. mWv 1.1. 2028 durch G v. 3.12.2020 (BGBl. I S. 2691, geänd. durch G v. 22.12.2025 BGBl. 2025 I Nr. 355); Abs. 2c eingef. mWv 24.12.2025 durch G v. 22.12.2025 (BGBl. 2025 I Nr. 355); Abs. 2a neu gef. mWv 1.7.2026 durch G v. 16.4.2026 (BGBl. 2026 I Nr. 107).

[2)] Nr. **692**.

dungsportal probeweise entwickeln und betreiben. [3]Der Bund kann sich an den Kosten der Entwicklung des Weiterbildungsportals einschließlich der Prüfung nach Satz 1 beteiligen.

(2c) [1]Um die örtliche rechtskreisübergreifende Zusammenarbeit zwischen den Agenturen für Arbeit und den zugelassenen kommunalen Trägern bei der Förderung der beruflichen Weiterbildung nach dem Vierten Abschnitt des Dritten Kapitels und der Teilhabe von Menschen mit Behinderungen am Arbeitsleben nach dem Siebten Abschnitt des Dritten Kapitels zu unterstützen, entwickelt und betreibt die Bundesagentur ein IT-System, das an eine Schnittstelle angebunden wird, die auch den zugelassenen kommunalen Trägern die Anbindung ihrer IT-Systeme ermöglicht. [2]Die Bundesagentur kann eine vorhandene Schnittstelle nutzen oder eine neue Schnittstelle entwickeln, betreiben und den zugelassenen kommunalen Trägern für die Anbindung ihrer IT-Systeme zur Verfügung stellen. [3]Die zugelassenen kommunalen Träger müssen der Bundesagentur die hierfür entstehenden Aufwendungen nicht erstatten.

(3) [1]Die Bundesregierung kann der Bundesagentur durch Rechtsverordnung mit Zustimmung des Bundesrates weitere Aufgaben übertragen, die im Zusammenhang mit deren Aufgaben nach diesem Buch stehen. [2]Die Durchführung befristeter Arbeitsmarktprogramme kann sie der Bundesagentur durch Verwaltungsvereinbarung übertragen.

(4) Die Regionaldirektionen können mit Zustimmung der Zentrale durch Verwaltungsvereinbarung die Durchführung befristeter Arbeitsmarktprogramme der Länder übernehmen.

(5) Die Agenturen für Arbeit können die Zusammenarbeit mit Kreisen und Gemeinden in Verwaltungsvereinbarungen regeln.

§ 368a[1)] Bekämpfung von organisiertem Leistungsmissbrauch.

(1) Die Bundesagentur bekämpft organisierten Leistungsmissbrauch insbesondere durch präventive, analytische und koordinierende Maßnahmen.

(2) Die Bundesagentur arbeitet mit den Stellen nach § 9 Absatz 3 Satz 1 und den Strafverfolgungsbehörden zusammen, um organisierten Leistungsmissbrauch zu verhindern und aufzudecken.

§ 369[2)] Besonderheiten zum Gerichtsstand. Hat eine Klage gegen die Bundesagentur Bezug auf den Aufgabenbereich einer Regionaldirektion oder einer Agentur für Arbeit, und ist der Sitz der Bundesagentur maßgebend für die örtliche Zuständigkeit des Gerichts, so kann die Klage auch bei dem Gericht erhoben werden, in dessen Bezirk die Regionaldirektion oder die Agentur für Arbeit ihren Sitz hat.

§ 370[3)] Beteiligung an Gesellschaften. Die Bundesagentur kann die Mitgliedschaft in Vereinen erwerben und mit Zustimmung des Bundesministeriums für Arbeit und Soziales sowie des Bundesministeriums der Finanzen Gesellschaften gründen oder sich an Gesellschaften beteiligen, wenn dies zur Erfüllung ihrer Aufgaben nach diesem Buch zweckmäßig ist.

[1)] § 368a neu gef. mWv 1.7.2026 durch G v. 16.4.2026 (BGBl. 2026 I Nr. 107).
[2)] § 369 neu gef. mWv 1.1.2004 durch G v. 23.12.2003 (BGBl. I S. 2848).
[3)] § 370 neu gef. mWv 1.1.2004 durch G v. 23.12.2003 (BGBl. I S. 2848); geänd. mWv 8.11.2006 durch VO v. 31.10.2006 (BGBl. I S. 2407).

Zweiter Abschnitt. Selbstverwaltung

Erster Unterabschnitt. Verfassung

§ 371[1)] Selbstverwaltungsorgane. (1) Als Selbstverwaltungsorgane der Bundesagentur werden der Verwaltungsrat und die Verwaltungsausschüsse bei den Agenturen für Arbeit gebildet.

(2) [1] Die Selbstverwaltungsorgane haben die Verwaltung zu überwachen und in allen aktuellen Fragen des Arbeitsmarktes zu beraten. [2] Sie erhalten die für die Wahrnehmung ihrer Aufgaben erforderlichen Informationen.

(3) [1] Jedes Selbstverwaltungsorgan gibt sich eine Geschäftsordnung. [2] Die Geschäftsordnung ist von mindestens drei Vierteln der Mitglieder zu beschließen.

(4) Die Bundesagentur wird ohne Selbstverwaltung tätig, soweit sie der Fachaufsicht unterliegt.

(5) [1] Die Selbstverwaltungsorgane setzen sich zu gleichen Teilen aus Mitgliedern zusammen, die Arbeitnehmerinnen und Arbeitnehmer, Arbeitgeber und öffentliche Körperschaften vertreten. [2] Eine Stellvertretung ist nur bei Abwesen-

(Fortsetzung nächstes Blatt)

[1)] § 371 neu gef. mWv 1.1.2004 durch G v. 23.12.2003 (BGBl. I S. 2848); Abs. 1 und 5 Satz 2 geänd. mWv 1.1.2004 durch G v. 24.12.2003 (BGBl. I S. 2954); Abs. 5 Sätze 1 und 3, Abs. 7 eingef., bish. Abs. 7 wird Abs. 8 mWv 1.5.2004 durch G v. 23.4.2004 (BGBl. I S. 602); Abs. 5 Sätze 1 und 3, Abs. 7 geänd. mWv 1.4.2012 durch G v. 20.12.2011 (BGBl. I S. 2854).

heit des Mitglieds zulässig. [3] Ein Mitglied, das die öffentlichen Körperschaften vertritt, kann einem Selbstverwaltungsorgan nicht vorsitzen.

(6) [1] Die Mitglieder der Selbstverwaltungsorgane üben ihre Tätigkeit ehrenamtlich aus. [2] Sie dürfen in der Übernahme oder Ausübung des Ehrenamtes nicht behindert oder wegen der Übernahme oder Ausübung eines solchen Amtes nicht benachteiligt werden.

(7) Stellvertretende Mitglieder haben für die Zeit, in der sie Mitglieder vertreten, die Rechte und Pflichten eines Mitglieds.

(8) § 42 des Vierten Buches[1)] gilt entsprechend.

§ 372[2)] Satzung und Anordnungen. (1) Die Bundesagentur gibt sich eine Satzung.

(2) Die Satzung und die Anordnungen des Verwaltungsrats bedürfen der Genehmigung des Bundesministeriums für Arbeit und Soziales.

(3) [1] Die Satzung und die Anordnungen sind öffentlich bekannt zu machen. [2] Sie treten, wenn ein anderer Zeitpunkt nicht bestimmt ist, am Tag nach ihrer Bekanntmachung in Kraft. [3] Die Art der Bekanntmachung wird durch die Satzung geregelt.

(4) Das Bundesministerium für Arbeit und Soziales kann anstelle der nach diesem Gesetz vorgesehenen Anordnungen Rechtsverordnungen erlassen, wenn die Bundesagentur nicht innerhalb von vier Monaten, nachdem das Bundesministerium für Arbeit und Soziales sie dazu aufgefordert hat, eine Anordnung erlässt oder veränderten Verhältnissen anpasst.

§ 373[3)] Verwaltungsrat. (1) [1] Der Verwaltungsrat überwacht den Vorstand und die Verwaltung. [2] Er kann vom Vorstand die Durchführung von Prüfungen durch die Innenrevision verlangen und Sachverständige mit einzelnen Aufgaben der Überwachung beauftragen.

(2) [1] Der Verwaltungsrat kann jederzeit vom Vorstand Auskunft über die Geschäftsführung verlangen. [2] Auch ein einzelnes Mitglied des Verwaltungsrats kann einen Bericht, jedoch nur an den Verwaltungsrat, verlangen; lehnt der Vorstand die Berichterstattung ab, so kann der Bericht nur verlangt werden, wenn die Mehrheit der Gruppe, der das Antrag stellende Mitglied angehört, das Verlangen unterstützt.

(3) [1] Die Satzung kann bestimmen, dass bestimmte Arten von Geschäften nur mit Zustimmung des Verwaltungsrats vorgenommen werden dürfen. [2] Verweigert der Verwaltungsrat die Zustimmung, so kann der Vorstand verlangen, dass das Bundesministerium für Arbeit und Soziales entscheidet.

[1)] **beck-online, Module Arbeitsrecht Nr. 694.**

[2)] § 372 neu gef. mWv 1.1.2004 durch G v. 23.12.2003 (BGBl. I S. 2848); Abs. 2, Abs. 4 Satz 1 geänd., Satz 2 aufgeh. mWv 8.11.2006 durch VO v. 31.10.2006 (BGBl. I S. 2407).

[3)] § 373 neu gef. mWv 1.1.2004 durch G v. 23.12.2003 (BGBl. I S. 2848); Abs. 6 neu gef. mWv 1.1.2004 durch G v. 24.12.2003 (BGBl. I S. 2954); Abs. 3 Satz 2 und Abs. 4 geänd. mWv 8.11.2006 durch VO v. 31.10.2006 (BGBl. I S. 2407); Abs. 6 Satz 2 geänd., Satz 3 angef. mWv 28.10.2010 durch G v. 24.10.2010 (BGBl. I S. 1417); Abs. 6 Sätze 2 und 3 geänd. mWv 1.4.2012 durch G v. 20.12.2011 (BGBl. I S. 2854).

(4) Ist der Verwaltungsrat der Auffassung, dass der Vorstand seine Pflichten verletzt hat, kann er die Angelegenheit dem Bundesministerium für Arbeit und Soziales vortragen.

(5) Der Verwaltungsrat beschließt die Satzung und erlässt die Anordnungen nach diesem Gesetz.

(6) [1] Der Verwaltungsrat besteht aus 21 Mitgliedern. [2] Jede Gruppe kann bis zu fünf stellvertretende Mitglieder benennen. [3] Für die Gruppe der öffentlichen Körperschaften können die Mitglieder des Verwaltungsrates, die auf Vorschlag der Bundesregierung, und die Mitglieder des Verwaltungsrates, die auf Vorschlag des Bundesrates in den Verwaltungsrat berufen worden sind, jeweils zwei stellvertretende Mitglieder und das Mitglied, das auf Vorschlag der kommunalen Spitzenverbände in den Verwaltungsrat berufen worden ist, ein stellvertretendes Mitglieder benennen.

§ 374[1)] Verwaltungsausschüsse. (1) Bei jeder Agentur für Arbeit besteht ein Verwaltungsausschuss.

(2) [1] Der Verwaltungsausschuss überwacht und berät die Agentur für Arbeit bei der Erfüllung ihrer Aufgaben. [2] § 373 Abs. 2 gilt entsprechend.

(3) Ist der Verwaltungsausschuss der Auffassung, dass die Geschäftsführung ihre Pflichten verletzt hat, kann er die Angelegenheit dem Verwaltungsrat vortragen.

(4) [1] Die Zahl der Mitglieder der Verwaltungsausschüsse setzt der Verwaltungsrat fest; die Mitgliederzahl darf höchstens 15 betragen. [2] Jede Gruppe kann bis zu zwei stellvertretende Mitglieder benennen.

§ 374a *(aufgehoben)*

§ 375[2)] Amtsdauer. (1) [1] Die Amtsdauer der Mitglieder der Selbstverwaltungsorgane beträgt sechs Jahre.

(2) Die Mitglieder der Selbstverwaltungsorgane bleiben nach Ablauf ihrer Amtsdauer im Amt, bis ihre Nachfolger berufen sind.

(3) Scheidet ein Mitglied vor Ablauf der Amtsdauer aus, so ist für den Rest der Amtsdauer ein neues Mitglied zu berufen.

(4) Die Amtsdauer der stellvertretende Mitglieder endet mit der Amtsdauer der Mitglieder der Selbstverwaltungsorgane.

§ 376[3)] Entschädigung der ehrenamtlich Tätigen. [1] Die Bundesagentur erstattet den Mitgliedern und den stellvertretenden Mitgliedern der Selbstverwaltungsorgane ihre baren Auslagen und gewährt eine Entschädigung. [2] Der Verwaltungsrat kann feste Sätze beschließen.

---

1) § 374 neu gef. mWv 1.1.2004 durch G v. 23.12.2003 (BGBl. I S. 2848); Abs. 4 neu gef. mWv 1.1.2004 durch G v. 24.12.2003 (BGBl. I S. 2954); Abs. 4 Satz 2 geänd. mWv 1.4.2012 durch G v. 20.12.2011 (BGBl. I S. 2854).

2) § 375 neu gef. mWv 1.1.2004 durch G v. 23.12.2003 (BGBl. I S. 2848); Abs. 4 angef. mWv 1.5.2004 durch G v. 23.4.2004 (BGBl. I S. 602); Abs. 4 geänd. mWv 1.4.2012 durch G v. 20.12.2011 *(BGBl. I S. 2854)*.

3) § 376 neu gef. mWv 27.11.2004 durch G v. 19.11.2004 (BGBl. I S. 2902); Satz 1 geänd. mWv 1.4.2012 durch G v. 20.12.2011 (BGBl. I S. 2854).

Zweiter Unterabschnitt. Berufung und Abberufung

§ 377[1)] Berufung und Abberufung der Mitglieder. (1) Die Mitglieder und die stellvertretenden Mitglieder der Selbstverwaltung werden berufen.

(2) [1] Die Berufung erfolgt bei Mitgliedern des Verwaltungsrats durch das Bundesministerium für Arbeit und Soziales und bei Mitgliedern der Verwaltungsausschüsse durch den Verwaltungsrat. [2] Die berufende Stelle hat Frauen und Männer mit dem Ziel ihrer gleichberechtigten Teilhabe in den Gruppen zu berücksichtigen. [3] Liegen Vorschläge mehrerer Vorschlagsberechtigter vor, so sind die Sitze anteilsmäßig unter billiger Berücksichtigung der Minderheiten zu verteilen.

(3) [1] Ein Mitglied ist abzuberufen, wenn

1. eine Voraussetzung für seine Berufung entfällt oder sich nachträglich herausstellt, dass sie nicht vorgelegen hat,
2. das Mitglied seine Amtspflicht grob verletzt,
3. die vorschlagende Stelle es beantragt oder
4. das Mitglied es beantragt.

[2] Eine Abberufung auf Antrag der vorschlagsberechtigten Gruppe hat bei den Gruppen der Arbeitnehmerinnen und Arbeitnehmer oder der Arbeitgeber nur zu erfolgen, wenn die Mitglieder aus ihren Organisationen ausgeschlossen worden oder ausgetreten sind oder die Vorschlagsberechtigung der Stelle, die das Mitglied vorgeschlagen hat, entfallen ist.

(4) [1] Für die Berufung der stellvertretenden Mitglieder gelten Absatz 2 Satz 1, Absatz 3 Satz 1 Nr. 1, 2 und 4 sowie § 378 entsprechend. [2] Ein stellvertretendes Mitglied ist abzuberufen, wenn die benennende Gruppe dies beantragt.

§ 378[2)] Berufungsfähigkeit. (1) Als Mitglieder der Selbstverwaltungsorgane können nur Deutsche, die das passive Wahlrecht zum Deutschen Bundestag besitzen, sowie Ausländerinnen und Ausländer, die ihren gewöhnlichen Aufenthalt rechtmäßig im Bundesgebiet haben und die die Voraussetzungen des § 15 des Bundeswahlgesetzes[3)] mit Ausnahme der von der Staatsangehörigkeit abhängigen Voraussetzungen erfüllen, berufen werden.

(2) Arbeitnehmerinnen und Arbeitnehmer sowie Beamtinnen und Beamte der Bundesagentur können nicht Mitglieder von Selbstverwaltungsorganen der Bundesagentur sein.

[1)] § 377 neu gef. mWv 1.1.2004 durch G v. 23.12.2003 (BGBl. I S. 2848); Abs. 1 geänd. mWv 1.1. 2004 durch G v. 24.12.2003 (BGBl. I S. 2954); Abs. 3 Satz 2 geänd., Abs. 4 angef. mWv 1.5.2004 durch G v. 23.4.2004 (BGBl. I S. 602); Abs. 2 Satz 1 geänd. mWv 8.11.2006 durch VO v. 31.10.2006 (BGBl. I S. 2407); Abs. 1, Abs. 3 Satz 2, Abs. 4 Sätze 1 und 2 geänd. mWv 1.4.2012 durch G v. 20.12.2011 (BGBl. I S. 2854); Abs. 4 Satz 1 geänd. mWv 1.1.2019 durch G v. 18.12.2018 (BGBl. I S. 2651).

[2)] § 378 neu gef. mWv 1.1.2004 durch G v. 23.12.2003 (BGBl. I S. 2848); Abs. 2 geänd. mWv 1.5. 2004 durch G v. 23.4.2004 (BGBl. I S. 602); Abs. 1 und 2 geänd. mWv 1.4.2012 durch G v. 20.12.2011 (BGBl. I S. 2854).

[3)] **Sartorius Nr. 30.**

§ 379[1] **Vorschlagsberechtigte Stellen.** (1) [1] Vorschlagsberechtigt sind für die Mitglieder der Gruppen

1. der Arbeitnehmerinnen und Arbeitnehmer die Gewerkschaften, die Tarifverträge abgeschlossen haben, sowie ihre Verbände,
2. der Arbeitgeber die Arbeitgeberverbände, die Tarifverträge abgeschlossen haben, sowie ihre Vereinigungen,

die für die Vertretung von Arbeitnehmer- oder Arbeitgeberinteressen wesentliche Bedeutung haben. [2] Für die Verwaltungsausschüsse der Agenturen für Arbeit sind nur die für den Bezirk zuständigen Gewerkschaften und ihre Verbände sowie die Arbeitgeberverbände und ihre Vereinigungen vorschlagsberechtigt.

(2) Vorschlagsberechtigt für die Mitglieder der Gruppe der öffentlichen Körperschaften im Verwaltungsrat sind

1. die Bundesregierung für drei Mitglieder,
2. der Bundesrat für drei Mitglieder und
3. die Spitzenvereinigungen der kommunalen Selbstverwaltungskörperschaften für ein Mitglied.

(3) [1] Vorschlagsberechtigt für die Mitglieder der Gruppe der öffentlichen Körperschaften in den Verwaltungsausschüssen sind die gemeinsamen Rechtsaufsichtsbehörden der zum Bezirk der Agentur für Arbeit gehörenden Gemeinden und Gemeindeverbände oder, soweit es sich um oberste Landesbehörden handelt, die von ihnen bestimmten Behörden. [2] Die zum Bezirk der Agentur für Arbeit gehörenden Gemeinden und Gemeindeverbände sind berechtigt, der zuständigen Behörde Personen vorzuschlagen. [3] Einigen sie sich auf einen Vorschlag, ist die zuständige Behörde an diesen gebunden; im anderen Fall schlägt sie von sich aus Personen vor, die für die beteiligten Gemeinden oder Gemeindeverbände oder für sie tätig sein müssen. [4] Ist eine gemeinsame Gemeindeaufsichtsbehörde nicht vorhanden und einigen sich die beteiligten Gemeindeaufsichtsbehörden nicht, so steht das Vorschlagsrecht der obersten Landesbehörde oder der von ihr bezeichneten Stelle zu. [5] Mitglieder der öffentlichen Körperschaften können nur Vertreterinnen oder Vertreter der Gemeinden, der Gemeindeverbände oder der gemeinsamen Gemeindeaufsichtsbehörde sein, in deren Gebiet sich der Bezirk der Agentur für Arbeit befindet, und die bei diesen hauptamtlich oder ehrenamtlich tätig sind.

Dritter Unterabschnitt. Neutralitätsausschuss

§ 380[2] **Neutralitätsausschuss.** (1) [1] Der Neutralitätsausschuss, der Feststellungen über bestimmte Voraussetzungen über das Ruhen des Arbeitslosengeldes bei Arbeitskämpfen trifft, besteht aus

1. drei Mitgliedern, die der Gruppe der Arbeitnehmerinnen und Arbeitnehmer im Verwaltungsrat angehören,

---

[1] § 379 neu gef. mWv 1.1.2004 durch G v. 23.12.2003 (BGBl. I S. 2848); Abs. 1 Satz 2 geänd., Abs. 2a aufgeh. mWv 1.1.2004 durch G v. 24.12.2003 (BGBl. I S. 2954); Abs. 1 Satz 1 Nr. 1 geänd. mWv 1.5.2004 durch G v. 23.4.2004 (BGBl. I S. 602); Abs. 1 Satz 1 neu gef. mWv 27.11.2004 durch G v. 19.11.2004 (BGBl. I S. 2902); Abs. 1 Satz 1 Nr. 1 geänd. mWv 1.4.2012 durch G v. 20.12.2011 *(BGBl. I S. 2854); Abs. 4* aufgeh. mWv 1.5.2015 durch G v. 24.4.2015 (BGBl. I S. 642).

[2] § 380 neu gef. mWv 1.1.2004 durch G v. 23.12.2003 (BGBl. I S. 2848); Abs. 1 neu gef. mWv 1.4.2012 durch G v. 20.12.2011 (BGBl. I S. 2854).

2. drei Mitgliedern, die der Gruppe der Arbeitgeber im Verwaltungsrat angehören, sowie
3. der oder dem Vorsitzenden des Vorstands.

[2] Die Gruppe der Arbeitnehmerinnen und Arbeitnehmer sowie die Gruppe der Arbeitgeber bestimmen die sie jeweils vertretenden Personen mit einfacher Mehrheit. [3] Vorsitzende oder Vorsitzender ist die oder der Vorsitzende des Vorstands. [4] Sie oder er vertritt den Neutralitätsausschuss vor dem Bundessozialgericht.

(2) Die Vorschriften, die die Organe der Bundesagentur betreffen, gelten entsprechend, soweit Besonderheiten des Neutralitätsausschusses nicht entgegenstehen.

Dritter Abschnitt. Vorstand und Verwaltung

§ 381[1)] Vorstand der Bundesagentur. (1) [1] Der Vorstand leitet die Bundesagentur und führt deren Geschäfte. [2] Er vertritt die Bundesagentur gerichtlich und außergerichtlich.

(2) [1] Der Vorstand besteht aus einer oder einem Vorsitzenden und zwei weiteren Mitgliedern. [2] Durch Satzung kann der Vorstand um ein weiteres Mitglied erweitert werden. [3] Der Vorstand muss mit mindestens einer Frau und mindestens einem Mann besetzt sein. [4] Die oder der Vorsitzende führt die Amtsbezeichnung „Vorsitzende des Vorstands der Bundesagentur für Arbeit" oder „Vorsitzender des Vorstands der Bundesagentur für Arbeit", die übrigen Mitglieder führen die Amtsbezeichnung „Mitglied des Vorstands der Bundesagentur für Arbeit".

(3) [1] Die oder der Vorsitzende des Vorstands bestimmt die Richtlinien der Geschäftsführung und ist bei der Benennung der übrigen Vorstandsmitglieder zu hören. [2] Innerhalb dieser Richtlinien nimmt jedes Vorstandsmitglied die Aufgaben seines Geschäftsbereiches selbständig wahr.

(4) [1] Der Vorstand gibt sich eine Geschäftsordnung, die der Zustimmung des Verwaltungsrats bedarf. [2] Die Geschäftsordnung hat insbesondere die Geschäftsverteilung im Vorstand festzulegen sowie die Stellvertretung und die Voraussetzungen für die Beschlussfassung zu regeln.

(5) [1] Die Vorstandsmitglieder dürfen dem Verwaltungsrat nicht angehören. [2] Sie sind berechtigt, an den Sitzungen des Verwaltungsrats teilzunehmen. [3] Sie können jederzeit das Wort ergreifen.

(6) Der Vorstand hat dem Verwaltungsrat regelmäßig und aus wichtigem Anlass zu berichten und ihm auf Verlangen jederzeit Auskunft über die Geschäftsführung der Bundesagentur zu erteilen.

§ 382[2)] Rechtsstellung der Vorstandsmitglieder. (1) [1] Die oder der Vorsitzende und die übrigen Mitglieder des Vorstands werden auf Vorschlag des Verwaltungsrats von der Bundesregierung benannt. [2] Erfolgt trotz Aufforderung

---

[1)] § 381 neu gef. mWv 1.1.2004 durch G v. 23.12.2003 (BGBl. I S. 2848); Abs. 2 Satz 2 eingef., bish. Satz 2 wird Satz 3 mWv 24.10.2015 durch G v. 20.10.2015 (BGBl. I S. 1722); Abs. 2 Satz 3 eingef., bish. Satz 3 wird Satz 4 mWv 12.8.2021 durch G v. 7.8.2021 (BGBl. I S. 3311).

[2)] § 382 neu gef. mWv 1.1.2004 durch G v. 23.12.2003 (BGBl. I S. 2848); Abs. 3 Satz 7, Abs. 5 Satz 3 erster Halbs., Abs. 6 Satz 1 geänd. mWv 8.11.2006 durch VO v. 31.10.2006 (BGBl. I S. 2407); Abs. 6 Satz 3, Abs. 7 und 8 angef. mWv 26.7.2007 durch G v. 19.7.2007 (BGBl. I S. 1457); Abs. 3 Satz 2, Abs. 8 geänd. mWv 12.2.2009 durch G v. 5.2.2009 (BGBl. I S. 160).

durch die Bundesregierung innerhalb von vier Wochen kein Vorschlag des Verwaltungsrats, erlischt das Vorschlagsrecht. [3] Findet der Vorschlag des Verwaltungsrats nicht die Zustimmung der Bundesregierung, kann der Verwaltungsrat innerhalb von vier Wochen einen neuen Vorschlag unterbreiten. [4] Das Letztentscheidungsrecht der Bundesregierung bleibt von diesem Verfahren unberührt.

(2) [1] Die oder der Vorsitzende und die übrigen Mitglieder des Vorstands stehen in einem öffentlich-rechtlichen Amtsverhältnis. [2] Sie werden von der Bundespräsidentin oder dem Bundespräsidenten ernannt. [3] Die Amtszeit der Mitglieder des Vorstands soll fünf Jahre betragen. [4] Mehrere Amtszeiten sind zulässig.

(3) [1] Das Amtsverhältnis der Vorstandsmitglieder beginnt mit der Aushändigung der Ernennungsurkunde, wenn nicht in der Urkunde ein späterer Tag bestimmt ist. [2] Es endet mit Ablauf der Amtszeit, Erreichen der Altersgrenze nach § 51 Abs. 1 und 2 des Bundesbeamtengesetzes[1)] oder Entlassung. [3] Die Bundespräsidentin oder der Bundespräsident entlässt ein Vorstandsmitglied auf dessen Verlangen. [4] Eine Entlassung erfolgt auch auf Beschluss der Bundesregierung oder des Verwaltungsrats mit Zustimmung der Bundesregierung, wenn das Vertrauensverhältnis gestört ist oder ein wichtiger Grund vorliegt. [5] Im Falle der Beendigung des Amtsverhältnisses erhält das Vorstandsmitglied eine von der Bundespräsidentin oder dem Bundespräsidenten vollzogene Urkunde. [6] Eine Entlassung wird mit der Aushändigung der Urkunde wirksam. [7] Auf Verlangen des Verwaltungsrats mit Zustimmung des Bundesministeriums für Arbeit und Soziales ist ein Vorstandsmitglied verpflichtet, die Geschäfte bis zur Ernennung einer Nachfolgerin oder eines Nachfolgers weiterzuführen.

(4) [1] Die Mitglieder des Vorstands haben, auch nach Beendigung ihres Amtsverhältnisses, über die ihnen amtlich bekannt gewordenen Angelegenheiten Verschwiegenheit zu bewahren. [2] Dies gilt nicht für Mitteilungen im dienstlichen Verkehr oder über Tatsachen, die offenkundig sind oder ihrer Bedeutung nach keiner Geheimhaltung bedürfen.

(5) [1] Die Vorstandsmitglieder dürfen neben ihrem Amt kein anderes besoldetes Amt, kein Gewerbe und keinen Beruf ausüben und weder der Leitung eines auf Erwerb gerichteten Unternehmens noch einer Regierung oder einer gesetzgebenden Körperschaft des Bundes oder eines Landes angehören. [2] Sie dürfen nicht gegen Entgelt außergerichtliche Gutachten abgeben. [3] Für die Zugehörigkeit zu einem Aufsichtsrat, Verwaltungsrat, Beirat oder einem anderen Gremium eines öffentlichen oder privaten Unternehmens oder einer sonstigen Einrichtung ist die Einwilligung des Bundesministeriums für Arbeit und Soziales erforderlich; dieses entscheidet, inwieweit eine Vergütung abzuführen ist.

(Fortsetzung nächstes Blatt)

[1)] **Sartorius Nr. 160.**

(6) [1] Im Übrigen werden die Rechtsverhältnisse der Vorstandsmitglieder, insbesondere die Gehalts- und Versorgungsansprüche und die Haftung, durch Verträge geregelt, die das Bundesministerium für Arbeit und Soziales mit den Mitgliedern des Vorstands schließt. [2] Die Verträge bedürfen der Zustimmung der Bundesregierung. [3] Der Vollzug der vertraglichen Regelung obliegt der Bundesagentur.

(7) [1] Wird eine Bundesbeamtin oder ein Bundesbeamter zum Mitglied des Vorstands ernannt, ruhen für die Dauer des Amtsverhältnisses die in dem Beamtenverhältnis begründeten Rechte und Pflichten mit Ausnahme der Pflicht zur Amtsverschwiegenheit und des Verbots der Annahme von Belohnungen oder Geschenken. [2] Satz 1 gilt längstens bis zum Eintritt oder bis zur Versetzung in den Ruhestand.

(8) Endet das Amtsverhältnis nach Absatz 2 und wird die oder der Betroffene nicht anschließend in ein anderes öffentlich-rechtliches Amtsverhältnis zum Bund berufen, treten Beamtinnen und Beamte, wenn ihnen nicht innerhalb von drei Monaten unter den Voraussetzungen des § 28 Abs. 2 des Bundesbeamtengesetzes oder vergleichbarer landesrechtlicher Regelungen ein anderes Amt übertragen wird, mit Ablauf dieser Frist aus ihrem Dienstverhältnis als Beamtinnen oder Beamte in den einstweiligen Ruhestand, sofern sie zu diesem Zeitpunkt noch nicht die gesetzliche Altersgrenze erreicht haben.

§ 383[1)] **Geschäftsführung der Agenturen für Arbeit.** (1) [1] Die Agenturen für Arbeit werden von einer Geschäftsführerin, einem Geschäftsführer oder einer Geschäftsführung geleitet. [2] Eine Geschäftsführung besteht aus einer oder einem Vorsitzenden und bis zu zwei weiteren Mitgliedern.

(2) [1] Die Geschäftsführerin, der Geschäftsführer oder die Mitglieder der Geschäftsführung werden vom Vorstand bestellt. [2] Der Vorstand hört die Verwaltungsausschüsse zu den von ihm ausgewählten Bewerberinnen und Bewerbern.

(3) [1] Die Geschäftsführerin, der Geschäftsführer oder die Mitglieder der Geschäftsführung sind berechtigt, an den Sitzungen des Verwaltungsausschusses teilzunehmen. [2] Sie können jederzeit das Wort ergreifen.

(4) Die Geschäftsführerin, der Geschäftsführer oder die Geschäftsführung haben dem Verwaltungsausschuss regelmäßig und aus wichtigem Anlass zu berichten und ihm auf Verlangen jederzeit Auskunft über die Geschäfte der Agentur für Arbeit zu erteilen.

§ 384[2)] **Geschäftsführung der Regionaldirektionen.** (1) [1] Die Regionaldirektionen werden von einer Geschäftsführung geleitet. [2] Die Geschäftsführung besteht aus einer oder einem Vorsitzenden und zwei weiteren Mitgliedern.

---

1) § 383 neu gef. mWv 1. 1. 2004 durch G v. 23. 12. 2003 (BGBl. I S. 2848); Abs. 1 Sätze 1 und 2, Abs. 2 Satz 1, Abs. 3 Satz 1 und Abs. 4 geänd. mWv 26. 7. 2007 durch G v. 19. 7. 2007 (BGBl. I S. 1457).

2) § 384 neu gef. mWv 1. 1. 2004 durch G v. 23. 12. 2003 (BGBl. I S. 2848); Abs. 2 neu gef. mWv 1. 1. 2004 durch G v. 24. 12. 2003 (BGBl. I S. 2954); Abs. 2 neu gef. mWv 31. 12. 2005 durch G v. 22. 12. 2005 (BGBl. I S. 3676).

(2) Die Mitglieder werden vom Vorstand bestellt; vor der Bestellung der vorsitzenden Mitglieder der Geschäftsführung hat der Vorstand den Verwaltungsrat und die beteiligten Landesregierungen anzuhören.

§ 385[1)] Beauftragte für Chancengleichheit am Arbeitsmarkt. (1) [1] Bei den Agenturen für Arbeit, bei den Regionaldirektionen und bei der Zentrale sind hauptamtliche Beauftragte für Chancengleichheit am Arbeitsmarkt zu bestellen. [2] Sie sind unmittelbar der jeweiligen Dienststellenleitung zugeordnet.

(2) [1] Die Beauftragten für Chancengleichheit am Arbeitsmarkt unterstützen und beraten Arbeitgeber, Arbeitnehmerinnen und Arbeitnehmer sowie deren Organisationen in übergeordneten Fragen der Frauenförderung, der Gleichstellung von Frauen und Männern am Arbeitsmarkt sowie der Vereinbarkeit von Familie und Beruf bei beiden Geschlechtern. [2] Hierzu zählen insbesondere Fragen der beruflichen Ausbildung, des beruflichen Einstiegs und Fortkommens von Frauen und Männern nach einer Familienphase sowie hinsichtlich einer flexiblen Arbeitszeitgestaltung. [3] Zur Sicherung der gleichberechtigten Teilhabe von Frauen am Arbeitsmarkt arbeiten sie mit den in Fragen der Frauenerwerbsarbeit tätigen Stellen ihres Bezirks zusammen.

(3) [1] Die Beauftragten für Chancengleichheit am Arbeitsmarkt sind bei der frauen- und familiengerechten fachlichen Aufgabenerledigung ihrer Dienststellen zu beteiligen. [2] Sie haben ein Informations-, Beratungs- und Vorschlagsrecht in Fragen, die Auswirkungen auf die Chancengleichheit von Frauen und Männern am Arbeitsmarkt haben.

(4) [1] Die Beauftragten für Chancengleichheit am Arbeitsmarkt bei den Agenturen für Arbeit können mit weiteren Aufgaben beauftragt werden, soweit die Aufgabenerledigung als Beauftragte für Chancengleichheit am Arbeitsmarkt dies zulässt. [2] In Konfliktfällen entscheidet der Verwaltungsausschuss.

§ 386[2)] Innenrevision. (1) [1] Die Bundesagentur stellt durch organisatorische Maßnahmen sicher, dass in allen Dienststellen durch eigenes nicht der Dienststelle angehörendes Personal geprüft wird, ob Leistungen unter Beachtung der gesetzlichen Bestimmungen nicht hätten erbracht werden dürfen oder zweckmäßiger oder wirtschaftlicher hätten eingesetzt werden können. [2] Mit der Durchführung der Prüfungen können Dritte beauftragt werden.

(2) Das Prüfpersonal der Bundesagentur ist für die Zeit seiner Prüftätigkeit fachlich unmittelbar der Leitung der Dienststelle unterstellt, in der es beschäftigt ist.

(3) [1] Der Vorstand legt die Berichte der Innenrevision unverzüglich dem Verwaltungsrat vor. [2] Vertreterinnen oder Vertreter der Innenrevision sind berechtigt, an den Sitzungen des Verwaltungsrats teilzunehmen, wenn ihre Berichte Gegenstand der Beratung sind. [3] Sie können jederzeit das Wort ergreifen.

[1)] § 385 neu gef. mWv 1. 1. 2004 durch G v. 23. 12. 2003 (BGBl. I S. 2848); Abs. 2 Satz 1 geänd. mWv 1. 4. 2012 durch G v. 20. 12. 2011 (BGBl. I S. 2854).

[2)] § 386 neu gef. mWv 1. 1. 2004 durch G v. 23. 12. 2003 (BGBl. I S. 2848).

§ 387[1)] Personal der Bundesagentur. (1) [1]Das Personal der Bundesagentur besteht vorrangig aus Arbeitnehmerinnen und Arbeitnehmern. [2]Die Beamtinnen und Beamten der Bundesagentur sind Bundesbeamte.

(2) [1]Oberste Dienstbehörde für die Beamtinnen und Beamten der Bundesagentur ist der Vorstand. [2]Soweit beamtenrechtliche Vorschriften die Übertragung der Befugnisse von obersten Dienstbehörden auf nachgeordnete Behörden zulassen, kann der Vorstand seine Befugnisse im Rahmen dieser Vorschriften auf die Geschäftsführerinnen, Geschäftsführer oder Vorsitzenden der Geschäftsführungen der Agenturen für Arbeit, auf die Vorsitzenden der Geschäftsführungen der Regionaldirektionen und die Leitungen der besonderen Dienststellen übertragen. [3]§ 144 Abs. 1 des Bundesbeamtengesetzes[2)] und § 83 Abs. 1 des Bundesdisziplinargesetzes[3)] bleiben unberührt.

(3) [1]Beamtinnen und Beamte der Bundesagentur können auf Antrag zur Wahrnehmung einer hauptberuflichen Tätigkeit in einem befristeten Arbeits- oder Anstellungsverhältnis bei der Bundesagentur unter Wegfall der Besoldung beurlaubt werden, soweit das Beamtenverhältnis mindestens drei Jahre besteht und dienstliche Gründe nicht entgegenstehen. [2]Eine Beurlaubung ist nur zulässig, wenn der Beamtin oder dem Beamten in dem Arbeits- oder Anstellungsverhältnis eine Funktion übertragen wird, die höher als die bisher übertragene Funktion bewertet ist. [3]Die Bewilligung der Beurlaubung dient dienstlichen Interessen und ist auf längstens zehn Jahre zu befristen. [4]Verlängerungen sind zulässig. [5]Bei Abschluss eines Anstellungsvertrags nach § 389 Absatz 1 verlängert sich die Beurlaubung um die Zeit, die im Anstellungsverhältnis zu erbringen ist. [6]Die Bewilligung der Beurlaubung kann aus zwingenden dienstlichen Gründen widerrufen werden. [7]Bei Beendigung oder Ruhen des Arbeitsverhältnisses ist die Bewilligung der Beurlaubung grundsätzlich zu widerrufen. [8]Sie kann auf Antrag der beurlaubten Beamtin oder des beurlaubten Beamten auch widerrufen werden, wenn ihr oder ihm eine Fortsetzung der Beurlaubung nicht zumutbar ist und dienstliche Belange nicht entgegenstehen.

(4) Die beurlaubten Beamtinnen und Beamten sind im Rahmen ihrer hauptberuflichen Tätigkeit nach Absatz 3 Satz 1 nicht versicherungspflichtig im Anwendungsbereich dieses Buches, in der gesetzlichen Kranken- und Rentenversicherung sowie in der sozialen Pflegeversicherung.

(5) [1]Die Zeit der hauptberuflichen Tätigkeit der nach Absatz 3 Satz 1 beurlaubten Beamtinnen und Beamten ist ruhegehaltfähig. [2]Die Voraussetzungen des § 28 Abs. 1 Satz 1 des Bundesbesoldungsgesetzes[4)] gelten für die Zeit der Beurlaubung als erfüllt. [3]Ein Versorgungszuschlag wird nicht erhoben. [4]Die Anwartschaft der beurlaubten Beamtinnen und Beamten auf Versorgung bei verminderter Erwerbsfähigkeit und im Alter sowie auf Hinter-

---

[1)] § 387 neu gef. mWv 1. 1. 2004 durch G v. 23. 12. 2003 (BGBl. I S. 2848); Abs. 2 Satz 2 geänd. mWv 1. 1. 2004 durch G v. 24. 12. 2003 (BGBl. I S. 2954); Abs. 2 Satz 2 geänd., Abs. 3–6 angef. mWv 26. 7. 2007 durch G v. 19. 7. 2007 (BGBl. I S. 1457); Abs. 1 Satz 2, Abs. 2 Satz 3, Abs. 5 Satz 2 geänd. mWv 12. 2. 2009 durch G v. 5. 2. 2009 (BGBl. I S. 160); Abs. 2 Satz 2 und Abs. 3 Satz 1 geänd., Abs. 3 Satz 2 eingef., bish. Sätze 2 und 3 werden Sätze 3 und 4, Satz 5 eingef., bish. Sätze 4–6 werden Sätze 6–8, Abs. 6 Satz 2 geänd. mWv 28. 12. 2011 durch G v. 20. 12. 2011 (BGBl. I S. 2854); Abs. 7 angef. mWv 25. 10. 2013 durch G v. 19. 10. 2013 (BGBl. I S. 3836).

[2)] **Sartorius Nr. 160.**

[3)] **Sartorius Nr. 220.**

[4)] **Sartorius Nr. 230.**

bliebenenversorgung nach beamtenrechtlichen Vorschriften und Grundsätzen ist gewährleistet.

(6) 1 Während der hauptberuflichen Tätigkeit nach Absatz 3 Satz 1 besteht im Krankheitsfall ein zeitlich unbegrenzter Anspruch auf Entgeltfortzahlung in Höhe der Besoldung, die der beurlaubten Beamtin oder dem beurlaubten Beamten vor der Beurlaubung zugestanden hat, mindestens jedoch in Höhe des Krankengeldes, das der beurlaubten Beamtin oder dem beurlaubten Beamten nach den §§ 44 ff. des Fünften Buches[1)] zustehen würde. 2 Entgeltansprüche, die der beurlaubten Beamtin oder dem beurlaubten Beamten im Krankheitsfall nach dem Entgeltfortzahlungsgesetz[2)], einem Tarifvertrag oder dem Arbeits- oder Anstellungsvertrag zustehen, bleiben unberührt und werden auf den Entgeltfortzahlungsanspruch nach Satz 1 angerechnet. 3 Darüber hinaus besteht bei Krankheit und Pflegebedürftigkeit ein Anspruch auf Beihilfe in entsprechender Anwendung der Beihilferegelungen für Beamtinnen und Beamte mit Dienstbezügen.

(7) 1 Werden einer Beamtin oder einem Beamten der Bundesagentur mit Bestellung zur Geschäftsführerin oder zum Geschäftsführer einer gemeinsamen Einrichtung nach § 44 d Absatz 2 Satz 1 des Zweiten Buches[3)] Aufgaben eines höherwertigen Amtes übertragen, erhält sie oder er ab dem siebten Monat der ununterbrochenen Wahrnehmung dieser Aufgaben im Beamtenverhältnis eine Zulage, wenn in diesem Zeitpunkt die haushaltsrechtlichen Voraussetzungen für die Übertragung dieses Amtes vorliegen. 2 Die Zulage wird in Höhe des Unterschiedsbetrages zwischen dem Grundgehalt ihrer oder seiner Besoldungsgruppe und dem Grundgehalt der Besoldungsgruppe gezahlt, der das höherwertige Amt zugeordnet ist, höchstens jedoch der dritten folgenden Besoldungsgruppe.

§ 388[4)] Ernennung der Beamtinnen und Beamten. (1) Der Vorstand ernennt die Beamtinnen und Beamten.

(2) 1 Der Vorstand kann seine Befugnisse auf Bedienstete der Bundesagentur übertragen. 2 Er bestimmt im Einzelnen, auf wen die Ernennungsbefugnisse übertragen werden.

§ 389[5)] Anstellungsverhältnisse oberster Führungskräfte. (1) 1 Folgende Funktionen werden vorrangig in einem befristeten außertariflichen Arbeitsverhältnis oberster Führungskräfte (Anstellungsverhältnis) übertragen:

1. die Funktion einer Geschäftsführerin oder eines Geschäftsführers bei der Zentrale der Bundesagentur,
2. die Funktion einer Bereichsleiterin oder eines Bereichsleiters mit herausgehobenen Aufgaben bei der Zentrale der Bundesagentur,
3. die Funktionen der oder des Vorsitzenden der Geschäftsführung einer Regionaldirektion und der ständigen Vertreterin oder des ständigen Vertreters der oder des Vorsitzenden der Geschäftsführung einer Regionaldirektion,

[1)] Nr. **695**.
[2)] Nr. **215**.
[3)] Nr. **692**.
[4)] § 388 neu gef. mWv 1. 1. 2004 durch G v. 23. 12. 2003 (BGBl. I S. 2848).
[5)] § 389 neu gef. mWv 28. 12. 2011 durch G v. 20. 12. 2011 (BGBl. I S. 2854).

4. die Funktion der Leiterin oder des Leiters der Familienkasse sowie
5. die Funktionen der Leiterin oder des Leiters und der stellvertretenden Leiterin oder des stellvertretenden Leiters des Instituts für Arbeitsmarkt- und Berufsforschung.

[2] Ein Anstellungsverhältnis darf jeweils die Dauer von fünf Jahren nicht überschreiten. [3] Es kann wiederholt begründet werden. [4] Wenn Beschäftigte zum Zeitpunkt der Übertragung in einem Arbeitsverhältnis zur Bundesagentur stehen, wird die Funktion ausschließlich im Anstellungsverhältnis übertragen. [5] Vor Begründung eines Anstellungsverhältnisses ist der Verwaltungsrat der Bundesagentur zu beteiligen. [6] Bei Übertragung im Beamtenverhältnis gilt § 24 Absatz 1 bis 4 und 6 des Bundesbeamtengesetzes[1)].

(2) [1] Beamtinnen und Beamte, die ein Anstellungsverhältnis begründen, kehren nach Beendigung ihres Anstellungsverhältnisses in das ihnen vor der Beurlaubung nach § 387 Absatz 3 zuletzt übertragene Amt zurück, es sei denn, sie haben zu diesem Zeitpunkt die für sie geltende Altersgrenze erreicht. [2] Sie erhalten die Besoldung aus dem vor der Beurlaubung nach § 387 Absatz 3 zuletzt wahrgenommenen Amt.

(3) Für die Dauer eines Anstellungsverhältnisses ruhen die Rechte und Pflichten aus einem mit der Bundesagentur bereits bestehenden Arbeitsverhältnis.

§ 390[2)] Außertarifliche Arbeitsbedingungen und Vergütungen.

(1) [1] Der Vorstand regelt mit Zustimmung des Verwaltungsrats und im Benehmen mit dem Bundesministerium für Arbeit und Soziales und dem Bundesministerium der Finanzen die Bedingungen, unter denen die Bundesagentur Anstellungsverträge mit obersten Führungskräften und Arbeitsverträge mit den sonstigen Beschäftigten schließt, für die kein Tarifvertrag der Bundesagentur gilt (obere Führungskräfte und herausgehobene Fachkräfte). [2] Die Funktionen der Beschäftigten nach Satz 1 sind jeweils einer von mehreren Tätigkeitsebenen zuzuordnen. [3] Im Haushaltsplan der Bundesagentur ist für die Vergütung der in Satz 1 genannten Beschäftigten ein gesonderter Titel auszubringen. [4] Dabei ist in einer verbindlichen Erläuterung zum Titel und im verbindlichen Stellenplan die Anzahl der Beschäftigten nach Satz 1 nach Tätigkeitsebenen gegliedert festzulegen. [5] Für die Tätigkeitsebenen ist jeweils die Spannbreite der jährlichen Gesamtvergütungen sowie die dieser entsprechende Spannbreite der Besoldungsgruppen nach dem Bundesbesoldungsgesetz[3)] auszuweisen.

(2) [1] Die nach Absatz 1 Satz 1 zu regelnde Vergütung besteht aus einem Festgehalt, zu dem Zulagen gezahlt werden können. [2] Zusätzlich können ein individueller leistungsbezogener Bestandteil sowie eine am Grad der Zielerreichung der Bundesagentur oder ihrer Dienststellen ausgerichtete geschäftspolitische Ergebniskomponente geleistet werden.

(3) [1] Die Vergütung nach Absatz 2 Satz 1 hat sich an den Grundgehältern der Bundesbesoldungsordnungen A und B auszurichten. [2] Für die Zuordnung von Festgehalt und Zulagen sind die mit der übertragenen Funktion verbundene Aufgaben- und Personalverantwortung, die Schwierigkeit der Aufgabe und die

---

[1)] **Sartorius Nr. 160.**
[2)] § 390 neu gef. mWv 28.12.2011 durch G v. 20.12.2011 (BGBl. I S. 2854).
[3)] **Sartorius Nr. 230.**

Bedeutung der Funktion oder der Grad der Anforderungen und Belastungen maßgeblich. [3]Die Summe aus Festgehalt und Zulagen darf für oberste Führungskräfte die Grundgehälter der Bundesbesoldungsordnung B, für obere Führungskräfte und herausgehobene Fachkräfte die Endgrundgehälter der Bundesbesoldungsordnung A, jeweils zuzüglich des Familienzuschlags der Stufe 2, der Bundesbeamtinnen und Bundesbeamten in vergleichbaren Funktionen nicht übersteigen. [4]Dabei darf für oberste Führungskräfte das Grundgehalt der Besoldungsgruppe B 7 der Bundesbesoldungsordnung B zuzüglich des Familienzuschlags der Stufe 2 nicht überschritten werden. [5]§ 44d Absatz 7 des Zweiten Buches[1)] bleibt unberührt.

(4) [1]Der leistungsbezogene Bestandteil nach Absatz 2 Satz 2 hat sich an der individuellen Leistung der oder des Beschäftigten zu bemessen. [2]Er darf nicht mehr als 20 Prozent des Festgehalts betragen. [3]Die geschäftspolitische Ergebniskomponente ist auf jährlich höchstens 10 Prozent des nach Absatz 2 Satz 1 vorgesehenen niedrigsten Jahresfestgehalts zu begrenzen. [4]Der Vorstand der Bundesagentur stellt unter vorheriger Beteiligung des Verwaltungsrats fest, zu welchem leistungsorientierten Grad die Ziele erreicht wurden, die für die geschäftspolitische Ergebniskomponente maßgeblich sind. [5]Grundlage dafür ist ein mit dem Verwaltungsrat abgestimmtes geeignetes Ziele-, Kennzahlen- und Messgrößensystem.

(5) [1]Die Vergütung nach Absatz 2 Satz 1 nimmt an den Änderungen des höchsten Festgehalts für tariflich Beschäftigte der Bundesagentur teil. [2]Die Regelung nach Absatz 3 Satz 3 und 4 bleibt davon unberührt.

(6) [1]Der Vorstand kann mit Zustimmung des Verwaltungsrats im Einzelfall Beschäftigten nach Absatz 1 Satz 1 eine weitere Zulage zahlen, wenn ein Dienstposten auf Grund besonderer Anforderungen nicht zu den Bedingungen der Absätze 3 und 4 besetzt werden oder besetzt bleiben kann. [2]§ 44d Absatz 7 des Zweiten Buches bleibt unberührt. [3]Für solche Einzelfälle sind folgende Angaben auszuweisen:

1. ein entsprechender Betrag in dem Titel nach Absatz 1 Satz 3 und
2. die Anzahl der Beschäftigten, die eine Zulage nach Satz 1 erhalten können, in einer verbindlichen Erläuterung zum Titel nach Absatz 1 Satz 3 und im verbindlichen Stellenplan.

§ 391[2)] *(aufgehoben)*

§ 392[3)] **Obergrenzen für Beförderungsämter.** Bei der Bundesagentur können die nach § 17a Absatz 1 der Bundeshaushaltsordnung[4)] zulässigen Obergrenzen für Beförderungsämter nach Maßgabe sachgerechter Bewertung überschritten werden, soweit dies zur Vermeidung von Verschlechterungen der Beförderungsverhältnisse infolge einer Verminderung von Planstellen erforderlich ist.

[1)] Auszugsweise abgedruckt unter Nr. **692.**

[2)] § 391 aufgeh. mWv 26.7.2007 durch G v. 19.7.2007 (BGBl. I S. 1457).

[3)] *§ 392* neu gef. mWv *1.1.2004* durch G v. 23.12.2003 (BGBl. I S. 2848); geänd. mWv 1.1.2020 durch G v. 9.12.2019 (BGBl. I S. 2053).

[4)] **Sartorius Nr. 700.**

Vierter Abschnitt. Aufsicht

§ 393[1)] Aufsicht. (1) [1]Die Aufsicht über die Bundesagentur führt das Bundesministerium für Arbeit und Soziales. [2]Sie erstreckt sich darauf, dass Gesetze und sonstiges Recht beachtet werden.

(2) Dem Bundesministerium für Arbeit und Soziales ist jährlich ein Geschäftsbericht vorzulegen, der vom Vorstand zu erstatten und vom Verwaltungsrat zu genehmigen ist.

Fünfter Abschnitt. Datenschutz

§ 394[2)] Verarbeitung von Sozialdaten durch die Bundesagentur.

(1) [1]Die Bundesagentur darf Sozialdaten nur verarbeiten, soweit dies zur Erfüllung ihrer gesetzlich vorgeschriebenen oder zugelassenen Aufgaben erforderlich ist. [2]Ihre Aufgaben nach diesem Buch sind

1. die Feststellung eines Versicherungspflichtverhältnisses einschließlich einer Versicherungsfreiheit,
2. die Erbringung von Leistungen der Arbeitsförderung,
3. die Erstellung von Statistiken, Arbeitsmarkt- und Berufsforschung, Berichterstattung,
4. die Überwachung der Beratung und Vermittlung durch Dritte,
5. die Zustimmung zur Zulassung der Beschäftigung nach dem Aufenthaltsgesetz[3)], die Zustimmung zur Anwerbung aus dem Ausland sowie die Erteilung einer Arbeitsgenehmigung-EU,
6. die Bekämpfung von Leistungsmissbrauch und illegaler Beschäftigung,
7. die Unterrichtung der zuständigen Behörden über Anhaltspunkte von Schwarzarbeit, Nichtentrichtung von Sozialversicherungsbeiträgen oder Steuern und Verstößen gegen das Aufenthaltsgesetz,
8. die Überwachung der Melde-, Anzeige-, Bescheinigungs- und sonstiger Pflichten nach dem Achten Kapitel sowie die Erteilung von Auskünften,
9. der Nachweis von Beiträgen sowie die Erhebung von Umlagen für die ergänzenden Leistungen nach § 102 und das Insolvenzgeld,
10. die Durchführung von Erstattungs- und Ersatzansprüchen.

(2) Eine Verarbeitung für andere als die in Absatz 1 genannten Zwecke ist nur zulässig, soweit dies durch Rechtsvorschriften des Sozialgesetzbuches angeordnet oder erlaubt ist.

§ 395[4)] Datenübermittlung an Dritte; Verarbeitung von Sozialdaten durch nicht-öffentliche Stellen. (1) Die Bundesagentur darf Dritten, die mit

---

[1)] § 393 neu gef. mWv 1.1.2004 durch G v. 23.12.2003 (BGBl. I S. 2848); Abs. 1 Satz 1 und Abs. 2 geänd. mWv 8.11.2006 durch VO v. 31.10.2006 (BGBl. I S. 2407).

[2)] § 394 neu gef. mWv 1.1.2004 durch G v. 23.12.2003 (BGBl. I S. 2848); Abs. 1 Satz 1 Nr. 10 geänd., Nr. 11, Satz 3 aufgeh. mWv 1.1.2005 durch G v. 24.12.2003 (BGBl. I S. 2954); Abs. 1 Satz 2 Nr. 5 neu gef., Nr. 7 geänd. mWv 1.1.2005 durch G v. 30.7.2004 (BGBl. I S. 1950); Abs. 1 Satz 2 Nr. 9 geänd. mWv 1.4.2006 durch G v. 24.4.2006 (BGBl. I S. 926); Abs. 1 Satz 2 Nr. 5 neu gef. mWv 28.8.2007 durch G v. 19.8.2007 (BGBl. I S. 1970); Abs. 1 Satz 2 Nr. 2 und 9 geänd. mWv 1.4.2012 durch G v. 20.12.2011 (BGBl. I S. 2854); Überschrift neu gef., Abs. 1 Satz 1, Abs. 2 geänd. mWv 26.11.2019 durch G v. 20.11.2019 (BGBl. I S. 1626).

[3)] Auszugsweise abgedruckt unter Nr. **760**.

[4)] § 395 neu gef. mWv 1.1.2004 durch G v. 23.12.2003 (BGBl. I S. 2848); Überschrift und Abs. 2 neu gef. mWv 26.11.2019 durch G v. 20.11.2019 (BGBl. I S. 1626).

der Erfüllung von Aufgaben nach diesem Buch beauftragt sind, Sozialdaten übermitteln, soweit dies zur Erfüllung dieser Aufgaben erforderlich ist.

(2) Die Bundesagentur darf abweichend von § 80 Absatz 3 des Zehnten Buches[1] zur Erfüllung ihrer Aufgaben nach diesem Buch nicht-öffentliche Stellen mit der Verarbeitung von Sozialdaten beauftragen.

§ 396[2] Kennzeichnungs- und Maßregelungsverbot. [1] Die Bundesagentur und von ihr beauftragte Dritte dürfen Berechtigte und Arbeitgeber bei der Speicherung oder Übermittlung von Daten nicht in einer aus dem Wortlaut nicht verständlichen oder in einer Weise kennzeichnen, die nicht zur Erfüllung ihrer Aufgaben erforderlich ist. [2] Die Bundesagentur darf an einer Maßregelung von Berechtigten oder an entsprechenden Maßnahmen gegen Arbeitgeber nicht mitwirken.

§ 397[3] Automatisierter Datenabgleich. (1) [1] Soweit für die Erbringung oder die Erstattung von Leistungen nach diesem Buch erforderlich, darf die Bundesagentur Angaben zu Personen, die Leistungen nach diesem Buch beantragt haben oder für die Leistungen beantragt worden sind, die Leistungen,[4] beziehen oder innerhalb der letzten vierzehn Monate bezogen haben, regelmäßig automatisiert mit den folgenden nach § 36 Absatz 3 der Datenerfassungs- und Übermittlungsverordnung[5] von der Datenstelle der Rentenversicherung übermittelten Daten abgleichen:

1. Versicherungsnummer (§ 28a Absatz 3 Satz 1 Nummer 1 des Vierten Buches[6]),
2. Familienname und Vornamen (§ 28a Absatz 3 Satz 1 Nummer 2 des Vierten Buches[6]),
3. Geburtsdatum (§ 28a Absatz 3 Satz 1 Nummer 3 des Vierten Buches[6]),
4. Anschrift (§ 28a Absatz 3 Satz 2 Nummer 1 Buchstabe a des Vierten Buches[6]),
5. Betriebsnummer des Arbeitgebers (§ 28a Absatz 3 Satz 1 Nummer 6 des Vierten Buches[6]),
6. zuständige Einzugsstelle (§ 28a Absatz 3 Satz 1 Nummer 8 des Vierten Buches[6]),
7. Beschäftigungsbeginn (§ 28a Absatz 3 Satz 2 Nummer 1 Buchstabe b des Vierten Buches[6]),
8. Beschäftigungszeitraum (§ 28a Absatz 3 Satz 2 Nummer 2 Buchstabe d des Vierten Buches[6]),

---

[1] **beck-online, Module Arbeitsrecht Nr. 699.**

[2] § 396 neu gef. mWv 1.1.2004 durch G v. 23.12.2003 (BGBl. I S. 2848).

[3] § 397 eingef. mWv 1.8.2006 durch G v. 20.7.2006 (BGBl. I S. 1706); Abs. 1 neu gef. mWv 1.1. 2013 durch G v. 5.12.2012 (BGBl. I S. 2467); Abs. 1 Nr. 6 geänd. mWv 1.7.2015 durch G v. 15.4. 2015 (BGBl. I S. 583); Abs. 1 Satz 1 einl. Satzteil geänd. mWv 1.1.2017 durch G v. 11.11.2016 (BGBl. I S. 2500); Abs. 2 Satz 2 neu gef. mWv 26.11.2019 durch G v. 20.11.2019 (BGBl. I S. 1626); Abs. 1 Satz 1 einl. Satzteil geänd., Nr. 2–4 eingef., bish. Nr. 2–6 werden Nr. 5–9, bish. Nr. 7 wird Nr. 10 und geänd., Nr. 11–13 angef., Satz 5 neu gef., Abs. 2 eingef., bish. Abs. 2 wird Abs. 3 und Satz 1 aufgeh. sowie Wortlaut geänd. mWv 1.1.2023 durch G v. 16.12.2022 (BGBl. I S. 2328).

[4] *Satzzeichen amtlich.*

[5] **Aichberger, SGB Nr. 10/10.**

[6] Nr. **694**.

9. Personengruppenschlüssel, Beitragsgruppenschlüssel und Abgabegründe für die Meldungen (§ 28b Absatz 1 Satz 1 Nummer 1 des Vierten Buches[1]),
10. Stornokennzeichen (§ 14 Absatz 1 der Datenerfassungs- und Übermittlungsverordnung),
11. beitragspflichtiges Arbeitsentgelt in Euro (§ 28a Absatz 3 Satz 2 Nummer 2 Buchstabe b des Vierten Buches[1]),
12. Zeitraum, in dem das Arbeitsentgelt erzielt wurde (§ 28a Absatz 3 Satz 2 Nummer 2 Buchstabe d des Vierten Buches[1]),
13. Entgeltersatzleistungen (§ 107 Absatz 1 des Vierten Buches[2]).

[2] Satz 1 gilt auch für geringfügig Beschäftigte. [3] Bei Beschäftigten, für die Meldungen im Rahmen des Haushaltsscheckverfahrens (§ 28a Absatz 7 des Vierten Buches[1]) erstattet werden, dürfen die nach § 28a Absatz 8 Nummer 1, 2 und 4 Buchstabe a und d des Vierten Buches[1] übermittelten Daten abgeglichen werden. [4] Die abzugleichenden Daten dürfen von der Bundesagentur, bezogen auf einzelne Beschäftigungsverhältnisse, zusammengeführt werden. [5] Dabei können die nach § 36 Absatz 3 der Datenerfassungs- und -übermittlungsverordnung übermittelten Daten, insbesondere auch das nach Satz 1 Nummer 11 genannte Arbeitsentgelt genutzt werden.

(2) Die Bundesagentur darf anhand der in Absatz 1 Satz 1 Nummer 5 genannten Betriebsnummer die Anzahl der Beschäftigten und Auszubildenden in einem Betrieb ermitteln und diese Angaben mit den von dem Arbeitgeber in den Selbstinformationseinrichtungen angegebenen Daten vergleichen, sofern dies zur Verhinderung von Datenmissbrauch bei der Vermittlung über Selbstinformationseinrichtungen erforderlich ist.

(3) Die in Absatz 1 und 2 aufgeführten Daten dürfen nur für die dort jeweils genannten Zwecke und für die Verfolgung von Straftaten und Ordnungswidrigkeiten, die im Zusammenhang mit der Beantragung oder dem Bezug von Leistungen stehen, verarbeitet werden.

§ 398[3] Datenübermittlung durch beauftragte Dritte. Hat die Bundesagentur eine externe Gutachterin oder einen externen Gutachter beauftragt, eine ärztliche oder psychologische Untersuchung oder Begutachtung durchzuführen, ist die Übermittlung von Daten an die Bundesagentur durch die externe Gutachterin oder den externen Gutachter zulässig, soweit dies zur Erfüllung des Auftrages erforderlich ist.

§§ 399–403[4] (weggefallen)

---

[1] Nr. **694**.
[2] **beck-online, Module Arbeitsrecht Nr. 694.**
[3] § 398 neu gef. mWv 1.8.2016 durch G v. 26.7.2016 (BGBl. I S. 1824).
[4] §§ 399–403 aufgeh. mWv 1.8.2006 durch G v. 20.7.2006 (BGBl. I S. 1706).

Zwölftes Kapitel.[1] Bußgeldvorschriften

Erster Abschnitt. Bußgeldvorschriften

§ 404[2] Bußgeldvorschriften. (1) Ordnungswidrig handelt, wer als Unternehmerin oder Unternehmer Dienst- oder Werkleistungen in erheblichem Umfang ausführen lässt, indem sie oder er eine andere Unternehmerin oder einen anderen Unternehmer beauftragt, von dem sie oder er weiß oder fahrlässig nicht weiß, dass diese oder dieser zur Erfüllung dieses Auftrags

1. entgegen § 284 Absatz 1 oder § 4a Absatz 5 Satz 1 oder 2 des Aufenthaltsgesetzes[3] eine Ausländerin oder einen Ausländer beschäftigt oder
2. eine Nachunternehmerin oder einen Nachunternehmer einsetzt oder es zulässt, dass eine Nachunternehmerin oder ein Nachunternehmer tätig wird, die oder der entgegen § 284 Absatz 1 oder § 4a Absatz 5 Satz 1 oder 2 des Aufenthaltsgesetzes[3] eine Ausländerin oder einen Ausländer beschäftigt.

(2) Ordnungswidrig handelt, wer vorsätzlich oder fahrlässig

1. entgegen § 42 Absatz 4 oder § 287 Abs. 3 sich die dort genannte Gebühr oder den genannten Aufwendungsersatz erstatten lässt,

1a. entgegen § 82 Absatz 5 Satz 3 einen Nachweis nicht, nicht richtig, nicht vollständig oder nicht rechtzeitig erbringt,

2. entgegen § 165 Absatz 5 einen dort genannten Beschluß nicht oder nicht rechtzeitig bekanntgibt,

3. entgegen § 284 Abs. 1 oder § 4a Absatz 5 Satz 1 oder 2 des Aufenthaltsgesetzes[3] eine Ausländerin oder einen Ausländer beschäftigt,

4. entgegen § 284 Absatz 1 oder entgegen § 4a Absatz 3 Satz 4 oder Absatz 4, § 6 Absatz 2a, § 7 Absatz 1 Satz 4 erster Halbsatz, § 16a

---

[1] 12. Kapitel Überschrift geänd. mWv 27.11.2004 durch G v. 19.11.2004 (BGBl. I S. 2902).

[2] § 404 Abs. 1 neu gef., Abs. 2 Nr. 4 eingef., bish. Nr. 4 wird Nr. 5, Nr. 6 und 7 eingef., bish. Nr. 5–23 werden Nr. 8 –26, neue Nr. 8 und Nr. 17 geänd., Abs. 3 neu gef. durch G v. 16.12.1997 (BGBl. I S. 2970); Abs. 3 geänd. mWv 1.1.2002 durch G v. 21.12.2000 (BGBl. I S. 1983); Abs. 2 Nr. 23 geänd. mWv 1.1.2002 durch G v. 10.12.2001 (BGBl. I S. 3443); Abs. 2 Nr. 8, 13 und 16 sowie Abs. 3 geänd., Abs. 2 Nr. 9 und 11 neu gef., Nr. 10, 14 und 15 aufgeh. mWv 27.3.2002 durch G v. 23.3.2002 (BGBl. I S. 1130); Abs. 2 bish. Nr. 5 wird Nr. 1 und neu gef., bish. Nr. 1–4 werden Nr. 2–5, Abs. 3 geänd. mWv 1.8.2002 durch G v. 23.7.2002 (BGBl. I S. 2787); Abs. 1 Satz 1 Nr. 1 aufgeh., Abs. 2 Nr. 23 und 24, Abs. 3 geänd. mWv 1.1.2004 durch G v. 23.12.2003 (BGBl. I S. 2848); Abs. 1 einleit. Satzteil geänd., Abs. 2 Nr. 17 und 18 aufgeh. sowie Nr. 24 und Abs. 3 neu gef. mWv 1.8.2004 durch G v. 23.7.2004 (BGBl. I S. 1842); Abs. 1, Abs. 2 Nr. 3 und 4 neu gef., Nr. 5 geänd. mWv 18.3. 2005 durch G v. 14.3.2005 (BGBl. I S. 721); Abs. 1 Nr. 1 und 2 und Abs. 2 Nr. 3 geänd. mWv 28.8. 2007 durch G v. 19.8.2007 (BGBl. I S. 1970); Abs. 2 Nr. 19a eingef. mWv 29.6.2011 durch G v. 22.6.2011 (BGBl. I S. 1202); Abs. 1 neu gef., Abs. 2 Nr. 1–3, 23 und 25 geänd., Nr. 26 eingef., bish. Nr. 26 wird Nr. 27, Abs. 3 geänd. mWv 1.4.2012 durch G v. 20.12.2011 (BGBl. I S. 2854); Abs. 2 Nr. 26 geänd. mWv 1.8.2016 durch G v. 26.7.2016 (BGBl. I S. 1824); Abs. 1 Nr. 1 und 2, Abs. 2 Nr. 3–5 geänd. mWv 1.3.2020 durch G v. 15.8.2019 (BGBl. I S. 1307); Abs. 2 Nr. 12 aufgeh., Nr. 13 geänd. mWv 26.11.2019 durch G v. 20.11.2019 (BGBl. I S. 1626); Abs. 2 Nr. 1a eingef. mWv 1.1. 2021 durch G v. 20.5.2020 (BGBl. I S. 1044); Abs. 2 Nr. 4 neu gef. mWv 24.6.2020, Nr. 19–21 neu gef., Nr. 22 aufgeh. mWv 1.1.2023 durch G v. 12.6.2020 (BGBl. I S. 1248) durch G v. 12.6.2020 (BGBl. I S. 1248); Abs. 2 Nr. 1a geänd. mWv 1.4.2024 durch G v. 17.7.2023 (BGBl. 2023 I Nr. 191); Abs. 2 Nr. 19 Buchst. a geänd. mWv 1.1.2024 durch G v. 22.12.2023 (BGBl. 2023 I Nr. 408); Abs. 2 Nr. 19 Buchst. a neu gef. mWv 14.5.2024 durch G v. 6.5.2024 (BGBl. 2024 I Nr. 148); Abs. 1 Nr. 1 *und 2 geänd., Abs. 2 Nr. 4 neu* gef., Nr. 5 aufgeh., Nr. 26 und 27 geänd., Nr. 28 und 29 eingef., Abs. 3 neu gef. mWv 24.12.2025 durch G v. 22.12.2025 (BGBl. 2025 I Nr. 355).

[3] Nr. **760**.

Absatz 3 Satz 1, § 16b Absatz 3 Satz 1, auch in Verbindung mit Absatz 5 Satz 2 oder 3 erster Halbsatz oder Absatz 7 Satz 3, § 16c Absatz 2 Satz 3, § 16d Absatz 1 Satz 4, auch in Verbindung mit Absatz 6 Satz 3, § 16d Absatz 3 Satz 8, Absatz 4 Satz 3 oder Absatz 5 Satz 2, § 16f Absatz 3 Satz 4 oder 5, § 16g Absatz 3a, § 17 Absatz 3 Satz 1, § 20a Absatz 2, § 23 Absatz 1 Satz 4 erster Halbsatz oder § 25 Absatz 4 Satz 3 erster Halbsatz, Absatz 4a Satz 4 erster Halbsatz oder Absatz 4b Satz 4 erster Halbsatz des Aufenthaltsgesetzes[1] eine Beschäftigung ausübt,

5. *(aufgehoben)*
6. einer vollziehbaren Anordnung nach § 288a Abs. 1 zuwiderhandelt,
7. entgegen § 288a Abs. 2 Satz 1 eine Auskunft nicht, nicht richtig, nicht vollständig oder nicht rechtzeitig erteilt oder eine Unterlage nicht, nicht richtig, nicht vollständig oder nicht rechtzeitig vorlegt,
8. entgegen § 288a Abs. 3 Satz 2 eine Maßnahme nicht duldet,
9. einer Rechtsverordnung nach § 292 zuwiderhandelt, soweit sie für einen bestimmten Tatbestand auf diese Bußgeldvorschrift verweist,
10. *(aufgehoben)*
11. entgegen § 296 Abs. 2 oder § 296a eine Vergütung oder einen Vorschuss entgegennimmt,
12. *(aufgehoben)*
13. entgegen § 298 Abs. 2 Satz 1 eine Unterlage nicht, nicht richtig, nicht vollständig oder nicht rechtzeitig zurückgibt,

14., 15. *(aufgehoben)*

16. einer Rechtsverordnung nach § 352 Abs. 2 Nr. 2 oder § 357 Satz 1 zuwiderhandelt, soweit sie für einen bestimmten Tatbestand auf diese Bußgeldvorschrift verweist,

17., 18. *(aufgehoben)*

19. entgegen
    a) § 312 Absatz 1 Satz 1, auch in Verbindung mit Satz 2, jeweils auch in Verbindung mit Satz 3, § 312 Absatz 3 oder § 313 Absatz 1, auch in Verbindung mit Absatz 3,
    b) § 312a Absatz 1 Satz 1, auch in Verbindung mit Satz 2, oder § 314 Absatz 1, auch in Verbindung mit Absatz 2,

    eine dort genannte Tatsache nicht, nicht richtig, nicht vollständig, nicht in der vorgeschriebenen Weise oder nicht rechtzeitig bescheinigt oder eine Bescheinigung nicht, nicht richtig, nicht vollständig, nicht in der vorgeschriebenen Weise oder nicht rechtzeitig übermittelt,
20. entgegen § 313 Absatz 2, auch in Verbindung mit Absatz 3, eine Nebeneinkommensbescheinigung nicht oder nicht rechtzeitig verlangt,
21. entgegen § 313a Absatz 1 Satz 2 zweiter Halbsatz einen Nachweis nicht oder nicht rechtzeitig zuleitet,
22. *(aufgehoben)*
23. entgegen § 315 Abs. 1, 2 Satz 1 oder Abs. 3, jeweils auch in Verbindung mit Absatz 4, § 315 Absatz 5 Satz 1, auch in Verbindung mit Satz 2, § 316, § 317 oder als privater Arbeitgeber oder Träger entgegen § 318 Abs. 1 Satz 1 eine Auskunft nicht, nicht richtig, nicht vollständig

[1] Nr. **760**.

oder nicht rechtzeitig erteilt oder entgegen § 318 Abs. 2 Satz 2 Nr. 2 eine Mitteilung an die Agentur für Arbeit nicht oder nicht rechtzeitig erteilt,

24. entgegen § 319 Abs. 1 Satz 1 Einsicht oder Zutritt nicht gewährt,
25. entgegen § 320 Abs. 1 Satz 1, Abs. 3 Satz 1 oder 2 oder Abs. 5 einen Nachweis nicht, nicht richtig oder nicht vollständig oder nicht rechtzeitig erbringt, eine Aufzeichnung nicht, nicht richtig oder nicht vollständig führt oder eine Anzeige nicht, nicht richtig, nicht vollständig oder nicht rechtzeitig erstattet,
26. entgegen § 60 Absatz 1 Satz 1 Nummer 1 des Ersten Buches[1] eine Angabe nicht, nicht richtig , nicht vollständig oder nicht rechtzeitig macht,
27. entgegen § 60 Abs. 1 Satz 1 Nr. 2 des Ersten Buches eine Änderung in den Verhältnissen, die für einen Anspruch auf eine laufende Leistung erheblich ist, nicht, nicht richtig, nicht vollständig oder nicht rechtzeitig mitteilt,
28. entgegen § 39 Absatz 4 Satz 1, auch in Verbindung mit Absatz 6 Satz 1, des Aufenthaltsgesetzes[2] eine Auskunft nicht richtig erteilt oder
29. entgegen § 39 Absatz 4 Satz 2, auch in Verbindung mit Absatz 6 Satz 1, des Aufenthaltsgesetzes[2] eine Auskunft nicht, nicht richtig, nicht vollständig oder nicht rechtzeitig erteilt.

(3) Die Ordnungswidrigkeit kann in den Fällen der Absätze 1 und 2 Nummer 3 mit einer Geldbuße bis zu fünfhunderttausend Euro, in den Fällen des Absatzes 2 Nummer 1, 6 bis 9, 11 bis 13, 28 und 29 mit einer Geldbuße bis zu dreißigtausend Euro, in den Fällen des Absatzes 2 Nummer 2, 4, 16, 26 und 27 mit einer Geldbuße bis zu fünftausend Euro und in den übrigen Fällen mit einer Geldbuße bis zu zweitausend Euro geahndet werden.

§ 405[3] Zuständigkeit, Vollstreckung und Unterrichtung. (1) Verwaltungsbehörden im Sinne des § 36 Abs. 1 Nr. 1 des Gesetzes über Ordnungswidrigkeiten[4] sind in den Fällen

1. des § 404 Abs. 1 sowie des § 404 Abs. 2 Nr. 3 und 4 die Behörden der Zollverwaltung,
2. des § 404 Absatz 2 Nummer 1, 1a, 2, 6 bis 16, 19 bis 25, 28 und 29 die Bundesagentur,

---

[1] Nr. **691**.

[2] Nr. **760**.

[3] § 405 Abs. 1 und 4 geänd., Abs. 5 angef. durch G v. 16.12.1997 (BGBl. I S. 2970); Abs. 5 geänd. mWv 1.1.2002 durch G v. 13.12.2001 (BGBl. I S. 3584); Abs. 1 Satz 1 und Abs. 5 geänd., Abs. 1 Satz 2 angef. mWv 1.8.2002 durch G v. 23.7.2002 (BGBl. I S. 2787); Abs. 1 bish. Satz 1 neu gef., Satz 2 aufgeh., Abs. 4 und 5 geänd. mWv 1.1.2004 durch G v. 23.12.2003 (BGBl. I S. 2848); Überschrift, Abs. 1 und 5 neu gef., Abs. 4 geänd. sowie Abs. 6 angef. mWv 1.8.2004 durch G v. 23.7.2004 (BGBl. I S. 1842); Abs. 4 geänd. mWv 18.3.2005 durch G v. 14.3.2005 (BGBl. I S. 721); Abs. 5 Satz 3 angef. mWv 31.12.2005 durch G v. 22.12.2005 (BGBl. I S. 3676); Abs. 1 Nr. 3, Abs. 4 und Abs. 6 Satz 1 geänd. mWv 1.4.2012 durch G v. 20.12.2011 (BGBl. I S. 2854); Abs. 4 geänd. mWv 1.8.2016 durch G v. 26.7.2016 (BGBl. I S. 1824); Abs. 4 geänd. mWv 18.7.2019 durch G v. 11.7.2019 (BGBl. I S. 1066); Abs. 4 geänd. mWv 1.3.2020 durch G v. 15.8.2019 (BGBl. I S. 1307); Abs. 1 Nr. 2 geänd. mWv 1.1.2021 durch G v. 20.5.2020 (BGBl. I S. 1044); Abs. 5 Satz 1 geänd. mWv 1.1. *2023 durch G v. 12.6.2020 (BGBl. I S. 1248)*; Abs. 1 Nr. 2 und Abs. 5 Satz 1 neu gef. mWv 24.12.2025 durch G v. 22.12.2025 (BGBl. 2025 I Nr. 355).

[4] **Habersack Nr. 94.**

3. des § 404 Abs. 2 Nr. 26 und 27 die Behörden der Zollverwaltung und die Bundesagentur jeweils für ihren Geschäftsbereich.

(2) [1]Die Geldbußen fließen in die Kasse der Verwaltungsbehörde, die den Bußgeldbescheid erlassen hat. [2]§ 66 des Zehnten Buches[1)] gilt entsprechend.

(3) [1]Die nach Absatz 2 Satz 1 zuständige Kasse trägt abweichend von § 105 Abs. 2 des Gesetzes über Ordnungswidrigkeiten die notwendigen Auslagen. [2]Sie ist auch ersatzpflichtig im Sinne des § 110 Abs. 4 des Gesetzes über Ordnungswidrigkeiten.

(4) Bei der Verfolgung und Ahndung der Beschäftigung oder Tätigkeit von Ausländerinnen und Ausländern ohne Genehmigung nach § 284 Abs. 1, ohne Aufenthaltstitel nach § 4a Absatz 5 Satz 1 des Aufenthaltsgesetzes[2)] oder ohne Erlaubnis oder Berechtigung nach § 4a Absatz 5 Satz 2 in Verbindung mit Absatz 4 des Aufenthaltsgesetzes[2)] sowie der Verstöße gegen die Mitwirkungspflicht gegenüber der Bundesagentur nach § 60 Absatz 1 Satz 1 Nummer 1 und 2 des Ersten Buches[3)] arbeiten die Behörden nach Absatz 1 mit den in § 2 Absatz 4 des Schwarzarbeitsbekämpfungsgesetzes[4)] genannten Behörden zusammen.

(5) [1]Die Bundesagentur unterrichtet das Gewerbezentralregister über rechtskräftige Bußgeldbescheide nach § 404 Absatz 2 Nummer 1, 6 bis 16, 19 Buchstabe a, Nummer 28 und 29. [2]Die Behörden der Zollverwaltung unterrichten das Gewerbezentralregister über rechtskräftige Bußgeldbescheide nach § 404 Abs. 1 und 2 Nr. 3. [3]Dies gilt nur, sofern die Geldbuße mehr als 200 Euro beträgt.

(6) [1]Gerichte, Strafverfolgungs- oder Strafvollstreckungsbehörden sollen den Behörden der Zollverwaltung Erkenntnisse aus sonstigen Verfahren, die aus ihrer Sicht zur Verfolgung von Ordnungswidrigkeiten nach § 404 Abs. 1 oder 2 Nr. 3 erforderlich sind, übermitteln, soweit nicht für die übermittelnde Stelle erkennbar ist, dass schutzwürdige Interessen der oder des Betroffenen oder anderer Verfahrensbeteiligter an dem Ausschluss der Übermittlung überwiegen. [2]Dabei ist zu berücksichtigen, wie gesichert die zu übermittelnden Erkenntnisse sind.

Zweiter Abschnitt.[5)] *(aufgehoben)*

§§ 406, 407[5)] *(aufgehoben)*

Dreizehntes Kapitel. Sonderregelungen

Erster Abschnitt.[6)] *(aufgehoben)*

§§ 408–416a[7)] *(aufgehoben)*

---

1) Nr. **699**.
2) Nr. **760**.
3) Nr. **691**.
4) Nr. **110**.
5) 2. Abschnitt (§§ 406 und 407) aufgeh. mWv 1.8.2004 durch G v. 23.7.2004 (BGBl. I S. 1842).
6) 1. Abschnitt (§§ 408–416a) aufgeh. mWv 1.1.2025 durch G v. 17.7.2017 (BGBl. I S. 2575).
7) § 408 aufgeh. mWv 1.1.2025 durch G v. 17.7.2017 (BGBl. I S. 2575); §§ 409, 410 aufgeh. mWv 1.1.2005 durch G v. 23.12.2003 (BGBl. I S. 2848); § 411 aufgeh. mWv 1.1.2003 durch G v. 23.12.2002 (BGBl. I S. 4607); § 412 aufgeh. durch G v. 16.12.1997 (BGBl. I S. 2970); §§ 413, 414 aufgeh. mWv 1.8.2001 durch G v. 19.3.2001 (BGBl. I S. 390); § 415 aufgeh. mWv 1.1.2003 durch G v. →

Zweiter Abschnitt.[1] Ergänzungen für übergangsweise mögliche Leistungen und zeitweilige Aufgaben

§ 417[2] Sonderregelung zum Bundesprogramm „Ausbildungsplätze sichern“ . Soweit die Bundesregierung die Umsetzung des Bundesprogramms „Ausbildungsplätze sichern“ der Bundesagentur überträgt, erstattet der Bund der Bundesagentur abweichend von § 363 Absatz 1 Satz 2 die durch die Umsetzung entstehenden Verwaltungskosten.

§ 418[3] Tragung der Beiträge zur Arbeitsförderung bei Beschäftigung älterer Arbeitnehmerinnen und Arbeitnehmer. (1) [1]Arbeitgeber, die ein Beschäftigungsverhältnis mit einer zuvor arbeitslosen Person, die das 55. Lebensjahr vollendet hat, erstmalig begründen, werden von der Beitragstragung befreit. [2]Die versicherungspflichtig beschäftigte Person trägt die Hälfte des Beitrages, der ohne die Regelung des Satzes 1 zu zahlen wäre.

(2) Vom 1. Januar 2008 an ist Absatz 1 nur noch für Beschäftigungsverhältnisse anzuwenden, die vor dem 1. Januar 2008 begründet worden sind.

§ 419[4] *(aufgehoben)*

§ 420[5] Versicherungsfreiheit von Teilnehmerinnen und Teilnehmern des Programms Soziale Teilhabe am Arbeitsmarkt. Versicherungsfrei sind Personen in einer Beschäftigung, die im Rahmen des Bundesprogramms „Soziale Teilhabe am Arbeitsmarkt“ durch Zuwendungen des Bundes gefördert wird.

§ 420a[6] *(aufgehoben)*

§ 421[7] Förderung der Teilnahme an Sprachkursen. (1) [1]Die Agentur für Arbeit kann die Teilnahme von Ausländerinnen und Ausländern, die eine Aufenthaltsgestattung besitzen und bei denen ein rechtmäßiger und dauerhafter Aufenthalt zu erwarten ist, an Maßnahmen zur Erlangung erster Kenntnisse der deutschen Sprache fördern, wenn dies zu ihrer Eingliederung notwendig ist und der Maßnahmeeintritt bis zum 31. Dezember 2015 erfolgt. [2]Dies gilt auch für Ausländerinnen und Ausländer nach Satz 1, die auf Grund des § 61 des Asylgesetzes[8] eine Erwerbstätigkeit nicht ausüben dürfen. [3]Bei einem Asylbewerber, der aus einem sicheren Herkunftsstaat nach § 29a des Asylgesetzes[9] stammt, wird vermutet, dass ein rechtmäßiger und dauerhafter Aufenthalt nicht zu erwarten ist.

(Fortsetzung der Anm. von voriger Seite)
10.12.2001 (BGBl. I S. 3443); § 416 aufgeh. mWv 1.1.2009 durch G v. 21.12.2008 (BGBl. I S. 2917); § 416a aufgeh. mWv 15.12.2010 durch G v. 8.12.2010 (BGBl. I S. 1864).

[1] 2. Abschnitt Überschrift geänd. mWv 30.5.2002 durch G v. 22.5.2002 (BGBl. I S. 1644).

[2] § 417 eingef. mWv 17.7.2020 durch G v. 14.7.2020 (BGBl. I S. 1683).

[3] Bish. § 421k eingef. mWv 1.1.2003 durch G v. 23.12.2002 (BGBl. I S. 4607); Abs. 2 geänd. mWv 31.12.2005 durch G v. 22.12.2005 (BGBl. I S. 3676); bish. § 421k wird § 418, Überschrift und Abs. 1 Sätze 1 und 2 geänd. mWv 1.4.2012 durch G v. 20.12.2011 (BGBl. I S. 2854).

[4] § 419 aufgeh. mWv 29.5.2020 durch G v. 20.5.2020 (BGBl. I S. 1044).

[5] § 420 neu gef. mWv 1.5.2015 durch G v. 15.4.2015 (BGBl. I S. 583).

[6] § 420a aufgeh. mWv 1.1.2005 durch G v. 30.7.2004 (BGBl. I S. 1950).

[7] *§ 421 neu gef. mWv 24.10.2015* durch G v. 20.10.2015 (BGBl. I S. 1722).

[8] Nr. **780**.

[9] **beck-online, Module Arbeitsrecht Nr. 780.**

(2) [1] Die Dauer der Teilnahme an der Maßnahme beträgt bis zu acht Wochen. [2] Die Teilnahme kann durch Übernahme der Maßnahmekosten gefördert werden, wenn die Träger die erforderliche Leistungsfähigkeit und Zuverlässigkeit besitzen.

(3) Dem Träger werden als Maßnahmekosten erstattet:

1. die angemessenen Aufwendungen für das zur Durchführung der Maßnahme eingesetzte erforderliche Personal sowie für das erforderliche Leitungs- und Verwaltungspersonal,
2. die angemessenen Sachkosten einschließlich der Kosten für Lehr- und Lernmittel und
3. die erforderlichen Fahrkosten der Teilnehmenden.

(4) Die Berechtigung der Ausländerin oder des Ausländers zur Teilnahme an einem Integrationskurs schließt eine Förderung nach Absatz 1 nicht aus.

(5) Die Leistungen nach dieser Vorschrift sind Leistungen der aktiven Arbeitsförderung im Sinne des § 3 Absatz 1 und 2.

§ 421a[1)] Arbeiten in Maßnahmen des Arbeitsmarktprogramms Flüchtlingsintegrationsmaßnahmen. [1] Arbeiten in Maßnahmen, die durch das Arbeitsmarktprogramm Flüchtlingsintegrationsmaßnahmen bereitgestellt werden, begründen kein Arbeitsverhältnis im Sinne des Arbeitsrechts und kein Beschäftigungsverhältnis im Sinne des Vierten Buches[2)]; die Vorschriften über den Arbeitsschutz und das Bundesurlaubsgesetz[3)] mit Ausnahme der Regelungen über das Urlaubsentgelt sind entsprechend anzuwenden. [2] Für Schäden bei der Ausübung ihrer Tätigkeit haften die Teilnehmerinnen und Teilnehmer an den Maßnahmen wie Arbeitnehmerinnen und Arbeitnehmer.

[§ 421b aufgeh. ab 1.1.2027:]

§ 421b[4)] Erprobung einer zentralen Servicestelle für anerkennungssuchende Fachkräfte im Ausland. [1] Die Bundesagentur berät im Rahmen eines Modellvorhabens Personen, die sich nicht nur vorübergehend im Ausland aufhalten, zu den Möglichkeiten der Anerkennung ausländischer Berufsabschlüsse und damit im Zusammenhang stehenden aufenthaltsrechtlichen Fragen und begleitet sie bei der Durchführung der entsprechenden Verfahren. [2] Das Modellvorhaben ist bis zum 31. Dezember 2026 befristet. [3] § 363 Absatz 1 Satz 2 findet keine Anwendung.

§ 421c[5)] Vorübergehende Sonderregelung im Zusammenhang mit Kurzarbeit. [1] Vorläufige Entscheidungen nach § 328 Absatz 1 Nummer 3 über die Zahlung von Kurzarbeitergeld für die Monate März 2020 bis Juni 2022 können auch ohne eine abschließende Prüfung der Voraussetzungen und des Umfangs des Anspruchs auf Kurzarbeitergeld (Abschlussprüfung) durch eine endgültige Entscheidung abgeschlossen werden, wenn der Gesamtauszahlungsbetrag des Kurzarbeitergeldes und der dem Arbeitgeber erstatteten Sozialver-

---

1) § 421a eingef. mWv 6.8.2016 durch G v. 31.7.2016 (BGBl. I S. 1939).
2) Auszugsweise abgedruckt unter Nr. **694**.
3) Nr. **134**.
4) § 421b eingef. mWv 21.8.2019 durch G v. 15.8.2019 (BGBl. I S. 1307); **§ 421b aufgeh. mWv 1.1.2027** durch G v. 15.8.2019 (BGBl. I S. 1307, geänd. BGBl. 2023 I Nr. 217); Satz 2 geänd. mWv 19.8.2023 durch G v. 16.8.2023 (BGBl. 2023 I Nr. 217).
5) § 421c neu gef. mWv 1.1.2023 durch G v. 20.12.2022 (BGBl. I S. 2759).

sicherungsbeiträge für den jeweiligen Arbeitsausfall 10 000 Euro nicht überschreitet. [2] Anlassbezogene Prüfungen erfolgen in den Fällen des Satzes 1, wenn Hinweise auf einen Missbrauch von Leistungen vorliegen oder der Arbeitgeber oder die Betriebsvertretung die Durchführung der Abschlussprüfungen verlangen.

§ 421d[1)] Vorübergehende Sonderregelungen zum Arbeitslosengeld.

(1) Für Personen, deren Anspruch auf Arbeitslosengeld sich in der Zeit vom 1. Mai 2020 bis zum 31. Dezember 2020 auf einen Tag gemindert hat, verlängert sich die Anspruchsdauer einmalig um drei Monate.

(2) [1] Für Zeiten, in denen die durchschnittliche regelmäßige wöchentliche Arbeitszeit der oder des Arbeitslosen auf Grund einer kollektiv-rechtlichen Beschäftigungssicherungsvereinbarung, die ab dem 1. März 2020 geschlossen oder wirksam geworden ist, vorübergehend vermindert war, gilt ergänzend zu § 151 Absatz 3, dass als Arbeitsentgelt das Arbeitsentgelt zu Grunde zu legen ist, das die oder der Arbeitslose ohne diese Vereinbarung und ohne Mehrarbeit erzielt hätte; insoweit gilt § 150 Absatz 2 Satz 1 Nummer 5 nicht. [2] Satz 1 gilt nur für Zeiten mit Anspruch auf Arbeitsentgelt im Zeitraum vom 1. März 2020 bis zum 31. Dezember 2022. [3] Sind Ansprüche auf Arbeitslosengeld vor dem 10. Dezember 2020 entstanden, so sind die Sätze 1 und 2 anzuwenden, wenn die oder der Arbeitslose dies verlangt und die zur Ermittlung des Bemessungsentgelts erforderlichen Tatsachen nachweist.

(3) [1] Abweichend von § 146 Absatz 2 besteht für das Kalenderjahr 2020 der Anspruch auf Leistungsfortzahlung für jedes Kind längstens für 15 Tage, bei alleinerziehenden Arbeitslosen längstens für 30 Tage; Arbeitslosengeld wird insgesamt für nicht mehr als 35 Tage, für alleinerziehende Arbeitslose für nicht mehr als 70 Tage fortgezahlt; für das Kalenderjahr 2021 besteht der Anspruch auf Leistungsfortzahlung für jedes Kind längstens für 30 Tage, bei alleinerziehenden Arbeitslosen längstens für 60 Tage; Arbeitslosengeld wird insgesamt für nicht mehr als 65 Tage, für alleinerziehende Arbeitslose für nicht mehr als 130 Tage fortgezahlt; für das Kalenderjahr 2022 besteht der Anspruch auf Leistungsfortzahlung für jedes Kind längstens für 30 Tage, bei alleinerziehenden Arbeitslosen längstens für 60 Tage; Arbeitslosengeld wird insgesamt für nicht mehr als 65 Tage, für alleinerziehende Arbeitslose für nicht mehr als 130 Tage fortgezahlt; für das Kalenderjahr 2023 besteht der Anspruch auf Leistungsfortzahlung für jedes Kind längstens für 30 Tage, bei alleinerziehenden Arbeitslosen längstens für 60 Tage; Arbeitslosengeld wird insgesamt für nicht mehr als 65 Tage, für alleinerziehende Arbeitslose für nicht mehr als 130 Tage fortgezahlt; für die Kalenderjahre 2024 bis 2026 besteht der Anspruch auf Leistungsfortzahlung für jedes Kind längstens für jeweils 15 Tage, bei alleinerziehenden Arbeitslosen längstens für jeweils 30 Tage; Arbeitslosengeld wird insgesamt für nicht mehr als jeweils 35 Tage, für alleinerziehende Arbeitslose für nicht mehr

---

[1)] § 421d eingef. mWv 29.5.2020 durch G v. 20.5.2020 (BGBl. I S. 1055); Überschrift neu gef. mWv 10.12.2020 durch G v. 3.12.2020 (BGBl. I S. 2691); Abs. 3 Satz 1 geänd. mWv 5.1.2021 durch G v. 18.1.2021 (BGBl. I S. 2); Abs. 3 Satz 1 geänd. mWv 5.1.2021 durch G v. 22.4.2021 (BGBl. I S. 802); Abs. 3 Satz 1 geänd. mWv 1.1.2022 durch G v. 22.11.2021 (BGBl. I S. 4906); Abs. 4 angef. mWv 1.6.2022 durch G v. 23.5.2022 (BGBl. I S. 760); Abs. 3 Satz 1 geänd. mWv 1.1.2023 durch G v. *16.9.2022 (BGBl. I S. 1454)*; Abs. 3 Satz 1 geänd. mWv 1.1.2024 durch G v. 12.12.2023 (BGBl. 2023 I Nr. 359); Abs. 3 Satz 1 neu gef. mWv 1.1.2026 durch G v. 22.12.2025 (BGBl. 2025 I Nr. 371).

als jeweils 70 Tage fortgezahlt. [2] Satz 1 ist nur anzuwenden, wenn die oder der Arbeitslose dies verlangt und die übrigen Voraussetzungen vorliegen.

(4) [1] Personen, die im Monat Juli 2022 für mindestens einen Tag Anspruch auf Arbeitslosengeld haben, erhalten eine Einmalzahlung in Höhe von 100 Euro. [2] Satz 1 findet keine Anwendung auf Leistungsberechtigte nach § 73 des Zweiten Buches[1)]. [3] Der Bund trägt die Aufwendungen einschließlich der Verwaltungskosten für die Einmalzahlung.

§ 421e[2)] Vorübergehende Sonderregelungen im Zusammenhang mit dem Austritt des Vereinigten Königreichs Großbritannien und Nordirland aus der Europäischen Union. (1) Die Mitteilungspflicht der Bundesagentur für Arbeit nach § 172 Absatz 1 ist entsprechend für insolvente Arbeitgeber anzuwenden, die auch im Vereinigten Königreich Großbritannien und Nordirland tätig sind, wenn das Insolvenzereignis vor dem Tag nach dem Ende des Übergangszeitraums gemäß Teil Vier des Abkommens über den Austritt des Vereinigten Königreichs Großbritannien und Nordirland aus der Europäischen Union und der Europäischen Atomgemeinschaft vom 24. Januar 2020 (ABl. L 29 vom 31.1.2020, S. 7) liegt.

(2) Leistungsberechtigten Personen, die

1. laufende Geldleistungen nach diesem Buch bereits vor dem Tag nach dem Ende des Übergangszeitraums gemäß Teil Vier des Abkommens über den Austritt des Vereinigten Königreichs Großbritannien und Nordirland aus der Europäischen Union und der Europäischen Atomgemeinschaft bezogen haben und
2. ihr Konto bei einem Geldinstitut im Vereinigten Königreich Großbritannien und Nordirland bereits vor dem Tag nach dem Ende des Übergangszeitraums gemäß dem Vierten Teil des Abkommens über den Austritt des Vereinigten Königreichs Großbritannien und Nordirland aus der Europäischen Union und der Europäischen Atomgemeinschaft hatten,

werden Geldleistungen abweichend von § 337 Absatz 1 Satz 1 ohne Abzug der dadurch veranlassten Kosten ausgezahlt, solange die leistungsberechtigten Personen die laufende Geldleistung beziehen und weiterhin ihr Konto bei einem Geldinstitut im Vereinigten Königreich Großbritannien und Nordirland haben.

§ 421f[3)] Übermittlung von Daten zum Bezug von Kurzarbeitergeld.

(1) Die Bundesagentur für Arbeit ist bis zum 31. Dezember 2025 berechtigt, Daten über die Höhe des dem Arbeitgeber für seine Beschäftigten ausgezahlten Kurzarbeitergeldes für die Monate November und Dezember 2020 sowie über die Höhe der dem Arbeitgeber für den gleichen Zeitraum erstatteten Sozialversicherungsbeiträge an die Bewilligungsstellen der Länder für die November- und Dezemberhilfen zur Verhinderung von Leistungsmissbrauch durch Verdachtsprüfungen und Stichprobenkontrollen zu übermitteln, indem sie diese Daten zum automatisierten Abruf aus ihrem Datenbestand bereitstellt.

(2) § 79 Absatz 2 bis 4 des Zehnten Buches[4)] gilt entsprechend.

[1)] Nr. **692**.
[2)] § 421e eingef. mWv 24.11.2020 durch G v. 12.11.2020 (BGBl. I S. 2416).
[3)] § 421f eingef. mWv 1.1.2023 durch G v. 20.12.2022 (BGBl. I S. 2759).
[4)] **beck-online, Module Arbeitsrecht Nr. 699.**

[§ 421g bis 31.12.2028:]

§ 421g[1] Vorübergehende Sonderregelung für anerkennungssuchende Fachkräfte im Inland. [1]Die Bundesagentur baut durch Zusammenwirken mit den Projektträgern des ESF Plus-Förderprogramms „IQ – Integration durch Qualifizierung" ab dem 1. Januar 2026 das für die Übernahme notwendige Fach- und Erfahrungswissen zur Anerkennungs- und Qualifizierungsberatung auf. [2]Die Bundesagentur kann in diesem Zusammenhang in Absprache mit den Projektträgern auch selbst beraten.

Dritter Abschnitt. Grundsätze bei Rechtsänderungen

§ 422 Leistungen der aktiven Arbeitsförderung. (1) Wird dieses Gesetzbuch geändert, so sind, soweit nichts Abweichendes bestimmt ist, auf Leistungen der aktiven Arbeitsförderung bis zum Ende der Leistungen oder der Maßnahme die Vorschriften in der vor dem Tag des Inkrafttretens der Änderung geltenden Fassung weiter anzuwenden, wenn vor diesem Tag

1. der Anspruch entstanden ist,
2. die Leistung zuerkannt worden ist oder
3. die Maßnahme begonnen hat, wenn die Leistung bis zum Beginn der Maßnahme beantragt worden ist.

(2) Ist eine Leistung nur für einen begrenzten Zeitraum zuerkannt worden, richtet sich eine Verlängerung nach den zum Zeitpunkt der Entscheidung über die Verlängerung geltenden Vorschriften.

§§ 423, 424[2] *(aufgehoben)*

Vierter Abschnitt. Sonderregelungen im Zusammenhang mit der Einordnung des Arbeitsförderungsrechts in das Sozialgesetzbuch

§ 425 Übergang von der Beitrags- zur Versicherungspflicht. Zeiten einer die Beitragspflicht begründenden Beschäftigung sowie sonstige Zeiten der Beitragspflicht nach dem Arbeitsförderungsgesetz in der zuletzt geltenden Fassung gelten als Zeiten eines Versicherungspflichtverhältnisses.

§§ 426, 427[3] *(aufgehoben)*

§ 427a[4] Gleichstellung von Mutterschaftszeiten. (1) Für Personen, die in der Zeit vom 1. Januar 1998 bis zum 31. Dezember 2002 Sonderunterstützung nach dem Mutterschutzgesetz[5] oder Mutterschaftsgeld bezogen haben, gilt für die Erfüllung der für einen Anspruch auf Arbeitslosengeld erforderlichen Anwartschaftszeit und für die Dauer des Anspruchs § 107 Satz 1 Nr. 5 Buchstabe b des Arbeitsförderungsgesetzes in der bis zum 31. Dezember 1997 geltenden Fassung entsprechend.

---

[1] § 421g eingef. mWv 1.1.2026 und aufgeh. mWv 1.1.2029 durch G v. 22.12.2025 (BGBl. 2025 I Nr. 355).

[2] § 423 aufgeh. durch G v. 24.3.1999 (BGBl. I S. 396); § 424 aufgeh. mWv 1.1.2004 durch G v. 23.12.2003 (BGBl. I S. 2848).

[3] § 426 aufgeh. mWv 15.12.2010 durch G v. 8.12.2010 (BGBl. I S. 1864), § 427 aufgeh. mWv 1.4. *2012 durch G v. 20.12.2011* (BGBl. I S. 2854).

[4] § 427a eingef. mWv 1.5.2007 durch G v. 19.4.2007 (BGBl. I S. 538).

[5] Nr. **400**.

(2) Die Agentur für Arbeit entscheidet

1. von Amts wegen

   a) über Ansprüche auf Arbeitslosengeld neu, die allein deshalb abgelehnt worden sind, weil Zeiten nach § 107 Satz 1 Nr. 5 Buchstabe b des Arbeitsförderungsgesetzes in der bis zum 31. Dezember 1997 geltenden Fassung nicht berücksichtigt worden sind, wenn die Entscheidung am 28. März 2006 noch nicht unanfechtbar war,

(Fortsetzung nächstes Blatt)

b) über Ansprüche auf Arbeitslosengeld, über die wegen des Bezugs einer der in Absatz 1 genannten Mutterschaftsleistungen bisher nicht oder nur vorläufig entschieden worden ist;

2. im Übrigen auf Antrag.

§ 428[1)] *(aufgehoben)*

§ 429[2)] *(aufgehoben)*

§ 430[3)] **Sonstige Entgeltersatzleistungen.** (1) Bei der Anwendung der Regelungen über die für Leistungen zur Förderung der beruflichen Weiterbildung und für Leistungen zur Teilhabe am Arbeitsleben erforderliche Vorbeschäftigungszeit stehen Zeiten, die nach dem Arbeitsförderungsgesetz in der zuletzt geltenden Fassung den Zeiten einer die Beitragspflicht begründenden Beschäftigung ohne Beitragsleistung gleichstanden, den Zeiten eines Versicherungspflichtverhältnisses gleich.

(2) [1] Ist ein Anspruch auf Unterhaltsgeld vor dem 1. Januar 1998 entstanden, sind das Bemessungsentgelt und der Leistungssatz nicht neu festzusetzen. [2] Satz 1 gilt für die Zuordnung zu einer Leistungsgruppe entsprechend.

(3) [1] Die Dauer eines Anspruchs auf Eingliederungshilfe für Spätaussiedler nach § 62a Abs. 1 und 2 des Arbeitsförderungsgesetzes, der vor dem 1. Januar 1998 entstanden und am 1. Januar 1998 noch nicht erloschen ist, erhöht sich um jeweils einen Tag für jeweils sechs Tage. [2] Bruchteile von Tagen sind auf volle Tage aufzurunden.

(4) Die Vorschriften des Arbeitsförderungsgesetzes über das Konkursausfallgeld in der bis zum 31. Dezember 1998 geltenden Fassung sind weiterhin anzuwenden, wenn das Insolvenzereignis vor dem 1. Januar 1999 eingetreten ist.

(5) Ist ein Anspruch auf Kurzarbeitergeld von Arbeitnehmern, die zur Vermeidung von anzeigepflichtigen Entlassungen im Sinne des § 17 Abs. 1 des Kündigungsschutzgesetzes[4)] in einer betriebsorganisatorisch eigenständigen Einheit zusammengefaßt sind, vor dem 1. Januar 1998 entstanden, sind bei der Anwendung der Regelungen über die Dauer eines Anspruchs auf Kurzarbeitergeld in einer betriebsorganisatorisch eigenständigen Einheit Bezugszeiten, die nach einer auf Grundlage des § 67 Abs. 2 Nr. 3 des Arbeitsförderungsgesetzes erlassenen Rechtsverordnung bis zum 1. Januar 1998 nicht ausgeschöpft sind, verbleibende Bezugszeiten eines Anspruchs auf Kurzarbeitergeld in einer betriebsorganisatorisch eigenständigen Einheit.

§§ 431–433[5)] *(aufgehoben)*

[1)] § 428 aufgeh. mWv 1.1.2023 durch G v. 16.12.2022 (BGBl. I S. 2328).

[2)] § 429 aufgeh. mWv 1.1.2004 durch G v. 23.12.2003 (BGBl. I S. 2848).

[3)] § 430 Abs. 2 geänd. mWv 1.7.2001 durch G v. 19.6.2001 (BGBl. I S. 1046); Abs. 1 aufgeh., bish. Abs. 2–6 werden Abs. 1–5 mWv 1.4.2012 durch G v. 20.12.2011 (BGBl. I S. 2854).

[4)] Nr. **152**.

[5)] §§ 431 und 432 aufgeh. mWv 1.4.2012 durch G v. 20.12.2011 (BGBl. I S. 2854), § 433 aufgeh. mWv 31.12.2005 durch G v. 22.12.2005 (BGBl. I S. 3676).

Fünfter Abschnitt.[1] Übergangsregelungen auf Grund von Änderungsgesetzen

§ 434[2] Gesetz zur Reform der Renten wegen verminderter Erwerbsfähigkeit. (1) Bei der Anwendung des § 26 Abs. 2 Nr. 3 und des § 345a gilt die Rente wegen Erwerbsunfähigkeit, deren Beginn vor dem 1. Januar 2001 liegt, als Rente wegen voller Erwerbsminderung; dies gilt auch dann, wenn die Rente wegen Erwerbsunfähigkeit wegen eines mehr als geringfügigen Hinzuverdienstes als Rente wegen Berufsunfähigkeit gezahlt wird.

(1a) Bei Anwendung des § 28 gilt

1. eine Rente wegen Erwerbsunfähigkeit, deren Beginn vor dem 1. Januar 2001 liegt, als eine Rente wegen voller Erwerbsminderung,
2. eine mit der Rente wegen Erwerbsunfähigkeit vergleichbare Leistung eines ausländischen Leistungsträgers, deren Beginn vor dem 1. Januar 2001 liegt, als eine mit der Rente wegen voller Erwerbsminderung vergleichbare Leistung eines ausländischen Leistungsträgers.

(2) Bei der Anwendung des § 28 Nr. 3 gilt die Feststellung der Berufsunfähigkeit oder Erwerbsunfähigkeit als Feststellung voller Erwerbsminderung.

(3) Bei der Anwendung des § 145 gilt die Feststellung der verminderten Berufsfähigkeit im Bergbau nach § 45 des Sechsten Buches[3] als Feststellung der Erwerbsminderung.

(4) Bei der Anwendung des § 156 Absatz 1 Nummer 3 gilt die Rente wegen Erwerbsunfähigkeit, deren Beginn vor dem 1. Januar 2001 liegt, als Rente wegen voller Erwerbsminderung.

(5) § 142 Abs. 4 in der vor dem 1. Januar 2001 geltenden Fassung ist weiterhin auf Invalidenrenten, Bergmannsinvalidenrenten oder Invalidenrenten für Behinderte nach Artikel 2 des Renten-Überleitungsgesetzes, deren Beginn vor dem 1. Januar 1997 liegt, mit der Maßgabe anzuwenden, dass

1. diese dem Anspruch auf Rente wegen voller Erwerbsminderung gleichstehen und
2. an die Stelle der Feststellung der Erwerbsunfähigkeit oder Berufsunfähigkeit die Feststellung der Erwerbsminderung tritt.

§§ 434a–434x[4] *(aufgehoben bzw. nicht mehr belegt)*

§ 435[5] Gesetz zur Vereinfachung der Wahl der Arbeitnehmervertreter in den Aufsichtsrat. [1] Zum 27. März 2002 treten der Präsident der Bundesanstalt für Arbeit und der Vizepräsident der Bundesanstalt für Arbeit in den

---

[1] 5. Abschnitt eingef. durch G v. 21.7.1999 (BGBl. I S. 1648); 5. Abschnitt Überschrift neu gef. mWv 1.4.2012 durch G v. 20.12.2011 (BGBl. I S. 2854).

[2] Bish. § 435 angef. mWv 1.1.2001 durch G v. 20.12.2000 (BGBl. I S. 1827); Abs. 1 eingef., bish. Abs. 1–4 werden Abs. 2–5 mWv 1.1.2001 durch G v. 21.3.2001 (BGBl. I S. 403); Abs. 1 eingef., bish. Abs. 1 wird Abs. 1a und neu gef. mWv 1.1.2003 durch G v. 10.12.2001 (BGBl. I S. 3443); bish. § 434 aufgeh., bish. § 435 wird § 434, Abs. 3 und 4 geänd. mWv 1.4.2012 durch G v. 20.12.2011 (BGBl. I S. 2854).

[3] **beck-online, Module Arbeitsrecht Nr. 696.**

[4] §§ 434a–434x aufgeh. bzw. umbenannt mWv 1.4.2012 durch G v. 20.12.2011 (BGBl. I S. 2854).

[5] *Bish. § 434f eingef.* mWv 27.3.2002 durch G v. 23.3.2002 (BGBl. I S. 1130); Abs. 1 und 3 aufgeh. mWv 1.1.2004 durch G v. 23.12.2003 (BGBl. I S. 2848); bish. § 434f wird § 435 mWv 1.4. 2012 durch G v. 20.12.2011 (BGBl. I S. 2854).

Ruhestand. [2]Für die in Satz 1 genannten Beamten sind § 4 des Bundesbesoldungsgesetzes[1)] sowie die Vorschriften des § 7 Nr. 2 und des § 14 Abs. 6 des Beamtenversorgungsgesetzes[2)] in der bis zum 31. Dezember 1998 geltenden Fassung entsprechend anzuwenden mit der Maßgabe, dass dem einstweiligen Ruhestand die Zeit von dem Eintritt in den Ruhestand bis zu dem in § 399 Abs. 4 Satz 2 in der bis zum 26. März 2002 geltenden Fassung genannten Zeitpunkt gleichsteht.

§ 436[3)] Zweites Gesetz für moderne Dienstleistungen am Arbeitsmarkt. [1]Personen, die am 31. März 2003 in einer mehr als geringfügigen Beschäftigung versicherungspflichtig waren, die die Merkmale einer geringfügigen Beschäftigung in der ab 1. April 2003 geltenden Fassung von § 8 des Vierten Buches[4)] erfüllt, bleiben in dieser Beschäftigung versicherungspflichtig. [2]Sie werden auf ihren Antrag von der Versicherungspflicht befreit. [3]Die Befreiung wirkt vom 1. April 2003 an. [4]Sie ist auf diese Beschäftigung beschränkt.

§ 437[5)] Drittes Gesetz für moderne Dienstleistungen am Arbeitsmarkt. (1) [1]Die Beamtinnen und Beamten der Bundesanstalt, die vor dem 2. Juli 2003 ganz oder überwiegend Aufgaben der Arbeitsmarktinspektion wahrgenommen haben und diese am 31. Dezember 2003 noch wahrnehmen, sind mit Wirkung vom 1. Januar 2004 Bundesbeamtinnen und Bundesbeamte im Dienst der Zollverwaltung. [2]§ 130 Abs. 1 des Beamtenrechtsrahmengesetzes[6)] in der Fassung der Bekanntmachung vom 31. März 1999 (BGBl. I S. 654) findet entsprechend Anwendung. [3]Von der Überleitung nach Satz 1 ausgenommen sind Beamtinnen und Beamte, die am 2. Juli 2003 die Antragsaltersgrenze des § 52 des Bundesbeamtengesetzes[7)] erreicht haben oder sich zu diesem Zeitpunkt in Altersteilzeit befanden.

(2) [1]Die Angestellten der Bundesanstalt, die vor dem 2. Juli 2003 ganz oder überwiegend Aufgaben der Arbeitsmarktinspektion wahrgenommen haben und diese am 31. Dezember 2003 noch wahrnehmen, sind mit Wirkung vom 1. Januar 2004 Angestellte des Bundes und in den Dienst der Zollverwaltung übergeleitet. [2]Die Bundesrepublik Deutschland tritt unbeschadet der nachfolgenden Absätze in die arbeitsvertraglichen Rechte und Pflichten der im Zeitpunkt der Überleitung bestehenden Arbeitsverhältnisse ein. [3]Von der Überleitung nach den Sätzen 1 und 2 ausgenommen sind Angestellte, die am 2. Juli 2003 die Anspruchsvoraussetzungen für eine gesetzliche Rente wegen Alters erfüllt haben oder sich zu diesem Zeitpunkt in einem Altersteilzeitarbeitsverhältnis befanden.

(3) [1]Vom Zeitpunkt der Überleitung an gelten die für Angestellte des Bundes bei der Zollverwaltung jeweils geltenden Tarifverträge und sonstigen Be-

---

[1)] **Sartorius Nr. 230.**

[2)] **Sartorius Nr. 155.**

[3)] Bish. § 434i eingef. mWv 1.4.2003 durch G v. 23.12.2002 (BGBl. I S. 4621); bish. § 434i wird § 436 mWv 1.4.2012 durch G v. 20.12.2011 (BGBl. I S. 2854).

[4)] Nr. **694**.

[5)] Bish. § 436 angef. mWv 1.1.2004 durch G v. 23.12.2003 (BGBl. I S. 2848) und Abs. 7 angef. durch G v. 24.12.2003 (BGBl. I S. 2954); Abs. 1 Sätze 1 und 3 geänd. mWv 12.2.2009 durch G v. 5.2.2009 (BGBl. I S. 160); bish. § 436 wird § 437, Überschrift neu gef. mWv 1.4.2012 durch G v. 20.12.2011 (BGBl. I S. 2854); Abs. 4 Satz 3 geänd. mWv 27.6.2020 durch VO v. 19.6.2020 (BGBl. I S. 1328); Abs. 7 geänd. mWv 15.6.2021 durch G v. 9.6.2021 (BGBl. I S. 1614).

[6)] **Sartorius Nr. 150a.**

[7)] **Sartorius Nr. 160.**

stimmungen, soweit sich aus den Sätzen 2 bis 4 nicht etwas anderes ergibt. [2]Die Eingruppierung in die im Zeitpunkt der Überleitung erreichte Vergütungsgruppe besteht fort, solange überwiegend Aufgaben der Arbeitsmarktinspektion wahrgenommen und keine neuen Aufgaben, die nach dem Tarifrecht des Bundes zu einer Eingruppierung in eine höhere Vergütungsgruppe führen, übertragen werden. [3]Soweit in den Fällen einer fortbestehenden Eingruppierung nach Satz 2 in der bisherigen Tätigkeit ein Bewährungsaufstieg oder sonstiger Aufstieg vorgesehen war, sind Angestellte nach Ablauf der bei Überleitung geltenden Aufstiegsfrist in diejenige Vergütungsgruppe eingruppiert, die sich nach dem bei Inkrafttreten dieses Gesetzes geltenden Tarifrecht der Bundesanstalt ergeben hätte. [4]Eine Eingruppierung nach den Sätzen 2 und 3 entfällt mit dem Ende des Kalendermonats, in dem sich Angestellte schriftlich für eine Eingruppierung nach dem Tarifrecht des Bundes entscheiden.

(4) [1]Die bei der Bundesanstalt anerkannten Beschäftigungszeiten werden auf die Beschäftigungszeit im Sinne des Tarifrechts des Bundes angerechnet; Entsprechendes gilt für Zeiten in der Zusatzversorgung. [2]Nehmen die übergeleiteten Angestellten Vollzugsaufgaben wahr, die ansonsten Beamten obliegen, wird eine Zulage nach Vorbemerkung Nummer 9 zu den Besoldungsordnungen A und B des Bundesbesoldungsgesetzes nach Maßgabe der für vergleichbare Beamtinnen und Beamte der Zollverwaltung jeweils geltenden Vorschriften gewährt. [3]Soweit es darüber hinaus im Zusammenhang mit dem überleitungsbedingten Wechsel des Arbeitgebers angemessen ist, kann das Bundesministerium der Finanzen im Einvernehmen mit dem Bundesministerium des Innern, für Bau und Heimat außer- und übertariflich ergänzende Regelungen treffen.

(5) Die Absätze 3 und 4 gelten entsprechend für Angestellte, die im Zusammenhang mit der Übertragung von Aufgaben der Arbeitsmarktinspektion von der Bundesagentur in sonstiger Weise als Angestellte des Bundes in den Dienst der Zollverwaltung wechseln.

(6) [1]Die Bundesagentur trägt die Versorgungsbezüge der gemäß Absatz 1 in den Dienst des Bundes übernommenen Beamtinnen und Beamten für die bis zur Übernahme zurückgelegten Dienstzeiten. [2]Der Bund trägt die Versorgungsbezüge für die seit der Übernahme in den Dienst des Bundes zurückgelegten Dienstzeiten der in Absatz 1 genannten Beamtinnen und Beamten. [3]Im Übrigen gilt § 107b des Beamtenversorgungsgesetzes[1)] entsprechend.

(7) § 15 Absatz 1 Satz 2 des Bundespersonalvertretungsgesetzes[2)] gilt für die nach den Absätzen 1 und 2 übergeleiteten Beamtinnen und Beamten sowie Angestellten entsprechend.

§ 438[3)] *(aufgehoben)*

§ 439[4)] Siebtes Gesetz zur Änderung des Dritten Buches Sozialgesetzbuch und anderer Gesetze. Ist ein Anspruch auf Arbeitslosengeld mit einer dem Lebensalter der oder des Arbeitslosen entsprechenden Höchstanspruchs-

---

[1)] **Sartorius Nr. 155.**

[2)] Nr. **572**.

[3)] § 438 aufgeh. mWv 15.7.2016 durch G v. 8.7.2016 (BGBl. I S. 1594).

[4)] *Bish. § 434r eingef.* mWv 1.1.2008 durch G v. 22.12.2007 (BGBl. I S. 3245) und neu gef. mWv 1.1.2008 durch G v. 8.4.2008 (BGBl. I S. 681); bish. § 434r wird § 439, bish. Abs. 1 geänd., Abs. 2–4 aufgeh. mWv 1.4.2012 durch G v. 20.12.2011 (BGBl. I S. 2854).

dauer nach § 127 Abs. 2 in der bis zum 31. Dezember 2007 geltenden Fassung am 31. Dezember 2007 noch nicht erschöpft, erhöht sich die Anspruchsdauer bei Arbeitslosen, die vor dem 1. Januar 2008
das 50. Lebensjahr vollendet haben, auf 15 Monate,
das 58. Lebensjahr vollendet haben, auf 24 Monate.

§ 440[1)] Gesetz zur Neuausrichtung der arbeitsmarktpolitischen Instrumente. (1) Arbeitnehmerinnen und Arbeitnehmer, die am 31. Dezember 2008 in einer Arbeitsgelegenheit in der Entgeltvariante versicherungspflichtig beschäftigt waren, bleiben in dieser Beschäftigung versicherungspflichtig.

(2) [1] § 38 Abs. 4 in der bis zum 31. Dezember 2008 geltenden Fassung ist weiterhin anzuwenden für den von § 237 Abs. 5 des Sechsten Buches[2)] erfassten Personenkreis. [2] In diesen Fällen ist § 38 Abs. 3 in der vom 1. Januar 2009 an geltenden Fassung nicht anzuwenden.

(3) Soweit Zeiten der Teilnahme an einer Maßnahme nach § 46 bei der Berechnung von Fristen oder als Fördertatbestand berücksichtigt werden, sind ihnen Zeiten der Teilnahme an einer Maßnahme nach den §§ 37, 37c, 48 und 421i in der bis zum 31. Dezember 2008 geltenden Fassung und einer Maßnahme nach § 241 Abs. 3a in der bis zum 31. Juli 2009 geltenden Fassung gleichgestellt.

(3a) *(aufgehoben)*

(4) [1] § 144 Abs. 4 in der bis zum 31. Dezember 2008 geltenden Fassung ist weiterhin anzuwenden auf Ansprüche auf Arbeitslosengeld, die vor dem 1. Januar 2009 entstanden sind. [2] In diesen Fällen ist § 144 Abs. 4 in der vom 1. Januar 2009 an geltenden Fassung nicht anzuwenden.

(5) Die §§ 248 und 249 in der bis zum 31. Dezember 2008 geltenden Fassung sind weiterhin anzuwenden für Träger von Einrichtungen der beruflichen Rehabilitation.

§ 441[3)] Bürgerentlastungsgesetz Krankenversicherung. Ist der Anspruch auf Arbeitslosengeld vor dem 1. Januar 2010 entstanden, ist § 133 Absatz 1 in der bis zum 31. Dezember 2009 geltenden Fassung anzuwenden.

§ 442[4)] Beschäftigungschancengesetz. (1) [1] Personen, die als Selbständige oder Auslandsbeschäftigte vor dem 1. Januar 2011 ein Versicherungspflichtverhältnis auf Antrag nach § 28a in der bis zum 31. Dezember 2010 geltenden Fassung begründet haben, bleiben in dieser Tätigkeit oder Beschäftigung über den 31. Dezember 2010 versicherungspflichtig nach § 28a in der ab dem 1. Januar 2011 an geltenden Fassung. [2] Sie können die Versicherungspflicht auf Antrag bis zum 31. März 2011 durch schriftliche Erklärung gegenüber der Bundesagentur rückwirkend zum 31. Dezember 2010 beenden.

[1)] Bish. § 434s eingef. mWv 1.1.2009 durch G v. 21.12.2008 (BGBl. I S. 2917); Abs. 3a eingef. mWv 22.7.2009 und neu gef. mWv 1.9.2011 durch G v. 15.7.2009 (BGBl. I S. 1939); bish. § 434s wird § 440, Abs. 1 geänd., Abs. 3a aufgeh. mWv 1.4.2012 durch G v. 20.12.2011 (BGBl. I S. 2854).

[2)] Nr. **696**.

[3)] Bish. § 434t eingef. mWv 1.1.2010 durch G v. 16.7.2009 (BGBl. I S. 1959); bish. § 434t wird § 441 mWv 1.4.2012 durch G v. 20.12.2011 (BGBl. I S. 2854).

[4)] Bish. § 434w eingef. mWv 1.1.2011 durch G v. 24.10.2010 (BGBl. I S. 1417); bish. § 434w wird § 442 mWv 1.4.2012 durch G v. 20.12.2011 (BGBl. I S. 2854).

(2) [1] Abweichend von § 345b Satz 1 Nummer 2 und Satz 2 gilt als beitragspflichtige Einnahme für alle Selbständigen und Auslandsbeschäftigten, die in einem Versicherungspflichtverhältnis auf Antrag stehen, vom 1. Januar 2011 bis zum 31. Dezember 2011 ein Arbeitsentgelt in Höhe von 50 Prozent der monatlichen Bezugsgröße. [2] § 345b Satz 1 Nummer 2 und Satz 2 in der vom 1. Januar 2011 geltenden Fassung ist insoweit nicht anzuwenden.

§ 443[1)] Gesetz zur Verbesserung der Eingliederungschancen am Arbeitsmarkt. (1) Für Arbeitsbeschaffungsmaßnahmen nach § 260 und Arbeitsgelegenheiten nach § 16d des Zweiten Buches[2)] in der vor dem 1. April 2012 geltenden Fassung gilt § 27 Absatz 3 Satz 1 Nummer 5 in der vor dem 1. April 2012 geltenden Fassung entsprechend, wenn und solange die Arbeitsbeschaffungsmaßnahmen und Arbeitsgelegenheiten nach dem vor diesem Tag geltenden Recht durchgeführt werden.

(2) Beschäftigungen im Sinne des § 159 Absatz 1 Satz 2 Nummer 1 und 2 sind auch Arbeitsbeschaffungsmaßnahmen, wenn und solange diese Arbeitsbeschaffungsmaßnahmen nach dem bis zum 31. März 2012 geltenden Recht gefördert werden.

(3) [1] Für Träger ist eine Zulassung nach § 176 bis einschließlich 31. Dezember 2012 nicht erforderlich. [2] Dies gilt weder für Träger, die Maßnahmen zur Aktivierung und beruflichen Eingliederung nach § 45 Absatz 4 Satz 3 Nummer 1 durchführen, noch für Träger, die Maßnahmen der beruflichen Weiterbildung nach den §§ 81 und 82 durchführen. [3] Zulassungen von Trägern und Maßnahmen der beruflichen Weiterbildung, die nach den §§ 84 und 85 in der bis zum 31. März 2012 geltenden Fassung erteilt wurden, sind den Zulassungen nach den §§ 176 und 178 sowie § 179 in Verbindung mit § 180 gleichgestellt. [4] Ein Anspruch auf Vergütung für die Arbeitsvermittlung in eine versicherungspflichtige Beschäftigung nach § 45 Absatz 4 Satz 3 Nummer 2 besteht für bis einschließlich 31. Dezember 2012 erfolgte Vermittlungen nur, wenn der Träger zum Zeitpunkt der Vermittlung die Arbeitsvermittlung als Gegenstand seines Gewerbes angezeigt hat.

(4) [1] Anerkennungen nach den §§ 2 und 3 der Anerkennungs- und Zulassungsverordnung – Weiterbildung, die bis zum 31. März 2012 erteilt wurden, behalten ihre Gültigkeit bis längstens 31. März 2015. [2] Die jährliche Überprüfung anerkannter Stellen wird ab 1. April 2012 von der Akkreditierungsstelle wahrgenommen.

(5) [1] Beamtinnen und Beamten, denen am 27. Dezember 2011 ein Amt im Beamtenverhältnis auf Zeit im Sinne der §§ 389 und 390 in der bis zum 27. Dezember 2011 geltenden Fassung übertragen ist, verbleiben bis zum Ablauf der jeweiligen Amtszeit in diesem Amt. [2] Zeiten einer Beurlaubung nach § 387 Absatz 3 Satz 1 werden nicht als Amtszeit berücksichtigt. [3] Wird nach Ablauf der Amtszeit festgestellt, dass sich die Beamtin oder der Beamte in dem übertragenen Amt bewährt hat, wird das Amt im Beamtenverhältnis auf Lebenszeit übertragen. [4] Hat sich die Beamtin oder der Beamte in dem übertragenen Amt nicht bewährt, wird die Beamtin oder der Beamte aus dem Beamtenverhältnis auf Zeit entlassen. [5] In diesem Fall enden der Anspruch auf

---

1) *Bish. § 434x eingef. mWv 28.12.2011 durch G v. 20.12.2011 (BGBl. I S. 2854); bish. § 434x wird § 443 und neu gef. mWv 1.4.2012 durch G v. 20.12.2011 (BGBl. I S. 2854).*

2) Nr. **692**.

Besoldung und, soweit gesetzlich nichts anderes bestimmt ist, alle sonstigen Ansprüche aus dem im Beamtenverhältnis auf Zeit übertragenen Amt. [6] Tritt eine Beamtin auf Zeit oder ein Beamter auf Zeit nach der Entlassung wieder in ihr oder sein vorheriges Amt im Beamtenverhältnis ein oder tritt sie oder er wegen Erreichens der gesetzlichen Altersgrenze in den Ruhestand, ist § 15a des Beamtenversorgungsgesetzes[1)] entsprechend anzuwenden. [7] § 15a Absatz 4 des Beamtenversorgungsgesetzes gilt entsprechend, wenn eine Beamtin auf Zeit oder ein Beamter auf Zeit wegen Dienstunfähigkeit in den Ruhestand versetzt wird.

(6) [1] § 389 ist anzuwenden, sofern nach dem 27. Dezember 2011 eine Funktion im Sinne dieser Vorschrift übertragen wird. [2] Satz 1 gilt auch, wenn eine vor dem 28. Dezember 2011 übertragene Funktion ab dem 28. Dezember 2011 auf veränderter vertraglicher Grundlage fortgesetzt werden soll. [3] § 387 Absatz 3 Satz 2 bleibt unberührt.

(7) § 421s in der am 31. März 2012 geltenden Fassung ist weiterhin anzuwenden auf Maßnahmen, über die die Bundesagentur vor dem 31. März 2012 Verträge mit Trägern geschlossen hat, bis zum Ende der Vertragslaufzeit; § 422 Absatz 1 Nummer 3 gilt insoweit nicht.

§ 444[2)] Gesetz zu Änderungen im Bereich der geringfügigen Beschäftigung. (1) [1] Personen, die am 31. Dezember 2012 in einer mehr als geringfügigen Beschäftigung nach § 8 Absatz 1 Nummer 1 oder § 8a in Verbindung mit § 8 Absatz 1 Nummer 1 des Vierten Buches[3)] versicherungspflichtig waren, die die Merkmale einer geringfügigen Beschäftigung nach diesen Vorschriften in der ab dem 1. Januar 2013 geltenden Fassung erfüllt, bleiben in dieser Beschäftigung längstens bis zum 31. Dezember 2014 versicherungspflichtig, solange das Arbeitsentgelt 400 Euro monatlich übersteigt. [2] Sie werden auf Antrag von der Versicherungspflicht befreit. [3] Der Antrag ist bei der Agentur für Arbeit zu stellen. [4] Die Befreiung wirkt vom 1. Januar 2013 an, wenn sie bis zum 31. März 2013 beantragt wird, im Übrigen von dem Beginn des Kalendermonats an, der auf den Monat folgt, in dem der Antrag gestellt worden ist. [5] Die Befreiung ist auf diese Beschäftigung beschränkt.

(2) Bei Anwendung des Absatzes 1 gilt § 276b Absatz 1 des Sechsten Buches[4)] und bei Anwendung des § 344 ***[bis 31.12.2026:*** Absatz 4***][ab 1.1. 2027:*** *Absatz 3**]*** gilt § 276b Absatz 2 des Sechsten Buches[4)] entsprechend.

§ 444a[5)] Gesetz zur Stärkung der beruflichen Weiterbildung und des Versicherungsschutzes in der Arbeitslosenversicherung. (1) § 28a Absatz 1 Satz 1 Nummer 4 und 5 in der Fassung vom 1. August 2016 gilt mit der Maßgabe, dass ein Antrag unberührt von § 28a Absatz 3 innerhalb von drei Monaten nach dem 31. Juli 2016 gestellt werden kann.

(2) Der Anspruch auf Zahlung einer Weiterbildungsprämie nach § 131a Absatz 3 gilt für Arbeitnehmerinnen und Arbeitnehmer, die an einer nach § 81

[1)] **Sartorius Nr. 155.**

[2)] § 444 angef. mWv 1.1.2013 durch G v. 5.12.2012 (BGBl. I S. 2474); Abs. 2 geänd. mWv 1.1. 2027 durch G v. 22.12.2025 (BGBl. 2025 I Nr. 355).

[3)] Nr. **694**.

[4)] **beck-online, Module Arbeitsrecht Nr. 696.**

[5)] § 444a eingef. mWv 1.8.2016 durch G v. 18.7.2016 (BGBl. I S. 1710).

geförderten beruflichen Weiterbildung teilnehmen, die nach dem 31. Juli 2016 beginnt.

(3) § 151 Absatz 3 Nummer 3 in der Fassung vom 1. August 2016 ist nur für Ansprüche auf Arbeitslosengeld anzuwenden, die nach dem 31. Juli 2016 entstanden sind.

§ 445[1] Fünfundzwanzigstes Gesetz zur Änderung des Bundesausbildungsförderungsgesetzes. Abweichend von § 422 sind die §§ 54a, 61, 62, 64, 67, 116 und 123 bis 126 ab dem 1. August 2016 anzuwenden.

§ 445a[2] Gesetz zur Anpassung der Berufsausbildungsbeihilfe und des Ausbildungsgeldes. Abweichend von § 422 sind

1. die §§ 54a, 61, 62, 64, 67, 79, 116 und 123 bis 126 ab dem 1. August 2019 nach Artikel 7 Absatz 1 des Gesetzes zur Anpassung der Berufsausbildungsbeihilfe und des Ausbildungsgeldes,
2. die §§ 54a, 61, 62, 64, 67 und 123 bis 126 ab dem 1. August 2020 nach Artikel 7 Absatz 2 des Gesetzes zur Anpassung der Berufsausbildungsbeihilfe und des Ausbildungsgeldes und
3. die §§ 67 und 126 ab dem 1. August 2021 nach Artikel 7 Absatz 3

anzuwenden.

§ 446[3] Zweites Gesetz zur Stärkung der pflegerischen Versorgung und zur Änderung weiterer Vorschriften. (1) [1]Für Personen, die am 31. Dezember 2016 nach § 26 Absatz 2b in der am 31. Dezember 2016 geltenden Fassung versicherungspflichtig waren, besteht die Versicherungspflicht für die Dauer der Pflegezeit fort. [2]Für diese Zeit sind § 345 Nummer 8, § 347 Nummer 10, § 349 Absatz 4a Satz 1 und Absatz 5 Satz 2 in der am 31. Dezember 2016 geltenden Fassung anzuwenden.

(2) [1]Für Pflegepersonen, die am 31. Dezember 2016 nach § 28a Absatz 1 Satz 1 Nummer 1 in der am 31. Dezember 2016 geltenden Fassung versicherungspflichtig waren, wird ab dem 1. Januar 2017 das Versicherungspflichtverhältnis nach § 26 Absatz 2b fortgesetzt. [2]§ 26 Absatz 3 Satz 5 und 6 bleibt unberührt.

§ 447[4] Gesetz zur Stärkung der Chancen für Qualifizierung und für mehr Schutz in der Arbeitslosenversicherung. (1) Für Personen, die nach dem 31. Dezember 2019 nicht in einem Versicherungspflichtverhältnis gestanden haben, finden die §§ 142, 143 und 147 in der bis zum 31. Dezember 2019 geltenden Fassung Anwendung.

(2) Abweichend von § 422 ist § 153 Absatz 1 Satz 2 Nummer 1 in der ab dem 1. Januar 2019 geltenden Fassung anzuwenden auf Ansprüche auf Arbeitslosengeld bei beruflicher Weiterbildung (§ 144) und für die Berechnung von Ansprüchen auf Berufsausbildungsbeihilfe für Arbeitslose (§ 70).

---

[1] § 445 angef. mWv 1.1.2015 durch G v. 23.12.2014 (BGBl. I S. 2475).
[2] § 445a eingef. mWv 1.8.2019 durch G v. 8.7.2019 (BGBl. I S. 1025).
[3] *§ 446 angef. mWv 1.1.2017* durch G v. 21.12.2015 (BGBl. I S. 2424).
[4] § 447 neu gef. mWv 1.1.2020 durch G v. 18.12.2018 (BGBl. I S. 2651; Abs. 3 aufgeh. mWv 1.1.2025 durch G v. 23.10.2024 (BGBl. 2024 I Nr. 323)).

§ 448[1] **Gesetz zur Förderung der Ausbildung und Beschäftigung von Ausländerinnen und Ausländern.** [1] Für Fälle des § 132 Absatz 1 Satz 1 Nummer 2 in der bis zum 31. Juli 2019 geltenden Fassung sind abweichend von § 60 Absatz 3 und abweichend von § 132 Absatz 4 Nummer 2 in der bis zum 31. Juli 2019 geltenden Fassung § 132 in Verbindung mit § 59 in der jeweils bis zum 31. Juli 2019 geltenden Fassung anwendbar, wenn vor dem 31. Dezember 2019 die laufende Ausbildung begonnen und der erste Antrag auf Berufsausbildungsbeihilfe oder Ausbildungsgeld gestellt wird und die weiteren Anspruchsvoraussetzungen zu diesem Zeitpunkt vorliegen. [2] Für die Voraussetzung, dass bei der Ausländerin oder dem Ausländer ein rechtmäßiger und dauerhafter Aufenthalt zu erwarten ist, ist auf den Zeitpunkt der ersten Antragstellung abzustellen.

§ 449[2] **Gesetz zur Modernisierung und Stärkung der beruflichen Bildung.** § 346 Absatz 1b in der bis zum 31. Dezember 2019 geltenden Fassung ist weiterhin anzuwenden, wenn die Berufsausbildung in einer außerbetrieblichen Einrichtung vor dem 1. Januar 2020 begonnen wurde.

§ 450[3] **Gesetz zur Förderung der beruflichen Weiterbildung im Strukturwandel und zur Weiterentwicklung der Ausbildungsförderung.**

(1) [1] Für die Teilnahme an Maßnahmen zur Aktivierung und beruflichen Eingliederung, die vor dem 1. Januar 2021 nach § 45 Absatz 1 Satz 1 Nummer 2 zugelassen wurden, können auch nach dem 31. Dezember 2020 Aktivierungs- und Vermittlungsgutscheine eingelöst werden, die entweder vor dem 1. Januar 2021 nach § 45 Absatz 1 Satz 1 Nummer 2 oder nach dem 31. Dezember 2020 nach § 45 Absatz 1 Satz 1 Nummer 1 ausgestellt wurden. [2] Aktivierungs- und Vermittlungsgutscheine, die vor dem 1. Januar 2021 nach § 45 Absatz 1 Satz 1 Nummer 2 ausgestellt wurden, können auch für die Teilnahme an Maßnahmen zur Aktivierung und beruflichen Eingliederung eingelöst werden, die nach dem 31. Dezember 2020 nach § 45 Absatz 1 Satz 1 Nummer 1 zugelassen wurden.

(2) [1] Für Maßnahmen der ausbildungsbegleitenden Hilfen, die bis zum 28. Februar 2021 beginnen und bis zum 30. September 2021, im Fall des § 75 Absatz 2 Satz 2 in der bis zum 28. Mai 2020 geltenden Fassung bis zum 31. März 2022, enden, gelten die §§ 74, 75, 77 und 79 in der bis zum 28. Mai 2020 geltenden Fassung. [2] Förderungsberechtigt sind auch junge Menschen, die im Fall einer Berufsausbildung zusätzlich zu den in § 75 Absatz 3 Nummer 1 in der bis zum 28. Mai 2020 geltenden Fassung genannten Voraussetzungen abweichend von § 30 Absatz 1 des Ersten Buches[4] ihren Wohnsitz und ihren gewöhnlichen Aufenthalt außerhalb von Deutschland haben, deren Ausbildungsbetrieb aber in Deutschland liegt.

(3) [1] Für Maßnahmen der Assistierten Ausbildung, die bis zum 30. September 2020 beginnen, gelten § 130 und die §§ 77 und 79 in der bis zum 28. Mai 2020 geltenden Fassung. [2] Förderungsberechtigt in der ausbildungsbegleitenden Phase sind auch junge Menschen, die im Fall einer Berufsausbildung zusätzlich zu

---

[1] § 448 angef. mWv 1.8.2019 durch G v. 8.7.2019 (BGBl. I S. 1029).

[2] § 449 angef. mWv 1.1.2020 durch G v. 4.3.2020 (BGBl. I S. 437).

[3] § 450 angef. mWv 29.5.2020, Abs. 1 eingef., bish. Abs. 1 und 2 werden Abs. 2 und 3 mWv 1.1.2021 durch G v. 20.5.2020 (BGBl. I S. 1044).

[4] Nr. **691**.

den in § 130 Absatz 2 Satz 1 in der bis zum 28. Mai 2020 geltenden Fassung genannten Voraussetzungen abweichend von § 30 Absatz 1 des Ersten Buches ihren Wohnsitz und ihren gewöhnlichen Aufenthalt außerhalb von Deutschland haben, deren Ausbildungsbetrieb aber in Deutschland liegt.

§ 451[1] Siebtes Gesetz zur Änderung des Vierten Buches Sozialgesetzbuch und anderer Gesetze. § 25 Absatz 1 Satz 2 Nummer 3 findet grundsätzlich nur Anwendung auf Ausbildungen, die nach dem 30. Juni 2020 begonnen werden. Wurde die Ausbildung vor diesem Zeitpunkt begonnen und wurden

1. Beiträge gezahlt, gilt § 25 Absatz 1 Satz 2 Nummer 3 ab Beginn der Beitragszahlung,
2. keine Beiträge gezahlt, gilt § 25 Absatz 1 Satz 2 Nummer 3 ab dem Zeitpunkt, zu dem der Arbeitgeber mit Zustimmung der Teilnehmerin oder des Teilnehmers Beiträge zahlt.

[§ 452 ab 1.1.2024:]

§ 452[2] Gesetz zur Regelung des Sozialen Entschädigungsrechts. *(1) Bei der Anwendung von § 26 Absatz 2 Nummer 1, § 156 Absatz 1 Satz 1 Nummer 2, § 345 Nummer 5 und § 347 Nummer 5 Buchstabe a gilt das Versorgungskrankengeld als Krankengeld der Sozialen Entschädigung.*

(2) Für Personen, die Leistungen nach dem Soldatenversorgungsgesetz in Verbindung mit dem Bundesversorgungsgesetz[3] erhalten, gelten § 9 Absatz 3 Satz 1 Nummer 1, § 26 Absatz 2 Nummer 1, § 156 Absatz 1 Satz 1 Nummer 2, § 332 Absatz 1 Satz 1 Nummer 2, § 345 Nummer 5 und § 347 Nummer 5 Buchstabe a in der bis zum 31. Dezember 2023 geltenden Fassung weiter.

§ 453[4] Gesetz zur Umsetzung der Richtlinie (EU) 2019/882 des Europäischen Parlaments und des Rates über die Barrierefreiheitsanforderungen für Produkte und Dienstleistungen und zur Änderung anderer Gesetze. § 336 in der bis zum 31. März 2022 geltenden Fassung ist weiter anzuwenden, wenn die Deutsche Rentenversicherung Bund im Verfahren nach § 7a Absatz 1 des Vierten Buches[5] in der bis zum 31. März 2022 geltenden Fassung die Versicherungspflicht nach diesem Buch durch Verwaltungsakt festgestellt hat.

§ 454[6] Gesetz zur Erhöhung des Schutzes durch den gesetzlichen Mindestlohn und zu Änderungen im Bereich der geringfügigen Beschäftigung. (1) § 76 Absatz 7 Satz 2 in der ab dem 1. Juli 2022 geltenden Fassung findet bei vor diesem Tag vereinbarten Ausbildungsvergütungen keine Anwendung.

(2) [1] Personen, die am 30. September 2022 in einer mehr als geringfügigen Beschäftigung nach § 8 Absatz 1 Nummer 1 oder § 8a des Vierten Buches[5] in

---

[1] § 451 angef. mWv 1.7.2020 durch G v. 12.6.2020 (BGBl. I S. 1248).
[2] § 452 eingef. mWv 1.1.2024 durch G v. 20.8.2021 (BGBl. I S. 3932).
[3] **Aichberger, SGB Nr. 20/10.**
[4] § 453 angef. mWv 1.4.2022 durch G v. 16.7.2021 (BGBl. I S. 2970).
[5] Nr. ***694***.
[6] § 454 angef. mWv 1.7.2022, Abs. 2 und 3 angef. mWv 1.10.2022 durch G v. 28.6.2022 (BGBl. I S. 969); Abs. 3 geänd. mWv 1.1.2023 durch G v. 20.12.2022 (BGBl. I S. 2759).

Verbindung mit § 8 Absatz 1 Nummer 1 des Vierten Buches[1)] versicherungspflichtig waren, welche die Merkmale einer geringfügigen Beschäftigung nach diesen Vorschriften in der ab dem 1. Oktober 2022 geltenden Fassung erfüllt, bleiben in dieser Beschäftigung längstens bis zum 31. Dezember 2023 versicherungspflichtig, solange das Arbeitsentgelt 450 Euro monatlich übersteigt. [2]Sie werden auf Antrag von der Versicherungspflicht befreit. [3]Der Antrag ist bei der Agentur für Arbeit zu stellen. [4]Die Befreiung wirkt vom 1. Oktober 2022 an, wenn sie bis zum 31. Dezember 2022 beantragt wird, im Übrigen von dem Beginn des Kalendermonats an, der auf den Kalendermonat folgt, in dem der Antrag gestellt worden ist. [5]Die Befreiung gilt nur für die in Satz 1 genannte Beschäftigung.

(3) Bei Anwendung des Absatzes 2 gelten § 134 des Vierten Buches[2)] und § 346 Absatz 1a in der bis zum 30. September 2022 geltenden Fassung.

§ 455[3)] Siebenundzwanzigstes Gesetz zur Änderung des Bundesausbildungsförderungsgesetzes. Abweichend von § 422 sind die §§ 54a, 61, 62, 64, 67 und 123 bis 126 ab dem 1. August 2022 anzuwenden.

§ 455a[4)] Neunundzwanzigstes Gesetz zur Änderung des Bundesausbildungsförderungsgesetzes. Abweichend von § 422 sind die §§ 54a, 61, 62, 64, 67, 68 und die §§ 123 bis 126 ab dem 1. August 2024 anzuwenden.

§ 456[5)] Zwölftes Gesetz zur Änderung des Zweiten Buches Sozialgesetzbuch und anderer Gesetze – Einführung eines Bürgergeldes.

(1) § 87a Absatz 2 ist auch anzuwenden, wenn die berufliche Weiterbildung vor dem 1. Juli 2023 begonnen und nach dem 30. Juni 2023 beendet worden ist.

(2) § 131a Absatz 3 ist in der bis zum 30. Juni 2023 geltenden Fassung weiterhin anzuwenden, wenn die berufliche Weiterbildung vor dem 1. Juli 2023 begonnen worden ist.

(3) § 148 Absatz 2 Satz 3 und Absatz 3 in der ab dem 1. Juli 2023 geltenden Fassung ist auch anzuwenden, wenn die berufliche Weiterbildung vor dem 1. Juli 2023 begonnen und nach dem 30. Juni 2023 beendet worden ist.

§ 457[6)] Achtes Gesetz zur Änderung des Vierten Buches Sozialgesetzbuch und anderer Gesetze. § 349 Absatz 5 Satz 2 und 3 in der bis zum 31. Dezember 2023 geltenden Fassung gilt für Zeiten eines Versicherungspflichtverhältnisses nach § 26 Absatz 2 Nummer 2b und § 26 Absatz 2b bis zum 31. Dezember 2023.

§ 458[7)] Gesetz zur Stärkung der Aus- und Weiterbildungsförderung.

§ 73a findet keine Anwendung auf Berufsausbildungen, die vor dem 1. April 2024 begonnen haben.

[1)] Nr. **694**.
[2)] **beck-online, Module Arbeitsrecht Nr. 694.**
[3)] § 455 angef. mWv 1.8.2022 durch G v. 15.7.2022 (BGBl. I S. 1150).
[4)] § 455a eingef. mWv 1.8.2024 durch G v. 19.7.2024 (BGBl. 2024 I Nr. 249).
[5)] § 456 angef. mWv 1.7.2023 durch G v. 16.12.2022 (BGBl. I S. 2328).
[6)] § 457 angef. mWv 1.1.2024 durch G v. 20.12.2022 (BGBl. I S. 2759).
[7)] § 458 angef. mWv 1.4.2024 durch G v. 17.7.2023 (BGBl. 2023 I Nr. 191).

§ 459[1] **Übergangsregelung aus Anlass des Haushaltsfinanzierungsgesetzes 2024.** [1]Die Bundesagentur trägt ab dem 1. Januar 2025 die Aufwendungen, die sich aus der Anwendung des § 66a des Zweiten Buches[2] ergeben. [2]Eine Pauschalierung des Aufwendungsersatzes ist zulässig. [3]Die Bundesagentur, das Bundesministerium für Arbeit und Soziales und das Bundesministerium der Finanzen vereinbaren die Höhe des Gesamtbetrages zur Abgeltung der Aufwendungen sowie im Rahmen ihrer jeweiligen Zuständigkeiten die Einzelheiten zum Verfahren. [4]Die Bundesagentur zahlt den Gesamtbetrag zu Beginn des Jahres an den Bund.

§ 460[3] **Dreizehntes Gesetz zur Änderung des Zweiten Buches Sozialgesetzbuch und anderer Gesetze.** Personen, die am 30. Juni 2026 in einer nach § 16e des Zweiten Buches[2] geförderten Beschäftigung nach § 27 Absatz 3 Nummer 5 versicherungsfrei sind, bleiben in dieser Beschäftigung bis zum Ende der Förderung nach § 16e des Zweiten Buches versicherungsfrei.

[1] § 459 angef. mWv 1.1.2025 durch G v. 22.12.2023 (BGBl. 2023 I Nr. 412).
[2] Nr. **692**.
[3] § 460 angef. mWv 1.7.2026 durch G v. 16.4.2026 (BGBl. 2026 I Nr. 107).

700a. Verordnung über die pauschalierten Nettoentgelte für das Kurzarbeitergeld für das Jahr 2020

Vom 16. Dezember 2019
(BGBl. I S. 2820)
FNA 860-3-26-17

Auf Grund des § 109 Absatz 1 Nummer 1 des Dritten Buches Sozialgesetzbuch – Arbeitsförderung –[1], der durch Artikel 2 Nummer 18 des Gesetzes vom 20. Dezember 2011 (BGBl. I S. 2854) neu gefasst worden ist, verordnet das Bundesministerium für Arbeit und Soziales:

§ 1 Pauschalierte Nettoentgelte. Die pauschalierten Nettoentgelte für das Kurzarbeitergeld für das Jahr 2020 ergeben sich aus der dieser Verordnung als Anlage 1 beigefügten Tabelle.

§ 2 Berücksichtigung des Faktorverfahrens. [1] Wird das steuerliche Faktorverfahren nach § 39f des Einkommensteuergesetzes[2] angewendet, können die pauschalierten Nettoentgelte und das Kurzarbeitergeld nur maschinell errechnet werden. [2] Für diese maschinelle Berechnung ist der als Anlage 2 beigefügte Programmablaufplan zur maschinellen Berechnung des Kurzarbeitergeldes zu verwenden.

§ 3 Inkrafttreten, Außerkrafttreten. (1) Diese Verordnung tritt am 1. Januar 2020 in Kraft und mit Ablauf des 31. Dezember 2020 außer Kraft.

(2) Die Verordnung über die pauschalierten Nettoentgelte für das Kurzarbeitergeld für das Jahr 2019 vom 17. Dezember 2018 (BGBl. I S. 2503) tritt mit Ablauf des 31. Dezember 2019 außer Kraft.

---

[1] Nr. **700**.
[2] **beck-online, Module Arbeitsrecht Nr. 331.**

Anlage 1
(zu § 1)

Pauschaliertes Nettoentgelt

Bruttoarbeits-entgelt	Pauschaliertes Nettoentgelt nach § 106 des Dritten Buches Sozialgesetzbuch[1)] für die Berechnung des Kurzarbeitergeldes: 1. für Beschäftigte, die Beiträge zur Sozialversicherung zu tragen haben 2. für Beschäftigte, die keine Beiträge zur Sozialversicherung zu tragen haben (Geringverdiener) Steuerklasse					
		I/IV	II	III	V	VI
monatlich						
Euro		Euro	Euro	Euro	Euro	Euro
20,–	1	16,00	16,00	16,00	16,00	13,75
20,–	2	20,00	20,00	20,00	20,00	17,75
40,–	1	32,00	32,00	32,00	32,00	27,50
40,–	2	40,00	40,00	40,00	40,00	35,50
60,–	1	48,00	48,00	48,00	48,00	41,25
60,–	2	60,00	60,00	60,00	60,00	53,25
80,–	1	64,00	64,00	64,00	64,00	55,00
80,–	2	80,00	80,00	80,00	80,00	71,00
100,–	1	80,00	80,00	80,00	80,00	68,75
100,–	2	100,00	100,00	100,00	100,00	88,75
120,–	1	96,00	96,00	96,00	94,59	82,50
120,–	2	120,00	120,00	120,00	118,59	106,50
140,–	1	112,00	112,00	112,00	108,34	96,25
140,–	2	140,00	140,00	140,00	136,34	124,25
160,–	1	128,00	128,00	128,00	122,09	110,00
160,–	2	160,00	160,00	160,00	154,09	142,00
180,–	1	144,00	144,00	144,00	135,84	123,75
180,–	2	180,00	180,00	180,00	171,84	159,75
200,–	1	160,00	160,00	160,00	149,59	137,50
200,–	2	200,00	200,00	200,00	189,59	177,50
220,–	1	176,00	176,00	176,00	163,34	151,25
220,–	2	220,00	220,00	220,00	207,34	195,25
240,–	1	192,00	192,00	192,00	177,09	165,00
240,–	2	240,00	240,00	240,00	225,09	213,00
260,–	1	208,00	208,00	208,00	190,84	178,75
260,–	2	260,00	260,00	260,00	242,84	230,75
280,–	1	224,00	224,00	224,00	204,59	192,50
280,–	2	280,00	280,00	280,00	260,59	248,50
300,–	1	240,00	240,00	240,00	218,34	206,17
300,–	2	300,00	300,00	300,00	278,34	266,17
320,–	1	256,00	256,00	256,00	232,09	219,92
320,–	2	320,00	320,00	320,00	296,09	283,92

[1)] Nr. **700**.

Bruttoarbeitsentgelt	Pauschaliertes Nettoentgelt nach § 106 des Dritten Buches Sozialgesetzbuch für die Berechnung des Kurzarbeitergeldes: 1. für Beschäftigte, die Beiträge zur Sozialversicherung zu tragen haben 2. für Beschäftigte, die keine Beiträge zur Sozialversicherung zu tragen haben (Geringverdiener) Steuerklasse					
		I/IV	II	III	V	VI
	monatlich					
Euro		Euro	Euro	Euro	Euro	Euro
340,–	1	272,00	272,00	272,00	245,75	233,67
360,–	1	288,00	288,00	288,00	259,50	247,42
380,–	1	304,00	304,00	304,00	273,25	261,17
400,–	1	320,00	320,00	320,00	287,00	274,92
420,–	1	336,00	336,00	336,00	300,75	288,67
440,–	1	352,00	352,00	352,00	314,50	302,42
460,–	1	368,00	368,00	368,00	328,25	316,17
480,–	1	384,00	384,00	384,00	342,00	329,92
500,–	1	400,00	400,00	400,00	355,75	343,67
520,–	1	416,00	416,00	416,00	369,50	357,42
540,–	1	432,00	432,00	432,00	383,25	371,17
560,–	1	448,00	448,00	448,00	397,00	384,92
580,–	1	464,00	464,00	464,00	410,75	398,67
600,–	1	480,00	480,00	480,00	424,50	412,34
620,–	1	496,00	496,00	496,00	438,25	426,09
640,–	1	512,00	512,00	512,00	451,92	439,84
660,–	1	528,00	528,00	528,00	465,67	453,59
680,–	1	544,00	544,00	544,00	479,42	467,34
700,–	1	560,00	560,00	560,00	493,17	481,09
720,–	1	576,00	576,00	576,00	506,92	494,81
740,–	1	592,00	592,00	592,00	520,67	508,11
760,–	1	608,00	608,00	608,00	534,42	521,41
780,–	1	624,00	624,00	624,00	548,17	534,71
800,–	1	640,00	640,00	640,00	561,92	548,01
820,–	1	656,00	656,00	656,00	575,67	561,31
840,–	1	672,00	672,00	672,00	589,11	574,61
860,–	1	688,00	688,00	688,00	602,41	587,91
880,–	1	704,00	704,00	704,00	615,71	601,21
900,–	1	720,00	720,00	720,00	629,01	614,40
920,–	1	736,00	736,00	736,00	642,31	627,70
940,–	1	752,00	752,00	752,00	655,51	641,00
960,–	1	768,00	768,00	768,00	668,81	654,30
980,–	1	784,00	784,00	784,00	682,11	667,60
1 000,–	1	800,00	800,00	800,00	695,41	681,05
1 020,–	1	816,00	816,00	816,00	708,71	694,68
1 040,–	1	832,00	832,00	832,00	722,01	708,31
1 060,–	1	848,00	848,00	848,00	735,31	721,93
1 080,–	1	864,00	864,00	864,00	748,61	735,56

Bruttoarbeitsentgelt	Pauschaliertes Nettoentgelt nach § 106 des Dritten Buches Sozialgesetzbuch für die Berechnung des Kurzarbeitergeldes: 1. für Beschäftigte, die Beiträge zur Sozialversicherung zu tragen haben 2. für Beschäftigte, die keine Beiträge zur Sozialversicherung zu tragen haben (Geringverdiener) Steuerklasse					
		I/IV	II	III	V	VI
	monatlich					
Euro		Euro	Euro	Euro	Euro	Euro
1 100,–	1	877,84	880,00	880,00	761,94	749,18
1 120,–	1	891,42	896,00	896,00	775,57	762,81
1 140,–	1	905,09	912,00	912,00	789,19	773,45
1 160,–	1	918,59	928,00	928,00	802,82	782,33
1 180,–	1	932,09	944,00	944,00	816,44	791,21
1 200,–	1	945,50	960,00	960,00	830,07	800,09
1 220,–	1	958,84	976,00	976,00	843,70	808,97
1 240,–	1	972,09	992,00	992,00	856,00	817,76
1 260,–	1	985,34	1 008,00	1 008,00	864,88	826,64
1 280,–	1	998,50	1 023,75	1 024,00	873,76	835,52
1 300,–	1	1 011,59	1 037,50	1 040,00	882,64	844,40
1 320,–	1	1 024,67	1 051,17	1 056,00	891,42	853,18
1 340,–	1	1 037,17	1 064,34	1 072,00	899,25	861,00
1 360,–	1	1 049,67	1 077,50	1 088,00	907,07	868,83
1 380,–	1	1 062,00	1 090,59	1 104,00	914,81	876,57
1 400,–	1	1 074,34	1 103,50	1 120,00	922,64	884,39
1 420,–	1	1 086,50	1 116,42	1 136,00	930,46	892,13
1 440,–	1	1 098,67	1 129,25	1 152,00	938,20	899,95
1 460,–	1	1 110,75	1 142,00	1 168,00	946,02	907,78
1 480,–	1	1 122,67	1 154,67	1 184,00	953,85	915,60
1 500,–	1	1 134,59	1 167,25	1 200,00	961,67	923,33
1 520,–	1	1 146,42	1 179,75	1 216,00	969,40	931,15
1 540,–	1	1 158,09	1 192,17	1 232,00	977,22	938,98
1 560,–	1	1 169,75	1 204,50	1 248,00	984,96	946,72
1 580,–	1	1 181,01	1 216,75	1 264,00	992,79	954,54
1 600,–	1	1 191,71	1 228,92	1 280,00	1 000,61	962,37
1 620,–	1	1 202,31	1 241,09	1 296,00	1 008,43	970,19
1 640,–	1	1 212,91	1 253,09	1 312,00	1 016,17	977,93
1 660,–	1	1 223,51	1 265,00	1 328,00	1 024,00	985,75
1 680,–	1	1 234,11	1 276,84	1 344,00	1 031,82	993,48
1 700,–	1	1 244,71	1 288,67	1 360,00	1 039,55	1 001,30
1 720,–	1	1 255,57	1 300,34	1 376,00	1 047,37	1 009,13
1 740,–	1	1 266,72	1 312,00	1 392,00	1 055,20	1 016,95
1 760,–	1	1 278,24	1 323,21	1 408,00	1 063,55	1 025,30
1 780,–	1	1 289,85	1 334,41	1 424,00	1 072,16	1 033,92
1 800,–	1	1 301,45	1 345,61	1 440,00	1 080,78	1 042,53
1 820,–	1	1 313,05	1 356,70	1 456,00	1 089,39	1 051,15
1 840,–	1	1 324,66	1 367,81	1 472,00	1 098,01	1 059,76

Bruttoarbeits-entgelt	Pauschaliertes Nettoentgelt nach § 106 des Dritten Buches Sozialgesetzbuch für die Berechnung des Kurzarbeitergeldes: 1. für Beschäftigte, die Beiträge zur Sozialversicherung zu tragen haben 2. für Beschäftigte, die keine Beiträge zur Sozialversicherung zu tragen haben (Geringverdiener) Steuerklasse					
		I/IV	II	III	V	VI
	monatlich					
Euro		Euro	Euro	Euro	Euro	Euro
1 860,–	1	1 336,18	1 379,01	1 488,00	1 106,62	1 068,38
1 880,–	1	1 347,70	1 390,00	1 504,00	1 115,15	1 077,09
1 900,–	1	1 359,21	1 401,23	1 520,00	1 123,77	1 086,93
1 920,–	1	1 370,73	1 412,93	1 536,00	1 132,38	1 096,96
1 940,–	1	1 382,24	1 424,53	1 552,00	1 141,00	1 106,97
1 960,–	1	1 393,76	1 436,13	1 568,00	1 149,61	1 116,82
1 980,–	1	1 405,18	1 447,74	1 584,00	1 158,31	1 126,66
2 000,–	1	1 416,61	1 459,34	1 600,00	1 167,98	1 136,51
2 020,–	1	1 428,13	1 470,94	1 616,00	1 178,01	1 146,53
2 040,–	1	1 439,47	1 482,46	1 632,00	1 188,03	1 156,20
2 060,–	1	1 450,90	1 494,07	1 647,34	1 197,88	1 166,23
2 080,–	1	1 462,33	1 505,59	1 661,17	1 207,90	1 175,90
2 100,–	1	1 473,67	1 517,10	1 674,50	1 217,57	1 185,57
2 120,–	1	1 485,00	1 528,62	1 687,84	1 227,58	1 195,24
2 140,–	1	1 496,44	1 540,13	1 701,00	1 237,43	1 205,08
2 160,–	1	1 507,69	1 551,56	1 714,34	1 247,28	1 214,58
2 180,–	1	1 519,03	1 563,07	1 727,50	1 256,95	1 224,25
2 200,–	1	1 530,37	1 574,50	1 740,67	1 266,62	1 233,92
2 220,–	1	1 541,63	1 585,94	1 753,67	1 276,46	1 243,41
2 240,–	1	1 552,88	1 597,36	1 766,84	1 286,13	1 252,90
2 260,–	1	1 564,13	1 608,70	1 779,84	1 295,80	1 262,40
2 280,–	1	1 575,38	1 620,13	1 792,84	1 305,30	1 272,07
2 300,–	1	1 586,64	1 631,47	1 805,67	1 314,97	1 281,38
2 320,–	1	1 597,79	1 642,81	1 818,67	1 324,64	1 290,70
2 340,–	1	1 609,05	1 654,15	1 831,50	1 334,13	1 300,19
2 360,–	1	1 620,21	1 665,49	1 844,34	1 343,46	1 309,52
2 380,–	1	1 631,38	1 676,83	1 857,17	1 352,95	1 318,84
2 400,–	1	1 642,54	1 688,08	1 869,84	1 362,44	1 327,98
2 420,–	1	1 653,62	1 699,34	1 882,50	1 371,94	1 337,29
2 440,–	1	1 664,78	1 710,67	1 895,17	1 381,43	1 346,61
2 460,–	1	1 675,95	1 721,93	1 907,84	1 390,57	1 355,76
2 480,–	1	1 687,02	1 733,09	1 920,50	1 400,06	1 364,90
2 500,–	1	1 698,11	1 744,35	1 933,00	1 409,20	1 374,04
2 520,–	1	1 709,18	1 755,60	1 945,50	1 418,53	1 383,18
2 540,–	1	1 720,17	1 766,77	1 957,84	1 427,67	1 392,15
2 560,–	1	1 731,24	1 777,92	1 970,34	1 436,99	1 401,29
2 580,–	1	1 742,23	1 789,09	1 982,67	1 445,95	1 410,26
2 600,–	1	1 753,22	1 800,17	1 995,00	1 455,28	1 419,41

Bruttoarbeitsentgelt	Pauschaliertes Nettoentgelt nach § 106 des Dritten Buches Sozialgesetzbuch für die Berechnung des Kurzarbeitergeldes: 1. für Beschäftigte, die Beiträge zur Sozialversicherung zu tragen haben 2. für Beschäftigte, die keine Beiträge zur Sozialversicherung zu tragen haben (Geringverdiener) Steuerklasse					
		I/IV	II	III	V	VI
	monatlich					
Euro		Euro	Euro	Euro	Euro	Euro
2 620,–	1	1 764,21	1 811,33	2 007,34	1 464,42	1 428,37
2 640,–	1	1 775,20	1 822,41	2 019,67	1 473,38	1 437,16
2 660,–	1	1 786,18	1 833,58	2 031,84	1 482,52	1 446,13
2 680,–	1	1 797,09	1 844,65	2 044,00	1 491,49	1 454,92
2 700,–	1	1 807,99	1 855,73	2 056,17	1 500,46	1 463,70
2 720,–	1	1 818,89	1 866,81	2 068,34	1 509,42	1 472,68
2 740,–	1	1 829,88	1 877,79	2 080,34	1 518,39	1 481,29
2 760,–	1	1 840,70	1 888,87	2 092,50	1 527,36	1 490,08
2 780,–	1	1 851,59	1 899,86	2 104,84	1 536,14	1 498,69
2 800,–	1	1 862,41	1 910,84	2 117,17	1 544,94	1 507,49
2 820,–	1	1 873,30	1 921,83	2 129,50	1 553,90	1 516,28
2 840,–	1	1 884,12	1 932,82	2 141,84	1 562,70	1 524,90
2 860,–	1	1 894,93	1 943,73	2 154,00	1 571,49	1 533,51
2 880,–	1	1 905,66	1 954,72	2 166,17	1 580,11	1 542,13
2 900,–	1	1 916,47	1 965,62	2 178,50	1 588,89	1 550,74
2 920,–	1	1 927,19	1 976,51	2 190,67	1 597,50	1 559,26
2 940,–	1	1 938,01	1 987,42	2 202,67	1 606,12	1 567,88
2 960,–	1	1 948,74	1 998,32	2 214,84	1 614,73	1 576,49
2 980,–	1	1 959,46	2 009,13	2 226,84	1 623,35	1 585,11
3 000,–	1	1 970,19	2 019,94	2 238,84	1 631,96	1 593,72
3 020,–	1	1 980,82	2 030,85	2 250,21	1 640,58	1 602,34
3 040,–	1	1 991,46	2 041,57	2 261,41	1 649,11	1 610,87
3 060,–	1	2 002,18	2 052,38	2 272,61	1 657,73	1 619,48
3 080,–	1	2 012,82	2 063,20	2 283,81	1 666,34	1 628,10
3 100,–	1	2 023,45	2 074,01	2 295,01	1 674,96	1 636,71
3 120,–	1	2 034,01	2 084,73	2 306,01	1 683,57	1 645,33
3 140,–	1	2 044,64	2 095,46	2 317,21	1 692,19	1 653,86
3 160,–	1	2 055,20	2 106,18	2 328,41	1 700,80	1 662,47
3 180,–	1	2 065,83	2 116,91	2 339,61	1 709,42	1 671,09
3 200,–	1	2 076,38	2 127,63	2 350,60	1 717,95	1 679,70
3 220,–	1	2 086,93	2 138,27	2 361,80	1 726,56	1 688,32
3 240,–	1	2 097,39	2 149,00	2 372,81	1 735,18	1 696,93
3 260,–	1	2 107,93	2 159,63	2 384,01	1 743,79	1 705,55
3 280,–	1	2 118,40	2 170,27	2 395,01	1 752,41	1 714,16
3 300,–	1	2 128,86	2 180,82	2 406,00	1 760,93	1 722,68
3 320,–	1	2 139,32	2 191,46	2 417,57	1 769,54	1 731,30
3 340,–	1	2 149,78	2 202,10	2 429,19	1 778,16	1 739,91
3 360,–	1	2 160,24	2 212,64	2 440,79	1 786,77	1 748,53

Bruttoarbeits-entgelt	Pauschaliertes Nettoentgelt nach § 106 des Dritten Buches Sozialgesetzbuch für die Berechnung des Kurzarbeitergeldes: 1. für Beschäftigte, die Beiträge zur Sozialversicherung zu tragen haben 2. für Beschäftigte, die keine Beiträge zur Sozialversicherung zu tragen haben (Geringverdiener) Steuerklasse					
		I/IV	II	III	V	VI
	monatlich					
Euro		Euro	Euro	Euro	Euro	Euro
3 380,–	1	2 170,62	2 223,19	2 452,57	1 795,39	1 757,14
3 400,–	1	2 181,08	2 233,74	2 464,17	1 804,00	1 765,76
3 420,–	1	2 191,46	2 244,29	2 475,78	1 812,53	1 774,29
3 440,–	1	2 201,82	2 254,75	2 487,38	1 821,15	1 782,90
3 460,–	1	2 212,20	2 265,30	2 498,98	1 829,76	1 791,52
3 480,–	1	2 222,48	2 275,76	2 510,59	1 838,38	1 800,13
3 500,–	1	2 232,86	2 286,22	2 522,19	1 846,99	1 808,75
3 520,–	1	2 243,14	2 296,68	2 533,79	1 855,61	1 817,36
3 540,–	1	2 253,43	2 307,14	2 545,40	1 864,22	1 825,98
3 560,–	1	2 263,71	2 317,60	2 556,82	1 872,84	1 834,59
3 580,–	1	2 274,00	2 327,98	2 568,44	1 881,37	1 843,12
3 600,–	1	2 284,29	2 338,36	2 580,04	1 889,98	1 851,74
3 620,–	1	2 294,49	2 348,72	2 591,64	1 898,60	1 860,35
3 640,–	1	2 304,77	2 359,10	2 603,07	1 907,21	1 868,97
3 660,–	1	2 314,97	2 369,48	2 614,67	1 915,83	1 877,58
3 680,–	1	2 325,16	2 379,84	2 626,28	1 924,44	1 886,20
3 700,–	1	2 335,28	2 390,14	2 637,70	1 932,96	1 894,72
3 720,–	1	2 345,47	2 400,42	2 649,31	1 941,58	1 903,33
3 740,–	1	2 355,58	2 410,70	2 660,73	1 950,19	1 911,95
3 760,–	1	2 365,77	2 420,99	2 672,17	1 958,81	1 920,56
3 780,–	1	2 375,89	2 431,27	2 683,77	1 967,42	1 929,18
3 800,–	1	2 386,00	2 441,47	2 695,20	1 976,04	1 937,71
3 820,–	1	2 396,10	2 451,75	2 706,63	1 984,65	1 946,32
3 840,–	1	2 406,13	2 461,95	2 718,23	1 993,27	1 954,94
3 860,–	1	2 416,23	2 472,15	2 729,66	2 001,80	1 963,55
3 880,–	1	2 426,26	2 482,35	2 741,08	2 010,41	1 972,17
3 900,–	1	2 436,28	2 492,54	2 752,52	2 019,03	1 980,78
3 920,–	1	2 446,30	2 502,66	2 763,95	2 027,64	1 989,40
3 940,–	1	2 456,33	2 512,85	2 775,37	2 036,26	1 998,01
3 960,–	1	2 466,26	2 522,97	2 786,80	2 044,79	2 006,54
3 980,–	1	2 476,28	2 533,07	2 798,23	2 053,40	2 015,16
4 000,–	1	2 486,21	2 543,18	2 809,65	2 062,02	2 023,77
4 020,–	1	2 496,15	2 553,20	2 821,09	2 070,63	2 032,39
4 040,–	1	2 506,08	2 563,31	2 832,52	2 079,25	2 041,00
4 060,–	1	2 516,01	2 573,43	2 843,77	2 087,86	2 049,62
4 080,–	1	2 525,86	2 583,36	2 855,19	2 096,38	2 058,14
4 100,–	1	2 535,80	2 593,46	2 866,62	2 105,00	2 066,75
4 120,–	1	2 545,64	2 603,49	2 877,88	2 113,61	2 075,37

Bruttoarbeitsentgelt	Pauschaliertes Nettoentgelt nach § 106 des Dritten Buches Sozialgesetzbuch für die Berechnung des Kurzarbeitergeldes: 1. für Beschäftigte, die Beiträge zur Sozialversicherung zu tragen haben 2. für Beschäftigte, die keine Beiträge zur Sozialversicherung zu tragen haben (Geringverdiener) Steuerklasse					
		I/IV	II	III	V	VI
	monatlich					
Euro		Euro	Euro	Euro	Euro	Euro
4140,–	1	2555,49	2613,43	2889,31	2122,23	2083,98
4160,–	1	2565,33	2623,44	2900,73	2130,84	2092,60
4180,–	1	2575,09	2633,38	2911,98	2139,46	2101,13
4200,–	1	2584,94	2643,31	2923,23	2148,07	2109,75
4220,–	1	2594,69	2653,25	2934,67	2156,69	2118,36
4240,–	1	2604,45	2663,18	2945,92	2165,22	2126,98
4260,–	1	2614,30	2673,11	2957,35	2173,83	2135,59
4280,–	1	2624,05	2682,96	2968,60	2182,45	2144,21
4300,–	1	2633,72	2692,80	2979,86	2191,06	2152,82
4320,–	1	2643,49	2702,65	2991,11	2199,68	2161,44
4340,–	1	2653,16	2712,58	3002,36	2208,29	2170,05
4360,–	1	2662,83	2722,34	3013,78	2216,82	2178,58
4380,–	1	2672,50	2732,19	3025,03	2225,44	2187,20
4400,–	1	2682,17	2741,94	3036,29	2234,05	2195,81
4420,–	1	2691,84	2751,79	3047,54	2242,67	2204,43
4440,–	1	2701,41	2761,55	3058,79	2251,28	2213,04
4460,–	1	2711,00	2771,22	3070,04	2259,90	2221,56
4480,–	1	2720,67	2780,98	3081,30	2268,51	2230,18
4500,–	1	2730,25	2790,74	3092,38	2277,13	2238,79
4520,–	1	2739,74	2800,41	3103,63	2285,65	2247,41
4540,–	1	2749,33	2810,16	3114,89	2294,26	2256,02
4560,–	1	2758,82	2819,83	3126,14	2302,88	2264,64
4580,–	1	2768,40	2829,50	3137,21	2311,49	2273,25
4600,–	1	2777,90	2839,17	3148,46	2320,11	2281,87
4620,–	1	2787,39	2848,76	3159,54	2328,64	2290,40
4640,–	1	2796,89	2858,34	3170,79	2337,26	2299,01
4660,–	1	2806,29	2868,01	3181,87	2345,87	2307,63
4680,–	1	2815,78	2877,59	3193,13	2354,49	2316,24
4700,–	1	2824,75	2886,73	3203,85	2362,57	2324,33
4720,–	1	2833,46	2895,52	3214,58	2370,40	2332,15
4740,–	1	2842,16	2904,40	3225,12	2378,14	2339,89
4760,–	1	2850,77	2913,20	3235,67	2385,96	2347,72
4780,–	1	2859,47	2921,98	3246,39	2393,78	2355,54
4800,–	1	2868,09	2930,77	3256,95	2401,61	2363,36
4820,–	1	2876,62	2939,57	3267,31	2409,34	2371,09
4840,–	1	2885,23	2948,27	3278,04	2417,16	2378,92
4860,–	1	2893,85	2957,06	3288,60	2424,98	2386,66
4880,–	1	2902,38	2965,76	3298,96	2432,72	2394,48

Bruttoarbeits-entgelt	Pauschaliertes Nettoentgelt nach § 106 des Dritten Buches Sozialgesetzbuch für die Berechnung des Kurzarbeitergeldes: 1. für Beschäftigte, die Beiträge zur Sozialversicherung zu tragen haben 2. für Beschäftigte, die keine Beiträge zur Sozialversicherung zu tragen haben (Geringverdiener) Steuerklasse					
		I/IV	II	III	V	VI
	monatlich					
Euro		Euro	Euro	Euro	Euro	Euro
4 900,–	1	2 910,90	2 974,46	3 309,52	2 440,55	2 402,30
4 920,–	1	2 919,43	2 983,08	3 320,06	2 448,37	2 410,13
4 940,–	1	2 927,96	2 991,79	3 330,61	2 456,19	2 417,95
4 960,–	1	2 936,39	3 000,40	3 341,17	2 463,93	2 425,69
4 980,–	1	2 944,83	3 009,02	3 351,53	2 471,76	2 433,51
5 000,–	1	2 953,28	3 017,63	3 362,09	2 479,58	2 441,24
5 020,–	1	2 961,71	3 026,15	3 372,63	2 487,31	2 449,07
5 040,–	1	2 970,15	3 034,77	3 383,01	2 495,13	2 456,89
5 060,–	1	2 978,50	3 043,30	3 393,56	2 502,96	2 464,71
5 080,–	1	2 986,85	3 051,83	3 403,93	2 510,78	2 472,45
5 100,–	1	2 995,20	3 060,35	3 414,30	2 518,52	2 480,28
5 120,–	1	3 003,55	3 068,79	3 424,86	2 526,34	2 488,10
5 140,–	1	3 011,82	3 077,31	3 435,22	2 534,08	2 495,84
5 160,–	1	3 020,17	3 085,76	3 445,60	2 541,91	2 503,66
5 180,–	1	3 028,44	3 094,20	3 455,98	2 549,73	2 511,49
5 200,–	1	3 036,69	3 102,63	3 466,34	2 557,55	2 519,31
5 220,–	1	3 044,96	3 110,98	3 476,72	2 565,28	2 527,04
5 240,–	1	3 053,13	3 119,33	3 487,10	2 573,11	2 534,86
5 260,–	1	3 061,31	3 127,68	3 497,46	2 580,93	2 542,60
5 280,–	1	3 069,49	3 136,04	3 507,84	2 588,67	2 550,43
5 300,–	1	3 077,66	3 144,39	3 518,22	2 596,49	2 558,25
5 320,–	1	3 085,84	3 152,65	3 528,58	2 604,32	2 566,07
5 340,–	1	3 094,01	3 161,01	3 538,96	2 612,14	2 573,81
5 360,–	1	3 102,10	3 169,27	3 549,16	2 619,88	2 581,64
5 380,–	1	3 110,19	3 177,44	3 559,53	2 627,70	2 589,46
5 400,–	1	3 118,19	3 185,71	3 569,73	2 635,43	2 597,19
5 420,–	1	3 126,28	3 193,97	3 580,10	2 643,26	2 605,01
5 440,–	1	3 134,37	3 202,15	3 590,29	2 651,08	2 612,84
5 460,–	1	3 142,36	3 210,32	3 600,67	2 658,90	2 620,66
5 480,–	1	3 150,36	3 218,49	3 610,87	2 666,64	2 628,40
5 500,–	1	3 158,36	3 226,58	3 621,07	2 674,47	2 636,22
5 520,–	1	3 166,27	3 234,67	3 631,44	2 682,29	2 643,96
5 540,–	1	3 174,18	3 242,85	3 641,64	2 690,03	2 651,79
5 560,–	1	3 182,18	3 250,94	3 651,84	2 697,85	2 659,61
5 580,–	1	3 190,09	3 258,93	3 662,04	2 705,68	2 667,43
5 600,–	1	3 197,92	3 267,02	3 672,23	2 713,50	2 675,26
5 620,–	1	3 205,83	3 275,02	3 682,43	2 721,23	2 682,99
5 640,–	1	3 213,66	3 283,11	3 692,63	2 729,05	2 690,81

Bruttoarbeits-entgelt	Pauschaliertes Nettoentgelt nach § 106 des Dritten Buches Sozialgesetzbuch für die Berechnung des Kurzarbeitergeldes: 1. für Beschäftigte, die Beiträge zur Sozialversicherung zu tragen haben 2. für Beschäftigte, die keine Beiträge zur Sozialversicherung zu tragen haben (Geringverdiener) Steuerklasse					
		I/IV	II	III	V	VI
	monatlich					
Euro		Euro	Euro	Euro	Euro	Euro
5 660,–	1	3 221,48	3 291,02	3 702,83	2 736,79	2 698,55
5 680,–	1	3 229,31	3 299,02	3 713,02	2 744,62	2 706,37
5 700,–	1	3 237,13	3 306,93	3 723,04	2 752,44	2 714,20
5 720,–	1	3 244,95	3 314,93	3 733,24	2 760,27	2 722,02
5 740,–	1	3 252,68	3 322,84	3 743,44	2 768,09	2 729,76
5 760,–	1	3 260,51	3 330,76	3 753,63	2 775,83	2 737,58
5 780,–	1	3 268,33	3 338,67	3 763,65	2 783,65	2 745,41
5 800,–	1	3 276,07	3 346,49	3 773,85	2 791,38	2 753,14
5 820,–	1	3 283,89	3 354,31	3 783,88	2 799,20	2 760,96
5 840,–	1	3 291,72	3 362,14	3 794,08	2 807,03	2 768,78
5 860,–	1	3 299,46	3 369,96	3 804,09	2 814,85	2 776,61
5 880,–	1	3 307,28	3 377,79	3 814,11	2 822,59	2 784,35
5 900,–	1	3 315,10	3 385,52	3 824,31	2 830,42	2 792,17
5 920,–	1	3 322,93	3 393,35	3 834,34	2 838,24	2 800,00
5 940,–	1	3 330,66	3 401,08	3 844,36	2 845,98	2 807,73
5 960,–	1	3 338,48	3 408,90	3 854,37	2 853,80	2 815,56
5 980,–	1	3 346,30	3 416,72	3 864,40	2 861,63	2 823,38
6 000,–	1	3 354,04	3 424,55	3 874,42	2 869,45	2 831,11
6 020,–	1	3 361,87	3 432,37	3 884,44	2 877,18	2 838,93
6 040,–	1	3 369,69	3 440,11	3 894,47	2 885,00	2 846,76
6 060,–	1	3 377,51	3 447,94	3 904,49	2 892,83	2 854,58
6 080,–	1	3 385,25	3 455,67	3 914,50	2 900,57	2 862,32
6 100,–	1	3 393,08	3 463,50	3 924,35	2 908,39	2 870,15
6 120,–	1	3 400,90	3 471,32	3 934,37	2 916,21	2 877,97
6 140,–	1	3 408,63	3 479,15	3 944,40	2 923,95	2 885,71
6 160,–	1	3 416,45	3 486,87	3 954,24	2 931,78	2 893,53
6 180,–	1	3 424,28	3 494,70	3 964,27	2 939,60	2 901,36
6 200,–	1	3 432,10	3 502,52	3 974,11	2 947,42	2 909,18
6 220,–	1	3 439,84	3 510,26	3 983,96	2 955,15	2 916,91
6 240,–	1	3 447,66	3 518,09	3 993,97	2 962,98	2 924,73
6 260,–	1	3 455,40	3 525,91	4 003,82	2 970,80	2 932,47
6 280,–	1	3 463,23	3 533,73	4 013,67	2 978,54	2 940,30
6 300,–	1	3 471,05	3 541,47	4 023,69	2 986,36	2 948,12
6 320,–	1	3 478,87	3 549,30	4 033,54	2 994,19	2 955,94
6 340,–	1	3 486,60	3 557,12	4 043,38	3 002,01	2 963,77
6 360,–	1	3 494,43	3 564,85	4 053,23	3 009,75	2 971,51
6 380,–	1	3 502,25	3 572,67	4 063,08	3 017,57	2 979,33
6 400,–	1	3 509,99	3 580,50	4 072,92	3 025,40	2 987,06

Bruttoarbeitsentgelt	Pauschaliertes Nettoentgelt nach § 106 des Dritten Buches Sozialgesetzbuch für die Berechnung des Kurzarbeitergeldes: 1. für Beschäftigte, die Beiträge zur Sozialversicherung zu tragen haben 2. für Beschäftigte, die keine Beiträge zur Sozialversicherung zu tragen haben (Geringverdiener) Steuerklasse					
		I/IV	II	III	V	VI
	monatlich					
Euro		Euro	Euro	Euro	Euro	Euro
6 420,–	1	3 517,81	3 588,24	4 082,77	3 033,13	2 994,88
6 440,–	1	3 525,64	3 596,06	4 092,62	3 040,95	3 002,71
6 460,–	1	3 533,46	3 603,88	4 102,45	3 048,77	3 010,53
6 480,–	1	3 541,20	3 611,71	4 112,12	3 056,60	3 018,27
6 500,–	1	3 549,02	3 619,45	4 121,97	3 064,34	3 026,09
6 520,–	1	3 556,75	3 627,27	4 131,82	3 072,16	3 033,92
6 540,–	1	3 564,58	3 635,09	4 141,49	3 079,90	3 041,66
6 560,–	1	3 572,40	3 642,82	4 151,33	3 087,72	3 049,48
6 580,–	1	3 580,22	3 650,65	4 161,00	3 095,55	3 057,30
6 600,–	1	3 588,05	3 658,47	4 170,85	3 103,37	3 065,13
6 620,–	1	3 595,79	3 666,29	4 180,52	3 111,10	3 072,86
6 640,–	1	3 603,61	3 674,03	4 190,19	3 118,92	3 080,68
6 660,–	1	3 611,35	3 681,86	4 200,04	3 126,75	3 088,42
6 680,–	1	3 619,17	3 689,60	4 209,71	3 134,49	3 096,24
6 700,–	1	3 627,00	3 697,42	4 219,38	3 142,31	3 104,07
6 720,–	1	3 634,82	3 705,24	4 229,05	3 150,13	3 111,89
6 740,–	1	3 642,55	3 713,07	4 238,72	3 157,96	3 119,63
6 760,–	1	3 650,37	3 720,80	4 248,39	3 165,70	3 127,45
6 780,–	1	3 658,20	3 728,62	4 258,06	3 173,52	3 135,28
6 800,–	1	3 665,94	3 736,44	4 267,73	3 181,25	3 143,01
6 820,–	1	3 673,76	3 744,18	4 277,40	3 189,07	3 150,83
6 840,–	1	3 681,59	3 752,01	4 287,07	3 196,90	3 158,65
6 860,–	1	3 689,41	3 759,83	4 296,56	3 204,72	3 166,48
6 880,–	1	3 697,15	3 767,65	4 306,23	3 212,46	3 174,22
6 900,– und mehr	1	3 704,97	3 775,39	4 315,90	3 220,28	3 182,04

Anlage 2
(hier nicht wiedergegeben)

700f. Zweiundzwanzigste Verordnung zur Durchführung des Gesetzes über Arbeitsvermittlung und Arbeitslosenversicherung (Fach- und Führungskräfte aus Entwicklungsländern)

Vom 11. Mai 1967
(BGBl. I S. 531)

FNA 810-1-22

geänd. durch Art. 55a Viertes G für moderne Dienstleistungen am Arbeitsmarkt v. 24.12.2003 (BGBl. I S. 2954)

Auf Grund des § 1 Abs. 2 des Gesetzes über Arbeitsvermittlung und Arbeitslosenversicherung (AVAVG) in der Fassung der Bekanntmachung vom 3. April 1957 (Bundesgesetzbl. I S. 321), zuletzt geändert durch das Siebente Änderungsgesetz zum AVAVG vom 10. März 1967 (Bundesgesetzbl. I S. 266), verordnet die Bundesregierung mit Zustimmung des Bundesrates:

§ 1[1] Die Bundesagentur für Arbeit wird beauftragt, an der beruflichen Aus- und Fortbildung von Fach- und Führungskräften aus Entwicklungsländern auf Anforderung des Trägers eines Aus- und Fortbildungsprogramms mitzuwirken

1. bei der Auswahl der Teilnehmer an Aus- und Fortbildungsprogrammen,
2. bei der Aufstellung und Anpassung der individuellen Aus- und Fortbildungspläne mit dem Ziel einer angemessenen betrieblichen Aus- und Fortbildung,
3. bei der Vermittlung angemessener Fortbildungspraktika,
4. bei der Erbringung von zur Aus- und Fortbildung erforderlichen Geldleistungen.

§ 2[2] Die Bundesagentur für Arbeit führt eine Datei der in der Bundesrepublik Deutschland zu ihrer Aus- und Fortbildung tätigen Personen aus Entwicklungsländern, die eine Arbeitsgenehmigung nach den §§ 284 ff. des Dritten Buches Sozialgesetzbuch[3] benötigen.

§ 3[4] *(aufgehoben)*

§ 4 Diese Verordnung tritt am Tage nach ihrer Verkündung[5] in Kraft.

---

[1] § 1 einl. Satzteil geänd., Nr. 3 eingef., bish. Nr. 3 wird Nr. 4 mWv 1.1.2005 durch G v. 24.12. 2003 (BGBl. I S. 2954).
[2] § 2 neu gef. mWv 1.1.2005 durch G v. 24.12.2003 (BGBl. I S. 2954).
[3] Nr. **700**.
[4] § 3 aufgeh. mWv 1.1.2005 durch G v. 24.12.2003 (BGBl. I S. 2954).
[5] Verkündet am 19.5.1967.

Vom 11. März 1967

(BGBl. I S. 331)

FNA 810-1-22

[illegible]

§ 3 [illegible]

[illegible]

702. Verordnung über ergänzende Leistungen zum Saison-Kurzarbeitergeld und die Aufbringung der erforderlichen Mittel zur Aufrechterhaltung der Beschäftigung in den Wintermonaten (Winterbeschäftigungs-Verordnung – WinterbeschV)

Vom 26. April 2006
(BGBl. I S. 1086)

FNA 860-3-28

zuletzt geänd. durch Art. 1, Art. 2 Achte VO zur Änd. der WinterbeschäftigungsVO v. 2.12.2025 (BGBl. 2025 I Nr. 303)

Auf Grund des § 182 Abs. 3 in Verbindung mit Abs. 4 und des § 357 Abs. 1 des Dritten Buches Sozialgesetzbuch – Arbeitsförderung –[1] (Artikel 1 des Gesetzes vom 24. März 1997, BGBl. I S. 594, 595), die zuletzt durch Artikel 1 Nr. 14 und 30 des Gesetzes vom 24. April 2006 (BGBl. I S. 926) geändert worden sind, verordnet das Bundesministerium für Arbeit und Soziales:

§ 1[2] Leistungen. (1) Gewerbliche Arbeitnehmer von Betrieben
1. des Baugewerbes (§ 1 Abs. 2 der Baubetriebe-Verordnung[3]),
2. des Gerüstbauerhandwerks (§ 1 Abs. 3 Nr. 1 der Baubetriebe-Verordnung),
3. des Dachdeckerhandwerks (§ 1 Abs. 3 Nr. 2 der Baubetriebe-Verordnung),
4. des Garten- und Landschaftsbaus (§ 1 Abs. 4 der Baubetriebe-Verordnung)

erhalten entsprechend bestehenden Vereinbarungen der Tarifvertragsparteien ergänzende Leistungen nach § 102 Absatz 2 bis 4 des Dritten Buches Sozialgesetzbuch[1].

(2) Das Zuschuss-Wintergeld beträgt 2,50 Euro je Stunde.

§ 2 Umlage. Die Mittel für die ergänzenden Leistungen sowie die Verwaltungskosten und sonstigen Kosten, die mit der Gewährung der ergänzenden Leistungen zusammenhängen, werden durch Umlage in den Betrieben nach § 1 Abs. 1 aufgebracht.

§ 3[4] Höhe und Aufbringung der Umlage. (1) Die Umlage beträgt in Betrieben

---

[1] Nr. **700**.

[2] § 1 Abs. 2 Satz 1, Abs. 3 Satz 1 geänd. mWv 1.11.2006 durch VO v. 11.12.2006 (BGBl. I S. 2809); Abs. 2 Satz 1 und Abs. 3 Satz 1 geänd. mWv 1.4.2007 durch VO v. 19.3.2007 (BGBl. I S. 349); Abs. 1 ausl. Satzteil, Abs. 2 Satz 1 und Abs. 3 Satz 1 geänd. mWv 1.4.2012 durch G v. 20.12.2011 (BGBl. I S. 2854); Abs. 1 ausl. Satzteil geänd., Abs. 2 Satz 1 aufgeh., bish. Satz 2 wird einziger Wortlaut, Abs. 3 aufgeh. mWv 8.5.2021 durch VO v. 29.4.2021 (BGBl. I S. 860, ber. S. 1600).

[3] Nr. **704**.

[4] § 3 Abs. 1 Nr. 3 geänd., Abs. 2 Satz 2 eingef., bish. Satz 2 wird Satz 3, Abs. 3 neu gef. mWv 1.11.2006 durch VO v. 11.12.2006 (BGBl. I S. 2809); Abs. 1 Nr. 4 geänd., Abs. 2 neu gef. mWv 1.4.2007 durch VO v. 19.3.2007 (BGBl. I S. 349); Abs. 1 Nr. 1 geänd. mWv 25.12.2008 durch VO v. 18.12.2008 (BGBl. I S. 2864); Abs. 3 Satz 1 geänd. mWv 1.1.2012 durch G v. 7.12.2011 (BGBl. I S. 2592); Abs. 1 Nr. 3, Abs. 2 Nr. 3 geänd. mWv 1.1.2013 durch VO v. 30.11.2012 (BGBl. I S. 2459); Abs. 1 Nr. 2 geänd. mWv 1.1.2022 durch VO v. 29.4.2021 (BGBl. I S. 860, ber. S. 1600); Abs. 1 Nr. 3, Abs. 2 Nr. 3 geänd. mWv 1.10.2023 durch VO v. 29.8.2023 (BGBl. 2023 I Nr. 237).

1. des Baugewerbes (§ 1 Abs. 2 der Baubetriebe-Verordnung[1]) 2 Prozent,
2. des Gerüstbauerhandwerks (§ 1 Abs. 3 Nr. 1 der Baubetriebe-Verordnung) 1,9 Prozent,
3. des Dachdeckerhandwerks (§ 1 Abs. 3 Nr. 2 der Baubetriebe-Verordnung) 1,6 Prozent,
4. des Garten- und Landschaftsbaus (§ 1 Abs. 4 der Baubetriebe-Verordnung) 1,85 Prozent

der umlagepflichtigen Bruttoarbeitsentgelte der gewerblichen Arbeitnehmer.

(2) Die Umlage wird in Betrieben

1. nach Absatz 1 Nr. 1 anteilig durch die Arbeitgeber in Höhe von 1,2 Prozent und durch die Arbeitnehmer in Höhe von 0,8 Prozent aufgebracht; der Arbeitgeber hat den gesamten Umlagebetrag abzuführen,
2. nach Absatz 1 Nr. 2 allein durch die Arbeitgeber aufgebracht,
3. nach Absatz 1 Nr. 3 anteilig durch die Arbeitgeber in Höhe von 1 Prozent und durch die Arbeitnehmer in Höhe von 0,6 Prozent aufgebracht; der Arbeitgeber hat den gesamten Umlagebetrag abzuführen,
4. nach Absatz 1 Nr. 4 anteilig durch die Arbeitgeber in Höhe von 1,05 Prozent und durch die Arbeitnehmer in Höhe von 0,8 Prozent aufgebracht; der Arbeitgeber hat den gesamten Umlagebetrag abzuführen.

(3) [1] Das umlagepflichtige Bruttoarbeitsentgelt ist der für die Berechnung der Lohnsteuer zugrunde zu legende Bruttoarbeitslohn einschließlich der Sachbezüge, die nicht pauschal nach § 40 des Einkommensteuergesetzes[2] versteuert werden. [2] Bei der Berechnung der umlagepflichtigen Bruttoarbeitsentgelte der Arbeitnehmer werden die nach den §§ 40a, 40b und 52 Abs. 52a des Einkommensteuergesetzes pauschal zu versteuernden Bruttoarbeitsentgelte berücksichtigt. [3] Nicht berücksichtigt werden

1. der Beitrag zu einer Gruppen-Unfallversicherung,
2. die Anteile an der Finanzierung einer tariflichen Zusatzrente im Sinne des § 1 des Betriebsrentengesetzes[3],
3. in Betrieben nach Absatz 1 Nr. 1 das tarifliche 13. Monatseinkommen oder betriebliche Zahlungen mit gleichem Charakter, Urlaubsabgeltungen und Abfindungen wegen einer vom Arbeitgeber veranlassten oder gerichtlich ausgesprochenen Auflösung des Arbeitsverhältnisses und
4. in Betrieben nach Absatz 1 Nr. 2 das 13. Monatseinkommen oder betriebliche Zahlungen mit gleichem Charakter.

[4] Umlagepflichtiges Bruttoarbeitsentgelt ist bei Arbeitnehmern, die nicht dem deutschen Lohnsteuerrecht unterliegen, der Bruttoarbeitslohn einschließlich der Sachbezüge nach Satz 1, der bei Anwendung des deutschen Lohnsteuerrechts als Bruttoarbeitslohn gelten würde.

---

[1] Nr. **704**.
[2] **beck-online, Module Arbeitsrecht Nr. 331.**
[3] Nr. **180**.

[§ 3a bis 31.12.2026:]

§ 3a[1)] Befristete Absenkung des Umlagesatzes im Baugewerbe.

(1) In der Zeit vom 1. Januar 2026 bis zum 31. Dezember 2026 beträgt der Umlagesatz nach § 3 Absatz 1 Nummer 1 1 Prozent.

(2) In der Zeit vom 1. Januar 2026 bis zum 31. Dezember 2026 wird die Umlage nach § 3 Absatz 2 Nummer 1 anteilig durch die Arbeitgeber in Höhe von 0,6 Prozent und durch die Arbeitnehmer in Höhe von 0,4 Prozent aufgebracht.

§ 4 Einzugsstellen. Die Bundesagentur für Arbeit (Bundesagentur) gibt im Bundesanzeiger bekannt, über welche gemeinsamen Einrichtungen oder Ausgleichskassen (Einzugsstellen) der Arbeitgeber die Umlagebeträge abführt und mit welchen Einzugsstellen sie ein vereinfachtes Abrechnungsverfahren vereinbart hat.

§ 5[2)] Zahlung. (1) [1]Die Umlagebeträge sind am 15. des Monats fällig, der dem Monat folgt, für den das Arbeitsentgelt zu zahlen ist. [2]Umlagebeträge sind rechtzeitig gezahlt, wenn sie bis zu dem genannten Zeitpunkt bei den Einzugsstellen eingegangen sind.

(2) Die Einzugsstellen führen die eingezogene Umlage bis zum 20. des Monats oder entsprechend dem zwischen ihnen und der Bundesagentur vereinbarten vereinfachten Abrechnungsverfahren an die Bundesagentur ab.

(3) In Betrieben nach § 1 Absatz 1 Nummer 1

1. tritt an die Stelle der in Absatz 1 genannten Fälligkeit der 28. des Monats, der dem Monat folgt, für den das Arbeitsentgelt zu zahlen ist;
2. können Umlagebeträge in Abrechnungsintervallen bis zu längstens sechs Monaten gezahlt werden, wenn von dem umlagepflichtigen Arbeitgeber im Rahmen der Beitragsentrichtung zu den Einzugsstellen längere Abrechnungsintervalle in Anspruch genommen werden; in diesen Fällen tritt an die Stelle der in Nummer 1 genannten Fälligkeit der Zahlung die für die Beitragsentrichtung zu den Einzugsstellen sich ergebende Fälligkeit; können längere Abrechnungsintervalle vom Arbeitgeber gegenüber den Einzugsstellen nicht mehr in Anspruch genommen werden, gilt wieder die Fälligkeit nach Nummer 1.

(4) [1]Arbeitgebern des Baugewerbes werden entrichtete Umlagebeträge, die auf Zeiten einer Beschäftigung von gewerblichen Arbeitnehmern auf Baustellen außerhalb des Geltungsbereiches des Dritten Buches Sozialgesetzbuch[3)] entfallen, auf Antrag für jeweils ein Kalenderjahr erstattet. [2]Der Antrag ist innerhalb einer Ausschlussfrist von drei Kalendermonaten zu stellen; die Frist beginnt mit Ablauf des Kalenderjahres, in dem die Zeiten nach Satz 1 liegen. [3]Ein zu erstattender Arbeitnehmeranteil steht dem Arbeitnehmer zu.

(5) Im Übrigen gelten die Vorschriften des Dritten und des Vierten Buches Sozialgesetzbuch[4)] über das Entstehen und die Fälligkeit der Beitragsansprüche,

---

[1)] § 3a eingef. mWv 1.1.2026 und aufgeh. mWv 1.1.2027 durch VO v. 2.12.2025 (BGBl. 2025 I Nr. 303).

[2)] § 5 Abs. 3 neu gef. mWv 1.7.2013 durch VO v. 24.6.2013 (BGBl. I S. 1681); Abs. 3 Nr. 1 geänd. mWv 8.5.2021 durch VO v. 29.4.2021 (BGBl. I S. 860, ber. S. 1600).

[3)] Nr. **700**.

[4)] Auszugsweise abgedruckt unter Nr. **694**.

die Erhebung von Säumniszuschlägen, die Verjährung von Beitragsansprüchen, die Beitragserstattung, die Erhebung der Einnahmen, den Beitragsnachweis und die Berechnung und Zahlung des Gesamtsozialversicherungsbeitrags entsprechend, soweit diese auf die Beiträge zur Arbeitsförderung anzuwenden sind und die Besonderheiten der Umlage nicht entgegenstehen.

§ 6 Melde- und Auskunftspflicht. (1) [1]Der Arbeitgeber hat Beginn und Ende der Umlagepflicht der Bundesagentur unverzüglich zu melden. [2]Die Meldepflicht besteht nicht, soweit der Arbeitgeber die Umlagebeträge über eine Einzugsstelle abführt und die Bundesagentur mit dieser Einzugsstelle ein vereinfachtes Abrechnungsverfahren vereinbart hat.

(2) Die Bundesagentur kann verlangen, dass der Arbeitgeber die Höhe der umlagepflichtigen Bruttoarbeitsentgelte seiner Arbeitnehmer, die ergänzende Leistungen erhalten können, und die Höhe der fälligen Umlagebeträge monatlich unter Verwendung des von der Bundesagentur vorgesehenen Vordrucks meldet.

(3) [1]Der Arbeitgeber und die Einzugsstelle haben der Bundesagentur über alle Tatsachen Auskunft zu geben, die für die Einziehung der Umlage erheblich sind. [2]Die Bundesagentur ist berechtigt, Grundstücke und Geschäftsräume des Arbeitgebers während der Geschäftszeit zu betreten und dort Einsicht in Geschäftsbücher, Geschäfts-, Lohn- oder vergleichbare Unterlagen zu nehmen, soweit dies für die Einziehung der Umlage erforderlich ist.

§ 7 Zuständigkeit. (1) [1]Die Umlagebeträge sind an die Einzugsstellen der Wirtschaftszweige abzuführen, in denen die Winterbeschäftigung gefördert wird. [2]Dies gilt auch für Unternehmen, deren Hauptbetriebssitz nicht im Geltungsbereich des Dritten Buches Sozialgesetzbuch liegt. [3]In den Fällen des § 356 Abs. 2 Satz 1 des Dritten Buches Sozialgesetzbuch[1)] bestimmt die Bundesagentur durch Bekanntmachung im Bundesanzeiger, an welche Dienststellen die Umlage abzuführen ist.

(2) Zuständig für die Erstattung der Umlagebeträge nach § 5 Abs. 4 sind die Stellen, die für die Umlageerhebung gemäß Absatz 1 zuständig sind.

(3) Für die Meldungen nach § 6 Abs. 1 und 2 gilt Absatz 1 entsprechend.

§ 8 Erstattung von Mehraufwendungen. (1) [1]Die Pauschale nach § 356 Abs. 2 Satz 2 des Dritten Buches Sozialgesetzbuch[1)] wird in Höhe von 10 Prozent des Umlagesatzes nach § 3 erhoben, wenn dieser mindestens 1,5 Prozent beträgt. [2]Ist der Umlageprozentsatz geringer, beträgt die Pauschale 15 Prozent.

(2) Für die Erstattung der Mehraufwendungen an die Bundesagentur gelten die Vorschriften für den Einzug der Umlage entsprechend.

§ 9[2)] Verwaltungskosten. (1) Die im Zusammenhang mit der Gewährung der ergänzenden Leistungen und dem Einzug der zur Finanzierung dieser Leistungen erhobenen Umlage entstehenden Verwaltungskosten sind der Bundesagentur von den Wirtschaftszweigen, in denen diese Leistungen in Anspruch genommen werden können, pauschaliert zu erstatten.

[1)] *Nr. **700**.*

[2)] § 9 Abs. 3 erster Halbs. geänd. mWv 1.4.2012 durch G v. 20.12.2011 (BGBl. I S. 2854); Abs. 3 neu gef. mWv 8.5.2021 durch VO v. 29.4.2021 (BGBl. I S. 860, ber. S. 1600).

(2) Sie werden für diese Wirtschaftszweige im Verhältnis der Anteile an den Ausgaben getrennt festgestellt.

(3) Von den Betrieben nach § 1 Absatz 1 Nummer 1 werden die anteilig zu den Ausgaben für die ergänzenden Leistungen nach § 102 des Dritten Buches Sozialgesetzbuch[1)] berechneten Verwaltungskosten bis zu einer Höhe von maximal 17,5 Millionen Euro erstattet.

§ 10 Inkrafttreten, Außerkrafttreten. [1] Diese Verordnung tritt am 1. Mai 2006 in Kraft. [2] Gleichzeitig tritt die Winterbau-Umlageverordnung vom 13. Juli 1972 (BGBl. I S. 1201), zuletzt geändert durch Artikel 21 des Gesetzes vom 23. Juli 2004 (BGBl. I S. 1842), außer Kraft.

[1)] Nr. **700**.

704. Verordnung über die Betriebe des Baugewerbes, in denen die ganzjährige Beschäftigung zu fördern ist (Baubetriebe-Verordnung)

Vom 28. Oktober 1980
(BGBl. I S. 2033)

FNA 810-1-30

zuletzt geänd. durch Art. 37 G zur Verbesserung der Eingliederungschancen am Arbeitsmarkt v. 20. 12. 2011 (BGBl. I S. 2854)

Auf Grund des § 76 Abs. 2 des Arbeitsförderungsgesetzes vom 25. Juni 1969 (BGBl. I S. 582), der durch Artikel 1 Nr. 23 des Gesetzes vom 23. Juli 1979 (BGBl. I S. 1189) geändert worden ist, wird – nach Anhörung der Bundesanstalt für Arbeit gemäß § 234 Abs. 2 des Arbeitsförderungsgesetzes und der Tarifvertragsparteien des Baugewerbes gemäß § 76 Abs. 2 Satz 4 des Arbeitsförderungsgesetzes – verordnet:

§ 1[1] **Zugelassene Betriebe.** (1) Die ganzjährige Beschäftigung im Baugewerbe ist durch das Saison-Kurzarbeitergeld in Betrieben und Betriebsabteilungen zu fördern, die gewerblich überwiegend Bauleistungen (§ 101 Absatz 2 des Dritten Buches Sozialgesetzbuch[2]) erbringen.

(2) Betriebe und Betriebsabteilungen im Sinne des Absatzes 1 sind solche, in denen insbesondere folgende Arbeiten verrichtet werden (Bauhauptgewerbe):

1. Abdichtungsarbeiten gegen Feuchtigkeit;
2. Aptierungs- und Drainierungsarbeiten, wie zum Beispiel das Entwässern von Grundstücken und urbar zu machenden Bodenflächen, einschließlich der Grabenräumungs- und Faschinierungsarbeiten, des Verlegens von Drainagerohrleitungen sowie des Herstellens von Vorflut- und Schleusenanlagen;

2a. Asbestsanierungsarbeiten an Bauwerken und Bauwerksteilen;

3. Bautrocknungsarbeiten, das sind Arbeiten, die unter Einwirkung auf das Gefüge des Mauerwerks der Entfeuchtung dienen, auch unter Verwendung von Kunststoffen oder chemischen Mitteln sowie durch Einbau von Kondensatoren;
4. Beton- und Stahlbetonarbeiten einschließlich Betonschutz- und Betonsanierungsarbeiten sowie Armierungsarbeiten;
5. Bohrarbeiten;
6. Brunnenbauarbeiten;
7. chemische Bodenverfestigungen;

---

[1] § 1 Abs. 2 Nr. 27 zweiter Halbs. angef. durch VO v. 24. 10. 1984 (BGBl. I S. 1318); Abs. 1 neu gef. durch G v. 15. 12. 1995 (BGBl. I S. 1809); Abs. 2 Nrn. 2a, 14a und 38a eingef., Nrn. 4 und 28 neu gef., Nr. 31 und Abs. 4 geänd., Abs. 5 angef. durch VO v. 13. 12. 1996 (BGBl. I S. 1954); Abs. 1 geänd. durch G v. 23. 11. 1999 (BGBl. I S. 2230); Abs. 1, Abs. 2 einl. Satzteil und Nr. 36, Abs. 3 Nr. 1 geänd., Abs. 5 neu gef. mWv 1. 5. 2006 durch VO v. 26. 4. 2006 (BGBl. I S. 1085); Abs. 1 geänd. mWv 1. 4. 2012 durch G v. 20. 12. 2011 (BGBl. I S. 2854).

[2] Nr. **700**.

8. Dämm-(Isolier-)Arbeiten (das sind zum Beispiel Wärme-, Kälte-, Schallschutz-, Schallschluck-, Schallverbesserungs-, Schallveredelungsarbeiten) einschließlich Anbringung von Unterkonstruktionen sowie technischen Dämm-(Isolier-)Arbeiten, insbesondere an technischen Anlagen und auf Land-, Luft- und Wasserfahrzeugen;
9. Erdbewegungsarbeiten, das sind zum Beispiel Wegebau, Meliorations-, Landgewinnungs-, Deichbauarbeiten, Wildbach- und Lawinenverbau, Sportanlagenbau sowie Errichtung von Schallschutzwällen und Seitenbefestigungen an Verkehrswegen;
10. Estricharbeiten, das sind zum Beispiel Arbeiten unter Verwendung von Zement, Asphalt, Anhydrit, Magnesit, Gips, Kunststoffen oder ähnlichen Stoffen;
11. Fassadenbauarbeiten;
12. Fertigbauarbeiten: Einbauen oder Zusammenfügen von Fertigbauteilen zur Erstellung, Instandsetzung, Instandhaltung oder Änderung von Bauwerken; ferner das Herstellen von Fertigbauteilen, wenn diese zum überwiegenden Teil durch den Betrieb, einen anderen Betrieb desselben Unternehmens oder innerhalb von Unternehmenszusammenschlüssen – unbeschadet der Rechtsform – durch den Betrieb mindestens eines beteiligten Gesellschafters zusammengefügt oder eingebaut werden; nicht erfaßt wird das Herstellen von Betonfertigteilen, Holzfertigteilen zum Zwecke des Errichtens von Holzfertigbauwerken und Isolierelementen in massiven, ortsfesten und auf Dauer eingerichteten Arbeitsstätten nach Art stationärer Betriebe; § 2 Nr. 12 bleibt unberührt;
13. Feuerungs- und Ofenbauarbeiten;
14. Fliesen-, Platten- und Mosaik-Ansetz- und Verlegearbeiten;
14a. Fugarbeiten an Bauwerken, insbesondere Verfugung von Verblendmauerwerk und von Anschlüssen zwischen Einbauteilen und Mauerwerk sowie dauerelastische und dauerplastische Verfugungen aller Art;
15. Glasstahlbetonarbeiten sowie Vermauern und Verlegen von Glasbausteinen;
16. Gleisbauarbeiten;
17. Herstellen von nicht lagerfähigen Baustoffen, wie zum Beispiel Beton- und Mörtelmischungen (Transportbeton und Fertigmörtel), wenn mit dem überwiegenden Teil der hergestellten Baustoffe die Baustellen des herstellenden Betriebes, eines anderen Betriebes desselben Unternehmens oder innerhalb von Unternehmenszusammenschlüssen – unbeschadet der Rechtsform – die Baustellen des Betriebes mindestens eines beteiligten Gesellschafters versorgt werden;
18. Hochbauarbeiten;
19. Holzschutzarbeiten an Bauteilen;
20. Kanalbau-(Sielbau-)Arbeiten;
21. Maurerarbeiten;
22. Rammarbeiten;
23. Rohrleitungsbau-, Rohrleitungstiefbau-, Kabelleitungstiefbauarbeiten und Bodendurchpressungen;
24. Schachtbau- und Tunnelbauarbeiten;

25. Schalungsarbeiten;
26. Schornsteinbauarbeiten;
27. Spreng-, Abbruch- und Enttrümmerungsarbeiten; nicht erfaßt werden Abbruch- und Abwrackbetriebe, deren überwiegende Tätigkeit der Gewinnung von Rohmaterialien oder der Wiederaufbereitung von Abbruchmaterialien dient;
28. Stahlbiege- und -flechtarbeiten, soweit sie zur Erbringung anderer baulicher Leistungen des Betriebes oder auf Baustellen ausgeführt werden;
29. Stakerarbeiten;
30. Steinmetzarbeiten;
31. Straßenbauarbeiten, das sind zum Beispiel Stein-, Asphalt-, Beton-, Schwarzstraßenbauarbeiten, Pflasterarbeiten aller Art, Fahrbahnmarkierungsarbeiten; ferner Herstellen und Aufbereiten des Mischgutes, wenn mit dem überwiegenden Teil des Mischgutes der Betrieb, ein anderer Betrieb desselben Unternehmens oder innerhalb von Unternehmenszusammenschlüssen – unbeschadet der Rechtsform – der Betrieb mindestens eines beteiligten Gesellschafters versorgt wird;
32. Straßenwalzarbeiten;
33. Stuck-, Putz-, Gips- und Rabitzarbeiten einschließlich des Anbringens von Unterkonstruktionen und Putzträgern;
34. Terrazzoarbeiten;
35. Tiefbauarbeiten;
36. Trocken- und Montagebauarbeiten (zum Beispiel Wand- und Deckeneinbau und -verkleidungen, Montage von Baufertigteilen) einschließlich des Anbringens von Unterkonstruktionen und Putzträgern;
37. Verlegen von Bodenbelägen in Verbindung mit anderen baulichen Leistungen;
38. Vermieten von Baumaschinen mit Bedienungspersonal, wenn die Baumaschinen mit Bedienungspersonal zur Erbringung baulicher Leistungen eingesetzt werden;

38 a. Wärmedämmverbundsystemarbeiten;

39. Wasserwerksbauarbeiten, Wasserhaltungsarbeiten, Wasserbauarbeiten (zum Beispiel Wasserstraßenbau, Wasserbeckenbau, Schleusenanlagenbau);
40. Zimmerarbeiten und Holzbauarbeiten, die im Rahmen des Zimmergewerbes ausgeführt werden;
41. Aufstellen von Bauaufzügen.

(3) Betriebe und Betriebsabteilungen im Sinne des Absatz 1 sind auch

1. Betriebe, die Gerüste aufstellen (Gerüstbauerhandwerk),
2. Betriebe des Dachdeckerhandwerks.

(4) Betriebe und Betriebsabteilungen im Sinne des Absatzes 1 sind ferner diejenigen des Garten- und Landschaftsbaues, in denen folgende Arbeiten verrichtet werden:

1. Erstellung von Garten-, Park- und Grünanlagen, Sport- und Spielplätzen sowie Friedhofsanlagen;
2. Erstellung der gesamten Außenanlagen im Wohnungsbau, bei öffentlichen Bauvorhaben, insbesondere an Schulen, Krankenhäusern, Schwimmbädern, Straßen-, Autobahn-, Eisenbahn-Anlagen, Flugplätzen, Kasernen;
3. Deich-, Hang-, Halden- und Böschungsverbau einschließlich Faschinenbau;

4. ingenieurbiologische Arbeiten aller Art;
5. Schutzpflanzungen aller Art;
6. Drainierungsarbeiten;
7. Meliorationsarbeiten;
8. Landgewinnungs- und Rekultivierungsarbeiten.

(5) Betriebe und Betriebsabteilungen im Sinne des Absatzes 1 sind von einer Förderung der ganzjährigen Beschäftigung durch das Saison-Kurzarbeitergeld ausgeschlossen, wenn sie zu einer abgrenzbaren und nennenswerten Gruppe gehören, bei denen eine Einbeziehung nach den Absätzen 2 bis 4 in der Schlechtwetterzeit nicht zu einer Belebung der wirtschaftlichen Tätigkeit oder zu einer Stabilisierung der Beschäftigungsverhältnisse der von saisonbedingten Arbeitsausfällen betroffenen Arbeitnehmer führt.

§ 2[1] **Ausgeschlossene Betriebe.** Nicht als förderfähige Betriebe im Sinne des § 1 Abs. 1 anzusehen sind Betriebe

1. des Bauten- und Eisenschutzgewerbes;
2. des Betonwaren und Terazzowaren herstellenden Gewerbes, soweit nicht in Betriebsabteilungen nach deren Zweckbestimmung überwiegend Bauleistungen im Sinne des § 1 Abs. 1 und 2 ausgeführt werden;
3. der Fassadenreinigung;
4. der Fußboden- und Parkettlegerei;
5. des Glaserhandwerks;
6. des Installationsgewerbes, insbesondere der Klempnerei, des Klimaanlagenbaues, der Gas-, Wasser-, Heizungs-, Lüftungs- und Elektroinstallation, sowie des Blitzschutz- und Erdungsanlagenbaues;
7. des Maler- und Lackiererhandwerks, soweit nicht überwiegend Bauleistungen im Sinne des § 1 Abs. 1 und 2 ausgeführt werden;
8. der Naturstein- und Naturwerksteinindustrie und des Steinmetzhandwerks;
9. der Naßbaggerei;
10. des Kachelofen- und Luftheizungsbaues;
11. der Säurebauindustrie;
12. des Schreinerhandwerks sowie der holzbe- und -verarbeitenden Industrie einschließlich der Holzfertigbauindustrie, soweit nicht überwiegend Fertigbau-, Dämm-(Isolier-), Trockenbau- und Montagebauarbeiten oder Zimmerarbeiten ausgeführt werden;
13. des reinen Stahl-, Eisen-, Metall- und Leichtmetallbaues sowie des Fahrleitungs-, Freileitungs-, Ortsnetz- und Kabelbaues;
14. und Betriebe, die Betonentladegeräte gewerblich zur Verfügung stellen.

§ 2a[2] *(aufgehoben)*

---

[1] § 2 Nrn. 6, 7, 11 und 12 neu gef. durch VO v. 24. 10. 1984 (BGBl. I S. 1318); Nr. 6 geänd., Nrn. 7, 8, 10 und 12 neu gef., Nr. 14 aufgeh., bish. Nr. 15 wird Nr. 14 durch VO v. 13. 12. 1996 (BGBl. I S. 1954); einl. Satzteil und Nr. 14 geänd. mWv 1. 5. 2006 durch VO v. 26. 4. 2006 (BGBl. I S. 1085).

[2] § 2a aufgeh. durch VO v. 13. 12. 1996 (BGBl. I S. 1954).

§ 3[1] *(aufgehoben)*

§ 4 Inkrafttreten, Außerkrafttreten. [1]Diese Verordnung tritt am 1. November 1980 in Kraft. [2]Gleichzeitig tritt die Baubetriebe-Verordnung vom 19. Juli 1972 (BGBl. I S. 1257), geändert durch Verordnung vom 30. April 1975 (BGBl. I S. 1056), außer Kraft.

---

[1] § 3 aufgeh. durch VO v. 13. 12. 1996 (BGBl. I S. 1954).

709. Anordnung des Verwaltungsrats der Bundesagentur für Arbeit über die Entrichtung von Gebühren durch Arbeitgeber zur Durchführung der zwischenstaatlichen Vereinbarungen über die Beschäftigung von Arbeitnehmern auf der Grundlage von Werkverträgen (Anordnung nach § 287 SGB III)

Vom 3. September 2004
(ANBA S. 1265)

zuletzt geänd. durch Art. 2 Anordnung zur Aufheb. der Gebührenanordnung Auslandsvermittlung v. 27. 9. 2013 (ANBA S. 3)

Auf Grund von § 287 Absatz 2 Satz 2 in Verbindung mit § 373 Abs. 5 des Dritten Buches Sozialgesetzbuch (SGB III)[1] erlässt der Verwaltungsrat der Bundesagentur für Arbeit (BA) mit Genehmigung des Bundesministeriums für Wirtschaft und Arbeit folgende Anordnung:

§ 1[2] [Gebührenpflichtigen Tatbestände] (1) Arbeitgeber, die die BA im Rahmen zwischenstaatlicher Vereinbarungen über die Entsendung und Beschäftigung ausländischer Arbeitnehmer auf der Grundlage von Werkverträgen in Anspruch nehmen, haben ihr Gebühren zu entrichten.

(2) [1] Die Gebühren werden für die Aufwendungen der BA und der Behörden der Zollverwaltung erhoben, die im Zusammenhang mit dem Antragsverfahren und der Überwachung der Einhaltung der zwischenstaatlichen Vereinbarungen stehen. [2] Die gebührenpflichtigen Tatbestände bestehen insbesondere aus der

1. Prüfung der werkvertraglichen Grundlagen,
2. Prüfung der Voraussetzungen für die Beschäftigung der ausländischen Arbeitnehmer,
3. Zusicherung, Erteilung und Aufhebung der Zustimmung zur Erteilung eines Aufenthaltstitels zum Zwecke der Beschäftigung oder der Arbeitserlaubnis-EU,
4. Überwachung der Einhaltung der für die Ausführung eines Werkvertrages festgesetzen Zahl der Arbeitnehmer,
5. Überwachung der Einhaltung der für die Arbeitgeber nach den Vereinbarungen bei der Beschäftigung ihrer Arbeitnehmer bestehenenden Pflichten einschließlich der Durchführung der dafür erforderlichen Prüfungen

[1] Nr. **700**.

[2] § 1 Abs. 1, Abs. 2 Satz 2 Nr. 3 und 5, Abs. 3 Buchst. a geänd. mWv 1. 1. 2005 durch AnO v. 16. 12. 2004 (ANBA 2005 S. 117); Abs. 1 geänd. mWv 1. 1. 2014 durch AnO v. 27. 9. 2013 (ANBA S. 3).

nach § 2 Abs. 1 Nr. 4 des Schwarzarbeitsbekämpfungsgesetzes[1)] durch die Behörden der Zollverwaltung sowie der

6. Durchführung von Ausschlussverfahren nach den Vereinbahrungen.

(3) Die Gebühren werden für

a) die Prüfung und Entscheidung über die rechtlichen Voraussetzungen zur Entsendung und Beschäftigung zustimmungs- oder arbeitserlaubnispflichtiger ausländischer Arbeitnehmer nach den zwischenstaatlichen Vereinbarungen (Grundgebühr) und

b) alle sonstigen im § 1 Abs. 2 genannten Aufwendungen (Laufzeitgebühr) erhoben.

§ 2 [Gebührenordnung] (1) Die Grundgebühr nach § 1 Abs. 3 Buchst. a beträgt

a) 200 Euro für jeden Neuantrag

b) 100 Euro für jeden Nachtrag zum Neuantrag auf Verlängerung der Ausführungszeit (Verlängerungsantrag) sowie auf Aufstockung der Zahl der beschäftigten Werkvertragsarbeitnehmer (Personalaufstockung) und für die Durchführung von Gewährleistungsarbeiten.

(2) [1] Die Laufzeitgebühr nach § 1 Abs. 3 Buchst. b beträgt für den einzelnen Arbeitnehmer je angefangenem Kalendermonat der Beschäftigung 75 Euro. [2] Die Gebühr ist auch für die Zeiten der Verlängerung der Ausführungszeit von Werkverträgen sowie für Zeiten der Gewährleistungsarbeiten zu zahlen.

§ 3[2)] [Gebührenarten] (1) Die Gebühr nach § 2 Abs. 1 (Grundgebühr) wird mit der Einreichung des Werkvertrages/Nachtrages bei den zuständigen Dienststellen der BA fällig.

(2) [1] Die Gebühr nach § 2 Abs. 2 (Laufzeitgebühr) wird für die gesamte Dauer der Zustimmung zu einem Aufenthaltstitel oder einer Arbeitserlaubnis-EU zum Zeitpunkt ihrer jeweiligen Erteilung fällig. [2] Maßgebend ist die Ausführungszeit des Werkvertrags/Nachtrages unter Berücksichtigung der individuellen Beschäftigungszeiten der Arbeitnehmer, die im Einsatzplan festgelegt sind. [3] Bei längeren individuellen Beschäftigungszeiten kann die Erteilung der Zustimmung zu einem Aufenthaltstitel oder einer Arbeitserlaubnis-EU und die Zahlung der Gebühr in Abschnitten von 6 Monaten zugelassen werden (Teilgebühr).

§ 4[3)] [Gebühren] (1) Die Gebühren nach § 2 Abs. 1 (Grundgebühren) können nicht erstattet werden.

(2) [1] Die Gebühren nach § 2 Abs. 2 können für die vollständigen Kalendermonate erstattet werden, für die die Zustimmung zur Erteilung eines Aufenthaltstitels zum Zwecke der Beschäftigung oder der Arbeitserlaubnis-EU wegen tatsächlicher Nichtbeschäftigung zurückgegeben wurde. [2] Die BA ist zur Erstattung der Gebühren erst nach Beendigung des Werkvertrages im Rahmen einer Gesamtabrechnung der Gebühren verpflichtet. [3] Vor Beendigung des

---

[1)] *Nr.* ***110***.

[2)] § 3 Abs. 2 neu gef. mWv 1. 1. 2005 durch AnO v. 16. 12. 2004 (ANBA 2005 S. 117).

[3)] § 4 Abs. 2 Satz 1 geänd. mWv 1. 1. 2005 durch AnO v. 16. 12. 2004 (ANBA 2005 S. 117).

Werkvertrages kann der Erstattungsantrag mit einer neu fällig werdenden Laufzeitgebühr innerhalb eines Werkvertrages verrechnet werden.

(3) Die Erstattung von Gebühren ist bei der zuständigen Dienststelle der BA auf den dafür vorgesehenen Formularen zu beantragen.

(4) Der Arbeitgeber darf sich die Grundgebühren und die Laufzeitgebühren weder ganz noch teilweise von dem ausländischen Arbeitnehmer oder einem Dritten erstatten lassen.

(5) Die Vorschriften des Verwaltungskostengesetzes sind anzuwenden.

§ 5 [Inkrafttreten] Diese Anordnung tritt rückwirkend am 1. Januar 2004 in Kraft.

710. Anordnung des Verwaltungsrats der Bundesanstalt für Arbeit zur Pflicht des Arbeitslosen, Vorschlägen des Arbeitsamtes zur beruflichen Eingliederung zeit- und ortsnah Folge leisten zu können (Erreichbarkeits-Anordnung – EAO –)

Vom 23. Oktober 1997
(ANBA S. 1685)

zuletzt geänd. durch Art. 1 Zweite ÄndAnO v. 26. 9. 2008 (ANBA Nr. 12 S. 5)

Aufgrund der §§ 152 Nr. 2, 376 Abs. 1 Satz 1 des Dritten Buches Sozialgesetzbuch[1)] erläßt der Verwaltungsrat der Bundesanstalt für Arbeit mit Genehmigung des Bundesministeriums für Arbeit und Sozialordnung folgende Anordnung:

§ 1[2)] Grundsatz. (1) [1] Vorschlägen des Arbeitsamtes zur beruflichen Eingliederung kann zeit- und ortsnah Folge leisten, wer in der Lage ist, unverzüglich

1. Mitteilungen des Arbeitsamtes persönlich zur Kenntnis zu nehmen,
2. das Arbeitsamt aufzusuchen,
3. mit einem möglichen Arbeitgeber oder Träger einer beruflichen Eingliederungsmaßnahme in Verbindung zu treten und bei Bedarf persönlich mit diesem zusammenzutreffen und
4. eine vorgeschlagene Arbeit anzunehmen oder an einer beruflichen Eingliederungsmaßnahme teilzunehmen.

[2] Der Arbeitslose hat deshalb sicherzustellen, daß das Arbeitsamt ihn persönlich an jedem Werktag an seinem Wohnsitz oder gewöhnlichen Aufenthalt unter der von ihm benannten Anschrift (Wohnung) durch Briefpost erreichen kann. [3] Diese Voraussetzung ist auch erfüllt, wenn der Arbeitslose die an einem Samstag oder an einem Tag vor einem gesetzlichen Feiertag eingehende Post erst am folgenden Sonn- bzw. Feiertag zur Kenntnis nehmen kann.

(2) [1] Über Ausnahmen von diesem Grundsatz entscheidet das Arbeitsamt im Rahmen der nachfolgenden Vorschriften. [2] Es läßt sich von dem Ziel leiten, den Arbeitslosen beruflich einzugliedern und Leistungsmißbrauch zu vermeiden.

(3) Kann der Arbeitslose Vorschlägen des Arbeitsamtes zur beruflichen Eingliederung wegen der nachgewiesenen Wahrnehmung eines Vorstellungs-, Beratungs- oder sonstigen Termins aus Anlaß der Arbeitssuche nicht zeit- und ortsnah Folge leisten, steht dies der Verfügbarkeit nicht entgegen.

---

1) Nr. **700**.
2) § 1 Abs. 1 Satz 3 angef. mWv 1. 1. 2002 durch AnO v. 16. 11. 2001 (ANBA S. 1476).

§ 2 Aufenthalt innerhalb des zeit- und ortsnahen Bereichs. Der Arbeitslose kann sich vorübergehend auch von seinem Wohnsitz oder gewöhnlichen Aufenthalt entfernen,wenn

1. er dem Arbeitsamt rechtzeitig seine Anschrift für die Dauer der Abwesenheit mitgeteilt hat,
2. er auch an seinem vorübergehenden Aufenthaltsort die Voraussetzungen des § 1 Abs. 1 erfüllen kann und
3. er sich im Nahbereich des Arbeitsamtes aufhält. Zum Nahbereich gehören alle Orte in der Umgebung des Arbeitsamtes, von denen aus der Arbeitslose erforderlichenfalls in der Lage wäre, das Arbeitsamt täglich ohne unzumutbaren Aufwand zu erreichen.

§ 3[1)] Aufenthalt außerhalb des zeit- und ortsnahen Bereichs. (1) [1] Erfüllt der Arbeitslose nicht die Voraussetzungen des § 2 Nrn. 1 bis 3, steht dies der Verfügbarkeit bis zu drei Wochen im Kalenderjahr nicht entgegen, wenn das Arbeitsamt vorher seine Zustimmung erteilt hat. [2] Die Zustimmung darf jeweils nur erteilt werden, wenn durch die Zeit der Abwesenheit die berufliche Eingliederung nicht beeinträchtigt wird.

(2) Abs. 1 ist entsprechend anzuwenden

1. bei Teilnahme des Arbeitslosen an einer ärztlich verordneten Maßnahme der medizinischen Vorsorge oder Rehabilitation,
2. bei Teilnahme des Arbeitslosen an einer Veranstaltung, die staatspolitischen, kirchlichen oder gewerkschaftlichen Zwecken dient oder sonst im öffentlichen Interesse liegt. Der Arbeitslose muß sicherstellen, daß er während der Teilnahme werktäglich persönlich unter der dem Arbeitsamt benannten Anschrift durch Briefpost erreichbar ist; er muß die Teilnahme jederzeit abbrechen können und sich vor der Teilnahme für den Fall der beruflichen Eingliederung glaubhaft zum jederzeitigen Abbruch bereit erklärt haben,
3. bei Ausübung einer ehrenamtlichen Tätigkeit.

(3) In Fällen außergewöhnlicher Härten, die aufgrund unvorhersehbarer und für den Arbeitslosen unvermeidbarer Ereignisse entstehen, kann die Drei-Wochenfrist nach Abs. 1 und 2 vom Arbeitsamt tageweise, höchstens um drei Tage verlängert werden.

(4) Abs. 1 und 2 finden keine Anwendung, wenn sich der Arbeitslose zusammenhängend länger als sechs Wochen außerhalb des zeit- und ortsnahen Bereichs aufhalten will.

§ 4 Sonderfälle. [1] In Fällen des § 428 und § 429 des Dritten Buches Sozialgesetzbuch[2)] beträgt die Frist nach § 3 Abs. 1 siebzehn Wochen. [2] In besonderen Fällen kann der Zeitraum nach Satz 1 mit Zustimmung des Arbeitsamtes im notwendigen Umfang überschritten werden. [3] Das Arbeitsamt kann den Arbeitslosen aus gegebenem Anlaß in der Verlängerungszeit vorladen. [4] Der Vorladung ist innerhalb eines Zeitraums von vier Wochen Folge zu leisten.

§ 5 Inkrafttreten. Diese Anordnung tritt am 1. 1. 1998 in Kraft.

[1)] § 3 Abs. 2 Nr. 2 geänd., Nr. 3 angef. mWv 1. 1. 2002 durch AnO v. 16. 11. 2001 (ANBA S. 1476); *Abs. 1 Satz 2 aufgeh.*, bish. Satz 3 wird Satz 2 mWv 7. 1. 2009 durch AnO v. 26. 9. 2008 (ANBA Nr. 12 S. 5).

[2)] Nr. **700**.

712. Anordnung des Verwaltungsrats der Bundesagentur für Arbeit zum Antrags-, Kündigungs- und Beitragsverfahren bei einem Versicherungspflichtverhältnis auf Antrag (Anordnung nach § 352 a des Dritten Buches Sozialgesetzbuch)

Vom 8. Oktober 2010

(ANBA S. 5)

Inhalt

Aufgrund der § 352 a, 373 Absatz 5 des Dritten Buches[1)] Sozialgesetzbuch erlässt der Verwaltungsrat der Bundesagentur für Arbeit mit Genehmigung des Bundesministeriums für Arbeit und Soziales folgende Anordnung:

§ 1 Antragsverfahren und Mitwirkung. (1) [1] Der Antrag auf Begründung eines Versicherungspflichtverhältnisses auf Antrag ist bei der Agentur für Arbeit zu stellen, in deren Bezirk der Antragsteller seinen Wohnsitz hat. [2] Sofern ein inländischer Wohnsitz zum Zeitpunkt der Antragstellung nicht mehr besteht, ist der Antrag bei der für den letzten inländischen Wohnsitz zuständigen Agentur für Arbeit zu stellen.

(2) [1] Für das Versicherungspflichtverhältnis auf Antrag gelten hinsichtlich der Pflichten des Versicherten die § 60, 66 und 67 des Ersten Buches Sozialgesetzbuch[2)] entsprechend. [2] Abweichend von § 60 Absatz 2 des Ersten Buches Sozialgesetzbuch hat der Antragsteller zur Angabe aller Tatsachen, die zur Feststellung der Voraussetzungen für das Versicherungspflichtverhältnis auf Antrag erforderlich sind, die von der Bundesagentur für Arbeit einheitlich zur Verfügung gestellten Vordrucke zu verwenden. [3] Ist eine Feststellung der Voraussetzungen wegen fehlender Mitwirkung des Antragstellers nicht möglich, kann dem Antrag auf ein Versicherungspflichtverhältnis nicht entsprochen werden.

---

1) Nr. **700**.
2) Nr. **691**.

§ 2 Feststellung über das Bestehen eines Versicherungspflichtverhältnisses auf Antrag. Das Bestehen eines Versicherungspflichtverhältnisses auf Antrag wird gegenüber dem Versicherten durch Verwaltungsakt festgestellt.

§ 3 Versicherungsdauer. Das Versicherungspflichtverhältnis auf Antrag besteht nur für Zeiten in denen die Voraussetzungen des § 28 a Dritten Buches[1)] Sozialgesetzbuch erfüllt sind und für die Beiträge gezahlt wurden.

§ 4 Beitragsanspruch. (1) Der Beitragsanspruch der Bundesagentur für Arbeit entsteht mit Beginn des Versicherungspflichtverhältnisses auf Antrag (§ 22 Absatz 1 des Vierten Buches[2)] Sozialgesetzbuch).

(2) [1] Die Beiträge werden je Kalendermonat für die Kalendertage berechnet, an denen ein Versicherungspflichtverhältnis auf Antrag besteht. [2] Ein voller Kalendermonat wird mit 30 Tagen angesetzt. [3] § 1 Absatz 2 der Beitragsverfahrensverordnung[3)] gilt entsprechend.

(3) Für Zeiten, in denen das Versicherungspflichtverhältnis auf Antrag ruht, bestehen keine Beitragsansprüche.

§ 5 Zahlung der Beiträge. (1) [1] Die Beiträge sind für Zeiten des Versicherungspflichtverhältnisses auf Antrag monatlich oder für das jeweilige Kalenderjahr im Vorhinein an die Bundesagentur für Arbeit zu zahlen. [2] Die Beiträge sind durch Überweisung oder Einzugsermächtigung an die Bundesagentur für Arbeit zu zahlen. [3] Zahlungen in fremder Währung sind nicht zugelassen.

(2) [1] Als Tag der Zahlung gilt bei Überweisung der Tag der Wertstellung auf dem Konto der Bundesagentur für Arbeit. [2] Bei Vorliegen einer Einzugsermächtigung gilt als Tag der Zahlung der Tag der Fälligkeit.

§ 6 Fälligkeit der Beiträge. (1) [1] Die Beiträge werden erstmals am ersten Tag des zweiten auf den feststellenden Verwaltungsakt nach § 2 folgenden Kalendermonats fällig, frühestens jedoch mit Beginn des Versicherungspflichtverhältnisses auf Antrag. [2] Dies gilt unabhängig von der gewählten Zahlweise.

(2) Laufende Beiträge werden bei monatlicher Zahlweise am Ersten des Monats fällig, in dem die Pflegetätigkeit, selbständige Tätigkeit oder Auslandsbeschäftigung ausgeübt wird.

(3) Laufende Beiträge, die für das jeweilige Kalenderjahr im Vorhinein gezahlt werden, werden zum 1. Januar eines jeden Kalenderjahres fällig, in dem die Pflegetätigkeit, selbständige Tätigkeit oder Auslandsbeschäftigung ausgeübt wird.

(4) [1] Bei Zahlungen auf geschuldete Beiträge werden die Schulden in der Reihenfolge ihrer Fälligkeit getilgt. [2] Gebühren im Zusammenhang mit einer nicht ausgeführten oder widerrufenen Einzugsermächtigung, die der Versicherte zu vertreten hat, gehen zu Lasten des Versicherten. [3] § 4 Satz 1 erster Halbsatz, Satz 2 und Satz 3 der Beitragsverfahrensverordnung gelten entsprechend.

[1)] Nr. **700**.
[2)] Nr. **694**.
[3)] **DVD Nipperdey plus Nr. 694 b.**

§ 7 Kündigung und Aufhebung des Versicherungspflichtverhältnisses auf Antrag. (1) [1] Die Kündigung durch den Versicherten bedarf der Schriftform. [2] Eine Begründung oder die Verwendung eines Vordrucks ist nicht erforderlich. [3] Die Bundesagentur für Arbeit bestätigt den Zugang der Kündigung und den Kündigungstermin schriftlich.

(2) Die Bundesagentur für Arbeit stellt das Ende des Versicherungspflichtverhältnisses auf Antrag nach § 28 a Absatz 5 des Dritten Buches[1)] Sozialgesetzbuch durch Verwaltungsakt fest.

§ 8 Erstattung. [1] Werden Beiträge zu Unrecht gezahlt, sind diese von der zuständigen Agentur für Arbeit zu erstatten. [2] Die Erstattung richtet sich nach den § 26 bis 28 des Vierten Buches[2)] Sozialgesetzbuch.

§ 9 Nachweis über die Beitragszahlung. Die Bundesagentur für Arbeit bescheinigt dem Versicherten jeweils zum Ablauf eines Kalenderjahres oder bei Beendigung des Versicherungspflichtverhältnisses auf Antrag die gezahlten Beiträge.

§ 10 Inkrafttreten, Außerkrafttreten. [1] Die Anordnung tritt am 1. Januar 2011 in Kraft. [2] Gleichzeitig tritt die Anordnung des Verwaltungsrats der Bundesagentur für Arbeit zum Antrags- und Beitragsverfahren bei freiwilliger Weiterversicherung vom 22. Dezember 2005 außer Kraft.

[1)] Nr. **700**.
[2)] Nr. **694**.

721. Altersteilzeitgesetz[1)]

Vom 23. Juli 1996
(BGBl. I S. 1078)

FNA 810-36

zuletzt geänd. durch Art. 11 Abs. 10 13. G zur Änd. des Zweiten Buches Sozialgesetzbuch und anderer Gesetze v. 16.4.2026 (BGBl. 2026 I Nr. 107)

§ 1[2)] Grundsatz. (1) Durch Altersteilzeitarbeit soll älteren Arbeitnehmern ein gleitender Übergang vom Erwerbsleben in die Altersrente ermöglicht werden.

(2) Die Bundesagentur für Arbeit (Bundesagentur) fördert durch Leistungen nach diesem Gesetz die Teilzeitarbeit älterer Arbeitnehmer, die ihre Arbeitszeit ab Vollendung des 55. Lebensjahres spätestens ab 31. Dezember 2009 vermindern und damit die Einstellung eines sonst arbeitslosen Arbeitnehmers ermöglichen.

(3) [1]Altersteilzeit im Sinne dieses Gesetzes liegt unabhängig von einer Förderung durch die Bundesagentur auch vor bei einer Teilzeitarbeit älterer Arbeitnehmer, die ihre Arbeitszeit ab Vollendung des 55. Lebensjahres nach dem 31. Dezember 2009 vermindern. [2]Für die Anwendung des § 3 Nr. 28 des Einkommensteuergesetzes[3)] kommt es nicht darauf an, dass die Altersteilzeit vor dem 1. Januar 2010 begonnen wurde und durch die Bundesagentur nach § 4 gefördert wird.

§ 2[4)] Begünstigter Personenkreis. (1) Leistungen werden für Arbeitnehmer gewährt, die

1. das 55. Lebensjahr vollendet haben,
2. nach dem 14. Februar 1996 auf Grund einer Vereinbarung mit ihrem Arbeitgeber, die sich zumindest auf die Zeit erstrecken muß, bis eine Rente wegen Alters beansprucht werden kann, ihre Arbeitszeit auf die Hälfte der bisherigen wöchentlichen Arbeitszeit vermindert haben, und versicherungspflichtig beschäftigt im Sinne des Dritten Buches Sozialgesetzbuch[5)] sind (Altersteilzeitarbeit) und

---

[1)] Verkündet als Art. 1 des G zur Förderung eines gleitenden Übergangs in den Ruhestand v. 23.7.1996 (BGBl. I S. 1078); Inkrafttreten gem. Art. 10 Satz 1 dieses G am 1.8.1996.

[2)] § 1 Abs. 2 geänd. durch G v. 6.4.1998 (BGBl. I S. 688), Abs. 2 geänd. mWv 1.7.2000 durch G v. 27.6.2000 (BGBl. I S. 910); Abs. 2 geänd. mWv 1.7.2004 durch G v. 23.12.2003 (BGBl. I S. 2848); Abs. 3 angef. mWv 29.12.2007 durch G v. 20.12.2007 (BGBl. I S. 3150).

[3)] **beck-online, Module Arbeitsrecht Nr. 331.**

[4)] § 2 Abs. 1 Nr. 3 neu gef. durch G v. 24.3.1997 (BGBl. I S. 594); Abs. 1 Nr. 2 und Abs. 2 Nr. 1 zuletzt geänd. durch G v. 16.12.1997 (BGBl. I S. 2970), Abs. 2 neu gef., Abs. 3 eingef. durch G v. 6.4.1998 (BGBl. I S. 688); Abs. 1 Nr. 2 geänd. durch G v. 21.7.1999 (BGBl. I S. 1648); Abs. 1 Nr. 2, Abs. 2 Satz 1 Nr. 1, Abs. 3 Satz 1 geänd., Nr. 3 neu gef. durch G v. 20.12.1999 (BGBl. I S. 2494), Abs. 2 Satz 1 Nr. 1 und Abs. 3 geänd. mWv 1.7.2000 durch G v. 27.6.2000 (BGBl. I S. 910); Abs. 1 Satz 1 Nr. 3 geänd. mWv 1.7.2004 durch G v. 23.12.2003 (BGBl. I S. 2848); Abs. 1 Nr. 3 Satz 2 geänd. mWv 1.1.2005 durch G v. 24.12.2003 (BGBl. I S. 2954); Abs. 1 Nr. 3 geänd. mWv 29.6.2011 durch G v. 22.6.2011 (BGBl. I S. 1202); Abs. 1 Nr. 3 Satz 3 aufgeh. mWv 1.4.2012 durch G v. 20.12.2011 (BGBl. I S. 2854); Abs. 1 Nr. 3 Satz 2 geänd. mWv 1.1.2023 durch G v. 16.12.2022 (BGBl. I S. 2328); Abs. 1 Nr. 3 Satz 2 geänd. mWv 1.7.2026 durch G v. 16.4.2026 (BGBl. 2026 I Nr. 107).

[5)] Nr. **700**.

3. innerhalb der letzten fünf Jahre vor Beginn der Altersteilzeitarbeit mindestens 1 080 Kalendertage in einer versicherungspflichtigen Beschäftigung nach dem Dritten Buch Sozialgesetzbuch oder nach den Vorschriften eines Mitgliedstaates der Europäischen Union, eines Vertragsstaates des Abkommens über den Europäischen Wirtschaftsraum oder der Schweiz gestanden haben. Zeiten mit Anspruch auf Arbeitslosengeld oder Arbeitslosenhilfe, Zeiten des Bezuges von Grundsicherungsgeld nach § 19 Absatz 1 Satz 1 des Zweiten Buches Sozialgesetzbuch[1)] sowie Zeiten, in denen Versicherungspflicht nach § 26 Abs. 2 des Dritten Buches Sozialgesetzbuch bestand, stehen der versicherungspflichtigen Beschäftigung gleich.

(2) [1] Sieht die Vereinbarung über die Altersteilzeitarbeit unterschiedliche wöchentliche Arbeitszeiten oder eine unterschiedliche Verteilung der wöchentlichen Arbeitszeit vor, ist die Voraussetzung nach Absatz 1 Nr. 2 auch erfüllt, wenn

1. die wöchentliche Arbeitszeit im Durchschnitt eines Zeitraums von bis zu drei Jahren oder bei Regelung in einem Tarifvertrag, auf Grund eines Tarifvertrages in einer Betriebsvereinbarung oder in einer Regelung der Kirchen und der öffentlich-rechtlichen Religionsgesellschaften im Durchschnitt eines Zeitraums von bis zu sechs Jahren die Hälfte der bisherigen wöchentlichen Arbeitszeit nicht überschreitet und der Arbeitnehmer versicherungspflichtig beschäftigt im Sinne des Dritten Buches Sozialgesetzbuch ist und
2. das Arbeitsentgelt für die Altersteilzeitarbeit sowie der Aufstockungsbetrag nach § 3 Abs. 1 Nr. 1 Buchstabe a fortlaufend gezahlt werden.

[2] Im Geltungsbereich eines Tarifvertrages nach Satz 1 Nr. 1 kann die tarifvertragliche Regelung im Betrieb eines nicht tarifgebundenen Arbeitgebers durch Betriebsvereinbarung oder, wenn ein Betriebsrat nicht besteht, durch schriftliche Vereinbarung zwischen dem Arbeitgeber und dem Arbeitnehmer übernommen werden. [3] Können auf Grund eines solchen Tarifvertrages abweichende Regelungen in einer Betriebsvereinbarung getroffen werden, kann auch in Betrieben eines nicht tarifgebundenen Arbeitgebers davon Gebrauch gemacht werden. [4] Satz 1 Nr. 1, 2. Alternative gilt entsprechend. [5] In einem Bereich, in dem tarifvertragliche Regelungen zur Verteilung der Arbeitszeit nicht getroffen sind oder üblicherweise nicht getroffen werden, kann eine Regelung im Sinne des Satzes 1 Nr. 1, 2. Alternative auch durch Betriebsvereinbarung oder, wenn ein Betriebsrat nicht besteht, durch schriftliche Vereinbarung zwischen Arbeitgeber und Arbeitnehmer getroffen werden.

(3) [1] Sieht die Vereinbarung über die Altersteilzeitarbeit unterschiedliche wöchentliche Arbeitszeiten oder eine unterschiedliche Verteilung der wöchentlichen Arbeitszeit über einen Zeitraum von mehr als sechs Jahren vor, ist die Voraussetzung nach Absatz 1 Nr. 2 auch erfüllt, wenn die wöchentliche Arbeitszeit im Durchschnitt eines Zeitraums von sechs Jahren, der innerhalb des Gesamtzeitraums der vereinbarten Altersteilzeitarbeit liegt, die Hälfte der bisherigen wöchentlichen Arbeitszeit nicht überschreitet, der Arbeitnehmer versicherungspflichtig beschäftigt im Sinne des Dritten Buches Sozialgesetzbuch ist und die weiteren Voraussetzungen des Absatzes 2 vorliegen. [2] Die Leistungen nach § 3 Abs. 1 Nr. 1 sind nur in dem in Satz 1 genannten Zeitraum von sechs Jahren zu erbringen.

[1)] Nr. **692**.

§ 3[1] Anspruchsvoraussetzungen. (1) Der Anspruch auf die Leistungen nach § 4 setzt voraus, daß

1. der Arbeitgeber auf Grund eines Tarifvertrages, einer Regelung der Kirchen und der öffentlich-rechtlichen Religionsgesellschaften, einer Betriebsvereinbarung oder einer Vereinbarung mit dem Arbeitnehmer
   a) das Regelarbeitsentgelt für die Altersteilzeitarbeit um mindestens 20 vom Hundert aufgestockt hat, wobei die Aufstockung auch weitere Entgeltbestandteile umfassen kann, und
   b) für den Arbeitnehmer zusätzlich Beiträge zur gesetzlichen Rentenversicherung mindestens in Höhe des Beitrags entrichtet hat, der auf 80 vom Hundert des Regelarbeitsentgelts für die Altersteilzeitarbeit, begrenzt auf den Unterschiedsbetrag zwischen 90 vom Hundert der monatlichen Beitragsbemessungsgrenze und dem Regelarbeitsentgelt, entfällt, höchstens bis zur Beitragsbemessungsgrenze, sowie
2. der Arbeitgeber aus Anlass des Übergangs des Arbeitnehmers in die Altersteilzeitarbeit
   a) einen bei einer Agentur für Arbeit arbeitslos gemeldeten Arbeitnehmer, einen Bezieher von Grundsicherungsgeld nach § 19 Absatz 1 Satz 1 des Zweiten Buches Sozialgesetzbuch[2] oder einen Arbeitnehmer nach Abschluss der Ausbildung auf dem freigemachten oder auf einem in diesem Zusammenhang durch Umsetzung frei gewordenen Arbeitsplatz versicherungspflichtig im Sinne des Dritten Buches Sozialgesetzbuch[3] beschäftigt; bei Arbeitgebern, die in der Regel nicht mehr als 50 Arbeitnehmer beschäftigen, wird unwiderleglich vermutet, dass der Arbeitnehmer auf dem freigemachten oder auf einem in diesem Zusammenhang durch Umsetzung frei gewordenen Arbeitsplatz beschäftigt wird, oder
   b) einen Auszubildenden versicherungspflichtig im Sinne des Dritten Buches Sozialgesetzbuch beschäftigt, wenn der Arbeitgeber in der Regel nicht mehr als 50 Arbeitnehmer beschäftigt

   und
3. die freie Entscheidung des Arbeitgebers bei einer über fünf vom Hundert der Arbeitnehmer des Betriebes hinausgehenden Inanspruchnahme sichergestellt ist oder eine Ausgleichskasse der Arbeitgeber oder eine gemeinsame Einrichtung der Tarifvertragsparteien besteht, wobei beide Voraussetzungen in Tarifverträgen verbunden werden können.

(1a) Die Voraussetzungen des Absatzes 1 Nr. 1 Buchstabe a sind auch erfüllt, wenn Bestandteile des Arbeitsentgelts, die für den Zeitraum der vereinbarten Altersteilzeitarbeit nicht vermindert worden sind, bei der Aufstockung außer Betracht bleiben.

---

[1] § 3 Abs. 1 Nr. 1 Buchstabe a u. b, Nr. 2 geänd. durch G v. 24.03.1997 (BGBl. I S. 594), Abs. 1 Nr. 2 neu gef., Abs. 1a eingef., Abs. 3 geänd. durch G v. 6.4.1998 (BGBl. I S. 688), Abs. 1 Nr. 1 Buchst. a u. b geänd., Abs. 1a Satz 2 angef., Abs. 1 Nr. 2 neu gef. durch G v. 20.12.1999 (BGBl. I S. 2494); Abs. 1 Nr. 1 Buchst. a und b neu gef., Nr. 2 Buchst. a, Abs. 3 geänd., Abs. 1a Satz 1 aufgeh., bish. Satz 2 wird alleiniger Wortlaut mWv 1.7.2004 durch G v. 23.12.2003 (BGBl. I S. 2848); Abs. 1 Satz 2 angef. mWv 1.1.2005 durch G v. 24.12.2003 (BGBl. I S. 2954); Abs. 1 Satz 1 Nr. 2 Buchst. a geänd., Satz 2 aufgeh. mWv 1.1.2008 durch G v. 19.12.2007 (BGBl. I S. 3024); Abs. 1 Nr. 2 Buchst. a geänd. mWv 1.1.2023 durch G v. 16.12.2022 (BGBl. I S. 2328); Abs. 1 Nr. 2 Buchst. a geänd. mWv 1.7.2026 durch G v. 16.4.2026 (BGBl. 2026 I Nr. 107).

[2] Nr. **692**.

[3] Nr. **700**.

(2) Für die Zahlung der Beiträge nach Absatz 1 Nr. 1 Buchstabe b gelten die Bestimmungen des Sechsten Buches Sozialgesetzbuch[1)] über die Beitragszahlung aus dem Arbeitsentgelt.

(3) Hat der in Altersteilzeitarbeit beschäftigte Arbeitnehmer die Arbeitsleistung oder Teile der Arbeitsleistung im voraus erbracht, so ist die Voraussetzung nach Absatz 1 Nr. 2 bei Arbeitszeiten nach § 2 Abs. 2 und 3 erfüllt, wenn die Beschäftigung eines bei einer Agentur für Arbeit arbeitslos gemeldeten Arbeitnehmers oder eines Arbeitnehmers nach Abschluß der Ausbildung auf dem freigemachten oder durch Umsetzung freigewordenen Arbeitsplatz erst nach Erbringung der Arbeitsleistung erfolgt.

§ 4[2)] Leistungen. (1) Die Bundesagentur erstattet dem Arbeitgeber für längstens sechs Jahre

1. den Aufstockungsbetrag nach § 3 Abs. 1 Nr. 1 Buchstabe a in Höhe von 20 vom Hundert des für die Altersteilzeitarbeit gezahlten Regelarbeitsentgelts und

(Fortsetzung nächstes Blatt)

[1)] Auszugsweise abgedruckt unter Nr. **696**.

[2)] § 4 Abs. 1 Nr. 2 geänd. durch G v. 20.12.1999 (BGBl. I S. 2494), Abs. 1 geänd. mWv 1.7.2000 durch G v. 27.6.2000 (BGBl. I S. 910); Abs. 1 neu gef., Abs. 2 Satz 2 geänd. mWv 1.7.2004 durch G v. 23.12.2003 (BGBl. I S. 2848).

2. den Betrag, der nach § 3 Abs. 1 Nr. 1 Buchstabe b in Höhe des Beitrags geleistet worden ist, der auf den Betrag entfällt, der sich aus 80 vom Hundert des Regelarbeitsentgelts für die Altersteilzeitarbeit ergibt, jedoch höchstens des auf den Unterschiedsbetrag zwischen 90 vom Hundert der monatlichen Beitragsbemessungsgrenze und dem Regelarbeitsentgelt entfallenden Beitrags.

(2) [1]Bei Arbeitnehmern, die nach § 6 Abs. 1 Satz 1 Nr. 1 oder § 231 Abs. 1 und 2 des Sechsten Buches Sozialgesetzbuch[1)] von der Versicherungspflicht befreit sind, werden Leistungen nach Absatz 1 auch erbracht, wenn die Voraussetzung des § 3 Abs. 1 Nr. 1 Buchstabe b nicht erfüllt ist. [2]Dem Betrag nach Absatz 1 Nr. 2 stehen in diesem Fall vergleichbare Aufwendungen des Arbeitgebers bis zur Höhe des Beitrags gleich, den die Bundesagentur nach Absatz 1 Nr. 2 zu tragen hätte, wenn der Arbeitnehmer nicht von der Versicherungspflicht befreit wäre.

§ 5[2)] Erlöschen und Ruhen des Anspruchs. (1) Der Anspruch auf die Leistungen nach § 4 erlischt

1. mit Ablauf des Kalendermonats, in dem der Arbeitnehmer die Altersteilzeitarbeit beendet [***bis 31. 12. 2007 geltende Fassung:*** oder das 65. Lebensjahr vollendet] hat,
2. mit Ablauf des Kalendermonats vor dem Kalendermonat, für den der Arbeitnehmer eine Rente wegen Alters oder, wenn er von der Versicherungspflicht in der gesetzlichen Rentenversicherung befreit ist, *eine* [***ab 1. 1. 2008 geltende Fassung:*** das 65. Lebensjahr vollendet hat oder eine der Rente] vergleichbare Leistung einer Versicherungs- oder Versorgungseinrichtung oder eines Versicherungsunternehmens beanspruchen kann; dies gilt nicht für Renten, die vor dem für den Versicherten maßgebenden Rentenalter in Anspruch genommen werden können oder
3. mit Beginn des Kalendermonats, für den der Arbeitnehmer eine Rente wegen Alters, eine Knappschaftsausgleichsleistung, eine ähnliche Leistung öffentlich-rechtlicher Art oder, wenn er von der Versicherungspflicht in der gesetzlichen Rentenversicherung befreit ist, eine vergleichbare Leistung einer Versicherungs- oder Versorgungseinrichtung oder eines Versicherungsunternehmens bezieht.

(2) [1]Der Anspruch auf die Leistungen besteht nicht, solange der Arbeitgeber auf dem freigemachten oder durch Umsetzung freigewordenen Arbeitsplatz keinen Arbeitnehmer mehr beschäftigt, der bei Beginn der Beschäftigung die Voraussetzungen des § 3 Abs. 1 Nr. 2 erfüllt hat. [2]Dies gilt nicht, wenn der Arbeitsplatz mit einem Arbeitnehmer, der diese Voraussetzungen erfüllt, innerhalb von drei Monaten erneut wiederbesetzt wird oder der Arbeitgeber insgesamt für vier Jahre die Leistungen erhalten hat.

(3) [1]Der Anspruch auf die Leistungen ruht während der Zeit, in der der Arbeitnehmer neben seiner Altersteilzeitarbeit Beschäftigungen oder selbständige Tätigkeiten ausübt, die die Geringfügigkeitsgrenze des § 8 des

---

[1)] Nr. **696**.

[2)] § 5 Abs. 3 Satz 1 geänd., Satz 2 aufgeh., Abs. 4 Satz 2 neu gef. durch G v. 24. 3. 1999 (BGBl. I S. 388), § 5 Abs. 2 Satz 2 geänd. mWv 1. 7. 2000 durch G v. 27. 6. 2000 (BGBl. I S. 910) [***ab 1. 1. 2008 geltende Fassung:*** Abs. 1 Nrn. 1 und 2 geänd. mWv 1. 1. 2008 durch G v. 20. 4. 2007 (BGBl. I S. 554)].

Vierten Buches Sozialgesetzbuch[1]) überschreiten oder auf Grund solcher Beschäftigungen eine Entgeltersatzleistung erhält. [2]Der Anspruch auf die Leistungen erlischt, wenn er mindestens 150 Kalendertage geruht hat. [3]Mehrere Ruhenszeiträume sind zusammenzurechnen. [4]Beschäftigungen oder selbständige Tätigkeiten bleiben unberücksichtigt, soweit der altersteilzeitarbeitende Arbeitnehmer sie bereits innerhalb der letzten fünf Jahre vor Beginn der Altersteilzeitarbeit ständig ausgeübt hat.

(4) [1]Der Anspruch auf die Leistungen ruht während der Zeit, in der der Arbeitnehmer über die Altersteilzeitarbeit hinaus Mehrarbeit leistet, die den Umfang der Geringfügigkeitsgrenze des § 8 des Vierten Buches Sozialgesetzbuch[1]) überschreitet. [2]Absatz 3 Satz 2 und 3 gilt entsprechend.

(5) § 48 Abs. 1 Nr. 3 des Zehnten Buches Sozialgesetzbuch[2]) findet keine Anwendung.

§ 6[3]) **Begriffsbestimmungen.** (1) [1]Das Regelarbeitsentgelt für die Altersteilzeitarbeit im Sinne dieses Gesetzes ist das auf einen Monat entfallende vom Arbeitgeber regelmäßig zu zahlende sozialversicherungspflichtige Arbeitsentgelt, soweit es die Beitragsbemessungsgrenze des Dritten Buches Sozialgesetzbuch[4]) nicht überschreitet. [2]Entgeltbestandteile, die nicht laufend gezahlt werden, sind nicht berücksichtigungsfähig.

(2) [1]Als bisherige wöchentliche Arbeitszeit ist die wöchentliche Arbeitszeit zugrunde zu legen, die mit dem Arbeitnehmer vor dem Übergang in die Altersteilzeitarbeit vereinbart war. [2]Zugrunde zu legen ist höchstens die Arbeitszeit, die im Durchschnitt der letzten 24 Monate vor dem Übergang in die Altersteilzeit vereinbart war. [3]Die ermittelte durchschnittliche Arbeitszeit kann auf die nächste volle Stunde gerundet werden.

§ 7[5]) **Berechnungsvorschriften.** (1) [1]Ein Arbeitgeber beschäftigt in der Regel nicht mehr als 50 Arbeitnehmer, wenn er in dem Kalenderjahr, das demjenigen, für das die Feststellung zu treffen ist, vorausgegangen ist, für einen Zeitraum von mindestens acht Kalendermonaten nicht mehr als 50 Arbeitnehmer beschäftigt hat. [2]Hat das Unternehmen nicht während des ganzen nach Satz 1 maßgebenden Kalenderjahrs bestanden, so beschäftigt der Arbeitgeber in der Regel nicht mehr als 50 Arbeitnehmer, wenn er während des Zeitraums des Bestehens des Unternehmens in der überwiegenden Zahl der Kalendermonate nicht mehr als 50 Arbeitnehmer beschäftigt hat. [3]Ist das Unternehmen im Laufe des Kalenderjahrs errichtet worden, in dem die Feststellung nach Satz 1 zu treffen ist, so beschäftigt der Arbeitgeber in der Regel nicht mehr als 50 Arbeitnehmer, wenn nach der Art des Unternehmens anzu-

---

[1]) Nr. **694**.

[2]) Nr. **699**.

[3]) § 6 Abs. 1 Satz 1 und 2 geänd. durch G v. 24. 03. 1997 (BGBl. I S. 594), Abs. 1 Satz 1 neu gef., Abs. 2 eingef., bish. Abs. 2 wird Abs. 3 durch G v. 20. 12. 1999 (BGBl. I S. 2494), Abs. 2 Satz 2 neu gef. mWv 1. 7. 2000 durch G v. 27. 6. 2000 (BGBl. I S. 910); Abs. 1 neu gef., Abs. 2 Satz 3 und Abs. 3 aufgeh., bish. Abs. 2 Satz 4 wird Satz 3 mWv 1. 7. 2004 durch G v. 23. 12. 2003 (BGBl. I S. 2848).

[4]) Nr. **693**.

[5]) § 7 neu gef. durch G v. 20. 12. 1999 (BGBl. I S. 2494), Abs. 3 Satz 1 geänd. mWv 1. 7. 2001 durch G v. 19. 6. 2001 (BGBl. I S. 1046); Abs. 4 angef. mWv 1. 7. 2004 durch G v. 23. 12. 2003 (BGBl. I S. 2848).

nehmen ist, dass die Zahl der beschäftigten Arbeitnehmer während der überwiegenden Kalendermonate dieses Kalenderjahrs 50 nicht überschreiten wird.

(2) [1] Für die Berechnung der Zahl der Arbeitnehmer nach § 3 Abs. 1 Nr. 3 ist der Durchschnitt der letzten zwölf Kalendermonate vor dem Beginn der Altersteilzeitarbeit des Arbeitnehmers maßgebend. [2] Hat ein Betrieb noch nicht zwölf Monate bestanden, ist der Durchschnitt der Kalendermonate während des Zeitraums des Bestehens des Betriebes maßgebend.

(3) [1] Bei der Feststellung der Zahl der beschäftigten Arbeitnehmer nach Absatz 1 und 2 bleiben schwerbehinderte Menschen und Gleichgestellte im Sinne des Neunten Buches Sozialgesetzbuch[1)] sowie Auszubildende außer Ansatz. [2] Teilzeitbeschäftigte Arbeitnehmer mit einer regelmäßigen wöchentlichen Arbeitszeit von nicht mehr als 20 Stunden sind mit 0,5 und mit einer regelmäßigen wöchentlichen Arbeitszeit von nicht mehr als 30 Stunden mit 0,75 zu berücksichtigen.

(4) Bei der Ermittlung der Zahl der in Altersteilzeitarbeit beschäftigten Arbeitnehmer nach § 3 Abs. 1 Nr. 3 sind schwerbehinderte Menschen und Gleichgestellte im Sinne des Neunten Buches Sozialgesetzbuch zu berücksichtigen.

§ 8[2)] Arbeitsrechtliche Regelungen. (1) Die Möglichkeit eines Arbeitnehmers zur Inanspruchnahme von Altersteilzeitarbeit gilt nicht als eine die Kündigung des Arbeitsverhältnisses durch den Arbeitgeber begründende Tatsache im Sinne des § 1 Abs. 2 Satz 1 des Kündigungsschutzgesetzes[3)]; sie kann auch nicht bei der sozialen Auswahl nach § 1 Abs. 3 Satz 1 des Kündigungsschutzgesetzes zum Nachteil des Arbeitnehmers berücksichtigt werden.

(2) [1] Die Verpflichtung des Arbeitgebers zur Zahlung von Leistungen nach § 3 Abs. 1 Nr. 1 kann nicht für den Fall ausgeschlossen werden, daß der Anspruch des Arbeitgebers auf die Leistungen nach § 4 nicht besteht, weil die Voraussetzung des § 3 Abs. 1 Nr. 2 nicht vorliegt. [2] Das gleiche gilt für den Fall, daß der Arbeitgeber die Leistungen nur deshalb nicht erhält, weil er den Antrag nach § 12 nicht, nicht richtig, nicht vollständig oder nicht rechtzeitig gestellt hat oder seinen Mitwirkungspflichten nicht nachgekommen ist, ohne daß dafür eine Verletzung der Mitwirkungspflichten des Arbeitnehmers ursächlich war.

(3) Eine Vereinbarung zwischen Arbeitnehmer und Arbeitgeber über die Altersteilzeitarbeit, die die Beendigung des Arbeitsverhältnisses ohne Kündigung zu einem Zeitpunkt vorsieht, in dem der Arbeitnehmer Anspruch auf eine Rente wegen Alters hat, ist zulässig.

§ 8 a[4)] Insolvenzsicherung. (1) [1] Führt eine Vereinbarung über die Altersteilzeitarbeit im Sinne von § 2 Abs. 2 zum Aufbau eines Wertguthabens, das den Betrag des Dreifachen des Regelarbeitsentgelts nach § 6 Abs. 1 ein-

---

[1)] **DVD Nipperdey plus Nr. 698.**

[2)] § 8 Abs. 1 geänd. durch G v. 6. 4. 1998 (BGBl. I S. 688); Abs. 1 Halbsatz 2 angef. durch G v. 20. 12. 1999 (BGBl. I S. 2494); Abs. 3 geänd. mWv 1. 5. 2007 durch G v. 20. 4. 2007 (BGBl. I S. 554).

[3)] Nr. **152.**

[4)] § 8 a eingef. mWv 1. 7. 2004 durch G v. 23. 12. 2003 (BGBl. I S. 2848); Abs. 1 Satz 1 zweiter Halbs. angef. mWv 1. 1. 2009 durch G v. 21. 12. 2008 (BGBl. I S. 2940).

schließlich des darauf entfallenden Arbeitgeberanteils am Gesamtsozialversicherungsbeitrag übersteigt, ist der Arbeitgeber verpflichtet, das Wertguthaben einschließlich des darauf entfallenden Arbeitgeberanteils am Gesamtsozialversicherungsbeitrag mit der ersten Gutschrift in geeigneter Weise gegen das Risiko seiner Zahlungsunfähigkeit abzusichern; § 7e des Vierten Buches Sozialgesetzbuch[1)] findet keine Anwendung. [2] Bilanzielle Rückstellungen sowie zwischen Konzernunternehmen (§ 18 des Aktiengesetzes[2)]) begründete Einstandspflichten, insbesondere Bürgschaften, Patronatserklärungen oder Schuldbeitritte, gelten nicht als geeignete Sicherungsmittel im Sinne des Satzes 1.

(2) Bei der Ermittlung der Höhe des zu sichernden Wertguthabens ist eine Anrechnung der Leistungen nach § 3 Abs. 1 Nr. 1 Buchstabe a und b und § 4 Abs. 2 sowie der Zahlungen des Arbeitgebers zur Übernahme der Beiträge im Sinne des § 187a des Sechsten Buches Sozialgesetzbuch[3)] unzulässig.

(3) [1] Der Arbeitgeber hat dem Arbeitnehmer die zur Sicherung des Wertguthabens ergriffenen Maßnahmen mit der ersten Gutschrift und danach alle sechs Monate in Textform nachzuweisen. [2] Die Betriebsparteien können eine andere gleichwertige Art und Form des Nachweises vereinbaren; Absatz 4 bleibt hiervon unberührt.

(Fortsetzung nächste Seite)

[1)] **DVD Nipperdey plus Nr. 694.**
[2)] Nr. 567.
[3)] **DVD Nipperdey plus Nr. 696.**

(4) [1]Kommt der Arbeitgeber seiner Verpflichtung nach Absatz 3 nicht nach oder sind die nachgewiesenen Maßnahmen nicht geeignet und weist er auf schriftliche Aufforderung des Arbeitnehmers nicht innerhalb eines Monats eine geeignete Insolvenzsicherung des bestehenden Wertguthabens in Textform nach, kann der Arbeitnehmer verlangen, dass Sicherheit in Höhe des bestehenden Wertguthabens geleistet wird. [2]Die Sicherheitsleistung kann nur erfolgen durch Stellung eines tauglichen Bürgen oder Hinterlegung von Geld oder solchen Wertpapieren, die nach § 234 Abs. 1 und 3 des Bürgerlichen Gesetzbuchs[1)] zur Sicherheitsleistung geeignet sind. [3]Die Vorschriften der §§ 233, 234 Abs. 2, §§ 235 und 239 des Bürgerlichen Gesetzbuchs[1)] sind entsprechend anzuwenden.

(5) Vereinbarungen über den Insolvenzschutz, die zum Nachteil des in Altersteilzeitarbeit beschäftigten Arbeitnehmers von den Bestimmungen dieser Vorschrift abweichen, sind unwirksam.

(6) Die Absätze 1 bis 5 finden keine Anwendung gegenüber dem Bund, den Ländern, den Gemeinden, Körperschaften, Stiftungen und Anstalten des öffentlichen Rechts, über deren Vermögen die Eröffnung eines Insolvenzverfahrens nicht zulässig ist, sowie solchen juristischen Personen des öffentlichen Rechts, bei denen der Bund, ein Land oder eine Gemeinde kraft Gesetzes die Zahlungsfähigkeit sichert.

§ 9[2)] Ausgleichskassen, gemeinsame Einrichtungen. (1) Werden die Leistungen nach § 3 Abs. 1 Nr. 1 auf Grund eines Tarifvertrages von einer Ausgleichskasse der Arbeitgeber erbracht oder dem Arbeitgeber erstattet, gewährt die Bundesagentur auf Antrag der Tarifvertragsparteien die Leistungen nach § 4 der Ausgleichskasse.

(2) Für gemeinsame Einrichtungen der Tarifvertragsparteien gilt Absatz 1 entsprechend.

§ 10[3)] Soziale Sicherung des Arbeitnehmers. (1) [1]Beansprucht ein Arbeitnehmer, der Altersteilzeitarbeit (§ 2) geleistet hat und für den der Arbeitgeber Leistungen nach § 3 Abs. 1 Nr. 1 erbracht hat, Arbeitslosengeld oder Arbeitslosenhilfe, erhöht sich das Bemessungsentgelt, das sich nach den Vorschriften des Dritten Buches Sozialgesetzbuch[4)] ergibt, bis zu dem Betrag, der als Bemessungsentgelt zugrunde zu legen wäre, wenn der Arbeitnehmer seine Arbeitszeit nicht im Rahmen der Altersteilzeit vermindert hätte. [2]Kann der Arbeitnehmer eine Rente wegen Alters in Anspruch nehmen, ist von dem Tage an, an dem die Rente erstmals beansprucht werden kann, das Bemessungentgelt maßgebend, das ohne die Erhöhung nach Satz 1 zugrunde zu legen gewesen wäre. [3]Änderungsbescheide werden mit dem Tag wirksam, an dem die Altersrente erstmals beansprucht werden konnte.

[1)] **beck-online, Module Arbeitsrecht Nr. 50.**

[2)] § 9 Abs. 1 geänd. mWv 1.7.2004 durch G v. 23.12.2003 (BGBl. I S. 2848).

[3)] § 10 Abs. 1 neu gef., Abs. 5 angef. durch G v. 6.4.1998 (BGBl. I S. 688), Abs. 2 Satz 1 u. Abs. 5 geänd. durch G v. 20.12.1999 (BGBl. I S. 2494), Abs. 5 neu gef. mWv 1.1.2001 durch G v. 21.12. 2000 (BGBl. I S. 1983); Abs. 1 Satz 1 , Abs. 2 Satz 1 geänd., Abs. 2 Satz 2 eingef., bish. Sätze 2 und 3 werden Sätze 3 und 4, Abs. 5 Satz 1 neu gef. mWv 1.7.2004 durch G v. 23.12.2003 (BGBl. I S. 2848); Abs. 2 Satz 1 geänd. mWv 1.7.2004 durch G v. 23.4.2004 (BGBl. I S. 602); Abs. 4 geänd. mWv 1.1. 2007 durch G v. 24.4.2006 (BGBl. I S. 926); Abs. 3 geänd. mWv 1.1.2013 durch G v. 12.4.2012 (BGBl. I S. 579).

[4)] Nr. **700**.

(2) [1] Bezieht ein Arbeitnehmer, für den die Bundesagentur Leistungen nach § 4 erbracht hat, Krankengeld, Versorgungskrankengeld, Verletztengeld oder Übergangsgeld und liegt der Bemessung dieser Leistungen ausschließlich die Altersteilzeit zugrunde oder bezieht der Arbeitnehmer Krankentagegeld von einem privaten Krankenversicherungsunternehmen, erbringt die Bundesagentur anstelle des Arbeitgebers die Leistungen nach § 3 Abs. 1 Nr. 1 in Höhe der Erstattungsleistungen nach § 4. [2] Satz 1 gilt soweit und solange nicht, als Leistungen nach § 3 Abs. 1 Nr. 1 vom Arbeitgeber erbracht werden. [3] Durch die Leistungen darf der Höchstförderzeitraum nach § 4 Abs. 1 nicht überschritten werden. [4] § 5 Abs. 1 gilt entsprechend.

(3) Absatz 2 gilt entsprechend für Arbeitnehmer, die nur wegen Inanspruchnahme der Altersteilzeit nach § 2 Abs. 1 Nr. 1 und 2 des Zweiten Gesetzes über die Krankenversicherung der Landwirte[1] versicherungspflichtig in der Krankenversicherung der Landwirte sind, soweit und solange ihnen Krankengeld gezahlt worden wäre, falls sie nicht Mitglied der landwirtschaftlichen Krankenkasse geworden wären.

(4) Bezieht der Arbeitnehmer Kurzarbeitergeld, gilt für die Berechnung der Leistungen des § 3 Abs. 1 Nr. 1 und des § 4 das Entgelt für die vereinbarte Arbeitszeit als Arbeitsentgelt für die Altersteilzeitarbeit.

(5) [1] Sind für den Arbeitnehmer Aufstockungsleistungen nach § 3 Abs. 1 Nr. 1 Buchstabe a und b gezahlt worden, gilt in den Fällen der nicht zweckentsprechenden Verwendung von Wertguthaben für die Berechnung der Beiträge zur gesetzlichen Rentenversicherung der Unterschiedsbetrag zwischen dem Betrag, den der Arbeitgeber der Berechnung der Beiträge nach § 3 Abs. 1 Nr. 1 Buchstabe b zugrunde gelegt hat, und dem Doppelten des Regelarbeitsentgelts bis zum Zeitpunkt der nicht zweckentsprechenden Verwendung, höchstens bis zur Beitragsbemessungsgrenze, als beitragspflichtige Einnahme aus dem Wertguthaben; für die Beiträge zur Krankenversicherung, Pflegeversicherung oder nach dem Recht der Arbeitsförderung gilt § 23b Abs. 2 bis 3 des Vierten Buches Sozialgesetzbuch[2]. [2] Im Falle der Zahlungsunfähigkeit des Arbeitgebers gilt Satz 1 entsprechend, soweit Beiträge gezahlt werden.

(Fortsetzung nächstes Blatt)

[1] **Aichberger, SGB Nr. 30/22.**
[2] Nr. **694**.

§ 11[1] Mitwirkungspflichten des Arbeitnehmers. (1) [1]Der Arbeitnehmer hat Änderungen der ihn betreffenden Verhältnisse, die für die Leistungen nach § 4 erheblich sind, dem Arbeitgeber unverzüglich mitzuteilen. [2]Werden im Fall des § 9 die Leistungen von der Ausgleichskasse der Arbeitgeber oder der gemeinsamen Einrichtung der Tarifvertragsparteien erbracht, hat der Arbeitnehmer Änderungen nach Satz 1 diesen gegenüber unverzüglich mitzuteilen.

(2) [1]Der Arbeitnehmer hat der Bundesagentur die dem Arbeitgeber zu Unrecht gezahlten Leistungen zu erstatten, wenn der Arbeitnehmer die unrechtmäßige Zahlung dadurch bewirkt hat, daß er vorsätzlich oder grob fahrlässig

1. Angaben gemacht hat, die unrichtig oder unvollständig sind, oder
2. der Mitteilungspflicht nach Absatz 1 nicht nachgekommen ist.

[2]Die zu erstattende Leistung ist durch schriftlichen Verwaltungsakt festzusetzen. [3]Eine Erstattung durch den Arbeitgeber kommt insoweit nicht in Betracht.

§ 12[2] Verfahren. (1) [1]Die Agentur für Arbeit entscheidet auf Antrag des Arbeitgebers, ob die Voraussetzungen für die Erbringung von Leistungen nach § 4 vorliegen. [2]Der Antrag wirkt vom Zeitpunkt des Vorliegens der Anspruchsvoraussetzungen, wenn er innerhalb von drei Monaten nach deren Vorliegen gestellt wird, andernfalls wirkt er vom Beginn des Monats der Antragstellung. [3]In den Fällen des § 3 Abs. 3 kann die Agentur für Arbeit auch vorab entscheiden, ob die Voraussetzungen des § 2 vorliegen. [4]Mit dem Antrag sind die Namen, Anschriften und Versicherungsnummern der Arbeitnehmer mitzuteilen, für die Leistungen beantragt werden. [5]Zuständig ist die Agentur für Arbeit, in deren Bezirk der Betrieb liegt, in dem der Arbeitnehmer beschäftigt ist. [6]Die Bundesagentur erklärt eine andere Agentur für Arbeit für zuständig, wenn der Arbeitgeber dafür ein berechtigtes Interesse glaubhaft macht.

(2) [1]Die Höhe der Leistungen nach § 4 wird zu Beginn des Erstattungsverfahrens in monatlichen Festbeträgen für die gesamte Förderdauer festgelegt. [2]Die monatlichen Festbeträge werden nur angepasst, wenn sich das berücksichtigungsfähige Regelarbeitsentgelt um mindestens 10 Euro verringert. [3]Leistungen nach § 4 werden auf Antrag erbracht und nachträglich jeweils für den Kalendermonat ausgezahlt, in dem die Anspruchsvoraussetzungen vorgelegen haben. [4]Leistungen nach § 10 Abs. 2 werden auf Antrag des Arbeitnehmers oder, im Falle einer Leistungserbringung des Arbeitgebers an den Arbeitnehmer gemäß § 10 Abs. 2 Satz 2, auf Antrag des Arbeitgebers monatlich nachträglich ausgezahlt.

(3) [1]In den Fällen des § 3 Abs. 3 werden dem Arbeitgeber die Leistungen nach Absatz 1 erst von dem Zeitpunkt an ausgezahlt, in dem der Arbeitgeber auf dem freigemachten oder durch Umsetzung freigewordenen Arbeitsplatz einen Arbeitnehmer beschäftigt, der bei Beginn der Beschäftigung die Voraus-

---

[1] § 11 Abs. 2 Satz 1 geänd. mWv 1.7.2004 durch G v. 23.12.2003 (BGBl. I S. 2848).

[2] § 12 Abs. 4 angef. durch G v. 16.12.1997 (BGBl. I S. 2970), Abs. 3 Satz 2 eingef. durch G v. 6.4. 1998 (BGBl. I S. 688), Abs. 1 Satz 5, Abs. 3 Satz 2 geänd., Abs. 1 Satz 6 eingef. durch G v. 20.12.1999 (BGBl. I S. 2494); Abs. 1 Sätze 1, 3, 5 und 6, Abs. 3 Satz 2, Abs. 4 Satz 1 geänd., Abs. 2 Sätze 1 und 2 eingef., bish. Sätze 1 und 2 werden Sätze 3 und 4 und geänd. mWv 1.7.2004 durch G v. 23.12.2003 (BGBl. I S. 2848); Abs. 1 Satz 5 geänd. mWv 1.7.2004 durch G v. 23.4.2004 (BGBl. I S. 602); Abs. 1 Satz 1 geänd. mWv 5.4.2017 durch G v. 29.3.2017 (BGBl. I S. 626).

setzungen des § 3 Abs. 1 Nr. 2 erfüllt hat. [2] Endet die Altersteilzeitarbeit in den Fällen des § 3 Abs. 3 vorzeitig, erbringt die Agentur für Arbeit dem Arbeitgeber die Leistungen für zurückliegende Zeiträume nach Satz 3, solange die Voraussetzungen des § 3 Abs. 1 Nr. 2 erfüllt sind und soweit dem Arbeitgeber entsprechende Aufwendungen für Aufstockungsleistungen nach § 3 Abs. 1 Nr. 1 und § 4 Abs. 2 verblieben sind. [3] Die Leistungen für zurückliegende Zeiten werden zusammen mit den laufenden Leistungen jeweils in monatlichen Teilbeträgen ausgezahlt. [4] Die Höhe der Leistungen für zurückliegende Zeiten bestimmt sich nach der Höhe der laufenden Leistungen.

(4) [1] Über die Erbringung von Leistungen kann die Agentur für Arbeit vorläufig entscheiden, wenn die Voraussetzungen für den Anspruch mit hinreichender Wahrscheinlichkeit vorliegen und zu ihrer Feststellung voraussichtlich längere Zeit erforderlich ist. [2] Aufgrund der vorläufigen Entscheidung erbrachte Leistungen sind auf die zustehende Leistung anzurechnen. [3] Sie sind zu erstatten, soweit mit der abschließenden Entscheidung ein Anspruch nicht oder nur in geringerer Höhe zuerkannt wird.

§ 13[1)] Auskünfte und Prüfung. [1] Die §§ 315 und 319 des Dritten Buches und das Zweite Kapitel des Zehnten Buches Sozialgesetzbuch gelten entsprechend. [2] § 2 Abs. 1 Satz 1 Nummer 3 des Schwarzarbeitsbekämpfungsgesetzes bleibt unberührt.

§ 14[2)] Bußgeldvorschriften. (1) Ordnungswidrig handelt, wer vorsätzlich oder fahrlässig

1. entgegen § 11 Abs. 1 oder als Arbeitgeber entgegen § 60 Abs. 1 Nr. 2 des Ersten Buches Sozialgesetzbuch eine Mitteilung nicht, nicht richtig, nicht vollständig oder nicht rechtzeitig macht,
2. entgegen § 13 Satz 1 in Verbindung mit § 315 Abs. 1, 2 Satz 1, Abs. 3 oder 5 Satz 1 und 2 des Dritten Buches Sozialgesetzbuch eine Auskunft nicht, nicht richtig, nicht vollständig oder nicht rechtzeitig erteilt,
3. entgegen § 13 Satz 1 in Verbindung mit § 319 Abs. 1 Satz 1 des Dritten Buches Sozialgesetzbuch Einsicht oder Zutritt nicht gewährt oder
4. entgegen § 13 Satz 1 in Verbindung mit § 319 Abs. 2 Satz 1 des Dritten Buches Sozialgesetzbuch Daten nicht, nicht richtig, nicht vollständig, nicht in der vorgeschriebenen Weise oder nicht rechtzeitig zur Verfügung stellt.

(Fortsetzung nächstes Blatt)

[1)] § 13 neu gef. mWv 1.8.2004 durch G v. 23.7.2004 (BGBl. I S. 1842); Satz 2 geänd. mWv 18.7.2019 durch G v. 11.7.2019 (BGBl. I S. 1066).

[2)] § 14 Abs. 1 Nrn. 2, 3, 4, 5 neu gef., Nr. 6 aufgeh. durch G v. 24.3.1997 (BGBl. I S. 594), Abs. 2 geänd. durch G v. 16.12.1997 (BGBl. I S. 2970); Abs. 1 Nr. 4, Abs. 3, 4 und 5 geänd. mWv 1.7.2004 durch G v. 23.12.2003 (BGBl. I S. 2848); Abs. 1 Nrn. 2 bis 4 und Abs. 2 neu gef., Abs. 1 Nr. 5 aufgeh. mWv 1.8.2004 durch G v. 23.7.2004 (BGBl. I S. 1842); Abs. 1 Nr. 2 geänd. mWv 1.4.2012 durch G v. 20.12.2011 (BGBl. I S. 2854).

(2) Die Ordnungswidrigkeit kann in den Fällen des Absatzes 1 Nr. 4 mit einer Geldbuße bis zu dreißigtausend Euro, in den übrigen Fällen mit einer Geldbuße bis zu tausend Euro geahndet werden.

(3) Verwaltungsbehörden im Sinne des § 36 Abs. 1 Nr. 1 des Gesetzes über Ordnungswidrigkeiten[1] sind die Agenturen für Arbeit.

(4) [1] Die Geldbußen fließen in die Kasse der Bundesagentur. [2] § 66 des Zehnten Buches Sozialgesetzbuch[2] gilt entsprechend.

(5) Die notwendigen Auslagen trägt abweichend von § 105 Abs. 2 des Gesetzes über Ordnungswidrigkeiten die Bundesagentur; diese ist auch ersatzpflichtig im Sinne des § 110 Abs. 4 des Gesetzes über Ordnungswidrigkeiten.

[§ 15 bis 31. 12. 2019:]

§ 15[3] Verordnungsermächtigung. [1] Das Bundesministerium für Arbeit und Soziales kann durch Rechtsverordnung[4] die Mindestnettobeträge nach § 3 Abs. 1 Nr. 1 Buchstabe a in der bis zum 30. Juni 2004 gültigen Fassung bestimmen. [2] Die Vorschriften zum Leistungsentgelt des Dritten Buches Sozialgesetzbuch[5] gelten entsprechend. [3] Das bisherige Arbeitsentgelt im Sinne des § 6 Abs. 1 in der bis zum 30. Juni 2004 gültigen Fassung ist auf den nächsten durch fünf teilbaren Euro-Betrag zu runden. [4] Der Kalendermonat ist mit 30 Tagen anzusetzen.

§ 15 a[6] Übergangsregelung nach dem Gesetz zur Reform der Arbeitsförderung. Haben die Voraussetzungen für die Erbringung von Leistungen nach § 4 vor dem 1. April 1997 vorgelegen, erbringt die Bundesagentur die Leistungen nach § 4 auch dann, wenn die Voraussetzungen des § 2 Abs. 1 Nr. 2 und Abs. 2 Nr. 1 in der bis zum 31. März 1997 geltenden Fassung vorliegen.

§ 15 b[7] Übergangsregelung nach dem Gesetz zur Reform der gesetzlichen Rentenversicherung. Abweichend von § 5 Abs. 1 Nr. 2 erlischt der Anspruch auf die Leistungen nach § 4 nicht, wenn mit der Altersteilzeit vor dem 1. Juli 1998 begonnen worden ist und Anspruch auf eine ungeminderte Rente wegen Alters besteht, weil 45 Jahre mit Pflichtbeiträgen für eine versicherte Beschäftigung oder Tätigkeit vorliegen.

---

[1] **Schönfelder Nr. 94.**

[2] Nr. **699.**

[3] § 15 neu gef. mWv 1. 7. 2004 durch G v. 23. 12. 2003 (BGBl. I S. 2848); Satz 1 geänd. mWv 8. 11. 2006 durch VO v. 31. 10. 2006 (BGBl. I S. 2407); § 15 **aufgeh. mWv 1. 1. 2020** durch G v. 18. 7. 2016 (BGBl. I S. 1710).

[4] Siehe VO über die Mindestnettobeträge nach dem Altersteilzeitgesetz (Mindestnettobetrags-Verordnung) (Nr. **721 a**).

[5] Nr. **700.**

[6] § 15 a eingef. durch G v. 24. 3. 1997 (BGBl. I S. 594); geänd. mWv 1. 7. 2004 durch G v. 23. 12. 2003 (BGBl. I S. 2848).

[7] § 15 b eingef. durch G v. 16. 12. 1997 (BGBl. I S. 2998), geänd. durch G v. 20. 12. 1999 (BGBl. I S. 2494).

§ 15 c[1] **Übergangsregelung nach dem Gesetz zur Fortentwicklung der Altersteilzeit.** Ist eine Vereinbarung über Altersteilzeitarbeit vor dem 1. Januar 2000 abgeschlossen worden, erbringt die Bundesagentur die Leistungen nach § 4 auch dann, wenn die Voraussetzungen des § 2 Abs. 1 Nr. 2 und 3 in der bis zum 1. Januar 2000 geltenden Fassung vorliegen.

§ 15 d[2] **Übergangsregelung zum Zweiten Gesetz zur Fortentwicklung der Altersteilzeit.** [1] Ist eine Vereinbarung über Altersteilzeitarbeit vor dem 1. Juli 2000 abgeschlossen worden, gelten § 5 Abs. 2 Satz 2 und § 6 Abs. 2 Satz 2 in der bis zum 1. Juli 2000 geltenden Fassung. [2] Sollen bei einer Vereinbarung nach Satz 1 Leistungen nach § 4 für einen Zeitraum von länger als fünf Jahren beansprucht werden, gilt § 5 Abs. 2 Satz 2 in der ab dem 1. Juli 2000 geltenden Fassung.

§ 15 e[3] **Übergangsregelung nach dem Gesetz zur Reform der Renten wegen verminderter Erwerbsfähigkeit.** Abweichend von § 5 Abs. 1 Nr. 2 erlischt der Anspruch auf die Leistungen nach § 4 nicht, wenn mit der Altersteilzeit vor dem 17. November 2000 begonnen worden ist und Anspruch auf eine ungeminderte Rente wegen Alters besteht, weil die Voraussetzungen nach § 236 a Satz 5 Nr. 1 des Sechsten Buches Sozialgesetzbuch[4] vorliegen.

§ 15 f[5] **Übergangsregelung nach dem Zweiten Gesetz für moderne Dienstleistungen am Arbeitsmarkt.** Wurde mit der Altersteilzeit vor dem 1. April 2003 begonnen, gelten Arbeitnehmer, die bis zu diesem Zeitpunkt in einer versicherungspflichtigen Beschäftigung nach dem Dritten Buch Sozialgesetzbuch[6] gestanden haben, auch nach dem 1. April 2003 als versicherungspflichtig beschäftigt, wenn sie die bis zum 31. März 2003 geltenden Voraussetzungen für das Vorliegen einer versicherungspflichtigen Beschäftigung weiterhin erfüllen.

§ 15 g[7] **Übergangsregelung zum Dritten Gesetz für moderne Dienstleistungen am Arbeitsmarkt.** [1] Wurde mit der Altersteilzeitarbeit vor dem 1. Juli 2004 begonnen, sind die Vorschriften in der bis zum 30. Juni 2004 geltenden Fassung mit Ausnahme des § 15 weiterhin anzuwenden. [2] Auf Antrag des Arbeitgebers erbringt die Bundesagentur abweichend von Satz 1 Leistungen nach § 4 in der ab dem 1. Juli 2004 geltenden Fassung, wenn die hierfür ab dem 1. Juli 2004 maßgebenden Voraussetzungen erfüllt sind.

§ 15 h[8] **Übergangsregelung zum Gesetz über Leistungsverbesserungen in der gesetzlichen Rentenversicherung.** Abweichend von § 5 Absatz 1 Nummer 2 erlischt der Anspruch auf die Leistungen nach § 4 nicht,

---

[1] § 15 c eingef. durch G v. 20. 12. 1999 (BGBl. I S. 2494); geänd. mWv 1. 7. 2004 durch G v. 23. 12. 2003 (BGBl. I S. 2848).
[2] § 15 d eingef. mWv 1. 7. 2000 durch G v. 27. 6. 2000 (BGBl. I S. 910).
[3] § 15 e eingef. mWv 1. 1. 2001 durch G v. 21. 3. 2001 (BGBl. I S. 403).
[4] Nr. **696**.
[5] § 15 f eingef. mWv 1. 4. 2003 durch G v. 23. 12. 2002 (BGBl. I S. 4621).
[6] *Nr.* ***700***.
[7] § 15 g eingef. mWv 1. 7. 2004 durch G v. 23. 12. 2003 (BGBl. I S. 2848).
[8] § 15 h eingef. mWv 1. 7. 2014 durch G v. 23. 6. 2014 (BGBl. I S. 787).

wenn mit der Altersteilzeit vor dem 1. Januar 2010 begonnen worden ist und die Voraussetzungen für einen Anspruch auf eine Rente für besonders langjährig Versicherte nach § 236b des Sechsten Buches Sozialgesetzbuch[1] erfüllt sind.

§ 15i[2] Übergangsregelung zum Gesetz zu Änderungen im Bereich der geringfügigen Beschäftigung. Wurde mit der Altersteilzeit vor dem 1. Januar 2013 begonnen, gelten Arbeitnehmerinnen und Arbeitnehmer, die bis zu diesem Zeitpunkt in einer versicherungspflichtigen Beschäftigung nach dem Dritten Buch Sozialgesetzbuch[3] gestanden haben, auch nach dem 31. Dezember 2012 als versicherungspflichtig beschäftigt, wenn sie die bis zum 31. Dezember 2012 geltenden Voraussetzungen für das Vorliegen einer versicherungspflichtigen Beschäftigung weiterhin erfüllen.

§ 15j[4] Übergangsregelungen zum Gesetz zur Erhöhung des Schutzes durch den gesetzlichen Mindestlohn und zu Änderungen im Bereich der geringfügigen Beschäftigung. [1] Erhöht sich durch eine Anpassung des Mindestlohnes die Geringfügigkeitsgrenze nach § 8 Absatz 1a des Vierten Buches Vierten Buches Sozialgesetzbuch[5], so gilt eine Person, die mit der Altersteilzeit vor der Anhebung des Mindestlohnes begonnen hat, weiterhin als versicherungspflichtig beschäftigt, wenn

1. sie bis zu dem Tag, an dem die Anhebung des Mindestlohnes in Kraft tritt, in einer versicherungspflichtigen Beschäftigung gestanden hat,
2. sie die Voraussetzungen für eine versicherungspflichtige Beschäftigung nach der Anhebung des Mindestlohnes nicht mehr erfüllt und
3. die am Tag vor dem Inkrafttreten der Anhebung des Mindestlohnes geltenden Voraussetzungen für eine versicherungspflichtige Beschäftigung weiterhin vorliegen.

[2] Mindestlohn ist der Mindestlohn nach § 1 Absatz 2 Satz 1 des Mindestlohngesetzes[6] in Verbindung mit der auf der Grundlage des § 11 Absatz 1 Satz 1 des Mindestlohngesetzes jeweils erlassenen Verordnung.

§ 16[7] Befristung der Förderungsfähigkeit. Für die Zeit ab dem 1. Januar 2010 sind Leistungen nach § 4 nur noch zu erbringen, wenn die Voraussetzungen des § 2 erstmals vor diesem Zeitpunkt vorgelegen haben.

---

[1] Nr. **696**.
[2] § 15i eingef. mWv 1.1.2015 durch G v. 10.12.2014 (BGBl. I S. 2082).
[3] Nr. **700**.
[4] § 15j eingef. mWv 1.10.2022 durch G v. 28.6.2022 (BGBl. I S. 969).
[5] Nr. **694**.
[6] Nr. **505**.
[7] § 16 geänd. durch G v. 6.4.1998 (BGBl. I S. 688), geänd. mWv 1.7.2000 durch G v. 27.6.2000 (BGBl. I S. 910); geänd. mWv 1.7.2004 durch G v. 23.12.2003 (BGBl. I S. 2848).

730. Gesetz zur Regelung der Arbeitnehmerüberlassung (Arbeitnehmerüberlassungsgesetz – AÜG)[1) 2)]

In der Fassung der Bekanntmachung vom 3. Februar 1995[3)]
(BGBl. I S. 158)

FNA 810-31

zuletzt geänd. durch Art. 10 G zur Modernisierung und Digitalisierung der Schwarzarbeitsbekämpfung v. 22.12.2025 (BGBl. 2025 I Nr. 369)

§ 1[4)] Arbeitnehmerüberlassung, Erlaubnispflicht. (1) [1] Arbeitgeber, die als Verleiher Dritten (Entleihern) Arbeitnehmer (Leiharbeitnehmer) im Rahmen ihrer wirtschaftlichen Tätigkeit zur Arbeitsleistung überlassen (Arbeitnehmerüberlassung) wollen, bedürfen der Erlaubnis. [2] Arbeitnehmer werden zur Arbeitsleistung überlassen, wenn sie in die Arbeitsorganisation des Entleihers eingegliedert sind und seinen Weisungen unterliegen. [3] Die Überlassung und das Tätigwerdenlassen von Arbeitnehmern als Leiharbeitnehmer ist nur zulässig, soweit zwischen dem Verleiher und dem Leiharbeitnehmer ein Arbeitsverhältnis besteht. [4] Die Überlassung von Arbeitnehmern ist vorübergehend bis zu einer Überlassungshöchstdauer nach Absatz 1b zulässig. [5] Verleiher und Entleiher haben die Überlassung von Leiharbeitnehmern in ihrem Vertrag ausdrücklich als Arbeitnehmerüberlassung zu bezeichnen, bevor sie den Leiharbeitnehmer überlassen oder tätig werden lassen. [6] Vor der Überlassung haben sie die Person des Leiharbeitnehmers unter Bezugnahme auf diesen Vertrag zu konkretisieren.

(1a) [1] Die Abordnung von Arbeitnehmern zu einer zur Herstellung eines Werkes gebildeten Arbeitsgemeinschaft ist keine Arbeitnehmerüberlassung, wenn der Arbeitgeber Mitglied der Arbeitsgemeinschaft ist, für alle Mitglieder der Arbeitsgemeinschaft Tarifverträge desselben Wirtschaftszweiges gelten und alle Mitglieder auf Grund des Arbeitsgemeinschaftsvertrages zur selbständigen Erbringung von Vertragsleistungen verpflichtet sind. [2] Für einen Arbeitgeber mit Geschäftssitz in einem anderen Mitgliedstaat des Europäischen Wirtschaftsraumes ist die Abordnung von Arbeitnehmern zu einer zur Herstellung eines Werkes gebildeten Arbeitsgemeinschaft auch dann keine Arbeitnehmerüberlassung, wenn für ihn deutsche Tarifverträge desselben Wirtschaftszweiges wie für die anderen Mitglieder der Arbeitsgemeinschaft nicht gelten, er aber die übrigen Voraussetzungen des Satzes 1 erfüllt.

---

1) Verkündet als Art. 1 AÜG 1972 in der Fassung der Bekanntmachung vom 3.2.1995 (BGBl. I S. 158), insoweit geänd. mWv 1.4.1997 durch Art. 63 Arbeitsförderungs-Reformgesetz v. 24.3.1997 (BGBl. I S. 594).

2) Überschrift neu gef. mWv 1.4.1997 durch G v. 24.3.1997 (BGBl. I S. 594); geänd. mWv 1.12.2011 durch G v. 28.4.2011 (BGBl. I S. 642).

3) Neubekanntmachung des ArbeitnehmerüberlassungsG vom 7.8.1972 (BGBl. I S. 1393) in der ab 1.8.1994 geltenden Fassung.

4) § 1 Abs. 1 Satz 1 neu gef., Abs. 2 geänd., Abs. 3 Nr. 1, 2 geänd., Nr. 3 angef. mWv 1.4.1997, Abs. 3 einl. Satzteil geänd mWv 1.1.1998 durch G v. 24.3.1997 (BGBl. I S. 594); Abs. 3 geänd. mWv 1.1.1998 durch G v. 16.12.1997 (BGBl. I S. 2970); Abs. 1 Satz 3 angef., Abs. 2 geänd. mWv 1.1.2003 durch G v. 23.12.2002 (BGBl. I S. 4607); Abs. 1 Satz 1 geänd., Satz 2 eingef., bish. Sätze 2 und 3 werden Sätze 3 und 4, Abs. 3 Nr. 2 geänd., Nr. 2a eingef. mWv 1.12.2011 durch G v. 28.4.2011 (BGBl. I S. 642); Überschrift und Abs. 1 neu gef., Abs. 1a und 1b eingef., Abs. 3 einl. Satzteil und Nr. 2a geänd., Nr. 2b und 2c eingef. mWv 1.4.2017 durch G v. 21.2.2017 (BGBl. I S. 258).

(1b) [1]Der Verleiher darf denselben Leiharbeitnehmer nicht länger als 18 aufeinander folgende Monate demselben Entleiher überlassen; der Entleiher darf denselben Leiharbeitnehmer nicht länger als 18 aufeinander folgende Monate tätig werden lassen. [2]Der Zeitraum vorheriger Überlassungen durch denselben oder einen anderen Verleiher an denselben Entleiher ist vollständig anzurechnen, wenn zwischen den Einsätzen jeweils nicht mehr als drei Monate liegen. [3]In einem Tarifvertrag von Tarifvertragsparteien der Einsatzbranche kann eine von Satz 1 abweichende Überlassungshöchstdauer festgelegt werden. [4]Im Geltungsbereich eines Tarifvertrages nach Satz 3 können abweichende tarifvertragliche Regelungen im Betrieb eines nicht tarifgebundenen Entleihers durch Betriebs- oder Dienstvereinbarung übernommen werden. [5]In einer auf Grund eines Tarifvertrages von Tarifvertragsparteien der Einsatzbranche getroffenen Betriebs- oder Dienstvereinbarung kann eine von Satz 1 abweichende Überlassungshöchstdauer festgelegt werden. [6]Können auf Grund eines Tarifvertrages nach Satz 5 abweichende Regelungen in einer Betriebs- oder Dienstvereinbarung getroffen werden, kann auch in Betrieben eines nicht tarifgebundenen Entleihers bis zu einer Überlassungshöchstdauer von 24 Monaten davon Gebrauch gemacht werden, soweit nicht durch diesen Tarifvertrag eine von Satz 1 abweichende Überlassungshöchstdauer für Betriebs- oder Dienstvereinbarungen festgelegt ist. [7]Unterfällt der Betrieb des nicht tarifgebundenen Entleihers bei Abschluss einer Betriebs- oder Dienstvereinbarung nach Satz 4 oder Satz 6 den Geltungsbereichen mehrerer Tarifverträge, ist auf den für die Branche des Entleihers repräsentativen Tarifvertrag abzustellen. [8]Die Kirchen und die öffentlich-rechtlichen Religionsgesellschaften können von Satz 1 abweichende Überlassungshöchstdauern in ihren Regelungen vorsehen.

(2) Werden Arbeitnehmer Dritten zur Arbeitsleistung überlassen und übernimmt der Überlassende nicht die üblichen Arbeitgeberpflichten oder das Arbeitgeberrisiko (§ 3 Abs. 1 Nr. 1 bis 3), so wird vermutet, daß der Überlassende Arbeitsvermittlung betreibt.

(3) Dieses Gesetz ist mit Ausnahme des § 1b Satz 1, des § 16 Absatz 1 Nummer 1f und Absatz 2 bis 5 sowie der §§ 17 und 18 nicht anzuwenden auf die Arbeitnehmerüberlassung

1. zwischen Arbeitgebern desselben Wirtschaftszweiges zur Vermeidung von Kurzarbeit oder Entlassungen, wenn ein für den Entleiher und Verleiher geltender Tarifvertrag dies vorsieht,
2. zwischen Konzernunternehmen im Sinne des § 18 des Aktiengesetzes[1)], wenn der Arbeitnehmer nicht zum Zweck der Überlassung eingestellt und beschäftigt wird,

2a. zwischen Arbeitgebern, wenn die Überlassung nur gelegentlich erfolgt und der Arbeitnehmer nicht zum Zweck der Überlassung eingestellt und beschäftigt wird,

2b. zwischen Arbeitgebern, wenn Aufgaben eines Arbeitnehmers von dem bisherigen zu dem anderen Arbeitgeber verlagert werden und auf Grund eines Tarifvertrages des öffentlichen Dienstes

a) das Arbeitsverhältnis mit dem bisherigen Arbeitgeber weiter besteht und

---

[1)] Nr. **567**.

b) die Arbeitsleistung zukünftig bei dem anderen Arbeitgeber erbracht wird,

2c. zwischen Arbeitgebern, wenn diese juristische Personen des öffentlichen Rechts sind und Tarifverträge des öffentlichen Dienstes oder Regelungen der öffentlich-rechtlichen Religionsgesellschaften anwenden, oder

3. in das Ausland, wenn der Leiharbeitnehmer in ein auf der Grundlage zwischenstaatlicher Vereinbarungen begründetes deutsch-ausländisches Gemeinschaftsunternehmen verliehen wird, an dem der Verleiher beteiligt ist.

§ 1a[1)] **Anzeige der Überlassung.** (1) Keiner Erlaubnis bedarf ein Arbeitgeber mit weniger als 50 Beschäftigten, der zur Vermeidung von Kurzarbeit oder Entlassungen an einen Arbeitgeber einen Arbeitnehmer, der nicht zum Zweck der Überlassung eingestellt und beschäftigt wird, bis zur Dauer von zwölf Monaten überläßt, wenn er die Überlassung vorher schriftlich der Bundesagentur für Arbeit angezeigt hat.

(2) In der Anzeige sind anzugeben

1. Vor- und Familiennamen, Wohnort und Wohnung, Tag und Ort der Geburt des Leiharbeitnehmers,
2. Art der vom Leiharbeitnehmer zu leistenden Tätigkeit und etwaige Pflicht zur auswärtigen Leistung,
3. Beginn und Dauer der Überlassung,
4. Firma und Anschrift des Entleihers.

§ 1b[2)] **Einschränkungen im Baugewerbe.** [1] Arbeitnehmerüberlassung nach § 1 in Betriebe des Baugewerbes für Arbeiten, die üblicherweise von Arbeitern verrichtet werden, ist unzulässig. [2] Sie ist gestattet

a) zwischen Betrieben des Baugewerbes und anderen Betrieben, wenn diese Betriebe erfassende, für allgemeinverbindlich erklärte Tarifverträge dies bestimmen,

b) zwischen Betrieben des Baugewerbes, wenn der verleihende Betrieb nachweislich seit mindestens drei Jahren von denselben Rahmen- und Sozialkassentarifverträgen oder von deren Allgemeinverbindlichkeit erfasst wird.

[3] Abweichend von Satz 2 ist für Betriebe des Baugewerbes mit Geschäftssitz in einem anderen Mitgliedstaat des Europäischen Wirtschaftsraumes Arbeitnehmerüberlassung auch gestattet, wenn die ausländischen Betriebe nicht von deutschen Rahmen- und Sozialkassentarifverträgen oder für allgemeinverbindlich erklärten Tarifverträgen erfasst werden, sie aber nachweislich seit mindestens drei Jahren überwiegend Tätigkeiten ausüben, die unter den Geltungsbereich derselben Rahmen- und Sozialkassentarifverträge fallen, von denen der Betrieb des Entleihers erfasst wird.

[1)] § 1a Abs. 1 geänd. durch G v. 24. 3. 1997 (BGBl. I S. 594); Abs. 1 geänd. mWv 1. 1. 2004 durch G v. 23. 12. 2003 (BGBl. I S. 2848); Abs. 1 geänd. mWv 1. 12. 2011 durch G v. 28. 4. 2011 (BGBl. I S. 642).

[2)] § 1b eingef. durch G v. 24. 3. 1997 (BGBl. I S. 594); Satz 2 neu gef., Satz 3 angef. mWv 1. 1. 2003 durch G v. 23. 12. 2002 (BGBl. I S. 4607); Abs. 1 Sätze 1 und 3 geänd. mWv 1. 12. 2011 durch G v. 28. 4. 2011 (BGBl. I S. 642).

§ 2[1] Erteilung und Erlöschen der Erlaubnis. (1) Die Erlaubnis wird auf schriftlichen Antrag erteilt.

(2) [1] Die Erlaubnis kann unter Bedingungen erteilt und mit Auflagen verbunden werden, um sicherzustellen, daß keine Tatsachen eintreten, die nach § 3 die Versagung der Erlaubnis rechtfertigen. [2] Die Aufnahme, Änderung oder Ergänzung von Auflagen sind auch nach Erteilung der Erlaubnis zulässig.

(3) Die Erlaubnis kann unter dem Vorbehalt des Widerrufs erteilt werden, wenn eine abschließende Beurteilung des Antrags noch nicht möglich ist.

(4) [1] Die Erlaubnis ist auf ein Jahr zu befristen. [2] Der Antrag auf Verlängerung der Erlaubnis ist spätestens drei Monate vor Ablauf des Jahres zu stellen. [3] Die Erlaubnis verlängert sich um ein weiteres Jahr, wenn die Erlaubnisbehörde die Verlängerung nicht vor Ablauf des Jahres ablehnt. [4] Im Fall der Ablehnung gilt die Erlaubnis für die Abwicklung der nach § 1 erlaubt abgeschlossenen Verträge als fortbestehend, jedoch nicht länger als zwölf Monate.

(5) [1] Die Erlaubnis kann unbefristet erteilt werden, wenn der Verleiher drei aufeinanderfolgende Jahre lang nach § 1 erlaubt tätig war. [2] Sie erlischt, wenn der Verleiher von der Erlaubnis drei Jahre lang keinen Gebrauch gemacht hat.

[§ 2 a bis 30. 9. 2021:]

§ 2 a[2] Gebühren und Auslagen. (1) Für die Bearbeitung von Anträgen auf Erteilung und Verlängerung der Erlaubnis werden vom Antragsteller Gebühren und Auslagen erhoben.

(2) [1] Die Bundesregierung wird ermächtigt, durch Rechtsverordnung die gebührenpflichtigen Tatbestände näher zu bestimmen und dabei feste Sätze und Rahmensätze vorzusehen. [2] Die Gebühr darf im Einzelfall 2 500 Euro nicht überschreiten.

§ 3[3] Versagung. (1) Die Erlaubnis oder ihre Verlängerung ist zu versagen, wenn Tatsachen die Annahme rechtfertigen, daß der Antragsteller

1. die für die Ausübung der Tätigkeit nach § 1 erforderliche Zuverlässigkeit nicht besitzt, insbesondere weil er die Vorschriften des Sozialversicherungsrechts, über die Einbehaltung und Abführung der Lohnsteuer, über die Arbeitsvermittlung, über die Anwerbung im Ausland oder über die Ausländerbeschäftigung, über die Überlassungshöchstdauer nach § 1 Absatz 1 b, die Vorschriften des Arbeitsschutzrechts oder die arbeitsrechtlichen Pflichten nicht einhält;
2. nach der Gestaltung seiner Betriebsorganisation nicht in der Lage ist, die üblichen Arbeitgeberpflichten ordnungsgemäß zu erfüllen;

---

1) § 2 Abs. 4 Satz 4, Abs. 5 Satz 2 geänd. durch G v. 24. 3. 1997 (BGBl. I S. 594).

2) § 2 a Abs. 2 Satz 3 geänd. mWv 1. 1. 2002 durch G v. 13. 12. 2001 (BGBl. I S. 3584); Überschr. neu gef., Abs. 1 geänd., Abs. 2 Satz 1 aufgeh., bish. Sätze 2 und 3 werden Sätze 1 und 2 mWv 15. 8. 2013 durch G v. 7. 8. 2013 (BGBl. I S. 3154); § 2 a **aufgeh. mWv 1. 10. 2021** durch G v. 18. 7. 2016 (BGBl. I S. 1666).

3) § 3 Abs. 1 Nrn. 1, 3 bis 6 geänd. durch G v. 24. 3. 1997 (BGBl. I S. 594); Abs. 1 Nr. 6 geänd. mWv 1. 1. 2002 durch G v. 10. 12. 2001 (BGBl. I S. 3443); Abs. 1 Nr. 3 neu gef., Nrn. 4 bis 6 *aufgeh. mWv 1. 1. 2003 durch* G v. 23. 12. 2002 (BGBl. I S. 4607); Abs. 1 Nr. 3 neu gef. mWv 30. 4. 2011 durch G v. 28. 4. 2011 (BGBl. I S. 642); Abs. 1 Nr. 1 geänd., Nr. 3 neu gef. mWv 1. 4. 2017 durch G v. 21. 2. 2017 (BGBl. I S. 258).

3. dem Leiharbeitnehmer die ihm nach § 8 zustehenden Arbeitsbedingungen einschließlich des Arbeitsentgelts nicht gewährt.

(2) Die Erlaubnis oder ihre Verlängerung ist ferner zu versagen, wenn für die Ausübung der Tätigkeit nach § 1 Betriebe, Betriebsteile oder Nebenbetriebe vorgesehen sind, die nicht in einem Mitgliedstaat der Europäischen Wirtschaftsgemeinschaft oder einem anderen Vertragsstaat des Abkommens über den Europäischen Wirtschaftsraum liegen.

(3) Die Erlaubnis kann versagt werden, wenn der Antragsteller nicht Deutscher im Sinne des Artikels 116 des Grundgesetzes[1)] ist oder wenn eine Gesellschaft oder juristische Person den Antrag stellt, die entweder nicht nach deutschem Recht gegründet ist oder die weder ihren satzungsmäßigen Sitz noch ihre Hauptverwaltung noch ihre Hauptniederlassung im Geltungsbereich dieses Gesetzes hat.

(4) [1] Staatsangehörige der Mitgliedstaaten der Europäischen Wirtschaftsgemeinschaft oder eines anderen Vertragsstaates des Abkommens über den Europäischen Wirtschaftsraum erhalten die Erlaubnis unter den gleichen Voraussetzungen wie deutsche Staatsangehörige. [2] Den Staatsangehörigen dieser Staaten stehen gleich Gesellschaften und juristische Personen, die nach den Rechtsvorschriften dieser Staaten gegründet sind und ihren satzungsgemäßen Sitz, ihre Hauptverwaltung oder ihre Hauptniederlassung innerhalb dieser Staaten haben. [3] Soweit diese Gesellschaften oder juristische Personen zwar ihren satzungsmäßigen Sitz, jedoch weder ihre Hauptverwaltung noch ihre Hauptniederlassung innerhalb dieser Staaten haben, gilt Satz 2 nur, wenn ihre Tätigkeit in tatsächlicher und dauerhafter Verbindung mit der Wirtschaft eines Mitgliedstaates oder eines Vertragsstaates des Abkommens über den Europäischen Wirtschaftsraum steht.

(5) [1] Staatsangehörige anderer als der in Absatz 4 genannten Staaten, die sich aufgrund eines internationalen Abkommens im Geltungsbereich dieses Gesetzes niederlassen und hierbei sowie bei ihrer Geschäftstätigkeit nicht weniger günstig behandelt werden dürfen als deutsche Staatsangehörige, erhalten die Erlaubnis unter den gleichen Voraussetzungen wie deutsche Staatsangehörige. [2] Den Staatsangehörigen nach Satz 1 stehen gleich Gesellschaften, die nach den Rechtsvorschriften des anderen Staates gegründet sind.

§ 3 a[2)] **Lohnuntergrenze.** (1) [1] Gewerkschaften und Vereinigungen von Arbeitgebern, die zumindest auch für ihre jeweiligen in der Arbeitnehmerüberlassung tätigen Mitglieder zuständig sind (vorschlagsberechtigte Tarifvertragsparteien) und bundesweit tarifliche Mindeststundenentgelte im Bereich der Arbeitnehmerüberlassung miteinander vereinbart haben, können dem Bundesministerium für Arbeit und Soziales gemeinsam vorschlagen, diese als Lohnuntergrenze in einer Rechtsverordnung verbindlich festzusetzen; die Mindeststundenentgelte können nach dem jeweiligen Beschäftigungsort differenzieren und auch Regelungen zur Fälligkeit entsprechender Ansprüche einschließlich hierzu vereinbarter Ausnahmen und deren Voraussetzungen umfassen. [2] Der Vorschlag muss für Verleihzeiten und verleihfreie Zeiten

---

1) Nr. **10**.

2) § 3 a eingef. mWv 30. 4. 2011 durch G v. 28. 4. 2011 (BGBl. I S. 642); Abs. 1 Satz 1, Abs. 2 Satz 1 geänd., Abs. 3 Satz 1 aufgeh., bish. Sätze 2 und 3 werden Sätze 1 und 2 mWv 16. 8. 2014 durch G v. 11. 8. 2014 (BGBl. I S. 1348).

einheitliche Mindeststundenentgelte sowie eine Laufzeit enthalten. [3] Der Vorschlag ist schriftlich zu begründen.

(2) [1] Das Bundesministerium für Arbeit und Soziales kann, wenn dies im öffentlichen Interesse geboten erscheint, in einer Rechtsverordnung ohne Zustimmung des Bundesrates bestimmen, dass die vorgeschlagenen tariflichen Mindeststundenentgelte nach Absatz 1 als verbindliche Lohnuntergrenze auf alle in den Geltungsbereich der Verordnung fallenden Arbeitgeber sowie Leiharbeitnehmer Anwendung findet. [2] Der Verordnungsgeber kann den Vorschlag nur inhaltlich unverändert in die Rechtsverordnung übernehmen.

(3) [1] Der Verordnungsgeber hat bei seiner Entscheidung nach Absatz 2 im Rahmen einer Gesamtabwägung neben den Zielen dieses Gesetzes zu prüfen, ob eine Rechtsverordnung nach Absatz 2 insbesondere geeignet ist, die finanzielle Stabilität der sozialen Sicherungssysteme zu gewährleisten. [2] Der Verordnungsgeber hat zu berücksichtigen

1. die bestehenden bundesweiten Tarifverträge in der Arbeitnehmerüberlassung und
2. die Repräsentativität der vorschlagenden Tarifvertragsparteien.

(4) [1] Liegen mehrere Vorschläge nach Absatz 1 vor, hat der Verordnungsgeber bei seiner Entscheidung nach Absatz 2 im Rahmen der nach Absatz 3 erforderlichen Gesamtabwägung die Repräsentativität der vorschlagenden Tarifvertragsparteien besonders zu berücksichtigen. [2] Bei der Feststellung der Repräsentativität ist vorrangig abzustellen auf

1. die Zahl der jeweils in den Geltungsbereich einer Rechtsverordnung nach Absatz 2 fallenden Arbeitnehmer, die bei Mitgliedern der vorschlagenden Arbeitgebervereinigung beschäftigt sind;
2. die Zahl der jeweils in den Geltungsbereich einer Rechtsverordnung nach Absatz 2 fallenden Mitglieder der vorschlagenden Gewerkschaften.

(5) [1] Vor Erlass ist ein Entwurf der Rechtsverordnung im Bundesanzeiger bekannt zu machen. [2] Das Bundesministerium für Arbeit und Soziales gibt Verleihern und Leiharbeitnehmern sowie den Gewerkschaften und Vereinigungen von Arbeitgebern, die im Geltungsbereich der Rechtsverordnung zumindest teilweise tarifzuständig sind, Gelegenheit zur schriftlichen Stellungnahme innerhalb von drei Wochen ab dem Tag der Bekanntmachung des Entwurfs der Rechtsverordnung im Bundesanzeiger. [3] Nach Ablauf der Stellungnahmefrist wird der in § 5 Absatz 1 Satz 1 des Tarifvertragsgesetzes[1)] genannte Ausschuss mit dem Vorschlag befasst.

(6) [1] Nach Absatz 1 vorschlagsberechtigte Tarifvertragsparteien können gemeinsam die Änderung einer nach Absatz 2 erlassenen Rechtsverordnung vorschlagen. [2] Die Absätze 1 bis 5 finden entsprechend Anwendung.

§ 4 Rücknahme. (1) [1] Eine rechtswidrige Erlaubnis kann mit Wirkung für die Zukunft zurückgenommen werden. [2] § 2 Abs. 4 Satz 4 gilt entsprechend.

(2) [1] Die Erlaubnisbehörde hat dem Verleiher auf Antrag den Vermögensnachteil auszugleichen, den dieser dadurch erleidet, daß er auf den Bestand der Erlaubnis vertraut hat, soweit sein Vertrauen unter Abwägung mit dem

---

1) Nr. **504**.

öffentlichen Interesse schutzwürdig ist. [2] Auf Vertrauen kann sich der Verleiher nicht berufen, wenn er

1. die Erlaubnis durch arglistige Täuschung, Drohung oder eine strafbare Handlung erwirkt hat;
2. die Erlaubnis durch Angaben erwirkt hat, die in wesentlicher Beziehung unrichtig oder unvollständig waren, oder
3. die Rechtswidrigkeit der Erlaubnis kannte oder infolge grober Fahrlässigkeit nicht kannte.

[3] Der Vermögensnachteil ist jedoch nicht über den Betrag des Interesses hinaus zu ersetzen, das der Verleiher an dem Bestand der Erlaubnis hat. [4] Der auszugleichende Vermögensnachteil wird durch die Erlaubnisbehörde festgesetzt. [5] Der Anspruch kann nur innerhalb eines Jahres geltend gemacht werden; die Frist beginnt, sobald die Erlaubnisbehörde den Verleiher auf sie hingewiesen hat.

(3) Die Rücknahme ist nur innerhalb eines Jahres seit dem Zeitpunkt zulässig, in dem die Erlaubnisbehörde von den Tatsachen Kenntnis erhalten hat, die die Rücknahme der Erlaubnis rechtfertigen.

§ 5 Widerruf. (1) Die Erlaubnis kann mit Wirkung für die Zukunft widerrufen werden, wenn

1. der Widerruf bei ihrer Erteilung nach § 2 Abs. 3 vorbehalten worden ist;
2. der Verleiher eine Auflage nach § 2 nicht innerhalb einer ihm gesetzten Frist erfüllt hat;
3. die Erlaubnisbehörde aufgrund nachträglich eingetretener Tatsachen berechtigt wäre, die Erlaubnis zu versagen, oder
4. die Erlaubnisbehörde aufgrund einer geänderten Rechtslage berechtigt wäre, die Erlaubnis zu versagen; § 4 Abs. 2 gilt entsprechend.

(2) [1] Die Erlaubnis wird mit dem Wirksamwerden des Widerrufs unwirksam. [2] § 2 Abs. 4 Satz 4 gilt entsprechend.

(3) Der Widerruf ist unzulässig, wenn eine Erlaubnis gleichen Inhalts erneut erteilt werden müßte.

(4) Der Widerruf ist nur innerhalb eines Jahres seit dem Zeitpunkt zulässig, in dem die Erlaubnisbehörde von den Tatsachen Kenntnis erhalten hat, die den Widerruf der Erlaubnis rechtfertigen.

§ 6 Verwaltungszwang. Werden Leiharbeitnehmer von einem Verleiher ohne die erforderliche Erlaubnis überlassen, so hat die Erlaubnisbehörde dem Verleiher dies zu untersagen und das weitere Überlassen nach den Vorschriften des Verwaltungsvollstreckungsgesetzes[1)] zu verhindern.

§ 7[2)] Anzeigen und Auskünfte. (1) [1] Der Verleiher hat der Erlaubnisbehörde nach Erteilung der Erlaubnis unaufgefordert die Verlegung, Schließung und Errichtung von Betrieben, Betriebsteilen oder Nebenbetrieben vorher anzuzeigen, soweit diese die Ausübung der Arbeitnehmerüberlassung zum Gegenstand haben. [2] Wenn die Erlaubnis Personengesamtheiten, rechtsfähigen Personengesellschaften oder juristischen Personen erteilt ist und nach ihrer Erteilung eine

---

[1)] **Sartorius Nr. 112.**
[2)] § 7 Abs. 1 Satz 2 geänd. mWv 1.1.2024 durch G v. 10.8.2021 (BGBl. I S. 3436).

andere Person zur Geschäftsführung oder Vertretung nach Gesetz, Satzung oder Gesellschaftsvertrag berufen wird, ist auch dies unaufgefordert anzuzeigen.

(2) [1] Der Verleiher hat der Erlaubnisbehörde auf Verlangen die Auskünfte zu erteilen, die zur Durchführung des Gesetzes erforderlich sind. [2] Die Auskünfte sind wahrheitsgemäß, vollständig, fristgemäß und unentgeltlich zu erteilen. [3] Auf Verlangen der Erlaubnisbehörde hat der Verleiher die geschäftlichen Unterlagen vorzulegen, aus denen sich die Richtigkeit seiner Angaben ergibt, oder seine Angaben auf sonstige Weise glaubhaft zu machen. [4] Der Verleiher hat seine Geschäftsunterlagen drei Jahre lang aufzubewahren.

(3) [1] In begründeten Einzelfällen sind die von der Erlaubnisbehörde beauftragten Personen befugt, Grundstücke und Geschäftsräume des Verleihers zu betreten und dort Prüfungen vorzunehmen. [2] Der Verleiher hat die Maßnahmen nach Satz 1 zu dulden. [3] Das Grundrecht der Unverletzlichkeit der Wohnung (Artikel 13 des Grundgesetzes[1)]) wird insoweit eingeschränkt.

(4) [1] Durchsuchungen können nur auf Anordnung des Richters bei dem Amtsgericht, in dessen Bezirk die Durchsuchung erfolgen soll, vorgenommen werden. [2] Auf die Anfechtung dieser Anordnung finden die §§ 304 bis 310 der Strafprozeßordnung[2)] entsprechende Anwendung. [3] Bei Gefahr im Verzuge können die von der Erlaubnisbehörde beauftragten Personen während der Geschäftszeit die erforderlichen Durchsuchungen ohne richterliche Anordnung vornehmen. [4] An Ort und Stelle ist eine Niederschrift über die Durchsuchung und ihr wesentliches Ergebnis aufzunehmen, aus der sich, falls keine richterliche Anordnung ergangen ist, auch die Tatsachen ergeben, die zur Annahme einer Gefahr im Verzuge geführt haben.

(5) Der Verleiher kann die Auskunft auf solche Fragen verweigern, deren Beantwortung ihn selbst oder einen der in § 383 Abs. 1 Nr. 1 bis 3 der Zivilprozeßordnung[3)] bezeichneten Angehörigen der Gefahr strafgerichtlicher Verfolgung oder eines Verfahrens nach dem Gesetz über Ordnungswidrigkeiten[4)] aussetzen würde.

§ 8[5)] Grundsatz der Gleichstellung. (1) [1] Der Verleiher ist verpflichtet, dem Leiharbeitnehmer für die Zeit der Überlassung an den Entleiher die im Betrieb des Entleihers für einen vergleichbaren Arbeitnehmer des Entleihers geltenden wesentlichen Arbeitsbedingungen einschließlich des Arbeitsentgelts zu gewähren (Gleichstellungsgrundsatz). [2] Erhält der Leiharbeitnehmer das für einen vergleichbaren Arbeitnehmer des Entleihers im Entleihbetrieb geschuldete tarifvertragliche Arbeitsentgelt oder in Ermangelung eines solchen ein für vergleichbare Arbeitnehmer in der Einsatzbranche geltendes tarifvertragliches Arbeitsentgelt, wird vermutet, dass der Leiharbeitnehmer hinsichtlich des Arbeitsentgelts im Sinne von Satz 1 gleichgestellt ist. [3] Werden im Betrieb des Entleihers Sachbezüge gewährt, kann ein Wertausgleich in Euro erfolgen.

(Fortsetzung nächstes Blatt)

---

1) **beck-online, Module Arbeitsrecht Nr. 10.**
2) **Habersack Nr. 90.**
3) **beck-online, Module Arbeitsrecht Nr. 320.**
4) **Habersack Nr. 94.**
5) § 8 neu gef. mWv 1.4.2017 durch G v. 21.2.2017 (BGBl. I S. 258).

(2) [1] Ein Tarifvertrag kann vom Gleichstellungsgrundsatz abweichen, soweit er nicht die in einer Rechtsverordnung nach § 3 a Absatz 2 festgesetzten Mindeststundenentgelte unterschreitet. [2] Soweit ein solcher Tarifvertrag vom Gleichstellungsgrundsatz abweicht, hat der Verleiher dem Leiharbeitnehmer die nach diesem Tarifvertrag geschuldeten Arbeitsbedingungen zu gewähren. [3] Im Geltungsbereich eines solchen Tarifvertrages können nicht tarifgebundene Arbeitgeber und Arbeitnehmer die Anwendung des Tarifvertrages vereinbaren. [4] Soweit ein solcher Tarifvertrag die in einer Rechtsverordnung nach § 3 a Absatz 2 festgesetzten Mindeststundenentgelte unterschreitet, hat der Verleiher dem Leiharbeitnehmer für jede Arbeitsstunde das im Betrieb des Entleihers für einen vergleichbaren Arbeitnehmer des Entleihers für eine Arbeitsstunde zu zahlende Arbeitsentgelt zu gewähren.

(3) Eine abweichende tarifliche Regelung im Sinne von Absatz 2 gilt nicht für Leiharbeitnehmer, die in den letzten sechs Monaten vor der Überlassung an den Entleiher aus einem Arbeitsverhältnis bei diesem oder einem Arbeitgeber, der mit dem Entleiher einen Konzern im Sinne des § 18 des Aktiengesetzes[1)] bildet, ausgeschieden sind.

(4) [1] Ein Tarifvertrag im Sinne des Absatzes 2 kann hinsichtlich des Arbeitsentgelts vom Gleichstellungsgrundsatz für die ersten neun Monate einer Überlassung an einen Entleiher abweichen. [2] Eine längere Abweichung durch Tarifvertrag ist nur zulässig, wenn

1. nach spätestens 15 Monaten einer Überlassung an einen Entleiher mindestens ein Arbeitsentgelt erreicht wird, das in dem Tarifvertrag als gleichwertig mit dem tarifvertraglichen Arbeitsentgelt vergleichbarer Arbeitnehmer in der Einsatzbranche festgelegt ist, und
2. nach einer Einarbeitungszeit von längstens sechs Wochen eine stufenweise Heranführung an dieses Arbeitsentgelt erfolgt.

[3] Im Geltungsbereich eines solchen Tarifvertrages können nicht tarifgebundene Arbeitgeber und Arbeitnehmer die Anwendung der tariflichen Regelungen vereinbaren. [4] Der Zeitraum vorheriger Überlassungen durch denselben oder einen anderen Verleiher an denselben Entleiher ist vollständig anzurechnen, wenn zwischen den Einsätzen jeweils nicht mehr als drei Monate liegen.

(5) Der Verleiher ist verpflichtet, dem Leiharbeitnehmer mindestens das in einer Rechtsverordnung nach § 3 a Absatz 2 für die Zeit der Überlassung und für Zeiten ohne Überlassung festgesetzte Mindeststundenentgelt zu zahlen.

§ 9[2)] Unwirksamkeit. (1) Unwirksam sind:

1. Verträge zwischen Verleihern und Entleihern sowie zwischen Verleihern und Leiharbeitnehmern, wenn der Verleiher nicht die nach § 1 erforderliche Erlaubnis hat; der Vertrag zwischen Verleiher und Leiharbeitnehmer wird nicht unwirksam, wenn der Leiharbeitnehmer schriftlich bis zum Ablauf eines Monats nach dem zwischen Verleiher und Entleiher für den

---

1) Nr. **567**.

2) § 9 Nrn. 2 und 3 geänd. durch G v. 24. 3. 1997 (BGBl. I S. 594); Nr. 2 neu gef., Nr. 3 aufgeh., bish. Nrn. 4 und 5 werden Nrn. 3 und 4 mWv 1. 1. 2003 durch G v. 23. 12. 2002 (BGBl. I S. 4607); Nr. 3 neu gef. mWv 1. 1. 2004 durch G v. 23. 12. 2003 (BGBl. I S. 2848); Nr. 2 neu gef., Nr. 2 a eingef., Nr. 4 geänd., Nr. 5 angef. mWv 30. 4. 2011 durch G v. 28. 4. 2011 (BGBl. I S. 642); Abs. 1 Nr. 1 und 2 neu gef., Nr. 1 a und 1 b eingef., Abs. 2 und 3 angef. mWv 1. 4. 2017 durch G v. 21. 2. 2017 (BGBl. I S. 258).

Beginn der Überlassung vorgesehenen Zeitpunkt gegenüber dem Verleiher oder dem Entleiher erklärt, dass er an dem Arbeitsvertrag mit dem Verleiher festhält; tritt die Unwirksamkeit erst nach Aufnahme der Tätigkeit beim Entleiher ein, so beginnt die Frist mit Eintritt der Unwirksamkeit,

1 a. Arbeitsverträge zwischen Verleihern und Leiharbeitnehmern, wenn entgegen § 1 Absatz 1 Satz 5 und 6 die Arbeitnehmerüberlassung nicht ausdrücklich als solche bezeichnet und die Person des Leiharbeitnehmers nicht konkretisiert worden ist, es sei denn, der Leiharbeitnehmer erklärt schriftlich bis zum Ablauf eines Monats nach dem zwischen Verleiher und Entleiher für den Beginn der Überlassung vorgesehenen Zeitpunkt gegenüber dem Verleiher oder dem Entleiher, dass er an dem Arbeitsvertrag mit dem Verleiher festhält,

1 b. Arbeitsverträge zwischen Verleihern und Leiharbeitnehmern mit dem Überschreiten der zulässigen Überlassungshöchstdauer nach § 1 Absatz 1 b, es sei denn, der Leiharbeitnehmer erklärt schriftlich bis zum Ablauf eines Monats nach Überschreiten der zulässigen Überlassungshöchstdauer gegenüber dem Verleiher oder dem Entleiher, dass er an dem Arbeitsvertrag mit dem Verleiher festhält,

2. Vereinbarungen, die für den Leiharbeitnehmer schlechtere als die ihm nach § 8 zustehenden Arbeitsbedingungen einschließlich des Arbeitsentgelts vorsehen,

2 a. Vereinbarungen, die den Zugang des Leiharbeitnehmers zu den Gemeinschaftseinrichtungen oder -diensten im Unternehmen des Entleihers entgegen § 13 b beschränken,

3. Vereinbarungen, die dem Entleiher untersagen, den Leiharbeitnehmer zu einem Zeitpunkt einzustellen, in dem dessen Arbeitsverhältnis zum Verleiher nicht mehr besteht; dies schließt die Vereinbarung einer angemessenen Vergütung zwischen Verleiher und Entleiher für die nach vorangegangenem Verleih oder mittels vorangegangenem Verleih erfolgte Vermittlung nicht aus,

4. Vereinbarungen, die dem Leiharbeitnehmer untersagen, mit dem Entleiher zu einem Zeitpunkt, in dem das Arbeitsverhältnis zwischen Verleiher und Leiharbeitnehmer nicht mehr besteht, ein Arbeitsverhältnis einzugehen,

5. Vereinbarungen, nach denen der Leiharbeitnehmer eine Vermittlungsvergütung an den Verleiher zu zahlen hat.

(2) Die Erklärung nach Absatz 1 Nummer 1, 1 a oder 1 b (Festhaltenserklärung) ist nur wirksam, wenn

1. der Leiharbeitnehmer diese vor ihrer Abgabe persönlich in einer Agentur für Arbeit vorlegt,
2. die Agentur für Arbeit die abzugebende Erklärung mit dem Datum des Tages der Vorlage und dem Hinweis versieht, dass sie die Identität des Leiharbeitnehmers festgestellt hat, und
3. die Erklärung spätestens am dritten Tag nach der Vorlage in der Agentur für Arbeit dem Ver- oder Entleiher zugeht.

(3) [1] Eine vor Beginn einer Frist nach Absatz 1 Nummer 1 bis 1 b abgegebene Festhaltenserklärung ist unwirksam. [2] Wird die Überlassung nach der

Festhaltenserklärung fortgeführt, gilt Absatz 1 Nummer 1 bis 1b. [3]Eine erneute Festhaltenserklärung ist unwirksam. [4]§ 28e Absatz 2 Satz 4 des Vierten Buches Sozialgesetzbuch[1)] gilt unbeschadet der Festhaltenserklärung.

§ 10[2)] Rechtsfolgen bei Unwirksamkeit. (1) [1]Ist der Vertrag zwischen einem Verleiher und einem Leiharbeitnehmer nach § 9 unwirksam, so gilt ein Arbeitsverhältnis zwischen Entleiher und Leiharbeitnehmer zu dem zwischen dem Entleiher und dem Verleiher für den Beginn der Tätigkeit vorgesehenen Zeitpunkt als zustande gekommen; tritt die Unwirksamkeit erst nach Aufnahme der Tätigkeit beim Entleiher ein, so gilt das Arbeitsverhältnis zwischen Entleiher und Leiharbeitnehmer mit dem Eintritt der Unwirksamkeit als zustande gekommen. [2]Das Arbeitsverhältnis nach Satz 1 gilt als befristet, wenn die Tätigkeit des Leiharbeitnehmers bei dem Entleiher nur befristet vorgesehen war und ein die Befristung des Arbeitsverhältnisses sachlich rechtfertigender Grund vorliegt. [3]Für das Arbeitsverhältnis nach Satz 1 gilt die zwischen dem Verleiher und dem Entleiher vorgesehene Arbeitszeit als vereinbart. [4]Im übrigen bestimmen sich Inhalt und Dauer dieses Arbeitsverhältnisses nach den für den Betrieb des Entleihers geltenden Vorschriften und sonstigen Regelungen; sind solche nicht vorhanden, gelten diejenigen vergleichbarer Betriebe. [5]Der Leiharbeitnehmer hat gegen den Entleiher mindestens Anspruch auf das mit dem Verleiher vereinbarte Arbeitsentgelt.

(2) [1]Der Leiharbeitnehmer kann im Falle der Unwirksamkeit seines Vertrages mit dem Verleiher nach § 9 von diesem Ersatz des Schadens verlangen, den er dadurch erleidet, daß er auf die Gültigkeit des Vertrages vertraut. [2]Die Ersatzpflicht tritt nicht ein, wenn der Leiharbeitnehmer den Grund der Unwirksamkeit kannte.

(3) [1]Zahlt der Verleiher das vereinbarte Arbeitsentgelt oder Teile des Arbeitsentgelts an den Leiharbeitnehmer, obwohl der Vertrag nach § 9 unwirksam ist, so hat er auch sonstige Teile des Arbeitsentgelts, die bei einem wirksamen Arbeitsvertrag für den Leiharbeitnehmer an einen anderen zu zahlen wären, an den anderen zu zahlen. [2]Hinsichtlich dieser Zahlungspflicht gilt der Verleiher neben dem Entleiher als Arbeitgeber; beide haften insoweit als Gesamtschuldner.

§ 10a[3)] Rechtsfolgen bei Überlassung durch eine andere Person als den Arbeitgeber. Werden Arbeitnehmer entgegen § 1 Absatz 1 Satz 3 von einer anderen Person überlassen und verstößt diese Person hierbei gegen § 1 Absatz 1 Satz 1, 5 und 6 oder Absatz 1b, gelten für das Arbeitsverhältnis des Leiharbeitnehmers § 9 Absatz 1 Nummer 1 bis 1b und § 10 entsprechend.

§ 11[4)] Sonstige Vorschriften über das Leiharbeitsverhältnis. (1) [1]Der Nachweis der wesentlichen Vertragsbedingungen des Leiharbeitsverhältnisses

---

1) Nr. *694*.

2) § 10 Abs. 5 angef. mWv 1.1.2002 durch G v. 10.12.2001 (BGBl. I S. 3443); Abs. 2 geänd., Abs. 4 neu gef., Abs. 5 aufgeh. mWv 1.1.2003 durch G v. 23.12.2002 (BGBl. I S. 4607); Überschrift geänd., Abs. 4 neu gef., Abs. 5 angef. mWv 30.4.2011 durch G v. 28.4.2011 (BGBl. I S. 642); Überschrift, Abs. 1 Satz 1, Abs. 2 Satz 1, Abs. 3 Satz 1 geänd., Abs. 4 und 5 aufgeh. mWv 1.4.2017 durch G v. 21.2.2017 (BGBl. I S. 258).

3) § 10a eingef. mWv 1.4.2017 durch G v. 21.2.2017 (BGBl. I S. 258).

4) § 11 Abs. 1 Satz 2 Nr. 3 geänd, Nr. 6 neu gef. Nrn. 9 bis 12 angef., Satz 5 geänd., Satz 6 angef. durch G v. 20.7.1995 (BGBl. I S. 946); Abs. 1 Satz 2 Nr. 3 geänd., Abs. 6 Satz 2 und 3 angef. durch G v. 7.8.1996 (BGBl. I S. 1246); Abs. 1 Satz 2 Nr. 3 geänd. durch G v. 29.6.1998 (BGBl. I S. 1694); →

richtet sich nach den Bestimmungen des Nachweisgesetzes[1]. [2]Zusätzlich zu den in § 2 Abs. 1 des Nachweisgesetzes genannten Angaben sind in die Niederschrift aufzunehmen:

1. Firma und Anschrift des Verleihers, die Erlaubnisbehörde sowie Ort und Datum der Erteilung der Erlaubnis nach § 1,
2. Art und Höhe der Leistungen für Zeiten, in denen der Leiharbeitnehmer nicht verliehen ist.

(2) [1]Der Verleiher ist ferner verpflichtet, dem Leiharbeitnehmer bei Vertragsschluß ein Merkblatt der Erlaubnisbehörde über den wesentlichen Inhalt dieses Gesetzes auszuhändigen. [2]Nichtdeutsche Leiharbeitnehmer erhalten das Merkblatt und den Nachweis nach Absatz 1 auf Verlangen in ihrer Muttersprache. [3]Die Kosten des Merkblatts trägt der Verleiher. [4]Der Verleiher hat den Leiharbeitnehmer vor jeder Überlassung darüber zu informieren, dass er als Leiharbeitnehmer tätig wird, und ihm die Firma und Anschrift des Entleihers, dem er überlassen wird, in Textform mitzuteilen.

(3) [1]Der Verleiher hat den Leiharbeitnehmer unverzüglich über den Zeitpunkt des Wegfalls der Erlaubnis zu unterrichten. [2]In den Fällen der Nichtverlängerung (§ 2 Abs. 4 Satz 3), der Rücknahme (§ 4) oder des Widerrufs (§ 5) hat er ihn ferner auf das voraussichtliche Ende der Abwicklung (§ 2 Abs. 4 Satz 4) und die gesetzliche Abwicklungsfrist (§ 2 Abs. 4 Satz 4 letzter Halbsatz) hinzuweisen.

(4) [1]§ 622 Abs. 5 Nr. 1 des Bürgerlichen Gesetzbuchs[2] ist nicht auf Arbeitsverhältnisse zwischen Verleihern und Leiharbeitnehmern anzuwenden. [2]Das Recht des Leiharbeitnehmers auf Vergütung bei Annahmeverzug des Verleihers (§ 615 Satz 1 des Bürgerlichen Gesetzbuchs[2]) kann nicht durch Vertrag aufgehoben oder beschränkt werden; § 615 Satz 2 des Bürgerlichen Gesetzbuchs[2] bleibt unberührt. [3]Das Recht des Leiharbeitnehmers auf Vergütung kann durch Vereinbarung von Kurzarbeit für den Arbeitsausfall und für die Dauer aufgehoben werden, für die dem Leiharbeitnehmer Kurzarbeitergeld nach dem Dritten Buch Sozialgesetzbuch[3] gezahlt wird; eine solche Vereinbarung kann das Recht des Leiharbeitnehmers auf Vergütung bis längstens zum Ablauf des 30. Juni 2022 ausschließen.

(5) [1]Der Entleiher darf Leiharbeitnehmer nicht tätig werden lassen, wenn sein Betrieb unmittelbar durch einen Arbeitskampf betroffen ist. [2]Satz 1 gilt nicht, wenn der Entleiher sicherstellt, dass Leiharbeitnehmer keine Tätigkeiten übernehmen, die bisher von Arbeitnehmern erledigt wurden, die

1. sich im Arbeitskampf befinden oder

(Fortsetzung der Anm. von voriger Seite)
Abs. 1 Satz 1 geänd. mWv 1.8.2002 durch G v. 23.7.2002 (BGBl. I S. 2787); Abs. 1 neu gef., Abs. 2 Satz 2 geänd. mWv 1.1.2003 durch G v. 23.12.2002 (BGBl. I S. 4607); Abs. 4 Satz 3 angef. mWv 1.2.2009 und aufgeh. mWv 1.1.2011 durch G v. 2.3.2009 (BGBl. I S. 416); Abs. 4 Satz 3 angef. mWv 1.1.2011 durch G v. 24.10.2010 (BGBl. I S. 1417, ber. S. 2329); Abs. 4 Satz 3 geänd. mWv 28.12.2011 durch G v. 20.12.2011 (BGBl. I S. 2854); Abs. 2 Satz 4 angef., Abs. 5 neu gef. mWv 1.4.2017 durch G v. 21.2.2017 (BGBl. I S. 258); Abs. 4 Satz 3 aufgeh. mWv 15.3.2020 durch G v. 13.3.2020 (BGBl. I S. 493); Abs. 4 Satz 3 angef. mWv 1.4.2022 durch G v. 18.3.2022 (BGBl. I S. 466); Abs. 2 Satz 4 geänd. mWv 1.8.2022 durch G v. 20.7.2022 (BGBl. I S. 1174).

[1] *Nr.* ***90***.
[2] Nr. **50**.
[3] Nr. **700**.

2. ihrerseits Tätigkeiten von Arbeitnehmern, die sich im Arbeitskampf befinden, übernommen haben.

[3]Der Leiharbeitnehmer ist nicht verpflichtet, bei einem Entleiher tätig zu sein, soweit dieser durch einen Arbeitskampf unmittelbar betroffen ist. [4] In den Fällen eines Arbeitskampfes hat der Verleiher den Leiharbeitnehmer auf das Recht, die Arbeitsleistung zu verweigern, hinzuweisen.

(6) [1] Die Tätigkeit des Leiharbeitnehmers bei dem Entleiher unterliegt den für den Betrieb des Entleihers geltenden öffentlich-rechtlichen Vorschriften des Arbeitsschutzrechts; die hieraus sich ergebenden Pflichten für den Arbeitgeber obliegen dem Entleiher unbeschadet der Pflichten des Verleihers. [2] Insbesondere hat der Entleiher den Leiharbeitnehmer vor Beginn der Beschäftigung und bei Veränderungen in seinem Arbeitsbereich über Gefahren für Sicherheit und Gesundheit, denen er bei der Arbeit ausgesetzt sein kann, sowie über die Maßnahmen und Einrichtungen zur Abwendung dieser Gefahren zu unterrichten. [3]Der Entleiher hat den Leiharbeitnehmer zusätzlich über die Notwendigkeit besonderer Qualifikationen oder beruflicher Fähigkeiten oder einer besonderen ärztlichen Überwachung sowie über erhöhte besondere Gefahren des Arbeitsplatzes zu unterrichten.

(7) Hat der Leiharbeitnehmer während der Dauer der Tätigkeit bei dem Entleiher eine Erfindung oder einen technischen Verbesserungsvorschlag gemacht, so gilt der Entleiher als Arbeitgeber im Sinne des Gesetzes über Arbeitnehmererfindungen.

§ 11a[1)] Verordnungsermächtigung. [1] Die Bundesregierung wird ermächtigt, durch Rechtsverordnung ohne Zustimmung des Bundesrates zu bestimmen, dass das in § 11 Absatz 4 Satz 2 geregelte Recht des Leiharbeitnehmers auf Vergütung bei Vereinbarung von Kurzarbeit für den Arbeitsausfall und für die Dauer aufgehoben ist, für die dem Leiharbeitnehmer Kurzarbeitergeld nach dem Dritten Buch Sozialgesetzbuch gezahlt wird. [2]Die Verordnung ist zeitlich zu befristen. [3] Die Ermächtigung tritt mit Ablauf des 30. Juni 2023 außer Kraft.

§ 12[2)] Rechtsbeziehungen zwischen Verleiher und Entleiher. (1) [1] Der Vertrag zwischen dem Verleiher und dem Entleiher bedarf der Textform. [2] Wenn der Vertrag und seine tatsächliche Durchführung einander widersprechen, ist für die rechtliche Einordnung des Vertrages die tatsächliche Durchführung maßgebend. [3] In dem Vertrag hat der Verleiher zu erklären, ob er die Erlaubnis nach § 1 besitzt. [4]Der Entleiher hat in dem Vertrag anzugeben, welche besonderen Merkmale die für den Leiharbeitnehmer vorgesehene Tätigkeit hat und welche berufliche Qualifikation dafür erforderlich ist sowie welche im Betrieb des Entleihers für einen vergleichbaren Arbeitnehmer des Entleihers wesentlichen Arbeitsbedingungen einschließlich des Arbeitsentgelts gelten; Letzteres gilt nicht, soweit die Voraussetzungen der in § 8 Absatz 2 und 4 Satz 2 genannten Ausnahme vorliegen.

[1)] § 11a neu gef. mWv 1.10.2022 durch G v. 19.10.2022 (BGBl. I S. 1790).

[2)] § 12 Abs. 1 Satz 3 angef. mWv 21.8.1996 durch G v. 7.8.1996 (BGBl. I S. 1246); Abs. 1 Satz 3 geänd., Abs. 3 aufgeh. mWv 1.1.2003 durch G v. 23.12.2002 (BGBl. I S. 4607); Abs. 1 Satz 3 zweiter Halbs. angef. mWv 1.1.2004 durch G v. 23.12.2003 (BGBl. I S. 2848); Abs. 1 Satz 3 zweiter Halbs. geänd. mWv 1.12.2011 durch G v. 28.4.2011 (BGBl. I S. 642); Abs. 1 Satz 2 eingef., bish. Sätze 2 und 3 werden Sätze 3 und 4, neuer Satz 4 geänd. mWv 1.4.2017 durch G v. 21.2.2017 (BGBl. I S. 258); Abs. 1 Sätze 1, 3 und 4 geänd. mWv 1.1.2025 durch G v. 23.10.2024 (BGBl. 2024 I Nr. 323).

(2) [1]Der Verleiher hat den Entleiher unverzüglich über den Zeitpunkt des Wegfalls der Erlaubnis zu unterrichten. [2]In den Fällen der Nichtverlängerung (§ 2 Abs. 4 Satz 3), der Rücknahme (§ 4) oder des Widerrufs (§ 5) hat er ihn ferner auf das voraussichtliche Ende der Abwicklung (§ 2 Abs. 4 Satz 4) und die gesetzliche Abwicklungsfrist (§ 2 Abs. 4 Satz 4 letzter Halbsatz) hinzuweisen.

§ 13[1)] Auskunftsanspruch des Leiharbeitnehmers. Der Leiharbeitnehmer kann im Falle der Überlassung von seinem Entleiher Auskunft über die im Betrieb des Entleihers für einen vergleichbaren Arbeitnehmer des Entleihers geltenden wesentlichen Arbeitsbedingungen einschließlich des Arbeitsentgelts verlangen; dies gilt nicht, soweit die Voraussetzungen der in § 8 Absatz 2 und 4 Satz 2 genannten Ausnahme vorliegen.

§ 13a[2)] Informationspflicht des Entleihers über freie Arbeitsplätze und Übernahmegesuch des Leiharbeitnehmers. (1) [1]Der Entleiher hat den Leiharbeitnehmer über Arbeitsplätze des Entleihers, die besetzt werden sollen, zu informieren. [2]Die Information kann durch allgemeine Bekanntgabe an geeigneter, dem Leiharbeitnehmer zugänglicher Stelle im Betrieb und Unternehmen des Entleihers erfolgen.

(2) [1]Der Entleiher hat einem Leiharbeitnehmer, der ihm seit mindestens sechs Monaten überlassen ist und der ihm in Textform den Wunsch nach dem Abschluss eines Arbeitsvertrages angezeigt hat, innerhalb eines Monats nach Zugang der Anzeige eine begründete Antwort in Textform mitzuteilen. [2]Satz 1 gilt nicht, sofern der Leiharbeitnehmer dem Entleiher diesen Wunsch in den letzten zwölf Monaten bereits einmal angezeigt hat. [3]Für die Bestimmung der Dauer der Überlassung nach Satz 1 gilt § 1 Absatz 1b Satz 2 entsprechend.

§ 13b[3)] Zugang des Leiharbeitnehmers zu Gemeinschaftseinrichtungen oder -diensten. [1]Der Entleiher hat dem Leiharbeitnehmer Zugang zu den Gemeinschaftseinrichtungen oder -diensten im Unternehmen unter den gleichen Bedingungen zu gewähren wie vergleichbaren Arbeitnehmern in dem Betrieb, in dem der Leiharbeitnehmer seine Arbeitsleistung erbringt, es sei denn, eine unterschiedliche Behandlung ist aus sachlichen Gründen gerechtfertigt. [2]Gemeinschaftseinrichtungen oder -dienste im Sinne des Satzes 1 sind insbesondere Kinderbetreuungseinrichtungen, Gemeinschaftsverpflegung und Beförderungsmittel.

§ 14[4)] Mitwirkungs- und Mitbestimmungsrechte. (1) Leiharbeitnehmer bleiben auch während der Zeit ihrer Arbeitsleistung bei einem Entleiher Angehörige des entsendenden Betriebs des Verleihers.

[1)] § 13 eingef. mWv 1.1.2003 durch G v. 23.12.2002 (BGBl. I S. 4607); zweiter Halbs. angef. mWv 1.1.2004 durch G v. 23.12.2003 (BGBl. I S. 2848); zweiter Halbs. geänd. mWv 1.12.2011 durch G v. 28.4.2011 (BGBl. I S. 642); zweiter Halbs. geänd. mWv 1.4.2017 durch G v. 21.2.2017 (BGBl. I S. 258).

[2)] § 13a eingef. mWv 1.12.2011 durch G v. 28.4.2011 (BGBl. I S. 642); Überschrift neu gef., Abs. 2 angef. mWv 1.8.2022 durch G v. 20.7.2022 (BGBl. I S. 1174).

[3)] § 13b eingef. mWv 1.12.2011 durch G v. 28.4.2011 (BGBl. I S. 642).

[4)] § 14 Abs. 2 Satz 1 geänd. mWv 28.7.2001 durch G v. 23.7.2001 (BGBl. I S. 1852); Überschrift, Abs. 2 Satz 1 geänd. mWv 1.1.2002 durch G v. 10.12.2001 (BGBl. I S. 3443); Abs. 2 Sätze 4–6 angef. mWv 1.4.2017 durch G v. 21.2.2017 (BGBl. I S. 258); Abs. 3 Satz 2 geänd. mWv 1.3.2020 durch G v. 15.8.2019 (BGBl. I S. 1307); Abs. 2 Satz 5 geänd. mWv 31.1.2023 durch G v. 4.1.2023 (BGBl. 2023 I Nr. 10); Abs. 3 Satz 2 geänd. mWv 1.1.2025 durch G v. 23.10.2024 (BGBl. 2024 I Nr. 323).

(2) [1] Leiharbeitnehmer sind bei der Wahl der Arbeitnehmervertreter in den Aufsichtsrat im Entleiherunternehmen und bei der Wahl der betriebsverfassungsrechtlichen Arbeitnehmervertretungen im Entleiherbetrieb nicht wählbar. [2] Sie sind berechtigt, die Sprechstunden dieser Arbeitnehmervertretungen aufzusuchen und an den Betriebs- und Jugendversammlungen im Entleiherbetrieb teilzunehmen. [3] Die §§ 81, 82 Abs. 1 und die §§ 84 bis 86 des Betriebsverfassungsgesetzes[1)] gelten im Entleiherbetrieb auch in bezug auf die dort tätigen Leiharbeitnehmer. [4] Soweit Bestimmungen des Betriebsverfassungsgesetzes mit Ausnahme des § 112a, des Europäische Betriebsräte-Gesetzes[2)] oder der auf Grund der jeweiligen Gesetze erlassenen Wahlordnungen eine bestimmte Anzahl oder einen bestimmten Anteil von Arbeitnehmern voraussetzen, sind Leiharbeitnehmer auch im Entleiherbetrieb zu berücksichtigen. [5] Soweit Bestimmungen des Mitbestimmungsgesetzes[3)], des Montan-Mitbestimmungsgesetzes[4)], des Mitbestimmungsergänzungsgesetzes[5)], des Drittelbeteiligungsgesetzes[6)], des Gesetzes über die Mitbestimmung der Arbeitnehmer bei einer grenzüberschreitenden Verschmelzung[7)], des Gesetzes über die Mitbestimmung der Arbeitnehmer bei grenzüberschreitendem Formwechsel und grenzüberschreitender Spaltung[8)], des SE-[9)] und des SCE-Beteiligungsgesetzes[10)] oder der auf Grund der jeweiligen Gesetze erlassenen Wahlordnungen eine bestimmte Anzahl oder einen bestimmten Anteil von Arbeitnehmern voraussetzen, sind Leiharbeitnehmer auch im Entleiherunternehmen zu berücksichtigen. [6] Soweit die Anwendung der in Satz 5 genannten Gesetze eine bestimmte Anzahl oder einen bestimmten Anteil von Arbeitnehmern erfordert, sind Leiharbeitnehmer im Entleiherunternehmen nur zu berücksichtigen, wenn die Einsatzdauer sechs Monate übersteigt.

(3) [1] Vor der Übernahme eines Leiharbeitnehmers zur Arbeitsleistung ist der Betriebsrat des Entleiherbetriebs nach § 99 des Betriebsverfassungsgesetzes zu beteiligen. [2] Dabei hat der Entleiher dem Betriebsrat auch die Erklärung des Verleihers nach § 12 Absatz 1 Satz 3 vorzulegen. [3] Er ist ferner verpflichtet, Mitteilungen des Verleihers nach § 12 Abs. 2 unverzüglich dem Betriebsrat bekanntzugeben.

(4) Die Absätze 1 und 2 Satz 1 und 2 sowie Absatz 3 gelten für die Anwendung des Bundespersonalvertretungsgesetzes[11)] sinngemäß.

§ 15[12)] Ausländische Leiharbeitnehmer ohne Genehmigung. (1) Wer als Verleiher einen Ausländer, der einen erforderlichen Aufenthaltstitel nach § 4a Absatz 5 Satz 1 des Aufenthaltsgesetzes[13)], eine Erlaubnis oder Berechtigung

---

[1)] Nr. **570**.
[2)] Nr. **575**.
[3)] Nr. **560**.
[4)] Nr. **561**.
[5)] Nr. **562**.
[6)] Nr. **564**.
[7)] Nr. **568a**.
[8)] Nr. **568b**.
[9)] Nr. **569a**.
[10)] **beck-online, Module Arbeitsrecht Nr. 569b.**
[11)] Nr. **572**.
[12)] § 15 Überschrift neu gef., Abs. 1 geänd. mWv 1.1.1998 durch G v. 24.3.1997 (BGBl. I S. 594); Abs. 1 geänd. mWv 1.1.2005 durch G v. 30.7.2004 (BGBl. I S. 1950); Abs. 1 geänd. mWv 1.3.2020 durch G v. 15.8.2019 (BGBl. I S. 1307).
[13)] Nr. **760**.

nach § 4a Absatz 5 Satz 2 in Verbindung mit Absatz 4 des Aufenthaltsgesetzes[1], eine Aufenthaltsgestattung oder eine Duldung, die zur Ausübung der Beschäftigung berechtigen, oder eine Genehmigung nach § 284 Abs. 1 des Dritten Buches Sozialgesetzbuch[2] nicht besitzt, entgegen § 1 einem Dritten ohne Erlaubnis überläßt, wird mit Freiheitsstrafe bis zu drei Jahren oder mit Geldstrafe bestraft.

(2) [1] In besonders schweren Fällen ist die Strafe Freiheitsstrafe von sechs Monaten bis zu fünf Jahren. [2] Ein besonders schwerer Fall liegt in der Regel vor, wenn der Täter gewerbsmäßig oder aus grobem Eigennutz handelt.

§ 15a[3] Entleih von Ausländern ohne Genehmigung. (1) [1] Wer als Entleiher einen ihm überlassenen Ausländer, der einen erforderlichen Aufenthaltstitel nach § 4a Absatz 5 Satz 1 des Aufenthaltsgesetzes[1], eine Erlaubnis oder Berechtigung nach § 4a Absatz 5 Satz 2 in Verbindung mit Absatz 4 des Aufenthaltsgesetzes[1], eine Aufenthaltsgestattung oder eine Duldung, die zur Ausübung der Beschäftigung berechtigen, oder eine Genehmigung nach § 284 Abs. 1 des Dritten Buches Sozialgesetzbuch[2] nicht besitzt, zu Arbeitsbedingungen des Leiharbeitsverhältnisses tätig werden läßt, die in einem auffälligen Mißverhältnis zu den Arbeitsbedingungen deutscher Leiharbeitnehmer stehen, die die gleiche oder eine vergleichbare Tätigkeit ausüben, wird mit Freiheitsstrafe bis zu drei Jahren oder mit Geldstrafe bestraft. [2] In besonders schweren Fällen ist die Strafe Freiheitsstrafe von sechs Monaten bis zu fünf Jahren; ein besonders schwerer Fall liegt in der Regel vor, wenn der Täter gewerbsmäßig oder aus grobem Eigennutz handelt.

(2) [1] Wer als Entleiher

1. gleichzeitig mehr als fünf Ausländer, die einen erforderlichen Aufenthaltstitel nach § 4a Absatz 5 Satz 1 des Aufenthaltsgesetzes[1], eine Erlaubnis oder Berechtigung nach § 4a Absatz 5 Satz 2 in Verbindung mit Absatz 4 des Aufenthaltsgesetzes[1], eine Aufenthaltsgestattung oder eine Duldung, die zur Ausübung der Beschäftigung berechtigen, oder eine Genehmigung nach § 284 Abs. 1 des Dritten Buches Sozialgesetzbuch nicht besitzen, tätig werden läßt oder
2. eine in § 16 Abs. 1 Nr. 2 bezeichnete vorsätzliche Zuwiderhandlung beharrlich wiederholt,

wird mit Freiheitsstrafe bis zu einem Jahr oder mit Geldstrafe bestraft. [2] Handelt der Täter aus grobem Eigennutz, ist die Strafe Freiheitsstrafe bis zu drei Jahren oder Geldstrafe.

§ 16[4] Ordnungswidrigkeiten. (1) Ordnungswidrig handelt, wer vorsätzlich oder fahrlässig

---

[1] Nr. **760**.

[2] Nr. **700**.

[3] § 15a Überschrift neu gef., Abs. 1 Satz 1, Abs. 2 Satz 1 Nr. 1 geänd. mWv 1.1.1998 durch G v. 24.3.1997 (BGBl. I S. 594); Abs. 2 Nr. 1 geänd. mWv 1.8.2002 durch G v. 23.7.2002 (BGBl. I S. 2787); Abs. 1 Satz 1, Abs. 2 Nr. 1 geänd. mWv 1.1.2005 durch G v. 30.7.2004 (BGBl. I S. 1950); Abs. 1 Satz 1, Abs. 2 Satz 1 Nr. 1 geänd. mWv 1.3.2020 durch G v. 15.8.2019 (BGBl. I S. 1307).

[4] § 16 Abs. 1 Nr. 8 und 9 geänd. mWv 1.4.1997, Abs. 1 Nr. 1b eingef., Nr. 2 und Abs. 2 geänd. mWv 1.1.1998 durch G v. 24.3.1997 (BGBl. I S. 594); Abs. 1 Nr. 1b, Abs. 2 geänd. mWv *1.1.1998durch G v. 16.12.1997* (BGBl. I S. 2970); Abs. 2 geänd. mWv 1.1.2002 durch G v. 21.12.2000 (BGBl. I S. 1983); Abs. 1 Nr. 7a eingef., Abs. 1 Nr. 9, Abs. 2 geänd. mWv 1.1.2002 durch G v. 10.12.2001 (BGBl. I S. 3443); Abs. 2 geänd. mWv 1.8.2002 durch G v. 23.7.2002 (BGBl. I S. 2787); →

1. entgegen § 1 einen Leiharbeitnehmer einem Dritten ohne Erlaubnis überläßt,
1a. einen ihm von einem Verleiher ohne Erlaubnis überlassenen Leiharbeitnehmer tätig werden läßt,
1b. entgegen § 1 Absatz 1 Satz 3 einen Arbeitnehmer überlässt oder tätig werden lässt,
1c. entgegen § 1 Absatz 1 Satz 5 eine dort genannte Überlassung nicht, nicht richtig oder nicht rechtzeitig bezeichnet,
1d. entgegen § 1 Absatz 1 Satz 6 die Person nicht, nicht richtig oder nicht rechtzeitig konkretisiert,
1e. entgegen § 1 Absatz 1b Satz 1 einen Leiharbeitnehmer überlässt,
1f. entgegen § 1b Satz 1 Arbeitnehmer überläßt oder tätig werden läßt,
2. einen ihm überlassenen ausländischen Leiharbeitnehmer, der einen erforderlichen Aufenthaltstitel nach § 4a Absatz 5 Satz 1 des Aufenthaltsgesetzes[1)], eine Erlaubnis oder Berechtigung nach § 4a Absatz 5 Satz 2 in Verbindung mit Absatz 4 des Aufenthaltsgesetzes[1)], eine Aufenthaltsgestattung oder eine Duldung, die zur Ausübung der Beschäftigung berechtigen, oder eine Genehmigung nach § 284 Abs. 1 des Dritten Buches Sozialgesetzbuch[2)] nicht besitzt, tätig werden läßt,
2a. eine Anzeige nach § 1a nicht richtig, nicht vollständig oder nicht rechtzeitig erstattet,
3. einer Auflage nach § 2 Abs. 2 nicht, nicht vollständig oder nicht rechtzeitig nachkommt,
4. eine Anzeige nach § 7 Abs. 1 nicht, nicht richtig, nicht vollständig oder nicht rechtzeitig erstattet,
5. eine Auskunft nach § 7 Abs. 2 Satz 1 nicht, nicht richtig, nicht vollständig oder nicht rechtzeitig erteilt,
6. seiner Aufbewahrungspflicht nach § 7 Abs. 2 Satz 4 nicht nachkommt,
6a. entgegen § 7 Abs. 3 Satz 2 eine dort genannte Maßnahme nicht duldet,
7. *(aufgehoben)*
7a. entgegen § 8 Absatz 1 Satz 1 oder Absatz 2 Satz 2 oder 4 eine Arbeitsbedingung nicht gewährt,

---

(Fortsetzung der Anm. von voriger Seite)
Abs. 1 Nrn. 7a und 9 aufgeh., Nr. 8 und Abs. 2 geänd. mWv 1.1.2003 durch G v. 23.12.2002 (BGBl. I S. 4607); Abs. 1 Nr. 6 geänd., Nr. 6a eingef., Abs. 3 neu gef. mWv 1.1.2004 durch G v. 23.12.2003 (BGBl. I S. 2848); Abs. 1 Nr. 2 geänd. mWv 1.1.2005 durch G v. 30.7.2004 (BGBl. I S. 1950); Abs. 1 Nr. 1b geänd., Nr. 7a und 9 neu gef., Nr. 10 angef., Abs. 2 und 3 geänd. mWv 1.12.2011 durch G v. 28.4.2011 (BGBl. I S. 642); Abs. 1 Nr. 7b eingef., Nr. 9 und 10 geänd., Nr. 11–18 angef., Abs. 2 und 3 geänd. mWv 30.7.2011 durch G v. 20.7.2011 (BGBl. I S. 1506); Abs. 1 Nr. 7b geänd., Nr. 17 neu gef. mWv 16.8.2014 durch G v. 11.8.2014 (BGBl. I S. 1348); Abs. 1 Nr. 1b–1e eingef., bish. Nr. 1b wird 1f, Nr. 7 aufgeh., Nr. 7a und 7b geänd., Nr. 8a eingef., Abs. 2 geänd., Abs. 3 neu gef. mWv 1.4. 2017 durch G v. 21.2.2017 (BGBl. I S. 258); Abs. 1 Nr. 11–13 geänd. mWv 18.7.2019 durch G v. 11.7.2019 (BGBl. I S. 1066); Abs. 1 Nr. 2 geänd. mWv 1.3.2020 durch G v. 15.8.2019 (BGBl. I S. 1307); Abs. 1 Nr. 9 und Abs. 2 geänd. mWv 1.8.2022 durch G v. 20.7.2022 (BGBl. I S. 1174); Abs. 1 Nr. 16 aufgeh., bish. Nr. 17 und 18 werden Nr. 16 und 17, Abs. 2 und 3 geänd. mWv 1.7. 2023 durch G v. 28.6.2023 (BGBl. 2023 I Nr. 172); Abs. 1 Nr. 11 und 12 geänd., Nr. 13–15 eingef., bish. Nr. 13 aufgeh., bish. Nr. 14–17 werden Nr. 16–19, Abs. 2 neu gef., Abs. 3 geänd. mWv 30.12. 2025 durch G v. 22.12.2025 (BGBl. 2025 I Nr. 369).

[1)] Nr. **760**.
[2)] Nr. **700**.

7b. entgegen § 8 Absatz 5 in Verbindung mit einer Rechtsverordnung nach § 3a Absatz 2 Satz 1 das dort genannte Mindeststundenentgelt nicht oder nicht rechtzeitig zahlt,
8. einer Pflicht nach § 11 Abs. 1 oder Absatz 2 nicht nachkommt,
8a. entgegen § 11 Absatz 5 Satz 1 einen Leiharbeitnehmer tätig werden lässt,
9. entgegen § 13a Absatz 1 Satz 1 den Leiharbeitnehmer nicht, nicht richtig oder nicht vollständig informiert,
10. entgegen § 13b Satz 1 Zugang nicht gewährt,
11. entgegen § 17a Satz 1 in Verbindung mit § 5 Absatz 1 Satz 1 Nummer 1 des Schwarzarbeitsbekämpfungsgesetzes[1] eine Prüfung nicht duldet oder bei dieser Prüfung nicht mitwirkt,
12. entgegen § 17a Satz 1 in Verbindung mit § 5 Absatz 1 Satz 1 Nummer 2 des Schwarzarbeitsbekämpfungsgesetzes das Betreten eines Grundstücks oder Geschäftsraums nicht duldet,
13. entgegen § 17a Satz 1 in Verbindung mit § 5 Absatz 1 Satz 1 Nummer 3 Buchstabe a des Schwarzarbeitsbekämpfungsgesetzes eine dort genannte Auskunft nicht, nicht richtig, nicht vollständig, nicht in der vorgeschriebenen Weise oder nicht rechtzeitig erteilt,
14. entgegen § 17a Satz 1 in Verbindung mit § 5 Absatz 1 Satz 1 Nummer 3 Buchstabe b des Schwarzarbeitsbekämpfungsgesetzes eine dort genannte Unterlage nicht, nicht richtig, nicht vollständig oder nicht rechtzeitig bereitstellt oder nicht, nicht richtig, nicht vollständig oder nicht rechtzeitig vorlegt,
15. entgegen § 17a Satz 1 in Verbindung mit § 5 Absatz 1 Satz 1 Nummer 4 des Schwarzarbeitsbekämpfungsgesetzes die Einsicht in eine dort genannte Unterlage nicht, nicht richtig oder nicht rechtzeitig ermöglicht,
16. entgegen § 17b Absatz 1 Satz 1 eine Anmeldung nicht, nicht richtig, nicht vollständig, nicht in der vorgeschriebenen Weise oder nicht rechtzeitig zuleitet,
17. entgegen § 17b Absatz 1 Satz 2 eine Änderungsmeldung nicht, nicht richtig, nicht vollständig, nicht in der vorgeschriebenen Weise oder nicht rechtzeitig macht,
18. entgegen § 17c Absatz 1 eine Aufzeichnung nicht, nicht richtig, nicht vollständig oder nicht rechtzeitig erstellt oder nicht oder nicht mindestens zwei Jahre aufbewahrt oder
19. entgegen § 17c Absatz 2 eine Unterlage nicht, nicht richtig, nicht vollständig oder nicht in der vorgeschriebenen Weise bereithält.

(2) Die Ordnungswidrigkeit kann in den Fällen des Absatzes 1 Nummer 2, 7a, 7b und 8a mit einer Geldbuße bis zu fünfhunderttausend Euro, in den Fällen des Absatzes 1 Nummer 18 mit einer Geldbuße bis zu fünfzigtausend Euro, in den Fällen des Absatzes 1 Nummer 1 bis 1f, 6, 11 bis 17 und 19 mit einer Geldbuße bis zu dreißigtausend Euro, in den Fällen des Absatzes 1 Nummer 2a, 3, 9 und 10 mit einer Geldbuße bis zu dreitausend Euro, in den Fällen des Absatzes 1 Nummer 8 mit einer Geldbuße bis zu zweitausend Euro und in den übrigen Fällen mit einer Geldbuße bis zu eintausend Euro geahndet werden.

---

[1] Nr. **110**.

(3) Verwaltungsbehörden im Sinne des § 36 Absatz 1 Nummer 1 des Gesetzes über Ordnungswidrigkeiten[1)] sind in den Fällen des Absatzes 1 Nummer 1, 1a, 1c, 1d, 1f, 2, 2a und 7b sowie 11 bis 19 die Behörden der Zollverwaltung jeweils für ihren Geschäftsbereich, in den Fällen des Absatzes 1 Nummer 1b, 1e, 3 bis 7a sowie 8 bis 10 die Bundesagentur für Arbeit.

(4) § 66 des Zehnten Buches Sozialgesetzbuch[2)] gilt entsprechend.

(5) [1] Die Geldbußen fließen in die Kasse der zuständigen Verwaltungsbehörde. [2] Sie trägt abweichend von § 105 Abs. 2 des Gesetzes über Ordnungswidrigkeiten die notwendigen Auslagen und ist auch ersatzpflichtig im Sinne des § 110 Abs. 4 des Gesetzes über Ordnungswidrigkeiten.

§ 17[3)] Durchführung. (1) [1] Die Bundesagentur für Arbeit führt dieses Gesetz nach fachlichen Weisungen des Bundesministeriums für Arbeit und Soziales durch. [2] Verwaltungskosten werden nicht erstattet.

(2) Die Prüfung der Arbeitsbedingungen nach § 8 Absatz 5 obliegt zudem den Behörden der Zollverwaltung nach Maßgabe der §§ 17a bis 18a.

§ 17a[4)] Befugnisse der Behörden der Zollverwaltung. [1] Die §§ 2, 3 bis 7, 13, 14, 15 bis 20, 22 und 23 des Schwarzarbeitsbekämpfungsgesetzes[5)] sind entsprechend anzuwenden mit der Maßgabe, dass die dort genannten Behörden auch Einsicht in Arbeitsverträge, Niederschriften nach § 2 des Nachweisgesetzes[6)] und andere Geschäftsunterlagen nehmen können, die mittelbar oder unmittelbar Auskunft über die Einhaltung der Arbeitsbedingungen nach § 8 Absatz 5 geben. [2] Entsandte Arbeitnehmerinnen und Arbeitnehmer können im Rahmen der Prüfungen nach dem Schwarzarbeitsbekämpfungsgesetz auch nach dem Abschluss der Entsendung kontaktiert werden.

§ 17b[7)] Meldepflicht. (1) [1] Überlässt ein Verleiher mit Sitz im Ausland einen Leiharbeitnehmer zur Arbeitsleistung einem Entleiher, hat der Verleiher, sofern eine Rechtsverordnung nach § 3a auf das Arbeitsverhältnis Anwendung findet, vor Beginn jeder Überlassung der zuständigen Behörde der Zollverwaltung eine schriftliche Anmeldung in deutscher Sprache mit folgenden Angaben zuzuleiten:

1. Familienname, ***[bis 28.6.2026:*** Vornamen und Geburtsdatum***][ab 29.6.2026:*** *Vornamen, Geburtsdatum, Staatsangehörigkeit und Kontaktdaten*] des überlassenen Leiharbeitnehmers,
2. Beginn und Dauer der Überlassung,
3. Ort der Beschäftigung,

[1)] **Habersack Nr. 94.**

[2)] Nr. **699**.

[3)] § 17 neu gef. mWv 30.7.2011 durch G v. 20.7.2011 (BGBl. I S. 1506); Abs. 2 geänd. mWv 1.4. 2017 durch G v. 21.2.2017 (BGBl. I S. 258).

[4)] § 17a neu gef. mWv 30.12.2025 durch G v. 22.12.2025 (BGBl. 2025 I Nr. 369).

[5)] Nr. **110**.

[6)] Nr. **90**.

[7)] § 17b eingef. mWv 30.7.2011 durch G v. 20.7.2011 (BGBl. I S. 1506); Abs. 2 geänd. mWv 1.4. 2017 durch G v. 21.2.2017 (BGBl. I S. 258); Abs. 1 Satz 1 einl. Satzteil, Nr. 7, Satz 2 geänd., Abs. 2 aufgeh., bish. Abs. 3 und 4 werden Abs. 2 und 3 mWv 1.7.2023 durch G v. 28.6.2023 (BGBl. 2023 I Nr. 172); Abs. 1 Satz 1 Nr. 1 und 6 geänd., Nr. 7 eingef., bish. Nr. 7 wird Nr. 8, Abs. 2 Nr. 1 neu gef. mWv 29.6.2026 durch G v. 22.12.2025 (BGBl. 2025 I Nr. 369).

4. Ort im Inland, an dem die nach § 17c erforderlichen Unterlagen bereitgehalten werden,
5. Familienname, Vornamen und Anschrift in Deutschland eines oder einer Zustellungsbevollmächtigten des Verleihers,
6. Branche, in die die Leiharbeitnehmer überlassen werden sollen, ***[bis 28.6. 2026:*** und***]***

[Nr. 7 ab 29.6.2026:]

7. *Tätigkeit oder Position des überlassenen Leiharbeitnehmers für die Dauer der Überlassung und*
7. ***[ab 29.6.2026:*** *8.****]*** Familienname, Vornamen oder Firma sowie Anschrift des Entleihers.

[2] Änderungen bezüglich dieser Angaben hat der Verleiher unverzüglich zu melden.

(2) Das Bundesministerium der Finanzen kann durch Rechtsverordnung im Einvernehmen mit dem Bundesministerium für Arbeit und Soziales ohne Zustimmung des Bundesrates bestimmen,

[Nr. 1 bis 28.6.2026:]

1. dass, auf welche Weise und unter welchen technischen und organisatorischen Voraussetzungen eine Anmeldung, Änderungsmeldung und Versicherung abweichend von den Absätzen 1 und 2 elektronisch übermittelt werden kann,

[Nr. 1 ab 29.6.2026:]

1. *in welchem Fall, auf welche Weise und unter welchen technischen und organisatorischen Voraussetzungen eine Anmeldung oder eine Änderungsmeldung abweichend von Absatz 1 elektronisch übermittelt werden kann,*
2. unter welchen Voraussetzungen eine Änderungsmeldung ausnahmsweise entfallen kann und
3. wie das Meldeverfahren vereinfacht oder abgewandelt werden kann.

(3) Das Bundesministerium der Finanzen kann durch Rechtsverordnung[1)] ohne Zustimmung des Bundesrates die zuständige Behörde nach Absatz 1 Satz 1 bestimmen.

§ 17c[2)] Erstellen und Bereithalten von Dokumenten. (1) Sofern eine Rechtsverordnung nach § 3a auf ein Arbeitsverhältnis Anwendung findet, ist der Entleiher verpflichtet, Beginn, Ende und Dauer der täglichen Arbeitszeit des Leiharbeitnehmers spätestens bis zum Ablauf des siebten auf den Tag der Arbeitsleistung folgenden Kalendertages aufzuzeichnen und diese Aufzeichnungen mindestens zwei Jahre beginnend ab dem für die Aufzeichnung maßgeblichen Zeitpunkt aufzubewahren.

(2) [1] Jeder Verleiher ist verpflichtet, die für die Kontrolle der Einhaltung einer Rechtsverordnung nach § 3a erforderlichen Unterlagen im Inland für die gesamte Dauer der tatsächlichen Beschäftigung des Leiharbeitnehmers im Geltungsbereich dieses Gesetzes, insgesamt jedoch nicht länger als zwei Jahre, in

---

1) Siehe die VO zur Bestimmung der zuständigen Behörde nach § 17b Absatz 4 des Arbeitnehmerüberlassungsgesetzes (AÜGMeldstellV) v. 26.9.2011 (BGBl. I S. 1995), geänd. durch G v. 3.12.2015 *(BGBl. I S. 2178)*.

2) § 17c eingef. mWv 30.7.2011 durch G v. 20.7.2011 (BGBl. I S. 1506); Abs. 1 geänd. mWv 16.8. 2014 durch G v. 11.8.2014 (BGBl. I S. 1348).

deutscher Sprache bereitzuhalten. [2]Auf Verlangen der Prüfbehörde sind die Unterlagen auch am Ort der Beschäftigung bereitzuhalten.

§ 18[1)] Zusammenarbeit mit anderen Behörden. (1) Zur Verfolgung und Ahndung der Ordnungswidrigkeiten nach § 16 arbeiten die Bundesagentur für Arbeit und die Behörden der Zollverwaltung insbesondere mit folgenden Behörden zusammen:

1. den Trägern der Krankenversicherung als Einzugsstellen für die Sozialversicherungsbeiträge,
2. den in § 71 des Aufenthaltsgesetzes[2)] genannten Behörden,
3. den Finanzbehörden,
4. den nach Landesrecht für die Verfolgung und Ahndung von Ordnungswidrigkeiten nach dem Schwarzarbeitsbekämpfungsgesetz[3)] zuständigen Behörden,
5. den Trägern der Unfallversicherung,
6. den für den Arbeitsschutz zuständigen Landesbehörden,
7. den Rentenversicherungsträgern,
8. den Trägern der Sozialhilfe.

(2) Ergeben sich für die Bundesagentur für Arbeit oder die Behörden der Zollverwaltung bei der Durchführung dieses Gesetzes im Einzelfall konkrete Anhaltspunkte für

1. Verstöße gegen das Schwarzarbeitsbekämpfungsgesetz,
2. eine Beschäftigung oder Tätigkeit von Ausländern ohne erforderlichen Aufenthaltstitel nach § 4a Absatz 5 Satz 1 des Aufenthaltsgesetzes[4)], eine Erlaubnis oder Berechtigung nach § 4a Absatz 5 Satz 2 in Verbindung mit Absatz 4 des Aufenthaltsgesetzes[4)], eine Aufenthaltsgestattung oder eine Duldung, die zur Ausübung der Beschäftigung berechtigen, oder eine Genehmigung nach § 284 Abs. 1 des Dritten Buches Sozialgesetzbuch[5)],
3. Verstöße gegen die Mitwirkungspflicht nach § 60 Abs. 1 Satz 1 Nr. 2 des Ersten Buches Sozialgesetzbuch[6)] gegenüber einer Dienststelle der Bundesagentur für Arbeit, einem Träger der gesetzlichen Kranken-, Pflege-, Unfall-

---

[1)] § 18 Abs. 1 Nr. 6 geänd., Nr. 7 angef., Abs. 2 Nr. 2 neu gef., Nrn. 3 und 4 geänd. mWv 1.1. 1998 durch G v. 24.3.1997 (BGBl. I S. 594); Abs. 3 und 4 angef. mWv 1.6.1998 durch G v. 18.6.1997 (BGBl. I S. 1430); Abs. 1 Nr. 7 geänd., Abs. 1 Nr. 8, 9 angef., Abs. 2 Nr. 3 neu gef., abschl. Satzteil geänd. mWv 1.1.1998 durch G v. 16.12.1997 (BGBl. I S. 2970)Abs. 1 Nr. 7 neu gef. mWv 1.8.2002 durch G v. 23.7.2002 (BGBl. I S. 2787); Abs. 1 erster Halbs., Abs. 2, Abs. 3 Satz 1 und Satz 4 Nr. 3, Abs. 4 Satz 1 geänd., Abs. 1 Nr. 7 aufgeh., bish. Nr. 8 und 9 werden Nr. 7 und 8 mWv 1.1.2004 durch G v. 23.12.2003 (BGBl. I S. 2848); Abs. 4 Satz 1 geänd. mWv 1.5.2004 durch G v. 23.4.2004 (BGBl. I S. 602); Abs. 1 Nr. 4 aufgeh., Abs. 2 Nr. 1 geänd. mWv 1.8.2004 durch G v. 23.7.2004 (BGBl. I S. 1842); Abs. 1 Nr. 2, Abs. 2 Nrn. 2, 6 und letzter Satzteil geänd. mWv 1.1.2005 durch G v. 30.7.2004 (BGBl. I S. 1950); Abs. 2 Nr. 3 geänd. mWv 27.11.2004 durch G v. 19.11.2004 (BGBl. I S. 2902); Abs. 1 Nr. 4 neu gef. mWv 18.3.2005 durch G v. 14.3.2005 (BGBl. I S. 721); Abs. 5 und 6 angef. mWv 30.7.2011 durch G v. 20.7.2011 (BGBl. I S. 1506); Abs. 4 aufgeh., Abs. 5 geänd. mWv 16.8.2014 durch G v. 11.8.2014 (BGBl. I S. 1348); Abs. 6 Satz 1 geänd. mWv 1.4.2017 durch G v. 21.2.2017 (BGBl. I S. 258); Abs. 2 Nr. 2 geänd. mWv 1.3.2020 durch G v. 15.8.2019 (BGBl. I S. 1307); Abs. 2 Nr. 7–9 angef. mWv 30.12.2025 durch G v. 22.12.2025 (BGBl. 2025 I Nr. 369).

[2)] **beck-online, Module Arbeitsrecht Nr. 760.**

[3)] Nr. **110**.

[4)] Nr. **760**.

[5)] Nr. **700**.

[6)] Nr. **691**.

oder Rentenversicherung oder einem Träger der Sozialhilfe oder gegen die Meldepflicht nach § 8a des Asylbewerberleistungsgesetzes[1)],

4. Verstöße gegen die Vorschriften des Vierten[2)] und Siebten Buches Sozialgesetzbuch[3)] über die Verpflichtung zur Zahlung von Sozialversicherungsbeiträgen, soweit sie im Zusammenhang mit den in den Nummern 1 bis 3 genannten Verstößen sowie mit Arbeitnehmerüberlassung entgegen § 1 stehen,
5. Verstöße gegen die Steuergesetze,
6. Verstöße gegen das Aufenthaltsgesetz[4)],
7. Verstöße gegen das Gesetz zur Sicherung von Arbeitnehmerrechten in der Fleischwirtschaft[5)],
8. Verstöße gegen das Mindestlohngesetz[6)],
9. Verstöße gegen das Arbeitnehmer-Entsendegesetz[7)],

unterrichten sie die für die Verfolgung und Ahndung zuständigen Behörden, die Träger der Sozialhilfe sowie die Behörden nach § 71 des Aufenthaltsgesetzes[8)].

(3) [1]In Strafsachen, die Straftaten nach den §§ 15 und 15a zum Gegenstand haben, sind der Bundesagentur für Arbeit und den Behörden der Zollverwaltung zur Verfolgung von Ordnungswidrigkeiten

1. bei Einleitung des Strafverfahrens die Personendaten des Beschuldigten, der Straftatbestand, die Tatzeit und der Tatort,
2. im Falle der Erhebung der öffentlichen Klage die das Verfahren abschließende Entscheidung mit Begründung

zu übermitteln. [2]Ist mit der in Nummer 2 genannten Entscheidung ein Rechtsmittel verworfen worden oder wird darin auf die angefochtene Entscheidung Bezug genommen, so ist auch die angefochtene Entscheidung zu übermitteln. [3]Die Übermittlung veranlaßt die Strafvollstreckungs- oder die Strafverfolgungsbehörde. [4]Eine Verwendung

1. der Daten der Arbeitnehmer für Maßnahmen zu ihren Gunsten,
2. der Daten des Arbeitgebers zur Besetzung seiner offenen Arbeitsplätze, die im Zusammenhang mit dem Strafverfahren bekanntgeworden sind,
3. der in den Nummern 1 und 2 genannten Daten für Entscheidungen über die Einstellung oder Rückforderung von Leistungen der Bundesagentur für Arbeit

ist zulässig.

(4) *(aufgehoben)*

(5) Die Behörden der Zollverwaltung unterrichten die zuständigen örtlichen Landesfinanzbehörden über den Inhalt von Meldungen nach § 17b.

(6) [1]Die Behörden der Zollverwaltung und die übrigen in § 2 des Schwarzarbeitsbekämpfungsgesetzes genannten Behörden dürfen nach Maßgabe der

---

[1)] Nr. **781**.
[2)] Auszugsweise abgedruckt unter Nr. **694**.
[3)] Auszugsweise abgedruckt unter Nr. **697**.
[4)] Auszugsweise abgedruckt unter Nr. **760**.
[5)] Nr. **508**.
[6)] *Nr. **505**.*
[7)] Nr. **506**.
[8)] **beck-online, Module Arbeitsrecht Nr. 760.**

jeweils einschlägigen datenschutzrechtlichen Bestimmungen auch mit Behörden anderer Vertragsstaaten des Abkommens über den Europäischen Wirtschaftsraum zusammenarbeiten, die dem § 17 Absatz 2 entsprechende Aufgaben durchführen oder für die Bekämpfung illegaler Beschäftigung zuständig sind oder Auskünfte geben können, ob ein Arbeitgeber seine Verpflichtungen nach § 8 Absatz 5 erfüllt. [2] Die Regelungen über die internationale Rechtshilfe in Strafsachen bleiben hiervon unberührt.

§ 18a[1] *(aufgehoben)*

§ 19[2] **Übergangsvorschrift.** (1) § 8 Absatz 3 findet keine Anwendung auf Leiharbeitsverhältnisse, die vor dem 15. Dezember 2010 begründet worden sind.

(2) Überlassungszeiten vor dem 1. April 2017 werden bei der Berechnung der Überlassungshöchstdauer nach § 1 Absatz 1b und der Berechnung der Überlassungszeiten nach § 8 Absatz 4 Satz 1 nicht berücksichtigt.

§ 20[3] **Evaluation.** Die Anwendung dieses Gesetzes ist im Jahr 2020 zu evaluieren.

---

[1] § 18a aufgeh. mWv 16.8.2014 durch G v. 11.8.2014 (BGBl. I S. 1348).

[2] § 19 neu gef. mWv 30.7.2011 durch G v. 20.7.2011 (BGBl. I S. 1506); bish. Wortlaut wird Abs. 1 und geänd., Abs. 2 angef. mWv 1.4.2017 durch G v. 21.2.2017 (BGBl. I S. 258).

[3] § 20 angef. mWv 1.4.2017 durch G v. 21.2.2017 (BGBl. I S. 258).

XII a.
Ausländerrecht

760. Gesetz über den Aufenthalt, die Erwerbstätigkeit und die Integration von Ausländern im Bundesgebiet (Aufenthaltsgesetz – AufenthG)[1]

In der Fassung der Bekanntmachung vom 25. Februar 2008[2]
(BGBl. I S. 162)

FNA 26-12

zuletzt geänd. durch Art. 2 GEAS-AnpassungsG v. 23.4.2026 (BGBl. 2026 I Nr. 111)

– Auszug –[3]

Kapitel 1. Allgemeine Bestimmungen

§ 1[4] Zweck des Gesetzes; Anwendungsbereich. (1) [1] Das Gesetz dient der Steuerung und Begrenzung des Zuzugs von Ausländern in die Bundes-

---

[1] **Amtl. Anm.:** Dieses Gesetz dient der Umsetzung folgender Richtlinien:
1. Richtlinie 2001/40/EG des Rates vom 28. Mai 2001 über die gegenseitige Anerkennung von Entscheidungen über die Rückführung von Drittstaatsangehörigen (ABl. EG Nr. L 149 S. 34),
2. Richtlinie 2001/51/EG des Rates vom 28. Juni 2001 zur Ergänzung der Regelungen nach Artikel 26 des Übereinkommens zur Durchführung des Übereinkommens von Schengen vom 14. Juni 1985 (ABl. EG Nr. L 187 S. 45),
3. Richtlinie 2001/55/EG des Rates vom 20. Juli 2001 über Mindestnormen für die Gewährung vorübergehenden Schutzes im Falle eines Massenzustroms von Vertriebenen und Maßnahmen zur Förderung einer ausgewogenen Verteilung der Belastungen, die mit der Aufnahme dieser Personen und den Folgen dieser Aufnahme verbunden sind, auf die Mitgliedstaaten (ABl. EG Nr. L 212 S. 12),
4. Richtlinie 2002/90/EG des Rates vom 28. November 2002 zur Definition der Beihilfe zur unerlaubten Ein- und Durchreise und zum unerlaubten Aufenthalt (ABl. EG Nr. L 328 S. 17),
5. Richtlinie 2003/86/EG des Rates vom 22. September 2003 betreffend das Recht auf Familienzusammenführung (ABl. EU Nr. L 251 S. 12),
6. Richtlinie 2003/110/EG des Rates vom 25. November 2003 über die Unterstützung bei der Durchbeförderung im Rahmen von Rückführungsmaßnahmen auf dem Luftweg (ABl. EU Nr. L 321 S. 26),
7. Richtlinie 2003/109/EG des Rates vom 25. November 2003 betreffend die Rechtsstellung der langfristig aufenthaltsberechtigten Drittstaatsangehörigen (ABl. EU 2004 Nr. L 16 S. 44),
8. Richtlinie 2004/81/EG vom 29. April 2004 über die Erteilung von Aufenthaltstiteln für Drittstaatsangehörige, die Opfer des Menschenhandels sind oder denen Beihilfe zur illegalen Einwanderung geleistet wurde und die mit den zuständigen Behörden kooperieren (ABl. EU Nr. L 261 S. 19),
9. Richtlinie 2004/83/EG des Rates vom 29. April 2004 über Mindestnormen für die Anerkennung und den Status von Drittstaatsangehörigen oder Staatenlosen als Flüchtlinge oder als Personen, die anderweitig internationalen Schutz benötigen, und über den Inhalt des zu gewährenden Schutzes (ABl. EU Nr. L 304 S. 12),
10. Richtlinie 2004/114/EG des Rates vom 13. Dezember 2004 über die Bedingungen für die Zulassung von Drittstaatsangehörigen zwecks Absolvierung eines Studiums oder Teilnahme an einem Schüleraustausch, einer unbezahlten Ausbildungsmaßnahme oder einem Freiwilligendienst (ABl. EU Nr. L 375 S. 12),
11. Richtlinie 2005/71/EG des Rates vom 12. Oktober 2005 über ein besonderes Zulassungsverfahren für Drittstaatsangehörige zum Zwecke der wissenschaftlichen Forschung (ABl. EU Nr. L 289 S. 15).

[2] Neubekanntmachung des AufenthaltsG v. 30.7.2004 (BGBl. I S. 1950) in der ab 28.8.2007 geltenden Fassung.

[3] Vollständig wiedergegeben in **beck-online, Module Arbeitsrecht.**

[4] § 1 Abs. 1 Satz 1 geänd. mWv 18.11.2023 durch G v. 16.8.2023 (BGBl. 2023 I Nr. 217); Abs. 1 Satz 1 geänd. mWv 24.7.2025 durch G v. 17.7.2025 (BGBl. 2025 I Nr. 173).

republik Deutschland. [2]Es ermöglicht und gestaltet Zuwanderung unter Berücksichtigung der Aufnahme- und Integrationsfähigkeit sowie der wirtschaftlichen und arbeitsmarktpolitischen Interessen der Bundesrepublik Deutschland. [3]Das Gesetz dient zugleich der Erfüllung der humanitären Verpflichtungen der Bundesrepublik Deutschland. [4]Es regelt hierzu die Einreise, den Aufenthalt, die Erwerbstätigkeit und die Integration von Ausländern. [5]Die Regelungen in anderen Gesetzen bleiben unberührt.

(2) Dieses Gesetz findet keine Anwendung auf Ausländer,

1. deren Rechtsstellung von dem Gesetz über die allgemeine Freizügigkeit von Unionsbürgern[1)] geregelt ist, soweit nicht durch Gesetz etwas anderes bestimmt ist,
2. die nach Maßgabe der §§ 18 bis 20 des Gerichtsverfassungsgesetzes[2)] nicht der deutschen Gerichtsbarkeit unterliegen,
3. soweit sie nach Maßgabe völkerrechtlicher Verträge für den diplomatischen und konsularischen Verkehr und für die Tätigkeit internationaler Organisationen und Einrichtungen von Einwanderungsbeschränkungen, von der Verpflichtung, ihren Aufenthalt der Ausländerbehörde anzuzeigen und dem Erfordernis eines Aufenthaltstitels befreit sind und wenn Gegenseitigkeit besteht, sofern die Befreiungen davon abhängig gemacht werden können.

§ 2[3)] Begriffsbestimmungen. (1) Ausländer ist jeder, der nicht Deutscher im Sinne des Artikels 116 Abs. 1 des Grundgesetzes[4)] ist.

(2) Erwerbstätigkeit ist die selbständige Tätigkeit, die Beschäftigung im Sinne von § 7 des Vierten Buches Sozialgesetzbuch[5)] und die Tätigkeit als Beamter.

(3) [1]Der Lebensunterhalt eines Ausländers ist gesichert, wenn er ihn einschließlich ausreichenden Krankenversicherungsschutzes ohne Inanspruchnahme öffentlicher Mittel bestreiten kann. [2]Nicht als Inanspruchnahme öffentlicher Mittel gilt der Bezug von:

1. Kindergeld,
2. Kinderzuschlag,
3. Erziehungsgeld,

[1)] Nr. **770**.

[2)] Nr. **665**.

[3)] § 2 Abs. 3 Satz 2 geänd., Abs. 5 neu gef., Abs. 8–11 angef. mWv 26.11.2011 durch G v. 22.11.2011 (BGBl. I S. 2258); Abs. 3 Satz 2 geänd. mWv 1.8.2013 durch G v. 15.2.2013 (BGBl. I S. 254); Abs. 3 Satz 2 neu gef., Abs. 7 geänd., Abs. 8 eingef., bish. Abs. 8–11 werden Abs. 9–12, Abs. 13 angef. mWv 6.9.2013 durch G v. 29.8.2013 (BGBl. I S. 3484); Abs. 3 Satz 2 Nr. 5 und 6 geänd., Nr. 7 und Abs. 14 und 15 angef. mWv 1.8.2015 durch G v. 27.7.2015 (BGBl. I S. 1386); Abs. 2 geänd., Abs. 3 Satz 6 aufgeh., bish. Satz 7 wird Satz 6 und geänd. mWv 1.8.2017 durch G v. 12.5.2017 (BGBl. I S. 1106); Abs. 14 Nr. 5 geänd., Nr. 5a eingef. mWv 29.7.2017 durch G v. 20.7.2017 (BGBl. I S. 2780); Abs. 5 Nr. 2 neu gef., Abs. 14 aufgeh., bish. Abs. 15 wird Abs. 14 und Satz 1 geänd., Satz 2 neu gef., Sätze 3 und 4 eingef., bish. Satz 3 wird Satz 5 mWv 21.8.2019 durch G v. 15.8.2019 (BGBl. I S. 1294); Abs. 3 Satz 5 geänd., Satz 6 eingef., bish. Satz 6 wird Satz 7, Abs. 11a, 12a–12c eingef. mWv 1.3.2020 durch G v. 15.8.2019 (BGBl. I S. 1307), Änd. von Abs. 5 Nr. 2 aufgrund der vorhergehenden Änd. nicht ausführbar; Abs. 3 Satz 7 geänd. mWv 27.6.2020 durch VO v. 19.6.2020 (BGBl. I S. 1328); Abs. 3 Satz 5 geänd. mWv 1.3.2024 durch G v. 16.8.2023 (BGBl. 2023 I Nr. 217; 2024 I Nr. 54); Abs. 14 Sätze 1 und 5 geänd. mWv 27.2.2024 durch G v. 21.2.2024 (BGBl. 2024 I Nr. 54); Abs. 14 Satz 5 geänd. mWv 1.6.2026 durch G v. 22.12.2025 (BGBl. 2025 I Nr. 364); Abs. 14 Satz 1 neu gef., *Satz 2 Nr. 2* geänd., Satz 5 neu gef. mWv 12.6.2026 durch G v. 23.4.2026 (BGBl. 2026 I Nr. 111).

[4)] Nr. **10**.

[5)] Nr. **694**.

4. Elterngeld,
5. Leistungen der Ausbildungsförderung nach dem Dritten Buch Sozialgesetzbuch[1)], dem Bundesausbildungsförderungsgesetz[2)] und dem Aufstiegsfortbildungsförderungsgesetz[3)],
6. öffentlichen Mitteln, die auf Beitragsleistungen beruhen oder die gewährt werden, um den Aufenthalt im Bundesgebiet zu ermöglichen und
7. Leistungen nach dem Unterhaltsvorschussgesetz[4)].

[3]Ist der Ausländer in einer gesetzlichen Krankenversicherung krankenversichert, hat er ausreichenden Krankenversicherungsschutz. [4]Bei der Erteilung oder Verlängerung einer Aufenthaltserlaubnis zum Familiennachzug werden Beiträge der Familienangehörigen zum Haushaltseinkommen berücksichtigt. [5]Der Lebensunterhalt gilt für die Erteilung einer Aufenthaltserlaubnis nach den §§ 16a bis 16c, 16e sowie 16f mit Ausnahme der Teilnehmer an Sprachkursen, die nicht der Studienvorbereitung dienen, als gesichert, wenn der Ausländer über monatliche Mittel in Höhe des monatlichen Bedarfs, der nach den §§ 13 und 13a Abs. 1 des Bundesausbildungsförderungsgesetzes bestimmt wird, verfügt sowie für die Erteilung einer Aufenthaltserlaubnis nach § 16g als gesichert, wenn der Ausländer über monatliche Mittel in Höhe des monatlichen Bedarfs, der nach § 12 des Bundesausbildungsförderungsgesetzes bestimmt wird, verfügt. [6]Der Lebensunterhalt gilt für die Erteilung einer Aufenthaltserlaubnis nach den §§ 16d, 16f Absatz 1 für Teilnehmer an Sprachkursen, die nicht der Studienvorbereitung dienen, sowie § 17 als gesichert, wenn Mittel entsprechend Satz 5 zuzüglich eines Aufschlages um 10 Prozent zur Verfügung stehen. [7]Das Bundesministerium des Innern, für Bau und Heimat gibt die Mindestbeträge nach Satz 5 für jedes Kalenderjahr jeweils bis zum 31. August des Vorjahres im Bundesanzeiger bekannt.[5)]

(4) [1]Als ausreichender Wohnraum wird nicht mehr gefordert, als für die Unterbringung eines Wohnungssuchenden in einer öffentlich geförderten So-

---

[1)] Nr. **700**.

[2)] **Sartorius Nr. 420.**

[3)] Nr. **418**.

[4)] **Aichberger, SGB Nr. 8/30.**

[5)] Das Bundesministerium des Innern hat gemäß § 2 Abs. 3 Satz 7 folgende Mindestbeträge zur Sicherung des Lebensunterhalts nach § 2 Abs. 3 Satz 5 für das Jahr 2026 bekannt gegeben (Bek. v. 13.8.2025 (BAnz AT 29.08.2025 B1) v. 13.8.2025, BAnz AT 29.08.2025 B1):

„Der Lebensunterhalt eines Ausländers gilt nach § 2 Absatz 3 Satz 5 AufenthG für die Erteilung einer Aufenthaltserlaubnis nach den §§ 16a bis 16c, 16e sowie 16f AufenthG mit Ausnahme der Teilnehmer an Sprachkursen, die nicht der Studienvorbereitung dienen, als gesichert, wenn der Ausländer über monatliche Mittel in Höhe des monatlichen Bedarfs, der nach den §§ 13 und 13a Absatz 1 des Bundesausbildungsförderungsgesetzes (BAföG) **(Sartorius Nr. 420)** bestimmt wird, verfügt.

Für Ausländer in betrieblicher oder schulischer Berufsausbildung ergibt sich hinsichtlich der Erteilung einer Aufenthaltserlaubnis nach § 16a AufenthG gemäß § 13 Absatz 1 Nummer 1 und § 13a Absatz 1 BAföG **(Sartorius Nr. 420)** ein Betrag für den monatlichen Bedarf in Höhe von 959 Euro.

In den übrigen Fällen einer Aufenthaltserlaubnis nach § 16a AufenthG sowie bei Aufenthaltserlaubnissen nach den §§ 16b, 16c, 16e und 16f AufenthG, mit Ausnahme der Teilnahme an Sprachkursen, die nicht der Studienvorbereitung dienen, ergibt sich gemäß § 13 Absatz 1 Nummer 2 und § 13a Absatz 1 BAföG **(Sartorius Nr. 420)** ein Betrag für den monatlichen Bedarf in Höhe von 992 Euro.

Der Lebensunterhalt eines Ausländers gilt nach § 2 Absatz 3 Satz 5 AufenthG für die Erteilung einer Aufenthaltserlaubnis nach 16g AufenthG als gesichert, wenn der Ausländer über monatliche Mittel in Höhe des monatlichen Bedarfs, der nach § 12 BAföG **(Sartorius Nr. 420)** bestimmt wird, verfügt.

Daraus ergibt sich ein monatlicher Bedarf in Höhe von jährlich 666 Euro (Betrag nach § 12 Absatz 2 Nummer 1 BAföG **(Sartorius Nr. 420)**). →

zialmietwohnung genügt. [2] Der Wohnraum ist nicht ausreichend, wenn er den auch für Deutsche geltenden Rechtsvorschriften hinsichtlich Beschaffenheit und Belegung nicht genügt. [3] Kinder bis zur Vollendung des zweiten Lebensjahres werden bei der Berechnung des für die Familienunterbringung ausreichenden Wohnraumes nicht mitgezählt.

(5) Schengen-Staaten sind die Staaten, in denen folgende Rechtsakte in vollem Umfang Anwendung finden:

1. Übereinkommen zur Durchführung des Übereinkommens von Schengen vom 14. Juni 1985 zwischen den Regierungen der Staaten der Benelux-Wirtschaftsunion, der Bundesrepublik Deutschland und der Französischen Republik betreffend den schrittweisen Abbau der Kontrollen an den gemeinsamen Grenzen (ABl. L 239 vom 22.9.2000, S. 19),
2. die Verordnung (EU) 2016/399 des Europäischen Parlaments und des Rates vom 9. März 2016 über einen Gemeinschaftskodex für das Überschreiten der Grenzen durch Personen (Schengener Grenzkodex) (ABl. L 77 vom 23.3. 2016, S. 1) und
3. die Verordnung (EG) Nr. 810/2009 des Europäischen Parlaments und des Rates vom 13. Juli 2009 über einen Visakodex der Gemeinschaft (ABl. L 243 vom 15.9.2009, S. 1).

(6) Vorübergehender Schutz im Sinne dieses Gesetzes ist die Aufenthaltsgewährung in Anwendung der Richtlinie 2001/55/EG des Rates vom 20. Juli 2001 über Mindestnormen für die Gewährung vorübergehenden Schutzes im Falle eines Massenzustroms von Vertriebenen und Maßnahmen zur Förderung einer ausgewogenen Verteilung der Belastungen, die mit der Aufnahme dieser Personen und den Folgen dieser Aufnahme verbunden sind, auf die Mitgliedstaaten (ABl. EG Nr. L 212 S. 12).

(7) Langfristig Aufenthaltsberechtigter ist ein Ausländer, dem in einem Mitgliedstaat der Europäischen Union die Rechtsstellung nach Artikel 2 Buchstabe b der Richtlinie 2003/109/EG des Rates vom 25. November 2003 betreffend die Rechtsstellung der langfristig aufenthaltsberechtigten Drittstaatsangehörigen (ABl. EU 2004 Nr. L 16 S. 44), die zuletzt durch die Richtlinie 2011/51/EU (ABl. L 132 vom 19.5.2011, S. 1) geändert worden ist, verliehen und nicht entzogen wurde.

(8) Langfristige Aufenthaltsberechtigung – EU ist der einem langfristig Aufenthaltsberechtigten durch einen anderen Mitgliedstaat der Europäischen Union ausgestellte Aufenthaltstitel nach Artikel 8 der Richtlinie 2003/109/EG.

(9) Einfache deutsche Sprachkenntnisse entsprechen dem Niveau A 1 des Gemeinsamen Europäischen Referenzrahmens für Sprachen (Empfehlungen des Ministerkomitees des Europarates an die Mitgliedstaaten Nr. R (98) 6 vom 17. März 1998 zum Gemeinsamen Europäischen Referenzrahmen für Sprachen – GER).

(10) Hinreichende deutsche Sprachkenntnisse entsprechen dem Niveau A 2 des Gemeinsamen Europäischen Referenzrahmens für Sprachen.

(Fortsetzung der Anm. von voriger Seite)

Bei Nachweis einer Unterkunft, deren Miet- und Nebenkosten geringer sind als 380 Euro (Betrag nach § 13 Absatz 2 Nummer 2 BAföG **(Sartorius Nr. 420)**), mindert sich der nachzuweisende Betrag entsprechend."

(11) Ausreichende deutsche Sprachkenntnisse entsprechen dem Niveau B 1 des Gemeinsamen Europäischen Referenzrahmens für Sprachen.

(11a) Gute deutsche Sprachkenntnisse entsprechen dem Niveau B2 des Gemeinsamen Europäischen Referenzrahmens für Sprachen.

(12) Die deutsche Sprache beherrscht ein Ausländer, wenn seine Sprachkenntnisse dem Niveau C 1 des Gemeinsamen Europäischen Referenzrahmens für Sprachen entsprechen.

(12a) Eine qualifizierte Berufsausbildung im Sinne dieses Gesetzes liegt vor, wenn es sich um eine Berufsausbildung in einem staatlich anerkannten oder vergleichbar geregelten Ausbildungsberuf handelt, für den nach bundes- oder landesrechtlichen Vorschriften eine Ausbildungsdauer von mindestens zwei Jahren festgelegt ist.

(12b) Eine qualifizierte Beschäftigung im Sinne dieses Gesetzes liegt vor, wenn zu ihrer Ausübung Fertigkeiten, Kenntnisse und Fähigkeiten erforderlich sind, die in einem Studium oder einer qualifizierten Berufsausbildung erworben werden.

(12c) Bildungseinrichtungen im Sinne dieses Gesetzes sind
1. Ausbildungsbetriebe bei einer betrieblichen Berufsaus- oder Weiterbildung,
2. Schulen, Hochschulen sowie Einrichtungen der Berufsbildung oder der sonstigen Aus- und Weiterbildung.

(13) International Schutzberechtigter ist ein Ausländer, der internationalen Schutz genießt im Sinne der
1. Richtlinie 2004/83/EG des Rates vom 29. April 2004 über Mindestnormen für die Anerkennung und den Status von Drittstaatsangehörigen oder Staatenlosen als Flüchtlinge oder als Personen, die anderweitig internationalen Schutz benötigen, und über den Inhalt des zu gewährenden Schutzes (ABl. L 304 vom 30.9.2004, S. 12) oder
2. Richtlinie 2011/95/EU des Europäischen Parlaments und des Rates vom 13. Dezember 2011 über Normen für die Anerkennung von Drittstaatsangehörigen oder Staatenlosen als Personen mit Anspruch auf internationalen Schutz, für einen einheitlichen Status für Flüchtlinge oder für Personen mit Anrecht auf subsidiären Schutz und für den Inhalt des zu gewährenden Schutzes (ABl. L 337 vom 20.12.2011, S. 9).

(14) [1] Soweit Artikel 44 der Verordnung (EU) 2024/1351, der die Inhaftnahme zum Zwecke der Überstellung betrifft, maßgeblich ist, gelten § 62 Absatz 3 Satz 1 Nummer 4 und Absatz 3a für die widerlegliche Vermutung einer Fluchtgefahr im Sinne von Artikel 2 Absatz 18 der Verordnung (EU) 2024/1351 und § 62 Absatz 3b Nummer 1 bis 5 als objektive Anhaltspunkte für die Annahme einer Fluchtgefahr im Sinne von Artikel 2 Absatz 18 der Verordnung (EU) 2024/1351 entsprechend; im Anwendungsbereich der Verordnung (EU) 2024/1351 bleibt Artikel 44 Absatz 2 im Übrigen maßgeblich. [2] Ferner kann ein Anhaltspunkt für Fluchtgefahr vorliegen, wenn
1. der Ausländer einen Mitgliedstaat vor Abschluss eines dort laufenden Verfahrens zur Zuständigkeitsbestimmung oder zur Prüfung eines Antrags auf internationalen Schutz verlassen hat und die Umstände der Feststellung im Bundesgebiet konkret darauf hindeuten, dass er den zuständigen Mitgliedstaat in absehbarer Zeit nicht aufsuchen will,

2. der Ausländer zuvor mehrfach einen Asylantrag in anderen Mitgliedstaaten als der Bundesrepublik Deutschland im Geltungsbereich der Verordnung (EU) 2024/1351 gestellt und den jeweiligen anderen Mitgliedstaat der Asylantragstellung wieder verlassen hat, ohne den Ausgang des dort laufenden Verfahrens zur Zuständigkeitsbestimmung oder zur Prüfung eines Antrags auf internationalen Schutz abzuwarten.

[3] Die für den Antrag auf Inhaftnahme zum Zwecke der Überstellung zuständige Behörde kann einen Ausländer ohne vorherige richterliche Anordnung festhalten und vorläufig in Gewahrsam nehmen, wenn

a) der dringende Verdacht für das Vorliegen der Voraussetzungen nach Satz 1 oder 2 besteht,

b) die richterliche Entscheidung über die Anordnung der Überstellungshaft nicht vorher eingeholt werden kann und

c) der begründete Verdacht vorliegt, dass sich der Ausländer der Anordnung der Überstellungshaft entziehen will.

[4] Der Ausländer ist unverzüglich dem Richter zur Entscheidung über die Anordnung der Überstellungshaft vorzuführen. [5] Auf das Verfahren zur Anordnung von Haft zur Überstellung nach der Verordnung (EU) 2024/1351 finden § 62d sowie die Vorschriften in den Büchern 1 und 7 des Gesetzes über das Verfahren in Familiensachen und in den Angelegenheiten der freiwilligen Gerichtsbarkeit[1)] entsprechend Anwendung, soweit das Verfahren in der Verordnung (EU) 2024/1351 nicht abweichend geregelt ist.

Kapitel 2. Einreise und Aufenthalt im Bundesgebiet

Abschnitt 1. Allgemeines

§ 3[2)] Passpflicht. (1) [1] Ausländer dürfen nur in das Bundesgebiet einreisen oder sich darin aufhalten, wenn sie einen anerkannten und gültigen Pass oder Passersatz besitzen, sofern sie von der Passpflicht nicht durch Rechtsverordnung befreit sind. [2] Für den Aufenthalt im Bundesgebiet erfüllen sie die Passpflicht auch durch den Besitz eines Ausweisersatzes (§ 48 Abs. 2).

(2) Das Bundesministerium des Innern, für Bau und Heimat oder die von ihm bestimmte Stelle kann in begründeten Einzelfällen vor der Einreise des Ausländers für den Grenzübertritt und einen anschließenden Aufenthalt von bis zu sechs Monaten Ausnahmen von der Passpflicht zulassen.

(Fortsetzung nächstes Blatt)

[1)] **Habersack Nr. 112.**
[2)] § 3 Abs. 2 geänd. mWv 27.6.2020 durch VO v. 19.6.2020 (BGBl. I S. 1328).

§ 4[1)] Erfordernis eines Aufenthaltstitels *[ab unbestimmt: oder einer Reisegenehmigung]*. (1) [1] Ausländer bedürfen für die Einreise und den Aufenthalt im Bundesgebiet eines Aufenthaltstitels, sofern nicht durch Recht der Europäischen Union oder durch Rechtsverordnung etwas anderes bestimmt ist oder auf Grund des Abkommens vom 12. September 1963 zur Gründung einer Assoziation zwischen der Europäischen Wirtschaftsgemeinschaft und der Türkei (BGBl. 1964 II S. 509) (Assoziationsabkommen EWG/Türkei) ein Aufenthaltsrecht besteht. [2] Die Aufenthaltstitel werden erteilt als

1. Visum im Sinne des § 6 Absatz 1 Nummer 1 und Absatz 3,

(Fortsetzung nächstes Blatt)

[1)] § 4 Abs. 1 Satz 2 Nr. 1 neu gef., Abs. 3 Satz 5 angef. mWv 26.11.2011 durch G v. 22.11.2011 (BGBl. I S. 2258); Abs. 1 Satz 2 Nr. 2a eingef., Satz 3 angef. mWv 1.8.2012 durch G v. 1.6.2012 (BGBl. I S. 1224); Abs. 4 aufgeh. mWv 6.9.2013, Abs. 1 Satz 2 Nr. 4 und Abs. 5 Satz 1 geänd. mWv 2.12.2013 durch G v. 29.8.2013 (BGBl. I S. 3484); Abs. 1 Satz 2 Nr. 2b und 2c eingef., Satz 3 und Abs. 3 Sätze 3 und 5 geänd. mWv 1.8.2017 durch G v. 12.5.2017 (BGBl. I S. 1106); Abs. 1 Satz 2 Nr. 2a–2c geänd., Abs. 2, 3 aufgeh., bish. Abs. 5 wird Abs. 2 mWv 1.3.2020 durch G v. 15.8.2019 (BGBl. I S. 1307); Überschrift geänd., Abs. 3 angef. mit unbestimmtem Inkrafttreten durch G v. 20.4. 2023 (BGBl. 2023 I Nr. 106); Abs. 1 Satz 2 Nr. 2a geänd. mWv 18.11.2023 durch G v. 16.8.2023 (BGBl. 2023 I Nr. 217).

2. Aufenthaltserlaubnis (§ 7),
2a. Blaue Karte EU (§ 18g),
2b. ICT-Karte (§ 19),
2c. Mobiler-ICT-Karte (§ 19b),
3. Niederlassungserlaubnis (§ 9) oder
4. Erlaubnis zum Daueraufenthalt – EU (§ 9a).

[3] Die für die Aufenthaltserlaubnis geltenden Rechtsvorschriften werden auch auf die Blaue Karte EU, die ICT-Karte und die Mobiler-ICT-Karte angewandt, sofern durch Gesetz oder Rechtsverordnung nichts anderes bestimmt ist.

(2) [1] Ein Ausländer, dem nach dem Assoziationsabkommen EWG/Türkei ein Aufenthaltsrecht zusteht, ist verpflichtet, das Bestehen des Aufenthaltsrechts durch den Besitz einer Aufenthaltserlaubnis nachzuweisen, sofern er weder eine Niederlassungserlaubnis noch eine Erlaubnis zum Daueraufenthalt – EU besitzt. [2] Die Aufenthaltserlaubnis wird auf Antrag ausgestellt.

[Abs. 3 ab unbestimmt:]

(3) [1] Ausländer, die als Drittstaatsangehörige von der Visumpflicht befreit sind und die nach Artikel 2 der Verordnung (EU) 2018/1240 des Europäischen Parlaments und des Rates vom 12. September 2018 über die Einrichtung eines Europäischen Reiseinformations- und -genehmigungssystems (ETIAS) und zur Änderung der Verordnungen (EU) Nr. 1077/2011, (EU) Nr. 515/2014, (EU) 2016/399, (EU) 2016/1624 und (EU) 2017/2226 (ABl. L 236 vom 19.9.2018, S. 1; L 323 vom 19.12.2018, S. 37; L 193 vom 17.6.2020, S. 16; L 266 vom 13.10.2022, S. 24), die zuletzt durch die Verordnung (EU) 2021/1152 (ABl. L 249 vom 14.7.2021, S. 15) geändert worden ist, in den Anwendungsbereich dieser Verordnung fallen, bedürfen nach Ablauf der Schonfrist im Sinne des Artikels 83 Absatz 3 der Verordnung (EU) 2018/1240 für die Einreise und den Aufenthalt im Bundesgebiet einer gültigen Reisegenehmigung. [2] Das Bundesministerium des Innern und für Heimat veröffentlicht den Zeitpunkt, ab dem Ausländer einer Reisegenehmigung im Sinne des Satzes 1 bedürfen, im Bundesanzeiger.

§ 4a[1)] Zugang zur Erwerbstätigkeit. (1) [1] Ausländer, die einen Aufenthaltstitel besitzen, dürfen eine Erwerbstätigkeit ausüben, es sei denn, ein Gesetz bestimmt ein Verbot. [2] Die Erwerbstätigkeit kann durch Gesetz beschränkt sein. [3] Die Ausübung einer über das Verbot oder die Beschränkung hinausgehenden Erwerbstätigkeit bedarf der Erlaubnis.

(2) [1] Sofern die Ausübung einer Beschäftigung gesetzlich verboten oder beschränkt ist, bedarf die Ausübung einer Beschäftigung oder einer über die Beschränkung hinausgehenden Beschäftigung der Erlaubnis; diese kann dem Vorbehalt der Zustimmung durch die Bundesagentur für Arbeit nach § 39 unterliegen. [2] Die Zustimmung der Bundesagentur für Arbeit kann beschränkt erteilt werden. [3] Bedarf die Erlaubnis nicht der Zustimmung der Bundesagentur für Arbeit, gelten § 39 Absatz 4 für die Erteilung der Erlaubnis und § 40 Absatz 2 oder Absatz 3 für die Versagung der Erlaubnis entsprechend.

(3) [1] Jeder Aufenthaltstitel muss erkennen lassen, ob die Ausübung einer Erwerbstätigkeit erlaubt ist und ob sie Beschränkungen unterliegt. [2] Zudem müssen Beschränkungen seitens der Bundesagentur für Arbeit für die Ausübung

---

[1)] § 4a eingef. mWv 1.3.2020 durch G v. 15.8.2019 (BGBl. I S. 1307); Abs. 2 Satz 3, Abs. 4 neu gef., Abs. 5 Satz 3 Nr. 2 geänd. mWv 1.3.2024 durch G v. 16.8.2023 (BGBl. 2023 I Nr. 217).

der Beschäftigung in den Aufenthaltstitel übernommen werden. [3] Für die Änderung einer Beschränkung im Aufenthaltstitel ist eine Erlaubnis erforderlich. [4] Wurde ein Aufenthaltstitel zum Zweck der Ausübung einer bestimmten Beschäftigung erteilt, ist die Ausübung einer anderen Erwerbstätigkeit verboten, solange und soweit die zuständige Behörde die Ausübung der anderen Erwerbstätigkeit nicht erlaubt hat. [5] Die Sätze 2 und 3 gelten nicht, wenn sich der Arbeitgeber auf Grund eines Betriebsübergangs nach § 613a des Bürgerlichen Gesetzbuchs[1)] ändert oder auf Grund eines Formwechsels eine andere Rechtsform erhält.

(4) Ein Ausländer, der keinen Aufenthaltstitel besitzt, darf eine kontingentierte kurzzeitige Beschäftigung oder eine Saisonbeschäftigung nach der Beschäftigungsverordnung nur ausüben, wenn er dafür eine Arbeitserlaubnis der Bundesagentur für Arbeit besitzt, sowie eine andere Erwerbstätigkeit nur ausüben, wenn er auf Grund einer zwischenstaatlichen Vereinbarung, eines Gesetzes oder einer Rechtsverordnung ohne Aufenthaltstitel hierzu berechtigt ist oder deren Ausübung ihm durch die zuständige Behörde erlaubt wurde.

(5) [1] Ein Ausländer darf nur beschäftigt oder mit anderen entgeltlichen Dienst- oder Werkleistungen beauftragt werden, wenn er einen Aufenthaltstitel besitzt und kein diesbezügliches Verbot oder keine diesbezügliche Beschränkung besteht. [2] Ein Ausländer, der keinen Aufenthaltstitel besitzt, darf nur unter den Voraussetzungen des Absatzes 4 beschäftigt werden. [3] Wer im Bundesgebiet einen Ausländer beschäftigt, muss

1. prüfen, ob die Voraussetzungen nach Satz 1 oder Satz 2 vorliegen,
2. für die Dauer der Beschäftigung eine Kopie des Aufenthaltstitels, der Arbeitserlaubnis der Bundesagentur für Arbeit oder der Bescheinigung über die Aufenthaltsgestattung oder über die Aussetzung der Abschiebung des Ausländers in elektronischer Form oder in Papierform aufbewahren und
3. der zuständigen Ausländerbehörde innerhalb von vier Wochen ab Kenntnis mitteilen, dass die Beschäftigung, für die ein Aufenthaltstitel nach Kapitel 2 Abschnitt 4 erteilt wurde, vorzeitig beendet wurde.

[4] Satz 3 Nummer 1 gilt auch für denjenigen, der einen Ausländer mit nachhaltigen entgeltlichen Dienst- oder Werkleistungen beauftragt, die der Ausländer auf Gewinnerzielung gerichtet ausübt.

§ 5[2)] Allgemeine Erteilungsvoraussetzungen. (1) Die Erteilung eines Aufenthaltstitels setzt in der Regel voraus, dass

1. der Lebensunterhalt gesichert ist,

1a. die Identität und, falls er nicht zur Rückkehr in einen anderen Staat berechtigt ist, die Staatsangehörigkeit des Ausländers geklärt ist,

---

[1)] Nr. **50**.

[2)] § 5 Abs. 4 Satz 1 geänd. mWv 4.8.2009 durch G v. 30.7.2009 (BGBl. I S. 2437); Abs. 3 Satz 1 geänd. mWv 26.11.2011 durch G v. 22.11.2011 (BGBl. I S. 2258); Abs. 2 Satz 1 einl. Satzteil geänd. mWv 2.12.2013 durch G v. 29.8.2013 (BGBl. I S. 3484); Abs. 1 Nr. 2, Abs. 3 Satz 3, Abs. 4 Satz 1 geänd. mWv 1.8.2015 durch G v. 27.7.2015 (BGBl. I S. 1386); Abs. 3 Satz 1 geänd., Satz 4 angef. mWv 6.8.2016 durch G v. 31.7.2016 (BGBl. I S. 1939); Abs. 2 Satz 1 einl. Satzteil geänd., Satz 3 angef. mWv 1.8.2017 durch G v. 12.5.2017 (BGBl. I S. 1106); Abs. 4 Satz 2 und 3 aufgeh. mWv 1.8.2018 durch G v. 12.7.2018 (BGBl. I S. 1147); Abs. 4 geänd. mWv 21.8.2019 durch G v. 15.8.2019 *(BGBl. I S. 1294)*; Abs. 2 Satz 1 einl. Satzteil geänd. mWv 1.3.2020 durch G v. 15.8.2019 (BGBl. I S. 1307); Abs. 2 Satz 2 neu gef. mWv 1.3.2024 durch G v. 16.8.2023 (BGBl. 2023 I Nr. 217); Abs. 3 Satz 5 angef. mWv 23.12.2023 durch G v. 20.12.2023 (BGBl. 2023 I Nr. 390).

2. kein Ausweisungsinteresse besteht,
3. soweit kein Anspruch auf Erteilung eines Aufenthaltstitels besteht, der Aufenthalt des Ausländers nicht aus einem sonstigen Grund Interessen der Bundesrepublik Deutschland beeinträchtigt oder gefährdet und
4. die Passpflicht nach § 3 erfüllt wird.

(2) [1] Des Weiteren setzt die Erteilung einer Aufenthaltserlaubnis, einer Blauen Karte EU, einer ICT-Karte, einer Niederlassungserlaubnis oder einer Erlaubnis zum Daueraufenthalt – EU voraus, dass der Ausländer

1. mit dem erforderlichen Visum eingereist ist und
2. die für die Erteilung maßgeblichen Angaben bereits im Visumantrag gemacht hat.

[2] Von den Voraussetzungen nach Satz 1 kann abgesehen werden, wenn die Voraussetzungen eines Anspruchs auf Erteilung erfüllt sind; von den Voraussetzungen nach Satz 1 ist abzusehen, wenn es auf Grund besonderer Umstände des Einzelfalls nicht zumutbar ist, das Visumverfahren nachzuholen. [3] Satz 2 gilt nicht für die Erteilung einer ICT-Karte.

(3) [1] In den Fällen der Erteilung eines Aufenthaltstitels nach § 24 oder § 25 Absatz 1 bis 3 ist von der Anwendung der Absätze 1 und 2, in den Fällen des § 25 Absatz 4a und 4b von der Anwendung des Absatzes 1 Nr. 1 bis 2 und 4 sowie des Absatzes 2 abzusehen. [2] In den übrigen Fällen der Erteilung eines Aufenthaltstitels nach Kapitel 2 Abschnitt 5 kann von der Anwendung der Absätze 1 und 2 abgesehen werden. [3] Wird von der Anwendung des Absatzes 1 Nr. 2 abgesehen, kann die Ausländerbehörde darauf hinweisen, dass eine Ausweisung wegen einzeln zu bezeichnender Ausweisungsinteressen, die Gegenstand eines noch nicht abgeschlossenen Straf- oder anderen Verfahrens sind, möglich ist. [4] In den Fällen der Erteilung eines Aufenthaltstitels nach § 26 Absatz 3 ist von der Anwendung des Absatzes 2 abzusehen. [5] Von der Anwendung des Absatzes 2 ist bei Erteilung einer Aufenthaltserlaubnis nach den §§ 18a, 18b, 19c Absatz 2 oder nach Abschnitt 6 in Anwendung von § 10 Absatz 3 Satz 5 abzusehen.

(4) Die Erteilung eines Aufenthaltstitels ist zu versagen, wenn ein Ausweisungsinteresse im Sinne von § 54 Absatz 1 Nummer 2 oder 4 besteht oder eine Abschiebungsanordnung nach § 58a erlassen wurde.

§ 6[1)] Visum. (1) Einem Ausländer können nach Maßgabe der Verordnung (EG) Nr. 810/2009 folgende Visa erteilt werden:

1. ein Visum für die Durchreise durch das Hoheitsgebiet der Schengen-Staaten oder für geplante Aufenthalte in diesem Gebiet von bis zu 90 Tagen je Zeitraum von 180 Tagen (Schengen-Visum),
2. ein Flughafentransitvisum für die Durchreise durch die internationalen Transitzonen der Flughäfen.

[1)] § 6 Abs. 1, 2 neu gef., Abs. 3 aufgeh., bish. Abs. 4 wird Abs. 3 mWv 26.11.2011 durch G v. 22.11.2011 (BGBl. I S. 2258); Abs. 3 Sätze 2, 3 geänd. mWv 1.8.2012 durch G v. 1.6.2012 (BGBl. I S. 1224); Abs. 4 angef. mWv 6.9.2013, Abs. 3 Sätze 2 und 3 geänd. mWv 2.12.2013 durch G v. 29.8. 2013 (BGBl. I S. 3484); Abs. 1 Nr. 1, Abs. 2 Satz 1 und 2 geänd. mWv 1.8.2015 durch G v. 27.7.2015 (BGBl. I S. 1386); Abs. 3 Satz 2 geänd. mWv 1.8.2017 durch G v. 12.5.2017 (BGBl. I S. 1106); Abs. 2a eingef. mWv 1.3.2020 durch G v. 15.8.2019 (BGBl. I S. 1307).

(2) [1]Schengen-Visa können nach Maßgabe der Verordnung (EG) Nr. 810/2009 bis zu einer Gesamtaufenthaltsdauer von 90 Tagen je Zeitraum von 180 Tagen verlängert werden. [2]Für weitere 90 Tage innerhalb des betreffenden Zeitraums von 180 Tagen kann ein Schengen-Visum aus den in Artikel 33 der Verordnung (EG) Nr. 810/2009/EG genannten Gründen, zur Wahrung politischer Interessen der Bundesrepublik Deutschland oder aus völkerrechtlichen Gründen als nationales Visum verlängert werden.

(2a) Schengen-Visa berechtigen nicht zur Ausübung einer Erwerbstätigkeit, es sei denn, sie wurden zum Zweck der Erwerbstätigkeit erteilt.

(3) [1]Für längerfristige Aufenthalte ist ein Visum für das Bundesgebiet (nationales Visum) erforderlich, das vor der Einreise erteilt wird. [2]Die Erteilung richtet sich nach den für die Aufenthaltserlaubnis, die Blaue Karte EU, die ICT-Karte, die Niederlassungserlaubnis und die Erlaubnis zum Daueraufenthalt – EU geltenden Vorschriften. [3]Die Dauer des rechtmäßigen Aufenthalts mit einem nationalen Visum wird auf die Zeiten des Besitzes einer Aufenthaltserlaubnis, Blauen Karte EU, Niederlassungserlaubnis oder Erlaubnis zum Daueraufenthalt – EU angerechnet.

(4) Ein Ausnahme-Visum im Sinne des § 14 Absatz 2 wird als Visum im Sinne des Absatzes 1 Nummer 1 oder des Absatzes 3 erteilt.

§ 7[1)] Aufenthaltserlaubnis. (1) [1]Die Aufenthaltserlaubnis ist ein befristeter Aufenthaltstitel. [2]Sie wird zu den in den nachfolgenden Abschnitten genannten Aufenthaltszwecken erteilt. [3]In begründeten Fällen kann eine Aufenthaltserlaubnis auch für einen von diesem Gesetz nicht vorgesehenen Aufenthaltszweck erteilt werden. [4]Die Aufenthaltserlaubnis nach Satz 3 berechtigt nicht zur Erwerbstätigkeit; sie kann nach § 4a Absatz 1 erlaubt werden.

(2) [1]Die Aufenthaltserlaubnis ist unter Berücksichtigung des beabsichtigten Aufenthaltszwecks zu befristen. [2]Ist eine für die Erteilung, die Verlängerung oder die Bestimmung der Geltungsdauer wesentliche Voraussetzung entfallen, so kann die Frist auch nachträglich verkürzt werden.

§ 8[2)] Verlängerung der Aufenthaltserlaubnis. (1) Auf die Verlängerung der Aufenthaltserlaubnis finden dieselben Vorschriften Anwendung wie auf die Erteilung.

(2) Die Aufenthaltserlaubnis kann in der Regel nicht verlängert werden, wenn die zuständige Behörde dies bei einem seiner Zweckbestimmung nach nur vorübergehenden Aufenthalt bei der Erteilung oder der zuletzt erfolgten Verlängerung der Aufenthaltserlaubnis ausgeschlossen hat.

(3) [1]Vor der Verlängerung der Aufenthaltserlaubnis ist festzustellen, ob der Ausländer einer etwaigen Pflicht zur ordnungsgemäßen Teilnahme am Integrationskurs nachgekommen ist. [2]Verletzt ein Ausländer seine Verpflichtung nach § 44a Abs. 1 Satz 1 zur ordnungsgemäßen Teilnahme an einem Integrationskurs, ist dies bei der Entscheidung über die Verlängerung der Aufenthaltserlaubnis zu berücksichtigen. [3]Besteht kein Anspruch auf Erteilung der Aufenthaltserlaubnis, soll bei wiederholter und gröblicher Verletzung der Pflichten

---

[1)] § 7 Abs. 1 Satz 4 angef. mWv 1.3.2020 durch G v. 15.8.2019 (BGBl. I S. 1307).

[2)] *§ 8 Abs. 3 Satz 1* eingef., bish. Sätze 1–4 werden Sätze 2–5, Satz 6 angef. mWv 1.7.2011 durch G v. 23.6.2011 (BGBl. I S. 1266); Abs. 4 geänd. mWv 26.11.2011 durch G v. 22.11.2011 (BGBl. I S. 2258).

nach Satz 1 die Verlängerung der Aufenthaltserlaubnis abgelehnt werden. [4] Besteht ein Anspruch auf Verlängerung der Aufenthaltserlaubnis nur nach diesem Gesetz, kann die Verlängerung abgelehnt werden, es sei denn, der Ausländer erbringt den Nachweis, dass seine Integration in das gesellschaftliche und soziale Leben anderweitig erfolgt ist. [5] Bei der Entscheidung sind die Dauer des rechtmäßigen Aufenthalts, schutzwürdige Bindung des Ausländers an das Bundesgebiet und die Folgen einer Aufenthaltsbeendigung für seine rechtmäßig im Bundesgebiet lebenden Familienangehörigen zu berücksichtigen. [6] War oder ist ein Ausländer zur Teilnahme an einem Integrationskurs nach § 44a Absatz 1 Satz 1 verpflichtet, soll die Verlängerung der Aufenthaltserlaubnis jeweils auf höchstens ein Jahr befristet werden, solange er den Integrationskurs noch nicht erfolgreich abgeschlossen oder noch nicht den Nachweis erbracht hat, dass seine Integration in das gesellschaftliche und soziale Leben anderweitig erfolgt ist.

(4) Absatz 3 ist nicht anzuwenden auf die Verlängerung einer nach § 25 Absatz 1, 2 oder Absatz 3 erteilten Aufenthaltserlaubnis.

§ 9[1)] Niederlassungserlaubnis. (1) [1] Die Niederlassungserlaubnis ist ein unbefristeter Aufenthaltstitel. [2] Sie kann nur in den durch dieses Gesetz ausdrücklich zugelassenen Fällen mit einer Nebenbestimmung versehen werden. [3] § 47 bleibt unberührt.

(2) [1] Einem Ausländer ist die Niederlassungserlaubnis zu erteilen, wenn

1. er seit fünf Jahren die Aufenthaltserlaubnis besitzt,
2. sein Lebensunterhalt gesichert ist,
3. er mindestens 60 Monate Pflichtbeiträge oder freiwillige Beiträge zur gesetzlichen Rentenversicherung geleistet hat oder Aufwendungen für einen Anspruch auf vergleichbare Leistungen einer Versicherungs- oder Versorgungseinrichtung oder eines Versicherungsunternehmens nachweist; berufliche Ausfallzeiten auf Grund von Kinderbetreuung oder häuslicher Pflege werden entsprechend angerechnet,
4. Gründe der öffentlichen Sicherheit oder Ordnung unter Berücksichtigung der Schwere oder der Art des Verstoßes gegen die öffentliche Sicherheit oder Ordnung oder der vom Ausländer ausgehenden Gefahr unter Berücksichtigung der Dauer des bisherigen Aufenthalts und dem Bestehen von Bindungen im Bundesgebiet nicht entgegenstehen,
5. ihm die Beschäftigung erlaubt ist, sofern er Arbeitnehmer ist,
6. er im Besitz der sonstigen für eine dauernde Ausübung seiner Erwerbstätigkeit erforderlichen Erlaubnisse ist,
7. er über ausreichende Kenntnisse der deutschen Sprache verfügt,
8. er über Grundkenntnisse der Rechts- und Gesellschaftsordnung und der Lebensverhältnisse im Bundesgebiet verfügt und
9. er über ausreichenden Wohnraum für sich und seine mit ihm in häuslicher Gemeinschaft lebenden Familienangehörigen verfügt.

[2] Die Voraussetzungen des Satzes 1 Nr. 7 und 8 sind nachgewiesen, wenn ein Integrationskurs erfolgreich abgeschlossen wurde. [3] Von diesen Voraussetzungen

---

1) § 9 Abs. 3 Satz 2 geänd. mWv 26.11.2011 durch G v. 22.11.2011 (BGBl. I S. 2258); Abs. 1 Satz 2 geänd. mWv 1.3.2020 durch G v. 15.8.2019 (BGBl. I S. 1307); Abs. 3a eingef. mWv 1.3.2024 durch G v. 16.8.2023 (BGBl. 2023 I Nr. 217).

wird abgesehen, wenn der Ausländer sie wegen einer körperlichen, geistigen oder seelischen Krankheit oder Behinderung nicht erfüllen kann. [4] Im Übrigen kann zur Vermeidung einer Härte von den Voraussetzungen des Satzes 1 Nr. 7 und 8 abgesehen werden. [5] Ferner wird davon abgesehen, wenn der Ausländer sich auf einfache Art in deutscher Sprache mündlich verständigen kann und er nach § 44 Abs. 3 Nr. 2 keinen Anspruch auf Teilnahme am Integrationskurs hatte oder er nach § 44a Abs. 2 Nr. 3 nicht zur Teilnahme am Integrationskurs verpflichtet war. [6] Darüber hinaus wird von den Voraussetzungen des Satzes 1 Nr. 2 und 3 abgesehen, wenn der Ausländer diese aus den in Satz 3 genannten Gründen nicht erfüllen kann.

(3) [1] Bei Ehegatten, die in ehelicher Lebensgemeinschaft leben, genügt es, wenn die Voraussetzungen nach Absatz 2 Satz 1 Nr. 3, 5 und 6 durch einen Ehegatten erfüllt werden. [2] Von der Voraussetzung nach Absatz 2 Satz 1 Nr. 3 wird abgesehen, wenn sich der Ausländer in einer Ausbildung befindet, die zu einem anerkannten schulischen oder beruflichen Bildungsabschluss oder einem Hochschulabschluss führt. [3] Satz 1 gilt in den Fällen des § 26 Abs. 4 entsprechend.

(3a) [1] Dem Ehegatten eines Ausländers, der eine Niederlassungserlaubnis nach § 18c besitzt, ist eine Niederlassungserlaubnis zu erteilen, wenn

1. er in ehelicher Lebensgemeinschaft mit dem Ausländer lebt,
2. er seit drei Jahren die Aufenthaltserlaubnis besitzt,
3. er erwerbstätig im Umfang von mindestens 20 Stunden je Woche ist und
4. die Voraussetzungen nach Absatz 2 Satz 1 Nummer 2, 4 bis 9 vorliegen.

[2] Absatz 2 Satz 2 bis 6 gilt entsprechend. [3] Die Erteilung einer Niederlassungserlaubnis unter den Voraussetzungen des Absatzes 3 bleibt unberührt.

(4) Auf die für die Erteilung einer Niederlassungserlaubnis erforderlichen Zeiten des Besitzes einer Aufenthaltserlaubnis werden folgende Zeiten angerechnet:

1. die Zeit des früheren Besitzes einer Aufenthaltserlaubnis oder Niederlassungserlaubnis, wenn der Ausländer zum Zeitpunkt seiner Ausreise im Besitz einer Niederlassungserlaubnis war, abzüglich der Zeit der dazwischen liegenden Aufenthalte außerhalb des Bundesgebiets, die zum Erlöschen der Niederlassungserlaubnis führten; angerechnet werden höchstens vier Jahre,
2. höchstens sechs Monate für jeden Aufenthalt außerhalb des Bundesgebiets, der nicht zum Erlöschen der Aufenthaltserlaubnis führte,
3. die Zeit eines rechtmäßigen Aufenthalts zum Zweck des Studiums oder der Berufsausbildung im Bundesgebiet zur Hälfte.

§ 9a[1)] Erlaubnis zum Daueraufenthalt – EU. (1) [1] Die Erlaubnis zum Daueraufenthalt – EU ist ein unbefristeter Aufenthaltstitel. [2] § 9 Abs. 1 Satz 2 und 3 gilt entsprechend. [3] Soweit dieses Gesetz nichts anderes regelt, ist die Erlaubnis zum Daueraufenthalt – EU der Niederlassungserlaubnis gleichgestellt.

[1)] § 9a Abs. 3 Nr. 1 geänd. mWv 1.8.2012 durch G v. 1.6.2012 (BGBl. I S. 1224); Abs. 3 Nr. 1 und 2 geänd. mWv 6.9.2013, Überschrift, Abs. 1 Sätze 1 und 3 und Abs. 2 Satz 1 einl. Satzteil geänd. mWv 2.12.2013 durch G v. 29.8.2013 (BGBl. I S. 3484); Abs. 3 Nr. 4, 5 Buchst. a geänd. mWv 1.3.2020 durch G v. 15.8.2019 (BGBl. I S. 1307).

(2) [1] Einem Ausländer ist eine Erlaubnis zum Daueraufenthalt – EU nach Artikel 2 Buchstabe b der Richtlinie 2003/109/EG zu erteilen, wenn

1. er sich seit fünf Jahren mit Aufenthaltstitel im Bundesgebiet aufhält,
2. sein Lebensunterhalt und derjenige seiner Angehörigen, denen er Unterhalt zu leisten hat, durch feste und regelmäßige Einkünfte gesichert ist,
3. er über ausreichende Kenntnisse der deutschen Sprache verfügt,
4. er über Grundkenntnisse der Rechts- und Gesellschaftsordnung und der Lebensverhältnisse im Bundesgebiet verfügt,
5. Gründe der öffentlichen Sicherheit oder Ordnung unter Berücksichtigung der Schwere oder der Art des Verstoßes gegen die öffentliche Sicherheit oder Ordnung oder der vom Ausländer ausgehenden Gefahr unter Berücksichtigung der Dauer des bisherigen Aufenthalts und dem Bestehen von Bindungen im Bundesgebiet nicht entgegenstehen und
6. er über ausreichenden Wohnraum für sich und seine mit ihm in familiärer Gemeinschaft lebenden Familienangehörigen verfügt.

[2] Für Satz 1 Nr. 3 und 4 gilt § 9 Abs. 2 Satz 2 bis 5 entsprechend.

(3) Absatz 2 ist nicht anzuwenden, wenn der Ausländer

1. einen Aufenthaltstitel nach Abschnitt 5 besitzt, der nicht auf Grund des § 23 Abs. 2 erteilt wurde, oder eine vergleichbare Rechtsstellung in einem anderen Mitgliedstaat der Europäischen Union innehat und weder in der Bundesrepublik Deutschland noch in einem anderen Mitgliedstaat der Europäischen Union als international Schutzberechtigter anerkannt ist; Gleiches gilt, wenn er einen solchen Titel oder eine solche Rechtsstellung beantragt hat und über den Antrag noch nicht abschließend entschieden worden ist,
2. in einem Mitgliedstaat der Europäischen Union einen Antrag auf Anerkennung als international Schutzberechtigter gestellt oder vorübergehenden Schutz im Sinne des § 24 beantragt hat und über seinen Antrag noch nicht abschließend entschieden worden ist,
3. in einem anderen Mitgliedstaat der Europäischen Union eine Rechtsstellung besitzt, die der in § 1 Abs. 2 Nr. 2 beschriebenen entspricht,
4. sich mit einer Aufenthaltserlaubnis nach § 16a oder § 16b oder
5. sich zu einem sonstigen seiner Natur nach vorübergehenden Zweck im Bundesgebiet aufhält, insbesondere
   a) auf Grund einer Aufenthaltserlaubnis nach § 19c, wenn die Befristung der Zustimmung der Bundesagentur für Arbeit auf einer Verordnung nach § 42 Abs. 1 bestimmten Höchstbeschäftigungsdauer beruht,
   b) wenn die Verlängerung seiner Aufenthaltserlaubnis nach § 8 Abs. 2 ausgeschlossen wurde oder
   c) wenn seine Aufenthaltserlaubnis der Herstellung oder Wahrung der familiären Lebensgemeinschaft mit einem Ausländer dient, der sich selbst nur zu einem seiner Natur nach vorübergehenden Zweck im Bundesgebiet aufhält, und bei einer Aufhebung der Lebensgemeinschaft kein eigenständiges Aufenthaltsrecht entstehen würde.

§ 9b[1)] Anrechnung von Aufenthaltszeiten. (1) [1]Auf die erforderlichen Zeiten nach § 9a Abs. 2 Satz 1 Nr. 1 werden folgende Zeiten angerechnet:

1. Zeiten eines Aufenthalts außerhalb des Bundesgebiets, in denen der Ausländer einen Aufenthaltstitel besaß und
   a) sich wegen einer Entsendung aus beruflichen Gründen im Ausland aufgehalten hat, soweit deren Dauer jeweils sechs Monate oder eine von der Ausländerbehörde nach § 51 Abs. 1 Nr. 7 bestimmte längere Frist nicht überschritten hat, oder
   b) die Zeiten sechs aufeinanderfolgende Monate und innerhalb des in § 9a Abs. 2 Satz 1 Nr. 1 genannten Zeitraums insgesamt zehn Monate nicht überschreiten,
2. Zeiten eines früheren Aufenthalts im Bundesgebiet mit Aufenthaltserlaubnis, Niederlassungserlaubnis oder Erlaubnis zum Daueraufenthalt – EU, wenn der Ausländer zum Zeitpunkt seiner Ausreise im Besitz einer Niederlassungserlaubnis oder einer Erlaubnis zum Daueraufenthalt – EU war und die Niederlassungserlaubnis oder die Erlaubnis zum Daueraufenthalt – EU allein wegen eines Aufenthalts außerhalb von Mitgliedstaaten der Europäischen Union oder wegen des Erwerbs der Rechtsstellung eines langfristig Aufenthaltsberechtigten in einem anderen Mitgliedstaat der Europäischen Union erloschen ist, bis zu höchstens vier Jahre,
3. Zeiten, in denen der Ausländer freizügigkeitsberechtigt war,
4. Zeiten eines rechtmäßigen Aufenthalts zum Zweck des Studiums oder der Berufsausbildung im Bundesgebiet zur Hälfte,
5. bei international Schutzberechtigten der Zeitraum zwischen dem Tag der Beantragung internationalen Schutzes und dem Tag der Erteilung eines aufgrund der Zuerkennung internationalen Schutzes gewährten Aufenthaltstitels.

[2]Nicht angerechnet werden Zeiten eines Aufenthalts nach § 9a Abs. 3 Nr. 5 und Zeiten des Aufenthalts, in denen der Ausländer auch die Voraussetzungen des § 9a Abs. 3 Nr. 3 erfüllte. [3]Zeiten eines Aufenthalts außerhalb des Bundesgebiets unterbrechen den Aufenthalt nach § 9a Abs. 2 Satz 1 Nr. 1 nicht, wenn der Aufenthalt außerhalb des Bundesgebiets nicht zum Erlöschen des Aufenthaltstitels geführt hat; diese Zeiten werden bei der Bestimmung der Gesamtdauer des Aufenthalts nach § 9a Abs. 2 Satz 1 Nr. 1 nicht angerechnet. [4]In allen übrigen Fällen unterbricht die Ausreise aus dem Bundesgebiet den Aufenthalt nach § 9a Abs. 2 Satz 1 Nr. 1. [5]Die Ausreise aus dem Bundesgebiet unterbricht den Aufenthalt nach § 9a Absatz 2 Satz 1 Nummer 1 auch, wenn ein Ausländer, dem im Bundesgebiet internationaler Schutz zuerkannt wurde, in einem anderen Mitgliedstaat angetroffen wird, in dem er nach dem einschlägigen nationalen Recht, Unionsrecht oder internationalen Recht kein Aufenthaltsrecht hat; diese Zeiten werden bei der Bestimmung der Gesamtdauer des Aufenthalts nach § 9a Absatz 2 Satz 1 Nummer 1 nicht angerechnet.

(2) [1]Auf die erforderlichen Zeiten nach § 9a Absatz 2 Satz 1 Nummer 1 werden die Zeiten angerechnet, in denen der Ausländer im Besitz

---

[1)] § 9b Abs. 2 angef. mWv 1.8.2012 durch G v. 1.6.2012 (BGBl. I S. 1224); Abs. 1 Satz 1 Nr. 4 geänd., Nr. 5 angef. mWv 6.9.2013, Abs. 1 Satz 1 Nr. 2 geänd. mWv 2.12.2013 durch G v. 29.8.2013 (*BGBl. I S. 3484*); *Abs. 2 Satz 1 neu gef.*, Satz 2 eingef., bish. Sätze 2 und 3 werden Sätze 3 und 4, bish. Satz 4 wird Satz 5 und geänd. mWv 18.11.2023 durch G v. 16.8.2023 (BGBl. 2023 I Nr. 217); Abs. 1 Satz 5 angef. mWv 12.6.2026 durch G v. 23.4.2026 (BGBl. 2026 I Nr. 111).

1. einer von einem anderen Mitgliedstaat der Europäischen Union ausgestellten Blauen Karte EU oder
2. eines von einem anderen Mitgliedstaat der Europäischen Union ausgestellten Aufenthaltstitels
   a) zum Zweck der Ausübung einer Beschäftigung in Berufen, für die ein Hochschulabschluss oder ein Abschluss eines mit einem Hochschulstudium gleichwertigen tertiären Bildungsprogramms, für dessen Erwerb die erforderlichen Studien mindestens drei Jahre dauern und die der Mitgliedstaat mindestens Stufe 6 der Internationalen Standardklassifikation im Bildungswesen (ISCED 2011) oder der Stufe 6 des Europäischen Qualifikationsrahmens zugeordnet hat, erforderlich ist,
   b) zum Zweck der Forschung,
   c) zum Zweck des Studiums oder
   d) auf Grund der Rechtsstellung eines international Schutzberechtigten

war, wenn sich der Ausländer bei Antragstellung seit mindestens zwei Jahren als Inhaber einer Blauen Karte EU im Bundesgebiet aufhält und unmittelbar vor der Erteilung dieser Blauen Karte EU im Besitz einer Blauen Karte EU war, die ein anderer Mitgliedstaat der Europäischen Union ausgestellt hat. [2] Für Voraufenthalte mit einem von einem anderen Mitgliedstaat der Europäischen Union erteilten Aufenthaltstitel zum Zweck des Studiums gilt Absatz 1 Satz 1 Nummer 4 entsprechend. [3] Nicht angerechnet werden Zeiten, in denen sich der Ausländer nicht in der Europäischen Union aufgehalten hat. [4] Diese Zeiten unterbrechen jedoch den Aufenthalt nach § 9a Absatz 2 Satz 1 Nummer 1 nicht, wenn sie zwölf aufeinanderfolgende Monate nicht überschreiten und innerhalb des Zeitraums nach § 9a Absatz 2 Satz 1 Nummer 1 insgesamt 18 Monate nicht überschreiten. [5] Die Sätze 1 bis 4 sind entsprechend auf Familienangehörige des Ausländers anzuwenden, denen eine Aufenthaltserlaubnis nach den §§ 30 oder 32 erteilt wurde.

§ 9c[1)] Lebensunterhalt. [1] Feste und regelmäßige Einkünfte im Sinne des § 9a Absatz 2 Satz 1 Nummer 2 liegen in der Regel vor, wenn

1. der Ausländer seine steuerlichen Verpflichtungen erfüllt hat,
2. der Ausländer oder sein mit ihm in familiärer Gemeinschaft lebender Ehegatte im In- oder Ausland Beiträge oder Aufwendungen für eine angemessene Altersversorgung geleistet hat, soweit er hieran nicht durch eine körperliche, geistige oder seelische Krankheit oder Behinderung gehindert war,
3. der Ausländer und seine mit ihm in familiärer Gemeinschaft lebenden Angehörigen gegen das Risiko der Krankheit und der Pflegebedürftigkeit durch die gesetzliche Krankenversicherung oder einen im Wesentlichen gleichwertigen, unbefristeten oder sich automatisch verlängernden Versicherungsschutz abgesichert sind und
4. der Ausländer, der seine regelmäßigen Einkünfte aus einer Erwerbstätigkeit bezieht, zu der Erwerbstätigkeit berechtigt ist und auch über die anderen dafür erforderlichen Erlaubnisse verfügt.

[2] Bei Ehegatten, die in ehelicher Lebensgemeinschaft leben, genügt es, wenn die Voraussetzung nach Satz 1 Nr. 4 durch einen Ehegatten erfüllt wird. [3] Als Beiträge oder Aufwendungen, die nach Satz 1 Nr. 2 erforderlich sind, werden

---

[1)] § 9c Satz 1 einl. Satzteil geänd. mWv 6.9.2013 durch G v. 29.8.2013 (BGBl. I S. 3484).

keine höheren Beiträge oder Aufwendungen verlangt, als es in § 9 Abs. 2 Satz 1 Nr. 3 vorgesehen ist.

§ 10[1] **Aufenthaltstitel bei Asylantrag.** (1) [1] Einem Ausländer, der einen Asylantrag gestellt hat, kann vor dem bestandskräftigen Abschluss des Asylverfahrens ein Aufenthaltstitel außer in den Fällen eines gesetzlichen Anspruchs nur mit Zustimmung der obersten Landesbehörde und nur dann erteilt werden, wenn wichtige Interessen der Bundesrepublik Deutschland es erfordern. [2] In den Fällen eines gesetzlichen Anspruchs nach § 18a oder § 18b darf vor dem bestandskräftigen Abschluss des Asylverfahrens ein Aufenthaltstitel nur mit Zustimmung der obersten Landesbehörde und nur dann erteilt werden, wenn wichtige Interessen der Bundesrepublik Deutschland es erfordern.

(2) Ein nach der Einreise des Ausländers von der Ausländerbehörde erteilter oder verlängerter Aufenthaltstitel kann nach den Vorschriften dieses Gesetzes ungeachtet des Umstandes verlängert werden, dass der Ausländer einen Asylantrag gestellt hat.

(3) [1] Einem Ausländer, dessen Asylantrag unanfechtbar abgelehnt worden ist oder der seinen Asylantrag zurückgenommen hat, darf vor der Ausreise ein Aufenthaltstitel nur nach Maßgabe des Abschnitts 5 erteilt werden. [2] Sofern sich die Ablehnung des Asylantrags nach § 30 des Asylgesetzes[2] auf Artikel 42 Absatz 1 Unterabsatz 1 Buchstabe c, d oder f oder Absatz 3 Buchstabe b der Verordnung (EU) 2024/1348 stützt, darf vor der Ausreise kein Aufenthaltstitel erteilt werden. [3] Die Sätze 1 und 2 finden im Falle eines Anspruchs auf Erteilung eines Aufenthaltstitels keine Anwendung; Satz 2 ist ferner nicht anzuwenden, wenn der Ausländer die Voraussetzungen für die Erteilung einer Aufenthaltserlaubnis nach § 25 Absatz 3 erfüllt. [4] Ein Aufenthaltstitel nach § 18a, § 18b oder § 19c Absatz 2 darf einem Ausländer, dessen Asylantrag unanfechtbar abgelehnt worden ist, vor der Ausreise nicht erteilt werden. [5] Einem Ausländer, der seinen Asylantrag zurückgenommen hat, darf vor der Ausreise ein Aufenthaltstitel nach § 18a, § 18b oder § 19c Absatz 2 nur erteilt werden, wenn er vor dem 29. März 2023 eingereist ist; Gleiches gilt für die Erteilung einer Aufenthaltserlaubnis nach Maßgabe des Abschnitts 6 an den Ehegatten und das minderjährige ledige Kind des Ausländers.

§ 11[3] **Einreise- und Aufenthaltsverbot.** (1) [1] Gegen einen Ausländer, der ausgewiesen, zurückgeschoben oder abgeschoben worden ist oder gegen den eine Abschiebungsanordnung nach § 58a erlassen wurde,[4], ist ein Einreise- und Aufenthaltsverbot zu erlassen. [2] Ein Einreise- und Aufenthaltsverbot ist auch gegen einen Ausländer zu erlassen, der zurückgewiesen wurde, weil er unter Nutzung falscher oder verfälschter Dokumente einreisen wollte. [3] Infolge

---

[1] § 10 Abs. 3 Satz 2 geänd. mWv 26.11.2011 durch G v. 22.11.2011 (BGBl. I S. 2258); Abs. 3 Satz 2 geänd. mWv 24.10.2015 durch G v. 20.10.2015 (BGBl. I S. 1722); Abs. 1 Satz 2 angef., Abs. 3 Sätze 4, 5 angef. mWv 23.12.2023 durch G v. 20.12.2023 (BGBl. 2023 I Nr. 390); Abs. 3 Satz 2 neu gef. mWv 12.6.2026 durch G v. 23.4.2026 (BGBl. 2026 I Nr. 111).

[2] **beck-online, Module Arbeitsrecht Nr. 780.**

[3] § 11 neu gef. mWv 21.8.2019 durch G v. 15.8.2019 (BGBl. I S. 1294); Abs. 1 Satz 1 geänd., Satz 2 eingef., bish. Satz 2 wird Satz 3 und geänd., Satz 4 angef., Abs. 2 Sätze 1, 2, 4, Abs. 5b Satz 2 und Abs. 7 Satz 3 geänd. mWv 27.2.2024 durch G v. 21.2.2024 (BGBl. 2024 I Nr. 54); Abs. 7 Satz 1 Nr. 1 geänd. mWv 24.12.2025 durch G v. 22.12.2025 (BGBl. 2025 I Nr. 364); Abs. 7 Satz 1 Nr. 2 geänd. mWv 12.6.2026 durch G v. 23.4.2026 (BGBl. 2026 I Nr. 111).

[4] Zeichensetzung amtlich.

des Einreise- und Aufenthaltsverbots darf der Ausländer weder erneut in das Bundesgebiet und das Hoheitsgebiet der anderen Mitgliedstaaten der Europäischen Union oder der anderen Schengen-Staaten einreisen noch sich darin aufhalten noch darf ihm, selbst im Falle eines Anspruchs nach diesem Gesetz, ein Aufenthaltstitel erteilt werden. [4] Wenn dem Ausländer die Einreise und der Aufenthalt in einem anderen Mitgliedstaat der Europäischen Union oder in einem anderen Schengen-Staat erlaubt sind, erstreckt sich das Einreise- und Aufenthaltsverbot nicht auf diesen Mitgliedstaat der Europäischen Union oder diesen Schengen-Staat.

(2) [1] Im Falle der Ausweisung, der Abschiebungsanordnung nach § 58a oder der Zurückweisung ist das Einreise- und Aufenthaltsverbot gemeinsam mit der Ausweisungsverfügung, der Abschiebungsanordnung nach § 58a oder der Zurückweisungsentscheidung zu erlassen. [2] Ansonsten soll das Einreise- und Aufenthaltsverbot mit der Abschiebungsandrohung unter der aufschiebenden Bedingung der Ab- oder Zurückschiebung und spätestens mit der Ab- oder Zurückschiebung erlassen werden. [3] Das Einreise- und Aufenthaltsverbot ist bei seinem Erlass von Amts wegen zu befristen. [4] Die Frist beginnt mit der Ausreise oder der Zurückweisung. [5] Die Befristung kann zur Abwehr einer Gefahr für die öffentliche Sicherheit und Ordnung mit einer Bedingung versehen werden, insbesondere einer nachweislichen Straf- oder Drogenfreiheit. [6] Tritt die Bedingung bis zum Ablauf der Frist nicht ein, gilt eine von Amts wegen zusammen mit der Befristung nach Satz 5 angeordnete längere Befristung.

(3) [1] Über die Länge der Frist des Einreise- und Aufenthaltsverbots wird nach Ermessen entschieden. [2] Sie darf außer in den Fällen der Absätze 5 bis 5b fünf Jahre nicht überschreiten.

(4) [1] Das Einreise- und Aufenthaltsverbot kann zur Wahrung schutzwürdiger Belange des Ausländers oder, soweit es der Zweck des Einreise- und Aufenthaltsverbots nicht mehr erfordert, aufgehoben oder die Frist des Einreise- und Aufenthaltsverbots verkürzt werden. [2] Das Einreise- und Aufenthaltsverbot soll aufgehoben werden, wenn die Voraussetzungen für die Erteilung eines Aufenthaltstitels nach Kapitel 2 Abschnitt 5 vorliegen. [3] Bei der Entscheidung über die Verkürzung der Frist oder die Aufhebung des Einreise- und Aufenthaltsverbots, das zusammen mit einer Ausweisung erlassen wurde, ist zu berücksichtigen, ob der Ausländer seiner Ausreisepflicht innerhalb der ihm gesetzten Ausreisefrist nachgekommen ist, es sei denn, der Ausländer war unverschuldet an der Ausreise gehindert oder die Überschreitung der Ausreisefrist war nicht erheblich. [4] Die Frist des Einreise- und Aufenthaltsverbots kann aus Gründen der öffentlichen Sicherheit und Ordnung verlängert werden. [5] Absatz 3 gilt entsprechend.

(5) [1] Die Frist des Einreise- und Aufenthaltsverbots soll zehn Jahre nicht überschreiten, wenn der Ausländer auf Grund einer strafrechtlichen Verurteilung ausgewiesen worden ist oder wenn von ihm eine schwerwiegende Gefahr für die öffentliche Sicherheit und Ordnung ausgeht. [2] Absatz 4 gilt in diesen Fällen entsprechend.

(5a) [1] Die Frist des Einreise- und Aufenthaltsverbots soll 20 Jahre betragen, wenn der Ausländer wegen eines Verbrechens gegen den Frieden, eines Kriegsverbrechens oder eines Verbrechens gegen die Menschlichkeit oder zur Abwehr einer Gefahr für die Sicherheit der Bundesrepublik Deutschland oder einer terroristischen Gefahr ausgewiesen wurde. [2] Absatz 4 Satz 4 und 5 gilt in diesen Fällen entsprechend. [3] Eine Verkürzung der Frist oder Aufhebung des Einreise-

und Aufenthaltsverbots ist grundsätzlich ausgeschlossen. [4] Die oberste Landesbehörde kann im Einzelfall Ausnahmen hiervon zulassen.

(5b) [1] Wird der Ausländer auf Grund einer Abschiebungsanordnung nach § 58a aus dem Bundesgebiet abgeschoben, soll ein unbefristetes Einreise- und Aufenthaltsverbot erlassen werden. [2] In den Fällen des Absatzes 5a oder wenn der Ausländer wegen eines in § 54 Absatz 1 Nummer 1, 2 oder Nummer 2a genannten Ausweisungsinteresses ausgewiesen worden ist, kann im Einzelfall ein unbefristetes Einreise- und Aufenthaltsverbot erlassen werden. [3] Absatz 5a Satz 3 und 4 gilt entsprechend.

(5c) Die Behörde, die die Ausweisung, die Abschiebungsandrohung oder die Abschiebungsanordnung nach § 58a erlässt, ist auch für den Erlass und die erstmalige Befristung des damit zusammenhängenden Einreise- und Aufenthaltsverbots zuständig.

(6) [1] Gegen einen Ausländer, der seiner Ausreisepflicht nicht innerhalb einer ihm gesetzten Ausreisefrist nachgekommen ist, kann ein Einreise- und Aufenthaltsverbot angeordnet werden, es sei denn, der Ausländer ist unverschuldet an der Ausreise gehindert oder die Überschreitung der Ausreisefrist ist nicht erheblich. [2] Absatz 1 Satz 2, Absatz 2 Satz 3 bis 6, Absatz 3 Satz 1 und Absatz 4 Satz 1, 2 und 4 gelten entsprechend. [3] Das Einreise- und Aufenthaltsverbot ist mit seiner Anordnung nach Satz 1 zu befristen. [4] Bei der ersten Anordnung des Einreise- und Aufenthaltsverbots nach Satz 1 soll die Frist ein Jahr nicht überschreiten. [5] Im Übrigen soll die Frist drei Jahre nicht überschreiten. [6] Ein Einreise- und Aufenthaltsverbot wird nicht angeordnet, wenn Gründe für eine vorübergehende Aussetzung der Abschiebung nach § 60a vorliegen, die der Ausländer nicht verschuldet hat.

(7) [1] Gegen einen Ausländer,

1. dessen Asylantrag nach § 29a Absatz 1 oder § 29b Absatz 3 des Asylgesetzes[1)] als offensichtlich unbegründet abgelehnt wurde, dem kein subsidiärer Schutz zuerkannt wurde, das Vorliegen der Voraussetzungen für ein Abschiebungsverbot nach § 60 Absatz 5 oder 7 nicht festgestellt wurde und der keinen Aufenthaltstitel besitzt oder
2. dessen Antrag nach § 71 des Asylgesetzes[1)] wiederholt nicht zur Durchführung eines weiteren Asylverfahrens geführt hat,

kann das Bundesamt für Migration und Flüchtlinge ein Einreise- und Aufenthaltsverbot anordnen. [2] Das Einreise- und Aufenthaltsverbot wird mit Bestandskraft der Entscheidung über den Asylantrag wirksam. [3] Absatz 1 Satz 3 und 4, Absatz 2 Satz 3 bis 6, Absatz 3 Satz 1 und Absatz 4 Satz 1, 2 und 4 gelten entsprechend. [4] Das Einreise- und Aufenthaltsverbot ist mit seiner Anordnung nach Satz 1 zu befristen. [5] Bei der ersten Anordnung des Einreise- und Aufenthaltsverbots nach Satz 1 soll die Frist ein Jahr nicht überschreiten. [6] Im Übrigen soll die Frist drei Jahre nicht überschreiten. [7] Über die Aufhebung, Verlängerung oder Verkürzung entscheidet die zuständige Ausländerbehörde.

(8) [1] Vor Ablauf des Einreise- und Aufenthaltsverbots kann dem Ausländer ausnahmsweise erlaubt werden, das Bundesgebiet kurzfristig zu betreten, wenn zwingende Gründe seine Anwesenheit erfordern oder die Versagung der Erlaubnis eine unbillige Härte bedeuten würde. [2] Im Falle der Absätze 5a und 5b *ist für die Entscheidung* die oberste Landesbehörde zuständig.

[1)] **beck-online, Module Arbeitsrecht Nr. 780.**

(9) [1] Reist ein Ausländer entgegen einem Einreise- und Aufenthaltsverbot in das Bundesgebiet ein, wird der Ablauf einer festgesetzten Frist für die Dauer des Aufenthalts im Bundesgebiet gehemmt. [2] Die Frist kann in diesem Fall verlängert werden, längstens jedoch um die Dauer der ursprünglichen Befristung. [3] Der Ausländer ist auf diese Möglichkeit bei der erstmaligen Befristung hinzuweisen. [4] Für eine nach Satz 2 verlängerte Frist gelten die Absätze 3 und 4 Satz 1 entsprechend.

§ 12[1)] Geltungsbereich; Nebenbestimmungen. (1) [1] Der Aufenthaltstitel wird für das Bundesgebiet erteilt. [2] Seine Gültigkeit nach den Vorschriften des Schengener Durchführungsübereinkommens für den Aufenthalt im Hoheitsgebiet der Vertragsparteien bleibt unberührt.

(2) [1] Das Visum und die Aufenthaltserlaubnis können mit Bedingungen erteilt und verlängert werden. [2] Sie können, auch nachträglich, mit Auflagen, insbesondere einer räumlichen Beschränkung, verbunden werden. [3] Insbesondere kann die Aufenthaltserlaubnis mit einer räumlichen Beschränkung versehen werden, wenn ein Ausweisungsinteresse nach § 54 Absatz 1 Nummer 1 oder 1a besteht und dies erforderlich ist, um den Ausländer aus einem Umfeld zu lösen, welches die wiederholte Begehung erheblicher Straftaten begünstigt.

(3) Ein Ausländer hat den Teil des Bundesgebiets, in dem er sich ohne Erlaubnis der Ausländerbehörde einer räumlichen Beschränkung zuwider aufhält, unverzüglich zu verlassen.

(4) Der Aufenthalt eines Ausländers, der keines Aufenthaltstitels bedarf, kann zeitlich und räumlich beschränkt sowie von Bedingungen und Auflagen abhängig gemacht werden.

(5) [1] Die Ausländerbehörde kann dem Ausländer das Verlassen des auf der Grundlage dieses Gesetzes beschränkten Aufenthaltsbereichs erlauben. [2] Die Erlaubnis ist zu erteilen, wenn hieran ein dringendes öffentliches Interesse besteht, zwingende Gründe es erfordern oder die Versagung der Erlaubnis eine unbillige Härte bedeuten würde. [3] Der Ausländer kann Termine bei Behörden und Gerichten, bei denen sein persönliches Erscheinen erforderlich ist, ohne Erlaubnis wahrnehmen.

§ 12a[2)] Wohnsitzregelung. (1) [1] Zur Förderung seiner nachhaltigen Integration in die Lebensverhältnisse der Bundesrepublik Deutschland ist ein Ausländer, dem internationaler Schutz nach der Verordnung (EU) 2024/1347 zuerkannt worden ist oder dem nach §§ 22, 23, 24 Absatz 1 oder 25 Absatz 3 erstmalig eine Aufenthaltserlaubnis erteilt worden ist, verpflichtet, für den Zeitraum von drei Jahren ab Anerkennung oder Erteilung der Aufenthaltserlaubnis in dem Land seinen gewöhnlichen Aufenthalt (Wohnsitz) zu nehmen, in das er zur Durchführung seines Asylverfahrens oder im Rahmen seines Aufnahmeverfahrens zugewiesen oder gemäß § 24 Absatz 3 verteilt worden ist. [2] Satz 1 findet keine Anwendung, wenn der Ausländer, sein Ehegatte, einge-

---

1) § 12 Abs. 2 Satz 3 angef. mWv 21.8.2019 durch G v. 15.8.2019 (BGBl. I S. 1294).

2) § 12a eingef. mWv 6.8.2016 durch G v. 31.7.2016 (BGBl. I S. 1939, geänd. durch G v. 4.7.2019, BGBl. I S. 914); Abs. 1 Satz 2 geänd., Sätze 3 und 4 angef., Abs. 1a eingef., Abs. 3 Satz 2 angef., Abs. 5 Satz 1 Nr 1 Buchst. a und b geänd., Satz 2 eingef., bish. Satz 2 wird Satz 3, Abs. 10 angef. mWv 12.7.2019 durch G v. 4.7.2019 (BGBl. I S. 914); Abs. 1 Sätze 1 und 2, Abs. 1a Satz 2, Abs. 2 Satz 1, Abs. 3 Satz 1 Nr. 2, Abs. 5 Satz 1 Nr. 1 Buchst. a geänd., Buchst. b eingef., bish. Buchst. b wird c mWv 1.6.2022 durch G v. 23.5.2022 (BGBl. I S. 760); Abs. 1 Satz 1, Abs. 1a Satz 2 geänd. mWv 12.6.2026 durch G v. 23.4.2026 (BGBl. 2026 I Nr. 111).

tragener Lebenspartner oder ein minderjähriges lediges Kind, mit dem er verwandt ist und in familiärer Lebensgemeinschaft lebt, eine sozialversicherungspflichtige Beschäftigung mit einem Umfang von mindestens 15 Stunden wöchentlich aufnimmt oder aufgenommen hat, durch die diese Person mindestens über ein Einkommen in Höhe des monatlichen durchschnittlichen Bedarfs nach den §§ 20 und 22 des Zweiten Buches Sozialgesetzbuch[1] für eine Einzelperson verfügt, oder eine Berufsausbildung aufnimmt oder aufgenommen hat oder in einem Studien- oder Ausbildungsverhältnis steht oder einen Integrationskurs nach § 43, einen Berufssprachkurs nach § 45a, eine Qualifizierungsmaßnahme von einer Dauer von mindestens drei Monaten, die zu einer Berufsanerkennung führt, oder eine Weiterbildungsmaßnahme nach den §§ 81 und 82 des Dritten Buches Sozialgesetzbuch[2] aufnimmt, aufgenommen oder abgeschlossen hat, sofern der Kurs oder die Maßnahme nicht an dem nach Satz 1 verpflichtenden Wohnsitz ohne Verzögerung durchgeführt oder fortgesetzt werden kann. [3] Die Frist nach Satz 1 kann um den Zeitraum verlängert werden, für den der Ausländer seiner nach Satz 1 bestehenden Verpflichtung nicht nachkommt. [4] Fallen die Gründe nach Satz 2 innerhalb von drei Monaten weg, wirkt die Verpflichtung zur Wohnsitznahme nach Satz 1 in dem Land fort, in das der Ausländer seinen Wohnsitz verlegt hat.

(1a) [1] Wird ein Ausländer, dessen gewöhnlicher Aufenthalt durch eine Verteilungs- oder Zuweisungsentscheidung nach dem Achten Buch Sozialgesetzbuch[3] bestimmt wird, volljährig, findet ab Eintritt der Volljährigkeit Absatz 1 Anwendung; die Wohnsitzverpflichtung erwächst in dem Land, in das er zuletzt durch Verteilungs- oder Zuweisungsentscheidung zugewiesen wurde. [2] Die bis zur Volljährigkeit verbrachte Aufenthaltszeit ab Zuerkennung internationalen Schutzes nach der Verordnung (EU) 2024/1347 oder subsidiär Schutzberechtigter im Sinne von § 4 Absatz 1 des Asylgesetzes[4] oder nach erstmaliger Erteilung eines Aufenthaltstitels nach den §§ 22, 23, 24 Absatz 1 oder 25 Absatz 3 wird auf die Frist nach Absatz 1 Satz 1 angerechnet.

(2) [1] Ein Ausländer, der der Verpflichtung nach Absatz 1 unterliegt und der in einer Aufnahmeeinrichtung oder anderen vorübergehenden Unterkunft wohnt, kann innerhalb von sechs Monaten nach Anerkennung, Aufnahme oder Erteilung einer Aufenthaltserlaubnis nach § 24 Absatz 1 längstens bis zum Ablauf der nach Absatz 1 geltenden Frist zu seiner Versorgung mit angemessenem Wohnraum verpflichtet werden, seinen Wohnsitz an einem bestimmten Ort zu nehmen, wenn dies der Förderung seiner nachhaltigen Integration in die Lebensverhältnisse der Bundesrepublik Deutschland nicht entgegensteht. [2] Soweit im Einzelfall eine Zuweisung angemessenen Wohnraums innerhalb von sechs Monaten nicht möglich war, kann eine Zuweisung nach Satz 1 innerhalb von einmalig weiteren sechs Monaten erfolgen.

(3) [1] Zur Förderung seiner nachhaltigen Integration in die Lebensverhältnisse der Bundesrepublik Deutschland kann ein Ausländer, der der Verpflichtung nach Absatz 1 unterliegt, innerhalb von sechs Monaten nach Anerkennung oder erstmaliger Erteilung der Aufenthaltserlaubnis verpflichtet werden, längstens bis zum Ablauf der nach Absatz 1 geltenden Frist seinen Wohnsitz an einem bestimmten Ort zu nehmen, wenn dadurch

[1] Nr. **692**.
[2] Nr. **700**.
[3] Auszugsweise abgedruckt unter Nr. **494a**.
[4] **beck-online, Module Arbeitsrecht Nr. 780.**

1. seine Versorgung mit angemessenem Wohnraum,
2. sein Erwerb ausreichender mündlicher Deutschkenntnisse im Sinne des Niveaus B1 des Gemeinsamen Europäischen Referenzrahmens für Sprachen und
3. unter Berücksichtigung der örtlichen Lage am Ausbildungs- und Arbeitsmarkt die Aufnahme einer Erwerbstätigkeit

erleichtert werden kann. [2] Bei der Entscheidung nach Satz 1 können zudem besondere örtliche, die Integration fördernde Umstände berücksichtigt werden, insbesondere die Verfügbarkeit von Bildungs- und Betreuungsangeboten für minderjährige Kinder und Jugendliche.

(4) [1] Ein Ausländer, der der Verpflichtung nach Absatz 1 unterliegt, kann zur Vermeidung von sozialer und gesellschaftlicher Ausgrenzung bis zum Ablauf der nach Absatz 1 geltenden Frist auch verpflichtet werden, seinen Wohnsitz nicht an einem bestimmten Ort zu nehmen, insbesondere wenn zu erwarten ist, dass der Ausländer Deutsch dort nicht als wesentliche Verkehrssprache nutzen wird. [2] Die Situation des dortigen Ausbildungs- und Arbeitsmarktes ist bei der Entscheidung zu berücksichtigen.

(5) [1] Eine Verpflichtung oder Zuweisung nach den Absätzen 1 bis 4 ist auf Antrag des Ausländers aufzuheben,

1. wenn der Ausländer nachweist, dass in den Fällen einer Verpflichtung oder Zuweisung nach den Absätzen 1 bis 3 an einem anderen Ort, oder im Falle einer Verpflichtung nach Absatz 4 an dem Ort, an dem er seinen Wohnsitz nicht nehmen darf,
   a) ihm oder seinem Ehegatten, eingetragenen Lebenspartner oder einem minderjährigen ledigen Kind, mit dem er verwandt ist und in familiärer Lebensgemeinschaft lebt, eine sozialversicherungspflichtige Beschäftigung im Sinne von Absatz 1 Satz 2, ein den Lebensunterhalt überwiegend sicherndes Einkommen oder ein Ausbildungs- oder Studienplatz zur Verfügung steht,
   b) ihm oder seinem Ehegatten, seinem eingetragenen Lebenspartner oder einem minderjährigen ledigen Kind, mit dem er verwandt ist und in familiärer Lebensgemeinschaft lebt, ein Integrationskurs nach § 43, ein Berufssprachkurs nach § 45a, eine Qualifizierungsmaßnahme von einer Dauer von mindestens drei Monaten, die zu einer Berufsanerkennung führt, oder eine Weiterbildungsmaßnahme nach den §§ 81 und 82 des Dritten Buches Sozialgesetzbuch zeitnah zur Verfügung steht, oder
   c) der Ehegatte, eingetragene Lebenspartner oder ein minderjähriges lediges Kind, mit dem er verwandt ist und mit dem er zuvor in familiärer Lebensgemeinschaft gelebt hat, an einem anderen Wohnort leben,
2. zur Vermeidung einer Härte; eine Härte liegt insbesondere vor, wenn
   a) nach Einschätzung des zuständigen Jugendamtes Leistungen und Maßnahmen der Kinder- und Jugendhilfe nach dem Achten Buch Sozialgesetzbuch[1)] mit Ortsbezug beeinträchtigt würden,
   b) aus anderen dringenden persönlichen Gründen die Übernahme durch ein anderes Land zugesagt wurde oder

---

[1)] Auszugsweise abgedruckt unter Nr. **494a**.

c) für den Betroffenen aus sonstigen Gründen vergleichbare unzumutbare Einschränkungen entstehen.

[2]Fallen die Aufhebungsgründe nach Satz 1 Nummer 1 Buchstabe a innerhalb von drei Monaten ab Bekanntgabe der Aufhebung weg, wirkt die Verpflichtung zur Wohnsitznahme nach Absatz 1 Satz 1 in dem Land fort, in das der Ausländer seinen Wohnsitz verlegt hat. [3]Im Fall einer Aufhebung nach Satz 1 Nummer 2 ist dem Ausländer, längstens bis zum Ablauf der nach Absatz 1 geltenden Frist, eine Verpflichtung nach Absatz 3 oder 4 aufzuerlegen, die seinem Interesse Rechnung trägt.

(6) [1]Bei einem Familiennachzug zu einem Ausländer, der einer Verpflichtung oder Zuweisung nach den Absätzen 1 bis 4 unterliegt, gilt die Verpflichtung oder Zuweisung längstens bis zum Ablauf der nach Absatz 1 für den Ausländer geltenden Frist auch für den nachziehenden Familienangehörigen, soweit die zuständige Behörde nichts anderes angeordnet hat. [2]Absatz 5 gilt für die nachziehenden Familienangehörigen entsprechend.

(7) Die Absätze 1 bis 6 gelten nicht für Ausländer, deren Anerkennung oder erstmalige Erteilung der Aufenthaltserlaubnis im Sinne des Absatzes 1 vor dem 1. Januar 2016 erfolgte.

(8) Widerspruch und Klage gegen Verpflichtungen nach den Absätzen 2 bis 4 haben keine aufschiebende Wirkung.

(9) Die Länder können im Hinblick auf Ausländer, die der Verpflichtung nach Absatz 1 unterliegen, hinsichtlich Organisation, Verfahren und angemessenen Wohnraums durch Rechtsverordnung der Landesregierung oder andere landesrechtliche Regelungen Näheres bestimmen zu

1. der Verteilung innerhalb des Landes nach Absatz 2,
2. dem Verfahren für Zuweisungen und Verpflichtungen nach den Absätzen 2 bis 4,
3. den Anforderungen an den angemessenen Wohnraum im Sinne der Absätze 2, 3 Nummer 1 und von Absatz 5 Satz 1 Nummer 1 Buchstabe a sowie der Form seines Nachweises,
4. der Art und Weise des Belegs einer sozialversicherungspflichtigen Beschäftigung nach Absatz 1 Satz 2, eines den Lebensunterhalt sichernden Einkommens sowie eines Ausbildungs- oder Studienplatzes im Sinne der Absätze 1 und 5 Satz 1 Nummer 1 Buchstabe a,
5. der Verpflichtung zur Aufnahme durch die zum Wohnort bestimmte Gemeinde und zu dem Aufnahmeverfahren.

(10) § 12 Absatz 2 Satz 2 bleibt für wohnsitzbeschränkende Auflagen in besonders begründeten Einzelfällen unberührt.

Abschnitt 3.[1] Aufenthalt zum Zweck der Ausbildung

§ 16g[2] Aufenthaltserlaubnis zur Berufsausbildung für ausreisepflichtige Ausländer. (1) [1]Einem Ausländer ist eine Aufenthaltserlaubnis zu erteilen, wenn er in Deutschland

1. als Asylbewerber eine

---

[1] Abschnitt 3 (§§ 16–17) neu gef. mWv 1.3.2020 durch G v. 15.8.2019 (BGBl. I S. 1307).

[2] § 16g eingef. mWv 1.3.2024 durch G v. 16.8.2023 (BGBl. 2023 I Nr. 217; 2024 I Nr. 54); Abs. 2 Nr. 5 Buchst. e geänd. mWv 12.6.2026 durch G v. 23.4.2026 (BGBl. 2026 I Nr. 111).

a) qualifizierte Berufsausbildung in einem staatlich anerkannten oder vergleichbar geregelten Ausbildungsberuf aufgenommen hat oder

b) Assistenz- oder Helferausbildung in einem staatlich anerkannten oder vergleichbar geregelten Ausbildungsberuf aufgenommen hat, an die eine qualifizierte Berufsausbildung in einem staatlich anerkannten oder vergleichbar geregelten Ausbildungsberuf, für den die Bundesagentur für Arbeit einen Engpass festgestellt hat, anschlussfähig ist und dazu eine Ausbildungsplatzzusage vorliegt,

und nach Ablehnung des Asylantrags diese Berufsausbildung fortsetzen möchte oder

2. im Besitz einer Duldung nach § 60a ist und eine in Nummer 1 genannte Berufsausbildung aufnimmt.

[2]In Fällen offensichtlichen Missbrauchs kann die Aufenthaltserlaubnis versagt werden.

(2) Die Aufenthaltserlaubnis nach Absatz 1 wird nicht erteilt, wenn

1. ein Ausschlussgrund nach § 60a Absatz 6 vorliegt,
2. im Fall von Absatz 1 Satz 1 Nummer 2 der Ausländer bei Antragstellung noch nicht drei Monate im Besitz einer Duldung ist,
3. die Identität nicht geklärt ist
   a) bei Einreise in das Bundesgebiet bis zum 31. Dezember 2016 bis zur Beantragung der Aufenthaltserlaubnis oder
   b) bei Einreise in das Bundesgebiet ab dem 1. Januar 2017 und vor dem 1. Januar 2020 bis zur Beantragung der Aufenthaltserlaubnis, spätestens jedoch bis zum 30. Juni 2020 oder
   c) bei Einreise in das Bundesgebiet nach dem 31. Dezember 2019 innerhalb der ersten sechs Monate nach der Einreise;

   die Frist gilt als gewahrt, wenn der Ausländer innerhalb der in den Buchstaben a bis c genannten Frist alle erforderlichen und ihm zumutbaren Maßnahmen für die Identitätsklärung ergriffen hat und die Identität erst nach dieser Frist geklärt werden kann, ohne dass der Ausländer dies zu vertreten hat,
4. ein Ausschlussgrund nach § 19d Absatz 1 Nummer 6 oder 7 vorliegt, oder gegen den Ausländer eine Ausweisungsverfügung oder eine Abschiebungsanordnung nach § 58a besteht oder
5. im Fall von Absatz 1 Satz 1 Nummer 2 zum Zeitpunkt der Antragstellung konkrete Maßnahmen zur Aufenthaltsbeendigung, die in einem hinreichenden sachlichen und zeitlichen Zusammenhang zur Aufenthaltsbeendigung stehen, bevorstehen; diese konkreten Maßnahmen zur Aufenthaltsbeendigung stehen bevor, wenn
   a) eine ärztliche Untersuchung zur Feststellung der Reisefähigkeit veranlasst wurde,
   b) der Ausländer einen Antrag zur Förderung einer freiwilligen Ausreise mit staatlichen Mitteln gestellt hat,
   c) die Buchung von Transportmitteln für die Abschiebung eingeleitet wurde,
   d) vergleichbar konkrete Vorbereitungsmaßnahmen zur Abschiebung des Ausländers eingeleitet wurden, es sei denn, es ist von vornherein absehbar, dass diese nicht zum Erfolg führen, oder

e) ein Verfahren zur Bestimmung des zuständigen Mitgliedstaates gemäß Artikel 38 Absatz 1 der Verordnung (EU) 2024/1351 eingeleitet wurde.

(3) [1] Der Antrag auf Erteilung der Aufenthaltserlaubnis nach Absatz 1 kann frühestens sieben Monate vor Beginn der Berufsausbildung gestellt werden. [2] Die Aufenthaltserlaubnis nach Absatz 1 Satz 1 Nummer 2 wird frühestens sechs Monate vor Beginn der Berufsausbildung erteilt. [3] Sie wird erteilt, wenn zum Zeitpunkt der Antragstellung auf Erteilung der Aufenthaltserlaubnis nach Absatz 1

1. die Eintragung des Ausbildungsvertrages in das Verzeichnis der Berufsausbildungsverhältnisse bei der zuständigen Stelle bereits beantragt wurde,
2. die Eintragung des Ausbildungsvertrages in das Verzeichnis der Berufsausbildungsverhältnisse bei der zuständigen Stelle erfolgt ist,
3. soweit eine solche Eintragung nicht erforderlich ist, der Ausbildungsvertrag mit einer Bildungseinrichtung geschlossen wurde oder
4. die Zustimmung einer staatlichen oder staatlich anerkannten Bildungseinrichtung zu dem Ausbildungsvertrag vorliegt.

[4] Die Aufenthaltserlaubnis nach Absatz 1 wird für die im Ausbildungsvertrag bestimmte Dauer der Berufsausbildung erteilt.

(3a) Die Aufenthaltserlaubnis nach Absatz 1 berechtigt für die Dauer der Berufsausbildung nach Absatz 1 nur zur Ausübung einer vom Zweck nach Absatz 1 unabhängigen Beschäftigung von bis zu 20 Stunden je Woche.

(4) [1] Wird die Ausbildung vorzeitig beendet oder abgebrochen, ist die Bildungseinrichtung verpflichtet, dies unverzüglich, in der Regel innerhalb von zwei Wochen, der zuständigen Ausländerbehörde schriftlich oder elektronisch mitzuteilen. [2] In der Mitteilung sind neben den mitzuteilenden Tatsachen und dem Zeitpunkt ihres Eintritts die Namen, Vornamen und die Staatsangehörigkeit des Ausländers anzugeben.

(5) [1] Wird das Ausbildungsverhältnis vorzeitig beendet oder abgebrochen, wird die Aufenthaltserlaubnis nach Absatz 1 einmalig um sechs Monate zum Zweck der Suche nach einem weiteren Ausbildungsplatz zur Aufnahme einer Berufsausbildung nach Absatz 1 verlängert. [2] Die Aufenthaltserlaubnis nach Absatz 1 wird für sechs Monate zum Zweck der Suche nach einer der erworbenen beruflichen Qualifikation entsprechenden Beschäftigung verlängert, wenn nach erfolgreichem Abschluss der Berufsausbildung, für die die Aufenthaltserlaubnis nach Absatz 1 erteilt wurde, eine Weiterbeschäftigung im Ausbildungsbetrieb nicht erfolgt; die zur Ausbildungs- oder Arbeitsplatzsuche erteilte Aufenthaltserlaubnis nach Satz 1 oder 2 darf für diesen Zweck nicht verlängert werden.

(6) Eine Aufenthaltserlaubnis nach Absatz 1 Satz 1 kann unbeachtlich des Absatzes 2 Nummer 3 erteilt werden, wenn der Ausländer die erforderlichen und für ihn zumutbaren Maßnahmen für die Identitätsklärung getroffen hat.

(7) Die Aufenthaltserlaubnis nach Absatz 1 oder nach Absatz 5 wird widerrufen, wenn ein Ausschlussgrund nach Absatz 2 Nummer 4 eintritt oder die Ausbildung vorzeitig beendet oder abgebrochen wird.

(8) [1] Nach erfolgreichem Abschluss dieser Berufsausbildung ist für eine der *erworbenen beruflichen* Qualifikation entsprechenden Beschäftigung mit Zustimmung der Bundesagentur für Arbeit eine Aufenthaltserlaubnis für die Dauer von zwei Jahren zu erteilen, wenn die Voraussetzungen des § 19d Absatz 1

Nummer 2, 3, 6 und 7 vorliegen. [2]Die Aufenthaltserlaubnis berechtigt nach Ausübung einer zweijährigen der beruflichen Qualifikation entsprechenden Beschäftigung zu jeder Beschäftigung.

(9) Eine Aufenthaltserlaubnis nach Absatz 8 wird widerrufen, wenn das der Erteilung der Aufenthaltserlaubnis zugrundeliegende Arbeitsverhältnis aus Gründen, die in der Person des Ausländers liegen, aufgelöst wird oder ein Ausschlussgrund nach Absatz 2 Nummer 4 eintritt.

(10) [1]Die Aufenthaltserlaubnis wird abweichend von § 5 Absatz 2 und § 10 Absatz 3 Satz 1 erteilt. [2]§ 5 Absatz 1 Nummer 1a findet keine Anwendung. [3]Solange der Ausländer Leistungen der Ausbildungsförderung nach dem Dritten Buch Sozialgesetzbuch[1)] bezieht, schließt die Inanspruchnahme öffentlicher Leistungen zur Sicherstellung des eigenen Lebensunterhalts die Erteilung der Aufenthaltserlaubnis nicht aus. [4]Die Aufenthaltserlaubnis nach Absatz 1 in Verbindung mit Absatz 5 wird abweichend von § 5 Absatz 1 Nummer 1 erteilt. [5]Von § 3 kann in den Fällen des Absatzes 6 abgesehen werden.

(Fortsetzung nächstes Blatt)

[1)] Nr. **700**.

Abschnitt 4. Aufenthalt zum Zweck der Erwerbstätigkeit

§ 18[1] **Grundsatz der Fachkräfteeinwanderung; allgemeine Bestimmungen.** (1) [1]Die Zulassung ausländischer Beschäftigter orientiert sich an den Erfordernissen des Wirtschafts- und Wissenschaftsstandortes Deutschland unter Berücksichtigung der Verhältnisse auf dem Arbeitsmarkt. [2]Die besonderen Möglichkeiten für ausländische Fach- und Arbeitskräfte dienen der Sicherung der Fach- und Arbeitskräftebasis und der Stärkung der sozialen Sicherungssysteme. [3]Sie sind ausgerichtet auf die nachhaltige Integration von Fachkräften sowie Arbeitskräften mit ausgeprägter Berufserfahrung in den Arbeitsmarkt und die Gesellschaft unter Beachtung der Interessen der öffentlichen Sicherheit.

(2) Die Erteilung eines Aufenthaltstitels zur Ausübung einer Beschäftigung nach diesem Abschnitt setzt voraus, dass

1. ein konkretes Arbeitsplatzangebot vorliegt,
2. die Bundesagentur für Arbeit nach § 39 zugestimmt hat; dies gilt nicht, wenn durch Gesetz, zwischenstaatliche Vereinbarung oder durch die Beschäftigungsverordnung[2] bestimmt ist, dass die Ausübung der Beschäftigung ohne Zustimmung der Bundesagentur für Arbeit zulässig ist; in diesem Fall kann die Erteilung des Aufenthaltstitels auch versagt werden, wenn einer der Tatbestände des § 40 Absatz 2 oder 3 vorliegt,
3. eine Berufsausübungserlaubnis erteilt wurde oder zugesagt ist, soweit diese erforderlich ist,
4. die Gleichwertigkeit der Qualifikation festgestellt wurde oder ein anerkannter ausländischer oder ein einem deutschen Hochschulabschluss vergleichbarer ausländischer Hochschulabschluss vorliegt, soweit dies eine Voraussetzung für die Erteilung des Aufenthaltstitels ist,

4a. der Ausländer und der Arbeitgeber versichern, dass die Beschäftigung tatsächlich ausgeübt werden soll, und

5. in den Fällen der erstmaligen Erteilung eines Aufenthaltstitels nach § 18a oder § 18b nach Vollendung des 45. Lebensjahres des Ausländers die Höhe des Gehalts mindestens 55 Prozent der jährlichen Beitragsbemessungsgrenze in der allgemeinen Rentenversicherung entspricht, es sei denn, der Ausländer kann den Nachweis über eine angemessene Altersversorgung erbringen. Von den Voraussetzungen nach Satz 1 kann abgesehen werden, wenn ein öffentliches, insbesondere ein regionales, wirtschaftliches oder arbeitsmarktpolitisches Interesse an der Beschäftigung des Ausländers besteht, insbesondere, wenn die Gehaltsschwelle nur geringfügig unterschritten oder die Altersgrenze nur geringfügig überschritten wird. Das Bundesministerium des Innern, für Bau und Heimat gibt das Mindestgehalt für jedes Kalenderjahr jeweils bis zum 31. Dezember des Vorjahres im Bundesanzeiger bekannt.

(3) Fachkraft im Sinne dieses Gesetzes ist ein Ausländer, der

1. eine inländische qualifizierte Berufsausbildung oder eine mit einer inländischen qualifizierten Berufsausbildung gleichwertige ausländische Berufsqualifikation besitzt (Fachkraft mit Berufsausbildung) oder

---

[1] § 18 neu gef. mWv 1.3.2020 durch G v. 15.8.2019 (BGBl. I S. 1307); Abs. 2 Nr. 5 Satz 1 geänd., Abs. 4 neu gef. mWv 18.11.2023, Abs. 1 Sätze 2 und 3 neu gef., Abs. 2 Nr. 4 geänd., Nr. 4a eingef., Nr. 5 Satz 2 neu gef. mWv 1.3.2024 durch G v. 16.8.2023 (BGBl. 2023 I Nr. 217); Änd. von Abs. 2 Nr. 5 Satz 1 aufgrund der vorhergehenden Änd. nicht ausführbar.

[2] Nr. **762**.

2. einen deutschen, einen anerkannten ausländischen oder einen einem deutschen Hochschulabschluss vergleichbaren ausländischen Hochschulabschluss besitzt (Fachkraft mit akademischer Ausbildung).

(4) Aufenthaltstitel gemäß den §§ 18a, 18b, 18g und 19c werden für die Dauer von vier Jahren oder, wenn das Arbeitsverhältnis oder die Zustimmung der Bundesagentur für Arbeit auf einen kürzeren Zeitraum befristet sind, für diesen kürzeren Zeitraum zuzüglich dreier Monate, nicht jedoch für länger als vier Jahre, erteilt.

§ 18a[1)] Fachkräfte mit Berufsausbildung. Einer Fachkraft mit Berufsausbildung wird eine Aufenthaltserlaubnis zur Ausübung jeder qualifizierten Beschäftigung erteilt.

§ 18b[2)] Fachkräfte mit akademischer Ausbildung. Einer Fachkraft mit akademischer Ausbildung wird eine Aufenthaltserlaubnis zur Ausübung jeder qualifizierten Beschäftigung erteilt.

§ 18c[3)] Niederlassungserlaubnis für Fachkräfte. (1) [1] Einer Fachkraft ist ohne Zustimmung der Bundesagentur für Arbeit eine Niederlassungserlaubnis zu erteilen, wenn

1. sie seit drei Jahren im Besitz eines Aufenthaltstitels nach den §§ 18a, 18b, 18d oder § 18g ist,
2. sie einen Arbeitsplatz innehat, der nach den Voraussetzungen der §§ 18a, 18b, 18d oder § 18g von ihr besetzt werden darf,
3. sie mindestens 36 Monate Pflichtbeiträge oder freiwillige Beiträge zur gesetzlichen Rentenversicherung geleistet hat oder Aufwendungen für einen Anspruch auf vergleichbare Leistungen einer Versicherungs- oder Versorgungseinrichtung oder eines Versicherungsunternehmens nachweist,
4. sie über ausreichende Kenntnisse der deutschen Sprache verfügt und
5. die Voraussetzungen des § 9 Absatz 2 Satz 1 Nummer 2 und 4 bis 6, 8 und 9 vorliegen; § 9 Absatz 2 Satz 2 bis 4 und 6 gilt entsprechend.

[2] Die Frist nach Satz 1 Nummer 1 verkürzt sich auf zwei Jahre und die Frist nach Satz 1 Nummer 3 verkürzt sich auf 24 Monate, wenn die Fachkraft eine inländische Berufsausbildung oder ein inländisches Studium erfolgreich abgeschlossen hat.

(2) [1] Abweichend von Absatz 1 ist dem Inhaber einer Blauen Karte EU eine Niederlassungserlaubnis zu erteilen, wenn er mindestens 27 Monate eine Beschäftigung nach § 18g ausgeübt hat und für diesen Zeitraum Pflichtbeiträge oder freiwillige Beiträge zur gesetzlichen Rentenversicherung geleistet hat oder Aufwendungen für einen Anspruch auf vergleichbare Leistungen einer Versicherungs- oder Versorgungseinrichtung oder eines Versicherungsunternehmens nachweist und die Voraussetzungen des § 9 Absatz 2 Satz 1 Nummer 2 und 4 bis 6, 8 und 9 vorliegen und er über einfache Kenntnisse der deutschen Sprache verfügt. [2] § 9 Absatz 2 Satz 2 bis 4 und 6 gilt entsprechend. [3] Die Frist nach Satz 1

---

1) § 18a neu gef. mWv 18.11.2023 durch G v. 16.8.2023 (BGBl. 2023 I Nr. 217).

2) § 18b neu gef. mWv 18.11.2023 durch G v. 16.8.2023 (BGBl. 2023 I Nr. 217).

3) *§ 18c neu gef. mWv 1.3.2020* durch G v. 15.8.2019 (BGBl. I S. 1307); Abs. 1 Satz 1 Nr. 1 und 2, Abs. 2 Satz 1 geänd. mWv 18.11.2023, Abs. 1 Satz 1 Nr. 1 und 3, Abs. 2 Satz 1, Abs. 3 Satz 1 geänd. mWv 1.3.2024 durch G v. 16.8.2023 (BGBl. 2023 I Nr. 217).

verkürzt sich auf 21 Monate, wenn der Ausländer über ausreichende Kenntnisse der deutschen Sprache verfügt.

(3) [1] Einer hoch qualifizierten Fachkraft mit akademischer Ausbildung soll ohne Zustimmung der Bundesagentur für Arbeit in besonderen Fällen eine Niederlassungserlaubnis erteilt werden, wenn die Annahme gerechtfertigt ist, dass die Integration in die Lebensverhältnisse der Bundesrepublik Deutschland und die Sicherung des Lebensunterhalts ohne staatliche Hilfe gewährleistet sind sowie die Voraussetzung des § 9 Absatz 2 Satz 1 Nummer 4 vorliegt. [2] Die Landesregierung kann bestimmen, dass die Erteilung der Niederlassungserlaubnis nach Satz 1 der Zustimmung der obersten Landesbehörde oder einer von ihr bestimmten Stelle bedarf. [3] Hoch qualifiziert nach Satz 1 sind bei mehrjähriger Berufserfahrung insbesondere

1. Wissenschaftler mit besonderen fachlichen Kenntnissen oder
2. Lehrpersonen in herausgehobener Funktion oder wissenschaftliche Mitarbeiter in herausgehobener Funktion.

§ 18d[1)] **Forschung.** (1) [1] Einem Ausländer wird ohne Zustimmung der Bundesagentur für Arbeit eine Aufenthaltserlaubnis nach der Richtlinie (EU) 2016/801 zum Zweck der Forschung erteilt, wenn

1. er
   a) eine wirksame Aufnahmevereinbarung oder einen entsprechenden Vertrag zur Durchführung eines Forschungsvorhabens mit einer Forschungseinrichtung abgeschlossen hat, die für die Durchführung des besonderen Zulassungsverfahrens für Forscher im Bundesgebiet anerkannt ist, oder
   b) eine wirksame Aufnahmevereinbarung oder einen entsprechenden Vertrag mit einer Forschungseinrichtung abgeschlossen hat, die Forschung betreibt, und
2. die Forschungseinrichtung sich schriftlich zur Übernahme der Kosten verpflichtet hat, die öffentlichen Stellen bis zu sechs Monate nach der Beendigung der Aufnahmevereinbarung entstehen für
   a) den Lebensunterhalt des Ausländers während eines unerlaubten Aufenthalts in einem Mitgliedstaat der Europäischen Union und
   b) eine Abschiebung des Ausländers.

[2] In den Fällen des Satzes 1 Nummer 1 Buchstabe a ist die Aufenthaltserlaubnis innerhalb von 60 Tagen nach Antragstellung zu erteilen.

(2) [1] Von dem Erfordernis des Absatzes 1 Satz 1 Nummer 2 soll abgesehen werden, wenn die Tätigkeit der Forschungseinrichtung überwiegend aus öffentlichen Mitteln finanziert wird. [2] Es kann davon abgesehen werden, wenn an dem Forschungsvorhaben ein besonderes öffentliches Interesse besteht. [3] Auf die nach Absatz 1 Satz 1 Nummer 2 abgegebenen Erklärungen sind § 66 Absatz 5, § 67 Absatz 3 sowie § 68 Absatz 2 Satz 2 und 3 und Absatz 4 entsprechend anzuwenden.

(3) Die Forschungseinrichtung kann die Erklärung nach Absatz 1 Satz 1 Nummer 2 auch gegenüber der für ihre Anerkennung zuständigen Stelle all-

---

[1)] § 18d neu gef. mWv 1.3.2020 durch G v. 15.8.2019 (BGBl. I S. 1307); Abs. 2 Satz 1, Abs. 2 Satz 3, Abs. 3 geänd. mWv 24.6.2020 durch G v. 12.6.2020 (BGBl. I S. 1248).

gemein für sämtliche Ausländer abgeben, denen auf Grund einer mit ihr geschlossenen Aufnahmevereinbarung eine Aufenthaltserlaubnis erteilt wird.

(4) [1] Die Aufenthaltserlaubnis wird für mindestens ein Jahr erteilt. [2] Nimmt der Ausländer an einem Unions- oder multilateralen Programm mit Mobilitätsmaßnahmen teil, so wird die Aufenthaltserlaubnis für mindestens zwei Jahre erteilt. [3] Wenn das Forschungsvorhaben in einem kürzeren Zeitraum durchgeführt wird, wird die Aufenthaltserlaubnis abweichend von den Sätzen 1 und 2 auf die Dauer des Forschungsvorhabens befristet; die Frist beträgt in den Fällen des Satzes 2 mindestens ein Jahr.

(5) [1] Eine Aufenthaltserlaubnis nach Absatz 1 berechtigt zur Aufnahme der Forschungstätigkeit bei der in der Aufnahmevereinbarung bezeichneten Forschungseinrichtung und zur Aufnahme von Tätigkeiten in der Lehre. [2] Änderungen des Forschungsvorhabens während des Aufenthalts führen nicht zum Wegfall dieser Berechtigung.

(6) [1] Einem Ausländer, der in einem Mitgliedstaat der Europäischen Union international Schutzberechtigter ist, kann eine Aufenthaltserlaubnis zum Zweck der Forschung erteilt werden, wenn die Voraussetzungen des Absatzes 1 erfüllt sind und er sich mindestens zwei Jahre nach Erteilung der Schutzberechtigung in diesem Mitgliedstaat aufgehalten hat. [2] Absatz 5 gilt entsprechend.

§ 18e[1)] Kurzfristige Mobilität für Forscher. (1) [1] Für einen Aufenthalt zum Zweck der Forschung, der eine Dauer von 180 Tagen innerhalb eines Zeitraums von 360 Tagen nicht überschreitet, bedarf ein Ausländer abweichend von § 4 Absatz 1 keines Aufenthaltstitels, wenn die aufnehmende Forschungseinrichtung im Bundesgebiet dem Bundesamt für Migration und Flüchtlinge und der zuständigen Behörde des anderen Mitgliedstaates mitgeteilt hat, dass der Ausländer beabsichtigt, einen Teil seiner Forschungstätigkeit im Bundesgebiet durchzuführen, und dem Bundesamt für Migration und Flüchtlinge mit der Mitteilung vorlegt

1. den Nachweis, dass der Ausländer einen gültigen nach der Richtlinie (EU) 2016/801 erteilten Aufenthaltstitel eines anderen Mitgliedstaates zum Zweck der Forschung besitzt,
2. die Aufnahmevereinbarung oder den entsprechenden Vertrag, die oder der mit der aufnehmenden Forschungseinrichtung im Bundesgebiet geschlossen wurde,
3. die Kopie eines anerkannten und gültigen Passes oder Passersatzes des Ausländers und
4. den Nachweis, dass der Lebensunterhalt des Ausländers gesichert ist.

[2] Die aufnehmende Forschungseinrichtung hat die Mitteilung zu dem Zeitpunkt zu machen, zu dem der Ausländer in einem anderen Mitgliedstaat der Europäischen Union den Antrag auf Erteilung eines Aufenthaltstitels im Anwendungsbereich der Richtlinie (EU) 2016/801 stellt. [3] Ist der aufnehmenden Forschungseinrichtung zu diesem Zeitpunkt die Absicht des Ausländers, einen Teil der Forschungstätigkeit im Bundesgebiet durchzuführen, noch nicht bekannt, so hat sie die Mitteilung zu dem Zeitpunkt zu machen, zu dem ihr die Absicht bekannt wird. [4] Bei der Erteilung des Aufenthaltstitels nach Satz 1 Nummer 1 durch einen Staat, der nicht Schengen-Staat ist, und bei der Einreise über einen Staat, der

[1)] § 18e eingef. mWv 1.3.2020 durch G v. 15.8.2019 (BGBl. I S. 1307).

nicht Schengen-Staat ist, hat der Ausländer eine Kopie der Mitteilung mitzuführen und den zuständigen Behörden auf deren Verlangen vorzulegen.

(2) [1] Erfolgt die Mitteilung zu dem in Absatz 1 Satz 2 genannten Zeitpunkt und wurden die Einreise und der Aufenthalt nicht nach § 19f Absatz 5 abgelehnt, so darf der Ausländer jederzeit innerhalb der Gültigkeitsdauer des Aufenthaltstitels in das Bundesgebiet einreisen und sich dort zum Zweck der Forschung aufhalten. [2] Erfolgt die Mitteilung zu dem in Absatz 1 Satz 3 genannten Zeitpunkt, so darf der Ausländer nach Zugang der Mitteilung innerhalb der Gültigkeitsdauer des in Absatz 1 Satz 1 Nummer 1 genannten Aufenthaltstitels des anderen Mitgliedstaates in das Bundesgebiet einreisen und sich dort zum Zweck der Forschung aufhalten.

(3) Ein Ausländer, der die Voraussetzungen nach Absatz 1 erfüllt, ist berechtigt, in der aufnehmenden Forschungseinrichtung die Forschungstätigkeit aufzunehmen und Tätigkeiten in der Lehre aufzunehmen.

(4) [1] Werden die Einreise und der Aufenthalt nach § 19f Absatz 5 abgelehnt, so hat der Ausländer die Forschungsstätigkeit unverzüglich einzustellen. [2] Die bis dahin nach Absatz 1 Satz 1 bestehende Befreiung vom Erfordernis eines Aufenthaltstitels entfällt.

(5) Sofern keine Ablehnung der Einreise und des Aufenthalts nach § 19f Absatz 5 erfolgt, wird dem Ausländer durch das Bundesamt für Migration und Flüchtlinge eine Bescheinigung über die Berechtigung zur Einreise und zum Aufenthalt zum Zweck der Forschung im Rahmen der kurzfristigen Mobilität ausgestellt.

(6) [1] Nach der Ablehnung gemäß § 19f Absatz 5 oder der Ausstellung der Bescheinigung im Sinne von Absatz 5 durch das Bundesamt für Migration und Flüchtlinge ist die Ausländerbehörde gemäß § 71 Absatz 1 für weitere aufenthaltsrechtliche Maßnahmen und Entscheidungen zuständig. [2] Der Ausländer und die aufnehmende Forschungseinrichtung sind verpflichtet, der Ausländerbehörde Änderungen in Bezug auf die in Absatz 1 genannten Voraussetzungen anzuzeigen.

§ 18f[1)] Aufenthaltserlaubnis für mobile Forscher. (1) Für einen Aufenthalt zum Zweck der Forschung, der mehr als 180 Tage und höchstens ein Jahr dauert, wird einem Ausländer ohne Zustimmung der Bundesagentur für Arbeit eine Aufenthaltserlaubnis erteilt, wenn

1. er einen für die Dauer des Verfahrens gültigen nach der Richtlinie (EU) 2016/801 erteilten Aufenthaltstitel eines anderen Mitgliedstaates besitzt,
2. die Kopie eines anerkannten und gültigen Passes oder Passersatzes vorgelegt wird und
3. die Aufnahmevereinbarung oder der entsprechende Vertrag, die oder der mit der aufnehmenden Forschungseinrichtung im Bundesgebiet geschlossen wurde, vorgelegt wird.

(2) Wird der Antrag auf Erteilung der Aufenthaltserlaubnis mindestens 30 Tage vor Beginn des Aufenthalts im Bundesgebiet gestellt und ist der Aufenthaltstitel des anderen Mitgliedstaates weiterhin gültig, so gelten, bevor über den Antrag entschieden wird, der Aufenthalt und die Erwerbstätigkeit des Ausländers für bis zu 180 Tage innerhalb eines Zeitraums von 360 Tagen als erlaubt.

[1)] § 18f eingef. mWv 1.3.2020 durch G v. 15.8.2019 (BGBl. I S. 1307).

(3) Für die Berechtigung zur Ausübung der Forschungstätigkeit und einer Tätigkeit in der Lehre gilt § 18d Absatz 5 entsprechend.

(4) Der Ausländer und die aufnehmende Forschungseinrichtung sind verpflichtet, der Ausländerbehörde Änderungen in Bezug auf die in Absatz 1 genannten Voraussetzungen anzuzeigen.

(5) [1] Der Antrag wird abgelehnt, wenn er parallel zu einer Mitteilung nach § 18e Absatz 1 Satz 1 gestellt wurde. [2] Abgelehnt wird ein Antrag auch, wenn er zwar während eines Aufenthalts nach § 18e Absatz 1, aber nicht mindestens 30 Tage vor Ablauf dieses Aufenthalts vollständig gestellt wurde.

§ 18g[1)] Blaue Karte EU. (1) [1] Einer Fachkraft mit akademischer Ausbildung wird ohne Zustimmung der Bundesagentur für Arbeit eine Blaue Karte EU zum Zweck einer ihrer Qualifikation angemessenen inländischen Beschäftigung erteilt, wenn sie ein Gehalt in Höhe von mindestens 50 Prozent der jährlichen Beitragsbemessungsgrenze in der allgemeinen Rentenversicherung erhält und keiner der in § 19f Absatz 1 und 2 geregelten Ablehnungsgründe vorliegt. [2] Fachkräften mit akademischer Ausbildung, die

1. einen Beruf ausüben, der zu den Gruppen 132, 133, 134, 21, 221, 222, 225, 226, 23 oder 25 nach der Empfehlung der Kommission vom 29. Oktober 2009 über die Verwendung der Internationalen Standardklassifikation der Berufe (ISCO-08) (ABl. L 292 vom 10.11.2009, S. 31) gehört, oder
2. einen Hochschulabschluss nicht mehr als drei Jahre vor der Beantragung der Blauen Karte EU erworben haben,

wird die Blaue Karte EU abweichend von Satz 1 mit Zustimmung der Bundesagentur für Arbeit erteilt, wenn die Höhe des Gehalts mindestens 45,3 Prozent der jährlichen Beitragsbemessungsgrenze in der allgemeinen Rentenversicherung beträgt. [3] Die Voraussetzungen nach § 18 Absatz 2 Nummer 3 gelten als erfüllt, wenn die Fachkraft Inhaberin einer Aufenthaltserlaubnis nach § 18b ist und für die Ausübung der Beschäftigung mit der Blauen Karte EU dieselbe Berufsausübungserlaubnis wie für die Aufenthaltserlaubnis nach § 18b erforderlich ist. [4] Die Voraussetzungen nach § 18 Absatz 2 Nummer 4 gelten als erfüllt, wenn die Fachkraft Inhaberin einer Aufenthaltserlaubnis nach § 18b ist und für die Erteilung dieser Aufenthaltserlaubnis denselben Hochschulabschluss vorgelegt hat, der für die Erteilung der Blauen Karte EU maßgeblich ist. [5] Die Sätze 1 bis 4 gelten entsprechend für eine Fachkraft, die ein tertiäres Bildungsprogramm, das mit einem Hochschulabschluss gleichwertig ist und mindestens drei Jahre Ausbildungsdauer erfordert, erfolgreich abgeschlossen hat, wenn diese Qualifikation einem Ausbildungsniveau entspricht, das in der Bundesrepublik Deutschland mindestens der Stufe 6 der Internationalen Standardklassifikation im Bildungswesen (ISCED 2011) oder der Stufe 6 des Europäischen Qualifikationsrahmens zugeordnet ist.

(2) Einem Ausländer, der die Voraussetzungen nach Absatz 1 nicht erfüllt, wird mit Zustimmung der Bundesagentur für Arbeit eine Blaue Karte EU zum Zweck der Ausübung einer der Qualifikation angemessenen inländischen Beschäftigung in einem Beruf, der zu den Gruppen 133 oder 25 nach der Empfehlung der

[1)] § 18g eingef. mWv 18.11.2023 durch G v. 16.8.2023 (BGBl. 2023 I Nr. 217); Abs. 2 einl. Satzteil geänd. mWv 23.12.2023 durch G v. 20.12.2023 (BGBl. 2023 I Nr. 390).

Kommission vom 29. Oktober 2009 über die Verwendung der Internationalen Standardklassifikation der Berufe (ISCO-08) (ABl. L 292 vom 10.11.2009, S. 31) gehört, abweichend von § 18 Absatz 2 Nummer 4 erteilt, wenn

1. die Höhe des Gehalts mindestens 45,3 Prozent der jährlichen Beitragsbemessungsgrenze in der allgemeinen Rentenversicherung beträgt,
2. keiner der in § 19f Absatz 1 und 2 geregelten Ablehnungsgründe vorliegt und
3. der Ausländer über Fertigkeiten, Kenntnisse und Fähigkeiten verfügt,
   a) die auf einer in den letzten sieben Jahren erworbenen, mindestens dreijährigen Berufserfahrung in einem Beruf beruhen, der zu den Gruppen 133 oder 25 nach der Empfehlung der Kommission vom 29. Oktober 2009 über die Verwendung der Internationalen Standardklassifikation der Berufe (ISCO-08) (ABl. L 292 vom 10.11.2009, S. 31) gehört,
   b) deren Niveau mit einem Hochschulabschluss oder einem Abschluss eines mit einem Hochschulstudium gleichwertigen tertiären Bildungsprogramms, das alle Voraussetzungen des Absatzes 1 Satz 5 erfüllt, vergleichbar ist, und
   c) die für die Ausübung der Beschäftigung erforderlich sind.

(3) Die Erteilung einer Blauen Karte EU setzt voraus, dass das konkrete Arbeitsplatzangebot nach § 18 Absatz 2 Nummer 1 eine Beschäftigungsdauer von mindestens sechs Monaten vorsieht.

(4) [1] Abweichend von § 4a Absatz 3 Satz 4 ist für den Arbeitsplatzwechsel eines Inhabers einer Blauen Karte EU keine Erlaubnis der Ausländerbehörde erforderlich. [2] In den ersten zwölf Monaten der Beschäftigung kann die zuständige Ausländerbehörde den Arbeitsplatzwechsel des Inhabers einer Blauen Karte EU für 30 Tage aussetzen und innerhalb dieses Zeitraums ablehnen, wenn die Voraussetzungen für die Erteilung einer Blauen Karte EU nicht vorliegen.

(5) Für die Erteilung einer Blauen Karte EU gilt der Lebensunterhalt als gesichert, wenn der Ausländer Inhaber einer Aufenthaltserlaubnis nach § 18a oder § 18b ist und der Arbeitsplatz nicht gewechselt wird.

(6) [1] Abweichend von § 8 Absatz 1 findet auf die Verlängerung einer Blauen Karte EU die Gehaltsschwelle gemäß Absatz 1 Satz 2 Anwendung, wenn der Antragsteller den Hochschulabschluss oder den Abschluss des mit einem Hochschulstudium gleichwertigen tertiären Bildungsprogramms nicht mehr als drei Jahre vor der Beantragung der Verlängerung der Blauen Karte EU erworben hat oder seit der Erteilung der ersten Blauen Karte EU gemäß Absatz 1 Satz 2 Nummer 2 weniger als 24 Monate vergangen sind. [2] Im Übrigen bleibt § 8 Absatz 1 unberührt.

(7) Das Bundesministerium des Innern und für Heimat gibt die Mindestgehälter nach den Absätzen 1 und 2 für jedes Kalenderjahr jeweils bis zum 31. Dezember des Vorjahres im Bundesanzeiger bekannt.

§ 18h[1)] Kurzfristige Mobilität für Inhaber einer Blauen Karte EU.

(1) [1] Ein Inhaber einer gültigen Blauen Karte EU, die ein anderer Mitgliedstaat der Europäischen Union ausgestellt hat, benötigt für die Einreise und den

---

[1)] § 18h eingef. mWv 18.11.2023 durch G v. 16.8.2023 (BGBl. 2023 I Nr. 217).

sich daran anschließenden Aufenthalt zum Zweck der Ausübung einer geschäftlichen Tätigkeit, die im direkten Zusammenhang mit den Pflichten aus dem Arbeitsvertrag steht, der Grundlage für die Erteilung der Blauen Karte EU war, abweichend von § 4 Absatz 1 keinen Aufenthaltstitel und keine Arbeitserlaubnis der Bundesagentur für Arbeit, wenn die Dauer des Aufenthalts 90 Tage innerhalb eines Zeitraums von 180 Tagen nicht überschreitet. [2] Ist die Blaue Karte EU von einem Mitgliedstaat der Europäischen Union ausgestellt, der nicht Schengen-Staat ist, hat der Ausländer neben der gültigen Blauen Karte EU zusätzlich einen Nachweis über den geschäftlichen Zweck des Aufenthalts mit sich zu führen und bei der Grenzkontrolle auf Verlangen vorzuzeigen.

(2) Absatz 1 gilt entsprechend, wenn der Ausländer in einem anderen Mitgliedstaat der Europäischen Union die Rechtsstellung eines langfristig Aufenthaltsberechtigten innehat und unmittelbar vor Erlangung dieser Rechtsstellung im Besitz einer von diesem Mitgliedstaat ausgestellten Blauen Karte EU war.

§ 18i[1] Langfristige Mobilität für Inhaber einer Blauen Karte EU.

(1) [1] Einem Ausländer, der eine gültige Blaue Karte EU besitzt, die von einem anderen Mitgliedstaat der Europäischen Union erteilt wurde und mit der er sich seit mindestens zwölf Monaten rechtmäßig in diesem Mitgliedstaat der Europäischen Union aufhält, wird eine Blaue Karte EU nach § 18g erteilt, wenn die jeweils erforderlichen Voraussetzungen nach § 18g vorliegen. [2] Die Voraussetzung nach § 18 Absatz 2 Nummer 4 gilt als erfüllt, es sei denn

1. der Ausländer ist weniger als zwei Jahre im Besitz der Blauen Karte EU, die der andere Mitgliedstaat der Europäischen Union ausgestellt hat, oder
2. der andere Mitgliedstaat der Europäischen Union hat die Blaue Karte EU auf Grund von durch Berufserfahrungen erworbenen Fertigkeiten, Kenntnissen und Fähigkeiten zum Zweck der Ausübung eines Berufes erteilt, der nicht in Anhang I zu der Richtlinie (EU) 2021/1883 des Europäischen Parlaments und des Rates vom 20. Oktober 2021 über die Bedingungen für die Einreise und den Aufenthalt von Drittstaatsangehörigen zur Ausübung einer hoch qualifizierten Beschäftigung und zur Aufhebung der Richtlinie 2009/50/EG des Rates (ABl. L 382 vom 28.10.2021, S. 1) aufgeführt ist.

(2) Hat ein Mitgliedstaat der Europäischen Union, der nicht Schengen-Staat ist, die Blaue Karte EU nach Absatz 1 Satz 1 erster Halbsatz ausgestellt, so hat der Ausländer bei der Einreise neben der gültigen Blauen Karte EU einen Arbeitsvertrag oder ein verbindliches Arbeitsplatzangebot für eine der Qualifikation angemessene Beschäftigung auf dem Niveau eines Hochschulabschlusses oder dem Niveau eines mit einem Hochschulabschluss gleichwertigen tertiären Bildungsabschlusses, der alle Voraussetzungen nach § 18g Absatz 1 Satz 5 erfüllt, für einen Zeitraum von mindestens sechs Monaten im Bundesgebiet mit sich zu führen.

(3) Hat der Ausländer bereits einmal oder mehrfach von der Möglichkeit der langfristigen Mobilität nach Artikel 21 der Richtlinie (EU) 2021/1883 Gebrauch gemacht, beträgt die Mindestdauer des rechtmäßigen Aufenthalts in einem anderen Mitgliedstaat der Europäischen Union mit einer von diesem Mitgliedstaat ausgestellten und gültigen Blauen Karte EU abweichend von Absatz 1 Satz 1 sechs Monate.

---

[1] § 18i eingef. mWv 18.11.2023 durch G v. 16.8.2023 (BGBl. 2023 I Nr. 217).

§ 19[1] ICT-Karte für unternehmensintern transferierte Arbeitnehmer.

(1) [1] Eine ICT-Karte ist ein Aufenthaltstitel zum Zweck eines unternehmensinternen Transfers eines Ausländers. [2] Ein unternehmensinterner Transfer ist die vorübergehende Abordnung eines Ausländers

1. in eine inländische Niederlassung des Unternehmens, dem der Ausländer angehört, wenn das Unternehmen seinen Sitz außerhalb der Europäischen Union hat, oder
2. in eine inländische Niederlassung eines anderen Unternehmens der Unternehmensgruppe, zu der auch dasjenige Unternehmen mit Sitz außerhalb der Europäischen Union gehört, dem der Ausländer angehört.

(2) [1] Einem Ausländer wird die ICT-Karte erteilt, wenn

1. er in der aufnehmenden Niederlassung als Führungskraft oder Spezialist tätig wird,
2. er dem Unternehmen oder der Unternehmensgruppe unmittelbar vor Beginn des unternehmensinternen Transfers seit mindestens sechs Monaten und für die Zeit des Transfers ununterbrochen angehört,
3. der unternehmensinterne Transfer mehr als 90 Tage dauert,
4. der Ausländer einen für die Dauer des unternehmensinternen Transfers gültigen Arbeitsvertrag und erforderlichenfalls ein Abordnungsschreiben vorweist, worin enthalten sind:
   a) Einzelheiten zu Ort, Art, Entgelt und zu sonstigen Arbeitsbedingungen für die Dauer des unternehmensinternen Transfers sowie
   b) der Nachweis, dass der Ausländer nach Beendigung des unternehmensinternen Transfers in eine außerhalb der Europäischen Union ansässige Niederlassung des gleichen Unternehmens oder der gleichen Unternehmensgruppe zurückkehren kann, und
5. er seine berufliche Qualifikation nachweist.

[2] Führungskraft im Sinne dieses Gesetzes ist eine in einer Schlüsselposition beschäftigte Person, die in erster Linie die aufnehmende Niederlassung leitet und die hauptsächlich unter der allgemeinen Aufsicht des Leitungsorgans oder der Anteilseigner oder gleichwertiger Personen steht oder von ihnen allgemeine Weisungen erhält. [3] Diese Position schließt die Leitung der aufnehmenden Niederlassung oder einer Abteilung oder Unterabteilung der aufnehmenden Niederlassung, die Überwachung und Kontrolle der Arbeit des sonstigen Aufsicht führenden Personals und der Fach- und Führungskräfte sowie die Befugnis zur Empfehlung einer Anstellung, Entlassung oder sonstigen personellen Maßnahme ein. [4] Spezialist im Sinne dieses Gesetzes ist, wer über unerlässliche Spezialkenntnisse über die Tätigkeitsbereiche, die Verfahren oder die Verwaltung der aufnehmenden Niederlassung, ein hohes Qualifikationsniveau sowie angemessene Berufserfahrung verfügt.

(3) [1] Die ICT-Karte wird einem Ausländer auch erteilt, wenn

1. er als Trainee im Rahmen eines unternehmensinternen Transfers tätig wird und
2. die in Absatz 2 Satz 1 Nummer 2 bis 4 genannten Voraussetzungen vorliegen.

---

[1] § 19 neu gef. mWv 1.3.2020 durch G v. 15.8.2019 (BGBl. I S. 1307); Abs. 6 Nr. 1 eingef., bish. Nr. 1, 2 werden Nr. 2, 3 mWv 24.6.2020 durch G v. 12.6.2020 (BGBl. I S. 1241).

[2] Trainee im Sinne dieses Gesetzes ist, wer über einen Hochschulabschluss verfügt, ein Traineeprogramm absolviert, das der beruflichen Entwicklung oder der Fortbildung in Bezug auf Geschäftstechniken und -methoden dient, und entlohnt wird.

(4) [1] Die ICT-Karte wird erteilt

1. bei Führungskräften und bei Spezialisten für die Dauer des Transfers, höchstens jedoch für drei Jahre und
2. bei Trainees für die Dauer des Transfers, höchstens jedoch für ein Jahr.

[2] Durch eine Verlängerung der ICT-Karte dürfen die in Satz 1 genannten Höchstfristen nicht überschritten werden.

(5) Die ICT-Karte wird nicht erteilt, wenn der Ausländer

1. auf Grund von Übereinkommen zwischen der Europäischen Union und ihren Mitgliedstaaten einerseits und Drittstaaten andererseits ein Recht auf freien Personenverkehr genießt, das dem der Unionsbürger gleichwertig ist,
2. in einem Unternehmen mit Sitz in einem dieser Drittstaaten beschäftigt ist oder
3. im Rahmen seines Studiums ein Praktikum absolviert.

(6) Die ICT-Karte wird darüber hinaus nicht erteilt, wenn

1. die aufnehmende Niederlassung hauptsächlich zu dem Zweck gegründet wurde, die Einreise von unternehmensintern transferierten Arbeitnehmern zu erleichtern,
2. sich der Ausländer im Rahmen der Möglichkeiten der Einreise und des Aufenthalts in mehreren Mitgliedstaaten der Europäischen Union zu Zwecken des unternehmensinternen Transfers im Rahmen des Transfers länger in einem anderen Mitgliedstaat aufhalten wird als im Bundesgebiet oder
3. der Antrag vor Ablauf von sechs Monaten seit dem Ende des letzten Aufenthalts des Ausländers zum Zweck des unternehmensinternen Transfers im Bundesgebiet gestellt wird.

(7) Diese Vorschrift dient der Umsetzung der Richtlinie 2014/66/EU des Europäischen Parlaments und des Rates vom 15. Mai 2014 über die Bedingungen für die Einreise und den Aufenthalt von Drittstaatsangehörigen im Rahmen eines unternehmensinternen Transfers (ABl. L 157 vom 27.5.2014, S. 1).

§ 19a[1)] Kurzfristige Mobilität für unternehmensintern transferierte Arbeitnehmer. (1) [1] Für einen Aufenthalt zum Zweck eines unternehmensinternen Transfers, der eine Dauer von bis zu 90 Tagen innerhalb eines Zeitraums von 180 Tagen nicht überschreitet, bedarf ein Ausländer abweichend von § 4 Absatz 1 keines Aufenthaltstitels, wenn die ihn aufnehmende Niederlassung in dem anderen Mitgliedstaat dem Bundesamt für Migration und Flüchtlinge und der zuständigen Behörde des anderen Mitgliedstaates mitgeteilt hat, dass der Ausländer die Ausübung einer Beschäftigung im Bundesgebiet beabsichtigt, und dem Bundesamt für Migration und Flüchtlinge mit der Mitteilung vorlegt

---

[1)] § 19a neu gef. mWv 1.3.2020 durch G v. 15.8.2019 (BGBl. I S. 1307).

1. den Nachweis, dass der Ausländer einen gültigen nach der Richtlinie (EU) 2014/66 erteilten Aufenthaltstitel eines anderen Mitgliedstaates der Europäischen Union besitzt,
2. den Nachweis, dass die inländische aufnehmende Niederlassung demselben Unternehmen oder derselben Unternehmensgruppe angehört wie dasjenige Unternehmen mit Sitz außerhalb der Europäischen Union, dem der Ausländer angehört,
3. einen Arbeitsvertrag und erforderlichenfalls ein Abordnungsschreiben gemäß den Vorgaben in § 19 Absatz 2 Satz 1 Nummer 4, der oder das bereits den zuständigen Behörden des anderen Mitgliedstaates vorgelegt wurde,
4. die Kopie eines anerkannten und gültigen Passes oder Passersatzes des Ausländers,
5. den Nachweis, dass eine Berufsausübungserlaubnis erteilt wurde oder ihre Erteilung zugesagt ist, soweit diese erforderlich ist.

[2]Die aufnehmende Niederlassung in dem anderen Mitgliedstaat hat die Mitteilung zu dem Zeitpunkt zu machen, zu dem der Ausländer in dem anderen Mitgliedstaat der Europäischen Union den Antrag auf Erteilung eines Aufenthaltstitels im Anwendungsbereich der Richtlinie (EU) 2014/66 stellt. [3]Ist der aufnehmenden Niederlassung in dem anderen Mitgliedstaat zu diesem Zeitpunkt die Absicht des Transfers in eine Niederlassung im Bundesgebiet noch nicht bekannt, so hat sie die Mitteilung zu dem Zeitpunkt zu machen, zu dem ihr die Absicht bekannt wird. [4]Bei der Erteilung des Aufenthaltstitels nach Satz 1 Nummer 1 durch einen Staat, der nicht Schengen-Staat ist, und bei der Einreise über einen Staat, der nicht Schengen-Staat ist, hat der Ausländer eine Kopie der Mitteilung mitzuführen und den zuständigen Behörden auf deren Verlangen vorzulegen.

(2) [1]Erfolgt die Mitteilung zu dem in Absatz 1 Satz 2 genannten Zeitpunkt und wurden die Einreise und der Aufenthalt nicht nach Absatz 4 abgelehnt, so darf der Ausländer jederzeit innerhalb der Gültigkeitsdauer des in Absatz 1 Satz 1 Nummer 1 genannten Aufenthaltstitels des anderen Mitgliedstaates in das Bundesgebiet einreisen und sich dort zum Zweck des unternehmensinternen Transfers aufhalten. [2]Erfolgt die Mitteilung zu dem in Absatz 1 Satz 3 genannten Zeitpunkt, so darf der Ausländer nach Zugang der Mitteilung innerhalb der Gültigkeitsdauer des in Absatz 1 Satz 1 Nummer 1 genannten Aufenthaltstitels des anderen Mitgliedstaates in das Bundesgebiet einreisen und sich dort zum Zweck des unternehmensinternen Transfers aufhalten.

(3) [1]Die Einreise und der Aufenthalt werden durch das Bundesamt für Migration und Flüchtlinge abgelehnt, wenn

1. das Arbeitsentgelt, das dem Ausländer während des unternehmensinternen Transfers im Bundesgebiet gewährt wird, ungünstiger ist als das Arbeitsentgelt vergleichbarer deutscher Arbeitnehmer,
2. die Voraussetzungen des Absatzes 1 Satz 1 Nummer 1, 2, 4 und 5 nicht vorliegen,
3. die nach Absatz 1 vorgelegten Unterlagen in betrügerischer Weise erworben oder gefälscht oder manipuliert wurden,
4. der Ausländer sich schon länger als drei Jahre in der Europäischen Union aufhält oder, falls es sich um einen Trainee handelt, länger als ein Jahr in der Europäischen Union aufhält oder
5. ein Ausweisungsinteresse besteht.

[2] Eine Ablehnung hat in den Fällen des Satzes 1 Nummer 1 bis 4 spätestens 20 Tage nach Zugang der vollständigen Mitteilung nach Absatz 1 Satz 1 beim Bundesamt für Migration und Flüchtlinge zu erfolgen. [3] Im Fall des Satzes 1 Nummer 5 ist eine Ablehnung durch die Ausländerbehörde jederzeit während des Aufenthalts des Ausländers möglich; § 73 Absatz 3c ist entsprechend anwendbar. [4] Die Ablehnung ist neben dem Ausländer auch der zuständigen Behörde des anderen Mitgliedstaates sowie der aufnehmenden Niederlassung in dem anderen Mitgliedstaat bekannt zu geben. [5] Bei fristgerechter Ablehnung hat der Ausländer die Erwerbstätigkeit unverzüglich einzustellen; die bis dahin nach Absatz 1 Satz 1 bestehende Befreiung vom Erfordernis eines Aufenthaltstitels entfällt.

(4) Sofern innerhalb von 20 Tagen nach Zugang der in Absatz 1 Satz 1 genannten Mitteilung keine Ablehnung der Einreise und des Aufenthalts des Ausländers nach Absatz 3 erfolgt, ist dem Ausländer durch das Bundesamt für Migration und Flüchtlinge eine Bescheinigung über die Berechtigung zur Einreise und zum Aufenthalt zum Zweck des unternehmensinternen Transfers im Rahmen der kurzfristigen Mobilität auszustellen.

(5) [1] Nach der Ablehnung gemäß Absatz 3 oder der Ausstellung der Bescheinigung im Sinne von Absatz 4 durch das Bundesamt für Migration und Flüchtlinge ist die Ausländerbehörde gemäß § 71 Absatz 1 für weitere aufenthaltsrechtliche Maßnahmen und Entscheidungen zuständig. [2] Der Ausländer hat der Ausländerbehörde unverzüglich mitzuteilen, wenn der Aufenthaltstitel nach Absatz 1 Satz 1 Nummer 1 durch den anderen Mitgliedstaat verlängert wurde.

§ 19b[1)] Mobiler-ICT-Karte. (1) Eine Mobiler-ICT-Karte ist ein Aufenthaltstitel nach der Richtlinie (EU) 2014/66 zum Zweck eines unternehmensinternen Transfers im Sinne des § 19 Absatz 1 Satz 2, wenn der Ausländer einen für die Dauer des Antragsverfahrens gültigen nach der Richtlinie (EU) 2014/66 erteilten Aufenthaltstitel eines anderen Mitgliedstaates besitzt.

(2) Einem Ausländer wird die Mobiler-ICT-Karte erteilt, wenn

1. er als Führungskraft, Spezialist oder Trainee tätig wird,
2. der unternehmensinterne Transfer mehr als 90 Tage dauert und
3. er einen für die Dauer des Transfers gültigen Arbeitsvertrag und erforderlichenfalls ein Abordnungsschreiben vorweist, worin enthalten sind:
   a) Einzelheiten zu Ort, Art, Entgelt und zu sonstigen Arbeitsbedingungen für die Dauer des Transfers sowie
   b) der Nachweis, dass der Ausländer nach Beendigung des Transfers in eine außerhalb der Europäischen Union ansässige Niederlassung des gleichen Unternehmens oder der gleichen Unternehmensgruppe zurückkehren kann.

(3) Wird der Antrag auf Erteilung der Mobiler-ICT-Karte mindestens 20 Tage vor Beginn des Aufenthalts im Bundesgebiet gestellt und ist der Aufenthaltstitel des anderen Mitgliedstaates weiterhin gültig, so gelten bis zur Entscheidung der Ausländerbehörde der Aufenthalt und die Beschäftigung des Ausländers für bis zu 90 Tage innerhalb eines Zeitraums von 180 Tagen als erlaubt.

[1)] § 19b neu gef. mWv 1.3.2020 durch G v. 15.8.2019 (BGBl. I S. 1307); Abs. 6 Nr. 2 geänd. mWv 24.6.2020 durch G v. 12.6.2020 (BGBl. I S. 1241).

(4) [1] Der Antrag wird abgelehnt, wenn er parallel zu einer Mitteilung nach § 19a Absatz 1 Satz 1 gestellt wurde. [2] Abgelehnt wird ein Antrag auch, wenn er zwar während des Aufenthalts nach § 19a, aber nicht mindestens 20 Tage vor Ablauf dieses Aufenthalts vollständig gestellt wurde.

(5) Die Mobiler-ICT-Karte wird nicht erteilt, wenn sich der Ausländer im Rahmen des unternehmensinternen Transfers im Bundesgebiet länger aufhalten wird als in anderen Mitgliedstaaten.

(6) Der Antrag kann abgelehnt werden, wenn

1. die Höchstdauer des unternehmensinternen Transfers nach § 19 Absatz 4 erreicht wurde oder
2. der in § 19 Absatz 6 Nummer 3 genannte Ablehnungsgrund vorliegt.

(7) Die inländische aufnehmende Niederlassung ist verpflichtet, der zuständigen Ausländerbehörde Änderungen in Bezug auf die in Absatz 2 genannten Voraussetzungen unverzüglich, in der Regel innerhalb einer Woche, anzuzeigen.

§ 19c[1)] Sonstige Beschäftigungszwecke; Beamte. (1) Einem Ausländer kann unabhängig von einer Qualifikation als Fachkraft eine Aufenthaltserlaubnis zur Ausübung einer Beschäftigung erteilt werden, wenn die Beschäftigungsverordnung[2)] oder eine zwischenstaatliche Vereinbarung bestimmt, dass der Ausländer zur Ausübung dieser Beschäftigung zugelassen werden kann.

(2) Einem Ausländer mit ausgeprägten berufspraktischen Kenntnissen kann eine Aufenthaltserlaubnis zur Ausübung einer qualifizierten Beschäftigung erteilt werden, wenn die Beschäftigungsverordnung bestimmt, dass der Ausländer zur Ausübung dieser Beschäftigung zugelassen werden kann.

(3) Einem Ausländer kann im begründeten Einzelfall eine Aufenthaltserlaubnis erteilt werden, wenn an seiner Beschäftigung ein öffentliches, insbesondere ein regionales, wirtschaftliches oder arbeitsmarktpolitisches Interesse besteht.

(4) [1] Einem Ausländer, der in einem Beamtenverhältnis zu einem deutschen Dienstherrn steht, wird ohne Zustimmung der Bundesagentur für Arbeit eine Aufenthaltserlaubnis zur Erfüllung seiner Dienstpflichten im Bundesgebiet erteilt. [2] Die Aufenthaltserlaubnis wird für die Dauer von drei Jahren erteilt, wenn das Dienstverhältnis nicht auf einen kürzeren Zeitraum befristet ist. [3] Nach drei Jahren wird eine Niederlassungserlaubnis abweichend von § 9 Absatz 2 Satz 1 Nummer 1 und 3 erteilt.

§ 19d[3)] Aufenthaltserlaubnis für qualifizierte Geduldete zum Zweck der Beschäftigung. (1) Einem geduldeten Ausländer ***[bis 29.2.2024:*** kann***]*** ***[ab 1.3.2024:*** *soll****]*** eine Aufenthaltserlaubnis zur Ausübung einer der beruflichen Qualifikation entsprechenden Beschäftigung erteilt werden, wenn der Ausländer

1. im Bundesgebiet
   a) eine qualifizierte Berufsausbildung in einem staatlich anerkannten oder vergleichbar geregelten Ausbildungsberuf ***[ab 1.3.2024:****, eine nach bundes-*

[1)] § 19c neu gef. mWv 1.3.2020 durch G v. 15.8.2019 (BGBl. I S. 1307).

[2)] Nr. **762**.

[3)] § 19d neu gef. mWv 1.3.2020 durch G v. 15.8.2019 (BGBl. I S. 1307); Abs. 1 einl. Satzteil, Nr. 1 Buchst. a geänd., Abs. 4 angef. mWv 1.3.2024 durch G v. 16.8.2023 (BGBl. 2023 I Nr. 217).

oder landesrechtlichen Vorschriften geregelte, staatlich anerkannte Ausbildung in einer Pflegehilfstätigkeit] oder ein Hochschulstudium abgeschlossen hat, oder

b) mit einem anerkannten oder einem deutschen Hochschulabschluss vergleichbaren ausländischen Hochschulabschluss seit zwei Jahren ununterbrochen eine dem Abschluss angemessene Beschäftigung ausgeübt hat, oder

c) seit drei Jahren ununterbrochen eine qualifizierte Beschäftigung ausgeübt hat und innerhalb des letzten Jahres vor Beantragung der Aufenthaltserlaubnis für seinen Lebensunterhalt und den seiner Familienangehörigen oder anderen Haushaltsangehörigen nicht auf öffentliche Mittel mit Ausnahme von Leistungen zur Deckung der notwendigen Kosten für Unterkunft und Heizung angewiesen war, und

2. über ausreichenden Wohnraum verfügt,
3. über ausreichende Kenntnisse der deutschen Sprache verfügt,
4. die Ausländerbehörde nicht vorsätzlich über aufenthaltsrechtlich relevante Umstände getäuscht hat,
5. behördliche Maßnahmen zur Aufenthaltsbeendigung nicht vorsätzlich hinausgezögert oder behindert hat,
6. keine Bezüge zu extremistischen oder terroristischen Organisationen hat und diese auch nicht unterstützt und
7. nicht wegen einer im Bundesgebiet begangenen vorsätzlichen Straftat verurteilt wurde, wobei Geldstrafen von insgesamt bis zu 50 Tagessätzen oder bis zu 90 Tagessätzen wegen Straftaten, die nach dem Aufenthaltsgesetz oder dem Asylgesetz[1] nur von Ausländern begangen werden können, grundsätzlich außer Betracht bleiben.

(1a) Wurde die Duldung nach § 60a Absatz 2 Satz 3 in Verbindung mit § 60c erteilt, ist nach erfolgreichem Abschluss dieser Berufsausbildung für eine der erworbenen beruflichen Qualifikation entsprechenden Beschäftigung eine Aufenthaltserlaubnis für die Dauer von zwei Jahren zu erteilen, wenn die Voraussetzungen des Absatzes 1 Nummer 2 bis 3 und 6 bis 7 vorliegen.

(1b) Eine Aufenthaltserlaubnis nach Absatz 1a wird widerrufen, wenn das der Erteilung dieser Aufenthaltserlaubnis zugrunde liegende Arbeitsverhältnis aus Gründen, die in der Person des Ausländers liegen, aufgelöst wird oder der Ausländer wegen einer im Bundesgebiet begangenen vorsätzlichen Straftat verurteilt wurde, wobei Geldstrafen von insgesamt bis zu 50 Tagessätzen oder bis zu 90 Tagessätzen wegen Straftaten, die nach dem Aufenthaltsgesetz oder dem Asylgesetz[1] nur von Ausländern begangen werden können, grundsätzlich außer Betracht bleiben.

(2) Die Aufenthaltserlaubnis berechtigt nach Ausübung einer zweijährigen der beruflichen Qualifikation entsprechenden Beschäftigung zu jeder Beschäftigung.

(3) Die Aufenthaltserlaubnis kann abweichend von § 5 Absatz 2 und § 10 Absatz 3 Satz 1 erteilt werden.

[Abs. 4 ab 1.3.2024:]

(4) Besitzt ein Ausländer eine Aufenthaltserlaubnis nach Kapitel 2 Abschnitt 5, die in Anwendung von § 10 Absatz 3 Satz 1 erteilt wurde, gilt Absatz 1 entsprechend.

---

[1] Auszugsweise abgedruckt unter Nr. **780**.

§ 19e[1] Teilnahme am europäischen Freiwilligendienst. (1) Einem Ausländer wird eine Aufenthaltserlaubnis zum Zweck der Teilnahme an einem europäischen Freiwilligendienst nach der Richtlinie (EU) 2016/801 erteilt, wenn die Bundesagentur für Arbeit nach § 39 zugestimmt hat oder durch die Beschäftigungsverordnung[2] oder durch zwischenstaatliche Vereinbarung bestimmt ist, dass die Teilnahme an einem europäischen Freiwilligendienst ohne Zustimmung der Bundesagentur für Arbeit zulässig ist und der Ausländer eine Vereinbarung mit der aufnehmenden Einrichtung vorlegt, die Folgendes enthält:

1. eine Beschreibung des Freiwilligendienstes,
2. Angaben über die Dauer des Freiwilligendienstes und über die Dienstzeiten des Ausländers,
3. Angaben über die Bedingungen der Tätigkeit und der Betreuung des Ausländers,
4. Angaben über die dem Ausländer zur Verfügung stehenden Mittel für Lebensunterhalt und Unterkunft sowie Angaben über Taschengeld, das ihm für die Dauer des Aufenthalts mindestens zur Verfügung steht, und
5. Angaben über die Ausbildung, die der Ausländer gegebenenfalls erhält, damit er die Aufgaben des Freiwilligendienstes ordnungsgemäß durchführen kann.

(2) Der Aufenthaltstitel für den Ausländer wird für die vereinbarte Dauer der Teilnahme am europäischen Freiwilligendienst, höchstens jedoch für ein Jahr erteilt.

§ 19f[3] Ablehnungsgründe bei Aufenthaltstiteln nach den §§ 16b, 16c, 16e, 16f, 17, 18d, 18e, 18f, 18g und 19e. (1) Ein Aufenthaltstitel nach § 16b Absatz 1 und 5, den §§ 16e, 17 Absatz 2, §§ 18d, 18g und 19e wird nicht erteilt an Ausländer,

1. die sich im Rahmen einer Regelung zum vorübergehenden Schutz in einem Mitgliedstaat der Europäischen Union aufhalten oder die in einem Mitgliedstaat einen Antrag auf Zuerkennung vorübergehenden Schutzes gestellt haben,
2. deren Abschiebung in einem Mitgliedstaat der Europäischen Union aus tatsächlichen oder rechtlichen Gründen ausgesetzt wurde,
3. die eine Erlaubnis zum Daueraufenthalt – EU oder einen Aufenthaltstitel, der durch einen anderen Mitgliedstaat der Europäischen Union auf der Grundlage der Richtlinie (EG) 2003/109 erteilt wurde, besitzen,
4. die auf Grund von Übereinkommen zwischen der Europäischen Union und ihren Mitgliedstaaten einerseits und Drittstaaten andererseits ein Recht auf freien Personenverkehr genießen, das dem der Unionsbürger gleichwertig ist.

(2) Eine Blaue Karte EU nach § 18g wird über die in Absatz 1 genannten Ausschlussgründe hinaus nicht erteilt an Ausländer,

---

[1] § 19e eingef. mWv 1.3.2020 durch G v. 15.8.2019 (BGBl. I S. 1307).

[2] Nr. **762**.

[3] § 19f eingef. mWv 1.3.2020 durch G v. 15.8.2019 (BGBl. I S. 1307); Überschrift neu gef., Abs. 1 einl. Satzteil geänd., Nr. 1 aufgeh., bish. Nr. 2–5 werden Nr. 1–4, Abs. 2, 3 neu gef. mWv 18.11.2023 durch G v. 16.8.2023 (BGBl. 2023 I Nr. 217).

1. die in einem Mitgliedstaat der Europäischen Union einen Antrag auf Zuerkennung internationalen Schutzes gestellt haben, über den noch nicht abschließend entschieden worden ist,
2. die einen Aufenthaltstitel nach Abschnitt 5, der nicht auf Grund des § 25 Absatz 1 oder 2 erteilt wurde, besitzen oder eine vergleichbare Rechtsstellung in einem anderen Mitgliedstaat der Europäischen Union innehaben,
3. die einen Aufenthaltstitel nach Abschnitt 5 oder eine vergleichbare Rechtsstellung in einem anderen Mitgliedstaat der Europäischen Union beantragt haben und über deren Antrag noch nicht abschließend entschieden worden ist,
4. deren Einreise in einen Mitgliedstaat der Europäischen Union Verpflichtungen unterliegt, die sich aus internationalen Abkommen zur Erleichterung der Einreise und des vorübergehenden Aufenthalts bestimmter Kategorien von natürlichen Personen, die handels- und investitionsbezogene Tätigkeiten ausüben, herleiten; hiervon ausgenommen sind Ausländer, die sich als unternehmensintern transferierte Arbeitnehmer gemäß der Richtlinie 2014/66/EU im Hoheitsgebiet eines Mitgliedstaats der Europäischen Union aufhalten, oder
5. die unter die Richtlinie 96/71/EG[1] des Europäischen Parlaments und des Rates vom 16. Dezember 1996 über die Entsendung von Arbeitnehmern im Rahmen der Erbringung von Dienstleistungen (ABl. L 18 vom 21.1.1997, S. 1), die zuletzt durch die Richtlinie (EU) 2018/957 (ABl. L 173 vom 9.7. 2018, S. 16; L 91 vom 29.3.2019, S. 77) geändert worden ist, fallen, für die Dauer ihrer Entsendung nach Deutschland.

(3) Eine Aufenthaltserlaubnis nach den §§ 16b, 16e, 17 Absatz 2, den §§ 18d und 19e wird über die in Absatz 1 genannten Ausschlussgründe hinaus nicht erteilt an Ausländer,

1. die in einem Mitgliedstaat der Europäischen Union einen Antrag auf Zuerkennung internationalen Schutzes gestellt haben, über den noch nicht abschließend entschieden worden ist, oder die in einem Mitgliedstaat internationalen Schutz genießen oder
2. die einen Antrag auf eine Blaue Karte EU nach § 18g oder in einem anderen Mitgliedstaat der Europäischen Union einen Antrag auf einen Aufenthaltstitel, der durch diesen Mitgliedstaat auf Grundlage der Richtlinie (EU) 2021/1883 erteilt wird, gestellt haben.

(4) Der Antrag auf Erteilung einer Aufenthaltserlaubnis nach den §§ 16b, 16e, 16f, 17, 18d, 18f und 19e kann abgelehnt werden, wenn

1. die aufnehmende Einrichtung hauptsächlich zu dem Zweck gegründet wurde, die Einreise und den Aufenthalt von Ausländern zu dem in der jeweiligen Vorschrift genannten Zweck zu erleichtern,
2. über das Vermögen der aufnehmenden Einrichtung ein Insolvenzverfahren eröffnet wurde, das auf Auflösung der Einrichtung und Abwicklung des Geschäftsbetriebs gerichtet ist,
3. die aufnehmende Einrichtung im Rahmen der Durchführung eines Insolvenzverfahrens aufgelöst wurde und der Geschäftsbetrieb abgewickelt wurde,

---

[1] Nr. **890**.

4. die Eröffnung eines Insolvenzverfahrens über das Vermögen der aufnehmenden Einrichtung mangels Masse abgelehnt wurde und der Geschäftsbetrieb eingestellt wurde,
5. die aufnehmende Einrichtung keine Geschäftstätigkeit ausübt oder
6. Beweise oder konkrete Anhaltspunkte dafür bestehen, dass der Ausländer den Aufenthalt zu anderen Zwecken nutzen wird als zu jenen, für die er die Erteilung der Aufenthaltserlaubnis beantragt.

(5) [1] Die Einreise und der Aufenthalt nach § 16c oder § 18e werden durch das Bundesamt für Migration und Flüchtlinge abgelehnt, wenn
1. die jeweiligen Voraussetzungen von § 16c Absatz 1 oder § 18e Absatz 1 nicht vorliegen,
2. die nach § 16c Absatz 1 oder § 18e Absatz 1 vorgelegten Unterlagen in betrügerischer Weise erworben, gefälscht oder manipuliert wurden,
3. einer der Ablehnungsgründe des Absatzes 4 vorliegt oder
4. ein Ausweisungsinteresse besteht.

[2] Eine Ablehnung nach Satz 1 Nummer 1 und 2 hat innerhalb von 30 Tagen nach Zugang der vollständigen Mitteilung nach § 16c Absatz 1 Satz 1 oder § 18e Absatz 1 Satz 1 beim Bundesamt für Migration und Flüchtlinge zu erfolgen. [3] Im Fall des Satzes 1 Nummer 4 ist eine Ablehnung durch die Ausländerbehörde jederzeit während des Aufenthalts des Ausländers möglich; § 73 Absatz 3c ist entsprechend anwendbar. [4] Die Ablehnung ist neben dem Ausländer auch der zuständigen Behörde des anderen Mitgliedstaates und der mitteilenden Einrichtung schriftlich bekannt zu geben.

§ 20[1)] Arbeitsplatzsuche im Anschluss an Aufenthalte im Bundesgebiet. (1) Zur Suche nach einer Erwerbstätigkeit
1. wird einem Ausländer nach erfolgreichem Abschluss eines Studiums im Bundesgebiet im Rahmen eines Aufenthalts nach § 16b oder § 16c eine Aufenthaltserlaubnis erteilt,
2. wird einem Ausländer nach Abschluss der Forschungstätigkeit im Rahmen eines Aufenthalts nach § 18d oder § 18f eine Aufenthaltserlaubnis erteilt,
3. ist einem Ausländer nach erfolgreichem Abschluss einer qualifizierten Berufsausbildung im Bundesgebiet im Rahmen eines Aufenthalts nach § 16a eine Aufenthaltserlaubnis zu erteilen,
4. ist einem Ausländer nach der Feststellung der Gleichwertigkeit der Berufsqualifikation oder der Erteilung der Berufsausübungserlaubnis im Bundesgebiet im Rahmen eines Aufenthalts nach § 16d eine Aufenthaltserlaubnis zu erteilen,
5. wird einem Ausländer nach erfolgreichem Abschluss einer Assistenz- oder Helferausbildung in einem staatlich anerkannten oder vergleichbar geregelten Ausbildungsberuf in einem Beruf im Gesundheits- und Pflegewesen im Bundesgebiet eine Aufenthaltserlaubnis erteilt,

sofern die Tätigkeit nach den Bestimmungen der §§ 18a, 18b, 18d, 18g, 19c und 21 von Ausländern ausgeübt werden darf.

(2) [1] Die Erteilung einer Aufenthaltserlaubnis nach Absatz 1 setzt die Lebensunterhaltssicherung voraus. [2] Sie wird in den Fällen des Absatzes 1 Nummer 1

1) § 20 neu gef. mWv 1.6.2024 durch G v. 16.8.2023 (BGBl. 2023 I Nr. 217).

bis 4 für einen Zeitraum von bis zu 18 Monaten erteilt. [3]In den Fällen des Absatzes 1 Nummer 5 wird sie für einen Zeitraum von bis zu zwölf Monaten erteilt und kann einmalig um bis zu sechs Monate verlängert werden, wenn der Lebensunterhalt gesichert ist. [4]Die Verlängerung nach Absatz 1 über diese Zeiträume hinaus ist ausgeschlossen.

§ 20a[1)] Chancenkarte; Verordnungsermächtigung. (1) Eine Chancenkarte ist eine Aufenthaltserlaubnis zur Suche nach einer Erwerbstätigkeit oder nach Maßnahmen zur Anerkennung ausländischer Berufsqualifikationen.

(2) Die Chancenkarte berechtigt nur dazu,

1. eine Beschäftigung von durchschnittlich insgesamt höchstens 20 Stunden je Woche auszuüben und
2. eine Probebeschäftigung für jeweils höchstens zwei Wochen auszuüben, die jeweils
   a) qualifiziert sein muss,
   b) auf eine Ausbildung abzielen muss oder
   c) geeignet sein muss, im Rahmen einer Maßnahme zur Anerkennung ausländischer Berufsqualifikationen nach § 16d aufgenommen zu werden.

(3) Die Chancenkarte kann einem Ausländer erteilt werden, wenn

1. er eine Fachkraft ist oder
2. er nach Maßgabe der Tabelle in der Anlage zu diesem Gesetz eine ausreichende Punktzahl für die Erfüllung von Merkmalen nach § 20b Absatz 1 erhalten hat.

(4) [1]Die Chancenkarte darf jedoch nur erteilt werden, wenn der Lebensunterhalt gesichert ist. [2]Einem Ausländer, der sich bereits im Bundesgebiet aufhält, darf die Chancenkarte nur erteilt werden, wenn er im Besitz eines Aufenthaltstitels nach Abschnitt 3 oder Abschnitt 4 ist. [3]Die Chancenkarte nach Absatz 3 Nummer 2 kann nur erteilt werden, wenn er

1. entweder
   a) eine ausländische Berufsqualifikation hat,
      aa) die von dem Staat, in dem sie erworben worden ist, staatlich anerkannt ist und
      bb) deren Erlangung eine Ausbildungsdauer von mindestens zwei Jahren vorausgesetzt hat, oder
   b) einen ausländischen Hochschulabschluss hat, der in dem Staat, in dem er erworben worden ist, staatlich anerkannt ist, oder
   c) einen im Ausland erworbenen Berufsabschluss hat, der durch eine Ausbildung erworben wurde, die nach Inhalt, Dauer und der Art ihrer Durchführung die Anforderungen des Berufsbildungsgesetzes[2)] an eine Berufsausbildung einhält und geeignet ist, die notwendige berufliche Handlungsfähigkeit für einen Ausbildungsberuf nach dem Berufsbildungsgesetz oder der Handwerksordnung zu vermitteln und der von einer deutschen Auslandshandelskammer erteilt worden ist, und
2. der Ausländer

[1)] § 20a eingef. mWv 1.6.2024 durch G v. 16.8.2023 (BGBl. 2023 I Nr. 217); Abs. 2 einl. Satzteil geänd. mWv 24.12.2025 durch G v. 22.12.2025 (BGBl. 2025 I Nr. 355).
[2)] Nr. **415**.

a) mindestens einfache deutsche Sprachkenntnisse nachweist oder

b) englische Sprachkenntnisse mindestens auf dem Niveau B2 des Gemeinsamen Europäischen Referenzrahmens für Sprachen nachweist.

[4]Der Ausländer ist verpflichtet, sich das Vorliegen der Voraussetzungen nach Satz 3 Nummer 1 Buchstabe a oder b von einer fachkundigen inländischen Stelle bestätigen zu lassen. [5]Das Vorliegen der nach Satz 3 Nummer 1 Buchstabe c an die Ausbildung im Ausland gestellten Anforderungen ist gegenüber der abschlusserteilenden Stelle auf deren Antrag und Kosten zu bestätigen.

(5) [1]Die Chancenkarte wird zunächst für einen Zeitraum von bis zu einem Jahr erteilt (Such-Chancenkarte). [2]Die Chancenkarte kann auf Grund eines während eines Aufenthaltes nach Satz 1 gestellten Antrags um bis zu zwei Jahre als solche verlängert werden, wenn der Ausländer einen Arbeitsvertrag oder ein verbindliches Arbeitsplatzangebot für eine inländische qualifizierte Beschäftigung hat und die Bundesagentur für Arbeit zugestimmt hat (Folge-Chancenkarte). [3]Eine Folge-Chancenkarte wird nur erteilt, wenn der Ausländer die Voraussetzungen für die Erteilung einer anderen Aufenthaltserlaubnis nach Abschnitt 4 nicht erfüllt. [4]Für eine Verlängerung als Folge-Chancenkarte und die zukünftige Beschäftigung findet bis zur Entscheidung über die Verlängerung § 81 Absatz 4 mit der Maßgabe Anwendung, dass nur die Ausübung der zukünftigen Beschäftigung nach Satz 2 erlaubt ist. [5]Absatz 2 findet auf die Folge-Chancenkarte keine Anwendung. [6]Eine über Satz 2 hinausgehende Verlängerung als Chancenkarte ist ausgeschlossen. [7]Eine Such-Chancenkarte kann erneut nur erteilt werden, wenn sich der Ausländer nach dem Ende der Geltungsdauer der letzten Such-Chancenkarte mindestens so lange im Ausland oder erlaubt im Bundesgebiet aufgehalten hat, wie er sich davor auf Grundlage einer Such-Chancenkarte im Bundesgebiet aufgehalten hat.

(6) § 9 findet in den Fällen von Absatz 5 Satz 1 keine Anwendung.

(7) [1]Zur Steuerung der Erwerbsmigration wird die Bundesregierung ermächtigt, durch Rechtsverordnung, die nicht der Zustimmung des Bundesrates bedarf, die Zahl der Chancenkarten, die Ausländern erteilt werden, die sich noch nicht im Bundesgebiet aufhalten, jährlich oder für einen kürzeren Zeitraum zu begrenzen. [2]Bei einer Begrenzung sollen arbeitsmarkt- und integrationspolitische Erwägungen und die Kapazitäten der beteiligten Behörden zugrunde gelegt werden.

§ 20b[1)] Punktevergabe für die Chancenkarte; Verordnungsermächtigung. (1) [1]Punkte im Hinblick auf eine Erteilung der Chancenkarte nach § 20a Absatz 3 Nummer 2 erhält der Ausländer jeweils,

1. wenn er eine ausländische Berufsqualifikation hat, für die eine nach den Regelungen des Bundes oder der Länder für die berufliche Anerkennung zuständige Stelle festgestellt hat, dass Anpassungs- oder Ausgleichsmaßnahmen oder weitere Qualifikationen erforderlich sind
   a) für die Feststellung, dass die erworbene Berufsqualifikation gleichwertig mit einer inländischen Berufsqualifikation ist, oder
   b) für die Erteilung der Berufsausübungserlaubnis in einem Beruf, der im Inland reglementiert ist,
2. wenn er gute deutsche Sprachkenntnisse nachweist,

1) § 20b eingef. mWv 1.6.2024 durch G v. 16.8.2023 (BGBl. 2023 I Nr. 217, 2023 I Nr. 390).

3. wenn er ausreichende deutsche Sprachkenntnisse nachweist, es sei denn, er erhält Punkte, weil er Sprachkenntnisse nach Nummer 2 nachweist,
4. wenn er hinreichende deutsche Sprachkenntnisse nachweist, es sei denn, er erhält Punkte, weil er Sprachkenntnisse nach Nummer 2 oder Nummer 3 nachweist,
5. wenn er englische Sprachkenntnisse auf dem Niveau C1 des Gemeinsamen Europäischen Referenzrahmens für Sprachen nachweist,
6. wenn er nach Erwerb einer Berufsqualifikation oder eines Hochschulabschlusses nach § 20a Absatz 4 Satz 3 Nummer 1 Buchstabe b in den letzten sieben Jahren mindestens fünf Jahre Berufserfahrung, die im Zusammenhang mit der Berufsqualifikation steht, erworben hat,
7. wenn er nach Erwerb einer Berufsqualifikation oder eines Hochschulabschlusses nach § 20a Absatz 4 Satz 3 Nummer 1 Buchstabe b in den letzten fünf Jahren mindestens zwei Jahre Berufserfahrung, die im Zusammenhang mit der Berufsqualifikation steht, erworben hat und keine Punkte nach Nummer 6 erhält,
8. wenn die erworbene Berufsqualifikation nach § 20a Absatz 4 Satz 3 Nummer 1 einer der Berufsgruppen nach § 18g Absatz 1 Satz 2 Nummer 1 zugehört,
9. wenn er bei der Beantragung der Chancenkarte nicht älter als 35 Jahre ist,
10. wenn er bei der Beantragung der Chancenkarte älter als 35 Jahre und nicht älter als 40 Jahre ist,
11. wenn er sich in den vergangenen fünf Jahren mindestens sechs Monate lang rechtmäßig und ununterbrochen im Bundesgebiet aufgehalten hat; unschädlich sind Unterbrechungen, die dazu geführt haben, dass sich bei einer Gesamtbetrachtung der räumliche Schwerpunkt des Aufenthalts weiterhin im Bundesgebiet befunden hatte, und
12. wenn sein Ehegatte oder eingetragener Lebenspartner die Voraussetzungen für die Erteilung der Chancenkarte erfüllt, bei derselben zuständigen Stelle ebenfalls eine Chancenkarte beantragt oder beantragt hat, gemeinsam mit dem Ausländer nach Deutschland einreist oder einzureisen beabsichtigt und der Ausländer bei der Antragstellung einen Bezug zum bestimmten Antrag des Ehegatten oder eingetragenen Lebenspartners herstellt.

[2] Erhält der Ausländer nach Satz 1 Nummer 1 Punkte, so entfallen bei ihm für die Erteilung der Chancenkarte die in § 20a Absatz 4 Satz 3 Nummer 1 genannten Voraussetzungen.

(2) [1] Für die in Absatz 1 Satz 1 genannten Merkmale werden Punkte nach der Tabelle in der Anlage zu diesem Gesetz vergeben. [2] Die Voraussetzung nach § 20a Absatz 3 Nummer 2 ist erfüllt, wenn die in der Tabelle genannte Mindestpunktzahl erreicht ist.

(3) Die Bundesregierung wird ermächtigt, zur Steuerung der Erwerbsmigration nach dem Punktesystem des § 20a Absatz 3 Nummer 2 und nach den Absätzen 1 und 2 durch Rechtsverordnung, die nicht der Zustimmung des Bundesrats bedarf, die Tabelle in der Anlage zu diesem Gesetz zu ändern hinsichtlich der für einzelne Merkmale nach Absatz 1 jeweils zu vergebenden Punkte und hinsichtlich der Mindestpunktzahl, die zu erreichen ist, um die Voraussetzung nach § 20a Absatz 3 Nummer 2 zu erfüllen.

§ 20c[1] *(aufgehoben)*

§ 21[2] **Selbständige Tätigkeit.** (1) [1] Einem Ausländer kann eine Aufenthaltserlaubnis zur Ausübung einer selbständigen Tätigkeit erteilt werden, wenn

1. ein wirtschaftliches Interesse oder ein regionales Bedürfnis besteht,
2. die Tätigkeit positive Auswirkungen auf die Wirtschaft erwarten lässt und
3. die Finanzierung der Umsetzung durch Eigenkapital oder durch eine Kreditzusage gesichert ist.

[2] Die Beurteilung der Voraussetzungen nach Satz 1 richtet sich insbesondere nach der Tragfähigkeit der zu Grunde liegenden Geschäftsidee, den unternehmerischen Erfahrungen des Ausländers, der Höhe des Kapitaleinsatzes, den Auswirkungen auf die Beschäftigungs- und Ausbildungssituation und dem Beitrag für Innovation und Forschung. [3] Bei der Prüfung sind die für den Ort der geplanten Tätigkeit fachkundigen Körperschaften, die zuständigen Gewerbebehörden, die öffentlich-rechtlichen Berufsvertretungen und die für die Berufszulassung zuständigen Behörden zu beteiligen.

(2) Eine Aufenthaltserlaubnis zur Ausübung einer selbständigen Tätigkeit kann auch erteilt werden, wenn völkerrechtliche Vergünstigungen auf der Grundlage der Gegenseitigkeit bestehen.

(2a) [1] Einem Ausländer, der sein Studium an einer staatlichen oder staatlich anerkannten Hochschule oder vergleichbaren Ausbildungseinrichtung im Bundesgebiet erfolgreich abgeschlossen hat oder der als Forscher oder Wissenschaftler eine Aufenthaltserlaubnis nach den §§ 18b, 18d, 19c Absatz 1 oder eine Blaue Karte EU besitzt, soll eine Aufenthaltserlaubnis zur Ausübung einer selbständigen Tätigkeit abweichend von Absatz 1 erteilt werden. [2] Die beabsichtigte selbständige Tätigkeit muss einen Zusammenhang mit den in der Hochschulausbildung erworbenen Kenntnissen oder der Tätigkeit als Forscher oder Wissenschaftler erkennen lassen.

(2b) [1] Einem Ausländer kann eine Aufenthaltserlaubnis für einen Aufenthalt zur Gründung eines Unternehmens erteilt werden, wenn

1. er eine Fachkraft ist und
2. ihm zur Vorbereitung der Gründung eines Unternehmens ein den Lebensunterhalt sicherndes Stipendium einer deutschen Wirtschaftsorganisation oder einer deutschen öffentlichen Stelle aus öffentlichen Mitteln gewährt wird.

[2] Die Aufenthaltserlaubnis wird für die Dauer des gewährten Stipendiums erteilt, höchstens jedoch für 18 Monate.

(3) Ausländern, die älter sind als 45 Jahre, soll die Aufenthaltserlaubnis nur erteilt werden, wenn sie über eine angemessene Altersversorgung verfügen.

---

[1] § 20c aufgeh. mWv 24.6.2020 durch G v. 12.6.2020 (BGBl. I S. 1248).

[2] § 21 Abs. 1 Satz 2 geänd. mWv 1.1.2009 durch G v. 20.12.2008 (BGBl. I S. 2846); Abs. 1 Satz 1 Nr. 1 geänd., Satz 2 aufgeh., bish. Satz 3 wird Satz 2 und geänd., bish. Satz 4 wird Satz 3, Abs. 2a eingef. mWv 1.8.2012 durch G v. 1.6.2012 (BGBl. I S. 1224); Abs. 5 Satz 3 geänd. mWv 6.9.2013 durch G v. 29.8.2013 (BGBl. I S. 3484); Abs. 2a Satz 1, Abs. 4 Satz 2 geänd. mWv 1.3.2020 durch G v. 15.8.2019 (BGBl. I S. 1307); Abs. 2a Satz 1 geänd. mWv 24.6.2020 durch G v. 12.6.2020 (BGBl. I S. 1248); Abs. 2a Satz 1 geänd. mWv 18.11.2023, Abs. 2a Satz 1 geänd., Abs. 2b eingef., Abs. 4 Satz 2 geänd. mWv 1.3.2024 durch G v. 16.8.2023 (BGBl. 2023 I Nr. 217).

(4) [1] Die Aufenthaltserlaubnis wird auf längstens drei Jahre befristet. [2] Nach drei Jahren kann abweichend von § 9 Abs. 2 eine Niederlassungserlaubnis erteilt werden, wenn der Ausländer seit drei Jahren selbständig ist und die gegenwärtig ausgeübte Tätigkeit insbesondere auf Grund ihres Erfolgs und ihrer Dauer eine weitere nachhaltige Entwicklung der Geschäftstätigkeit erwarten lässt sowie der Lebensunterhalt des Ausländers und seiner mit ihm in familiärer Gemeinschaft lebenden Angehörigen, denen er Unterhalt zu leisten hat, durch ausreichende Einkünfte gesichert ist und die Voraussetzung des § 9 Absatz 2 Satz 1 Nummer 4 vorliegt.

(5) [1] Einem Ausländer kann eine Aufenthaltserlaubnis zur Ausübung einer freiberuflichen Tätigkeit abweichend von Absatz 1 erteilt werden. [2] Eine erforderliche Erlaubnis zur Ausübung des freien Berufes muss erteilt worden oder ihre Erteilung zugesagt sein. [3] Absatz 1 Satz 3 ist entsprechend anzuwenden. [4] Absatz 4 ist nicht anzuwenden.

(6) Einem Ausländer, dem eine Aufenthaltserlaubnis zu einem anderen Zweck erteilt wird oder erteilt worden ist, kann unter Beibehaltung dieses Aufenthaltszwecks die Ausübung einer selbständigen Tätigkeit erlaubt werden, wenn die nach sonstigen Vorschriften erforderlichen Erlaubnisse erteilt wurden oder ihre Erteilung zugesagt ist.

Abschnitt 8. Beteiligung der Bundesagentur für Arbeit

§ 39[1)] Zustimmung zur Beschäftigung. (1) [1] Die Erteilung eines Aufenthaltstitels zur Ausübung einer Beschäftigung setzt die Zustimmung der Bundesagentur für Arbeit voraus, es sei denn, die Zustimmung ist kraft Gesetzes, auf Grund der Beschäftigungsverordnung oder Bestimmung in einer zwischenstaatlichen Vereinbarung nicht erforderlich. [2] Die Zustimmung kann erteilt werden, wenn dies durch ein Gesetz, die Beschäftigungsverordnung oder zwischenstaatliche Vereinbarung bestimmt ist.

(2) [1] Die Bundesagentur für Arbeit kann in den Fällen der §§ 18a, 18b, 18g Absatz 1 Satz 2 oder des § 18g Absatz 2 der Ausübung einer Beschäftigung zustimmen, wenn

1. der Ausländer nicht zu ungünstigeren Arbeitsbedingungen als vergleichbare inländische Arbeitnehmer beschäftigt wird,
2. der Ausländer
   a) gemäß § 18a oder § 18b eine qualifizierte Beschäftigung ausüben wird
   b) gemäß § 18g Absatz 1 Satz 2 eine ihrer Qualifikation angemessene Beschäftigung ausüben wird oder
   c) im Fall des § 18g Absatz 2 über durch Berufserfahrung erlangte Fertigkeiten, Kenntnisse und Fähigkeiten verfügt, die alle Voraussetzungen nach § 18g Absatz 2 erfüllen und die zur Ausübung einer Beschäftigung in einem Beruf, der zu den Gruppen 133 oder 25 nach der Empfehlung der Kommission vom 29. Oktober 2009 über die Verwendung der Interna-

---

[1)] § 39 neu gef. mWv 1.3.2020 durch G v. 15.8.2019 (BGBl. I S. 1307); Abs. 2 Satz 1 einl. Satzteil, Nr. 1, 2 einl. Satzteil, Buchst. a, b geänd., Buchst. c angef. mWv 18.11.2023, Abs. 2 Satz 1 Nr. 2 *Buchst. a geänd., Abs. 2a eingef.*, Abs. 3 Nr. 2, Abs. 4, 6 Sätze 1 und 3 geänd. mWv 1.3.2024, Abs. 3a eingef. mWv 1.6.2024 durch G v. 16.8.2023 (BGBl. 2023 I Nr. 217, 2023 I Nr. 390); Abs. 4 neu gef. mWv 24.12.2025 durch G v. 22.12.2025 (BGBl. 2025 I Nr. 355).

tionalen Standardklassifikation der Berufe (ISCO-08) (ABl. L 292 vom 10.11.2009, S. 31) gehört, erforderlich sind,

3. ein inländisches Beschäftigungsverhältnis vorliegt und,
4. sofern die Beschäftigungsverordnung nähere Voraussetzungen in Bezug auf die Ausübung der Beschäftigung vorsieht, diese vorliegen.

[2]Die Zustimmung wird ohne Vorrangprüfung im Sinne des Absatzes 3 Nummer 3 erteilt, es sei denn, in der Beschäftigungsverordnung ist etwas anderes bestimmt.

(2a) [1]Die Zustimmung gilt als erteilt, wenn die Bundesagentur für Arbeit für einzelne Berufe oder Beschäftigungen festgestellt hat, dass die Besetzung offener Stellen für einen befristeten Zeitraum mit den durch Tarifvertrag oder durch die Bundesagentur für Arbeit festgelegten Arbeitsbedingungen arbeitsmarkt- und integrationspolitisch verantwortbar ist (Globalzustimmung) und der Arbeitgeber ihre Einhaltung zugesichert hat. [2]Die nach § 71 zuständige Stelle kann im Einzelfall von der Globalzustimmung abweichen. [3]In diesem Fall gilt § 72 Absatz 7 entsprechend.

(3) Die Bundesagentur für Arbeit kann der Ausübung einer Beschäftigung durch einen Ausländer unabhängig von einer Qualifikation als Fachkraft zustimmen, wenn

1. der Ausländer nicht zu ungünstigeren Arbeitsbedingungen als vergleichbare inländische Arbeitnehmer beschäftigt wird,
2. die in § 16d Absatz 3, den §§ 19, 19b, 19c Absatz 3 oder § 19d Absatz 1 Nummer 1 oder durch die Beschäftigungsverordnung[1)] geregelten Voraussetzungen für die Zustimmung in Bezug auf die Ausübung der Beschäftigung vorliegen und
3. für die Beschäftigung deutsche Arbeitnehmer sowie Ausländer, die diesen hinsichtlich der Arbeitsaufnahme rechtlich gleichgestellt sind, oder andere Ausländer, die nach dem Recht der Europäischen Union einen Anspruch auf vorrangigen Zugang zum Arbeitsmarkt haben, nicht zur Verfügung stehen (Vorrangprüfung), soweit diese Prüfung durch die Beschäftigungsverordnung oder Gesetz vorgesehen ist.

(3a) Die Bundesagentur für Arbeit kann der Ausübung einer qualifizierten inländischen Beschäftigung nach § 20a Absatz 5 Satz 2 zustimmen, wenn der Ausländer nicht zu ungünstigeren Arbeitsbedingungen als vergleichbare inländische Arbeitnehmer beschäftigt wird.

(4) [1]Für die Erteilung der Zustimmung oder der Arbeitserlaubnis hat der Arbeitgeber der Bundesagentur für Arbeit Auskünfte in Bezug auf das Beschäftigungsverhältnis, insbesondere zum Arbeitsentgelt, zu den Arbeitszeiten und zu sonstigen Arbeitsbedingungen, zu der Sozialversicherungspflicht und zum Erfordernis einer Berufsausübungserlaubnis sowie im Fall der Saisonbeschäftigung zu Unterkunft, Mietbedingungen und Miethöhe, zu erteilen. [2]Auf Aufforderung durch die Bundesagentur für Arbeit hat ein Arbeitgeber, der einen Ausländer beschäftigt oder beschäftigt hat, eine Auskunft nach Satz 1 innerhalb eines Monats zu erteilen.

[1)] Nr. **762**.

(5) Die Absätze 1, 3 und 4 gelten auch, wenn bei Aufenthalten zu anderen Zwecken nach den Abschnitten 3, 5 oder 7 eine Zustimmung der Bundesagentur für Arbeit zur Ausübung einer Beschäftigung erforderlich ist.

(6) [1] Die Absätze 3 und 4 gelten für die Erteilung einer Arbeitserlaubnis der Bundesagentur für Arbeit entsprechend. [2] Im Übrigen sind die für die Zustimmung der Bundesagentur für Arbeit geltenden Rechtsvorschriften auf die Arbeitserlaubnis anzuwenden, soweit durch Gesetz oder Rechtsverordnung nichts anderes bestimmt ist. [3] Die Bundesagentur für Arbeit kann für die Zustimmung zur Erteilung eines Aufenthaltstitels zum Zweck der Saisonbeschäftigung und zur kurzzeitigen kontingentierten Beschäftigung und für die Erteilung einer Arbeitserlaubnis zum Zweck der Saisonbeschäftigung und zur kurzzeitigen kontingentierten Beschäftigung am Bedarf orientierte Zulassungszahlen festlegen.

§ 40[1)] Versagungsgründe. (1) Die Zustimmung nach § 39 ist zu versagen, wenn

1. das Arbeitsverhältnis auf Grund einer unerlaubten Arbeitsvermittlung oder Anwerbung zustande gekommen ist oder
2. der Ausländer als Leiharbeitnehmer (§ 1 Abs. 1 des Arbeitnehmerüberlassungsgesetzes[2)]) tätig werden will.

(2) Die Zustimmung kann versagt werden, wenn

1. der Ausländer gegen § 404 Absatz 1 oder Absatz 2 Nummer 2 bis 4, 6 bis 13, 28 und 29 des Dritten Buches Sozialgesetzbuch[3)], gegen die §§ 10, 10a oder § 11 des Schwarzarbeitsbekämpfungsgesetzes[4)] oder gegen die §§ 15, 15a oder § 16 Absatz 1 Nummer 2 des Arbeitnehmerüberlassungsgesetzes schuldhaft verstoßen hat,
2. wichtige Gründe in der Person des Ausländers vorliegen oder
3. die Beschäftigung bei einem Arbeitgeber erfolgen soll, der oder dessen nach Satzung oder Gesetz Vertretungsberechtigter innerhalb der letzten fünf Jahre wegen eines Verstoßes gegen § 404 Absatz 1 oder Absatz 2 Nummer 3 des Dritten Buches Sozialgesetzbuch rechtskräftig mit einer Geldbuße belegt oder wegen eines Verstoßes gegen die §§ 10, 10a oder 11 des Schwarzarbeitsbekämpfungsgesetzes oder gegen die §§ 15, 15a oder 16 Absatz 1 Nummer 2 des Arbeitnehmerüberlassungsgesetzes rechtskräftig zu einer Geld- oder Freiheitsstrafe verurteilt worden ist; dies gilt bei einem unternehmensinternen Transfer gemäß § 19 oder § 19b entsprechend für die aufnehmende Niederlassung.

(3) Die Zustimmung kann darüber hinaus versagt werden, wenn

1. der Arbeitgeber oder die aufnehmende Niederlassung seinen oder ihren sozialversicherungsrechtlichen, steuerrechtlichen oder arbeitsrechtlichen Pflichten nicht nachgekommen ist,

---

1) § 40 Abs. 2 Nr. 1 geänd. mWv 26.11.2011 durch G v. 22.11.2011 (BGBl. I S. 2258); Abs. 2 Nr. 1, 2 geänd., Nr. 3 angef. mWv 1.8.2012 durch G v. 1.6.2012 (BGBl. I S. 1224); Abs. 2 Nr. 3 geänd., Abs. 3 angef. mWv 1.8.2017 durch G v. 12.5.2017 (BGBl. I S. 1106); Abs. 2 Nr. 3, Abs. 3 einl. Satzteil, Nr. 2–6 geänd., Nr. 7 angef. mWv 1.3.2020 durch G v. 15.8.2019 (BGBl. I S. 1307); Abs. 2 Nr. 1 neu gef. mWv 24.12.2025 durch G v. 22.12.2025 (BGBl. 2025 I Nr. 355).

2) *Nr. **730**.*

3) Nr. **700**.

4) Nr. **110**.

2. über das Vermögen des Arbeitgebers oder über das Vermögen der aufnehmenden Niederlassung ein Insolvenzverfahren eröffnet wurde, das auf Auflösung des Arbeitgebers oder der Niederlassung und Abwicklung des Geschäftsbetriebs gerichtet ist,
3. der Arbeitgeber oder die aufnehmende Niederlassung im Rahmen der Durchführung eines Insolvenzverfahrens aufgelöst wurde und der Geschäftsbetrieb abgewickelt wurde,
4. die Eröffnung eines Insolvenzverfahrens über das Vermögen des Arbeitgebers oder über das Vermögen der aufnehmenden Niederlassung mangels Masse abgelehnt wurde und der Geschäftsbetrieb eingestellt wurde,
5. der Arbeitgeber oder die aufnehmende Niederlassung keine Geschäftstätigkeit ausübt,
6. durch die Präsenz des Ausländers eine Einflussnahme auf arbeitsrechtliche oder betriebliche Auseinandersetzungen oder Verhandlungen bezweckt oder bewirkt wird oder
7. der Arbeitgeber oder die aufnehmende Niederlassung hauptsächlich zu dem Zweck gegründet wurde, die Einreise und den Aufenthalt von Ausländern zum Zweck der Beschäftigung zu erleichtern; das Gleiche gilt, wenn das Arbeitsverhältnis hauptsächlich zu diesem Zweck begründet wurde.

§ 41[1] Widerruf der Zustimmung und Entzug der Arbeitserlaubnis. Die Zustimmung kann widerrufen und die Arbeitserlaubnis der Bundesagentur für Arbeit kann entzogen werden, wenn der Ausländer zu ungünstigeren Arbeitsbedingungen als vergleichbare inländische Arbeitnehmer beschäftigt wird oder der Tatbestand des § 40 erfüllt ist.

§ 42[2] Verordnungsermächtigung und Weisungsrecht. (1) Das Bundesministerium für Arbeit und Soziales kann durch Rechtsverordnung (Beschäftigungsverordnung) mit Zustimmung des Bundesrates Folgendes bestimmen:

1. Beschäftigungen, für die Ausländer nach § 4a Absatz 2 Satz 1, § 16a Absatz 1 Satz 1, den §§ 16d, 16e Absatz 1 Satz 1, den §§ 19, 19b, 19c Absatz 1 sowie § 19e mit oder ohne Zustimmung der Bundesagentur für Arbeit zugelassen werden können, und ihre Voraussetzungen,
2. Beschäftigungen und Bedingungen, zu denen eine Zustimmung der Bundesagentur für Arbeit für eine qualifizierte Beschäftigung nach § 19c Absatz 2 unabhängig von der Qualifikation als Fachkraft erteilt werden kann und
3. nähere Voraussetzungen in Bezug auf die Ausübung einer Beschäftigung als Fachkraft nach den §§ 18a, 18b und 18g Absatz 1 sowie für Beschäftigungen eines Inhabers einer Blauen Karte EU nach § 18g Absatz 2,
4. Tätigkeiten, die für die Durchführung dieses Gesetzes stets oder unter bestimmten Voraussetzungen nicht als Beschäftigung anzusehen sind.

---

[1] § 41 neu gef. mWv 1.8.2017 durch G v. 12.5.2017 (BGBl. I S. 1106); geänd. mWv 1.3.2020 durch G v. 15.8.2019 (BGBl. I S. 1307); geänd. mWv 1.3.2024 durch G v. 16.8.2023 (BGBl. 2023 I Nr. 217).

[2] § 42 neu gef. mWv 1.3.2020 durch G v. 15.8.2019 (BGBl. I S. 1307); Abs. 1 Nr. 2 geänd. mWv 24.6.2020 durch G v. 12.6.2020 (BGBl. I S. 1248); Abs. 2 Nr. 5, 6 geänd., Nr. 7 angef. mWv 19.8. 2023, Abs. 1 Nr. 3 geänd. mWv 18.11.2023; Abs. 1 Nr. 1 geänd., Nr. 4 aufgeh., bish. Nr. 5 wird Nr. 4, Abs. 1a eingef. mWv 2.6.2024 durch G v. 16.8.2023 (BGBl. 2023 I Nr. 217); Abs. 2 Nr. 5 geänd. mWv 23.12.2023 durch G v. 20.12.2023 (BGBl. 2023 I Nr. 390).

(1a) Die Bundesregierung kann durch die Beschäftigungsverordnung mit Zustimmung des Bundesrates bestimmen, dass die Bundesagentur für Arbeit der Beschäftigung von Angehörigen bestimmter Staaten unter gesonderten Voraussetzungen zustimmen kann.

(2) Das Bundesministerium für Arbeit und Soziales kann durch die Beschäftigungsverordnung[1] ohne Zustimmung des Bundesrates Folgendes bestimmen:

1. die Voraussetzungen und das Verfahren zur Erteilung der Zustimmung der Bundesagentur für Arbeit; dabei kann auch ein alternatives Verfahren zur Vorrangprüfung geregelt werden,
2. Einzelheiten über die zeitliche, betriebliche, berufliche und regionale Beschränkung der Zustimmung,
3. Fälle nach § 39 Absatz 2 und 3, in denen für eine Zustimmung eine Vorrangprüfung durchgeführt wird, beispielsweise für die Beschäftigung von Fachkräften in zu bestimmenden Bezirken der Bundesagentur für Arbeit sowie in bestimmten Berufen,
4. Fälle, in denen Ausländern, die im Besitz einer Duldung sind, oder anderen Ausländern, die keinen Aufenthaltstitel besitzen, nach § 4a Absatz 4 eine Beschäftigung erlaubt werden kann,
5. die Voraussetzungen und das Verfahren zur Erteilung einer Arbeitserlaubnis der Bundesagentur für Arbeit an Staatsangehörige der in Anhang II zu der Verordnung (EU) 2018/1806 des Europäischen Parlaments und des Rates vom 14. November 2018 zur Aufstellung der Liste der Drittländer, deren Staatsangehörige beim Überschreiten der Außengrenzen im Besitz eines Visums sein müssen, sowie der Liste der Drittländer, deren Staatsangehörige von dieser Visumpflicht befreit sind (ABl. L 303 vom 28.11.2018, S. 39), genannten Staaten,
6. Berufe, in denen für Angehörige bestimmter Staaten die Erteilung einer Blauen Karte EU zu versagen ist, weil im Herkunftsland ein Mangel an qualifizierten Arbeitnehmern in diesen Berufsgruppen besteht,
7. Fälle, in denen ein Arbeitgeber, der Rechtspflichten in Bezug auf die Beschäftigung, insbesondere arbeits-, sozialversicherungs- oder steuerrechtliche Pflichten, verletzt hat, von der Möglichkeit ausgeschlossen werden kann, dass die Bundesagentur für Arbeit eine Zustimmung oder Arbeitserlaubnis für die Beschäftigung eines Ausländers bei diesem Arbeitgeber erteilt.

(3) Das Bundesministerium für Arbeit und Soziales kann der Bundesagentur für Arbeit zur Durchführung der Bestimmungen dieses Gesetzes und der hierzu erlassenen Rechtsverordnungen sowie der von der Europäischen Union erlassenen Bestimmungen über den Zugang zum Arbeitsmarkt und der zwischenstaatlichen Vereinbarungen über die Beschäftigung von Arbeitnehmern Weisungen erteilen.

Kapitel 3. Integration

§ 45a[2] Berufsbezogene Deutschsprachförderung; Verordnungsermächtigung. (1) [1]Die Integration in den Arbeitsmarkt kann durch Maß-

---

[1] Nr. **762**.

[2] § 45a eingef. mWv 24.10.2015 durch G v. 20.10.2015 (BGBl. I S. 1722); Abs. 2 Satz 3 neu gef. mWv 1.8.2019 durch G v. 8.7.2019 (BGBl. I S. 1029); Abs. 3 geänd. mWv 26.11.2019 durch G v. →

nahmen der berufsbezogenen Deutschsprachförderung unterstützt werden. [2]Diese Maßnahmen bauen in der Regel auf der allgemeinen Sprachförderung der Integrationskurse auf. [3]Die berufsbezogene Deutschsprachförderung wird vom Bundesamt für Migration und Flüchtlinge koordiniert und durchgeführt. [4]Das Bundesamt für Migration und Flüchtlinge bedient sich zur Durchführung der Maßnahmen privater oder öffentlicher Träger.

(2) [1]Ein Ausländer ist zur Teilnahme an einer Maßnahme der berufsbezogenen Deutschsprachförderung verpflichtet, wenn er Leistungen nach dem Zweiten Buch Sozialgesetzbuch[1)] bezieht und ihn der Träger der Grundsicherung für Arbeitsuchende nach § 15a Absatz 1 Satz 1 Nummer 3 des Zweiten Buches Sozialgesetzbuch zur Teilnahme an der Maßnahme verpflichtet. [2]Leistungen zur Eingliederung in Arbeit nach dem Zweiten Buch Sozialgesetzbuch und Leistungen der aktiven Arbeitsförderung nach dem Dritten Buch Sozialgesetzbuch[2)] bleiben unberührt.

(3) Das Bundesministerium für Arbeit und Soziales wird ermächtigt, durch Rechtsverordnung ohne Zustimmung des Bundesrates im Einvernehmen mit dem Bundesministerium des Innern, für Bau und Heimat nähere Einzelheiten der berufsbezogenen Deutschsprachförderung, insbesondere die Grundstruktur, die Zielgruppen, die Dauer, die Lerninhalte und die Durchführung der Kurse, die Vorgaben bezüglich der Auswahl und Zulassung der Kursträger sowie die Voraussetzungen und die Rahmenbedingungen für den Zugang und die ordnungsgemäße und erfolgreiche Teilnahme einschließlich ihrer Abschlusszertifikate und der Kostentragung, sowie die Datenverarbeitung nach § 88a Absatz 3 zu regeln.

§ 45b[3)] Informations- und Beratungsangebote; Verordnungsermächtigung und Vorintegrationsmaßnahmen. (1) [1]Zur Beratung zu arbeits- und sozialrechtlichen Fragestellungen von Drittstaatsangehörigen wird ab dem 1. Januar 2026 ein bundesweites, unentgeltliches und niedrigschwelliges Beratungsangebot eingerichtet. [2]Es richtet sich sowohl an Drittstaatsangehörige, die sich bereits im Bundesgebiet aufhalten, als auch an Drittstaatsangehörige, die ihren gewöhnlichen Aufenthalt im Ausland haben und im Bundesgebiet arbeiten möchten. [3]In ausgewählten Drittstaaten können, beginnend mit dem Kalenderjahr 2026, Beratung, Sprachförderung und die Vermittlung von Kenntnissen über das Leben in Deutschland sowie eine transnationale Begleitung (Vorintegrationsmaßnahmen) angeboten werden. [4]Das Angebot richtet sich an Drittstaatsangehörige, die ihren gewöhnlichen Aufenthalt im Ausland haben und im Bundesgebiet eine Erwerbstätigkeit aufnehmen möchten. [5]Zur Bereitstellung zielgruppenspezifischer Informationen zum Fachkräftebedarf und Einwanderungsprozess werden das Portal der Bundesregierung „Make it in Germany“ zur Gewinnung von Fachkräften aus Drittstaaten fortgeführt sowie Kommunikationsmaßnahmen und Unterstützungsstrukturen zur Fachkräftege-

---

(Fortsetzung der Anm. von voriger Seite)
20.11.2019 (BGBl. I S. 1626); Abs. 2 Satz 3 Nr. 2 geänd. mWv 29.5.2020 durch G v. 20.5.2020 (BGBl. I S. 1044); Abs. 3 geänd. mWv 27.6.2020 durch VO v. 19.6.2020 (BGBl. I S. 1328); Abs. 2 Satz 1 geänd. mWv 1.7.2023 durch G v. 16.12.2022 (BGBl. I S. 2328); Abs. 2 Sätze 3, 4 aufgeh. mWv 31.12.2022 durch G v. 21.12.2022 (BGBl. I S. 2847); Abs. 2 Satz 1 geänd. mWv 1.7.2026 durch G v. 16.4.2026 (BGBl. 2026 I Nr. 107).

[1)] Nr. **692**.

[2)] Nr. **700**.

[3)] § 45b eingef. mWv 1.3.2024 durch G v. 16.8.2023 (BGBl. 2023 I Nr. 217).

winnung im Rahmen von „Make it in Germany" im Aus- und Inland verstärkt. [6] Die Informations-, Kommunikations- und Unterstützungsangebote richten sich an Arbeitgeber in Deutschland sowie an Drittstaatsangehörige, die sich bereits im Bundesgebiet aufhalten oder die ihren gewöhnlichen Aufenthalt im Ausland haben und die im Bundesgebiet arbeiten möchten.

(2) [1] Zuständige Behörde für die Umsetzung der Beratung nach Absatz 1 Satz 1 und 2 ist das Bundesministerium für Arbeit und Soziales. [2] Es kann die Umsetzung der Beratung Dritten übertragen. [3] Zuständige Behörde für die Konzeption von Vorintegrationsmaßnahmen nach Absatz 1 Satz 3 und 4 ist das Amt der Beauftragten der Bundesregierung für Migration, Flüchtlinge und Integration. [4] Die Aufgabe der Durchführung von Vorintegrationsmaßnahmen nach Absatz 1 Satz 3 und 4 kann auf Dritte übertragen werden. [5] Zuständige Behörde für die Umsetzung der Aufgaben nach Absatz 1 Satz 5 und 6 ist das Bundesministerium für Wirtschaft und Klimaschutz in Abstimmung mit den beteiligten Ressorts. [6] Es kann die Umsetzung dieser Aufgaben an Dritte übertragen.

(3) [1] Das Bundesministerium für Arbeit und Soziales wird ermächtigt, durch Rechtsverordnung ohne Zustimmung des Bundesrates nähere Einzelheiten der Finanzierung der arbeits- und sozialrechtlichen Beratung, insbesondere das Nähere zur Leistungsgewährung, die Bewilligungsperiode, das Antragsverfahren, die Bedingungen und das Verfahren für die Weiterleitung der Leistung durch Träger an Dritte, die Übertragung der Umsetzung auf einen Dritten, das Nähere zur Kontrolle der Mittelverwendung und die Evaluierung zu regeln. [2] In Bezug auf Vorintegrationsmaßnahmen und die Aufgaben nach Absatz 1 Satz 5 und 6 findet Satz 1 keine Anwendung.

§ 45c[1] Informationspflicht bei Anwerbung aus dem Ausland. [1] Schließt ein Arbeitgeber mit Sitz im Bundesgebiet mit einem Drittstaatsangehörigen mit Wohnsitz oder gewöhnlichem Aufenthalt im Ausland einen Arbeitsvertrag zur Arbeitsleistung im Inland, hat er den Drittstaatsangehörigen spätestens am ersten Tag der Arbeitsleistung in Textform auf die Möglichkeit einer Information oder Beratung nach § 45b Absatz 1 Satz 1 und 2 hinzuweisen. [2] Er hat dabei zumindest die aktuellen Kontaktdaten der vom Arbeitsplatz nächstgelegenen Beratungsstelle anzugeben. [3] Die Hinweispflicht des Arbeitgebers entfällt bei einer grenzüberschreitenden Vermittlung im Sinne des § 299 des Dritten Buches Sozialgesetzbuch[2].

Kapitel 4. Ordnungsrechtliche Vorschriften

§ 46 Ordnungsverfügungen. (1) Die Ausländerbehörde kann gegenüber einem vollziehbar ausreisepflichtigen Ausländer Maßnahmen zur Förderung der Ausreise treffen, insbesondere kann sie den Ausländer verpflichten, den Wohnsitz an einem von ihr bestimmten Ort zu nehmen.

(2) [1] Einem Ausländer kann die Ausreise in entsprechender Anwendung des § 10 Abs. 1 und 2 des Passgesetzes[3] untersagt werden. [2] Im Übrigen kann einem Ausländer die Ausreise aus dem Bundesgebiet nur untersagt werden, wenn er in einen anderen Staat einreisen will, ohne im Besitz der dafür

[1] § 45c eingef. mWv 1.1.2026 durch G v. 16.8.2023 (BGBl. 2023 I Nr. 217).
[2] Nr. **700**.
[3] **Sartorius Nr. 250.**

erforderlichen Dokumente und Erlaubnisse zu sein. [3] Das Ausreiseverbot ist aufzuheben, sobald der Grund seines Erlasses entfällt.

§ 47 *(hier nicht wiedergegeben)*

§ 47a[1)] Mitwirkungspflichten; Lichtbildabgleich. [1] Ein Ausländer ist verpflichtet, seinen Pass, seinen Passersatz oder seinen Ausweisersatz auf Verlangen einer zur Identitätsfeststellung befugten Behörde vorzulegen und es ihr zu ermöglichen, sein Gesicht mit dem Lichtbild im Dokument abzugleichen. [2] Dies gilt auch für die Bescheinigung über die Aufenthaltsgestattung nach § 63 Absatz 1 Satz 1 des Asylgesetzes[2)]. [3] Ein Ausländer, der im Besitz eines Ankunftsnachweises im Sinne des § 63a Absatz 1 Satz 1 des Asylgesetzes[2)] oder eines der in § 48 Absatz 1 Nummer 2 genannten Dokumente ist, ist verpflichtet, den Ankunftsnachweis oder das Dokument auf Verlangen einer zur Überprüfung der darin enthaltenen Angaben befugten Behörde vorzulegen und es ihr zu ermöglichen, sein Gesicht mit dem Lichtbild im Dokument abzugleichen.

§ 47b[3)] Reisen in den Herkunftsstaat. [1] Asylberechtigte und Ausländer, denen internationaler Schutz (§ 1 Absatz 1 Nummer 2 des Asylgesetzes[2)]) zuerkannt oder für die ein Abschiebungsverbot nach § 60 Absatz 5 oder Absatz 7 festgestellt worden ist, sind verpflichtet, Reisen in ihren Herkunftsstaat sowie den Grund der Reise vor Antritt der Reise gegenüber der zuständigen Ausländerbehörde anzuzeigen. [2] Diese leitet nach § 8 Absatz 1c des Asylgesetzes[2)] die Anzeigen an das Bundesamt für Migration und Flüchtlinge zur Prüfung des Widerrufs der Rechtsstellung weiter.

§ 48[4)] Ausweisrechtliche Pflichten. (1) [1] Ein Ausländer ist verpflichtet,

1. seinen Pass, seinen Passersatz oder seinen Ausweisersatz und
2. seinen Aufenthaltstitel oder eine Bescheinigung über die Aussetzung der Abschiebung

auf Verlangen den mit dem Vollzug des Ausländerrechts betrauten Behörden vorzulegen, auszuhändigen und vorübergehend zu überlassen, soweit dies zur Durchführung oder Sicherung von Maßnahmen nach diesem Gesetz erforderlich ist. [2] Ein deutscher Staatsangehöriger, der zugleich eine ausländische Staatsangehörigkeit besitzt, ist verpflichtet, seinen ausländischen Pass oder Passersatz auf Verlangen den mit dem Vollzug des Ausländerrechts betrauten Behörden vorzulegen, auszuhändigen und vorübergehend zu überlassen, wenn

1. ihm nach § 7 Absatz 1 des Passgesetzes[5)] der deutsche Pass versagt, nach § 8 des Passgesetzes der deutsche Pass entzogen worden ist oder gegen ihn eine

---

1) § 47a eingef. mWv 15.6.2017 durch G v. 8.6.2017 (BGBl. I S. 1570).

2) **beck-online, Module Arbeitsrecht Nr. 780.**

3) § 47b eingef. mWv 31.10.2024 durch G v. 25.10.2024 (BGBl. 2024 I Nr. 332).

4) § 48 Abs. 1 neu gef. mWv 1.11.2007 durch G v. 20.7.2007 (BGBl. I S. 1566); Abs. 2, Abs. 4 Satz 1 geänd. mWv 26.11.2011 durch G v. 22.11.2011 (BGBl. I S. 2258); Abs. 3 Sätze 1 und 2 geänd., Abs. 3a eingef. mWv 1.8.2015 durch G v. 27.7.2015 (BGBl. I S. 1386); Abs. 1 Satz 2 angef. mWv 29.7.2017 durch G v. 20.7.2017 (BGBl. I S. 2780); Abs. 1 Satz 2 neu gef. mWv 21.8.2019 durch G v. 15.8.2019 (BGBl. I S. 1294); Abs. 3a Satz 8 aufgeh. mWv 26.11.2019 durch G v. 20.11.2019 (BGBl. I S. 1626); Abs. 3 Satz 2 geänd., Satz 3 eingef., bish. Satz 3 wird Satz 4, Abs. 3a neu gef., Abs. 3b und 3c eingef. mWv 27.2.2024, Abs. 3 Satz 3 geänd. mWv 1.8.2024 durch G v. 21.2.2024 (BGBl. 2024 I Nr. 54).

5) **Sartorius Nr. 250.**

Anordnung nach § 6 Absatz 7 des Personalausweisgesetzes[1] ergangen ist, wenn Anhaltspunkte die Annahme rechtfertigen, dass der Ausländer beabsichtigt, das Bundesgebiet zu verlassen oder
2. die Voraussetzungen für eine Untersagung der Ausreise nach § 10 Absatz 1 des Passgesetzes vorliegen und die Vorlage, Aushändigung und vorübergehende Überlassung des ausländischen Passes oder Passersatzes zur Durchführung oder Sicherung des Ausreiseverbots erforderlich sind.

(2) Ein Ausländer, der einen Pass oder Passersatz weder besitzt noch in zumutbarer Weise erlangen kann, genügt der Ausweispflicht mit der Bescheinigung über einen Aufenthaltstitel oder die Aussetzung der Abschiebung, wenn sie mit den Angaben zur Person und einem Lichtbild versehen und als Ausweisersatz bezeichnet ist.

(3) [1] Besitzt der Ausländer keinen gültigen Pass oder Passersatz, ist er verpflichtet, an der Beschaffung des Identitätspapiers mitzuwirken sowie alle Urkunden, sonstigen Unterlagen und Datenträger, die für die Feststellung seiner Identität und Staatsangehörigkeit und für die Feststellung und Geltendmachung einer Rückführungsmöglichkeit in einen anderen Staat von Bedeutung sein können und in deren Besitz er ist, den mit der Ausführung dieses Gesetzes betrauten Behörden auf Verlangen vorzulegen, auszuhändigen und zu überlassen. [2] Kommt der Ausländer seiner Verpflichtung nicht nach und bestehen tatsächliche Anhaltspunkte, dass er im Besitz solcher Unterlagen oder Datenträger ist, können er und die in seinem Besitz befindlichen Sachen sowie seine Wohnung nach diesen Unterlagen oder Datenträgern durchsucht werden. [3] Durchsuchungen der Wohnung nach Satz 2 dürfen nur durch den Richter, bei Gefahr im Verzug auch durch die mit der Ausführung dieses Gesetzes betrauten Behörden angeordnet werden; § 58 Absatz 9a gilt entsprechend. [4] Der Ausländer hat die Maßnahme zu dulden.

(3a) [1] Das Auslesen von Datenträgern, einschließlich mobiler Geräte und Cloud-Dienste, ist zum Zweck der Sicherstellung einer Auswertung nach Absatz 3b zulässig, wenn es zur Feststellung der Identität und der Staatsangehörigkeit und für die Feststellung und Geltendmachung einer Rückführungsmöglichkeit erforderlich ist, da der Ausländer keinen gültigen Pass, Passersatz oder sonstigen geeigneten Identitätsnachweis besitzt. [2] Der Ausländer hat die notwendigen Zugangsdaten für ein zulässiges Auslesen der Datenträger zur Verfügung zu stellen.

(3b) [1] Das Auswerten der ausgelesenen Daten ist nur zulässig, soweit dies für die Feststellung der Identität und Staatsangehörigkeit des Ausländers und für die Feststellung und Geltendmachung einer Rückführungsmöglichkeit in einen anderen Staat nach Maßgabe von Absatz 3 erforderlich ist und der Zweck der Maßnahme nicht durch mildere Mittel erreicht werden kann. [2] Liegen tatsächliche Anhaltspunkte für die Annahme vor, dass durch das Auswerten von Datenträgern allein Erkenntnisse aus dem Kernbereich privater Lebensgestaltung erlangt würden, ist die Maßnahme unzulässig. [3] Erkenntnisse aus dem Kernbereich privater Lebensgestaltung, die durch das Auswerten von Datenträgern erlangt werden, dürfen nicht verwertet werden. [4] Aufzeichnungen hierüber sind unverzüglich zu löschen. [5] Die Tatsache ihrer Erlangung und Lö-

[1] **Sartorius Nr. 255.**

schung ist aktenkundig zu machen. [6]Die Datenträger dürfen nur von einem Bediensteten ausgewertet werden, der die Befähigung zum Richteramt hat.

(3c) [1]Ausgelesene Daten sind unverzüglich zu löschen, sobald sie für die Feststellung der Identität und Staatsangehörigkeit des Ausländers und für die Feststellung und Geltendmachung einer Rückführungsmöglichkeit nicht mehr erforderlich sind. [2]Das Auslesen, Auswerten und Löschen von Daten ist zu dokumentieren. [3]Durch geeignete technische und organisatorische Maßnahmen nach den Artikeln 24, 25 und 32 der Verordnung (EU) 2016/679[1)] ist sicherzustellen, dass kein unberechtigter Zugriff auf die ausgelesenen Daten erfolgt.

(4) [1]Wird nach § 5 Abs. 3 oder § 33 von der Erfüllung der Passpflicht (§ 3 Abs. 1) abgesehen, wird ein Ausweisersatz ausgestellt. [2]Absatz 3 bleibt hiervon unberührt.

§ 48a[2)] Erhebung von Zugangsdaten. (1) Soweit der Ausländer die notwendigen Zugangsdaten für die Auswertung von Endgeräten, die er für telekommunikative Zwecke eingesetzt hat, nicht zur Verfügung stellt, darf von demjenigen, der geschäftsmäßig Telekommunikationsdienste erbringt oder daran mitwirkt, Auskunft über die Daten, mittels derer der Zugriff auf Endgeräte oder auf Speichereinrichtungen, die in diesen Endgeräten oder hiervon räumlich getrennt eingesetzt werden, geschützt wird (§ 174 Absatz 1 Satz 2 des Telekommunikationsgesetzes), verlangt werden, wenn die gesetzlichen Voraussetzungen für die Verarbeitung der Daten vorliegen.

(2) Der Ausländer ist von dem Auskunftsverlangen vorher in Kenntnis zu setzen.

(3) [1]Auf Grund eines Auskunftsverlangens nach Absatz 1 hat derjenige, der geschäftsmäßig Telekommunikationsdienste erbringt oder daran mitwirkt, die zur Auskunftserteilung erforderlichen Daten unverzüglich zu übermitteln. [2]Für die Entschädigung der Diensteanbieter ist § 23 Absatz 1 des Justizvergütungs- und -entschädigungsgesetzes[3)] entsprechend anzuwenden.

§ 49[4)] Überprüfung, Feststellung und Sicherung der Identität.

(1) [1]Die mit dem Vollzug dieses Gesetzes betrauten Behörden dürfen unter den Voraussetzungen des § 48 Abs. 1 die auf dem elektronischen Speicher- und Verarbeitungsmedium eines Dokuments nach § 48 Abs. 1 Nr. 1 und 2 gespeicherten biometrischen und sonstigen Daten auslesen, die benötigten biome-

---

[1)] Nr. **489**.

[2)] § 48a eingef. mWv 1.8.2015 durch G v. 27.7.2015 (BGBl. I S. 1386); Abs. 1 geänd. mWv 26.11.2019 durch G v. 20.11.2019 (BGBl. I S. 1626); Abs. 1 geänd. mWv 1.12.2021 durch G v. 23.6.2021 (BGBl. I S. 1858).

[3)] **beck-online, Module Arbeitsrecht Nr. 669.**

[4)] § 49 Überschrift neu gef., Abs. 1 eingef., bish. Abs. 1, 2, 2a, 3 und 5 bis 7 werden Abs. 2, 3, 4, 5 und 7 bis 9, bish. Abs. 4 und 8 werden Abs. 6 und 10 und geänd. mWv 1.11.2007 durch G v. 20.7.2007 (BGBl. I S. 1566); Abs. 10 geänd. mWv 1.1.2009 durch G v. 20.12.2008 (BGBl. I S. 2846); Abs. 1 Satz 1 geänd. und Satz 3 neu gef. mWv 1.9.2011 durch G v. 12.4.2011 (BGBl. I S. 610); Abs. 9 geänd. mWv 26.11.2011 durch G v. 22.11.2011 (BGBl. I S. 2258); Abs. 5 Nr. 4 geänd., Abs. 8 und 9 neu gef. mWv 24.10.2015 durch G v. 20.10.2015 (BGBl. I S. 1722); Abs. 8 und 9 neu gef. mWv 5.2.2016 durch G v. 2.2.2016 (BGBl. I S. 130); Abs. 5 Nr. 6 neu gef. mWv 9.8.2019, Abs. 6 Satz 2 neu gef., Abs. 8 Satz 3, Abs. 9 Satz 3 geänd. mWv 1.4.2021 durch G v. 4.8.2019 (BGBl. I S. 1131); Abs. 4a eingef. mWv 1.6.2022 durch G v. 23.5.2022 (BGBl. I S. 760); Abs. 5 Nr. 6 geänd., Abs. 8 Satz 1 neu gef., Abs. 9 Satz 4 angef. mWv 12.6.2026, Abs. 4a Satz 1 geänd., Satz 2 aufgeh. mWv 12.6.2029 durch G v. 23.4.2026 (BGBl. 2026 I Nr. 111).

trischen Daten beim Inhaber des Dokuments erheben und die biometrischen Daten miteinander vergleichen. [2] Darüber hinaus sind auch alle anderen Behörden, an die Daten aus dem Ausländerzentralregister nach den §§ 15 bis 20 des AZR-Gesetzes[1)] übermittelt werden, und die Meldebehörden befugt, Maßnahmen nach Satz 1 zu treffen, soweit sie die Echtheit des Dokuments oder die Identität des Inhabers überprüfen dürfen. [3] Biometrische Daten nach Satz 1 sind nur die Fingerabdrücke und das Lichtbild.

(2) Jeder Ausländer ist verpflichtet, gegenüber den mit dem Vollzug des Ausländerrechts betrauten Behörden auf Verlangen die erforderlichen Angaben zu seinem Alter, seiner Identität und Staatsangehörigkeit zu machen und die von der Vertretung des Staates, dessen Staatsangehörigkeit er besitzt oder vermutlich besitzt, geforderten und mit dem deutschen Recht in Einklang stehenden Erklärungen im Rahmen der Beschaffung von Heimreisedokumenten abzugeben.

(3) Bestehen Zweifel über die Person, das Lebensalter oder die Staatsangehörigkeit des Ausländers, so sind die zur Feststellung seiner Identität, seines Lebensalters oder seiner Staatsangehörigkeit erforderlichen Maßnahmen zu treffen, wenn

1. dem Ausländer die Einreise erlaubt, ein Aufenthaltstitel erteilt oder die Abschiebung ausgesetzt werden soll oder
2. es zur Durchführung anderer Maßnahmen nach diesem Gesetz erforderlich ist.

(4) Die Identität eines Ausländers ist durch erkennungsdienstliche Maßnahmen zu sichern, wenn eine Verteilung gemäß § 15a stattfindet.

(4a) [1] Die Identität eines Ausländers, der eine Aufenthaltserlaubnis nach § 24 beantragt und der das ***[bis 11.6.2029:*** vierzehnte***][ab 12.6.2029:*** *sechste****]*** Lebensjahr vollendet hat, ist vor Erteilung der Aufenthaltserlaubnis durch erkennungsdienstliche Maßnahmen zu sichern. ***[Satz 2 bis 11.6.2029:]*** [2] Bei Ausländern nach Satz 1, die das sechste, aber noch nicht das vierzehnte Lebensjahr vollendet haben, soll die Identität durch erkennungsdienstliche Maßnahmen gesichert werden.

(5) Zur Feststellung und Sicherung der Identität sollen die erforderlichen Maßnahmen durchgeführt werden,

1. wenn der Ausländer mit einem gefälschten oder verfälschten Pass oder Passersatz einreisen will oder eingereist ist;
2. wenn sonstige Anhaltspunkte den Verdacht begründen, dass der Ausländer nach einer Zurückweisung oder Beendigung des Aufenthalts erneut unerlaubt ins Bundesgebiet einreisen will;
3. bei Ausländern, die vollziehbar ausreisepflichtig sind, sofern die Zurückschiebung oder Abschiebung in Betracht kommt;
4. wenn der Ausländer in einen in § 26a Abs. 2 des Asylgesetzes[2)] genannten Drittstaat zurückgewiesen oder zurückgeschoben wird;
5. bei der Beantragung eines nationalen Visums;
6. bei Ausländern, die für ein Aufnahmeverfahren nach § 23, für ein Übernahmeverfahren nach Artikel 67 der Verordnung (EU) 2024/1351, für die

---

[1)] **Sartorius ErgBd. Nr. 569.**
[2)] **beck-online, Module Arbeitsrecht Nr. 780.**

Gewährung von vorübergehendem Schutz nach § 24 oder für ein Umverteilungsverfahren auf Grund von Maßnahmen nach Artikel 78 Absatz 3 des Vertrags über die Arbeitsweise der Europäischen Union[1)] vorgeschlagen und vom Bundesamt für Migration und Flüchtlinge in die Prüfung über die Erteilung einer Aufnahmezusage oder die Bestätigung einer Übernahme nach Artikel 67 Absatz 9 der Verordnung (EU) 2024/1351 einbezogen wurden, sowie in den Fällen des § 29 Absatz 3;

7. wenn ein Versagungsgrund nach § 5 Abs. 4 festgestellt worden ist.

(6) [1] Maßnahmen im Sinne der Absätze 3 bis 5 mit Ausnahme des Absatzes 5 Nr. 5 sind das Aufnehmen von Lichtbildern, das Abnehmen von Fingerabdrücken sowie Messungen und ähnliche Maßnahmen, einschließlich körperlicher Eingriffe, die von einem Arzt nach den Regeln der ärztlichen Kunst zum Zweck der Feststellung des Alters vorgenommen werden, wenn kein Nachteil für die Gesundheit des Ausländers zu befürchten ist. [2] Die Maßnahmen sind zulässig bei Ausländern, die das sechste Lebensjahr vollendet haben. [3] Zur Feststellung der Identität sind diese Maßnahmen nur zulässig, wenn die Identität in anderer Weise, insbesondere durch Anfragen bei anderen Behörden nicht oder nicht rechtzeitig oder nur unter erheblichen Schwierigkeiten festgestellt werden kann.

(6a) Maßnahmen im Sinne des Absatzes 5 Nr. 5 sind das Aufnehmen von Lichtbildern und das Abnehmen von Fingerabdrücken.

(7) [1] Zur Bestimmung des Herkunftsstaates oder der Herkunftsregion des Ausländers kann das gesprochene Wort des Ausländers auf Ton- oder Datenträger aufgezeichnet werden. [2] Diese Erhebung darf nur erfolgen, wenn der Ausländer vorher darüber in Kenntnis gesetzt wurde.

(8) [1] Die Identität eines Ausländers, der in Verbindung mit der unerlaubten Einreise aufgegriffen und nicht zurückgewiesen wird oder der aus einem der in den Artikeln 5 oder 7 der Verordnung (EU) 2024/1356 genannten Gründe an einer Außengrenze oder innerhalb des Hoheitsgebiets einer Überprüfung nach der Verordnung (EU) 2024/1356 zu unterziehen ist, ist durch erkennungsdienstliche Maßnahmen zu sichern. [2] Nach Satz 1 dürfen nur Lichtbilder und Abdrucke aller zehn Finger aufgenommen werden. [3] Die Identität eines Ausländers, der das sechste Lebensjahr noch nicht vollendet hat, ist unter den Voraussetzungen des Satzes 1 nur durch das Aufnehmen eines Lichtbildes zu sichern.

(9) [1] Die Identität eines Ausländers, der sich ohne erforderlichen Aufenthaltstitel im Bundesgebiet aufhält, ist durch erkennungsdienstliche Maßnahmen zu sichern. [2] Nach Satz 1 dürfen nur Lichtbilder und Abdrucke aller zehn Finger aufgenommen werden. [3] Die Identität eines Ausländers, der das sechste Lebensjahr noch nicht vollendet hat, ist unter den Voraussetzungen des Satzes 1 nur durch das Aufnehmen eines Lichtbildes zu sichern. [4] Die bei der Maßnahme nach Satz 1 erhobenen Daten können für die Zwecke der Überprüfung nach Artikel 7 der Verordnung (EU) 2024/1356 verwendet werden.

(10) Der Ausländer hat die Maßnahmen nach den Absätzen 1 und 3 bis 9 zu dulden.

[1)] **beck-online, Module Arbeitsrecht Nr. 850.**

Kapitel 9. Straf- und Bußgeldvorschriften

§ 95[1] **Strafvorschriften.** (1) Mit Freiheitsstrafe bis zu einem Jahr oder mit Geldstrafe wird bestraft, wer

1. entgegen § 3 Abs. 1 in Verbindung mit § 48 Abs. 2 sich im Bundesgebiet aufhält,
2. ohne erforderlichen Aufenthaltstitel nach § 4 Absatz 1 Satz 1 sich im Bundesgebiet aufhält, wenn
   a) er vollziehbar ausreisepflichtig ist,
   b) ihm eine Ausreisefrist nicht gewährt wurde oder diese abgelaufen ist und
   c) dessen Abschiebung nicht ausgesetzt ist,
3. entgegen § 14 Abs. 1 Nr. 1 oder 2 in das Bundesgebiet einreist,
4. einer vollziehbaren Anordnung nach § 46 Abs. 2 Satz 1 oder 2 oder § 47 Abs. 1 Satz 2 oder Abs. 2 zuwiderhandelt,
5. entgegen § 49 Abs. 2 eine Angabe nicht, nicht richtig oder nicht vollständig macht, sofern die Tat nicht in Absatz 2 Nr. 2 mit Strafe bedroht ist,
6. entgegen § 49 Abs. 10 eine dort genannte Maßnahme nicht duldet,

6a. entgegen § 56 Absatz 1 Satz 1 eine Meldung nicht, nicht richtig oder nicht rechtzeitig macht,

6b. einer vollziehbaren Anordnung nach § 56 Absatz 1 Satz 2, Absatz 3 oder Absatz 4 zuwiderhandelt,

6c. einer räumlichen Beschränkung nach § 56 Absatz 2 zuwiderhandelt,

7. wiederholt einer räumlichen Beschränkung nach § 61 Abs. 1 oder Absatz 1c zuwiderhandelt oder
8. im Bundesgebiet einer überwiegend aus Ausländern bestehenden Vereinigung oder Gruppe angehört, deren Bestehen, Zielsetzung oder Tätigkeit vor den Behörden geheim gehalten wird, um ihr Verbot abzuwenden.

(1a) Ebenso wird bestraft, wer vorsätzlich eine in § 404 Abs. 2 Nr. 4 des Dritten Buches Sozialgesetzbuch[2] oder in ***[bis unbestimmt:*** § 98 Abs. 3 Nr. 1***]*** ***[ab unbestimmt:*** *§ 98 Absatz 3 Nummer 1a****]*** bezeichnete Handlung begeht, für den Aufenthalt im Bundesgebiet nach § 4 Abs. 1 Satz 1 eines Aufenthaltstitels bedarf und als Aufenthaltstitel nur ein Schengen-Visum nach § 6 Abs. 1 Nummer 1 besitzt.

[Abs. 1b ab unbestimmt:]

(1b) Ebenso wird bestraft, wer sich an einer in § 98 Absatz 2 Nummer 2a bezeichneten Handlung beteiligt und dabei wiederholt oder zugunsten von mehreren Ausländern handelt.

---

[1] § 95 Abs. 1 Nr. 5 und 6 geänd. mWv 1.11.2007 durch G v. 20.7.2007 (BGBl. I S. 1566); Abs. 1 Nr. 2 neu gef., Abs. 1a geänd. mWv 26.11.2011 durch G v. 22.11.2011 (BGBl. I S. 2258); Abs. 1 Nr. 7 geänd. mWv 1.1.2015 durch G v. 23.12.2014 (BGBl. I S. 2439); Abs. 1 Nr. 6a, Abs. 2 Nr. 1 und 2 geänd. mWv 1.8.2015 durch G v. 27.7.2015 (BGBl. I S. 1386); Abs. 1 Nr. 6a geänd. mWv 24.10.2015und mWv 1.1.2016 durch G v. 20.10.2015 (BGBl. I S. 1722); Abs. 2 Nr. 1 Buchst. b geänd., Nr. 1a eingef., Abs. 7 angef. mWv 29.7.2017 durch G v. 20.7.2017 (BGBl. I S. 2780); Abs. 1b eingef., Abs. 3 geänd. mit unbestimmtem Inkrafttreten durch G v. 20.4.2023 (BGBl. 2023 I Nr. 106); Abs. 1 Nr. 6a neu gef., Nr. 6b, 6c eingef. mWv 27.2.2024 durch G v. 21.2.2024 (BGBl. 2024 I Nr. 54); Abs. 1a geänd. mit unbestimmtem Inkrafttreten durch G v. 22.12.2025 (BGBl. 2025 I Nr. 355).

[2] Nr. **700**.

(2) Mit Freiheitsstrafe bis zu drei Jahren oder mit Geldstrafe wird bestraft, wer

1. entgegen § 11 Absatz 1 oder in Zuwiderhandlung einer vollziehbaren Anordnung nach § 11 Absatz 6 Satz 1 oder Absatz 7 Satz 1
   a) in das Bundesgebiet einreist oder
   b) sich darin aufhält,

1a. einer vollstreckbaren gerichtlichen Anordnung nach § 56a Absatz 1 zuwiderhandelt und dadurch die kontinuierliche Feststellung seines Aufenthaltsortes durch eine in § 56a Absatz 3 genannte zuständige Stelle verhindert oder

2. unrichtige oder unvollständige Angaben macht oder benutzt, um für sich oder einen anderen einen Aufenthaltstitel oder eine Duldung zu beschaffen oder das Erlöschen oder die nachträgliche Beschränkung des Aufenthaltstitels oder der Duldung abzuwenden oder eine so beschaffte Urkunde wissentlich zur Täuschung im Rechtsverkehr gebraucht.

(3) In den Fällen des Absatzes 1 Nr. 3 und der ***[bis unbestimmt:*** Absätze 1a***]*** ***[ab unbestimmt:** Absätze 1a, 1b**]*** und 2 Nr. 1 Buchstabe a ist der Versuch strafbar.

(4) Gegenstände, auf die sich eine Straftat nach Absatz 2 Nr. 2 bezieht, können eingezogen werden.

(5) Artikel 31 Abs. 1 des Abkommens über die Rechtsstellung der Flüchtlinge[1)] bleibt unberührt.

(6) In den Fällen des Absatzes 1 Nr. 2 und 3 steht einem Handeln ohne erforderlichen Aufenthaltstitel ein Handeln auf Grund eines durch Drohung, Bestechung oder Kollusion erwirkten oder durch unrichtige oder unvollständige Angaben erschlichenen Aufenthaltstitels gleich.

(7) In Fällen des Absatzes 2 Nummer 1a wird die Tat nur auf Antrag einer dort genannten zuständigen Stelle verfolgt.

§§ 96–97a *(hier nicht wiedergegeben)*

§ 98[2)] Bußgeldvorschriften. (1) Ordnungswidrig handelt, wer eine in § 95 Abs. 1 Nr. 1 oder 2 oder Abs. 2 Nr. 1 Buchstabe b bezeichnete Handlung fahrlässig begeht.

---

1) **beck-online, Module Arbeitsrecht Nr. 1086b.**

2) § 98 Abs. 3 Nr. 7 geänd. mWv 1.9.2011 durch G v. 12.4.2011 (BGBl. I S. 610); Abs. 3 Nr. 7 geänd. mWv 6.9.2013 durch G v. 29.8.2013 (BGBl. I S. 3484); Abs. 3 Nr. 2 und 4 geänd. mWv 1.1.2015 durch G v. 23.12.2014 (BGBl. I S. 2439); Abs. 2 Nr. 3, Abs. 3 Nr. 2, 4 und 5 geänd. mWv 1.8.2015 durch G v. 27.7.2015 (BGBl. I S. 1386); Abs. 3 Nr. 2, 4 und 5 geänd. mWv 24.10.2015 und mWv 1.1.2016 durch G v. 20.10.2015 (BGBl. I S. 1722); Abs. 2b eingef., Abs. 3 Nr. 2 geänd., Nr. 2a, 2b und 5a eingef., Abs. 5 geänd. mWv 6.8.2016 durch G v. 31.7.2016 (BGBl. I S. 1939); Abs. 2a neu gef., Abs. 2b aufgeh., Abs. 5 geänd. mWv 1.8.2017 durch G v. 12.5.2017 (BGBl. I S. 1106); Abs. 2 Nr. 2a eingef., Abs. 5 geänd. mWv 15.6.2017 durch G v. 8.6.2017 (BGBl. I S. 1570); Abs. 2a Nr. 4 geänd. mWv 1.1.2020 durch G v. 8.7.2019 (BGBl. I S. 1021); Abs. 3 Nr. 5b eingef., Abs. 5 geänd. mWv 21.8.2019 durch G v. 15.8.2019 (BGBl. I S. 1294); Abs. 2 Nr. 1, 3, 4 geänd., Nr. 5 angef., Abs. 2a Nr. 1–3, Abs. 3 Nr. 1 geänd. mWv 1.3.2020 durch G v. 15.8.2019 (BGBl. I S. 1307); Abs. 2 Nr. 5 geänd., Abs. 2a Nr. 4, Abs. 3 Nr. 1 neu gef. mWv 24.6.2020 durch G v. 12.6.2020 (BGBl. I S. 1248); Abs. 3 Nr. 5b geänd. mWv 15.7.2021 durch G v. 9.7.2021 (BGBl. I S. 2467); Abs. 2a eingef., bish. Abs. 2a wird Abs. 2b, Abs. 3 Nr. 1 eingef., bish. Nr. 1 wird Nr. 1a, Abs. 5 geänd. mit unbestimmtem Inkrafttreten durch G v. 20.4.2023 (BGBl. 2023 I Nr. 106, geänd. durch G v. 22.12.2025, BGBl. 2025 I Nr. 355); Abs. 2a Nr. 4, Abs. 3 Nr. 1 geänd. mWv 1.3.2024 durch G v. →

(2) Ordnungswidrig handelt, wer

1. entgegen § 4 Absatz 2 Satz 1 einen Nachweis nicht führt,
2. entgegen § 13 Abs. 1 Satz 2 sich der polizeilichen Kontrolle des grenzüberschreitenden Verkehrs nicht unterzieht,

[Nr. 2a ab unbestimmt:]

2a. entgegen § 14 Absatz 1 Nummer 4 in das Bundesgebiet einreist,

2a. ***[ab unbestimmt:** 2b.]* entgegen § 47a Satz 1, auch in Verbindung mit Satz 2, oder entgegen § 47a Satz 3, ein dort genanntes Dokument nicht oder nicht rechtzeitig vorlegt oder einen Abgleich mit dem Lichtbild nicht oder nicht rechtzeitig ermöglicht,

2b. ***[ab unbestimmt:** 2c.]* entgegen § 47b eine Anzeige nicht vornimmt,

3. entgegen § 48 Abs. 1 oder 3 Satz 1 eine dort genannte Urkunde oder Unterlage oder einen dort genannten Datenträger nicht oder nicht rechtzeitig vorlegt, nicht oder nicht rechtzeitig aushändigt oder nicht oder nicht rechtzeitig überlässt,
4. einer vollziehbaren Anordnung nach § 44a Abs. 1 Satz 1 Nr. 3, Satz 2 oder 3 zuwiderhandelt oder
5. entgegen § 82 Absatz 6 Satz 1, auch in Verbindung mit § 60d Absatz 3 Satz 4, eine Mitteilung nicht oder nicht rechtzeitig macht.

[Abs. 2a ab unbestimmt:]

(2a) Ordnungswidrig handelt, wer

1. als Drittstaatsangehöriger nach Artikel 3 Absatz 1 Nummer 6 der Verordnung (EU) 2017/2226 des Europäischen Parlaments und des Rates vom 30. November 2017 über ein Einreise-/Ausreisesystem (EES) zur Erfassung der Ein- und Ausreisedaten sowie der Einreiseverweigerungsdaten von Drittstaatsangehörigen an den Außengrenzen der Mitgliedstaaten und zur Festlegung der Bedingungen für den Zugang zum EES zu Gefahrenabwehr- und Strafverfolgungszwecken und zur Änderung des Übereinkommens zur Durchführung des Übereinkommens von Schengen sowie der Verordnungen (EG) Nr. 767/2008 und (EU) Nr. 1077/2011 (ABl. L 327 vom 9.12.2017, S. 20; L 258 vom 15.10.2018, S. 5), die zuletzt durch die Verordnung (EU) 2021/1152 (ABl. L 249 vom 14.7.2021, S. 15) geändert worden ist, eine in Artikel 16 Absatz 1 Buchstabe a, b oder c, jeweils auch in Verbindung mit Artikel 17 Absatz 1 Buchstabe a, der Verordnung (EU) 2017/2226 genannte Angabe nicht richtig oder nicht vollständig macht oder

2. als Antragsteller nach Artikel 3 Absatz 1 Nummer 9 der Verordnung (EU) 2018/1240 des Europäischen Parlaments und des Rates vom 12. September 2018 über die Einrichtung eines Europäischen Reiseinformations- und -genehmigungssystems (ETIAS) und zur Änderung der Verordnungen (EU) Nr. 1077/2011, (EU) Nr. 515/2014, (EU) 2016/399, (EU) 2016/1624 und (EU) 2017/2226 (ABl. L 236 vom 19.9.2018, S. 1; L 323 vom 19.12.2018, S. 37; L 193 vom 17.6.2020,

---

(Fortsetzung der Anm. von voriger Seite)
16.8.2023 (BGBl. 2023 I Nr. 217); Abs. 3 Nr. 4 geänd., Nr. 5 neu gef., bish. Nr. 5a wird Nr. 5b und geänd., bish. Nr. 5b wird Nr. 5a mWv 27.2.2024 durch G v. 21.2.2024 (BGBl. 2024 I Nr. 54); Abs. 2 Nr. 2b eingef. mWv 31.10.2024 durch G v. 25.10.2024 (BGBl. 2024 I Nr. 332); Abs. 2a Nr. 4 geänd., Abs. 3 Nr. 1 neu gef. mWv 24.12.2025, Abs. 2 Nr. 2a eingef., bish. Nr. 2a, 2b werden Nr. 2b, 2c mit *unbestimmtem Inkrafttreten* durch G v. 22.12.2025 (BGBl. 2025 I Nr. 355); Abs. 7, 8 angef. mWv 6.2.2026 durch G v. 3.2.2026 (BGBl. 2026 I Nr. 27); Abs. 3 Nr. 2b geänd. mWv 12.6.2026 durch G v. 23.4.2026 (BGBl. 2026 I Nr. 111).

S. 16; L 266 vom 13.10.2022, S. 24), die zuletzt durch die Verordnung (EU) 2021/1152 (ABl. L 249 vom 14.7.2021, S. 15) geändert worden ist, eine in Artikel 17 Absatz 2 oder 4 der Verordnung (EU) 2018/1240 genannte Angabe nicht richtig oder nicht vollständig macht.

(2a) ***[ab unbestimmt:** (2b)]* Ordnungswidrig handelt, wer vorsätzlich oder leichtfertig

1. entgegen § 4a Absatz 5 Satz 1 einen Ausländer mit einer nachhaltigen entgeltlichen Dienst- oder Werkleistung beauftragt, die der Ausländer auf Gewinnerzielung gerichtet ausübt,
2. entgegen § 4a Absatz 5 Satz 3 Nummer 3 oder § 19a Absatz 1 Satz 2 oder 3 eine Mitteilung nicht, nicht richtig oder nicht rechtzeitig macht,
3. entgegen § 19b Absatz 7 eine Anzeige nicht, nicht richtig, nicht vollständig oder nicht rechtzeitig erstattet oder
4. entgegen § 16g Absatz 4 Satz 1, § 60c Absatz 5 Satz 1 oder § 60d Absatz 3 Satz 3 eine Mitteilung nicht, nicht richtig, nicht vollständig, nicht in der vorgeschriebenen Weise oder nicht rechtzeitig macht.

(3) Ordnungswidrig handelt, wer vorsätzlich oder fahrlässig

[Nr. 1 ab unbestimmt:]

1. ohne Genehmigung nach § 4 Absatz 3 Satz 1 sich im Bundesgebiet aufhält,

1. ***[ab unbestimmt:** 1a.]* entgegen § 4a Absatz 3 Satz 4 oder Absatz 4, § 6 Absatz 2a, § 7 Absatz 1 Satz 4 erster Halbsatz, § 16a Absatz 3 Satz 1, § 16b Absatz 3 Satz 1, auch in Verbindung mit Absatz 5 Satz 2 oder Satz 3 erster Halbsatz oder Absatz 7 Satz 3, § 16c Absatz 2 Satz 3, § 16d Absatz 1 Satz 4, auch in Verbindung mit Absatz 6 Satz 3, § 16d Absatz 3 Satz 8, Absatz 4 Satz 3 oder Absatz 5 Satz 2, § 16f Absatz 3 Satz 4 oder Satz 5, § 16g Absatz 3a, § 17 Absatz 3 Satz 1, § 20a Absatz 2, § 23 Absatz 1 Satz 4 erster Halbsatz oder § 25 Absatz 4 Satz 3 erster Halbsatz, Absatz 4a Satz 4 erster Halbsatz oder Absatz 4b Satz 4 erster Halbsatz eine selbständige Tätigkeit ausübt,

2. einer vollziehbaren Auflage nach § 12 Abs. 2 Satz 2 oder Abs. 4 zuwiderhandelt,

2a. entgegen § 12a Absatz 1 Satz 1 den Wohnsitz nicht oder nicht für die vorgeschriebene Dauer in dem Land nimmt, in dem er zu wohnen verpflichtet ist,

2b. einer vollziehbaren Anordnung nach § 12a Absatz 2, 3 oder 4 Satz 1, § 15b Absatz 4 Satz 2 oder § 61 Absatz 1c zuwiderhandelt,

3. entgegen § 13 Abs. 1 außerhalb einer zugelassenen Grenzübergangsstelle oder außerhalb der festgesetzten Verkehrsstunden einreist oder ausreist oder einen Pass oder Passersatz nicht mitführt,

4. einer vollziehbaren Anordnung nach § 46 Absatz 1 oder § 61 Absatz 1e zuwiderhandelt,

5. (weggefallen)

5a. entgegen § 60b Absatz 2 Satz 1 nicht alle zumutbaren Handlungen vornimmt, um einen anerkannten und gültigen Pass oder Passersatz zu erlangen,

5b. einer räumlichen Beschränkung nach § 61 Absatz 1 Satz 1 zuwiderhandelt,

6. entgegen § 80 Abs. 4 einen der dort genannten Anträge nicht stellt oder

7. einer Rechtsverordnung nach § 99 Absatz 1 Nummer 3a Buchstabe d, Nummer 7, 10 oder 13a Satz 1 Buchstabe j zuwiderhandelt, soweit sie für einen bestimmten Tatbestand auf diese Bußgeldvorschrift verweist.

(4) In den Fällen des Absatzes 2 Nr. 2 und des Absatzes 3 Nr. 3 kann der Versuch der Ordnungswidrigkeit geahndet werden.

(5) Die Ordnungswidrigkeit kann in den Fällen des ***[bis unbestimmt:*** Absatzes 2a Nummer 1***][ab unbestimmt:*** *Absatzes 2 Nummer 2a und des Absatzes 2b Nummer 1]* mit einer Geldbuße bis zu fünfhunderttausend Euro, in den Fällen ***[bis unbestimmt:*** des Absatzes 2a Nummer 2, 3 und 4***][ab unbestimmt:*** *der Absätze 2a und 2b Nummer 2, 3 und 4 und des Absatzes 3 Nummer 1]* mit einer Geldbuße bis zu dreißigtausend Euro, in den Fällen des Absatzes 2 Nr. 2 und des ***[bis unbestimmt:*** Absatzes 3 Nr. 1***][ab unbestimmt:*** *Absatzes 3 Nummer 1a]* und 5b mit einer Geldbuße bis zu fünftausend Euro, in den Fällen der Absätze 1 und 2 ***[bis unbestimmt:*** Nr. 1, 2a***][ab unbestimmt:*** *Nummer 1, 2b]* und 3 und des Absatzes 3 Nr. 3 mit einer Geldbuße bis zu dreitausend Euro und in den übrigen Fällen mit einer Geldbuße bis zu tausend Euro geahndet werden.

(6) Artikel 31 Abs. 1 des Abkommens über die Rechtsstellung der Flüchtlinge[1] bleibt unberührt.

(7) Abweichend von § 30 Absatz 2 Satz 1 Nummer 1 des Gesetzes über Ordnungswidrigkeiten[2] beträgt das Höchstmaß der Geldbuße im Falle einer Straftat nach § 95a Absatz 1 dieses Gesetzes vierzig Millionen Euro.

(8) Abweichend von § 30 Absatz 2 Satz 2 des Gesetzes über Ordnungswidrigkeiten beträgt das Höchstmaß der Geldbuße im Falle einer Ordnungswidrigkeit nach § 130 Absatz 1 des Gesetzes über Ordnungswidrigkeiten in Verbindung mit § 95a Absatz 1 dieses Gesetzes vierzig Millionen Euro.

Kapitel 9a.[3] Rechtsfolgen bei illegaler Beschäftigung

§ 98a[4] Vergütung. (1) [1]Der Arbeitgeber ist verpflichtet, dem Ausländer, den er ohne die nach § 284 Absatz 1 des Dritten Buches Sozialgesetzbuch[5] erforderliche Genehmigung oder ohne die nach § 4a Absatz 5 erforderliche Berechtigung zur Erwerbstätigkeit beschäftigt hat, die vereinbarte Vergütung zu zahlen. [2]Für die Vergütung wird vermutet, dass der Arbeitgeber den Ausländer drei Monate beschäftigt hat.

(2) Als vereinbarte Vergütung ist die übliche Vergütung anzusehen, es sei denn, der Arbeitgeber hat mit dem Ausländer zulässigerweise eine geringere oder eine höhere Vergütung vereinbart.

(2a) Der Arbeitgeber ist verpflichtet, dem Ausländer das Arbeitsentgelt zu zahlen, das er der Bundesagentur für Arbeit nach § 39 Absatz 4 mitgeteilt hat und das diese für die Erteilung der Zustimmung oder Arbeitserlaubnis zu Grunde gelegt hat.

---

[1] **beck-online, Module Arbeitsrecht Nr. 1086b.**
[2] **Habersack Nr. 94.**
[3] Kapitel 9a (§§ 98a–98c) eingef. mWv 26.11.2011 durch G v. 22.11.2011 (BGBl. I S. 2258).
[4] § 98a eingef. mWv 26.11.2011 durch G v. 22.11.2011 (BGBl. I S. 2258); Abs. 1 Satz 1, Abs. 4, 5, 6 geänd. mWv 1.3.2020 durch G v. 15.8.2019 (BGBl. I S. 1307); Abs. 2a eingef. mWv 1.3.2024 durch G v. 16.8.2023 (BGBl. 2023 I Nr. 217).
[5] Nr. **700**.

(3) Ein Unternehmer, der einen anderen Unternehmer mit der Erbringung von Werk- oder Dienstleistungen beauftragt, haftet für die Erfüllung der Verpflichtung dieses Unternehmers nach Absatz 1 wie ein Bürge, der auf die Einrede der Vorausklage verzichtet hat.

(4) Für den Generalunternehmer und alle zwischengeschalteten Unternehmer ohne unmittelbare vertragliche Beziehung zu dem Arbeitgeber gilt Absatz 3 entsprechend, es sei denn, dem Generalunternehmer oder dem zwischengeschalteten Unternehmer war nicht bekannt, dass der Arbeitgeber Ausländer ohne die nach § 284 Absatz 1 des Dritten Buches Sozialgesetzbuch erforderliche Genehmigung oder ohne die nach § 4a Absatz 5 erforderliche Berechtigung zur Erwerbstätigkeit beschäftigt hat.

(5) Die Haftung nach den Absätzen 3 und 4 entfällt, wenn der Unternehmer nachweist, dass er auf Grund sorgfältiger Prüfung davon ausgehen konnte, dass der Arbeitgeber keine Ausländer ohne die nach § 284 Absatz 1 des Dritten Buches Sozialgesetzbuch erforderliche Genehmigung oder ohne die nach § 4a Absatz 5 erforderliche Berechtigung zur Erwerbstätigkeit beschäftigt hat.

(6) Ein Ausländer, der im Geltungsbereich dieses Gesetzes ohne die nach § 284 Absatz 1 des Dritten Buches Sozialgesetzbuch erforderliche Genehmigung oder ohne die nach § 4a Absatz 5 erforderliche Berechtigung zur Erwerbstätigkeit beschäftigt worden ist, kann Klage auf Erfüllung der Zahlungsverpflichtungen nach Absatz 3 und 4 auch vor einem deutschen Gericht für Arbeitssachen erheben.

(7) Die Vorschriften des Arbeitnehmer-Entsendegesetzes[1] bleiben unberührt.

§ 98b[2] Ausschluss von Subventionen. (1) [1] Die zuständige Behörde kann Anträge auf Subventionen im Sinne des § 264 des Strafgesetzbuches[3] ganz oder teilweise ablehnen, wenn der Antragsteller oder dessen nach Satzung oder Gesetz Vertretungsberechtigter

1. nach § 404 Absatz 2 Nummer 3 des Dritten Buches Sozialgesetzbuch[4] mit einer Geldbuße von wenigstens *Zweitausendfünfhundert*[5] Euro rechtskräftig belegt worden ist oder
2. nach den §§ 10, 10a oder 11 des Schwarzarbeitsbekämpfungsgesetzes[6] zu einer Freiheitsstrafe von mehr als drei Monaten oder einer Geldstrafe von mehr als 90 Tagessätzen rechtskräftig verurteilt worden ist.

[2] Ablehnungen nach Satz 1 können je nach Schwere des der Geldbuße oder der Freiheits- oder der Geldstrafe zugrunde liegenden Verstoßes in einem Zeitraum von bis zu fünf Jahren ab Rechtskraft der Geldbuße, der Freiheits- oder der Geldstrafe erfolgen.

(2) Absatz 1 gilt nicht, wenn

1. auf die beantragte Subvention ein Rechtsanspruch besteht,

---

[1] Nr. **506**.
[2] Kapitel 9a (§§ 98a–98c) eingef. mWv 26.11.2011 durch G v. 22.11.2011 (BGBl. I S. 2258).
[3] **Habersack Nr. 85.**
[4] Nr. **700**.
[5] Großschreibung amtlich.
[6] Nr. **110**.

2. der Antragsteller eine natürliche Person ist und die Beschäftigung, durch die der Verstoß nach Absatz 1 Satz 1 begangen wurde, seinen privaten Zwecken diente, oder
3. der Verstoß nach Absatz 1 Satz 1 darin bestand, dass ein Unionsbürger rechtswidrig beschäftigt wurde.

§ 98c[1] **Ausschluss von der Vergabe öffentlicher Aufträge.** (1) [1]Öffentliche Auftraggeber nach § 99 des Gesetzes gegen Wettbewerbsbeschränkungen[2] können einen Bewerber oder einen Bieter vom Wettbewerb um einen Liefer-, Bau- oder Dienstleistungsauftrag ausschließen, wenn dieser oder dessen nach Satzung oder Gesetz Vertretungsberechtigter

1. nach § 404 Absatz 2 Nummer 3 des Dritten Buches Sozialgesetzbuch[3] mit einer Geldbuße von wenigstens Zweitausendfünfhundert Euro rechtskräftig belegt worden ist oder
2. nach den §§ 10, 10a oder 11 des Schwarzarbeitsbekämpfungsgesetzes[4] zu einer Freiheitsstrafe von mehr als drei Monaten oder einer Geldstrafe von mehr als 90 Tagessätzen rechtskräftig verurteilt worden ist.

[2]Ausschlüsse nach Satz 1 können bis zur nachgewiesenen Wiederherstellung der Zuverlässigkeit, je nach Schwere des der Geldbuße, der Freiheits- oder der Geldstrafe zugrunde liegenden Verstoßes in einem Zeitraum von bis zu fünf Jahren ab Rechtskraft der Geldbuße, der Freiheits- oder der Geldstrafe erfolgen.

(2) Absatz 1 gilt nicht, wenn der Verstoß nach Absatz 1 Satz 1 darin bestand, dass ein Unionsbürger rechtswidrig beschäftigt wurde.

(3) Macht ein öffentlicher Auftraggeber von der Möglichkeit nach Absatz 1 Gebrauch, gilt § 21 Absatz 2 bis 5 des Arbeitnehmer-Entsendegesetzes[5] entsprechend.

Kapitel 10. Verordnungsermächtigungen; Übergangs- und Schlussvorschriften

§ 99[6] **Verordnungsermächtigung.** (1) Das Bundesministerium des Innern und für Heimat wird ermächtigt, durch Rechtsverordnung mit Zustimmung des Bundesrates

---

[1] § 98c eingef. mWv 26.11.2011 durch G v. 22.11.2011 (BGBl. I S. 2258); Abs. 1 Satz 1 einl. Satzteil geänd. mWv 18.4.2016 durch G v. 17.2.2016 (BGBl. I S. 203).

[2] **beck-online, Module Arbeitsrecht Nr. 509.**

[3] Nr. **700**.

[4] Nr. **110**.

[5] Nr. **506**.

[6] § 99 Abs. 1 Nr. 13a eingef. mWv 25.12.2008 durch G v. 20.12.2008 (BGBl. I S. 2846); Abs. 1 Nr. 13 geänd., Nr. 13a neu gef., Nr. 15 angef., Abs. 2 Satz 3 eingef., bish. Satz 3 wird Satz 4 mWv 16.4.2011 durch G v. 12.4.2011 (BGBl. I S. 610); Abs. 2 Satz 1 Nr. 2 neu gef., Abs. 3 geänd., Abs. 3a eingef. mWv 26.11.2011 durch G v. 22.11.2011 (BGBl. I S. 2258); Abs. 1 Nr. 15 Buchst. c geänd., Nr. 16 angef. mWv 9.8.2019 durch G v. 4.8.2019 (BGBl. I S. 1131); Abs. 5, 6 angef. mWv 1.3.2020 durch G v. 15.8.2019 (BGBl. I S. 1307); Abs. 2 Satz 1 Nr. 1, 2, 3, Satz 4 geänd. mWv 26.11.2019 durch G v. 20.11.2019 (BGBl. I S. 1626); Abs. 1 Nr. 13a einl. Satzteil geänd. mWv 20.2.2020, Abs. 1 Nr. 3a einl. Satzteil, Buchst. a, b, e, Nr. 3b geänd. mWv 1.3.2020 durch G v. 17.2.2020 (BGBl. I S. 166); Abs. 2 Satz 1 Nr. 2 geänd. mWv 24.6.2020 durch G v. 12.6.2020 (BGBl. I S. 1241); Abs. 1 einl. Satzteil, Nr. 13a, Abs. 2 Satz 1 einl. Satzteil, Abs. 3, 3a, 4 Satz 1 geänd. mWv 27.6.2020 durch VO v. 19.6.2020 (BGBl. I S. 1328); Abs. 1 Nr. 13, Nr. 13a Buchst. a neu gef., Abs. 2 Satz 3 geänd. →

1. zur Erleichterung des Aufenthalts von Ausländern Befreiungen vom Erfordernis des Aufenthaltstitels vorzusehen, das Verfahren für die Erteilung von Befreiungen und die Fortgeltung und weitere Erteilung von Aufenthaltstiteln nach diesem Gesetz bei Eintritt eines Befreiungsgrundes zu regeln sowie zur Steuerung der Erwerbstätigkeit von Ausländern im Bundesgebiet Befreiungen einzuschränken,
2. zu bestimmen, dass der Aufenthaltstitel vor der Einreise bei der Ausländerbehörde oder nach der Einreise eingeholt werden kann,
3. zu bestimmen, in welchen Fällen die Erteilung eines Visums der Zustimmung der Ausländerbehörde bedarf, um die Mitwirkung anderer beteiligter Behörden zu sichern,

3a. Näheres zum Verfahren zur Erteilung von Aufenthaltstiteln an Forscher nach § 18d zu bestimmen, insbesondere
   a) die Voraussetzungen und das Verfahren sowie die Dauer der Anerkennung von Forschungseinrichtungen, die Aufhebung der Anerkennung einer Forschungseinrichtung und die Voraussetzungen und den Inhalt des Abschlusses von Aufnahmevereinbarungen nach § 18d Absatz 1 Satz 1 Nummer 1 zu regeln,
   b) vorzusehen, dass die für die Anerkennung zuständige Behörde die Anschriften der anerkannten Forschungseinrichtungen veröffentlicht und in den Veröffentlichungen auf Erklärungen nach § 18d Absatz 3 hinweist,
   c) Ausländerbehörden und Auslandsvertretungen zu verpflichten, der für die Anerkennung zuständigen Behörde Erkenntnisse über anerkannte Forschungseinrichtungen mitzuteilen, die die Aufhebung der Anerkennung begründen können,
   d) anerkannte Forschungseinrichtungen zu verpflichten, den Wegfall von Voraussetzungen für die Anerkennung, den Wegfall von Voraussetzungen für Aufnahmevereinbarungen, die abgeschlossen worden sind, oder die Änderung sonstiger bedeutsamer Umstände mitzuteilen,
   e) beim Bundesamt für Migration und Flüchtlinge einen Beirat für Forschungsmigration und Fachkräfteeinwanderung einzurichten, der es bei der Anerkennung von Forschungseinrichtungen unterstützt und die Anwendung des § 18d beobachtet und bewertet,
   f) den Zeitpunkt des Beginns der Bearbeitung von Anträgen auf Anerkennung von Forschungseinrichtungen,

3b. selbständige Tätigkeiten zu bestimmen, für deren Ausübung stets oder unter bestimmten Voraussetzungen kein Aufenthaltstitel nach § 4a Absatz 1 Satz 1 erforderlich ist,

4. Ausländer, die im Zusammenhang mit der Hilfeleistung in Rettungs- und Katastrophenfällen einreisen, von der Passpflicht zu befreien,

---

(Fortsetzung der Anm. von voriger Seite)
mWv 12.12.2020 durch G v. 3.12.2020 (BGBl. I S. 2744); Abs. 1 Nr. 13a Satz 2 geänd. mWv 9.7. 2021 durch G v. 5.7.2021 (BGBl. I S. 2281); Abs. 1 Nr. 3a Buchst. e geänd. mWv 19.8.2023 durch G v. 16.8.2023 (BGBl. 2023 I Nr. 217); Abs. 1 Nr. 13a Buchst. j geänd., Buchst. k angef. mWv 13.10. 2023 durch G v. 8.10.2023 (BGBl. 2023 I Nr. 271); Abs. 1 einl. Satzteil, Nr. 11 geänd., Nr. 16 neu gef. mWv 16.5.2024 durch G v. 8.5.2024 (BGBl. 2024 I Nr. 152); Abs. 1 Nr. 16 geänd. mWv 12.6. 2026 durch G v. 23.4.2026 (BGBl. 2026 I Nr. 111).

5. andere amtliche deutsche Ausweise als Passersatz einzuführen oder zuzulassen,
6. amtliche Ausweise, die nicht von deutschen Behörden ausgestellt worden sind, allgemein als Passersatz zuzulassen,
7. zu bestimmen, dass zur Wahrung von Interessen der Bundesrepublik Deutschland Ausländer, die vom Erfordernis des Aufenthaltstitels befreit sind, und Ausländer, die mit einem Visum einreisen, bei oder nach der Einreise der Ausländerbehörde oder einer sonstigen Behörde den Aufenthalt anzuzeigen haben,
8. zur Ermöglichung oder Erleichterung des Reiseverkehrs zu bestimmen, dass Ausländern die bereits bestehende Berechtigung zur Rückkehr in das Bundesgebiet in einem Passersatz bescheinigt werden kann,
9. zu bestimmen, unter welchen Voraussetzungen ein Ausweisersatz ausgestellt werden kann und wie lange er gültig ist,
10. die ausweisrechtlichen Pflichten von Ausländern, die sich im Bundesgebiet aufhalten, zu regeln hinsichtlich der Ausstellung und Verlängerung, des Verlustes und des Wiederauffindens sowie der Vorlage und der Abgabe eines Passes, Passersatzes und Ausweisersatzes sowie der Eintragungen über die Einreise, die Ausreise, das Antreffen im Bundesgebiet und über Entscheidungen der zuständigen Behörden in solchen Papieren,
11. Näheres zur Datenerhebung und -verwendung nach § 91a sowie zu den Voraussetzungen und dem Verfahren der Datenübermittlung zu bestimmen,
12. zu bestimmen, wie der Wohnsitz von Ausländern, denen vorübergehend Schutz gemäß § 24 Abs. 1 gewährt worden ist, in einen anderen Mitgliedstaat der Europäischen Union verlegt werden kann,
13. für die bei der Ausführung dieses Gesetzes zu verwendenden Vordrucke festzulegen:
    a) Näheres über die Anforderungen an Lichtbilder und Fingerabdrücke,
    b) Näheres über das Verfahren und die technischen Anforderungen für die Aufnahme, elektronische Erfassung, Echtheitsbewertung und Qualitätssicherung des Lichtbilds,
    c) Regelungen für die sichere Übermittlung des Lichtbilds an die zuständige Behörde sowie einer Registrierung und Zertifizierung von Dienstleistern zur Erstellung des Lichtbilds,
    d) Näheres über Form und Inhalt der Muster und über die Ausstellungsmodalitäten,
    e) Näheres über die Aufnahme und die Einbringung von Merkmalen in verschlüsselter Form nach § 78a Absatz 4 und 5,

13a. Regelungen für Reiseausweise für Ausländer, Reiseausweise für Flüchtlinge und Reiseausweise für Staatenlose mit elektronischem Speicher- und Verarbeitungsmedium nach Maßgabe der Verordnung (EG) Nr. 2252/2004 des Rates vom 13. Dezember 2004 über Normen für Sicherheitsmerkmale und biometrische Daten in von den Mitgliedstaaten ausgestellten Pässen und Reisedokumenten (ABl. L 385 vom 29.12.2004, S. 1) und der Verordnung (EG) Nr. 444/2009 des Europäischen Parlaments und des Rates vom 28. Mai 2009 zur Änderung der Verordnung (EG) Nr. 2252/2004 des Rates über Normen für Sicherheitsmerkmale und biometrische Daten in von den Mitgliedstaaten ausgestellten Pässen und Reisedokumenten (ABl. L 142 vom 6.6.2009, S. 1) zu treffen sowie Näheres über die Ausfertigung von Dokumenten mit elektronischem Speicher- und Verarbeitungsmedium nach § 78 nach Maßgabe der Verordnung (EG) Nr. 1030/2002 des Rates vom 13. Juni 2002 zur einheitlichen Gestaltung des Aufenthaltstitels für Drittstaatenangehörige (ABl. L 157 vom 15.6. 2002, S. 1) in der jeweils geltenden Fassung zu bestimmen und insoweit für Reiseausweise und Dokumente nach § 78 Folgendes festzulegen:

a) das Verfahren und die technischen Anforderungen für die Aufnahme, elektronische Erfassung, Echtheitsbewertung und Qualitätssicherung des Lichtbilds und der Fingerabdrücke sowie Regelungen für die sichere Übermittlung des Lichtbilds an die zuständige Behörde sowie für die Registrierung und Zertifizierung von Dienstleistern zur Erstellung des Lichtbilds sowie den Zugriffsschutz auf die im elektronischen Speicher- und Verarbeitungsmedium abgelegten Daten,

b) Altersgrenzen für die Erhebung von Fingerabdrücken und Befreiungen von der Pflicht zur Abgabe von Fingerabdrücken und Lichtbildern,

c) die Reihenfolge der zu speichernden Fingerabdrücke bei Fehlen eines Zeigefingers, ungenügender Qualität des Fingerabdrucks oder Verletzungen der Fingerkuppe,

d) die Form des Verfahrens und die Einzelheiten über das Verfahren der Übermittlung sämtlicher Antragsdaten von den Ausländerbehörden an den Hersteller der Dokumente sowie zur vorübergehenden Speicherung der Antragsdaten bei der Ausländerbehörde und beim Hersteller,

e) die Speicherung der Fingerabdrücke und des Lichtbildes in der Ausländerbehörde bis zur Aushändigung des Dokuments,

f) das Einsichtsrecht des Dokumenteninhabers in die im elektronischen Speichermedium gespeicherten Daten,

g) die Anforderungen an die zur elektronischen Erfassung des Lichtbildes und der Fingerabdrücke, deren Qualitätssicherung sowie zur Übermittlung der Antragsdaten von der Ausländerbehörde an den Hersteller der Dokumente einzusetzenden technischen Systeme und Bestandteile sowie das Verfahren zur Überprüfung der Einhaltung dieser Anforderungen,

h) Näheres zur Verarbeitung der Fingerabdruckdaten und des digitalen Lichtbildes,

i) Näheres zur Seriennummer und zur maschinenlesbaren Personaldatenseite,

j) die Pflichten von Ausländern, die sich im Bundesgebiet aufhalten, hinsichtlich der Ausstellung, Neubeantragung und Verlängerung, des Verlustes und Wiederauffindens sowie der Vorlage und Abgabe von Dokumenten nach § 78,

k) Einzelheiten der Ausgabe und den Versand der Dokumente nach § 78.

Das Bundesministerium des Innern, für Bau und Heimat wird ferner ermächtigt, durch Rechtsverordnung mit Zustimmung des Bundesrates Einzelheiten des Prüfverfahrens entsprechend § 34 Satz 1 Nummer 4 des Personalausweisgesetzes[1] und Einzelheiten zum elektronischen Identitäts-

[1] **Sartorius Nr. 255.**

nachweis entsprechend § 34 Satz 1 Nummer 5 bis 8a und Satz 3 des Personalausweisgesetzes festzulegen,

14. zu bestimmen, dass die
   a) Meldebehörden,
   b) Staatsangehörigkeits- und Bescheinigungsbehörden nach § 15 des Bundesvertriebenengesetzes,
   c) Pass- und Personalausweisbehörden,
   d) Sozial- und Jugendämter,
   e) Justiz-, Polizei- und Ordnungsbehörden,
   f) Bundesagentur für Arbeit,
   g) Finanz- und Hauptzollämter,
   h) Gewerbebehörden,
   i) Auslandsvertretungen und
   j) Träger der Grundsicherung für Arbeitsuchende

   ohne Ersuchen den Ausländerbehörden personenbezogene Daten von Ausländern, Amtshandlungen und sonstige Maßnahmen gegenüber Ausländern sowie sonstige Erkenntnisse über Ausländer mitzuteilen haben, soweit diese Angaben zur Erfüllung der Aufgaben der Ausländerbehörden nach diesem Gesetz und nach ausländerrechtlichen Bestimmungen in anderen Gesetzen erforderlich sind; die Rechtsverordnung bestimmt Art und Umfang der Daten, die Maßnahmen und die sonstigen Erkenntnisse, die mitzuteilen sind; Datenübermittlungen dürfen nur insoweit vorgesehen werden, als die Daten zur Erfüllung der Aufgaben der Ausländerbehörden nach diesem Gesetz oder nach ausländerrechtlichen Bestimmungen in anderen Gesetzen erforderlich sind,

15. Regelungen über die fachbezogene elektronische Datenübermittlung zwischen den mit der Ausführung dieses Gesetzes beauftragten Behörden zu treffen, die sich auf Folgendes beziehen:
   a) die technischen Grundsätze des Aufbaus der verwendeten Standards,
   b) das Verfahren der Datenübermittlung und
   c) die an der elektronischen Datenübermittlung im Ausländerwesen beteiligten Behörden,

16. Regelungen für die Qualitätssicherung der nach § 49 verarbeiteten Lichtbilder, Fingerabdruckdaten, biometrischen Daten gemäß Artikel 2 Absatz 1 Buchstabe s der Verordnung (EU) 2024/1358 und ausländischen Ausweis- oder Identifikationsdokumente festzulegen.

(2) [1] Das Bundesministerium des Innern, für Bau und Heimat wird ferner ermächtigt, durch Rechtsverordnung mit Zustimmung des Bundesrates zu bestimmen, dass

1. jede Ausländerbehörde ein Dateisystem über Ausländer führt, die sich in ihrem Bezirk aufhalten oder aufgehalten haben, die bei ihr einen Antrag gestellt oder Einreise und Aufenthalt angezeigt haben und für und gegen die sie eine ausländerrechtliche Maßnahme oder Entscheidung getroffen hat,
2. jede Auslandsvertretung ein Dateisystem über beantragte, erteilte, versagte, *zurückgenommene*, annullierte, widerrufene und aufgehobene Visa sowie zurückgenommene Visumanträge führen darf und die Auslandsvertretungen die jeweils dort gespeicherten Daten untereinander sowie mit dem Auswärti-

gen Amt und mit dem Bundesamt für Auswärtige Angelegenheiten austauschen dürfen sowie

3. die mit der Ausführung dieses Gesetzes betrauten Behörden ein sonstiges zur Erfüllung ihrer Aufgaben erforderliches Dateisystem führen.

[2] Nach Satz 1 Nr. 1 werden erfasst die Personalien einschließlich der Staatsangehörigkeit und der Anschrift des Ausländers, Angaben zum Pass, über ausländerrechtliche Maßnahmen und über die Erfassung im Ausländerzentralregister sowie über frühere Anschriften des Ausländers, die zuständige Ausländerbehörde und die Abgabe von Akten an eine andere Ausländerbehörde. [3] Erfasst werden ferner Angaben zur lichtbildaufnehmenden Stelle und zur Nutzung eines Dokuments nach § 78 Absatz 1 zum elektronischen Identitätsnachweis einschließlich dessen Ein- und Ausschaltung sowie Sperrung und Entsperrung. [4] Die Befugnis der Ausländerbehörden, weitere personenbezogene Daten zu speichern, richtet sich nach der Verordnung (EU) 2016/679[1)] und nach den datenschutzrechtlichen Bestimmungen der Länder.

(3) Das Bundesministerium des Innern, für Bau und Heimat wird ermächtigt, durch Rechtsverordnung im Einvernehmen mit dem Auswärtigen Amt ohne Zustimmung des Bundesrates die zuständige Stelle im Sinne des § 73 Absatz 1 und des § 73a Absatz 1 zu bestimmen.

(3a) Das Bundesministerium des Innern, für Bau und Heimat wird ermächtigt, durch Rechtsverordnung im Einvernehmen mit dem Auswärtigen Amt ohne Zustimmung des Bundesrates nach Maßgabe von Artikel 3 Absatz 2 der Verordnung (EG) Nr. 810/2009 die Staaten festzulegen, deren Staatsangehörige zur Durchreise durch die internationalen Transitzonen deutscher Flughäfen im Besitz eines Visums für den Flughafentransit sein müssen.

(4) [1] Das Bundesministerium des Innern, für Bau und Heimat kann Rechtsverordnungen nach Absatz 1 Nr. 1 und 2, soweit es zur Erfüllung einer zwischenstaatlichen Vereinbarung oder zur Wahrung öffentlicher Interessen erforderlich ist, ohne Zustimmung des Bundesrates erlassen und ändern. [2] Eine Rechtsverordnung nach Satz 1 tritt spätestens drei Monate nach ihrem Inkrafttreten außer Kraft. [3] Ihre Geltungsdauer kann durch Rechtsverordnung mit Zustimmung des Bundesrates verlängert werden.

(5) Das Bundesministerium des Innern, für Bau und Heimat wird ferner ermächtigt, durch Rechtsverordnung zum beschleunigten Fachkräfteverfahren nach § 81a

1. mit Zustimmung des Bundesrates Näheres zum Verfahren bei den Ausländerbehörden sowie
2. im Einvernehmen mit dem Auswärtigen Amt ohne Zustimmung des Bundesrates Näheres zum Verfahren bei den Auslandsvertretungen

zu bestimmen.

(6) Die Bundesregierung wird ermächtigt, durch Rechtsverordnung mit Zustimmung des Bundesrates Staaten zu bestimmen, an deren Staatsangehörige bestimmte oder sämtliche Aufenthaltstitel nach Kapitel 2 Abschnitt 3 und 4 nicht erteilt werden, wenn bei diesen Staatsangehörigen ein erheblicher Anstieg der Zahl der als offensichtlich unbegründet abgelehnten Asylanträge im Zu-

---

1) Nr. **489**.

sammenhang mit einem Aufenthalt nach Kapitel 2 Abschnitt 3 oder 4 zu verzeichnen ist.

§ 100 *(hier nicht wiedergegeben)*

§ 101[1)] **Fortgeltung bisheriger Aufenthaltsrechte.** (1) [1]Eine vor dem 1. Januar 2005 erteilte Aufenthaltsberechtigung oder unbefristete Aufenthaltserlaubnis gilt fort als Niederlassungserlaubnis entsprechend dem ihrer Erteilung zu Grunde liegenden Aufenthaltszweck und Sachverhalt. [2]Eine unbefristete Aufenthaltserlaubnis, die nach § 1 Abs. 3 des Gesetzes über Maßnahmen für im Rahmen humanitärer Hilfsaktionen aufgenommene Flüchtlinge vom 22. Juli 1980 (BGBl. I S. 1057) oder in entsprechender Anwendung des vorgenannten Gesetzes erteilt worden ist, und eine anschließend erteilte Aufenthaltsberechtigung gelten fort als Niederlassungserlaubnis nach § 23 Abs. 2.

(2) Die übrigen Aufenthaltsgenehmigungen gelten fort als Aufenthaltserlaubnisse entsprechend dem ihrer Erteilung zu Grunde liegenden Aufenthaltszweck und Sachverhalt.

(3) Ein Aufenthaltstitel, der vor dem 28. August 2007 mit dem Vermerk „Daueraufenthalt-EG" versehen wurde, gilt als Erlaubnis zum Daueraufenthalt – EU fort.

(4) Ein Aufenthaltstitel nach Kapitel 2 Abschnitt 3 und 4, der vor dem 1. März 2020 erteilt wurde, gilt mit den verfügten Nebenbestimmungen entsprechend dem der Erteilung zu Grunde liegenden Aufenthaltszweck und Sachverhalt im Rahmen seiner Gültigkeitsdauer fort.

§ 102 Fortgeltung ausländerrechtlicher Maßnahmen und Anrechnung. (1) [1]Die vor dem 1. Januar 2005 getroffenen sonstigen ausländerrechtlichen Maßnahmen, insbesondere zeitliche und räumliche Beschränkungen, Bedingungen und Auflagen, Verbote und Beschränkungen der politischen Betätigung sowie Ausweisungen, Abschiebungsandrohungen, Aussetzungen der Abschiebung und Abschiebungen einschließlich ihrer Rechtsfolgen und der Befristung ihrer Wirkungen sowie begünstigende Maßnahmen, die Anerkennung von Pässen und Passersatzpapieren und Befreiungen von der Passpflicht, Entscheidungen über Kosten und Gebühren, bleiben wirksam. [2]Ebenso bleiben Maßnahmen und Vereinbarungen im Zusammenhang mit Sicherheitsleistungen wirksam, auch wenn sie sich ganz oder teilweise auf Zeiträume nach Inkrafttreten dieses Gesetzes beziehen. [3]Entsprechendes gilt für die kraft Gesetzes eingetretenen Wirkungen der Antragstellung nach § 69 des Ausländergesetzes.

(2) Auf die Frist für die Erteilung einer Niederlassungserlaubnis nach § 26 Abs. 4 wird die Zeit des Besitzes einer Aufenthaltsbefugnis oder einer Duldung vor dem 1. Januar 2005 angerechnet.

§ 103 Anwendung bisherigen Rechts. [1]Für Personen, die vor dem Inkrafttreten dieses Gesetzes gemäß § 1 des Gesetzes über Maßnahmen für im Rahmen humanitärer Hilfsaktionen aufgenommene Flüchtlinge vom 22. Juli 1980 (BGBl. I S. 1057) die Rechtsstellung nach den Artikeln 2 bis 34 des

---

[1)] § 101 Abs. 3 geänd. mWv 2.12.2013 durch G v. 29.8.2013 (BGBl. I S. 3484); Abs. 4 angef. mWv 1.3.2020 durch G v. 15.8.2019 (BGBl. I S. 1307).

Abkommens über die Rechtsstellung der Flüchtlinge[1] genießen, finden die §§ 2a und 2b des Gesetzes über Maßnahmen für im Rahmen humanitärer Hilfsaktionen aufgenommene Flüchtlinge in der bis zum 1. Januar 2005 geltenden Fassung weiter Anwendung. [2] In diesen Fällen gilt § 52 Abs. 1 Satz 1 Nr. 4 entsprechend.

§ 104[2] Übergangsregelungen. (1) [1] Über vor dem 1. Januar 2005 gestellte Anträge auf Erteilung einer unbefristeten Aufenthaltserlaubnis oder einer Aufenthaltsberechtigung ist nach dem bis zu diesem Zeitpunkt geltenden Recht zu entscheiden. [2] § 101 Abs. 1 gilt entsprechend.

(2) [1] Bei Ausländern, die vor dem 1. Januar 2005 im Besitz einer Aufenthaltserlaubnis oder Aufenthaltsbefugnis sind, ist es bei der Entscheidung über die Erteilung einer Niederlassungserlaubnis oder einer Erlaubnis zum Daueraufenthalt – EU hinsichtlich der sprachlichen Kenntnisse nur erforderlich, dass sie sich auf einfache Art in deutscher Sprache mündlich verständigen können. [2] § 9 Abs. 2 Satz 1 Nr. 3 und 8 findet keine Anwendung.

(3) Bei Ausländern, die sich vor dem 1. Januar 2005 rechtmäßig in Deutschland aufhalten, gilt hinsichtlich der vor diesem Zeitpunkt geborenen Kinder für den Nachzug § 20 des Ausländergesetzes in der zuletzt gültigen Fassung, es sei denn, das Aufenthaltsgesetz gewährt eine günstigere Rechtsstellung.

(4) *(aufgehoben)*

(5) Auch für Ausländer, die bis zum Ablauf des 31. Juli 2015 im Rahmen des Programms zur dauerhaften Neuansiedlung von Schutzsuchenden einen Aufenthaltstitel nach § 23 Absatz 2 erhalten haben, sind die Regelungen über den Familiennachzug, das Bleibeinteresse, die Teilnahme an Integrationskursen und die Aufenthaltsverfestigung auf Grund des § 23 Absatz 4 entsprechend anzuwenden.

(6) [1] § 23 Abs. 2 in der bis zum 24. Mai 2007 geltenden Fassung findet in den Fällen weiter Anwendung, in denen die Anordnung der obersten Landesbehörde, die auf Grund der bis zum 24. Mai 2007 geltenden Fassung getroffen wurde, eine Erteilung einer Niederlassungserlaubnis bei besonders gelagerten politischen Interessen der Bundesrepublik Deutschland vorsieht. [2] § 23 Abs. 2 Satz 5 und § 44 Abs. 1 Nr. 2 sind auf die betroffenen Ausländer und die

---

[1] **beck-online, Module Arbeitsrecht Nr. 1086b.**

[2] § 104 Abs. 2 Satz 1 geänd. mWv 26.11.2011 durch G v. 22.11.2011 (BGBl. I S. 2258); Abs. 9 angef. mWv 1.12.2013 durch G v. 28.8.2013 (BGBl. I S. 3474); Abs. 8 angef. mWv 6.9.2013, Abs. 2 Satz 1 geänd. mWv 2.12.2013 durch G v. 29.8.2013 (BGBl. I S. 3484); Abs. 5 neu gef., Abs. 10 und 11 angef. mWv 1.8.2015 durch G v. 27.7.2015 (BGBl. I S. 1386); Abs. 9 Sätze 1 und 3 geänd., Abs. 12 angef. mWv 24.10.2015 durch G v. 20.10.2015 (BGBl. I S. 1722); Abs. 13 angef. mWv 17.3.2016 durch G v. 11.3.2016 (BGBl. I S. 390); Abs. 4 aufgeh. mWv 15.7.2016 durch G v. 8.7.2016 (BGBl. I S. 1594); Abs. 14 angef. mWv 6.8.2016 durch G v. 31.7.2016 (BGBl. I S. 1939); Abs. 13 neu gef. mWv 16.3.2018 durch G v. 8.3.2018 (BGBl. I S. 342); Abs. 13 neu gef. mWv 1.8.2018 durch G v. 12.7.2018 (BGBl. I S. 1147); Abs. 14 aufgeh. mWv 12.7.2019 durch G v. 4.7.2019 (BGBl. I S. 914); Abs. 15–17 angef. mWv 1.1.2020, Abs. 17 aufgeh. mWv 3.10.2020 durch G v. 8.7.2019 (BGBl. I S. 1021); Abs. 12 geänd. mWv 21.8.2019 durch G v. 15.8.2019 (BGBl. I S. 1294); Abs. 15 geänd. mWv 1.3.2020 durch G v. 15.8.2019 (BGBl. I S. 1307); Abs. 17 angef. mWv 1.7.2023 durch G v. 16.12.2022 (BGBl. I S. 2328); Abs. 18 angef. mWv 23.12.2023 durch G v. 19.12.2023 (BGBl. 2023 I Nr. 382); Abs. 19 angef. mWv 27.2.2024 durch G v. 21.2.2024 (BGBl. 2024 I Nr. 54); Abs. 14 neu gef. mWv 24.7.2025 durch G v. 17.7.2025 (BGBl. 2025 I Nr. 173); Abs. 20 angef. mWv 24.12.2025 durch G v. 22.12.2025 (BGBl. 2025 I Nr. 364); Abs. 17 neu gef. mWv 1.7.2026 durch G v. 16.4.2026 (BGBl. 2026 I Nr. 107); Abs. 9 Satz 1, Abs. 12, Abs. 18 geänd. mWv 12.6.2026 durch G v. 23.4.2026 (BGBl. 2026 I Nr. 111).

Familienangehörigen, die mit ihnen ihren Wohnsitz in das Bundesgebiet verlegen, entsprechend anzuwenden.

(7) Eine Niederlassungserlaubnis kann auch Ehegatten, Lebenspartnern und minderjährigen ledigen Kindern eines Ausländers erteilt werden, die vor dem 1. Januar 2005 im Besitz einer Aufenthaltsbefugnis nach § 31 Abs. 1 des Ausländergesetzes oder einer Aufenthaltserlaubnis nach § 35 Abs. 2 des Ausländergesetzes waren, wenn die Voraussetzungen des § 26 Abs. 4 erfüllt sind und sie weiterhin die Voraussetzungen erfüllen, wonach eine Aufenthaltsbefugnis nach § 31 des Ausländergesetzes oder eine Aufenthaltserlaubnis nach § 35 Abs. 2 des Ausländergesetzes erteilt werden durfte.

(8) § 28 Absatz 2 in der bis zum 5. September 2013 geltenden Fassung findet weiter Anwendung auf Familienangehörige eines Deutschen, die am 5. September 2013 bereits einen Aufenthaltstitel nach § 28 Absatz 1 innehatten.

(9) [1] Ausländer, die eine Aufenthaltserlaubnis nach § 25 Absatz 3 besitzen, weil das Bundesamt oder die Ausländerbehörde festgestellt hat, dass Abschiebungsverbote nach § 60 Absatz 2, 3 oder 7 Satz 2 in der vor dem 1. Dezember 2013 gültigen Fassung vorliegen, gelten als subsidiär Schutzberechtigte im Sinne des Artikel 18 der Verordnung (EU) 2024/1347 und erhalten von Amts wegen eine Aufenthaltserlaubnis nach § 25 Absatz 2 Satz 1 zweite Alternative, es sei denn, das Bundesamt hat die Ausländerbehörde über das Vorliegen von Ausschlusstatbeständen im Sinne des § 25 Absatz 3 Satz 2 Buchstabe a bis d in der vor dem 1. Dezember 2013 gültigen Fassung unterrichtet. [2] Die Zeiten des Besitzes der Aufenthaltserlaubnis nach § 25 Absatz 3 Satz 1 in der vor dem 1. Dezember 2013 gültigen Fassung stehen Zeiten des Besitzes einer Aufenthaltserlaubnis nach § 25 Absatz 2 Satz 1 zweite Alternative gleich. [3] § 73b des Asylgesetzes[1)] gilt entsprechend.

(10) Für Betroffene nach § 73b Absatz 1, die als nicht entsandte Mitarbeiter des Auswärtigen Amts in einer Auslandsvertretung tätig sind, findet § 73b Absatz 4 ab dem 1. Februar 2016 Anwendung.

(11) Für Ausländer, denen zwischen dem 1. Januar 2011 und dem 31. Juli 2015 subsidiärer Schutz nach der Richtlinie 2011/95/EU oder der Richtlinie 2004/38/EG unanfechtbar zuerkannt wurde, beginnt die Frist nach § 29 Absatz 2 Satz 2 Nummer 1 mit Inkrafttreten dieses Gesetzes zu laufen.

(12) Im Falle einer Abschiebungsandrohung nach den §§ 34 und 35 des Asylgesetzes[1)] in der bis zum 12. Juni 2026 geltenden Fassung oder einer Abschiebungsanordnung nach § 34a des Asylgesetzes[1)] in der bis zum 12. Juni 2026 geltenden Fassung, die bereits vor dem 1. August 2015 erlassen oder angeordnet worden ist, sind die Ausländerbehörden für die Anordnung eines Einreise- und Aufenthaltsverbots nach § 11 zuständig.

(13) [1] Die Vorschriften von Kapitel 2 Abschnitt 6 in der bis zum 31. Juli 2018 geltenden Fassung finden weiter Anwendung auf den Familiennachzug zu Ausländern, denen bis zum 17. März 2016 eine Aufenthaltserlaubnis nach § 25 Absatz 2 Satz 1 zweite Alternative erteilt worden ist, wenn der Antrag auf erstmalige Erteilung eines Aufenthaltstitels zum Zwecke des Familiennachzugs zu dem Ausländer bis zum 31. Juli 2018 gestellt worden ist. [2] § 27 Absatz 3a findet Anwendung.

[1)] **beck-online, Module Arbeitsrecht Nr. 780.**

(14) [1]Bis zum Ablauf des 23. Juli 2027 wird ein Familiennachzug nach § 36a zu einer Person, der eine Aufenthaltserlaubnis nach § 25 Absatz 2 Satz 1 zweite Alternative erteilt worden ist, nicht gewährt. [2]Die §§ 22 und 23 bleiben unberührt.

(15) Wurde eine Duldung nach § 60a Absatz 2 Satz 4 in der bis zum 31. Dezember 2019 geltenden Fassung erteilt, gilt §§[1)] 19d Absatz 1 Nummer 4 und 5 nicht, wenn zum Zeitpunkt der Antragstellung auf eine Aufenthaltserlaubnis nach §§[1)] 19d Absatz 1a der Ausländer die erforderlichen und ihm zumutbaren Maßnahmen für die Identitätsklärung ergriffen hat.

(16) Für Beschäftigungen, die Inhabern einer Duldung bis zum 31. Dezember 2019 erlaubt wurden, gilt § 60a Absatz 6 in der bis zu diesem Tag geltenden Fassung fort.

(17) Auf Personen, die nach § 15 Absatz 5 Satz 2 oder Absatz 6 des Zweiten Buches Sozialgesetzbuch[2)] in der bis einschließlich 30. Juni 2026 geltenden Fassung zur Teilnahme am Integrationskurs oder an einer Maßnahme der berufsbezogenen Deutschsprachförderung aufgefordert wurden, ist § 44a Absatz 1 Satz 1 Nummer 2 beziehungsweise § 45a Absatz 2 Satz 1 in der bis einschließlich 30. Juni 2026 geltenden Fassung weiter anzuwenden.

(18) § 60a Absatz 6 Satz 1 Nummer 3 findet keine Anwendung auf Staatsangehörige Georgiens und der Republik Moldau, die bis zum 30. August 2023 einen Asylantrag nach § 13 des Asylgesetzes[3)] in der bis zum 12. Juni 2026 geltenden Fassung gestellt haben oder die sich zum 30. August 2023 geduldet in Deutschland aufgehalten haben, ohne einen Asylantrag nach § 13 des Asylgesetzes[3)] in der bis zum 12. Juni 2026 geltenden Fassung gestellt zu haben.

(19) Auf Personen, deren Asylantrag bis zum 27. Februar 2024 als offensichtlich unbegründet abgelehnt wurde, findet § 10 Absatz 3 Satz 2 in der bis zu diesem Tag geltenden Fassung Anwendung.

(20) Wurde ein anwaltlicher Vertreter in Verfahren über die Anordnung von Abschiebungshaft nach § 62, Ausreisegewahrsam nach § 62b sowie Überstellungshaft nach § 2 Absatz 14 vor dem 31. Mai 2026 von Amts wegen bestellt, findet dieses Gesetz in der bis einschließlich dem 31. Mai 2026 geltenden Fassung Anwendung.

§ 104a[4)] Altfallregelung. (1) [1]Einem geduldeten Ausländer soll abweichend von § 5 Abs. 1 Nr. 1 und Abs. 2 eine Aufenthaltserlaubnis erteilt werden, wenn er sich am 1. Juli 2007 seit mindestens acht Jahren oder, falls er zusammen mit einem oder mehreren minderjährigen ledigen Kindern in häuslicher Gemeinschaft lebt, seit mindestens sechs Jahren ununterbrochen geduldet, gestattet oder mit einer Aufenthaltserlaubnis aus humanitären Gründen im Bundesgebiet aufgehalten hat und er

1. über ausreichenden Wohnraum verfügt,

[1)] Paragraphenzeichen amtlich.
[2)] Nr. **692**.
[3)] **beck-online, Module Arbeitsrecht Nr. 780.**
[4)] § 104a Abs. 1 Satz 1 Nr. 2 geänd. mWv 26.11.2011 durch G v. 22.11.2011 (BGBl. I S. 2258); Abs. 1 Satz 1 Nr. 6 geänd. mWv 24.10.2015 durch G v. 20.10.2015 (BGBl. I S. 1722); Abs. 4 Satz 2 aufgeh. mWv 1.3.2020 durch G v. 15.8.2019 (BGBl. I S. 1307); Abs. 7 Satz 2 geänd. mWv 27.6.2020 durch VO v. 19.6.2020 (BGBl. I S. 1328).

2. über hinreichende mündliche Deutschkenntnisse im Sinne des Niveaus A2 des Gemeinsamen Europäischen Referenzrahmens für Sprachen verfügt,
3. bei Kindern im schulpflichtigen Alter den tatsächlichen Schulbesuch nachweist,
4. die Ausländerbehörde nicht vorsätzlich über aufenthaltsrechtlich relevante Umstände getäuscht oder behördliche Maßnahmen zur Aufenthaltsbeendigung nicht vorsätzlich hinausgezögert oder behindert hat,
5. keine Bezüge zu extremistischen oder terroristischen Organisationen hat und diese auch nicht unterstützt und
6. nicht wegen einer im Bundesgebiet begangenen vorsätzlichen Straftat verurteilt wurde, wobei Geldstrafen von insgesamt bis zu 50 Tagessätzen oder bis zu 90 Tagessätzen wegen Straftaten, die nach dem Aufenthaltsgesetz oder dem Asylgesetz[1] nur von Ausländern begangen werden können, grundsätzlich außer Betracht bleiben.

[2] Wenn der Ausländer seinen Lebensunterhalt eigenständig durch Erwerbstätigkeit sichert, wird die Aufenthaltserlaubnis nach § 23 Abs. 1 Satz 1 erteilt. [3] Im Übrigen wird sie nach Satz 1 erteilt; sie gilt als Aufenthaltstitel nach Kapitel 2 Abschnitt 5; die §§ 9 und 26 Abs. 4 finden keine Anwendung. [4] Von der Voraussetzung des Satzes 1 Nr. 2 kann bis zum 1. Juli 2008 abgesehen werden. [5] Von der Voraussetzung des Satzes 1 Nr. 2 wird abgesehen, wenn der Ausländer sie wegen einer körperlichen, geistigen oder seelischen Krankheit oder Behinderung oder aus Altersgründen nicht erfüllen kann.

(2) [1] Dem geduldeten volljährigen ledigen Kind eines geduldeten Ausländers, der sich am 1. Juli 2007 seit mindestens acht Jahren oder, falls er zusammen mit einem oder mehreren minderjährigen ledigen Kindern in häuslicher Gemeinschaft lebt, seit mindestens sechs Jahren ununterbrochen geduldet, gestattet oder mit einer Aufenthaltserlaubnis aus humanitären Gründen im Bundesgebiet aufgehalten hat, kann eine Aufenthaltserlaubnis nach § 23 Abs. 1 Satz 1 erteilt werden, wenn es bei der Einreise minderjährig war und gewährleistet erscheint, dass es sich auf Grund seiner bisherigen Ausbildung und Lebensverhältnisse in die Lebensverhältnisse der Bundesrepublik Deutschland einfügen kann. [2] Das Gleiche gilt für einen Ausländer, der sich als unbegleiteter Minderjähriger seit mindestens sechs Jahren ununterbrochen geduldet, gestattet oder mit einer Aufenthaltserlaubnis aus humanitären Gründen im Bundesgebiet aufgehalten hat und bei dem gewährleistet erscheint, dass er sich auf Grund seiner bisherigen Ausbildung und Lebensverhältnisse in die Lebensverhältnisse der Bundesrepublik Deutschland einfügen kann.

(3) [1] Hat ein in häuslicher Gemeinschaft lebendes Familienmitglied Straftaten im Sinne des Absatzes 1 Satz 1 Nr. 6 begangen, führt dies zur Versagung der Aufenthaltserlaubnis nach dieser Vorschrift für andere Familienmitglieder. [2] Satz 1 gilt nicht für den Ehegatten eines Ausländers, der Straftaten im Sinne des Absatzes 1 Satz 1 Nr. 6 begangen hat, wenn der Ehegatte die Voraussetzungen des Absatzes 1 im Übrigen erfüllt und es zur Vermeidung einer besonderen Härte erforderlich ist, ihm den weiteren Aufenthalt zu ermöglichen. [3] Sofern im Ausnahmefall Kinder von ihren Eltern getrennt werden, muss ihre Betreuung in Deutschland sichergestellt sein.

---

[1] Auszugsweise abgedruckt unter Nr. **780**.

(4) Die Aufenthaltserlaubnis kann unter der Bedingung erteilt werden, dass der Ausländer an einem Integrationsgespräch teilnimmt oder eine Integrationsvereinbarung abgeschlossen wird.

(5) [1] Die Aufenthaltserlaubnis wird mit einer Gültigkeit bis zum 31. Dezember 2009 erteilt. [2] Sie soll um weitere zwei Jahre als Aufenthaltserlaubnis nach § 23 Abs. 1 Satz 1 verlängert werden, wenn der Lebensunterhalt des Ausländers bis zum 31. Dezember 2009 überwiegend eigenständig durch Erwerbstätigkeit gesichert war oder wenn der Ausländer mindestens seit dem 1. April 2009 seinen Lebensunterhalt nicht nur vorübergehend eigenständig sichert. [3] Für die Zukunft müssen in beiden Fällen Tatsachen die Annahme rechtfertigen, dass der Lebensunterhalt überwiegend gesichert sein wird. [4] Im Fall des Absatzes 1 Satz 4 wird die Aufenthaltserlaubnis zunächst mit einer Gültigkeit bis zum 1. Juli 2008 erteilt und nur verlängert, wenn der Ausländer spätestens bis dahin nachweist, dass er die Voraussetzung des Absatzes 1 Satz 1 Nr. 2 erfüllt. [5] § 81 Abs. 4 findet keine Anwendung.

(6) [1] Bei der Verlängerung der Aufenthaltserlaubnis kann zur Vermeidung von Härtefällen von Absatz 5 abgewichen werden. [2] Dies gilt bei

1. Auszubildenden in anerkannten Lehrberufen oder in staatlich geförderten Berufsvorbereitungsmaßnahmen,
2. Familien mit Kindern, die nur vorübergehend auf ergänzende Sozialleistungen angewiesen sind,
3. Alleinerziehenden mit Kindern, die vorübergehend auf Sozialleistungen angewiesen sind, und denen eine Arbeitsaufnahme nach § 10 Abs. 1 Nr. 3 des Zweiten Buches Sozialgesetzbuch[1)] nicht zumutbar ist,
4. erwerbsunfähigen Personen, deren Lebensunterhalt einschließlich einer erforderlichen Betreuung und Pflege in sonstiger Weise ohne Leistungen der öffentlichen Hand dauerhaft gesichert ist, es sei denn, die Leistungen beruhen auf Beitragszahlungen,
5. Personen, die am 31. Dezember 2009 das 65. Lebensjahr vollendet haben, wenn sie in ihrem Herkunftsland keine Familie, dafür aber im Bundesgebiet Angehörige (Kinder oder Enkel) mit dauerhaftem Aufenthalt bzw. deutscher Staatsangehörigkeit haben und soweit sichergestellt ist, dass für diesen Personenkreis keine Sozialleistungen in Anspruch genommen werden.

(7) [1] Die Länder dürfen anordnen, dass aus Gründen der Sicherheit der Bundesrepublik Deutschland eine Aufenthaltserlaubnis nach den Absätzen 1 und 2 Staatsangehörigen bestimmter Staaten zu versagen ist. [2] Zur Wahrung der Bundeseinheitlichkeit bedarf die Anordnung des Einvernehmens mit dem Bundesministerium des Innern, für Bau und Heimat.

§ 104b *(hier nicht wiedergegeben)*

§ 104c[2)] Übergangsregelung zum Chancen-Aufenthaltsrecht.

(1) Eine Aufenthaltserlaubnis nach § 104c in der Fassung dieses Gesetzes vom 31. Dezember 2022 gilt bis zum Ende ihrer Geltungsdauer als Aufenthaltstitel nach Kapitel 2 Abschnitt 5.

[1)] Nr. **692**.

[2)] § 104c neu gef. mWv 31.12.2025 durch G v. 21.12.2022 (BGBl. I S. 2847).

(2) [1]Die Aufenthaltserlaubnis nach § 104c in der Fassung dieses Gesetzes vom 31. Dezember 2022 kann nur als Aufenthaltserlaubnis nach § 25a oder § 25b verlängert werden. [2]Sie gilt als Aufenthaltstitel nach Kapitel 2 Abschnitt 5. [3]Der Antrag auf Erteilung eines anderen Aufenthaltstitels als nach § 25a oder § 25b entfaltet nicht die Wirkung nach § 81 Absatz 4.

§ 105[1)] Übergangsregelung zur Duldung für Personen mit ungeklärter Identität. (1) Die Ausländerbehörde entscheidet bei geduldeten Ausländern über die Ausstellung einer Bescheinigung über die Duldung nach § 60a Absatz 4 mit dem Zusatz „für Personen mit ungeklärter Identität" frühestens aus Anlass der Prüfung einer Verlängerung der Duldung oder der Erteilung der Duldung aus einem anderen Grund.

(2) Auf geduldete Ausländer findet § 60b bis zum 1. Juli 2020 keine Anwendung, wenn sie sich in einem Ausbildungs- oder Beschäftigungsverhältnis befinden.

(3) Ist ein Ausländer Inhaber einer Ausbildungsduldung oder einer Beschäftigungsduldung oder hat er diese beantragt und erfüllt er die Voraussetzungen für ihre Erteilung, findet § 60b keine Anwendung.

§ 105a[2)] Bestimmungen zum Verwaltungsverfahren. Von den in § 4 Absatz 2 Satz 2, § 15a Abs. 4 Satz 2 und 3, § 23 Abs. 1 Satz 3, § 23a Abs. 1 Satz 1, Abs. 2 Satz 2, § 43 Abs. 4, § 44a Abs. 1 Satz 2, Abs. 3 Satz 1, § 61 Absatz 1d, § 72 Absatz 2, § 73 Abs. 2, Abs. 3 Satz 1 und 2, § 78, mit Ausnahme des Absatzes 1 Satz 8, den §§ 78a, 79 Abs. 2, § 81 Abs. 5, § 82 Abs. 1 Satz 3, Abs. 3, § 87 Absatz 1, 2 Satz 1 und 2, Absatz 4 Satz 1, 3 und 5 und Absatz 5, § 89 Abs. 1 Satz 2 und 3, Abs. 3 und 4, den §§ 90, 90a, 90b, 91 Abs. 1 und 2, § 91a Abs. 3, 4 und 7, § 91c Abs. 1 Satz 2, Abs. 2 Satz 2, Abs. 3 Satz 4 und Abs. 4 Satz 2, § 99 Absatz 1 bis 4, mit Ausnahme von § 99 Absatz 1 Nummer 3a, und § 104a Abs. 7 Satz 2 getroffenen Regelungen und von den auf Grund von § 43 Abs. 4 und § 99 Absatz 1 bis 4, mit Ausnahme von § 99 Absatz 1 Nummer 3a, getroffenen Regelungen des Verwaltungsverfahrens kann durch Landesrecht nicht abgewichen werden.

§ 105b[3)] Übergangsvorschrift für Aufenthaltstitel nach einheitlichem Vordruckmuster. [1]Inhaber eines nach § 78a Absatz 1 Satz 1 ausgestellten Aufenthaltstitels können ein eigenständiges Dokument mit elektronischem Speicher- und Verarbeitungsmedium nach § 78 beantragen, wenn sie ein berechtigtes Interesse an der Neuausstellung darlegen. [2]Unbeschadet dessen können Inhaber eines Aufenthaltstitels nach § 4 Absatz 1 Satz 2 Nummer 2 bis 4 ein eigenständiges Dokument mit elektronischem Speicher- und Verarbei-

---

[1)] § 105 neu gef. mWv 21.8.2019 durch G v. 15.8.2019 (BGBl. I S. 1294).

[2)] § 105a geänd. mWv 1.5.2008 durch G v. 19.8.2007 (BGBl. I S. 1970); geänd. mWv 1.6.2008 durch G v. 13.3.2008 (BGBl. I S. 313); geänd. mWv 1.9.2011 durch G v. 12.4.2011 (BGBl. I S. 610); geänd. mWv 1.1.2015 durch G v. 23.12.2014 (BGBl. I S. 2439); geänd. mWv 1.8.2015 durch G v. 27.7.2015 (BGBl. I S. 1386); geänd. mWv 29.7.2017 durch G v. 20.7.2017 (BGBl. I S. 2780); geänd. mWv 9.8.2019 durch G v. 4.8.2019 (BGBl. I S. 1131); geänd. mWv 1.3.2020 durch G v. 15.8.2019 (BGBl. I S. 1307); geänd. mWv 15.7.2021 durch G v. 9.7.2021 (BGBl. I S. 2467); geänd. mWv 19.8. 2023 durch G v. 16.8.2023 (BGBl. 2023 I Nr. 217); geänd. mWv 27.2.2024 durch G v. 21.2.2024 (BGBl. 2024 I Nr. 54).

[3)] § 105b eingef. mWv 1.9.2011 durch G v. 12.4.2011 (BGBl. I S. 610); Satz 1 geänd. mWv 26.11. 2011 durch G v. 22.11.2011 (BGBl. I S. 2258); Satz 1 neu gef. mWv 1.11.2023 durch G v. 8.10.2023 (BGBl. 2023 I Nr. 271).

tungsmedium nach § 78 beantragen, wenn sie ein berechtigtes Interesse an der Neuausstellung darlegen.

§ 105c[1] **Überleitung von Maßnahmen zur Überwachung ausgewiesener Ausländer aus Gründen der inneren Sicherheit.** Maßnahmen und Verpflichtungen nach § 54a Absatz 1 bis 4 in der bis zum 31. Dezember 2015 geltenden Fassung, die vor dem 1. Januar 2016 bestanden, gelten nach dem 1. Januar 2016 als Maßnahmen und Verpflichtungen im Sinne von § 56 in der ab dem 1. Januar 2016 geltenden Fassung.

§ 105d[2] *(aufgehoben)*

§ 106[3] **Einschränkung von Grundrechten.** (1) Die Grundrechte der körperlichen Unversehrtheit (Artikel 2 Abs. 2 Satz 1 des Grundgesetzes[4]) und der Freiheit der Person (Artikel 2 Abs. 2 Satz 2 des Grundgesetzes[4]) werden nach Maßgabe dieses Gesetzes eingeschränkt.

(2) [1] Das Verfahren bei Freiheitsentziehungen richtet sich nach den Büchern 1 und 7 des Gesetzes über das Verfahren in Familiensachen und in den Angelegenheiten der freiwilligen Gerichtsbarkeit[5], soweit in diesem Gesetz oder in der Verordnung (EU) 2024/1351 nichts anderes geregelt ist. [2] Ist über die Fortdauer der Überprüfungshaft, der Zurückweisungshaft, der Abschiebungshaft oder der Haft zum Zweck der Überstellung zu entscheiden, so kann das Amtsgericht das Verfahren durch unanfechtbaren Beschluss an das Gericht abgeben, in dessen Bezirk die Überprüfungshaft, die Zurückweisungshaft, die Abschiebungshaft oder die Haft zum Zweck der Überstellung jeweils vollzogen wird. [3] Wird die Haft im Wege der Amtshilfe in Justizvollzugsanstalten vollzogen, gelten die §§ 171, 173 bis 175 und 178 Absatz 2 und 3 des Strafvollzugsgesetzes[6] entsprechend, soweit in diesem Gesetz oder der Verordnung (EU) 2024/1351 nichts Abweichendes bestimmt ist.

---

[1] § 105c eingef. mWv 24.10.2015 durch G v. 20.10.2015 (BGBl. I S. 1722).

[2] § 105d aufgeh. mWv 1.1.2026 durch G v. 21.12.2022 (BGBl. I S. 2847).

[3] § 106 Abs. 2 Satz 1 geänd. mWv 1.9.2009 durch G v. 17.12.2008 (BGBl. I S. 2586); Abs. 2 Satz 1 geänd. mWv 27.2.2024 durch G v. 21.2.2024 (BGBl. 2024 I Nr. 54); Abs. 2 neu gef. mWv 12.6.2026 durch G v. 23.4.2026 (BGBl. 2026 I Nr. 111).

[4] Nr. **10**.

[5] **Habersack Nr. 112.**

[6] **Habersack ErgBd. Nr. 91.**

---

[4] Nr. 1.
[5] Habersack Nr. 112.
[6] Habersack Erg.Bd. Nr. 91.

761. Aufenthaltsverordnung (AufenthV)[1]

Vom 25. November 2004
(BGBl. I S. 2945)

FNA 26-12-1

zuletzt geänd. durch Art. 7 GEAS-AnpassungsG v. 23.4.2026 (BGBl. 2026 I Nr. 111)

– Auszug –[2]

Kapitel 1. Allgemeine Bestimmungen

§ 1[3] Begriffsbestimmungen. (1) Schengen-Staaten sind die Staaten im Sinne des § 2 Absatz 5 des Aufenthaltsgesetzes[4].

(2) Ein Kurzaufenthalt ist ein Aufenthalt im gemeinsamen Gebiet der Schengen-Staaten von höchstens 90 Tagen je Zeitraum von 180 Tagen, wobei der Zeitraum von 180 Tagen, der jedem Tag des Aufenthalts vorangeht, berücksichtigt wird.

(3) Reiseausweise für Flüchtlinge sind Ausweise auf Grund

1. des Abkommens vom 15. Oktober 1946 betreffend die Ausstellung eines Reiseausweises an Flüchtlinge, die unter die Zuständigkeit des zwischenstaatlichen Ausschusses für die Flüchtlinge fallen (BGBl. 1951 II S. 160) oder
2. des Artikels 28 in Verbindung mit dem Anhang des Abkommens vom 28. Juli 1951 über die Rechtsstellung der Flüchtlinge[5] (BGBl. 1953 II S. 559).

(4) Reiseausweise für Staatenlose sind Ausweise auf Grund des Artikels 28 in Verbindung mit dem Anhang des Übereinkommens vom 28. September 1954 über die Rechtsstellung der Staatenlosen (BGBl. 1976 II S. 473).

(5) Schülersammellisten sind Listen nach Artikel 2 des Beschlusses des Rates vom 30. November 1994 über die vom Rat auf Grund von Artikel K.3 Absatz 2 Buchstabe b des Vertrages über die Europäische Union beschlossene gemeinsame Maßnahme über Reiseerleichterungen für Schüler von Drittstaaten mit Wohnsitz in einem Mitgliedstaat (ABl. EG Nr. L 327 S. 1).

(6) Flugbesatzungsausweise sind „Airline Flight Crew Licenses" und „Crew Member Certificates" nach der Anlage des Anhangs 9 in der jeweils geltenden Fassung zum Abkommen vom 7. Dezember 1944 über die Internationale Zivilluftfahrt (BGBl. 1956 II S. 411).

(7) Binnenschifffahrtsausweise sind in zwischenstaatlichen Vereinbarungen für den Grenzübertritt vorgesehene Ausweise für ziviles Personal, das internationale Binnenwasserstraßen befährt, sowie dessen Familienangehörige, soweit

---

[1] Verkündet als Art. 1 VO zur Durchführung des ZuwanderungsG v. 25.11.2004 (BGBl. I S. 2945); Inkrafttreten gem. Art. 3 erster Halbs. dieser VO am 1.1.2005. Diese VO wurde ua erlassen auf Grund von § 69 Abs. 2, 3, 5 und 6 sowie § 99 Abs. 1 und 2 AufenthG iVm § 11 Abs. 1 FreizügG/EU.

[2] Vollständig wiedergegeben in **beck-online, Module Arbeitsrecht.**

[3] § 1 Abs. 1 neu gef. mWv 26.11.2011 durch G v. 22.11.2011 (BGBl. I S. 2258); Abs. 2 geänd. mWv 22.4.2015 durch VO v. 8.4.2015 (BGBl. I S. 599); Abs. 8 neu gef. mWv 8.4.2017 durch VO v. 3.4.2017 (BGBl. I S. 690); Abs. 9 angef. mWv 1.11.2025 durch VO v. 29.10.2025 (BGBl. 2025 I Nr. 260).

[4] Nr. **760.**

[5] **beck-online, Module Arbeitsrecht Nr. 1086b.**

die Geltung für Familienangehörige in den jeweiligen Vereinbarungen vorgesehen ist.

(8) Europäische Reisedokumente für die Rückkehr illegal aufhältiger Drittstaatsangehöriger (Europäische Reisedokumente für die Rückkehr) sind Dokumente nach der Verordnung (EU) 2016/1953 des Europäischen Parlaments und des Rates vom 26. Oktober 2016 (ABl. L 311 vom 17.11.2016, S. 13).

(9) EU-Rückkehrausweise sind Reisedokumente im Sinne des Artikels 3 Absatz 1 der Richtlinie (EU) 2019/997 in der Fassung vom 6. Mai 2024.

Kapitel 2. Einreise und Aufenthalt im Bundesgebiet

Abschnitt 2. Befreiung vom Erfordernis eines Aufenthaltstitels

Unterabschnitt 1. Allgemeine Regelungen

§ 15[1] Gemeinschaftsrechtliche Regelung der Kurzaufenthalte. Die Befreiung vom Erfordernis eines Aufenthaltstitels für die Einreise und den Aufenthalt von Ausländern für Kurzaufenthalte richtet sich nach dem Recht der Europäischen Union, insbesondere dem Schengener Durchführungsübereinkommen und der Verordnung (EU) 2018/1806 in Verbindung mit den nachfolgenden Bestimmungen.

§ 16[2] Vorrang älterer Sichtvermerksabkommen. Die Inhaber der in Anlage A zu dieser Verordnung genannten Dokumente sind für die Einreise und den Aufenthalt im Bundesgebiet, auch bei Überschreitung der zeitlichen Grenze eines Kurzaufenthalts, vom Erfordernis eines Aufenthaltstitels befreit, soweit völkerrechtliche Verpflichtungen, insbesondere aus einem Sichtvermerksabkommen, die vor dem 1. September 1993 gegenüber den in Anlage A aufgeführten Staaten eingegangen wurden, dem Erfordernis des Aufenthaltstitels oder dieser zeitlichen Begrenzung entgegenstehen.

§ 17[3] Nichtbestehen der Befreiung bei Erwerbstätigkeit während eines Kurzaufenthalts. (1) Für die Einreise und den Kurzaufenthalt sind die Personen nach Artikel 4 Absatz 1 der Verordnung (EU) 2018/1806 in der jeweils geltenden Fassung und die Inhaber eines von einem Schengen-Staat ausgestellten Aufenthaltstitels oder nationalen Visums für den längerfristigen

(Fortsetzung nächstes Blatt)

---

[1] § 15 geänd. mWv 1.4.2020 durch VO v. 23.3.2020 (BGBl. I S. 655).

[2] § 16 neu gef. mWv 1.1.2009 durch G v. 20.12.2008 (BGBl. I S. 2846).

[3] § 17 Abs. 2 Satz 1 neu gef. mWv 22.10.2005 durch VO v. 14.10.2005 (BGBl. I S. 2982); Abs. 2 Satz 3 angef. mWv 28.8.2007 durch G v. 19.8.2007 (BGBl. I S. 1970); Abs. 2 Satz 1 geänd., Satz 3 eingef., bish. Satz 3 wird Satz 4 mWv 1.7.2013 durch VO v. 6.6.2013 (BGBl. I S. 1499); Abs. 2 Satz 1 und 3 geänd. mWv 22.4.2015 durch VO v. 8.4.2015 (BGBl. I S. 599); Abs. 1 geänd. mWv 29.12.2015 durch VO v. 18.12.2015 (BGBl. I S. 2467); Abs. 2 Satz 3 geänd. mWv 5.8.2017 durch VO v. 1.8.2017 (BGBl. I S. 3066); Abs. 1, 2 Satz 4 geänd. mWv 1.4.2020 durch VO v. 23.3.2020 (BGBl. I S. 655); Abs. 2 Satz 4 geänd. mWv 20.8.2021 durch G v. 12.8.2021 (BGBl. I S. 3538); Abs. 2 Satz 3 geänd., Abs. 3 angef. mWv 1.3.2024 durch VO v. 30.8.2023 (BGBl. 2023 I Nr. 233).

Aufenthalt vom Erfordernis eines Aufenthaltstitels nicht befreit, sofern sie im Bundesgebiet eine Erwerbstätigkeit ausüben.

(2) [1] Absatz 1 findet keine Anwendung, soweit der Ausländer im Bundesgebiet bis zu 90 Tage innerhalb von zwölf Monaten lediglich Tätigkeiten ausübt, die nach § 30 Nummer 2 und 3 der Beschäftigungsverordnung[1)] nicht als Beschäftigung gelten, oder diesen entsprechende selbständige Tätigkeiten ausübt. [2] Die zeitliche Beschränkung des Satzes 1 gilt nicht für Kraftfahrer im grenzüberschreitenden Straßenverkehr, die lediglich Güter oder Personen

(Fortsetzung nächstes Blatt)

[1)] Nr. **762**.

durch das Bundesgebiet hindurchbefördern, ohne dass die Güter oder Personen das Transportfahrzeug wechseln. [3] Die Frist nach Satz 1 beträgt für Tätigkeiten nach § 30 Nummer 1 der Beschäftigungsverordnung 90 Tage innerhalb von 180 Tagen. [4] Selbständige Tätigkeiten nach § 30 Nummer 1 der Beschäftigungsverordnung und nach den Sätzen 1 und 2 dürfen unter den dort genannten Voraussetzungen ohne den nach § 4a Absatz 1 Satz 1 des Aufenthaltsgesetzes[1)] erforderlichen Aufenthaltstitel ausgeübt werden.

(3) Absatz 1 findet keine Anwendung auf Beschäftigungen für eine Dauer von bis zu 90 Tagen innerhalb von 180 Tagen, zu deren Ausübung die Bundesagentur für Arbeit eine Arbeitserlaubnis nach § 15a Absatz 1 Nummer 1 oder § 15d Absatz 1 Satz 1 Nummer 1 der Beschäftigungsverordnung erteilt hat.

§ 17a[2)] Befreiung zur Dienstleistungserbringung für langfristig Aufenthaltsberechtigte. Ausländer, die in einem anderen Mitgliedstaat der Europäischen Union die Rechtsstellung eines langfristig Aufenthaltsberechtigten innehaben, sind für die Einreise und den Aufenthalt im Bundesgebiet zum Zweck einer Beschäftigung nach § 30 Nummer 3 der Beschäftigungsverordnung[3)] für einen Zeitraum von bis zu 90 Tagen innerhalb von zwölf Monaten vom Erfordernis eines Aufenthaltstitels befreit.

Unterabschnitt 2. Befreiungen für Inhaber bestimmter Ausweise

§ 18[4)] Befreiung für Inhaber von Reiseausweisen für Flüchtlinge und Staatenlose. [1] Inhaber von Reiseausweisen für Flüchtlinge oder für Staatenlose sind für die Einreise und den Kurzaufenthalt vom Erfordernis eines Aufenthaltstitels befreit, sofern

1. der Reiseausweis von einem Mitgliedstaat der Europäischen Union, einem anderen Vertragsstaat des Abkommens über den Europäischen Wirtschaftsraum, der Schweiz oder von einem in Anhang II der Verordnung (EU) 2018/1806 aufgeführten Staat ausgestellt wurde,
2. der Reiseausweis eine Rückkehrberechtigung enthält, die bei der Einreise noch mindestens vier Monate gültig ist und
3. sie keine Erwerbstätigkeit mit Ausnahme der in § 17 Abs. 2 bezeichneten ausüben.

[2] Satz 1 Nr. 2 gilt nicht für Inhaber von Reiseausweisen für Flüchtlinge, die von einem der in Anlage A Nr. 3 genannten Staaten ausgestellt wurden.

§ 19 Befreiung für Inhaber dienstlicher Pässe. Für die Einreise und den Kurzaufenthalt sind Staatsangehörige der in Anlage B zu dieser Verordnung aufgeführten Staaten vom Erfordernis eines Aufenthaltstitels befreit, wenn sie einen der in Anlage B genannten dienstlichen Pässe besitzen und keine Erwerbstätigkeit mit Ausnahme der in § 17 Abs. 2 bezeichneten ausüben.

---

1) Nr. **760**.

2) § 17a eingef. mWv 1.7.2013 durch VO v. 6.6.2013 (BGBl. I S. 1499); geänd. mWv 22.4.2015 durch VO v. 8.4.2015 (BGBl. I S. 599).

3) Nr. **762**.

4) § 18 Satz 1 Nr. 1 geänd. mWv 1.4.2020 durch VO v. 23.3.2020 (BGBl. I S. 655).

§ 20[1)] Befreiung für Inhaber von Ausweisen der Europäischen Union und zwischenstaatlicher Organisationen und der Vatikanstadt. Vom Erfordernis eines Aufenthaltstitels befreit sind Inhaber

1. von Ausweisen für Mitglieder und Bedienstete der Organe der Europäischen Gemeinschaften,
2. von Ausweisen für Abgeordnete der Parlamentarischen Versammlung des Europarates,
3. von vatikanischen Pässen, wenn sie sich nicht länger als 90 Tage im Bundesgebiet aufhalten,
4. von Passierscheinen zwischenstaatlicher Organisationen, die diese den in ihrem Auftrag reisenden Personen ausstellen, soweit die Bundesrepublik Deutschland auf Grund einer Vereinbarung mit der ausstellenden Organisation verpflichtet ist, dem Inhaber die Einreise und den Aufenthalt zu gestatten.

§ 21[2)] [Befreiung für Inhaber von Grenzgängerkarten] Inhaber von Grenzgängerkarten sind für die Einreise, den Aufenthalt und für die in der Grenzgängerkarte bezeichnete Erwerbstätigkeit im Bundesgebiet vom Erfordernis eines Aufenthaltstitels befreit.

§ 22[3)] Befreiung für Schüler auf Sammellisten. (1) Schüler, die als Mitglied einer Schülergruppe in Begleitung einer Lehrkraft einer allgemein bildenden oder berufsbildenden Schule an einer Reise in oder durch das Bundesgebiet teilnehmen, sind für die Einreise, Durchreise und einen Kurzaufenthalt im Bundesgebiet vom Erfordernis eines Aufenthaltstitels befreit, wenn sie

1. Staatsangehörige eines in Anhang I der Verordnung (EU) 2018/1806 aufgeführten Staates sind,
2. ihren Wohnsitz innerhalb der Europäischen Union, in einem anderen Vertragsstaat des Abkommens über den Europäischen Wirtschaftsraum oder in einem in Anhang II der Verordnung (EU) 2018/1806 aufgeführten Staat oder der Schweiz haben,
3. in einer Sammelliste eingetragen sind, die den Voraussetzungen entspricht, die in Artikel 1 Buchstabe b in Verbindung mit dem Anhang des Beschlusses des Rates vom 30. November 1994 über die vom Rat auf Grund von Artikel K.3 Abs. 2 Buchstabe b des Vertrages über die Europäische Union beschlossene gemeinsame Maßnahme über Reiseerleichterungen für Schüler von Drittstaaten mit Wohnsitz in einem Mitgliedstaat festgelegt sind, und
4. keine Erwerbstätigkeit ausüben.

(2) [1] Schüler mit Wohnsitz im Bundesgebiet, die für eine Reise in das Ausland in einer Schülergruppe in Begleitung einer Lehrkraft einer allgemeinbildenden oder berufsbildenden inländischen Schule auf einer von deutschen Behörden ausgestellten Schülersammelliste aufgeführt sind, sind für die Wiedereinreise in das Bundesgebiet vom Erfordernis eines Aufenthaltstitels befreit, wenn die Ausländerbehörde angeordnet hat, dass die Abschiebung nach der

---

1) § 20 Nr. 3 geänd. mWv 22.4.2015 durch VO v. 8.4.2015 (BGBl. I S. 599).

2) § 21 neu gef. mWv 29.12.2015 durch VO v. 18.12.2015 (BGBl. I S. 2467).

3) *§ 22 Abs. 2 angef., bish. Wortlaut wird Abs. 1 und Nr. 2 geänd.* mWv 28.8.2007 durch G v. 19.8.2007 (BGBl. I S. 1970); Abs. 1 Nr. 1, 2 geänd. mWv 1.4.2020 durch VO v. 23.3.2020 (BGBl. I S. 655).

Wiedereinreise ausgesetzt wird. [2] Diese Anordnung ist auf der Schülersammelliste zu vermerken.

Unterabschnitt 3. Befreiungen im grenzüberschreitenden Beförderungswesen

§ 23 Befreiung für ziviles Flugpersonal. (1) Ziviles Flugpersonal, das im Besitz eines Flugbesatzungsausweises ist, ist vom Erfordernis eines Aufenthaltstitels befreit, sofern es

1. sich nur auf dem Flughafen, auf dem das Flugzeug zwischengelandet ist oder seinen Flug beendet hat, aufhält,
2. sich nur im Gebiet einer in der Nähe des Flughafens gelegenen Gemeinde aufhält oder
3. zu einem anderen Flughafen wechselt.

(2) [1] Ziviles Flugpersonal, das nicht im Besitz eines Flugbesatzungsausweises ist, kann für einen in Absatz 1 genannten Aufenthalt vom Erfordernis eines Aufenthaltstitels befreit werden, sofern es die Passpflicht erfüllt. [2] Zuständig sind die mit der Kontrolle des grenzüberschreitenden Verkehrs beauftragten Behörden. [3] Zum Nachweis der Befreiung wird ein Passierschein ausgestellt.

§ 24[1)] Befreiung für Seeleute. (1) Seelotsen, die in Ausübung ihres Berufes handeln und sich durch amtliche Papiere über ihre Person und Seelotseneigenschaft ausweisen, benötigen für ihre Einreise und ihren Aufenthalt keinen Aufenthaltstitel.

(2) [1] Ziviles Schiffspersonal eines in der See- oder Küstenschifffahrt oder in der Rhein-Seeschifffahrt verkehrenden Schiffes kann, sofern es nicht unter Absatz 1 fällt, für den Aufenthalt im Hafenort während der Liegezeit des Schiffes vom Erfordernis eines Aufenthaltstitels befreit werden, sofern es die Passpflicht erfüllt. [2] Zuständig sind die mit der Kontrolle des grenzüberschreitenden Verkehrs beauftragten Behörden. [3] Zum Nachweis der Befreiung wird ein Passierschein ausgestellt.

(3) Ziviles Schiffspersonal im Sinne der vorstehenden Absätze sind der Kapitän eines Schiffes, die Besatzungsmitglieder, die angemustert und auf der Besatzungsliste verzeichnet sind, sowie sonstige an Bord beschäftigte Personen, die auf einer Besatzungsliste verzeichnet sind.

§ 25[2)] Befreiung in der internationalen zivilen Binnenschifffahrt.
(1) Ausländer, die

1. auf einem von einem Unternehmen mit Sitz im Hoheitsgebiet eines Schengen-Staates betriebenen Schiff in der grenzüberschreitenden Binnenschifffahrt tätig sind,
2. im Besitz eines gültigen Aufenthaltstitels des Staates sind, in dem das Unternehmen seinen Sitz hat und dort der Aufenthaltstitel die Tätigkeit in der Binnenschifffahrt erlaubt und
3. in die Besatzungsliste dieses Schiffes eingetragen sind,

[1)] § 24 Abs. 1 neu gef. mWv 6.9.2013 durch G v. 29.8.2013 (BGBl. I S. 3484).

[2)] § 25 Abs. 1 neu gef., bish. Abs. 1–3 werden Abs. 2–4, neuer Abs. 2 Nr. 1 und 3, neuer Abs. 3 einl. Satzteil und neuer Abs. 4 geänd. mWv 6.9.2013 durch G v. 29.8.2013 (BGBl. I S. 3484); Abs. 2 abschl. Satzteil geänd. mWv 22.4.2015 durch VO v. 8.4.2015 (BGBl. I S. 599).

sind für die Einreise und für Aufenthalte bis zu sechs Monaten innerhalb eines Zeitraums von zwölf Monaten seit der ersten Einreise vom Erfordernis eines Aufenthaltstitels befreit.

(2) Ausländer, die

1. auf einem von einem Unternehmen mit Sitz im Ausland betriebenen Schiff in der Donauschifffahrt einschließlich der Schifffahrt auf dem Main-Donau-Kanal tätig sind,
2. in die Besatzungsliste dieses Schiffes eingetragen sind und
3. einen Binnenschifffahrtsausweis besitzen,

sind für die Einreise und für Aufenthalte bis zu 90 Tagen innerhalb eines Zeitraums von zwölf Monaten seit der ersten Einreise vom Erfordernis eines Aufenthaltstitels befreit.

(3) Die Befreiung nach Absatz 1 und 2 gilt für die Einreise und den Aufenthalt

1. an Bord,
2. im Gebiet eines Liegehafens und einer nahe gelegenen Gemeinde und
3. bei Reisen zwischen dem Grenzübergang und dem Schiffsliegeort oder zwischen Schiffsliegeorten auf dem kürzesten Wege

im Zusammenhang mit der grenzüberschreitenden Beförderung von Personen oder Sachen sowie in der Donauschifffahrt zur Weiterbeförderung derselben Personen oder Sachen.

(4) Die Absätze 2 und 3 gelten entsprechend für die in Binnenschifffahrtsausweisen eingetragenen Familienangehörigen.

§ 26[1)] Transit ohne Einreise; Flughafentransitvisum. (1) Ausländer, die sich im Bundesgebiet befinden, ohne im Sinne des § 13 Abs. 2 des Aufenthaltsgesetzes[2)] einzureisen, sind vom Erfordernis eines Aufenthaltstitels befreit.

(2) [1] Das Erfordernis einer Genehmigung für das Betreten des Transitbereichs eines Flughafens während einer Zwischenlandung oder zum Umsteigen (Flughafentransitvisum) gilt für Personen, die auf Grund von Artikel 3 Absatz 1 in Verbindung mit Absatz 5 der Verordnung (EG) Nr. 810/2009 des Europäischen Parlaments und des Rates vom 13. Juli 2009 über einen Visakodex der Gemeinschaft (ABl. L 243 vom 15.9.2009, S. 1) ein Flughafentransitvisum benötigen, sowie für Staatsangehörige der in Anlage C genannten Staaten, sofern diese nicht nach Artikel 3 Absatz 5 der Verordnung (EG) Nr. 810/2009 von der Flughafentransitvisumpflicht befreit sind. [2] Soweit danach das Erfordernis eines Flughafentransitvisums besteht, gilt die Befreiung nach Absatz 1 nur, wenn der Ausländer ein Flughafentransitvisum besitzt. [3] Das Flughafentransitvisum ist kein Aufenthaltstitel.

Unterabschnitt 4. Sonstige Befreiungen

§ 27 Befreiung für Personen bei Vertretungen ausländischer Staaten.

(1) Vom Erfordernis eines Aufenthaltstitels befreit sind, wenn Gegenseitigkeit besteht,

---

1) § 26 Abs. 3 Satz 1 Nr. 2 Buchst. a geänd. mWv 22.10.2005 durch VO v. 14.10.2005 (BGBl. I S. 2982); Abs. 2 Satz 1 neu gef., Abs. 3 aufgeh. mWv 26.11.2011 durch G v. 22.11.2011 (BGBl. I S. 2258).

2) **beck-online, Module Arbeitsrecht Nr. 760.**

1. die in die Bundesrepublik Deutschland amtlich entsandten Mitglieder des dienstlichen Hauspersonals berufskonsularischer Vertretungen im Bundesgebiet und ihre mit ihnen im gemeinsamen Haushalt lebenden, nicht ständig im Bundesgebiet ansässigen Familienangehörigen,
2. die nicht amtlich entsandten, mit Zustimmung des Auswärtigen Amtes örtlich angestellten Mitglieder des diplomatischen und berufskonsularischen, des Verwaltungs- und technischen Personals sowie des dienstlichen Hauspersonals diplomatischer und berufskonsularischer Vertretungen im Bundesgebiet und ihre mit Zustimmung des Auswärtigen Amtes zugezogenen, mit ihnen im gemeinsamen Haushalt lebenden Ehegatten oder Lebenspartner, minderjährigen ledigen Kinder und volljährigen ledigen Kinder, die bei der Verlegung ihres ständigen Aufenthalts in das Bundesgebiet das 21. Lebensjahr noch nicht vollendet haben, sich in der Ausbildung befinden und wirtschaftlich von ihnen abhängig sind,
3. die mit Zustimmung des Auswärtigen Amtes beschäftigten privaten Hausangestellten von Mitgliedern diplomatischer und berufskonsularischer Vertretungen im Bundesgebiet,
4. die mitreisenden Familienangehörigen von Repräsentanten anderer Staaten und deren Begleitung im Sinne des § 20 des Gerichtsverfassungsgesetzes[1],
5. Personen, die dem Haushalt eines entsandten Mitgliedes einer diplomatischen oder berufskonsularischen Vertretung im Bundesgebiet angehören, die mit dem entsandten Mitglied mit Rücksicht auf eine rechtliche oder sittliche Pflicht oder bereits zum Zeitpunkt seiner Entsendung ins Bundesgebiet in einer Haushalts- oder Betreuungsgemeinschaft leben, die nicht von dem entsandten Mitglied beschäftigt werden, deren Unterhalt einschließlich eines angemessenen Schutzes vor Krankheit und Pflegebedürftigkeit ohne Inanspruchnahme von Leistungen nach dem Sozialgesetzbuch gesichert ist und deren Aufenthalt das Auswärtige Amt zum Zweck der Wahrung der auswärtigen Beziehungen der Bundesrepublik Deutschland im Einzelfall zugestimmt hat.

(2) Die nach Absatz 1 als Familienangehörige oder Haushaltsmitglieder vom Erfordernis des Aufenthaltstitels befreiten sowie die von § 1 Abs. 2 Nr. 2 oder 3 des Aufenthaltsgesetzes[2] erfassten Familienangehörigen sind auch im Fall der erlaubten Aufnahme und Ausübung einer Erwerbstätigkeit oder Ausbildung vom Erfordernis eines Aufenthaltstitels befreit, wenn Gegenseitigkeit besteht.

(3) Der Eintritt eines Befreiungsgrundes nach Absatz 1 oder 2 lässt eine bestehende Aufenthaltserlaubnis oder Niederlassungserlaubnis unberührt und steht der Verlängerung einer Aufenthaltserlaubnis oder der Erteilung einer Niederlassungserlaubnis an einen bisherigen Inhaber einer Aufenthaltserlaubnis nach den Vorschriften des Aufenthaltsgesetzes[3] nicht entgegen.

§ 28[4] Befreiung für freizügigkeitsberechtigte Schweizer. [1] Staatsangehörige der Schweiz sind nach Maßgabe des Abkommens vom 21. Juni 1999 zwischen der Europäischen Gemeinschaft und ihren Mitgliedstaaten einerseits

---

[1] Nr. **665**.
[2] Nr. **760**.
[3] Auszugsweise abgedruckt unter Nr. **760**.
[4] § 28 Satz 2 angef. mWv 28.8.2007 durch G v. 19.8.2007 (BGBl. I S. 1970); Satz 2 neu gef. mWv 1.9.2011 durch VO v. 22.7.2011 (BGBl. I S. 1530); Satz 2 neu gef. mWv 4.12.2020 durch VO v. 26.11.2020 (BGBl. I S. 2606); Satz 2 geänd. mWv 1.11.2023 durch VO v. 30.10.2023 (BGBl. 2023 I Nr. 290).

und der Schweizerischen Eidgenossenschaft andererseits über die Freizügigkeit vom Erfordernis eines Aufenthaltstitels befreit. [2] Soweit in dem Abkommen vorgesehen ist, dass das Aufenthaltsrecht durch eine Aufenthaltserlaubnis bescheinigt wird, wird nach § 78 Absatz 1 Satz 2 des Aufenthaltsgesetzes[1)] diese Aufenthaltserlaubnis auf Antrag als Dokument mit Chip ausgestellt.

§ 29 Befreiung in Rettungsfällen. [1] Für die Einreise und den Aufenthalt im Bundesgebiet sind die in § 14 Satz 1 genannten Ausländer vom Erfordernis eines Aufenthaltstitels befreit. [2] Die Befreiung nach Satz 1 endet, sobald für den Ausländer die Beantragung eines erforderlichen Aufenthaltstitels auch in Anbetracht der besonderen Umstände des Falles und des Vorranges der Leistung oder Inanspruchnahme von Hilfe zumutbar wird.

§ 30[2)] Befreiung für die Durchreise und Durchbeförderung. Für die Einreise in das Bundesgebiet aus einem anderen Schengen-Staat und einen anschließenden Aufenthalt von bis zu drei Tagen sind Ausländer vom Erfordernis eines Aufenthaltstitels befreit, wenn sie

1. auf Grund einer zwischenstaatlichen Vereinbarung über die Gestattung der Durchreise durch das Bundesgebiet reisen, oder
2. auf Grund einer zwischenstaatlichen Vereinbarung oder mit Einwilligung des Bundesministeriums des Innern, für Bau und Heimat oder der von ihm beauftragten Stelle durch das Bundesgebiet durchbefördert werden; in diesem Fall gilt die Befreiung auch für die sie begleitenden Aufsichtspersonen.

§ 30a[3)] Befreiung in Fällen gescheiterter langfristiger Mobilität nach der Richtlinie (EU) 2021/1883. [1] Für die Einreise in das Bundesgebiet und einen anschließenden Aufenthalt von bis zu einem Monat sind Ausländer vom Erfordernis eines Aufenthaltstitels befreit, wenn

1. sie Inhaber einer Blauen Karte EU nach § 18g des Aufenthaltsgesetzes[4)] waren,
2. sie zu einem Zeitpunkt, als die Blaue Karte EU nach Nummer 1 noch gültig war, in einem anderen Mitgliedstaat der Europäischen Union nach Artikel 21 Absatz 3 der Richtlinie (EU) 2021/1883 des Europäischen Parlaments und des Rates vom 20. Oktober 2021 über die Bedingungen für die Einreise und den Aufenthalt von Drittstaatsangehörigen zur Ausübung einer hoch qualifizierten Beschäftigung und zur Aufhebung der Richtlinie 2009/50/EG des Rates (ABl. L 382 vom 28.10.2021, S. 1) einen Antrag auf Erteilung einer Blauen Karte EU gestellt haben, den dieser Mitgliedstaat abgelehnt hat,
3. die Geltungsdauer der Blauen Karte EU nach Nummer 1 abgelaufen ist, während der Mitgliedstaat der Europäischen Union nach Nummer 2 den Antrag auf Erteilung einer Blauen Karte EU geprüft hat, und
4. der Mitgliedstaat der Europäischen Union nach Nummer 2 bei den zuständigen Behörden der Bundesrepublik Deutschland ein Ersuchen auf Gestattung der Wiedereinreise des Ausländers in die Bundesrepublik Deutschland gestellt hat.

---

1) **beck-online, Module Arbeitsrecht Nr. 760.**

2) § 30 einl. Satzteil geänd. mWv 28.8.2007 durch G v. 19.8.2007 (BGBl. I S. 1970); Nr. 2 geänd. mWv *27.6.2020 durch VO v. 19.6.2020* (BGBl. I S. 1328).

3) § 30a eingef. mWv 18.11.2023 durch VO v. 30.8.2023 (BGBl. 2023 I Nr. 233).

4) Nr. **760**.

[2] Satz 1 gilt entsprechend für die Familienangehörigen des Ausländers, wenn diese über einen Aufenthaltstitel als Familienangehörige dieses Ausländers verfügen und der Aufenthaltstitel erteilt wurde, während die Geltungsdauer der Blauen Karte EU nach Satz 1 Nummer 1 noch nicht abgelaufen war.

Abschnitt 4. Einholung des Aufenthaltstitels im Bundesgebiet

§ 39[1)] Verlängerung eines Aufenthalts im Bundesgebiet für längerfristige Zwecke. [1] Über die im Aufenthaltsgesetz[2)] geregelten Fälle hinaus kann ein Ausländer einen Aufenthaltstitel im Bundesgebiet einholen oder verlängern lassen, wenn

1. er ein nationales Visum (§ 6 Absatz 3 des Aufenthaltsgesetzes[3)]) oder eine Aufenthaltserlaubnis besitzt,
2. er vom Erfordernis des Aufenthaltstitels befreit ist und die Befreiung nicht auf einen Teil des Bundesgebiets oder auf einen Aufenthalt bis zu längstens sechs Monaten beschränkt ist,
3. er Staatsangehöriger eines in Anhang II der Verordnung (EU) 2018/1806 aufgeführten Staates ist und sich rechtmäßig im Bundesgebiet aufhält oder ein gültiges Schengen-Visum für kurzfristige Aufenthalte (§ 6 Absatz 1 Nummer 1 des Aufenthaltsgesetzes[3)]) besitzt, sofern die Voraussetzungen eines Anspruchs auf Erteilung eines Aufenthaltstitels nach der Einreise entstanden sind, es sei denn, es handelt sich um einen Anspruch nach den §§ 16b, 16e oder 19e des Aufenthaltsgesetzes[3)],
4. er eine Aufenthaltsgestattung nach dem Asylgesetz[4)] besitzt und die Voraussetzungen des § 10 Abs. 1 oder 2 des Aufenthaltsgesetzes[3)] vorliegen,
5. seine Abschiebung nach § 60a des Aufenthaltsgesetzes[5)] ausgesetzt ist und er auf Grund einer Eheschließung oder der Begründung einer Lebenspartnerschaft im Bundesgebiet oder der Geburt eines Kindes während seines Aufenthalts im Bundesgebiet einen Anspruch auf Erteilung einer Aufenthaltserlaubnis erworben hat,
6. er einen von einem anderen Schengen-Staat ausgestellten Aufenthaltstitel besitzt und auf Grund dieses Aufenthaltstitels berechtigt ist, sich im Bundesgebiet aufzuhalten, sofern die Voraussetzungen eines Anspruchs auf Erteilung eines Aufenthaltstitels erfüllt sind; § 41 Abs. 3 findet Anwendung,
7. er seit mindestens zwölf Monaten eine Blaue Karte EU besitzt, die von einem anderen Mitgliedstaat der Europäischen Union ausgestellt wurde, und er für die Ausübung einer hochqualifizierten Beschäftigung eine Blaue Karte EU beantragt. Gleiches gilt für seine Familienangehörigen, die im

---

1) § 39 Nr. 4 und 5 geänd. und Nr. 6 angef. mWv 22.10.2005 durch VO v. 14.10.2005 (BGBl. I S. 2982); Nr. 3 und 5 geänd. mWv 28.8.2007 durch G v. 19.8.2007 (BGBl. I S. 1970); Nr. 5 geänd. mWv 1.9.2011 durch VO v. 22.7.2011 (BGBl. I S. 1530); Nr. 1, 3 geänd. mWv 26.11.2011 durch G v. 22.11.2011 (BGBl. I S. 2258); Nr. 5 und 6 geänd., Nr. 7 angef. mWv 1.8.2012 durch G v. 1.6.2012 (BGBl. I S. 1224); Nr. 4 geänd. mWv 24.10.2015 durch G v. 20.10.2015 (BGBl. I S. 1722); Satz 1 Nr. 3, 6 und 7 geänd., Nr. 8–11 und Satz 2 angef. mWv 5.8.2017 durch VO v. 1.8.2017 (BGBl. I S. 3066); Satz 1 Nr. 3, 8–10, Satz 2 geänd. mWv 1.4.2020 durch VO v. 23.3.2020 (BGBl. I S. 655); Satz 1 Nr. 7 geänd., Nr. 7a, 7b eingef. mWv 18.11.2023, Satz 1 Nr. 11 neu gef. mWv 1.3.2024 durch VO v. 30.8.2023 (BGBl. 2023 I Nr. 233).

2) Auszugsweise abgedruckt unter Nr. **760**.

3) Nr. **760**.

4) Auszugsweise abgedruckt unter Nr. **780**.

5) **beck-online, Module Arbeitsrecht Nr. 760.**

Besitz eines Aufenthaltstitels zum Familiennachzug sind, der von demselben Staat ausgestellt wurde wie die Blaue Karte EU des Ausländers. Die Anträge auf die Blaue Karte EU sowie auf die Aufenthaltserlaubnisse zum Familiennachzug sind innerhalb eines Monats nach Einreise in das Bundesgebiet zu stellen,

7a. er seit mindestens sechs Monaten eine Blaue Karte EU besitzt, die von einem anderen Mitgliedstaat der Europäischen Union ausgestellt wurde, wenn er unmittelbar vor der Erteilung dieser Blauen Karte EU Inhaber *einen*[1] Blauen Karte EU war, die ein Mitgliedstaat der Europäischen Union ausgestellt hatte, der nicht derjenige Mitgliedstaat der Europäischen Union ist, der die Blaue Karte EU ausgestellt hat, die der Ausländer besitzt. Gleiches gilt für seine Familienangehörigen, die im Besitz eines Aufenthaltstitels zum Familiennachzug sind, der von demselben Staat ausgestellt wurde wie die Blaue Karte EU des Ausländers. Die Anträge auf die Blaue Karte EU sowie auf die Aufenthaltserlaubnisse zum Familiennachzug sind innerhalb eines Monats nach Einreise in das Bundesgebiet zu stellen,

7b. die Voraussetzungen nach § 30a für die Wiedereinreise in das Bundesgebiet vorliegen. Die Anträge auf die Blaue Karte EU sowie auf die Aufenthaltserlaubnisse zum Familiennachzug sind innerhalb eines Monats nach Einreise in das Bundesgebiet zu stellen,

8. er die Verlängerung einer ICT-Karte nach § 19 des Aufenthaltsgesetzes[2] beantragt,

9. er
   a) einen gültigen Aufenthaltstitel eines anderen Mitgliedstaates besitzt, der ausgestellt worden ist nach der Richtlinie 2014/66/EU des Europäischen Parlaments und des Rates vom 15. Mai 2014 über die Bedingungen für die Einreise und den Aufenthalt von Drittstaatsangehörigen im Rahmen eines unternehmensinternen Transfers (ABl. L 157 vom 27.5.2014, S. 1), und
   b) eine Mobiler-ICT-Karte nach § 19b des Aufenthaltsgesetzes[2] beantragt oder eine Aufenthaltserlaubnis zum Zweck des Familiennachzugs zu einem Inhaber einer Mobiler-ICT-Karte nach § 19b des Aufenthaltsgesetzes[2] beantragt,

10. er
   a) einen gültigen Aufenthaltstitel eines anderen Mitgliedstaates besitzt, der ausgestellt worden ist nach der Richtlinie (EU) 2016/801 des Europäischen Parlaments und des Rates vom 11. Mai 2016 über die Bedingungen für die Einreise und den Aufenthalt von Drittstaatsangehörigen zu Forschungs- oder Studienzwecken, zur Absolvierung eines Praktikums, zur Teilnahme an einem Freiwilligendienst, Schüleraustauschprogrammen oder Bildungsvorhaben und zur Ausübung einer Au-pair-Tätigkeit (ABl. L 132 vom 21.5.2016, S. 21), und
   b) eine Aufenthaltserlaubnis nach § 18f des Aufenthaltsgesetzes[2] beantragt oder eine Aufenthaltserlaubnis zum Zweck des Familiennachzugs zu einem Inhaber einer Aufenthaltserlaubnis nach § 18f des Aufenthaltsgesetzes[2] beantragt oder

---

[1] Richtig wohl: „einer".
[2] Nr. **760**.

[Nr. 11 bis 29.2.2024:]

11. er vor Ablauf der Arbeitserlaubnis oder der Arbeitserlaubnisse zum Zweck der Saisonbeschäftigung, die ihm nach § 15a Absatz 1 Satz 1 Nummer 1 der Beschäftigungsverordnung[1] erteilt wurde oder wurden, einen Aufenthaltstitel zum Zweck der Saisonbeschäftigung bei demselben oder einem anderen Arbeitgeber beantragt; dieser Aufenthaltstitel gilt bis zur Entscheidung der Ausländerbehörde als erteilt.

[Nr. 11 ab 1.3.2024:]

11. *er vor Ablauf der Arbeitserlaubnis oder der Arbeitserlaubnisse, die ihm nach § 15a Absatz 1 Satz 1 Nummer 1 oder § 15d Absatz 1 Satz 1 Nummer 1 der Beschäftigungsverordnung erteilt wurde oder wurden, einen Aufenthaltstitel zum Zweck der Beschäftigung bei demselben oder einem anderen Arbeitgeber oder zum Zweck der Ausbildung beantragt; wird der Aufenthaltstitel nach § 19c Absatz 1 des Aufenthaltsgesetzes[2] in Verbindung mit § 15a oder § 15d der Beschäftigungsverordnung beantragt, gilt dieser bis zur Entscheidung der Ausländerbehörde als erteilt.*

[2] Satz 1 gilt nicht, wenn eine ICT-Karte nach § 19 des Aufenthaltsgesetzes[2] beantragt wird.

§ 40[3] Verlängerung eines visumfreien Kurzaufenthalts. Staatsangehörige der in Anhang II der Verordnung (EU) 2018/1806 aufgeführten Staaten können nach der Einreise eine Aufenthaltserlaubnis für einen weiteren Aufenthalt von längstens 90 Tagen, der sich an einen Kurzaufenthalt anschließt, einholen, wenn

1. ein Ausnahmefall im Sinne des Artikels 20 Abs. 2 des Schengener Durchführungsübereinkommens vorliegt und
2. der Ausländer im Bundesgebiet keine Erwerbstätigkeit mit Ausnahme der in § 17 Abs. 2 genannten Tätigkeiten ausübt.

§ 41[4] Vergünstigung für Angehörige bestimmter Staaten. (1) [1] Staatsangehörige von Australien, Israel, Japan, Kanada, der Republik Korea, von Neuseeland, des Vereinigten Königreichs Großbritannien und Nordirland im Sinne des § 1 Absatz 2 Nummer 6 des Freizügigkeitsgesetzes/EU[5] und der Vereinigten Staaten von Amerika können auch für einen Aufenthalt, der kein Kurzaufenthalt ist, visumfrei in das Bundesgebiet einreisen und sich darin aufhalten. [2] Ein erforderlicher Aufenthaltstitel kann im Bundesgebiet eingeholt werden.

(2) Dasselbe gilt für Staatsangehörige von Andorra, Brasilien, El Salvador, Honduras, Monaco und San Marino, die keine Erwerbstätigkeit mit Ausnahme der in § 17 Abs. 2 genannten Tätigkeiten ausüben wollen.

(3) [1] Ein erforderlicher Aufenthaltstitel ist innerhalb von 90 Tagen nach der Einreise zu beantragen. [2] Die Antragsfrist endet vorzeitig, wenn der Ausländer

---

[1] Nr. **762**.

[2] Nr. **760**.

[3] § 40 einl. Satzteil geänd. mWv 22.4.2015 durch VO v. 8.4.2015 (BGBl. I S. 599); einl. Satzteil geänd. mWv 1.4.2020 durch VO v. 23.3.2020 (BGBl. I S. 655).

[4] § 41 Abs. 2 und Abs. 3 Satz 1 geänd. mWv 22.4.2015 durch VO v. 8.4.2015 (BGBl. I S. 599); Abs. 4 angef. mWv 5.8.2017 durch VO v. 1.8.2017 (BGBl. I S. 3066); Abs. 4 geänd. mWv 1.4.2020 durch VO v. 23.3.2020 (BGBl. I S. 655); Abs. 1 Satz 1 geänd. mWv 1.1.2021 durch VO v. 18.12.2020 (BGBl. I S. 3046).

[5] Nr. **770**.

ausgewiesen wird oder sein Aufenthalt nach § 12 Abs. 4 des Aufenthaltsgesetzes[1)] zeitlich beschränkt wird.

(4) Die Absätze 1 bis 3 gelten nicht, wenn eine ICT-Karte nach § 19 des Aufenthaltsgesetzes[1)] beantragt wird.

Abschnitt 5. Aufenthalt aus völkerrechtlichen, humanitären oder politischen Gründen

§ 42 Antragstellung auf Verlegung des Wohnsitzes. [1]Ein Ausländer, der auf Grund eines Beschlusses des Rates der Europäischen Union gemäß der Richtlinie 2001/55/EG des Rates vom 20. Juli 2001 über Mindestnormen für die Gewährung vorübergehenden Schutzes im Falle eines Massenzustroms von Vertriebenen und Maßnahmen zur Förderung einer ausgewogenen Verteilung der Belastungen, die mit der Aufnahme dieser Personen und den Folgen dieser Aufnahme verbunden sind, auf die Mitgliedstaaten (ABl. EG Nr. L 212 S. 12) nach § 24 Abs. 1 des Aufenthaltsgesetzes[2)] im Bundesgebiet aufgenommen wurde, kann bei der zuständigen Ausländerbehörde einen Antrag auf die Verlegung seines Wohnsitzes in einen anderen Mitgliedstaat der Europäischen Union stellen. [2]Die Ausländerbehörde leitet den Antrag an das Bundesamt für Migration und Flüchtlinge weiter. [3]Dieses unterrichtet den anderen Mitgliedstaat, die Europäische Kommission und den Hohen Flüchtlingskommissar der Vereinten Nationen über den gestellten Antrag.

§ 43 Verfahren bei Zustimmung des anderen Mitgliedstaates zur Wohnsitzverlegung. (1) Sobald der andere Mitgliedstaat sein Einverständnis mit der beantragten Wohnsitzverlegung erklärt hat, teilt das Bundesamt für Migration und Flüchtlinge unverzüglich der zuständigen Ausländerbehörde mit,

1. wo und bei welcher Behörde des anderen Mitgliedstaates sich der aufgenommene Ausländer melden soll und
2. welcher Zeitraum für die Ausreise zur Verfügung steht.

(2) [1]Die Ausländerbehörde legt nach Anhörung des aufgenommenen Ausländers einen Zeitpunkt für die Ausreise fest und teilt diesen dem Bundesamt für Migration und Flüchtlinge mit. [2]Dieses unterrichtet den anderen Mitgliedstaat über die Einzelheiten der Ausreise und stellt dem Ausländer die hierfür vorgesehene Bescheinigung über die Wohnsitzverlegung aus, die der zuständigen Ausländerbehörde zur Aushändigung an den Ausländer übersandt wird.

[1)] Nr. 760.
[2)] **beck-online, Module Arbeitsrecht Nr. 760.**

762. Verordnung über die Beschäftigung von Ausländerinnen und Ausländern (Beschäftigungsverordnung – BeschV)[1)]

Vom 6. Juni 2013
(BGBl. I S. 1499)

FNA 26-12-7

zuletzt geänd. durch Art. 22 SGB VI-AnpassungsG v. 22.12.2025 (BGBl. 2025 I Nr. 355)

Teil 1. Allgemeine Bestimmungen

§ 1[2)] Anwendungsbereich der Verordnung. (1) [1]Die Verordnung steuert die Zuwanderung ausländischer Arbeitnehmerinnen und Arbeitnehmer und bestimmt, unter welchen Voraussetzungen sie und die bereits in Deutschland lebenden Ausländerinnen und Ausländer zum Arbeitsmarkt zugelassen werden können. [2]Sie regelt, in welchen Fällen

1. ein Aufenthaltstitel, der einer Ausländerin oder einem Ausländer die Ausübung einer Beschäftigung erlaubt, nach § 39 Absatz 1 Satz 1 des Aufenthaltsgesetzes[3)] ohne Zustimmung der Bundesagentur für Arbeit erteilt werden kann,
2. die Bundesagentur für Arbeit nach § 39 Absatz 1 Satz 2 des Aufenthaltsgesetzes[3)] einem Aufenthaltstitel, der einer Ausländerin oder einem Ausländer die Ausübung einer Beschäftigung erlaubt, zustimmen kann,
3. einer Ausländerin oder einem Ausländer, die oder der im Besitz einer Duldung ist, oder anderen Ausländerinnen und Ausländern, die keinen Aufenthaltstitel besitzen, nach § 4a Absatz 4 des Aufenthaltsgesetzes[3)] die Ausübung einer Beschäftigung mit oder ohne Zustimmung der Bundesagentur für Arbeit erlaubt werden kann und
4. die Zustimmung der Bundesagentur für Arbeit abweichend von § 39 Absatz 3 des Aufenthaltsgesetzes[3)] erteilt werden darf.

[1)] Verkündet als Art. 1 VO v. 6.6.2013 (BGBl. I S. 1499); Inkrafttreten gem. Art. 4 dieser VO am 1.7.2013.

Die VO wurde erlassen auf Grund

- des § 19a Absatz 2 Satz 1 Nummer 1 in Verbindung mit Satz 2 und des § 42 Absatz 1 und 2 des Aufenthaltsgesetzes, von denen § 19a durch Artikel 1 Nummer 10 eingefügt und § 42 Absatz 1 durch Artikel 1 Nummer 19 des Gesetzes vom 1. Juni 2012 (BGBl. I S. 1224) geändert worden ist,
- des § 288 Absatz 1 Nummer 3 des Dritten Buches Sozialgesetzbuch – Arbeitsförderung –, der zuletzt durch Artikel 2 Nummer 26 Buchstabe a Doppelbuchstabe aa des Gesetzes vom 20. Dezember 2011 (BGBl. I S. 2854) geändert worden ist, und
- des § 61 Absatz 2 des Asylverfahrensgesetzes in der Fassung der Bekanntmachung vom 2. September 2008 (BGBl. I S. 1798)

vom Bundesministerium für Arbeit und Soziales und auf Grund

- des § 99 Absatz 1 Nummer 1 des Aufenthaltsgesetzes in der Fassung der Bekanntmachung vom 25. Februar 2008 (BGBl. I S. 162)

vom Bundesministerium des Innern.

[2)] § 1 Überschrift, Abs. 1 Satz 2 Nr. 3 neu gef., Nr. 4 aufgeh., bish. Nr. 5 wird Nr. 4 und geänd., Abs. 2 neu gef. mWv 1.3.2020 durch G v. 15.8.2019 (BGBl. I S. 1307); Abs. 2 Sätze 1 und 2 geänd. mWv 1.4.2020 durch VO v. 23.3.2020 (BGBl. I S. 655); Abs. 2 neu gef. mWv 1.3.2024 durch VO v. 30.8.2023 (BGBl. 2023 I Nr. 233).

[3)] Nr. **760**.

(2) [1]Die erstmalige Erteilung der Zustimmung der Bundesagentur für Arbeit setzt in den Fällen der §§ 6, 22a, 24a und 26 Absatz 2, in denen die Aufnahme der Beschäftigung nach Vollendung des 45. Lebensjahres der Ausländerin oder des Ausländers erfolgt, eine Höhe des Gehalts von mindestens 55 Prozent der jährlichen Beitragsbemessungsgrenze in der allgemeinen Rentenversicherung voraus, es sei denn, die Ausländerin oder der Ausländer kann den Nachweis über eine angemessene Altersversorgung erbringen. [2]Von den Voraussetzungen nach Satz 1 kann abgesehen werden, wenn ein öffentliches, insbesondere ein regionales, wirtschaftliches oder arbeitsmarktpolitisches Interesse an der Beschäftigung der Ausländerin oder des Ausländers besteht. [3]Insbesondere kann von den Voraussetzungen nach Satz 1 abgesehen werden, wenn die Gehaltsschwelle nur geringfügig unterschritten oder die Altersgrenze nur geringfügig überschritten wird. [4]In den Fällen des § 26 Absatz 2 kann von den Voraussetzungen nach Satz 1 nur in begründeten Ausnahmefällen abgesehen werden, wenn ein öffentliches Interesse nach Satz 2 besteht; Satz 3 findet keine Anwendung. [5]Das Bundesministerium des Innern und für Heimat gibt das Mindestgehalt für jedes Kalenderjahr jeweils bis zum 31. Dezember des Vorjahres im Bundesanzeiger bekannt.

Teil 2.[1)] Qualifizierte Beschäftigungen

§ 2[2)] Vermittlungsabsprachen. (1) [1]Für die Erteilung einer Aufenthaltserlaubnis nach § 16d Absatz 4 Nummer 1 des Aufenthaltsgesetzes[3)] kann Ausländerinnen und Ausländern die Zustimmung zur Ausübung einer Beschäftigung erteilt werden, deren Anforderungen in einem Zusammenhang mit den berufsfachlichen Kenntnissen stehen, die in dem nach der Anerkennung ausgeübten Beruf verlangt werden, wenn

1. soweit erforderlich, für diese Beschäftigung eine Berufsausübungserlaubnis erteilt wurde und
2. sie erklären, nach der Einreise im Inland bei der nach den Regelungen des Bundes oder der Länder für die berufliche Anerkennung zuständigen Stelle das Verfahren zur Feststellung der Gleichwertigkeit ihrer ausländischen Berufsqualifikation und, soweit erforderlich, zur Erteilung der Berufsausübungserlaubnis durchzuführen.

[2]Satz 1 gilt in den Fällen von § 16d Absatz 4 Nummer 2 des Aufenthaltsgesetzes[3)] auch für weitere im Inland reglementierte Berufe.

(2) Für die Erteilung einer Aufenthaltserlaubnis bei nicht reglementierten Berufen nach § 16d Absatz 4 Nummer 2 des Aufenthaltsgesetzes[3)] kann Ausländerinnen und Ausländern die Zustimmung zur Ausübung einer qualifizierten Beschäftigung in ihrem anzuerkennenden Beruf erteilt werden, wenn sie erklären, dass sie nach der Einreise im Inland bei der nach den Regelungen des Bundes oder der Länder für die berufliche Anerkennung zuständigen Stelle das Verfahren zur Feststellung der Gleichwertigkeit ihrer Berufsqualifikation durchführen werden.

[1)] Teil 2 Überschrift neu gef. mWv 1.3.2020 durch G v. 15.8.2019 (BGBl. I S. 1307).

[2)] § 2 neu gef. mWv 1.3.2020 durch G v. 15.8.2019 (BGBl. I S. 1307); Abs. 1 Satz 1 einl. Satzteil *geänd., Nr. 1 aufgeh., Nr. 2 und 3 werden Nr. 1 und 2* mWv 1.3.2024 durch VO v. 30.8.2023 (BGBl. 2023 I Nr. 233).

[3)] **beck-online, Module Arbeitsrecht Nr. 760.**

(3) [1]Die Zustimmung nach den Absätzen 1 und 2 wird für ein Jahr erteilt. [2]Eine erneute Zustimmung kann nur erteilt werden, wenn das Verfahren zur Feststellung der Gleichwertigkeit der ausländischen Berufsqualifikation oder, soweit erforderlich, zur Erteilung der Berufsausübungserlaubnis bei der nach den Regelungen des Bundes oder der Länder für die berufliche Anerkennung zuständigen Stelle betrieben wird. [3]Das Verfahren umfasst die Teilnahme an Qualifizierungsmaßnahmen einschließlich sich daran anschließender Prüfungen, die für die Feststellung der Gleichwertigkeit oder die Erteilung der Berufsausübungserlaubnis erforderlich sind.

§ 2a[1)] Anerkennungspartnerschaft. (1) [1]Die Zustimmung kann für eine Aufenthaltserlaubnis nach § 16d Absatz 3 des Aufenthaltsgesetzes[2)] erteilt werden, wenn die Anforderungen an die bis zur Feststellung der Gleichwertigkeit der Berufsqualifikation oder zur Erteilung der Berufsausübungserlaubnis ausgeübte Beschäftigung

1. in einem berufsfachlichen Zusammenhang mit der ausländischen Berufsqualifikation stehen und
2. ein Anerkennungsverfahren für einen Beruf in derselben Berufsgruppe erfolgen soll, in der die Beschäftigung ausgeübt wird.

[2]§ 2 Absatz 1 Satz 1 Nummer 1 gilt entsprechend.

(2) [1]Die Zustimmung wird für höchstens ein Jahr erteilt. [2]Sie kann nur dann erneut erteilt werden, wenn das Verfahren zur Feststellung der Gleichwertigkeit der Berufsqualifikation oder zur Erteilung der Berufsausübungserlaubnis bei der für die berufliche Anerkennung zuständigen Stelle betrieben wird. [3]Das Verfahren umfasst die Teilnahme an Qualifizierungsmaßnahmen einschließlich sich daran anschließender Prüfungen, die für die Feststellung der Gleichwertigkeit oder die Erteilung der Berufsausübungserlaubnis erforderlich sind. [4]§ 9 findet keine Anwendung.

§ 3[3)] Leitende Angestellte, Führungskräfte und Spezialisten. Die Zustimmung kann erteilt werden für

1. leitende Angestellte,
2. Mitglieder des Organs einer juristischen Person, die zur gesetzlichen Vertretung berechtigt sind, oder
3. Personen, die für die Ausübung einer inländischen qualifizierten Beschäftigung über besondere, vor allem unternehmensspezifische Spezialkenntnisse verfügen.

§ 4[4)] *(aufgehoben)*

§ 5[5)] Wissenschaft, Forschung und Entwicklung. Keiner Zustimmung bedarf die Erteilung eines Aufenthaltstitels an

---

[1)] § 2a eingef. mWv 1.3.2024 durch VO v. 30.8.2023 (BGBl. 2023 I Nr. 233).

[2)] **beck-online, Module Arbeitsrecht Nr. 760.**

[3)] § 3 neu gef. mWv 1.4.2020 durch VO v. 23.3.2020 (BGBl. I S. 655).

[4)] § 4 aufgeh. mWv 1.4.2020 durch VO v. 23.3.2020 (BGBl. I S. 655).

[5)] § 5 Nr. 1 und 2 geänd. mWv 5.8.2017 durch VO v. 1.8.2017 (BGBl. I S. 3066); Nr. 1 und 2 geänd. mWv 1.3.2020 durch G v. 15.8.2019 (BGBl. I S. 1307).

1. wissenschaftliches Personal von Hochschulen und von Forschungs- und Entwicklungseinrichtungen, das nicht bereits in den Anwendungsbereich der §§ 18d und 18f des Aufenthaltsgesetzes[1] fällt,
2. Gastwissenschaftlerinnen und Gastwissenschaftler an einer Hochschule oder an einer öffentlich-rechtlichen oder überwiegend aus öffentlichen Mitteln finanzierten oder als öffentliches Unternehmen in privater Rechtsform geführten Forschungseinrichtung, die nicht bereits in den Anwendungsbereich der §§ 18d und 18f des Aufenthaltsgesetzes[1] fallen,
3. Ingenieurinnen und Ingenieure sowie Technikerinnen und Techniker als technische Mitarbeiterinnen und Mitarbeiter im Forschungsteam einer Gastwissenschaftlerin oder eines Gastwissenschaftlers,
4. Lehrkräfte öffentlicher Schulen oder staatlich genehmigter privater Ersatzschulen oder anerkannter privater Ergänzungsschulen oder
5. Lehrkräfte zur Sprachvermittlung an Hochschulen.

§ 6[2] Beschäftigung bei ausgeprägter berufspraktischer Erfahrung.

(1) [1] Die Zustimmung zur Ausübung einer inländischen qualifizierten Beschäftigung kann Ausländerinnen und Ausländern erteilt werden, wenn die Ausländerin oder der Ausländer über Folgendes verfügt:

1. eine in den letzten fünf Jahren erworbene, mindestens zweijährige Berufserfahrung, die die Ausländerin oder den Ausländer zu der Beschäftigung befähigt,
2. einen Arbeitsplatz, bei dem die Höhe des Gehalts mindestens 45 Prozent der jährlichen Beitragsbemessungsgrenze in der allgemeinen Rentenversicherung beträgt, oder ein Angebot für einen solchen Arbeitsplatz und
3. eine der folgenden Qualifikationen:
   a) eine ausländische Berufsqualifikation, die von dem Staat, in dem sie erworben wurde, staatlich anerkannt ist und deren Erlangung eine Ausbildungsdauer von mindestens zwei Jahren vorausgesetzt hat,
   b) einen ausländischen Hochschulabschluss, der von dem Staat, in dem er erworben wurde, staatlich anerkannt ist, oder
   c) einen im Ausland erworbenen Berufsabschluss, der durch eine Ausbildung erworben wurde, die nach Inhalt, Dauer und der Art ihrer Durchführung die Anforderungen des Berufsbildungsgesetzes an eine Berufsausbildung einhält und geeignet ist, die notwendige berufliche Handlungsfähigkeit für einen Ausbildungsberuf nach dem Berufsbildungsgesetz oder der Handwerksordnung zu vermitteln, und der von einer deutschen Auslandshandelskammer erteilt worden ist.

[2] Ist der Arbeitgeber tarifgebunden und beschäftigt er die Ausländerin oder den Ausländer zu den bei ihm geltenden tariflichen Arbeitsbedingungen, findet die Gehaltsschwelle nach Satz 1 Nummer 2 Halbsatz 2 keine Anwendung. [3] In Berufen auf dem Gebiet der Informations- und Kommunikationstechnologie findet Satz 1 Nummer 3 keine Anwendung. [4] Der Ausländer ist verpflichtet, sich das Vorliegen der Voraussetzungen nach Satz 1 Nummer 3 Buchstabe a oder b von einer fachkundigen inländischen Stelle bestätigen zu lassen. [5] Das Vorliegen der nach Satz 1 Nummer 3 Buchstabe c an die Ausbildung im

---

[1] Nr. **760**.
[2] § 6 neu gef. mWv 1.3.2024 durch VO v. 30.8.2023 (BGBl. 2023 I Nr. 233).

Ausland gestellten Anforderungen ist gegenüber der abschlusserteilenden Stelle auf deren Antrag und Kosten zu bestätigen.

(2) [1] § 9 findet keine Anwendung. [2] Das Bundesministerium des Innern und für Heimat gibt das Mindestgehalt nach Absatz 1 Satz 1 für jedes Kalenderjahr jeweils bis zum 31. Dezember des Vorjahres im Bundesanzeiger bekannt.

§ 7[1)] *(aufgehoben)*

§ 8[2)] **Betriebliche Aus- und Weiterbildung; Anerkennung ausländischer Berufsqualifikationen.** (1) Die Zustimmung kann für die Erteilung eines Aufenthaltstitels nach § 16a Absatz 1 des Aufenthaltsgesetzes[3)] erteilt werden.

(2) Die Zustimmung kann für die Erteilung einer Aufenthaltserlaubnis nach § 16d Absatz 1 Satz 2 Nummer 3 und Absatz 2 des Aufenthaltsgesetzes[3)] erteilt werden.

(3) Ist für eine qualifizierte Beschäftigung

1. die Feststellung der Gleichwertigkeit eines im Ausland erworbenen Berufsabschlusses im Sinne des § 18a des Aufenthaltsgesetzes[4)] oder
2. in einem im Inland reglementierten Beruf die Befugnis zur Berufsausübung notwendig

und ist hierfür eine vorherige befristete praktische Tätigkeit im Inland erforderlich, kann der Erteilung des Aufenthaltstitels für die Ausübung dieser befristeten Beschäftigung zugestimmt werden.

§ 9[5)] **Beschäftigung bei Vorbeschäftigungszeiten oder längerem Voraufenthalt.** (1) Keiner Zustimmung bedarf die Ausübung einer Beschäftigung bei Ausländerinnen und Ausländern, die eine Aufenthaltserlaubnis besitzen und

1. zwei Jahre rechtmäßig eine versicherungspflichtige Beschäftigung im Bundesgebiet ausgeübt haben oder
2. sich seit drei Jahren ununterbrochen erlaubt, geduldet oder mit einer Aufenthaltsgestattung im Bundesgebiet aufhalten; Unterbrechungszeiten werden entsprechend § 51 Absatz 1 Nummer 7 des Aufenthaltsgesetzes[3)] berücksichtigt.

(2) Auf die Beschäftigungszeit nach Absatz 1 Nummer 1 werden nicht angerechnet Zeiten

1. von Beschäftigungen, die vor dem Zeitpunkt liegen, an dem die Ausländerin oder der Ausländer unter Aufgabe ihres oder seines gewöhnlichen Aufenthaltes ausgereist war,
2. einer nach dem Aufenthaltsgesetz oder dieser Verordnung zeitlich begrenzten Beschäftigung und

---

[1)] § 7 aufgeh. mWv 1.3.2020 durch G v. 15.8.2019 (BGBl. I S. 1307).

[2)] § 8 Überschr. neu gef., Abs. 1 und 2 eingef., bish. Wortlaut wird Abs. 3 mWv 1.8.2015 durch G v. 27.7.2015 (BGBl. I S. 1386); Abs. 1 geänd., Abs. 2 neu gef., Abs. 3 Satz 1 Nr. 1 geänd., Satz 2 aufgeh. mWv 1.3.2020 durch G v. 15.8.2019 (BGBl. I S. 1307); Abs. 1 geänd., Abs. 2 neu gef. mWv 1.3.2024 durch VO v. 30.8.2023 (BGBl. 2023 I Nr. 233).

[3)] **beck-online, Module Arbeitsrecht Nr. 760.**

[4)] Nr. **760**.

[5)] § 9 Abs. 3 Satz 1 geänd. mWv 1.3.2020 durch G v. 15.8.2019 (BGBl. I S. 1307); Abs. 1 einl. Satzteil geänd. mWv 18.11.2023 durch VO v. 30.8.2023 (BGBl. 2023 I Nr. 233).

3. einer Beschäftigung, für die die Ausländerin oder der Ausländer auf Grund einer zwischenstaatlichen Vereinbarung von der Zustimmungspflicht für eine Beschäftigung befreit war.

(3) [1] Auf die Aufenthaltszeit nach Absatz 1 Nummer 2 werden Zeiten eines Aufenthaltes nach § 16b des Aufenthaltsgesetzes[1)] nur zur Hälfte und nur bis zu zwei Jahren angerechnet. [2] Zeiten einer Beschäftigung, die nach dem Aufent-

(Fortsetzung nächstes Blatt)

[1)] **beck-online, Module Arbeitsrecht Nr. 760.**

haltsgesetz oder dieser Verordnung zeitlich begrenzt ist, werden auf die Aufenthaltszeit angerechnet, wenn der Ausländerin oder dem Ausländer ein Aufenthaltstitel für einen anderen Zweck als den der Beschäftigung erteilt wird.

Teil 3. Vorübergehende Beschäftigung

§ 10[1] **Internationaler Personalaustausch, Auslandsprojekte.** (1) Die Zustimmung kann erteilt werden zur Ausübung einer Beschäftigung von bis zu drei Jahren

1. Ausländerinnen und Ausländern, die eine Hochschulausbildung oder eine vergleichbare Qualifikation besitzen, im Rahmen des Personalaustausches innerhalb eines international tätigen Unternehmens oder Konzerns,
2. für im Ausland beschäftigte Arbeitnehmerinnen und Arbeitnehmer eines international tätigen Konzerns oder Unternehmens im inländischen Konzern- oder Unternehmensteil, wenn die Tätigkeit zur Vorbereitung von Auslandsprojekten unabdingbar erforderlich ist, die Arbeitnehmerin oder der Arbeitnehmer bei der Durchführung des Projektes im Ausland tätig wird und über eine mit deutschen Facharbeitern vergleichbare Qualifikation und darüber hinaus über besondere, vor allem unternehmensspezifische Spezialkenntnisse verfügt.

(2) [1] In den Fällen des Absatzes 1 Satz 1 Nummer 2 kann die Zustimmung auch für Arbeitnehmerinnen und Arbeitnehmer des Auftraggebers des Auslandsprojektes erteilt werden, wenn sie im Zusammenhang mit den vorbereitenden Arbeiten vorübergehend vom Auftragnehmer beschäftigt werden, der Auftrag eine entsprechende Verpflichtung für den Auftragnehmer enthält und die Beschäftigung für die spätere Tätigkeit im Rahmen des fertig gestellten Projektes notwendig ist. [2] Satz 1 wird auch angewendet, wenn der Auftragnehmer weder eine Zweigstelle noch einen Betrieb im Ausland hat.

§ 10a[2] **Unternehmensintern transferierte Arbeitnehmer.** Die Zustimmung zur Erteilung einer ICT-Karte nach § 19 des Aufenthaltsgesetzes[3] und zur Erteilung einer Mobiler-ICT-Karte nach § 19b des Aufenthaltsgesetzes[3] kann erteilt werden, wenn

1. die Beschäftigung in der aufnehmenden Niederlassung als Führungskraft, als Spezialistin oder Spezialist oder als Trainee erfolgt,
2. das Arbeitsentgelt nicht ungünstiger ist als das vergleichbarer deutscher Arbeitnehmerinnen und Arbeitnehmer und
3. die Beschäftigung nicht zu ungünstigeren Arbeitsbedingungen erfolgt als die vergleichbarer entsandter Arbeitnehmerinnen und Arbeitnehmer.

§ 11[4] **Sprachlehrerinnen und Sprachlehrer, Spezialitätenköchinnen und Spezialitätenköche.** (1) Die Zustimmung kann für Lehrkräfte zur Erteilung muttersprachlichen Unterrichts in Schulen unter Aufsicht der jeweils

---

[1] § 10 Abs. 1 Satz 2 aufgeh. mWv 1.3.2020 durch G v. 15.8.2019 (BGBl. I S. 1307).

[2] § 10a eingef. mWv 5.8.2017 durch VO v. 1.8.2017 (BGBl. I S. 3066); Abs. 1 geänd., Abs. 2 aufgeh. mWv 1.3.2020 durch G v. 15.8.2019 (BGBl. I S. 1307).

[3] Nr. **760**.

[4] § 11 Abs. 2 Satz 2 geänd. mWv 5.8.2017 durch VO v. 1.8.2017 (BGBl. I S. 3066); Abs. 1 Satz 2 aufgeh., Abs. 2 Satz 1 geänd. mWv 1.3.2020 durch G v. 15.8.2019 (BGBl. I S. 1307).

zuständigen berufskonsularischen Vertretung mit einer Geltungsdauer von bis zu fünf Jahren erteilt werden.

(2) [1] Die Zustimmung kann mit Vorrangprüfung für Spezialitätenköchinnen und Spezialitätenköche für die Ausübung einer Vollzeitbeschäftigung in Spezialitätenrestaurants mit einer Geltungsdauer von bis zu vier Jahren erteilt werden. [2] Die erstmalige Zustimmung wird längstens für ein Jahr erteilt.

(3) Für eine erneute Beschäftigung nach den Absätzen 1 und 2 darf die Zustimmung nicht vor Ablauf von drei Jahren nach Ablauf des früheren Aufenthaltstitels erteilt werden.

§ 12[1)] Au-pair-Beschäftigungen. [1] Die Zustimmung kann für Personen mit Grundkenntnissen der deutschen Sprache erteilt werden, die unter 27 Jahre alt sind und in einer Familie, in der Deutsch als Muttersprache gesprochen wird, bis zu einem Jahr als Au-pair beschäftigt werden. [2] Wird in der Familie Deutsch als Familiensprache gesprochen, kann die Zustimmung erteilt werden, wenn der oder die Beschäftigte nicht aus einem Heimatland der Gasteltern stammt.

§ 13[2)] Hausangestellte von Entsandten. [1] Die Zustimmung zur Ausübung einer Beschäftigung als Hausangestellte oder Hausangestellter bei Personen, die

1. für ihren Arbeitgeber oder im Auftrag eines Unternehmens mit Sitz im Ausland vorübergehend im Inland tätig werden oder
2. die Hausangestellte oder den Hausangestellten auf der Grundlage der Wiener Übereinkommen über diplomatische Beziehungen oder über konsularische Beziehungen eingestellt haben,

kann erteilt werden, wenn diese Personen vor ihrer Einreise die Hausangestellte oder den Hausangestellten seit mindestens einem Jahr in ihrem Haushalt zur Betreuung eines Kindes unter 16 Jahren oder eines pflegebedürftigen Haushaltsmitgliedes beschäftigt haben. [2] Die Zustimmung wird für die Dauer des Aufenthaltes der Person, bei der die Hausangestellten beschäftigt sind, längstens für fünf Jahre erteilt.

§ 14[3)] Sonstige Beschäftigungen. (1) Keiner Zustimmung bedarf die Erteilung eines Aufenthaltstitels an

1. Personen, die im Rahmen eines gesetzlich geregelten oder auf einem Programm der Europäischen Union beruhenden Freiwilligendienstes beschäftigt werden, oder
2. vorwiegend aus karitativen Gründen Beschäftigte.

(1a) [1] Keiner Zustimmung bedarf die Erteilung eines Aufenthaltstitels an vorwiegend aus religiösen Gründen Beschäftigte, die über hinreichende deutsche Sprachkenntnisse verfügen. [2] Wenn es dem aus religiösen Gründen Beschäftigten auf Grund besonderer Umstände des Einzelfalles nicht möglich oder nicht zumutbar ist, vor der Einreise Bemühungen zum Erwerb hinreichender Kenntnisse der deutschen Sprache zu unternehmen, oder in Abwägung der Gesamtumstände das Sprachnachweiserfordernis im Einzelfall eine besondere Härte

---

[1)] § 12 Satz 3 aufgeh. mWv 1.3.2020 durch G v. 15.8.2019 (BGBl. I S. 1307).

[2)] § 13 Satz 2 geänd. mWv 1.3.2020 durch G v. 15.8.2019 (BGBl. I S. 1307).

[3)] *§ 14 Abs. 2 geänd.* mWv 1.8.2015 durch G v. 27.7.2015 (BGBl. I S. 1386); Abs. 1 Nr. 2 geänd., Abs. 1a eingef. mWv 1.10.2020, Abs. 1a Sätze 1–3 geänd. mWv 1.10.2021 durch VO v. 23.3.2020 (BGBl. I S. 655); Abs. 2 geänd. mWv 1.3.2024 durch VO v. 30.8.2023 (BGBl. 2023 I Nr. 233).

darstellen würde, bedarf die erstmalige Erteilung eines Aufenthaltstitels trotz fehlender hinreichender deutscher Sprachkenntnisse keiner Zustimmung. [3] Im Fall des Satzes 2 sind innerhalb eines Zeitraums von weniger als einem Jahr nach Einreise hinreichende deutsche Sprachkenntnisse nachzuweisen. [4] Aus vorwiegend religiösen Gründen Beschäftigte, die wegen ihrer Staatsangehörigkeit auch für einen Aufenthalt, der kein Kurzaufenthalt ist, visumfrei in das Bundesgebiet einreisen und sich darin aufhalten dürfen, sind vom Erfordernis der Sprachkenntnisse befreit.

(2) Keiner Zustimmung bedarf die Erteilung eines Aufenthaltstitels an Studierende ausländischer Hochschulen bis zur Vollendung des 35. Lebensjahres zur Ausübung einer Ferienbeschäftigung von bis zu 90 Tagen innerhalb eines Zeitraums von zwölf Monaten, die von der Bundesagentur für Arbeit vermittelt worden ist.

§ 15[1)] Praktika zu Weiterbildungszwecken. Keiner Zustimmung bedarf die Erteilung eines Aufenthaltstitels für ein Praktikum

1. nach § 16e des Aufenthaltsgesetzes[2)],
2. während eines Aufenthaltes zum Zweck der schulischen Ausbildung oder des Studiums, das vorgeschriebener Bestandteil der Ausbildung ist oder zur Erreichung des Ausbildungszieles nachweislich erforderlich ist,
3. im Rahmen eines von der Europäischen Union oder der bilateralen Entwicklungszusammenarbeit finanziell geförderten Programms,
4. mit einer Dauer von bis zu einem Jahr im Rahmen eines internationalen Austauschprogramms von Verbänden, öffentlich-rechtlichen Einrichtungen oder studentischen Organisationen an Studierende oder Absolventen ausländischer Hochschulen im Einvernehmen mit der Bundesagentur für Arbeit,
5. an Fach- und Führungskräfte, die ein Stipendium aus öffentlichen deutschen Mitteln, Mitteln der Europäischen Union oder Mitteln internationaler zwischenstaatlicher Organisationen erhalten,
6. mit einer Dauer von bis zu einem Jahr während eines Studiums an einer ausländischen Hochschule, das nach dem vierten Semester studienfachbezogen im Einvernehmen mit der Bundesagentur für Arbeit ausgeübt wird,
7. von Schülerinnen und Schülern sowie Schulabsolventinnen und Schulabsolventen deutscher Auslandsschulen mit einer Dauer von bis zu sechs Wochen oder
8. von Schülerinnen und Schülern sowie Schulabsolventinnen und Schulabsolventen anderer allgemeinbildender ausländischer Schulen mit einer Dauer von bis zu sechs Wochen, wenn sie über ausreichende deutsche Sprachkenntnisse verfügen.

§ 15a[3)] Saisonabhängige Beschäftigung. (1) [1] Ausländerinnen und Ausländern, die auf Grund einer Absprache der Bundesagentur für Arbeit mit der

---

[1)] § 15 Nr. 1 eingef., bish. Nr. 1–5 werden Nr. 2–6 mWv 5.8.2017 durch VO v. 1.8.2017 (BGBl. I S. 3066); Nr. 1 geänd. mWv 1.3.2020 durch G v. 15.8.2019 (BGBl. I S. 1307); Nr. 5 und 6 geänd., Nr. 7 angef. mWv 1.4.2020 durch VO v. 23.3.2020 (BGBl. I S. 655); Nr. 6 und 7 geänd., Nr. 8 angef. mWv 1.3.2024 durch VO v. 30.8.2023 (BGBl. 2023 I Nr. 233).

[2)] **beck-online, Module Arbeitsrecht Nr. 760.**

[3)] § 15a neu gef. mWv 5.8.2017 durch VO v. 1.8.2017 (BGBl. I S. 3066); Abs. 1 Satz 1 Nr. 1 und 2, Abs. 3 Satz 3 geänd. mWv 1.3.2020 durch G v. 15.8.2019 (BGBl. I S. 1307); Abs. 1 Satz 1 Nr. 1 und 2 Buchst. b geänd. mWv 1.4.2020 durch VO v. 23.3.2020 (BGBl. I S. 655); Abs. 3 Sätze 4 und 5, Abs. 4 →

Arbeitsverwaltung des Herkunftslandes über das Verfahren und die Auswahl zum Zweck der Saisonbeschäftigung nach der Richtlinie 2014/36/EU[1] des Europäischen Parlaments und des Rates vom 26. Februar 2014 über die Bedingungen für die Einreise und den Aufenthalt von Drittstaatsangehörigen zwecks Beschäftigung als Saisonarbeitnehmer (ABl. L 94 vom 28.3.2014, S. 375) vermittelt worden sind, kann die Bundesagentur für Arbeit zur Ausübung einer saisonabhängigen Beschäftigung von regelmäßig mindestens 30 Stunden wöchentlich in der Land- und Forstwirtschaft, im Gartenbau, im Hotel- und Gaststättengewerbe, in der Obst- und Gemüseverarbeitung sowie in Sägewerken

1. eine Arbeitserlaubnis für die Dauer von bis zu 90 Tagen je Zeitraum von 180 Tagen mit Vorrangprüfung erteilen, wenn es sich um Staatsangehörige eines in Anhang II der Verordnung (EU) 2018/1806 des Europäischen Parlaments und des Rates vom 14. November 2018 zur Aufstellung der Liste der Drittländer, deren Staatsangehörige beim Überschreiten der Außengrenzen im Besitz eines Visums sein müssen, sowie der Liste der Drittländer, deren Staatsangehörige von dieser Visumpflicht befreit sind (ABl. L 303 vom 28.11.2018, S. 39), die durch die Verordnung (EU) 2019/592 (ABl. L 103 I vom 12.4.2019, S. 1) geändert worden ist, genannten Staates handelt, oder
2. eine Zustimmung mit Vorrangprüfung erteilen, wenn
   a) die Aufenthaltsdauer mehr als 90 Tage je Zeitraum von 180 Tagen beträgt oder
   b) es sich um Staatsangehörige eines in Anhang I der Verordnung (EU) 2018/1806 genannten Staates handelt.

[2] Die saisonabhängige Beschäftigung eines Ausländers oder einer Ausländerin darf sechs Monate innerhalb eines Zeitraums von zwölf Monaten nicht überschreiten. [3] Die Dauer der saisonabhängigen Beschäftigung darf den Gültigkeitszeitraum des Reisedokuments nicht überschreiten. [4] Im Fall des § 39 Nummer 11 der Aufenthaltsverordnung[2] gilt die Zustimmung als erteilt, bis über sie entschieden ist. Ausländerinnen und Ausländern, die in den letzten fünf Jahren mindestens einmal als Saisonbeschäftigte im Bundesgebiet tätig waren, sind im Rahmen der durch die Bundesagentur für Arbeit festgelegten Zahl der Arbeitserlaubnisse und Zustimmungen bevorrechtigt zu berücksichtigen. [5] Der Zeitraum für die Beschäftigung von Saisonbeschäftigten ist für einen Betrieb auf acht Monate innerhalb eines Zeitraums von zwölf Monaten begrenzt. [6] Satz 5 gilt nicht für Betriebe des Obst-, Gemüse-, Wein-, Hopfen- und Tabakanbaus.

(2) [1] Die Erteilung einer Arbeitserlaubnis oder der Zustimmung setzt voraus, dass

1. der Nachweis über ausreichenden Krankenversicherungsschutz erbracht wird,
2. der oder dem Saisonbeschäftigten eine angemessene Unterkunft zur Verfügung steht und
3. ein konkretes Arbeitsplatzangebot oder ein gültiger Arbeitsvertrag vorliegt, in dem insbesondere festgelegt sind

---

(Fortsetzung der Anm. von voriger Seite)
Satz 2 angef. mWv 1.3.2024 durch VO v. 30.8.2023 (BGBl. 2023 I Nr. 233); Abs. 2 Satz 2 neu gef., Abs. 3 Satz 1 Nr. 6 und 7 geänd., Nr. 8 eingef., Satz 5 neu gef. mWv 24.12.2025 durch G v. 22.12.2025 *(BGBl. 2025 I Nr. 355)*.

[1] Nr. **875**.

[2] Nr. **761**.

a) der Ort und die Art der Arbeit,
b) die Dauer der Beschäftigung,
c) die Vergütung,
d) die Arbeitszeit pro Woche oder Monat,
e) die Dauer des bezahlten Urlaubs,
f) gegebenenfalls andere einschlägige Arbeitsbedingungen und
g) falls möglich, der Zeitpunkt des Beginns der Beschäftigung.

[2] Stellt der Arbeitgeber der oder dem Saisonbeschäftigten eine Unterkunft zur Verfügung, so muss der Mietzins angemessen sein und darf nicht automatisch vom Lohn einbehalten werden. [3] In diesem Fall muss der oder die Saisonbeschäftigte einen Mietvertrag erhalten, in dem die Mietbedingungen festgelegt sind. [4] Der Arbeitgeber hat der Bundesagentur für Arbeit jeden Wechsel der Unterkunft des oder der Saisonbeschäftigten unverzüglich anzuzeigen.

(3) [1] Die Arbeitserlaubnis oder die Zustimmung ist zu versagen oder zu entziehen, wenn

1. sich die Ausländerin oder der Ausländer bereits im Bundesgebiet aufhält, es sei denn, die Einreise ist zur Aufnahme der Saisonbeschäftigung erfolgt oder die Arbeitserlaubnis oder die Zustimmung wird für eine an eine Saisonbeschäftigung anschließende weitere Saisonbeschäftigung beantragt,
2. der oder die Saisonbeschäftigte einen Antrag nach Artikel 16a des Grundgesetzes[1)] gestellt hat oder um internationalen Schutz gemäß der Richtlinie 2011/95/EU nachsucht; § 55 Absatz 2 des Asylgesetzes[2)] bleibt unberührt,
3. der oder die Saisonbeschäftigte den aus einer früheren Entscheidung über die Zulassung zur Saisonbeschäftigung erwachsenen Verpflichtungen nicht nachgekommen ist,
4. über das Unternehmen des Arbeitgebers ein Insolvenzverfahren eröffnet wurde, das auf Auflösung des Unternehmens und Abwicklung des Geschäftsbetriebs gerichtet ist,
5. das Unternehmen des Arbeitgebers im Rahmen der Durchführung eines Insolvenzverfahrens aufgelöst wurde und der Geschäftsbetrieb abgewickelt wurde,
6. die Eröffnung eines Insolvenzverfahrens über das Vermögen des Unternehmens des Arbeitgebers mangels Masse abgelehnt wurde und der Geschäftsbetrieb eingestellt wurde,
7. das Unternehmen des Arbeitgebers keine Geschäftstätigkeit ausübt oder
8. die nach Absatz 2 vorgelegten Unterlagen in betrügerischer Weise erworben, gefälscht oder manipuliert wurden.

[2] Die Arbeitserlaubnis oder die Zustimmung ist zu versagen, wenn die durch die Bundesagentur für Arbeit festgelegte Zahl der Arbeitserlaubnisse und Zustimmungen für den maßgeblichen Zeitraum erreicht ist. [3] § 39 Absatz 3 des Aufenthaltsgesetzes[3)] bleibt unberührt. [4] Die Arbeitserlaubnis oder die Zustimmung kann versagt oder die Arbeitserlaubnis entzogen werden, wenn der Arbeitgeber seinen sozialversicherungsrechtlichen, steuerrechtlichen oder arbeitsrechtlichen Pflichten nicht nachgekommen ist. [5] § 40 Absatz 1 und 2 Nummer 1 und 3 sowie

---

1) **beck-online, Module Arbeitsrecht Nr. 10.**
2) Nr. **780**.
3) Nr. **760**.

§ 41 des Aufenthaltsgesetzes[1] mit Ausnahme der Tatbestände des § 40 Absatz 2 Nummer 2 und Absatz 3 des Aufenthaltsgesetzes[1] gelten fort.

(4) [1]Die Arbeitserlaubnis ist vom Arbeitgeber bei der Bundesagentur für Arbeit zu beantragen. [2]Die Ausländerin oder der Ausländer muss spätestens bei Aufnahme der Beschäftigung im Besitz der Arbeitserlaubnis sein.

(5) Bei einer ein- oder mehrmaligen Verlängerung des Beschäftigungsverhältnisses bei demselben oder einem anderen Arbeitgeber kann eine weitere Arbeitserlaubnis erteilt werden, soweit die in Absatz 1 Satz 1 Nummer 1 genannte Höchstdauer nicht überschritten wird.

(6) Die Arbeitserlaubnis und die Zustimmung werden ohne Vorrangprüfung erteilt, soweit die Bundesagentur für Arbeit eine am Bedarf orientierte Zulassungszahl nach § 39 Absatz 6 Satz 3 des Aufenthaltsgesetzes[1] festgelegt hat.

§ 15b[2] Schaustellergehilfen. Die Zustimmung zu einem Aufenthaltstitel zur Ausübung einer Beschäftigung im Schaustellergewerbe kann bis zu insgesamt neun Monaten im Kalenderjahr mit Vorrangprüfung erteilt werden, wenn die betreffenden Personen auf Grund einer Absprache der Bundesagentur für Arbeit mit der Arbeitsverwaltung des Herkunftslandes über das Verfahren und die Auswahl vermittelt worden sind.

§ 15c[3] Haushaltshilfen. [1]Die Zustimmung zu einem Aufenthaltstitel zur Ausübung einer versicherungspflichtigen Vollzeitbeschäftigung bis zu drei Jahren für hauswirtschaftliche Arbeiten und notwendige pflegerische Alltagshilfen in Haushalten mit Pflegebedürftigen im Sinne des Elften Buches Sozialgesetzbuch[4] kann mit Vorrangprüfung erteilt werden, wenn die betreffenden Personen auf Grund einer Absprache der Bundesagentur für Arbeit mit der Arbeitsverwaltung des Herkunftslandes über das Verfahren und die Auswahl vermittelt worden sind. [2]Innerhalb des Zulassungszeitraums von drei Jahren kann die Zustimmung zum Wechsel des Arbeitgebers erteilt werden. [3]Für eine erneute Beschäftigung nach der Ausreise darf die Zustimmung nach Satz 1 nur erteilt werden, wenn sich die betreffende Person nach der Ausreise mindestens so lange im Ausland aufgehalten hat, wie sie zuvor im Inland beschäftigt war.

§ 15d[5] Kurzzeitige kontingentierte Beschäftigung. (1) [1]Die Bundesagentur für Arbeit kann Ausländerinnen und Ausländern zur Ausübung jeder inländischen Beschäftigung von regelmäßig mindestens 30 Stunden wöchentlich

1. eine Arbeitserlaubnis für die Dauer von bis zu 90 Tagen je Zeitraum von 180 Tagen erteilen, wenn es sich um Staatsangehörige eines in Anhang II der Verordnung (EU) 2018/1806 genannten Staates handelt, oder
2. die Zustimmung zu einem Aufenthaltstitel erteilen, wenn
   a) die Aufenthaltsdauer mehr als 90 Tage je Zeitraum von 180 Tagen beträgt oder
   b) es sich um Staatsangehörige eines in Anhang I der Verordnung (EU) 2018/1806 genannten Staates handelt.

---

[1] Nr. **760**.
[2] § 15b geänd. mWv 1.3.2020 durch G v. 15.8.2019 (BGBl. I S. 1307).
[3] *§ 15c Satz 1 geänd. mWv 1.3.2020* durch G v. 15.8.2019 (BGBl. I S. 1307).
[4] **Aichberger, SGB Nr. 11.**
[5] § 15d eingef. mWv 1.3.2024 durch VO v. 30.8.2023 (BGBl. 2023 I Nr. 233).

[2]Die Zustimmung oder Arbeitserlaubnis setzt voraus, dass die Bundesagentur für Arbeit eine am Bedarf orientierte Zulassungszahl (Kontingent) festgelegt hat und das Kontingent noch nicht ausgeschöpft ist. [3]Die Festlegung kann sich insbesondere auf bestimmte Wirtschaftszweige oder Berufsgruppen beziehen oder diese ausschließen. [4]Die Bundesagentur für Arbeit kann die Festlegung entsprechend des arbeitsmarktlichen Bedarfs jederzeit ändern. [5]Die Bundesagentur für Arbeit kann die Zustimmung oder die Arbeitserlaubnis versagen, wenn sie für einzelne Berufsgruppen oder Wirtschaftszweige festgestellt hat, dass sich aus der Besetzung offener Stellen mit ausländischen Bewerberinnen oder Bewerbern nachteilige Auswirkungen auf den Arbeitsmarkt, insbesondere hinsichtlich der Beschäftigungsstruktur, der Region oder eines Wirtschaftszweiges, ergeben.

(2) Die Zustimmung oder die Arbeitserlaubnis setzt weiter voraus, dass der Arbeitgeber

1. gemäß § 3 oder § 5 des Tarifvertragsgesetzes[1)] an einen Tarifvertrag gebunden ist, der die Entlohnung für die angestrebte Tätigkeit der Ausländerin oder des Ausländers regelt,
2. die Ausländerin oder den Ausländer zu den geltenden tariflichen Arbeitsbedingungen beschäftigt,
3. die erforderlichen Reisekosten trägt und
4. Ausländerinnen und Ausländer aufgrund dieser Vorschrift an höchstens zehn innerhalb von zwölf Monaten in dem Einsatzbetrieb beschäftigt.

(3) [1]Die Beschäftigung darf acht Monate innerhalb eines Zeitraums von zwölf Monaten nicht überschreiten. [2]Im Fall des § 39 Satz 1 Nummer 11 der Aufenthaltsverordnung[2)] gilt die Zustimmung als erteilt, bis über sie entschieden ist.

(4) [1]Die Arbeitserlaubnis ist vom Arbeitgeber bei der Bundesagentur für Arbeit zu beantragen. [2]Die Ausländerin oder der Ausländer muss spätestens bei Aufnahme der Beschäftigung im Besitz der Arbeitserlaubnis sein.

(5) [1]Bei einer ein- oder mehrmaligen Verlängerung des Beschäftigungsverhältnisses kann eine weitere Arbeitserlaubnis erteilt werden, soweit die in Absatz 1 Satz 1 Nummer 1 genannte Höchstdauer nicht überschritten wird. [2]Dies gilt auch für ein Beschäftigungsverhältnis bei einem anderen Arbeitgeber.

Teil 4. Entsandte Arbeitnehmerinnen und Arbeitnehmer

§ 16[3)] Geschäftsreisende. Keiner Zustimmung bedarf die Erteilung eines Aufenthaltstitels an Personen, die

1. bei einem Arbeitgeber mit Sitz im Inland im kaufmännischen Bereich im Ausland beschäftigt werden,
2. für einen Arbeitgeber mit Sitz im Ausland Besprechungen oder Verhandlungen im Inland führen, Vertragsangebote erstellen, Verträge schließen oder die Durchführung eines Vertrages überwachen oder
3. für einen Arbeitgeber mit Sitz im Ausland einen inländischen Unternehmensteil gründen, überwachen oder steuern,

---

[1)] Nr. **504**.
[2)] Nr. **761**.
[3)] § 16 abschl. Satzteil geänd. mWv 1.8.2015 durch G v. 27.7.2015 (BGBl. I S. 1386).

und die sich im Rahmen ihrer Beschäftigung unter Beibehaltung ihres gewöhnlichen Aufenthaltes im Ausland insgesamt nicht länger als 90 Tage innerhalb eines Zeitraums von 180 Tagen im Inland aufhalten.

§ 17[1)] Betriebliche Weiterbildung. Keiner Zustimmung bedarf die Erteilung eines Aufenthaltstitels an im Ausland beschäftigte Fachkräfte eines international tätigen Konzerns oder Unternehmens zum Zweck einer betrieblichen Weiterbildung im inländischen Konzern- oder Unternehmensteil für bis zu 90 Tage innerhalb eines Zeitraums von zwölf Monaten.

§ 18[2)] Journalistinnen und Journalisten. Keiner Zustimmung bedarf die Erteilung eines Aufenthaltstitels an Beschäftigte eines Arbeitgebers mit Sitz im Ausland,

1. deren Tätigkeit vom Presse- und Informationsamt der Bundesregierung anerkannt ist oder
2. die unter Beibehaltung ihres gewöhnlichen Aufenthaltes im Ausland im Inland journalistisch tätig werden, wenn die Dauer der Tätigkeit 90 Tage innerhalb eines Zeitraums von zwölf Monaten nicht übersteigt.

§ 19[3)] Werklieferungsverträge. (1) [1]Keiner Zustimmung bedarf die Erteilung eines Aufenthaltstitels an Personen, die von ihrem Arbeitgeber mit Sitz im Ausland für bis zu 90 Tage innerhalb eines Zeitraums von zwölf Monaten in das Inland entsandt werden, um

1. gewerblichen Zwecken dienende Maschinen, Anlagen und Programme der elektronischen Datenverarbeitung, die bei dem Arbeitgeber bestellt worden sind, aufzustellen und zu montieren, zu warten oder zu reparieren oder um in die Bedienung dieser Maschinen, Anlagen und Programme einzuweisen,
2. erworbene Maschinen, Anlagen und sonstige Sachen abzunehmen oder in ihre Bedienung eingewiesen zu werden,
3. erworbene, gebrauchte Anlagen zum Zweck des Wiederaufbaus im Sitzstaat des Arbeitgebers zu demontieren,
4. unternehmenseigene Messestände oder Messestände für ein ausländisches Unternehmen, das im Sitzstaat des Arbeitgebers ansässig ist, auf- und abzubauen und zu betreuen oder
5. im Rahmen von Exportlieferungs- und Lizenzverträgen einen Betriebslehrgang zu absolvieren.

[2]In den Fällen des Satzes 1 Nummer 1 und 3 setzt die Befreiung von der Zustimmung voraus, dass der Arbeitgeber der Bundesagentur für Arbeit die Beschäftigungen vor ihrer Aufnahme angezeigt hat.

---

1) § 17 geänd. mWv 1.8.2015 durch G v. 27.7.2015 (BGBl. I S. 1386).

2) § 18 Nr. 2 geänd. mWv 1.8.2015 durch G v. 27.7.2015 (BGBl. I S. 1386).

3) § 19 Abs. 1 Satz 1 einl. Satzteil, Abs. 2 Satz 1 einl. Satzteil geänd. mWv 1.8.2015 durch G v. 27.7. 2015 (BGBl. I S. 1386); Abs. 2 Satz 2 aufgeh. mWv 1.3.2020 durch G v. 15.8.2019 (BGBl. I S. 1307); Abs. 2 Nr. 1 geänd., Nr. 2 eingef., bish. Nr. 2 wird Nr. 3 mWv 1.4.2020 durch VO v. 23.3.2020 (BGBl. I S. 655).

(2) Die Zustimmung kann für Personen erteilt werden, die von ihrem Arbeitgeber mit Sitz im Ausland länger als 90 Tage und bis zu einer Dauer von drei Jahren in das Inland entsandt werden, um

1. gewerblichen Zwecken dienende Maschinen, Anlagen und Programme der elektronischen Datenverarbeitung, die bei dem Arbeitgeber bestellt worden sind, aufzustellen und zu montieren, zu warten oder zu reparieren oder um in die Bedienung dieser Maschinen, Anlagen und Programme einzuweisen,
2. erworbene Maschinen, Anlagen und sonstige Sachen abzunehmen oder in ihre Bedienung eingewiesen zu werden, oder
3. erworbene, gebrauchte Anlagen zum Zweck des Wiederaufbaus im Sitzstaat des Arbeitgebers zu demontieren.

§ 20[1)] **Internationaler Straßen- und Schienenverkehr.** (1) Keiner Zustimmung bedarf die Erteilung eines Aufenthaltstitels an das Fahrpersonal, das

1. im Güterkraftverkehr für einen Arbeitgeber mit Sitz
   a) im Hoheitsgebiet eines anderen Mitgliedstaates der Europäischen Union oder eines anderen Vertragsstaates des Abkommens über den Europäischen Wirtschaftsraum Beförderungen im grenzüberschreitenden Verkehr nach Artikel 2 Nummer 2 oder Kabotagebeförderungen nach Artikel 8 Absatz 2 der Verordnung (EG) Nr. 1072/2009 des Europäischen Parlaments und des Rates vom 21. Oktober 2009 über gemeinsame Regeln für den Zugang zum Markt des grenzüberschreitenden Güterverkehrs (ABl. L 300 vom 14.11.2009, S. 72) durchführt und für das dem Arbeitgeber eine Fahrerbescheinigung ausgestellt worden ist,
   b) außerhalb des Hoheitsgebietes eines Mitgliedstaates der Europäischen Union oder eines anderen Vertragsstaates des Abkommens über den Europäischen Wirtschaftsraum Beförderungen im grenzüberschreitenden Güterverkehr mit einem im Sitzstaat des Arbeitgebers zugelassenen Fahrzeug durchführt, für einen Aufenthalt von höchstens 90 Tagen innerhalb eines Zeitraums von zwölf Monaten, oder ein in Deutschland zugelassenes Fahrzeug in einen Staat außerhalb dieses Gebietes überführt,
2. im grenzüberschreitenden Personenverkehr auf der Straße für einen Arbeitgeber mit Sitz im Ausland grenzüberschreitende Fahrten mit einem im Sitzstaat des Arbeitgebers zugelassenen Fahrzeug durchführt. Dies gilt im grenzüberschreitenden Linienverkehr mit Omnibussen auch dann, wenn das Fahrzeug im Inland zugelassen ist.

(2) Keiner Zustimmung bedarf die Erteilung eines Aufenthaltstitels an das Fahrpersonal im grenzüberschreitenden Schienenverkehr, wenn das Beförderungsunternehmen seinen Sitz im Ausland hat.

§ 21 Dienstleistungserbringung. Keiner Zustimmung bedarf die Erteilung eines Aufenthaltstitels an Personen, die von einem Unternehmen mit Sitz in einem Mitgliedstaat der Europäischen Union oder einem Vertragsstaat des Abkommens über den Europäischen Wirtschaftsraum in dem Sitzstaat des Unternehmens ordnungsgemäß beschäftigt sind und zur Erbringung einer Dienstleistung vorübergehend in das Bundesgebiet entsandt werden.

[1)] § 20 Abs. 1 Satz 1 Nr. 1 Buchst. b geänd. mWv 1.8.2015 durch G v. 27.7.2015 (BGBl. I S. 1386).

Teil 5. Besondere Berufs- oder Personengruppen

§ 22[1)] Besondere Berufsgruppen. Keiner Zustimmung bedarf die Erteilung eines Aufenthaltstitels an

1. Personen einschließlich ihres Hilfspersonals, die unter Beibehaltung ihres gewöhnlichen Wohnsitzes im Ausland in Vorträgen oder in Darbietungen von besonderem wissenschaftlichen oder künstlerischen Wert oder bei Darbietungen sportlichen Charakters im Inland tätig werden, wenn die Dauer der Tätigkeit 90 Tage innerhalb eines Zeitraums von zwölf Monaten nicht übersteigt,
2. Personen, die im Rahmen von Festspielen oder Musik- und Kulturtagen beschäftigt oder im Rahmen von Gastspielen oder ausländischen Film- und Fernsehproduktionen entsandt werden, wenn die Dauer der Tätigkeit 90 Tage innerhalb eines Zeitraums von zwölf Monaten nicht übersteigt,
3. Personen, die in Tagesdarbietungen bis zu 15 Tage im Jahr auftreten,
4. Berufssportlerinnen und Berufssportler oder Berufstrainerinnen und Berufstrainer, deren Einsatz in deutschen Sportvereinen oder vergleichbaren am Wettkampfsport teilnehmenden sportlichen Einrichtungen vorgesehen ist, wenn sie
   a) das 16. Lebensjahr vollendet haben,
   b) der Verein oder die Einrichtung ein Bruttogehalt zahlt, das mindestens 50 Prozent der Beitragsbemessungsgrenze für die gesetzliche Rentenversicherung beträgt, und
   c) der für die Sportart zuständige deutsche Spitzenverband im Einvernehmen mit dem Deutschen Olympischen Sportbund die sportliche Qualifikation als Berufssportlerin oder Berufssportler oder die fachliche Eignung als Trainerin oder Trainer bestätigt,
5. Personen, die eSport in Form eines Wettkampfes zwischen Personen berufsmäßig ausüben und deren Einsatz in deutschen Vereinen oder vergleichbaren an Wettkämpfen teilnehmenden Einrichtungen des eSports vorgesehen ist, wenn sie
   a) das 16. Lebensjahr vollendet haben,
   b) der Verein oder die Einrichtung ein Bruttogehalt zahlt, das mindestens 50 Prozent der Beitragsbemessungsgrenze für die gesetzliche Rentenversicherung beträgt, und
   c) der für den eSport zuständige deutsche Spitzenverband die berufsmäßige Ausübung von eSport bestätigt und die ausgeübte Form des eSports von erheblicher nationaler oder internationaler Bedeutung ist,
6. Fotomodelle, Werbetypen, Mannequins oder Dressmen,
7. Reiseleiterinnen und Reiseleiter, die unter Beibehaltung ihres gewöhnlichen Aufenthaltes im Ausland ausländische Touristengruppen in das Inland begleiten, wenn die Dauer der Tätigkeit 90 Tage innerhalb von zwölf Monaten nicht übersteigt,

---

[1)] *§ 22 Nr. 1, 2, 6 und 7* geänd. mWv 1.8.2015 durch G v. 27.7.2015 (BGBl. I S. 1386); Nr. 5 eingef., bish. Nr. 5–7 werden Nr. 6–8, neue Nr. 7 und 8 geänd., Nr. 9 angef. mWv 1.4.2020 durch VO v. 23.3.2020 (BGBl. I S. 655).

8. Dolmetscherinnen und Dolmetscher, die unter Beibehaltung ihres gewöhnlichen Aufenthaltes im Ausland für ein Unternehmen mit Sitz im Ausland an Besprechungen oder Verhandlungen im Inland teilnehmen, wenn die Dauer der Tätigkeit 90 Tage innerhalb eines Zeitraums von zwölf Monaten nicht übersteigt, oder
9. Hausangestellte, die unter Beibehaltung ihres gewöhnlichen Aufenthaltes im Ausland ihren Arbeitgeber oder dessen Familienangehörige mit gewöhnlichem Aufenthalt im Ausland für eine Dauer von bis zu 90 Tagen innerhalb eines Zeitraums von zwölf Monaten in das Inland begleiten.

[§ 22a ab 1.3.2024:]

§ 22a[1] ***Beschäftigung von Pflegehilfskräften.*** *[1] Die Zustimmung kann Ausländerinnen und Ausländern für eine inländische Beschäftigung als Pflegehilfskraft erteilt werden, wenn sie die durch Bundes- oder Landesrecht bestimmten Voraussetzungen zur Ausübung einer Pflegehilfstätigkeit erfüllen, und*

1. *sie über eine nach bundes- oder landesrechtlichen Vorschriften geregelte, staatlich anerkannte Ausbildung in einer Pflegehilfstätigkeit verfügen oder*
2. *die nach den Regelungen der Länder zuständige Stelle die Gleichwertigkeit ihrer im Ausland erworbenen Berufsqualifikation zu einer Ausbildung nach Nummer 1 festgestellt hat.*

[2] § 9 findet keine Anwendung.

§ 23 Internationale Sportveranstaltungen. Keiner Zustimmung bedarf die Erteilung eines Aufenthaltstitels an Personen, die zur Vorbereitung, Teilnahme, Durchführung und Nachbereitung internationaler Sportveranstaltungen durch das jeweilige Organisationskomitee akkreditiert werden, soweit die Bundesregierung Durchführungsgarantien übernommen hat; dies sind insbesondere folgende Personen:

1. die Repräsentantinnen und Repräsentanten, Mitarbeiterinnen und Mitarbeiter und Beauftragten von Verbänden oder Organisationen einschließlich Schiedsrichterinnen und Schiedsrichter sowie Schiedsrichterassistentinnen und Schiedsrichterassistenten,
2. die Sportlerinnen und Sportler sowie bezahltes Personal der teilnehmenden Mannschaften,
3. die Vertreterinnen und Vertreter der offiziellen Verbandspartner und der offiziellen Lizenzpartner,
4. die Vertreterinnen und Vertreter der Medien einschließlich des technischen Personals sowie die Mitarbeiterinnen und Mitarbeiter der Medienpartner.

§ 24 Schifffahrt- und Luftverkehr. Keiner Zustimmung bedarf die Erteilung eines Aufenthaltstitels an

1. die Mitglieder der Besatzungen von Seeschiffen im internationalen Verkehr,
2. die nach dem Seelotsgesetz für den Seelotsendienst zugelassenen Personen,
3. das technische Personal auf Binnenschiffen und im grenzüberschreitenden Verkehr das für die Gästebetreuung erforderliche Bedienungs- und Servicepersonal auf Personenfahrgastschiffen oder

---

[1] § 22a eingef. mWv 1.3.2024 durch VO v. 30.8.2023 (BGBl. 2023 I Nr. 233).

4. die Besatzungen von Luftfahrzeugen mit Ausnahme der Luftfahrzeugführerinnen und Luftfahrzeugführer, Flugingenieurinnen und Flugingenieure sowie Flugnavigatorinnen und Flugnavigatoren bei Unternehmen mit Sitz im Inland.

§ 24a[1)] Berufskraftfahrerinnen und Berufskraftfahrer. (1) Die Zustimmung kann Ausländerinnen und Ausländern für eine inländische Beschäftigung als Berufskraftfahrerin oder Berufskraftfahrer im Güterkraftverkehr oder im Personenverkehr mit Kraftomnibussen erteilt werden.

(2) [1]Die Zustimmung kann Ausländerinnen und Ausländern für eine inländische Beschäftigung bei einem Arbeitgeber erteilt werden, wenn

1. der Arbeitsvertrag die Ausländerin oder den Ausländer zur Teilnahme an Maßnahmen zur Erlangung der Voraussetzungen verpflichtet, die für die Berufsausübung als Berufskraftfahrerin oder Berufskraftfahrer im Güterkraftverkehr oder im Personenverkehr mit Kraftomnibussen erforderlich sind,
2. die Arbeitsbedingungen für die Zeit der Maßnahmen so ausgestaltet sind, dass die nach Nummer 1 erforderliche Fahrerlaubnis und die Qualifikationen einschließlich der Ausstellung der erforderlichen Dokumente innerhalb von 15 Monaten erlangt werden können,
3. für die Zeit nach Erlangung der Fahrerlaubnis und der Qualifikationen ein konkretes Arbeitsplatzangebot für eine inländische Beschäftigung als Berufskraftfahrerin oder Berufskraftfahrer im Güterkraftverkehr oder Personenverkehr mit Kraftomnibussen bei demselben Arbeitgeber vorliegt und
4. der Nachweis erbracht wird, dass sie die in ihrem Herkunftsland für die Beschäftigung als Berufskraftfahrerin oder Berufskraftfahrer einschlägige Fahrerlaubnis besitzen.

[2]Die Zustimmung wird für bis zu 15 Monate erteilt. [3]Im begründeten Einzelfall kann die Zustimmung für bis zu weitere sechs Monate erteilt werden.

(3) Für Personen, die eine Aufenthaltserlaubnis zum Zwecke einer Beschäftigung nach Absatz 1 oder 2 besitzen, findet § 9 keine Anwendung.

§ 24b[2)] Windenergieanlagen auf See und Offshore-Anbindungsleitungen. [1]Keiner Zustimmung bedarf die Erteilung eines Aufenthaltstitels an Ausländerinnen und Ausländer, die im deutschen Küstenmeer beschäftigt werden, um Tätigkeiten zur Errichtung und Instandsetzung von Windenergieanlagen auf See und Offshore-Anbindungsleitungen durchzuführen, einschließlich der Be- und Entladearbeiten im Hafen und der sonstigen Tätigkeiten von übrigen Mitgliedern der Besatzung der dazu eingesetzten Schiffe. [2]Die Befreiung von der Zustimmung umfasst einen Zeitraum von bis zu 24 Monaten. [3]§ 9 findet keine Anwendung.

§ 25[3)] Kultur und Unterhaltung. Die Zustimmung kann mit Vorrangprüfung für Personen erteilt werden, die

---

[1)] § 24a eingef. mWv 1.4.2020 durch VO v. 23.3.2020 (BGBl. I S. 655); Abs. 1 und Abs. 2 Satz 1 Nr. 1 neu gef., Abs. 2 Satz 1 Nr. 2 und Abs. 2 Satz 2 geänd. mWv 18.11.2023 durch VO v. 30.8.2023 (BGBl. 2023 I Nr. 233).

[2)] § 24b eingef. mWv 29.7.2022 durch G v. 20.7.2022 (BGBl. I S. 1325).

[3)] § 25 Nr. 2 geänd. mWv 1.8.2015 durch G v. 27.7.2015 (BGBl. I S. 1386); einl. Satzteil geänd. mWv 1.3.2020 durch G v. 15.8.2019 (BGBl. I S. 1307).

1. eine künstlerische oder artistische Beschäftigung oder eine Beschäftigung als Hilfspersonal, das für die Darbietung erforderlich ist, ausüben oder
2. zu einer länger als 90 Tage dauernden Beschäftigung im Rahmen von Gastspielen oder ausländischen Film- oder Fernsehproduktionen entsandt werden.

§ 26[1)] **Beschäftigung bestimmter Staatsangehöriger.** (1) Für Staatsangehörige von Andorra, Australien, Israel, Japan, Kanada, der Republik Korea, von Monaco, Neuseeland, San Marino, des Vereinigten Königreichs Großbritannien und Nordirland im Sinne des § 1 Absatz 2 Nummer 6 des Freizügigkeitsgesetzes/EU[2)] sowie der Vereinigten Staaten von Amerika kann die Zustimmung mit Vorrangprüfung zur Ausübung jeder Beschäftigung unabhängig vom Sitz des Arbeitgebers erteilt werden.

(2) [1] Für Staatsangehörige von Albanien, Bosnien und Herzegowina, Kosovo, Montenegro, Nordmazedonien und Serbien können Zustimmungen mit Vorrangprüfung zur Ausübung jeder Beschäftigung erteilt werden. [2] Die erstmalige Zustimmung darf nur erteilt werden, wenn der Antrag auf Erteilung des Aufenthaltstitels bei der jeweils zuständigen deutschen Auslandsvertretung in einem der in Satz 1 genannten Staaten gestellt wird. [3] Die Anzahl der Zustimmungen in den Fällen des Satzes 2 ist auf bis zu ***[bis 31.5.2024:*** 25 000***][ab 1.6.2024:*** *50 000]* je Kalenderjahr begrenzt. [4] Die Zustimmung darf nicht erteilt werden, wenn der Antragsteller in den letzten 24 Monaten vor Antragstellung Leistungen nach dem Asylbewerberleistungsgesetz[3)] bezogen hat. [5] § 9 findet keine Anwendung, es sei denn, dass eine Zustimmung nach § 26 Absatz 2 in der bis zum Ablauf des 31. Dezember 2020 geltenden Fassung erteilt wurde.

§ 27[4)] **Grenzgängerbeschäftigung.** Zur Erteilung einer Grenzgängerkarte nach § 12 Absatz 1 der Aufenthaltsverordnung[5)] kann die Zustimmung mit Vorrangprüfung erteilt werden.

§ 28[6)] **Deutsche Volkszugehörige.** Deutschen Volkszugehörigen, die einen Aufnahmebescheid nach dem Bundesvertriebenengesetz[7)] besitzen, kann die Zustimmung mit Vorrangprüfung zu einem Aufenthaltstitel zur Ausübung einer vorübergehenden Beschäftigung erteilt werden.

Teil 6. Sonstiges

§ 29[8)] **Internationale Abkommen.** (1) [1] Für Beschäftigungen im Rahmen der mit den Staaten Türkei, Serbien, Bosnien-Herzegowina und Nordmazedo-

---

[1)] § 26 Abs. 2 angef. mWv 28.10.2015 durch VO v. 24.10.2015 (BGBl. I S. 1789); Abs. 1 und Abs. 2 Satz 1 geänd. mWv 1.3.2020 durch G v. 15.8.2019 (BGBl. I S. 1307); Abs. 2 neu gef. mWv 1.1.2021 durch VO v. 27.10.2020 (BGBl. I S. 2268); Abs. 1 geänd. mWv 1.1.2021 durch VO v. 18.12.2020 (BGBl. I S. 3046); Abs. 2 Satz 1 geänd. mWv 18.11.2023, Abs. 2 Satz 3 geänd. mWv 1.6.2024 durch VO v. 30.8.2023 (BGBl. 2023 I Nr. 233).

[2)] Nr. **770**.

[3)] Auszugsweise abgedruckt unter Nr. **781**.

[4)] § 27 geänd. mWv 1.3.2020 durch G v. 15.8.2019 (BGBl. I S. 1307).

[5)] **beck-online, Module Arbeitsrecht Nr. 761.**

[6)] § 28 geänd. mWv 1.3.2020 durch G v. 15.8.2019 (BGBl. I S. 1307).

[7)] **Aichberger, SGB Nr. 6/51.**

[8)] § 29 Abs. 4 geänd. mWv 1.3.2020 durch G v. 15.8.2019 (BGBl. I S. 1307); Abs. 1 Satz 1 geänd., Abs. 5 Satz 2 angef. mWv 18.11.2023 durch VO v. 30.8.2023 (BGBl. 2023 I Nr. 233).

nien bestehenden Werkvertragsarbeitnehmerabkommen kann die Zustimmung erteilt werden. [2] Dies gilt auch für das zur Durchführung der Werkvertragstätigkeit erforderliche leitende Personal oder Verwaltungspersonal mit betriebsspezifischen Kenntnissen für die Dauer von bis zu vier Jahren. [3] Das Bundesministerium für Arbeit und Soziales kann die Erteilung der Zustimmung durch die Bundesagentur für Arbeit an Beschäftigte der Bauwirtschaft im Rahmen von Werkverträgen im Verhältnis zu den beschäftigten gewerblichen Personen des im Inland ansässigen Unternehmens zahlenmäßig beschränken. [4] Dabei ist darauf zu achten, dass auch kleine und mittelständische im Inland ansässige Unternehmen angemessen berücksichtigt werden.

(2) Die Zustimmung zur Ausübung einer Beschäftigung von bis zu 18 Monaten kann erteilt werden, wenn die betreffenden Personen auf der Grundlage einer zwischenstaatlichen Vereinbarung über die Beschäftigung von Arbeitnehmerinnen und Arbeitnehmern zur beruflichen und sprachlichen Fortbildung (Gastarbeitnehmer-Vereinbarung) mit dem Staat, dessen Staatsangehörigkeit sie besitzen, beschäftigt werden.

(3) [1] Für Beschäftigungen nach zwischenstaatlichen Vereinbarungen, in denen bestimmt ist, dass jemand für eine Beschäftigung keiner Arbeitsgenehmigung oder Arbeitserlaubnis bedarf, bedarf es keiner Zustimmung. [2] Bei Beschäftigungen nach Vereinbarungen, in denen bestimmt ist, dass eine Arbeitsgenehmigung oder Arbeitserlaubnis erteilt werden kann, kann die Zustimmung erteilt werden.

(4) Für Fach- oder Weltausstellungen, die nach dem am 22. November 1928 in Paris unterzeichneten Abkommen über Internationale Ausstellungen registriert sind, kann für Angehörige der ausstellenden Staaten die Zustimmung mit Vorrangprüfung erteilt werden, wenn sie für den ausstellenden Staat zur Vorbereitung, Durchführung oder Beendigung des nationalen Ausstellungsbeitrages tätig werden.

(5) [1] Die Zustimmung kann für Personen erteilt werden, die von einem Unternehmen mit Sitz im Ausland ordnungsgemäß beschäftigt werden und auf der Grundlage des Übereinkommens zur Errichtung der Welthandelsorganisation vom 15. April 1994 (BGBl. 1994 II S. 1438, 1441) oder anderer für die Bundesrepublik Deutschland völkerrechtlich verbindlicher Freihandelsabkommen der Europäischen Union oder der Europäischen Union und ihrer Mitgliedstaaten vorübergehend in das Bundesgebiet entsandt werden. [2] Für Beschäftigungen auf Grundlage der in Satz 1 genannten Abkommen, in denen bestimmt ist, dass jemand für eine Beschäftigung keiner Arbeitsgenehmigung oder keiner Arbeitserlaubnis bedarf, bedarf es keiner Zustimmung.

§ 30[1)] Beschäftigungsaufenthalte ohne Aufenthaltstitel. Nicht als Beschäftigung im Sinne des Aufenthaltsgesetzes[2)] gelten

1. Tätigkeiten nach § 3 Nummer 1 und 2 auch ohne Zustimmung, nach den §§ 16 und 29 Absatz 5 Satz 2, die bis zu 90 Tage innerhalb eines Zeitraums von 180 Tagen ausgeübt werden,

---

1) § 30 Nr. 2 geänd. mWv 10.5.2014 durch VO v. 6.5.2014 (BGBl. I S. 451); Nr. 1–3 geänd. mWv 1.8.2015 durch G v. 27.7.2015 (BGBl. I S. 1386); Nr. 1 neu gef. mWv 1.4.2020 durch VO v. 23.3.2020 (BGBl. I S. 655); Nr. 2 geänd. mWv 29.7.2022 durch G v. 20.7.2022 (BGBl. I S. 1325); Nr. 1 geänd. mWv 18.11.2023 durch VO v. 30.8.2023 (BGBl. 2023 I Nr. 233).

2) Auszugsweise abgedruckt unter Nr. **760**.

2. Tätigkeiten nach den §§ 5, 14, 15, 17, 18, 19 Absatz 1 sowie den §§ 20, 22, 23 und 24b, die bis zu 90 Tage innerhalb eines Zeitraums von zwölf Monaten ausgeübt werden,
3. Tätigkeiten nach § 21, die von Ausländerinnen und Ausländern, die in einem anderen Mitgliedstaat der Europäischen Union die Rechtsstellung eines langfristig Aufenthaltsberechtigten innehaben, bis zu 90 Tage innerhalb eines Zeitraums von zwölf Monaten ausgeübt werden, und
4. Tätigkeiten von Personen, die nach den §§ 23 bis 30 der Aufenthaltsverordnung[1] vom Erfordernis eines Aufenthaltstitels befreit sind.

Teil 7. Beschäftigung bei Aufenthalt aus völkerrechtlichen, humanitären oder politischen Gründen sowie von Personen mit Duldung und Asylbewerbern

§ 31 Beschäftigung bei Aufenthalt aus völkerrechtlichen, humanitären oder politischen Gründen. Die Erteilung der Erlaubnis zur Beschäftigung an Ausländerinnen und Ausländer mit einer Aufenthaltserlaubnis, die nach Abschnitt 5 des Aufenthaltsgesetzes[2] erteilt worden ist, bedarf keiner Zustimmung der Bundesagentur für Arbeit.

§ 32[3] Beschäftigung von Personen mit Duldung oder Aufenthaltsgestattung. (1) [1] Ausländerinnen und Ausländern, die eine Duldung besitzen, kann eine Zustimmung zur Ausübung einer Beschäftigung erteilt werden, wenn sie sich seit drei Monaten erlaubt, geduldet oder mit einer Aufenthaltsgestattung im Bundesgebiet aufhalten. [2] Die §§ 39, 40 Absatz 1 Nummer 1 und Absatz 2 sowie § 41 des Aufenthaltsgesetzes[4] gelten entsprechend.

(2) Keiner Zustimmung bedarf die Erteilung einer Erlaubnis zur Ausübung

1. eines Praktikums nach § 22 Absatz 1 Satz 2 Nummer 1 bis 4 des Mindestlohngesetzes[5],
2. einer Berufsausbildung in einem staatlich anerkannten oder vergleichbar geregelten Ausbildungsberuf,
3. einer Beschäftigung nach § 18c Absatz 3 und § 18g Absatz 1 Satz 1 des Aufenthaltsgesetzes[4], § 5, § 14 Absatz 1 und 1a, § 15 Nummer 2, § 22 Nummer 3 bis 6 und § 23,

---

[1] Nr. **761**.

[2] Auszugsweise abgedruckt unter Nr. **760**.

[3] § 32 Abs. 1 Satz 1 geänd. mWv 6.11.2014 durch G v. 31.10.2014 (BGBl. I S. 1649); Abs. 5 angef. mWv 11.11.2014 durch VO v. 6.11.2014 (BGBl. I S. 1683, geänd. durch VO v. 31.7.2016, BGBl. I S. 1950); Abs. 2 Nr 1 eingef., bish. Nr. 1–3 werden Nr. 2–4, neue Nr. 3 geänd. mWv 1.8.2015 durch VO v. 29.7.2015 (BGBl. I S. 1422); Abs. 1 Satz 2 neu gef., Abs. 2 Nr. 3 und 4 geänd., Nr. 5 angef., Abs. 3 neu gef. mWv 28.10.2015 durch VO v. 24.10.2015 (BGBl. I S. 1789); Abs. 5 Nr. 1 und 2 geänd., Nr. 3 angef. mWv 6.8.2016 durch VO v. 31.7.2016 (BGBl. I S. 1950, geänd durch VO v. 22.7.2019, BGBl. I S. 1109); Überschrift und Abs. 3 neu gef., Abs. 5 aufgeh. mWv 6.8.2019 durch VO v. 22.7.2019 (BGBl. I S. 1109); Überschrift und Abs. 5 Nr. 1 geänd. (Änderungen bereits vorhanden, bzw. nicht möglich), Abs. 1 Satz 1, Abs. 2 Nr. 3 geänd. mWv 1.3.2020 durch G v. 15.8. 2019 (BGBl. I S. 1307); Überschrift geänd. (Änderung bereits vorhanden), Abs. 1 Satz 1, Abs. 2 Nr. 3 geänd., Abs. 3 aufgeh., bish. Abs. 4 wird Abs. 3 und geänd. mWv 1.4.2020 durch VO v. 23.3.2020 (BGBl. I S. 655); Abs. 2 Nr. 3 neu gef. mWv 18.11.2023 durch VO v. 30.8.2023 (BGBl. 2023 I Nr. 233).

[4] Nr. **760**.

[5] Nr. **505**.

4. einer Beschäftigung von Ehegatten, Lebenspartnern, Verwandten und Verschwägerten ersten Grades eines Arbeitgebers in dessen Betrieb, wenn der Arbeitgeber mit diesen in häuslicher Gemeinschaft lebt, oder
5. jeder Beschäftigung nach einem ununterbrochen vierjährigen erlaubten, geduldeten oder gestatteten Aufenthalt im Bundesgebiet.

(3) Der Absatz 2 findet auch Anwendung auf Ausländerinnen und Ausländer mit einer Aufenthaltsgestattung.

§ 33[1] *(aufgehoben)*

Teil 8. Verfahrensregelungen

§ 34[2] **Beschränkung der Zustimmung.** (1) Die Bundesagentur für Arbeit kann die Zustimmung zur Ausübung einer Beschäftigung beschränken hinsichtlich
1. der Geltungsdauer,
2. des Betriebs,
3. der beruflichen Tätigkeit,
4. des Arbeitgebers,
5. der Region, in der die Beschäftigung ausgeübt werden kann, und
6. der Lage und Verteilung der Arbeitszeit.

(2) Die Zustimmung wird längstens für vier Jahre erteilt.

(3) Bei Beschäftigungen zur beruflichen Aus- und Weiterbildung nach § 16a Absatz 1 und § 16d Absatz 1 Satz 2 Nummer 3 des Aufenthaltsgesetzes[3] ist die Zustimmung wie folgt zu erteilen:
1. bei der Ausbildung für die nach der Ausbildungsordnung festgelegte Ausbildungsdauer und
2. bei der Weiterbildung für die Dauer, die ausweislich eines von der Bundesagentur für Arbeit geprüften Weiterbildungsplanes zur Erreichung des Weiterbildungszieles erforderlich ist.

§ 35[4] **Reichweite der Zustimmung.** (1) Die Zustimmung zur Ausübung einer Beschäftigung wird jeweils zu einem bestimmten Aufenthaltstitel erteilt.

(2) Ist die Zustimmung zu einem Aufenthaltstitel erteilt worden, so gilt die Zustimmung im Rahmen ihrer zeitlichen Begrenzung auch für jeden weiteren Aufenthaltstitel fort.

(3) Die Absätze 1 und 2 gelten entsprechend für die Zustimmung zur Ausübung einer Beschäftigung an Personen, die eine Aufenthaltsgestattung oder Duldung besitzen.

(4) [1] Ist die Zustimmung für ein bestimmtes Beschäftigungsverhältnis erteilt worden, so erlischt sie mit der Beendigung dieses Beschäftigungsverhältnisses. [2] Dies gilt nicht, wenn sich der Arbeitgeber auf Grund eines Betriebsübergangs

---

[1] § 33 aufgeh. mWv 28.10.2015 durch VO v. 24.10.2015 (BGBl. I S. 1789).

[2] § 34 Abs. 3 einl. Satzteil geänd. mWv 1.8.2015 durch G v. 27.7.2015 (BGBl. I S. 1386); Abs. 1 Nr. 1 und 2 eingef., bish. Nr. 1–4 werden Nr. 3–6, Abs. 2 geänd. mWv 5.8.2017 durch VO v. 1.8. 2017 *(BGBl. I S. 3066)*; Abs. 2 und 3 geänd. mWv 1.3.2020 durch G v. 15.8.2019 (BGBl. I S. 1307).

[3] **beck-online, Module Arbeitsrecht Nr. 760.**

[4] § 35 Abs. 4 Satz 2 angef. mWv 1.3.2020 durch G v. 15.8.2019 (BGBl. I S. 1307).

nach § 613a des Bürgerlichen Gesetzbuchs[1)] ändert oder auf Grund eines Formwechsels eine andere Rechtsform erhält.

(5) [1]Die Zustimmung zur Ausübung einer Beschäftigung kann ohne Vorrangprüfung erteilt werden, wenn die Beschäftigung nach Ablauf der Geltungsdauer einer für mindestens ein Jahr erteilten Zustimmung bei demselben Arbeitgeber fortgesetzt wird. [2]Dies gilt nicht für Beschäftigungen, die nach dieser Verordnung oder einer zwischenstaatlichen Vereinbarung zeitlich begrenzt sind.

§ 36[2)] Erteilung der Zustimmung. (1) Die Bundesagentur für Arbeit teilt der zuständigen Stelle die Zustimmung zur Erteilung eines Aufenthaltstitels nach § 39 des Aufenthaltsgesetzes[3)] oder einer Grenzgängerkarte, deren Versagung nach § 40 des Aufenthaltsgesetzes[3)], den Widerruf nach § 41 des Aufenthaltsgesetzes[3)] und die Rücknahme einer Zustimmung mit.

(2) [1]Die Zustimmung zur Ausübung einer Beschäftigung gilt als erteilt, wenn die Bundesagentur für Arbeit der zuständigen Stelle nicht innerhalb von zwei Wochen nach Übermittlung der Zustimmungsanfrage mitteilt, dass die übermittelten Informationen für die Entscheidung über die Zustimmung nicht ausreichen oder dass der Arbeitgeber die erforderlichen Auskünfte nicht oder nicht rechtzeitig erteilt hat. [2]In den Fällen des § 18g Absatz 4 und des § 81a des Aufenthaltsgesetzes[3)] verkürzt sich die Frist nach Satz 1 auf eine Woche.

(3) Die Bundesagentur für Arbeit soll bereits vor der Übermittlung der Zustimmungsanfrage der Ausübung der Beschäftigung gegenüber der zuständigen Stelle zustimmen oder prüfen, ob die arbeitsmarktbezogenen Voraussetzungen für eine spätere Zustimmung vorliegen, wenn der Arbeitgeber die hierzu erforderlichen Auskünfte erteilt hat und das Verfahren dadurch beschleunigt wird.

(4) [1]Ein Arbeitgeber kann für eine Dauer von bis zu fünf Jahren von der Möglichkeit ausgeschlossen werden, dass die Bundesagentur für Arbeit eine Zustimmung oder eine Arbeitserlaubnis für die Beschäftigung einer Ausländerin oder eines Ausländers bei diesem Arbeitgeber erteilt, wenn

1. der Arbeitgeber eine oder mehrere Ausländerinnen oder einen oder mehrere Ausländer wiederholt zu ungünstigeren Arbeitsbedingungen als vergleichbare inländische Arbeitnehmerinnen und Arbeitnehmer beschäftigt oder beschäftigt hat,
2. der Arbeitgeber seinen sozialversicherungsrechtlichen, steuerrechtlichen oder arbeitsrechtlichen Pflichten in schwerwiegender Weise nicht nachgekommen ist,
3. der Arbeitgeber oder sein nach Satzung oder Gesetz Vertretungsberechtigter innerhalb der letzten fünf Jahre wegen eines Verstoßes gegen § 404 Absatz 1 oder Absatz 2 Nummer 3 des Dritten Buches Sozialgesetzbuch[4)] rechtskräftig mit einer Geldbuße belegt oder wegen eines Verstoßes gegen die §§ 10, 10a

---

[1)] Nr. **50**.

[2)] § 36 Überschrift neu gef., Abs. 1 eingef., bish. Abs. 1 und 2 werden Abs. 2 und 3 mWv 7.11.2013 durch VO v. 31.10.2013 (BGBl. I S. 3903); Abs. 2 Satz 2 angef. mWv 1.3.2020 durch G v. 15.8.2019 (BGBl. I S. 1307); Abs. 2 Satz 2 geänd. mWv 18.11.2023, Abs. 4 angef. mWv 1.3.2024 durch VO v. 30.8.2023 (BGBl. 2023 I Nr. 233).

[3)] Nr. **760**.

[4)] Nr. **700**.

oder 11 des Schwarzarbeiterbekämpfungsgesetzes[1] oder gegen die §§ 15, 15a oder 16 Absatz 1 Nummer 2 des Arbeitnehmerüberlassungsgesetzes[2] rechtskräftig zu einer Geld- oder Freiheitsstrafe verurteilt worden ist,

4. der Arbeitgeber durch die Präsenz der Ausländerin oder des Ausländers in schwerwiegender Weise eine Einflussnahme auf arbeitsrechtliche oder betriebliche Auseinandersetzungen oder Verhandlungen bezweckt oder bewirkt oder bezweckt hat oder bewirkt hat oder
5. der Arbeitgeber in der Vergangenheit Arbeitsverhältnisse mit einer Ausländerin oder mehreren Ausländerinnen oder einem Ausländer oder mehreren Ausländern hauptsächlich zu dem Zweck begründet hat, die Einreise und den Aufenthalt von Ausländerinnen oder Ausländern zu anderen Zwecken als der Beschäftigung zu erleichtern, für die eine Zustimmung oder Arbeitserlaubnis erteilt wurde. Satz 1 Nummer 5 gilt auch, wenn sich der Ausländer oder die Ausländerin zustimmungs- oder arbeitserlaubnisfrei aufhielt und eine andere Beschäftigung ausgeübt hat, als die, die der Befreiung zugrunde gelegen hat.

[2] Der Ausschluss gilt auch für Vermittlungen nach § 14 Absatz 2 oder für Einvernehmen nach § 15 Nummer 4 und 6.

§ 37 Härtefallregelung. Ausländerinnen und Ausländern kann die Zustimmung zur Ausübung einer Beschäftigung ohne Vorrangprüfung erteilt werden, wenn deren Versagung eine besondere Härte bedeuten würde.

9. Teil.[3] Anwerbung und Arbeitsvermittlung aus dem Ausland

§ 38[3] Anwerbung und Vermittlung. Die Anwerbung in Staaten und die Arbeitsvermittlung aus Staaten, die in der Anlage zu dieser Verordnung aufgeführt sind, darf für eine Beschäftigung in Gesundheits- und Pflegeberufen nur von der Bundesagentur für Arbeit durchgeführt werden.

§ 39[3] Ordnungswidrigkeiten. Ordnungswidrig im Sinne des § 404 Absatz 2 Nummer 9 des Dritten Buches Sozialgesetzbuch[4] handelt, wer vorsätzlich oder fahrlässig entgegen § 38 eine Anwerbung oder Arbeitsvermittlung durchführt.

Anlage[5]
(zu § 38)

1. Afghanistan (Islamische Republik Afghanistan),
2. Angola (Republik),
3. Äquatorialguinea (Republik),
4. Äthiopien (Demokratische Bundesrepublik),
5. Bangladesch (Volksrepublik),
6. Benin (Republik),
7. Burkina Faso,

[1] Nr. **110**.
[2] Nr. **730**.
[3] 9. Teil (§§ 38 und 39) angef. mWv 7.11.2013 durch VO v. 31.10.2013 (BGBl. I S. 3903).
[4] Nr. **700**.
[5] Anl. neu gef. mWv 14.12.2023 durch VO v. 7.12.2023 (BGBl. 2023 I Nr. 353).

8. Burundi (Republik),
9. Dschibuti (Republik),
10. Elfenbeinküste (Republik Côte d'Ivoire),
11. Eritrea,
12. Gabun (Gabunische Republik),
13. Gambia (Republik),
14. Ghana (Republik),
15. Guinea (Republik),
16. Guinea-Bissau (Republik),
17. Haiti (Republik),
18. Jemen (Republik),
19. Kamerun (Republik),
20. Kiribati (Republik),
21. Komoren (Union der Komoren),
22. Kongo (Demokratische Republik),
23. Kongo (Republik),
24. Laos (Demokratische Volksrepublik Laos),
25. Lesotho (Königreich Lesotho),
26. Liberia (Republik),
27. Madagaskar (Republik),
28. Malawi (Republik),
29. Mali (Republik),
30. Mauretanien (Islamische Republik Mauretanien),
31. Mikronesien (Föderierte Staaten von Mikronesien),
32. Mosambik (Republik),
33. Nepal,
34. Niger (Republik),
35. Nigeria (Bundesrepublik),
36. Pakistan (Islamische Republik Pakistan),
37. Papua-Neuguinea (Unabhängiger Staat Papua- Neuguinea),
38. Ruanda (Republik),
39. Salomonen,
40. Sambia (Republik),
41. Samoa (Unabhängiger Staat Samoa),
42. Senegal (Republik),
43. Sierra Leone (Republik),
44. Simbabwe (Republik),
45. Somalia (Bundesrepublik),
46. Sudan (Republik),
47. Südsudan (Republik),
48. Tansania (Vereinigte Republik Tansania),
49. Timor-Leste (Demokratische Republik Timor-Leste),
50. Togo (Republik),
51. Tschad (Republik),
52. Tuvalu,
53. Uganda (Republik),
54. Vanuatu (Republik),
55. Zentralafrikanische Republik.

770. Gesetz über die allgemeine Freizügigkeit von Unionsbürgern (Freizügigkeitsgesetz/EU – FreizügG/EU)[1]

Vom 30. Juli 2004
(BGBl. I S. 1950, 1986)

FNA 26-13

zuletzt geänd. durch Art. 4 RückführungsverbesserungsG v. 21.2.2024 (BGBl. 2024 I Nr. 54)

§ 1[2] Anwendungsbereich; Begriffsbestimmungen. (1) Dieses Gesetz regelt die Einreise und den Aufenthalt von
1. Unionsbürgern,
2. Staatsangehörigen der EWR-Staaten, die nicht Unionsbürger sind,
3. Staatsangehörigen des Vereinigten Königreichs Großbritannien und Nordirland nach dessen Austritt aus der Europäischen Union, denen nach dem Austrittsabkommen Rechte zur Einreise und zum Aufenthalt gewährt werden,
4. Familienangehörigen der in den Nummern 1 bis 3 genannten Personen,
5. nahestehenden Personen der in den Nummern 1 bis 3 genannten Personen sowie
6. Familienangehörigen und nahestehenden Personen von Deutschen, die von ihrem Recht auf Freizügigkeit nach Artikel 21 des Vertrages über die Arbeitsweise der Europäischen Union[3] nachhaltig Gebrauch gemacht haben.

(2) Im Sinne dieses Gesetzes
1. sind Unionsbürger Staatsangehörige anderer Mitgliedstaaten der Europäischen Union, die nicht Deutsche sind,
2. ist Lebenspartner einer Person
   a) ein Lebenspartner im Sinne des Lebenspartnerschaftsgesetzes[4] sowie
   b) eine Person, die auf der Grundlage der Rechtsvorschriften eines Mitgliedstaates der Europäischen Union oder eines EWR-Staates eine eingetragene Partnerschaft eingegangen ist,
3. sind Familienangehörige einer Person
   a) der Ehegatte,
   b) der Lebenspartner,
   c) die Verwandten in gerader absteigender Linie der Person oder des Ehegatten oder des Lebenspartners, die das 21. Lebensjahr noch nicht vollendet haben oder denen von diesen Unterhalt gewährt wird, und
   d) die Verwandten in gerader aufsteigender Linie der Person oder des Ehegatten oder des Lebenspartners, denen von diesen Unterhalt gewährt wird,
4. sind nahestehende Personen einer Person

---

[1] Verkündet als Art. 2 ZuwanderungsG v. 30.7.2004 (BGBl. I S. 1950); Inkrafttreten gem. Art. 15 Abs. 3 erster Halbs. dieses G am 1.1.2005 mit Ausnahme des § 11 Satz 1 der, soweit er auf die §§ 69 und 99 AufenthaltsG verweist, gem. Art. 15 Abs. 1 Satz 1 am 6.8.2004 in Kraft getreten ist.

[2] § 1 neu gef. mWv 24.11.2020 durch G v. 12.11.2020 (BGBl. I S. 2416).

[3] **beck-online, Module Arbeitsrecht Nr. 850.**

[4] **Habersack ErgBd. Nr. 43.**

a) Verwandte im Sinne des § 1589 des Bürgerlichen Gesetzbuchs[1] und die Verwandten des Ehegatten oder des Lebenspartners, die nicht Familienangehörige der Person im Sinne der Nummer 3 sind,
b) ledige Kinder, die das 18. Lebensjahr noch nicht vollendet haben, unter Vormundschaft von oder in einem Pflegekindverhältnis zu der Person stehen und keine Familienangehörigen im Sinne von Nummer 3 Buchstabe c sind, sowie
c) eine Lebensgefährtin oder ein Lebensgefährte, mit der oder dem die Person eine glaubhaft dargelegte, auf Dauer angelegte Gemeinschaft eingegangen ist, die keine weitere Lebensgemeinschaft gleicher Art zulässt, wenn die Personen beide weder verheiratet noch Lebenspartner einer Lebenspartnerschaft im Sinne der Nummer 2 sind,

5. ist das Austrittsabkommen das Abkommen über den Austritt des Vereinigten Königreichs Großbritannien und Nordirland aus der Europäischen Union und der Europäischen Atomgemeinschaft (ABl. L 29 vom 31.1.2020, S. 7) und
6. sind britische Staatsangehörige die in Artikel 2 Buchstabe d des Austrittsabkommens genannten Personen.

§ 2[2] Recht auf Einreise und Aufenthalt. (1) Freizügigkeitsberechtigte Unionsbürger und ihre Familienangehörigen haben das Recht auf Einreise und Aufenthalt nach Maßgabe dieses Gesetzes.

(2) Unionsrechtlich freizügigkeitsberechtigt sind:

1. Unionsbürger, die sich als Arbeitnehmer oder zur Berufsausbildung aufhalten wollen,

1a. Unionsbürger, die sich zur Arbeitsuche aufhalten, für bis zu sechs Monate und darüber hinaus nur, solange sie nachweisen können, dass sie weiterhin Arbeit suchen und begründete Aussicht haben, eingestellt zu werden,

2. Unionsbürger, wenn sie zur Ausübung einer selbständigen Erwerbstätigkeit berechtigt sind (niedergelassene selbständige Erwerbstätige),
3. Unionsbürger, die, ohne sich niederzulassen, als selbständige Erwerbstätige Dienstleistungen im Sinne des Artikels 57 des Vertrages über die Arbeitsweise der Europäischen Union[3] erbringen wollen (Erbringer von Dienstleistungen), wenn sie zur Erbringung der Dienstleistung berechtigt sind,
4. Unionsbürger als Empfänger von Dienstleistungen,
5. nicht erwerbstätige Unionsbürger unter den Voraussetzungen des § 4,
6. Familienangehörige unter den Voraussetzungen der §§ 3 und 4,
7. Unionsbürger und ihre Familienangehörigen, die ein Daueraufenthaltsrecht erworben haben.

---

[1] **beck-online, Module Arbeitsrecht Nr. 50.**

[2] § 2 Abs. 2 Nr. 5 aufgeh., bish. Nr. 6 und 7 werden Nr. 5 und 6, neue Nr. 6 geänd., Nr. 7, Abs. 4 Satz 3 angef., Abs. 3 und 5 neu gef., Abs. 4 Satz 2, Abs. 6 geänd. mWv 28.8.2007 durch G v. 19.8. 2007 (BGBl. I S. 1970); Abs. 2 einl. Satzteil, Nr. 3, Abs. 4 Satz 3 und Abs. 6 geänd., Abs. 7 angef. mWv 29.1.2013 durch G v. 21.1.2013 (BGBl. I S. 86); Abs. 2 Nr. 1 geänd., Nr. 1a eingef. mWv 9.12. 2014 durch G v. 2.12.2014 (BGBl. I S. 1922); Abs. 4 Satz 2 geänd., Abs. 6 Sätze 2, 3 angef. mWv 24.11.2020 durch G v. 12.11.2020 (BGBl. I S. 2416); Abs. 4–6 aufgeh., bish. Abs. 7 wird Abs. 4 mWv *25.4.2023 durch G v. 20.4.2023* (BGBl. 2023 I Nr. 106); Abs. 4 Satz 5 angef. mWv 27.2.2024 durch G v. 21.2.2024 (BGBl. 2024 I Nr. 54).

[3] **beck-online, Module Arbeitsrecht Nr. 850.**

(3) [1]Das Recht nach Absatz 1 bleibt für Arbeitnehmer und selbständig Erwerbstätige unberührt bei

1. vorübergehender Erwerbsminderung infolge Krankheit oder Unfall,
2. unfreiwilliger durch die zuständige Agentur für Arbeit bestätigter Arbeitslosigkeit oder Einstellung einer selbständigen Tätigkeit infolge von Umständen, auf die der Selbständige keinen Einfluss hatte, nach mehr als einem Jahr Tätigkeit,
3. Aufnahme einer Berufsausbildung, wenn zwischen der Ausbildung und der früheren Erwerbstätigkeit ein Zusammenhang besteht; der Zusammenhang ist nicht erforderlich, wenn der Unionsbürger seinen Arbeitsplatz unfreiwillig verloren hat.

[2]Bei unfreiwilliger durch die zuständige Agentur für Arbeit bestätigter Arbeitslosigkeit nach weniger als einem Jahr Beschäftigung bleibt das Recht aus Absatz 1 während der Dauer von sechs Monaten unberührt.

(4) [1]Das Nichtbestehen des Rechts nach Absatz 1 kann festgestellt werden, wenn feststeht, dass die betreffende Person das Vorliegen einer Voraussetzung für dieses Recht durch die Verwendung von gefälschten oder verfälschten Dokumenten oder durch Vorspiegelung falscher Tatsachen vorgetäuscht hat. [2]Das Nichtbestehen des Rechts nach Absatz 1 kann bei einem Familienangehörigen, der nicht Unionsbürger ist, außerdem festgestellt werden, wenn feststeht, dass er dem Unionsbürger nicht zur Herstellung oder Wahrung der familiären Lebensgemeinschaft nachzieht oder ihn nicht zu diesem Zweck begleitet. [3]Einem Familienangehörigen, der nicht Unionsbürger ist, kann in diesen Fällen die Erteilung der Aufenthaltskarte oder des Visums versagt werden oder seine Aufenthaltskarte kann eingezogen werden. [4]Entscheidungen nach den Sätzen 1 bis 3 bedürfen der Schriftform. [5]Die Sätze 1, 2 und 4 sind auf nahestehende Personen, denen ein Recht zur Einreise und zum Aufenthalt im Bundesgebiet nach § 3a Absatz 1 verliehen worden ist, entsprechend anzuwenden.

§ 2a[1)] Visum, Dokumente, Visumverfahren. (1) [1]Unionsbürger bedürfen für die Einreise keines Visums und für den Aufenthalt keines Aufenthaltstitels. [2]Für ihren Aufenthalt von bis zu drei Monaten ist der Besitz eines gültigen Personalausweises oder Reisepasses ausreichend. [3]Satz 2 gilt auch für Familienangehörige, die nicht Unionsbürger sind, wenn sie im Besitz eines anerkannten oder sonst zugelassenen Passes oder Passersatzes sind und sie den Unionsbürger begleiten oder ihm nachziehen. [4]Soweit nach dem Europäischen Übereinkommen über die Regelung des Personenverkehrs zwischen den Mitgliedstaaten des Europarates vom 10. Februar 1959 (BGBl. 1959 II S. 389, 390) günstigere Regelungen Anwendung finden, bleiben diese unberührt.

(2) [1]Familienangehörige und nahestehende Personen, die nicht Unionsbürger sind, bedürfen für die Einreise eines Visums. [2]Für die Ausstellung des Visums werden keine Gebühren erhoben. [3]Satz 1 findet keine Anwendung auf Personen, die in entsprechender Anwendung des Aufenthaltsgesetzes[2)] oder einer nach § 99 Absatz 1 Nummer 2 des Aufenthaltsgesetzes[3)] erlassenen Rechtsverordnung wegen ihrer Staatsangehörigkeit auch für einen Aufenthalt,

[1)] § 2a eingef. mWv 25.4.2023 durch G v. 20.4.2023 (BGBl. 2023 I Nr. 106).
[2)] Auszugsweise abgedruckt unter Nr. **760**.
[3)] Nr. **760**.

der kein Kurzaufenthalt ist, visumfrei in das Bundesgebiet einreisen und sich darin aufhalten dürfen.

(3) Der Besitz einer gültigen Aufenthaltskarte, auch derjenigen eines anderen Mitgliedstaates der Europäischen Union oder eines EWR-Staates, entbindet nach Artikel 5 Absatz 2 der Richtlinie 2004/38/EG des Europäischen Parlaments und des Rates vom 29. April 2004 über das Recht der Unionsbürger und ihrer Familienangehörigen, sich im Hoheitsgebiet der Mitgliedstaaten frei zu bewegen und aufzuhalten und zur Änderung der Verordnung (EWG) Nr. 1612/68 und zur Aufhebung der Richtlinien 64/221/EWG, 68/360/EWG, 72/194/EWG, 73/148/EWG, 75/34/EWG, 75/35/EWG, 90/364/EWG, 90/365/EWG und 93/96/EWG (ABl. L 158 vom 30.4.2004, S. 77; L 229 vom 29.6.2004, S. 35; L 204 vom 4.8.2007, S. 28) von der Visumpflicht.

(4) [1] Ein Visum kann vor Einreise annulliert werden, indem eine Feststellung nach § 2 Absatz 4, § 5 Absatz 4 oder § 6 Absatz 1 erfolgt. [2] Die Feststellung bedarf der Schriftform. [3] § 11 Absatz 8 Satz 1 und Absatz 12 Satz 2 bleibt unberührt. [4] Zuständig sind die Stelle, die das Visum ausgestellt hat, sowie die mit der polizeilichen Kontrolle des grenzüberschreitenden Verkehrs beauftragten Behörden.

(5) [1] Die zuständigen Landesbehörden unterrichten das Auswärtige Amt über Aufenthaltsrechte nach den §§ 2 und 16 dieses Gesetzes von Personen, die die Voraussetzungen nach § 1 Absatz 2 Nummer 2 oder Nummer 3 des Aufenthaltsgesetzes[1)] erfüllen. [2] Das Auswärtige Amt unterrichtet die zuständige Landesbehörde über ein Ende der Rechtsstellung nach § 1 Absatz 2 Nummer 2 oder Nummer 3 des Aufenthaltsgesetzes[1)], wenn Tatsachen die Annahme rechtfertigen, dass sie Aufenthaltsrechte nach den §§ 2 und 16 dieses Gesetzes haben.

§ 3[2)] Familienangehörige. (1) [1] Familienangehörige der in § 2 Abs. 2 Nr. 1 bis 5 genannten Unionsbürger haben das Recht nach § 2 Abs. 1, wenn sie den Unionsbürger begleiten oder ihm nachziehen. [2] Für Familienangehörige der in § 2 Abs. 2 Nr. 5 genannten Unionsbürger gilt dies nach Maßgabe des § 4.

(2) Familienangehörige, die nicht Unionsbürger sind, behalten beim Tod des Unionsbürgers ein Aufenthaltsrecht, wenn sie die Voraussetzungen des § 2 Abs. 2 Nr. 1 bis 3 oder Nr. 5 erfüllen und sich vor dem Tod des Unionsbürgers mindestens ein Jahr als seine Familienangehörigen im Bundesgebiet aufgehalten haben.

(3) Die Kinder eines freizügigkeitsberechtigten Unionsbürgers und der Elternteil, der die elterliche Sorge für die Kinder tatsächlich ausübt, behalten auch nach dem Tod oder Wegzug des Unionsbürgers, von dem sie ihr Aufenthaltsrecht ableiten, bis zum Abschluss einer Ausbildung ihr Aufenthaltsrecht, wenn sich die Kinder im Bundesgebiet aufhalten und eine Ausbildungseinrichtung besuchen.

(4) Ehegatten oder Lebenspartner, die nicht Unionsbürger sind, behalten bei Scheidung oder Aufhebung der Ehe oder Aufhebung der Lebenspartnerschaft

---

[1)] Nr. **760**.

[2)] § 3 Abs. 1, 3, 4 und 5 neu gef., Abs. 2 einl. Satzteil, Nr. 1 und 2, Abs. 6 geänd. mWv 28.8.2007 durch G v. 19.8.2007 (BGBl. I S. 1970); Abs. 2 Nr. 1 und 2, Abs. 5 Satz 1 einl. Satzteil, Nr. 1, 2, 3 und 4 geänd. Abs. 6 aufgeh. mWv 29.1.2013 durch G v. 21.1.2013 (BGBl. I S. 86); Abs. 2 Nr. 1 und 2 geänd. mWv *9.12.2014 durch G* v. 2.12.2014 (BGBl. I S. 1922); Abs. 2 aufgeh., bish. Abs. 3 wird Abs. 2 und Satz 2 aufgeh., bish. Abs. 4 wird Abs. 3, bish. Abs. 5 wird Abs. 4 und Satz 2 aufgeh. mWv 24.11.2020 durch G v. 12.11.2020 (BGBl. I S. 2416).

ein Aufenthaltsrecht, wenn sie die für Unionsbürger geltenden Voraussetzungen des § 2 Abs. 2 Nr. 1 bis 3 oder Nr. 5 erfüllen und wenn

1. die Ehe oder die Lebenspartnerschaft bis zur Einleitung des gerichtlichen Scheidungs- oder Aufhebungsverfahrens mindestens drei Jahre bestanden hat, davon mindestens ein Jahr im Bundesgebiet,
2. ihnen durch Vereinbarung der Ehegatten oder der Lebenspartner oder durch gerichtliche Entscheidung die elterliche Sorge für die Kinder des Unionsbürgers übertragen wurde,
3. es zur Vermeidung einer besonderen Härte erforderlich ist, insbesondere weil dem Ehegatten oder dem Lebenspartner wegen der Beeinträchtigung seiner schutzwürdigen Belange ein Festhalten an der Ehe oder der Lebenspartnerschaft nicht zugemutet werden konnte, oder
4. ihnen durch Vereinbarung der Ehegatten oder der Lebenspartner oder durch gerichtliche Entscheidung das Recht zum persönlichen Umgang mit dem minderjährigen Kind nur im Bundesgebiet eingeräumt wurde.

§ 3a[1] Aufenthalt nahestehender Personen. (1) Einer nahestehenden Person eines Unionsbürgers, die selbst nicht als Unionsbürger und nicht nach den §§ 3 oder 4 freizügigkeitsberechtigt ist, kann auf Antrag das Recht zur Einreise und zum Aufenthalt im Bundesgebiet verliehen werden, wenn

1. es sich um eine nahestehende Person im Sinne des § 1 Absatz 2 Nummer 4 Buchstabe a handelt und
   a) der Unionsbürger ihr zum Zeitpunkt der erstmaligen Antragstellung nachhaltig, in der Regel mindestens zwei Jahre, und nicht nur vorübergehend Unterhalt gewährt,
   b) der Unionsbürger mit ihr in dem Staat, in dem sie vor der Verlegung des Wohnsitzes in das Bundesgebiet gelebt hat oder lebt, in häuslicher Gemeinschaft gelebt hat und die häusliche Gemeinschaft zwischen dem Unionsbürger und ihr mindestens zwei Jahre bestanden hat oder
   c) nicht nur vorübergehend schwerwiegende gesundheitliche Gründe zum Antragszeitpunkt die persönliche Pflege von ihr durch den Unionsbürger zwingend erforderlich machen,
2. es sich um eine nahestehende Person im Sinne des § 1 Absatz 2 Nummer 4 Buchstabe b handelt und der Unionsbürger mit ihr im Bundesgebiet für längere Zeit in familiärer Gemeinschaft zusammenleben wird und sie vom Unionsbürger abhängig ist oder
3. es sich um eine nahestehende Person im Sinne des § 1 Absatz 2 Nummer 4 Buchstabe c handelt und der Unionsbürger mit ihr im Bundesgebiet nicht nur vorübergehend zusammenleben wird.

(2) Bei der Entscheidung über die Verleihung eines Rechts nach Absatz 1 ist nach einer eingehenden Untersuchung der persönlichen Umstände maßgeblich zu berücksichtigen, ob der Aufenthalt der nahestehenden Person unter Berücksichtigung ihrer Beziehung zum Unionsbürger sowie von anderen Gesichtspunkten, wie dem Grad der finanziellen oder physischen Abhängigkeit oder dem Grad der Verwandtschaft zwischen ihr und dem Unionsbürger, im Hinblick auf einen in Absatz 1 genannten Anlass des Aufenthalts erforderlich ist.

---

[1] § 3a eingef. mWv 24.11.2020 durch G v. 12.11.2020 (BGBl. I S. 2416); Abs. 1 Nr. 1 Buchst. a geänd. mWv 25.4.2023 durch G v. 20.4.2023 (BGBl. 2023 I Nr. 106).

(3) § 3 Absatz 2 findet entsprechende Anwendung.

§ 4[1)] **Nicht erwerbstätige Freizügigkeitsberechtigte.** [1] Nicht erwerbstätige Unionsbürger und ihre Familienangehörigen, die den Unionsbürger begleiten oder ihm nachziehen, haben das Recht nach § 2 Abs. 1, wenn sie über ausreichenden Krankenversicherungsschutz und ausreichende Existenzmittel verfügen. [2] Hält sich der Unionsbürger als Student im Bundesgebiet auf, haben dieses Recht nur sein Ehegatte, Lebenspartner und seine Kinder, denen Unterhalt gewährt wird.

§ 4a[2)] **Daueraufenthaltsrecht.** (1) [1] Unionsbürger, die sich seit fünf Jahren ständig rechtmäßig im Bundesgebiet aufgehalten haben, haben unabhängig vom weiteren Vorliegen der Voraussetzungen des § 2 Abs. 2 das Recht auf Einreise und Aufenthalt (Daueraufenthaltsrecht). [2] Ihre Familienangehörigen und nahestehenden Personen, die Inhaber eines Rechts nach § 3a Absatz 1 sind,[3)], die nicht Unionsbürger sind, haben dieses Recht, wenn sie sich seit fünf Jahren mit dem Unionsbürger ständig rechtmäßig im Bundesgebiet aufgehalten haben.

(2) [1] Abweichend von Absatz 1 haben Unionsbürger nach § 2 Abs. 2 Nr. 1 bis 3 vor Ablauf von fünf Jahren das Daueraufenthaltsrecht, wenn sie

1. sich mindestens drei Jahre ständig im Bundesgebiet aufgehalten und mindestens während der letzten zwölf Monate im Bundesgebiet eine Erwerbstätigkeit ausgeübt haben und
   a) zum Zeitpunkt des Ausscheidens aus dem Erwerbsleben das 65. Lebensjahr erreicht haben oder
   b) ihre Beschäftigung im Rahmen einer Vorruhestandsregelung beenden oder
2. ihre Erwerbstätigkeit infolge einer vollen Erwerbsminderung aufgeben,
   a) die durch einen Arbeitsunfall oder eine Berufskrankheit eingetreten ist und einen Anspruch auf eine Rente gegenüber einem Leistungsträger im Bundesgebiet begründet oder
   b) nachdem sie sich zuvor mindestens zwei Jahre ständig im Bundesgebiet aufgehalten haben oder
3. drei Jahre ständig im Bundesgebiet erwerbstätig waren und anschließend in einem anderen Mitgliedstaat der Europäischen Union erwerbstätig sind, ihren Wohnsitz im Bundesgebiet beibehalten und mindestens einmal in der Woche dorthin zurückkehren; für den Erwerb des Rechts nach den Nummern 1 und 2 gelten die Zeiten der Erwerbstätigkeit in einem anderen Mitgliedstaat der Europäischen Union als Zeiten der Erwerbstätigkeit im Bundesgebiet.

[2] Soweit der Ehegatte oder der Lebenspartner des Unionsbürgers Deutscher nach Artikel 116 des Grundgesetzes[4)] ist oder diese Rechtsstellung durch Ehe-

---

[1)] § 4 neu gef. mWv 28.8.2007 durch G v. 19.8.2007 (BGBl. I S. 1970); Satz 1 geänd. mWv 29.1.2013 durch G v. 21.1.2013 (BGBl. I S. 86).

[2)] § 4a eingef. mWv 28.8.2007 durch G v. 19.8.2007 (BGBl. I S. 1970); Abs. 1 Satz 1 geänd., Satz 2 angef., Abs. 2 Satz 2, Abs. 3 Nr. 3 und Abs. 4 geänd. mWv 29.1.2013 durch G v. 21.1.2013 (BGBl. I S. 86); Abs. 1 Satz 3 angef. mWv 1.8.2015 durch G v. 27.7.2015 (BGBl. I S. 1386); Abs. 1 Satz 2 geänd., *Satz 3 aufgeh., Abs.* 3, 4, 5 geänd. mWv 24.11.2020 durch G v. 12.11.2020 (BGBl. I S. 2416).

[3)] Zeichensetzung amtlich.

[4)] Nr. **10**.

schließung mit dem Unionsbürger bis zum 31. März 1953 verloren hat, entfallen in Satz 1 Nr. 1 und 2 die Voraussetzungen der Aufenthaltsdauer und der Dauer der Erwerbstätigkeit.

(3) Familienangehörige und nahestehende Personen eines verstorbenen Unionsbürgers nach § 2 Abs. 2 Nr. 1 bis 3, die im Zeitpunkt seines Todes bei ihm ihren ständigen Aufenthalt hatten, haben das Daueraufenthaltsrecht, wenn

1. der Unionsbürger sich im Zeitpunkt seines Todes seit mindestens zwei Jahren im Bundesgebiet ständig aufgehalten hat,
2. der Unionsbürger infolge eines Arbeitsunfalls oder einer Berufskrankheit gestorben ist oder
3. der überlebende Ehegatte oder Lebenspartner des Unionsbürgers Deutscher nach Artikel 116 des Grundgesetzes ist oder diese Rechtsstellung durch Eheschließung mit dem Unionsbürger vor dem 31. März 1953 verloren hat.

(4) Die Familienangehörigen und die nahestehenden Personen eines Unionsbürgers, der das Daueraufenthaltsrecht nach Absatz 2 erworben hat, haben ebenfalls das Daueraufenthaltsrecht, wenn sie bei dem Unionsbürger ihren ständigen Aufenthalt haben.

(5) Familienangehörige nach § 3 Absatz 2 bis 4 und nahestehende Personen nach § 3a Absatz 3 erwerben das Daueraufenthaltsrecht, wenn sie sich fünf Jahre ständig rechtmäßig im Bundesgebiet aufhalten.

(6) Der ständige Aufenthalt wird nicht berührt durch

1. Abwesenheiten bis zu insgesamt sechs Monaten im Jahr oder
2. Abwesenheit zur Ableistung des Wehrdienstes oder eines Ersatzdienstes sowie
3. eine einmalige Abwesenheit von bis zu zwölf aufeinander folgenden Monaten aus wichtigem Grund, insbesondere auf Grund einer Schwangerschaft und Entbindung, schweren Krankheit, eines Studiums, einer Berufsausbildung oder einer beruflichen Entsendung.

(7) Eine Abwesenheit aus einem seiner Natur nach nicht nur vorübergehenden Grund von mehr als zwei aufeinander folgenden Jahren führt zum Verlust des Daueraufenthaltsrechts.

§ 5[1)] Aufenthaltskarten, Bescheinigung über das Daueraufenthaltsrecht. (1) [1] Freizügigkeitsberechtigten Familienangehörigen, die nicht Unionsbürger sind, wird von Amts wegen innerhalb von sechs Monaten, nachdem sie die erforderlichen Angaben gemacht haben, eine Aufenthaltskarte für Familienangehörige von Unionsbürgern ausgestellt, die fünf Jahre gültig sein soll. [2] Eine Bescheinigung darüber, dass die erforderlichen Angaben gemacht worden sind, erhält der Familienangehörige unverzüglich.

(2) [1] Die zuständige Ausländerbehörde kann verlangen, dass die Voraussetzungen des Rechts nach § 2 Abs. 1 drei Monate nach der Einreise glaubhaft

---

[1)] § 5 Überschr., Abs. 2 neu gef., Abs. 1, Abs. 3 Satz 1, Abs. 4 und 5 Sätze 1 und 2 geänd., Abs. 6 und 7 angef. mWv 28.8.2007 durch G v. 19.8.2007 (BGBl. I S. 1970); Überschr. neu gef., Abs. 1 aufgeh., bish. Abs. 2 und 3 werden Abs. 1 und 2, bish. Abs. 4 wird Abs. 3 und geänd., bish. Abs. 5 wird Abs. 4 und Satz 1 geänd., bish. Abs. 6 wird Abs. 5 und Satz 1 geänd., bish. Abs. 7 wird Abs. 6 und geänd. mWv 29.1.2013 durch G v. 21.1.2013 (BGBl. I S. 86); Abs. 4 Satz 1 geänd. mWv 9.12.2014 durch G v. 2.12.2014 (BGBl. I S. 1922); Abs. 7 angef. mWv 24.11.2020 durch G v. 12.11.2020 (BGBl. I S. 2416).

gemacht werden. [2] Für die Glaubhaftmachung erforderliche Angaben und Nachweise können von der zuständigen Meldebehörde bei der meldebehördlichen Anmeldung entgegengenommen werden. [3] Diese leitet die Angaben und Nachweise an die zuständige Ausländerbehörde weiter. [4] Eine darüber hinausgehende Verarbeitung oder Nutzung durch die Meldebehörde erfolgt nicht.

(3) Das Vorliegen oder der Fortbestand der Voraussetzungen des Rechts nach § 2 Absatz 1 kann aus besonderem Anlass überprüft werden.

(4) [1] Sind die Voraussetzungen des Rechts nach § 2 Abs. 1 innerhalb von fünf Jahren nach Begründung des ständigen rechtmäßigen Aufenthalts im Bundesgebiet entfallen oder liegen diese nicht vor, kann der Verlust des Rechts nach § 2 Abs. 1 festgestellt und bei Familienangehörigen, die nicht Unionsbürger sind, die Aufenthaltskarte eingezogen werden. [2] § 4a Abs. 6 gilt entsprechend.

(5) [1] Auf Antrag wird Unionsbürgern unverzüglich ihr Daueraufenthaltsrecht bescheinigt. [2] Ihren daueraufenthaltsberechtigten Familienangehörigen, die nicht Unionsbürger sind, wird innerhalb von sechs Monaten nach Antragstellung eine Daueraufenthaltskarte ausgestellt.

(6) Für den Verlust des Daueraufenthaltsrechts nach § 4a Abs. 7 gilt Absatz 4 Satz 1 entsprechend.

(7) [1] Bei Verleihung des Rechts nach § 3a Absatz 1 stellt die zuständige Behörde eine Aufenthaltskarte für nahestehende Personen, die nicht Unionsbürger sind, aus, die fünf Jahre gültig sein soll. [2] Die Inhaber des Rechts dürfen eine Erwerbstätigkeit ausüben. [3] Absatz 5 Satz 2 findet entsprechende Anwendung.

§ 5a[1] Vorlage von Dokumenten. (1) [1] Die zuständige Behörde darf in den Fällen des § 5 Absatz 2 von einem Unionsbürger den gültigen Personalausweis oder Reisepass und im Fall des

1. § 2 Abs. 2 Nr. 1 eine Einstellungsbestätigung oder eine Beschäftigungsbescheinigung des Arbeitgebers,
2. § 2 Abs. 2 Nr. 2 einen Nachweis über seine selbständige Tätigkeit,
3. § 2 Abs. 2 Nr. 5 einen Nachweis über ausreichenden Krankenversicherungsschutz und ausreichende Existenzmittel

verlangen. [2] Ein nicht erwerbstätiger Unionsbürger im Sinne des § 2 Abs. 2 Nr. 5, der eine Bescheinigung vorlegt, dass er im Bundesgebiet eine Hochschule oder andere Ausbildungseinrichtung besucht, muss die Voraussetzungen nach Satz 1 Nr. 3 nur glaubhaft machen.

(2) Die zuständige Behörde darf von Familienangehörigen in den Fällen des § 5 Absatz 2 oder für die Ausstellung der Aufenthaltskarte einen anerkannten oder sonst zugelassenen gültigen Pass oder Passersatz und zusätzlich Folgendes verlangen:

1. einen Nachweis über das Bestehen der familiären Beziehung, bei Verwandten in absteigender und aufsteigender Linie einen urkundlichen Nachweis über Voraussetzungen des § 1 Absatz 2 Nummer 3,

---

[1] § 5a eingef. mWv 28.8.2007 durch G v. 19.8.2007 (BGBl. I S. 1970); Abs. 1 Satz 1, Abs. 2 einl. *Satzteil, Nr. 2 geänd. Nr. 3 und abschl.* Satzteil aufgeh. mWv 29.1.2013 durch G v. 21.1.2013 (BGBl. I S. 86); Abs. 1 Satz 1 Nr. 1 geänd. mWv 9.12.2014 durch G v. 2.12.2014 (BGBl. I S. 1922); Abs. 2 Nr. 1 geänd., Abs. 3 angef. mWv 24.11.2020 durch G v. 12.11.2020 (BGBl. I S. 2416).

2. eine Meldebestätigung des Unionsbürgers, den die Familienangehörigen begleiten oder dem sie nachziehen.

(3) Die zuständige Behörde verlangt in den Fällen des § 3a für die Ausstellung der Aufenthaltskarte über die in Absatz 2 genannten Nachweise hinaus

1. ein durch die zuständige Behörde des Ursprungs- oder Herkunftslands ausgestelltes Dokument, aus dem hervorgeht,
   a) in Fällen nach § 3a Absatz 1 Nummer 1 Buchstabe a, dass und seit wann die nahestehende Person vom Unionsbürger Unterhalt bezieht,
   b) in Fällen nach § 3a Absatz 1 Nummer 1 Buchstabe b, dass und wie lange die nahestehende Person mit dem Unionsbürger in häuslicher Gemeinschaft gelebt hat,
2. in Fällen nach § 3a Absatz 1 Nummer 1 Buchstabe c den Nachweis schwerwiegender gesundheitlicher Gründe, die die persönliche Pflege der nahestehenden Person durch den Unionsbürger zwingend erforderlich machen,
3. in Fällen nach § 3a Absatz 1 Nummer 2 den urkundlichen Nachweis des Bestehens der Vormundschaft oder des Pflegekindverhältnisses sowie einen Nachweis der Abhängigkeit der nahestehenden Person vom Unionsbürger und
4. in den Fällen nach § 3a Absatz 1 Nummer 3 den Nachweis über die Umstände für das Bestehen einer dauerhaften Beziehung nach § 1 Absatz 2 Nummer 4 Buchstabe c zwischen dem Unionsbürger und der nahestehenden Person.

§ 6[1] Verlust des Rechts auf Einreise und Aufenthalt. (1) [1]Der Verlust des Rechts nach § 2 Abs. 1 kann unbeschadet des § 2 Absatz 4 und des § 5 Absatz 4 nur aus Gründen der öffentlichen Ordnung, Sicherheit oder Gesundheit (Artikel 45 Absatz 3, Artikel 52 Absatz 1 des Vertrages über die Arbeitsweise der Europäischen Union[2]) festgestellt und die Bescheinigung über das Daueraufenthaltsrecht oder die Aufenthaltskarte oder Daueraufenthaltskarte eingezogen werden. [2]Aus den in Satz 1 genannten Gründen kann auch die Einreise verweigert werden. [3]Die Feststellung aus Gründen der öffentlichen Gesundheit kann nur erfolgen, wenn es sich um Krankheiten mit epidemischem Potenzial im Sinne der einschlägigen Rechtsinstrumente der Weltgesundheitsorganisation und sonstige übertragbare, durch Infektionserreger oder Parasiten verursachte Krankheiten handelt, sofern gegen diese Krankheiten Maßnahmen im Bundesgebiet getroffen werden. [4]Krankheiten, die nach Ablauf einer Frist von drei Monaten ab dem Zeitpunkt der Einreise auftreten, stellen keinen Grund für eine Feststellung nach Satz 1 dar.

(2) [1]Die Tatsache einer strafrechtlichen Verurteilung genügt für sich allein nicht, um die in Absatz 1 genannten Entscheidungen oder Maßnahmen zu begründen. [2]Es dürfen nur im Bundeszentralregister noch nicht getilgte strafrechtliche Verurteilungen und diese nur insoweit berücksichtigt werden, als die

---

[1] § 6 Abs. 1 Satz 1 geänd., Satz 3 angef., Abs. 3 neu gef., Abs. 4 und 5 eingef., bish. Abs. 4–6 werden Abs. 6–8, neue Abs. 6 und 8 geänd. mWv 28.8.2007 durch G v. 19.8.2007 (BGBl. I S. 1970); Abs. 1 Sätze 1 und 3 geänd. mWv 29.1.2013 durch G v. 21.1.2013 (BGBl. I S. 86); Abs. 1 Satz 3 geänd., Satz 4 angef. mWv 24.11.2020 durch G v. 12.11.2020 (BGBl. I S. 2416); Abs. 1 Satz 1 geänd. mWv 25.4.2023 durch G v. 20.4.2023 (BGBl. 2023 I Nr. 106); Abs. 5 Satz 3 geänd., Abs. 9 angef. mWv 27.2.2024 durch G v. 21.2.2024 (BGBl. 2024 I Nr. 54).

[2] **beck-online, Module Arbeitsrecht Nr. 850.**

ihnen zu Grunde liegenden Umstände ein persönliches Verhalten erkennen lassen, das eine gegenwärtige Gefährdung der öffentlichen Ordnung darstellt. [3]Es muss eine tatsächliche und hinreichend schwere Gefährdung vorliegen, die ein Grundinteresse der Gesellschaft berührt.

(3) Bei der Entscheidung nach Absatz 1 sind insbesondere die Dauer des Aufenthalts des Betroffenen in Deutschland, sein Alter, sein Gesundheitszustand, seine familiäre und wirtschaftliche Lage, seine soziale und kulturelle Integration in Deutschland und das Ausmaß seiner Bindungen zum Herkunftsstaat zu berücksichtigen.

(4) Eine Feststellung nach Absatz 1 darf nach Erwerb des Daueraufenthaltsrechts nur aus schwerwiegenden Gründen getroffen werden.

(5) [1]Eine Feststellung nach Absatz 1 darf bei Unionsbürgern und ihren Familienangehörigen, die ihren Aufenthalt in den letzten zehn Jahren im Bundesgebiet hatten, und bei Minderjährigen nur aus zwingenden Gründen der öffentlichen Sicherheit getroffen werden. [2]Für Minderjährige gilt dies nicht, wenn der Verlust des Aufenthaltsrechts zum Wohl des Kindes notwendig ist. [3]Zwingende Gründe der öffentlichen Sicherheit können nur dann vorliegen, wenn der Betroffene wegen einer oder mehrerer vorsätzlicher Straftaten rechtskräftig zu einer Freiheits- oder Jugendstrafe von mindestens fünf Jahren verurteilt oder bei der letzten rechtskräftigen Verurteilung Sicherungsverwahrung angeordnet wurde, wenn die Sicherheit der Bundesrepublik Deutschland betroffen ist oder wenn vom Betroffenen eine terroristische Gefahr ausgeht.

(6) Die Entscheidungen oder Maßnahmen, die den Verlust des Aufenthaltsrechts oder des Daueraufenthaltsrechts betreffen, dürfen nicht zu wirtschaftlichen Zwecken getroffen werden.

(7) Wird der Pass, Personalausweis oder sonstige Passersatz ungültig, so kann dies die Aufenthaltsbeendigung nicht begründen.

(8) [1]Vor der Feststellung nach Absatz 1 soll der Betroffene angehört werden. [2]Die Feststellung bedarf der Schriftform.

(9) Die Absätze 1 bis 8 finden auf Personen, die ein Recht zur Einreise und zum Aufenthalt im Bundesgebiet nach § 3a Absatz 1 haben, entsprechende Anwendung.

§ 7[1)] Ausreisepflicht. (1) [1]Unionsbürger oder ihre Familienangehörigen sind ausreisepflichtig, wenn die Ausländerbehörde festgestellt hat, dass das Recht auf Einreise und Aufenthalt nicht besteht. [2]In dem Bescheid soll die Abschiebung angedroht und eine Ausreisefrist gesetzt werden. [3]Außer in dringenden Fällen muss die Frist mindestens einen Monat betragen. [4]Wird ein Antrag nach § 80 Abs. 5 der Verwaltungsgerichtsordnung[2)] gestellt, darf die Abschiebung nicht erfolgen, bevor über den Antrag entschieden wurde.

(2) [1]Personen, die ihr Recht nach § 2 Absatz 1 oder ihr Recht nach § 3a Absatz 1 nach § 6 Absatz 1 verloren haben, soll untersagt werden, erneut in das

---

[1)] § 7 Abs. 1 Sätze 1 und 2 sowie Abs. 2 Sätze 1 und 2 geänd., Abs. 1 Satz 4 neu gef., Satz 5, Abs. 2 Satz 4 angef. mWv 28.8.2007 durch G v. 19.8.2007 (BGBl. I S. 1970); Abs. 1 Satz 1 geänd., Satz 2 aufgeh., bish. Sätze 3–5 werden Sätze 2–4 mWv 29.1.2013 durch G v. 21.1.2013 (BGBl. I S. 86); Abs. 2 Sätze 2–4 eingef., bish. Satz 2 wird Satz 5 und geänd., bish. Satz 3 wird Satz 7, bish. Satz 4 wird Satz 8 und geänd., Satz 6 eingef. mWv 9.12.2014 durch G v. 2.12.2014 (BGBl. I S. 1922); Abs. 2 Satz 2, Abs. 2 Satz 6 geänd. mWv 25.4.2023 durch G v. 20.4.2023 (BGBl. 2023 I Nr. 106); Abs. 2 Sätze 1–4 neu gef. mWv 27.2.2024 durch G v. 21.2.2024 (BGBl. 2024 I Nr. 54).

[2)] **beck-online, Module Arbeitsrecht Nr. 663.**

Bundesgebiet einzureisen und sich darin aufzuhalten. [2] Personen, bei denen das Nichtbestehen des Freizügigkeitsrechts nach § 2 Absatz 4 festgestellt worden ist, kann untersagt werden, erneut in das Bundesgebiet einzureisen und sich darin aufzuhalten. [3] Personen nach Satz 2 soll untersagt werden, erneut in das Bundesgebiet einzureisen und sich darin aufzuhalten, wenn ein besonders schwerer Fall, insbesondere ein wiederholtes Vortäuschen des Vorliegens der Voraussetzungen des Rechts auf Einreise und Aufenthalt, vorliegt oder wenn der Aufenthalt dieser Personen die öffentliche Ordnung und Sicherheit der Bundesrepublik Deutschland in erheblicher Weise beeinträchtigt. [4] Bei einer Entscheidung nach den Sätzen 1 bis 3 ist § 6 Absatz 3, 6 und 8 entsprechend anzuwenden. [5] Das Verbot nach den Sätzen 1 bis 3 wird von Amts wegen befristet. [6] Die Frist ist unter Berücksichtigung der Umstände des Einzelfalles auf Grund der auf Tatsachen gestützten Annahme der künftig von einem Aufenthalt der Person innerhalb der Europäischen Union und der Schengen-Staaten ausgehenden Gefahren für die öffentliche Ordnung und Sicherheit festzusetzen und darf fünf Jahre nur in den Fällen des § 6 Absatz 1 überschreiten. [7] Die Frist beginnt mit der Ausreise. [8] Ein nach angemessener Frist oder nach drei Jahren gestellter Antrag auf Aufhebung oder auf Verkürzung der festgesetzten Frist ist innerhalb von sechs Monaten zu bescheiden.

§ 8[1)] Ausweispflicht. (1) Die Personen, deren Einreise und Aufenthalt nach § 1 Absatz 1 durch dieses Gesetz geregelt ist, sind verpflichtet,

1. bei der Einreise in das oder der Ausreise aus dem Bundesgebiet einen Pass oder anerkannten Passersatz
   a) mit sich zu führen und
   b) einem zuständigen Beamten auf Verlangen zur Prüfung vorzulegen,
2. für die Dauer des Aufenthalts im Bundesgebiet den erforderlichen Pass oder Passersatz zu besitzen,
3. den Pass oder Passersatz sowie die Aufenthaltskarte, die Bescheinigung des Daueraufenthalts und die Daueraufenthaltskarte den mit der Ausführung dieses Gesetzes betrauten Behörden auf Verlangen vorzulegen, auszuhändigen und vorübergehend zu überlassen, soweit dies zur Durchführung oder Sicherung von Maßnahmen nach diesem Gesetz erforderlich ist.

(1a) Die Personen, deren Einreise und Aufenthalt nach § 1 Absatz 1 durch dieses Gesetz geregelt ist, sind verpflichtet, die in Absatz 1 Nummer 3 genannten Dokumente auf Verlangen einer zur Überprüfung der Identität befugten Behörde vorzulegen und es ihr zu ermöglichen, das Gesicht mit dem Lichtbild im Dokument abzugleichen.

(2) [1] Die mit dem Vollzug dieses Gesetzes betrauten Behörden dürfen unter den Voraussetzungen des Absatzes 1 Nr. 3 die auf dem elektronischen Speicher- und Verarbeitungsmedium eines Dokumentes nach Absatz 1 gespeicherten biometrischen und sonstigen Daten auslesen, die benötigten biometrischen Daten beim Inhaber des Dokumentes erheben und die biometrischen Daten

---

[1)] § 8 Abs. 2 angef., bish. Wortlaut wird Abs. 1 mWv 1.11.2007 durch G v. 20.7.2007 (BGBl. I S. 1566); Abs. 1 Nr. 1 und 3 geänd. mWv 28.8.2007 durch G v. 19.8.2007 (BGBl. I S. 1970); Abs. 2 Satz 1 geänd. mWv 1.9.2011 durch G v. 12.4.2011 (BGBl. I S. 610); Abs. 1 Nr. 1 Buchst. b, Nr. 3 geänd. mWv 29.1.2013 durch G v. 21.1.2013 (BGBl. I S. 86); Abs. 1a eingef. mWv 15.6.2017 durch G v. 8.6.2017 (BGBl. I S. 1570); Abs. 1 einl. Satzteil, Abs. 1a geänd. mWv 24.11.2020 durch G v. 12.11.2020 (BGBl. I S. 2416).

miteinander vergleichen. ²Biometrische Daten nach Satz 1 sind nur die Fingerabdrücke, das Lichtbild und die Irisbilder. ³Die Polizeivollzugsbehörden, die Zollverwaltung und die Meldebehörden sind befugt, Maßnahmen nach Satz 1 zu treffen, soweit sie die Echtheit des Dokumentes oder die Identität des Inhabers überprüfen dürfen. ⁴Die nach den Sätzen 1 und 3 erhobenen Daten sind unverzüglich nach Beendigung der Prüfung der Echtheit des Dokumentes oder der Identität des Inhabers zu löschen.

§ 9[1)] Strafvorschriften. (1) Mit Freiheitsstrafe bis zu drei Jahren oder mit Geldstrafe wird bestraft, wer unrichtige oder unvollständige Angaben macht oder benutzt, um für sich oder einen anderen eine Aufenthaltskarte, eine Daueraufenthaltskarte, eine Bescheinigung über das Daueraufenthaltsrecht, ein Aufenthaltsdokument-GB oder ein Aufenthaltsdokument für Grenzgänger-GB zu beschaffen oder eine so beschaffte Urkunde wissentlich zur Täuschung im Rechtsverkehr gebraucht.

(2) Mit Freiheitsstrafe bis zu einem Jahr oder mit Geldstrafe wird bestraft, wer entgegen § 7 Abs. 2 Satz 1 in das Bundesgebiet einreist oder sich darin aufhält.

(3) Gegenstände, auf die sich eine Straftat nach Absatz 1 bezieht, können eingezogen werden.

§ 10[2)] Bußgeldvorschriften. (1) Ordnungswidrig handelt, wer

1. entgegen § 8 Absatz 1 Nummer 1 Buchstabe b oder Nummer 3 ein dort genanntes Dokument nicht oder nicht rechtzeitig vorlegt oder
2. entgegen § 8 Absatz 1a ein dort genanntes Dokument nicht oder nicht rechtzeitig vorlegt oder einen Abgleich mit dem Lichtbild nicht oder nicht rechtzeitig ermöglicht.

(2) Ordnungswidrig handelt, wer vorsätzlich oder leichtfertig entgegen § 8 Abs. 1 Nr. 2 einen Pass oder Passersatz nicht besitzt.

(3) Ordnungswidrig handelt, wer vorsätzlich oder fahrlässig entgegen § 8 Abs. 1 Nr. 1 Buchstabe a einen Pass oder Passersatz nicht mit sich führt.

(4) Die Ordnungswidrigkeit kann in den Fällen der Absätze 1 und 3 mit einer Geldbuße bis zu dreitausend Euro, in den übrigen Fällen mit einer Geldbuße bis zu tausend Euro geahndet werden.

(5) Verwaltungsbehörde im Sinne des § 36 Abs. 1 Nr. 1 des Gesetzes über Ordnungswidrigkeiten[3)] ist in den Fällen der Absätze 1 und 3 die in der Rechtsverordnung nach § 58 Abs. 1 des Bundespolizeigesetzes[4)] bestimmte Bundespolizeibehörde.

[1)] § 9 Abs. 1 eingef., Abs. 3 angef. mWv 9.12.2014 durch G v. 2.12.2014 (BGBl. I S. 1922); Abs. 1 geänd. mWv 24.11.2020 durch G v. 12.11.2020 (BGBl. I S. 2416).

[2)] § 10 Abs. 5 geänd. mWv 1.7.2005 durch G v. 21.6.2005 (BGBl. I S. 1818); Abs. 1–3 geänd. mWv 1.11.2007 durch G v. 20.7.2007 (BGBl. I S. 1566); Abs. 5 geänd. mWv 1.3.2008 durch G v. 26.2.2008 (BGBl. I S. 215); Abs. 1 neu gef. mWv 29.1.2013 durch G v. 21.1.2013 (BGBl. I S. 86); *Abs. 1 neu gef., Abs. 4 geänd. mWv 15.6.2017 durch G v. 8.6.2017 (BGBl. I S. 1570).*

[3)] **Habersack Nr. 94.**

[4)] **Sartorius Nr. 90.**

§ 11[1] Anwendung des allgemeinen Aufenthaltsrechts; Ausnahmen von der Anwendung dieses Gesetzes. (1) Auf die Personen, deren Einreise und Aufenthalt nach § 1 Absatz 1 durch dieses Gesetz geregelt ist, finden § 3 Absatz 2, § 11 Absatz 8, die §§ 13, 14 Absatz 2, § 44 Absatz 4, die §§ 45a, 46 Absatz 2, § 50 Absatz 3 bis 6, § 59 Absatz 1 Satz 6 und 7, die §§ 69, 71 Absatz 2 und 3 Nummer 2 erste Alternative, die §§ 73, 74 Absatz 2, § 77 Absatz 1, die §§ 80, 82 Absatz 5, die §§ 85 bis 88, 90, 91, 95 Absatz 1 Nummer 4 und 8, Absatz 2 Nummer 2, Absatz 4, die §§ 96, 97, 98 Absatz 2 Nummer 2, Absatz 2a, 3 Nummer 3, Absatz 4 und 5 sowie § 99 des Aufenthaltsgesetzes[2] entsprechende Anwendung.

(2) § 73 des Aufenthaltsgesetzes[3] ist nur zur Feststellung von Gründen gemäß § 6 Absatz 1, hiervon abweichend in den Fällen des Absatzes 8 Satz 1 und des Absatzes 12 Satz 2 ohne Einschränkung anzuwenden.

(3) [1] § 78 des Aufenthaltsgesetzes[3] ist für die Ausstellung von Aufenthaltskarten, Daueraufenthaltskarten, Aufenthaltsdokumenten-GB und Aufenthaltsdokumenten für Grenzgänger-GB entsprechend anzuwenden. [2] Auf die Angaben nach § 78 Absatz 1 Satz 3 Nummer 10 und 11 des Aufenthaltsgesetzes[3] wird verzichtet, soweit zum Zeitpunkt der Veranlassung der Ausstellung ein anerkannter und gültiger ausländischer Pass vorhanden ist. [3] Sie tragen die nach Maßgabe der nach den §§ 11a und 99 Absatz 1 Nummer 13a Satz 1 des Aufenthaltsgesetzes[2] erlassenen Rechtsverordnung festgelegten Bezeichnungen. [4] In der Zone für das automatische Lesen wird anstelle der Abkürzungen nach § 78 Absatz 2 Satz 2 Nummer 1 des Aufenthaltsgesetzes[3] in Aufenthaltskarten und Daueraufenthaltskarten die Abkürzung „AF" und in Aufenthaltsdokumenten-GB und Aufenthaltsdokumenten für Grenzgänger-GB die Abkürzung „AR" verwendet.

(4) [1] Eine Fiktionsbescheinigung nach § 81 Absatz 5 des Aufenthaltsgesetzes[3] ist auf Antrag auszustellen, wenn nach diesem Gesetz von Amts wegen eine Aufenthaltskarte, ein Aufenthaltsdokument-GB oder ein Aufenthaltsdokument für Grenzgänger-GB auszustellen ist und ein Dokument mit elektronischem Speicher- und Verarbeitungsmedium noch nicht zur Überlassung an den Inhaber bereitsteht. [2] In Fällen, in denen ein Recht auf Einreise und Aufenthalt nach diesem Gesetz nur auf Antrag besteht, findet § 81 des Aufenthaltsgesetzes[3] entsprechende Anwendung.

(5) § 5 Absatz 1, 2 und 4, § 6 Absatz 3 Satz 2 und 3, § 7 Absatz 2 Satz 2 und § 82 Absatz 1 und 2 des Aufenthaltsgesetzes[2] sowie § 82 Absatz 3 des Aufenthaltsgesetzes[3], soweit er sich auf § 82 Absatz 1 des Aufenthaltsgesetzes[3] bezieht, sind in den Fällen des § 3a entsprechend anzuwenden.

(6) § 82 Absatz 4 des Aufenthaltsgesetzes[3] ist in den Fällen des Absatzes 8 Satz 1 und des Absatzes 12 Satz 2 entsprechend anzuwenden.

(7) [1] Die Mitteilungspflichten nach § 87 Absatz 2 Satz 1 Nummer 1 bis 3 des Aufenthaltsgesetzes[3] bestehen insoweit entsprechend, als die dort genannten Umstände auch für die Feststellung nach § 2 Absatz 4, § 5 Absatz 4 und § 6

---

[1] § 11 neu gef. mWv 24.11.2020 durch G v. 12.11.2020 (BGBl. I S. 2416); Abs. 13 geänd. mWv 1.7.2023 durch G v. 16.12.2022 (BGBl. I S. 2328); Abs. 1, Abs. 7 Satz 1, Abs. 8 Satz 1 Nr. 2 geänd. mWv 25.4.2023 durch G v. 20.4.2023 (BGBl. 2023 I Nr. 106); Abs. 1 geänd., Abs. 3 Satz 2 eingef., bish. Sätze 2 und 3 werden Sätze 3 und 4, Abs. 8 Satz 1 Nr. 3 und Satz 3 neu gef., Satz 4 aufgeh. mWv 27.2.2024 durch G v. 21.2.2024 (BGBl. 2024 I Nr. 54).

[2] Nr. **760**.

[3] **beck-online, Module Arbeitsrecht Nr. 760.**

Absatz 1 entscheidungserheblich sein können. [2]Sie bestehen in den Fällen des Absatzes 8 Satz 1 und des Absatzes 12 Satz 2 ohne diese Einschränkung.

(8) [1]Auf den Aufenthalt von Personen, die

1. sich selbst als Familienangehörige im Bundesgebiet aufgehalten haben und nach § 3 Absatz 2 nach dem Tod eines Unionsbürgers ein Aufenthaltsrecht behalten,
2. nicht Unionsbürger sind, sich selbst als Ehegatten oder Lebenspartner im Bundesgebiet aufgehalten haben, und die nach der Scheidung oder Aufhebung der Ehe oder Aufhebung der Lebenspartnerschaft nach § 3 Absatz 4 ein Aufenthaltsrecht behalten, oder
3. sich als nahestehende Personen eines verstorbenen Unionsbürgers auf Grund eines Rechts zur Einreise und zum Aufenthalt im Bundesgebiet nach § 3a Absatz 3 in Verbindung mit § 3 Absatz 2 im Bundesgebiet aufgehalten haben,

sind die §§ 6 und 7 nicht anzuwenden. [2]Insoweit findet das Aufenthaltsgesetz[1)] entsprechende Anwendung. [3]Die Regelungen des Aufenthaltsgesetzes zum Familiennachzug zu Inhabern von Aufenthaltserlaubnissen aus familiären Gründen sind auf den Familiennachzug zu den in Satz 1 Nummer 1 und 2 genannten Personen sowie auf den Familiennachzug zu solchen nahestehenden Personen eines Unionsbürgers, denen ein Recht auf Einreise und Aufenthalt im Bundesgebiet nach § 3a verliehen wurde, entsprechend anzuwenden.

(9) [1]§ 3 Absatz 1 ist für den Aufenthalt von Familienangehörigen von Personen nicht anzuwenden, die selbst Familienangehörige oder nahestehende Personen und nicht Unionsbürger sind und nach § 4a Absatz 1 Satz 2 ein Daueraufenthaltsrecht haben. [2]Insoweit sind die Vorschriften des Aufenthaltsgesetzes[1)] zum Familiennachzug zu Inhabern einer Erlaubnis zum Daueraufenthalt – EU entsprechend anzuwenden.

(10) [1]Sofern Familienangehörige von Personen, die ein in § 16 Absatz 1 und 2 genanntes Recht zum Aufenthalt in der Bundesrepublik Deutschland ausüben, kein Recht zum Aufenthalt in der Bundesrepublik Deutschland haben, das nach dem Austrittsabkommen geregelt ist, finden die Vorschriften des Aufenthaltsgesetzes[1)] zum Familiennachzug entsprechende Anwendung. [2]Dabei werden gleichgestellt

1. Inhaber eines Daueraufenthaltsrechts nach Artikel 15 des Austrittsabkommens den Inhabern einer Erlaubnis zum Daueraufenthalt – EU,
2. Inhaber eines anderen Aufenthaltsrechts nach dem Austrittsabkommen, die britische Staatsangehörige sind, den Inhabern einer Blauen Karte EU und
3. Inhaber eines anderen Aufenthaltsrechts nach dem Austrittsabkommen, die weder britische Staatsangehörige noch Unionsbürger sind, den Inhabern einer Aufenthaltserlaubnis aus familiären Gründen.

(11) § 3a und die übrigen Bestimmungen dieses Gesetzes und des Aufenthaltsgesetzes[1)], die in Fällen des § 3a dieses Gesetzes gelten, sind auf nahestehende Personen britischer Staatsangehöriger entsprechend anzuwenden, wenn die britischen Staatsangehörigen ein in § 16 Absatz 1 genanntes Aufenthaltsrecht im Bundesgebiet ausüben und wenn und solange die Voraussetzungen des Artikels 10 Absatz 2, 3 oder 4 des Austrittsabkommens erfüllt sind.

[1)] Auszugsweise abgedruckt unter Nr. **760**.

(12) [1]Die §§ 6 und 7 finden nach Maßgabe des Artikels 20 Absatz 1 des Austrittsabkommens entsprechende Anwendung, wenn ein Verhalten, auf Grund dessen eine Beendigung des Aufenthalts eines Inhabers eines Rechts nach § 16 erfolgt oder durchgesetzt wird, vor dem Ende des Übergangszeitraums stattgefunden hat. [2]Im Übrigen findet hinsichtlich der Beendigung des Aufenthalts von Inhabern eines Rechts nach § 16 das Aufenthaltsgesetz[1)] Anwendung. [3]§ 52 des Verwaltungsverfahrensgesetzes[2)] findet entsprechende Anwendung.

(13) § 88a Absatz 1 Satz 1, 3 und 4 des Aufenthaltsgesetzes[1)] findet entsprechende Anwendung, soweit die Übermittlung von teilnehmerbezogenen Daten im Rahmen der Durchführung von Integrationskursen nach § 44 Absatz 4 des Aufenthaltsgesetzes[1)], zur Überwachung einer Eingliederungsvereinbarung nach dem Zweiten Buch Sozialgesetzbuch[3)] in der bis zum 30. Juni 2023 gültigen Fassung oder eines Kooperationsplans nach dem Zweiten Buch Sozialgesetzbuch in der ab dem 1. Juli 2023 gültigen Fassung oder zur Durchführung des Einbürgerungsverfahrens erforderlich ist.

(14) [1]Das Aufenthaltsgesetz[4)] findet auch dann Anwendung, wenn es eine günstigere Rechtsstellung vermittelt als dieses Gesetz. [2]Hat die Ausländerbehörde das Nichtbestehen oder den Verlust des Rechts nach § 2 Absatz 1 festgestellt, findet das Aufenthaltsgesetz[4)] Anwendung, sofern dieses Gesetz keine besonderen Regelungen trifft.

(15) [1]Zeiten des rechtmäßigen Aufenthalts nach diesem Gesetz unter fünf Jahren entsprechen den Zeiten des Besitzes einer Aufenthaltserlaubnis. [2]Zeiten des rechtmäßigen Aufenthalts nach diesem Gesetz über fünf Jahren entsprechen dem Besitz einer Niederlassungserlaubnis.

§ 11a[5)] Verordnungsermächtigung. Das Bundesministerium des Innern, für Bau und Heimat wird ermächtigt, durch Rechtsverordnung mit Zustimmung des Bundesrates die Einzelheiten der Ausstellung von Aufenthaltskarten nach § 5 Absatz 1 Satz 1 und Absatz 7 Satz 1, Daueraufenthaltskarten nach § 5 Absatz 5 Satz 2, Aufenthaltsdokumenten-GB nach § 16 Absatz 2 Satz 1 und Aufenthaltsdokumenten für Grenzgänger-GB nach § 16 Absatz 3 entsprechend § 99 Absatz 1 Nummer 13a Satz 1 des Aufenthaltsgesetzes[6)] sowie Einzelheiten des Prüfverfahrens entsprechend § 34 Nummer 4 des Personalausweisgesetzes[7)] und Einzelheiten zum elektronischen Identitätsnachweis entsprechend § 34 Nummer 5 bis 7 des Personalausweisgesetzes festzulegen.

§ 12[8)] Staatsangehörige der EWR-Staaten. Die nach diesem Gesetz für Unionsbürger, Familienangehörige von Unionsbürgern und nahestehende Personen von Unionsbürgern geltenden Regelungen finden jeweils auch für Staatsangehörige der EWR-Staaten, die nicht Unionsbürger sind, und für ihre Familienangehörigen und ihre nahestehenden Personen Anwendung.

---

1) **beck-online, Module Arbeitsrecht Nr. 760.**
2) **Sartorius Nr. 100.**
3) Nr. **692.**
4) Auszugsweise abgedruckt unter Nr. **760.**
5) § 11a neu gef. mWv 24.11.2020 durch G v. 12.11.2020 (BGBl. I S. 2416).
6) Nr. **760.**
7) **Sartorius Nr. 255.**
8) § 12 neu gef. mWv 24.11.2020 durch G v. 12.11.2020 (BGBl. I S. 2416).

§ 12a[1)] Unionsrechtliches Aufenthaltsrecht. Auf Familienangehörige und nahestehende Personen von Deutschen, die von ihrem Recht auf Freizügigkeit nach Artikel 21 des Vertrages über die Arbeitsweise der Europäischen Union[2)] nachhaltig Gebrauch gemacht haben, finden die nach diesem Gesetz für Familienangehörige und für nahestehende Personen von Unionsbürgern geltenden Regelungen entsprechende Anwendung.

§ 13[3)] Staatsangehörige der Beitrittsstaaten. Soweit nach Maßgabe des Beitrittsvertrages eines Mitgliedstaates zur Europäischen Union abweichende Regelungen anzuwenden sind, findet dieses Gesetz Anwendung, wenn die Beschäftigung durch die Bundesagentur für Arbeit nach § 284 Absatz 1 des Dritten Buches Sozialgesetzbuch[4)] genehmigt wurde.

§ 14[5)] Bestimmungen zum Verwaltungsverfahren. [1]Von den in § 11 Abs. 1 in Verbindung mit § 87 Absatz 1, 2 Satz 1 und 2, Absatz 4 Satz 1, 3 und 5, §§ 90, 91 Abs. 1 und 2, § 99 Abs. 1 und 2 des Aufenthaltsgesetzes[6)] getroffenen Regelungen des Verwaltungsverfahrens kann durch Landesrecht nicht abgewichen werden. [2]Dies gilt nicht im Hinblick auf Verfahren im Zusammenhang mit Aufenthaltsrechten nach § 3a und mit den in den §§ 12a und 16 geregelten Aufenthaltsrechten.

§ 15[7)] Übergangsregelung. Eine vor dem 28. August 2007 ausgestellte Aufenthaltserlaubnis-EU gilt als Aufenthaltskarte für Familienangehörige eines Unionsbürgers fort.

§ 16[8)] Rechtsstellung britischer Staatsangehöriger und ihrer Familienangehörigen. (1) [1]Das in Teil Zwei Titel II Kapitel 1 des Austrittsabkommens vorgesehene Recht auf Einreise und Aufenthalt im Bundesgebiet kann ausgeübt werden, ohne dass es hierfür eines Antrages bedarf. [2]Dieses Recht ist ein Aufenthaltsrecht im Sinne des Artikels 18 Absatz 4 des Austrittsabkommens.

(2) [1]Denjenigen,

1. die das Recht nach Absatz 1 ausüben oder
2. die das nach Artikel 24 Absatz 2, auch in Verbindung mit Artikel 25 Absatz 2, des Austrittsabkommens bestehende Recht ausüben, im Bundesgebiet zu wohnen,

wird von Amts wegen ein Aufenthaltsdokument im Sinne des Artikels 18 Absatz 4 des Austrittsabkommens (Aufenthaltsdokument-GB) ausgestellt. [2]Sie haben ihren Aufenthalt spätestens innerhalb von sechs Monaten nach dem Ende des Übergangszeitraums im Sinne des Teils Vier des Austrittsabkommens bei der zuständigen Ausländerbehörde anzuzeigen, wenn sie nicht bereits Inhaber

---

[1)] § 12a eingef. mWv 24.11.2020 durch G v. 12.11.2020 (BGBl. I S. 2416).

[2)] **beck-online, Module Arbeitsrecht Nr. 850.**

[3)] § 13 neu gef. mWv 1.7.2015 durch G v. 21.12.2015 (BGBl. I S. 2557).

[4)] Nr. **700**.

[5)] § 14 angef. mWv 28.8.2007 durch G v. 19.8.2007 (BGBl. I S. 1970); geänd. mWv 29.7.2017 durch G v. 20.7.2017 (BGBl. I S. 2780); Satz 2 angef. mWv 24.11.2020 durch G v. 12.11.2020 (BGBl. I S. 2416); Satz 1 geänd. mWv 15.7.2021 durch G v. 9.7.2021 (BGBl. I S. 2467).

[6)] Nr. **760**.

[7)] § 15 angef. mWv 28.8.2007 durch G v. 19.8.2007 (BGBl. I S. 1970).

[8)] § 16 angef. mWv 24.11.2020 durch G v. 12.11.2020 (BGBl. I S. 2416); Abs. 4 geänd. mWv 25.4.2023 durch G v. 20.4.2023 (BGBl. 2023 I Nr. 106).

einer Aufenthaltskarte oder Daueraufenthaltskarte sind. [3]Die Vorschriften des Artikels 18 Absatz 1 Unterabsatz 2 Buchstabe b Satz 2 Buchstabe c sowie i bis n des Austrittsabkommens finden entsprechende Anwendung.

(3) Britische Staatsangehörige, die nach Teil Zwei Titel II Kapitel 2 des Austrittsabkommens Rechte als Grenzgänger haben, sind verpflichtet, ein Dokument (Aufenthaltsdokument für Grenzgänger-GB) zu beantragen, mit dem diese Rechte bescheinigt werden.

(4) § 2 Absatz 4, § 2a Absatz 2 und 4 sowie § 5 Absatz 3 und 4 finden entsprechende Anwendung.

(5) Für die Anwendung anderer Gesetze als des Aufenthaltsgesetzes[1)] und dieses Gesetzes stehen Aufenthaltsrechte, auf die in den Absätzen 1 und 2 Bezug genommen wird, dem Freizügigkeitsrecht nach § 2 gleich, sofern im Austrittsabkommen oder durch Gesetz nichts Abweichendes bestimmt ist.

(6) [1]Aufenthaltskarten und Daueraufenthaltskarten werden eingezogen, sobald der Inhaber infolge des Austritts des Vereinigten Königreichs Großbritannien und Nordirland aus der Europäischen Union kein Recht nach § 2 Absatz 1 mehr besitzt. [2]Sie verlieren ab dem 1. Januar 2022 auf jeden Fall ihre Gültigkeit.

§ 17[2)] Datenübermittlung zur Durchführung der Verordnung (EU) 2017/2226 und der Verordnung (EU) 2018/1240. (1) Die Behörde, die an eine Person, zu der Daten im Einreise-/Ausreisesystem nach der Verordnung (EU) 2017/2226 des Europäischen Parlaments und des Rates vom 30. November 2017 über ein Einreise-/Ausreisesystem (EES) zur Erfassung der Ein- und Ausreisedaten sowie der Einreiseverweigerungsdaten von Drittstaatsangehörigen an den Außengrenzen der Mitgliedstaaten und zur Festlegung der Bedingungen für den Zugang zum EES zu Gefahrenabwehr- und Strafverfolgungszwecken und zur Änderung des Übereinkommens zur Durchführung des Übereinkommens von Schengen sowie der Verordnungen (EG) Nr. 767/2008 und (EU) Nr. 1077/2011 (ABl. L 327 vom 9.12.2017, S. 20; L 258 vom 15.10. 2018, S. 5), die zuletzt durch die Verordnung (EU) 2021/1152 (ABl. L 249 vom 14.7.2021, S. 15) geändert worden ist, gespeichert sind, eine Aufenthaltskarte, eine Daueraufenthaltskarte oder ein Aufenthaltsdokument-GB ausgibt, teilt dies unverzüglich dem Bundesverwaltungsamt als nationale EES-Behörde zum Zwecke einer vorzeitigen Löschung nach Artikel 35 Absatz 6 der Verordnung (EU) 2017/2226 mit.

(2) Die Behörde, die an eine Person, zu der Daten im Europäischen Reiseinformations- und -genehmigungssystem nach der Verordnung (EU) 2018/1240 des Europäischen Parlaments und des Rates vom 12. September 2018 über die Einrichtung eines Europäischen Reiseinformations- und -genehmigungssystems (ETIAS) und zur Änderung der Verordnungen (EU) Nr. 1077/2011, (EU) Nr. 515/2014, (EU) 2016/399, (EU) 2016/1624 und (EU) 2017/2226 (ABl. L 236 vom 19.9.2018, S. 1; L 323 vom 19.12.2018, S. 37; L 193 vom 17.6.2020, S. 16, ABl. L 266 vom 13.10.2022, S. 24), die zuletzt durch die Verordnung (EU) 2021/1152 (ABl. L 249 vom 14.7.2021, S. 15) geändert worden ist, gespeichert sind, eine Aufenthaltskarte, eine Daueraufenthaltskarte oder ein Aufenthaltsdokument-GB ausgibt, teilt dies unverzüglich der nationa-

---

[1)] Auszugsweise abgedruckt unter Nr. **760**.
[2)] § 17 angef. mWv 12.10.2025 durch G v. 20.4.2023 (BGBl. 2023 I Nr. 106; 2025 I Nr. 202).

len ETIAS- Stelle zum Zwecke einer vorzeitigen Löschung nach Artikel 55 Absatz 5 der Verordnung (EU) 2018/1240 mit.

(3) Die Übermittlungen nach den Absätzen 1 und 2 können automatisiert über das Bundesverwaltungsamt durchgeführt werden.

780. Asylgesetz (AsylG)[1]

In der Fassung der Bekanntmachung vom 2. September 2008[2]
(BGBl. I S. 1798)

FNA 26-7

zuletzt geänd. durch Art. 1 GEAS-AnpassungsG v. 23.4.2026 (BGBl. 2026 I Nr. 111)

– Auszug –[3]

Abschnitt 5.[4] Unterbringung und Verteilung

§ 44[5] Schaffung und Unterhaltung von Aufnahmeeinrichtungen; Aufnahmeeinrichtungen zur Durchführung von Verfahren bei Sekundärmigration. (1) Die Länder sind verpflichtet, für die Unterbringung von Ausländern die dazu erforderlichen Aufnahmeeinrichtungen zu schaffen und zu unterhalten sowie entsprechend ihrer Aufnahmequote die im Hinblick auf den monatlichen Zugang von Ausländern in den Aufnahmeeinrichtungen notwendige Zahl von Unterbringungsplätzen bereitzustellen.

(1a) Die Länder können zur Durchführung von Verfahren bei Sekundärmigration Aufnahmeeinrichtungen für die Unterbringung von Ausländern einrichten, die sich nach Artikel 17 Absatz 4 der Verordnung (EU) 2024/1351 in einem anderen Mitgliedstaat aufzuhalten haben oder denen ein anderer Mitgliedstaat bereits internationalen Schutz gewährt hat.

(2) [1]Die Länder sollen geeignete Maßnahmen treffen, um bei der Unterbringung von Ausländern nach Absatz 1 besondere Bedürfnisse der Ausländer bei der Aufnahme zu identifizieren und zu berücksichtigen und den Schutz von Frauen, Kindern und weiteren schutzbedürftigen Personen zu gewährleisten. [2]Schutzbedürftige Personen sind insbesondere Personen mit Behinderungen, ältere Menschen, Schwangere, lesbische, schwule, bisexuelle, trans- und intergeschlechtliche Personen, Alleinerziehende mit minderjährigen Kindern, Opfer von Menschenhandel, Personen mit schweren Erkrankungen, Personen mit psychischen Störungen, einschließlich posttraumatischer Belastungsstörung, Personen, die Folter, Vergewaltigung oder sonstige schwere Formen psychischer, physischer oder sexueller Gewalt erlitten.

---

[1] Gesetzestitel neu gef. mWv 24.10.2015 durch G v. 20.10.2015 (BGBl. I S. 1722); bis 23.10.2015: „Asylverfahrensgesetz (AsylVfG)".

[2] Neubekanntmachung des AsylVfG idF der Bek. v. 27.7.1993 (BGBl. I S. 1361) in der ab 1.11. 2007 geltenden Fassung.

[3] Vollständig wiedergegeben in **beck-online, Module Arbeitsrecht.**

[4] Bish. 3. Abschnitt wird Abschnitt 5 mWv 1.12.2013 durch G v. 28.8.2013 (BGBl. I S. 3474).

[5] § 44 Abs. 3 Sätze 2–8 angef. mWv 17.3.2016 durch G v. 11.3.2016 (BGBl. I S. 390); Abs. 3 Satz 3 geänd. mWv 10.11.2016 durch G v. 4.11.2016 (BGBl. I S. 2460); Abs. 2a eingef. mWv 21.8.2019 durch G v. 15.8.2019 (BGBl. I S. 1294); Abs. 3 Satz 5 geänd. mWv 26.11.2019 durch G v. 20.11.2019 (BGBl. I S. 1626); Abs. 2 geänd. mWv 27.6.2020 durch VO v. 19.6.2020 (BGBl. I S. 1328); Abs. 3 Satz 3 geänd. mWv 1.1.2021 durch G v. 9.10.2020 (BGBl. I S. 2075); Abs. 3 Satz 3 geänd. mWv 1.7. 2021 durch G v. 16.6.2021 (BGBl. I S. 1810); Überschrift neu gef., Abs. 1 geänd., Abs. 1a eingef., Abs. 2 aufgeh., bish. Abs. 2a wird Abs. 2, Abs. 4 angef. mWv 12.6.2026 durch G v. 23.4.2026 (BGBl. 2026 I Nr. 111).

(3) [1] § 45 des Achten Buches Sozialgesetzbuch[1)] (Artikel 1 des Gesetzes vom 26. Juni 1990, BGBl. I S. 1163) gilt nicht für Aufnahmeeinrichtungen. [2] Träger von Aufnahmeeinrichtungen sollen sich von Personen, die in diesen Einrichtungen mit der Beaufsichtigung, Betreuung, Erziehung oder Ausbildung Minderjähriger oder mit Tätigkeiten, die in vergleichbarer Weise geeignet sind, Kontakt zu Minderjährigen aufzunehmen, betraut sind, zur Prüfung, ob sie für die aufgeführten Tätigkeiten geeignet sind, vor deren Einstellung oder Aufnahme einer dauerhaften ehrenamtlichen Tätigkeit und in regelmäßigen Abständen ein Führungszeugnis nach § 30 Absatz 5 und § 30a Absatz 1 des Bundeszentralregistergesetzes[2)] vorlegen lassen. [3] Träger von Aufnahmeeinrichtungen dürfen für die Tätigkeiten nach Satz 2 keine Personen beschäftigen oder mit diesen Tätigkeiten ehrenamtlich betrauen, die rechtskräftig wegen einer Straftat nach den §§ 171, 174 bis 174c, 176 bis 180a, 181a, 182 bis 184g, 184i bis 184l, 225, 232 bis 233a, 234, 235 oder 236 des Strafgesetzbuchs[3)] verurteilt worden sind. [4] Nimmt der Träger einer Aufnahmeeinrichtung Einsicht in ein Führungszeugnis nach § 30 Absatz 5 und § 30a Absatz 1 des Bundeszentralregistergesetzes[2)], so speichert er nur den Umstand der Einsichtnahme, das Datum des Führungszeugnisses und die Information, ob die das Führungszeugnis betreffende Person wegen einer in Satz 3 genannten Straftat rechtskräftig verurteilt worden ist. [5] Der Träger einer Aufnahmeeinrichtung darf diese Daten nur verarbeiten, soweit dies zur Prüfung der Eignung einer Person für die in Satz 2 genannten Tätigkeiten erforderlich ist. [6] Die Daten sind vor dem Zugriff Unbefugter zu schützen. [7] Sie sind unverzüglich zu löschen, wenn im Anschluss an die Einsichtnahme keine Tätigkeit nach Satz 2 wahrgenommen wird. [8] Sie sind spätestens sechs Monate nach der letztmaligen Ausübung einer in Satz 2 genannten Tätigkeit zu löschen.

(4) Die Länder können Maßnahmen ergreifen, um die Bedarfe ihrer Aufnahmesysteme zu ermitteln und zu adressieren, einschließlich Maßnahmen zur Überprüfung, ob sich ein Ausländer tatsächlich in der ihm zugewiesenen Unterkunft aufhält.

Abschnitt 6.[4)] Recht des Aufenthalts während des Asylverfahrens

§ 55[5)] Aufenthaltsgestattung. (1) Einem Ausländer ist der Aufenthalt im Bundesgebiet zur Durchführung des Asylverfahrens gestattet und er hat ein Recht auf Verbleib, solange die Voraussetzungen aus Artikel 10 Absatz 1 oder Artikel 68 Absatz 2, 4 oder 7 der Verordnung (EU) 2024/1348 vorliegen und keine Ausnahmen nach Artikel 10 Absatz 3 oder 4 der Verordnung (EU) 2024/1348 bestehen.

(2) [1] Mit der Einreichung eines Asylantrags erlöschen eine Befreiung vom Erfordernis eines Aufenthaltstitels und ein Aufenthaltstitel mit einer Gesamtgeltungsdauer bis zu sechs Monaten sowie die in § 81 Absatz 3 und 4 des

---

[1)] Nr. **494a**.
[2)] Nr. **494**.
[3)] **Habersack Nr. 85.**
[4)] Bish. 4. Abschnitt wird Abschnitt 6 mWv 1.12.2013 durch G v. 28.8.2013 (BGBl. I S. 3474).
[5)] § 55 Abs. 3 geänd. mWv 1.12.2013 durch G v. 28.8.2013 (BGBl. I S. 3474); Abs. 1 Satz 1 geänd., Satz 3 neu gef. mWv 6.8.2016 durch G v. 31.7.2016 (BGBl. I S. 1939); Abs. 1 neu gef., Abs. 2 Sätze 1 und 2 geänd. mWv 12.6.2026 durch G v. 23.4.2026 (BGBl. 2026 I Nr. 111).

Aufenthaltsgesetzes[1)] bezeichneten Wirkungen eines Antrags auf Erteilung eines Aufenthaltstitels. [2] § 81 Absatz 4 des Aufenthaltsgesetzes[1)] bleibt unberührt, wenn der Ausländer einen Aufenthaltstitel mit einer Gesamtgeltungsdauer von mehr als sechs Monaten besessen und dessen Verlängerung beantragt hat.

(3) Soweit der Erwerb oder die Ausübung eines Rechts oder einer Vergünstigung von der Dauer des Aufenthalts im Bundesgebiet abhängig ist, wird die Zeit eines Aufenthalts nach Absatz 1 nur angerechnet, wenn der Ausländer als Asylberechtigter anerkannt ist oder ihm internationaler Schutz im Sinne des § 1 Absatz 1 Nummer 2 zuerkannt wurde.

§ 56[2)] Räumliche Beschränkung. (1) Die Aufenthaltsgestattung ist räumlich auf den Bezirk der Ausländerbehörde beschränkt, in dem die für die Aufnahme des Ausländers zuständige Aufnahmeeinrichtung liegt.

(2) Wenn der Ausländer verpflichtet ist, in dem Bezirk einer anderen Ausländerbehörde Aufenthalt zu nehmen, ist die Aufenthaltsgestattung räumlich auf deren Bezirk beschränkt.

§ 61[3)] Erwerbstätigkeit. (1) [1] Für die Dauer der Pflicht, in einer Aufnahmeeinrichtung zu wohnen, darf der Ausländer keine Erwerbstätigkeit ausüben. [2] Abweichend von Satz 1 ist dem Ausländer drei Monate nach der Registrierung seines Asylantrags die Ausübung einer Beschäftigung zu erlauben, sofern

1. das Asylverfahren noch nicht unanfechtbar abgeschlossen ist und
2. die Bundesagentur für Arbeit zugestimmt hat oder durch Rechtsverordnung bestimmt ist, dass die Ausübung der Beschäftigung ohne Zustimmung der Bundesagentur für Arbeit zulässig ist.

[3] Die Frist nach Satz 2 beträgt sechs Monate, wenn

1. ein Aufnahmegesuch gemäß Artikel 39 der Verordnung (EU) 2024/1351 gestellt wurde oder eine Wiederaufnahmemitteilung gemäß Artikel 41 der Verordnung (EU) 2024/1351 übermittelt wurde oder
2. dem Ausländer bereits in einem anderen Mitgliedstaat der Europäischen Union internationaler Schutz im Sinne des § 1 Absatz 1 Nummer 2 gewährt wurde, es sei denn die Bundesrepublik Deutschland ist verpflichtet, ein erneutes Asylverfahren durchzuführen.

[4] Die Erlaubnis soll nicht erteilt werden, wenn der Ausländer wiederholt oder in erheblicher Weise seinen Mitwirkungspflichten nach § 15 Absatz 2 sowie nach Artikel 9 Absatz 2 der Verordnung (EU) 2024/1348 und nach Artikel 17 Absatz 3 der Verordnung (EU) 2024/1351 unentschuldigt nicht nachgekommen ist. [5] Sofern das beschleunigte Verfahren nach Artikel 42 Absatz 1 Unterabsatz 1 Buchstaben a bis f der Verordnung (EU) 2024/1348 zur Anwendung gelangt, wird die Erlaubnis zur Beschäftigung nicht erteilt oder eine bereits erteilte Erlaubnis widerrufen oder zurückgenommen. [6] Ausländern, die seit mindestens sechs Monaten eine Duldung nach § 60a des Aufenthaltsgesetzes[1)] besitzen, soll die Ausübung einer Beschäftigung erlaubt werden, es sei denn, zum Zeitpunkt der Beantragung der Erlaubnis zur Ausübung einer Beschäftigung stehen konkrete Maßnahmen zur Aufenthaltsbeendigung, die in einem

---

[1)] **beck-online, Module Arbeitsrecht Nr. 760.**
[2)] § 56 Abs. 1 Satz 2 und Abs. 3 aufgeh. mWv 1.1.2015 durch G v. 23.12.2014 (BGBl. I S. 2439).
[3)] § 61 neu gef. mWv 12.6.2026 durch G v. 23.4.2026 (BGBl. 2026 I Nr. 111).

hinreichenden sachlichen und zeitlichen Zusammenhang zur Aufenthaltsbeendigung stehen, bevor; diese konkreten Maßnahmen zur Aufenthaltsbeendigung stehen bevor, wenn

1. eine ärztliche Untersuchung zur Feststellung der Reisefähigkeit veranlasst wurde,
2. der Ausländer einen Antrag zur Förderung einer freiwilligen Ausreise mit staatlichen Mitteln gestellt hat,
3. die Buchung von Transportmitteln für die Abschiebung eingeleitet wurde,
4. vergleichbar konkrete Vorbereitungsmaßnahmen zur Abschiebung des Ausländers eingeleitet wurden, es sei denn, es ist von vornherein absehbar, dass diese nicht zum Erfolg führen, oder
5. ein Verfahren zur Bestimmung des zuständigen Mitgliedstaates gemäß Artikel 38 Absatz 1 der Verordnung (EU) 2024/1351 eingeleitet wurde.

[7] Die Frist nach Satz 6 beträgt drei Monate, wenn die Voraussetzungen von § 60c Absatz 1 Satz 1 Nummer 2 des Aufenthaltsgesetzes[1)] vorliegen oder wenn die Identität des Ausländers durch Vorlage eines anerkannten und gültigen Passes oder Passersatzes geklärt ist. [8] Die §§ 39, 40 Absatz 1 Nummer 1 und Absatz 2 und die §§ 41 und 42 des Aufenthaltsgesetzes[2)] gelten entsprechend für Ausländer nach den Sätzen 2 und 6. [9] Abweichend von Satz 6 ist dem Ausländer die Ausübung einer Beschäftigung zu erlauben, sofern ihm vor der Duldung nach § 60a des Aufenthaltsgesetzes bereits während des Asylverfahrens die Ausübung einer Beschäftigung erlaubt wurde.

(2) [1] Im Übrigen ist einem Ausländer im Asylverfahren, der sich seit drei Monaten gestattet im Bundesgebiet aufhält, gemäß § 4a Absatz 4 des Aufenthaltsgesetzes[2)] die Ausübung einer Beschäftigung zu erlauben, wenn die Bundesagentur für Arbeit zugestimmt hat oder durch Rechtsverordnung bestimmt ist, dass die Ausübung der Beschäftigung ohne Zustimmung der Bundesagentur für Arbeit zulässig ist. [2] Ein geduldeter oder rechtmäßiger Voraufenthalt wird auf die Wartezeit nach Satz 1 angerechnet. [3] Die §§ 39, 40 Absatz 1 Nummer 1 und Absatz 2 und die §§ 41 und 42 des Aufenthaltsgesetzes[2)] gelten entsprechend. [4] Einem Ausländer aus einem sicheren Herkunftsstaat gemäß § 29a oder § 29b, der nach dem 31. August 2015 einen Asylantrag gestellt hat, darf während des Asylverfahrens die Ausübung einer Beschäftigung nicht erlaubt werden. [5] Absatz 1 Satz 2 bis 5 bleiben unberührt.

§ 67[3)] Erlöschen der Aufenthaltsgestattung. (1) Die Aufenthaltsgestattung erlischt, wenn ein Recht auf Verbleib nach der Verordnung (EU) 2024/1348 nicht besteht oder nicht mehr besteht, insbesondere

1. wenn der Ausländer nach § 18 Absatz 2 und 3 zurückgewiesen oder zurückgeschoben wird,
2. mit Ablauf der Frist nach § 20 Absatz 1 Satz 2, wenn der Ausländer der Verpflichtung nach § 20 Absatz 1 Satz 1 nicht nachgekommen ist,
3. wenn ein Fall von Artikel 68 Absatz 3 oder 7 der Verordnung (EU) 2024/1348 vorliegt,

---

[1)] **beck-online, Module Arbeitsrecht Nr. 760.**
[2)] Nr. 760.
[3)] § 67 neu gef. mWv 12.6.2026 durch G v. 23.4.2026 (BGBl. 2026 I Nr. 111).

4. im Falle der Erklärung der ausdrücklichen Rücknahme des Asylantrags nach Artikel 40 Absatz 3 der Verordnung (EU) 2024/1348 mit der Zustellung der Entscheidung des Bundesamtes,
5. wenn eine nach diesem Gesetz oder nach § 60 Absatz 9 des Aufenthaltsgesetzes[1)] erlassene Abschiebungsandrohung vollziehbar geworden ist,
6. mit der Vollziehbarkeit einer Abschiebungsanordnung nach § 34a,
7. mit der Bekanntgabe einer Abschiebungsanordnung nach § 58a des Aufenthaltsgesetzes[1)],
8. im Übrigen, wenn die Entscheidung des Bundesamtes unanfechtbar geworden ist.

(2) Die Aufenthaltsgestattung tritt wieder in Kraft, wenn ein Gericht in den Fällen des Artikels 68 Absatz 4 oder 7 der Verordnung (EU) 2024/1348 den Verbleib gestattet hat.

[1)] **beck-online, Module Arbeitsrecht Nr. 760.**

781. Asylbewerberleistungsgesetz (AsylbLG)

In der Fassung der Bekanntmachung vom 5. August 1997[1)]
(BGBl. I S. 2022)

FNA 2178-1

zuletzt geänd. durch Art. 3 GEAS-AnpassungsfolgeG v. 23.4.2026 (BGBl. 2026 I Nr. 112)

– Auszug –[2)]

§ 5[3)] Arbeitsgelegenheiten. (1) [1]In Aufnahmeeinrichtungen im Sinne des § 44 des Asylgesetzes[4)] und in vergleichbaren Einrichtungen sollen Arbeitsgelegenheiten insbesondere zur Aufrechterhaltung und Betreibung der Einrichtung zur Verfügung gestellt werden; von der Bereitstellung dieser Arbeitsgelegenheiten unberührt bleibt die Verpflichtung der Leistungsberechtigten, Tätigkeiten der Selbstversorgung zu erledigen. [2]Im Übrigen sollen soweit wie möglich Arbeitsgelegenheiten bei staatlichen, bei kommunalen und bei gemeinnützigen Trägern zur Verfügung gestellt werden, wenn das Arbeitsergebnis der Allgemeinheit dient.

(2) Für die zu leistende Arbeit nach Absatz 1 Satz 1 erster Halbsatz und Absatz 1 Satz 2 wird eine Aufwandsentschädigung von 80 Cent je Stunde ausgezahlt, soweit der Leistungsberechtigte nicht im Einzelfall höhere notwendige Aufwendungen nachweist, die ihm durch die Wahrnehmung der Arbeitsgelegenheit entstehen.

(3) [1]Die Arbeitsgelegenheit ist zeitlich und räumlich so auszugestalten, daß sie auf zumutbare Weise und zumindest stundenweise ausgeübt werden kann. [2]§ 11 Absatz 4 des Zwölften Buches Sozialgesetzbuch[5)] gilt entsprechend. [3]Ein sonstiger wichtiger Grund im Sinne von § 11 Absatz 4 Satz 1 Nummer 3 des Zwölften Buches Sozialgesetzbuch kann insbesondere auch dann vorliegen, wenn die oder der Leistungsberechtigte eine Beschäftigung auf dem allgemeinen Arbeitsmarkt, eine Berufsausbildung oder ein Studium aufnimmt oder aufgenommen hat.

(4) [1]Arbeitsfähige, nicht erwerbstätige Leistungsberechtigte, die nicht mehr im schulpflichtigen Alter sind, sind zur Wahrnehmung einer zur Verfügung gestellten Arbeitsgelegenheit verpflichtet. [2]Bei unbegründeter Ablehnung einer solchen Tätigkeit besteht nur Anspruch auf Leistungen entsprechend § 1a Absatz 1. [3]Der Leistungsberechtigte ist vorher entsprechend zu belehren.

(5) [1]Ein Arbeitsverhältnis im Sinne des Arbeitsrechts und ein Beschäftigungsverhältnis im Sinne der gesetzlichen Kranken- und Rentenversicherung werden nicht begründet. [2]§ 61 Abs. 1 des Asylgesetzes[4)] sowie asyl- und

---

[1)] Neubekanntmachung des AsylbLG v. 30.6.1993 (BGBl. I S. 1074) in der ab 1.6.1997 geltenden Fassung.

[2)] Vollständig wiedergegeben in **beck-online, Module Arbeitsrecht.**

[3)] § 5 Abs. 4 Satz 2 neu gef. und Satz 3 angef. mWv 1.9.1998 durch G v. 25.8.1998 (BGBl. I S. 2505); Abs. 2 geänd. mWv 1.1.2005 durch G v. 30.7.2004 (BGBl. I S. 1950); Abs. 1 Satz 1, Abs. 5 Satz 2 geänd. mWv 24.10.2015 durch G v. 20.10.2015 (BGBl. I S. 1722); Abs. 2 neu gef., Abs. 3 Sätze 2 und 3 angef., Abs. 4 Satz 2 geänd. mWv 6.8.2016 durch G v. 31.7.2016 (BGBl. I S. 1939); Abs. 4 Satz 2 neu gef. mWv 21.8.2019 durch G v. 15.8.2019 (BGBl. I S. 1294); Abs. 1 Satz 2 neu gef. mWv 27.2.2024 durch G v. 21.2.2024 (BGBl. 2024 I Nr. 54).

[4)] Nr. **780**.

[5)] **Aichberger, SGB Nr. 12.**

ausländerrechtliche Auflagen über das Verbot und die Beschränkung einer Erwerbstätigkeit stehen einer Tätigkeit nach den Absätzen 1 bis 4 nicht entgegen. [3]Die Vorschriften über den Arbeitsschutz sowie die Grundsätze der Beschränkung der Arbeitnehmerhaftung finden entsprechende Anwendung.

§ 5a[1)] *(aufgehoben)*

§ 5b[2)] **Sonstige Maßnahmen zur Integration.** (1) Die nach diesem Gesetz zuständige Behörde kann arbeitsfähige, nicht erwerbstätige Leistungsberechtigte, die das 18. Lebensjahr vollendet haben und der Vollzeitschulpflicht nicht mehr unterliegen und zu dem in § 44 Absatz 4 Satz 2 Nummer 1 bis 3 des Aufenthaltsgesetzes[3)] genannten Personenkreis gehören, schriftlich verpflichten, an einem Integrationskurs nach § 43 des Aufenthaltsgesetzes[3)] teilzunehmen.

(2) [1]Leistungsberechtigte nach Absatz 1, die sich trotz schriftlicher Belehrung über die Rechtsfolgen weigern, einen für sie zumutbaren Integrationskurs aus von ihnen zu vertretenden Gründen aufzunehmen oder ordnungsgemäß am Integrationskurs teilzunehmen, haben nur Anspruch auf Leistungen entsprechend § 1a Absatz 1. [2]§ 11 Absatz 4 des Zwölften Buches Sozialgesetzbuch[4)] gilt für die Beurteilung der Zumutbarkeit entsprechend. [3]Ein sonstiger wichtiger Grund im Sinne von § 11 Absatz 4 Satz 1 Nummer 3 des Zwölften Buches Sozialgesetzbuch kann insbesondere auch dann vorliegen, wenn der Leistungsberechtigte eine Beschäftigung auf dem allgemeinen Arbeitsmarkt, eine Berufsausbildung oder ein Studium aufnimmt oder aufgenommen hat. [4]Satz 1 gilt nicht, wenn die leistungsberechtigte Person einen wichtigen Grund für ihr Verhalten darlegt und nachweist.

(3) Die nach diesem Gesetz zuständige Behörde darf die für die Erfüllung ihrer Aufgaben nach den Absätzen 1 und 2 erforderlichen personenbezogenen Daten von Leistungsberechtigten verarbeiten, einschließlich Angaben

1. zu Sprachkenntnissen und
2. zur Durchführung eines Integrationskurses nach § 43 des Aufenthaltsgesetzes[3)] oder einer Maßnahme der berufsbezogenen Deutschsprachförderung nach § 45a des Aufenthaltsgesetzes[5)].

§ 8[6)] **Leistungen bei Verpflichtung Dritter.** (1) [1]Leistungen nach diesem Gesetz werden nicht gewährt, soweit der erforderliche Lebensunterhalt anderweitig, insbesondere auf Grund einer Verpflichtung nach § 68 Abs. 1 Satz 1 des Aufenthaltsgesetzes[3)] gedeckt wird. [2]Besteht eine Verpflichtung nach § 68 Abs. 1 Satz 1 des Aufenthaltsgesetzes[3)], übernimmt die zuständige Behörde die

---

1) § 5a aufgeh. mWv 1.1.2021 durch G v. 31.7.2016 (BGBl. I S. 1939; 2021 I S. 2925).

2) § 5b eingef. mWv 1.1.2017 durch G v. 31.7.2016 (BGBl. I S. 1939); Abs. 2 neu gef. mWv 21.8.2019 durch G v. 15.8.2019 (BGBl. I S. 1294); Abs. 3 einl. Satzteil geänd. mWv 26.11.2019 durch G v. 20.11.2019 (BGBl. I S. 1626); Abs. 2 Satz 4 geänd. mWv 24.6.2020 durch G v. 12.6.2020 (BGBl. I S. 1248).

3) **beck-online, Module Arbeitsrecht Nr. 760.**

4) **Aichberger, SGB Nr. 12.**

5) Nr. **760**.

6) § 8 Abs. 1 Sätze 1 und 2 und Abs. 2 geänd. mWv 1.1.2005 durch G v. 30.7.2004 (BGBl. I S. 1950); Abs. 2 geänd. mWv 24.10.2015 durch G v. 20.10.2015 (BGBl. I S. 1722); Abs. 2 geänd. mWv 1.9.2019 durch G v. 13.8.2019 (BGBl. I S. 1290).

Kosten für Leistungen im Krankheitsfall, bei Behinderung und bei Pflegebedürftigkeit, soweit dies durch Landesrecht vorgesehen ist.

(2) Personen, die sechs Monate oder länger eine Verpflichtung nach § 68 Abs. 1 Satz 1 des Aufenthaltsgesetzes[1] gegenüber einer in § 1 Abs. 1 genannten Person erfüllt haben, kann ein monatlicher Zuschuß bis zum Doppelten des Betrages nach § 3a Absatz 1 gewährt werden, wenn außergewöhnliche Umstände in der Person des Verpflichteten den Einsatz öffentlicher Mittel rechtfertigen.

§ 8a Meldepflicht. Leistungsberechtigte, die eine unselbständige oder selbständige Erwerbstätigkeit aufnehmen, haben dies spätestens am dritten Tag nach Aufnahme der Erwerbstätigkeit der zuständigen Behörde zu melden.

---

[1] **beck-online, Module Arbeitsrecht Nr. 760.**

XIII.
Europäisches Arbeitsrecht

A. Europäische Union

850. Vertrag über die Arbeitsweise der Europäischen Union[1)][2)][3)]

In der Fassung der Bekanntmachung vom 9. Mai 2008[4)]
(ABl. Nr. C 115 S. 47)

Celex-Nr. 1 1957 E

zuletzt geänd. durch Art. 2 ÄndBeschl. 2012/419/EU v. 11. 7. 2012 (ABl. Nr. L 204 S. 131)

– Auszug –[5)]

Erster Teil. Grundsätze

Titel I. Arten und Bereiche der Zuständigkeit der Union

Art. 2 [Arten von Zuständigkeiten] (1) Übertragen die Verträge der Union für einen bestimmten Bereich eine ausschließliche Zuständigkeit, so kann nur die Union gesetzgeberisch tätig werden und verbindliche Rechtsakte erlassen; die Mitgliedstaaten dürfen in einem solchen Fall nur tätig werden, wenn sie von der Union hierzu ermächtigt werden, oder um Rechtsakte der Union durchzuführen.

(2) [1] Übertragen die Verträge der Union für einen bestimmten Bereich eine mit den Mitgliedstaaten geteilte Zuständigkeit, so können die Union und die Mitgliedstaaten in diesem Bereich gesetzgeberisch tätig werden und verbindliche Rechtsakte erlassen. [2] Die Mitgliedstaaten nehmen ihre Zuständigkeit wahr, sofern und soweit die Union ihre Zuständigkeit nicht ausgeübt hat. [3] Die Mitgliedstaaten nehmen ihre Zuständigkeit erneut wahr, sofern und soweit die Union entschieden hat, ihre Zuständigkeit nicht mehr auszuüben.

(3) Die Mitgliedstaaten koordinieren ihre Wirtschafts- und Beschäftigungspolitik im Rahmen von Regelungen nach Maßgabe dieses Vertrags, für deren Festlegung die Union zuständig ist.

---

1) Vertragsparteien sind Belgien, Bulgarien, Dänemark, Deutschland, Estland, Finnland, Frankreich, Griechenland, Großbritannien, Irland, Italien, [**ab 1. 7. 2013:** *Kroatien,*] Lettland, Litauen, Luxemburg, Malta, die Niederlande, Österreich, Polen, Portugal, Rumänien, Schweden, Slowakei, Slowenien, Spanien, Tschechien, Ungarn und Zypern.

2) Die Artikelfolge und Verweise/Bezugnahmen auf Vorschriften des EUV sind gemäß Art. 5 des Vertrags von Lissabon iVm den Übereinstimmungstabellen zum EUV bzw. AEUV an die neue Nummerierung angepasst worden.

3) Zu den Assoziationsregelungen und sonstigen Vereinbarungen und Vorschriften, die sich auf den EU-Arbeitsweisevertrag beziehen, vgl. den jährlich zum 31. 12. abgeschlossenen Fundstellennachweis B der geltenden völkerrechtlichen Vereinbarungen der Bundesrepublik Deutschland unter dem Datum 25. 3. 1957.

4) Konsolidierte Fassung des Vertrags zur Gründung der Europäischen Gemeinschaft v. 25. 3. 1957 (BGBl. II S. 766). Die Bundesrepublik Deutschland hat dem Vertrag von Lissabon mit G. v. 8. 10. 2008 (BGBl. II S. 1038) zugestimmt; Inkrafttreten am **1. 12. 2009**, siehe Bek. v. 13. 11. 2009 (BGBl. II S. 1223).

5) Vollständig wiedergegeben in **NipperdeyDirekt (online)**.

(4) Die Union ist nach Maßgabe des Vertrags über die Europäische Union[1] dafür zuständig, eine gemeinsame Außen- und Sicherheitspolitik einschließlich der schrittweisen Festlegung einer gemeinsamen Verteidigungspolitik zu erarbeiten und zu verwirklichen.

(5) In bestimmten Bereichen ist die Union nach Maßgabe der Verträge dafür zuständig, Maßnahmen zur Unterstützung, Koordinierung oder Ergänzung der Maßnahmen der Mitgliedstaaten durchzuführen, ohne dass dadurch die Zuständigkeit der Union für diese Bereiche an die Stelle der Zuständigkeit der Mitgliedstaaten tritt.

Die verbindlichen Rechtsakte der Union, die aufgrund der diese Bereiche betreffenden Bestimmungen der Verträge erlassen werden, dürfen keine Harmonisierung der Rechtsvorschriften der Mitgliedstaaten beinhalten.

(6) Der Umfang der Zuständigkeiten der Union und die Einzelheiten ihrer Ausübung ergeben sich aus den Bestimmungen der Verträge zu den einzelnen Bereichen.

Art. 3 [Ausschließliche Zuständigkeiten] (1) Die Union hat ausschließliche Zuständigkeit in folgenden Bereichen:

a) Zollunion,

b) Festlegung der für das Funktionieren des Binnenmarkts erforderlichen Wettbewerbsregeln,

c) Währungspolitik für die Mitgliedstaaten, deren Währung der Euro ist,

d) Erhaltung der biologischen Meeresschätze im Rahmen der gemeinsamen Fischereipolitik,

e) gemeinsame Handelspolitik.

(2) Die Union hat ferner die ausschließliche Zuständigkeit für den Abschluss internationaler Übereinkünfte, wenn der Abschluss einer solchen Übereinkunft in einem Gesetzgebungsakt der Union vorgesehen ist, wenn er notwendig ist, damit sie ihre interne Zuständigkeit ausüben kann, oder soweit er gemeinsame Regeln beeinträchtigen oder deren Tragweite verändern könnte.

Art. 4 [Geteilte Zuständigkeiten] (1) Die Union teilt ihre Zuständigkeit mit den Mitgliedstaaten, wenn ihr die Verträge außerhalb der in den Artikeln 3 und 6 genannten Bereiche eine Zuständigkeit übertragen.

(2) Die von der Union mit den Mitgliedstaaten geteilte Zuständigkeit erstreckt sich auf die folgenden Hauptbereiche:

a) Binnenmarkt,

b) Sozialpolitik hinsichtlich der in diesem Vertrag genannten Aspekte,

c) wirtschaftlicher, sozialer und territorialer Zusammenhalt,

d) Landwirtschaft und Fischerei, ausgenommen die Erhaltung der biologischen Meeresschätze,

e) Umwelt,

f) Verbraucherschutz,

(Fortsetzung nächste Seite)

[1] Auszugsweise abgedruckt unter Nr. **855**.

g) Verkehr,

h) transeuropäische Netze,

i) Energie,

j) Raum der Freiheit, der Sicherheit und des Rechts,

k) gemeinsame Sicherheitsanliegen im Bereich der öffentlichen Gesundheit hinsichtlich der in diesem Vertrag genannten Aspekte.

(3) In den Bereichen Forschung, technologische Entwicklung und Raumfahrt erstreckt sich die Zuständigkeit der Union darauf, Maßnahmen zu treffen, insbesondere Programme zu erstellen und durchzuführen, ohne dass die Ausübung dieser Zuständigkeit die Mitgliedstaaten hindert, ihre Zuständigkeit auszuüben.

(4) In den Bereichen Entwicklungszusammenarbeit und humanitäre Hilfe erstreckt sich die Zuständigkeit der Union darauf, Maßnahmen zu treffen und eine gemeinsame Politik zu verfolgen, ohne dass die Ausübung dieser Zuständigkeit die Mitgliedstaaten hindert, ihre Zuständigkeit auszuüben.

Art. 5 [Koordinierung der Wirtschafts-, Beschäftigungs- und Sozialpolitik] (1) [1] Die Mitgliedstaaten koordinieren ihre Wirtschaftspolitik innerhalb der Union. [2] Zu diesem Zweck erlässt der Rat Maßnahmen; insbesondere beschließt er die Grundzüge dieser Politik.

Für die Mitgliedstaaten, deren Währung der Euro ist, gelten besondere Regelungen.

(2) Die Union trifft Maßnahmen zur Koordinierung der Beschäftigungspolitik der Mitgliedstaaten, insbesondere durch die Festlegung von Leitlinien für diese Politik.

(3) Die Union kann Initiativen zur Koordinierung der Sozialpolitik der Mitgliedstaaten ergreifen.

Art. 6 [Unterstützungs-, Koordinierungs- und Ergänzungsmaßnahmen] [1] Die Union ist für die Durchführung von Maßnahmen zur Unterstützung, Koordinierung oder Ergänzung der Maßnahmen der Mitgliedstaaten zuständig. [2] Diese Maßnahmen mit europäischer Zielsetzung können in folgenden Bereichen getroffen werden:

a) Schutz und Verbesserung der menschlichen Gesundheit,

b) Industrie,

c) Kultur,

d) Tourismus,

e) allgemeine und berufliche Bildung, Jugend und Sport,

f) Katastrophenschutz,

g) Verwaltungszusammenarbeit.

Titel II. Allgemein geltende Bestimmungen

Art. 8 [Gleichstellung; Querschnittsklausel] Bei allen ihren Tätigkeiten wirkt die Union darauf hin, Ungleichheiten zu beseitigen und die Gleichstellung von Männern und Frauen zu fördern.

Art. 9 [Sozialer Schutz; Querschnittsklausel] Bei der Festlegung und Durchführung ihrer Politik und ihrer Maßnahmen trägt die Union den Erfordernissen im Zusammenhang mit der Förderung eines hohen Beschäftigungsniveaus, mit der Gewährleistung eines angemessenen sozialen Schutzes, mit der Bekämpfung der sozialen Ausgrenzung sowie mit einem hohen Niveau der allgemeinen und beruflichen Bildung und des Gesundheitsschutzes Rechnung.

Art. 10 [Bekämpfung von Diskriminierungen; Querschnittsklausel] Bei der Festlegung und Durchführung ihrer Politik und ihrer Maßnahmen zielt die Union darauf ab, Diskriminierungen aus Gründen des Geschlechts, der Rasse, der ethnischen Herkunft, der Religion oder der Weltanschauung, einer Behinderung, des Alters oder der sexuellen Ausrichtung zu bekämpfen.

Art. 16 [Datenschutz] (1) Jede Person hat das Recht auf Schutz der sie betreffenden personenbezogenen Daten.

(2) [1] Das Europäische Parlament und der Rat erlassen gemäß dem ordentlichen Gesetzgebungsverfahren Vorschriften über den Schutz natürlicher Personen bei der Verarbeitung personenbezogener Daten durch die Organe, Einrichtungen oder sonstigen Stellen der Union sowie durch die Mitgliedstaaten im Rahmen der Ausübung von Tätigkeiten, die in den Anwendungsbereich des Unionsrechts fallen, und über den freien Datenverkehr. [2] Die Einhaltung dieser Vorschriften wird von unabhängigen Behörden überwacht.

Die auf der Grundlage dieses Artikels erlassenen Vorschriften lassen die spezifischen Bestimmungen des Artikels 39 des Vertrags über die Europäische Union[1)] unberührt.

Art. 17 [Religiöse und weltanschauliche Gemeinschaften] (1) Die Union achtet den Status, den Kirchen und religiöse Vereinigungen oder Gemeinschaften in den Mitgliedstaaten nach deren Rechtsvorschriften genießen, und beeinträchtigt ihn nicht.

(2) Die Union achtet in gleicher Weise den Status, den weltanschauliche Gemeinschaften nach den einzelstaatlichen Rechtsvorschriften genießen.

(3) Die Union pflegt mit diesen Kirchen und Gemeinschaften in Anerkennung ihrer Identität und ihres besonderen Beitrags einen offenen, transparenten und regelmäßigen Dialog.

Zweiter Teil. Nichtdiskriminierung und Unionsbürgerschaft

Art. 18 [Diskriminierungsverbot] Unbeschadet besonderer Bestimmungen der Verträge ist in ihrem Anwendungsbereich jede Diskriminierung aus Gründen der Staatsangehörigkeit verboten.

Das Europäische Parlament und der Rat können gemäß dem ordentlichen Gesetzgebungsverfahren Regelungen für das Verbot solcher Diskriminierungen treffen.

[1)] **Sartorius Nr. 1000.**

Art. 19 [Antidiskriminierungsmaßnahmen] (1) Unbeschadet der sonstigen Bestimmungen der Verträge kann der Rat im Rahmen der durch die Verträge auf die Union übertragenen Zuständigkeiten gemäß einem besonderen Gesetzgebungsverfahren und nach Zustimmung des Europäischen Parlaments einstimmig geeignete Vorkehrungen treffen, um Diskriminierungen aus Gründen des Geschlechts, der Rasse, der ethnischen Herkunft, der Religion oder der Weltanschauung, einer Behinderung, des Alters oder der sexuellen Ausrichtung zu bekämpfen.

(2) Abweichend von Absatz 1 können das Europäische Parlament und der Rat gemäß dem ordentlichen Gesetzgebungsverfahren die Grundprinzipien für Fördermaßnahmen der Union unter Ausschluss jeglicher Harmonisierung der Rechts- und Verwaltungsvorschriften der Mitgliedstaaten zur Unterstützung der Maßnahmen festlegen, die die Mitgliedstaaten treffen, um zur Verwirklichung der in Absatz 1 genannten Ziele beizutragen.

Art. 21 [Freizügigkeit] (1) Jeder Unionsbürger hat das Recht, sich im Hoheitsgebiet der Mitgliedstaaten vorbehaltlich der in den Verträgen und in den Durchführungsvorschriften vorgesehenen Beschränkungen und Bedingungen frei zu bewegen und aufzuhalten.

(2) Erscheint zur Erreichung dieses Ziels ein Tätigwerden der Union erforderlich und sehen die Verträge hierfür keine Befugnisse vor, so können das Europäische Parlament und der Rat gemäß dem ordentlichen Gesetzgebungsverfahren Vorschriften erlassen, mit denen die Ausübung der Rechte nach Absatz 1 erleichtert wird.

(3) [1] Zu den gleichen wie den in Absatz 1 genannten Zwecken kann der Rat, sofern die Verträge hierfür keine Befugnisse vorsehen, gemäß einem besonderen Gesetzgebungsverfahren Maßnahmen erlassen, die die soziale Sicherheit oder den sozialen Schutz betreffen. [2] Der Rat beschließt einstimmig nach Anhörung des Europäischen Parlaments.

Dritter Teil. Die internen Politiken und Maßnahmen der Union

Titel IV. Die Freizügigkeit, der freie Dienstleistungs- und Kapitalverkehr

Kapitel 1. Die Arbeitskräfte

Art. 45 [Freizügigkeit der Arbeitnehmer] (1) Innerhalb der Union ist die Freizügigkeit der Arbeitnehmer gewährleistet.

(2) Sie umfasst die Abschaffung jeder auf der Staatsangehörigkeit beruhenden unterschiedlichen Behandlung der Arbeitnehmer der Mitgliedstaaten in Bezug auf Beschäftigung, Entlohnung und sonstige Arbeitsbedingungen.

(3) Sie gibt – vorbehaltlich der aus Gründen der öffentlichen Ordnung, Sicherheit und Gesundheit gerechtfertigten Beschränkungen – den Arbeitnehmern das Recht,

a) sich um tatsächlich angebotene Stellen zu bewerben;

b) sich zu diesem Zweck im Hoheitsgebiet der Mitgliedstaaten frei zu bewegen;

c) sich in einem Mitgliedstaat aufzuhalten, um dort nach den für die Arbeitnehmer dieses Staates geltenden Rechts- und Verwaltungsvorschriften eine Beschäftigung auszuüben;

d) nach Beendigung einer Beschäftigung im Hoheitsgebiet eines Mitgliedstaats unter Bedingungen zu verbleiben, welche die Kommission durch Verordnungen festlegt.

(4) Dieser Artikel findet keine Anwendung auf die Beschäftigung in der öffentlichen Verwaltung.

Art. 46 [Maßnahmen zur Herstellung der Freizügigkeit] Das Europäische Parlament und der Rat treffen gemäß dem ordentlichen Gesetzgebungsverfahren und nach Anhörung des Wirtschafts- und Sozialausschusses durch Richtlinien oder Verordnungen alle erforderlichen Maßnahmen, um die Freizügigkeit der Arbeitnehmer im Sinne des Artikels 45 herzustellen, insbesondere

a) durch Sicherstellung einer engen Zusammenarbeit zwischen den einzelstaatlichen Arbeitsverwaltungen;

b) durch die Beseitigung der Verwaltungsverfahren und -praktiken sowie der für den Zugang zu verfügbaren Arbeitsplätzen vorgeschriebenen Fristen, die sich aus innerstaatlichen Rechtsvorschriften oder vorher zwischen den Mitgliedstaaten geschlossenen Übereinkünften ergeben und deren Beibehaltung die Herstellung der Freizügigkeit der Arbeitnehmer hindert;

c) durch die Beseitigung aller Fristen und sonstigen Beschränkungen, die in innerstaatlichen Rechtsvorschriften oder vorher zwischen den Mitgliedstaaten geschlossenen Übereinkünften vorgesehen sind und die den Arbeitnehmern der anderen Mitgliedstaaten für die freie Wahl des Arbeitsplatzes andere Bedingungen als den inländischen Arbeitnehmern auferlegen;

d) durch die Schaffung geeigneter Verfahren für die Zusammenführung und den Ausgleich von Angebot und Nachfrage auf dem Arbeitsmarkt zu Bedingungen, die eine ernstliche Gefährdung der Lebenshaltung und des Beschäftigungsstands in einzelnen Gebieten und Industrien ausschließen.

Art. 47 [Austausch junger Arbeitskräfte] Die Mitgliedstaaten fördern den Austausch junger Arbeitskräfte im Rahmen eines gemeinsamen Programms.

Art. 48 [Sicherstellung der Ansprüche und Leistungen auf dem Gebiet der sozialen Sicherheit] Das Europäische Parlament und der Rat beschließen gemäß dem ordentlichen Gesetzgebungsverfahren die auf dem Gebiet der sozialen Sicherheit für die Herstellung der Freizügigkeit der Arbeitnehmer notwendigen Maßnahmen; zu diesem Zweck führen sie insbesondere ein System ein, das zu- und abwandernden Arbeitnehmern und Selbstständigen sowie deren anspruchsberechtigten Angehörigen folgendes sichert:

a) die Zusammenrechnung aller nach den verschiedenen innerstaatlichen Rechtsvorschriften berücksichtigten Zeiten für den Erwerb und die Aufrechterhaltung des Leistungsanspruchs sowie für die Berechnung der Leistungen;

b) die Zahlung der Leistungen an Personen, die in den Hoheitsgebieten der Mitgliedstaaten wohnen.

[1] Erklärt ein Mitglied des Rates, dass ein Entwurf eines Gesetzgebungsakts nach Absatz 1 wichtige Aspekte seines Systems der sozialen Sicherheit, insbesondere dessen Geltungsbereich, Kosten oder Finanzstruktur, verletzen oder dessen finanzielles Gleichgewicht beeinträchtigen würde, so kann es beantragen, dass der Europäische Rat befasst wird. [2] In diesem Fall wird das ordentliche Gesetzgebungsverfahren ausgesetzt. [3] Nach einer Aussprache geht der Europäische Rat binnen vier Monaten nach Aussetzung des Verfahrens wie folgt vor:

a) er verweist den Entwurf an den Rat zurück, wodurch die Aussetzung des ordentlichen Gesetzgebungsverfahrens beendet wird, oder
b) er sieht von einem Tätigwerden ab, oder aber er ersucht die Kommission um Vorlage eines neuen Vorschlags; in diesem Fall gilt der ursprünglich vorgeschlagene Rechtsakt als nicht erlassen.

Kapitel 2. Das Niederlassungsrecht

Art. 50 [Maßnahmen zur Verwirklichung der Niederlassungsfreiheit]

(1) ...

(2) Das Europäische Parlament, der Rat und die Kommission erfüllen die Aufgaben, die ihnen aufgrund der obigen Bestimmungen übertragen sind, indem sie insbesondere

a)–c) ...

d) dafür Sorge tragen, dass Arbeitnehmer eines Mitgliedstaats, die im Hoheitsgebiet eines anderen Mitgliedstaates beschäftigt sind, dort verbleiben und eine selbstständige Tätigkeit unter denselben Voraussetzungen ausüben können, die sie erfüllen müssten, wenn sie in diesen Staat erst zu dem Zeitpunkt einreisen würden, in dem sie diese Tätigkeit aufzunehmen beabsichtigen;

e)–h) ...

Art. 52 [Öffentliche Ordnung; Sicherheit; Gesundheit] (1) Dieses Kapitel und die aufgrund desselben getroffenen Maßnahmen beeinträchtigen nicht die Anwendbarkeit der Rechts- und Verwaltungsvorschriften, die eine Sonderregelung für Ausländer vorsehen und aus Gründen der öffentlichen Ordnung, Sicherheit oder Gesundheit gerechtfertigt sind.

(2) Das Europäische Parlament und der Rat erlassen gemäß dem ordentlichen Gesetzgebungsverfahren Richtlinien für die Koordinierung der genannten Vorschriften.

Titel IX. Beschäftigung

Art. 145 [Koordinierte Beschäftigungsstrategie] Die Mitgliedstaaten und die Union arbeiten nach diesem Titel auf die Entwicklung einer koordinierten Beschäftigungsstrategie und insbesondere auf die Förderung der Qualifizierung, Ausbildung und Anpassungsfähigkeit der Arbeitnehmer sowie der Fähigkeit der Arbeitsmärkte hin, auf die Erfordernisse des wirtschaftlichen Wandels zu reagieren, um die Ziele des Artikels 3 des Vertrags über die Europäische Union[1] zu erreichen.

---

[1] **Sartorius Nr. 1000.**

Art. 146 [Abgestimmte Beschäftigungspolitik der Mitgliedstaaten]

(1) Die Mitgliedstaaten tragen durch ihre Beschäftigungspolitik im Einklang mit den nach Artikel 121 Absatz 2 verabschiedeten Grundzügen der Wirtschaftspolitik der Mitgliedstaaten und der Union zur Erreichung der in Artikel 145 genannten Ziele bei.

(2) Die Mitgliedstaaten betrachten die Förderung der Beschäftigung als Angelegenheit von gemeinsamem Interesse und stimmen ihre diesbezüglichen Tätigkeiten nach Maßgabe des Artikels 148 im Rat aufeinander ab, wobei die einzelstaatlichen Gepflogenheiten in Bezug auf die Verantwortung der Sozialpartner berücksichtigt werden.

Art. 147 [Hohes Beschäftigungsniveau] (1) [1] Die Union trägt zu einem hohen Beschäftigungsniveau bei, indem sie die Zusammenarbeit zwischen den Mitgliedstaaten fördert und deren Maßnahmen in diesem Bereich unterstützt und erforderlichenfalls ergänzt. [2] Hierbei wird die Zuständigkeit der Mitgliedstaaten beachtet.

(2) Das Ziel eines hohen Beschäftigungsniveaus wird bei der Festlegung und Durchführung der Unionspolitiken und -maßnahmen berücksichtigt.

Art. 148 [Beschäftigungspolitische Leitlinien] (1) Anhand eines gemeinsamen Jahresberichts des Rates und der Kommission prüft der Europäische Rat jährlich die Beschäftigungslage in der Union und nimmt hierzu Schlussfolgerungen an.

(2) [1] Anhand der Schlussfolgerungen des Europäischen Rates legt der Rat auf Vorschlag der Kommission und nach Anhörung des Europäischen Parlaments, des Wirtschafts- und Sozialausschusses, des Ausschusses der Regionen und des in Artikel 150 genannten Beschäftigungsausschusses jährlich Leitlinien fest, welche die Mitgliedstaaten in ihrer Beschäftigungspolitik berücksichtigen. [2] Diese Leitlinien müssen mit den nach Artikel 121 Absatz 2 verabschiedeten Grundzügen in Einklang stehen.

(3) Jeder Mitgliedstaat übermittelt dem Rat und der Kommission jährlich einen Bericht über die wichtigsten Maßnahmen, die er zur Durchführung seiner Beschäftigungspolitik im Lichte der beschäftigungspolitischen Leitlinien nach Absatz 2 getroffen hat.

(4) [1] Anhand der in Absatz 3 genannten Berichte und nach Stellungnahme des Beschäftigungsausschusses unterzieht der Rat die Durchführung der Beschäftigungspolitik der Mitgliedstaaten im Lichte der beschäftigungspolitischen Leitlinien jährlich einer Prüfung. [2] Der Rat kann dabei auf Empfehlung der Kommission Empfehlungen an die Mitgliedstaaten richten, wenn er dies aufgrund der Ergebnisse dieser Prüfung für angebracht hält.

(5) Auf der Grundlage der Ergebnisse der genannten Prüfung erstellen der Rat und die Kommission einen gemeinsamen Jahresbericht für den Europäischen Rat über die Beschäftigungslage in der Union und über die Umsetzung der beschäftigungspolitischen Leitlinien.

Art. 149 [Anreizmaßnahmen zur Förderung der Zusammenarbeit] Das Europäische Parlament und der Rat kann gemäß dem ordentlichen Gesetzgebungsverfahren und nach Anhörung des Wirtschafts- und Sozialausschusses sowie des Ausschusses der Regionen Anreizmaßnahmen zur Förderung der Zusammenarbeit zwischen den Mitgliedstaaten und zur Unterstützung ihrer Beschäftigungsmaßnahmen durch Initiativen beschließen, die darauf abzielen, den Austausch von Informationen und bewährten Verfahren zu entwickeln, vergleichende Analysen und Gutachten bereitzustellen sowie innovative Ansätze zu fördern und Erfahrungen zu bewerten, und zwar insbesondere durch den Rückgriff auf Pilotvorhaben.

Diese Maßnahmen schließen keinerlei Harmonisierung der Rechts- und Verwaltungsvorschriften der Mitgliedstaaten ein.

Art. 150 [Beschäftigungsausschuss] [1] Der Rat, der mit einfacher Mehrheit beschließt, setzt nach Anhörung des Europäischen Parlaments einen BeschäftigungsAusschuss mit beratender Funktion zur Förderung der Koordinierung der Beschäftigungs- und Arbeitsmarktpolitik ein. [2] Der Ausschuss hat folgende Aufgaben:

– Er verfolgt die Beschäftigungslage und die Beschäftigungspolitik in den Mitgliedstaaten und der Union;
– er gibt unbeschadet des Artikels 240 auf Ersuchen des Rates oder der Kommission oder von sich aus Stellungnahmen ab und trägt zur Vorbereitung der in Artikel 148 genannten Beratungen des Rates bei.

Bei der Erfüllung seines Auftrags hört der Ausschuss die Sozialpartner.

Jeder Mitgliedstaat und die Kommission entsenden zwei Mitglieder in den Ausschuss.

Titel X. Sozialpolitik

Art. 151 [Ziele und Mittel abgestimmter und gemeinsamer Sozialpolitik] Die Union und die Mitgliedstaaten verfolgen eingedenk der sozialen Grundrechte, wie sie in der am 18. Oktober 1961 in Turin unterzeichneten Europäischen Sozialcharta[1] und in der Gemeinschaftscharta der sozialen Grundrechte der Arbeitnehmer von 1989[2] festgelegt sind, folgende Ziele: die Förderung der Beschäftigung, die Verbesserung der Lebens- und Arbeitsbedingungen, um dadurch auf dem Wege des Fortschritts ihre Angleichung zu ermöglichen, einen angemessenen sozialen Schutz, den sozialen Dialog, die Entwicklung des Arbeitskräftepotenzials im Hinblick auf ein dauerhaft hohes Beschäftigungsniveau und die Bekämpfung von Ausgrenzungen.

Zu diesem Zweck führen die Union und die Mitgliedstaaten Maßnahmen durch, die der Vielfalt der einzelstaatlichen Gepflogenheiten, insbesondere in den vertraglichen Beziehungen, sowie der Notwendigkeit, die Wettbewerbsfähigkeit der Wirtschaft der Union zu erhalten, Rechnung tragen.

Sie sind der Auffassung, dass sich eine solche Entwicklung sowohl aus dem eine Abstimmung der Sozialordnungen begünstigenden Wirken des Binnenmarkts als auch aus den in den Verträgen vorgesehenen Verfahren sowie aus der Angleichung ihrer Rechts- und Verwaltungsvorschriften ergeben wird.

Art. 152 [Rolle der Sozialpartner; Sozialer Dialog; Sozialgipfel] [1] Die Union anerkennt und fördert die Rolle der Sozialpartner auf Ebene der

---

1) Nr. **1152**.
2) Nr. **860**.

Union unter Berücksichtigung der Unterschiedlichkeit der nationalen Systeme. [2]Sie fördert den sozialen Dialog und achtet dabei die Autonomie der Sozialpartner.

Der Dreigliedrige Sozialgipfel für Wachstum und Beschäftigung trägt zum sozialen Dialog bei.

Art. 153 [Unionskompetenzen] (1) Zur Verwirklichung der Ziele des Artikels 151 unterstützt und ergänzt die Union die Tätigkeit der Mitgliedstaaten auf folgenden Gebieten:

a) Verbesserung insbesondere der Arbeitsumwelt zum Schutz der Gesundheit und der Sicherheit der Arbeitnehmer,
b) Arbeitsbedingungen,
c) soziale Sicherheit und sozialer Schutz der Arbeitnehmer,
d) Schutz der Arbeitnehmer bei Beendigung des Arbeitsvertrags,
e) Unterrichtung und Anhörung der Arbeitnehmer,
f) Vertretung und kollektive Wahrnehmung der Arbeitnehmer- und Arbeitgeberinteressen, einschließlich der Mitbestimmung, vorbehaltlich des Absatzes 5,
g) Beschäftigungsbedingungen der Staatsangehörigen dritter Länder, die sich rechtmäßig im Gebiet der Union aufhalten,
h) berufliche Eingliederung der aus dem Arbeitsmarkt ausgegrenzten Personen, unbeschadet des Artikels 166,
i) Chancengleichheit von Männern und Frauen auf dem Arbeitsmarkt und Gleichbehandlung am Arbeitsplatz,
j) Bekämpfung der sozialen Ausgrenzung,
k) Modernisierung der Systeme des sozialen Schutzes, unbeschadet des Buchstabens c.

(2) Zu diesem Zweck können das Europäische Parlament und der Rat

a) unter Ausschluss jeglicher Harmonisierung der Rechts- und Verwaltungsvorschriften der Mitgliedstaaten Maßnahmen annehmen, die dazu bestimmt sind, die Zusammenarbeit zwischen den Mitgliedstaaten durch Initiativen zu fördern, die die Verbesserung des Wissensstands, die Entwicklung des Austauschs von Informationen und bewährten Verfahren, die Förderung innovativer Ansätze und die Bewertung von Erfahrungen zum Ziel haben;
b) in den in Absatz 1 Buchstaben a bis i genannten Bereichen unter Berücksichtigung der in den einzelnen Mitgliedstaaten bestehenden Bedingungen und technischen Regelungen durch Richtlinien Mindestvorschriften erlassen, die schrittweise anzuwenden sind. Diese Richtlinien sollen keine verwaltungsmäßigen, finanziellen oder rechtlichen Auflagen vorschreiben, die der Gründung und Entwicklung von kleinen und mittleren Unternehmen entgegenstehen.

Das Europäische Parlament und der Rat beschließen gemäß dem ordentliche Gesetzgebungsverfahren nach Anhörung des Wirtschafts- und Sozialausschusses und des Ausschusses der Regionen.

In den in Absatz 1 Buchstaben c, d, f und g genannten Bereichen beschließt der Rat einstimmig gemäß einem besonderen Gesetzgebungsverfahren nach Anhörung des Europäischen Parlaments und der genannten Ausschüsse.

Der Rat kann einstimmig auf Vorschlag der Kommission nach Anhörung des Europäischen Parlaments beschließen, dass das ordentlichen Gesetzgebungsverfahren auf Absatz 1 Buchstaben d, f und g angewandt wird.

(3) Ein Mitgliedstaat kann den Sozialpartnern auf deren gemeinsamen Antrag die Durchführung von aufgrund des Absatzes 2 angenommenen Richtlinien oder gegebenenfalls die Durchführung eines nach Artikel 155 erlassenen Beschlusses des Rates übertragen.

In diesem Fall vergewissert sich der Mitgliedstaat, dass die Sozialpartner spätestens zu dem Zeitpunkt, zu dem eine Richtlinie umgesetzt oder ein Beschluss durchgeführt sein muss, im Wege einer Vereinbarung die erforderlichen Vorkehrungen getroffen haben; dabei hat der Mitgliedstaat alle erforderlichen Maßnahmen zu treffen, um jederzeit gewährleisten zu können, dass die durch diese Richtlinie oder diesen Beschluss vorgeschriebenen Ergebnisse erzielt werden.

(4) Die aufgrund dieses Artikels erlassenen Bestimmungen

– berühren nicht die anerkannte Befugnis der Mitgliedstaaten, die Grundprinzipien ihres Systems der sozialen Sicherheit festzulegen, und dürfen das finanzielle Gleichgewicht dieser Systeme nicht erheblich beeinträchtigen;
– hindern die Mitgliedstaaten nicht daran, strengere Schutzmaßnahmen beizubehalten oder zu treffen, die mit den Verträgen vereinbar sind.

(5) Dieser Artikel gilt nicht für das Arbeitsentgelt, das Koalitionsrecht, das Streikrecht sowie das Aussperrungsrecht.

Art. 154 [Anhörung der Sozialpartner] (1) Die Kommission hat die Aufgabe, die Anhörung der Sozialpartner auf Unionsebene zu fördern, und erlässt alle zweckdienlichen Maßnahmen, um den Dialog zwischen den Sozialpartner zu erleichtern, wobei sie für Ausgewogenheit bei der Unterstützung der Parteien sorgt.

(2) Zu diesem Zweck hört die Kommission vor Unterbreitung von Vorschlägen im Bereich der Sozialpolitik die Sozialpartner zu der Frage, wie eine Unionsaktion gegebenenfalls ausgerichtet werden sollte.

(3) [1] Hält die Kommission nach dieser Anhörung eine Unionsmaßnahme für zweckmäßig, so hört sie die Sozialpartner zum Inhalt des in Aussicht genommenen Vorschlags. [2] Die Sozialpartner übermitteln der Kommission eine Stellungnahme oder gegebenenfalls eine Empfehlung.

(4) [1] Bei den Anhörungen nach den Absätzen 2 und 3 können die Sozialpartner der Kommission mitteilen, dass sie den Prozess nach Artikel 155 in Gang setzen wollen. [2] Die Dauer dieses Prozesses darf höchstens neun Monate betragen, sofern die betroffenen Sozialpartner und die Kommission nicht gemeinsam eine Verlängerung beschließen.

Art. 155 [Dialog zwischen den Sozialpartnern] (1) Der Dialog zwischen den Sozialpartnern auf Unionsebene kann, falls sie es wünschen, zur Herstellung vertraglicher Beziehungen einschließlich des Abschlusses von Vereinbarungen führen.

(2) [1] Die Durchführung der auf Unionsebene geschlossenen Vereinbarungen erfolgt entweder nach den jeweiligen Verfahren und Gepflogenheiten der Sozialpartner und der Mitgliedstaaten oder – in den durch Artikel 153 erfass-

ten Bereichen – auf gemeinsamen Antrag der Unterzeichnerparteien durch einen Beschluss des Rates auf Vorschlag der Kommission. [2] Das Europäische Parlament wird unterrichtet.

Der Rat beschließt einstimmig, sofern die betreffende Vereinbarung eine oder mehrere Bestimmungen betreffend einen der Bereiche enthält, für die nach Artikel 153 Absatz 2 Einstimmigkeit erforderlich ist.

Art. 156 [Zusammenarbeit der Mitgliedstaaten; Rolle der Kommission] Unbeschadet der sonstigen Bestimmungen der Verträge fördert die Kommission im Hinblick auf die Erreichung der Ziele des Artikels 151 die Zusammenarbeit zwischen den Mitgliedstaaten und erleichtert die Abstimmung ihres Vorgehens in allen unter dieses Kapitel fallenden Bereichen der Sozialpolitik, insbesondere auf dem Gebiet

- der Beschäftigung,
- des Arbeitsrechts und der Arbeitsbedingungen,
- der beruflichen Ausbildung und Fortbildung,
- der sozialen Sicherheit,
- der Verhütung von Berufsunfällen und Berufskrankheiten,
- des Gesundheitsschutzes bei der Arbeit,
- des Koalitionsrechts und der Kollektivverhandlungen zwischen Arbeitgebern und Arbeitnehmern.

[1] Zu diesem Zweck wird die Kommission in enger Verbindung mit den Mitgliedstaaten durch Untersuchungen, Stellungnahmen und die Durchführung von Konsultationen in Bezug auf innerstaatlich oder in den internationalen Organisationen zu behandelnde Fragen tätig, und zwar insbesondere im Wege von Initiativen, die darauf abzielen, Leitlinien und Indikatoren festzulegen, den Austausch bewährter Verfahren durchzuführen und die erforderlichen Elemente für eine regelmäßige Überwachung und Bewertung auszuarbeiten. [2] Das Europäische Parlament wird in vollem Umfang unterrichtet.

Vor Abgabe der in diesem Artikel vorgesehenen Stellungnahmen hört die Kommission den Wirtschafts- und Sozialausschuss.

Art. 157 [Gleichstellung von Mann und Frau im Erwerbsleben]

(1) Jeder Mitgliedstaat stellt die Anwendung des Grundsatzes des gleichen Entgelts für Männer und Frauen bei gleicher oder gleichwertiger Arbeit sicher.

(2) Unter „Entgelt" im Sinne dieses Artikels sind die üblichen Grund- oder Mindestlöhne und -gehälter sowie alle sonstigen Vergütungen zu verstehen, die der Arbeitgeber aufgrund des Dienstverhältnisses dem Arbeitnehmer unmittelbar oder mittelbar in bar oder in Sachleistungen zahlt.

Gleichheit des Arbeitsentgelts ohne Diskriminierung aufgrund des Geschlechts bedeutet,

a) dass das Entgelt für eine gleiche nach Akkord bezahlte Arbeit aufgrund der gleichen Maßeinheit festgesetzt wird,

b) dass für eine nach Zeit bezahlte Arbeit das Entgelt bei gleichem Arbeitsplatz gleich ist.

(3) Das Europäische Parlament und der Rat beschließen gemäß dem ordentlichen Gesetzgebungsverfahren und nach Anhörung des Wirtschafts- und Sozialausschusses Maßnahmen zur Gewährleistung der Anwendung des Grundsatzes der Chancengleichheit und der Gleichbehandlung von Männern und Frauen in Arbeits- und Beschäftigungsfragen, einschließlich des Grundsatzes des gleichen Entgelts bei gleicher oder gleichwertiger Arbeit.

(4) Im Hinblick auf die effektive Gewährleistung der vollen Gleichstellung von Männern und Frauen im Arbeitsleben hindert der Grundsatz der Gleichbehandlung die Mitgliedstaaten nicht daran, zur Erleichterung der Berufstätigkeit des unterrepräsentierten Geschlechts oder zur Verhinderung bzw. zum Ausgleich von Benachteiligungen in der beruflichen Laufbahn spezifische Vergünstigungen beizubehalten oder zu beschließen.

Art. 158 [Bezahlte Freizeit] Die Mitgliedstaaten sind bestrebt, die bestehende Gleichwertigkeit der Ordnungen über die bezahlte Freizeit beizubehalten.

Art. 159 [Bericht zur sozialen und demografischen Lage] [1] Die Kommission erstellt jährlich einen Bericht über den Stand der Verwirklichung der in Artikel 151 genannten Ziele sowie über die demografische Lage in der Union. [2] Sie übermittelt diesen Bericht dem Europäischen Parlament, dem Rat und dem Wirtschafts- und Sozialausschuss.

Art. 160 [Ausschuss für Sozialschutz] [1] Der Rat, der mit einfacher Mehrheit beschließt, setzt nach Anhörung des Europäischen Parlaments einen Ausschuss für Sozialschutz mit beratender Aufgabe ein, um die Zusammenarbeit im Bereich des sozialen Schutzes zwischen den Mitgliedstaaten und mit der Kommission zu fördern. [2] Der Ausschuss hat folgende Aufgaben:

- Er verfolgt die soziale Lage und die Entwicklung der Politiken im Bereich des sozialen Schutzes in den Mitgliedstaaten und der Union;
- er fördert den Austausch von Informationen, Erfahrungen und bewährten Verfahren zwischen den Mitgliedstaaten und mit der Kommission;
- unbeschadet des Artikels 240 arbeitet er auf Ersuchen des Rates oder der Kommission oder von sich aus in seinem Zuständigkeitsbereich Berichte aus, gibt Stellungnahmen ab oder wird auf andere Weise tätig.

Bei der Erfüllung seines Auftrags stellt der Ausschuss geeignete Kontakte zu den Sozialpartnern her.

Jeder Mitgliedstaat und die Kommission ernennen zwei Mitglieder des Ausschusses.

Art. 161 [Jahresbericht der Kommission] Der Jahresbericht der Kommission an das Europäische Parlament hat stets ein besonderes Kapitel über die Entwicklung der sozialen Lage in der Union zu enthalten.

Das Europäische Parlament kann die Kommission auffordern, Berichte über besondere, die soziale Lage betreffende Fragen auszuarbeiten.

Titel XI. Der Europäische Sozialfonds

Art. 162 [Errichtung und Ziel des Europäischen Sozialfonds] Um die Beschäftigungsmöglichkeiten der Arbeitskräfte im Binnenmarkt zu verbessern und damit zur Hebung der Lebenshaltung beizutragen, wird nach Maßgabe der folgenden Bestimmungen ein Europäischer Sozialfonds errichtet, dessen Ziel es ist, innerhalb der Union die berufliche Verwendbarkeit und die örtliche und berufliche Mobilität der Arbeitskräfte zu fördern sowie die Anpassung an die industriellen Wandlungsprozesse und an Veränderungen der Produktionssysteme insbesondere durch berufliche Bildung und Umschulung zu erleichtern.

Art. 163 [Verwaltung des Fonds] Die Verwaltung des Fonds obliegt der Kommission.

Die Kommission wird hierbei von einem Ausschuss unterstützt, der aus Vertretern der Regierungen sowie der Arbeitgeber- und der Arbeitnehmerverbände besteht; den Vorsitz führt ein Mitglied der Kommission.

Art. 164 [Durchführungsverordnungen] Das Europäische Parlament und der Rat erlassen gemäß dem ordentlichen Gesetzgebungsverfahren und nach Anhörung des Wirtschafts- und Sozialausschusses sowie des Ausschusses der Regionen die den Europäischen Sozialfonds betreffenden Durchführungsverordnungen.

Titel XII. Allgemeine und berufliche Bildung, Jugend und Sport

Art. 165 [Beitrag der Union; Ziele] (1) Die Union trägt zur Entwicklung einer qualitativ hoch stehenden Bildung dadurch bei, dass sie die Zusammenarbeit zwischen den Mitgliedstaaten fördert und die Tätigkeit der Mitgliedstaaten unter strikter Beachtung der Verantwortung der Mitgliedstaaten für die Lehrinhalte und die Gestaltung des Bildungssystems sowie der Vielfalt ihrer Kulturen und Sprachen erforderlichenfalls unterstützt und ergänzt.

Die Union trägt zur Förderung der europäischen Dimension des Sports bei und berücksichtigt dabei dessen besondere Merkmale, dessen auf freiwilligem Engagement basierende Strukturen sowie dessen soziale und pädagogische Funktion.

(2) Die Tätigkeit der Union hat folgende Ziele:

- Entwicklung der europäischen Dimension im Bildungswesen, insbesondere durch Erlernen und Verbreitung der Sprachen der Mitgliedstaaten;
- Förderung der Mobilität von Lernenden und Lehrenden, auch durch die Förderung der akademischen Anerkennung der Diplome und Studienzeiten;
- Förderung der Zusammenarbeit zwischen den Bildungseinrichtungen;
- Ausbau des Informations- und Erfahrungsaustauschs über gemeinsame Probleme im Rahmen der Bildungssysteme der Mitgliedstaaten;
- Förderung des Ausbaus des Jugendaustauschs und des Austauschs sozialpädagogischer Betreuer und verstärkte Beteiligung der Jugendlichen am demokratischen Leben in Europa;
- Förderung der Entwicklung der Fernlehre;

– Entwicklung der europäischen Dimension des Sports durch Förderung der Fairness und der Offenheit von Sportwettkämpfen und der Zusammenarbeit zwischen den für den Sport verantwortlichen Organisationen sowie durch den Schutz der körperlichen und seelischen Unversehrtheit der Sportler, insbesondere der jüngeren Sportler.

(3) Die Union und die Mitgliedstaaten fördern die Zusammenarbeit mit dritten Ländern und den für den Bildungsbereich und den Sport zuständigen internationalen Organisationen, insbesondere dem Europarat.

(4) Als Beitrag zur Verwirklichung der Ziele dieses Artikels

– erlassen das Europäische Parlament und der Rat gemäß dem ordentlichen Gesetzgebungsverfahren und nach Anhörung des Wirtschafts- und Sozialausschusses und des Ausschusses der Regionen Fördermaßnahmen unter Ausschluss jeglicher Harmonisierung der Rechts- und Verwaltungsvorschriften der Mitgliedstaaten;
– erlässt der Rat auf Vorschlag der Kommission Empfehlungen.

Art. 166 [Berufliche Bildung; Ziele] (1) Die Union führt eine Politik der beruflichen Bildung, welche die Maßnahmen der Mitgliedstaaten unter strikter Beachtung der Verantwortung der Mitgliedstaaten für Inhalt und Gestaltung der beruflichen Bildung unterstützt und ergänzt.

(2) Die Tätigkeit der Union hat folgende Ziele:

– Erleichterung der Anpassung an die industriellen Wandlungsprozesse, insbesondere durch berufliche Bildung und Umschulung;
– Verbesserung der beruflichen Erstausbildung und Weiterbildung zur Erleichterung der beruflichen Eingliederung und Wiedereingliederung in den Arbeitsmarkt;
– Erleichterung der Aufnahme einer beruflichen Bildung sowie Förderung der Mobilität der Ausbilder und der in beruflicher Bildung befindlichen Personen, insbesondere der Jugendlichen;
– Förderung der Zusammenarbeit in Fragen der beruflichen Bildung zwischen Unterrichtsanstalten und Unternehmen;
– Ausbau des Informations- und Erfahrungsaustauschs über gemeinsame Probleme im Rahmen der Berufsbildungssysteme der Mitgliedstaaten.

(3) Die Union und die Mitgliedstaaten fördern die Zusammenarbeit mit dritten Ländern und den für die berufliche Bildung zuständigen internationalen Organisationen.

(4) Das Europäische Parlament und der Rat erlassen gemäß dem ordentlichen Gesetzgebungsverfahren und nach Anhörung des Wirtschafts- und Sozialausschusses sowie des Ausschusses der Regionen Maßnahmen, die zur Verwirklichung der Ziele dieses Artikels beitragen, unter Ausschluss jeglicher Harmonisierung der Rechts- und Verwaltungsvorschriften der Mitgliedstaaten, und der Rat erlässt auf Vorschlag der Kommission Empfehlungen.

Titel XVII. Industrie

Art. 173 [Förderung der Wettbewerbsfähigkeit] (1) Die Union und die Mitgliedstaaten sorgen dafür, dass die notwendigen Voraussetzungen für die Wettbewerbsfähigkeit der Industrie der Union gewährleistet sind.

Zu diesem Zweck zielt ihre Tätigkeit entsprechend einem System offener und wettbewerbsorientierter Märkte auf Folgendes ab:

– Erleichterung der Anpassung der Industrie an die strukturellen Veränderungen;
– Förderung eines für die Initiative und Weiterentwicklung der Unternehmen in der gesamten Union, insbesondere der kleinen und mittleren Unternehmen, günstigen Umfelds;
– Förderung eines für die Zusammenarbeit zwischen Unternehmen günstigen Umfelds;
– Förderung einer besseren Nutzung des industriellen Potenzials der Politik in den Bereichen Innovation, Forschung und technologische Entwicklung.

(2) [1] Die Mitgliedstaaten konsultieren einander in Verbindung mit der Kommission und koordinieren, soweit erforderlich, ihre Maßnahmen. [2] Die Kommission kann alle Initiativen ergreifen, die dieser Koordinierung förderlich sind, insbesondere Initiativen, die darauf abzielen, Leitlinien und Indikatoren festzulegen, den Austausch bewährter Verfahren durchzuführen und die erforderlichen Elemente für eine regelmäßige Überwachung und Bewertung auszuarbeiten. [3] Das Europäische Parlament wird in vollem Umfang unterrichtet.

(3) [1] Die Union trägt durch die Politik und die Maßnahmen, die sie aufgrund anderer Bestimmungen der Verträge durchführt, zur Erreichung der Ziele des Absatzes 1 bei. [2] Das Europäische Parlament und der Rat können unter Ausschluss jeglicher Harmonisierung der Rechtsvorschriften der Mitgliedstaaten gemäß dem ordentlichen Gesetzgebungsverfahren und nach Anhörung des Wirtschafts- und Sozialausschusses spezifische Maßnahmen zur Unterstützung der in den Mitgliedstaaten durchgeführten Maßnahmen im Hinblick auf die Verwirklichung der Ziele des Absatzes 1 beschließen.

Dieser Titel bietet keine Grundlage dafür, dass die Union irgendeine Maßnahme einführt, die zu Wettbewerbsverzerrungen führen könnte oder steuerliche Vorschriften oder Bestimmungen betreffend die Rechte und Interessen der Arbeitnehmer enthält.

Vierter Teil. Die Assoziierung der überseeischen Länder und Hoheitsgebiete

Art. 202 [Regelung der Freizügigkeit der Arbeitskräfte] Vorbehaltlich der Bestimmungen über die Volksgesundheit und die öffentliche Sicherheit und Ordnung werden für die Freizügigkeit der Arbeitskräfte aus den Ländern und Hoheitsgebieten in den Mitgliedstaaten und der Arbeitskräfte aus den Mitgliedstaaten in den Ländern und Hoheitsgebieten Rechtsakte nach Artikel 203 erlassen.

Sechster Teil. Institutionelle Bestimmungen und Finanzvorschriften

Titel I. Vorschriften über die Organe

Kapitel 3. Die beratenden Einrichtungen der Union

Art. 300 [Wirtschafts- und Sozialausschuss; Ausschuss der Regionen] (1) Das Europäische Parlament, der Rat und die Kommission werden von einem Wirtschafts- und Sozialausschuss sowie einem Ausschuss der Regionen unterstützt, die beratende Aufgaben wahrnehmen.

(2) Der Wirtschafts- und Sozialausschuss setzt sich zusammen aus Vertretern der Organisationen der Arbeitgeber und der Arbeitnehmer sowie anderen Vertretern der Zivilgesellschaft, insbesondere aus dem sozialen und wirtschaftlichen, dem staatsbürgerlichen, dem beruflichen und dem kulturellen Bereich.

(3) Der Ausschuss der Regionen setzt sich zusammen aus Vertretern der regionalen und lokalen Gebietskörperschaften, die entweder ein auf Wahlen beruhendes Mandat in einer regionalen oder lokalen Gebietskörperschaft innehaben oder gegenüber einer gewählten Versammlung politisch verantwortlich sind.

(4) [1] Die Mitglieder des Wirtschafts- und Sozialausschusses und des Ausschusses der Regionen sind an keine Weisungen gebunden. [2] Sie üben ihre Tätigkeit in voller Unabhängigkeit zum allgemeinen Wohl der Union aus.

(5) [1] Die Vorschriften der Absätze 2 und 3 über die Art der Zusammensetzung dieser Ausschüsse werden in regelmäßigen Abständen vom Rat überprüft, um der wirtschaftlichen, sozialen und demografischen Entwicklung in der Union Rechnung zu tragen. [2] Der Rat erlässt auf Vorschlag der Kommission Beschlüsse zu diesem Zweck.

Abschnitt 1. Der Wirtschafts- und Sozialausschuss

Art. 301 [Zusammensetzung] Der Wirtschafts- und Sozialausschuss hat höchstens dreihundertfünfzig Mitglieder.

Der Rat erlässt einstimmig auf Vorschlag der Kommission einen Beschluss über die Zusammensetzung des Ausschusses.

Der Rat setzt die Vergütungen für die Mitglieder des Ausschusses fest.

Art. 302 [Ernennung der Mitglieder] (1) [1] Die Mitglieder des Ausschusses werden für fünf Jahre ernannt. [2] Der Rat nimmt die gemäß den Vorschlägen der einzelnen Mitgliedstaaten erstellte Liste der Mitglieder an. [3] Die Wiederernennung der Mitglieder des Ausschusses ist zulässig.

(2) [1] Der Rat beschließt nach Anhörung der Kommission. [2] Er kann die Meinung der maßgeblichen europäischen Organisationen der verschiedenen Zweige des Wirtschafts- und Soziallebens und der Zivilgesellschaft einholen, die von der Tätigkeit der Union betroffen sind.

Art. 303 [Präsident; Präsidium; Geschäftsordnung; Einberufung] Der Ausschuss wählt aus seiner Mitte seinen Präsidenten und sein Präsidium auf zweieinhalb Jahre.

Er gibt sich eine Geschäftsordnung.

[1] Der Ausschuss wird von seinem Präsidenten auf Antrag des Europäischen Parlaments, des Rates oder der Kommission einberufen. [2] Er kann auch von sich aus zusammentreten.

Art. 304 [Anhörungsrechte] [1] Der Ausschuss wird vom Europäischen Parlament, vom Rat oder der Kommission in den in den Verträgen vorgesehenen Fällen gehört. [2] Er kann von diesen Organen in allen Fällen gehört werden, in denen diese es für zweckmäßig erachten. [3] Er kann von sich aus eine Stellungnahme in den Fällen abgeben, in denen er dies für zweckmäßig erachtet.

[1] Wenn das Europäische Parlament, der Rat oder die Kommission es für notwendig erachten, setzen sie dem Ausschuss für die Vorlage seiner Stellungnahme eine Frist; diese beträgt mindestens einen Monat, vom Eingang der Mitteilung beim Präsidenten des Ausschusses an gerechnet. [2] Nach Ablauf der Frist kann das Fehlen einer Stellungnahme unberücksichtigt bleiben.

Die Stellungnahmen des Ausschusses sowie ein Bericht über die Beratungen werden dem Europäischen Parlament, dem Rat und der Kommission übermittelt.

Siebter Teil. Allgemeine und Schlussbestimmungen

Art. 336 [Beamtenstatut; Beschäftigungsbedingungen] Das Europäische Parlament und der Rat erlassen gemäß dem ordentlichen Gesetzgebungsverfahren durch Verordnungen nach Anhörung der anderen betroffenen Organe das Statut der Beamten der Europäischen Union und die Beschäftigungsbedingungen für die sonstigen Bediensteten der Union.

Art. 352 [Kompetenzergänzungsklausel] (1) [1] Erscheint ein Tätigwerden der Union im Rahmen der in den Verträgen festgelegten Politikbereiche erforderlich, um eines der Ziele der Verträge zu verwirklichen, und sind in den Verträgen die hierfür erforderlichen Befugnisse nicht vorgesehen, so erlässt der Rat einstimmig auf Vorschlag der Kommission und nach Zustimmung des Europäischen Parlaments die geeigneten Vorschriften. [2] Werden diese Vorschriften vom Rat gemäß einem besonderen Gesetzgebungsverfahren erlassen, so beschließt er ebenfalls einstimmig auf Vorschlag der Kommission und nach Zustimmung des Europäischen Parlaments.

(2) Die Kommission macht die nationalen Parlamente im Rahmen des Verfahrens zur Kontrolle der Einhaltung des Subsidiaritätsprinzips nach Artikel 5 Absatz 3 des Vertrags über die Europäische Union[1)] auf die Vorschläge aufmerksam, die sich auf diesen Artikel stützen.

(3) Die auf diesem Artikel beruhenden Maßnahmen dürfen keine Harmonisierung der Rechtsvorschriften der Mitgliedstaaten in den Fällen beinhalten, in denen die Verträge eine solche Harmonisierung ausschließen.

(4) Dieser Artikel kann nicht als Grundlage für die Verwirklichung von Zielen der Gemeinsamen Außen- und Sicherheitspolitik dienen, und Rechtsakte, die nach diesem Artikel erlassen werden, müssen innerhalb der in Artikel 40 Absatz 2 des Vertrags über die Europäische Union festgelegten Grenzen bleiben.

---

1) Sartorius Nr. 1000.

854. Vertrag zur Gründung der Europäischen Atomgemeinschaft (Euratom)[1) 2) 3) 4)]

Vom 25. März 1957
(BGBl. II S. 1014, ber. S. 1678; ber. BGBl. 1999 II S. 1024)[5)]
zuletzt geänd. durch Art. 11, 14 Abs. 2 EU-Beitrittsakte 2013 v. 9. 12. 2011 (ABl. 2012 Nr. L 112 S. 21)

– Auszug –[6)]

Erster Titel. Aufgaben der Gemeinschaft

Art. 2 [Aufgaben der Euratom] Zur Erfüllung ihrer Aufgabe hat die Gemeinschaft nach Maßgabe des Vertrags

a) . . .

b) einheitliche Sicherheitsnormen für den Gesundheitsschutz der Bevölkerung und der Arbeitskräfte aufzustellen und für ihre Anwendung zu sorgen;

c)–h) . . .

Zweiter Titel. Förderung des Fortschritts auf dem Gebiet der Kernenergie

Kapitel III. Der Gesundheitsschutz

Art. 30[7)] [Grundnormen für Gesundheitsschutz] In der Gemeinschaft werden Grundnormen für den Gesundheitsschutz der Bevölkerung und der Arbeitskräfte gegen die Gefahren ionisierender Strahlungen festgesetzt.

Unter Grundnormen sind zu verstehen:

a) die zulässigen Höchstdosen, die ausreichende Sicherheit gewähren,

---

1) Siehe hierzu G v. 27. 7. 1957 (BGBl. II S. 753). Der Vertrag ist in seiner ursprünglichen Fassung am 1. 1. 1958 in Kraft getreten gem. Bek. v. 27. 12. 1957 (BGBl. 1958 II S. 1).

2) Vertragsparteien sind Belgien, Bulgarien, Deutschland, Dänemark, Finnland, Frankreich, Griechenland, Irland, Italien, [**ab 1. 7. 2013** Kroatien,] Luxemburg, die Niederlande, Österreich, Portugal, Schweden, Spanien, Großbritannien, Tschechien, Estland, Lettland, Litauen, Polen, Rumänien, Ungarn, Slowenien, Slowakei, Zypern und Malta.

3) Änderungen vor dem 1. 1. 1999 sind nicht in Fussnoten nachgewiesen.

4) Die Verweise/Bezugnahmen auf Vorschriften des AEUV sind gemäß Art. 5 des Vertrags von Lissabon iVm den Übereinstimmungstabellen an die neue Nummerierung angepasst worden.

5) Internationale Quelle: UNTS Bd. 298 S. 11 u. S. 167.

6) Vollständig wiedergegeben in **NipperdeyDirekt (online)**.

7) Beachte zu Art. 30 und 31 die Richtlinien zur Festlegung der Grundnormen für den Gesundheitsschutz der Bevölkerung und der Arbeitskräfte v. 2. 2. 1959 (BGBl. II S. 1231), geänd. durch RL v. 5. 3. 1962 (ABl. Nr. 57 S. 1633).

b) die Höchstgrenze für die Aussetzung gegenüber schädlichen Einflüssen und für schädlichen Befall,

c) die Grundsätze für die ärztliche Überwachung der Arbeitskräfte.

Art. 31[1)] **[Festlegung der Grundnormen]** [1] Die Grundnormen werden von der Kommission nach Stellungnahme einer Gruppe von Persönlichkeiten ausgearbeitet, die der Ausschuß für Wissenschaft und Technik aus wissenschaftlichen Sachverständigen der Mitgliedstaaten, insbesondere aus Sachverständigen für Volksgesundheit, ernennt. [2] Die Kommission holt zu den in dieser Weise ausgearbeiteten Grundnormen die Stellungnahme des Wirtschafts- und Sozialausschusses ein.

Nach Anhörung des Europäischen Parlaments legt der Rat die Grundnormen auf Vorschlag der Kommission, die ihm die von ihr eingeholten Stellungnahmen der Ausschüsse zuleitet, mit qualifizierter Mehrheit fest.

Art. 32 [Überprüfung und Ergänzung der Grundnormen] Die Grundnormen können auf Antrag der Kommission oder eines Mitgliedstaates nach dem Verfahren des Artikels 31 überprüft oder ergänzt werden.

Die Kommission hat jeden von einem Mitgliedstaat gestellten Antrag zu prüfen.

Art. 33 [Durchführungsbestimmungen, Koordinierung] Jeder Mitgliedstaat erläßt die geeigneten Rechts- und Verwaltungsvorschriften, um die Beachtung der festgesetzten Grundnormen sicherzustellen, und trifft die für den Unterricht, die Erziehung und Berufsausbildung erforderlichen Maßnahmen.

Die Kommission erläßt die geeigneten Empfehlungen, um die auf diesem Gebiet in den Mitgliedstaaten geltenden Bestimmungen miteinander in Einklang zu bringen.

Zu diesem Zweck haben die Mitgliedstaaten der Kommission diese Bestimmungen nach dem Stande im Zeitpunkt des Inkrafttretens dieses Vertrags sowie die späteren Entwürfe gleichartiger Bestimmungen bekanntzugeben.

Etwaige Empfehlungen der Kommission zu diesen Entwürfen sind innerhalb von drei Monaten nach deren Mitteilung zu erlassen.

Art. 35 [Überwachung der Radioaktivität von Luft, Wasser und Boden] Jeder Mitgliedstaat schafft die notwendigen Einrichtungen zur ständigen Überwachung des Gehalts der Luft, des Wassers und des Bodens an Radioaktivität sowie zur Überwachung der Einhaltung der Grundnormen.

Die Kommission hat Zugang zu diesen Überwachungseinrichtungen; sie kann ihre Arbeitsweise und Wirksamkeit nachprüfen.

Art. 36 [Auskünfte über Überwachungsmaßnahmen] Die Auskünfte über die in Artikel 35 genannten Überwachungsmaßnahmen sind der Kommission von den zuständigen Behörden regelmäßig zu übermitteln, damit die

---

1) Beachte zu Art. 30 und 31 die GesundheitsschutzRL v. 13. 5. 1996 (ABl. Nr. L 159 S. 1).

Kommission ständig über den Gehalt an Radioaktivität unterrichtet ist, dem die Bevölkerung ausgesetzt ist.

Art. 38[1] **[Empfehlungen und Richtlinien betr. Radioaktivität]** Die Kommission richtet an die Mitgliedstaaten Empfehlungen über den radioaktiven Gehalt der Luft, des Wassers und des Bodens.

In dringenden Fällen erläßt die Kommission eine Richtlinie, mit der sie dem betreffenden Mitgliedstaat aufgibt, innerhalb einer von ihr festgesetzten Frist alle erforderlichen Maßnahmen zu treffen, um eine Überschreitung der Grundnormen zu vermeiden und die Beachtung dieser Vorschriften zu gewährleisten.

Kommt der Staat innerhalb der festgesetzten Frist der Richtlinie der Kommission nicht nach, so kann diese oder jeder beteiligte Mitgliedstaat in Abweichung von den Artikeln 226 und 227 des Vertrags über die Arbeitsweise der Europäischen Union unmittelbar den Gerichtshof der Europäischen Union anrufen.

Art. 39 [Studien- und Dokumentationsabteilung für Fragen des Gesundheitsschutzes] Die Kommission errichtet im Rahmen der Gemeinsamen Kernforschungsstelle unmittelbar nach deren Gründung eine Studien- und Dokumentationsabteilung für Fragen des Gesundheitsschutzes.

Die Aufgabe dieser Abteilung besteht vor allem darin, die in den Artikeln 33, 36 und 37 genannten Unterlagen und Auskünfte zusammenzustellen und die Kommission bei der Erfüllung der ihr durch dieses Kapitel übertragenen Aufgaben zu unterstützen.

---

[1] Art. 38 Abs. 3 geänd. mWv 1. 12. 2009 durch Prot. v. 13. 12. 2007 (ABl. Nr. C 306 S. 197).

855. Vertrag über die Europäische Union idF des Vertrags von Lissabon

13. Dezember 2007[1) 2)]

(ABl. Nr. C 306 S. 1, ber. ABl. 2008 Nr. C 111 S. 56, ABl. 2009 Nr. C 290 S. 1, ABl. 2011 Nr. 378 S. 3)

Celex-Nr. 1 1992 M

zuletzt geänd. durch Art. 1 Vertrag von Lissabon v. 13. 12. 2007 (ABl. Nr. C 306 S. 1, ber. ABl. 2008 Nr. C 111 S. 56 u. ABl. 2009 Nr. C 290 S. 1)

– Auszug –[3)]

Titel I. Gemeinsame Bestimmungen

Art. 1 [Gründung der Europäischen Union; Grundlagen] Durch diesen Vertrag gründen die Hohen Vertragsparteien untereinander eine EUROPÄISCHE UNION (im Folgenden „Union"), der die Mitgliedstaaten Zuständigkeiten zur Verwirklichung ihrer gemeinsamen Ziele übertragen.

Dieser Vertrag stellt eine neue Stufe bei der Verwirklichung einer immer engeren Union der Völker Europas dar, in der die Entscheidungen möglichst offen und möglichst bürgernah getroffen werden.

[1] Grundlage der Union sind dieser Vertrag und der Vertrag über die Arbeitsweise der Europäischen Union[4)] (im Folgenden „Verträge"). [2] Beide Verträge sind rechtlich gleichrangig. [3] Die Union tritt an die Stelle der Europäischen Gemeinschaft, deren Rechtsnachfolgerin sie ist.

Art. 2 [Grundlegende Werte] [1] Die Werte, auf die sich die Union gründet, sind die Achtung der Menschenwürde, Freiheit, Demokratie, Gleichheit, Rechtsstaatlichkeit und die Wahrung der Menschenrechte einschließlich der Rechte der Personen, die Minderheiten angehören. [2] Diese Werte sind allen Mitgliedstaaten in einer Gesellschaft gemeinsam, die sich durch Pluralismus, Nichtdiskriminierung, Toleranz, Gerechtigkeit, Solidarität und die Gleichheit von Frauen und Männern auszeichnet.

Art. 3 [Ziel der Union] (1) Ziel der Union ist es, den Frieden, ihre Werte und das Wohlergehen ihrer Völker zu fördern.

[1)] Konsolidierte Fassung des Vertrags über die Europäische Union v. 7. 2. 1992 (ABl. Nr. C 191 S. 1). Die Bundesrepublik Deutschland hat mWv 15. 10. 2008 durch G v. 8. 1. 2008 (BGBl. II S. 1038) dem Vertrag von Lissabon zugestimmt; Inkrafttreten am **1. 12. 2009**, siehe die Bek. v. 13. 11. 2009 (BGBl. II S. 1223).

[2)] Die Artikelfolge und Verweise/Bezugnahmen auf Vorschriften des AEUV sind gemäß Art. 5 des Vertrags von Lissabon iVm den Übereinstimmungstabellen an die neue Nummerierung angepasst worden.

[3)] Vollständig wiedergegeben auf der beiliegenden **DVD Nipperdey plus**.

[4)] Auszugsweise abgedruckt unter Nr. **850**.

(2) Die Union bietet ihren Bürgerinnen und Bürgern einen Raum der Freiheit, der Sicherheit und des Rechts ohne Binnengrenzen, in dem – in Verbindung mit geeigneten Maßnahmen in Bezug auf die Kontrollen an den Außengrenzen, das Asyl, die Einwanderung sowie die Verhütung und Bekämpfung der Kriminalität – der freie Personenverkehr gewährleistet ist.

(3) [1] Die Union errichtet einen Binnenmarkt. [2] Sie wirkt auf die nachhaltige Entwicklung Europas auf der Grundlage eines ausgewogenen Wirtschaftswachstums und von Preisstabilität, eine in hohem Maße wettbewerbsfähige soziale Marktwirtschaft, die auf Vollbeschäftigung und sozialen Fortschritt abzielt, sowie ein hohes Maß an Umweltschutz und Verbesserung der Umweltqualität hin. [3] Sie fördert den wissenschaftlichen und technischen Fortschritt.

Sie bekämpft soziale Ausgrenzung und Diskriminierungen und fördert soziale Gerechtigkeit und sozialen Schutz, die Gleichstellung von Frauen und Männern, die Solidarität zwischen den Generationen und den Schutz der Rechte des Kindes.

Sie fördert den wirtschaftlichen, sozialen und territorialen Zusammenhalt und die Solidarität zwischen den Mitgliedstaaten.

Sie wahrt den Reichtum ihrer kulturellen und sprachlichen Vielfalt und sorgt für den Schutz und die Entwicklung des kulturellen Erbes Europas.

(4) Die Union errichtet eine Wirtschafts- und Währungsunion, deren Währung der Euro ist.

(5) [1] In ihren Beziehungen zur übrigen Welt schützt und fördert die Union ihre Werte und Interessen und trägt zum Schutz ihrer Bürgerinnen und Bürger bei. [2] Sie leistet einen Beitrag zu Frieden, Sicherheit, globaler nachhaltiger Entwicklung, Solidarität und gegenseitiger Achtung unter den Völkern, zu freiem und gerechtem Handel, zur Beseitigung der Armut und zum Schutz der Menschenrechte, insbesondere der Rechte des Kindes, sowie zur strikten Einhaltung und Weiterentwicklung des Völkerrechts, insbesondere zur Wahrung der Grundsätze der Charta der Vereinten Nationen.

(6) Die Union verfolgt ihre Ziele mit geeigneten Mitteln entsprechend den Zuständigkeiten, die ihr in den Verträgen übertragen sind.

Art. 6 [Grundrechte-Charta und EMRK] (1) Die Union erkennt die Rechte, Freiheiten und Grundsätze an, die in der Charta der Grundrechte der Europäischen Union vom 7. Dezember 2000 in der am 12. Dezember 2007 in Straßburg angepassten Fassung niedergelegt sind; die Charta der Grundrechte und die Verträge sind rechtlich gleichrangig.

Durch die Bestimmungen der Charta werden die in den Verträgen festgelegten Zuständigkeiten der Union in keiner Weise erweitert.

Die in der Charta niedergelegten Rechte, Freiheiten und Grundsätze werden gemäß den allgemeinen Bestimmungen des Titels VII der Charta, der ihre Auslegung und Anwendung regelt, und unter gebührender Berücksichtigung der in der Charta angeführten Erläuterungen, in denen die Quellen dieser Bestimmungen angegeben sind, ausgelegt.

(Fortsetzung nächste Seite)

(2) [1] Die Union tritt der Europäischen Konvention zum Schutz der Menschenrechte und Grundfreiheiten[1)] bei. [2] Dieser Beitritt ändert nicht die in den Verträgen festgelegten Zuständigkeiten der Union.

(3) Die Grundrechte, wie sie in der Europäischen Konvention zum Schutz der Menschenrechte und Grundfreiheiten gewährleistet sind und wie sie sich aus den gemeinsamen Verfassungsüberlieferungen der Mitgliedstaaten ergeben, sind als allgemeine Grundsätze Teil des Unionsrechts.

[1)] **DVD Nipperdey plus Nr. 1150.**

856. Charta der Grundrechte der Europäischen Union[1)]

Vom 12. Dezember 2007[2)]
(ABl. Nr. C 303 S. 1)
EU-Dok.-Nr. 3 2007 X 1214 (01)

– Auszug –[3)]

Titel I. Würde des Menschen

Art. 5 Verbot der Sklaverei und der Zwangsarbeit. (1) Niemand darf in Sklaverei oder Leibeigenschaft gehalten werden.

(2) Niemand darf gezwungen werden, Zwangs- oder Pflichtarbeit zu verrichten.

(3) Menschenhandel ist verboten.

Titel II. Freiheiten

Art. 12 Versammlungs- und Vereinigungsfreiheit. (1) Jede Person hat das Recht, sich insbesondere im politischen, gewerkschaftlichen und zivilgesellschaftlichen Bereich auf allen Ebenen frei und friedlich mit anderen zu versammeln und frei mit anderen zusammenzuschließen, was das Recht jeder Person umfasst, zum Schutz ihrer Interessen Gewerkschaften zu gründen und Gewerkschaften beizutreten.

(2) …

Art. 14 Recht auf Bildung. (1) Jede Person hat das Recht auf Bildung sowie auf Zugang zur beruflichen Ausbildung und Weiterbildung.

(2) Dieses Recht umfasst die Möglichkeit, unentgeltlich am Pflichtschulunterricht teilzunehmen.

(3) …

Art. 15 Berufsfreiheit und Recht zu arbeiten. (1) Jede Person hat das Recht, zu arbeiten und einen frei gewählten oder angenommenen Beruf auszuüben.

(2) Alle Unionsbürgerinnen und Unionsbürger haben die Freiheit, in jedem Mitgliedstaat Arbeit zu suchen, zu arbeiten, sich niederzulassen oder Dienstleistungen zu erbringen.

---

1) Verweise/Bezugnahmen auf Vorschriften des AEUV bzw. EUV sind gemäß Art. 5 des Vertrags von Lissabon iVm den Übereinstimmungstabellen an die neue Nummerierung angepasst worden.

2) Der hier wiedergegebene Wortlaut übernimmt mit Anpassungen die am 7. 12. 2000 proklamierte Charta. Inkrafttreten am **1. 12. 2009**, siehe die Bek. v. 13. 11. 2009 (BGBl. II S. 1223).

3) Vollständig wiedergegeben auf der beiliegenden **DVD Nipperdey plus**.

(3) Die Staatsangehörigen dritter Länder, die im Hoheitsgebiet der Mitgliedstaaten arbeiten dürfen, haben Anspruch auf Arbeitsbedingungen, die denen der Unionsbürgerinnen und Unionsbürger entsprechen.

Art. 16 Unternehmerische Freiheit. Die unternehmerische Freiheit wird nach dem Unionsrecht und den einzelstaatlichen Rechtsvorschriften und Gepflogenheiten anerkannt.

Art. 17 Eigentumsrecht. (1) [1]Jede Person hat das Recht, ihr rechtmäßig erworbenes Eigentum zu besitzen, zu nutzen, darüber zu verfügen und es zu vererben. [2]Niemandem darf sein Eigentum entzogen werden, es sei denn aus Gründen des öffentlichen Interesses in den Fällen und unter den Bedingungen, die in einem Gesetz vorgesehen sind, sowie gegen eine rechtzeitige angemessene Entschädigung für den Verlust des Eigentums. [3]Die Nutzung des Eigentums kann gesetzlich geregelt werden, soweit dies für das Wohl der Allgemeinheit erforderlich ist.

(2) Geistiges Eigentum wird geschützt.

Titel III. Gleichheit

Art. 20 Gleichheit vor dem Gesetz. Alle Personen sind vor dem Gesetz gleich.

Art. 21 Nichtdiskriminierung. (1) Diskriminierungen insbesondere wegen des Geschlechts, der Rasse, der Hautfarbe, der ethnischen oder sozialen Herkunft, der genetischen Merkmale, der Sprache, der Religion oder der Weltanschauung, der politischen oder sonstigen Anschauung, der Zugehörigkeit zu einer nationalen Minderheit, des Vermögens, der Geburt, einer Behinderung, des Alters oder der sexuellen Ausrichtung sind verboten.

(2) Unbeschadet besonderer Bestimmungen der Verträge ist in ihrem Anwendungsbereich jede Diskriminierung aus Gründen der Staatsangehörigkeit verboten.

Art. 22 Vielfalt der Kulturen, Religionen und Sprachen. Die Union achtet die Vielfalt der Kulturen, Religionen und Sprachen.

Art. 23 Gleichheit von Frauen und Männern. Die Gleichheit von Frauen und Männern ist in allen Bereichen, einschließlich der Beschäftigung, der Arbeit und des Arbeitsentgelts, sicherzustellen.

Der Grundsatz der Gleichheit steht der Beibehaltung oder der Einführung spezifischer Vergünstigungen für das unterrepräsentierte Geschlecht nicht entgegen.

Art. 25 Rechte älterer Menschen. Die Union anerkennt und achtet das Recht älterer Menschen auf ein würdiges und unabhängiges Leben und auf Teilnahme am sozialen und kulturellen Leben.

Art. 26 Integration von Menschen mit Behinderung. Die Union anerkennt und achtet den Anspruch von Menschen mit Behinderung auf Maßnahmen zur Gewährleistung ihrer Eigenständigkeit, ihrer sozialen und beruflichen Eingliederung und ihrer Teilnahme am Leben der Gemeinschaft.

Titel IV. Solidarität

Art. 27 Recht auf Unterrichtung und Anhörung der Arbeitnehmerinnen und Arbeitnehmer im Unternehmen. Für die Arbeitnehmerinnen und Arbeitnehmer oder ihre Vertreter muss auf den geeigneten Ebenen eine rechtzeitige Unterrichtung und Anhörung in den Fällen und unter den Voraussetzungen gewährleistet sein, die nach dem Unionsrecht und den einzelstaatlichen Rechtsvorschriften und Gepflogenheiten vorgesehen sind.

Art. 28 Recht auf Kollektivverhandlungen und Kollektivmaßnahmen. Die Arbeitnehmerinnen und Arbeitnehmer sowie die Arbeitgeberinnen und Arbeitgeber oder ihre jeweiligen Organisationen haben nach dem Unionsrecht und den einzelstaatlichen Rechtsvorschriften und Gepflogenheiten das Recht, Tarifverträge auf den geeigneten Ebenen auszuhandeln und zu schließen sowie bei Interessenkonflikten kollektive Maßnahmen zur Verteidigung ihrer Interessen, einschließlich Streiks, zu ergreifen.

Art. 29 Recht auf Zugang zu einem Arbeitsvermittlungsdienst. Jeder Mensch hat das Recht auf Zugang zu einem unentgeltlichen Arbeitsvermittlungsdienst.

Art. 30 Schutz bei ungerechtfertigter Entlassung. Jede Arbeitnehmerin und jeder Arbeitnehmer hat nach dem Unionsrecht und den einzelstaatlichen Rechtsvorschriften und Gepflogenheiten Anspruch auf Schutz vor ungerechtfertigter Entlassung.

Art. 31 Gerechte und angemessene Arbeitsbedingungen. (1) Jede Arbeitnehmerin und jeder Arbeitnehmer hat das Recht auf gesunde, sichere und würdige Arbeitsbedingungen.

(2) Jede Arbeitnehmerin und jeder Arbeitnehmer hat das Recht auf eine Begrenzung der Höchstarbeitszeit, auf tägliche und wöchentliche Ruhezeiten sowie auf bezahlten Jahresurlaub.

Art. 32 Verbot der Kinderarbeit und Schutz der Jugendlichen am Arbeitsplatz. [1] Kinderarbeit ist verboten. [2] Unbeschadet günstigerer Vorschriften für Jugendliche und abgesehen von begrenzten Ausnahmen darf das Mindestalter für den Eintritt in das Arbeitsleben das Alter, in dem die Schulpflicht endet, nicht unterschreiten.

Zur Arbeit zugelassene Jugendliche müssen ihrem Alter angepasste Arbeitsbedingungen erhalten und vor wirtschaftlicher Ausbeutung und vor jeder Arbeit geschützt werden, die ihre Sicherheit, ihre Gesundheit, ihre körperliche, geistige, sittliche oder soziale Entwicklung beeinträchtigen oder ihre Erziehung gefährden könnte.

Art. 33 Familien- und Berufsleben. (1) Der rechtliche, wirtschaftliche und soziale Schutz der Familie wird gewährleistet.

(2) Um Familien- und Berufsleben miteinander in Einklang bringen zu können, hat jeder Mensch das Recht auf Schutz vor Entlassung aus einem mit der Mutterschaft zusammenhängenden Grund sowie den Anspruch auf einen bezahlten Mutterschaftsurlaub und auf einen Elternurlaub nach der Geburt oder Adoption eines Kindes.

Art. 34 Soziale Sicherheit und soziale Unterstützung. (1) Die Union anerkennt und achtet das Recht auf Zugang zu den Leistungen der sozialen Sicherheit und zu den sozialen Diensten, die in Fällen wie Mutterschaft, Krankheit, Arbeitsunfall, Pflegebedürftigkeit oder im Alter sowie bei Verlust des Arbeitsplatzes Schutz gewährleisten, nach Maßgabe des Unionsrechts und der einzelstaatlichen Rechtsvorschriften und Gepflogenheiten.

(2) Jeder Mensch, der in der Union seinen rechtmäßigen Wohnsitz hat und seinen Aufenthalt rechtmäßig wechselt, hat Anspruch auf die Leistungen der sozialen Sicherheit und die sozialen Vergünstigungen nach dem Unionsrecht und den einzelstaatlichen Rechtsvorschriften und Gepflogenheiten.

(3) Um die soziale Ausgrenzung und die Armut zu bekämpfen, anerkennt und achtet die Union das Recht auf eine soziale Unterstützung und eine Unterstützung für die Wohnung, die allen, die nicht über ausreichende Mittel verfügen, ein menschenwürdiges Dasein sicherstellen sollen, nach Maßgabe des Unionsrechts und der einzelstaatlichen Rechtsvorschriften und Gepflogenheiten.

Titel V. Bürgerrechte

Art. 45 Freizügigkeit und Aufenthaltsfreiheit. (1) Die Unionsbürgerinnen und Unionsbürger haben das Recht, sich im Hoheitsgebiet der Mitgliedstaaten frei zu bewegen und aufzuhalten.

(2) Staatsangehörigen von Drittländern, die sich rechtmäßig im Hoheitsgebiet eines Mitgliedstaats aufhalten, kann nach Maßgabe der Verträge Freizügigkeit und Aufenthaltsfreiheit gewährt werden.

Titel VII. Allgemeine Bestimmungen über die Auslegung und Anwendung der Charta

Art. 51 Anwendungsbereich. (1) [1] Diese Charta gilt für die Organe, Einrichtungen und sonstigen Stellen der Union unter Wahrung des Subsidiaritätsprinzips und für die Mitgliedstaaten ausschließlich bei der Durchführung des Rechts der Union. [2] Dementsprechend achten sie die Rechte, halten sie sich an die Grundsätze und fördern sie deren Anwendung entsprechend ihren jeweiligen Zuständigkeiten und unter Achtung der Grenzen der Zuständigkeiten, die der Union in den Verträgen übertragen werden.

(2) Diese Charta dehnt den Geltungsbereich des Unionsrechts nicht über die Zuständigkeiten der Union hinaus aus und begründet weder neue Zuständigkeiten noch neue Aufgaben für die Union, noch ändert sie die in den Verträgen festgelegten Zuständigkeiten und Aufgaben.

Art. 52 Tragweite und Auslegung der Rechte und Grundsätze.

(1) [1] Jede Einschränkung der Ausübung der in dieser Charta anerkannten Rechte und Freiheiten muss gesetzlich vorgesehen sein und den Wesensgehalt dieser Rechte und Freiheiten achten. [2] Unter Wahrung des Grundsatzes der Verhältnismäßigkeit dürfen Einschränkungen nur vorgenommen werden, wenn sie erforderlich sind und den von der Union anerkannten dem Gemeinwohl dienenden Zielsetzungen oder den Erfordernissen des Schutzes der Rechte und Freiheiten anderer tatsächlich entsprechen.

(2) Die Ausübung der durch diese Charta anerkannten Rechte, die in den Verträgen geregelt sind, erfolgt im Rahmen der in den Verträgen festgelegten Bedingungen und Grenzen.

(3) [1] Soweit diese Charta Rechte enthält, die den durch die Europäische Konvention zum Schutz der Menschenrechte und Grundfreiheiten garantierten Rechten entsprechen, haben sie die gleiche Bedeutung und Tragweite, wie sie ihnen in der genannten Konvention verliehen wird. [2] Diese Bestimmung steht dem nicht entgegen, dass das Recht der Union einen weiter gehenden Schutz gewährt.

(4) Soweit in dieser Charta Grundrechte anerkannt werden, wie sie sich aus den gemeinsamen Verfassungsüberlieferungen der Mitgliedstaaten ergeben, werden sie im Einklang mit diesen Überlieferungen ausgelegt.

(5) [1] Die Bestimmungen dieser Charta, in denen Grundsätze festgelegt sind, können durch Akte der Gesetzgebung und der Ausführung der Organe, Einrichtungen und sonstigen Stellen der Union sowie durch Akte der Mitgliedstaaten zur Durchführung des Rechts der Union in Ausübung ihrer jeweiligen Zuständigkeiten umgesetzt werden. [2] Sie können vor Gericht nur bei der Auslegung dieser Akte und bei Entscheidungen über deren Rechtmäßigkeit herangezogen werden.

(6) Den einzelstaatlichen Rechtsvorschriften und Gepflogenheiten ist, wie es in dieser Charta bestimmt ist, in vollem Umfang Rechnung zu tragen.

(7) Die Erläuterungen, die als Anleitung für die Auslegung dieser Charta verfasst wurden, sind von den Gerichten der Union und der Mitgliedstaaten gebührend zu berücksichtigen.

Art. 53 Schutzniveau. Keine Bestimmung dieser Charta ist als eine Einschränkung oder Verletzung der Menschenrechte und Grundfreiheiten auszulegen, die in dem jeweiligen Anwendungsbereich durch das Recht der Union und das Völkerrecht sowie durch die internationalen Übereinkünfte, bei denen die Union oder alle Mitgliedstaaten Vertragsparteien sind, darunter insbesondere die Europäische Konvention zum Schutz der Menschenrechte und Grundfreiheiten, sowie durch die Verfassungen der Mitgliedstaaten anerkannt werden.

Art. 54 Verbot des Missbrauchs der Rechte. Keine Bestimmung dieser Charta ist so auszulegen, als begründe sie das Recht, eine Tätigkeit auszuüben oder eine Handlung vorzunehmen, die darauf abzielt, die in der Charta anerkannten Rechte und Freiheiten abzuschaffen oder sie stärker einzuschränken, als dies in der Charta vorgesehen ist.

Der vorstehende Wortlaut übernimmt mit Anpassungen die am 7. Dezember 2000 proklamierte Charta und ersetzt sie ab dem Zeitpunkt des Inkrafttretens[1] des Vertrags von Lissabon.
Geschehen zu Strassburg am zwölften Dezember zweitausendsieben.[2]

---

[1] Die Bundesrepublik Deutschland hat mWv 15. 10. 2008 durch G v. 8. 1. 2008 (BGBl. II S. 1038) dem Vertrag von Lissabon zugestimmt; Inkrafttreten am **1. 12. 2009**, siehe die Bek. v. *13. 11. 2009 (BGBl. II S. 1223)*.

[2] Es folgen die Unterschriften der Präsidenten des Europäischen Parlaments, des Rats der Europäischen Union und der Kommission der Europäischen Gemeinschaften.

860. Gemeinschaftscharta der Sozialen Grundrechte der Arbeitnehmer[1)]

Vom 9. Dezember 1989

(KOM (89) 248 endg.)

DIE STAATS- UND REGIERUNGSCHEFS DER MITGLIEDSTAATEN DER EUROPÄISCHEN GEMEINSCHAFT HABEN AUF IHRER TAGUNG AM …
IN …
IN ERWÄGUNG NACHSTEHENDER GRÜNDE:

Die Mitgliedstaaten sind sich nach Artikel 117 des EWG-Vertrags über die Notwendigkeit einig, auf eine Verbesserung der Lebens- und Arbeitsbedingungen der Arbeitnehmer hinzuwirken und dadurch auf dem Wege des Fortschritts ihre Angleichung zu ermöglichen.

Der Europäische Rat in Madrid hat auf der Grundlage der Ergebnisse seiner Tagungen in Hannover und Rhodos die Ansicht vertreten, daß den sozialen Fragen im Zuge der Schaffung des europäischen Binnenmarkts die gleiche Bedeutung wie den wirtschaftlichen Fragen beizumessen ist und sie daher in ausgewogener Weise weiterzuentwickeln sind.

Das Europäische Parlament hat dazu am 15. 3. 1989 und am 14. 9. 1989 Entschließungen verabschiedet, und der Wirtschafts- und Sozialausschuß hat am 22. 2. 1989 eine entsprechende Stellungnahme abgegeben.

Die Verwirklichung des Binnenmarkts ist das wirksamste Mittel zur Schaffung von Arbeitsplätzen und zur Gewährleistung eines Höchstmaßes an Wohlstand in der Gemeinschaft; bei der Verwirklichung des Binnenmarkts ist der Förderung und Schaffung neuer Arbeitsplätze erste Priorität einzuräumen; die Gemeinschaft hat sich den Herausforderungen der Zukunft hinsichtlich der wirtschaftlichen Wettbewerbsfähigkeit insbesondere unter Berücksichtigung der regionalen Ungleichgewichte zu stellen.

Der soziale Konsens trägt zur Stärkung der Wettbewerbsfähigkeit der Unternehmen und der gesamten Wirtschaft sowie zur Schaffung von Arbeitsplätzen bei; daher ist er eine wesentliche Voraussetzung für eine kräftige Wirtschaftsentwicklung.

Die Verwirklichung des Binnenmarkts soll die Angleichung der Lebens- und Arbeitsbedingungen auf dem Wege des Fortschritts fördern

[1)] Quelle: EG-Kommission (Hrsg.), Die Gemeinschaftscharta der Sozialen Grundrechte der Arbeitnehmer, in: Stichwort Europa, 6/90.

und den wirtschaftlichen und sozialen Zusammenhalt der Europäischen Gemeinschaft begünstigen, wobei Wettbewerbsverzerrungen zu vermeiden sind.

Die Verwirklichung des Binnenmarkts soll allen Arbeitnehmern der Europäischen Gemeinschaft Verbesserungen im sozialen Bereich vornehmlich hinsichtlich der Freizügigkeit, der Lebens- und Arbeitsbedingungen, des Gesundheitsschutzes und der Sicherheit in der Arbeitsumwelt, des sozialen Schutzes sowie der allgemeinen und beruflichen Bildung bringen.

Zur Wahrung der Gleichbehandlung ist gegen Diskriminierungen jeglicher Art, insbesondere aufgrund von Geschlecht, Hautfarbe, Rasse, Meinung oder Glauben, vorzugehen; die soziale Ausgrenzung ist im Geiste der Solidarität zu bekämpfen.

Es ist Sache der Mitgliedstaaten zu gewährleisten, daß Arbeitnehmern aus Drittländern und ihren Familienangehörigen, die sich rechtmäßig in einem Mitgliedstaat der Europäischen Gemeinschaft aufhalten, im Hinblick auf ihre Lebens- und Arbeitsbedingungen eine Behandlung zuteil wird, die derjenigen vergleichbar ist, welche die Arbeitnehmer des betreffenden Mitgliedstaats genießen.

Es erscheint geboten, sich von den Übereinkommen der Internationalen Arbeitsorganisation und der Europäischen Sozialcharta leiten zu lassen.

Der Vertrag in seiner durch die Einheitliche Europäische Akte geänderten Fassung enthält Bestimmungen, die eine Zuständigkeit der Gemeinschaft insbesondere für die Freizügigkeit der Arbeitnehmer (Artikel 7 und 48 bis 51), die Niederlassungsfreiheit (Artikel 52 bis 58), soziale Fragen unter den in den Artikeln 117 bis 122 vorgesehenen Bedingungen – vor allem Verbesserung der Sicherheit und des Gesundheitsschutzes in der Arbeitsumwelt (Artikel 118 a), Entwicklung des Dialogs zwischen den Sozialpartnern auf europäischer Ebene (Artikel 118 b), gleiches Entgelt für Männer und Frauen bei gleicher Arbeit (Artikel 119) –, die allgemeinen Grundsätze für die Durchführung einer gemeinsamen Berufsbildungspolitik (Artikel 128), den wirtschaftlichen und sozialen Zusammenhalt (Artikel 130 a bis 130 e) und generell die Angleichung der Rechtsvorschriften (Artikel 100, 100 a und 235) begründen. Die Durchführung der Charta darf nicht zu einer Ausweitung der im Vertrag festgelegten Befugnisse der Gemeinschaft führen.

Diese Charta soll zum einen die Fortschritte festschreiben, die im sozialen Bereich durch das Vorgehen der Mitgliedstaaten, der Sozialpartner und der Gemeinschaft bereits erzielt wurden.

Mit ihr soll zum anderen feierlich bekräftigt werden, daß bei der Durchführung der Einheitlichen Akte die soziale Dimension der Gemeinschaft vollauf berücksichtigt ist und die sozialen Rechte der Erwerbstätigen in der Europäischen Gemeinschaft, insbesondere der Arbeitnehmer und der Selbständigen, daher auf den geeigneten Ebenen weiterzuentwickeln sind.

Gemäß den Schlußfolgerungen der Tagung des Europäischen Rates in Madrid muß die Rolle, die die Gemeinschaftsnormen sowie die einzelstaatlichen Rechtsvorschriften und die vertraglichen Beziehungen zu spielen haben, eindeutig festgelegt werden. Aufgrund des Subsidiaritätsprinzips sind für die Schritte zur Verwirklichung dieser sozialen Rechte die Mitgliedstaaten und ihre Gebietskörperschaften und im Rahmen ihrer Befugnisse die Europäische Gemeinschaft zuständig. Diese Umsetzung kann durch Gesetze oder Tarifverträge erfolgen oder sich nach den Gepflogenheiten auf den verschiedenen Ebenen richten; sie erfordert in zahlreichen Bereichen die aktive Beteiligung der Sozialpartner. Die feierliche Verkündung der sozialen Grundrechte in der Europäischen Gemeinschaft darf bei ihrer Verwirklichung keinen Rückschritt in den Mitgliedstaaten gegenüber der derzeitigen Lage bewirken.

DIE FOLGENDE ERKLÄRUNG ANGENOMMEN, DIE DIE „GEMEINSCHAFTSCHARTA DER SOZIALEN GRUNDRECHTE DER ARBEITNEHMER“ DARSTELLT:

Titel I. Soziale Grundrechte der Arbeitnehmer

Freizügigkeit

1. Jeder Arbeitnehmer der Europäischen Gemeinschaft hat vorbehaltlich der aus Gründen der öffentlichen Ordnung, Sicherheit und Gesundheit gerechtfertigten Beschränkungen das Recht auf Freizügigkeit im gesamten Gebiet der Gemeinschaft.
2. Das Recht auf Freizügigkeit ermöglicht jedem Arbeitnehmer die Ausübung jedes Berufs oder jeder Beschäftigung in der Gemeinschaft, wobei hinsichtlich des Zugangs zur Beschäftigung, der Arbeitsbedingungen und des sozialen Schutzes des Aufnahmelandes der Grundsatz der Gleichbehandlung gilt.
3. Das Recht auf Freizügigkeit umfaßt ferner
   – die Harmonisierung der Aufenthaltsbedingungen in allen Mitgliedstaaten, insbesondere für die Familienzusammenführung;
   – die Beseitigung von Hindernissen, die sich aus der Nichtanerkennung von Diplomen oder gleichwertigen beruflichen Befähigungsnachweisen ergeben;
   – die Verbesserung der Lebens- und Arbeitsbedingungen der Grenzgänger.

Beschäftigung und Arbeitsentgelt

4. Jeder hat das Recht auf freie Wahl und Ausübung eines Berufs nach den für den jeweiligen Beruf geltenden Vorschriften.

5. Für jede Beschäftigung ist ein gerechtes Entgelt zu zahlen.
Zu diesem Zweck empfiehlt es sich, daß entsprechend den Gegebenheiten eines jeden Landes
- den Arbeitnehmern ein gerechtes Arbeitsentgelt garantiert wird, das heißt, ein Arbeitsentgelt, das ausreicht, um ihnen einen angemessenen Lebensstandard zu erlauben;
- die Arbeitnehmer mit einer anderen Arbeitsregelung als dem unbefristeten Vollzeitvertrag ein gerechtes Bezugsentgelt erhalten;
- das Entgelt nur gemäß den einzelstaatlichen Vorschriften einbehalten, gepfändet oder abgetreten werden darf; nach diesen Vorschriften sollten dem Arbeitnehmer die erforderlichen Mittel belassen werden, damit er seinen eigenen Lebensunterhalt und den seiner Familie bestreiten kann.

6. Jeder muß die Dienste der Arbeitsämter unentgeltlich in Anspruch nehmen können.

Verbesserung der Lebens- und Arbeitsbedingungen

7. Die Verwirklichung des Binnenmarktes muß zu einer Verbesserung der Lebens- und Arbeitsbedingungen der Arbeitnehmer in der Europäischen Gemeinschaft führen. Dieser Prozeß erfolgt durch eine Angleichung dieser Bedingungen auf dem Wege des Fortschritts und betrifft namentlich die Arbeitszeit und die Arbeitszeitgestaltung sowie andere Arbeitsformen als das unbefristete Arbeitsverhältnis, wie das befristete Arbeitsverhältnis, Teilzeitarbeit, Leiharbeit und Saisonsarbeit.
Diese Verbesserung muß, soweit nötig, dazu führen, daß bestimmte Bereiche des Arbeitsrechts wie die Verfahren bei Massenentlassungen oder bei Konkursen ausgestaltet werden.

8. Jeder Arbeitnehmer der Europäischen Gemeinschaft hat Anspruch auf die wöchentliche Ruhezeit und auf einen bezahlten Jahresurlaub, deren Dauer gemäß den einzelstaatlichen Gepflogenheiten auf dem Wege des Fortschritts in den einzelnen Staaten einander anzunähern ist.

9. Die Arbeitsbedingungen eines jeden abhängig Beschäftigten der Europäischen Gemeinschaft müssen entsprechend den Gegebenheiten der einzelnen Länder durch das Gesetz, durch einen Tarifvertrag oder in einem Beschäftigungsvertrag geregelt sein.

Sozialer Schutz

10. Entsprechend den Gegebenheiten der einzelnen Länder
- hat jeder Arbeitnehmer der Europäischen Gemeinschaft Anspruch auf einen angemessenen sozialen Schutz und muß unabhängig von seiner Stellung und von der Größe des Unternehmens, in dem er arbeitet, Leistungen der sozialen Sicherheit in ausreichender Höhe erhalten;
- müssen alle, die vom Arbeitsmarkt ausgeschlossen sind, weil sie keinen Zugang dazu fanden oder sich nicht wieder eingliedern konnten, und die nicht über Mittel für ihren Unterhalt verfügen, ausreichende Leistungen empfangen und Zuwendungen beziehen können, die ihrer persönlichen Lage angemessen sind.

Koalitionsfreiheit und Tarifverhandlungen

11. Die Arbeitgeber und Arbeitnehmer in der Europäischen Gemeinschaft haben das Recht, sich zur Bildung beruflicher oder gewerkschaftlicher Vereinigungen ihrer Wahl frei zusammenzuschließen, um ihre wirtschaftlichen und sozialen Interessen zu vertreten.
Jedem Arbeitgeber und jedem Arbeitnehmer steht es frei, diesen Organisationen beizutreten oder nicht, ohne daß ihm daraus ein persönlicher oder beruflicher Nachteil erwachsen darf.

12. Die Arbeitgeber und Arbeitgebervereinigungen einerseits und die Arbeitnehmervereinigungen andererseits haben das Recht, unter den Bedingungen der einzelstaatlichen Rechtsvorschriften und Gepflogenheiten Tarifverträge auszuhandeln und zu schließen.
Der auszubauende europaweite Dialog zwischen den Sozialpartnern kann, falls sie dies als wünschenswert ansehen, zu Vertragsverhältnissen namentlich auf branchenübergreifender und sektorieller Ebene führen.

13. Das Recht, bei Interessenkonflikten Kollektivmaßnahmen zu ergreifen, schließt vorbehaltlich der Verpflichtung aufgrund der einzelstaatlichen Regelungen und der Tarifverträge das Streikrecht ein.
Um die Beilegung von Arbeitsstreitigkeiten zu erleichtern, ist in Übereinstimmung mit den einzelstaatlichen Gepflogenheiten die Einführung und Anwendung von Vermittlungs-, Schlichtungs- und Schiedsverfahren auf geeigneter Ebene zu erleichtern.

14. Die Rechtsordnung der Mitgliedstaaten bestimmt, unter welchen Bedingungen und inwieweit die Rechte gemäß Artikel 11 bis 13 für die Streitkräfte, die Polizei und den öffentlichen Dienst gelten.

Berufsausbildung

15. Jeder Arbeitnehmer in der Europäischen Gemeinschaft muß Zugang zur Berufsausbildung haben und ihn während seines gesamten Erwerbslebens behalten. Die Bedingungen für den Zugang zur Berufsausbildung dürfen nicht aufgrund der Staatsangehörigkeit diskriminieren.
Die zuständigen öffentlichen Gebietskörperschaften, die Unternehmen oder die Sozialpartner müßten in ihrem jeweiligen Zuständigkeitsbereich die Voraussetzungen für eine Fort- und Weiterbildung schaffen, die es jedem ermöglichen, sich insbesondere durch einen Bildungsurlaub umzuschulen, sich weiterzubilden und vor allem im Zuge der technischen Entwicklungen neue Kenntnisse zu erwerben.

Gleichbehandlung von Männern und Frauen

16. Die Gleichbehandlung von Männern und Frauen ist zu gewährleisten. Die Chancengleichheit für Männer und Frauen ist weiter auszubauen.
Zu diesem Zweck sind überall dort, wo dies erforderlich ist, die Maßnahmen zu verstärken, mit denen die Verwirklichung der Gleichheit von Männern und Frauen vor allem im Hinblick auf den Zugang zu Beschäftigung, Arbeitsentgelt, Arbeitsbedingungen, sozialen Schutz, allgemeine und berufliche Bildung sowie beruflichen Aufstieg sichergestellt wird.
Auch sind die Maßnahmen auszubauen, die es Männern und Frauen ermöglichen, ihre beruflichen und familiären Pflichten besser miteinander in Einklang zu bringen.

Unterrichtung, Anhörung und Mitwirkung der Arbeitnehmer

17. Unterrichtung, Anhörung und Mitwirkung der Arbeitnehmer müssen in geeigneter Weise unter Berücksichtigung der in den verschiedenen Mitgliedstaaten herrschenden Gepflogenheiten weiterentwickelt werden.
Dies gilt insbesondere für Unternehmen und Unternehmenszusammenschlüsse mit Betriebsstätten bzw. Unternehmen in mehreren Mitgliedstaaten der Europäischen Gemeinschaft.

18. Unterrichtung, Anhörung und Mitwirkung sind rechtzeitig vor allem in folgenden Fällen vorzusehen:

- bei der Einführung technologischer Veränderungen in den Unternehmen, wenn diese die Arbeitsbedingungen und die Arbeitsorganisation der Arbeitnehmer einschneidend verändern;
- bei der Umstrukturierung oder Verschmelzung von Unternehmen, wenn dadurch die Beschäftigung der Arbeitnehmer berührt wird;
- bei Massenentlassungen;
- im Falle von Arbeitnehmern, insbesondere Grenzgängern, die von den Beschäftigungsmaßnahmen des sie beschäftigenden Unternehmens betroffen sind.

Gesundheitsschutz und Sicherheit in der Arbeitsumwelt

19. Jeder Arbeitnehmer muß in seiner Arbeitsumwelt zufriedenstellende Bedingungen für Gesundheitsschutz und Sicherheit vorfinden. Es sind geeignete Maßnahmen zu ergreifen, um die Harmonisierung der auf diesem Gebiet bestehenden Bedingungen auf dem Wege des Fortschritts weiterzuführen.
Bei den Maßnahmen wird namentlich die Notwendigkeit einer Ausbildung, Unterrichtung, Anhörung und ausgewogenen Mitwirkung der Arbeitnehmer hinsichtlich der Risiken, denen sie unterliegen, und der Maßnahmen, die zur Beseitigung oder Verringerung dieser Risiken getroffen werden, berücksichtigt.
Die Vorschriften über die Verwirklichung des Binnenmarktes haben zu diesem Schutz beizutragen.

Kinder- und Jugendschutz

20. Unbeschadet günstigerer Vorschriften für Jugendliche, vor allem solcher Vorschriften, die ihre berufliche Eingliederung durch Berufsausbildung gewährleisten und abgesehen von auf bestimmte leichte Arbeiten beschränkten Ausnahmen darf das Mindestalter für den Eintritt in das Arbeitsleben das Alter, in dem die Schulpflicht erlischt, nicht unterschreiten und in keinem Fall unter 15 Jahren liegen.
21. Jeder Jugendliche, der eine Beschäftigung ausübt, muß ein angemessenes Arbeitsentgelt gemäß den einzelstaatlichen Gepflogenheiten erhalten.
22. Es sind die notwendigen Maßnahmen zu ergreifen, um die arbeitsrechtlichen Vorschriften für junge Arbeitnehmer so umzugestalten, daß sie den Erfordernissen ihrer persönlichen Entwicklung und ihrem Bedarf an beruflicher Bildung und an Zugang zur Beschäftigung entsprechen.

Namentlich die Arbeitszeit der Arbeitnehmer unter achtzehn Jahren ist zu begrenzen – ohne daß dieses Gebot durch den Rückgriff auf Überstunden umgangen werden kann – und die Nachtarbeit zu untersagen, wobei für bestimmte durch die einzelstaatlichen Rechtsvorschriften und Regelungen festgelegte berufliche Tätigkeiten Ausnahmen gelten können.

23. Jugendliche müssen nach Ablauf der Schulpflicht die Möglichkeit haben, eine hinreichend lange berufliche Grundausbildung zu erhalten, um sich den Erfordernissen ihres künftigen Erwerbslebens anpassen zu können; für die jungen Arbeitnehmer müßte diese Ausbildung während der Arbeitszeit stattfinden.

Ältere Menschen

Entsprechend den jeweiligen Gegebenheiten der einzelnen Länder

24. muß jeder Arbeitnehmer in der Europäischen Gemeinschaft, wenn er in den Ruhestand geht, über Mittel verfügen können, die ihm einen angemessenen Lebensstandard sichern.

25. muß jeder, der das Rentenalter erreicht hat, aber keinen Rentenanspruch besitzt oder über keine sonstigen ausreichenden Unterhaltsmittel verfügt, ausreichende Zuwendungen, Sozialhilfeleistungen und Sachleistungen bei Krankheit erhalten können, die seinen spezifischen Bedürfnissen angemessen sind.

Behinderte

26. Alle Behinderten müssen unabhängig von der Ursache und Art ihrer Behinderung konkrete ergänzende Maßnahmen, die ihre berufliche und soziale Eingliederung fördern, in Anspruch nehmen können.
Diese Maßnahmen zur Verbesserung der Lebensbedingungen müssen sich je nach den Fähigkeiten der Betreffenden auf berufliche Bildung, Ergonomie, Zugänglichkeit, Mobilität, Verkehrsmittel und Wohnung erstrecken.

Titel II. Anwendung der Charta

27. Für die Gewährleistung der sozialen Grundrechte dieser Charta und die Durchführung der für den reibungslosen Ablauf des Binnenmarktgeschehens notwendigen Sozialmaßnahmen im Rahmen einer Strategie für den wirtschaftlichen und sozialen Zusammenhalt

sind die Mitgliedstaaten entsprechend den einzelstaatlichen Gepflogenheiten, insbesondere von Rechtsvorschriften und Tarifverträgen, zuständig.

28. Der Europäische Rat fordert die Kommission auf, so rasch wie möglich die unter ihre Zuständigkeit im Sinne der Verträge fallenden Vorschläge für Rechtsakte vorzulegen, mit denen die in den Zuständigkeitsbereich der Gemeinschaft gehörenden Rechte im Zuge der Verwirklichung des Binnenmarktes effektiv umgesetzt werden.

29. Die Kommission erstellt im letzten Quartal eines jeden Jahres einen Bericht über die Durchführung der Charta seitens der Mitgliedstaaten und der Europäischen Gemeinschaft.

30. Der Bericht der Kommission wird dem Europäischen Rat, dem Europäischen Parlament und dem Wirtschafts- und Sozialausschuß zugeleitet.

B. Freizügigkeit

865. Verordnung (EU) Nr. 492/2011 des Europäischen Parlaments und des Rates vom 5. April 2011 über die Freizügigkeit der Arbeitnehmer innerhalb der Union

(kodifizierter Text)
(Text von Bedeutung für den EWR)

(ABl. Nr. L 141 S. 1)
Celex-Nr. 3 2011 R 0492

zuletzt geänd. durch Art. 46 VO (EU) 2019/1149 v. 20.6.2019 (ABl. Nr. L 186 S. 21)

DAS EUROPÄISCHE PARLAMENT UND DER RAT DER EUROPÄISCHEN UNION –

gestützt auf den Vertrag über die Arbeitsweise der Europäischen Union[1], insbesondere auf Artikel 46,

auf Vorschlag der Europäischen Kommission,

nach Zuleitung des Entwurfs des Gesetzgebungsakts an die nationalen Parlamente,

nach Stellungnahme des Europäischen Wirtschafts- und Sozialausschusses[2],

gemäß dem ordentlichen Gesetzgebungsverfahren[3],

in Erwägung nachstehender Gründe:

(1) Die Verordnung (EWG) Nr. 1612/68[4] des Rates vom 15. Oktober 1968 über die Freizügigkeit der Arbeitnehmer innerhalb der Gemeinschaft[5] wurde mehrfach und erheblich geändert[6]. Aus Gründen der Klarheit und der Übersichtlichkeit empfiehlt es sich, die genannte Verordnung zu kodifizieren.

(2) Die Freizügigkeit der Arbeitnehmer muss innerhalb der Union gewährleistet sein. Dies schließt die Abschaffung jeder auf der Staatsangehörigkeit beruhenden unterschiedlichen Behandlung der Arbeitnehmer der Mitgliedstaaten in Bezug auf Beschäftigung, Entlohnung und sonstige Arbeitsbedingungen ein sowie das Recht für diese Arbeitnehmer, sich vorbehaltlich der aus Gründen der öffentlichen Ordnung, Sicherheit und Gesundheit gerechtfertigten Beschränkungen innerhalb der Union zur Ausübung einer Beschäftigung im Lohn- oder Gehaltsverhältnis frei zu bewegen.

(3) Es sollten Bestimmungen festgelegt werden, mit denen die in den Artikeln 45 und 46 des Vertrags über die Arbeitsweise der Europäischen Union[1] auf dem Gebiet der Freizügigkeit festgelegten Ziele erreicht werden können.

---

[1] Nr. **850**.

[2] **Amtl. Anm.:** ABl. C 44 vom 11.2.2011, S. 170.

[3] **Amtl. Anm.:** Standpunkt des Europäischen Parlaments vom 7. September 2010 (noch nicht im Amtsblatt veröffentlicht) und Beschluss des Rates vom 21. März 2011.

[4] **beck-online, Module Arbeitsrecht Nr. 865.**

[5] **Amtl. Anm.:** ABl. L 257 vom 19.10.1968, S. 2.

[6] **Amtl. Anm.:** Siehe Anhang I.

(4) Die Freizügigkeit ist ein Grundrecht der Arbeitnehmer und ihrer Familien. Die Mobilität der Arbeitskräfte innerhalb der Union soll für den Arbeitnehmer eines der Mittel sein, die ihm die Möglichkeit einer Verbesserung der Lebens- und Arbeitsbedingungen garantieren und damit auch seinen sozialen Aufstieg erleichtern, wobei gleichzeitig der Bedarf der Wirtschaft der Mitgliedstaaten befriedigt wird. Allen Arbeitnehmern der Mitgliedstaaten sollte das Recht zuerkannt werden, eine von ihnen gewählte Tätigkeit innerhalb der Union auszuüben.

(5) Dieses Recht sollte gleichermaßen Dauerarbeitnehmern, Saisonarbeitern, Grenzarbeitnehmern oder Arbeitnehmern zustehen, die ihre Tätigkeit im Zusammenhang mit einer Dienstleistung ausüben.

(6) Damit das Recht auf Freizügigkeit nach objektiven Maßstäben in Freiheit und Menschenwürde wahrgenommen werden kann, muss sich die Gleichbehandlung tatsächlich und rechtlich auf alles erstrecken, was mit der eigentlichen Ausübung einer Tätigkeit im Lohn- oder Gehaltsverhältnis und mit der Beschaffung einer Wohnung im Zusammenhang steht; ferner müssen alle Hindernisse beseitigt werden, die sich der Mobilität der Arbeitnehmer entgegenstellen, insbesondere in Bezug auf die Bedingungen für die Integration der Familie des Arbeitnehmers im Aufnahmeland.

(7) Das Prinzip der Gleichbehandlung aller Arbeitnehmer der Union schließt ein, dass sämtlichen Staatsangehörigen der Mitgliedstaaten der gleiche Vorrang beim Zugang zu einer Beschäftigung zuerkannt wird wie den inländischen Arbeitnehmern.

(8) Die Zusammenführungs- und Ausgleichsverfahren und zwar insbesondere durch das Mittel der unmittelbaren Zusammenarbeit zwischen den zentralen Dienststellen wie auch den regionalen Dienststellen der Arbeitsverwaltungen sowie durch eine koordinierte Information gewährleisten ganz allgemein eine bessere Transparenz des Arbeitsmarktes. Die wanderungswilligen Arbeitnehmer sollten regelmäßig über die Lebens- und Arbeitsbedingungen unterrichtet werden.

(9) Zwischen der Freizügigkeit der Arbeitnehmer, der Beschäftigung und der Berufsausbildung, insbesondere soweit diese zum Ziel hat, die Arbeitnehmer in die Lage zu versetzen, sich auf konkrete Stellenangebote hin zu bewerben, die in anderen Gebieten der Union veröffentlicht worden sind, besteht ein enger Zusammenhang. Infolgedessen ist es notwendig, die Probleme, die sich in dieser Hinsicht stellen, nicht mehr getrennt, sondern in ihrer wechselseitigen Abhängigkeit zu prüfen und hierbei zugleich die Arbeitsmarktprobleme auf regionaler Ebene zu berücksichtigen. Es ist daher erforderlich, dass sich die Mitgliedstaaten bemühen, ihre Beschäftigungspolitik zu koordinieren –

HABEN FOLGENDE VERORDNUNG ERLASSEN:

Kapitel I. Die Beschäftigung, die Gleichbehandlung und die Familienangehörigen der Arbeitnehmer

Abschnitt 1. Zugang zur Beschäftigung

Art. 1 [Aufnahme einer Tätigkeit] (1) Jeder Staatsangehörige eines Mitgliedstaats ist ungeachtet seines Wohnorts berechtigt, eine Tätigkeit im Lohn- oder Gehaltsverhältnis im Hoheitsgebiet eines anderen Mitgliedstaats nach den für die Arbeitnehmer dieses Staates geltenden Rechts- und Verwaltungsvorschriften aufzunehmen und auszuüben.

(2) Er hat insbesondere im Hoheitsgebiet eines anderen Mitgliedstaats mit dem gleichen Vorrang Anspruch auf Zugang zu den verfügbaren Stellen wie die Staatsangehörigen dieses Staates.

Art. 2 [Stellenangebote, Arbeitsgesuche, Arbeitsverträge] Jeder Staatsangehörige eines Mitgliedstaats und jeder Arbeitgeber, der eine Tätigkeit im Hoheitsgebiet eines Mitgliedstaats ausübt, können nach den geltenden Rechts- und Verwaltungsvorschriften ihre Stellenangebote und Arbeitsgesuche austauschen sowie Arbeitsverträge schließen und erfüllen, ohne dass sich Diskriminierungen daraus ergeben dürfen.

Art. 3 [Verbot diskriminierender Vorschriften] (1) *[1]* Die folgenden Rechts- und Verwaltungsvorschriften oder Verwaltungspraktiken eines Mitgliedstaats finden im Rahmen dieser Verordnung keine Anwendung:

a) Vorschriften, die das Stellenangebot und das Arbeitsgesuch, den Zugang zur Beschäftigung und deren Ausübung durch Ausländer einschränken oder von Bedingungen abhängig machen, die für Inländer nicht gelten; oder

b) Vorschriften, die, ohne auf die Staatsangehörigkeit abzustellen, ausschließlich oder hauptsächlich bezwecken oder bewirken, dass Angehörige der übrigen Mitgliedstaaten von der angebotenen Stelle ferngehalten werden.

[2] Unterabsatz 1 gilt nicht für Bedingungen, welche die in Anbetracht der Besonderheit der zu vergebenden Stelle erforderlichen Sprachkenntnisse betreffen.

(2) Zu den in Absatz 1 Unterabsatz 1 genannten Vorschriften oder Praktiken gehören insbesondere solche, die in einem Mitgliedstaat

a) ein besonderes Verfahren für die Anwerbung ausländischer Arbeitnehmer zwingend vorschreiben;

b) die Veröffentlichung eines Stellenangebots durch die Presse oder durch irgendwelche anderen Wege einschränken oder von anderen als den Bedingungen abhängig machen, die für den Arbeitgeber, der seine Tätigkeit im Hoheitsgebiet dieses Staates ausübt, gelten;

c) den Zugang zur Beschäftigung von Bedingungen abhängig machen, die sich auf die Einschreibung beim Arbeitsamt beziehen, oder die namentliche Anwerbung eines Arbeitnehmers hindern, soweit dadurch Personen betroffen sind, die nicht im Hoheitsgebiet dieses Mitgliedstaats wohnen.

Art. 4 [Zahlen- und anteilsmäßige Beschränkung] (1) Rechts- und Verwaltungsvorschriften der Mitgliedstaaten, durch welche die Beschäftigung von ausländischen Arbeitnehmern zahlen- oder anteilmäßig nach Unternehmen, Wirtschaftszweigen, Gebieten oder im gesamten Hoheitsgebiet beschränkt wird, finden auf Staatsangehörige der übrigen Mitgliedstaaten keine Anwendung.

(2) Wenn in einem Mitgliedstaat für Unternehmen vorgesehene Vergünstigungen von der Beschäftigung eines bestimmten Hundertsatzes von inländischen Arbeitnehmern abhängig gemacht werden, werden Staatsangehörige der anderen Mitgliedstaaten vorbehaltlich der Richtlinie 2005/36/EG[1] des Europäischen Parlaments und des Rates vom 7. September 2005 über die Anerkennung von Berufsqualifikationen[2] als inländische Arbeitnehmer gezählt.

Art. 5 [Unterstützung durch die Arbeitsämter] Ein Staatsangehöriger eines Mitgliedstaats, der im Hoheitsgebiet eines anderen Mitgliedstaats eine Beschäftigung sucht, erhält dort die gleiche Hilfe, wie sie die Arbeitsämter dieses Staates den eigenen Staatsangehörigen gewähren, die eine Beschäftigung suchen.

Art. 6 [Analoge Maßstäbe] (1) Wird ein Staatsangehöriger eines Mitgliedstaats in einem anderen Mitgliedstaat eingestellt oder für eine Beschäftigung angeworben, so darf bei ihm hinsichtlich des Gesundheitszustands, des Berufes oder sonstiger Anforderungen aufgrund der Staatsangehörigkeit kein anderer Maßstab angelegt werden als bei den Arbeitnehmern, die Staatsangehörige des anderen Mitgliedstaats sind und die gleiche Beschäftigung ausüben wollen.

(2) Besitzt ein Staatsangehöriger eines Mitgliedstaats ein auf seinen Namen lautendes Stellenangebot eines Arbeitgebers aus einem anderen Mitgliedstaat als dem Staat, dessen Staatsangehöriger er ist, so darf er auf seine beruflichen Fähigkeiten hin geprüft werden, wenn der Arbeitgeber eine solche Prüfung bei Abgabe seines Stellenangebots ausdrücklich verlangt.

Abschnitt 2. Ausübung der Beschäftigung und Gleichbehandlung

Art. 7 [Arbeitsrechtliche Gleichstellung] (1) Ein Arbeitnehmer, der Staatsangehöriger eines Mitgliedstaats ist, darf aufgrund seiner Staatsangehörigkeit im Hoheitsgebiet der anderen Mitgliedstaaten hinsichtlich der Beschäftigungs- und Arbeitsbedingungen, insbesondere im Hinblick auf Entlohnung, Kündigung und, falls er arbeitslos geworden ist, im Hinblick auf berufliche Wiedereingliederung oder Wiedereinstellung, nicht anders behandelt werden als die inländischen Arbeitnehmer.

(2) Er genießt dort die gleichen sozialen und steuerlichen Vergünstigungen wie die inländischen Arbeitnehmer.

(3) Er kann mit dem gleichen Recht und unter den gleichen Bedingungen wie die inländischen Arbeitnehmer Berufsschulen und Umschulungszentren in Anspruch nehmen.

(4) Alle Bestimmungen in Tarif- oder Einzelarbeitsverträgen oder sonstigen Kollektivvereinbarungen betreffend Zugang zur Beschäftigung, Entlohnung und sonstige Arbeits- und Kündigungsbedingungen sind von Rechts wegen

---

[1] **beck-online, Module Arbeitsrecht Nr. 873.**
[2] **Amtl. Anm.:** ABl. L 255 vom 30.9.2005, S. 22.

nichtig, soweit sie für Arbeitnehmer, die Staatsangehörige anderer Mitgliedstaaten sind, diskriminierende Bedingungen vorsehen oder zulassen.

Art. 8 [Mitbestimmung] *[1]* [1]Ein Arbeitnehmer, der die Staatsangehörigkeit eines Mitgliedstaats besitzt und im Hoheitsgebiet eines anderen Mitgliedstaats beschäftigt ist, hat Anspruch auf gleiche Behandlung hinsichtlich der Zugehörigkeit zu Gewerkschaften und der Ausübung gewerkschaftlicher Rechte, einschließlich des Wahlrechts sowie des Zugangs zur Verwaltung oder Leitung von Gewerkschaften. [2]Er kann von der Teilnahme an der Verwaltung von Körperschaften des öffentlichen Rechts und der Ausübung eines öffentlich-rechtlichen Amtes ausgeschlossen werden. [3]Er hat ferner das Recht auf Wählbarkeit zu den Organen der Arbeitnehmervertretungen in den Betrieben.

[2] Absatz 1 berührt nicht die Rechts- und Verwaltungsvorschriften, durch die in einigen Mitgliedstaaten weitergehende Rechte an Arbeitnehmer aus anderen Mitgliedstaaten eingeräumt werden.

Art. 9 [Wohnrecht] (1) Arbeitnehmer, die die Staatsangehörigkeit eines Mitgliedstaats besitzen und im Hoheitsgebiet eines anderen Mitgliedstaats beschäftigt sind, genießen hinsichtlich einer Wohnung, einschließlich der Erlangung des Eigentums an der von ihnen benötigten Wohnung, alle Rechte und Vergünstigungen wie inländische Arbeitnehmer.

(2) *[1]* Die Arbeitnehmer gemäß Absatz 1 können sich mit dem gleichen Recht wie die inländischen Arbeitnehmer in dem Gebiet, in dem sie beschäftigt sind, in die Listen der Wohnungssuchenden einschreiben, wo solche geführt werden, und so die gleichen Vergünstigungen und den gleichen Rang erlangen.

[2] Ihre im Herkunftsland verbliebene Familie wird zu diesem Zweck als in diesem Gebiet wohnend betrachtet, soweit auch für inländische Arbeitnehmer eine entsprechende Vermutung gilt.

Abschnitt 3. Familienangehörige der Arbeitnehmer

Art. 10 *[1]* Die Kinder eines Staatsangehörigen eines Mitgliedstaats, der im Hoheitsgebiet eines anderen Mitgliedstaats beschäftigt ist oder beschäftigt gewesen ist, können, wenn sie im Hoheitsgebiet dieses Mitgliedstaats wohnen, unter den gleichen Bedingungen wie die Staatsangehörigen dieses Mitgliedstaats am allgemeinen Unterricht sowie an der Lehrlings- und Berufsausbildung teilnehmen.

[2] Die Mitgliedstaaten fördern die Bemühungen, durch die diesen Kindern ermöglicht werden soll, unter den besten Voraussetzungen am Unterricht teilzunehmen.

Kapitel II. Zusammenführung und Ausgleich von Stellenangeboten und Arbeitsgesuchen

Abschnitt 1. Zusammenarbeit zwischen den Mitgliedstaaten und mit der Kommission

Art. 11, 12[1)2)] *(aufgehoben)*

Abschnitt 2. Ausgleichsverfahren

Art. 13[3)2)] *(aufgehoben)*

Art. 14–20[4)2)] *(aufgehoben)*

Kapitel III. Organe zur Herbeiführung einer engen Zusammenarbeit zwischen den Mitgliedstaaten auf dem Gebiet der Freizügigkeit und der Beschäftigung der Arbeitnehmer

Abschnitt 1. Der Beratende Ausschuss

Art. 21 [Allgemeine Aufgabe] Der Beratende Ausschuss ist beauftragt, die Kommission bei der Prüfung der Fragen zu unterstützen, die sich aus der Anwendung des Vertrags über die Arbeitsweise der Europäischen Union[5)] und der zu seiner Durchführung getroffenen Maßnahmen auf dem Gebiet der Freizügigkeit und der Beschäftigung der Arbeitnehmer ergeben.

Art. 22 [Untersuchung und Stellungnahmen] Der Beratende Ausschuss ist insbesondere beauftragt,

a) die Probleme der Freizügigkeit und der Beschäftigung im Rahmen der einzelstaatlichen Arbeitsmarktpolitik im Hinblick auf eine Koordinierung der Beschäftigungspolitik der Mitgliedstaaten auf Unionsebene zu prüfen, die zu einem weiteren Ausbau der Volkswirtschaften sowie zu einer ausgeglicheneren Arbeitsmarktlage beitragen soll;

b) allgemein die Auswirkungen der Durchführung dieser Verordnung und etwaiger ergänzender Bestimmungen zu untersuchen;

c) der Kommission gegebenenfalls mit Gründen versehene Vorschläge zur Änderung dieser Verordnung vorzulegen;

d) auf Ersuchen der Kommission oder von sich aus mit Gründen versehene Stellungnahmen zu allgemeinen oder grundsätzlichen Fragen abzugeben, insbesondere zum Informationsaustausch betreffend die Entwicklung auf dem Arbeitsmarkt, zur Zu- und Abwanderung von Arbeitnehmern zwischen den Mitgliedstaaten, zu den Programmen oder Maßnahmen, die geeignet

---

1) Art. 11, 12 aufgeh. mWv 12.5.2016 durch VO v. 13.4.2016 (ABl. Nr. L 107 S. 1).

2) Siehe hierzu Entsprechungstabelle in Anhang II der VO (EU) 2016/589 zum EURES-Netz **(beck-online, Module Arbeitsrecht Nr. 865b)**.

3) Art. 13 aufgeh. mWv 13.5.2018 durch VO v. 13.4.2016 (ABl. Nr. L 107 S. 1).

4) Art. 14–16 aufgeh. mWv 12.5.2016 durch VO v. 13.4.2016 (ABl. Nr. L 107 S. 1).

5) Nr. **850**.

sind, die Berufsberatung und die Berufsausbildung im Interesse einer größeren Freizügigkeit und besserer Beschäftigungsmöglichkeiten zu fördern, sowie zu jeder Form der Betreuung der Arbeitnehmer und ihrer Familienangehörigen, einschließlich der sozialen Betreuung und der Unterbringung der Arbeitnehmer.

Art. 23 [Zusammensetzung; Amtszeit] (1) Der Beratende Ausschuss besteht aus sechs Mitgliedern je Mitgliedstaat, und zwar zwei Regierungsvertretern, zwei Vertretern der Arbeitnehmerverbände und zwei Vertretern der Arbeitgeberverbände.

(2) Für jede der in Absatz 1 bezeichneten Gruppen wird ein Stellvertreter je Mitgliedstaat ernannt.

(3) *[1]* [1]Die Amtszeit der Mitglieder und der Stellvertreter beträgt zwei Jahre. [2]Ihre Wiederernennung ist zulässig.

[2] Nach Ablauf der Amtszeit bleiben die Mitglieder und die Stellvertreter im Amt, bis ihre Ersetzung oder ihre Wiederernennung vollzogen ist.

Art. 24 [Ernennung der Mitglieder; Veröffentlichung] *[1]* Die Mitglieder des Beratenden Ausschusses und ihre Stellvertreter werden vom Rat ernannt, der sich bei der Auswahl der Vertreter der Arbeitnehmer- und Arbeitgeberverbände um eine angemessene Vertretung der verschiedenen in Betracht kommenden Wirtschaftsbereiche bemüht.

[2] Die Liste der Mitglieder und der Stellvertreter wird vom Rat im *Amtsblatt der Europäischen Union* zur Unterrichtung veröffentlicht.

Art. 25 [Vorsitz und Sekretariat] *[1]* [1]Den Vorsitz im Beratenden Ausschuss führt ein Mitglied der Kommission oder dessen Vertreter. [2]Der Vorsitz nimmt an der Abstimmung nicht teil. [3]Der Ausschuss tritt mindestens zweimal im Jahr zusammen. [4]Er wird von seinem Vorsitz auf eigene Veranlassung oder auf Antrag von mindestens einem Drittel der Mitglieder einberufen.

[2] Die Sekretariatsgeschäfte werden von den Dienststellen der Kommission wahrgenommen.

Art. 26[1)] [Beobachter, Sachverständige, Fachberater] (1) [1]Der Vorsitz kann Personen oder Vertreter von Einrichtungen, die über umfassende Erfahrungen auf dem Gebiet der Beschäftigung und dem Gebiet der Zu- und Abwanderung von Arbeitnehmern verfügen, als Beobachter oder Sachverständige zu den Sitzungen einladen. [2]Er kann Fachberater hinzuziehen.

(2) Die mit der Verordnung (EU) 2019/1149 des Europäischen Parlaments und des Rates[(*)] eingerichtete Europäische Arbeitsbehörde nimmt als Beobachterin an den Sitzungen des Beratenden Ausschusses teil und stellt bei Bedarf technischen Input und technisches Fachwissen bereit.

[1)] Art. 26 Abs. 2 angef. mWv 31.7.2019 durch VO v. 20.6.2019 (ABl. Nr. L 186 S. 21).

[(*)] **Amtl. Anm.:** Verordnung (EU) 2019/1149 des Europäischen Parlaments und des Rates vom 20. Juni 2019 zur Errichtung einer Europäischen Arbeitsbehörde und zur Änderung der Verordnungen (EG) Nr. 883/2004, (EU) Nr. 492/2011 und (EU) 2016/589 **[beck-online, Module Arbeitsrecht Nr. 865b]** sowie zur Aufhebung des Beschlusses (EU) 2016/344 (ABl. L 186 vom 11.7. 2019, S. 21).

Art. 27 [Beschlussfassung] (1) Der Beratende Ausschuss ist beschlussfähig, wenn zwei Drittel seiner Mitglieder anwesend sind.

(2) Die Stellungnahmen sind mit Gründen zu versehen; sie werden mit der absoluten Mehrheit der gültig abgegebenen Stimmen beschlossen; ihnen ist eine Darstellung der Auffassungen der Minderheit beizufügen, wenn diese es beantragt.

Art. 28 [Geschäftsordnung] [1]Der Beratende Ausschuss legt seine Arbeitsmethoden in einer Geschäftsordnung fest, die in Kraft tritt, wenn der Rat sie nach Stellungnahme der Kommission genehmigt hat. [2]Die vom Beratenden Ausschuss eventuell beschlossenen Änderungen treten nach dem gleichen Verfahren in Kraft.

Abschnitt 2. Der Fachausschuss

[Art. 29 bis unbest. iK:]
Art. 29[1)] [Allgemeine Aufgabe] Der Fachausschuss ist beauftragt, die Kommission bei der Vorbereitung, der Förderung und der laufenden Beobachtung der Ergebnisse aller technischen Arbeiten und Maßnahmen zur Durchführung dieser Verordnung und etwaiger ergänzender Bestimmungen zu unterstützen.

[Art. 30 bis unbest. iK:]
Art. 30[1)] [Unterstützung der Verwaltungen] Der Fachausschuss ist insbesondere beauftragt,

a) die Zusammenarbeit zwischen den betreffenden Verwaltungen der Mitgliedstaaten in allen fachlichen Fragen, die die Freizügigkeit und die Beschäftigung der Arbeitnehmer betreffen, zu fördern und zu vervollkommnen;
b) Verfahren für die organisatorische Durchführung der gemeinsamen Tätigkeit der betreffenden Verwaltungen auszuarbeiten;
c) die Zusammenstellung zweckdienlicher Auskünfte für die Kommission und die Durchführung der in dieser Verordnung vorgesehenen Untersuchungen und Ermittlungen zu erleichtern, sowie den Informations- und Erfahrungsaustausch zwischen den betreffenden Verwaltungen zu fördern;
d) in technischer Hinsicht zu prüfen, wie die Kriterien, nach denen die Mitgliedstaaten die Lage auf ihrem Arbeitsmarkt beurteilen, einander angeglichen werden können.

[Art. 31 bis unbest. iK:]
Art. 31[1)] [Zusammensetzung] (1) [1]Der Fachausschuss besteht aus Regierungsvertretern der Mitgliedstaaten. [2]Jede Regierung ernennt als Mitglied des Fachausschusses eines der Mitglieder, die sie im Beratenden Ausschuss vertreten.

(2) Jede Regierung ernennt einen Stellvertreter aus dem Kreis der übrigen Regierungsvertreter, die dem Beratenden Ausschuss als Mitglieder oder Stellvertreter angehören.

[1)] Beachte zum Außerkrafttreten Art. 46 Nr. 2 iVm Art. 44 Abs. 1 VO (EU) 2019/1149.

[Art. 32 bis unbest. iK:]
Art. 32[1)] **[Vorsitz und Sekretariat]** *[1]* [1] Den Vorsitz im Fachausschuss führt ein Mitglied der Kommission oder dessen Vertreter. [2] Der Vorsitzende nimmt an der Abstimmung nicht teil. [3] Der Vorsitzende und die Mitglieder des Ausschusses können Fachberater hinzuziehen.

[2] Die Sekretariatsgeschäfte werden von den Dienststellen der Kommission wahrgenommen.

[Art. 33 bis unbest. iK:]
Art. 33[1)] **[Weiterleitung der Vorschläge und Stellungnahmen]** [1] Die vom Fachausschuss ausgearbeiteten Vorschläge und Stellungnahmen werden der Kommission zugeleitet und dem Beratenden Ausschuss zur Kenntnis gebracht. [2] Diesen Vorschlägen und Stellungnahmen ist eine Darstellung der Auffassungen der einzelnen Mitglieder des Fachausschusses beigefügt, wenn diese es beantragen.

[Art. 34 bis unbest. iK:]
Art. 34[1)] **[Geschäftsordnung]** [1] Der Fachausschuss legt seine Arbeitsmethoden in einer Geschäftsordnung fest, die in Kraft tritt, wenn der Rat sie nach Stellungnahme der Kommission genehmigt hat. [2] Die vom Fachausschuss eventuell beschlossenen Änderungen treten nach dem gleichen Verfahren in Kraft.

Kapitel IV. Schlussbestimmungen

Art. 35[2)] **[Weitergeltende Geschäftsordnungen]** Die am 8. November 1968 geltende Geschäftsordnung des Beratenden Ausschusses wird weiter angewandt.

Art. 36 [Prioritäre Geltung der Verträge und früherer Abkommen]

(1) *[1]* Diese Verordnung berührt nicht die Bestimmungen des Vertrags zur Gründung der Europäischen Atomgemeinschaft[3)] über den Zugang zu qualifizierten Beschäftigungen auf dem Gebiet der Kernenergie und die Vorschriften zur Durchführung dieses Vertrags.

[2] Diese Verordnung gilt jedoch für die in Unterabsatz 1 genannte Gruppe von Arbeitnehmern sowie ihre Familienangehörigen, soweit deren Rechtsstellung in dem in Unterabsatz 1 genannten Vertrag oder den in Unterabsatz 1 genannten Vorschriften nicht geregelt ist.

(2) Diese Verordnung berührt nicht die gemäß Artikel 48 des Vertrags über die Arbeitsweise der Europäischen Union[4)] erlassenen Bestimmungen.

(3) *[1]* Diese Verordnung berührt nicht jene Verpflichtungen der Mitgliedstaaten, die sich aus besonderen Beziehungen zu einzelnen außereuropäischen Ländern oder Gebieten oder aus künftigen Abkommen mit diesen Ländern oder Gebieten aufgrund institutioneller Bindungen herleiten, die am 8. November 1968 bestanden haben oder die sich aus den am 8. November 1968 bestehenden Abkommen mit einzelnen außereuropäischen Ländern oder Gebieten aufgrund institutioneller Bindungen herleiten.

[1)] Beachte zum Außerkrafttreten Art. 46 Nr. 2 iVm Art. 44 Abs. 1 VO (EU) 2019/1149.
[2)] Art. 35 neu gef. mWv 31.7.2019 durch VO v. 20.6.2019 (ABl. Nr. L 186 S. 21).
[3)] Nr. **854**.
[4)] Nr. **850**.

[2] Die Arbeitnehmer dieser Länder und Gebiete, die entsprechend der vorliegenden Vorschrift eine Tätigkeit im Lohn- oder Gehaltsverhältnis im Hoheitsgebiet eines der betreffenden Mitgliedstaaten ausüben, können sich im Hoheitsgebiet anderer Mitgliedstaaten nicht auf diese Verordnung berufen.

Art. 37 [Unterrichtung über Abkommen, Übereinkommen und Vereinbarungen] Die Mitgliedstaaten übermitteln der Kommission zur Unterrichtung den Wortlaut der zwischen ihnen auf dem Gebiet der Beschäftigung geschlossenen Abkommen, Übereinkommen oder Vereinbarungen, und zwar in der Zeit von der Unterzeichnung bis zum Inkrafttreten dieser Abkommen, Übereinkommen oder Vereinbarungen.

Art. 38[1] *(aufgehoben)*

Art. 39[2] **[Verwaltungsausgaben]** Die Verwaltungsausgaben des Beratenden Ausschusses werden im Gesamthaushaltsplan der Europäischen Union im Einzelplan der Kommission aufgeführt.

Art. 40 [Geltungsbereich] Diese Verordnung gilt für die Mitgliedstaaten und für deren Staatsangehörige, unbeschadet der Artikel 2 und 3.

Art. 41 [Aufhebung] *[1]* Die Verordnung (EWG) Nr. 1612/68[3] wird aufgehoben.

[2] Bezugnahmen auf die aufgehobene Verordnung gelten als Bezugnahmen auf die vorliegende Verordnung und sind nach Maßgabe der Entsprechungstabelle in Anhang II zu lesen.

Art. 42 [Inkrafttreten] Diese Verordnung tritt am zwanzigsten Tag nach ihrer Veröffentlichung[4] im *Amtsblatt der Europäischen Union* in Kraft.

Diese Verordnung ist in allen ihren Teilen verbindlich und gilt unmittelbar in jedem Mitgliedstaat.

Anhang I.
Aufgehobene Verordnung mit ihren nachfolgenden Änderungen

Verordnung (EWG) Nr. 1612/68[3] des Rates (ABl. L 257 vom 19. 10. 1968, S. 2)	
Verordnung (EWG) Nr. 312/76 des Rates (ABl. L 39 vom 14. 2. 1976, S. 2)	
Verordnung (EWG) Nr. 2434/92 des Rates (ABl. L 245 vom 26. 8. 1992, S. 1)	
Richtlinie 2004/38/EG des Europäischen Parlaments und des Rates (ABl. L 158 vom 30. 4. 2004, S. 77)	Nur Artikel 38 Absatz 1

Anhang II. *(hier nicht wiedergegeben)*

[1] Art. 38 aufgeh. mWv 12.5.2016 durch VO v. 13.4.2016 (ABl. Nr. L 107 S. 1).
[2] Art. 39 neu gef. mWv 31.7.2019 durch VO v. 20.6.2019 (ABl. Nr. L 186 S. 21).
[3] **beck-online, Module Arbeitsrecht Nr. 865.**
[4] Veröffentlicht am 27.5.2011.

866. Richtlinie 2006/123/EG des Europäischen Parlaments und des Rates vom 12. Dezember 2006 über Dienstleistungen im Binnenmarkt

(ABl. Nr. L 376 S. 36)

EU-Dok.-Nr. 3 2006 L 0123

– Auszug[1] –

DAS EUROPÄISCHE PARLAMENT UND DER RAT DER EUROPÄISCHEN UNION –

gestützt auf den Vertrag zur Gründung der Europäischen Gemeinschaft[2], insbesondere auf Artikel 47 Absatz 2 Sätze 1 und 3 und Artikel 55,

auf Vorschlag der Kommission,

nach Stellungnahme des Europäischen Wirtschafts- und Sozialausschusses[3],

nach Stellungnahme des Ausschusses der Regionen[4],

gemäß dem Verfahren des Artikels 251 des Vertrags[5],

in Erwägung nachstehender Gründe:

(1)–(6) …

(7) Mit dieser Richtlinie wird ein allgemeiner Rechtsrahmen geschaffen, der einem breiten Spektrum von Dienstleistungen zugute kommt und gleichzeitig die Besonderheiten einzelner Tätigkeiten und Berufe und ihre Reglementierung berücksichtigt. Grundlage dieses Rechtsrahmens ist ein dynamischer und selektiver Ansatz, der vorrangig die leicht zu beseitigenden Beschränkungen beseitigt; hinsichtlich der übrigen wird ein Prozess der Evaluierung, Konsultation und ergänzenden Harmonisierung bei besonderen Fragen eingeleitet, um so schrittweise und koordiniert eine Modernisierung der nationalen Regelungen für Dienstleistungstätigkeiten zu erreichen, wie sie für die Schaffung eines wirklichen Binnenmarktes für Dienstleistungen bis zum Jahr 2010 unerlässlich ist. Es ist angezeigt, bei den Maßnahmen eine ausgewogene Kombination aus gezielter Harmonisierung, Verwaltungszusammenarbeit, den Bestimmungen über die Dienstleistungsfreiheit und der Förderung der Erarbeitung von Verhaltenskodizes für bestimmte Bereiche vorzusehen. Diese Koordinierung der nationalen Rechtsvorschriften sollte ein hohes Maß an rechtlicher Integration auf Gemeinschaftsebene und ein hohes Niveau des Schutzes von Gemeinwohlinteressen, insbesondere den Schutz der Verbraucher, sicherstellen, wie es für die Schaffung von Vertrauen zwischen den Mitgliedstaaten unerlässlich ist. Die Richtlinie berücksichtigt auch andere Gemein-

---

[1] Vollständig wiedergegeben auf der beiliegenden **CD Nipperdey plus**.

[2] **CD Nipperdey plus Nr. 850.**

[3] **Amtl. Anm.:** ABl. C 221 vom 8. 9. 2005, S. 113.

[4] **Amtl. Anm.:** ABl. C 43 vom 18. 2. 2005, S. 18.

[5] **Amtl. Anm.:** Stellungnahme des Europäischen Parlaments vom 16. Februar 2006 (noch nicht im Amtsblatt veröffentlicht), Gemeinsamer Standpunkt des Rates vom 24. Juli 2006 (ABl. C 270 E vom 7. 11. 2006, S. 1) und Standpunkt des Europäischen Parlaments vom 15. November 2006. Beschluss des Rates vom 11. Dezember 2006.

wohlinteressen, einschließlich des Schutzes der Umwelt, der öffentlichen Sicherheit und der öffentlichen Gesundheit sowie der Einhaltung des Arbeitsrechts.

(8)–(12) ...

(13) Es ist gleichermaßen wichtig, dass diese Richtlinie uneingeschränkt die Gemeinschaftsinitiativen aufgrund des Artikels 137 des Vertrags zur Verwirklichung der Ziele des Artikels 136 des Vertrags zur Förderung der Beschäftigung und Verbesserung der Lebens- und Arbeitsbedingungen beachtet.

(14) Diese Richtlinie berührt weder Arbeits- und Beschäftigungsbedingungen wie Höchstarbeits- und Mindestruhezeiten, bezahlten Mindestjahresurlaub, Mindestlohnsätze, Gesundheitsschutz, Sicherheit und Hygiene am Arbeitsplatz, die von den Mitgliedstaaten im Einklang mit dem Gemeinschaftsrecht angewandt werden, noch greift sie in die gemäß nationalem Recht und nationalen Praktiken unter Wahrung des Gemeinschaftsrechts geregelten Beziehungen zwischen den Sozialpartnern ein, z.B. in das Recht, Tarifverträge auszuhandeln und abzuschließen, das Streikrecht und das Recht auf Arbeitskampfmaßnahmen, noch ist sie auf Dienstleistungen von Leiharbeitsagenturen anwendbar. Diese Richtlinie berührt nicht die Rechtsvorschriften der Mitgliedstaaten über die soziale Sicherheit.

(15) Diese Richtlinie wahrt die Ausübung der in den Mitgliedstaaten geltenden Grundrechte, wie sie in der Charta der Grundrechte der Europäischen Union und den zugehörigen Erläuterungen anerkannt werden, und bringt sie mit den in den Artikeln 43 und 49 des Vertrags festgelegten Grundfreiheiten in Einklang. Zu diesen Grundrechten gehört das Recht auf Arbeitskampfmaßnahmen gemäß nationalem Recht und nationalen Praktiken unter Wahrung des Gemeinschaftsrechts.

(16), (17) ...

(18) Finanzdienstleistungen sollten aus dem Anwendungsbereich dieser Richtlinie ausgeschlossen sein, da diese Tätigkeiten Gegenstand besonderer Gemeinschaftsrechtsvorschriften sind, die wie die vorliegende Richtlinie darauf abzielen, einen wirklichen Binnenmarkt für Dienstleistungen zu schaffen. Folglich sollte dieser Ausschluss für alle Finanzdienstleistungen wie Bankdienstleistungen, Kreditgewährung, Versicherung, einschließlich Rückversicherung, betriebliche oder individuelle Altersversorgung, Wertpapiere, Geldanlagen, Zahlungen und Anlageberatung, einschließlich der in Anhang I der Richtlinie 2006/48/EG des Europäischen Parlaments und des Rates vom 14. Juni 2006 über die Aufnahme und Ausübung der Tätigkeit der Kreditinstitute[1] aufgeführten Dienstleistungen gelten.

(19)–(39) ...

(40) Der Begriff der zwingenden Gründe des Allgemeininteresses, auf den sich einige Bestimmungen dieser Richtlinie beziehen, ist in der Rechtsprechung des Gerichtshofes zu den Artikeln 43 und 49 des Vertrags entwickelt worden und kann sich noch weiterentwickeln. Der Begriff umfasst entsprechend der Auslegung des Gerichtshofes zumindest folgende Gründe: öffentliche Ordnung, öffentliche Sicherheit und öffentliche Gesundheit im Sinne der Artikel 46 und 55 des Vertrags; Wahrung der gesellschaftlichen Ordnung; sozialpolitische Zielsetzungen; Schutz von

[1] **Amtl. Anm.:** ABl. L 177 vom 30. 6. 2006, S. 1.

Dienstleistungsempfängern; Verbraucherschutz; Schutz der Arbeitnehmer einschließlich des sozialen Schutzes von Arbeitnehmern; Tierschutz; Erhaltung des finanziellen Gleichgewichts des Systems der sozialen Sicherheit; Betrugsvorbeugung; Verhütung von unlauterem Wettbewerb; Schutz der Umwelt und der städtischen Umwelt einschließlich der Stadt- und Raumplanung; Gläubigerschutz; Wahrung der ordnungsgemäßen Rechtspflege; Straßenverkehrssicherheit; Schutz des geistigen Eigentums; kulturpolitische Zielsetzungen einschließlich der Wahrung des Rechts auf freie Meinungsäußerung, insbesondere im Hinblick auf soziale, kulturelle, religiöse und philosophische Werte der Gesellschaft; die Notwendigkeit, ein hohes Bildungsniveau zu gewährleisten; Wahrung der Pressevielfalt und Förderung der Nationalsprache; Wahrung des nationalen historischen und künstlerischen Erbes sowie Veterinärpolitik.

(41)–(81) ...

(82) Diese Richtlinie sollte der Anwendung von Vorschriften über Beschäftigungsbedingungen durch einen Mitgliedstaat nicht entgegenstehen. Rechts- und Verwaltungsvorschriften sollten nach dem Vertrag aus Gründen des Schutzes der Arbeitnehmer gerechtfertigt und – nach der Auslegung des Gerichtshofes – nicht diskriminierend, erforderlich und verhältnismäßig sein sowie mit sonstigen einschlägigen Rechtsvorschriften der Gemeinschaft in Einklang stehen.

(83)–(85) ...

(86) Diese Richtlinie sollte nicht die Arbeits- und Beschäftigungsbedingungen berühren, die gemäß der Richtlinie 96/71/EG[1] des Europäischen Parlaments und des Rates vom 16. Dezember 1996 über die Entsendung von Arbeitnehmern im Rahmen der Erbringung von Dienstleistungen[2] für Arbeitnehmer gelten, die für die Erbringung von Dienstleistungen in das Hoheitsgebiet eines anderen Mitgliedstaats entsandt werden. In diesen Fällen sieht die Richtlinie 96/71/EG[1] vor, dass die Dienstleistungserbringer in den im Einzelnen aufgeführten Bereichen die in dem Mitgliedstaat, in dem die Dienstleistung erbracht wird, geltenden Arbeits- und Beschäftigungsbedingungen einhalten müssen. Dabei handelt es sich um folgende Bereiche: Höchstarbeitszeiten und Mindestruhezeiten, bezahlter Mindestjahresurlaub, Mindestlohnsätze einschließlich der Überstundensätze, die Bedingungen für die Überlassung von Arbeitskräften, insbesondere Schutz der von Leiharbeitsunternehmen zur Verfügung gestellten Arbeitskräfte, Gesundheitsschutz, Sicherheit und Hygiene am Arbeitsplatz, Schutzmaßnahmen im Zusammenhang mit den Arbeits- und Beschäftigungsbedingungen von Schwangeren und Wöchnerinnen, Kindern und Jugendlichen, Gleichbehandlung von Männern und Frauen sowie andere Nichtdiskriminierungsbestimmungen. Dies betrifft nicht nur die gesetzlich festgelegten Arbeits- und Beschäftigungsbedingungen, sondern auch die in allgemein verbindlich erklärten oder im Sinne der Richtlinie 96/71/EG[1] de facto allgemein verbindlichen Tarifverträgen oder Schiedssprüchen festgelegten Bedingungen. Außerdem sollte diese Richtlinie die Mitgliedstaaten nicht daran hindern, Arbeits- und Beschäftigungsbedingungen für

---

[1] Nr. **890**.
[2] **Amtl. Anm.:** ABl. L 18 vom 21. 1. 1997, S. 1.

andere als die in Artikel 3 Absatz 1 der Richtlinie 96/71/EG[1] aufgeführten Aspekte aus Gründen der öffentlichen Ordnung vorzuschreiben.

(87) Diese Richtlinie sollte ebenso wenig die Arbeits- und Beschäftigungsbedingungen in Fällen betreffen, in denen der für die Erbringung einer grenzüberschreitenden Dienstleistung beschäftigte Arbeitnehmer in dem Mitgliedstaat, in dem die Dienstleistung erbracht wird, eingestellt wird. Außerdem sollte diese Richtlinie nicht das Recht der Mitgliedstaaten, in denen die Dienstleistung erbracht wird, berühren, das Bestehen eines Arbeitsverhältnisses zu bestimmen und den Unterschied zwischen Selbstständigen und abhängig beschäftigten Personen, einschließlich so genannter Scheinselbstständiger, festzulegen. In diesem Zusammenhang sollte das wesentliche Merkmal eines Arbeitsverhältnisses im Sinne des Artikels 39 des Vertrags die Tatsache sein, dass jemand während einer bestimmten Zeit für einen anderen nach dessen Weisung Leistungen erbringt, für die er als Gegenleistung eine Vergütung erhält; jedwede Tätigkeit einer Person außerhalb eines Unterordnungsverhältnisses muss als selbstständige Beschäftigung im Sinne der Artikel 43 und 49 des Vertrags angesehen werden.

(88), (89) …

(90) Vertragsbeziehungen zwischen dem Dienstleistungserbringer und dem Kunden sowie zwischen Arbeitgeber und Arbeitnehmer sollten nicht unter diese Richtlinie fallen. Die Festlegung des auf vertragliche oder außervertragliche Schuldverhältnisse des Dienstleistungserbringers anzuwendenden Rechts sollte durch die Regeln des internationalen Privatrechts erfolgen.

(91)–(118) …

HABEN FOLGENDE RICHTLINIE ERLASSEN:

Kapitel I. Allgemeine Bestimmungen

Art. 1 Gegenstand. (1) Diese Richtlinie enthält allgemeine Bestimmungen, die bei gleichzeitiger Gewährleistung einer hohen Qualität der Dienstleistungen die Wahrnehmung der Niederlassungsfreiheit durch Dienstleistungserbringer sowie den freien Dienstleistungsverkehr erleichtern sollen.

(2) Diese Richtlinie betrifft weder die Liberalisierung von Dienstleistungen von allgemeinem wirtschaftlichem Interesse, die öffentlichen oder privaten Einrichtungen vorbehalten sind, noch die Privatisierung öffentlicher Einrichtungen, die Dienstleistungen erbringen.

(3) Diese Richtlinie betrifft weder die Abschaffung von Dienstleistungsmonopolen noch von den Mitgliedstaaten gewährte Beihilfen, die unter die gemeinschaftlichen Wettbewerbsvorschriften fallen.

Diese Richtlinie berührt nicht das Recht der Mitgliedstaaten, im Einklang mit dem Gemeinschaftsrecht festzulegen, welche Leistungen sie als von allgemeinem wirtschaftlichem Interesse erachten, wie diese Dienstleistungen unter Beachtung der Vorschriften über staatliche Beihilfen organisiert und finan-

[1] Nr. **890**.

ziert werden sollten und welchen spezifischen Verpflichtungen sie unterliegen sollten.

(4) Diese Richtlinie berührt nicht die Maßnahmen, die auf gemeinschaftlicher oder nationaler Ebene im Einklang mit dem Gemeinschaftsrecht ergriffen werden, um die kulturelle oder sprachliche Vielfalt oder den Medienpluralismus zu schützen oder zu fördern.

(5) [1]Diese Richtlinie berührt nicht das Strafrecht der Mitgliedstaaten. [2]Die Mitgliedstaaten dürfen jedoch nicht unter Umgehung der Vorschriften dieser Richtlinie die Dienstleistungsfreiheit dadurch einschränken, dass sie Strafrechtsbestimmungen anwenden, die die Aufnahme oder Ausübung einer Dienstleistungstätigkeit gezielt regeln oder beeinflussen.

(6) [1]Diese Richtlinie berührt nicht das Arbeitsrecht, d.h. gesetzliche oder vertragliche Bestimmungen über Arbeits- und Beschäftigungsbedingungen, einschließlich des Gesundheitsschutzes und der Sicherheit am Arbeitsplatz und über die Beziehungen zwischen Arbeitgebern und Arbeitnehmern, die von den Mitgliedstaaten gemäß nationalem Recht unter Wahrung des Gemeinschaftsrechts angewandt werden. [2]In gleicher Weise berührt die Richtlinie auch nicht die Rechtsvorschriften der Mitgliedstaaten über die soziale Sicherheit.

(7) [1]Diese Richtlinie berührt nicht die Ausübung der in den Mitgliedstaaten und durch das Gemeinschaftsrecht anerkannten Grundrechte. [2]Sie berührt auch nicht das Recht, gemäß nationalem Recht und nationalen Praktiken unter Wahrung des Gemeinschaftsrechts Tarifverträge auszuhandeln, abzuschließen und durchzusetzen sowie Arbeitskampfmaßnahmen zu ergreifen.

Art. 2 Anwendungsbereich. (1) Diese Richtlinie gilt für Dienstleistungen, die von einem in einem Mitgliedstaat niedergelassenen Dienstleistungserbringer angeboten werden.

(2) Diese Richtlinie findet auf folgende Tätigkeiten keine Anwendung:

a) nicht-wirtschaftliche Dienstleistungen von allgemeinem Interesse;

b) Finanzdienstleistungen wie Bankdienstleistungen und Dienstleistungen im Zusammenhang mit einer Kreditgewährung, Versicherung und Rückversicherung, betrieblicher oder individueller Altersversorgung, Wertpapieren, Geldanlagen, Zahlungen, Anlageberatung, einschließlich der in Anhang I der Richtlinie 2006/48/EG aufgeführten Dienstleistungen;

c) Dienstleistungen und Netze der elektronischen Kommunikation sowie zugehörige Einrichtungen und Dienste in den Bereichen, die in den Richtlinien 2002/19/EG, 2002/20/EG, 2002/21/EG, 2002/22/EG und 2002/58/EG geregelt sind;

d) Verkehrsdienstleistungen einschließlich Hafendienste, die in den Anwendungsbereich von Titel V des Vertrags fallen;

e) Dienstleistungen von Leiharbeitsagenturen;

f) Gesundheitsdienstleistungen, unabhängig davon, ob sie durch Einrichtungen der Gesundheitsversorgung erbracht werden, und unabhängig davon, wie sie auf nationaler Ebene organisiert und finanziert sind, und ob es sich um öffentliche oder private Dienstleistungen handelt;

g) audiovisuelle Dienste, auch im Kino- und Filmbereich, ungeachtet der Art ihrer Herstellung, Verbreitung und Ausstrahlung, und Rundfunk;

h) Glücksspiele, die einen geldwerten Einsatz verlangen, einschließlich Lotterien, Glücksspiele in Spielkasinos und Wetten;

i) Tätigkeiten, die im Sinne des Artikels 45 des Vertrags mit der Ausübung öffentlicher Gewalt verbunden sind;

j) soziale Dienstleistungen im Zusammenhang mit Sozialwohnungen, der Kinderbetreuung und der Unterstützung von Familien und dauerhaft oder vorübergehend hilfsbedürftigen Personen, die vom Staat, durch von ihm beauftragte Dienstleistungserbringer oder durch von ihm als gemeinnützig anerkannte Einrichtungen erbracht werden;

k) private Sicherheitsdienste;

l) Tätigkeiten von Notaren und Gerichtsvollziehern, die durch staatliche Stellen bestellt werden.

(3) Die Richtlinie gilt nicht für den Bereich der Steuern.

Art. 3 Verhältnis zu geltendem Gemeinschaftsrecht. (1) [1]Widersprechen Bestimmungen dieser Richtlinie einer Bestimmung eines anderen Gemeinschaftsrechtsaktes, der spezifische Aspekte der Aufnahme oder Ausübung einer Dienstleistungstätigkeit in bestimmten Bereichen oder bestimmten Berufen regelt, so hat die Bestimmung des anderen Gemeinschaftsrechtsaktes Vorrang und findet auf die betreffenden Bereiche oder Berufe Anwendung. [2]Dies gilt insbesondere für:

a) die Richtlinie 96/71/EG[1]);

b) die Verordnung (EWG) Nr. 1408/71[2]);

c) die Richtlinie 89/552/EWG des Rates vom 3. Oktober 1989 zur Koordinierung bestimmter Rechts- und Verwaltungsvorschriften der Mitgliedstaaten über die Ausübung der Fernsehtätigkeit[3]);

d) die Richtlinie 2005/36/EG[4]).

(2) Diese Richtlinie betrifft nicht die Regeln des internationalen Privatrechts, insbesondere die Regeln des auf vertragliche und außervertragliche Schuldverhältnisse anzuwendenden Rechts, einschließlich der Bestimmungen, die sicherstellen, dass die Verbraucher durch die im Verbraucherrecht ihres Mitgliedstaats niedergelegten Verbraucherschutzregeln geschützt sind.

(3) Die Mitgliedstaaten setzen die Bestimmungen dieser Richtlinie in Übereinstimmung mit den Bestimmungen des Vertrags über die Niederlassungsfreiheit und den freien Dienstleistungsverkehr um.

Art. 4 Begriffsbestimmungen. Für die Zwecke dieser Richtlinie bezeichnet der Ausdruck:

1.–6. …

7. „Anforderungen“ alle Auflagen, Verbote, Bedingungen oder Beschränkungen, die in den Rechts- oder Verwaltungsvorschriften der Mitgliedstaaten festgelegt sind oder sich aus der Rechtsprechung, der Verwaltungspraxis, den Regeln von Berufsverbänden oder den kollektiven Regeln, die von Berufsvereinigungen oder sonstigen Berufsorganisationen in Aus-

---

1) Nr. **890**.

2) Nr. **867**.

3) **Amtl. Anm.:** ABl. L 298 vom 17. 10. 1989, S. 23. Geändert durch Richtlinie 97/36/EG des Europäischen Parlaments und des Rates (ABl. L 202 vom 30. 7. 1997, S. 60).

4) **CD Nipperdey plus Nr. 873.**

übung ihrer Rechtsautonomie erlassen wurden, ergeben; Regeln, die in von den Sozialpartnern ausgehandelten Tarifverträgen festgelegt wurden, sind als solche keine Anforderungen im Sinne dieser Richtlinie;

8. „zwingende Gründe des Allgemeininteresses" Gründe, die der Gerichtshof in ständiger Rechtsprechung als solche anerkannt hat, einschließlich folgender Gründe: öffentliche Ordnung; öffentliche Sicherheit; Sicherheit der Bevölkerung; öffentliche Gesundheit; Erhaltung des finanziellen Gleichgewichts der Systeme der sozialen Sicherung; Schutz der Verbraucher, der Dienstleistungsempfänger und der Arbeitnehmer; Lauterkeit des Handelsverkehrs; Betrugsbekämpfung; Schutz der Umwelt und der städtischen Umwelt; Tierschutz; geistiges Eigentum; Erhaltung des nationalen historischen und künstlerischen Erbes; Ziele der Sozialpolitik und Ziele der Kulturpolitik;

9.–12. …

Kapitel III. Niederlassungsfreiheit der Dienstleistungserbringer

Abschnitt 1. Genehmigungen

Art. 12 Auswahl zwischen mehreren Bewerbern. (1) Ist die Zahl der für eine bestimmte Dienstleistungstätigkeit verfügbaren Genehmigungen aufgrund der Knappheit der natürlichen Ressourcen oder der verfügbaren technischen Kapazitäten begrenzt, so wenden die Mitgliedstaaten ein neutrales und transparentes Verfahren zur Auswahl der Bewerber an und machen insbesondere die Eröffnung, den Ablauf und den Ausgang des Verfahrens angemessen bekannt.

(2) In den in Absatz 1 genannten Fällen wird die Genehmigung für einen angemessen befristeten Zeitraum gewährt und darf weder automatisch verlängert werden noch dem Dienstleistungserbringer, dessen Genehmigung gerade abgelaufen ist, oder Personen, die in besonderer Beziehung zu diesem Dienstleistungserbringer stehen, irgendeine andere Begünstigung gewähren.

(3) Vorbehaltlich des Absatzes 1 und der Artikel 9 und 10 können die Mitgliedstaaten bei der Festlegung der Regeln für das Auswahlverfahren unter Beachtung des Gemeinschaftsrechts Überlegungen im Hinblick auf die öffentliche Gesundheit, sozialpolitische Ziele, die Gesundheit und Sicherheit von Arbeitnehmern oder Selbstständigen, den Schutz der Umwelt, die Erhaltung des kulturellen Erbes sowie jeden anderen zwingenden Grund des Allgemeininteresses berücksichtigen.

Kapitel IV. Freier Dienstleistungsverkehr

Abschnitt 1. Dienstleistungsfreiheit und damit zusammenhängende Ausnahmen

Art. 16 Dienstleistungsfreiheit. (1) Die Mitgliedstaaten achten das Recht der Dienstleistungserbringer, Dienstleistungen in einem anderen Mitgliedstaat als demjenigen ihrer Niederlassung zu erbringen.

Der Mitgliedstaat, in dem die Dienstleistung erbracht wird, gewährleistet die freie Aufnahme und freie Ausübung von Dienstleistungstätigkeiten innerhalb seines Hoheitsgebiets.

Die Mitgliedstaaten dürfen die Aufnahme oder Ausübung einer Dienstleistungstätigkeit in ihrem Hoheitsgebiet nicht von Anforderungen abhängig machen, die gegen folgende Grundsätze verstoßen:

a) Nicht-Diskriminierung: die Anforderung darf weder eine direkte noch eine indirekte Diskriminierung aufgrund der Staatsangehörigkeit oder – bei juristischen Personen – aufgrund des Mitgliedstaats, in dem sie niedergelassen sind, darstellen;

b) Erforderlichkeit: die Anforderung muss aus Gründen der öffentlichen Ordnung, der öffentlichen Sicherheit, der öffentlichen Gesundheit oder des Schutzes der Umwelt gerechtfertigt sein;

c) Verhältnismäßigkeit: die Anforderung muss zur Verwirklichung des mit ihr verfolgten Ziels geeignet sein und darf nicht über das hinausgehen, was zur Erreichung dieses Ziels erforderlich ist.

(2) Die Mitgliedstaaten dürfen die Dienstleistungsfreiheit eines in einem anderen Mitgliedstaat niedergelassenen Dienstleistungserbringers nicht einschränken, indem sie diesen einer der folgenden Anforderungen unterwerfen:

a) der Pflicht, in ihrem Hoheitsgebiet eine Niederlassung zu unterhalten;

b) der Pflicht, bei ihren zuständigen Behörden eine Genehmigung einzuholen; dies gilt auch für die Verpflichtung zur Eintragung in ein Register oder die Mitgliedschaft in einem Berufsverband oder einer Berufsvereinigung in ihrem Hoheitsgebiet, außer in den in dieser Richtlinie oder anderen Rechtsvorschriften der Gemeinschaft vorgesehenen Fällen;

c) dem Verbot, in ihrem Hoheitsgebiet eine bestimmte Form oder Art von Infrastruktur zu errichten, einschließlich Geschäftsräumen oder einer Kanzlei, die der Dienstleistungserbringer zur Erbringung der betreffenden Leistungen benötigt;

d) der Anwendung bestimmter vertraglicher Vereinbarungen zur Regelung der Beziehungen zwischen dem Dienstleistungserbringer und dem Dienstleistungsempfänger, die eine selbstständige Tätigkeit des Dienstleistungserbringers verhindert oder beschränkt;

e) der Pflicht, sich von ihren zuständigen Behörden einen besonderen Ausweis für die Ausübung einer Dienstleistungstätigkeit ausstellen zu lassen;

f) Anforderungen betreffend die Verwendung von Ausrüstungsgegenständen und Materialien, die integraler Bestandteil der Dienstleistung sind, es sei denn, diese Anforderungen sind für den Schutz der Gesundheit und die Sicherheit am Arbeitsplatz notwendig;

g) der in Artikel 19 genannten Beschränkungen des freien Dienstleistungsverkehrs.

(3) [1]Der Mitgliedstaat, in den sich der Dienstleistungserbringer begibt, ist nicht daran gehindert, unter Beachtung des Absatzes 1 Anforderungen in Bezug auf die Erbringung von Dienstleistungen zu stellen, die aus Gründen der öffentlichen Ordnung, der öffentlichen Sicherheit, der öffentlichen Gesundheit oder des Schutzes der Umwelt gerechtfertigt sind. [2]Dieser Mitgliedstaat ist ferner nicht daran gehindert, im Einklang mit dem Gemeinschaftsrecht seine Bestimmungen über Beschäftigungsbedingungen, einschließlich derjenigen in Tarifverträgen, anzuwenden.

(4) Bis zum 28. Dezember 2011 unterbreitet die Kommission nach Konsultation der Mitgliedstaaten und der Sozialpartner auf Gemeinschaftsebene dem Europäischen Parlament und dem Rat einen Bericht über die Anwendung dieses Artikels, in dem sie prüft, ob es notwendig ist, Harmonisierungsmaßnahmen hinsichtlich der unter diese Richtlinie fallenden Dienstleistungstätigkeiten vorzuschlagen.

Art. 17 Weitere Ausnahmen von der Dienstleistungsfreiheit. Artikel 16 findet keine Anwendung auf:

1. Dienstleistungen von allgemeinem wirtschaftlichem Interesse, die in einem anderen Mitgliedstaat erbracht werden, unter anderem:
   a) im Postsektor die von der Richtlinie 97/67/EG des Europäischen Parlaments und des Rates vom 15. Dezember 1997 über gemeinsame Vorschriften für die Entwicklung des Binnenmarktes der Postdienste der Gemeinschaft und die Verbesserung der Dienstqualität[1] erfassten Dienstleistungen;
   b) im Elektrizitätssektor die von der Richtlinie 2003/54/EG[2] des Europäischen Parlaments und des Rates vom 26. Juni 2003 über gemeinsame Vorschriften für den Elektrizitätsbinnenmarkt erfassten Dienstleistungen;
   c) im Gassektor die von der Richtlinie 2003/55/EG des Europäischen Parlaments und des Rates vom 26. Juni 2003 über gemeinsame Vorschriften für den Erdgasbinnenmarkt[3] erfassten Dienstleistungen;
   d) die Dienste der Wasserverteilung und -versorgung sowie der Abwasserbewirtschaftung;
   e) Dienste der Abfallbewirtschaftung;
2. die Angelegenheiten, die unter die Richtlinie 96/71/EG[4] fallen;
3. die Angelegenheiten, die unter die Richtlinie 95/46/EG des Europäischen Parlaments und des Rates vom 24. Oktober 1995 zum Schutz natürlicher Personen bei der Verarbeitung personenbezogener Daten und zum freien Datenverkehr[5] fallen;
4. die Angelegenheiten, die unter die Richtlinie 77/249/EWG des Rates vom 22. März 1977 zur Erleichterung der tatsächlichen Ausübung des freien Dienstleistungsverkehrs der Rechtsanwälte[6] fallen;
5. die gerichtliche Beitreibung von Forderungen;
6. die Angelegenheiten, die unter Titel II der Richtlinie 2005/36/EG[7] fallen, sowie Anforderungen im Mitgliedstaat der Dienstleistungserbrin-

---

[1] **Amtl. Anm.:** ABl. L 15 vom 21. 1. 1998, S. 14. Zuletzt geändert durch die Verordnung (EG) Nr. 1882/2003 (ABl. L 284 vom 31. 10. 2003, S. 1).

[2] **Amtl. Anm.:** ABl. L 176 vom 15. 7. 2003, S. 37. Zuletzt geändert durch die Entscheidung 2006/653/EG der Kommission (ABl. L 270 vom 29. 9. 2006, S. 72).

[3] **Amtl. Anm.:** ABl. L 176 vom 15. 7. 2003, S. 57.

[4] Nr. **890**.

[5] **Amtl. Anm.:** ABl. L 281 vom 23. 11. 1995, S. 31. Geändert durch die Verordnung (EG) Nr. 1882/2003.

[6] **Amtl. Anm.:** ABl. L 78 vom 26. 3. 1977, S. 17. Zuletzt geändert durch die Beitrittsakte von 2003.

[7] **CD Nipperdey plus Nr. 873.**

gung, die eine Tätigkeit den Angehörigen eines bestimmten Berufs vorbehalten;

7. die Angelegenheiten, die unter die Verordnung (EWG) Nr. 1408/71[1] fallen;
8. bezüglich Verwaltungsformalitäten betreffend die Freizügigkeit von Personen und ihren Wohnsitz die Angelegenheiten, die unter diejenigen Bestimmungen der Richtlinie 2004/38/EG fallen, die Verwaltungsformalitäten vorsehen, die die Begünstigten bei den zuständigen Behörden des Mitgliedstaates, in dem die Dienstleistung erbracht wird, erfüllen müssen;
9. in Bezug auf Drittstaatsangehörige, die sich im Rahmen einer Dienstleistungserbringung in einen anderen Mitgliedstaat begeben, die Möglichkeit der Mitgliedstaaten, Visa oder Aufenthaltstitel für Drittstaatsangehörige zu verlangen, die nicht dem in Artikel 21 des Übereinkommens zur Durchführung des Übereinkommens von Schengen vom 14. Juni 1985 betreffend den schrittweisen Abbau der Kontrollen an den gemeinsamen Grenzen[2] vorgesehenen System der gegenseitigen Anerkennung unterfallen, oder die Möglichkeit, Drittstaatsangehörige zu verpflichten, sich bei oder nach der Einreise in den Mitgliedstaat der Dienstleistungserbringung bei den dortigen zuständigen Behörden zu melden;
10. bezüglich der Verbringung von Abfällen die Angelegenheiten, die von der Verordnung (EWG) Nr. 259/93 des Rates vom 1. Februar 1993 zur Überwachung und Kontrolle der Verbringung von Abfällen in der, in die und aus der Europäischen Gemeinschaft[3] erfasst werden;
11. die Urheberrechte, die verwandten Schutzrechte, Rechte im Sinne der Richtlinie 87/54/EWG des Rates vom 16. Dezember 1986 über den Rechtsschutz der Topographien von Halbleitererzeugnissen[4] und der Richtlinie 96/9/EG des Europäischen Parlaments und des Rates vom 11. März 1996 über den rechtlichen Schutz von Datenbanken[5] sowie die Rechte an gewerblichem Eigentum;
12. die Handlungen, für die die Mitwirkung eines Notars gesetzlich vorgeschrieben ist;
13. die Angelegenheiten, die unter die Richtlinie 2006/43/EG des Europäischen Parlaments und des Rates vom 17. Mai 2006 über die Prüfung des Jahresabschlusses und des konsolidierten Abschlusses[6] fallen;
14. die Zulassung von Fahrzeugen, die in einem anderen Mitgliedstaat geleast wurden;
15. Bestimmungen betreffend vertragliche und außervertragliche Schuldverhältnisse, einschließlich der Form von Verträgen, die nach den Vorschriften des internationalen Privatrechts festgelegt werden.

---

[1] Nr. **867**.

[2] **Amtl. Anm.:** ABl. L 239 vom 22. 9. 2000, S. 19. Zuletzt geändert durch die Verordnung (EG) Nr. 1160/2005 des Europäischen Parlaments und des Rates (ABl. L 191 vom 22. 7. 2005, S. 18).

[3] **Amtl. Anm.:** ABl. L 30 vom 6. 2. 1993, S. 1. Zuletzt geändert durch die Verordnung (EG) Nr. 2557/2001 der Kommission (ABl. L 349 vom 31. 12. 2001, S. 1).

[4] **Amtl. Anm.:** ABl. L 24 vom 27. 1. 1987, S. 36.

[5] **Amtl. Anm.:** ABl. L 77 vom 27. 3. 1996, S. 20.

[6] **Amtl. Anm.:** ABl. L 157 vom 9. 6. 2006, S. 87.

Kapitel VIII. Schlussbestimmungen

Art. 44 Umsetzung. (1) Die Mitgliedstaaten setzen die erforderlichen Rechts- und Verwaltungsvorschriften in Kraft, die erforderlich sind, um dieser Richtlinie bis spätestens ab dem 28. Dezember 2009 nachzukommen.

Sie teilen der Kommission unverzüglich den Wortlaut dieser Rechtsvorschriften mit.

[1]Wenn die Mitgliedstaaten diese Vorschriften erlassen, nehmen sie in den Vorschriften selbst oder durch einen Hinweis bei der amtlichen Veröffentlichung auf diese Richtlinie Bezug. [2]Die Mitgliedstaaten regeln die Einzelheiten der Bezugnahme.

(2) Die Mitgliedstaaten teilen der Kommission den Wortlaut der wichtigsten innerstaatlichen Rechtsvorschriften mit, die sie auf dem unter diese Richtlinie fallenden Gebiet erlassen.

Art. 45 Inkrafttreten. Diese Richtlinie tritt am Tag nach ihrer Veröffentlichung[1)] im *Amtsblatt der Europäischen Union* in Kraft.

Art. 46 Adressaten. Diese Richtlinie ist an die Mitgliedstaaten gerichtet.

[1)] Veröffentlicht am 27. 12. 2006.

867. Verordnung (EWG) Nr. 1408/71 des Rates vom 14. Juni 1971 zur Anwendung der Systeme der sozialen Sicherheit auf Arbeitnehmer und Selbständige sowie deren Familienangehörige, die innerhalb der Gemeinschaft zu- und abwandern[1] [2]

(ABl. Nr. L 149 S. 2 in der konsolidierten Fassung der VO (EWG) Nr. 118/97 v. 2. 12. 1996, ABl. 1997 Nr. L 28 S. 4)

EU-Dok.-Nr. 3 1971 R 1408

zuletzt geänd. durch Art. 1 ÄndVO (EG) 592/2008 v. 17. 6. 2008 (ABl. 2008 Nr. L 177 S. 1)

Nichtamtliche Inhaltsübersicht

---

[1] Siehe hierzu die Verordnung (EWG) Nr. 574/72 über die Durchführung der Verordnung (EWG) Nr. 1408/71 (Nr. **868**), das G über die Ermächtigung zum Erlaß von Rechtsverordnungen im Rahmen der Verordnung (EWG) Nr. 1408/71 v. 17. 5. 1974 (BGBl. I S. 1177), zuletzt geänd. durch VO v. 31. 10. 2006 (BGBl. I S. 2407), die Verordnung (EG) Nr. 859/2003 v. 14. 5. 2003 (ABl. Nr. L 124 S. 1) des Rates zur Ausdehnung der Bestimmungen der Verordnung (EWG) Nr. 1408/71 und der Verordnung (EWG) Nr. 574/72 **(CD Nipperdey plus Nr. 868)** auf Drittstaatsangehörige, die ausschließlich aufgrund ihrer Staatsangehörigkeit nicht bereits unter diese Bestimmungen fallen, VO Nr. 2639/74 (ABl. Nr. L 283 S. 1), VO Nr. 1209/76 (ABl. Nr. L 138 S. 1) und VO Nr. 2595/77 (ABl. Nr. L 302 S. 1). Für die zur Durchführung der Verordnungen (EWG) Nr. 1408/71 und (EWG) Nr. 574/72 des Rates erforderlichen Vordrucke (E 201 bis E 215) siehe Beschluß Nr. 158 v. 27. 11. 1995 (ABl. Nr. L 336 S. 1).

[2] Red. Hinweis: Die Änderungsvermerke der VO (EWG) Nr. 1408/71 und Nr. 574/72 finden sich im Anhang B der VO (EWG), 574/72, abgedruckt in der Beck'schen Textausgabe „Soziale Sicherheit in der EG".

(Fortsetzung nächste Seite)

[1)] Hier nicht wiedergegeben.

Anhang VI: Besondere Bestimmungen über die Anwendung der Rechtsvorschriften bestimmter Mitgliedstaaten
Anhang VII: Fälle, in denen eine Person gleichzeitig den Rechtsvorschriften zweier Mitgliedstaaten unterliegt
Anhang VIII: Systeme, die lediglich Familienbeihilfen oder zusätzliche oder besondere Beihilfen für Waisen vorsehen

DER RAT DER EUROPÄISCHEN UNION –

gestützt auf den Vertrag zur Gründung der Europäischen Gemeinschaft, insbesondere auf die Artikel 51 und 235,

auf Vorschlag der Kommission,

nach Stellungnahme des Europäischen Parlaments,

nach Stellungnahme des Wirtschafts- und Sozialausschusses,

in Erwägung nachstehender Gründe:

Die Vorschriften zur Koordinierung der innerstaatlichen Rechtsvorschriften über soziale Sicherheit gehören zur Freizügigkeit von Personen und sollen zur Verbesserung von deren Lebensstandard und Arbeitsbedingungen beitragen.

Freizügigkeit der Personen, die eines der Fundamente der Gemeinschaft darstellt, gilt sowohl für Arbeitnehmer im Rahmen der Freizügigkeit der Arbeitskräfte als auch für Selbständige im Rahmen der Niederlassungsfreiheit und des freien Dienstleistungsverkehrs.

Wegen der großen Unterschiede beim persönlichen Geltungsbereich der innerstaatlichen Rechtsvorschriften ist es besser, grundsätzlich davon auszugehen, daß die Verordnung für alle Personen gilt, die im Rahmen der für Arbeitnehmer und Selbständige bereitgestellten Systeme sozialer Sicherheit oder aufgrund der Ausübung einer Arbeitnehmer- oder Selbständigentätigkeit versichert sind.

Es ist angezeigt, die Eigenheiten der einzelstaatlichen Rechtsvorschriften über soziale Sicherheit zu berücksichtigen und nur eine Koordinierungsregelung vorzusehen.

Bei dieser Koordinierung ist innerhalb der Gemeinschaft sicherzustellen, daß alle Arbeitnehmer und Selbständige, die Staatsangehörige der Mitgliedstaaten sind, sowie ihre Angehörigen und Hinterbliebenen nach den innerstaatlichen Rechtsvorschriften der einzelnen Mitgliedstaaten gleichbehandelt werden.

Die Koordinierungsregeln sollen Arbeitnehmern und Selbständigen, die innerhalb der Gemeinschaft zu- und abwandern, sowie ihren Angehörigen und Hinterbliebenen die Wahrung erworbener Ansprüche und Vorteile sowie der Anwartschaften ermöglichen.

Diese Ziele sollen insbesondere durch die Zusammenrechnung aller Zeiten, die nach den innerstaatlichen Rechtsvorschriften der einzelnen Mitgliedstaaten für die Begründung und Aufrechterhaltung des Anspruchs auf Leistungen und für deren Berechnung zu berücksichtigen sind, sowie durch die Gewährung von Leistungen an die verschiedenen unter die Verordnung fallenden Gruppen von Personen unabhängig von deren Wohnort in der Gemeinschaft erreicht werden.

Für Arbeitnehmer und Selbständige, die innerhalb der Gemeinschaft zu- und abwandern, soll jeweils das System der sozialen Sicherheit nur eines Mitgliedstaats gelten, so daß eine Kumulierung anzuwendender innerstaatlicher Rechtsvorschriften und die sich daraus möglicherweise ergebenden Komplikationen vermieden werden.

Zahl und Reichweite der Fälle, in denen ein Arbeitnehmer oder Selbständiger als Ausnahme von der allgemeinen Regel gleichzeitig den Rechtsvorschriften zweier Mitgliedstaaten unterliegt, sind so klein wie möglich zu halten.

Um die Gleichbehandlung aller im Gebiet eines Mitgliedstaats erwerbstätigen Arbeitnehmer und Selbständigen am besten zu gewährleisten, ist es zweckmäßig, im allgemeinen die Rechtsvorschriften des Mitgliedstaats anzuwenden, in dessen Gebiet der Betreffende seine Arbeitnehmer- oder Selbständigkeit ausübt.

Von dieser allgemeinen Regel ist in besonderen Fällen, die ein anderes Zugehörigkeitskriterium rechtfertigen, abzuweichen.

Bestimmte Leistungen nach innerstaatlichen Rechtsvorschriften können aufgrund des persönlichen Anwendungsbereichs, der Ziele und der Anwendungsregelungen derselben gleichzeitig zur sozialen Sicherheit und zur Sozialhilfe gehören, so daß eine Koordinierungsregelung, die den Besonderheiten der betreffenden Leistungen Rechnung trägt, in die Verordnung aufgenommen werden muß, um die Interessen der zu- und abwandernden Arbeitnehmer und Selbständigen im Einklang mit dem Vertrag zu schützen.

Diese Leistungen sind Personen, für die diese Verordnung gilt, ausschließlich nach den Rechtsvorschriften ihres Wohnlands oder des Wohnlands ihrer Familienangehörigen zu gewähren, wobei die in jedem anderen Mitgliedstaat zurückgelegten Wohnzeiten erforderlichenfalls ohne jegliche staatsangehörigkeitsbedingte Diskriminierung zu berücksichtigen sind.

Für Grenzgänger und Saisonarbeiter sind angesichts ihrer besonderen Lage insbesondere für den Fall der Krankheit und Arbeitslosigkeit einschlägige Regeln vorzusehen.

Bei Leistungen wegen Krankheit und Mutterschaft ist eine Sicherung für die Personen bereitzuhalten, die in einem anderen als dem zuständigen Mitgliedstaat wohnen oder sich dort aufhalten.

Die besondere Lage der Rentenantragsteller und Rentenberechtigten sowie ihrer Familienangehörigen macht Bestimmungen auf dem Gebiet der Krankenversicherung erforderlich, die diesem Sachverhalt gerecht werden.

Für Leistungen bei Invalidität sind Koordinierungsregeln vorzusehen, die die Eigenheiten der jeweiligen innerstaatlichen Rechtsvorschriften berücksichtigen, so daß zwischen Rechtsvorschriften, nach denen die Höhe der Leistungen bei Invalidität nicht von der Dauer der Versicherungszeiten abhängt, und Rechtsvorschriften, nach denen die Höhe der Leistungen von dieser Dauer abhängt, unterschieden werden muß.

Wegen der Unterschiede der mitgliedstaatlichen Systeme ist es erforderlich, Koordinierungsregeln für den Fall der Verschlimmerung des Invaliditätszustands vorzusehen

Für Arbeitnehmer oder Selbständige, für die die Rechtsvorschriften eines Mitgliedstaats oder mehrerer Mitgliedstaaten galten, ist ein System zur Feststellung von Leistungen bei Alter und an Hinterbliebene zu erarbeiten.

Eine nach der Zusammenrechnungs- und Proratisierungsregelung berechnete und durch das Gemeinschaftsrecht abgesicherte Rente ist dann zu gewähren, wenn die Anwendung der einzelstaatlichen Rechtsvorschriften einschließlich ihrer Kürzungs-, Ruhens- und Entziehungsvorschriften sich als weniger günstig erweist als die genannte Regelung.

Zum Schutz der wandernden Erwerbspersonen und ihrer Hinterbliebenen gegen eine überspitzte Anwendung der einzelstaatlichen Kürzungs-, Ruhens- und Entziehungsvorschriften ist es erforderlich, Bestimmungen auszunehmen, durch welche die Anwendung dieser Vorschriften in Grenzen gehalten wird.

Bei Leistungen wegen Arbeitsunfällen oder Berufskrankheiten ist die versicherungsrechtliche Stellung der Personen, die in einem anderen als dem zuständigen Mitgliedstaat wohnen oder sich dort aufhalten, im Interesse ihrer Sicherung zu regeln.

Es sind besondere Bestimmungen für Sterbegeld vorzusehen.

Im Interesse der Mobilität der Arbeitskräfte unter besseren Voraussetzungen ist eine stärkere Koordinierung zwischen den Systemen der Arbeitslosenversicherung und Arbeitslosenhilfe aller Mitgliedstaaten notwendig.

Zur Erleichterung der Arbeitssuche in anderen Mitgliedstaaten ist dem Arbeitslosen vor allem für begrenzte Zeit Anspruch auf Leistungen bei Arbeitslosigkeit nach den Rechtsvorschriften des Mitgliedstaats, die für ihn zuletzt gegolten haben, zuzuerkennen.

Bei der Bestimmung der Rechtsvorschriften für Familienleistungen gewährleistet das Kriterium Beschäftigung oder selbständige Tätigkeit der Gleichbehandlung sämtlicher Arbeitnehmer und Selbständigen, die denselben Rechtsvorschriften unterliegen.

Zur Vermeidung ungerechtfertigter Doppelleistungen sind für den Fall des Zusammentreffens von Ansprüchen auf Familienleistungen nach den Rechtsvorschriften des zuständigen Staates mit Ansprüchen nach den Rechtsvorschriften des Wohnstaates der Familienangehörigen Prioritätsregeln vorzusehen.

Wegen der Besonderheit und Differenziertheit der einzelstaatlichen Systeme bei Leistungen für unterhaltsberechtigte Kinder von Rentnern und für Waisen in den mitgliedstaatlichen Rechtsvorschriften sind für ihre Koordinierung besondere Regeln vorzusehen.

Es ist erforderlich, eine Verwaltungskommission einzusetzen, der je ein Regierungsvertreter jedes Mitgliedstaats angehört, die insbesondere damit beauftragt ist, alle Verwaltungs- und Auslegungsfragen zu behandeln, die sich aus dieser Verordnung ergeben, und die Zusammenarbeit zwischen den Mitgliedstaaten zu fördern.

Es empfiehlt sich, die Vertreter der Arbeitnehmer und der Arbeitgeber in einem beratenden Ausschuß an der Prüfung der von der Verwaltungskommission behandelten Fragen zu beteiligen.

Es ist erforderlich, besondere Bestimmungen vorzusehen, die den jeweiligen Eigenheiten der einzelstaatlichen Rechtsvorschriften gerecht werden, um die Anwendung der Koordinierungsregeln zu erleichtern –

HAT FOLGENDE VERORDNUNG ERLASSEN:

Titel I. Allgemeine Vorschriften

Art. 1[1] Begriffsbestimmungen. Für die Anwendung dieser Verordnung werden die nachstehenden Begriffe wie folgt definiert:

a) „Arbeitnehmer" oder „Selbständiger": jede Person,

i) die gegen ein Risiko oder gegen mehrere Risiken, die von den Zweigen eines Systems der sozialen Sicherheit für Arbeitnehmer oder Selbständige oder einem Sondersystem für Beamte erfaßt werden, pflichtversichert oder freiwillig weiterversichert ist;

ii) die im Rahmen eines für alle Einwohner oder die gesamte erwerbstätige Bevölkerung geltenden Systems der sozialen Sicherheit gegen ein Risiko oder gegen mehrere Risiken pflichtversichert ist, die von den Zweigen erfaßt werden, auf die diese Verordnung anzuwenden ist,

– wenn diese Person aufgrund der Art der Verwaltung oder der Finanzierung dieses Systems als Arbeitnehmer oder Selbständiger unterschieden werden kann oder

– wenn sie bei Fehlen solcher Kriterien im Rahmen eines für Arbeitnehmer oder Selbständige errichteten Systems oder eines Systems der Ziffer iii) gegen ein anderes in Anhang I[2] bestimmtes Risiko pflichtversichert oder freiwillig weiterversichert ist oder wenn auf sie bei Fehlen eines solchen Systems in dem betreffenden Mitgliedstaat die in Anhang I[2] enthaltene Definition zutrifft;

---

[1] Art. 1 Buchstaben f) und j) geändert mWv 1. 6. 1992 durch VO (EWG) Nr. 1247/92 vom 30. 4. 1992, ABl. 136/1, Buchst. a) Ziff. i) neugef. mWv 25. 10. 1998 durch VO (EG) Nr. 1606/98 v. 29. 6. 1998 (ABl. EG Nr. L 209/1).

[2] Der Anhang ist hier nicht abgedruckt.

iii) die gegen mehrere Risiken, die von den unter diese Verordnung fallenden Zweigen erfaßt werden, im Rahmen eines für die gesamte Landbevölkerung nach den Kriterien des Anhangs I[1] geschaffenen einheitlichen Systems der sozialen Sicherheit pflichtversichert ist;

iv) die gegen ein Risiko oder gegen mehrere Risiken, die von den unter diese Verordnung fallenden Zweigen erfaßt werden, im Rahmen eines für Arbeitnehmer, für Selbständige, für alle Einwohner eines Mitgliedstaats oder für bestimmte Gruppen von Einwohnern geschaffenen Systems der sozialen Sicherheit eines Mitgliedstaats freiwillig versichert ist,
- wenn sie im Lohn- oder Gehaltsverhältnis beschäftigt ist oder eine selbständige Tätigkeit ausübt, oder
- wenn sie früher im Rahmen eines für Arbeitnehmer oder Selbständige desselben Mitgliedstaats errichteten Systems gegen das gleiche Risiko pflichtversichert war;

b) „Grenzgänger“: jeder Arbeitnehmer oder Selbständige, der seine Berufstätigkeit im Gebiet eines Mitgliedstaats ausübt und im Gebiet eines anderen Mitgliedstaats wohnt, in das er in der Regel täglich, mindestens aber einmal wöchentlich zurückkehrt; der Grenzgänger, der von dem Unternehmen, dem er gewöhnlich angehört, innerhalb des Gebietes des gleichen oder in das Gebiet eines anderen Mitgliedstaats entsandt wird, oder der dort eine Dienstleistung erbringt, behält jedoch bis zur Höchstdauer von vier Monaten die Eigenschaft eines Grenzgängers, selbst wenn er während dieser Zeit nicht täglich oder mindestens einmal wöchentlich an seinen Wohnort zurückkehren kann;

c) „Saisonarbeiter“: jeder Arbeitnehmer, der sich in das Gebiet eines anderen Mitgliedstaats als des Staates begibt, in dem er wohnt, um dort für Rechnung eines Unternehmens oder eines Arbeitgebers in diesem Staat eine Saisonarbeit auszuüben, deren Dauer keinesfalls acht Monate überschreiten darf, und der sich für die Dauer seiner Beschäftigung im Gebiet dieses Staates aufhält; unter Saisonarbeit ist eine jahreszeitlich bedingte Arbeit zu verstehen, die jedes Jahr erneut anfällt;

ca)[2] „Studierender“: jede Person außer einem Arbeitnehmer, einem Selbständigen oder einem seiner Familienangehörigen oder Hinterbliebenen im Sinne dieser Verordnung, die ein Studium oder eine Berufsausbildung absolviert, das/die zu einem von den Behörden eines Mitgliedstaats offiziell anerkannten Abschluß führt, und

---

1) Der Anhang ist hier nicht abgedruckt.

2) Art. 1 Buchst. ca) eingef. durch VO (EG) Nr. 307/99 v. 8. 2. 1999 (ABl. EG Nr. L 38/1).

die im Rahmen eines allgemeinen Systems der sozialen Sicherheit oder eines auf Studierende anwendbaren Sondersystems der sozialen Sicherheit versichert ist;

d) „Flüchtling": mit der Bedeutung, die in Artikel 1 des am 28. Juli 1951 in Genf unterzeichneten Abkommens über die Rechtsstellung der Flüchtlinge festgelegt ist;

e) „Staatenloser": mit der Bedeutung, die in Artikel 1 des am 28. September 1954 in New York unterzeichneten Abkommens über die Rechtsstellung der Staatenlosen festgelegt ist;

f)[1] i) „Familienangehöriger": jede Person, die in den Rechtsvorschriften, nach denen die Leistungen gewährt werden, oder in den Fällen des Artikels 22 Absatz 1 Buchstabe a) und des Artikels 31 in den Rechtsvorschriften des Mitgliedstaats, in dessen Gebiet sie wohnt, als Familienangehöriger bestimmt, anerkannt oder als Haushaltsangehöriger bezeichnet ist; wird nach diesen Rechtsvorschriften eine Person jedoch nur dann als Familienangehöriger oder Haushaltsangehöriger angesehen, wenn sie mit dem Arbeitnehmer oder dem Selbständigen oder dem Studierenden in häuslicher Gemeinschaft lebt, so gilt diese Voraussetzung als erfüllt, wenn der Unterhalt der betreffenden Person überwiegend von diesem bestritten wird. Gestatten es die Rechtsvorschriften eines Mitgliedstaats nicht, die Familienangehörigen von den anderen Personen, auf die sie anwendbar sind, zu unterscheiden, so hat der Begriff „Familienangehöriger" die Bedeutung, die ihm in Anhang I[2] gegeben wird,

ii) bei Leistungen für Behinderte, die nach den Rechtsvorschriften eines Mitgliedstaats allen Staatsangehörigen des Landes gewährt werden, die die Voraussetzungen hierfür erfüllen: wenigstens der Ehegatte, die minderjährigen Kinder sowie die unterhaltsberechtigten volljährigen Kinder des Arbeitnehmers oder Selbständigen oder Studierenden;

g) „Hinterbliebener": jede Person, die in den Rechtsvorschriften, nach denen die Leistungen gewährt werden, als Hinterbliebener bestimmt oder anerkannt ist; wird nach diesen Rechtsvorschriften eine Person jedoch nur dann als Hinterbliebener angesehen, wenn sie mit dem Verstorbenen in häuslicher Gemeinschaft gelebt hat, so gilt diese Voraussetzung als erfüllt, wenn der Unterhalt der betreffenden Person überwiegend von dem Verstorbenen bestritten worden ist;

---

[1] Art. 1 Buchst. f) Ziff. i) letzter Satz geänd. durch VO (EG) Nr. 1290/97 v. 27. 6. 1997 (ABl. Nr. L 176/1), Buchst. f) Ziffer i und ii geänd. durch VO (EG) Nr. 307/99 v. 8. 2. 1999 (ABl. EG Nr. L 38/1).

[2] Der Anhang ist hier nicht abgedruckt.

h) „Wohnort“: der Ort des gewöhnlichen Aufenthalts;

i) „Aufenthalt“: der vorübergehende Aufenthalt;

j)[1] „Rechtsvorschriften“: in jedem Mitgliedstaat die bestehenden und künftigen Gesetze, Verordnungen, Satzungen und alle anderen Durchführungsvorschriften in bezug auf die in Artikel 4 Absätze 1 und 2 genannten Zweige und Systeme der sozialen Sicherheit oder die in Artikel 4 Absatz 2a erfaßten beitragsunabhängigen Sonderleistungen.

Dieser Begriff umfaßt bestehende oder künftige tarifvertragliche Vereinbarungen nicht, selbst wenn eine behördliche Entscheidung sie für allgemein verbindlich erklärt oder ihren Geltungsbereich erweitert hat. Diese Einschränkung kann jedoch in bezug auf solche tarifvertraglichen Vereinbarungen,

(Fortsetzung nächstes Blatt)

---

[1] Gem. EWR - Abkommen (ABl 3. 1. 1994 Nr. L 1/5, 328) ist Art. 1 Buchst. j, unter Abs. 3 nicht innerhalb der Beitrittsstaaten anzuwenden.

i) die der Erfüllung einer Versicherungspflicht dienen, die sich aus den in Unterabsatz 1 genannten Gesetzen oder Verordnungen ergibt, oder

ii) die ein System schaffen, dessen Verwaltung von dem Träger gewährleistet wird, der auch die Systeme verwaltet, die durch in Unterabsatz 1 genannte Gesetze oder Verordnungen eingeführt worden sind,

jederzeit durch eine Erklärung des betreffenden Mitgliedstaats aufgehoben werden, in der die Systeme dieser Art genannt sind, auf die diese Verordnung anwendbar ist. Diese Erklärung ist gemäß Artikel 97 zu notifizieren und zu veröffentlichen.

Unterabsatz 2 darf nicht bewirken, daß unter die Verordnung Nr. 3 fallende Regelungen aus dem Geltungsbereich der vorliegenden Verordnung ausgeschlossen werden.

Der Begriff „Rechtsvorschriften" umfaßt ferner nicht die Bestimmungen für Sondersysteme für Selbständige, deren Schaffung der Initiative der Betreffenden überlassen ist oder deren Geltung auf einen Teil des Gebietes des betreffenden Mitgliedstaats beschränkt ist; dabei ist unerheblich, ob sie durch eine Entscheidung von Behörden zu Pflichtversicherungen erklärt worden sind oder ob ihr Geltungsbereich ausgeweitet wird oder nicht. Die betreffenden Sondersysteme sind in Anhang II[1] aufgeführt;

ja)[2] Sondersystem für Beamte; jedes System der sozialen Sicherheit, das sich von dem allgemeinen System der sozialen Sicherheit, das auf die Arbeitnehmer in dem betreffenden Mitgliedstaat anwendbar ist, unterscheidet und das für alle oder bestimmte Gruppen von Beamten oder ihnen gleichgestellte Personen unmittelbar gilt;

k) „Abkommen über die soziale Sicherheit": jede zwei- oder mehrseitige Vereinbarung, die auf dem Gebiet der sozialen Sicherheit für alle oder einen Teil der in Artikel 4 Absätze 1 und 2 bezeichneten Zweige und Systeme ausschließlich zwischen zwei oder mehr Mitgliedstaaten jetzt oder künftig in Kraft ist; jede mehrseitige Vereinbarung, die auf dem Gebiet der sozialen Sicherheit für alle oder einen Teil der in Artikel 4 Absätze 1 und 2 bezeichneten Zweige und Systeme für mindestens zwei Mitgliedstaaten und einen oder mehrere andere Staaten jetzt oder künftig in Kraft ist; ferner alle im Rahmen dieser Vereinbarungen getroffenen weiteren Vereinbarungen jeder Art;

l) „Zuständige Behörde": in jedem Mitgliedstaat der Minister oder die Minister oder die entsprechende Behörde, die im gesamten Ge-

---

1) Der Anhang ist hier nicht abgedruckt.

2) Art. 1 Buchst. ja) eingef. mWv 25. 10. 1998 durch VO (EG) Nr. 1606/98 v. 29. 6. 1998 (ABl. EG Nr. L 209/1).

biet des betreffenden Staates oder in einem Teil davon für die Systeme der sozialen Sicherheit zuständig sind;

m) „Verwaltungskommission": die in Artikel 80 genannte Kommission;

n) „Träger": in jedem Mitgliedstaat die Einrichtung oder Behörde, der die Anwendung aller Rechtsvorschriften oder eines Teiles hiervon obliegt;

o) „Zuständiger Träger":

  i) der Träger, bei dem die in Betracht kommende Person im Zeitpunkt des Antrags auf Leistungen versichert ist, oder

  ii) der Träger, gegen den eine Person einen Anspruch auf Leistungen hat oder hätte, wenn sie selbst oder ihr Familienangehöriger beziehungsweise ihre Familienangehörigen im Gebiet des Mitgliedstaats wohnten, in dem dieser Träger seinen Sitz hat, oder

  iii) der von der zuständigen Behörde des betreffenden Mitgliedstaats bezeichnete Träger, oder

  iv) der Arbeitgeber oder der an seine Stelle tretende Versicherer oder, falls es einen solchen nicht gibt, die von der zuständigen Behörde des betreffenden Mitgliedstaats bestimmte Einrichtung oder Behörde, wenn es sich um ein System handelt, das die Verpflichtungen des Arbeitgebers hinsichtlich der in Artikel 4 Absatz 1 genannten Leistungen betrifft;

p) „Träger des Wohnorts" und „Träger des Aufenthaltsorts": der Träger, der nach den Rechtsvorschriften, die für diesen Träger gelten, für die Gewährung der Leistungen an dem Ort zuständig ist, in dem der Betreffende wohnt oder sich aufhält, oder, wenn ein solcher Träger nicht vorhanden ist, der von der zuständigen Behörde des betreffenden Mitgliedstaats bezeichnete Träger;

q) „Zuständiger Staat": der Mitgliedstaat, in dessen Gebiet der zuständige Träger seinen Sitz hat;

r)[1] „Versicherungszeiten": die Beitrags-, Beschäftigungszeiten oder Zeiten einer Selbständigentätigkeit, die nach den Rechtsvorschriften, nach denen sie zurückgelegt worden sind oder als zurückgelegt gelten, als Versicherungszeiten bestimmt oder anerkannt sind, sowie alle gleichgestellten Zeiten, soweit sie nach diesen Rechtsvorschriften als den Versicherungszeiten gleichwertig anerkannt sind; die Zeiten, die im Rahmen eines Sondersystems für Beamte zurückgelegt wurden, gelten für die Anwendung dieser Verordnung als Versicherungszeiten;

s)[1] „Beschäftigungszeiten" oder „Zeiten einer Selbständigentätigkeit": die Zeiten, die nach den Rechtsvorschriften, unter denen sie zurück-

[1] Art. 1 Buchst. r) und s) letzter Halbs. angef. mWv 25. 10. 1998 durch VO (EG) Nr. 1606/98 v. 29. 6. 1998 (ABl. EG Nr. L 209/1).

gelegt worden sind, als solche bestimmt oder anerkannt sind, ferner alle gleichgestellten Zeiten, soweit sie nach diesen Rechtsvorschriften als den Beschäftigungszeiten oder den Zeiten einer Selbständigentätigkeit gleichwertig anerkannt sind; die Zeiten, die im Rahmen eines Sondersystems für Beamte zurückgelegt wurden, gelten für die Anwendung dieser Verordnung als Beschäftigungszeiten;

sa) „Wohnzeiten": die Zeiten, die nach den Rechtsvorschriften, unter denen sie zurückgelegt worden sind oder unter denen sie als zurückgelegt gelten, als solche bestimmt oder anerkannt sind;

t) „Leistungen" und „Renten": sämtliche Leistungen und Renten einschließlich aller ihrer Teile aus öffentlichen Mitteln, aller Zuschläge, Anpassungsbeträge und Zulagen, soweit Titel III nichts anderes vorsieht; ferner die Kapitalabfindungen, die an die Stelle der Renten treten können, sowie Beitragserstattungen;

u) i) „Familienleistungen": alle Sach- oder Geldleistungen, die zum Ausgleich von Familienlasten im Rahmen der in Artikel 4 Absatz 1 Buchstabe h) genannten Rechtsvorschriften bestimmt sind, jedoch mit Ausnahme der in Anhang II[1] aufgeführten besonderen Geburts- oder Adoptionsbeihilfen;

ii) „Familienbeihilfen": regelmäßige Geldleistungen, die ausschließlich nach Maßgabe der Zahl und gegebenenfalls des Alters von Familienangehörigen gewährt werden;

v) „Sterbegeld": jede einmalige Zahlung im Todesfall, mit Ausnahme der unter Buchstabe t) genannten Kapitalabfindungen.

Art. 2[2] Persönlicher Geltungsbereich. (1) Diese Verordnung gilt für Arbeitnehmer und Selbständige sowie für Studierende, für welche die Rechtsvorschriften eines oder mehrerer Mitgliedstaaten gelten oder galten, soweit sie Staatsangehörige eines Mitgliedstaats sind oder als Staatenlose oder Flüchtlinge im Gebiet eines Mitgliedstaats wohnen, sowie für deren Familienangehörige und Hinterbliebene.

(2) Diese Verordnung gilt für Hinterbliebene von Arbeitnehmern und Selbständigen sowie von Studierenden, für welche die Rechtsvorschriften eines oder mehrerer Mitgliedstaaten galten, und zwar ohne Rücksicht auf die Staatsangehörigkeit dieser Personen, wenn die Hinterbliebenen Staatsangehörige eines Mitgliedstaats sind oder als Staatenlose oder Flüchtlinge im Gebiet eines Mitgliedstaats wohnen.

Art. 3 Gleichbehandlung. (1) Die Personen, die im Gebiet eines Mitgliedstaats wohnen und für die diese Verordnung gilt, haben die

---

[1] Der Anhang ist hier nicht abgedruckt.
[2] Art. 2 neugef. durch VO (EG) Nr. 307/99 v. 8. 2. 1999 (ABl. EG Nr. L 38/1).

gleichen Rechte und Pflichten auf Grund der Rechtsvorschriften eines Mitgliedstaats wie die Staatsangehörigen dieses Staates, soweit besondere Bestimmungen dieser Verordnung nichts anderes vorsehen.

(2) Absatz 1 gilt auch für das aktive Wahlrecht bei der Wahl der Mitglieder der Organe der Träger der sozialen Sicherheit und für das Recht, sich an ihrer Benennung zu beteiligen; die Rechtsvorschriften der Mitgliedstaaten über die Wählbarkeit und die Art der Benennung der genannten Personen für diese Organe werden jedoch davon nicht berührt.

(3) Der Geltungsbereich der Abkommen über soziale Sicherheit, die auf Grund von Artikel 7 Absatz 2 Buchstabe c) weiterhin anwendbar sind, sowie der Abkommen, die auf Grund von Artikel 8 Absatz 1 abgeschlossen werden, wird auf alle von dieser Verordnung erfaßten Personen erstreckt, soweit Anhang III[1)] nichts anderes bestimmt.

Art. 4[2)] Sachlicher Geltungsbereich. (1) Diese Verordnung gilt für alle Rechtsvorschriften über Zweige der sozialen Sicherheit, die folgende Leistungsarten betreffen:

a) Leistungen bei Krankheit und Mutterschaft,

b) Leistungen bei Invalidität einschließlich der Leistungen, die zur Erhaltung oder Besserung der Erwerbsfähigkeit bestimmt sind,

c) Leistungen bei Alter,

d) Leistungen an Hinterbliebene,

e) Leistungen bei Arbeitsunfällen und Berufskrankheiten,

f) Sterbegeld,

g) Leistungen bei Arbeitslosigkeit,

h) Familienleistungen.

(2) Diese Verordnung gilt für die allgemeinen und die besonderen, die auf Beiträgen beruhenden und die beitragsfreien Systeme der sozialen Sicherheit sowie für die Systeme, nach denen die Arbeitgeber, einschließlich der Reeder, zu Leistungen gemäß Absatz 1 verpflichtet sind.

(2a) Diese Verordnung gilt auch für beitragsunabhängige Sonderleistungen, die unter andere als die in Absatz 1 erfaßten oder die nach Absatz 4 ausgeschlossenen Rechtsvorschriften oder Systeme fallen, sofern sie

a) entweder in Versicherungsfällen, die den in Absatz 1 Buchstaben a) bis h) aufgeführten Zweigen entsprechen, ersatzweise, ergänzend oder zusätzlich gewährt werden

b) oder allein zum besonderen Schutz der Behinderten bestimmt sind.

---

1) Der Anhang ist hier nicht abgedruckt.

2) Art. 4 Absätze 2a und 2b eingef. mWv 1. 6. 1992 durch VO (EWG) Nr. 1247/92 vom 30. 4. 1992, ABl. Nr. L 136/1, Abs. 4 geänd. mWv 25. 10. 1998 durch VO (EG) Nr. 1247/92 v. 29. 6. 1998, ABl. Nr. L 209/1.

(2b) Diese Verordnung gilt nicht für die Rechtsvorschriften eines Mitgliedstaats betreffend die in Anhang II[1] Teil III genannten beitragsunabhängigen Sonderleistungen, deren Geltung auf einen Teil des Gebietes dieses Mitgliedstaats beschränkt ist.

(3) Titel III berührt jedoch nicht die Rechtsvorschriften der Mitgliedstaaten über die Verpflichtungen eines Reeders.

(4) Diese Verordnung ist weder auf die Sozialhilfe noch auf Leistungssysteme für Opfer des Krieges und seiner Folgen anzuwenden.

Art. 5[2] Erklärungen der Mitgliedstaaten zum Geltungsbereich der Verordnung. Die Mitgliedstaaten geben in Erklärungen, die gemäß Artikel 97 notifiziert und veröffentlicht werden, die Rechtsvorschriften und Systeme, die unter Artikel 4 Absätze 1 und 2 fallen, die in Artikel 4 Absatz 2a genannten beitragsunabhängigen Sonderleistungen, die Mindestleistungen im Sinne des Artikels 50 sowie die Leistungen im Sinne der Artikel 77 und 78 an.

Art. 6 Abkommen über soziale Sicherheit, an deren Stelle diese Verordnung tritt. Soweit die Artikel 7, 8 und 46 Absatz 4 nichts anderes bestimmen, tritt diese Verordnung im Rahmen ihres persönlichen und sachlichen Geltungsbereichs an die Stelle folgender Abkommen über soziale Sicherheit:

a) Abkommen, die ausschießlich zwischen zwei oder mehreren Mitgliedstaaten in Kraft sind;

b) Abkommen, die zwischen mindestens zwei Mitgliedstaaten und einem oder mehreren anderen Staaten in Kraft sind, sofern es sich um Fälle handelt, an deren Regelung sich kein Träger eines dieser anderen Staaten zu beteiligen hat.

Art. 7[3] Von dieser Verordnung nicht berührte internationale Bestimmungen. (1) Diese Verordnung berührt nicht die Verpflichtungen, denen folgende Übereinkünfte zugrunde liegen:

a) die Übereinkommen, welche von der Internationalen Arbeitskonferenz angenommen worden sind, wenn sie durch einen oder mehrere Mitgliedstaaten ratifiziert und in diesem Staat oder in diesen Staaten in Kraft getreten sind;

---

[1] Der Anhang ist hier nicht abgedruckt.

[2] Art. 5 neugef. mWv 1. 6. 1992 durch VO (EWG) Nr. 1247/92 vom 30. 4. 1992, ABl. Nr. L 136/1.

[3] Art. 7 Abs. 2 Buchst. a neugef. mWv 1. 12. 1987 durch VO (EWG) Nr. 2332/89 vom 18. 7. 1989, ABl. Nr. L 224/1.

b) die zwischen den Mitgliedstaaten des Europarates geschlossenen Vorläufigen Europäischen Abkommen vom 11. Dezember 1953 über die soziale Sicherheit.

(2) Ungeachtet des Artikels 6 bleiben anwendbar:

a) die Abkommen vom 27. Juli 1950 und vom 30. November 1979 über die soziale Sicherheit der Rheinschiffer;

b) das Europäische Abkommen vom 9. Juli 1956 über die soziale Sicherheit der Arbeitnehmer im Internationalen Verkehrswesen;

c) die im Anhang III[1] aufgeführten Bestimmungen der Abkommen über soziale Sicherheit.

Art. 8 Abschluß von Abkommen zwischen Mitgliedstaaten. (1) Zwei oder mehr Mitgliedstaaten können, soweit ein Bedürfnis besteht, nach den Grundsätzen und im Geist dieser Verordnung miteinander Abkommen schließen.

(2) Jeder Mitgliedstaat notifiziert gemäß Artikel 97 Absatz 1 jedes zwischen ihm und einem anderen Mitgliedstaat auf Grund des Absatzes 1 geschlossene Abkommen.

Art. 9 Zulassung zur freiwilligen Versicherung oder freiwilligen Weiterversicherung. (1) Rechtsvorschriften eines Mitgliedstaats, durch welche die freiwillige Versicherung oder freiwillige Weiterversicherung davon abhängig gemacht wird, daß der Berechtigte im Gebiet dieses Staates wohnt, gelten nicht für Personen, die im Gebiet eines anderen Mitgliedstaats wohnen, wenn für diese Personen zu irgendeiner Zeit ihrer früheren Laufbahn als Arbeitnehmer oder Selbständige die Rechtsvorschriften des ersten Staates gegolten haben.

(2) Ist nach den Rechtsvorschriften eines Mitgliedstaats die freiwillige Versicherung oder freiwillige Weiterversicherung von der Zurücklegung von Versicherungszeiten abhängig, so werden die nach den Rechtsvorschriften eines anderen Mitgliedstaats zurückgelegten Versicherungs- oder Wohnzeiten, soweit erforderlich, wie Versicherungszeiten berücksichtigt, die nach den Rechtsvorschriften des ersten Staates zurückgelegt worden sind.

Art. 9a[2] Verlängerung des Rahmenzeitraums. Ist nach den Rechtsvorschriften eines Mitgliedstaats der Anspruch auf Leistungen davon abhängig, daß die Person in einem festgelegten Zeitraum (Rahmenzeitraum) vor Eintritt des Versicherungsfalles eine bestimmte

---

[1] Der Anhang ist hier nicht abgedruckt.

[2] Art. 9 a eingef. mWv 1. 1. 1984 durch VO (EWG) Nr. 2332/89 vom 18. 7. 1989, ABl. Nr. L 224/1, geänd. durch VO (EG) Nr. 307/99 v. 8. 2. 1999 (ABl. EG Nr. L 38/1).

Mindestversicherungszeit zurückgelegt hat, und sehen diese Rechtsvorschriften vor, daß Zeiten, in denen Leistungen nach den Rechtsvorschriften dieses Staates gewährt wurden, oder Zeiten der Kindererziehung im Gebiet dieses Mitgliedstaats diesen Rahmenzeitraum verlängern, dann verlängert sich dieser Rahmenzeitraum auch durch Zeiten, in denen Invaliditäts- oder Altersrente oder Leistungen wegen Krankheit, Arbeitslosigkeit oder Arbeitsunfällen (mit Ausnahme von Renten) nach den Rechtsvorschriften eines anderen Mitgliedstaats gezahlt wurden, und durch Zeiten der Kindererziehung im Gebiet eines anderen Mitgliedstaats.

Art. 10[1)] Aufhebung der Wohnortklauseln – Auswirkung der Pflichtversicherung auf die Beitragserstattung. (1) Die Geldleistungen bei Invalidität, Alter oder für die Hinterbliebenen, die Renten bei Arbeitsunfällen oder Berufskrankheiten und die Sterbegelder, auf die nach den Rechtsvorschriften eines oder mehrerer Mitgliedstaaten Anspruch erhoben worden ist, dürfen, sofern in dieser Verordnung nichts anderes bestimmt ist, nicht deshalb gekürzt, geändert, zum Ruhen gebracht, entzogen oder beschlagnahmt werden, weil der Berechtigte im Gebiet eines anderen Mitgliedstaats als des Staates wohnt, in dessen Gebiet der zur Zahlung verpflichtete Träger seinen Sitz hat.

Unterabsatz 1 gilt auch für Kapitalabfindungen, die im Falle der Wiederverheiratung an den überlebenden Ehegatten gewährt werden, der Anspruch auf Hinterbliebenenrente hatte.

(2) Ist nach den Rechtsvorschriften eines Mitgliedstaats die Beitragserstattung davon abhängig, daß die Versicherungspflicht für die betreffende Person entfallen ist, so gilt diese Voraussetzung als nicht erfüllt, solange diese Person aufgrund der Rechtsvorschriften eines anderen Mitgliedstaats pflichtversichert ist.

Art. 10a Beitragsunabhängige Sonderleistungen. (1) Ungeachtet der Bestimmungen in Artikel 10 und Titel III erhalten die Personen, für die diese Verordnung gilt, die in Artikel 4 Absatz 2a aufgeführten beitragsunabhängigen Sonderleistungen in bar ausschließlich in dem Wohnmitgliedstaat gemäß dessen Rechtsvorschriften, sofern diese Leistungen in Anhang IIa aufgeführt sind. Diese Leistungen werden vom Träger des Wohnorts zu seinen Lasten gewährt.

(2) Der Träger eines Mitgliedstaats, nach dessen Rechtsvorschriften der Anspruch auf in Absatz 1 genannte Leistungen von der Zurücklegung von Beschäftigungszeiten, Zeiten der selbständigen beruflichen Tätigkeit oder Wohnzeiten abhängig ist, berücksichtigt, soweit erfor-

---

1) Art. 10 Abs. 2 geänd. durch VO (EG) Nr. 307/99 v. 8. 2. 1999 (ABl. Nr. L 38/1).

derlich, die in einem anderen Mitgliedstaat zurückgelegten Beschäftigungszeiten, Zeiten der selbständigen beruflichen Tätigkeit oder Wohnzeiten, als wenn es sich um im ersten Staat zurückgelegte Zeiten handelte.

(3) Ist nach den Rechtsvorschriften eines Mitgliedstaats der Anspruch auf eine Zusatzleistung nach Absatz 1 vom Bezug einer Leistung nach einem der Buchstaben a) bis h) des Artikels 4 Absatz 1 abhängig und wird keine Leistung dieser Art nach diesen Rechtsvorschriften geschuldet, wird jede nach den Rechtsvorschriften eines anderen Mitgliedstaats gewährte entsprechende Leistung im Hinblick auf die Gewährung der Zusatzleistung als nach den Rechtsvorschriften des ersten Mitgliedstaats gewährte Leistung betrachtet.

(4) Ist nach den Rechtsvorschriften eines Mitgliedstaats die Gewährung von Leistungen an Invaliden oder Behinderte nach Absatz 1 davon abhängig, daß die Invalidität oder die Behinderung zuerst im Gebiet dieses Mitgliedstaats festgestellt wurde, so gilt diese Voraussetzung als erfüllt, wenn die Feststellung zum ersten Mal im Gebiet eines anderen Mitgliedstaats erfolgte.

Art. 11 Anpassung von Leistungen. Die in den Rechtsvorschriften eines Mitgliedstaats enthaltenen Bestimmungen über die Anpassung von Leistungen gelten für Leistungen, die nach diesen Rechtsvorschriften unter Berücksichtigung dieser Verordnung geschuldet werden.

Art. 12[1] **Verbot des Zusammentreffens von Leistungen.**

(1) Ein Anspruch auf mehrere Leistungen gleicher Art aus derselben Pflichtversicherungszeit kann auf Grund dieser Verordnung weder erworben noch aufrechterhalten werden. Dies gilt jedoch nicht für Leistungen bei Invalidität, Alter, Tod (Renten) oder Berufskrankheit, die von den Trägern von zwei oder mehr Mitgliedstaaten gemäß Artikel 41, Artikel 43 Absätze 2 und 3, Artikel 46, 50 und 51 oder Artikel 60 Absatz 1 Buchstabe b) festgestellt werden.

(2) Ist in den Rechtsvorschriften eines Mitgliedstaats für den Fall des Zusammentreffens einer Leistung mit anderen Leistungen der sozialen Sicherheit oder mit jederlei sonstigen Einkünften vorgesehen, daß die Leistung gekürzt, zum Ruhen gebracht oder entzogen wird, so sind, sofern in dieser Verordnung nichts anderes bestimmt ist, diese Vorschriften einem Berechtigten gegenüber auch dann anwendbar, wenn es sich um Leistungen, die nach den Rechtsvorschriften eines anderen

---

[1] Art. 12 Abs. 4 geändert mit Wirkung vom 29. 7. 1991 durch VO (EWG) Nr. 2195/91 vom 25. 6. 1991, ABl. Nr. L 206/2; Abs. 2 neu gefaßt mit Wirkung vom 1. 6. 1992 durch VO (EWG) Nr. 1248/92 vom 30. 4. 1992, ABl. Nr. L 136/7.

Mitgliedstaats erworben wurden, oder um Einkünfte handelt, die im Gebiet eines anderen Mitgliedstaats bezogen werden.

(3) Ist in den Rechtsvorschriften eines Mitgliedstaats für den Fall der Ausübung einer beruflichen Tätigkeit durch den Empfänger von Leistungen bei Invalidität oder von vorgezogenen Leistungen bei Alter vorgesehen, daß die Leistungen gekürzt, zum Ruhen gebracht oder entzogen werden, so sind diese Vorschriften dem Betreffenden gegenüber auch dann anwendbar, wenn er diese Tätigkeit im Gebiet eines anderen Mitgliedstaats ausübt.

(4) Die Invaliditätsrente, auf die nach den niederländischen Rechtsvorschriften in den Fällen Anspruch besteht, in denen der niederländi-

(Fortsetzung nächstes Blatt)

sche Träger gemäß Artikel 57 Absatz 5 oder Artikel 60 Absatz 2 Buchstabe b) verpflichtet ist, sich an den Lasten für eine nach den Rechtsvorschriften eines anderen Mitgliedstaats gewährte Leistung bei Berufskrankheit zu beteiligen, verringert sich um den Betrag, der dem mit der Gewährung der Leistung bei Berufskrankheit beauftragten Träger des anderen Mitgliedstaats geschuldet wird.

Titel II. Bestimmung der anzuwendenden Rechtsvorschriften

Art. 13[1)] Allgemeine Regelung. (1) Vorbehaltlich der Artikel 14 c und 14 f unterliegen Personen, für die diese Verordnung gilt, den Rechtsvorschriften nur eines Mitgliedstaats. Welche Rechtsvorschriften diese sind, bestimmt sich nach diesem Titel.

(2) Soweit nicht die Artikel 14 bis 17 etwas anderes bestimmen, gilt folgendes:

a) Eine Person, die im Gebiet eines Mitgliedstaats abhängig beschäftigt ist, unterliegt den Rechtsvorschriften dieses Staates, und zwar auch dann, wenn sie im Gebiet eines anderen Mitgliedstaats wohnt oder ihr Arbeitgeber oder das Unternehmen, das sie beschäftigt, seinen Wohnsitz oder Betriebssitz im Gebiet eines anderen Mitgliedstaats hat;

b) eine Person, die im Gebiet eines Mitgliedstaats eine selbständige Tätigkeit ausübt, unterliegt den Rechtsvorschriften dieses Staates, und zwar auch dann, wenn sie im Gebiet eines anderen Mitgliedstaats wohnt;

c) eine Person, die ihre Erwerbstätigkeit an Bord eines Schiffes ausübt, das unter der Flagge eines Mitgliedstaats fährt, unterliegt den Rechtsvorschriften dieses Staates;

d) Beamte und ihnen gleichgestellte Personen unterliegen den Rechtsvorschriften des Mitgliedstaats, in dessen Behörde sie beschäftigt sind;

e) eine zum Wehrdienst oder Zivildienst eines Mitgliedstaats einberufene oder wiedereinberufene Person unterliegt den Rechtsvorschriften dieses Staates. Ist die Inanspruchnahme dieser Rechtsvorschriften von dem Nachweis von Versicherungszeiten vor der Einberufung bzw. der Wiedereinberufung zum Wehrdienst oder Zivildienst oder nach der Entlassung aus dem Wehrdienst oder Zivildienst abhängig,

---

[1)] Art. 13 Abs. 2 Buchst. f angef. mWv 29. 7. 1991 durch VO (EWG) Nr. 2195/91 vom 25. 6. 1991, ABl. Nr. L 206/2, Abs. 1 neugef. mWv 25. 10. 1998 durch VO (EG) Nr. 1606/98 v. 29. 6. 1998, ABl. EG Nr. L 209/1.

so werden die nach den Rechtsvorschriften eines anderen Mitgliedstaats zurückgelegten Versicherungszeiten, soweit erforderlich, wie Versicherungszeiten berücksichtigt, die nach den Rechtsvorschriften des ersten Staates zurückgelegt worden sind. Zum Wehrdienst oder Zivildienst einberufene oder wiedereinberufene Arbeitnehmer bzw. Selbständige behalten ihre Arbeitnehmereigenschaft bzw. Selbständigeneigenschaft;

f) eine Person, die den Rechtsvorschriften eines Mitgliedstaats nicht weiterhin unterliegt, ohne daß die Rechtsvorschriften eines anderen Mitgliedstaats gemäß einer der Vorschriften in den vorhergehenden Buchstaben oder einer der Ausnahmen bzw. Sonderregelungen der Artikel 14 bis 17 auf sie anwendbar würden, unterliegt den Rechtsvorschriften des Mitgliedstaats, in dessen Gebiet sie wohnt, nach Maßgabe allein dieser Rechtsvorschriften.

Art. 14[1]) Sonderregelung für andere Personen als Seeleute, die eine abhängige Beschäftigung ausüben. Vom Grundsatz des Artikels 13 Absatz 2 Buchstabe a) gelten folgende Ausnahmen und Besonderheiten:

1. a) Eine Person, die im Gebiet eines Mitgliedstaats von einem Unternehmen, dem sie gewöhnlich angehört, abhängig beschäftigt wird und die von diesem Unternehmen zur Ausführung einer Arbeit für dessen Rechnung in das Gebiet eines anderen Mitgliedstaats entsandt wird, unterliegt weiterhin den Rechtsvorschriften des ersten Mitgliedstaats, sofern die voraussichtliche Dauer dieser Arbeit zwölf Monate nicht überschreitet und sie nicht eine andere Person ablöst, für welche die Entsendungszeit abgelaufen ist;

   b) geht eine solche Arbeit, deren Ausführung aus nicht vorhersehbaren Gründen die unsprünglich vorgesehene Dauer überschreitet, über zwölf Monate hinaus, so gelten die Rechtsvorschriften des ersten Mitgliedstaats bis zur Beendigung dieser Arbeit weiter, sofern die zuständige Behörde des Mitgliedstaats, in dessen Gebiet der Betreffende entsandt wurde, oder die von dieser Behörde bezeichnete Stelle dazu ihre Genehmigung erteilt; diese Genehmigung ist vor Ablauf der ersten zwölf Monate zu beantragen. Sie darf nicht für länger als zwölf Monate erteilt werden.

---

[1]) Vgl. hierzu auch Beschluß Nr. 162 v. 31. 5. 1996 zur Auslegung des Art. 14 Abs. 1 und Art. 14b Abs. 1 hinsichtlich der auf entsandte Arbeitnehmer anzuwendenden Rechtsvorschriften (ABl. Nr. L 241/28 v. 21. 9. 1996), Beschluss Nr. 181 v. 13. 12. 2000 zur Auslegung des Artikels 14 Absatz 1, des Artikels 14 a Absatz 1 und des Artikels 14 b Absätze 1 und 2 der Verordnung (EWG) Nr. 1408/71 des Rates hinsichtlich der auf entsandte Arbeitnehmer sowie auf Selbständige, die vorübergehend eine Tätigkeit in einem anderen als dem zuständigen Mitgliedstaat ausüben, anzuwendenden Rechtsvorschriften (ABl. Nr. L 329/73 v. 14. 12. 2001).

2. Eine Person, die gewöhnlich im Gebiet von zwei oder mehr Mitgliedstaaten abhängig beschäftigt ist, unterliegt den wie folgt bestimmten Rechtsvorschriften:

   a) Eine Person, die als Mitglied des fahrenden oder fliegenden Personals eines Unternehmens beschäftigt wird, das für Rechnung Dritter oder für eigene Rechnung im internationalen Verkehrswesen die Beförderung von Personen oder Gütern im Schienen-, Straßen-, Luft- oder Binnenschiffahrtsverkehr durchführt und seinen Sitz im Gebiet des Mitgliedstaats hat, unterliegt den Rechtsvorschriften des letzten Mitgliedstaats mit folgender Einschränkung:

      i) Eine Person, die von einer Zweigstelle oder ständigen Vertretung beschäftigt wird, die das Unternehmen außerhalb des Gebietes des Mitgliedstaats, in dem es seinen Sitz hat, im Gebiet eines anderen Mitgliedstaats unterhält, unterliegt den Rechtsvorschriften des Mitgliedstaats, in dessen Gebiet sich die Zweigstelle oder die ständige Vertretung befindet;

      ii) eine Person, die überwiegend im Gebiet des Mitgliedstaats beschäftigt wird, in dem sie wohnt, unterliegt den Rechtsvorschriften dieses Staates auch dann, wenn das Unternehmen, das sie beschäftigt, dort weder seinen Sitz noch die Zweigstelle oder eine ständige Vertretung hat;

   b) eine Person, die nicht unter Buchstabe a) fällt, unterliegt:

      i) den Rechtsvorschriften des Mitgliedstaats, in dessen Gebiet sie wohnt, wenn sie ihre Tätigkeit zum Teil im Gebiet dieses Staates ausübt oder wenn sie für mehrere Unternehmen oder mehrere Arbeitgeber tätig ist, die ihren Sitz oder Wohnsitz im Gebiet verschiedener Mitgliedstaaten haben;

      ii) den Rechtsvorschriften des Mitgliedstaats, in dessen Gebiet das Unternehmen oder der Arbeitgeber, das bzw. der sie beschäftigt, seinen Sitz oder Wohnsitz hat, sofern sie nicht im Gebiet eines der Mitgliedstaaten wohnt, in denen sie ihre Tätigkeit ausübt.

3. Eine Person, die im Gebiet eines Mitgliedstaats abhängig in einem Unternehmen beschäftigt ist, das seinen Sitz im Gebiet eines anderen Mitgliedstaats hat und durch dessen Betrieb die gemeinsame Grenze dieser beiden Staaten verläuft, unterliegt den Rechtsvorschriften des Mitgliedstaats, in dessen Gebiet das Unternehmen seinen Sitz hat.

Art. 14a[1] Sonderregelung für andere Personen als Seeleute, die eine selbständige Tätigkeit ausüben. Vom Grundsatz des Artikels 13 Absatz 2 Buchstabe b) gelten folgende Ausnahmen und Besonderheiten:

1. a) Eine Person, die eine selbständige Tätigkeit gewöhnlich im Gebiet eines Mitgliedstaats ausübt und die eine Arbeit im Gebiet eines anderen Mitgliedstaats ausführt, unterliegt weiterhin den Rechtsvorschriften des ersten Mitgliedstaats, sofern die voraussichtliche Dauer dieser Arbeit zwölf Monate nicht überschreitet;

   b) geht eine solche Arbeit, deren Ausführung aus nichtvorhersehbaren Gründen die ursprünglich vorgesehene Dauer überschreitet, über zwölf Monate hinaus, so gelten die Rechtsvorschriften des ersten Mitgliedstaats bis zur Beendigung dieser Arbeit weiter, sofern die zuständige Behörde des Mitgliedstaats, in dessen Gebiet sich der Betreffende für die Arbeit begeben hat, oder die von dieser Behörde bezeichnete Stelle dazu ihre Genehmigung erteilt; diese Genehmigung ist vor Ablauf der ersten zwölf Monate zu beantragen. Sie darf nicht für länger als zwölf Monate erteilt werden.

2. Eine Person, die eine selbständige Tätigkeit gewöhnlich im Gebiet von zwei oder mehr Mitgliedstaaten ausübt, unterliegt den Rechtsvorschriften des Mitgliedstaats, in dessen Gebiet sie wohnt, wenn sie ihre Tätigkeit zum Teil im Gebiet dieses Mitgliedstaats ausübt. Übt sie keine Tätigkeit im Gebiet des Mitgliedstaats aus, in dem sie wohnt, so unterliegt sie den Rechtsvorschriften des Mitgliedstaats, in dessen Gebiet sie ihre Haupttätigkeit ausübt. Die Kriterien zur Bestimmung der Haupttätigkeit sind in der in Artikel 98 vorgesehenen Verordnung festgelegt.

3. Eine Person, die eine selbständige Tätigkeit in einem Unternehmen ausübt, das seinen Sitz im Gebiet eines Mitgliedstaats hat und durch dessen Betrieb die gemeinsame Grenze von zwei Mitgliedstaaten verläuft, unterliegt den Rechtsvorschriften des Mitgliedstaats, in dessen Gebiet das Unternehmen seinen Sitz hat.

4. Besteht nach den Rechtsvorschriften, die nach den Absätzen 2 oder 3 für eine Person gelten müßten, für diese Person auch nicht die Möglichkeit einer freiwilligen Mitgliedschaft in einem Altersversicherungssystem, so gelten für den Betreffenden die Rechtsvorschriften des anderen Mitgliedstaats, die unabhängig von den vorgenannten Bestimmungen für ihn gelten würden, oder, falls dann die

---

[1] Vgl. hierzu Beschluss Nr. 181 v. 13. 12. 2000 zur Auslegung des Artikels 14 Absatz 1, des Artikels 14a Absatz 1 und des Artikels 14b Absätze 1 und 2 der Verordnung (EWG) Nr. 1408/71 des Rates hinsichtlich der auf entsandte Arbeitnehmer sowie auf Selbständige, die vorübergehend eine Tätigkeit in einem anderen als dem zuständigen Mitgliedstaat ausüben, anzuwendenden Rechtsvorschriften (ABl. Nr. L. 329/73 v. 14. 12. 2001).

Rechtsvorschriften zweier oder mehrerer Mitgliedstaaten für ihn gelten würden, die Rechtsvorschriften, die diese Mitgliedstaaten oder ihre zuständigen Behörden in gegenseitigem Einvernehmen bestimmen.

Art. 14b[1] Sonderregelung für Seeleute. Vom Grundsatz des Artikels 13 Absatz 2 Buchstabe c) gelten folgende Ausnahmen und Besonderheiten:

(Fortsetzung nächstes Blatt)

---

[1] Vgl. hierzu auch Beschluß Nr. 162 v. 31. 5. 1996 zur Auslegung des Art. 14 Abs. 1 und Art. 14b Abs. 1 hinsichtlich der auf entsandte Arbeitnehmer anzuwendenden Rechtsvorschriften (ABl. L 241/28 v. 21. 9. 1996), Beschluss Nr. 181 v. 13. 12. 2000 zur Auslegung des Artikels 14 Absatz 1, des Artikels 14a Absatz 1 und des Artikels 14b Absätze 1 und 2 der Verordnung (EWG) Nr. 1408/71 des Rates hinsichtlich der auf entsandte Arbeitnehmer sowie auf Selbständige, die vorübergehend eine Tätigkeit in einem anderen als dem zuständigen Mitgliedstaat ausüben, anzuwendenden Rechtsvorschriften (ABl. Nr. L 329/73 v. 14. 12. 2001).

1. Eine Person, die von einem Unternehmen, dem sie gewöhnlich angehört, entweder im Gebiet eines Mitgliedstaats oder an Bord eines Schiffes, das unter der Flagge eines Mitgliedstaats fährt, abhängig beschäftigt wird, und von diesem Unternehmen zur Ausführung einer Arbeit für dessen Rechnung auf ein Schiff entsandt wird, das unter der Flagge eines anderen Mitgliedstaats fährt, unterliegt unter den in Artikel 14 Absatz 1 genannten Voraussetzungen weiterhin den Rechtsvorschriften des ersten Mitgliedstaats.
2. Eine Person, die gewöhnlich eine selbständige Tätigkeit entweder im Gebiet eines Mitgliedstaats oder an Bord eines Schiffes, das unter der Flagge eines Mitgliedstaats fährt, ausübt und für eigene Rechnung eine Arbeit an Bord eines Schiffes ausführt, das unter der Flagge eines anderen Mitgliedstaats fährt, unterliegt unter den in Artikel 14a Absatz 1 genannten Voraussetzungen weiterhin den Rechtsvorschriften des ersten Mitgliedstaats.
3. Eine gewöhnlich nicht auf See tätige Person, die eine Erwerbstätigkeit in den Hoheitsgewässern oder in einem Hafen eines Mitgliedstaats an Bord eines in diesen Hoheitsgewässern oder in diesem Hafen befindlichen Schiffes, das unter der Flagge eines anderen Mitgliedstaats fährt, ausführt und die nicht der Besatzung dieses Schiffes angehört, unterliegt den Rechtsvorschriften des ersten Mitgliedstaats.
4. Eine Person, die an Bord eines Schiffes, das unter der Flagge eines Mitgliedstaats fährt, abhängig beschäftigt ist und die ihr Arbeitsentgelt für diese Beschäftigung von einem Unternehmen oder einer Person mit Sitz oder Wohnsitz im Gebiet eines anderen Mitgliedstaats erhält, unterliegt den Rechtsvorschriften des letzteren Staates, sofern sie in dessen Gebiet wohnt; das Unternehmen oder die Person, das bzw. die das Arbeitsentgelt zahlt, gilt für die Anwendung dieser Rechtsvorschriften als Arbeitgeber.

Art. 14c Sonderregelung für Personen, die im Gebiet verschiedener Mitgliedstaaten gleichzeitig abhängige Beschäftigung und eine selbständige Tätigkeit ausüben. Eine Person, die im Gebiet verschiedener Mitgliedstaaten gleichzeitig eine abhängige Beschäftigung und eine selbständige Tätigkeit ausübt, unterliegt:

a) vorbehaltlich Buchstabe b) den Rechtsvorschriften des Mitgliedstaats, in dessen Gebiet sie eine abhängige Beschäftigung ausübt, oder, falls sie eine solche Beschäftigung im Gebiet von zwei oder mehr Mitgliedstaaten ausübt, den nach Artikel 14 Nummer 2 oder Nummer 3 bestimmten Rechtsvorschriften;

b) in den in Anhang VII[1] aufgeführten Fällen
– den Rechtsvorschriften des Mitgliedstaats, in dessen Gebiet sie eine abhängige Beschäftigung ausübt, wobei diese Rechtsvorschriften nach Artikel 14 Nummer 2 oder Nummer 3 bestimmt werden, falls sie eine solche Beschäftigung im Gebiet von zwei oder mehr Mitgliedstaaten ausübt, und
– den Rechtsvorschriften des Mitgliedstaats, in dessen Gebiet sie eine selbständige Tätigkeit ausübt, wobei diese Rechtsvorschriften nach Artikel 14 a Nummern 2, 3 oder 4 bestimmt werden, falls sie eine solche Tätigkeit im Gebiet von zwei oder mehr Mitgliedstaaten ausübt.

Art. 14 d[2] Verschiedene Bestimmungen. (1) Eine Person, für die Artikel 14 Absätze 2 und 3, Artikel 14 a Absätze 2, 3 und 4, Artikel 14 c Buchstabe a) oder Artikel 14 e gilt, wird für die Anwendung der nach diesen Bestimmungen bestimmten Rechtsvorschriften so behandelt, als ob sie ihre gesamte Erwerbstätigkeit oder ihre gesamten Erwerbstätigkeiten im Gebiet des betreffenden Mitgliedstaats ausübte.

(2) Eine Person, für die Artikel 14 c Buchstabe b) gilt, wird für die Festlegung des Beitragssatzes zu Lasten der Selbständigen nach den Rechtsvorschriften des Mitgliedstaats, in dessen Gebiet sie ihre selbständigen Tätigkeit ausübt, so behandelt, als ob sie ihre abhängige Beschäftigung im Gebiet dieses Staates ausübte.

(3) Rechtsvorschriften eines Mitgliedstaats, nach denen ein Rentenberechtigter, der eine Erwerbstätigkeit ausübt, der Pflichtversicherung aufgrund dieser Tätigkeit nicht unterliegt, gelten auch für den nach den Rechtsvorschriften eines anderen Mitgliedstaats zum Bezug einer Rente Berechtigten, sofern dieser nicht ausdrücklich die Pflichtversicherung bei dem von der zuständigen Behörde des ersten Mitgliedstaats bezeichneten und im Anhang 10 der in Artikel 98 genannten Verordnung aufgeführten Träger beantragt.

Art. 14 e.[2] Sonderregelung für im Rahmen eines Sondersystems für Beamte versicherte Personen, die gleichzeitig im Gebiet eines anderen Mitgliedstaats oder mehrerer anderer Mitgliedstaaten eine abhängige Beschäftigung und/oder eine selbständige Tätigkeit ausüben. Beamte und ihnen gleichgestellte Personen, die im Rahmen eines Sondersystems für Beamte in einem Mitgliedstaat versichert sind und gleichzeitig in einem anderen Mitgliedstaat oder mehreren anderen Mitgliedstaaten eine abhängige Be-

[1] Der Anhang ist hier nicht abgedruckt.
[2] Art. 14 d Abs. 1 neugef., Art. 14 e eingef. mWv 25. 10. 1998 durch VO (EG) Nr. 1606/98 v. 29. 6. 1998 (ABl. EG Nr. L 209/1).

schäftigung und/oder selbständige Tätigkeit ausüben, unterliegen den Rechtsvorschriften des Mitgliedstaats, in dem sie im Rahmen eines Sondersystems für Beamte versichert sind.

Art. 14f.[1] Sonderregelung für in mehr als einem Mitgliedstaat tätige Beamte, die in einem dieser Staaten im Rahmen eines Sondersystems versichert sind. In zwei oder mehr Mitgliedstaaten tätige Beamte und ihnen gleichgestellte Personen, die in mindestens einem dieser Mitgliedstaaten im Rahmen eines Sondersystems für Beamte versichert sind, unterliegen den Rechtsvorschriften jedes dieser Mitgliedstaaten.

Art. 15 Freiwillige Versicherung und freiwillige Weiterversicherung. (1) Artikel 13 bis 14d gelten nicht für die freiwillige Versicherung und die freiwillige Weiterversicherung, es sei denn, es gibt in einem Mitgliedstaat für einen der in Artikel 4 genannten Zweige nur ein System freiwilliger Versicherung.

(2) Führt die Anwendung der Rechtsvorschriften von zwei oder mehr Mitgliedstaaten zu

– einem Zusammentreffen einer Pflichtversicherung und einer freiwilligen Versicherung oder freiwilligen Weiterversicherung bei einem

(Fortsetzung nächstes Blatt)

---

[1] Art. 14f eingef. mWv 25. 10. 1998 durch VO (EG) Nr. 1606/98 v. 29. 6. 1998 (ABl. EG Nr. L 209/1).

oder mehreren Systemen, so unterliegt der Versicherte ausschließlich der Pflichtversicherung;

– einem Zusammentreffen der freiwilligen Versicherung oder freiwilligen Weiterversicherung bei zwei oder mehr Systemen, so kann der Versicherte nur der freiwilligen Versicherung oder freiwilligen Weiterversicherung angehören, für die er sich entschieden hat.

(3) Der Versicherte kann in den Zweigen Invalidität, Alter und Tod (Renten) jedoch auch dann der freiwilligen Versicherungen oder freiwilligen Weiterversicherung eines Mitgliedstaats angehören, wenn er nach den Rechtsvorschriften eines anderen Mitgliedstaats pflichtversichert ist, sofern ein solches Zusammentreffen im ersten Mitgliedstaat ausdrücklich oder stillschweigend zugelassen ist.

Art. 16 Sonderregelung für das Geschäftspersonal der diplomatischen Vertretungen und der konsularischen Dienststellen sowie für die Hilfskräfte der Europäischen Gemeinschaften.

(1) Artikel 13 Absatz 2 Buchstabe a) gilt auch für Mitglieder des Geschäftspersonals der diplomatischen Vertretungen oder konsularischen Dienststellen und für private Hausangestellte im Dienst von Angehörigen dieser Vertretungen oder Dienststellen.

(2) Die in Absatz 1 bezeichneten Arbeitnehmer, die Staatsangehörige des entsendenden Mitgliedstaats sind, können sich jedoch für die Anwendung der Rechtsvorschriften dieses Staates entscheiden. Dieses Wahlrecht kann am Ende jedes Kalenderjahres neu ausgeübt werden und hat keine rückwirkende Kraft.

(3) Die Hilfskräfte der Europäischen Gemeinschaften haben die Wahl zwischen der Anwendung der Rechtsvorschriften des Mitgliedstaats, in dessen Gebiet sie beschäftigt sind, des Mitgliedstaats, in dem sie zuletzt versichert waren, oder des Mitgliedstaats, dessen Staatsangehörigkeit sie besitzen; ausgenommen hiervon sind die Vorschriften über Familienbeihilfen, deren Gewährung in den Beschäftigungsbedingungen für diese Hilfskräfte geregelt ist. Dieses Wahlrecht kann nur einmal ausgeübt werden und wird mit dem Tage des Dienstantritts wirksam.

Art. 17[1)] Ausnahmen von den Artikeln 13 bis 16. Zwei oder mehr Mitgliedstaaten, die zuständigen Behörden dieser Staaten oder die von diesen Behörden bezeichneten Stellen können im Interesse bestimmter Personengruppen oder bestimmter Personen Ausnahmen von den Artikeln 13 bis 16 vereinbaren.

[1)] Art. 17 neu gefaßt mit Wirkung vom 29. 7. 1991 durch VO (EWG) Nr. 2195/91 vom 25. 6. 1991, ABl. Nr. L 206/2.

Art. 17a[1)] Besondere Vorschriften für Rentner, denen Renten nach den Rechtsvorschriften eines oder mehrerer Mitgliedstaaten geschuldet werden. Wohnt ein Rentner, dem eine Rente nach den Rechtsvorschriften eines Mitgliedstaats oder Renten nach den Rechtsvorschriften von mehreren Mitgliedstaaten geschuldet werden, im Gebiet eines anderen Mitgliedstaats, so kann er auf Antrag von der Anwendung der Rechtsvorschriften dieses letzteren Staates freigestellt werden, sofern er diesen Rechtsvorschriften nicht aufgrund der Ausübung einer Erwerbstätigkeit unterliegt.

Titel III. Besondere Vorschriften für die einzelnen Leistungsarten

Kapitel 1. Krankheit und Mutterschaft

Abschnitt 1. Gemeinsame Vorschriften

Art. 18 Zusammenrechnung der Versicherungs-, Beschäftigungs- oder Wohnzeiten. (1) Der zuständige Träger eines Mitgliedstaats, nach dessen Rechtsvorschriften der Erwerb, die Aufrechterhaltung oder das Wiederaufleben des Leistungsanspruchs von der Zurücklegung von Versicherungs-, Beschäftigungs- oder Wohnzeiten abhängig ist, berücksichtigt, soweit erforderlich, die Versicherungs-, Beschäftigungs- oder Wohnzeiten nach den Rechtsvorschriften eines anderen Mitgliedstaats, als handelte es sich um Zeiten, die nach den für diesen Träger geltenden Rechtsvorschriften zurückgelegt worden sind.

(2) Absatz 1 gilt auch für Saisonarbeiter, selbst wenn es sich um Zeiten handelt, die vor dem Zeitpunkt einer Unterbrechung der Versicherung liegen, die länger gedauert hat, als es nach den Rechtsvorschriften des zuständigen Staates zulässig ist, unter der Voraussetzung, daß die Versicherung des Betreffenden nicht länger als vier Monate lang unterbrochen war.

Abschnitt 2. Arbeitnehmer und Selbständige sowie deren Familienangehörige

Art. 19 Wohnort in einem anderen Mitgliedstaat als dem zuständigen Staat – Allgemeine Regelung. (1) Ein Arbeitnehmer oder Selbständiger, der im Gebiet eines anderen Mitgliedstaats als des zuständigen Staates wohnt und die nach den Rechtsvorschriften des

---

[1)] Art. 17 a eingefügt mit Wirkung vom 29. 7. 1991 durch VO (EWG) Nr. 2195/91 vom 25. 6. 1991, ABl. Nr. L 206/2.

zuständigen Staates für den Leistungsanspruch erforderlichen Voraussetzungen, gegebenenfalls unter Berücksichtigung des Artikels 18, erfüllt, erhält in dem Staat, in dem er wohnt,

a) Sachleistungen für Rechnung des zuständigen Trägers vom Träger des Wohnorts nach den für diesen Träger geltenden Rechtsvorschriften, als ob er bei diesem versichert wäre;

b) Geldleistungen vom zuständigen Träger nach den für diesen Träger geltenden Rechtsvorschriften. Im Einvernehmen zwischen dem zuständigen Träger und dem Träger des Wohnorts können die Leistungen jedoch vom Träger des Wohnorts nach den Rechtsvorschriften des zuständigen Staates für Rechnung des zuständigen Trägers gewährt werden.

(2) Absatz 1 gilt entsprechend für Familienangehörige, die im Gebiet eines anderen als des zuständigen Staates wohnen, sofern sie nicht auf Grund der Rechtsvorschriften des Staates, in dessen Gebiet sie wohnen, Anspruch auf diese Leistungen haben.

Wohnen die Familienangehörigen im Gebiet eines Mitgliedstaats, nach dessen Rechtsvorschriften der Anspruch auf Sachleistungen nicht von Versicherungs- oder Beschäftigungsbedingungen abhängig ist, so gelten die ihnen gewährten Sachleistungen als für Rechnung des Trägers gewährt, bei dem der Arbeitnehmer oder Selbständige versichert ist, es sei denn, daß sein Ehegatte oder die Person, die für die Kinder sorgt, eine Berufstätigkeit im Gebiet dieses Mitgliedstaats ausübt.

Art. 20 Grenzgänger und deren Familienangehörige – Sonderregelungen. Ein Grenzgänger kann die Leistungen auch im Gebiet des zuständigen Staates erhalten. Diese Leistungen werden vom zuständigen Träger nach den Rechtsvorschriften dieses Staates erbracht, als ob der Grenzgänger dort wohnte. Die Familienangehörigen eines Grenzgängers können unter den gleichen Voraussetzungen Leistungen erhalten; die Gewährung dieser Leistungen ist jedoch – außer in dringlichen Fällen – davon abhängig, daß zwischen den Mitgliedstaaten oder zwischen den zuständigen Behörden dieser Staaten eine entsprechende Vereinbarung[1] getroffen worden ist oder daß, in Ermangelung einer solchen Vereinbarung, der zuständige Träger vorher seine Genehmigung hierzu erteilt hat.

Art. 21 Aufenthalt im zuständigen Staat oder Wohnortwechsel in den zuständigen Staat. (1) Der in Artikel 19 Absatz 1 bezeichnete Arbeitnehmer oder Selbständige, der sich im Gebiet des zu-

[1] Vgl. das Abkommen zwischen der Bundesrepublik Deutschland und den Niederlanden v. 15. 2. 1982 (in Kraft gesetzt durch VO v. 8. 11. 1982, BGBl. II S. 958, 1203).

ständigen Staates aufhält, erhält Leistungen nach den Rechtsvorschriften dieses Staates, als ob er dort wohnte, selbst wenn er für den gleichen Fall der Krankheit oder Mutterschaft schon vor seinem dortigen Aufenthalt Leistungen erhalten hat.

(2) Absatz 1 gilt für die in Artikel 19 Absatz 2 bezeichneten Familienangehörigen entsprechend.

Wohnen diese jedoch im Gebiet eines anderen als des Mitgliedstaats, in dem der Arbeitnehmer oder Selbständige wohnt, so gewährt der Träger des Aufenthaltsortes die Sachleistungen für Rechnung des Trägers des Wohnorts der betreffenden Personen.

(3) Die Absätze 1 und 2 gelten nicht für Grenzgänger und ihre Familienangehörigen.

(4) Der in Artikel 19 bezeichnete Arbeitnehmer oder Selbständige und seine in Artikel 19 bezeichneten Familienangehörigen erhalten nach einem Wohnortwechsel in das Gebiet des zuständigen Staates Leistungen nach den Rechtsvorschriften dieses Staates, selbst wenn sie für den gleichen Fall der Krankheit oder Mutterschaft schon vor dem Wohnortwechsel Leistungen erhalten haben.

Art. 22[1] Aufenthalt außerhalb des zuständigen Staates – Rückkehr oder Wohnortwechsel in einen anderen Mitgliedstaat während eines Krankheits- oder Mutterschaftsfalles – Notwendigkeit, sich zwecks angemessener Behandlung in einen anderen Mitgliedstaat zu begeben. (1) Ein Arbeitnehmer oder Selbständiger, der die nach den Rechtsvorschriften des zuständigen Staates für den Leistungsanspruch erforderlichen Voraussetzungen, gegebenenfalls unter Berücksichtigung des Artikels 18, erfüllt und

a)[2] bei dessen Zustand sich Sachleistungen während eines Aufenthalts im Gebiet eines anderen Mitgliedstaats unter Berücksichtigung der Art der Leistungen und der voraussichtlichen Aufenthaltsdauer als medizinisch notwendig erweisen.

b) der, nachdem er zu Lasten des zuständigen Trägers leistungsberechtigt geworden ist, von diesem Träger die Genehmigung erhalten hat, in das Gebiet des Mitgliedstaats, in dem er wohnt, zurückzukehren oder einen Wohnortwechsel in das Gebiet eines anderen Mitgliedstaats vorzunehmen, oder

[1] Abs. 1 lit. a geändert, Abs. 1a eingefügt, Abs. 3 UAbs. 1 geändert durch VO (EG) Nr. 631/2004 v. 31. 3. 2004 (ABl. Nr. L 100/1).

[2] Wegen Grönland siehe VO (EWG) Nr. 1661/85 v. 13. 6. 1985, ABl. Nr. L 160/7. Vgl. auch Beschluss Nr. 183 v. 27. 6. 2001 über die Auslegung des Art. 22 Abs. 1 a der VO (EWG) Nr. 1408/71 im Zusammenhang mit Sachleistungen bei Schwangerschaft und Entbindung (ABl. Nr. L 54/39 v. 25. 2. 2002).

c) der vom zuständigen Träger die Genehmigung erhalten hat, sich in das Gebiet eines anderen Mitgliedstaats zu begeben, um dort eine seinem Zustand angemessene Behandlung zu erhalten,

hat Anspruch auf:

i) Sachleistungen für Rechnung des zuständigen Trägers vom Träger des Aufenthalts- oder Wohnorts nach den für diesen Träger geltenden Rechtsvorschriften, als ob er bei ihm versichert wäre; die Dauer der Leistungsgewährung richtet sich jedoch nach den Rechtsvorschriften des zuständigen Staates;

ii) Geldleistungen vom zuständigen Träger nach den für diesen Träger geltenden Rechtsvorschriften. Im Einvernehmen zwischen dem zuständigen Träger und dem Träger des Aufenthalts- oder Wohnorts können diese Leistungen jedoch vom Träger des Aufenthalts- oder Wohnorts nach den Rechtsvorschriften des zuständigen Staates für Rechnung des zuständigen Trägers gewährt werden.

(1 a) Die Verwaltungskommission erstellt eine Liste der Sachleistungen, für die aus praktischen Gründen eine vorherige Vereinbarung zwischen der betreffenden Person und dem die medizinische Leistung erbringenden Träger erforderlich ist, damit sie während eines Aufenthalts in einem anderen Mitgliedstaat erbracht werden können.

(2) Die nach Absatz 1 Buchstabe b) erforderliche Genehmigung darf nur verweigert werden, wenn die Rückkehr oder der Wohnortwechsel des Arbeitnehmers oder Selbständigen dessen Gesundheitszustand gefährden oder die Durchführung der ärztlichen Behandlung in Frage stellen würde.

Die nach Absatz 1 Buchstabe c) erforderliche Genehmigung darf nicht verweigert werden, wenn die betreffende Behandlung zu den Leistungen gehört, die in den Rechtsvorschriften des Mitgliedstaats vorgesehen sind, in dessen Gebiet der Betreffende wohnt, und wenn er in Anbetracht seines derzeitigen Gesundheitszustands und des voraussichtlichen Verlaufs der Krankheit diese Behandlung nicht in einem Zeitraum erhalten kann, der für diese Behandlungen in dem Staat, in dem er seinen Wohnsitz hat, normalerweise erforderlich ist.

(3)[1] Die Absätze 1, 1 a und 2 finden entsprechend auf die Familienangehörigen von Arbeitnehmern oder Selbständigen Anwendung.

Für die Anwendung von Absatz 1 Buchstabe a) Ziffer i) und Buchstabe c) Ziffer i) auf die in Artikel 19 Absatz 2 bezeichneten Familienangehörigen, die im Gebiet eines anderen als des Mitgliedstaats wohnen, in dem der Arbeitnehmer oder Selbständige wohnt, gilt jedoch folgendes:

a) Die Sachleistungen werden für Rechnung des Trägers des Mitgliedstaats, in dessen Gebiet die Familienangehörigen wohnen, vom

---

[1] Wegen Grönland siehe VO (EWG) Nr. 1661/85 v. 13. 6. 1985, ABl. Nr. L 160/7.

Träger des Aufenthaltsorts nach den für diesen geltenden Rechtsvorschriften gewährt, als ob der Arbeitnehmer oder Selbständige dort versichert wäre. Die Dauer der Leistungsgewährung richtet sich jedoch nach den Rechtsvorschriften des Mitgliedstaats, in dessen Gebiet die Familienangehörigen wohnen.

b) Die nach Absatz 1 Buchstabe c) erforderliche Genehmigung wird von dem Träger des Mitgliedstaats, in dessen Gebiet die Familienangehörigen wohnen, erteilt.

(4) Der Leistungsanspruch der Familienangehörigen eines Arbeitnehmers oder Selbständigen wird nicht dadurch beeinträchtigt, daß der Arbeitnehmer oder Selbständige selbst einen Leistungsanspruch nach Absatz 1 hat.

Art. 22 a[1] Sonderregelung für bestimmte Personengruppen. Abweichend von Artikel 2 gilt Artikel 22 Absatz 1 Buchstaben a) und c) sowie Absatz 1 a auch für Personen, die Staatsangehörige eines Mitgliedstaats sind und die nach den Rechtsvorschriften eines Mitgliedstaats versichert sind, und für die bei ihnen wohnenden Familienangehörigen.

Art. 22 b und 22 c.[2] *(aufgehoben)*

Art. 23[3] Berechnung der Geldleistungen. (1) Der zuständige Träger eines Mitgliedstaats, nach dessen Rechtsvorschriften bei der Berechnung von Geldleistungen ein Durchschnittsarbeitsentgelt oder -einkommen oder ein Durchschnittsbeitrag zugrunde zu legen ist, ermittelt das Durchschnittsarbeitsentgelt oder -einkommen oder den Durchschnittsbeitrag ausschließlich aufgrund der Arbeitsentgelte oder -einkommen, die für die nach den Rechtsvorschriften dieses Mitgliedstaats zurückgelegten Zeiten festgestellt worden sind.

(2) Der zuständige Träger eines Mitgliedstaats, nach dessen Rechtsvorschriften bei der Berechnung von Geldleistungen ein pauschales Arbeitsentgelt oder pauschales Arbeitseinkommen zugrunde zu legen ist, berücksichtigt ausschließlich das pauschale Arbeitsentgelt oder pauschale Arbeitseinkommen oder gegebenenfalls den Durchschnitt der pauschalen Arbeitsentgelte oder pauschalen Arbeitseinkommen für

---

[1] Art. 22 a eingef. durch VO (EG) Nr. 3095/95 des Rates v. 22. 12. 1995 (ABl. Nr. L 335/1). Vgl. hierzu Beschluss Nr. 174 v. 20. 4. 1999 über die Auslegung des Art. 22 a der VO (EWG) Nr. 1408/71 (2000/141/EG) (ABl. Nr. L 47/30 v. 19. 2. 2000), Art. 22 a neugefaßt durch VO (EG) Nr. 631/2004 v. 31. 3. 2004 (ABl. Nr. L 100/1).

[2] Art. 22 c aufgeh. durch VO (EG) Nr. 307/99 v. 8. 2. 1999 (ABl. EG Nr. L 38/1), Art. 22 b aufgeh. durch VO (EG) Nr. 631/2004 v. 31. 3. 2004 (ABl. Nr. L 100/1).

[3] Art. 23 Abs. 1 neugef. durch Anh. VIII Beitritts- und Anpassungsakte v. 12. 6. 1985 (ABl. Nr. L 302/170).

Zeiten, die nach den Rechtsvorschriften dieses Mitgliedstaats zurückgelegt worden sind.

(3) Der zuständige Träger eines Mitgliedstaats, nach dessen Rechtsvorschriften sich die Höhe der Geldleistungen nach der Zahl der Familienangehörigen richtet, berücksichtigt auch die Familienangehörigen der betreffenden Person, die in einem anderen Mitgliedstaat wohnen, als wohnten sie im Gebiet des zuständigen Staates.

Art. 24 Sachleistungen von erheblicher Bedeutung. (1) Hat ein Träger eines Mitgliedstaats einem Arbeitnehmer oder Selbständigen für sich oder einen seiner Familienangehörigen vor seiner neuen Mitgliedschaft beim Träger eines anderen Mitgliedstaats den Anspruch auf ein Körperersatzstück, ein größeres Hilfsmittel oder eine andere Sachleistung von erheblicher Bedeutung zuerkannt, so gehen diese Leistungen auch dann zu Lasten des ersten Trägers, wenn der betreffende Arbeitnehmer oder Selbständige zur Zeit ihrer Gewährung bereits beim zweiten Träger Mitglied ist.

(2) Die Verwaltungskommission legt die Liste der Leistungen fest, auf die Absatz 1 anzuwenden ist.

Abschnitt 3. Arbeitslose und deren Familienangehörige

Art. 25.[1] (1) Ein arbeitsloser Arbeitnehmer oder Selbständiger, auf den Artikel 69 Absatz 1 oder Artikel 71 Absatz 1 Buchstabe b) Ziffer ii) Satz 2 Anwendung findet und der die nach den Rechtsvorschriften des zuständigen Staates erforderlichen Voraussetzungen für den Anspruch auf Sach- und Geldleistungen, gegebenenfalls unter Berücksichtigung des Artikels 18, erfüllt, erhält während des in Artikel 69 Absatz 1 Buchstabe c) vorgesehenen Zeitraums:

a) Sachleistungen, die sich während des Aufenthalts im Gebiet des Mitgliedstaats, in dem er eine Beschäftigung sucht, unter Berücksichtigung der Art der Leistungen und der voraussichtlichen Aufenthaltsdauer für ihn als medizinisch notwendig erweisen. Diese Sachleistungen werden für Rechnung des zuständigen Trägers vom Träger des Mitgliedstaats der Arbeitssuche nach den für diesen Träger geltenden Rechtsvorschriften erbracht, als ob die Person bei diesem Träger versichert wäre;

b) Geldleistungen vom zuständigen Träger nach den für diesen Träger geltenden Rechtsvorschriften. Im Einvernehmen zwischen dem zuständigen Träger und dem Träger des Mitgliedstaats, in dem der Ar-

[1] Art. 25 Abs. 1 neugefaßt, Abs. 1 a eingefügt durch VO (EG) Nr. 631/2004 v. 31. 3. 2004 (ABl. Nr. L 100/1).

beitslose eine Beschäftigung sucht, können diese Leistungen jedoch vom letztgenannten Träger nach den Rechtsvorschriften des zuständigen Staates für Rechnung des zuständigen Trägers gewährt werden. Leistungen bei Arbeitslosigkeit nach Artikel 69 Absatz 1 werden während des Bezugs der Geldleistungen nicht gewährt.

(1 a) Artikel 22 Absatz 1 a findet entsprechende Anwendung.

(2) Ein vollarbeitsloser Arbeitnehmer, auf den Artikel 71 Absatz 1 Buchstabe a) Ziffer ii) oder Buchstabe b) Ziffer ii) Satz 1 Anwendung findet, erhält Sach- und Geldleistungen, gegebenenfalls unter Berücksichtigung des Artikels 18, nach den Rechtsvorschriften des Mitgliedstaats, in dessen Gebiet er wohnt, als ob diese Rechtsvorschriften während seiner letzten Beschäftigung für ihn gegolten hätten; diese Leistungen gehen zu Lasten des Trägers des Wohnlandes.

(3) Erfüllt ein Arbeitsloser, gegebenenfalls unter Berücksichtigung des Artikels 18, die nach den Rechtsvorschriften des Mitgliedstaats, der die Leistungen bei Arbeitslosigkeit zu tragen hat, erforderlichen Voraussetzungen für den Anspruch auf Leistungen bei Krankheit und Mutterschaft, so erhalten seine Familienangehörigen diese Leistungen in jenem Mitgliedstaat, in dessen Gebiet sie wohnen oder sich aufhalten. Diese Leistungen werden wie folgt gewährt:

i) Sachleistungen vom Träger des Wohn- oder Aufenthaltsorts nach den für ihn geltenden Rechtsvorschriften für Rechnung des zuständigen Trägers des Mitgliedstaats, zu dessen Lasten die Leistungen bei Arbeitslosigkeit gehen;

ii) Geldleistungen von dem zuständigen Träger des Mitgliedstaats, zu dessen Lasten die Leistungen bei Arbeitslosigkeit gehen, nach den für ihn geltenden Rechtsvorschriften.

(4) Der zuständige Träger kann den in Absatz 1 genannten Zeitraum in Fällen höherer Gewalt bis zu der Höchstdauer verlängern, die in den für den zuständigen Träger geltenden Rechtsvorschriften vorgesehen ist; innerstaatliche Rechtsvorschriften eines Mitgliedstaats, die die Gewährung von Leistungen bei Krankheit und während eines längeren Zeitraums erlauben, bleiben unberührt.

Art. 25 a[1] Beiträge zu Lasten vollarbeitsloser Arbeitnehmer. Der Träger eines Mitgliedstaats, der den in Artikel 23 Absatz 2 erfaßten Arbeitslosen Sach- und Geldleistungen schuldet und der Rechtsvorschriften anwendet, in denen Beitragsabzüge zu Lasten der Arbeitslosen zur Deckung der Leistungen wegen Krankheit und Mutterschaft vorgesehen sind, ist befugt, diese Abzüge nach seinen Rechtsvorschriften vorzunehmen.

---

[1] Art. 25 a eingef. durch VO (EG) Nr. 3095/95 des Rates v. 22. 12. 1995 (ABl. Nr. L 335/1).

Abschnitt 4. Rentenantragsteller und deren Familienangehörige

Art. 26 Anspruch auf Sachleistungen bei Erlöschen des Leistungsanspruchs gegen den zuletzt zuständigen Träger. (1) Ein Arbeitnehmer oder Selbständiger sowie seine Familienangehörigen oder Hinterbliebenen, deren Anspruch auf Sachleistungen nach den Rechtsvorschriften des zuletzt zuständigen Mitgliedstaats während der Bearbeitung eines Rentenantrags erlischt, erhalten diese Leistungen nach den Rechtsvorschriften des Mitgliedstaats, in dessen Gebiet die betreffenden Personen wohnen; Voraussetzung hierfür ist jedoch, daß gegebenenfalls unter Berücksichtigung des Wohnlandes oder nach den Rechtsvorschriften eines anderen Mitgliedstaats ein Anspruch auf Leistungen besteht oder bestünde, wenn sie im Gebiet dieses anderen Staates wohnten.

(Fortsetzung nächstes Blatt)

(2) Ergibt sich der Anspruch des Rentenantragstellers auf Sachleistungen aus den Rechtsvorschriften eines Mitgliedstaats, nach denen er während der Bearbeitung seines Rentenantrags die Beiträge zur Krankenversicherung selbst zu zahlen hat, so erlischt der Anspruch auf Sachleistungen nach Ablauf des zweiten Monats, für den er die fälligen Beiträge nicht mehr entrichtet hat.

(3) Die nach Absatz 1 gewährten Sachleistungen gehen zu Lasten des Trägers, an den die Beiträge gemäß Absatz 2 entrichtet worden sind; sind keine Beiträge nach Absatz 2 zu zahlen, so erstattet der Träger, der die Sachleistungen nach der Rentenfeststellung gemäß Artikel 28 zu tragen hat, dem Träger des Wohnortes die Kosten der gewährten Leistungen.

Abschnitt 5. Rentenberechtigte und deren Familienangehörige

Art. 27 Rentenanspruch aufgrund der Rechtsvorschriften mehrerer Mitgliedstaaten, falls ein Anspruch auf Leistungen im Wohnland besteht. Ein Rentner, der nach den Rechtsvorschriften von zwei oder mehr Mitgliedstaaten, darunter den Rechtsvorschriften des Mitgliedstaats, in dessen Gebiet er wohnt, zum Bezug von Renten berechtigt ist und – gegebenenfalls unter Berücksichtigung von Artikel 18 und Anhang VI[1] – nach den Rechtsvorschriften dieses letztgenannten Mitgliedstaats Anspruch auf Leistungen hat, sowie seine Familienangehörigen erhalten diese Leistungen vom Träger des Wohnortes und zu dessen Lasten, als ob der Rentner nach den Rechtsvorschriften nur dieses Mitgliedstaats zum Bezug einer Rente berechtigt wäre.

Art. 28 Rentenanspruch aufgrund der Rechtsvorschriften eines einzigen oder mehrerer Staaten, falls ein Anspruch auf Leistungen im Wohnland nicht besteht. (1) Ein Rentner, der nach den Rechtsvorschriften eines Mitgliedstaats zum Bezug einer Rente oder nach den Rechtsvorschriften von zwei oder mehr Mitgliedstaaten zum Bezug von Renten berechtigt ist und keinen Anspruch auf Leistungen nach den Rechtsvorschriften des Mitgliedstaats hat, in dessen Gebiet er wohnt, erhält dennoch diese Leistungen für sich und seine Familienangehörigen, sofern – gegebenenfalls unter Berücksichtigung von Artikel 18 und Anhang VI[1] – nach den Rechtsvorschriften des Staates, auf Grund deren die Rente geschuldet wird, oder zumindest eines der Mitgliedstaaten, nach deren Rechtsvorschriften eine Rente geschuldet wird, Anspruch auf Leistungen bestünde, wenn er im Gebiet des betreffenden Staates wohnte. Diese Leistungen werden wie folgt gewährt:

---

[1] Der Anhang ist hier nicht abgedruckt.

a) Die Sachleistungen gewährt der Träger des Wohnorts für Rechnung des in Absatz 2 bezeichneten Trägers, als ob der Rentner nach den Rechtsvorschriften des Staates, in dessen Gebiet er wohnt, zum Bezug einer Rente berechtigt wäre und Anspruch auf Sachleistungen hätte;

b) die Geldleistungen gewährt gegebenenfalls der gemäß Absatz 2 bestimmte zuständige Träger nach den für ihn geltenden Rechtsvorschriften. Im Einvernehmen zwischen dem zuständigen Träger und dem Träger des Wohnorts können diese Leistungen jedoch auch von diesem Träger nach den Rechtsvorschriften des zuständigen Staates für Rechnung des zuständigen Trägers gewährt werden.

(2) In den in Absatz 1 genannten Fällen wird der Träger, zu dessen Lasten die Sachleistungen gehen, wie folgt bestimmt:

a) Hat der Rentner Anspruch auf diese Sachleistungen aufgrund der Rechtsvorschriften nur eines Mitgliedstaats, so übernimmt der zuständige Träger dieses Staates die Kosten;

b) hat der Rentner nach den Rechtsvorschriften von zwei oder mehr Mitgliedstaaten Anspruch auf diese Leistungen, so werden die Kosten von dem zuständigen Träger des Mitgliedstaats übernommen, dessen Rechtsvorschriften die längste Zeit für ihn gegolten haben; sofern die Anwendung dieser Vorschrift dazu führt, daß die Kosten der Leistungen von mehreren Trägern zu übernehmen wären, gehen die Kosten zu Lasten des Trägers, für den die Rechtsvorschriften gelten, die für den Rentenberechtigten zuletzt gegolten haben.

Art. 28 a Rentenanspruch aufgrund der Rechtsvorschriften eines oder mehrerer Mitgliedstaaten mit Ausnahme des Wohnlandes, falls ein Anspruch auf Sachleistungen im Wohnland besteht. Wohnt ein Rentner, der nach den Rechtsvorschriften eines Mitgliedstaats zum Bezug einer Rente oder nach den Rechtsvorschriften von zwei oder mehr Mitgliedstaaten zum Bezug von Renten berechtigt ist, im Gebiet eines Mitgliedstaats, nach dessen Rechtsvorschriften der Anspruch auf Sachleistungen nicht von Versicherungs- oder Beschäftigungsbedingungen abhängig ist und nach dessen Rechtsvorschriften keine Rente geschuldet wird, so werden die Sachleistungen, die dem Rentner sowie seinen Familienangehörigen gewährt werden, von dem Träger eines der für Renten zuständigen Mitgliedstaaten übernommen, der nach Artikel 28 Absatz 2 bestimmt wird, sofern der Rentner und seine Familienangehörigen nach den für diesen Träger geltenden Rechtsvorschriften Anspruch auf diese Sachleistungen hätten, wenn sie im Gebiet des Staates wohnten, in dem sich der Träger befindet.

Art. 29[1]) Familienangehörige eines Rentners, die in einem anderen Staat als der betreffende Rentner wohnen – Wohnortwechsel in den Staat, in dem der Rentner wohnt. (1) Familienangehörige eines zum Bezug einer Rente nach den Rechtsvorschriften eines Mitgliedstaats oder von Renten nach den Rechtsvorschriften von zwei oder mehr Mitgliedstaaten berechtigten Rentners, die im Gebiet eines anderen Mitgliedstaats als der Rentner wohnen, erhalten Leistungen, als ob der Rentner im Gebiet des gleichen Staates wohnte, sofern er Anspruch auf die genannten Leistungen nach den Rechtsvorschriften eines Mitgliedstaats hat. Die Leistungen werden gemäß den nachstehenden Bedingungen gewährt:

a) Die Sachleistungen gewährt der Träger des Wohnorts der Familienangehörigen nach den für ihn geltenden Rechtsvorschriften zu Lasten des gemäß Artikel 27 oder Artikel 28 Absatz 2 bestimmten Trägers; wenn der Wohnort im zuständigen Staat liegt, werden die Sachleistungen vom zuständigen Träger und zu seinen Lasten gewährt;

b) die Geldleistungen gewährt gegebenenfalls der gemäß Artikel 27 oder Artikel 28 Abatz 2 bestimmte zuständige Träger nach den für ihn geltenden Rechtsvorschriften. Im Einvernehmen zwischen dem zuständigen Träger und dem Träger des Wohnorts der Familienangehörigen können diese Leistungen jedoch auch von diesem Träger nach den Rechtsvorschriften des zuständigen Staates für Rechnung des zuständigen Trägers gewährt werden.

(2) Die in Absatz 1 bezeichneten Familienangehörigen, die ihren Wohnort in dem Gebiet des Mitgliedstaats nehmen, in dem der Rentner wohnt, erhalten

a) Sachleistungen nach den Rechtsvorschriften dieses Staates, auch wenn sie bereits vor dem Wohnortwechsel für den gleichen Fall einer Krankheit oder Mutterschaft Leistungen erhalten haben;

b) Geldleistungen, die gegebenenfalls der gemäß Artikel 27 oder Artikel 28 Absatz 2 bestimmte zuständige Träger nach den für ihn geltenden Rechtsvorschriften gewährt. Im Einvernehmen zwischen dem zuständigen Träger und dem Träger des Wohnorts des Rentners können diese Leistungen jedoch auch von diesem Träger nach den Rechtsvorschriften des zuständigen Staates für Rechnung des zuständigen Trägers gewährt werden.

Art. 30 Sachleistungen von erheblicher Bedeutung. Artikel 24 gilt entsprechend für Rentenberechtigte.

---

[1]) Art. 29 Abs. 1 Buchst. neugef. durch VO (EG) Nr. 1223/98 v. 4. 6. 1998 (ABl. EG Nr. L 168/1).

Art. 31[1] **Aufenthalt von Rentnern und/oder ihren Familienangehörigen in einem anderen Mitgliedstaat als dem, in dem sie wohnen.** (1) Ein Rentner, der nach den Rechtsvorschriften eines Mitgliedstaats zum Bezug einer Rente oder nach den Rechtsvorschriften von zwei oder mehr Mitgliedstaaten zum Bezug von Renten berechtigt ist und nach den Rechtsvorschriften eines dieser Staaten Anspruch auf Leistungen hat, sowie seine Familienangehörigen erhalten während eines Aufenthalts im Gebiet eines anderen als des Mitgliedstaats, in dem sie wohnen,

a) Sachleistungen, die sich während des Aufenthalts im Gebiet eines anderen Mitgliedstaats als des Wohnstaats unter Berücksichtigung der Art der Leistungen und der voraussichtlichen Aufenthaltsdauer als medizinisch notwendig erweisen. Diese Sachleistungen werden vom Träger des Aufenthaltsorts nach den für diesen Träger geltenden Rechtsvorschriften für Rechnung des Trägers des Wohnorts des Rentners oder seiner Familienangehörigen erbracht;

b) Geldleistungen, gegebenenfalls von dem gemäß Artikel 27 oder 28 Absatz 2 bestimmten zuständigen Träger nach den für diesen Träger geltenden Rechtsvorschriften. Im Einvernehmen zwischen dem zuständigen Träger und dem Träger des Aufenthaltsorts können diese Leistungen jedoch vom letztgenannten Träger nach den Rechtsvorschriften des zuständigen Staates für Rechnung des zuständigen Trägers gewährt werden.

(2) Artikel 22 Absatz 1a findet entsprechende Anwendung.

Art. 32.[2] *(gestrichen)*

Art. 33 Beiträge der Rentenberechtigten. (1) Der Träger eines Mitgliedstaats, der eine Rente schuldet, darf, wenn die für ihn geltenden Rechtsvorschriften vorsehen, daß von dem Rentner zur Deckung der Leistungen bei Krankheit und Mutterschaft Beiträge einbehalten werden, diese Beiträge von der von ihm geschuldeten Rente in der nach den betreffenden Rechtsvorschriften berechneten Höhe einbehalten, soweit die Kosten der Leistungen aufgrund der Artikel 27, 28, 28a, 29, 31 und 32 zu Lasten eines Trägers des genannten Mitgliedstaats gehen.

(2) Hat der Rentenberechtigte in den in Artikel 28a erfaßten Fällen aufgrund seines Wohnsitzes für Beiträge oder gleichwertige Abzüge

---

[1] Vgl. hierzu auch Beschluß Nr. 163 v. 31. 5. 1996 zur Auslegung des Art. 22 Abs. 1 Buchst. a a. F. betreffend Personen, die Nierendialyse oder Sauerstofftherapie benötigen (ABl. L 241/31 v. 21. 9. 1996).

Art. 31 Buchst. a geänd. durch VO (EG) Nr. 1223/98 v. 4. 6. 1998 (ABl. Nr. L 168/1), Art. 31 neugefaßt durch VO (EG) Nr. 631/2004 v. 31. 3. 2004 (ABl. Nr. L 100/1).

[2] Art. 32 gestrichen durch VO (EG) Nr. 3096/95 v. 22. 12. 1995 (ABl. Nr. L 335/10).

aufzukommen, um Anspruch auf Leistungen bei Krankheit und Mutterschaft nach den Rechtsvorschriften des Mitgliedstaates zu haben, in dessen Gebiet er wohnt, werden diese Beiträge nicht fällig.

Art. 34 Allgemeine Vorschriften. (1) Bei Anwendung der Artikel 28, 28 a, 29 und 31 gilt der Bezieher von zwei oder mehr nach den Rechtsvorschriften nur eines Mitgliedstaats geschuldeten Renten im Sinne dieser Vorschriften als Empfänger einer nach den Rechtsvorschriften eines Mitgliedstaats geschuldeten Rente.

(2) Die Artikel 27 bis 33 gelten nicht für Rentner oder deren Familienangehörige, die nach den Rechtsvorschriften eines Mitgliedstaats wegen Ausübung einer Erwerbstätigkeit Anspruch auf Leistungen haben. In diesem Fall gelten diese Personen bei der Anwendung dieses Kapitels als Arbeitnehmer oder Selbständige oder Familienangehörige von Arbeitnehmern oder Selbständigen.

Abschnitt 5 a.[1] Personen, die ein Studium oder eine Berufsausbildung absolvieren, und deren Familienangehörige

Art. 34 a[1] Besondere Bestimmungen für Studierende und deren Familienangehörige. Für Studierende und deren Familienangehörige gelten Artikel 18, Artikel 19, Artikel 22 Absatz 1 Buchstaben a) und c) sowie Absatz 1 a, Artikel 22 Absatz 2 Unterabsatz 2 und Absatz 3, Artikel 23 und Artikel 24 sowie die Abschnitte 6 und 7 entsprechend.

Art. 34 b[1] *(gestrichen)*

Abschnitt 6. Verschiedene Vorschriften

Art. 35[2] Regelung bei mehreren Systemen im Aufenthalts- oder Wohnland – Vorher bestehende Erkrankung – Höchstdauer für die Gewährung der Leistungen. (1) Bestehen nach den Rechtsvorschriften des Aufenthaltslandes oder des Wohnlandes mehrere Versicherungssysteme für Krankheit und Mutterschaft, so werden vorbehaltlich der Bestimmungen des Absatzes 2 bei Anwendung der Artikel 19, 21 Absatz 1, Artikel 22, 25, 26, des Artikels 28 Absatz 1, des Artikels 29 Absatz 1 oder des Artikels 31 die Rechtsvorschriften

---

[1] Abschn. 5 a (Art. 34 a und 34 b) eingef. durch VO (EG) Nr. 307/99 v. 8. 2. 1999 (ABl. EG Nr. L 38/1), Art. 34 a neugefaßt, Art. 34 b gestrichen durch VO (EG) Nr. 631/2004 v. 31. 3. 2004 (ABl. Nr. L 100/1).

[2] Art. 35 Abs. 3 geänd. durch VO (EG) Nr. 307/99 v. 8. 2. 1999 (ABl. EG Nr. L 38/1).

des Systems angewandt, bei dem die Arbeiter der Stahlindustrie versichert sind; ist jedoch eines dieser Systeme ein Sondersystem für die Arbeitnehmer der Bergwerke und gleichgestellter Betriebe, so werden die Vorschriften dieses Systems für diese Arbeitnehmer und deren Familienangehörige angewandt, wenn der Träger am Aufenthalts- oder Wohnort, an den sie sich wenden, für die Anwendung dieses Systems zuständig ist.

(2) Beinhalten die Rechtsvorschriften des Aufenthaltslandes oder des Wohnlandes ein oder mehrere Sondersysteme für alle oder die meisten Berufsgruppen der Selbständigen, nach denen letzteren weniger günstige Sachleistungen gewährt werden, als sie Arbeitnehmer erhalten, so sind auf den Betreffenden und seine Familienangehörigen in den Fällen von Artikel 19 Absatz 1 Buchstabe a) und Absatz 2, Artikel 22 Absatz 1 Ziffer i) und Absatz 3, Artikel 28 Absatz 1 Buchstabe a) oder Artikel 31 Buchstabe a) die Vorschriften der von der in Artikel 98 vorgesehenen Durchführungsverordnung bestimmten Systeme anzuwenden,

a) sofern der Betreffende in dem zuständigen Staat in einem Sondersystem für Selbständige versichert ist, nach dem ebenfalls weniger günstige Sachleistungen gewährt werden, als sie die Arbeitnehmer erhalten, oder

b) sofern der Empfänger einer oder mehrerer Renten nach den Rechtsvorschriften des oder der die Rente schuldenden Mitgliedstaaten nur Anspruch auf die in einem Sondersystem für Selbständige vorgesehenen Sachleistungen hat, die ebenfalls weniger günstig sind als die Sachleistungen, die die Arbeitnehmer erhalten.

(3) Rechtsvorschriften eines Mitgliedstaats, nach denen die Gewährung einer Leistung von Voraussetzungen hinsichtlich des Ursprungs einer Erkrankung abhängig ist, gelten nicht für Personen, die unter diese Verordnung fallen, und zwar ohne Rücksicht darauf, in welchem Mitgliedstaat sie wohnen.

(4) Der Träger eines Mitgliedstaats, nach dessen Rechtsvorschriften eine Höchstdauer für die Gewährung der Leistungen vorgesehen ist, kann gegebenenfalls die Zeit berücksichtigen, für die Leistungen für denselben Fall von Krankheit oder Mutterschaft bereits von dem Träger eines anderen Mitgliedstaats gewährt worden sind.

(Fortsetzung nächste Seite)

Abschnitt 7. Erstattung zwischen Trägern

Art. 36.[1] (1) Aufwendungen für Sachleistungen, die aufgrund dieses Kapitels vom Träger eines Mitgliedstaats für Rechnung des Trägers eines anderen Mitgliedstaats gewährt worden sind, sind in voller Höhe zu erstatten.

(2) Erstattungen nach Absatz 1 werden nach Maßgabe der Durchführungsverordnung gemäß Artikel 98 entweder gegen Nachweis der tatsächlichen Aufwendungen oder unter Zugrundelegung von Pauschalbeträgen festgestellt und vorgenommen.

Die Pauschalbeträge müssen den wirklichen Ausgaben möglichst genau entsprechen.

(3) Zwei oder mehr Mitgliedstaaten oder die zuständigen Behörden dieser Staaten können andere Erstattungsverfahren vereinbaren oder auf jegliche Erstattungen zwischen den unter ihre Zuständigkeit fallenden Trägern verzichten.[2]

Kapitel 2.[3] Invalidität

Abschnitt 1. Arbeitnehmer oder Selbständige, für die ausschließlich Rechtsvorschriften galten, nach denen die Höhe der Leistungen bei Invalidität von der Dauer der Versicherungszeiten unabhängig ist

Art. 37 Allgemeine Vorschriften. (1) Ein Arbeitnehmer oder Selbständiger, für den nacheinander oder abwechselnd die Rechtsvor-

(Fortsetzung nächstes Blatt)

---

[1] Art. 36 Abs. 1 geänd. durch VO (EG) Nr. 3096/95 v. 22. 12. 1995 (ABl. Nr. L 335/10).

[2] Vgl. das Abk. v. 26. 5. 1981 zwischen der Bundesrepublik Deutschland und Frankreich über den Verzicht auf die Erstattung der Kosten von Sachleistungen, welche bei Krankheit an Rentner, die ehemalige Grenzgänger oder Hinterbliebene eines Grenzgängers sind, sowie deren Familienangehörige gewährt wurden, in Kraft gesetzt durch VO v. 25. 2. 1982 (BGBl II S. 200).

[3] Titel III Kapitel 2 neu gefaßt mit Wirkung vom 1. 6. 1992 durch VO (EWG) Nr. 1248/92 vom 30. 4. 1992, ABl. Nr. L 136/7.

schriften von zwei oder mehr Mitgliedstaaten galten und der Versicherungszeiten ausschließlich unter solchen Rechtsvorschriften zurückgelegt hat, nach denen die Höhe der Leistungen bei Invalidität von der Dauer der Versicherungszeiten unabhängig ist, erhält Leistungen gemäß Artikel 39. Dieser Artikel findet keine Anwendung auf Kinderzuschüsse zu Renten, die nach Kapitel 8 zu gewähren sind.

(2) In Anhang IV Teil A[1] sind für jeden in Betracht kommenden Mitgliedstaat die geltenden Rechtsvorschriften der in Absatz 1 bezeichneten Art angegeben.

Art. 38 Anrechnung der Versicherungs- oder Wohnzeiten, die nach den Rechtsvorschriften zurückgelegt worden sind, die für den Arbeitnehmer oder Selbständigen im Hinblick auf den Erwerb, die Aufrechterhaltung oder das Wiederaufleben des Leistungsanspruchs galten. (1) Ist nach den Rechtsvorschriften eines Mitgliedstaats der Erwerb, die Aufrechterhaltung oder das Wiederaufleben des Anspruchs auf die Leistungen eines Systems, das kein Sondersystem im Sinne der Absätze 2 oder 3 ist, davon abhängig, daß Versicherungs- oder Wohnzeiten zurückgelegt worden sind, berücksichtigt der zuständige Träger dieses Mitgliedstaats, soweit erforderlich, die nach den Rechtsvorschriften jedes anderen Mitgliedstaats zurückgelegten Versicherungs- oder Wohnzeiten; dabei ist unwesentlich, ob diese in einem allgemeinen oder in einem Sondersystem, in einem System für Arbeitnehmer oder in einem System für Selbständige zurückgelegt worden sind. Zu diesem Zweck berücksichtigt er diese Zeiten so, als handelte es sich um nach den von ihm anzuwendenden Rechtsvorschriften zurückgelegte Zeiten.

(2) Ist nach den Rechtsvorschriften eines Mitgliedstaats die Gewährung bestimmter Leistungen davon abhängig, daß Versicherungszeiten ausschließlich in einem Beruf, für den ein Sondersystem für Arbeitnehmer gilt, oder gegebenenfalls in einer bestimmten Beschäftigung zurückgelegt worden sind, so werden für die Gewährung dieser Leistungen die nach den Rechtsvorschriften anderer Mitgliedstaaten zurückgelegten Zeiten nur dann berücksichtigt, wenn sie in einem entsprechenden System oder, falls es ein solches nicht gibt, in einem gleichen Beruf oder gegebenenfalls in der gleichen Beschäftigung zurückgelegt worden sind.

Erfüllt der Versicherte auch unter Berücksichtigung solcher Zeiten nicht die Anspruchsvoraussetzungen für diese Leistungen, so werden diese Zeiten für die Gewährung der Leistungen des allgemeinen Systems oder, falls es ein solches nicht gibt, des Systems für Arbeiter

---

[1] Der Anhang ist hier nicht abgedruckt.

beziehungsweise für Angestellte berücksichtigt, sofern der Betreffende dem einen oder anderen dieser Systeme angeschlossen war.

(3) Ist nach den Rechtsvorschriften eines Mitgliedstaats die Gewährung bestimmter Leistungen davon abhängig, daß Versicherungszeiten ausschließlich in einem Beruf, für den ein Sondersystem für Selbständige gilt, zurückgelegt worden sind, so werden für die Gewährung dieser Leistungen die nach den Rechtsvorschriften anderer Staaten zurückgelegten Zeiten nur dann berücksichtigt, wenn sie in einem entsprechenden System oder, falls es ein solches nicht gibt, in dem gleichen Beruf zurückgelegt worden sind. In Anhang IV Teil B[1] sind für jeden betroffenen Mitgliedstaat die Systeme für Selbständige im Sinne dieses Absatzes aufgeführt.

Erfüllt der Betreffende auch unter Berücksichtigung der in diesem Absatz genannten Zeiten nicht die Anspruchsvoraussetzungen für diese Leistungen, so werden diese Zeiten für die Gewährung von Leistungen des allgemeinen Systems oder, falls es ein solches nicht gibt, des Systems für Arbeiter beziehungsweise für Angestellte berücksichtigt, sofern der Betreffende dem einen oder anderen dieser Systeme angeschlossen war.

Art. 39[2] Feststellung der Leistungen. (1) Der Träger des Mitgliedstaats, dessen Rechtsvorschriften zum Zeitpunkt des Eintritts von Arbeitsunfähigkeit mit anschließender Invalidität anzuwenden waren, stellt nach diesen Rechtsvorschriften fest, ob die betreffende Person die Voraussetzungen für den Leistungsanspruch – gegebenenfalls unter Berücksichtigung von Artikel 38 – erfüllt.

(2) Personen, welche die Voraussetzungen nach Absatz 1 erfüllen, erhalten die Leistungen ausschließlich von dem genannten Träger nach den von ihm anzuwendenden Rechtsvorschriften.

(3) Personen, welche keinen Leistungsanspruch nach Absatz 1 haben, erhalten die Leistungen, auf die sie nach den Rechtsvorschriften eines anderen Mitgliedstaats – gegebenenfalls unter Berücksichtigung von Artikel 38 – noch Anspruch haben.

(4) Sehen die Rechtsvorschriften im Sinne des Absatzes 2 oder 3 vor, daß der Leistungsbetrag unter Berücksichtigung von Familienangehörigen außer Kindern festgelegt wird, so berücksichtigt der zuständige Träger auch diejenigen Familienangehörigen der betreffenden Person, die im Gebiet eines anderen Mitgliedstaats wohnen, als wohnten sie im Gebiet des zuständigen Staates.

---

[1] Der Anhang ist hier nicht abgedruckt.

[2] Art. 39 Abs. 5 Unterabs. 2 eingef. durch VO (EWG) Nr. 2195/91 v. 25. 6. 1991 (ABl. Nr. L 206/2); Abs. 6 Unterabs. 2 eingef. durch VO (EG) Nr. 3095/95 des Rates v. 22. 12. 1995 (ABl. Nr. L 335/1).

(5) Ist in den Rechtsvorschriften im Sinne des Absatzes 2 oder 3 bei Zusammentreffen mit Leistungen anderer Art im Sinne des Artikels 46a Absatz 2 oder mit anderen Einkünften die Anwendung von Kürzungs-, Ruhens- oder Entziehungsvorschriften vorgesehen, so gelten Artikel 49a Absatz 3 und Artikel 46c Absatz 5 entsprechend.

(6) Der vollarbeitslose Arbeitnehmer, für den Artikel 71 Absatz 1 Buchstabe a) Ziffer ii) oder Buchstabe b) Ziffer ii) erster Satz gilt, erhält eine Invaliditätsrente vom zuständigen Träger des Mitgliedstaats, in dessen Gebiet er wohnt, entsprechend den von diesem Träger anzuwendenden Rechtsvorschriften, als ob für ihn während seiner letzten Beschäftigung diese Rechtsvorschriften gegolten hätten, wobei gegebenenfalls Artikel 38 und/oder Artikel 25 Absatz 2 zu berücksichtigen sind. Diese Leistungen gehen zu Lasten des Trägers des Wohnlandes.

Wendet dieser Träger Rechtsvorschriften an, in denen Beitragsabzüge zu Lasten der Arbeitslosen zur Deckung der Leistungen wegen Invalidität vorgesehen sind, ist er befugt, diese Abzüge nach seinen Rechtsvorschriften vorzunehmen.

Werden nach den von diesem Träger angewandten Rechtsvorschriften die Leistungen anhand von Löhnen und Gehältern berechnet, so berücksichtigt dieser Träger gemäß den von ihm anzuwendenden Rechtsvorschriften die im Land der letzten Beschäftigung und im Wohnland bezogenen Löhne und Gehälter. Wurden im Wohnland keine Löhne oder Gehälter bezogen, so zieht der zuständige Träger entsprechend den Modalitäten, die in den für ihn geltenden Rechtsvorschriften vorgesehen sind, die im Land der letzten Beschäftigung bezogenen Löhne und Gehälter heran.

Abschnitt 2. Arbeitnehmer oder Selbständige, für die ausschließlich Rechtsvorschriften galten, nach denen die Höhe der Leistungen bei Invalidität von der Dauer der Versicherungs- oder Wohnzeiten abhängig ist, oder für die Rechtsvorschriften dieser und der in Abschnitt 1 genannter Art galten

Art. 40 Allgemeine Vorschriften. (1) Ein Arbeitnehmer oder Selbständiger, für den nacheinander oder abwechselnd die Rechtsvorschriften von zwei oder mehr Mitgliedstaaten galten, erhält, sofern die Rechtsvorschriften mindestens eines dieser Staaten nicht von der in Artikel 37 Absatz 1 bezeichneten Art sind, Leistungen in entsprechender Anwendung von Kapitel 3 unter Berücksichtigung von Absatz 4.

(2) Ein Arbeitnehmer oder Selbständiger, der im Anschluß an eine Arbeitsunfähigkeit Invalide wird, während für ihn eine der in Anhang

IV Teil A[1] erwähnten Rechtsvorschriften gilt, erhält die Leistungen gemäß Artikel 37 Absatz 1 unter folgenden Voraussetzungen:

– Er muß – gegebenenfalls unter Berücksichtigung von Artikel 38 – die in diesen oder anderen Rechtsvorschriften gleicher Art geforderten Voraussetzungen erfüllen, jedoch ohne daß es erforderlich wäre, Versicherungszeiten einzubeziehen, die nach anderen als den in Anhang V Teil A[1] aufgeführten Rechtsvorschriften zurückgelegt wurden;
– er darf nicht die Voraussetzungen für den Erwerb eines Anspruchs auf Leistungen bei Invalidität aufgrund von Rechtsvorschriften erfüllen, die in Anhang IV Teil A[1] nicht aufgeführt sind, und
– er darf etwaige Ansprüche auf Leistungen bei Alter gemäß Artikel 44 Absatz 2 zweiter Satz nicht geltend machen.

(3) a) Für die Feststellung des Leistungsanspruchs nach den in Anhang IV Teil A[1] aufgeführten Rechtsvorschriften eines Mitgliedstaats, die die Gewährung von Leistungen bei Invalidität davon abhängig machen, daß die betreffende Person während eines bestimmten Zeitraums Geldleistungen bei Krankheit erhalten hat oder arbeitsunfähig war, wird bei einem Arbeitnehmer oder Selbständigen, für den diese Rechtsvorschriften galten und der im Anschluß an eine Arbeitsunfähigkeit in einer Zeit Invalide wird, in der die Rechtsvorschriften eines anderen Mitgliedstaats für ihn gelten, unbeschadet des Artikels 37 Absatz 1 jeder Zeitraum, für den er

i) wegen dieser Arbeitsunfähigkeit nach den Rechtsvorschriften des zweiten Mitgliedstaats Geldleistungen bei Krankheit oder stattdessen weiter Lohn erhalten hat,

ii) wegen der auf diese Arbeitsunfähigkeit folgenden Invalidität nach den Rechtsvorschriften des zweiten Mitgliedstaats Leistungen im Sinne des Kapitels 2 und des Kapitels 3 erhalten hat,

so berücksichtigt, als ob es sich um einen Zeitraum handelte, in dem er nach den Rechtsvorschriften des ersten Mitgliedstaats Geldleistungen bei Krankheit erhalten hat oder nach diesen Rechtsvorschriften arbeitsunfähig war.

b) Der Anspruch auf Leistungen bei Invalidität entsteht nach den Rechtsvorschriften des ersten Mitgliedstaats entweder bei Ablauf des in diesen Rechtsvorschriften geforderten vorausgehenden Zeitraums des Bezugs von Geldleistungen bei Krankheit oder der Lohnfortzahlung oder bei Ablauf des in diesen Rechtsvorschriften geforderten vorausgehenden Zeitraums der Arbeitsunfähigkeit, frühestens jedoch

---

[1] Der Anhang ist hier nicht abgedruckt.

i) zum Zeitpunkt der Begründung des Anspruchs auf Leistungen gemäß Buchstabe a) Ziffer ii) nach den Rechtsvorschriften des zweiten Mitgliedstaats oder

ii) am Tag nach dem letzten Tag, an dem der Betreffende nach den Rechtsvorschriften des zweiten Mitgliedstaats Anspruch auf Geldleistungen bei Krankheit hat.

(4) Eine vom Träger eines Mitgliedstaats getroffene Entscheidung über die Invalidität eines Antragstellers ist auch für die Träger jedes anderen in Betracht kommenden Mitgliedstaats verbindlich, sofern die in den Rechtsvorschriften dieser Staaten festgelegten Tatbestandsmerkmale der Invalidität in Anhang V[1] als übereinstimmend anerkannt sind.

Abschnitt 3. Verschlimmerung des Invaliditätszustands

Art. 41. (1) Bei Verschlimmerung des Invaliditätszustands eines Arbeitnehmers oder Selbständigen, der nach den Rechtsvorschriften nur eines Mitgliedstaats Leistungen bei Invalidität erhält, gilt folgendes:

a) Der zuständige Träger dieses Staats ist verpflichtet, die Leistungen nach den für ihn geltenden Rechtsvorschriften zu gewähren und dabei die Verschlimmerung der Invalidität zu berücksichtigen, wenn auf den Arbeitnehmer oder Selbständigen seit Beginn der Leistungsgewährung nicht die Rechtsvorschriften eines anderen Mitgliedstaats Anwendung fanden.

b) Der Arbeitnehmer oder Selbständige erhält unter Berücksichtigung der Verschlimmerung Leistungen gemäß Artikel 37 Absatz 1 beziehungsweise Artikel 40 Absatz 1 oder Absatz 2, wenn auf ihn seit Beginn der Leistungsgewährung die Rechtsvorschriften eines oder mehrerer anderer Mitgliedstaaten Anwendung gefunden haben.

c) Ist der nach Buchstabe b) geschuldete Gesamtbetrag der Leistung oder der Leistungen niedriger als der Betrag, den der Versicherte zu Lasten des vorher zur Zahlung verpflichteten Trägers erhalten hat, so ist dieser zur Gewährung einer Zulage in Höhe des Unterschiedsbetrags verpflichtet.

d) Ist in dem unter Buchstabe b) genannten Fall der für die ursprüngliche Arbeitsunfähigkeit zuständige Träger ein niederländischer Träger und

i) ist das Leiden, das zu der Verschlimmerung geführt hat, dasselbe wie dasjenige, das die Gewährung von Leistungen gemäß den niederländischen Rechtsvorschriften begründet hat,

ii) ist dieses Leiden eine Berufskrankheit im Sinne der Rechtsvorschriften des Mitgliedstaats, die für den Versicherten zuletzt gal-

[1] Der Anhang ist hier nicht abgedruckt.

ten, und begründet es einen Anspruch auf Zahlung der in Artikel 60 Absatz 1 Buchstabe b) genannten Zulage,

iii) handelt es sich bei den Rechtsvorschriften, die für den Versicherten seit Beginn des Leistungsbezugs galten, um Rechtsvorschriften gemäß Anhang IV Teil A,[1]

so erbringt der niederländische Träger weiterhin die ursprüngliche Leistung nach der Verschlimmerung; die Leistung aufgrund der Rechtsvorschriften des letzten Mitgliedstaats, die für den Versicherten galten, wird um den Betrag der niederländischen Leistung gekürzt.

e) Hat der Betroffene in dem unter Buchstabe b) bezeichneten Fall keinen Anspruch auf Leistungen zu Lasten des Trägers eines anderen Mitgliedstaats, so ist der zuständige Träger des ersten Staates verpflichtet, die Leistungen nach den Rechtsvorschriften dieses Staates unter Berücksichtigung der Verschlimmerung und gegebenenfalls unter Berücksichtigung des Artikels 38 zu gewähren.

(2) Bei Verschlimmerung des Invaliditätszustands eines Arbeitnehmers oder Selbständigen, der Leistungen bei Invalidität nach den Rechtsvorschriften von zwei oder mehr Mitgliedstaaten erhält, werden die Leistungen unter Berücksichtigung der Verschlimmerung der Invalidität gemäß Artikel 49 Absatz 1 gewährt.

Abschnitt 4. Wiedergewährung ruhender oder entzogener Leistungen – Umwandlung von Leistungen bei Invalidität in Leistungen bei Alter – Neuberechnung von gemäß Artikel 39 festgestellten Leistungen

Art. 42 Bestimmung des leistungspflichtigen Trägers im Fall der Wiederaufnahme der Leistungsgewährung bei Invalidität.

(1) Leistungen, die geruht haben und erneut gezahlt werden sollen, werden – unbeschadet des Artikels 43 – durch den oder die Träger erbracht, die im Zeitpunkt der Unterbrechung leistungspflichtig waren.

(2) Die Leistungen werden gemäß den in Artikel 37 Absatz 1 beziehungsweise Artikel 40 Absatz 1 oder Absatz 2 genannten Vorschriften gewährt, wenn der Zustand des Betreffenden, dem die Leistungen entzogen worden waren, erneut die Gewährung von Leistungen rechtfertigt.

Art. 43 Umwandlung von Leistungen bei Invalidität in Leistungen bei Alter – Neuberechnung der nach Artikel 39 festgestellten Leistungen. (1) Die Leistungen bei Invalidität werden ge-

[1] Der Anhang ist hier nicht abgedruckt.

gebenenfalls nach Maßgabe der Rechtsvorschriften des Staates oder der Staaten, nach denen sie gewährt worden sind, gemäß Kapitel 3 in Leistungen bei Alter umgewandelt.

(2) Jeder nach den Rechtsvorschriften eines Mitgliedstaats zur Zahlung der Leistungen bei Invalidität verpflichtete Träger gewährt dem Leistungsberechtigten, der nach den Rechtsvorschriften von einem oder mehr der übrigen Mitgliedstaaten gemäß Artikel 49 Ansprüche auf Leistungen bei Alter geltend machen kann, bis zu dem Zeitpunkt, an dem für diesen Träger Absatz 1 Anwendung findet, die Leistungen weiter, auf die nach den von diesem Träger anzuwendenden Rechtsvorschriften Anspruch besteht; andernfalls werden die Leistungen gewährt, solange der Betreffende die Voraussetzungen für ihren Bezug erfüllt.

(3) Wurden Leistungen bei Invalidität nach den Rechtsvorschriften eines Mitgliedstaats gemäß Artikel 39 festgestellt und in Leistungen bei Alter umgewandelt und erfüllt der Betreffende noch nicht die für den Leistungsanspruch nach den Rechtsvorschriften von einem oder mehr der übrigen Mitgliedstaaten geltenden Voraussetzungen, so gewähren ihm dieser Mitgliedstaat oder diese Mitgliedstaaten vom Tag der Umwandlung an die gemäß den Bestimmungen des Kapitels 3 festgestellten Leistungen bei Invalidität bis zu dem Zeitpunkt, an dem der Betreffende die für den Anspruch auf Leistung bei Alter nach den Rechtsvorschriften des oder der anderen betreffenden Staaten geltenden Voraussetzungen erfüllt, als ob dieses Kapitel bei Eintritt der Arbeitsunfähigkeit mit nachfolgender Invalidität anwendbar gewesen wäre, oder, sofern eine solche Umwandlung nicht vorgesehen ist, so lange, wie er Anspruch auf Leistungen bei Invalidität nach den Rechtsvorschriften des betreffenden Staates oder der betreffenden Staaten hat.

(4) Die gemäß Artikel 39 festgestellten Leistungen bei Invalidität werden gemäß Kapitel 3 neu festgestellt, sobald der Berechtigte die Voraussetzungen für die Begründung des Anspruchs auf Leistungen bei Invalidität aufgrund von Rechtsvorschriften erfüllt, die in Anhang IV Teil A[1] nicht aufgeführt sind, oder Leistungen bei Alter nach den Rechtsvorschriften eines anderen Mitgliedstaats erhält.

Abschnitt 5.[2] Von einem Sondersystem für Beamte erfaßte Personen

Art. 43 a.[2] (1) Für Personen, die von einem Sondersystem für Beamte erfaßt sind, gelten Artikel 37, Artikel 38 Absatz 1, Artikel 39 sowie die Abschnitte 2, 3 und 4 entsprechend.

[1] Der Anhang ist hier nicht abgedruckt.

[2] Titel III Kap. 2 Abschn. 5 Art. 43 a eingef. mWv 25. 10. 1998 durch VO (EG) Nr. 1606/98 v. 29. 6. 1998 (ABl. EG Nr. L 209/1).

(2) Ist hingegen nach den Rechtsvorschriften eines Mitgliedstaats der Erwerb, die Auszahlung, die Aufrechterhaltung oder das Wiederaufleben des Leistungsanspruchs im Rahmen eines Sondersystems für Beamte davon abhängig, daß alle Versicherungszeiten in einem oder mehreren Sondersystemen für Beamte in dem betreffenden Mitgliedstaat zurückgelegt worden oder durch die Rechtsvorschriften dieses Mitgliedstaats solchen Zeiten gleichgestellt sind, so werden nur Zeiten berücksichtigt, die nach den Rechtsvorschriften diese Mitgliedstaats anerkannt werden können.

Erfüllt der Betreffende auch unter Berücksichtigung solcher Zeiten nicht die Voraussetzungen für den Bezug dieser Leistungen, so werden diese Zeiten für die Gewährung von Leistungen im allgemeinen System oder, falls es ein solches nicht gibt, im System für Arbeiter bzw. für Angestellte berücksichtigt.

(3) Werden nach den Rechtsvorschriften eines Mitgliedstaats die Leistungen auf der Grundlage des bzw. der in einem Bezugszeitraum zuletzt erzielten Einkommens bzw. Einkommen berechnet, so berücksichtigt der zuständige Träger dieses Mitgliedstaats als Berechnungsgrundlage unter entsprechender Anpassung nur die Einkommen, die in dem Zeitraum bzw. den Zeiträumen bezogen wurden, während dessen bzw. deren die betreffende Person diesen Rechtsvorschriften unterlag.

Kapitel 3. Alter und Tod (Renten)

Art. 44[1] Allgemeine Vorschriften für die Feststellung der Leistungen, wenn für den Arbeitnehmer oder Selbständigen die Rechtsvorschriften von zwei oder mehr Mitgliedstaaten galten.

(1) Die Leistungsansprüche eines Arbeitnehmers oder Selbständigen, für den die Rechtsvorschriften von zwei oder mehr Mitgliedstaaten galten, und die Leistungsansprüche seiner Hinterbliebenen werden nach diesem Kapitel festgestellt.

(2) Beantragt die betreffende Person die Feststellung der Leistungen, so wird, sofern Artikel 49 nichts anderes bestimmt, das Feststellungsverfahren hinsichtlich aller Rechtsvorschriften eingeleitet, die für den Arbeitnehmer oder Selbständigen galten. Dies gilt nicht, falls die betreffende Person ausdrücklich beantragt, die Feststellung der aufgrund der Rechtsvorschriften eines oder mehrerer Mitgliedstaaten erworbenen Ansprüche auf Leistungen bei Alter aufzuschieben.

[1] Art. 44 Abs. 3 neugef. mWv 1. 9. 1999 durch VO (EG) Nr. 1399/1999 v. 29. 4. 1999 (ABl. EG Nr. L 164/1).

(3) Dieses Kapitel betrifft nicht die Kinderzuschüsse zu Renten oder die Waisenrenten, die nach Kapitel 8 zu gewähren sind.

Art. 45 Berücksichtigung der Versicherungs- oder Wohnzeiten, die nach Rechtsvorschriften zurückgelegt worden sind, die für den Arbeitnehmer oder Selbständigen im Hinblick auf den Erwerb, die Aufrechterhaltung oder das Wiederaufleben des Leistungsanspruchs galten. (1) Ist nach den Rechtsvorschriften eines Mitgliedstaats der Erwerb, die Aufrechterhaltung oder das Wiederaufleben des Anspruchs auf die Leistungen eines Systems, das kein Sondersystem im Sinne des Absatzes 2 oder 3 ist, davon abhängig, daß Versicherungs- oder Wohnzeiten zurückgelegt worden sind, berücksichtigt der zuständige Träger dieses Mitgliedstaats, soweit erforderlich, die nach den Rechtsvorschriften jedes anderen Mitgliedstaats zurückgelegten Versicherungs- oder Wohnzeiten; dabei ist unwesentlich, ob diese in einem allgemeinen oder in einem Sondersystem, in einem System für Arbeitnehmer oder in einem System für Selbständige zurückgelegt worden sind. Zu diesem Zweck berücksichtigt er diese Zeiten, als ob es sich um nach den von ihm anzuwendenden Rechtsvorschriften zurückgelegte Zeiten handelte.

(2) Ist nach den Rechtsvorschriften eines Mitgliedstaats die Gewährung bestimmter Leistungen davon abhängig, daß Versicherungszeiten ausschließlich in einem Beruf, für den ein Sondersystem für Arbeitnehmer gilt, oder gegebenenfalls in einer bestimmten Beschäftigung zurückgelegt worden sind, so werden die nach den Rechtsvorschriften anderer Mitgliedstaaten zurückgelegten Zeiten nur dann berücksichtigt, wenn sie in einem entsprechenden System, oder, falls es ein solches nicht gibt, in dem gleichen Beruf oder gegebenenfalls in der gleichen Beschäftigung zurückgelegt worden sind. Erfüllt der Versicherte auch unter Berücksichtigung solcher Zeiten nicht die Anspruchsvor-

(Fortsetzung nächstes Blatt)

aussetzungen für diese Leistungen, so werden diese Zeiten für die Gewährung der Leistungen des allgemeinen Systems, oder, falls es ein solches nicht gibt, des Systems für Arbeiter bzw. für Angestellte berücksichtigt, sofern die betreffende Person dem einen oder anderen dieser Systeme angeschlossen war.

(3) Ist nach den Rechtsvorschriften eines Mitgliedstaats die Gewährung bestimmter Leistungen davon abhängig, daß Versicherungszeiten ausschließlich in einem Beruf zurückgelegt worden sind, für den ein Sondersystem für Selbständige gilt, so werden für die Gewährung dieser Leistungen die nach den Rechtsvorschriften anderer Mitgliedstaaten zurückgelegten Zeiten nur dann berücksichtigt, wenn sie in einem entsprechenden System, oder, falls es ein solches nicht gibt, in dem gleichen Beruf zurückgelegt worden sind. In Anhang G IV Teil B[1)] sind für jeden betroffenen Mitgliedstaat die Systeme für Selbständige im Sinne dieses Absatzes aufgeführt. Erfüllt der Betreffende auch unter Berücksichtigung der in diesem Absatz genannten Zeiten nicht die Anspruchsvoraussetzungen für diese Leistungen, so werden diese Zeiten für die Gewährung von Leistungen des allgemeinen Systems oder, falls es ein solches nicht gibt, des Systems für Arbeiter bzw. für Angestellte berücksichtigt, sofern die betreffende Person dem einen oder anderen dieser Systeme angeschlossen war.

(4) Die in einem Sondersystem eines Mitgliedstaats zurückgelegten Versicherungszeiten werden im allgemeinen System oder, falls es ein solches nicht gibt, im System für Arbeiter bzw. für Angestellte eines anderen Mitgliedstaats für den Erwerb, die Aufrechterhaltung oder das Wiederaufleben des Leistungsanspruchs selbst dann berücksichtigt, wenn sie in dem letztgenannten Staat in einem System gemäß Absatz 2 oder Absatz 3 Satz 1 bereits berücksichtigt worden sind, sofern die betreffende Person dem einen oder anderen dieser Systeme angeschlossen war.

(5) Ist nach den Rechtsvorschriften eines Mitgliedstaats der Erwerb, die Aufrechterhaltung oder das Wiederaufleben des Leistungsanspruchs davon abhängig, daß der Betreffende zum Zeitpunkt des Versicherungsfalls versichert ist, so gilt diese Voraussetzung als erfüllt, wenn er nach den Rechtsvorschriften eines anderen Mitgliedstaats gemäß den in Anhang VI[1)] für jeden betroffenen Mitgliedstaat vorgesehenen Bestimmungen versichert ist.

(6) Zeiten der Vollarbeitslosigkeit, während deren der Arbeitnehmer Leistungen nach Artikel 71 Absatz 1 Buchstabe) Ziffer ii) oder Buchstabe b) Ziffer ii) erster Satz bezieht, werden vom zuständigen Träger des Mitgliedstaats, in dessen Gebiet der Arbeitnehmer wohnt, gemäß den von diesem Träger anzuwendenden Rechtsvorschriften berück-

---

1) Der Anhang ist hier nicht abgedruckt.

sichtigt, als ob er während seiner letzten Beschäftigung diesen Rechtsvorschriften unterlegen hätte.

Wendet dieser Träger Rechtsvorschriften an, in denen Beitragsabzüge zu Lasten der Arbeitslosen zur Deckung der Alters- und Hinterbliebenenrenten vorgesehen sind, ist er befugt, diese Abzüge nach seinen Rechtsvorschriften vorzunehmen.

Können im Aufenthaltsland des Betreffenden zurückgelegte Zeiten der Vollarbeitslosigkeit nur berücksichtigt werden, wenn dort selbst Beitragszeiten zurückgelegt worden sind, gilt diese Voraussetzung als erfüllt, wenn Beitragszeiten in einem anderen Mitgliedstaat zurückgelegt wurden.

Art. 46 Feststellung der Leistungen. (1) Sind die Voraussetzungen für den Leistungsanspruch nach den Rechtsvorschriften eines Mitgliedstaats auch ohne Anwendung des Artikels 45 und des Artikels 40 Absatz 3 erfüllt, so gilt folgendes:

a) Der zuständige Träger berechnet den Leistungsbetrag, der wie folgt geschuldet würde:
   i) allein nach den von ihm anzuwendenden Rechtsvorschriften,
   ii) nach Absatz 2.

b) Der zuständige Träger kann jedoch auf die Berechnung gemäß Buchstabe a) Ziffer ii) verzichten, wenn das Ergebnis dieser Berechnung dem Ergebnis der Berechnung gemäß Buchstabe a) Ziffer i), abgesehen von Rundungsdifferenzen, entspricht oder es unterschreitet, sofern die von diesem Träger anzuwendenden Rechtsvorschriften keine Doppelleistungsbestimmungen gemäß den Artikeln 46b oder 46c enthalten oder, falls die Rechtsvorschriften solche Bestimmungen im Fall des Artikels 46c enthalten, sofern die Berücksichtigung von Leistungen unterschiedlicher Art nur nach dem Verhältnis der allein nach seinen Rechtsvorschriften zurückgelegten Versicherungs- oder Wohnzeiten zu den nach diesen Rechtsvorschriften für die Gewährung der vollen Leistung erforderlichen Versicherungs- oder Wohnzeiten vorgesehen ist.

   In Anhang IV Teil C[1] sind für jeden betroffenen Mitgliedstaat die Fälle aufgeführt, in denen die Berechnungen zu einem solchen Ergebnis führen.

(2) Sind die Voraussetzungen für den Leistungsanspruch nach den Rechtsvorschriften eines Mitgliedstaats nur nach Anwendung des Artikels 45 und/oder des Artikels 40 Absatz 3 erfüllt, so gilt folgendes:

a) Der zuständige Träger berechnet den theoretischen Betrag der Leistung, auf die die betreffende Person Anspruch hätte, wenn alle nach den für den Arbeitnehmer oder Selbständigen geltenden Rechtsvor-

---

[1] Der Anhang ist hier nicht abgedruckt.

schriften der Mitgliedstaaten zurückgelegten Versicherungs- und/oder Wohnzeiten nur in dem betreffenden Staat und nach den für diesen Träger zum Zeitpunkt der Feststellung der Leistung geltenden Rechtsvorschriften zurückgelegt worden wären. Ist nach diesen Rechtsvorschriften der Betrag der Leistung von der Dauer der zurückgelegten Zeiten unabhängig, so gilt dieser Betrag als theoretischer Betrag.

b) Der zuständige Träger ermittelt sodann den tatsächlich geschuldeten Betrag auf der Grundlage des unter Buchstabe a) genannten theoretischen Betrages nach dem Verhältnis zwischen den nach seinen Rechtsvorschriften vor Eintritt des Versicherungsfalles zurückgelegten Versicherungs- oder Wohnzeiten und den gesamten nach den Rechtsvorschriften aller beteiligten Mitgliedstaaten vor Eintritt des Versicherungsfalles zurückgelegten Versicherungs- und Wohnzeiten.

(3) Die betreffende Person hat gegen den zuständigen Träger jedes beteiligten Mitgliedstaats Anspruch auf den höchsten nach den Absätzen 1 und 2 errechneten Betrag, wobei gegebenenfalls alle Kürzungs-, Ruhens- oder Entziehungsbestimmungen der Rechtsvorschriften, aufgrund derer diese Leistung geschuldet wird, zur Anwendung kommen. Ist dies der Fall, erstreckt sich der vorzunehmende Vergleich auf die nach Anwendung dieser Bestimmungen ermittelten Beträge.

(4) Ist die Summe der Leistungsbeträge, die von den zuständigen Trägern von zwei oder mehr Mitgliedstaaten der Gemeinschaft aufgrund eines mehrseitigen Abkommens über soziale Sicherheit im Sinne von Artikel 6 Buchstabe b) für Invaliditäts-, Alters- oder Hinterbliebenenrenten zu zahlen ist, nicht höher als die Summe, die diese Mitgliedstaaten nach den Absätzen 1 bis 3 zu zahlen hätten, so gelten für den Berechtigten die Vorschriften dieses Kapitels.

Art. 46a Allgemeine Vorschriften über die nach den Rechtsvorschriften der Mitgliedstaaten auf Leistungen bei Invalidität, Alter oder Tod anzuwendenden Kürzungs-, Ruhens- oder Entziehungsbestimmungen. (1) Im Sinne dieses Kapitels bedeutet das Zusammentreffen von Leistungen gleicher Art jedes Zusammentreffen von Leistungen bei Invalidität, Alter oder für Hinterbliebene, die auf der Grundlage der von ein und derselben Person zurückgelegten Versicherungs- und/oder Wohnzeiten berechnet oder gewährt wurden.

(2) Im Sinne dieses Kapitels bedeutet das Zusammentreffen von Leistungen unterschiedlicher Art jedes Zusammentreffen von Leistungen, die im Sinne des Absatzes 1 nicht als Leistungen gleicher Art betrachtet werden können.

(3) Für die Anwendung der Kürzungs-, Ruhens- und Entziehungsbestimmungen nach den Rechtsvorschriften eines Mitgliedstaats bei Zusammentreffen einer Leistung bei Invalidität, Alter oder für Hinterbliebene mit einer Leistung gleicher Art oder einer Leistung unterschiedlicher Art oder mit sonstigen Einkünften gelten folgende Vorschriften:

a) Die nach den Rechtsvorschriften eines anderen Mitgliedstaats erworbenen Leistungen oder die in einem anderen Mitgliedstaat erzielten Einkünfte werden nur berücksichtigt, wenn die Rechtsvorschriften des ersten Mitgliedstaats die Berücksichtigung solcher im Ausland erworbenen Leistungen oder dort erzielter Einkünfte vorsehen.

b) Der Betrag der von einem anderen Mitgliedstaat zu zahlenden Leistungen wird vor Abzug der Steuern, Sozialversicherungsbeiträge und anderer individueller Abgaben oder Abzüge berücksichtigt.

c) Der Betrag der nach den Rechtsvorschriften eines anderen Mitgliedstaats erworbenen Leistungen, die auf der Grundlage einer freiwilligen Versicherung oder freiwilligen Weiterversicherung gewährt werden, wird nicht berücksichtigt.

d) Sind Kürzungs-, Ruhens- bzw. Entziehungsbestimmungen nach den Rechtsvorschriften eines einzigen Mitgliedstaats anwendbar, weil der Versicherte aufgrund der Rechtsvorschriften anderer Mitgliedstaaten geschuldete Leistungen gleicher oder unterschiedlicher Art oder andere im Hoheitsgebiet anderer Mitgliedstaaten erzielte Einkünfte bezieht, so kann die nach den Rechtsvorschriften des ersten Mitgliedstaats geschuldete Leistung nur um den Betrag der nach den Rechtsvorschriften der anderen Mitgliedstaaten geschuldeten Leistungen oder der im Hoheitsgebiet der anderen Mitgliedstaaten erzielten Einkünfte gekürzt werden.

Art. 46b Besondere Vorschriften für das Zusammentreffen von Leistungen gleicher Art, die nach den Rechtsvorschriften von zwei oder mehr Mitgliedstaaten geschuldet werden. (1) Die nach den Rechtsvorschriften eines Mitgliedstaats vorgesehenen Kürzungs-, Ruhens- oder Entziehungsbestimmungen gelten nicht für eine nach Artikel 46 Absatz 2 berechnete Leistung.

(2) Die Rechtsvorschriften eines Mitgliedstaats über die Kürzung, das Ruhen oder die Entziehung einer Leistung dürfen auf eine nach Artikel 46 Absatz 1 Buchstabe a) Ziffer i) berechnete Leistung nur dann angewandt werden, wenn es sich:

a) um eine Leistung handelt, deren Höhe von der Dauer der zurückgelegten Versicherungs- oder Wohnzeiten unabhängig ist und die in Anhang IV Teil D[1] aufgeführt ist, oder

b) um eine Leistung handelt, deren Höhe aufgrund einer fiktiven Zeit bestimmt wird, die als zwischen dem Eintritt des Versicherungsfalls und einem späteren Zeitpunkt zurückgelegt betrachtet wird. In diesem letzteren Fall finden die genannten Vorschriften Anwendung bei Zusammentreffen einer solchen Leistung

   i) mit einer Leistung gleichen Typs, außer wenn ein Abkommen zwischen zwei oder mehr Mitgliedstaaten zur Vermeidung einer zwei- oder mehrfachen Berücksichtigung der gleichen fiktiven Zeit geschlossen wurde, oder

   ii) mit einer Leistung der in Buchstabe a) genannten Art.

Die unter den Buchstaben a) und b) genannten Leistungen und die Abkommen sind in Anhang IV Teil D[1] aufgeführt.

Art. 46c Besondere Vorschriften für das Zusammentreffen einer oder mehrerer Leistungen nach Artikel 46a Absatz 1 mit einer oder mehreren Leistungen unterschiedlicher Art oder mit sonstigen Einkünften, wenn zwei oder mehr Mitgliedstaaten beteiligt sind. (1) Führt der Bezug von Leistungen unterschiedlicher Art oder von sonstigen Einkünften gleichzeitig zur Kürzung, zum Ruhen oder zur Entziehung von zwei oder mehr Leistungen nach Artikel 46 Absatz 1 Buchstabe a) Ziffer i), so werden Beträge, die bei strenger Anwendung der in den Rechtsvorschriften der betreffenden Mitgliedstaaten vorgesehenen Kürzungs-, Ruhens- oder Entziehungsbestimmungen nicht ausgezahlt werden, durch die Zahl der zu kürzenden, zum Ruhen zu bringenden oder zu entziehenden Leistungen geteilt.

(2) Handelt es sich um eine nach Artikel 46 Absatz 2 berechnete Leistung, so werden die Leistung oder die Leistungen unterschiedlicher Art der anderen Mitgliedstaaten oder die sonstigen Einkünfte und alle in den Rechtsvorschriften des Mitgliedstaats für die Anwendung der Kürzungs-, Ruhens- oder Entziehungsbestimmungen vorgesehenen Bezugsgröße nach dem Verhältnis zwischen den unter Artikel 46 Absatz 2 Buchstabe b) fallenden und bei der Berechnung dieser Leistung zugrunde gelegten Versicherungs- und/oder Wohnzeiten berücksichtigt.

(3) Führt der Bezug von Leistungen unterschiedlicher Art oder von sonstigen Einkünften gleichzeitig zur Kürzung, zum Ruhen oder zur

---

1) Der Anhang ist hier nicht abgedruckt.

Entziehung von einer oder mehr Leistungen nach Artikel 46 Absatz 1 Buchstabe a) Ziffer i) und von einer oder mehr Leistungen nach Artikel 46 Absatz 2, so gelten folgende Vorschriften:

a) Bei einer Leistung oder Leistungen nach Artikel 46 Absatz 1 Buchstabe a) Ziffer i) werden die Beträge, die bei strenger Anwendung der in den Rechtsvorschriften der betreffenden Mitgliedstaaten vorgesehenen Kürzungs-, Ruhens- oder Entziehungsbestimmungen nicht ausgezahlt werden, durch die Zahl der zu kürzenden, zum Ruhen zu bringenden oder zu entziehenden Leistungen geteilt.

b) Bei einer Leistung oder Leistungen, die nach Artikel 46 Absatz 2 berechnet werden, wird nach Maßgabe des Absatzes 2 gekürzt, zum Ruhen gebracht oder entzogen.

(4) Sehen die Rechtsvorschriften eines Mitgliedstaats in den Fällen nach Absatz 1 und Absatz 3 Buchstabe a) vor, daß bei der Anwendung der Kürzungs-, Ruhens- oder Entziehungsbestimmungen Leistungen unterschiedlicher Art und/oder sonstige Einkünfte sowie alle anderen Bezugsgrößen nach dem Verhältnis zwischen den unter Artikel 46 Absatz 2 Buchstabe b) fallenden Versicherungszeiten zu berücksichtigen sind, findet die in den vorhergehenden Absätzen vorgesehene Teilung bei diesem Mitgliedstaat keine Anwendung.

(5) Alle vorstehenden Bestimmungen gelten in den Fällen, in denen nach den Rechtsvorschriften von einem oder mehreren Mitgliedstaaten der Anspruch auf eine Leistung bei Bezug einer nach den Rechtsvorschriften eines anderen Mitgliedstaats geschuldeten Leistung unterschiedlicher Art oder sonstiger Einkünfte nicht begründet werden kann, sinngemäß.

Art. 47 Ergänzende Vorschriften für die Berechnung der Leistungen. (1) Für die Berechnung des theoretischen Betrags und des zeitanteiligen Betrags nach Artikel 46 Absatz 2 gilt folgendes:

a) Übersteigt die Gesamtdauer der vor Eintritt des Versicherungsfalls nach den Rechtsvorschriften aller beteiligten Mitgliedstaaten zurückgelegten Versicherungs- und Wohnzeiten die in den Rechtsvorschriften eines dieser Mitgliedstaaten für die Gewährung der vollen Leistung vorgeschriebene Höchstdauer, so berücksichtigt der zuständige Träger dieses Staates diese Höchstdauer anstelle der Gesamtdauer dieser Zeiten. Diese Berechnungsmethode kann den betreffenden Versicherungsträger nicht zur Gewährung einer Leistung verpflichten, deren Betrag die volle nach seinen Rechtsvorschriften vorgesehene Leistung übersteigt. Diese Bestimmung gilt nicht für Leistungen, deren Höhe sich nicht nach der Versicherungsdauer richtet.

b) Die Einzelheiten für die Berücksichtigung der sich überschneidenden Zeiten werden in der in Artikel 98 vorgesehenen Durchführungsverordnung festgelegt.

c) Der zuständige Träger eines Mitgliedstaats, nach dessen Rechtsvorschriften bei der Berechnung von Leistungen ein Durchschnittsarbeitsentgelt, -arbeitseinkommen, -beitrag, -steigerungsbetrag oder das Verhältnis zugrunde zu legen ist, das während der Versicherungszeiten zwischen dem Bruttoarbeitsentgelt oder -arbeitseinkommen des Versicherten und dem Durchschnittsbruttoarbeitsentgelt oder -arbeitseinkommen aller Versicherten mit Ausnahme der Lehrlinge bestand, ermittelt die genannten Durchschnitts- oder Verhältniszahlen ausschließlich aufgrund der nach den Rechtsvorschriften dieses Staates zurückgelegten Versicherungszeiten oder des Bruttoarbeitsentgelts bzw. -arbeitseinkommens, das der Versicherte während dieser Zeiten bezogen hat.

d) Der zuständige Träger eines Mitgliedstaats, nach dessen Rechtsvorschriften bei der Berechnung von Leistungen die Höhe der Arbeitsentgelte, Arbeitseinkommen, Beiträge oder Steigerungsbeträge zugrunde zu legen ist, ermittelt die Entgelte, Einkommen, Beiträge oder Steigerungsbeträge für die nach den Rechtsvorschriften anderer Mitgliedstaaten zurückgelegten Versicherungs- oder Wohnzeiten auf der Grundlage der Durchschnittsarbeitsentgelte, -arbeitseinkommen, -beiträge oder -steigerungsbeträge, die für die Versicherungszeiten festgestellt worden sind, die nach den von dem genannten Träger angewendeten Rechtsvorschriften zurückgelegt wurden.

e) Der zuständige Träger eines Mitgliedstaats, nach dessen Rechtsvorschriften bei der Berechnung von Leistungen ein Pauschalarbeitsentgelt, -arbeitseinkommen oder -betrag zugrunde zu legen ist, berücksichtigt für die nach den Rechtsvorschriften anderer Mitgliedstaaten zurückgelegten Versicherungs- oder Wohnzeiten Entgelte, Einkommen oder Beträge in Höhe des Pauschalarbeitsentgelts, -arbeitseinkommens oder -betrags oder gegebenenfalls der durchschnittlichen Pauschalarbeitsentgelte, -arbeitseinkommen oder -beträge für Versicherungszeiten, die nach den von dem genannten Träger angewendeten Rechtsvorschriften zurückgelegt wurden.

f) Der zuständige Träger eines Mitgliedstaats, nach dessen Rechtsvorschriften bei der Berechnung von Leistungen für bestimmte Zeiten die Höhe der Entgelte oder Einkommen und für andere Zeiten ein Pauschalarbeitsentgelt, -arbeitseinkommen oder -betrag zugrunde zu legen ist, berücksichtigt für die nach den Rechtsvorschriften anderer Mitgliedstaaten zurückgelegten Versicherungs- oder Wohnzeiten die nach den Buchstabe d) oder e) ermittelten Entgelte, Einkommen oder Beträge beziehungsweise den Durchschnitt dieser Entgelte, Einkommen oder Beträge; wird bei der Berechnung der Leistungen für sämtliche nach den Rechtsvorschriften des ersten Staates zurückgelegten Versicherungszeiten ein Pauschalarbeitsentgelt, -arbeitseinkommen oder -betrag zugrunde gelegt, so berücksichtigt der zuständige Träger dieses Staates für die nach den Rechtsvorschriften anderer Mitgliedstaaten zurückgelegten Versicherungszeiten ein fiktives Entgelt bzw. Arbeitseinkommen, das diesem Pauschalentgelt, -arbeitseinkommen oder -betrag entspricht.

g) Der zuständige Träger eines Mitgliedstaats, nach dessen Rechtsvorschriften bei der Berechnung von Leistungen eine durchschnittliche Beitragsbemessungsgrundlage heranzuziehen ist, ermittelt diese Durchschnittsgrundlage gemäß den allein nach den Rechtsvorschriften dieses Staates zurückgelegten Versicherungszeiten.

(2) Rechtsvorschriften eines Mitgliedstaats über die Anpassung der bei der Berechnung der Leistungsbeträge berücksichtigten Rententeile gelten gegebenenfalls für die vom zuständigen Träger dieses Staates gemäß Absatz 1 berücksichtigten Rententeile für Versicherungs- oder Wohnzeiten nach den Rechtsvorschriften anderer Mitgliedstaaten.

(3) Wird nach den Rechtsvorschriften eines Mitgliedstaats der Leistungsbetrag unter Berücksichtigung von Familienangehörigen außer von Kindern festgelegt, so berücksichtigt der zuständige Träger dieses Staates auch diejenigen Familienangehörigen der betreffenden Person, die im Gebiet eines anderen Mitgliedstaats wohnen, als wohnten sie im Gebiet des zuständigen Staates.

(4) Müssen nach den vom zuständigen Träger eines Mitgliedstaats angewandten Rechtsvorschriften bei der Berechnung der Leistungen Löhne und Gehälter berücksichtigt werden, so stellt der zuständige Träger dieses Mitgliedstaats, wenn Artikel 45 Absatz 6 Unterabsätze 1 und 2 zur Anwendung gelangt ist und in einem Mitgliedstaat bei der Feststellung der Rente lediglich Zeiten der Vollarbeitslosigkeit berücksichtigt werden können, für die Leistungen gemäß Artikel 71 Absatz 1 Buchstabe a) Ziffer ii) bzw. Buchstabe b) Ziffer ii) erster Satz in Anspruch genommen wurden, gemäß den von ihm anzuwendenden Rechtsvorschriften die Rente unter Zugrundelegung des Ecklohns fest, den er zur Berechnung dieser Leistungen herangezogen hat.

Art. 48 Versicherungs- oder Wohnzeiten von weniger als einem Jahr. (1) Der Träger eines Mitgliedstaats ist ungeachtet des Artikels 46 Absatz 2 nicht verpflichtet, Leistungen aus Zeiten zu gewähren, die nach den von ihm angewendeten Rechtsvorschriften zurückgelegt wurden und im Zeitpunkt des Versicherungsfalls zu berücksichtigen sind, wenn:

– die Dauer dieser Zeiten weniger als ein Jahr beträgt
und
– aufgrund allein dieser Zeiten kein Leistungsanspruch nach diesen Rechtsvorschriften erworben worden ist.

(2) Die in Absatz 1 genannten Zeiten werden vom zuständigen Träger jedes anderen Mitgliedstaats bei der Anwendung von Artikel 46 Absatz 2 – mit Ausnahme des Buchstabens b) – berücksichtigt.

(3) Führt die Anwendung von Absatz 1 zur Befreiung aller Träger der betreffenden Staaten von der Leistungspflicht, so werden die Leistungen ausschließlich nach den Rechtsvorschriften des letzten dieser Staaten gewährt, dessen Voraussetzungen erfüllt sind; dabei gelten alle zurückgelegten und gemäß Artikel 45 Absätze 1 bis 4 angerechneten Versicherungs- und Wohnzeiten als nach den Rechtsvorschriften dieses Staates zurückgelegt.

Art. 49 Berechnung der Leistungen, wenn der Betreffende nicht gleichzeitig die Voraussetzungen nach sämtlichen Rechtsvorschriften erfüllt, nach denen Versicherungs- oder Wohnzeiten zurückgelegt wurden, oder wenn er ausdrücklich beantragt hat, die Feststellung der Leistungen bei Alter aufzuschieben. (1) Erfüllt der Betreffende zu einem bestimmten Zeitpunkt, gegebenenfalls auch unter Berücksichtigung des Artikels 45 und/oder des Artikels 40 Absatz 3, nicht die Voraussetzungen für die Leistungsgewährung nach den Rechtsvorschriften aller Mitgliedstaaten, die für ihn galten, sondern nur die Voraussetzungen nach den Rechtsvorschriften eines oder mehrerer dieser Staaten, so gilt folgendes:

a) Jeder zuständige Träger, nach dessen Rechtsvorschriften die Voraussetzungen erfüllt sind, berechnet nach Artikel 46 den Betrag der geschuldeten Leistung.

b) Dabei gelten jedoch folgende Bestimmungen:

i) Erfüllt der Betreffende die Voraussetzungen nach den Rechtsvorschriften mindestens zweier Mitgliedstaaten, ohne daß Versicherungs- oder Wohnzeiten berücksichtigt werden müssen, die nach den Rechtsvorschriften zurückgelegt wurden, deren Voraussetzungen nicht erfüllt sind, so bleiben diese Zeiten bei der Anwendung des Artikels 46 Absatz 2 unberücksichtigt, es sei denn, die Berücksichtigung der genannten Zeiten ermöglicht die Festsetzung eines höheren Betrags der Leistung.

ii) Erfüllt der Betreffende die Voraussetzungen nur nach den Rechtsvorschriften eines einzigen Mitgliedstaats, ohne daß die

Versicherungs- oder Wohnzeiten berücksichtigt werden müssen, die nach den Rechtsvorschriften zurückgelegt wurden, deren Voraussetzungen nicht erfüllt sind, so wird der Betrag der geschuldeten Leistung gemäß Artikel 46 Absatz 1 Buchstabe a) Ziffer i) ausschließlich nach den Rechtsvorschriften, deren Voraussetzungen erfüllt sind, und unter alleiniger Berücksichtigung der nach diesen Rechtsvorschriften zurückgelegten Zeiten berechnet, es sei denn, die Berücksichtigung der Zeiten, die nach den Rechtsvorschriften zurückgelegt wurden, deren Voraussetzungen nicht erfüllt sind, ermöglicht nach Artikel 46 Absatz 1 Buchstabe a) Ziffer ii) die Festsetzung eines höheren Betrags der Leistung.

Dieser Absatz gilt entsprechend, wenn der Betreffende gemäß Artikel 44 Absatz 2 zweiter Satz ausdrücklich beantragt hat, die Feststellung der Leistungen bei Alter aufzuschieben.

(2) Gemäß Absatz 1 nach den Rechtsvorschriften eines oder mehrerer beteiligter Mitgliedstaaten gewährte Leistungen werden, sobald die Voraussetzungen der Rechtsvorschriften eines oder mehrerer anderer beteiligter Mitgliedstaaten, die für den Versicherten galten, erfüllt sind, nach Artikel 46 von Amts wegen gegebenenfalls unter Berücksichtigung des Artikels 45 und gegebenenfalls unter erneuter Berücksichtigung von Absatz 1 neu berechnet. Dieser Absatz gilt entsprechend, wenn eine Person die bislang nach Artikel 44 Absatz 2 zweiter Satz aufgeschobene Feststellung der nach den Rechtsvorschriften eines oder mehrerer Mitgliedstaaten erworbenen Ansprüche auf Leistungen bei Alter beantragt.

(3) Eine Neuberechnung nach Absatz 1 erfolgt unbeschadet des Artikels 40 Absatz 2 von Amts wegen, wenn die Voraussetzungen einer oder mehrerer dieser Rechtsvorschriften nicht mehr erfüllt sind.

Art. 50 Gewährung einer Zulage, wenn die Summe der nach den Rechtsvorschriften der einzelnen Mitgliedstaaten geschuldeten Leistungen nicht den Mindestbetrag erreicht, der in den Rechtsvorschriften des Mitgliedstaats vorgesehen ist, in dessen Gebiet der Empfänger wohnt. Der Empfänger von Leistungen nach diesem Kapitel darf in dem Mitgliedstaat, in dessen Hoheitsgebiet er wohnt und nach dessen Rechtsvorschriften ihm eine Leistung zusteht, keinen niedrigeren Leistungsbetrag als die Mindestleistung erhalten, die nach den Rechtsvorschriften dieses Mitgliedstaats für eine Versicherungs- oder eine Wohnzeit vorgesehen ist, welche den Zeiten insgesamt entspricht, die bei der Feststellung seiner Leistung gemäß *den vorstehenden* Artikeln angerechnet wurden. Der zuständige Träger dieses Staates zahlt dem Betreffenden gegebenenfalls während der gesamten Zeit, in der er im Hoheitsgebiet dieses Staates wohnt, eine Zulage in Höhe des Unterschiedsbetrags zwischen der Summe der nach diesem Kapitel geschuldeten Leistungen und dem Betrag der Mindestleistung.

Art. 51 Anpassung und Neuberechnung der Leistungen. (1) Der Prozentsatz oder Betrag, um den bei einem Anstieg der Lebenshaltungskosten, bei Änderung des Lohnniveaus oder aus anderen Anpassungsgründen die Leistungen in den betreffenden Mitgliedstaaten geändert werden, gilt unmittelbar für die nach Artikel 46 festgestellten Leistungen, ohne daß eine Neuberechnung nach Artikel 46 vorzunehmen ist.

(2) Bei Änderungen des Feststellungsverfahrens oder der Berechnungsmethode für die Leistungen ist dagegen eine Neuberechnung nach Artikel 46 vorzunehmen.

Art. 51 a[1] Von einem Sondersystem für Beamte erfaßte Personen. (1) Für Personen, die von einem Sondersystem für Beamte erfaßt sind, gelten Artikel 44, Artikel 45 Absätze 1, 5 und 6 sowie die Artikel 46 bis 51 entsprechend.

(2) Ist hingegen nach den Rechtsvorschriften eines Mitgliedstaats der Erwerb, die Auszahlung, die Aufrechterhaltung oder das Wiederaufleben des Leistungsanspruchs im Rahmen eines Sondersystems für Beamte davon abhängig, daß alle Versicherungszeiten in einem oder mehreren Sondersystemen für Beamte in dem betreffenden Mitgliedstaat zurückgelegt wurden oder durch die Rechtsvorschriften dieses Mitgliedstaats solchen Zeiten gleichgestellt sind, so werden nur Zeiten berücksichtigt, die nach den Rechtsvorschriften dieses Mitgliedstaats anerkannt werden können.

Erfüllt der Betreffende auch unter Berücksichtigung solcher Zeiten nicht die Voraussetzungen für den Bezug dieser Leistungen, so werden diese Zeiten für die Gewährung von Leistungen im allgemeinen System oder, falls es ein solches nicht gibt, im System für Arbeiter bzw. für Angestellte berücksichtigt.

(3) Werden nach den Rechtsvorschriften eines Mitgliedstaats die Leistungen auf der Grundlage des bzw. der in einem Bezugszeitraum zuletzt erzielten Einkommens bzw. Einkommen berechnet, so berücksichtigt der zuständige Träger dieses Mitgliedstaats als Berechnungsgrundlage unter entsprechender Anpassung nur die Einkommen, die in dem Zeitraum bzw. den Zeiträumen bezogen wurden, in dem bzw. in denen die betreffende Person diesen Rechtsvorschriften unterlag.

---

[1] Art. 51 a eingef. mWv 25. 10. 1998 durch VO (EG) Nr. 1606/98 v. 29. 6. 1998 (ABl. EG Nr. L 209/1).

Kapitel 4. Arbeitsunfälle und Berufskrankheiten

Abschnitt 1. Leistungsanspruch

Art. 52 Wohnort in einem anderen Mitgliedstaat als dem zuständigen Staat – Allgemeine Regelung. Ein Arbeitnehmer oder Selbständiger, der im Gebiet eines anderen Mitgliedstaats als des zuständigen Staates wohnt und einen Arbeitsunfall erlitten oder sich eine Berufskrankheit zugezogen hat, erhält in dem Staat, in dem er wohnt,

a) Sachleistungen für Rechnung des zuständigen Trägers vom Träger des Wohnorts nach den für diesen Träger geltenden Rechtsvorschriften, als ob er bei diesem versichert wäre;

b) Geldleistungen vom zuständigen Träger nach den für diesen Träger geltenden Rechtsvorschriften. Im Einvernehmen zwischen dem zuständigen Träger und dem Träger des Wohnorts können diese Leistungen jedoch vom Träger des Wohnorts nach den Rechtsvorschriften des zuständigen Staates für Rechnung des zuständigen Trägers gewährt werden.

Art. 53 Grenzgänger – Sonderregelung. Ein Grenzgänger kann die Leistungen auch im Gebiet des zuständigen Staates erhalten. Diese Leistungen werden vom zuständigen Träger nach den Rechtsvorschriften dieses Staates erbracht, als ob der Grenzgänger dort wohnte.

Art. 54 Aufenthalt im zuständigen Staat oder Wohnortwechsel in den zuständigen Staat. (1) Der in Artikel 52 bezeichnete Arbeitnehmer oder Selbständige, der sich im Gebiet des zuständigen Staates aufhält, erhält Leistungen nach den Rechtsvorschriften dieses Staates, selbst wenn er schon vor seinem dortigen Aufenthalt Leistungen erhalten hat. Dies gilt jedoch nicht für Grenzgänger.

(2) Der in Artikel 52 bezeichnete Arbeitnehmer oder Selbständige erhält nach einem Wohnortwechsel in das Gebiet des zuständigen Staates Leistungen nach den Rechtsvorschriften dieses Staates, selbst wenn er schon vor dem Wohnortwechsel Leistungen erhalten hat.

Art. 55 Aufenthalt außerhalb des zuständigen Staates – Rückkehr oder Wohnortwechsel in einen anderen Mitgliedstaat nach einem Arbeitsunfall oder nach Auftreten einer Berufskrankheit – Notwendigkeit, sich zwecks angemessener Behandlung in einen anderen Mitgliedstaat zu begeben. (1) Ein Arbeitnehmer oder Selbständiger, der einen Arbeitsunfall erlitten oder sich eine Berufskrankheit zugezogen hat und

a) der sich im Gebiet eines anderen Mitgliedstaats als des zuständigen Staates aufhält oder

b) der, nachdem er zu Lasten des zuständigen Trägers leistungsberechtigt geworden ist, von diesem Träger die Genehmigung erhalten hat, in das Gebiet des Mitgliedstaats, in dem er wohnt, zurückzukehren oder einen Wohnortwechsel in das Gebiet eines anderen Mitgliedstaats vorzunehmen, oder

c) der vom zuständigen Träger die Genehmigung erhalten hat, sich in das Gebiet eines anderen Mitgliedstaats zu begeben, um dort eine seinem Zustand angemessene Behandlung zu erhalten,

hat Anspruch auf:

i) Sachleistungen für Rechnung des zuständigen Trägers vom Träger des Aufenthalts- oder Wohnorts nach den für diesen Träger geltenden Rechtsvorschriften, als ob er bei diesen versichert wäre; die Dauer der Leistungsgewährung richtet sich jedoch nach den Rechtsvorschriften des zuständigen Staates;

ii) Geldleistungen vom zuständigen Träger nach den für diesen Träger geltenden Rechtsvorschriften. Im Einvernehmen zwischen dem zuständigen Träger und dem Träger des Aufenthalts- oder Wohnorts können diese Leistungen jedoch vom Träger des Aufenthalts- oder Wohnorts nach den Rechtsvorschriften des zuständigen Staates für Rechnung des zuständigen Trägers gewährt werden.

(2) Die nach Absatz 1 Buchstabe b) erforderliche Genehmigung darf nur verweigert werden, wenn die Rückkehr oder der Wohnortwech-

(Fortsetzung nächstes Blatt)

sel des Arbeitnehmers oder Selbständigen dessen Gesundheitszustand gefährden oder die Durchführung der ärztlichen Behandlung in Frage stellen würde.

Die nach Absatz 1 Buchstabe c) erforderliche Genehmigung darf nicht verweigert werden, wenn dieser Arbeitnehmer oder Selbständige im Gebiet des Mitgliedstaats, in dem er wohnt, die betreffende Behandlung nicht erhalten kann.

Art. 56 Wegeunfälle. Ein Wegeunfall, der sich im Gebiet eines anderen Mitgliedstaats als des zuständigen Staates ereignet hat, gilt als im Gebiet des zuständigen Staates eingetreten.

Art. 57[1] Leistungen bei Berufskrankheiten in Fällen, in denen der Betreffende in mehreren Mitgliedstaaten dem gleichen Risiko ausgesetzt gewesen ist. (1) Haben von einer Berufskrankheit betroffene Personen nach den Rechtsvorschriften von zwei oder mehr Mitgliedstaaten eine Tätigkeit ausgeübt, die ihrer Art nach geeignet ist, eine solche Krankheit zu verursachen, so werden die Leistungen, auf die sie oder ihre Hinterbliebenen Anspruch haben, ausschließlich nach den Rechtsvorschriften jenes letzten dieser Mitgliedstaaten gewährt, dessen Voraussetzungen – gegebenenfalls unter Berücksichtigung der Absätze 2 bis 5 – erfüllt sind.

(2) Wird für die Gewährung von Leistungen bei Berufskrankheiten nach den Rechtsvorschriften eines Mitgliedstaats vorausgesetzt, daß die betreffende Krankheit zum ersten Mal im Gebiet dieses Mitgliedstaats ärztlich festgestellt worden ist, gilt diese Voraussetzung auch dann als erfüllt, wenn die betreffende Krankheit zum ersten Mal im Gebiet eines anderen Mitgliedstaats festgestellt worden ist.

(3) Wird für die Gewährung von Leistungen bei Berufskrankheit nach den Rechtsvorschriften eines Mitgliedstaats vorausgesetzt, daß die betreffende Krankheit innerhalb einer bestimmten Frist nach Beendigung der letzten Tätigkeit, die geeignet ist, eine solche Krankheit zu verursachen, festgestellt worden ist, berücksichtigt der zuständige Träger dieses Staates bei der Prüfung des Zeitpunkts der Ausübung dieser letzten Tätigkeit, soweit erforderlich, die nach den Rechtsvorschriften anderer Mitgliedstaaten ausgeübten gleichartigen Tätigkeiten, als ob diese nach den Rechtsvorschriften des ersten Mitgliedstaats ausgeübt worden wären.

(4) Wird für die Gewährung von Leistungen bei Berufskrankheit nach den Rechtsvorschriften eines Mitgliedstaats vorausgesetzt, daß

---

[1] Art. 57 neugefaßt durch VO (EWG) Nr. 2332/89 v. 18. 7. 1989, ABl. Nr. L 224/1.

eine Tätigkeit, die geeignet ist, eine solche Krankheit zu verursachen, eine bestimmte Zeit lang ausgeübt wurde, berücksichtigt der zuständige Träger dieses Staates, soweit erforderlich, die Zeiten, in denen eine solche Tätigkeit nach den Rechtsvorschriften anderer Mitgliedstaaten ausgeübt worden ist, als ob sie nach den Rechtsvorschriften des ersten Staates ausgeübt worden wäre.

(5) Bei sklerogener Pneumokoniose werden die Aufwendungen für Geldleistungen, einschließlich Renten, von den zuständigen Trägern der Mitgliedstaaten, in deren Gebiet die betreffende Person eine Tätigkeit ausgeübt hat, die geeignet ist, diese Krankheit zu verursachen, anteilig getragen. Die Aufteilung erfolgt im Verhältnis der Dauer der nach den Rechtsvorschriften jedes dieser Mitgliedstaaten zurückgelegten Altersversicherungs- oder Wohnzeiten nach Artikel 45 Absatz 1 zur Gesamtdauer der nach den Rechtsvorschriften aller dieser Mitgliedstaaten zurückgelegten Altersversicherungs- oder Wohnzeiten zum Zeitpunkt des Beginns dieser Leistungen.

(6) Der Rat beschließt auf Vorschlag der Kommission einstimmig, auf welche weiteren Berufskrankheiten Absatz 5 erstreckt wird.

Art. 58 Berechnung der Geldleistungen. (1) Der zuständige Träger eines Mitgliedstaats, nach dessen Rechtsvorschriften bei der Berechnung von Geldleistungen ein Durchschnittsarbeitsentgelt oder -einkommen zugrunde zu legen ist, ermittelt das Durchschnittsarbeitsentgelt oder -einkommen ausschließlich aufgrund der Arbeitsentgelte oder -einkommen, die für die nach den Rechtsvorschriften dieses Mitgliedstaats zurückgelegten Zeiten festgestellt worden sind.

(2) Der zuständige Träger eines Mitgliedstaats, nach dessen Rechtsvorschriften bei der Berechnung von Geldleistungen ein pauschales Arbeitsentgelt oder pauschales Arbeitseinkommen zugrunde zu legen ist, berücksichtigt ausschließlich das pauschale Arbeitsentgelt oder pauschale Arbeitseinkommen oder gegebenenfalls den Durchschnitt der pauschalen Arbeitsentgelte oder pauschalen Arbeitseinkommen für Zeiten, die nach den Rechtsvorschriften dieses Mitgliedstaats zurückgelegt worden sind.

(3) Der zuständige Träger eines Mitgliedstaats, nach dessen Rechtsvorschriften die Höhe der Geldleistungen von der Zahl der Familienangehörigen abhängt, berücksichtigt auch die Familienangehörigen des Versicherten, die im Gebiet eines anderen Mitgliedstaats wohnen, als ob sie im Gebiet des zuständigen Staates wohnten.

Art. 59 Kosten für den Transport des Verunglückten. (1) Der zuständige Träger eines Mitgliedstaats, nach dessen Rechtsvorschriften die Übernahme der Kosten für den Transport des Verunglückten bis zu seinem Wohnort oder bis zum Krankenhaus vorgesehen ist, trägt auch die Kosten für den Transport bis zu dem entsprechenden Ort im Gebiet eines anderen Mitgliedstaats, in dem der Verunglückte wohnt, sofern er vorher die Genehmigung hierzu erteilt hat; dabei sind die Gründe gebührend zu berücksichtigen, die den Transport rechtfertigen. Die Genehmigung ist bei Grenzgängern nicht erforderlich.

(2) Der zuständige Träger eines Mitgliedstaats, nach dessen Rechtsvorschriften die Übernahme der Kosten für die Überführung der Leiche bis zur Begräbnisstätte vorgesehen ist, trägt nach den für ihn geltenden Rechtsvorschriften auch die Kosten der Überführung bis zur Begräbnisstätte im Gebiet eines anderen Mitgliedstaats, in dem der Verunglückte zum Zeitpunkt des Unfalls gewohnt hat.

Abschnitt 2. Verschlimmerung einer Berufskrankheit, für die ein Leistungsanspruch besteht

Art. 60.[1] (1) Bei Verschlimmerung des Zustands eines Arbeitnehmers oder Selbständigen, der nach den Rechtsvorschriften eines Mitgliedstaats Leistungen für eine Berufskrankheit bezogen hat oder bezieht, gilt folgendes:

a) Der zuständige Träger ist verpflichtet, die Leistungen nach den für ihn geltenden Rechtsvorschriften zu gewähren und dabei die Verschlimmerung der Krankheit zu berücksichtigen, wenn der Betreffende seit Beginn der Leistungsgewährung keine Berufstätigkeit nach den Rechtsvorschriften eines anderen Mitgliedstaats ausgeübt hat, die geeignet war, eine solche Krankheit zu verursachen oder zu verschlimmern;

b) der zuständige Träger ist verpflichtet, die Leistungen nach den für ihn geltenden Rechtsvorschriften zu gewähren, ohne daß dabei die Verschlimmerung der Krankheit berücksichtigt wird, wenn der Betreffende seit Beginn der Leistungsgewährung eine Tätigkeit nach den Rechtsvorschriften eines anderen Mitgliedstaats ausgeübt hat, die geeignet war, eine solche Krankheit zu verursachen oder zu verschlimmern. Der zuständige Träger dieses zweiten Mitgliedstaats gewährt dem Betreffenden eine Zulage in Höhe des Unterschiedsbetrags zwischen dem Betrag der nach der Verschlimmerung geschuldeten Leistungen und dem Betrag, den er vor der Verschlimmerung aufgrund der für ihn geltenden Rechtsvorschriften geschul-

[1] Art. 60 Abs. 1 Buchstabe c und Abs. 2 geändert durch VO (EWG) Nr. 2332/89 v. 18. 7. 1989, ABl. Nr. 224/1; Buchstabe d) eingefügt mit Wirkung vom 1. 6. 1992 durch VO (EWG) Nr. 1248/92 v. 30. 4. 1992, ABl. Nr. L 136/7.

det hätte, wenn der Betreffende sich die Krankheit im Geltungsbereich der Rechtsvorschriften dieses Mitgliedstaats zugezogen hätte;

c) der zuständige Träger gewährt die Leistungen unter Berücksichtigung der Verschlimmerung nach den für ihn geltenden Rechtsvorschriften, wenn ein Arbeitnehmer oder Selbständiger an sklerogener Pneumokoniose erkrankt ist oder an einer gemäß Artikel 57 Absatz 6 bestimmten Krankheit leidet und in dem unter Buchstabe b) bezeichneten Fall keinen Anspruch auf Leistungen nach den Rechtsvorschriften des zweiten Mitgliedstaats hat. Der zuständige Träger des zweiten Mitgliedstaats übernimmt jedoch den Unterschiedsbetrag zwischen den vom zuständigen Träger des ersten Mitgliedstaats unter Berücksichtigung der Verschlimmerung geschuldeten Geldleistungen, einschließlich der Renten, und den entsprechenden Leistungen, die vor der Verschlimmerung geschuldet wurden;

d) die in den Rechtsvorschriften eines Mitgliedstaats vorgesehenen Bestimmungen über die Kürzung, das Ruhen oder die Entziehung lassen sich nicht gegen den Empfänger von Leistungen anwenden, die von den Trägern zweier Mitgliedstaaten gemäß Buchstabe b) festgestellt wurden.

(2) Bei Verschlimmerung einer Berufskrankheit, auf die Artikel 57 Absatz 5 angewandt worden ist, gilt folgendes:

a) Der zuständige Träger, der die Leistungen aufgrund des Artikels 57 Absatz 1 gewährt hat, ist verpflichtet, die Leistungen nach den für ihn geltenden Rechtsvorschriften zu gewähren und dabei die Verschlimmerung zu berücksichtigen;

b) die Geldleistungen, einschließlich der Renten, werden anteilig von den Trägern getragen, die gemäß Artikel 57 Absatz 5 an den bisherigen Leistungen beteiligt waren. Hat der Verunglückte jedoch nach den Rechtsvorschriften eines Mitgliedstaats, nach denen er bereits eine gleichartige Tätigkeit ausgeübt hatte, oder nach den Rechtsvorschriften eines anderen Mitgliedstaats erneut eine Tätigkeit ausgeübt, die geeignet ist, eine solche Berufskrankheit zu verursachen oder zu verschlimmern, so übernimmt der zuständige Träger dieses Staates den Unterschiedsbetrag zwischen den unter Berücksichtigung der Verschlimmerung geschuldeten und den vor der Verschlimmerung geschuldeten Leistungen.

Abschnitt 3. Sonstige Vorschriften

Art. 61 Regeln zur Berücksichtigung von Besonderheiten bestimmter Rechtsvorschriften. (1) Besteht im Gebiet des Mitgliedstaats, in dem sich der Betreffende befindet, keine Versicherung gegen

Arbeitsunfälle oder Berufskrankheiten oder besteht in diesem Gebiet eine derartige Versicherung, die jedoch keinen für die Gewährung von Sachleistungen verantwortlichen Träger vorsieht, so werden diese Leistungen von dem Träger des Aufenthalts- oder Wohnorts gewährt, der für die Gewährung der Sachleistungen bei Krankheit zuständig ist.

(2) Ist nach den Rechtsvorschriften des zuständigen Staates die vollständig kostenlose Gewährung der Sachleistungen davon abhängig, daß der vom Arbeitgeber eingerichtete ärztliche Dienst in Anspruch genommen wird, so gelten die nach Artikel 52 und Artikel 55 Absatz 1 gewährten Sachleistungen als durch einen solchen ärztlichen Dienst gewährt.

(3) Die nach Artikel 52 und Artikel 55 Absatz 1 gewährten Sachleistungen gelten als auf Antrag des zuständigen Trägers gewährt, wenn in den Rechtsvorschriften des zuständigen Staates ein System bezüglich der Verpflichtungen des Arbeitgebers vorgesehen ist.

(4) Die Sachleistungen werden unmittelbar vom Arbeitgeber oder von dem für ihn eintretenden Versicherer gewährt, wenn das System des zuständigen Staates für die Entschädigung von Arbeitsunfällen nicht den Charakter einer Pflichtversicherung hat.

(5) Der zuständige Träger eines Mitgliedstaats, in dessen Rechtsvorschriften ausdrücklich oder stillschweigend vorgesehen ist, daß bei der Bemessung des Grades der Erwerbsminderung, der Begründung des Leistungsanspruchs oder der Festsetzung des Leistungsbetrags früher eingetretene oder festgestellte Arbeitsunfälle oder Berufskrankheiten zu berücksichtigen sind, berücksichtigt auch die früher nach den Rechtsvorschriften eines anderen Mitgliedstaats eingetretenen oder festgestellten Arbeitsunfälle oder Berufskrankheiten, als ob sie unter den für ihn geltenden Rechtsvorschriften eingetreten oder festgestellt worden wären.

(6) Der zuständige Träger eines Mitgliedstaats, in dessen Rechtsvorschriften ausdrücklich oder stillschweigend vorgesehen ist, daß bei der Bemessung des Grades der Erwerbsminderung, der Begründung des Leistungsanspruchs oder der Festsetzung des Leistungsbetrags später eingetretene oder festgestellte Arbeitsunfälle oder Berufskrankheiten zu berücksichtigen sind, berücksichtigt auch die später nach den Rechtsvorschriften eines anderen Mitgliedstaats eingetretenen oder festgestellten Arbeitsunfälle oder Berufskrankheiten, als ob sie unter den für ihn geltenden Rechtsvorschriften eingetreten oder festgestellt worden wären, sofern

1. für die früher nach den für ihn geltenden Rechtsvorschriften eingetretenen oder festgestellten Arbeitsunfälle oder Berufskrankheiten kein Leistungsanspruch bestand und

2. für die später eingetretenen oder festgestellten Arbeitsunfälle oder Berufskrankheiten ungeachtet der Bestimmungen von Absatz 5 kein Leistungsanspruch gemäß den Rechtsvorschriften des anderen Mitgliedstaats, nach denen der Arbeitsunfall oder die Berufskrankheit eingetreten ist oder festgestellt wurde, besteht.

Art. 62 Regelung bei mehreren Versicherungssystemen im Wohn- oder Aufenthaltsland – Höchstdauer für die Gewährung der Leistungen. (1) Sind in den Rechtsvorschriften des Wohn- oder Aufenthaltslandes mehrere Versicherungssysteme vorgesehen, so werden bei den in Artikel 52 oder Artikel 55 Absatz 1 genannten Arbeitnehmern oder Selbständigen die Rechtsvorschriften des Systems angewandt, bei dem die Arbeiter der Stahlindustrie versichert sind. Ist jedoch eines dieser Systeme ein Sondersystem für die Arbeitnehmer von Bergwerken und gleichgestellten Betrieben, so werden die Rechtsvorschriften dieses Systems auf diese Arbeitnehmer angewandt, sofern der Träger des Aufenthalts- oder Wohnorts, an den sie sich wenden, für die Anwendung dieses Systems zuständig ist.

(2) Der Träger eines Mitgliedstaats, nach dessen Rechtsvorschriften eine Höchstdauer für die Gewährung der Leistungen vorgesehen ist, kann die Zeit berücksichtigen, für die bereits vom Träger eines anderen Mitgliedstaats Leistungen gewährt worden sind.

Abschnitt 4. Erstattungen zwischen Trägern

Art. 63. (1) Der zuständige Träger hat die Aufwendungen für die Sachleistungen zu erstatten, die aufgrund des Artikels 52 und des Artikels 55 Absatz 1 für seine Rechnung gewährt worden sind.

(2) Erstattungen nach Absatz 1 werden nach Maßgabe der in Artikel 98 vorgesehenen Durchführungsverordnung gegen Nachweis der tatsächlichen Aufwendungen festgestellt und vorgenommen.

(3) Zwei oder mehr Mitgliedstaaten oder die zuständigen Behörden dieser Staaten können andere Erstattungsverfahren vereinbaren oder auf jegliche Erstattung zwischen den unter ihre Zuständigkeit fallenden Trägern verzichten.

Abschnitt 5.[1] Studierende

Art. 63 a. Die Abschnitte 1 bis 4 gelten für Studierende entsprechend.

---

[1] Abschn. 5 eingef. durch VO (EG) Nr. 307/99 v. 8. 2 1999 (ABl. EG Nr. L 38/1).

Kapitel 5. Sterbegeld

Art. 64 Zusammenrechnung der Versicherungs- oder Wohnzeiten. Der zuständige Träger eines Mitgliedstaats, nach dessen Rechtsvorschriften der Erwerb, die Aufrechterhaltung oder das Wiederaufleben des Anspruchs auf Sterbegeld von der Zurücklegung von Versicherungs- oder Wohnzeiten abhängig ist, berücksichtigt, soweit erforderlich, die Versicherungs- oder Wohnzeiten nach den Rechtsvorschriften eines anderen Mitgliedstaats, als handelte es sich um Zeiten, die nach den für diesen Träger geltenden Rechtsvorschriften zurückgelegt worden sind.

Art. 65 Anspruch auf Sterbegeld, wenn der Tod in einem anderen Mitgliedstaat als dem zuständigen Staat eintritt oder wenn der Berechtigte in einem anderen Mitgliedstaat als dem zuständigen Staat wohnt. (1) Stirbt ein Arbeitnehmer, ein Selbständiger, ein Rentner, ein Rentenantragsteller oder einer ihrer Familienangehörigen im Gebiet eines anderen Mitgliedstaats als des zuständigen Staates, so gilt der Tod als im Gebiet des zuständigen Staates eingetreten.

(2) Der zuständige Träger ist zur Zahlung des Sterbegelds nach den für ihn geltenden Rechtsvorschriften auch dann verpflichtet, wenn der Berechtigte im Gebiet eines anderen Mitgliedstaats als des zuständigen Staates wohnt.

(3) Die Absätze 1 und 2 finden auch dann Anwendung, wenn der Tod infolge eines Arbeitsunfalls oder einer Berufskrankheit eingetreten ist.

Art. 66 Gewährung von Leistungen beim Tode eines Rentners, wenn dieser nicht in dem Mitgliedstaat wohnte, in dem der Träger seinen Sitz hat, zu dessen Lasten die gewährten Sachleistungen gingen. Stirbt ein Rentner, der zum Bezug von Rente nach den Rechtsvorschriften eines oder mehrerer Mitgliedstaaten berechtigt ist und der im Gebiet eines anderen als des Mitgliedstaats wohnte, in dem der Träger seinen Sitz hat, zu dessen Lasten die diesem Rentner aufgrund des Artikels 28 gewährten Sachleistungen gingen, so wird das Sterbegeld von diesem Träger nach den für ihn geltenden Rechtsvorschriften und zu seinen Lasten gewährt, als hätte der Rentner zum Zeitpunkt seines Todes im Gebiet des Mitgliedstaats gewohnt, in dem dieser Träger seinen Sitz hat.

Absatz 1 gilt für die Familienangehörigen eines Rentners entsprechend.

Art. 66 a[1)] Studierende. Die Artikel 64 bis 66 gelten für Studierende und deren Familienangehörige entsprechend.

Kapitel 6. Arbeitslosigkeit

Abschnitt 1. Gemeinsame Vorschriften

Art. 67 Zusammenrechnung der Versicherungs- oder Beschäftigungszeiten. (1) Der zuständige Träger eines Mitgliedstaats, nach dessen Rechtsvorschriften der Erwerb, die Aufrechterhaltung oder das Wiederaufleben des Leistungsanspruchs von der Zurücklegung von Versicherungszeiten abhängig ist, berücksichtigt, soweit erforderlich, die Versicherungs- oder Beschäftigungszeiten, die als Arbeitnehmer nach den Rechtsvorschriften eines anderen Mitgliedstaats zurückgelegt wurden, als handelte es sich um Versicherungszeiten, die nach den eigenen Rechtsvorschriften zurückgelegt worden sind; für Beschäftigungszeiten gilt dies jedoch unter der Voraussetzung, daß sie als Versicherungszeiten gegolten hätten, wenn sie nach den eigenen Rechtsvorschriften zurückgelegt worden wären.

(2) Der zuständige Träger eines Mitgliedstaats, nach dessen Rechtsvorschriften der Erwerb, die Aufrechterhaltung oder das Wiederaufleben des Leistungsanspruchs von der Zurücklegung von Beschäftigungszeiten abhängig ist, berücksichtigt, soweit erforderlich, die Versicherungs- oder Beschäftigungszeiten, die als Arbeitnehmer nach den Rechtsvorschriften eines anderen Mitgliedstaats zurückgelegt wurden, als handelte es sich um Beschäftigungszeiten, die nach den eigenen Rechtsvorschriften zurückgelegt worden sind.

(3) Absätze 1 und 2 gelten außer in den in Artikel 71 Absatz 1 Buchstabe a) Ziffer ii) und Buchstabe b) Ziffer ii) genannten Fällen nur unter der Voraussetzung, daß die betreffende Person unmittelbar zuvor
– im Fall des Absatzes 1 Versicherungszeiten,
– im Fall des Absatzes 2 Beschäftigungszeiten
nach den Rechtsvorschriften zurückgelegt hat, nach denen die Leistungen beantragt werden.

(4) Ist die Dauer der Leistungsgewährung von der Dauer von Versicherungs- oder Beschäftigungszeiten abhängig, so findet Absatz 1 oder Absatz 2 entsprechend Anwendung.

Art. 68 Berechnung der Leistungen. (1) Der zuständige Träger eines Mitgliedstaats, nach dessen Rechtsvorschriften bei der Berech-

---

[1)] Art. 66 a eingef. durch VO (EG) Nr. 307/99 v. 8. 2. 1999 (ABl. EG Nr. L 38/1).

nung der Leistungen die Höhe des früheren Entgelts zugrunde zu legen ist, berücksichtigt ausschließlich das Entgelt, das der Arbeitslose während seiner letzten Beschäftigung im Gebiet dieses Staates erhalten hat. Hat jedoch seine letzte Beschäftigung dort weniger als vier Wochen gedauert, so werden die Leistungen auf der Grundlage des Entgelts berechnet, das am Wohnort oder Aufenthaltsort des Arbeitslosen für eine Beschäftigung üblich ist, die der Beschäftigung, die er zuletzt im Gebiet eines anderen Mitgliedstaats ausgeübt hat, gleichwertig oder vergleichbar ist.

(2) Der zuständige Träger eines Mitgliedstaats, nach dessen Rechtsvorschriften sich die Höhe der Leistungen nach der Zahl der Familienangehörigen richtet, berücksichtigt auch die Familienangehörigen, die im Gebiet eines anderen Mitgliedstaats wohnen, als ob sie im Gebiet

(Fortsetzung nächstes Blatt)

des zuständigen Staates wohnten. Dies gilt jedoch nicht, wenn in dem Land, in dem die Familienangehörigen wohnen, eine andere Person Anspruch auf Leistungen bei Arbeitslosigkeit hat, sofern die Familienangehörigen bei der Berechnung dieser Leistungen berücksichtigt werden.

Abschnitt 2. Arbeitslose, die sich in einen anderen Mitgliedstaat als den zuständigen Staat begeben

Art. 69 Bedingungen und Grenzen der Aufrechterhaltung des Leistungsanspruchs. (1) Ein vollarbeitsloser Arbeitnehmer oder Selbständiger, der die Voraussetzungen für einen Leistungsanspruch nach den Rechtsvorschriften eines Mitgliedstaats erfüllt und sich in einen oder mehrere andere Mitgliedstaaten begibt, um dort eine Beschäftigung zu suchen, behält den Anspruch auf diese Leistungen unter folgenden Voraussetzungen und innerhalb der folgenden Grenzen:

a) Der Arbeitslose muß vor seiner Abreise während mindestens vier Wochen nach Beginn der Arbeitslosigkeit bei der Arbeitsverwaltung des zuständigen Staates als Arbeitsuchender gemeldet gewesen sein und dieser zur Verfügung gestanden haben. Die zuständige Arbeitsverwaltung oder der zuständige Träger kann jedoch seine Abreise vor Ablauf dieser Frist genehmigen;

b) der Arbeitslose muß sich bei der Arbeitsverwaltung jedes Mitgliedstaats, in den er sich begibt, als Arbeitsuchender melden und sich der dortigen Kontrolle unterwerfen. Für den Zeitraum vor der Anmeldung gilt diese Bedingung als erfüllt, wenn die Anmeldung innerhalb von sieben Tagen nach dem Zeitpunkt erfolgt, von dem ab der Arbeitslose der Arbeitsverwaltung des Staates, den er verlassen hat, nicht mehr zur Verfügung stand. In außergewöhnlichen Fällen kann diese Frist von der zuständigen Arbeitsverwaltung oder dem zuständigen Träger verlängert werden;

c) der Leistungsanspruch wird während höchstens drei Monaten von dem Zeitpunkt an aufrechterhalten, von dem ab der Arbeitslose der Arbeitsverwaltung des Staates, den er verlassen hat, nicht mehr zur Verfügung stand; dabei darf die Gesamtdauer der Leistungsgewährung den Zeitraum nicht überschreiten, für den nach den Rechtsvorschriften dieses Staates Anspruch auf Leistungen besteht. Bei einem Saisonarbeiter ist die Dauer der Leistungsgewährung außerdem durch den Ablauf der Saison begrenzt, für die er eingestellt worden ist.

(2) Der Arbeitslose hat weiterhin Anspruch auf Leistungen nach den Rechtsvorschriften des zuständigen Staates, wenn er vor Ablauf des

Zeitraums, in dem er nach Absatz 1 Buchstabe c) Anspruch auf Leistungen hat, in den zuständigen Staat zurückkehrt; er verliert jedoch jeden Anspruch auf Leistungen nach den Rechtsvorschriften des zuständigen Staates, wenn er nicht vor Ablauf dieses Zeitraums dorthin zurückkehrt. In Ausnahmefällen kann die zuständige Arbeitsverwaltung oder der zuständige Träger diese Frist verlängern.

(3) Absatz 1 kann zwischen zwei Beschäftigungszeiten nur einmal in Anspruch genommen werden.

(4) Handelt es sich bei dem zuständigen Staat um Belgien, so lebt der Anspruch des Arbeitslosen, der nach Ablauf des in Absatz 1 Buchstabe c) genannten Zeitraums von drei Monaten dorthin zurückkehrt, auf Leistungen dieses Landes erst dann wieder auf, wenn er dort während mindestens drei Monaten eine Beschäftigung ausgeübt hat.

Art. 70 Zahlung der Leistungen und Erstattungen. (1) In den in Artikel 69 Absatz 1 bezeichneten Fällen werden die Leistungen vom Träger des Staates gezahlt, in dem der Arbeitslose eine Beschäftigung sucht.

Der zuständige Träger des Mitgliedstaats, dessen Rechtsvorschriften der Arbeitnehmer oder Selbständige während seiner letzten Beschäftigung unterlegen hat, hat diese Leistungen zu erstatten.

(2) Erstattungen nach Absatz 1 werden nach Maßgabe der in Artikel 98 vorgesehenen Durchführungsverordnung entweder gegen Nachweis der tatsächlichen Aufwendungen oder unter Zugrundelegung von Pauschalbeträgen festgestellt und vorgenommen.

(3) Zwei oder mehr Mitgliedstaaten oder die zuständigen Behörden dieser Staaten können andere Erstattungs- oder Zahlverfahren vereinbaren oder auf jegliche Erstattung zwischen ihren Trägern verzichten.

Abschnitt 3. Arbeitslose, die während ihrer letzten Beschäftigung in einem anderen Mitgliedstaat als dem zuständigen Staat wohnten

Art. 71.[1)] (1) Für die Gewährung der Leistungen an einen arbeitslosen Arbeitnehmer, der während seiner letzten Beschäftigung im Gebiet eines anderen Mitgliedstaats als des zuständigen Staates wohnte, gilt folgendes:

[1)] Vgl. hierzu auch Beschluß Nr. 160 v. 28. 11. 1995 zum Geltungsbereich des Art. 71 Abs. 1 Buchst. b) Ziffer ii) in der Verordnung (EWG) 1408/71 des Rates im Zusammenhang mit dem Anspruch auf Leistungen wegen Arbeitslosigkeit bei anderen Arbeitnehmern als Grenzgänger, die während ihrer letzten Beschäftigung im Gebiet eines anderen als des zuständigen Mitglieds gewohnt haben (96/172/EG – ABl. EG Nr. L 49/31).

a) i) Grenzgänger erhalten bei Kurzarbeit oder sonstigem vorübergehendem Arbeitsausfall in dem Unternehmen, das sie beschäftigt, Leistungen nach den Rechtsvorschriften des zuständigen Staates, als ob sie im Gebiet dieses Staates wohnten; diese Leistungen gewährt der zuständige Träger;

ii) Grenzgänger erhalten bei Vollarbeitslosigkeit Leistungen nach den Rechtsvorschriften des Mitgliedstaats, in dessen Gebiet sie wohnen, als ob während der letzten Beschäftigung die Rechtsvorschriften dieses Mitgliedstaats für sie gegolten hätten; diese Leistungen gewährt der Träger des Wohnorts zu seinen Lasten;

b) i) Arbeitnehmer, die nicht Grenzgänger sind und weiterhin ihrem Arbeitgeber oder der Arbeitsverwaltung des zuständigen Staates zur Verfügung stehen, erhalten bei Kurzarbeit, sonstigem vorübergehendem Arbeitsausfall oder Vollarbeitslosigkeit Leistungen nach den Rechtsvorschriften dieses Staates, als ob sie in diesem Staat wohnten; diese Leistungen gewährt der zuständige Träger;

ii) Arbeitnehmer, die nicht Grenzgänger sind und die sich der Arbeitsverwaltung des Mitgliedstaats zur Verfügung stellen, in dessen Gebiet sie wohnen, oder in das Gebiet dieses Staates zurückkehren, erhalten bei Vollarbeitslosigkeit Leistungen nach den Rechtsvorschriften dieses Staates, als ob sie dort zuletzt beschäftigt gewesen wären; diese Leistungen gewährt der Träger des Wohnorts zu seinen Lasten. Der Arbeitslose erhält jedoch Leistungen nach Maßgabe des Artikels 69, wenn ihm bereits Leistungen zu Lasten des zuständigen Trägers des Mitgliedstaats zuerkannt worden waren, dessen Rechtsvorschriften zuletzt für ihn gegolten haben. Die Gewährung von Leistungen nach den Rechtsvorschriften des Staates, in dem er wohnt, wird für den Zeitraum ausgesetzt, für den der Arbeitslose gemäß Artikel 69 Leistungen nach den Rechtsvorschriften beanspruchen kann, die zuletzt für ihn gegolten haben.

(2) Solange ein Arbeitsloser Anspruch auf Leistungen nach Absatz 1 Buchstabe a) Ziffer i) oder Buchstabe b) Ziffer i) hat, kann er keine Leistungen nach den Rechtsvorschriften des Staates beanspruchen, in dem er wohnt.

Abschnitt 4.[1] Von einem Sondersystem für Beamte erfaßte Personen

Art. 71 a.[1] (1) Die Abschnitte 1 und 2 gelten für Personen, die von einem Arbeitslosensondersystem für Beamte erfaßt sind, entsprechend.

---

[1] Abschn. 4 Art. 71 a eingef. mWv 25. 10. 1998 durch VO (EG) Nr. 1609/98 v. 29. 6. 1998 (ABl. EG Nr. L 209/1).

(2) Abschnitt 3 gilt nicht für die von einem Arbeitslosensondersystem für Beamte erfaßten Personen. Arbeitslose, die von einem Arbeitslosensondersystem für Beamte erfaßt sind, die teil- oder vollarbeitslos sind und während ihrer letzten Beschäftigung in dem Gebiet eines anderen Mitgliedstaats als dem zuständigen Staat wohnten, erhalten Leistungen nach den Rechtsvorschriften des zuständigen Staates, als wohnten sie im Gebiet des zuständigen Staates; diese Leistungen werden vom zuständigen Träger erbracht und gehen zu seinen Lasten.

Kapitel 7. Familienleistungen

Art. 72[1] Zusammenrechnung der Versicherungs- oder Beschäftigungszeiten oder Zeiten einer selbständigen Tätigkeit. Der zuständige Träger eines Mitgliedstaats, nach dessen Rechtsvorschriften der Erwerb des Leistungsanspruchs von der Zurücklegung von Versicherungs- oder Beschäftigungszeiten oder Zeiten einer selbständigen Tätigkeit abhängig ist, berücksichtigt, soweit erforderlich, auch Versicherungs- oder Beschäftigungszeiten oder Zeiten einer selbständigen Tätigkeit in einem anderen Mitgliedstaat, als handelte es sich um Zeiten, die nach den für ihn geltenden Rechtsvorschriften zurückgelegt worden sind.

Art. 72a[2] Vollarbeitslose Arbeitnehmer. Ein vollarbeitsloser Arbeitnehmer, für den Artikel 71 Absatz 1 Buchstabe a) Ziffer ii) oder Buchstabe b) Ziffer ii) erster Satz gilt, bezieht für seine in demselben Mitgliedstaat wie er wohnenden Familienangehörigen die Familienleistungen nach den Rechtsvorschriften dieses Staates, als ob diese Rechtsvorschriften für ihn während seiner letzten Beschäftigung gegolten hätten; dabei ist gegebenenfalls Artikel 72 zu berücksichtigen. Diese Leistungen gewährt der Träger des Wohnorts zu seinen Lasten.

Wendet dieser Träger Rechtsvorschriften an, in denen Beitragsabzüge zu Lasten der Arbeitslosen zur Deckung der Familienleistungen vorgesehen sind, ist er befugt, diese Abzüge nach seinen Rechtsvorschriften vorzunehmen.

Art. 73[3] Arbeitnehmer oder Selbständige, deren Familienangehörige in einem anderen Mitgliedstaat als dem zuständigen Staat wohnen. Ein Arbeitnehmer oder ein Selbständiger, der den Rechtsvorschriften eines Mitgliedstaats unterliegt, hat, vorbehaltlich

---

[1] Art. 72 neugef. mWv 15. 1. 1986 durch VO (EWG) Nr. 3427/89 vom 30. 10. 1989, ABl. Nr. L 331/1.

[2] Art. 72a eingef. mWv 29. 7. 1991 durch VO (EWG) 2195/91 v. 25. 6. 1991, ABl. Nr. L 206/2; unter Abs. 1 angef. durch VO (EG) Nr. 3095/95 des Rates v. 22. 12. 1995 (ABl. Nr. L 335/1).

[3] Art. 73 bis 75 neugef. mWv. 15. 1. 1986 durch VO (EWG) 3427/89 v. 30. 10. 1989, ABl. Nr. L 331/1. Zu Art. 75 s. die Berichtigung ABl. Nr. L 264/30 v. 20. 9. 1991.

der Bestimmungen in Anhang VI,[1] für seine Familienangehörigen, die im Gebiet eines anderen Mitgliedstaats wohnen, Anspruch auf Familienleistungen nach den Rechtsvorschriften des ersten Staates, als ob diese Familienangehörigen im Gebiet dieses Staates wohnten.

Art. 74[2] Arbeitslose, deren Familienangehörige in einem anderen Mitgliedstaat als dem zuständigen Staat wohnen. Ein arbeitsloser Arbeitnehmer oder ein arbeitsloser Selbständiger, der Leistungen bei Arbeitslosigkeit nach den Rechtsvorschriften eines Mitgliedstaats bezieht, hat, vorbehaltlich der Bestimmungen in Anhang VI,[1] für seine Familienangehörigen, die im Gebiet eines anderen Mitgliedstaats wohnen, Anspruch auf Familienleistungen nach den Rechtsvorschriften des ersten Staates, als ob diese Familienangehörigen im Gebiet dieses Staates wohnten.

Art. 75[2] Gewährung der Leistungen. (1) [1]Familienleistungen werden in dem in Artikel 73 genannten Fall vom zuständigen Träger des Staates gewährt, dessen Rechtsvorschriften für den Arbeitnehmer oder den Selbständigen gelten; in dem in Artikel 74 genannten Fall gewährt sie der zuständige Träger des Staates, nach dessen Rechtsvorschriften der arbeitslose Arbeitnehmer oder der arbeitslose Selbständige Leistungen bei Arbeitslosigkeit bezieht. [2]Sie werden nach den für diese Träger geltenden Bestimmungen unabhängig davon gezahlt, ob die natürliche oder juristische Person, an die sie zu zahlen sind, im Gebiet des zuständigen Staates oder in dem eines anderen Mitgliedstaats wohnt oder sich dort aufhält.

(2) Der zuständige Träger zahlt jedoch auf Antrag des Trägers des Wohnorts der Familienangehörigen, des von der zuständigen Behörde ihres Wohnlands hierfür bezeichneten Trägers oder der von dieser Behörde hierfür bestimmten Stelle die Familienleistungen mit befreiender Wirkung über diesen Träger bzw. über diese Stelle an die natürliche oder juristische Person, die tatsächlich für die Familienangehörigen sorgt, wenn die Person, der die Familienleistungen zu gewähren sind, diese nicht für den Unterhalt der Familienangehörigen verwendet.

(3) Zwei oder mehr Mitgliedstaaten können gemäß Artikel 8 vereinbaren, daß der zuständige Träger die nach den Rechtsvorschriften dieser Staaten oder eines dieser Staaten geschuldeten Familienleistungen unmittelbar oder über den Träger des Wohnorts der Familienangehörigen an die natürliche oder juristische Person zahlt, die tatsächlich für die Familienangehörigen sorgt.

---

[1] Der Anhang ist hier nicht abgedruckt.
[2] Siehe Fn. 3 zu Art. 73.

Art. 76[1] Prioritätsregeln für den Fall der Kumulierung von Ansprüchen auf Familienleistungen gemäß den Rechtsvorschriften des zuständigen Staates und den Rechtsvorschriften des Staates, in dem die Familienangehörigen wohnen. (1) Sind für ein und denselben Zeitraum für ein und denselben Familienangehörigen in den Rechtsvorschriften des Mitgliedstaats, in dessen Gebiet die Familienangehörigen wohnen, Familienleistungen aufgrund der Ausübung einer Erwerbstätigkeit vorgesehen, so ruht der Anspruch auf die nach den Rechtsvorschriften eines anderen Mitgliedstaats gegebenenfalls gemäß Artikel 73 bzw. 74 geschuldeten Familienleistungen bis zu dem in den Rechtsvorschriften des ersten Mitgliedstaats vorgesehenen Betrag.

(2) Wird in dem Mitgliedstaat, in dessen Gebiet die Familienangehörigen wohnen, kein Antrag auf Leistungsgewährung gestellt, so kann der zuständige Träger des anderen Mitgliedstaates Absatz 1 anwenden, als ob Leistungen in dem ersten Mitgliedstaat gewährt würden.

Art. 76a[2] Studierende. Artikel 72 gilt für Studierende entsprechend.

Kapitel 8. Leistungen für unterhaltsberechtigte Kinder von Rentnern und für Waisen

Art. 77 Unterhaltsberechtigte Kinder von Rentnern. (1) Leistungen im Sinne dieses Artikels sind die Familienbeihilfen für Empfänger von Alters- oder Invaliditätsrenten, Renten wegen eines Arbeitsunfalls oder einer Berufskrankheit sowie die Kinderzuschüsse zu solchen Renten, mit Ausnahme der Kinderzulagen aus der Versicherung bei Arbeitsunfällen und Berufskrankheiten.

(2) Die Leistungen werden ohne Rücksicht darauf, in welchem Mitgliedstaat die Rentner oder die Kinder wohnen, wie folgt gewährt:

a) Der Rentner, der nach den Rechtsvorschriften nur eines Mitgliedstaats Rente bezieht, erhält die Leistungen nach den Rechtsvorschriften des für die Rente zuständigen Staates;

b) der Rentner, der nach den Rechtsvorschriften mehrerer Mitgliedstaaten Rente bezieht, erhält die Leistungen

   i) nach den Rechtsvorschriften des Staates, in dessen Gebiet er wohnt, wenn Anspruch auf eine der in Absatz 1 genannten Lei-

---

[1] Art. 76 neugef. mWv 1. 5. 1990 durch VO (EWG) Nr. 3427/89 v. 30. 10. 1989, ABl. Nr. L 331/1; ber. ABl. Nr. L 264/30 v. 20. 9. 1991.

[2] Art. 76a eingef. durch VO (EG) Nr. 307/99 v. 8. 2. 1999 (ABl. EG Nr. L 38/1).

stungen – gegebenenfalls unter Berücksichtigung von Artikel 79 Absatz 1 Buchstabe a) – nach den Rechtsvorschriften dieses Staates besteht, oder

ii) in den anderen Fällen nach den Rechtsvorschriften des Staates, die für den Rentner die längste Zeit gegolten haben, wenn An-

(Fortsetzung nächstes Blatt)

spruch auf eine der in Absatz 1 genannten Leistungen – gegebenenfalls unter Berücksichtigung von Artikel 79 Absatz 1 Buchstabe a) – nach den betreffenden Rechtsvorschriften besteht; wenn nach diesen Rechtsvorschriften kein Anspruch besteht, werden die Anspruchsvoraussetzungen in bezug auf die Rechtsvorschriften der anderen in Betracht kommenden Mitgliedstaaten in der Reihenfolge der abnehmenden Dauer der nach den Rechtsvorschriften dieser Staaten zurückgelegten Versicherungs- oder Wohnzeiten geprüft.

Art. 78[1)] Waisen. (1) Leistungen im Sinne dieses Artikels sind Familienbeihilfen und gegebenenfalls zusätzliche oder besondere Beihilfen für Waisen.

(2) Die Leistungen für Waisen werden ohne Rücksicht darauf, in welchem Mitgliedstaat die Waisen oder die natürliche oder juristische Person, die ihren Unterhalt bestreitet, wohnen, wie folgt gewährt:

a) Für Waisen eines verstorbenen Arbeitnehmers oder Selbständigen, für den die Rechtsvorschriften nur eines Mitgliedstaats gegolten haben, gemäß den Rechtsvorschriften dieses Staates;

b) für Waisen eines verstorbenen Arbeitnehmers oder Selbständigen, für den die Rechtsvorschriften mehrerer Mitgliedstaaten gegolten haben:

   i) nach den Rechtsvorschriften des Staates, in dessen Gebiet die Waisen wohnen, wenn Anspruch auf eine der in Absatz 1 genannten Leistungen – gegebenenfalls unter Berücksichtigung von Artikel 79 Absatz 1 Buchstabe a) – nach den Rechtsvorschriften dieses Staates besteht, oder

   ii) in den anderen Fällen nach den Rechtsvorschriften des Staates, die für den Verstorbenen die längste Zeit gegolten haben, wenn Anspruch auf eine der in Absatz 1 genannten Leistungen nach den Rechtsvorschriften dieses Staates gegebenenfalls unter Berücksichtigung von Artikel 79 Absatz 1 Buchstabe a) besteht; wenn nach diesen Rechtsvorschriften kein Anspruch besteht, werden die Anspruchsvoraussetzungen in bezug auf die Rechtsvorschriften der anderen in Betracht kommenden Mitgliedstaaten in der Reihenfolge der abnehmenden Dauer der nach den Rechtsvorschriften dieser Staaten zurückgelegten Versicherungs- oder Wohnzeiten geprüft.

Die Rechtsvorschriften des Mitgliedstaats, die für die Gewährung der in Artikel 77 genannten Leistungen für Kinder eines Rentenberechtigten anzuwenden waren, gelten jedoch nach dem Tod des Rentenberechtigten für die Gewährung der Leistungen an die Waisen weiter.

---

1) Art. 78 Abs. 1 neugef. mWv 1. 9. 1999 durch VO (EG) Nr. 1399/1999 v. 29. 4. 1999 (ABl. EG Nr. L 164/1).

Art. 78a[1)] [Waisenrenten] Waisenrenten mit Ausnahme der im Rahmen von Versicherungsregelungen für Arbeitsunfälle und Berufskrankheiten gewährten Waisenrenten werden als ‚Leistungen' im Rahmen des Artikels 78 Absatz 1 behandelt, wenn der Verstorbene zu irgendeiner Zeit Schutz durch eine Regelung genossen hat, nach der nur Familienbeihilfen oder zusätzliche oder besondere Beihilfen für Waisen gewährt werden. Diese Regelungen sind in Anhang VIII[2)] aufgeführt

Art. 79[3)] Gemeinsame Vorschriften für die Leistungen für unterhaltsberechtigte Kinder von Rentenberechtigten und für Waisen. (1) Die Leistungen nach den Artikeln 77, 78 und 78a werden gemäß den nach diesen Artikeln bestimmten Rechtsvorschriften von dem Träger, der diese Rechtsvorschriften anzuwenden hat, zu seinen Lasten gewährt, als hätten für den Rentner oder den Verstorbenen ausschließlich die Rechtsvorschriften des zuständigen Staates gegolten.

Dabei gilt jedoch folgendes:

a) Hängt nach diesen Rechtsvorschriften der Erwerb, die Aufrechterhaltung oder das Wiederaufleben des Leistungsanspruchs von der Dauer der Versicherungs- oder Beschäftigungszeiten, Zeiten einer selbständigen Tätigkeit oder Wohnzeiten ab, so wird diese Dauer gegebenenfalls unter Berücksichtigung des Artikels 45 beziehungsweise des Artikels 72 ermittelt;

b) werden nach diesen Rechtsvorschriften die Leistungen auf der Grundlage des Rentenbetrags berechnet oder hängen sie von der Dauer der Versicherungszeiten ab, so werden sie unter Zugrundelegung des nach Artikel 46 Absatz 2 ermittelten theoretischen Betrages berechnet.

(2) Führt die Anwendung von Artikel 77 Absatz 2 Buchstabe b) Ziffer ii) und Artikel 78 Absatz 2 Buchstabe b Ziffer ii) dazu, daß infolge gleich langer Zeiten mehrere Mitgliedstaaten zuständig sind, so werden die Leistungen nach Artikel 77, 78 oder 78a nach den Rechtsvorschriften des Mitgliedstaats gewährt, denen der Rentenberechtigte oder der Verstorbene zuletzt unterstanden hat.

(3) Der Anspruch auf Leistungen allein aufgrund der innerstaatlichen Rechtsvorschriften nach Absatz 2 und aufgrund der Artikel 77, 78 und 78a ruht, wenn für die Kinder Anspruch auf Leistungen oder Familienbeihilfen nach den Rechtsvorschriften eines Mitgliedstaats wegen Aus-

---

1) Art. 78a eingef. mWv 1. 9. 1999 durch VO (EG) Nr. 1399/1999 v. 29. 4. 1999 (ABl. EG Nr. L 164/1), s. a. Art. 95e.

2) Der Anhang ist hier nicht abgedruckt.

3) Art. 79 Abs. 1, 2 und 3 geänd. mWv 1. 9. 1999 durch VO (EG) Nr. 1399/1999 v. 29. 4. 1999 (ABl. EG Nr. L 164/1).

übung einer Erwerbstätigkeit[1] besteht. In diesem Fall gelten sie als Familienangehörige eines Arbeitnehmers oder Selbständigen.

Art. 79 a[2] Vorschriften über Leistungen an Waisen, die gegenüber einem Sondersystem für Beamte anspruchsberechtigt sind. (1) Ungeachtet des Artikels 78 a werden die Waisenrenten aus einem Sondersystem für Beamte nach den Vorschriften des Kapitels 3 berechnet.

(2) Wurden in einem in Absatz 1 vorgesehenen Fall Versicherungszeiten, Beschäftigungszeiten, Zeiten einer selbständigen Tätigkeit oder Wohnzeiten auch in einem allgemeinen System zurückgelegt, so werden die nach diesem allgemeinen System zu erbringenden Leistungen nach den Vorschriften des Kapitels 8 gezahlt, soweit nicht in Artikel 44 Absatz 3 etwas anderes vorgesehen ist. Versicherungszeiten, Zeiten einer selbständigen Tätigkeit oder Beschäftigungszeiten, die nach den Vorschriften eines Sondersystems für Beamte zurückgelegt wurden, oder Zeiten, die solchen Zeiten nach dem Recht des betreffenden Mitgliedstaats gleichgestellt sind, sind gegebenenfalls für den Erwerb, die Aufrechterhaltung oder das Wiederaufleben von Ansprüchen auf Leistungen nach den Vorschriften des allgemeinen Systems zu berücksichtigen.

Titel IV. Verwaltungskommission für die soziale Sicherheit der Wanderarbeitnehmer

Art. 80 Zusammensetzung und Arbeitsweise. (1) Der bei der Kommission der Europäischen Gemeinschaften eingesetzten Verwaltungskommission für die soziale Sicherheit der Wanderarbeitnehmer – im folgenden „Verwaltungskommission" genannt – gehört je ein Regierungsvertreter jedes Mitgliedstaats an, der gegebenenfalls von Fachberatern unterstützt wird. Ein Vertreter der Kommission der Europäischen Gemeinschaften nimmt mit beratender Stimme an den Sitzungen der Verwaltungskommission teil.

(2) Die Verwaltungskommission wird in fachlicher Hinsicht vom Internationalen Arbeitsamt nach Maßgabe der zu diesem Zweck zwischen der Europäischen Gemeinschaft und der Internationalen Arbeitsorganisation geschlossenen Vereinbarungen unterstützt.

(3) Die Satzung der Verwaltungskommission wird von ihren Mitgliedern im gegenseitigen Einvernehmen aufgestellt.

---

[1] Vgl. zur Auslegung des Art. 79 Abs. 3 den Beschluß Nr. 119 der Verwaltungskommission v. 24. 2. 1983 (ABl. EG Nr. C 295).

[2] Art. 79 a geänd. mWv 1. 9. 1999 durch VO (EG) Nr. 1399/1999 v. 29. 4. 1999 (ABl. EG Nr. L 164/1).

[1]Entscheidungen über die in Artikel 81 Buchstabe a) bezeichneten Auslegungsfragen können nur einstimmig getroffen werden. [2]Die getroffenen Entscheidungen werden im erforderlichen Umfang bekanntgemacht.

(4) Die Sekretariatsgeschäfte der Verwaltungskommission werden von den Dienststellen der Kommission der Europäischen Gemeinschaften wahrgenommen.

Art. 81[1]) Aufgaben der Verwaltungskommission. Die Verwaltungskommission hat folgende Aufgaben:

a) [2]) Sie behandelt alle Verwaltungs- und Auslegungsfragen, die sich aus dieser Verordnung, späteren Verordnungen oder in deren Rahmen zu treffenden Vereinbarungen ergeben; jedoch wird das Recht der beteiligten Behörden, Träger und Personen, die Verfahren und die Gerichte in Anspruch zu nehmen, die in den Rechtsvorschriften der Mitgliedstaaten, in dieser Verordnung sowie im Vertrag vorgesehen sind, nicht berührt;

b) sie fertigt auf Antrag der zuständigen Behörden, Träger und Gerichte der Mitgliedstaaten alle Übersetzungen von Unterlagen an, die sich auf die Anwendung dieser Verordnung beziehen, insbesondere die Übersetzungen der Anträge von Personen, für die diese Verordnung gelten soll;

c) sie fördert und verstärkt die Zusammenarbeit zwischen den Mitgliedstaaten im Bereich der sozialen Sicherheit, insbesondere im Hinblick auf gesundheitliche und soziale Maßnahmen von gemeinsamem Interesse;

d) sie fördert und entwickelt die Zusammenarbeit zwischen den Mitgliedstaaten durch Modernisierung der für den Informationsaustausch erforderlichen Verfahren, insbesondere durch Anpassung des Informationsflusses zwischen den Institutionen an den telematischen Austausch, und zwar unter Berücksichtigung des Entwicklungsstands der Datenverarbeitung in den jeweiligen Mitgliedstaaten. Zweck dieser Modernisierung ist vor allem die Beschleunigung der Gewährung von Leistungen;

e) sie stellt die Unterlagen zusammen, die für die Rechnungslegung der Träger der Mitgliedstaaten über deren Aufwendungen aufgrund dieser Verordnung zu berücksichtigen sind, und schließt die jährliche Rechnung zwischen diesen Trägern ab;

f) sie nimmt alle anderen Aufgaben war, für die sie kraft dieser Verordnung, späterer Verordnungen oder aller in deren Rahmen zu treffenden Vereinbarungen zuständig ist;

g) sie unterbreitet der Kommission der Europäischen Gemeinschaften Vorschläge für die Ausarbeitung künftiger Verordnungen sowie für die Änderung der vorliegenden Verordnung und der künftigen Verordnungen.

---

[1]) Art. 81 Buchst. d) neu gef. durch VO v. 27. 6. 1997 (ABl. Nr. L 176 S. 1).

[2]) Siehe dazu Beschluß Nr. 165 v. 30. 6. 1997 über die Muster der zur Durchführung der VO (EWG) Nr. 1408/71 und (EWG) Nr. 574 des Rates erforderlichen Vordrucke (E 128 und 128 B) (ABl. Nr. L 341 S. 61).

Titel V. Beratender Ausschuß für die soziale Sicherheit der Wanderarbeitnehmer

Art. 82[1] Einsetzung, Zusammensetzung und Arbeitsweise. (1) [1]Es wird ein Beratender Ausschuß für die soziale Sicherheit der Wanderarbeitnehmer – im folgenden „Beratender Ausschuß" genannt – eingesetzt, der aus 162 Mitgliedern besteht und sich wie folgt zusammensetzt:

a) zwei Regierungsvertreter jedes Mitgliedstaats, von denen mindestens einer der Verwaltungskommission angehören muß;

b) zwei Vertreter der Arbeitnehmerverbände jedes Mitgliedstaats;

c) zwei Vertreter der Arbeitgeberverbände jedes Mitgliedstaats.

[2]Für jede der in Unterabsatz 1 bezeichneten Gruppen wird ein Stellvertreter je Mitgliedstaat ernannt.

(2) Die Mitglieder des Beratenden Ausschusses und ihre Stellvertreter werden vom Rat ernannt, der sich bei der Auswahl der Vertreter der Arbeitnehmer- und Arbeitgeberverbände um eine angemessene Vertretung der betroffenen Bereiche im Beratenden Ausschuß bemüht.

Die Liste der Mitglieder und der Stellvertreter wird vom Rat im *Amtsblatt der Europäischen Gemeinschaften* veröffentlicht.

(3) [1]Die Amtszeit der Mitglieder und der Stellvertreter beträgt zwei Jahre. [2]Ihre Wiederernennung ist zulässig. [3]Nach Ablauf der Amtszeit bleiben die Mitglieder und die Stellvertreter im Amt, bis sie ersetzt oder wiederernannt worden sind.

(4) [1]Den Vorsitz im Beratenden Ausschuß führt ein Vertreter der Kommission. [2]Der Vorsitzende nimmt an der Abstimmung nicht teil.

(5) [1]Der Beratende Ausschuß tritt mindestens einmal im Jahr zusammen. [2]Er wird vom Vorsitzenden von sich aus oder auf schriftlichen Antrag von mindestes einem Drittel der Mitglieder an den Vorsitzenden einberufen. [3]Dieser Antrag muß konkrete Vorschläge für die Tagesordnung enthalten.

(Fortsetzung nächste Seite)

[1] Art. 82 Abs. 1 geänd. durch Beschl. v. 1. 1. 1995 (ABl. Nr. L 1 S. 1); Abs. 1 geänd. durch Akte v. 16. 4. 2003 (ABl. Nr. L 236 S. 33, 179); Abs. 1 Satz 1 geänd. mWv 1. 1. 2007 durch VO v. 20. 11. 2006 (ABl. Nr. L 363 S. 1)

(6) Auf Vorschlag des Vorsitzenden kann der Beratende Ausschuß in Ausnahmefällen beschließen, Personen oder Vertreter von Einrichtungen, die über umfassende Erfahrungen auf dem Gebiet der sozialen Sicherheit verfügen, anzuhören. Außerdem erhält der Beratende Ausschuß unter den gleichen Bedingungen wie die Verwaltungskommission in fachlicher Hinsicht die Unterstützung des Internationalen Arbeitsamts nach Maßgabe der zwischen der Europäischen Gemeinschaft und der Internationalen Arbeitsorganisation geschlossenen Vereinbarungen.

(7) Die Stellungnahmen und Vorschläge des Beratenden Ausschusses sind mit Gründen zu versehen. Sie werden mit der absoluten Mehrheit der abgegebenen gültigen Stimmen beschlossen.

Der Beratende Ausschuß gibt sich mit der Mehrheit seiner Mitglieder eine Geschäftsordnung, die vom Rat nach Stellungnahme der Kommission genehmigt wird.

(8) Die Sekretariatsgeschäfte des Beratenden Ausschusses werden von den Dienststellen der Kommission wahrgenommen.

Art. 83 Aufgaben des Beratenden Ausschusses. Der Beratende Ausschuß ist ermächtigt, auf Antrag der Kommission der Europäischen Gemeinschaften, der Verwaltungskommission oder von sich aus

a) die allgemeinen oder grundsätzlichen Fragen und die Probleme zu prüfen, die sich aus der Anwendung der im Rahmen von Artikel 51 des Vertrages erlassenen Verordnungen ergeben;

b) für die Verwaltungskommission entsprechende Stellungnahmen abzugeben sowie Vorschläge für eine etwaige Änderung der Verordnungen zu unterbreiten.

Titel VI. Verschiedene Vorschriften

Art. 84[1] Zusammenarbeit der zuständigen Behörden. (1) Die zuständigen Behörden der Mitgliedstaaten unterrichten einander

a) über alle zur Anwendung dieser Verordnung getroffenen Maßnahmen;

b) über alle die Anwendung dieser Verordnung berührenden Änderungen ihrer Rechtsvorschriften.

(2) Bei der Anwendung dieser Verordnung unterstützen sich die Behörden und Träger der Mitgliedstaaten, als handelte es sich um die An-

[1] Art. 84 Abs. 5 eingefügt durch VO (EWG) Nr. 2332/89 v. 18. 7. 1989, ABl. Nr. L 224/1.

wendung ihrer eigenen Rechtsvorschriften. Die gegenseitige Amtshilfe der Behörden und Träger ist grundsätzlich kostenfrei. Die zuständigen Behörden der Mitgliedstaaten können jedoch die Erstattung bestimmter Kosten vereinbaren.

(3) Die Behörden und Träger jedes Mitgliedstaats können zur Durchführung dieser Verordnung miteinander sowie mit den beteiligten Personen oder deren Beauftragten unmittelbar in Verbindung treten.

(4) Die Behörden, Träger und Gerichte eines Mitgliedstaats dürfen die bei ihnen eingereichten Anträge und sonstigen Schriftstücke nicht deshalb zurückweisen, weil sie in einer Amtssprache eines anderen Mitgliedstaats abgefaßt sind. Gegebenenfalls können sie von der Möglichkeit des Artikels 81 Buchstabe b) Gebrauch machen.

(5) a) Werden personenbezogene Daten aufgrund dieser Verordnung oder der in Artikel 98 bezeichneten Durchführungsverordnung von den Behörden oder Trägern eines Mitgliedstaats den Behörden oder Trägern eines anderen Mitgliedstaats übermittelt, so gilt für diese Datenübermittlung Datenschutzregelung des übermittelnden Staates.
Für jede Weiterleitung sowie für Speicherung, Veränderung und Löschung durch den Empfängerstaat gilt das Datenschutzrecht des Empfängerstaats.

b) Die Verwendung der personenbezogenen Daten zu anderen Zwecken als denen der sozialen Sicherheit darf nur mit dem Einverständnis der betroffenen Person oder in Übereinstimmung mit den übrigen im innerstaatlichen Recht festgelegten Garantien erfolgen.

Art. 84 a[1)] Beziehungen zwischen Trägern und Personen im Geltungsbereich dieser Verordnung. (1) Die Träger und Personen im Geltungsbereich dieser Verordnung sind zur gegenseitigen Information und Zusammenarbeit verpflichtet, um die ordnungsgemäße Anwendung dieser Verordnung zu gewährleisten.

Die Träger beantworten gemäß dem Grundsatz der guten Verwaltungspraxis alle Anfragen binnen einer angemessenen Frist und übermitteln den betroffenen Personen in diesem Zusammenhang alle erforderlichen Angaben, damit diese die ihnen durch diese Verordnung eingeräumten Rechte ausüben können.

Die betroffenen Personen müssen die Träger des zuständigen Staates sowie des Wohnstaats so bald wie möglich über jede Änderung ihrer persönlichen oder familiären Situation unterrichten, die sich auf ihre Leistungsansprüche nach dieser Verordnung auswirkt.

[1)] Art. 84 a eingefügt durch VO (EG) Nr. 631/2004 v. 31. 3. 2004 (ABl. Nr. L 100/1).

(2) Die Verletzung der Informationspflicht gemäß Absatz 1 Unterabsatz 3 kann angemessene Maßnahmen nach dem nationalen Recht nach sich ziehen. Diese Maßnahmen müssen jedoch denjenigen entsprechen, die für vergleichbare Tatbestände der nationalen Rechtsordnung gelten, und dürfen die Ausübung der den Antragstellern durch diese Verordnung eingeräumten Rechte nicht praktisch unmöglich machen oder übermäßig erschweren.

(3) Werden durch Schwierigkeiten bei der Auslegung oder Anwendung dieser Verordnung die Rechte einer Person im Geltungsbereich dieser Verordnung in Frage gestellt, so setzt sich der Träger des zuständigen Staates bzw. des Wohnstaats der betreffenden Person mit dem Träger des anderen betroffenen Mitgliedstaats oder den Trägern der anderen betroffenen Mitgliedstaaten in Verbindung. Wird binnen einer angemessenen Frist keine Lösung gefunden, so können die betreffenden Behörden die Verwaltungskommission befassen.

Art. 85[1)] Steuerbefreiung und Steuerermäßigung – Befreiung von der Legalisierung. (1) Jede in den Rechtsvorschriften eines Mitgliedstaats vorgesehene Befreiung oder Ermäßigung von Steuern, Stempel-, Gerichts- oder Eintragungsgebühren für Schriftstücke oder Urkunden, die gemäß diesen Rechtsvorschriften einzureichen sind, findet auch auf die entsprechenden Schriftstücke und Urkunden Anwendung, die gemäß den Rechtsvorschriften eines anderen Mitgliedstaats oder gemäß dieser Verordnung einzureichen sind.

(2) Urkunden, Dokumente und Schriftstücke jeglicher Art, die im Rahmen der Anwendung dieser Verordnung vorzulegen sind, brauchen nicht durch diplomatische oder konsularische Stellen legalisiert zu werden.

(3) Eine von einer Einrichtung entsprechend dieser Verordnung und deren Durchführungsverordnung übermittelte elektronische Nachricht darf nicht von einer Behörde oder Einrichtung eines anderen Mitgliedstaats deswegen abgelehnt werden, weil sie durch elektronische Mittel empfangen wurde, falls die Empfängereinrichtung erklärt hat, daß sie in der Lage sei, elektronische Nachrichten zu empfangen. Bei der Wiedervergabe und der Aufzeichnung solcher Nachrichten wird davon ausgegangen, daß sie eine korrekte und genaue Wiedergabe des Originaldokuments oder eine Darstellung der Information, auf die sich dieses Dokument bezieht, darstellt, sofern kein gegenteiliger Beweis vorliegt.

Eine elektronische Nachricht wird als gültig erachtet, wenn das EDV-System, in dem diese Nachricht aufgezeichnet wurde, die erforderlichen Sicherheitselemente aufweist, und alle Veränderungen oder

---

[1)] Art. 85 Abs. 3 angef. durch VO (EG) Nr. 1290/97 v. 27. 6. 1997 (ABl. L Nr. 176/1).

Übermittlungen der Aufzeichnung sowie jeglichen Zugang zu dieser Aufzeichnung zu verhindern. Jederzeit muß die aufgezeichnete Information in einer sofort lesbaren Form reproduziert werden können. Wird eine elektronische Nachricht von einer Einrichtung der sozialen Sicherheit an eine andere Einrichtung übermittelt, werden geeignete Sicherheitsmaßnahmen entsprechend den einschlägigen Gemeinschaftsbestimmungen getroffen.

Art. 86[1)] Anträge, Erklärungen oder Rechtsbehelfe, die bei einer Behörde, einem Träger oder einem Gericht eines anderen Mitgliedstaats als des zuständigen Staates eingereicht werden. (1) Anträge, Erklärungen oder Rechtsbehelfe, die gemäß den

(Fortsetzung nächstes Blatt)

1) In Art. 86 wurde der vorhandene Wortlaut zu Abs. 1, Abs. 2 angef. durch VO (EG) Nr. 3095/95 des Rates v. 22. 12. 1995 (ABl. Nr. L 335/1).

Rechtsvorschriften eines Mitgliedstaats innerhalb einer bestimmten Frist bei einer Behörde, einem Träger oder einem Gericht dieses Staates einzureichen sind, können innerhalb der gleichen Frist bei einer entsprechenden Behörde, einem entsprechenden Träger oder einem entsprechenden Gericht eines anderen Mitgliedstaats eingereicht werden. In diesem Fall übermitteln die in Anspruch genommenen Behörden, Träger oder Gerichte diese Anträge, Erklärungen oder Rechtsbehelfe entweder unmittelbar oder durch Einschaltung der zuständigen Behörden der beteiligten Mitgliedstaaten unverzüglich der zuständigen Behörde, dem zuständigen Träger oder dem zuständigen Gericht des ersten Staates. Der Tag, an dem diese Anträge, Erklärungen oder Rechtsbehelfe bei einer Behörde, einem Träger oder einem Gericht des zweiten Staates eingegangen sind, gilt als Tag des Eingangs bei der zuständigen Behörde, dem zuständigen Träger oder dem zuständigen Gericht.

(2) Hat eine nach den Rechtsvorschriften eines Mitgliedstaats berechtigte Person in diesem Staat einen Antrag auf Familienleistungen gestellt, obwohl dieser Staat nicht vorrangig zuständig ist, so gilt der Zeitpunkt dieser ersten Antragstellung als Zeitpunkt der Antragstellung bei der zuständigen Behörde, dem zuständigen Träger oder dem zuständigen Gericht, sofern ein neuer Antrag im vorrangig zuständigen Staat durch die nach den Rechtsvorschriften dieses Staates berechtigte Person gestellt wird. Dieser zweite Antrag muß innerhalb einer Frist von höchstens einem Jahr nach der Mitteilung über die Ablehnung des ersten Antrags oder die im ersten Mitgliedstaat eingestellte Zahlung der Leistungen gestellt werden.

Art. 87 Ärztliche Gutachten. (1) Die in den Rechtsvorschriften eines Mitgliedstaats vorgesehenen ärztlichen Gutachten können auf Antrag des zuständigen Trägers im Gebiet eines anderen Mitgliedstaats vom Träger des Aufenthalts- oder Wohnorts des Leistungsberechtigten nach Maßgabe der in Artikel 98 vorgesehenen Durchführungsverordnung oder, falls darin nichts bestimmt ist, im Rahmen der Bedingungen angefertigt werden, die von den zuständigen Behörden der beteiligten Mitgliedstaaten vereinbart worden sind.

(2) Nach Absatz 1 angefertigte ärztliche Gutachten gelten als im Gebiet des zuständigen Staates angefertigt.

Art. 88[1] Überweisung der aufgrund dieser Verordnung geschuldeten Beträge in einen anderen Mitgliedstaat. Gegebenen-

---

[1] Gem. Abkommen über den Europäischen Wirtschaftsraum (ABl. 3. 1. 1994 Nr. L 1/5, 328) wird in Art. 88 der Wortlaut „Art. 106 des Vertrages" ersetzt durch „Artikel 41 des EWR-Abkommens".

falls werden Geldüberweisungen aufgrund dieser Verordnung nach Maßgabe der Vereinbarungen vorgenommen, die in diesem Bereich zwischen den beteiligten Mitgliedstaaten zum Zeitpunkt der Überweisung gelten. Bestehen solche Vereinbarungen zwischen zwei Mitgliedstaaten nicht, so vereinbaren die zuständigen Behörden dieser Staaten oder die für den internationalen Zahlungsverkehr zuständigen Behörden die zur Durchführung dieser Überweisung erforderlichen Maßnahmen.

Art. 89 Besonderheiten bei der Anwendung bestimmter Rechtsvorschriften. Die Besonderheiten bei der Anwendung der Rechtsvorschriften bestimmter Mitgliedstaaten sind im Anhang VI[1] aufgeführt.

Art. 90.[2] *(gestrichen)*

Art. 91 Beiträge der Arbeitgeber oder Unternehmen, deren Wohnsitz beziehungsweise Sitz nicht im zuständigen Staat liegt. Ein Arbeitgeber kann nicht deshalb zur Zahlung höherer Beiträge herangezogen werden, weil sein Wohnsitz oder der Sitz seines Unternehmens im Gebiet eines anderen Mitgliedstaats als des zuständigen Staates liegt.

Art. 92 Einziehung von Beiträgen. (1) Beiträge, die einem Träger eines Mitgliedstaats geschuldet werden, können im Gebiet eines anderen Mitgliedstaats nach dem Verwaltungsverfahren und mit den Sicherungen und Vorrechten eingezogen werden, die für die Einziehung der dem entsprechenden Träger des zweiten Staates geschuldeten Beiträge gelten.

(2) Die Einzelheiten der Durchführung von Absatz 1 werden, soweit erforderlich, in der in Artikel 98 vorgesehenen Durchführungsverordnung oder durch Vereinbarungen zwischen den Mitgliedstaaten[3] geregelt. Diese Einzelheiten können auch das Zwangsbeitreibungsverfahren betreffen.

Art. 93 Ansprüche des verpflichteten Trägers gegen haftende Dritte. (1) Werden nach den Rechtsvorschriften eines Mitgliedstaats Leistungen für den Schaden gewährt, der sich aus einem im Gebiet eines anderen Mitgliedstaats eingetretenen Ereignis ergibt, so gilt für etwaige Ansprüche des verpflichteten Trägers gegen einen zum Schadenersatz verpflichteten Dritten folgende Regelung:

---

[1] Der Anhang ist hier nicht abgedruckt.

[2] Art. 90 aufgeh. durch VO (EWG) Nr. 3427/89 v. 30. 10. 1989, ABl. Nr. L 331/1.

[3] Beachte das Abk. zwischen der Bundesrepublik Deutschland und Frankreich über die Einziehung oder Beitreibung von Beiträgen der Sozialen Sicherheit v. 26. 5. 1981, in Kraft gesetzt durch VO v. 25. 2. 1982 (BGBl. II S. 193).

a) Sind die Ansprüche, die der Leistungsempfänger gegen den Dritten hat, nach den für den verpflichteten Träger geltenden Rechtsvorschriften auf diesen Träger übergegangen, so erkennt jeder Mitgliedstaat diesen Übergang an;

b) hat der verpflichtete Träger gegen den Dritten einen unmittelbaren Anspruch, so erkennt jeder Mitgliedstaat diesen Anspruch an.

(2) Werden nach den Rechtsvorschriften eines Mitgliedstaats Leistungen für einen Schaden gewährt, der sich aus einem im Gebiet eines anderen Mitgliedstaats eingetretenen Ereignis ergibt, so gelten gegenüber der betreffenden Person oder dem zuständigen Träger die Bestimmungen dieser Rechtsvorschriften, in denen festgelegt ist, in welchen Fällen die Arbeitgeber oder die von ihnen beschäftigten Arbeitnehmer von der Haftung befreit sind.

Absatz 1 gilt auch für etwaige Ansprüche des verpflichteten Trägers gegenüber einem Arbeitgeber oder den von diesem beschäftigten Arbeitnehmern, wenn deren Haftung nicht ausgeschlossen ist.

(3) Haben zwei oder mehr Mitgliedstaaten oder die zuständigen Behörden dieser Staaten gemäß Artikel 36 Absatz 3 und/oder Artikel 63 Absatz 3 eine Vereinbarung über den Verzicht auf Erstattung zwischen Trägern, für die sie zuständig sind, geschlossen, werden Ansprüche gegenüber einem für den Schaden haftenden Dritten wie folgt geregelt:

a) Gewährt der Träger des Aufenthalts- oder Wohnmitgliedstaats einer Person Leistungen für einen im Hoheitsgebiet dieses Staates erlittenen Schaden, so übt dieser Träger nach den von ihm anzuwendenden Rechtsvorschriften das Recht auf Forderungsübergang oder direktes Vorgehen gegen den schadenersatzpflichtigen Dritten aus.

b) Für die Durchführung von Buchstabe a) gilt:

   i) der Leistungsempfänger als beim Träger des Wohn- oder Aufenthaltsorts versichert;

   ii) dieser Träger als leistungspflichtiger Träger.

c) Für Leistungen, die nicht unter die in diesem Absatz genannte Verzichtsvereinbarung fallen, gelten die Absätze 1 und 2.

Titel VII. Übergangs- und Schlußvorschriften

Art. 94[1)] Übergangsvorschriften für die Arbeitnehmer. (1) Diese Verordnung begründet keinen Anspruch für einen Zeitraum vor

---

1) Art. 94 Abs. 10 angefügt mit Wirkung vom 29. 7. 1991 durch VO (EWG) Nr. 2195/91 vom 25. 6. 1991, ABl. Nr. L 206/2, Absätze 1, 2, 3, 4, 5 geändert mit Wirkung vom 3. 10. 1990, Absätze 6, 7 und 9 geändert mit Wirkung vom 1. 6. 1992 durch VO (EWG) Nr. 1249/92 vom 30. 4. 1992, ABl. Nr. L 136/28; Abs. 10 neugefaßt mit Wirkung vom 1. 6. 1992 durch VO (EWG) Nr. 1248/92 vom 30. 4. 1992, ABl. Nr. L 136/7.

dem 1. Oktober 1972 oder vor ihrer Anwendung im Gebiet des betreffenden Mitgliedstaats oder in einem Teil davon.

(2) Für die Feststellung des Anspruchs auf Leistungen nach dieser Verordnung werden sämtliche Versicherungszeiten sowie gegebenenfalls auch alle Beschäftigungs- und Wohnzeiten berücksichtigt, die nach den Rechtsvorschriften eines Mitgliedstaats vor dem 1. Oktober 1972 oder vor Anwendung dieser Verordnung im Gebiet dieses Mitgliedstaats oder in einem Teil davon zurückgelegt worden sind.

(3) Ein Leistungsanspruch wird auch für Ereignisse begründet, die vor dem 1. Oktober 1972 oder vor Anwendung dieser Verordnung im Gebiet des betreffenden Mitgliedstaats oder in einem Teil davon liegen, soweit Absatz 1 nicht etwas anderes bestimmt.

(4) Leistungen jeder Art, die wegen der Staatsangehörigkeit oder des Wohnorts einer Person nicht festgestellt worden sind oder geruht haben, werden auf Antrag der betreffenden Person ab dem 1. Oktober 1972 oder ab dem Zeitpunkt des Beginns der Anwendung dieser Verordnung im Gebiet des betreffenden Mitgliedstaats oder in einem Teil davon festgestellt oder wieder gewährt, es sei denn, daß früher festgestellte Ansprüche durch Kapitalabfindung abgegolten sind.

(5) Die Ansprüche von Personen, deren Rente vor dem 1. Oktober 1972 oder vor Anwendung dieser Verordnung im Gebiet des betreffenden Mitgliedstaats oder in einem Teil davon festgestellt worden ist, können auf Antrag der betreffenden Personen unter Berücksichtigung dieser Verordnung neu festgestellt werden. Dies gilt auch für die sonstigen in Artikel 78 genannten Leistungen.

(6) Wird der Antrag nach Absatz 4 oder Absatz 5 innerhalb von zwei Jahren nach dem 1. Oktober 1972 oder nach Beginn der Anwendung dieser Verordnung im Gebiet des betreffenden Mitgliedstaats gestellt, so werden die Ansprüche aufgrund dieser Verordnung mit Wirkung von diesem Zeitpunkt an erworben, ohne daß der betreffenden Person Ausschlußfristen oder Verjährungsvorschriften eines Mitgliedstaats entgegengehalten werden können. Entsprechendes gilt im Hinblick auf die Anwendung dieser Verordnung in den Gebieten, die am 3. Oktober 1990 Teil des Gebiets der Bundesrepublik Deutschland geworden sind, sofern der Antrag nach Absatz 4 oder Absatz 5 innerhalb von zwei Jahren nach dem 1. Juni 1992 gestellt wird.

(7) Wird der Antrag nach Absatz 4 oder Absatz 5 erst nach Ablauf von zwei Jahren nach dem 1. Oktober 1972 oder nach Beginn der Anwendung dieser Verordnung im Gebiet des betreffenden Mitgliedstaats gestellt, so werden nicht ausgeschlossene oder verjährte Ansprüche – vorbehaltlich etwaiger günstigerer Rechtsvorschriften eines Mitgliedstaats – vom Tag der Antragstellung an erworben.

Entsprechendes gilt im Hinblick auf die Anwendung dieser Verordnung in den Gebieten, die am 3. Oktober 1990 Teil des Gebiets der Bundesrepublik Deutschland geworden sind, wenn der Antrag nach Absatz 4 oder Absatz 5 erst nach Ablauf von zwei Jahren nach dem 1. Juni 1992 gestellt wird.

(8) Im Falle der sklerogenen Pneumokoniose gilt Artikel 57 Absatz 5 für Geldleistungen bei Berufskrankheiten, wenn die Aufwendungen hierfür vor dem 1. Oktober 1972 unter den betroffenen Trägern nicht geteilt werden konnten, weil diese Träger sich nicht geeinigt hatten.

(9)[1] Familienbeihilfen, die in Frankreich beschäftigten Arbeitnehmern oder arbeitslosen Arbeitnehmern, die nach den französischen Rechtsvorschriften Leistungen aufgrund ihrer Arbeitslosigkeit erhalten, für ihre in einem anderen Mitgliedstaat wohnenden Familienangehörigen am 15. November 1989 zustehen, werden, soweit sie Leistungen übersteigen, die nach dem 16. November 1989 geschuldet würden, auch weiterhin nach Maßgabe der an dem erstgenannten Tage geltenden Sätze, Grenzen und Verfahrensweisen gewährt, solange die Betreffenden den französischen Rechtsvorschriften unterliegen. Dabei bleiben Unterbrechungen von weniger als einem Monat und Zeiten einer Leistungsgewährung wegen Krankheit und Arbeitslosigkeit unberücksichtigt.

Die Einzelheiten der Durchführung dieses Absatzes, insbesondere die Aufteilung der Lasten aufgrund dieser Beihilfen, werden von den betreffenden Mitgliedstaaten oder ihren zuständigen Behörden nach Stellungnahme der Verwaltungskommission im gegenseitigen Einvernehmen festgelegt.

(10) Die Ansprüche der Betreffenden, deren Rente vor Inkrafttreten des Artikels 45 Absatz 6 festgestellt worden ist, können auf Antrag nach Maßgabe des Artikels 45 Absatz 6 neu festgestellt werden.

Art. 95[2] Übergangsbestimmungen für die Selbständigen.

(1) Diese Verordnung begründet keinen Anspruch für den Zeitraum vor dem 1. Juli 1982 oder vor dem Beginn ihrer Anwendung im Gebiet des betreffenden Mitgliedstaats oder in einem Teil davon.

(2) Für die Feststellung des Anspruchs auf Leistungen nach dieser Verordnung werden sämtliche Versicherungszeiten sowie gegebenenfalls auch alle Beschäftigungszeiten, Zeiten selbständiger Tätigkeit und

---

[1] Art. 94 Abs. 9 neugef. mWv 15. 1. 1986 durch VO (EWG) Nr. 3427/89 v. 30. 10. 1989, ABl. Nr. L 331/1; Art. 94 Abs. 9 ist innerhalb der Beitrittsstaaten des EWR-Abkommens (ABl. EG 3. 1. 1994 Nr. L 1/5, 328) nicht anzuwenden.

[2] Art. 95 neugef. mWv 1. 1. 1986 durch VO (EWG) Nr. 3427/89 v. 30. 10. 1989, ABl. Nr. L 331/1; Absätze 1, 2, 3, 4 und 5 geänd. mWv 3. 10. 1990, Absätze 6 und 7 geänd. mWv 1. 6. 1992 durch VO (EWG) Nr. 1249/92 v. 30. 4. 1992, ABl. Nr. L 136/28.

Wohnzeiten berücksichtigt, die nach den Rechtsvorschriften eines Mitgliedstaats vor dem 1. Juli 1982 oder vor dem Beginn der Anwendung dieser Verordnung im Gebiet des betreffenden Mitgliedstaats oder in einem Teil davon zurückgelegt worden sind.

(3) Vorbehaltlich des Absatzes 1 wird ein Leistungsanspruch nach dieser Verordnung auch für Ereignisse begründet, die vor dem 1. Juli 1982 oder vor dem Beginn der Anwendung dieser Verordnung im Gebiet des betreffenden Mitgliedstaats oder in einem Teil davon liegen.

(4) Leistungen jeder Art, die wegen der Staatsangehörigkeit oder des Wohnorts einer Person nicht festgestellt worden sind oder geruht haben, werden auf Antrag der betreffenden Person ab dem 1. Juli 1982 oder ab dem Beginn der Anwendung dieser Verordnung im Gebiet des betreffenden Mitgliedstaats oder in einem Teil davon festgestellt oder wieder gewährt, es sei denn, daß früher festgestellte Ansprüche durch Kapitalabfindung abgegolten worden sind.

(5) Die Ansprüche von Personen, deren Rente vor dem 1. Juli 1982 oder vor dem Beginn der Anwendung dieser Verordnung im Gebiet des betreffenden Mitgliedstaats oder in einem Teil davon festgestellt worden ist, können auf ihren Antrag unter Berücksichtigung der Bestimmungen dieser Verordnung neu festgestellt werden. Dies gilt auch für die sonstigen in Artikel 78 genannten Leistungen.

(6) Wird der in Absatz 4 oder Absatz 5 bezeichnete Antrag innerhalb von zwei Jahren nach dem 1. Juli 1982 oder nach dem Beginn der Anwendung dieser Verordnung im Gebiet des betreffenden Mitgliedstaats gestellt, so werden die Ansprüche aufgrund dieser Verordnung mit Wirkung von diesem Zeitpunkt an erworben, ohne daß der betreffenden Person Ausschlußfristen oder Verjährungsfristen eines Mitgliedstaats entgegengehalten werden können.

Entsprechendes gilt im Hinblick auf die Anwendung dieser Verordnung in den Gebieten, die am 3. Oktober 1990 Teil des Gebiets der Bundesrepublik Deutschland geworden sind, sofern der Antrag nach Absatz 4 oder Absatz 5 innerhalb von zwei Jahren nach dem 1. Juni 1992 gestellt wird.

(7) Wird der in Absatz 4 oder Absatz 5 bezeichnete Antrag erst nach Ablauf von zwei Jahren nach dem 1. Juli 1982 oder nach dem Beginn der Anwendung dieser Verordnung im Gebiet des betreffenden Mitgliedstaats gestellt, so werden nicht ausgeschlossene oder nicht verjährte Ansprüche – vorbehaltlich etwaiger günstigerer Rechtsvorschriften eines Mitgliedstaats – vom Tag der Antragstellung an erworben. Entsprechendes gilt im Hinblick auf die Anwendung dieser Verordnung in den Gebieten, die am 3. Oktober 1990 Teil des Gebiets der Bundesrepublik Deutschland geworden sind, wenn der Antrag nach

Absatz 4 oder Absatz 5 erst nach Ablauf von zwei Jahren nach dem 1. Juni 1992 gestellt wird.

Art. 95a Übergangsbestimmungen für die Durchführung der Verordnung (EWG) Nr. 1248/92[1]. (1) Die Verordnung (EWG) Nr. 1248/92 begründet keinen Anspruch für den Zeitraum vor dem 1. Juni 1992.

(2) Für die Feststellung des Anspruchs auf Leistungen nach der Verordnung (EWG) Nr. 1248/92 werden sämtliche Versicherungs- oder Wohnzeiten berücksichtigt, die nach den Rechtsvorschriften eines Mitgliedstaats vor dem 1. Juni 1992 zurückgelegt worden sind.

(3) Vorbehaltlich des Absatzes 1 wird ein Leistungsanspruch nach der Verordnung (EWG) Nr. 1248/92 auch für Ereignisse begründet, die vor dem 1. Juni 1992 liegen.

(4) Die Ansprüche von Personen, deren Rente vor dem 1. Juni 1992 festgestellt worden ist, können auf Antrag nach Maßgabe der Verordnung (EWG) Nr. 1248/92 neu festgestellt werden.

(5) Wird der Antrag nach Absatz 4 innerhalb von zwei Jahren nach dem 1. Juni 1992 gestellt, so werden die Ansprüche aufgrund der Verordnung (EWG) Nr. 1248/92 mit Wirkung von diesem Zeitpunkt an erworben, ohne daß den betreffenden Personen Ausschlußfristen oder Verjährungsfristen eines Mitgliedstaats entgegengehalten werden können.

(6) Wird der Antrag nach Absatz 4 erst nach Ablauf von zwei Jahren nach dem 1. Juni 1992 gestellt, so werden nicht ausgeschlossene oder nicht verjährte Ansprüche vorbehaltlich etwaiger günstigerer Rechtsvorschriften eines Mitgliedstaats vom Tag der Antragstellung an erworben.

Art. 95b Übergangsbestimmungen zur Anwendung der Verordnung (EWG) Nr. 1247/92[2]. (1) Die Verordnung (EWG) Nr. 1247/92 begründet keinen Anspruch für eine Zeit vor dem 1. Juni 1992.

(2) Für die Feststellung des Anspruches auf Leistungen nach den Bestimmungen der Verordnung (EWG) Nr. 1247/92 werden Wohnzeiten, Beschäftigungszeiten oder Zeiten einer Selbständigentätigkeit berücksichtigt, die im Gebiet eines Mitgliedstaats vor dem 1. Juni 1992 zurückgelegt worden sind.

(3) Durch die Verordnung (EWG) Nr. 1247/92 werden Leistungsansprüche auch für Ereignisse begründet, die vor dem 1. Juni 1992 liegen, soweit Absatz 1 nicht etwas anderes bestimmt.

---

[1] **Amtl. Anm.:** ABl. Nr. L 136 vom 19. 5. 1992, S. 7.
[2] **Amtl. Anm.:** ABl. Nr. L 136 vom 19. 5. 1992, S. 1.

(4) Jede beitragsunabhängige Sonderleistung, die wegen der Staatsangehörigkeit der betreffenden Person abgelehnt worden ist oder geruht hat, wird auf Antrag der betreffenden Person ab dem 1. Juni 1992 gewährt oder wieder gewährt, es sei denn, daß frühere Ansprüche durch Kapitalabfindung abgegolten worden sind.

(5) Ansprüche der betreffenden Person, deren Rente vor dem 1. Juni 1992 gewährt worden ist, können auf ihren Antrag unter Berücksichtigung der Bestimmungen der Verordnung (EWG) Nr. 1247/92 neu festgestellt werden.

(6) Wird der Antrag nach Absatz 4 oder Absatz 5 innerhalb von zwei Jahren nach dem 1. Juni 1992 gestellt, so werden die Ansprüche aufgrund der Verordnung (EWG) Nr. 1247/92 mit Wirkung von diesem Zeitpunkt an erworben, ohne daß der betreffenden Person Ausschlußfristen oder Verjährungsfristen eines Mitgliedstaats entgegengehalten werden könnten.

(7) Wird der Antrag nach Absatz 4 oder Absatz 5 erst nach Ablauf von zwei Jahren nach dem 1. Juni 1992 gestellt, so werden nicht ausgeschlossene oder nicht verjährte Ansprüche – vorbehaltlich günstigerer Rechtsvorschriften eines Mitgliedstaats – vom Tag der Antragstellung an erworben.

(8) Die Anwendung des Artikels 1 der Verordnung (EWG) Nr. 1247/92 darf nicht zum Entzug von Leistungen führen, die vor dem 1. Juni 1992 von den zuständigen Trägern der Mitgliedstaaten nach Titel III der Verordnung (EWG) Nr. 1408/71 gewährt wurden und für die Artikel 10 der letztgenannten Verordnung gilt.

(9) Die Anwendung des Artikels 1 der Verordnung (EWG) Nr. 1247/92 darf nicht zur Ablehnung eines Antrags auf Gewährung einer beitragsunabhängigen Sonderleistung ergänzend zu einer Rente führen, den eine Person stellt, die vor dem 1. Juni 1992 die Voraussetzungen für die Gewährung der genannten Leistungen erfüllte, selbst wenn die betreffende Person ihren Wohnsitz im Gebiet eines anderen als des zuständigen Mitgliedstaats hat, unter dem Vorbehalt, daß der Antrag auf Leistungsgewährung binnen fünf Jahren nach dem 1. Juni 1992 gestellt wird.

(10) Ungeachtet des Absatzes 1 wird jede als Zulage zu einer Rente gewährte beitragsunabhängige Sonderleistung, die wegen des Wohnortes der betreffenden Person im Gebiet eines anderen als des zuständigen Mitgliedstaats nicht festgestellt worden ist oder geruht hat, auf Antrag der betreffenden Person ab dem 1. Juni 1992 gewährt oder wieder gewährt, und zwar im ersteren Fall mit Wirkung von dem Zeitpunkt, zu dem die Leistung hätte gewährt werden müssen, und im letzteren Fall mit Wirkung von dem Zeitpunkt, ab dem die Leistung geruht hat.

(11) Können unter Artikel 4 Absatz 2 a der Verordnung (EWG) Nr. 1408/71 fallende beitragsunabhängige Sonderleistungen während ein und desselben Zeitraums für ein und dieselbe Person gemäß Artikel 10 a der genannten Verordnung vom zuständigen Träger des Mitgliedstaats, in dessen Gebiet diese Person wohnt, und gemäß den vorstehenden Absätzen 1 bis 10 vom zuständigen Träger eines anderen Mitgliedstaats gewährt werden, so kann die betreffende Person diese Leistungen nur bis zum Betrag der höchsten Sonderleistung kumulieren, auf die sie nach den Rechtsvorschriften eines der beteiligten Staaten Anspruch hätte.

(12) Die Durchführungsbestimmungen zu Absatz 11 und insbesondere die Anwendung der in den Rechtsvorschriften eines oder mehrerer Mitgliedstaaten vorgesehenen Bestimmungen über Kürzung, Ruhen oder Wegfall hinsichtlich der in jenem Absatz genannten Leistungen und die Zuerkennung des Differenzausgleichs werden durch Beschluß der Verwaltungskommission und gegebenenfalls im gemeinsamen Einvernehmen von den beteiligten Mitgliedstaaten oder deren zuständigen Behörden festgelegt.

Art. 95 c[1] Übergangsvorschriften für die Anwendung der Verordnung (EG) Nr. 1606/98. (1) Die Verordnung (EG) Nr. 1606/98[2] begründet keine Ansprüche für den Zeitraum vor dem 25. Oktober 1998.

(2) Für die Feststellung der Ansprüche auf Leistungen nach der Verordnung (EG) Nr. 1606/98 werden sämtliche Versicherungszeiten sowie gegebenenfalls auch alle Beschäftigungszeiten, Zeiten einer selbständigen Tätigkeit und Wohnzeiten berücksichtigt, die nach den Rechtsvorschriften eines Mitgliedstaats vor dem 25. Oktober 1998 zurückgelegt worden sind.

(3) Vorbehaltlich des Absatzes 1 wird ein Leistungsanspruch nach der Verordnung (EG) Nr. 1606/98 auch für Ereignisse begründet, die vor dem 25. Oktober 1998 liegen.

(4) Leistungen jeder Art, die wegen der Staatsangehörigkeit oder des Wohnorts einer Person nicht festgestellt worden sind oder geruht haben, werden auf Antrag der betreffenden Person ab dem 25. Oktober 1998 festgestellt oder wieder gewährt, es sei denn, daß früher festgestellte Ansprüche durch Kapitalabfindung abgegolten worden sind.

(5) Die Ansprüche von Personen, deren Rente vor dem 25. Oktober 1998 festgestellt worden ist, können auf deren Antrag unter Be-

[1] Art. 95 c eingef. mWv 25. 10. 1998 durch VO (EG) Nr. 1606/98 v. 29. 6. 1998 (ABl. EG Nr. L 209/1).

[2] **Amtl. Anm.:** ABl. L 209 vom 25. 7. 1998, S. 1.

rücksichtigung der Bestimmungen dieser Verordnung neu festgestellt werden. Dies gilt auch für andere Leistungen nach den Artikeln 78, 79 (im Rahmen der Anwendung auf Artikel 78) und 79 a.

(6) Wird der Antrag nach Absatz 4 oder Absatz 5 innerhalb von zwei Jahren ab dem 25. Oktober 1998 gestellt, so werden die Ansprüche aufgrund der Verordnung (EG) Nr. 1606/98 mit Wirkung von diesem Zeitpunkt an erworben, ohne daß der betreffenden Person Ausschluß- oder Verjährungsfristen eines Mitgliedstaats entgegengehalten werden können.

(7) Wird der Antrag nach Absatz 4 oder Absatz 5 erst nach Ablauf von zwei Jahren ab dem 25. Oktober 1998 gestellt, so werden nicht ausgeschlossene oder nicht verjährte Ansprüche – vorbehaltlich günstigerer Rechtsvorschriften eines Mitgliedstaats – vom Tag der Antragstellung an erworben.

Art. 95 d[1)] Übergangsvorschriften für Studierende. (1) Diese Verordnung begründet keine Ansprüche für Studierende und deren Familienangehörige und Hinterbliebene für den Zeitraum vor dem 1. Mai 1999.

(2) Für die Feststellung der Ansprüche auf Leistungen nach dieser Verordnung werden sämtliche Versicherungszeiten sowie gegebenenfalls auch alle Beschäftigungszeiten, Zeiten selbständiger Tätigkeit und Wohnzeiten berücksichtigt, die nach den Rechtsvorschriften eines Mitgliedstaats vor dem 1. Mai 1999 zurückgelegt worden sind.

(3) Vorbehaltlich des Absatzes 1 wird ein Leistungsanspruch nach dieser Verordnung auch für Ereignisse begründet, die vor dem 1. Mai 1999 liegen.

(4) Leistungen jeder Art, die wegen der Staatsangehörigkeit oder des Wohnorts einer Person nicht festgestellt worden sind oder geruht haben, werden auf Antrag der betreffenden Person ab dem 1. Mai 1999 festgestellt oder wieder gewährt, es sei denn, daß früher festgestellte Ansprüche durch Kapitalabfindung abgegolten worden sind.

(5) Wird der Antrag nach Absatz 4 innerhalb von zwei Jahren nach dem 1. Mai 1999 gestellt, so werden die Ansprüche, die sich für die Studierenden, ihre Familienangehörigen und Hinterbliebenen aus dieser Verordnung ergeben, mit Wirkung von diesem Zeitpunkt an erworben, ohne daß der betreffenden Person Ausschluß- oder Verjährungsfristen eines Mitgliedstaats entgegengehalten werden können.

(6) Wird der Antrag nach Absatz 4 erst nach Ablauf von zwei Jahren nach dem 1. Mai 1999 gestellt, so werden nicht ausgeschlossene oder

---

1) Art. 95 d eingef. durch VO (EG) Nr. 307/99 v. 8. 2. 1999 (ABl. EG Nr. L 38/1).

nicht verjährte Ansprüche – vorbehaltlich etwaiger günstigerer Rechtsvorschriften eines Mitgliedstaats – vom Tage der Antragstellung an erworben.

Art. 95 e[1] Übergangsbestimmungen für die Durchführung der Verordnung (EG) Nr. 1399/1999.[2] (1) Die Verordnung (EG) Nr. 1399/1999 findet Anwendung auf die Ansprüche von Waisen in Fällen, in denen der anspruchsbegründende Elternteil nach dem 1. September 1999 verstorben ist.

(2) Für die Feststellung des Anspruchs auf Leistungen nach der Verordnung (EG) Nr. 1399/1999 werden alle Versicherungs- oder Wohnzeiten berücksichtigt, die nach den Rechtsvorschriften eines Mitgliedstaats vor dem 1. September 1999 zurückgelegt worden sind.

(3) Die Ansprüche von Waisen, deren anspruchsbegründender Elternteil vor dem 1. September 1999 verstorben ist, können auf Antrag gemäß der Verordnung (EG) Nr. 1399/1999 neu festgestellt werden.

(4) Wird der Antrag nach Absatz 3 innerhalb von zwei Jahren nach dem 1. September 1999 gestellt, so werden die Ansprüche aufgrund der Verordnung (EG) Nr. 1399/1999 mit Wirkung von diesem Zeitpunkt an erworben, ohne daß der betreffenden Person Ausschluß- oder Verjährungsfristen eines Mitgliedstaats entgegengehalten werden können.

(5) Wird der Antrag nach Absatz 3 erst nach Ablauf von zwei Jahren nach dem 1. September 1999 gestellt, so werden nicht ausgeschlossene oder nicht verjährte Ansprüche – vorbehaltlich etwaiger günstigerer Rechtsvorschriften eines Mitgliedstaats – vom Tag der Antragstellung an erworben.

Art. 96 Erstattungsvereinbarungen zwischen Trägern. Die nach Artikel 36 Absatz 3, Artikel 63 Absatz 3 und Artikel 70 Absatz 3 vor dem 1. Juli 1982 getroffenen Vereinbarungen gelten auch für Personen, auf die diese Verordnung mit Wirkung vom gleichen Tag ausgedehnt wurde, soweit nicht einer der an diesen Vereinbarungen beteiligten Mitgliedstaaten dagegen Einspruch erhebt.

Dieser wird nur dann wirksam, wenn die zuständige Behörde dieses Mitgliedstaats ihn der zuständigen Behörde des oder der übrigen beteiligten Mitgliedstaaten vor dem 1. Oktober 1983 mitteilt. Eine Abschrift dieser Mitteilung wird der Verwaltungskommission zugeleitet.

---

[1] Art. 95 e eingef. mWv 1. 9. 1999 durch VO (EG) Nr. 1399/1999 v. 29. 4. 1999 (ABl. EG Nr. L 164/1).

[2] **Amtl. Anm.:** ABl L 164 vom 30. 6. 1999, S. 1.

Art. 97 Notifizierungen in bezug auf bestimmte Vorschriften. (1) Die Notifizierungen gemäß Artikel 1 Buchstabe j), Artikel 5 und Artikel 8 Absatz 2 sind an den Präsidenten des Rates zu richten. Dabei ist der Zeitpunkt des Inkrafttretens der in Betracht kommenden Rechtsvorschriften und Systeme und bei Notifizierungen gemäß Artikel 1 Buchstabe j) auch der Zeitpunkt anzugeben, von dem an diese Verordnung für die in den Erklärungen der Mitgliedstaaten genannten Systeme gilt.

(2) Notifizierungen nach Absatz 1 werden im *Amtsblatt der Europäischen Gemeinschaften* veröffentlicht.

Art. 98[1] **Durchführungsverordnung.** Die Durchführung dieser Verordnung wird in einer weiteren Verordnung geregelt.

---

[1] Siehe Nr. **868**.

868. Verordnung (EG) Nr. 987/2009 des Europäischen Parlaments und des Rates vom 16. September 2009 zur Festlegung der Modalitäten für die Durchführung der Verordnung (EG) Nr. 883/2004 über die Koordinierung der Systeme der sozialen Sicherheit

(Text von Bedeutung für den EWR und die Schweiz)

(ABl. Nr. L 284 S. 1, ber. ABl. 2018 Nr. L 54 S. 18)

Celex-Nr. 3 2009 R 0987

zuletzt geänd. durch Art. 2 ÄndVO (EU) 2017/492 v. 21.3.2017 (ABl. Nr. L 76 S. 13)

– Auszug –[1]

DAS EUROPÄISCHE PARLAMENT UND DER RAT DER EUROPÄISCHEN UNION –

gestützt auf den Vertrag zur Gründung der Europäischen Gemeinschaft[2], insbesondere auf die Artikel 42 und 308,

gestützt auf die Verordnung (EG) Nr. 883/2004 des Europäischen Parlaments und des Rates vom 29. April 2004 zur Koordinierung der Systeme der sozialen Sicherheit[3], insbesondere auf den Artikel 89,

auf Vorschlag der Kommission,

nach Stellungnahme des Europäischen Wirtschafts- und Sozialausschusses[4],
gemäß dem Verfahren des Artikels 251 des Vertrags[2) 5)],

in Erwägung nachstehender Gründe:

(1) Die Verordnung (EG) Nr. 883/2004 modernisiert die Regeln für die Koordinierung der mitgliedstaatlichen Systeme der sozialen Sicherheit, legt dabei die Durchführungsmaßnahmen und -verfahren fest und achtet auf deren Vereinfachung, die allen Beteiligten zugute kommen soll. Hierfür müssen die Durchführungsbestimmungen erlassen werden.

(2) Die Organisation einer wirksameren und engeren Zusammenarbeit zwischen den Trägern der sozialen Sicherheit ist maßgeblich, damit die Personen im Geltungsbereich der Verordnung (EG) Nr. 883/2004 ihre Rechte so rasch und so gut wie möglich in Anspruch nehmen können.

---

1) Vollständig wiedergegeben in **beck-online, Module Arbeitsrecht**.

2) **beck-online, Module Arbeitsrecht Nr. 850a.**

3) **Amtl. Anm.:** ABl. L 166 vom 30.4.2004, S. 1.

4) **Amtl. Anm.:** ABl. C 324 vom 30.12.2006, S. 59.

5) **Amtl. Anm.:** Stellungnahme des Europäischen Parlaments vom 9. Juli 2008 (noch nicht im Amtsblatt veröffentlicht), Gemeinsamer Standpunkt des Rates vom 17. Dezember 2008 (ABl. C 38 E vom 17.2.2009, S. 26) und Standpunkt des Europäischen Parlaments vom 22. April 2009. Beschluss des Rates vom 27. Juli 2009.

(3) Der Einsatz elektronischer Mittel eignet sich für den schnellen und zuverlässigen Datenaustausch zwischen den Trägern der Mitgliedstaaten. Die elektronische Verarbeitung von Daten soll zur Beschleunigung der Verfahren für die betroffenen Personen beitragen. Dabei sollten diese Personen die vollen Garantien der Gemeinschaftsbestimmungen zum Schutz natürlicher Personen bei der Verarbeitung personenbezogener Daten und zum freien Datenverkehr genießen.

(4) Die Bereitstellung der Kontaktadressen der Stellen in den Mitgliedstaaten, die an der Durchführung der Verordnung (EG) Nr. 883/2004 beteiligt sind, auch der elektronischen Adressen, in einer Form, die ihre Aktualisierung in Realzeit ermöglicht, soll den Austausch zwischen den Trägern der sozialen Sicherheit erleichtern. Dieses Konzept, bei dem die Sachdienlichkeit der rein faktischen Informationen und deren direkte Verfügbarkeit für die Bürger im Vordergrund stehen, ist eine wichtige Vereinfachung, die durch diese Verordnung herbeigeführt werden sollte.

(5) Einen möglichst reibungslosen Ablauf und die effiziente Handhabung der komplexen Verfahren zur Umsetzung der Vorschriften zur Koordinierung der Systeme der sozialen Sicherheit zu erreichen, erfordert einen Mechanismus, der eine sofortige Aktualisierung des Anhangs 4 ermöglicht. Die Vorbereitung und Anwendung von diesbezüglichen Bestimmungen verlangen eine enge Zusammenarbeit zwischen den Mitgliedstaaten und der Kommission, und ihre Umsetzung sollte im Hinblick auf die Folgen, die Verzögerungen sowohl für die Bürger als auch für die Verwaltungsbehörden haben, rasch erfolgen. Die Kommission sollte daher die Befugnis erhalten, eine Datenbank einzurichten und zu verwalten, und gewährleisten, dass diese zumindest ab dem Zeitpunkt des Inkrafttretens dieser Verordnung betriebsbereit ist. Die Kommission sollte insbesondere die notwendigen Schritte unternehmen, die in Anhang 4 aufgeführten Informationen in diese Datenbank aufzunehmen.

(6) Die Stärkung einiger Verfahren sollte den Anwendern der Verordnung (EG) Nr. 883/2004 mehr Rechtssicherheit und Transparenz bringen. Gemeinsame Fristsetzungen für die Erledigung bestimmter Verpflichtungen oder für bestimmte Verwaltungsabläufe sollten dabei zur Klärung und Strukturierung der Beziehungen zwischen den Versicherten und den Trägern beitragen.

(7) Die Personen, für die diese Verordnung gilt, sollten vom zuständigen Träger eine fristgerechte Antwort auf ihre Ersuchen erhalten. Die Antwort sollte in den Mitgliedstaaten, in deren Sozialgesetzgebung Fristen bestehen, spätestens innerhalb dieser Fristen erfolgen. Es wäre wünschenswert, dass diejenigen Mitgliedstaaten, in deren Sozialgesetzgebung keine solchen Fristen bestehen, den Erlass entsprechender Bestimmungen in Erwägung ziehen und sie erforderlichenfalls den betroffenen Personen zugänglich machen.

(8) Mitgliedstaaten, zuständige Behörden und Träger der sozialen Sicherheit sollten die Möglichkeit haben, sich auf vereinfachte Verfahren und Verwaltungsvereinbarungen zu einigen, die sie für wirksamer und innerhalb ihrer jeweiligen Systeme der sozialen Sicherheit für geeigneter halten. Solche Vereinbarungen sollten die Rechte der Personen im Geltungsbereich der Verordnung (EG) Nr. 883/2004 allerdings nicht beeinträchtigen.

(9) Wegen der dem Bereich der sozialen Sicherheit eigenen Komplexität werden allen Trägern der Mitgliedstaaten besondere Anstrengungen abverlangt, um die Benachteiligung der betroffenen Personen zu vermeiden, die ihren Antrag oder bestimmte Informationen möglicherweise nicht bei dem Träger eingereicht haben, der nach den Verfahren und Regeln der Verordnung (EG) Nr. 883/2004 und der vorliegenden Verordnung zur Bearbeitung dieses Antrags befugt ist.

(10) Zur Ermittlung des zuständigen Trägers – d.h. die für diesen Träger geltenden Rechtsvorschriften sind anwendbar oder ihm obliegt die Gewährung bestimmter Leistungen – muss die objektive Situation des Versicherten oder seiner Familienangehörigen von den Trägern eines oder mehrerer Mitgliedstaaten geprüft werden. Um den Schutz der betreffenden Person während dieses erforderlichen Informationsaustauschs unter den Trägern zu gewährleisten, ist ihr vorläufiger Anschluss an ein System der sozialen Sicherheit vorzusehen.

(11) Die Mitgliedstaaten sollten bei der Feststellung des Wohnorts von Personen, für die diese Verordnung und die Verordnung (EG) Nr. 883/2004 gelten, zusammenarbeiten und bei Beanstandungen alle einschlägigen Kriterien berücksichtigen, um das Problem zu lösen. Letztere dürfen die in den entsprechenden Artikeln dieser Verordnung genannten Kriterien umfassen.

(12) Viele Maßnahmen und Verfahren dieser Verordnung stellen auf mehr Klarheit für die Kriterien ab, die von den Trägern der Mitgliedstaaten im Rahmen der Verordnung (EG) Nr. 883/2004 anzuwenden sind. Solche Maßnahmen und Verfahren ergeben sich aus der Rechtsprechung des Gerichtshofs der Europäischen Gemeinschaften, aus den Beschlüssen der Verwaltungskommission und aus über dreißig Jahren Praxis in der Koordinierung der Systeme der sozialen Sicherheit im Rahmen der im Vertrag verankerten Grundfreiheiten.

(13) Diese Verordnung enthält Maßnahmen und Verfahren, um die Mobilität von Arbeitnehmern und Arbeitslosen zu fördern. Von Vollarbeitslosigkeit betroffene Grenzgänger können sich dem Arbeitsamt sowohl in ihrem Wohnsitzland als auch in dem Mitgliedstaat, in dem sie zuletzt beschäftigt waren, zur Verfügung stellen. Sie sollten jedoch einzig und allein Anspruch auf Leistungen ihres Wohnmitgliedstaats haben.

(14) Bestimmte Regeln und Verfahren sind für die Bestimmung der anwendbaren Rechtsvorschriften für die Anrechnung der Zeiten, die ein Versicherter in verschiedenen Mitgliedstaaten der Kindererziehung gewidmet hat, erforderlich.

(15) Manche Verfahren sollten noch der Forderung nach einer ausgewogenen Lastenverteilung unter den Mitgliedstaaten genügen. Speziell im Zweig Krankheit sollten diese Verfahren einerseits der Situation der Mitgliedstaaten Rechnung tragen, die die Versicherten aufnehmen und diesen ihr Gesundheitssystem zur Verfügung stellen, und andererseits der Situation der Mitgliedstaaten, deren Träger für die Kosten der Sachleistungen aufkommen, die von ihren Versicherten in einem anderen als ihrem Wohnmitgliedstaat in Anspruch genommen werden.

(16) Im besonderen Rahmen der Verordnung (EG) Nr. 883/2004 müssen die Bedingungen für die Übernahme der Sachleistungskosten bei „geplanten

Behandlungen" – Behandlungen, die eine Person in einem anderen als dem Versicherungs- oder Wohnmitgliedstaat vornehmen lässt – geklärt werden. Die Pflichten des Versicherten bei Beantragung einer vorherigen Genehmigung sollten präzisiert werden, ebenso die Verpflichtungen der Träger gegenüber den Patienten in Bezug auf die Genehmigungsbedingungen. Auch die Auswirkungen auf die Kostenübernahme bei Sachleistungen, die aufgrund einer Genehmigung in einem anderen Mitgliedstaat in Anspruch genommen wurden, sind genau festzulegen.

(17) Diese Verordnung und namentlich die Bestimmungen über den Aufenthalt außerhalb des zuständigen Mitgliedstaats und über geplante Behandlungen sollten der Anwendung günstigerer innerstaatlicher Vorschriften insbesondere hinsichtlich der Rückerstattung von in einem anderen Mitgliedstaat entstandenen Kosten nicht entgegenstehen.

(18) Verbindlichere Verfahren zur Verkürzung der Erstattungsfristen für diese Forderungen unter den Trägern der Mitgliedstaaten erscheinen wesentlich, um das Vertrauen in den Austausch zu erhalten und der von den Systemen der sozialen Sicherheit geforderten Wirtschaftlichkeit der Haushaltsführung zu genügen. Daher sollten die Verfahren für die Behandlung der Forderungen im Zusammenhang mit Leistungen bei Krankheit und Arbeitslosigkeit gestärkt werden.

(19) Die Verfahren zwischen den Trägern für eine gegenseitige Unterstützung bei der Beitreibung von Forderungen der sozialen Sicherheit sollten verstärkt werden, damit eine wirksamere Beitreibung und ein reibungsloses Funktionieren der Koordinierungsregeln gewährleistet wird. Eine wirksame Beitreibung ist auch ein Mittel zur Verhütung und Bekämpfung von Missbrauch und Betrug sowie eine Möglichkeit, die Nachhaltigkeit der Systeme der sozialen Sicherheit sicherzustellen. Dazu ist es erforderlich, neue Verfahren auf der Grundlage einer Reihe geltender Bestimmungen der Richtlinie 2008/55/EG des Rates vom 26. Mai 2008 über die gegenseitige Unterstützung bei der Beitreibung von Forderungen in Bezug auf bestimmte Abgaben, Zölle, Steuern und sonstige Maßnahmen[1)] anzunehmen. Diese neuen Beitreibungsverfahren sollten nach fünf Jahren auf Grundlage der gemachten Erfahrungen überprüft und erforderlichenfalls angepasst werden, insbesondere um sicherzustellen, dass sie uneingeschränkt durchführbar sind.

(20) Für die Zwecke von Vorschriften über die Rückforderung gezahlter, aber nicht geschuldeter Leistungen, die Einziehung vorläufiger Zahlungen und Beiträge, den Ausgleich und die Unterstützung bei der Beitreibung beschränkt sich die Zuständigkeit des ersuchten Mitgliedstaats auf Rechtsbehelfe in Bezug auf Vollstreckungsmaßnahmen. Für alle anderen Rechtsbehelfe ist der ersuchende Mitgliedstaat zuständig.

(21) Die in dem ersuchten Mitgliedstaat ergriffenen Vollstreckungsmaßnahmen bringen nicht mit sich, dass dieser Mitgliedstaat die Begründetheit der Forderung oder deren Grundlage anerkennt.

(22) Die Information der betroffenen Personen über ihre Rechte und Pflichten ist für ein Vertrauensverhältnis zu den zuständigen Behörden und Trägern der Mitgliedstaaten wesentlich. Diese Information sollte Anlei-

---

[1)] **Amtl. Anm.:** ABl. L 150 vom 10. 6. 2008, S. 28.

tungen in Bezug auf Verwaltungsverfahren beinhalten. Zu den betroffenen Personen können je nach Situation die Versicherten, ihre Familienangehörigen und/oder ihre Hinterbliebenen oder sonstige Personen zählen.

(23) Da das Ziel dieser Verordnung, nämlich die Verabschiedung von Koordinierungsmaßnahmen, damit das Recht auf Freizügigkeit wirksam ausgeübt werden kann, auf der Ebene der Mitgliedstaaten nicht ausreichend verwirklicht werden kann und daher wegen seines Umfangs und seiner Wirkungen besser auf Gemeinschaftsebene zu verwirklichen ist, kann die Gemeinschaft im Einklang mit dem in Artikel 5 des Vertrags[1] niedergelegten Subsidiaritätsprinzip tätig werden. Entsprechend dem in demselben Artikel genannten Grundsatz der Verhältnismäßigkeit geht diese Verordnung nicht über das zur Erreichung dieses Ziels erforderliche Maß hinaus.

(24) Diese Verordnung sollte die Verordnung (EWG) Nr. 574/72[2] des Rates vom 21. März 1972 über die Durchführung der Verordnung (EWG) Nr. 1408/71[3] zur Anwendung der Systeme der sozialen Sicherheit auf Arbeitnehmer und deren Familien, die innerhalb der Gemeinschaft zu- und abwandern[4], ersetzen –

HABEN FOLGENDE VERORDNUNG ERLASSEN:

Titel I. Allgemeine Vorschriften

Kapitel I. Begriffsbestimmungen

Art. 1 Begriffsbestimmungen. (1) Im Sinne dieser Verordnung

a) bezeichnet der Ausdruck „Grundverordnung" die Verordnung (EG) Nr. 883/2004;

b) bezeichnet der Ausdruck „Durchführungsverordnung" die vorliegende Verordnung; und

c) gelten die Begriffsbestimmungen der Grundverordnung.

(2) Neben den Begriffsbestimmungen des Absatzes 1 bezeichnet der Ausdruck

a) „Zugangsstelle" eine Stelle, die Folgendes bietet:

i) eine elektronische Kontaktstelle;

ii) die automatische Weiterleitung auf der Grundlage der Adresse; und

iii) die intelligente Weiterleitung von Daten, gestützt auf eine Software, die eine automatische Prüfung und Weiterleitung von Daten (z.B. eine Anwendung künstlicher Intelligenz) und/oder menschliches Eingreifen gestattet;

b) „Verbindungsstelle" eine von der zuständigen Behörde eines Mitgliedstaats für einen oder mehrere der in Artikel 3 der Grundverordnung genannten

[1] **DVD Nipperdey plus Nr. 850 a.**

[2] **DVD Nipperdey plus Nr. 868 a.**

[3] Nr. **867**.

[4] **Amtl. Anm.:** ABl. L 74 vom 27. 3. 1972, S. 1.

Zweige der sozialen Sicherheit bezeichnete Stelle, die Anfragen und Amtshilfeersuchen für die Zwecke der Anwendung der Grundverordnung und der Durchführungsverordnung beantwortet und die die ihr nach Titel IV der Durchführungsverordnung zugewiesenen Aufgaben zu erfüllen hat;

c) „Dokument" eine von der Art des Datenträgers unabhängige Gesamtheit von Daten, die dergestalt strukturiert sind, dass sie elektronisch ausgetauscht werden können und deren Mitteilung für die Anwendung der Grundverordnung und der Durchführungsverordnung erforderlich ist;

d) „strukturiertes elektronisches Dokument" ein strukturiertes Dokument in einem Format, das für den elektronischen Austausch von Informationen zwischen den Mitgliedstaaten konzipiert wurde;

e) „elektronische Übermittlung" die Übermittlung von Daten mittels Geräten für die elektronische Verarbeitung (einschließlich digitaler Kompression) von Daten über Draht, über Funk, auf optischem oder elektromagnetischem Wege;

f) „Rechnungsausschuss" den in Artikel 74 der Grundverordnung genannten Ausschuss.

Kapitel II. Vorschriften über die Zusammenarbeit und den Datenaustausch

Art. 2 Umfang und Modalitäten des Datenaustauschs zwischen den Trägern. (1) Im Sinne der Durchführungsverordnung beruht der Austausch zwischen den Behörden und Trägern der Mitgliedstaaten und den Personen, die der Grundverordnung unterliegen, auf den Grundsätzen öffentlicher Dienstleistungen, Effizienz, aktiver Unterstützung, rascher Bereitstellung und Zugänglichkeit, einschließlich der elektronischen Zugänglichkeit, insbesondere für Menschen mit Behinderungen und für ältere Menschen.

(2) [1] Die Träger stellen unverzüglich all jene Daten, die zur Begründung und Feststellung der Rechte und Pflichten der Personen, für die die Grundverordnung gilt, benötigt werden, zur Verfügung oder tauschen diese ohne Verzug aus. [2] Diese Daten werden zwischen den Mitgliedstaaten entweder unmittelbar von den Trägern selbst oder mittelbar über die Verbindungsstellen übermittelt.

(3) [1] Hat eine Person irrtümlich einem Träger im Hoheitsgebiet eines anderen Mitgliedstaats als dem Mitgliedstaat, in dem sich der in der Durchführungsverordnung bezeichnete Träger befindet, Informationen, Dokumente oder Anträge eingereicht, so hat dieser Träger die betreffenden Informationen, Dokumente oder Anträge ohne Verzug an den nach der Durchführungsverordnung bezeichneten Träger weiterzuleiten und dabei das Datum anzugeben, an dem sie ursprünglich eingereicht wurden. [2] Dieses Datum ist für den letztgenannten Träger maßgeblich. [3] Die Träger eines Mitgliedstaats können jedoch weder haftbar gemacht werden noch kann ihre Untätigkeit, die auf die verspätete Übermittlung der Informationen, Dokumente oder Anträge von Trägern anderer Mitgliedstaaten zurückzuführen ist, als Entscheidung betrachtet werden.

(4) Werden die Daten mittelbar über die Verbindungsstelle des Empfängermitgliedstaats übermittelt, so beginnen die Fristen für die Beantwortung eines

Antrags an dem Tag, an dem diese Verbindungsstelle den Antrag erhalten hat, so als hätte der Träger dieses Mitgliedstaats ihn bereits erhalten.

Art. 3 Umfang und Modalitäten des Datenaustauschs zwischen den betroffenen Personen und den Trägern. (1) [1] Die Mitgliedstaaten stellen sicher, dass den betroffenen Personen die erforderlichen Informationen zur Verfügung gestellt werden, damit sie von der Änderung der Rechtslage aufgrund der Grundverordnung und der Durchführungsverordnung Kenntnis erhalten und ihre Ansprüche geltend machen können. [2] Sie stellen auch benutzerfreundliche Serviceleistungen zur Verfügung.

(2) Personen, für die die Grundverordnung gilt, haben dem maßgeblichen Träger die Informationen, Dokumente oder Belege zu übermitteln, die für die Feststellung ihrer Situation oder der Situation ihrer Familie sowie ihrer Rechte und Pflichten, für die Aufrechterhaltung derselben oder für die Bestimmung der anzuwendenden Rechtsvorschriften und ihrer Pflichten nach diesen Rechtsvorschriften erforderlich sind.

(3) Bei der Erhebung, Übermittlung oder Verarbeitung personenbezogener Daten nach ihren Rechtsvorschriften zur Durchführung der Grundverordnung gewährleisten die Mitgliedstaaten, dass die betreffenden Personen in der Lage sind, ihre Rechte in Bezug auf den Schutz personenbezogener Daten unter Beachtung der Gemeinschaftsbestimmungen über den Schutz natürlicher Personen bei der Verarbeitung personenbezogener Daten und zum freien Datenverkehr umfassend wahrzunehmen.

(4) Soweit es für die Anwendung der Grundverordnung und der Durchführungsverordnung erforderlich ist, übermitteln die maßgeblichen Träger unverzüglich und in jedem Fall innerhalb der in der Sozialgesetzgebung des jeweiligen Mitgliedstaats vorgeschriebenen Fristen den betroffenen Personen die Informationen und stellen ihnen die Dokumente aus.

[1] Der entsprechende Träger hat dem Antragsteller, der seinen Wohnort oder Aufenthalt in einem anderen Mitgliedstaat hat, seine Entscheidung unmittelbar oder über die Verbindungsstelle des Wohn- oder Aufenthaltsmitgliedstaats mitzuteilen. [2] Lehnt er die Leistungen ab, muss er die Gründe für die Ablehnung sowie die Rechtsbehelfe und Rechtsbehelfsfristen angeben. [3] Eine Kopie dieser Entscheidung wird den anderen beteiligten Trägern übermittelt.

Art. 4 Format und Verfahren des Datenaustauschs. (1) Die Verwaltungskommission legt die Struktur, den Inhalt, das Format und die Verfahren im Einzelnen für den Austausch von Dokumenten und strukturierten elektronischen Dokumenten fest.

(2) Die Datenübermittlung zwischen den Trägern oder Verbindungsstellen erfolgt elektronisch entweder unmittelbar oder mittelbar über die Zugangsstellen in einem gemeinsamen sicheren Rahmen, in dem die Vertraulichkeit und der Schutz der ausgetauschten Daten gewährleistet werden kann.

(3) [1] Bei der Kommunikation mit den betroffenen Personen wenden die maßgeblichen Träger die für den Einzelfall geeigneten Verfahren an und verwenden so weit wie möglich vorzugsweise elektronische Mittel. [2] Die Verwaltungskommission legt die praktischen Modalitäten für die Übermittlung von Informationen, Dokumenten oder Entscheidungen an die betreffende Person durch elektronische Mittel fest.

Art. 5 Rechtswirkung der in einem anderen Mitgliedstaat ausgestellten Dokumente und Belege. (1) Vom Träger eines Mitgliedstaats ausgestellte Dokumente, in denen der Status einer Person für die Zwecke der Anwendung der Grundverordnung und der Durchführungsverordnung bescheinigt wird, sowie Belege, auf deren Grundlage die Dokumente ausgestellt wurden, sind für die Träger der anderen Mitgliedstaaten so lange verbindlich, wie sie nicht von dem Mitgliedstaat, in dem sie ausgestellt wurden, widerrufen oder für ungültig erklärt werden.

(2) [1] Bei Zweifeln an der Gültigkeit eines Dokuments oder der Richtigkeit des Sachverhalts, der den im Dokument enthaltenen Angaben zugrunde liegt, wendet sich der Träger des Mitgliedstaats, der das Dokument erhält, an den Träger, der das Dokument ausgestellt hat, und ersucht diesen um die notwendige Klarstellung oder gegebenenfalls um den Widerruf dieses Dokuments. [2] Der Träger, der das Dokument ausgestellt hat, überprüft die Gründe für die Ausstellung und widerruft das Dokument gegebenenfalls.

(3) Bei Zweifeln an den Angaben der betreffenden Personen, der Gültigkeit eines Dokuments oder der Belege oder der Richtigkeit des Sachverhalts, der den darin enthaltenen Angaben zugrunde liegt, nimmt der Träger des Aufenthalts- oder Wohnorts, soweit dies möglich ist, nach Absatz 2 auf Verlangen des zuständigen Trägers die nötige Überprüfung dieser Angaben oder dieses Dokuments vor.

(4) [1] Erzielen die betreffenden Träger keine Einigung, so können die zuständigen Behörden frühestens einen Monat nach dem Zeitpunkt, zu dem der Träger, der das Dokument erhalten hat, sein Ersuchen vorgebracht hat, die Verwaltungskommission anrufen. [2] Die Verwaltungskommission bemüht sich binnen sechs Monaten nach ihrer Befassung um eine Annäherung der unterschiedlichen Standpunkte.

Art. 6[1)] Vorläufige Anwendung der Rechtsvorschriften eines Mitgliedstaats und vorläufige Gewährung von Leistungen. (1) Besteht zwischen den Trägern oder Behörden zweier oder mehrerer Mitgliedstaaten eine Meinungsverschiedenheit darüber, welche Rechtsvorschriften anzuwenden sind, so unterliegt die betreffende Person vorläufig den Rechtsvorschriften eines dieser Mitgliedstaaten, sofern in der Durchführungsverordnung nichts anderes bestimmt ist, wobei die Rangfolge wie folgt festgelegt wird:

a) den Rechtsvorschriften des Mitgliedstaats, in dem die Person ihrer Beschäftigung oder selbständigen Erwerbstätigkeit tatsächlich nachgeht, wenn die Beschäftigung oder selbständige Erwerbstätigkeit in nur einem Mitgliedstaat ausgeübt wird;

b) den Rechtsvorschriften des Wohnmitgliedstaats, sofern die betreffende Person einer Beschäftigung oder selbständigen Erwerbstätigkeit in zwei oder mehr Mitgliedstaaten nachgeht und einen Teil ihrer Tätigkeit(en) in dem Wohnmitgliedstaat ausübt, oder sofern die betreffende Person weder beschäftigt ist noch eine selbständige Erwerbstätigkeit ausübt;

[1)] Art. 6 Abs. 1 Buchst. b und c neu gef. mWv 28. 6. 2012 durch VO v. 22. 5. 2012 (ABl. Nr. L 149 S. 4).

c) in allen anderen Fällen den Rechtsvorschriften des Mitgliedstaats, deren Anwendung zuerst beantragt wurde, wenn die Person eine Erwerbstätigkeit oder mehrere Erwerbstätigkeiten in zwei oder mehr Mitgliedstaaten ausübt.

(2) Besteht zwischen den Trägern oder Behörden zweier oder mehrerer Mitgliedstaaten eine Meinungsverschiedenheit darüber, welcher Träger die Geld- oder Sachleistungen zu gewähren hat, so erhält die betreffende Person, die Anspruch auf diese Leistungen hätte, wenn es diese Meinungsverschiedenheit nicht gäbe, vorläufig Leistungen nach den vom Träger des Wohnorts anzuwendenden Rechtsvorschriften oder – falls die betreffende Person nicht im Hoheitsgebiet eines der betreffenden Mitgliedstaaten wohnt – Leistungen nach den Rechtsvorschriften, die der Träger anwendet, bei dem der Antrag zuerst gestellt wurde.

(3) [1] Erzielen die betreffenden Träger oder Behörden keine Einigung, so können die zuständigen Behörden frühestens einen Monat nach dem Tag, an dem die Meinungsverschiedenheit im Sinne von Absatz 1 oder Absatz 2 aufgetreten ist, die Verwaltungskommission anrufen. [2] Die Verwaltungskommission bemüht sich nach ihrer Befassung binnen sechs Monaten um eine Annäherung der Standpunkte.

(4) Steht entweder fest, dass nicht die Rechtsvorschriften des Mitgliedstaats anzuwenden sind, die für die betreffende Person vorläufig angewendet worden sind, oder dass der Träger, der die Leistungen vorläufig gewährt hat, nicht der zuständige Träger ist, so gilt der als zuständig ermittelte Träger rückwirkend als zuständig, als hätte die Meinungsverschiedenheit nicht bestanden, und zwar spätestens entweder ab dem Tag der vorläufigen Anwendung oder ab der ersten vorläufigen Gewährung der betreffenden Leistungen.

(5) Falls erforderlich, regeln der als zuständig ermittelte Träger und der Träger, der die Geldleistungen vorläufig gezahlt oder Beiträge vorläufig erhalten hat, die finanzielle Situation der betreffenden Person in Bezug auf vorläufig gezahlte Beiträge und Geldleistungen gegebenenfalls nach Maßgabe von Titel IV Kapitel III der Durchführungsverordnung.

Sachleistungen, die von einem Träger nach Absatz 2 vorläufig gewährt wurden, werden von dem zuständigen Träger nach Titel IV der Durchführungsverordnung erstattet.

Art. 7 Vorläufige Berechnung von Leistungen und Beiträgen. (1) Steht einer Person nach der Grundverordnung ein Leistungsanspruch zu oder hat sie einen Beitrag zu zahlen, und liegen dem zuständigen Träger nicht alle Angaben über die Situation in einem anderen Mitgliedstaat vor, die zur Berechnung des endgültigen Betrags der Leistung oder des Beitrags erforderlich sind, so gewährt dieser Träger auf Antrag der betreffenden Person die Leistung oder berechnet den Beitrag vorläufig, wenn eine solche Berechnung auf der Grundlage der dem Träger vorliegenden Angaben möglich ist, sofern die Durchführungsverordnung nichts anderes bestimmt.

(2) Sobald dem betreffenden Träger alle erforderlichen Belege oder Dokumente vorliegen, ist eine Neuberechnung der Leistung oder des Beitrags vorzunehmen.

Kapitel III. Sonstige allgemeine Vorschriften zur Durchführung der Grundverordnung

Art. 8 Verwaltungsvereinbarungen zwischen zwei oder mehreren Mitgliedstaaten. (1) Die Vorschriften der Durchführungsverordnung treten an die Stelle der Bestimmungen der Vereinbarungen zur Durchführung der in Artikel 8 Absatz 1 der Grundverordnung genannten Abkommen; ausgenommen sind die Bestimmungen betreffend die Vereinbarungen zu den in Anhang II der Grundverordnung genannten Abkommen, sofern die Bestimmungen dieser Vereinbarungen in Anhang 1 der Durchführungsverordnung aufgeführt sind.

(2) Mitgliedstaaten können bei Bedarf untereinander Vereinbarungen zur Anwendung der in Artikel 8 Absatz 2 der Grundverordnung genannten Abkommen schließen, sofern durch diese Vereinbarungen die Ansprüche und die Verpflichtungen der betreffenden Personen nicht beeinträchtigt werden und die Vereinbarungen in Anhang 1 der Durchführungsverordnung aufgeführt sind.

Art. 9 Sonstige Verfahren zwischen den Behörden und Trägern. (1) Zwei oder mehrere Mitgliedstaaten oder deren zuständige Behörden können andere Verfahren als die in der Durchführungsverordnung vorgesehenen vereinbaren, sofern durch diese Verfahren die Ansprüche oder Verpflichtungen der betreffenden Personen nicht beeinträchtigt werden.

(2) Die entsprechenden Vereinbarungen werden der Verwaltungskommission zur Kenntnis gebracht und sind in Anhang 1 der Durchführungsverordnung aufgeführt.

(3) Bestimmungen in Durchführungsvereinbarungen, die zwischen zwei oder mehr Mitgliedstaaten zu demselben Zweck geschlossen worden sind, oder die den in Absatz 2 genannten Vereinbarungen entsprechen, die am Tag vor Inkrafttreten der Durchführungsverordnung in Kraft sind und in Anhang 5 der Verordnung (EWG) Nr. 574/72[1)] aufgeführt sind, gelten auch weiterhin in den Beziehungen zwischen den betreffenden Mitgliedstaaten, sofern sie auch in Anhang 1 der Durchführungsverordnung enthalten sind.

Art. 10 Verbot des Zusammentreffens von Leistungen. Ungeachtet anderer Bestimmungen der Grundverordnung werden in Fällen, in denen die nach den Rechtsvorschriften von zwei oder mehr Mitgliedstaaten geschuldeten Leistungen gegenseitig gekürzt, zum Ruhen gebracht oder entzogen werden können, jene Beträge, die bei strenger Anwendung der in den Rechtsvorschriften der betreffenden Mitgliedstaaten vorgesehenen Kürzungs-, Ruhens- oder Entziehungsbestimmungen nicht ausgezahlt würden, durch die Zahl der zu kürzenden, zum Ruhen zu bringenden oder zu entziehenden Leistungen geteilt.

Art. 11 Bestimmung des Wohnortes. (1) Besteht eine Meinungsverschiedenheit zwischen den Trägern von zwei oder mehreren Mitgliedstaaten über die Feststellung des Wohnortes einer Person, für die die Grundverordnung gilt, so ermitteln diese Träger im gegenseitigen Einvernehmen den Mittel-

1) NipperdeyDirekt (online) Nr. 868 a.

punkt der Interessen dieser Person und stützen sich dabei auf eine Gesamtbewertung aller vorliegenden Angaben zu den einschlägigen Fakten, wozu gegebenenfalls die Folgenden gehören können:

a) Dauer und Kontinuität des Aufenthalts im Hoheitsgebiet des betreffenden Mitgliedstaats;

b) die Situation der Person, einschließlich

i) der Art und der spezifischen Merkmale jeglicher ausgeübten Tätigkeit, insbesondere des Ortes, an dem eine solche Tätigkeit in der Regel ausgeübt wird, der Dauerhaftigkeit der Tätigkeit und der Dauer jedes Arbeitsvertrags,

ii) ihrer familiären Verhältnisse und familiären Bindungen,

iii) der Ausübung einer nicht bezahlten Tätigkeit,

iv) im Falle von Studierenden ihrer Einkommensquelle,

v) ihrer Wohnsituation, insbesondere deren dauerhafter Charakter,

vi) des Mitgliedstaats, der als der steuerliche Wohnsitz der Person gilt.

(2) Können die betreffenden Träger nach Berücksichtigung der auf die maßgebenden Fakten gestützten verschiedenen Kriterien nach Absatz 1 keine Einigung erzielen, gilt der Wille der Person, wie er sich aus diesen Fakten und Umständen erkennen lässt, unter Einbeziehung insbesondere der Gründe, die die Person zu einem Wohnortwechsel veranlasst haben, bei der Bestimmung des tatsächlichen Wohnortes dieser Person als ausschlaggebend.

Art. 12 Zusammenrechnung von Zeiten. (1) Bei der Anwendung von Artikel 6 der Grundverordnung wendet sich der zuständige Träger an die Träger der Mitgliedstaaten, deren Rechtsvorschriften für die betroffene Person ebenfalls gegolten haben, um sämtliche Zeiten zu bestimmen, die der Versicherte nach deren Rechtsvorschriften zurückgelegt hat.

(2) Die nach den Rechtsvorschriften eines Mitgliedstaats jeweils zurückgelegten Versicherungszeiten, Beschäftigungszeiten, Zeiten einer selbständigen Erwerbstätigkeit oder Wohnzeiten sind, soweit erforderlich, bei der Anwendung von Artikel 6 der Grundverordnung zu denjenigen Zeiten hinzuzurechnen, die nach den Rechtsvorschriften anderer Mitgliedstaaten zurückgelegt wurden, sofern sich diese Zeiten nicht überschneiden.

(3) Fällt eine nach den Rechtsvorschriften eines Mitgliedstaats auf Grund einer Pflichtversicherung zurückgelegte Versicherungs- oder Wohnzeit mit einer Zeit der freiwilligen Versicherung oder freiwilligen Weiterversicherung zusammen, die nach den Rechtsvorschriften eines anderen Mitgliedstaats zurückgelegt wurde, so wird nur die im Rahmen einer Pflichtversicherung zurückgelegte Zeit berücksichtigt.

(4) Fällt eine nach den Rechtsvorschriften eines Mitgliedstaats zurückgelegte Versicherungs- oder Wohnzeit, die keine gleichgestellte Zeit ist, mit einer gleichgestellten Zeit zusammen, die nach den Rechtsvorschriften eines anderen Mitgliedstaats zurückgelegt wurde, so wird nur die Zeit berücksichtigt, die keine gleichgestellte Zeit ist.

(5) [1] Jede Zeit, die nach den Rechtsvorschriften von zwei oder mehr Mitgliedstaaten als gleichgestellte Zeit gilt, wird nur von dem Träger des Mitgliedstaats berücksichtigt, nach dessen Rechtsvorschriften die betreffende Person

vor dieser Zeit zuletzt pflichtversichert war. [2] Ist die betreffende Person vor dieser Zeit nicht nach den Rechtsvorschriften eines Mitgliedstaats pflichtversichert gewesen, so wird die Zeit von dem Träger des Mitgliedstaats berücksichtigt, nach dessen Rechtsvorschriften sie nach der betreffenden Zeit erstmals pflichtversichert war.

(6) Lässt sich der Zeitraum, in dem bestimmte Versicherungs- oder Wohnzeiten nach den Rechtsvorschriften eines Mitgliedstaats zurückgelegt worden sind, nicht genau ermitteln, so wird unterstellt, dass diese Zeiten sich nicht mit Versicherungs- oder Wohnzeiten überschneiden, die nach den Rechtsvorschriften eines anderen Mitgliedstaats zurückgelegt worden sind; sie werden bei der Zusammenrechnung, sofern für die betreffende Person vorteilhaft, berücksichtigt, soweit sie für diesen Zweck in Betracht gezogen werden können.

Art. 13 Regeln für die Umrechnung von Zeiten. (1) Sind Zeiten, die nach den Rechtsvorschriften eines Mitgliedstaats zurückgelegt worden sind, in Einheiten ausgedrückt, die von den Einheiten abweichen, die in den Rechtsschriften eines anderen Mitgliedstaats vorgesehen sind, so werden sie für die Zusammenrechnung nach Artikel 6 der Grundverordnung wie folgt umgerechnet:

a) Die Zeit, die als Grundlage für die Umrechnung zu verwenden ist, ist die Zeit, die vom Träger des Mitgliedstaats mitgeteilt wird, nach dessen Rechtsvorschriften die Zeit zurückgelegt wurde.

b) Im Falle von Systemen, in denen die Zeiten in Tagen ausgedrückt werden, erfolgt die Umrechnung von Tagen in andere Einheiten und umgekehrt sowie die Umrechung zwischen verschiedenen Systemen, denen Tage zugrunde liegen, nach der folgenden Tabelle:

System auf der Grundlage von	1 Tag entspricht	1 Woche entspricht	1 Monat entspricht	1 Vierteljahr entspricht	Höchstzahl von Tagen in einem Kalenderjahr
5 Tagen	9 Stunden	5 Tagen	22 Tagen	66 Tagen	264 Tage
6 Tagen	8 Stunden	6 Tagen	26 Tagen	78 Tagen	312 Tage
7 Tagen	6 Stunden	7 Tagen	30 Tagen	90 Tagen	360 Tage

c) Im Falle von Systemen, in denen die Zeiten in anderen Einheiten als Tagen ausgedrückt werden,

i) entsprechen drei Monate oder dreizehn Wochen einem Vierteljahr und umgekehrt;

ii) entspricht ein Jahr vier Vierteljahren, 12 Monaten oder 52 Wochen und umgekehrt;

iii) für die Umrechnung von Wochen in Monate und umgekehrt werden die Wochen und Monate im Einklang mit den Umrechnungsregeln für die Systeme auf der Grundlage von sechs Tagen in der Tabelle in Buchstabe b in Tage umgerechnet.

d) Im Falle von Zeiten, die in Bruchzahlen ausgedrückt werden, werden diese Zahlen in die nächstkleinere ganze Einheit umgerechnet; dabei werden die unter den Buchstaben b und c aufgeführten Regeln angewandt. Dezimalzahlen von Jahren werden in Monate umgerechnet, es sei denn, das System beruht auf Vierteljahren.

e) Führt die Umrechnung nach diesem Absatz zu einem Bruchteil einer Einheit, so wird die nächsthöhere ganze Einheit als Ergebnis der Umrechnung nach diesem Absatz genommen.

(2) Die Anwendung von Absatz 1 darf nicht dazu führen, dass mit der Gesamtsumme der in einem Kalenderjahr zurückgelegten Zeiten eine Gesamtzahl über der Anzahl von Tagen, die in der letzten Spalte der Tabelle in Absatz 1 Buchstabe b genannt wird, oder über 52 Wochen oder 12 Monaten oder vier Vierteljahren erreicht wird.

Entsprechen die umzurechnenden Zeiten der maximalen Jahresmenge von Zeiten nach den Rechtsvorschriften des Mitgliedstaats, in dem sie zurückgelegt wurden, so darf die Anwendung von Absatz 1 nicht innerhalb eines Kalenderjahres zu Zeiten führen, die kürzer sind als die mögliche maximale Jahresmenge von Zeiten nach den betreffenden Rechtsvorschriften.

(3) Die Umrechnung erfolgt entweder in einem einzigen Rechenschritt für alle Zeiten, die als Ganzes mitgeteilt wurden, oder für jedes einzelne Jahr, wenn die Zeiten nach Jahren mitgeteilt wurden.

(4) Teilt ein Träger Zeiten in Tagen ausgedrückt mit, so gibt er zugleich an, ob das von ihm verwaltete System auf fünf Tagen, sechs Tagen oder sieben Tagen beruht.

Titel II. Bestimmung der anwendbaren Rechtsvorschriften

Art. 14[1] Nähere Vorschriften zu den Artikeln 12 und 13 der Grundverordnung. (1) Bei der Anwendung von Artikel 12 Absatz 1 der Grundverordnung umfassen die Worte „eine Person, die in einem Mitgliedstaat für Rechnung eines Arbeitgebers, der gewöhnlich dort tätig ist, eine Beschäftigung ausübt und die von diesem Arbeitgeber in einen anderen Mitgliedstaat entsandt wird" auch eine Person, die im Hinblick auf die Entsendung in einen anderen Mitgliedstaat eingestellt wird, vorausgesetzt die betreffende Person unterliegt unmittelbar vor Beginn ihrer Beschäftigung bereits den Rechtsvorschriften des Mitgliedstaats, in dem das Unternehmen, bei dem sie eingestellt wird, seinen Sitz hat.

(2) Bei der Anwendung von Artikel 12 Absatz 1 der Grundverordnung beziehen sich die Worte „der gewöhnlich dort tätig ist" auf einen Arbeitgeber, der gewöhnlich andere nennenswerte Tätigkeiten als reine interne Verwaltungstätigkeiten auf dem Hoheitsgebiet des Mitgliedstaats, in dem das Unternehmen niedergelassen ist, ausübt, unter Berücksichtigung aller Kriterien, die die Tätigkeit des betreffenden Unternehmens kennzeichnen; die maßgebenden Kriterien müssen auf die Besonderheiten eines jeden Arbeitgebers und die Eigenart der ausgeübten Tätigkeiten abgestimmt sein.

(3) [1] Bei der Anwendung von Artikel 12 Absatz 2 der Grundverordnung beziehen sich die Worte „eine Person, die gewöhnlich in einem Mitgliedstaat eine selbständige Erwerbstätigkeit ausübt" auf eine Person, die üblicherweise

---

[1] Art. 14 Abs. 5 neu gef., Abs. 5a und 5b eingef. mWv 28. 6. 2012 durch VO v. 22. 5. 2012 (ABl. Nr. L 149 S. 4).

nennenswerte Tätigkeiten auf dem Hoheitsgebiet des Mitgliedstaats ausübt, in dem sie ansässig ist. [2] Insbesondere muss die Person ihre Tätigkeit bereits einige Zeit vor dem Zeitpunkt, ab dem sie die Bestimmungen des genannten Artikels in Anspruch nehmen will, ausgeübt haben und muss während jeder Zeit ihrer vorübergehenden Tätigkeit in einem anderen Mitgliedstaat in dem Mitgliedstaat, in dem sie ansässig ist, den für die Ausübung ihrer Tätigkeit erforderlichen Anforderungen weiterhin genügen, um die Tätigkeit bei ihrer Rückkehr fortsetzen zu können.

(4) Bei der Anwendung von Artikel 12 Absatz 2 der Grundverordnung kommt es für die Feststellung, ob die Erwerbstätigkeit, die ein Selbständiger in einem anderen Mitgliedstaat ausübt, eine „ähnliche" Tätigkeit wie die gewöhnlich ausgeübte selbständige Erwerbstätigkeit ist, auf die tatsächliche Eigenart der Tätigkeit und nicht darauf an, ob dieser andere Mitgliedstaat diese Tätigkeit als Beschäftigung oder selbständige Erwerbstätigkeit qualifiziert.

(5) Bei der Anwendung von Artikel 13 Absatz 1 der Grundverordnung beziehen sich die Worte „eine Person, die gewöhnlich in zwei oder mehr Mitgliedstaaten eine Beschäftigung ausübt" auf eine Person, die gleichzeitig oder abwechselnd für dasselbe Unternehmen oder denselben Arbeitgeber oder für verschiedene Unternehmen oder Arbeitgeber eine oder mehrere gesonderte Tätigkeiten in zwei oder mehr Mitgliedstaaten ausübt.

(5 a) Für die Zwecke der Anwendung des Titels II der Grundverordnung beziehen sich die Worte „Sitz oder Wohnsitz" auf den satzungsmäßigen Sitz oder die Niederlassung, an dem/der die wesentlichen Entscheidungen des Unternehmens getroffen und die Handlungen zu dessen zentraler Verwaltung vorgenommen werden.

Für die Zwecke der Anwendung des Artikels 13 Absatz 1 der Grundverordnung unterliegen Mitglieder von Flug- oder Kabinenbesatzungen, die gewöhnlich Leistungen im Zusammenhang mit Fluggästen oder Luftfracht in zwei oder mehr Mitgliedstaaten erbringen, den Rechtsvorschriften des Mitgliedstaats, in dem sich ihre Heimatbasis gemäß der Definition in Anhang III der Verordnung (EWG) Nr. 3922/91 des Rates vom 16. Dezember 1991 zur Harmonisierung der technischen Vorschriften und der Verwaltungsverfahren in der Zivilluftfahrt[1)] befindet.

(5 b) [1] Für die Bestimmung der anzuwendenden Rechtsvorschriften nach Artikel 13 der Grundverordnung werden marginale Tätigkeiten nicht berücksichtigt. [2] Artikel 16 der Durchführungsverordnung[2)] gilt für alle Fälle gemäß diesem Artikel.

(6) Bei der Anwendung von Artikel 13 Absatz 2 der Grundverordnung beziehen sich die Worte „eine Person, die gewöhnlich in zwei oder mehr Mitgliedstaaten eine selbständige Erwerbstätigkeit ausübt" insbesondere auf eine Person, die gleichzeitig oder abwechselnd eine oder mehrere gesonderte selbständige Tätigkeiten in zwei oder mehr Mitgliedstaaten ausübt, und zwar unabhängig von der Eigenart dieser Tätigkeiten.

(7) [1] Um die Tätigkeiten nach den Absätzen 5 und 6 von den in Artikel 12 Absätze 1 und 2 der Grundverordnung beschriebenen Situationen zu unterscheiden, ist die Dauer der Tätigkeit in einem oder weiteren Mitgliedstaaten

---

[1)] **Amtl. Anm.:** ABl. L 373 vom 31. 12. 1991, S. 4.
[2)] Nr. **868**.

(ob dauerhaft, kurzfristiger oder vorübergehender Art) entscheidend. [2] Zu diesem Zweck erfolgt eine Gesamtbewertung aller maßgebenden Fakten, einschließlich insbesondere, wenn es sich um einen Arbeitnehmer handelt, des Arbeitsortes, wie er im Arbeitsvertrag definiert ist.

(8) Bei der Anwendung von Artikel 13 Absätze 1 und 2 der Grundverordnung bedeutet die Ausübung „eines wesentlichen Teils der Beschäftigung oder selbständigen Erwerbstätigkeit" in einem Mitgliedstaat, dass der Arbeitnehmer oder Selbständige dort einen quantitativ erheblichen Teil seiner Tätigkeit ausübt, was aber nicht notwendigerweise der größte Teil seiner Tätigkeit sein muss.

Um festzustellen, ob ein wesentlicher Teil der Tätigkeit in einem Mitgliedstaat ausgeübt wird, werden folgende Orientierungskriterien herangezogen:

a) im Falle einer Beschäftigung die Arbeitszeit und/oder das Arbeitsentgelt und

b) im Falle einer selbständigen Erwerbstätigkeit der Umsatz, die Arbeitszeit, die Anzahl der erbrachten Dienstleistungen und/oder das Einkommen.

Wird im Rahmen einer Gesamtbewertung bei den genannten Kriterien ein Anteil von weniger als 25 % erreicht, so ist dies ein Anzeichen dafür, dass ein wesentlicher Teil der Tätigkeit nicht in dem entsprechenden Mitgliedstaat ausgeübt wird.

(9) Bei der Anwendung von Artikel 13 Absatz 2 Buchstabe b der Grundverordnung wird bei Selbständigen der „Mittelpunkt ihrer Tätigkeiten" anhand sämtlicher Merkmale bestimmt, die ihre berufliche Tätigkeit kennzeichnen; hierzu gehören namentlich der Ort, an dem sich die feste und ständige Niederlassung befindet, von dem aus die betreffende Person ihre Tätigkeiten ausübt, die gewöhnliche Art oder die Dauer der ausgeübten Tätigkeiten, die Anzahl der erbrachten Dienstleistungen sowie der sich aus sämtlichen Umständen ergebende Wille der betreffenden Person.

(10) Für die Festlegung der anzuwendenden Rechtsvorschriften nach den Absätzen 8 und 9 berücksichtigen die betroffenen Träger die für die folgenden 12 Kalendermonate angenommene Situation.

(11) Für eine Person, die ihre Beschäftigung in zwei oder mehreren Mitgliedstaaten für einen Arbeitgeber ausübt, der seinen Sitz außerhalb des Hoheitsgebiets der Union hat, gelten die Rechtsvorschriften des Wohnmitgliedstaats, wenn diese Person in einem Mitgliedstaat wohnt, in dem sie keine wesentliche Tätigkeit ausübt.

Art. 15[1)] Verfahren bei der Anwendung von Artikel 11 Absatz 3 Buchstaben b und d, Artikel 11 Absatz 4 und Artikel 12 der Grundverordnung (über die Unterrichtung der betroffenen Träger). (1) [1] Sofern *nicht* in Artikel 16 der Durchführungsverordnung etwas anderes bestimmt ist, unterrichtet der Arbeitgeber einer Person, die ihre Tätigkeit in einem anderen als dem nach Titel II der Grundverordnung zuständigen Mitgliedstaat ausübt, oder die betreffende Person selbst, wenn diese keine Beschäftigung als Arbeitnehmer ausübt, den zuständigen Träger des Mitgliedstaats, dessen Rechtsvorschriften die Person unterliegt, darüber; diese Unter-

[1)] Art. 15 Abs. 1 Satz 2 neu gef. mWv 28. 6. 2012 durch VO v. 22. 5. 2012 (ABl. Nr. L 149 S. 4).

richtung erfolgt im Voraus, wann immer dies möglich ist. [2] Dieser Träger stellt der betreffenden Person die Bescheinigung nach Artikel 19 Absatz 2 der Durchführungsverordnung aus und macht dem von der zuständigen Behörde des Mitgliedstaats, in dem die Tätigkeit ausgeübt wird, bezeichneten Träger unverzüglich Informationen über die Rechtsvorschriften zugänglich, denen diese Person nach Artikel 11 Absatz 3 Buchstabe b oder Artikel 12 der Grundverordnung unterliegt.

(2) Absatz 1 gilt entsprechend für Personen, die Artikel 11 Absatz 3 Buchstabe d der Grundverordnung unterliegen.

(3) [1] Ein Arbeitgeber im Sinne des Artikels 11 Absatz 4 der Grundverordnung, der einen Arbeitnehmer an Bord eines unter der Flagge eines anderen Mitgliedstaats fahrenden Schiffes hat, unterrichtet den zuständigen Träger des Mitgliedstaats, dessen Rechtsvorschriften die Person unterliegt, darüber; diese Unterrichtung erfolgt im Voraus, wann immer dies möglich ist. [2] Dieser Träger macht dem Träger, der von der zuständigen Behörde des Mitgliedstaats bezeichnet wurde, unter dessen Flagge das Schiff fährt, auf dem der Arbeitnehmer die Tätigkeit ausübt, unverzüglich Informationen über die Rechtsvorschriften zugänglich, denen der Arbeitnehmer nach Artikel 11 Absatz 4 der Grundverordnung unterliegt.

Art. 16 Verfahren bei der Anwendung von Artikel 13 der Grundverordnung. (1) Eine Person, die in zwei oder mehreren Mitgliedstaaten eine Tätigkeit ausübt, teilt dies dem von der zuständigen Behörde ihres Wohnmitgliedstaats bezeichneten Träger mit.

(2) [1] Der bezeichnete Träger des Wohnorts legt unter Berücksichtigung von Artikel 13 der Grundverordnung und von Artikel 14 der Durchführungsverordnung unverzüglich fest, welchen Rechtsvorschriften die betreffende Person unterliegt. [2] Diese erste Festlegung erfolgt vorläufig. [3] Der Träger unterrichtet die bezeichneten Träger jedes Mitgliedstaats, in dem die Person eine Tätigkeit ausübt, über seine vorläufige Festlegung.

(3) Die vorläufige Festlegung der anzuwendenden Rechtsvorschriften nach Absatz 2 erhält binnen zwei Monaten, nachdem die von den zuständigen Behörden des betreffenden Mitgliedstaats bezeichneten Träger davon in Kenntnis gesetzt wurden, endgültigen Charakter, es sei denn, die anzuwendenden Rechtsvorschriften wurden bereits auf der Grundlage von Absatz 4 endgültig festgelegt, oder mindestens einer der betreffenden Träger setzt den von der zuständigen Behörde des Wohnmitgliedstaats bezeichneten Träger vor Ablauf dieser zweimonatigen Frist davon in Kenntnis, dass er die Festlegung noch nicht akzeptieren kann oder diesbezüglich eine andere Auffassung vertritt.

(4) Ist aufgrund bestehender Unsicherheit bezüglich der Bestimmung der anzuwendenden Rechtsvorschriften eine Kontaktaufnahme zwischen den Trägern oder Behörden zweier oder mehrerer Mitgliedstaaten erforderlich, so werden auf Ersuchen eines oder mehrerer der von den zuständigen Behörden der betreffenden Mitgliedstaaten bezeichneten Träger oder auf Ersuchen der zuständigen Behörden selbst die geltenden Rechtsvorschriften unter Berücksichtigung von Artikel 13 der Grundverordnung und der einschlägigen Bestimmungen von Artikel 14 der Durchführungsverordnung einvernehmlich festgelegt.

Sind die betreffenden Träger oder zuständigen Behörden unterschiedlicher Auffassung, so bemühen diese sich nach den vorstehenden Bedingungen um Einigung; es gilt Artikel 6 der Durchführungsverordnung.

(5) Der zuständige Träger des Mitgliedstaats, dessen Rechtsvorschriften entweder vorläufig oder endgültig als anwendbar bestimmt werden, teilt dies unverzüglich der betreffenden Person mit.

(6) Unterlässt eine Person die Mitteilung nach Absatz 1, so erfolgt die Anwendung dieses Artikels auf Initiative des Trägers, der von der zuständigen Behörde des Wohnmitgliedstaats bezeichnet wurde, sobald er – möglicherweise durch einen anderen betroffenen Träger – über die Situation der Person unterrichtet wurde.

Art. 17 Verfahren bei der Anwendung von Artikel 15 der Grundverordnung. [1] Vertragsbedienstete der Europäischen Gemeinschaften üben ihr Wahlrecht nach Artikel 15 der Grundverordnung zum Zeitpunkt des Abschlusses des Anstellungsvertrags aus. [2] Die zum Abschluss des Vertrags bevollmächtigte Behörde unterrichtet den von dem Mitgliedstaat, für dessen Rechtsvorschriften der Vertragsbedienstete der Europäischen Gemeinschaften sich entschieden hat, bezeichneten Träger.

Art. 18 Verfahren zur Durchführung von Artikel 16 der Grundverordnung. Ein Antrag des Arbeitgebers oder der betreffenden Person auf Ausnahme von den Artikeln 11 bis 15 der Grundverordnung ist bei der zuständigen Behörde oder der Stelle zu stellen, die von der zuständigen Behörde des Mitgliedstaats, dessen Rechtsvorschriften der Arbeitnehmer oder die betreffende Person zu unterliegen wünscht, bezeichnet wurde; solche Anträge sind, wann immer dies möglich ist, im Voraus zu stellen.

Art. 19 Unterrichtung der betreffenden Personen und der Arbeitgeber. (1) [1] Der zuständige Träger des Mitgliedstaats, dessen Rechtsvorschriften nach Titel II der Grundverordnung anzuwenden sind, unterrichtet die

(Fortsetzung nächstes Blatt)

betreffende Person sowie gegebenenfalls deren Arbeitgeber über die Pflichten, die in diesen Rechtsvorschriften festgelegt sind. [2] Er gewährt ihnen die erforderliche Unterstützung bei der Einhaltung der Formvorschriften aufgrund dieser Rechtsvorschriften.

(2) Auf Antrag der betreffenden Person oder ihres Arbeitgebers bescheinigt der zuständige Träger des Mitgliedstaats, dessen Rechtsvorschriften nach Titel II der Grundverordnung anzuwenden sind, dass und gegebenenfalls wie lange und unter welchen Umständen diese Rechtsvorschriften anzuwenden sind.

Art. 20 Zusammenarbeit zwischen den Trägern. (1) Die maßgeblichen Träger erteilen dem zuständigen Träger des Mitgliedstaats, dessen Rechtsvorschriften nach Titel II der Grundverordnung für eine Person gelten, alle Auskünfte, die notwendig sind für die Festsetzung des Zeitpunkts, ab dem diese Rechtsvorschriften anzuwenden sind, und der Beiträge, welche die betreffende Person und ihr bzw. ihre Arbeitgeber nach diesen Rechtsvorschriften zu leisten haben.

(2) Der zuständige Träger des Mitgliedstaats, dessen Rechtsvorschriften nach Titel II der Grundverordnung auf eine Person anzuwenden sind, macht Informationen über den Zeitpunkt, ab dem diese Rechtsvorschriften anzuwenden sind, dem Träger zugänglich, der von der zuständigen Behörde des Mitgliedstaats, dessen Rechtsvorschriften diese Person zuletzt unterlag, bezeichnet wurde.

Art. 21 Pflichten des Arbeitgebers. (1) Hat ein Arbeitgeber seinen eingetragenen Sitz oder seine Niederlassung außerhalb des zuständigen Mitgliedstaats, so hat er den Pflichten nachzukommen, die die auf seine Arbeitnehmer anzuwendenden Rechtsvorschriften vorsehen, namentlich der Pflicht zur Zahlung der nach diesen Rechtsvorschriften vorgeschriebenen Beiträge, als hätte der Arbeitgeber seinen eingetragenen Sitz oder seine Niederlassung in dem zuständigen Mitgliedstaat.

(2) [1] Ein Arbeitgeber, der keine Niederlassung in dem Mitgliedstaat hat, dessen Rechtsvorschriften auf den Arbeitnehmer anzuwenden sind, kann mit dem Arbeitnehmer vereinbaren, dass dieser die Pflichten des Arbeitgebers zur Zahlung der Beiträge wahrnimmt, ohne dass die daneben fortbestehenden Pflichten des Arbeitgebers berührt würden. [2] Der Arbeitgeber übermittelt eine solche Vereinbarung dem zuständigen Träger dieses Mitgliedstaats.

Titel III. Besondere Vorschriften über die verschiedenen Arten von Leistungen

Kapitel I. Leistungen bei Krankheit sowie Leistungen bei Mutterschaft und gleichgestellte Leistungen bei Vaterschaft

Art. 22 Allgemeine Durchführungsvorschriften. (1) Die zuständigen Behörden oder Träger tragen dafür Sorge, dass den Versicherten alle erforderlichen Informationen über die Verfahren und Voraussetzungen für die Gewährung von Sachleistungen zur Verfügung gestellt werden, wenn sie diese Leistungen im Hoheitsgebiet eines anderen Mitgliedstaats als dem des zuständigen Trägers erhalten.

(2) Ungeachtet des Artikels 5 Buchstabe a der Grundverordnung hat ein Mitgliedstaat die Kosten von Leistungen nach Artikel 22 der Grundverordnung nur dann zu tragen, wenn der Versicherte entweder nach den Rechtsvorschriften dieses Mitgliedstaats einen Antrag auf Rente gestellt hat oder nach den Artikeln 23 bis 30 der Grundverordnung eine Rente nach den Rechtsvorschriften dieses Mitgliedstaats bezieht.

Art. 23 Regelung bei einem oder mehreren Systemen im Wohn- oder Aufenthaltsmitgliedstaat. Sehen die Rechtsvorschriften des Wohn- oder Aufenthaltsmitgliedstaats mehr als ein Versicherungssystem für den Fall der Krankheit, Mutterschaft oder Vaterschaft für eine oder mehrere Kategorien von Versicherten vor, so finden für Artikel 17, Artikel 19 Absatz 1 und die Artikel 20, 22, 24 und 26 der Grundverordnung die Vorschriften über das allgemeine System für Arbeitnehmer Anwendung.

Art. 24 Wohnort in einem anderen als dem zuständigen Mitgliedstaat. (1) [1] Bei der Anwendung von Artikel 17 der Grundverordnung müssen sich der Versicherte und/oder seine Familienangehörigen beim Träger ihres Wohnorts eintragen lassen. [2] Ihr Sachleistungsanspruch im Wohnmitgliedstaat wird durch ein Dokument bescheinigt, das vom zuständigen Träger auf Antrag des Versicherten oder auf Antrag des Trägers des Wohnorts ausgestellt wird.

(2) Das in Absatz 1 genannte Dokument gilt solange, bis der zuständige Träger den Träger des Wohnorts über seinen Widerruf informiert.

Der Träger des Wohnorts benachrichtigt den zuständigen Träger von jeder Eintragung nach Absatz 1 und von jeder Änderung oder Streichung dieser Eintragung.

(3) Für die in den Artikeln 22, 24, 25 und 26 der Grundverordnung genannten Personen gilt der vorliegende Artikel entsprechend.

Art. 25 Aufenthalt in einem anderen als dem zuständigen Mitgliedstaat.

A. Verfahren und Umfang des Anspruchs

(1) [1] Bei der Anwendung von Artikel 19 der Grundverordnung legt der Versicherte dem Erbringer von Gesundheitsleistungen im Aufenthaltsmitgliedstaat ein von dem zuständigen Träger ausgestelltes Dokument vor, das seinen Sachleistungsanspruch bescheinigt. [2] Verfügt der Versicherte nicht über ein solches Dokument, so fordert der Träger des Aufenthaltsorts auf Antrag oder falls andernfalls erforderlich das Dokument beim zuständigen Träger an.

(2) Dieses Dokument bescheinigt, dass der Versicherte unter den Voraussetzungen des Artikel 19 der Grundverordnung zu denselben Bedingungen wie nach den Rechtsvorschriften des Aufenthaltsmitgliedstaats versicherte Personen Anspruch auf Sachleistungen hat.

(3) Sachleistungen im Sinne von Artikel 19 Absatz 1 der Grundverordnung sind diejenigen, die im Aufenthaltsmitgliedstaat nach dessen Rechtsvorschriften erbracht werden und sich als medizinisch notwendig erweisen, damit der Versicherte nicht vorzeitig in den zuständigen Mitgliedstaat zurückkehren muss, um die erforderlichen medizinischen Leistungen zu erhalten.

B. Verfahren und Modalitäten der Übernahme und/oder Erstattung von Sachleistungen

(4) [1] Hat der Versicherte die Kosten aller oder eines Teils der im Rahmen von Artikel 19 der Grundverordnung erbrachten Sachleistungen selbst getragen und ermöglichen die vom Träger des Aufenthaltsorts angewandten Rechtsvorschriften, dass diese Kosten dem Versicherten erstattet werden, so kann er die Erstattung beim Träger des Aufenthaltsorts beantragen. [2] In diesem Fall erstattet ihm dieser direkt den diesen Leistungen entsprechenden Betrag innerhalb der Grenzen und Bedingungen der nach seinen Rechtsvorschriften geltenden Erstattungssätze.

(5) Wurde die Erstattung dieser Kosten nicht unmittelbar beim Träger des Aufenthaltsorts beantragt, so werden sie der betreffenden Person vom zuständigen Träger nach den für den Träger des Aufenthaltsorts geltenden Erstattungssätzen oder den Beträgen erstattet, die dem Träger des Aufenthaltsortes im Fall der Anwendung von Artikel 62 der Durchführungsverordnung in dem betreffenden Fall erstattet worden wären.

Der Träger des Aufenthaltsorts erteilt dem zuständigen Träger auf dessen Ersuchen die erforderlichen Auskünfte über diese Erstattungssätze oder Beträge.

(6) Abweichend von Absatz 5 kann der zuständige Träger die entstandenen Kosten innerhalb der Grenzen und nach Maßgabe der in seinen Rechtvorschriften niedergelegten Erstattungssätze erstatten, sofern sich der Versicherte mit der Anwendung dieser Bestimmung einverstanden erklärt hat.

(7) Sehen die Rechtsvorschriften des Aufenthaltsmitgliedstaats in dem betreffenden Fall keine Erstattung nach den Absätzen 4 und 5 vor, so kann der zuständige Träger die Kosten innerhalb der Grenzen und nach Maßgabe der in seinen Rechtvorschriften festgelegten Erstattungssätze erstatten, ohne dass das Einverständnis des Versicherten erforderlich wäre.

(8) Die Erstattung an den Versicherten überschreitet in keinem Fall den Betrag der ihm tatsächlich entstandenen Kosten.

(9) Im Fall erheblicher Ausgaben kann der zuständige Träger dem Versicherten einen angemessenen Vorschuss zahlen, nachdem dieser den Erstattungsantrag bei ihm eingereicht hat.

C. Familienangehörige

(10) Die Absätze 1 bis 9 gelten entsprechend für die Familienangehörigen des Versicherten.

Art. 26 Geplante Behandlungen.

A. Genehmigungsverfahren

(1) [1] Bei der Anwendung von Artikel 20 Absatz 1 der Grundverordnung legt der Versicherte dem Träger des Aufenthaltsorts ein vom zuständigen Träger ausgestelltes Dokument vor. [2] Für die Zwecke des vorliegenden Artikels bezeichnet der Ausdruck „zuständiger Träger" den Träger, der die Kosten der geplanten Behandlung zu tragen hat; in den Fällen nach Artikel 20 Absatz 4 und Artikel 27 Absatz 5 der Grundverordnung, in denen die im Wohnmitgliedstaat erbrachten Sachleistungen auf der Grundlage von Pauschalbeträgen erstattet werden, bezeichnet der Ausdruck „zuständiger Träger" den Träger des Wohnorts.

(2) Wohnt der Versicherte nicht in dem zuständigen Mitgliedstaat, so muss er die Genehmigung beim Träger des Wohnorts beantragen, der den Antrag unverzüglich an den zuständigen Träger weiterleitet.

In diesem Fall bescheinigt der Träger des Wohnorts, ob die Bedingungen des Artikels 20 Absatz 2 Satz 2 der Grundverordnung in dem Wohnmitgliedstaat erfüllt sind.

Der zuständige Träger kann die beantragte Genehmigung nur verweigern, wenn nach Einschätzung des Trägers des Wohnorts die Bedingungen des Artikels 20 Absatz 2 Satz 2 der Grundverordnung in dem Wohnmitgliedstaat des Versicherten nicht erfüllt sind oder wenn die gleiche Behandlung im zuständigen Mitgliedstaat selbst innerhalb eines in Anbetracht des derzeitigen Gesundheitszustands und des voraussichtlichen Verlaufs der Krankheit der betroffenen Person medizinisch vertretbaren Zeitraums gewährt werden kann.

Der zuständige Träger teilt dem Träger des Wohnortes seine Entscheidung mit.

Geht innerhalb der nach innerstaatlichem Recht des betreffenden Mitgliedstaats geltenden Fristen keine Antwort ein, so gilt die Genehmigung als durch den zuständigen Träger erteilt.

(3) Benötigt eine versicherte Person, die nicht in dem zuständigen Mitgliedstaat wohnt, eine dringende und lebensnotwendige Behandlung und darf die Genehmigung nach Artikel 20 Absatz 2 Satz 2 der Grundverordnung nicht verweigert werden, so erteilt der Träger des Wohnorts die Genehmigung für Rechnung des zuständigen Trägers und unterrichtet den zuständigen Träger unverzüglich hiervon.

Der zuständige Träger akzeptiert die Befunde und therapeutischen Entscheidungen der von dem Träger des Wohnorts, der die Genehmigung erteilt, autorisierten Ärzte in Bezug auf die Erforderlichkeit einer dringenden lebensnotwendigen Behandlung.

(4) Der zuständige Träger behält das Recht, den Versicherten jederzeit im Verlauf des Genehmigungsverfahrens von einem Arzt seiner Wahl im Aufenthalts- oder Wohnmitgliedstaat untersuchen *lassen*[1)].

(5) Unbeschadet einer etwaigen Entscheidung über eine Genehmigung unterrichtet der Träger des Aufenthaltsorts den zuständigen Träger, wenn eine Ergänzung der durch die vorhandene Genehmigung abgedeckten Behandlung aus medizinischen Gründen angezeigt erscheint.

B. Übernahme der dem Versicherten entstandenen Kosten von Sachleistungen

(6) Unbeschadet der Bestimmungen von Absatz 7 gilt Artikel 25 Absätze 4 und 5 der Durchführungsverordnung entsprechend.

(7) [1] Hat der Versicherte einen Teil oder die gesamten Kosten der genehmigten ärztlichen Behandlung tatsächlich selbst getragen und sind die vom zuständigen Träger dem Träger des Aufenthaltsorts oder nach Absatz 6 dem Versicherten zu erstattenden Kosten (tatsächliche Kosten) geringer als die Kosten, die er für die gleiche Behandlung im zuständigen Mitgliedstaat hätte übernehmen müssen (angenommene Kosten), so erstattet der zuständige Träger auf Antrag die dem Versicherten entstandenen Behandlungskosten bis zur

[1)] Richtig wohl: „zu lassen".

Höhe des Betrags, um den die angenommenen Kosten die tatsächlichen Kosten überschreiten. [2]Der Erstattungsbetrag darf jedoch die dem Versicherten tatsächlich entstandenen Kosten nicht überschreiten; der Betrag, den der Versicherte bei einer Behandlung im zuständigen Mitgliedstaat selbst hätte bezahlen müssen, kann dabei berücksichtigt werden.

C. Übernahme der Reise- und Aufenthaltskosten bei geplanten Behandlungen

(8) Wenn die nationalen Rechtsvorschriften des zuständigen Trägers die Erstattung der mit der Behandlung des Versicherten untrennbar verbundenen Reise- und Aufenthaltskosten vorsehen, so übernimmt dieser Träger diese Kosten der betreffenden Person und erforderlichenfalls diejenigen einer Begleitperson, sofern eine entsprechende Genehmigung für eine Behandlung in einem anderen Mitgliedstaat erteilt wird.

D. Familienangehörige

(9) Die Absätze 1 bis 8 gelten entsprechend für die Familienangehörigen des Versicherten.

Art. 27 Geldleistungen wegen Arbeitsunfähigkeit bei Aufenthalt oder Wohnort in einem anderen als dem zuständigen Mitgliedstaat.

A. Verfahrensvorschriften für den Versicherten

(1) Verlangen die Rechtsvorschriften des zuständigen Mitgliedstaats vom Versicherten die Vorlage einer Bescheinigung für den Bezug von Geldleistungen bei Arbeitsunfähigkeit nach Artikel 21 Absatz 1 der Grundverordnung, so lässt sich der Versicherte eine Arbeitsunfähigkeitsbescheinigung, in der auch die voraussichtliche Dauer der Arbeitsunfähigkeit anzugeben ist, von dem Arzt ausstellen, der in seinem Wohnmitgliedstaat seinen Gesundheitszustand festgestellt hat.

(2) Der Versicherte übermittelt die Bescheinigung innerhalb der in den Rechtsvorschriften des zuständigen Mitgliedstaats festgesetzten Frist dem zuständigen Träger.

(3) [1]Stellen die behandelnden Ärzte des Wohnmitgliedstaats keine Arbeitsunfähigkeitsbescheinigungen aus, und werden diese nach den Rechtsvorschriften des zuständigen Mitgliedstaats verlangt, so wendet sich die betreffende Person unmittelbar an den Träger des Wohnorts. [2]Dieser veranlasst sofort die ärztliche Beurteilung der Arbeitsunfähigkeit der betreffenden Person und die Ausstellung der in Absatz 1 genannten Bescheinigung. [3]Die Bescheinigung muss dem zuständigen Träger unverzüglich übermittelt werden.

(4) [1]Die Übermittlung des in den Absätzen 1, 2 und 3 genannten Dokuments enthebt den Versicherten nicht der Pflichten, die ihn aufgrund der geltenden Rechtsvorschriften insbesondere seinem Arbeitgeber gegenüber treffen. [2]Der Arbeitgeber und/oder der zuständige Träger kann den Arbeitnehmer gegebenenfalls zur Teilnahme an Tätigkeiten auffordern, die die Wiederaufnahme der Arbeit durch den Versicherten fördern und unterstützen sollen.

B. Verfahrensvorschriften für den Träger des Wohnmitgliedstaats

(5) [1]Auf Verlangen des zuständigen Trägers führt der Träger des Wohnorts die erforderlichen verwaltungsmäßigen Kontrollen oder eine ärztliche Kontrolluntersuchung der betreffenden Person nach den von diesem letztgenann-

ten Träger angewandten Rechtsvorschriften durch. [2]Den Bericht des Arztes, der die Kontrolluntersuchung durchgeführt hat, betreffend insbesondere die Angaben zur voraussichtlichen Dauer der Arbeitsunfähigkeit, übermittelt der Träger des Wohnorts unverzüglich dem zuständigen Träger.

C. Verfahrensvorschriften für den zuständigen Träger

(6) Dem zuständigen Träger steht es frei, den Versicherten durch einen Arzt seiner Wahl untersuchen zu lassen.

(7) Unbeschadet des Artikels 21 Absatz 1 Satz 2 der Grundverordnung zahlt der zuständige Träger die Geldleistungen unmittelbar an die betreffende Person und unterrichtet erforderlichenfalls den Träger des Wohnorts hiervon.

(8) Bei der Anwendung von Artikel 21 Absatz 1 der Grundverordnung besitzen die auf dem ärztlichen Befund des untersuchenden Arztes oder Trägers beruhenden Angaben in einer in einem anderen Mitgliedstaat ausgestellten Bescheinigung über die Arbeitsunfähigkeit eines Versicherten die gleiche Rechtsgültigkeit wie eine im zuständigen Mitgliedstaat ausgestellte Bescheinigung.

(9) Versagt der zuständige Träger die Geldleistungen, so teilt er dem Versicherten seine Entscheidung mit und unterrichtet gleichzeitig den Träger des Wohnorts.

D. Verfahren bei Aufenthalt in einem anderen als dem zuständigen Mitgliedstaat

(10) Die Absätze 1 bis 9 gelten entsprechend, wenn sich der Versicherte in einem anderen als dem zuständigen Mitgliedstaat aufhält.

Art. 28 Geldleistungen bei Pflegebedürftigkeit bei Aufenthalt oder Wohnort in einem anderen als dem zuständigen Mitgliedstaat.

A. Verfahrensvorschriften für den Versicherten

(1) [1]Für den Bezug von Geldleistungen bei Pflegebedürftigkeit nach Artikel 21 Absatz 1 der Grundverordnung wendet sich der Versicherte an den zuständigen Träger. [2]Der zuständige Träger unterrichtet erforderlichenfalls den Träger des Wohnorts.

B. Verfahrensvorschriften für den Träger des Wohnorts

(2) [1]Auf Verlangen des zuständigen Trägers untersucht der Träger des Wohnorts den Zustand des Versicherten im Hinblick auf seine Pflegebedürftigkeit. [2]Der zuständige Träger übermittelt dem Träger des Wohnorts alle erforderlichen Informationen für eine solche Untersuchung.

C. Verfahrensvorschriften für den zuständigen Träger

(3) Um den Grad der Pflegebedürftigkeit zu bestimmen, kann der zuständige Träger den Versicherten von einem Arzt oder einem anderen Experten seiner Wahl untersuchen lassen.

(4) Artikel 27 Absatz 7 der Durchführungsverordnung gilt entsprechend.

D. Verfahren bei Aufenthalt in einem anderen als dem zuständigen Mitgliedstaat

(5) Die Absätze 1 bis 4 gelten entsprechend, wenn sich der Versicherte in einem anderen als dem zuständigen Mitgliedstaat aufhält.

E. Familienangehörige

(6) Die Absätze 1 bis 5 gelten entsprechend für die Familienangehörigen des Versicherten.

Art. 29 Anwendung von Artikel 28 der Grundverordnung. Ist der Mitgliedstaat, in dem der ehemalige Grenzgänger zuletzt eine Erwerbstätigkeit ausgeübt hat, nicht mehr der zuständige Mitgliedstaat und begibt sich der ehemalige Grenzgänger oder ein Familienangehöriger dorthin, um Sachleistungen nach Artikel 28 der Grundverordnung zu erlangen, so legt er dem Träger des Aufenthaltsorts ein vom zuständigen Träger ausgestelltes Dokument vor.

Art. 30 Beiträge der Rentner. Erhält eine Person Renten aus mehr als einem Mitgliedstaat, so darf der auf alle gezahlten Renten erhobene Betrag an Beiträgen keinesfalls den Betrag übersteigen, der bei einer Person erhoben wird, die denselben Betrag an Renten in dem zuständigen Mitgliedstaat erhält.

Art. 31 Anwendung von Artikel 34 der Grundverordnung.

A. Verfahrensvorschriften für den zuständigen Träger

(1) [1] Der zuständige Träger informiert die betreffende Person über die Regelung des Artikels 34 der Grundverordnung betreffend das Verbot des Zusammentreffens von Leistungen. [2] Bei der Anwendung solcher Vorschriften muss gewährleistet sein, dass eine Person, die nicht im zuständigen Mitgliedstaat wohnt, Anspruch auf Leistungen in zumindest dem Gesamtumfang oder -wert hat, den sie beanspruchen könnte, wenn sie in diesem Mitgliedstaat wohnen würde.

(2) Der zuständige Träger informiert ferner den Träger des Wohn- oder Aufenthaltsortes über die Zahlung der Geldleistungen bei Pflegebedürftigkeit, wenn die von dem letztgenannten Träger angewendeten Rechtsvorschriften Sachleistungen bei Pflegebedürftigkeit, die in der Liste nach Artikel 34 Absatz 2 der Grundverordnung aufgeführt sind, vorsehen.

B. Verfahrensvorschriften für den Träger des Wohn- oder Aufenthaltsortes

(3) Nachdem der Träger des Wohn- oder Aufenthaltsorts die Informationen gemäß Absatz 2 erhalten hat, unterrichtet er unverzüglich den zuständigen Träger über jegliche Sachleistungen bei Pflegebedürftigkeit, die er der betreffenden Person für denselben Zweck nach seinen Rechtsvorschriften gewährt, sowie über den hierfür geltenden Erstattungssatz.

(4) Die Verwaltungskommission trifft gegebenenfalls Maßnahmen zur Durchführung dieses Artikels.

Art. 32 Besondere Durchführungsvorschriften. (1) Werden Einzelpersonen oder Personengruppen auf Antrag von der Krankenversicherungspflicht freigestellt und sind diese Personen damit nicht durch ein Krankenversicherungssystem abgedeckt, auf das die Grundverordnung Anwendung findet, so kann der Träger eines anderen Mitgliedstaats nicht allein aufgrund dieser Freistellung zur Übernahme der Kosten der diesen Personen oder ihren Familienangehörigen gewährten Sach- oder Geldleistungen nach Titel III Kapitel I der Grundverordnung verpflichtet werden.

(2) Für die Mitgliedstaaten nach Anhang 2 gelten die Vorschriften des Titels III Kapitel I der Grundverordnung, die sich auf Sachleistungen beziehen, für Personen, die ausschließlich aufgrund eines Sondersystems für Beamte Anspruch auf Sachleistungen haben, nur in dem dort genannten Umfang.

Der Träger eines anderen Mitgliedstaats darf nicht allein aus diesen Gründen zur Übernahme der Kosten der diesen Personen oder ihren Familienangehörigen gewährten Sach- oder Geldleistungen verpflichtet werden.

(3) Wohnen die in den Absätzen 1 und 2 genannten Personen und ihre Familienangehörigen in einem Mitgliedstaat, in welchem Sachleistungsansprüche nicht von Versicherungsbedingungen oder von der Ausübung einer Beschäftigung oder selbständigen Erwerbstätigkeit abhängen, so sind sie verpflichtet, die Kosten der ihnen in ihrem Wohnstaat gewährten Sachleistungen in voller Höhe zu tragen.

Kapitel II. Leistungen bei Arbeitsunfällen und Berufskrankheiten

Art. 33 Anspruch auf Sach- und Geldleistungen bei Wohnort oder Aufenthalt in einem anderen Mitgliedstaat als dem zuständigen Mitgliedstaat. (1) Die in den Artikeln 24 bis 27 der Durchführungsverordnung vorgesehenen Verfahren gelten bei der Anwendung von Artikel 36 der Grundverordnung entsprechend.

(2) Gewährt ein Träger des Aufenthalts- oder Wohnmitgliedstaats besondere Sachleistungen als Folge eines Arbeitsunfalls oder einer Berufskrankheit nach den innerstaatlichen Rechtsvorschriften dieses Mitgliedstaats, so teilt er dies unverzüglich dem zuständigen Träger mit.

Art. 34 Verfahren bei Arbeitsunfällen oder Berufskrankheiten, die in einem anderen Mitgliedstaat als dem zuständigen Mitgliedstaat eintreten. (1) [1] Ein Arbeitsunfall, der in einem anderen Mitgliedstaat als dem zuständigen Mitgliedstaat eintritt, oder eine Berufskrankheit, die dort erstmals ärztlich festgestellt wird, ist nach den Rechtsvorschriften des zuständigen Mitgliedstaats zu melden oder anzuzeigen, wenn die Meldung oder Anzeige nach den einzelstaatlichen Rechtsvorschriften vorgesehen ist; etwaige andere gesetzliche Bestimmungen, die im Gebiet des Mitgliedstaats gelten, in dem der Arbeitsunfall eintrat oder die Berufskrankheit erstmals ärztlich festgestellt wurde, und die in einem solchen Fall weiterhin anzuwenden sind, werden hierdurch nicht berührt. [2] Die Meldung oder Anzeige ist an den zuständigen Träger zu richten.

(2) Der Träger des Mitgliedstaats, in dessen Hoheitsgebiet der Arbeitsunfall eingetreten ist oder die Berufskrankheit erstmals ärztlich festgestellt wurde, übermittelt dem zuständigen Träger die im Hoheitsgebiet dieses Mitgliedstaats ausgestellten ärztlichen Bescheinigungen.

(3) [1] Sind bei einem Unfall auf dem Weg zu oder von der Arbeit im Hoheitsgebiet eines anderen Mitgliedstaats als des zuständigen Mitgliedstaats Nachforschungen im Hoheitsgebiet des erstgenannten Mitgliedstaats erforderlich, um einen Anspruch auf entsprechende Leistungen festzustellen, so kann der zuständige Träger zu diesem Zweck eine Person benennen, wovon er die Behörden des betreffenden Mitgliedstaats unterrichtet. [2] Die Träger arbeiten

zusammen, um alle einschlägigen Informationen zu bewerten und in die Protokolle und alle sonstigen Unterlagen über den Unfall Einsicht zu nehmen.

(4) [1] Nach Beendigung der Behandlung wird auf Anfrage des zuständigen Trägers ein ausführlicher Bericht mit den ärztlichen Bescheinigungen über die Dauerfolgen des Unfalls oder der Krankheit, insbesondere über den derzeitigen Zustand der verletzten Person sowie über die Heilung oder die Konsolidierung der Schäden, übersandt. [2] Die Honorare hierfür werden vom Träger des Wohn- oder Aufenthaltsorts nach dem Tarif dieses Trägers zu Lasten des zuständigen Trägers gezahlt.

(5) Auf Ersuchen des Trägers des Wohn- oder Aufenthaltsorts unterrichtet der zuständige Träger diesen gegebenenfalls von der Entscheidung, in der der Tag der Heilung oder der Konsolidierung der Schäden festgelegt wird, sowie gegebenenfalls von der Entscheidung über die Gewährung einer Rente.

Art. 35 Streitigkeiten hinsichtlich des beruflichen Charakters eines Unfalls oder einer Krankheit. (1) Bestreitet der zuständige Träger nach Artikel 36 Absatz 2 der Grundverordnung, dass die Rechtsvorschriften über Arbeitsunfälle oder Berufskrankheiten anzuwenden sind, so teilt er dies unverzüglich dem Träger des Wohn- oder Aufenthaltsorts mit, der die Sachleistungen gewährt hat; diese Sachleistungen gelten sodann als Leistungen der Krankenversicherung.

(2) Ist zu dieser Frage eine endgültige Entscheidung ergangen, so teilt der zuständige Träger dies unverzüglich dem Träger des Wohn- oder Aufenthaltsorts mit, der die Sachleistungen gewährt hat.

Wird kein Arbeitsunfall bzw. keine Berufskrankheit festgestellt, so werden die Sachleistungen weiterhin als Leistungen der Krankenversicherung gewährt, sofern die betreffende Person Anspruch darauf hat.

Wird ein Arbeitsunfall oder eine Berufskrankheit festgestellt, so gelten die der betreffenden Person gewährten Sachleistungen der Krankenversicherung als Leistungen aufgrund eines Arbeitsunfalls oder einer Berufskrankheit ab dem Tag, an dem der Arbeitsunfall eingetreten ist oder die Berufskrankheit erstmals ärztlich festgestellt wurde.

(3) Artikel 6 Absatz 5 Unterabsatz 2 der Durchführungsverordnung gilt entsprechend.

Art. 36 Verfahren bei einer in mehr als einem Mitgliedstaat ausgeübten Tätigkeit, die eine Berufskrankheit verursachen kann. (1) Im Fall des Artikels 38 der Grundverordnung wird die Meldung oder Anzeige der Berufskrankheit dem für Berufskrankheiten zuständigen Träger des Mitgliedstaats übermittelt, nach dessen Rechtsvorschriften der Betroffene zuletzt eine Tätigkeit ausgeübt hat, die die betreffende Krankheit verursachen kann.

Stellt der Träger, an den die Meldung oder Anzeige übermittelt wurde, fest, dass zuletzt nach den Rechtsvorschriften eines anderen Mitgliedstaats eine Tätigkeit ausgeübt worden ist, die die betreffende Berufskrankheit verursachen kann, so übermittelt er die Meldung oder Anzeige und alle beigefügten Unterlagen dem entsprechenden Träger dieses Mitgliedstaats.

(2) Stellt der Träger des Mitgliedstaats, nach dessen Rechtsvorschriften der Betroffene zuletzt eine Tätigkeit ausgeübt hat, die die betreffende Berufs-

krankheit verursachen kann, fest, dass der Betroffene oder seine Hinterbliebenen die Voraussetzungen dieser Rechtsvorschriften nicht erfüllen, z.B. weil der Betroffene in diesem Mitgliedstaat nie eine Tätigkeit ausgeübt hat, die die Berufskrankheit verursacht hat, oder weil dieser Mitgliedstaat nicht anerkennt, dass es sich um eine Berufskrankheit handelt, so übermittelt dieser Träger die Meldung oder Anzeige und alle beigefügten Unterlagen, einschließlich der ärztlichen Feststellungen und Gutachten, die der erste Träger veranlasst hat, unverzüglich dem Träger des Mitgliedstaats, nach dessen Rechtsvorschriften der Betroffene zuvor eine Tätigkeit ausgeübt hat, die die betreffende Berufskrankheit verursachen kann.

(3) Gegebenenfalls wiederholen die Träger das in Absatz 2 beschriebene Verfahren für die Vergangenheit, bis dies zu dem entsprechenden Träger des Mitgliedstaats zurückführt, nach dessen Rechtsvorschriften der Betroffene zuerst eine Tätigkeit ausgeübt hat, die die betreffende Berufskrankheit verursachen kann.

Art. 37 Informationsaustausch zwischen Trägern und Zahlung von Vorschüssen bei Einlegung eines Rechtsbehelfs gegen eine ablehnende Entscheidung. (1) Im Fall eines Rechtsbehelfs gegen eine ablehnende Entscheidung des Trägers eines Mitgliedstaats, nach dessen Rechtsvorschriften der Betroffene eine Tätigkeit ausgeübt hat, die die betreffende Berufskrankheit verursachen kann, hat dieser Träger den Träger, dem die Meldung oder Anzeige nach dem Verfahren des Artikels 36 Absatz 2 der Durchführungsverordnung übermittelt wurde, hiervon zu unterrichten und ihn später, wenn eine endgültige Entscheidung ergangen ist, entsprechend zu informieren.

(2) [1] Besteht ein Leistungsanspruch nach den Rechtsvorschriften, die der Träger, dem die Meldung oder Anzeige übermittelt wurde, anwendet, so zahlt dieser Träger Vorschüsse, deren Höhe gegebenenfalls nach Anhörung des Trägers, gegen dessen Entscheidung der Rechtsbehelf eingelegt wurde, festgelegt wird, wobei darauf zu achten ist, dass zu viel gezahlte Beträge vermieden werden. [2] Der letztgenannte Träger erstattet die gezahlten Vorschüsse, wenn er aufgrund der Entscheidung über den Rechtsbehelf die Leistungen zu gewähren hat. [3] Die Vorschüsse werden dann nach dem Verfahren der Artikel 72 und 73 der Durchführungsverordnung von den Leistungen einbehalten, auf die die betreffende Person Anspruch hat.

(3) Artikel 6 Absatz 5 Unterabsatz 2 der Durchführungsverordnung gilt entsprechend.

Art. 38 Verschlimmerung einer Berufskrankheit. [1] In den in Artikel 39 der Grundverordnung genannten Fällen hat der Antragsteller dem Träger des Mitgliedstaats, bei dem er Leistungsansprüche geltend macht, Informationen über die früher wegen der betreffenden Berufskrankheit gewährten Leistungen zu erteilen. [2] Dieser Träger kann bei jedem Träger, der früher zuständig gewesen ist, die Informationen einholen, die er für erforderlich hält.

Art. 39 Bemessung des Grades der Erwerbsminderung im Fall früherer oder späterer Arbeitsunfälle oder Berufskrankheiten. Wurde eine *früher oder später* eingetretene Erwerbsminderung durch einen Unfall verursacht, der eintrat, als für die betreffende Person die Rechtsvorschriften eines Mitgliedstaats galten, die nicht nach dem Ursprung der Erwerbsminderung unterscheiden, so hat der zuständige Träger oder die von der zuständigen Behörde des betreffenden Mitgliedstaats bezeichnete Stelle:

a) auf Verlangen des zuständigen Trägers eines anderen Mitgliedstaats Angaben über den Grad der früher oder später eingetretenen Erwerbsminderung zu machen sowie nach Möglichkeit Auskünfte zu erteilen, anhand deren festgestellt werden kann, ob die Erwerbsminderung Folge eines Arbeitsunfalls im Sinne der vom Träger des anderen Mitgliedstaats anzuwendenden Rechtsvorschriften ist;

b) für die Begründung des Anspruchs und die Festsetzung des Leistungsbetrags nach den von ihm anzuwendenden Rechtsvorschriften den durch diese früheren oder späteren Fälle verursachten Grad der Erwerbsminderung zu berücksichtigen.

Art. 40 Einreichung und Bearbeitung von Anträgen auf Renten oder Zulagen zu Renten. Betroffene oder deren Hinterbliebene haben für den Bezug einer Rente oder einer Zulage zu einer Rente nach den Rechtsvorschriften eines anderen Mitgliedstaats als dem, in dem sie wohnen, gegebenenfalls einen Antrag entweder beim zuständigen Träger zu stellen oder beim Träger des Wohnorts, der ihn sodann an den zuständigen Träger weiterleitet.

Der Antrag muss die Informationen enthalten, die nach den vom zuständigen Träger anzuwendenden Rechtsvorschriften erforderlich sind.

Art. 41 Besondere Durchführungsvorschriften. (1) Im Hinblick auf die in Anhang 2 genannten Mitgliedstaaten gelten die Vorschriften des Titels III Kapitel 2 der Grundverordnung, die sich auf Sachleistungen beziehen, für Personen, die ausschließlich aufgrund eines Sondersystems für Beamte Anspruch auf Sachleistungen haben, nur in dem dort genannten Umfang.

(2) Artikel 32 Absatz 2 Unterabsatz 2 und Artikel 32 Absatz 3 der Durchführungsverordnung gilt entsprechend.

Kapitel III. Sterbegeld

Art. 42 Antrag auf Sterbegeld. Bei der Anwendung von Artikel 42 und 43 der Grundverordnung ist der Antrag auf Sterbegeld entweder beim zuständigen Träger zu stellen oder beim Träger des Wohnorts des Antragstellers, der ihn an den zuständigen Träger weiterleitet.

Der Antrag muss die Informationen enthalten, die gemäß den vom zuständigen Träger anzuwendenden Rechtsvorschriften erforderlich sind.

Kapitel IV. Leistungen bei Invalidität, Alters- und Hinterbliebenenrenten

Art. 43 Ergänzende Vorschriften für die Berechnung der Leistungen.

(1) Für die Berechnung des theoretischen und des tatsächlichen Leistungsbetrags nach Artikel 52 Absatz 1 Buchstabe b der Grundverordnung gilt Artikel 12 Absätze 3, 4, 5 und 6 der Durchführungsverordnung.

(2) [1] Wenn Zeiten der freiwilligen Versicherung oder freiwilligen Weiterversicherung nach Artikel 12 Absatz 3 der Durchführungsverordnung nicht berücksichtigt worden sind, berechnet der Träger des Mitgliedstaats, nach dessen Rechtsvorschriften diese Zeiten zurückgelegt worden sind, den diesen Zeiten entsprechenden Betrag nach den von ihm anzuwendenden Rechtsvorschriften. [2] Der nach Artikel 52 Absatz 1 Buchstabe b der Grundverordnung berechnete tatsächliche Leistungsbetrag wird um den Betrag erhöht, der den Zeiten der freiwilligen Versicherung oder freiwilligen Weiterversicherung entspricht.

(3) Der Träger eines jeden Mitgliedstaats berechnet nach den von ihm anzuwendenden Rechtsvorschriften den Betrag, der für Zeiten der freiwilligen Versicherung oder freiwilligen Weiterversicherung zu entrichten ist und nach Artikel 53 Absatz 3 Buchstabe c der Grundverordnung nicht den Kürzungs-, Ruhens- oder Entziehungsbestimmungen eines anderen Mitgliedstaats unterliegt.

[1] Ist es dem zuständigen Träger aufgrund der von ihm anzuwendenden Rechtsvorschriften nicht möglich, diesen Betrag direkt zu bestimmen, weil die betreffenden Rechtsvorschriften den Versicherungszeiten unterschiedliche Werte zuordnen, so kann ein fiktiver Betrag festgelegt werden. [2] Die Verwaltungskommission legt die Verfahren im Einzelnen für die Bestimmung dieses fiktiven Betrags fest.

Art. 44 Berücksichtigung von Kindererziehungszeiten. (1) Im Sinne dieses Artikels bezeichnet der Ausdruck „Kindererziehungszeit" jeden Zeitraum, der im Rahmen des Rentenrechts eines Mitgliedstaats ausdrücklich aus dem Grund angerechnet wird oder Anrecht auf eine Zulage zu einer Rente gibt, dass eine Person ein Kind aufgezogen hat, unabhängig davon, nach welcher Methode diese Zeiträume berechnet werden und unabhängig davon, ob sie während der Erziehungszeit anfallen oder rückwirkend anerkannt werden.

(2) Wird nach den Rechtsvorschriften des gemäß Titel II der Grundverordnung zuständigen Mitgliedstaats keine Kindererziehungszeit berücksichtigt, so bleibt der Träger des Mitgliedstaats, dessen Rechtsvorschriften nach Titel II der Grundverordnung auf die betreffende Person anwendbar waren, weil diese Person zu dem Zeitpunkt, zu dem die Berücksichtigung der Kindererziehungszeit für das betreffende Kind nach diesen Rechtsvorschriften begann, eine Beschäftigung oder eine selbständige Erwerbstätigkeit ausgeübt hat, zuständig für die Berücksichtigung dieser Zeit als Kindererziehungszeit nach seinen eigenen Rechtsvorschriften, so als hätte diese Kindererziehung in seinem eigenen Hoheitsgebiet stattgefunden.

(3) Absatz 2 findet keine Anwendung, wenn für die betreffende Person die Rechtsvorschriften eines anderen Mitgliedstaats aufgrund der Ausübung einer Beschäftigung oder einer selbständigen Erwerbstätigkeit anwendbar sind oder anwendbar werden.

Art. 45 Beantragung von Leistungen.

A. Beantragung von Leistungen aufgrund von Rechtsvorschriften des Typs A nach Artikel 44 Absatz 2 der Grundverordnung

(1) Der Antragsteller stellt für den Bezug von Leistungen aufgrund von Rechtsvorschriften des Typs A nach Artikel 44 Absatz 2 der Grundverordnung einen Antrag beim Träger des Mitgliedstaats, dessen Rechtsvorschriften bei Eintritt der Arbeitsunfähigkeit mit anschließender Invalidität oder bei der

Verschlimmerung des Invaliditätszustands für ihn galten, oder bei dem Träger seines Wohnorts, der den Antrag an den erstgenannten Träger weiterleitet.

(2) Wurden Geldleistungen bei Krankheit gewährt, so gilt der Tag, an dem der Zeitraum endet, für den diese Leistungen gewährt wurden, gegebenenfalls als Tag der Stellung des Rentenantrags.

(3) [1] In dem in Artikel 47 Absatz 1 der Grundverordnung genannten Fall teilt der Träger, bei dem die betreffende Person zuletzt versichert war, dem ursprünglich leistungspflichtigen Träger mit, in welcher Höhe und ab wann die Leistungen nach den von ihm anzuwendenden Rechtsvorschriften geschuldet werden. [2] Von diesem Zeitpunkt an entfallen die vor der Verschlimmerung des Invaliditätszustands geschuldeten Leistungen oder werden bis auf die Zulage nach Artikel 47 Absatz 2 der Grundverordnung gekürzt.

B. Beantragung von Leistungen in sonstigen Fällen

(4) [1] In anderen als den in Absatz 1 genannten Fällen stellt der Antragsteller einen entsprechenden Antrag beim Träger seines Wohnorts oder beim Träger des Mitgliedstaats, dessen Rechtsvorschriften zuletzt für ihn galten. [2] Galten für die betreffende Person zu keinem Zeitpunkt die Rechtsvorschriften, die der Träger ihres Wohnorts anwendet, so leitet dieser Träger den Antrag an den Träger des Mitgliedstaats weiter, dessen Rechtsvorschriften zuletzt für sie galten.

(5) Der Zeitpunkt der Antragstellung ist für alle beteiligten Träger verbindlich.

(6) In Abweichung von Absatz 5 gilt Folgendes: Gibt der Antragsteller trotz Aufforderung nicht an, dass er in anderen Mitgliedstaaten beschäftigt war oder gewohnt hat, so gilt der Zeitpunkt, zu dem er seinen Antrag vervollständigt oder zu dem er einen neuen Antrag bezüglich seiner fehlenden Beschäftigungszeiten und/oder Wohnzeiten in einem Mitgliedstaat einreicht, für den Träger, der die betreffenden Rechtsvorschriften anwendet, als Zeitpunkt der Antragstellung, sofern diese Rechtsvorschriften keine günstigeren Bestimmungen enthalten.

Art. 46 Angaben und Unterlagen zu Leistungsanträgen. (1) [1] Der Antrag ist gemäß den Rechtsvorschriften, die der in Artikel 45 Absatz 1 oder 4 der Durchführungsverordnung genannte Träger anwendet, und unter Beifügung der in diesen Rechtsvorschriften geforderten Nachweise zu stellen. [2] Der Antragsteller hat insbesondere alle verfügbaren einschlägigen Informationen und Nachweise über Zeiten einer Versicherung (Träger, Versicherungsnummern), einer Beschäftigung (Arbeitgeber) oder einer selbständigen Erwerbstätigkeit (Art und Ort der Tätigkeit) und eines Wohnorts (Adressen) einzureichen, die gegebenenfalls nach anderen Rechtsvorschriften zurückgelegt wurden, sowie die Dauer dieser Zeiten anzugeben.

(2) [1] Beantragt der Antragsteller nach Artikel 50 Absatz 1 der Grundverordnung, dass die Feststellung der nach den Rechtsvorschriften eines oder mehrerer Mitgliedstaaten erworbenen Altersrenten aufgeschoben wird, so hat er dies in seinem Antrag zu erklären und anzugeben, nach welchen Rechtsvorschriften er den Aufschub beantragt. [2] Um dem Antragsteller die Ausübung dieses Rechts zu ermöglichen, teilen die beteiligten Träger ihm auf Verlangen alle ihnen vorliegenden Informationen mit, damit er die Folgen von gleich-

zeitigen oder nachfolgenden Feststellungen der ihm zustehenden Leistungen abschätzen kann.

(3) Zieht der Antragsteller einen Antrag auf Leistungen zurück, die nach den Rechtsvorschriften eines einzelnen Mitgliedstaats vorgesehen sind, so gilt diese Rücknahme nicht als gleichzeitige Rücknahme von Anträgen auf Leistungen nach den Rechtsvorschriften anderer Mitgliedstaaten.

Art. 47 Bearbeitung der Anträge durch die beteiligten Träger.

A. Kontakt-Träger

(1) [1] Der Träger, an den der Leistungsantrag nach Artikel 45 Absatz 1 oder 4 der Durchführungsverordnung gerichtet oder weitergeleitet wird, wird nachstehend als „Kontakt-Träger" bezeichnet. [2] Der Träger des Wohnorts wird nicht als Kontakt-Träger bezeichnet, wenn für die betreffende Person zu keinem Zeitpunkt die von diesem Träger angewandten Rechtsvorschriften galten.

Zusätzlich zur Bearbeitung des Leistungsantrags nach den von ihm angewandten Rechtsvorschriften fördert dieser Träger in seiner Eigenschaft als Kontakt-Träger den Austausch von Daten, die Mitteilung von Entscheidungen und die für die Bearbeitung des Antrags durch die beteiligten Träger erforderlichen Vorgänge und übermittelt dem Antragsteller auf Verlangen alle die Gemeinschaftsaspekte der Bearbeitung betreffenden Angaben und hält ihn über den Stand der Bearbeitung seines Antrags auf dem Laufenden.

B. Bearbeitung von Anträgen auf Leistungen aufgrund von Rechtsvorschriften des Typs A nach Artikel 44 der Grundverordnung

(2) In dem in Artikel 44 Absatz 3 der Grundverordnung genannten Fall übermittelt der Kontakt-Träger sämtliche den Antragsteller betreffenden Dokumente an den Träger, bei dem dieser zuvor versichert war, der seinerseits den Antrag bearbeitet.

(3) Die Artikel 48 bis 52 der Durchführungsverordnung gelten nicht für die Bearbeitung von Anträgen nach Artikel 44 der Grundverordnung.

C. Bearbeitung sonstiger Leistungsanträge

(4) [1] In anderen als den in Absatz 2 genannten Fällen übermittelt der Kontakt-Träger die Leistungsanträge und alle ihm vorliegenden Dokumente sowie gegebenenfalls die vom Antragsteller vorgelegten einschlägigen Dokumente unverzüglich allen beteiligten Trägern, damit diese gleichzeitig mit der Bearbeitung dieses Antrags beginnen können. [2] Der Kontakt-Träger teilt den anderen Trägern die Versicherungs- oder Wohnzeiten mit, die nach den von ihm anzuwendenden Rechtsvorschriften zurückgelegt worden sind. [3] Er gibt ferner an, welche Dokumente zu einem späteren Zeitpunkt einzureichen sind, und ergänzt den Antrag so bald wie möglich.

(5) Jeder beteiligte Träger teilt dem Kontakt-Träger und den anderen beteiligten Trägern so bald wie möglich die Versicherungs- oder Wohnzeiten mit, die nach den von ihm anzuwendenden Rechtsvorschriften zurückgelegt worden sind.

(6) Jeder beteiligte Träger berechnet den Leistungsbetrag nach Artikel 52 der Grundverordnung und teilt dem Kontakt-Träger und den anderen betroffenen Trägern seine Entscheidung, den Leistungsbetrag und alle nach den Artikeln 53 bis 55 der Grundverordnung erforderlichen Angaben mit.

(7) Stellt ein Träger auf der Grundlage der Angaben nach den Absätzen 4 und 5 fest, dass Artikel 46 Absatz 2 oder Artikel 57 Absatz 2 oder 3 der Grundverordnung anzuwenden ist, so unterrichtet er hiervon den Kontakt-Träger und die anderen betroffenen Träger.

Art. 48 Mitteilung der Entscheidungen an den Antragsteller. (1) [1] Jeder Träger teilt dem Antragsteller die von ihm nach den von ihm anzuwendenden Rechtsvorschriften getroffene Entscheidung mit. [2] In jeder Entscheidung werden die zur Verfügung stehenden Rechtsbehelfe und Rechtsbehelfsfristen angegeben. [3] Sobald der Kontakt-Träger über alle Entscheidungen jedes Trägers unterrichtet worden ist, übermittelt er dem Antragsteller und den anderen betroffenen Trägern eine Zusammenfassung dieser Entscheidungen. [4] Die Verwaltungskommission erstellt das Muster für die Zusammenfassung. [5] Die Zusammenfassung wird dem Antragsteller in der Sprache des Trägers oder – auf Verlangen des Antragstellers – in der von ihm gewählten Sprache übermittelt, sofern diese als Amtssprache der Organe der Gemeinschaft gemäß Artikel 290 des Vertrags anerkannt ist.

(2) [1] Stellt sich für den Antragsteller nach Empfang der Zusammenfassung heraus, dass seine Rechte durch das Zusammenwirken der Entscheidungen von zwei oder mehr Trägern möglicherweise beeinträchtigt worden sind, so hat er Anspruch auf eine Überprüfung der Entscheidungen durch die beteiligten Träger innerhalb der in den einschlägigen einzelstaatlichen Rechtsvorschriften vorgesehenen Fristen. [2] Die Fristen beginnen am Tag des Empfangs der Zusammenfassung. [3] Der Antragsteller wird schriftlich über das Ergebnis der Überprüfung unterrichtet.

Art. 49 Bemessung des Grades der Invalidität. (1) [1] Findet Artikel 46 Absatz 3 der Grundverordnung Anwendung, so ist allein der Kontakt-Träger befugt, eine Entscheidung über die Invalidität des Antragstellers zu treffen, sofern die von diesem Träger angewandten Rechtsvorschriften in Anhang VII der Grundverordnung enthalten sind, oder, wenn dies nicht der Fall ist, der Träger, dessen Rechtsvorschriften in Anhang VII der Grundverordnung enthalten sind und denen der Antragsteller zuletzt unterlag. [2] Er trifft diese Entscheidung, sobald für ihn erkennbar ist, dass die Anspruchsvoraussetzungen nach den von ihm anzuwendenden Rechtsvorschriften, gegebenenfalls unter Berücksichtigung der Artikel 6 und 51 der Grundverordnung, erfüllt sind. [3] Er teilt diese Entscheidung den anderen beteiligten Trägern unverzüglich mit.

[1] Sind unter Berücksichtigung der Artikel 6 und 51 der Grundverordnung bestimmte, nicht den Grad der Invalidität betreffende Voraussetzungen, die nach den anzuwendenden Rechtsvorschriften für den Anspruch bestehen, nicht erfüllt, so teilt der Kontakt-Träger dies dem zuständigen Träger des *Mitgliedstaats*, dessen Rechtsvorschriften für den Antragsteller zuletzt galten, unverzüglich mit. [2] Der letztgenannte Träger ist befugt, die Entscheidung über den Grad der Invalidität des Antragstellers zu treffen, wenn die Voraussetzungen für den Anspruch nach den von ihm anzuwendenden Rechtsvorschriften erfüllt sind. [3] Er teilt diese Entscheidung den anderen beteiligten Trägern unverzüglich mit.

Zur Bestimmung der Anspruchsvoraussetzungen ist gegebenenfalls unter den gleichen Bedingungen bis zu dem für Invalidität zuständigen Träger des

Mitgliedstaats zurückzugehen, dessen Rechtsvorschriften für den Antragsteller zuerst galten.

(2) [1] Für den Fall, dass Artikel 46 Absatz 3 der Grundverordnung für die Feststellung des Grades der Invalidität nicht anwendbar ist, kann jeder Träger entsprechend seinen Rechtsvorschriften den Antragsteller von einem Arzt oder einem anderen Experten seiner Wahl untersuchen lassen. [2] Der Träger eines Mitgliedstaats berücksichtigt jedoch die von den Trägern aller anderen Mitgliedstaaten erhaltenen ärztlichen Unterlagen und Berichte sowie die verwaltungsmäßigen Auskünfte ebenso, als wären sie in seinem eigenen Mitgliedstaat erstellt worden.

Art. 50 Vorläufige Zahlungen und Vorschüsse. (1) [1] Stellt ein Träger bei der Bearbeitung eines Leistungsantrags fest, dass der Antragsteller nach den von ihm anzuwendenden Rechtsvorschriften Anspruch auf eine autonome Leistung nach Artikel 52 Absatz 1 Buchstabe a der Grundverordnung hat, so zahlt er diese Leistung ungeachtet des Artikels 7 der Durchführungsverordnung unverzüglich aus. [2] Diese Zahlung ist als vorläufige Zahlung anzusehen, wenn sich das Ergebnis der Bearbeitung des Antrags auf den gewährten Betrag auswirken könnte.

(2) Geht aus den verfügbaren Angaben hervor, dass der Antragsteller Anspruch auf eine Zahlung eines Trägers nach Artikel 52 Absatz 1 Buchstabe b der Grundverordnung hat, so zahlt dieser Träger ihm einen Vorschuss, dessen Höhe weitestgehend dem Betrag entspricht, der aufgrund des Artikels 52 Absatz 1 Buchstabe b der Grundverordnung wahrscheinlich festgestellt wird.

(3) Jeder nach Absatz 1 oder 2 zur Zahlung der vorläufigen Leistungen oder eines Vorschusses verpflichtete Träger unterrichtet hiervon unverzüglich den Antragsteller, wobei er diesen ausdrücklich auf den vorläufigen Charakter dieser Maßnahme und auf alle verfügbaren Rechtsbehelfe nach seinen Rechtsvorschriften aufmerksam macht.

Art. 51 Neuberechnung der Leistungen. (1) Bei einer Neuberechnung der Leistungen nach Artikel 48 Absätze 3 und 4, Artikel 50 Absatz 4 und Artikel 59 Absatz 1 der Grundverordnung gilt Artikel 50 der Durchführungsverordnung entsprechend.

(2) Bei Neuberechnung, Entzug oder Ruhen der Leistung informiert der Träger, der die entsprechende Entscheidung getroffen hat, unverzüglich die betreffende Person und unterrichtet jeden Träger, dem gegenüber die betreffende Person einen Anspruch hat.

Art. 52 Maßnahmen zur beschleunigten Berechnung der Rente.

(1) Um die Bearbeitung von Anträgen und die Zahlung von Leistungen zu erleichtern und zu beschleunigen, müssen die Träger, deren Rechtsvorschriften eine Person unterlegen hat,

a) die Elemente zur Identifizierung von Personen, die von einer anwendbaren einzelstaatlichen Rechtsordnung zu einer anderen wechseln, mit den Trägern anderer Mitgliedstaaten austauschen oder diesen zur Verfügung stellen und gemeinsam dafür Sorge tragen, dass diese Identifizierungselemente aufbewahrt werden und miteinander übereinstimmen, oder – in Ermangelung dessen – den betreffenden Personen die Mittel für einen direkten Zugang zu ihren Identifizierungselementen zur Verfügung stellen;

b) rechtzeitig vor Eintreten des Mindestalters für den Beginn eines Rentenanspruchs oder vor einem durch nationale Rechtsvorschriften festzulegenden Alter Informationen (zurückgelegte Zeiten oder sonstige wichtige Elemente) über die Rentenansprüche von Personen, die von einer anwendbaren Rechtsordnung zu einer anderen gewechselt haben, mit der betreffenden Person und den Trägern anderer Mitgliedstaaten austauschen oder diesen zur Verfügung stellen oder - in Ermangelung dessen - diesen Personen mitteilen, wie sie sich über ihre künftigen Leistungsansprüche informieren können, oder ihnen entsprechende Mittel zur Verfügung stellen.

(2) [1] Für die Anwendung von Absatz 1 bestimmt die Verwaltungskommission die Informationen, die auszutauschen oder zur Verfügung zu stellen sind, und legt die geeigneten Verfahren und Mechanismen fest; dabei berücksichtigt sie die Merkmale, die administrative und technische Organisation und die technischen Mittel, die den einzelstaatlichen Rentensystemen zur Verfügung stehen. [2] Die Verwaltungskommission gewährleistet die Umsetzung dieser Rentensysteme, indem sie eine Überwachung der ergriffenen Maßnahmen und ihrer Anwendung organisiert.

(3) Für die Anwendung des Absatzes 1 sollte der Träger im ersten Mitgliedstaat, in dem einer Person eine Persönliche Identifikationsnummer (PIN) für Verwaltungszwecke der sozialen Sicherheit zugewiesen wird, die in diesem Artikel genannten Informationen erhalten.

Art. 53 Koordinierungsmaßnahmen in den Mitgliedstaaten. (1) Unbeschadet des Artikels 51 der Grundverordnung gilt Folgendes: Enthalten die nationalen Rechtsvorschriften Regeln zur Bestimmung des zuständigen Trägers oder des anzuwendenden Systems oder zur Zuordnung von Versicherungszeiten zu einem spezifischen System, so sind bei der Anwendung dieser Regeln nur die nach den Rechtsvorschriften dieses Mitgliedstaats zurückgelegten Versicherungszeiten zu berücksichtigen.

(2) Enthalten die nationalen Rechtsvorschriften Regeln für die Koordinierung der Sondersysteme für Beamte und des allgemeinen Systems für Arbeitnehmer, so werden diese Regeln von den Bestimmungen der Grundverordnung und der Durchführungsverordnung nicht berührt.

Kapitel V. Leistungen bei Arbeitslosigkeit

Art. 54[1]) Zusammenrechnung der Zeiten und Berechnung der Leistungen. (1) [1] Artikel 12 Absatz 1 der Durchführungsverordnung gilt entsprechend für Artikel 61 der Grundverordnung. [2] Unbeschadet der daneben fortbestehenden Pflichten der beteiligten Träger kann die betroffene Person dem zuständigen Träger ein Dokument vorlegen, das von dem Träger des Mitgliedstaats ausgestellt wurde, dessen Rechtsvorschriften die betroffene Person während ihrer letzten Beschäftigung oder selbständigen Erwerbstätigkeit unterlag,

---

[1]) Art. 54 Abs. 2 neu gef. mWv 28. 6. 2012 durch VO v. 22. 5. 2012 (ABl. Nr. L 149 S. 4).

und in dem die Zeiten bescheinigt sind, die nach diesen Rechtsvorschriften zurückgelegt wurden.

(2) Bei der Anwendung von Artikel 62 Absatz 3 der Grundverordnung übermittelt der zuständige Träger des Mitgliedstaats, dessen Rechtsvorschriften die betreffende Person während ihrer letzten Beschäftigung oder selbständigen Erwerbstätigkeit unterlag, dem Träger des Wohnorts auf dessen Antrag hin unverzüglich alle Angaben, die für die Berechnung der Leistungen bei Arbeitslosigkeit, die in dem Mitgliedstaat erlangt werden können, in dem er seinen Sitz hat, erforderlich sind, insbesondere die Höhe des erzielten Entgelts oder Erwerbseinkommens.

(3) [1] Bei der Anwendung von Artikel 62 der Grundverordnung berücksichtigt der zuständige Träger eines Mitgliedstaats, nach dessen Rechtsvorschriften sich die Höhe der Leistungen nach der Zahl der Familienangehörigen richtet, ungeachtet des Artikels 63 der genannten Verordnung auch die Familienangehörigen des Betroffenen, die im Hoheitsgebiet eines anderen Mitgliedstaats wohnen, als ob sie im Hoheitsgebiet des zuständigen Staates wohnten. [2] Dies gilt jedoch nicht, wenn in dem Mitgliedstaat, in dem die Familienangehörigen wohnen, eine andere Person Anspruch auf Leistungen bei Arbeitslosigkeit hat, bei deren Berechnung die Familienangehörigen berücksichtigt werden.

Art. 55[1)] Bedingungen und Grenzen für die Aufrechterhaltung des Leistungsanspruchs eines Arbeitslosen, der sich in einen anderen Mitgliedstaat begibt. (1) Der Anspruch nach Artikel 64 oder Artikel 65 a der Grundverordnung besteht nur, wenn der Arbeitslose, der sich in einen anderen Mitgliedstaat begibt, vor seiner Abreise den zuständigen Träger informiert und bei diesem eine Bescheinigung beantragt, dass er unter den Bedingungen des Artikels 64 Absatz 1 Buchstabe b der Grundverordnung weiterhin Anspruch auf Leistungen hat.

Dieser Träger informiert ihn über die ihm obliegenden Pflichten und übermittelt ihm das genannte Dokument, aus dem sich insbesondere Folgendes ergibt:

a) der Tag, von dem an der Arbeitslose der Arbeitsverwaltung des zuständigen Staates nicht mehr zur Verfügung stand;

b) die Frist, die nach Artikel 64 Absatz 1 Buchstabe b der Grundverordnung für die Eintragung als Arbeitsuchender in dem Mitgliedstaat, in den der Arbeitslose sich begeben hat, eingeräumt wird;

c) die Höchstdauer für die Aufrechterhaltung des Leistungsanspruchs nach Artikel 64 Absatz 1 Buchstabe c der Grundverordnung;

d) die Umstände, die sich auf den Leistungsanspruch auswirken können.

(2) [1] Der Arbeitslose meldet sich nach Artikel 64 Absatz 1 Buchstabe b der Grundverordnung bei der Arbeitsverwaltung des Mitgliedstaats, in den er sich begibt, als Arbeitsuchender und legt dem Träger dieses Mitgliedstaats das in Absatz 1 genannte Dokument vor. [2] Hat er den zuständigen Träger nach Absatz 1 informiert, aber nicht dieses Dokument vorgelegt, so fordert der

---

1) Art. 55 Abs. 1 Unterabs. 1 neu gef., Abs. 7 angef. mWv 28. 6. 2012 durch VO v. 22. 5. 2012 (ABl. Nr. L 149 S. 4).

Träger des Mitgliedstaats, in den sich der Arbeitslose begeben hat, die erforderlichen Angaben beim zuständigen Träger an.

(3) Die Arbeitsverwaltung des Mitgliedstaats, in den sich der Arbeitslose zur Arbeitsuche begeben hat, unterrichtet diesen von seinen Pflichten.

(4) Der Träger des Mitgliedstaats, in den der Arbeitslose sich begeben hat, sendet dem zuständigen Träger unverzüglich ein Dokument zu, das den Zeitpunkt der Anmeldung des Arbeitslosen bei der Arbeitsverwaltung und seine neue Anschrift enthält.

Falls während des Zeitraums, in dem der Arbeitslose den Anspruch auf Leistungen behält, Umstände eintreten, die sich auf den Leistungsanspruch auswirken könnten, so sendet der Träger des Mitgliedstaats, in den sich der Arbeitslose begeben hat, dem zuständigen Träger und der betroffenen Person unverzüglich ein Dokument mit den maßgeblichen Informationen zu.

Auf Ersuchen des zuständigen Trägers übermittelt der Träger des Mitgliedstaats, in den der Arbeitslose sich begeben hat, jeden Monat die maßgeblichen Informationen über die Entwicklung der Situation des Arbeitslosen, insbesondere, ob dieser weiterhin bei der Arbeitsverwaltung gemeldet ist und ob er sich den vorgesehenen Kontrollverfahren unterzieht.

(5) [1] Der Träger des Mitgliedstaats, in den der Arbeitslose sich begeben hat, führt die Kontrolle durch oder lässt sie durchführen wie bei einem Arbeitslosen, der Leistungen nach den von ihm anzuwendenden Rechtsvorschriften bezieht. [2] Gegebenenfalls unterrichtet er sofort den zuständigen Träger, falls einer der in Absatz 1 Buchstabe d genannten Umstände eintritt.

(6) Die zuständigen Behörden oder Träger von zwei oder mehr Mitgliedstaaten können sich hinsichtlich der Entwicklung der Situation des Arbeitslosen auf spezielle Verfahren und Fristen sowie auf weitere Maßnahmen verständigen, um die Arbeitssuche von Arbeitslosen zu erleichtern, die sich nach Artikel 64 der Grundverordnung in einen dieser Mitgliedstaaten begeben.

(7) Die Absätze 2 bis 6 gelten entsprechend für die unter Artikel 65 a Absatz 3 der Grundverordnung fallenden Sachverhalte.

Art. 56[1)] Arbeitslose, die in einem anderen als dem zuständigen Mitgliedstaat gewohnt haben. (1) Beschließt ein Arbeitsloser, sich nach Artikel 65 Absatz 2 oder Artikel 65 a Absatz 1 der Grundverordnung auch der Arbeitsverwaltung in dem Mitgliedstaat zur Verfügung zu stellen, der keine Leistung gewährt, indem er sich dort als Arbeitsuchender meldet, so teilt er dies dem Träger und der Arbeitsverwaltung des leistungsgewährenden Mitgliedstaats mit. Auf Ersuchen der Arbeitsverwaltung des Mitgliedstaats, der keine Leistung gewährt, übermittelt die Arbeitsverwaltung des leistungsgewährenden Mitgliedstaats dieser die maßgeblichen Informationen zur Meldung und zur Arbeitsuche des Arbeitslosen.

(2) Sehen die geltenden Rechtsvorschriften in den betreffenden Mitgliedstaaten vor, dass der Arbeitslose bestimmte Pflichten erfüllt und/oder bestimmte Schritte zur Arbeitsuche unternimmt, so haben die Pflichten des

[1)] Art. 56 Abs. 1 und 2 neu gef. mWv 28. 6. 2012 durch VO v. 22. 5. 2012 (ABl. Nr. L 149 S. 4).

Arbeitslosen in dem Mitgliedstaat, der die Leistungen gewährt, und/oder seine dort zur Arbeitsuche zu unternehmenden Schritte Vorrang.

Falls ein Arbeitsloser in dem Mitgliedstaat, der ihm keine Leistungen gewährt, nicht allen Pflichten nachkommt und/oder dort nicht alle Schritte zur Arbeitsuche unternimmt, so hat dies keine Auswirkungen auf die Leistungen, die in dem anderen Mitgliedstaat gewährt werden

(3) Bei der Anwendung von Artikel 65 Absatz 5 Buchstabe b der Grundverordnung teilt der Träger des Mitgliedstaats, dessen Rechtsvorschriften zuletzt für den Arbeitslosen galten, dem Träger des Wohnorts auf dessen Ersuchen hin mit, ob der Arbeitslose einen Leistungsanspruch nach Artikel 64 der Grundverordnung hat.

Art. 57 Vorschriften für die Anwendung der Artikel 61, 62, 64 und 65 der Grundverordnung auf von einem Sondersystem für Beamte erfasste Personen. (1) Die Artikel 54 und 55 der Durchführungsverordnung gelten entsprechend für Personen, die von einem Arbeitslosensondersystem für Beamte erfasst sind.

(2) [1] Artikel 56 der Durchführungsverordnung gilt nicht für die von einem Arbeitslosensondersystem für Beamte erfassten Personen. [2] Von einem Arbeitslosensondersystem für Beamte erfasste Arbeitslose, die teil- oder vollarbeitslos sind und während ihrer letzten Beschäftigung im Hoheitsgebiet eines anderen Mitgliedstaats als dem zuständigen Staat wohnten, erhalten Leistungen aus dem Arbeitslosensondersystem für Beamte nach den Rechtsvorschriften des zuständigen Mitgliedstaats, als wohnten sie im Hoheitsgebiet des zuständigen Mitgliedstaats. [3] Diese Leistungen werden vom zuständigen Träger erbracht und gehen zu seinen Lasten.

Kapitel VI. Familienleistungen

Art. 58 Prioritätsregeln bei Zusammentreffen von Ansprüchen. [1] Ermöglicht der Wohnort der Kinder bei Anwendung des Artikels 68 Absatz 1 Buchstabe b Ziffern i und ii der Grundverordnung keine Bestimmung der Rangfolge, so berechnet jeder betroffene Mitgliedstaat den Leistungsbetrag unter Einschluss der Kinder, die nicht in seinem Hoheitsgebiet wohnen. [2] Im Falle der Anwendung von Artikel 68 Absatz 1 Buchstabe b Ziffer i zahlt der zuständige Träger des Mitgliedstaats, dessen Rechtsvorschriften den höheren Leistungsbetrag vorsehen, diesen ganzen Betrag aus. [3] Der zuständige Träger des anderen Mitgliedstaats erstattet ihm die Hälfte dieses Betrags, wobei der nach den Rechtsvorschriften des letzteren Mitgliedstaats vorgesehene Leistungssatz die obere Grenze bildet.

Art. 59 Regelungen für den Fall, in dem sich die anzuwendenden Rechtsvorschriften und/oder die Zuständigkeit für die Gewährung von Familienleistungen ändern. (1) Ändern sich zwischen den Mitgliedstaaten während eines Kalendermonats die Rechtsvorschriften und/oder die Zuständigkeit für die Gewährung von Familienleistungen, so setzt der Träger, der die Familienleistungen nach den Rechtsvorschriften gezahlt hat, nach denen die Leistungen zu Beginn dieses Monats gewährt wurden, unabhängig von den in den Rechtsvorschriften dieser Mitgliedstaaten für die Gewährung von Familienleistungen vorgesehenen Zahlungsfristen die Zahlungen bis zum Ende des laufenden Monats fort.

(2) [1] Er unterrichtet den Träger des anderen betroffenen Mitgliedstaats oder die anderen betroffenen Mitgliedstaaten von dem Zeitpunkt, zu dem er die Zahlung dieser Familienleistungen einstellt. [2] Ab diesem Zeitpunkt übernehmen der andere betroffene Mitgliedstaat oder die anderen betroffenen Mitgliedstaaten die Zahlung der Leistungen.

Art. 60 Verfahren bei der Anwendung von Artikel 67 und 68 der Grundverordnung. (1) [1] Die Familienleistungen werden bei dem zuständigen Träger beantragt. [2] Bei der Anwendung von Artikel 67 und 68 der Grundverordnung ist, insbesondere was das Recht einer Person zur Erhebung

(Fortsetzung nächstes Blatt)

eines Leistungsanspruchs anbelangt, die Situation der gesamten Familie in einer Weise zu berücksichtigen, als würden alle beteiligten Personen unter die Rechtsvorschriften des betreffenden Mitgliedstaats fallen und dort wohnen. [3] Nimmt eine Person, die berechtigt ist, Anspruch auf die Leistungen zu erheben, dieses Recht nicht wahr, berücksichtigt der zuständige Träger des Mitgliedstaats, dessen Rechtsvorschriften anzuwenden sind, einen Antrag auf Familienleistungen, der von dem anderen Elternteil, einer als Elternteil behandelten Person oder von der Person oder Institution, die als Vormund des Kindes oder der Kinder handelt, gestellt wird.

(2) Der nach Absatz 1 in Anspruch genommene Träger prüft den Antrag anhand der detaillierten Angaben des Antragstellers und berücksichtigt dabei die gesamten tatsächlichen und rechtlichen Umstände, die die familiäre Situation des Antragstellers ausmachen.

Kommt dieser Träger zu dem Schluss, dass seine Rechtsvorschriften nach Artikel 68 Absätze 1 und 2 der Grundverordnung prioritär anzuwenden sind, so zahlt er die Familienleistungen nach den von ihm angewandten Rechtsvorschriften.

Ist dieser Träger der Meinung, dass aufgrund der Rechtsvorschriften eines anderen Mitgliedstaats ein Anspruch auf einen Unterschiedsbetrag nach Artikel 68 Absatz 2 der Grundverordnung bestehen könnte, so übermittelt er den Antrag unverzüglich dem zuständigen Träger des anderen Mitgliedstaats und informiert die betreffende Person; außerdem unterrichtet er den Träger des anderen Mitgliedstaats darüber, wie er über den Antrag entschieden hat und in welcher Höhe Familienleistungen gezahlt wurden.

(3) [1] Kommt der Träger, bei dem der Antrag gestellt wurde, zu dem Schluss, dass seine Rechtsvorschriften zwar anwendbar, aber nach Artikel 68 Absätze 1 und 2 der Grundverordnung nicht prioritär anwendbar sind, so trifft er unverzüglich eine vorläufige Entscheidung über die anzuwendenden Prioritätsregeln, leitet den Antrag nach Artikel 68 Absatz 3 der Grundverordnung an den Träger des anderen Mitgliedstaats weiter und informiert auch den Antragsteller darüber. [2] Dieser Träger nimmt innerhalb einer Frist von zwei Monaten zu der vorläufigen Entscheidung Stellung.

Falls der Träger, an den der Antrag weitergeleitet wurde, nicht innerhalb von zwei Monaten nach Eingang des Antrags Stellung nimmt, wird die oben genannte vorläufige Entscheidung anwendbar und zahlt dieser Träger die in seinen Rechtsvorschriften vorgesehenen Leistungen und informiert den Träger, an den der Antrag gerichtet war, über die Höhe der gezahlten Leistungen.

(4) [1] Sind sich die betreffenden Träger nicht einig, welche Rechtsvorschriften prioritär anwendbar sind, so gilt Artikel 6 Absätze 2 bis 5 der Durchführungsverordnung. [2] Zu diesem Zweck ist der in Artikel 6 Absatz 2 der Durchführungsverordnung genannte Träger des Wohnorts der Träger des Wohnorts des Kindes oder der Kinder.

(5) Der Träger, der eine vorläufige Leistungszahlung vorgenommen hat, die höher ist als der letztlich zu seinen Lasten gehende Betrag, kann den zu viel gezahlten Betrag nach dem Verfahren des Artikels 73 der Durchführungsverordnung vom vorrangig zuständigen Träger zurückfordern.

Art. 61 Verfahren bei der Anwendung von Artikel 69 der Grundverordnung. [1] Bei der Anwendung von Artikel 69 der Grundverordnung erstellt die Verwaltungskommission eine Liste der zusätzlichen oder besonderen Familienleistungen für Waisen, die unter den genannten Artikel fallen. [2] Falls die von dem prioritär zuständigen Träger anzuwendenden Rechtsvorschriften nicht vorsehen, solche zusätzlichen oder besonderen Familienleistungen für Waisen zu zahlen, leitet er Anträge auf Familienleistungen mit allen entsprechenden Unterlagen und Angaben unverzüglich an den Träger des Mitgliedstaats weiter, dessen Rechtsvorschriften die längste Zeit für den Betroffenen gegolten haben und solche zusätzlichen oder besonderen Familienleistungen für Waisen vorsehen. [3] In einigen Fällen ist nach dem gleichen Verfahren gegebenenfalls bis zu dem Träger des Mitgliedstaats zurückzugehen, nach dessen Rechtsvorschriften die betreffende Person die kürzeste ihrer Versicherungs- oder Wohnzeiten zurückgelegt hat.

Titel IV. Finanzvorschriften

Kapitel I. Kostenerstattung für Leistungen bei der Anwendung von Artikel 35 und Artikel 41 der Grundverordnung

Abschnitt 1. Erstattung auf der Grundlage tatsächlicher Aufwendungen

Art. 62 Grundsätze. (1) Bei der Anwendung von Artikel 35 und 41 der Grundverordnung erstattet der zuständige Träger dem Träger, der die Sachleistungen gewährt hat, diese in Höhe der tatsächlichen Ausgaben, die sich aus der Rechnungsführung dieses Trägers ergeben, außer bei Anwendung des Artikels 63 der Durchführungsverordnung.

(2) [1] Geht der tatsächliche Betrag der in Absatz 1 genannten Ausgaben für Sachleistungen nicht oder teilweise nicht aus der Rechnungsführung des Trägers, der sie gewährt hat, hervor, so wird der zu erstattende Betrag auf der Grundlage aller geeigneten Bezugsgrößen, die den verfügbaren Daten entnommen werden, pauschal berechnet. [2] Die Verwaltungskommission beurteilt die Grundlagen für die Berechnung der Pauschalbeträge und stellt deren Höhe fest.

(3) Für die Erstattung können keine höheren Sätze berücksichtigt werden als diejenigen, die für Sachleistungen an Versicherte maßgeblich sind, die den Rechtsvorschriften unterliegen, die für den Träger, der die in Absatz 1 genannten Sachleistungen gewährt hat, gelten.

Abschnitt 2. Erstattung auf der Grundlage von Pauschalbeträgen

Art. 63 Bestimmung der betroffenen Mitgliedstaaten. (1) Die unter Artikel 35 Absatz 2 der Grundverordnung fallenden Mitgliedstaaten, deren Rechts- und Verwaltungsstruktur eine Erstattung auf der Grundlage der tatsächlichen Aufwendungen nicht zweckmäßig macht, sind in Anhang 3 der Durchführungsverordnung aufgeführt.

(2) [1] Für die in Anhang 3 der Durchführungsverordnung aufgeführten Mitgliedstaaten wird der Betrag der Sachleistungen,

a) die nach Artikel 17 der Grundverordnung Familienangehörigen gewährt wurden, die in einem anderen Mitgliedstaat als der Versicherte wohnen, und

b) die nach Artikel 24 Absatz 1 und den Artikeln 25 und 26 der Grundverordnung Rentnern und ihren Familienangehörigen gewährt wurden,

den Trägern, die diese Sachleistungen gewährt haben, von den zuständigen Trägern auf der Grundlage eines Pauschalbetrags, dessen Höhe für jedes Kalenderjahr ermittelt wird, erstattet. [2] Die Höhe dieses Pauschalbetrags muss den tatsächlichen Ausgaben möglichst nahe kommen.

Art. 64 Methode zur Berechnung der monatlichen Pauschalbeträge und des gesamten Pauschalbetrags. (1) [1] Für jeden forderungsberechtigten Mitgliedstaat wird der monatliche Pauschalbetrag pro Person (F_i) für ein Kalenderjahr ermittelt, indem man entsprechend der folgenden Formel die Jahresdurchschnittskosten pro Person (Y_i) nach Altersklasse (i) durch 12 teilt und das Ergebnis um einen Faktor (X) kürzt:

$$F_i = Y_i*1/12*(1-X)$$

[2] Dabei steht

- der Index (i = 1, 2 oder 3) für die drei bei der Berechnung des Pauschalbetrags berücksichtigten Altersklassen:
  i = 1: Personen unter 20 Jahren,
  i = 2: Personen von 20 bis 64 Jahren,
  i = 3: Personen ab 65 Jahren,
- Y_i für die Jahresdurchschnittskosten pro Person der Altersklasse i nach Absatz 2,
- der Koeffizient X (0,20 oder 0,15) für die Kürzung nach Absatz 3.

(2) [1] Die Jahresdurchschnittskosten pro Person (Y_i) der Altersklasse i werden ermittelt, indem man die Jahresausgaben für sämtliche Sachleistungen, die von Trägern des forderungsberechtigten Mitgliedstaats allen seinen Rechtsvorschriften unterliegenden und in seinem Hoheitsgebiet wohnenden Personen der betreffenden Altersklasse gewährt wurden, durch die durchschnittliche Zahl der betroffenen Personen dieser Altersklasse in dem betreffenden Kalenderjahr teilt. [2] Die Berechnung beruht auf den Aufwendungen im Rahmen der Systeme nach Artikel 23 der Durchführungsverordnung.

(3) [1] Die auf den monatlichen Pauschalbetrag anzuwendende Kürzung beträgt grundsätzlich 20 % (X = 0,20). [2] Ist der zuständige Mitgliedstaat nicht in Anhang IV der Grundverordnung aufgeführt, so beträgt sie für Rentner und ihre Familienangehörigen 15 % (X = 0,15).

(4) Für jeden leistungspflichtigen Mitgliedstaat wird der gesamte Pauschalbetrag für ein Kalenderjahr ermittelt, indem man den festgelegten monatlichen Pauschalbetrag pro Person für jede Altersklasse i mit der Zahl der Monate multipliziert, die die betreffenden Personen der jeweiligen Altersgruppe in dem forderungsberechtigten Mitgliedstaat zurückgelegt haben, und die Ergebnisse addiert.

[1] Die Zahl der von den betreffenden Personen in dem forderungsberechtigten Mitgliedstaat zurückgelegten Monate entspricht der Summe der Kalendermonate in einem Kalenderjahr, in denen die betreffenden Personen aufgrund ihres Wohnorts im Hoheitsgebiet des forderungsberechtigten Mitgliedstaats in eben diesem Hoheitsgebiet für Rechnung des leistungspflichtigen Mitgliedstaats für Sachleistungen in Betracht kamen. [2] Diese Monate werden mit Hilfe eines Verzeichnisses ermittelt, das der Träger des Wohnorts zu

diesem Zweck anhand von Nachweisen, die der zuständige Träger zur Verfügung stellt, über die Ansprüche der betreffenden Personen führt.

(5) [1] Die Verwaltungskommission legt spätestens bis zum 1. Mai 2015 einen gesonderten Bericht über die Anwendung dieses Artikels und insbesondere über die Kürzungen nach Absatz 3 vor. [2] Auf der Grundlage dieses Berichts kann die Verwaltungskommission einen Vorschlag mit Änderungen vorlegen, die sich gegebenenfalls als notwendig erweisen, um sicherzustellen, dass die Berechnung der Pauschalbeträge den tatsächlichen Aufwendungen so nahe wie möglich kommt und dass die Kürzungen nach Absatz 3 für die Mitgliedstaaten nicht zu unausgewogenen Zahlungen oder zu Doppelzahlungen führen.

(6) Die Verwaltungskommission bestimmt die Verfahren und Modalitäten, nach denen die in den Absätzen 1 bis 5 genannten Berechnungsfaktoren für die Pauschalbeträge festgelegt werden.

(7) Ungeachtet der Absätze 1 bis 4 können die Mitgliedstaaten für die Berechnung des Pauschalbetrags bis 1. Mai 2015 weiterhin Artikel 94 und 95 der Verordnung (EWG) Nr. 574/72[1)] anwenden, unter der Voraussetzung, dass auch die Kürzung nach Absatz 3 angewandt wird.

Art. 65 Mitteilung der Jahresdurchschnittskosten. (1) [1] Für ein bestimmtes Jahr wird die Höhe der Jahresdurchschnittskosten pro Person in den einzelnen Altersklassen spätestens bis zum Ende des zweiten Jahres, das auf dieses Jahr folgt, dem Rechnungsausschuss mitgeteilt. [2] Erfolgt die Mitteilung nicht bis zu diesem Zeitpunkt, so werden die Jahresdurchschnittskosten pro Person, die die Verwaltungskommission zuletzt für ein Jahr davor festgelegt hat, zugrunde gelegt.

(2) Die nach Absatz 1 festgelegten Jahresdurchschnittskosten werden jährlich im *Amtsblatt der Europäischen Union* veröffentlicht.

Abschnitt 3. Gemeinsame Vorschriften

Art. 66 Erstattungsverfahren zwischen Trägern. (1) [1] Die Erstattungen zwischen den betroffenen Mitgliedstaaten werden so rasch wie möglich vorgenommen. [2] Der betreffende Träger ist verpflichtet, die Forderungen vor Ablauf der in diesem Abschnitt genannten Fristen zu erstatten, sobald er dazu in der Lage ist. [3] Eine Beanstandung einer einzelnen Forderung verhindert nicht die Erstattung einer anderen Forderung oder anderer Forderungen.

(2) [1] Erstattungen zwischen den Trägern der Mitgliedstaaten nach den Artikeln 35 und 41 der Grundverordnung werden über die Verbindungsstelle abgewickelt. [2] Erstattungen nach den Artikeln 35 und 41 der Grundverordnung können jeweils über eine gesonderte Verbindungsstelle abgewickelt werden.

Art. 67 Fristen für die Einreichung und Zahlung der Forderungen.

(1) Forderungen auf der Grundlage von tatsächlichen Aufwendungen werden bei der Verbindungsstelle des leistungspflichtigen Mitgliedstaats binnen zwölf Monaten nach Ablauf des Kalenderhalbjahres eingereicht, in dem die

---

1) **DVD Nipperdey plus Nr. 868 a.**

Forderungen in die Rechnungsführung des forderungsberechtigten Trägers aufgenommen wurden.

(2) [1] Forderungen auf der Grundlage von Pauschalbeträgen für ein Kalenderjahr werden bei der Verbindungsstelle des leistungspflichtigen Mitgliedstaats binnen zwölf Monaten nach dem Monat eingereicht, in dem die Durchschnittskosten des betreffenden Jahres im *Amtsblatt der Europäischen Union* veröffentlicht wurden. [2] Die in Artikel 64 Absatz 4 der Durchführungsverordnung genannten Verzeichnisse werden bis zum Ende des Jahres, das dem Bezugsjahr folgt, vorgelegt.

(3) In dem in Artikel 6 Absatz 5 Unterabsatz 2 der Durchführungsverordnung genannten Fall beginnt die Frist nach den Absätzen 1 und 2 des vorliegenden Artikels erst mit dem Zeitpunkt der Ermittlung des zuständigen Trägers zu laufen.

(4) Forderungen, die nach Ablauf der in den Absätzen 1 und 2 genannten Fristen eingereicht werden, bleiben unberücksichtigt.

(5) [1] Die Forderungen werden binnen 18 Monaten nach Ablauf des Monats, in dem sie bei der Verbindungsstelle des leistungspflichtigen Mitgliedstaats eingereicht wurden, an die in Artikel 66 der Durchführungsverordnung genannte Verbindungsstelle des forderungsberechtigten Mitgliedstaats gezahlt. [2] Dies gilt nicht für Forderungen, die innerhalb dieses Zeitraums aus einem berechtigten Grund vom leistungspflichtigen Träger zurückgewiesen wurden.

(6) Beanstandungen einer Forderung müssen binnen 36 Monaten nach Ablauf des Monats geklärt sein, in dem die Forderung eingereicht wurde.

(7) Der Rechnungsausschuss erleichtert den Abschluss der Rechnungsführung in Fällen, in denen eine Einigung nicht innerhalb des in Absatz 6 genannten Zeitraums erzielt werden kann, und nimmt auf begründeten Antrag einer der Parteien innerhalb von sechs Monaten, gerechnet ab dem Monat, in dem er mit der Angelegenheit befasst worden ist, zu Beanstandungen Stellung.

Art. 68 Verzugszinsen und Anzahlungen. (1) [1] Nach Ablauf der Frist von 18 Monaten nach Artikel 67 Absatz 5 der Durchführungsverordnung kann der forderungsberechtigte Träger Zinsen auf ausstehende Forderungen erheben, es sei denn, der leistungspflichtige Träger hat innerhalb von sechs Monaten nach Ablauf des Monats, in dem die Forderung eingereicht wurde, eine Anzahlung in Höhe von mindestens 90 % der gesamten nach Artikel 67 Absätze 1 oder 2 der Durchführungsverordnung eingereichten Forderung geleistet. [2] Für die Teile der Forderung, die nicht durch die Anzahlung abgedeckt sind, können Zinsen erst nach Ablauf der Frist von 36 Monaten nach Artikel 67 Absatz 6 der Durchführungsverordnung erhoben werden.

(2) [1] Die Zinsen werden zu dem Referenzzinssatz berechnet, den die Europäische Zentralbank bei ihren Hauptrefinanzierungsgeschäften zugrunde legt. [2] Maßgeblich ist der Referenzzinssatz, der am ersten Tag des Monats gilt, in dem die Zahlung fällig ist.

(3) [1] Keine Verbindungsstelle ist verpflichtet, Anzahlungen nach Absatz 1 anzunehmen. [2] Lehnt eine Verbindungsstelle jedoch ein entsprechendes Angebot ab, so ist der forderungsberechtigte Träger nicht mehr berechtigt, andere Verzugszinsen als nach Absatz 1 Satz 2 auf die betreffenden Forderungen zu erheben.

Art. 69 Jahresabschlussbericht. (1) [1] Auf der Grundlage des Berichts des Rechnungsausschusses erstellt die Verwaltungskommission nach Artikel 72 Buchstabe g der Grundverordnung für jedes Kalenderjahr eine Übersicht über die Forderungen. [2] Zu diesem Zweck teilen die Verbindungsstellen dem Rechnungsausschuss unter Einhaltung der von diesem festgelegten Fristen und Modalitäten einerseits die Höhe der eingereichten, beglichenen oder beanstandeten Forderungen (Gläubigerposition) und andererseits die Höhe der eingegangenen, beglichenen oder beanstandeten Forderungen (Schuldnerposition) mit.

(2) Die Verwaltungskommission kann alle zweckdienlichen Prüfungen zur Kontrolle der statistischen Angaben und Rechnungsführungsdaten, auf deren Grundlage die Jahresübersicht über die Forderungen nach Absatz 1 erstellt wurde, vornehmen, insbesondere um sich zu vergewissern, dass diese Daten mit den in diesem Titel festgesetzten Regeln übereinstimmen.

Kapitel II. Erstattung der Leistungen bei Arbeitslosigkeit nach Artikel 65 der Grundverordnung

Art. 70 Erstattung der Leistungen bei Arbeitslosigkeit. [1] Falls keine Vereinbarung nach Artikel 65 Absatz 8 der Grundverordnung getroffen wurde, beantragt der Träger des Wohnorts die Erstattung von Leistungen bei Arbeitslosigkeit nach Artikel 65 Absätze 6 und 7 der Grundverordnung von dem Träger des Mitgliedstaats, dessen Rechtsvorschriften zuletzt für den Leistungsberechtigten gegolten haben. [2] Die Antragstellung erfolgt binnen sechs Monaten nach Ende des Kalenderhalbjahrs, in dem die letzte Zahlung von Leistungen bei Arbeitslosigkeit, deren Erstattung beantragt wird, geleistet wurde. [3] Aus dem Antrag gehen die Höhe der Leistungen, die nach Artikel 65 Absätze 6 oder 7 der Grundverordnung drei oder fünf Monate lang gezahlt wurden, die Zeit der Leistungszahlung und die Angaben zur Person des Arbeitslosen hervor. [4] Die Forderungen werden über die Verbindungsstellen der betroffenen Mitgliedstaaten eingereicht und bezahlt.

Es ist nicht erforderlich, Anträge, die nach der in Absatz 1 genannten Frist eingereicht werden, zu berücksichtigen.

Artikel 66 Absatz 1 und Artikel 67 Absätze 5 bis 7 der Durchführungsverordnung gelten entsprechend.

[1] Nach Ablauf der in Artikel 67 Absatz 5 der Durchführungsverordnung genannten Achtzehnmonatsfrist kann der forderungsberechtigte Träger Zinsen auf die nicht beglichenen Forderungen erheben. [2] Die Zinsen werden nach Artikel 68 Absatz 2 der Durchführungsverordnung berechnet.

[1] Als Höchstbetrag der Erstattung nach Artikel 65 Absatz 6 Satz 3 der Grundverordnung gilt in jedem Einzelfall der Leistungsbetrag, auf den eine betroffene Person nach den Rechtsvorschriften des Mitgliedstaats, die zuletzt für sie gegolten haben, Anspruch hätte, sofern sie bei der Arbeitsverwaltung dieses Mitgliedstaats gemeldet wäre. [2] In den Beziehungen zwischen den in Anhang 5 der Durchführungsverordnung aufgelisteten Mitgliedstaaten bestimmen jedoch die zuständigen Träger eines dieser Mitgliedstaaten, dessen Rechtsvorschriften zuletzt für die betroffene Person gegolten haben, in jedem Einzelfall den Höchstbetrag auf der Grundlage des Durchschnittsbetrags der Leistungen bei Arbeitslosigkeit, die nach den Rechtsvorschriften dieses Mitgliedstaats im vorangegangenen Kalenderjahr zu zahlen waren.

Kapitel III. Rückforderung gezahlter, aber nicht geschuldeter Leistungen, Einziehung vorläufiger Zahlungen und Beiträge, Ausgleich und Unterstützung bei der Beitreibung

Abschnitt 1. Grundsätze

Art. 71 Gemeinsame Bestimmungen. [1] Zur Durchführung des Artikels 84 der Grundverordnung und in dem darin abgesteckten Rahmen wird die Beitreibung von Forderungen soweit möglich auf dem Wege des Ausgleichs nach den Artikeln 72 bis 74 der Durchführungsverordnung vorgenommen, entweder zwischen den betreffenden Trägern oder Mitgliedstaaten oder gegenüber der betreffenden natürlichen oder juristischen Person. [2] Kann eine Forderung im Wege dieses Ausgleichs ganz oder teilweise nicht beigetrieben werden, so wird der noch geschuldete Betrag nach den Artikeln 75 bis 85 der Durchführungsverordnung beigetrieben.

Abschnitt 2. Ausgleich

Art. 72 Nicht geschuldete Leistungen. (1) [1] Hat der Träger eines Mitgliedstaats einer Person nicht geschuldete Leistungen ausgezahlt, so kann dieser Träger unter den Bedingungen und in den Grenzen der von ihm anzuwendenden Rechtsvorschriften den Träger jedes anderen Mitgliedstaats, der gegenüber der betreffenden Person zu Leistungen verpflichtet ist, um Einbehaltung des nicht geschuldeten Betrags von nachzuzahlenden Beträgen oder laufenden Zahlungen, die der betreffenden Person geschuldet sind, ersuchen, und zwar ungeachtet des Zweigs der sozialen Sicherheit, in dem die Leistung gezahlt wird. [2] Der Träger des letztgenannten Mitgliedstaats behält den entsprechenden Betrag unter den Bedingungen und in den Grenzen ein, die nach den von ihm anzuwendenden Rechtsvorschriften für einen solchen Ausgleich vorgesehen sind, als ob es sich um von ihm selbst zu viel gezahlte Beträge handelte; den einbehaltenen Betrag überweist er dem Träger, der die nicht geschuldeten Leistungen ausgezahlt hat.

(2) [1] Abweichend von Absatz 1 gilt Folgendes: Hat der Träger eines Mitgliedstaats bei der Feststellung oder Neufeststellung von Invaliditätsleistungen, Alters- und Hinterbliebenenrenten in Anwendung des Titels III Kapitel 4 und 5 der Grundverordnung einer Person Leistungen in nicht geschuldeter Höhe ausgezahlt, so kann dieser Träger vom Träger jedes anderen Mitgliedstaats, der gegenüber der betreffenden Person zu entsprechenden Leistungen verpflichtet ist, verlangen, den zuviel gezahlten Betrag von den nachzuzahlenden Beträgen einzubehalten, die der betreffenden Person zu zahlen sind. [2] Nachdem der letztgenannte Träger den Träger, der den nicht geschuldeten Betrag gezahlt hat, über diese nachzuzahlenden Beträge unterrichtet hat, muss der Träger, der den nicht geschuldeten Betrag gezahlt hat, die Summe des nicht geschuldeten Betrags innerhalb von zwei Monaten mitteilen. [3] Erhält der Träger, der die nachzuzahlenden Beträge zu zahlen hat, diese Mitteilung innerhalb der Frist, so überweist er den einbehaltenen Betrag an den Träger, der den nicht geschuldeten Betrag ausgezahlt hat. [4] Ist die Frist abgelaufen, so muss der genannte Träger der betreffenden Person die nachzuzahlenden Beträge unverzüglich auszahlen.

(3) Hat eine Person während eines Zeitraums, in dem sie nach den Rechtsvorschriften eines Mitgliedstaats Anspruch auf Leistungen hatte, in einem anderen Mitgliedstaat Sozialhilfe bezogen, so kann die Stelle, die Sozialhilfe

gewährt hat, falls sie einen gesetzlich zulässigen Regressanspruch auf der betreffenden Person geschuldete Leistungen hat, vom Träger jedes anderen Mitgliedstaats, der gegenüber der betreffenden Person zu Leistungen verpflichtet ist, verlangen, dass er den für Sozialhilfe verauslagten Betrag von den Beträgen einbehält, die dieser Mitgliedstaat der betreffenden Person zahlt.

Diese Bestimmung gilt entsprechend, wenn ein Familienangehöriger einer betroffenen Person während eines Zeitraums, in dem die versicherte Person für diesen Familienangehörigen nach den Rechtsvorschriften eines anderen Mitgliedstaats Anspruch auf Leistungen hatte, im Gebiet eines Mitgliedstaats Sozialhilfe bezogen hat.

Der Träger eines Mitgliedstaats, der einen nicht geschuldeten Betrag als Sozialhilfe ausgezahlt hat, übermittelt dem Träger des anderen Mitgliedstaats eine Abrechnung über den geschuldeten Betrag; dieser behält den entsprechenden Betrag unter den Bedingungen und in den Grenzen ein, die nach den von ihm anzuwendenden Rechtsvorschriften für einen solchen Ausgleich vorgesehen sind; den einbehaltenen Betrag überweist er unverzüglich dem Träger, der den nicht geschuldeten Betrag ausgezahlt hat.

Art. 73 Vorläufig gezahlte Geldleistungen oder Beiträge. (1) Bei der Anwendung von Artikel 6 der Durchführungsverordnung erstellt der Träger, der die Geldleistungen vorläufig gezahlt hat, spätestens drei Monate nach Bestimmung der anzuwendenden Rechtsvorschriften oder Ermittlung des für die Zahlung der Leistungen verantwortlichen Trägers eine Abrechnung über den vorläufig gezahlten Betrag und übermittelt diese dem als zuständig ermittelten Träger.

Der für die Zahlung der Leistungen als zuständig ermittelte Träger behält im Hinblick auf diese vorläufige Zahlung den geschuldeten Betrag von den nachzuzahlenden Beträgen der entsprechenden Leistungen, die er der betreffenden Person schuldet, ein und überweist den einbehaltenen Betrag unverzüglich dem Träger, der die Geldleistungen vorläufig gezahlt hat.

Geht der Betrag der vorläufig gezahlten Leistungen über den nachzuzahlenden Betrag hinaus, oder sind keine nachzuzahlenden Beträge vorhanden, so behält der als zuständig ermittelte Träger diesen Betrag unter den Bedingungen und in den Grenzen, die nach den von ihm anzuwendenden Rechtsvorschriften für einen solchen Ausgleich vorgesehen sind, von laufenden Zahlungen ein und überweist den einbehaltenen Betrag unverzüglich dem Träger, der die Geldleistungen vorläufig gezahlt hat.

(2) Der Träger, der von einer juristischen und/oder natürlichen Person vorläufig Beiträge erhalten hat, erstattet die entsprechenden Beträge erst dann der Person, die diese Beiträge gezahlt hat, wenn er bei dem als zuständig ermittelten Träger angefragt hat, welche Summen diesem nach Artikel 6 Absatz 4 der Durchführungsverordnung zustehen.

[1] Auf Antrag des als zuständig ermittelten Trägers, der spätestens drei Monate nach Bestimmung der anzuwendenden Rechtsvorschriften gestellt werden muss, überweist der Träger, der Beiträge vorläufig erhalten hat, diese dem als zuständig ermittelten Träger zur Bereinigung der Situation hinsichtlich der Beiträge, die die juristische und/oder natürliche Person diesem Träger schuldet. [2] Die überwiesenen Beiträge gelten rückwirkend als an den als zuständig ermittelten Träger gezahlt.

Übersteigt der Betrag der vorläufig gezahlten Beiträge den Betrag, den die juristische und/oder natürliche Person dem als zuständig ermittelten Träger schuldet, so erstattet der Träger, der die Beiträge vorläufig erhalten hat, den überschüssigen Betrag an die betreffende juristische und/oder natürliche Person.

Art. 74 Mit dem Ausgleich verbundene Kosten. Erfolgt die Einziehung auf dem Wege des Ausgleichs nach den Artikeln 72 und 73 der Durchführungsverordnung, fallen keinerlei Kosten an.

Abschnitt 3. Beitreibung

Art. 75[1] Begriffsbestimmungen und gemeinsame Bestimmungen.

(1) In diesem Abschnitt bezeichnet der Ausdruck

– „Forderungen“ alle Forderungen im Zusammenhang mit Beiträgen oder zu Unrecht gezahlten oder erbrachten Leistungen,
  einschließlich Zinsen, Geldbußen, Verwaltungsstrafen und alle anderen Gebühren und Kosten, die nach den Rechtsvorschriften des Mitgliedstaats, der die Forderung geltend macht, mit der Forderung verbunden sind;

– „ersuchende Partei“ in Bezug auf jeden Mitgliedstaat jeden Träger, der ein Ersuchen um Auskunft, Zustellung oder Beitreibung bezüglich einer Forderung im Sinne der vorstehenden Definition einreicht;

– „ersuchte Partei“ in Bezug auf jeden Mitgliedstaat jeden Träger, bei dem ein Ersuchen um Auskunft, Zustellung oder Beitreibung eingereicht werden kann.

(2) Ersuchen und alle damit zusammenhängenden Mitteilungen zwischen den Mitgliedstaaten werden grundsätzlich über bezeichnete Träger übermittelt.

(3) Praktische Durchführungsmaßnahmen, einschließlich u.a. der Maßnahmen in Bezug auf Artikel 4 der Durchführungsverordnung und in Bezug auf die Festlegung einer Mindestschwelle für Beträge, für die ein Beitreibungsersuchen gestellt werden kann, werden von der Verwaltungskommission getroffen.

Art. 76 Auskunftsverlangen. (1) Auf Antrag der ersuchenden Partei erteilt die ersuchte Partei dieser alle Auskünfte, die ihr bei der Beitreibung einer Forderung von Nutzen sind.

Zur Beschaffung dieser Auskünfte übt die ersuchte Partei die Befugnisse aus, die ihr nach den Rechts- und Verwaltungsvorschriften für die Beitreibung entsprechender Forderungen zustehen, die in ihrem eigenen Mitgliedstaat entstanden sind.

(2) Das Auskunftsersuchen enthält den Namen, die letzte bekannte Anschrift und alle sonstigen relevanten Angaben für die Identifizierung der betreffenden juristischen oder natürlichen Person, auf die sich die zu erteilenden Auskünfte beziehen, sowie Angaben über Art und Höhe der dem Ersuchen zugrunde liegenden Forderung.

(3) Die ersuchte Partei ist nicht gehalten, Auskünfte zu übermitteln,

a) die sie sich für die Beitreibung derartiger, in ihrem eigenen Mitgliedstaat entstandener Forderungen nicht beschaffen könnte,

[1] Art. 75 ber. ABl. 2018 Nr. L 54 S. 18.

b) mit denen ein Handels-, Gewerbe- oder Berufsgeheimnis preisgegeben würde und

c) deren Mitteilung die Sicherheit oder die öffentliche Ordnung des betreffenden Mitgliedstaats verletzen würde.

(4) Die ersuchte Partei teilt der ersuchenden Partei mit, aus welchen Gründen dem Auskunftsersuchen nicht stattgegeben werden kann.

Art. 77 Zustellung. (1) Auf Antrag der ersuchenden Partei nimmt die ersuchte Partei nach Maßgabe der Rechtsvorschriften für die Zustellung entsprechender Schriftstücke oder Entscheidungen in ihrem eigenen Mitgliedstaat die Zustellung aller mit einer Forderung und/oder mit deren Beitreibung zusammenhängenden und von dem Mitgliedstaat der ersuchenden Partei ausgehenden Verfügungen und Entscheidungen, einschließlich der gerichtlichen, an den Empfänger vor.

(2) Das Zustellungsersuchen enthält den Namen, die Anschrift und alle sonstigen für die Identifizierung des betreffenden Empfängers relevanten Angaben, die der ersuchenden Stelle normalerweise zugänglich sind, Angaben über Art und Gegenstand der zuzustellenden Verfügung oder Entscheidung und erforderlichenfalls den Namen, die Anschrift und alle sonstigen der ersuchenden Stelle normalerweise zugänglichen für die Identifizierung relevanten Angaben zum Schuldner und zu der Forderung, auf die sich die Verfügung oder Entscheidung bezieht, sowie alle sonstigen sachdienlichen Angaben.

(3) Die ersuchte Partei teilt der ersuchenden Partei unverzüglich mit, was aufgrund dieses Zustellungsersuchens veranlasst worden ist und insbesondere, an welchem Tag dem Empfänger die Entscheidung oder Verfügung übermittelt worden ist.

Art. 78 Beitreibungsersuchen. (1) Dem Ersuchen um Beitreibung einer Forderung, das die ersuchende Partei an die ersuchte Partei richtet, sind eine amtliche Ausfertigung oder eine beglaubigte Kopie des in dem Mitgliedstaat, in dem die ersuchende Partei ihren Sitz hat, ausgestellten Vollstreckungstitels und gegebenenfalls das Original oder eine beglaubigte Kopie etwaiger für die Beitreibung sonst erforderlicher Dokumente beizufügen.

(2) Die ersuchende Partei kann ein Beitreibungsersuchen nur dann stellen,

a) wenn die Forderung und/oder der Vollstreckungstitel in ihrem Mitgliedstaat nicht angefochten wurden, außer für den Fall, dass Artikel 81 Absatz 2 Unterabsatz 2 der Durchführungsverordnung angewandt wird;

b) wenn sie in ihrem Mitgliedstaat bereits geeignete Beitreibungsverfahren durchgeführt hat, wie sie aufgrund des in Absatz 1 genannten Titels durchgeführt werden können, und die getroffenen Maßnahmen nicht zur vollständigen Befriedigung der Forderung führen werden;

c) wenn die Verjährungsfrist nach innerstaatlichem Recht noch nicht abgelaufen ist.

(3) Das Beitreibungsersuchen enthält:

a) Namen, Anschrift und sonstige sachdienliche Angaben zur Identifizierung der betreffenden natürlichen oder juristischen Person bzw. des Dritten, in dessen Besitz sich ihre Vermögenswerte befinden;

b) Namen, Anschrift und sonstige sachdienliche Angaben zur Identifizierung der ersuchenden Partei;

c) eine Bezugnahme auf den im Mitgliedstaat der ersuchenden Partei ausgestellten Vollstreckungstitel;

d) Art und Höhe der Forderung, einschließlich der Hauptforderung, Zinsen, Geldbußen, Verwaltungsstrafen und alle anderen Gebühren und Kosten in den Währungen des Mitgliedstaats der ersuchenden und der ersuchten Partei;

e) Datum des Tages, an dem die ersuchende Partei bzw. die ersuchte Partei den Vollstreckungstitel dem Empfänger zugestellt haben;

f) Datum des Tages, ab dem und Frist während der die Beitreibung nach dem Recht des Mitgliedstaats der ersuchenden Partei ausgeführt werden kann;

g) alle sonstigen sachdienlichen Informationen.

(4) Das Beitreibungsersuchen muss ferner eine Erklärung der ersuchenden Partei enthalten, in der diese bestätigt, dass die in Absatz 2 genannten Voraussetzungen erfüllt sind.

(5) Die ersuchende Partei übermittelt der ersuchten Partei alle maßgebenden Informationen in der Sache, die dem Beitreibungsersuchen zugrunde liegt, sobald diese zu ihrer Kenntnis gelangen.

Art. 79 Vollstreckungstitel. (1) Nach Artikel 84 Absatz 2 der Grundverordnung wird der Vollstreckungstitel für die Beitreibung der Forderung unmittelbar anerkannt und automatisch wie ein Titel für die Vollstreckung einer Forderung des Mitgliedstaats der ersuchten Partei behandelt.

(2) Ungeachtet des Absatzes 1 kann der Vollstreckungstitel gegebenenfalls nach dem Recht des Mitgliedstaats der ersuchten Partei als Titel angenommen oder anerkannt oder durch einen Titel ergänzt oder ersetzt werden, der die Vollstreckung im Hoheitsgebiet dieses Mitgliedstaats ermöglicht.

[1]Die Mitgliedstaaten bemühen sich, die Annahme, Anerkennung, Ergänzung bzw. Ersetzung des Titels binnen drei Monaten nach Eingang des Beitreibungsersuchens abzuschließen, außer in den Fällen, in denen Unterabsatz 3 dieses Absatzes Anwendung findet. [2]Mitgliedstaaten können die Durchführung dieser Handlungen nicht verweigern, wenn der Titel ordnungsgemäß abgefasst ist. [3]Überschreitet die ersuchte Partei die Dreimonatsfrist, teilt sie der ersuchenden Partei die Gründe dieser Überschreitung mit.

Entsteht im Zusammenhang mit einer dieser Forderungen und/oder dem von der ersuchenden Partei ausgestellten Vollstreckungstitel wegen einer dieser Handlungen eine Streitigkeit, so findet Artikel 81 der Durchführungsverordnung Anwendung.

Art. 80 Zahlungsmodalitäten und -fristen. (1) [1]Die Beitreibung erfolgt in der Währung des Mitgliedstaats der ersuchten Partei. [2]Die ersuchte Partei überweist den gesamten von ihr beigetriebenen Betrag der Forderung an die ersuchende Partei.

(2) [1]Sofern dies nach dem Recht und der Verwaltungspraxis ihres Mitgliedstaats zulässig ist, kann die ersuchte Partei dem Schuldner nach Konsultation der ersuchenden Partei eine Zahlungsfrist oder Ratenzahlung einräumen.

[2] Die von der ersuchten Partei angesichts dieser Zahlungsfrist berechneten Zinsen werden ebenfalls an die ersuchende Partei überwiesen.

Ab dem Zeitpunkt der unmittelbaren Anerkennung des Vollstreckungstitels nach Artikel 79 Absatz 1 der Durchführungsverordnung oder der Bestätigung, Ergänzung oder Ersetzung des Vollstreckungstitels nach Artikel 79 Absatz 2 der Durchführungsverordnung werden nach den Rechts- und Verwaltungsvorschriften und der Verwaltungspraxis des Mitgliedstaats der ersuchten Partei Verzugszinsen berechnet und an die ersuchende Partei überwiesen.

Art. 81 Anfechtung der Forderung oder des Vollstreckungstitels und Anfechtung der Vollstreckungsmaßnahmen. (1) [1] Wird im Verlauf der Beitreibung die Forderung oder der im Mitgliedstaat der ersuchenden Partei ausgestellte Vollstreckungstitel von einem Betroffenen angefochten, so wird der Rechtsbehelf von diesem bei den zuständigen Behörden des Mitgliedstaats der ersuchenden Partei nach dem in diesem Mitgliedstaat geltenden Recht eingelegt. [2] Über die Einleitung dieses Verfahrens hat die ersuchende Partei der ersuchten Partei unverzüglich Mitteilung zu machen. [3] Ferner kann der Betroffene die ersuchte Partei über die Einleitung dieses Verfahrens informieren.

(2) [1] Sobald die ersuchte Partei die Mitteilung oder Information nach Absatz 1 seitens der ersuchenden Partei oder des Betroffenen erhalten hat, setzt sie das Vollstreckungsverfahren in der Erwartung einer Entscheidung der zuständigen Behörde aus, es sei denn, die ersuchende Partei wünscht ein anderes Vorgehen in Übereinstimmung mit Unterabsatz 2 dieses Absatzes. [2] Sofern sie dies für notwendig erachtet, kann die ersuchte Partei unbeschadet des Artikels 84 der Durchführungsverordnung Sicherungsmaßnahmen treffen, um die Beitreibung sicherzustellen, soweit die Rechts- und Verwaltungsvorschriften ihres Mitgliedstaats dies für derartige Forderungen zulassen.

[1] Ungeachtet des Unterabsatzes 1 kann die ersuchende Partei nach den Rechts- und Verwaltungsvorschriften und der Verwaltungspraxis ihres Mitgliedstaats die ersuchte Partei um Beitreibung einer angefochtenen Forderung ersuchen, sofern dies nach den Rechts- und Verwaltungsvorschriften und der Verwaltungspraxis des Mitgliedstaats der ersuchten Partei zulässig ist. [2] Wird der Anfechtung später stattgegeben, haftet die ersuchende Partei für die Erstattung bereits beigetriebener Beträge samt etwaiger geschuldeter Entschädigungsleistungen nach dem Recht des Mitgliedstaats der ersuchten Partei.

(3) Betrifft die Anfechtung die Vollstreckungsmaßnahmen im Mitgliedstaat der ersuchten Partei, so ist sie nach den dort geltenden Rechts- und Verwaltungsvorschriften bei der zuständigen Behörde dieses Mitgliedstaats einzulegen.

(4) Wenn die zuständige Behörde, bei der der Rechtsbehelf nach Absatz 1 eingelegt wurde, ein ordentliches Gericht oder ein Verwaltungsgericht ist, so gilt die Entscheidung dieses Gerichts, sofern sie zugunsten der ersuchenden Partei ausfällt und die Beitreibung der Forderung in dem Mitgliedstaat, in dem die ersuchende Partei ihren Sitz hat, ermöglicht, als „Vollstreckungstitel" *im Sinne* der Artikel 78 und 79 der Durchführungsverordnung, und die Beitreibung der Forderung wird aufgrund dieser Entscheidung vorgenommen.

Art. 82 Grenzen der Unterstützung. (1) Die ersuchte Partei ist nicht verpflichtet,

a) die in den Artikeln 78 bis 81 der Durchführungsverordnung vorgesehene Unterstützung zu gewähren, wenn die Beitreibung der Forderung wegen der Situation des Schuldners zu ernsten wirtschaftlichen oder sozialen Schwierigkeiten im Mitgliedstaat der ersuchten Partei führen würde, sofern dies nach den geltenden Rechts- und Verwaltungsvorschriften des Mitgliedstaats der ersuchten Partei oder der dort üblichen Verwaltungspraxis für gleichartige inländische Forderungen zulässig ist;

b) die in den Artikeln 76 bis 81 der Durchführungsverordnung vorgesehene Unterstützung zu gewähren, wenn sich das erste Ersuchen nach den Artikeln 76 bis 78 der Durchführungsverordnung auf mehr als fünf Jahre alte Forderungen bezieht, das heißt, wenn zwischen der Ausstellung des Vollstreckungstitels nach den geltenden Rechts- und Verwaltungsvorschriften des Mitgliedstaats der ersuchenden Partei und der dort üblichen Verwaltungspraxis und dem Datum des Ersuchens mehr als fünf Jahre vergangen sind. Bei einer etwaigen Anfechtung der Forderung oder des Titels beginnt die Frist jedoch erst ab dem Zeitpunkt, zu dem der Mitgliedstaat der ersuchenden Partei feststellt, dass die Forderung oder der Vollstreckungstitel unanfechtbar geworden sind.

(2) Die ersuchte Partei teilt der ersuchenden Partei mit, aus welchen Gründen dem Unterstützungsersuchen nicht stattgegeben werden kann.

Art. 83 Verjährungsfrist. (1) Verjährungsfragen werden wie folgt geregelt:

a) nach dem geltenden Recht des Mitgliedstaats der ersuchenden Partei, soweit es die Forderung und oder den Vollstreckungstitel betrifft, und

b) nach dem geltenden Recht des Mitgliedstaats der ersuchten Partei, soweit es Vollstreckungsmaßnahmen im ersuchten Mitgliedstaat betrifft.

Die Verjährungsfristen nach dem im Mitgliedstaat der ersuchten Partei geltenden Recht beginnen ab dem Zeitpunkt der unmittelbaren Anerkennung oder ab dem Zeitpunkt der Zustimmung, Anerkennung, Ergänzung oder Ersetzung nach Artikel 79 der Durchführungsverordnung.

(2) Die von der ersuchten Partei auf Grund des Unterstützungsersuchens durchgeführten Beitreibungsmaßnahmen, die im Falle der Durchführung durch die ersuchende Partei eine Aussetzung oder eine Unterbrechung der Verjährung nach dem geltenden Recht des Mitgliedstaats der ersuchenden Partei bewirkt hätten, gelten insoweit als von diesem letztgenannten Staat vorgenommen.

Art. 84 Vorsorgemaßnahmen. Auf einen mit Gründen versehenen Antrag der ersuchenden Partei trifft die ersuchte Partei die erforderlichen Sicherungsmaßnahmen, um die Beitreibung einer Forderung zu gewährleisten, sofern dies nach dem Recht des Mitgliedstaats der ersuchten Partei zulässig ist.

Für die Durchführung des Absatzes 1 gelten die Bestimmungen und Verfahren der Artikel 78, 79, 81 und 82 der Durchführungsverordnung entsprechend.

Art. 85 Beitreibungskosten. (1) Die ersuchte Partei zieht bei der natürlichen oder juristischen Person sämtliche Kosten ein, die ihr im Zusammenhang mit der Beitreibung entstehen; sie verfährt dabei nach den für vergleichbare Forderungen geltenden Rechts- und Verwaltungsvorschriften des Mitgliedstaats der ersuchten Partei.

(2) [1] Die im Rahmen dieses Abschnitts geleistete Amtshilfe wird in der Regel unentgeltlich gewährt. [2] Bereitet die Beitreibung jedoch besondere Probleme oder führt sie zu sehr hohen Kosten, so können die ersuchende und die ersuchte Partei im Einzelfall spezielle Erstattungsmodalitäten vereinbaren.

(3) Der Mitgliedstaat der ersuchenden Partei bleibt gegenüber dem Mitgliedstaat der ersuchten Partei für jegliche Kosten und Verluste haftbar, die durch Maßnahmen entstehen, die hinsichtlich der Begründetheit der Forderung oder der Gültigkeit des von der ersuchenden Partei ausgestellten Titels als nicht gerechtfertigt befunden werden.

Art. 86 Überprüfungsklausel. (1) Spätestens bis zum vierten vollen Kalenderjahr nach dem Inkrafttreten der Durchführungsverordnung legt die Verwaltungskommission einen vergleichenden Bericht über die in Artikel 67 Absätze 2, 5 und 6 der Durchführungsverordnung genannten Fristen vor.

Auf der Grundlage dieses Berichts kann die Kommission gegebenenfalls Vorschläge zur Überprüfung dieser Fristen mit dem Ziel vorlegen, diese Fristen wesentlich zu verkürzen.

(2) Spätestens bis zu dem in Absatz 1 genannten Zeitpunkt bewertet die Verwaltungskommission auch die in Artikel 13 vorgesehenen Regeln für die Umrechnung von Zeiten im Hinblick auf eine Vereinfachung dieser Regeln, falls dies möglich ist.

(3) Spätestens bis zum 1. Mai 2015 legt die Verwaltungskommission einen Sonderbericht zur Bewertung der Anwendung des Titels IV Kapitel I und Kapitel III der Durchführungsverordnung insbesondere hinsichtlich der Verfahren und Fristen nach Artikel 67 Absätze 2, 5 und 6 der Durchführungsverordnung und der Beitreibungsverfahren nach den Artikeln 75 bis 85 der Durchführungsverordnung vor.

Im Lichte dieses Berichts kann die Europäische Kommission erforderlichenfalls geeignete Vorschläge für eine effizientere und ausgewogene Gestaltung dieser Verfahren unterbreiten.

Titel V. Sonstige Vorschriften, Übergangs- und Schlussbestimmungen

Art. 87 Ärztliche Gutachten und verwaltungsmäßige Kontrollen. (1) Unbeschadet sonstiger Vorschriften gilt Folgendes: Hält sich ein Antragsteller oder ein Leistungsempfänger oder ein Familienangehöriger vorübergehend im Hoheitsgebiet eines anderen als des Mitgliedstaats auf, in dem sich der leistungspflichtige Träger befindet, oder wohnt er dort, so wird eine ärztliche Untersuchung auf Ersuchen dieses Trägers durch den Träger des Aufenthalts- oder Wohnorts des Berechtigten entsprechend dem von diesem Träger anzuwendenden gesetzlich vorgeschriebenen Verfahren vorgenommen.

Der leistungspflichtige Träger teilt dem Träger des Aufenthalts- oder Wohnorts mit, welche besonderen Voraussetzungen erforderlichenfalls zu erfüllen und welche Aspekte in dem ärztlichen Gutachten zu berücksichtigen sind.

(2) [1] Der Träger des Aufenthalts- oder Wohnorts erstattet dem leistungspflichtigen Träger, der um das ärztliche Gutachten ersucht hat, Bericht. [2] Der leistungspflichtige Träger ist an die Feststellungen des Trägers des Aufenthalts- oder Wohnorts gebunden.

[1] Dem leistungspflichtigen Träger steht es frei, den Leistungsberechtigten durch einen Arzt seiner Wahl untersuchen zu lassen. [2] Allerdings kann der Berechtigte nur dann aufgefordert werden, sich in den Mitgliedstaat des leistungspflichtigen Trägers zu begeben, wenn er reisen kann, ohne dass dies seine Gesundheit gefährdet, und wenn die damit verbundenen Reise- und Aufenthaltskosten von dem leistungspflichtigen Träger übernommen werden.

(3) Hält sich ein Antragsteller oder Leistungsempfänger oder ein Familienangehöriger im Hoheitsgebiet eines anderen als des Mitgliedstaats auf, in dem sich der leistungspflichtige Träger befindet, oder wohnt er dort, so wird die verwaltungsmäßige Kontrolle auf Ersuchen dieses Trägers vom Träger des Aufenthalts- oder Wohnorts des Berechtigten durchgeführt.

Absatz 2 gilt auch in diesem Fall.

(4) Die Absätze 2 und 3 finden auch Anwendung, um den Grad der Pflegebedürftigkeit des Antragstellers oder des Empfängers der in Artikel 34 der Grundverordnung genannten Leistungen bei Pflegebedürftigkeit festzustellen oder zu kontrollieren.

(5) Die zuständigen Behörden bzw. zuständigen Träger von zwei oder mehr Mitgliedstaaten können spezifische Vorschriften und Verfahren vereinbaren, um die Voraussetzungen für eine teilweise oder vollständige Wiederaufnahme der Arbeit durch Antragsteller und Leistungsempfänger und ihre Teilnahme an Systemen oder Programmen, die im Aufenthalts- oder Wohnmitgliedstaat zu diesem Zweck zur Verfügung stehen, zu verbessern.

(6) In Abweichung vom Grundsatz der kostenfreien gegenseitigen Amtshilfe nach Artikel 76 Absatz 2 der Grundverordnung werden die Kosten, die im Zusammenhang mit den in den Absätzen 1 bis 5 aufgeführten Kontrollen tatsächlich entstanden sind, dem Träger, der mit der Durchführung der Kontrolle beauftragt wurde, vom leistungspflichtigen Träger, der diese Kontrollen angefordert hatte, erstattet.

Art. 88 Mitteilungen. (1) Die Mitgliedstaaten teilen der Europäischen Kommission die Kontaktadressen der in Artikel 1 Buchstaben m, q und r der Grundverordnung und in Artikel 1 Absatz 2 Buchstaben a und b der Durchführungsverordnung genannten Stellen und der nach der Durchführungsverordnung bezeichneten Träger mit.

(2) Die Stellen nach Absatz 1 müssen über eine elektronische Identität in Form eines Identifizierungscodes und über eine elektronische Anschrift verfügen.

(3) Die Verwaltungskommission legt Aufbau, Inhalt und Verfahren im Einzelnen einschließlich des gemeinsamen Formats und des Musters für die Mitteilung der Kontaktadressen nach Absatz 1 fest.

(4) [1] In Anhang 4 der Durchführungsverordnung ist die öffentlich zugängliche Datenbank bezeichnet, in der die Informationen nach Absatz 1 zusammengestellt sind. [2] Diese Datenbank wird von der Europäischen Kommission aufgebaut und verwaltet. [3] Die Mitgliedstaaten sind jedoch dafür verantwort-

lich, ihre eigenen nationalen Kontaktadressen in diese Datenbank einzugeben. [4] Darüber hinaus sorgen die Mitgliedstaaten für die Richtigkeit der Eingabedaten der nach Absatz 1 erforderlichen nationalen Kontaktadressen.

(5) Die Mitgliedstaaten gewährleisten die ständige Aktualisierung der Informationen nach Absatz 1.

Art. 89 Informationen. (1) [1] Die Verwaltungskommission stellt die erforderlichen Informationen bereit, damit die betreffenden Personen von ihren Rechten und den bei deren Geltendmachung zu beachtenden Formvorschriften Kenntnis nehmen können. [2] Die Informationen werden nach Möglichkeit auf elektronischem Wege verbreitet und zu diesem Zweck auf allgemein zugänglichen Internetseiten zur Verfügung gestellt. [3] Die Verwaltungskommission stellt sicher, dass die Informationen regelmäßig aktualisiert werden, und überwacht die Qualität der für die Kunden erbrachten Dienstleistungen.

(2) Der in Artikel 75 der Grundverordnung genannte Beratende Ausschuss kann zur Verbesserung der Informationen und ihrer Verbreitung Stellungnahmen und Empfehlungen abgeben.

(3) Die zuständigen Behörden stellen sicher, dass ihre Träger über sämtliche Rechts- und Verwaltungsvorschriften der Gemeinschaft, einschließlich der Beschlüsse der Verwaltungskommission, informiert sind und diese in den Bereichen, die unter die Grundverordnung und die Durchführungsverordnung fallen, unter Beachtung der dort festgelegten Bedingungen anwenden.

Art. 90 Währungsumrechnung. [1] Bei der Anwendung der Grundverordnung und der Durchführungsverordnung gilt als Wechselkurs zweier Währungen der von der Europäischen Zentralbank veröffentlichte Referenzwechselkurs. [2] Die Verwaltungskommission bestimmt den Bezugszeitpunkt für die Festlegung des Wechselkurses.

Art. 91 Statistiken. [1] Die zuständigen Behörden erstellen Statistiken zur Durchführung der Grundverordnung und der Durchführungsverordnung und übermitteln sie dem Sekretariat der Verwaltungskommission. [2] Der Plan und die Methode für die Erhebung und Zusammenstellung dieser Daten werden von der Verwaltungskommission festgelegt. [3] Die Europäische Kommission sorgt für die Verbreitung dieser Informationen.

Art. 92 Änderung der Anhänge. Die Anhänge 1, 2, 3, 4 und 5 der Durchführungsverordnung sowie die Anhänge VI, VII, VIII und IX der Grundverordnung können auf Antrag der Verwaltungskommission durch eine Verordnung der Kommission geändert werden.

Art. 93 Übergangsbestimmungen. Artikel 87 der Grundverordnung gilt für die Sachverhalte im Anwendungsbereich der Durchführungsverordnung.

Art. 94 Übergangsvorschriften für Renten. (1) Ist der Versicherungsfall vor dem Datum des Inkrafttretens der Durchführungsverordnung im Hoheitsgebiet des betreffenden Mitgliedstaats eingetreten, ohne dass vor diesem Zeitpunkt für den Rentenantrag eine Feststellung erfolgt ist, und sind aufgrund dieses Versicherungsfalls Leistungen für eine Zeitspanne vor diesem Zeitpunkt zu gewähren, so hat dieser Antrag eine doppelte Feststellung zur Folge, und zwar

a) für die Zeit vor dem Datum des Inkrafttretens der Durchführungsverordnung im Hoheitsgebiet des betreffenden Mitgliedstaats nach der Verordnung (EWG) Nr. 1408/71[1] beziehungsweise nach Vereinbarungen zwischen den betreffenden Mitgliedstaaten sowie

b) für die Zeit ab dem Datum des Inkrafttretens der Durchführungsverordnung im Hoheitsgebiet des betreffenden Mitgliedstaats nach der Grundverordnung.

Ergibt sich jedoch bei der Berechnung nach Buchstabe a ein höherer Betrag als bei der Berechnung nach Buchstabe b, so erhält die betreffende Person weiterhin den Betrag, der sich bei der Berechnung nach Buchstabe a ergibt.

(2) Wird ab dem Datum des Inkrafttretens der Durchführungsverordnung im Hoheitsgebiet des betreffenden Mitgliedstaats ein Antrag auf Leistungen bei Invalidität, bei Alter oder an Hinterbliebene bei einem Träger eines Mitgliedstaats gestellt, so werden die Leistungen, die vor diesem Zeitpunkt für denselben Versicherungsfall durch den oder die Träger eines oder mehrerer anderer Mitgliedstaaten festgestellt wurden, von Amts wegen nach der Verordnung neu festgestellt; die Neufeststellung darf nicht zu einem geringeren Leistungsbetrag führen.

Art. 95 Übergangszeit für den elektronischen Datenaustausch. (1) Jedem Mitgliedstaat kann eine Übergangszeit für den elektronischen Datenaustausch nach Artikel 4 Absatz 2 der Durchführungsverordnung eingeräumt werden.

Diese Übergangszeiten enden spätestens 24 Monate nach dem Datum des Inkrafttretens der Durchführungsverordnung.

Verspätet sich jedoch die Bereitstellung der erforderlichen gemeinschaftlichen Infrastruktur (Elektronischer Austausch von Information der sozialen Sicherheit – EESSI) bezogen auf das Inkrafttreten der Durchführungsverordnung wesentlich, so kann die Verwaltungskommission eine angemessene Verlängerung der Übergangszeiten beschließen.

(2) Die praktischen Verfahren für erforderliche Übergangszeiten nach Absatz 1 werden von der Verwaltungskommission so festgelegt, dass der für die Anwendung der Grundverordnung und der Durchführungsverordnung erforderliche Datenaustausch sichergestellt ist.

Art. 96 Aufhebung. (1) Die Verordnung (EWG) Nr. 574/72[2] wird mit Wirkung vom 1. Mai 2010 aufgehoben.

Die Verordnung (EWG) Nr. 574/72 bleibt jedoch in Kraft und behält ihre Rechtswirkung für die Zwecke

a) der Verordnung (EG) Nr. 859/2003 des Rates vom 14. Mai 2003 zur Ausdehnung der Bestimmungen der Verordnung (EWG) Nr. 1408/71[1] und der Verordnung (EWG) Nr. 574/72 auf Drittstaatsangehörige, die ausschließlich aufgrund ihrer Staatsangehörigkeit nicht bereits unter diese

---

[1] Nr. **867**.
[2] **DVD Nipperdey plus Nr. 868 a.**

Bestimmungen fallen[1], solange die genannte Verordnung nicht aufgehoben oder geändert ist;

b) der Verordnung (EWG) Nr. 1661/85 des Rates vom 13. Juni 1985 zur Festlegung der technischen Anpassungen der Gemeinschaftsregelung auf dem Gebiet der sozialen Sicherheit der Wanderarbeitnehmer in Bezug auf Grönland[2], solange die genannte Verordnung nicht aufgehoben oder geändert ist;

c) des Abkommens über den Europäischen Wirtschaftsraum[3], des Abkommens zwischen der Europäischen Gemeinschaft und ihren Mitgliedstaaten einerseits und der Schweizerischen Eidgenossenschaft andererseits über die Freizügigkeit[4] sowie anderer Abkommen, die eine Verweisung auf die Verordnung (EWG) Nr. 574/72 enthalten, solange die genannten Abkommen nicht infolge der Durchführungsverordnung geändert worden sind.

(2) In der Richtlinie 98/49/EG[5] des Rates vom 29. Juni 1998 zur Wahrung ergänzender Rentenansprüche von Arbeitnehmern und Selbständigen, die innerhalb der Europäischen Gemeinschaft zu- und abwandern[6], und generell in allen anderen Rechtsakten der Gemeinschaft gelten Verweisungen auf die Verordnung (EWG) Nr. 574/72 als Verweisungen auf die Durchführungsverordnung.

Art. 97 Veröffentlichung und Inkrafttreten. [1] Diese Verordnung wird im *Amtsblatt der Europäischen Union* veröffentlicht. [2] Sie tritt am 1. Mai 2010 in Kraft.

Diese Verordnung ist in allen ihren Teilen verbindlich und gilt unmittelbar in jedem Mitgliedstaat.

Anhänge

(hier nicht wiedergegeben)

[1] **Amtl. Anm.:** ABl. L 124 vom 20. 5. 2003, S. 1.
[2] **Amtl. Anm.:** ABl. L 160 vom 20. 6. 1985, S. 7.
[3] **Amtl. Anm.:** ABl. L 1 vom 3. 1. 1994, S. 1.
[4] **Amtl. Anm.:** ABl. L 114 vom 30. 4. 2002, S. 6.
[5] **DVD Nipperdey plus Nr. 874.**
[6] **Amtl. Anm.:** ABl. L 209 vom 25. 7. 1998, S. 46.

875. Richtlinie 2014/36/EU des Europäischen Parlaments und des Rates vom 26. Februar 2014 über die Bedingungen für die Einreise und den Aufenthalt von Drittstaatsangehörigen zwecks Beschäftigung als Saisonarbeitnehmer

(ABl. Nr. L 94 S. 375)[1]

Celex-Nr. 3 2014 L 0036

DAS EUROPÄISCHE PARLAMENT UND DER RAT DER EUROPÄISCHEN UNION –

gestützt auf den Vertrag über die Arbeitsweise der Europäischen Union, insbesondere Artikel 79 Absatz 2 Buchstaben a und b,

auf Vorschlag der Europäischen Kommission,

nach Zuleitung des Entwurfs des Gesetzgebungsakts an die nationalen Parlamente,

nach Stellungnahme des Europäischen Wirtschafts- und Sozialausschusses[2],

nach Stellungnahme des Ausschusses der Regionen[3],

gemäß dem ordentlichen Gesetzgebungsverfahren[4],

in Erwägung nachstehender Gründe:

(1) Für den schrittweisen Aufbau eines Raums der Freiheit, der Sicherheit und des Rechts sieht der Vertrag über die Arbeitsweise der Europäischen Union (AEUV) die Annahme von Maßnahmen in Bezug auf Asyl, Einwanderung und Schutz der Rechte von Drittstaatsangehörigen vor.

(2) Nach dem AEUV hat die Union eine gemeinsame Einwanderungspolitik zu entwickeln, die in allen Phasen eine wirksame Steuerung der Migrationsströme und eine angemessene Behandlung von Drittstaatsangehörigen, die sich rechtmäßig in einem Mitgliedstaat aufhalten, gewährleisten soll. Zu diesem Zweck haben das Europäische Parlament und der Rat Maßnahmen in Bezug auf die Voraussetzungen für die Einreise und den Aufenthalt von Drittstaatsangehörigen und auf die Festlegung ihrer Rechte zu erlassen.

(3) Der Europäische Rat hat in dem auf seiner Tagung vom 4. November 2004 verabschiedeten Haager Programm anerkannt, dass die legale Zuwanderung eine wichtige Rolle bei der Förderung der wirtschaftlichen Entwicklung spielt, und er hat die Kommission aufgefordert, einen strategischen Plan zur legalen Zuwanderung vorzulegen, der auch Zulassungsverfahren umfasst, die es ermöglichen, umgehend auf eine sich ändernde Nachfrage nach Arbeitsmigranten auf dem Arbeitsmarkt zu reagieren.

---

[1] Veröffentlicht am 28. 3. 2014.

[2] **Amtl. Anm.:** ABl. C 218 vom 23. 7. 2011, S. 97.

[3] **Amtl. Anm.:** ABl. C 166 vom 7. 6. 2011, S. 59.

[4] **Amtl. Anm.:** Standpunkt des Europäischen Parlaments vom 5. Februar 2014 (noch nicht im Amtsblatt veröffentlicht) und Beschluss des Rates vom 17. Februar 2014.

(4) Auf seiner Tagung vom 14. und 15. Dezember 2006 hat sich der Europäische Rat auf eine Reihe von Schritten für das Jahr 2007 geeinigt. Diese Schritte umfassen die Entwicklung einer wirksam gesteuerten Politik der legalen Zuwanderung, die die nationalen Zuständigkeiten uneingeschränkt wahrt und die Mitgliedstaaten bei der Deckung des bestehenden und künftigen Bedarfs an Arbeitskräften unterstützt. Darüber hinaus sollten Mittel zur Erleichterung der zeitlich befristeten Migration sondiert werden.

(5) Der Europäische Pakt zu Einwanderung und Asyl, der vom Europäischen Rat auf seiner Tagung vom 16. Oktober 2008 angenommen wurde, bringt die Verpflichtung der Union und ihrer Mitgliedstaaten zum Ausdruck, angesichts der Herausforderungen und Chancen der Migration eine gerechte, wirksame und kohärente Politik zu verfolgen. Der Pakt bildet die Grundlage für eine gemeinsame Einwanderungspolitik, die im Zeichen der Solidarität zwischen den Mitgliedstaaten und der Zusammenarbeit mit den Drittstaaten steht und auf einer optimalen Steuerung der Migrationsströme beruht, was nicht nur im Interesse der Aufnahmeländer, sondern auch der Herkunftsländer und der Migranten selbst ist.

(6) Im Stockholmer Programm, das der Europäische Rat am 11. Dezember 2009 angenommen hat, wird festgestellt, dass eine Zuwanderung von Arbeitskräften zu größerer Wettbewerbsfähigkeit und wirtschaftlicher Dynamik beitragen kann und dass flexible zuwanderungspolitische Maßnahmen vor dem Hintergrund der großen demografischen Herausforderungen, die sich der Union in der Zukunft stellen und die mit einer steigenden Nachfrage nach Arbeitskräften einhergehen werden, langfristig einen wichtigen Beitrag zur Wirtschaftsentwicklung und Wirtschaftsleistung der Union darstellen werden. In dem Programm wird auch betont, wie wichtig es ist, eine gerechte Behandlung von Drittstaatsangehörigen zu gewährleisten, die sich rechtmäßig im Hoheitsgebiet der Mitgliedstaaten aufhalten, und einen möglichst optimalen Zusammenhang zwischen Migration und Entwicklung herzustellen. Die Kommission und der Rat werden darin aufgefordert, die Umsetzung des Strategischen Plans zur legalen Zuwanderung, der in der Mitteilung der Kommission vom 21. Dezember 2005 dargelegt ist, fortzusetzen.

(7) Diese Richtlinie sollte zur wirksamen Steuerung saisonal bedingter Migrationsströme und zur Gewährleistung menschenwürdiger Arbeits- und Lebensbedingungen für Saisonarbeitnehmer beitragen, indem sie faire und transparente Zulassungs- und Aufenthaltsvorschriften und die Rechte der Saisonarbeitnehmer festlegt und gleichzeitig Anreize und Garantien schafft, um zu verhindern, dass die zulässige Aufenthaltsdauer überschritten oder aus einem befristeten Aufenthalt ein Daueraufenthalt wird. Ferner werden auch die Vorschriften der Richtlinie 2009/52/EG[1] des Europäischen Parlaments und des Rates[2], dazu beitragen, zu verhindern, dass aus einem solchen befristeten Aufenthalt ein unrechtmäßiger Aufenthalt wird.

---

[1] **NipperdeyDirekt (online) Nr. 865 a.**

[2] **Amtl. Anm.:** Richtlinie 2009/52/EG **[NipperdeyDirekt (online) Nr. 865 a]** des Europäischen Parlaments und des Rates vom 18. Juni 2009 über Mindeststandards für Sanktionen und Maßnahmen gegen Arbeitgeber, die Drittstaatsangehörige ohne rechtmäßigen Aufenthalt beschäftigen (ABl. L 168 vom 30. 6. 2009, S. 24).

(8) Die Mitgliedstaaten sollten die Bestimmungen dieser Richtlinie ohne Diskriminierung aufgrund des Geschlechts, der Rasse, der Hautfarbe, der ethnischen oder sozialen Herkunft, der genetischen Merkmale, der Sprache, der Religion oder der Weltanschauung, der politischen oder sonstigen Anschauung, der Zugehörigkeit zu einer nationalen Minderheit, des Vermögens, der Geburt, einer Behinderung, des Alters oder der sexuellen Ausrichtung und nach Maßgabe insbesondere der Richtlinie 2000/43/EG[1] des Rates[2] und der Richtlinie 2000/78/EG[3] des Rates[4] durchführen.

(9) Diese Richtlinie sollte den Grundsatz der Präferenz für Unionsbürger in Bezug auf den Zugang zum Arbeitsmarkt der Mitgliedstaaten, wie er in den einschlägigen Bestimmungen der einschlägigen Beitrittsakten Ausdruck findet, nicht berühren.

(10) Durch diese Richtlinie sollte das Recht der Mitgliedstaaten gemäß den Bestimmungen des AEUV festzulegen, wie viele Drittstaatsangehörige aus Drittländern in ihr Hoheitsgebiet zwecks Ausübung einer saisonalen Beschäftigung einreisen dürfen, nicht berührt werden.

(11) Diese Richtlinie sollte die Bedingungen für die Erbringung von Dienstleistungen im Rahmen des Artikels 56 AEUV[5] unberührt lassen. Insbesondere sollte diese Richtlinie die Arbeits- und Beschäftigungsbedingungen unberührt lassen, die gemäß der Richtlinie 96/71/EG[6] des Europäischen Parlaments und des Rates[7] für Arbeitnehmer gelten, die von einem Unternehmen mit Sitz in einem Mitgliedstaat zur Erbringung einer Dienstleistung im Hoheitsgebiet eines anderen Mitgliedstaats entsandt wurden.

(12) Diese Richtlinie sollte direkte Arbeitsverhältnisse zwischen Saisonarbeitnehmern und Arbeitgebern erfassen. Wenn jedoch nach dem nationalen Recht eines Mitgliedstaats die Zulassung von Drittstaatsangehörigen als Saisonarbeitnehmer über Arbeitsvermittler oder Leiharbeitsunternehmen, die in seinem Hoheitsgebiet niedergelassen sind und einen direkten Vertrag mit dem Saisonarbeitnehmer haben, vorgesehen ist, so sollten diese Arbeitsvermittler oder Leiharbeitsunternehmen nicht vom Anwendungsbereich dieser Richtlinie ausgenommen werden.

(13) Bei der Umsetzung dieser Richtlinie sollten die Mitgliedstaaten – gegebenenfalls in Absprache mit den Sozialpartnern – die Beschäftigungssektoren auflisten, die saisonabhängige Tätigkeiten umfassen. Saisonabhängige Tätigkeiten gibt es in der Regel in Sektoren wie Landwirtschaft und

---

[1] Nr. **900**.

[2] **Amtl. Anm.:** Richtlinie 2000/43/EG [Nr. **900**] des Rates vom 29. Juni 2000 zur Anwendung des Gleichbehandlungsgrundsatzes ohne Unterschied der Rasse oder der ethnischen Herkunft (ABl. L 180 vom 19. 7. 2000, S. 22).

[3] Nr. **901**.

[4] **Amtl. Anm.:** Richtlinie 2000/78/EG [Nr. **901**] des Rates vom 27. November 2000 zur Festlegung eines allgemeinen Rahmens für die Verwirklichung der Gleichbehandlung in Beschäftigung und Beruf (ABl. L 303 vom 2. 12. 2000, S. 16).

[5] **NipperdeyDirekt (online) Nr. 850.**

[6] Nr. **890**.

[7] **Amtl. Anm.:** Richtlinie 96/71/EG [Nr. **890**] des Europäischen Parlaments und des Rates vom 16. Dezember 1996 über die Entsendung von Arbeitnehmern im Rahmen der Erbringung von Dienstleistungen (ABl. L 18 vom 21. 1. 1997, S. 1).

Gartenbau, insbesondere während der Pflanz- oder Erntezeit, oder im Tourismus, insbesondere während der Urlaubszeit.

(14) Wenn dies im nationalen Recht vorgesehen ist und dem in Artikel 10 AEUV[1] niedergelegten Grundsatz der Nichtdiskriminierung entspricht, dürfen die Mitgliedstaaten bei der Umsetzung der fakultativen Bestimmungen dieser Richtlinie die Staatsangehörigen bestimmter Drittstaaten besser stellen als die Staatsangehörigen anderer Drittstaaten.

(15) Die Beantragung der Zulassung als Saisonarbeitnehmer sollte nur möglich sein, solange der Drittstaatsangehörige seinen Wohnsitz außerhalb des Hoheitsgebiets der Mitgliedstaaten hat.

(16) Es sollte möglich sein, die Zulassung für die in dieser Richtlinie festgelegten Zwecke in hinreichend begründeten Fällen abzulehnen. Insbesondere sollte es möglich sein, die Zulassung zu verweigern, falls ein Mitgliedstaat auf der Grundlage einer auf Tatsachen gestützten Beurteilung zu der Auffassung gelangt, dass der betreffende Drittstaatsangehörige eine potenzielle Gefahr für die öffentliche Ordnung, die öffentliche Sicherheit oder die öffentliche Gesundheit darstellt.

(17) Diese Richtlinie sollte die Anwendung der Richtlinie 2008/115/EG des Europäischen Parlaments und des Rates[2] nicht berühren.

(18) Diese Richtlinie sollte sich nicht nachteilig auf die Drittstaatsangehörigen gewährten Rechte auswirken, die sich bereits zum Zwecke der Arbeit rechtmäßig in einem Mitgliedstaat aufhalten.

(19) Für Mitgliedstaaten, die den Schengen-Besitzstand in vollem Umfang anwenden, gelten die Verordnung (EG) Nr. 810/2009 des Europäischen Parlaments und des Rates[3] (Visakodex), die Verordnung (EG) Nr. 562/2006 des Europäischen Parlaments und des Rates[4] (Schengener Grenzkodex) und die Verordnung (EG) Nr. 539/2001 des Rates[5], uneingeschränkt. Dementsprechend werden für Aufenthalte von nicht mehr als 90 Tagen die Bedingungen für die Einreise von Saisonarbeitnehmern in das Hoheitsgebiet der Mitgliedstaaten, die den Schengen-Besitzstand in vollem Umfang anwenden, durch die genannten Instrumente geregelt, während die vorliegende Richtlinie nur die Kriterien und Anforderungen für den Zugang zu einer Beschäftigung regeln sollte. Im Falle der Mitgliedstaaten, die den Schengen-Besitzstand nicht in vollem Umfang anwenden, kommt – außer im Falle des Vereinigten Königreichs und Irlands – nur der Schengener Grenzkodex zur Anwendung. Die in der vorliegenden

---

[1] Nr. **850**.

[2] **Amtl. Anm.:** Richtlinie 2008/115/EG vom 16. Dezember 2008 über gemeinsame Normen und Verfahren in den Mitgliedstaaten zur Rückführung illegal aufhältiger Drittstaatsangehöriger (ABl. L 348 vom 24. 12. 2008, S. 98).

[3] **Amtl. Anm.:** Verordnung (EG) Nr. 810/2009 des Europäischen Parlaments und des Rates vom 13. Juli 2009 über einen Visakodex der Gemeinschaft (Visakodex) (ABl. L 243 vom 15. 9. 2009, S. 1).

[4] **Amtl. Anm.:** Verordnung (EG) Nr. 562/2006 des Europäischen Parlaments und des Rates vom 15. März 2006 über einen Gemeinschaftskodex für das Überschreiten der Grenzen durch Personen (Schengener Grenzkodex) (ABl. L 105 vom 13. 4. 2006, S. 1).

[5] **Amtl. Anm.:** Verordnung (EG) Nr. 539/2001 des Rates vom 15. März 2001 zur Aufstellung der *Liste der Drittländer*, deren Staatsangehörige beim Überschreiten der Außengrenzen im Besitz eines Visums sein müssen, sowie der Liste der Drittländer, deren Staatsangehörige von dieser Visumpflicht befreit sind (ABl. L 81 vom 21. 3. 2001, S. 1).

Richtlinie genannten Bestimmungen des Schengen-Besitzstands gehören zu dem Teil dieses Besitzstands, an dem Irland und das Vereinigte Königreich nicht teilnehmen; daher gelten diese Bestimmungen nicht für diese beiden Mitgliedstaaten.

(20) In dieser Richtlinie sollten die Kriterien und Anforderungen für die Zulassung sowie die Gründe für Ablehnung und Widerruf oder Nichtverlängerung/Nichterneuerung in Bezug auf Aufenthalte festgelegt werden, die 90 Tage nicht überschreiten, soweit eine Beschäftigung als Saisonarbeitnehmer betroffen ist. Werden Visa für einen kurzfristigen Aufenthalt zum Zwecke der Saisonarbeit ausgestellt, so gelten die einschlägigen Bestimmungen des Schengen-Besitzstands in Bezug auf die Einreise in das und den Aufenthalt im Hoheitsgebiet der Mitgliedstaaten sowie die Gründe für Verweigerung, Verlängerung, Annullierung oder Aufhebung dieser Visa entsprechend. Insbesondere sollte jede Entscheidung über Verweigerung, Annullierung oder Aufhebung eines Visums und die Gründe hierfür gemäß Artikel 32 Absatz 2 und Artikel 34 Absatz 6 des Visakodex dem Antragsteller unter Verwendung des in Anhang VI des Visakodex wiedergegebenen einheitlichen Formblatts mitgeteilt werden.

(21) Für Saisonarbeitnehmer, die für einen Aufenthalt von mehr als 90 Tagen zugelassen werden, sollte die vorliegende Richtlinie sowohl die Bedingungen für die Einreise in das und den Aufenthalt im Hoheitsgebiet der Mitgliedstaaten als auch die Kriterien und Anforderungen für den Zugang zu einer Beschäftigung in den Mitgliedstaaten festlegen.

(22) Mit dieser Richtlinie sollte eine flexible nachfrageorientierte Einreiseregelung eingeführt werden, die auf objektiven Kriterien beruht, beispielsweise einem gültigen Arbeitsvertrag oder einem verbindlichen Beschäftigungsangebot, in dem die wesentlichen Punkte des Vertrags oder des Beschäftigungsverhältnisses genannt sind.

(23) Die Mitgliedstaaten sollten die Möglichkeit haben, über eine Prüfung nachzuweisen, dass eine Stelle nicht mit den auf dem heimischen Arbeitsmarkt zur Verfügung stehenden Arbeitskräften besetzt werden kann.

(24) Die Mitgliedstaaten sollten die Möglichkeit haben, einen Antrag auf Zulassung insbesondere dann abzulehnen, wenn der betreffende Drittstaatsangehörige der aus einer früheren Entscheidung über die Zulassung als Saisonarbeitnehmer erwachsenen Verpflichtung, bei Ablauf der Genehmigung zum Zwecke der Saisonarbeit das Hoheitsgebiet des betreffenden Mitgliedstaats zu verlassen, nicht nachgekommen ist.

(25) Die Mitgliedstaaten sollten vom Arbeitgeber verlangen können, dass er mit den zuständigen Behörden zusammenarbeitet und alle einschlägigen Angaben beibringt, die erforderlich sind, damit einem möglichen Missbrauch und einer möglichen Zweckentfremdung des in dieser Richtlinie niedergelegten Verfahrens vorgebeugt wird.

(26) Ein einheitliches Verfahren, das zur Erteilung einer kombinierten Erlaubnis, die sowohl den Aufenthalt als auch die Beschäftigung umfasst, führt, sollte dazu beitragen, die derzeit in den Mitgliedstaaten geltenden Regeln zu vereinfachen. Hiervon wird das Recht der Mitgliedstaaten nicht berührt, entsprechend den Besonderheiten ihrer Verwaltungsorganisation und -praxis die zuständigen Behörden zu bestimmen und festzulegen, wie diese am einheitlichen Verfahren beteiligt sein sollen.

(27) Die Benennung der gemäß dieser Richtlinie zuständigen Behörden sollte unbeschadet der Rolle und Zuständigkeiten anderer Behörden und gegebenenfalls der Sozialpartner, im Einklang mit den nationalen Rechtsvorschriften und/oder Gepflogenheiten, in Bezug auf die Prüfung eines Antrags und die Entscheidung darüber erfolgen.

(28) Diese Richtlinie sollte im Hinblick auf die für die Zulassung (Einreise, Aufenthalt und Beschäftigungsaufnahme) von Saisonarbeitnehmern auszustellenden Genehmigungen ein gewisses Maß an Flexibilität für die Mitgliedstaaten vorsehen. Die Ausstellung eines Visums für den längerfristigen Aufenthalt gemäß Artikel 12 Absatz 2 Buchstabe a sollte unbeschadet der Möglichkeit für die Mitgliedstaaten erfolgen, eine vorherige Arbeitsgenehmigung in dem betreffenden Mitgliedstaat auszustellen. Um jedoch sicherzustellen, dass die in dieser Richtlinie vorgesehenen Bedingungen für die Beschäftigung geprüft worden sind und eingehalten werden, sollte aus den Genehmigungen eindeutig hervorgehen, dass sie zum Zwecke der Saisonarbeit ausgestellt wurden. Werden ausschließlich Visa für einen kurzfristigen Aufenthalt ausgestellt, so sollten die Mitgliedstaaten hierzu das Feld „Anmerkungen" auf der Visummarke verwenden.

(29) Für alle Aufenthalte von nicht mehr als 90 Tagen sollten die Mitgliedstaaten sich entscheiden, entweder ein Visum für einen kurzfristigen Aufenthalt oder ein Visum für einen kurzfristigen Aufenthalt zusammen mit einer Arbeitserlaubnis auszustellen, wenn der Drittstaatsangehörige gemäß der Verordnung (EG) Nr. 539/2001 ein Visum benötigt. Unterliegt der Drittstaatsangehörige nicht der Visumpflicht und hat der Mitgliedstaat Artikel 4 Absatz 3 der genannten Verordnung nicht angewandt, so sollten die Mitgliedstaaten dem Drittstaatsangehörigen eine Arbeitserlaubnis als Genehmigung zum Zwecke der Saisonarbeit erteilen. Für alle Aufenthalte von mehr als 90 Tagen sollten die Mitgliedstaaten sich entscheiden, eine der folgenden Genehmigungen zu erteilen: ein Visum für den längerfristigen Aufenthalt, eine Erlaubnis für Saisonarbeitnehmer oder eine Erlaubnis für Saisonarbeitnehmer zusammen mit einem Visum für den längerfristigen Aufenthalt, wenn ein Visum für den längerfristigen Aufenthalt gemäß dem nationalen Recht für die Einreise in das Hoheitsgebiet des Mitgliedstaats erforderlich ist. Die Mitgliedstaaten sollten durch diese Richtlinie nicht daran gehindert sein, eine Arbeitserlaubnis direkt an den Arbeitgeber zu erteilen.

(30) Ist ein Visum allein für die Einreise in das Hoheitsgebiet eines Mitgliedstaats erforderlich und erfüllt der Drittstaatsangehörige die Bedingungen für die Erteilung einer Erlaubnis für Saisonarbeitnehmer, so sollte der betreffende Mitgliedstaat dem Drittstaatsangehörigen jede denkbare Erleichterung zur Erlangung des benötigten Visums gewähren und eine wirksame Zusammenarbeit der zuständigen Behörden zu diesem Zweck sicherstellen.

(31) Die Höchstdauer des Aufenthalts sollte durch die Mitgliedstaaten festgelegt und auf einen Zeitraum von fünf bis neun Monaten beschränkt werden; durch diese Beschränkung und die Definition der Saisonarbeit sollte sichergestellt werden, dass die Beschäftigung rein saisonalen Charakter hat. Es sollte vorgesehen werden, dass innerhalb dieser maximalen Aufenthaltsdauer eine Vertragsverlängerung oder ein Wechsel des Arbeitgebers möglich ist, sofern die Kriterien für die Zulassung weiterhin erfüllt

sind. Damit sollte einerseits das Missbrauchsrisiko verringert werden, dem Saisonarbeitnehmer möglicherweise ausgesetzt sind, wenn sie an einen einzigen Arbeitgeber gebunden sind, und andererseits für eine flexible Lösung für den tatsächlichen Arbeitskräftebedarf der Arbeitgeber gesorgt werden. Die Möglichkeit, dass ein Saisonarbeitnehmer gemäß den in dieser Richtlinie festgelegten Bedingungen von einem anderen Arbeitgeber beschäftigt werden kann, sollte nicht bedeuten, dass ein Saisonarbeitnehmer im Hoheitsgebiet der Mitgliedstaaten nach Arbeit suchen darf, wenn er arbeitslos ist.

(32) Bei der Entscheidung über die Verlängerung des Aufenthalts oder die Erneuerung der Genehmigung zum Zwecke der Saisonarbeit sollten die Mitgliedstaaten die Situation am Arbeitsmarkt berücksichtigen können.

(33) In den Fällen, in denen ein Saisonarbeitnehmer für einen Aufenthalt von nicht mehr als 90 Tagen zugelassen worden ist und der Mitgliedstaat entschieden hat, den Aufenthalt über 90 Tage hinaus zu verlängern, sollte das Visum für einen kurzfristigen Aufenthalt entweder durch ein Visum für den längerfristigen Aufenthalt oder durch eine Erlaubnis für Saisonarbeitnehmer ersetzt werden.

(34) Unter Berücksichtigung bestimmter Aspekte der zirkulären Migration sowie der über eine einzige Saison hinausgehenden Beschäftigungsperspektiven von Saisonarbeitnehmern aus Drittstaaten und des Interesses der Arbeitgeber in der Union, auf einen stabileren Personalbestand und bereits eingearbeitete Arbeitskräfte zurückgreifen zu können, sollten vereinfachte Zulassungsverfahren für vertrauenswürdige Drittstaatsangehörige vorgesehen werden, die mindestens einmal innerhalb der vorangegangenen fünf Jahre als Saisonarbeitnehmer in einem Mitgliedstaat zugelassen worden sind und die stets sämtliche Kriterien und Bedingungen gemäß dieser Richtlinie für die Einreise und den Aufenthalt in dem betreffenden Mitgliedstaat erfüllt haben. Der saisonale Charakter der Beschäftigung sollte durch ein solches Verfahren nicht beeinträchtigt oder umgangen werden.

(35) Die Mitgliedstaaten sollten alles daransetzen sicherzustellen, dass den Antragstellern Informationen über die Bedingungen für die Einreise und den Aufenthalt, einschließlich der Rechte und Pflichten und der Verfahrensgarantien gemäß dieser Richtlinie, sowie alle schriftlichen Nachweise, die für einen Antrag auf Aufenthalt und Arbeit als Saisonarbeitnehmer im Hoheitsgebiet eines Mitgliedstaats erforderlich sind, zur Verfügung gestellt werden.

(36) Die Mitgliedstaaten sollten wirksame, verhältnismäßige und abschreckende Sanktionen gegen Arbeitgeber vorsehen, die gegen die in dieser Richtlinie festgelegten Pflichten verstoßen. Diese Sanktionen könnten die in Artikel 7 der Richtlinie 2009/52/EG[1)] vorgesehenen Maßnahmen sein und sollten gegebenenfalls die Haftung des Arbeitgebers für die Zahlung von Entschädigungen an Saisonarbeitnehmer umfassen. Es sollten die notwendigen Verfahren eingeführt werden, damit Saisonarbeitnehmer die Entschädigungen, auf die sie Anspruch haben, auch dann erhalten können, wenn sie sich nicht mehr im Hoheitsgebiet des betreffenden Mitgliedstaats befinden.

[1)] **NipperdeyDirekt (online) Nr. 865 a.**

(37) Für das Verfahren zur Prüfung von Anträgen auf Zulassung als Saisonarbeitnehmer sollte eine Reihe von Regeln festgelegt werden. Unter Berücksichtigung der normalen Arbeitsbelastung der Verwaltungen der Mitgliedstaaten sollte dieses Verfahren wirksam und leicht zu handhaben sowie transparent und fair sein, um den Betroffenen angemessene Rechtssicherheit zu bieten.

(38) Bei Visa für einen kurzfristigen Aufenthalt richten sich die Verfahrensgarantien nach den einschlägigen Bestimmungen des Schengen-Besitzstands.

(39) Die zuständigen Behörden der Mitgliedstaaten sollten nach Antragstellung so rasch wie möglich über Anträge auf eine Genehmigung zum Zwecke der Saisonarbeit befinden. In Bezug auf Anträge auf Verlängerung oder Erneuerung, die während der Gültigkeitsdauer der Genehmigung gestellt werden, sollten die Mitgliedstaaten alle angemessenen Maßnahmen treffen, um sicherzustellen, dass der Saisonarbeitnehmer nicht durch laufende Verwaltungsverfahren dazu gezwungen wird, sein Beschäftigungsverhältnis mit demselben Arbeitgeber zu unterbrechen, oder daran gehindert wird, den Arbeitgeber zu wechseln. Die Antragsteller sollten ihre Anträge auf Verlängerung oder Erneuerung so früh wie möglich einreichen. In jedem Fall sollte der Saisonarbeitnehmer im Hoheitsgebiet des betreffenden Mitgliedstaats bleiben und, soweit angemessen, weiter arbeiten dürfen, bis die zuständigen Behörden eine endgültige Entscheidung über den Antrag auf Verlängerung oder Erneuerung getroffen haben.

(40) Angesichts des Wesens der Saisonarbeit sollten die Mitgliedstaaten ermutigt werden, keine Gebühr für die Bearbeitung der Anträge zu erheben. Beschließt ein Mitgliedstaat dennoch, eine Gebühr zu erheben, so sollte diese weder unverhältnismäßig noch übermäßig hoch sein.

(41) Alle Saisonarbeitnehmer sollten über eine Unterkunft verfügen, die einen angemessenen Lebensstandard gewährleistet. Die zuständige Behörde sollte über jeden Wechsel der Unterkunft unterrichtet werden. Wird die Unterkunft durch oder über den Arbeitgeber vermittelt, so sollte die Miete im Vergleich zu der Nettovergütung des Saisonarbeitnehmers und im Vergleich zu der Qualität der Unterkunft nicht übermäßig hoch sein, die Miete sollte nicht automatisch vom Lohn des Saisonarbeitnehmers abgezogen werden; der Arbeitgeber sollte dem Saisonarbeitnehmer einen Mietvertrag oder ein gleichwertiges Schriftstück zur Verfügung stellen, in dem die Mietbedingungen für die Unterkunft festgehalten sind, und der Arbeitgeber sollte sicherstellen, dass die Unterkunft den in dem betreffenden Mitgliedstaat geltenden allgemeinen Gesundheits- und Sicherheitsnormen entspricht.

(42) Drittstaatsangehörige, die im Besitz eines gültigen Reisedokuments und einer Genehmigung zum Zwecke der Saisonarbeit sind, die gemäß dieser Richtlinie von einem den Schengen-Besitzstand vollständig anwendenden Mitgliedstaat ausgestellt wurden, sollten gemäß dem Schengener Grenzkodex und Artikel 21 des Übereinkommens zur Durchführung des Übereinkommens von Schengen vom 14. Juni 1985 zwischen den Regierungen der Staaten der Benelux-Wirtschaftsunion, der Bundesrepublik Deutschland und der Französischen Republik betreffend den schrittweisen

Abbau der Kontrollen an den gemeinsamen Grenzen[1] (Schengener Durchführungsübereinkommen) in das Hoheitsgebiet der Mitgliedstaaten, die den Schengen-Besitzstand vollständig anwenden, für einen Zeitraum von bis zu 90 Tagen je Zeitraum von 180 Tagen einreisen und sich dort frei bewegen können.

(43) Wegen der besonders schutzbedürftigen Lage der Saisonarbeitnehmer, die Angehörige eines Drittstaats sind, und des befristeten Charakters ihrer Verwendung muss für einen wirksamen Schutz ihrer Rechte – auch im Bereich der sozialen Sicherheit – gesorgt werden, muss die Einhaltung der Vorschriften regelmäßig überprüft werden und muss die Achtung des Grundsatzes der Gleichbehandlung mit Arbeitnehmern, die Staatsangehörige des Aufnahmemitgliedstaats sind, unter Befolgung des Konzepts des gleichen Lohns für die gleiche Arbeit am gleichen Arbeitsplatz uneingeschränkt garantiert werden, indem Tarifverträge und andere Vereinbarungen über die Arbeitsbedingungen, die gemäß den nationalen Rechtsvorschriften und Gepflogenheiten auf allen Ebenen geschlossen wurden oder gesetzlich vorgesehen sind, zu denselben Bedingungen, wie sie für Staatsangehörige des Aufnahmemitgliedstaats gelten, zur Anwendung gelangen.

(44) Diese Richtlinie sollte unbeschadet der Rechte und Grundsätze, die in der Europäischen Sozialcharta vom 18. Oktober 1961 und, soweit von Belang, im Europäischen Übereinkommen über die Rechtsstellung der Wanderarbeitnehmer vom 24. November 1977 enthalten sind, Anwendung finden.

(45) Zusätzlich zu den Rechts- und Verwaltungsvorschriften, die für Arbeitnehmer gelten, die Staatsangehörige des Aufnahmemitgliedstaats sind, sollten für Saisonarbeitnehmer, die Drittstaatsangehörige sind, auch Schiedssprüche sowie Tarifverträge und Verträge, die gemäß den nationalen Rechtsvorschriften und Gepflogenheiten des Aufnahmemitgliedstaats auf allen Ebenen geschlossen wurden, zu denselben Bedingungen wie für Staatsangehörige des Aufnahmemitgliedstaats gelten.

(46) In Bezug auf die in Artikel 3 der Verordnung (EG) Nr. 883/2004 des Europäischen Parlaments und des Rates[2] aufgeführten Zweige der sozialen Sicherheit sollten Saisonarbeitnehmer, bei denen es sich um Drittstaatsangehörige handelt, gleich behandelt werden. Die vorliegende Richtlinie bewirkt keine Harmonisierung der Rechtsvorschriften der Mitgliedstaaten über die soziale Sicherheit und umfasst nicht die Sozialhilfe. Sie ist auf die Anwendung des Grundsatzes der Gleichbehandlung im Bereich der sozialen Sicherheit auf Personen, die in ihren Anwendungsbereich fallen, beschränkt. Diese Richtlinie sollte Drittstaatsangehörigen mit grenzüberschreitenden Belangen in mehreren Mitgliedstaaten nicht mehr Sozialleistungsansprüche gewähren als die, die in den bestehenden Rechtsvorschriften der Union bereits vorgesehen sind.

Aufgrund des befristeten Charakters des Aufenthalts von Saisonarbeitnehmern, und unbeschadet der Verordnung (EU) Nr. 1231/2010 des Euro-

---

[1] **Amtl. Anm.:** ABl. L 239 vom 22. 9. 2000, S. 19.

[2] **Amtl. Anm.:** Verordnung (EG) Nr. 883/2004 des Europäischen Parlaments und des Rates vom 29. April 2004 zur Koordinierung der Systeme der sozialen Sicherheit (ABl. L 166 vom 30. 4. 2004, S. 1).

päischen Parlaments und des Rates[1], sollten die Mitgliedstaaten Familienleistungen und Leistungen bei Arbeitslosigkeit von der Anwendung des Grundsatzes der Gleichbehandlung zwischen Saisonarbeitnehmern und eigenen Staatsangehörigen ausnehmen können und die Anwendung des Gleichbehandlungsgrundsatzes in Bezug auf die allgemeine und berufliche Bildung sowie in Bezug auf Steuervergünstigungen beschränken können. Die vorliegende Richtlinie sieht keine Familienzusammenführung vor. Ferner werden aufgrund dieser Richtlinie im Hinblick auf Umstände, die außerhalb des Geltungsbereichs der Vorschriften der Union liegen, keine Rechte gewährt, beispielsweise in Situationen, in denen Familienangehörige ihren Wohnsitz in einem Drittstaat haben. Hiervon unberührt bleiben sollten jedoch die Rechte von Hinterbliebenen, die einen Anspruch auf Hinterbliebenenversorgung von einem Saisonarbeitnehmer ableiten, wenn sie in einem Drittstaat wohnhaft sind. Das sollte unbeschadet einer diskriminierungsfreien Anwendung nationalen Rechts, mit dem De-minimis-Regeln für Beiträge zur Altersversorgung festgelegt werden, durch die Mitgliedstaaten gelten. Es sollten Verfahren vorhanden sein, mit denen ein wirksamer Sozialversicherungsschutz während des Aufenthalts und gegebenenfalls die Mitnahme erworbener Ansprüche der Saisonarbeitnehmer sichergestellt werden.

(47) Das Unionsrecht schränkt die Zuständigkeit der Mitgliedstaaten für die Organisation ihrer Systeme der sozialen Sicherheit nicht ein. Mangels Harmonisierung auf Unionsebene legt jeder Mitgliedstaat die Voraussetzungen für die Gewährung von Sozialleistungen sowie die Höhe solcher Leistungen und den Zeitraum, für den sie gewährt werden, selbst fest. Jedoch sollten die Mitgliedstaaten bei der Ausübung dieser Zuständigkeit das Unionsrecht einhalten.

(48) Beschränkungen des Rechts auf Gleichbehandlung im Bereich der sozialen Sicherheit gemäß dieser Richtlinie sollten die in Anwendung der Verordnung (EU) Nr. 1231/2010 übertragenen Rechte unberührt lassen.

(49) Für eine ordnungsgemäße Durchsetzung dieser Richtlinie, insbesondere der Bestimmungen hinsichtlich der Rechte, Arbeitsbedingungen und Unterkunft, sollten die Mitgliedstaaten sicherstellen, dass geeignete Verfahren für die Kontrolle der Arbeitgeber bestehen und dass in ihren jeweiligen Hoheitsgebieten gegebenenfalls wirksame und angemessene Inspektionen durchgeführt werden. Die Auswahl der zu kontrollierenden Arbeitgeber sollte überwiegend auf der Grundlage einer von den zuständigen Behörden der Mitgliedstaaten durchgeführten Risikobewertung erfolgen, bei der Faktoren wie der Sektor, in dem ein Unternehmen tätig ist, und etwaige in der Vergangenheit begangene Verstöße berücksichtigt werden.

(50) Zur Erleichterung der Durchsetzung dieser Richtlinie sollten die Mitgliedstaaten wirksame Verfahren einführen, durch die Saisonarbeitnehmer unmittelbar oder über einschlägige Dritte, wie Gewerkschaften oder andere Vereinigungen, Rechtsmittel einlegen und Beschwerde einreichen können. Dies wird für Situationen als notwendig erachtet, in denen

---

[1] **Amtl. Anm.:** Verordnung (EU) Nr. 1231/2010 des Europäischen Parlaments und des Rates vom *24. November 2010 zur Ausdehnung* der Verordnung (EG) Nr. 883/2004 und der Verordnung (EG) Nr. 987/2009 [Nr. **868**] auf Drittstaatsangehörige, die ausschließlich aufgrund ihrer Staatsangehörigkeit nicht bereits unter diese Verordnungen fallen (ABl. L 344 vom 29. 12. 2010, S. 1).

Saisonarbeitnehmern das Bestehen von Durchsetzungsmechanismen nicht bekannt ist oder in denen sie zögern, diese in ihrem eigenen Namen zu nutzen, weil sie mögliche Konsequenzen befürchten. Saisonarbeitnehmer sollten Zugang zu angemessenem Rechtsschutz haben, damit sie nicht Repressalien ausgesetzt werden, wenn sie eine Beschwerde eingereicht haben.

(51) Da die Ziele dieser Richtlinie, nämlich die Einführung eines besonderen Zulassungsverfahrens, die Festlegung von Bedingungen für Einreise und Aufenthalt von Drittstaatsangehörigen zum Zwecke der Saisonarbeit und die Festlegung ihrer Rechte als Saisonarbeitnehmer, von den Mitgliedstaaten nicht ausreichend verwirklicht werden können, sondern vielmehr auf Unionsebene besser zu verwirklichen sind, kann die Union im Einklang mit dem in Artikel 5 des Vertrags über die Europäische Union (EUV)[1] niedergelegten Subsidiaritätsprinzip tätig werden, wobei die Einwanderungs- und die Beschäftigungspolitik auf europäischer und nationaler Ebene zu berücksichtigen ist. Entsprechend dem in demselben Artikel genannten Grundsatz der Verhältnismäßigkeit geht diese Richtlinie nicht über das für die Verwirklichung dieser Ziele erforderliche Maß hinaus.

(52) Diese Richtlinie steht im Einklang mit den Grundrechten und Grundsätzen, die mit der Charta der Grundrechte der Europäischen Union, insbesondere deren Artikel 7, Artikel 15 Absatz 3, Artikel 17, 27, 28, 31 und Artikel 33 Absatz 2 in Einklang mit Artikel 6 EUV[2] anerkannt wurden.

(53) Gemäß der Gemeinsamen Politischen Erklärung der Mitgliedstaaten und der Kommission zu erläuternden Dokumenten vom 28. September 2011[3] haben sich die Mitgliedstaaten verpflichtet, in begründeten Fällen zusätzlich zur Mitteilung ihrer Umsetzungsmaßnahmen ein oder mehrere Dokumente zu übermitteln, in dem bzw. denen der Zusammenhang zwischen den Bestandteilen einer Richtlinie und den entsprechenden Teilen nationaler Umsetzungsinstrumente erläutert wird. In Bezug auf diese Richtlinie hält der Gesetzgeber die Übermittlung derartiger Dokumente für gerechtfertigt.

(54) Gemäß den Artikeln 1 und 2 des dem EUV[2] und dem AEUV beigefügten Protokolls Nr. 21 über die Position des Vereinigten Königreichs und Irlands hinsichtlich des Raums der Freiheit, der Sicherheit und des Rechts und unbeschadet des Artikels 4 dieses Protokolls beteiligen sich diese Mitgliedstaaten nicht an der Annahme dieser Richtlinie und sind weder durch diese Richtlinie gebunden noch zu ihrer Anwendung verpflichtet.

(55) Gemäß den Artikeln 1 und 2 des dem EUV[2] und dem AEUV beigefügten Protokolls Nr. 22 über die Position Dänemarks beteiligt sich Dänemark nicht an der Annahme dieser Richtlinie und ist weder durch diese Richtlinie gebunden noch zu ihrer Anwendung verpflichtet –

HABEN FOLGENDE RICHTLINIE ERLASSEN:

---

[1] **NipperdeyDirekt (online) Nr. 855.**
[2] Nr. **855**.
[3] **Amtl. Anm.:** ABl. C 369 vom 17. 12. 2011, S. 14.

Kapitel I. Allgemeine Bestimmungen

Art. 1 Gegenstand. (1) Diese Richtlinie legt die Bedingungen für die Einreise und den Aufenthalt von Drittstaatsangehörigen zum Zwecke einer Beschäftigung als Saisonarbeitnehmer und die Rechte von Saisonarbeitnehmern fest.

(2) Für Aufenthalte von nicht mehr als 90 Tagen gilt diese Richtlinie unbeschadet des Schengen-Besitzstands, insbesondere des Visakodex, des Schengener Grenzkodex und der Verordnung (EG) Nr. 539/2001.

Art. 2 Anwendungsbereich. (1) Diese Richtlinie findet auf Drittstaatsangehörige Anwendung, die ihren Aufenthalt außerhalb des Hoheitsgebiets der Mitgliedstaaten haben und zum Zwecke der Beschäftigung als Saisonarbeitnehmer gemäß dieser Richtlinie eine Zulassung für das Hoheitsgebiet eines Mitgliedstaats beantragen oder diese Zulassung erhalten haben.

Diese Richtlinie findet keine Anwendung auf Drittstaatsangehörige, die sich zum Zeitpunkt der Antragstellung im Hoheitsgebiet der Mitgliedstaaten aufhalten, mit Ausnahme der in Artikel 15 genannten Fälle.

(2) [1] Bei der Umsetzung dieser Richtlinie listen die Mitgliedstaaten – gegebenenfalls nach Anhörung der Sozialpartner – die Beschäftigungssektoren auf, die saisonabhängige Tätigkeiten umfassen. [2] Die Mitgliedstaaten können diese Liste – gegebenenfalls nach Anhörung der Sozialpartner – ändern. [3] Die Mitgliedstaaten teilen der Kommission diese Änderungen mit.

(3) Diese Richtlinie findet keine Anwendung auf Drittstaatsangehörige, die

a) im Rahmen einer Dienstleistungserbringung gemäß Artikel 56 AEUV[1)] für Unternehmen mit Sitz in einem anderen Mitgliedstaat tätig sind, einschließlich der von Unternehmen mit Sitz in einem Mitgliedstaat im Rahmen einer Dienstleistungserbringung gemäß der Richtlinie 96/71/EG[2)] entsandten Drittstaatsangehörigen;

b) Familienangehörige von Unionsbürgern sind, die ihr Recht auf Freizügigkeit innerhalb der Union nach Maßgabe der Richtlinie 2004/38/EG[3)] des Europäischen Parlaments und des Rates, ausgeübt haben;

c) zusammen mit ihren Familienangehörigen – ungeachtet ihrer Staatsangehörigkeit – aufgrund von Übereinkommen zwischen der Union und ihren Mitgliedstaaten oder zwischen der Union und Drittstaaten ein Recht auf Freizügigkeit genießen, das dem der Unionsbürger gleichwertig ist.

Art. 3 Begriffsbestimmungen. Im Sinne dieser Richtlinie bezeichnet der Ausdruck

a) „Drittstaatsangehöriger“ jede Person, die nicht Unionsbürger im Sinne des Artikels 20 Absatz 1 AEUV[1)] ist;

[1)] **NipperdeyDirekt (online) Nr. 850.**

[2)] Nr. **890**.

[3)] **Amtl. Anm.:** Richtlinie 2004/38/EG des Europäischen Parlaments und des Rates vom 29. April 2004 über das Recht der Unionsbürger und ihrer Familienangehörigen, sich im Hoheitsgebiet der Mitgliedstaaten frei zu bewegen und aufzuhalten, zur Änderung der Verordnung (EWG) Nr. 1612/68 **[NipperdeyDirekt (online) Nr. 865]** und zur Aufhebung der Richtlinien 64/221/EWG, 68/360/EWG, 72/194/EWG, 73/148/EWG, 75/34/EWG, 75/35/EWG, 90/364/EWG, 90/365/EWG und 93/96/EWG (ABl. L 158 vom 30. 4. 2004, S. 77).

b) „Saisonarbeitnehmer" einen Drittstaatsangehörigen, der sich – unter Beibehaltung seines Hauptwohnsitzes in einem Drittstaat – rechtmäßig und vorübergehend im Hoheitsgebiet eines Mitgliedstaats aufhält, um im Rahmen eines oder mehrerer befristeter Arbeitsverträge, den bzw. die dieser Drittstaatsangehörige direkt mit dem in diesem Mitgliedstaat niedergelassenen Arbeitgeber geschlossen hat, eine saisonabhängige Tätigkeit auszuüben;

c) „saisonabhängige Tätigkeit" eine Tätigkeit, die aufgrund eines immer wiederkehrenden saisonbedingten Ereignisses oder einer immer wiederkehrenden Abfolge saisonbedingter Ereignisse an eine Jahreszeit gebunden ist, während der der Bedarf an Arbeitskräften den für gewöhnlich durchgeführte Tätigkeiten erforderlichen Bedarf in erheblichem Maße übersteigt;

d) „Erlaubnis für Saisonarbeitnehmer" eine in dem in der Verordnung (EG) Nr. 1030/2002 des Rates[1)] festgelegten Format erteilte Genehmigung, die einen Vermerk hinsichtlich Saisonarbeit trägt und die ihren Inhaber berechtigt, sich nach Maßgabe dieser Richtlinie für mehr als 90 Tage im Hoheitsgebiet eines Mitgliedstaats aufzuhalten und dort eine Beschäftigung auszuüben;

e) „Visum für einen kurzfristigen Aufenthalt" eine Genehmigung im Sinne des Artikels 2 Absatz 2 Buchstabe a des Visakodex, die von einem Mitgliedstaat erteilt wird, oder eine gemäß den nationalen Rechtsvorschriften eines den Schengen-Besitzstand nicht vollständig anwendenden Mitgliedstaats erteilte Genehmigung;

f) „Visum für den längerfristigen Aufenthalt" eine Genehmigung im Sinne des Artikels 18 des Schengener Durchführungsübereinkommens, die von einem Mitgliedstaat erteilt wird, oder eine gemäß dem nationalen Recht eines den Schengen-Besitzstand nicht vollständig anwendenden Mitgliedstaats erteilte Genehmigung;

g) „einheitliches Antragsverfahren" ein Verfahren, das auf der Grundlage eines einzigen Antrags auf Genehmigung des Aufenthalts und der Beschäftigung eines Drittstaatsangehörigen im Hoheitsgebiet eines Mitgliedstaats zu einer Entscheidung über den Antrag auf eine Erlaubnis für Saisonarbeitnehmer führt;

h) „Genehmigung zum Zwecke der Saisonarbeit" eine der in Artikel 12 genannten Genehmigungen, die ihren Inhaber berechtigt, sich nach Maßgabe dieser Richtlinie in dem Mitgliedstaat, der die Genehmigung erteilt hat, aufzuhalten und dort eine Beschäftigung auszuüben;

i) „Arbeitserlaubnis" eine Genehmigung, die von einem Mitgliedstaat gemäß den nationalen Rechtsvorschriften zum Zwecke der Beschäftigung im Hoheitsgebiet dieses Mitgliedstaats erteilt wird.

Art. 4 Günstigere Bestimmungen. (1) Von dieser Richtlinie unberührt bleiben günstigere Bestimmungen im Rahmen von

a) Unionsrecht, einschließlich bilateraler und multilateraler Übereinkünfte, die zwischen der Union oder der Union und ihren Mitgliedstaaten einerseits und einem oder mehreren Drittstaaten andererseits geschlossen wurden;

b) bilateralen oder multilateralen Übereinkünften, die zwischen einem oder mehreren Mitgliedstaaten und einem oder mehreren Drittstaaten geschlossen wurden.

[1)] **Amtl. Anm.:** Verordnung (EG) Nr. 1030/2002 des Rates vom 13. Juni 2002 zur einheitlichen Gestaltung des Aufenthaltstitels für Drittstaatenangehörige (ABl. L 157 vom 15. 6. 2002, S. 1).

(2) Diese Richtlinie hindert die Mitgliedstaaten nicht daran, günstigere Bestimmungen für Drittstaatsangehörige, auf die die Artikel 18, 19, 20, 23 und 25 Anwendung finden, anzunehmen oder beizubehalten.

Kapitel II. Zulassungsvoraussetzungen

Art. 5 Kriterien und Anforderungen für die Zulassung für eine Beschäftigung als Saisonarbeitnehmer für einen Aufenthalt von nicht mehr als 90 Tagen. (1) Anträgen auf Zulassung in einen Mitgliedstaat nach Maßgabe dieser Richtlinie für einen Aufenthalt von nicht mehr als 90 Tagen sind die folgenden Unterlagen beizufügen:

a) ein gültiger Arbeitsvertrag oder, falls dies durch nationales Recht oder nationale Verwaltungsvorschriften oder Gepflogenheiten vorgesehen ist, ein verbindliches Angebot, in dem betreffenden Mitgliedstaat bei einem in diesem Mitgliedstaat niedergelassenen Arbeitgeber als Saisonarbeitnehmer zu arbeiten; in dem Vertrag bzw. Angebot muss Folgendes festgelegt sein:
   i) der Ort und die Art der Arbeit,
   ii) die Dauer der Beschäftigung,
   iii) die Vergütung,
   iv) die Arbeitszeit pro Woche oder Monat,
   v) die Dauer des bezahlten Urlaubs,
   vi) gegebenenfalls andere einschlägige Arbeitsbedingungen und
   vii) – falls möglich – der Zeitpunkt des Beginns der Beschäftigung;

b) der Nachweis einer Krankenversicherung für alle Risiken, die normalerweise für Staatsangehörige des betreffenden Mitgliedstaats abgedeckt sind, oder, wenn dies im nationalen Recht vorgesehen ist, ein Nachweis, dass eine derartige Krankenversicherung beantragt wurde, für die Zeiten, in denen kein solcher Versicherungsschutz und kein damit verbundener Leistungsanspruch in Verbindung mit oder aufgrund der in diesem Mitgliedstaat ausgeübten Beschäftigung besteht;

c) der Nachweis, dass dem Saisonarbeitnehmer eine angemessene Unterkunft zur Verfügung stehen wird oder dass eine angemessene Unterkunft bereitgestellt wird, gemäß Artikel 20.

(2) Die Mitgliedstaaten verlangen, dass die in Absatz 1 Buchstabe a genannten Voraussetzungen den geltenden Rechtsvorschriften, Tarifverträgen und/oder Gepflogenheiten entsprechen.

(3) Auf der Grundlage der gemäß Absatz 1 vorgelegten Unterlagen verlangen die Mitgliedstaaten, dass der Saisonarbeitnehmer keine Leistungen ihres Sozialhilfesystems in Anspruch nimmt.

(4) Sieht der Arbeitsvertrag oder das verbindliche Beschäftigungsangebot vor, dass der Drittstaatsangehörige einen reglementierten Beruf im Sinne der Richtlinie 2005/36/EG[1] des Europäischen Parlaments und des Rates[2] aus-

---

[1] **NipperdeyDirekt (online) Nr. 873.**

[2] **Amtl. Anm.:** *Richtlinie 2005/36/EG* **[NipperdeyDirekt (online) Nr. 873]** des Europäischen Parlaments und des Rates vom 7. September 2005 über die Anerkennung von Berufsqualifikationen (ABl. L 255 vom 30. 9. 2005, S. 22).

übt, so kann der Mitgliedstaat verlangen, dass der Antragsteller Unterlagen vorlegt, die bescheinigen, dass der Drittstaatsangehörige die nach dem nationalen Recht geltenden Voraussetzungen für die Ausübung dieses reglementierten Berufs erfüllt.

(5) Bei der Prüfung eines Antrags auf eine Genehmigung gemäß Artikel 12 Absatz 1 überprüfen die Mitgliedstaaten, die den Schengen-Besitzstand nicht vollständig anwenden, dass bei dem Drittstaatsangehörigen

a) nicht die Gefahr der illegalen Einwanderung besteht;

b) dieser beabsichtigt, ihr Hoheitsgebiet spätestens bei Ablauf der Genehmigung zu verlassen.

Art. 6 Kriterien und Anforderungen für die Zulassung als Saisonarbeitnehmer für einen Aufenthalt von mehr als 90 Tagen. (1) Anträgen auf Zulassung in einen Mitgliedstaat nach Maßgabe dieser Richtlinie für einen Aufenthalt von mehr als 90 Tagen sind die folgenden Unterlagen beizufügen:

a) ein gültiger Arbeitsvertrag oder, falls dies durch nationales Recht oder nationale Verwaltungsvorschriften oder Gepflogenheiten vorgesehen ist, ein verbindliches Angebot, in dem betreffenden Mitgliedstaat bei einem in diesem Mitgliedstaat niedergelassenen Arbeitgeber als Saisonarbeitnehmer zu arbeiten; in dem Vertrag bzw. Angebot muss Folgendes festgelegt sein:

i) der Ort und die Art der Arbeit,

ii) die Dauer der Beschäftigung,

iii) die Vergütung,

iv) die Arbeitszeit pro Woche oder Monat,

v) die Dauer des bezahlten Urlaubs,

vi) gegebenenfalls andere einschlägige Arbeitsbedingungen und

vii) – falls möglich – der Zeitpunkt des Beginns der Beschäftigung;

b) der Nachweis einer Krankenversicherung für alle Risiken, die normalerweise für Staatsangehörige des betreffenden Mitgliedstaats abgedeckt sind, oder, wenn dies im nationalen Recht vorgesehen ist, ein Nachweis, dass eine derartige Krankenversicherung beantragt wurde, für die Zeiten, in denen kein solcher Versicherungsschutz und kein damit verbundener Leistungsanspruch in Verbindung mit oder aufgrund der in diesem Mitgliedstaat ausgeübten Beschäftigung besteht;

c) der Nachweis, dass dem Saisonarbeitnehmer eine angemessene Unterkunft zur Verfügung stehen wird oder dass eine angemessene Unterkunft bereitgestellt wird, gemäß Artikel 20.

(2) Die Mitgliedstaaten verlangen, dass die in Absatz 1 Buchstabe a genannten Voraussetzungen den geltenden Rechtsvorschriften, Tarifverträgen und/oder Gepflogenheiten entsprechen.

(3) Auf der Grundlage der gemäß Absatz 1 vorgelegten Unterlagen verlangen die Mitgliedstaaten, dass der Saisonarbeitnehmer während seines Aufenthalts über ausreichende Mittel für seinen eigenen Unterhalt verfügt, ohne die Leistungen ihrer Sozialhilfesysteme in Anspruch nehmen zu müssen.

(4) Drittstaatsangehörigen, die als Bedrohung für die öffentliche Ordnung, Sicherheit oder Gesundheit angesehen werden, ist die Zulassung zu verweigern.

(5) Bei der Prüfung eines Antrags auf eine Genehmigung gemäß Artikel 12 Absatz 2 überprüfen die Mitgliedstaaten, dass bei dem Drittstaatsangehörigen nicht die Gefahr der illegalen Einwanderung besteht, und dass dieser beabsichtigt, ihr Hoheitsgebiet spätestens bei Ablauf der Genehmigung zu verlassen.

(6) Sieht der Arbeitsvertrag oder das verbindliche Beschäftigungsangebot vor, dass der Drittstaatsangehörige einen reglementierten Beruf im Sinne der Richtlinie 2005/36/EG[1] ausübt, so kann der Mitgliedstaat verlangen, dass der Antragsteller Unterlagen vorlegt, die bescheinigen, dass der Drittstaatsangehörige die nach dem nationalen Recht geltenden Voraussetzungen für die Ausübung dieses reglementierten Berufs erfüllt.

(7) [1] Die Mitgliedstaaten verlangen, dass Drittstaatsangehörige im Besitz eines nach nationalem Recht gültigen Reisedokuments sind. [2] Die Mitgliedstaaten verlangen, dass die Gültigkeitsdauer des Reisedokuments mindestens der Gültigkeitsdauer der Genehmigung zum Zwecke der Saisonarbeit entspricht.

Ferner können die Mitgliedstaaten Folgendes verlangen:

a) dass die Gültigkeitsdauer die beabsichtigte Dauer des Aufenthalts um höchstens drei Monate übersteigt;

b) dass das Reisedokument in den vergangenen zehn Jahren ausgestellt wurde; und

c) dass das Reisedokument mindestens zwei leere Seiten aufweist.

Art. 7 Anzahl der Zulassungen. [1] Diese Richtlinie berührt nicht das Recht der Mitgliedstaaten, festzulegen, wie viele Drittstaatsangehörige in ihr Hoheitsgebiet zum Zwecke der Saisonarbeit einreisen dürfen. [2] Auf dieser Grundlage kann ein Antrag auf eine Genehmigung zum Zwecke der Saisonarbeit entweder als unzulässig angesehen oder abgelehnt werden.

Art. 8 Ablehnungsgründe. (1) Die Mitgliedstaaten lehnen einen Antrag auf Genehmigung zum Zwecke der Saisonarbeit ab, wenn

a) die Artikel 5 oder 6 nicht eingehalten werden; oder

b) die für die Zwecke der Artikel 5 oder 6 vorgelegten Dokumente in betrügerischer Weise erworben, gefälscht oder manipuliert wurden.

(2) Die Mitgliedstaaten lehnen, wenn dies angemessen ist, einen Antrag auf Genehmigung zum Zwecke der Saisonarbeit ab, wenn

a) gegen den Arbeitgeber aufgrund nationalen Rechts wegen Schwarzarbeit und/oder illegaler Beschäftigung Sanktionen verhängt wurden;

b) das Unternehmen des Arbeitgebers sich gemäß den nationalen Insolvenzgesetzen in Abwicklung befindet oder abgewickelt worden ist oder keine Geschäftstätigkeit ausgeübt wird; oder

c) gegen den Arbeitgeber gemäß Artikel 17 Sanktionen verhängt worden sind.

(3) [1] Die Mitgliedstaaten können überprüfen, ob die fragliche Stelle durch einen Staatsangehörigen des betreffenden Mitgliedstaats oder einen anderen Unionsbürger oder durch einen Drittstaatsangehörigen, der sich rechtmäßig

[1] **NipperdeyDirekt (online) Nr. 873.**

in diesem Mitgliedstaat aufhält, besetzt werden könnte; ist dies der Fall, so können sie den Antrag ablehnen. [2] Dieser Absatz berührt nicht den Grundsatz der Präferenz für Unionsbürger, wie er in den einschlägigen Bestimmungen der einschlägigen Beitrittsakten formuliert ist.

(4) Die Mitgliedstaaten können einen Antrag auf Genehmigung zum Zwecke der Saisonarbeit ablehnen, wenn

a) der Arbeitgeber seinen rechtlichen Verpflichtungen in Bezug auf die Sozialversicherung, Steuern, Arbeitnehmerrechte oder die Arbeits- oder Beschäftigungsbedingungen, wie sie im geltenden Recht und/oder Tarifverträgen vorgesehen sind, nicht nachgekommen ist;

b) der Arbeitgeber in den 12 Monaten unmittelbar vor der Einreichung des Antrags eine Vollzeitstelle abgeschafft hat, um die freie Stelle zu schaffen, die der Arbeitgeber durch die Inanspruchnahme dieser Richtlinie besetzen will; oder

c) der Drittstaatsangehörige den aus einer früheren Entscheidung über die Zulassung als Saisonarbeitnehmer erwachsenen Verpflichtungen nicht nachgekommen ist.

(5) Unbeschadet des Absatzes 1 müssen bei jeder Entscheidung, einen Antrag abzulehnen, die konkreten Umstände des Einzelfalls, einschließlich der Interessen des Saisonarbeitnehmers, berücksichtigt und der Grundsatz der Verhältnismäßigkeit geachtet werden.

(6) Die Gründe für die Ablehnung der Ausstellung eines Visums für einen kurzfristigen Aufenthalt sind in den einschlägigen Bestimmungen des Visakodex geregelt.

Art. 9 Entzug der Genehmigung zum Zwecke der Saisonarbeit.

(1) Die Mitgliedstaaten entziehen die Genehmigung zum Zwecke der Saisonarbeit, wenn

a) die für die Zwecke der Artikel 5 oder 6 vorgelegten Unterlagen in betrügerischer Weise erworben, gefälscht oder manipuliert wurden, oder

b) der Aufenthalt des Inhabers anderen Zwecken dient als denen, für die ihm die Aufenthaltserlaubnis erteilt wurde.

(2) Die Mitgliedstaaten entziehen, wenn dies angemessen ist, die Genehmigung zum Zwecke der Saisonarbeit, wenn

a) gegen den Arbeitgeber aufgrund nationalen Rechts wegen Schwarzarbeit und/oder illegaler Beschäftigung Sanktionen verhängt wurden;

b) das Unternehmen des Arbeitgebers sich gemäß den nationalen Insolvenzgesetzen in Abwicklung befindet oder abgewickelt worden ist oder keine Geschäftstätigkeit ausgeübt wird; oder

c) gegen den Arbeitgeber gemäß Artikel 17 Sanktionen verhängt worden sind.

(3) Die Mitgliedstaaten können die Genehmigung zum Zwecke der Saisonarbeit entziehen, wenn

a) Artikel 5 oder 6 nicht oder nicht mehr eingehalten werden;

b) der Arbeitgeber seinen rechtlichen Verpflichtungen in Bezug auf die Sozialversicherung, Steuern, Arbeitnehmerrechte oder die Arbeits- oder Beschäftigungsbedingungen, wie sie in den geltenden Rechtsvorschriften und/oder Tarifverträgen vorgesehen sind, nicht nachgekommen ist;

c) der Arbeitgeber seinen aus dem Arbeitsvertrag erwachsenden Verpflichtungen nicht nachgekommen ist; oder

d) der Arbeitgeber in den 12 Monaten unmittelbar vor der Einreichung des Antrags eine Vollzeitstelle abgeschafft hat, um die freie Stelle zu schaffen, die der Arbeitgeber durch die Inanspruchnahme dieser Richtlinie besetzen will.

(4) Die Mitgliedstaaten können die Genehmigung zum Zwecke der Saisonarbeit entziehen, wenn der Drittstaatsangehörige internationalen Schutz gemäß der Richtlinie 2011/95/EU des Europäischen Parlaments und des Rates[1] oder Schutz gemäß dem nationalen Recht, den internationalen Verpflichtungen oder den Gepflogenheiten des betreffenden Mitgliedstaats beantragt.

(5) Unbeschadet des Absatzes 1 müssen bei jeder Entscheidung, einen Antrag zu entziehen, die konkreten Umstände des Einzelfalls, einschließlich der Interessen des Saisonarbeitnehmers, berücksichtigt und der Grundsatz der Verhältnismäßigkeit geachtet werden.

(6) Die Gründe für die Annullierung oder Aufhebung eines Visums für einen kurzfristigen Aufenthalt sind in den einschlägigen Bestimmungen des Visakodex geregelt.

Art. 10 Verpflichtung zur Zusammenarbeit. Die Mitgliedstaaten können verlangen, dass der Arbeitgeber alle einschlägigen Informationen bereitstellt, die für die Erteilung, Verlängerung oder Erneuerung der Genehmigung zum Zwecke der Saisonarbeit erforderlich sind.

Kapitel III. Verfahren und Genehmigungen zum Zwecke der Saisonarbeit

Art. 11 Zugang zu Informationen. (1) Die Mitgliedstaaten stellen den Antragstellern die Informationen zu allen für die Antragstellung benötigten schriftlichen Nachweisen und die Informationen zu Einreise und Aufenthalt, einschließlich der Rechte und Pflichten und der Verfahrensgarantien des Saisonarbeitnehmers, in leicht zugänglicher Weise zur Verfügung.

(2) Wenn Mitgliedstaaten Drittstaatsangehörigen eine Genehmigung zum Zwecke der Saisonarbeit ausstellen, so werden diese ebenfalls schriftlich über ihre Rechte und Pflichten gemäß dieser Richtlinie, einschließlich der jeweiligen Beschwerdeverfahren, unterrichtet.

Art. 12 Genehmigungen zum Zwecke der Saisonarbeit. (1) Für einen Aufenthalt von nicht mehr als 90 Tagen erteilen die Mitgliedstaaten Drittstaatsangehörigen, die Artikel 5 erfüllen und nicht unter die in Artikel 8 genannten Gründe fallen, unbeschadet der Vorschriften über die Erteilung von Visa für einen kurzfristigen Aufenthalt gemäß dem Visakodex und der

---

[1] **Amtl. Anm.:** Richtlinie 2011/95/EU des Europäischen Parlaments und des Rates vom 13. Dezember 2011 über Normen für die Anerkennung von Drittstaatsangehörigen oder Staatenlosen als Personen mit Anspruch auf internationalen Schutz, für einen einheitlichen Status für Flüchtlinge oder für Personen mit Anrecht auf subsidiären Schutz und für den Inhalt des zu gewährenden Schutzes (ABl. L 337 vom 20. 12. 2011, S. 9).

Verordnung (EG) Nr. 1683/95 des Rates[1]), eine der folgenden Genehmigungen zum Zwecke der Saisonarbeit:

a) ein Visum für einen kurzfristigen Aufenthalt mit der Angabe, dass die Erteilung zum Zwecke der Saisonarbeit erfolgt,

b) ein Visum für einen kurzfristigen Aufenthalt und eine Arbeitserlaubnis mit der Angabe, dass die Erteilung zum Zwecke der Saisonarbeit erfolgt, oder

c) eine Arbeitserlaubnis mit der Angabe, dass die Erteilung zum Zwecke der Saisonarbeit erfolgt, wenn der Drittstaatsangehörige gemäß Anhang II der Verordnung (EG) Nr. 539/2001 von der Visumpflicht befreit ist und der betreffende Mitgliedstaat auf ihn nicht Artikel 4 Absatz 3 der genannten Verordnung anwendet.

Bei der Umsetzung dieser Richtlinie sehen die Mitgliedstaaten entweder die unter den Buchstaben a und c oder die unter den Buchstaben b und c genannten Genehmigungen vor.

(2) Für einen Aufenthalt von mehr als 90 Tagen erteilen die Mitgliedstaaten Drittstaatsangehörigen, die Artikel 6 erfüllen und nicht unter die in Artikel 8 genannten Gründe fallen, eine der folgenden Genehmigungen zum Zwecke der Saisonarbeit:

a) ein Visum für den längerfristigen Aufenthalt mit der Angabe, dass die Erteilung zum Zwecke der Saisonarbeit erfolgt,

b) eine Erlaubnis für Saisonarbeitnehmer, oder

c) eine Erlaubnis für Saisonarbeitnehmer und ein Visum für den längerfristigen Aufenthalt, wenn ein Visum für den längerfristigen Aufenthalt nach dem nationalen Recht für die Einreise in das Hoheitsgebiet erforderlich ist.

Bei der Umsetzung dieser Richtlinie sehen die Mitgliedstaaten lediglich eine der unter den Buchstaben a, b und c genannten Genehmigungen vor.

(3) Unbeschadet des Schengen-Besitzstands legen die Mitgliedstaaten fest, ob ein Antrag durch den Drittstaatsangehörigen und/oder durch den Arbeitgeber zu stellen ist.

Die Verpflichtung der Mitgliedstaaten, festzulegen, ob der Antrag von einem Drittstaatsangehörigen und/oder seinem Arbeitgeber zu stellen ist, lässt etwaige Regelungen unberührt, die vorsehen, dass beide in das Verfahren einbezogen werden müssen.

(4) [1] Die in Absatz 2 Unterabsatz 1 Buchstaben b und c genannte Erlaubnis für Saisonarbeitnehmer wird von den zuständigen Behörden der Mitgliedstaaten in dem in der Verordnung (EG) Nr. 1030/2002 festgelegten Format ausgestellt. [2] Die Mitgliedstaaten bringen auf der Erlaubnis den Hinweis an, dass diese zum Zwecke der Saisonarbeit ausgestellt wurde.

(5) Bei Visa für den längerfristigen Aufenthalt bringen die Mitgliedstaaten gemäß Nummer 12 des Anhangs der Verordnung (EG) Nr. 1683/95 auf dem Visumaufkleber im Feld „Anmerkungen" den Hinweis an, dass das Visum zum Zwecke der Saisonarbeit ausgestellt wurde.

(6) Die Mitgliedstaaten können zusätzliche Angaben zu dem Beschäftigungsverhältnis des Saisonarbeitnehmers in Papierform festhalten oder diese

---

1) **Amtl. Anm.:** Verordnung (EG) Nr. 1683/95 des Rates vom 29. Mai 1995 über eine einheitliche Visagestaltung (ABl. L 164 vom 14. 7. 1995, S. 1).

Angaben gemäß Artikel 4 der Verordnung (EG) Nr. 1030/2002 und gemäß Nummer 16 Buchstabe a des Anhangs jener Verordnung elektronisch speichern.

(7) Ist ein Visum zum alleinigen Zweck der Einreise in das Hoheitsgebiet eines Mitgliedstaats erforderlich und erfüllt der Drittstaatsangehörige die Bedingungen für die Erteilung einer Erlaubnis für Saisonarbeitnehmer gemäß Absatz 2 Unterabsatz 1 Buchstabe c, so gewährt der betreffende Mitgliedstaat dem Drittstaatsangehörigen jede mögliche Erleichterung zur Erlangung des benötigten Visums.

(8) Die Ausstellung eines Visums für den längerfristigen Aufenthalt gemäß Absatz 2 Unterabsatz 1 Buchstabe a erfolgt unbeschadet der Möglichkeit für die Mitgliedstaaten, eine vorherige Arbeitserlaubnis in dem betreffenden Mitgliedstaat auszustellen.

Art. 13 Antrag auf eine Erlaubnis für Saisonarbeitnehmer. (1) Die Mitgliedstaaten benennen die Behörden, die für die Entgegennahme von Anträgen auf eine Erlaubnis für Saisonarbeitnehmer und die Entscheidung darüber sowie für die Ausstellung dieser Erlaubnis zuständig sind.

(2) Ein Antrag auf Ausstellung einer Erlaubnis für Saisonarbeitnehmer ist im Wege eines einheitlichen Antragsverfahrens einzureichen.

Art. 14 Aufenthaltsdauer. (1) [1] Die Mitgliedstaaten legen eine maximale Aufenthaltsdauer für Saisonarbeitnehmer fest, die mindestens fünf und höchstens neun Monate innerhalb eines Zwölfmonatszeitraums beträgt. [2] Nach Ablauf dieses Zeitraums muss der Drittstaatsangehörige das Hoheitsgebiet des Mitgliedstaats verlassen, sofern der betreffende Mitgliedstaat nicht einen Aufenthaltstitel nach nationalem Recht oder Unionsrecht für andere Zwecke als Saisonarbeit erteilt hat.

(2) [1] Die Mitgliedstaaten können einen Höchstzeitraum innerhalb eines Zwölfmonatszeitraum festlegen, in dem ein Arbeitgeber Saisonarbeitnehmer einstellen darf. [2] Dieser Zeitraum darf nicht geringer sein als die maximale Aufenthaltsdauer, die gemäß Absatz 1 festgelegt wird.

Art. 15 Verlängerung des Aufenthalts oder Erneuerung der Genehmigung zum Zwecke der Saisonarbeit. (1) Sofern die Artikel 5 oder 6 eingehalten werden und keiner der in Artikel 8 Absatz 1 Buchstabe b, Artikel 8 Absatz 2 und gegebenenfalls Artikel 8 Absatz 4 genannten Gründe vorliegen, gewähren die Mitgliedstaaten einem Saisonarbeitnehmer innerhalb der in Artikel 14 Absatz 1 genannten maximalen Aufenthaltsdauer eine einmalige Verlängerung seines Aufenthalts, wenn der Saisonarbeitnehmer seinen Vertrag mit demselben Arbeitgeber verlängert.

(2) Die Mitgliedstaaten können im Einklang mit ihrem nationalen Recht beschließen, Saisonarbeitnehmern eine mehrmalige Verlängerung ihres Vertrags mit demselben Arbeitgeber und ihres Aufenthalts zu gewähren, sofern die in Artikel 14 Absatz 1 genannte maximale Aufenthaltsdauer nicht überschritten wird.

(3) Sofern Artikel 5 oder 6 eingehalten werden und keiner der in Artikel 8 Absatz 1 Buchstabe b, Artikel 8 Absatz 2 und gegebenenfalls Artikel 8 Absatz 4 genannten Gründe vorliegen, gewähren die Mitgliedstaaten einem

Saisonarbeitnehmer innerhalb der in Artikel 14 Absatz 1 genannten Höchstaufenthaltsdauer eine einmalige Verlängerung seines Aufenthalts zum Zwecke der Beschäftigung bei einem anderen Arbeitgeber.

(4) Die Mitgliedstaaten können im Einklang mit ihrem nationalen Recht beschließen, Saisonarbeitnehmern eine Beschäftigung bei einem anderen Arbeitgeber und eine mehrmalige Verlängerung ihres Aufenthalts zu gestatten, sofern die in Artikel 14 Absatz 1 genannte maximale Aufenthaltsdauer nicht überschritten wird.

(5) Für die Zwecke der Absätze 1 bis 4 akzeptieren die Mitgliedstaaten die Einreichung eines Antrags, wenn der nach dieser Richtlinie zugelassene Saisonarbeitnehmer sich im Hoheitsgebiet des betreffenden Mitgliedstaats aufhält.

(6) [1] Die Mitgliedstaaten können die Verlängerung des Aufenthalts bzw. die Erneuerung der Genehmigung zum Zwecke der Saisonarbeit verweigern, wenn die fragliche freie Stelle durch einen Staatsangehörigen des betreffenden Mitgliedstaats oder einen anderen Unionsbürger oder durch einen Drittstaatsangehörigen, der sich rechtmäßig in dem Mitgliedstaat aufhält, besetzt werden könnte. [2] Dieser Absatz berührt nicht den Grundsatz der Präferenz für Unionsbürger, wie er in den einschlägigen Bestimmungen der einschlägigen Beitrittsakten formuliert ist.

(7) Die Mitgliedstaaten verweigern die Verlängerung des Aufenthalts bzw. die Erneuerung der Genehmigung zum Zwecke der Saisonarbeit, wenn die maximale Aufenthaltsdauer im Sinne des Artikels 14 Absatz 1 erreicht ist.

(8) Die Mitgliedstaaten können die Verlängerung des Aufenthalts bzw. die Erneuerung der Genehmigung zum Zwecke der Saisonarbeit verweigern, wenn der Drittstaatsangehörige internationalen Schutz gemäß der Richtlinie 2011/95/EU beantragt oder wenn der Drittstaatsangehörige Schutz gemäß dem nationalen Recht, den internationalen Verpflichtungen oder den Gepflogenheiten des betreffenden Mitgliedstaats beantragt.

(9) Artikel 9 Absatz 2 und Artikel 9 Absatz 3 Buchstaben b, c und d gelten nicht für Saisonarbeitnehmer, die die Beschäftigung bei einem anderen Arbeitgeber gemäß Absatz 3 dieses Artikels beantragen, wenn diese Bestimmungen auf den vorigen Arbeitgeber Anwendung finden.

(10) Die Gründe für die Verlängerung eines Visums für einen kurzfristigen Aufenthalt sind in den einschlägigen Bestimmungen des Visakodex geregelt.

(11) Unbeschadet des Artikels 8 Absatz 1 müssen bei jeder Entscheidung über einen Antrag auf Verlängerung oder Erneuerung die konkreten Umstände des Einzelfalls, einschließlich der Interessen des Saisonarbeitnehmers, berücksichtigt und der Grundsatz der Verhältnismäßigkeit geachtet werden.

Art. 16 Erleichterung der Wiedereinreise. (1) Die Mitgliedstaaten erleichtern die Wiedereinreise von Drittstaatsangehörigen, die in dem jeweiligen Mitgliedstaat mindestens einmal in den vorangegangenen fünf Jahren als Saisonarbeitnehmer zugelassen waren und die die im Rahmen dieser Richtlinie geltenden Bedingungen für Saisonarbeitnehmer bei jedem ihrer Aufenthalte uneingeschränkt erfüllt haben.

(2) Die in Absatz 1 genannte Erleichterung kann eine oder mehrere Maßnahmen umfassen, beispielsweise:

a) die Gewährung einer Befreiung vom Erfordernis der Vorlage einer oder mehrerer der in den Artikeln 5 oder 6 genannten Unterlagen;

b) die Erteilung mehrerer Erlaubnisse für Saisonarbeitnehmer im Rahmen eines einzigen Verwaltungsakts;

c) ein beschleunigtes Verfahren für eine Entscheidung über den Antrag auf eine Erlaubnis für Saisonarbeitnehmer oder auf ein Visum für den längerfristigen Aufenthalt;

d) Vorrang bei der Prüfung von Anträgen auf Zulassung als Saisonarbeitnehmer, einschließlich Berücksichtigung früherer Zulassungen, bei der Entscheidung über Anträge in Bezug auf die Ausschöpfung der Anzahl der Zulassungen.

Art. 17 Sanktionen gegen Arbeitgeber. (1) [1] Die Mitgliedstaaten sehen Sanktionen gegen Arbeitgeber vor, die ihren aus dieser Richtlinie erwachsenen Verpflichtungen nicht nachgekommen sind, einschließlich des Ausschlusses von Arbeitgebern, die in schwerwiegender Weise gegen ihre Verpflichtungen im Rahmen dieser Richtlinie verstoßen haben, von der Beschäftigung von Saisonarbeitnehmern. [2] Diese Sanktionen müssen wirksam, verhältnismäßig und abschreckend sein.

(2) [1] Die Mitgliedstaaten stellen sicher, dass der Arbeitgeber im Falle des Entzugs der Genehmigung zum Zwecke der Saisonarbeit gemäß Artikel 9 Absatz 2 und Absatz 3 Buchstaben b, c und d für die Zahlung einer Entschädigung an den Saisonarbeitnehmer im Einklang mit den Verfahren des nationalen Rechts haftet. [2] Die Haftung erfasst alle ausstehenden Verpflichtungen, die der Arbeitgeber zu erfüllen hätte, wenn die Genehmigung zum Zwecke der Saisonarbeit nicht entzogen worden wäre.

(3) Ist der Arbeitgeber, der gegen diese Richtlinie verstoßen hat, ein Unterauftragnehmer, und sind der Hauptauftragnehmer bzw. alle etwaigen Zwischenauftragnehmer ihrer im nationalen Recht festgelegten Sorgfaltspflicht nicht nachgekommen, so können der Hauptauftragnehmer und alle Zwischenauftragnehmer:

a) den Sanktionen gemäß Absatz 1 unterworfen werden;

b) neben oder anstelle des Arbeitgebers für die Zahlung aller Entschädigungen, die dem Arbeitnehmer gemäß Absatz 2 geschuldet werden, haftbar gemacht werden;

c) neben oder anstelle des Arbeitgebers für die Zahlung aller ausstehenden Zahlungen, die dem Arbeitnehmer gemäß dem nationalen Recht geschuldet werden, haftbar gemacht werden.

Die Mitgliedstaaten können nach nationalem Recht strengere Haftungsvorschriften vorsehen.

Art. 18 Verfahrensgarantien. (1) [1] Die zuständigen Behörden des Mitgliedstaats entscheiden über den Antrag auf Erteilung einer Genehmigung zum Zwecke der Saisonarbeit. [2] Die zuständigen Behörden unterrichten den Antragsteller gemäß den im nationalen Recht festgelegten Mitteilungsverfahren so rasch wie möglich, jedoch spätestens 90 Tage nach Einreichung des vollständigen Antrags schriftlich über die Entscheidung.

(2) Handelt es sich um einen Antrag auf Verlängerung des Aufenthalts oder auf Erneuerung der Genehmigung gemäß Artikel 15, so treffen die Mitgliedstaaten alle angemessenen Maßnahmen, um sicherzustellen, dass der Saisonarbeitnehmer nicht durch laufende Verwaltungsverfahren dazu gezwungen wird, sein Beschäftigungsverhältnis mit demselben Arbeitgeber zu unterbrechen, oder daran gehindert wird, den Arbeitgeber zu wechseln.

Läuft die Gültigkeit der Genehmigung zum Zwecke der Saisonarbeit während des Verfahrens zur Verlängerung oder Erneuerung ab, so erlauben die Mitgliedstaaten im Einklang mit dem nationalen Recht dem Saisonarbeitnehmer, in ihrem Hoheitsgebiet zu bleiben, bis die zuständigen Behörden über den Antrag entschieden haben, sofern der Antrag während der Gültigkeitsdauer der betreffenden Genehmigung gestellt wurde und der in Artikel 14 Absatz 1 genannte Zeitraum nicht abgelaufen ist.

Ist Unterabsatz 2 anwendbar, so können die Mitgliedstaaten unter anderem beschließen,

a) eine nationale vorläufige Aufenthaltserlaubnis oder eine gleichwertige Genehmigung zu erteilen, bis eine Entscheidung getroffen wird,

b) dem Saisonarbeitnehmer zu erlauben, eine Beschäftigung auszuüben bis diese Entscheidung getroffen wird.

Während der Dauer der Prüfung des Antrags auf Verlängerung oder Erneuerung gelten die einschlägigen Bestimmungen dieser Richtlinie.

(3) [1] Sind die mit dem Antrag übermittelten Informationen oder Unterlagen unvollständig, so teilen die zuständigen Behörden dem Antragsteller innerhalb eines angemessenen Zeitraums mit, welche zusätzlichen Informationen erforderlich sind, und legen für deren Übermittlung eine angemessene Frist fest. [2] Die in Absatz 1 genannte Frist wird ausgesetzt, bis die zuständigen Behörden die verlangten zusätzlichen Informationen erhalten haben.

(4) [1] Die Gründe für eine Entscheidung, mit der ein Antrag auf Genehmigung zum Zwecke der Saisonarbeit für unzulässig erklärt oder ein Antrag auf Genehmigung zum Zwecke der Saisonarbeit abgelehnt wird oder eine Verlängerung des Aufenthalts bzw. eine Erneuerung der Genehmigung zum Zwecke der Saisonarbeit verweigert wird, werden dem Antragsteller schriftlich mitgeteilt. [2] Die Gründe für eine Entscheidung, mit der die Genehmigung zum Zwecke der Saisonarbeit entzogen wird, werden sowohl dem Saisonarbeitnehmer als auch – falls dies im nationalen Recht vorgesehen ist – dem Arbeitgeber schriftlich mitgeteilt.

(5) [1] Jede Entscheidung, mit der ein Antrag auf Genehmigung zum Zwecke der Saisonarbeit für unzulässig erklärt oder der Antrag abgelehnt, eine Verlängerung des Aufenthalts bzw. eine Erneuerung der Genehmigung zum Zwecke der Saisonarbeit verweigert oder eine Genehmigung zum Zwecke der Saisonarbeit entzogen wird, kann in dem betreffenden Mitgliedstaat gemäß dem nationalen Recht mit einem Rechtsbehelf angefochten werden. [2] In der schriftlichen Mitteilung werden das Gericht oder die Verwaltungsbehörde, bei denen ein Rechtsbehelf eingelegt werden kann, und die Fristen für die Einlegung eines Rechtsbehelfs genannt.

(6) Die Verfahrensgarantien in Bezug auf Visa für einen kurzfristigen Aufenthalt sind im Visakodex geregelt.

Art. 19 Gebühren und Kosten. (1) [1]Die Mitgliedstaaten können für die Bearbeitung der Anträge gemäß dieser Richtlinie Gebühren erheben. [2]Diese Gebühren dürfen nicht unverhältnismäßig oder übermäßig hoch sein. [3]Die Gebühren für Visa für einen kurzfristigen Aufenthalt sind in den einschlägigen Bestimmungen des Schengen-Besitzstands geregelt. [4]Werden diese Gebühren von den Drittstaatsangehörigen entrichtet, so können die Mitgliedstaaten vorsehen, dass sie Anspruch auf eine Erstattung durch den Arbeitgeber gemäß nationalem Recht haben.

(2) Die Mitgliedstaaten können von den Arbeitgebern von Saisonarbeitnehmern verlangen, dass diese

a) für die Reisekosten der Saisonarbeitnehmer von ihrem Herkunftsort bis zu ihrem Arbeitsort in dem betreffenden Mitgliedstaat sowie für die Rückreisekosten aufkommen;

b) für die Kosten der Krankenversicherung gemäß Artikel 5 Absatz 1 Buchstabe b und Artikel 6 Absatz 1 Buchstabe b aufkommen.

Werden die Kosten nach diesem Absatz von den Arbeitgebern übernommen, so dürfen sie nicht vom Saisonarbeitnehmer zurückgefordert werden.

Art. 20 Unterkunft. (1) [1]Die Mitgliedstaaten fordern den Nachweis, dass für den Saisonarbeitnehmer eine Unterkunft zur Verfügung steht, die während der Dauer des Aufenthalts einen angemessenen Lebensstandard entsprechend dem nationalen Recht und/oder den nationalen Gepflogenheiten gewährleistet. [2]Die zuständige Behörde wird über jeden Wechsel der Unterkunft des Saisonarbeitnehmers unterrichtet.

(2) Wird die Unterkunft durch oder über den Arbeitgeber zur Verfügung gestellt, so

a) kann vom Saisonarbeitnehmer verlangt werden, dass er eine Miete zahlt, die im Vergleich zu seiner Nettovergütung und im Vergleich zur Qualität der Unterkunft nicht übermäßig hoch sein darf. Die Miete darf nicht automatisch vom Lohn des Saisonarbeitnehmers abgezogen werden;

b) stellt der Arbeitgeber dem Saisonarbeitnehmer einen Mietvertrag oder ein gleichwertiges Schriftstück bereit, in dem die Mietbedingungen für die Unterkunft eindeutig festgehalten sind;

c) stellt der Arbeitgeber sicher, dass die Unterkunft den in dem betreffenden Mitgliedstaat geltenden allgemeinen Gesundheits- und Sicherheitsnormen entspricht.

Art. 21 Vermittlung durch die öffentliche Arbeitsverwaltung. Die Mitgliedstaaten können bestimmen, dass die Vermittlung von Saisonarbeitnehmern nur durch die öffentliche Arbeitsverwaltung erfolgen darf.

Kapitel IV. Rechte

Art. 22 Rechte auf der Grundlage der Genehmigung zum Zwecke der Saisonarbeit. Während der Gültigkeitsdauer der Genehmigung gemäß Artikel 12 hat der Inhaber zumindest die folgenden Rechte:

a) das Recht auf Einreise in das und Aufenthalt im Hoheitsgebiet des Mitgliedstaats, der die Genehmigung erteilt hat;

b) freien Zugang zum gesamten Hoheitsgebiet des Mitgliedstaats, der die Genehmigung erteilt hat, gemäß dem nationalen Recht;

c) das Recht auf Ausübung der mit der Genehmigung genehmigten konkreten Arbeitstätigkeit im Einklang mit dem nationalen Recht.

Art. 23 Recht auf Gleichbehandlung. (1) Saisonarbeitnehmer haben Anspruch auf Gleichbehandlung mit den Staatsangehörigen des Aufnahmemitgliedstaats zumindest in Bezug auf

a) die Beschäftigungsbedingungen, einschließlich des Mindestbeschäftigungsalters und der Arbeitsbedingungen, einschließlich Arbeitsentgelt und Entlassung, Arbeitszeiten, Urlaub und Feiertage sowie die Anforderungen an Gesundheitsschutz und Sicherheit am Arbeitsplatz;

b) das Recht auf Streik und Arbeitskampfmaßnahmen, im Einklang mit dem nationalen Recht und den nationalen Gepflogenheiten des Aufnahmemitgliedstaats und die Vereinigungsfreiheit sowie die Zugehörigkeit zu und die Mitgliedschaft in einer Gewerkschaft oder einer sonstigen Organisation, deren Mitglieder einer bestimmten Berufsgruppe angehören, sowie die Inanspruchnahme der von solchen Organisationen angebotenen Rechte und Leistungen, unter anderem des Rechts auf Aushandlung und Abschluss von Tarifverträgen, unbeschadet der nationalen Bestimmungen über die öffentliche Ordnung und die öffentliche Sicherheit;

c) vom Arbeitgeber zu leistende Nachzahlungen in Bezug auf etwaige ausstehende Vergütungen des Drittstaatsangehörigen;

d) Zweige der sozialen Sicherheit im Sinne des Artikels 3 der Verordnung (EG) Nr. 883/2004;

e) den Zugang zu Waren und Dienstleistungen sowie zur Lieferung von Waren und Erbringung von Dienstleistungen für die Öffentlichkeit, ausgenommen Wohnraum, unbeschadet der Vertragsfreiheit gemäß dem Unionsrecht und dem nationalen Recht;

f) Beratungsleistungen zur Saisonarbeit durch Arbeitsvermittlungsstellen;

g) allgemeine und berufliche Bildung;

h) Anerkennung von Diplomen, Prüfungszeugnissen und sonstigen beruflichen Befähigungsnachweisen gemäß den einschlägigen nationalen Verfahren;

i) Steuervergünstigungen, soweit der Saisonarbeitnehmer als in dem betreffenden Mitgliedstaat steuerlich ansässig gilt.

Saisonarbeitnehmer, die in einen Drittstaat umziehen, oder ihre in Drittstaaten ansässigen Hinterbliebenen, die Ansprüche vom Saisonarbeitnehmer herleiten, erhalten gesetzliche Renten, die in dem früheren Beschäftigungsverhältnis des Saisonarbeitnehmers begründet sind und für die gemäß den in Artikel 3 der Verordnung (EG) Nr. 883/2004 genannten Rechtsvorschriften Ansprüche erworben wurden, zu denselben Bedingungen und in derselben Höhe wie die Staatsangehörigen des betreffenden Mitgliedstaats bei einem Umzug in einen Drittstaat.

(2) Die Mitgliedstaaten können die Gleichbehandlung wie folgt einschränken:

i) hinsichtlich Absatz 1 Unterabsatz 1 Buchstabe d durch den Ausschluss von Familienleistungen und Leistungen bei Arbeitslosigkeit, unbeschadet der Verordnung (EU) Nr. 1231/2010;

ii) hinsichtlich Absatz 1 Unterabsatz 1 Buchstabe g durch die Beschränkung ihrer Geltung auf die allgemeine und berufliche Bildung, die im direkten Zusammenhang mit der spezifischen Tätigkeit der Beschäftigung steht, und durch den Ausschluss von Studien- und Unterhaltszuschüssen und -darlehen oder anderen Zuschüssen und Darlehen;

iii) hinsichtlich Absatz 1 Unterabsatz 1 Buchstabe i bezüglich Steuervergünstigungen durch die Beschränkung ihrer Anwendung auf Fälle, in denen der Wohnsitz oder der gewöhnliche Aufenthaltsort der Familienangehörigen des Saisonarbeitnehmers, für die er Leistungen beansprucht, im Hoheitsgebiet des betreffenden Mitgliedstaats liegt.

(3) Das Recht auf Gleichbehandlung nach Absatz 1 lässt das Recht des Mitgliedstaats unberührt, die Genehmigung zum Zwecke der Saisonarbeit gemäß den Artikeln 9 und 15 zu entziehen oder die Verlängerung des Aufenthalts bzw. die Erneuerung der Genehmigung zu verweigern.

Art. 24 Kontrolle, Bewertung und Inspektionen. (1) [1] Die Mitgliedstaaten sehen Maßnahmen zur Vermeidung möglichen Missbrauchs und zur Ahndung von Verstößen gegen diese Richtlinie vor. [2] Dazu gehören Kontrolle, Bewertung und gegebenenfalls Inspektionen im Einklang mit dem nationalen Recht oder den nationalen Verwaltungsgepflogenheiten.

(2) Die Mitgliedstaaten sorgen dafür, dass die für die Arbeitsaufsicht zuständigen Dienststellen oder die zuständigen Behörden und – sofern dies nach dem nationalen Recht für die Arbeitnehmer, die Staatsangehörige des betreffenden Mitgliedstaats sind, vorgesehen ist – Arbeitnehmerorganisationen Zugang zum Arbeitsplatz und – mit Zustimmung des Arbeitnehmers – zur Unterkunft haben.

Art. 25 Erleichterung der Einreichung von Beschwerden. (1) Die Mitgliedstaaten stellen sicher, dass wirksame Verfahren bestehen, in deren Rahmen Saisonarbeitnehmer unmittelbar oder über Dritte, die gemäß den in ihrem nationalen Recht festgelegten Kriterien ein berechtigtes Interesse daran haben, die Einhaltung dieser Richtlinie zu gewährleisten, oder über eine zuständige Behörde des Mitgliedstaats, wenn dies nach nationalem Recht vorgesehen ist, Beschwerde gegen ihre Arbeitgeber einreichen können.

(2) Die Mitgliedstaaten stellen sicher, dass Dritte, die gemäß den in ihrem nationalen Recht festgelegten Kriterien ein berechtigtes Interesse daran haben, die Einhaltung dieser Richtlinie zu gewährleisten, entweder im Namen des Saisonarbeitnehmers oder zu dessen Unterstützung mit dessen Einwilligung Verwaltungs- oder zivilrechtliche Verfahren – ausgenommen Verfahren und Entscheidungen betreffend Visa für einen kurzfristigen Aufenthalt –, die zur Umsetzung dieser Richtlinie vorgesehen sind, anstrengen können.

(3) Die Mitgliedstaaten sorgen dafür, dass die Saisonarbeitnehmer denselben Zugang wie andere Arbeitnehmer in einer vergleichbaren Position zu Maßnahmen zum Schutz vor Entlassung oder anderen Benachteiligungen durch

den Arbeitgeber haben, die als Reaktion auf eine Beschwerde innerhalb des betreffenden Unternehmens oder auf die Einleitung eines Verfahrens zur Durchsetzung dieser Richtlinie erfolgen.

Kapitel V. Schlussbestimmungen

Art. 26 Statistiken. (1) [1] Die Mitgliedstaaten übermitteln der Kommission statistische Angaben zur Anzahl der erstmalig erteilten Genehmigungen zum Zwecke der Saisonarbeit und, soweit möglich, zur Anzahl der Drittstaatsangehörigen, deren Genehmigung zum Zwecke der Saisonarbeit verlängert, erneuert oder entzogen wurde. [2] Diese Statistiken werden nach Staatsangehörigkeit und, soweit möglich, nach Gültigkeitsdauer der Genehmigung und Wirtschaftszweig untergliedert.

(2) [1] Die Statistiken gemäß Absatz 1 beziehen sich auf Bezugszeiträume eines Kalenderjahrs und werden der Kommission innerhalb von sechs Monaten nach Ende des Bezugsjahrs übermittelt. [2] Das erste Bezugsjahr ist 2017.

(3) Die Statistiken gemäß Absatz 1 werden im Einklang mit der Verordnung (EG) Nr. 862/2007 des Europäischen Parlaments und des Rates[1)] übermittelt.

Art. 27 Berichterstattung. Alle drei Jahre und zum ersten Mal spätestens am 30. September 2019 legt die Kommission dem Europäischen Parlament und dem Rat einen Bericht über die Anwendung dieser Richtlinie in den Mitgliedstaaten vor und schlägt gegebenenfalls erforderliche Änderungen vor.

Art. 28 Umsetzung. (1) [1] Die Mitgliedstaaten setzen die Rechts- und Verwaltungsvorschriften in Kraft, die erforderlich sind, um dieser Richtlinie bis zum 30. September 2016 nachzukommen. [2] Sie teilen der Kommission unverzüglich den Wortlaut dieser Vorschriften mit.

[1] Wenn die Mitgliedstaaten diese Vorschriften erlassen, nehmen sie in den Vorschriften selbst oder durch einen Hinweis bei der amtlichen Veröffentlichung auf diese Richtlinie Bezug. [2] Die Mitgliedstaaten regeln die Einzelheiten der Bezugnahme.

(2) Die Mitgliedstaaten teilen der Kommission den Wortlaut der wichtigsten nationalen Rechtsvorschriften mit, die sie auf dem unter diese Richtlinie fallenden Gebiet erlassen.

Art. 29 Inkrafttreten. Diese Richtlinie tritt am Tag nach ihrer Veröffentlichung im *Amtsblatt der Europäischen Union* in Kraft.

Art. 30 Adressaten. Diese Richtlinie ist gemäß den Verträgen an die Mitgliedstaaten gerichtet.

[1)] **Amtl. Anm.:** Verordnung (EG) Nr. 862/2007 des Europäischen Parlaments und des Rates vom 11. Juli 2007 zu Gemeinschaftsstatistiken über Wanderung und internationalen Schutz und zur Aufhebung der Verordnung (EWG) Nr. 311/76 des Rates über die Erstellung von Statistiken über ausländische Arbeitnehmer (ABl. L 199 vom 31. 7. 2007, S. 23).

880. Richtlinie 98/59/EG des Rates zur Angleichung der Rechtsvorschriften der Mitgliedstaaten über Massenentlassungen[1]

(ABl.Nr. L 225 S. 16)

Celex-Nr. 3 1998 L 0059

geänd. durch Art. 4 ÄndRL (EU) 2015/1794 v. 6. 10. 2015 (ABl. Nr. L 263 S. 1)

DER RAT DER EUROPÄISCHEN UNION –

gestützt auf den Vertrag zur Gründung der Europäischen Gemeinschaft[2], insbesondere auf Artikel 94,

auf Vorschlag der Kommission,

nach Stellungnahme des Europäischen Parlaments,

nach Stellungnahme des Wirtschafts- und Sozialausschusses[3],

in Erwägung nachstehender Gründe:

(1) Aus Gründen der Übersichtlichkeit und der Klarheit empfiehlt es sich, die Richtlinie75/129/EWG des Rates vom 17. Februar 1975 zur Angleichung der Rechtsvorschriften der Mitgliedstaaten über Massenentlassungen[4] zu kodifizieren.

(2) Unter Berücksichtigung der Notwendigkeit einer ausgewogenen wirtschaftlichen und sozialen Entwicklung in der Gemeinschaft ist es wichtig, den Schutz der Arbeitnehmer bei Massenentlassungen zu verstärken.

(3) Trotz einer konvergierenden Entwicklung bestehen weiterhin Unterschiede zwischen den in den Mitgliedstaaten geltenden Bestimmungen hinsichtlich der Voraussetzungen und des Verfahrens für Massenentlassungen sowie hinsichtlich der Maßnahmen, die die Folgen dieser Entlassungen für die Arbeitnehmer mildern könnten.

(4) Diese Unterschiede können sich auf das Funktionieren des Binnenmarktes unmittelbar auswirken.

(5) Die Entschließung des Rates vom 21. Januar 1974 über ein sozialpolitisches Aktionsprogramm[5] hat eine Richtlinie über die Angleichung der Rechtsvorschriften der Mitgliedstaaten über Massenentlassungen vorgesehen.

(6) Die auf der Tagung des Europäischen Rates in Straßburg am 9. Dezember 1989 von den Staats- und Regierungschefs von elf Mitgliedstaaten angenommene Gemeinschaftscharta der sozialen Grundrechte der Arbeitneh-

---

[1] Die Verweise/Bezugnahmen auf Vorschriften des EGV sind bereits gemäß Art. 12 des Amsterdamer Vertrags in Verbindung mit der Übereinstimmungstabelle an die neue Nummerierung angepasst worden.

[2] **NipperdeyDirekt (online) Nr. 850 a.**

[3] **Amtl. Anm.:** ABl. C 158 vom 26 5. 1997, S. 11.

[4] **Amtl. Anm.:** ABl. L 48 vom 22. 2. 1975, S. 29. Richtlinie zuletzt geändert durch die Richtlinie 92/56/EWG (ABl. L 245 vom 26. 8. 1992, S. 3).

[5] **Amtl. Anm.:** ABl. C 13 vom 12. 2. 1974, S. 1.

mer sieht unter Nummer 7 Unterabsatz 1 erster Satz und Unterabsatz 2, unter Nummer 17 Unterabsatz 1 und unter Nummer 18 dritter Gedankenstrich folgendes vor:

„7. Die Verwirklichung des Binnenmarktes muß zu einer Verbesserung der Lebens- und Arbeitsbedingungen der Arbeitnehmer in der Europäischen Gemeinschaft führen [...].
Diese Verbesserung muß, soweit nötig, dazu führen, daß bestimmte Bereiche des Arbeitsrechts, wie die Verfahren bei Massenentlassungen oder bei Konkursen, ausgestaltet werden.
[...]

17. Unterrichtung, Anhörung und Mitwirkung der Arbeitnehmer müssen in geeigneter Weise, unter Berücksichtigung der in den verschiedenen Mitgliedstaaten herrschenden Gepflogenheiten, weiterentwickelt werden.
[...]

18. Unterrichtung, Anhörung und Mitwirkung sind rechtzeitig vor allem in folgenden Fällen vorzusehen:
[– ...]
[– ...]
– bei Massenentlassungen;
[– ...];".

(7) Daher muß auf diese Angleichung auf dem Wege des Fortschritts im Sinne des Artikel 136 EG-Vertrag[1)] hingewirkt werden.

(8) Es empfiehlt sich, im Hinblick auf die Berechnung der Zahl der Entlassungen gemäß der Definition der Massenentlassungen im Sinne dieser Richtlinie den Entlassungen andere Arten einer Beendigung des Arbeitsverhältnisses, die auf Veranlassung des Arbeitgebers erfolgt, gleichzustellen, sofern die Zahl der Entlassungen mindestens fünf beträgt.

(9) Es sollte vorgesehen werden, daß diese Richtlinie grundsätzlich auch für Massenentlassungen gilt, die aufgrund einer auf einer gerichtlichen Entscheidung beruhenden Einstellung der Tätigkeit eines Betriebs erfolgen.

(10) Die Mitgliedstaaten sollten vorsehen können, daß die Arbeitnehmervertreter angesichts der fachlichen Komplexität der Themen, die gegebenenfalls Gegenstand der Information und Konsultation sind, Sachverständige hinzuziehen können.

(11) Es sollte sichergestellt werden, daß die Informations-, Konsultations- und Meldepflichten des Arbeitgebers unabhängig davon gelten, ob die Entscheidung über die Massenentlassungen von dem Arbeitgeber oder von einem den Arbeitgeber beherrschenden Unternehmen getroffen wird.

(12) Die Mitgliedstaaten sollten dafür Sorge tragen, daß den Arbeitnehmervertretern und/oder den Arbeitnehmern administrative und/oder gerichtliche Verfahren zur Durchsetzung der Verpflichtungen gemäß dieser Richtlinie zur Verfügung stehen.

(13) Diese Richtlinie soll die Verpflichtungen der Mitgliedstaaten in bezug auf die in Anhang I Teil B angeführten Richtlinien und deren Umsetzungsfristen unberührt lassen –

[1)] **NipperdeyDirekt (online) Nr. 850 a.**

HAT FOLGENDE RICHTLINIE ERLASSEN:

Teil I. Begriffsbestimmungen und Anwendungsbereich

Art. 1[1)] [Begriffsbestimmungen; Ausnahmen vom Anwendungsbereich] (1) Für die Durchführung dieser Richtlinie gelten folgende Begriffsbestimmungen:

a) „Massenentlassungen"sind Entlassungen, die ein Arbeitgeber aus einem oder mehreren Gründen, die nicht in der Person der Arbeitnehmer liegen, vornimmt und bei denen – nach Wahl der Mitgliedstaaten – die Zahl der Entlassungen

i) entweder innerhalb eines Zeitraums von 30 Tagen

– mindestens 10 in Betrieben mit in der Regel mehr als 20 und weniger als 100 Arbeitnehmern,

– mindestens 10 v.H. der Arbeitnehmer in Betrieben mit in der Regel mindestens 100 und weniger als 300 Arbeitnehmern,

– mindestens 30 in Betrieben mit in der Regel mindestens 300 Arbeitnehmern,

ii) oder innerhalb eines Zeitraums von 90 Tagen mindestens 20, und zwar unabhängig davon, wie viele Arbeitnehmer in der Regel in dem betreffenden Betrieb beschäftigt sind,

beträgt;

b) „Arbeitnehmervertreter" sind die Arbeitnehmervertreter nach den Rechtsvorschriften oder der Praxis der Mitgliedstaaten.

Für die Berechnung der Zahl der Entlassungen gemäß Absatz 1 Buchstabe a) werden diesen Entlassungen Beendigungen des Arbeitsvertrags gleichgestellt, die auf Veranlassung des Arbeitgebers und aus einem oder mehreren Gründen, die nicht in der Person der Arbeitnehmer liegen, erfolgen, sofern die Zahl der Entlassungen mindestens fünf beträgt.

(2) Diese Richtlinie findet keine Anwendung auf

a) Massenentlassungen im Rahmen von Arbeitsverträgen, die für eine bestimmte Zeit oder Tätigkeit geschlossen werden, es sei denn, daß diese Entlassungen vor Ablauf oder Erfüllung dieser Verträge erfolgen;

b) Arbeitnehmer öffentlicher Verwaltungen oder von Einrichtungen des öffentlichen Rechts (oder in Mitgliedstaaten, die diesen Begriff nicht kennen, von gleichwertigen Stellen);[2)]

Teil II. Information und Konsultation

Art. 2 [Unterrichtungs- und Beratungsrecht der Arbeitnehmervertreter] (1) Beabsichtigt ein Arbeitgeber, Massenentlassungen vorzunehmen, so hat

---

1) Art. 1 Abs. 2 Buchst. c aufgeh. mWv 9. 10. 2015 durch RL v. 6. 10. 2015 (ABl. Nr. L 263 S. 1).

2) Zeichensetzung amtlich.

er die Arbeitnehmervertreter rechtzeitig zu konsultieren, um zu einer Einigung zu gelangen.

(2) Diese Konsultationen erstrecken sich zumindest auf die Möglichkeit, Massenentlassungen zu vermeiden oder zu beschränken, sowie auf die Möglichkeit, ihre Folgen durch soziale Begleitmaßnahmen, die insbesondere Hilfen für eine anderweitige Verwendung oder Umschulung der entlassenen Arbeitnehmer zum Ziel haben, zu mildern.

Die Mitgliedstaaten können vorsehen, daß die Arbeitnehmervertreter gemäß den innerstaatlichen Rechtsvorschriften und/oder Praktiken Sachverständige hinzuziehen können.

(3) Damit die Arbeitnehmervertreter konstruktive Vorschläge unterbreiten können, hat der Arbeitgeber ihnen rechtzeitig im Verlauf der Konsultationen

a) die zweckdienlichen Auskünfte zu erteilen und

b) in jedem Fall schriftlich folgendes mitzuteilen:

  i) die Gründe der geplanten Entlassung;

  ii) die Zahl und die Kategorien der zu entlassenden Arbeitnehmer;

  iii) die Zahl und die Kategorien der in der Regel beschäftigten Arbeitnehmer;

  iv) den Zeitraum, in dem die Entlassungen vorgenommen werden sollen;

  v) die vorgesehenen Kriterien für die Auswahl der zu entlassenden Arbeitnehmer, soweit die innerstaatlichen Rechtsvorschriften und/oder Praktiken dem Arbeitgeber die Zuständigkeit dafür zuerkennen;

  vi) die vorgesehene Methode für die Berechnung etwaiger Abfindungen, soweit sie sich nicht aus den innerstaatlichen Rechtsvorschriften und/oder Praktiken ergeben.

Der Arbeitgeber hat der zuständigen Behörde eine Abschrift zumindest der in Unterabsatz 1 Buchstabe b) Ziffern i) bis v) genannten Bestandteile der schriftlichen Mitteilung zu übermitteln.

(4) Die Verpflichtungen gemäß den Absätzen 1, 2 und 3 gelten unabhängig davon, ob die Entscheidung über die Massenentlassungen von dem Arbeitgeber oder von einem den Arbeitgeber beherrschenden Unternehmen getroffen wurde.

Hinsichtlich angeblicher Verstöße gegen die in dieser Richtlinie enthaltenen Informations-, Konsultations- und Meldepflichten findet der Einwand des Arbeitgebers, das für die Massenentlassungen verantwortliche Unternehmen habe ihm die notwendigen Informationen nicht übermittelt, keine Berücksichtigung.

Teil III. Massenentlassungsverfahren

Art. 3[1] [Anzeigepflicht] (1) Der Arbeitgeber hat der zuständigen Behörde alle beabsichtigten Massenentlassungen schriftlich anzuzeigen.

Die Mitgliedstaaten können jedoch vorsehen, daß im Fall einer geplanten Massenentlassung, die aufgrund einer gerichtlichen Entscheidung über die Ein-

[1] Art. 3 Abs. 1 UAbs. 3 eingef., bish. UAbs. 3 wird UAbs. 4 mWv 9. 10. 2015 durch RL v. 6. 10. 2015 (ABl. Nr. L 263 S. 1).

stellung der Tätigkeit des Betriebs erfolgt, der Arbeitgeber diese der zuständigen Behörde nur auf deren Verlangen schriftlich anzuzeigen hat.

Betrifft eine geplante Massenentlassung die Besatzungsmitglieder eines Seeschiffs, so unterrichtet der Arbeitgeber die zuständige Behörde des Staates, unter dessen Flagge das Schiff fährt.

Die Anzeige muß alle zweckdienlichen Angaben über die beabsichtigte Massenentlassung und die Konsultationen der Arbeitnehmervertreter gemäß Artikel 2 enthalten, insbesondere die Gründe der Entlassung, die Zahl der zu entlassenden Arbeitnehmer, die Zahl der in der Regel beschäftigten Arbeitnehmer und den Zeitraum, in dem die Entlassungen vorgenommen werden sollen.

(2) Der Arbeitgeber hat den Arbeitnehmervertretern eine Abschrift der in Absatz 1 genannten Anzeige zu übermitteln.

Die Arbeitnehmervertreter können etwaige Bemerkungen an die zuständige Behörde richten.

Art. 4[1] [Entlassungssperre] (1) Die der zuständigen Behörde angezeigten beabsichtigten Massenentlassungen werden frühestens 30 Tage nach Eingang der in Artikel 3 Absatz 1 genannten Anzeige wirksam; die im Fall der Einzelkündigung für die Kündigungsfrist geltenden Bestimmungen bleiben unberührt.

Die Mitgliedstaaten können der zuständigen Behörde jedoch die Möglichkeit einräumen, die Frist des Unterabsatzes 1 zu verkürzen.

(2) Die Frist des Absatzes 1 muß von der zuständigen Behörde dazu benutzt werden, nach Lösungen für die durch die beabsichtigten Massenentlassungen aufgeworfenen Probleme zu suchen.

(3) Soweit die ursprüngliche Frist des Absatzes 1 weniger als 60 Tage beträgt, können die Mitgliedstaaten der zuständigen Behörde die Möglichkeit einräumen, die ursprüngliche Frist auf 60 Tage, vom Zugang der Anzeige an gerechnet, zu verlängern, wenn die Gefahr besteht, daß die durch die beabsichtigten Massenentlassungen aufgeworfenen Probleme innerhalb der ursprünglichen Frist nicht gelöst werden können.

Die Mitgliedstaaten können der zuständigen Behörde weitergehende Verlängerungsmöglichkeiten einräumen.

Die Verlängerung ist dem Arbeitgeber vor Ablauf der ursprünglichen Frist des Absatzes 1 mitzuteilen und zu begründen.

(4) Die Mitgliedstaaten können davon absehen, diesen Artikel im Fall von Massenentlassungen infolge einer Einstellung der Tätigkeit des Betriebs anzuwenden, wenn diese Einstellung aufgrund einer gerichtlichen Entscheidung erfolgt.

Teil IV. Schlußbestimmungen

Art. 5 [Günstigkeitsklausel] Diese Richtlinie läßt die Möglichkeit der Mitgliedstaaten unberührt, für die Arbeitnehmer günstigere Rechts- oder

[1] Vgl. § 18 KSchG (Nr. **152**).

Verwaltungsvorschriften anzuwenden oder zu erlassen oder für die Arbeitnehmer günstigere tarifvertragliche Vereinbarungen zuzulassen oder zu fördern.

Art. 6 [Durchsetzungsmöglichkeiten] Die Mitgliedstaaten sorgen dafür, daß den Arbeitnehmervertretern und/oder den Arbeitnehmern administrative und/oder gerichtliche Verfahren zur Durchsetzung der Verpflichtungen gemäß dieser Richtlinie zur Verfügung stehen.

Art. 7 [Mitteilung von Rechts- und Verwaltungsvorschriften] Die Mitgliedstaaten teilen der Kommission den Wortlaut der wichtigsten Rechts- und Verwaltungsvorschriften mit, die sie im Anwendungsbereich dieser Richtlinie erlassen oder bereits erlassen haben.[1)]

Art. 8 [Aufhebung anderer Richtlinien] (1) Die in Anhang I Teil A aufgeführten Richtlinien werden aufgehoben; dies berührt nicht die Verpflichtungen der Mitgliedstaaten hinsichtlich der in Anhang I Teil B aufgeführten Umsetzungsfristen.

(2) Bezugnahmen auf die aufgehobenen Richtlinien gelten als Bezugnahmen auf die vorliegende Richtlinie und sind nach Maßgabe der Entsprechungstabelle in Anhang II zu lesen.

Art. 9 [Inkrafttreten] Diese Richtlinie tritt am zwanzigsten Tag nach ihrer Veröffentlichung[2)] im *Amtsblatt der Europäischen Gemeinschaften* in Kraft.

Art. 10 [Adressaten] Diese Richtlinie ist an die Mitgliedstaaten gerichtet.

Anhänge I und II. *(hier nicht wiedergegeben)*

---

1) Zur Umsetzung siehe §§ 17–22 KSchG (Nr. **152**).
2) Veröffentlicht am 12.8.1998.

882. Richtlinie 2001/23/EG des Rates zur Angleichung der Rechtsvorschriften der Mitgliedstaaten über die Wahrung von Ansprüchen beim Übergang von Unternehmen, Betrieben oder Unternehmens- und Betriebsteilen[1)]

(ABl. Nr. L 82 S. 16)

Celex-Nr. 3 2001 L 0023

geänd. durch Art. 5 ÄndRL (EU) 2015/1794 v. 6. 10. 2015 (ABl. Nr. L 263 S. 1)

DER RAT DER EUROPÄISCHEN UNION –

gestützt auf den Vertrag zur Gründung der Europäischen Gemeinschaft[2)3)], insbesondere auf Artikel 94[4)],

auf Vorschlag der Kommission,

nach Stellungnahme des Europäischen Parlaments[5)],

nach Anhörung des Wirtschafts- und Sozialausschusses[6)],

in Erwägung nachstehender Gründe:

(1) Die RL 77/187/EWG des Rates vom 14. Februar 1977 zur Angleichung der Rechtsvorschriften der Mitgliedstaaten über die Wahrung von Ansprüchen der Arbeitnehmer beim Übergang von Unternehmen, Betrieben oder Unternehmens- oder Betriebsteilen[7)] wurde erheblich geändert[8)]. Aus Gründen der Klarheit und Wirtschaftlichkeit empfiehlt es sich daher, die genannte Richtlinie zu kodifizieren.

(2) Die wirtschaftliche Entwicklung führt auf einzelstaatlicher und gemeinschaftlicher Ebene zu Änderungen in den Unternehmensstrukturen, die sich unter anderem aus dem Übergang von Unternehmen, Betrieben oder Unternehmens- oder Betriebsteilen auf einen anderen Inhaber durch vertragliche Übertragung oder durch Verschmelzung ergeben.

(3) Es sind Bestimmungen notwendig, die die Arbeitnehmer bei einem Inhaberwechsel schützen und insbesondere die Wahrung ihrer Ansprüche gewährleisten.

(4) Zwischen den Mitgliedstaaten bestehen in Bezug auf den Umfang des Arbeitnehmerschutzes auf diesem Gebiet weiterhin Unterschiede, die verringert werden sollten.

---

1) Diese RL ersetzt die RL 77/187/EWG v. 14. 2. 1977 (ABl. Nr. L 61 S. 26), aufgeh. durch RL v. 12. 3. 2001 (ABl. Nr. L 82 S. 16), vgl. Art. 12 und Anh. I und II.

2) **NipperdeyDirekt (online) Nr. 850 a.**

3) Nunmehr Vertrag über die Arbeitsweise der Europäischen Union durch Vertrag von Lissabon v. 13. 12. 2007 (ABl. Nr. C 306 S. 1).

4) Nunmehr Art. 115 AEUV durch Vertrag von Lissabon v. 13. 12. 2007 (ABl. Nr. C 306 S. 1).

5) **Amtl. Anm.:** Stellungnahme vom 25. Oktober 2000 (noch nicht im Amtsblatt veröffentlicht).

6) **Amtl. Anm.:** ABl. C 367 vom 20. 12. 2000, S. 21.

7) **Amtl. Anm.:** ABl. L 61 vom 5. 3. 1977, S. 26.

8) **Amtl. Anm.:** Siehe Anhang I Teil A.

(5) In der am 9. Dezember 1989 verabschiedeten Gemeinschaftscharta der sozialen Grundrechte der Arbeitnehmer (Sozialcharta)[1] wird unter Nummer 7, Nummer 17 und Nummer 18 insbesondere folgendes festgestellt: „Die Verwirklichung des Binnenmarktes muss zu einer Verbesserung der Lebens- und Arbeitsbedingungen der Arbeitnehmer in der Europäischen Gemeinschaft führen. Diese Verbesserung muss, soweit nötig, dazu führen, dass bestimmte Bereiche des Arbeitsrechts, wie die Verfahren bei Massenentlassungen oder bei Konkursen, ausgestaltet werden. Unterrichtung, Anhörung und Mitwirkung der Arbeitnehmer müssen in geeigneter Weise, unter Berücksichtigung der in den verschiedenen Mitgliedstaaten herrschenden Gepflogenheiten, weiterentwickelt werden. Unterrichtung, Anhörung und Mitwirkung sind rechtzeitig vorzusehen, vor allem bei der Umstrukturierung oder Verschmelzung von Unternehmen, wenn dadurch die Beschäftigung der Arbeitnehmer berührt wird."

(6) Im Jahre 1977 hat der Rat die Richtlinie 77/187/EWG erlassen, um auf eine Harmonisierung der einschlägigen nationalen Rechtsvorschriften hinsichtlich der Wahrung der Ansprüche und Rechte der Arbeitnehmer hinzuwirken; Veräußerer und Erwerber werden aufgefordert, die Vertreter der Arbeitnehmer rechtzeitig zu unterrichten und anzuhören.

(7) Die Richtlinie 77/187/EWG wurde nachfolgend geändert unter Berücksichtigung der Auswirkungen des Binnenmarktes, der Tendenzen in der Gesetzgebung der Mitgliedstaaten hinsichtlich der Sanierung von Unternehmen in wirtschaftlichen Schwierigkeiten, der Rechtsprechung des Gerichtshofs der Europäischen Gemeinschaften, der Richtlinie 75/129/EWG des Rates vom 17. Februar 1975 zur Angleichung der Rechtsvorschriften der Mitgliedstaaten über Massenentlassungen[2] sowie der bereits in den meisten Mitgliedstaaten geltenden gesetzlichen Normen.

(8) Aus Gründen der Rechtssicherheit und Transparenz war es erforderlich, den juristischen Begriff des Übergangs unter Berücksichtigung der Rechtsprechung des Gerichtshofs zu klären. Durch diese Klärung wurde der Anwendungsbereich der Richtlinie 77/187/EWG gemäß der Auslegung durch den Gerichtshof nicht geändert.

(9) In der Sozialcharta wird die Bedeutung des Kampfes gegen alle Formen der Diskriminierung, insbesondere aufgrund von Geschlecht, Hautfarbe, Rasse, Meinung oder Glauben, gewürdigt.

(10) Diese Richtlinie sollte die Pflichten der Mitgliedstaaten hinsichtlich der Umsetzungsfristen der in Anhang I Teil B angegebenen Richtlinien unberührt lassen –

HAT FOLGENDE RICHTLINIE ERLASSEN:

Kapitel I. Anwendungsbereich und Definitionen

Art. 1[3] [Sachlicher Anwendungsbereich]

[1] Nr. **860**.

[2] **Amtl. Anm.:** *ABl. L* 48 vom 22. 2. 1975, S. 29. Richtlinie ersetzt durch die Richtlinie 98/59/EG (ABl. L 225 vom 12. 8. 1998, S. 16).

[3] Art. 1 Abs. 3 neu gef. mWv 9. 10. 2015 durch RL v. 6. 10. 2015 (ABl. Nr. L 263 S. 1).

1.a) Diese Richtlinie ist auf den Übergang von Unternehmen, Betrieben oder Unternehmens- bzw. Betriebsteilen auf einen anderen Inhaber durch vertragliche Übertragung oder durch Verschmelzung anwendbar.

b) Vorbehaltlich Buchstabe a) und der nachstehenden Bestimmungen dieses Artikels gilt als Übergang im Sinne dieser Richtlinie der Übergang einer ihre Identität bewahrenden wirtschaftlichen Einheit im Sinne einer organisierten Zusammenfassung von Ressourcen zur Verfolgung einer wirtschaftlichen Haupt- oder Nebentätigkeit.

c) Diese Richtlinie gilt für öffentliche und private Unternehmen, die eine wirtschaftliche Tätigkeit ausüben, unabhängig davon, ob sie Erwerbszwecke verfolgen oder nicht. Bei der Übertragung von Aufgaben im Zuge einer Umstrukturierung von Verwaltungsbehörden oder bei der Übertragung von Verwaltungsaufgaben von einer Behörde auf eine andere handelt es sich nicht um einen Übergang im Sinne dieser Richtlinie.

2. Diese Richtlinie ist anwendbar, wenn und soweit sich das Unternehmen, der Betrieb oder der Unternehmens- bzw. Betriebsteil, das bzw. der übergeht, innerhalb des räumlichen Geltungsbereichs des Vertrages befindet.

3. Diese Richtlinie gilt für den Übergang eines Seeschiffs, das Teil des Übergangs eines Unternehmens, Betriebs oder Unternehmens- bzw. Betriebsteils im Sinne der Absätze 1 und 2 ist, sofern der Erwerber sich im räumlichen Geltungsbereich des Vertrags befindet oder das übertragene Unternehmen, der übertragene Betrieb oder Unternehmens- bzw. Betriebsteil dort verbleibt.

Diese Richtlinie gilt nicht, wenn es sich bei dem Gegenstand des Übergangs ausschließlich um eines oder mehrere Seeschiffe handelt.

Art. 2 [Begriffsbestimmungen] 1. Im Sinne dieser Richtlinie gelten folgende Begriffsbestimmungen:

a) „Veräußerer" ist jede natürliche oder juristische Person, die aufgrund eines Übergangs im Sinne von Artikel 1 Absatz 1 als Inhaber aus dem Unternehmen, dem Betrieb oder dem Unternehmens- bzw. Betriebsteil ausscheidet.

b) „Erwerber" ist jede natürliche oder juristische Person, die aufgrund eines Übergangs im Sinne von Artikel 1 Absatz 1 als Inhaber in das Unternehmen, den Betrieb oder den Unternehmens- bzw. Betriebsteil eintritt.

c) „Vertreter der Arbeitnehmer" oder ein entsprechender Ausdruck bezeichnet die Vertreter der Arbeitnehmer nach den Rechtsvorschriften oder der Praxis der Mitgliedstaaten.

d) „Arbeitnehmer" ist jede Person, die in dem betreffenden Mitgliedstaat aufgrund des einzelstaatlichen Arbeitsrechts geschützt ist.

2. Diese Richtlinie lässt das einzelstaatliche Recht in Bezug auf die Begriffsbestimmung des Arbeitsvertrags oder des Arbeitsverhältnisses unberührt.

Die Mitgliedstaaten können jedoch vom Anwendungsbereich der Richtlinie Arbeitsverträge und Arbeitsverhältnisse nicht allein deshalb ausschließen, weil

a) nur eine bestimmte Anzahl von Arbeitsstunden geleistet wird oder zu leisten ist,

b) es sich um Arbeitsverhältnisse aufgrund eines befristeten Arbeitsvertrags im Sinne von Artikel 1 Nummer 1 der Richtlinie 91/383/EWG[1] des Rates vom 25. Juni 1991 zur Ergänzung der Maßnahmen zur Verbesserung der Sicherheit und des Gesundheitsschutzes von Arbeitnehmern mit befristetem Arbeitsverhältnis oder Leiharbeitsverhältnis[2] handelt,

c) es sich um Leiharbeitsverhältnisse im Sinne von Artikel 1 Nummer 2 der Richtlinie 91/383/EWG und bei dem übertragenen Unternehmen oder dem übertragenen Betrieb oder Unternehmens- bzw. Betriebsteil als Verleihunternehmen oder Teil eines Verleihunternehmens um den Arbeitgeber handelt.

Kapitel II. Wahrung der Ansprüche und Rechte der Arbeitnehmer

Art. 3 [Rechte und Pflichten bei Betriebsübergang] 1. Die Rechte und Pflichten des Veräußerers aus einem zum Zeitpunkt des Übergangs bestehenden Arbeitsvertrag oder Arbeitsverhältnis gehen aufgrund des Übergangs auf den Erwerber über.

Die Mitgliedstaaten können vorsehen, dass der Veräußerer und der Erwerber nach dem Zeitpunkt des Übergangs gesamtschuldnerisch für die Verpflichtungen haften, die vor dem Zeitpunkt des Übergangs durch einen Arbeitsvertrag oder ein Arbeitsverhältnis entstanden sind, der bzw. das zum Zeitpunkt des Übergangs bestand.

2. [1] Die Mitgliedstaaten können geeignete Maßnahmen ergreifen, um zu gewährleisten, dass der Veräußerer den Erwerber über alle Rechte und Pflichten unterrichtet, die nach diesem Artikel auf den Erwerber übergehen, soweit diese dem Veräußerer zum Zeitpunkt des Übergangs bekannt waren oder bekannt sein mussten. [2] Unterlässt der Veräußerer diese Unterrichtung des Erwerbers, so berührt diese Unterlassung weder den Übergang solcher Rechte und Pflichten noch die Ansprüche von Arbeitnehmern gegenüber dem Erwerber und/oder Veräußerer in Bezug auf diese Rechte und Pflichten.

(Fortsetzung nächstes Blatt)

---

[1] **NipperdeyDirekt (online) Nr. 941.**
[2] **Amtl. Anm.:** ABl. L 206 vom 29. 7. 1991, S. 19.

(3) Nach dem Übergang erhält der Erwerber die in einem Kollektivvertrag vereinbarten Arbeitsbedingungen bis zur Kündigung oder zum Ablauf des Kollektivvertrags bzw. bis zum Inkrafttreten oder bis zur Anwendung eines anderen Kollektivvertrags in dem gleichen Maße aufrecht, wie sie in dem Kollektivvertrag für den Veräußerer vorgesehen waren.

Die Mitgliedstaaten können den Zeitraum der Aufrechterhaltung der Arbeitsbedingungen begrenzen, allerdings darf dieser nicht weniger als ein Jahr betragen.

(4) a) Sofern die Mitgliedstaaten nicht anderes vorsehen, gelten die Absätze 1 und 3 nicht für die Rechte der Arbeitnehmer auf Leistungen bei Alter, Invalidität oder für Hinterbliebene aus betrieblichen oder überbetrieblichen Zusatzversorgungseinrichtungen außerhalb der gesetzlichen Systeme der sozialen Sicherheit der Mitgliedstaaten.

b) Die Mitgliedstaaten treffen auch dann, wenn sie gemäß Buchstabe a) nicht vorsehen, dass die Absätze 1 und 3 für die unter Buchstabe a) genannten Rechte gelten, die notwendigen Maßnahmen zum Schutz der Interessen der Arbeitnehmer sowie der Personen, die zum Zeitpunkt des Übergangs bereits aus dem Betrieb des Veräußerers ausgeschieden sind, hinsichtlich ihrer Rechte oder Anwartschaftsrechte auf Leistungen bei Alter, einschließlich Leistungen für Hinterbliebene, aus den unter Buchstabe a) genannten Zusatzversorgungseinrichtungen.

Art. 4 [Verbot der Kündigung] (1) Der Übergang eines Unternehmens, Betriebs oder Unternehmens- bzw. Betriebsteils stellt als solcher für den Veräußerer oder den Erwerber keinen Grund zur Kündigung dar. Diese Bestimmung steht etwaigen Kündigungen aus wirtschaftlichen, technischen oder organisatorischen Gründen, die Änderungen im Bereich der Beschäftigung mit sich bringen, nicht entgegen.

Die Mitgliedstaaten können vorsehen, dass Unterabsatz 1 auf einige abgegrenzte Gruppen von Arbeitnehmern, auf die sich die Rechtsvorschriften oder die Praxis der Mitgliedstaaten auf dem Gebiet des Kündigungsschutzes nicht erstrecken, keine Anwendung findet.

(2) Kommt es zu einer Beendigung des Arbeitsvertrags oder Arbeitsverhältnisses, weil der Übergang eine wesentliche Änderung der Arbeitsbedingungen zum Nachteil des Arbeitnehmers zur Folge hat, so ist davon auszugehen, dass die Beendigung des Arbeitsvertrags oder Arbeitsverhältnisses durch den Arbeitgeber erfolgt ist.

Art. 5 [Insolventer Veräußerer] (1) Sofern die Mitgliedstaaten nichts anderes vorsehen, gelten die Artikel 3 und 4 nicht für Übergänge von Unternehmen, Betrieben oder Unternehmens- bzw. Betriebsteilen, bei denen gegen den Veräußerer unter der Aufsicht einer zuständigen öffentlichen Stelle (worunter auch ein von einer zuständigen Behörde ermächtigter Insolvenzverwalter verstanden werden kann) ein Konkursverfahren oder ein entsprechendes Verfahren mit dem Ziel der Auflösung des Vermögens des Veräußerers eröffnet wurde.

(2) Wenn die Artikel 3 und 4 für einen Übergang während eines Insolvenzverfahrens gegen den Veräußerer (unabhängig davon, ob dieses Verfahren zur Auflösung seines Vermögens eingeleitet wurde) gelten und dieses Verfahren unter der Aufsicht einer zuständigen öffentlichen Stelle (worunter auch ein nach dem innerstaatlichen Recht bestimmter Insolvenzverwalter verstanden werden kann) steht, kann ein Mitgliedstaat vorsehen, dass

a) ungeachtet des Artikels 3 Absatz 1 die vor dem Übergang bzw. vor der Eröffnung des Insolvenzverfahrens fälligen Verbindlichkeiten des Veräußerers aufgrund von Arbeitsverträgen oder Arbeitsverhältnissen nicht auf den Erwerber übergehen, sofern dieses Verfahren nach dem Recht des betreffenden Mitgliedstaats einen Schutz gewährt, der dem von der Richtlinie 80/987/EWG des Rates vom 20. Oktober 1980 zur Angleichung der Rechtsvorschriften der Mitgliedstaaten über den Schutz der Arbeitnehmer bei Zahlungsunfähigkeit des Arbeitgebers[1] vorgesehenen Schutz zumindest gleichwertig ist, und/oder

b) der Erwerber, der Veräußerer oder die seine Befugnisse ausübenden Personen auf der einen Seite und die Vertreter der Arbeitnehmer auf der anderen Seite Änderungen der Arbeitsbedingungen der Arbeitnehmer, insoweit das geltende Recht oder die geltende Praxis dies zulassen, vereinbaren können, die den Fortbestand des Unternehmens, Betriebs oder Unternehmens- bzw. Betriebsteils sichern und dadurch der Erhaltung von Arbeitsplätzen dienen.

(3) Die Mitgliedstaaten können Absatz 2 Buchstabe b) auf Übergänge anwenden, bei denen sich der Veräußerer nach dem einzelstaatlichen Recht in einer schwierigen wirtschaftlichen Lage befindet, sofern das Bestehen einer solchen Notlage von einer zuständigen öffentlichen Stelle bescheinigt wird und die Möglichkeit einer gerichtlichen Aufsicht gegeben ist, falls das innerstaatliche Recht solche Bestimmungen am 17. Juli 1998 bereits enthielt.

Die Kommission legt vor dem 17. Juli 2003 einen Bericht über die Auswirkungen dieser Bestimmung vor und unterbreitet dem Rat erforderlichenfalls entsprechende Vorschläge.

(4) Die Mitgliedstaaten treffen die erforderlichen Maßnahmen, damit Insolvenzverfahren nicht in missbräuchlicher Weise in Anspruch

---

[1] **Amtl. Anm.:** ABl. L 283 vom 20. 10. 1980, S. 23. Richtlinie zuletzt geändert durch die Beitrittsakte von 1994.

genommen werden, um den Arbeitnehmern die in dieser Richtlinie vorgesehenen Rechte vorzuenthalten.

Art. 6 [Einfluss auf die Arbeitnehmervertretung] (1) Sofern das Unternehmen, der Betrieb oder der Unternehmens- bzw. Betriebsteil seine Selbständigkeit behält, bleiben die Rechtsstellung und die Funktion der Vertreter oder der Vertretung der vom Übergang betroffenen Arbeitnehmer unter den gleichen Bedingungen erhalten, wie sie vor dem Zeitpunkt des Übergangs aufgrund von Rechts- und Verwaltungsvorschriften oder aufgrund einer Vereinbarung bestanden haben, sofern die Bedingungen für die Bildung der Arbeitnehmervertretung erfüllt sind.

Unterabsatz 1 findet keine Anwendung, wenn gemäß den Rechts- und Verwaltungsvorschriften oder der Praxis der Mitgliedstaaten oder durch Vereinbarung mit den Vertretern der betroffenen Arbeitnehmer die Bedingungen für die Neubestellung der Vertreter der Arbeitnehmer oder die Neubildung der Vertretung der Arbeitnehmer erfüllt sind.

Wurde gegen den Veräußerer unter der Aufsicht einer zuständigen öffentlichen Stelle (worunter auch ein von einer zuständigen Behörde ermächtigter Insolvenzverwalter verstanden werden kann) ein Konkursverfahren oder ein entsprechendes Insolvenzverfahren mit dem Ziel der Auflösung des Vermögens des Veräußerers eröffnet, können die Mitgliedstaaten die erforderlichen Maßnahmen ergreifen, um sicherzustellen, dass die vom Übergang betroffenen Arbeitnehmer bis zur Neuwahl oder Benennung von Arbeitnehmervertretern angemessen vertreten sind.

Behält das Unternehmen, der Betrieb oder der Unternehmens- bzw. Betriebsteil seine Selbständigkeit nicht, so treffen die Mitgliedstaaten die erforderlichen Maßnahmen, damit die vom Übergang betroffenen Arbeitnehmer, die vor dem Übergang vertreten wurden, während des Zeitraums, der für die Neubildung oder Neubenennung der Arbeitnehmervertretung erforderlich ist, im Einklang mit dem Recht oder der Praxis der Mitgliedstaaten weiterhin angemessen vertreten werden.

(2) Erlischt das Mandat der Vertreter der vom Übergang betroffenen Arbeitnehmer aufgrund des Übergangs, so gelten für diese Vertreter weiterhin die nach den Rechts- und Verwaltungsvorschriften oder der Praxis der Mitgliedstaaten vorgesehenen Schutzmaßnahmen.

Kapitel III. Information und Konsultation

Art. 7 [Unterrichtungs- und Beratungsrechte der Arbeitnehmervertreter] (1) Der Veräußerer und der Erwerber sind verpflichtet,

die Vertreter ihrer jeweiligen von einem Übergang betroffenen Arbeitnehmer über Folgendes zu informieren:
– den Zeitpunkt bzw. den geplanten Zeitpunkt des Übergangs,
– den Grund für den Übergang,
– die rechtlichen, wirtschaftlichen und sozialen Folgen des Übergangs für die Arbeitnehmer,
– die hinsichtlich der Arbeitnehmer in Aussicht genommenen Maßnahmen.

Der Veräußerer ist verpflichtet, den Vertretern seiner Arbeitnehmer diese Informationen rechtzeitig vor dem Vollzug des Übergangs zu übermitteln.

Der Erwerber ist verpflichtet, den Vertretern seiner Arbeitnehmer diese Informationen rechtzeitig zu übermitteln, auf jeden Fall aber bevor diese Arbeitnehmer von dem Übergang hinsichtlich ihrer Beschäftigungs- und Arbeitsbedingungen unmittelbar betroffen werden.

(2) Zieht der Veräußerer bzw. der Erwerber Maßnahmen hinsichtlich seiner Arbeitnehmer in Betracht, so ist er verpflichtet, die Vertreter seiner Arbeitnehmer rechtzeitig zu diesen Maßnahmen zu konsultieren, um eine Übereinkunft anzustreben.

(3) Die Mitgliedstaaten, deren Rechts- und Verwaltungsvorschriften vorsehen, dass die Vertreter der Arbeitnehmer eine Schiedsstelle anrufen können, um eine Entscheidung über hinsichtlich der Arbeitnehmer zu treffende Maßnahmen zu erhalten, können die Verpflichtungen gemäß den Absätzen 1 und 2 auf den Fall beschränken, in dem der vollzogene Übergang eine Betriebsänderung hervorruft, die wesentliche Nachteile für einen erheblichen Teil der Arbeitnehmer zur Folge haben kann.

Die Information und die Konsultation müssen sich zumindest auf die hinsichtlich der Arbeitnehmer in Aussicht genommenen Maßnahmen erstrecken.

Die Information und die Konsultation müssen rechtzeitig vor dem Vollzug der in Unterabsatz 1 genannten Betriebsänderung erfolgen.

(4) Die in diesem Artikel vorgesehenen Verpflichtungen gelten unabhängig davon, ob die zum Übergang führende Entscheidung vom Arbeitgeber oder von einem den Arbeitgeber beherrschendes Unternehmen getroffen wird.

Hinsichtlich angeblicher Verstöße gegen die in dieser Richtlinie vorgesehenen Informations- und Konsultationspflichten findet der Einwand, der Verstoß gehe darauf zurück, dass die Information von einem den Arbeitgeber beherrschenden Unternehmen nicht übermittelt worden sei, keine Berücksichtigung.

(5) *Die* Mitgliedstaaten können die in den Absätzen 1, 2 und 3 vorgesehenen Verpflichtungen auf Unternehmen oder Betriebe beschrän-

ken, die hinsichtlich der Zahl der beschäftigten Arbeitnehmer die Voraussetzungen für die Wahl oder Bestellung eines Kollegiums als Arbeitnehmervertretung erfüllen.

6. Die Mitgliedstaaten sehen vor, dass die betreffenden Arbeitnehmer für den Fall, dass es unabhängig von ihrem Willen in einem Unternehmen oder in einem Betrieb keine Vertreter der Arbeitnehmer gibt, vorher zu informieren sind über

- den Zeitpunkt bzw. den geplanten Zeitpunkt des Übergangs,
- den Grund für den Übergang,
- die rechtlichen, wirtschaftlichen und sozialen Folgen des Übergangs für die Arbeitnehmer,
- die hinsichtlich der Arbeitnehmer in Aussicht genommenen Maßnahmen.

Kapitel IV. Schlussbestimmungen

Art. 8 [Zulassung günstigerer Regelungen] Diese Richtlinie schränkt die Möglichkeit der Mitgliedstaaten nicht ein, für die Arbeitnehmer günstigere Rechts- oder Verwaltungsvorschriften anzuwenden oder zu erlassen oder für die Arbeitnehmer günstigere Kollektivverträge und andere zwischen den Sozialpartnern abgeschlossene Vereinbarungen, die für die Arbeitnehmer günstiger sind, zu fördern oder zuzulassen.

Art. 9 [Rechtsweg] Die Mitgliedstaaten nehmen in ihre innerstaatlichen Rechtssysteme die erforderlichen Bestimmungen auf, um allen Arbeitnehmern und Vertretern der Arbeitnehmer, die ihrer Ansicht nach durch die Nichtbeachtung der sich aus dieser Richtlinie ergebenden Verpflichtungen benachteiligt sind, die Möglichkeit zu geben, ihre Forderungen durch Gerichtsverfahren einzuklagen, nachdem sie gegebenenfalls andere zuständige Stellen damit befasst haben.

Art. 10 [Kommissionsbericht] [1] Die Kommission unterbreitet dem Rat vor dem 17. Juli 2006 einen Bericht, in dem die Auswirkungen der Bestimmungen dieser Richtlinie untersucht werden. [2] Sie legt gegebenenfalls die erforderlichen Änderungsvorschläge vor.

Art. 11 [Mitteilungen] Die Mitgliedstaaten teilen der Kommission den Wortlaut der Rechts- und Verwaltungsvorschriften mit, die sie auf dem unter diese Richtlinie fallenden Gebiet erlassen.

Art. 12 [Aufhebung anderer Vorschriften] Die Richtlinie 77/187/EWG, geändert durch die in Anhang I Teil A[1)] aufgeführte Richtlinie, wird unbeschadet der Pflichten der Mitgliedstaaten hinsichtlich der in Anhang I Teil B genannten Fristen für ihre Umsetzung aufgehoben.

Verweisungen auf die aufgehobene Richtlinie gelten als Verweisungen auf die vorliegende Richtlinie und sind nach der Übereinstimmungstabelle in Anhang II[1)] zu lesen.

---

1) Anhänge wiedergegeben in **beck-online, Module Arbeitsrecht**.

Art. 13 [Inkrafttreten] Diese Richtlinie tritt am zwanzigsten Tag nach ihrer Veröffentlichung[1] im *Amtsblatt der Europäischen Gemeinschaften* in Kraft.

Art. 14 [Adressaten] Diese Richtlinie ist an alle Mitgliedstaaten gerichtet.

Anhänge I und II. *(hier nicht wiedergegeben)*

[1] Veröffentlicht am 22.3.2001.

883. Verordnung (EG) Nr. 1370/2007 des Europäischen Parlaments und des Rates vom 23. Oktober 2007 über öffentliche Personenverkehrsdienste auf Schiene und Straße und zur Aufhebung der Verordnungen (EWG) Nr. 1191/69 und (EWG) Nr. 1107/70 des Rates

Vom 23. Oktober 2007
(ABl. 2007 Nr. L 315 S. 1)

Celex-Nr. 3 2007 R 1370

geänd. durch Art. 1 ÄndVO (EU) 2016/2338 v. 14. 12. 2016 (ABl. Nr. L 354 S. 22)

– Auszug –[1]

DAS EUROPÄISCHE PARLAMENT UND DER RAT DER EUROPÄISCHEN UNION –

gestützt auf den Vertrag zur Gründung der Europäischen Gemeinschaft, insbesondere auf die Artikel 71 und 89,

auf Vorschlag der Kommission,

nach Stellungnahme des Europäischen Wirtschafts- und Sozialausschusses[2],

nach Stellungnahme des Ausschusses der Regionen[3],

gemäß dem Verfahren des Artikels 251 des Vertrags[4],

in Erwägung nachstehender Gründe:

(1) – (15)...

(16) Kann der Abschluss eines öffentlichen Dienstleistungsauftrags zu einem Wechsel des Betreibers eines öffentlichen Dienstes führen, so sollten die zuständigen Behörden den ausgewählten Betreiber eines öffentlichen Dienstes verpflichten können, die Bestimmungen der Richtlinie 2001/23/EG des Rates vom 12. März 2001 zur Angleichung der Rechtsvorschriften der Mitgliedstaaten über die Wahrung von Ansprüchen der Arbeitnehmer beim Übergang von Unternehmen, Betrieben oder Unternehmens- oder Betriebsteilen[5] anzuwenden. Diese Richtlinie hindert die Mitgliedstaaten nicht daran, die Bedingungen für die Übertragung anderer Ansprüche der Arbeitnehmer als der durch die Richtlinie 2001/23/EG abgedeckten zu wahren und dabei gegebenenfalls die durch nationale Rechts- und Ver-

[1] Vollständig wiedergegeben in **beck-online, Module Arbeitsrecht**.
[2] **Amtl. Anm.:** ABl. C 195 vom 18. 8. 2006, S. 20.
[3] **Amtl. Anm.:** ABl. C 192 vom 16. 8. 2006, S. 1.
[4] **Amtl. Anm.:** Stellungnahme des Europäischen Parlaments vom 14. November 2001 (ABl. C 140 E vom 13. 6. 2002, S. 262), Gemeinsamer Standpunkt des Rates vom 11. Dezember 2006 (ABl. C 70 E vom 27. 3. 2007, S. 1) und Standpunkt des Europäischen Parlaments vom 10. Mai 2007. Beschluss des Rates vom 18. September 2007.
[5] **Amtl. Anm.:** ABl. L 82 vom 22. 3. 2001, S. 16.

waltungsvorschriften oder zwischen den Sozialpartnern geschlossene Tarifverträge oder Vereinbarungen festgelegten Sozialstandards zu berücksichtigen.

(17) – (38)...

HABEN FOLGENDE VERORDNUNG ERLASSEN:

Art. 1[1] **Zweck und Anwendungsbereich.** (1) Zweck dieser Verordnung ist es, festzulegen, wie die zuständigen Behörden unter Einhaltung des Gemeinschaftsrechts im Bereich des öffentlichen Personenverkehrs tätig werden können, um die Erbringung von Dienstleistungen von allgemeinem Interesse zu gewährleisten, die unter anderem zahlreicher, sicherer, höherwertig oder preisgünstiger sind als diejenigen, die das freie Spiel des Marktes ermöglicht hätte.

Hierzu wird in dieser Verordnung festgelegt, unter welchen Bedingungen die zuständigen Behörden den Betreibern eines öffentlichen Dienstes eine Ausgleichsleistung für die ihnen durch die Erfüllung der gemeinwirtschaftlichen Verpflichtungen verursachten Kosten und/oder ausschließliche Rechte im Gegenzug für die Erfüllung solcher Verpflichtungen gewähren, wenn sie ihnen gemeinwirtschaftliche Verpflichtungen auferlegen oder entsprechende Aufträge vergeben.

(2) [1] Diese Verordnung gilt für den innerstaatlichen und grenzüberschreitenden Personenverkehr mit der Eisenbahn und andere Arten des Schienenverkehrs sowie auf der Straße, mit Ausnahme von Verkehrsdiensten, die hauptsächlich aus Gründen historischen Interesses oder zu touristischen Zwecken betrieben werden. [2] Die Mitgliedstaaten können diese Verordnung auf den öffentlichen Personenverkehr auf Binnenschifffahrtswegen und, unbeschadet der Verordnung (EWG) Nr. 3577/92 des Rates vom 7. Dezember 1992 zur Anwendung des Grundsatzes des freien Dienstleistungsverkehrs auf den Seeverkehr zwischen den Mitgliedstaaten (Seekabotage)[2], auf das Meer innerhalb der Hoheitsgewässer anwenden.

[UAbs. 2 ab 24. 12. 2017:]

Vorbehaltlich der Zustimmung der zuständigen Behörden der Mitgliedstaaten, in deren Hoheitsgebiet die Dienstleistungen erbracht werden, dürfen sich gemeinwirtschaftliche Verpflichtungen auf öffentliche Verkehrsdienste auf grenzüberschreitender Ebene erstrecken, einschließlich jener, die örtliche und regionale Verkehrsbedürfnisse erfüllen.

(3) Diese Verordnung gilt nicht für öffentliche Baukonzessionen im Sinne von Artikel 1 Absatz 3 Buchstabe a der Richtlinie 2004/17/EG oder im Sinne von Artikel 1 Absatz 3 der Richtlinie 2004/18/EG.

Art. 2, 3 ...

Art. 4[3] **Obligatorischer Inhalt öffentlicher Dienstleistungsaufträge und allgemeiner Vorschriften.** (1)–(4) ...

---

[1] Art. 1 Abs. 2 UAbs. 2 angef. mWv 24. 12. 2017 durch VO v. 14. 12. 2016 (ABl. Nr. L 354 S. 22).

[2] **Amtl. Anm.:** *ABl. L 364 vom 12. 12. 1992, S. 7.*

[3] Art. 4 Abs. 1 Buchst. a und b neu gef., Abs. 4 a und 4 b eingef., Abs. 6 neu gef., Abs. 8 angef. mWv 24. 12. 2017 durch VO v. 14. 12. 2016 (ABl. Nr. L 354 S. 22).

[Abs. 4 a ab 24. 12. 2017:]

(4 a) Bei der Ausführung von öffentlichen Dienstleistungsaufträgen halten Betreiber eines öffentlichen Dienstes die nach dem Unionsrecht, dem nationalen Recht oder Tarifverträgen geltenden sozial- und arbeitsrechtlichen Verpflichtungen ein.

[Abs. 4 b ab 24. 12. 2017:]

(4 b) Die Richtlinie 2001/23/EG[1]) findet Anwendung auf den Wechsel des Betreibers eines öffentlichen Dienstes, wenn ein solcher Wechsel einen Unternehmensübergang im Sinne jener Richtlinie darstellt.

(5) [1] Unbeschadet des nationalen Rechts und des Gemeinschaftsrechts, einschließlich Tarifverträge zwischen den Sozialpartnern, kann die zuständige Behörde den ausgewählten Betreiber eines öffentlichen Dienstes verpflichten, den Arbeitnehmern, die zuvor zur Erbringung der Dienste eingestellt wurden, die Rechte zu gewähren, auf die sie Anspruch hätten, wenn ein Übergang im Sinne der Richtlinie 2001/23/EG erfolgt wäre. [2] Verpflichtet die zuständige Behörde die Betreiber eines öffentlichen Dienstes, bestimmte Sozialstandards einzuhalten, so werden in den Unterlagen des wettbewerblichen Vergabeverfahrens und den öffentlichen Dienstleistungsaufträgen die betreffenden Arbeitnehmer aufgeführt und transparente Angaben zu ihren vertraglichen Rechten und zu den Bedingungen gemacht, unter denen sie als in einem Verhältnis zu den betreffenden Diensten stehend gelten.

(6), (7) ...

[ab 24. 12. 2017:]

(6)–(8) ...

---

[1]) Nr. **882**.

886. Richtlinie 2008/94/EG des Europäischen Parlaments und des Rates vom 22. Oktober 2008 über den Schutz der Arbeitnehmer bei Zahlungsunfähigkeit des Arbeitgebers

(ABl. Nr. L 283 S. 36)

EU-Dok.-Nr. 3 2008 L 0094

geänd. durch Art. 1 ÄndRL (EU) 2015/1794 v. 6. 10. 2015 (ABl. Nr. L 263 S. 1)

DAS EUROPÄISCHE PARLAMENT UND DER RAT DER EUROPÄISCHEN UNION –

gestützt auf den Vertrag zur Gründung der Europäischen Gemeinschaft[1], insbesondere auf Artikel 137 Absatz 2,

auf Vorschlag der Kommission,

nach Stellungnahme des Europäischen Wirtschafts- und Sozialausschusses[2],

nach Anhörung des Ausschusses der Regionen

gemäß dem Verfahren des Artikels 251 des Vertrags [1] [3],

in Erwägung nachstehender Gründe:

(1) Die Richtlinie 80/987/EWG des Rates vom 20. Oktober 1980 über den Schutz der Arbeitnehmer bei Zahlungsunfähigkeit des Arbeitgebers [4] wurde mehrfach und erheblich geändert [5]. Aus Gründen der Klarheit und der Übersichtlichkeit empfiehlt es sich, sie zu kodifizieren.

(2) Unter Nummer 7 der am 9. Dezember 1989 angenommenen Gemeinschaftscharta der sozialen Grundrechte der Arbeitnehmer[6] heißt es, dass die Verwirklichung des Binnenmarkts zu einer Verbesserung der Lebens- und Arbeitsbedingungen der Arbeitnehmer in der Gemeinschaft führen muss und dass diese Verbesserung, soweit nötig, dazu führen muss, dass bestimmte Bereiche des Arbeitsrechts wie die Verfahren bei Massenentlassungen oder bei Konkursen ausgestaltet werden.

(3) Es sind Bestimmungen notwendig, die die Arbeitnehmer bei Zahlungsunfähigkeit des Arbeitgebers schützen und um ihnen ein Minimum an Schutz zu sichern, insbesondere die Zahlung ihrer nicht erfüllten Ansprüche zu gewährleisten; dabei muss die Notwendigkeit einer ausgewogenen wirtschaftlichen und sozialen Entwicklung in der Gemeinschaft berücksichtigt werden. Deshalb sollten die Mitgliedstaaten eine Einrichtung schaffen, die die Befriedigung der nicht erfüllten Arbeitnehmeransprüche garantiert.

---

[1] **NipperdeyDirekt (online) Nr. 850 a.**

[2] **Amtl. Anm.:** ABl. C 161 vom 13. 7. 2007, S. 75.

[3] **Amtl. Anm.:** Stellungnahme des Europäischen Parlaments vom 19. Juni 2007 (ABl. C 146 E vom 12. 6. 2008, S. 71) und Beschluss des Rates vom 25. September 2008.

[4] **Amtl. Anm.:** ABl. L 283 vom 28. 10. 1980, S. 23.

[5] **Amtl. Anm.:** Siehe Anhang I Teile A und B.

[6] Nr. **860**.

(4) Zur Gewährleistung eines angemessenen Schutzes der betroffenen Arbeitnehmer ist es angebracht, den Begriff der Zahlungsunfähigkeit im Lichte der Rechtsentwicklung in den Mitgliedstaaten auf diesem Sachgebiet zu bestimmen und mit diesem Begriff auch andere Insolvenzverfahren als Liquidationsverfahren zu erfassen. In diesem Zusammenhang sollten die Mitgliedstaaten, um zu bestimmen, ob die Garantieeinrichtung zu einer Zahlung verpflichtet ist, vorsehen können, dass für den Fall, dass das Vorliegen einer Insolvenz zu mehreren Insolvenzverfahren führt, die Situation so behandelt wird, als handelte es sich um ein einziges Insolvenzverfahren.

(5) Es sollte vorgesehen werden, dass Arbeitnehmer, die unter die Richtlinie 97/81/EG[1)] des Rates vom 15. Dezember 1997 zu der von UNICE, CEEP und EGB geschlossenen Rahmenvereinbarung über Teilzeitarbeit [2)], die Richtlinie 1999/70/EG[3)] des Rates vom 28. Juni 1999 zu der EGB-UNICE-CEEP-Rahmenvereinbarung über befristete Arbeitsverträge [4)] und die Richtlinie 91/383/EWG[5)] des Rates vom 25. Juni 1991 zur Ergänzung der Maßnahmen zur Verbesserung der Sicherheit und des Gesundheitsschutzes von Arbeitnehmern mit befristetem Arbeitsverhältnis oder Leiharbeitsverhältnis [6)] fallen, nicht vom Geltungsbereich der vorliegenden Richtlinie ausgeschlossen werden.

(6) Zur Gewährleistung der Rechtssicherheit für die Arbeitnehmer von zahlungsunfähigen Unternehmen, die in mehreren Mitgliedstaaten tätig sind, und zur Festigung der Rechte dieser Arbeitnehmer im Sinne der Rechtsprechung des Gerichtshofes der Europäischen Gemeinschaften ist es angebracht, Bestimmungen vorzusehen, die ausdrücklich festlegen, welche Einrichtung in solchen Fällen für die Befriedigung der nicht erfüllten Arbeitnehmeransprüche zuständig ist, und deren Ziel die Zusammenarbeit der zuständigen Verwaltungen der Mitgliedstaaten zur schnellstmöglichen Befriedigung der nicht erfüllten Arbeitnehmeransprüche ist. Ferner ist es angebracht, eine ordnungsgemäße Anwendung der einschlägigen Bestimmungen dadurch zu gewährleisten, dass eine Zusammenarbeit der zuständigen Verwaltungen der Mitgliedstaaten vorgesehen wird.

(7) Die Mitgliedstaaten können Grenzen für die Verpflichtungen der Garantieeinrichtungen festlegen, die mit der sozialen Zielsetzung der Richtlinie vereinbar sein müssen und die unterschiedliche Höhe von Ansprüchen berücksichtigen können.

(8) Zur Erleichterung der Feststellung von Insolvenzverfahren, insbesondere in grenzübergreifenden Fällen, sollte vorgesehen werden, dass die Mitgliedstaaten der Kommission und den anderen Mitgliedstaaten mitteilen, welche Arten von Insolvenzverfahren eine Eintrittspflicht der Garantieeinrichtung auslösen.

(9) Da das Ziel der durch die vorliegende Richtlinie beabsichtigten Maßnahme auf Ebene der Mitgliedstaaten nicht ausreichend verwirklicht werden kann und daher besser auf Gemeinschaftsebene zu verwirklichen ist, kann die

---

1) Nr. **891**.
2) **Amtl. Anm.:** ABl. L 14 vom 20. 1. 1998, S. 9.
3) Nr. **892**.
4) **Amtl. Anm.:** *ABl. L 175 vom 10. 7. 1999, S. 43.*
5) **NipperdeyDirekt (online) Nr. 941.**
6) **Amtl. Anm.:** ABl. L 206 vom 29. 7. 1991, S. 19.

Gemeinschaft im Einklang mit dem in Artikel 5 des Vertrags[1] niedergelegten Subsidiaritätsprinzip tätig werden. Entsprechend dem in demselben Artikel genannten Verhältnismäßigkeitsprinzip geht diese Richtlinie nicht über das zur Erreichung dieses Ziels erforderliche Maß hinaus.

(10) Die Kommission sollte dem Europäischen Parlament und dem Rat einen Bericht über die Umsetzung und Durchführung dieser Richtlinie, insbesondere bezüglich neuer, sich in den Mitgliedstaaten entwickelnder Beschäftigungsformen, unterbreiten.

(11) Die vorliegende Richtlinie sollte die Verpflichtung der Mitgliedstaaten hinsichtlich der in Anhang I Teil C genannten Fristen für die Umsetzung der dort genannten Richtlinien in innerstaatliches Recht und für die Anwendung dieser Richtlinien unberührt lassen –

HABEN FOLGENDE RICHTLINIE ERLASSEN:

Kapitel I. Geltungsbereich und Begriffsbestimmungen

Art. 1[2] **[Geltungsbereich]** (1) Diese Richtlinie gilt für Ansprüche von Arbeitnehmern aus Arbeitsverträgen oder Arbeitsverhältnissen gegen Arbeitgeber, die zahlungsunfähig im Sinne des Artikels 2 Absatz 1 sind.

(2) Die Mitgliedstaaten können die Ansprüche bestimmter Gruppen von Arbeitnehmern wegen des Bestehens anderer Garantieformen ausnahmsweise vom Anwendungsbereich dieser Richtlinie ausschließen, wenn diese den Betroffenen nachweislich einen Schutz gewährleisten, der dem sich aus dieser Richtlinie ergebenden Schutz gleichwertig ist.

(3) Die Mitgliedstaaten können, sofern eine solche Vorschrift nach ihrem innerstaatlichen Recht bereits angewandt wird, Hausangestellte, die von einer natürlichen Person beschäftigt werden, auch weiterhin vom Anwendungsbereich dieser Richtlinie ausschließen.

Art. 2 [Begriffsbestimmung] (1) Im Sinne dieser Richtlinie gilt ein Arbeitgeber als zahlungsunfähig, wenn die Eröffnung eines nach den Rechts- und Verwaltungsvorschriften eines Mitgliedstaats vorgeschriebenen Gesamtverfahrens beantragt worden ist, das die Insolvenz des Arbeitgebers voraussetzt und den teilweisen oder vollständigen Vermögensbeschlag gegen diesen Arbeitgeber sowie die Bestellung eines Verwalters oder einer Person, die eine ähnliche Funktion ausübt, zur Folge hat, und wenn die aufgrund der genannten Rechts- und Verwaltungsvorschriften zuständige Behörde

a) die Eröffnung des Verfahrens beschlossen hat; oder

b) festgestellt hat, dass das Unternehmen oder der Betrieb des Arbeitgebers endgültig stillgelegt worden ist und die Vermögensmasse nicht ausreicht, um die Eröffnung des Verfahrens zu rechtfertigen.

(2) Diese Richtlinie lässt das einzelstaatliche Recht bezüglich der Begriffsbestimmung der Worte „Arbeitnehmer", „Arbeitgeber", „Arbeitsentgelt", „erworbenes Recht" und „Anwartschaftsrecht" unberührt.

---

[1] **NipperdeyDirekt (online) Nr. 850 a.**

[2] Art. 1 Abs. 3 neu gef. mWv 9. 10. 2015 durch RL v. 6. 10. 2015 (ABl. Nr. L 263 S. 1).

Die Mitgliedstaaten dürfen jedoch folgende Personen vom Anwendungsbereich dieser Richtlinie nicht ausschließen:

a) Teilzeitarbeitnehmer im Sinne der Richtlinie 97/81/EG[1];

b) Arbeitnehmer mit befristetem Arbeitsvertrag im Sinne der Richtlinie 1999/70/EG[2];

c) Arbeitnehmer mit Leiharbeitsverhältnis im Sinne von Artikel 1 Nummer 2 der Richtlinie 91/383/EWG[3].

(3) Die Mitgliedstaaten dürfen den Anspruch der Arbeitnehmer auf Schutz nach dieser Richtlinie nicht von einer Mindestdauer des Arbeitsvertrags oder Arbeitsverhältnisses abhängig machen.

(4) Diese Richtlinie hindert die Mitgliedstaaten nicht daran, den Schutz der Arbeitnehmer auf andere Situationen der Zahlungsunfähigkeit – beispielsweise tatsächlich auf Dauer eingestellte Zahlungen – die nach anderen im einzelstaatlichen Recht vorgesehenen Verfahren als den in Absatz 1 genannten Verfahren festgestellt worden ist, auszuweiten.

Durch derartige Verfahren entstehen den Garantieeinrichtungen der übrigen Mitgliedstaaten in Fällen nach Kapitel IV jedoch keine Verpflichtungen.

Kapitel II. Vorschriften über die Garantieeinrichtungen

Art. 3 [Maßnahmen der Mitgliedstaaten] Die Mitgliedstaaten treffen die erforderlichen Maßnahmen, damit vorbehaltlich des Artikels 4 Garantieeinrichtungen die Befriedigung der nicht erfüllten Ansprüche der Arbeitnehmer aus Arbeitsverträgen und Arbeitsverhältnissen sicherstellen, einschließlich, sofern dies nach ihrem innerstaatlichen Recht vorgesehen ist, einer Abfindung bei Beendigung des Arbeitsverhältnisses.

Die Ansprüche, deren Befriedigung die Garantieeinrichtung übernimmt, sind die nicht erfüllten Ansprüche auf Arbeitsentgelt für einen Zeitraum, der vor und/oder gegebenenfalls nach einem von den Mitgliedstaaten festgelegten Zeitpunkt liegt.

Art. 4 [Begrenzung der Garantieeinrichtungen] (1) Die Mitgliedstaaten können die in Artikel 3 vorgesehene Zahlungspflicht der Garantieeinrichtungen begrenzen.

(2) [1] Machen die Mitgliedstaaten von der in Absatz 1 genannten Möglichkeit Gebrauch, so legen sie die Dauer des Zeitraums fest, für den die Garantieeinrichtung die nicht erfüllten Ansprüche zu befriedigen hat. [2] Diese Dauer

(Fortsetzung nächstes Blatt)

---

[1] Nr. **891**.

[2] Nr. **892**.

[3] **NipperdeyDirekt (online) Nr. 941**.

darf jedoch einen Zeitraum, der die letzten drei Monate des Arbeitsverhältnisses und die damit verbundenen Ansprüche auf Arbeitsentgelt umfasst und der vor und/oder nach dem Zeitpunkt gemäß Artikel 3 Absatz 2 liegt, nicht unterschreiten.

Die Mitgliedstaaten können festlegen, dass dieser Mindestzeitraum von drei Monaten innerhalb eines Bezugszeitraums von mindestens sechs Monaten liegen muss.

[1] Die Mitgliedstaaten, die einen Bezugszeitraum von mindestens 18 Monaten vorsehen, können den Zeitraum, für den die Garantieeinrichtung die nicht erfüllten Ansprüche zu befriedigen hat, auf acht Wochen beschränken. [2] In diesem Fall werden für die Berechnung des Mindestzeitraums die für die Arbeitnehmer vorteilhaftesten Zeiträume zugrunde gelegt.

(3) [1] Die Mitgliedstaaten können Höchstgrenzen für die von der Garantieeinrichtung zu leistenden Zahlungen festsetzen. [2] Diese Höchstgrenzen dürfen eine mit der sozialen Zielsetzung dieser Richtlinie zu vereinbarende soziale Schwelle nicht unterschreiten.

Machen die Mitgliedstaaten von dieser Befugnis Gebrauch, so teilen sie der Kommission mit, nach welcher Methode sie die Höchstgrenze festsetzen.

Art. 5 [Grundsätze] Die Mitgliedstaaten legen die Einzelheiten des Aufbaus, der Mittelaufbringung und der Arbeitsweise der Garantieeinrichtungen fest, wobei sie insbesondere folgende Grundsätze beachten:

a) das Vermögen der Einrichtungen muss vom Betriebsvermögen der Arbeitgeber unabhängig und so angelegt sein, dass es einem Verfahren bei Zahlungsunfähigkeit nicht zugänglich ist;

b) die Arbeitgeber müssen zur Mittelaufbringung beitragen, es sei denn, dass diese in vollem Umfang durch die öffentliche Hand gewährleistet ist;

c) die Zahlungspflicht der Einrichtungen besteht unabhängig von der Erfüllung der Verpflichtungen, zur Mittelaufbringung beizutragen.

Kapitel III. Vorschriften über die soziale Sicherheit

Art. 6 [Einschränkungsrecht] Die Mitgliedstaaten können vorsehen, dass die Artikel 3, 4 und 5 nicht für die Beiträge der Arbeitnehmer zu den einzelstaatlichen gesetzlichen Systemen der sozialen Sicherheit oder den betrieblichen oder überbetrieblichen Zusatzversorgungseinrichtungen außerhalb der einzelstaatlichen gesetzlichen Systeme der sozialen Sicherheit gelten.

Art. 7 [Maßnahmen bei Nichtzahlung] Die Mitgliedstaaten treffen die notwendigen Maßnahmen, um sicherzustellen, dass die Nichtzahlung an ihre Versicherungsträger von Pflichtbeiträgen zu den einzelstaatlichen gesetzlichen Systemen der sozialen Sicherheit, die vom Arbeitgeber vor Eintritt seiner Zahlungsunfähigkeit geschuldet waren, keine Nachteile für die Leistungsansprüche der Arbeitnehmer gegenüber diesen Versicherungsträgern mit sich bringt, soweit die Arbeitnehmerbeitragsanteile von den gezahlten Löhnen einbehalten worden sind.

Art. 8 [Absicherungspflicht] Die Mitgliedstaaten vergewissern sich, dass die notwendigen Maßnahmen zum Schutz der Interessen der Arbeitnehmer sowie der Personen, die zum Zeitpunkt des Eintritts der Zahlungsunfähigkeit des Arbeitgebers aus dessen Unternehmen oder Betrieb bereits ausgeschieden sind, hinsichtlich ihrer erworbenen Rechte oder Anwartschaftsrechte auf Leistungen bei Alter, einschließlich Leistungen für Hinterbliebene, aus betrieblichen oder überbetrieblichen Zusatzversorgungseinrichtungen außerhalb der einzelstaatlichen gesetzlichen Systeme der sozialen Sicherheit getroffen werden.

Kapitel IV. Vorschriften für grenzübergreifende Fälle

Art. 9 [Insolvenz] (1) Ist ein Unternehmen, das im Hoheitsgebiet mindestens zweier Mitgliedstaaten tätig ist, zahlungsunfähig im Sinne von Artikel 2 Absatz 1, so ist für die Befriedigung der nicht erfüllten Arbeitnehmeransprüche die Einrichtung desjenigen Mitgliedstaats zuständig, in dessen Hoheitsgebiet die betreffenden Arbeitnehmer ihre Arbeit gewöhnlich verrichten oder verrichtet haben.

(2) Der Umfang der Rechte der Arbeitnehmer richtet sich nach dem für die zuständige Garantieeinrichtung geltenden Recht.

(3) Die Mitgliedstaaten treffen die erforderlichen Maßnahmen, um sicherzustellen, dass Entscheidungen, die in den in Absatz 1 des vorliegenden Artikels genannten Fällen im Rahmen eines Insolvenzverfahrens gemäß Artikel 2 Absatz 1 ergehen, dessen Eröffnung in einem anderen Mitgliedstaat beantragt wurde, bei der Feststellung der Zahlungsunfähigkeit des Arbeitgebers im Sinne dieser Richtlinie berücksichtigt werden.

Art. 10 [Informationsaustausch] (1) Zur Durchführung von Artikel 9 sehen die Mitgliedstaaten den Austausch einschlägiger Informationen zwischen den zuständigen öffentlichen Verwaltungen und/oder den in Artikel 3 Absatz 1 genannten Garantieeinrichtungen vor, mit dem insbesondere ermöglicht wird, dass die zuständige Garantieeinrichtung von den nicht erfüllten Arbeitnehmeransprüchen unterrichtet wird.

(2) [1] Die Mitgliedstaaten teilen der Kommission und den anderen Mitgliedstaaten die genauen Angaben zu den jeweiligen zuständigen öffentlichen Verwaltungen und/oder Garantieeinrichtungen mit. [2] Die Kommission macht diese Informationen der Öffentlichkeit zugänglich.

Kapitel V. Allgemeine Bestimmungen und Schlussbestimmungen

Art. 11 [Erlassbefugnis] Diese Richtlinie schränkt nicht die Möglichkeit der Mitgliedstaaten ein, für die Arbeitnehmer günstigere Rechts- oder Verwaltungsvorschriften anzuwenden oder zu erlassen.

Die Durchführung dieser Richtlinie darf unter keinen Umständen als Begründung für einen Rückschritt gegenüber der bestehenden Situation in jedem einzelnen Mitgliedstaat und gegenüber dem allgemeinen Niveau des

Arbeitnehmerschutzes in dem von ihr abgedeckten Bereich herangezogen werden.

Art. 12 [Einschränkung der Garantiepflicht] Diese Richtlinie steht nicht der Möglichkeit der Mitgliedstaaten entgegen,

a) die zur Vermeidung von Missbräuchen notwendigen Maßnahmen zu treffen;

b) die in Artikel 3 vorgesehene Zahlungspflicht oder die in Artikel 7 vorgesehene Garantiepflicht abzulehnen oder einzuschränken, wenn sich herausstellt, dass die Erfüllung der Verpflichtung wegen des Bestehens besonderer Bindungen zwischen dem Arbeitnehmer und dem Arbeitgeber und gemeinsamer Interessen, die sich in einer Kollusion zwischen dem Arbeitnehmer und dem Arbeitgeber ausdrücken, nicht gerechtfertigt ist;

c) die in Artikel 3 vorgesehene Zahlungspflicht oder die in Artikel 7 vorgesehene Garantiepflicht in den Fällen abzulehnen oder einzuschränken, in denen ein Arbeitnehmer allein oder zusammen mit engen Verwandten Inhaber eines wesentlichen Teils des Unternehmens oder Betriebs des Arbeitgebers war und beträchtlichen Einfluss auf dessen Tätigkeiten hatte.

Art. 13 [Mitteilung der Insolvenzverfahren; Veröffentlichung] Die Mitgliedstaaten teilen der Kommission und den anderen Mitgliedstaaten die Arten von nationalen Insolvenzverfahren, die in den Geltungsbereich dieser Richtlinie fallen, sowie sämtliche diese Verfahren betreffenden Änderungen mit.

Die Kommission veröffentlicht diese Mitteilungen im *Amtsblatt der Europäischen Union*.

Art. 14 [Erlassmitteilungen] Die Mitgliedstaaten teilen der Kommission den Wortlaut der Rechts- und Verwaltungsvorschriften mit, die sie auf dem unter diese Richtlinie fallenden Gebiet erlassen.

Art. 15 [Umsetzungsbericht] Bis spätestens zum 8. Oktober 2010 unterbreitet die Kommission dem Europäischen Parlament und dem Rat einen Bericht über die Umsetzung und Durchführung der Artikel 1 bis 4, 9 und 10, des Artikels 11 Absatz 2, des Artikels 12 Buchstabe c, sowie der Artikel 13 und 14 in den Mitgliedstaaten.

Art. 16 [Aufhebung anderer Vorschriften] Die Richtlinie 80/987/EWG[1)], in der Fassung der in Anhang I aufgeführten Rechtsakte, wird unbeschadet der Verpflichtung der Mitgliedstaaten hinsichtlich der in Anhang I Teil C genannten Fristen für die Umsetzung der dort genannten Richtlinien in innerstaatliches Recht und für die Anwendung dieser Richtlinien aufgehoben.

Verweisungen auf die aufgehobene Richtlinie gelten als Verweisungen auf die vorliegende Richtlinie und sind nach Maßgabe der Entsprechungstabelle in Anhang II zu lesen.

---

1) Nr. **886**.

Art. 17 [Inkrafttreten] Diese Richtlinie tritt am zwanzigsten Tag nach ihrer Veröffentlichung[1] im *Amtsblatt der Europäischen Union* in Kraft.

Art. 18 [Geltungsbereich] Diese Richtlinie ist an die Mitgliedstaaten gerichtet.

Anhänge I und II

(hier nicht wiedergegeben)

[1] Veröffentlicht am 28. 10. 2008.

890. Richtlinie 96/71/EG des Europäischen Parlaments und des Rates vom 16. Dezember 1996 über die Entsendung von Arbeitnehmern im Rahmen der Erbringung von Dienstleistungen[1) 2)]

(ABl. 1997 Nr. L 18 S. 1)

Celex-Nr. 3 1996 L 0071

geänd. durch Art. 1 ÄndRL (EU) 2018/957 v. 28.6.2018 (ABl. Nr. L 173 S. 16, ber. 2019 Nr. L 91 S. 77)

DAS EUROPÄISCHE PARLAMENT UND DER RAT DER EUROPÄISCHEN UNION –

gestützt auf den Vertrag zur Gründung der Europäischen Gemeinschaft[3)], insbesondere auf Artikel 47 Absatz 2 und Artikel 55,

auf Vorschlag der Kommission[4)],

nach Stellungnahme des Wirtschafts- und Sozialausschusses[5)],

gemäß dem Verfahren des Artikels 251 des Vertrags[3) 6)],

in Erwägung nachstehender Gründe:

(1) Die Beseitigung der Hindernisse für den freien Personen- und Dienstleistungsverkehr zwischen den Mitgliedstaaten gehört gemäß Artikel 3 Buchstabe c) des Vertrages[3)] zu den Zielen der Gemeinschaft.

(2) Für die Erbringung von Dienstleistungen sind nach dem Vertrag seit Ende der Übergangszeit Einschränkungen aufgrund der Staatsangehörigkeit oder einer Wohnsitzvoraussetzung unzulässig.

(3) Die Verwirklichung des Binnenmarktes bietet einen dynamischen Rahmen für die länderübergreifende Erbringung von Dienstleistungen. Das veranlaßt eine wachsende Zahl von Unternehmen, Arbeitnehmer für eine zeitlich begrenzte Arbeitsleistung in das Hoheitsgebiet eines Mitgliedstaats zu entsenden, der nicht der Staat ist, in dem sie normalerweise beschäftigt werden.

(4) Die Erbringung von Dienstleistungen kann entweder als Ausführung eines Auftrags durch ein Unternehmen, in seinem Namen und unter

---

1) Die Verweise/Bezugnahmen auf Vorschriften des EGV sind bereits gemäß Art. 12 des Amsterdamer Vertrags in Verbindung mit der Übereinstimmungstabelle an die neue Nummerierung angepasst worden.

2) Übergangsvorschriften bzgl. des EU-Beitritts Bulgariens und Rumäniens siehe EU-Beitrittsakte 2005 v. 25.4.2005 (ABl. Nr. L 157 S. 203, ber. ABl. 2011 Nr. L 347 S. 62).

3) **beck-online, Module Arbeitsrecht Nr. 850a.**

4) **Amtl. Anm.:** ABl. Nr. C 225 vom 30.8.1991, S. 6, und ABl. Nr. C 187 vom 9.7.1993, S. 5.

5) **Amtl. Anm.:** ABl. Nr. C 49 vom 24.2.1992, S. 41.

6) **Amtl. Anm.:** Stellungnahme des Europäischen Parlaments vom 10. Februar 1993 (ABl. Nr. C 72 vom 13.3.1993, S. 78), gemeinsamer Standpunkt des Rates vom 3. Juni 1996 (ABl. Nr. C 220 vom 29.7.1996, S. 1) und Beschluß des Europäischen Parlaments vom 18. September 1996 (ABl. Nr. C 320 vom 28.10.1996, S. 73). Beschluß des Rates vom 24. September 1996.

seiner Leitung im Rahmen eines Vertrags zwischen diesem Unternehmen und dem Leistungsempfänger oder in Form des Zurverfügungstellens von Arbeitnehmern für ein Unternehmen im Rahmen eines öffentlichen oder privaten Auftrags erfolgen.

(5) Voraussetzung für eine solche Förderung des länderübergreifenden Dienstleistungsverkehrs sind ein fairer Wettbewerb sowie Maßnahmen, die die Wahrung der Rechte der Arbeitnehmer garantieren.

(6) Mit der Transnationalisierung der Arbeitsverhältnisse entstehen Probleme hinsichtlich des auf ein Arbeitsverhältnis anwendbaren Rechts. Es liegt im Interesse der betroffenen Parteien, die für das geplante Arbeitsverhältnis geltenden Arbeits- und Beschäftigungsbedingungen festzulegen.

(7) Das Übereinkommen von Rom[1] vom 19. Juni 1980 über das auf vertragliche Schuldverhältnisse anzuwendende Recht[2], das von zwölf Mitgliedstaaten unterzeichnet wurde, ist am 1. April 1991 in der Mehrheit der Mitgliedstaaten in Kraft getreten.

(8) In Artikel 3 dieses Übereinkommens wird als allgemeine Regel die freie Rechtswahl der Parteien festgelegt. Mangels einer Rechtswahl ist nach Artikel 6 Absatz 2 auf den Arbeitsvertrag das Recht des Staates anzuwenden, in dem der Arbeitnehmer in Erfüllung des Vertrages gewöhnlich seine Arbeit verrichtet, selbst wenn er vorübergehend in einen anderen Staat entsandt ist, oder das Recht des Staates, in dem sich die Niederlassung befindet, die den Arbeitnehmer eingestellt hat, sofern dieser seine Arbeit gewöhnlich nicht in ein und demselben Staat verrichtet, es sei denn, daß sich aus der Gesamtheit der Umstände ergibt, daß der Arbeitsvertrag engere Verbindungen zu einem anderen Staat aufweist; in diesem Fall ist das Recht dieses anderen Staates anzuwenden.

(9) Nach Artikel 6 Absatz 1 dieses Übereinkommens darf die Rechtswahl der Parteien nicht dazu führen, daß dem Arbeitnehmer der Schutz entzogen wird, der ihm durch die zwingenden Bestimmungen des Rechts gewährt wird, das nach Absatz 2 mangels einer Rechtswahl anzuwenden wäre.

(10) Nach Artikel 7 dieses Übereinkommens kann – zusammen mit dem für anwendbar erklärten Recht – den zwingenden Bestimmungen des Rechts eines anderen Staates, insbesondere des Mitgliedstaats, in dessen Hoheitsgebiet der Arbeitnehmer vorübergehend entsandt wird, Wirkung verliehen werden.

(11) Nach dem in Artikel 20 dieses Übereinkommens anerkannten Grundsatz des Vorrangs des Gemeinschaftsrechts berührt das Übereinkommen nicht die Anwendung der Kollisionsnormen für vertragliche Schuldverhältnisse auf besonderen Gebieten, die in Rechtsakten der Organe der Europäischen Gemeinschaften oder in dem in Ausführung dieser Akte harmonisierten innerstaatlichen Recht enthalten sind oder enthalten sein werden.

(12) Das Gemeinschaftsrecht hindert die Mitgliedstaaten nicht daran, ihre Gesetze oder die von den Sozialpartnern abgeschlossenen Tarifverträge auf sämtliche Personen anzuwenden, die – auch nur vorübergehend – in ihrem Hoheitsgebiet beschäftigt werden, selbst wenn ihr Arbeitgeber in

---

[1] **beck-online, Module Arbeitsrecht Nr. 962.**
[2] **Amtl. Anm.:** ABl. Nr. L 266 vom 9.10.1980, S. 1.

einem anderen Mitgliedstaat ansässig ist. Das Gemeinschaftsrecht verbietet es den Mitgliedstaaten nicht, die Einhaltung dieser Bestimmungen mit angemessenen Mitteln sicherzustellen.

(13) Die Gesetze der Mitgliedstaaten müssen koordiniert werden, um einen Kern zwingender Bestimmungen über ein Mindestmaß an Schutz festzulegen, das im Gastland von Arbeitgebern zu gewährleisten ist, die Arbeitnehmer für eine zeitlich begrenzte Arbeitsleistung in das Hoheitsgebiet eines Mitgliedstaats entsenden, in dem eine Dienstleistung zu erbringen ist. Eine solche Koordinierung kann nur durch Rechtsvorschriften der Gemeinschaft erfolgen.

(14) Ein „harter Kern" klar definierter Schutzbestimmungen ist vom Dienstleistungserbringer unabhängig von der Dauer der Entsendung des Arbeitnehmers einzuhalten.

(15) In bestimmten Einzelfällen von Montage- und/oder Einbauarbeiten sind die Bestimmungen über die Mindestlohnsätze und den bezahlten Mindestjahresurlaub nicht anzuwenden.

(16) Die Anwendung der Bestimmungen über die Mindestlohnsätze und den bezahlten Mindestjahresurlaub bedarf außerdem einer gewissen Flexibilität. Beträgt die Dauer der Entsendung nicht mehr als einen Monat, so können die Mitgliedstaaten unter bestimmten Bedingungen von den Bestimmungen über die Mindestlohnsätze abweichen oder die Möglichkeit von Abweichungen im Rahmen von Tarifverträgen vorsehen. Ist der Umfang der zu verrichtenden Arbeiten gering, so können die Mitgliedstaaten von den Bestimmungen über die Mindestlohnsätze und den bezahlten Mindestjahresurlaub abweichen.

(17) Die im Gastland geltenden zwingenden Bestimmungen über ein Mindestmaß an Schutz dürfen jedoch nicht der Anwendung von Arbeitsbedingungen, die für die Arbeitnehmer günstiger sind, entgegenstehen.

(18) Es sollte der Grundsatz eingehalten werden, daß außerhalb der Gemeinschaft ansässige Unternehmen nicht besser gestellt werden dürfen als Unternehmen, die im Hoheitsgebiet eines Mitgliedstaats ansässig sind.

(19) Unbeschadet anderer Gemeinschaftsbestimmungen beinhaltet diese Richtlinie weder die Verpflichtung zur rechtlichen Anerkennung der Existenz von Leiharbeitsunternehmen, noch hindert sie die Mitgliedstaaten, ihre Rechtsvorschriften über das Zurverfügungstellen von Arbeitskräften und über Leiharbeitsunternehmen auf Unternehmen anzuwenden, die nicht in ihrem Hoheitsgebiet niedergelassen, dort aber im Rahmen der Erbringung von Dienstleistungen tätig sind.

(20) Diese Richtlinien berührt weder die von der Gemeinschaft mit Drittländern geschlossenen Übereinkünfte noch die Rechtsvorschriften der Mitgliedstaaten, die den Zugang von Dienstleistungserbringern aus Drittländern zu ihrem Hoheitsgebiet betreffen. Ebenso bleiben die einzelstaatlichen Rechtsvorschriften, die die Einreise und den Aufenthalt von Arbeitnehmern aus Drittländern sowie deren Zugang zur Beschäftigung regeln, von dieser Richtlinie unberührt.

(21) Welche Bestimmungen im Bereich der Sozialversicherungsleistungen und -beiträge anzuwenden sind, ist in der Verordnung (EWG) Nr. 1408/71[1] des Rates vom 14. Juni 1971 zur Anwendung der Systeme der sozialen Sicherheit auf Arbeitnehmer und deren Familien, die innerhalb der Gemeinschaft zu- und abwandern[2], geregelt.

(22) Diese Richtlinie berührt nicht das Recht der Mitgliedstaaten über kollektive Maßnahmen zur Verteidigung beruflicher Interessen.

(23) Die zuständigen Stellen in den Mitgliedstaaten müssen bei der Anwendung dieser Richtlinie zusammenarbeiten. Die Mitgliedstaaten haben geeignete Maßnahmen für den Fall der Nichteinhaltung dieser Richtlinie vorzusehen.

(24) Es muß sichergestellt werden, daß diese Richtlinie ordnungsgemäß angewandt wird. Hierzu ist eine enge Zusammenarbeit zwischen der Kommission und den Mitgliedstaaten vorzusehen.

(25) Spätestens fünf Jahre nach Annahme dieser Richtlinie hat die Kommission die Anwendung dieser Richtlinie zu überprüfen und, falls erforderlich, Änderungsvorschläge zu unterbreiten –

HABEN FOLGENDE RICHTLINIE ERLASSEN:

Art. 1[3] Gegenstand und Anwendungsbereich. (1) Diese Richtlinie gilt für Unternehmen mit Sitz in einem Mitgliedstaat, die im Rahmen der länderübergreifenden Erbringung von Dienstleistungen Arbeitnehmer gemäß Absatz 3 in das Hoheitsgebiet eines Mitgliedstaats entsenden.

(-1) Mit dieser Richtlinie wird der Schutz entsandter Arbeitnehmer während ihrer Entsendung im Verhältnis zur Dienstleistungsfreiheit sichergestellt, indem zwingende Vorschriften in Bezug auf die Arbeitsbedingungen und den Schutz der Gesundheit und Sicherheit der Arbeitnehmer festgelegt werden, die eingehalten werden müssen.

(-1a) [1] Diese Richtlinie berührt in keiner Weise die Ausübung der in den Mitgliedstaaten und auf Unionsebene anerkannten Grundrechte, einschließlich des Rechts oder der Freiheit zum Streik oder zur Durchführung anderer Maßnahmen, die im Rahmen der jeweiligen Systeme der Mitgliedstaaten im Bereich der Arbeitsbeziehungen nach ihren nationalen Rechtsvorschriften und/oder ihren nationalen Gepflogenheiten vorgesehen sind. [2] Sie berührt auch nicht das Recht, im Einklang mit den nationalen Rechtsvorschriften und/oder nationalen Gepflogenheiten Tarifverträge auszuhandeln, abzuschließen und durchzusetzen oder kollektive Maßnahmen zu ergreifen.

(2) Diese Richtlinie gilt nicht für Schiffsbesatzungen von Unternehmen der Handelsmarine.

(3) Diese Richtlinie findet Anwendung, soweit die in Absatz 1 genannten Unternehmen eine der folgenden länderübergreifenden Maßnahmen treffen:

---

[1] Nr. **867**.

[2] **Amtl. Anm.:** ABl. Nr. L 149 vom 5.7.1971, S. 2. Verordnung zuletzt geändert durch die Verordnung (EG) Nr. 3096/95 (ABl. Nr. L 335 vom 30.12.1995, S. 10).

[3] Art. 1 Überschrift neu gef., Abs. -1 und -1a eingef., Abs. 3 Buchst. c neu gef., Unterabs. 2 und 3 angef. mWv 29.7.2018 durch RL v. 28.6.2018 (ABl. Nr. L 173 S. 16).

a) einen Arbeitnehmer in ihrem Namen und unter ihrer Leitung in das Hoheitsgebiet eines Mitgliedstaats im Rahmen eines Vertrags entsenden, der zwischen dem entsendenden Unternehmen und dem in diesem Mitgliedstaat tätigen Dienstleistungsempfänger geschlossen wurde, sofern für die Dauer der Entsendung ein Arbeitsverhältnis zwischen dem entsendenden Unternehmen und dem Arbeitnehmer besteht, oder

b) einen Arbeitnehmer in eine Niederlassung oder ein der Unternehmensgruppe angehörendes Unternehmen im Hoheitsgebiet eines Mitgliedstaats entsenden, sofern für die Dauer der Entsendung ein Arbeitsverhältnis zwischen dem entsendenden Unternehmen und dem Arbeitnehmer besteht, oder

c) als Leiharbeitsunternehmen oder als einen Arbeitnehmer überlassendes Unternehmen einen Arbeitnehmer einem entleihenden Unternehmen überlassen, das seinen Sitz im Hoheitsgebiet eines Mitgliedstaats hat oder dort seine Tätigkeit ausübt, sofern für die Dauer der Entsendung ein Arbeitsverhältnis zwischen dem Leiharbeitsunternehmen oder dem einen Arbeitnehmer zur Verfügung stellenden Unternehmen und dem Arbeitnehmer besteht.

[1] Muss ein Arbeitnehmer, der von einem Leiharbeitsunternehmen oder einem Arbeitnehmer überlassenden Unternehmen einem entleihenden Unternehmen gemäß Buchstabe c überlassen wird, Arbeit im Rahmen der länderübergreifenden Erbringung von Dienstleistungen im Sinne von Buchstabe a, b oder c im Hoheitsgebiet eines anderen Mitgliedstaats als demjenigen verrichten, in dem der Arbeitnehmer normalerweise entweder für das Leiharbeitsunternehmen oder das Arbeitnehmer zur Verfügung stellende Unternehmen oder das entleihende Unternehmen arbeitet, so gilt der Arbeitnehmer als von dem Leiharbeitsunternehmen oder dem Arbeitnehmer zur Verfügung stellenden Unternehmen, mit dem der Arbeitnehmer in einem Arbeitsverhältnis steht, in das Hoheitsgebiet dieses Mitgliedstaats entsandt. [2] Das Leiharbeitsunternehmen oder das einen Arbeitnehmer zur Verfügung stellende Unternehmen ist als ein Unternehmen im Sinne von Absatz 1 zu betrachten und hält die entsprechenden Bestimmungen dieser Richtlinie und der Richtlinie 2014/67/EU des Europäischen Parlaments und des Rates[1)] uneingeschränkt ein.

Das entleihende Unternehmen unterrichtet das Leiharbeitsunternehmen oder das einen Arbeitnehmer überlassende Unternehmen, das den Arbeitnehmer überlassen hat, rechtzeitig vor Beginn der Arbeit nach Unterabsatz 2.

(4) Unternehmen mit Sitz in einem Nichtmitgliedstaat darf keine günstigere Behandlung zuteil werden als Unternehmen mit Sitz in einem Mitgliedstaat.

Art. 2 Begriffsbestimmung. (1) Im Sinne dieser Richtlinie gilt als entsandter Arbeitnehmer jeder Arbeitnehmer, der während eines begrenzten

[1)] **Amtl. Anm.:** Richtlinie 2014/67/EU des Europäischen Parlaments und des Rates vom 15. Mai 2014 zur Durchsetzung der Richtlinie 96/71/EG über die Entsendung von Arbeitnehmern im Rahmen der Erbringung von Dienstleistungen und zur Änderung der Verordnung (EU) Nr. 1024/2012 über die Verwaltungszusammenarbeit mit Hilfe des Binnenmarkt-Informationssystems („IMI-Verordnung“) (ABl. L 159 vom 28.5.2014, S. 11).

Zeitraums seine Arbeitsleistung im Hoheitsgebiet eines anderen Mitgliedstaats als demjenigen erbringt, in dessen Hoheitsgebiet er normalerweise arbeitet.

(2) Für die Zwecke dieser Richtlinie wird der Begriff des Arbeitnehmers in dem Sinne verwendet, in dem er im Recht des Mitgliedstaats, in dessen Hoheitsgebiet der Arbeitnehmer entsandt wird, gebraucht wird.

Art. 3[1)] **Arbeits- und Beschäftigungsbedingungen.** (1) Die Mitgliedstaaten sorgen dafür, dass unabhängig von dem auf das jeweilige Arbeitsverhältnis anwendbaren Recht die in Artikel 1 Absatz 1 genannten Unternehmen den in ihr Hoheitsgebiet entsandten Arbeitnehmern bezüglich der nachstehenden Aspekte auf der Grundlage der Gleichbehandlung die Arbeits- und Beschäftigungsbedingungen garantieren, die in dem Mitgliedstaat, in dessen Hoheitsgebiet die Arbeitsleistung erbracht wird, festgelegt sind,

– durch Rechts- oder Verwaltungsvorschriften und/oder
– durch für allgemein verbindlich erklärte Tarifverträge oder Schiedssprüche oder durch Tarifverträge oder Schiedssprüche, die anderweitig nach Absatz 8 Anwendung finden:

a) Höchstarbeitszeiten und Mindestruhezeiten;
b) bezahlter Mindestjahresurlaub;
c) Entlohnung, einschließlich der Überstundensätze; dies gilt nicht für die zusätzlichen betrieblichen Altersversorgungssysteme;
d) Bedingungen für die Überlassung von Arbeitskräften, insbesondere durch Leiharbeitsunternehmen;
e) Sicherheit, Gesundheitsschutz und Hygiene am Arbeitsplatz;
f) Schutzmaßnahmen im Zusammenhang mit den Arbeits- und Beschäftigungsbedingungen von Schwangeren und Wöchnerinnen, Kindern und Jugendlichen;
g) Gleichbehandlung von Männern und Frauen sowie andere Nichtdiskriminierungsbestimmungen;
h) Bedingungen für die Unterkünfte von Arbeitnehmern, wenn sie vom Arbeitgeber für Arbeitnehmer, die von ihrem regelmäßigen Arbeitsplatz entfernt sind, zur Verfügung gestellt werden;
i) Zulagen oder Kostenerstattungen zur Deckung von Reise-, Unterbringungs- und Verpflegungskosten für Arbeitnehmer, die aus beruflichen Gründen nicht zu Hause wohnen.

Buchstabe i gilt ausschließlich für die Reise-, Unterbringungs- und Verpflegungskosten, die entsandten Arbeitnehmern entstehen, wenn sie zu und von ihrem regelmäßigen Arbeitsplatz in dem Mitgliedstaat, in dessen Hoheitsgebiet sie entsandt wurden, reisen müssen oder von ihrem Arbeitgeber vorübergehend von diesem regelmäßigen Arbeitsplatz an einen anderen Arbeitsplatz gesandt werden.

Für die Zwecke dieser Richtlinie bestimmt sich der Begriff „Entlohnung" nach den nationalen Rechtsvorschriften und/oder nationalen Gepflogenheiten des Mitgliedstaats, in dessen Hoheitsgebiet der Arbeitnehmer entsandt ist,

---

1) Art. 3 Abs. 1 neu gef., Abs. 1a und 1b eingef., Abs. 7, Abs. 8 Unterabs. 2 und 3, Abs. 9 und 10 neu gef. mWv 29.7.2018 durch RL v. 28.6.2018 (ABl. Nr. L 173 S. 16, ber. 2019 Nr. L 91 S. 77).

und umfasst alle die Entlohnung ausmachenden Bestandteile, die gemäß nationalen Rechts- oder Verwaltungsvorschriften oder durch in diesem Mitgliedstaat für allgemeinverbindlich erklärte Tarifverträge oder Schiedssprüche oder durch Tarifverträge oder Schiedssprüche, die nach Absatz 8 anderweitig Anwendung finden, zwingend verbindlich gemacht worden sind.

Unbeschadet des Artikels 5 der Richtlinie 2014/67/EU veröffentlichen die Mitgliedstaaten die Informationen über die Arbeits- und Beschäftigungsbedingungen nach den nationalen Rechtsvorschriften und/oder nationalen Gepflogenheiten unverzüglich und in transparenter Weise auf der einzigen offiziellen nationalen Website nach dem genannten Artikel, einschließlich der die Entlohnung ausmachenden Bestandteile gemäß Unterabsatz 3 des vorliegenden Absatzes und alle Arbeits- und Beschäftigungsbedingungen gemäß Absatz 1a des vorliegenden Artikels.

[1] Die Mitgliedstaaten sorgen dafür, dass die auf der einzigen offiziellen nationalen Website bereitgestellten Informationen korrekt und aktuell sind. [2] Die Kommission veröffentlicht auf ihrer Website die Adressen der einzigen offiziellen nationalen Websites.

Ist den Informationen auf der einzigen offiziellen nationalen Website entgegen den Bestimmungen des Artikels 5 der Richtlinie 2014/67/EU nicht zu entnehmen, welche Arbeits- und Beschäftigungsbedingungen anzuwenden sind, so wird dieser Umstand gemäß den nationalen Rechtsvorschriften und/oder den nationalen Gepflogenheiten bei der Festlegung der Sanktionen im Falle von Verstößen gegen die gemäß dieser Richtlinie erlassenen nationalen Vorschriften so weit berücksichtigt, wie es für die Gewährleistung ihrer Verhältnismäßigkeit erforderlich ist.

(1a) In Fällen, in denen die tatsächliche Entsendungsdauer mehr als 12 Monate beträgt, sorgen die Mitgliedstaaten dafür, dass unabhängig von dem auf das jeweilige Arbeitsverhältnis anwendbaren Recht die in Artikel 1 Absatz 1 genannten Unternehmen den in ihr Hoheitsgebiet entsandten Arbeitnehmern auf der Grundlage der Gleichbehandlung zusätzlich zu den Arbeits- und Beschäftigungsbedingungen gemäß Absatz 1 des vorliegenden Artikels sämtliche anwendbaren Arbeits- und Beschäftigungsbedingungen garantieren, die in dem Mitgliedstaat, in dessen Hoheitsgebiet die Arbeitsleistung erbracht wird, festgelegt sind

– durch Rechts- oder Verwaltungsvorschriften und/oder
– durch für allgemein verbindlich erklärte Tarifverträge oder Schiedssprüche, oder durch Tarifverträge oder Schiedssprüche, die anderweitig nach Absatz 8 anderweitig Anwendung finden.

Unterabsatz 1 des vorliegenden Absatzes findet keine Anwendung auf folgende Aspekte:

a) Verfahren, Formalitäten und Bedingungen für den Abschluss und die Beendigung des Arbeitsvertrags, einschließlich Wettbewerbsverboten;
b) zusätzliche betriebliche Altersversorgungssysteme.

Legt der Dienstleistungserbringer eine mit einer Begründung versehene Mitteilung vor, so verlängert der Mitgliedstaat, in dem die Dienstleistung erbracht wird, den in Unterabsatz 1 genannten Zeitraum auf 18 Monate.

Ersetzt ein in Artikel 1 Absatz 1 genanntes Unternehmen einen entsandten Arbeitnehmer durch einen anderen entsandten Arbeitnehmer, der die gleiche

Tätigkeit am gleichen Ort ausführt, so gilt als Entsendungsdauer für die Zwecke dieses Absatzes die Gesamtdauer der Entsendezeiten der betreffenden einzelnen entsandten Arbeitnehmer.

Der in Unterabsatz 4 dieses Absatzes genannte Begriff „gleiche Tätigkeit am gleichen Ort" wird unter anderem unter Berücksichtigung der Art der zu erbringenden Dienstleistung oder der durchzuführenden Arbeit und der Anschrift(en) des Arbeitsplatzes bestimmt.

(1b) Die Mitgliedstaaten bestimmen, dass die in Artikel 1 Absatz 3 Buchstabe c genannten Unternehmen den entsandten Arbeitnehmern die Arbeits- und Beschäftigungsbedingungen garantieren, die nach Artikel 5 der Richtlinie 2008/104/EG des Europäischen Parlaments und des Rates[1] für Leiharbeitnehmer gelten, die von im Mitgliedstaat der Leistungserbringung niedergelassenen Leiharbeitsunternehmen zur Verfügung gestellt werden.

Das entleihende Unternehmen unterrichtet die in Artikel 1 Absatz 3 Buchstabe c genannten Unternehmen über die Arbeits- und Beschäftigungsbedingungen, die in diesem Unternehmen für die Arbeitsbedingungen und die Entlohnung gelten, soweit sie von Unterabsatz 1 des vorliegenden Absatzes erfasst sind.

(2) Absatz 1 Unterabsatz 1 Buchstaben b) und c) gilt nicht für Erstmontage- und/oder Einbauarbeiten, die Bestandteil eines Liefervertrags sind, für die Inbetriebnahme der gelieferten Güter unerläßlich sind und von Facharbeitern und/oder angelernten Arbeitern des Lieferunternehmens ausgeführt werden, wenn die Dauer der Entsendung acht Tage nicht übersteigt.

Dies gilt nicht für die im Anhang aufgeführten Bauarbeiten.

(3) Die Mitgliedstaaten können gemäß ihren üblichen Verfahren und Praktiken nach Konsultation der Sozialpartner beschließen, Absatz 1 Unterabsatz 1 Buchstabe c) in den in Artikel 1 Absatz 3 Buchstaben a) und b) genannten Fällen nicht anzuwenden, wenn die Dauer der Entsendung einen Monat nicht übersteigt.

(4) Die Mitgliedstaaten können gemäß ihren Rechtsvorschriften und/oder Praktiken vorsehen, daß durch Tarifverträge im Sinne des Absatzes 8 für einen oder mehrere Tätigkeitsbereiche in den in Artikel 1 Absatz 3 Buchstaben a) und b) genannten Fällen von Absatz 1 Unterabsatz 1 Buchstabe c) sowie von dem Beschluß eines Mitgliedstaats nach Absatz 3 abgewichen werden kann, wenn die Dauer der Entsendung einen Monat nicht übersteigt.

(5) Die Mitgliedstaaten können in den in Artikel 1 Absatz 3 Buchstaben a) und b) genannten Fällen eine Ausnahme von Absatz 1 Unterabsatz 1 Buchstaben b) und c) vorsehen, wenn der Umfang der zu verrichtenden Arbeiten gering ist.

Die Mitgliedstaaten, die von der in Unterabsatz 1 gebotenen Möglichkeit Gebrauch machen, legen die Modalitäten fest, denen die zu verrichtenden Arbeiten entsprechen müssen, um als Arbeiten von geringem Umfang zu gelten.

(6) Die Dauer der Entsendung berechnet sich unter Zugrundelegung eines Bezugszeitraums von einem Jahr ab Beginn der Entsendung.

---

[1] **Amtl. Anm.:** Richtlinie 2008/104/EG des Europäischen Parlaments und des Rates vom 19. November 2008 über Leiharbeit (ABl. L 327 vom 5.12.2008, S. 9).

Bei der Berechnung der Entsendungsdauer wird die Dauer einer gegebenenfalls im Rahmen einer Entsendung von einem zu ersetzenden Arbeitnehmer bereits zurückgelegten Entsendungsdauer berücksichtigt.

(7) Die Absätze 1 bis 6 stehen der Anwendung von für die Arbeitnehmer günstigeren Beschäftigungs- und Arbeitsbedingungen nicht entgegen.

[1] Die Entsendungszulagen gelten als Bestandteil der Entlohnung, sofern sie nicht als Erstattung von infolge der Entsendung tatsächlich entstandenen Kosten wie z.B. Reise-, Unterbringungs- und Verpflegungskosten gezahlt werden. [2] Der Arbeitgeber erstattet dem entsandten Arbeitnehmer unbeschadet des Absatzes 1 Unterabsatz 1 Buchstabe i diese Kosten im Einklang mit den auf das Arbeitsverhältnis des entsandten Arbeitnehmers anwendbaren nationalen Rechtsvorschriften und/oder nationalen Gepflogenheiten.

Legen die für das Arbeitsverhältnis geltenden Arbeits- und Beschäftigungsbedingungen nicht fest, ob und wenn ja welche Bestandteile einer Entsendungszulage als Erstattung von infolge der Entsendung tatsächlich entstandenen Kosten gezahlt werden oder welche Teil der Entlohnung sind, so ist davon auszugehen, dass die gesamte Zulage als Erstattung von infolge der Entsendung entstandenen Kosten gezahlt wird.

(8) Unter „für allgemein verbindlich erklärten Tarifverträgen oder Schiedssprüchen" sind Tarifverträge oder Schiedssprüche zu verstehen, die von allen in den jeweiligen geographischen Bereich fallenden und die betreffende Tätigkeit oder das betreffende Gewerbe ausübenden Unternehmen einzuhalten sind.

Mangels eines Systems zur Allgemeinverbindlicherklärung von Tarifverträgen oder Schiedssprüchen im Sinne des Unterabsatzes 1 oder zusätzlich zu einem solchen System können die Mitgliedstaaten auch beschließen, Folgendes zugrunde zu legen:

– die Tarifverträge oder Schiedssprüche, die für alle in den jeweiligen geographischen Bereich fallenden und die betreffende Tätigkeit oder das betreffende Gewerbe ausübenden gleichartigen Unternehmen allgemein wirksam sind, und/oder
– die Tarifverträge, die von den auf nationaler Ebene repräsentativsten Organisationen der Tarifvertragsparteien geschlossen werden und innerhalb des gesamten nationalen Hoheitsgebiets zur Anwendung kommen,

sofern deren Anwendung auf in Artikel 1 Absatz 1 genannte Unternehmen eine Gleichbehandlung dieser Unternehmen in Bezug auf die in Absatz 1 Unterabsatz 1 des vorliegenden Artikels genannten Aspekte und gegebenenfalls bezüglich der den entsandten Arbeitnehmern nach Absatz 1a des vorliegenden Artikels zu garantierenden Arbeits- und Beschäftigungsbedingungen mit den im vorliegenden Unterabsatz genannten anderen Unternehmen, die sich in einer vergleichbaren Lage befinden, gewährleistet.

Gleichbehandlung im Sinne dieses Artikels liegt vor, wenn nationale Unternehmen in einer vergleichbaren Lage:

– am betreffenden Ort oder in der betreffenden Sparte hinsichtlich der Aspekte des Absatzes 1 Unterabsatz 1 des vorliegenden Artikels denselben Anforderungen unterworfen sind, wie die Unternehmen im Sinne des Absatzes 1 Absatz 1 und gegebenenfalls den entsandten Arbeitnehmern zu garantierenden Arbeits- und Beschäftigungsbedingungen nach Absatz 1a des vorliegenden Artikels, und

– wenn sie dieselben Anforderungen mit derselben Wirkung erfüllen müssen.

(9) Die Mitgliedstaaten können bestimmen, dass die in Artikel 1 Absatz 1 genannten Unternehmen den Arbeitnehmern im Sinne von Artikel 1 Absatz 3 Buchstabe c zusätzlich zu den in Absatz 1b des vorliegenden Artikels genannten Arbeits- und Beschäftigungsbedingungen andere Arbeits- und Beschäftigungsbedingungen garantieren, die für Leiharbeitnehmer in dem Mitgliedstaat gelten, in dem die Arbeitsleistung erbracht wird.

(10) Diese Richtlinie berührt nicht das Recht der Mitgliedstaaten, unter Einhaltung der Verträge auf inländische Unternehmen und Unternehmen aus anderen Mitgliedstaaten in gleicher Weise Arbeits- und Beschäftigungsbedingungen für andere als die in Absatz 1 Unterabsatz 1 aufgeführten Aspekte, soweit es sich um Vorschriften im Bereich der öffentlichen Ordnung handelt, anzuwenden.

Art. 4[1)] Zusammenarbeit im Informationsbereich. (1) Zur Durchführung dieser Richtlinie benennen die Mitgliedstaaten gemäß ihren Rechtsvorschriften und/oder Praktiken ein oder mehrere Verbindungsbüros oder eine oder mehrere zuständige einzelstaatliche Stellen.

(2) [1] Die Mitgliedstaaten sehen die Zusammenarbeit der zuständigen Behörden oder Stellen, einschließlich der öffentlichen Behörden, vor, die entsprechend den einzelstaatlichen Rechtsvorschriften für die Überwachung der in Artikel 3 aufgeführten Arbeits- und Beschäftigungsbedingungen, auch auf Unionsebene, zuständig sind. [2] Diese Zusammenarbeit besteht insbesondere darin, begründete Anfragen dieser Behörden oder Stellen zu beantworten, die das länderübergreifende Zurverfügungstellen von Arbeitnehmern betreffen, und gegen offenkundige Verstöße oder mögliche Fälle unzulässiger Tätigkeiten, wie länderübergreifende Fälle von nicht angemeldeter Erwerbstätigkeit und Scheinselbstständigkeit im Zusammenhang mit der Entsendung von Arbeitnehmern, vorzugehen. [3] Verfügt die zuständige Behörde oder Stelle in dem Mitgliedstaat, aus dem der Arbeitnehmer entsandt wird, nicht über die Informationen, um die die zuständige Behörde oder Stelle des Mitgliedstaats, in dessen Hoheitsgebiet der Arbeitnehmer entsandt wird, ersucht hat, so bemüht sie sich, diese Informationen von anderen Behörden oder Stellen in diesem Mitgliedstaat zu erlangen. [4] Bei anhaltenden Verzögerungen bei der Bereitstellung dieser Informationen an den Mitgliedstaat, in dessen Hoheitsgebiet der Arbeitnehmer entsandt wird, wird die Kommission unterrichtet, die geeignete Maßnahmen ergreift.

Die Kommission und die in Unterabsatz 1 bezeichneten Behörden arbeiten eng zusammen, um etwaige Schwierigkeiten bei der Anwendung des Artikels 3 Absatz 10 zu prüfen.

Die gegenseitige Amtshilfe erfolgt unentgeltlich.

(3) Jeder Mitgliedstaat ergreift die geeigneten Maßnahmen, damit die Informationen über die nach Artikel 3 maßgeblichen Arbeits- und Beschäftigungsbedingungen allgemein zugänglich sind.

[1)] Art. 4 Abs. 2 Unterabs. 1 neu gef. mWv 29.7.2018 durch RL v. 28.6.2018 (ABl. Nr. L 173 S. 16).

(4) Jeder Mitgliedstaat nennt den anderen Mitgliedstaaten und der Kommission die in Absatz 1 bezeichneten Verbindungsbüros und/oder zuständigen Stellen.

Art. 5[1)] Überwachung, Kontrolle und Durchsetzung. Der Mitgliedstaat, in dessen Hoheitsgebiet der Arbeitnehmer entsandt wird, und der Mitgliedstaat, aus dem der Arbeitnehmer entsandt wird, sind für die Überwachung, Kontrolle und Durchsetzung der in dieser Richtlinie und der Richtlinie 2014/67/EU festgelegten Verpflichtungen verantwortlich und ergreifen geeignete Maßnahmen für den Fall der Nichteinhaltung dieser Richtlinie.

Die Mitgliedstaaten erlassen Vorschriften über Sanktionen, die bei Verstößen gegen die gemäß dieser Richtlinie erlassenen nationalen Vorschriften zu verhängen sind, und treffen alle für die Anwendung der Sanktionen erforderlichen Maßnahmen. Die vorgesehenen Sanktionen müssen wirksam, verhältnismäßig und abschreckend sein.

Die Mitgliedstaaten stellen insbesondere sicher, dass den Arbeitnehmern und/oder den Arbeitnehmervertretern für die Durchsetzung der sich aus dieser Richtlinie ergebenden Verpflichtungen geeignete Verfahren zur Verfügung stehen.

In dem Fall, dass nach einer von einem Mitgliedstaat gemäß Artikel 4 der Richtlinie 2014/67/EU durchgeführten Gesamtbeurteilung festgestellt wird, dass ein Unternehmen fälschlicherweise oder in betrügerischer Absicht den Eindruck erweckt hat, dass die Situation eines Arbeitnehmers in den Anwendungsbereich dieser Richtlinie fällt, stellt dieser Mitgliedstaat sicher, dass der Arbeitnehmer in den Genuss des entsprechenden Rechts und der entsprechenden Gepflogenheiten kommt.

Die Mitgliedstaaten sorgen dafür, dass dieser Artikel nicht dazu führt, dass für den betreffenden Arbeitnehmer ungünstigere Bedingungen gelten als für entsandte Arbeitnehmer.

Art. 6 Gerichtliche Zuständigkeit. Zur Durchsetzung des Rechts auf die in Artikel 3 gewährleisteten Arbeits- und Beschäftigungsbedingungen kann eine Klage in dem Mitgliedstaat erhoben werden, in dessen Hoheitsgebiet der Arbeitnehmer entsandt ist oder war; dies berührt nicht die Möglichkeit, gegebenenfalls gemäß den geltenden internationalen Übereinkommen über die gerichtliche Zuständigkeit in einem anderen Staat Klage zu erheben.

Art. 7 Durchführung. [1] Die Mitgliedstaaten erlassen die Rechts- und Verwaltungsvorschriften, die erforderlich sind, um dieser Richtlinie spätestens ab dem 16. Dezember 1999 nachzukommen. [2] Sie setzen die Kommission hiervon unverzüglich in Kenntnis.

[1] Wenn die Mitgliedstaaten diese Vorschriften erlassen, nehmen sie in den Vorschriften selbst oder durch einen Hinweis bei der amtlichen Veröffentlichung auf diese Richtlinie Bezug. [2] Die Mitgliedstaaten regeln die Einzelheiten dieser Bezugnahme.

---

1) Art. 5 neu gef. mWv 29.7.2018 durch RL v. 28.6.2018 (ABl. Nr. L 173 S. 16).

Art. 8 Überprüfung durch die Kommission. Spätestens zum 16. Dezember 2001 überprüft die Kommission die Anwendung dieser Richtlinie, um dem Rat erforderlichenfalls entsprechende Änderungen vorzuschlagen.

Art. 9 [Adressaten] Diese Richtlinie ist an die Mitgliedstaaten gerichtet.

Anhang[1)]

Die in Artikel 3 Absatz 2 genannten Tätigkeiten umfassen alle Bauarbeiten, die der Errichtung, der Instandsetzung, der Instandhaltung, dem Umbau oder dem Abriss von Bauwerken dienen, insbesondere

1. Aushub
2. Erdarbeiten
3. Bauarbeiten im engeren Sinne
4. Errichtung und Abbau von Fertigbauelementen
5. Einrichtung oder Ausstattung
6. Umbau
7. Renovierung
8. Reparatur
9. Abbauarbeiten
10. Abbrucharbeiten
11. Wartung
12. Instandhaltung (Maler- und Reinigungsarbeiten)
13. Sanierung.

---

1) Anhang einl. Satz geänd. mWv 29.7.2018 durch RL v. 28.6.2018 (ABl. Nr. L 173 S. 16).

891. Richtlinie 97/81/EG des Rates zu der von UNICE, CEEP und EGB geschlossenen Rahmenvereinbarung über Teilzeitarbeit

vom 15. Dezember 1997
(ABl. 1998 Nr. L 14/9, ber. ABl. 1998 Nr. L 128/71)
Geändert durch RL 98/23/EG vom 7. April 1998 (ABl. Nr. L 131/10)

DER RAT DER EUROPÄISCHEN UNION –

gestützt auf das Abkommen über die Sozialpolitik, das dem Protokoll (Nr. 14) über die Sozialpolitik im Anhang zum Vertrag zur Gründung der Europäischen Gemeinschaft beigefügt ist, insbesondere auf Artikel 4 Absatz 2,

auf Vorschlag der Kommission,

in Erwägung nachstehender Gründe:

(1) Auf der Grundlage des Protokolls (Nr. 14) über die Sozialpolitik haben die Mitgliedstaaten mit Ausnahme des Vereinigten Königreichs Großbritannien und Nordirland (im folgenden als „Mitgliedstaaten" bezeichnet) in dem Wunsch, auf dem von der Sozialcharta von 1989 vorgezeichneten Weg weiterzugehen, ein Abkommen über die Sozialpolitik geschlossen.

(2) Die Sozialpartner können entsprechend Artikel 4 Absatz 2 des Abkommens über die Sozialpolitik gemeinsam beantragen, daß die auf Gemeinschaftsebene geschlossenen Vereinbarungen durch einen Beschluß des Rates auf Vorschlag der Kommission durchgeführt werden.

(3) Nummer 7 der Gemeinschaftscharta der sozialen Grundrechte der Arbeitnehmer sieht unter anderem folgendes vor: „Die Verwirklichung des Binnenmarktes muß zu einer Verbesserung der Lebens- und Arbeitsbedingungen der Arbeitnehmer in der Europäischen Gemeinschaft führen. Dieser Prozeß erfolgt durch eine Angleichung dieser Bedingungen auf dem Wege des Fortschritts und betrifft namentlich andere Arbeitsformen als das unbefristete Arbeitsverhältnis, wie das befristete Arbeitsverhältnis, Teilzeitarbeit, Leiharbeit und Saisonarbeit".

(4) Der Rat hat weder zu dem Vorschlag für eine Richtlinie über bestimmte Arbeitsverhältnisse im Hinblick auf Wettbewerbsverzerrungen[1] in der geänderten Fassung[2] noch zu dem Vorschlag für eine

---

[1] **Amtl. Anm.:** ABl. C 224 vom 8. 9. 1990, S. 6.
[2] **Amtl. Anm.:** ABl. C 305 vom 5. 12. 1990, S. 8.

Richtlinie über bestimmte Arbeitsverhältnisse hinsichtlich der Arbeitsbedingungen[1] einen Beschluß gefaßt.

(5) Entsprechend den Schlußfolgerungen des Europäischen Rates von Essen sind Maßnahmen zur Förderung der Beschäftigung und Chancengleichheit zwischen Frauen und Männern sowie Maßnahmen zur Steigerung der Beschäftigungsintensität des Wachstums, insbesondere durch eine flexiblere Organisation der Arbeit, die sowohl den Wünschen der Arbeitnehmer als auch den Erfordernissen des Wettbewerbs gerecht wird, erforderlich.

(6) Die Kommission hat nach Artikel 3 Absatz 2 des Abkommens über die Sozialpolitik die Sozialpartner zu der Frage gehört, wie eine Gemeinschaftsaktion zur Flexibilisierung der Arbeitszeit und zur Absicherung der Arbeitnehmer gegebenenfalls ausgerichtet werden sollte.

(7) Die Kommission, die nach dieser Anhörung eine Gemeinschaftsaktion für zweckmäßig hielt, hat die Sozialpartner nach Artikel 3 Absatz 3 des Abkommens erneut zum Inhalt des in Aussicht genommenen Vorschlags gehört.

(8) Die europäischen Sozialpartner (Union der Industrie- und Arbeitgeberverbände Europas (UNICE), Europäischer Zentralverband der öffentlichen Wirtschaft (CEEP) und Europäischer Gewerkschaftsbund (EGB)) haben der Kommission in einem gemeinsamen Schreiben vom 19. Juni 1996 mitgeteilt, daß sie das Verfahren nach Artikel 4 des Abkommens über die Sozialpolitik in Gang setzen wollen. Sie haben die Kommission in einem gemeinsamen Schreiben vom 12. März 1997 um eine zusätzliche Frist von drei Monaten gebeten. Die Kommission hat ihnen diese Frist eingeräumt.

(9) Die genannten Sozialpartner haben am 6. Juni 1997 eine Rahmenvereinbarung über Teilzeitarbeit geschlossen und der Kommission nach Artikel 4 Absatz 2 des Abkommens ihren gemeinsamen Antrag auf Durchführung dieser Rahmenvereinbarung übermittelt.

(10) Der Rat hat in seiner Entschließung vom 6. Dezember 1994 zu bestimmten Perspektiven einer Sozialpolitik der Europäischen Union: ein Beitrag zur wirtschaftlichen und sozialen Konvergenz in der Union[2] die Sozialpartner ersucht, die Möglichkeiten zum Abschluß von Vereinbarungen wahrzunehmen, weil sie in der Regel näher an den sozialen Problemen und der sozialen Wirklichkeit sind.

(11) Die Unterzeichnerparteien wollten eine Rahmenvereinbarung über Teilzeitarbeit schließen, in der die allgemeinen Grundsätze und Mindestvorschriften für die Teilzeitarbeit niedergelegt sind. Sie haben ihren Willen bekundet, einen allgemeinen Rahmen für die Beseitigung

---

[1] **Amtl. Anm.:** ABl. C 224 vom 8. 9. 1990, S. 4.
[2] **Amtl. Anm.:** ABl. C 368 vom 23. 12. 1994, S. 6.

der Diskriminierungen von Teilzeitbeschäftigten zu schaffen und einen Beitrag zur Entwicklung der Teilzeitarbeitsmöglichkeiten auf einer für Arbeitgeber und Arbeitnehmer akzeptablen Grundlage zu leisten.

(12) Die Sozialpartner wollten der Teilzeitarbeit besondere Beachtung schenken, haben aber auch erklärt, daß sie in Erwägung ziehen wollten, ob ähnliche Vereinbarungen für andere Arbeitsformen erforderlich sind.

(13) In den Schlußfolgerungen des Rates von Amsterdam haben die Staats- und Regierungschefs der Mitgliedstaaten der Europäischen Union die Vereinbarung der Sozialpartner über Teilzeitarbeit nachdrücklich begrüßt.

(14) Der geeignete Rechtsakt zur Durchführung der Rahmenvereinbarung ist eine Richtlinie im Sinne von Artikel 189 des Vertrags. Diese ist für die Mitgliedstaaten hinsichtlich des zu erreichenden Ziels verbindlich, überläßt jedoch den einzelstaatlichen Stellen die Wahl der Form und der Mittel.

(15) Entsprechend den in Artikel 3b des Vertrags genannten Grundsätzen der Subsidiarität und der Verhältnismäßigkeit können die Ziele dieser Richtlinie auf Ebene der Mitgliedstaaten nicht ausreichend erreicht werden, so daß sie besser auf Gemeinschaftsebene verwirklicht werden können. Die Richtlinie geht nicht über das für die Erreichung dieser Ziele Erforderliche hinaus.

(16) Bezüglich der in der Rahmenvereinbarung verwendeten, jedoch nicht genauer definierten Begriffe überläßt es die Richtlinie – wie andere im Sozialbereich erlassene Richtlinien, in denen ähnliche Begriffe vorkommen – den Mitgliedstaaten, diese Begriffe entsprechend ihrem nationalen Recht und/oder ihrer nationalen Praxis zu definieren, vorausgesetzt, diese Definitionen entsprechen inhaltlich dem Rahmenabkommen.

(17) Die Kommission hat ihren Richtlinienvorschlag entsprechend ihrer Mitteilung vom 14. Dezember 1993 über die Anwendung des Protokolls (Nr. 14) über die Sozialpolitik und ihrer Mitteilung vom 18. September 1996 zur Entwicklung des sozialen Dialogs auf Gemeinschaftsebene unter Berücksichtigung des Vertretungsanspruchs der Vertragsparteien, ihres Mandats und der Rechtmäßigkeit der Bestimmungen der Rahmenvereinbarung ausgearbeitet.

(18) Die Kommission hat ihren Richtlinienvorschlag unter Berücksichtigung des Artikels 2 Absatz 2 des Abkommens über die Sozialpolitik ausgearbeitet, wonach die Richtlinien im Bereich der Sozialpolitik „keine verwaltungsmäßigen, finanziellen oder rechtlichen Auflagen vorschreiben (sollen), die der Gründung oder Entwicklung von kleinen und mittleren Unternehmen entgegenstehen".

(19) Im Einklang mit ihrer Mitteilung vom 14. Dezember 1993 über die Anwendung des Protokolls (Nr. 14) über die Sozialpolitik hat die Kommission das Europäische Parlament unterrichtet und ihm ihren Richtlinienvorschlag mit der Rahmenvereinbarung übermittelt.

(20) Die Kommission hat außerdem den Wirtschafts- und Sozialausschuß unterrichtet.

(21) Nach Paragraph 6 Absatz 1 der Rahmenvereinbarung dürfen die Mitgliedstaaten und/oder die Sozialpartner günstigere Bestimmungen beibehalten oder einführen.

(22) Nach Paragraph 6 Absatz 2 des Rahmenabkommens darf die Durchführung dieser Richtlinie nicht als Rechtfertigung für eine Verschlechterung der derzeit in den einzelnen Mitgliedstaaten bestehenden Situation dienen.

(23) Die Gemeinschaftscharta der sozialen Grundrechte der Arbeitnehmer betont die Notwendigkeit, gegen Diskriminierungen jeglicher Art, insbesondere aufgrund von Geschlecht, Hautfarbe, Rasse, Meinung oder Glauben vorzugehen.

(24) Nach Artikel F Absatz 2 des Vertrags über die Europäische Union achtet die Union die Grundrechte, wie sie in der Europäischen Konvention zum Schutze der Menschenrechte und Grundfreiheiten gewährleistet sind und wie sie sich aus den gemeinsamen Verfassungsüberlieferungen der Mitgliedstaaten als allgemeine Grundsätze des Gemeinschaftsrechts ergeben.

(25) Die Mitgliedstaaten können den Sozialpartnern auf deren gemeinsamen Antrag die Durchführung dieser Richtlinie übertragen, sofern sie alle erforderlichen Maßnahmen treffen, um jederzeit gewährleisten zu können, daß die durch die Richtlinie vorgeschriebenen Ergebnisse erzielt werden.

(26) Die Durchführung der Rahmenvereinbarung trägt zur Verwirklichung der in Artikel 1 des Abkommens über die Sozialpolitik genannten Ziele bei –

HAT FOLGENDE RICHTLINIE ERLASSEN:

Art. 1 Mit dieser Richtlinie soll die am 6. Juni 1997 zwischen den europäischen Sozialpartnern (UNICE, CEEP, EGB) geschlossene Rahmenvereinbarung über Teilzeitarbeit, die im Anhang enthalten ist, durchgeführt werden.

Art. 2[1] (1) Die Mitgliedstaaten setzen die Rechts- und Verwaltungsvorschriften, die erforderlich sind, um dieser Richtlinie nachzukom-

---

[1] Art. 2 geänd. durch RL 98/23/EG v. 7. 4. 1998 (ABl. Nr. L 131/10).

men, bis zum 20. Januar 2000 in Kraft oder vergewissern sich spätestens zu diesem Zeitpunkt, daß die Sozialpartner im Wege einer Vereinbarung die erforderlichen Vorkehrungen getroffen haben; dabei haben die Mitgliedstaaten alle notwendigen Maßnahmen zu treffen, um jederzeit gewährleisten zu können, daß die durch diese Richtlinie vorgeschriebenen Ergebnisse erzielt werden. Sie setzen die Kommission unverzüglich davon in Kenntnis.

Den Mitgliedstaaten kann bei besonderen Schwierigkeiten oder im Falle einer Durchführung mittels eines Tarifvertrags eine zusätzliche Frist von höchstens einem Jahr gewährt werden.

Sie setzen die Kommission umgehend von diesen Gegebenheiten in Kenntnis.

Wenn die Mitgliedstaaten die Vorschriften nach Unterabsatz 1 erlassen, nehmen sie in den Vorschriften selbst oder bei der amtlichen Veröffentlichung auf diese Richtlinie Bezug. Die Mitgliedstaaten regeln die Einzelheiten der Bezugnahme.

(1 a) Für das Vereinigte Königreich Großbritannien und Nordirland gilt anstelle des in Absatz 1 genannten Zeitpunkts des 20. Januar 2000 der 7. April 2000.

(2) Die Mitgliedstaaten teilen der Kommission die wichtigsten innerstaatlichen Rechtsvorschriften mit, die sie im Anwendungsbereich dieser Richtlinie erlassen haben oder erlassen.

Art. 3 Diese Richtlinie tritt am Tag ihrer Veröffentlichung im *Amtsblatt der Europäischen Gemeinschaften* in Kraft.

Art. 4 Diese Richtlinie ist an die Mitgliedstaaten gerichtet.

Anhang

Union der Europäischen Industrie- und Arbeitgeberverbände
Europäischer Gewerkschaftsbund
Europäischer Zentralverband der öffentlichen Wirtschaft

Rahmenvereinbarung über Teilzeitarbeit

Präambel

Die vorliegende Rahmenvereinbarung ist ein Beitrag zur allgemeinen europäischen Beschäftigungsstrategie. Die Teilzeitarbeit hat in den letzten Jahren einen erheblichen Einfluß auf die Beschäftigungslage gehabt. Aus diesem Grunde haben die Unterzeichner dieser Vereinbarung dieser Form der Arbeit vorrangige Beachtung eingeräumt. Die Parteien beabsichtigen, die Notwendigkeit ähnlicher Abkommen für andere flexible Arbeitsformen in Erwägung zu ziehen.

Diese Vereinbarung legt in Anerkennung der Vielfalt der Verhältnisse in den Mitgliedstaaten und in der Erkenntnis, daß die Teilzeitarbeit ein Merkmal der Beschäftigung in bestimmten Branchen und Tätigkeiten ist, die allgemeinen Grundsätze und Mindestvorschriften für die Teilzeitarbeit nieder. Sie macht den Willen der Sozialpartner deutlich, einen allgemeinen Rahmen für die Beseitigung von Diskriminierungen von Teilzeitbeschäftigten zu schaffen und einen Beitrag zur Entwicklung der Teilzeitarbeitsmöglichkeiten auf einer für Arbeitgeber und Arbeitnehmer akzeptablen Grundlage zu leisten.

Die Vereinbarung erstreckt sich auf die Beschäftigungsbedingungen von Teilzeitbeschäftigten und erkennt an, daß Fragen der gesetzlichen Regelung der sozialen Sicherheit der Entscheidung der Mitgliedstaaten unterliegen. Die Unterzeichnerparteien haben im Sinne des Grundsatzes der Nichtdiskriminierung von der Erklärung zur Beschäftigung des Europäischen Rates von Dublin im Dezember 1996 Kenntnis genommen, in welcher der Rat unter anderem betont, daß die Systeme der sozialen Sicherheit beschäftigungsfreundlicher gestaltet werden sollten, indem „Systeme der sozialen Sicherheit entwickelt werden, die sich an neue Arbeitsstrukturen anpassen lassen und die jedem, der im Rahmen solcher Strukturen arbeitet, auch einen angemessenen sozialen Schutz bieten." Die Unterzeichnerparteien sind der Ansicht, daß diese Erklärung in die Praxis umgesetzt werden sollte.

EGB, UNICE und CEEP ersuchen die Kommission, diese Rahmenvereinbarung dem Rat vorzulegen, damit deren Vorschriften in den Mitgliedstaaten, die das Abkommen über die Sozialpolitik, das dem Protokoll (Nr. 14) über die Sozialpolitik im Anhang zum Vertrag zur Gründung der Europäischen Gemeinschaft beigefügt ist, unterzeichnet haben, durch Ratsbeschluß verbindlich gemacht werden.

Die Unterzeichnerparteien ersuchen die Kommission, die Mitgliedstaaten in ihrem Vorschlag zur Umsetzung dieser Vereinbarung aufzufordern, die erforderlichen Rechts- und Verwaltungsvorschriften zu erlassen, um dem Ratsbeschluß innerhalb einer Frist von zwei Jahren nach seiner Verabschiedung nachzukommen, oder sich zu vergewissern[1], daß die Sozialpartner im Wege einer Vereinbarung die erforderlichen Maßnahmen vor Ablauf dieser Frist ergreifen. Den Mitgliedstaaten kann bei besonderen Schwierigkeiten oder im Fall einer Durchführung im Wege eines Tarifvertrags höchstens ein zusätzliches Jahr gewährt werden, um dieser Bestimmung nachzukommen.

Unbeschadet der jeweiligen Rolle der einzelstaatlichen Gerichte und des Gerichtshofs bitten die Unterzeichnerparteien darum, daß jede Frage im Hinblick auf die Auslegung dieser Vereinbarung auf europäi-

[1] **Amtl. Anm.:** Im Sinne von Artikel 2 Absatz 4 des Abkommens über die Sozialpolitik im Anhang zum Vertrag zur Gründung der Europäischen Gemeinschaft.

scher Ebene über die Kommission zunächst an sie weitergeleitet wird, damit sie eine Stellungnahme abgeben können.

Allgemeine Erwägungen

1. Gestützt auf das Abkommen über die Sozialpolitik im Anhang zum Protokoll (Nr. 14) über die Sozialpolitik, das dem Vertrag zur Gründung der Europäischen Gemeinschaft beigefügt ist, insbesondere auf Artikel 3 Absatz 4 und Artikel 4 Absatz 2,

in Erwägung nachstehender Gründe:

2. Gemäß Artikel 4 Absatz 2 des Abkommens über die Sozialpolitik erfolgt die Durchführung der auf Gemeinschaftsebene geschlossenen Vereinbarungen auf gemeinsamen Antrag der Unterzeichnerparteien durch einen Beschluß des Rates auf Vorschlag der Kommission.
3. Die Kommission kündigte in ihrem zweiten Konsultationspapier über die Flexibilität der Arbeitszeit und die Absicherung der Arbeitnehmer an, eine gesetzlich bindende Gemeinschaftsmaßnahme vorschlagen zu wollen.
4. Die Schlußfolgerungen des Europäischen Rates von Essen betonen nachdrücklich die Notwendigkeit von Maßnahmen zur Förderung der Beschäftigung und Chancengleichheit zwischen Frauen und Männern und fordern Maßnahmen zur „Steigerung der Beschäftigungsintensität des Wachstums, insbesondere durch eine flexiblere Organisation der Arbeit, die sowohl den Wünschen der Arbeitnehmer als auch den Erfordernissen des Wettbewerbs gerecht wird".
5. Die Unterzeichnerparteien messen denjenigen Maßnahmen Bedeutung zu, die den Zugang zur Teilzeitarbeit für Frauen und Männer erleichtern, und zwar im Hinblick auf die Vorbereitung des Ruhestands, die Vereinbarkeit von Beruf und Familienleben sowie die Nutzung von allgemeinen und beruflichen Bildungsmöglichkeiten zur Verbesserung ihrer Fertigkeiten und ihres beruflichen Fortkommens, im beiderseitigen Interesse der Arbeitgeber und der Arbeitnehmer und auf eine Weise, die die Entwicklung der Unternehmen begünstigt.
6. Diese Vereinbarung überläßt es den Mitgliedstaaten und den Sozialpartnern, die Anwendungsmodalitäten dieser allgemeinen Grundsätze, Mindestvorschriften und Bestimmungen zu definieren, um so der jeweiligen Situation der einzelnen Mitgliedstaaten Rechnung zu tragen.
7. Diese Vereinbarung berücksichtigt die Notwendigkeit, die sozialpolitischen Anforderungen zu verbessern, die Wettbewerbsfähigkeit der Wirtschaft der Gemeinschaft zu stärken, und zu vermeiden, daß verwaltungstechnische, finanzielle und rechtliche Zwänge auferlegt

werden, die die Gründung und Entwicklung von kleinen und mittleren Unternehmen hemmen könnten.

8. Die Sozialpartner sind am besten in der Lage, Lösungen zu finden, die den Bedürfnissen der Arbeitgeber und der Arbeitnehmer gerecht werden; daher ist ihnen eine besondere Rolle bei der Umsetzung und Anwendung dieser Vereinbarung einzuräumen –

DIE UNTERZEICHNERPARTEIEN HABEN FOLGENDE VEREINBARUNG GESCHLOSSEN:

§ 1 Ziel. Diese Rahmenvereinbarung soll

a) die Beseitigung von Diskriminierungen von Teilzeitbeschäftigten sicherstellen und die Qualität der Teilzeitarbeit verbessern;

b) die Entwicklung der Teilzeitarbeit auf freiwilliger Basis fördern und zu einer flexiblen Organisation der Arbeitszeit beitragen, die den Bedürfnissen der Arbeitgeber und der Arbeitnehmer Rechnung trägt.

§ 2 Anwendungsbereich. 1. Die vorliegende Vereinbarung gilt für Teilzeitbeschäftigte, die nach den Rechtsvorschriften, Tarifverträgen oder Gepflogenheiten in dem jeweiligen Mitgliedstaat einen Arbeitsvertrag haben oder in einem Arbeitsverhältnis stehen.

2. Nach Anhörung der Sozialpartner gemäß den einzelstaatlichen Rechtsvorschriften, den Tarifverträgen oder Gepflogenheiten können die Mitgliedstaaten und/oder die Sozialpartner auf der entsprechenden Ebene in Übereinstimmung mit den einzelstaatlichen Praktiken im Bereich der Arbeitsbeziehungen aus sachlichen Gründen Teilzeitbeschäftigte, die nur gelegentlich arbeiten, ganz oder teilweise ausschließen. Dieser Ausschluß sollte regelmäßig daraufhin überprüft werden, ob die sachlichen Gründe, auf denen er beruht, weiter vorliegen.

§ 3 Begriffsbestimmungen. Im Sinne dieser Vereinbarung ist

1. „Teilzeitbeschäftigter" ein Arbeitnehmer, dessen normale, auf Wochenbasis oder als Durchschnitt eines bis zu einem Jahr reichenden Beschäftigungszeitraumes berechnete Arbeitszeit unter der eines vergleichbaren Vollzeitbeschäftigten liegt;

2. „vergleichbarer Vollzeitbeschäftigter" ein Vollzeitbeschäftigter desselben Betriebs mit derselben Art von Arbeitsvertrag oder Beschäftigungsverhältnis, der in der gleichen oder einer ähnlichen Arbeit/Beschäftigung tätig ist, wobei auch die Betriebszugehörigkeitsdauer *und die* Qualifikationen/Fertigkeiten sowie andere Erwägungen heranzuziehen sind.

Ist in demselben Betrieb kein vergleichbarer Vollzeitbeschäftigter vorhanden, so erfolgt der Vergleich anhand des anwendbaren Tarifvertrages oder, in Ermangelung eines solchen, gemäß den gesetzlichen oder tarifvertraglichen Bestimmungen oder den nationalen Gepflogenheiten.

§ 4 Grundsatz der Nichtdiskriminierung. 1. Teilzeitbeschäftigte dürfen in ihren Beschäftigungsbedingungen nur deswegen, weil sie teilzeitbeschäftigt sind, gegenüber vergleichbaren Vollzeitbeschäftigten nicht schlechter behandelt werden, es sei denn, die unterschiedliche Behandlung ist aus sachlichen Gründen gerechtfertigt.

2. Es gilt, wo dies angemessen ist, der Pro-rata-temporis-Grundsatz.

3. Die Anwendungsmodalitäten dieser Vorschrift werden von den Mitgliedstaaten und/oder den Sozialpartnern unter Berücksichtigung der Rechtsvorschriften der Gemeinschaft und der einzelstaatlichen gesetzlichen und tarifvertraglichen Bestimmungen und Gepflogenheiten festgelegt.

4. Wenn dies aus sachlichen Gründen gerechtfertigt ist, können die Mitgliedstaaten nach Anhörung der Sozialpartner gemäß den einzelstaatlichen Rechtsvorschriften, Tarifverträgen oder Gepflogenheiten und/oder die Sozialpartner gegebenenfalls den Zugang zu besondereren Beschäftigungsbedingungen von einer bestimmten Betriebszugehörigkeitsdauer, der Arbeitszeit oder Lohn- und Gehaltsbedingungen abhängig machen. Die Zugangskriterien von Teilzeitbeschäftigten zu besonderen Beschäftigungsbedingungen sollten regelmäßig unter Berücksichtigung des in Paragraph 4 Nummer 1 genannten Grundsatzes der Nichtdiskriminierung überprüft werden.

§ 5 Teilzeitarbeitsmöglichkeiten. 1. Im Rahmen des Paragraphen 1 dieser Vereinbarung und im Einklang mit dem Grundsatz der Nichtdiskriminierung von Teilzeit- und Vollzeitbeschäftigten,

a) sollten die Mitgliedstaaten nach Anhörung der Sozialpartner gemäß den einzelstaatlichen Rechtsvorschriften oder Gepflogenheiten Hindernisse rechtlicher oder verwaltungstechnischer Natur, die die Teilzeitarbeitsmöglichkeiten beschränken können, identifizieren und prüfen und sie gegebenenfalls beseitigen;

b) sollten die Sozialpartner innerhalb ihres Zuständigkeitsbereiches durch tarifvertraglich vorgesehene Verfahren Hindernisse, die die Teilzeitarbeitsmöglichkeiten beschränken können, identifizieren und prüfen und sie gegebenenfalls beseitigen.

2. Die Weigerung eines Arbeitnehmers, von einem Vollzeitarbeitsverhältnis in ein Teilzeitarbeitsverhältnis oder umgekehrt überzuwech-

seln, sollte, unbeschadet der Möglichkeit, gemäß den gesetzlichen und tarifvertraglichen Bestimmungen und den nationalen Gepflogenheiten aus anderen Gründen, wie etwa wegen betrieblicher Notwendigkeit, Kündigungen auszusprechen, als solche keinen gültigen Kündigungsgrund darstellen.

3. Die Arbeitgeber sollten, soweit dies möglich ist,
   a) Anträge von Vollzeitbeschäftigten auf Wechsel in ein im Betrieb zur Verfügung stehendes Teilzeitarbeitsverhältnis berücksichtigen;
   b) Anträge von Teilzeitbeschäftigung auf Wechsel in ein Vollzeitarbeitsverhältnis oder auf Erhöhung ihrer Arbeitszeit, wenn sich diese Möglichkeit ergibt, berücksichtigen;
   c) bemüht sein, zur Erleichterung des Wechsels von einem Vollzeit- in ein Teilzeitarbeitsverhältnis und umgekehrt rechtzeitig Informationen über Teilzeit- oder Vollzeitarbeitsplätze, die im Betrieb zur Verfügung stehen, bereitzustellen;
   d) Maßnahmen, die den Zugang zur Teilzeitarbeit auf allen Ebenen des Unternehmens einschließlich qualifizierten und leitenden Stellungen erleichtern, und in geeigneten Fällen auch Maßnahmen, die den Zugang von Teilzeitbeschäftigten zur beruflichen Bildung erleichtern, zur Förderung des beruflichen Fortkommens und der beruflichen Mobilität in Erwägung ziehen;
   e) bemüht sein, den bestehenden Arbeitnehmervertretungsgremien geeignete Informationen über die Teilzeitarbeit in dem Unternehmen zur Verfügung zu stellen.

§ 6 Umsetzungsbestimmungen. 1. Die Mitgliedstaaten und/oder die Sozialpartner können günstigere Bestimmungen beibehalten oder einführen, als sie in dieser Vereinbarung vorgesehen sind.

2. Die Umsetzung dieser Vereinbarung rechtfertigt nicht eine Verringerung des allgemeinen Schutzniveaus der Arbeitnehmer in dem unter diese Vereinbarung fallenden Bereich; dies berührt nicht das Recht der Mitgliedstaaten und/oder der Sozialpartner, bei Veränderungen der Umstände unterschiedliche Rechts- und Verwaltungsvorschriften oder tarifvertragliche Regelungen zu entwickeln, und steht der Anwendung von Paragraph 5.1 nicht entgegen, sofern der in Paragraph 4. 1 festgelegte Grundsatz der Nichtdiskriminierung eingehalten wird.

3. Diese Vereinbarung beeinträchtigt nicht das Recht der Sozialpartner auf der entsprechenden Ebene, einschließlich der europäischen Ebene, Übereinkünfte zur Anpassung und/oder Ergänzung dieser Vereinbarung zu schließen, um besonderen Bedürfnissen der betroffenen Sozialpartner Rechnung zu tragen.

4. Diese Vereinbarung gilt unbeschadet spezifischer Gemeinschaftsbestimmungen, insbesondere der Gemeinschaftsbestimmungen zur Gleichbehandlung und Chancengleichheit von Männern und Frauen.
5. Die Vermeidung und Behebung von Streitfällen aufgrund der Anwendung dieser Vereinbarung erfolgt gemäß den einzelstaatlichen Rechtsvorschriften, Tarifverträgen oder Gepflogenheiten.
6. Die Unterzeichnerparteien überprüfen die Anwendung dieser Vereinbarung fünf Jahre nach Erlaß des Ratsbeschlusses, wenn einen[1] von ihnen einen entsprechenden Antrag stellt.

---

[1] **Red. Anm.:** Wohl richtig: „eine".

892. Richtlinie 1999/70/EG des Rates zu der EGB-UNICE-CEEP-Rahmenvereinbarung über befristete Arbeitsverträge

Vom 28. Juni 1999

(ABl. Nr. L 175/43)

DER RAT DER EUROPÄISCHEN UNION –

gestützt auf den Vertrag zur Gründung der Europäischen Gemeinschaft, insbesondere auf Artikel 139 Absatz 2,

auf Vorschlag der Kommission,

in Erwägung nachstehender Gründe:

(1) Durch das Inkrafttreten des Vertrags von Amsterdam wurden die Vorschriften des Abkommens über die Sozialpolitik, das dem Protokoll über die Sozialpolitik beigefügt war, welches dem Vertrag zur Gründung der Europäischen Gemeinschaft beigefügt war, in die Artikel 136 bis 139 des Vertrages zur Gründung der Europäischen Gemeinschaft übernommen.

(2) Die Sozialpartner können nach Artikel 139 Absatz 2 des Vertrags gemeinsam beantragen, daß die auf Gemeinschaftsebene geschlossenen Vereinbarungen durch einen Beschluß des Rates auf Vorschlag der Kommission durchgeführt werden.

(3) Nummer 7 der Gemeinschaftscharta der sozialen Grundrechte der Arbeitnehmer sieht unter anderem folgendes vor: „Die Verwirklichung des Binnenmarktes muß zu einer Verbesserung der Lebens- und Arbeitsbedingungen der Arbeitnehmer in der Europäischen Gemeinschaft führen. Dieser Prozeß erfolgt durch eine Angleichung dieser Bedingungen auf dem Wege des Fortschritts und betrifft namentlich andere Arbeitsformen als das unbefristete Arbeitsverhältnis, wie das befristete Arbeitsverhältnis, Teilzeitarbeit, Leiharbeit und Saisonarbeit".

(4) Der Rat hat weder zu dem Vorschlag für eine Richtlinie über bestimmte Arbeitsverhältnisse im Hinblick auf Wettbewerbsverzerrungen[1] noch zu dem Vorschlag für eine Richtlinie über bestimmte Arbeitsverhältnisse hinsichtlich der Arbeitsbedingungen[2] einen Beschluß gefaßt.

(5) Entsprechend den Schlußfolgerungen des Europäischen Rates von Essen sind Maßnahmen „zur Steigerung der Beschäftigungsinten-

---

[1] **Amtl. Anm.:** ABl. C 224 vom 8. 9. 1990, S. 6 und ABl. C 305 vom 5. 12. 1990, S. 8.
[2] **Amtl. Anm.:** ABl. C 224 vom 8. 9. 1990, S. 4.

sität des Wachstums, insbesondere durch eine flexiblere Organisation der Arbeit, die sowohl den Wünschen der Arbeitnehmer als auch den Erfordernissen des Wettbewerbs gerecht wird," erforderlich.

(6) In der Entschließung des Rates vom 9. Februar 1999 zu den beschäftigungspolitischen Leitlinien für 1999 werden die Sozialpartner aufgefordert, auf allen geeigneten Ebenen Vereinbarungen zur Modernisierung der Arbeitsorganisation, darunter auch anpassungsfähige Arbeitsregelungen, auszuhandeln, um die Unternehmen produktiv und wettbewerbsfähig zu machen und ein ausgewogenes Verhältnis zwischen Anpassungsfähigkeit und Sicherheit zu erreichen.

(7) Die Kommission hat nach Artikel 3 Absatz 2 des Abkommens über die Sozialpolitik die Sozialpartner zu der Frage gehört, wie eine Gemeinschaftsaktion zur Flexibilisierung der Arbeitszeit und Absicherung der Arbeitnehmer gegebenenfalls ausgerichtet werden sollte.

(8) Die Kommission, die nach dieser Anhörung eine Gemeinschaftsaktion für zweckmäßig hielt, hat die Sozialpartner nach Artikel 3 Absatz 3 des genannten Abkommens erneut zum Inhalt des in Aussicht genommenen Vorschlags gehört.

(9) Die allgemeinen branchenübergreifenden Organisationen, d.h. die Union der Industrie- und Arbeitgeberverbände Europas (UNICE), der Europäische Zentralverband der öffentlichen Wirtschaft (CEEP) und der Europäische Gewerkschaftsbund (EGB) haben der Kommission in einem gemeinsamen Schreiben vom 23. März 1998 mitgeteilt, daß sie das Verfahren nach Artikel 4 des genannten Abkommens in Gang setzen wollen. Sie haben die Kommission in einem gemeinsamen Schreiben um eine zusätzliche Frist von drei Monaten gebeten. Die Kommission kam dieser Bitte nach und verlängerte den Verhandlungszeitraum bis zum 30. März 1999.

(10) Die genannten branchenübergreifenden Organisationen schlossen am 18. März 1999 eine Rahmenvereinbarung über befristete Arbeitsverträge und übermittelten der Kommission nach Artikel 4 Absatz 2 des Abkommens über die Sozialpolitik ihren gemeinsamen Antrag auf Durchführung dieser Rahmenvereinbarung durch einen Beschluß des Rates auf Vorschlag der Kommission.

(11) Der Rat hat in seiner Entschließung vom 6. Dezember 1994 „Bestimmte Perspektiven einer Sozialpolitik der Europäischen Union: ein Beitrag zur wirtschaftlichen und sozialen Konvergenz in der Union"[1] die Sozialpartner ersucht, die Möglichkeiten zum Abschluß von Vereinbarungen wahrzunehmen, weil sie in der Regel näher an den sozialen Problemen und der sozialen Wirklichkeit sind.

[1] **Amtl. Anm.:** ABl. C 368 vom 23. 12. 1994, S. 6.

(12) In der Präambel zu der am 6. Juni 1997 geschlossenen Rahmenvereinbarung über Teilzeitarbeit kündigten die Unterzeichnerparteien ihre Absicht an, zu prüfen, ob ähnliche Vereinbarungen für andere flexible Arbeitsformen erforderlich sind.

(13) Die Sozialpartner wollten den befristeten Arbeitsverträgen besondere Beachtung schenken, erklärten jedoch auch, daß sie in Erwägung ziehen wollten, ob eine ähnliche Vereinbarung über Leiharbeit erforderlich ist.

(14) Die Unterzeichnerparteien wollten eine Rahmenvereinbarung über befristete Arbeitsverträge schließen, welche die allgemeinen Grundsätze und Mindestvorschriften für befristete Arbeitsverträge und Beschäftigungsverhältnisse niederlegt. Sie haben ihren Willen bekundet, durch Anwendung des Grundsatzes der Nichtdiskriminierung die Qualität befristeter Arbeitsverhältnisse zu verbessern und einen Rahmen zu schaffen, der den Mißbrauch durch aufeinanderfolgende befristete Arbeitsverträge oder Beschäftigungsverhältnisse verhindert.

(15) Der geeignete Rechtsakt zur Durchführung der Rahmenvereinbarung ist eine Richtlinie im Sinne von Artikel 249 des Vertrags. Sie ist für die Mitgliedstaaten hinsichtlich des zu erreichenden Zieles verbindlich, überläßt diesen jedoch die Wahl der Form und der Mittel.

(16) Entsprechend den in Artikel 5 des Vertrags genannten Grundsätzen der Subsidiarität und der Verhältnismäßigkeit können die Ziele dieser Richtlinie auf Ebene der Mitgliedstaaten nicht ausreichend erreicht werden, so daß sie besser auf Gemeinschaftsebene verwirklicht werden können. Die Richtlinie geht nicht über das für die Erreichung dieser Ziele Erforderliche hinaus.

(17) Bezüglich der in der Rahmenvereinbarung verwendeten, jedoch nicht genau definierten Begriffe überläßt es diese Richtlinie – wie andere im Sozialbereich erlassene Richtlinien, in denen ähnliche Begriffe vorkommen – den Mitgliedstaaten, diese Begriffe entsprechend ihrem nationalen Recht und/oder ihrer nationalen Praxis zu definieren, vorausgesetzt, diese Definitionen entsprechen inhaltlich der Rahmenvereinbarung.

(18) Die Kommission hat ihren Richtlinienvorschlag entsprechend ihrer Mitteilung vom 14. Dezember 1993 über die Anwendung des Protokolls über die Sozialpolitik und ihrer Mitteilung vom 20. Mai 1998 zur Entwicklung des sozialen Dialogs auf Gemeinschaftsebene unter Berücksichtigung des Vertretungsanspruchs der Unterzeichnerparteien, ihres Mandats und der Rechtmäßigkeit der Bestimmungen der Rahmenvereinbarung ausgearbeitet. Die Unterzeichnerparteien verfügen über einen ausreichenden kumulativen Vertretungsanspruch.

(19) Entsprechend ihrer Mitteilung über die Anwendung des Protokolls über die Sozialpolitik hat die Kommission das Europäische Parlament und den Wirtschafts- und Sozialausschuß unterrichtet und ihnen den Wortlaut der Rahmenvereinbarung sowie ihren mit einer Begründung versehenen Vorschlag für eine Richtlinie übermittelt.

(20) Das Europäische Parlament hat am 6. Mai 1999 eine Entschließung zu der Rahmenvereinbarung der Sozialpartner angenommen.

(21) Die Durchführung der Rahmenvereinbarung trägt zur Verwirklichung der in Artikel 136 des Vertrags genannten Ziele bei –

HAT FOLGENDE RICHTLINIE ERLASSEN:

Art. 1. Mit dieser Richtlinie soll die zwischen den allgemeinen branchenübergreifenden Organisationen (EGB, UNICE und CEEP) geschlossene Rahmenvereinbarung vom 18. März 1999 über befristete Arbeitsverträge, die im Anhang enthalten ist, durchgeführt werden.

Art. 2. Die Mitgliedstaaten setzen die Rechts- und Verwaltungsvorschriften in Kraft, die erforderlich sind, um dieser Richtlinie spätestens am 10. Juli 2001 nachzukommen, oder vergewissern sich spätestens zu diesem Zeitpunkt, daß die Sozialpartner im Wege einer Vereinbarung die erforderlichen Vorkehrungen getroffen haben; dabei haben die Mitgliedstaaten alle notwendigen Maßnahmen zu treffen, um jederzeit gewährleisten zu können, daß die durch die Richtlinie vorgeschriebenen Ergebnisse erzielt werden. Sie setzen die Kommission unverzüglich davon in Kenntnis.

Sofern notwendig kann den Mitgliedstaaten bei besonderen Schwierigkeiten oder im Falle einer Durchführung mittels eines Tarifvertrags nach Konsultation der Sozialpartner eine zusätzliche Frist von höchstens einem Jahr gewährt werden. Sie setzen die Kommission umgehend von diesen Gegebenheiten in Kenntnis.

Wenn die Mitgliedstaaten die Vorschriften nach Absatz 1 erlassen, nehmen sie in diesen Vorschriften selbst oder bei deren amtlicher Veröffentlichung auf diese Richtlinie Bezug. Die Mitgliedstaaten regeln die Einzelheiten der Bezugnahme.

Art. 3. Diese Richtlinie tritt am Tag ihrer Veröffentlichung im *Amtsblatt der Europäischen Gemeinschaften* in Kraft.

Art. 4. Diese Richtlinie ist an die Mitgliedstaaten gerichtet.

Anhang

EGB-UNICE-CEEP

Rahmenvereinbarung über befristete Arbeitsverträge

Präambel

Die vorliegende Rahmenvereinbarung ist ein Beispiel für die Rolle, die Sozialpartner im Rahmen der 1997 auf der Sondertagung in Luxemburg vereinbarten europäischen Beschäftigungsstrategie spielen können, und nach der Rahmenvereinbarung über Teilzeitarbeit ein weiterer Beitrag auf dem Weg zu einem besseren Gleichgewicht zwischen „Flexibilität der Arbeitszeit und Sicherheit der Arbeitnehmer".

Die Unterzeichnerparteien dieser Vereinbarung erkennen an, daß unbefristete Verträge die übliche Form des Beschäftigungsverhältnisses zwischen Arbeitgebern und Arbeitnehmern darstellen und weiter darstellen werden. Sie erkennen auch an, daß befristete Beschäftigungsverträge unter bestimmten Umständen den Bedürfnissen von Arbeitgebern und Arbeitnehmern entsprechen.

Die Vereinbarung legt die allgemeinen Grundsätze und Mindestvorschriften für befristete Arbeitsverträge in der Erkenntnis nieder, daß bei ihrer genauen Anwendung die besonderen Gegebenheiten der jeweiligen nationalen, sektoralen und saisonalen Situation berücksichtigt werden müssen. Sie macht den Willen der Sozialpartner deutlich, einen allgemeinen Rahmen zu schaffen, der durch den Schutz vor Diskriminierung die Gleichbehandlung von Arbeitnehmern in befristeten Arbeitsverhältnissen sichert und die Inanspruchnahme befristeter Arbeitsverträge auf einer für Arbeitgeber und Arbeitnehmer akzeptablen Grundlage ermöglicht.

Die Vereinbarung gilt für Arbeitnehmer in befristeten Arbeitsverhältnissen mit Ausnahme derer, die einem Unternehmen von einer Leiharbeitsagentur zur Verfügung gestellt werden. Es ist die Absicht der Parteien, den Abschluß einer ähnlichen Vereinbarung über Leiharbeit in Erwägung zu ziehen.

Die Vereinbarung erstreckt sich auf die Beschäftigungsbedingungen von Arbeitnehmern in befristeten Arbeitsverhältnissen und erkennt an, daß Fragen der gesetzlichen Regelung der sozialen Sicherheit der Entscheidung der Mitgliedstaaten unterliegen. Die Sozialpartner nehmen in diesem Sinne von der Erklärung zur Beschäftigung des Europäischen Rates von Dublin aus dem Jahre 1996 Kenntnis, in der unter anderem betont wird, daß die Systeme der sozialen Sicherheit beschäftigungsfreundlicher gestaltet werden sollten, indem Systeme der sozialen Sicherheit entwickelt werden, die sich an neue Arbeitsstrukturen anpassen lassen und die jedem, der im Rahmen solcher Strukturen arbeitet, auch einen angemessenen sozialen Schutz bieten. Die Unterzeichnerparteien wiederholen ihre bereits 1997 in der Rahmenvereinbarung über Teilzeitarbeit geäußerte Ansicht, daß die Mitgliedstaaten die Erklärung unverzüglich umsetzen sollten.

Außerdem wird anerkannt, daß Innovationen in den betrieblichen Sozialschutzsystemen erforderlich sind, um sie an die Bedingungen von heute anzupassen und insbesondere die Übertragbarkeit von Ansprüchen zu ermöglichen.

EGB, UNICE und CEEP ersuchen die Kommission, diese Rahmenvereinbarung dem Rat vorzulegen, damit deren Vorschriften in den Mitgliedstaaten, die das Abkommen über die Sozialpolitik, das dem Protokoll (Nr. 14) über die Sozialpolitik im Anhang zum Vertrag zur Gründung der Europäischen Union beigefügt ist, unterzeichnet haben, durch Ratsbeschluß verbindlich werden.

Die Unterzeichnerparteien ersuchen die Kommission, die Mitgliedstaaten in ihrem Vorschlag zur Umsetzung dieser Vereinbarung aufzufordern, die erforderlichen Rechts- und Verwaltungsvorschriften zu erlassen, um dem Ratsbeschluß innerhalb einer Frist von zwei Jahren nach seiner Verabschiedung nachzukommen, oder sich zu vergewissern[1], daß die Sozialpartner die notwendigen Maßnahmen vor Ablauf dieser Frist im Wege einer Vereinbarung ergreifen. Bei besonderen Schwierigkeiten oder einer Umsetzung mittels eines Tarifvertrags haben die Mitgliedstaaten nach Konsultation der Sozialpartner gegebenenfalls zusätzlich bis zu einem Jahr Zeit, dieser Bestimmung nachzukommen.

Die Unterzeichnerparteien bitten darum, daß die Sozialpartner vor jeder Maßnahme, die Rechts- und Verwaltungsvorschriften der Mitgliedstaaten zur Erfüllung dieser Vereinbarung betrifft, konsultiert werden.

Unbeschadet der jeweiligen Rolle der einzelstaatlichen Gerichte und des Gerichtshofs bitten die Unterzeichnerparteien darum, daß jede Frage im Hinblick auf die Auslegung dieser Vereinbarung auf europäischer Ebene über die Kommission zunächst an sie weitergeleitet wird, damit sie eine Stellungnahme abgeben können.

Allgemeine Erwägungen

1. Gestützt auf das Abkommen über die Sozialpolitik, das dem Protokoll (Nr. 14) über die Sozialpolitik im Anhang zum Vertrag zur

[1] **Amtl. Anm.:** Im Sinne von Artikel 2 Absatz 4 des Abkommens über die Sozialpolitik, das dem Protokoll (Nr. 14) über die Sozialpolitik im Anhang zum Vertrag zur Gründung der Europäischen Gemeinschaft beigefügt ist.

Gründung der Europäischen Gemeinschaft beigefügt ist, insbesondere auf Artikel 3 Absatz 4 und Artikel 4 Absatz 2,

in Erwägung nachstehender Gründe:

2. Gemäß Artikel 4 Absatz 2 des Abkommens über die Sozialpolitik erfolgt die Durchführung der auf Gemeinschaftsebene geschlossenen Vereinbarungen auf gemeinsamen Antrag der Unterzeichnerparteien durch einen Beschluß des Rates auf Vorschlag der Kommission.
3. Die Kommission kündigte in ihrem zweiten Konsultationspapier über die Flexibilität der Arbeitszeit und Arbeitnehmersicherheit an, eine gesetzlich bindende Gemeinschaftsmaßnahme vorschlagen zu wollen.
4. Das Europäische Parlament forderte die Kommission in seiner Stellungnahme zum Vorschlag für eine Richtlinie über Teilzeitarbeit auf, unverzüglich Vorschläge für Richtlinien über andere Formen der flexiblen Arbeit wie befristete Arbeitsverträge und Leiharbeit zu unterbreiten.
5. In den Schlußfolgerungen des außerordentlichen Gipfeltreffens über Beschäftigungsfragen in Luxemburg ersuchte der Europäische Rat die Sozialpartner, „Vereinbarungen zur Modernisierung der Arbeitsorganisation, darunter flexible Arbeitsregelungen, auszuhandeln, um die Unternehmen produktiv und wettbewerbsfähig zu machen und ein ausgewogenes Verhältnis zwischen Flexibilität und Sicherheit zu erreichen".
6. Unbefristete Arbeitsverträge sind die übliche Form des Beschäftigungsverhältnisses. Sie tragen zur Lebensqualität der betreffenden Arbeitnehmer und zur Verbesserung ihrer Leistungsfähigkeit bei.
7. Die aus objektiven Gründen erfolgende Inanspruchnahme befristeter Arbeitsverträge hilft Mißbrauch zu vermeiden.
8. Befristete Arbeitsverträge sind für die Beschäftigung in bestimmten Branchen, Berufen und Tätigkeiten charakteristisch und können den Bedürfnissen der Arbeitgeber und der Arbeitnehmer entsprechen.
9. Da mehr als die Hälfte der Arbeitnehmer in befristeten Arbeitsverhältnissen in der Europäischen Union Frauen sind, kann diese Vereinbarung zur Verbesserung der Chancengleichheit zwischen Frauen und Männern beitragen.
10. Diese Vereinbarung überläßt es den Mitgliedstaaten und den Sozialpartnern, die Anwendungsmodalitäten ihrer allgemeinen Grundsätze, Mindestvorschriften und Bestimmungen zu definieren, um so der jeweiligen Situation der einzelnen Mitgliedstaaten und den Umständen bestimmter Branchen und Berufe einschließlich saisonaler Tätigkeiten Rechnung zu tragen.

11. Diese Vereinbarung berücksichtigt die Notwendigkeit, die sozialpolitischen Rahmenbedingungen zu verbessern, die Wettbewerbsfähigkeit der Wirtschaft der Gemeinschaft zu fördern und verwaltungstechnische, finanzielle oder rechtliche Zwänge zu vermeiden, die die Gründung und Entwicklung von kleinen und mittleren Unternehmen behindern könnten.

12. Die Sozialpartner sind am besten in der Lage, Lösungen zu finden, die den Bedürfnissen der Arbeitgeber und der Arbeitnehmer gereicht[1] werden. Daher ist ihnen eine besondere Rolle bei der Umsetzung und Anwendung dieser Vereinbarung einzuräumen –

HABEN DIE UNTERZEICHNERPARTEIEN FOLGENDES VEREINBART:

§ 1 Gegenstand. Diese Rahmenvereinbarung soll:

a) durch Anwendung des Grundsatzes der Nichtdiskriminierung die Qualität befristeter Arbeitsverhältnisse verbessern;

b) einen Rahmen schaffen, der den Mißbrauch durch aufeinanderfolgende befristete Arbeitsverträge oder -verhältnisse verhindert.

§ 2 Anwendungsbereich. 1. Diese Vereinbarung gilt für befristet beschäftigte Arbeitnehmer mit einem Arbeitsvertrag oder -verhältnis gemäß der gesetzlich, tarifvertraglich oder nach den Gepflogenheiten in jedem Mitgliedstaat geltenden Definition.

2. Die Mitgliedstaaten, nach Anhörung der Sozialpartner, und/oder die Sozialpartner können vorsehen, daß diese Vereinbarung nicht gilt für:

a) Berufsausbildungsverhältnisse und Auszubildendensysteme/Lehrlingsausbildungssysteme;

b) Arbeitsverträge und -verhältnisse, die im Rahmen eines besonderen öffentlichen oder von der öffentlichen Hand unterstützten beruflichen Ausbildungs-, Eingliederungs- oder Umschulungsprogramms abgeschlossen wurden.

§ 3 Definitionen. Im Sinne dieser Vereinbarung ist:

1. „befristet beschäftigter Arbeitnehmer" eine Person mit einem direkt zwischen dem Arbeitgeber und dem Arbeitnehmer geschlossenen Arbeitsvertrag oder -verhältnis, dessen Ende durch objektive Bedingungen wie das Erreichen eines bestimmten Datums, die Erfüllung einer bestimmten Aufgabe oder das Eintreten eines bestimmten Ereignisses bestimmt wird.

---

[1] **Red. Anm.:** Wohl richtig: „gerecht".

2. „vergleichbarer Dauerbeschäftigter" ein Arbeitnehmer desselben Betriebs mit einem unbefristeten Arbeitsvertrag oder -verhältnis, der in der gleichen oder einer ähnlichen Arbeit/Beschäftigung tätig ist, wobei auch die Qualifikationen/Fertigkeiten angemessen zu berücksichtigen sind.

   Ist in demselben Betrieb kein vergleichbarer Dauerbeschäftigter vorhanden, erfolgt der Vergleich anhand des anwendbaren Tarifvertrags oder in Ermangelung eines solchen gemäß den einzelstaatlichen gesetzlichen oder tarifvertraglichen Bestimmungen oder Gepflogenheiten.

§ 4 Grundsatz der Nichtdiskriminierung. 1. Befristet beschäftige Arbeitnehmer dürfen in ihren Beschäftigungsbedingungen nur deswegen, weil für sie ein befristeter Arbeitsvertrag oder ein befristetes Arbeitsverhältnis gilt, gegenüber vergleichbaren Dauerbeschäftigten nicht schlechter behandelt werden, es sei denn, die unterschiedliche Behandlung ist aus sachlichen Gründen gerechtfertigt.

2. Es gilt, wo dies angemessen ist, der Pro-rata-temporis-Grundsatz.

3. Die Anwendungsmodalitäten dieser Bestimmung werden von den Mitgliedstaaten nach Anhörung der Sozialpartner und/oder von den Sozialpartnern unter Berücksichtigung der Rechtsvorschriften der Gemeinschaft und der einzelstaatlichen gesetzlichen und tarifvertraglichen Bestimmungen und Gepflogenheiten festgelegt.

4. In Bezug auf bestimmte Beschäftigungsbedingungen gelten für befristet beschäftige Arbeitnehmer dieselben Betriebszugehörigkeitszeiten wie für Dauerbeschäftigte, es sei denn, unterschiedliche Betriebszugehörigkeitszeiten sind aus sachlichen Gründen gerechtfertigt.

§ 5 Maßnahmen zur Vermeidung von Mißbrauch. 1. Um Mißbrauch durch aufeinanderfolgende befristete Arbeitsverträge oder -verhältnisse zu vermeiden, ergreifen die Mitgliedstaaten nach der gesetzlich oder tarifvertraglich vorgeschriebenen oder in dem Mitgliedstaat üblichen Anhörung der Sozialpartner und/oder die Sozialpartner, wenn keine gleichwertigen gesetzlichen Maßnahmen zur Mißbrauchsverhinderung bestehen, unter Berücksichtigung der Anforderungen bestimmter Branchen und/oder Arbeitnehmerkategorien eine oder mehrere der folgenden Maßnahmen:

a) sachliche Gründe, die die Verlängerung solcher Verträge oder Verhältnisse rechtfertigen;

b) die insgesamt maximal zulässige Dauer aufeinanderfolgender Arbeitsverträge oder -verhältnisse;

c) die zulässige Zahl der Verlängerungen solcher Verträge oder Verhältnisse.

2. Die Mitgliedstaaten, nach Anhörung der Sozialpartner, und/oder die Sozialpartner legen gegebenenfalls fest, unter welchen Bedingungen befristete Arbeitsverträge oder Beschäftigungsverhältnisse:

a) als „aufeinanderfolgend" zu betrachten sind;

b) als unbefristete Verträge oder Verhältnisse zu gelten haben.

§ 6 Information und Beschäftigungsmöglichkeiten. 1. Die Arbeitgeber informieren die befristet beschäftigten Arbeitnehmer über Stellen, die im Unternehmen oder Betrieb frei werden, damit diese die gleichen Chancen auf einen sicheren unbefristeten Arbeitsplatz haben wie andere Arbeitnehmer. Diese Information kann durch allgemeine Bekanntgabe an geeigneter Stelle im Unternehmen oder Betrieb erfolgen.

2. Die Arbeitgeber erleichtern den befristet beschäftigten Arbeitnehmern, soweit dies möglich ist, den Zugang zu angemessenen Aus- und Weiterbildungsmöglichkeiten, die die Verbesserung ihrer Fertigkeiten, ihr berufliches Fortkommen und ihre berufliche Mobilität fördern.

§ 7 Information und Konsultation. 1. Befristet beschäftigte Arbeitnehmer werden entsprechend den nationalen Rechtvorschriften bei der Berechnung der Schwellenwerte für die Einrichtung von Arbeitnehmervertretungen in den Unternehmen berücksichtigt, die nach den Rechtsvorschriften der Gemeinschaft und der Mitgliedstaaten vorgesehen sind.

2. Die Anwendungsmodalitäten des Paragraphs 7 Nummer 1 werden von den Mitgliedstaaten nach Anhörung der Sozialpartner und/oder von den Sozialpartnern unter Berücksichtigung der einzelstaatlichen gesetzlichen und tarifvertraglichen Bestimmungen und Gepflogenheiten und im Einklang mit Paragraph 4 Nummer 1 festgelegt.

3. Die Arbeitgeber ziehen, soweit dies möglich ist, eine angemessene Information der vorhandenen Arbeitnehmervertretungsgremien über befristete Arbeitsverhältnisse im Unternehmen in Erwägung.

§ 8 Umsetzungsbestimmungen. 1. Die Mitgliedstaaten und/oder die Sozialpartner können günstigere Bestimmungen für Arbeitnehmer beibehalten oder einführen, als sie in dieser Vereinbarung vorgesehen sind.

2. Diese Vereinbarung gilt unbeschadet spezifischerer Gemeinschaftsbestimmungen, insbesondere der Gemeinschaftsbestimmungen zur *Gleichbehandlung* und Chancengleichheit von Männern und Frauen.

3. Die Umsetzung dieser Vereinbarung darf nicht als Rechtfertigung für die Senkung des allgemeinen Niveaus des Arbeitnehmerschutzes in dem von dieser Vereinbarung erfaßten Bereich dienen.
4. Diese Vereinbarung beeinträchtigt nicht das Recht der Sozialpartner, auf der geeigneten, einschließlich der europäischen Ebene, Vereinbarungen zu schließen, die die Bestimmungen dieser Vereinbarung unter Berücksichtigung der besonderen Bedürfnisse der betroffenen Sozialpartner anpassen und/oder ergänzen.
5. Die Vermeidung und Behandlung von Streitfällen und Beschwerden, die sich aus der Anwendung dieser Vereinbarung ergeben, erfolgen im Einklang mit den einzelstaatlichen gesetzlichen und tarifvertraglichen Bestimmungen und Gepflogenheiten.
6. Falls eine der Unterzeichnerparteien dies beantragt, nehmen diese fünf Jahre nach dem Datum des Ratsbeschlusses eine Überprüfung der Anwendung dieser Vereinbarung vor.

893. Richtlinie 2003/88/EG des Europäischen Parlaments und des Rates über bestimmte Aspekte der Arbeitszeitgestaltung[1)]

Vom 4. November 2003

(ABl. Nr. L 299/9)

DAS EUROPÄISCHE PARLAMENT UND DER RAT DER EUROPÄISCHEN UNION –

gestützt auf den Vertrag zur Gründung der Europäischen Gemeinschaft, insbesondere auf Artikel 137 Absatz 2,

auf Vorschlag der Kommission,

nach Stellungnahme des Europäischen Wirtschafts- und Sozialausschusses,[2)]

nach Anhörung des Ausschusses der Regionen, gemäß dem Verfahren des Artikels 251 des Vertrags,[3)] in Erwägung nachstehender Gründe:

(1) Die Richtlinie 93/104/EG des Rates vom 23. November 1993 über bestimmte Aspekte der Arbeitszeitgestaltung,[4)] die Mindestvorschriften für Sicherheit und Gesundheitsschutz bei der Arbeitszeitgestaltung im Hinblick auf tägliche Ruhezeiten, Ruhepausen, wöchentliche Ruhezeiten, wöchentliche Höchstarbeitszeit, Jahresurlaub sowie Aspekte der Nacht- und der Schichtarbeit und des Arbeitsrhythmus enthält, ist in wesentlichen Punkten geändert worden. Aus Gründen der Übersichtlichkeit und Klarheit empfiehlt es sich deshalb, die genannten Bestimmungen zu kodifizieren.

(2) Nach Artikel 137 des Vertrags unterstützt und ergänzt die Gemeinschaft die Tätigkeit der Mitgliedstaaten, um die Arbeitsumwelt zum Schutz der Sicherheit und der Gesundheit der Arbeitnehmer zu verbessern. Richtlinien, die auf der Grundlage dieses Artikels angenommen werden, sollten keine verwaltungsmäßigen, finanziellen oder rechtlichen Auflagen vorschreiben, die der Gründung und Entwicklung von kleinen und mittleren Unternehmen entgegenstehen.

(3) Die Bestimmungen der Richtlinie 89/391/EWG des Rates vom 12. Juni 1989 über die Durchführung von Maßnahmen zur Verbesserung der Sicherheit und des Gesundheitsschutzes der Arbeitnehmer bei

---

[1)] Beachte auch die sektorspezifischen Arbeitszeitrichtlinien: 1999/63/EG (Seeleute), 2000/79/EG (fliegendes Personal der Zivilluftfahrt) und 2002/15/EG (Fahrpersonal im Straßentransport). In Anh. II (S. 17 ff.) findet sich eine Entsprechungstabelle zur Vorgängerrichtlinie 93/104/EG.

[2)] **Amtl. Anm.:** ABl. C 61 vom 14. 3. 2003, S. 123.

[3)] **Amtl. Anm.:** Stellungnahme des Europäischen Parlaments vom 17. Dezember 2002 (noch nicht im Amtsblatt veröffentlicht) und Beschluss des Rates vom 22. September 2003.

[4)] **Amtl. Anm.:** ABl. L 307 vom 13. 12. 1993, S. 18. Geändert durch die Richtlinie 2000/34/EG des Europäischen Parlaments und des Rates (ABl. L 195 vom 1. 8. 2000, S. 41).

der Arbeit[1]) bleiben auf die durch die vorliegende Richtlinie geregelte Materie – unbeschadet der darin enthaltenen strengeren und/oder spezifischen Vorschriften – in vollem Umfang anwendbar.

(4) Die Verbesserung von Sicherheit, Arbeitshygiene und Gesundheitsschutz der Arbeitnehmer bei der Arbeit stellen Zielsetzungen dar, die keinen rein wirtschaftlichen Überlegungen untergeordnet werden dürfen.

(5) Alle Arbeitnehmer sollten angemessene Ruhezeiten erhalten. Der Begriff „Ruhezeit" muss in Zeiteinheiten ausgedrückt werden, d. h. in Tagen, Stunden und/oder Teilen davon. Arbeitnehmern in der Gemeinschaft müssen Mindestruhezeiten – je Tag, Woche und Jahr – sowie angemessene Ruhepausen zugestanden werden. In diesem Zusammenhang muss auch eine wöchentliche Höchstarbeitszeit festgelegt werden.

(6) Hinsichtlich der Arbeitszeitgestaltung ist den Grundsätzen der Internationalen Arbeitsorganisation Rechnung zu tragen; dies betrifft auch die für Nachtarbeit geltenden Grundsätze.

(7) Untersuchungen zeigen, dass der menschliche Organismus während der Nacht besonders empfindlich auf Umweltstörungen und auf bestimmte belastende Formen der Arbeitsorganisation reagiert und dass lange Nachtarbeitszeiträume für die Gesundheit der Arbeitnehmer nachteilig sind und ihre Sicherheit bei der Arbeit beeinträchtigen können.

(8) Infolgedessen ist die Dauer der Nachtarbeit, auch in Bezug auf die Mehrarbeit, einzuschränken und vorzusehen, dass der Arbeitgeber im Fall regelmäßiger Inanspruchnahme von Nachtarbeitern die zuständigen Behörden auf Ersuchen davon in Kenntnis setzt.

(9) Nachtarbeiter haben vor Aufnahme der Arbeit – und danach regelmäßig – Anspruch auf eine unentgeltliche Untersuchung ihres Gesundheitszustands und müssen, wenn sie gesundheitliche Schwierigkeiten haben, soweit jeweils möglich auf eine für sie geeignete Arbeitsstelle mit Tagarbeit versetzt werden.

(10) In Anbetracht der besonderen Lage von Nacht- und Schichtarbeitern müssen deren Sicherheit und Gesundheit in einem Maß geschützt werden, das der Art ihrer Arbeit entspricht, und die Schutz- und Vorsorgeleistungen oder -mittel müssen effizient organisiert und eingesetzt werden.

(11) Die Arbeitsbedingungen können die Sicherheit und Gesundheit der Arbeitnehmer beeinträchtigen. Die Gestaltung der Arbeit nach einem bestimmten Rhythmus muss dem allgemeinen Grundsatz Rechnung tragen, dass die Arbeitsgestaltung dem Menschen angepasst sein muss.

---

[1]) **Amtl. Anm.:** ABl. L 183 vom 29. 6. 1989, S. 1.

(12) Eine europäische Vereinbarung über die Regelung der Arbeitszeit von Seeleuten ist gemäß Artikel 139 Absatz 2 des Vertrags durch die Richtlinie 1999/63/EG des Rates vom 21. Juni 1999 zu der vom Verband der Reeder in der Europäischen Gemeinschaft (European Community Shipowners' Association ECSA) und dem Verband der Verkehrsgewerkschaften in der Europäischen Union (Federation of Transport Workers' Unions in the European Union FST) getroffenen Vereinbarung über die Regelung der Arbeitszeit von Seeleuten[1] durchgeführt worden. Daher sollten die Bestimmungen dieser Richtlinie nicht für Seeleute gelten.

(13) Im Fall jener „am Ertrag beteiligten Fischer", die in einem Arbeitsverhältnis stehen, ist es Aufgabe der Mitgliedstaaten, gemäß dieser Richtlinie die Bedingungen für das Recht auf und die Gewährung von Jahresurlaub einschließlich der Regelungen für die Bezahlung festzulegen.

(14) Die spezifischen Vorschriften anderer gemeinschaftlicher Rechtsakte über zum Beispiel Ruhezeiten, Arbeitszeit, Jahresurlaub und Nachtarbeit bestimmter Gruppen von Arbeitnehmern sollten Vorrang vor den Bestimmungen dieser Richtlinie haben.

(15) In Anbetracht der Fragen, die sich aufgrund der Arbeitszeitgestaltung im Unternehmen stellen können, ist eine gewisse Flexibilität bei der Anwendung einzelner Bestimmungen dieser Richtlinie vorzusehen, wobei jedoch die Grundsätze des Schutzes der Sicherheit und der Gesundheit der Arbeitnehmer zu beachten sind.

(16) Je nach Lage des Falles sollten die Mitgliedstaaten oder die Sozialpartner die Möglichkeit haben, von einzelnen Bestimmungen dieser Richtlinie abzuweichen. Im Fall einer Abweichung müssen jedoch den betroffenen Arbeitnehmern in der Regel gleichwertige Ausgleichsruhezeiten gewährt werden.

(17) Diese Richtlinie sollte die Pflichten der Mitgliedstaaten hinsichtlich der in Anhang I Teil B aufgeführten Richtlinien und deren Umsetzungsfristen unberührt lassen –

HABEN FOLGENDE RICHTLINIE ERLASSEN:

Kapitel 1. Anwendungsbereich und Begriffsbestimmungen

Art. 1 Gegenstand und Anwendungsbereich. (1) Diese Richtlinie enthält Mindestvorschriften für Sicherheit und Gesundheitsschutz bei der Arbeitszeitgestaltung.

(2) Gegenstand dieser Richtlinie sind

---

[1] **Amtl. Anm.:** ABl. L 167 vom 2. 7. 1999, S. 33.

a) die täglichen und wöchentlichen Mindestruhezeiten, der Mindestjahresurlaub, die Ruhepausen und die wöchentliche Höchstarbeitszeit sowie
b) bestimmte Aspekte der Nacht- und der Schichtarbeit sowie des Arbeitsrhythmus.

(3) Diese Richtlinie gilt unbeschadet ihrer Artikel 14, 17, 18 und 19 für alle privaten oder öffentlichen Tätigkeitsbereiche im Sinne des Artikels 2 der Richtlinie 89/391/EWG.

Diese Richtlinie gilt unbeschadet des Artikels 2 Nummer 8 nicht für Seeleute gemäß der Definition in der Richtlinie 1999/63/EG.

(4) Die Bestimmungen der Richtlinie 89/391/EWG finden unbeschadet strengerer und/oder spezifischer Vorschriften in der vorliegenden Richtlinie auf die in Absatz 2 genannten Bereiche voll Anwendung.

Art. 2 Begriffsbestimmungen. Im Sinne dieser Richtlinie sind:

1. Arbeitszeit: jede Zeitspanne, während der ein Arbeitnehmer gemäß den einzelstaatlichen Rechtsvorschriften und/oder Gepflogenheiten arbeitet, dem Arbeitgeber zur Verfügung steht und seine Tätigkeit ausübt oder Aufgaben wahrnimmt;
2. Ruhezeit: jede Zeitspanne außerhalb der Arbeitszeit;
3. Nachtzeit: jede, in den einzelstaatlichen Rechtsvorschriften festgelegte Zeitspanne von mindestens sieben Stunden, welche auf jeden Fall die Zeitspanne zwischen 24 Uhr und 5 Uhr umfasst;
4. Nachtarbeiter:
   a) einerseits: jeder Arbeitnehmer, der während der Nachtzeit normalerweise mindestens drei Stunden seiner täglichen Arbeitszeit verrichtet;
   b) andererseits: jeder Arbeitnehmer, der während der Nachtzeit gegebenenfalls einen bestimmten Teil seiner jährlichen Arbeitszeit verrichtet, der nach Wahl des jeweiligen Mitgliedstaats festgelegt wird:
      i) nach Anhörung der Sozialpartner in den einzelstaatlichen Rechtsvorschriften oder
      ii) in Tarifverträgen oder Vereinbarungen zwischen den Sozialpartnern auf nationaler oder regionaler Ebene;
5. Schichtarbeit: jede Form der Arbeitsgestaltung kontinuierlicher oder nicht kontinuierlicher Art mit Belegschaften, bei der Arbeitnehmer nach einem bestimmten Zeitplan, auch im Rotationsturnus, sukzessive an den gleichen Arbeitsstellen eingesetzt werden, so dass sie ihre Arbeit innerhalb eines Tages oder Wochen umfassenden Zeitraums zu unterschiedlichen Zeiten verrichten müssen;

6. Schichtarbeiter: jeder in einem Schichtarbeitsplan eingesetzte Arbeitnehmer;
7. mobiler Arbeitnehmer: jeder Arbeitnehmer, der als Mitglied des fahrenden oder fliegenden Personals im Dienst eines Unternehmens beschäftigt ist, das Personen oder Güter im Straßen- oder Luftverkehr oder in der Binnenschifffahrt befördert;
8. Tätigkeiten auf Offshore-Anlagen: Tätigkeiten, die größtenteils auf oder von einer Offshore-Plattform (einschließlich Bohrplattformen) aus direkt oder indirekt im Zusammenhang mit der Exploration, Erschließung oder wirtschaftlichen Nutzung mineralischer Ressourcen einschließlich Kohlenwasserstoffe durchgeführt werden, sowie Tauchen im Zusammenhang mit derartigen Tätigkeiten, entweder von einer Offshore-Anlage oder von einem Schiff aus;
9. ausreichende Ruhezeiten: die Arbeitnehmer müssen über regelmäßige und ausreichend lange und kontinuierliche Ruhezeiten verfügen, deren Dauer in Zeiteinheiten angegeben wird, damit sichergestellt ist, dass sie nicht wegen Übermüdung oder wegen eines unregelmäßigen Arbeitsrhythmus sich selbst, ihre Kollegen oder sonstige Personen verletzen und weder kurzfristig noch langfristig ihre Gesundheit schädigen.

Kapitel 2. Mindestruhezeiten – sonstige Aspekte der Arbeitszeitgestaltung

Art. 3 Tägliche Ruhezeit. Die Mitgliedstaaten treffen die erforderlichen Maßnahmen, damit jedem Arbeitnehmer pro 24-Stunden-Zeitraum eine Mindestruhezeit von elf zusammenhängenden Stunden gewährt wird.

Art. 4 Ruhepause. Die Mitgliedstaaten treffen die erforderlichen Maßnahmen, damit jedem Arbeitnehmer bei einer täglichen Arbeitszeit von mehr als sechs Stunden eine Ruhepause gewährt wird; die Einzelheiten, insbesondere Dauer und Voraussetzung für die Gewährung dieser Ruhepause, werden in Tarifverträgen oder Vereinbarungen zwischen den Sozialpartnern oder in Ermangelung solcher Übereinkünfte in den innerstaatlichen Rechtsvorschriften festgelegt.

Art. 5 Wöchentliche Ruhezeit. Die Mitgliedstaaten treffen die erforderlichen Maßnahmen, damit jedem Arbeitnehmer pro Siebentageszeitraum eine kontinuierliche Mindestruhezeit von 24 Stunden zuzüglich der täglichen Ruhezeit von elf Stunden gemäß Artikel 3 gewährt wird.

Wenn objektive, technische oder arbeitsorganisatorische Umstände dies rechtfertigen, kann eine Mindestruhezeit von 24 Stunden gewählt werden.

Art. 6 Wöchentliche Höchstarbeitszeit. Die Mitgliedstaaten treffen die erforderlichen Maßnahmen, damit nach Maßgabe der Erfordernisse der Sicherheit und des Gesundheitsschutzes der Arbeitnehmer:

a) die wöchentliche Arbeitszeit durch innerstaatliche Rechts- und Verwaltungsvorschriften oder in Tarifverträgen oder Vereinbarungen zwischen den Sozialpartnern festgelegt wird;

b) die durchschnittliche Arbeitszeit pro Siebentageszeitraum 48 Stunden einschließlich der Überstunden nicht überschreitet.

Art. 7 Jahresurlaub. (1) Die Mitgliedstaaten treffen die erforderlichen Maßnahmen, damit jeder Arbeitnehmer einen bezahlten Mindestjahresurlaub von vier Wochen nach Maßgabe der Bedingungen für die Inanspruchnahme und die Gewährung erhält, die in den einzelstaatlichen Rechtsvorschriften und/oder nach den einzelstaatlichen Gepflogenheiten vorgesehen sind.

(2) Der bezahlte Mindestjahresurlaub darf außer bei Beendigung des Arbeitsverhältnisses nicht durch eine finanzielle Vergütung ersetzt werden.

Kapitel 3. Nachtarbeit – Schichtarbeit – Arbeitsrhythmus

Art. 8 Dauer der Nachtarbeit. Die Mitgliedstaaten treffen die erforderlichen Maßnahmen, damit:

a) die normale Arbeitszeit für Nachtarbeiter im Durchschnitt acht Stunden pro 24-Stunden-Zeitraum nicht überschreitet;

b) Nachtarbeiter, deren Arbeit mit besonderen Gefahren oder einer erheblichen körperlichen oder geistigen Anspannung verbunden ist, in einem 24-Stunden-Zeitraum, während dessen sie Nachtarbeit verrichten, nicht mehr als acht Stunden arbeiten.

Zum Zweck von Buchstabe b) wird im Rahmen von einzelstaatlichen Rechtsvorschriften und/oder Gepflogenheiten oder von Tarifverträgen oder Vereinbarungen zwischen den Sozialpartnern festgelegt, welche Arbeit unter Berücksichtigung der Auswirkungen der Nachtarbeit und der ihr eigenen Risiken mit besonderen Gefahren oder *einer erheblichen* körperlichen und geistigen Anspannung verbunden ist.

Art. 9 Untersuchung des Gesundheitszustands von Nachtarbeitern und Versetzung auf Arbeitsstellen mit Tagarbeit. (1) Die Mitgliedstaaten treffen die erforderlichen Maßnahmen, damit:

a) der Gesundheitszustand der Nachtarbeiter vor Aufnahme der Arbeit und danach regelmäßig unentgeltlich untersucht wird;

b) Nachtarbeiter mit gesundheitlichen Schwierigkeiten, die nachweislich damit verbunden sind, dass sie Nachtarbeit leisten, soweit jeweils möglich auf eine Arbeitsstelle mit Tagarbeit versetzt werden, für die sie geeignet sind.

(2) Die unentgeltliche Untersuchung des Gesundheitszustands gemäß Absatz 1 Buchstabe a) unterliegt der ärztlichen Schweigepflicht.

(3) Die unentgeltliche Untersuchung des Gesundheitszustands gemäß Absatz 1 Buchstabe a) kann im Rahmen des öffentlichen Gesundheitswesens durchgeführt werden.

Art. 10 Garantien für Arbeit während der Nachtzeit. Die Mitgliedstaaten können die Arbeit bestimmter Gruppen von Nachtarbeitern, die im Zusammenhang mit der Arbeit während der Nachtzeit einem Sicherheits- oder Gesundheitsrisiko ausgesetzt sind, nach Maßgabe der einzelstaatlichen Rechtsvorschriften und/oder Gepflogenheiten von bestimmten Garantien abhängig machen.

Art. 11 Unterrichtung bei regelmäßiger Inanspruchnahme von Nachtarbeitern. Die Mitgliedstaaten treffen die erforderlichen Maßnahmen, damit der Arbeitgeber bei regelmäßiger Inanspruchnahme von Nachtarbeitern die zuständigen Behörden auf Ersuchen davon in Kenntnis setzt.

Art. 12 Sicherheits- und Gesundheitsschutz. Die Mitgliedstaaten treffen die erforderlichen Maßnahmen, damit:

a) Nacht- und Schichtarbeitern hinsichtlich Sicherheit und Gesundheit in einem Maß Schutz zuteil wird, das der Art ihrer Arbeit Rechnung trägt;

b) die zur Sicherheit und zum Schutz der Gesundheit von Nacht- und Schichtarbeitern gebotenen Schutz- und Vorsorgeleistungen oder -mittel denen für die übrigen Arbeitnehmer entsprechen und jederzeit vorhanden sind.

Art. 13 Arbeitsrhythmus. Die Mitgliedstaaten treffen die erforderlichen Maßnahmen, damit ein Arbeitgeber, der beabsichtigt, die Arbeit nach einem bestimmten Rhythmus zu gestalten, dem allgemeinen Grundsatz Rechnung trägt, dass die Arbeitsgestaltung dem Menschen angepasst sein muss, insbesondere im Hinblick auf die Verringerung der eintönigen Arbeit und des maschinenbestimmten Arbeitsrhythmus, nach Maßgabe der Art der Tätigkeit und der Erfordernisse der Sicherheit und des Gesundheitsschutzes, insbesondere was die Pausen während der Arbeitszeit betrifft.

Kapitel 4. Sonstige Bestimmungen

Art. 14 Spezifischere Gemeinschaftsvorschriften. Die Bestimmungen dieser Richtlinie gelten nicht, soweit andere Gemeinschaftsinstrumente spezifischere Vorschriften über die Arbeitszeitgestaltung für bestimmte Beschäftigungen oder berufliche Tätigkeiten enthalten.

Art. 15 Günstigere Vorschriften. Das Recht der Mitgliedstaaten, für die Sicherheit und den Gesundheitsschutz der Arbeitnehmer günstigere Rechts- und Verwaltungsvorschriften anzuwenden oder zu erlassen oder die Anwendung von für die Sicherheit und den Gesundheitsschutz der Arbeitnehmer günstigeren Tarifverträgen oder Vereinbarungen zwischen den Sozialpartnern zu fördern oder zu gestatten, bleibt unberührt.

Art. 16 Bezugszeiträume. Die Mitgliedstaaten können für die Anwendung der folgenden Artikel einen Bezugszeitraum vorsehen, und zwar

a) für Artikel 5 (wöchentliche Ruhezeit) einen Bezugszeitraum bis zu 14 Tagen;

b) für Artikel 6 (wöchentliche Höchstarbeitszeit) einen Bezugszeitraum bis zu vier Monaten.
Die nach Artikel 7 gewährten Zeiten des bezahlten Jahresurlaubs sowie die Krankheitszeiten bleiben bei der Berechnung des Durchschnitts unberücksichtigt oder sind neutral;

c) für Artikel 8 (Dauer der Nachtarbeit) einen Bezugszeitraum, der nach Anhörung der Sozialpartner oder in Tarifverträgen oder Vereinbarungen zwischen den Sozialpartnern auf nationaler oder regionaler Ebene festgelegt wird.
Fällt die aufgrund von Artikel 5 verlangte wöchentliche Mindestruhezeit von 24 Stunden in den Bezugszeitraum, so bleibt sie bei der Berechnung des Durchschnitts unberücksichtigt.

Kapitel 5. Abweichungen und Ausnahmen

Art. 17 Abweichungen. (1) Unter Beachtung der allgemeinen Grundsätze des Schutzes der Sicherheit und der Gesundheit der Arbeitnehmer können die Mitgliedstaaten von den Artikeln 3 bis 6, 8 und 16 abweichen, wenn die Arbeitszeit wegen der besonderen Merkmale der ausgeübten Tätigkeit nicht gemessen und/oder nicht im Voraus festgelegt wird oder von den Arbeitnehmern selbst festgelegt werden kann, und zwar insbesondere in Bezug auf nachstehende Arbeitnehmer:

a) leitende Angestellte oder sonstige Personen mit selbstständiger Entscheidungsbefugnis;

b) Arbeitskräfte, die Familienangehörige sind;

c) Arbeitnehmer, die im liturgischen Bereich von Kirchen oder Religionsgemeinschaften beschäftigt sind.

(2) Sofern die betroffenen Arbeitnehmer gleichwertige Ausgleichsruhezeiten oder in Ausnahmefällen, in denen die Gewährung solcher gleichwertigen Ausgleichsruhezeiten aus objektiven Gründen nicht möglich ist, einen angemessenen Schutz erhalten, kann im Wege von Rechts- und Verwaltungsvorschriften oder im Wege von Tarifverträgen oder Vereinbarungen zwischen den Sozialpartnern gemäß den Absätzen 3, 4 und 5 abgewichen werden.

(3) Gemäß Absatz 2 dieses Artikels sind Abweichungen von den Artikeln 3, 4, 5, 8 und 16 zulässig:

a) bei Tätigkeiten, die durch eine Entfernung zwischen dem Arbeitsplatz und dem Wohnsitz des Arbeitnehmers – einschließlich Tätigkeiten auf Offshore-Anlagen – oder durch eine Entfernung zwischen verschiedenen Arbeitsplätzen des Arbeitnehmers gekennzeichnet sind;

b) für den Wach- und Schließdienst sowie die Dienstbereitschaft, die durch die Notwendigkeit gekennzeichnet sind, den Schutz von Sachen und Personen zu gewährleisten, und zwar insbesondere in Bezug auf Wachpersonal oder Hausmeister oder Wach- und Schließunternehmen;

c) bei Tätigkeiten, die dadurch gekennzeichnet sind, dass die Kontinuität des Dienstes oder der Produktion gewährleistet sein muss, und zwar insbesondere bei

   i) Aufnahme-, Behandlungs- und/oder Pflegediensten von Krankenhäusern oder ähnlichen Einrichtungen, einschließlich der Tätigkeiten von Ärzten in der Ausbildung, Heimen sowie Gefängnissen,

   ii) Hafen- und Flughafenpersonal,

   iii) Presse-, Rundfunk-, Fernsehdiensten oder kinematografischer Produktion, Post oder Telekommunikation, Ambulanz-, Feuerwehr- oder Katastrophenschutzdiensten,

   iv) Gas-, Wasser- oder Stromversorgungsbetrieben, Hausmüllabfuhr oder Verbrennungsanlagen,

v) Industriezweigen, in denen der Arbeitsprozess aus technischen Gründen nicht unterbrochen werden kann,
vi) Forschungs- und Entwicklungstätigkeiten,
vii) landwirtschaftlichen Tätigkeiten,
viii) Arbeitnehmern, die im regelmäßigen innerstädtischen Personenverkehr beschäftigt sind;

d) im Fall eines vorhersehbaren übermäßigen Arbeitsanfalls, insbesondere
i) in der Landwirtschaft,
ii) im Fremdenverkehr,
iii) im Postdienst;

e) im Fall von Eisenbahnpersonal
i) bei nichtständigen Tätigkeiten,
ii) bei Beschäftigten, die ihre Arbeitszeit in Zügen verbringen, oder
iii) bei Tätigkeiten, die an Fahrpläne gebunden sind und die die Kontinuität und Zuverlässigkeit des Verkehrsablaufs sicherstellen;

f) unter den in Artikel 5 Absatz 4 der Richtlinie 89/391/EWG aufgeführten Bedingungen;

g) im Fall eines Unfalls oder der Gefahr eines unmittelbar bevorstehenden Unfalls.

(4) Gemäß Absatz 2 dieses Artikels sind Abweichungen von den Artikeln 3 und 5 zulässig:

a) wenn bei Schichtarbeit der Arbeitnehmer die Gruppe wechselt und zwischen dem Ende der Arbeit in einer Schichtgruppe und dem Beginn der Arbeit in der nächsten nicht in den Genuss der täglichen und/oder wöchentlichen Ruhezeit kommen kann;

b) bei Tätigkeiten, bei denen die Arbeitszeiten über den Tag verteilt sind, insbesondere im Fall von Reinigungspersonal.

(5) Gemäß Absatz 2 dieses Artikels sind Abweichungen von Artikel 6 und von Artikel 16 Buchstabe b) bei Ärzten in der Ausbildung nach Maßgabe der Unterabsätze 2 bis 7 dieses Absatzes zulässig.

In Unterabsatz 1 genannte Abweichungen von Artikel 6 sind für eine Übergangszeit von fünf Jahren ab dem 1. August 2004 zulässig.

Die Mitgliedstaaten verfügen erforderlichenfalls über einen zusätzlichen Zeitraum von höchstens zwei Jahren, um den Schwierigkeiten bei der Einhaltung der Arbeitszeitvorschriften im Zusammenhang mit ihren Zuständigkeiten für die Organisation und Bereitstellung von Gesundheitsdiensten und medizinischer Versorgung Rechnung zu tragen. Spätestens sechs Monate vor dem Ende der Übergangszeit unterrichtet der betreffende Mitgliedstaat die Kommission hierüber unter Angabe der Gründe, so dass die Kommission nach entsprechenden Konsultationen innerhalb von drei Monaten nach dieser Unterrichtung eine Stellungnahme abgeben kann. Falls der Mitgliedstaat der Stellungnahme der Kommission nicht folgt, rechtfertigt er seine Entscheidung. Die Unterrichtung und die Rechtfertigung des Mitgliedstaats sowie die Stellungnahme der Kommission werden im *Amtsblatt der Europäischen Union* veröffentlicht und dem Europäischen Parlament übermittelt.

Die Mitgliedstaaten verfügen erforderlichenfalls über einen zusätzlichen Zeitraum von höchstens einem Jahr, um den besonderen Schwierigkeiten bei der Wahrnehmung der in Unterabsatz 3 genannten Zuständigkeiten Rechnung zu tragen. Sie haben das Verfahren des Unterabsatzes 3 einzuhalten.

Die Mitgliedstaaten stellen sicher, dass die Zahl der Wochenarbeitsstunden keinesfalls einen Durchschnitt von 58 während der ersten drei Jahre der Übergangszeit, von 56 während der folgenden zwei Jahre und von 52 während des gegebenenfalls verbleibenden Zeitraums übersteigt.

Der Arbeitgeber konsultiert rechtzeitig die Arbeitnehmervertreter, um – soweit möglich – eine Vereinbarung über die Regelungen zu erreichen, die während der Übergangszeit anzuwenden sind. Innerhalb der in Unterabsatz 5 festgelegten Grenzen kann eine derartige Vereinbarung sich auf Folgendes erstrecken:

a) die durchschnittliche Zahl der Wochenarbeitsstunden während der Übergangszeit und
b) Maßnahmen, die zur Verringerung der Wochenarbeitszeit auf einen Durchschnitt von 48 Stunden bis zum Ende der Übergangszeit zu treffen sind.

In Unterabsatz 1 genannte Abweichungen von Artikel 16 Buchstabe b) sind zulässig, vorausgesetzt, dass der Bezugszeitraum während des in Unterabsatz 5 festgelegten ersten Teils der Übergangszeit zwölf Monate und danach sechs Monate nicht übersteigt.

Art. 18 Abweichungen im Wege von Tarifverträgen. Von den Artikeln 3, 4, 5, 8 und 16 kann abgewichen werden im Wege von Tarifverträgen oder Vereinbarungen zwischen den Sozialpartnern auf nationaler oder regionaler Ebene oder, bei zwischen den Sozialpartnern getroffenen Abmachungen, im Wege von Tarifverträgen oder Vereinbarungen zwischen Sozialpartnern auf niedrigerer Ebene.

Mitgliedstaaten, in denen es keine rechtliche Regelung gibt, wonach über die in dieser Richtlinie geregelten Fragen zwischen den Sozialpartnern auf nationaler oder regionaler Ebene Tarifverträge oder Vereinbarungen geschlossen werden können, oder Mitgliedstaaten, in denen es einen entsprechenden rechtlichen Rahmen gibt und innerhalb dessen Grenzen, können im Einklang mit den einzelstaatlichen Rechtsvorschriften und/oder Gepflogenheiten Abweichungen von den Artikeln 3, 4, 5, 8 und 16 durch Tarifverträge oder Vereinbarungen zwischen den Sozialpartnern auf geeigneter kollektiver Ebene zulassen.

Die Abweichungen gemäß den Unterabsätzen 1 und 2 sind nur unter der Voraussetzung zulässig, dass die betroffenen Arbeitnehmer gleichwertige Ausgleichsruhezeiten oder in Ausnahmefällen, in denen die Gewährung solcher Ausgleichsruhezeiten aus objektiven Gründen nicht möglich ist, einen angemessenen Schutz erhalten.

Die Mitgliedstaaten können Vorschriften vorsehen

a) für die Anwendung dieses Artikels durch die Sozialpartner und

b) für die Erstreckung der Bestimmungen von gemäß diesem Artikel geschlossenen Tarifverträgen oder Vereinbarungen auf andere Arbeitnehmer gemäß den einzelstaatlichen Rechtsvorschriften und/oder Gepflogenheiten.

Art. 19 Grenzen der Abweichungen von Bezugszeiträumen. Die in Artikel 17 Absatz 3 und in Artikel 18 vorgesehene Möglichkeit der Abweichung von Artikel 16 Buchstabe b) darf nicht die Festlegung eines Bezugszeitraums zur Folge haben, der länger ist als sechs Monate.

Den Mitgliedstaaten ist es jedoch mit der Maßgabe, dass sie dabei die allgemeinen Grundsätze der Sicherheit und des Gesundheitsschutzes der Arbeitnehmer wahren, freigestellt zuzulassen, dass in den Tarifverträgen oder Vereinbarungen zwischen Sozialpartnern aus objektiven, technischen oder arbeitsorganisatorischen Gründen längere Bezugszeiträume festgelegt werden, die auf keinen Fall zwölf Monate überschreiten dürfen.

Der Rat überprüft vor dem 23. November 2003 anhand eines Vorschlags der Kommission, dem ein Evaluierungsbericht beigefügt ist, die Bestimmungen dieses Absatzes und befindet über das weitere Vorgehen.

Art. 20 Mobile Arbeitnehmer und Tätigkeiten auf Offshore-Anlagen. (1) Die Artikel 3, 4, 5 und 8 gelten nicht für mobile Arbeitnehmer.

Die Mitgliedstaaten treffen jedoch die erforderlichen Maßnahmen, um zu gewährleisten, dass die mobilen Arbeitnehmer – außer unter den in Artikel 17 Absatz 3 Buchstaben f) und g) vorgesehenen Bedingungen – Anspruch auf ausreichende Ruhezeiten haben.

(2) Vorbehaltlich der Einhaltung der allgemeinen Grundsätze der Sicherheit und des Gesundheitsschutzes der Arbeitnehmer und sofern die betreffenden Sozialpartner konsultiert wurden und Anstrengungen

zur Förderung aller einschlägigen Formen des sozialen Dialogs – einschließlich der Konzertierung, falls die Parteien dies wünschen – unternommen wurden, können die Mitgliedstaaten aus objektiven, technischen oder arbeitsorganisatorischen Gründen den in Artikel 16 Buchstabe b) genannten Bezugszeitraum für Arbeitnehmer, die hauptsächlich Tätigkeiten auf Offshore-Anlagen ausüben, auf zwölf Monate ausdehnen.

(3) Die Kommission überprüft bis zum 1. August 2005 nach Konsultation der Mitgliedstaaten sowie der Arbeitgeber und Arbeitnehmer auf europäischer Ebene die Durchführung der Bestimmungen für Arbeitnehmer auf Offshore-Anlagen unter dem Gesichtspunkt der Gesundheit und Sicherheit, um, falls erforderlich, geeignete Änderungen vorzuschlagen.

Art. 21 Arbeitnehmer an Bord von seegehenden Fischereifahrzeugen. (1) Die Artikel 3 bis 6 und 8 gelten nicht für Arbeitnehmer an Bord von seegehenden Fischereifahrzeugen, die unter der Flagge eines Mitgliedstaats fahren.

Die Mitgliedstaaten treffen jedoch die erforderlichen Maßnahmen, um zu gewährleisten, dass jeder Arbeitnehmer an Bord von seegehenden Fischereifahrzeugen, die unter der Flagge eines Mitgliedstaats fahren, Anspruch auf eine ausreichende Ruhezeit hat, und um die Wochenarbeitszeit auf 48 Stunden im Durchschnitt während eines Bezugszeitraums von höchstens zwölf Monaten zu begrenzen.

(2) Innerhalb der in Absatz 1 Unterabsatz 2 sowie den Absätzen 3 und 4 angegebenen Grenzen treffen die Mitgliedstaaten die erforderlichen Maßnahmen, um zu gewährleisten, dass unter Berücksichtigung der Notwendigkeit der Sicherheit und des Gesundheitsschutzes der betroffenen Arbeitnehmer

a) die Arbeitsstunden auf eine Höchstarbeitszeit beschränkt werden, die in einem gegebenen Zeitraum nicht überschritten werden darf, oder

b) eine Mindestruhezeit in einem gegebenen Zeitraum gewährleistet ist.

Die Höchstarbeits- oder Mindestruhezeit wird durch Rechts- und Verwaltungsvorschriften, durch Tarifverträge oder durch Vereinbarungen zwischen den Sozialpartnern festgelegt.

(3) Für die Arbeits- oder Ruhezeiten gelten folgende Beschränkungen:

a) die Höchstarbeitszeit darf nicht überschreiten:
   i) 14 Stunden in jedem Zeitraum von 24 Stunden und
   ii) 72 Stunden in jedem Zeitraum von sieben Tagen, oder

b) die Mindestruhezeit darf nicht unterschreiten:
   i) zehn Stunden in jedem Zeitraum von 24 Stunden und
   ii) 77 Stunden in jedem Zeitraum von sieben Tagen.

(4) Die Ruhezeit kann in höchstens zwei Zeiträume aufgeteilt werden, von denen einer eine Mindestdauer von sechs Stunden haben muss; der Zeitraum zwischen zwei aufeinander folgenden Ruhezeiten darf 14 Stunden nicht überschreiten.

(5) In Übereinstimmung mit den allgemeinen Grundsätzen für die Sicherheit und den Gesundheitsschutz der Arbeitnehmer und aus objektiven, technischen oder arbeitsorganisatorischen Gründen können die Mitgliedstaaten, auch bei der Festlegung von Bezugszeiträumen, Ausnahmen von den in Absatz 1 Unterabsatz 2 sowie den Absätzen 3 und 4 festgelegten Beschränkungen gestatten. Diese Ausnahmen haben so weit wie möglich den festgelegten Normen zu folgen, können aber häufigeren oder längeren Urlaubszeiten oder der Gewährung von Ausgleichsurlaub für die Arbeitnehmer Rechnung tragen. Diese Ausnahmen können festgelegt werden

a) durch Rechts- oder Verwaltungsvorschriften, vorausgesetzt, dass – soweit dies möglich ist – die Vertreter der betroffenen Arbeitgeber und Arbeitnehmer konsultiert und Anstrengungen zur Förderung aller einschlägigen Formen des sozialen Dialogs unternommen werden, oder
b) durch Tarifverträge oder Vereinbarungen zwischen den Sozialpartnern.

(6) Der Kapitän eines seegehenden Fischereifahrzeugs hat das Recht, von Arbeitnehmern an Bord die Ableistung jeglicher Anzahl von Arbeitsstunden zu verlangen, wenn diese Arbeit für die unmittelbare Sicherheit des Schiffes, von Personen an Bord oder der Ladung oder zum Zweck der Hilfeleistung für andere Schiffe oder Personen in Seenot erforderlich ist.

(7) Die Mitgliedstaaten können vorsehen, dass Arbeitnehmer an Bord von seegehenden Fischereifahrzeugen, bei denen einzelstaatliches Recht oder einzelstaatliche Praxis während eines bestimmten, einen Monat überschreitenden Zeitraums des Kalenderjahres den Betrieb nicht erlauben, ihren Jahresurlaub gemäß Artikel 7 während dieses Zeitraums nehmen.

Art. 22 Sonstige Bestimmungen. (1) Es ist einem Mitgliedstaat freigestellt, Artikel 6 nicht anzuwenden, wenn er die allgemeinen Grundsätze der Sicherheit und des Gesundheitsschutzes der Arbeitnehmer einhält und mit den erforderlichen Maßnahmen dafür sorgt, dass

a) *kein Arbeitgeber* von einem Arbeitnehmer verlangt, im Durchschnitt des in Artikel 16 Buchstabe b) genannten Bezugszeitraums mehr als 48 Stunden innerhalb eines Siebentagezeitraums zu arbeiten, es sei denn der Arbeitnehmer hat sich hierzu bereit erklärt;

b) keinem Arbeitnehmer Nachteile daraus entstehen, dass er nicht bereit ist, eine solche Arbeit zu leisten;

c) der Arbeitgeber aktuelle Listen über alle Arbeitnehmer führt, die eine solche Arbeit leisten;

d) die Listen den zuständigen Behörden zur Verfügung gestellt werden, die aus Gründen der Sicherheit und/oder des Schutzes der Gesundheit der Arbeitnehmer die Möglichkeit zur Überschreitung der wöchentlichen Höchstarbeitszeit unterbinden oder einschränken können;

e) der Arbeitgeber die zuständigen Behörden auf Ersuchen darüber unterrichtet, welche Arbeitnehmer sich dazu bereit erklärt haben, im Durchschnitt des in Artikel 16 Buchstabe b) genannten Bezugszeitraums mehr als 48 Stunden innerhalb eines Siebentagezeitraums zu arbeiten.

Vor dem 23. November 2003 überprüft der Rat anhand eines Vorschlags der Kommission, dem ein Evaluierungsbericht beigefügt ist, die Bestimmungen dieses Absatzes und befindet über das weitere Vorgehen.

(2) Für die Anwendung des Artikels 7 ist es den Mitgliedstaaten freigestellt, eine Übergangszeit von höchstens drei Jahren ab dem 23. November 1996 in Anspruch zu nehmen, unter der Bedingung, dass während dieser Übergangszeit

a) jeder Arbeitnehmer einen bezahlten Mindestjahresurlaub von drei Wochen nach Maßgabe der in den einzelstaatlichen Rechtsvorschriften und/oder nach den einzelstaatlichen Gepflogenheiten vorgesehenen Bedingungen für dessen Inanspruchnahme und Gewährung erhält und

b) der bezahlte Jahresurlaub von drei Wochen außer im Fall der Beendigung des Arbeitsverhältnisses nicht durch eine finanzielle Vergütung ersetzt wird.

(3) Sofern die Mitgliedstaaten von den in diesem Artikel genannten Möglichkeiten Gebrauch machen, setzen sie die Kommission unverzüglich davon in Kenntnis.

Kapitel 6. Schlussbestimmungen

Art. 23 Niveau des Arbeitnehmerschutzes. Unbeschadet des Rechts der Mitgliedstaaten, je nach der Entwicklung der Lage im Bereich der Arbeitszeit unterschiedliche Rechts- und Verwaltungsvorschriften sowie Vertragsvorschriften zu entwickeln, sofern die Mindestvorschriften dieser Richtlinie eingehalten werden, stellt die Durchführung dieser Richtlinie keine wirksame Rechtfertigung für eine Zurücknahme des allgemeinen Arbeitnehmerschutzes dar.

Art. 24 Berichtswesen. (1) Die Mitgliedstaaten teilen der Kommission den Wortlaut der innerstaatlichen Rechtsvorschriften mit, die sie auf dem unter diese Richtlinie fallenden Gebiet erlassen oder bereits erlassen haben.

(2) Die Mitgliedstaaten erstatten der Kommission alle fünf Jahre Bericht über die Anwendung der Bestimmungen dieser Richtlinie in der Praxis und geben dabei die Standpunkte der Sozialpartner an.

Die Kommission unterrichtet darüber das Europäische Parlament, den Rat, den Europäischen Wirtschafts- und Sozialausschuss sowie den Beratenden Ausschuss für Sicherheit, Arbeitshygiene und Gesundheitsschutz am Arbeitsplatz.

(3) Die Kommission legt dem Europäischen Parlament, dem Rat und dem Europäischen Wirtschafts- und Sozialausschuss nach dem 23. November 1996 alle fünf Jahre einen Bericht über die Anwendung dieser Richtlinie unter Berücksichtigung der Artikel 22 und 23 und der Absätze 1 und 2 dieses Artikels vor.

Art. 25 Überprüfung der Durchführung der Bestimmungen für Arbeitnehmer an Bord von seegehenden Fischereifahrzeugen. Die Kommission überprüft bis zum 1. August 2009 nach Konsultation der Mitgliedstaaten und der Sozialpartner auf europäischer Ebene die Durchführung der Bestimmungen für Arbeitnehmer an Bord von seegehenden Fischereifahrzeugen und untersucht insbesondere, ob diese Bestimmungen vor allem in Bezug auf Gesundheit und Sicherheit nach wie vor angemessen sind, um, falls erforderlich, geeignete Änderungen vorzuschlagen.

Art. 26 Überprüfung des Durchführungsstands der Bestimmungen für Arbeitnehmer, die im regelmäßigen innerstädtischen Personenverkehr beschäftigt sind. Die Kommission überprüft bis zum 1. August 2005 nach Konsultation der Mitgliedstaaten sowie der Arbeitgeber und Arbeitnehmer auf europäischer Ebene den Stand der Durchführung der Bestimmungen für Arbeitnehmer, die im regelmäßigen innerstädtischen Personenverkehr beschäftigt sind, um, falls erforderlich, im Hinblick auf die Gewährleistung eines kohärenten und angemessenen Ansatzes für diesen Sektor geeignete Änderungen vorzuschlagen.

Art. 27 Aufhebung. (1) Die Richtlinie 93/104/EG in der Fassung der in Anhang I Teil A genannten Richtlinie wird unbeschadet der

Pflichten der Mitgliedstaaten hinsichtlich der in Anhang I Teil B genannten Umsetzungsfristen aufgehoben.

(2) Bezugnahmen auf die aufgehobene Richtlinie gelten als Bezugnahmen auf die vorliegende Richtlinie und sind nach Maßgabe der Entsprechungstabelle in Anhang II zu lesen.

Art. 28 Inkrafttreten. Diese Richtlinie tritt am 2. August 2004 in Kraft.

Art. 29 Adressaten. Diese Richtlinie ist an alle Mitgliedstaaten gerichtet.

Anhänge I und II. *(hier nicht wiedergegeben)*

894a. Richtlinie 2013/36/EU des Europäischen Parlaments und des Rates vom 26. Juni 2013 über den Zugang zur Tätigkeit von Kreditinstituten und die Beaufsichtigung von Kreditinstituten, zur Änderung der Richtlinie 2002/87/EG und zur Aufhebung der Richtlinien 2006/48/EG und 2006/49/EG[1)]

(Text von Bedeutung für den EWR)

(ABl. L 176 S. 338, ber. ABl. L 208 S. 73, ber. 2017 ABl. L 20 S. 1, ber. 2020 L 203 S. 95, ber. 2020 L 436 S. 77)

Celex-Nr. 3 2013 L 0036

zuletzt geänd. durch Art. 2 RL (EU) 2024/2994 v. 27.11.2024 (ABl. L, 2024/2994, 4.12.2024, ELI: http://data.europa.eu/eli/dir/2024/2994/oj)

– Auszug –[2)]

DAS EUROPÄISCHE PARLAMENT UND DER RAT DER EUROPÄISCHEN UNION –

gestützt auf den Vertrag über die Arbeitsweise der Europäischen Union, insbesondere auf Artikel 53 Absatz 1,

auf Vorschlag der Europäischen Kommission,

nach Zuleitung des Entwurfs des Gesetzgebungsakts an die nationalen Parlamente,

nach Stellungnahme der Europäischen Zentralbank[3)],

gemäß dem ordentlichen Gesetzgebungsverfahren,

in Erwägung nachstehender Gründe:

…

(57) Zu den Aufgaben nicht geschäftsführender Mitglieder des Leitungsorgans eines Instituts sollte gehören, die Strategie des Instituts konstruktiv zu kritisieren, um dadurch zu deren Weiterentwicklung beizutragen; sorgfältig zu prüfen, inwieweit die Geschäftsleitung vereinbarte Ziele verwirklicht; sich davon zu überzeugen, dass Finanzinformationen korrekt und die Finanzkontrollen und Risikomanagementsysteme solide und vertretbar sind; Gestaltung und Anwendung der Vergütungspolitik des Instituts sorgfältig zu prüfen und objektive Stellungnahmen zur Mittelausstattung, Einstellungen und Verhaltensregeln abzugeben.

…

(62) Gibt die Vergütungspolitik Anreize für eine überzogene Risikobereitschaft, kann dies dem soliden und wirksamen Risikomanagement von Kreditinstituten und Wertpapierfirmen abträglich sein. Die G20-Mitglieder ha-

---

[1)] Titel neu gef. mWv 25.12.2019 durch RL v. 27.11.2019 (ABl. L 314 S. 64, ber. 2021 ABl. L 214 S. 74).

[2)] Vollständig wiedergegeben in **beck-online, Module Arbeitsrecht.**

[3)] **Amtl. Anm.:** ABl. C 105 vom 11.4.2012, S. 1.

ben sich zur Anwendung der vom Rat für Finanzstabilität (FSB) formulierten Grundsätze für solide Vergütungspraxis und der dazugehörigen Durchführungsstandards verpflichtet, die die potenziell schädlichen Auswirkungen schlecht gestalteter Vergütungsstrukturen auf ein solides Risikomanagement und die Eindämmung der Risikobereitschaft natürlicher Personen zum Gegenstand haben. Mit dieser Richtlinie sollen die internationalen Grundsätze und Standards auf Unionsebene umgesetzt und Kreditinstitute und Wertpapierfirmen zu diesem Zweck ausdrücklich dazu verpflichtet werden, für alle Kategorien von Mitarbeitern, deren berufliche Tätigkeit sich wesentlich auf das Risikoprofil von Kreditinstituten und Wertpapierfirmen auswirkt, eine Vergütungspolitik und -praxis festzulegen und beizubehalten, die mit einem wirksamen Risikomanagement zu vereinbaren ist.

(63) Um die Solidität der Vergütungspolitik von Instituten zu gewährleisten, sollten in Bezug auf die Unternehmensführung und die Struktur der Vergütungspolitik klare Grundsätze festgelegt werden. So sollte die Vergütungspolitik insbesondere nach der Risikobereitschaft, den Werten und den langfristigen Interessen des Kreditinstituts oder der Wertpapierfirma ausgerichtet werden. Zu diesem Zweck sollte die Bemessung der leistungsabhängigen Vergütungskomponente auf die langfristige Leistung abstellen und den mit dieser Leistung verbundenen aktuellen und künftigen Risiken Rechnung tragen.

(64) Bei der Politik der variablen Vergütung sollte unterschieden werden zwischen der festen Vergütung einerseits, zu der Zahlungen, regelmäßige anteilmäßige Altersvorsorgebeiträge oder Leistungen (sofern diese Leistungen nicht an Leistungskriterien gebunden sind) zählen, und der variablen Vergütung, zu der zusätzliche Zahlungen, an Leistungskriterien geknüpfte Leistungen oder – unter außergewöhnlichen Umständen – sonstige vertragliche Elemente zählen, jedoch nicht solche Elemente, die Teil gewöhnlicher Beschäftigungsverhältnisse sind (wie Gesundheitsversorgung, Kinderbetreuungseinrichtungen oder regelmäßige anteilmäßige Altersvorsorgebeiträge). Es sollten sowohl monetäre als auch nichtmonetäre Leistungen in die variable Vergütung einbezogen werden.

(65) In jedem Fall sollte zwecks Vermeidung übermäßiger Risikobereitschaft ein Höchstwert für das Verhältnis zwischen dem festen und dem variablen Bestandteil der Gesamtvergütung festgelegt werden. Dabei ist es angezeigt, in diesem Zusammenhang eine bestimmte Rolle für die Anteilseigner, Eigentümer oder Gesellschafter von Instituten vorzusehen. Die Mitgliedstaaten sollten für das Verhältnis zwischen dem festen und dem variablen Bestandteil der Gesamtvergütung strengere Auflagen vorsehen können. Um die Institute dazu zu ermutigen, im Rahmen langfristiger Zurückbehaltungsregelungen zu zahlende Eigenkapital- oder Schuldinstrumente als Komponente der variablen Vergütung zu verwenden, sollten die Mitgliedstaaten den Instituten – innerhalb bestimmter Grenzen – erlauben können, im Hinblick auf die Anwendung des Höchstwerts des Verhältnisses einen Nominaldiskontsatz bei der Berechnung des Werts solcher Instrumente anzuwenden. Die Mitgliedstaaten sollten jedoch nicht verpflichtet sein, diese Möglichkeit vorzusehen, und sollten vorsehen können, dass sie für einen niedrigeren als den in dieser Richtlinie festgelegten maximalen Anteil der variablen Gesamtvergütung gilt. Um eine harmoni-

sierte und kohärente Vorgehensweise zu gewährleisten, die gleiche Ausgangsbedingungen im gesamten Binnenmarkt garantiert, sollte die EBA angemessene Leitlinien für den zu verwendenden Nominaldiskontsatz vorgeben.

(66) Um zu gewährleisten, dass die Gestaltung der Vergütungspolitik Teil des Risikomanagements des Instituts ist, sollte sie vom Leitungsorgan beschlossen und in regelmäßigen Abständen überprüft werden. Die Vergütungsregelungen dieser Richtlinie sollten den Unterschieden zwischen den verschiedenen Arten von Instituten Rechnung tragen und ihre Größe und interne Organisation sowie Art, Umfang und Komplexität ihrer Geschäfte in angemessener Weise berücksichtigen. Es wäre insbesondere unverhältnismäßig, von bestimmten Arten von Wertpapierfirmen die Einhaltung sämtlicher Grundsätze zu verlangen.

(67) Im Hinblick auf den Schutz und die Förderung der Finanzstabilität in der Union und zur Vermeidung einer Umgehung der in dieser Richtlinie festgelegten Anforderungen sollten zuständige Behörden dafür Sorge tragen, dass die Institute die Grundsätze und Vorschriften hinsichtlich der Vergütung auf konsolidierter Basis anwenden, d.h. auf Ebene der Gruppe, der Mutterunternehmen und der Tochterunternehmen, einschließlich der Zweigstellen und Tochterunternehmen in Drittländern.

(68) Da schlecht gestaltete Vergütungsgrundsätze und Anreizregelungen die Risiken von Kreditinstituten und Wertpapierfirmen auf ein untragbar hohes Maß erhöhen können, sollten zügig Abhilfemaßnahmen und erforderlichenfalls geeignete Korrekturmaßnahmen eingeleitet werden. Die zuständigen Behörden sollten deshalb auf jeden Fall befugt sein, gegen die betreffenden Institute qualitative oder quantitative Maßnahmen zu verhängen, die den bei der aufsichtlichen Überprüfung in Sachen Vergütungspolitik ermittelten Problemen entgegenwirken sollen.

(69) Von den Vergütungsregelungen unberührt bleiben sollten die durch Artikel 153 Absatz 5 AEUV[1)] garantierte uneingeschränkte Wahrnehmung der Grundrechte, die allgemeinen Grundsätze des nationalen Vertrags- und Arbeitsrechts, die Rechtsvorschriften der Union und der Mitgliedstaaten über die Rechte und die Beteiligung von Anteilseignern und die allgemeinen Pflichten des Leitungsorgans des betreffenden Instituts sowie gegebenenfalls die Rechte der Sozialpartner, den nationalen Gesetzen und Gepflogenheiten entsprechend Tarifverträge zu schließen und durchzusetzen.

…

(83) Beschränkungen hinsichtlich variabler Vergütungen sind ein wichtiges Element, um zu gewährleisten, dass innerhalb der Bandbreite ihres Kapitalpuffers operierende Kreditinstitute und Wertpapierfirmen ihr Eigenmittelniveau wiederherstellen. Für Kreditinstitute und Wertpapierfirmen gilt bereits der Grundsatz, dass Prämien und nach Ermessen gezahlte variable Vergütungen an Kategorien von Mitarbeitern, deren berufliche Tätigkeit sich wesentlich auf das Risikoprofil des Instituts auswirkt, im Hinblick auf dessen finanzielle Lage vertretbar sein müssen. Um sicherzustellen, dass ein Institut die Höhe seiner Eigenmittel rasch wiederherstellt, ist es angebracht, die Gewährung variabler Vergütungen und freiwilliger Altersvorsorgeleistungen an die Gewinnsituation des Instituts anzupassen, wenn

[1)] **beck-online, Module Arbeitsrecht Nr. 850.**

die kombinierte Kapitalpufferanforderung nicht erfüllt ist, wobei die langfristige Solidität des Instituts zu berücksichtigen ist.

…

(92) Die technischen Regulierungsstandards, die die EBA in Bezug auf die Genehmigung und den Erwerb bedeutender Beteiligungen an Kreditinstituten, den Informationsaustausch zwischen zuständigen Behörden, die Wahrnehmung der Niederlassungsfreiheit und den freien Dienstleistungsverkehr, die aufsichtsbehördliche Zusammenarbeit, die Vergütungspolitik von Kreditinstituten und Wertpapierfirmen und die Beaufsichtigung gemischter Finanzholdinggesellschaften ausarbeitet, sollten von der Kommission im Wege delegierter Rechtsakte gemäß Artikel 290 AEUV[1] und gemäß den Artikeln 10 bis 14 der Verordnung (EU) Nr. 1093/2010 angenommen werden. Die Kommission und die EBA sollten sicherstellen, dass diese Standards von allen betroffenen Instituten auf eine Weise angewandt werden können, die der Art, dem Umfang und der Komplexität dieser Institute und ihrer Tätigkeiten angemessen ist.

…

HABEN FOLGENDE RICHTLINIE ERLASSEN:

Titel VII. Beaufsichtigung

Kapitel 2. Überprüfungsverfahren

Abschnitt II. Regelungen, Verfahren und Mechanismen der Institute

Unterabschnitt 1. Allgemeine Grundsätze

Art. 74[2] Interne Unternehmensführung und Sanierungs- und Abwicklungspläne. (1) *[1]* Die Institute müssen über solide Regelungen für die Unternehmensführung verfügen, die Folgendes umfassen:

a) eine klare Organisationsstruktur mit genau festgelegten, transparenten und kohärenten Zuständigkeiten;

b) wirksame Verfahren zur Ermittlung, Steuerung, Überwachung und Meldung der Risiken, denen sie ausgesetzt sind oder sein könnten, einschließlich kurz-, mittel- und langfristiger Umwelt-, Sozial- und Unternehmensführungsrisiken (environmental, social and governance risks – ESG-Risiken) sowie des Konzentrationsrisikos, das aus Risikopositionen gegenüber zentralen Gegenparteien erwächst, unter Berücksichtigung der in Artikel 7a der Verordnung (EU) Nr. 648/2012 des Europäischen Parlaments und des Rates[3] festgelegten Bedingungen;

c) angemessene interne Kontrollmechanismen, einschließlich solider Verwaltungs- und Rechnungslegungsverfahren;

---

[1] **beck-online, Module Arbeitsrecht Nr. 850.**

[2] Art. 74 neu gef. mWv 27.6.2019 durch RL v. 20.5.2019 (ABl. L 150 S. 253); Abs. 1 UAbs. 1 neu gef. mWv 16.1.2023 durch RL v. 14.12.2022 (ABl. L 333 S. 153); Abs. 1 neu gef. mWv 9.7.2024 durch RL v. 31.5.2024 (ABl. L, 2024/1619, 19.6.2024); Abs. 1 Buchst. b neu gef. mWv 24.12.2024 durch RL v. 27.11.2024 (ABl. L, 2024/2994, 4.12.2024).

[3] **Amtl. Anm.:** Verordnung (EU) Nr. 648/2012 des Europäischen Parlaments und des Rates vom 4. Juli 2012 über OTC-Derivate, zentrale Gegenparteien und Transaktionsregister (ABl. L 201 vom 27.7.2012, S. 1).

d) gemäß der Verordnung (EU) 2022/2554 eingerichtete und verwaltete Netzwerk- und Informationssysteme;

e) eine Vergütungspolitik und -praxis, die mit einem soliden und wirksamen Risikomanagement vereinbar und diesem förderlich ist, auch unter Berücksichtigung der Risikobereitschaft der Institute in Bezug auf ESG-Risiken.

[2] Die in Unterabsatz 1 Buchstabe c genannte Vergütungspolitik und -praxis muss geschlechtsneutral sein.

(2) [1] Die in Absatz 1 dieses Artikels genannten Regelungen, Verfahren und Mechanismen sind der Art, dem Umfang und der Komplexität der dem Ge-

(Fortsetzung nächstes Blatt)

schäftsmodell innewohnenden Risiken und den Geschäften des Kreditinstituts angemessen und lassen keinen Aspekt außer Acht. ²Den technischen Kriterien der Artikel 76 bis 95 wird Rechnung getragen.

(3) *[1]* Die EBA gibt im Einklang mit Artikel 16 der Verordnung (EU) Nr. 1093/2010 und unter Berücksichtigung von Absatz 2 des vorliegenden Artikels Leitlinien für die in Absatz 1 des vorliegenden Artikels genannten Regelungen, Verfahren und Mechanismen heraus.

[2] Die EBA gibt im Einklang mit Artikel 16 der Verordnung (EU) Nr. 1093/2010 Leitlinien für eine geschlechtsneutrale Vergütungspolitik für die Institute heraus.

[3] Innerhalb von zwei Jahren nach Veröffentlichung der in Unterabsatz 2 genannten Leitlinien und auf der Grundlage der von den zuständigen Behörden erhobenen Informationen erstellt die EBA einen Bericht über die Anwendung einer geschlechtsneutralen Vergütungspolitik durch die Institute.

Art. 75[1)] Überwachung der Vergütungspolitik. (1) ¹Die zuständigen Behörden erheben die gemäß den Offenlegungskriterien nach Artikel 450 Absatz 1 Buchstaben g, h, i und k der Verordnung (EU) Nr. 575/2013[2)] offengelegten Informationen sowie die von den Instituten übermittelten Informationen zum geschlechtsspezifischen Lohngefälle und nutzen diese Informationen, um Vergütungstrends und -praxis zu vergleichen. ²Sie stellen der EBA diese Informationen zur Verfügung.

(2) *[1]* ¹Die EBA gibt Leitlinien für eine solide Vergütungspolitik heraus, die Grundsätzen gemäß den Artikeln 92 bis 95 entsprechen. ²Die Leitlinien tragen den in der Empfehlung der Kommission 2009/384/EG vom 30. April 2009 zur Vergütungspolitik im Finanzdienstleistungssektor[3)] enthaltenen Grundsätzen für eine solide Vergütungspolitik Rechnung.

[2] Um für Mitarbeiterkategorien, die an der Erbringung von Wertpapierdienstleistungen und Anlagetätigkeiten im Sinne von Artikel 4 Absatz 1 Nummer 2 der Richtlinie 2004/39/EG beteiligt sind, Leitlinien für die Vergütungspolitik zu erstellen, arbeitet die ESMA eng mit der EBA zusammen.

[3] Die EBA nutzt die von den zuständigen Behörden gemäß Absatz 1 erhaltenen Informationen, um Vergütungstrends und -praxis in der EU zu vergleichen.

(3) ¹Die zuständigen Behörden erheben Angaben dazu, wie viele natürliche Personen in den einzelnen Instituten eine Vergütung von 1 Mio. EUR oder mehr pro Geschäftsjahr – aufgeschlüsselt nach Vergütungsstufen von 1 Mio. EUR – beziehen, und erfassen dabei auch deren Aufgabenbereiche, den betreffenden Geschäftsbereich und die wesentlichen Gehaltsbestandteile sowie Bonuszahlungen, langfristige Prämienzahlungen und Altersvorsorgebeiträge. ²Diese Informationen werden an die EBA weitergeleitet, die sie – aggregiert nach Herkunftsmitgliedstaaten – in einem gemeinsamen Berichtsformat veröffentlicht. ³Die EBA kann Leitlinien ausarbeiten, um die Anwendung dieses Absatzes zu erleichtern und die Kohärenz der erhobenen Daten sicherzustellen.

[1)] Art. 75 Abs. 1 neu gef. mWv 27.6.2019 durch RL v. 20.5.2019 (ABl. L 150 S. 253).
[2)] Nr. **894b**.
[3)] **Amtl. Anm.:** ABl. L 120 vom 15.5.2009, S. 22

Unterabschnitt 3. Unternehmensführung

Art. 92[1)] Vergütungspolitik. (1) *(aufgehoben)*

(2) Die Mitgliedstaaten stellen sicher, dass die Institute bei der Festlegung und Anwendung der Gesamtvergütungspolitik (einschließlich Gehältern und freiwilligen Altersvorsorgeleistungen) für verschiedene Mitarbeiterkategorien, deren berufliche Tätigkeit sich wesentlich auf das Risikoprofil des Instituts auswirkt, die nachstehenden Anforderungen in einer Art anwenden, die ihrer Größe, ihrer internen Organisation und der Art, dem Umfang und der Komplexität ihrer Tätigkeiten angemessen sind.

a) Die Vergütungspolitik ist mit einem soliden und wirksamen Risikomanagement vereinbar und diesem förderlich und ermutigt nicht zur Übernahme von Risiken, die über das von dem Institut tolerierte Maß hinausgehen;

aa) die Vergütungspolitik ist eine geschlechtsneutrale Vergütungspolitik;

b) die Vergütungspolitik steht mit der Geschäftsstrategie, den Zielen, Werten und langfristigen Interessen des Instituts in Einklang und beinhaltet Maßnahmen zur Vermeidung von Interessenskonflikten;

c) das Leitungsorgan des Instituts beschließt in seiner Aufsichtsfunktion die allgemeinen Grundsätze für die Vergütungspolitik, überprüft sie regelmäßig und ist für die Überwachung ihrer Umsetzung verantwortlich;

d) mindestens einmal jährlich wird im Rahmen einer zentralen und unabhängigen internen Überprüfung festgestellt, ob die Vergütungspolitik gemäß den vom Leitungsorgan beschlossenen Vergütungsvorschriften und -verfahren umgesetzt wurde;

e) Mitarbeiter in internen Kontrollfunktionen sind von den Abteilungen, die sie überwachen, unabhängig, verfügen über ausreichende Autorität und werden unabhängig vom Ergebnis der von ihnen überwachten Abteilungen danach vergütet, inwieweit die mit ihren Aufgaben verbundenen Ziele erreicht werden;

f) die Vergütung der Leiter der internen Kontrollfunktionen wird unmittelbar vom Vergütungsausschuss nach Artikel 95 oder – falls ein solcher nicht eingesetzt wurde – vom Leitungsorgan in seiner Aufsichtsfunktion überwacht;

g) die Vergütungspolitik unterscheidet deutlich – unter Berücksichtigung der nationalen Kriterien für die Festlegung der Löhne und Gehälter – zwischen den Kriterien für die Festlegung

(i) der festen Grundvergütung, die hauptsächlich die einschlägige Berufserfahrung und die organisatorische Verantwortung im Unternehmen widerspiegeln sollte, wie sie als Teil des Arbeitsvertrags in der Tätigkeitsbeschreibung des Mitarbeiters festgelegt ist, und

(ii) der variablen Vergütung, die eine nachhaltige und risikobereinigte Leistung sowie die Leistungen widerspiegeln sollte, die über die Erfüllung der arbeitsvertraglichen Pflichten nach Maßgabe der Tätigkeitsbeschreibung des Mitarbeiters hinausgehen.

[1)] *Art. 92 Abs. 1 aufgeh., Abs. 2 einl.* Satzteil neu gef., Buchst. aa eingef., Abs. 3 angef. mWv 27.6. 2019 durch RL v. 20.5.2019 (ABl. L 150 S. 253); Abs. 2 Buchst. e und f sowie Abs. 3 Buchst. b neu gef. mWv 9.7.2024 durch RL v. 31.5.2024 (ABl. L, 2024/1619, 19.6.2024).

(3) Für die Zwecke von Absatz 2 gehören zu den Mitarbeiterkategorien, deren berufliche Tätigkeit sich wesentlich auf das Risikoprofil des Instituts auswirkt, zumindest folgende:

a) alle Mitglieder des Leitungsorgans und der Geschäftsleitung;

b) Mitarbeiter mit Managementverantwortung für die internen Kontrollfunktionen des Instituts oder die wesentlichen Geschäftsbereiche;

c) Mitarbeiter, die im vorhergehenden Geschäftsjahr Anspruch auf eine Vergütung in beträchtlicher Höhe hatten, sofern folgende Bedingungen erfüllt sind:

i) die Vergütung des Mitarbeiters entspricht mindestens 500 000 EUR und entspricht mindestens der durchschnittlichen Vergütung der Mitglieder des Leitungsorgans und der Geschäftsleitung des Instituts im Sinne von Buchstabe a;

ii) die Mitarbeiter üben die berufliche Tätigkeit in einem wesentlichen Geschäftsbereich aus, wobei es sich um eine Tätigkeit handelt, die sich erheblich auf das Risikoprofil des betreffenden Geschäftsbereichs auswirkt.

Art. 93 Institute, die staatliche Unterstützung erhalten. Für Institute, die eine außerordentliche staatliche Unterstützung erhalten, gelten zusätzlich zu Artikel 92 Absatz 2 folgende Grundsätze:

a) Die variable Vergütung bleibt strikt auf einen Prozentsatz der Nettoeinnahmen begrenzt, wenn sie mit der Erhaltung einer soliden Eigenmittelausstattung und einer frühzeitigen Einstellung der staatlichen Unterstützung nicht zu vereinbaren ist;

b) die zuständigen Behörden verpflichten die Institute, ihre Vergütungsstruktur so umzugestalten, dass sie mit einem soliden Risikomanagement und langfristigem Wachstum in Einklang steht, wozu gegebenenfalls die Festlegung von Obergrenzen für die Vergütung der Mitglieder des Leitungsorgans des Instituts gehört;

c) die Mitglieder des Leitungsorgans des Instituts erhalten eine variable Vergütung nur, wenn dies gerechtfertigt ist.

Art. 94[1] Variable Vergütungsbestandteile. (1) Für variable Vergütungsbestandteile gelten zusätzlich zu Artikel 92 Absatz 2 und unter den dort genannten Bedingungen folgende Grundsätze:

a) Bei leistungsabhängiger Vergütung liegt der Vergütung insgesamt eine Beurteilung sowohl der Leistung des betreffenden Mitarbeiters und seines Geschäftsbereichs als auch des Gesamtergebnisses des Instituts zugrunde, und bei der Beurteilung der individuellen Leistung werden finanzielle und nichtfinanzielle Kriterien berücksichtigt, einschließlich des Umgangs mit den Risiken gemäß Artikel 76 Absatz 2;

b) die Leistungsbewertung erfolgt in einem mehrjährigen Rahmen, um zu gewährleisten, dass die Bewertung auf die längerfristige Leistung abstellt und die tatsächliche Auszahlung erfolgsabhängiger Vergütungskomponenten

---

[1] Art. 94 Abs. 1 Buchst. l Nr. i und Buchst. m neu gef., Abs. 2 neu gef., Abs. 3–7 angef. mWv 27.6.2019 durch RL v. 20.5.2019 (ABl. L 150 S. 253); Abs. 2 UAbs. 3, 4 und 5 neu gef. mWv 28.12. 2020 durch RL v. 16.2.2021 (ABl. L 68 S. 14); Abs. 1 Buchst. a, Abs. 2 UAbs. 3 Buchst. a sowie Abs. 3 Buchst. a neu gef. mWv 9.7.2024 durch RL v. 31.5.2024 (ABl. L, 2024/1619, 19.6.2024).

über einen Zeitraum verteilt ist, der dem Geschäftszyklus und den Geschäftsrisiken des Kreditinstituts Rechnung trägt;

c) die variable Vergütung in ihrer Gesamtheit schränkt die Fähigkeit des Instituts zur Verstärkung seiner Eigenmittelausstattung nicht ein;

d) eine garantierte variable Vergütung ist mit einem soliden Risikomanagement oder dem Grundsatz der leistungsbezogenen Vergütung nicht vereinbar und darf nicht Bestandteil künftiger Vergütungssysteme sein;

e) eine garantierte variable Vergütung wird, sofern das Institut über eine solide und starke Eigenmittelausstattung verfügt, nur ausnahmsweise bei der Einstellung neuer Mitarbeiter gewährt und ist auf das erste Jahr der Beschäftigung beschränkt;

f) die festen und variablen Bestandteile der Gesamtvergütung stehen in einem angemessenen Verhältnis zueinander, wobei der Anteil des festen Bestandteils an der Gesamtvergütung genügend hoch ist, so dass eine flexible Politik bezüglich der variablen Komponente uneingeschränkt möglich ist und auch ganz auf die Zahlung einer variablen Komponente verzichtet werden kann;

g) die Institute legen für das Verhältnis zwischen dem festen und dem variablen Bestandteil der Gesamtvergütung angemessene Werte fest, wobei folgende Grundsätze gelten:

(i) Der variable Bestandteil darf 100 % des festen Bestandteils der Gesamtvergütung für jede einzelne Person nicht überschreiten. Die Mitgliedstaaten können einen niedrigeren Höchstsatz festlegen.

(ii) Die Mitgliedstaaten können den Anteilseignern oder Eigentümern oder Gesellschaftern des Instituts gestatten, einen höheren Höchstwert für das Verhältnis zwischen dem festen und dem variablen Bestandteil der Vergütung zu billigen, sofern der variable Bestandteil insgesamt 200 % des festen Bestandteils der Gesamtvergütung für jede einzelne Person nicht überschreitet. Die Mitgliedstaaten können einen niedrigeren Höchstsatz festlegen.

Die Billigung einer höheren Quote gemäß Unterabsatz 1 erfolgt gemäß dem nachstehenden Verfahren:

– Die Anteilseigner oder Eigentümer oder Gesellschafter des Instituts handeln auf eine ausführliche Empfehlung des Instituts hin, in der die Gründe und der Umfang der ersuchten Billigung dargelegt werden, einschließlich der Anzahl der betroffenen Mitarbeiter, ihrer Aufgaben sowie der erwarteten Auswirkungen auf die Anforderung, eine solide Eigenmittelausstattung aufrechtzuerhalten;

– die Anteilseigner oder Eigentümer oder Gesellschafter des Instituts beschließen mit einer Mehrheit von mindestens 66 %, sofern mindestens 50 % der Anteile oder der entsprechenden Eigentumsrechte vertreten sind, oder andernfalls mit einer Mehrheit von 75 % der vertretenen Eigentumsrechte;

– das Institut unterrichtet alle seine Anteilseigner oder Eigentümer oder Gesellschafter rechtzeitig im Voraus davon, dass um eine Billigung gemäß Unterabsatz 1 ersucht werden wird;

– das Institut informiert die zuständige Behörde unverzüglich über die Empfehlung an seine Anteilseigner oder Eigentümer oder Gesellschafter, einschließlich des vorgeschlagenen höheren Höchstwerts der Quote und der Gründe dafür und kann der zuständigen Behörde nachweisen, dass die vorgeschlagene höhere Quote seine Verpflichtungen nach dieser Richtlinie und der Verordnung (EU) Nr. 575/2013[1] insbesondere hinsichtlich seiner Eigenmittelverpflichtungen nicht beeinträchtigt;

– das Institut informiert die zuständige Behörde unverzüglich über die Beschlüsse seiner Anteilseigner oder Eigentümer oder Gesellschafter, einschließlich aller gebilligten höheren Höchstwerte der Quote gemäß Unterabsatz 1, und die zuständigen Behörden nutzen die erhaltenen Informationen, um die Methoden der Institute in diesem Bereich zu vergleichen. Die zuständigen Behörden legen diese Informationen der EBA vor, die sie – aggregiert nach Herkunftsmitgliedstaaten – in einem gemeinsamen Berichtsformat veröffentlicht. Die EBA kann Leitlinien ausarbeiten, um die Anwendung dieses Spiegelstrichs zu erleichtern und die Kohärenz der erhobenen Daten sicherzustellen.

– Mitarbeiter, die von den höheren Höchstwerten der variablen Vergütung gemäß diesem Buchstaben genannten unmittelbar betroffen sind, dürfen gegebenenfalls weder direkt noch indirekt etwaige Stimmrechte, die sie als Anteilseigner oder Eigentümer oder Gesellschafter des Instituts besitzen, ausüben.

(iii) Die Mitgliedstaaten können Instituten gestatten, den Diskontsatz nach Unterabsatz 2 auf maximal 25 % des Gesamtwerts der variablen Vergütung anzuwenden, sofern sie in Instrumenten gezahlt wird, die für mindestens fünf Jahre zurückbehalten werden. Die Mitgliedstaaten können einen niedrigeren Höchstsatz festlegen.

Die EBA arbeitet unter Berücksichtigung sämtlicher einschlägiger Faktoren, einschließlich der Inflationsrate und des Risikos, wozu auch die Dauer der Zurückbehaltung zählt, Leitlinien für den anzuwendenden Nominaldiskontsatz aus und veröffentlicht diese bis zum 31. März 2014. Sie trägt dabei. In den Leitlinien der EBA für den Diskontsatz wird insbesondere geprüft, wie Anreize dafür geschaffen werden können, Instrumente zu verwenden, die für mindestens fünf Jahre zurückbehalten werden;

h) Zahlungen im Zusammenhang mit der vorzeitigen Beendigung eines Vertrags tragen der Leistung im Zeitverlauf Rechnung und dürfen mangelnde Leistung oder Fehlverhalten nicht belohnen;

i) Vergütungspakete im Zusammenhang mit Ausgleichs- oder Abfindungszahlungen aus Verträgen in früheren Beschäftigungsverhältnissen müssen mit den langfristigen Interessen des Instituts, einschließlich Einbehaltungs-, Zurückbehaltungs-, Leistungs- und Rückforderungsvereinbarungen, im Einklang stehen;

j) die Leistungsmessung, anhand deren variable Vergütungskomponenten oder Pools von variablen Vergütungskomponenten berechnet werden, schließt eine Berichtigung für alle Arten von laufenden und künftigen Risiken ein und trägt den Kapitalkosten und der erforderlichen Liquidität Rechnung;

k) bei der Allokation der variablen Vergütungskomponenten innerhalb des Instituts wird ebenfalls allen Arten laufender und künftiger Risiken Rechnung getragen;

---

[1] Auszugsweise abgedruckt unter Nr. **894b**.

l) ein erheblicher Teil, mindestens aber 50 % jeder variablen Vergütung, besteht aus folgenden Bestandteilen, die in einem ausgewogenen Verhältnis zueinander stehen:
   (i) Anteile bzw. je nach Rechtsform des betreffenden Instituts gleichwertige Beteiligungen oder an Anteile geknüpfte Instrumente bzw. je nach Rechtsform des betreffenden Instituts gleichwertige nicht liquiditätswirksame Instrumente,
   (ii) falls möglich andere Instrumente im Sinne der Artikel 52 oder 63 der Verordnung (EU) Nr. 575/2013[1] oder andere Instrumente, die vollständig in Instrumente des harten Kernkapitals umgewandelt oder abgeschrieben werden können, die in jedem Fall die Bonität des Instituts unter der Annahme der Unternehmensfortführung angemessen widerspiegeln und die für eine Verwendung für die Zwecke der variablen Vergütung geeignet sind.

   Die unter diesem Buchstaben genannten Instrumente werden für angemessene Zeit einbehalten, um die Anreize nach den längerfristigen Interessen des Instituts auszurichten. Gegebenenfalls können die Mitgliedstaaten oder ihre zuständigen Behörden Art und Ausgestaltung dieser Instrumente einschränken oder bestimmte Instrumente untersagen. Dieser Buchstabe findet sowohl Anwendung auf den gemäß Buchstabe m zurückbehaltenen Anteil der variablen Vergütungskomponente, als auch auf den nicht zurückbehaltenen Anteil;

m) ein erheblicher Teil, mindestens aber 40 % der variablen Vergütung, wird für wenigstens vier bis fünf Jahre zurückbehalten und korrekt auf die Art der Geschäftstätigkeit, deren Risiken und die Tätigkeiten des betreffenden Mitarbeiters ausgerichtet. Für Mitglieder des Leitungsorgans und der Geschäftsleitung von Instituten, die aufgrund ihrer Größe, ihrer internen Organisation und der Art, des Umfangs und der Komplexität ihrer Geschäfte von erheblicher Bedeutung sind, sollte der Zurückbehaltungszeitraum nicht weniger als fünf Jahre betragen.
   Der Anspruch auf die im Rahmen derartiger Zurückbehaltungsvereinbarungen zu zahlenden Vergütungen wird anteilig erworben. Bei einer besonders hohen variablen Vergütungskomponente werden mindestens 60 % des Betrags zurückbehalten. Die Dauer des Zurückbehaltungszeitraums wird unter Berücksichtigung des Geschäftszyklus, der Art der Geschäftstätigkeit, der damit verbundenen Risiken und der Tätigkeiten des betreffenden Mitarbeiters festgelegt;

n) die variable Vergütung, einschließlich des zurückbehaltenen Anteils, wird nur dann ausgezahlt oder zu einem festen Anspruch, wenn sie angesichts der Finanzlage des Instituts als Ganzem tragbar ist und angesichts des Ergebnisses des Instituts, der betreffenden Abteilung und der betreffenden Person gerechtfertigt ist.
   Unbeschadet der allgemeinen Grundsätze des nationalen Vertrags- und Arbeitsrechts wird die variable Vergütung in ihrer Gesamtheit bei einem schwachen oder negativen Finanzergebnis generell erheblich abgesenkt, wobei sowohl der aktuellen Vergütung als auch Kürzungen bei der Auszahlung zuvor erwirtschafteter Beträge (auch durch Malus- oder Rückforderungsvereinbarungen) Rechnung getragen wird.

---

[1] **beck-online, Module Arbeitsrecht Nr. 894b.**

Malus- oder Rückforderungsvereinbarungen gelten für bis zu 100% der gesamten variablen Vergütung. Die Institute legen spezifische Kriterien für die Anwendung von Malus- und Rückforderungsvereinbarungen fest. Diese Kriterien betreffen insbesondere Situationen, in denen der Mitarbeiter

(i) an einem Verhalten, das für das Institut zu erheblichen Verlusten geführt hat, beteiligt oder dafür verantwortlich war;

(ii) die angemessenen Standards in Bezug auf Eignung und Verhalten nicht erfüllt hat;

o) die Altersvorsorgepolitik steht mit Geschäftsstrategie, Zielen, Werten und langfristigen Interessen des Instituts in Einklang.
Verlässt der Mitarbeiter das Institut vor Eintritt in den Ruhestand, werden freiwillige Altersversorgungsleistungen vom Institut für die Dauer von fünf Jahren in Form der unter Buchstabe l genannten Instrumente gehalten. Tritt ein Mitarbeiter in den Ruhestand, werden ihm die freiwilligen Altersversorgungsleistungen vorbehaltlich einer fünfjährigen Sperrfrist in Form der unter Buchstabe l genannten Instrumente ausgezahlt;

p) die Mitarbeiter sind gehalten, keine persönlichen Absicherungsstrategien oder vergütungs- und haftungsbezogenen Versicherungen einzusetzen, um die in ihren Vergütungsregelungen verankerten risikoorientierten Effekte zu unterlaufen;

q) die variable Vergütung wird nicht über Instrumente oder Verfahren ausgezahlt, die einen Verstoß gegen diese Richtlinie oder die Verordnung (EU) Nr. 575/2013[1] erleichtern.

(2) *[1]* Die EBA arbeitet zur Bestimmung der Klassen von Instrumenten, die die unter Absatz 1 Buchstabe l Ziffer ii festgelegten Bedingungen erfüllen, Entwürfe technischer Regulierungsstandards aus.

[2] Die EBA legt diese Entwürfe technischer Regulierungsstandards der Kommission bis zum 31. März 2014 vor.

[3] Zur Ermittlung der Mitarbeiter, deren berufliche Tätigkeiten sich wesentlich auf das Risikoprofil des Instituts im Sinne des Artikels 92 Absatz 3 auswirken, mit Ausnahme des Personals von Wertpapierfirmen, arbeitet die EBA Entwürfe technischer Regulierungsstandards zur Festlegung der Kriterien aus, anhand deren Folgendes definiert wird:

a) Managementverantwortung und interne Kontrollfunktionen,

b) wesentlicher Geschäftsbereich und erhebliche Auswirkung auf das Risikoprofil des betreffenden Geschäftsbereichs und

c) sonstige, in Artikel 92 Absatz 3 nicht ausdrücklich genannte Mitarbeiterkategorien, deren berufliche Tätigkeiten vergleichsweise ebenso wesentliche Auswirkungen auf das Risikoprofil des Instituts haben wie diejenigen der dort genannten Mitarbeiterkategorien.

[4] Die EBA legt der Kommission diese Entwürfe technischer Regulierungsstandards bis zum 28. Dezember 2019 vor.

[5] [1]Der Kommission wird die Befugnis übertragen, die im vorliegenden Absatz genannten technischen Regulierungsstandards gemäß den Artikeln 10 bis 14 der Verordnung (EU) Nr. 1093/2010 zur Ergänzung dieser Richtlinie zu erlassen. [2]Im Hinblick auf die für Wertpapierfirmen geltenden technischen

---

[1] Auszugsweise abgedruckt unter Nr. **894b**.

Regulierungsstandards gelten die in Artikel 94 Absatz 2 der vorliegenden Richtlinie in der Fassung der Richtlinie (EU) 2018/843 des Europäischen Parlaments und des Rates [1], festgelegten Befugnisse bis zum 26. Juni 2021.

(3) Abweichend von Absatz 1 gelten die in den Buchstaben l und m sowie in Buchstabe o Absatz 2 des genannten Absatzes festgelegten Anforderungen nicht für:

a) ein Institut, bei dem es sich nicht um ein großes Institut handelt und dessen Vermögenswerte sich auf Einzelbasis gemäß dieser Richtlinie und der Verordnung (EU) Nr. 575/2013[2] im Durchschnitt der letzten vier Jahre unmittelbar vor dem laufenden Geschäftsjahr auf höchstens 5 Mrd. EUR belaufen;

b) einen Mitarbeiter, dessen jährliche variable Vergütung nicht über 50 000 EUR hinausgeht und nicht mehr als ein Drittel der Gesamtjahresvergütung des Mitarbeiters ausmacht.

(4) Abweichend von Absatz 3 Buchstabe a kann ein Mitgliedstaat die dort genannte Schwelle herabsetzen oder anheben, vorausgesetzt

a) das Institut, auf das der Mitgliedstaat diese Bestimmung anwendet, ist kein großes Institut im Sinne des Artikels 4 Absatz 1 Nummer 146 der Verordnung (EU) Nr. 575/2013[3] und – sofern die Schwelle angehoben wird –

   i) das Institut erfüllt die Kriterien des Artikels 4 Absatz 1 Nummer 145 Buchstaben c, d und e der Verordnung (EU) Nr. 575/2013[3] und

   ii) die Schwelle übersteigt nicht den Betrag von 15 Mrd. EUR;

b) es ist unter Berücksichtigung der Art, des Umfangs und der Komplexität der Tätigkeiten des Instituts, seiner internen Organisation oder gegebenenfalls der Merkmale der Gruppe, der das Institut angehört, angemessen, die Schwelle nach Maßgabe dieses Absatzes zu ändern.

(5) Abweichend von Absatz 3 Buchstabe b kann ein Mitgliedstaat beschließen, dass Mitarbeiter, die einen Anspruch auf eine jährliche variable Vergütung unter dem dort genannten Schwellenwert und Anteil haben, aufgrund der Besonderheiten des nationalen Markts hinsichtlich der Vergütungspraxis oder der Art der Aufgaben und des Stellenprofils dieses Mitarbeiters nicht unter die dort festgelegte Ausnahme fallen.

(6) In enger Zusammenarbeit mit der EBA überprüft die Kommission bis zum 28. Juni 2023 die Anwendung der Absätze 3 bis 5, erstellt hierüber einen Bericht und legt diesen gegebenenfalls zusammen mit einem geeigneten Gesetzgebungsvorschlag dem Europäischen Parlament und dem Rat vor.

(7) Die EBA gibt im Einklang mit Artikel 16 der Verordnung (EU) Nr. 1093/2010 Leitlinien heraus, die die Anwendung der Absätze 3, 4 und 5 erleichtern und deren kohärente Anwendung gewährleisten.

Art. 95 Vergütungsausschuss. (1) [1]Die zuständigen Behörden stellen sicher, dass Institute, die aufgrund ihrer Größe, ihrer internen Organisation und

---

[1] **Amtl. Anm.:** Richtlinie (EU) 2018/843 des Europäischen Parlaments und des Rates vom 30. Mai 2018 zur Änderung der Richtlinie (EU) 2015/849 zur Verhinderung der Nutzung des Finanzsystems zum Zwecke der Geldwäsche und der Terrorismusfinanzierung und zur Änderung der Richtlinien 2009/138/EG und 2013/36/EU (ABl. L 156 vom 19.6.2018, S. 43).

[2] Auszugsweise abgedruckt unter Nr. **894b**.

[3] **beck-online, Module Arbeitsrecht Nr. 894b.**

der Art, des Umfangs und der Komplexität ihrer Geschäfte von erheblicher Bedeutung sind, einen Vergütungsausschuss einrichten. [2]Der Vergütungsausschuss ist so zu konstituieren, dass er die Vergütungspolitik und -praxis und die für das Risiko-, Kapital- und Liquiditätsmanagement geschaffenen Anreize sachkundig und unabhängig bewerten kann.

(2) [1]Die zuständigen Behörden stellen sicher, dass für die Ausarbeitung von Beschlüssen zum Thema Vergütung, einschließlich solcher, die sich auf Risiko und Risikomanagement des betreffenden Instituts auswirken und vom Leitungsorgan zu fassen sind, der Vergütungsausschuss zuständig ist. [2]Der Vorsitzende des Vergütungsausschusses und seine Mitglieder sind Mitglieder des Leitungsorgans, die in dem betreffenden Institut keine Leitungsaufgaben wahrnehmen. [3]Ist im nationalen Recht eine Arbeitnehmervertretung im Leitungsorgan vorgesehen, so umfasst der Vergütungsausschuss einen oder mehrere Vertreter der Arbeitnehmer. [4]Bei der Vorbereitung solcher Beschlüsse trägt der Vergütungsausschuss den langfristigen Interessen der Gesellschafter, Anleger und sonstigen Interessenträgern des Instituts sowie dem öffentlichen Interesse Rechnung.

Art. 96 Betrieb einer Website über die Unternehmensführung und -kontrolle und die Vergütung. Institute, die eine Website betreiben, erläutern darauf, wie sie die Anforderungen der Artikel 88 bis 95 erfüllen.

Abschnitt III. Prozess der aufsichtlichen Überprüfung und Bewertung

Art. 97–103 *(hier nicht wiedergegeben)*

Abschnitt IV. Aufsichtsmaßnahmen und Befugnisse

Art. 104[1)] Aufsichtsbefugnisse. (1) Für die Zwecke von Artikel 97, Artikel 98 Absätze 1, 4, 5, 9 und 10, Artikel 101 Absatz 4 und Artikel 102 dieser Richtlinie sowie der Anwendung der Verordnung (EU) Nr. 575/2013[2)] sind die zuständigen Behörden mindestens befugt,

a)–f) …

g) Instituten vorzuschreiben, die variable Vergütung auf einen Prozentsatz der Nettoeinkünfte zu begrenzen, sofern diese nicht mit der Erhaltung einer soliden Kapitalausstattung zu vereinbaren ist,

h)–o) …

…

Kapitel 4. Kapitalpuffer

Abschnitt III. Kapitalerhaltungsmaßnahmen

Art. 141[3)] Ausschüttungsbeschränkungen. (1) …

[1)] Art. 104 Abs. 1 und 2 neu gef., Abs. 3 aufgeh. mWv 27.6.2019 durch RL v. 20.5.2019 (ABl. L 150 S. 253); Abs. 1 einl. Satzteil und Buchst. e neu gef., Buchst. m und n sowie Abs. 4 angef. mWv 9.7.2024 durch RL v. 31.5.2024 (ABl. L, 2024/1619, 19.6.2024); Abs. 1 Buchst. o angef. mWv 24.12.2024 durch RL v. 27.11.2024 (ABl. L, 2024/2994, 4.12.2024).

[2)] Auszugsweise abgedruckt unter Nr. **894b**.

[3)] Art. 141 Abs. 1–6 neu gef. mWv 27.6.2019 durch RL v. 20.5.2019 (ABl. L 150 S. 253, ber. ABl. 2020 L 212 S. 20).

(2) *[1]* Institute, die die kombinierte Kapitalpufferanforderung nicht erfüllen, berechnen den ausschüttungsfähigen Höchstbetrag gemäß Absatz 4 und melden diesen der zuständigen Behörde.

[2] In Fällen, in denen Unterabsatz 1 Anwendung findet, dürfen die Institute vor Berechnung des ausschüttungsfähigen Höchstbetrags keine der folgenden Maßnahmen ergreifen:

a) eine Ausschüttung im Zusammenhang mit hartem Kernkapital vornehmen,

b) eine Verpflichtung zur Zahlung einer variablen Vergütung oder freiwilliger Altersvorsorgeleistungen eingehen oder eine variable Vergütung zahlen, wenn die entsprechende Verpflichtung zu einer Zeit eingegangen wurde, in der das Institut die kombinierte Kapitalpufferanforderung nicht erfüllt hat, oder

c) Zahlungen in Bezug auf zusätzliche Kernkapitalinstrumente vornehmen.

(3) Wenn ein Institut die kombinierte Kapitalpufferanforderung nicht erfüllt bzw. nicht übertrifft, darf es durch eine der Maßnahmen nach Absatz 2 Unterabsatz 2 Buchstaben a, b und c keinen höheren Betrag als den nach Absatz 4 berechneten ausschüttungsfähigen Höchstbetrag ausschütten.

(4)–(10) …

Titel XI. Übergangs- und Schlussbestimmungen

Kapitel 3. Schlussbestimmungen

Art. 161[1] Überprüfung und Bericht. (1) Die Kommission überprüft die Anwendung dieser Richtlinie regelmäßig, um zu gewährleisten, dass diese nicht zu einer offenkundigen Diskriminierung zwischen Instituten aufgrund ihrer rechtlichen Struktur oder ihres Eigentümermodells führt.

(2) *[1]* Nach einer in enger Zusammenarbeit mit der EBA vorgenommenen Überprüfung erstattet die Kommission dem Europäischen Parlament und dem Rat bis zum 30. Juni 2016 Bericht, gegebenenfalls zusammen mit einem geeigneten Gesetzgebungsvorschlag, über die Vergütungsbestimmungen dieser Richtlinie und der Verordnung (EU) Nr. 575/2013[2]; dabei berücksichtigt sie die internationalen Entwicklungen und legt besonderen Schwerpunkt auf Folgendes:

a) ihre Effizienz, Anwendung und Durchsetzung, einschließlich etwaiger Lücken infolge der Anwendung des Grundsatzes der Verhältnismäßigkeit auf jene Bestimmungen,

b) die Auswirkungen der Befolgung des Grundsatzes gemäß Artikel 94 Absatz 1 Buchstabe g in Bezug auf

(i) Wettbewerbsfähigkeit und Finanzstabilität und

(ii) alle Mitarbeiter, die tatsächlich und persönlich in außerhalb des EWR errichteten Zweigstellen von innerhalb des EWR niedergelassenen Mutterinstituten arbeiten.

---

[1] Art. *161 Abs. 10* angef. mWv 27.6.2019 durch RL v. 20.5.2019 (ABl. L 150 S. 253); Abs. 3 aufgeh., Abs. 5 neu gef. mWv 9.7.2024 durch RL v. 31.5.2024 (ABl. L, 2024/1619, 19.6.2024).

[2] Auszugsweise abgedruckt unter Nr. **894b**.

[2] Bei dieser Überprüfung wird insbesondere geprüft, ob der Grundsatz des Artikels 94 Absatz 1 Buchstabe g weiterhin für die von Unterabsatz 1 Buchstabe b Ziffer ii erfassten Mitarbeiter gelten sollte.

(3) *(aufgehoben)*

(4) Die Kommission überprüft bis zum 31. Dezember 2014 die Anwendung der Artikel 108 und 109, erstellt einen Bericht über deren Anwendung und legt diesen, gegebenenfalls zusammen mit einem geeigneten Gesetzgebungsvorschlag, dem Europäischen Parlament und dem Rat vor.

(5) Die Kommission prüft bis zum 31. Dezember 2016 die gemäß Artikel 91 Absatz 9 erzielten Ergebnisse, einschließlich einer Prüfung der Eignung des Vergleichs der Maßnahmen zur Förderung der Diversität, unter Berücksichtigung aller einschlägigen Entwicklungen auf Unionsebene und internationaler Ebene, erstellt einen Bericht darüber und legt diesen – gegebenenfalls zusammen mit geeigneten Gesetzgebungsvorschlägen – dem Europäischen Parlament und dem Rat vor.

(6) Die Kommission konsultiert bis zum 31. Dezember 2015 den ESRB, die EBA, die EIOPA, die ESMA und andere einschlägige Parteien, um die Wirksamkeit der Vereinbarungen über die Weitergabe von Informationen nach dieser Richtlinie – sowohl zu normalen Zeiten als auch in angespannten Situationen – zu überprüfen.

(7) [1] Die EBA überprüft bis zum 31. Dezember 2015 die Anwendung dieser Richtlinie und der Verordnung (EU) Nr. 575/2013[1)] über die Zusammenarbeit der Union und der Mitgliedstaaten mit Drittländern und legt der Kommission einen Bericht vor. [2] In dem Bericht werden die Bereiche ermittelt, in denen Zusammenarbeit und Informationsweitergabe weiter entwickelt werden müssen. [3] Die EBA veröffentlicht den Bericht auf ihrer Webseite.

(8) [1] Die EBA prüft nach einem entsprechenden Auftrag der Kommission, ob Unternehmen der Finanzbranche, die erklären, dass sie ihre Tätigkeit gemäß den Grundsätzen des islamischen Bankwesens ausüben, durch diese Richtlinie und durch die Verordnung (EU) Nr. 575/2013[1)] hinreichend erfasst werden. [2] Die Kommission überprüft den Bericht der EBA und legt dem Europäischen Parlament und dem Rat gegebenenfalls einen Gesetzgebungsvorschlag vor.

(9) [1] Die EBA erstattet der Kommission bis zum 1. Juli 2014 Bericht darüber, inwieweit Kreditinstitute längerfristige Refinanzierungsgeschäfte der Zentralbanken des ESZB und ähnliche Unterstützungsmaßnahmen in Form von Zentralbankfinanzierung nutzen und welche Vorteile daraus gezogen werden. [2] Auf der Grundlage dieses Berichts und nach Beratung mit der EZB legt die Kommission dem Europäischen Parlament und dem Rat bis zum 31. Dezember 2014 einen Bericht darüber vor, inwieweit solche Refinanzierungsgeschäfte und Unterstützungsmaßnahmen in Form von Zentralbankfinanzierung von in der Union zugelassenen Kreditinstituten genutzt werden und welche Vorteile sie daraus ziehen, gegebenenfalls zusammen mit einem Gesetzgebungsvorschlag über die Nutzung solcher Refinanzierungsgeschäfte und Unterstützungsmaßnahmen in Form von Zentralbankfinanzierung.

(10) Die Kommission überprüft bis zum 31. Dezember 2023 die Umsetzung und Anwendung der in Artikel 104 Absatz 1 Buchstaben j und l genannten

---

[1)] Auszugsweise abgedruckt unter Nr. **894b**.

Aufsichtsbefugnisse, erstellt bis zu diesem Termin einen Bericht und leitet ihn an das Europäische Parlament und den Rat weiter.

Art. 162 Umsetzung. (1) *[1]* Die Mitgliedstaaten erlassen und veröffentlichen bis zum 31. Dezember 2013 die Rechts- und Verwaltungsvorschriften, die erforderlich sind, um dieser Richtlinie nachzukommen.

[2] Die Mitgliedstaaten wenden diese Vorschriften ab dem 1. Januar 2014 an.

[3] [1] Die Mitgliedstaaten teilen der Kommission und der EBA den Wortlaut der wichtigsten nationalen Rechtsvorschriften mit, die sie auf dem unter diese Richtlinie fallenden Gebiet erlassen. [2] Reichen die Unterlagen, die die Mitgliedstaaten der Mitteilung der Umsetzungsmaßnahmen beifügen, nicht aus, um die vollständige Übereinstimmung der Umsetzungsmaßnahmen mit einzelnen Bestimmungen dieser Richtlinie zu beurteilen, so kann die Kommission auf Antrag der EBA im Hinblick auf die Wahrnehmung der Aufgaben der EBA gemäß der Verordnung (EU) Nr. 1095/2010 oder von sich aus von den Mitgliedstaaten die Bereitstellung ausführlicherer Informationen über die Umsetzung und Durchführung jener Bestimmungen und dieser Richtlinie verlangen.

(2) Abweichend von Absatz 1 gilt Titel VII Kapitel 4ab dem 1. Januar 2016.

(3) Die Rechts- und Verwaltungsvorschriften, die erforderlich sind, um Artikel 94 Absatz 1 Buchstabe g nachzukommen, müssen Institute dazu verpflichten, die darin festgelegten Grundsätze auf die Vergütung für erbrachte Dienstleistungen oder für Leistungen ab 2014 anzuwenden, unabhängig davon, ob sie aufgrund von vor oder nach dem 1. Januar 2014 geschlossenen Verträgen zu leisten sind.

(4)–(6) …

894b. Verordnung (EU) Nr. 575/2013 des Europäischen Parlaments und des Rates vom 26. Juni 2013 über Aufsichtsanforderungen an Kreditinstitute und zur Änderung der Verordnung (EU) Nr. 648/2012[1]

(Text von Bedeutung für den EWR)

(ABl. L 176 S. 1, ber. L 208 S. 68, L 321 S. 6, 2015 L 193 S. 166, 2017 L 20 S. 3, ber. 2023 ABl. L 92 S. 29)

Celex-Nr. 3 2013 R 0575

zuletzt geänd. durch Art. 1 VO (EU) 2025/1496 v. 12.6.2025 (ABl. L, 2025/1496, 19.9.2025, ELI: http://data.europa.eu/eli/reg_del/2025/1496/oj)

– Auszug –[2]

DAS EUROPÄISCHE PARLAMENT UND DER RAT DER EUROPÄISCHEN UNION –

gestützt auf den Vertrag über die Arbeitsweise der Europäischen Union[3], insbesondere auf Artikel 114,

auf Vorschlag der Europäischen Kommission,

nach Zuleitung des Entwurfs des Gesetzgebungsakts an die nationalen Parlamente,

nach Stellungnahme der Europäischen Zentralbank[4],

nach Stellungnahme des Europäischen Wirtschafts- und Sozialausschusses[5],

gemäß dem ordentlichen Gesetzgebungsverfahren,

in Erwägung nachstehender Gründe:

…

(97) Strukturen der verantwortlichen Unternehmensführung, Transparenz und Offenlegung sind für eine solide Vergütungspolitik von wesentlicher Bedeutung. Um dem Markt gegenüber eine angemessene Transparenz ihrer Vergütungsstrukturen und den damit verbundenen Risiken zu gewährleisten, sollten Institute ihre Vergütungspolitik und -praxis sowie die aus Vertraulichkeitsgründen aggregierten Vergütungssummen für alle Beschäftigten, deren berufliche Tätigkeiten sich wesentlich auf das Risikoprofil des Instituts auswirken, detailliert offenlegen. Diese Information sollte der Öffentlichkeit zugänglich gemacht werden. Diese besonderen Anforderungen sollten branchenübergreifend geltende allgemeinere Offenlegungspflichten hinsichtlich der Vergütungspolitik nicht berühren. Darüber hinaus sollten Mitgliedstaaten Instituten vorschreiben dürfen, ausführlichere Angaben zu Vergütungen zur Verfügung zu stellen.

…

HABEN FOLGENDE VERORDNUNG ERLASSEN:

---

[1] Titel neu gef. mWv 26.6.2021 durch VO v. 27.11.2019 (ABl. L 314 S. 1, ber. ABl. 2020 L 20 S. 26, ABl. 2020 L 405 S. 79, ABl. 2021 Nr. L 261 S. 60).

[2] Vollständig wiedergegeben in **beck-online, Module Arbeitsrecht.**

[3] Auszugsweise abgedruckt unter Nr. **850**.

[4] **Amtl. Anm.:** ABl. C 105 vom 11.4.2012, S. 1.

[5] **Amtl. Anm.:** ABl. C 68 vom 6.3.2012, S. 9.

Teil 8.[1] Offenlegung durch die Institute

Titel II. Technische Kriterien für Transparenz und Offenlegung

Art. 450[1] Offenlegung der Vergütungspolitik. (1) *[1]* Die Institute legen in Bezug auf ihre Vergütungspolitik und -praxis für Mitarbeiterkategorien, deren berufliche Tätigkeit sich wesentlich auf das Risikoprofil der Institute auswirkt, die folgenden Informationen offen:

a) Angaben zum Entscheidungsprozess, der zur Festlegung der Vergütungspolitik führt, sowie zur Zahl der Sitzungen des für die Vergütungsaufsicht verantwortlichen Hauptgremiums während des Geschäftsjahrs, gegebenenfalls mit Angaben zur Zusammensetzung und zum Mandat eines Vergütungsausschusses, zu dem externen Berater, dessen Dienste bei der Festlegung der Vergütungspolitik in Anspruch genommen wurden, und zur Rolle der maßgeblichen Interessenträger;

b) Angaben zum Zusammenhang zwischen der Vergütung der Mitarbeiter und ihrer Leistung;

c) die wichtigsten Gestaltungsmerkmale des Vergütungssystems, einschließlich Informationen über die Kriterien für die Erfolgsmessung und Risikoausrichtung, die Strategie zur Rückstellung der Vergütungszahlung und die Erdienungskriterien;

d) die gemäß Artikel 94 Absatz 1 Buchstabe g der Richtlinie 2013/36/EU[2] festgelegten Werte für das Verhältnis zwischen dem festen und dem variablen Vergütungsbestandteil;

e) Angaben zu den Erfolgskriterien, anhand deren über den Anspruch auf Aktien, Optionen oder variable Vergütungskomponenten entschieden wird;

f) die wichtigsten Parameter und Begründungen für Systeme mit variablen Komponenten und sonstige Sachleistungen;

g) zusammengefasste quantitative Angaben zu den Vergütungen, aufgeschlüsselt nach Geschäftsbereichen;

h) zusammengefasste quantitative Angaben zu den Vergütungen, aufgeschlüsselt nach Geschäftsleitung und Mitarbeitern, deren berufliche Tätigkeiten einen wesentlichen Einfluss auf das Risikoprofil der Institute haben, aus denen Folgendes hervorgeht:

   i) die für das Geschäftsjahr gewährten Vergütungsbeträge, aufgeteilt in feste Vergütung, einschließlich einer Beschreibung der festen Komponenten, und variable Vergütung, sowie die Zahl der Begünstigten;

   ii) die Beträge und Formen der gewährten variablen Vergütung, aufgeteilt in Bargeld, Aktien, mit Aktien verknüpfte Instrumente und andere Arten, getrennt für den im Voraus gezahlten Teil und den zurückbehaltenen Teil;

   iii) die Beträge der für vorhergehende Erfolgsperioden gewährten zurückbehaltenen Vergütung, aufgeteilt in den im Geschäftsjahr erdienten Betrag und den in darauffolgenden Jahren erdienten Betrag;

(Fortsetzung nächstes Blatt)

---

[1] *Teil 8 (Art. 431–455) neu gef.* mWv 28.6.2021, Art. 434a eingef. mWv 27.6.2019 durch VO v. 20.5. 2019 (ABl. L 150 S. 1).

[2] Nr. **894a**.

iv) den Betrag der im Geschäftsjahr verdienten zurückbehaltenen Vergütung, der während des Geschäftsjahres ausgezahlt und der infolge von Leistungsanpassungen gekürzt wurde;

v) die während des Geschäftsjahres gewährte garantierte variable Vergütung und die Zahl der Begünstigten der Gewährungen;

vi) die in früheren Zeiträumen gewährten Abfindungen, die während des Geschäftsjahres ausgezahlt wurden;

vii) die Beträge der während des Geschäftsjahres gewährten Abfindungen, aufgeteilt in vorab gezahlte und zurückbehaltene Beträge, die Zahl der Begünstigten dieser Zahlungen und die höchste Zahlung, die einer Einzelperson gewährt wurde;

i) die Zahl der Personen, deren Vergütung sich auf 1 Mio. EUR oder mehr pro Geschäftsjahr belief, aufgeschlüsselt nach Vergütungsstufen von 500 000 EUR bei Vergütungen zwischen 1 Mio. EUR und 5 Mio. EUR sowie aufgeschlüsselt nach Vergütungsstufen von 1 Mio. EUR bei Vergütungen von 5 Mio. EUR und mehr;

j) wenn von dem betreffenden Mitgliedstaat oder der zuständigen Behörde angefordert, die Gesamtvergütung jedes Mitglieds des Leitungsorgans oder der Geschäftsleitung;

k) Angaben dazu, ob für das Institut eine Ausnahme nach Artikel 94 Absatz 3 der Richtlinie 2013/36/EU gilt.

[2] [1] Für die Zwecke von Unterabsatz 1 Buchstabe k des vorliegenden Absatzes geben Institute, für die eine derartige Ausnahme gilt, an, ob ihnen diese Ausnahme auf der Grundlage von Artikel 94 Absatz 3 Buchstabe a oder b der Richtlinie 2013/36/EU gewährt wird. [2] Sie geben ferner an, für welche der Vergütungsgrundsätze sie die Ausnahme(n) anwenden, die Zahl der Mitarbeiter, denen die Ausnahme(n) gewährt wird (werden), und ihre Gesamtvergütung, aufgeteilt in feste und variable Vergütung.

(2) *[1]* Bei großen Instituten werden der Öffentlichkeit auch quantitative Informationen über die Vergütung des kollektiven Leitungsorgans des Instituts nach diesem Artikel zur Verfügung gestellt, wobei zwischen geschäftsführenden und nicht geschäftsführenden Mitgliedern zu differenzieren ist.

[2] Die Institute halten die Anforderungen dieses Artikels in einer ihrer Größe, internen Organisation und der Art, dem Umfang und der Komplexität ihrer Tätigkeiten entsprechenden Weise sowie unbeschadet der Verordnung (EU) 2016/679[1)] des Europäischen Parlaments und des Rates[2)] ein.

[1)] Nr. **489**.

[2)] **Amtl. Anm.:** Verordnung (EU) 2016/679 des Europäischen Parlaments und des Rates vom 27. April 2016 zum Schutz natürlicher Personen bei der Verarbeitung personenbezogener Daten, zum freien Datenverkehr und zur Aufhebung der Richtlinie 95/46/EG (Datenschutz-Grundverordnung *[Nr. **489**]*) (ABl. L 119 vom 4.5.2016, S. 1).

D. Gleichbehandlung von Mann und Frau; ethnische Gleichbehandlung

895. Richtlinie 2006/54/EG des Europäischen Parlaments und des Rates vom 5. Juli 2006 zur Verwirklichung des Grundsatzes der Chancengleichheit und Gleichbehandlung von Männern und Frauen in Arbeits- und Beschäftigungsfragen (Neufassung)

(ABl. L 204 S. 23)

Celex-Nr. 3 2006 L 0054

geänd. durch Art. 23 RL (EU) 2024/1500 v. 14.5.2024 (ABl. L, 2024/1500, 29.5.2024, ELI: http://data.europa.eu/eli/dir/2024/1500/oj)

DAS EUROPÄISCHE PARLAMENT UND DER RAT DER EUROPÄISCHEN UNION –

gestützt auf den Vertrag zur Gründung der Europäischen Gemeinschaft[1) 2)], insbesondere auf Artikel 141 Absatz 3[3)],

auf Vorschlag der Kommission,

nach Stellungnahme des Europäischen Wirtschafts- und Sozialausschusses[4)],

gemäß dem Verfahren des Artikels 251 des Vertrags[1) 5) 6)],

in Erwägung nachstehender Gründe:

(1) Die Richtlinie 76/207/EWG[7)] des Rates vom 9. Februar 1976 zur Verwirklichung des Grundsatzes der Gleichbehandlung von Männern und Frauen hinsichtlich des Zugangs zur Beschäftigung, zur Berufsbildung und zum beruflichen Aufstieg sowie in Bezug auf die Arbeitsbedingungen[8)] und die Richtlinie 86/378/EWG[9)] des Rates vom 24. Juli 1986 zur Verwirklichung des Grundsatzes der Gleichbehandlung von Männern und Frauen bei den betrieblichen Systemen der sozialen Sicherheit[10)] wurden erheblich geändert[11)]. Die Richt-

---

[1)] **beck-online, Module Arbeitsrecht Nr. 850a.**

[2)] Nunmehr Vertrag über die Arbeitsweise der Europäischen Union durch Vertrag von Lissabon v. 13.12.2007 (ABl. C 306 S. 1).

[3)] Nunmehr Art. 157 AEUV durch Vertrag von Lissabon v. 13.12.2007 (ABl. C 306 S. 1).

[4)] **Amtl. Anm.:** ABl. C 157 vom 28.6.2005, S. 83.

[5)] Nunmehr Art. 294 AEUV durch Vertrag von Lissabon v. 13.12.2007 (ABl. C 306 S. 1).

[6)] **Amtl. Anm.:** Stellungnahme des Europäischen Parlaments vom 6. Juli 2005 (noch nicht im Amtsblatt veröffentlicht), Gemeinsamer Standpunkt des Rates vom 10. März 2006 (ABl. C 126 E vom 30.5.2006, S. 33) und Standpunkt des Europäischen Parlaments vom 1. Juni 2006 (noch nicht im Amtsblatt veröffentlicht).

[7)] **beck-online, Module Arbeitsrecht Nr. 897.**

[8)] **Amtl. Anm.:** ABl. L 39 vom 14.2.1976, S. 40. Geändert durch die Richtlinie 2002/73/EG des Europäischen Parlaments und des Rates (ABl. L 269 vom 5.10.2002, S. 15).

[9)] **beck-online, Module Arbeitsrecht Nr. 898.**

[10)] **Amtl. Anm.:** ABl. L 225 vom 12.8.1986, S. 40. Geändert durch die Richtlinie 96/97/EG (ABl. L 46 vom 17.2.1997, S. 20).

[11)] **Amtl. Anm.:** Siehe Anhang I Teil A.

linie 75/117/EWG[1] des Rates vom 10. Februar 1975 zur Angleichung der Rechtsvorschriften der Mitgliedstaaten über die Anwendung des Grundsatzes des gleichen Entgelts für Männer und Frauen[2] und die Richtlinie 97/80/EG des Rates vom 15. Dezember 1997 über die Beweislast bei Diskriminierung aufgrund des Geschlechts[3] enthalten ebenfalls Bestimmungen, deren Ziel die Verwirklichung des Grundsatzes der Gleichbehandlung von Männern und Frauen ist. Anlässlich neuerlicher Änderungen der genannten Richtlinien empfiehlt sich aus Gründen der Klarheit eine Neufassung sowie die Zusammenfassung der wichtigsten Bestimmungen auf diesem Gebiet mit verschiedenen Entwicklungen aufgrund der Rechtsprechung des Gerichtshofs der Europäischen Gemeinschaften (im Folgenden „Gerichtshof") in einem einzigen Text.

(2) Die Gleichstellung von Männern und Frauen stellt nach Artikel 2[4] und Artikel 3 Absatz 2 des Vertrags[5] [6] sowie nach der Rechtsprechung des Gerichtshofs ein grundlegendes Prinzip dar. In diesen Vertragsbestimmungen wird die Gleichstellung von Männern und Frauen als Aufgabe und Ziel der Gemeinschaft bezeichnet, und es wird eine positive Verpflichtung begründet, sie bei allen Tätigkeiten der Gemeinschaft zu fördern.

(3) Der Gerichtshof hat festgestellt, dass die Tragweite des Grundsatzes der Gleichbehandlung von Männern und Frauen nicht auf das Verbot der Diskriminierung aufgrund des natürlichen Geschlechts einer Person beschränkt werden kann. Angesichts seiner Zielsetzung und der Art der Rechte, die damit geschützt werden sollen, gilt er auch für Diskriminierungen aufgrund einer Geschlechtsumwandlung.

(4) Artikel 141 Absatz 3 des Vertrags[5] [7] bietet nunmehr eine spezifische Rechtsgrundlage für den Erlass von Gemeinschaftsmaßnahmen zur Sicherstellung des Grundsatzes der Chancengleichheit und der Gleichbehandlung in Arbeits- und Beschäftigungsfragen, einschließlich des gleichen Entgelts für gleiche oder gleichwertige Arbeit.

(5) Die Artikel 21 und 23 der Charta der Grundrechte der Europäischen Union verbieten ebenfalls jegliche Diskriminierung aufgrund des Geschlechts und verankern das Recht auf Gleichbehandlung von Männern und Frauen in allen Bereichen, einschließlich Beschäftigung, Arbeit und Entgelt.

(6) Die Belästigung einer Person und die sexuelle Belästigung stellen einen Verstoß gegen den Grundsatz der Gleichbehandlung von Männern und Frauen dar und sind somit als Diskriminierung aufgrund des Geschlechts im Sinne dieser Richtlinie anzusehen. Diese Formen der Diskriminierung kommen nicht nur am Arbeitsplatz vor, sondern auch im Zusammenhang mit dem Zugang zur Beschäftigung, zur Berufsbildung und zum beruflichen Aufstieg. Diese Formen der Diskriminierung sollten daher verboten werden, und es sollten wirksame, verhältnismäßige und abschreckende Sanktionen vorgesehen werden.

---

[1] **beck-online, Module Arbeitsrecht Nr. 896.**

[2] **Amtl. Anm.:** ABl. L 45 vom 19.2.1975, S. 19.

[3] **Amtl. Anm.:** ABl. L 14 vom 20.1.1998, S. 6. Geändert durch die Richtlinie 98/52/EG (ABl. L 205 vom 22.7.1998, S. 66).

[4] Aufgehoben, im Wesentlichen ersetzt durch Art. 3 EUV durch Vertrag von Lissabon v. 13.12.2007 (ABl. C 306 S. 1).

[5] ***beck-online, Module Arbeitsrecht Nr. 850a.***

[6] Nunmehr Art. 8 EUV durch Vertrag von Lissabon v. 13.12.2007 (ABl. C 306 S. 1).

[7] Nunmehr Art. 157 AEUV durch Vertrag von Lissabon v. 13.12.2007 (ABl. C 306 S. 1).

(7) In diesem Zusammenhang sollten die Arbeitgeber und die für Berufsbildung zuständigen Personen ersucht werden, Maßnahmen zu ergreifen, um im Einklang mit den innerstaatlichen Rechtsvorschriften und Gepflogenheiten gegen alle Formen der Diskriminierung aufgrund des Geschlechts vorzugehen und insbesondere präventive Maßnahmen zur Bekämpfung der Belästigung und der sexuellen Belästigung am Arbeitsplatz ebenso wie beim Zugang zur Beschäftigung, zur Berufsbildung und zum beruflichen Aufstieg zu treffen.

(8) Der Grundsatz des gleichen Entgelts für gleiche oder gleichwertige Arbeit, gemäß Artikel 141 des Vertrags, der vom Gerichtshof in ständiger Rechtsprechung bestätigt wurde, ist ein wichtiger Aspekt des Grundsatzes der Gleichbehandlung von Männern und Frauen und ein wesentlicher und unverzichtbarer Bestandteil sowohl des gemeinschaftlichen Besitzstands als auch der Rechtsprechung des Gerichtshofs im Bereich der Diskriminierung aufgrund des Geschlechts. Daher sollten weitere Bestimmungen zu seiner Verwirklichung festgelegt werden.

(9) Um festzustellen, ob Arbeitnehmer eine gleiche oder gleichwertige Arbeit verrichten, sollte gemäß der ständigen Rechtsprechung des Gerichtshofs geprüft werden, ob sich diese Arbeitnehmer in Bezug auf verschiedene Faktoren, zu denen unter anderem die Art der Arbeit und der Ausbildung und die Arbeitsbedingungen gehören, in einer vergleichbaren Lage befinden.

(10) Der Gerichtshof hat festgestellt, dass der Grundsatz des gleichen Entgelts unter bestimmten Umständen nicht nur für Situationen gilt, in denen Männer und Frauen für denselben Arbeitgeber arbeiten.

(11) Die Mitgliedstaaten sollten weiterhin gemeinsam mit den Sozialpartnern dem Problem des anhaltenden geschlechtsspezifischen Lohngefälles und der nach wie vor ausgeprägten Geschlechtertrennung auf dem Arbeitsmarkt beispielsweise durch flexible Arbeitszeitregelungen entgegenwirken, die es sowohl Männern als auch Frauen ermöglichen, Familie und Beruf besser miteinander in Einklang zu bringen. Dies könnte auch angemessene Regelungen für den Elternurlaub, die von beiden Elternteilen in Anspruch genommen werden könnten, sowie die Bereitstellung zugänglicher und erschwinglicher Einrichtungen für die Kinderbetreuung und die Betreuung pflegebedürftiger Personen einschließen.

(12) Es sollten spezifische Maßnahmen erlassen werden, um die Verwirklichung des Grundsatzes der Gleichbehandlung in den betrieblichen Systemen der sozialen Sicherheit zu gewährleisten und seinen Geltungsbereich klarer zu definieren.

(13) Mit seinem Urteil vom 17. Mai 1990 in der Rechtssache C-262/88[1] befand der Gerichtshof, dass alle Formen von Betriebsrenten Bestandteil des Entgelts im Sinne von Artikel 141 des Vertrags sind.

(14) Auch wenn sich der Begriff des Entgelts im Sinne des Artikels 141 des Vertrags nicht auf Sozialversicherungsleistungen erstreckt, steht nunmehr fest, dass ein Rentensystem für Beschäftigte im öffentlichen Dienst unter den Grundsatz des gleichen Entgelts fällt, wenn die aus einem solchen

---

[1] **Amtl. Anm.:** Rechtssache C-262/88: Barber gegen Guardian Royal Exchange Assurance Group, Slg. 1990, I-1889.

System zu zahlenden Leistungen dem Arbeitnehmer aufgrund seines Beschäftigungsverhältnisses mit dem öffentlichen Arbeitgeber gezahlt werden, ungeachtet der Tatsache, dass ein solches System Teil eines allgemeinen, durch Gesetz geregelten Systems ist. Nach den Urteilen des Gerichtshofs vom 28. August 1984 in der Rechtssache C-7/93[1] und vom 12. August in der Rechtssache C-351/00[2] ist diese Bedingung erfüllt, wenn das Rentensystem eine bestimmte Gruppe von Arbeitnehmern betrifft und die Leistungen unmittelbar von der abgeleisteten Dienstzeit abhängig sind und ihre Höhe aufgrund der letzten Bezüge des Beamten berechnet wird. Um der Klarheit willen ist es daher angebracht, entsprechende spezifische Bestimmungen zu erlassen.

(15) Der Gerichtshof hat bestätigt, dass, auch wenn die Beiträge männlicher und weiblicher Arbeitnehmer zu einem Rentensystem mit Leistungszusage unter Artikel 141 des Vertrags fallen, Ungleichheiten bei den im Rahmen von durch Kapitalansammlung finanzierten Systemen mit Leistungszusage gezahlten Arbeitgeberbeiträgen, die sich aus der Verwendung je nach Geschlecht unterschiedlicher versicherungsmathematischer Faktoren ergeben, nicht im Lichte dieser Bestimmung beurteilt werden können.

(16) Beispielsweise ist bei durch Kapitalansammlung finanzierten Systemen mit Leistungszusage hinsichtlich einiger Punkte, wie der Umwandlung eines Teils der regelmäßigen Rentenzahlungen in Kapital, der Übertragung der Rentenansprüche, der Hinterbliebenenrente, die an einen Anspruchsberechtigten auszuzahlen ist, der im Gegenzug auf einen Teil der jährlichen Rentenbezüge verzichtet oder einer gekürzten Rente, wenn der Arbeitnehmer sich für den vorgezogenen Ruhestand entscheidet, eine Ungleichbehandlung gestattet, wenn die Ungleichheit der Beträge darauf zurückzuführen ist, dass bei der Durchführung der Finanzierung des Systems je nach Geschlecht unterschiedliche versicherungstechnische Berechnungsfaktoren angewendet worden sind.

(17) Es steht fest, dass Leistungen, die aufgrund eines betrieblichen Systems der sozialen Sicherheit zu zahlen sind, nicht als Entgelt gelten, insofern sie auf Beschäftigungszeiten vor dem 17. Mai 1990 zurückgeführt werden können, außer im Fall von Arbeitnehmern oder ihren anspruchsberechtigten Angehörigen, die vor diesem Zeitpunkt eine Klage bei Gericht oder ein gleichwertiges Verfahren nach geltendem einzelstaatlichen Recht angestrengt haben. Es ist daher notwendig, die Anwendung des Grundsatzes der Gleichbehandlung entsprechend einzuschränken.

(18) Nach der ständigen Rechtsprechung des Gerichtshofs hat das Barber-Protokoll[3] keine Auswirkung auf den Anspruch auf Anschluss an ein Betriebsrentensystem, und die zeitliche Beschränkung der Wirkungen des Urteils in der Rechtssache C-262/88 gilt nicht für den Anspruch auf Anschluss an ein Betriebsrentensystem. Der Gerichtshof hat auch für Recht erkannt, dass Arbeitnehmern, die ihren Anspruch auf Anschluss an

---

[1] **Amtl. Anm.:** Rechtssache C-7/93: Bestuur van het Algemeen Burgerlijk Pensioensfonds gegen G. A. Beune, Slg. 1994, I-4471.

[2] ***Amtl. Anm.:*** Rechtssache C-351/00: Pirkko Niemi, Slg. 2002, I-7007.

[3] **Amtl. Anm.:** Protokoll Nr. 17 zu Artikel 141 des Vertrags zur Gründung der Europäischen Gemeinschaft (1992).

ein Betriebsrentensystem geltend machen, die einzelstaatlichen Vorschriften über die Fristen für die Rechtsverfolgung entgegengehalten werden können, sofern sie für derartige Klagen nicht ungünstiger sind als für gleichartige Klagen, die das innerstaatliche Recht betreffen, und sofern sie die Ausübung der durch das Gemeinschaftsrecht gewährten Rechte nicht praktisch unmöglich machen. Der Gerichtshof hat zudem dargelegt, dass ein Arbeitnehmer, der Anspruch auf den rückwirkenden Anschluss an ein Betriebsrentensystem hat, sich der Zahlung der Beiträge für den betreffenden Anschlusszeitraum nicht entziehen kann.

(19) Die Sicherstellung des gleichen Zugangs zur Beschäftigung und zur entsprechenden Berufsbildung ist grundlegend für die Anwendung des Grundsatzes der Gleichbehandlung von Männern und Frauen in Arbeits- und Beschäftigungsfragen. Jede Einschränkung dieses Grundsatzes sollte daher auf diejenigen beruflichen Tätigkeiten beschränkt bleiben, die aufgrund ihrer Art oder der Bedingungen ihrer Ausübung die Beschäftigung einer Person eines bestimmten Geschlechts erfordern, sofern damit ein legitimes Ziel verfolgt und dem Grundsatz der Verhältnismäßigkeit entsprochen wird.

(20) Diese Richtlinie berührt nicht die Vereinigungsfreiheit, einschließlich des Rechts jeder Person, zum Schutz ihrer Interessen Gewerkschaften zu gründen und Gewerkschaften beizutreten. Maßnahmen im Sinne von Artikel 141 Absatz 4 des Vertrags können die Mitgliedschaft in oder die Fortsetzung der Tätigkeit von Organisationen oder Gewerkschaften einschließen, deren Hauptziel es ist, dem Grundsatz der Gleichbehandlung von Männern und Frauen in der Praxis Geltung zu verschaffen.

(21) Das Diskriminierungsverbot sollte nicht der Beibehaltung oder dem Erlass von Maßnahmen entgegenstehen, mit denen bezweckt wird, Benachteiligungen von Personen eines Geschlechts zu verhindern oder auszugleichen. Diese Maßnahmen lassen die Einrichtung und Beibehaltung von Organisationen von Personen desselben Geschlechts zu, wenn deren Hauptzweck darin besteht, die besonderen Bedürfnisse dieser Personen zu berücksichtigen und die Gleichstellung von Männern und Frauen zu fördern.

(22) In Übereinstimmung mit Artikel 141 Absatz 4 des Vertrags hindert der Grundsatz der Gleichbehandlung die Mitgliedstaaten im Hinblick auf die effektive Gewährleistung der vollen Gleichstellung von Männern und Frauen im Arbeitsleben nicht daran, zur Erleichterung der Berufstätigkeit des unterrepräsentierten Geschlechts oder zur Verhinderung bzw. zum Ausgleich von Benachteiligungen in der beruflichen Laufbahn spezifische Vergünstigungen beizubehalten oder zu beschließen. Angesichts der derzeitigen Lage und in Kenntnis der Erklärung Nr. 28 zum Vertrag von Amsterdam sollten die Mitgliedstaaten in erster Linie darauf hinwirken, die Lage der Frauen im Arbeitsleben zu verbessern.

(23) Aus der Rechtsprechung des Gerichtshofs ergibt sich klar, dass die Schlechterstellung einer Frau im Zusammenhang mit Schwangerschaft oder Mutterschaft eine unmittelbare Diskriminierung aufgrund des Geschlechts darstellt. Eine solche Behandlung sollte daher von der vorliegenden Richtlinie ausdrücklich erfasst werden.

(24) Der Gerichtshof hat in ständiger Rechtsprechung anerkannt, dass der Schutz der körperlichen Verfassung der Frau während und nach einer Schwangerschaft sowie Maßnahmen zum Mutterschutz legitime Mittel zur Erreichung einer nennenswerten Gleichstellung sind. Diese Richtlinie sollte somit die Richtlinie 92/85/EWG[1] des Rates vom 19. Oktober 1992 über die Durchführung von Maßnahmen zur Verbesserung der Sicherheit und des Gesundheitsschutzes von schwangeren Arbeitnehmerinnen, Wöchnerinnen und stillenden Arbeitnehmerinnen am Arbeitsplatz[2] unberührt lassen. Sie sollte ferner die Richtlinie 96/34/EG[3] des Rates vom 3. Juni 1996 zu der von UNICE, CEEP und EGB geschlossenen Rahmenvereinbarung über Elternurlaub[4] unberührt lassen.

(25) Aus Gründen der Klarheit ist es außerdem angebracht, ausdrücklich Bestimmungen zum Schutz der Rechte der Frauen im Bereich der Beschäftigung im Falle des Mutterschaftsurlaubs aufzunehmen, insbesondere den Anspruch auf Rückkehr an ihren früheren Arbeitsplatz oder einen gleichwertigen Arbeitsplatz ohne Verschlechterung der Arbeitsbedingungen aufgrund dieses Mutterschaftsurlaubs sowie darauf, dass ihnen auch alle Verbesserungen der Arbeitsbedingungen zugute kommen, auf die sie während ihrer Abwesenheit Anspruch gehabt hätten.

(26) In der Entschließung des Rates und der im Rat vereinigten Minister für Beschäftigung und Sozialpolitik vom 29. Juni 2000 über eine ausgewogene Teilhabe von Frauen und Männern am Berufs- und Familienleben[5] wurden die Mitgliedstaaten ermutigt, die Möglichkeit zu prüfen, in ihren jeweiligen Rechtsordnungen männlichen Arbeitnehmern unter Wahrung ihrer bestehenden arbeitsbezogenen Rechte ein individuelles, nicht übertragbares Recht auf Vaterschaftsurlaub zuzuerkennen.

(27) Ähnliche Bedingungen gelten für die Zuerkennung – durch die Mitgliedstaaten – eines individuellen, nicht übertragbaren Rechts auf Urlaub nach Adoption eines Kindes an Männer und Frauen. Es ist Sache der Mitgliedstaaten zu entscheiden, ob sie ein solches Recht auf Vaterschaftsurlaub und/oder Adoptionsurlaub zuerkennen oder nicht, sowie alle außerhalb des Geltungsbereichs dieser Richtlinie liegenden Bedingungen, mit Ausnahme derjenigen, die die Entlassung und die Rückkehr an den Arbeitsplatz betreffen, festzulegen.

(28) Die wirksame Anwendung des Grundsatzes der Gleichbehandlung erfordert die Schaffung angemessener Verfahren durch die Mitgliedstaaten.

(29) Die Schaffung angemessener rechtlicher und administrativer Verfahren zur Durchsetzung der Verpflichtungen aufgrund der vorliegenden Richtlinie ist wesentlich für die tatsächliche Verwirklichung des Grundsatzes der Gleichbehandlung.

(30) Der Erlass von Bestimmungen zur Beweislast ist wesentlich, um sicherzustellen, dass der Grundsatz der Gleichbehandlung wirksam durchgesetzt

---

[1] **DVD Nipperdey plus Nr. 942 e.**

[2] **Amtl. Anm.:** ABl. L 348 vom 28. 11. 1992, S. 1.

[3] **DVD Nipperdey plus Nr. 894.**

[4] **Amtl. Anm.:** ABl. L 145 vom 19. 6. 1996, S. 4. Geändert durch die Richtlinie 97/75/EG (ABl. L 10 vom 16. 1. 1998, S. 24).

[5] **Amtl. Anm.:** ABl. C 218 vom 31. 7. 2000, S. 5.

werden kann. Wie der Gerichtshof entschieden hat, sollten daher Bestimmungen vorgesehen werden, die sicherstellen, dass die Beweislast – außer im Zusammenhang mit Verfahren, in denen die Ermittlung des Sachverhalts dem Gericht oder der zuständigen nationalen Stelle obliegt – auf die beklagte Partei verlagert wird, wenn der Anschein einer Diskriminierung besteht. Es ist jedoch klarzustellen, dass die Bewertung der Tatsachen, die das Vorliegen einer unmittelbaren oder mittelbaren Diskriminierung vermuten lassen, weiterhin der einschlägigen einzelstaatlichen Stelle im Einklang mit den innerstaatlichen Rechtsvorschriften oder Gepflogenheiten obliegt. Außerdem bleibt es den Mitgliedstaaten überlassen, auf jeder Stufe des Verfahrens eine für die klagende Partei günstigere Beweislastregelung vorzusehen.

(31) Um den durch diese Richtlinie gewährleisteten Schutz weiter zu verbessern, sollte auch die Möglichkeit bestehen, dass sich Verbände, Organisationen und andere juristische Personen unbeschadet der nationalen Verfahrensregeln bezüglich der Vertretung und Verteidigung bei einem entsprechenden Beschluss der Mitgliedstaaten im Namen der beschwerten Person oder zu deren Unterstützung an einem Verfahren beteiligen.

(32) In Anbetracht des grundlegenden Charakters des Anspruchs auf einen effektiven Rechtsschutz ist es angebracht, dass Arbeitnehmer diesen Schutz selbst noch nach Beendigung des Verhältnisses genießen, aus dem sich der behauptete Verstoß gegen den Grundsatz der Gleichbehandlung ergibt. Ein Arbeitnehmer, der eine Person, die nach dieser Richtlinie Schutz genießt, verteidigt oder für sie als Zeuge aussagt, sollte den gleichen Schutz genießen.

(33) Der Gerichtshof hat eindeutig festgestellt, dass der Gleichbehandlungsgrundsatz nur dann als tatsächlich verwirklicht angesehen werden kann, wenn bei allen Verstößen eine dem erlittenen Schaden angemessene Entschädigung zuerkannt wird. Es ist daher angebracht, die Vorabfestlegung irgendeiner Höchstgrenze für eine solche Entschädigung auszuschließen, außer in den Fällen, in denen der Arbeitgeber nachweisen kann, dass der einem Bewerber infolge einer Diskriminierung im Sinne dieser Richtlinie entstandene Schaden allein darin besteht, dass die Berücksichtigung seiner Bewerbung verweigert wurde.

(34) Um die wirksame Umsetzung des Grundsatzes der Gleichbehandlung zu verstärken, sollten die Mitgliedstaaten den Dialog zwischen den Sozialpartnern und – im Rahmen der einzelstaatlichen Praxis – mit den Nichtregierungsorganisationen fördern.

(35) Die Mitgliedstaaten sollten wirksame, verhältnismäßige und abschreckende Sanktionen festlegen, die bei einer Verletzung der aus dieser Richtlinie erwachsenden Verpflichtungen zu verhängen sind.

(36) Da die Ziele dieser Richtlinie auf Ebene der Mitgliedstaaten nicht ausreichend verwirklicht werden können und daher besser auf Gemeinschaftsebene zu erreichen sind, kann die Gemeinschaft im Einklang mit dem in Artikel 5 des Vertrags niedergelegten Subsidiaritätsprinzip tätig werden. Entsprechend dem in demselben Artikel genannten Grundsatz der Verhältnismäßigkeit geht diese Richtlinie nicht über das zur Erreichung dieser Ziele erforderliche Maß hinaus.

(37) Zum besseren Verständnis der Ursachen der unterschiedlichen Behandlung von Männern und Frauen in Arbeits- und Beschäftigungsfragen sollten vergleichbare, nach Geschlechtern aufgeschlüsselte Statistiken weiterhin erstellt, ausgewertet und auf den geeigneten Ebenen zur Verfügung gestellt werden.

(38) Die Gleichbehandlung von Männern und Frauen in Arbeits- und Beschäftigungsfragen kann sich nicht auf gesetzgeberische Maßnahmen beschränken. Die Europäische Union und die Mitgliedstaaten sind vielmehr aufgefordert, den Prozess der Bewusstseinsbildung für das Problem der Lohndiskriminierung und ein Umdenken verstärkt zu fördern und dabei alle betroffenen Kräfte auf öffentlicher wie privater Ebene so weit wie möglich einzubinden. Dabei kann der Dialog zwischen den Sozialpartnern einen wichtigen Beitrag leisten.

(39) Die Verpflichtung zur Umsetzung dieser Richtlinie in nationales Recht sollte auf diejenigen Bestimmungen beschränkt werden, die eine inhaltliche Veränderung gegenüber den früheren Richtlinien darstellen. Die Verpflichtung zur Umsetzung derjenigen Bestimmungen, die inhaltlich unverändert bleiben, ergibt sich aus den früheren Richtlinien.

(40) Diese Richtlinie sollte unbeschadet der Verpflichtungen der Mitgliedstaaten in Bezug auf die Fristen zur Umsetzung der in Anhang I Teil B aufgeführten Richtlinien in einzelstaatliches Recht und zu ihrer Anwendung gelten.

(41) Entsprechend Nummer 34 der Interinstitutionellen Vereinbarung über bessere Rechtsetzung[1] sollten die Mitgliedstaaten für ihre eigenen Zwecke und im Interesse der Gemeinschaft eigene Tabellen aufstellen, denen im Rahmen des Möglichen die Entsprechungen zwischen dieser Richtlinie und den Umsetzungsmaßnahmen zu entnehmen sind, und diese veröffentlichen –

HABEN FOLGENDE RICHTLINIE ERLASSEN:

Titel I. Allgemeine Bestimmungen

Art. 1 Gegenstand. Ziel der vorliegenden Richtlinie ist es, die Verwirklichung des Grundsatzes der Chancengleichheit und Gleichbehandlung von Männern und Frauen in Arbeits- und Beschäftigungsfragen sicherzustellen.

Zu diesem Zweck enthält sie Bestimmungen zur Verwirklichung des Grundsatzes der Gleichbehandlung in Bezug auf

a) den Zugang zur Beschäftigung einschließlich des beruflichen Aufstiegs und zur Berufsbildung,

b) Arbeitsbedingungen einschließlich des Entgelts,

c) betriebliche Systeme der sozialen Sicherheit.

Weiter enthält sie Bestimmungen, mit denen sichergestellt werden soll, dass die Verwirklichung durch die Schaffung angemessener Verfahren wirksamer gestaltet wird.

---

[1] **Amtl. Anm.:** ABl. C 321 vom 31. 12. 2003, S. 1.

Art. 2 Begriffsbestimmungen. (1) Im Sinne dieser Richtlinie bezeichnet der Ausdruck

a) „unmittelbare Diskriminierung" eine Situation, in der eine Person aufgrund ihres Geschlechts eine weniger günstige Behandlung erfährt, als eine andere Person in einer vergleichbaren Situation erfährt, erfahren hat oder erfahren würde;

b) „mittelbare Diskriminierung" eine Situation, in der dem Anschein nach neutrale Vorschriften, Kriterien oder Verfahren Personen des einen Geschlechts in besonderer Weise gegenüber Personen des anderen Geschlechts benachteiligen können, es sei denn, die betreffenden Vorschriften, Kriterien oder Verfahren sind durch ein rechtmäßiges Ziel sachlich gerechtfertigt und die Mittel sind zur Erreichung dieses Ziels angemessen und erforderlich;

c) „Belästigung" unerwünschte auf das Geschlecht einer Person bezogene Verhaltensweisen, die bezwecken oder bewirken, dass die Würde der betreffenden Person verletzt und ein von Einschüchterungen, Anfeindungen, Erniedrigungen, Entwürdigungen oder Beleidigungen gekennzeichnetes Umfeld geschaffen wird;

d) „sexuelle Belästigung" jede Form von unerwünschtem Verhalten sexueller Natur, das sich in unerwünschter verbaler, nicht-verbaler oder physischer Form äußert und das bezweckt oder bewirkt, dass die Würde der betreffenden Person verletzt wird, insbesondere wenn ein von Einschüchterungen, Anfeindungen, Erniedrigungen, Entwürdigungen und Beleidigungen gekennzeichnetes Umfeld geschaffen wird;

e) „Entgelt" die üblichen Grund- oder Mindestlöhne und -gehälter sowie alle sonstigen Vergütungen, die der Arbeitgeber aufgrund des Dienstverhältnisses dem Arbeitnehmer mittelbar oder unmittelbar als Geld- oder Sachleistung zahlt;

f) „betriebliche Systeme der sozialen Sicherheit" Systeme, die nicht durch die Richtlinie 79/7/EWG des Rates vom 19. Dezember 1978 zur schrittweisen Verwirklichung des Grundsatzes der Gleichbehandlung von Männern und Frauen im Bereich der sozialen Sicherheit[1)] geregelt werden und deren Zweck darin besteht, den abhängig Beschäftigten und den Selbständigen in einem Unternehmen oder einer Unternehmensgruppe, in einem Wirtschaftszweig oder den Angehörigen eines Berufes oder einer Berufsgruppe Leistungen zu gewähren, die als Zusatzleistungen oder Ersatzleistungen die gesetzlichen Systeme der sozialen Sicherheit ergänzen oder an ihre Stelle treten, unabhängig davon, ob der Beitritt zu diesen Systemen Pflicht ist oder nicht.

(2) Im Sinne dieser Richtlinie gelten als Diskriminierung

a) Belästigung und sexuelle Belästigung sowie jede nachteilige Behandlung aufgrund der Zurückweisung oder Duldung solcher Verhaltensweisen durch die betreffende Person;

b) die Anweisung zur Diskriminierung einer Person aufgrund des Geschlechts;

---

1) **Amtl. Anm.:** ABl. L 6 vom 10. 1. 1979, S. 24.

c) jegliche ungünstigere Behandlung einer Frau im Zusammenhang mit Schwangerschaft oder Mutterschaftsurlaub im Sinne der Richtlinie 92/85/EWG[1].

Art. 3 Positive Maßnahmen. Die Mitgliedstaaten können im Hinblick auf die Gewährleistung der vollen Gleichstellung von Männern und Frauen im Arbeitsleben Maßnahmen im Sinne von Artikel 141 Absatz 4 des Vertrags beibehalten oder beschließen.

Titel II. Besondere Bestimmungen

Kapitel 1. Gleiches Entgelt

Art. 4 Diskriminierungsverbot. Bei gleicher Arbeit oder bei einer Arbeit, die als gleichwertig anerkannt wird, wird mittelbare und unmittelbare Diskriminierung aufgrund des Geschlechts in Bezug auf sämtliche Entgeltbestandteile und -bedingungen beseitigt.

Insbesondere wenn zur Festlegung des Entgelts ein System beruflicher Einstufung verwendet wird, muss dieses System auf für männliche und weibliche Arbeitnehmer gemeinsamen Kriterien beruhen und so beschaffen sein, dass Diskriminierungen aufgrund des Geschlechts ausgeschlossen werden.

Kapitel 2. Gleichbehandlung in betrieblichen Systemen der sozialen Sicherheit

Art. 5 Diskriminierungsverbot. Unbeschadet des Artikels 4 darf es in betrieblichen Systemen der sozialen Sicherheit keine unmittelbare oder mittelbare Diskriminierung aufgrund des Geschlechts geben, insbesondere hinsichtlich

a) des Anwendungsbereichs solcher Systeme und die Bedingungen für den Zugang zu ihnen,

b) der Beitragspflicht und der Berechnung der Beiträge,

c) der Berechnung der Leistungen, einschließlich der Zuschläge für den Ehegatten und für unterhaltsberechtigte Personen, sowie der Bedingungen betreffend die Geltungsdauer und die Aufrecherhaltung des Leistungsanspruchs.

Art. 6 Persönlicher Anwendungsbereich. Dieses Kapitel findet entsprechend den einzelstaatlichen Rechtsvorschriften und/oder Gepflogenheiten Anwendung auf die Erwerbsbevölkerung einschließlich der Selbständigen, der Arbeitnehmer, deren Erwerbstätigkeit durch Krankheit, Mutterschaft, Unfall oder unverschuldete Arbeitslosigkeit unterbrochen ist, und der Arbeitssuchenden sowie auf die sich im Ruhestand befindlichen oder arbeitsunfähigen Arbeitnehmer und auf ihre anspruchsberechtigten Angehörigen.

---

[1] **DVD Nipperdey plus Nr. 942 e.**

Art. 7 Sachlicher Anwendungsbereich. (1) Dieses Kapitel findet Anwendung

a) auf betriebliche Systeme der sozialen Sicherheit, die Schutz gegen folgende Risiken bieten:

   i) Krankheit,

   ii) Invalidität,

   iii) Alter, einschließlich vorzeitige Versetzung in den Ruhestand,

   iv) Arbeitsunfall und Berufskrankheit,

   v) Arbeitslosigkeit;

b) auf betriebliche Systeme der sozialen Sicherheit, die sonstige Sozialleistungen in Form von Geld- oder Sachleistungen vorsehen, insbesondere Leistungen an Hinterbliebene und Familienleistungen, wenn diese Leistungen als vom Arbeitgeber aufgrund des Beschäftigungsverhältnisses an den Arbeitnehmer gezahlte Vergütungen gelten.

(2) [1] Dieses Kapitel findet auch Anwendung auf Rentensysteme für eine besondere Gruppe von Arbeitnehmern wie beispielsweise Beamte, wenn die aus dem System zu zahlenden Leistungen aufgrund des Beschäftigungsverhältnisses mit dem öffentlichen Arbeitgeber gezahlt werden. [2] Die Tatsache, dass ein solches System Teil eines allgemeinen durch Gesetz geregelten Systems ist, steht dem nicht entgegen.

Art. 8 Ausnahmen vom sachlichen Anwendungsbereich. (1) Dieses Kapitel gilt nicht

a) für Einzelverträge Selbständiger,

b) für Systeme Selbständiger mit nur einem Mitglied,

c) im Fall von abhängig Beschäftigten für Versicherungsverträge, bei denen der Arbeitgeber nicht Vertragspartei ist,

d) für fakultative Bestimmungen betrieblicher Systeme der sozialen Sicherheit, die einzelnen Mitgliedern eingeräumt werden, um ihnen

   i) entweder zusätzliche Leistungen

   ii) oder die Wahl des Zeitpunkts, zu dem die regulären Leistungen für Selbständige einsetzen, oder die Wahl zwischen mehreren Leistungen

   zu garantieren,

e) für betriebliche Systeme der sozialen Sicherheit, sofern die Leistungen durch freiwillige Beiträge der Arbeitnehmer finanziert werden.

(2) Diesem Kapitel steht nicht entgegen, dass ein Arbeitgeber Personen, welche die Altersgrenze für die Gewährung einer Rente aus einem betrieblichen System der sozialen Sicherheit, jedoch noch nicht die Altersgrenze für die Gewährung einer gesetzlichen Rente erreicht haben, eine Zusatzrente gewährt, damit der Betrag der gesamten Leistungen dem Betrag entspricht oder nahe kommt, der Personen des anderen Geschlechts in derselben Lage, die bereits das gesetzliche Rentenalter erreicht haben, gewährt wird, bis die Bezieher der Zusatzrente das gesetzliche Rentenalter erreicht haben.

Art. 9 Beispiele für Diskriminierung. (1) Dem Grundsatz der Gleichbehandlung entgegenstehende Bestimmungen sind solche, die sich unmittelbar oder mittelbar auf das Geschlecht stützen und Folgendes bewirken:

a) Festlegung der Personen, die zur Mitgliedschaft in einem betrieblichen System der sozialen Sicherheit zugelassen sind;

b) Regelung der Zwangsmitgliedschaft oder der freiwilligen Mitgliedschaft in einem betrieblichen System der sozialen Sicherheit;

c) unterschiedliche Regeln für das Beitrittsalter zum System oder für die Mindestdauer der Beschäftigung oder Zugehörigkeit zum System, die einen Leistungsanspruch begründen;

d) Festlegung – außer in den unter den Buchstaben h und j genannten Fällen – unterschiedlicher Regeln für die Erstattung der Beiträge, wenn der Arbeitnehmer aus dem System ausscheidet, ohne die Bedingungen erfüllt zu haben, die ihm einen aufgeschobenen Anspruch auf die langfristigen Leistungen garantieren;

e) Festlegung unterschiedlicher Bedingungen für die Gewährung der Leistungen oder die Beschränkung dieser Leistungen auf eines der beiden Geschlechter;

f) Festsetzung unterschiedlicher Altersgrenzen für den Eintritt in den Ruhestand;

g) Unterbrechung der Aufrechterhaltung oder des Erwerbs von Ansprüchen während eines gesetzlich oder tarifvertraglich festgelegten Mutterschaftsurlaubs oder Urlaubs aus familiären Gründen, der vom Arbeitgeber bezahlt wird;

h) Gewährung unterschiedlicher Leistungsniveaus, es sei denn, dass dies notwendig ist, um versicherungstechnischen Berechnungsfaktoren Rechnung zu tragen, die im Fall von Festbeitragssystemen je nach Geschlecht unterschiedlich sind; bei durch Kapitalansammlung finanzierten Festleistungssystemen ist hinsichtlich einiger Punkte eine Ungleichbehandlung gestattet, wenn die Ungleichheit der Beträge darauf zurückzuführen ist, dass bei der Durchführung der Finanzierung des Systems je nach Geschlecht unterschiedliche versicherungstechnische Berechnungsfaktoren angewendet worden sind;

i) Festlegung unterschiedlicher Höhen für die Beiträge der Arbeitnehmer;

j) Festlegung unterschiedlicher Höhen für die Beiträge der Arbeitgeber, außer

  i) im Fall von Festbeitragssystemen, sofern beabsichtigt wird, die Höhe der auf diesen Beiträgen beruhenden Rentenleistungen für Männer und Frauen auszugleichen oder anzunähern;

  ii) im Fall von durch Kapitalansammlung finanzierten Festleistungssystemen, sofern die Arbeitgeberbeiträge dazu bestimmt sind, die zur Deckung der Aufwendungen für die zugesagten Leistungen unerlässliche Finanzierungsgrundlage zu ergänzen;

k) Festlegung unterschiedlicher oder nur für Arbeitnehmer eines der Geschlechter geltender Regelungen – außer in den unter den Buchstaben h *und j vorgesehenen* Fällen – hinsichtlich der Garantie oder der Aufrechterhaltung des Anspruchs auf spätere Leistungen, wenn der Arbeitnehmer aus dem System ausscheidet.

(2) Steht die Gewährung von unter dieses Kapitel fallenden Leistungen im Ermessen der für das System zuständigen Verwaltungsstellen, so beachten diese den Grundsatz der Gleichbehandlung.

Art. 10 Durchführung in Bezug auf Selbständige. (1) Die Mitgliedstaaten treffen die notwendigen Maßnahmen, um sicherzustellen, dass Bestimmungen betrieblicher Systeme der sozialen Sicherheit selbständig Erwerbstätiger, die dem Grundsatz der Gleichbehandlung entgegenstehen, spätestens mit Wirkung vom 1. Januar 1993 oder – für Mitgliedstaaten, die nach diesem Datum beigetreten sind – ab dem Datum, zu dem die Richtlinie 86/378/EG[1] in ihrem Hoheitsgebiet anwendbar wurde, geändert werden.

(2) Dieses Kapitel steht dem nicht entgegen, dass für die Rechte und Pflichten, die sich aus einer vor dem Zeitpunkt der Änderung eines betrieblichen Systems der sozialen Sicherheit Selbständiger liegenden Zeit der Mitgliedschaft in dem betreffenden System ergeben, weiterhin die Bestimmungen des Systems gelten, die während dieses Versicherungszeitraums galten.

Art. 11 Möglichkeit des Aufschubs in Bezug auf Selbständige. Was die betrieblichen Systeme der sozialen Sicherheit Selbständiger betrifft, können die Mitgliedstaaten die obligatorische Anwendung des Grundsatzes der Gleichbehandlung aufschieben

a) für die Festsetzung des Rentenalters für die Gewährung von Altersrenten oder Ruhestandsrenten sowie die Folgen, die sich daraus für andere Leistungen ergeben können, und zwar
   i) entweder bis zu dem Zeitpunkt, zu dem diese Gleichbehandlung in den gesetzlichen Systemen verwirklicht ist,
   ii) oder längstens bis zu dem Zeitpunkt, zu dem eine Richtlinie diese Gleichbehandlung vorschreibt;
b) für Hinterbliebenenrenten bis zu dem Zeitpunkt, zu dem für diese der Grundsatz der Gleichbehandlung in den gesetzlichen Systemen der sozialen Sicherheit durch das Gemeinschaftsrecht vorgeschrieben ist;
c) für die Anwendung des Artikels 9 Absatz 1 Buchstabe i in Bezug auf die Anwendung von versicherungstechnischen Berechnungsfaktoren bis zum 1. Januar 1999 oder – für Mitgliedstaaten, die nach diesem Datum beigetreten sind – bis zu dem Datum, zu dem die Richtlinie 86/378/EG[1] in ihrem Hoheitsgebiet anwendbar wurde.

Art. 12 Rückwirkung. (1) [1] Jede Maßnahme zur Umsetzung dieses Kapitels in Bezug auf die Arbeitnehmer deckt alle Leistungen der betrieblichen Systeme der sozialen Sicherheit ab, die für Beschäftigungszeiten nach dem 17. Mai 1990 gewährt werden, und gilt rückwirkend bis zu diesem Datum, außer im Fall von Arbeitnehmern oder ihren anspruchsberechtigten Angehörigen, die vor diesem Zeitpunkt Klage bei Gericht oder ein gleichwertiges Verfahren nach dem geltenden einzelstaatlichen Recht angestrengt haben. [2] In diesem Fall werden die Umsetzungsmaßnahmen rückwirkend bis zum 8. April 1976 angewandt und decken alle Leistungen ab, die für Beschäftigungszeiten nach diesem Zeitpunkt gewährt werden. [3] Für Mitgliedstaaten, die der Ge-

---

[1] **DVD Nipperdey plus Nr. 898.**

meinschaft nach dem 8. April 1976 und vor dem 17. Mai 1990 beigetreten sind, gilt anstelle dieses Datums das Datum, an dem Artikel 141 des Vertrags auf ihrem Hoheitsgebiet anwendbar wurde.

(2) Absatz 1 Satz 2 steht dem nicht entgegen, dass den Arbeitnehmern oder ihren Anspruchsberechtigten, die vor dem 17. Mai 1990 Klage erhoben haben, einzelstaatliche Vorschriften über die Fristen für die Rechtsverfolgung nach innerstaatlichem Recht entgegengehalten werden können, sofern sie für derartige Klagen nicht ungünstiger sind als für gleichartige Klagen, die das innerstaatliche Recht betreffen, und sofern sie die Ausübung der durch das Gemeinschaftsrecht gewährten Rechte nicht praktisch unmöglich machen.

(3) Für Mitgliedstaaten, die nach dem 17. Mai 1990 der Gemeinschaft beigetreten sind und zum 1. Januar 1994 Vertragsparteien des Abkommens über den Europäischen Wirtschaftsraum waren, wird das Datum „17. Mai 1990" in Absatz 1 Satz 1 durch „1. Januar 1994" ersetzt.

(4) Für andere Mitgliedstaaten, die nach dem 17. Mai 1990 beigetreten sind, wird das Datum „17. Mai 1990" in den Absätzen 1 und 2 durch das Datum ersetzt, zu dem Artikel 141 des Vertrags in ihrem Hoheitsgebiet anwendbar wurde.

Art. 13 Flexibles Rentenalter. Haben Frauen und Männer zu gleichen Bedingungen Anspruch auf ein flexibles Rentenalter, so ist dies nicht als mit diesem Kapitel unvereinbar anzusehen.

Kapitel 3. Gleichbehandlung hinsichtlich des Zugangs zur Beschäftigung zur Berufsbildung und zum beruflichen Aufstieg sowie in Bezug auf die Arbeitsbedingungen

Art. 14 Diskriminierungsverbot. (1) Im öffentlichen und privaten Sektor einschließlich öffentlicher Stellen darf es in Bezug auf folgende Punkte keinerlei unmittelbare oder mittelbare Diskriminierung aufgrund des Geschlechts geben:

a) die Bedingungen – einschließlich Auswahlkriterien und Einstellungsbedingungen – für den Zugang zur Beschäftigung oder zu abhängiger oder selbständiger Erwerbstätigkeit, unabhängig von Tätigkeitsfeld und beruflicher Position einschließlich des beruflichen Aufstiegs;

b) den Zugang zu allen Formen und allen Ebenen der Berufsberatung, der Berufsausbildung, der beruflichen Weiterbildung und der Umschulung einschließlich der praktischen Berufserfahrung;

c) die Beschäftigungs- und Arbeitsbedingungen einschließlich der Entlassungsbedingungen sowie das Arbeitsentgelt nach Maßgabe von Artikel 141 des Vertrags;

d) die Mitgliedschaft und Mitwirkung in einer Arbeitnehmer- oder Arbeitgeberorganisation oder einer Organisation, deren Mitglieder einer bestimmten Berufsgruppe angehören, einschließlich der Inanspruchnahme der Leistungen solcher Organisationen.

(2) Die Mitgliedstaaten können im Hinblick auf den Zugang zur Beschäftigung einschließlich der zu diesem Zweck erfolgenden Berufsbildung vorsehen, dass eine Ungleichbehandlung wegen eines geschlechtsbezogenen Merkmals keine Diskriminierung darstellt, wenn das betreffende Merkmal

aufgrund der Art einer bestimmten beruflichen Tätigkeit oder der Bedingungen ihrer Ausübung eine wesentliche und entscheidende berufliche Anforderung darstellt, sofern es sich um einen rechtmäßigen Zweck und eine angemessene Anforderung handelt.

Art. 15 Rückkehr aus dem Mutterschaftsurlaub. Frauen im Mutterschaftsurlaub haben nach Ablauf des Mutterschaftsurlaubs Anspruch darauf, an ihren früheren Arbeitsplatz oder einen gleichwertigen Arbeitsplatz unter Bedingungen, die für sie nicht weniger günstig sind, zurückzukehren, und darauf, dass ihnen auch alle Verbesserungen der Arbeitsbedingungen, auf die sie während ihrer Abwesenheit Anspruch gehabt hätten, zugute kommen.

Art. 16 Vaterschaftsurlaub und Adoptionsurlaub. [1]Diese Richtlinie lässt das Recht der Mitgliedstaaten unberührt, eigene Rechte auf Vaterschaftsurlaub und/oder Adoptionsurlaub anzuerkennen. [2]Die Mitgliedstaaten, die derartige Rechte anerkennen, treffen die erforderlichen Maßnahmen, um männliche und weibliche Arbeitnehmer vor Entlassung infolge der Inanspruchnahme dieser Rechte zu schützen, und gewährleisten, dass sie nach Ablauf des Urlaubs Anspruch darauf haben, an ihren früheren Arbeitsplatz oder einen gleichwertigen Arbeitsplatz unter Bedingungen, die für sie nicht weniger günstig sind, zurückzukehren, und darauf, dass ihnen auch alle Verbesserungen der Arbeitsbedingungen, auf die sie während ihrer Abwesenheit Anspruch gehabt hätten, zugute kommen.

Titel III. Horizontale Bestimmungen

Kapitel 1. Rechtsmittel und Rechtsdurchsetzung

Abschnitt 1. Rechtsmittel

Art. 17 Rechtsschutz. (1) Die Mitgliedstaaten stellen sicher, dass alle Personen, die sich durch die Nichtanwendung des Gleichbehandlungsgrundsatzes in ihren Rechten für verletzt halten, ihre Ansprüche aus dieser Richtlinie gegebenenfalls nach Inanspruchnahme anderer zuständiger Behörden oder, wenn die Mitgliedstaaten es für angezeigt halten, nach einem Schlichtungsverfahren auf dem Gerichtsweg geltend machen können, selbst wenn das Verhältnis, während dessen die Diskriminierung vorgekommen sein soll, bereits beendet ist.

(2) Die Mitgliedstaaten stellen sicher, dass Verbände, Organisationen oder andere juristische Personen, die gemäß den in ihrem einzelstaatlichen Recht festgelegten Kriterien ein rechtmäßiges Interesse daran haben, für die Einhaltung der Bestimmungen dieser Richtlinie zu sorgen, sich entweder im Namen der beschwerten Person oder zu deren Unterstützung mit deren Einwilligung an den in dieser Richtlinie zur Durchsetzung der Ansprüche vorgesehenen Gerichts- und/oder Verwaltungsverfahren beteiligen können.

(3) Die Absätze 1 und 2 lassen einzelstaatliche Regelungen über Fristen für die Rechtsverfolgung betreffend den Grundsatz der Gleichbehandlung unberührt.

Art. 18 Schadenersatz oder Entschädigung. [1]Die Mitgliedstaaten treffen im Rahmen ihrer nationalen Rechtsordnungen die erforderlichen Maßnahmen, um sicherzustellen, dass der einer Person durch eine Diskriminierung aufgrund des Geschlechts entstandene Schaden – je nach den Rechtsvorschriften der Mitgliedstaaten – tatsächlich und wirksam ausgeglichen oder ersetzt wird, wobei dies auf eine abschreckende und dem erlittenen Schaden angemessene Art und Weise geschehen muss. 2 Dabei darf ein solcher Ausgleich oder eine solche Entschädigung nur in den Fällen durch eine im Voraus festgelegte Höchstgrenze begrenzt werden, in denen der Arbeitgeber nachweisen kann, dass der einem Bewerber durch die Diskriminierung im Sinne dieser Richtlinie entstandene Schaden allein darin besteht, dass die Berücksichtigung seiner Bewerbung verweigert wurde.

Abschnitt 2. Beweislast

Art. 19 Beweislast. (1) Die Mitgliedstaaten ergreifen im Einklang mit dem System ihrer nationalen Gerichtsbarkeit die erforderlichen Maßnahmen, nach denen dann, wenn Personen, die sich durch die Verletzung des Gleichbehandlungsgrundsatzes für beschwert halten und bei einem Gericht bzw. einer anderen zuständigen Stelle Tatsachen glaubhaft machen, die das Vorliegen einer unmittelbaren oder mittelbaren Diskriminierung vermuten lassen, es dem Beklagten obliegt zu beweisen, dass keine Verletzung des Gleichbehandlungsgrundsatzes vorgelegen hat.

(2) Absatz 1 lässt das Recht der Mitgliedstaaten, eine für die klagende Partei günstigere Beweislastregelung vorzusehen, unberührt.

(3) Die Mitgliedstaaten können davon absehen, Absatz 1 auf Verfahren anzuwenden, in denen die Ermittlung des Sachverhalts dem Gericht oder einer anderen zuständigen Stelle obliegt.

(4) Die Absätze 1, 2 und 3 finden ebenfalls Anwendung auf

a) die Situationen, die von Artikel 141 des Vertrags[1)] [2)] und – sofern die Frage einer Diskriminierung aufgrund des Geschlechts angesprochen ist – von den Richtlinien 92/85/EWG[3)] und 96/34/EG[4)] erfasst werden;

b) zivil- und verwaltungsrechtliche Verfahren sowohl im öffentlichen als auch im privaten Sektor, die Rechtsbehelfe nach innerstaatlichem Recht bei der Anwendung der Vorschriften gemäß Buchstabe a vorsehen, mit Ausnahme der freiwilligen oder in den innerstaatlichen Rechtsvorschriften vorgesehenen außergerichtlichen Verfahren.

(5) Soweit von den Mitgliedstaaten nicht anders geregelt, gilt dieser Artikel nicht für Strafverfahren.

Kapitel 2. Förderung der Gleichbehandlung – Dialog

[Art. 20 bis 18.6.2026:]

Art. 20[5)] Stellen zur Förderung der Gleichbehandlung. (1) 1 Jeder Mitgliedstaat bezeichnet eine oder mehrere Stellen, deren Aufgabe darin besteht, die Verwirklichung der Gleichbehandlung aller Personen ohne Diskriminierung aufgrund des Geschlechts zu fördern, zu analysieren, zu beobachten und zu unterstützen. 2 Diese Stellen können Teil von Einrichtungen sein, die auf

[1)] **beck-online, Module Arbeitsrecht Nr. 850a.**

[2)] Nunmehr Art. 157 AEUV durch Vertrag von Lissabon v. 13.12.2007 (ABl. C 306 S. 1).

[3)] **beck-online, Module Arbeitsrecht Nr. 942e.**

[4)] **beck-online, Module Arbeitsrecht Nr. 894c.**

[5)] Art. 20 aufgeh. mWv 19.6.2026 durch RL v. 14.5.2024 (ABl. L, 2024/1500, 29.5.2024).

nationaler Ebene für den Schutz der Menschenrechte oder der Rechte des Einzelnen verantwortlich sind.

(2) Die Mitgliedstaaten stellen sicher, dass es zu den Befugnissen dieser Stellen gehört,

a) unbeschadet der Rechte der Opfer und der Verbände, Organisationen oder anderer juristischer Personen nach Artikel 17 Absatz 2 die Opfer von Diskriminierungen auf unabhängige Weise dabei zu unterstützen, ihre Beschwerde wegen Diskriminierung zu verfolgen;

b) unabhängige Untersuchungen zum Thema der Diskriminierung durchzuführen;

c) unabhängige Berichte zu veröffentlichen und Empfehlungen zu allen Aspekten vorzulegen, die mit diesen Diskriminierungen in Zusammenhang stehen;

d) auf geeigneter Ebene mit entsprechenden europäischen Einrichtungen, wie beispielsweise einem künftigen Europäischen Institut für Gleichstellungsfragen verfügbare Informationen auszutauschen.

Art. 21 Sozialer Dialog. (1) Die Mitgliedstaaten treffen im Einklang mit den nationalen Gepflogenheiten und Verfahren geeignete Maßnahmen zur Förderung des sozialen Dialogs zwischen den Sozialpartnern mit dem Ziel, die Verwirklichung der Gleichbehandlung voranzubringen, beispielsweise durch Beobachtung der Praktiken am Arbeitsplatz und beim Zugang zur Beschäftigung, zur Berufsbildung und zum beruflichen Aufstieg sowie durch Beobachtung der Tarifverträge und durch Verhaltenskodizes, Forschungsarbeiten oder den Austausch von Erfahrungen und bewährten Verfahren.

(2) [1] Soweit mit den nationalen Gepflogenheiten und Verfahren vereinbar, ersuchen die Mitgliedstaaten die Sozialpartner ohne Eingriff in deren Autonomie, die Gleichstellung von Männern und Frauen durch flexible Arbeitsbedingungen zur besseren Vereinbarkeit von Privatleben und Beruf zu fördern und auf geeigneter Ebene Antidiskriminierungsvereinbarungen zu schließen, die die in Artikel 1 genannten Bereiche betreffen, soweit diese in den Verantwortungsbereich der Tarifparteien fallen. [2] Die Vereinbarungen müssen den Bestimmungen dieser Richtlinie sowie den einschlägigen nationalen Durchführungsbestimmungen entsprechen.

(3) Die Mitgliedstaaten ersuchen in Übereinstimmung mit den nationalen Gesetzen, Tarifverträgen oder Gepflogenheiten die Arbeitgeber, die Gleichbehandlung von Männern und Frauen am Arbeitsplatz sowie beim Zugang zur Beschäftigung, zur Berufsbildung und zum beruflichen Aufstieg in geplanter und systematischer Weise zu fördern.

(4) *[1]* Zu diesem Zweck werden die Arbeitgeber ersucht, den Arbeitnehmern und/oder den Arbeitnehmervertretern in regelmäßigen angemessenen Abständen Informationen über die Gleichbehandlung von Männern und Frauen in ihrem Betrieb zu geben.

[2] Diese Informationen können Übersichten über den Anteil von Männern und Frauen auf den unterschiedlichen Ebenen des Betriebs, ihr Entgelt sowie Unterschiede beim Entgelt und mögliche Maßnahmen zur Verbesserung der Situation in Zusammenarbeit mit den Arbeitnehmervertretern enthalten.

Art. 22 Dialog mit Nichtregierungsorganisationen. Die Mitgliedstaaten fördern den Dialog mit den jeweiligen Nichtregierungsorganisationen, die gemäß den einzelstaatlichen Rechtsvorschriften und Gepflogenheiten ein rechtmäßiges Interesse daran haben, sich an der Bekämpfung von Diskriminierung aufgrund des Geschlechts zu beteiligen, um die Einhaltung des Grundsatzes der Gleichbehandlung zu fördern.

Kapitel 3. Allgemeine horizontale Bestimmungen

Art. 23 Einhaltung. Die Mitgliedstaaten treffen alle erforderlichen Maßnahmen, um sicherzustellen, dass

a) die Rechts- und Verwaltungsvorschriften, die dem Gleichbehandlungsgrundsatz zuwiderlaufen, aufgehoben werden;

b) mit dem Gleichbehandlungsgrundsatz nicht zu vereinbarende Bestimmungen in Arbeits- und Tarifverträgen, Betriebsordnungen und Statuten der freien Berufe und der Arbeitgeber- und Arbeitnehmerorganisationen und allen sonstigen Vereinbarungen und Regelungen nichtig sind, für nichtig erklärt werden können oder geändert werden;

c) betriebliche Systeme der sozialen Sicherheit, die solche Bestimmungen enthalten, nicht durch Verwaltungsmaßnahmen genehmigt oder für allgemeinverbindlich erklärt werden können.

Art. 24 Viktimisierung. Die Mitgliedstaaten treffen im Rahmen ihrer nationalen Rechtsordnungen die erforderlichen Maßnahmen, um die Arbeitnehmer sowie die aufgrund der innerstaatlichen Rechtsvorschriften und/oder Gepflogenheiten vorgesehenen Arbeitnehmervertreter vor Entlassung oder anderen Benachteiligungen durch den Arbeitgeber zu schützen, die als Reaktion auf eine Beschwerde innerhalb des betreffenden Unternehmens oder auf die Einleitung eines Verfahrens zur Durchsetzung des Gleichbehandlungsgrundsatzes erfolgen.

Art. 25 Sanktionen. [1] Die Mitgliedstaaten legen die Regeln für die Sanktionen fest, die bei einem Verstoß gegen die einzelstaatlichen Vorschriften zur Umsetzung dieser Richtlinie zu verhängen sind, und treffen alle erforderlichen Maßnahmen, um deren Anwendung zu gewährleisten. [2] Die Sanktionen, die auch Schadenersatzleistungen an die Opfer umfassen können, müssen wirksam, verhältnismäßig und abschreckend sein. [3] Die Mitgliedstaaten teilen diese Vorschriften der Kommission spätestens bis zum 5. Oktober 2005 mit und unterrichten sie unverzüglich über alle späteren Änderungen dieser Vorschriften.

Art. 26 Vorbeugung von Diskriminierung. Die Mitgliedstaaten ersuchen in Einklang mit ihren nationalen Rechtsvorschriften, Tarifverträgen oder Gepflogenheiten die Arbeitgeber und die für Berufsbildung zuständigen Personen, wirksame Maßnahmen zu ergreifen, um allen Formen der Diskriminierung aufgrund des Geschlechts und insbesondere Belästigung und sexueller Belästigung am Arbeitsplatz sowie beim Zugang zur Beschäftigung, zur Berufsbildung und zum beruflichen Aufstieg vorzubeugen.

(Fortsetzung nächstes Blatt)

Art. 27 Mindestanforderungen. (1) Die Mitgliedstaaten können Vorschriften erlassen oder beibehalten, die im Hinblick auf die Wahrung des Gleichbehandlungsgrundsatzes günstiger als die in dieser Richtlinie vorgesehenen Vorschriften sind.

(2) Die Durchführung dieser Richtlinie rechtfertigt in keinem Fall eine Beeinträchtigung des Schutzniveaus der Arbeitnehmer in dem von ihr abgedeckten Bereich; das Recht der Mitgliedstaaten, als Reaktion auf eine veränderte Situation Rechts- und Verwaltungsvorschriften zu erlassen, die sich von denen unterscheiden, die zum Zeitpunkt der Bekanntgabe dieser Richtlinie in Kraft waren, bleibt unberührt, solange die Bestimmungen dieser Richtlinie eingehalten werden.

Art. 28 Verhältnis zu gemeinschaftlichen und einzelstaatlichen Vorschriften. (1) Diese Richtlinie steht Vorschriften zum Schutz der Frau, insbesondere bei Schwangerschaft und Mutterschaft, nicht entgegen.

(2) Diese Richtlinie berührt nicht die Bestimmungen der Richtlinien 96/34/EG[1] und 92/85/EWG[2].

Art. 29 Durchgängige Berücksichtigung des Gleichstellungsaspekts. Die Mitgliedstaaten berücksichtigen aktiv das Ziel der Gleichstellung von Männern und Frauen bei der Formulierung und Durchführung von Rechts- und Verwaltungsvorschriften, Politiken und Tätigkeiten in den in dieser Richtlinie genannten Bereichen.

Art. 30 Verbreitung von Informationen. Die Mitgliedstaaten tragen dafür Sorge, dass die in Anwendung dieser Richtlinie ergehenden Maßnahmen sowie die bereits geltenden einschlägigen Vorschriften allen Betroffenen in geeigneter Form und gegebenenfalls in den Betrieben bekannt gemacht werden.

Titel IV. Schlussbestimmungen

Art. 31 Berichte. (1) Die Mitgliedstaaten übermitteln der Kommission bis zum 15. Februar 2011 alle Informationen, die diese benötigt, um einen Bericht an das Europäische Parlament und den Rat über die Anwendung der Richtlinie zu erstellen.

(2) [1] Unbeschadet des Absatzes 1 übermitteln die Mitgliedstaaten der Kommission alle vier Jahre den Wortlaut aller Maßnahmen nach Artikel 141 Absatz 4 des Vertrags sowie Berichte über diese Maßnahmen und deren Durchführung. [2] Auf der Grundlage dieser Informationen verabschiedet und veröffentlicht die Kommission alle vier Jahre einen Bericht, der eine vergleichende Bewertung solcher Maßnahmen unter Berücksichtigung der Erklärung Nr. 28 in der Schlussakte des Vertrags von Amsterdam enthält.

(3) [1] Die Mitgliedstaaten prüfen in regelmäßigen Abständen die in Artikel 14 Absatz 2 genannten beruflichen Tätigkeiten, um unter Berücksichti-

---

[1] **DVD Nipperdey plus Nr. 894.**
[2] **DVD Nipperdey plus Nr. 942 e.**

gung der sozialen Entwicklung festzustellen, ob es gerechtfertigt ist, die betreffenden Ausnahmen aufrechtzuerhalten. [2] Sie übermitteln der Kommission das Ergebnis dieser Prüfung regelmäßig, zumindest aber alle acht Jahre.

Art. 32 Überprüfung. Die Kommission überprüft spätestens bis zum 15. Februar 2013 die Anwendung dieser Richtlinie und schlägt, soweit sie dies für erforderlich hält, Änderungen vor.

Art. 33 Umsetzung. [1] Die Mitgliedstaaten setzen die Rechts- und Verwaltungsvorschriften in Kraft, die erforderlich sind, um dieser Richtlinie spätestens ab dem 15. August 2008 nachzukommen, oder stellen bis zu diesem Zeitpunkt sicher, dass die Sozialpartner im Wege einer Vereinbarung die erforderlichen Bestimmungen einführen. [2] Den Mitgliedstaaten kann längstens ein weiteres Jahr eingeräumt werden, um dieser Richtlinie nachzukommen, wenn dies aufgrund besonderer Schwierigkeiten erforderlich ist. [3] Die Mitgliedstaaten treffen alle notwendigen Maßnahmen, um jederzeit gewährleisten zu können, dass die durch die Richtlinie vorgeschriebenen Ergebnisse erzielt werden. [4] Sie teilen der Kommission unverzüglich den Wortlaut dieser Vorschriften mit.

[1] Wenn die Mitgliedstaaten diese Vorschriften erlassen, nehmen sie in den Vorschriften selbst oder durch einen Hinweis bei der amtlichen Veröffentlichung auf diese Richtlinie Bezug. [2] Diese Bezugnahme enthält außerdem eine Erklärung, wonach Bezugnahmen in bestehenden Rechts- oder Verwaltungsvorschriften auf durch diese Richtlinie aufgehobene Richtlinien als Bezugnahmen auf die vorliegende Richtlinie zu verstehen sind. [3] Die Mitgliedstaaten regeln die Einzelheiten der Bezugnahme und die Formulierung der genannten Erklärung.

[1] Die Verpflichtung zur Umsetzung dieser Richtlinie in innerstaatliches Recht beschränkt sich auf diejenigen Bestimmungen, die eine inhaltliche Veränderung gegenüber den früheren Richtlinien darstellen. [2] Die Verpflichtung zur Umsetzung derjenigen Bestimmungen, die inhaltlich unverändert bleiben, ergibt sich aus den früheren Richtlinien.

Die Mitgliedstaaten teilen der Kommission den Wortlaut der wichtigsten innerstaatlichen Rechtsvorschriften mit, die sie auf dem unter diese Richtlinie fallenden Gebiet erlassen.

Art. 34 Aufhebung. (1) Die Richtlinien 75/117/EWG[1)], 76/207/EWG[2)], 86/378/EWG[3)] und 97/80/EG[4)] werden mit Wirkung vom 15. August 2009 aufgehoben; die Verpflichtung der Mitgliedstaaten hinsichtlich der Fristen für die Umsetzung der in Anhang I Teil B genannten Richtlinien in einzelstaatliches Recht und für ihre Anwendung bleibt hiervon unberührt.

(2) Verweisungen auf die aufgehobenen Richtlinien gelten als Verweisungen auf die vorliegende Richtlinie und sind nach der Entsprechungstabelle in Anhang II zu lesen.

---

1) **DVD Nipperdey plus Nr. 896.**
2) **DVD Nipperdey plus Nr. 897.**
3) **DVD Nipperdey plus Nr. 898.**
4) **DVD Nipperdey plus Nr. 899.**

Art. 35 Inkrafttreten. Diese Richtlinie tritt am zwanzigsten Tag nach ihrer Veröffentlichung[1] im *Amtsblatt der Europäischen Union* in Kraft.

Art. 36 Adressaten. Diese Richtlinie ist an die Mitgliedstaaten gerichtet.

Anhänge I u. II
(hier nicht wiedergegeben)

[1] Veröffentlicht am 26. 7. 2006.

900. Richtlinie 2000/43/EG des Rates vom 29. Juni 2000 zur Anwendung des Gleichbehandlungsgrundsatzes ohne Unterschied der Rasse oder der ethnischen Herkunft

(ABl. L 180 S. 22)

Celex-Nr. 3 2000 L 0043

geänd. durch Art. 23 RL (EU) 2024/1499 v. 7.5.2024 (ABl. L, 2024/1499, 29.5.2024, ELI: http://data.europa.eu/eli/dir/2024/1499/oj)

DER RAT DER EUROPÄISCHEN UNION –

gestützt auf den Vertrag zur Gründung der Europäischen Gemeinschaft[1)] [2)], insbesondere auf Artikel 13[3)],

auf Vorschlag der Kommission[4)],

nach Stellungnahme des Europäischen Parlaments[5)],

nach Stellungnahme des Wirtschafts- und Sozialausschusses[6)],

nach Stellungnahme des Ausschusses der Regionen[7)],

in Erwägung nachstehender Gründe:

(1) Der Vertrag über die Europäische Union[8)] markiert den Beginn einer neuen Etappe im Prozeß des immer engeren Zusammenwachsens der Völker Europas.

(2) Nach Artikel 6 des Vertrags über die Europäische Union[9)] beruht die Europäische Union auf den Grundsätzen der Freiheit, der Demokratie, der Achtung der Menschenrechte und Grundfreiheiten sowie der Rechtsstaatlichkeit; diese Grundsätze sind den Mitgliedstaaten gemeinsam. Nach Artikel 6 EU-Vertrag[9)] sollte die Union ferner die Grundrechte, wie sie in der Europäischen Konvention zum Schutze der Menschenrechte und Grundfreiheiten[10)] gewährleistet sind und wie sie sich aus den gemeinsamen Verfassungsüberlieferungen als allgemeine Grundsätze des Gemeinschaftsrechts ergeben, achten.

(3) Die Gleichheit vor dem Gesetz und der Schutz aller Menschen vor Diskriminierung ist ein allgemeines Menschenrecht. Dieses Recht wurde in der Allgemeinen Erklärung der Menschenrechte[11)], im VN-Übereinkommen über die Beseitigung aller Formen der Diskriminierung von Frauen, im Internationalen Übereinkommen zur Beseitigung jeder Form von Rassendiskriminierung, im Internationalen Pakt der VN über bürgerliche und

---

1) **beck-online, Module Arbeitsrecht Nr. 850a.**

2) Nunmehr Vertrag über die Arbeitsweise der Europäischen Union durch Vertrag von Lissabon v. 13.12.2007 (ABl. C 306 S. 1).

3) Nunmehr Art. 19 AEUV durch Vertrag von Lissabon v. 13.12.2007 (ABl. C 306 S. 1).

4) **Amtl. Anm.:** Noch nicht im Amtsblatt veröffentlicht.

5) **Amtl. Anm.:** Stellungnahme vom 18. Mai 2000 (noch nicht im Amtsblatt veröffentlicht).

6) **Amtl. Anm.:** Stellungnahme vom 12. April 2000 (noch nicht im Amtsblatt veröffentlicht).

7) **Amtl. Anm.:** Stellungnahme vom 31. Mai 2000 (noch nicht im Amtsblatt veröffentlicht).

8) Auszugsweise abgedruckt unter Nr. **855**.

9) Nr. **855**.

10) Nr. **1150**.

11) Auszugsweise abgedruckt unter Nr. **1151**.

politische Rechte sowie im Internationalen Pakt der VN über wirtschaftliche, soziale und kulturelle Rechte und in der Europäischen Konvention zum Schutz der Menschenrechte und der Grundfreiheiten[1] anerkannt, die von allen Mitgliedstaaten unterzeichnet wurden.

(4) Es ist wichtig, daß diese Grundrechte und Grundfreiheiten, einschließlich der Vereinigungsfreiheit, geachtet werden. Ferner ist es wichtig, daß im Zusammenhang mit dem Zugang zu und der Versorgung mit Gütern und Dienstleistungen der Schutz der Privatsphäre und des Familienlebens sowie der in diesem Kontext getätigten Geschäfte gewahrt bleibt.

(5) Das Europäische Parlament hat eine Reihe von Entschließungen zur Bekämpfung des Rassismus in der Europäischen Union angenommen.

(6) Die Europäische Union weist Theorien, mit denen versucht wird, die Existenz verschiedener menschlicher Rassen zu belegen, zurück. Die Verwendung des Begriffs „Rasse" in dieser Richtlinie impliziert nicht die Akzeptanz solcher Theorien.

(7) Auf seiner Tagung in Tampere vom 15. und 16. Oktober 1999 ersuchte der Europäische Rat die Kommission, so bald wie möglich Vorschläge zur Durchführung des Artikels 13 EG-Vertrag[2) 3)] im Hinblick auf die Bekämpfung von Rassismus und Fremdenfeindlichkeit vorzulegen.

(8) In den vom Europäischen Rat auf seiner Tagung vom 10. und 11. Dezember 1999 in Helsinki vereinbarten beschäftigungspolitischen Leitlinien für das Jahr 2000 wird die Notwendigkeit unterstrichen, günstigere Bedingungen für die Entstehung eines Arbeitsmarktes zu schaffen, der soziale Integration fördert; dies soll durch ein Bündel aufeinander abgestimmter Maßnahmen geschehen, die darauf abstellen, Diskriminierungen bestimmter gesellschaftlicher Gruppen, wie ethnischer Minderheiten, zu bekämpfen.

(9) Diskriminierungen aus Gründen der Rasse oder der ethnischen Herkunft können die Verwirklichung der im EG-Vertrag[2) 4)] festgelegten Ziele unterminieren, insbesondere die Erreichung eines hohen Beschäftigungsniveaus und eines hohen Maßes an sozialem Schutz, die Hebung des Lebensstandards und der Lebensqualität, den wirtschaftlichen und sozialen Zusammenhalt sowie die Solidarität. Ferner kann das Ziel der Weiterentwicklung der Europäischen Union zu einem Raum der Freiheit, der Sicherheit und des Rechts beeinträchtigt werden.

(10) Die Kommission legte im Dezember 1995 eine Mitteilung über Rassismus, Fremdenfeindlichkeit und Antisemitismus vor.

(11) Der Rat hat am 15. Juli 1996 die Gemeinsame Maßnahme 96/443/JI zur Bekämpfung von Rassismus und Fremdenfeindlichkeit[5)] angenommen, mit der sich die Mitgliedstaaten verpflichten, eine wirksame justitielle Zusammenarbeit bei Vergehen, die auf rassistischen oder fremdenfeindlichen Verhaltensweisen beruhen, zu gewährleisten.

(12) Um die Entwicklung demokratischer und toleranter Gesellschaften zu gewährleisten, die allen Menschen – ohne Unterschied der

---

1) Nr. **1150**.

2) **beck-online, Module Arbeitsrecht Nr. 850a.**

3) Nunmehr Art. 19 AEUV durch Vertrag von Lissabon v. 13.12.2007 (ABl. C 306 S. 1).

4) Nunmehr Vertrag über die Arbeitsweise der Europäischen Union durch Vertrag von Lissabon v. 13.12.2007 (ABl. C 306 S. 1).

5) **Amtl. Anm.:** ABl. L 185 vom 24.7.1996, S. 5.

Rasse oder der ethnischen Herkunft – eine Teilhabe ermöglichen, sollten spezifische Maßnahmen zur Bekämpfung von Diskriminierungen aus Gründen der Rasse oder der ethnischen Herkunft über die Gewährleistung des Zugangs zu unselbständiger und selbständiger Erwerbstätigkeit hinausgehen und auch Aspekte wie Bildung, Sozialschutz, einschließlich sozialer Sicherheit und der Gesundheitsdienste, soziale Vergünstigungen, Zugang zu und Versorgung mit Gütern und Dienstleistungen, mit abdecken.

(13) Daher sollte jede unmittelbare oder mittelbare Diskriminierung aus Gründen der Rasse oder der ethnischen Herkunft in den von der Richtlinie abgedeckten Bereichen gemeinschaftsweit untersagt werden. Dieses Diskriminierungsverbot sollte auch hinsichtlich Drittstaatsangehörigen angewandt werden, betrifft jedoch keine Ungleichbehandlungen aufgrund der Staatsangehörigkeit und läßt die Vorschriften über die Einreise und den Aufenthalt von Drittstaatsangehörigen und ihren Zugang zu Beschäftigung und Beruf unberührt.

(14) Bei der Anwendung des Grundsatzes der Gleichbehandlung ohne Ansehen der Rasse oder der ethnischen Herkunft sollte die Gemeinschaft im Einklang mit Artikel 3 Absatz 2 EG-Vertrag bemüht sein, Ungleichheiten zu beseitigen und die Gleichstellung von Männern und Frauen zu fördern, zumal Frauen häufig Opfer mehrfacher Diskriminierungen sind.

(15) Die Beurteilung von Tatbeständen, die auf eine unmittelbare oder mittelbare Diskriminierung schließen lassen, obliegt den einzelstaatlichen gerichtlichen Instanzen oder anderen zuständigen Stellen nach den nationalen Rechtsvorschriften oder Gepflogenheiten. In diesen einzelstaatlichen Vorschriften kann insbesondere vorgesehen sein, daß mittelbare Diskriminierung mit allen Mitteln, einschließlich statistischer Beweise, festzustellen ist.

(16) Es ist wichtig, alle natürlichen Personen gegen Diskriminierung aus Gründen der Rasse oder der ethnischen Herkunft zu schützen. Die Mitgliedstaaten sollten auch, soweit es angemessen ist und im Einklang mit ihren nationalen Gepflogenheiten und Verfahren steht, den Schutz juristischer Personen vorsehen, wenn diese aufgrund der Rasse oder der ethnischen Herkunft ihrer Mitglieder Diskriminierungen erleiden.

(17) Das Diskriminierungsverbot sollte nicht der Beibehaltung oder dem Erlaß von Maßnahmen entgegenstehen, mit denen bezweckt wird, Benachteiligungen von Angehörigen einer bestimmten Rasse oder ethnischen Gruppe zu verhindern oder auszugleichen, und diese Maßnahmen können Organisation von Personen einer bestimmten Rasse oder ethnischen Herkunft gestatten, wenn deren Zweck hauptsächlich darin besteht, für die besonderen Bedürfnisse dieser Personen einzutreten.

(18) Unter sehr begrenzten Bedingungen kann eine unterschiedliche Behandlung gerechtfertigt sein, wenn ein Merkmal, das mit der Rasse

oder ethnischen Herkunft zusammenhängt, eine wesentliche und entscheidende berufliche Anforderung darstellt, sofern es sich um einen legitimen Zweck und eine angemessene Anforderung handelt. Diese Bedingungen sollten in die Informationen aufgenommen werden, die die Mitgliedstaaten der Kommission übermitteln.

(19) Opfer von Diskriminierungen aus Gründen der Rasse oder der ethnischen Herkunft sollten über einen angemessenen Rechtsschutz verfügen. Um einen effektiveren Schutz zu gewährleisten, sollte auch die Möglichkeit bestehen, daß sich Verbände oder andere juristische Personen unbeschadet der nationalen Verfahrensordnung bezüglich der Vertretung und Verteidigung vor Gericht bei einem entsprechenden Beschluß der Mitgliedstaaten im Namen eines Opfers oder zu seiner Unterstützung an einem Verfahren beteiligen.

(20) Voraussetzungen für eine effektive Anwendung des Gleichheitsgrundsatzes sind ein angemessener Schutz vor Viktimisierung.

(21) Eine Änderung der Regeln für die Beweislastverteilung ist geboten, wenn ein glaubhafter Anschein einer Diskriminierung besteht. Zur wirksamen Anwendung des Gleichbehandlungsgrundsatzes ist eine Verlagerung der Beweislast auf die beklagte Partei erforderlich, wenn eine solche Diskriminierung nachgewiesen ist.

(22) Die Mitgliedstaaten können davon absehen, die Regeln für die Beweislastverteilung auf Verfahren anzuwenden, in denen die Ermittlung des Sachverhalts dem Gericht oder der zuständigen Stelle obliegt. Dies betrifft Verfahren, in denen die klagende Partei den Beweis des Sachverhalts, dessen Ermittlung dem Gericht oder der zuständigen Stelle obliegt, nicht anzutreten braucht.

(23) Die Mitgliedstaaten sollten den Dialog zwischen den Sozialpartnern und mit Nichtregierungsorganisationen fördern, mit dem Ziel, gegen die verschiedenen Formen von Diskriminierung anzugehen und diese zu bekämpfen.

(24) Der Schutz vor Diskriminierung aus Gründen der Rasse oder der ethnischen Herkunft würde verstärkt, wenn es in jedem Mitgliedstaat eine Stelle bzw. Stellen gäbe, die für die Analyse der mit Diskriminierungen verbundenen Probleme, die Prüfung möglicher Lösungen und die Bereitstellung konkreter Hilfsangebote an die Opfer zuständig wäre.

(25) In dieser Richtlinie werden Mindestanforderungen festgelegt; den Mitgliedstaaten steht es somit frei, günstigere Vorschriften beizubehalten oder einzuführen. Die Umsetzung der Richtlinie darf nicht als Rechtfertigung für eine Absenkung des in den Mitgliedstaaten bereits bestehenden Schutzniveaus benutzt werden.

(26) Die Mitgliedstaaten sollten wirksame, verhältnismäßige und abschreckende Sanktionen für den Fall vorsehen, daß gegen die aus der Richtlinie erwachsenden Verpflichtungen verstoßen wird.

(27) Die Mitgliedstaaten können den Sozialpartnern auf deren gemeinsamen Antrag die Durchführung der Bestimmungen dieser Richtlinie übertragen, die in den Anwendungsbereich von Tarifverträgen fallen, sofern sie alle erforderlichen Maßnahmen treffen, um jederzeit gewährleisten zu können, daß die durch diese Richtlinie vorgeschriebenen Ergebnisse erzielt werden.

(28) Entsprechend dem in Artikel 5 EG-Vertrag niedergelegten Subsidiaritäts- und Verhältnismäßigkeitsprinzip kann das Ziel dieser Richtlinie, nämlich ein einheitliches, hohes Niveau des Schutzes vor Diskriminierungen in allen Mitgliedstaaten zu gewährleisten, auf der Ebene der Mitgliedstaaten nicht ausreichend erreicht werden; es kann daher wegen des Umfangs und der Wirkung der vorgeschlagenen Maßnahme besser auf Gemeinschaftsebene verwirklicht werden. Diese Richtlinie geht nicht über das für die Erreichung dieser Ziele erforderliche Maß hinaus –

HAT FOLGENDE RICHTLINIE ERLASSEN:

Kapitel I. Allgemeine Bestimmungen

Art. 1 Zweck. Zweck dieser Richtlinie ist die Schaffung eines Rahmens zur Bekämpfung der Diskriminierung aufgrund der Rasse oder der ethnischen Herkunft im Hinblick auf die Verwirklichung des Grundsatzes der Gleichbehandlung in den Mitgliedstaaten.

Art. 2 Der Begriff „Diskriminierung". (1) Im Sinne dieser Richtlinie bedeutet „Gleichbehandlungsgrundsatz", daß es keine unmittelbare oder mittelbare Diskriminierung aus Gründen der Rasse oder der ethnischen Herkunft geben darf.

(2) Im Sinne von Absatz 1

a) liegt eine unmittelbare Diskriminierung vor, wenn eine Person aufgrund ihrer Rasse oder ethnischen Herkunft in einer vergleichbaren Situation eine weniger günstige Behandlung als eine andere Person erfährt, erfahren hat oder erfahren würde;

b) liegt eine mittelbare Diskriminierung vor, wenn dem Anschein nach neutrale Vorschriften, Kriterien oder Verfahren Personen, die einer Rasse oder ethnischen Gruppe angehören, in besonderer Weise benachteiligen können, es sei denn, die betreffenden Vorschriften, Kriterien oder Verfahren sind durch ein rechtmäßiges Ziel sachlich gerechtfertigt, und die Mittel sind zur Erreichung dieses Ziels angemessen und erforderlich.

(3) Unerwünschte Verhaltensweisen, die im Zusammenhang mit der Rasse oder der ethnischen Herkunft einer Person stehen und bezwek-

ken oder bewirken, daß die Würde der betreffenden Person verletzt und ein von Einschüchterungen, Anfeindungen, Erniedrigungen, Entwürdigungen oder Beleidigungen gekennzeichnetes Umfeld geschaffen wird, sind Belästigungen, die als Diskriminierung im Sinne von Absatz 1 gelten. In diesem Zusammenhang können die Mitgliedstaaten den Begriff „Belästigung" im Einklang mit den einzelstaatlichen Rechtsvorschriften und Gepflogenheiten definieren.

(4) Die Anweisung zur Diskriminierung einer Person aus Gründen der Rasse oder der ethnischen Herkunft gilt als Diskriminierung im Sinne von Absatz 1.

Art. 3 Geltungsbereich. (1) Im Rahmen der auf die Gemeinschaft übertragenen Zuständigkeiten gilt diese Richtlinie für alle Personen in öffentlichen und privaten Bereichen, einschließlich öffentlicher Stellen, in bezug auf:

a) die Bedingungen – einschließlich Auswahlkriterien und Einstellungsbedingungen – für den Zugang zu unselbständiger und selbständiger Erwerbstätigkeit, unabhängig von Tätigkeitsfeld und beruflicher Position, sowie für den beruflichen Aufstieg;

b) den Zugang zu allen Formen und allen Ebenen der Berufsberatung, der Berufsausbildung, der beruflichen Weiterbildung und der Umschulung einschließlich der praktischen Berufserfahrung;

c) die Beschäftigungs- und Arbeitsbedingungen, einschließlich Entlassungsbedingungen und Arbeitsentgelt;

d) die Mitgliedschaft und Mitwirkung in einer Arbeitnehmer- oder Arbeitgeberorganisation oder einer Organisation, deren Mitglieder einer bestimmten Berufsgruppe angehören, einschließlich der Inanspruchnahme der Leistungen solcher Organisationen;

e) den Sozialschutz, einschließlich der sozialen Sicherheit und der Gesundheitsdienste;

f) die sozialen Vergünstigungen;

g) die Bildung;

h) den Zugang zu und die Versorgung mit Gütern und Dienstleistungen, die der Öffentlichkeit zur Verfügung stehen, einschließlich von Wohnraum.

(2) Diese Richtlinie betrifft nicht unterschiedliche Behandlungen aus Gründen der Staatsangehörigkeit und berührt nicht die Vorschriften und Bedingungen für die Einreise von Staatsangehörigen dritter Staaten oder staatenlosen Personen in das Hoheitsgebiet der Mitgliedstaaten oder deren Aufenthalt in diesem Hoheitsgebiet sowie eine Behandlung, die sich aus der Rechtsstellung von Staatsangehörigen dritter Staaten oder staatenlosen Personen ergibt.

Art. 4 Wesentliche und entscheidende berufliche Anforderungen. Ungeachtet des Artikels 2 Absätze 1 und 2 können die Mitgliedstaaten vorsehen, daß eine Ungleichbehandlung aufgrund eines mit der Rasse oder der ethnischen Herkunft zusammenhängenden Merkmals keine Diskriminierung darstellt, wenn das betreffende Merkmal aufgrund der Art einer bestimmten beruflichen Tätigkeit oder der Rahmenbedingungen ihrer Ausübung eine wesentliche und entscheidende berufliche Voraussetzung darstellt und sofern es sich um einen rechtmäßigen Zweck und eine angemessene Anforderung handelt.

Art. 5 Positive Maßnahmen. Der Gleichbehandlungsgrundsatz hindert die Mitgliedstaaten nicht daran, zur Gewährleistung der vollen Gleichstellung in der Praxis spezifische Maßnahmen, mit denen Benachteiligungen aufgrund der Rasse oder ethnischen Herkunft verhindert oder ausgeglichen werden, beizubehalten oder zu beschließen.

Art. 6 Mindestanforderungen. (1) Es bleibt den Mitgliedstaaten unbenommen, Vorschriften einzuführen oder beizubehalten, die im Hinblick auf die Wahrung des Gleichbehandlungsgrundsatzes günstiger als die in dieser Richtlinie vorgesehenen Vorschriften sind.

(2) Die Umsetzung dieser Richtlinie darf keinesfalls als Rechtfertigung für eine Absenkung des von den Mitgliedstaaten bereits garantierten Schutzniveaus in bezug auf Diskriminierungen in den von der Richtlinie abgedeckten Bereichen benutzt werden.

Kapitel II. Rechtsbehelfe und Rechtsdurchsetzung

Art. 7 Rechtsschutz. (1) Die Mitgliedstaaten stellen sicher, daß alle Personen, die sich durch die Nichtanwendung des Gleichbehandlungsgrundsatzes in ihren Rechten für verletzt halten, ihre Ansprüche aus dieser Richtlinie auf dem Gerichts- und/oder Verwaltungsweg sowie, wenn die Mitgliedstaaten es für angezeigt halten, in Schlichtungsverfahren geltend machen können, selbst wenn das Verhältnis, während dessen die Diskriminierung vorgekommen sein soll, bereits beendet ist.

(2) Die Mitgliedstaaten stellen sicher, daß Verbände, Organisationen oder andere juristische Personen, die gemäß den in ihrem einzelstaatlichen Recht festgelegten Kriterien ein rechtmäßiges Interesse daran haben, für die Einhaltung der Bestimmungen dieser Richtlinie zu sorgen, sich entweder im Namen der beschwerten Person oder zu deren Unterstützung und mit deren Einwilligung an den in dieser Richtlinie zur Durchsetzung der Ansprüche vorgesehenen Gerichts- und/oder Verwaltungsverfahren beteiligen können.

(3) Die Absätze 1 und 2 lassen einzelstaatliche Regelungen über Fristen für die Rechtsverfolgung betreffend den Gleichbehandlungsgrundsatz unberührt.

Art. 8 Beweislast (1) Die Mitgliedstaaten ergreifen im Einklang mit ihrem nationalen Gerichtswesen die erforderlichen Maßnahmen, um zu gewährleisten, daß immer dann, wenn Personen, die sich durch die Nichtanwendung des Gleichbehandlungsgrundsatzes für verletzt halten und bei einem Gericht oder einer anderen zuständigen Stelle Tatsachen glaubhaft machen, die das Vorliegen einer unmittelbaren oder mittelbaren Diskriminierung vermuten lassen, es dem Beklagten obliegt zu beweisen, daß keine Verletzung des Gleichbehandlungsgrundsatzes vorgelegen hat.

(2) Absatz 1 läßt das Recht der Mitgliedstaaten, eine für den Kläger günstigere Beweislastregelung vorzusehen, unberührt.

(3) Absatz 1 gilt nicht für Strafverfahren.

(4) Die Absätze 1, 2 und 3 gelten auch für Verfahren gemäß Artikel 7 Absatz 2.

(5) Die Mitgliedstaaten können davon absehen, Absatz 1 auf Verfahren anzuwenden, in denen die Ermittlung des Sachverhalts dem Gericht oder der zuständigen Stelle obliegt.

Art. 9 Viktimisierung. Die Mitgliedstaaten treffen im Rahmen ihrer nationalen Rechtsordnung die erforderlichen Maßnahmen, um den einzelnen vor Benachteiligungen zu schützen, die als Reaktion auf eine Beschwerde oder auf die Einleitung eines Verfahrens zur Durchsetzung des Gleichbehandlungsgrundsatzes erfolgen.

Art. 10 Unterrichtung. Die Mitgliedstaaten tragen dafür Sorge, daß die gemäß dieser Richtlinie getroffenen Maßnahmen sowie die bereits geltenden einschlägigen Vorschriften allen Betroffenen in geeigneter Form in ihrem Hoheitsgebiet bekanntgemacht werden.

Art. 11 Sozialer Dialog. (1) Die Mitgliedstaaten treffen im Einklang mit den nationalen Gepflogenheiten und Verfahren geeignete Maßnahmen zur Förderung des sozialen Dialogs zwischen Arbeitgebern und Arbeitnehmern, mit dem Ziel, die Verwirklichung des Gleichbehandlungsgrundsatzes durch Überwachung der betrieblichen Praxis, durch Tarifverträge, Verhaltenskodizes, Forschungsarbeiten oder durch einen Austausch von Erfahrungen und bewährten Lösungen voranzubringen.

(2) Soweit vereinbar mit den nationalen Gepflogenheiten und Verfahren, fordern die Mitgliedstaaten Arbeitgeber und Arbeitnehmer

ohne Eingriff in deren Autonomie auf, auf geeigneter Ebene Antidiskriminierungsvereinbarungen zu schließen, die die in Artikel 3 genannten Bereiche betreffen, soweit diese in den Verantwortungsbereich der Tarifparteien fallen. [2]Die Vereinbarungen müssen den in dieser Richtlinie festgelegten Mindestanforderungen sowie den einschlägigen nationalen Durchführungsbestimmungen entsprechen.

Art. 12 Dialog mit Nichtregierungsorganisationen. Die Mitgliedstaaten fördern den Dialog mit geeigneten Nichtregierungsorganisationen, die gemäß ihren nationalen Rechtsvorschriften und Gepflogenheiten ein rechtmäßiges Interesse daran haben, sich an der Bekämpfung von Diskriminierung aus Gründen der Rasse oder der ethnischen Herkunft zu beteiligen, um den Grundsatz der Gleichbehandlung zu fördern.

[Kapitel III bis 18.6.2026:]

Kapitel III.[1)] Mit der Förderung der Gleichbehandlung befasste Stellen

Art. 13 [Zuständige Stellen] (1) [1]Jeder Mitgliedstaat bezeichnet eine oder mehrere Stellen, deren Aufgabe darin besteht, die Verwirklichung des Grundsatzes der Gleichbehandlung aller Personen ohne Diskriminierung aufgrund der Rasse oder der ethnischen Herkunft zu fördern. [2]Diese Stellen können Teil einer Einrichtung sein, die auf nationaler Ebene für den Schutz der Menschenrechte oder der Rechte des einzelnen zuständig ist.

(2) Die Mitgliedstaaten stellen sicher, daß es zu den Zuständigkeiten dieser Stellen gehört,

- unbeschadet der Rechte der Opfer und der Verbände, der Organisationen oder anderer juristischer Personen nach Artikel 7 Absatz 2 die Opfer von Diskriminierungen auf unabhängige Weise dabei zu unterstützen, ihrer Beschwerde wegen Diskriminierung nachzugehen;
- unabhängige Untersuchungen zum Thema der Diskriminierung durchzuführen;
- unabhängige Berichte zu veröffentlichen und Empfehlungen zu allen Aspekten vorzulegen, die mit diesen Diskriminierungen in Zusammenhang stehen.

Kapitel IV. Schlussbestimmungen

Art. 14 Einhaltung. Die Mitgliedstaaten treffen die erforderlichen Maßnahmen, um sicherzustellen,

a) daß sämtliche Rechts- und Verwaltungsvorschriften, die dem Gleichbehandlungsgrundsatz zuwiderlaufen, aufgehoben werden;

b) daß sämtliche mit dem Gleichbehandlungsgrundsatz nicht zu vereinbarenden Bestimmungen in Einzel- oder Kollektivverträgen oder -vereinbarungen, Betriebsordnungen, Statuten von Vereinigungen mit oder ohne Erwerbszweck sowie Statuten der freien Berufe und der Arbeitnehmer- und Arbeitgeberorganisationen für nichtig erklärt werden oder erklärt werden können oder geändert werden.

[1)] Kap. III (Art. 13) aufgeh. mWv 19.6.2026 durch RL v. 7.5.2024 (ABl. L, 2024/1499, 29.5.2024).

Art. 15 Sanktionen. [1] Die Mitgliedstaaten legen die Sanktionen fest, die bei einem Verstoß gegen die einzelstaatlichen Vorschriften zur Anwendung dieser Richtlinie zu verhängen sind, und treffen alle geeigneten Maßnahmen, um deren Durchsetzung zu gewährleisten. [2] Die Sanktionen, die auch Schadenersatzleistungen an die Opfer umfassen können, müssen wirksam, verhältnismäßig und abschreckend sein. [3] Die Mitgliedstaaten teilen der Kommission diese Bestimmungen bis zum 19. Juli 2003 mit und melden alle sie betreffenden Änderungen unverzüglich.

Art. 16 Umsetzung. *[1]* [1] Die Mitgliedstaaten erlassen die erforderlichen Rechts- und Verwaltungsvorschriften, um dieser Richtlinie bis zum 19. Juli 2003 nachzukommen, oder können den Sozialpartnern auf deren gemeinsamen Antrag die Durchführung der Bestimmungen dieser Richtlinie übertragen, die in den Anwendungsbereich von Tarifverträgen fallen. [2] In diesem Fall gewährleisten die Mitgliedstaaten, daß die Sozialpartner bis zum 19. Juli 2003 im Wege einer Vereinbarung die erforderlichen Maßnahmen getroffen haben; dabei haben die Mitgliedstaaten alle erforderlichen Maßnahmen zu treffen, um jederzeit gewährleisten zu können, daß die durch diese Richtlinie vorgeschriebenen Ergebnisse erzielt werden. [3] Sie setzen die Kommission unverzüglich davon in Kenntnis.

[2] [1] Wenn die Mitgliedstaaten derartige Vorschriften erlassen, nehmen sie in den Vorschriften selbst oder durch einen Hinweis bei der amtlichen Veröffentlichung auf diese Richtlinie Bezug. [2] Die Mitgliedstaaten regeln die Einzelheiten der Bezugnahme.

Art. 17 Bericht. (1) Bis zum 19. Juli 2005 und in der Folge alle fünf Jahre übermitteln die Mitgliedstaaten der Kommission sämtliche Informationen, die diese für die Erstellung eines dem Europäischen Parlament und dem Rat vorzulegenden Berichts über die Anwendung dieser Richtlinie benötigt.

(2) [1] Die Kommission berücksichtigt in ihrem Bericht in angemessener Weise die Ansichten der Europäischen Stelle zur Beobachtung von Rassismus und Fremdenfeindlichkeit sowie die Standpunkte der Sozialpartner und der einschlägigen Nichtregierungsorganisationen. [2] Im Einklang mit dem Grundsatz der Berücksichtigung geschlechterspezifischer Fragen wird ferner in dem Bericht die Auswirkung der Maßnahmen auf Frauen und Männer bewertet. [3] Unter Berücksichtigung der übermittelten Informationen enthält der Bericht gegebenenfalls auch Vorschläge für eine Änderung und Aktualisierung dieser Richtlinie.

Art. 18 Inkrafttreten. Diese Richtlinie tritt am Tag ihrer Veröffentlichung[1)] im *Amtsblatt der Europäischen Gemeinschaften* in Kraft.

Art. 19 Adressaten. Diese Richtlinie ist an die Mitgliedstaaten gerichtet.

[1)] Veröffentlicht am 19.7.2000.

901. Richtlinie 2000/78/EG des Rates zur Festlegung eines allgemeinen Rahmens für die Verwirklichung der Gleichbehandlung in Beschäftigung und Beruf

Vom 27. November 2000

(ABl. Nr. L 303/16)

DER RAT DER EUROPÄISCHEN UNION –

gestützt auf den Vertrag zur Gründung der Europäischen Gemeinschaft, insbesondere auf Artikel 13,

auf Vorschlag der Kommission,[1)]

nach Stellungnahme des Europäischen Parlaments,

nach Stellungnahme des Wirtschafts- und Sozialausschusses,[2)]

nach Stellungnahme des Ausschusses der Regionen,[3)]

in Erwägung nachstehender Gründe:

(1) Nach Artikel 6 Absatz 2 des Vertrags über die Europäische Union beruht die Europäische Union auf den Grundsätzen der Freiheit, der Demokratie, der Achtung der Menschenrechte und Grundfreiheiten sowie der Rechtsstaatlichkeit; diese Grundsätze sind allen Mitgliedstaaten gemeinsam. Die Union achtet die Grundrechte, wie sie in der Europäischen Konvention zum Schutze der Menschenrechte und Grundfreiheiten gewährleistet sind und wie sie sich aus den gemeinsamen Verfassungsüberlieferungen der Mitgliedstaaten als allgemeine Grundsätze des Gemeinschaftsrechts ergeben.

(2) Der Grundsatz der Gleichbehandlung von Männern und Frauen wurde in zahlreichen Rechtsakten der Gemeinschaft fest verankert, insbesondere in der Richtlinie 76/207/EWG des Rates vom 9. Februar 1976 zur Verwirklichung des Grundsatzes der Gleichbehandlung von Männern und Frauen hinsichtlich des Zugangs zur Beschäftigung, zur Berufsbildung und zum beruflichen Aufstieg sowie in Bezug auf die Arbeitsbedingungen.[4)]

(3) Bei der Anwendung des Grundsatzes der Gleichbehandlung ist die Gemeinschaft gemäß Artikel 3 Absatz 2 des EG-Vertrags bemüht,

---

1) **Amtl. Anm.:** ABl. C 177 E vom 27. 6. 2000, S. 42.
2) **Amtl. Anm.:** ABl. C 204 vom 18. 7. 2000, S. 82.
3) **Amtl. Anm.:** ABl. C 226 vom 8. 8. 2000, S. 1.
4) **Amtl. Anm.:** ABl. L 39 vom 14. 2. 1976, S. 40.

Ungleichheiten zu beseitigen und die Gleichstellung von Männern und Frauen zu fördern, zumal Frauen häufig Opfer mehrfacher Diskriminierung sind.

(4) Die Gleichheit aller Menschen vor dem Gesetz und der Schutz vor Diskriminierung ist ein allgemeines Menschenrecht; dieses Recht wurde in der Allgemeinen Erklärung der Menschenrechte, im VN-Übereinkommen zur Beseitigung aller Formen der Diskriminierung von Frauen, im Internationalen Pakt der VN über bürgerliche und politische Rechte, im Internationalen Pakt der VN über wirtschaftliche, soziale und kulturelle Rechte sowie in der Europäischen Konvention zum Schutze der Menschenrechte und Grundfreiheiten anerkannt, die von allen Mitgliedstaaten unterzeichnet wurden. Das Übereinkommen 111 der Internationalen Arbeitsorganisation untersagt Diskriminierungen in Beschäftigung und Beruf.

(5) Es ist wichtig, dass diese Grundrechte und Grundfreiheiten geachtet werden. Diese Richtlinie berührt nicht die Vereinigungsfreiheit, was das Recht jeder Person umfasst, zum Schutze ihrer Interessen Gewerkschaften zu gründen und Gewerkschaften beizutreten.

(6) In der Gemeinschaftscharta der sozialen Grundrechte der Arbeitnehmer wird anerkannt, wie wichtig die Bekämpfung jeder Art von Diskriminierung und geeignete Maßnahmen zur sozialen und wirtschaftlichen Eingliederung älterer Menschen und von Menschen mit Behinderung sind.

(7) Der EG-Vertrag nennt als eines der Ziele der Gemeinschaft die Förderung der Koordinierung der Beschäftigungspolitiken der Mitgliedstaaten. Zu diesem Zweck wurde in den EG-Vertrag ein neues Beschäftigungskapitel eingefügt, das die Grundlage bildet für die Entwicklung einer koordinierten Beschäftigungsstrategie und für die Förderung der Qualifizierung, Ausbildung und Anpassungsfähigkeit der Arbeitnehmer.

(8) In den vom Europäischen Rat auf seiner Tagung am 10. und 11. Dezember 1999 in Helsinki vereinbarten beschäftigungspolitischen Leitlinien für 2000 wird die Notwendigkeit unterstrichen, einen Arbeitsmarkt zu schaffen, der die soziale Eingliederung fördert, indem ein ganzes Bündel aufeinander abgestimmter Maßnahmen getroffen wird, die darauf abstellen, die Diskriminierung von benachteiligten Gruppen, wie den Menschen mit Behinderung, zu bekämpfen. Ferner wird betont, dass der Unterstützung älterer Arbeitnehmer mit dem Ziel der Erhöhung ihres Anteils an der Erwerbsbevölkerung besondere Aufmerksamkeit gebührt.

(9) Beschäftigung und Beruf sind Bereiche, die für die Gewährleistung gleicher Chancen für alle und für eine volle Teilhabe der Bürger am wirtschaftlichen, kulturellen und sozialen Leben sowie für die individuelle Entfaltung von entscheidender Bedeutung sind.

(10) Der Rat hat am 29. Juni 2000 die Richtlinie 2000/43/EG[1] zur Anwendung des Gleichbehandlungsgrundsatzes ohne Unterschied der Rasse oder der ethnischen Herkunft angenommen, die bereits einen Schutz vor solchen Diskriminierungen in Beschäftigung und Beruf gewährleistet.

(11) Diskriminierungen wegen der Religion oder der Weltanschauung, einer Behinderung, des Alters oder der sexuellen Ausrichtung können die Verwirklichung der im EG-Vertrag festgelegten Ziele unterminieren, insbesondere die Erreichung eines hohen Beschäftigungsniveaus und eines hohen Maßes an sozialem Schutz, die Hebung des Lebensstandards und der Lebensqualität, den wirtschaftlichen und sozialen Zusammenhalt, die Solidarität sowie die Freizügigkeit.

(12) Daher sollte jede unmittelbare oder mittelbare Diskriminierung wegen der Religion oder der Weltanschauung, einer Behinderung, des Alters oder der sexuellen Ausrichtung in den von der Richtlinie abgedeckten Bereichen gemeinschaftsweit untersagt werden. Dieses Diskriminierungsverbot sollte auch für Staatsangehörige dritter Länder gelten, betrifft jedoch nicht die Ungleichbehandlungen aus Gründen der Staatsangehörigkeit und lässt die Vorschriften über die Einreise und den Aufenthalt von Staatsangehörigen dritter Länder und ihren Zugang zu Beschäftigung und Beruf unberührt.

(13) Diese Richtlinie findet weder Anwendung auf die Sozialversicherungs- und Sozialschutzsysteme, deren Leistungen nicht einem Arbeitsentgelt in dem Sinne gleichgestellt werden, der diesem Begriff für die Anwendung des Artikels 141 des EG-Vertrags gegeben wurde, noch auf Vergütungen jeder Art seitens des Staates, die den Zugang zu einer Beschäftigung oder die Aufrechterhaltung eines Beschäftigungsverhältnisses zum Ziel haben.

(14) Diese Richtlinie berührt nicht die einzelstaatlichen Bestimmungen über die Festsetzung der Altersgrenzen für den Eintritt in den Ruhestand.

(15) Die Beurteilung von Tatbeständen, die auf eine unmittelbare oder mittelbare Diskriminierung schließen lassen, obliegt den einzelstaatlichen gerichtlichen Instanzen oder anderen zuständigen Stellen nach den einzelstaatlichen Rechtsvorschriften oder Gepflogenheiten; in diesen einzelstaatlichen Vorschriften kann insbesondere vorgesehen sein, dass mittelbare Diskriminierung mit allen Mitteln, einschließlich statistischer Beweise, festzustellen ist.

(16) Maßnahmen, die darauf abstellen, den Bedürfnissen von Menschen mit Behinderung am Arbeitsplatz Rechnung zu tragen, spielen eine wichtige Rolle bei der Bekämpfung von Diskriminierungen wegen einer Behinderung.

---

[1] **Amtl. Anm.:** ABl. L 180 vom 19. 7. 2000, S. 22.

(17) Mit dieser Richtlinie wird unbeschadet der Verpflichtung, für Menschen mit Behinderung angemessene Vorkehrungen zu treffen, nicht die Einstellung, der berufliche Aufstieg, die Weiterbeschäftigung oder die Teilnahme an Aus- und Weiterbildungsmaßnahmen einer Person vorgeschrieben, wenn diese Person für die Erfüllung der wesentlichen Funktionen des Arbeitsplatzes oder zur Absolvierung einer bestimmten Ausbildung nicht kompetent, fähig oder verfügbar ist.

(18) Insbesondere darf mit dieser Richtlinie den Streitkräften sowie der Polizei, den Haftanstalten oder den Notfalldiensten unter Berücksichtigung des rechtmäßigen Ziels, die Einsatzbereitschaft dieser Dienste zu wahren, nicht zur Auflage gemacht werden, Personen einzustellen oder weiter zu beschäftigen, die nicht den jeweiligen Anforderungen entsprechen, um sämtliche Aufgaben zu erfüllen, die ihnen übertragen werden können.

(19) Ferner können die Mitgliedstaaten zur Sicherung der Schlagkraft ihrer Streitkräfte sich dafür entscheiden, dass die eine Behinderung und das Alter betreffenden Bestimmungen dieser Richtlinie auf alle Streitkräfte oder einen Teil ihrer Streitkräfte keine Anwendung finden. Die Mitgliedstaaten, die eine derartige Entscheidung treffen, müssen den Anwendungsbereich dieser Ausnahmeregelung festlegen.

(20) Es sollten geeignete Maßnahmen vorgesehen werden, d. h. wirksame und praktikable Maßnahmen, um den Arbeitsplatz der Behinderung entsprechend einzurichten, z. B. durch eine entsprechende Gestaltung der Räumlichkeiten oder eine Anpassung des Arbeitsgeräts, des Arbeitsrhythmus, der Aufgabenverteilung oder des Angebots an Ausbildungs- und Einarbeitungsmaßnahmen.

(21) Bei der Prüfung der Frage, ob diese Maßnahmen zu übermäßigen Belastungen führen, sollten insbesondere der mit ihnen verbundene finanzielle und sonstige Aufwand sowie die Größe, die finanziellen Ressourcen und der Gesamtumsatz der Organisation oder des Unternehmens und die Verfügbarkeit von öffentlichen Mitteln oder anderen Unterstützungsmöglichkeiten berücksichtigt werden.

(22) Diese Richtlinie lässt die einzelstaatlichen Rechtsvorschriften über den Familienstand und davon abhängige Leistungen unberührt.

(23) Unter sehr begrenzten Bedingungen kann eine unterschiedliche Behandlung gerechtfertigt sein, wenn ein Merkmal, das mit der Religion oder Weltanschauung, einer Behinderung, dem Alter oder der sexuellen Ausrichtung zusammenhängt, eine wesentliche und entscheidende berufliche Anforderung darstellt, sofern es sich um einen rechtmäßigen Zweck und eine angemessene Anforderung handelt. Diese Bedingungen sollten in die Informationen aufgenommen werden, die die Mitgliedstaaten der Kommission übermitteln.

(24) Die Europäische Union hat in ihrer der Schlussakte zum Vertrag von Amsterdam beigefügten Erklärung Nr. 11 zum Status der

Kirchen und weltanschaulichen Gemeinschaften ausdrücklich anerkannt, dass sie den Status, den Kirchen und religiöse Vereinigungen oder Gemeinschaften in den Mitgliedstaaten nach deren Rechtsvorschriften genießen, achtet und ihn nicht beeinträchtigt und dass dies in gleicher Weise für den Status von weltanschaulichen Gemeinschaften gilt. Die Mitgliedstaaten können in dieser Hinsicht spezifische Bestimmungen über die wesentlichen, rechtmäßigen und gerechtfertigten beruflichen Anforderungen beibehalten oder vorsehen, die Voraussetzung für die Ausübung einer diesbezüglichen beruflichen Tätigkeit sein können.

(25) Das Verbot der Diskriminierung wegen des Alters stellt ein wesentliches Element zur Erreichung der Ziele der beschäftigungspolitischen Leitlinien und zur Förderung der Vielfalt im Bereich der Beschäftigung dar. Ungleichbehandlungen wegen des Alters können unter bestimmten Umständen jedoch gerechtfertigt sein und erfordern daher besondere Bestimmungen, die je nach der Situation der Mitgliedstaaten unterschiedlich sein können. Es ist daher unbedingt zu unterscheiden zwischen einer Ungleichbehandlung, die insbesondere durch rechtmäßige Ziele im Bereich der Beschäftigungspolitik, des Arbeitsmarktes und der beruflichen Bildung gerechtfertigt ist, und einer Diskriminierung, die zu verbieten ist.

(26) Das Diskriminierungsverbot sollte nicht der Beibehaltung oder dem Erlass von Maßnahmen entgegenstehen, mit denen bezweckt wird, Benachteiligungen von Personen mit einer bestimmten Religion oder Weltanschauung, einer bestimmten Behinderung, einem bestimmten Alter oder einer bestimmten sexuellen Ausrichtung zu verhindern oder auszugleichen, und diese Maßnahmen können die Einrichtung und Beibehaltung von Organisationen von Personen mit einer bestimmten Religion oder Weltanschauung, einer bestimmten Behinderung, einem bestimmten Alter oder einer bestimmten sexuellen Ausrichtung zulassen, wenn deren Zweck hauptsächlich darin besteht, die besonderen Bedürfnisse dieser Personen zu fördern.

(27) Der Rat hat in seiner Empfehlung 86/379/EWG vom 24. Juli 1986[1)] zur Beschäftigung von Behinderten in der Gemeinschaft einen Orientierungsrahmen festgelegt, der Beispiele für positive Aktionen für die Beschäftigung und Berufsbildung von Menschen mit Behinderung anführt; in seiner Entschließung vom 17. Juni 1999 betreffend gleiche Beschäftigungschancen für behinderte Menschen[2)] hat er bekräftigt, dass es wichtig ist, insbesondere der Einstellung, der Aufrechterhaltung des Beschäftigungsverhältnisses sowie der beruflichen Bildung und dem lebensbegleitenden Lernen von Menschen mit Behinderung besondere Aufmerksamkeit zu widmen.

[1)] **Amtl. Anm.:** ABl. L 225 vom 12. 8. 1986, S. 43.
[2)] **Amtl. Anm.:** ABl. C 186 vom 2. 7. 1999, S. 3.

(28) In dieser Richtlinie werden Mindestanforderungen festgelegt; es steht den Mitgliedstaaten somit frei, günstigere Vorschriften einzuführen oder beizubehalten. Die Umsetzung dieser Richtlinie darf nicht eine Absenkung des in den Mitgliedstaaten bereits bestehenden Schutzniveaus rechtfertigen.

(29) Opfer von Diskriminierungen wegen der Religion oder Weltanschauung, einer Behinderung, des Alters oder der sexuellen Ausrichtung sollten über einen angemessenen Rechtsschutz verfügen. Um einen effektiveren Schutz zu gewährleisten, sollte auch die Möglichkeit bestehen, dass sich Verbände oder andere juristische Personen unbeschadet der nationalen Verfahrensordnung bezüglich der Vertretung und Verteidigung vor Gericht bei einem entsprechenden Beschluss der Mitgliedstaaten im Namen eines Opfers oder zu seiner Unterstützung an einem Verfahren beteiligen.

(30) Die effektive Anwendung des Gleichheitsgrundsatzes erfordert einen angemessenen Schutz vor Viktimisierung.

(31) Eine Änderung der Regeln für die Beweislast ist geboten, wenn ein glaubhafter Anschein einer Diskriminierung besteht. Zur wirksamen Anwendung des Gleichbehandlungsgrundsatzes ist eine Verlagerung der Beweislast auf die beklagte Partei erforderlich, wenn eine solche Diskriminierung nachgewiesen ist. Allerdings obliegt es dem Beklagten nicht, nachzuweisen, dass der Kläger einer bestimmten Religion angehört, eine bestimmte Weltanschauung hat, eine bestimmte Behinderung aufweist, ein bestimmtes Alter oder eine bestimmte sexuelle Ausrichtung hat.

(32) Die Mitgliedstaaten können davon absehen, die Regeln für die Beweislastverteilung auf Verfahren anzuwenden, in denen die Ermittlung des Sachverhalts dem Gericht oder der zuständigen Stelle obliegt. Dies betrifft Verfahren, in denen die klagende Partei den Beweis des Sachverhalts, dessen Ermittlung dem Gericht oder der zuständigen Stelle obliegt, nicht anzutreten braucht.

(33) Die Mitgliedstaaten sollten den Dialog zwischen den Sozialpartnern und im Rahmen der einzelstaatlichen Gepflogenheiten mit Nichtregierungsorganisationen mit dem Ziel fördern, gegen die verschiedenen Formen von Diskriminierung am Arbeitsplatz anzugehen und diese zu bekämpfen.

(34) In Anbetracht der Notwendigkeit, den Frieden und die Aussöhnung zwischen den wichtigsten Gemeinschaften in Nordirland zu fördern, sollten in diese Richtlinie besondere Bestimmungen aufgenommen werden.

(35) Die Mitgliedstaaten sollten wirksame, verhältnismäßige und abschreckende Sanktionen für den Fall vorsehen, dass gegen die aus dieser Richtlinie erwachsenden Verpflichtungen verstoßen wird.

(36) Die Mitgliedstaaten können den Sozialpartnern auf deren gemeinsamen Antrag die Durchführung der Bestimmungen dieser Richtlinie übertragen, die in den Anwendungsbereich von Tarifverträgen fallen, sofern sie alle erforderlichen Maßnahmen treffen, um jederzeit gewährleisten zu können, dass die durch diese Richtlinie vorgeschriebenen Ergebnisse erzielt werden.

(37) Im Einklang mit dem Subsidiaritätsprinzip nach Artikel 5 des EG-Vertrags kann das Ziel dieser Richtlinie, nämlich die Schaffung gleicher Ausgangsbedingungen in der Gemeinschaft bezüglich der Gleichbehandlung in Beschäftigung und Beruf, auf der Ebene der Mitgliedstaaten nicht ausreichend erreicht werden und kann daher wegen des Umfangs und der Wirkung der Maßnahme besser auf Gemeinschaftsebene verwirklicht werden. Im Einklang mit dem Verhältnismäßigkeitsprinzip nach jenem Artikel geht diese Richtlinie nicht über das für die Erreichung dieses Ziels erforderliche Maß hinaus –

HAT FOLGENDE RICHTLINIE ERLASSEN:

Kapitel I. Allgemeine Bestimmungen

Art. 1 Zweck. Zweck dieser Richtlinie ist die Schaffung eines allgemeinen Rahmens zur Bekämpfung der Diskriminierung wegen der Religion oder der Weltanschauung, einer Behinderung, des Alters oder der sexuellen Ausrichtung in Beschäftigung und Beruf im Hinblick auf die Verwirklichung des Grundsatzes der Gleichbehandlung in den Mitgliedstaaten.

Art. 2 Der Begriff „Diskriminierung“. (1) Im Sinne dieser Richtlinie bedeutet „Gleichbehandlungsgrundsatz“, dass es keine unmittelbare oder mittelbare Diskriminierung wegen eines der in Artikel 1 genannten Gründe geben darf.

(2) Im Sinne des Absatzes 1

a) liegt eine unmittelbare Diskriminierung vor, wenn eine Person wegen eines der in Artikel 1 genannten Gründe in einer vergleichbaren Situation eine weniger günstige Behandlung erfährt, als eine andere Person erfährt, erfahren hat oder erfahren würde;

b) liegt eine mittelbare Diskriminierung vor, wenn dem Anschein nach neutrale Vorschriften, Kriterien oder Verfahren Personen mit einer bestimmten Religion oder Weltanschauung, einer bestimmten Behinderung, eines bestimmten Alters oder mit einer bestimmten sexuellen Ausrichtung gegenüber anderen Personen in besonderer Weise benachteiligen können, es sei denn:

i) diese Vorschriften, Kriterien oder Verfahren sind durch ein rechtmäßiges Ziel sachlich gerechtfertigt, und die Mittel sind zur Erreichung dieses Ziels angemessen und erforderlich, oder

ii) der Arbeitgeber oder jede Person oder Organisation, auf die diese Richtlinie Anwendung findet, ist im Falle von Personen mit einer bestimmten Behinderung aufgrund des einzelstaatlichen Rechts verpflichtet, geeignete Maßnahmen entsprechend den in Artikel 5 enthaltenen Grundsätzen vorzusehen, um die sich durch diese Vorschrift, dieses Kriterium oder dieses Verfahren ergebenden Nachteile zu beseitigen.

(3) Unerwünschte Verhaltensweisen, die mit einem der Gründe nach Artikel 1 in Zusammenhang stehen und bezwecken oder bewirken, dass die Würde der betreffenden Person verletzt und ein von Einschüchterungen, Anfeindungen, Erniedrigungen, Entwürdigungen oder Beleidigungen gekennzeichnetes Umfeld geschaffen wird, sind Belästigungen, die als Diskriminierung im Sinne von Absatz 1 gelten. In diesem Zusammenhang können die Mitgliedstaaten den Begriff „Belästigung" im Einklang mit den einzelstaatlichen Rechtsvorschriften und Gepflogenheiten definieren.

(4) Die Anweisung zur Diskriminierung einer Person wegen eines der Gründe nach Artikel 1 gilt als Diskriminierung im Sinne des Absatzes 1.

(5) Diese Richtlinie berührt nicht die im einzelstaatlichen Recht vorgesehenen Maßnahmen, die in einer demokratischen Gesellschaft für die Gewährleistung der öffentlichen Sicherheit, die Verteidigung der Ordnung und die Verhütung von Straftaten, zum Schutz der Gesundheit und zum Schutz der Rechte und Freiheiten anderer notwendig sind.

Art. 3 Geltungsbereich. (1) Im Rahmen der auf die Gemeinschaft übertragenen Zuständigkeiten gilt diese Richtlinie für alle Personen in öffentlichen und privaten Bereichen, einschließlich öffentlicher Stellen, in Bezug auf

a) die Bedingungen – einschließlich Auswahlkriterien und Einstellungsbedingungen – für den Zugang zu unselbständiger und selbständiger Erwerbstätigkeit, unabhängig von Tätigkeitsfeld und beruflicher Position, einschließlich des beruflichen Aufstiegs;

b) den Zugang zu allen Formen und allen Ebenen der Berufsberatung, der Berufsausbildung, der beruflichen Weiterbildung und der Umschulung, einschließlich der praktischen Berufserfahrung;

c) die Beschäftigungs- und Arbeitsbedingungen, einschließlich der Entlassungsbedingungen und des Arbeitsentgelts;

d) die Mitgliedschaft und Mitwirkung in einer Arbeitnehmer- oder Arbeitgeberorganisation oder einer Organisation, deren Mitglieder einer bestimmten Berufsgruppe angehören, einschließlich der Inanspruchnahme der Leistungen solcher Organisationen.

(2) Diese Richtlinie betrifft nicht unterschiedliche Behandlungen aus Gründen der Staatsangehörigkeit und berührt nicht die Vorschriften und Bedingungen für die Einreise von Staatsangehörigen dritter Länder oder staatenlosen Personen in das Hoheitsgebiet der Mitgliedstaaten oder deren Aufenthalt in diesem Hoheitsgebiet sowie eine Behandlung, die sich aus der Rechtsstellung von Staatsangehörigen dritter Länder oder staatenlosen Personen ergibt.

(3) Diese Richtlinie gilt nicht für Leistungen jeder Art seitens der staatlichen Systeme oder der damit gleichgestellten Systeme einschließlich der staatlichen Systeme der sozialen Sicherheit oder des sozialen Schutzes.

(4) Die Mitgliedstaaten können vorsehen, dass diese Richtlinie hinsichtlich von Diskriminierungen wegen einer Behinderung und des Alters nicht für die Streitkräfte gilt.

Art. 4 Berufliche Anforderungen. (1) Ungeachtet des Artikels 2 Absätze 1 und 2 können die Mitgliedstaaten vorsehen, dass eine Ungleichbehandlung wegen eines Merkmals, das im Zusammenhang mit einem der in Artikel 1 genannten Diskriminierungsgründe steht, keine Diskriminierung darstellt, wenn das betreffende Merkmal aufgrund der Art einer bestimmten beruflichen Tätigkeit oder der Bedingungen ihrer Ausübung eine wesentliche und entscheidende berufliche Anforderung darstellt, sofern es sich um einen rechtmäßigen Zweck und eine angemessene Anforderung handelt.

(2) Die Mitgliedstaaten können in Bezug auf berufliche Tätigkeiten innerhalb von Kirchen und anderen öffentlichen oder privaten Organisationen, deren Ethos auf religiösen Grundsätzen oder Weltanschauungen beruht, Bestimmungen in ihren zum Zeitpunkt der Annahme dieser Richtlinie geltenden Rechtsvorschriften beibehalten oder in künftigen Rechtsvorschriften Bestimmungen vorsehen, die zum Zeitpunkt der Annahme dieser Richtlinie bestehende einzelstaatliche Gepflogenheiten widerspiegeln und wonach eine Ungleichbehandlung wegen der Religion oder Weltanschauung einer Person keine Diskriminierung darstellt, wenn die Religion oder die Weltanschauung dieser Person nach der Art dieser Tätigkeiten oder der Umstände ihrer Ausübung eine wesentliche, rechtmäßige und gerechtfertigte berufliche Anforderung angesichts des Ethos der Organisation darstellt. Eine solche Ungleichbehandlung muss die verfassungsrechtlichen Bestimmungen und Grundsätze der Mitgliedstaaten sowie die allgemeinen

Grundsätze des Gemeinschaftsrechts beachten und rechtfertigt keine Diskriminierung aus einem anderen Grund.

Sofern die Bestimmungen dieser Richtlinie im Übrigen eingehalten werden, können die Kirchen und anderen öffentlichen oder privaten Organisationen, deren Ethos auf religiösen Grundsätzen oder Weltanschauungen beruht, im Einklang mit den einzelstaatlichen verfassungsrechtlichen Bestimmungen und Rechtsvorschriften von den für sie arbeitenden Personen verlangen, dass sie sich loyal und aufrichtig im Sinne des Ethos der Organisation verhalten.

Art. 5 Angemessene Vorkehrungen für Menschen mit Behinderung. Um die Anwendung des Gleichbehandlungsgrundsatzes auf Menschen mit Behinderung zu gewährleisten, sind angemessene Vorkehrungen zu treffen. Das bedeutet, dass der Arbeitgeber die geeigneten und im konkreten Fall erforderlichen Maßnahmen ergreift, um den Menschen mit Behinderung den Zugang zur Beschäftigung, die Ausübung eines Berufes, den beruflichen Aufstieg und die Teilnahme an Aus- und Weiterbildungsmaßnahmen zu ermöglichen, es sei denn, diese Maßnahmen würden den Arbeitgeber unverhältnismäßig belasten. Diese Belastung ist nicht unverhältnismäßig, wenn sie durch geltende Maßnahmen im Rahmen der Behindertenpolitik des Mitgliedstaates ausreichend kompensiert wird.

Art. 6 Gerechtfertigte Ungleichbehandlung wegen des Alters. (1) Ungeachtet des Artikels 2 Absatz 2 können die Mitgliedstaaten vorsehen, dass Ungleichbehandlungen wegen des Alters keine Diskriminierung darstellen, sofern sie objektiv und angemessen sind und im Rahmen des nationalen Rechts durch ein legitimes Ziel, worunter insbesondere rechtmäßige Ziele aus den Bereichen Beschäftigungspolitik, Arbeitsmarkt und berufliche Bildung zu verstehen sind, gerechtfertigt sind und die Mittel zur Erreichung dieses Ziels angemessen und erforderlich sind.

Derartige Ungleichbehandlungen können insbesondere Folgendes einschließen:

a) die Festlegung besonderer Bedingungen für den Zugang zur Beschäftigung und zur beruflichen Bildung sowie besonderer Beschäftigungs- und Arbeitsbedingungen, einschließlich der Bedingungen für Entlassung und Entlohnung, um die berufliche Eingliederung von Jugendlichen, älteren Arbeitnehmern und Personen mit Fürsorgepflichten zu fördern oder ihren Schutz sicherzustellen;

b) die Festlegung von Mindestanforderungen an das Alter, die Berufserfahrung oder das Dienstalter für den Zugang zur Beschäftigung oder für bestimmte mit der Beschäftigung verbundene Vorteile;

c) die Festsetzung eines Höchstalters für die Einstellung aufgrund der spezifischen Ausbildungsanforderungen eines bestimmten Arbeitsplatzes oder aufgrund der Notwendigkeit einer angemessenen Beschäftigungszeit vor dem Eintritt in den Ruhestand.

(2) Ungeachtet des Artikels 2 Absatz 2 können die Mitgliedstaaten vorsehen, dass bei den betrieblichen Systemen der sozialen Sicherheit die Festsetzung von Altersgrenzen als Voraussetzung für die Mitgliedschaft oder den Bezug von Altersrente oder von Leistungen bei Invalidität einschließlich der Festsetzung unterschiedlicher Altersgrenzen im Rahmen dieser Systeme für bestimmte Beschäftigte oder Gruppen bzw. Kategorien von Beschäftigten und die Verwendung im Rahmen dieser Systeme von Alterskriterien für versicherungsmathematische Berechnungen keine Diskriminierung wegen des Alters darstellt, solange dies nicht zu Diskriminierungen wegen des Geschlechts führt.

Art. 7 Positive und spezifische Maßnahmen. (1) Der Gleichbehandlungsgrundsatz hindert die Mitgliedstaaten nicht daran, zur Gewährleistung der völligen Gleichstellung im Berufsleben spezifische Maßnahmen beizubehalten oder einzuführen, mit denen Benachteiligungen wegen eines in Artikel 1 genannten Diskriminierungsgrunds verhindert oder ausgeglichen werden.

(2) Im Falle von Menschen mit Behinderung steht der Gleichbehandlungsgrundsatz weder dem Recht der Mitgliedstaaten entgegen, Bestimmungen zum Schutz der Gesundheit und der Sicherheit am Arbeitsplatz beizubehalten oder zu erlassen, noch steht er Maßnahmen entgegen, mit denen Bestimmungen oder Vorkehrungen eingeführt oder beibehalten werden sollen, die einer Eingliederung von Menschen mit Behinderung in die Arbeitswelt dienen oder diese Eingliederung fördern.

Art. 8 Mindestanforderungen. (1) Die Mitgliedstaaten können Vorschriften einführen oder beibehalten, die im Hinblick auf die Wahrung des Gleichbehandlungsgrundsatzes günstiger als die in dieser Richtlinie vorgesehenen Vorschriften sind.

(2) Die Umsetzung dieser Richtlinie darf keinesfalls als Rechtfertigung für eine Absenkung des von den Mitgliedstaaten bereits garantierten allgemeinen Schutzniveaus in Bezug auf Diskriminierungen in den von der Richtlinie abgedeckten Bereichen benutzt werden.

Kapitel II. Rechtsbehelfe und Rechtsdurchsetzung

Art. 9 Rechtsschutz. (1) Die Mitgliedstaaten stellen sicher, dass alle Personen, die sich durch die Nichtanwendung des Gleichbehandlungsgrundsatzes in ihren Rechten für verletzt halten, ihre Ansprüche aus dieser Richtlinie auf dem Gerichts- und/oder Verwaltungsweg sowie, wenn die Mitgliedstaaten es für angezeigt halten, in Schlichtungsverfahren geltend machen können, selbst wenn das Verhältnis, während dessen die Diskriminierung vorgekommen sein soll, bereits beendet ist.

(2) Die Mitgliedstaaten stellen sicher, dass Verbände, Organisationen oder andere juristische Personen, die gemäß den in ihrem einzelstaatlichen Recht festgelegten Kriterien ein rechtmäßiges Interesse daran haben, für die Einhaltung der Bestimmungen dieser Richtlinie zu sorgen, sich entweder im Namen der beschwerten Person oder zu deren Unterstützung und mit deren Einwilligung an den in dieser Richtlinie zur Durchsetzung der Ansprüche vorgesehenen Gerichts- und/oder Verwaltungsverfahren beteiligen können.

(3) Die Absätze 1 und 2 lassen einzelstaatliche Regelungen über Fristen für die Rechtsverfolgung betreffend den Gleichbehandlungsgrundsatz unberührt.

Art. 10 Beweislast. (1) Die Mitgliedstaaten ergreifen im Einklang mit ihrem nationalen Gerichtswesen die erforderlichen Maßnahmen, um zu gewährleisten, dass immer dann, wenn Personen, die sich durch die Nichtanwendung des Gleichbehandlungsgrundsatzes für verletzt halten und bei einem Gericht oder einer anderen zuständigen Stelle Tatsachen glaubhaft machen, die das Vorliegen einer unmittelbaren oder mittelbaren Diskriminierung vermuten lassen, es dem Beklagten obliegt zu beweisen, dass keine Verletzung des Gleichbehandlungsgrundsatzes vorgelegen hat.

(2) Absatz 1 lässt das Recht der Mitgliedstaaten, eine für den Kläger günstigere Beweislastregelung vorzusehen, unberührt.

(3) Absatz 1 gilt nicht für Strafverfahren.

(4) Die Absätze 1, 2 und 3 gelten auch für Verfahren gemäß Artikel 9 Absatz 2.

(5) Die Mitgliedstaaten können davon absehen, Absatz 1 auf Verfahren anzuwenden, in denen die Ermittlung des Sachverhalts dem Gericht oder der zuständigen Stelle obliegt.

Art. 11 Viktimisierung. Die Mitgliedstaaten treffen im Rahmen ihrer nationalen Rechtsordnung die erforderlichen Maßnahmen, um die Arbeitnehmer vor Entlassung oder anderen Benachteiligungen durch den Arbeitgeber zu schützen, die als Reaktion auf eine Beschwerde innerhalb des betreffenden Unternehmens oder auf die Einleitung eines Verfahrens zur Durchsetzung des Gleichbehandlungsgrundsatzes erfolgen.

Art. 12 Unterrichtung. Die Mitgliedstaaten tragen dafür Sorge, dass die gemäß dieser Richtlinie getroffenen Maßnahmen sowie die bereits geltenden einschlägigen Vorschriften allen Betroffenen in geeigneter Form, zum Beispiel am Arbeitsplatz, in ihrem Hoheitsgebiet bekannt gemacht werden.

Art. 13 Sozialer Dialog. (1) Die Mitgliedstaaten treffen im Einklang mit den einzelstaatlichen Gepflogenheiten und Verfahren geeignete Maßnahmen zur Förderung des sozialen Dialogs zwischen Arbeitgebern und Arbeitnehmern mit dem Ziel, die Verwirklichung des Gleichbehandlungsgrundsatzes durch Überwachung der betrieblichen Praxis, durch Tarifverträge, Verhaltenskodizes, Forschungsarbeiten oder durch einen Austausch von Erfahrungen und bewährten Verfahren, voranzubringen.

(2) Soweit vereinbar mit den einzelstaatlichen Gepflogenheiten und Verfahren, fordern die Mitgliedstaaten Arbeitgeber und Arbeitnehmer ohne Eingriff in deren Autonomie auf, auf geeigneter Ebene Antidiskriminierungsvereinbarungen zu schließen, die die in Artikel 3 genannten Bereiche betreffen, soweit diese in den Verantwortungsbereich der Tarifparteien fallen. Die Vereinbarungen müssen den in dieser Richtlinie sowie den in den einschlägigen nationalen Durchführungsbestimmungen festgelegten Mindestanforderungen entsprechen.

Art. 14 Dialog mit Nichtregierungsorganisationen. Die Mitgliedstaaten fördern den Dialog mit den jeweiligen Nichtregierungsorganisationen, die gemäß den einzelstaatlichen Rechtsvorschriften und Gepflogenheiten ein rechtmäßiges Interesse daran haben, sich an der Bekämpfung von Diskriminierung wegen eines der in Artikel 1 genannten Gründe zu beteiligen, um die Einhaltung des Grundsatzes der Gleichbehandlung zu fördern.

Kapitel III. Besondere Bestimmungen

Art. 15 Nordirland. (1) Angesichts des Problems, dass eine der wichtigsten Religionsgemeinschaften Nordirlands im dortigen Polizeidienst unterrepräsentiert ist, gilt die unterschiedliche Behandlung bei der Einstellung der Bediensteten dieses Dienstes – auch von Hilfspersonal – nicht als Diskriminierung, sofern diese unterschiedliche Behandlung gemäß den einzelstaatlichen Rechtsvorschriften ausdrücklich gestattet ist.

(2) Um eine Ausgewogenheit der Beschäftigungsmöglichkeiten für Lehrkräfte in Nordirland zu gewährleisten und zugleich einen Beitrag zur Überwindung der historischen Gegensätze zwischen den wichtigsten Religionsgemeinschaften Nordirlands zu leisten, finden die Bestimmungen dieser Richtlinie über Religion oder Weltanschauung keine Anwendung auf die Einstellung von Lehrkräften in Schulen

Nordirlands, sofern dies gemäß den einzelstaatlichen Rechtsvorschriften ausdrücklich gestattet ist.

Kapitel IV. Schlussbestimmungen

Art. 16 Einhaltung. Die Mitgliedstaaten treffen die erforderlichen Maßnahmen, um sicherzustellen, dass

a) die Rechts- und Verwaltungsvorschriften, die dem Gleichbehandlungsgrundsatz zuwiderlaufen, aufgehoben werden;

b) die mit dem Gleichbehandlungsgrundsatz nicht zu vereinbarenden Bestimmungen in Arbeits- und Tarifverträgen, Betriebsordnungen und Statuten der freien Berufe und der Arbeitgeber- und Arbeitnehmerorganisationen für nichtig erklärt werden oder erklärt werden können oder geändert werden.

Art. 17 Sanktionen. Die Mitgliedstaaten legen die Sanktionen fest, die bei einem Verstoß gegen die einzelstaatlichen Vorschriften zur Anwendung dieser Richtlinie zu verhängen sind, und treffen alle erforderlichen Maßnahmen, um deren Durchführung zu gewährleisten. Die Sanktionen, die auch Schadenersatzleistungen an die Opfer umfassen können, müssen wirksam, verhältnismäßig und abschreckend sein. Die Mitgliedstaaten teilen diese Bestimmungen der Kommission spätestens am 2. Dezember 2003 mit und melden alle sie betreffenden späteren Änderungen unverzüglich.

Art. 18 Umsetzung der Richtlinie. Die Mitgliedstaaten erlassen die erforderlichen Rechts- und Verwaltungsvorschriften, um dieser Richtlinie spätestens zum 2. Dezember 2003 nachzukommen, oder können den Sozialpartnern auf deren gemeinsamen Antrag die Durchführung der Bestimmungen dieser Richtlinie übertragen, die in den Anwendungsbereich von Tarifverträgen fallen. In diesem Fall gewährleisten die Mitgliedstaaten, dass die Sozialpartner spätestens zum 2. Dezember 2003 im Weg einer Vereinbarung die erforderlichen Maßnahmen getroffen haben; dabei haben die Mitgliedstaaten alle erforderlichen Maßnahmen zu treffen, um jederzeit gewährleisten zu können, dass die durch diese Richtlinie vorgeschriebenen Ergebnisse erzielt werden. Sie setzen die Kommission unverzüglich davon in Kenntnis.

Um besonderen Bedingungen Rechnung zu tragen, können die Mitgliedstaaten erforderlichenfalls eine Zusatzfrist von drei Jahren ab dem 2. Dezember 2003, d. h. insgesamt sechs Jahre, in Anspruch nehmen, um die Bestimmungen dieser Richtlinie über die Diskriminierung wegen des Alters und einer Behinderung umzusetzen. In diesem Fall setzen sie die Kommission unverzüglich davon in Kenntnis.

Ein Mitgliedstaat, der die Inanspruchnahme dieser Zusatzfrist beschließt, erstattet der Kommission jährlich Bericht über die von ihm ergriffenen Maßnahmen zur Bekämpfung der Diskriminierung wegen des Alters und einer Behinderung und über die Fortschritte, die bei der Umsetzung der Richtlinie erzielt werden konnten. Die Kommission erstattet dem Rat jährlich Bericht.

Wenn die Mitgliedstaaten derartige Vorschriften erlassen, nehmen sie in den Vorschriften selbst oder durch einen Hinweis bei der amtlichen Veröffentlichung auf diese Richtlinie Bezug. Die Mitgliedstaaten regeln die Einzelheiten der Bezugnahme.

Art. 19 Bericht. (1) Bis zum 2. Dezember 2005 und in der Folge alle fünf Jahre übermitteln die Mitgliedstaaten der Kommission sämtliche Informationen, die diese für die Erstellung eines dem Europäischen Parlament und dem Rat vorzulegenden Berichts über die Anwendung dieser Richtlinie benötigt.

(2) Die Kommission berücksichtigt in ihrem Bericht in angemessener Weise die Standpunkte der Sozialpartner und der einschlägigen Nichtregierungsorganisationen. Im Einklang mit dem Grundsatz der systematischen Berücksichtigung geschlechterspezifischer Fragen wird ferner in dem Bericht die Auswirkung der Maßnahmen auf Frauen und Männer bewertet. Unter Berücksichtigung der übermittelten Informationen enthält der Bericht erforderlichenfalls auch Vorschläge für eine Änderung und Aktualisierung dieser Richtlinie.

Art. 20 Inkrafttreten. Diese Richtlinie tritt am Tag ihrer Veröffentlichung im *Amtsblatt der Europäischen Gemeinschaften* in Kraft.

Art. 21 Adressaten. Diese Richtlinie ist an die Mitgliedstaaten gerichtet.

930. Richtlinie 2009/38/EG des Europäischen Parlaments und des Rates vom 6. Mai 2009 über die Einsetzung eines Europäischen Betriebsrats oder die Schaffung eines Verfahrens zur Unterrichtung und Anhörung der Arbeitnehmer in gemeinschaftsweit operierenden Unternehmen und Unternehmensgruppen

(Neufassung)
(Text von Bedeutung für den EWR)

(ABl. L 122 S. 28)

Celex-Nr. 3 2009 L 0038

zuletzt geänd. durch Art. 1 RL (EU) 2025/2450 v. 26.11.2025 (ABl. L, 2025/2450, 11.12.2025, ELI: http://data.europa.eu/eli/dir/2025/2450/oj)

DAS EUROPÄISCHE PARLAMENT UND DER RAT DER EUROPÄISCHEN UNION –

gestützt auf den Vertrag zur Gründung der Europäischen Gemeinschaft[1)], insbesondere auf Artikel 137,

auf Vorschlag der Kommission,

nach Stellungnahme des Europäischen Wirtschafts- und Sozialausschusses[2)],

nach Anhörung des Ausschusses der Regionen,

gemäß dem Verfahren des Artikels 251 des Vertrags[1) 3)],

in Erwägung nachstehender Gründe:

(1) Die Richtlinie 94/45/EG[4)] des Rates vom 22. September 1994 über die Einsetzung eines Europäischen Betriebsrats oder die Schaffung eines Verfahrens zur Unterrichtung und Anhörung der Arbeitnehmer in gemeinschaftsweit operierenden Unternehmen und Unternehmensgruppen[5)] muss inhaltlich geändert werden. Aus Gründen der Klarheit empfiehlt es sich, eine Neufassung dieser Richtlinie vorzunehmen.

(2) Gemäß Artikel 15 der Richtlinie 94/45/EG[4)] hat die Kommission im Benehmen mit den Mitgliedstaaten und den Sozialpartnern auf europäischer Ebene die Anwendung der genannten Richtlinie und insbesondere die Zweckmäßigkeit der Schwellenwerte für die Beschäftigtenzahl überprüft, um erforderlichenfalls entsprechende Änderungen vorzuschlagen.

(3) Nach Anhörungen der Mitgliedstaaten und der Sozialpartner auf europäischer Ebene hat die Kommission dem Europäischen Parlament und dem Rat am 4. April 2000 einen Bericht über den Stand der Anwendung der Richtlinie 94/45/EG[4)] vorgelegt.

[1)] **beck-online, Module Arbeitsrecht Nr. 850a.**

[2)] **Amtl. Anm.:** Stellungnahme vom 4. Dezember 2008 (noch nicht im Amtsblatt veröffentlicht).

[3)] **Amtl. Anm.:** Stellungnahme des Europäischen Parlaments vom 16. Dezember 2008 (noch nicht im Amtsblatt veröffentlicht) und Beschluss des Rates vom 17. Dezember 2008.

[4)] **beck-online, Module Arbeitsrecht Nr. 930b.**

[5)] **Amtl. Anm.:** ABl. L 254 vom 30.9.1994, S. 64.

(4) Gemäß Artikel 138 Absatz 2 des Vertrags hat die Kommission die Sozialpartner auf Gemeinschaftsebene zu der Frage angehört, wie eine Gemeinschaftsaktion in diesem Bereich gegebenenfalls ausgerichtet werden sollte.

(5) Die Kommission war nach dieser Anhörung der Auffassung, dass eine Gemeinschaftsaktion wünschenswert ist, und hat gemäß Artikel 138 Absatz 3 des Vertrags die Sozialpartner auf Gemeinschaftsebene erneut zum Inhalt des in Aussicht genommenen Vorschlags angehört.

(6) Nach dieser zweiten Anhörung haben die Sozialpartner die Kommission nicht von ihrer gemeinsamen Absicht in Kenntnis gesetzt, das in Artikel 138 Absatz 4 des Vertrags vorgesehene Verfahren einzuleiten, das zum Abschluss einer Vereinbarung führen könnte.

(7) Es bedarf einer Modernisierung der gemeinschaftlichen Rechtsvorschriften im Bereich der länderübergreifenden Unterrichtung und Anhörung der Arbeitnehmer mit dem Ziel, die Wirksamkeit der Rechte auf eine länderübergreifende Unterrichtung und Anhörung der Arbeitnehmer sicherzustellen, die Zahl der Europäischen Betriebsräte zu erhöhen und gleichzeitig die Fortdauer geltender Vereinbarungen zu ermöglichen, die bei der praktischen Anwendung der Richtlinie 94/45/EG[1] festgestellten Probleme zu lösen und die sich aus bestimmten Bestimmungen oder dem Fehlen von Bestimmungen ergebende Rechtsunsicherheit zu beseitigen sowie eine bessere Abstimmung der gemeinschaftlichen Rechtsinstrumente im Bereich der Unterrichtung und Anhörung der Arbeitnehmer zu gewährleisten.

(8) Gemäß Artikel 136 des Vertrags haben die Gemeinschaft und die Mitgliedstaaten das Ziel, den sozialen Dialog zu fördern.

(9) Diese Richtlinie ist Teil des gemeinschaftlichen Rahmens, der darauf abzielt, die Maßnahmen der Mitgliedstaaten im Bereich der Unterrichtung und Anhörung der Arbeitnehmer zu unterstützen und zu ergänzen. Dieser Rahmen sollte die Belastung der Unternehmen oder Betriebe auf ein Mindestmaß begrenzen, zugleich aber auch die wirksame Ausübung der eingeräumten Rechte gewährleisten.

(10) Im Rahmen des Funktionierens des Binnenmarkts findet ein Prozess der Unternehmenszusammenschlüsse, grenzübergreifenden Fusionen, Übernahmen und Joint Ventures und damit einhergehend eine länderübergreifende Strukturierung von Unternehmen und Unternehmensgruppen statt. Wenn die wirtschaftlichen Aktivitäten sich in harmonischer Weise entwickeln sollen, so müssen Unternehmen und Unternehmensgruppen, die in mehreren Mitgliedstaaten tätig sind, die Vertreter ihrer von den Unternehmensentscheidungen betroffenen Arbeitnehmer unterrichten und anhören.

(11) Die Verfahren zur Unterrichtung und Anhörung der Arbeitnehmer nach den Rechtsvorschriften und Gepflogenheiten der Mitgliedstaaten werden häufig nicht an die länderübergreifende Struktur der Unternehmen angepasst, welche die Arbeitnehmer berührende Entscheidungen treffen. Dies kann zu einer Ungleichbehandlung der Arbeitnehmer führen, die von Entscheidungen ein und desselben Unternehmens bzw. ein und derselben Unternehmensgruppe betroffen sind.

---

[1] **beck-online, Module Arbeitsrecht Nr. 930b.**

(12) Es sind geeignete Vorkehrungen zu treffen, damit die Arbeitnehmer gemeinschaftsweit operierender Unternehmen oder Unternehmensgruppen angemessen informiert und angehört werden, wenn Entscheidungen, die sich auf sie auswirken, außerhalb des Mitgliedstaats getroffen werden, in dem sie beschäftigt sind.

(13) Um zu gewährleisten, dass die Arbeitnehmer von Unternehmen und Unternehmensgruppen, die in mehreren Mitgliedstaaten tätig sind, in angemessener Weise unterrichtet und angehört werden, muss ein Europäischer Betriebsrat eingerichtet oder müssen andere geeignete Verfahren zur länderübergreifenden Unterrichtung und Anhörung der Arbeitnehmer geschaffen werden.

(14) Die Modalitäten der Unterrichtung und Anhörung der Arbeitnehmer müssen so festgelegt und angewendet werden, dass die Wirksamkeit der Bestimmungen dieser Richtlinie gewährleistet wird. Hierzu sollte der Europäische Betriebsrat durch seine Unterrichtung und Anhörung die Möglichkeit haben, dem Unternehmen rechtzeitig eine Stellungnahme vorzulegen, wobei dessen Anpassungsfähigkeit nicht beeinträchtigt werden darf. Nur ein Dialog auf der Ebene der Festlegung der Leitlinien und eine wirksame Beteiligung der Arbeitnehmervertreter können es ermöglichen, den Wandel zu antizipieren und zu bewältigen.

(15) Für die Arbeitnehmer und ihre Vertreter muss die Unterrichtung und Anhörung auf der je nach behandeltem Thema relevanten Leitungs- und Vertretungsebene gewährleistet sein. Hierzu müssen Zuständigkeiten und Aktionsbereiche des Europäischen Betriebsrats von denen einzelstaatlicher Vertretungsgremien abgegrenzt werden und sich auf länderübergreifende Angelegenheiten beschränken.

(16) Zur Feststellung des länderübergreifenden Charakters einer Angelegenheit sollten sowohl der Umfang ihrer möglichen Auswirkungen als auch die betroffene Leitungs- und Vertretungsebene berücksichtigt werden. Als länderübergreifend werden Angelegenheiten erachtet, die das Unternehmen oder die Unternehmensgruppe insgesamt oder aber mindestens zwei Mitgliedstaaten betreffen. Dazu gehören Angelegenheiten, die ungeachtet der Zahl der betroffenen Mitgliedstaaten für die europäischen Arbeitnehmer hinsichtlich der Reichweite ihrer möglichen Auswirkungen von Belang sind oder die die Verlagerung von Tätigkeiten zwischen Mitgliedstaaten betreffen.

(17) Es ist eine Definition des Begriffs „herrschendes Unternehmen" erforderlich, die sich, unbeschadet der Definitionen der Begriffe „Unternehmensgruppe" und „beherrschender Einfluss" in anderen Rechtsakten, ausschließlich auf diese Richtlinie bezieht.

(18) Die Verfahren zur Unterrichtung und Anhörung der Arbeitnehmer in Unternehmen oder Unternehmensgruppen, die in mindestens zwei verschiedenen Mitgliedstaaten tätig sind, müssen unabhängig davon, ob sich die zentrale Leitung des Unternehmens oder, im Fall einer Unternehmensgruppe, des herrschenden Unternehmens außerhalb der Gemeinschaft befindet, für alle in der Gemeinschaft angesiedelten Betriebe oder gegebenenfalls Unternehmen von Unternehmensgruppen gelten.

(19) Getreu dem Grundsatz der Autonomie der Sozialpartner legen die Arbeitnehmervertreter und die Leitung des Unternehmens oder des herrschenden Unternehmens einer Unternehmensgruppe die Art, Zusammenset-

zung, Befugnisse, Arbeitsweise, Verfahren und finanzielle Ressourcen des Europäischen Betriebsrats oder anderer Verfahren zur Unterrichtung und Anhörung der Arbeitnehmer einvernehmlich dergestalt fest, dass diese den jeweiligen besonderen Umständen entsprechen.

(20) Nach dem Grundsatz der Subsidiarität obliegt es den Mitgliedstaaten, die Arbeitnehmervertreter zu bestimmen und insbesondere – falls sie dies für angemessen halten – eine ausgewogene Vertretung der verschiedenen Arbeitnehmerkategorien vorzusehen.

(21) Es bedarf einer Klärung der Begriffe „Unterrichtung" und „Anhörung" der Arbeitnehmer im Einklang mit den Definitionen in den jüngsten einschlägigen Richtlinien und den im einzelstaatlichen Rahmen geltenden Definitionen mit der Zielsetzung, die Wirksamkeit des Dialogs auf länderübergreifender Ebene zu verbessern, eine geeignete Abstimmung zwischen der einzelstaatlichen und der länderübergreifenden Ebene des Dialogs zu ermöglichen und die erforderliche Rechtssicherheit bei der Anwendung dieser Richtlinie zu gewährleisten.

(22) Bei der Definition des Begriffs „Unterrichtung" ist dem Ziel Rechnung zu tragen, dass eine angemessene Prüfung durch die Arbeitnehmervertreter möglich sein muss, was voraussetzt, dass die Unterrichtung zu einem Zeitpunkt, in einer Weise und in einer inhaltlichen Ausgestaltung erfolgt, die dem Zweck angemessen sind, ohne den Entscheidungsprozess in den Unternehmen zu verlangsamen.

(23) Bei der Definition des Begriffs „Anhörung" muss dem Ziel Rechnung getragen werden, dass die Abgabe einer der Entscheidungsfindung dienlichen Stellungnahme möglich sein muss, was voraussetzt, dass die Anhörung zu einem Zeitpunkt, in einer Weise und in einer inhaltlichen Ausgestaltung erfolgt, die dem Zweck angemessen sind.

(24) In Unternehmen oder herrschenden Unternehmen im Fall einer Unternehmensgruppe, deren zentrale Leitung sich außerhalb der Gemeinschaft befindet, sind die in dieser Richtlinie festgelegten Bestimmungen über die Unterrichtung und Anhörung der Arbeitnehmer von dem gegebenenfalls benannten Vertreter des Unternehmens in der Gemeinschaft oder, in Ermangelung eines solchen Vertreters, von dem Betrieb oder dem kontrollierten Unternehmen mit der größten Anzahl von Arbeitnehmern in der Gemeinschaft durchzuführen.

(25) Die Verantwortung eines Unternehmens oder einer Unternehmensgruppe bei der Übermittlung der zur Aufnahme von Verhandlungen erforderlichen Informationen ist derart festzulegen, dass die Arbeitnehmer in die Lage versetzt werden, festzustellen, ob das Unternehmen oder die Unternehmensgruppe, in dem bzw. in der sie beschäftigt sind, gemeinschaftsweit operiert, und die zur Abfassung eines Antrags auf Aufnahme von Verhandlungen nötigen Kontakte zu knüpfen.

(26) Das besondere Verhandlungsgremium muss die Arbeitnehmer der verschiedenen Mitgliedstaaten in ausgewogener Weise repräsentieren. Die Arbeitnehmervertreter müssen die Möglichkeit haben, sich abzustimmen, um ihre Positionen im Hinblick auf die Verhandlung mit der zentralen Leitung festzulegen.

(27) Die Rolle, die anerkannte Gewerkschaftsorganisationen bei der Aus- oder Neuverhandlung der konstitutiven Vereinbarungen Europäischer Betriebsräte wahrnehmen können, ist anzuerkennen, damit Arbeitnehmervertreter,

die einen entsprechenden Wunsch äußern, Unterstützung erhalten. Um es ihnen zu ermöglichen, die Einrichtung neuer Europäischer Betriebsräte zu verfolgen, und um bewährte Verfahren zu fördern, sind kompetente Gewerkschaftsorganisationen und Arbeitgeberverbände, die als europäische Sozialpartner anerkannt sind, über die Aufnahme von Verhandlungen zu unterrichten. Anerkannte kompetente europäische Gewerkschaftsorganisationen und Arbeitgeberverbände sind die Organisationen der Sozialpartner, die von der Kommission gemäß Artikel 138 des Vertrags[1] konsultiert werden. Die Liste dieser Organisationen wird von der Kommission aktualisiert und veröffentlicht.

(28) Die Vereinbarungen über die Einrichtung und Arbeitsweise der Europäischen Betriebsräte müssen die Modalitäten für ihre Änderung, Kündigung oder gegebenenfalls Neuverhandlung enthalten, insbesondere für den Fall einer Änderung des Umfangs oder der Struktur des Unternehmens oder der Unternehmensgruppe.

(29) In diesen Vereinbarungen müssen die Modalitäten für die Abstimmung der einzelstaatlichen und der länderübergreifenden Ebene der Unterrichtung und Anhörung der Arbeitnehmer festgelegt werden, angepasst an die besonderen Gegebenheiten des Unternehmens oder der Unternehmensgruppe. Bei der Festlegung dieser Modalitäten müssen die jeweiligen Zuständigkeiten und Aktionsbereiche der Vertretungsgremien der Arbeitnehmer beachtet werden, vor allem was die Antizipierung und Bewältigung des Wandels anbelangt.

(30) Diese Vereinbarungen müssen gegebenenfalls die Einsetzung und die Arbeit eines engeren Ausschusses vorsehen, damit eine Koordinierung und eine höhere Effizienz der regelmäßigen Arbeit des Europäischen Betriebsrats sowie eine schnellstmögliche Unterrichtung und Anhörung im Falle außergewöhnlicher Umstände ermöglicht wird.

(31) Die Arbeitnehmervertreter können entweder vereinbaren, auf die Einrichtung eines Europäischen Betriebsrats zu verzichten, oder die Sozialpartner können andere Verfahren zur länderübergreifenden Unterrichtung und Anhörung der Arbeitnehmer beschließen.

(32) Es sollten subsidiäre Vorschriften vorgesehen werden, die auf Beschluss der Parteien oder in dem Fall, dass die zentrale Leitung die Aufnahme von Verhandlungen ablehnt oder bei den Verhandlungen kein Einvernehmen erzielt wird, Anwendung finden.

(33) Um ihrer Rolle in vollem Umfang gerecht zu werden und den Nutzen des Europäischen Betriebsrats sicherzustellen, müssen die Arbeitnehmervertreter den Arbeitnehmern, die sie vertreten, Rechenschaft ablegen und die Möglichkeit haben, die von ihnen benötigten Schulungen zu erhalten.

(34) Es sollte vorgesehen werden, dass die Arbeitnehmervertreter, die im Rahmen dieser Richtlinie handeln, bei der Wahrnehmung ihrer Aufgaben den gleichen Schutz und gleichartige Sicherheiten genießen wie die Arbeitnehmervertreter nach den Rechtsvorschriften und/oder Gepflogenheiten des Landes, in dem sie beschäftigt sind. Sie dürfen nicht aufgrund der gesetzlichen Ausübung ihrer Tätigkeit diskriminiert werden und müssen angemessen gegen Entlassungen und andere Sanktionen geschützt werden.

---

[1] **beck-online, Module Arbeitsrecht Nr. 850a.**

(35) Werden die sich aus dieser Richtlinie ergebenden Verpflichtungen nicht eingehalten, so müssen die Mitgliedstaaten geeignete Maßnahmen treffen.

(36) Gemäß den allgemeinen Grundsätzen des Gemeinschaftsrechts sollten im Falle eines Verstoßes gegen die sich aus dieser Richtlinie ergebenden Verpflichtungen administrative oder rechtliche Verfahren sowie Sanktionen, die wirksam, abschreckend und im Verhältnis zur Schwere der Zuwiderhandlung angemessen sind, angewandt werden.

(37) Aus Gründen der Effizienz, der Kohärenz und der Rechtssicherheit bedarf es einer Abstimmung zwischen den Richtlinien und den im Gemeinschaftsrecht und im einzelstaatlichen Recht und/oder den einzelstaatlichen Gepflogenheiten festgelegten Ebenen der Unterrichtung und Anhörung der Arbeitnehmer. Hierbei muss der Aushandlung dieser Abstimmungsmodalitäten innerhalb jedes Unternehmens oder jeder Unternehmensgruppe Priorität eingeräumt werden. Fehlt eine entsprechende Vereinbarung und sind Entscheidungen geplant, die wesentliche Veränderungen der Arbeitsorganisation oder der Arbeitsverträge mit sich bringen können, so muss der Prozess gleichzeitig auf einzelstaatlicher und europäischer Ebene so durchgeführt werden, dass die jeweiligen Zuständigkeiten und Aktionsbereiche der Vertretungsgremien der Arbeitnehmer beachtet werden. Die Abgabe einer Stellungnahme des Europäischen Betriebsrats sollte die Befugnis der zentralen Leitung, die erforderlichen Anhörungen innerhalb der im einzelstaatlichen Recht und/oder den einzelstaatlichen Gepflogenheiten vorgesehenen Fristen vorzunehmen, unberührt lassen. Die einzelstaatlichen Rechtsvorschriften und/oder einzelstaatlichen Gepflogenheiten müssen gegebenenfalls angepasst werden, um sicherzustellen, dass der Europäische Betriebsrat gegebenenfalls vor oder gleichzeitig mit den einzelstaatlichen Vertretungsgremien der Arbeitnehmer unterrichtet wird; dies darf jedoch keine Absenkung des allgemeinen Niveaus des Arbeitnehmerschutzes bewirken.

(38) Unberührt lassen sollte diese Richtlinie die Unterrichtungs- und Anhörungsverfahren gemäß der Richtlinie 2002/14/EG[1] des Europäischen Parlaments und des Rates vom 11. März 2002 zur Festlegung eines allgemeinen Rahmens für die Unterrichtung und Anhörung der Arbeitnehmer in der Europäischen Gemeinschaft[2], die spezifischen Verfahren nach Artikel 2 der Richtlinie 98/59/EG[3] des Rates vom 20. Juli 1998 zur Angleichung der Rechtsvorschriften der Mitgliedstaaten über Massenentlassungen[4] sowie Artikel 7 der Richtlinie 2001/23/EG[5] des Rates vom 12. März 2001 zur Angleichung der Rechtsvorschriften der Mitgliedstaaten über die Wahrung von Ansprüchen der Arbeitnehmer beim Übergang von Unternehmen, Betrieben oder Unternehmens- oder Betriebsteilen[6].

(39) Es sollten besondere Bestimmungen für die gemeinschaftsweit operierenden Unternehmen und Unternehmensgruppen vorgesehen werden, in denen am 22. September 1996 eine für alle Arbeitnehmer geltende Ver-

---

[1] Nr. 932.
[2] **Amtl. Anm.:** ABl. L 80 vom 23.3.2002, S. 29.
[3] Nr. 880.
[4] **Amtl. Anm.:** ABl. L 225 vom 12.8.1998, S. 16.
[5] Nr. 882.
[6] **Amtl. Anm.:** ABl. L 82 vom 22.3.2001, S. 16.

einbarung über eine länderübergreifende Unterrichtung und Anhörung der Arbeitnehmer bestand.

(40) Ändert sich die Struktur des Unternehmens oder der Unternehmensgruppe wesentlich, beispielsweise durch eine Fusion, eine Übernahme oder eine Spaltung, so bedarf es einer Anpassung des bestehenden Europäischen Betriebsrats bzw. der bestehenden Europäischen Betriebsräte. Diese Anpassung muss vorrangig nach den Bestimmungen der geltenden Vereinbarung erfolgen, falls diese Bestimmungen die erforderliche Anpassung gestatten. Ist dies nicht der Fall und wird ein entsprechender Antrag gestellt, so werden Verhandlungen über eine neue Vereinbarung aufgenommen, an denen die Mitglieder des bestehenden Europäischen Betriebsrats bzw. der bestehenden Europäischen Betriebsräte zu beteiligen sind. Um die Unterrichtung und Anhörung der Arbeitnehmer in der häufig entscheidenden Phase der Strukturänderung zu ermöglichen, müssen der bestehende Europäische Betriebsrat bzw. die bestehenden Europäischen Betriebsräte in die Lage versetzt werden, ihre Tätigkeit, unter Umständen in entsprechend angepasster Art und Weise, bis zum Abschluss einer neuen Vereinbarung fortzusetzen. Mit Unterzeichnung einer neuen Vereinbarung müssen die zuvor eingerichteten Betriebsräte aufgelöst und die Vereinbarungen über ihre Einrichtung, unabhängig von den darin enthaltenen Bestimmungen über ihre Geltungsdauer oder Kündigung, beendet werden.

(41) Findet diese Anpassungsklausel keine Anwendung, so sollten die geltenden Vereinbarungen weiter in Kraft bleiben können, um deren obligatorische Neuverhandlung zu vermeiden, wenn sie unnötig wäre. Es sollte vorgesehen werden, dass auf vor dem 22. September 1996 gemäß Artikel 13 Absatz 1 der Richtlinie 94/45/EG[1)] oder gemäß Artikel 3 Absatz 1 der Richtlinie 97/74/EG[2)] geschlossene Vereinbarungen während ihrer Geltungsdauer Verpflichtungen, die sich aus der vorliegenden Richtlinie ergeben, weiterhin keine Anwendung finden. Ferner begründet die vorliegende Richtlinie keine allgemeine Verpflichtung zur Neuverhandlung von Vereinbarungen, die gemäß Artikel 6 der Richtlinie 94/45/EG[1)] zwischen dem 22. September 1996 und dem 5. Juni 2011 geschlossen wurden.

(42) Unbeschadet des Rechts der Parteien, anders lautende Vereinbarungen zu treffen, ist ein Europäischer Betriebsrat, der in Ermangelung einer Vereinbarung zwischen den Parteien zur Erreichung des Ziels dieser Richtlinie eingesetzt wird, in Bezug auf die Tätigkeiten des Unternehmens oder der Unternehmensgruppe zu unterrichten und anzuhören, damit er mögliche Auswirkungen auf die Interessen der Arbeitnehmer in mindestens zwei Mitgliedstaaten abschätzen kann. Hierzu sollte das Unternehmen oder das herrschende Unternehmen verpflichtet sein, den Arbeitnehmervertretern allgemeine Informationen, die die Interessen der Arbeitnehmer berühren, sowie Informationen, die sich konkret auf diejenigen Aspekte der Tätigkeiten des Unternehmens oder der Unternehmensgruppe bezie-

---

[1)] **beck-online, Module Arbeitsrecht Nr. 930b.**

[2)] **Amtl. Anm.:** Richtlinie 97/74/EG des Rates vom 15. Dezember 1997 zur Ausdehnung der Richtlinie 94/45/EG ***[beck-online, Module Arbeitsrecht Nr. 930b]*** über die Einsetzung eines Europäischen Betriebsrats oder die Schaffung eines Verfahrens zur Unterrichtung und Anhörung der Arbeitnehmer in gemeinschaftsweit operierenden Unternehmen und Unternehmensgruppen auf das Vereinigte Königreich (ABl. L 10 vom 16.1.1998, S. 22).

hen, welche die Interessen der Arbeitnehmer berühren, mitzuteilen. Der Europäische Betriebsrat muss am Ende der Sitzung eine Stellungnahme abgeben können.

(43) Bevor bestimmte Beschlüsse mit erheblichen Auswirkungen auf die Interessen der Arbeitnehmer ausgeführt werden, sind die Arbeitnehmervertreter unverzüglich zu unterrichten und anzuhören.

(44) Der Inhalt der subsidiären Rechtsvorschriften, die in Ermangelung einer Vereinbarung anzuwenden sind und in den Verhandlungen als Auffangregelungen dienen, muss geklärt und an die Entwicklung der Anforderungen und Verfahren im Bereich der länderübergreifenden Unterrichtung und Anhörung angepasst werden. Eine Unterscheidung sollte vorgenommen werden zwischen den Bereichen, in denen eine Unterrichtung obligatorisch ist, und den Bereichen, in denen der Europäische Betriebsrat auch angehört werden muss, was das Recht einschließt, eine Antwort mit Begründung auf eine abgegebene Stellungnahme zu erhalten. Damit der engere Ausschuss die erforderliche Koordinierungsrolle wahrnehmen und im Falle außergewöhnlicher Umstände effizient handeln kann, muss dieser Ausschuss bis zu fünf Mitglieder umfassen und regelmäßig beraten können.

(45) Da das Ziel dieser Richtlinie, nämlich die Verbesserung der Rechte auf Unterrichtung und Anhörung der Arbeitnehmer in gemeinschaftsweit operierenden Unternehmen und Unternehmensgruppen, auf Ebene der Mitgliedstaaten nicht ausreichend verwirklicht werden kann und daher besser auf Gemeinschaftsebene zu verwirklichen ist, kann die Gemeinschaft im Einklang mit dem in Artikel 5 des Vertrags niedergelegten Subsidiaritätsprinzip tätig werden. Entsprechend dem in demselben Artikel genannten Grundsatz der Verhältnismäßigkeit geht diese Richtlinie nicht über das zur Erreichung dieses Ziels erforderliche Maß hinaus.

(46) Diese Richtlinie achtet die Grundrechte und wahrt insbesondere die Grundsätze, die mit der Charta der Grundrechte der Europäischen Union anerkannt wurden. Vor allem soll diese Richtlinie gewährleisten, dass das Recht der Arbeitnehmer oder ihrer Vertreter auf rechtzeitige Unterrichtung und Anhörung auf den angemessenen Ebenen in vollem Umfang Beachtung findet, und zwar in den Fällen und unter den Gegebenheiten, die im Gemeinschaftsrecht sowie in den einzelstaatlichen Rechtsvorschriften und Verfahren vorgesehen sind (Artikel 27 der Charta der Grundrechte der Europäischen Union).

(47) Die Verpflichtung zur Umsetzung dieser Richtlinie in innerstaatliches Recht sollte nur jene Bestimmungen betreffen, die im Vergleich zu den bisherigen Richtlinien inhaltlich geändert wurden. Die Verpflichtung zur Umsetzung der inhaltlich unveränderten Bestimmungen ergibt sich aus den bisherigen Richtlinien.

(48) Gemäß Nummer 34 der Interinstitutionellen Vereinbarung über bessere Rechtsetzung[1] sind die Mitgliedstaaten aufgefordert, für ihre eigenen Zwecke und im Interesse der Gemeinschaft eigene Tabellen aufzustellen, aus denen im Rahmen des Möglichen die Entsprechungen zwischen dieser Richtlinie und den Umsetzungsmaßnahmen zu entnehmen sind, und diese zu veröffentlichen.

---

[1] **Amtl. Anm.:** ABl. C 321 vom 31.12.2003, S. 1.

(49) Diese Richtlinie sollte die Verpflichtungen der Mitgliedstaaten hinsichtlich der in Anhang II Teil B genannten Fristen für die Umsetzung der dort genannten Richtlinien in innerstaatliches Recht und für die Anwendung dieser Richtlinien unberührt lassen –

HABEN FOLGENDE RICHTLINIE ERLASSEN:

Teil I. Allgemeine Bestimmungen

Art. 1[1)] Zielsetzung. (1) Das Ziel dieser Richtlinie ist die Stärkung des Rechts auf Unterrichtung und Anhörung der Arbeitnehmer in gemeinschaftsweit operierenden Unternehmen und Unternehmensgruppen.

(2) [1] Hierzu wird in allen gemeinschaftsweit operierenden Unternehmen und Unternehmensgruppen auf Antrag gemäß dem Verfahren nach Artikel 5 Absatz 1 zum Zweck der Unterrichtung und Anhörung der Arbeitnehmer ein Europäischer Betriebsrat eingesetzt oder ein Verfahren zur Unterrichtung und Anhörung der Arbeitnehmer geschaffen. [2] Die Modalitäten der Unterrichtung und Anhörung der Arbeitnehmer werden so festgelegt und angewandt, dass ihre Wirksamkeit gewährleistet ist und eine effiziente Beschlussfassung des Unternehmens oder der Unternehmensgruppe ermöglicht wird.

(3) [1] Die Unterrichtung und Anhörung der Arbeitnehmer erfolgt auf der je nach behandeltem Thema relevanten Leitungs- und Vertretungsebene. [2] Zu diesem Zweck beschränken sich die Zuständigkeiten des Europäischen Betriebsrats und der Geltungsbereich des Verfahrens zur Unterrichtung und Anhörung der Arbeitnehmer gemäß dieser Richtlinie auf länderübergreifende Angelegenheiten, unter Berücksichtigung der möglichen Auswirkungen auf die Belegschaft und der beteiligten Leitungsebene.

(4) *[1]* Als länderübergreifend werden Angelegenheiten erachtet, bei denen vernünftigerweise davon auszugehen ist, dass sie das gemeinschaftsweit operierende Unternehmen oder die gemeinschaftsweit operierende Unternehmensgruppe insgesamt oder mindestens zwei Unternehmen oder Betriebe des Unternehmens bzw. der Unternehmensgruppe in mindestens zwei verschiedenen Mitgliedstaaten betreffen.

[2] Diese Bedingungen gelten als erfüllt, wenn

a) bei den von der Leitung des gemeinschaftsweit operierenden Unternehmens oder der gemeinschaftsweit operierenden Unternehmensgruppe in Betracht gezogenen Maßnahmen vernünftigerweise auszugehen ist, dass sie Arbeitnehmer dieses Unternehmens, dieser Unternehmensgruppe oder eines Betriebs dieses Unternehmens oder dieser Unternehmensgruppe in mehr als einem Mitgliedstaat treffen, oder

b) bei den von der Leitung des gemeinschaftsweit operierenden Unternehmens oder der gemeinschaftsweit operierenden Unternehmensgruppe in Betracht gezogenen Maßnahmen vernünftigerweise davon auszugehen ist, dass sie Arbeitnehmer dieses Unternehmens, dieser Unternehmensgruppe oder eines Betriebs dieses Unternehmens oder dieser Unternehmensgruppe in einem Mitgliedstaat treffen, und vernünftigerweise davon auszugehen ist, dass die Auswirkungen dieser Maßnahmen Arbeitnehmer dieses Unternehmens, die-

---

1) Art. 1 Abs. 7 aufgeh. mWv 9.10.2015 durch RL v. 6.10.2015 (ABl. L 263 S. 1); Abs. 3 und 4 neu gef. mWv 31.12.2025 durch RL v. 26.11.2025 (ABl. L, 2025/2450, 11.12.2025).

ser Unternehmensgruppe oder eines Betriebs dieses Unternehmens oder dieser Unternehmensgruppe in mindestens einem weiteren Mitgliedstaat treffen.

(5) Ungeachtet des Absatzes 2 wird der Europäische Betriebsrat in den Fällen, in denen eine gemeinschaftsweit operierende Unternehmensgruppe im Sinne von Artikel 2 Absatz 1 Buchstabe c ein oder mehrere Unternehmen oder Unternehmensgruppen umfasst, die gemeinschaftsweit operierende Unternehmen oder Unternehmensgruppen im Sinne von Artikel 2 Absatz 1 Buchstabe a oder c sind, auf der Ebene der Unternehmensgruppe eingesetzt, es sei denn, dass in der Vereinbarung gemäß Artikel 6 etwas anderes vorgesehen wird.

(6) Ist in der Vereinbarung gemäß Artikel 6 kein größerer Geltungsbereich vorgesehen, so erstrecken sich die Befugnisse und Zuständigkeiten der Europäischen Betriebsräte und die Verfahren zur Unterrichtung und Anhörung der Arbeitnehmer, die zur Erreichung des in Absatz 1 festgelegten Ziels vorgesehen sind, im Fall eines gemeinschaftsweit operierenden Unternehmens auf alle in den Mitgliedstaaten ansässigen Betriebe und im Fall einer gemeinschaftsweit operierenden Unternehmensgruppe auf alle in den Mitgliedstaaten ansässigen Unternehmen dieser Gruppe.

Art. 2[1)] Definitionen. (1) Im Sinne dieser Richtlinie bezeichnet der Ausdruck

a) „gemeinschaftsweit operierendes Unternehmen" ein Unternehmen mit mindestens 1000 Arbeitnehmern in den Mitgliedstaaten und mit jeweils mindestens 150 Arbeitnehmern in mindestens zwei Mitgliedstaaten;
b) „Unternehmensgruppe" eine Gruppe, die aus einem herrschenden Unternehmen und den von diesem abhängigen Unternehmen besteht;
c) „gemeinschaftsweit operierende Unternehmensgruppe" eine Unternehmensgruppe, die folgende Voraussetzungen erfüllt:
   – sie hat mindestens 1000 Arbeitnehmer in den Mitgliedstaaten,
   – sie umfasst mindestens zwei der Unternehmensgruppe angehörende Unternehmen in verschiedenen Mitgliedstaaten,
   und
   – mindestens ein der Unternehmensgruppe angehörendes Unternehmen hat mindestens 150 Arbeitnehmer in einem Mitgliedstaat, und ein weiteres der Unternehmensgruppe angehörendes Unternehmen hat mindestens 150 Arbeitnehmer in einem anderen Mitgliedstaat;
d) „Arbeitnehmervertreter" die nach den Rechtsvorschriften und/oder den Gepflogenheiten der Mitgliedstaaten vorgesehenen Vertreter der Arbeitnehmer;
e) „zentrale Leitung" die zentrale Unternehmensleitung eines gemeinschaftsweit operierenden Unternehmens oder bei gemeinschaftsweit operierenden Unternehmensgruppen die zentrale Unternehmensleitung des herrschenden Unternehmens;
f) „Unterrichtung" die Übermittlung von Informationen durch den Arbeitgeber an die Arbeitnehmervertreter, um ihnen Gelegenheit zur Kenntnisnahme und Prüfung der behandelten Frage zu geben;

[1)] Art. 2 Abs. 1 Buchst. f und g neu gef. mWv 31.12.2025 durch RL v. 26.11.2025 (ABl. L, 2025/2450, 11.12.2025).

g) „Anhörung" die Durchführung eines Dialogs und eines Meinungsaustauschs zwischen den Arbeitnehmervertretern und der zentralen Leitung oder einer anderen, geeigneteren Leitungsebene;

h) „Europäischer Betriebsrat" einen Betriebsrat, der gemäß Artikel 1 Absatz 2 oder den Bestimmungen des Anhangs I zur Unterrichtung und Anhörung der Arbeitnehmer eingesetzt werden kann;

i) „besonderes Verhandlungsgremium" das gemäß Artikel 5 Absatz 2 eingesetzte Gremium, das die Aufgabe hat, mit der zentralen Leitung die Einsetzung eines Europäischen Betriebsrats oder die Schaffung eines Verfahrens zur Unterrichtung und Anhörung der Arbeitnehmer nach Artikel 1 Absatz 2 auszuhandeln.

(2) Für die Zwecke dieser Richtlinie werden die Beschäftigtenschwellen nach der entsprechend den einzelstaatlichen Rechtsvorschriften und/oder Gepflogenheiten berechneten Zahl der im Durchschnitt während der letzten zwei Jahre beschäftigten Arbeitnehmer, einschließlich der Teilzeitbeschäftigten, festgelegt.

Art. 3[1)] Definition des Begriffs „herrschendes Unternehmen".

(1) Im Sinne dieser Richtlinie gilt als „herrschendes Unternehmen" ein Unternehmen, das zum Beispiel aufgrund von Eigentum, finanzieller Beteiligung oder den Vorschriften und Entscheidungen, die die Tätigkeit des Unternehmens regeln, einen beherrschenden Einfluss auf ein anderes Unternehmen („abhängiges Unternehmen") ausüben kann.

(2) Die Fähigkeit, einen beherrschenden Einfluss auszuüben, gilt bis zum Beweis des Gegenteils als gegeben, wenn ein Unternehmen in Bezug auf ein anderes Unternehmen direkt oder indirekt

a) die Mehrheit des gezeichneten Kapitals dieses Unternehmens besitzt oder

b) über die Mehrheit der mit den Anteilen am anderen Unternehmen verbundenen Stimmrechte verfügt oder

c) mehr als die Hälfte der Mitglieder des Verwaltungs-, Leitungs- oder Aufsichtsorgans des anderen Unternehmens bestellen kann.

(3) Für die Anwendung von Absatz 2 müssen den Stimm- und Ernennungsrechten des herrschenden Unternehmens die Rechte aller abhängigen Unternehmen sowie aller natürlichen oder juristischen Personen, die zwar im eigenen Namen, aber für Rechnung des herrschenden Unternehmens oder eines anderen abhängigen Unternehmens handeln, hinzugerechnet werden.

(4) Ungeachtet der Absätze 1 und 2 ist ein Unternehmen kein „herrschendes Unternehmen" in Bezug auf ein anderes Unternehmen, an dem es Anteile hält, wenn es sich um eine Gesellschaft im Sinne von Artikel 3 Absatz 5 Buchstabe a oder c der Verordnung (EG) Nr. 139/2004 des Rates vom 20. Januar 2004 über die Kontrolle von Unternehmenszusammenschlüssen[2)] handelt.

(5) Ein beherrschender Einfluss gilt nicht allein schon aufgrund der Tatsache als gegeben, dass eine beauftragte Person ihre Funktionen gemäß den in einem

---

[1)] Art. 3 Abs. 1 neu gef. mWv 31.12.2025 durch RL v. 26.11.2025 (ABl. L, 2025/2450, 11.12. 2025).

[2)] **Amtl. Anm.:** ABl. L 24 vom 29.1.2004, S. 1.

Mitgliedstaat für die Liquidation, den Konkurs, die Zahlungsunfähigkeit, die Zahlungseinstellung, den Vergleich oder ein ähnliches Verfahren geltenden Rechtsvorschriften ausübt.

(6) *[1]* Maßgebend für die Feststellung, ob ein Unternehmen ein herrschendes Unternehmen ist, ist das Recht des Mitgliedstaats, dem das Unternehmen unterliegt.

[2] Unterliegt das Unternehmen nicht dem Recht eines Mitgliedstaats, so ist das Recht des Mitgliedstaats maßgebend, in dem der Vertreter des Unternehmens oder, in Ermangelung eines solchen, die zentrale Leitung desjenigen Unternehmens innerhalb einer Unternehmensgruppe ansässig ist, das die höchste Anzahl von Arbeitnehmern aufweist.

(7) Ergibt sich im Fall einer Normenkollision bei der Anwendung von Absatz 2, dass zwei oder mehr Unternehmen ein und derselben Unternehmensgruppe eines oder mehrere der in Absatz 2 festgelegten Kriterien erfüllen, so gilt das Unternehmen, welches das unter Absatz 2 Buchstabe c genannte Kriterium erfüllt, als herrschendes Unternehmen, solange nicht der Beweis erbracht ist, dass ein anderes Unternehmen einen beherrschenden Einfluss ausüben kann.

Teil II. Einrichtung des Europäischen Betriebsrats oder Schaffung eines Verfahrens zur Unterrichtung und Anhörung der Arbeitnehmer

Art. 4 Verantwortung für die Einrichtung eines Europäischen Betriebsrats oder die Schaffung eines Verfahrens zur Unterrichtung und Anhörung der Arbeitnehmer. (1) Die zentrale Leitung ist dafür verantwortlich, dass die Voraussetzungen geschaffen und die Mittel bereitgestellt werden, damit jeweils nach Maßgabe des Artikels 1 Absatz 2 für gemeinschaftsweit operierende Unternehmen und gemeinschaftsweit operierende Unternehmensgruppen der Europäische Betriebsrat eingesetzt oder ein Verfahren zur Unterrichtung und Anhörung geschaffen werden kann.

(2) *[1]* Ist die zentrale Leitung nicht in einem Mitgliedstaat ansässig, so ist ihr gegebenenfalls zu benennender Vertreter in der Gemeinschaft für die Maßnahmen nach Absatz 1 verantwortlich.

[2] In Ermangelung eines solchen Vertreters ist die Leitung des Betriebs oder des zur Unternehmensgruppe gehörenden Unternehmens mit der höchsten Anzahl von Beschäftigten in einem Mitgliedstaat für die Maßnahmen nach Absatz 1 verantwortlich.

(3) Für die Zwecke dieser Richtlinie gelten der oder die Vertreter oder, in Ermangelung dieser Vertreter, die Leitung nach Absatz 2 Unterabsatz 2 als zentrale Leitung.

(4) [1]Jede Leitung eines zu einer gemeinschaftsweit operierenden Unternehmensgruppe gehörenden Unternehmens sowie die zentrale Leitung oder die fingierte zentrale Leitung im Sinne des Absatzes 2 Unterabsatz 2 des gemeinschaftsweit operierenden Unternehmens oder der gemeinschaftsweit operierenden Unternehmensgruppe ist dafür verantwortlich, die für die Aufnahme von Verhandlungen gemäß Artikel 5 erforderlichen Informationen zu erheben und an die Parteien, auf die die Richtlinie Anwendung findet, weiterzuleiten, insbesondere die Informationen in Bezug auf die Struktur des Unternehmens

oder der Gruppe und die Belegschaft. [2] Diese Verpflichtung betrifft insbesondere die Angaben zu der in Artikel 2 Absatz 1 Buchstaben a und c erwähnten Beschäftigtenzahl.

Art. 5[1)] Besonderes Verhandlungsgremium. (1) Um das in Artikel 1 Absatz 1 festgelegte Ziel zu erreichen, nimmt die zentrale Leitung von sich aus oder auf gemeinsamen oder getrennten schriftlichen Antrag von mindestens 100 Arbeitnehmern oder ihren Vertretern aus mindestens zwei Unternehmen oder Betrieben in mindestens zwei verschiedenen Mitgliedstaaten Verhandlungen zur Einrichtung eines Europäischen Betriebsrats oder zur Schaffung eines Verfahrens zur Unterrichtung und Anhörung auf.

(2) Zu diesem Zwecke wird ein besonderes Verhandlungsgremium nach folgenden Leitlinien eingesetzt:

a) Die Mitgliedstaaten legen das Verfahren für die Wahl oder die Benennung der Mitglieder des besonderen Verhandlungsgremiums fest, die in ihrem Hoheitsgebiet zu wählen oder zu benennen sind.
Die Mitgliedstaaten sehen vor, dass die Arbeitnehmer der Unternehmen und/oder Betriebe, in denen unabhängig vom Willen der Arbeitnehmer keine Arbeitnehmervertreter vorhanden sind, selbst Mitglieder für das besondere Verhandlungsgremium wählen oder benennen dürfen.
Durch Unterabsatz 2 werden die einzelstaatlichen Rechtsvorschriften und/oder Gepflogenheiten, die Schwellen für die Einrichtung eines Gremiums zur Vertretung der Arbeitnehmer vorsehen, nicht berührt.

b) Die Mitglieder des besonderen Verhandlungsgremiums werden in einer auf die Erreichung eines ausgewogenen Geschlechterverhältnisses ausgerichteten Weise gewählt oder ernannt, wobei Frauen und Männer jeweils mindestens 40 % der Mitglieder des besonderen Verhandlungsgremiums ausmachen, sowie entsprechend der Zahl der in jedem Mitgliedstaat beschäftigten Arbeitnehmer des gemeinschaftsweit operierenden Unternehmens oder der gemeinschaftsweit operierenden Unternehmensgruppe, sodass pro Mitgliedstaat für jeden Anteil der in diesem Mitgliedstaat beschäftigten Arbeitnehmer, der 10 % der Gesamtzahl der in allen Mitgliedstaaten beschäftigten Arbeitnehmer entspricht, oder für einen Bruchteil dieser Tranche Anspruch auf einen Sitz besteht. Wird das Ziel einer ausgewogenen Vertretung der Geschlechter nicht erreicht, so erläutert das besondere Verhandlungsgremium den Arbeitnehmern die Gründe dafür in schriftlicher Form. Die Nichterreichung des Ziels einer ausgewogenen Vertretung der Geschlechter steht der Einrichtung eines besonderen Verhandlungsgremiums nicht entgegen.

c) Die Zusammensetzung des besonderen Verhandlungsgremiums und der Beginn der Verhandlungen werden der zentralen Leitung und den örtlichen Unternehmensleitungen sowie den zuständigen europäischen Arbeitnehmer- und Arbeitgeberverbänden mitgeteilt.

(3) Aufgabe des besonderen Verhandlungsgremiums ist es, mit der zentralen Leitung in einer schriftlichen Vereinbarung den Tätigkeitsbereich, die Zusammensetzung, die Befugnisse und die Mandatsdauer des Europäischen Betriebsrats oder der Europäischen Betriebsräte oder die Durchführungsmodalitäten

---

[1)] Art. 5 Abs. 1, Abs. 2 Buchst. b, Abs. 4 UAbs. 1, Abs. 6 neu gef. mWv 31.12.2025 durch RL v. 26.11.2025 (ABl. L, 2025/2450, 11.12.2025).

eines Verfahrens zur Unterrichtung und Anhörung der Arbeitnehmer festzulegen.

(4) *[1]* [1] Die zentrale Leitung beruft Verhandlungssitzungen mit dem besonderen Verhandlungsgremium in ausreichender Zahl ein, um eine Vereinbarung gemäß Artikel 6 zu schließen. [2] Sie setzt die örtlichen Leitungen hiervon in Kenntnis.

[2] Vor und nach jeder Sitzung mit der zentralen Leitung ist das besondere Verhandlungsgremium berechtigt, zu tagen, ohne dass Vertreter der zentralen Leitung dabei zugegen sind, und dabei die erforderlichen Kommunikationsmittel zu nutzen.

[3] [1] Das besondere Verhandlungsgremium kann bei den Verhandlungen Sachverständige seiner Wahl hinzuziehen, zu denen Vertreter der kompetenten anerkannten Gewerkschaftsorganisationen auf Gemeinschaftsebene gehören können, um sich von ihnen bei seiner Arbeit unterstützen zu lassen. [2] Diese Sachverständigen und Gewerkschaftsvertreter können auf Wunsch des besonderen Verhandlungsgremiums den Verhandlungen in beratender Funktion beiwohnen.

(5) *[1]* Das besondere Verhandlungsgremium kann mit mindestens zwei Dritteln der Stimmen beschließen, keine Verhandlungen gemäß Absatz 4 zu eröffnen oder die bereits eröffneten Verhandlungen zu beenden.

[2] [1] Durch einen solchen Beschluss wird das Verfahren zum Abschluss der in Artikel 6 genannten Vereinbarung beendet. [2] Ist ein solcher Beschluss gefasst worden, finden die Bestimmungen des Anhangs I keine Anwendung.

[3] Ein neuer Antrag auf Einberufung des besonderen Verhandlungsgremiums kann frühestens zwei Jahre nach dem vorgenannten Beschluss gestellt werden, es sei denn, die betroffenen Parteien setzen eine kürzere Frist fest.

(6) *[1]* [1] Die Kosten im Zusammenhang mit den Verhandlungen nach den Absätzen 3 und 4 werden von der zentralen Leitung getragen, damit das besondere Verhandlungsgremium seine Aufgaben in angemessener Weise erfüllen kann. [2] Diese Kosten umfassen angemessene Kosten von Sachverständigen, einschließlich Rechtssachverständigen, soweit dies für diesen Zweck erforderlich ist. [3] Die zentrale Leitung ist im Voraus über solche Kosten in Kenntnis zu setzen.

[2] Die Mitgliedstaaten können unter Wahrung dieses Grundsatzes Regeln für die Finanzierung der Arbeit des besonderen Verhandlungsgremiums festlegen.

Art. 6[1)] Inhalt der Vereinbarung. (1) Die zentrale Leitung und das besondere Verhandlungsgremium müssen im Geiste der Zusammenarbeit verhandeln, um zu einer Vereinbarung über die Modalitäten der Durchführung der in Artikel 1 Absatz 1 vorgesehenen Unterrichtung und Anhörung der Arbeitnehmer zu gelangen.

(2) Unbeschadet der Autonomie der Parteien wird in der schriftlichen Vereinbarung nach Absatz 1 zwischen der zentralen Leitung und dem besonderen Verhandlungsgremium Folgendes festgelegt:

[1)] Art. 6 Abs. 2 Buchst. c, d, f und g neu gef., Abs. 2a eingef. mWv 31.12.2025 durch RL v. 26.11. 2025 (ABl. L, 2025/2450, 11.12.2025).

a) die von der Vereinbarung betroffenen Unternehmen der gemeinschaftsweit operierenden Unternehmensgruppe oder Betriebe des gemeinschaftsweit operierenden Unternehmens;

b) die Zusammensetzung des Europäischen Betriebsrats, die Anzahl der Mitglieder, die Sitzverteilung, wobei so weit als möglich eine ausgewogene Vertretung der Arbeitnehmer nach Tätigkeit, Arbeitnehmerkategorien und Geschlecht zu berücksichtigen ist, und die Mandatsdauer;

c) die Befugnisse und das Unterrichtungs- und Anhörungsverfahren des Europäischen Betriebsrats sowie die Modalitäten für die Abstimmung zwischen der Unterrichtung und Anhörung des Europäischen Betriebsrats und der einzelstaatlichen Vertretungsgremien der Arbeitnehmer gemäß den Grundsätzen und Anforderungen von Artikel 1 Absatz 3 und Artikel 9;

d) das Format, der Ort, die Häufigkeit und die Dauer der Sitzungen des Europäischen Betriebsrats;

e) gegebenenfalls die Zusammensetzung, die Modalitäten für die Bestellung, die Befugnisse und die Sitzungsmodalitäten des innerhalb des Europäischen Betriebsrates eingesetzten engeren Ausschusses;

f) die für den Europäischen Betriebsrat bereitzustellenden finanziellen und materiellen Mittel, die mindestens die folgenden Aspekte einschließen:

i) die mögliche Inanspruchnahme von Sachverständigen sowie deren Teilnahme an Sitzungen, einschließlich der möglichen Inanspruchnahme von Rechtssachverständigen und Vertretern anerkannter Gewerkschaftsorganisationen auf Gemeinschaftsebene sowie deren Teilnahme an Sitzungen, zur Unterstützung des Europäischen Betriebsrats bei der Wahrnehmung seiner Aufgaben;

ii) Bereitstellung relevanter Schulungen für die Mitglieder des Europäischen Betriebsrats, unbeschadet Artikel 10 Absatz 4 Unterabsatz 1;

g) das Datum des Inkrafttretens der Vereinbarung, ihre Laufzeit, ihre mögliche Verlängerung, die Modalitäten für die Änderung oder Kündigung der Vereinbarung und die Fälle, in denen eine Neuaushandlung erfolgt, und das bei ihrer Neuaushandlung anzuwendende Verfahren, wenn erforderlich auch bei Änderungen der Struktur des gemeinschaftsweit operierenden Unternehmens oder der gemeinschaftsweit operierenden Unternehmensgruppe.

(2a) [1] Bei der Aushandlung oder Neuverhandlung einer Vereinbarung über einen Europäischen Betriebsrat treffen die zentrale Leitung und das besondere Verhandlungsgremium, unbeschadet der einzelstaatlichen Rechtsvorschriften und Gepflogenheiten für die Wahl oder die Benennung von Arbeitnehmervertretern, die notwendigen Vorkehrungen und unternehmen alle zumutbaren Anstrengungen, um das Ziel eines ausgewogenen Geschlechterverhältnisses zu erreichen, wonach Frauen und Männer jeweils mindestens 40 % der Mitglieder des Europäischen Betriebsrats und, falls zutreffend, der Mitglieder des engeren Ausschusses ausmachen. [2] Wird das Ziel einer ausgewogenen Vertretung der Geschlechter nicht erreicht, so erläutert der Europäische Betriebsrat den Arbeitnehmern die Gründe dafür in schriftlicher Form. [3] Die Nichterreichung des Ziels einer ausgewogenen Vertretung der Geschlechter steht der Einrichtung eines Europäischen Betriebsrats oder eines engeren Ausschusses nicht entgegen.

(3) *[1]* Die zentrale Leitung und das besondere Verhandlungsgremium können in schriftlicher Form den Beschluss fassen, dass anstelle eines Europäischen

Betriebsrats ein oder mehrere Unterrichtungs- und Anhörungsverfahren geschaffen werden.

[2] In der Vereinbarung ist festzulegen, unter welchen Voraussetzungen die Arbeitnehmervertreter das Recht haben, zu einem Meinungsaustausch über die ihnen übermittelten Informationen zusammenzutreten.

[3] Diese Informationen erstrecken sich insbesondere auf länderübergreifende Angelegenheiten, welche erhebliche Auswirkungen auf die Interessen der Arbeitnehmer haben.

(4) Sofern in den Vereinbarungen im Sinne der Absätze 2 und 3 nichts anderes bestimmt ist, gelten die subsidiären Vorschriften des Anhangs I nicht für diese Vereinbarungen.

(5) Für den Abschluss der Vereinbarungen im Sinne der Absätze 2 und 3 ist die Mehrheit der Stimmen der Mitglieder des besonderen Verhandlungsgremiums erforderlich.

Art. 7[1)] Subsidiäre Vorschriften. (1) Um das in Artikel 1 Absatz 1 festgelegte Ziel zu erreichen, werden die subsidiären Rechtsvorschriften des Mitgliedstaats, in dem die zentrale Leitung ihren Sitz hat, angewandt,

– wenn die zentrale Leitung und das besondere Verhandlungsgremium einen entsprechenden Beschluss fassen
oder
– wenn die erste Sitzung des besonderen Verhandlungsgremiums von der zentralen Leitung nicht binnen sechs Monaten nach Ergehen eines Antrags gemäß Artikel 5 Absatz 1 einberufen wurde;
– wenn binnen drei Jahren nach dem entsprechenden Antrag keine Vereinbarung gemäß Artikel 6 zustande kommt und das besondere Verhandlungsgremium keinen Beschluss nach Artikel 5 Absatz 5 gefasst hat.

(2) Die subsidiären Vorschriften nach Absatz 1 in der durch die Rechtsvorschriften der Mitgliedstaaten festgelegten Fassung müssen den in Anhang I niedergelegten Bestimmungen genügen.

Teil III. Sonstige Bestimmungen

Art. 8[2)] Vertrauliche Mitteilung von Informationen. (1) [1] Die Mitgliedstaaten sehen vor, dass es Mitgliedern eines besonderen Verhandlungsgremiums, Mitgliedern eines Europäischen Betriebsrats oder, im Rahmen eines Verfahrens zur Unterrichtung und Anhörung, Arbeitnehmervertretern sowie den sie gegebenenfalls unterstützenden Sachverständigen nicht gestattet wird, Informationen, die ihnen von der zentralen Leitung ausdrücklich als vertraulich, im Sinne des berechtigten Interesses des Unternehmens, im Einklang mit von dem Mitgliedstaat festgelegten objektiven Kriterien mitgeteilt worden sind, offenzulegen. [2] Außerdem kann die zentrale Leitung angemessene Vorkehrungen für die Übermittlung und Speicherung treffen, um die Vertraulichkeit der Informationen zu wahren.

[1)] Art. 7 Abs. *1* zweiter Gedankenstrich neu gef. mWv 31.12.2025 durch RL v. 26.11.2025 (ABl. L, 2025/2450, 11.12.2025).

[2)] Art. 8 neu gef. mWv 31.12.2025 durch RL v. 26.11.2025 (ABl. L, 2025/2450, 11.12.2025).

(2) Teilt die zentrale Leitung Informationen gemäß Absatz 1 als vertraulich mit, so setzt sie die Mitglieder des besonderen Verhandlungsgremiums, die Mitglieder des Europäischen Betriebsrats oder, im Rahmen eines Verfahrens zur Unterrichtung und Anhörung, die Arbeitnehmervertreter über die Gründe, die die Vertraulichkeit rechtfertigen, in Kenntnis und bestimmt, wenn möglich, die Dauer der Pflicht zur Vertraulichkeit.

(3) Die Pflicht zur Vertraulichkeit nach Absatz 1 bleibt unabhängig vom Aufenthaltsort der in dem diesem Absatz genannten Personen und auch nach Ablauf ihres Mandats so lange aufrecht, bis die Gründe für die Pflicht zur Vertraulichkeit als hinfällig zu betrachten sind.

Art. 8a[1] Nichtübermittlung von Informationen. (1) *[1]* Die Mitgliedstaaten sehen vor, dass die in ihrem Hoheitsgebiet ansässige zentrale Leitung in besonderen Fällen und unter den in den einzelstaatlichen Rechtsvorschriften festgelegten Bedingungen und Beschränkungen von der Verpflichtung befreit ist, den Mitgliedern des besonderen Verhandlungsgremiums, den Mitgliedern des Europäischen Betriebsrats oder, im Rahmen eines Verfahrens zur Unterrichtung und Anhörung, den Arbeitnehmervertretern und den sie unterstützenden Sachverständigen Informationen zu übermitteln, wenn die Art der Informationen im Einklang mit vom Mitgliedstaat festgelegten objektiven Kriterien dazu führt, dass ihre Übermittlung die Arbeitsweise des Unternehmens erheblich beeinträchtigen würde.

[2] Der betreffende Mitgliedstaat kann diese Befreiung von einer vorherigen behördlichen oder gerichtlichen Genehmigung abhängig machen.

(2) Übermittelt die zentrale Leitung Informationen aus den in Absatz 1 genannten Gründen nicht, so setzt sie die Mitglieder des besonderen Verhandlungsgremiums, die Mitglieder des Europäischen Betriebsrats oder, im Rahmen eines Verfahrens zur Unterrichtung und Anhörung, die Arbeitnehmervertreter über die Gründe, die die Nichtübermittlung der Informationen rechtfertigen, in Kenntnis.

Art. 9[2] Arbeitsweise des Europäischen Betriebsrats und Funktionsweise des Verfahrens zur Unterrichtung und Anhörung der Arbeitnehmer.

(1) *[1]* Die zentrale Leitung und der Europäische Betriebsrat arbeiten mit dem Willen zur Zusammenarbeit unter Beachtung ihrer jeweiligen Rechte und gegenseitigen Verpflichtungen zusammen.

[2] Gleiches gilt für die Zusammenarbeit zwischen der zentralen Leitung und den Arbeitnehmervertretern im Rahmen eines Verfahrens zur Unterrichtung und Anhörung der Arbeitnehmer.

(2) [1] Die Mitteilung von Informationen zu länderübergreifenden Angelegenheiten erfolgt zu einem Zeitpunkt, in einer Weise und in einer inhaltlichen Ausgestaltung, die dem Zweck angemessen sind und es den Arbeitnehmervertretern ermöglichen, die möglichen Auswirkungen eingehend zu bewerten und erforderlichenfalls Anhörungen mit dem zuständigen Organ des gemeinschaftsweit operierenden Unternehmens oder der gemeinschaftsweit operierenden Unternehmensgruppe vorzubereiten. [2] Bei der Mitteilung dieser Informa-

[1] Art. 8a eingef. mWv 31.12.2025 durch RL v. 26.11.2025 (ABl. L, 2025/2450, 11.12.2025).
[2] Art. 9 neu gef. mWv 31.12.2025 durch RL v. 26.11.2025 (ABl. L, 2025/2450, 11.12.2025).

tionen werden zudem etwaige Modalitäten gemäß Artikel 6 Absatz 2 Buchstabe c berücksichtigt.

(3) [1] Die Anhörung erfolgt zu einem Zeitpunkt, in einer Weise und in einer inhaltlichen Ausgestaltung, die es den Arbeitnehmervertretern ermöglichen, auf der Grundlage der gemäß Absatz 2 mitgeteilten Informationen und unbeschadet der Zuständigkeiten der Leitung innerhalb einer angesichts der Dringlichkeit der Angelegenheit angemessenen Frist ihre Stellungnahme abzugeben, bevor eine Entscheidung getroffen wird. [2] Die Arbeitnehmervertreter haben Anspruch auf eine begründete schriftliche Antwort der zentralen Leitung oder einer anderen, geeigneteren Leitungsebene, bevor eine Entscheidung über die fraglichen Maßnahmen getroffen wird, sofern die Arbeitnehmervertreter ihre Stellungnahme innerhalb einer angemessenen Frist gemäß dem vorliegenden Absatz abgegeben haben.

Art. 10[1)] Rolle und Schutz der Arbeitnehmervertreter. (1) Unbeschadet der Zuständigkeiten der anderen Gremien oder Organisationen in diesem Bereich verfügen die Arbeitnehmervertreter, einschließlich der Mitglieder des besonderen Verhandlungsgremiums und des Europäischen Betriebsrats, über die Mittel, die erforderlich sind, um die Rechte auszuüben, die sich aus dieser Richtlinie ergeben, um kollektiv die Interessen der Arbeitnehmer des gemeinschaftsweit operierenden Unternehmens oder der gemeinschaftsweit operierenden Unternehmensgruppe zu vertreten.

(2) Unbeschadet der Artikel 8 und 8a verfügen die Mitglieder des Europäischen Betriebsrats über das Recht und erhalten die notwendigen Mittel, um die Arbeitnehmervertreter der Betriebe oder der zur gemeinschaftsweit operierenden Unternehmensgruppe gehörenden Unternehmen oder, wenn keine solchen Vertreter vorhanden sind, die Belegschaft insgesamt, insbesondere vor und nach Sitzungen mit der zentralen Leitung, über Inhalt und Ergebnisse des Verfahrens zur Unterrichtung und Anhörung zu informieren.

(3) *[1]* Die Mitglieder des besonderen Verhandlungsgremiums, die Mitglieder des Europäischen Betriebsrats und die Arbeitnehmervertreter, die bei dem Verfahren nach Artikel 6 Absatz 3 mitwirken, genießen bei der Wahrnehmung ihrer Aufgaben einen gleichwertigen Schutz und gleichwertige Sicherheiten wie die Arbeitnehmervertreter nach den einzelstaatlichen Rechtsvorschriften oder Gepflogenheiten des Landes, in dem sie beschäftigt sind.

[2] Dies gilt insbesondere für die Teilnahme an den Sitzungen des besonderen Verhandlungsgremiums oder des Europäischen Betriebsrats und an allen anderen Sitzungen im Rahmen der Vereinbarungen nach Artikel 6 Absatz 3, für die Lohn- und Gehaltsfortzahlung an die Mitglieder, die Beschäftigte des gemeinschaftsweit operierenden Unternehmens oder der gemeinschaftsweit operierenden Unternehmensgruppe sind, für die Dauer ihrer durch die Wahrnehmung ihrer Aufgaben notwendigen Abwesenheit sowie für den Schutz vor Repressalien oder Entlassung.

[3] Ein Mitglied eines besonderen Verhandlungsgremiums oder eines Europäischen Betriebsrats oder dessen Stellvertreter, das Besatzungsmitglied eines Seeschiffs ist, ist berechtigt, an einer Sitzung des besonderen Verhandlungsgremiums oder des Europäischen Betriebsrats oder an jeder sonstigen Sitzung gemäß den Verfahren des Artikels 6 Absatz 3 teilzunehmen, sofern es sich zum

---

1) Art. 10 neu gef. mWv 31.12.2025 durch RL v. 26.11.2025 (ABl. L, 2025/2450, 11.12.2025).

Sitzungszeitpunkt nicht auf See oder in einem Hafen in einem anderen Land als dem befindet, in dem die Reederei ihren Geschäftssitz hat.

[4] Die Sitzungen sind nach Möglichkeit so anzusetzen, dass sie die Teilnahme von Mitgliedern oder Stellvertretern, die Besatzungsmitglied eines Seeschiffs sind, erleichtern.

[5] Kann ein Mitglied eines besonderen Verhandlungsgremiums oder eines Europäischen Betriebsrats, das Besatzungsmitglied eines Seeschiffs ist, oder dessen Stellvertreter nicht an einer Sitzung teilnehmen, so ist nach Möglichkeit die Nutzung neuer Informations- und Kommunikationstechnologien in Erwägung zu ziehen.

(4) *[1]* In dem Maße, wie dies zur Wahrnehmung ihrer Vertretungsaufgaben in einem internationalen Umfeld erforderlich ist, müssen die Mitglieder des besonderen Verhandlungsgremiums und des Europäischen Betriebsrats Schulungen erhalten, ohne dabei Lohn- bzw. Gehaltseinbußen zu erleiden.

[2] Unbeschadet der gemäß Artikel 6 Absatz 2 Buchstabe f geschlossenen Vereinbarungen werden die angemessenen Kosten dieser Schulungen und die damit verbundenen Ausgaben von der zentralen Leitung getragen, sofern die zentrale Leitung im Voraus darüber in Kenntnis gesetzt wurde.

Art. 11[1)] Einhaltung der Richtlinie. (1) Jeder Mitgliedstaat gewährleistet, dass die Leitung der in seinem Hoheitsgebiet befindlichen Betriebe eines gemeinschaftsweit operierenden Unternehmens und die Leitung eines Unternehmens, das Mitglied einer gemeinschaftsweit operierenden Unternehmensgruppe ist, und ihre Arbeitnehmervertreter oder, je nach dem betreffenden Einzelfall, deren Arbeitnehmer den in dieser Richtlinie festgelegten Verpflichtungen nachkommen, unabhängig davon, ob die zentrale Leitung sich in seinem Hoheitsgebiet befindet.

(2) *[1]* [1] Für den Fall der Nichteinhaltung der aufgrund dieser Richtlinie erlassenen einzelstaatlichen Vorschriften sehen die Mitgliedstaaten geeignete Maßnahmen vor. [2] Sie stellen insbesondere sicher, dass

a) angemessene Verfahren zur Verfügung stehen, damit die sich aus dieser Richtlinie ergebenden Rechte und Pflichten rasch und wirksam durchgesetzt werden können;
b) wirksame, abschreckende und verhältnismäßige Sanktionen bei Verstößen gegen die sich aus dieser Richtlinie ergebenden Rechte und Pflichten gelten.

[2] [1] Die Mitgliedstaaten sehen abschreckende finanzielle Sanktionen bei Nichteinhaltung etwaiger einzelstaatlicher Vorschriften zur Umsetzung der Verpflichtungen nach Artikel 9 Absätze 2 und 3 vor. [2] Solche Sanktionen sind unter Berücksichtigung der in Unterabsatz 3 dieses Absatzes aufgeführten Kriterien festzulegen, wobei die Möglichkeit unberührt bleibt, zusätzlich weitere Sanktionen anderer Art vorzusehen.

[3] [1] Für die Zwecke nach Buchstabe b berücksichtigen die Mitgliedstaaten bei der Festlegung der Sanktionen die Schwere, die Dauer und die Auswirkungen der Nichteinhaltung sowie das Vorliegen von Vorsatz oder Fahrlässigkeit. [2] Im Fall von finanziellen Sanktionen berücksichtigen sie zudem den Jahres-

---

1) Art. 11 Abs. 2, Abs. 3 UAbs. 1 neu gef., UAbs. 3, Abs. 4 und 5 angef. mWv 31.12.2025 durch RL v. 26.11.2025 (ABl. L, 2025/2450, 11.12.2025).

umsatz des betreffenden Unternehmens oder der betreffenden Unternehmensgruppe, oder sie stellen sicher, dass die geltenden Sanktionen von ähnlich abschreckender Art sind.

(3) *[1]* Die Mitgliedstaaten sehen Gerichtsverfahren und, sofern zutreffend, Verwaltungsverfahren vor, mit denen Mitglieder des besonderen Verhandlungsgremiums oder des Europäischen Betriebsrats oder, im Rahmen eines Verfahrens zur Unterrichtung und Anhörung, Arbeitnehmervertreter Verfahren in Bezug auf die Anwendung von Artikel 8 oder Artikel 8a einleiten können.

[2] Zu diesen Verfahren können auch Verfahren gehören, die dazu bestimmt sind, die Vertraulichkeit der betreffenden Informationen zu wahren.

[3] Die Dauer der Verfahren nach Unterabsatz 1 muss die wirksame Ausübung der Rechte auf Unterrichtung und Anhörung nach dieser Richtlinie ermöglichen.

(4) [1] In Bezug auf die durch diese Richtlinie übertragenen Rechte stellen die Mitgliedstaaten einen wirksamen Zugang zu Gerichtsverfahren und, sofern zutreffend, Verwaltungsverfahren für die besonderen Verhandlungsgremien, für die Europäischen Betriebsräte oder, in deren Namen, für deren jeweilige Mitglieder oder Vertreter sicher. [2] Die Mitgliedstaaten legen fest, dass angemessene Kosten für Rechtsvertretung und Teilnahme an solchen Verfahren von der zentralen Leitung getragen werden, oder sie ergreifen andere gleichwertige Maßnahmen, um de facto Einschränkungen des Zugangs zu solchen Verfahren aufgrund mangelnder finanzieller Ressourcen zu vermeiden.

(5) Machen die Mitgliedstaaten den Zugang zu Gerichtsverfahren von der vorherigen Durchführung eines alternativen Streitbeilegungsverfahrens abhängig, so darf die Inanspruchnahme eines solchen Verfahrens das Recht der betroffenen Parteien auf Einleitung eines Gerichtsverfahrens nicht beeinträchtigen oder einschränken.

Art. 12[1)] Zusammenhang mit anderen gemeinschaftlichen und einzelstaatlichen Bestimmungen. (1) Die Unterrichtung und Anhörung des Europäischen Betriebsrats wird mit der Unterrichtung und Anhörung der einzelstaatlichen Vertretungsgremien der Arbeitnehmer abgestimmt, wobei die jeweiligen Zuständigkeiten und Aktionsbereiche sowie die Grundsätze des Artikels 1 Absatz 3 beachtet werden.

(2) [1] Die Modalitäten für die Abstimmung zwischen der Unterrichtung und Anhörung des Europäischen Betriebsrats und der einzelstaatlichen Vertretungsgremien der Arbeitnehmer werden im Interesse einer guten Koordinierung zwischen diesen im Wege der Vereinbarung nach Artikel 6 festgelegt. [2] Diese Vereinbarung steht den einzelstaatlichen Rechtsvorschriften und/oder den einzelstaatlichen Gepflogenheiten zur Unterrichtung und Anhörung der Arbeitnehmer nicht entgegen.

(3) Sind solche Modalitäten nicht durch Vereinbarung festgelegt, sehen die Mitgliedstaaten vor, dass der Prozess der Unterrichtung und Anhörung sowohl im Europäischen Betriebsrat als auch in den einzelstaatlichen Vertretungsgremien der Arbeitnehmer stattfindet, wenn Entscheidungen geplant sind, die wesentliche Veränderungen der Arbeitsorganisation oder der Arbeitsverträge mit sich bringen können.

[1)] Art. 12 Abs. 2 neu gef., Abs. 6 angef. mWv 31.12.2025 durch RL v. 26.11.2025 (ABl. L, 2025/2450, 11.12.2025).

(4) Diese Richtlinie lässt die in der Richtlinie 2002/14/EG[1] vorgesehenen Unterrichtungs- und Anhörungsverfahren sowie die in Artikel 2 der Richtlinie 98/59/EG[2] und in Artikel 7 der Richtlinie 2001/23/EG[3] vorgesehenen spezifischen Verfahren unberührt.

(5) Die Durchführung dieser Richtlinie darf nicht als Rechtfertigung für Rückschritte hinter den bereits in den einzelnen Mitgliedstaaten erreichten Stand des allgemeinen Niveaus des Arbeitnehmerschutzes in den von ihr abgedeckten Bereichen benutzt werden.

(6) Jeder Mitgliedstaat kann besondere Bestimmungen für die zentrale Leitung der in seinem Hoheitsgebiet ansässigen Unternehmen vorsehen, die in Bezug auf Berichterstattung und Meinungsäußerung unmittelbar und überwiegend eine bestimmte weltanschauliche Tendenz verfolgen, falls die einzelstaatlichen Rechtsvorschriften solche besonderen Bestimmungen zum Zeitpunkt der Annahme dieser Richtlinie bereits enthalten.

Art. 13 Anpassung. *[1]* Ändert sich die Struktur des gemeinschaftsweit operierenden Unternehmens oder der gemeinschaftsweit operierenden Unternehmensgruppe wesentlich und fehlen entsprechende Bestimmungen in den geltenden Vereinbarungen oder bestehen Konflikte zwischen den Bestimmungen von zwei oder mehr geltenden Vereinbarungen, so nimmt die zentrale Leitung von sich aus oder auf schriftlichen Antrag von mindestens 100 Arbeitnehmern oder ihrer Vertreter in mindestens zwei Unternehmen oder Betrieben in mindestens zwei verschiedenen Mitgliedstaaten die Verhandlungen gemäß Artikel 5 auf.

[2] Mindestens drei Mitglieder des bestehenden Europäischen Betriebsrats oder jedes bestehenden Europäischen Betriebsrats gehören – neben den gemäß Artikel 5 Absatz 2 gewählten oder bestellten Mitgliedern – dem besonderen Verhandlungsgremium an.

[3] Während der Verhandlungen erfolgt die Aufgabenwahrnehmung durch den bestehenden Europäischen Betriebsrat oder die bestehenden Europäischen Betriebsräte entsprechend den in einer Vereinbarung zwischen diesem/diesen und der zentralen Leitung festgelegten etwaigen Absprachen.

Art. 14[4] *(aufgehoben)*

Art. 14a[5] **Übergangsbestimmungen.** (1) [1] Beinhaltet eine vor dem 2. Januar 2029 geschlossene Vereinbarung über einen Europäischen Betriebsrat gemäß Artikel 5 und 6 der Richtlinie 94/45/EG[6] oder Artikel 5 und 6 der vorliegenden Richtlinie aufgrund der am 31. Dezember 2025 in Kraft getretenen Änderungen eins bzw. eine oder mehrere der Elemente und Anforderungen des Artikel 6 der vorliegenden Richtlinie nach dem 1. Januar 2028 nicht, so nimmt die zentrale Leitung auf schriftlichen Antrag des Europäischen Betriebsrats oder von mindestens 100 Arbeitnehmern oder ihren Vertretern in mindestens zwei Unternehmen oder Betrieben in mindestens zwei verschiede-

[1] Nr. **932**.
[2] Nr. **880**.
[3] Nr. **882**.
[4] Art. 14 aufgeh. mWv 31.12.2025 durch RL v. 26.11.2025 (ABl. L, 2025/2450, 11.12.2025).
[5] Art. 14a eingef. mWv 31.12.2025 durch RL v. 26.11.2025 (ABl. L, 2025/2450, 11.12.2025).
[6] **beck-online, Module Arbeitsrecht Nr. 930b.**

nen Mitgliedstaaten Verhandlungen auf, um die genannte Vereinbarung so anzupassen, dass dieses oder/bzw. diese Elemente und Anforderungen des Artikel 6 der vorliegenden Richtlinie darin enthalten sind. [2]Die zentrale Leitung kann solche Verhandlungen auch von sich aus aufnehmen. [3]Solche Verhandlungen können sich darauf beschränken, diejenigen Elemente und Anforderungen nach Artikel 6 der vorliegenden Richtlinie in die Vereinbarung aufzunehmen, die am 31. Dezember 2025 hinzugefügt wurden.

(2) [1]Enthält eine Vereinbarung über einen Europäischen Betriebsrat Verfahrensmodalitäten für ihre Anpassung oder Neuverhandlung, so kann die Anpassung gemäß diesen Modalitäten ausgehandelt werden. [2]Andernfalls erfolgt die Anpassung nach dem in Artikel 5 in Verbindung mit Artikel 13 Absätze 2 und 3 festgelegten Verfahren.

(3) Führt ein Anpassungsverfahren nach dem vorliegenden Artikel nicht innerhalb von zwei Jahren ab dem Zeitpunkt des von den Arbeitnehmern oder ihren Vertretern gestellten Antrags oder ab dem Tag der Aufnahme der Verhandlungen durch den Europäischen Betriebsrat oder auf Initiative der zentralen Leitung zu einer Vereinbarung, so gelten die in Anhang I festgelegten subsidiären Vorschriften.

(4) Dieser Artikel entbindet die Parteien von Vereinbarungen über Europäische Betriebsräte nicht von der Verpflichtung, die anwendbaren Mindestanforderungen der vorliegenden Richtlinie einzuhalten.

Art. 14b[1)] Früher ausgenommene Unternehmen. [1]Werden Verhandlungen nach Artikel 5 der vorliegenden Richtlinie aufgenommen, um eine Vereinbarung gemäß der vorliegenden Richtlinie in einem gemeinschaftsweit operierenden Unternehmen oder einer gemeinschaftsweit operierenden Unternehmensgruppe zu schließen, in dem bzw. in der vor dem Geltungsbeginn der Richtlinie 94/45/EG[2)] eine für die gesamte Belegschaft geltende Vereinbarung über die länderübergreifende Unterrichtung und Anhörung der Arbeitnehmer geschlossen wurde, die noch in Kraft ist, so wird der in Artikel 7 Absatz 1 dritter Gedankenstrich der vorliegenden Richtlinie genannte Zeitraum auf zwei Jahre verkürzt. [2]Die Aufnahme von Verhandlungen berührt nicht die Bedingungen bestehender Vereinbarungen, die in Kraft sind.

Art. 15 Bericht. Bis spätestens 5. Juni 2016 erstattet die Kommission dem Europäischen Parlament, dem Rat und dem Europäischen Wirtschafts- und Sozialausschuss Bericht über die Umsetzung der Bestimmungen dieser Richtlinie und legt gegebenenfalls geeignete Vorschläge vor.

Art. 16 Umsetzung. (1) *[1]* Die Mitgliedstaaten erlassen die erforderlichen Rechts- und Verwaltungsvorschriften, um den Bestimmungen von Artikel 1 Absätze 2, 3 und 4, Artikel 2 Absatz 1 Buchstaben f und g, Artikel 3 Absatz 4, Artikel 4 Absatz 4, Artikel 5 Absatz 2 Buchstaben b und c, Artikel 5 Absatz 4, Artikel 6 Absatz 2 Buchstaben b, c, e und g und der Artikel 10, 12, 13 und 14 sowie des Anhangs I Nummer 1 Buchstaben a, c und d und Nummern 2 und 3 spätestens am 5. Juni 2011 nachzukommen, bzw. vergewissern sich, dass die Sozialpartner zu diesem Datum die notwendigen Vorschriften durch Vereinbarungen einführen, wobei die Mitgliedstaaten die notwendigen Vorkehrungen

---

[1)] Art. 14b eingef. mWv 31.12.2025 durch RL v. 26.11.2025 (ABl. L, 2025/2450, 11.12.2025).
[2)] **beck-online, Module Arbeitsrecht Nr. 930b.**

zu treffen haben, um jederzeit in der Lage zu sein, die dieser Richtlinie entsprechenden Ergebnisse zu gewährleisten.

[2] [1] Wenn die Mitgliedstaaten diese Vorschriften erlassen, nehmen sie in den Vorschriften selbst oder durch einen Hinweis bei der amtlichen Veröffentlichung auf diese Richtlinie Bezug. [2] In diese Vorschriften fügen sie die Erklärung ein, dass Bezugnahmen in den geltenden Rechts- und Verwaltungsvorschriften auf die durch die vorliegende Richtlinie geänderte Richtlinie als Bezugnahmen auf die vorliegende Richtlinie gelten. [3] Die Mitgliedstaaten regeln die Einzelheiten dieser Bezugnahme und legen die Formulierung der Erklärung fest.

(2) Die Mitgliedstaaten teilen der Kommission den Wortlaut der wichtigsten innerstaatlichen Rechtsvorschriften mit, die sie auf dem unter diese Richtlinie fallenden Gebiet erlassen.

Art. 17 Aufhebung. *[1]* Die Richtlinie 94/45/EG[1)], in der Fassung der in Anhang II Teil A aufgeführten Richtlinien, wird unbeschadet der Verpflichtungen der Mitgliedstaaten hinsichtlich der in Anhang II Teil B genannten Fristen für die Umsetzung der dort genannten Richtlinien in innerstaatliches Recht mit Wirkung vom 6. Juni 2011 aufgehoben.

[2] Verweisungen auf die aufgehobene Richtlinie gelten als Verweisungen auf die vorliegende Richtlinie und sind nach Maßgabe der Entsprechungstabelle in Anhang III zu lesen.

Art. 18 Inkrafttreten. *[1]* Diese Richtlinie tritt am zwanzigsten Tag nach ihrer Veröffentlichung[2)] im *Amtsblatt der Europäischen Union* in Kraft.

[2] Artikel 1 Absätze 1, 5, 6 und 7, Artikel 2 Absatz 1 Buchstaben a bis e, h und i, Artikel 2 Absatz 2, Artikel 3 Absätze 1, 2, 3, 5, 6 und 7, Artikel 4 Absätze 1, 2 und 3, Artikel 5 Absätze 1, 3, 5 und 6, Artikel 5 Absatz 2 Buchstabe a, Artikel 6 Absatz 1, Artikel 6 Absatz 2 Buchstaben a, d und f, Artikel 6 Absätze 3, 4 und 5 und die Artikel 7, 8, 9 und 11 sowie Anhang I Nummer 1 Buchstaben b, e und f und Nummern 4, 5 und 6 sind ab dem 6. Juni 2011 anwendbar.

Art. 19 Adressaten. Diese Richtlinie ist an die Mitgliedstaaten gerichtet.

Anhang I.[3)] Subsidiäre Vorschriften
(nach Artikel 7)

(1) Um das in Artikel 1 Absatz 1 festgelegte Ziel zu erreichen, wird in den in Artikel 7 Absatz 1 und in Artikel 14a vorgesehenen Fällen ein Europäischer Betriebsrat eingesetzt, für dessen Zuständigkeiten und Zusammensetzung folgende Regeln gelten:

a) Die Zuständigkeiten des Europäischen Betriebsrats werden gemäß Artikel 1 Absatz 3 festgelegt. Die Unterrichtung des Europäischen Betriebsrats über länderübergreifende Angelegenheiten bezieht sich insbesondere auf die Struktur, die wirtschaftliche und finanzielle Situation sowie die voraussichtliche Entwicklung der Geschäfts-, Produktions- und Absatzlage des gemeinschaftsweit operierenden Unternehmens oder der gemeinschaftsweit operierenden Unternehmensgruppe. Die Unterrichtung und Anhörung des Europäischen Betriebsrats bezieht sich insbesondere auf die Beschäftigungslage und ihre voraussichtliche Entwicklung, auf Investitionen, auf Maßnahmen zur Förderung von Kompetenzen und zur Weiterbildung, auf den vorausschauenden Umgang mit Veränderungen und den Umgang mit Umstrukturierungsprozessen, auch im

---

1) **beck-online, Module Arbeitsrecht Nr. 930b.**
2) Veröffentlicht am 16.5.2009.
3) Anh. I geänd. mWv 31.12.2025 durch RL v. 26.11.2025 (ABl. L, 2025/2450, 11.12.2025).

Zusammenhang mit dem grünen und dem digitalen Wandel, auf grundlegende Änderungen betreffend die Arbeitsbedingungen, insbesondere die Organisation der Arbeit oder Vertragsbeziehungen, auf die Einführung neuer Arbeits- und Fertigungsverfahren, auf Verlagerungen der Produktion, auf Fusionen, Verkleinerungen oder Schließungen von Unternehmen, Betrieben oder wichtigen Teilen dieser Einheiten und auf Massenentlassungen, auch in abhängigen Unternehmen.

Die Anhörung erfolgt in einer Weise, die es den Arbeitnehmervertretern gestattet, mit der zentralen Leitung oder einer anderen, geeigneteren Leitungsebene zusammenzukommen. Die Arbeitnehmervertreter haben Anspruch auf eine begründete schriftliche Antwort auf jegliche von ihnen vorgebrachte Stellungnahme, bevor die Entscheidung über die betreffenden Maßnahmen getroffen wird, sofern diese Stellungnahme innerhalb einer angemessenen Frist abgegeben wurde.

b) Der Europäische Betriebsrat setzt sich aus Arbeitnehmern des gemeinschaftsweit operierenden Unternehmens oder der gemeinschaftsweit operierenden Unternehmensgruppe zusammen, die von den Arbeitnehmervertretern aus ihrer Mitte oder, in Ermangelung solcher Vertreter, von der Gesamtheit der Arbeitnehmer gewählt oder benannt werden.

Dabei machen Frauen und Männer, soweit möglich, jeweils mindestens 40 % der Mitglieder des Europäischen Betriebsrats und des engeren Ausschusses aus. Die Nichterreichung des Ziels einer ausgewogenen Vertretung der Geschlechter steht der Einrichtung eines Europäischen Betriebsrats nicht entgegen. Wird das Ziel einer ausgewogenen Vertretung der Geschlechter nicht erreicht, so erläutert der Europäische Betriebsrat den Arbeitnehmern die Gründe dafür in schriftlicher Form.

Die Mitglieder des Europäischen Betriebsrats werden entsprechend den einzelstaatlichen Rechtsvorschriften und/oder Gepflogenheiten gewählt oder benannt.

c) Die Mitglieder des Europäischen Betriebsrats werden entsprechend der Zahl der in jedem Mitgliedstaat beschäftigten Arbeitnehmer des gemeinschaftsweit operierenden Unternehmens oder der gemeinschaftsweit operierenden Unternehmensgruppe gewählt oder bestellt, so dass pro Mitgliedstaat für jeden Anteil der in diesem Mitgliedstaat beschäftigten Arbeitnehmer, der 10 % der Gesamtzahl der in allen Mitgliedstaaten beschäftigten Arbeitnehmer entspricht, oder für einen Bruchteil dieser Tranche Anspruch auf einen Sitz besteht.

d) Um die Koordination seiner Aktivitäten sicherzustellen, wählt der Europäische Betriebsrat aus seiner Mitte einen engeren Ausschuss mit höchstens fünf Mitgliedern, für den Bedingungen gelten müssen, die ihm die regelmäßige Wahrnehmung seiner Aufgaben ermöglichen.

Er gibt sich eine Geschäftsordnung.

e) Die Zusammensetzung des Europäischen Betriebsrats wird der zentralen Leitung oder einer anderen geeigneteren Leitungsebene mitgeteilt.

f) Vier Jahre nach der Einrichtung des Europäischen Betriebsrats prüft dieser, ob die in Artikel 6 genannte Vereinbarung ausgehandelt werden soll oder ob die entsprechend diesem Anhang erlassenen subsidiären Vorschriften weiterhin angewendet werden sollen.

Wird der Beschluss gefasst, eine Vereinbarung gemäß Artikel 6 auszuhandeln, so gelten die Artikel 6 und 7 entsprechend, wobei der Begriff „besonderes Verhandlungsgremium" durch den Begriff "Europäischer Betriebsrat" ersetzt wird.

(2) Der Europäische Betriebsrat ist befugt, mindestens zweimal jährlich persönlich mit der zentralen Leitung zum Zwecke der Unterrichtung und Anhörung, auf der Grundlage eines von der zentralen Leitung vorgelegten Berichts über die Entwicklung der Geschäftslage und die Perspektiven des gemeinschaftsweit operierenden Unternehmens oder der gemeinschaftsweit operierenden Unternehmensgruppe zusammenzutreten. Die örtlichen Leitungen werden hiervon in Kenntnis gesetzt. In Ausnahmefällen können digitale Mittel zur Kommunikation und Koordinierung für die Abhaltung solcher ordentlicher Sitzungen verwendet werden, sofern dies angemessen und vereinbart ist und sinnvolle Unterrichtung und Anhörung sichergestellt bleibt.

(3) Treten außergewöhnliche Umstände ein oder werden Entscheidungen getroffen, bei denen vernünftigerweise davon auszugehen ist, dass sie erhebliche Auswirkungen auf die Interessen der Arbeitnehmer haben, und ist die Unterrichtung und Anhörung bei der nächsten geplanten Sitzung des Europäischen Betriebsrats aufgrund der Dringlichkeit nicht möglich, insbesondere bei Verlegung oder Schließung von Unternehmen oder Betrieben oder bei Massenentlassungen, so hat der engere Ausschuss oder, falls nicht vorhanden, der Europäische Betriebsrat das Recht, rechtzeitig darüber unterrichtet zu werden. Er hat das Recht, auf Antrag mit der zentralen Leitung oder einer anderen, geeigneteren und mit Entscheidungsbefugnissen ausgestatteten Leitungsebene innerhalb des gemeinschaftsweit operierenden Unternehmens oder der gemeinschaftsweit operierenden Unternehmensgruppe zusammenzutreten, um unterrichtet und angehört zu werden.

Im Falle einer Sitzung mit dem engeren Ausschuss dürfen auch die Mitglieder des Europäischen Betriebsrats teilnehmen, die von den Betrieben und/oder Unternehmen gewählt worden sind, welche von den in Frage stehenden Umständen oder Entscheidungen unmittelbar betroffen sind oder bei denen vernünftigerweise davon auszugehen ist, dass sie betroffen sind.

Diese Sitzung zur Unterrichtung und Anhörung erfolgt unverzüglich auf der Grundlage eines Berichts der zentralen Leitung oder einer anderen geeigneten Leitungsebene innerhalb der gemeinschaftsweit operierenden Unternehmensgruppe, zu dem der Europäische Betriebsrat binnen einer angemessenen Frist seine Stellungnahme abgeben kann.

Diese Sitzung lässt die Rechte der zentralen Leitung unberührt.

Die unter den Umständen, die unter dieser Nummer genannt sind, vorgesehenen Verfahren zur Unterrichtung und Anhörung erfolgen unbeschadet der Bestimmungen des Artikels 1 Absatz 2 und der Artikel 8 und 8a.

(4) Die Mitgliedstaaten können Regeln bezüglich des Vorsitzes der Sitzungen zur Unterrichtung und Anhörung festlegen.

Vor Sitzungen mit der zentralen Leitung ist der Europäische Betriebsrat oder der engere Ausschuss, der gegebenenfalls gemäß Nummer 3 Absatz 2 erweitert ist, berechtigt, in Abwesenheit der betreffenden Unternehmensleitung zu tagen.

(5) Der Europäische Betriebsrat und der engere Ausschuss können sich durch Sachverständigen ihrer Wahl unterstützen lassen, sofern dies für die Erfüllung ihrer Aufgaben erforderlich ist. Zu diesen Sachverständigen können Vertreter anerkannter Gewerkschaftsorganisationen auf Gemeinschaftsebene gehören. Auf Antrag des Europäischen Betriebsrats haben diese Sachverständigen das Recht, in beratender Funktion an Sitzungen des Europäischen Betriebsrats und Sitzungen mit der zentralen Leitung teilzunehmen. Die zentrale Leitung wird hiervon im Voraus in Kenntnis gesetzt.

(6) Die Verwaltungsausgaben des Europäischen Betriebsrats gehen zu Lasten der zentralen Leitung.

Die zentrale Leitung stattet die Mitglieder des Europäischen Betriebsrats mit den erforderlichen finanziellen und materiellen Mitteln aus, damit diese ihre Aufgaben in angemessener Weise wahrnehmen können.

Insbesondere trägt die zentrale Leitung die für die Veranstaltung der Sitzungen anfallenden Kosten sowie die Kosten für Einrichtungen für die Verdolmetschung und die Aufenthalts- und Reisekosten für die Mitglieder des Europäischen Betriebsrats und des engeren Ausschusses, soweit nichts anderes vereinbart wurde.

Die Verwaltungsausgaben des Europäischen Betriebsrats umfassen unter anderem angemessene Kosten für Rechtssachverständige. Die zentrale Leitung ist über solche Kosten in Kenntnis zu setzen, bevor sie entstehen.

Die Mitgliedstaaten können unter Wahrung der unter dieser Nummer genannten Grundsätze Regeln für die Finanzierung der Arbeit des Europäischen Betriebsrats festlegen.

Anhänge II und III

(hier nicht wiedergegeben)

Die Verwaltungsausgaben des Europäischen Betriebsrats umfassen auch angemessene Kosten für Rechtsberatung und Rechtsvertretung. Die zentrale Leitung ist über solche Kosten im Voraus zu unterrichten.

930 a. Verordnung (EG) Nr. 2157/2001 des Rates vom 8. Oktober 2001 über das Statut der Europäischen Gesellschaft (SE)

(ABl. Nr. L 294 S. 1)

EU-Dok.-Nr. 3 2001 R 2157

zuletzt geänd. durch Art. 1 Abs. 1 Buchst. c) ÄndVO (EU) 517/2013 v. 13. 5. 2013 (ABl. Nr. L 158 S. 1)

– Auszug –[1]

DER RAT DER EUROPÄISCHEN UNION –

gestützt auf den Vertrag zur Gründung der Europäischen Gemeinschaft[2], insbesondere auf Artikel 308,

auf Vorschlag der Kommission[3],

nach Stellungnahme des Europäischen Parlaments[4],

nach Stellungnahme des Wirtschafts- und Sozialausschusses[5],

in Erwägung nachstehender Gründe:

...

(19) Die Stellung der Arbeitnehmer in der SE wird durch die Richtlinie 2001/86/EG[6] des Rates vom 8. Oktober 2001 zur Ergänzung des Statuts der Europäischen Gesellschaft hinsichtlich der Beteiligung der Arbeitnehmer[7] auf der Grundlage von Artikel 308 des Vertrags[2] geregelt. Diese Bestimmungen stellen somit eine untrennbare Ergänzung der vorliegenden Verordnung dar und müssen zum gleichen Zeitpunkt anwendbar sein.

...

(21) Mit der Richtlinie 2001/86/EG[6] soll ein Recht der Arbeitnehmer auf Beteiligung bei den den Geschäftsverlauf der SE betreffenden Fragen und Entscheidungen gewährleistet werden. Die übrigen arbeits- und sozialrechtlichen Fragen, insbesondere das in den Mitgliedstaaten geltende Recht auf Information und Anhörung der Arbeitnehmer, unterliegen hingegen den einzelstaatlichen Vorschriften, die unter denselben Bedingungen für die Aktiengesellschaften gelten.

...

HAT FOLGENDE VERORDNUNG ERLASSEN:

---

[1] Vollständig wiedergegeben in **NipperdeyDirekt (online)**.

[2] **NipperdeyDirekt (online) Nr. 850 a.**

[3] **Amtl. Anm.:** ABl. C 263 vom 16. 10. 1989, S. 41, und ABl. C 176 vom 8. 7. 1991, S. 1.

[4] **Amtl. Anm.:** Stellungnahme vom 4. September 2001 (noch nicht im Amtsblatt veröffentlicht).

[5] **Amtl. Anm.:** ABl. C 124 vom 21. 5. 1990, S. 34.

[6] Nr. **931**.

[7] **Amtl. Anm.:** Siehe S. 22 dieses Amtsblatts. [*Red. Anm.: ABl. 2001 Nr. L 294.*]

Titel I. Allgemeine Vorschriften

Art. 1 [Societas Europaea] (1) Handelsgesellschaften können im Gebiet der Gemeinschaft in der Form europäischer Aktiengesellschaften (Societas Europaea, nachfolgend „SE" genannt) unter den Voraussetzungen und in der Weise gegründet werden, die in dieser Verordnung vorgesehen sind.

(2) [1] Die SE ist eine Gesellschaft, deren Kapital in Aktien zerlegt ist. [2] Jeder Aktionär haftet nur bis zur Höhe des von ihm gezeichneten Kapitals.

(3) Die SE besitzt Rechtspersönlichkeit.

(4) Die Beteiligung der Arbeitnehmer in der SE wird durch die Richtlinie 2001/86/EG[1)] geregelt.

Art. 8 [Verlegung des Sitzes der SE] (1) [1] Der Sitz der SE kann gemäß den Absätzen 2 bis 13 in einen anderen Mitgliedstaat verlegt werden. [2] Diese Verlegung führt weder zur Auflösung der SE noch zur Gründung einer neuen juristischen Person.

(2) [1] Ein Verlegungsplan ist von dem Leitungs- oder dem Verwaltungsorgan zu erstellen und unbeschadet etwaiger vom Sitzmitgliedstaat vorgesehener zusätzlicher Offenlegungsformen gemäß Artikel 13 offen zu legen. [2] Dieser Plan enthält die bisherige Firma, den bisherigen Sitz und die bisherige Registriernummer der SE sowie folgende Angaben:

a) den vorgesehenen neuen Sitz der SE,

b) die für die SE vorgesehene Satzung sowie gegebenenfalls die neue Firma,

c) die etwaigen Folgen der Verlegung für die Beteiligung der Arbeitnehmer,

d) den vorgesehenen Zeitplan für die Verlegung,

e) etwaige zum Schutz der Aktionäre und/oder Gläubiger vorgesehene Rechte.

(3) Das Leitungs- oder das Verwaltungsorgan erstellt einen Bericht, in dem die rechtlichen und wirtschaftlichen Aspekte der Verlegung erläutert und begründet und die Auswirkungen der Verlegung für die Aktionäre, die Gläubiger sowie die Arbeitnehmer im Einzelnen dargelegt werden.

(4) Die Aktionäre und die Gläubiger der SE haben vor der Hauptversammlung, die über die Verlegung befinden soll, mindestens einen Monat lang das Recht, am Sitz der SE den Verlegungsplan und den Bericht nach Absatz 3 einzusehen und die unentgeltliche Aushändigung von Abschriften dieser Unterlagen zu verlangen.

...

Art. 12 [Eintragung ins Register] (1) Jede SE wird gemäß Artikel 3 der Ersten Richtlinie 68/151/EWG des Rates vom 9. März 1968 zur Koordinierung der Schutzbestimmungen, die in den Mitgliedstaaten den Gesellschaften im Sinne des Artikels 58 Absatz 2 des Vertrages[2)] im

(Fortsetzung nächste Seite)

---

1) Nr. 931.

2) **NipperdeyDirekt (online) Nr. 850 a.**

Interesse der Gesellschafter sowie Dritter vorgeschrieben sind, um diese Bestimmungen gleichwertig zu gestalten, im Sitzstaat in ein nach dem Recht dieses Staates bestimmtes Register eingetragen.

(2) Eine SE kann erst eingetragen werden, wenn eine Vereinbarung über die Beteiligung der Arbeitnehmer gemäß Artikel 4 der Richtlinie 2001/86/EG geschlossen worden ist, ein Beschluss nach Artikel 3 Absatz 6 der genannten Richtlinie gefasst worden ist oder die Verhandlungsfrist nach Artikel 5 der genannten Richtlinie abgelaufen ist, ohne dass eine Vereinbarung zustande gekommen ist.

(3) Voraussetzung dafür, dass eine SE in einem Mitgliedstaat, der von der in Artikel 7 Absatz 3 der Richtlinie 2001/86/EG vorgesehenen Möglichkeit Gebrauch gemacht hat, registriert werden kann, ist, dass eine Vereinbarung im Sinne von Artikel 4 der genannten Richtlinie über die Modalitäten der Beteiligung der Arbeitnehmer – einschließlich der Mitbestimmung – geschlossen wurde oder dass für keine der teilnehmenden Gesellschaften vor der Registrierung der SE Mitbestimmungsvorschriften galten.

(4) Die Satzung der SE darf zu keinem Zeitpunkt im Widerspruch zu der ausgehandelten Vereinbarung stehen. Steht eine neue gemäß der Richtlinie 2001/86/EG geschlossene Vereinbarung im Widerspruch zur geltenden Satzung, ist diese – soweit erforderlich – zu ändern.

In diesem Fall kann ein Mitgliedstaat vorsehen, dass das Leitungs- oder das Verwaltungsorgan der SE befugt ist, die Satzungsänderung ohne weiteren Beschluss der Hauptversammlung vorzunehmen.

Art. 20 [Verschmelzungsplan] (1) Die Leitungs- oder die Verwaltungsorgane der sich verschmelzenden Gesellschaften stellen einen Verschmelzungsplan auf. Dieser Verschmelzungsplan enthält

a) die Firma und den Sitz der sich verschmelzenden Gesellschaften sowie die für die SE vorgesehene Firma und ihren geplanten Sitz,

b) das Umtauschverhältnis der Aktien und gegebenenfalls die Höhe der Ausgleichsleistung,

c) die Einzelheiten hinsichtlich der Übertragung der Aktien der SE,

d) den Zeitpunkt, von dem an diese Aktien das Recht auf Beteiligung am Gewinn gewähren, sowie alle Besonderheiten in Bezug auf dieses Recht,

e) den Zeitpunkt, von dem an die Handlungen der sich verschmelzenden Gesellschaften unter dem Gesichtspunkt der Rechnungslegung als für Rechnung der SE vorgenommen gelten,

f) die Rechte, welche die SE den mit Sonderrechten ausgestatteten Aktionären der Gründungsgesellschaften und den Inhabern anderer

Wertpapiere als Aktien gewährt, oder die für diese Personen vorgeschlagenen Maßnahmen,

g) jeder besondere Vorteil, der den Sachverständigen, die den Verschmelzungsplan prüfen, oder den Mitgliedern der Verwaltungs-, Leitungs-, Aufsichts- oder Kontrollorgane der sich verschmelzenden Gesellschaften gewährt wird,

h) die Satzung der SE,

i) Angaben zu dem Verfahren, nach dem die Vereinbarung über die Beteiligung der Arbeitnehmer gemäß der Richtlinie 2001/86/EG geschlossen wird.

(2) Die sich verschmelzenden Gesellschaften können dem Verschmelzungsplan weitere Punkte hinzufügen.

Art. 23. (1) Die Hauptversammlung jeder der sich verschmelzenden Gesellschaften stimmt dem Verschmelzungsplan zu.

(2) Die Beteiligung der Arbeitnehmer in der SE wird gemäß der Richtlinie 2001/86/EG festgelegt. Die Hauptversammlung jeder der sich verschmelzenden Gesellschaften kann sich das Recht vorbehalten, die Eintragung der SE davon abhängig zu machen, dass die geschlossene Vereinbarung von ihr ausdrücklich genehmigt wird.

Art. 26 [Rechtmäßigkeit der Verschmelzung] (1) Die Rechtmäßigkeit der Verschmelzung wird, was den Verfahrensabschnitt der Durchführung der Verschmelzung und der Gründung der SE anbelangt, von dem/der im künftigen Sitzstaat der SE für die Kontrolle dieses Aspekts der Rechtmäßigkeit der Verschmelzung von Aktiengesellschaften zuständigen Gericht, Notar oder sonstigen Behörde kontrolliert.

(2) Hierzu legt jede der sich verschmelzenden Gesellschaften dieser zuständigen Behörde die in Artikel 25 Absatz 2 genannte Bescheinigung binnen sechs Monaten nach ihrer Ausstellung sowie eine Ausfertigung des Verschmelzungsplans, dem sie zugestimmt hat, vor.

(3) Die gemäß Absatz 1 zuständige Behörde kontrolliert insbesondere, ob die sich verschmelzenden Gesellschaften einem gleich lautenden Verschmelzungsplan zugestimmt haben und ob eine Vereinbarung über die Beteiligung der Arbeitnehmer gemäß der Richtlinie 2001/86/EG geschlossen wurde.

(4) Diese Behörde kontrolliert ferner, ob gemäß Artikel 15 die Gründung der SE den gesetzlichen Anforderungen des Sitzstaates genügt.

Art. 27 [Wirksamwerden der Verschmelzung] (1) Die Verschmelzung und die gleichzeitige Gründung der SE werden mit der Eintragung der SE gemäß Artikel 12 wirksam.

(2) Die SE kann erst nach Erfüllung sämtlicher in den Artikeln 25 und 26 vorgesehener Formalitäten eingetragen werden.

Art. 28 [Offenlegung] Für jede sich verschmelzende Gesellschaft wird die Durchführung der Verschmelzung nach den in den Rechtsvorschriften des jeweiligen Mitgliedstaats vorgesehenen Verfahren in Übereinstimmung mit Artikel 3 der Richtlinie 68/151/EWG offen gelegt.

Art. 32 [Gründungsplan] (1) Eine SE kann gemäß Artikel 2 Absatz 2 gegründet werden.

Die die Gründung einer SE im Sinne des Artikels 2 Absatz 2 anstrebenden Gesellschaften bestehen fort.

(2) Die Leitungs- oder die Verwaltungsorgane der die Gründung anstrebenden Gesellschaften erstellen einen gleich lautenden Gründungsplan für die SE. Dieser Plan enthält einen Bericht, der die Gründung aus rechtlicher und wirtschaftlicher Sicht erläutert und begründet sowie darlegt, welche Auswirkungen der Übergang zur Rechtsform einer SE für die Aktionäre und für die Arbeitnehmer hat. Er enthält ferner die in Artikel 20 Absatz 1 Buchstaben a, b, c, f, g, h und i vorgesehenen Angaben und setzt von jeder die Gründung anstrebenden Gesellschaft den Mindestprozentsatz der Aktien oder sonstigen Anteile fest, der von den Aktionären eingebracht werden muss, damit die SE gegründet werden kann. Dieser Prozentsatz muss mehr als 50% der durch Aktien verliehenen ständigen Stimmrechte betragen.

(3) Der Gründungsplan ist mindestens einen Monat vor der Hauptversammlung, die über die Gründung zu beschließen hat, für jede der die Gründung anstrebenden Gesellschaften nach den in den Rechtsvorschriften der einzelnen Mitgliedstaaten gemäß Artikel 3 der Richtlinie 68/151/EWG vorgesehenen Verfahren offen zu legen.

(4) Ein oder mehrere von den die Gründung anstrebenden Gesellschaften unabhängige Sachverständige, die von einem Gericht oder einer Verwaltungsbehörde des Mitgliedstaats, dessen Recht die einzelnen Gesellschaften gemäß den nach Maßgabe der Richtlinie 78/855/EWG erlassenen einzelstaatlichen Vorschriften unterliegen, bestellt oder zugelassen sind, prüfen den gemäß Absatz 2 erstellten Gründungsplan und erstellen einen schriftlichen Bericht für die Aktionäre der einzelnen Gesellschaften. Im Einvernehmen zwischen den die Gründung anstrebenden Gesellschaften kann durch einen oder mehrere unabhängige Sachverständige, der/die von einem Gericht oder einer Verwaltungsbehörde des Mitgliedstaats, dessen Recht eine der die Gründung anstrebenden Gesellschaften oder die künftige SE gemäß den nach Maßgabe der Richtlinie 78/855/EWG erlassenen einzelstaatlichen Rechtsvorschrif-

ten unterliegt, bestellt oder zugelassen ist/sind, ein schriftlicher Bericht für die Aktionäre aller Gesellschaften erstellt werden.

(5) Der Bericht muss auf besondere Bewertungsschwierigkeiten hinweisen und erklären, ob das Umtauschverhältnis der Aktien oder Anteile angemessen ist, sowie angeben, nach welchen Methoden es bestimmt worden ist und ob diese Methoden im vorliegenden Fall angemessen sind.

(6) Die Hauptversammlung jeder der die Gründung anstrebenden Gesellschaften stimmt dem Gründungsplan für die SE zu.

Die Beteiligung der Arbeitnehmer in der SE wird gemäß der Richtlinie 2001/86/EG festgelegt. Die Hauptversammlung jeder der die Gründung anstrebenden Gesellschaften kann sich das Recht vorbehalten, die Eintragung der SE davon abhängig zu machen, dass die geschlossene Vereinbarung von ihr ausdrücklich genehmigt wird.

(7) Dieser Artikel gilt sinngemäß auch für Gesellschaften mit beschränkter Haftung.

Art. 34 [Schutzvorschriften] Ein Mitgliedstaat kann für die eine Gründung anstrebenden Gesellschaften Vorschriften zum Schutz der die Gründung ablehnenden Minderheitsgesellschafter, der Gläubiger und der Arbeitnehmer erlassen.

Art. 37 [Umwandlung AG in SE] (1) Eine SE kann gemäß Artikel 2 Absatz 4 gegründet werden.

(2) Unbeschadet des Artikels 12 hat die Umwandlung einer Aktiengesellschaft in eine SE weder die Auflösung der Gesellschaft noch die Gründung einer neuen juristischen Person zur Folge.

(3) Der Sitz der Gesellschaft darf anlässlich der Umwandlung nicht gemäß Artikel 8 in einen anderen Mitgliedstaat verlegt werden.

(4) Das Leitungs- oder das Verwaltungsorgan der betreffenden Gesellschaft erstellt einen Umwandlungsplan und einen Bericht, in dem die rechtlichen und wirtschaftlichen Aspekte der Umwandlung erläutert und begründet sowie die Auswirkungen, die der Übergang zur Rechtsform einer SE für die Aktionäre und für die Arbeitnehmer hat, dargelegt werden.

(5) Der Umwandlungsplan ist mindestens einen Monat vor dem Tag der Hauptversammlung, die über die Umwandlung zu beschließen hat, nach den in den Rechtsvorschriften der einzelnen Mitgliedstaaten gemäß Artikel 3 der Richtlinie 68/151/EWG vorgesehenen Verfahren offen zu legen.

(6) Vor der Hauptversammlung nach Absatz 7 ist von einem oder mehreren unabhängigen Sachverständigen, die nach den einzelstaatlichen

Durchführungsbestimmungen zu Artikel 10 der Richtlinie 78/855/EWG durch ein Gericht oder eine Verwaltungsbehörde des Mitgliedstaates, dessen Recht die sich in eine SE umwandelnde Aktiengesellschaft unterliegt, bestellt oder zugelassen sind, gemäß der Richtlinie 77/91/EWG sinngemäß zu bescheinigen, dass die Gesellschaft über Nettovermögenswerte mindestens in Höhe ihres Kapitals zuzüglich der kraft Gesetzes oder Statut nicht ausschüttungsfähigen Rücklagen verfügt.

(7) Die Hauptversammlung der betreffenden Gesellschaft stimmt dem Umwandlungsplan zu und genehmigt die Satzung der SE. Die Beschlussfassung der Hauptversammlung erfolgt nach Maßgabe der einzelstaatlichen Durchführungsbestimmungen zu Artikel 7 der Richtlinie 78/855/EWG.

(8) Ein Mitgliedstaat kann die Umwandlung davon abhängig machen, dass das Organ der umzuwandelnden Gesellschaft, in dem die Mitbestimmung der Arbeitnehmer vorgesehen ist, der Umwandlung mit qualifizierter Mehrheit oder einstimmig zustimmt.

(9) Die zum Zeitpunkt der Eintragung aufgrund der einzelstaatlichen Rechtsvorschriften und Gepflogenheiten sowie aufgrund individueller Arbeitsverträge oder Arbeitsverhältnisse bestehenden Rechte und Pflichten der umzuwandelnden Gesellschaft hinsichtlich der Beschäftigungsbedingungen gehen mit der Eintragung der SE auf diese über.

Art. 40 [Aufsichtsorgan] (1) Das Aufsichtsorgan überwacht die Führung der Geschäfte durch das Leitungsorgan. Es ist nicht berechtigt, die Geschäfte der SE selbst zu führen.

(2) Die Mitglieder des Aufsichtsorgans werden von der Hauptversammlung bestellt. Die Mitglieder des ersten Aufsichtsorgans können jedoch durch die Satzung bestellt werden. Artikel 47 Absatz 4 oder eine etwaige nach Maßgabe der Richtlinie 2001/86/EG geschlossene Vereinbarung über die Mitbestimmung der Arbeitnehmer bleibt hiervon unberührt.

(3) Die Zahl der Mitglieder des Aufsichtsorgans oder die Regeln für ihre Festlegung werden durch die Satzung bestimmt. Die Mitgliedstaaten können jedoch für die in ihrem Hoheitsgebiet eingetragenen SE die Zahl der Mitglieder des Aufsichtsorgans oder deren Höchst- und/oder Mindestzahl festlegen.

Art. 41 [Leitungsorgan] (1) Das Leitungsorgan unterrichtet das Aufsichtsorgan mindestens alle drei Monate über den Gang der Geschäfte der SE und deren voraussichtliche Entwicklung.

(2) Neben der regelmäßigen Unterrichtung gemäß Absatz 1 teilt das Leitungsorgan dem Aufsichtsorgan rechtzeitig alle Informationen über Ereignisse mit, die sich auf die Lage der SE spürbar auswirken können.

(3) Das Aufsichtsorgan kann vom Leitungsorgan jegliche Information verlangen, die für die Ausübung der Kontrolle gemäß Artikel 40 Absatz 1 erforderlich ist. Die Mitgliedstaaten können vorsehen, dass jedes Mitglied des Aufsichtsorgans von dieser Möglichkeit Gebrauch machen kann.

(4) Das Aufsichtsorgan kann alle zur Erfüllung seiner Aufgaben erforderlichen Überprüfungen vornehmen oder vornehmen lassen.

(5) Jedes Mitglied des Aufsichtsorgans kann von allen Informationen, die diesem Organ übermittelt werden, Kenntnis nehmen.

Art. 42 [Vorsitzender] Das Aufsichtsorgan wählt aus seiner Mitte einen Vorsitzenden. Wird die Hälfte der Mitglieder des Aufsichtsorgans von den Arbeitnehmern bestellt, so darf nur ein von der Hauptversammlung der Aktionäre bestelltes Mitglied zum Vorsitzenden gewählt werden.

Art. 43 [Verwaltungsorgan] (1) Das Verwaltungsorgan führt die Geschäfte der SE. Ein Mitgliedstaat kann vorsehen, dass ein oder mehrere Geschäftsführer die laufenden Geschäfte in eigener Verantwortung unter denselben Voraussetzungen, wie sie für Aktiengesellschaften mit Sitz im Hoheitsgebiet des betreffenden Mitgliedstaates gelten, führt bzw. führen.

(2) Die Zahl der Mitglieder des Verwaltungsorgans oder die Regeln für ihre Festlegung sind in der Satzung der SE festgelegt. Die Mitgliedstaaten können jedoch eine Mindestzahl und erforderlichenfalls eine Höchstzahl festsetzen.

Ist jedoch die Mitbestimmung der Arbeitnehmer in der SE gemäß der Richtlinie geregelt, so muss das Verwaltungsorgan aus mindestens drei Mitgliedern bestehen.

(3) Das Mitglied/die Mitglieder des Verwaltungsorgans wird/werden von der Hauptversammlung bestellt. Die Mitglieder des ersten Verwaltungsorgans können jedoch durch die Satzung bestellt werden. Artikel 47 Absatz 4 oder eine etwaige nach Maßgabe der Richtlinie 2001/86/EG geschlossene Vereinbarung über die Mitbestimmung der Arbeitnehmer bleibt hiervon unberührt.

(4) Enthält das Recht eines Mitgliedstaats in Bezug auf Aktiengesellschaften mit Sitz in seinem Hoheitsgebiet keine Vorschriften über ein monistisches System, kann dieser Mitgliedstaat entsprechende Vorschriften in Bezug auf SE erlassen.

Art. 44 [Turnus und Information] (1) Das Verwaltungsorgan tritt in den durch die Satzung bestimmten Abständen, mindestens jedoch *alle drei Monate, zusammen,* um über den Gang der Geschäfte der SE und deren voraussichtliche Entwicklung zu beraten.

(2) Jedes Mitglied des Verwaltungsorgans kann von allen Informationen, die diesem Organ übermittelt werden, Kenntnis nehmen.

Art. 45 [Vorsitzender] Das Verwaltungsorgan wählt aus seiner Mitte einen Vorsitzenden. Wird die Hälfte der Mitglieder des Verwaltungsorgans von den Arbeitnehmern bestellt, so darf nur ein von der Hauptversammlung der Aktionäre bestelltes Mitglied zum Vorsitzenden gewählt werden.

Art. 50 [Beschlussfähigkeit und Beschlussfassung] (1) Sofern in dieser Verordnung oder der Satzung nichts anderes bestimmt ist, gelten für die Beschlussfähigkeit und die Beschlussfassung der Organe der SE die folgenden internen Regeln:

a) Beschlussfähigkeit: mindestens die Hälfte der Mitglieder muss anwesend oder vertreten sein;

b) Beschlussfassung: mit der Mehrheit der anwesenden oder vertretenen Mitglieder.

(2) Sofern die Satzung keine einschlägige Bestimmung enthält, gibt die Stimme des Vorsitzenden des jeweiligen Organs bei Stimmengleichheit den Ausschlag. Eine anders lautende Satzungsbestimmung ist jedoch nicht möglich, wenn sich das Aufsichtsorgan zur Hälfte aus Arbeitnehmervertretern zusammensetzt.

(3) Ist die Mitbestimmung der Arbeitnehmer gemäß der Richtlinie 2001/86/EG vorgesehen, so kann ein Mitgliedstaat vorsehen, dass sich abweichend von den Absätzen 1 und 2 Beschlussfähigkeit und Beschlussfassung des Aufsichtsorgans nach den Vorschriften richten, die unter denselben Bedingungen für die Aktiengesellschaften gelten, die dem Recht des betreffenden Mitgliedstaats unterliegen.

Art. 51 [Haftung der Organe] Die Mitglieder des Leitungs-, Aufsichts- oder Verwaltungsorgans haften gemäß den im Sitzstaat der SE für Aktiengesellschaften maßgeblichen Rechtsvorschriften für den Schaden, welcher der SE durch eine Verletzung der ihnen bei der Ausübung ihres Amtes obliegenden gesetzlichen, satzungsmäßigen oder sonstigen Pflichten entsteht.

Art. 66 [Umwandlung SE in AG] (1) Eine SE kann in eine dem Recht ihres Sitzstaats unterliegende Aktiengesellschaft umgewandelt werden. Ein Umwandlungsbeschluss darf erst zwei Jahre nach Eintragung der SE oder nach Genehmigung der ersten beiden Jahresabschlüsse gefasst werden.

(2) Die Umwandlung einer SE in eine Aktiengesellschaft führt weder zur Auflösung der Gesellschaft noch zur Gründung einer neuen juristischen Person.

(3) Das Leitungs- oder das Verwaltungsorgan der SE erstellt einen Umwandlungsplan sowie einen Bericht, in dem die rechtlichen und wirtschaftlichen Aspekte der Umwandlung erläutert und begründet sowie die Auswirkungen, die der Übergang zur Rechtsform der Aktiengesellschaft für die Aktionäre und die Arbeitnehmer hat, dargelegt werden.

(4) Der Umwandlungsplan ist mindestens einen Monat vor dem Tag der Hauptversammlung, die über die Umwandlung zu beschließen hat, nach den in den Rechtsvorschriften der einzelnen Mitgliedstaaten gemäß Artikel 3 der Richtlinie 68/151/EWG vorgesehenen Verfahren offen zu legen.

(5) Vor der Hauptversammlung nach Absatz 6 ist von einem oder mehreren unabhängigen Sachverständigen, der/die nach den einzelstaatlichen Durchführungsbestimmungen zu Artikel 10 der Richtlinie 78/855/EWG durch ein Gericht oder eine Verwaltungsbehörde des Mitgliedstaates, dem die sich in eine Aktiengesellschaft umwandelnde SE unterliegt, bestellt oder zugelassen ist/sind, zu bescheinigen, dass die Gesellschaft über Vermögenswerte mindestens in Höhe ihres Kapitals verfügt.

(6) Die Hauptversammlung der SE stimmt dem Umwandlungsplan zu und genehmigt die Satzung der Aktiengesellschaft. Die Beschlussfassung der Hauptversammlung erfolgt nach Maßgabe der einzelstaatlichen Bestimmungen im Einklang mit Artikel 7 der Richtlinie 78/855/EWG.

Art. 67 [Ergänzungs- und Übergangsbestimmungen] (1) Jeder Mitgliedstaat kann, sofern und solange für ihn die dritte Stufe der Wirtschafts- und Währungsunion (WWU) nicht gilt, auf die SE mit Sitz in seinem Hoheitsgebiet in der Frage, auf welche Währung ihr Kapital zu lauten hat, dieselben Bestimmungen anwenden wie auf die Aktiengesellschaften, für die seine Rechtsvorschriften gelten. Die SE kann ihr Kapital auf jeden Fall auch in Euro ausdrücken. In diesem Fall wird für die Umrechnung zwischen Landeswährung und Euro der Satz zugrunde gelegt, der am letzten Tag des Monats vor der Gründung der SE galt.

(2) Sofern und solange für den Sitzstaat der SE die dritte Stufe der WWU nicht gilt, kann die SE jedoch die Jahresabschlüsse und gegebenenfalls die konsolidierten Abschlüsse in Euro erstellen und offen legen. Der Mitgliedstaat kann verlangen, dass die Jahresabschlüsse und gegebenenfalls die konsolidierten Abschlüsse nach denselben Bedin-

gungen, wie sie für die dem Recht dieses Mitgliedstaats unterliegenden Aktiengesellschaften vorgesehen sind, in der Landeswährung erstellt und offen gelegt werden. Dies gilt unbeschadet der der SE zusätzlich eingeräumten Möglichkeit, ihre Jahresabschlüsse und gegebenenfalls ihre konsolidierten Abschlüsse entsprechend der Richtlinie 90/604/EWG (1) in Euro offen zu legen.

Schlussbestimmungen

Art. 68 [Wirksamwerden] (1) Die Mitgliedstaaten treffen alle geeigneten Vorkehrungen, um das Wirksamwerden dieser Verordnung zu gewährleisten.

(2) Jeder Mitgliedstaat benennt die zuständigen Behörden im Sinne der Artikel 8, 25, 26, 54, 55 und 64. Er setzt die Kommission und die anderen Mitgliedstaaten davon in Kenntnis.

Art. 69 [Prüfbericht] Spätestens fünf Jahre nach Inkrafttreten dieser Verordnung legt die Kommission dem Rat und dem Europäischen Parlament einen Bericht über die Anwendung der Verordnung sowie gegebenenfalls Vorschläge für Änderungen vor. In dem Bericht wird insbesondere geprüft, ob es zweckmäßig ist,

a) zuzulassen, dass sich die Hauptverwaltung und der Sitz der SE in verschiedenen Mitgliedstaaten befinden,

b) den Begriff der Verschmelzung in Artikel 17 Absatz 2 auszuweiten, um auch andere als die in Artikel 3 Absatz 1 und Artikel 4 Absatz 1 der Richtlinie 78/855/EWG definierten Formen der Verschmelzung zuzulassen,

c) die Gerichtsstandsklausel des Artikels 8 Absatz 16 im Lichte von Bestimmungen, die in das Brüsseler Übereinkommen von 1968 oder in einen Rechtsakt der Mitgliedstaaten oder des Rates zur Ersetzung dieses Übereinkommens aufgenommen wurden, zu überprüfen,

d) vorzusehen, dass ein Mitgliedstaat in den Rechtsvorschriften, die er in Ausübung der durch diese Verordnung übertragenen Befugnisse oder zur Sicherstellung der tatsächlichen Anwendung dieser Verordnung auf eine SE erlässt, Bestimmungen in der Satzung der SE zulassen kann, die von diesen Rechtsvorschriften abweichen oder diese ergänzen, auch wenn derartige Bestimmungen in der Satzung einer Aktiengesellschaft mit Sitz in dem betreffenden Mitgliedstaat nicht zulässig wären.

Art. 70 [Inkrafttreten] Diese Verordnung tritt am 8. Oktober 2004 in Kraft.

931. Richtlinie 2001/86/EG des Rates zur Ergänzung des Statuts der Europäischen Gesellschaft hinsichtlich der Beteiligung der Arbeitnehmer

Vom 8. Oktober 2001

(ABl. Nr. L 294/22)

DER RAT DER EUROPÄISCHEN UNION –

gestützt auf den Vertrag zur Gründung der Europäischen Gemeinschaft, insbesondere auf Artikel 308,

auf der Grundlage des geänderten Vorschlags der Kommission[1]),

nach Stellungnahme des Europäischen Parlaments[2]),

nach Stellungnahme des Wirtschafts- und Sozialausschusses[3]),

in Erwägung nachstehender Gründe:

(1) Zur Erreichung der Ziele des Vertrags wird mit der Verordnung (EG) Nr. 2157/2001 des Rates das Statut der Europäischen Gesellschaft (SE) festgelegt.

(2) Mit jener Verordnung soll ein einheitlicher rechtlicher Rahmen geschaffen werden, innerhalb dessen Gesellschaften aus verschiedenen Mitgliedstaaten in der Lage sein sollten, die Neuorganisation ihres Geschäftsbetriebs gemeinschaftsweit zu planen und durchzuführen.

(3) Um die Ziele der Gemeinschaft im sozialen Bereich zu fördern, müssen besondere Bestimmungen – insbesondere auf dem Gebiet der Beteiligung der Arbeitnehmer – festgelegt werden, mit denen gewährleistet werden soll, dass die Gründung einer SE nicht zur Beseitigung oder zur Einschränkung der Gepflogenheiten der Arbeitnehmerbeteiligung führt, die in den an der Gründung einer SE beteiligten Gesellschaften herrschen. Dieses Ziel sollte durch die Einführung von Regeln in diesen Bereich verfolgt werden, mit denen die Bestimmungen der Verordnung ergänzt werden.

(4) Da die Ziele der vorgeschlagenen Maßnahme – wie oben ausgeführt – nicht hinreichend von den Mitgliedstaaten erreicht werden können, weil es darum geht, eine Reihe von für die SE geltenden Regeln für die Beteiligung der Arbeitnehmer zu erlassen, und da die Ziele daher wegen des Umfangs und der Wirkungen der vorgeschlagenen Maßnahme besser auf Gemeinschaftsebene erreicht werden können,

---

[1]) **Amtl. Anm.:** ABl. C 138 vom 29. 5. 1991, S. 8.

[2]) **Amtl. Anm.:** ABl. C 342 vom 20. 12. 1993, S. 15.

[3]) **Amtl. Anm.:** ABl. C 124 vom 21. 5. 1990, S. 34.

kann die Gemeinschaft im Einklang mit dem Subsidiaritätsprinzip nach Artikel 5 des Vertrags Maßnahmen ergreifen. Im Einklang mit dem Verhältnismäßigkeitsprinzip nach jenem Artikel geht diese Richtlinie nicht über das für die Erreichung dieser Ziele erforderliche Maß hinaus.

(5) Angesichts der in den Mitgliedstaaten bestehenden Vielfalt an Regelungen und Gepflogenheiten für die Beteiligung der Arbeitnehmervertreter an der Beschlussfassung in Gesellschaften ist es nicht ratsam, ein auf die SE anwendbares einheitliches europäisches Modell der Arbeitnehmerbeteiligung vorzusehen.

(6) In allen Fällen der Gründung einer SE sollten jedoch Unterrichtungs- und Anhörungsverfahren auf grenzüberschreitender Ebene gewährleistet sein.

(7) Sofern und soweit es in einer oder in mehreren der an der Gründung einer SE beteiligten Gesellschaften Mitbestimmungsrechte gibt, sollten sie durch Übertragung an die SE nach deren Gründung erhalten bleiben, es sei denn, dass die Parteien etwas anderes beschließen.

(8) Die konkreten Verfahren der grenzüberschreitenden Unterrichtung und Anhörung der Arbeitnehmer sowie gegebenenfalls der Mitbestimmung, die für die einzelnen SE gelten, sollten vorrangig durch eine Vereinbarung zwischen den betroffenen Parteien oder – in Ermangelung einer derartigen Vereinbarung – durch die Anwendung einer Reihe von subsidiären Regeln festgelegt werden.

(9) Angesichts der unterschiedlichen Gegebenheiten bei den nationalen Systemen der Mitbestimmung sollte den Mitgliedstaaten die Anwendung der Auffangregelungen für die Mitbestimmung im Falle einer Fusion freigestellt werden. In diesem Fall ist die Beibehaltung der bestehenden Mitbestimmungssysteme und -praktiken, die gegebenenfalls auf der Ebene der teilnehmenden Gesellschaften bestehen, durch eine Anpassung der Vorschriften für die Registrierung zu gewährleisten.

(10) Die Abstimmungsregeln in dem besonderen Gremium, das die Arbeitnehmer zu Verhandlungszwecken vertritt, sollten – insbesondere wenn Vereinbarungen getroffen werden, die ein geringeres Maß an Mitbestimmung vorsehen, als es in einer oder mehreren der sich beteiligenden Gesellschaften gegeben ist – in einem angemessenen Verhältnis zur Gefahr der Beseitigung oder der Einschränkung der bestehenden Mitbestimmungssysteme und -praktiken stehen. Wenn eine SE im Wege der Umwandlung oder Verschmelzung gegründet wird, ist diese Gefahr größer, als wenn die Gründung im Wege der Errichtung einer Holdinggesellschaft oder einer gemeinsamen Tochtergesellschaft erfolgt.

(11) Führen die Verhandlungen zwischen den Vertretern der Arbeitnehmer und dem jeweils zuständigen Organ der beteiligten Ge-

sellschaften nicht zu einer Vereinbarung, so sollten für die SE von ihrer Gründung an bestimmte Standardanforderungen gelten. Diese Standardanforderungen sollten eine effiziente Praxis der grenzüberschreitenden Unterrichtung und Anhörung der Arbeitnehmer sowie deren Mitbestimmung in dem einschlägigen Organ der SE gewährleisten, sofern und soweit es eine derartige Mitbestimmung vor der Errichtung der SE in einer der beteiligten Gesellschaften gegeben hat.

(12) Es sollte vorgesehen werden, dass die Vertreter der Arbeitnehmer, die im Rahmen der Richtlinie handeln, bei der Wahrnehmung ihrer Aufgaben einen ähnlichen Schutz und ähnliche Garantien genießen, wie sie die Vertreter der Arbeitnehmer nach den Rechtsvorschriften und/oder den Gepflogenheiten des Landes ihrer Beschäftigung haben. Sie sollten keiner Diskriminierung infolge der rechtmäßigen Ausübung ihrer Tätigkeit unterliegen und einen angemessenen Schutz vor Kündigung und anderen Sanktionen genießen.

(13) Die Vertraulichkeit sensibler Informationen sollte auch nach Ablauf der Amtszeit der Arbeitnehmervertreter gewährleistet sein; dem zuständigen Organ der SE sollte es gestattet werden, Informationen zurückzuhalten, die im Falle einer Bekanntgabe an die Öffentlichkeit den Betrieb der SE ernsthaft stören würden.

(14) Unterliegen eine SE sowie ihre Tochtergesellschaften und Niederlassungen der Richtlinie 94/45/EG des Rates vom 22. September 1994 über die Einsetzung eines Europäischen Betriebsrats oder die Schaffung eines Verfahrens zur Unterrichtung und Anhörung der Arbeitnehmer in gemeinschaftsweit operierenden Unternehmen und Unternehmensgruppen[1], so sollten die Bestimmungen jener Richtlinie und die Bestimmungen zu ihrer Umsetzung in einzelstaatliches Recht weder auf die SE noch auf ihre Tochtergesellschaften und Niederlassungen anwendbar sein, es sei denn, das besondere Verhandlungsgremium beschließt, keine Verhandlungen aufzunehmen oder bereits eröffnete Verhandlungen zu beenden.

(15) Die Regeln dieser Richtlinie sollten andere bestehende Beteiligungsrechte nicht berühren und haben nicht notwendigerweise Auswirkungen auf andere bestehende Vertretungsstrukturen aufgrund gemeinschaftlicher oder einzelstaatlicher Rechtsvorschriften oder Gepflogenheiten.

(16) Die Mitgliedstaaten sollten geeignete Maßnahmen für den Fall vorsehen, dass die in dieser Richtlinie festgelegten Pflichten nicht eingehalten werden.

(17) Der Vertrag enthält Befugnisse für die Annahme dieser Richtlinie nur in Artikel 308.

---

[1] **Amtl. Anm.:** ABl. L 254 vom 30. 9. 1994, S. 64. Zuletzt geändert durch die Richtlinie 97/74/EG (ABl. L 10 vom 16. 1. 1998, S. 22).

(18) Die Sicherung erworbener Rechte der Arbeitnehmer über ihre Beteiligung an Unternehmensentscheidungen ist fundamentaler Grundsatz und erklärtes Ziel dieser Richtlinie. Die vor der Gründung von SE bestehenden Rechte der Arbeitnehmer sollten deshalb Ausgangspunkt auch für die Gestaltung ihrer Beteiligungsrechte in der SE (Vorher-Nachher-Prinzip) sein. Dieser Ansatz sollte folgerichtig nicht nur für die Neugründung einer SE, sondern auch für strukturelle Veränderungen einer bereits gegründeten SE und für die von den strukturellen Änderungsprozessen betroffenen Gesellschaften gelten.

(19) Die Mitgliedstaaten sollten vorsehen können, dass Vertreter von Gewerkschaften Mitglied eines besonderen Verhandlungsgremiums sein können, unabhängig davon, ob sie Arbeitnehmer einer an der Gründung einer SE beteiligten Gesellschaft sind oder nicht. In diesem Zusammenhang sollten die Mitgliedstaaten dieses Recht insbesondere in den Fällen vorsehen können, in denen Gewerkschaftsvertreter nach ihrem einzelstaatlichen Recht stimmberechtigte Mitglieder des Aufsichts- oder des Leitungsorgans sein dürfen.

(20) In mehreren Mitgliedstaaten werden die Beteiligung der Arbeitnehmer sowie andere Bereiche der Arbeitgeber/Arbeitnehmer-Beziehungen sowohl durch einzelstaatliche Rechtsvorschriften als auch durch Gepflogenheiten geregelt, wobei die Gepflogenheiten im vorliegenden Zusammenhang in der Weise zu verstehen sind, dass sie auch Tarifverträge auf verschiedenen Ebenen – national, sektoral oder unternehmensbezogen – umfassen –

HAT FOLGENDE RICHTLINIE ERLASSEN:

Teil I. Allgemeine Bestimmungen

Art. 1 Gegenstand. (1) Diese Richtlinie regelt die Beteiligung der Arbeitnehmer in der Europäischen Aktiengesellschaft (Societas Europaea, nachfolgend „SE" genannt), die Gegenstand der Verordnung (EG) Nr. 2157/2001 ist.

(2) Zu diesem Zweck wird in jeder SE gemäß dem Verhandlungsverfahren nach den Artikeln 3 bis 6 oder unter den in Artikel 7 genannten Umständen gemäß dem Anhang eine Vereinbarung über die Beteiligung der Arbeitnehmer getroffen.

Art. 2 Begriffsbestimmungen. Für die Zwecke dieser Richtlinie bezeichnet der Ausdruck

a) „SE" eine nach der Verordnung (EG) Nr. 2157/2001 gegründete Gesellschaft,

b) „beteiligte Gesellschaften“ die Gesellschaften, die unmittelbar an der Gründung einer SE beteiligt sind,

c) „Tochtergesellschaft“ einer Gesellschaft ein Unternehmen, auf das die betreffende Gesellschaft einen beherrschenden Einfluss im Sinne des Artikels 3 Absätze 2 bis 7 der Richtlinie 94/45/EG ausübt,

d) „betroffene Tochtergesellschaft oder betroffener Betrieb“ eine Tochtergesellschaft oder einen Betrieb einer beteiligten Gesellschaft, die/der bei der Gründung der SE zu einer Tochtergesellschaft oder einem Betrieb der SE werden soll,

e) „Arbeitnehmervertreter“ die nach den Rechtsvorschriften und/oder den Gepflogenheiten der einzelnen Mitgliedstaaten vorgesehenen Vertreter der Arbeitnehmer,

f) „Vertretungsorgan“ das Organ zur Vertretung der Arbeitnehmer, das durch die Vereinbarung nach Artikel 4 oder entsprechend dem Anhang eingesetzt wird, um die Unterrichtung und Anhörung der Arbeitnehmer der SE und ihrer Tochtergesellschaften und Betriebe in der Gemeinschaft vorzunehmen und gegebenenfalls Mitbestimmungsrechte in Bezug auf die SE wahrzunehmen,

g) „besonderes Verhandlungsgremium“ das gemäß Artikel 3 eingesetzte Gremium, das die Aufgabe hat, mit dem jeweils zuständigen Organ der beteiligten Gesellschaften die Vereinbarung über die Beteiligung der Arbeitnehmer in der SE auszuhandeln,

h) „Beteiligung der Arbeitnehmer“ jedes Verfahren – einschließlich der Unterrichtung, der Anhörung und der Mitbestimmung –, durch das die Vertreter der Arbeitnehmer auf die Beschlussfassung innerhalb der Gesellschaft Einfluss nehmen können,

i) „Unterrichtung“ die Unterrichtung des Organs zur Vertretung der Arbeitnehmer und/oder der Arbeitnehmervertreter durch das zuständige Organ der SE über Angelegenheiten, die die SE selbst oder eine ihrer Tochtergesellschaften oder einen ihrer Betriebe in einem anderen Mitgliedstaat betreffen oder die über die Befugnisse der Entscheidungsorgane auf der Ebene des einzelnen Mitgliedstaats hinausgehen, wobei Zeitpunkt, Form und Inhalt der Unterrichtung den Arbeitnehmervertretern eine eingehende Prüfung der möglichen Auswirkungen und gegebenenfalls die Vorbereitung von Anhörungen mit dem zuständigen Organ der SE ermöglichen müssen,

j) „Anhörung“ die Einrichtung eines Dialogs und eines Meinungsaustauschs zwischen dem Organ zur Vertretung der Arbeitnehmer und/oder den Arbeitnehmervertretern und dem zuständigen Organ der SE, wobei Zeitpunkt, Form und Inhalt der Anhörung den

Arbeitnehmervertretern auf der Grundlage der erfolgten Unterrichtung eine Stellungnahme zu den geplanten Maßnahmen des zuständigen Organs ermöglichen müssen, die im Rahmen des Entscheidungsprozesses innerhalb der SE berücksichtigt werden kann,

k) „Mitbestimmung" die Einflussnahme des Organs zur Vertretung der Arbeitnehmer und/oder der Arbeitnehmervertreter auf die Angelegenheiten einer Gesellschaft durch
- die Wahrnehmung des Rechts, einen Teil der Mitglieder des Aufsichts- oder des Verwaltungsorgans der Gesellschaft zu wählen oder zu bestellen, oder
- die Wahrnehmung des Rechts, die Bestellung eines Teils der oder aller Mitglieder des Aufsichts- oder des Verwaltungsorgans der Gesellschaft zu empfehlen und/oder abzulehnen.

Teil II. Verhandlungsverfahren

Art. 3 Einsetzung eines besonderen Verhandlungsgremiums. (1) Wenn die Leitungs- oder die Verwaltungsorgane der beteiligten Gesellschaften die Gründung einer SE planen, leiten sie nach der Offenlegung des Verschmelzungsplans oder des Gründungsplans für eine Holdinggesellschaft oder nach der Vereinbarung eines Plans zur Gründung einer Tochtergesellschaft oder zur Umwandlung in eine SE so rasch wie möglich die erforderlichen Schritte – zu denen auch die Unterrichtung über die Identität der beteiligten Gesellschaften und der betroffenenTochtergesellschaften oder betroffenen Betriebe sowie die Zahl ihrer Beschäftigten gehört – für die Aufnahme von Verhandlungen mit den Arbeitnehmervertretern der Gesellschaften über die Vereinbarung über die Beteiligung der Arbeitnehmer in der SE ein.

(2) Zu diesem Zweck wird ein besonderes Verhandlungsgremium als Vertretung der Arbeitnehmer der beteiligten Gesellschaften sowie der betroffenen Tochtergesellschaften oder betroffenen Betriebe gemäß folgenden Vorschriften eingesetzt:

a) Bei der Wahl oder der Bestellung der Mitglieder des besonderen Verhandlungsgremiums ist Folgendes sicherzustellen:

i) die Vertretung durch gewählte oder bestellte Mitglieder entsprechend der Zahl der in jedem Mitgliedstaat beschäftigten Arbeitnehmer der beteiligten Gesellschaften und der betroffenen Tochtergesellschaften oder betroffenen Betriebe in der Form, dass pro Mitgliedstaat für jeden Anteil der in diesem Mitgliedstaat beschäftigten Arbeitnehmer, der 10% der Gesamtzahl der in allen Mitgliedstaaten beschäftigten Arbeitnehmer der beteiligten Gesellschaften und der betroffenen Tochtergesellschaften oder betroffenen Betriebe entspricht, oder für einen Bruchteil dieser Tranche Anspruch auf einen Sitz besteht;

ii) im Falle einer durch Verschmelzung gegründeten SE die Vertretung jedes Mitgliedstaats durch so viele weitere Mitglieder, wie erforderlich sind, um zu gewährleisten, dass jede beteiligte Gesellschaft, die eingetragen ist und Arbeitnehmer in dem betreffenden Mitgliedstaat beschäftigt und die als Folge der geplanten Eintragung der SE als eigene Rechtspersönlichkeit erlöschen wird, in dem besonderen Verhandlungsgremium durch mindestens ein Mitglied vertreten ist, sofern

– die Zahl dieser zusätzlichen Mitglieder 20% der sich aus der Anwendung von Ziffer i ergebenden Mitgliederzahl nicht überschreitet und

– die Zusammensetzung des besonderen Verhandlungsgremiums nicht zu einer Doppelvertretung der betroffenen Arbeitnehmer führt.

Übersteigt die Zahl dieser Gesellschaften die Zahl der gemäß Unterabsatz 1 verfügbaren zusätzlichen Mitglieder, so werden diese zusätzlichen Mitglieder Gesellschaften in verschiedenen Mitgliedstaaten in absteigender Reihenfolge der Zahl der bei ihnen beschäftigten Arbeitnehmer zugeteilt.

b) Die Mitgliedstaaten legen das Verfahren für die Wahl oder die Bestellung der Mitglieder des besonderen Verhandlungsgremiums fest, die in ihrem Hoheitsgebiet zu wählen oder zu bestellen sind. Sie ergreifen die erforderlichen Maßnahmen, um sicherzustellen, dass nach Möglichkeit jede beteiligte Gesellschaft, die in dem jeweiligen Mitgliedstaat Arbeitnehmer beschäftigt, durch mindestens ein Mitglied in dem Gremium vertreten ist. Die Gesamtzahl der Mitglieder darf durch diese Maßnahmen nicht erhöht werden.

Die Mitgliedstaaten können vorsehen, dass diesem Gremium Gewerkschaftsvertreter auch dann angehören können, wenn sie nicht Arbeitnehmer einer beteiligten Gesellschaft oder einer betroffenen Tochtergesellschaft oder eines betroffenen Betriebs sind.

Unbeschadet der einzelstaatlichen Rechtsvorschriften und/oder Gepflogenheiten betreffend Schwellen für die Einrichtung eines Vertretungsorgans sehen die Mitgliedstaaten vor, dass die Arbeitnehmer der Unternehmen oder Betriebe, in denen unabhängig vom Willen der Arbeitnehmer keine Arbeitnehmervertreter vorhanden sind, selbst Mitglieder für das besondere Verhandlungsgremium wählen oder bestellen dürfen.

(3) Das besondere Verhandlungsgremium und das jeweils zuständige Organ der beteiligten Gesellschaften legen in einer schriftlichen Vereinbarung die Beteiligung der Arbeitnehmer in der SE fest.

Zu diesem Zweck unterrichtet das jeweils zuständige Organ der beteiligten Gesellschaften das besondere Verhandlungsgremium über das Vorhaben der Gründung einer SE und den Verlauf des Verfahrens bis zu deren Eintragung.

(4) Das besondere Verhandlungsgremium beschließt vorbehaltlich des Absatzes 6 mit der absoluten Mehrheit seiner Mitglieder, sofern diese Mehrheit auch die absolute Mehrheit der Arbeitnehmer vertritt. Jedes Mitglied hat eine Stimme. Hätten jedoch die Verhandlungen eine Minderung der Mitbestimmungsrechte zur Folge, so ist für einen Beschluss zur Billigung einer solchen Vereinbarung eine Mehrheit von zwei Dritteln der Stimmen der Mitglieder des besonderen Verhandlungsgremiums, die mindestens zwei Drittel der Arbeitnehmer vertreten, erforderlich, mit der Maßgabe, dass diese Mitglieder Arbeitnehmer in mindestens zwei Mitgliedstaaten vertreten müssen, und zwar

- im Falle einer SE, die durch Verschmelzung gegründet werden soll, sofern sich die Mitbestimmung auf mindestens 25% der Gesamtzahl der Arbeitnehmer der beteiligten Gesellschaften erstreckt, oder
- im Falle einer SE, die als Holdinggesellschaft oder als Tochtergesellschaft gegründet werden soll, sofern sich die Mitbestimmung auf mindestens 50% der Gesamtzahl der Arbeitnehmer der beteiligten Gesellschaften erstreckt.

Minderung der Mitbestimmungsrechte bedeutet, dass der Anteil der Mitglieder der Organe der SE im Sinne des Artikels 2 Buchstabe k geringer ist als der höchste in den beteiligten Gesellschaften geltende Anteil.

(5) Das besondere Verhandlungsgremium kann bei den Verhandlungen Sachverständige seiner Wahl, zu denen auch Vertreter der einschlägigen Gewerkschaftsorganisationen auf Gemeinschaftsebene zählen können, hinzuziehen, um sich von ihnen bei seiner Arbeit unterstützen zu lassen. Diese Sachverständigen können, wenn das besondere Verhandlungsgremium dies wünscht, den Verhandlungen in beratender Funktion beiwohnen, um gegebenenfalls die Kohärenz und Stimmigkeit auf Gemeinschaftsebene zu fördern. Das besondere Verhandlungsgremium kann beschließen, die Vertreter geeigneter außenstehender Organisationen, zu denen auch Gewerkschaftsvertreter zählen können, vom Beginn der Verhandlungen zu unterrichten.

(6) Das besondere Verhandlungsgremium kann mit der nachstehend *festgelegten Mehrheit* beschließen, keine Verhandlungen aufzunehmen oder bereits aufgenommene Verhandlungen abzubrechen und die Vor-

schriften für die Unterrichtung und Anhörung der Arbeitnehmer zur Anwendung gelangen zu lassen, die in den Mitgliedstaaten gelten, in denen die SE Arbeitnehmer beschäftigt. Ein solcher Beschluss beendet das Verfahren zum Abschluss der Vereinbarung gemäß Artikel 4. Ist ein solcher Beschluss gefasst worden, findet keine der Bestimmungen des Anhangs Anwendung.

Für den Beschluss, die Verhandlungen nicht aufzunehmen oder sie abzubrechen, ist eine Mehrheit von zwei Dritteln der Stimmen der Mitglieder, die mindestens zwei Drittel der Arbeitnehmer vertreten, erforderlich, mit der Maßgabe, dass diese Mitglieder Arbeitnehmer in mindestens zwei Mitgliedstaaten vertreten müssen.

Im Fall einer durch Umwandlung gegründeten SE findet dieser Absatz keine Anwendung, wenn in der umzuwandelnden Gesellschaft Mitbestimmung besteht.

Das besondere Verhandlungsgremium wird auf schriftlichen Antrag von mindestens 10% der Arbeitnehmer der SE, ihrer Tochtergesellschaften und ihrer Betriebe oder von deren Vertretern frühestens zwei Jahre nach dem vorgenannten Beschluss wieder einberufen, sofern die Parteien nicht eine frühere Wiederaufnahme der Verhandlungen vereinbaren. Wenn das besondere Verhandlungsgremium die Wiederaufnahme der Verhandlungen mit der Geschäftsleitung beschließt, in diesen Verhandlungen jedoch keine Einigung erzielt wird, findet keine der Bestimmungen des Anhangs Anwendung.

(7) Die Kosten, die im Zusammenhang mit der Tätigkeit des besonderen Verhandlungsgremiums und generell mit den Verhandlungen entstehen, werden von den beteiligten Gesellschaften getragen, damit das besondere Verhandlungsgremium seine Aufgaben in angemessener Weise erfüllen kann.

Im Einklang mit diesem Grundsatz können die Mitgliedstaaten Regeln für die Finanzierung der Arbeit des besonderen Verhandlungsgremiums festlegen. Sie können insbesondere die Übernahme der Kosten auf die Kosten für einen Sachverständigen begrenzen.

Art. 4 Inhalt der Vereinbarung. (1) Das jeweils zuständige Organ der beteiligten Gesellschaften und das besondere Verhandlungsgremium verhandeln mit dem Willen zur Verständigung, um zu einer Vereinbarung über die Beteiligung der Arbeitnehmer innerhalb der SE zu gelangen.

(2) Unbeschadet der Autonomie der Parteien und vorbehaltlich des Absatzes 4 wird in der schriftlichen Vereinbarung nach Absatz 1 zwischen dem jeweils zuständigen Organ der beteiligten Gesellschaften und dem besonderen Verhandlungsgremium Folgendes festgelegt:

a) der Geltungsbereich der Vereinbarung,

b) die Zusammensetzung des Vertretungsorgans als Verhandlungspartner des zuständigen Organs der SE im Rahmen der Vereinbarung über die Unterrichtung und Anhörung der Arbeitnehmer der SE und ihrer Tochtergesellschaften und Betriebe sowie die Anzahl seiner Mitglieder und die Sitzverteilung,

c) die Befugnisse und das Verfahren zur Unterrichtung und Anhörung des Vertretungsorgans,

d) die Häufigkeit der Sitzungen des Vertretungsorgans,

e) die für das Vertretungsorgan bereitzustellenden finanziellen und materiellen Mittel,

f) die Durchführungsmodalitäten des Verfahrens oder der Verfahren zur Unterrichtung und Anhörung für den Fall, dass die Parteien im Laufe der Verhandlungen beschließen, eines oder mehrere solcher Verfahren zu schaffen, anstatt ein Vertretungsorgan einzusetzen,

g) der Inhalt einer Vereinbarung über die Mitbestimmung für den Fall, dass die Parteien im Laufe der Verhandlungen beschließen, eine solche Vereinbarung einzuführen, einschließlich (gegebenenfalls) der Zahl der Mitglieder des Verwaltungs- oder des Aufsichtsorgans der SE, welche die Arbeitnehmer wählen oder bestellen können oder deren Bestellung sie empfehlen oder ablehnen können, der Verfahren, nach denen die Arbeitnehmer diese Mitglieder wählen oder bestellen oder deren Bestellung empfehlen oder ablehnen können, und der Rechte dieser Mitglieder,

h) der Zeitpunkt des Inkrafttretens der Vereinbarung und ihre Laufzeit, die Fälle, in denen die Vereinbarung neu ausgehandelt werden sollte, und das bei ihrer Neuaushandlung anzuwendende Verfahren.

(3) Sofern in der Vereinbarung nichts anderes bestimmt ist, gilt die Auffangregelung des Anhangs nicht für diese Vereinbarung.

(4) Unbeschadet des Artikels 13 Absatz 3 Buchstabe a muss in der Vereinbarung im Falle einer durch Umwandlung gegründeten SE in Bezug auf alle Komponenten der Arbeitnehmerbeteiligung zumindest das gleiche Ausmaß gewährleistet werden, das in der Gesellschaft besteht, die in eine SE umgewandelt werden soll.

Art. 5 Dauer der Verhandlungen. (1) Die Verhandlungen beginnen mit der Einsetzung des besonderen Verhandlungsgremiums und können bis zu sechs Monate andauern.

(2) Die Parteien können einvernehmlich beschließen, die Verhandlungen über den in Absatz 1 genannten Zeitraum hinaus bis zu insgesamt *einem Jahr* ab der Einsetzung des besonderen Verhandlungsgremiums fortzusetzen.

Art. 6 Für das Verhandlungsverfahren maßgebliches Recht. Sofern in dieser Richtlinie nichts anderes vorgesehen ist, ist für das Verhandlungsverfahren gemäß den Artikeln 3 bis 5 das Recht des Mitgliedstaates maßgeblich, in dem die SE ihren Sitz haben wird.

Art. 7 Auffangregelung. (1) Zur Verwirklichung des in Artikel 1 festgelegten Ziels führen die Mitgliedstaaten unbeschadet des nachstehenden Absatzes 3 eine Auffangregelung zur Beteiligung der Arbeitnehmer ein, die den im Anhang niedergelegten Bestimmungen genügen muss.

Die Auffangregelung, die in den Rechtsvorschriften des Mitgliedstaats festgelegt ist, in dem die SE ihren Sitz haben soll, findet ab dem Zeitpunkt der Eintragung der SE Anwendung, wenn

a) die Parteien dies vereinbaren oder

b) bis zum Ende des in Artikel 5 genannten Zeitraums keine Vereinbarung zustande gekommen ist und

– das zuständige Organ jeder der beteiligten Gesellschaften der Anwendung der Auffangregelung auf die SE und damit der Fortsetzung des Verfahrens zur Eintragung der SE zugestimmt hat und

– das besondere Verhandlungsgremium keinen Beschluss gemäß Artikel 3 Absatz 6 gefasst hat.

(2) Ferner findet die Auffangregelung, die in den Rechtsvorschriften des Mitgliedstaats festgelegt ist, in dem die SE eingetragen wird, gemäß Teil 3 des Anhangs nur Anwendung, wenn

a) im Falle einer durch Umwandlung gegründeten SE die Bestimmungen eines Mitgliedstaats über die Mitbestimmung der Arbeitnehmer im Verwaltungs- oder Aufsichtsorgan für eine in eine SE umgewandelte Aktiengesellschaft galten;

b) im Falle einer durch Verschmelzung gegründeten SE

– vor der Eintragung der SE in einer oder mehreren der beteiligten Gesellschaften eine oder mehrere Formen der Mitbestimmung bestanden und sich auf mindestens 25% der Gesamtzahl der Arbeitnehmer aller beteiligten Gesellschaften erstreckten oder

– vor der Eintragung der SE in einer oder mehreren der beteiligten Gesellschaften eine oder mehrere Formen der Mitbestimmung bestanden und sich auf weniger als 25% der Gesamtzahl der Arbeitnehmer aller beteiligten Gesellschaften erstreckten und das besondere Verhandlungsgremium einen entsprechenden Beschluss fasst;

c) im Falle einer durch Errichtung einer Holdinggesellschaft oder einer Tochtergesellschaft gegründeten SE

- vor der Eintragung der SE in einer oder mehreren der beteiligten Gesellschaften eine oder mehrere Formen der Mitbestimmung bestanden und sich auf mindestens 50% der Gesamtzahl der Arbeitnehmer aller beteiligten Gesellschaften erstreckten oder
- vor der Eintragung der SE in einer oder mehreren der beteiligten Gesellschaften eine oder mehrere Formen der Mitbestimmung bestanden und sich auf weniger als 50% der Gesamtzahl der Arbeitnehmer aller beteiligten Gesellschaften erstreckten und das besondere Verhandlungsgremium einen entsprechenden Beschluss fasst.

Bestanden mehr als eine Mitbestimmungsform in den verschiedenen beteiligten Gesellschaften, so entscheidet das besondere Verhandlungsgremium, welche von ihnen in der SE eingeführt wird. Die Mitgliedstaaten können Regeln festlegen, die anzuwenden sind, wenn kein einschlägiger Beschluss für eine in ihrem Hoheitsgebiet eingetragene SE gefasst worden ist. Das besondere Verhandlungsgremium unterrichtet das jeweils zuständige Organ der beteiligten Gesellschaften über die Beschlüsse, die es gemäß diesem Absatz gefasst hat.

(3) Die Mitgliedstaaten können vorsehen, dass die Auffangregelung in Teil 3 des Anhangs in dem in Absatz 2 Buchstabe b vorgesehenen Fall nicht Anwendung findet.

Teil III. Sonstige Bestimmungen

Art. 8 Verschwiegenheit und Geheimhaltung. (1) Die Mitgliedstaaten sehen vor, dass den Mitgliedern des besonderen Verhandlungsgremiums und des Vertretungsorgans sowie den sie unterstützenden Sachverständigen nicht gestattet wird, ihnen als vertraulich mitgeteilte Informationen an Dritte weiterzugeben.

Das Gleiche gilt für die Arbeitnehmervertreter im Rahmen eines Verfahrens zur Unterrichtung und Anhörung.

Diese Verpflichtung besteht unabhängig von dem Aufenthaltsort der betreffenden Personen und auch nach Ablauf ihres Mandats weiter.

(2) Jeder Mitgliedstaat sieht vor, dass das Aufsichts- oder das Verwaltungsorgan einer SE oder einer beteiligten Gesellschaft mit Sitz in seinem Hoheitsgebiet in besonderen Fällen und unter den Bedingungen und Beschränkungen des einzelstaatlichen Rechts Informationen nicht weiterleiten muss, wenn deren Bekanntwerden bei Zugrundelegung objektiver Kriterien den Geschäftsbetrieb der SE (oder gegebenenfalls der beteiligten Gesellschaft) oder ihrer Tochtergesellschaften und Betriebe erheblich beeinträchtigen oder ihnen schaden würde.

Jeder Mitgliedstaat kann eine solche Freistellung von einer vorherigen behördlichen oder gerichtlichen Genehmigung abhängig machen.

(3) Jeder Mitgliedstaat kann für eine SE mit Sitz in seinem Hoheitsgebiet, die in Bezug auf Berichterstattung und Meinungsäußerung unmittelbar und überwiegend eine bestimmte weltanschauliche Tendenz verfolgt, besondere Bestimmungen vorsehen, falls das innerstaatliche Recht solche Bestimmungen zum Zeitpunkt der Annahme dieser Richtlinie bereits enthält.

(4) Bei der Anwendung der Absätze 1, 2 und 3 sehen die Mitgliedstaaten Verfahren vor, nach denen die Arbeitnehmervertreter auf dem Verwaltungsweg oder vor Gericht Rechtsbehelfe einlegen können, wenn das Aufsichts- oder das Verwaltungsorgan der SE oder der beteiligten Gesellschaft Vertraulichkeit verlangt oder die Informationen verweigert.

Diese Verfahren können Regelungen zur Wahrung der Vertraulichkeit der betreffenden Informationen einschließen.

Art. 9 Arbeitsweise des Vertretungsorgans und Funktionsweise des Verfahrens zur Unterrichtung und Anhörung der Arbeitnehmer. Das zuständige Organ der SE und das Vertretungsorgan arbeiten mit dem Willen zur Verständigung unter Beachtung ihrer jeweiligen Rechte und Pflichten zusammen.

Das Gleiche gilt für die Zusammenarbeit zwischen dem Aufsichts- oder dem Verwaltungsorgan der SE und den Arbeitnehmervertretern im Rahmen eines Verfahrens zur Unterrichtung und Anhörung der Arbeitnehmer.

Art. 10 Schutz der Arbeitnehmervertreter. Die Mitglieder des besonderen Verhandlungsgremiums, die Mitglieder des Vertretungsorgans, Arbeitnehmervertreter, die bei einem Verfahren zur Unterrichtung und Anhörung mitwirken, und Arbeitnehmervertreter im Aufsichts- oder im Verwaltungsorgan der SE, die Beschäftigte der SE, ihrer Tochtergesellschaften oder Betriebe oder einer der beteiligten Gesellschaften sind, genießen bei der Wahrnehmung ihrer Aufgaben den gleichen Schutz und gleichartige Sicherheiten wie die Arbeitnehmervertreter nach den innerstaatlichen Rechtsvorschriften und/oder Gepflogenheiten des Landes, in dem sie beschäftigt sind.

Dies gilt insbesondere für die Teilnahme an den Sitzungen des besonderen Verhandlungsgremiums oder des Vertretungsorgans an allen sonstigen Sitzungen, die im Rahmen der Vereinbarung nach Artikel 4 Absatz 2 Buchstabe f stattfinden, und an den Sitzungen des Verwaltungs- oder des Aufsichtsorgans sowie für die Lohn- und Gehaltsfortzahlung an die Mitglieder, die Beschäftigte einer der beteiligten Gesellschaften oder der SE oder ihrer Tochtergesellschaften oder Betriebe sind, für die Dauer ihrer zur Wahrnehmung ihrer Aufgaben erforderlichen Abwesenheit.

Art. 11 Verfahrensmissbrauch. Die Mitgliedstaaten treffen im Einklang mit den gemeinschaftlichen Rechtsvorschriften geeignete Maßnahmen, um zu verhindern, dass eine SE dazu missbraucht wird, Arbeitnehmern Beteiligungsrechte zu entziehen oder vorzuenthalten.

Art. 12 Einhaltung der Richtlinie. (1) Jeder Mitgliedstaat trägt dafür Sorge, dass die Leitung der Betriebe einer SE und die Aufsichts- oder die Verwaltungsorgane der Tochtergesellschaften und der beteiligten Gesellschaften, die sich in seinem Hoheitsgebiet befinden, und ihre Arbeitnehmervertreter oder gegebenenfalls ihre Arbeitnehmer den Verpflichtungen dieser Richtlinie nachkommen, unabhängig davon, ob die SE ihren Sitz in seinem Hoheitsgebiet hat oder nicht.

(2) Die Mitgliedstaaten sehen geeignete Maßnahmen für den Fall der Nichteinhaltung dieser Richtlinie vor; sie sorgen insbesondere dafür, dass Verwaltungs- oder Gerichtsverfahren bestehen, mit denen die Erfüllung der sich aus dieser Richtlinie ergebenden Verpflichtungen durchgesetzt werden kann.

Art. 13. Verhältnis dieser Richtlinie zu anderen Bestimmungen. (1) SE und Tochtergesellschaften einer SE, die gemeinschaftsweit operierende Unternehmen oder herrschende Unternehmen in einer gemeinschaftsweit operierenden Unternehmensgruppe im Sinne der Richtlinie 94/45/EG oder im Sinne der Richtlinie 97/74/EG[1)] zur Ausdehnung der genannten Richtlinie auf das Vereinigte Königreich sind, unterliegen nicht den genannten Richtlinien und den Bestimmungen zu deren Umsetzung in einzelstaatliches Recht.

Beschließt das besondere Verhandlungsgremium jedoch gemäß Artikel 3 Absatz 6, keine Verhandlungen aufzunehmen oder bereits aufgenommene Verhandlungen abzubrechen, so gelangen die Richtlinie 94/45/EG oder die Richtlinie 97/74/EG und die Bestimmungen zu ihrer Umsetzung in einzelstaatliches Recht zur Anwendung.

(2) Einzelstaatliche Rechtsvorschriften und/oder Gepflogenheiten in Bezug auf die Mitbestimmung der Arbeitnehmer in den Gesellschaftsorganen, die nicht zur Umsetzung dieser Richtlinie dienen, finden keine Anwendung auf gemäß der Verordnung (EG) Nr. 2157/2001 gegründete und von dieser Richtlinie erfasste Gesellschaften.

[1)] **Amtl. Anm.:** ABl. L 10 vom 16. 1. 1998, S. 22.

(3) Diese Richtlinie berührt nicht

a) die den Arbeitnehmern nach einzelstaatlichen Rechtsvorschriften und/oder Gepflogenheiten zustehenden Beteiligungsrechte, die für die Arbeitnehmer der SE und ihrer Tochtergesellschaften und Betriebe gelten, mit Ausnahme der Mitbestimmung in den Organen der SE,

b) die nach einzelstaatlichen Rechtsvorschriften und/oder Gepflogenheiten geltenden Bestimmungen über die Mitbestimmung in den Gesellschaftsorganen, die auf die Tochtergesellschaften der SE Anwendung finden.

(4) Zur Wahrung der in Absatz 3 genannten Rechte können die Mitgliedstaaten durch geeignete Maßnahmen sicherstellen, dass die Strukturen der Arbeitnehmervertretung in den beteiligten Gesellschaften, die als eigenständige juristische Personen erlöschen, nach der Eintragung der SE fortbestehen.

Art. 14 Schlussbestimmungen. (1) Die Mitgliedstaaten erlassen die erforderlichen Rechts-und Verwaltungsvorschriften, um dieser Richtlinie spätestens am 8. Oktober 2004 nachzukommen, oder stellen spätestens zu diesem Zeitpunkt sicher, dass die Sozialpartner die erforderlichen Bestimmungen durch Vereinbarungen einführen; die Mitgliedstaaten treffen alle erforderlichen Vorkehrungen, um jederzeit gewährleisten zu können, dass die durch diese Richtlinie vorgeschriebenen Ergebnisse erzielt werden. Sie setzen die Kommission unverzüglich davon in Kenntnis.

(2) Wenn die Mitgliedstaaten diese Vorschriften erlassen, nehmen sie in den Vorschriften selbst oder durch einen Hinweis bei der amtlichen Veröffentlichung auf diese Richtlinie Bezug. Die Mitgliedstaaten regeln die Einzelheiten der Bezugnahme.

Art. 15 Überprüfung durch die Kommission. Die Kommission überprüft spätestens zum 8. Oktober 2007 im Benehmen mit den Mitgliedstaaten und den Sozialpartnern auf Gemeinschaftsebene die Anwendung dieser Richtlinie, um dem Rat gegebenenfalls erforderliche Änderungen vorzuschlagen.

Art. 16 Inkrafttreten. Diese Richtlinie tritt am Tag ihrer Veröffentlichung im *Amtsblatt der Europäischen Gemeinschaften* in Kraft.

Art. 17 Adressaten. Diese Richtlinie ist an die Mitgliedstaaten gerichtet.

Anhang

Auffangregelung

(nach Artikel 7)

Teil 1: Zusammensetzung des Organs zur Vertretung der Arbeitnehmer

Zur Verwirklichung des Ziels nach Artikel 1 wird in den in Artikel 7 genannten Fällen ein Vertretungsorgan gemäß folgenden Regeln eingesetzt:

a) Das Vertretungsorgan setzt sich aus Arbeitnehmern der SE und ihrer Tochtergesellschaften und Betriebe zusammen, die von den Arbeitnehmervertretern aus ihrer Mitte oder, in Ermangelung solcher Vertreter, von der Gesamtheit der Arbeitnehmer gewählt oder bestellt werden.

b) Die Mitglieder des Vertretungsorgans werden gemäß den einzelstaatlichen Rechtsvorschriften und/oder Gepflogenheiten gewählt oder bestellt.
Die Mitgliedstaaten sorgen durch entsprechende Vorschriften dafür, dass Änderungen innerhalb der SE und ihrer Tochtergesellschaften und Betriebe durch Anpassung der Zahl der Mitglieder des Vertretungsorgans und der Zuteilung der Sitze in diesem Organ Rechnung getragen wird.

c) Sofern die Zahl der Mitglieder des Vertretungsorgans es rechtfertigt, wählt das Vertretungsorgan aus seiner Mitte einen engeren Ausschuss mit höchstens drei Mitgliedern.

d) Das Vertretungsorgan gibt sich eine Geschäftsordnung.

e) Die Mitglieder des Vertretungsorgans werden entsprechend der Zahl der in jedem Mitgliedstaat beschäftigten Arbeitnehmer der beteiligten Gesellschaften und der betroffenen Tochtergesellschaften oder betroffenen Betriebe gewählt oder bestellt, so dass pro Mitgliedstaat für jeden Anteil der in diesem Mitgliedstaat beschäftigten Arbeitnehmer, der 10% der Gesamtzahl der in allen Mitgliedstaaten beschäftigten Arbeitnehmer der beteiligten Gesellschaften und der betroffenen Tochtergesellschaften oder betroffenen Betriebe entspricht, oder für einen Bruchteil dieser Tranche Anspruch auf einen Sitz besteht.

f) Die Zusammensetzung des Vertretungsorgans wird dem zuständigen Organ der SE mitgeteilt.

g) Vier Jahre nach seiner Einsetzung prüft das Vertretungsorgan, ob die Vereinbarung nach den Artikeln 4 und 7 ausgehandelt werden oder die in Übereinstimmung mit diesem Anhang angenommene Auffangregelung weiterhin gelten soll.
Wird der Beschluss gefasst, eine Vereinbarung gemäß Artikel 4 auszuhandeln, so gelten Artikel 3 Absätze 4 bis 7 und Artikel 4 bis 6 sinngemäß, wobei der Ausdruck „besonderes Verhandlungsgremium" durch das Wort „Vertretungsorgan" ersetzt wird. Wenn am Ende des für die Verhandlungen vorgesehenen Zeitraums keine Vereinbarung zustande gekommen ist, findet die Regelung, die ursprünglich gemäß der Auffangregelung angenommen worden war, weiterhin Anwendung.

Teil 2: Auffangregelung für die Unterrichtung und Anhörung

Für die Zuständigkeiten und Befugnisse des Vertretungsorgans in einer SE gelten folgende Regeln:

a) Die Zuständigkeiten des Vertretungsorgans beschränken sich auf die Angelegenheiten, die die SE selbst oder eine ihrer Tochtergesellschaften oder einen ihrer Betriebe in einem anderen Mitgliedstaat betreffen oder über die Befugnisse der Entscheidungsorgane auf der Ebene des einzelnen Mitgliedstaats hinausgehen.

b) Unbeschadet etwaiger Zusammenkünfte gemäß Buchstabe c hat das Vertretungsorgan das Recht, auf der Grundlage regelmäßig von dem zuständigen Organ erstellter Berichte über die Entwicklung der Geschäftslage und die Perspektiven der SE unterrichtet und dazu gehört zu werden und zu diesem Zweck mindestens einmal jährlich mit dem zuständigen Organ der SE zusammenzutreten. Die örtlichen Geschäftsleitungen werden hiervon in Kenntnis gesetzt.
Das zuständige Organ der SE übermittelt dem Vertretungsorgan die Tagesordnung aller Sitzungen des Verwaltungsorgans oder gegebenenfalls des Leitungs- und des Aufsichtsorgans sowie Kopien aller Unterlagen, die der Hauptversammlung der Aktionäre unterbreitet werden.
Diese Unterrichtung und Anhörung bezieht sich insbesondere auf die Struktur der SE, ihre wirtschaftliche und finanzielle Situation, die voraussichtliche Entwicklung der Geschäfts-, Produktions- und Absatzlage, auf die Beschäftigungslage und deren voraussichtliche Entwicklung, auf die Investitionen, auf grundlegende Änderungen der Organisation, auf die Einführung neuer Arbeits- oder Fertigungsverfahren, auf Verlagerungen der Produktion, auf Fusionen, Verkleinerungen oder Schließungen von Unternehmen, Betrieben oder wichtigen Teilen derselben und auf Massenentlassungen.

c) Treten außergewöhnliche Umstände ein, die erhebliche Auswirkungen auf die Interessen der Arbeitnehmer haben, insbesondere bei Verlegungen, Verlagerungen, Betriebs- oder Unternehmensschließungen oder Massenentlassungen, so hat das Vertretungsorgan das Recht, darüber unterrichtet zu werden. Das Vertretungsorgan oder – wenn das Vertretungsorgan dies, insbesondere bei Dringlichkeit, beschließt – der engere Ausschuss hat das Recht, auf Antrag mit dem zuständigen Organ der SE oder den Vertretern einer geeigneteren mit eigenen Entscheidungsbefugnissen ausgestatteten Leitungsebene innerhalb der SE zusammenzutreffen, um über Maßnahmen, die erhebliche Auswirkungen auf die Interessen der Arbeitnehmer haben, unterrichtet und dazu gehört werden.
Wenn das zuständige Organ beschließt, nicht im Einklang mit der von dem Vertretungsorgan abgegebenen Stellungnahme zu handeln, hat das Vertretungsorgan das Recht, ein weiteres Mal mit dem zuständigen Organ der SE zusammenzutreffen, um eine Einigung herbeizuführen.
Findet eine Sitzung mit dem engeren Ausschuss statt, so haben auch die Mitglieder des Vertretungsorgans, die von diesen Maßnahmen unmittelbar betroffene Arbeitnehmer vertreten, das Recht, daran teilzunehmen.
Die Sitzungen nach Absatz 1 lassen die Vorrechte des zuständigen Organs unberührt.

d) Die Mitgliedstaaten können Regeln für den Vorsitz in den Sitzungen zur Unterrichtung und Anhörung festlegen.
Vor Sitzungen mit dem zuständigen Organ der SE ist das Vertretungsorgan oder der engere Ausschuss – gegebenenfalls in der gemäß Buchstabe c Absatz 3 erweiterten Zusammensetzung – berechtigt, in Abwesenheit der Vertreter des zuständigen Organs zu tagen.

e) Unbeschadet des Artikels 8 unterrichten die Mitglieder des Vertretungsorgans die Arbeitnehmervertreter der SE und ihrer Tochtergesellschaften und Betriebe über den Inhalt und die Ergebnisse der Unterrichtungs- und Anhörungsverfahren.

f) Das Vertretungsorgan oder der engere Ausschuss können sich durch Sachverständige ihrer Wahl unterstützen lassen.

g) Sofern dies zur Erfüllung ihrer Aufgaben erforderlich ist, haben die Mitglieder des Vertretungsorgans Anspruch auf bezahlte Freistellung für Fortbildungsmaßnahmen.

h) Die Ausgaben des Vertretungsorgans gehen zulasten der SE, die die Mitglieder dieses Organs mit den erforderlichen finanziellen und materiellen Mitteln ausstattet, damit diese ihre Aufgaben in angemessener Weise wahrnehmen können.

Insbesondere trägt die SE die Kosten der Veranstaltung der Sitzungen einschließlich der Dolmetschkosten sowie die Aufenthalts- und Reisekosten für die Mitglieder des Vertretungsorgans und des engeren Ausschusses, soweit nichts anderes vereinbart wurde.
Die Mitgliedstaaten können im Einklang mit diesen Grundsätzen Regeln für die Finanzierung der Arbeit des Vertretungsorgans festlegen. Sie können insbesondere die Übernahme der Kosten auf die Kosten für einen Sachverständigen begrenzen.

Teil 3: Auffangregelung für die Mitbestimmung

Für die Mitbestimmung der Arbeitnehmer in der SE gelten folgende Bestimmungen:

a) Fanden im Falle einer durch Umwandlung gegründeten SE Vorschriften eines Mitgliedstaats über die Mitbestimmung der Arbeitnehmer im Verwaltungs- oder im Aufsichtsorgan vor der Eintragung Anwendung, so finden alle Komponenten der Mitbestimmung der Arbeitnehmer weiterhin Anwendung. Buchstabe b gilt diesbezüglich sinngemäß.

b) In den Fällen der Gründung einer SE haben die Arbeitnehmer der SE, ihrer Tochtergesellschaften und Betriebe und/oder ihr Vertretungsorgan das Recht, einen Teil der Mitglieder des Verwaltungs- oder des Aufsichtsorgans der SE zu wählen oder zu bestellen oder deren Bestellung zu empfehlen oder abzulehnen, wobei die Zahl dieser Mitglieder sich nach dem höchsten maßgeblichen Anteil in den beteiligten Gesellschaften vor der Eintragung der SE bemisst.
Bestanden in keiner der beteiligten Gesellschaften vor der Eintragung der SE Vorschriften über die Mitbestimmung, so ist die SE nicht verpflichtet, eine Vereinbarung über die Mitbestimmung der Arbeitnehmer einzuführen.
Das Vertretungsorgan entscheidet über die Verteilung der Sitze im Verwaltungs- oder im Aufsichtsorgan auf die Mitglieder, die Arbeitnehmer aus verschiedenen Mitgliedstaaten vertreten, oder über die Art und Weise, in der die Arbeitnehmer der SE Mitglieder dieser Organe empfehlen oder ablehnen können, entsprechend den jeweiligen Anteilen der in den einzelnen Mitgliedstaaten beschäftigten Arbeitnehmer der SE. Bleiben Arbeitnehmer aus einem oder mehreren Mitgliedstaaten bei der anteilmäßigen Verteilung unberücksichtigt, so bestellt das Vertretungsorgan eines der Mitglieder aus einem dieser Mitgliedstaaten, und zwar vorzugsweise – sofern angemessen – aus dem Mitgliedstaat, in dem die SE ihren Sitz haben wird. Jeder Mitgliedstaat hat das Recht, die Verteilung der ihm im Verwaltungs- oder im Aufsichtsorgan zugewiesenen Sitze festzulegen.

Alle von dem Vertretungsorgan oder gegebenenfalls den Arbeitnehmern gewählten, bestellten oder empfohlenen Mitglieder des Verwaltungsorgans oder gegebenenfalls des Aufsichtsorgans der SE sind vollberechtigte Mitglieder des jeweiligen Organs mit denselben Rechten (einschließlich des Stimmrechts) und denselben Pflichten wie die Mitglieder, die die Anteilseigner vertreten.

932. Richtlinie 2002/14/EG des Europäischen Parlaments und des Rates vom 11. März 2002 zur Festlegung eines allgemeinen Rahmens für die Unterrichtung und Anhörung der Arbeitnehmer in der Europäischen Gemeinschaft

(ABl. Nr. L 80 S. 29)

Celex-Nr. 3 2002 L 0014

geänd. durch Art. 3 ÄndRL (EU) 2015/1794 v. 6. 10. 2015 (ABl. Nr. L 263 S. 1)

DAS EUROPÄISCHE PARLAMENT UND DER RAT DER EUROPÄISCHEN UNION –

gestützt auf den Vertrag zur Gründung der Europäischen Gemeinschaft[1)], insbesondere auf Artikel 137 Absatz 2,

auf Vorschlag der Kommission[2)],

nach Stellungnahme des Wirtschafts- und Sozialausschusses[3)],

nach Stellungnahme des Ausschusses der Regionen[4)],

gemäß dem Verfahren des Artikels 251 des Vertrags[1) 5)], aufgrund des vom Vermittlungsausschuss am 23. Januar 2002 gebilligten gemeinsamen Entwurfs,

in Erwägung nachstehender Gründe:

(1) Gemäß Artikel 136 des Vertrags[1)] ist es ein besonderes Ziel der Gemeinschaft und der Mitgliedstaaten, den sozialen Dialog zwischen den Sozialpartnern zu fördern.

(2) Nach Nummer 17 der Gemeinschaftscharta der sozialen Grundrechte der Arbeitnehmer[6)] müssen unter anderem „Unterrichtung, Anhörung und Mitwirkung der Arbeitnehmer . . . in geeigneter Weise, unter Berücksichtigung der in den verschiedenen Mitgliedstaaten herrschenden Gepflogenheiten, weiterentwickelt werden".

(3) Die Kommission hat die Sozialpartner auf Gemeinschaftsebene zu der Frage gehört, wie eine Gemeinschaftsaktion in den Bereichen Unterrichtung und Anhörung der Arbeitnehmer in den Unternehmen der Gemeinschaft gegebenenfalls ausgerichtet werden sollte.

---

1) **NipperdeyDirekt (online) Nr. 850 a.**

2) **Amtl. Anm.:** ABl. C 2 vom 5. 1. 1999, S. 3.

3) **Amtl. Anm.:** ABl. C 258 vom 10. 9. 1999, S. 24.

4) **Amtl. Anm.:** ABl. C 144 vom 16. 5. 2001, S. 58.

5) **Amtl. Anm.:** Stellungnahme des Europäischen Parlaments vom 14. April 1999 (ABl. C 219 vom 30. 7. 1999, S. 223), bestätigt am 16. September 1999 (ABl. C 54 vom 25. 2. 2000, S. 55), Gemeinsamer Standpunkt des Rates vom 27. Juli 2001 (ABl. C 307 vom 31. 10. 2001, S. 16) und Beschluss des Europäischen Parlaments vom 23. Oktober 2001 (noch nicht im Amtsblatt veröffentlicht). Beschluss des Europäischen Parlaments vom 5. Februar 2002 und Beschluss des Rates vom 18. Februar 2002.

6) Nr. **860**.

(4) Die Kommission hielt nach dieser Anhörung eine Gemeinschaftsmaßnahme für zweckmäßig und hat die Sozialpartner erneut gehört, diesmal zum Inhalt des in Aussicht genommenen Vorschlags. Die Sozialpartner haben der Kommission ihre Stellungnahmen übermittelt.

(5) Nach Abschluss der zweiten Anhörungsphase haben die Sozialpartner der Kommission nicht mitgeteilt, dass sie den Prozess in Gang setzen wollen, der zum Abschluss einer Vereinbarung führen kann.

(6) Der auf Gemeinschaftsebene wie auch auf nationaler Ebene bestehende rechtliche Rahmen, durch den eine Einbeziehung der Arbeitnehmer in die Unternehmensabläufe und in Entscheidungen, die die Beschäftigten betreffen, sichergestellt werden soll, konnte nicht immer verhindern, dass Arbeitnehmer betreffende schwerwiegende Entscheidungen getroffen und bekannt gemacht wurden, ohne dass zuvor angemessene Informations- und Anhörungsverfahren durchgeführt worden wären.

(7) Die Stärkung des Dialogs und die Schaffung eines Klimas des Vertrauens im Unternehmen sind notwendig, um Risiken frühzeitig zu erkennen, bei gleichzeitiger Absicherung der Arbeitnehmer die Arbeitsorganisation flexibler zu gestalten und den Zugang der Arbeitnehmer zur Fortbildung im Unternehmen zu fördern, die Arbeitnehmer für die Notwendigkeit von Anpassungen zu sensibilisieren, die Bereitschaft der Arbeitnehmer zur Teilnahme an Maßnahmen und Aktionen zur Verbesserung ihrer Beschäftigungsfähigkeit zu erhöhen, die Arbeitnehmer stärker in die Unternehmensabläufe und in die Gestaltung der Zukunft des Unternehmens einzubeziehen und dessen Wettbewerbsfähigkeit zu steigern.

(8) Es ist insbesondere notwendig, die Unterrichtung und Anhörung zu Beschäftigungssituation und wahrscheinlicher Beschäftigungsentwicklung im Unternehmen und – für den Fall, dass die vom Arbeitgeber vorgenommene Bewertung auf eine potentielle Bedrohung der Beschäftigung im Unternehmen schließen lässt – zu etwaigen geplanten antizipativen Maßnahmen, insbesondere in den Bereichen Ausbildung und Qualifizierung der Arbeitnehmer, zu fördern und zu intensivieren, um so mögliche negative Auswirkungen zu vermeiden oder ihre Konsequenzen abzumildern und die Beschäftigungsfähigkeit und Anpassungsfähigkeit der möglicherweise betroffenen Arbeitnehmer zu verbessern.

(9) Eine rechtzeitige Unterrichtung und Anhörung der Arbeitnehmer ist eine Vorbedingung für die erfolgreiche Bewältigung der Umstrukturierungsprozesse und für eine erfolgreiche Anpassung der Un-

(Fortsetzung nächstes Blatt)

ternehmen an die im Zuge der Globalisierung der Wirtschaft – insbesondere durch die Entstehung neuer Formen der Arbeitsorganisation – geschaffenen neuen Bedingungen.

(10) Die Gemeinschaft hat eine Beschäftigungsstrategie entwickelt, die sie nun umsetzt und in deren Mittelpunkt die Begriffe „Antizipation", „Prävention" und „Beschäftigungsfähigkeit" stehen, wobei diese zentralen Konzepte in sämtliche staatlichen Maßnahmen integriert werden sollen, mit denen positive Beschäftigungseffekte erzielt werden können, einschließlich der Maßnahmen einzelner Unternehmen; dies soll durch einen Ausbau des sozialen Dialogs geschehen, damit bei der Förderung des Wandels das übergeordnete Ziel der Beschäftigungssicherung im Auge behalten wird.

(11) Die weitere Entwicklung des Binnenmarktes muss sich harmonisch vollziehen, unter Wahrung der grundlegenden Werte, auf denen unsere Gesellschaften basieren, und in einer Art und Weise, die sicherstellt, dass die wirtschaftliche Entwicklung allen Bürgern gleichermaßen zugute kommt.

(12) Der Eintritt in die dritte Phase der Wirtschafts- und Währungsunion hat europaweit eine Verstärkung und Beschleunigung des Wettbewerbsdrucks bewirkt. Dies macht weitergehende begleitende Maßnahmen auf einzelstaatlicher Ebene erforderlich.

(13) Der auf Gemeinschaftsebene und auf nationaler Ebene bestehende Rechtsrahmen für Unterrichtung und Anhörung der Arbeitnehmer ist häufig allzu sehr darauf ausgerichtet, Wandlungsprozesse im Nachhinein zu verarbeiten, vernachlässigt dabei die wirtschaftlichen Implikationen von Entscheidungen und stellt nicht wirklich auf eine „Antizipation" der Beschäftigungsentwicklung im Unternehmen oder auf eine „Prävention" von Risiken ab.

(14) Die Gesamtheit der politischen, wirtschaftlichen, sozialen und rechtlichen Entwicklungen macht eine Anpassung des bestehenden Rechtsrahmens erforderlich, der das rechtliche und praktische Instrumentarium zur Wahrnehmung des Rechtes auf Unterrichtung und Anhörung vorsieht.

(15) Von dieser Richtlinie unberührt bleiben nationale Regelungen, wonach die konkrete Wahrnehmung dieses Rechts eine kollektive Willensbekundung vonseiten der Rechtsinhaber erfordert.

(16) Von dieser Richtlinie unberührt bleiben Regelungen, die Bestimmungen über die direkte Mitwirkung der Arbeitnehmer enthalten, solange diese sich in jedem Fall dafür entscheiden können, das Recht auf Unterrichtung und Anhörung über ihre Vertreter wahrzunehmen.

(17) Da die oben dargelegten Ziele der in Betracht gezogenen Maßnahmen auf der Ebene der Mitgliedstaaten nicht ausreichend erreicht

werden können, weil es das Ziel ist, einen Rahmen für die Unterrichtung und Anhörung der Arbeitnehmer zu schaffen, der dem oben beschriebenen neuen europäischen Kontext gerecht wird, und da die Ziele daher wegen des Umfangs und der Wirkungen der geplanten Maßnahmen besser auf Gemeinschaftsebene verwirklicht werden können, kann die Gemeinschaft im Einklang mit dem in Artikel 5 des Vertrags niedergelegten Subsidiaritätsprinzip Maßnahmen ergreifen. Im Einklang mit dem in demselben Artikel genannten Verhältnismäßigkeitsprinzip geht diese Richtlinie nicht über das für die Erreichung dieser Ziele erforderliche Maß hinaus.

(18) Dieser allgemeine Rahmen zielt auf die Festlegung von Mindestvorschriften ab, die überall in der Gemeinschaft Anwendung finden, und er darf die Mitgliedstaaten nicht daran hindern, für die Arbeitnehmer günstigere Vorschriften vorzusehen.

(19) Dieser allgemeine Rahmen muss ferner auf administrative, finanzielle und rechtliche Auflagen verzichten, die die Gründung und Entwicklung kleiner und mittlerer Unternehmen behindern könnten. Daher erscheint es sinnvoll, den Anwendungsbereich dieser Richtlinie je nach Wahl der Mitgliedstaaten auf Unternehmen mit mindestens 50 Beschäftigten oder auf Betriebe mit mindestens 20 Beschäftigten zu beschränken.

(20) Dies gilt unter Berücksichtigung und unbeschadet anderer nationaler Maßnahmen und Praktiken zur Förderung des sozialen Dialogs in Unternehmen, die nicht unter diese Richtlinie fallen, und in öffentlichen Verwaltungen.

(21) Übergangsweise sollten jedoch Mitgliedstaaten, in denen keine gesetzliche Regelung über die Unterrichtung und Anhörung von Arbeitnehmern oder Arbeitnehmervertretungen besteht, die Möglichkeit haben, den Anwendungsbereich dieser Richtlinie im Hinblick auf die Anzahl der Arbeitnehmer weitergehend zu beschränken.

(22) Der gemeinschaftliche Rahmen für die Unterrichtung und Anhörung der Arbeitnehmer sollte die Belastung der Unternehmen oder Betriebe auf ein Mindestmaß begrenzen, zugleich aber auch die wirksame Ausübung der eingeräumten Rechte gewährleisten.

(23) Das mit der Richtlinie verfolgte Ziel soll durch Festlegung eines allgemeinen Rahmens erreicht werden, der die Grundsätze, Begriffe und Modalitäten der Unterrichtung und Anhörung definiert. Es obliegt den Mitgliedstaaten, diesen Rahmen auszufüllen, an die jeweiligen einzelstaatlichen Gegebenheiten anzupassen und dabei gegebenenfalls den Sozialpartnern eine maßgebliche Rolle zuzuweisen, die es diesen ermöglicht, ohne jeden Zwang auf dem Wege einer Vereinbarung *Modalitäten für* die Unterrichtung und Anhörung festzulegen, die ihren Bedürfnissen und ihren Wünschen am besten gerecht werden.

(24) Es empfiehlt sich, gewisse Besonderheiten, die in den Rechtsvorschriften einiger Mitgliedstaaten im Bereich der Unterrichtung und Anhörung der Arbeitnehmer bestehen, unberührt zu lassen; gedacht ist hier an spezielle Regelungen für Unternehmen oder Betriebe, die politischen, koalitionspolitischen, konfessionellen, karitativen, erzieherischen, wissenschaftlichen oder künstlerischen Bestimmungen oder Zwecken der Berichterstattung oder Meinungsäußerung dienen.

(25) Die Unternehmen oder Betriebe sollten vor der Verbreitung bestimmter besonders sensibler Informationen geschützt werden.

(26) Unternehmer sollten das Recht haben, auf eine Unterrichtung und Anhörung zu verzichten, wenn dies dem Unternehmen oder Betrieb schwerwiegenden Schaden zufügen würde oder wenn sie unverzüglich einer Anordnung nachkommen müssen, die von einer Kontroll- oder Aufsichtsbehörde an sie gerichtet wurde.

(27) Unterrichtung und Anhörung bringen Rechte und Pflichten für die Sozialpartner auf Unternehmens- oder Betriebsebene mit sich.

(28) Im Falle eines Verstoßes gegen die aus dieser Richtlinie folgenden Verpflichtungen müssen administrative oder rechtliche Verfahren sowie Sanktionen, die im Verhältnis zur Schwere des Vergehens wirksam, angemessen und abschreckend sind, angewandt werden.

(29) Von dieser Richtlinie unberührt bleiben sollten die spezifischeren Bestimmungen der Richtlinie 98/59/EG des Rates vom 20. Juli 1998 zur Angleichung der Rechtsvorschriften der Mitgliedstaaten über Massenentlassungen[1] und der Richtlinie 2001/23/EG des Rates vom 12. März 2001 zur Angleichung der Rechtsvorschriften der Mitgliedstaaten über die Wahrung von Ansprüchen der Arbeitnehmer beim Übergang von Unternehmen, Betrieben oder Unternehmens- oder Betriebsteilen[2].

(30) Sonstige Unterrichtungs- und Anhörungsrechte einschließlich derjenigen, die sich aus der Richtlinie 94/45/EG des Rates vom 22. September 1994 über die Einsetzung eines Europäischen Betriebsrats oder die Schaffung eines Verfahrens zur Unterrichtung und Anhörung der Arbeitnehmer in gemeinschaftsweit operierenden Unternehmen und Unternehmensgruppen[3] ergeben, sollten von der vorliegenden Richtlinie unberührt bleiben.

(31) Die Durchführung dieser Richtlinie sollte nicht als Rechtfertigung für eine Beeinträchtigung des allgemeinen Niveaus des Arbeitnehmerschutzes in dem von ihr abgedeckten Bereich benutzt werden –

---

[1] **Amtl. Anm.:** ABl. L 225 vom 12. 8. 1998, S. 16.

[2] **Amtl. Anm.:** ABl. L 82 vom 22. 3. 2001, S. 16.

[3] **Amtl. Anm.:** ABl. L 254 vom 30. 9. 1994, S. 64. Richtlinie geändert durch die Richtlinie 97/74/EG (ABl. L 10 vom 16. 1. 1998, S. 22).

HABEN FOLGENDE RICHTLINIE ERLASSEN:

Art. 1 Gegenstand und Grundsätze. (1) Ziel dieser Richtlinie ist die Festlegung eines allgemeinen Rahmens mit Mindestvorschriften für das Recht auf Unterrichtung und Anhörung der Arbeitnehmer von in der Gemeinschaft ansässigen Unternehmen oder Betrieben.

(2) Die Modalitäten der Unterrichtung und Anhörung werden gemäß den einzelstaatlichen Rechtsvorschriften und den in den einzelnen Mitgliedstaaten geltenden Praktiken im Bereich der Arbeitsbeziehungen so gestaltet und angewandt, dass ihre Wirksamkeit gewährleistet ist.

(3) Die Modalitäten der Unterrichtung und Anhörung werden vom Arbeitgeber und von den Arbeitnehmervertretern im Geiste der Zusammenarbeit und unter gebührender Beachtung ihrer jeweiligen Rechte und gegenseitigen Verpflichtungen festgelegt bzw. durchgeführt, wobei sowohl den Interessen des Unternehmens oder Betriebs als auch den Interessen der Arbeitnehmer Rechnung zu tragen ist.

Art. 2 Begriffsbestimmungen. Im Sinne dieser Richtlinie bezeichnet der Ausdruck

a) „Unternehmen" ein öffentliches oder privates Unternehmen, das eine wirtschaftliche Tätigkeit ausübt, unabhängig davon, ob es einen Erwerbszweck verfolgt oder nicht, und das im Hoheitsgebiet der Mitgliedstaaten ansässig ist;

b) „Betrieb" eine gemäß den einzelstaatlichen Rechtsvorschriften und Gepflogenheiten definierte Unternehmenseinheit, die im Hoheitsgebiet eines Mitgliedstaats ansässig ist und in der kontinuierlich unter Einsatz personeller und materieller Ressourcen eine wirtschaftliche Tätigkeit ausgeübt wird;

c) „Arbeitgeber" die natürliche oder juristische Person, die entsprechend den einzelstaatlichen Rechtsvorschriften und Gepflogenheiten Partei der Arbeitsverträge oder Arbeitsverhältnisse mit den Arbeitnehmern ist;

d) „Arbeitnehmer" eine Person, die in dem betreffenden Mitgliedstaat als Arbeitnehmer aufgrund des einzelstaatlichen Arbeitsrechts und entsprechend den einzelstaatlichen Gepflogenheiten geschützt ist;

e) „Arbeitnehmervertreter" die nach den einzelstaatlichen Rechtsvorschriften und/oder Gepflogenheiten vorgesehenen Vertreter der Arbeitnehmer;

f) „Unterrichtung" die Übermittlung von Informationen durch den *Arbeitgeber an die* Arbeitnehmervertreter, um ihnen Gelegenheit zur Kenntnisnahme und Prüfung der behandelten Frage zu geben;

g) „Anhörung“ die Durchführung eines Meinungsaustauschs und eines Dialogs zwischen Arbeitnehmervertretern und Arbeitgeber.

Art. 3[1)] Anwendungsbereich. (1) Diese Richtlinie gilt je nach Entscheidung der Mitgliedstaaten:

a) für Unternehmen mit mindestens 50 Arbeitnehmern in einem Mitgliedstaat oder

b) für Betriebe mit mindestens 20 Arbeitnehmern in einem Mitgliedstaat.

Die Mitgliedstaaten bestimmen, nach welcher Methode die Schwellenwerte für die Beschäftigtenzahl errechnet werden.

(2) Die Mitgliedstaaten können – unter Einhaltung der in dieser Richtlinie festgelegten Grundsätze und Ziele – spezifische Bestimmungen für Unternehmen oder Betriebe vorsehen, die unmittelbar und überwiegend politischen, koalitionspolitischen, konfessionellen, karitativen, erzieherischen, wissenschaftlichen oder künstlerischen Bestimmungen oder Zwecken der Berichterstattung oder Meinungsäußerung dienen, falls das innerstaatliche Recht Bestimmungen dieser Art zum Zeitpunkt des Inkrafttretens dieser Richtlinie bereits enthält.

Art. 4 Modalitäten der Unterrichtung und Anhörung. (1) Im Einklang mit den in Artikel 1 dargelegten Grundsätzen und unbeschadet etwaiger geltender einzelstaatlicher Bestimmungen und/oder Gepflogenheiten, die für die Arbeitnehmer günstiger sind, bestimmen die Mitgliedstaaten entsprechend diesem Artikel im Einzelnen, wie das Recht auf Unterrichtung und Anhörung auf der geeigneten Ebene wahrgenommen wird.

(2) Unterrichtung und Anhörung umfassen

a) die Unterrichtung über die jüngste Entwicklung und die wahrscheinliche Weiterentwicklung der Tätigkeit und der wirtschaftlichen Situation des Unternehmens oder des Betriebs;

b) die Unterrichtung und Anhörung zu Beschäftigungssituation, Beschäftigungsstruktur und wahrscheinlicher Beschäftigungsentwicklung im Unternehmen oder Betrieb sowie zu gegebenenfalls geplanten antizipativen Maßnahmen, insbesondere bei einer Bedrohung für die Beschäftigung;

c) die Unterrichtung und Anhörung zu Entscheidungen, die wesentliche Veränderungen der Arbeitsorganisation oder der Arbeitsverträge mit sich bringen können, einschließlich solcher, die Gegenstand der in Artikel 9 Absatz 1 genannten Gemeinschaftsbestimmungen sind.

(3) Die Unterrichtung erfolgt zu einem Zeitpunkt, in einer Weise und in einer inhaltlichen Ausgestaltung, die dem Zweck angemessen sind und es insbesondere den Arbeitnehmervertretern ermöglichen, die Informationen angemessen zu prüfen und gegebenenfalls die Anhörung vorzubereiten.

(4) Die Anhörung erfolgt

a) zu einem Zeitpunkt, in einer Weise und in einer inhaltlichen Ausgestaltung, die dem Zweck angemessen sind;

b) auf der je nach behandeltem Thema relevanten Leitungs- und Vertretungsebene;

---

1) Art. 3 Abs. 3 aufgeh. mWv 9. 10. 2015 durch RL v. 6. 10. 2015 (ABl. Nr. L 263 S. 1).

c) auf der Grundlage der vom Arbeitgeber gemäß Artikel 2 Buchstabe f) zu liefernden Informationen und der Stellungnahme, zu der die Arbeitnehmervertreter berechtigt sind;

d) in einer Weise, die es den Arbeitnehmervertretern gestattet, mit dem Arbeitgeber zusammenzukommen und eine mit Gründen versehene Antwort auf ihre etwaige Stellungnahme zu erhalten;

e) mit dem Ziel, eine Vereinbarung über die in Absatz 2 Buchstabe c) genannten Entscheidungen, die unter die Leitungsbefugnis des Arbeitgebers fallen, zu erreichen.

Art. 5 Unterrichtung und Anhörung auf der Grundlage einer Vereinbarung.
[1] Die Mitgliedstaaten können es den Sozialpartnern auf geeigneter Ebene, einschließlich Unternehmens- oder Betriebsebene, überlassen, nach freiem Ermessen und zu jedem beliebigen Zeitpunkt im Wege einer ausgehandelten Vereinbarung die Modalitäten für die Unterrichtung und Anhörung der Arbeitnehmer festzulegen. [2] Diese Vereinbarungen und zu dem in Artikel 11 festgelegten Zeitpunkt bestehende Vereinbarungen sowie nachfolgende Verlängerungen derartiger Vereinbarungen können unter Wahrung der in Artikel 1 genannten Grundsätze und unter von den Mitgliedstaaten festzulegenden Bedingungen und Beschränkungen Bestimmungen vorsehen, die von den in Artikel 4 vorgesehenen Bestimmungen abweichen.

Art. 6 Vertrauliche Informationen. (1) [1] Die Mitgliedstaaten sehen vor, dass es gemäß den in den einzelstaatlichen Rechtsvorschriften festgelegten Bedingungen und Beschränkungen den Arbeitnehmervertretern und den etwaigen sie unterstützenden Sachverständigen nicht gestattet ist, ihnen im berechtigten Interesse der Unternehmen oder Betriebe ausdrücklich als vertraulich mitgeteilte Informationen an Arbeitnehmer oder Dritte weiterzugeben. [2] Diese Verpflichtung besteht

(Fortsetzung nächstes Blatt)

unabhängig von ihrem Aufenthaltsort und auch noch nach Ablauf ihres Mandats. Ein Mitgliedstaat kann es Arbeitnehmervertretern oder sie unterstützenden Personen jedoch gestatten, vertrauliche Informationen an Arbeitnehmer und Dritte weiterzugeben, die zur Vertraulichkeit verpflichtet sind.

(2) Die Mitgliedstaaten sehen vor, dass der Arbeitgeber in besonderen Fällen und unter Beachtung der in den einzelstaatlichen Rechtsvorschriften festgelegten Bedingungen und Beschränkungen nicht verpflichtet ist, eine Unterrichtung vorzunehmen oder eine Anhörung durchzuführen, wenn diese Unterrichtung oder Anhörung nach objektiven Kriterien die Tätigkeit des Unternehmens oder Betriebs erheblich beeinträchtigen oder dem Unternehmen oder Betrieb schaden könnte.

(3) Unbeschadet bestehender einzelstaatlicher Verfahren sehen die Mitgliedstaaten Rechtsbehelfsverfahren auf dem Verwaltungsweg oder vor Gericht vor, falls gemäß den Absätzen 1 und 2 der Arbeitgeber Vertraulichkeit verlangt oder die Informationen verweigert. Sie können ferner Verfahren vorsehen, die dazu bestimmt sind, die Vertraulichkeit der betreffenden Informationen zu wahren.

Art. 7 Schutz der Arbeitnehmervertreter. Die Mitgliedstaaten tragen dafür Sorge, dass die Arbeitnehmervertreter bei der Ausübung ihrer Funktion einen ausreichenden Schutz und ausreichende Sicherheiten genießen, die es ihnen ermöglichen, die ihnen übertragenen Aufgaben in angemessener Weise wahrzunehmen.

Art. 8 Durchsetzung der Rechte. (1) Für den Fall der Nichteinhaltung dieser Richtlinie durch den Arbeitgeber oder durch die Arbeitnehmervertreter sehen die Mitgliedstaaten geeignete Maßnahmen vor. Sie sorgen insbesondere dafür, dass es geeignete Verwaltungs- und Gerichtsverfahren gibt, mit deren Hilfe die Erfüllung der sich aus dieser Richtlinie ergebenden Verpflichtungen durchgesetzt werden kann.

(2) Die Mitgliedstaaten sehen angemessene Sanktionen vor, die im Falle eines Verstoßes gegen diese Richtlinie durch den Arbeitgeber oder durch die Arbeitnehmervertreter Anwendung finden; die Sanktionen müssen wirksam, angemessen und abschreckend sein.

Art. 9 Zusammenhang zwischen dieser Richtlinie und anderen gemeinschaftlichen und einzelstaatlichen Bestimmungen.

(1) Diese Richtlinie lässt die in Artikel 2 der Richtlinie 98/59/EG und in Artikel 7 der Richtlinie 2001/23/EG vorgesehenen spezifischen Informations- und Konsultationsverfahren unberührt.

(2) Diese Richtlinie lässt die gemäß den Richtlinien 94/45/EG und 97/74/EG erlassenen Vorschriften unberührt.

(3) Diese Richtlinie lässt andere im einzelstaatlichen Recht vorgesehene Unterrichtungs-, Anhörungs- und Mitbestimmungsrechte unberührt.

(4) Die Durchführung dieser Richtlinie darf nicht als Rechtfertigung für Rückschritte hinter den bereits in den einzelnen Mitgliedstaaten erreichten Stand des allgemeinen Niveaus des Arbeitnehmerschutzes in den von ihr abgedeckten Bereichen benutzt werden.

Art. 10 Übergangsbestimmungen. Ungeachtet des Artikels 3 kann ein Mitgliedstaat, in dem zum Zeitpunkt des Inkrafttretens dieser Richtlinie weder eine allgemeine und unbefristete gesetzliche Regelung über die Unterrichtung und Anhörung von Arbeitnehmern noch eine allgemeine und unbefristete gesetzliche Regelung über die Arbeitnehmervertretung am Arbeitsplatz besteht, die es den Arbeitnehmern gestattet, sich für diesen Zweck vertreten zu lassen, die Anwendung der einzelstaatlichen Bestimmungen zur Umsetzung dieser Richtlinie

a) bis zum 23. März 2007 auf Unternehmen mit mindestens 150 Arbeitnehmern oder Betriebe mit mindestens 100 Arbeitnehmern beschränken und

b) während des Jahres nach dem in Buchstabe a) genannten Zeitpunkt auf Unternehmen mit mindestens 100 Arbeitnehmern oder Betriebe mit mindestens 50 Arbeitnehmern beschränken.

Art. 11 Umsetzung. (1) Die Mitgliedstaaten erlassen die erforderlichen Rechts- und Verwaltungsvorschriften, um dieser Richtlinie spätestens zum 23. März 2005 nachzukommen, oder stellen sicher, dass die Sozialpartner bis zu diesem Zeitpunkt mittels Vereinbarungen die erforderlichen Bestimmungen einführen; dabei haben die Mitgliedstaaten alle notwendigen Maßnahmen zu treffen, um jederzeit gewährleisten zu können, dass die in dieser Richtlinie vorgeschriebenen Ergebnisse erreicht werden. Sie setzen die Kommission unverzüglich davon in Kenntnis.

(2) Wenn die Mitgliedstaaten derartige Vorschriften erlassen, nehmen sie in den Vorschriften selbst oder durch einen Hinweis bei der amtlichen Veröffentlichung auf diese Richtlinie Bezug. Die Mitgliedstaaten regeln die Einzelheiten der Bezugnahme.

Art. 12 Überprüfung durch die Kommission. Spätestens am 23. März 2007 überprüft die Kommission im Benehmen mit den Mitgliedstaaten und den Sozialpartnern auf Gemeinschaftsebene die Anwendung dieser Richtlinie, um erforderlichenfalls entsprechende Änderungen vorzuschlagen.

Art. 13 Inkrafttreten. Diese Richtlinie tritt am Tag ihrer Veröffentlichung im *Amtsblatt der Europäischen Gemeinschaften* in Kraft.

Art. 14 Adressaten. Diese Richtlinie ist an alle Mitgliedstaaten gerichtet.

G. Verfahrensrecht

955. Verordnung (EU) Nr. 1215/2012 des Europäischen Parlaments und des Rates vom 12. Dezember 2012 über die gerichtliche Zuständigkeit und die Anerkennung und Vollstreckung von Entscheidungen in Zivil- und Handelssachen[1]

(Neufassung)

(ABl. Nr. L 351 S. 1)

Celex-Nr. 3 2012 R 1215

zuletzt geänd. durch Art. 1 ÄndVO (EU) 2015/281 v. 26. 11. 2014 (ABl. 2015 Nr. L 54 S. 1)

– Auszug –[2]

DAS EUROPÄISCHE PARLAMENT UND DER RAT DER EUROPÄISCHEN UNION –

gestützt auf den Vertrag über die Arbeitsweise der Europäischen Union[3], insbesondere auf Artikel 67 Absatz 4 und Artikel 81 Absatz 2 Buchstaben a, c und e,

auf Vorschlag der Europäischen Kommission,

nach Zuleitung des Entwurfs des Gesetzgebungsakts an die nationalen Parlamente,

nach Stellungnahme des Europäischen Wirtschafts- und Sozialausschusses[4],

gemäß dem ordentlichen Gesetzgebungsverfahren[5],

in Erwägung nachstehender Gründe:

(1)–(12) ...

(13) Zwischen den Verfahren, die unter diese Verordnung fallen, und dem Hoheitsgebiet der Mitgliedstaaten muss ein Anknüpfungspunkt bestehen. Gemeinsame Zuständigkeitsvorschriften sollten demnach grundsätzlich dann Anwendung finden, wenn der Beklagte seinen Wohnsitz in einem Mitgliedstaat hat.

(14) Beklagte ohne Wohnsitz in einem Mitgliedstaat sollten im Allgemeinen den einzelstaatlichen Zuständigkeitsvorschriften unterliegen, die im Hoheitsgebiet des Mitgliedstaats gelten, in dem sich das angerufene Gericht

---

[1] Beachte die Übergangsvorschriften in Art. 66; die VO gilt für ab 10. 1. 2015 eingeleitete Verfahren, für ältere Verfahren gilt die EuGVO v. 22. 12. 2000 (ABl. 2001 L Nr. 12 S. 1, ber. ABl. Nr. L 307 S. 28, ABl. 2010 Nr. L 328 S. 36), zuletzt geänd. durch VO v. 16. 1. 2015 (ABl. Nr. L 45 S. 2).

[2] Vollständig wiedergegeben in **NipperdeyDirekt (online)**.

[3] Auszugsweise abgedruckt unter Nr. **850**.

[4] **Amtl. Anm.:** ABl. C 218 vom 23. 7. 2011, S. 78.

[5] **Amtl. Anm.:** Standpunkt des Europäischen Parlaments vom 20. November 2012 (noch nicht im Amtsblatt veröffentlicht) und Beschluss des Rates vom 6. Dezember 2012.

befindet. Allerdings sollten einige Zuständigkeitsvorschriften in dieser Verordnung unabhängig vom Wohnsitz des Beklagten gelten, um den Schutz der Verbraucher und der Arbeitnehmer zu gewährleisten, um die Zuständigkeit der Gerichte der Mitgliedstaaten in Fällen zu schützen, in denen sie ausschließlich zuständig sind, und um die Parteiautonomie zu achten.

(15)–(17) ...

(18) Bei Versicherungs-, Verbraucher- und Arbeitsverträgen sollte die schwächere Partei durch Zuständigkeitsvorschriften geschützt werden, die für sie günstiger sind als die allgemeine Regelung.

(19) Vorbehaltlich der in dieser Verordnung festgelegten ausschließlichen Zuständigkeiten sollte die Vertragsfreiheit der Parteien hinsichtlich der Wahl des Gerichtsstands, außer bei Versicherungs-, Verbraucher- und Arbeitsverträgen, wo nur eine begrenztere Vertragsfreiheit zulässig ist, gewahrt werden.

(20)–(39) ...

(40) Das Vereinigte Königreich und Irland haben sich gemäß Artikel 3 des dem EUV[1)] und dem seinerzeitigen Vertrag zur Gründung der Europäischen Gemeinschaft[2)] beigefügten Protokolls über die Position des Vereinigten Königreichs und Irlands an der Annahme und Anwendung der Verordnung (EG) Nr. 44/2001 beteiligt. Gemäß Artikel 3 des dem EUV[3)] und dem AEUV[4)] beigefügten Protokolls Nr. 21 über die Position des Vereinigten Königreichs und Irlands hinsichtlich des Raums der Freiheit, der Sicherheit und des Rechts haben das Vereinigte Königreich und Irland mitgeteilt, dass sie sich an der Annahme und Anwendung dieser Verordnung beteiligen möchten.

(41) Gemäß den Artikeln 1 und 2 des dem EUV[3)] und dem AEUV[4)] beigefügten Protokolls Nr. 22 über die Position Dänemarks beteiligt sich Dänemark nicht an der Annahme dieser Verordnung und ist weder durch diese Verordnung gebunden noch zu ihrer Anwendung verpflichtet; dabei steht es Dänemark jedoch gemäß Artikel 3 des Abkommens vom 19. Oktober 2005 zwischen der Europäischen Gemeinschaft und dem Königreich Dänemark über die gerichtliche Zuständigkeit und die Anerkennung und Vollstreckung von Entscheidungen in Zivil- und Handelssachen[5)] frei, die Änderungen der Verordnung (EG) Nr. 44/2001 anzuwenden –

HABEN FOLGENDE VERORDNUNG ERLASSEN:

Kapitel I. Anwendungsbereich und Begriffsbestimmungen

Art. 1 [Anwendungsbereich] (1) [1]Diese Verordnung ist in Zivil- und Handelssachen anzuwenden, ohne dass es auf die Art der Gerichtsbarkeit ankommt. [2]Sie gilt insbesondere nicht für Steuer- und Zollsachen sowie verwaltungsrechtliche Angelegenheiten oder die Haftung des Staates für

---

1) **NipperdeyDirekt (online) Nr. 855 a.**
2) **NipperdeyDirekt (online) Nr. 850 a.**
3) Auszugsweise abgedruckt unter Nr. **855**.
4) Auszugsweise abgedruckt unter Nr. **850**.
5) **Amtl. Anm.:** ABl. L 299 vom 16. 11. 2005, S. 62.

Handlungen oder Unterlassungen im Rahmen der Ausübung hoheitlicher Rechte *(acta iure imperii)*.

(2) Sie ist nicht anzuwenden auf:

a) den Personenstand, die Rechts- und Handlungsfähigkeit sowie die gesetzliche Vertretung von natürlichen Personen, die ehelichen Güterstände oder Güterstände aufgrund von Verhältnissen, die nach dem auf diese Verhältnisse anzuwendenden Recht mit der Ehe vergleichbare Wirkungen entfalten,

b) Konkurse, Vergleiche und ähnliche Verfahren,

c) die soziale Sicherheit,

d) die Schiedsgerichtsbarkeit,

e) Unterhaltspflichten, die auf einem Familien-, Verwandtschafts- oder eherechtlichen Verhältnis oder auf Schwägerschaft beruhen,

f) das Gebiet des Testaments- und Erbrechts, einschließlich Unterhaltspflichten, die mit dem Tod entstehen.

Art. 2 [Begriffsbestimmungen] Für die Zwecke dieser Verordnung bezeichnet der Ausdruck

a) „Entscheidung" jede von einem Gericht eines Mitgliedstaats erlassene Entscheidung ohne Rücksicht auf ihre Bezeichnung wie Urteil, Beschluss, Zahlungsbefehl oder Vollstreckungsbescheid, einschließlich des Kostenfestsetzungsbeschlusses eines Gerichtsbediensteten.
Für die Zwecke von Kapitel III umfasst der Ausdruck „Entscheidung" auch einstweilige Maßnahmen einschließlich Sicherungsmaßnahmen, die von einem nach dieser Verordnung in der Hauptsache zuständigen Gericht angeordnet wurden. Hierzu gehören keine einstweiligen Maßnahmen einschließlich Sicherungsmaßnahmen, die von einem solchen Gericht angeordnet wurden, ohne dass der Beklagte vorgeladen wurde, es sei denn, die Entscheidung, welche die Maßnahme enthält, wird ihm vor der Vollstreckung zugestellt;

b) „gerichtlicher Vergleich" einen Vergleich, der von einem Gericht eines Mitgliedstaats gebilligt oder vor einem Gericht eines Mitgliedstaats im Laufe eines Verfahrens geschlossen worden ist;

c) „öffentliche Urkunde" ein Schriftstück, das als öffentliche Urkunde im Ursprungsmitgliedstaat förmlich errichtet oder eingetragen worden ist und dessen Beweiskraft

  i) sich auf die Unterschrift und den Inhalt der öffentlichen Urkunde bezieht und

  ii) durch eine Behörde oder eine andere hierzu ermächtigte Stelle festgestellt worden ist;

d) „Ursprungsmitgliedstaat" den Mitgliedstaat, in dem die Entscheidung ergangen, der gerichtliche Vergleich gebilligt oder geschlossen oder die öffentliche Urkunde förmlich errichtet oder eingetragen worden ist;

e) „ersuchter Mitgliedstaat" den Mitgliedstaat, in dem die Anerkennung der Entscheidung geltend gemacht oder die Vollstreckung der Entscheidung, des gerichtlichen Vergleichs oder der öffentlichen Urkunde beantragt wird;

f) „Ursprungsgericht" das Gericht, das die Entscheidung erlassen hat, deren Anerkennung geltend gemacht oder deren Vollstreckung beantragt wird.

Kapitel II. Zuständigkeit

Abschnitt 1. Allgemeine Bestimmungen

Art. 4 [Allgemeiner internationaler Gerichtsstand] (1) Vorbehaltlich der Vorschriften dieser Verordnung sind Personen, die ihren Wohnsitz im Hoheitsgebiet eines Mitgliedstaats haben, ohne Rücksicht auf ihre Staatsangehörigkeit vor den Gerichten dieses Mitgliedstaats zu verklagen.

(2) Auf Personen, die nicht dem Mitgliedstaat, in dem sie ihren Wohnsitz haben, angehören, sind die für Staatsangehörige dieses Mitgliedstaats maßgebenden Zuständigkeitsvorschriften anzuwenden.

Art. 5 [Keine exorbitanten Gerichtsstände] (1) Personen, die ihren Wohnsitz im Hoheitsgebiet eines Mitgliedstaats haben, können vor den Gerichten eines anderen Mitgliedstaats nur gemäß den Vorschriften der Abschnitte 2 bis 7 dieses Kapitels verklagt werden.

(2) Gegen die in Absatz 1 genannten Personen können insbesondere nicht die innerstaatlichen Zuständigkeitsvorschriften, welche die Mitgliedstaaten der Kommission gemäß Artikel 76 Absatz 1 Buchstabe a notifizieren, geltend gemacht werden.

Art. 6 [Beklagte ohne Wohnsitz im Hoheitsgebiet eines Mitgliedstaates] (1) Hat der Beklagte keinen Wohnsitz im Hoheitsgebiet eines Mitgliedstaats, so bestimmt sich vorbehaltlich des Artikels 18 Absatz 1, des Artikels 21 Absatz 2 und der Artikel 24 und 25 die Zuständigkeit der Gerichte eines jeden Mitgliedstaats nach dessen eigenem Recht.

(2) Gegenüber einem Beklagten, der keinen Wohnsitz im Hoheitsgebiet eines Mitgliedstaats hat, kann sich unabhängig von ihrer Staatsangehörigkeit jede Person, die ihren Wohnsitz im Hoheitsgebiet eines Mitgliedstaats hat, in diesem Mitgliedstaat auf die dort geltenden Zuständigkeitsvorschriften, insbesondere auf diejenigen, welche die Mitgliedstaaten der Kommission gemäß Artikel 76 Absatz 1 Buchstabe a notifizieren, wie ein Staatsangehöriger dieses Mitgliedstaats berufen.

Abschnitt 2. Besondere Zuständigkeiten

Art. 7 [Besondere Gerichtsstände] Eine Person, die ihren Wohnsitz im Hoheitsgebiet eines Mitgliedstaats hat, kann in einem anderen Mitgliedstaat verklagt werden:

1. a) wenn ein Vertrag oder Ansprüche aus einem Vertrag den Gegenstand des Verfahrens bilden, vor dem Gericht des Ortes, an dem die Verpflichtung erfüllt worden ist oder zu erfüllen wäre;
   b) im Sinne dieser Vorschrift – und sofern nichts anderes vereinbart worden ist – ist der Erfüllungsort der Verpflichtung

– für den Verkauf beweglicher Sachen der Ort in einem Mitgliedstaat, an dem sie nach dem Vertrag geliefert worden sind oder hätten geliefert werden müssen;
– für die Erbringung von Dienstleistungen der Ort in einem Mitgliedstaat, an dem sie nach dem Vertrag erbracht worden sind oder hätten erbracht werden müssen;

c) ist Buchstabe b nicht anwendbar, so gilt Buchstabe a;

2. wenn eine unerlaubte Handlung oder eine Handlung, die einer unerlaubten Handlung gleichgestellt ist, oder wenn Ansprüche aus einer solchen Handlung den Gegenstand des Verfahrens bilden, vor dem Gericht des Ortes, an dem das schädigende Ereignis eingetreten ist oder einzutreten droht;
3. wenn es sich um eine Klage auf Schadenersatz oder auf Wiederherstellung des früheren Zustands handelt, die auf eine mit Strafe bedrohte Handlung gestützt wird, vor dem Strafgericht, bei dem die öffentliche Klage erhoben ist, soweit dieses Gericht nach seinem Recht über zivilrechtliche Ansprüche erkennen kann;
4. wenn es sich um einen auf Eigentum gestützten zivilrechtlichen Anspruch zur Wiedererlangung eines Kulturguts im Sinne des Artikels 1 Nummer 1 der Richtlinie 93/7/EWG handelt, der von der Person geltend gemacht wurde, die das Recht auf Wiedererlangung eines solchen Gutes für sich in Anspruch nimmt, vor dem Gericht des Ortes, an dem sich das Kulturgut zum Zeitpunkt der Anrufung des Gerichts befindet;
5. wenn es sich um Streitigkeiten aus dem Betrieb einer Zweigniederlassung, einer Agentur oder einer sonstigen Niederlassung handelt, vor dem Gericht des Ortes, an dem sich diese befindet;
6. wenn es sich um eine Klage gegen einen Begründer, Trustee oder Begünstigten eines Trust handelt, der aufgrund eines Gesetzes oder durch schriftlich vorgenommenes oder schriftlich bestätigtes Rechtsgeschäft errichtet worden ist, vor den Gerichten des Mitgliedstaats, in dessen Hoheitsgebiet der Trust seinen Sitz hat;
7. wenn es sich um eine Streitigkeit wegen der Zahlung von Berge- und Hilfslohn handelt, der für Bergungs- oder Hilfeleistungsarbeiten gefordert wird, die zugunsten einer Ladung oder einer Frachtforderung erbracht worden sind, vor dem Gericht, in dessen Zuständigkeitsbereich diese Ladung oder die entsprechende Frachtforderung

   a) mit Arrest belegt worden ist, um die Zahlung zu gewährleisten, oder
   b) mit Arrest hätte belegt werden können, jedoch dafür eine Bürgschaft oder eine andere Sicherheit geleistet worden ist;

   diese Vorschrift ist nur anzuwenden, wenn behauptet wird, dass der Beklagte Rechte an der Ladung oder an der Frachtforderung hat oder zur Zeit der Bergungs- oder Hilfeleistungsarbeiten hatte.

Art. 8 [Gerichtsstand des Sachzusammenhangs] Eine Person, die ihren Wohnsitz im Hoheitsgebiet eines Mitgliedstaats hat, kann auch verklagt werden:

1. wenn mehrere Personen zusammen verklagt werden, vor dem Gericht des Ortes, an dem einer der Beklagten seinen Wohnsitz hat, sofern zwischen den Klagen eine so enge Beziehung gegeben ist, dass eine gemeinsame

Verhandlung und Entscheidung geboten erscheint, um zu vermeiden, dass in getrennten Verfahren widersprechende Entscheidungen ergehen könnten;

2. wenn es sich um eine Klage auf Gewährleistung oder um eine Interventionsklage handelt, vor dem Gericht des Hauptprozesses, es sei denn, dass die Klage nur erhoben worden ist, um diese Person dem für sie zuständigen Gericht zu entziehen;

3. wenn es sich um eine Widerklage handelt, die auf denselben Vertrag oder Sachverhalt wie die Klage selbst gestützt wird, vor dem Gericht, bei dem die Klage selbst anhängig ist;

4. wenn ein Vertrag oder Ansprüche aus einem Vertrag den Gegenstand des Verfahrens bilden und die Klage mit einer Klage wegen dinglicher Rechte an unbeweglichen Sachen gegen denselben Beklagten verbunden werden kann, vor dem Gericht des Mitgliedstaats, in dessen Hoheitsgebiet die unbewegliche Sache belegen ist.

Abschnitt 5. Zuständigkeit für individuelle Arbeitsverträge

Art. 20 [Anwendungsbereich] (1) Bilden ein individueller Arbeitsvertrag oder Ansprüche aus einem individuellen Arbeitsvertrag den Gegenstand des Verfahrens, so bestimmt sich die Zuständigkeit unbeschadet des Artikels 6, des Artikels 7 Nummer 5 und, wenn die Klage gegen den Arbeitgeber erhoben wurde, des Artikels 8 Nummer 1 nach diesem Abschnitt.

(2) Hat der Arbeitgeber, mit dem der Arbeitnehmer einen individuellen Arbeitsvertrag geschlossen hat, im Hoheitsgebiet eines Mitgliedstaats keinen Wohnsitz, besitzt er aber in einem Mitgliedstaat eine Zweigniederlassung, Agentur oder sonstige Niederlassung, so wird er für Streitigkeiten aus ihrem Betrieb so behandelt, wie wenn er seinen Wohnsitz im Hoheitsgebiet dieses Mitgliedstaats hätte.

Art. 21 [Gerichtsstände für Klagen gegen Arbeitgeber] (1) Ein Arbeitgeber, der seinen Wohnsitz im Hoheitsgebiet eines Mitgliedstaats hat, kann verklagt werden:

a) vor den Gerichten des Mitgliedstaats, in dem er seinen Wohnsitz hat, oder

b) in einem anderen Mitgliedstaat

i) vor dem Gericht des Ortes, an dem oder von dem aus der Arbeitnehmer gewöhnlich seine Arbeit verrichtet oder zuletzt gewöhnlich verrichtet hat, oder

ii) wenn der Arbeitnehmer seine Arbeit gewöhnlich nicht in ein und demselben Staat verrichtet oder verrichtet hat, vor dem Gericht des Ortes, an dem sich die Niederlassung, die den Arbeitnehmer eingestellt hat, befindet oder befand.

(2) Ein Arbeitgeber, der seinen Wohnsitz nicht im Hoheitsgebiet eines Mitgliedstaats hat, kann vor dem Gericht eines Mitgliedstaats gemäß Absatz 1 Buchstabe b verklagt werden.

Art. 22 [Gerichtsstände für Klagen gegen Arbeitnehmer; Widerklage]

(1) Die Klage des Arbeitgebers kann nur vor den Gerichten des Mitgliedstaats erhoben werden, in dessen Hoheitsgebiet der Arbeitnehmer seinen Wohnsitz hat.

(2) Die Vorschriften dieses Abschnitts lassen das Recht unberührt, eine Widerklage vor dem Gericht zu erheben, bei dem die Klage selbst gemäß den Bestimmungen dieses Abschnitts anhängig ist.

Art. 23 [Zulässige Gerichtsstandsvereinbarungen] Von den Vorschriften dieses Abschnitts kann im Wege der Vereinbarung nur abgewichen werden,

1. wenn die Vereinbarung nach der Entstehung der Streitigkeit getroffen wird oder
2. wenn sie dem Arbeitnehmer die Befugnis einräumt, andere als die in diesem Abschnitt angeführten Gerichte anzurufen.

Abschnitt 7. Vereinbarung über die Zuständigkeit

Art. 25 [Zulässigkeit und Form von Gerichtsstandsvereinbarungen]

(1) [1] Haben die Parteien unabhängig von ihrem Wohnsitz vereinbart, dass ein Gericht oder die Gerichte eines Mitgliedstaats über eine bereits entstandene Rechtsstreitigkeit oder über eine künftige aus einem bestimmten Rechtsverhältnis entspringende Rechtsstreitigkeit entscheiden sollen, so sind dieses Gericht oder die Gerichte dieses Mitgliedstaats zuständig, es sei denn, die Vereinbarung ist nach dem Recht dieses Mitgliedstaats materiell nichtig. [2] Dieses Gericht oder die Gerichte dieses Mitgliedstaats sind ausschließlich zuständig, sofern die Parteien nichts anderes vereinbart haben. [3] Die Gerichtsstandsvereinbarung muss geschlossen werden:

a) schriftlich oder mündlich mit schriftlicher Bestätigung,

b) in einer Form, welche den Gepflogenheiten entspricht, die zwischen den Parteien entstanden sind, oder

c) im internationalen Handel in einer Form, die einem Handelsbrauch entspricht, den die Parteien kannten oder kennen mussten und den Parteien von Verträgen dieser Art in dem betreffenden Geschäftszweig allgemein kennen und regelmäßig beachten.

(2) Elektronische Übermittlungen, die eine dauerhafte Aufzeichnung der Vereinbarung ermöglichen, sind der Schriftform gleichgestellt.

(3) Ist in schriftlich niedergelegten Trust-Bedingungen bestimmt, dass über Klagen gegen einen Begründer, Trustee oder Begünstigten eines Trust ein Gericht oder die Gerichte eines Mitgliedstaats entscheiden sollen, so ist dieses Gericht oder sind diese Gerichte ausschließlich zuständig, wenn es sich um Beziehungen zwischen diesen Personen oder ihre Rechte oder Pflichten im Rahmen des Trust handelt.

(4) Gerichtsstandsvereinbarungen und entsprechende Bestimmungen in Trust-Bedingungen haben keine rechtliche Wirkung, wenn sie den Vorschriften der Artikel 15, 19 oder 23 zuwiderlaufen oder wenn die Gerichte, deren Zuständigkeit abbedungen wird, aufgrund des Artikels 24 ausschließlich zuständig sind.

(5) Eine Gerichtsstandsvereinbarung, die Teil eines Vertrags ist, ist als eine von den übrigen Vertragsbestimmungen unabhängige Vereinbarung zu behandeln.

Die Gültigkeit der Gerichtsstandsvereinbarung kann nicht allein mit der Begründung in Frage gestellt werden, dass der Vertrag nicht gültig ist.

Art. 26 [Zuständigkeit infolge rügeloser Einlassung] (1) [1] Sofern das Gericht eines Mitgliedstaats nicht bereits nach anderen Vorschriften dieser Verordnung zuständig ist, wird es zuständig, wenn sich der Beklagte vor ihm auf das Verfahren einlässt. [2] Dies gilt nicht, wenn der Beklagte sich einlässt, um den Mangel der Zuständigkeit geltend zu machen oder wenn ein anderes Gericht aufgrund des Artikels 24 ausschließlich zuständig ist.

(2) In Streitigkeiten nach den Abschnitten 3, 4 oder 5, in denen der Beklagte Versicherungsnehmer, Versicherter, Begünstigter eines Versicherungsvertrags, Geschädigter, Verbraucher oder Arbeitnehmer ist, stellt das Gericht, bevor es sich nach Absatz 1 für zuständig erklärt, sicher, dass der Beklagte über sein Recht, die Unzuständigkeit des Gerichts geltend zu machen, und über die Folgen der Einlassung oder Nichteinlassung auf das Verfahren belehrt wird.

Abschnitt 8. Prüfung der Zuständigkeit und der Zulässigkeit des Verfahrens

Art. 28 [Erklärung der Unzuständigkeit von Amts wegen in sonstigen Fällen] (1) Lässt sich der Beklagte, der seinen Wohnsitz im Hoheitsgebiet eines Mitgliedstaats hat und der vor dem Gericht eines anderen Mitgliedstaats verklagt wird, auf das Verfahren nicht ein, so hat sich das Gericht von Amts wegen für unzuständig zu erklären, wenn seine Zuständigkeit nicht nach dieser Verordnung begründet ist.

(2) Das Gericht hat das Verfahren so lange auszusetzen, bis festgestellt ist, dass es dem Beklagten möglich war, das verfahrenseinleitende Schriftstück oder ein gleichwertiges Schriftstück so rechtzeitig zu empfangen, dass er sich verteidigen konnte oder dass alle hierzu erforderlichen Maßnahmen getroffen worden sind.

(3) An die Stelle von Absatz 2 tritt Artikel 19 der Verordnung (EG) Nr. 1393/2007[1)] des Europäischen Parlaments und des Rates vom 13. November 2007 über die Zustellung gerichtlicher und außergerichtlicher Schriftstücke in Zivil- oder Handelssachen in den Mitgliedstaaten (Zustellung von Schriftstücken)[2)], wenn das verfahrenseinleitende Schriftstück oder ein gleichwertiges Schriftstück nach der genannten Verordnung von einem Mitgliedstaat in einen anderen zu übermitteln war.

(4) Ist die Verordnung (EG) Nr. 1393/2007 nicht anwendbar, so gilt Artikel 15 des Haager Übereinkommens vom 15. November 1965 über die Zustellung gerichtlicher und außergerichtlicher Schriftstücke im Ausland in Zivil- und Handelssachen, wenn das verfahrenseinleitende Schriftstück oder ein gleichwertiges Schriftstück nach dem genannten Übereinkommen im Ausland zu übermitteln war.

[1)] **Schönfelder ErgBd. Nr. 103 c.**
[2)] **Amtl. Anm.:** ABl. L 324 vom 10. 12. 2007, S. 79.

Abschnitt 9. Anhängigkeit und im Zusammenhang stehende Verfahren

Art. 29 [Konkurrierende Rechtshändigkeit] (1) Werden bei Gerichten verschiedener Mitgliedstaaten Klagen wegen desselben Anspruchs zwischen denselben Parteien anhängig gemacht, so setzt das später angerufene Gericht unbeschadet des Artikels 31 Absatz 2 das Verfahren von Amts wegen aus, bis die Zuständigkeit des zuerst angerufenen Gerichts feststeht.

(2) In den in Absatz 1 genannten Fällen teilt das angerufene Gericht auf Antrag eines anderen angerufenen Gerichts diesem unverzüglich mit, wann es gemäß Artikel 32 angerufen wurde.

(3) Sobald die Zuständigkeit des zuerst angerufenen Gerichts feststeht, erklärt sich das später angerufene Gericht zugunsten dieses Gerichts für unzuständig.

Art. 30 [Im Zusammenhang stehende Verfahren] (1) Sind bei Gerichten verschiedener Mitgliedstaaten Verfahren, die im Zusammenhang stehen, anhängig, so kann jedes später angerufene Gericht das Verfahren aussetzen.

(2) Ist das beim zuerst angerufenen Gericht anhängige Verfahren in erster Instanz anhängig, so kann sich jedes später angerufene Gericht auf Antrag einer Partei auch für unzuständig erklären, wenn das zuerst angerufene Gericht für die betreffenden Verfahren zuständig ist und die Verbindung der Verfahren nach seinem Recht zulässig ist.

(3) Verfahren stehen im Sinne dieses Artikels im Zusammenhang, wenn zwischen ihnen eine so enge Beziehung gegeben ist, dass eine gemeinsame Verhandlung und Entscheidung geboten erscheint, um zu vermeiden, dass in getrennten Verfahren widersprechende Entscheidungen ergehen könnten.

Art. 31 [Priorität bei ausschließlicher Zuständigkeit] (1) Ist für die Verfahren die ausschließliche Zuständigkeit mehrerer Gerichte gegeben, so hat sich das zuletzt angerufene Gericht zugunsten des zuerst angerufenen Gerichts für unzuständig zu erklären.

(2) Wird ein Gericht eines Mitgliedstaats angerufen, das gemäß einer Vereinbarung nach Artikel 25 ausschließlich zuständig ist, so setzt das Gericht des anderen Mitgliedstaats unbeschadet des Artikels 26 das Verfahren so lange aus, bis das auf der Grundlage der Vereinbarung angerufene Gericht erklärt hat, dass es gemäß der Vereinbarung nicht zuständig ist.

(3) Sobald das in der Vereinbarung bezeichnete Gericht die Zuständigkeit gemäß der Vereinbarung festgestellt hat, erklären sich die Gerichte des anderen Mitgliedstaats zugunsten dieses Gerichts für unzuständig.

(4) Die Absätze 2 und 3 gelten nicht für Streitigkeiten, die in den Abschnitten 3, 4 oder 5 genannt werden, wenn der Kläger Versicherungsnehmer, Versicherter, Begünstigter des Versicherungsvertrags, Geschädigter, Verbraucher oder Arbeitnehmer ist und die Vereinbarung nach einer in den genannten Abschnitten enthaltenen Bestimmung nicht gültig ist.

Art. 32 [Anrufung eines Gerichts] (1) Für die Zwecke dieses Abschnitts gilt ein Gericht als angerufen:

a) zu dem Zeitpunkt, zu dem das verfahrenseinleitende Schriftstück oder ein gleichwertiges Schriftstück bei Gericht eingereicht worden ist, vorausgesetzt, dass der Kläger es in der Folge nicht versäumt hat, die ihm obliegenden Maßnahmen zu treffen, um die Zustellung des Schriftstücks an den Beklagten zu bewirken, oder

b) falls die Zustellung an den Beklagten vor Einreichung des Schriftstücks bei Gericht zu bewirken ist, zu dem Zeitpunkt, zu dem die für die Zustellung verantwortliche Stelle das Schriftstück erhalten hat, vorausgesetzt, dass der Kläger es in der Folge nicht versäumt hat, die ihm obliegenden Maßnahmen zu treffen, um das Schriftstück bei Gericht einzureichen.

Die für die Zustellung verantwortliche Stelle im Sinne von Buchstabe b ist die Stelle, die die zuzustellenden Schriftstücke zuerst erhält.

(2) Das Gericht oder die für die Zustellung verantwortliche Stelle gemäß Absatz 1 vermerkt das Datum der Einreichung des verfahrenseinleitenden Schriftstücks oder gleichwertigen Schriftstücks beziehungsweise das Datum des Eingangs der zuzustellenden Schriftstücke.

Art. 33 [Aussetzung/Einstellung eines Verfahrens wegen desselben Anspruchs] (1) Beruht die Zuständigkeit auf Artikel 4 oder auf den Artikeln 7, 8 oder 9 und ist bei Anrufung eines Gerichts eines Mitgliedstaats wegen desselben Anspruchs zwischen denselben Parteien ein Verfahren vor dem Gericht eines Drittstaats anhängig, so kann das Gericht des Mitgliedstaats das Verfahren aussetzen, wenn

a) zu erwarten ist, dass das Gericht des Drittstaats eine Entscheidung erlassen wird, die in dem betreffenden Mitgliedstaat anerkannt und gegebenenfalls vollstreckt werden kann, und

b) das Gericht des Mitgliedstaats davon überzeugt ist, dass eine Aussetzung des Verfahrens im Interesse einer geordneten Rechtspflege erforderlich ist.

(2) Das Gericht des Mitgliedstaats kann das Verfahren jederzeit fortsetzen, wenn

a) das Verfahren vor dem Gericht des Drittstaats ebenfalls ausgesetzt oder eingestellt wurde,

b) das Gericht des Mitgliedstaats es für unwahrscheinlich hält, dass das vor dem Gericht des Drittstaats anhängige Verfahren innerhalb einer angemessenen Frist abgeschlossen wird, oder

c) die Fortsetzung des Verfahrens im Interesse einer geordneten Rechtspflege erforderlich ist.

(3) Das Gericht des Mitgliedstaats stellt das Verfahren ein, wenn das vor dem Gericht des Drittstaats anhängige Verfahren abgeschlossen ist und eine Entscheidung ergangen ist, die in diesem Mitgliedstaat anerkannt und gegebenenfalls vollstreckt werden kann.

(4) Das Gericht des Mitgliedstaats wendet diesen Artikel auf Antrag einer der Parteien oder, wenn dies nach einzelstaatlichem Recht möglich ist, von Amts wegen an.

Art. 34 [Aussetzung/Einstellung bei in Zusammenhang stehenden Verfahren] (1) Beruht die Zuständigkeit auf Artikel 4 oder auf den Artikeln 7, 8 oder 9 und ist bei Anrufung eines Gerichts eines Mitgliedstaats vor einem

Gericht eines Drittstaats ein Verfahren anhängig, das mit dem Verfahren vor dem Gericht des Mitgliedstaats in Zusammenhang steht, so kann das Gericht des Mitgliedstaats das Verfahren aussetzen, wenn

a) eine gemeinsame Verhandlung und Entscheidung der in Zusammenhang stehenden Verfahren geboten erscheint, um zu vermeiden, dass in getrennten Verfahren widersprechende Entscheidungen ergehen könnten,

b) zu erwarten ist, dass das Gericht des Drittstaats eine Entscheidung erlassen wird, die in dem betreffenden Mitgliedstaat anerkannt und gegebenenfalls vollstreckt werden kann, und

c) das Gericht des Mitgliedstaats davon überzeugt ist, dass die Aussetzung im Interesse einer geordneten Rechtspflege erforderlich ist.

(2) Das Gericht des Mitgliedstaats kann das Verfahren jederzeit fortsetzen, wenn

a) das Gericht des Mitgliedstaats es für wahrscheinlich hält, dass die Gefahr widersprechender Entscheidungen nicht mehr besteht,

b) das Verfahren vor dem Gericht des Drittstaats ebenfalls ausgesetzt oder eingestellt wurde,

c) das Gericht des Mitgliedstaats es für unwahrscheinlich hält, dass das vor dem Gericht des Drittstaats anhängige Verfahren innerhalb einer angemessenen Frist abgeschlossen wird, oder

d) die Fortsetzung des Verfahrens im Interesse einer geordneten Rechtspflege erforderlich ist.

(3) Das Gericht des Mitgliedstaats kann das Verfahren einstellen, wenn das vor dem Gericht des Drittstaats anhängige Verfahren abgeschlossen ist und eine Entscheidung ergangen ist, die in diesem Mitgliedstaat anerkannt und gegebenenfalls vollstreckt werden kann.

(4) Das Gericht des Mitgliedstaats wendet diesen Artikel auf Antrag einer der Parteien oder, wenn dies nach einzelstaatlichem Recht möglich ist, von Amts wegen an.

Abschnitt 10. Einstweilige Maßnahmen einschließlich Sicherungsmaßnahmen

Art. 35 [Einstweilige Maßnahmen] Die im Recht eines Mitgliedstaats vorgesehenen einstweiligen Maßnahmen einschließlich Sicherungsmaßnahmen können bei den Gerichten dieses Mitgliedstaats auch dann beantragt werden, wenn für die Entscheidung in der Hauptsache das Gericht eines anderen Mitgliedstaats zuständig ist.

Kapitel III. Anerkennung und Vollstreckung

Abschnitt 1. Anerkennung

Art. 36 [Anerkennung einer Entscheidung] (1) Die in einem Mitgliedstaat ergangenen Entscheidungen werden in den anderen Mitgliedstaaten anerkannt, ohne dass es hierfür eines besonderen Verfahrens bedarf.

(2) Jeder Berechtigte kann gemäß dem Verfahren nach Abschnitt 3 Unterabschnitt 2 die Feststellung beantragen, dass keiner der in Artikel 45 genannten Gründe für eine Versagung der Anerkennung gegeben ist.

(3) Wird die Anerkennung in einem Rechtsstreit vor dem Gericht eines Mitgliedstaats, dessen Entscheidung von der Versagung der Anerkennung abhängt, verlangt, so kann dieses Gericht über die Anerkennung entscheiden.

Art. 37 [Vorlegung der Entscheidung und der Bescheinigung] (1) Eine Partei, die in einem Mitgliedstaat eine in einem anderen Mitgliedstaat ergangene Entscheidung geltend machen will, hat Folgendes vorzulegen:

a) eine Ausfertigung der Entscheidung, die die für ihre Beweiskraft erforderlichen Voraussetzungen erfüllt, und

b) die nach Artikel 53 ausgestellte Bescheinigung.

(2) [1] Das Gericht oder die Behörde, bei dem oder der eine in einem anderen Mitgliedstaat ergangene Entscheidung geltend gemacht wird, kann die Partei, die sie geltend macht, gegebenenfalls auffordern, eine Übersetzung oder eine Transliteration des Inhalts der in Absatz 1 Buchstabe b genannten Bescheinigung nach Artikel 57 zur Verfügung zu stellen. [2] Kann das Gericht oder die Behörde das Verfahren ohne eine Übersetzung der eigentlichen Entscheidung nicht fortsetzen, so kann es oder sie die Partei auffordern, eine Übersetzung der Entscheidung statt der Übersetzung des Inhalts der Bescheinigung zur Verfügung zu stellen.

Art. 38 [Aussetzung des Verfahrens] Das Gericht oder die Behörde, bei dem bzw. der eine in einem anderen Mitgliedstaat ergangene Entscheidung geltend gemacht wird, kann das Verfahren ganz oder teilweise aussetzen, wenn

a) die Entscheidung im Ursprungsmitgliedstaat angefochten wird oder

b) die Feststellung, dass keiner der in Artikel 45 genannten Gründe für eine Versagung der Anerkennung gegeben ist, oder die Feststellung, dass die Anerkennung aus einem dieser Gründe zu versagen ist, beantragt worden ist.

Kapitel VI. Übergangsvorschriften

Art. 66 (1) Diese Verordnung ist nur auf Verfahren, öffentliche Urkunden oder gerichtliche Vergleiche anzuwenden, die am 10. Januar 2015 oder danach eingeleitet, förmlich errichtet oder eingetragen bzw. gebilligt oder geschlossen worden sind.

(2) Ungeachtet des Artikels 80 gilt die Verordnung (EG) Nr. 44/2001 weiterhin für Entscheidungen, die in vor dem 10. Januar 2015 eingeleiteten gerichtlichen Verfahren ergangen sind, für vor diesem Zeitpunkt förmlich errichtete oder eingetragene öffentliche Urkunden sowie für vor diesem Zeitpunkt gebilligte oder geschlossene gerichtliche Vergleiche, sofern sie in den Anwendungsbereich der genannten Verordnung fallen.

Anhang I–III

(hier nicht wiedergegeben)

H. Internationales Privatrecht

[ab 17. 12. 2009:]

960. Verordnung (EG) Nr. 593/2008 des Europäischen Parlaments und des Rates vom 17. Juni 2008 über das auf vertragliche Schuldverhältnisse anzuwendende Recht (Rom I)

(ABl. Nr. L 177 S. 6)

EU-Dok.-Nr. 3 2008 R 0593

– Auszug –[1]

DAS EUROPÄISCHE PARLAMENT UND DER RAT DER EUROPÄISCHEN UNION –

gestützt auf den Vertrag zur Gründung der Europäischen Gemeinschaft[2], insbesondere auf Artikel 61 Buchstabe c und Artikel 67 Absatz 5, zweiter Gedankenstrich,

auf Vorschlag der Kommission,

nach Stellungnahme des Europäischen Wirtschafts- und Sozialausschusses[3],

gemäß dem Verfahren des Artikels 251 des Vertrags[2] [4],

in Erwägung nachstehender Gründe:

(1) Die Gemeinschaft hat sich zum Ziel gesetzt, einen Raum der Freiheit, der Sicherheit und des Rechts zu erhalten und weiterzuentwickeln. Zur schrittweisen Schaffung dieses Raums muss die Gemeinschaft im Bereich der justiziellen Zusammenarbeit in Zivilsachen, die einen grenzüberschreitenden Bezug aufweisen, Maßnahmen erlassen, soweit sie für das reibungslose Funktionieren des Binnenmarkts erforderlich sind.

(2) Nach Artikel 65 Buchstabe b des Vertrags[2] schließen diese Maßnahmen solche ein, die die Vereinbarkeit der in den Mitgliedstaaten geltenden Kollisionsnormen und Vorschriften zur Vermeidung von Kompetenzkonflikten fördern.

(3)–(6) . . .

(7) Der materielle Anwendungsbereich und die Bestimmungen dieser Verordnung sollten mit der Verordnung (EG) Nr. 44/2001[5] des Rates vom 22. Dezember 2000 über die gerichtliche Zuständigkeit und die Anerkennung und Vollstreckung von Entscheidungen in Zivil- und Handels-

---

[1] Vollständig wiedergegeben auf der beiliegenden **DVD Nipperdey plus**.

[2] **DVD Nipperdey plus Nr. 850.**

[3] **Amtl. Anm.:** ABl. C 318 vom 23. 12. 2006, S. 56.

[4] **Amtl. Anm.:** Stellungnahme des Europäischen Parlaments vom 29. November 2007 (noch nicht im Amtsblatt veröffentlicht) und Beschluss des Rates vom 5. Juni 2008.

[5] **DVD Nipperdey plus Nr. 955.**

sachen („Brüssel I")[1] und der Verordnung (EG) Nr. 864/2007[2] des Europäischen Parlaments und des Rates vom 11. Juli 2007 über das auf außervertragliche Schuldverhältnisse anzuwendende Recht („Rom II")[3] im Einklang stehen.

(8) ...

(9) Unter Schuldverhältnisse aus Wechseln, Schecks, Eigenwechseln und anderen handelbaren Wertpapieren sollten auch Konnossemente fallen, soweit die Schuldverhältnisse aus dem Konnossement aus dessen Handelbarkeit entstehen.

(10) Schuldverhältnisse, die aus Verhandlungen vor Abschluss eines Vertrags entstehen, fallen unter Artikel 12 der Verordnung (EG) Nr. 864/2007[2]. Sie sollten daher vom Anwendungsbereich dieser Verordnung ausgenommen werden.

(11) Die freie Rechtswahl der Parteien sollte einer der Ecksteine des Systems der Kollisionsnormen im Bereich der vertraglichen Schuldverhältnisse sein.

(12) Eine Vereinbarung zwischen den Parteien, dass ausschließlich ein Gericht oder mehrere Gerichte eines Mitgliedstaats für Streitigkeiten aus einem Vertrag zuständig sein sollen, sollte bei der Feststellung, ob eine Rechtswahl eindeutig getroffen wurde, einer der zu berücksichtigenden Faktoren sein.

(13) Diese Verordnung hindert die Parteien nicht daran, in ihrem Vertrag auf ein nichtstaatliches Regelwerk oder ein internationales Übereinkommen Bezug zu nehmen.

(14) Sollte die Gemeinschaft in einem geeigneten Rechtsakt Regeln des materiellen Vertragsrechts, einschließlich vertragsrechtlicher Standardbestimmungen, festlegen, so kann in einem solchen Rechtsakt vorgesehen werden, dass die Parteien entscheiden können, diese Regeln anzuwenden.

(15) Wurde eine Rechtswahl getroffen und sind alle anderen Elemente des Sachverhalts in einem anderen als demjenigen Staat belegen, dessen Recht gewählt wurde, so sollte die Rechtswahl nicht die Anwendung derjenigen Bestimmungen des Rechts dieses anderen Staates berühren, von denen nicht durch Vereinbarung abgewichen werden kann. Diese Regel sollte unabhängig davon angewandt werden, ob die Rechtswahl zusammen mit einer Gerichtsstandsvereinbarung getroffen wurde oder nicht. Obwohl keine inhaltliche Änderung gegenüber Artikel 3 Absatz 3 des Übereinkommens von 1980 über das auf vertragliche Schuldverhältnisse anzuwendende Recht[4][5] („Übereinkommen von Rom") beabsichtigt ist, ist der Wortlaut der vorliegenden Verordnung so weit wie möglich an Artikel 14 der Verordnung (EG) Nr. 864/2007[2] angeglichen.

---

[1] **Amtl. Anm.:** ABl. L 12 vom 16. 1. 2001, S. 1. Zuletzt geändert durch die Verordnung (EG) Nr. 1791/2006 (ABl. L 363 vom 20. 12. 2006, S. 1).

[2] **DVD Nipperdey plus Nr. 961.**

[3] **Amtl. Anm.:** ABl. L 199 vom 31. 7. 2007, S. 40.

[4] **DVD Nipperdey plus Nr. 894 b.**

[5] **Amtl. Anm.:** ABl. C 334 vom 30. 12. 2005, S. 1.

(16) Die Kollisionsnormen sollten ein hohes Maß an Berechenbarkeit aufweisen, um zum allgemeinen Ziel dieser Verordnung, nämlich zur Rechtssicherheit im europäischen Rechtsraum, beizutragen. Dennoch sollten die Gerichte über ein gewisses Ermessen verfügen, um das Recht bestimmen zu können, das zu dem Sachverhalt die engste Verbindung aufweist.

(17) Soweit es das mangels einer Rechtswahl anzuwendende Recht betrifft, sollten die Begriffe „Erbringung von Dienstleistungen" und „Verkauf beweglicher Sachen" so ausgelegt werden wie bei der Anwendung von Artikel 5 der Verordnung (EG) Nr. 44/2001[1], soweit der Verkauf beweglicher Sachen und die Erbringung von Dienstleistungen unter jene Verordnung fallen. Franchiseverträge und Vertriebsverträge sind zwar Dienstleistungsverträge, unterliegen jedoch besonderen Regeln.

(18) . . .

(19) Wurde keine Rechtswahl getroffen, so sollte das anzuwendende Recht nach der für die Vertragsart spezifizierten Regel bestimmt werden. Kann der Vertrag nicht einer der spezifizierten Vertragsarten zugeordnet werden oder sind die Bestandteile des Vertrags durch mehr als eine der spezifizierten Vertragsarten abgedeckt, so sollte der Vertrag dem Recht des Staates unterliegen, in dem die Partei, welche die für den Vertrag charakteristische Leistung zu erbringen hat, ihren gewöhnlichen Aufenthalt hat. Besteht ein Vertrag aus einem Bündel von Rechten und Verpflichtungen, die mehr als einer der spezifizierten Vertragsarten zugeordnet werden können, so sollte die charakteristische Leistung des Vertrags nach ihrem Schwerpunkt bestimmt werden.

(20) Weist ein Vertrag eine offensichtlich engere Verbindung zu einem anderen als dem in Artikel 4 Absätze 1 und 2 genannten Staat auf, so sollte eine Ausweichklausel vorsehen, dass das Recht dieses anderen Staats anzuwenden ist. Zur Bestimmung dieses Staates sollte unter anderem berücksichtigt werden, ob der betreffende Vertrag in einer sehr engen Verbindung zu einem oder mehreren anderen Verträgen steht.

(21) Kann das bei Fehlen einer Rechtswahl anzuwendende Recht weder aufgrund der Zuordnung des Vertrags zu einer der spezifizierten Vertragsarten noch als das Recht des Staates bestimmt werden, in dem die Partei, die die für den Vertrag charakteristische Leistung zu erbringen hat, ihren gewöhnlichen Aufenthalt hat, so sollte der Vertrag dem Recht des Staates unterliegen, zu dem er die engste Verbindung aufweist. Bei der Bestimmung dieses Staates sollte unter anderem berücksichtigt werden, ob der betreffende Vertrag in einer sehr engen Verbindung zu einem oder mehreren anderen Verträgen steht.

(22)–(33) . . .

(34) Die Kollisionsnorm für Individualarbeitsverträge sollte die Anwendung von Eingriffsnormen des Staates, in den der Arbeitnehmer im Einklang mit der Richtlinie 96/71/EG[2] des Europäischen Parlaments und des Rates vom 16. Dezember 1996 über die Entsendung von Arbeitneh-

---

[1] **DVD Nipperdey plus Nr. 955.**
[2] Nr. **890.**

mern im Rahmen der Erbringung von Dienstleistungen[1] entsandt wird, unberührt lassen.

(35) Den Arbeitnehmern sollte nicht der Schutz entzogen werden, der ihnen durch Bestimmungen gewährt wird, von denen nicht oder nur zu ihrem Vorteil durch Vereinbarung abgewichen werden darf.

(36) Bezogen auf Individualarbeitsverträge sollte die Erbringung der Arbeitsleistung in einem anderen Staat als vorübergehend gelten, wenn von dem Arbeitnehmer erwartet wird, dass er nach seinem Arbeitseinsatz im Ausland seine Arbeit im Herkunftsstaat wieder aufnimmt. Der Abschluss eines neuen Arbeitsvertrags mit dem ursprünglichen Arbeitgeber oder einem Arbeitgeber, der zur selben Unternehmensgruppe gehört wie der ursprüngliche Arbeitgeber, sollte nicht ausschließen, dass der Arbeitnehmer als seine Arbeit vorübergehend in einem anderen Staat verrichtend gilt.

(37) Gründe des öffentlichen Interesses rechtfertigen es, dass die Gerichte der Mitgliedstaaten unter außergewöhnlichen Umständen die Vorbehaltsklausel („ordre public") und Eingriffsnormen anwenden können. Der Begriff „Eingriffsnormen" sollte von dem Begriff „Bestimmungen, von denen nicht durch Vereinbarung abgewichen werden kann", unterschieden und enger ausgelegt werden.

(38) …

(39) Aus Gründen der Rechtssicherheit sollte der Begriff „gewöhnlicher Aufenthalt", insbesondere im Hinblick auf Gesellschaften, Vereine und juristische Personen, eindeutig definiert werden. Im Unterschied zu Artikel 60 Absatz 1 der Verordnung (EG) Nr. 44/2001, der drei Kriterien zur Wahl stellt, sollte sich die Kollisionsnorm auf ein einziges Kriterium beschränken, da es für die Parteien andernfalls nicht möglich wäre, vorherzusehen, welches Recht auf ihren Fall anwendbar ist.

(40) Die Aufteilung der Kollisionsnormen auf zahlreiche Rechtsakte sowie Unterschiede zwischen diesen Normen sollten vermieden werden. Diese Verordnung sollte jedoch die Möglichkeit der Aufnahme von Kollisionsnormen für vertragliche Schuldverhältnisse in Vorschriften des Gemeinschaftsrechts über besondere Gegenstände nicht ausschließen.

Diese Verordnung sollte die Anwendung anderer Rechtsakte nicht ausschließen, die Bestimmungen enthalten, die zum reibungslosen Funktionieren des Binnenmarkts beitragen sollen, soweit sie nicht in Verbindung mit dem Recht angewendet werden können, auf das die Regeln dieser Verordnung verweisen. Die Anwendung der Vorschriften im anzuwendenden Recht, die durch die Bestimmungen dieser Verordnung berufen wurden, sollte nicht die Freiheit des Waren- und Dienstleistungsverkehrs, wie sie in den Rechtsinstrumenten der Gemeinschaft wie der Richtlinie 2000/31/EG des Europäischen Parlaments und des Rates vom 8. Juni 2000 über bestimmte rechtliche Aspekte der Dienste der Informationsgesellschaft, insbesondere des elektronischen Geschäftsverkehrs, im Binnenmarkt („Richtlinie über den elektronischen Geschäftsverkehr")[2] ausgestaltet ist, beschränken.

---

[1] **Amtl. Anm.:** ABl. L 18 vom 21. 1. 1997, S. 1.
[2] **Amtl. Anm.:** ABl. L 178 vom 17. 7. 2000, S. 1.

(41) Um die internationalen Verpflichtungen, die die Mitgliedstaaten eingegangen sind, zu wahren, darf sich die Verordnung nicht auf internationale Übereinkommen auswirken, denen ein oder mehrere Mitgliedstaaten zum Zeitpunkt der Annahme dieser Verordnung angehören. Um den Zugang zu den Rechtsakten zu erleichtern, sollte die Kommission anhand der Angaben der Mitgliedstaaten ein Verzeichnis der betreffenden Übereinkommen im *Amtsblatt der Europäischen Union* veröffentlichen.

(42) Die Kommission wird dem Europäischen Parlament und dem Rat einen Vorschlag unterbreiten, nach welchen Verfahren und unter welchen Bedingungen die Mitgliedstaaten in Einzel- und Ausnahmefällen in eigenem Namen Übereinkünfte mit Drittländern über sektorspezifische Fragen aushandeln und abschließen dürfen, die Bestimmungen über das auf vertragliche Schuldverhältnisse anzuwendende Recht enthalten.

(43) Da das Ziel dieser Verordnung auf Ebene der Mitgliedstaaten nicht ausreichend verwirklicht werden kann und daher wegen des Umfangs und der Wirkungen der Verordnung besser auf Gemeinschaftsebene zu verwirklichen ist, kann die Gemeinschaft im Einklang mit dem in Artikel 5 des Vertrags[1)] niedergelegten Subsidiaritätsprinzip tätig werden. Entsprechend dem ebenfalls in diesem Artikel festgelegten Grundsatz der Verhältnismäßigkeit geht diese Verordnung nicht über das zur Erreichung ihres Ziels erforderliche Maß hinaus.

(44) Gemäß Artikel 3 des Protokolls über die Position des Vereinigten Königreichs und Irlands im Anhang zum Vertrag über die Europäische Union und im Anhang zum Vertrag zur Gründung der Europäischen Gemeinschaft beteiligt sich Irland an der Annahme und Anwendung dieser Verordnung.

(45) Gemäß den Artikeln 1 und 2 und unbeschadet des Artikels 4 des Protokolls über die Position des Vereinigten Königreichs und Irlands im Anhang zum Vertrag über die Europäische Union und zum Vertrag zur Gründung der Europäischen Gemeinschaft beteiligt sich das Vereinigte Königreich nicht an der Annahme dieser Verordnung, die für das Vereinigte Königreich nicht bindend oder anwendbar ist.

(46) Gemäß den Artikeln 1 und 2 des Protokolls über die Position Dänemarks im Anhang zum Vertrag über die Europäische Union und dem Vertrag zur Gründung der Europäischen Gemeinschaft beteiligt sich Dänemark nicht an der Annahme dieser Verordnung, die für Dänemark nicht bindend oder anwendbar ist –

HABEN FOLGENDE VERORDNUNG ERLASSEN:

Kapitel II. Einheitliche Kollisionsnormen

Art. 3 Freie Rechtswahl. (1) [1]Der Vertrag unterliegt dem von den Parteien gewählten Recht. [2]Die Rechtswahl muss ausdrücklich erfolgen oder sich eindeutig aus den Bestimmungen des Vertrags oder aus den Umständen des

1) DVD Nipperdey plus Nr. 850.

Falles ergeben. [3] Die Parteien können die Rechtswahl für ihren ganzen Vertrag oder nur für einen Teil desselben treffen.

(2) [1] Die Parteien können jederzeit vereinbaren, dass der Vertrag nach einem anderen Recht zu beurteilen ist als dem, das zuvor entweder aufgrund einer früheren Rechtswahl nach diesem Artikel oder aufgrund anderer Vorschriften dieser Verordnung für ihn maßgebend war. [2] Die Formgültigkeit des Vertrags im Sinne des Artikels 11 und Rechte Dritter werden durch eine nach Vertragsschluss erfolgende Änderung der Bestimmung des anzuwendenden Rechts nicht berührt.

(3) Sind alle anderen Elemente des Sachverhalts zum Zeitpunkt der Rechtswahl in einem anderen als demjenigen Staat belegen, dessen Recht gewählt wurde, so berührt die Rechtswahl der Parteien nicht die Anwendung derjenigen Bestimmungen des Rechts dieses anderen Staates, von denen nicht durch Vereinbarung abgewichen werden kann.

(4) Sind alle anderen Elemente des Sachverhalts zum Zeitpunkt der Rechtswahl in einem oder mehreren Mitgliedstaaten belegen, so berührt die Wahl des Rechts eines Drittstaats durch die Parteien nicht die Anwendung der Bestimmungen des Gemeinschaftsrechts – gegebenenfalls in der von dem Mitgliedstaat des angerufenen Gerichts umgesetzten Form –, von denen nicht durch Vereinbarung abgewichen werden kann.

(5) Auf das Zustandekommen und die Wirksamkeit der Einigung der Parteien über das anzuwendende Recht finden die Artikel 10, 11 und 13 Anwendung.

Art. 8 Individualarbeitsverträge. (1) [1] Individualarbeitsverträge unterliegen dem von den Parteien nach Artikel 3 gewählten Recht. [2] Die Rechtswahl der Parteien darf jedoch nicht dazu führen, dass dem Arbeitnehmer der Schutz entzogen wird, der ihm durch Bestimmungen gewährt wird, von denen nach dem Recht, das nach den Absätzen 2, 3 und 4 des vorliegenden Artikels mangels einer Rechtswahl anzuwenden wäre, nicht durch Vereinbarung abgewichen werden darf.

(2) [1] Soweit das auf den Arbeitsvertrag anzuwendende Recht nicht durch Rechtswahl bestimmt ist, unterliegt der Arbeitsvertrag dem Recht des Staates, in dem oder andernfalls von dem aus der Arbeitnehmer in Erfüllung des Vertrags gewöhnlich seine Arbeit verrichtet. [2] Der Staat, in dem die Arbeit gewöhnlich verrichtet wird, wechselt nicht, wenn der Arbeitnehmer seine Arbeit vorübergehend in einem anderen Staat verrichtet.

(3) Kann das anzuwendende Recht nicht nach Absatz 2 bestimmt werden, so unterliegt der Vertrag dem Recht des Staates, in dem sich die Niederlassung befindet, die den Arbeitnehmer eingestellt hat.

(4) Ergibt sich aus der Gesamtheit der Umstände, dass der Vertrag eine engere Verbindung zu einem anderen als dem in Absatz 2 oder 3 bezeichneten Staat aufweist, ist das Recht dieses anderen Staates anzuwenden.

Art. 9 Eingriffsnormen. (1) Eine Eingriffsnorm ist eine zwingende Vorschrift, deren Einhaltung von einem Staat als so entscheidend für die Wahrung seines öffentlichen Interesses, insbesondere seiner politischen, sozialen oder wirtschaftlichen Organisation, angesehen wird, dass sie ungeachtet des nach

Maßgabe dieser Verordnung auf den Vertrag anzuwendenden Rechts auf alle Sachverhalte anzuwenden ist, die in ihren Anwendungsbereich fallen.

(2) Diese Verordnung berührt nicht die Anwendung der Eingriffsnormen des Rechts des angerufenen Gerichts.

(3) [1] Den Eingriffsnormen des Staates, in dem die durch den Vertrag begründeten Verpflichtungen erfüllt werden sollen oder erfüllt worden sind, kann Wirkung verliehen werden, soweit diese Eingriffsnormen die Erfüllung des Vertrags unrechtmäßig werden lassen. [2] Bei der Entscheidung, ob diesen Eingriffsnormen Wirkung zu verleihen ist, werden Art und Zweck dieser Normen sowie die Folgen berücksichtigt, die sich aus ihrer Anwendung oder Nichtanwendung ergeben würden.

961. Verordnung (EG) Nr. 864/2007 des Europäischen Parlaments und des Rates vom 11. Juli 2007 über das auf außervertragliche Schuldverhältnisse anzuwendende Recht („Rom II“)

(ABl. Nr. L 199 S. 40, ber. ABl. 2012 Nr. L 310 S. 52)

Celex-Nr. 3 2007 R 0864

– Auszug –[1)]

DAS EUROPÄISCHE PARLAMENT UND DER RAT DER EUROPÄISCHEN UNION –

gestützt auf den Vertrag zur Gründung der Europäischen Gemeinschaft[2)], insbesondere auf Artikel 61 Buchstabe c und Artikel 67,

auf Vorschlag der Kommission,

nach Stellungnahme des Europäischen Wirtschafts- und Sozialausschusses[3)],

gemäß dem Verfahren des Artikels 251 des Vertrags[2)], aufgrund des vom Vermittlungsausschuss am 25. Juni 2007 gebilligten gemeinsamen Entwurfs[4)],

in Erwägung nachstehender Gründe:

(1) Die Gemeinschaft hat sich zum Ziel gesetzt, einen Raum der Freiheit, der Sicherheit und des Rechts zu erhalten und weiterzuentwickeln. Zur schrittweisen Schaffung eines solchen Raums muss die Gemeinschaft im Bereich der justiziellen Zusammenarbeit in Zivilsachen, die einen grenzüberschreitenden Bezug aufweisen, Maßnahmen erlassen, soweit sie für das reibungslose Funktionieren des Binnenmarkts erforderlich sind.

(2) Nach Artikel 65 Buchstabe b des Vertrags[2)] schließen diese Maßnahmen auch solche ein, die die Vereinbarkeit der in den Mitgliedstaaten geltenden Kollisionsnormen und Vorschriften zur Vermeidung von Kompetenzkonflikten fördern.

(3)–(10) . . .

(11) Der Begriff des außervertraglichen Schuldverhältnisses ist von Mitgliedstaat zu Mitgliedstaat verschieden definiert. Im Sinne dieser Verordnung sollte der Begriff des außervertraglichen Schuldverhältnisses daher als autonomer Begriff verstanden werden. Die in dieser Verordnung ent-

---

1) Vollständig wiedergegeben in **NipperdeyDirekt (online)**.

2) **NipperdeyDirekt (online) Nr. 850 a.**

3) **Amtl. Anm.:** ABl. C 241 vom 28. 9. 2004, S. 1.

4) **Amtl. Anm.:** Stellungnahme des Europäischen Parlaments vom 6. Juli 2005 (ABl. C 157 E vom 6. 7. 2006, S. 371), Gemeinsamer Standpunkt des Rates vom 25. September 2006 (ABl. C 289 E vom 28. 11. 2006, S. 68) und Standpunkt des Europäischen Parlaments vom 18. Januar 2007 (noch nicht im Amtsblatt veröffentlicht). Legislative Entschließung des Europäischen Parlaments vom 10. Juli 2007 und Beschluss des Rates vom 28. Juni 2007.

haltenen Regeln des Kollisionsrechts sollten auch für außervertragliche Schuldverhältnisse aus Gefährdungshaftung gelten.

(12) Das anzuwendende Recht sollte auch für die Frage gelten, wer für eine unerlaubte Handlung haftbar gemacht werden kann.

(13)–(26) ...

(27) Die exakte Definition des Begriffs „Arbeitskampfmaßnahmen", beispielsweise Streikaktionen oder Aussperrung, ist von Mitgliedstaat zu Mitgliedstaat verschieden und unterliegt den innerstaatlichen Vorschriften der einzelnen Mitgliedstaaten. Daher wird in dieser Verordnung grundsätzlich davon ausgegangen, dass das Recht des Staates anzuwenden ist, in dem die Arbeitskampfmaßnahmen ergriffen wurden, mit dem Ziel, die Rechte und Pflichten der Arbeitnehmer und der Arbeitgeber zu schützen.

(28) Die Sonderbestimmung für Arbeitskampfmaßnahmen nach Artikel 9 lässt die Bedingungen für die Durchführung solcher Maßnahmen nach nationalem Recht und die im Recht der Mitgliedstaaten vorgesehene Rechtsstellung der Gewerkschaften oder der repräsentativen Arbeitnehmerorganisationen unberührt.

(29) Für Schäden, die aufgrund einer anderen Handlung als aus unerlaubter Handlung, wie ungerechtfertigter Bereicherung, Geschäftsführung ohne Auftrag oder Verschulden bei Vertragsverhandlungen, entstanden sind, sollten Sonderbestimmungen vorgesehen werden.

(30)–(38) ...

(39) Gemäß Artikel 3 des Protokolls über die Position des Vereinigten Königreichs und Irlands im Anhang zum Vertrag über die Europäische Union[1] und im Anhang zum Vertrag zur Gründung der Europäischen Gemeinschaft[2] beteiligen sich das Vereinigte Königreich und Irland an der Annahme und Anwendung dieser Verordnung.

(40) Gemäß den Artikeln 1 und 2 des dem Vertrag über die Europäische Union[1] und dem Vertrag zur Gründung der Europäischen Gemeinschaft[2] beigefügten Protokolls über die Position Dänemarks beteiligt sich Dänemark nicht an der Annahme dieser Verordnung, die für Dänemark nicht bindend oder anwendbar ist –

HABEN FOLGENDE VERORDNUNG ERLASSEN:

Kapitel II. Unerlaubte Handlungen

Art. 9 Arbeitskampfmaßnahmen. Unbeschadet des Artikels 4 Absatz 2 ist auf außervertragliche Schuldverhältnisse in Bezug auf die Haftung einer Person in ihrer Eigenschaft als Arbeitnehmer oder Arbeitgeber oder der Organisationen, die deren berufliche Interessen vertreten, für Schäden, die aus bevorstehenden oder durchgeführten Arbeitskampfmaßnahmen entstanden sind, das Recht des Staates anzuwenden, in dem die Arbeitskampfmaßnahme erfolgen soll oder erfolgt ist.

---

[1] **NipperdeyDirekt (online) Nr. 855 a.**
[2] **NipperdeyDirekt (online) Nr. 850 a.**

XIV.
Internationales Arbeitsrecht (Arbeitsvölkerrecht)

A. Universelles Völkervertragsrecht

1081. Verfassung der Internationalen Arbeitsorganisation[1), 2)]

Präambel

Der Weltfriede kann auf die Dauer nur auf sozialer Gerechtigkeit aufgebaut werden.

Nun bestehen aber Arbeitsbedingungen, die für eine große Anzahl von Menschen mit so viel Ungerechtigkeit, Elend und Entbehrungen verbunden sind, daß eine Unzufriedenheit entsteht, die den Weltfrieden und die Welteintracht gefährdet. Eine Verbesserung dieser Bedingungen ist dringend erforderlich, zum Beispiel durch Regelung der Arbeitszeit, einschließlich der Festsetzung einer Höchstdauer des Arbeitstages und der Arbeitswoche, Regelung des Arbeitsmarktes, Verhütung der Arbeitslosigkeit, Gewährleistung eines zur Bestreitung des Lebensunterhaltes angemessenen Lohnes, Schutz der Arbeitnehmer gegen allgemeine und Berufskrankheiten sowie gegen Arbeitsunfälle, Schutz der Kinder, Jugendlichen und Frauen, Vorsorge für Alter und Invalidität, Schutz der Interessen der im Auslande beschäftigten Arbeitnehmer, Anerkennung des Grundsatzes „gleicher Lohn für gleichwertige Arbeit", Anerkennung des Grundsatzes der Vereinigungsfreiheit, Regelung des beruflichen und technischen Unterrichtes und ähnliche Maßnahmen.

Auch würde die Nichteinführung wirklich menschenwürdiger Arbeitsbedingungen durch eine Nation die Bemühungen anderer Natio-

---

1) Der ursprüngliche, im Jahre 1919 aufgestellte Text der Verfassung ist abgeändert worden im Jahre 1922 mit Wirkung vom 4. 6. 1934, durch Abänderungsurkunde von 1945 mit Wirkung vom 26. 9. 1946, durch Abänderungsurkunde von 1946 mit Wirkung vom 20. April 1948, durch Abänderungsurkunde von 1953 mit Wirkung vom 20. Mai 1954 (Bek. von 22. 3. 1957, BGBl. II S. 317), durch Abänderungsurkunde vom 22. 6. 1962 mit Wirkung vom 22. 5. 1963 (Bek. vom 18. 1. 1964, BGBl. II S. 100) und durch Abänderungsurkunde vom 27. Juni 1972 mit Wirkung vom 1. November 1974 (Bek. vom 21. 11. 1975, BGBl. II S. 2206).

2) Der nachfolgend abgedruckte deutsche Text bildet die im Einvernehmen mit Vertretern der Regierungen der Bundesrepublik Deutschland, der Republik Österreich und der Schweizerischen Eidgenossenschaft auf der im September 1955 in Freudenstadt abgehaltenen Übersetzungskonferenz vereinbarte offizielle Übersetzung der französischen und englischen Urtexte der im Zeitpunkt dieser Konferenz geltenden Verfassung der Internationalen Arbeitsorganisation.

Auf Wunsch der genannten Regierungsvertreter wurden an den verschiedenen früher offiziell bekanntgegebenen deutschen Texten Verbesserungen rein redaktioneller Art vorgenommen. Nach Auffassung der Regierungsvertreter ist der folgende deutsche Text dazu bestimmt, an die Stelle der früher veröffentlichten Übersetzungstexte zu treten.

nen um Verbesserung des Loses der Arbeitnehmer in ihren Ländern hemmen.

Aus allen diesen Gründen und zur Erreichung der in dieser Präambel aufgestellten Ziele stimmen die Hohen Vertragschließenden Teile, geleitet sowohl von den Gefühlen der Gerechtigkeit und Menschlichkeit als auch von dem Wunsche, einen dauernden Weltfrieden zu sichern, der nachstehenden Verfassung der Internationalen Arbeitsorganisation zu.

Kapitel I. Organisation

Art. 1 Gründung. 1. Es wird eine ständige Organisation geschaffen, die dazu berufen ist, an der Verwirklichung des Planes zu arbeiten, der in der Präambel zu dieser Verfassung und der am 10. Mai 1944 in Philadelphia angenommenen und dieser Verfassung als Anlage beigefügten Erklärung über Ziele und Zwecke der Internationalen Arbeitsorganisation dargelegt ist.

Mitgliedschaft. 2. Mitglieder der Internationalen Arbeitsorganisation sind die Staaten, die am 1. November 1945 Mitglieder der Organisation waren, und alle anderen Staaten, die nach den Bestimmungen der Absätze 3 und 4 dieses Artikels Mitglieder werden.

3. Jedes ursprüngliche Mitglied der Vereinten Nationen und jeder durch Beschluß der Generalversammlung nach den Bestimmungen der Charta der Vereinten Nationen als Mitglied aufgenommene Staat kann die Mitgliedschaft bei der Internationalen Arbeitsorganisation durch eine Mitteilung an den Generaldirektor des Internationalen Arbeitsamtes erwerben, worin in aller Form die Übernahme der sich aus der Verfassung der Internationalen Arbeitsorganisation ergebenden Verpflichtungen erklärt wird.

4. Die allgemeine Konferenz der Internationalen Arbeitsorganisation kann auch Mitglieder durch Beschluß einer Mehrheit von zwei Dritteln der auf der Tagung anwesenden Delegierten, einschließlich von zwei Dritteln der anwesenden und an der Abstimmung teilnehmenden Regierungsdelegierten, in die Organisation aufnehmen. Eine solche Aufnahme wird rechtswirksam auf Grund einer Mitteilung der Regierung des neuen Mitgliedes an den Generaldirektor des Internationalen Arbeitsamtes, worin diese in aller Form die Übernahme der sich aus der Verfassung der Internationalen Arbeitsorganisation ergebenden Verpflichtungen erklärt.

Austritt. 5. Kein Mitglied der Internationalen Arbeitsorganisation kann aus der Organisation austreten, ohne zuvor seine Absicht dem Generaldirektor des Internationalen Arbeitsamtes bekanntgegeben zu haben. Eine solche Erklärung tritt zwei Jahre nach dem Tag in Kraft, an dem der Generaldirektor sie erhalten hat, vorausgesetzt, daß das Mitglied in diesem Zeitpunkt alle sich aus seiner Mitgliedschaft ergebenden finanziellen Verpflichtungen erfüllt hat. Hat ein Mitglied ein internationales Arbeitsübereinkommen ratifiziert, so berührt ein solcher Austritt für die im Übereinkommen vorgesehene Dauer nicht die Gültigkeit der Verpflichtungen, die sich aus dem Übereinkommen oder in Verbindung damit ergeben.

Wiederaufnahme. 6. Hat ein Staat aufgehört, Mitglied der Organisation zu sein, so regelt sich seine Wiederaufnahme als Mitglied nach den Bestimmungen von Absatz 3 oder Absatz 4 dieses Artikels.

Art. 2 Organe. Die ständige Organisation umfaßt

a) eine Allgemeine Konferenz von Vertretern der Mitglieder,
b) einen nach Artikel 7 zusammengesetzten Verwaltungsrat,
c) ein Internationales Arbeitsamt unter der Lenkung des Verwaltungsrates.

Art. 3 Allgemeine Konferenz, Tagungen und Delegierte.

1. Die Allgemeine Konferenz von Vertretern der Mitglieder hält je nach Bedarf, aber mindestens einmal jährlich, ihre Tagungen ab. Sie setzt sich aus je vier Vertretern jedes Mitgliedes zusammen. Von diesen sind zwei Regierungsdelegierte; von den zwei anderen vertritt je einer die Arbeitgeber und die Arbeitnehmer jedes Mitgliedes.

Technische Berater. 2. Jedem Delegierten können technische Berater beigegeben werden. Ihre Zahl darf höchstens zwei für jeden einzelnen Gegenstand betragen, der auf der Tagesordnung der Konferenz steht. Sind Fragen, die besonders Frauen angehen, auf der Konferenz zu erörtern, so soll wenigstens eine der als technische Berater bezeichneten Personen eine Frau sein.

Vertretung außerhalb des Mutterlandes gelegener Gebiete.

3. Jedes Mitglied, das für die internationalen Beziehungen von außerhalb des Mutterlandes gelegenen Gebieten verantwortlich ist, kann für jeden seiner Delegierten als zusätzliche technische Berater bezeichnen

a) Personen als Vertreter eines solchen Gebietes für bestimmte Fragen die in den Zuständigkeitsbereich der Behörden dieses Gebietes fallen,
b) Personen als Berater seiner Delegierten für Fragen, die Gebiete betreffen, die sich nicht selbst regieren.

4. Untersteht ein Gebiet der gemeinsamen Hoheit von zwei oder mehr Mitgliedern, so können Personen bezeichnet werden, welche die Delegierten dieser Mitglieder beraten sollen.

Bezeichnung der Nichtregierungsvertreter. 5. Die Mitglieder verpflichten sich, die Delegierten und technischen Berater, die nicht die Regierung vertreten, im Einverständnis mit den maßgebenden Berufsverbänden der Arbeitgeber und der Arbeitnehmer des betreffenden Landes zu bezeichnen, vorausgesetzt, daß solche Verbände bestehen.

Stellung der technischen Berater. 6. Die technischen Berater dürfen nur auf Antrag des Delegierten, dem sie beigeordnet sind, und mit besonderer Genehmigung des Präsidenten der Konferenz das Wort ergreifen. An den Abstimmungen können sie nicht teilnehmen.

7. Ein Delegierter kann durch eine an den Präsidenten gerichtete schriftliche Mitteilung einen seiner technischen Berater als seinen Stellvertreter bezeichnen; der Stellvertreter kann in dieser Eigenschaft an den Beratungen und Abstimmungen teilnehmen.

Vollmachten. 8. Die Namen der Delegierten und ihrer technischer Berater werden dem Internationalen Arbeitsamt durch die Regierung jedes Mitgliedes mitgeteilt.

9. Die Vollmachten der Delegierten und ihrer technischen Berater werden der Konferenz zur Prüfung vorgelegt; diese kann mit einer Mehrheit von zwei Dritteln der von den anwesenden Delegierten abgegebenen Stimmen die Zulassung jedes Delegierten oder technischen Beraters ablehnen, der nach ihrer Auffassung nicht nach den Bestimmungen dieses Artikels bezeichnet worden ist.

Art. 4 Stimmrecht. 1. Jeder Delegierte hat das Recht, über alle der Konferenz unterbreiteten Fragen für seine Person abzustimmen.

2. Unterläßt es ein Mitglied, einen der ihm zustehenden Delegierten, der nicht Regierungsdelegierter ist, zu bezeichnen, so hat der andere Delegierte, der nicht Regierungsdelegierter ist, zwar das Recht, an den Beratungen der Konferenz teilzunehmen, jedoch hat er kein Stimmrecht.

3. Lehnt die Konferenz kraft der ihr durch Artikel 3 übertragenen Befugnis die Zulassung eines Delegierten eines der Mitglieder ab, so sind die Bestimmungen dieses Artikels so anzuwenden, als ob dieser Delegierte nicht bezeichnet worden wäre.

Art. 5 Tagungsort der Konferenz. Die Tagungen der Konferenz finden an dem vom Verwaltungsrat bestimmten Orte statt, sofern die Konferenz nicht schon selbst auf einer früheren Tagung eine Entscheidung hierüber getroffen hat.

Art. 6 Sitz des Internationalen Arbeitsamtes. Zu einer Verlegung des Sitzes des Internationalen Arbeitsamtes bedarf es eines Beschlusses der Konferenz mit einer Mehrheit von zwei Dritteln der von den anwesenden Delegierten abgegebenen Stimmen.

Art. 7 Verwaltungsrat, Zusammensetzung. 1. Der Verwaltungsrat setzt sich aus sechsundfünfzig Personen zusammen, und zwar aus

achtundzwanzig Regierungsvertretern,
vierzehn Arbeitgebervertretern,
vierzehn Arbeitnehmervertretern.

Regierungsvertreter. 2. Von den achtundzwanzig Regierungsvertretern werden vierzehn durch die Mitglieder ernannt, denen wirtschaftlich die größte Bedeutung zukommt, und achtzehn durch die Mitglieder, die zu diesem Zwecke von den zur Konferenz abgeordneten Regierungsdelegierten unter Ausschluß der Delegierten der erwähnten vierzehn Mitglieder bezeichnet worden sind.

Mitglieder, denen wirtschaftlich die größte Bedeutung zukommt. 3. Der Verwaltungsrat bestimmt, jeweils wenn es erforderlich ist, welchen Mitgliedern der Organisation wirtschaftlich die größte Bedeutung zukommt; er stellt Regeln auf, die gewährleisten sollen, daß alle Fragen bezüglich der Bezeichnung der Mitglieder, denen wirtschaftlich die größte Bedeutung zukommt, von einem unparteiischen Ausschuß geprüft werden, bevor der Verwaltungsrat darüber entscheidet. Über jeden Einspruch eines Mitgliedes gegen die Erklärung des Verwaltungsrates, welchen Mitgliedern wirtschaftlich die größte Bedeutung zukommt, entscheidet die Konferenz; jedoch hat ein an die Konferenz gerichteter Einspruch für die Anwendung der Erklärung keine aufschiebende Wirkung, solange die Konferenz keine Entscheidung über den Einspruch getroffen hat.

Arbeitgeber- und Arbeitnehmervertreter. 4. Die Arbeitgebervertreter und die Arbeitnehmervertreter werden von den Arbeitgeberdelegierten beziehungsweise von den Arbeitnehmerdelegierten auf der Konferenz gewählt.

Amtsdauer des Verwaltungsrates. 5. Die Amtsdauer des Verwaltungsrates beträgt drei Jahre. Finden aus irgendeinem Grunde nach Ablauf dieser Zeitspanne keine Neuwahlen statt, so bleibt der Verwaltungsrat im Amt, bis Neuwahlen abgehalten werden.

Freigewordene Sitze, Bezeichnung von Stellvertretern usw. 6. Das Verfahren bei der Besetzung frei gewordener Sitze, die Bezeichnung von Stellvertretern und andere Fragen ähnlicher Art können, vorbehaltlich der Zustimmung der Konferenz, vom Verwaltungsrat geregelt werden.

Vorstand des Verwaltungsrates. 7. Der Verwaltungsrat wählt aus seiner Mitte einen Präsidenten und zwei Vizepräsidenten. Eine dieser drei Personen muß Regierungsvertreter, eine Arbeitgebervertreter und eine Arbeitnehmervertreter sein.

Verfahren. 8. Der Verwaltungsrat stellt seine Geschäftsordnung auf. Er bestimmt den Zeitpunkt seines Zusammentritts. Eine besondere Tagung ist jedesmal abzuhalten, wenn mindestens sechzehn Mitglieder des Verwaltungsrates schriftlich einen entsprechenden Antrag stellen.

Art. 8 Generaldirektor. 1. An der Spitze des Internationalen Arbeitsamtes steht ein Generaldirektor; er wird durch den Verwaltungsrat ernannt, empfängt von ihm seine Anweisungen und ist ihm sowohl für den sachgemäßen Geschäftsgang des Internationalen Arbeitsamtes als auch für die Erfüllung aller anderen ihm etwa anvertrauten Aufgaben verantwortlich.

2. Der Generaldirektor oder sein Vertreter ist bei allen Sitzungen des Verwaltungsrates anwesend.

Art. 9 Personal, Anstellung. 1. Das Personal des Internationalen Arbeitsamtes wird nach den vom Verwaltungsrat gebilligten Regeln durch den Generaldirektor angestellt.

2. Soweit es mit der gebotenen Rücksicht auf die Erzielung möglichst guter Arbeitsleistungen des Amtes vereinbar ist, hat der Generaldirektor Personen verschiedener Staatsangehörigkeit auszuwählen.

3. Eine gewisse Anzahl dieser Personen müssen Frauen sein.

Internationaler Charakter der Aufgaben. 4. Die Aufgaben des Generaldirektors und des Personals haben ausschließlich internationalen Charakter. Der Generaldirektor und das Personal dürfen bei der Erfüllung ihrer Obliegenheiten weder von einer Regierung noch von irgendeiner Stelle außerhalb der Organisation Weisungen einholen oder entgegennehmen. Als internationale Beamte, die ausschließlich der Organisation verantwortlich sind, haben sie sich aller Handlungen zu enthalten, die mit ihrer Stellung unvereinbar sind.

5. Jedes Mitglied der Organisation verpflichtet sich, den ausschließlich internationalen Charakter der Aufgaben des Generaldirektors und des Personals zu achten und sich jedes Versuches, sie bei der Erfüllung ihrer Aufgaben zu beeinflussen, zu enthalten.

Art. 10 Aufgaben des Amtes. 1. Die Aufgaben des Internationalen Arbeitsamtes umfassen die Sammlung und Weiterleitung von Mitteilungen über alle Fragen, die für die internationale Regelung der Lebens- und Arbeitsverhältnisse der Arbeitnehmer Bedeutung haben, und insbesondere die Bearbeitung der Fragen, die der Konferenz zum Zwecke des Abschlusses internationaler Übereinkommen unterbreitet werden sollen, sowie die Durchführung aller von der Konferenz oder vom Verwaltungsrat angeordneten Sonderuntersuchungen.

2. Vorbehaltlich der Richtlinien, die ihm der Verwaltungsrat geben kann, hat das Amt

a) die Unterlagen zu den einzelnen Gegenständen der Tagesordnung der Tagungen der Konferenz vorzubereiten,

b) den Regierungen auf Wunsch und nach Maßgabe seiner Möglichkeiten jede geeignete Hilfe bei der Vorbereitung der Gesetzgebung auf Grund der Beschlüsse der Konferenz und bei der Vervollkommnung der Verwaltungspraxis und der Aufsichtssysteme zu leisten,

c) die Obliegenheiten zu erfüllen, die ihm nach den Bestimmungen dieser Verfassung bezüglich der tatsächlichen Einhaltung der Übereinkommen zufallen,

d) in den vom Verwaltungsrat als zweckdienlich erachteten Sprachen Veröffentlichungen zu verfassen und herauszugeben, die sich mit Wirtschafts- und Arbeitsfragen von internationalem Interesse befassen.

3. Ganz allgemein kommen dem Amt alle sonstigen Befugnisse und Obliegenheiten zu, die ihm die Konferenz oder der Verwaltungsrat etwa überträgt.

Art. 11 Beziehungen mit Regierungen. Die Ministerien der Mitglieder, in deren Zuständigkeit die Arbeitsfragen fallen, können mit dem Generaldirektor durch Vermittlung des Vertreters ihrer Regierung im Verwaltungsrat des Internationalen Arbeitsamtes oder, in Ermangelung eines solchen Vertreters, durch Vermittlung eines anderen dazu geeigneten und von der betreffenden Regierung damit beauftragten Beamten unmittelbaren Geschäftsverkehr unterhalten.

Art. 12 Beziehungen mit internationalen Organisationen.
1. Die Internationale Arbeitsorganisation arbeitet im Rahmen dieser Verfassung mit allen allgemeinen internationalen Organisationen zusammen, die beauftragt sind, die Tätigkeit der mit Sonderaufgaben betrauten Organisationen des internationalen öffentlichen Rechts aufeinander abzustimmen, sowie mit den Organisationen des internationalen öffentlichen Rechts, die Sonderaufgaben auf verwandten Gebieten haben.

2. Die Internationale Arbeitsorganisation kann geeignete Vorkehrungen treffen, damit die Vertreter der Organisationen des internationalen öffentlichen Rechts an ihren Beratungen ohne Stimmrecht teilnehmen.

3. Die Internationale Arbeitsorganisation kann geeignete Vorkehrungen treffen, um nach ihrem Ermessen anerkannte nichtstaatliche internationale Organisationen anzuhören, einschließlich der internationalen Verbände von Arbeitgebern, Arbeitnehmern, Landwirten und Genossenschaftern.

Art. 13 Finanz- und Budgetvereinbarungen. 1. Die Internationale Arbeitsorganisation kann mit den Vereinten Nationen zweckmäßig erscheinende Vereinbarungen über Finanz- und Budgetfragen treffen.

2. Bis zum Abschluß solcher Vereinbarungen oder, falls in irgendeinem Zeitpunkt keine solchen Vereinbarungen in Kraft sind, gilt folgendes:

a) Jedes Mitglied trägt die Reise- und Aufenthaltskosten seiner Delegierten und ihrer technischen Berater sowie seiner Vertreter, die an den Tagungen der Konferenz oder des Verwaltungsrates teilnehmen.

b) Alle anderen Kosten des Internationalen Arbeitsamtes und der Tagungen der Konferenz oder des Verwaltungsrates werden vom Generaldirektor des Internationalen Arbeitsamtes aus dem allgemeinen Budget der Internationalen Arbeitsorganisation bestritten.

c) Die Vorkehrungen zur Genehmigung des Budgets der Internationalen Arbeitsorganisation sowie zur Festsetzung und Einziehung der Beiträge werden von der Konferenz mit einer Mehrheit von zwei Dritteln der von den anwesenden Delegierten abgegebenen Stimmen beschlossen; dabei ist vorzusehen, daß das Budget und die Vorkehrungen zur Umlage der Kosten auf die Mitglieder der Organisation von einem Ausschuß von Regierungsvertretern gebilligt werden.

3. Die Kosten der Internationalen Arbeitsorganisation werden von den Mitgliedern auf Grund der Regelung getragen, die nach Absatz 1 oder Absatz 2 c) dieses Artikels gilt.

Rückständige Beiträge. 4. Ein Mitglied der Organisation, das mit der Zahlung seines Beitrages zu den Kosten der Organisation im Rückstand ist, kann an den Abstimmungen der Konferenz, des Verwaltungsrates oder eines Ausschusses sowie an den Wahlen von Mitgliedern des Verwaltungsrates nicht teilnehmen, wenn der Betrag seiner Zahlungsrückstände dem von ihm für die vorangehenden zwei vollen Jahre geschuldeten Beitrag gleichkommt oder ihn übersteigt. Die Konferenz kann jedoch mit einer Mehrheit von zwei Dritteln der von den anwesenden Delegierten abgegebenen Stimmen ein solches Mitglied ermächtigen, an den Abstimmungen teilzunehmen, wenn sie *feststellt, daß das Versäumnis* auf Umstände zurückzuführen ist, die vom Willen des Mitgliedes unabhängig sind.

Verantwortlichkeit des Generaldirektors für Verwendung der Mittel. 5. Der Generaldirektor des Internationalen Arbeitsamtes ist dem Verwaltungsrat für die Verwendung der Mittel der Internationalen Arbeitsorganisation verantwortlich.

Kapitel II. Verfahren

Art. 14 Tagesordnung der Konferenz. 1. Der Verwaltungsrat bestimmt die Tagesordnung der Tagungen der Konferenz, nachdem er alle Vorschläge geprüft hat, die von der Regierung eines Mitgliedes oder von einem der in Artikel 3 bezeichneten maßgebenden Verbände oder von einer Organisation des internationalen öffentlichen Rechts hierzu vorgebracht worden sind.

Vorbereitung der Konferenzarbeiten. 2. Der Verwaltungsrat stellt Regeln auf, die eine gründliche technische Vorbereitung und angemessene Anhörung der hauptsächlich beteiligten Mitglieder im Weg einer vorbereitenden technischen Tagung oder auf andere geeignete Weise vor der Annahme eines Übereinkommens oder einer Empfehlung durch die Konferenz sicherstellen.

Art. 15 Zustellung der Tagesordnung und der Berichte an die Konferenz. 1. Der Generaldirektor versieht das Amt des Generalsekretärs der Konferenz; er hat die Tagesordnung jeder Tagung vier Monate vor deren Eröffnung allen Mitgliedern und durch ihre Vermittlung den Delegierten, die nicht Regierungsdelegierte sind, zugehen zu lassen, sobald diese bezeichnet sind.

2. Die Berichte über die einzelnen Gegenstände der Tagesordnung sind den Mitgliedern frühzeitig genug zuzustellen, damit ihnen eine angemessene Prüfung vor der Konferenz möglich ist. Der Verwaltungsrat stellt Regeln zur Durchführung dieser Bestimmung auf.

Art. 16 Einspruch gegen die Tagesordnung. 1. Die Regierung jedes Mitgliedes hat das Recht, gegen die Aufnahme eines oder mehrerer der vorgesehenen Gegenstände in die Tagesordnung der Konferenz Einspruch zu erheben. Die Gründe für den Einspruch sind in einer Denkschrift an den Generaldirektor darzulegen, der sie allen Mitgliedern der Organisation zu übermitteln hat.

2. Die beanstandeten Gegenstände bleiben trotzdem auf der Tagesordnung, wenn die Konferenz mit einer Mehrheit von zwei Dritteln der von den anwesenden Delegierten abgegebenen Stimmen dies beschließt.

Aufnahme neuer Gegenstände in die Tagesordnung. 3. Jede Frage, deren Prüfung die Konferenz (anders als im vorstehenden Absatz vorgesehen) ebenfalls mit einer Mehrheit von zwei Dritteln beschließt, ist auf die Tagesordnung der folgenden Tagung zu setzen.

Art. 17 Vorstand der Konferenz, Verfahren und Ausschüsse.

1. Die Konferenz wählt einen Präsidenten und drei Vizepräsidenten. Zu Vizepräsidenten werden ein Regierungsdelegierter, ein Delegierter der Arbeitgeber und ein Delegierter der Arbeitnehmer gewählt. Die Konferenz stellt ihre Geschäftsordnung auf; sie kann Ausschüsse einsetzen, die über alle von ihr als prüfungsbedürftig erachteten Fragen zu berichten haben.

Abstimmung. 2. Die einfache Mehrheit der von den anwesenden Mitgliedern der Konferenz abgegebenen Stimmen ist entscheidend, soweit nicht durch andere Artikel dieser Verfassung oder durch Übereinkommen oder sonstige Urkunden, die der Konferenz Befugnisse übertragen, oder durch die nach Artikel 13 getroffenen Vereinbarungen über Finanz- und Budgetangelegenheiten ausdrücklich eine größere Mehrheit vorgesehen ist.

Beschlußfähigkeit. 3. Die Abstimmung ist ungültig, wenn die Zahl der abgegebenen Stimmen geringer ist als die Hälfte der an der Tagung der Konferenz teilnehmenden Delegierten.

Art. 18 Sachverständige. Die Konferenz kann den von ihr eingesetzten Ausschüssen Sachverständige beigeben, die jedoch nicht stimmberechtigt sind.

Art. 19 Übereinkommen und Empfehlungen, Konferenzbeschlüsse. 1. Erklärt sich die Konferenz für die Annahme von Anträgen, die einen Gegenstand der Tagesordnung betreffen, so hat sie zu bestimmen, ob diese Anträge die Form erhalten sollten a) eines internationalen Übereinkommens oder b) einer Empfehlung, wenn sich der behandelte Gegenstand überhaupt nicht oder unter einem bestimmten Gesichtspunkt nicht für die sofortige Annahme eines Übereinkommens eignet.

Erforderliche Mehrheit. 2. Für die Annahme sowohl eines Übereinkommens als auch einer Empfehlung bedarf es bei der Schlußabstimmung der Konferenz einer Mehrheit von zwei Dritteln der Stimmen der anwesenden Delegierten.

Abänderungen für besondere örtliche Verhältnisse. 3. Bei der Aufstellung eines Übereinkommens oder einer Empfehlung von allgemeiner Geltung hat die Konferenz auf diejenigen Länder Rücksicht zu nehmen, in denen das Klima, die unvollkommene Entwicklung der wirtschaftlichen Organisation oder andere besondere Umstände die Verhältnisse der Wirtschaft wesentlich abweichend gestalten. Sie schlägt in solchen Fällen die Abänderungen vor, die sie angesichts der besonderen Verhältnisse dieser Länder als notwendig erachtet.

Orginalausfertigungen. 4. Zwei Ausfertigungen des Übereinkommens oder der Empfehlung werden vom Präsidenten der Konferenz oder vom Generaldirektor unterzeichnet. Eine Ausfertigung wird im Archiv des Internationalen Arbeitsamtes, die andere beim Generalsekretär der Vereinten Nationen hinterlegt. Der Generaldirektor stellt jedem Mitglied der Internationalen Arbeitsorganisation eine beglaubigte Abschrift des Übereinkommens oder der Empfehlung zu.

Verpflichtungen der Mitglieder hinsichlich der Übereinkommen. 5. Für ein Übereinkommen gelten die folgenden Bestimmungen:

a) Das Übereinkommen wird allen Mitgliedern im Hinblick auf seine Ratifikation mitgeteilt.

b) Jedes Mitglied verpflichtet sich, spätestens ein Jahr nach Schluß der Tagung der Konferenz (oder wenn dies infolge außergewöhnlicher Umstände binnen eines Jahres unmöglich sein sollte, sobald es angängig ist, jedoch keinesfalls später als achtzehn Monate nach Schluß der Tagung der Konferenz) das Übereinkommen der Stelle oder den Stellen, in deren Zuständigkeit die Angelegenheit fällt, im Hinblick auf seine Verwirklichung durch die Gesetzgebung oder durch andere Maßnahmen vorzulegen.

c) Die Mitglieder unterrichten den Generaldirektor des Internationalen Arbeitsamtes über die Maßnahmen, die sie nach diesem Artikel getroffen haben, um das Übereinkommen der zuständigen Stelle oder den zuständigen Stellen vorzulegen; dabei erteilen sie dem Generaldirektor Auskunft über die Stelle oder die Stellen, die als zuständig angesehen werden, und über deren Entscheidungen.

d) Hat ein Mitglied die Zustimmung der zuständigen Stelle oder der zuständigen Stellen erhalten, so teilt es dem Generaldirektor die förmliche Ratifikation des Übereinkommens mit und trifft die erforderlichen Maßnahmen zur Durchführung der Bestimmungen des betreffenden Übereinkommens.

e) Findet ein Übereinkommen nicht die Zustimmung der Stelle oder der Stellen, in deren Zuständigkeit die Angelegenheit fällt, so hat das Mitglied keine weitere Verpflichtung, als dem Generaldirektor des Internationalen Arbeitsamtes in angemessenen, vom Verwaltungsrat festzusetzenden Zeitabständen über den Stand seiner Gesetzgebung und über seine Praxis bezüglich der Fragen zu berichten, die den Gegenstand des Übereinkommens bilden. Dabei gibt es näher an, in welchem Umfange den Bestimmungen des Übereinkommens durch Gesetzgebung, Verwaltungsmaßnahmen, Gesamtarbeitsverträge oder auf andere Weise entsprochen wurde oder entsprochen werden soll, und legt die Schwierigkeiten dar, welche die Ratifikation eines solchen Übereinkommens verhindern oder verzögern.

Verpflichtungen der Mitglieder hinsichtlich der Empfehlungen. 6. Für eine Empfehlung gelten die folgenden Bestimmungen:

a) Die Empfehlung wird allen Mitgliedern zur Prüfung im Hinblick auf ihre Verwirklichung durch die innerstaatliche Gesetzgebung oder in anderer Weise mitgeteilt.

b) Jedes Mitglied verpflichtet sich, spätestens ein Jahr nach Schluß der Tagung der Konferenz (oder, wenn dies infolge außergewöhnlicher Umstände binnen eines Jahres unmöglich sein sollte, sobald es angängig ist, jedoch keinesfalls später als achtzehn Monate nach Schluß der Tagung der Konferenz) die Empfehlung der Stelle oder den Stellen, in deren Zuständigkeit die Angelegenheit fällt, im Hinblick auf ihre Verwirklichung durch die Gesetzgebung oder durch andere Maßnahmen vorzulegen.

c) Die Mitglieder unterrichten den Generaldirektor des Internationalen Arbeitsamtes über die Maßnahmen, die sie nach diesem Artikel getroffen haben, um die Empfehlung der zuständigen Stelle oder den zuständigen Stellen vorzulegen; dabei erteilen sie dem Generaldirektor Auskunft über die Stelle oder die Stellen, die als zuständig angesehen werden, und über deren Entscheidungen.

d) Abgesehen von der Verpflichtung, die Empfehlung der zuständigen Stelle oder den zuständigen Stellen vorzulegen, hat das Mitglied keine weitere Verpflichtung, als dem Generaldirektor des Internationalen Arbeitsamtes in angemessenen, vom Verwaltungsrat festzusetzenden Zeitabständen über den Stand seiner Gesetzgebung und über seine Praxis bezüglich der Fragen zu berichten, die den Gegenstand der Empfehlung bilden. Dabei gibt es näher an, in welchem Umfang den Bestimmungen der Empfehlung entsprochen wurde oder entsprochen werden soll, wobei es die Abänderungen dieser Bestimmungen bezeichnet, die notwendig erscheinen oder erscheinen können, um die Annahme oder Anwendung der Bestimmungen zu ermöglichen.

Verpflichtungen der Bundesstaaten. 7. Handelt es sich um einen Bundesstaat, so gelten die folgenden Bestimmungen:

a) In bezug auf Übereinkommen und Empfehlungen, für welche die Bundesregierung nach ihrem Verfassungssystem eine Bundesmaßnahme für angezeigt erachtet, gelten für den Bundesstaat die gleichen Verpflichtungen wie für die Mitglieder, die nicht Bundesstaaten sind.

b) In bezug auf Übereinkommen und Empfehlungen, für welche die Bundesregierung nach ihrem Verfassungssystem eher eine Maßnahme der Gliedstaaten, der Provinzen oder der Kantone hinsichtlich aller oder bestimmter Punkte als angezeigt erachtet, hat die Bundesregierung

i) im Einklang mit ihrer Verfassung und den Verfassungen der beteiligten Gliedstaaten, Provinzen oder Kantone wirksame Vorkehrungen zu treffen, damit diese Übereinkommen oder Empfehlungen spätestens achtzehn Monate nach Abschluß der Tagung der Konferenz den berufenen Stellen des Bundes oder der Gliedstaaten, der Provinzen oder der Kantone im Hinblick auf ihre Verwirklichung durch die Gesetzgebung oder durch andere Maßnahmen vorgelegt werden,

ii) vorbehaltlich der Zustimmung der Regierungen der beteiligten Gliedstaaten, Provinzen oder Kantone, Maßnahmen für eine regelmäßige Fühlungnahme zwischen den Bundesbehörden einerseits und den Behörden der Gliedstaaten, der Provinzen oder der Kantone andererseits zu treffen mit dem Ziel, innerhalb des Bundesstaates ein aufeinander abgestimmtes Vorgehen herbeizuführen, um die Bestimmungen dieser Übereinkommen und Empfehlungen zu verwirklichen,

iii) den Generaldirektor der Internationalen Arbeitsamtes über die Maßnahmen zu unterrichten, die sie nach diesem Artikel getroffen hat, um diese Übereinkommen und Empfehlungen den berufenen Stellen des Bundes, der Gliedstaaten, der Provinzen oder der Kantone vorzulegen, wobei die Bundesregierung dem Generaldirektor Auskunft erteilt über die Stellen, die als berufen angesehen werden, und über deren Entscheidungen,

iv) in bezug auf jedes dieser Übereinkommen, das sie nicht ratifiziert hat, dem Generaldirektor des Internationalen Arbeitsamtes in angemessenen, vom Verwaltungsrat festzusetzenden Zeitabständen über den Stand der Gesetzgebung und der Praxis des Bundes und seiner Gliedstaaten, Provinzen oder Kantone bezüglich der Fragen zu berichten, die den Gegenstand des Übereinkommens bilden, wobei sie näher angibt, in welchem Umfange den Bestimmungen des Übereinkommens durch Gesetzgebung, Verwaltungsmaßnahmen, Gesamtarbeitsverträge oder auf andere Weise entsprochen wurde oder entsprochen werden soll,

v) in bezug auf jede dieser Empfehlungen dem Generaldirektor des Internationalen Arbeitsamtes in angemessenen, vom Verwaltungsrat festzusetzenden Zeitabständen über den Stand der Gesetzgebung und der Praxis des Bundes und der Gliedstaaten, der Provinzen oder der Kantone bezüglich der Fragen zu berichten, die den Gegenstand der Empfehlung bilden, wobei sie näher angibt, in welchem Umfange den Bestimmungen der Empfehlung entsprochen wurde oder entsprochen werden soll, und die Abänderungen dieser Bestimmungen bezeichnet, die notwendig erscheinen oder erscheinen können, um die Annahme oder Anwendung der Bestimmungen zu ermöglichen.

Auswirkungen der Übereinkommen und Empfehlungen auf bereits gewährte günstigere Bedingungen. 8. In keinem Fall darf die Annahme eines Übereinkommens oder einer Empfehlung durch die Konferenz oder die Ratifikation eines Übereinkommens durch ein Mitglied so ausgelegt werden, als würde dadurch irgendein Gesetz, Rechtsspruch, Gewohnheitsrecht oder Vertrag berührt, die den beteiligten Arbeitnehmer günstigere Bedingungen gewährleisten als sie in dem Übereinkommen oder in der Empfehlung vorgesehen sind.

Art. 20 Eintragung bei den Vereinten Nationen. Jedes so ratifizierte Übereinkommen wird vom Generaldirektor des Internationalen Arbeitsamtes dem Generalsekretär der Vereinten Nationen zwecks Eintragung nach Artikel 102 der Charta der Vereinten Nationen mitgeteilt, bindet aber nur die Mitglieder, die es ratifiziert haben.

Art. 21 Von der Konferenz abgelehnte Entwürfe für Übereinkommen. 1. Enthält der Entwurf eines Übereinkommens bei der endgültigen Gesamtabstimmung nicht die Mehrheit von zwei Dritteln der von den anwesenden Delegierten abgegebenen Stimmen, so steht es den Mitgliedern der Organisation, die dies wünschen, frei, ein besonderes Übereinkommen mit dem gleichen Inhalt abzuschließen.

2. Jedes so abgeschlossene Übereinkommen ist durch die beteiligten Regierungen dem Generaldirektor des Internationalen Arbeitsamtes und dem Generalsekretär der Vereinten Nationen zwecks Eintragung nach Artikel 102 der Charta der Vereinten Nationen mitzuteilen.

Art. 22 Jahresberichte über die ratifizierten Übereinkommen. Jedes Mitglied verpflichtet sich, dem Internationalen Arbeitsamt jährlich einen Bericht über seine Maßnahmen zur Durchführung der Übereinkommen, denen es beigetreten ist, vorzulegen. Die Form dieser Berichte bestimmt der Verwaltungsrat; sie haben die von ihm geforderten Einzelheiten zu enthalten.

Art. 23 Prüfung und Weiterleitung der Berichte. 1. Der Generaldirektor legt der nächstfolgenden Tagung der Konferenz einen zusammenfassenden Auszug aus den ihm von den Mitgliedern nach den Artikel 19 und 22 übermittelten Auskünften und Berichten vor.

2. Jedes Mitglied stellt den für die Zwecke von Artikel 3 als maßgebend *anerkannten Verbänden* eine Abschrift der dem Generaldirektor nach den Artikel 19 und 22 übermittelten Auskünften und Berichte zu.

Art. 24 Beschwerde bezüglich der Durchführung eines Übereinkommens. Richtet ein Berufsverband von Arbeitnehmern oder Arbeitgebern an das Internationale Arbeitsamt eine Beschwerde, daß irgendein Mitglied die Durchführung eines Übereinkommens, dem es beigetreten ist, nicht in befriedigender Weise sichergestellt habe, so kann der Verwaltungsrat sie der betreffenden Regierung übermitteln und diese Regierung einladen, sich in einer ihr geeignet erscheinenden Weise zur Sache zu äußern.

Art. 25 Veröffentlichung der Beschwerde. Geht von der betreffenden Regierung binnen angemessener Frist keine Erklärung ein oder hält der Verwaltungsrat die erhaltene Erklärung nicht für befriedigend, so hat er das Recht, die Beschwerde und gegebenenfalls die Antwort zu veröffentlichen.

Art. 26 Klage bezüglich der Durchführung eines Übereinkommens. 1. Jedes Mitglied kann beim Internationalen Arbeitsamt Klage gegen ein anderes Mitglied einreichen, das nach seiner Ansicht die Durchführung eines von beiden Teilen nach den vorstehenden Artikeln ratifizierten Übereinkommens nicht in befriedigender Weise sicherstellt.

2. Der Verwaltungsrat kann sich, wenn er es für angebracht hält, mit der Regierung, gegen die sich die Klage richtet, auf die in Artikel 24 bezeichnete Weise in Verbindung setzen, bevor er einen Untersuchungsausschuß nach dem weiter unten angegebenen Verfahren mit der Angelegenheit betraut.

3. Hält der Verwaltungsrat nicht für nötig, der betreffenden Regierung die Klage mitzuteilen, oder geht auf seine Mitteilung nicht binnen angemessener Frist eine befriedigende Antwort ein, so kann er einen Untersuchungsausschuß einsetzen, der die strittige Frage zu prüfen und darüber zu berichten hat.

4. Das gleiche Verfahren kann vom Verwaltungsrat entweder von Amts wegen oder auf Grund der Klage eines zur Konferenz entsandten Delegierten angewendet werden.

5. Kommt eine auf Grund der Artikel 25 oder 26 aufgeworfene Frage vor den Verwaltungsrat, so hat er die betreffende Regierung, falls sie nicht schon im Verwaltungsrat vertreten ist, das Recht, einen Vertreter als Teilnehmer an den Beratungen des Verwaltungsrates in dieser Angelegenheit zu entsenden. Der für diese Beratungen bestimmte Zeitpunkt wird der betreffenden Regierung angemessene Zeit vorher mitgeteilt.

Art. 27 Verpflichtung zur Zusammenarbeit mit dem Untersuchungsausschuß. Wird eine Klage nach Artikel 26 an einen Untersuchungsausschuß verwiesen, so ist jedes Mitglied verpflichtet, mag sein Interesse an der Klage ein unmittelbares sein oder nicht, dem Ausschuß zum Gegenstand der Klage alle Aufschlüsse zu geben, über die es verfügt.

Art. 28 Bericht des Untersuchungsausschusses. Nach eingehender Prüfung der Klage verfaßt der Untersuchungssausschuß einen Bericht, worin er seine Feststellungen über sämtliche für den Streitfall bedeutsamen Tatfragen niederlegt, und die ihm geeignet erscheinenden Maßnahmen, die der klagenden Regierung Genüge tun sollen, sowie eine Frist für die Durchführung dieser Maßnahmen empfiehlt.

Art. 29 Weiteres Verfahren auf Grund des Berichtes des Untersuchungsausschusses. 1. Der Generaldirektor des Internationalen Arbeitsamtes teilt den Bericht des Untersuchungsausschusses dem Verwaltungsrat und jeder an dem Streitfall interessierten Regierung mit und veranlaßt seine Veröffentlichung.

2. Jede dieser Regierungen hat dem Generaldirektor des Internationalen Arbeitsamtes binnen drei Monaten mitzuteilen, ob sie die in dem Bericht des Ausschusses enthaltenen Empfehlungen annimmt oder nicht, und falls sie diese nicht annimmt, ob sie den Streitfall dem Internationalen Gerichtshof zu unterbreiten wünscht.

Art. 30 Folgen der Unterlassung der Vorlegung von Übereinkommen oder Empfehlungen an die zuständigen Stellen. Trifft ein Mitglied bezüglich eines Übereinkommens oder einer Empfehlung die nach Artikel 19 Absatz 5b, 6b oder 7bi erforderlichen Maßnahmen nicht, so hat jedes andere Mitglied das Recht, den Verwaltungsrat anzurufen. Findet der Verwaltungsrat, daß das Mitglied die erforderlichen Maßnahmen nicht getroffen hat, so berichtet er darüber an die Konferenz.

Art. 31 Entscheidungen des Internationalen Gerichtshofes. Die Entscheidung des Internationalen Gerichtshofes über eine Klage oder eine ihm nach Artikel 29 unterbreitete Streitfrage ist endgültig.

Art. 32. Etwaige Schlußfolgerungen oder Empfehlungen des Untersuchungsausschusses können vom Internationalen Gerichtshof bestätigt, abgeändert oder aufgehoben werden.

Art. 33 Nichtbeachtung der Empfehlungen des Untersuchungsausschusses oder des Internationalen Gerichtshofes. Befolgt ein Mitglied binnen der vorgeschriebenen Frist die in dem Bericht des Untersuchungsausschusses oder in der Entscheidung des Internationalen Gerichtshofes etwa enthaltenen Empfehlungen nicht, so kann der Verwaltungsrat der Konferenz die Maßnahmen empfehlen, die ihm zur Sicherung der Ausführung dieser Empfehlungen zweckmäßig erscheinen.

Art. 34 Beachtung der Empfehlungen des Untersuchungsausschusses oder des Internationalen Gerichtshofes. Die schuldig befundene Regierung kann jederzeit den Verwaltungsrat davon in Kenntnis setzen, daß sie die nötigen Maßnahmen getroffen hat, um entweder den Empfehlungen des Untersuchungsausschusses oder denen, die in der Entscheidung des Internationalen Gerichtshofes niedergelegt sind, Folge zu leisten, und sie kann den Verwaltungsrat ersuchen, einen Untersuchungsausschuß zur Nachprüfung ihrer Angaben einsetzen zu lassen. In diesem Falle finden die Bestimmungen der Artikel 27, 28, 29, 31 und 32 Anwendung. Fällt der Bericht des Untersuchungsausschusses oder die Entscheidung des Internationalen Gerichtshofes zugunsten der Regierung aus, die schuldig befunden war, so hat der Verwaltungsrat unverzüglich die Einstellung der auf Grund von Artikel 33 getroffenen Maßnahmen zu empfehlen.

Kapitel III. Allgemeine Vorschriften

Art. 35 Anwendung der Übereinkommen auf die außerhalb des Mutterlandes gelegenen Gebiete. 1. Die Mitglieder verpflichten sich, die von ihnen entsprechend den Bestimmungen dieser Verfassung ratifizierten Übereinkommen auf die außerhalb des Mutterlandes gelegenen Gebiete, deren internationale Beziehungen sie wahrnehmen, anzuwenden, einschließlich aller Gebiete, deren Verwaltung ihnen als Treuhändern übertragen ist, es sei denn, daß die in dem Übereinkommen behandelten Fragen in die Zuständigkeit der Behörden des Gebietes fallen oder daß das Übereinkommen wegen der örtlichen Verhältnisse nicht anwendbar ist; dabei bleiben notwendige Abänderungen des Übereinkommens zur Anpassung an die örtlichen Verhältnisse vorgehalten.

2. Jedes Mitglied, das ein Übereinkommen ratifiziert, hat sobald wie möglich nach seiner Ratifikation dem Generaldirektor des Internationalen Arbeitsamtes eine Erklärung darüber zu übermitteln, inwieweit es sich für die anderen als die nachstehend in den Absätzen 4 und 5 behandelten Gebiete zur Durchführung der Bestimmungen des Übereinkommens verpflichtet; diese Erklärung hat alle in dem Übereinkommen vorgeschriebenen Angaben zu enthalten.

3. Jedes Mitglied, das eine Erklärung im Sinne des vorstehenden Absatzes abgegeben hat, kann in den Zeitabständen, die in den Bestimmungen des Übereinkommens vorgesehen sind, eine neue Erklärung abgeben, durch die es den Inhalt früherer Erklärungen abändert und Aufschluß über die Lage der im vorstehenden Absatz bezeichneten Gebiete gibt.

4. Fallen die in dem Übereinkommen behandelten Fragen unter die Zuständigkeit der Behörden eines außerhalb des Mutterlandes gelegenen Gebietes, so hat das für die internationalen Beziehungen dieses Gebietes verantwortliche Mitglied das Übereinkommen sobald wie möglich der Regierung dieses Gebietes mitzuteilen, damit diese Regierung gesetzliche oder andere Maßnahmen treffen kann. In der Folge kann das Mitglied im Einvernehmen mit der Regierung dieses Gebietes dem Generaldirektor des Internationalen Arbeitsamtes eine Erklärung übermitteln, durch welche die Verpflichtungen aus dem Übereinkommen im Namen dieses Gebietes übernommen werden.

5. Eine Erklärung, die Verpflichtungen aus einem Übereinkommen zu übernehmen, kann dem Generaldirektor des Internationalen Arbeitsamtes übermittelt werden

a) von zwei oder mehr Mitgliedern der Organisation für ein ihnen gemeinsam unterstelltes Gebiet,

b) von jeder internationalen Stelle, die für die Verwaltung eines Gebietes auf Grund der Bestimmungen der Charta der Vereinten Nationen oder auf Grund anderer für dieses Gebiet geltenden Bestimmungen verantwortlich ist.

6. Mit der Übernahme der Verpflichtungen aus einem Übereinkommen nach Absatz 4 oder Absatz 5 ist im Namen des betreffenden Gebietes die Übernahme der Verpflichtungen aus den Bestimmungen des Übereinkommens verbunden sowie der Verpflichtungen, die nach der Verfassung der Organisation für ratifizierte Übereinkommen gelten. Jede Erklärung, Verpflichtungen zu übernehmen, kann die Abänderungen der Bestimmungen des Übereinkommens näher bezeichnen, die zu deren Anpassung an die örtlichen Verhältnisse notwendig sind.

7. Jedes Mitglied oder jede internationale Stelle, die eine Erklärung nach Absatz 4 oder Absatz 5 dieses Artikels abgibt, kann in den Zeitabständen, die in den Bestimmungen des Übereinkommens vorgesehen sind, eine neue Erklärung abgeben, die den Inhalt früherer Erklärungen abändert oder die Übernahme der Verpflichtungen aus dem Übereinkommen im Namen des betreffenden Gebietes kündigt.

8. Werden im Namen eines Gebietes, auf das sich Absatz 4 oder Absatz 5 dieses Artikels bezieht, die Verpflichtungen aus einem Übereinkommen

kommen nicht übernommen, so berichten das Mitglied oder die Mitglieder oder die internationale Stelle dem Generaldirektor des Internationalen Arbeitsamtes über die Gesetzgebung und die Praxis in diesem Gebiet bezüglich der im Übereinkommen behandelten Fragen; dabei geben sie an, in welchem Umfang den Bestimmungen des Übereinkommens durch Gesetzgebung, Verwaltungsmaßnahmen, Gesamtarbeitsverträge oder auf andere Weise entsprochen worden ist oder entsprochen werden soll, und legen die Schwierigkeiten dar, welche die Ratifikation eines solchen Übereinkommens verhindern oder verzögern.

Art. 36 Verfassungsänderungen. Abänderungen dieser Verfassung, die von der Konferenz mit einer Mehrheit von zwei Dritteln der Stimmen der anwesenden Delegierten angenommen worden sind, treten in Kraft, sobald zwei Drittel der Mitglieder der Organisation sie ratifiziert oder angenommen haben; dabei müssen diese zwei Drittel fünf der zehn Mitglieder einschließen, die im Verwaltungsrat als Mitglieder vertreten sind und denen nach Artikel 7 Absatz 3 dieser Verfassung wirtschaftlich die größte Bedeutung zukommt.

Art. 37 Auslegung der Verfassung und der Übereinkommen. 1. Alle Fragen oder Schwierigkeiten in der Auslegung dieser Verfassung oder der später von den Mitgliedern nach dieser Verfassung abgeschlossenen Übereinkommen werden dem Internationalen Gerichtshof zur Entscheidung vorgelegt.

2. Ungeachtet der Bestimmungen von Absatz 1 dieses Artikels kann der Verwaltungsrat Regeln aufstellen und der Konferenz zur Genehmigung unterbreiten für die Errichtung eines Gerichtes zur raschen Erledigung von Fragen oder Schwierigkeiten, die sich aus der Auslegung eines Übereinkommens ergeben und dem Gericht vom Verwaltungsrat oder nach den Bestimmungen dieses Übereinkommens vorgelegt werden können. Für jedes auf Grund dieses Absatzes geschaffene Gericht sind die Urteile und Gutachten des Internationalen Gerichtshofes bindend. Jeder Rechtspruch eines solchen Gerichtes wird den Mitgliedern der Organisation mitgeteilt, und jede Bemerkung der Mitglieder hierzu wird der Konferenz vorgelegt.

Art. 38 Regionale Konferenzen. 1. Die Internationale Arbeitsorganisation kann regionale Konferenzen einberufen und regionale Einrichtungen schaffen, die ihr für die Verwirklichung der Ziele und Zwecke der Organisation angezeigt erscheinen.

2. Die Befugnisse, die Aufgaben und das Verfahren der regionalen Konferenzen unterliegen Regeln, die der Verwaltungsrat aufstellt und der Allgemeinen Konferenz zur Bestätigung vorlegt.

Kapitel IV. Verschiedene Vorschriften

Art. 39 Rechtliche Stellung der Organisation. Die Internationale Arbeitsorganisation besitzt volle Rechtspersönlichkeit; insbesondere besitzt sie die Fähigkeit,

a) Verträge abzuschließen,

b) bewegliches und unbewegliches Eigentum zu erwerben und darüber zu verfügen,

c) vor Gericht aufzutreten.

Art. 40 Vorrechte und Immunitäten. 1. Die Internationale Arbeitsorganisation genießt auf dem Gebiete jedes ihrer Mitglieder die Vorrechte und Immunitäten, die zur Verwirklichung ihrer Ziele notwendig sind.

2. Die Delegierten auf der Konferenz, die Mitglieder des Verwaltungsrates sowie der Generaldirektor und die Beamten des Amtes genießen ebenfalls die Vorrechte und Immunitäten, deren sie bedürfen, um in voller Unabhängigkeit ihre in Verbindung mit der Organisation stehenden Aufgaben erfüllen zu können.

3. Diese Vorrechte und Immunitäten werden durch ein besonderes Abkommen, das die Organisation zum Zwecke der Annahme durch die Mitgliedstaaten vorbereitet, näher bestimmt.

Anlage

Erklärung von Philadelphia vom 10. Mai 1944

Erklärung über die Ziele und Zwecke der Internationalen Arbeitsorganisation

Die Allgemeine Konferenz der Internationalen Arbeitsorganisation, die in Philadelphia zu ihrer sechsunzwanzigsten Tagung zusammengetreten ist, nimmt heute, am 10. Mai 1944, diese Erklärung über die Ziele und Zwecke der Internationalen Arbeitsoganisation und über die Grundsätze an, welche die Politik ihrer Mitglieder leiten sollten.

I. Die Konferenz erneuert das Bekenntnis zu den leitenden Grundsätzen, auf die sich die Organisation stützt, und erklärt im besonderen:

a) Arbeit ist keine Ware.

b) Freiheit der Meinungsäußerung und Vereinigungsfreiheit sind wesentliche Voraussetzungen beständigen Fortschritts.

c) Armut, wo immer sie besteht, gefährdet den Wohlstand aller.

d) Der Kampf gegen die Not muß innerhalb jeder Nation und durch ständiges gemeinsames internationales Vorgehen unvermüdlich weitergeführt werden, wobei die Vertreter der Arbeitnehmer und der Arbeitgeber sich gleichberechtigt mit den Vertretern der Regierungen in freier Aussprache und zu demokratischen Entscheidungen zusammenfinden, um das Gemeinwohl zu fördern.

II. Die Konferenz ist davon überzeugt, daß die Erfahrung die Richtigkeit der in der Verfassung der Internationalen Arbeitsorganisation enthaltenden Erklärung voll erwiesen hat, wonach ein Friede auf die Dauer nur auf sozialer Gerechtigkeit aufgebaut werden kann, und bestätigt folgendes:

a) Alle Menschen, ungeachet ihrer Rasse, ihres Glaubens und ihres Geschlechtes, haben das Recht, materiellen Wohlstand und geistige Entwicklung in Freiheit und Würde, in wirtschaftlicher Sicherheit und unter gleichgünstigen Bedingungen zu erstreben.

b) Die Schaffung der hierfür notwendigen Voraussetzungen muß das Hauptziel innerstaatlicher und internationaler Politik sein.

c) Alle innerstaatlichen und internationalen Pläne und Maßnahmen, insbesondere solche wirtschaftlicher und finanzieller Art, sollten unter diesem Gesichtspunkt beurteilt und nur gutgeheißen werden, soweit sie geeignet erscheinen, die Erreichung dieses Hauptzieles zu fördern und nicht zu hindern.

d) Es gehört zu den Aufgaben der Internationalen Arbeitsorganisation, alle internationalen Pläne und Maßnahmen wirtschaftlicher und finanzieller Art unter diesem grundlegenden Gesichtspunkt zu prüfen und in Erwägung zu ziehen.

e) Bei der Erfüllung der ihr übertragenen Aufgaben kann die Internationale Arbeitsorganisation nach Berücksichtigung aller in Betracht kommenden wirtschaftlichen und finanziellen Umstände jede ihr zweckmäßig erscheinende Maßnahme in ihre Entscheidungen und Empfehlungen einbeziehen.

III. Die Konferenz anerkennt die feierliche Verpflichtung der Internationalen Arbeitsorganisation, bei den einzelnen Nationen der Welt Programme zur Erreichung folgender Ziele zu fördern:

a) Vollbeschäftigung und Verbesserung der Lebenshaltung,

b) Beschäftigung der Arbeitnehmer in Berufen, in denen sie die Befriedigung haben können, ihre Fähigkeiten und Kenntnisse in vollem Umfang zu entfalten und das Beste zum Gemeinwohl beizutragen,

c) Vorkehrungen als Mittel zur Erreichung dieses Zieles, um die Ausbildung und den Arbeitsplatzwechsel einschließlich der Wanderungsbewegung zur Erlangung von Beschäftigung und zwecks

Siedlung zu ermöglichen, wobei allen Beteiligten angemessene Sicherheit zu bieten ist,

d) Gewährleistung eines gerechten Anteils aller an den Früchten des Fortschrittes hinsichtlich der Löhne und des Einkommens, der Arbeitszeit und anderer Arbeitsbedingungen sowie eines lebensnotwendigen Mindestlohnes für alle Arbeitnehmer, die eines solchen Schutzes bedürfen,

e) tatsächliche Anerkennung des Rechtes zu Kollektivverhandlungen, Zusammenwirken von Betriebsleitung und Arbeitskräften zur ständigen Steigerung der Produktivität sowie Zusammenarbeit von Arbeitnehmern und Arbeitgebern bei der Vorbereitung und Durchführung sozialer und wirtschaftlicher Maßnahmen,

f) Ausbau von Maßnahmen der sozialen Sicherheit, um allen, die eines solchen Schutzes bedürfen, ein Mindesteinkommen zu sichern, und um umfassende ärztliche Betreuung zu gewährleisten,

g) angemessener Schutz für das Leben und die Gesundheit der Arbeitnehmer bei allen Beschäftigungen,

h) Schutz für Mutter und Kind,

i) angemessene Ernährungs- und Wohnverhältnisse und Möglichkeiten zur Erholung und zur Teilnahme am kulturellen Leben,

j) Gewährleistung gleicher Gelegenheiten in Erziehung und Beruf.

IV. Die Konferenz ist der Überzeugung, daß eine gründlichere und umfassendere Nutzung der Produktionsmittel der Welt, die zur Erreichung der in dieser Erklärung dargelegten Ziele notwendig ist, durch wirksames internationales und innerstaatliches Vorgehen, unter anderem durch Maßnahmen gewährleistet werden kann, die darauf abzielen, Erzeugung und Verbrauch zu steigern, ernstliche Konjunkturschwankungen zu vermeiden, den wirtschaftlichen und sozialen Fortschritt in den weniger entwickelten Gebieten der Welt zu fördern, eine größere Beständigkeit der Rohstoffpreise auf dem Weltmarkt zu sichern und einen ausgedehnten und stetigen Welthandel zu fördern. Die Konferenz erklärt deshalb die volle Bereitschaft der Internationalen Arbeitsorganisation zur Zusammenarbeit mit allen internationalen Körperschaften, denen eine Mitverantwortung für diese große Aufgabe und für die Förderung der Gesundheit, der Erziehung und der Wohlfahrt aller Völker anvertraut ist.

V. Die Konferenz bekräftigt, daß die in dieser Erklärung niedergelegten Grundsätze für alle Völker der Welt volle Geltung haben. Die Art ihrer Anwendung muß sich zwar nach der von jedem Volk erreichten sozialen und wirtschaftlichen Entwicklungsstufe richten, aber ihre fortschreitende Verwirklichung in noch abhängigen Gebieten sowie für Völker, die bereits die Stufe der Selbstregierung erreicht haben, ist Anliegen der gesamten zivilisierten Welt.

1082. Übersicht über Abkommen der Internationalen Arbeitsorganisation[1])

Übereinkommen der Internationalen Arbeitsorganisation (ILO)

- Übereinkommen über die Vereinigungsfreiheit und den Schutz des Vereinigungsrechtes[2]) vom 9. Juli 1948 (BGBl. 1956 II S. 2072, 2073);
- Übereinkommen über die Verfahren zur Festsetzung von Mindestlöhnen in der Landwirtschaft (Nr. 99)[3]) vom 28. Juni 1951 (BGBl. 1953 II S. 294, 295);
- Übereinkommen Nr. 26 der ILO über die Einrichtung von Verfahren zur Festsetzung von Mindestlöhnen[4]) vom 16. Juni 1928 (RGBl. 1929 II S. 375, 376), zuletzt geänd. durch Übk. v. 26.6.1961 (BGBl. II S. 1135);
- Übereinkommen über die Gleichbehandlung von Inländern und Ausländern in der Sozialen Sicherheit[5]) vom 28. Juni 1962 (BGBl. 1970 II S. 802, 803);
- Übereinkommen Nr. 132 der Internationalen Arbeitsorganisation über den bezahlten Jahresurlaub (Neufassung vom Jahre 1970)[6]) vom 24. Juni 1970 (BGBl. 1975 II S. 746);
- Übereinkommen über die Arbeitszeit der Seeleute und die Besatzungsstärke der Schiffe[7]) vom 22. Oktober 1996 (BGBl. 2006 II S. 450);
- Seearbeitsübereinkommen, 2006[8]) vom 23. Februar 2006 (BGBl. 2013 II S. 763, 765), zuletzt geänd. durch Übk v. 5.6.2018 (BGBl. 2020 II S. 703, 704);
- Übereinkommen über menschenwürdige Arbeit für Hausangestellte[9]) vom 16. Juni 2011 (BGBl. 2013 II S. 922, 923).

---

[1]) Die Übersicht ist nichtamtlich. Die Vorschriften sind vollständig wiedergegeben in **beck-online, Module Arbeitsrecht.**

[2]) Nr. **1082a**.

[3]) **beck-online, Module Arbeitsrecht Nr. 1081a.**

[4]) **beck-online, Module Arbeitsrecht Nr. 1081b.**

[5]) **beck-online, Module Arbeitsrecht Nr. 1081c.**

[6]) Nr. **1082b**.

[7]) **beck-online, Module Arbeitsrecht Nr. 1081d.**

[8]) **beck-online, Module Arbeitsrecht Nr. 1081e.**

[9]) **beck-online, Module Arbeitsrecht Nr. 1081f.**

1082a. Übereinkommen Nr. 87 der Internationalen Arbeitsorganisation über die Vereinigungsfreiheit und den Schutz des Vereinigungsrechtes

Vom 9. Juli 1948
(BGBl. 1956 II S. 2072)
geänd. durch Art. 1 ÄndÜbereink v. 26.6.1961 (BGBl. 1963 II S. 1135)

Die Allgemeine Konferenz der Internationalen Arbeitsorganisation,

die vom Verwaltungsrate des Internationalen Arbeitsamtes nach San Francisco einberufen wurde und am 17. Juni 1948 zu ihrer einunddreißigsten Tagung zusammengetreten ist,

hat beschlossen, verschiedene Anträge betreffend die Vereinigungsfreiheit und den Schutz des Vereinigungsrechtes, eine Frage, die den siebenten Gegenstand ihrer Tagesordnung bildet, in der Form eines Übereinkommens anzunehmen.

Davon ausgehend, daß die Präambel zur Verfassung der Internationalen Arbeitsorganisation die „Anerkennung des Grundsatzes der Vereinigungsfreiheit" unter den Mitteln aufzählt, die geeignet sind, die Lage der Arbeitnehmer zu verbessern und den Frieden zu sichern,

daß die Erklärung von Philadelphia erneut bekräftigt hat, daß „die Freiheit der Meinungsäußerung und die Vereinigungsfreiheit unerläßliche Voraussetzungen anhaltenden Fortschrittes sind",

daß die Internationale Arbeitskonferenz auf ihrer dreißigsten Tagung einstimmig die Grundsätze angenommen hat, welche die Grundlage der internationalen Regelung bilden sollen,

daß die allgemeine Versammlung der Vereinten Nationen sich auf ihrer zweiten Tagung diese Grundsätze zu eigen gemacht und die Internationale Arbeitsorganisation ersucht hat, weiterhin alles zu tun, um die Annahme eines oder mehrerer internationaler Übereinkommen zu ermöglichen,

nimmt die Konferenz heute, am 9. Juli 1948, das folgende Übereinkommen an, das als Übereinkommen über die Vereinigungsfreiheit und den Schutz des Vereinigungsrechtes, 1948, bezeichnet wird.

Teil I. Vereinigungsfreiheit

Art. 1 Jedes Mitglied der Internationalen Arbeitsorganisation, für das dieses Übereinkommen in Kraft ist, verpflichtet sich, die folgenden Bestimmungen zur Anwendung zu bringen.

Art. 2 Die Arbeitnehmer und die Arbeitgeber ohne jeden Unterschied haben das Recht, ohne vorherige Genehmigung Organisationen nach eigener Wahl zu bilden und solchen Organisationen beizutreten, wobei lediglich die Bedingung gilt, daß sie deren Satzungen einhalten.

Art. 3 1. Die Organisationen der Arbeitnehmer und der Arbeitgeber haben das Recht, sich Satzungen und Geschäftsordnungen zu geben, ihre Vertreter frei zu wählen, ihre Geschäftsführung und Tätigkeit zu regeln und ihr Programm aufzustellen.

2. Die Behörden haben sich jedes Eingriffes zu enthalten, der geeignet wäre, dieses Recht zu beschränken oder dessen rechtmäßige Ausübung zu behindern.

Art. 4 Die Organisationen der Arbeitnehmer und der Arbeitgeber dürfen im Verwaltungswege weder aufgelöst noch zeitweilig eingestellt werden.

Art. 5 Die Organisationen der Arbeitnehmer und der Arbeitgeber sind berechtigt, Verbände und Zentralverbände zu bilden und sich solchen anzuschließen. Die Organisationen, Verbände und Zentralverbände haben das Recht, sich internationalen Organisationen der Arbeitnehmer und der Arbeitgeber anzuschließen.

Art. 6 Die Bestimmungen der Artikel 2, 3 und 4 finden auf die Verbände und Zentralverbände von Organisationen der Arbeitnehmer und der Arbeitgeber Anwendung.

Art. 7 Der Erwerb der Rechtspersönlichkeit durch Organisationen der Arbeitnehmer und der Arbeitgeber, ihre Verbände und Zentralverbände darf nicht an Bedingungen geknüpft werden, die geeignet sind, die Anwendung der Bestimmungen der Artikel 2, 3 und 4 zu beeinträchtigen.

Art. 8 1. Die Arbeitnehmer und die Arbeitgeber und ihre Organisationen haben sich gleich anderen Personen und organisierten Gemeinschaften bei Ausübung der ihnen durch dieses Übereinkommen zuerkannten Rechte an die Gesetze zu halten.

2. Die in diesem Übereinkommen vorgesehenen Rechte dürfen weder durch die innerstaatliche Gesetzgebung noch durch die Art ihrer Anwendung geschmälert werden.

Art. 9 1. Die innerstaatliche Gesetzgebung bestimmt, inwieweit die in diesem Übereinkommen vorgesehenen Rechte auf das Heer und die Polizei Anwendung finden.

2. Die Ratifikation dieses Übereinkommens durch ein Mitglied läßt bereits bestehende Gesetze, Entscheidungen, Gewohnheiten oder Vereinbarungen, die den Angehörigen des Heeres und der Polizei irgendwelche in diesem Übereinkommen vorgesehenen Rechte einräumen, nach dem Grundsatz des Artikels 19 Absatz 8 der Verfassung der Internationalen Arbeitsorganisation unberührt.

Art. 10 In diesem Übereinkommen bezeichnet der Ausdruck „Organisation“ jede Organisation von Arbeitnehmern oder von Arbeitgebern, welche die Förderung und den Schutz der Interessen der Arbeitnehmer oder der Arbeitgeber zum Ziele hat.

Teil II. Schutz des Vereinigungsrechtes

Art. 11 Jedes Mitglied der Internationalen Arbeitsorganisation, für das dieses Übereinkommen in Kraft ist, verpflichtet sich, alle erforderlichen und geeigneten Maßnahmen zu treffen, um den Arbeitnehmern und den Arbeitgebern die freie Ausübung des Vereinigungsrechtes zu gewährleisten.

Teil III. Verschiedene Bestimmungen

Art. 12 1. Für die in Artikel 35 der Verfassung der Internationalen Arbeitsorganisation in der Fassung der Abänderungsurkunde von 1946 bezeichneten Gebiete, mit Ausnahme der Gebiete nach Absatz 4 und 5 des genannten Artikels in seiner neuen Fassung, hat jedes Mitglied der Organisation, das dieses Übereinkommen ratifiziert, dem Generaldirektor des Internationalen Arbeitsamtes mit seiner Ratifikation oder so bald wie möglich nach der Ratifikation eine Erklärung zu übermitteln, welche die Gebiete bekanntgibt,

a) für die es die Verpflichtung zur unveränderten Durchführung des Übereinkommens übernimmt,

b) für die es die Verpflichtung zur Durchführung der Bestimmungen des Übereinkommens mit Abweichungen übernimmt, unter Angabe der Einzelheiten dieser Abweichungen,

c) in denen das Übereinkommen nicht durchgeführt werden kann, und in diesem Falle die Gründe dafür,

d) für die es sich die Entscheidung vorbehält.

2. Die Verpflichtungen nach Absatz 1a) und b) dieses Artikels gelten als Bestandteil der Ratifikation und haben die Wirkung einer solchen.

3. Jedes Mitglied kann die in der ursprünglichen Erklärung nach Absatz 1b), c) und d) dieses Artikels mitgeteilten Vorbehalte jederzeit durch eine spätere Erklärung ganz oder teilweise zurückziehen.

4. Jedes Mitglied kann dem Generaldirektor zu jedem Zeitpunkt, in dem das Übereinkommen nach Artikel 16 gekündigt werden kann, eine Erklärung übermitteln, durch die der Inhalt jeder früheren Erklärung in sonstiger Weise abgeändert und die in dem betreffenden Zeitpunkt in bestimmten Gebieten bestehende Lage angegeben wird.

Art. 13 1. Fällt der Gegenstand dieses Übereinkommens unter die Selbstregierungsbefugnisse eines außerhalb des Mutterlandes gelegenen Gebietes, so kann das für die internationalen Beziehungen dieses Gebietes verantwortliche Mitglied im Benehmen mit dessen Regierung dem Generaldirektor des Internationalen Arbeitsamtes eine Erklärung übermitteln, durch die es die Verpflichtungen aus diesem Übereinkommen im Namen des betreffenden Gebietes übernimmt.

2. Eine Erklärung betreffend die Übernahme der Verpflichtungen aus diesem Übereinkommen kann dem Generaldirektor des Internationalen Arbeitsamtes übermittelt werden

a) von zwei oder mehr Mitgliedern der Organisation für ein ihnen gemeinsam unterstelltes Gebiet,

b) von jeder nach der Charta der Vereinten Nationen oder auf Grund einer anderen Bestimmung für die Verwaltung eines Gebietes verantwortlichen internationalen Behörde, und zwar für das betreffende Gebiet.

3. In den dem Generaldirektor des Internationalen Arbeitsamtes nach den vorstehenden Absätzen dieses Artikels übermittelten Erklärungen ist anzugeben, ob das Übereinkommen in dem betreffenden Gebiet mit oder ohne Abweichungen durchgeführt wird; teilt die Erklärung mit, daß die Durch-

führung des Übereinkommens mit Abweichungen erfolgt, so sind die Einzelheiten dieser Abweichungen anzugeben.

4. Das beteiligte Mitglied, die beteiligten Mitglieder oder die beteiligte internationale Behörde können jederzeit durch eine spätere Erklärung auf das Recht der Inanspruchnahme jeder in einer früheren Erklärung mitgeteilten Abweichung ganz oder teilweise verzichten.

5. Das beteiligte Mitglied, die beteiligten Mitglieder oder die beteiligte internationale Behörde können dem Generaldirektor zu jedem Zeitpunkt, in dem dieses Übereinkommen nach Artikel 16 gekündigt werden kann, eine Erklärung übermitteln, durch die der Inhalt jeder früheren Erklärung in sonstiger Weise abgeändert und die in dem betreffenden Zeitpunkt bestehende Lage in bezug auf die Durchführung dieses Übereinkommens angegeben wird.

Teil IV. Schlußbestimmungen

Art. 14 Die förmlichen Ratifikationen dieses Übereinkommens sind dem Generaldirektor des Internationalen Arbeitsamtes zur Eintragung mitzuteilen.

Art. 15 1. Dieses Übereinkommen bindet nur diejenigen Mitglieder der Internationalen Arbeitsorganisation, deren Ratifikation durch den Generaldirektor eingetragen ist.

2. Es tritt in Kraft zwölf Monate nachdem die Ratifikationen zweier Mitglieder durch den Generaldirektor eingetragen worden sind.

3. In der Folge tritt dieses Übereinkommen für jedes Mitglied zwölf Monate nach der Eintragung seiner Ratifikation in Kraft.[1)]

Art. 16 1. Jedes Mitglied, das dieses Übereinkommen ratifiziert hat, kann es nach Ablauf von zehn Jahren, gerechnet von dem Tag, an dem es zum erstenmal in Kraft getreten ist, durch Anzeige an den Generaldirektor des Internationalen Arbeitsamtes kündigen. Die Kündigung wird von diesem eingetragen. Ihre Wirkung tritt erst ein Jahr nach der Eintragung ein.

2. Jedes Mitglied, das dieses Übereinkommen ratifiziert hat und innerhalb eines Jahres nach Ablauf des im vorigen Absatz genannten Zeitraumes von zehn Jahren von dem in diesem Artikel vorgesehenen Kündigungsrecht keinen Gebrauch macht, bleibt für einen weiteren Zeitraum von zehn Jahren gebunden. In der Folge kann es dieses Übereinkommen jeweils nach Ablauf eines Zeitraumes von zehn Jahren nach Maßgabe dieses Artikels kündigen.

Art. 17 1. Der Generaldirektor des Internationalen Arbeitsamtes gibt allen Mitgliedern der Internationalen Arbeitsorganisation Kenntnis von der Eintragung aller Ratifikationen, Erklärungen und Kündigungen, die ihm von den Mitgliedern der Organisation mitgeteilt werden.

2. Der Generaldirektor wird die Mitglieder der Organisation, wenn er ihnen von der Eintragung der zweiten Ratifikation, die ihm mitgeteilt wird, Kenntnis gibt, auf den Zeitpunkt aufmerksam machen, in dem dieses Übereinkommen in Kraft tritt.

[1)] Der Bundestag hat dem Übereinkommen durch G v. 20.12.1956 (BGBl. II, S. 2072) zugestimmt. Für die Bundesrepublik Deutschland trat das Abkommen am 20.3.1958 in Kraft (BGBl. II S. 113).

Art. 18 Der Generaldirektor des Internationalen Arbeitsamtes übermittelt dem Generalsekretär der Vereinten Nationen zwecks Eintragung nach Artikel 102 der Charta der Vereinten Nationen vollständige Auskünfte über alle von ihm nach Maßgabe der vorausgehenden Artikel eingetragenen Ratifikationen, Erklärungen und Kündigungen.

Art. 19 Der Verwaltungsrat des Internationalen Arbeitsamtes hat, sooft er es für nötig erachtet, der Allgemeinen Konferenz einen Bericht über die Durchführung dieses Übereinkommens zu erstatten und zu prüfen, ob die Frage seiner gänzlichen oder teilweisen Abänderung auf die Tagesordnung der Konferenz gesetzt werden soll.

Art. 20 1. Nimmt die Konferenz ein neues Übereinkommen an, welches das vorliegende Übereinkommen ganz oder teilweise abändert, und sieht das neue Übereinkommen nichts anderes vor, so gelten folgende Bestimmungen:

a) Die Ratifikation des neugefaßten Übereinkommens durch ein Mitglied schließt ohne weiteres die sofortige Kündigung des vorliegenden Übereinkommens in sich ohne Rücksicht auf Artikel 16, vorausgesetzt, daß das neugefaßte Übereinkommen in Kraft getreten ist.

b) Vom Zeitpunkt des Inkrafttretens des neugefaßten Übereinkommens an kann das vorliegende Übereinkommen von den Mitgliedern nicht mehr ratifiziert werden.

2. Indessen bleibt das vorliegende Übereinkommen nach Form und Inhalt jedenfalls in Kraft für die Mitglieder, die dieses, aber nicht das neugefaßte Übereinkommen ratifiziert haben.

Art. 21 Der französische und der englische Wortlaut dieses Übereinkommens sind in gleicher Weise maßgebend.

1082b. Übereinkommen Nr. 132 der Internationalen Arbeitsorganisation über den bezahlten Jahresurlaub (Neufassung vom Jahre 1970)

vom 24. Juni 1970[1)]
(BGBl. 1975 II S. 746)

Die Allgemeine Konferenz der Internationalen Arbeitsorganisation,

die vom Verwaltungsrat des Internationalen Arbeitsamtes nach Genf einberufen wurde und am 3. Juni 1970 zu ihrer vierundfünfzigsten Tagung zusammengetreten ist,

hat beschlossen, verschiedene Anträge anzunehmen betreffend den bezahlten Urlaub, eine Frage, die den vierten Gegenstand ihrer Tagesordnung bildet, und dabei bestimmt, daß diese Anträge die Form eines internationalen Übereinkommens erhalten sollen.

Die Konferenz nimmt heute, am 24. Juni 1970, das folgende Übereinkommen an, das als Übereinkommen über den bezahlten Urlaub (Neufassung), 1970, bezeichnet wird.

Art. 1 [Durchführungsbestimmungen] Die Bestimmungen dieses Übereinkommens sind durch die innerstaatliche Gesetzgebung durchzuführen, soweit ihre Durchführung nicht durch Gesamtarbeitsverträge, Schiedssprüche, gerichtliche Entscheidungen, amtliche Verfahren zur Lohnfestsetzung oder auf irgendeine andere, den innerstaatlichen Gepflogenheiten entsprechende Art und Weise erfolgt, die unter Berücksichtigung der besonderen Verhältnisse jedes Landes geeignet erscheint.

Art. 2 [Persönlicher Anwendungsbereich] 1. Dieses Übereinkommen gilt für alle Arbeitnehmer mit Ausnahme der Seeleute.

2. Soweit notwendig, können von der zuständigen Stelle oder durch geeignete Verfahren in jedem Land nach Anhörung der beteiligten Arbeitgeber- und Arbeitnehmerverbände, soweit solche bestehen, Maßnahmen getroffen werden, um begrenzte Arbeitnehmergruppen von der Anwendung dieses Übereinkommens auszuschließen, wenn im Hinblick auf die Art ihrer Beschäftigung im Zusammenhang mit der Durchführung oder mit verfassungsrechtlichen oder gesetzgeberischen Fragen besondere Probleme von erheblicher Bedeutung entstehen.

3. Jedes Mitglied, das dieses Übereinkommen ratifiziert, hat in seinem ersten Bericht, den es gemäß Artikel 22 der Verfassung der Internationalen Arbeitsorganisation[2)] über die Durchführung des Übereinkommens vorzulegen hat, die Gruppen anzugeben, die gegebenenfalls auf Grund von Absatz 2 dieses Artikels von der Anwendung ausgeschlossen worden sind, unter Angabe der Gründe für deren Ausschluß, und in den folgenden Berichten den Stand seiner Gesetzgebung und Praxis in bezug auf die ausgeschlossenen Gruppen anzuge-

[1)] Das Übereinkommen wurde für die Bundesrepublik Deutschland ratifiziert durch G v. 30.4.1975 (BGBl. II S. 745) und trat gem. Bek. v. 21.11.1975 (BGBl. II S. 2205) am **1.10.1976** in Kraft.
[2)] Nr. **1081**.

ben und mitzuteilen, in welchem Umfang dem Übereinkommen in bezug auf diese Gruppen entsprochen wurde oder entsprochen werden soll.

Art. 3 [Mindesturlaub] 1. Jede Person, für die dieses Übereinkommen gilt, hat Anspruch auf einen bezahlten Jahresurlaub von einer bestimmten Mindestdauer.

2. Jedes Mitglied, das dieses Übereinkommen ratifiziert, hat in einer seiner Ratifikationsurkunde beigefügten Erklärung die Dauer des Urlaubs anzugeben.

3. Der Urlaub darf auf keinen Fall weniger als drei Arbeitswochen für ein Dienstjahr betragen.

4. Jedes Mitglied, das dieses Übereinkommen ratifiziert hat, kann in der Folge den Generaldirektor des Internationalen Arbeitsamtes durch eine weitere Erklärung davon in Kenntnis setzen, daß es einen längeren Urlaub festlegt, als es im Zeitpunkt der Ratifikation angegeben hat.

Art. 4 [Anteiliger Urlaubsanspruch] 1. Eine Person, deren Dienstzeit während eines bestimmten Jahres kürzer war als die im vorangehenden Artikel für den vollen Anspruch vorgeschriebene Dienstzeit, hat für dieses Jahr Anspruch auf bezahlten Urlaub im Verhältnis zur Dauer ihrer Dienstzeit während dieses Jahres.

2. Der Ausdruck „Jahr" in Absatz 1 dieses Artikels bedeutet Kalenderjahr oder jeden anderen gleich langen Zeitabschnitt, der von der zuständigen Stelle oder durch geeignete Verfahren in dem betreffenden Land bestimmt wird.

Art. 5 [Anspruchsvoraussetzung] 1. Für den Anspruch auf bezahlten Jahresurlaub kann eine Mindestdienstzeit verlangt werden.

2. Die Dauer jeder solchen Mindestdienstzeit ist in dem betreffenden Land von der zuständigen Stelle oder durch geeignete Verfahren zu bestimmen, darf aber sechs Monate nicht überschreiten.

3. Die Art und Weise, wie die Dienstzeit für die Bemessung des Urlaubsanspruchs zu berechnen ist, ist von der zuständigen Stelle oder durch geeignete Verfahren in jedem Land zu bestimmen.

4. Unter Bedingungen, die von der zuständigen Stelle oder durch geeignete Verfahren in jedem Land zu bestimmen sind, sind Arbeitsversäumnisse aus Gründen, die unabhängig vom Willen des beteiligten Arbeitnehmers bestehen, wie z.B. Krankheit, Unfall oder Mutterschaft, als Dienstzeit anzurechnen.

Art. 6 [Anrechnungsverbote] 1. Öffentliche und übliche Feiertage, gleichviel ob sie in die Zeit des Jahresurlaubs fallen oder nicht, sind in den in Artikel 3 Absatz 3 vorgeschriebenen bezahlten Mindestjahresurlaub nicht einzurechnen.

2. Unter Bedingungen, die von der zuständigen Stelle oder durch geeignete Verfahren in jedem Land zu bestimmen sind, dürfen Zeiten der Arbeitsunfähigkeit infolge von Krankheit oder Unfall in den in Artikel 3 Absatz 3 vorgeschriebenen Mindestjahresurlaub nicht eingerechnet werden.

Art. 7 [Lohnanspruch] 1. Jede Person, die den in diesem Übereinkommen vorgesehenen Urlaub nimmt, hat für die ganze Urlaubsdauer mindestens ihr normales oder durchschnittliches Entgelt zu erhalten (einschließlich des Gegenwertes in bar für jeden Teil dieses Entgelts, der aus Sachleistungen besteht, sofern es sich nicht um Dauerleistungen handelt, die ohne Rücksicht darauf weitergewährt werden, ob sich die betreffende Person auf Urlaub befindet oder nicht); dieses Entgelt ist in jedem Land auf eine von der zuständigen Stelle oder durch geeignete Verfahren zu bestimmende Weise zu berechnen.

2. Die nach Absatz 1 dieses Artikels zustehenden Beträgen sind dem betreffenden Arbeitnehmer vor Urlaubsantritt auszuzahlen, sofern in einer für ihn und seinen Arbeitgeber geltenden Vereinbarung nichts anderes vorgesehen ist.

Art. 8 [Teilung des Urlaubs] 1. Die Teilung des bezahlten Jahresurlaubs kann von der zuständigen Stelle oder durch geeignete Verfahren in jedem Land zugelassen werden.

2. Sofern in einer für den Arbeitgeber und den beteiligten Arbeitnehmer geltenden Vereinbarung nichts anderes vorgesehen ist und der beteiligte Arbeitnehmer auf Grund seiner Dienstzeit Anspruch auf eine solche Zeitspanne hat, hat einer der Teile mindestens zwei ununterbrochene Arbeitswochen zu umfassen.

Art. 9 [Fristen] 1. Der in Artikel 8 Absatz 2 dieses Übereinkommens erwähnte ununterbrochene Teil des bezahlten Jahresurlaubs ist spätestens ein Jahr und der übrige Teil des bezahlten Jahresurlaubs spätestens achtzehn Monate nach Ablauf des Jahres, für das der Urlaubsanspruch erworben wurde, zu gewähren und zu nehmen.

2. Jeder Teil des Jahresurlaubs, der eine vorgeschriebene Mindestdauer übersteigt, kann mit der Zustimmung des beteiligten Arbeitnehmers über die in Absatz 1 dieses Artikels angegebene Frist hinaus und bis zu einem festgesetzten späteren Termin aufgeschoben werden.

3. Die Mindestdauer und der Termin, die in Absatz 2 dieses Artikels erwähnt werden, sind von der zuständigen Stelle nach Anhörung der beteiligten Arbeitgeber- und Arbeitnehmerverbände oder durch Kollektivverhandlungen oder auf irgendeine andere, den innerstaatlichen Gepflogenheiten entsprechende Arte und Weise zu bestimmen, die unter Berücksichtigung der besonderen Verhältnisse jedes Landes geeignet erscheint.

Art. 10 [Festsetzung der Urlaubszeit] 1. Wird die Zeit, zu der der Urlaub zu nehmen ist, nicht durch Vorschriften, durch Gesamtarbeitsvertrag, Schiedsspruch oder auf eine andere, den innerstaatlichen Gepflogenheiten entsprechende Art und Weise bestimmt, so ist sie vom Arbeitgeber nach Anhörung des beteiligten Arbeitnehmers oder seiner Vertreter festzusetzen.

2. Bei der Festsetzung der Zeit, zu der der Urlaub zu nehmen ist, sind die Erfordernisse der Arbeit und die Gelegenheiten, die dem Arbeitnehmer zum Ausruhen und zur Erholung zur Verfügung stehen, zu berücksichtigen.

Art. 11 [Urlaubsanspruch bei Beendigung des Arbeitsverhältnisses]

Ein Arbeitnehmer, der eine Mindestdienstzeit zurückgelegt hat, wie sie nach Artikel 5 Absatz 1 dieses Übereinkommens verlangt werden kann, hat bei der Beendigung seines Arbeitsverhältnisses Anspruch auf einen bezahlten Urlaub im Verhältnis zu der Dienstzeit, für die er keinen solchen Urlaub erhalten hat, oder auf eine Urlaubsabgeltung oder ein gleichwertiges Urlaubsguthaben.

Art. 12 [Abdingungsverbot] Jede Vereinbarung über die Abdingung des Anspruchs auf den in Artikel 3 Absatz 3 dieses Übereinkommens vorgeschriebenen bezahlten Mindestjahresurlaub oder über den Verzicht auf diesen Urlaub gegen Entschädigung oder auf irgendeine andere Art hat je nach den Verhältnissen des betreffenden Landes als nichtig zu gelten oder ist zu verbieten.

Art. 13 [Erwerbstätigkeit während des Urlaubs] Von der zuständigen Stelle oder durch geeignete Verfahren in jedem Land können besondere Regelungen für Fälle festgelegt werden, in denen der Arbeitnehmer während des Urlaubs eine Erwerbstätigkeit ausübt, die mit dem Urlaubszweck unvereinbar ist.

Art. 14 [Aufsicht] Es sind mit der Art der Durchführung dieses Übereinkommens im Einklang stehende wirksame Maßnahmen zu treffen, um die ordnungsgemäße Anwendung und Durchsetzung der Vorschriften oder Bestimmungen über den bezahlten Urlaub durch eine angemessene Aufsicht oder durch sonstige Mittel zu gewährleisten.

Art. 15 [Betroffene Personengruppen] 1. Jedes Mitglied kann die Verpflichtungen aus diesem Übereinkommen getrennt übernehmen für

a) Arbeitnehmer in Wirtschaftszweigen außerhalb der Landwirtschaft;
b) Arbeitnehmer in der Landwirtschaft.

2. Jedes Mitglied hat in seiner Ratifikationsurkunde anzugeben, ob es die Verpflichtungen aus dem Übereinkommen für die in Absatz 1 Buchstabe a) dieses Artikels angeführten Personen, für die in Absatz 1 Buchstabe b) dieses Artikels angeführten Personen oder für beide Personengruppen übernimmt.

3. Jedes Mitglied, das bei der Ratifikation die Verpflichtungen aus diesem Übereinkommen entweder nur für die in Absatz 1 Buchstabe a) dieses Artikels angeführten Personen oder nur für die in Absatz 1 Buchstabe b) dieses Artikels angeführten Personen übernommen hat, kann in der Folge dem Generaldirektor des Internationalen Arbeitsamtes mitteilen, daß es die Verpflichtungen aus dem Übereinkommen für alle Personengruppen übernimmt, für die dieses Übereinkommen gilt.

Art. 16 [Änderung der Übereinkommen über den bezahlten Urlaub von 1936 und 1952] Dieses Übereinkommen ändert das Übereinkommen über den bezahlten Urlaub, 1936, und das Übereinkommen über den bezahlten Urlaub (Landwirtschaft), 1952, nach Maßgabe der folgenden Bestimmungen:

a) die Übernahme der Verpflichtungen aus diesem Übereinkommen für Arbeitnehmer in Wirtschaftszweigen außerhalb der Landwirtschaft durch ein Mitglied, das das Übereinkommen über den bezahlten Urlaub, 1936, ratifiziert hat, schließt ohne weiteres die sofortige Kündigung jenes Übereinkommens in sich;
b) die Übernahme der Verpflichtungen aus diesem Übereinkommen für Arbeitnehmer in der Landwirtschaft durch ein Mitglied, das das Übereinkommen über den bezahlten Urlaub (Landwirtschaft), 1952, ratifiziert hat, schließt ohne weiteres die sofortige Kündigung jenes Übereinkommens in sich;
c) das Inkrafttreten dieses Übereinkommens schließt weitere Ratifikationen des Übereinkommens über den bezahlten Urlaub (Landwirtschaft), 1952, nicht aus.

Art. 17 [Mitteilung der Ratifikation] Die förmlichen Ratifikationen dieses Übereinkommens sind dem Generaldirektor des Internationalen Arbeitsamtes zur Eintragung mitzuteilen.

Art. 18 [Inkrafttreten] 1. Dieses Übereinkommen bindet nur diejenigen Mitglieder der Internationalen Arbeitsorganisation, deren Ratifikation durch den Generaldirektor eingetragen ist.

2. Es tritt in Kraft zwölf Monate nachdem die Ratifikationen zweier Mitglieder durch den Generaldirektor eingetragen worden sind.

3. In der Folge tritt dieses Übereinkommen für jedes Mitglied zwölf Monate nach der Eintragung seiner Ratifikation in Kraft.[1)]

Art. 19 [Kündigungsrecht] 1. [1]Jedes Mitglied, das dieses Übereinkommen ratifiziert hat, kann es nach Ablauf von zehn Jahren, gerechnet von dem Tag, an dem es zum erstenmal in Kraft getreten ist, durch Anzeige an den Generaldirektor des Internationalen Arbeitsamtes kündigen. [2]Die Kündigung wird von diesem eingetragen. [3]Ihre Wirkung tritt erst ein Jahr nach der Eintragung ein.

2. [1]Jedes Mitglied, das dieses Übereinkommen ratifiziert hat und innerhalb eines Jahres nach Ablauf des im vorigen Absatz genannten Zeitraumes von zehn Jahren von dem in diesem Artikel vorgesehenen Kündigungsrecht keinen Gebrauch macht, bleibt für einen weiteren Zeitraum von zehn Jahren gebunden. [2]In der Folge kann es dieses Übereinkommen jeweils nach Ablauf eines Zeitraumes von zehn Jahren nach Maßgabe dieses Artikels kündigen.

Art. 20 [Bekanntgabe der Ratifikationen] 1. Der Generaldirektor des Internationalen Arbeitsamtes gibt allen Mitgliedern der Internationalen Arbeitsorganisation Kenntnis von der Eintragung aller Ratifikationen und Kündigungen, die ihm von den Mitgliedern der Organisation mitgeteilt werden.

2. Der Generaldirektor wird die Mitglieder der Organisation, wenn er ihnen von der Eintragung der zweiten Ratifikation, die ihm mitgeteilt wird, Kenntnis gibt, auf den Zeitpunkt aufmerksam machen, in dem dieses Übereinkommen in Kraft tritt.

Art. 21 [Eintragung nach Artikel 102 der Charta der Vereinten Nationen] Der Generaldirektor des Internationalen Arbeitsamtes übermittelt dem Generalsekretär der Vereinten Nationen zwecks Eintragung nach Artikel 102 der Charta der Vereinten Nationen vollständige Auskünfte über alle von ihm nach Maßgabe der vorausgehenden Artikel eingetragenen Ratifikationen und Kündigungen.

Art. 22 [Berichterstattung durch Verwaltungsrat] Der Verwaltungsrat des Internationalen Arbeitsamtes hat, sooft er es für nötig erachtet, der Allgemeinen Konferenz einen Bericht über die Durchführung dieses Übereinkommens zu erstatten und zu prüfen, ob die Frage seiner gänzlichen oder teilweisen Abänderung auf die Tagesordnung der Konferenz gesetzt werden soll.

[1)] Das Übereinkommen ist für die Bundesrepublik Deutschland am **1.10.1976** in Kraft getreten; siehe hierzu die Bek. vom 21.11.1975 (BGBl. II S. 2205).

Art. 23 [Neufassung] 1. Nimmt die Konferenz ein neues Übereinkommen an, welches das vorliegende Übereinkommen ganz oder teilweise abändert, und sieht das neue Übereinkommen nichts anderes vor, so gelten folgende Bestimmungen:

a) Die Ratifikation des neugefaßten Übereinkommens durch ein Mitglied schließt ohne weiteres die sofortige Kündigung des vorliegenden Übereinkommens in sich ohne Rücksicht auf Artikel 19, vorausgesetzt, daß das neugefaßte Übereinkommen in Kraft getreten ist.

b) Vom Zeitpunkt des Inkrafttretens des neugefaßten Übereinkommens an kann das vorliegende Übereinkommen von den Mitgliedern nicht mehr ratifiziert werden.

2. Indessen bleibt das vorliegende Übereinkommen nach Form und Inhalt jedenfalls in Kraft für die Mitglieder, die dieses, aber nicht das neugefaßte Übereinkommen ratifiziert haben.

Art. 24 [Maßgeblicher Wortlaut] Der französische und der englische Wortlaut dieses Übereinkommens sind in gleicher Weise maßgebend.

1086. Gesetz betreffend das Abkommen vom 28. Juli 1951 über die Rechtsstellung der Flüchtlinge

Vom 1. September 1953
(BGBl. II S. 559)

nebst Auszug aus dem **Abkommen über die Rechtsstellung der Flüchtlinge**

Vom 28. Juli 1951
(BGBl. 1953 II S. 560)[1]

a) Gesetz vom 1. September 1953

Art. 1. Dem am 19. November 1951 von dem deutschen Geschäftsträger in Washington für die Bundesrepublik Deutschland unterzeichneten Abkommen über die Rechtsstellung der Flüchtlinge[2] wird zugestimmt.

Art. 2. (1) Das Abkommen wird nachstehend veröffentlicht. Die Bestimmungen des Abkommens erhalten unbeschadet seines Art. 43 einen Monat nach der Verkündigung dieses Gesetzes[3] für die Bundesrepublik Gesetzeskraft.

(2) Der Tag, an dem das Abkommen gemäß Artikel 43 in Kraft tritt, ist im Bundesgesetzblatt bekanntzugeben.[4]

Art. 3. Dieses Gesetz gilt auch im Land Berlin, wenn das Land Berlin die Anwendung dieses Gesetzes feststellt.

Art. 4. Dieses Gesetz tritt am Tage nach der Verkündigung in Kraft.[3]

---

[1] Das Gesetz vom 1. 9. 1953 gilt auch in Berlin mit Wirkung vom 25. 11. 1953; vgl. Gesetz vom 13. 5. 1954 – in Kraft am 22. 5. 1954 – (GVBl. S. 284).

[2] Vgl. Nr. **1086** unter b.

[3] Verkündet am 24. 11. 1953.

[4] Das Abkommen ist am 22. 4. 1954 zwischen der Bundesrepublik Deutschland, Australien, Belgien, Dänemark, Luxemburg und Norwegen in Kraft getreten (vgl. Bek. vom 25. 5. 1954, BGBl. II S. 619); für das Vereinigte Königreich von Großbritannien und Nordirland am 9. 6. 1954, für Monaco am 16. 8. 1954 und für Frankreich am 21. 9. 1954 (vgl. Bek. vom 16. 12. 1954, BGBl. II S. 1204). Vgl. ferner Bek. zum Geltungsbereich alphabetisch aufgelistet im Fundstellennachweis B zum BGBl. II, abgeschlossen am 31. 12. eines jeden Jahres.

b) Aus dem **Abkommen über die Rechtsstellung der Flüchtlinge**

Die Hohen vertragschließenden Teile

in der Erwägung, daß die Satzung der Vereinten Nationen und die am 10. Dezember 1948 von der Generalversammlung angenommene Allgemeine Erklärung der Menschenrechte[1] den Grundsatz bestätigt haben, daß die Menschen ohne Unterschied die Menschenrechte und Grundfreiheiten genießen sollen,

in der Erwägung, daß die Organisation der Vereinten Nationen wiederholt die tiefe Verantwortung zum Ausdruck gebracht hat, die sie für die Flüchtlinge empfindet, und sich bemüht hat, diesen in möglichst großem Umfange die Ausübung der Menschenrechte und der Grundfreiheiten zu sichern,

in der Erwägung, daß es wünschenswert ist, frühere internationale Vereinbarungen über die Rechtsstellung der Flüchtlinge zu revidieren und zusammenzufassen und den Anwendungsbereich dieser Regelungen sowie den dadurch gewährleisteten Schutz durch eine neue Vereinbarung zu erweitern,

in der Erwägung, daß sich aus der Gewährung des Asylrechts nicht zumutbare schwere Belastungen für einzelne Länder ergeben können und daß eine befriedigende Lösung des Problems, dessen internationalen Umfang und Charakter die Organisation der Vereinten Nationen anerkannt hat, ohne internationale Zusammenarbeit unter diesen Umständen nicht erreicht werden kann,

in dem Wunsche, daß alle Staaten in Anerkennung des sozialen und humanitären Charakters des Flüchtlingsproblems alles in ihrer Macht Stehende tun, um zu vermeiden, daß dieses Problem zwischenstaatliche Spannungen verursacht,

in Anerkenntnis dessen, daß dem Hohen Kommissar der Vereinten Nationen für Flüchtlinge die Aufgabe obliegt, die Durchführung der internationalen Abkommen zum Schutze der Flüchtlinge zu überwachen, und daß eine wirksame Koordinierung der zur Lösung dieses Problems getroffenen Maßnahmen von der Zusammenarbeit der Staaten mit dem Hohen Kommissar abhängen wird,

haben folgendes vereinbart:

---

[1] Vgl. Nr. **1151**.

Art. 17 Nichtselbständige Arbeit. 1. Die vertragschließenden Staaten werden hinsichtlich der Ausübung nichtselbständiger Arbeit jedem Flüchtling, der sich rechtmäßig in ihrem Gebiet aufhält, die günstigste Behandlung gewähren, die den Staatsangehörigen eines fremden Landes unter den gleichen Umständen gewährt wird.

2. In keinem Falle werden die einschränkenden Maßnahmen, die für Ausländer oder für die Beschäftigung von Ausländern zum Schutze des eigenen Arbeitsmarktes bestehen, Anwendung auf Flüchtlinge finden, die beim Inkrafttreten dieses Abkommens durch den betreffenden Vertragsstaat bereits davon befreit waren oder eine der folgenden Bedingungen erfüllen:

a) wenn sie sich drei Jahre im Lande aufgehalten haben;

b) wenn sie mit einer Person, die die Staatsangehörigkeit des Aufenthaltslandes besitzt, die Ehe geschlossen haben. Ein Flüchtling kann sich nicht auf die Vergünstigungen dieser Bestimmung berufen, wenn er seinen Ehegatten verlassen hat;

c) wenn sie ein oder mehrere Kinder haben, die die Staatsangehörigkeit des Aufenthaltslandes besitzen.

3. Die vertragschließenden Staaten werden hinsichtlich der Ausübung nichtselbständiger Arbeit Maßnahmen wohlwollend in Erwägung ziehen, um alle Flüchtlinge, insbesondere diejenigen, die im Rahmen eines Programms zur Anwerbung von Arbeitskräften oder eines Einwanderungsplanes in ihr Gebiet gekommen sind, den eigenen Staatsangehörigen rechtlich gleichzustellen.

Art. 24 Arbeitsrecht und soziale Sicherheit. 1. Die vertragschließenden Staaten werden den Flüchtlingen, die sich rechtmäßig in ihrem Gebiet aufhalten, dieselbe Behandlung gewähren, wie ihren Staatsangehörigen, wenn es sich um folgende Angelegenheiten handelt:

a) Lohn einschließlich Familienbeihilfen, wenn diese einen Teil des Arbeitsentgeltes bilden, Arbeitszeit, Überstunden, bezahlten Urlaub, Einschränkungen der Heimarbeit, Mindestalter für die Beschäftigung, Lehrzeit und Berufsausbildung, Arbeit von Frauen und Jugendlichen und Genuß der durch Tarifverträge gebotenen Vergünstigungen, soweit alle diese Fragen durch das geltende Recht geregelt sind oder in die Zuständigkeit der Verwaltungsbehörden fallen;

b) Soziale Sicherheit (gesetzliche Bestimmungen bezüglich der Arbeitsunfälle, der Berufskrankheiten, der Mutterschaft, der Krankheit, der Arbeitsunfähigkeit, des Alters und des Todes, der Arbeitslosigkeit, des Familienunterhalts sowie jedes anderen Wagnisses, das nach dem im betreffenden Land geltenden Recht durch ein System der sozialen Sicherheit gedeckt wird) vorbehaltlich

(i) geeigneter Abmachungen über die Aufrechterhaltung der erworbenen Rechte und Anwartschaften,

(ii) besondere Bestimmungen, die nach dem im Aufenthaltsland geltenden Recht vorgeschrieben sind und die Leistungen oder Teilleistungen betreffen, die ausschließlich aus öffentlichen Mitteln bestrittem werden, sowie Zuwendungen an Personen, die nicht die für die Gewährung einer normalen Rente geforderten Bedingungen der Beitragsleistung erfüllen.

2. Das Recht auf Leistung, das durch den Tod eines Flüchtlings infolge eines Arbeitsunfalles oder einer Berufskrankheit entsteht, wird nicht dadurch berührt, daß sich der Berechtigte außerhalb des Gebietes des vertragschließenden Staates aufhält.

3. Die vertragschließenden Staaten werden auf die Flüchtlinge die Vorteile der Abkommen erstrecken, die sie hinsichtlich der Aufrechterhaltung der erworbenen Rechte und Anwartschaften auf dem Gebiete der sozialen Sicherheit untereinander abgeschlossen haben oder abschließen werden, soweit die Flüchtlinge die Bedingungen erfüllen, die für Staatsangehörige der Unterzeichnerstaaten der in Betracht kommenden Abkommen vorgesehen sind.

4. Die vertragschließenden Staaten werden wohlwollend die Möglichkeit prüfen, die Vorteile ähnlicher Abkommen, die zwischen diesen vertragschließenden Staaten und Nichtvertragsstaaten in Kraft sind oder sein werden, soweit wie möglich auf Flüchtlinge auszudehnen.

1087. Beschluß des Rates des Europäischen Wirtschaftsrates (OEEC) zur Regelung der Beschäftigung von Angehörigen der Mitgliedstaaten[1)]

(Vom Rat angenommen auf seiner 231. Sitzung am 30. Oktober 1953 und geändert auf seiner 243. Sitzung am 5. März 1954, auf seiner 309. Sitzung am 27. Januar 1956 und auf seiner 348. Sitzung am 7. Dezember 1956)

in der Fassung der Bekanntgabe vom 27. Februar 1957 (BundAnz. Nr. 75 S. 2)

Im Hinblick auf Artikel 8 und 13 (a) der Konvention über Europäische Wirtschaftliche Zusammenarbeit vom 16. April 1948;

im Hinblick auf die Empfehlung des Rates vom 28. März 1952 bezüglich der zur Steigerung der Gesamtproduktion der Mitgliedstaaten zu ergreifenden Maßnahmen, inbesondere unter Bezug auf Abschnitt II–5 dieser Empfehlung [C (52) 59 (Schlußfassung)];

im Hinblick auf den Vierten Jahresbericht der Organisation, insbesondere auf Abschnitt 462 dieses Berichtes [C (52) 365];

im Hinblick auf die Empfehlung Nr. 86 der Internationalen Arbeitsorganisation über Wanderarbeiter, insbesondere auf Artikel V, Abschnitt 16 (2) dieser Empfehlung;

im Hinblick auf den Bericht von zwei mit der Prüfung der Arbeitsverwaltung in bestimmten Mitgliedstaaten beauftragten Beratern vom 26. Februar 1953, insbesondere unter Bezug auf Absatz 376 des genannten Berichts [MO (53) 8];

im Hinblick auf den Bericht der Arbeitsgruppe für die Beschäftigungsfreiheit der Arbeitskräfte vom 25. Juni 1953 [MO (53) 25];

im Hinblick auf die Erläuterungen, die zur Frage der Beschäftigung der Flüchtlinge, die als solche erkannt sind und in den Mitgliedsländern wohnen, vom Ausschuß für Arbeitskräfte ausgearbeitet worden sind und auf die sich der Generalsekretär in seinem Memorandum an den Rat vom 6. Februar 1954 [C (54) 45] bezieht;

im Hinblick auf den Bericht des Ausschusses für Arbeitskräfte über die Beschäftigungsfreiheit der Arbeitskräfte vom 14. Oktober 1953 [C (53) 251];

[1)] Als verbindlicher Wortlaut gelten die englische und die französische Fassung des OEEC-Dokuments C (56) 253 vom 20. Dezember 1956; OEEC jetzt „Organisation für wirtschaftliche Zusammenarbeit und Entwicklung" (OECD).

im Hinblick auf den Bericht des Ausschusses für Arbeitskräfte über die Beschäftigungsfreiheit der Arbeitskräfte vom 3. November 1956 [C (56) 241] sowie auf den Bericht seiner Sondergruppe vom 6. Oktober 1956, der vom Ausschuß für Arbeitskräfte am 24. Oktober 1956 gebilligt wurde [MO (56) 29 und Berichtigung];

beschließt der Rat:

1. (a) Sofern in diesem Beschluß keine gegenteiligen Bestimmungen enthalten sind, erteilen die Behörden eines jeden Mitgliedstaates auf Anträge, die in der von diesen Behörden geforderten Form eingereicht werden, die Genehmigung zur Arbeitsaufnahme in ihrem Land für geeignete Arbeitskräfte, die Angehörige eines anderen Mitgliedstaates sind, sobald festgestellt ist, daß im eigenen Land auf dem regulären Arbeitsmarkt keine geeigneten Arbeitskräfte eigener oder fremder Staatsangehörigkeit für die in Frage kommende Beschäftigung verfügbar sind.

(b) Im Sinne dieses Absatzes und vorbehaltlich der Bestimmungen des Unterabsatzes (c) gelten geeignete Arbeitskräfte als im eigenen Land nicht verfügbar, wenn kein geeigneter Bewerber innerhalb einer Frist von höchstens einem Monat zu finden ist; diese Frist rechnet von dem Zeitpunkt ab, in dem der Arbeitgeber die betreffende offene Stelle dem Arbeitsamt oder einer sonstigen hierfür zuständigen amtlich anerkannten Stelle gemeldet und dabei seine Absicht mitgeteilt hat, die Genehmigung zur Beschäftigung eines ausländischen Arbeitnehmers zu beantragen, falls im eigenen Land keine geeigneten Arbeitskräfte verfügbar sind. Hierbei wird stets unterstellt, daß der Arbeitgeber die in diesem Falle üblichen Schritte zur Besetzung der offenen Stelle bereits selbst unternommen hat.

(c) Teilt ein Mitgliedstaat dem Europäischen Wirtschaftsrat mit, daß der in Unterabsatz (b) vorgesehene Zeitraum von einem Monat aus praktischen Gründen zu kurz bemessen ist, so tritt an seine Stelle eine verlängerte Frist, die in der Mitteilung anzugeben ist; sie darf im allgemeinen zwei Monate nicht überschreiten.

2. Ist ein Mitgliedstaat der Auffassung, daß es aus zwingenden wirtschaftspolitischen Gründen gegen sein Interesse verstößt, die Anzahl der Arbeitskräfte in bestimmten Wirtschaftszweigen oder Berufen durch die Zulassung ausländischer Arbeitskräfte zu erhöhen oder auch nur auf ihrem derzeitigen Stand zu halten, findet die in Absatz 1 vorgesehene Verpflichtung zur Erteilung von Genehmigungen für offene Stellen in diesen Wirtschaftszweigen oder Berufen keine Anwendung.

3. Die Behörden eines Mitgliedstaates geben Anträge auf Erneuerung der Arbeitserlaubnis, deren Gültigkeitsdauer abläuft, statt, es sei denn, daß im Einzelfall sich die Beschäftigungslage seit der Erteilung der

ursprünglichen Genehmigung verschlechtert hat und daher die Erneuerung einen einheimischen Arbeitnehmer oder einen ausländischen Arbeitnehmer, der schon länger in dem betreffenden Land ansässig ist, unmittelbar benachteiligen würde.

4. Es besteht keine Verpflichtung zur Erteilung oder Erneuerung von Genehmigungen gemäß den Absätzen 1 und 3:

(a) wenn die angebotenen Löhne und Arbeitsbedingungen weniger günstig sind als diejenigen, die für die gleiche Tätigkeit in dem betreffenden Gebiet oder in dem betreffenden Unternehmen gewährt werden;

(b) wenn die Behörden, gegebenenfalls nach Rückfrage bei den Arbeitgeber- und Arbeitnehmerorganisationen, der Ansicht sind, daß die Erteilung oder Erneuerung dieser Genehmigungen den Arbeitsfrieden gefährden können.

5. Die Behörden eines jeden Mitgliedstaates gewähren den Arbeitnehmern, die seit mindestens fünf Jahren in ihrem Lande ordnungsgemäß beschäftigt sind, die Arbeitserlaubnis, die erforderlich ist, um ihnen die Fortsetzung ihrer Arbeitnehmertätigkeit zu ermöglichen, und zwar entweder im gleichen Beruf oder, soweit in diesem Beruf eine besondere ernsthafte Arbeitslosigkeit herrscht, für einen anderen Beruf. Von dieser Verpflichtung kann nur aus zwingenden Gründen des staatlichen Interesses Abstand genommen werden.

6. Im Hinblick auf die Vorschriften des Artikels V, Absatz 16 (2) der obenbezeichneten Empfehlung der Internationalen Arbeitsorganisation und in der Absicht, in möglichst weitem Ausmaße Arbeitnehmern aus anderen Mitgliedstaaten die Arbeitsaufnahme in ihrem Gebiet zu erleichtern, bleiben die Mitgliedstaaten unter Berücksichtigung ihrer eigenen wirtschaftlichen und sozialen Lage bemüht, die Zahl der Jahre auf ein Mindestmaß herabzusetzen, nach deren Ablauf die Beschränkungen, die der Ausübung einer Tätigkeit gegen Entgelt entgegenstehen, zugunsten dieser Arbeitnehmer aufgehoben werden.

7. Flüchtlinge, die in dem Zeitpunkt, in dem zum erstenmal ein Antrag auf Beschäftigung für sie gestellt wird, in einem anderen Mitgliedstaat amtlich als solche anerkannt sind, sind in Anwendung der Bestimmungen dieses Beschlusses von den Behörden eines jeden Mitgliedstaates in bezug auf die Erteilung und Erneuerung der Arbeitserlaubnis und die Beseitigung entgegenstehender Beschränkungen wie Staatsangehörige dieses anderen Mitgliedstaates zu behandeln; Voraussetzung hierfür ist, daß die Flüchtlinge berechtigt sind, dorthin zurückzukehren.

8. (a) Jeder Mitgliedstaat übermittelt dem Europäischen Wirtschaftsrat jährlich bis zu einem Zeitpunkt, der vom Ausschuß für Arbeits-

kräfte festgesetzt wird, einen Bericht über die Durchführung dieses Beschlusses. In diesem Bericht ist vor allem die Gesamtzahl der Fälle anzugeben, in denen im vorhergehenden Jahr Arbeitsgenehmigungen ausgesprochen oder abgelehnt worden sind. Ferner sind Zahl und Art der Fälle anzugeben, in denen Arbeitsgenehmigungen oder die Erneuerung von Genehmigungen auf Grund der verschiedenen Bestimmungen dieses Beschlusses abgelehnt wurden. Sofern Genehmigungen gemäß den Bestimmungen des vorstehenden Absatzes 2 versagt worden sind, ist in dem Bericht auch die Art der Gründe darzulegen, die zur Ablehnung geführt haben. Soweit statistische Unterlagen im einzelnen nicht vorhanden sind, hat der betreffende Mitgliedstaat dem Europäischen Wirtschaftsrat bestmögliche Angaben zu machen.

(b) In dem in Absatz 8 (a) vorgesehenen Bericht hat jeder Mitgliedstaat gegebenenfalls die Maßnahmen anzugeben, die er gemäß Absatz 6 durchgeführt hat.

(c) In einem Anhang zu dem in Absatz 8 (a) vorgesehenen Bericht hat jeder Mitgliedstaat gegebenenfalls eine Liste der Wirtschaftszweige oder Berufe (im Bedarfsfalle nach Bezirken) beizufügen, für welche die Erteilung der Arbeitserlaubnis ohne vorherige Durchführung der in Absatz 1 (b) vorgesehenen Prüfung erfolgt, sowie Angaben über das hierbei zur Anwendung kommende Verfahren.

(d) Der Generalsekretär übermittelt den Mitgliedstaaten die Mitteilungen und Berichte, die dem Europäischen Wirtschaftsrat gemäß Absatz 1 (c) und diesem Absatz vorgelegt werden.

9. Die Verpflichtungen dieses Beschlusses unterliegen den Beschränkungen, die in den Mitgliedstaaten zur Regelung der Einreise und des Aufenthaltes von Ausländern im Wege der Gesetzgebung oder durch Verwaltungsvorschriften eingeführt und ebenso durch die grundlegenden Erfordernisse des Gesundheitswesens sowie der äußeren und inneren Sicherheit bedingt sind.

10. Die Vorschriften dieses Beschlusses stehen günstigeren Regelungen, die in einzelnen Mitgliedstaaten bereits in Kraft sind oder noch getroffen werden, nicht entgegen.

11. Keine der Bestimmungen dieses Beschlusses verpflichtet die Mitgliedstaaten, Angehörigen eines anderen Mitgliedstaates hinsichtlich ihrer Beschäftigung günstigere Bedingungen als ihren eigenen Staatsangehörigen zu gewähren.

12. Dieser Beschluß findet keine Anwendung auf die kurzfristige Einreise von Angehörigen der freien Berufe oder von Künstlern, auf die Einreise von Gastarbeitnehmern (stagiaires), Seeleuten oder Personen, die auf Grund von „au-pair"-Vereinbarungen beschäftigt werden,

noch auf Stellungen, in denen die Beschäftigung von Ausländern gesetzlich verboten ist.

13. (a) Die Gruppe für die Beschäftigungsfreiheit der Arbeitskräfte besteht aus sieben Mitgliedern, die von den Mitgliedstaaten im Hinblick auf ihre Kenntnisse in Fragen der Arbeitskräfte sowie auf die Stellung, die sie in ihren Verwaltungen einnehmen, benannt werden. Sie werden jedes Jahr vom Rat bestellt und sind nur der eigenen Verantwortung unterworfen. Ihre Wiederbestellung ist möglich. Die Gruppe wählt aus ihren Mitgliedern einen Vorsitzenden und einen stellvertretenden Vorsitzenden.

(b) Jedes Mitglied der Gruppe für die Beschäftigungsfreiheit der Arbeitskräfte benennt sich einen Stellvertreter, dieser kann den Sitzungen der Gruppe beiwohnen und nimmt die Aufgaben eines Mitgliedes wahr, wenn dieses selbst verhindert ist.

(c) Die Gruppe für die Beschäftigungsfreiheit der Arbeitskräfte

aa) prüft die Mitteilungen und Berichte, die dem Europäischen Wirtschaftsrat gemäß den Absätzen 1 (c) und 8 (a) und (b) übermittelt werden. Auf Grund dieser Unterlagen berichtet sie jedes Jahr an den Ausschuß für Arbeitskräfte über die Durchführung der Bestimmungen dieses Beschlusses;

bb) berichtet an den Ausschuß für Arbeitskräfte über jede andere Frage, die ihr in bezug auf diesen Beschluß zur Prüfung vorgelegt wird.

(d) Bei der Prüfung von Unterlagen eines Mitgliedstaates durch die Gruppe für die Beschäftigungsfreiheit der Arbeitskräfte wird dieser aufgefordert, einen Beauftragten zwecks Erläuterung seiner Unterlagen zu entsenden. Beobachter der Mitgliedstaaten können an den Sitzungen der Gruppe teilnehmen, jedoch nicht in die Aussprache eingreifen, es sei denn, daß sie dazu aufgefordert werden.

14. Der Ausschuß für Arbeitskräfte berichtet dem Rat zum Ende eines jeden Jahres über die Durchführung der Bestimmungen dieses Beschlusses und über etwaige Änderungen, die für die Zukunft angebracht erscheinen. Er berücksichtigt hierbei die Berichte, die ihm von der Gruppe für die Beschäftigungsfreiheit der Arbeitskräfte übermittelt werden.

15. Dieser Beschluß findet Anwendung zwischen allen Mitgliedstaaten mit Ausnahme von Portugal und der Türkei.

B. Regionales Völkerverwaltungsrecht, insbesondere für Mitglieder des Europarats

1150. Konvention zum Schutz der Menschenrechte und Grundfreiheiten

In der Fassung der Bekanntmachung vom 22. Oktober 2010[1][2]
(BGBl. II S. 1198)

geänd. durch 15. EMRK-Protokoll[3] v. 24. 6. 2013 (BGBl. 2014 II S. 1034)

–Auszug–[4]

Geltungsbereich der Konvention (Stand: 31. 10. 2010.):

Vertragsparteien	in Kraft am	BGBl. Jahrgang		S.
Albanien	2. 10. 1996	97	II	1738
Andorra	22. 1. 1996	97	II	733
Armenien	26. 4. 2002	03	II	1575
Aserbaidschan	15. 4. 2002	03	II	1575
Belgien	14. 6. 1955	55	II	832
Bosnien und Herzegowina	12. 7. 2002	03	II	1575
Bulgarien	7. 9. 1992	93	II	808
Dänemark	3. 9. 1953	54	II	14
Deutschland	3. 9. 1953	54	II	14
Estland	16. 4. 1996	97	II	733
Finnland	10. 5. 1990	90	II	806
Frankreich	3. 5. 1974	75	II	1346
Georgien	20. 5. 1999	03	II	1575
Griechenland	28. 11. 1974	75	II	1144
Irland	3. 9. 1953	54	II	14
Island	3. 9. 1953	54	II	14
Italien	26. 10. 1955	55	II	926

[1] Neubekanntmachung der Europäischen Menschenrechtskonvention v. 4. 11. 1950 (BGBl. 1952 II S. 685, ber. S. 953) in einer sprachlich überarbeiteten deutschen Übersetzung in der ab 1. 6. 2010 geltenden Fassung.

[2] Internationale Quelle: UNTS Bd. 213 S. 221.

[3] Die Bundesrepublik Deutschland hat dem Protokoll Nr. 15 zur Konvention zum Schutz der Menschenrechte und Grundfreiheiten v. 24. 6. 2013 (BGBl. 2014 II S. 1034, 1035) zugestimmt, vgl. G v. 2. 12. 2014 (BGBl. II S. 1034) v. 2. 12. 2014 (BGBl. II S. 1034). Der Tag des Inkrafttretens ist noch im Bundesgesetzblatt bekannt zu geben.

[4] Vollständig wiedergegeben in **NipperdeyDirekt (online)**.

Vertragsparteien	in Kraft am	BGBl. Jahrgang		S.
Kroatien	5. 11. 1997	98	II	898
Lettland	27. 6. 1997	98	II	898
Liechtenstein	8. 9. 1982	83	II	628
Litauen	20. 6. 1995	97	II	733
Luxemburg	3. 9. 1953	54	II	14
Malta	23. 1. 1967	67	II	2051
Mazdonien, ehem. jugoslawische Republik	10. 4. 1997	97	II	1738
Moldau, Republik	12. 9. 1997	98	II	898
Monaco	30. 11. 2005	09	II	358
Montenegro	6. 6. 2006	09	II	358
Niederlande	31. 8. 1954	54	II	1044
Norwegen	3. 9. 1953	54	II	14
Österreich	3. 9. 1958	59	II	107
Polen	19. 1. 1993	93	II	808
Portugal	9. 11. 1978	79	II	1040
Rumänien	20. 6. 1994	94	II	3623
Russische Föderation	5. 5. 1998	98	II	2932
San Marino	22. 3. 1989	89	II	619
Schweden	3. 9. 1953	54	II	14
Schweiz	28. 11. 1974	75	II	910
Serbien	3. 3. 2004	05	II	87
Slowakei	1. 1. 1993	94	II	352
Slowenien	28. 6. 1994	94	II	3623
Spanien	4. 10. 1979	86	II	78
Tschechiche Republik	1. 1. 1993	94	II	352
Tschechoslowakei, ehem.	18. 3. 1992	92	II	1064
Türkei	18. 5. 1954	54	II	719
Ukraine	11. 9. 1997	98	II	898
Ungarn	5. 11. 1992	93	II	808
Vereinigtes Königreich	3. 9. 1953	54	II	14
Zypern	6. 10. 1962	68	II	847

Die Unterzeichnerregierungen, Mitglieder des Europarats –

in Anbetracht der Allgemeinen Erklärung der Menschenrechte, die am 10. Dezember 1948 von der Generalversammlung der Vereinten Nationen verkündet worden ist;

in der Erwägung, dass diese Erklärung bezweckt, die universelle und wirksame Anerkennung und Einhaltung der in ihr aufgeführten Rechte zu gewährleisten;

in der Erwägung, dass es das Ziel des Europarats ist, eine engere Verbindung zwischen seinen Mitgliedern herzustellen, und dass eines der Mittel zur Erreichung dieses Zieles die Wahrung und Fortentwicklung der Menschenrechte und Grundfreiheiten ist;

in Bekräftigung ihres tiefen Glaubens an diese Grundfreiheiten, welche die Grundlage von Gerechtigkeit und Frieden in der Welt bilden und die am besten durch eine wahrhaft demokratische politische Ordnung sowie durch ein gemeinsames Verständnis und ein gemeinsame Achtung der diesen Grundfreiheiten zugrunde liegenden Menschenrechte gesichert werden;

entschlossen, als Regierungen europäischer Staaten, die vom gleichen Geist beseelt sind und ein gemeinsames Erbe an politischen Überlieferungen, Idealen, Achtung der Freiheit und Rechtsstaatlichkeit besitzen, die ersten Schritte auf dem Weg zu einer kollektiven Garantie bestimmter in der Allgemeinen Erklärung aufgeführter Rechte zu unternehmen –

haben Folgendes vereinbart:

Art. 1 Verpflichtung zur Achtung der Menschenrechte. Die Hohen Vertragsparteien sichern allen ihrer Hoheitsgewalt unterstehenden Personen die in Abschnitt I bestimmten Rechte und Freiheiten zu.

Abschnitt I. Rechte und Freiheiten

Art. 4 Verbot der Sklaverei und der Zwangsarbeit. (1) Niemand darf in Sklaverei oder Leibeigenschaft gehalten werden.

(2) Niemand darf gezwungen werden, Zwangs- oder Pflichtarbeit zu verrichten.

(3) Nicht als Zwangs- oder Pflichtarbeit im Sinne dieses Artikels gilt:

a) eine Arbeit, die üblicherweise von einer Person verlangt wird, der unter den Voraussetzungen des Artikels 5 die Freiheit entzogen oder die bedingt entlassen worden ist;

b) eine Dienstleistung militärischer Art oder eine Dienstleistung, die an die Stelle des im Rahmen der Wehrpflicht zu leistenden Dienstes tritt, in Ländern, wo die Dienstverweigerung aus Gewissensgründen anerkannt ist;

c) eine Dienstleistung, die verlangt wird, wenn Notstände oder Katastrophen das Leben oder das Wohl der Gemeinschaft bedrohen;

d) eine Arbeit oder Dienstleistung, die zu den üblichen Bürgerpflichten gehört.

Art. 10 Freiheit der Meinungsäußerung. (1) [1] Jede Person hat das Recht auf freie Meinungsäußerung. [2] Dieses Recht schließt die Meinungsfreiheit und die Freiheit ein, Informationen und Ideen ohne behördliche Eingriffe und ohne Rücksicht auf Staatsgrenzen zu empfangen und weiterzugeben. [3] Dieser Artikel hindert die Staaten nicht, für Hörfunk-[1)], Fernseh- oder Kinounternehmen eine Genehmigung vorzuschreiben.

[1)] Schweiz und Liechtenstein: Radio.

(2) Die Ausübung dieser Freiheiten ist mit Pflichten und Verantwortung verbunden; sie kann daher Formvorschriften, Bedingungen, Einschränkungen oder Strafdrohungen unterworfen werden, die gesetzlich vorgesehen und in einer demokratischen Gesellschaft notwendig sind für die nationale Sicherheit, die territoriale Unversehrtheit oder die öffentliche Sicherheit, zur Aufrechterhaltung der Ordnung oder zur Verhütung von Straftaten, zum Schutz der Gesundheit oder der Moral, zum Schutz des guten Rufes oder der Rechte anderer, zur Verhinderung der Verbreitung vertraulicher Informationen oder zur Wahrung der Autorität und der Unparteilichkeit der Rechtsprechung.

Art. 11 Versammlungs- und Vereinigungsfreiheit. (1) Jede Person hat das Recht, sich frei und friedlich mit anderen zu versammeln und sich frei mit anderen zusammenzuschließen; dazu gehört auch das Recht, zum Schutz seiner Interessen Gewerkschaften zu gründen und Gewerkschaften beizutreten.

(2) [1] Die Ausübung dieser Rechte darf nur Einschränkungen unterworfen werden, die gesetzlich vorgesehen und in einer demokratischen Gesellschaft notwendig sind für die nationale oder öffentliche Sicherheit, zur Aufrechterhaltung der Ordnung oder zur Verhütung von Straftaten, zum Schutz der Gesundheit oder der Moral oder zum Schutz der Rechte und Freiheiten anderer. [2] Dieser Artikel steht rechtmäßigen Einschränkungen der Ausübung dieser Rechte für Angehörige der Streitkräfte, der Polizei oder der Staatsverwaltung nicht entgegen.

Art. 14 Diskriminierungsverbot. Der Genuss der in dieser Konvention anerkannten Rechte und Freiheiten ist ohne Diskriminierung insbesondere wegen des Geschlechts, der Rasse, der Hautfarbe, der Sprache, der Religion, der politischen oder sonstigen Anschauung, der nationalen oder sozialen Herkunft, der Zugehörigkeit zu einer nationalen Minderheit, des Vermögens, der Geburt oder eines sonstigen Status zu gewährleisten.

1151. Allgemeine Erklärung der Menschenrechte[1)]

Vom 10. Dezember 1948

– Auszug –

Präambel

Da die Anerkennung der allen Mitgliedern der menschlichen Familie innenwohnenden Würde und ihrer gleichen und unveräußerlichen Rechte die Grundlage der Freiheit, der Gerechtigkeit und des Friedens in der Welt bildet,
da Verkennung und Mißachtung der Menschenrechte zu Akten der Barbarei führten, die das Gewissen der Menschheit tief verletzt haben, und da die Schaffung einer Welt, in der den Menschen, frei von Furcht und Not, Rede- und Glaubensfreiheit zuteil wird, als das höchste Bestreben der Menschheit verkündet worden ist,
da es wesentlich ist, die Menschenrechte durch die Herrschaft des Rechtes zu schützen, damit der Mensch nicht zum Aufstand gegen Tyrannei und Unterdrückung als letztem Mittel gezwungen wird,
da es wesentlich ist, die Entwicklung freundschaftlicher Beziehungen zwischen den Nationen zu fördern,
da die Völker der Vereinten Nationen in der Satzung ihren Glauben an die grundlegenden Menschenrechte, an die Würde und den Wert der menschlichen Person und an die Gleichberechtigung von Mann und Frau erneut bekräftigt und beschlossen haben, den sozialen Fortschritt und bessere Lebensbedingungen bei größerer Freiheit zu fördern,
da die Mitgliedstaaten sich verpflichtet haben, in Zusammenarbeit mit den Vereinten Nationen die allgemeine Achtung und Verwirklichung der Menschenrechte und Grundfreiheiten durchzusetzen,
da eine gemeinsame Auffassung über diese Rechte und Freiheiten von größter Wichtigkeit für die volle Erfüllung dieser Verpflichtung ist,

---

[1)] Am 10. 12. 1948 genehmigte und verkündete die Generalversammlung der Vereinten Nationen die Allgemeine Erklärung der Menschenrechte. Im Anschluß an diesen historischen Vorgang ersuchte die Versammlung den Generalsekretär der Vereinten Nationen um „denkbar weiteste Verbreitung der Erklärung und zu diesem Zweck um ihre Veröffentlichung und Verteilung nicht nur in den Amtssprachen, sondern auch, unter Anwendung aller ihm zur Verfügung stehenden Mittel, in möglichst allen anderen Sprachen". – Den offiziellen Wortlaut findet man in den Texten der fünf Amtssprachen der Vereinten Nationen: chinesisch, englisch, französisch, russisch und spanisch. – Der vorstehende Text ist die in Deutschland gebilligte Fassung.

verkündet
die Generalversammlung
die vorliegende allgemeine Erklärung der Menschenrechte

als das von allen Völkern und Nationen zu erreichende und gemeinsame Ideal, damit jeder einzelne und alle Organe der Gesellschaft sich diese Erklärung stets gegenwärtig halten und sich bemühen, durch Unterricht und Erziehung die Achtung dieser Rechte und Freiheiten zu fördern und durch fortschreitende Maßnahmen im nationalen und internationalen Bereiche ihre allgemeine und tatsächliche Anerkennung und Verwirklichung bei der Bevölkerung sowohl der Mitgliedstaaten wie der ihrer Oberhoheit unterstehenden Gebiete zu gewährleisten.

Art. 2. Jeder Mensch hat Anspruch auf die in dieser Erklärung verkündeten Rechte und Freiheiten ohne irgendeine Unterscheidung, wie etwa nach Rasse, Farbe, Geschlecht, Sprache, Religion, politischer oder sonstiger Überzeugung, nationaler oder sozialer Herkunft, nach Eigentum, Geburt oder sonstigen Umständen.

Weiter darf keine Unterscheidung gemacht werden auf Grund der politischen, rechtlichen oder internationalen Stellung des Landes oder Gebietes, dem eine Person angehört, ohne Rücksicht darauf, ob es unabhängig ist, unter Treuhandschaft steht, keine Selbstregierung besitzt oder irgendeiner anderen Beschränkung seiner Souveränität unterworfen ist.

Art. 4. Niemand darf in Sklaverei oder Leibeigenschaft gehalten werden; Sklaverei und Sklavenhandel sind in allen ihren Formen verboten.

Art. 16. (1) ...

(2) ...

(3) Die Familie ist die natürliche und grundlegende Einheit der Gesellschaft und hat Anspruch auf Schutz durch Gesellschaft und Staat.

Art. 17. (1) Jeder Mensch hat allein oder in Gemeinschaft mit anderen Recht auf Eigentum.

(2) Niemand darf willkürlich seines Eigentums beraubt werden.

Art. 20. (1) Jeder Mensch hat das Recht auf Versammlungs- und Vereinigungsfreiheit zu friedlichen Zwecken.

(2) Niemand darf gezwungen werden, einer Vereinigung anzugehören.

Art. 21. (1) …

(2) Jeder Mensch hat unter gleichen Bedingungen das Recht auf Zulassung zu öffentlichen Ämtern in seinem Lande.

(3) …

Art. 22. Jeder Mensch hat als Mitglied der Gesellschaft Recht auf soziale Sicherheit; er hat Anspruch darauf, durch innerstaatliche Maßnahmen und internationale Zusammenarbeit unter Berücksichtigung der Organisation und der Hilfsmittel jedes Staates in den Genuß der für seine Würde und die freie Entwicklung seiner Persönlichkeit unentbehrlichen wirtschaftlichen, sozialen und kulturellen Rechte zu gelangen.

Art. 23. (1) Jeder Mensch hat das Recht auf Arbeit, auf freie Berufswahl, auf angemessene und befriedigende Arbeitsbedingungen sowie auf Schutz gegen Arbeitslosigkeit.

(2) Alle Menschen haben ohne jede unterschiedliche Behandlung das Recht auf gleichen Lohn für gleiche Arbeit.

(3) Jeder Mensch, der arbeitet, hat das Recht auf angemessene und befriedigende Entlohnung, die ihm und seiner Familie eine der menschlichen Würde entsprechende Existenz sichert und die, wenn nötig, durch andere soziale Schutzmaßnahmen zu ergänzen ist.

(4) Jeder Mensch hat das Recht, zum Schutze seiner Interessen Berufsvereinigungen zu bilden und solchen beizutreten.

Art. 24. Jeder Mensch hat Anspruch auf Erholung und Freizeit sowie auf eine vernünftige Begrenzung der Arbeitszeit und auf periodischen, bezahlten Urlaub.

Art. 25. (1) Jeder Mensch hat Anspruch auf eine Lebenshaltung, die seine und seiner Familie Gesundheit und Wohlbefinden, einschließlich Nahrung, Kleidung, Wohnung, ärztlicher Betreuung und der notwendigen Leistungen der sozialen Fürsorge, gewährleistet, er hat das Recht auf Sicherheit im Falle von Arbeitslosigkeit, Krankheit, Invalidität, Verwitwung, Alter oder von anderweitigem Verlust seiner Unterhaltsmittel durch unverschuldete Umstände.

(2) Mutter und Kind haben Anspruch auf besondere Hilfe und Untersützung. Alle Kinder, eheliche und uneheliche, genießen den gleichen sozialen Schutz.

Art. 26. (1) Jeder Mensch hat das Recht auf Bildung. Der Unterricht muß wenigstens in den Elementar- und Grundschulen unentgeltlich sein. Der Elementarunterricht ist obligatorisch. Fachlicher und beruflicher Unterricht soll allgemein zugänglich sein; die höheren Studien sollen allen nach Maßgabe ihrer Fähigkeiten und Leistungen in gleicher Weise offenstehen.

(2) …

(3) …

Art. 28. Jeder Mensch hat Anspruch auf eine soziale und internationale Ordnung, in welcher die in der vorliegenden Erklärung angeführten Rechte und Freiheiten voll verwirklicht werden können.

Art. 29. (1) Jeder Mensch hat Pflichten gegenüber der Gemeinschaft, in der allein die freie und volle Entwicklung seiner Persönlichkeit möglich ist.

(2) Jeder Mensch ist in Ausübung seiner Rechte und Freiheiten nur den Beschränkungen unterworfen, die das Gesetz ausschließlich zu dem Zwecke vorsieht, um die Anerkennung und Achtung der Rechte und Freiheiten der anderen zu gewährleisten und den gerechten Anforderungen der Moral, der öffentlichen Ordnung und der allgemeinen Wohlfahrt in einer demokratischen Gesellschaft zu genügen.

(3) Rechte und Freiheiten dürfen in keinem Fall im Widerspruch zu den Zielen und Grundsätzen der Vereinten Nationen ausgeübt werden.

Art. 30. Keine Bestimmung der vorliegenden Erklärung darf so ausgelegt werden, daß sich daraus für einen Staat, eine Gruppe oder eine Person irgend ein Recht ergibt, eine Tätigkeit auszuüben oder eine Handlung zu setzen, welche auf die Vernichtung der in dieser Erklärung angeführten Rechte und Freiheiten abzielen.

1152. Europäische Sozialcharta[1)]

Vom 18. Oktober 1961
(BGBl. 1964 II S. 1262)[2)]

zuletzt geänd. durch ÄndBek zur Europäischen Sozialcharta v. 3. 9. 2001 (BGBl. II S. 970)

Nichtamtliche Inhaltsübersicht

DIE UNTERZEICHNERREGIERUNGEN, Mitglieder des Europarats,
IN DER ERWÄGUNG, daß es das Ziel des Europarats ist, eine engere Verbindung zwischen seinen Mitgliedern herzustellen, um die Ideale und Grundsätze, die ihr gemeinsames Erbe sind, zu wahren und zu verwirklichen und ihren wirtschaftlichen und sozialen Fortschritt zu fördern, insbesondere durch die Erhaltung und Weiterentwicklung der Menschenrechte und Grundfreiheiten,
IN DER ERWÄGUNG, daß die Mitgliedstaaten des Europarats in der am 4. November 1950 zu Rom unterzeichneten Europäischen Konvention zum Schutz der Menschenrechte und Grundfreiheiten und in dem am 20. März 1952 zu Paris unterzeichneten Zusatzprotokoll übereingekommen sind, ihren Völkern die darin angeführten bürgerlichen und politischen Rechte und Freiheiten zu sichern,
IN DER ERWÄGUNG, daß die Ausübung sozialer Rechte sichergestellt sein muß, und zwar ohne Diskriminierung aus Gründen der Rasse, der Hautfarbe, des Geschlechts, der Religion, der politischen Meinung, der nationalen Abstammung oder der sozialen Herkunft,
IN DEM ENTSCHLUSS, gemeinsam alle Anstrengungen zu unternehmen, um durch geeignete Einrichtungen und Maßnahmen den Lebensstandard

---

[1)] Siehe hierzu das G v. 19. 9. 1964 (BGBl. II S. 1261) sowie die Bek. v. 9. 8. 1965 (BGBl. II S. 1122), wonach die Sozialcharta für die **Bundesrepublik** am 26. 2. 1965 – ausgenommen die Art. 4 Abs. 4, 7 Abs. 1, 8 Abs. 2 und 4, 10 Abs. 4 – in Kraft getreten ist (vgl. Art. 20 der Sozialcharta (Nr. **1152**)). Im übrigen gilt die Sozialcharta – zum Teil mit Vorbehalten – für **Belgien, Dänemark, Finnland, Frankreich, Griechenland, Irland, Island, Italien, Kroatien, Lettland, Luxemburg, Malta, Mazedonien, Niederlande, Norwegen, Österreich, Polen, Portugal, Schweden, Slowakei, Spanien, Tschechische Republik, Türkei, Ungarn, Vereinigtes Königreich** und **Zypern** (zum Inkrafttreten der Europäischen Sozialcharta für die einzelnen Mitgliedstaaten siehe die Beilage zum BGBl. II Fundstellennachweis B, abgeschlossen am 31. 12. jeden Jahres).

[2)] Internationale Quelle: UNTS Bd. 529 S. 89.

ihrer Bevölkerung in Stadt und Land zu verbessern und ihr soziales Wohl zu fördern,
SIND WIE FOLGT ÜBEREINGEKOMMEN:

Teil I. [Grundsätze]

Die Vertragsparteien sind gewillt, mit allen zweckdienlichen Mitteln staatlicher und zwischenstaatlicher Art eine Politik zu verfolgen, die darauf abzielt, geeignete Voraussetzungen zu schaffen, damit die tatsächliche Ausübung der folgenden Rechte und Grundsätze gewährleistet ist:

1. Jedermann muß die Möglichkeit haben, seinen Lebensunterhalt durch eine frei übernommene Tätigkeit zu verdienen.
2. Alle Arbeitnehmer haben das Recht auf gerechte Arbeitsbedingungen.
3. Alle Arbeitnehmer haben das Recht auf sichere und gesunde Arbeitsbedingungen.
4. Alle Arbeitnehmer haben das Recht auf ein gerechtes Arbeitsentgelt, das ihnen und ihren Familien einen angemessenen Lebensstandard sichert.
5. Alle Arbeitnehmer und Arbeitgeber haben das Recht auf Freiheit zur Vereinigung in nationalen und internationalen Organisationen zum Schutz ihrer wirtschaftlichen und sozialen Interessen.
6. Alle Arbeitnehmer und Arbeitgeber haben das Recht auf Kollektivverhandlungen.
7. Kinder und Jugendliche haben das Recht auf besonderen Schutz gegen körperliche und sittliche Gefahren, denen sie ausgesetzt sind.
8. Arbeitnehmerinnen haben im Falle der Mutterschaft und in anderen geeigneten Fällen das Recht auf besonderen Schutz bei der Arbeit.
9. Jedermann hat das Recht auf geeignete Möglichkeiten der Berufsberatung, die ihm helfen soll, einen Beruf zu wählen, der seiner persönlichen Eignung und seinen Interessen entspricht.
10. Jedermann hat das Recht auf geeignete Möglichkeiten der Berufsausbildung.
11. Jedermann hat das Recht, alle Maßnahmen in Anspruch zu nehmen, die es ihm ermöglichen, sich des besten Gesundheitszustandes zu erfreuen, den er erreichen kann.
12. Alle Arbeitnehmer und ihre Angehörigen haben das Recht auf Soziale Sicherheit.
13. Jedermann hat das Recht auf Fürsorge, wenn er keine ausreichenden Mittel hat.

(Fortsetzung nächste Seite)

14. Jedermann hat das Recht, soziale Dienste in Anspruch zu nehmen.
15. Jeder Behinderte hat das Recht auf berufliche Ausbildung sowie auf berufliche und soziale Eingliederung oder Wiedereingliederung ohne Rücksicht auf Ursprung und Art seiner Behinderung.
16. Die Familie als Grundeinheit der Gesellschaft hat das Recht auf angemessenen sozialen, gesetzlichen und wirtschaftlichen Schutz, der ihre volle Entfaltung zu sichern vermag.
17. Mütter und Kinder haben, unabhängig vom Bestehen einer Ehe und von familienrechtlichen Beziehungen, das Recht auf angemessenen sozialen und wirtschaftlichen Schutz.
18. Die Staatsangehörigen einer Vertragspartei haben das Recht, im Hoheitsgebiet jeder anderen Vertragspartei gleichberechtigt mit deren Staatsangehörigen jede Erwerbstätigkeit aufzunehmen, vorbehaltlich von Einschränkungen, die auf triftigen wirtschaftlichen oder sozialen Gründen beruhen.
19. Wanderarbeitnehmer, die Staatsangehörige einer Vertragspartei sind, und ihre Familien haben das Recht auf Schutz und Beistand im Hoheitsgebiet jeder anderen Vertragspartei.

Teil II. Die Vertragsparteien erachten sich durch die in den folgenden Artikeln und Absätzen festgelegten Verpflichtungen nach Maßgabe des Teils III gebunden

Art. 1 Das Recht auf Arbeit. Um die wirksame Ausübung des Rechtes auf Arbeit zu gewährleisten, verpflichten sich die Vertragsparteien,

1. zwecks Verwirklichung der Vollbeschäftigung die Erreichung und Aufrechterhaltung eines möglichst hohen und stabilen Beschäftigungsstandes zu einer ihrer wichtigsten Zielsetzungen und Aufgaben zu machen;
2. das Recht des Arbeitnehmers wirksam zu schützen, seinen Lebensunterhalt durch eine frei übernommene Tätigkeit zu verdienen;
3. unentgeltliche Arbeitsvermittlungsdienste für alle Arbeitnehmer einzurichten oder aufrecht zu erhalten;
4. eine geeignete Berufsberatung, Berufsausbildung und berufliche Wiedereingliederung sicherzustellen oder zu fördern.

Art. 2 Das Recht auf gerechte Arbeitsbedingungen. Um die wirksame Ausübung des Rechtes auf gerechte Arbeitsbedingungen zu gewährleisten, verpflichten sich die Vertragsparteien,

1. für eine angemessene tägliche und wöchentliche Arbeitszeit zu sorgen und die Arbeitswoche fortschreitend zu verkürzen, soweit die Produktivitätssteigerung und andere mitwirkende Faktoren dies gestatten;
2. bezahlte öffentliche Feiertage vorzusehen;
3. die Gewährung eines bezahlten Jahresurlaubs von mindestens zwei Wochen sicherzustellen;
4. für die Gewährung zusätzlicher bezahlter Urlaubstage oder einer verkürzten Arbeitszeit für Arbeitnehmer zu sorgen, die mit bestimmten gefährlichen oder gesundheitsschädlichen Arbeiten beschäftigt sind;
5. eine wöchentliche Ruhezeit sicherzustellen, die, soweit möglich, mit dem Tag zusammenfällt, der in dem betreffenden Land oder Bezirk durch Herkommen oder Brauch als Ruhetag anerkannt ist.

Art. 3 Das Recht auf sichere und gesunde Arbeitsbedingungen. Um die wirksame Ausübung des Rechtes auf sichere und gesunde Arbeitsbedingungen zu gewährleisten, verpflichten sich die Vertragsparteien,

1. Sicherheits- und Gesundheitsvorschriften zu erlassen;
2. für Kontrollmaßnahmen zur Einhaltung dieser Vorschriften zu sorgen;
3. die Arbeitgeber- und Arbeitnehmerorganisationen in geeigneten Fällen bei Maßnahmen zu Rate zu ziehen, die auf eine Verbesserung der Sicherheit und der Gesundheit bei der Arbeit gerichtet sind.

Art. 4 Das Recht auf ein gerechtes Arbeitsentgelt. Um die wirksame Ausübung des Rechtes auf ein gerechtes Arbeitsentgelt zu gewährleisten, verpflichten sich die Vertragsparteien,

1. das Recht der Arbeitnehmer auf ein Arbeitsentgelt anzuerkennen, welches ausreicht, um ihnen und ihren Familien einen angemessenen Lebensstandard zu sichern;
2. das Recht der Arbeitnehmer auf Zahlung erhöhter Lohnsätze für Überstundenarbeit anzuerkennen, vorbehaltlich von Ausnahmen in bestimmten Fällen;
3. das Recht männlicher und weiblicher Arbeitnehmer auf gleiches Entgelt für gleichwertige Arbeit anzuerkennen;
4. das Recht aller Arbeitnehmer auf eine angemessene Kündigungsfrist im Falle der Beendigung des Arbeitsverhältnisses anzuerkennen;

5. Lohnabzüge nur unter den Bedingungen und in den Grenzen zuzulassen, die in innerstaatlichen Rechtsvorschriften vorgesehen oder durch Gesamtarbeitsvertrag oder Schiedsspruch bestimmt sind.

Die Ausübung dieser Rechte ist durch frei geschlossene Gesamtarbeitsverträge, durch gesetzliche Verfahren der Lohnfestsetzung oder auf jede andere, den Landesverhältnissen entsprechende Weise zu gewährleisten.

Art. 5 Das Vereinigungsrecht. Um die Freiheit der Arbeitnehmer und Arbeitgeber zu gewährleisten oder zu fördern, örtliche, nationale oder internationale Organisationen zum Schutze ihrer wirtschaftlichen und sozialen Interessen zu bilden und diesen Organisationen beizutreten, verpflichten sich die Vertragsparteien, diese Freiheit weder durch das innerstaatliche Recht noch durch dessen Anwendung zu beeinträchtigen. Inwieweit die in diesem Artikel vorgesehenen Garantien auf die Polizei Anwendung finden, bestimmt sich nach innerstaatlichem Recht. Das Prinzip und gegebenenfalls der Umfang der Anwendung dieser Garantien auf die Mitglieder der Streitkräfte bestimmen sich gleichfalls nach innerstaatlichem Recht.

Art. 6 Das Recht auf Kollektivverhandlungen. Um die wirksame Ausübung des Rechtes auf Kollektivverhandlungen zu gewährleisten, verpflichten sich die Vertragsparteien,

1. gemeinsame Beratungen zwischen Arbeitnehmern und Arbeitgebern zu fördern;
2. Verfahren für freiwillige Verhandlungen zwischen Arbeitgebern oder Arbeitgeberorganisationen einerseits und Arbeitnehmerorganisationen andererseits zu fördern, soweit dies notwendig und zweckmäßig ist, mit dem Ziele, die Beschäftigungsbedingungen durch Gesamtarbeitsverträge zu regeln;
3. die Einrichtung und die Benutzung geeigneter Vermittlungs- und freiwilliger Schlichtungsverfahren zur Beilegung von Arbeitsstreitigkeiten zu fördern;

und anerkennen

4. das Recht der Arbeitnehmer und der Arbeitgeber auf kollektive Maßnahmen einschließlich des Streikrechts im Falle von Interessenkonflikten, vorbehaltlich etwaiger Verpflichtungen aus geltenden Gesamtarbeitsverträgen.

Art. 7 Das Recht der Kinder und Jugendlichen auf Schutz. Um die wirksame Ausübung des Rechtes der Kinder und Jugendlichen auf Schutz zu gewährleisten, verpflichten sich die Vertragsparteien,

1. das Mindestalter für die Zulassung zu einer Beschäftigung auf 15 Jahre festzusetzen, vorbehaltlich von Ausnahmen für Kinder, die mit bestimmten leichten Arbeiten beschäftigt werden, welche weder ihre Gesundheit noch ihre Moral noch ihre Erziehung gefährden;
2. ein höheres Mindestalter für die Zulassung zur Beschäftigung in bestimmten Berufen festzusetzen, die als gefährlich oder gesundheitsschädlich gelten;
3. die Beschäftigung Schulpflichtiger mit Arbeiten zu verbieten, die verhindern würden, daß sie aus ihrer Schulausbildung den vollen Nutzen ziehen;
4. die Arbeitszeit von Jugendlichen unter 16 Jahren entsprechend den Erfordernissen ihrer Entwicklung und insbesondere ihrer Berufsausbildung zu begrenzen;
5. das Recht der jugendlichen Arbeitnehmer und Lehrlinge auf ein gerechtes Arbeitsentgelt oder eine angemessene Beihilfe anzuerkennen;
6. vorzusehen, daß die Zeit, die Jugendliche während der normalen Arbeitszeit mit Zustimmung des Arbeitgebers für die Berufsausbildung verwenden, als Teil der täglichen Arbeitszeit gilt;
7. für Arbeitnehmer unter 18 Jahren die Dauer des bezahlten Jahresurlaubs auf mindestens drei Wochen festzusetzen;
8. für Personen unter 18 Jahren Nachtarbeit zu verbieten, mit Ausnahme bestimmter, im innerstaatlichen Recht festgelegter Arbeiten;
9. vorzusehen, daß Arbeitnehmer unter 18 Jahren, die in bestimmten, in dem innerstaatlichen Recht festgelegten Beschäftigungen tätig sind, einer regelmäßigen ärztlichen Überwachung unterliegen;
10. einen besonderen Schutz gegen die körperlichen und sittlichen Gefahren sicherzustellen, denen Kinder und Jugendliche ausgesetzt sind, insbesondere gegen Gefahren, die sich unmittelbar oder mittelbar aus ihrer Arbeit ergeben.

Art. 8 Das Recht der Arbeitnehmerinnen auf Schutz. Um die wirksame Ausübung des Rechtes der Arbeitnehmerinnen auf Schutz zu gewährleisten, verpflichten sich die Vertragsparteien,

1. sicherzustellen, daß Frauen vor und nach der Niederkunft eine Arbeitsbefreiung von insgesamt mindestens 12 Wochen erhalten, und zwar entweder in Form eines bezahlten Urlaubs oder durch angemessene Leistungen der Sozialen Sicherheit oder aus sonstigen öffentlichen Mitteln;

2. es als ungesetzlich zu betrachten, daß ein Arbeitgeber einer Frau während ihrer Abwesenheit infolge Mutterschaftsurlaubs oder so kündigt, daß die Kündigungsfrist während einer solchen Abwesenheit abläuft;
3. sicherzustellen, daß Mütter, die ihre Kinder stillen, für diesen Zweck Anspruch auf ausreichende Arbeitsunterbrechungen haben;
4. a) die Nachtarbeit von Arbeitnehmerinnen in gewerblichen Betrieben zu regeln;
   b) jede Beschäftigung von Arbeitnehmerinnen mit Untertagarbeiten in Bergwerken und gegebenenfalls mit allen sonstigen Arbeiten zu untersagen, die infolge ihrer gefährlichen, gesundheitsschädlichen oder beschwerlichen Art für sie ungeeignet sind.

Art. 9 Das Recht auf Berufsberatung. Um die wirksame Ausübung des Rechtes auf Berufsberatung zu gewährleisten, verpflichten sich die Vertragsparteien, einen Dienst einzurichten oder zu fördern – soweit dies notwendig ist –, der allen Personen einschließlich der Behinderten hilft, die Probleme der Berufswahl oder des beruflichen Aufstiegs zu lösen, und zwar unter Berücksichtigung ihrer persönlichen Eigenschaften und deren Beziehung zu den Beschäftigungsmöglichkeiten; diese Hilfe soll sowohl Jugendlichen einschließlich Kindern schulpflichtigen Alters als auch Erwachsenen unentgeltlich zur Verfügung stehen.

Art. 10 Das Recht auf berufliche Ausbildung. Um die wirksame Ausübung des Rechtes auf berufliche Ausbildung zu gewährleisten, verpflichten sich die Vertragsparteien,

1. die fachliche und berufliche Ausbildung aller Personen, einschließlich der Behinderten, soweit es notwendig ist, zu gewährleisten oder zu fördern, und zwar in Beratung mit Arbeitgeber- und Arbeitnehmerorganisationen, sowie Möglichkeiten für den Zugang zu Technischen Hochschulen und Universitäten nach alleiniger Maßgabe der persönlichen Eignung zu schaffen;
2. ein System der Lehrlingsausbildung und andere Systeme der Ausbildung für junge Menschen beiderlei Geschlechts in ihren verschiedenen Berufstätigkeiten sicherzustellen oder zu fördern;
3. soweit notwendig, folgendes sicherzustellen oder zu fördern:
   a) geeignete und leicht zugängliche Ausbildungsmöglichkeiten für erwachsene Arbeitnehmer,
   b) besondere Möglichkeiten für die berufliche Umschulung erwachsener Arbeitnehmer, die durch den technischen Fortschritt oder neue Entwicklungen auf dem Arbeitsmarkt erforderlich wird;

4. zur vollen Ausnutzung der geschaffenen Möglichkeiten durch geeignete Maßnahmen anzuregen, zum Beispiel dadurch, daß
   a) alle Gebühren und Kosten herabgesetzt oder abgeschafft werden;
   b) in geeigneten Fällen finanzielle Hilfe gewährt wird;
   c) die Zeiten, die der Arbeitnehmer während der Beschäftigung auf Verlangen seines Arbeitgebers für den Besuch von Fortbildungslehrgängen verwendet, auf die normale Arbeitszeit angerechnet werden;
   d) durch geeignete Überwachung die Wirksamkeit des Systems der Lehrlingsausbildung und jedes anderen Ausbildungssystems für jugendliche Arbeitnehmer sowie ganz allgemein deren ausreichender Schutz gewährleistet wird, und zwar in Beratung mit Arbeitgeber- und Arbeitnehmerorganisationen.

Art. 11 Das Recht auf Schutz der Gesundheit. Um die wirksame Ausübung des Rechtes auf Schutz der Gesundheit zu gewährleisten, verpflichten sich die Vertragsparteien, entweder unmittelbar oder in Zusammenarbeit mit öffentlichen oder privaten Organisationen geeignete Maßnahmen zu ergreifen, die u.a. darauf abzielen,
1. soweit wie möglich die Ursachen von Gesundheitsschäden zu beseitigen;
2. Beratungs- und Schulungsmöglichkeiten zu schaffen zur Verbesserung der Gesundheit und zur Entwicklung des persönlichen Verantwortungsbewußtseins in Fragen der Gesundheit;
3. soweit wie möglich epidemischen, endemischen und anderen Krankheiten vorzubeugen.

Art. 12 Das Recht auf Soziale Sicherheit. Um die wirksame Ausübung des Rechtes auf Soziale Sicherheit zu gewährleisten, verpflichten sich die Vertragsparteien,
1. ein System der Sozialen Sicherheit einzuführen oder beizubehalten;
2. das System der Sozialen Sicherheit auf einem befriedigenden Stand zu halten, der zumindest dem entspricht, der für die Ratifikation des Übereinkommens (Nr. 102) der Internationalen Arbeitsorganisation über die Mindestnormen der Sozialen Sicherheit erforderlich ist;
3. sich zu bemühen, das System der Sozialen Sicherheit fortschreitend auf einen höheren Stand zu bringen;
4. durch den Abschluß geeigneter zwei- und mehrseitiger Übereinkünfte oder durch andere Mittel und nach Maßgabe der in diesen Übereinkünften niedergelegten Bedingungen Maßnahmen zu ergreifen, die folgendes gewährleisten:

a) die Gleichbehandlung der Staatsangehörigen anderer Vertragsparteien mit ihren eigenen Staatsangehörigen hinsichtlich der Ansprüche aus der Sozialen Sicherheit einschließlich der Wahrung der nach den Rechtsvorschriften der Sozialen Sicherheit erwachsenen Leistungsansprüche, gleichviel wo die geschützten Personen innerhalb der Hoheitsgebiete der Vertragsparteien ihren Aufenthalt nehmen;

b) die Gewährung, die Erhaltung und das Wiederaufleben von Ansprüchen aus der Sozialen Sicherheit, beispielsweise durch die Zusammenrechnung von Versicherungs- und Beschäftigungszeiten, die nach den Rechtsvorschriften jeder der Vertragsparteien zurückgelegt wurden.

Art. 13 Das Recht auf Fürsorge. Um die wirksame Ausübung des Rechtes auf Fürsorge zu gewährleisten, verpflichten sich die Vertragsparteien,

1. sicherzustellen, daß jedem, der nicht über ausreichende Mittel verfügt und sich diese auch nicht selbst oder von anderen, insbesondere durch Leistungen aus einem System der Sozialen Sicherheit verschaffen kann, ausreichende Unterstützung gewährt wird und im Falle der Erkrankung die Betreuung, die seine Lage erfordert;
2. sicherzustellen, daß Personen, die diese Fürsorge in Anspruch nehmen, nicht aus diesem Grunde in ihren politischen oder sozialen Rechten beeinträchtigt werden;
3. dafür zu sorgen, daß jedermann durch zweckentsprechende öffentliche oder private Einrichtungen die zur Verhütung, Behebung oder Milderung einer persönlichen oder familiären Notlage erforderliche Beratung und persönliche Hilfe erhalten kann;
4. die in den Absätzen 1, 2 und 3 genannten Bestimmungen auf die rechtmäßig in ihrem Hoheitsgebiet befindlichen Staatsangehörigen der anderen Vertragsparteien anzuwenden, und zwar auf der Grundlage der Gleichbehandlung und in Übereinstimmung mit den Verpflichtungen, die sie in dem am 11. Dezember 1953 zu Paris unterzeichneten Europäischen Fürsorgeabkommen übernommen haben.

Art. 14 Das Recht auf Inanspruchnahme sozialer Dienste. Um die wirksame Ausübung des Rechtes auf Inanspruchnahme sozialer Dienste zu gewährleisten, verpflichten sich die Vertragsparteien,

1. Dienste zu fördern oder zu schaffen, die unter Anwendung der Methoden der Sozialarbeit zum Wohlbefinden und zur Entfaltung

des Einzelnen und der Gruppen innerhalb der Gemeinschaft beitragen, sowie zu ihrer Anpassung an die soziale Umgebung;

2. bei der Bildung und Durchführung dieser Dienste Einzelpersonen und freie oder andere Organisationen zur Beteiligung anzuregen.

Art. 15 Das Recht der körperlich, geistig oder seelisch Behinderten auf berufliche Ausbildung sowie auf berufliche und soziale Eingliederung oder Wiedereingliederung. Um die wirksame Ausübung des Rechtes der körperlich, geistig oder seelisch Behinderten auf berufliche Ausbildung sowie auf berufliche und soziale Eingliederung oder Wiedereingliederung zu gewährleisten, verpflichten sich die Vertragsparteien,

1. geeignete Maßnahmen zu treffen für die Bereitstellung von Ausbildungsmöglichkeiten, erforderlichenfalls unter Einschluß von öffentlichen oder privaten Sondereinrichtungen;
2. geeignete Maßnahmen zu treffen für die Vermittlung Behinderter auf Arbeitsplätze, namentlich durch besondere Arbeitsvermittlungsdienste, durch Ermöglichung wettbewerbsgeschützter Beschäftigung und durch Maßnahmen, die den Arbeitgebern einen Anreiz zur Einstellung von Behinderten bieten.

Art. 16 Das Recht der Familie auf sozialen, gesetzlichen und wirtschaftlichen Schutz. Um die erforderlichen Voraussetzungen für die Entfaltung der Familie als einer Grundeinheit der Gesellschaft zu schaffen, verpflichten sich die Vertragsparteien, den wirtschaftlichen, gesetzlichen und sozialen Schutz des Familienlebens zu fördern, insbesondere durch Sozial- und Familienleistungen, steuerliche Maßnahmen, Förderung des Baues familiengerechter Wohnungen, Hilfen für junge Eheleute und andere geeignete Mittel jeglicher Art.

Art. 17 Das Recht der Mütter und der Kinder auf sozialen und wirtschaftlichen Schutz. Um die wirksame Ausübung des Rechtes der Mütter und der Kinder auf sozialen und wirtschaftlichen Schutz zu gewährleisten, werden die Vertragsparteien alle hierzu geeigneten und notwendigen Maßnahmen treffen, einschließlich der Schaffung und Unterhaltung geeigneter Einrichtungen und Dienste.

Art. 18 Das Recht auf Ausübung einer Erwerbstätigkeit im Hoheitsgebiet der anderen Vertragsparteien. Um die wirksame Ausübung des Rechtes auf Ausübung einer Erwerbstätigkeit im Hoheitsgebiet jeder anderen Vertragspartei zu gewährleisten, verpflichten sich die Vertragsparteien,

1. bestehende Vorschriften großzügig anzuwenden;

2. bestehende Formvorschriften zu vereinfachen und Verwaltungsgebühren und andere von ausländischen Arbeitnehmern oder ihren Arbeitgebern zu entrichtende Abgaben herabzusetzen oder abzuschaffen;
3. die Vorschriften über die Beschäftigung ausländischer Arbeitnehmer einzeln oder gemeinschaftlich zu liberalisieren;

und anerkennen

4. das Recht ihrer Staatsangehörigen, das Land zu verlassen, um im Hoheitsgebiet anderer Vertragsparteien eine Erwerbstätigkeit auszuüben.

Art. 19 Das Recht der Wanderarbeitnehmer und ihrer Familien auf Schutz und Beistand. Um die wirksame Ausübung des Rechtes der Wanderarbeitnehmer und ihrer Familien auf Schutz und Beistand im Hoheitsgebiet jeder anderen Vertragspartei zu gewährleisten, verpflichten sich die Vertragsparteien,

1. geeignete Stellen zu unterhalten oder sich zu vergewissern, daß solche Stellen bestehen, die diese Arbeitnehmer unentgeltlich betreuen, insbesondere durch Erteilung genauer Auskünfte sowie im Rahmen des innerstaatlichen Rechts geeignete Maßnahmen gegen irreführende Werbung zur Auswanderung und Einwanderung zu treffen;
2. in den Grenzen ihrer Zuständigkeit geeignete Maßnahmen zur Erleichterung der Abreise, der Reise und der Aufnahme dieser Arbeitnehmer und ihrer Familien zu treffen und ihnen in den Grenzen ihrer Zuständigkeit während der Reise notwendige Gesundheitsdienste, ärztliche Betreuung und gute hygienische Bedingungen zu verschaffen;
3. soweit erforderlich, die Zusammenarbeit zwischen den öffentlichen und privaten sozialen Diensten der Auswanderungs- und der Einwanderungsländer zu fördern;
4. sicherzustellen, daß diese Arbeitnehmer, soweit sie sich rechtmäßig in ihrem Hoheitsgebiet befinden, nicht weniger günstig behandelt werden als ihre eigenen Staatsangehörigen in bezug auf die folgenden Gegenstände, soweit diese durch Rechtsvorschriften geregelt oder der Überwachung durch die Verwaltungsbehörden unterstellt sind:
   a) das Arbeitsentgelt und andere Beschäftigungs- und Arbeitsbedingungen;
   b) den Beitritt zu gewerkschaftlichen Organisationen und den Genuß der durch Gesamtarbeitsverträge gebotenen Vorteile;
   c) die Unterkunft;

5. sicherzustellen, daß diese Arbeitnehmer, soweit sie sich rechtmäßig in ihrem Hoheitsgebiet befinden, nicht weniger günstig behandelt werden als ihre eigenen Staatsangehörigen in bezug auf die Steuern, Abgaben und Beiträge, die für den Arbeitnehmer auf Grund der Beschäftigung zu zahlen sind;
6. soweit möglich, die Zusammenführung eines zur Niederlassung im Hoheitsgebiet berechtigten Wanderarbeitnehmers mit seiner Familie zu erleichtern;
7. sicherzustellen, daß diese Arbeitnehmer, soweit sie sich rechtmäßig in ihrem Hoheitsgebiet befinden, nicht weniger günstig behandelt werden als ihre eigenen Staatsangehörigen in bezug auf die Möglichkeit, hinsichtlich der in diesem Artikel behandelten Angelegenheiten den Rechtsweg zu beschreiten;
8. sicherzustellen, daß diese Arbeitnehmer, soweit sie in ihrem Hoheitsgebiet ihren rechtmäßigen gewöhnlichen Aufenthalt haben, nur ausgewiesen werden können, wenn sie die Sicherheit des Staates gefährden oder gegen die öffentliche Sicherheit und Ordnung oder die Sittlichkeit verstoßen;
9. innerhalb der gesetzlichen Grenzen die Überweisung der Teile des Verdienstes und der Ersparnisse zuzulassen, die diese Arbeitnehmer zu überweisen wünschen;
10. den in diesem Artikel vorgesehenen Schutz und Beistand auf die aus- oder einwandernden selbständig Erwerbstätigen zu erstrecken, soweit solche Maßnahmen auf diesen Personenkreis anwendbar sind.

Teil III

Art. 20 Verpflichtungen. (1) Jede der Vertragsparteien verpflichtet sich,

a) Teil I dieser Charta als eine Erklärung der Ziele anzusehen, die sie entsprechend dem einleitenden Absatz jenes Teils mit allen geeigneten Mitteln verfolgen wird;
b) mindestens fünf der folgenden sieben Artikel des Teils II dieser Charta als für sich bindend anzusehen: Artikel 1, 5, 6, 12, 13, 16 und 19;[1]
c) zusätzlich zu den nach Maßgabe des Buchstabens b ausgewählten Artikeln so viele Artikel oder numerierte Absätze des Teils II der Charta auszuwählen und als für sich bindend anzusehen, daß die Gesamtzahl der Artikel oder numerierten Absätze, durch die sie ge-

---

[1] Siehe hierzu die Bek. v. 9. 8. 1965 (BGBl. II S. 1122), wonach die Bundesrepublik gemäß Art. 20 Abs. 1 (b) die Art. 1, 5, 6, 12, 13, 16, 19, gemäß Art. 20 Abs. 1 (c) die Art. 2, 3, 4 (ohne Abs. 4), 7 (ohne Abs. 1), 8 (ohne Abs. 2 und 4), 9, 10 (ohne Abs. 4), 11, 14, 15, 17, 18 als für sich bindend ansieht.

bunden ist, mindestens 10 Artikel oder 45 numerierte Absätze beträgt.[1)]

(2) Die nach Maßgabe des Absatzes 1 Buchstaben b und c ausgewählten Artikel oder Absätze sind dem Generalsekretär des Europarats gleichzeitig mit der Hinterlegung der Ratifikations- oder Genehmigungsurkunde durch die betreffende Vertragspartei zu notifizieren.[1)]

(3) Jede Vertragspartei kann zu einem späteren Zeitpunkt durch eine an den Generalsekretär zu richtende Notifikation erklären, daß sie in Teil II der Charta einen anderen Artikel oder numerierten Absatz als für sich bindend ansieht, den sie bisher noch nicht nach Absatz 1 dieses Artikels angenommen hatte. Diese später übernommenen Verpflichtungen gelten als Bestandteil der Ratifikation oder Genehmigung und haben vom dreißigsten Tag nach dem Zeitpunkt der Notifikation an die gleiche Wirkung.

(4) Der Generalsekretär bringt allen Unterzeichnerregierungen und dem Generaldirektor des Internationalen Arbeitsamtes jede Notifikation zur Kenntnis, die er auf Grund dieses Teils der Charta erhält.

(5) Jede Vertragspartei hat ein den innerstaatlichen Verhältnissen entsprechendes System der Arbeitsaufsicht zu unterhalten.

Teil IV

Art. 21 Berichte zu den angenommenen Bestimmungen. Die Vertragsparteien übersenden dem Generalsekretär des Europarats alle zwei Jahre in einer von dem Ministerkomitee festzulegenden Form einen Bericht über die Anwendung der von ihnen angenommenen Bestimmungen des Teils II der Charta.

Art. 22 Berichte zu den nicht angenommenen Bestimmungen. Die Vertragsparteien übersenden dem Generalsekretär des Europarats in angemessenen, vom Ministerkomitee zu bestimmenden Zeitabständen Berichte zu den Bestimmungen des Teils II der Charta, die sie weder im Zeitpunkt ihrer Ratifikation oder Genehmigung noch durch spätere Notifikation angenommen haben. Das Ministerkomitee beschließt von Zeit zu Zeit, zu welchen Bestimmungen solche Berichte anzufordern und in welcher Form sie vorzulegen sind.

Art. 23 Zustellung von Abschriften. (1) Jede Vertragspartei übermittelt Abschriften ihrer in den Artikeln 21 und 22 bezeichneten

---

[1)] Siehe hierzu die Bek. v. 9. 8. 1965 (BGBl. II S. 1122), wonach die Bundesrepublik gemäß Art. 20 Abs. 1 (b) die Art. 1, 5, 6, 12, 13, 16, 19, gemäß Art. 20 Abs. 1 (c) die Art. 2, 3, 4 (ohne Abs. 4), 7 (ohne Abs. 1), 8 (ohne Abs. 2 und 4), 9, 10 (ohne Abs. 4), 11, 14, 15, 17, 18 als für sich bindend ansieht.

Berichte an diejenigen nationalen Organisationen, die Mitglieder der internationalen Arbeitgeber- und Arbeitnehmerorganisationen sind, welche nach Artikel 27 Abs. 2 eingeladen werden sollen, sich auf den Tagungen des Unterausschusses des Regierungssozialausschusses vertreten zu lassen.

(2) Die Vertragsparteien leiten auf Wunsch der nationalen Organisationen deren Stellungnahmen zu den genannten Berichten dem Generalsekretär zu.

Art. 24 Prüfung der Berichte. Die dem Generalsekretär nach den Artikeln 21 und 22 übersandten Berichte werden von einem Sachverständigenausschuß geprüft, dem auch alle dem Generalsekretär nach Artikel 23 Abs. 2 zugeleiteten Stellungnahmen vorzulegen sind.

Art. 25[1] Der Sachverständigenausschuß. (1) Der Sachverständigenausschuß besteht aus höchstens neun[2] Mitgliedern, die das Ministerkomitee aus einer Liste unabhängiger, von den Vertragsparteien vorgeschlagener Sachverständiger von höchster Integrität und anerkannter Sachkenntnis in internationalen sozialen Fragen ernennt.

(2) Die Mitglieder des Ausschusses werden auf sechs Jahre ernannt. Sie können wiederernannt werden. Für zwei der zuerst ernannten Mitglieder endet jedoch die Amtszeit nach Ablauf von vier Jahren.

(3) Die Mitglieder, deren Amtszeit nach der Anfangsperiode von vier Jahren abläuft, werden von dem Ministerkomitee sofort nach der ersten Ernennung durch das Los bestimmt.

(4) Ein Mitglied des Sachverständigenausschusses, das an Stelle eines Mitgliedes ernannt wird, dessen Amtszeit noch nicht abgelaufen ist, bleibt bis zum Ende der Amtszeit seines Vorgängers im Amt.

---

[1] Art. 25 Abs. 1 geänd. mWv 17. 3. 1994 durch G v. 16. 5. 2001 (BGBl. II S. 496) (Die Anzahl der Mitglieder wird von sieben auf neun erhöht).

[2] Gem. Bekanntmachung v. 3. 9. 2001 (BGBl. II S. 970) gilt folgendes:
„A. Die Beauftragten, in ihrer Zusammensetzung begrenzt auf die Vertreter der Vertragsparteien der Charta oder der Revidierten Charta*), vereinbarten einstimmig, die Anzahl der Mitglieder des Europäischen Ausschusses für Soziale Rechte auf folgende Art und Weise von neun auf fünfzehn zu erhöhen:

a) Schaffung von drei Sitzen für eine Amtszeit, die am 1. August 2001 beginnt und am 31. Dezember 2004 endet,
b) spätere Schaffung von drei Sitzen zu einem Zeitpunkt, der von den Beauftragten unter Berücksichtigung der im Dokument GR-H(2001)9, Ziffer 12, aufgeführten Kriterien festzusetzen ist."

---

*) Österreich, Belgien, Bulgarien, Zypern, Tschechische Republik, Dänemark, Estland, Finnland, Frankreich, Deutschland, Griechenland, Ungarn, Island, Irland, Italien, Luxemburg, Malta, Niederlande, Norwegen, Polen, Portugal, Rumänien, Slowakei, Slowenien, Spanien, Schweden, Türkei und das Vereinigte Königreich.

Art. 26 Beteiligung der Internationalen Arbeitsorganisation. Die Internationale Arbeitsorganisation ist einzuladen, einen Vertreter namhaft zu machen, der in beratender Eigenschaft an den Verhandlungen des Sachverständigenausschusses teilnimmt.

Art. 27 Unterausschuß des Regierungssozialausschusses. (1) Die Berichte der Vertragsparteien und die Beratungsergebnisse des Sachverständigenausschusses werden einem Unterausschuß des Regierungssozialausschusses des Europarats zur Prüfung vorgelegt.

(2) Dieser Unterausschuß besteht aus je einem Vertreter jeder Vertragspartei. Er lädt höchstens zwei internationale Arbeitgeberorganisationen und höchstens zwei internationale Arbeitnehmerorganisationen, die er bestimmt, ein, sich auf seinen Tagungen durch Beobachter in beratender Eigenschaft vertreten zu lassen. Er kann außerdem in

(Fortsetzung nächstes Blatt)

Fragen, wie etwa des Wohlfahrtswesens und des wirtschaftlichen und sozialen Schutzes der Familie, den Rat von höchstens zwei Vertretern internationaler nichtstaatlicher Organisationen in Anspruch nehmen, die beratenden Status beim Europarat haben und auf diesen Gebieten besonders sachkundig sind.

(3) Der Unterausschuß legt dem Ministerkomitee einen Bericht mit seinen Beratungsergebnissen vor und fügt diesem den Bericht des Sachverständigenausschusses bei.

Art. 28 Die Beratende Versammlung. Der Generalsekretär des Europarats übermittelt der Beratenden Versammlung die Beratungsergebnisse des Sachverständigenausschusses. Die Beratende Versammlung teilt dem Ministerkomitee ihre Stellungnahme hierzu mit.

Art. 29 Das Ministerkomitee. Das Ministerkomitee kann mit Zweidrittelmehrheit der zur Teilnahme an seinen Sitzungen berechtigten Mitglieder auf Grund des Berichts des Unterausschusses und nach Anhörung der Beratenden Versammlung an jede Vertragspartei alle notwendigen Empfehlungen richten.

Teil V

Art. 30 Notstandsklausel. (1) In Kriegszeiten oder bei einem anderen öffentlichen Notstand, der das Leben der Nation bedroht, kann jede Vertragspartei Maßnahmen treffen, die von ihren Verpflichtungen aus dieser Charta abweichen, soweit es auf Grund der Lage unbedingt erforderlich ist, vorausgesetzt, daß diese Maßnahmen nicht zu ihren anderen völkerrechtlichen Verpflichtungen im Widerspruch stehen.

(2) [1] Jede Vertragspartei, die von diesem Recht der Abweichung Gebrauch gemacht hat, hält den Generalsekretär des Europarats innerhalb einer angemessenen Frist vollständig auf dem laufenden über die getroffenen Maßnahmen und die Gründe hierfür. [2] Sie unterrichtet den Generalsekretär auch von dem Zeitpunkt, zu dem diese Maßnahmen aufgehoben wurden und die von ihr angenommenen Bestimmungen der Charta wieder in vollem Umfang angewandt werden.

(3) Der Generalsekretär setzt die anderen Vertragsparteien und den Generaldirektor des Internationalen Arbeitsamtes von allen nach Ab satz 2 bei ihm eingegangenen Mitteilungen in Kenntnis.

Art. 31 Einschränkungen. (1) Die in Teil I niedergelegten Rechte und Grundsätze dürfen nach ihrer Verwirklichung ebenso wie ihre in Teil II vorgesehene wirksame Ausübung anderen als den in diesen

Teilen vorgesehenen Einschränkungen oder Begrenzungen nur unterliegen, wenn diese gesetzlich vorgeschrieben und in einer demokratischen Gesellschaft zum Schutze der Rechte und Freiheiten anderer oder zum Schutze der öffentlichen Sicherheit und Ordnung, der Sicherheit des Staates, der Volksgesundheit und der Sittlichkeit notwendig sind.

(2) Von den nach dieser Charta zulässigen Einschränkungen der darin niedergelegten Rechte und Verpflichtungen darf für keinen anderen als den vorgesehenen Zweck Gebrauch gemacht werden.

Art. 32 Verhältnis zwischen der Charta und dem innerstaatlichen Recht sowie internationalen Übereinkünften. Die Bestimmungen dieser Charta lassen geltende oder künftig in Kraft tretende Bestimmungen des innerstaatlichen Rechtes und zwei- oder mehrseitiger Übereinkünfte unberührt, die den geschützten Personen eine günstigere Behandlung einräumen.

Art. 33 Erfüllung durch Gesamtarbeitsverträge. (1) In Mitgliedstaaten, in denen die Bestimmungen des Teils II Artikel 2 Absätze 1 bis 5, Artikel 7 Absätze 4, 6 und 7 und Artikel 10 Absätze 1 bis 4 Angelegenheiten sind, die üblicherweise durch Gesamtarbeitsverträge zwischen Arbeitgebern oder Arbeitgeberorganisationen und Arbeitnehmerorganisationen geregelt oder üblicherweise auf anderem Wege als dem der Gesetzgebung durchgeführt werden, können die Verpflichtungen aus diesen Absätzen übernommen werden und als erfüllt gelten, wenn diese Bestimmungen auf Grund derartiger Gesamtarbeitsverträge oder auf andere Weise auf die überwiegende Mehrheit der betreffenden Arbeitnehmer Anwendung finden.

(2) In Mitgliedstaaten, in denen diese Bestimmungen üblicherweise Gegenstand der Gesetzgebung sind, können die entsprechenden Verpflichtungen gleichfalls übernommen werden und als erfüllt gelten, wenn diese Bestimmungen auf Grund der Gesetze auf die überwiegende Mehrheit der betreffenden Arbeitnehmer Anwendung finden.

Art. 34 Räumlicher Geltungsbereich. (1) Diese Charta gilt für das Mutterland jeder Vertragspartei. Jede Unterzeichnerregierung kann bei der Unterzeichnung oder der Hinterlegung ihrer Ratifikations- oder Genehmigungsurkunde in einer an den Generalsekretär des Europarats gerichteten Erklärung das Hoheitsgebiet bezeichnen, das in diesem Sinne als Mutterland gilt.

(2) Jede Vertragspartei kann bei der Ratifikation oder Genehmigung dieser Charta oder zu einem späteren Zeitpunkt durch eine an den Generalsekretär des Europarats gerichtete Notifikation erklären, daß

die Charta ganz oder teilweise auf jedes nicht zum Mutterland gehörende in der Erklärung bezeichnete Hoheitsgebiet anzuwenden ist, dessen internationale Beziehungen sie wahrnimmt oder für das sie international verantwortlich ist. In dieser Erklärung hat sie die Artikel oder Absätze des Teils II der Charta anzugeben, die sie für die in der Erklärung bezeichneten Hoheitsgebiete als bindend anerkennt.

(3) Die Charta findet in jedem in der vorgenannten Erklärung bezeichneten Hoheitsgebiet vom dreißigsten Tage an Anwendung, nachdem die Erklärung dem Generalsekretär notifiziert worden ist.

(4) Jede Vertragspartei kann zu einem späteren Zeitpunkt durch eine an den Generalsekretär des Europarats gerichtete Notifikation erklären, daß sie für ein Hoheitsgebiet, auf welches die Charta nach Absatz 2 Anwendung findet, bestimmte Artikel oder numerierte Absätze als bindend annimmt, die sie für dieses Hoheitsgebiet noch nicht angenommen hatte. Derartige später eingegangene Verpflichtungen gelten als Bestandteil der ursprünglichen Erklärung für das betreffende Hoheitsgebiet und haben vom dreißigsten Tage nach dem Zeitpunkt der Notifizierung an die gleiche Wirkung.

(5) Der Generalsekretär unterrichtet die anderen Unterzeichnerregierungen und den Generaldirektor des Internationalen Arbeitsamtes von jeder Notifikation, die ihm auf Grund dieses Artikels übermittelt wird.

Art. 35 Unterzeichnung, Ratifizierung und Inkrafttreten.[1])

(1) Diese Charta liegt für die Mitgliedstaaten des Europarats zur Unterzeichnung auf. Sie bedarf der Ratifikation oder Genehmigung. Die Ratifikations- oder Genehmigungsurkunden sind bei dem Generalsekretär des Europarats zu hinterlegen.

(2) Diese Charta tritt am dreißigsten Tage nach Hinterlegung der fünften Ratifikations- oder Genehmigungsurkunde in Kraft.

(3) Für jeden Unterzeichner, der diese Charta in der Folge ratifiziert, tritt sie am dreißigsten Tag nach Hinterlegung seiner Ratifikations- oder Genehmigungsurkunde in Kraft.

(4) Der Generalsekretär notifiziert allen Mitgliedern des Europarats und dem Generaldirektor des Internationalen Arbeitsamtes das Inkrafttreten der Charta, den Namen der Vertragsparteien, die sie ratifiziert oder genehmigt haben, sowie jede folgende Hinterlegung einer Ratifikations- oder Genehmigungsurkunde.

Art. 36 Änderungen. Jedes Mitglied des Europarats kann in einer an den Generalsekretär des Europarats gerichteten Mitteilung Ände-

---

[1]) Siehe auch die Anm. zum Titel dieses Übereinkommens.

rungen dieser Charta vorschlagen. Der Generalsekretär übermittelt den anderen Mitgliedern des Europarats alle Änderungsvorschläge, die dann vom Ministerkomitee geprüft und der Beratenden Versammlung zur Stellungnahme vorgelegt werden. Jede vom Ministerkomitee gebilligte Änderung tritt am dreißigsten Tage nach dem Zeitpunkt in Kraft, in dem alle Vertragsparteien den Generalsekretär von ihrer Annahme der Änderung unterrichtet haben. Der Generalsekretär notifiziert allen Mitgliedern des Europarats und dem Generaldirektor des Internationalen Arbeitsamtes das Inkrafttreten dieser Änderungen.

Art. 37 Kündigung. (1) Eine Vertragspartei kann diese Charta erst nach Ablauf von fünf Jahren, nachdem die Charta für sie in Kraft getreten ist, oder in der Folge jeweils nach Ablauf von zwei Jahren kündigen; in jedem Falle ist die Kündigung sechs Monate vorher dem Generalsekretär des Europarats zu notifizieren; dieser unterrichtet die anderen Vertragsparteien und den Generaldirektor des Internationalen Arbeitsamtes. Die Kündigung berührt nicht die Gültigkeit der Charta für die anderen Vertragsparteien, solange ihre Zahl nicht unter fünf absinkt.

(2) Eine Vertragspartei kann nach Maßgabe des Absatzes 1 jeden von ihr angenommenen Artikel oder Absatz von Teil II der Charta kündigen, vorausgesetzt, daß die Zahl der für sie verbindlichen Artikel oder Absätze niemals unter zehn Artikel oder 45 Absätze absinkt und daß diese Anzahl von Artikeln oder Absätzen weiterhin die Artikel einschließt, welche die Vertragspartei aus den in Artikel 20 Abs. 1 Buchstabe b bezeichneten ausgewählt hat.

(3) Eine Vertragspartei kann diese Charta oder jeden Artikel oder Absatz des Teils II der Charta unter den in Absatz 1 dieses Artikels niedergelegten Voraussetzungen für jedes Hoheitsgebiet kündigen, in dem die Charta auf Grund einer Erklärung nach Artikel 34 Abs. 2 Anwendung findet.

Art. 38 Anhang. Der Anhang dieser Charta ist Bestandteil derselben.

ZU URKUND DESSEN haben die hierzu gehörig befugten Unterzeichneten diese Charta unterschrieben.

Geschehen zu Turin am 18. Oktober 1961 in englischer und französischer Sprache, wobei jeder Wortlaut gleichermaßen verbindlich ist, in einer Urschrift, die im Archiv des Europarats hinterlegt wird. Der Generalsekretär übermittelt jedem Unterzeichner beglaubigte Abschriften.

(Es folgen die Unterschriften für Österreich, Belgien, Zypern, Dänemark, Frankreich, Bundesrepublik Deutschland, Griechenland, Island, Irland, Italien, Luxemburg, Niederlande, Norwegen, Schweden, Türkei, Vereinigtes Königreich.)

Anhang zur Sozialcharta

Persönlicher Geltungsbereich der Sozialcharta

(1) Vorbehaltlich des Artikels 12 Abs. 4 und des Artikels 13 Abs. 4 schließt der durch die Artikel 1 bis 17 erfaßte Personenkreis Ausländer nur insoweit ein, als sie Staatsangehörige anderer Vertragsparteien sind und ihren rechtmäßigen gewöhnlichen Aufenthalt im Hoheitsgebiet der betreffenden Vertragspartei haben oder dort ordnungsgemäß beschäftigt sind, mit der Maßgabe, daß die genannten Artikel im Sinne der Artikel 18 und 19 auszulegen sind.

Diese Auslegung hindert eine Vertragspartei nicht, auch anderen Personen entsprechende Rechte zu gewähren.

(2) Jede Vertragspartei wird Flüchtlingen im Sinne des am 28. Juli 1951 zu Genf unterzeichneten Abkommens über die Rechtsstellung der Flüchtlinge, die sich rechtmäßig in ihrem Hoheitsgebiet gewöhnlich aufhalten, eine Behandlung gewähren, die so günstig wie möglich, in keinem Fall aber weniger günstig ist, als in Verpflichtungen der Vertragspartei aus dem oben erwähnten Abkommen oder aus anderen gültigen internationalen Übereinkünften vorgesehen ist, die auf solche Flüchtlinge anwendbar sind.

Teil I Absatz 18 – und Teil II, Artikel 18 Abs. 1

Es besteht Einverständnis darüber, daß diese Bestimmungen weder die Einreise in die Hoheitsgebiete der Vertragsparteien betreffen noch die Bestimmungen des am 13. Dezember 1955 zu Paris unterzeichneten Europäischen Niederlassungsabkommens berühren.

Teil II, Artikel 1 Abs. 2

Diese Bestimmung ist nicht so auszulegen, als würden durch sie Schutzklauseln oder Schutzmaßnahmen einer Gewerkschaft verboten oder erlaubt.

Artikel 4 Abs. 4

Diese Vorschrift ist dahin zu verstehen, daß sie eine fristlose Entlassung im Falle einer schweren Verfehlung nicht verbietet.

Artikel 4 Abs. 5

Es besteht Einverständnis darüber, daß eine Vertragspartei die in diesem Absatz geforderte Verpflichtung eingehen kann, wenn durch Gesetz, Gesamtarbeitsverträge oder Schiedssprüche Lohnabzüge für die überwiegende Mehrheit der Arbeitnehmer verboten sind und Ausnahmen nur für diejenigen Personen gelten, die in diesen Gesetzen, Verträgen und Schiedssprüchen nicht erfaßt sind.

Artikel 6 Abs. 4

Es besteht Einverständnis darüber, daß jede Vertragspartei für sich die Ausübung des Streikrechts durch Gesetz regeln kann, vorausgesetzt, daß jede weitere Einschränkung dieses Rechtes auf Grund des Artikels 31 gerechtfertigt werden kann.

Artikel 7 Abs. 8

Es besteht Einverständnis darüber, daß eine Vertragspartei die in diesem Absatz vorgesehene Verpflichtung eingehen kann, wenn sie dem Geist dieser Verpflichtung dadurch nachkommt, daß die überwiegende Mehrheit der Personen unter 18 Jahren kraft Gesetzes nicht zur Nachtarbeit herangezogen werden darf.

Artikel 12 Abs. 4

Die Worte „und nach Maßgabe der in diesen Übereinkünften niedergelegten Bedingungen" in der Einleitung zu diesem Absatz sollen unter anderem bedeuten, daß eine Vertragspartei hinsichtlich von Leistungen, die unabhängig von Versicherungsbeiträgen gewährt werden, die Zurücklegung einer vorgeschriebenen Aufenthaltsdauer vor der Gewährung derartiger Leistungen an Staatsangehörige anderer Vertragsparteien verlangen kann.

Artikel 13 Abs. 4

Regierungen, die nicht Vertragsparteien des Europäischen Fürsorgeabkommens sind, können die Sozialcharta hinsichtlich dieses Absatzes ratifizieren, sofern sie den Staatsangehörigen der anderen Vertragsparteien eine Behandlung gewähren, die mit dem genannten Abkommen im Einklang steht.

Artikel 19 Abs. 6

Für die Anwendung dieser Bestimmung ist der Ausdruck „Wanderarbeitnehmer mit seiner Familie" dahin auszulegen, daß er zumindest seine Ehefrau und seine Kinder unter 21 Jahren, für die er unterhaltspflichtig ist, umfaßt.

Teil III

Es besteht Einverständnis darüber, daß die Charta rechtliche Verpflichtungen internationalen Charakters enthält, deren Durchführung ausschließlich der in ihrem Teil IV vorgesehenen Überwachung unterliegt.

Artikel 20 Abs. 1

Es besteht Einverständnis darüber, daß als „numerierte Absätze" auch Artikel anzusehen sind, die aus einem einzigen Absatz bestehen.

Teil V, Artikel 30

Der Ausdruck „in Kriegszeiten oder bei einem anderen öffentlichen Notstand" ist *dahin zu verstehen*, daß er auch den Zustand einer drohenden Kriegsgefahr umfaßt.

1156. Europäisches Niederlassungsabkommen[1), 2)]

Vom 13. Dezember 1955

(BGBl. 1959 II S. 998)

– Auszug –

DIE UNTERZEICHNETEN REGIERUNGEN, MITGLIEDER DES EUROPARATES,

in der Erwägung, daß es Aufgabe des Europarates ist, die Ideale und Grundsätze zu schützen und zu verwirklichen, die gemeinsames Erbe seiner Mitglieder sind, und ihren wirtschaftlichen und sozialen Fortschritt zu fördern;

in Anerkennung der besonderen Art der Bindungen zwischen den Mitgliedstaaten des Europarates, die in den im Rahmen des Europarates bereits abgeschlossenen Abkommen und Vereinbarungen, insbesondere in der Konvention zum Schutze der Menschenrechte und Grundfreiheiten vom 4. November 1950 und dem Protokoll zu dieser Konvention vom 20. März 1952, dem Europäischen Fürsorgeabkommen und den beiden Vorläufigen Abkommen über die Soziale Sicherheit vom 11. Dezember 1953 ihren Ausdruck finden;

in der Überzeugung, daß die Aufstellung gemeinsamer Regeln für die Behandlung der Staatsangehörigen eines Mitgliedstaates im Gebiet der anderen Mitgliedstaaten durch den Abschluß eines regionalen Abkommens das Werk der Vereinheitlichung fördern kann;

zur Bekräftigung der Tatsache, daß die Rechte und Vorrechte, die sie gegenseitig ihren Staatsangehörigen einräumen, ausschließlich wegen der engen Verbindung gewährt werden, die die Mitglieder des Europarates nach dessen Satzung vereint; und

---

1) Unter der Nr. **1156** ist im Anschluß an das Niederlassungsabkommen auch das entsprechende **Protokoll** abgedruckt.

2) Siehe hierzu das G v. 30. 9. 1959 (BGBl. II S. 997). Für **Berlin** siehe das G v. 29. 9. 1960 (GVBl. Berlin S. 1047) und die Bek. v. 7. 12. 1965 (GVBl. S. 1944).

Das Abk. ist gem. Bek. v. 30. 7. 1965 (BGBl. II S. 1099) in Kraft für die **Bundesrepublik** (seit 23. 2. 1965), für **Belgien, Dänemark, Italien, Norwegen;** gem. Bek. v. 26. 10. 1966 (BGBl. II S. 1519) für **Irland;** gem. Bek. v. 17. 7. 1969 (BGBl. II S. 1725) für **Luxemburg;** gem. Bek. v. 16. 9. 1969 (BGBl. II S. 1988) für die **Niederlande;** gem. Bek. v. 25. 7. 1970 (BGBl. II S. 843) für das **Vereinigte Königreich;** gem. Bek. v. 17. 12. 1971 (BGBl. 1972 II S. 38) für **Schweden;** gem. Bek. v. 21. 12. 1990 (BGBl. 1991 II S. 397) für die **Türkei.** Das Abk. ist für **Griechenland** am 2. 3. 1965 wirksam geworden (BGBl. 1965 II S. 1099), am 31. 12. 1970 außer Kraft getreten (Bek. v. 21. 7. 1972, BGBl. II S. 875) und am 28. 11. 1974 wieder in Kraft getreten (Bek. v. 13. 6. 1975, BGBl. II S. 1090). Internationale Quelle: UNTS Bd. 529 S. 141.

Auf die bei der Ratifikation erklärten Vorbehalte der Staaten ist bei den jeweiligen Artikeln Bezug genommen.

im Hinblick darauf, daß dieses Abkommen seinem Inhalt nach in den Rahmen der Organisation des Europarates paßt,

SIND WIE FOLGT ÜBEREINGEKOMMEN:

Kapitel I. Einreise, Aufenthalt und Ausweisung

Art. 1 [Freizügigkeit] Jeder Vertragstaat wird den Staatsangehörigen der anderen Vertragstaaten die Einreise in sein Gebiet zu vorübergehendem Aufenthalt erleichtern und ihnen in seinem Gebiet Freizügigkeit gewähren, sofern nicht Gründe der öffentlichen Ordnung, der Sicherheit, der Volksgesundheit oder der Sittlichkeit entgegenstehen.

Art. 2 [Aufenthaltsdauer] Unter den in Artikel 1 genannten Voraussetzungen wird jeder Vertragstaat in dem Umfang, in dem seine wirtschaftlichen und sozialen Verhältnisse es gestatten, den Staatsangehörigen der anderen Vertragstaaten einen längeren oder dauernden Aufenthalt in seinem Gebiet erleichtern.

Art. 3[1)] [Ausweisung] (1) Die Staatsangehörigen eines Vertragstaates, die ihren ordnungsmäßigen Aufenthalt im Gebiet eines anderen Vertragstaates haben, dürfen nur ausgewiesen werden, wenn sie die Sicherheit des Staates gefährden oder gegen die öffentliche Ordnung oder die Sittlichkeit verstoßen.

(2) Sofern nicht zwingende Gründe der Sicherheit des Staates es erfordern, dürfen die Staatsangehörigen eines Vertragstaates, die seit mehr als zwei Jahren ihren ordnungsmäßigen Aufenthalt im Gebiet eines anderen Vertragstaates haben, nur ausgewiesen werden, wenn ihnen Gelegenheit gegeben worden ist, Gegenvorstellungen zu erheben, ein Rechtsmittel einzulegen und sich zu diesem Zweck vor einer zuständigen Behörde oder vor einer Person oder mehreren Personen, die von der zuständigen Behörde besonders bestimmt sind, vertreten zu lassen.

(3) Die Staatsangehörigen eines Vertragstaates, die seit mehr als zehn Jahren ihren ordnungsmäßigen Aufenthalt im Gebiet eines anderen Vertragstaates haben, dürfen nur aus Gründen der Sicherheit des Staates, oder wenn die übrigen in Absatz 1 aufgeführten Gründe besonders schwerwiegend sind, ausgewiesen werden.

---

1) Siehe hierzu den Vorbehalt Norwegens gem. Bek. v. 30. 7. 1965 (BGBl. II S. 1099) und Schwedens gem. Bek. v. 17. 12. 1971 (BGBl. II S. 38).

Kapitel IV. Ausübung einer Erwerbstätigkeit

Art. 10 [Erwerbstätigkeiten] Jeder Vertragstaat wird in seinem Gebiet den Staatsangehörigen der anderen Vertragstaaten gestatten, jede auf Erwerb gerichtete Tätigkeit unter den gleichen Bedingungen wie die eigenen Staatsangehörigen auszuüben, wenn nicht wichtige Gründe wirtschaftlicher oder sozialer Art der Erteilung der Erlaubnis entgegenstehen. Diese Bestimmung gilt, ohne hierauf beschränkt zu sein, für Tätigkeiten in Industrie, Handel, Finanzwesen, Landwirtschaft, Handwerk und freien Berufen, ohne Rücksicht darauf, ob es sich um eine selbständige oder unselbständige Erwerbstätigkeit handelt.

Art. 11[1)] [Beschränkungen] Die Staatsangehörigen eines Vertragstaates, denen von einem anderen Vertragstaat für eine bestimmte Zeit die Ausübung einer Erwerbstätigkeit gestattet worden ist, dürfen während dieser Zeit keinen Beschränkungen unterworfen werden, die bei Erteilung der Erlaubnis nicht vorgesehen waren, wenn diese Beschränkungen nicht unter entsprechenden Voraussetzungen auf die eigenen Staatsangehörigen Anwendung finden.

Art. 12[1)] [Freiheit von Beschränkungen] (1) Die Staatsangehörigen eines Vertragstaates, die ihren ordnungsmäßigen Aufenthalt im Gebiet eines anderen Vertragstaates haben, sind in gleicher Weise wie dessen eigene Staatsangehörige zur Ausübung jeder Erwerbstätigkeit berechtigt, ohne den Beschränkungen des Artikels 10 zu unterliegen, wenn sie

a) fünf Jahre ununterbrochen eine Erwerbstätigkeit in diesem Gebiet befugt ausgeübt haben oder

b) zehn Jahre ununterbrochen ihren ordnungsmäßigen Aufenthalt in diesem Gebiet gehabt haben oder

c) die Erlaubnis zum dauernden Aufenthalt erhalten haben.

Jeder Vertragstaat kann bei der Unterzeichnung dieses Abkommens oder bei der Hinterlegung der Ratifikationsurkunde erklären, daß er eine oder zwei der vorstehenden Bedingungen nicht annimmt.

(2) Jeder Vertragstaat kann ferner in gleicher Weise die in Absatz 1 a vorgesehene Frist bis zu einer Höchstdauer von zehn Jahren verlängern mit der Maßgabe, daß nach den ersten fünf Jahren die Erneuerung der

---

1) Siehe hierzu die Vorbehalte Belgiens, Griechenlands, Norwegens gem. Bek. v. 30. 7. 1965 (BGBl. II S. 1099), Irlands gem. Bek. v. 26. 10. 1966 (BGBl. II S. 1519), Luxemburgs gem. Bek. v. 17. 7. 1969 (BGBl. II S. 1725) und Schwedens gem. Bek. v. 17. 12. 1971 (BGBl. 1972 II S. 38).

Erlaubnis für die bis zu diesem Zeitpunkt ausgeübte Tätigkeit auf keinen Fall verweigert oder von einem Wechsel dieser Tätigkeit abhängig gemacht werden darf. Jeder Vertragstaat kann ferner erklären, daß er nicht in allen Fällen den Wechsel von unselbständiger zu selbständiger Tätigkeit ohne weiteres zulassen wird.

Art. 13 [Vorbehalte für die eigenen Staatsangehörigen] Jeder Vertragstaat kann die Ausübung öffentlicher Aufgaben und jeder mit der Sicherheit des Staates oder der Landesverteidigung in Zusammenhang stehenden Tätigkeit den eigenen Staatsangehörigen vorbehalten oder die Ausübung dieser Tätigkeiten durch Ausländer von besonderen Voraussetzungen abhängig machen.

Art. 14 [Verzeichnis der Vorbehalte] (1) Unbeschadet der Regelung in Artikel 13

a) übermittelt jeder Vertragstaat, der bestimmte Tätigkeiten seinen eigenen Staatsangehörigen vorbehalten oder ihre Ausübung durch Ausländer, einschließlich der Staatsangehörigen der anderen Vertragstaaten, besonders geregelt oder von der Gegenseitigkeit abhängig gemacht hat, bei der Unterzeichnung dieses Abkommens dem Generalsekretär des Europarates ein Verzeichnis dieser Beschränkungen, unter Angabe der innerstaatlichen Rechtsvorschriften, auf denen die Beschränkungen beruhen; der Generalsekretär übermittelt den anderen Unterzeichnerstaaten diese Verzeichnisse;

b) darf jeder Vertragstaat, nachdem dieses Abkommen für ihn in Kraft getreten ist, neue Beschränkungen für die Ausübung einer Erwerbstätigkeit durch Staatsangehörige der anderen Vertragstaaten nur einführen, wenn er sich aus zwingenden Gründen wirtschaftlicher oder sozialer Art hierzu genötigt sieht. In diesem Fall hält er den Generalsekretär über die getroffenen Maßnahmen, die einschlägigen innerstaatlichen Rechtsvorschriften und die Gründe, die zu diesen Maßnahmen geführt haben, vollständig unterrichtet; der Generalsekretär macht den anderen Vertragstaaten hiervon Mitteilung.

(2) Jeder Vertragstaat wird bestrebt sein, zugunsten der Staatsangehörigen der anderen Vertragstaaten

das Verzeichnis der Tätigkeiten, die seinen eigenen Staatsangehörigen vorbehalten sind oder deren Ausübung durch Ausländer besonders geregelt oder von der Gegenseitigkeit abhängig gemacht ist, zu verkleinern; er unterrichtet von diesen Änderungen den Generalsekretär, der sie den anderen Parteien mitteilt;

einzelne Ausnahmen von den geltenden Vorschriften in dem Umfang zuzulassen, in dem seine Gesetzgebung es gestattet.

Art. 15[1] **[Befähigungsnachweise]** Die Ausübung einer Tätigkeit im Gebiet eines Vertragstaates, für die von den Staatsangehörigen dieses Vertragstaates ein beruflicher oder fachlicher Befähigungsnachweis oder die Leistung einer Sicherheit verlangt wird, wird für Staatsangehörige eines der anderen Vertragstaaten von der Leistung der gleichen Sicherheit oder den gleichen oder von der zuständigen staatlichen Behörde als gleichwertig anerkannten Befähigungsnachweisen abhängig gemacht.

Die Staatsangehörigen der Vertragstaaten, die ihren Beruf im Gebiet eines der Vertragstaaten befugt ausüben, können indessen durch einen Fachkollegen in das Gebiet eines der anderen Vertragstaaten zur Unterstützung in einem besonderen Fall gerufen werden.

Art. 16[2] **[Handelsreisende]** Die Staatsangehörigen eines Vertragstaates, die als Handelsreisende für ein Unternehmen tätig sind, dessen Hauptniederlassung sich im Gebiet eines der Vertragstaaten befindet, bedürfen keiner Erlaubnis zur Ausübung ihrer Tätigkeit im Gebiet eines der anderen Vertragstaaten, sofern sie sich dort nicht länger als zwei Monate in jedem Halbjahr aufhalten.

Art. 17 [Soziale Gleichheit] (1) Die Staatsangehörigen eines Vertragstaates dürfen im Gebiet eines der anderen Vertragstaaten hinsichtlich staatlicher Regelungen von Arbeitsentgelt und allgemeinen Arbeitsbedingungen nicht ungünstiger behandelt werden als die eigenen Staatsangehörigen.

(2) Die Bestimmungen dieses Kapitels sind nicht so zu verstehen, daß die Vertragstaaten verpflichtet sind, in ihrem Gebiet die Staatsangehörigen eines der anderen Vertragstaaten hinsichtlich der Ausübung einer Erwerbstätigkeit günstiger zu behandeln als ihre eigenen Staatsangehörigen.

Kapitel V. Rechte auf besonderen Gebieten

Art. 18[2] **[Wahlen zu Körperschaften oder Organisationen]** Kein Vertragstaat darf den Staatsangehörigen eines der anderen Vertragstaaten untersagen, sich unter den gleichen Voraussetzungen wie die eigenen Staatsangehörigen als Wähler an Wahlen zu Körperschaften oder Organisationen wirtschaftlicher oder berufsständischer Art, wie Handelskammern, Landwirtschaftskammern oder Handwerkskam-

[1] Siehe hierzu den Vorbehalt des Vereinigten Königreichs gem. Bek. v. 25. 7. 1970 (BGBl. II S. 843).
[2] Siehe hierzu den Vorbehalt Luxemburgs gem. Bek. v. 17. 7. 1969 (BGBl. II S. 1725).

mern, zu beteiligen, wenn sie seit mindestens fünf Jahren in seinem Gebiet befugt eine entsprechende Tätigkeit ausgeübt haben; vorbehalten bleiben die Entscheidungen, die diese Körperschaften oder Organisationen im Rahmen ihrer Zuständigkeit hierüber treffen können.

Kapitel VI. Steuerwesen, zivile Dienstpflicht, Enteignung, Verstaatlichung

Art. 22 [Leistungspflichten] Die Staatsangehörigen eines Vertragsstaates dürfen im Gebiet eines anderen Vertragsstaates nicht zu zivilen persönlichen Dienstleistungen oder Sachleistungen herangezogen werden, die anders oder drückender sind, als sie unter gleichen Voraussetzungen den eigenen Staatsangehörigen auferlegt werden.

Kapitel VII. Ständiger Ausschuß

Art. 24. (1) Im Laufe des auf das Inkrafttreten dieses Abkommens folgenden Jahres ist ein Ständiger Ausschuß zu bilden. Der Ausschuß wird Vorschläge zur Verbesserung der Anwendung des Abkommens und, soweit erforderlich, zur praktischen Ausführung oder Ergänzung seiner Bestimmungen machen.

(2) Der Ausschuß wird sich bei Meinungsverschiedenheiten über die Auslegung oder die Anwendung der Bestimmungen der Artikel 6 Abs. 1b und Artikel 14 Abs. 1b auf Ersuchen eines der beteiligten Vertragstaaten um eine Einigung bemühen.

(3) Der Ausschuß wird in regelmäßigen Zeitabständen einen Bericht vorlegen, der alle Angaben über die im Gebiet der Vertragstaaten geltenden Gesetze und sonstigen Rechtsvorschriften für die in diesem Abkommen behandelten Sachgebiete enthält.

(4) Jedes Mitglied des Europarates, das dieses Abkommen ratifiziert hat, entsendet einen Vertreter in den Ausschuß. Jedes andere Mitglied des Europarates kann sich durch einen Beobachter vertreten lassen, der an den Sitzungen mit beratender Stimme teilnimmt.

(5) Der Ausschuß wird vom Generalsekretär des Europarates einberufen. Er tritt zu seiner ersten Tagung binnen drei Monaten nach seiner Bildung zusammen. Weitere Tagungen werden mindestens alle zwei Jahre abgehalten. Der Ausschuß kann ferner jederzeit einberufen werden, wenn das Ministerkomitee des Europarates es für notwendig hält. Die Zweijahresfrist beginnt mit dem letzten Sitzungstag der vorhergehenden Tagung.

(6) Die Stellungnahmen oder Empfehlungen des Ständigen Ausschusses werden dem Ministerkomitee unterbreitet.

(7) Der Ständige Ausschuß gibt sich seine Geschäftsordnung selbst.

Kapitel VIII. Allgemeine Bestimmungen

Art. 25 [Anpassungsvorschrift] Die Bestimmungen dieses Abkommens berühren nicht die Bestimmungen der bereits in Kraft befindlichen oder später in Kraft tretenden innerstaatlichen Gesetze, zweiseitige oder mehrseitige Verträge, Abkommen oder Vereinbarungen, durch die Staatsangehörigen eines anderen Vertragstaates oder mehrerer anderer Vertragstaaten eine günstigere Behandlung gewährt wird.

Art. 26 [Vorbehalte gegenüber diesem Abkommen] (1) Jedes Mitglied des Europarates kann bei Unterzeichnung dieses Abkommens oder bei Hinterlegung seiner Ratifikationsurkunde Vorbehalte zu einer bestimmten Vorschrift des Abkommens machen, soweit ein in seinem Gebiet zu dieser Zeit geltendes Gesetz mit dieser Vorschrift nicht übereinstimmt. Vorbehalte allgemeiner Art sind nach diesem Artikel nicht zulässig.

(2) Jeder Vorbehalt nach diesem Artikel muß kurze Angaben über das in Betracht kommende Gesetz enthalten.

(3) Jedes Mitglied des Europarates, das einen Vorbehalt nach diesem Artikel macht, wird den Vorbehalt zurückziehen, sobald die Umstände es gestatten. Vorbehalte werden durch eine Mitteilung an den Generalsekretär des Europarates zurückgezogen; sie werden mit dem Tag des Eingangs der Mitteilung wirksam. Der Generalsekretär wird

(Fortsetzung nächstes Blatt)

den Wortlaut der Mitteilung allen Unterzeichnerstaaten übermitteln.

Art. 27. Ein Vertragstaat, der nach Artikel 26 einen Vorbehalt zu einer bestimmten Vorschrift dieses Abkommens gemacht hat, kann ihre Anwendung durch einen anderen Vertragstaat nur insoweit verlangen, als er selbst die Vorschrift angenommen hat.

Art. 28 [Maßnahmen bei Krieg oder Notstand] (1) Im Falle eines Krieges oder eines anderen öffentlichen Notstandes, der das Leben der Nation bedroht, kann jeder Vertragstaat Maßnahmen ergreifen, die von den mit diesem Abkommen eingegangenen Verpflichtungen abweichen, soweit die Verhältnisse es erforderlich machen, und unter der Voraussetzung, daß diese Maßnahmen nicht zu sonstigen völkerrechtlichen Verpflichtungen in Widerspruch stehen.

(2) Jeder Vertragstaat, der von dem Recht Gebrauch macht, von den eingegangenen Verpflichtungen abzuweichen, wird den Generalsekretär des Europarates über die ergriffenen Maßnahmen und die hierfür maßgeblichen Gründe vollständig unterrichtet halten. Er wird den Generalsekretär des Europarates auch über den Tag unterrichten, an dem diese Maßnahmen unwirksam werden und die Bestimmungen des Abkommens wieder uneingeschränkt Anwendung finden.

Kapitel IX. Geltungsbereich des Abkommens

Art. 29 [Geltungsbereich] (1) Dieses Abkommen findet auf das Mutterland jedes der Vertragstaaten Anwendung.

(2) Jedes Mitglied des Europarates kann bei der Unterzeichnung oder der Ratifizierung dieses Abkommens oder zu einem späteren Zeitpunkt durch eine Mitteilung an den Generalsekretär des Europarates erklären, daß dieses Abkommen auf das Gebiet oder die Gebiete Anwendung findet, die in dieser Erklärung bezeichnet sind und für deren internationale Beziehungen es verantwortlich ist.

(3) Jede nach Absatz 2 abgegebene Erklärung kann für jedes in der Erklärung bezeichnete Gebiet unter den Voraussetzungen des Artikels 33 zurückgezogen werden.

(4) Der Generalsekretär wird den anderen Mitgliedern des Europarates jede ihm nach Absatz 2 oder 3 zugegangene Erklärung zur Kenntnis bringen.

Art. 30 [Staatsangehörige, Begriff] (1) Staatsangehörige im Sinne dieses Abkommens sind alle natürlichen Personen, die die Staatsangehörigkeit eines der Vertragstaaten besitzen.

(2) Keiner der Vertragstaaten ist verpflichtet, die Vergünstigungen dieses Abkommens denjenigen Staatsangehörigen eines anderen Vertragstaates zu gewähren, die ihren gewöhnlichen Aufenthalt in einem Gebiet haben, das nicht zum Mutterland dieses Vertragstaates gehört und auf das dieses Abkommen keine Anwendung findet.

Kapitel X. Beilegung von Streitigkeiten

Art. 31.[1] (1) Streitigkeiten, die zwischen den Vertragstaaten über die Auslegung oder die Anwendung dieses Abkommens entstehen, sind auf Grund besonderer Vereinbarungen oder auf Antrag einer der Streitparteien dem Internationalen Gerichtshof zu unterbreiten, sofern die Parteien sich nicht über ein anderes Verfahren für eine gütliche Beilegung des Streites einigen.

(2) Nach Inkrafttreten des Europäischen Übereinkommens zur friedlichen Beilegung von Streitigkeiten werden die diesem Abkommen beigetretenen Parteien die sie bindenden Bestimmungen des Übereinkommens auf alle auftretenden Streitigkeiten anwenden, die zwischen ihnen bezüglich des vorliegenden Abkommens entstehen.

(3) Jede Streitigkeit, auf die ein in Absatz 1 und Absatz 2 vorgesehenes Verfahren Anwendung findet, ist von den beteiligten Parteien umgehend dem Generalsekretär des Europarates zur Kenntnis zu bringen, der die anderen Vertragstaaten unverzüglich unterrichtet.

(4) Kommt eine an einer Streitigkeit beteiligte Partei nicht den Verpflichtungen nach, die ihr auf Grund einer Entscheidung des Internationalen Gerichtshofs oder des Spruchs eines Schiedsgerichts obliegen, so kann die andere Partei das Ministerkomitee des Europarates anrufen. Das Ministerkomitee kann, wenn es ihm notwendig erscheint, Empfehlungen im Hinblick auf die Ausführung der Entscheidung oder des Schiedsspruchs mit Zweidrittelmehrheit der stimmberechtigten Vertreter im Ministerkomitee erteilen.

Kapitel XI. Schlußbestimmungen

Art. 32 [Protokoll zu diesem Abkommen] Das diesem Abkommen beigefügte Protokoll ist Bestandteil des Abkommens.

---

[1] Siehe hierzu den Vorbehalt der Türkei gem. Bek. v. 21. 12. 1990 (BGBl. 1991 II S. 397).

Art. 33 [Kündigung des Abkommens] (1) Ein Vertragstaat kann dieses Abkommen frühestens nach Ablauf von fünf Jahren, gerechnet vom Tage seines Beitritts zu dem Abkommen, mit einer Frist von sechs Monaten durch eine Mitteilung an den Generalsekretär des Europarates kündigen; der Generalsekretär unterrichtet die anderen Vertragstaaten. Jeder Vertragstaat, der von dieser Kündigungsmöglichkeit keinen Gebrauch macht, bleibt für jeweils weitere zwei Jahre durch das Abkommen gebunden, bis er das Abkommen mit einer Frist von sechs Monaten zum Ablauf einer solchen Zweijahresfrist kündigt.

(2) Die Kündigung enthebt den Vertragstaat nicht seiner in dem Abkommen eingegangenen Verpflichtungen für Handlungen, die von ihm vor dem Wirksamwerden der Kündigung vorgenommen worden sind.

(3) Ein Vertragstaat, der aus dem Europarat ausscheidet, ist, vorbehaltlich der Bestimmung des Absatzes 2, nicht mehr Partei dieses Abkommens.

Art. 34 [Ratifizierung; Inkrafttreten] (1) Dieses Abkommen wird zur Unterzeichnung durch die Mitglieder des Europarates aufgelegt. Es bedarf der Ratifizierung. Die Ratifikationsurkunden werden bei dem Generalsekretär des Europarates hinterlegt.

(2) Dieses Abkommen tritt mit dem Tage der Hinterlegung der fünften Ratifikationsurkunde in Kraft.

(3) Für jeden Unterzeichnerstaat, der das Abkommen später ratifiziert, tritt es mit dem Tage der Hinterlegung seiner Ratifikationsurkunde in Kraft.

(4) Der Generalsekretär unterrichtet die Mitglieder des Europarates von dem Inkrafttreten des Abkommens, den Namen der Vertragstaaten, die es ratifiziert haben, den Vorbehalten und der Hinterlegung jeder weiteren Ratifikationsurkunde.

Zu Urkund dessen haben die hierzu gehörig befugten Unterzeichneten dieses Abkommen unterschrieben.

Geschehen zu Paris am 13. Dezember 1955 in englischer und französischer Sprache, wobei jeder Wortlaut gleichermaßen verbindlich ist, in einer Urschrift, die im Archiv des Europarates hinterlegt wird. Der Generalsekretär übermittelt allen Unterzeichnerstaaten eine beglaubigte Abschrift.

(Es folgen die Unterschriften für Belgien, Dänemark, Frankreich, Bundesrepublik Deutschland, Griechenland, Irland, Island, Italien, Luxemburg, Niederlande, Norwegen, Saar, Schweden, Türkei, Vereinigtes Königreich.)

Protokoll

Abschnitt I. Zu den Artikeln 1, 2, 3, 5, 6 Abs. 1b, den Artikeln 10, 13 und 14 Abs. 1b

a) Jeder Vertragstaat hat das Recht, nach seinen innerstaatlichen Grundsätzen zu beurteilen:

1. die „Gründe der öffentlichen Ordnung, der Sicherheit, der Volksgesundheit oder der Sittlichkeit“, die der Einreise der Staatsangehörigen der anderen Vertragstaaten in sein Gebiet etwa entgegenstehen,
2. die sich aus seinen „wirtschaftlichen und sozialen Verhältnissen“ ergebenden Gründe, die der Erteilung einer Aufenthaltserlaubnis für einen längeren oder dauernden Aufenthalt oder der Genehmigung zur Ausübung einer Erwerbstätigkeit an die Staatsangehörigen der anderen Vertragstaaten in seinem Gebiet etwa entgegenstehen,
3. die Tatbestände, in denen eine Gefährdung der Sicherheit des Staates oder eine Beeinträchtigung der öffentlichen Ordnung oder der Sittlichkeit zu erblicken ist,
4. die in dem Abkommen im einzelnen bezeichneten Gründe, die einem Vertragstaat das Recht geben, den Erwerb, den Besitz oder die Nutzung bestimmter Arten von Gütern und die Ausübung bestimmter Rechte und Tätigkeiten seinen eigenen Staatsangehörigen vorzubehalten oder Staatsangehörige der anderen Vertragstaaten insoweit von besonderen Voraussetzungen abhängig zu machen.

b) Jeder Vertragstaat hat selbst zu beurteilen, ob die Gründe, die eine Ausweisung rechtfertigen können, „besonders schwerwiegend“ sind. Hierbei ist das Verhalten des Betreffenden während der gesamten Dauer seines Aufenthalts zu berücksichtigen.

c) Von der Möglichkeit, die Rechte von Staatsangehörigen der anderen Vertragstaaten zu beschränken, darf nur aus den in dem Abkommen aufgeführten Gründen Gebrauch gemacht werden, und nur insoweit, als dies mit den von den Vertragstaaten eingegangenen Verpflichtungen vereinbar ist.

Abschnitt II. Zu den Artikeln 1, 2, 3, 10, 11, 12, 13, 14, 15, 16, 17 und 20

a) Die Vorschriften, die die Einreise, den Aufenthalt und die Freizügigkeit der Ausländer sowie die Ausübung einer Erwerbstätigkeit durch Ausländer regeln, werden von dem Abkommen nicht berührt, soweit sie nicht zu den Bestimmungen des Abkommens in Widerspruch stehen.

b) Der Aufenthalt von Staatsangehörigen eines Vertragstaates gilt als ordnungsmäßig in dem Gebiet eines anderen Vertragstaates, wenn den unter a) genannten Vorschriften entsprochen ist.

Abschnitt III. Zu den Artikeln 1, 2 und 3

a) Der Begriff „öffentliche Ordnung“ ist in dem weiten Sinne auszulegen, in dem er im allgemeinen in den kontinentalen Ländern verstanden wird. Ein Vertragstaat kann insbesondere einem Staatsangehörigen eines anderen Vertragstaates die Einreise aus politischen Gründen verweigern oder wenn Grund zu der Annahme besteht, daß er nicht über genügend Mittel für seinen Unterhalt verfügt oder eine Erwerbstätigkeit ohne eine etwa erforderliche Erlaubnis auszuüben beabsichtigt.

b) Die Vertragstaaten verpflichten sich, bei Ausübung der ihnen zustehenden Rechte auf familiäre Bindungen Rücksicht zu nehmen.

c) Das Recht der Ausweisung darf nur in Einzelfällen ausgeübt werden.

Die Vertragstaaten werden von diesem Recht in Anbetracht der besonderen Beziehungen, die zwischen den Mitgliedern des Europarates bestehen, rücksichtsvoll Gebrauch machen. Sie werden insbesondere familiären Bindungen und der Dauer des Aufenthalts des Betreffenden in ihrem Gebiet Rechnung tragen.

Abschnitt V. Zu den Artikeln 10, 11, 12, 13, 14, 15, 16 und 17

a) Die Bestimmungen der Artikel 10, 11, 12, 13, 14, 15, 16 und 17 des Abkommens finden unter den in den Artikeln 1 und 2 enthaltenen Voraussetzungen für die Einreise und den Aufenthalt Anwendung.

b) Dem Ehegatten und den unterhaltsberechtigten Kindern von Staatsangehörigen eines Vertragstaates, die die Erlaubnis erhalten haben, ihren sich in dem Gebiet eines anderen Vertragstaates ordnungsmäßig aufhaltenden Angehörigen zu begleiten oder sich mit ihm wieder zu vereinen, wird nach Möglichkeit erlaubt, unter den in diesem Abkommen vorgesehenen Bedingungen ein Arbeitsverhältnis einzugehen.

c) Die Bestimmungen des Artikels 12 des Abkommens finden keine Anwendung auf Staatsangehörige eines Vertragstaates, die sich im Gebiet eines anderen Vertragstaates auf Grund einer Sonderregelung aufhalten oder auf Grund besonderer Regelungen oder Vereinbarungen eine Erwerbstätigkeit ausüben, wie die Mitglieder oder die nicht am Ort eingestellten Bediensteten von diplomatischen und konsularischen Vertretungen, das Personal internationaler Organisationen, Gastarbeitnehmer, Lehrlinge, Studenten, zur Vervollständigung ihrer Berufsausbildung Beschäftigte und die Mitglieder von Schiffs- und Flugzeugbesatzungen.

d) Für die Zwecke des Artikels 16 des Abkommens dürfen die Vertragstaaten den Beruf des Handelsreisenden in ihren innerstaatlichen Gesetzen und sonstigen Rechtsvorschriften nicht dem Wandergewerbe oder Hausierergewerbe gleichstellen.

e) Es besteht Übereinstimmung darüber, daß Artikel 16 nur auf diejenigen Handelsreisenden Anwendung findet, die im Dienst eines Unternehmens stehen, das seinen Sitz außerhalb des Aufnahmelandes hat, und die ausschließlich von diesem Unternehmen entlohnt werden.

f) Die Bestimmungen des Artikels 17 Abs. 1 des Abkommens finden in dem besonderen Fall der Gastarbeitnehmer hinsichtlich ihres Arbeitsentgelts keine Anwendung.

Abschnitt VI. Zu den Artikeln 2, 11, 12, 13, 14, 15, 16, 17 und 25

a) Es besteht Übereinstimmung darüber, daß das Abkommen auf gewerbliche Schutzrechte, die Rechte an Werken der Literatur und Kunst sowie die Rechte an neuen Pflanzenzüchtungen keine Anwendung findet, da diese Gebiete den geltenden oder künftig in Kraft tretenden einschlägigen internationalen Abkommen oder sonstigen internationalen Vereinbarungen vorbehalten bleiben.

b) Diejenigen Parteien des Abkommens, die durch die Beschlüsse des Rats der Organisation für Europäische Wirtschaftliche Zusammenarbeit zur Regelung der Beschäftigung von Staatsangehörigen der Mitgliedstaaten dieser Organisation gebunden sind oder gebunden sein werden, werden im Verhältnis zueinander hinsichtlich der Ausübung unselbständiger Tätigkeit die jeweils für den Arbeitnehmer günstigsten Bestimmungen anwenden. Bei der Anwendung der Bestimmungen der Artikel 2, 10, 11, 12, 13, 14, 15, 16 und 17 des Abkommens und bei der Beurteilung der in den Artikeln 10 und 14 erwähnten wirtschaftlichen und sozialen Gründe werden sie dem Geist und dem Buchstaben der oben genannten Ratsbeschlüsse entsprechen, insoweit diese für die Arbeitnehmer günstiger sind als die Bestimmungen des Abkommens.

Abschnitt VII. Zu Artikel 26 Abs. 1

Die Vertragstaaten werden von ihrem Vorbehaltsrecht nur in dem Umfang Gebrauch machen, in dem nach ihrer Auffassung wesentliche Bestimmungen ihres innerstaatlichen Rechts es erfordern.

Abschnitt VIII. Zu Art. 29 Abs. 1

a) Dieses Abkommen findet in bezug auf Frankreich auch auf Algerien und die überseeischen Departements Anwendung.

b) Die Bundesrepublik Deutschland kann die Anwendung des Abkommens durch eine an den Generalsekretär des Europarates zu richtende Erklärung auch auf das Land Berlin erstrecken.[1] Der Generalsekretär wird die anderen Vertragstaaten hiervon in Kenntnis setzen.

Zu Artikel 29 Abs. 2

Jedes Mitglied des Europarates, das eine Erklärung nach Artikel 29 Abs. 2 des Abkommens abgibt, wird gleichzeitig dem Generalsekretär des Europarates für alle Gebiete, die in dieser Erklärung genannt sind, die Verzeichnisse der in Artikel 6 Abs. 1 und Artikel 14 Abs. 1 vorgesehenen Beschränkungen sowie alle Erklärungen nach Artikel 12 und alle Vorbehalte nach Artikel 26 des Abkommens zur Kenntnis bringen.

(Fortsetzung nächste Seite)

---

[1] Siehe die Anm. zum Titel dieses Abkommens.

Zu Artikel 30

Der „gewöhnliche Aufenthalt" bestimmt sich nach den Rechtsvorschriften des Landes, dessen Staatsangehörigkeit der Betreffende besitzt.

Abschnitt IX. Zu Artikel 31 Abs. 1

Vertragstaaten, die dem Statut des Internationalen Gerichtshofs nicht angehören, werden die erforderlichen Maßnahmen treffen, um Zugang zu dem Gerichtshof zu erlangen.

XV.
Kirchliches Arbeitsrecht

A. Katholische Kirche

1200. Grundordnung des kirchlichen Dienstes[1)]

vom 22. September 1993 in der Fassung des Beschlusses der Vollversammlung des Verbandes der Diözesen Deutschlands vom 22. November 2022

Die katholischen (Erz-)Bischöfe in der Bundesrepublik Deutschland erlassen, jeweils für ihren Bereich,

- in Verantwortung für den Auftrag der Kirche, der Berufung aller Menschen zur Gemeinschaft mit Gott und untereinander zu dienen,
- in Wahrnehmung der der Kirche durch das Grundgesetz garantierten Freiheit, ihre Angelegenheiten selbstständig innerhalb der Schranken des für alle geltenden Gesetzes zu ordnen,
- zur Sicherung der Glaubwürdigkeit der Einrichtungen und Dienste, die die Kirche unterhält und anerkennt, um ihren Auftrag in der Gesellschaft wirksam wahrnehmen zu können,
- in Erfüllung ihrer Pflicht und Verantwortung gegenüber der Dienstgemeinschaft unter besonderer Berücksichtigung der Grundsätze, welche die Katholische Soziallehre herausgearbeitet hat,

die folgende

Grundordnung des kirchlichen Dienstes

Art. 1 Geltungsbereich. (1) Diese Grundordnung enthält die spezifischen Grundlagen des kirchlichen Dienstes und regelt Anforderungen und Erwartungen an die Dienstgeber und Mitarbeitenden der Einrichtungen der katholischen Kirche.

(2) [1] Kirchliche Einrichtungen im Sinne dieser Ordnung sind alle Organisationen in öffentlich-rechtlicher oder privater Rechtsform, die als Wesens- und Lebensäußerung der katholischen Kirche einen Auftrag im Einklang mit dem Selbstverständnis der Kirche wahrnehmen und mit ihren Amtsträgerinnen und Amtsträgern in besonderer Weise verbunden sind. [2] Für vorwiegend gewinnorientierte kirchliche Einrichtungen findet diese Grundordnung keine Anwendung.

(3) Mitarbeitende im Sinne dieser Ordnung sind insbesondere

a) Personen, die aufgrund eines Arbeits- oder eines kirchlichen Beamtenverhältnisses tätig sind,
b) Kleriker und Kandidaten für das Weiheamt,
c) Ordensangehörige, Personen im Noviziat und Postulat,
d) Führungskräfte, die aufgrund eines Organdienstverhältnisses tätig sind,
e) zu ihrer Berufsausbildung tätige Personen
f) ehrenamtlich Tätige, die Organmitglieder sind.

[1)] **Amtl. Anm.:** Der Text folgt der Broschüre „Grundordnung des kirchlichen Dienstes – 5., völlig überarbeitete Neuauflage / hg. vom Sekretariat der Deutschen Bischofskonferenz. – Bonn 2023".

(4) Dienstgeber im Sinne dieser Ordnung ist der jeweilige Rechtsträger der Einrichtung.

(5) Diese Grundordnung gilt für

a) die (Erz-)Diözesen,
b) die Kirchengemeinden und Kirchenstiftungen,
c) die Verbände von Kirchengemeinden,
d) die Diözesancaritasverbände und deren Gliederungen, soweit sie öffentliche juristische Personen des kanonischen Rechts sind,
e) die sonstigen dem Diözesanbischof unterstellten öffentlichen juristischen Personen des kanonischen Rechts,
f) die sonstigen kirchlichen Rechtsträger, unbeschadet ihrer Rechtsform, die der bischöflichen Gesetzgebungsgewalt unterliegen

und deren rechtlich unselbstständige Einrichtungen.

(6) [1] Kirchliche Rechtsträger, die nicht der bischöflichen Gesetzgebungsgewalt unterliegen, sind verpflichtet, diese Grundordnung in ihr Statut verbindlich zu übernehmen; sofern ein kirchlicher Rechtsträger in der Rechtsform einer Körperschaft des öffentlichen Rechts über kein Statut verfügt, ist eine notarielle Beglaubigung der Grundordnungsübernahme und anschließende Veröffentlichung dieser Erklärung ausreichend. [2] Wenn sie dieser Verpflichtung nicht nachkommen, haben sie im Hinblick auf die arbeitsrechtlichen Beziehungen nicht am Selbstbestimmungsrecht der Kirche gemäß Art. 140 GG[1)] i.V.m. Art. 137 Abs. 3 WRV teil.

Art. 2 Eigenart und Grundprinzipien des kirchlichen Dienstes.

(1) [1] Der Dienst in der Kirche ist ausgerichtet an der Botschaft Jesu Christi. [2] Alle kirchlichen Einrichtungen sind sichtbare und erlebbare Orte der Kirche und dem Auftrag Christi verpflichtet. [3] Sie sind Ausdruck der christlichen Hoffnung auf die zeichenhafte Verwirklichung des Reiches Gottes in der Welt (Sendungsauftrag).

(2) Alle in den Einrichtungen der Kirche Tätigen, gleich ob sie haupt- oder ehrenamtlich, ob sie leitend oder ausführend beschäftigt sind und unbeschadet des Umstandes, ob es sich um Christen, andersgläubige oder religiös ungebundene Mitarbeitende handelt, arbeiten gemeinsam daran, dass die Einrichtung ihren Teil am Sendungsauftrag der Kirche erfüllen kann (Dienstgemeinschaft).

(3) Der Sendungsauftrag verbindet alle Mitglieder der Dienstgemeinschaft und verpflichtet sie zur vertrauensvollen Zusammenarbeit.

(4) [1] Die Kirche sieht sich in ihrem Wirken dem christlichen Auftrag verpflichtet, alle Menschen zu den Grundvollzügen der Kirche einzuladen. [2] Dazu zählen die Verkündigung und Verbreitung des Evangeliums *(kerygma-martyria)*, die gemeinsamen gottesdienstlichen Feiern *(leiturgia)*, der Dienst am Mitmenschen *(diakonia)* sowie die gelebte Gemeinschaft *(koinonia)*. [3] Diese Grundvollzüge bedingen sich gegenseitig, sind untrennbar miteinander verbunden und haben denselben Stellenwert.

Art. 3 Ausprägungen katholischer Identität und Verantwortung für den Erhalt und die Stärkung des christlichen Profils. (1) [1] Katholische Einrichtungen sind geprägt durch das christliche Gottes- und Menschenbild.

---

1) Nr. **10**.

[2]Das Gebot der Nächstenliebe gehört gemeinsam mit der Gottesliebe zum Kern des christlichen Glaubens. [3]Das Leben ist ein Geschenk aus der Hand Gottes, das zu schützen und zu achten ist. [4]Auf dieser Grundlage arbeiten kirchliche Einrichtungen mit allen Menschen guten Willens zusammen.

(2) [1]Vielfalt in kirchlichen Einrichtungen ist eine Bereicherung. [2]Alle Mitarbeitenden können unabhängig von ihren konkreten Aufgaben, ihrer Herkunft, ihrer Religion, ihrem Alter, ihrer Behinderung, ihrem Geschlecht, ihrer sexuellen Identität und ihrer Lebensform Repräsentantinnen und Repräsentanten der unbedingten Liebe Gottes und damit einer den Menschen dienenden Kirche sein. [3]Vorausgesetzt werden eine positive Grundhaltung und Offenheit gegenüber der Botschaft des Evangeliums und die Bereitschaft, den christlichen Charakter der Einrichtung zu achten und dazu beizutragen, ihn im eigenen Aufgabenfeld zur Geltung zu bringen.

(3) [1]Die Verantwortung für den Schutz und die Stärkung des kirchlichen Charakters der Einrichtung kommt zuallererst dem Dienstgeber zu. [2]Er hat dafür Sorge zu tragen, dass alle Mitarbeitenden ihren besonderen Auftrag glaubwürdig erfüllen können. [3]Er ist insbesondere dafür verantwortlich, geeignete und befähigte Mitarbeitende zu gewinnen, die bereit und in der Lage sind, den kirchlichen Charakter der Einrichtung zu erhalten und zu fördern.

(4) [1]Die Arbeit an der christlichen Identität der Einrichtung ist eine Pflicht und eine Gemeinschaftsaufgabe aller und ein permanenter, dynamischer Prozess. [2]Der Dienstgeber ist in Zusammenarbeit mit den Mitarbeitenden verpflichtet, das christliche Profil der Einrichtung fortwährend weiterzuentwickeln und zu schärfen. [3]Unerlässlich ist, dass das Profil nicht nur in Leitbildern und Konzepten verankert ist, sondern auch als christliche Kultur in den Einrichtungen von Leitung und Mitarbeiterschaft mitgestaltet, von allen mit Leben gefüllt und für die Menschen, die kirchliche Angebote wahrnehmen, erfahrbar wird.

Art. 4 Handlungsaufträge und Ziele für die Dienstgeber. [1]Zu den wechselseitigen Pflichten von Dienstgeber und Mitarbeitenden gehört die Verwirklichung des Sendungsauftrags und die gemeinsame Sorge für alle in der Kirche Tätigen. [2]Dabei sind auch folgende Handlungsaufträge und Ziele zu beachten, für deren Umsetzung im Rahmen der vorhandenen personellen und materiellen Ressourcen in erster Linie der Dienstgeber verantwortlich ist:

a) [1]Bestehende Benachteiligungen aufgrund des Geschlechts sind zu beseitigen, künftige Benachteiligungen zu verhindern. [2]Dazu gehört auch die Gleichstellung von Frauen und Männern im kirchlichen Dienst. [3]Der Dienstgeber ist verpflichtet, die Vereinbarkeit von Familie, Pflege und Beruf zu fördern.

b) [1]Die kirchlichen Dienstgeber setzen sich in besonderer Weise für den Schutz der Würde und Integrität aller Personen in ihren Einrichtungen, insbesondere von Minderjährigen und schutz- oder hilfebedürftigen Erwachsenen, ein. [2]Die Prävention gegen sexualisierte Gewalt ist integraler Bestandteil der kirchlichen Arbeit.

c) [1]Führung in der Kirche fördert die Entfaltung der fachlichen Qualifikationen und Charismen der Mitarbeitenden im Rahmen ihrer beruflichen Tätigkeit. [2]Der Dienstgeber entwickelt Konzepte guter Mitarbeiterführung unter besonderer Berücksichtigung des christlichen Menschenbildes und setzt diese konsequent um. [3]Führungskräfte in kirchlichen Einrichtungen sind einem kooperativen, wertschätzenden Führungsstil verpflichtet. [4]Eine angemessene und transparente Kommunikation über Hierarchie- und Berufsgrenzen hinweg ist Grundbedingung einer vertrauensvollen und wertschätzenden Zusammenarbeit.

d) [1] Der Dienstgeber nimmt seine Verantwortung für die physische, psychische und seelische Gesundheit aller Mitarbeitenden in der Einrichtung während des Dienstes ernst. [2] Arbeitssicherheit und Gesundheitsschutz sind wichtige Leitungsaufgaben.

e) Kirchliche Einrichtungen fördern die Teilhabe von Menschen mit Behinderung im Arbeitsleben.

f) [1] Die wirtschaftliche Betätigung kirchlicher Einrichtungen hat stets der Verwirklichung des kirchlichen Sendungsauftrages zu dienen. [2] Die Standards einer an den kirchlichen Zwecken und christlichen Werten ausgerichteten Unternehmensführung sind einzuhalten. [3] Diese sind insbesondere durch die Beachtung der Grundsätze einer guten Finanzwirtschaft, eine wirksame und qualifizierte Aufsicht, Transparenz und den Aufbau von funktionsfähigen Kontroll- und Überwachungssystemen gekennzeichnet. [4] Kirchliche Einrichtungen übernehmen Verantwortung für ethisch-nachhaltiges Investieren kirchlichen Vermögens. [5] Der Dienstgeber verpflichtet sich, die eigene Organisation wirtschaftlich und ökologisch nachhaltig aufzustellen; dies gilt insbesondere für den Umgang mit Arbeitsplätzen.

g) Der Dienstgeber sorgt dafür, dass Positionen, die dem christlichen Menschenbild widersprechen, keinen Platz in kirchlichen Einrichtungen haben.

Art. 5 Fort- und Weiterbildung. (1) [1] Alle Mitarbeitenden haben Anspruch auf berufliche Fortund Weiterbildung. [2] Diese umfasst die fachlichen Erfordernisse ebenso wie die ethischen und religiösen Aspekte des Dienstes und Hilfestellungen zur Bewältigung der spezifischen Belastungen der einzelnen Tätigkeiten.

(2) [1] Allen Mitgliedern der Dienstgemeinschaft sollen verpflichtende Fort- und Weiterbildungen angeboten werden, in denen sie berufs- und tätigkeitsbezogen spezifische religiöse und ethische Kompetenzen erwerben können, um die Menschen, die die kirchlichen Dienste in Anspruch nehmen, in ihrer religiösen Praxis zu unterstützen und um das christliche Selbstverständnis der Einrichtung zu stärken. [2] Darüber hinaus sollen für die Mitarbeitenden freiwillige Angebote zu Spiritualität und Seelsorge gemacht werden, um sich mit den eigenen Sinn- und Glaubensfragen des Lebens zu beschäftigen. [3] Die (Erz-)Diözesen und die Verbände der Caritas unterstützen die Träger in der gemeinsamen Sorge, den Mitarbeitenden im kirchlichen Dienst eine ansprechende christliche Unternehmenskultur anzubieten und religiöse und spirituelle Angebote zu unterbreiten.

(3) [1] Die Kosten für Fort- und Weiterbildung trägt in der Regel der Dienstgeber. [2] Das Nähere regeln die einschlägigen Ordnungen.

Art. 6 Anforderungen bei der Begründung des Dienstverhältnisses.

(1) [1] Der Dienstgeber muss bei der Einstellung darauf achten, dass Bewerberinnen und Bewerber fachlich befähigt und persönlich geeignet sind, um die vorgesehenen Aufgaben zu erfüllen. [2] Im Bewerbungsverfahren sind die Bewerberinnen und Bewerber mit den christlichen Zielen und Werten der Einrichtung vertraut zu machen, damit sie ihr Handeln am katholischen Selbstverständnis ausrichten und den übertragenen Aufgaben gerecht werden können.

[3] Im Bewerbungsverfahren ist der Kernbereich privater Lebensgestaltung zu wahren. [4] Mit der Vertragsunterzeichnung bringen die Bewerberinnen und Bewerber zum Ausdruck, dass sie die Ziele und Werte der kirchlichen Einrichtung anerkennen.

(2) Von allen Mitarbeitenden wird im Rahmen ihrer Tätigkeit die Identifikation mit den Zielen und Werten der katholischen Einrichtung erwartet.

(3) Pastorale und katechetische Tätigkeiten können nur Personen übertragen werden, die der katholischen Kirche angehören.

(4) [1] Personen, die das katholische Profil der Einrichtung inhaltlich prägen, mitverantworten und nach außen repräsentieren, kommt eine besondere Verantwortung für die katholische Identität der Einrichtung zu. [2] Sie müssen daher katholisch sein.

(5) [1] Wer sich kirchenfeindlich betätigt, wird nicht eingestellt. [2] Das gilt auch für Personen, die aus der katholischen Kirche ausgetreten sind. [3] Artikel 7 Abs. 3 und Abs. 4 gelten entsprechend.

Art. 7 Anforderungen im bestehenden Dienstverhältnis. (1) Dienstgeber und Mitarbeitende übernehmen gemeinsam Verantwortung für die glaubwürdige Erfüllung des Sendungsauftrags in der Einrichtung.

(2) [1] Die Anforderungen erstrecken sich in erster Linie auf das Verhalten im Dienst. [2] Außerdienstliches Verhalten ist rechtlich nur bedeutsam, wenn es öffentlich wahrnehmbar ist, grundlegende Werte der katholischen Kirche verletzt und dadurch deren Glaubwürdigkeit beeinträchtigt wird. [3] Der Kernbereich privater Lebensgestaltung, insbesondere Beziehungsleben und Intimsphäre, bleibt rechtlichen Bewertungen entzogen. [4] Besondere kirchliche Anforderungen an Kleriker, Kandidaten für das Weiheamt, Ordensangehörige sowie Personen im Noviziat und Postulat bleiben hiervon unberührt.

(3) [1] Kirchenfeindliche Betätigungen, die nach den konkreten Umständen objektiv geeignet sind, die Glaubwürdigkeit der Kirche zu beeinträchtigen, können rechtlich geahndet werden. [2] Kirchenfeindliche Betätigungen erfassen Handlungen, die öffentlich wahrnehmbar sind und sich gegen die Kirche oder deren Werteordnung richten. [3] Hierzu zählen insbesondere
- das öffentliche Eintreten gegen tragende Grundsätze der katholischen Kirche (z.B. die Propagierung der Abtreibung oder von Fremdenhass),
- die Herabwürdigung von katholischen Glaubensinhalten, Riten oder Gebräuchen,
- die Propagierung von religiösen und weltanschaulichen Überzeugungen, die im Widerspruch zu katholischen Glaubensinhalten stehen, während der Arbeitszeit oder im dienstlichen Zusammenhang, auch die Werbung für andere Religions- oder Weltanschauungsgemeinschaften.

(4) [1] Bei katholischen Mitarbeitenden führt der Austritt aus der katholischen Kirche in der Regel zu einer Beendigung des der Beschäftigung zugrunde liegenden Rechtsverhältnisses. [2] Von einer Beendigung kann in diesen Fällen ausnahmsweise abgesehen werden, wenn schwerwiegende Gründe des Einzelfalles diese als unangemessen erscheinen lassen.

(5) [1] Erfüllen Mitarbeitende die Anforderungen nicht mehr, so muss der Dienstgeber zunächst durch Beratung und Aufklärung darauf hinwirken, dass sie den Anforderungen wieder genügen. [2] Im konkreten Fall ist zu prüfen, ob schon ein solches klärendes Gespräch, eine Abmahnung oder eine andere Maß-

nahme (z. B. Versetzung, Änderungskündigung) geeignet sind, dem Verstoß gegen die Anforderungen zu begegnen. [3] Wenn alle milderen, weniger belastenden Mittel ausgeschöpft sind, kommt als äußerste, allerletzte Maßnahme („ultima ratio“) eine Beendigung des der Beschäftigung zugrunde liegenden Rechtsverhältnisses in Betracht.

Art. 8 Mitarbeitervertretungsrecht. (1) Zur Sicherung ihrer Selbstbestimmung in der Arbeitsorganisation kirchlicher Einrichtungen wählen die Mitarbeitenden nach Maßgabe kirchengesetzlicher Regelung Mitarbeitervertretungen, die an Entscheidungen des Dienstgebers beteiligt werden und die mit den Dienstgebern zum Wohl der Einrichtung und der Dienstnehmer zusammenwirken.

(2) Der Dienst in der Kirche verpflichtet Dienstgeber und Mitarbeitervertretung in besonderer Weise, vertrauensvoll zusammenzuarbeiten und sich bei der Erfüllung der Aufgaben gegenseitig zu unterstützen.

(3) Dienstvereinbarungen, die nach Maßgabe der jeweils geltenden Mitarbeitervertretungsordnung vereinbart werden, gelten unmittelbar und zwingend.

(4) [1] Bei jeder die Mindestgröße erfüllenden Einrichtung ist der Dienstgeber verpflichtet, darauf hinzuwirken, dass eine Mitarbeitervertretung gebildet wird. [2] Zur Förderung und Unterstützung ihrer Arbeit werden auf der Ebene der (Erz-)Diözesen und des Verbandes der Diözesen Deutschlands (Deutsche Bischofskonferenz) Arbeitsgemeinschaften der Mitarbeitervertretungen gebildet. [3] Die zur Wahrnehmung ihrer Aufgaben notwendigen Kosten tragen die jeweiligen (Erz-)Diözesen bzw. der Verband der Diözesen Deutschlands.

(5) Das Nähere regelt die jeweils geltende Mitarbeitervertretungsordnung (MAVO)[1)].

Art. 9 Gestaltung der Arbeitsbedingungen im kirchlichen Dienst.

(1) [1] Die zivilrechtlichen Arbeitsbedingungen im kirchlichen Dienst werden durch paritätisch von Vertreterinnen und Vertretern der Mitarbeitenden und der Dienstgeber besetzte Arbeitsrechtliche Kommissionen ausgehandelt und beschlossen (Dritter Weg). [2] Die Parität ist dabei in formeller wie materieller Hinsicht zu gewährleisten.

(2) [1] Die Zusammenarbeit in den Arbeitsrechtlichen Kommissionen ist durch das Konsensprinzip geprägt; Beschlüsse bedürfen einer qualifizierten Mehrheit. [2] Die Vertreterinnen und Vertreter der Mitarbeitenden in den Arbeitsrechtlichen Kommissionen sind durch unmittelbare oder mittelbare demokratische Wahl legitimiert.

(3) [1] Interessengegensätze zwischen Dienstgebern und Mitarbeitenden bei der Festlegung kirchlicher Arbeitsvertragsbedingungen sollen durch Verhandlung und wechselseitiges Nachgeben gelöst werden. [2] Streik und Aussperrung widersprechen diesem Grunderfordernis und scheiden daher aus. [3] Kirchliche Dienstgeber schließen keine Tarifverträge mit tariffähigen Arbeitnehmerkoalitionen (Gewerkschaften) ab. [4] Kommt ein Beschluss in der Arbeitsrechtlichen Kommission nicht zustande, können beide Seiten der Kommission ein verbindliches Vermittlungsverfahren unter neutralem Vorsitz einleiten. [5] Das verbindliche Vermittlungsverfahren muss mit einem Beschluss enden, der eine

[1)] Nr. **1210**.

Regelung zu dem Gegenstand des Verfahrens enthält oder die Feststellung, dass keine Regelung in diesem Verfahren erfolgt.

(4) [1] Um Rechtswirksamkeit zu erlangen, bedürfen die Beschlüsse der Arbeitsrechtlichen Kommissionen der bischöflichen Inkraftsetzung für die jeweilige (Erz-)Diözese. [2] Für die kirchlichen Dienstgeber gelten die durch die Arbeitsrechtlichen Kommissionen beschlossenen und vom Diözesanbischof in Kraft gesetzten Beschlüsse unmittelbar und zwingend. [3] Der Dienstgeber hat sicherzustellen, dass diese Beschlüsse arbeitsvertraglich ordnungsgemäß in Bezug genommen werden. [4] Die Mitarbeitenden haben Anspruch auf die Anwendung der einschlägigen kirchlichen Arbeitsvertragsordnungen, nach denen sich ihre zivilrechtlichen Arbeitsbedingungen richten.

(5) [1] Für Streitigkeiten über die Auslegung und ordnungsgemäße Einbeziehung der jeweils geltenden Arbeitsvertragsordnungen sind kirchliche Schlichtungsstellen zuständig. [2] Dies schließt die Anrufung staatlicher Gerichte bei Streitigkeiten im Zusammenhang mit dem Individualarbeitsverhältnis nicht aus.

(6) Die nähere Ausgestaltung des kirchlichen Arbeitsrechtsregelungsverfahrens erfolgt in den jeweiligen Ordnungen der Arbeitsrechtlichen Kommissionen.

Art. 10 Koalitionsfreiheit. (1) Die Mitarbeitenden des kirchlichen Dienstes können sich in Ausübung ihrer Koalitionsfreiheit zur Beeinflussung der Gestaltung ihrer Arbeits- und Wirtschaftsbedingungen in Koalitionen zusammenschließen, diesen beitreten und sich in ihnen betätigen.

(2) Die Koalitionen sind berechtigt, im Rahmen der verfassungsrechtlichen Grenzen innerhalb der kirchlichen Einrichtung für den Beitritt zu diesen Koalitionen zu werben, über deren Aufgabe zu informieren sowie Koalitionsmitglieder zu betreuen.

(3) Die ausreichende organisatorische Einbindung von Gewerkschaften in die Arbeitsrechtlichen Kommissionen des Dritten Weges ist gewährleistet.

(4) Die Koalitionsfreiheit entbindet die Vertreter der Koalition nicht von der Pflicht, das verfassungsmäßige Selbstbestimmungsrecht der Kirche zur Gestaltung der sozialen Ordnung ihres Dienstes zu achten und die Eigenart des kirchlichen Dienstes zu respektieren.

(5) Das Nähere regeln die jeweiligen Ordnungen der Arbeitsrechtlichen Kommissionen.

Art. 11 Gerichtlicher Rechtsschutz. (1) Soweit die Arbeitsverhältnisse kirchlicher Mitarbeitender dem staatlichen Arbeitsrecht unterliegen, sind die staatlichen Arbeitsgerichte für den gerichtlichen Rechtsschutz zuständig.

(2) [1] Für Rechtsstreitigkeiten auf den Gebieten der kirchlichen Ordnungen für ein Arbeitsvertragsrecht und des Mitarbeitervertretungsrechts bestehen für den gerichtlichen Rechtsschutz unabhängige kirchliche Gerichte. [2] Für Regelungsstreitigkeiten auf dem Gebiet des kirchlichen Mitarbeitervertretungsrechts sind Einigungsstellen zuständig.

(3) [1] Die Richter und Richterinnen sind von Weisungen unabhängig und nur an Gesetz und Recht gebunden. [2] Zum Richter bzw. zur Richterin kann berufen werden, wer katholisch ist und in der Ausübung der allen Kirchenmitgliedern zustehenden Rechte nicht behindert ist sowie die Gewähr dafür bietet, jederzeit für das kirchliche Gemeinwohl einzutreten.

(4) [1] Vor kirchlichen Arbeitsgerichten wird allen Beteiligten ein Anspruch auf rechtliches Gehör gewährt. [2] Die Verhandlungen vor den kirchlichen Arbeitsgerichten einschließlich der Beweisaufnahme und Verkündung der Urteile sind öffentlich.

(5) Näheres regelt die Kirchliche Arbeitsgerichtsordnung (KAGO)[1)].

Art. 12 Evaluation. Der Verband der Diözesen Deutschlands wird fünf Jahre nach Inkrafttreten der Grundordnung die Zweckmäßigkeit und Wirksamkeit einer Überprüfung unterziehen und dem Ständigen Rat der Deutschen Bischofskonferenz berichten.

[1)] Nr. **1211**.

1210. Rahmenordnung für eine Mitarbeitervertretungsordnung – Rahmen-MAVO –[1) 2)]

In der Fassung vom 20.11.1995

zuletzt geänd. durch ÄndBeschl. v. 19.6.2017

Präambel[3)]

Grundlage und Ausgangspunkt für den kirchlichen Dienst ist die Sendung der Kirche. Diese Sendung umfaßt die Verkündigung des Evangeliums, den Gottesdienst und die sakramentale Verbindung der Menschen mit Jesus Christus sowie den aus dem Glauben erwachsenden Dienst am Nächsten. Daraus ergibt sich als Eigenart des kirchlichen Dienstes seine religiöse Dimension.

Als Maßstab für ihre Tätigkeit ist sie Dienstgebern und Mitarbeiterinnen und Mitarbeitern vorgegeben, die als Dienstgemeinschaft den Auftrag der Einrichtung erfüllen und so an der Sendung der Kirche mitwirken.

Weil die Mitarbeiterinnen und Mitarbeiter den Dienst in der Kirche mitgestalten und mitverantworten und an seiner religiösen Grundlage und Zielsetzung teilhaben, sollen sie auch aktiv an der Gestaltung und Entscheidung über die sie betreffenden Angelegenheiten mitwirken unter Beachtung der Verfaßtheit der Kirche, ihres Auftrages und der kirchlichen Dienstverfassung. Dies erfordert von Dienstgebern und Mitarbeiterinnen und Mitarbeitern die Bereitschaft zu gemeinsam getragener Verantwortung und vertrauensvoller Zusammenarbeit.

Deshalb wird aufgrund des Rechtes der katholischen Kirche, ihre Angelegenheiten selbst zu regeln, unter Bezugnahme auf die Grundordnung des kirchlichen Dienstes im Rahmen kirchlicher Arbeitsverhältnisse in ihrer jeweiligen Fassung die folgende Ordnung für Mitarbeitervertretungen erlassen.

I. Allgemeine Vorschriften

§ 1[4)] Geltungsbereich. (1) Diese Mitarbeitervertretungsordnung gilt für die Dienststellen, Einrichtungen und sonstigen selbständig geführten Stellen – nachfolgend als Einrichtung(en) bezeichnet –

1. der (Erz-)Diözesen,
2. der Kirchengemeinden und Kirchenstiftungen,
3. der Verbände der Kirchengemeinden,

---

1) In der Fassung des einstimmigen Beschlusses der Vollversammlung des Verbandes der Diözesen Deutschlands vom 20.11.1995, der Änderungen gemäß Beschluss der Vollversammlung des Verbandes der Diözesen Deutschlands vom 21.6.1999, der Änderungen gemäß Beschluss der Vollversammlung des Verbandes der Diözesen Deutschlands vom 23.6.2003, der Änderungen gemäß Art. 4 des KAGO-Anpassungsgesetzes vom 13.4.2005, der Änderungen gemäß Beschluss der Vollversammlung des Verbandes der Diözesen Deutschlands vom 25.6.2007 sowie der Änderungen gemäß Beschluss der Vollversammlung des Verbandes der Diözesen Deutschlands vom 22.11.2010, 20.6.2011 und 19.6.2017.

2) Eine Linkliste auf die Mitarbeitervertretungsordnungen einzelner Bistümer finden Sie über die MAVO auf **beck-online, Module Arbeitsrecht**.

3) Präambel geänd. mWv 19.6.2017 durch Beschl. v. 19.6.2017.

4) § 1 Abs. 1 und 2 neu gef. durch Beschluss v. 20.6.2011; Abs. 2 neu gef. mWv 19.6.2017 durch Beschl. v. 19.6.2017.

4. der Diözesancaritasverbände und deren Gliederungen, soweit sie öffentliche juristische Personen des kanonischen Rechts sind,
5. der sonstigen dem Diözesanbischof unterstellten öffentlichen juristischen Personen des kanonischen Rechts,
6. der sonstigen kirchlichen Rechtsträger, unbeschadet ihrer Rechtsform, die der bischöflichen Gesetzgebungsgewalt unterliegen.

(2) [1] Diese Mitarbeitervertretungsordnung ist auch anzuwenden bei den kirchlichen Rechtsträgern, die nicht der bischöflichen Gesetzgebungsgewalt unterliegen, wenn sie die Grundordnung des kirchlichen Dienstes im Rahmen kirchlicher Arbeitsverhältnisse durch Übernahme in ihr Statut verbindlich übernommen haben. [2] Sofern ein kirchlicher Rechtsträger in der Rechtsform einer Körperschaft des öffentlichen Rechts über kein Statut verfügt, ist eine notarielle Erklärung der Grundordnungsübernahme und anschließende Veröffentlichung dieser Erklärung ausreichend. [3] Wenn sie dieser Verpflichtung nicht nachkommen, haben sie im Hinblick auf die arbeitsrechtlichen Beziehungen nicht am Selbstbestimmungsrecht der Kirche gemäß Art. 140 GG[1)] i.V.m. Art. 137 Abs. 3 WRV teil.

(3) [1] In den Fällen des Abs. 2 ist in allen Einrichtungen eines mehrdiözesanen oder überdiözesanen Rechtsträgers die Mitarbeitervertretungsordnung der Diözese anzuwenden, in der sich der Sitz der Hauptniederlassung (Hauptsitz) befindet. [2] Abweichend von Satz 1 kann auf Antrag eines mehrdiözesan oder überdiözesan tätigen Rechtsträgers der Diözesanbischof des Hauptsitzes im Einvernehmen mit den anderen Diözesanbischöfen, in deren Diözese der Rechtsträger tätig ist, bestimmen, daß in den Einrichtungen des Rechtsträgers die Mitarbeitervertretungsordnung der Diözese angewandt wird, in der die jeweilige Einrichtung ihren Sitz hat, oder eine Mitarbeitervertretungsordnung eigens für den Rechtsträger erlassen.

§ 1a[2)] Bildung von Mitarbeitervertretungen. (1) In den Einrichtungen der in § 1 genannten kirchlichen Rechtsträger sind Mitarbeitervertretungen nach Maßgabe der folgenden Vorschriften zu bilden.

(2) [1] Unbeschadet des Abs. 1 kann der Rechtsträger mit Zustimmung der betroffenen Mitarbeitervertretung regeln, was als Einrichtung gilt. [2] Sind mehrere Mitarbeitervertretungen betroffen, ist die Zustimmung der Mehrheit der betroffenen Mitarbeitervertretungen erforderlich.

§ 1b Gemeinsame Mitarbeitervertretung.[3)] (1) [1] Die Mitarbeitervertretungen und Dienstgeber mehrerer Einrichtungen verschiedener Rechtsträger können durch eine gemeinsame Dienstvereinbarung die Bildung einer gemeinsamen Mitarbeitervertretung vereinbaren, soweit dies der wirksamen und zweckmäßigen Interessenvertretung der Mitarbeiterinnen und Mitarbeiter dient. [2] Dienstgeber und Mitarbeitervertretungen können nach vorheriger Stellungnahme der betroffenen Mitarbeiterinnen und Mitarbeiter Einrichtungen einbeziehen, in der Mitarbeitervertretungen nicht gebildet sind. [3] Die auf Grundlage dieser Dienstvereinbarung gewählte Mitarbeitervertretung tritt an die Stelle der bisher bestehen-

---

[1)] Nr. **10**.

[2)] § 1a Abs. 2 Satz 3 angef. durch das KAGO-Anpassungsgesetz v. 13.4.2005; Abs. 2 neu gef. mWv 19.6.2017 durch Beschl. v. 19.6.2017.

[3)] **Amtl. Anm.:** Muster für eine diözesane Fassung.

den Mitarbeitervertretungen. [4] Sind in keiner der Einrichtungen Mitarbeitervertretungen gebildet, so können die Rechtsträger nach vorheriger Stellungnahme der betroffenen Mitarbeiterinnen und Mitarbeiter die Bildung einer gemeinsamen Mitarbeitervertretung vereinbaren, soweit die Gesamtheit der Einrichtungen die Voraussetzungen des § 6 Abs. 1 erfüllt.

(2) [1] Die Dienstvereinbarung nach Abs. 1 Satz 1 und die Regelung nach Abs. 1 Satz 4 bedürfen der Genehmigung durch den Ordinarius. [2] Sie sind, soweit sie keine andere Regelung treffen, für die folgende Wahl und die Amtszeit der aus ihr hervorgehenden Mitarbeitervertretung wirksam. [3] Für die gemeinsamen Mitarbeitervertretungen gelten die Vorschriften dieser Ordnung nach Maßgabe des § 23a.

§ 2 Dienstgeber. (1) Dienstgeber im Sinne dieser Ordnung ist der Rechtsträger der Einrichtung.

(2) [1] Für den Dienstgeber handelt dessen vertretungsberechtigtes Organ oder die von ihm bestellte Leitung. [2] Der Dienstgeber kann eine Mitarbeiterin oder einen Mitarbeiter in leitender Stellung schriftlich beauftragen, ihn zu vertreten.

§ 3[1)] Mitarbeiterinnen und Mitarbeiter. (1) [1] Mitarbeiterinnen und Mitarbeiter im Sinne dieser Ordnung sind alle Personen, die bei einem Dienstgeber

1. aufgrund eines Dienst- oder Arbeitsverhältnisses,
2. als Ordensmitglied an einem Arbeitsplatz in einer Einrichtung der eigenen Gemeinschaft,
3. aufgrund eines Gestellungsvertrages oder
4. zu ihrer Ausbildung

tätig sind. [2] Personen, die dem Dienstgeber zur Arbeitsleistung überlassen werden im Sinne des Arbeitnehmerüberlassungsgesetzes, sind keine Mitarbeiterinnen und Mitarbeiter im Sinne dieser Ordnung.

(2) [1] Als Mitarbeiterinnen und Mitarbeiter gelten nicht:

1. die Mitglieder eines Organs, das zur gesetzlichen Vertretung berufen ist,
2. Leiterinnen und Leiter von Einrichtungen im Sinne des § 1,
3. Mitarbeiterinnen und Mitarbeiter, die zur selbständigen Entscheidung über Einstellungen, Anstellungen oder Kündigungen befugt sind,
4. sonstige Mitarbeiterinnen und Mitarbeiter in leitender Stellung,
5. Geistliche einschließlich Ordensgeistliche im Bereich des § 1 Abs. 1 Nrn. 2 und 3,
6. Personen, deren Beschäftigung oder Ausbildung überwiegend ihrer Heilung, Wiedereingewöhnung, beruflichen und sozialen Rehabilitation oder Erziehung dient.

[2] Die Entscheidung des Dienstgebers zu den Nrn. 3 und 4 bedarf der Beteiligung der Mitarbeitervertretung gem. § 29 Abs. 1 Nr. 18. [3] Die Entscheidung bedarf bei den in § 1 Abs. 1 genannten Rechtsträgern der Genehmigung des Ordinarius. [4] Die Entscheidung ist der Mitarbeitervertretung schriftlich mitzuteilen.

[1)] § 3 Abs. 1 Satz 1 neu gef. durch Beschluss v. 22.11.2010; Abs. 1 Satz 2 neu gef. mWv 19.6.2017 durch Beschl. v. 19.6.2017.

(3) [1] Die besondere Stellung der Geistlichen gegenüber dem Diözesanbischof und die der Ordensleute gegenüber den Ordensoberen werden durch diese Ordnung nicht berührt. [2] Eine Mitwirkung in den persönlichen Angelegenheiten findet nicht statt.

§ 4[1]) Mitarbeiterversammlung. [1] Die Mitarbeiterversammlung besteht aus den Mitarbeiterinnen und Mitarbeitern sowie den Personen, die in der Einrichtung eingegliedert sind, um mit den dort beschäftigten Mitarbeiterinnen und Mitarbeitern den arbeitstechnischen Zweck der Einrichtung durch weisungsgebundene Tätigkeit zu verwirklichen. [2] Der Dienstgeber sowie Personen im Sinne des § 3 Abs. 2 Nr. 1 bis 4 nehmen auf Einladung der Mitarbeitervertretung an der Mitarbeiterversammlung teil. [3] Kann nach den dienstlichen Verhältnissen eine gemeinsame Versammlung nicht stattfinden, so sind Teilversammlungen zulässig.

§ 5[2]) Mitarbeitervertretung. Die Mitarbeitervertretung ist das von den Wahlberechtigten gewählte Organ, das die ihm nach dieser Ordnung zustehenden Aufgaben und Verantwortungen wahrnimmt.

II. Die Mitarbeitervertretung

§ 6[3]) Voraussetzung für die Bildung der Mitarbeitervertretung – Zusammensetzung der Mitarbeitervertretung. (1) Die Bildung einer Mitarbeitervertretung setzt voraus, dass in der Einrichtung in der Regel mindestens fünf Wahlberechtigte (§ 7) beschäftigt werden, von denen mindestens drei wählbar sind (§ 8).

(2) [1] Die Mitarbeitervertretung besteht aus

1	Mitglied bei	5–15	Wahlberechtigten,
3	Mitgliedern bei	16–50	Wahlberechtigten,
5	Mitgliedern bei	51–100	Wahlberechtigten,
7	Mitgliedern bei	101–200	Wahlberechtigten,
9	Mitgliedern bei	201–300	Wahlberechtigten,
11	Mitgliedern bei	301–600	Wahlberechtigten,
13	Mitgliedern bei	601–1000	Wahlberechtigten,
15	Mitgliedern bei	1.001	und mehr Wahlberechtigten.

[2] In Einrichtungen mit mehr als 1.500 Wahlberechtigten gemäß § 7 erhöht sich die Zahl der Mitglieder in der Mitarbeitervertretung für je angefangene weitere 500 Wahlberechtigte um zwei Mitglieder. [3] Falls die Zahl der Wahlbewerberinnen und Wahlbewerber geringer ist als die nach Satz 1 und Satz 2 vorgesehene Zahl an Mitgliedern, setzt sich die Mitarbeitervertretung aus der höchstmöglichen Zahl von Mitgliedern zusammen. [4] Satz 3 gilt entsprechend, wenn die nach Satz 1 und Satz 2 vorgesehene Zahl an Mitgliedern nicht erreicht wird, weil zu wenig Kandidatinnen und Kandidaten gewählt werden oder weil eine gewählte Kan-

---

1) § 4 neu gef. mWv 19.6.2017 durch Beschl. v. 19.6.2017.

2) § 5 neu gef. mWv 19.6.2017 durch Beschl. v. 19.6.2017.

3) § 6 Abs. 2 Sätze 2 und 3 angef. durch Beschluss v. 22.11.2010; Abs. 1 und 2 neu gef. mWv 19.6.2017 durch Beschl. v. 19.6.2017.

didatin oder ein gewählter Kandidat die Wahl nicht annimmt und kein Ersatzmitglied vorhanden ist.

(3) [1] Für die Wahl einer Mitarbeitervertretung in einer Einrichtung mit einer oder mehreren nicht selbständig geführten Stellen kann der Dienstgeber eine Regelung treffen, die eine Vertretung auch der Mitarbeiterinnen und Mitarbeiter der nicht selbständig geführten Stellen in Abweichung von § 11 Abs. 6 durch einen Vertreter gewährleistet, und zwar nach der Maßgabe der jeweiligen Zahl der wahlberechtigten Mitarbeiterinnen und Mitarbeiter in den Einrichtungen. [2] Eine solche Regelung bedarf der Zustimmung der Mitarbeitervertretung.

(4) [1] Der Mitarbeitervertretung sollen jeweils Vertreter der Dienstbereiche und Gruppen angehören. [2] Die Geschlechter sollen in der Mitarbeitervertretung entsprechend ihrem zahlenmäßigen Verhältnis in der Einrichtung vertreten sein.

(5) Maßgebend für die Zahl der Mitglieder ist der Tag, bis zu dem Wahlvorschläge eingereicht werden können (§ 9 Abs. 5 Satz 1).

§ 7[1)] Aktives Wahlrecht. (1) Wahlberechtigt sind alle Mitarbeiterinnen und Mitarbeiter, die am Wahltag das 18. Lebensjahr vollendet haben und seit mindestens sechs Monaten ohne Unterbrechung in einer Einrichtung desselben Dienstgebers tätig sind.

(2) [1] Wer zu einer Einrichtung abgeordnet ist, wird nach Ablauf von drei Monaten in ihr wahlberechtigt; im gleichen Zeitpunkt erlischt das Wahlrecht bei der früheren Einrichtung. [2] Satz 1 gilt nicht, wenn feststeht, daß die Mitarbeiterin oder der Mitarbeiter binnen weiterer sechs Monate in die frühere Einrichtung zurückkehren wird.

(2a) [1] Personen, die dem Dienstgeber zur Arbeitsleistung überlassen werden im Sinne des Arbeitnehmerüberlassungsgesetzes, sind wahlberechtigt, wenn sie am Wahltag länger als sechs Monate in der Einrichtung eingesetzt worden sind. [2] Mehrere Beschäftigungen einer Leiharbeitnehmerin oder eines Leiharbeitnehmers bei demselben Dienstgeber werden zusammengerechnet.

(3) Mitarbeiterinnen und Mitarbeiter in einem Ausbildungsverhältnis sind nur bei der Einrichtung wahlberechtigt, von der sie eingestellt sind.

(4) Nicht wahlberechtigt sind Mitarbeiterinnen und Mitarbeiter,

1. für die zur Besorgung aller ihrer Angelegenheiten ein Betreuer nicht nur vorübergehend bestellt ist,
2. die am Wahltage für mindestens noch sechs Monate unter Wegfall der Bezüge beurlaubt sind,
3. die sich am Wahltag in der Freistellungsphase eines nach dem Blockmodell vereinbarten Altersteilzeitverhältnisses befinden.

§ 8 Passives Wahlrecht. (1) Wählbar sind die wahlberechtigten Mitarbeiterinnen und Mitarbeiter, die am Wahltag seit mindestens einem Jahr ohne Unterbrechung im kirchlichen Dienst stehen, davon mindestens seit sechs Monaten in einer Einrichtung desselben Dienstgebers tätig sind.

(2) Nicht wählbar sind Mitarbeiterinnen und Mitarbeiter, die zur selbstständigen Entscheidung in anderen als den in § 3 Abs. 2 Nr. 3 genannten Personalangelegenheiten befugt sind.

[1)] § 7 Abs. 2a eingef. mWv 19.6.2017 durch Beschl. v. 19.6.2017.

§ 9[1] Vorbereitung der Wahl. (1) [1] Spätestens acht Wochen vor Ablauf der Amtszeit der Mitarbeitervertretung bestimmt die Mitarbeitervertretung den Wahltag. [2] Er soll spätestens zwei Wochen vor Ablauf der Amtszeit der Mitarbeitervertretung liegen.

(2) [1] Die Mitarbeitervertretung bestellt spätestens acht Wochen vor Ablauf ihrer Amtszeit die Mitglieder des Wahlausschusses. [2] Er besteht aus drei oder fünf Mitgliedern, die, wenn sie Mitarbeiterinnen oder Mitarbeiter sind, wahlberechtigt sein müssen. [3] Der Wahlausschuß wählt seine Vorsitzende oder seinen Vorsitzenden.

(3) [1] Scheidet ein Mitglied des Wahlausschusses aus, so hat die Mitarbeitervertretung unverzüglich ein neues Mitglied zu bestellen. [2] Kandidiert ein Mitglied des Wahlausschusses für die Mitarbeitervertretung, so scheidet es aus dem Wahlausschuß aus.

(4) [1] Der Dienstgeber stellt dem Wahlausschuss zur Aufstellung des Wählerverzeichnisses spätestens sieben Wochen vor Ablauf der Amtszeit eine Liste aller Mitarbeiterinnen und Mitarbeiter und der Personen, die dem Dienstgeber zur Arbeitsleistung überlassen werden im Sinne des Arbeitnehmerüberlassungsgesetzes mit den erforderlichen Angaben zur Verfügung. [2] Der Wahlausschuss erstellt jeweils eine Liste der wahlberechtigten und wählbaren Personen und legt sie mindestens vier Wochen vor der Wahl für die Dauer von einer Woche zur Einsicht aus. [3] Die oder der Vorsitzende des Wahlausschusses gibt bekannt, an welchem Ort, für welche Dauer und von welchem Tage an die Listen zur Einsicht ausliegen. [4] Jede wahlberechtigte und/oder wählbare Person, die geltend macht, wahlberechtigt und/oder wählbar zu sein, kann während der Auslegungsfrist gegen die Eintragung oder Nichteintragung in die nach Satz 2 zu erstellenden Listen Einspruch einlegen. [5] Der Wahlausschuss entscheidet über den Einspruch.

(5) [1] Der Wahlausschuss hat sodann die Wahlberechtigten aufzufordern, schriftliche Wahlvorschläge, die jeweils von mindestens drei Wahlberechtigten unterzeichnet sein müssen, bis zu einem von ihm festzusetzenden Termin einzureichen. [2] Der Wahlvorschlag muß die Erklärung der Kandidatin oder des Kandidaten enthalten, daß sie oder er der Benennung zustimmt. [3] Der Wahlausschuß hat in ausreichender Zahl Formulare für Wahlvorschläge auszulegen.

(6) Die Kandidatenliste soll mindestens doppelt soviel Wahlbewerberinnen und Wahlbewerber enthalten wie Mitglieder nach § 6 Abs. 2 zu wählen sind.

(7) Der Wahlausschuß prüft die Wählbarkeit und läßt sich von der Wahlbewerberin oder dem Wahlbewerber bestätigen, daß kein Ausschlußgrund im Sinne des § 8 vorliegt.

(8) [1] Spätestens eine Woche vor der Wahl sind die Namen der zur Wahl vorgeschlagenen und vom Wahlausschuß für wählbar erklärten Mitarbeiterinnen und Mitarbeiter in alphabetischer Reihenfolge durch Aushang bekanntzugeben. [2] Danach ist die Kandidatur unwiderruflich.

§ 10[2] Dienstgeber-Vorbereitungen zur Bildung einer Mitarbeitervertretung. (1) [1] Wenn in einer Einrichtung die Voraussetzungen für die Bildung einer Mitarbeitervertretung vorliegen, hat der Dienstgeber spätestens nach drei Mona-

[1] § 9 Abs. 4, Abs. 5 Satz 1 neu gef. mWv 19.6.2017 durch Beschl. v. 19.6.2017.

[2] § 10 Abs. 1a Nr. 5 geänd. durch das KAGO-Anpassungsgesetz v. 13.4.2005; Abs. 1a Nr. 5 neu gef. durch Beschluss v. 22.11.2010; Abs. 2 neu gef. mWv 19.6.2017 durch Beschl. v. 19.6.2017.

ten zu einer Mitarbeiterversammlung einzuladen. [2] Er leitet sie und kann sich hierbei vertreten lassen. [3] Die Mitarbeiterversammlung wählt den Wahlausschuß, der auch den Wahltag bestimmt. [4] Im Falle des Ausscheidens eines Mitglieds bestellt der Wahlausschuß unverzüglich ein neues Mitglied.

(1a) Absatz 1 gilt auch,

1. wenn die Mitarbeitervertretung ihrer Verpflichtung gem. § 9 Abs. 1 und 2 nicht nachkommt,
2. im Falle des § 12 Abs. 5 Satz 2,
3. im Falle des § 13 Abs. 2 Satz 3,
4. in den Fällen des § 13a nach Ablauf des Zeitraumes, in dem die Mitarbeitervertretung die Geschäfte fortgeführt hat,
5. nach Feststellung der Nichtigkeit der Wahl der Mitarbeitervertretung durch rechtskräftige Entscheidung der kirchlichen Gerichte für Arbeitssachen in anderen als den in § 12 genannten Fällen, wenn ein ordnungsgemäßer Wahlausschuss nicht mehr besteht.

(2) Kommt die Bildung eines Wahlausschusses nicht zustande, so hat auf Antrag mindestens eines Zehntels der wahlberechtigten Mitarbeiterinnen und Mitarbeiter *Wahlberechtigten*[1)] und nach Ablauf eines Jahres der Dienstgeber erneut eine Mitarbeiterversammlung zur Bildung eines Wahlausschusses einzuberufen.

(3) In neuen Einrichtungen entfallen für die erste Wahl die in den §§ 7 Abs. 1 und 8 Abs. 1 festgelegten Zeiten.

§ 11[2)] Durchführung der Wahl. (1) [1] Die Wahl der Mitarbeitervertretung erfolgt unmittelbar und geheim. [2] Für die Durchführung der Wahl ist der Wahlausschuß verantwortlich.

(2) [1] Die Wahl erfolgt durch Abgabe eines Stimmzettels. [2] Der Stimmzettel enthält in alphabetischer Reihenfolge die Namen aller zur Wahl stehenden Mitarbeiterinnen und Mitarbeiter (§ 9 Abs. 8 Satz 1). [3] Die Abgabe der Stimme erfolgt durch Ankreuzen eines oder mehrerer Namen. [4] Es können so viele Namen angekreuzt werden, wie Mitglieder zu wählen sind. [5] Der Wahlzettel ist in Anwesenheit von mindestens zwei Mitgliedern des Wahlausschusses in die bereitgestellte Urne zu werfen. [6] Die Stimmabgabe ist in der Liste der Wahlberechtigten zu vermerken.

(3) Bemerkungen auf dem Wahlzettel und das Ankreuzen von Namen von mehr Personen, als zu wählen sind, machen den Stimmzettel ungültig.

(4) [1] Im Falle der Verhinderung ist eine vorzeitige Stimmabgabe durch Briefwahl möglich. [2] Der Stimmzettel ist in dem für die Wahl vorgesehenen Umschlag und zusammen mit dem persönlich unterzeichneten Wahlschein in einem weiteren verschlossenen Umschlag mit der Aufschrift „Briefwahl" und der Angabe des Absenders dem Wahlausschuß zuzuleiten. [3] Diesen Umschlag hat der Wahlausschuss bis zum Wahltag aufzubewahren und am Wahltag die Stimmabgabe in der Liste der Wahlberechtigten zu vermerken, den Umschlag zu öffnen und den für die Wahl bestimmten Umschlag in die Urne zu werfen. [4] Die Briefwahl ist nur bis zum Abschluß der Wahl am Wahltag möglich.

---

1) Wortlaut amtlich.

2) § 11 Abs. 2 Satz 6, Abs. 4 Satz 3 neu gef., Abs. 4a eingef. mWv 19.6.2017 durch Beschl. v. 19.6. 2017.

(4a) [1] Der Wahlausschuss kann anordnen, dass die Wahlberechtigten ihr Wahlrecht statt im Wege der Urnenwahl durch Briefwahl ausüben. [2] Für ihre Durchführung ist Abs. 4 entsprechend anzuwenden.

(5) [1] Nach Ablauf der festgesetzten Wahlzeit stellt der Wahlausschuß öffentlich fest, wieviel Stimmen auf die einzelnen Gewählten entfallen sind und ermittelt ihre Reihenfolge nach der Stimmenzahl. [2] Das Ergebnis ist in einem Protokoll festzuhalten, das vom Wahlausschuß zu unterzeichnen ist.

(6) [1] Als Mitglieder der Mitarbeitervertretung sind diejenigen gewählt, die die meisten Stimmen erhalten haben. [2] Alle in der nach der Stimmenzahl entsprechenden Reihenfolge den gewählten Mitgliedern folgenden Mitarbeiterinnen und Mitarbeiter sind Ersatzmitglieder. [3] Bei gleicher Stimmenzahl entscheidet das Los.

(7) [1] Das Ergebnis der Wahl wird vom Wahlausschuß am Ende der Wahlhandlung bekanntgegeben. [2] Der Wahlausschuß stellt fest, ob jede oder jeder Gewählte die Wahl annimmt. [3] Bei Nichtannahme gilt an ihrer oder seiner Stelle die Mitarbeiterin oder der Mitarbeiter mit der nächstfolgenden Stimmenzahl als gewählt. [4] Mitglieder und Ersatzmitglieder der Mitarbeitervertretung werden durch Aushang bekanntgegeben.

(8) [1] Die gesamten Wahlunterlagen sind für die Dauer der Amtszeit der gewählten Mitarbeitervertretung aufzubewahren. [2] Die Kosten der Wahl trägt der Dienstgeber.

§§ 11a bis c. Vereinfachtes Wahlverfahren[1)]

§ 11a[2)] Voraussetzungen. (1) In Einrichtungen mit bis zu 20 Wahlberechtigten ist die Mitarbeitervertretung anstelle des Verfahrens nach den §§ 9 bis 11 im vereinfachten Wahlverfahren zu wählen.

(2) Abs. 1 findet keine Anwendung, wenn die Mitarbeiterversammlung mit der Mehrheit der Anwesenden, mindestens jedoch einem Drittel der Wahlberechtigten spätestens acht Wochen vor Beginn des einheitlichen Wahlzeitraums die Durchführung der Wahl nach den §§ 9 bis 11 beschließt.

§ 11b[3)] Vorbereitung der Wahl. (1) Spätestens drei Wochen vor Ablauf ihrer Amtszeit lädt die Mitarbeitervertretung die Wahlberechtigten durch Aushang oder in sonst geeigneter Weise, die den Wahlberechtigten die Möglichkeit der Kenntnisnahme gibt, zur Wahlversammlung ein und legt gleichzeitig die Liste der Wahlberechtigten aus.

(2) Ist in einer Einrichtung eine Mitarbeitervertretung nicht vorhanden, so handelt der Dienstgeber gemäß Abs. 1.

§ 11c[4)] Durchführung der Wahl. (1) [1] Die Wahlversammlung wird von einer Wahlleiterin oder einem Wahlleiter geleitet, die oder der mit einfacher Stimmenmehrheit gewählt wird. [2] Im Bedarfsfall kann die Wahlversammlung zur Unterstützung der Wahlleiterin oder des Wahlleiters Wahlhelfer bestimmen.

---

1) **Amtl. Anm.:** Muster für eine diözesane Wahlordnung.
2) § 11a Abs. 1 und 2 neu gef. mWv 19.6.2017 durch Beschl. v. 19.6.2017.
3) § 11b Abs. 1 neu gef. mWv 19.6.2017 durch Beschl. v. 19.6.2017.
4) § 11c Abs. 2 Satz 2 neu gef. mWv 19.6.2017 durch Beschl. v. 19.6.2017.

(2) [1] Mitarbeitervertreterinnen und Mitarbeitervertreter und Ersatzmitglieder werden in einem gemeinsamen Wahlgang gewählt. [2] Jede wahlberechtigte Person kann Kandidatinnen und Kandidaten zur Wahl vorschlagen.

(3) [1] Die Wahl erfolgt durch Abgabe des Stimmzettels. [2] Auf dem Stimmzettel sind von der Wahlleiterin oder dem Wahlleiter die Kandidatinnen und Kandidaten in alphabetischer Reihenfolge unter Angabe von Name und Vorname aufzuführen. [3] Die Wahlleiterin oder der Wahlleiter trifft Vorkehrungen, daß die Wählerinnen und Wähler ihre Stimme geheim abgeben können. [4] Unverzüglich nach Beendigung der Wahlhandlung zählt sie oder er öffentlich die Stimmen aus und gibt das Ergebnis bekannt.

(4) § 9 Abs. 7, § 11 Abs. 2 Sätze 3, 4 und 6, § 11 Abs. 6 bis 8 und § 12 gelten entsprechend; an die Stelle des Wahlausschusses tritt die Wahlleiterin oder der Wahlleiter.

§ 12[1)] Anfechtung der Wahl. (1) [1] Jede wahlberechtigte Person oder der Dienstgeber hat das Recht, die Wahl wegen eines Verstoßes gegen die §§ 6 bis 11c innerhalb einer Frist von einer Woche nach Bekanntgabe des Wahlergebnisses schriftlich anzufechten. [2] Die Anfechtungserklärung ist dem Wahlausschuß zuzuleiten.

(2) [1] Unzulässige oder unbegründete Anfechtungen weist der Wahlausschuß zurück. [2] Stellt er fest, daß die Anfechtung begründet ist und dadurch das Wahlergebnis beeinflußt sein kann, so erklärt er die Wahl für ungültig; in diesem Falle ist die Wahl unverzüglich zu wiederholen. [3] Im Falle einer sonstigen begründeten Wahlanfechtung berichtigt er den durch den Verstoß verursachten Fehler.

(3) Gegen die Entscheidung des Wahlausschusses ist die Klage beim Kirchlichen Arbeitsgericht innerhalb einer Ausschlussfrist von zwei Wochen nach Bekanntgabe der Entscheidung zulässig.

(4) Eine für ungültig erklärte Wahl läßt die Wirksamkeit der zwischenzeitlich durch die Mitarbeitervertretung getroffenen Entscheidungen unberührt.

(5) [1] Die Wiederholung einer erfolgreich angefochtenen Wahl obliegt dem Wahlausschuß. [2] Besteht kein ordnungsgemäß besetzter Wahlausschuß (§ 9 Abs. 2 Satz 2) mehr, so findet § 10 Anwendung.

§ 13[2)] Amtszeit der Mitarbeitervertretung. (1) Die regelmäßigen Wahlen zur Mitarbeitervertretung finden alle vier Jahre in der Zeit vom 1. März bis 30. Juni (einheitlicher Wahlzeitraum) statt.[3)]

(2) [1] Die Amtszeit beginnt mit dem Tag der Wahl oder, wenn zu diesem Zeitpunkt noch eine Mitarbeitervertretung besteht, mit Ablauf der Amtszeit dieser Mitarbeitervertretung. [2] Sie beträgt vier Jahre. [3] Sie endet jedoch vorbehaltlich der Regelung in Abs. 5 spätestens am 30. Juni des Jahres, in dem nach Abs. 1 die regelmäßigen Mitarbeitervertretungswahlen stattfinden.[3)]

---

1) § 12 Abs. 3 geänd. durch das KAGO-Anpassungsgesetz v. 13.4.2005; Abs. 3 geänd. durch Beschluss v. 22.11.2010; Abs. 1 Satz 1 neu gef. mWv 19.6.2017 durch Beschl. v. 19.6.2017.

2) § 13 Abs. 3 Nr. 6 geänd. durch das KAGO-Anpassungsgesetz v. 13.4.2005; Abs. 3 Nr. 6 geänd. durch Beschluss v. 22.11.2010; Abs. 3 Nr. 1 neu gef. mWv 19.6.2017 durch Beschl. v. 19.6.2017.

3) **Amtl. Anm.:** Beginn und Ende des einheitlichen Wahlzeitraumes können abweichend durch diözesane Regelung festgelegt werden.

(3) Außerhalb des einheitlichen Wahlzeitraumes findet eine Neuwahl statt, wenn

1. an dem Tage, an dem die Hälfte der Amtszeit seit Amtsbeginn abgelaufen ist, die Zahl der Wahlberechtigten um die Hälfte, mindestens aber um 50, gestiegen oder gesunken ist,
2. die Gesamtzahl der Mitglieder der Mitarbeitervertretung auch nach Eintreten sämtlicher Ersatzmitglieder um mehr als die Hälfte der ursprünglich vorhandenen Mitgliederzahl gesunken ist,
3. die Mitarbeitervertretung mit der Mehrheit ihrer Mitglieder ihren Rücktritt beschlossen hat,
4. die Wahl der Mitarbeitervertretung mit Erfolg angefochten worden ist,
5. die Mitarbeiterversammlung der Mitarbeitervertretung gemäß § 22 Abs. 2 das Mißtrauen ausgesprochen hat,
6. die Mitarbeitervertretung im Falle grober Vernachlässigung oder Verletzung der Befugnisse und Verpflichtungen als Mitarbeitervertretung durch rechtskräftige Entscheidung der kirchlichen Gerichte für Arbeitssachen aufgelöst ist.

(4) Außerhalb des einheitlichen Wahlzeitraumes ist die Mitarbeitervertretung zu wählen, wenn in einer Einrichtung keine Mitarbeitervertretung besteht und die Voraussetzungen für die Bildung der Mitarbeitervertretung (§ 10) vorliegen.

(5) [1] Hat außerhalb des einheitlichen Wahlzeitraumes eine Wahl stattgefunden, so ist die Mitarbeitervertretung in dem auf die Wahl folgenden nächsten einheitlichen Wahlzeitraum neu zu wählen. [2] Hat die Amtszeit der Mitarbeitervertretung zu Beginn des nächsten einheitlichen Wahlzeitraumes noch nicht ein Jahr betragen, so ist die Mitarbeitervertretung in dem übernächsten einheitlichen Wahlzeitraum neu zu wählen.

§ 13a Weiterführung der Geschäfte. [1] Ist bei Ablauf der Amtszeit (§ 13 Abs. 2) noch keine neue Mitarbeitervertretung gewählt, führt die Mitarbeitervertretung die Geschäfte bis zur Übernahme durch die neugewählte Mitarbeitervertretung fort, längstens für die Dauer von sechs Monaten vom Tag der Beendigung der Amtszeit an gerechnet. [2] Dies gilt auch in den Fällen des § 13 Abs. 3 Nrn. 1 bis 3.

§ 13b Ersatzmitglied, Verhinderung des ordentlichen Mitglieds und ruhende Mitgliedschaft. (1) Scheidet ein Mitglied der Mitarbeitervertretung während der Amtszeit vorzeitig aus, so tritt an seine Stelle das nächstberechtigte Ersatzmitglied (§ 11 Abs. 6 Satz 2).

(2) [1] Im Falle einer zeitweiligen Verhinderung eines Mitglieds tritt für die Dauer der Verhinderung das nächstberechtigte Ersatzmitglied ein. [2] Die Mitarbeitervertretung entscheidet darüber, ob eine zeitweilige Verhinderung vorliegt.

(3) [1] Die Mitgliedschaft in der Mitarbeitervertretung ruht, solange dem Mitglied die Ausübung seines Dienstes untersagt ist. [2] Für die Dauer des Ruhens tritt das nächstberechtigte Ersatzmitglied ein.

§ 13c[1)] Erlöschen der Mitgliedschaft. Die Mitgliedschaft in der Mitarbeitervertretung erlischt durch

1. Ablauf der Amtszeit der Mitarbeitervertretung,
2. Niederlegung des Amtes,
3. Ausscheiden aus der Einrichtung oder Eintritt in die Freistellungsphase eines nach dem Blockmodell vereinbarten Altersteilzeitverhältnisses,
4. rechtskräftige Entscheidung der kirchlichen Gerichte für Arbeitssachen, die den Verlust der Wählbarkeit oder eine grobe Vernachlässigung oder Verletzung der Befugnisse und Pflichten als Mitglied der Mitarbeitervertretung festgestellt hat.

§ 13d[2)] Übergangsmandat. (1) [1] Wird eine Einrichtung gespalten, so bleibt deren Mitarbeitervertretung im Amt und führt die Geschäfte für die ihr bislang zugeordneten Teile einer Einrichtung weiter, soweit sie die Voraussetzungen des § 6 Abs. 1 erfüllen und nicht in eine Einrichtung eingegliedert werden, in der eine Mitarbeitervertretung besteht (Übergangsmandat). [2] Die Mitarbeitervertretung hat insbesondere unverzüglich Wahlausschüsse zu bestellen. [3] Das Übergangsmandat endet, sobald in den Teilen einer Einrichtung eine neue Mitarbeitervertretung gewählt und das Wahlergebnis bekannt gegeben ist, spätestens jedoch sechs Monate nach Wirksamwerden der Spaltung. [4] Durch Dienstvereinbarung kann das Übergangsmandat um bis zu weitere sechs Monate verlängert werden.

(2) [1] 1Werden Einrichtungen oder Teile von Einrichtungen zu einer Einrichtung zusammengelegt, so nimmt die Mitarbeitervertretung der nach der Zahl der Wahlberechtigten größten Einrichtung oder des größten Teils einer Einrichtung das Übergangsmandat wahr. [2] Abs. 1 gilt entsprechend.

(3) Die Absätze 1 und 2 gelten auch, wenn die Spaltung oder Zusammenlegung von Einrichtungen und Teilen von Einrichtungen im Zusammenhang mit einer Betriebsveräußerung oder einer Umwandlung nach dem Umwandlungsgesetz erfolgt.

(4) [1] Führt die Spaltung, die Zusammenlegung oder Übertragung dazu, dass eine ehemals nicht in den Geltungsbereich nach § 1 fallende Einrichtung oder ein Teil einer Einrichtung nunmehr in den Geltungsbereich dieser Ordnung fällt, so gelten Abs. 1 und 2 entsprechend. [2] Die nicht nach dieser Ordnung gebildete Arbeitnehmervertretung handelt dann als Mitarbeitervertretung. [3] Bestehende Vereinbarungen zwischen dem Dienstgeber und der nicht nach dieser Ordnung gebildeten Arbeitnehmervertretung erlöschen und zuvor eingeleitete Beteiligungsverfahren enden.

§ 13e Restmandat. Geht eine Einrichtung durch Stilllegung, Spaltung oder Zusammenlegung unter, so bleibt deren Mitarbeitervertretung so lange im Amt, wie dies zur Wahrnehmung der damit im Zusammenhang stehenden Beteiligungsrechte erforderlich ist.

[1)] § 13c Nr. 2 und 5 geänd. durch das KAGO-Anpassungsgesetz v. 13.4.2005; Nr. 2 aufgeh., bish. Nrn. 3 und 4 werden Nrn. 2 und 3, neue Nr. 4 eingef., bish. Nr. 5 aufgeh. durch Beschluss v. 22.11. 2010.

[2)] § 13d Abs. 2 neu gef. mWv 19.6.2017 durch Beschl. v. 19.6.2017.

§ 14 Tätigkeit der Mitarbeitervertretung. (1) [1] Die Mitarbeitervertretung wählt bei ihrem ersten Zusammentreten, das innerhalb einer Woche nach der Wahl stattfinden soll und von der oder dem Vorsitzenden des Wahlausschusses einzuberufen ist, mit einfacher Mehrheit aus den Mitgliedern ihre Vorsitzende oder ihren Vorsitzenden. [2] Die oder der Vorsitzende soll katholisch sein. [3] Außerdem sollen eine stellvertretende Vorsitzende oder ein stellvertretender Vorsitzender und eine Schriftführerin oder ein Schriftführer gewählt werden. [4] Die oder der Vorsitzende der Mitarbeitervertretung oder im Falle ihrer oder seiner Verhinderung deren Stellvertreterin oder Stellvertreter vertritt die Mitarbeitervertretung im Rahmen der von ihr gefaßten Beschlüsse. [5] Zur Entgegennahme von Erklärungen sind die oder der Vorsitzende, deren Stellvertreterin oder Stellvertreter oder ein von der Mitarbeitervertretung zu benennendes Mitglied berechtigt.

(2) [1] Die Mitarbeitervertretung kann ihrer oder ihrem Vorsitzenden mit Zweidrittelmehrheit der Mitglieder das Vertrauen entziehen. [2] In diesem Fall hat eine Neuwahl der oder des Vorsitzenden stattzufinden.

(3) [1] Die oder der Vorsitzende oder bei Verhinderung deren Stellvertreterin oder Stellvertreter beruft die Mitarbeitervertretung unter Angabe der Tagesordnung zu den Sitzungen ein und leitet sie. [2] Sie oder er hat die Mitarbeitervertretung einzuberufen, wenn die Mehrheit der Mitglieder es verlangt.

(4) [1] Die Sitzungen der Mitarbeitervertretung sind nicht öffentlich. [2] Sie finden in der Regel während der Arbeitszeit in der Einrichtung statt. [3] Bei Anberaumung und Dauer der Sitzung ist auf die dienstlichen Erfordernisse Rücksicht zu nehmen.

(5) [1] Die Mitarbeitervertretung ist beschlußfähig, wenn mehr als die Hälfte ihrer Mitglieder anwesend ist. [2] Die Mitarbeitervertretung beschließt mit Stimmenmehrheit der anwesenden Mitglieder. [3] Bei Stimmengleichheit gilt ein Antrag als abgelehnt.

(6) [1] Über die Sitzung der Mitarbeitervertretung ist eine Niederschrift zu fertigen, die die Namen der An- und Abwesenden, die Tagesordnung, den Wortlaut der Beschlüsse und das jeweilige Stimmenverhältnis enthalten muß. [2] Die Niederschrift ist von der oder dem Vorsitzenden zu unterzeichnen. [3] Soweit die Leiterin oder der Leiter der Dienststelle oder deren Beauftragte oder Beauftragter an der Sitzung teilgenommen haben, ist ihnen der entsprechende Teil der Niederschrift abschriftlich zuzuleiten.

(7) Der Dienstgeber hat dafür Sorge zu tragen, daß die Unterlagen der Mitarbeitervertretung in der Einrichtung verwahrt werden können.

(8) Die Mitarbeitervertretung kann sich eine Geschäftsordnung geben.

(9) [1] Die Mitarbeitervertretung kann in ihrer Geschäftsordnung bestimmen, daß Beschlüsse im Umlaufverfahren gefaßt werden können, sofern dabei Einstimmigkeit erzielt wird. [2] Beschlüsse nach Satz 1 sind spätestens in der Niederschrift der nächsten Sitzung im Wortlaut festzuhalten.

(10) [1] Die Mitarbeitervertretung kann aus ihrer Mitte Ausschüsse bilden, denen mindestens drei Mitglieder der Mitarbeitervertretung angehören müssen. [2] Den Ausschüssen können Aufgaben zur selbständigen Erledigung übertragen werden; *dies gilt nicht* für die Beteiligung bei Kündigungen sowie für den Abschluß und die Kündigung von Dienstvereinbarungen. [3] Die Übertragung von Aufgaben zur selbständigen Erledigung erfordert eine Dreiviertelmehrheit der Mitglieder. [4] Die

Mitarbeitervertretung kann die Übertragung von Aufgaben zur selbständigen Erledigung durch Beschluß mit Stimmenmehrheit ihrer Mitglieder widerrufen. [5] Die Übertragung und der Widerruf sind dem Dienstgeber schriftlich anzuzeigen.

§ 15[1)] Rechtsstellung der Mitarbeitervertretung. (1) Die Mitglieder der Mitarbeitervertretung führen ihr Amt unentgeltlich als Ehrenamt.

(2) [1] Die Mitglieder der Mitarbeitervertretung sind zur ordnungsgemäßen Durchführung ihrer Aufgaben im notwendigen Umfang von der dienstlichen Tätigkeit freizustellen. [2] Die Freistellung beinhaltet den Anspruch auf Reduzierung der übertragenen Aufgaben.

(3) [1] Auf Antrag der Mitarbeitervertretung sind von ihrer dienstlichen Tätigkeit jeweils für die Hälfte der durchschnittlichen regelmäßigen Arbeitszeit einer oder eines Vollbeschäftigten freizustellen in Einrichtungen mit – im Zeitpunkt der Wahl – mehr als

- 300 Wahlberechtigten zwei Mitglieder der Mitarbeitervertretung,
- 600 Wahlberechtigten drei Mitglieder der Mitarbeitervertretung,
- 1.000 Wahlberechtigten vier Mitglieder der Mitarbeitervertretung,
- 1.500 Wahlberechtigten sechs Mitglieder der Mitarbeitervertretung.

[2] Darüber hinaus erhöht sich für je angefangene weitere 500 Wahlberechtigte die Zahl der Freistellungen um zwei Mitglieder der Mitarbeitervertretung. [3] Dienstgeber und Mitarbeitervertretung können sich für die Dauer der Amtszeit dahingehend einigen, dass das Freistellungskontingent auf mehr oder weniger Mitarbeitervertreterinnen oder Mitarbeitervertreter verteilt werden kann.

(3a) [1] Einem Mitglied der Mitarbeitervertretung, das von seiner dienstlichen Tätigkeit völlig freigestellt ist, ist innerhalb eines Jahres nach Beendigung der Freistellung im Rahmen der Möglichkeiten der Einrichtung Gelegenheit zu geben, eine wegen der Freistellung unterbliebene einrichtungsübliche berufliche Entwicklung nachzuholen. [2] Für ein Mitglied im Sinne des Satzes 1, das drei volle aufeinanderfolgende Amtszeiten freigestellt war, erhöht sich der Zeitraum nach Satz 1 auf zwei Jahre.

(4) [1] Zum Ausgleich für die Tätigkeit als Mitglied der Mitarbeitervertretung, die aus einrichtungsbedingten Gründen außerhalb der Arbeitszeit durchzuführen ist, hat das Mitglied der Mitarbeitervertretung Anspruch auf entsprechende Arbeitsbefreiung unter Fortzahlung des Arbeitsentgelts. [2] Kann ein Mitglied der Mitarbeitervertretung die Lage seiner Arbeitszeit ganz oder teilweise selbst bestimmen, hat es die Tätigkeit als Mitglied der Mitarbeitervertretung außerhalb seiner Arbeitszeit dem Dienstgeber zuvor mitzuteilen. [3] Gibt dieser nach Mitteilung keine Möglichkeit zur Tätigkeit innerhalb der Arbeitszeit, liegt ein einrichtungsbedingter Grund vor. [4] Einrichtungsbedingte Gründe liegen auch vor, wenn die Tätigkeit als Mitglied der Mitarbeitervertretung wegen der unterschiedlichen Arbeitszeiten der Mitglieder der Mitarbeitervertretung nicht innerhalb der persönlichen Arbeitszeit erfolgen kann. [5] Die Arbeitsbefreiung soll vor Ablauf der nächsten sechs Kalendermonate gewährt werden. [6] Ist dies aus einrichtungs-

---

[1)] § 15 Abs. 5 geänd. durch das KAGO-Anpassungsgesetz v. 13.4.2005; Abs. 3a eingef., Abs. 6 angef. durch Beschluss v. 22.11.2010; Abs. 3 neu gef. mWv 19.6.2017 durch Beschl. v. 19.6.2017.

bedingten Gründen nicht möglich, kann der Dienstgeber die aufgewendete Zeit wie Mehrarbeit vergüten.

(5) Kommt es in den Fällen nach den Absätzen 2 und 4 nicht zu einer Einigung, entscheidet auf Antrag der Mitarbeitervertretung die Einigungsstelle.

(6) Für Reisezeiten von Mitgliedern der Mitarbeitervertretung gelten die für die Einrichtung bestehenden Bestimmungen.

§ 16[1)] **Schulung der Mitarbeitervertretung und des Wahlausschusses.** (1) [1] Den Mitgliedern der Mitarbeitervertretung ist auf Antrag der Mitarbeitervertretung während ihrer Amtszeit bis zu insgesamt drei Wochen Arbeitsbefreiung unter Fortzahlung der Bezüge für die Teilnahme an Schulungsveranstaltungen zu gewähren, wenn diese die für die Arbeit in der Mitarbeitervertretung erforderlichen Kenntnisse vermitteln, von der (Erz-)Diözese oder dem Diözesan-Caritasverband als geeignet anerkannt sind und dringende dienstliche oder betriebliche Erfordernisse einer Teilnahme nicht entgegenstehen. [2] Bei Mitgliedschaft in mehreren Mitarbeitervertretungen kann der Anspruch nur einmal geltend gemacht werden. [3] Teilzeitbeschäftigten Mitgliedern der Mitarbeitervertretung, deren Teilnahme an Schulungsveranstaltungen außerhalb ihrer persönlichen Arbeitszeit liegt, steht ein Anspruch auf Freizeitausgleich pro Schulungstag zu, jedoch höchstens bis zur Arbeitszeit eines vollbeschäftigten Mitglieds der Mitarbeitervertretung.

(1a) Absatz 1 gilt auch für das mit der höchsten Stimmenzahl gewählte Ersatzmitglied (§ 11 Abs. 6 Satz 2), wenn wegen

1. ständiger Heranziehung,
2. häufiger Vertretung eines Mitglieds der Mitarbeitervertretung für längere Zeit oder
3. absehbaren Nachrückens in das Amt als Mitglied der Mitarbeitervertretung in kurzer Frist

die Teilnahme an Schulungsveranstaltungen erforderlich ist.

(2) [1] Die Mitglieder des Wahlausschusses erhalten für ihre Tätigkeit und für Schulungsmaßnahmen, die Kenntnisse für diese Tätigkeit vermitteln, Arbeitsbefreiung, soweit dies zur ordnungsgemäßen Durchführung der Aufgaben erforderlich ist. [2] Abs. 1 Satz 2 gilt entsprechend.

(3) Die Mitglieder der Mitarbeitervertretung(en) im Wirtschaftsausschuss erhalten während ihrer Amtszeit für Schulungsmaßnahmen im Hinblick auf ihre Tätigkeit im Wirtschaftsausschuss auf Antrag zusätzlich eine Arbeitsbefreiung von einer Woche.

§ 17[2)] **Kosten der Mitarbeitervertretung.** (1) [1] Der Dienstgeber trägt die durch die Tätigkeit der Mitarbeitervertretung entstehenden und für die Wahrnehmung ihrer Aufgagen erforderlichen Kosten einschließlich der Reisekosten im Rahmen der für den Dienstgeber bestehenden Bestimmungen. [2] Zu den erforderlichen Kosten gehören auch

---

[1)] § 16 Abs. 1 Satz 3 angef., Abs. 1a eingef. durch Beschluss v. 22.11.2010; Abs. 3 angef. mWv 19.6. 2017 durch Beschl. v. 19.6.2017.

[2)] § 17 Abs. 1 Satz 2 geänd. durch das KAGO-Anpassungsgesetz v. 13.4.2005; Abs. 1 Satz 1 neu gef., Satz 2 einl. Satzteil, 2. und 3. Spiegelstrich geänd., 4. Spiegelstrich neu gef. durch Beschluss v. 22.11. 2010.

- die Kosten für die Teilnahme an Schulungsveranstaltungen im Sinne des § 16;
- die Kosten, die durch die Beiziehung sachkundiger Personen entstehen, soweit diese zur ordnungsgemäßen Erfüllung der Aufgaben notwendig ist und der Dienstgeber der Kostenübernahme vorher zugestimmt hat; die Zustimmung darf nicht missbräuchlich verweigert werden;
- die Kosten der Beauftragung eines Bevollmächtigten in Verfahren vor der Einigungsstelle, soweit der Vorsitzende der Einigungsstelle feststellt, dass die Bevollmächtigung zur Wahrung der Rechte des Bevollmächtigenden notwendig ist;
- die Kosten der Beauftragung eines Bevollmächtigten in Verfahren vor den kirchlichen Gerichten für Arbeitssachen, soweit die Bevollmächtigung zur Wahrung der Rechte des Bevollmächtigenden notwendig ist.

(2) Der Dienstgeber stellt unter Berücksichtigung der bei ihm vorhandenen Gegebenheiten die sachlichen und personellen Hilfen zur Verfügung.

(3) [1] Abs. 1 und 2 gelten entsprechend für gemeinsame Mitarbeitervertretungen (§ 1b) und erweiterte Gesamtmitarbeitervertretungen (§ 24 Abs. 2), mit der Maßgabe, dass die Kosten von den beteiligten Dienstgebern entsprechend dem Verhältnis der Zahl der Mitarbeiterinnen und Mitarbeiter im Zeitpunkt der Bildung getragen werden. [2] Die beteiligten Dienstgeber haften als Gesamtschuldner.

§ 18[1)] Schutz der Mitglieder der Mitarbeitervertretung. (1) Die Mitglieder der Mitarbeitervertretung dürfen in der Ausübung ihres Amtes nicht behindert und aufgrund ihrer Tätigkeit weder benachteiligt noch begünstigt werden.

(1a) Das Arbeitsentgelt von Mitgliedern der Mitarbeitervertretung darf einschließlich eines Zeitraums von einem Jahr nach Beendigung der Mitgliedschaft nicht geringer bemessen werden als das Arbeitsentgelt vergleichbarer Mitarbeiterinnen und Mitarbeiter mit einrichtungsüblicher Entwicklung.

(1b) Die Mitglieder der Mitarbeitervertretung dürfen von Maßnahmen der beruflichen Bildung innerhalb und außerhalb der Einrichtung nicht ausgeschlossen werden.

(2) [1] Mitglieder der Mitarbeitervertretung können gegen ihren Willen in eine andere Einrichtung nur versetzt oder abgeordnet werden, wenn dies auch unter Berücksichtigung dieser Mitgliedschaft aus wichtigen dienstlichen Gründen unvermeidbar ist und die Mitarbeitervertretung gemäß § 33 zugestimmt hat. [2] Dies gilt auch im Falle einer Zuweisung oder Personalgestellung an einen anderen Rechtsträger.

(3) Erleidet eine Mitarbeiterin oder ein Mitarbeiter, die oder der Anspruch auf Unfallfürsorge nach beamtenrechtlichen Grundsätzen hat, anläßlich der Wahrnehmung von Rechten oder in Erfüllung von Pflichten nach dieser Ordnung einen Unfall, der im Sinne der beamtenrechtlichen Unfallfürsorgevorschriften ein Dienstunfall wäre, so sind diese Vorschriften entsprechend anzuwenden.

(4) [1] Beantragt eine in einem Berufsausbildungsverhältnis stehende Mitarbeiterin oder ein in einem Berufsausbildungsverhältnis stehender Mitarbeiter, die oder der Mitglied der Mitarbeitervertretung oder Sprecherin oder Sprecher der Ju-

[1)] § 18 Abs. 4 Satz 3 geänd., Satz 4 neu gef. durch das KAGO-Anpassungsgesetz v. 13.4.2005; Abs. 1b eingef., Abs. 2 Satz 2 angef., Abs. 4 Satz 4 aufgeh. durch Beschluss v. 22.11.2010.

gendlichen und der Auszubildenden ist, spätestens einen Monat vor Beendigung des Ausbildungsverhältnisses für den Fall des erfolgreichen Abschlusses ihrer oder seiner Ausbildung schriftlich die Weiterbeschäftigung, so bedarf die Ablehnung des Antrages durch den Dienstgeber der Zustimmung der Mitarbeitervertretung gemäß § 33, wenn der Dienstgeber gleichzeitig andere Auszubildende weiterbeschäftigt. [2] Die Zustimmung kann nur verweigert werden, wenn der durch Tatsachen begründete Verdacht besteht, daß die Ablehnung der Weiterbeschäftigung wegen der Tätigkeit als Mitarbeitervertreterin oder Mitarbeitervertreter erfolgt. [3] Verweigert die Mitarbeitervertretung die vom Dienstgeber beantragte Zustimmung, so kann dieser gemäß § 33 Abs. 4 das Kirchliche Arbeitsgericht anrufen.

§ 19[1)] Kündigungsschutz. (1) [1] Einem Mitglied der Mitarbeitervertretung kann nur gekündigt werden, wenn ein Grund für eine außerordentliche Kündigung vorliegt. [2] Abweichend von Satz 1 kann in den Fällen des Artikels 5 der Grundordnung des kirchlichen Dienstes im Rahmen kirchlicher Arbeitsverhältnisse auch eine ordentliche Kündigung ausgesprochen werden. [3] Die Sätze 1 und 2 gelten ebenfalls innerhalb eines Jahres nach Beendigung der Amtszeit, es sei denn die Mitgliedschaft ist nach § 13c Nrn. 2, 4 erloschen.

(2) [1] Nach Ablauf der Probezeit darf einem Mitglied des Wahlausschusses vom Zeitpunkt seiner Bestellung an, einer Wahlbewerberin oder einem Wahlbewerber vom Zeitpunkt der Aufstellung des Wahlvorschlages an, jeweils bis sechs Monate nach Bekanntgabe des Wahlergebnisses nur gekündigt werden, wenn ein Grund für eine außerordentliche Kündigung vorliegt. [2] Für die ordentliche Kündigung gilt Abs. 1 Satz 2 entsprechend.

(3) [1] Die ordentliche Kündigung eines Mitglieds der Mitarbeitervertretung, eines Mitglieds des Wahlausschusses oder einer Wahlbewerberin oder eines Wahlbewerbers ist auch zulässig, wenn eine Einrichtung geschlossen wird, frühestens jedoch zum Zeitpunkt der Schließung der Einrichtung, es sei denn, daß die Kündigung zu einem früheren Zeitpunkt durch zwingende betriebliche Erfordernisse bedingt ist. [2] Wird nur ein Teil der Einrichtung geschlossen, so sind die in Satz 1 genannten Mitarbeiterinnen und Mitarbeiter in einen anderen Teil der Einrichtung zu übernehmen. [3] Ist dies aus betrieblichen Gründen nicht möglich, gilt Satz 1.

§ 20[2)] [Schweigepflicht] [1] Die Mitglieder und die Ersatzmitglieder der Mitarbeitervertretung haben über dienstliche Angelegenheiten oder Tatsachen, die ihnen aufgrund ihrer Zugehörigkeit zur Mitarbeitervertretung bekannt geworden sind, Stillschweigen zu bewahren. [2] Dies gilt auch für die Zeit nach Ausscheiden aus der Mitarbeitervertretung. [3] Die Schweigepflicht besteht nicht für solche dienstlichen Angelegenheiten oder Tatsachen, die offenkundig sind oder ihrer Bedeutung nach keiner Geheimhaltung bedürfen. [4] Die Schweigepflicht gilt ferner nicht gegenüber Mitgliedern der Mitarbeitervertretung sowie gegenüber der Gesamtmitarbeitervertretung. [5] Eine Verletzung der Schweigepflicht stellt in der Regel eine grobe Pflichtverletzung im Sinne des § 13c Nr. 4 dar.

[1)] § 19 Abs. *1 Satz 3 neu* gef. durch Beschluss v. 22.11.2010; Abs. 1 neu gef. mWv 19.6.2017 durch Beschl. v. 19.6.2017.

[2)] § 20 neu gef. durch Beschluss v. 22.11.2010.

III. Mitarbeiterversammlung

§ 21[1] Einberufung der Mitarbeiterversammlung. (1) [1] Die Mitarbeiterversammlung (§ 4) ist nicht öffentlich. [2] Sie wird von der oder dem Vorsitzenden der Mitarbeitervertretung einberufen und geleitet. [3] Die Einladung hat unter Angabe der Tagesordnung mindestens eine Woche vor dem Termin durch Aushang oder in sonst geeigneter Weise, die den Teilnehmern der Mitarbeiterversammlung die Möglichkeit der Kenntnisnahme gibt, zu erfolgen.

(2) [1] Die Mitarbeiterversammlung hat mindestens einmal im Jahr stattzufinden. [2] Auf ihr hat die oder der Vorsitzende der Mitarbeitervertretung einen Tätigkeitsbericht zu erstatten.

(3) [1] Auf Verlangen von einem Drittel der Wahlberechtigten hat die oder der Vorsitzende der Mitarbeitervertretung die Mitarbeiterversammlung unter Angabe der Tagesordnung innerhalb von zwei Wochen einzuberufen. [2] Das gleiche gilt, wenn der Dienstgeber aus besonderem Grunde die Einberufung verlangt. [3] In diesem Fall ist in der Tagesordnung der Grund anzugeben. [4] An dieser Versammlung nimmt der Dienstgeber teil.

(4) [1] Jährlich eine Mitarbeiterversammlung findet während der Arbeitszeit statt, sofern nicht dienstliche Gründe eine andere Regelung erfordern. [2] Die Zeit der Teilnahme an dieser Mitarbeiterversammlung und die zusätzliche Wegezeit sind wie Arbeitszeit zu vergüten, auch wenn die Mitarbeiterversammlung außerhalb der Arbeitszeit stattfindet. [3] Notwendige Fahrtkosten für jährlich höchstens zwei Mitarbeiterversammlungen sowie für die auf Verlangen des Dienstgebers einberufene Mitarbeiterversammlung (Abs. 3) werden von dem Dienstgeber nach den bei ihm geltenden Regelungen erstattet.

§ 22[2] Aufgaben und Verfahren der Mitarbeiterversammlung. (1) [1] Die Mitarbeiterversammlung befaßt sich mit allen Angelegenheiten, die zur Zuständigkeit der Mitarbeitervertretung gehören. [2] In diesem Rahmen ist die Mitarbeitervertretung der Mitarbeiterversammlung berichtspflichtig. [3] Sie kann der Mitarbeitervertretung Anträge unterbreiten und zu den Beschlüssen der Mitarbeitervertretung Stellung nehmen.

(2) Spricht mindestens die Hälfte der Wahlberechtigten in einer Mitarbeiterversammlung der Mitarbeitervertretung das Misstrauen aus, so findet eine Neuwahl statt (§ 13 Abs. 3 Nr. 5).

(3) [1] Jede ordnungsgemäß einberufene Mitarbeiterversammlung ist ohne Rücksicht auf die Zahl der erschienenen Mitglieder beschlußfähig. [2] Die Beschlüsse bedürfen der einfachen Mehrheit aller anwesenden Mitarbeiterinnen und Mitarbeiter. [3] Anträge der Mitarbeiterversammlung gelten bei Stimmengleichheit als abgelehnt.

(4) [1] Anträge und Beschlüsse sind in einer Niederschrift festzuhalten und von der oder dem Vorsitzenden und der Schriftführerin oder dem Schriftführer der Mitarbeitervertretung zu unterzeichnen. [2] Der Niederschrift soll eine Anwesen-

[1] § 21 Abs. 4 neu gef. durch Beschluss v. 22.11.2010; Abs. 1 Satz 3, Abs. 3 Satz 1 neu gef. mWv 19.6. 2017 durch Beschl. v. 19.6.2017.

[2] § 22 Abs. 2 neu gef. mWv 19.6.2017 durch Beschl. v. 19.6.2017.

heitsliste beigefügt werden. [3] Bei Teilversammlungen (§ 4 Satz 2) und im Falle des Abs. 2 ist eine Anwesenheitsliste beizufügen.

IIIa. Sonderregelungen für gemeinsame Mitarbeitervertretungen[1)]

§ 22a Sonderregelungen für gemeinsame Mitarbeitervertretungen nach § 1b. (1) [1] Die dem Dienstgeber gegenüber der Mitarbeitervertretung nach dieser Ordnung obliegenden Pflichten obliegen bei der gemeinsamen Mitarbeitervertretung den betroffenen Dienstgebern gemeinschaftlich. [2] Dies gilt auch für die Einberufung der Mitarbeiterversammlung zur Vorbereitung der Wahl einer gemeinsamen Mitarbeitervertretung (§ 10) sowie die Führung des gemeinsamen Gesprächs nach § 39 Absatz 1 Satz 1. [3] Die Informationspflicht des Dienstgebers nach § 27 Abs. 1, § 27a und die Verpflichtungen aus den Beteiligungsrechten nach §§ 29 bis 37 sind auf die jeweils eigenen Mitarbeiterinnen und Mitarbeiter beschränkt. [4] Die betroffenen Dienstgeber können sich gegenseitig ermächtigen, die Aufgaben füreinander wahrzunehmen.

(2) Die §§ 7 Absätze 1 und 2, 8 Absatz 1 und 13c Ziffer 4 finden mit der Maßgabe Anwendung, dass der Wechsel einer Mitarbeiterin oder eines Mitarbeiters zu einem kirchlichen Dienstgeber innerhalb des Zuständigkeitsbereichs der Mitarbeitervertretung nicht den Verlust des Wahlrechts, der Wählbarkeit oder der Mitgliedschaft in der Mitarbeitervertretung zur Folge hat.

(3) Für die Wahl der gemeinsamen Mitarbeitervertretung gelten die §§ 9 bis 11c, soweit das Wahlverfahren nicht durch besondere diözesane Verordnung geregelt wird.

(4) Die Mitarbeiterversammlung ist die Versammlung aller Mitarbeiterinnen und Mitarbeiter der Einrichtungen, für die eine gemeinsame Mitarbeitervertretung gemäß § 1b gebildet ist.

IV. Besondere Formen der Vertretung von Mitarbeiterinnen und Mitarbeitern

§ 23 Sondervertretung.[1)] (1) Mitarbeiterinnen und Mitarbeiter, die von ihrem Dienstgeber einer Einrichtung eines anderen kirchlichen oder nichtkirchlichen Rechtsträgers zugeordnet worden sind, bilden eine Sondervertretung.

(2) [1] Die Sondervertretung wirkt mit bei Maßnahmen, die vom Dienstgeber getroffen werden. [2] Bei Zuordnung zu einem kirchlichen Rechtsträger ist im übrigen die Mitarbeitervertretung der Einrichtung zuständig.

(3) Das Nähere, einschließlich der Einzelheiten des Wahlverfahrens, wird in Sonderbestimmungen geregelt.

§ 24[2)] Gesamtmitarbeitervertretung und erweiterte Gesamtmitarbeitervertretung. (1) Bestehen bei einem Dienstgeber (§ 2) mehrere Mitarbeitervertretungen, so ist auf Antrag von zwei Dritteln der Mitarbeitervertretungen oder wenn die befürwortenden Mitarbeitervertretungen mehr als die Hälfte der in die

---

1) **Amtl. Anm.:** Muster für eine diözesane Fassung.
2) § 24 neu gef. mWv 19.6.2017 durch Beschl. v. 19.6.2017.

Wählerlisten eingetragenen Wahlberechtigten repräsentieren, eine Gesamtmitarbeitervertretung zu bilden (Gesamt-MAV).

(2) Die Mitarbeitervertretungen mehrerer Einrichtungen mehrerer Rechtsträger bilden, wenn die einheitliche und beherrschende Leitung der beteiligten selbständigen kirchlichen Einrichtungen bei einem Rechtsträger liegt, auf Antrag von zwei Dritteln der Mitarbeitervertretungen oder wenn die befürwortenden Mitarbeitervertretungen mehr als die Hälfte der in die Wählerlisten eingetragenen Wahlberechtigten repräsentieren, eine erweiterte Gesamtmitarbeitervertretung (erweiterte Gesamt-MAV).

(3) [1] Befürwortet mindestens eine Mitarbeitervertretung die Bildung einer Gesamtmitarbeitervertretung oder erweiterten Gesamtmitarbeitervertretung, teilt sie dies der nach der Zahl der in die Wählerlisten eingetragenen Wahlberechtigten größten Mitarbeitervertretung mit. [2] Diese lädt binnen drei Monaten zu einer gemeinsamen Sitzung aller Mitglieder der betroffenen Mitarbeitervertretungen zur Beratung über die Bildung einer Gesamtmitarbeitervertretung oder erweiterten Gesamtmitarbeitervertretung ein. [3] Der Dienstgeber stellt den Mitarbeitervertretungen die notwendigen Informationen zur Verfügung, insbesondere die Zahl und Größe der Mitarbeitervertretungen, deren Anschriften und die Zahl der jeweils in die Wählerlisten eingetragenen Wahlberechtigten im Zeitpunkt der Antragstellung. [4] Die Mitglieder der betroffenen Mitarbeitervertretungen sind für die gemeinsame Sitzung im notwendigen Umfang von der dienstlichen Tätigkeit freizustellen. [5] Der Dienstgeber stellt einen geeigneten Raum mit angemessener Ausstattung zur Verfügung und erstattet die notwendigen Reisekosten zu der gemeinsamen Sitzung. [6] Die Abstimmungsergebnisse der einzelnen Mitarbeitervertretungen werden von dem/der Vorsitzenden der nach der Zahl der in die Wählerlisten eingetragenen Wahlberechtigten größten Mitarbeitervertretung erfasst; er/sie teilt die Ergebnisse dem Dienstgeber und allen betroffenen Mitarbeitervertretungen schriftlich mit. [7] Die Bildung der Gesamtmitarbeitervertretung oder der erweiterten Gesamtmitarbeitervertretung kann beim Kirchlichen Arbeitsgericht innerhalb einer Ausschlussfrist von zwei Wochen nach Bekanntgabe der Entscheidung angefochten werden, wenn gegen wesentliche Bestimmungen verstoßen worden ist. [8] Zur Anfechtung berechtigt ist jede Mitarbeitervertretung oder der Dienstgeber. [9] Liegen die Voraussetzungen für die Bildung einer Gesamtmitarbeitervertretung oder erweiterten Gesamtmitarbeitervertretung vor, lädt die nach der Zahl der in die Wählerlisten eingetragenen Wahlberechtigten größte Mitarbeitervertretung nach Ablauf der Anfechtungsfrist zur konstituierenden Sitzung der Gesamtmitarbeitervertretung oder erweiterten Gesamtmitarbeitervertretung ein.

(4) [1] Jede Mitarbeitervertretung entsendet in die Gesamtmitarbeitervertretung oder erweiterte Gesamtmitarbeitervertretung ein Mitglied. [2] Außerdem wählen die Sprecherinnen oder Sprecher der Jugendlichen und Auszubildenden und die Vertrauenspersonen der schwerbehinderten Mitarbeiterinnen und Mitarbeiter der beteiligten Mitarbeitervertretungen aus ihrer Mitte je eine Vertreterin oder einen Vertreter und je eine Ersatzvertreterin oder einen Ersatzvertreter in die Gesamtmitarbeitervertretung oder erweiterte Gesamtmitarbeitervertretung. [3] Durch Dienstvereinbarung können Mitgliederzahl und Zusammensetzung abweichend geregelt werden. [4] Durch Dienstvereinbarung kann geregelt werden, ob und in welchem Umfang Mitglieder der Gesamtmitarbeitervertretung oder der erweiterten Gesamtmitarbeitervertretung pauschal freigestellt werden sollen.

(5) [1] Jedes Mitglied der Gesamtmitarbeitervertretung oder erweiterten Gesamtmitarbeitervertretung hat so viele Stimmen, wie der Mitarbeitervertretung, die es entsandt hat Mitglieder bei der letzten Wahl nach § 6 Abs. 2 zustanden. [2] Entsendet eine Mitarbeitervertretung mehrere Mitglieder, so stehen ihnen die Stimmen nach Satz 1 anteilig zu. [3] Durch Dienstvereinbarung kann die Stimmengewichtung abweichend geregelt werden.

(6) [1] Die Gesamtmitarbeitervertretung oder erweiterte Gesamtmitarbeitervertretung ist zuständig für die Angelegenheiten der Mitarbeitervertretung, soweit sie die Mitarbeiterinnen und Mitarbeiter aus mehreren oder allen Einrichtungen betreffen und diese nicht durch die einzelnen Mitarbeitervertretungen in ihren Einrichtungen geregelt werden können. [2] Ihre Zuständigkeit erstreckt sich auch auf Einrichtungen ohne Mitarbeitervertretung. [3] In allen übrigen Angelegenheiten ist die Mitarbeitervertretung der Einrichtung zuständig, unabhängig davon, wer für den Dienstgeber handelt. [4] Die Mitarbeitervertretung kann durch Beschluss, das Verhandlungsmandat auf die Gesamtmitarbeitervertretung oder erweiterte Gesamtmitarbeitervertretung übertragen; die materielle Entscheidungsbefugnis bleibt jedoch stets der Mitarbeitervertretung vorbehalten. [5] Die Gesamtmitarbeitervertretung oder erweiterte Gesamtmitarbeitervertretung ist der einzelnen Mitarbeitervertretung der Einrichtung nicht übergeordnet.

(7) Die Mitgliedschaft in der Gesamtmitarbeitervertretung oder erweiterten Gesamtmitarbeitervertretung erlischt nach Maßgabe des § 13c oder durch Abberufung durch die entsendende Mitarbeitervertretung.

(8) Die Auflösung der einmal errichteten Gesamtmitarbeitervertretung oder erweiterten Gesamtmitarbeitervertretung bedarf der Zustimmung von zwei Dritteln der Mitarbeitervertretungen oder von Mitarbeitervertretungen, die mehr als die Hälfte der in die Wählerlisten eingetragenen Wahlberechtigten repräsentieren.

(9) Für die Gesamtmitarbeitervertretung und erweiterte Gesamtmitarbeitervertretung gelten im Übrigen die Bestimmungen dieser Ordnung sinngemäß mit Ausnahme des § 15 Abs. 3.

§ 25[1)] Arbeitsgemeinschaften der Mitarbeitervertretungen.[2)] (1) Die Mitarbeitervertretungen im Anwendungsbereich dieser Ordnung bilden die „Diözesane Arbeitsgemeinschaft der Mitarbeitervertretungen im (Erz-)Bistum. . .".

(2) Zweck der Arbeitsgemeinschaft ist

1. gegenseitige Information und Erfahrungsaustausch mit den vertretenen Mitarbeitervertretungen,
2. Beratung der Mitarbeitervertretungen in Angelegenheiten des Mitarbeitervertretungsrechtes,
3. Beratung der Mitarbeitervertretungen im Falle des § 38 Abs. 2,
4. Förderung der Anwendung der Mitarbeitervertretungsordnung,
5. Sorge um die Schulung der Mitarbeitervertreterinnen und Mitarbeitervertreter,

---

[1)] § 25 Abs. 2 Nr. 3 eingef., bish. Nrn. 3 bis 5 werden Nrn. 4 bis 6, Nr. 7 bis 9 angef., Abs. 5 Nr. 5 angef. durch Beschluss v. 25.6.2007; Abs. 2 Nr. 7 eingef., bish. Nrn. 7, 8 und 9 werden Nrn. 8, 9 und 10, Abs. 4 Satz 5 angef., Abs. 5 Nr. 5 eingef., bish. Nr. 5 wird Nr. 6 durch Beschluss v. 22.11.2010; Abs. 2 Nr. 10 geänd, Nr. 11 angef. mWv 19.6.2017 durch Beschl. v. 19.6.2017.

[2)] **Amtl. Anm.:** Muster für eine diözesane Fassung.

6. Erarbeitung von Vorschlägen zur Fortentwicklung der Mitarbeitervertretungsordnung,
7. Abgabe von Stellungnahmen zu Vorhaben der Bistums-/Regional-KODA und der Arbeitsrechtlichen Kommission des Deutschen Caritasverbandes jeweils nach Aufforderung durch die Vorsitzende oder den Vorsitzenden der Kommission.
8. Erstellung der Beisitzerlisten nach § 44 Abs. 2 Satz 1,
9. Mitwirkung an der Wahl zu einer nach Art. 7 GrO[1] zu bildenden Kommission zur Ordnung des Arbeitsvertragsrechts, soweit eine Ordnung dies vorsieht,
10. Mitwirkung bei der Besetzung der Kirchlichen Arbeitsgerichte nach Maßgabe der Vorschriften der KAGO[2],
11. Beratung der Mitarbeitervertretungen bei der Bildung einer Gesamtmitarbeitervertretung oder erweiterten Gesamtmitarbeitervertretung nach § 24.

(3) [1] Organe der Arbeitsgemeinschaft sind
- die Mitgliederversammlung
- der Vorstand.

[2] Zusammensetzung der Mitgliederversammlung und Wahl des Vorstandes werden in Sonderbestimmungen geregelt.

(4) [1] Das (Erz-)Bistum trägt im Rahmen der der Arbeitsgemeinschaft im (Erz-)Bistumshaushalt zur Wahrnehmung der Aufgaben zur Verfügung gestellten Mittel die notwendigen Kosten einschließlich der Reisekosten entsprechend der für das (Erz-)Bistum geltenden Reisekostenregelung. [2] Für die Teilnahme an der Mitgliederversammlung und für die Tätigkeit des Vorstandes besteht Anspruch auf Arbeitsbefreiung, soweit dies zur ordnungsgemäßen Durchführung der Aufgaben der Arbeitsgemeinschaft erforderlich ist und kein unabwendbares dienstliches oder betriebliches Interesse entgegensteht. [3] § 15 Abs. 4 gilt entsprechend. [4] Regelungen zur Erstattung der Kosten der Freistellung werden durch Sonderbestimmung geregelt. [5] Den Mitgliedern des Vorstandes ist im zeitlichen Umfang des Anspruchs nach § 16 Abs. 1 Satz 1 Arbeitsbefreiung unter Fortzahlung der Bezüge für die Teilnahme an solchen Schulungsveranstaltungen zu gewähren, welche die für die Arbeit in der Arbeitsgemeinschaft erforderlichen Kenntnisse vermitteln.

(5) [1] Die Arbeitsgemeinschaft kann sich mit Arbeitsgemeinschaften anderer (Erz-)Diözesen zu einer Bundesarbeitsgemeinschaft der Mitarbeitervertretungen zur Wahrung folgender Aufgaben zusammenschließen:
1. Förderung des Informations- und Erfahrungsaustausches unter ihren Mitgliedern,
2. Erarbeitung von Vorschlägen zur Anwendung des Mitarbeitervertretungsrechts,
3. Erarbeitung von Vorschlägen zur Entwicklung der Rahmenordnung für eine Mitarbeitervertretungsordnung,
4. Kontaktpflege mit der Kommission für Personalwesen des Verbandes der Diözesen Deutschlands,
5. Abgabe von Stellungnahmen zu Vorhaben der Zentral-KODA nach Aufforderung durch die Vorsitzende oder den Vorsitzenden der Kommission,

---

[1] Nr. **1200**.
[2] Nr. **1211**.

6. Mitwirkung bei der Besetzung des Kirchlichen Arbeitsgerichtshofes nach Maßgabe der Vorschriften der KAGO.

[2] Das Nähere bestimmt die Vollversammlung des Verbandes der Diözesen Deutschlands.

V. Zusammenarbeit zwischen Dienstgeber und Mitarbeitervertretung

§ 26[1)] Allgemeine Aufgaben der Mitarbeitervertretung. (1) [1] Der Dienst in der Kirche verpflichtet Dienstgeber und Mitarbeitervertretung in besonderer Weise, vertrauensvoll zusammenzuarbeiten und sich bei der Erfüllung der Aufgaben gegenseitig zu unterstützen. [2] Dienstgeber und Mitarbeitervertretung haben darauf zu achten, daß alle Mitarbeiterinnen und Mitarbeiter nach Recht und Billigkeit behandelt werden. [3] In ihrer Mitverantwortung für die Aufgabe der Einrichtung soll auch die Mitarbeitervertretung bei den Mitarbeiterinnen und Mitarbeitern das Verständnis für den Auftrag der Kirche stärken und für eine gute Zusammenarbeit innerhalb der Dienstgemeinschaft eintreten.

(2) [1] Der Mitarbeitervertretung sind auf Verlangen die zur Durchführung ihrer Aufgaben erforderlichen Unterlagen vorzulegen. [2] Personalakten dürfen nur mit schriftlicher Zustimmung der Mitarbeiterin oder des Mitarbeiters eingesehen werden.

(3) Die Mitarbeitervertretung hat folgende allgemeine Aufgaben:

1. Maßnahmen, die der Einrichtung und den Mitarbeiterinnen und Mitarbeitern dienen, anzuregen,
2. Anregungen und Beschwerden von Mitarbeiterinnen und Mitarbeitern sowie derjenigen Personen, die dem Dienstgeber zur Arbeitsleistung überlassen werden im Rahmen der Arbeitnehmerüberlassung, entgegenzunehmen und, falls sie berechtigt erscheinen, vorzutragen und auf ihre Erledigung hinzuwirken,
3. die Eingliederung und berufliche Entwicklung schwerbehinderter und anderer schutzbedürftiger, insbesondere älterer Mitarbeiterinnen und Mitarbeiter zu fördern,
4. die Eingliederung ausländischer Mitarbeiterinnen und Mitarbeiter in die Einrichtung und das Verständnis zwischen ihnen und den anderen Mitarbeiterinnen und Mitarbeitern zu fördern,
5. Maßnahmen zur beruflichen Förderung schwerbehinderter Mitarbeiterinnen und Mitarbeiter anzuregen,
6. mit den Sprecherinnen oder Sprechern der Jugendlichen und der Auszubildenden zur Förderung der Belange der jugendlichen Mitarbeiterinnen und Mitarbeiter und der Auszubildenden zusammenzuarbeiten,
7. sich für die Durchführung der Vorschriften über den Arbeitsschutz, die Unfallverhütung und die Gesundheitsförderung in der Einrichtung einzusetzen,
8. auf frauen- und familienfreundliche Arbeitsbedingungen hinzuwirken,

---

1) § 26 Abs. 3 Nr. 9 *und* Abs. 4 *angef.* durch Beschluss v. 25.6.2007; Abs. 3a eingef. durch Beschluss v. 22.11.2010; Abs. 3 Nr. 2 neu gef., Nr. 9 geänd., Nr. 10 angef. mWv 19.6.2017 durch Beschl. v. 19.6. 2017.

9. die Mitglieder der Mitarbeiterseite in den Kommissionen zur Behandlung von Beschwerden gegen Leistungsbeurteilungen und zur Kontrolle des Systems der Leistungsfeststellung und -bezahlung zu benennen, soweit dies in einer kirchlichen Arbeitsvertragsordnung vorgesehen ist,
10. Durchsetzung der Entgeltgleichheit von Frauen und Männern in der Einrichtung und Wahrnehmung der im Entgelttransparenzgesetz (EntgTranspG) vorgesehenen Aufgaben der betrieblichen Interessenvertretung.

(3a) Auf Verlangen der Mitarbeiterin oder des Mitarbeiters ist ein Mitglied der Mitarbeitervertretung hinzuzuziehen bei einem Gespräch mit dem Dienstgeber über

1. personen-, verhaltens- oder betriebsbedingten Schwierigkeiten, die zur Gefährdung des Dienst- oder Arbeitsverhältnisses führen können oder
2. den Abschluss eines Änderungs- oder Aufhebungsvertrages.

(4) Die Mitarbeitervertretung wirkt an der Wahl zu einer nach Art. 7 GrO zu bildenden Kommission zur Ordnung des Arbeitsvertragsrechts mit, soweit eine Ordnung dies vorsieht.

§ 27[1)] **Information.** (1) [1] Dienstgeber und Mitarbeitervertretung informieren sich gegenseitig über die Angelegenheiten, welche die Dienstgemeinschaft betreffen. [2] Auf Wunsch findet eine Aussprache statt.

(2) Der Dienstgeber informiert die Mitarbeitervertretung insbesondere über

- Stellenausschreibungen,
- Änderungen und Ergänzungen des Stellenplanes,
- Behandlung der von der Mitarbeitervertretung vorgetragenen Anregungen und Beschwerden,
- Bewerbungen von schwerbehinderten Menschen und Vermittlungsvorschläge nach § 164 Absatz 1 Satz 4 SGB IX[2)],
- Einrichtungen von Langzeitkonten und deren Inhalt,
- den für ihren Zuständigkeitsbereich maßgeblichen Inhalt des Verzeichnisses gemäß § 163 Absatz 1 SGB IX[2)] sowie der Anzeige gemäß § 163 Absatz 2 Satz 1 SGB IX[2)].

§ 27a[3)] **Information in wirtschaftlichen Angelegenheiten.** (1) [1] Der Dienstgeber einer Einrichtung, in der in der Regel mehr als 50 Mitarbeiterinnen und Mitarbeiter ständig beschäftigt sind und deren Betrieb überwiegend durch Zuwendungen der öffentlichen Hand, aus Leistungs- und Vergütungsvereinbarungen mit Kostenträgern oder Zahlungen sonstiger nicht-kirchlicher Dritter finanziert wird, hat die Mitarbeitervertretung über die wirtschaftlichen Angelegenheiten der Einrichtung rechtzeitig, mindestens aber einmal im Kalenderjahr unter Vorlage der erforderlichen Unterlagen schriftlich zu unterrichten, sowie die sich daraus ergebenden Auswirkungen auf die Personalplanung darzustellen. [2] Die Mitarbeitervertretung kann Anregungen geben. [3] Soweit es zur ordnungsgemäßen

---

1) § 27 Abs. 2 5. Spiegelstrich angef. durch Beschluss v. 25.6.2007; Abs. 2 5. Spiegelstrich geänd. und 6. Spiegelstrich angef. durch Beschluss v. 22.11.2010; Abs. 2 neu gef. mWv 19.6.2017 durch Beschl. v. 19.6.2017.

2) Nr. **440**.

3) § 27a neu gef. mWv 19.6.2017 durch Beschl. v. 19.6.2017.

Erfüllung der Aufgaben der Mitarbeitervertretung erforderlich ist, hat der Dienstgeber sachkundige Mitarbeiterinnen und Mitarbeiter zur Verfügung zu stellen; er hat hierbei die Vorschläge der Mitarbeitervertretung zu berücksichtigen, soweit einrichtungsbedingte Notwendigkeiten nicht entgegenstehen. 4 Für diese Mitarbeiterinnen und Mitarbeiter gilt § 20 entsprechend. 5 Besteht eine Gesamtmitarbeitervertretung oder erweiterte Gesamtmitarbeitervertretung, so ist diese anstelle der Mitarbeitervertretung zu informieren.

(2) Zu den wirtschaftlichen Angelegenheiten im Sinne dieser Vorschrift gehören insbesondere

1. die wirtschaftliche und finanzielle Lage der Einrichtung;
2. Rationalisierungsvorhaben;
3. Änderung der Arbeitsmethoden, insbesondere die Einführung neuer Arbeitsmethoden;
4. Fragen des einrichtungsbezogenen Umweltschutzes;
5. die Einschränkung oder Stilllegung von Einrichtungen oder von Einrichtungsteilen;
6. die Verlegung von Einrichtungen oder Einrichtungsteilen;
7. der Zusammenschluss oder die Spaltung von Einrichtungen;
8. die Änderung der Organisation oder des Zwecks der Einrichtung;
9. sonstige Vorgänge und Vorhaben, welche die Interessen der Mitarbeiter der Einrichtung wesentlich berühren können.

(3) 1Als erforderliche Unterlagen im Sinne des Abs. 1 sind diejenigen Unterlagen vorzulegen, die ein den tatsächlichen Verhältnissen entsprechendes Bild der Einrichtung vermitteln. 2Sofern für die Einrichtung nach den Vorschriften des Handels- oder Steuerrechts Rechnungs-, Buchführungs- und Aufzeichnungspflichten bestehen, sind dies der Jahresabschluss nach den jeweils maßgeblichen Gliederungsvorschriften sowie der Anhang und, sofern zu erstellen, der Lagebericht; für Einrichtungen einer Körperschaft des öffentlichen Rechts sind dies der auf die Einrichtung bezogene Teil des Haushalts und der Jahresrechnung.

(4) In Einrichtungen i.S. des Abs. 1 mit in der Regel nicht mehr als 50 ständig beschäftigten Mitarbeiterinnen und Mitarbeitern hat der Dienstgeber mindestens einmal in jedem Kalenderjahr in einer Mitarbeiterversammlung über das Personal- und Sozialwesen der Einrichtung und über die wirtschaftliche Lage und Entwicklung der Einrichtung zu berichten.

(5) Die Informationspflicht besteht nicht, soweit dadurch Betriebs- oder Geschäftsgeheimnisse gefährdet werden.

§ 27b[1)] Wirtschaftsausschuss. (1) 1 Sofern in Einrichtungen, deren Betrieb überwiegend durch Zuwendungen der öffentlichen Hand, aus Leistungs- und Vergütungsvereinbarungen mit Kostenträgern oder Zahlungen sonstiger nichtkirchlicher Dritter finanziert wird, eine Gesamtmitarbeitervertretung oder erweiterte Gesamtmitarbeitervertretung gebildet wurde und diese mehr als 100 Mitarbeiterinnen und Mitarbeiter repräsentiert, kann ein Wirtschaftsausschuss gebildet werden. 2 Gehören den Einrichtungen, für die die Gesamtmitarbeitervertretung oder die erweiterte Gesamtmitarbeitervertretung zuständig ist, auch nicht

1) § 27b eingef. mWv 19.6.2017 durch Beschl. v. 19.6.2017.

überwiegend drittmittelfinanzierte Einrichtungen an, so ist der Wirtschaftsausschuss für diese Einrichtungen nicht zuständig. [3] Der Wirtschaftsausschuss hat die Aufgabe, wirtschaftliche Angelegenheiten mit dem Dienstgeber zu beraten und die Gesamtmitarbeitervertretung oder erweiterte Gesamtmitarbeitervertretung nach jeder Sitzung zu unterrichten. [4] § 27a Abs. 2 MAVO findet entsprechende Anwendung.

(2) Wenn eine Gesamtmitarbeitervertretung oder erweiterte Gesamtmitarbeitervertretung nicht vorhanden ist, kann die Mitarbeitervertretung in einer Einrichtung, deren Betrieb überwiegend durch Zuwendungen der öffentlichen Hand, aus Leistungs- und Vergütungsvereinbarungen mit Kostenträgern oder Zahlungen sonstiger nichtkirchlicher Dritter finanziert wird und die regelmäßig mindestens 200 Mitarbeiterinnen und Mitarbeiter beschäftigt, einen Wirtschaftsausschuss bilden.

(3) [1] Der Dienstgeber hat den Wirtschaftsausschuss rechtzeitig und umfassend über die wirtschaftlichen Angelegenheiten der Einrichtung(en) unter Vorlage der erforderlichen Unterlagen zu unterrichten, soweit dadurch nicht Betriebs- und Geschäftsgeheimnisse gefährdet werden. [2] Der Dienstgeber stellt darüber hinaus die sich daraus ergebenden Auswirkungen auf die Personalplanung dar.

(4) [1] Der Wirtschaftsausschuss besteht aus mindestens drei und höchstens sieben von der Gesamtmitarbeitervertretung oder erweiterten Gesamtmitarbeitervertretung entsandten Mitgliedern, die als Mitarbeiterinnen und Mitarbeiter einschließlich der in § 3 Abs. 2 Satz 1 Nr. 2 bis 5 genannten Personen den Einrichtungen angehören müssen. [2] Der Wirtschaftsausschuss wählt mit einfacher Mehrheit aus dem Kreis seiner Mitglieder eine/einen Vorsitzende/n. [3] Die Mitglieder sollen die zur Erfüllung ihrer Aufgaben erforderliche fachliche und persönliche Eignung besitzen. [4] Mindestens ein Mitglied des Wirtschaftsausschusses gehört der Gesamtmitarbeitervertretung oder erweiterten Gesamtmitarbeitervertretung an. [5] Die Mitglieder des Wirtschaftsausschusses können jederzeit abberufen werden. [6] Darüber hinaus erlischt die Mitgliedschaft im Wirtschaftsausschuss nach Maßgabe des § 13c. [7] Sofern der Wirtschaftsausschuss nach Abs. 2 gebildet wird, finden die Sätze 1 bis 6 entsprechend Anwendung.

(5) Für die Sitzungen des Wirtschaftsausschusses gelten folgende Regelungen:

(a) Der Wirtschaftsausschuss soll vierteljährlich einmal zusammentreten.

(b) An den Sitzungen des Wirtschaftsausschusses hat der Dienstgeber oder sein Vertreter teilzunehmen. Er kann sachkundige Dienstnehmer der Einrichtung einschließlich der in § 3 Abs. 2 Ziffern 2 – 5 genannten Personen hinzuziehen. Für die Hinzuziehung und die Verschwiegenheitspflicht von Sachverständigen gilt § 20 entsprechend.

(c) Die Mitglieder des Wirtschaftsausschusses sind berechtigt, in die nach § 27a Abs. 3 vorzulegenden Unterlagen Einsicht zu nehmen.

(d) Der Jahresabschluss ist dem Wirtschaftsausschuss unter Beteiligung der Gesamtmitarbeitervertretung oder erweiterten Gesamtmitarbeitervertretung, im Fall der Bildung nach Abs. 2 unter Beteiligung der Mitarbeitervertretung, zu erläutern.

(6) Wird eine Auskunft über wirtschaftliche Angelegenheiten im Sinne des Abs. 3 entgegen dem Verlangen des Wirtschaftsausschusses nicht, nicht rechtzeitig oder nur ungenügend erteilt und kommt hierüber zwischen Dienstgeber und

Wirtschaftsausschuss eine Einigung nicht zu Stande, so entscheidet auf Antrag des den *Wirtschaftsausschusses*[1] bildenden Organs die Einigungsstelle.

§ 27c[2] Einrichtungsspezifische Regelungen. Die Mitarbeitervertretung kann Anträge auf abweichende Gestaltung der Arbeitsentgelte und sonstigen Arbeitsbedingungen gegenüber einer nach Art. 7 GrO gebildeten Kommission zur Ordnung des Arbeitsvertragsrechts stellen, soweit die für die Kommission geltende Ordnung dies vorsieht.

§ 28 Formen der Beteiligung, Dienstvereinbarung. (1) [1] Die Beteiligung der Mitarbeitervertretung an Entscheidungen des Dienstgebers vollzieht sich im Rahmen der Zuständigkeit der Einrichtung nach den §§ 29 bis 37. [2] Formen der Beteiligung sind:

– Anhörung und Mitberatung,
– Vorschlagsrecht,
– Zustimmung,
– Antragsrecht.

(2) Dienstvereinbarungen sind im Rahmen des § 38 zulässig.

§ 28a[3] Aufgaben und Beteiligung der Mitarbeitervertretung zum Schutz schwerbehinderter Menschen. (1) [1] Die Mitarbeitervertretung fördert die Eingliederung schwerbehinderter Menschen. [2] Sie achtet darauf, dass die dem Dienstgeber nach §§ 154, 155, 164, 166 und 167 SGB IX obliegenden Verpflichtungen erfüllt werden und wirkt auf die Wahl einer Vertrauensperson der schwerbehinderten Mitarbeiterinnen und Mitarbeiter hin.

(2) [1] Der Dienstgeber trifft mit der Vertrauensperson der schwerbehinderten Mitarbeiterinnen und Mitarbeiter und der Mitarbeitervertretung in Zusammenarbeit mit dem Beauftragten des Dienstgebers gemäß § 181 SGB IX eine verbindliche Inklusionsvereinbarung. [2] Auf Verlangen der Vertrauensperson der schwerbehinderten Mitarbeiterinnen und Mitarbeiter wird unter Beteiligung der Mitarbeitervertretung hierüber verhandelt. [3] Ist eine Vertrauensperson der schwerbehinderten Mitarbeiterinnen und Mitarbeiter nicht vorhanden, so steht das Recht, die Aufnahme von Verhandlungen zu verlangen, der Mitarbeitervertretung zu. [4] Der Dienstgeber oder die Vertrauensperson der schwerbehinderten Mitarbeiterinnen und Mitarbeiter können das Integrationsamt einladen, sich an den Verhandlungen über die Inklusionsvereinbarung zu beteiligen. [5] Der Agentur für Arbeit und dem Integrationsamt, die für den Sitz des Dienstgebers zuständig sind, wird die Vereinbarung übermittelt. [6] Der Inhalt der Inklusionsvereinbarung richtet sich nach § 166 Abs. 2 SGB IX.

(3) Treten ernsthafte Schwierigkeiten in einem Beschäftigungsverhältnis einer schwerbehinderten Mitarbeiterin oder eines schwerbehinderten Mitarbeiters auf, die dieses Beschäftigungsverhältnis gefährden können, sind zunächst unter möglichst frühzeitiger Einschaltung des Beauftragten des Dienstgebers nach § 181 SGB IX[4], der Vertrauensperson der schwerbehinderten Mitarbeiterinnen und

---

[1] Richtig wohl: „Wirtschaftsausschuss".
[2] § 27b eingef., *bish.* § 27b wird § 27c mWv 19.6.2017 durch Beschl. v. 19.6.2017.
[3] § 28a neu gef. mWv 19.6.2017 durch Beschl. v. 19.6.2017.
[4] Nr. **440**.

Mitarbeiter und der Mitarbeitervertretung sowie des Integrationsamtes alle Möglichkeiten und alle zur Verfügung stehenden Hilfen zu erörtern, mit denen die Schwierigkeiten beseitigt werden können und das Beschäftigungsverhältnis möglichst dauerhaft fortgesetzt werden kann.

§ 29[1)] **Anhörung und Mitberatung.** (1) Das Recht der Anhörung und der Mitberatung ist bei folgenden Angelegenheiten gegeben:

1. Maßnahmen innerbetrieblicher Information und Zusammenarbeit,
2. Änderung von Beginn und Ende der täglichen Arbeitszeit einschließlich der Pausen sowie der Verteilung der Arbeitszeit auf die einzelnen Wochentage für Mitarbeiterinnen und Mitarbeiter für pastorale Dienste oder religiöse Unterweisung, die zu ihrer Tätigkeit der ausdrücklichen bischöflichen Sendung oder Beauftragung bedürfen, sowie für Mitarbeiterinnen und Mitarbeiter im liturgischen Dienst,
3. Regelung der Ordnung in der Einrichtung (Haus- und Heimordnungen),
4. Festlegung von Richtlinien zur Durchführung des Stellenplans,
5. Verpflichtung zur Teilnahme oder Auswahl der Teilnehmerinnen oder Teilnehmer an beruflichen Fort- und Weiterbildungsmaßnahmen,
6. Durchführung beruflicher Fort- und Weiterbildungsmaßnahmen, die die Einrichtung für ihre Mitarbeiterinnen und Mitarbeiter anbietet,
7. Einführung von Unterstützungen, Vorschüssen, Darlehen und entsprechenden sozialen Zuwendungen sowie deren Einstellung,
8. Fassung von Musterdienst- und Musterarbeitsverträgen,
9. Regelung zur Erstattung dienstlicher Auslagen,
10. Abordnung von mehr als drei Monaten, Versetzung an eine andere Einrichtung, Zuweisung oder Personalgestellung an einen anderen Rechtsträger von Mitarbeiterinnen und Mitarbeitern für pastorale Dienste oder religiöse Unterweisung, die zu ihrer Tätigkeit der ausdrücklichen bischöflichen Sendung oder Beauftragung bedürfen,
11. vorzeitige Versetzung in den Ruhestand, wenn die Mitarbeiterin oder der Mitarbeiter die Mitwirkung beantragt,
12. Entlassung aus einem Probe- oder Widerrufsverhältnis in Anwendung beamtenrechtlicher Bestimmungen, wenn die Mitarbeiterin oder der Mitarbeiter die Mitwirkung beantragt,
13. Überlassung von Wohnungen, die für Mitarbeiterinnen oder Mitarbeiter vorgesehen sind,
14. grundlegende Änderungen von Arbeitsmethoden,
15. Maßnahmen zur Hebung der Arbeitsleistung und zur Erleichterung des Arbeitsablaufes,
16. Festlegung von Grundsätzen für die Gestaltung von Arbeitsplätzen,
17. Schließung, Einschränkung, Verlegung oder Zusammenlegung von Einrichtungen oder wesentlichen Teilen von ihnen,

---

1) § 29 Abs. 1 Nr. 10 neu gef. durch Beschluss v. 22.11.2010; Abs. 1 Nr. 19 neu gef., Nr. 20 aufgeh. mWv 19.6.2017 durch Beschl. v. 19.6.2017.

18. Bestellung zur Mitarbeiterin oder zum Mitarbeiter in leitender Stellung gemäß § 3 Abs. 2 Nrn. 3 und 4,
19. Zurückweisung von Bewerbungen schwerbehinderter Menschen um einen freien Arbeitsplatz, soweit die Beschäftigungspflicht des §154 Abs. 1 SGB IX noch nicht erfüllt ist.

(2) [1] In den in Abs. 1 genannten Fällen wird die Mitarbeitervertretung zu der vom Dienstgeber beabsichtigten Maßnahme oder Entscheidung angehört. [2] Diese ist der Mitarbeitervertretung rechtzeitig mitzuteilen.

(3) [1] Erhebt die Mitarbeitervertretung binnen einer Frist von einer Woche keine Einwendungen, so gilt die vorbereitete Maßnahme oder Entscheidung als nicht beanstandet. [2] Auf Antrag der Mitarbeitervertretung kann der Dienstgeber eine Fristverlängerung um eine weitere Woche bewilligen. [3] Erhebt die Mitarbeitervertretung Einwendungen, so werden die Einwendungen in einer gemeinsamen Sitzung von Dienstgeber und Mitarbeitervertretung mit dem Ziel der Verständigung beraten.

(4) Hält die Mitarbeitervertretung auch danach ihre Einwendungen aufrecht und will der Dienstgeber den Einwendungen nicht Rechnung tragen, so teilt er dies der Mitarbeitervertretung schriftlich mit.

(5) [1] Der Dienstgeber kann bei Maßnahmen oder Entscheidungen, die der Anhörung und Mitberatung der Mitarbeitervertretung bedürfen und der Natur der Sache nach keinen Aufschub dulden, bis zur endgültigen Entscheidung vorläufige Regelungen treffen. [2] Die Mitarbeitervertretung ist über die getroffene Regelung unverzüglich zu verständigen.

§ 30 Anhörung und Mitberatung bei ordentlicher Kündigung.

(1) [1] Der Mitarbeitervertretung ist vor jeder ordentlichen Kündigung durch den Dienstgeber schriftlich die Absicht der Kündigung mitzuteilen. [2] Bestand das Arbeitsverhältnis im Zeitpunkt der beabsichtigten Kündigung bereits mindestens sechs Monate, so hat er auch die Gründe der Kündigung darzulegen.

(2) [1] Will die Mitarbeitervertretung gegen die Kündigung Einwendungen geltend machen, so hat sie diese unter Angabe der Gründe dem Dienstgeber spätestens innerhalb einer Woche schriftlich mitzuteilen. [2] Erhebt die Mitarbeitervertretung innerhalb der Frist keine Einwendungen, so gilt die beabsichtigte Kündigung als nicht beanstandet. [3] Erhebt die Mitarbeitervertretung Einwendungen und hält der Dienstgeber an der Kündigungsabsicht fest, so werden die Einwendungen in einer gemeinsamen Sitzung von Dienstgeber und Mitarbeitervertretung mit dem Ziel einer Verständigung beraten. [4] Der Dienstgeber setzt den Termin der gemeinsamen Sitzung fest und lädt hierzu ein.

(3) [1] Als Einwendung kann insbesondere geltend gemacht werden, daß nach Ansicht der Mitarbeitervertretung

1. die Kündigung gegen ein Gesetz, eine Rechtsverordnung, kircheneigene Ordnung oder sonstiges geltendes Recht verstößt,
2. der Dienstgeber bei der Auswahl der zu kündigenden Mitarbeiterin oder des zu kündigenden Mitarbeiters soziale Gesichtspunkte nicht oder nicht ausreichend berücksichtigt hat,
3. die zu kündigende Mitarbeiterin oder der zu kündigende Mitarbeiter an einem anderen Arbeitsplatz in einer Einrichtung desselben Dienstgebers weiter beschäftigt werden kann,

4. die Weiterbeschäftigung der Mitarbeiterin oder des Mitarbeiters nach zumutbaren Umschulungs- oder Fortbildungsmaßnahmen möglich ist oder
5. eine Weiterbeschäftigung der Mitarbeiterin oder des Mitarbeiters unter geänderten Vertragsbedingungen möglich ist und die Mitarbeiterin oder der Mitarbeiter sein Einverständnis hiermit erklärt hat.

[2] Diese Einwendungen bedürfen der Schriftform und der Angabe der konkreten, auf den Einzelfall bezogenen Gründe.

(4) Kündigt der Dienstgeber, obwohl die Mitarbeitervertretung Einwendungen gemäß Abs. 3 Nrn. 1 bis 5 erhoben hat, so hat er der Mitarbeiterin oder dem Mitarbeiter mit der Kündigung eine Abschrift der Einwendungen der Mitarbeitervertretung zuzuleiten.

(5) Eine ohne Einhaltung des Verfahrens nach den Absätzen 1 und 2 ausgesprochene Kündigung ist unwirksam.

§ 30a Anhörung und Mitberatung bei Massenentlassung. [1] Beabsichtigt der Dienstgeber, nach § 17 Abs. 1 des Kündigungsschutzgesetzes[1)] anzeigepflichtige Entlassungen vorzunehmen, hat er der Mitarbeitervertretung rechtzeitig die zweckdienlichen Auskünfte zu erteilen und sie schriftlich insbesondere zu unterrichten über

1. die Gründe für die geplanten Entlassungen,
2. die Zahl und die Berufsgruppen der zu entlassenden Mitarbeiterinnen und Mitarbeiter,
3. die Zahl und die Berufsgruppen der in der Regel beschäftigten Mitarbeiterinnen und Mitarbeiter,
4. den Zeitraum, in dem die Entlassungen vorgenommen werden sollen,
5. die vorgesehenen Kriterien für die Auswahl der zu entlassenden Mitarbeiterinnen und Mitarbeiter,
6. die für die Berechnung etwaiger Abfindungen vorgesehenen Kriterien.

[2] Dienstgeber und Mitarbeitervertretung haben insbesondere die Möglichkeiten zu beraten, Entlassungen zu vermeiden oder einzuschränken und ihre Folgen zu mildern.

§ 31 Anhörung und Mitberatung bei außerordentlicher Kündigung.

(1) Der Mitarbeitervertretung ist vor einer außerordentlichen Kündigung durch den Dienstgeber schriftlich die Absicht der Kündigung und die Gründe hierfür mitzuteilen.

(2) [1] Will die Mitarbeitervertretung gegen die Kündigung Einwendungen geltend machen, so hat sie diese unter Angabe der Gründe dem Dienstgeber spätestens innerhalb von drei Tagen schriftlich mitzuteilen. [2] Diese Frist kann vom Dienstgeber auf 48 Stunden verkürzt werden. [3] Erhebt die Mitarbeitervertretung innerhalb der Frist keine Einwendungen, so gilt die beabsichtigte Kündigung als nicht beanstandet. [4] Erhebt die Mitarbeitervertretung Einwendungen, so entscheidet der Dienstgeber über den Ausspruch der außerordentlichen Kündigung.

(3) Eine ohne Einhaltung des Verfahrens nach den Absätzen 1 und 2 ausgesprochene Kündigung ist unwirksam.

[1)] Nr. **152**.

§ 32 Vorschlagsrecht. (1) Die Mitarbeitervertretung hat in folgenden Angelegenheiten ein Vorschlagsrecht:

1. Maßnahmen innerbetrieblicher Information und Zusammenarbeit,
2. Änderung von Beginn und Ende der täglichen Arbeitszeit einschließlich der Pausen sowie der Verteilung der Arbeitszeit auf die einzelnen Wochentage für Mitarbeiterinnen und Mitarbeiter für pastorale Dienste oder religiöse Unterweisung, die zu ihrer Tätigkeit der ausdrücklichen bischöflichen Sendung oder Beauftragung bedürfen, sowie für Mitarbeiterinnen und Mitarbeiter im liturgischen Dienst,
3. Regelung der Ordnung in der Einrichtung (Haus- und Heimordnungen),
4. Durchführung beruflicher Fort- und Weiterbildungsmaßnahmen, die die Einrichtung für ihre Mitarbeiterinnen und Mitarbeiter anbietet,
5. Regelung zur Erstattung dienstlicher Auslagen,
6. Einführung von Unterstützungen, Vorschüssen, Darlehen und entsprechenden sozialen Zuwendungen und deren Einstellung,
7. Überlassung von Wohnungen, die für Mitarbeiterinnen und Mitarbeiter vorgesehen sind,
8. grundlegende Änderungen von Arbeitsmethoden,
9. Maßnahmen zur Hebung der Arbeitsleistung und zur Erleichterung des Arbeitsablaufes,
10. Festlegung von Grundsätzen für die Gestaltung von Arbeitsplätzen,
11. Regelungen gemäß § 6 Abs. 3,
12. Sicherung der Beschäftigung, insbesondere eine flexible Gestaltung der Arbeitszeit, die Förderung von Teilzeitarbeit und Altersteilzeit, neue Formen der Arbeitsorganisation, Änderungen der Arbeitsverfahren und Arbeitsabläufe, die Qualifizierung der Mitarbeiterinnen und Mitarbeiter, Alternativen zur Ausgliederung von Arbeit oder ihrer Vergabe an andere Unternehmen.

(2) [1] Will der Dienstgeber einem Vorschlag der Mitarbeitervertretung im Sinne des Abs. 1 nicht entsprechen, so ist die Angelegenheit in einer gemeinsamen Sitzung von Dienstgeber und Mitarbeitervertretung mit dem Ziel der Einigung zu beraten. [2] Kommt es nicht zu einer Einigung, so teilt der Dienstgeber die Ablehnung des Vorschlages der Mitarbeitervertretung schriftlich mit.

§ 33[1)] Zustimmung. (1) In den Angelegenheiten der §§ 34 bis 36 sowie des § 18 Absätze 2 und 4 kann der Dienstgeber die von ihm beabsichtigte Maßnahme oder Entscheidung nur mit Zustimmung der Mitarbeitervertretung treffen.

(2) [1] Der Dienstgeber unterrichtet die Mitarbeitervertretung von der beabsichtigten Maßnahme oder Entscheidung und beantragt ihre Zustimmung. [2] Die Zustimmung gilt als erteilt, wenn die Mitarbeitervertretung nicht binnen einer Woche nach Eingang des Antrages bei ihr Einwendungen erhebt. [3] Auf Antrag der Mitarbeitervertretung kann der Dienstgeber die Frist um eine weitere Woche verlängern. [4] Wenn Entscheidungen nach Ansicht des Dienstgebers eilbedürftig sind, so kann er die Frist auf drei Tage, bei Anstellungen und Einstellungen auch

---

1) § 33 Abs. 4 neu gef. durch das KAGO-Anpassungsgesetz v. 13.4.2005; Abs. 2 Satz 5 angef., Abs. 4 neu gef., Abs. 5 Satz 3 angef. mWv 19.6.2017 durch Beschl. v. 19.6.2017.

bis zu 24 Stunden unter Angabe der Gründe verkürzen. [5] Eine Fristverkürzung in den Fällen des § 1a Abs. 2 ist ausgeschlossen.

(3) [1] Erhebt die Mitarbeitervertretung Einwendungen, so haben Dienstgeber und Mitarbeitervertretung mit dem Ziel der Einigung zu verhandeln, falls nicht der Dienstgeber von der beabsichtigten Maßnahme oder Entscheidung Abstand nimmt. [2] Der Dienstgeber setzt den Termin für die Verhandlung fest und lädt dazu ein. [3] Die Mitarbeitervertretung erklärt innerhalb von drei Tagen nach Abschluß der Verhandlung, ob sie die Zustimmung erteilt oder verweigert. [4] Äußert sie sich innerhalb dieser Frist nicht, gilt die Zustimmung als erteilt.

(4) Hat die Mitarbeitervertretung die Zustimmung verweigert, so kann der Dienstgeber in den Fällen der § 34, § 35 und § 36 Abs. 1 Nr. 13 das Kirchliche Arbeitsgericht, in den Fällen des § 36 Nr. 1 bis 12 die Einigungsstelle anrufen.

(5) [1] Der Dienstgeber kann in Angelegenheiten der §§ 34 bis 36, die der Natur der Sache nach keinen Aufschub dulden, bis zur endgültigen Entscheidung vorläufige Regelungen treffen. [2] Er hat unverzüglich der Mitarbeitervertretung die vorläufige Regelung mitzuteilen und zu begründen und das Verfahren nach den Absätzen 2 bis 4 einzuleiten oder fortzusetzen. [3] Das Recht, vorläufige Regelungen zu treffen, ist in den Fällen des § 1a Abs.2 ausgeschlossen.

§ 34[1)] Zustimmung bei Einstellung und Anstellung. (1) [1] Einstellungen bedürfen der Zustimmung der Mitarbeitervertretung. [2] Eine Einstellung liegt vor, wenn eine Person in die Einrichtung eingegliedert wird, um zusammen mit den dort beschäftigten Mitarbeiterinnen und Mitarbeitern den arbeitstechnischen Zweck der Einrichtung durch weisungsgebundene Tätigkeit zu verwirklichen. [3] Zustimmungspflichtig ist auch die Beschäftigung von Personen, die dem Dienstgeber zur Arbeitsleistung überlassen werden im Sinne des Arbeitnehmerüberlassungsgesetzes (§ 3 Abs. 1 S. 2). [4] Der Zustimmung der Mitarbeitervertretung bedarf es nicht im Falle von

1. Mitarbeiterinnen und Mitarbeitern für pastorale Dienste oder religiöse Unterweisung, die zu ihrer Tätigkeit der ausdrücklichen bischöflichen Sendung oder Beauftragung bedürfen,
2. Mitarbeiterinnen und Mitarbeitern, deren Tätigkeit geringfügig im Sinne von § 8 Abs. 1 Nr. 2 SGB IV ist,
3. Personen im Sinne des § 3 Abs. 2.

(2) Die Mitarbeitervertretung kann die Zustimmung nur verweigern, wenn

1. die Maßnahme gegen ein Gesetz, eine Rechtsverordnung, kircheneigene Ordnungen oder sonstiges geltendes Recht verstößt,
2. durch bestimmte Tatsachen der Verdacht begründet wird, daß die Bewerberin oder der Bewerber durch ihr oder sein Verhalten den Arbeitsfrieden in der Einrichtung in einer Weise stören wird, die insgesamt für die Einrichtung unzuträglich ist oder
3. der Dienstgeber eine Person, die ihm zur Arbeitsleistung überlassen wird im Sinne des Arbeitnehmerüberlassungsgesetzes, länger als sechs Monate beschäftigt. Mehrere Beschäftigungen eines Leiharbeitnehmers bei demselben Dienstgeber werden zusammengerechnet.

1) § 34 Abs. 1 neu gef., Abs. 2 Nr. 1 und 2 geänd., Nr. 3 angef., Abs. 3 Satz 2 neu gef., Satz 3 angef. durch Beschluss v. 22.11.2010; Abs. 1 und 3 neu gef. mWv 19.6.2017 durch Beschl. v. 19.6.2017.

(3) [1] Bei Einstellungsverfahren ist die Mitarbeitervertretung für ihre Mitwirkung über die Person der oder des Einzustellenden zu unterrichten. [2] Die Information umfasst den zeitlichen Umfang des Einsatzes, den Einsatzort, die Arbeitsaufgaben dieser Personen sowie die rechtliche Grundlage des Personaleinsatzes. [3] Bei Personen, die dem Dienstgeber zur Arbeitsleistung überlassen werden im Sinne des Arbeitnehmerüberlassungsgesetzes, ist die Mitarbeitervertretung darüber hinaus über das Vorliegen einer Arbeitnehmerüberlassungserlaubnis beim Verleiher zu informieren. [4] Der Mitarbeitervertretung sind auf Verlangen ein Verzeichnis der eingegangenen einrichtungsinternen Bewerbungen sowie der Bewerbungen von Schwerbehinderten zu überlassen und Einsicht in die Bewerbungsunterlagen der oder des Einzustellenden zu gewähren. [5] Anstelle der Überlassung eines Verzeichnisses können auch die erforderlichen Bewerbungsunterlagen zur Einsichtnahme vorgelegt werden.

§ 35[1] Zustimmung bei sonstigen persönlichen Angelegenheiten.

(1) Die Entscheidung des Dienstgebers bedarf in folgenden persönlichen Angelegenheiten von Mitarbeiterinnen und Mitarbeitern der Zustimmung der Mitarbeitervertretung:

1. Eingruppierung von Mitarbeiterinnen und Mitarbeitern,
2. Höhergruppierung oder Beförderung von Mitarbeiterinnen und Mitarbeitern,
3. Rückgruppierung von Mitarbeiterinnen und Mitarbeitern,
4. nicht nur vorübergehende Übertragung einer höher oder niedriger zu bewertenden Tätigkeit,
5. Abordnung von mehr als drei Monaten, Versetzung an eine andere Einrichtung, Zuweisung oder Personalgestellung an einen anderen Rechtsträger, es sei denn, dass es sich um Mitarbeiterinnen oder Mitarbeiter für pastorale Dienste oder religiöse Unterweisung handelt, die zu ihrer Tätigkeit der ausdrücklichen bischöflichen Sendung oder Beauftragung bedürfen,
6. Versagen und Widerruf der Genehmigung einer Nebentätigkeit sowie Untersagung einer Nebentätigkeit,
7. Weiterbeschäftigung über die Altersgrenze hinaus,
8. Hinausschiebung des Eintritts in den Ruhestand wegen Erreichens der Altersgrenze,
9. Anordnungen, welche die Freiheit in der Wahl der Wohnung beschränken mit Ausnahme der Dienstwohnung, die die Mitarbeiterin oder der Mitarbeiter kraft Amtes beziehen muß,
10. Auswahl der Ärztin oder des Arztes zur Beurteilung der Leistungsfähigkeit der Mitarbeiterin oder des Mitarbeiters, sofern nicht die Betriebsärztin/der Betriebsarzt beauftragt werden soll, soweit eine kirchliche Arbeitsvertragsordnung dies vorsieht.[2]

(2) Die Mitarbeitervertretung kann die Zustimmung nur verweigern, wenn

1. die Maßnahme gegen ein Gesetz, eine Rechtsverordnung, kircheneigene Ordnungen, eine Dienstvereinbarung oder sonstiges geltendes Recht verstößt,

---

[1] § 35 Abs. 1 Nr. 10 angef. durch Beschluss v. 25.6.2007; Abs. 1 Nrn. 5 und 6 neu gef. durch Beschluss v. 22.11.2010.

[2] **Amtl. Anm.:** Muster für eine diözesane Fassung.

2. der durch bestimmte Tatsachen begründete Verdacht besteht, daß durch die Maßnahme die Mitarbeiterin oder der Mitarbeiter ohne sachliche Gründe bevorzugt oder benachteiligt werden soll.

§ 36[1)] Zustimmung bei Angelegenheiten der Dienststelle. (1) Die Entscheidung bei folgenden Angelegenheiten der Dienststelle bedarf der Zustimmung der Mitarbeitervertretung, soweit nicht eine kirchliche Arbeitsvertragsordnung oder sonstige Rechtsnorm Anwendung findet:

1. Änderung von Beginn und Ende der täglichen Arbeitszeit einschließlich der Pausen sowie der Verteilung der Arbeitszeit auf die einzelnen Wochentage,
2. Festlegung der Richtlinien zum Urlaubsplan und zur Urlaubsregelung,
3. Planung und Durchführung von Veranstaltungen für die Mitarbeiterinnen und Mitarbeiter,
4. Errichtung, Verwaltung und Auflösung sozialer Einrichtungen,
5. Inhalt von Personalfragebogen für Mitarbeiterinnen und Mitarbeiter,
6. Beurteilungsrichtlinien für Mitarbeiterinnen und Mitarbeiter,
7. Richtlinien für die Gewährung von Unterstützungen, Vorschüssen, Darlehen und entsprechenden sozialen Zuwendungen,
8. Durchführung der Ausbildung, soweit nicht durch Rechtsvorschriften oder durch Ausbildungsvertrag geregelt,
9. Einführung und Anwendung technischer Einrichtungen, die dazu bestimmt sind, das Verhalten oder die Leistung der Mitarbeiterinnen und Mitarbeiter zu überwachen,
10. Maßnahmen zur Verhütung von Dienst- und Arbeitsunfällen und sonstigen Gesundheitsschädigungen,
11. Maßnahmen zum Ausgleich und zur Milderung von wesentlichen wirtschaftlichen Nachteilen für die Mitarbeiterinnen und Mitarbeiter wegen Schließung, Einschränkung, Verlegung oder Zusammenlegung von Einrichtungen oder wesentlichen Teilen von ihnen,
12. Zuweisung zu den einzelnen Stufen des Bereitschaftsdienstes, soweit eine kirchliche Arbeitsvertragsordnung dies vorsieht,
13. Regelung einer Einrichtung nach § 1a Abs. 2. Die Mitarbeitervertretung kann die Zustimmung nur verweigern, wenn die Regelung missbräuchlich erfolgt.

(2) Abs. 1 Nr. 1 findet keine Anwendung auf Mitarbeiterinnen und Mitarbeiter für pastorale Dienste oder religiöse Unterweisung, die zu ihrer Tätigkeit der ausdrücklichen bischöflichen Sendung oder Beauftragung bedürfen, sowie auf Mitarbeiterinnen und Mitarbeiter im liturgischen Dienst.

(3) Muß für eine Einrichtung oder für einen Teil der Einrichtung die tägliche Arbeitszeit gemäß Abs. 1 Nr. 1 nach Erfordernissen, die die Einrichtung nicht voraussehen kann, unregelmäßig oder kurzfristig festgesetzt werden, ist die Beteiligung der Mitarbeitervertretung auf die Grundsätze für die Aufstellung der Dienstpläne, insbesondere für die Anordnung von Arbeitsbereitschaft, Mehrarbeit und Überstunden beschränkt.

---

1) § 36 Abs. 1 Nr. 12 angef. durch Beschluss v. 25.6.2007; Abs. 1 Nr. 12 neu gef. durch Beschluss v. 22.11.2010; Abs. 1 Nr. 12 geänd., Nr. 13 angef. mWv 19.6.2017 durch Beschl. v. 19.6.2017.

§ 37[1)] Antragsrecht. (1) Die Mitarbeitervertretung hat in folgenden Angelegenheiten ein Antragsrecht, soweit nicht eine kirchliche Arbeitsvertragsordnung oder sonstige Rechtsnorm Anwendung findet:

1. Änderung von Beginn und Ende der täglichen Arbeitszeit einschließlich der Pausen sowie der Verteilung der Arbeitszeit auf die einzelnen Wochentage,
2. Festlegung der Richtlinien zum Urlaubsplan und zur Urlaubsregelung,
3. Planung und Durchführung von Veranstaltungen für die Mitarbeiterinnen und Mitarbeiter,
4. Errichtung, Verwaltung und Auflösung sozialer Einrichtungen,
5. Inhalt von Personalfragebogen für Mitarbeiterinnen und Mitarbeiter,
6. Beurteilungsrichtlinien für Mitarbeiterinnen und Mitarbeiter,
7. Richtlinien für die Gewährung von Unterstützungen, Vorschüssen, Darlehen und entsprechenden sozialen Zuwendungen,
8. Durchführung der Ausbildung, soweit nicht durch Rechtsnormen oder durch Ausbildungsvertrag geregelt,
9. Einführung und Anwendung technischer Einrichtungen, die dazu bestimmt sind, das Verhalten oder die Leistung der Mitarbeiterinnen und Mitarbeiter zu überwachen,
10. Maßnahmen zur Verhütung von Dienst- und Arbeitsunfällen und sonstigen Gesundheitsschädigungen,
11. Maßnahmen zum Ausgleich und zur Milderung von wesentlichen wirtschaftlichen Nachteilen für die Mitarbeiterinnen und Mitarbeiter wegen Schließung, Einschränkung, Verlegung oder Zusammenlegung von Einrichtungen oder wesentlichen Teilen von ihnen,
12. Zuweisung zu den einzelnen Stufen des Bereitschaftsdienstes, soweit eine kirchliche Arbeitsvertragsordnung dies vorsieht.

(2) § 36 Absätze 2 und 3 gelten entsprechend.

(3) [1] Will der Dienstgeber einem Antrag der Mitarbeitervertretung im Sinne des Abs. 1 nicht entsprechen, so teilt er ihr dies schriftlich mit. [2] Die Angelegenheit ist danach in einer gemeinsamen Sitzung von Dienstgeber und Mitarbeitervertretung zu beraten. [3] Kommt es nicht zu einer Einigung, so kann die Mitarbeitervertretung die Einigungsstelleanrufen.

§ 38[2)] Dienstvereinbarungen. (1) Dienstvereinbarungen sind in folgenden Angelegenheiten zulässig:

1. Arbeitsentgelte und sonstige Arbeitsbedingungen, die in Rechtsnormen, insbesondere in kirchlichen Arbeitsvertragsordnungen, geregelt sind oder üblicherweise geregelt werden, wenn eine Rechtsnorm den Abschluss ergänzender Dienstvereinbarungen ausdrücklich zulässt.
2. Änderung von Beginn und Ende der täglichen Arbeitszeit einschließlich der Pausen sowie der Verteilung der Arbeitszeit auf die einzelnen Wochentage; § 36 Abs. 2 gilt entsprechend,

---

[1)] § 37 Abs. 3 Satz 3 geänd. durch das KAGO-Anpassungsgesetz v. 13.4.2005; § 37 Abs. 1 Nr. 12 angef. durch *Beschluss v. 25.6.2007;* Abs. 1 Nr. 12 neu gef. durch Beschluss v. 22.11.2010.

[2)] § 38 Abs. 1 und 2 neu gef. , Abs. 5 Satz 1 und 2 geänd. durch Beschluss v. 25.6.2007; Abs. 1 Nr. 14 neu gef. mWv 19.6.2017 durch Beschl. v. 19.6.2017.

3. Festlegung der Richtlinien zum Urlaubsplan und zur Urlaubsregelung,
4. Planung und Durchführung von Veranstaltungen für die Mitarbeiterinnen und Mitarbeiter,
5. Errichtung, Verwaltung und Auflösung sozialer Einrichtungen,
6. Inhalt von Personalfragebogen für Mitarbeiterinnen und Mitarbeiter,
7. Beurteilungsrichtlinien für Mitarbeiterinnen und Mitarbeiter,
8. Richtlinien für die Gewährung von Unterstützungen, Vorschüssen, Darlehen und entsprechenden sozialen Zuwendungen,
9. Durchführung der Ausbildung, soweit nicht durch Rechtsnormen oder durch Ausbildungsvertrag geregelt,
10. Durchführung der Qualifizierung der Mitarbeiterinnen und Mitarbeiter,
11. Einführung und Anwendung technischer Einrichtungen, die dazu bestimmt sind, das Verhalten oder die Leistung der Mitarbeiterinnen und Mitarbeiter zu überwachen,
12. Maßnahmen zur Verhütung von Dienst- und Arbeitsunfällen und sonstigen Gesundheitsschädigungen,
13. Maßnahmen zum Ausgleich und zur Milderung von wesentlichen wirtschaftlichen Nachteilen für die Mitarbeiterinnen und Mitarbeiter wegen Schließung, Einschränkung, Verlegung oder Zusammenlegung von Einrichtungen oder wesentlichen Teilen von ihnen,
14. Festsetzungen nach § 1b und § 24 Absätze 4 und 5. Im Falle der Freistellung nach Maßgabe des § 24 Abs. 4 S. 4 steht das Antragsrecht der Gesamt-Mitarbeitervertretung oder der erweiterten Gesamt-Mitarbeitervertretung zu,
15. Verlängerungen des Übergangsmandats nach § 13d Abs. 1 Satz 4.

(2) [1] Zur Verhandlung und zum Abschluss von Dienstvereinbarungen im Sinne des Abs. 1 Nr. 1 kann die Mitarbeitervertretung Vertreter der Diözesanen Arbeitsgemeinschaft der Mitarbeitervertretungen oder Vertreter einer in der Einrichtung vertretenen Koalition im Sinne des Art. 6 GrO beratend hinzuziehen. [2] Die Aufnahme von Verhandlungen ist der Diözesanen Arbeitsgemeinschaft oder einer in der Einrichtung vertretenen Koalition durch die Mitarbeitervertretung anzuzeigen.

(3) [1] Dienstvereinbarungen dürfen Rechtsnormen, insbesondere kirchlichen Arbeitsvertragsordnungen nicht widersprechen. [2] Bestehende Dienstvereinbarungen werden mit dem Inkrafttreten einer Rechtsnorm gemäß Satz 1 unwirksam.

(3a) [1] Dienstvereinbarungen gelten unmittelbar und zwingend. [2] Werden Mitarbeiterinnen oder Mitarbeitern durch die Dienstvereinbarung Rechte eingeräumt, so ist ein Verzicht auf sie nur mit Zustimmung der Mitarbeitervertretung zulässig.

(4) [1] Dienstvereinbarungen werden durch Dienstgeber und Mitarbeitervertretung gemeinsam beschlossen, sind schriftlich niederzulegen, von beiden Seiten zu unterzeichnen und in geeigneter Weise bekanntzumachen. [2] Dienstvereinbarungen können von beiden Seiten mit einer Frist von drei Monaten zum Monatsende schriftlich gekündigt werden.

(5) [1] Im Falle der Kündigung wirkt die Dienstvereinbarung in den Angelegenheiten des Abs. 1 Nr. 2 bis 13 nach. [2] In Dienstvereinbarungen nach Abs. 1 Nr. 1 kann festgelegt werden, ob und in welchem Umfang darin begründete Rechte der Mitarbeiterinnen und Mitarbeiter bei Außerkrafttreten der Dienstverein-

barung fortgelten sollen. [3] Eine darüber hinausgehende Nachwirkung ist ausgeschlossen.

§ 39 Gemeinsame Sitzungen und Gespräche. (1) [1] Dienstgeber und Mitarbeitervertretung kommen mindestens einmal jährlich zu einer gemeinsamen Sitzung zusammen. [2] Eine gemeinsame Sitzung findet ferner dann statt, wenn Dienstgeber oder Mitarbeitervertretung dies aus besonderem Grund wünschen. [3] Zur gemeinsamen Sitzung lädt der Dienstgeber unter Angabe des Grundes und nach vorheriger einvernehmlicher Terminabstimmung mit der Mitarbeitervertretung ein. [4] Die Tagesordnung und das Besprechungsergebnis sind in einer Niederschrift festzuhalten, die vom Dienstgeber und von der oder dem Vorsitzenden der Mitarbeitervertretung zu unterzeichnen ist. [5] Dienstgeber und Mitarbeitervertretung erhalten eine Ausfertigung der Niederschrift.

(2) Außer zu den gemeinsamen Sitzungen sollen Dienstgeber und Mitarbeitervertretung regelmäßig zu Gesprächen über allgemeine Fragen des Dienstbetriebes und der Dienstgemeinschaft sowie zum Austausch von Anregungen und Erfahrungen zusammentreffen.

VI.[1] Einigungsstelle

§ 40[2] Bildung der Einigungsstelle – Aufgaben. (1) Für den Bereich der (Erz-)Diözese wird beim (Erz-)Bischöflichen Ordinariat/Generalvikariat in ... eine ständige Einigungsstelle gebildet.[3]

(2) Für die Einigungsstelle wird eine Geschäftsstelle eingerichtet.

(3) [1] Die Einigungsstelle wirkt in den Fällen des § 45 (Regelungsstreitigkeiten) auf eine Einigung zwischen Dienstgeber und Mitarbeitervertretung hin. [2] Kommt eine Einigung nicht zustande, ersetzt der Spruch der Einigungsstelle die erforderliche Zustimmung der Mitarbeitervertretung (§ 45 Abs. 1) oder tritt an die Stelle einer Einigung zwischen Dienstgeber und Mitarbeitervertretung (§ 45 Abs. 2 und 3).

§ 41[4] Zusammensetzung – Besetzung. (1) Die Einigungsstelle besteht aus

a) der oder dem Vorsitzenden und der oder dem stellvertretenden Vorsitzenden,

b) jeweils ...[5] Beisitzerinnen oder Beisitzern aus den Kreisen der Dienstgeber und der Mitarbeiter, die auf getrennten Listen geführt werden (Listen-Beisitzerinnen und Listen-Beisitzer),

c) Beisitzerinnen oder Beisitzern, die jeweils für die Durchführung des Verfahrens von der Antragstellerin oder dem Antragsteller und von der Antragsgegnerin oder dem Antragsgegner zu benennen sind (Ad-hoc-Beisitzerinnen und Ad-hoc-Beisitzer).

---

[1] Überschrift neu gef. durch das KAGO-Anpassungsgesetz v. 13.4.2005.

[2] § 40 neu gef. durch das KAGO-Anpassungsgesetz v. 13.4.2005.

[3] **Amtl. Anm.:** Die Bildung einer gemeinsamen Einigungsstelle durch mehrere Diözesen wird nicht ausformuliert, ist jedoch möglich.

[4] § 41 neu gef. durch das KAGO-Anpassungsgesetz v. 13.4.2005.

[5] **Amtl. Anm.:** Die Zahl der Beisitzerinnen und Beisitzer bleibt der Festlegung durch die Diözesen vorbehalten; es müssen jedoch mindestens jeweils 2 Personen benannt werden.

(2) [1] Die Einigungsstelle tritt zusammen und entscheidet in der Besetzung mit der oder dem Vorsitzenden, je einer Beisitzerin oder einem Beisitzer aus den beiden Beisitzerlisten und je einer oder einem von der Antragstellerin oder dem Antragsteller und der Antragsgegnerin oder dem Antragsgegner benannten Ad-hoc-Beisitzerinnen und Ad-hoc-Beisitzer. [2] Die Teilnahme der Listen-Beisitzerinnen und Listen-Beisitzer an der mündlichen Verhandlung bestimmt sich nach der alphabetischen Reihenfolge in der jeweiligen Beisitzerliste. [3] Bei Verhinderung einer Listen-Beisitzerin oder eines Listen-Beisitzers tritt an dessen Stelle die Beisitzerin oder der Beisitzer, welche oder welcher der Reihenfolge nach an nächster Stelle steht.

(3) Ist die oder der Vorsitzende an der Ausübung ihres oder seines Amtes gehindert, tritt an ihre oder seine Stelle die oder der stellvertretende Vorsitzende.

§ 42[1)] Rechtsstellung der Mitglieder. (1) [1] Die Mitglieder der Einigungsstelle sind unabhängig und nur an Gesetz und Recht gebunden. [2] Sie dürfen in der Übernahme oder Ausübung ihres Amtes weder beschränkt, benachteiligt noch bevorzugt werden. [3] Sie unterliegen der Schweigepflicht auch nach dem Ausscheiden aus dem Amt.

(2) [1] Die Tätigkeit der Mitglieder der Einigungsstelle ist ehrenamtlich. [2] Die Mitglieder erhalten Auslagenersatz gemäß den in der (Erz-)Diözese . . . jeweils geltenden reisekostenrechtlichen Vorschriften. [3] Der oder dem Vorsitzenden und der oder dem stellvertretenden Vorsitzenden kann eine Aufwandsentschädigung gewährt werden.

(3) Die Beisitzerinnen und Beisitzer werden für die Teilnahme an Sitzungen der Einigungsstelle im notwendigen Umfang von ihrer dienstlichen Tätigkeit freigestellt.

(4) Auf die von der Diözesanen Arbeitsgemeinschaft der Mitarbeitervertretungen bestellten Beisitzerinnen und Beisitzer finden die §§ 18 und 19 entsprechende Anwendung.

§ 43[2)] Berufungsvoraussetzungen. (1) [1] Die Mitglieder der Einigungsstelle müssen der katholischen Kirche angehören, dürfen in der Ausübung der allen Kirchenmitgliedern zustehenden Rechte nicht behindert sein und müssen die Gewähr dafür bieten, jederzeit für das kirchliche Gemeinwohl einzutreten. [2] Wer als Vorsitzende/r oder beisitzende/r Richter/in eines kirchlichen Gerichts für Arbeitssachen tätig ist, darf nicht gleichzeitig der Einigungsstelle angehören.

(2) Die oder der Vorsitzende und die oder der stellvertretende Vorsitzende sollen im Arbeitsrecht oder Personalwesen erfahrene Personen sein und dürfen innerhalb des Geltungsbereichs dieser Ordnung keinen kirchlichen Beruf ausüben.

(3) [1] Zur Listen-Beisitzerin oder zum Listen-Beisitzer aus den Kreisen der Dienstgeber und zur oder zum vom Dienstgeber benannten Ad-hoc-Beisitzerin oder Ad-hoc-Beisitzer kann bestellt werden, wer gemäß § 3 Abs. 2 Nummer 1 – 5 nicht als Mitarbeiterin oder Mitarbeiter gilt. [2] Zur Listen-Beisitzerin oder zum Listen-Beisitzer aus den Kreisen der Mitarbeiter und zur oder zum von der Mitarbeitervertretung benannten Ad-hoc-Beisitzerin oder Ad-hoc-Beisitzer kann

---

1) § 42 neu gef. durch das KAGO-Anpassungsgesetz v. 13.4.2005.
2) § 43 eingef. durch das KAGO-Anpassungsgesetz v. 13.4.2005.

bestellt werden, wer gemäß § 8 die Voraussetzungen für die Wählbarkeit in die Mitarbeitervertretung erfüllt und im Dienst eines kirchlichen Anstellungsträgers im Geltungsbereich dieser Ordnung steht.

(4) Mitarbeiterinnen und Mitarbeiter, die im Personalwesen tätig sind oder mit der Rechtsberatung der Mitarbeitervertretungen betraut sind, können nicht zur Listen-Beisitzerin oder zum Listen-Beisitzer bestellt werden.

(5) Die Amtszeit der Mitglieder der Einigungsstelle beträgt fünf Jahre.

§ 44[1)] Berufung der Mitglieder. (1) [1] Die oder der Vorsitzende und die oder der stellvertretende Vorsitzende werden aufgrund eines Vorschlags der Listen-Beisitzerinnen und Listen-Beisitzer vom Diözesanbischof ernannt. [2] Die Abgabe eines Vorschlages bedarf einer Zweidrittelmehrheit der Listen-Beisitzerinnen und Listen-Beisitzer. [3] Kommt ein Vorschlag innerhalb einer vom Diözesanbischof gesetzten Frist nicht zustande, ernennt der Diözesanbischof die Vorsitzende oder den Vorsitzenden und die stellvertretende Vorsitzende oder den stellvertretenden Vorsitzenden nach vorheriger Anhörung des Domkapitels als Konsultorenkollegium und/oder des Diözesanvermögensverwaltungsrates und des Vorstandes der diözesanen Arbeitsgemeinschaft der Mitarbeitervertretungen.[2)] [4] Sind zum Ende der Amtszeit die oder der neue Vorsitzende und die oder der stellvertretende Vorsitzende noch nicht ernannt, führen die oder der bisherige Vorsitzende und deren Stellvertreterin oder Stellvertreter die Geschäfte bis zur Ernennung der Nachfolgerinnen und Nachfolger weiter.

(2) [1] Die Bestellung der Listen-Beisitzerinnen und Listen-Beisitzer erfolgt aufgrund von jeweils vom Generalvikar sowie dem Vorstand/den Vorständen der diözesanen Arbeitsgemeinschaft/en der Mitarbeitervertretungen zu erstellenden Beisitzerlisten, in denen die Namen in alphabetischer Reihenfolge geführt werden. [2] Bei der Aufstellung der Liste der Beisitzerinnen und Beisitzer aus den Kreisen der Dienstgeber werden Personen aus Einrichtungen der Caritas, die vom zuständigen Diözesancaritasverband benannt werden, angemessen berücksichtigt.

(3) Das Amt eines Mitglieds der Einigungsstelle endet vor Ablauf der Amtszeit

a) mit dem Rücktritt
b) mit der Feststellung des Wegfalls der Berufungsvoraussetzungen durch den Diözesanbischof.

(4) [1] Bei vorzeitigem Ausscheiden des Vorsitzenden oder des stellvertretenden Vorsitzenden ernennt der Diözesanbischof die Nachfolgerin oder den Nachfolger für die Dauer der verbleibenden Amtszeit. [2] Bei vorzeitigem Ausscheiden einer Listen-Beisitzerin oder eines Listen-Beisitzers haben der Generalvikar bzw. der Vorstand der diözesanen Arbeitsgemeinschaft der Mitarbeitervertretungen die Beisitzerliste für die Dauer der verbleibenden Amtszeit zu ergänzen.

§ 45[3)] Zuständigkeit. (1) [1] Auf Antrag des Dienstgebers findet das Verfahren vor der Einigungsstelle in folgenden Fällen statt:

---

1) § 44 eingef. durch das KAGO-Anpassungsgesetz v. 13.4.2005.

2) **Amtl. Anm.:** *Das Nähere regelt das diözesane Recht.*

3) § 45 eingef. durch das KAGO-Anpassungsgesetz v. 13.4.2005; Abs. 1 Nr. 12 angef., Abs. 2 neu gef. durch Beschluss v. 22.11.2010; Abs. 4 angef. mWv 19.6.2017 durch Beschl. v. 19.6.2017.

1. bei Streitigkeiten über Änderung von Beginn und Ende der täglichen Arbeitszeit einschließlich der Pausen sowie der Verteilung der Arbeitszeit auf die einzelnen Wochentage (§ 36 Abs. 1 Nr. 1),
2. bei Streitigkeiten über Festlegung der Richtlinien zum Urlaubsplan und zur Urlaubsregelung (§ 36 Abs. 1 Nr. 2),
3. bei Streitigkeiten über Planung und Durchführung von Veranstaltungen für die Mitarbeiterinnen und Mitarbeiter (§ 36 Abs. 1 Nr. 3),
4. bei Streitigkeiten über Errichtung, Verwaltung und Auflösung sozialer Einrichtungen (§ 36 Abs. 1 Nr. 4),
5. bei Streitigkeiten über Inhalt von Personalfragebogen für Mitarbeiterinnen und Mitarbeiter (§ 36 Abs. 1 Nr. 5),
6. bei Streitigkeiten über Beurteilungsrichtlinien für Mitarbeiterinnen und Mitarbeiter (§ 36 Abs. 1 Nr. 6),
7. bei Streitigkeiten über Richtlinien für die Gewährung von Unterstützungen, Vorschüssen, Darlehen und entsprechenden sozialen Zuwendungen (§ 36 Abs. 1 Nr. 7),
8. bei Streitigkeiten über die Durchführung der Ausbildung, soweit nicht durch Rechtsvorschriften oder durch Ausbildungsvertrag geregelt (§ 36 Abs. 1 Nr. 8),
9. bei Streitigkeiten über Einführung und Anwendung technischer Einrichtungen, die dazu bestimmt sind, das Verhalten oder die Leistung der Mitarbeiterinnen und Mitarbeiter zu überwachen (§ 36 Abs. 1 Nr. 9),
10. bei Streitigkeiten über Maßnahmen zur Verhütung von Dienst- und Arbeitsunfällen und sonstigen Gesundheitsschädigungen (§ 36 Abs. 1 Nr. 10),
11. bei Streitigkeiten über Maßnahmen zum Ausgleich und zur Milderung von wesentlichen wirtschaftlichen Nachteilen für die Mitarbeiterinnen und Mitarbeiter wegen Schließung, Einschränkung, Verlegung oder Zusammenlegung von Einrichtungen oder wesentlichen Teilen von ihnen (§ 36 Abs. 1 Nr. 11),
12. bei Streitigkeiten über die Zuweisung zu den einzelnen Stufen des Bereitschaftsdienstes (§ 36 Abs. 1 Nr. 12).

(2) Darüber hinaus findet auf Antrag des Dienstgebers das Verfahren vor der Einigungsstelle statt bei Streitigkeiten über die Versetzung, Abordnung, Zuweisung oder Personalgestellung eines Mitglieds der Mitarbeitervertretung (§ 18 Abs. 2).

(3) Auf Antrag der Mitarbeitervertretung findet das Verfahren vor der Einigungsstelle in folgenden Fällen statt:

1. bei Streitigkeiten über die Freistellung eines Mitglieds der Mitarbeitervertretung (§ 15 Abs. 5),
2. bei Streitigkeiten im Falle der Ablehnung von Anträgen der Mitarbeitervertretung (§ 37 Abs. 3).

(4) Auf Antrag des den Wirtschaftsausschuss bildenden Organs findet das Verfahren im Falle des § 27b Abs. 6 vor der Einigungsstelle statt.

§ 46[1] **Verfahren.** (1) [1] Der Antrag ist schriftlich in doppelter Ausfertigung über die Geschäftsstelle an den Vorsitzenden zu richten. [2] Er soll die Antragstellerin oder den Antragsteller, die Antragsgegnerin oder den Antragsgegner und den Streitgegenstand bezeichnen und eine Begründung enthalten. [3] Die oder der Vorsitzende bereitet die Verhandlung der Einigungsstelle vor, übersendet den Antrag an die Antragsgegnerin oder den Antragsgegner und bestimmt eine Frist zur schriftlichen Erwiderung. [4] Die Antragserwiderung übermittelt er an die Antragstellerin oder den Antragsteller und bestimmt einen Termin, bis zu dem abschließend schriftsätzlich vorzutragen ist.

(2) [1] Sieht die oder der Vorsitzende nach Eingang der Antragserwiderung aufgrund der Aktenlage eine Möglichkeit der Einigung, unterbreitet sie oder er schriftlich einen begründeten Einigungsvorschlag. [2] Erfolgt eine Einigung, beurkundet die oder der Vorsitzende diese und übersendet den Beteiligten eine Abschrift.

(3) [1] Erfolgt keine Einigung, bestimmt die oder der Vorsitzende einen Termin zur mündlichen Verhandlung vor der Einigungsstelle. [2] Sie oder er kann Antragstellerin oder Antragsteller und Antragsgegnerin oder Antragsgegner eine Frist zur Äußerung setzen. [3] Die oder der Vorsitzende veranlasst unter Einhaltung einer angemessenen Ladungsfrist die Ladung der Beteiligten und die Benennung der Ad-hoc-Beisitzerinnen und Ad-hoc-Beisitzer durch die Beteiligten.

(4) [1] Die Verhandlung vor der Einigungsstelle ist nicht öffentlich. [2] Die oder der Vorsitzende leitet die Verhandlung. [3] Sie oder er führt in den Sach- und Streitgegenstand ein. [4] Die Einigungsstelle erörtert mit den Beteiligten das gesamte Streitverhältnis und gibt ihnen Gelegenheit zur Stellungnahme. [5] Im Falle der Nichteinigung stellen die Beteiligten die wechselseitigen Anträge. [6] Über die mündliche Verhandlung ist ein Protokoll zu fertigen.

§ 47[2] **Einigungsspruch.** (1) Kommt eine Einigung in der mündlichen Verhandlung zustande, wird dies beurkundet und den Beteiligten eine Abschrift der Urkunden übersandt.

(2) [1] Kommt eine Einigung der Beteiligten nicht zustande, so entscheidet die Einigungsstelle durch Spruch. [2] Der Spruch der Einigungsstelle ergeht unter angemessener Berücksichtigung der Belange der Einrichtung des Dienstgebers sowie der betroffenen Mitarbeiter nach billigem Ermessen. [3] Der Spruch ist schriftlich abzufassen.

(3) [1] Der Spruch der Einigungsstelle ersetzt die nicht zustande gekommene Einigung zwischen Dienstgeber und Mitarbeitervertretung bzw. Gesamtmitarbeitervertretung. [2] Der Spruch bindet die Beteiligten. [3] Der Dienstgeber kann durch den Spruch nur insoweit gebunden werden, als für die Maßnahmen finanzielle Deckung in seinen Haushalts-, Wirtschafts- und Finanzierungsplänen ausgewiesen ist.

(4) [1] Rechtliche Mängel des Spruchs oder des Verfahrens der Einigungsstelle können durch den Dienstgeber oder die Mitarbeitervertretung beim Kirchlichen Arbeitsgericht geltend gemacht werden; die Überschreitung der Grenzen des Ermessens kann nur binnen einer Frist von zwei Wochen nach Zugang des Spruchs beim Kirchlichen Arbeitsgericht geltend gemacht werden. [2] Beruft sich

---

[1] § 46 eingef. durch das KAGO-Anpassungsgesetz v. 13.4.2005.
[2] § 47 eingef. durch das KAGO-Anpassungsgesetz v. 13.4.2005.

der Dienstgeber im Fall des Absatzes 3 Satz 3 auf die fehlende finanzielle Deckung, können dieser Einwand sowie rechtliche Mängel des Spruchs oder des Verfahrens vor der Einigungsstelle nur innerhalb einer Frist von vier Wochen nach Zugang des Spruchs geltend gemacht werden.

(5) [1] Das Verfahren vor der Einigungsstelle ist kostenfrei. [2] Die durch das Tätigwerden der Einigungsstelle entstehenden Kosten trägt die (Erz-)Diözese .... [3] Jeder Verfahrensbeteiligte trägt seine Auslagen selbst; der Mitarbeitervertretung werden gemäß § 17 Abs. 1 die notwendigen Auslagen erstattet.

VII.[1] Sprecherinnen und Sprecher der Jugendlichen und der Auszubildenden, Vertrauensperson der Schwerbehinderten, Vertrauensmann der Zivildienstleistenden

§ 48[2] Wahl und Anzahl der Sprecherinnen und Sprecher der Jugendlichen und der Auszubildenden. [1] In Einrichtungen mit in der Regel mindestens fünf Mitarbeiterinnen oder Mitarbeitern, die das 18. Lebensjahr noch nicht vollendet haben (Jugendliche) oder die zu ihrer Berufsausbildung beschäftigt sind und das 25. Lebensjahr noch nicht vollendet haben (Auszubildende), werden von diesen Sprecherinnen und Sprecher der Jugendlichen und der Auszubildenden gewählt. [2] Als Sprecherinnen und Sprecher können Mitarbeiterinnen und Mitarbeiter vom vollendeten 16. Lebensjahr bis zum vollendeten 26. Lebensjahr gewählt werden. [3] Es werden gewählt

– eine Sprecherin oder ein Sprecher bei 5 bis 10 Jugendlichen und Auszubildenden sowie
– drei Sprecherinnen oder Sprecher bei mehr als 10 Jugendlichen und Auszubildenden.

§ 49[3] Versammlung der Jugendlichen und Auszubildenden. (1) [1] Die Sprecherinnen und Sprecher der Jugendlichen und Auszubildenden können vor oder nach einer Mitarbeiterversammlung im Einvernehmen mit der Mitarbeitervertretung eine Versammlung der Jugendlichen und Auszubildenden einberufen. [2] Im Einvernehmen mit der Mitarbeitervertretung und dem Dienstgeber kann die Versammlung der Jugendlichen und Auszubildenden auch zu einem anderen Zeitpunkt einberufen werden. [3] Der Dienstgeber ist zu diesen Versammlungen unter Mitteilung der Tagesordnung einzuladen. [4] Er ist berechtigt, in der Versammlung zu sprechen. [5] § 2 Abs. 2 Satz 2 findet Anwendung. [6] An den Versammlungen kann die oder der Vorsitzende der Mitarbeitervertretung oder ein beauftragtes Mitglied der Mitarbeitervertretung teilnehmen. [7] Die Versammlung der Jugendlichen und Auszubildenden befaßt sich mit Angelegenheiten, die zur Zuständigkeit der Mitarbeitervertretung gehören, soweit sie Jugendliche und Auszubildende betreffen.

(2) § 21 Abs. 4 gilt entsprechend.

---

[1] Bish. §§ 43 bis 46a werden §§ 48 bis 53 durch das KAGO-Anpassungsgesetz v. 13.4.2005.

[2] Bish. § 43 wird § 48 durch das KAGO-Anpassungsgesetz v. 13.4.2005; Satz 1 neu gef. durch Beschluss v. 22.11.2010.

[3] Bish. § 43a wird § 49 durch das KAGO-Anpassungsgesetz v. 13.4.2005.

§ 50[1] Amtszeit der Sprecherinnen und Sprecher der Jugendlichen und Auszubildenden. [1]Die Amtszeit der Sprecherinnen und Sprecher der Jugendlichen und der Auszubildenden beträgt zwei Jahre. [2]Die Sprecherinnen und Sprecher der Jugendlichen und der Auszubildenden bleiben im Amt, auch wenn sie während der Amtszeit das 26. Lebensjahr vollendet haben.

§ 51[2] Mitwirkung der Sprecherinnen und Sprecher der Jugendlichen und Auszubildenden. (1) [1]Die Sprecherinnen und Sprecher der Jugendlichen und der Auszubildenden nehmen an den Sitzungen der Mitarbeitervertretung teil. [2]Sie haben, soweit Angelegenheiten der Jugendlichen und Auszubildenden beraten werden,

1. das Recht, vor und während der Sitzungen der Mitarbeitervertretung Anträge zu stellen. Auf ihren Antrag hat die oder der Vorsitzende der Mitarbeitervertretung eine Sitzung in angemessener Frist einzuberufen und den Gegenstand, dessen Beratung beantragt wird, auf die Tagesordnung zu setzen,
2. Stimmrecht,
3. das Recht, zu Besprechungen mit dem Dienstgeber eine Sprecherin oder einen Sprecher der Jugendlichen und Auszubildenden zu entsenden.

(2) [1]Für eine Sprecherin oder einen Sprecher der Jugendlichen und der Auszubildenden gelten im übrigen die anwendbaren Bestimmungen der §§ 7 bis 20 sinngemäß. [2]Die gleichzeitige Kandidatur für das Amt einer Sprecherin oder eines Sprechers der Jugendlichen und Auszubildenden und das Amt der Mitarbeitervertreterin oder des Mitarbeitervertreters ist ausgeschlossen.

§ 52[3] Mitwirkung der Vertrauensperson der schwerbehinderten Mitarbeiterinnen und Mitarbeiter. (1) [1]Die entsprechend den Vorschriften des Sozialgesetzbuches IX gewählte Vertrauensperson der schwerbehinderten Mitarbeiterinnen und Mitarbeiter nimmt an den Sitzungen der Mitarbeitervertretung teil. [2]Die Vertrauensperson hat, soweit Angelegenheiten der schwerbehinderten Menschen beraten werden,

1. das Recht, vor und während der Sitzungen der Mitarbeitervertretung Anträge zu stellen. Auf ihren Antrag hat die oder der Vorsitzende der Mitarbeitervertretung eine Sitzung in angemessener Frist einzuberufen und den Gegenstand, dessen Beratung beantragt wird, auf die Tagesordnung zu setzen,
2. Stimmrecht,
3. das Recht, an Besprechungen bei dem Dienstgeber teilzunehmen.

(2) [1]Der Dienstgeber hat die Vertrauensperson der schwerbehinderten Mitarbeiterinnen und Mitarbeiter in allen Angelegenheiten, die einen einzelnen oder die schwerbehinderten Menschen als Gruppe berühren, unverzüglich und umfassend zu unterrichten und vor einer Entscheidung anzuhören; er hat ihr die getroffene Entscheidung unverzüglich mitzuteilen. [2]Ist dies bei einem Beschluss der Mitarbeitervertretung nicht geschehen oder erachtet die Vertrauensperson der schwerbehinderten Mitarbeiterinnen und Mitarbeiter einen Beschluss der Mitarbeitervertretung als eine erhebliche Beeinträchtigung wichtiger Interessen

---

[1] Bish. § 44 wird § 50 durch das KAGO-Anpassungsgesetz v. 13.4.2005.

[2] Bish. § 45 wird § 51 durch das KAGO-Anpassungsgesetz v. 13.4.2005.

[3] Bish. § 46 wird § 52 durch das KAGO-Anpassungsgesetz v. 13.4.2005; Abs. 5 Satz 2 angef. durch Beschluss v. 22.11.2010.

schwerbehinderter Menschen, wird auf ihren Antrag der Beschluss für die Dauer von einer Woche vom Zeitpunkt der Beschlussfassung ausgesetzt. [3] Durch die Aussetzung wird eine Frist nicht verlängert.

(3) [1] Die Vertrauensperson der schwerbehinderten Mitarbeiterinnen und Mitarbeiter hat das Recht, mindestens einmal im Jahr eine Versammlung der schwerbehinderten Mitarbeiterinnen und Mitarbeiter in der Dienststelle durchzuführen. [2] Die für die Mitarbeiterversammlung geltenden Vorschriften der §§ 21, 22 gelten entsprechend.

(4) Die Räume und der Geschäftsbedarf, die der Dienstgeber der Mitarbeitervertretung für deren Sitzungen, Sprechstunden und laufenden Geschäftsbedarf zur Verfügung stellt, stehen für die gleichen Zwecke auch der Vertrauensperson der schwerbehinderten Mitarbeiterinnen und Mitarbeiter zur Verfügung, soweit hierfür nicht eigene Räume und sachliche Mittel zur Verfügung gestellt werden.

(5) [1] Für die Vertrauensperson der schwerbehinderten Mitarbeiterinnen und Mitarbeiter gelten die §§ 15 bis 20 entsprechend. [2] Weitergehende persönliche Rechte und Pflichten, die sich aus den Bestimmungen des SGB IX ergeben, bleiben hiervon unberührt.

§ 53[1)] *(aufgehoben)*

VIII. Schulen, Hochschulen

§ 54[2)] **Schulen und Hochschulen.** (1) Die Ordnung gilt auch für die Schulen und Hochschulen im Anwendungsbereich des § 1[3)].

(2) Bei Hochschulen finden die für die Einstellung und Anstellung sowie die Eingruppierung geltenden Vorschriften keine Anwendung, soweit es sich um hauptberuflich Lehrende handelt, die in einem förmlichen Berufungsverfahren berufen werden.

(3) Lehrbeauftragte an Hochschulen sind keine Mitarbeiterinnen oder Mitarbeiter im Sinne dieser Ordnung.

IX.[4)] Schlußbestimmungen

§ 55[4)] **Zwingende Wirkung.** Durch anderweitige Regelungen oder Vereinbarung kann das Mitarbeitervertretungsrecht nicht abweichend von dieser Ordnung geregelt werden.

§ 56[4)] **Inkrafttreten.** (1) Vorstehende Ordnung gilt ab ....

---

1) § 53 aufgeh. mWv 19.6.2017 durch Beschl. v. 19.6.2017.

2) Bish. § 47 wird § 54 durch das KAGO-Anpassungsgesetz v. 13.4.2005; Überschrift eingef. mWv 19.6.2017 durch Beschl. v. 19.6.2017.

3) **Amtl. Anm.:** Für Mitarbeiterinnen und Mitarbeiter an Schulen, die im Dienste eines Bundeslandes stehen, können Sonderregelungen getroffen werden.

4) Bish. §§ 48 und 49 werden §§ 55 und 56 durch das KAGO-Anpassungsgesetz v. 13.4.2005; Überschrift eingef. mWv 19.6.2017 durch Beschl. v. 19.6.2017.

(2) [1] Beim Inkrafttreten bestehende Mitarbeitervertretungen bleiben für die Dauer ihrer Amtszeit bestehen. [2] Sie führen ihre Tätigkeit weiter nach Maßgabe der Bestimmungen in den Abschnitten III, IV, V und VI.

1211. Kirchliche Arbeitsgerichtsordnung – KAGO –[1)]

In der Fassung des Beschlusses der Vollversammlung der Deutschen Bischofskonferenz vom 25. Februar 2010

Inhaltsübersicht

[1)] Neubekanntmachung der KAGO, die mWv 1. 7. 2010 durch Beschluss gemäß can. 455 § 1 CIC der Vollversammlung der Deutschen Bischofskonferenz vom 25. Februar 2010 und Anerkennung gemäß Dekret des Obersten Gerichtshofs der Apostolischen Signatur vom 25. März 2010 an Stelle der bisherigen Ordnung vom 1. Juli 2005 getreten ist.

Dritter Teil. Verfahren vor den kirchlichen Gerichten für Arbeitssachen

1. Abschnitt. Verfahren im ersten Rechtszug

1. Unterabschnitt. Allgemeine Verfahrensvorschriften

2. Unterabschnitt. Mündliche Verhandlung

3. Unterabschnitt. Besondere Verfahrensarten

2. Abschnitt. Verfahren im zweiten Rechtszug

3. Abschnitt. Vorläufiger Rechtsschutz

4. Abschnitt. Vollstreckung gerichtlicher Entscheidungen

5. Abschnitt. Beschwerdeverfahren

Vierter Teil. Schlussvorschriften

Präambel

Die Deutsche Bischofskonferenz erlässt aufgrund eines besonderen Mandats des Apostolischen Stuhles gemäß can. 455 § 1 CIC in Wahrnehmung der der Kirche durch das Grundgesetz für die Bundesrepublik Deutschland[1] garan-

[1] Auszugsweise abgedruckt unter Nr. **10**.

tierten Freiheit, ihre Angelegenheiten selbständig innerhalb der Schranken des für alle geltenden Gesetzes zu ordnen,

– zur Sicherung der Glaubwürdigkeit der Einrichtungen, welche die Kirche unterhält und anerkennt, um ihren Auftrag in der Gesellschaft wirksam wahrnehmen zu können,
– zur Herstellung und Gewährleistung eines wirksamen gerichtlichen Rechtsschutzes auf den Gebieten der kirchlichen Ordnungen für das Zustandekommen von arbeitsvertragsrechtlichen Regelungen und das Mitarbeitervertretungsrecht, wie dies in Artikel 10 Absatz 2 der „Grundordnung des kirchlichen Dienstes im Rahmen kirchlicher Arbeitsverhältnisse" (GrO)[1] vorgesehen ist,
– zur Sicherstellung einer einheitlichen Auslegung und Anwendung der in den deutschen Bistümern übereinstimmend geltenden arbeitsrechtlichen Grundlagen

die folgende Ordnung:

Erster Teil. Allgemeine Vorschriften

§ 1 Kirchliche Gerichte für Arbeitssachen. Die Gerichtsbarkeit in kirchlichen Arbeitssachen (§ 2) wird in erster Instanz durch Kirchliche Arbeitsgerichte und in zweiter Instanz durch den Kirchlichen Arbeitsgerichtshof ausgeübt.

§ 2 Sachliche Zuständigkeit. (1) Die kirchlichen Gerichte für Arbeitssachen sind zuständig für Rechtsstreitigkeiten aus dem Recht der nach Art. 7 GrO[1] gebildeten Kommissionen zur Ordnung des Arbeitsvertragsrechts.

(2) Die kirchlichen Gerichte für Arbeitssachen sind ferner zuständig für Rechtsstreitigkeiten aus dem Mitarbeitervertretungsrecht sowie dem Recht der Mitwirkung in Caritas-Werkstätten für Menschen mit Behinderungen einschließlich des Wahlverfahrensrechts und des Verfahrens vor der Einigungsstelle.

(3) Die Zuständigkeit der kirchlichen Gerichte für Arbeitssachen ist nicht gegeben für Streitigkeiten aus dem Arbeitsverhältnis.

(4) Ein besonderes Verfahren zur Überprüfung der Rechtmäßigkeit von kirchlichen Rechtsnormen (Normenkontrollverfahren) findet nicht statt.

§ 3 Örtliche Zuständigkeit. (1) [1] Das Gericht, in dessen Dienstbezirk eine beteiligungsfähige Person (§ 8) ihren Sitz hat, ist für alle gegen sie zu erhebenden Klagen zuständig. [2] Ist der Beklagte eine natürliche Person, bestimmt sich der Gerichtsstand nach dem dienstlichen Einsatzort des Beklagten.

(2) [1] In Rechtsstreitigkeiten nach § 2 Absatz 1 ist das Gericht ausschließlich zuständig, in dessen Dienstbezirk die Geschäftsstelle der Kommission ihren Sitz hat. [2] Sind mehrere Kommissionen am Verfahren beteiligt, ist das für die beklagte Kommission errichtete Gericht ausschließlich zuständig.

---

[1] Nr. **1200**.

(3) In Rechtsstreitigkeiten nach § 2 Absatz 2, an denen ein mehrdiözesaner oder überdiözesaner Rechtsträger beteiligt ist, ist das Gericht ausschließlich zuständig, in dessen Dienstbezirk sich der Sitz der Hauptniederlassung des Rechtsträgers eines Verfahrensbeteiligten befindet, soweit nicht durch Gesetz eine hiervon abweichende Regelung der örtlichen Zuständigkeit getroffen wird.

§ 4 Besetzung der Gerichte. Die kirchlichen Gerichte für Arbeitssachen sind mit Personen, welche die Befähigung zum Richteramt nach staatlichem oder kirchlichem Recht besitzen, und mit ehrenamtlichen Richtern (beisitzenden Richtern) aus den Kreisen der Dienstgeber und Mitarbeiter, welche nach Maßgabe dieser Ordnung stimmberechtigt an der Entscheidungsfindung mitwirken, besetzt.

§ 5 Aufbringung der Mittel. [1] Die Kosten des Kirchlichen Arbeitsgerichts trägt das Bistum, für das es errichtet ist. [2] Im Falle der Errichtung eines gemeinsamen kirchlichen Arbeitsgerichts durch mehrere Diözesanbischöfe (§ 14 Absatz 2) tragen die beteiligten Bistümer die Kosten nach einem zwischen *Ihnen*[1)] vereinbarten Verteilungsmaßstab. [3] Die Kosten des Kirchlichen Arbeitsgerichtshofs trägt der Verband der Diözesen Deutschlands.

§ 6 Gang des Verfahrens. (1) Im ersten Rechtszug ist das Kirchliche Arbeitsgericht zuständig.

(2) Gegen das Urteil des Kirchlichen Arbeitsgerichts findet die Revision an den Kirchlichen Arbeitsgerichtshof nach Maßgabe des § 47 statt.

§ 7 Verfahrensgrundsätze. (1) [1] Das Gericht entscheidet, soweit diese Ordnung nichts anderes bestimmt, auf Grund mündlicher Verhandlung durch Urteil. [2] Mit Einverständnis der Beteiligten kann das Gericht ohne mündliche Verhandlung entscheiden.

(2) [1] Die Verhandlung einschließlich der Beweisaufnahme ist öffentlich. [2] Das Gericht kann die Öffentlichkeit für die Verhandlung oder für einen Teil der Verhandlung aus wichtigem Grund ausschließen, insbesondere wenn durch die Öffentlichkeit eine erhebliche Beeinträchtigung kirchlicher Belange oder schutzwürdiger Interessen eines Beteiligten zu besorgen ist oder wenn Dienstgeheimnisse zum Gegenstand der Verhandlung oder der Beweisaufnahme gemacht werden. [3] Die Entscheidung wird auch im Fall des Satzes 2 öffentlich verkündet.

(3) [1] Das Gericht erforscht den Sachverhalt von Amts wegen. Die am Verfahren Beteiligten haben an der Aufklärung des Sachverhalts mitzuwirken. [2] Zur Aufklärung des Sachverhalts können Urkunden eingesehen, Auskünfte eingeholt, Zeugen, Sachverständige und Beteiligte vernommen und ein Augenschein eingenommen werden.

(4) [1] Alle mit einem befristeten Rechtsmittel anfechtbaren Entscheidungen enthalten die Belehrung über das Rechtsmittel. [2] Soweit ein Rechtsmittel nicht gegeben ist, ist eine entsprechende Belehrung zu erteilen. [3] Die Frist für ein Rechtsmittel beginnt nur, wenn der Beteiligte über das Rechtsmittel und

---

1) Richtig wohl: „ihnen“.

das Gericht, bei dem das Rechtsmittel einzulegen ist, die Anschrift des Gerichts und die einzuhaltende Frist und Form schriftlich belehrt worden ist. [4] Ist die Belehrung unterblieben oder unrichtig erteilt, so ist die Einlegung des Rechtsmittels nur innerhalb eines Jahres seit Zustellung der Entscheidung zulässig.

(5) Das Gericht soll in jeder Lage des Verfahrens auf eine gütliche Beilegung des Rechtsstreits hinwirken.

§ 8 Verfahrensbeteiligte. (1) In Rechtsstreitigkeiten gemäß § 2 Absatz 1 können beteiligt sein:

a) in allen Angelegenheiten die Hälfte der Mitglieder der nach Artikel 7 GrO gebildeten Kommission oder die Mehrheit der Mitglieder der Dienstgeber- bzw. Mitarbeiterseite der Kommission,

b) in Angelegenheiten, welche die eigene Rechtsstellung als Kommissions-Mitglied betreffen, das einzelne Mitglied der Kommission und der Dienstgeber,

c) in Angelegenheiten des Wahlverfahrensrechts darüber hinaus der Dienstgeber, der einzelne Mitarbeiter und die Wahlorgane und Koalitionen nach Art. 6 GrO,

d) in Angelegenheiten, welche die Rechtsstellung als Koalition nach Art. 6 GrO betreffen, die anerkannte Koalition.

(2) In Rechtsstreitigkeiten gemäß § 2 Absatz 2 können beteiligt sein:

a) in Angelegenheiten der Mitarbeitervertretungsordnung[1)] einschließlich des Verfahrens vor der Einigungsstelle die Mitarbeitervertretung und der Dienstgeber,

b) in Angelegenheiten des Wahlverfahrensrechts und des Rechts der Mitarbeiterversammlung die Mitarbeitervertretung, der Dienstgeber und der einzelne Mitarbeiter und die Wahlorgane,

c) in Angelegenheiten aus dem Recht der Arbeitsgemeinschaften für Mitarbeitervertretungen die Organe der Arbeitsgemeinschaft, der Dienstgeber und die (Erz-) Bistümer bzw. Diözesan-Caritasverbände,

d) in Angelegenheiten aus dem Recht der Mitwirkung in Caritas-Werkstätten für Menschen mit Behinderungen der Werkstattrat und der Rechtsträger der Werkstatt,

e) in Angelegenheiten, welche die eigene Rechtsstellung als Mitglied einer Mitarbeitervertretung, als Sprecherin oder Sprecher der Jugendlichen und Auszubildenden, als Vertrauensperson der Schwerbehinderten, als Vertrauensmann der Zivildienstleistenden oder als Mitglied einer Arbeitsgemeinschaft der Mitarbeitervertretungen betreffen, die jeweils betroffene Person, die Mitarbeitervertretung und der Dienstgeber.

§ 9 Beiladung. (1) Das Gericht kann, solange das Verfahren noch nicht rechtskräftig abgeschlossen oder in höherer Instanz anhängig ist, von Amts wegen oder auf Antrag andere, deren rechtliche Interessen durch die Entscheidung berührt werden, beiladen.

[1)] Nr. **1210**.

(2) [1] Sind an dem streitigen Rechtsverhältnis Dritte derart beteiligt, dass die Entscheidung auch ihnen gegenüber nur einheitlich ergehen kann, so sind sie beizuladen (notwendige Beiladung). [2] Dies gilt auch für einen Dritten, der aufgrund Rechtsvorschrift verpflichtet ist, einer Partei oder einem Beigeladenen die Kosten des rechtshängig gemachten Anspruchs zu ersetzen (Kostenträger).

(3) [1] Der Beiladungsbeschluss ist allen Beteiligten zuzustellen. [2] Dabei sollen der Stand der Sache und der Grund der Beiladung angegeben werden. [3] Die Beiladung ist unanfechtbar.

(4) [1] Der Beigeladene kann innerhalb der Anträge eines Beteiligten selbständig Angriffs- und Verteidigungsmittel geltend machen und alle Verfahrenshandlungen wirksam vornehmen. [2] Abweichende Sachanträge kann er nur stellen, wenn eine notwendige Beiladung vorliegt.

§ 10 Klagebefugnis. Die Klage ist nur zulässig, wenn der Kläger geltend macht, in eigenen Rechten verletzt zu sein, oder wenn er eine Verletzung von Rechten eines Organs, dem er angehört, geltend macht.

§ 11 Prozessvertretung. Die Beteiligten können vor den kirchlichen Gerichten für Arbeitssachen den Rechtsstreit selbst führen oder sich von einer sach- und rechtskundigen Person vertreten lassen.

§ 12 Kosten (Gebühren und Auslagen). (1) [1] Im Verfahren vor den kirchlichen Gerichten für Arbeitssachen werden Gebühren nicht erhoben. [2] Im Übrigen entscheidet das Gericht durch Urteil, ob Auslagen aufgrund materiell-rechtlicher Vorschriften erstattet werden und wer diese zu tragen hat.

(2) Der Vorsitzende kann auf Antrag eines Beteiligten auch vor Verkündung des Urteils durch selbständig anfechtbaren Beschluss (§ 55) entscheiden, ob Auslagen gemäß Absatz 1 Satz 2 erstattet werden.

(3) Zeugen und Sachverständige werden in Anwendung des staatlichen Gesetzes über die Entschädigung von Zeugen und Sachverständigen entschädigt.

§ 13 Rechts- und Amtshilfe. (1) [1] Die kirchlichen Gerichte für Arbeitssachen leisten einander Rechtshilfe. [2] Die Vorschriften des staatlichen Gerichtsverfassungsgesetzes[1)] über Rechtshilfe finden entsprechende Anwendung.

(2) Alle kirchlichen Dienststellen und Einrichtungen leisten den kirchlichen Gerichten für Arbeitssachen auf Anforderung Amtshilfe.

[1)] Auszugsweise abgedruckt unter Nr. **665**.

Zweiter Teil. Aufbau der kirchlichen Gerichte für Arbeitssachen

1. Abschnitt. Kirchliche Arbeitsgerichte erster Instanz

§ 14 Errichtung. (1) [1] Für jedes Bistum/Erzbistum wird ein Kirchliches Arbeitsgericht als Gericht erster Instanz errichtet. [2] Das Nähere wird im Errichtungsdekret des zuständigen Diözesanbischofs geregelt.

(2) [1] Für mehrere Bistümer/Erzbistümer kann aufgrund Vereinbarung der Diözesanbischöfe ein gemeinsames Kirchliches Arbeitsgericht als Gericht erster Instanz errichtet werden. [2] Dem gemeinsamen Kirchlichen Arbeitsgericht können alle nach dieser Ordnung wahrzunehmenden Zuständigkeiten oder nur die Zuständigkeiten nach § 2 Absatz 1 oder § 2 Absatz 2 übertragen werden. [3] Das Nähere wird im gemeinsamen Errichtungsdekret der Diözesanbischöfe geregelt.

§ 15 Gerichtssitz/Dienstaufsicht/Geschäftsstelle. (1) Der Sitz des Gerichts wird durch diözesanes Recht bestimmt.

(2) Die Dienstaufsicht über die Mitglieder des Kirchlichen Arbeitsgerichts übt der Diözesanbischof des Bistums, in dem sich der Sitz des Gerichtes befindet, aus.[1)]

(3) Die Geschäftsstelle des Kirchlichen Arbeitsgerichts wird beim Erz-/Bischöflichen Diözesangericht (Offizialat/Konsistorium) eingerichtet.

§ 16 Zusammensetzung/Besetzung. (1) Das Kirchliche Arbeitsgericht besteht aus dem Vorsitzenden, dem stellvertretenden Vorsitzenden, sechs beisitzenden Richtern aus den Kreisen der Dienstgeber und sechs beisitzenden Richtern aus den Kreisen der Mitarbeiter.

(2) Das Kirchliche Arbeitsgericht entscheidet in der Besetzung mit dem Vorsitzenden oder dem stellvertretenden Vorsitzenden, einem beisitzenden Richter aus den Kreisen der Dienstgeber und einem beisitzenden Richter aus den Kreisen der Mitarbeiter.

(3) Die Verteilung der Verfahren zwischen dem Vorsitzenden und dem stellvertretenden Vorsitzenden erfolgt anhand eines Geschäftsverteilungsplans, der spätestens am Ende des laufenden Jahres für das folgende Jahr vom Vorsitzenden nach Anhörung des stellvertretenden Vorsitzenden schriftlich festzulegen ist.

(4) Ist der Vorsitzende oder der stellvertretende Vorsitzende an der Ausübung seines Amtes gehindert, tritt an seine Stelle der stellvertretende Vorsitzende oder der Vorsitzende.

§ 17 Rechtsstellung der Richter. (1) [1] Die Richter sind von Weisungen unabhängig und nur an Gesetz und Recht gebunden. [2] Sie dürfen in der Übernahme oder Ausübung ihres Amtes weder beschränkt, noch wegen der Übernahme oder Ausübung ihres Amtes benachteiligt oder bevorzugt werden. [3] Sie unterliegen der Schweigepflicht auch nach dem Ausscheiden aus dem Amt.

---

1) **Amtl. Anm.:** Die Einzelheiten bleiben der Regelung durch diözesanes Recht überlassen.

(2) Dem Vorsitzenden und dem stellvertretenden Vorsitzenden kann eine Aufwandsentschädigung oder eine Vergütung gewährt werden.

(3) [1] Die Tätigkeit der beisitzenden Richter ist ehrenamtlich. [2] Sie erhalten Auslagenersatz gemäß den am Sitz des Gerichts geltenden reisekostenrechtlichen Vorschriften.

(4) [1] Die beisitzenden Richter werden für die Teilnahme an Verhandlungen im notwendigen Umfang von ihrer dienstlichen Tätigkeit freigestellt. [2] Auf die beisitzenden Richter der Mitarbeiterseite finden die §§ 18 und 19 der Mitarbeitervertretungsordnung[1)] entsprechend Anwendung.

§ 18 Ernennungsvoraussetzungen/Beendigung des Richteramtes.

(1) Zum Richter kann ernannt werden, wer katholisch ist und nicht in der Ausübung der allen Kirchenmitgliedern zustehenden Rechte behindert ist sowie die Gewähr dafür bietet, dass er jederzeit für das kirchliche Gemeinwohl eintritt.

(2) Der Vorsitzende und der stellvertretende Vorsitzende

a) müssen die Befähigung zum Richteramt nach dem Deutschen Richtergesetz[2)3)] oder nach kanonischem Recht besitzen,

b) dürfen keinen anderen kirchlichen Dienst als den eines Richters oder eines Hochschullehrers beruflich ausüben und keinem Leitungsorgan einer kirchlichen Körperschaft oder eines anderen Trägers einer kirchlichen Einrichtung angehören,

c) sollen Erfahrung auf dem Gebiet des kanonischen Rechts und Berufserfahrung im Arbeitsrecht oder Personalwesen haben.

(3) [1] Die beisitzenden Richter der Dienstgeberseite müssen die Voraussetzungen für die Mitgliedschaft in einer Kommission nach Artikel 7 GrO erfüllen. [2] Die beisitzenden Richter der Mitarbeiterseite müssen die Voraussetzungen für die Wählbarkeit in die Mitarbeitervertretung erfüllen und im Dienst eines kirchlichen Anstellungsträgers im Geltungsbereich dieser Ordnung stehen.

(4) [1] Das Amt eines Richters endet vor Ablauf der Amtszeit

a) mit dem Rücktritt;

b) mit der Feststellung des Wegfalls der Ernennungsvoraussetzungen oder der Feststellung eines schweren Dienstvergehens. Diese Feststellungen trifft der Diözesanbischof oder ein von ihm bestimmtes kirchliches Gericht nach Maßgabe des diözesanen Rechts.[4)]

[2] Endet das Amt eines Richters vor Ablauf seiner regulären Amtszeit, wird für die Dauer der Amtszeit, die dem ausgeschiedenen Richter verblieben wäre, ein Nachfolger ernannt.

---

1) Nr. **1210**.

2) **Schönfelder ErgBd. Nr. 97.**

3) **Amtl. Anm.:** Der Befähigung zum Richteramt nach dem Deutschen Richtergesetz **[Schönfelder ErgBd. Nr. 97]** steht die Befähigung zum Dienst als Berufsrichter nach Anlage I Kapitel III Sachgebiet A Abschnitt III Nr. 8 des Einigungsvertrages [Auszugsweise abgedruckt unter Nr. **10 a]** gleich.

4) **Amtl. Anm.:** Das Nähere regeln die jeweiligen in der Diözese geltenden disziplinarrechtlichen Bestimmungen oder für anwendbar erklärte Bestimmungen des staatlichen Rechts, hilfsweise die cc. 192 - 195 CIC; auf das jeweils anwendbare Recht wird an dieser Stelle verwiesen.

(5) [1] Das Amt des Richters an einem Kirchlichen Arbeitsgericht endet auch mit Beginn seiner Amtszeit beim Kirchlichen Arbeitsgerichtshof. [2] Absatz 4 Satz 2 gilt entsprechend. [3] Niemand darf gleichzeitig beisitzender Richter der Dienstgeberseite und der Mitarbeiterseite sein oder als beisitzender Richter bei mehr als einem kirchlichen Gericht für Arbeitssachen ernannt werden.

(6) Sind zum Ende der Amtszeit neue Richter noch nicht ernannt, führen die bisherigen Richter die Geschäfte bis zur Ernennung der Nachfolger weiter.

§ 19 Ernennung des Vorsitzenden. [1] Der Vorsitzende und der stellvertretende Vorsitzende des Kirchlichen Arbeitsgerichts werden vom Bischof/Erzbischof für die Dauer von fünf Jahren ernannt. [2] Der Diözesanbischof gibt dem Domkapitel als Konsultorenkollegium und/oder dem Diözesanvermögensverwaltungsrat,[1)] dem Diözesancaritasverband, sowie der/den diözesanen Arbeitsgemeinschaft(en) für Mitarbeitervertretungen und der Mitarbeiterseite der Bistums-/Regional-KODA zuvor Gelegenheit zur Stellungnahme. [3] Die Wiederernennung ist zulässig.

§ 20 Ernennung/Mitwirkung der beisitzenden Richter. (1) [1] Die sechs beisitzenden Richter aus den Kreisen der Dienstgeber werden auf Vorschlag des Domkapitels als Konsultorenkollegium und/oder des Diözesanvermögensverwaltungsrats[1)] vom Diözesanbischof ernannt. [2] Drei beisitzende Richter aus den Kreisen der Mitarbeiter werden auf Vorschlag des Vorstands/der Vorstände der diözesanen Arbeitsgemeinschaft(en) für Mitarbeitervertretungen und drei beisitzende Richter auf Vorschlag der Mitarbeitervertreter in der Bistums-/Regional-KODA vom Diözesanbischof ernannt. [3] Die Ernennung erfolgt für die Dauer von fünf Jahren. [4] Bei der Abgabe der Vorschläge durch die vorschlagsberechtigten Gremien werden Vertreter aus Einrichtungen der Caritas, die jeweils von der Dienstgeberseite und der Mitarbeiterseite der zuständigen Regional-Kommission der Arbeitsrechtlichen Kommission des Deutschen Caritasverbandes nominiert werden, angemessen berücksichtigt. [5] Die Wiederernennung ist zulässig.

(2) [1] Die beisitzenden Richter wirken in alphabetischer Reihenfolge an der mündlichen Verhandlung mit. [2] Zieht sich ein Verfahren über mehrere Verhandlungstage hin, findet ein Wechsel bei den beisitzenden Richtern grundsätzlich nicht statt. [3] Bei Verhinderung eines beisitzenden Richters tritt an dessen Stelle derjenige, der in der Reihenfolge an nächster Stelle steht.

(3) Bei unvorhergesehener Verhinderung kann der Vorsitzende abweichend von Absatz 2 aus der Beisitzerliste einen beisitzenden Richter heranziehen, der am Gerichtssitz oder in der Nähe wohnt oder seinen Dienstsitz hat.

2. Abschnitt. Kirchlicher Arbeitsgerichtshof

§ 21 Errichtung. Für die Bistümer im Bereich der Deutschen Bischofskonferenz wird als Kirchliches Arbeitsgericht zweiter Instanz der Kirchliche Arbeitsgerichtshof mit Sitz in Bonn errichtet.

[1)] **Amtl. Anm.:** Das Nähere regelt das diözesane Recht.

§ 22 Zusammensetzung/Besetzung. (1) Der Kirchliche Arbeitsgerichtshof besteht aus dem Präsidenten und dem Vizepräsidenten (§ 18 Abs. 2 Buchstabe a), einem Mitglied mit der Befähigung zum staatlichen Richteramt (§ 5 DRiG[1]) und dessen Stellvertreter, einem Mitglied mit der Befähigung zum kirchlichen Richteramt (can. 1421 § 3 CIC) und dessen Stellvertreter, sechs beisitzenden Richtern aus den Kreisen der Dienstgeber und sechs beisitzenden Richtern aus den Kreisen der Mitarbeiter.

(2) Der Kirchliche Arbeitsgerichtshof entscheidet in der Besetzung mit dem Präsidenten oder dem Vizepräsidenten, den beiden Mitgliedern mit der Befähigung zum Richteramt, einem beisitzenden Richter aus den Kreisen der Dienstgeber und einem beisitzenden Richter aus den Kreisen der Mitarbeiter.

(3) Die Verteilung der Verfahren zwischen dem Präsidenten und dem Vizepräsidenten erfolgt anhand eines Geschäftsverteilungsplans, der spätestens am Ende des laufenden Jahres für das folgende Jahr vom Präsidenten nach Anhörung des Vizepräsidenten schriftlich festzulegen ist (vgl. § 16 Abs. 3).

(4) Sind der Präsident bzw. Vizepräsident oder ein Mitglied mit der Befähigung zum Richteramt an der Ausübung ihres Amtes gehindert, treten an deren Stelle der Vizepräsident bzw. Präsident bzw. die jeweiligen Stellvertreter.

§ 23 Dienstaufsicht/Verwaltung. (1) Die Dienstaufsicht über die Mitglieder des Kirchlichen Arbeitsgerichtshofs übt der Vorsitzende der Deutschen Bischofskonferenz aus.

(2) Die Geschäftsstelle des Kirchlichen Arbeitsgerichtshofs wird beim Sekretariat der Deutschen Bischofskonferenz eingerichtet.

§ 24 Rechtsstellung der Richter/Ernennungsvoraussetzungen/Beendigung des Richteramtes. (1) § 17 gilt entsprechend.

(2) § 18 gilt entsprechend mit der Maßgabe, dass auch für die weiteren Mitglieder mit der Befähigung zum Richteramt sowie deren Stellvertreter die Voraussetzungen für die Ernennung nach § 18 Absatz 2 Buchstaben b) und c) entsprechend Anwendung finden und dass die Feststellungen nach § 18 Absatz 4 durch den Vorsitzenden der Deutschen Bischofskonferenz oder durch ein von ihm bestimmtes Gericht auf der Grundlage der entsprechenden Vorschriften des Bistums, in dem der Kirchliche Arbeitsgerichtshof seinen Sitz hat, zu treffen sind.

§ 25 Ernennung des Präsidenten und der weiteren Mitglieder mit der Befähigung zum Richteramt. [1] Der Präsident und die weiteren Mitglieder mit der Befähigung zum Richteramt werden auf Vorschlag des Ständigen Rates der Deutschen Bischofskonferenz vom Vorsitzenden der Deutschen Bischofskonferenz für die Dauer von fünf Jahren ernannt. [2] Der Vorsitzende der Deutschen Bischofskonferenz gibt dem Verwaltungsrat des Verbandes der Diözesen Deutschlands, dem Deutschen Caritasverband, der Bundesarbeitsgemeinschaft der Mitarbeitervertretungen, der Mitarbeiterseite der Zentral-KODA und der Deutschen Ordensobernkonferenz zuvor Gelegenheit zur Stellungnahme. [3] Die Wiederernennung ist zulässig.

---

1) Schönfelder ErgBd. Nr. 97.

§ 26 Ernennung/Mitwirkung der beisitzenden Richter aus den Kreisen der Dienstgeber und Mitarbeiter. (1) [1] Die beisitzenden Richter aus den Kreisen der Dienstgeber werden auf Vorschlag des Verwaltungsrates des Verbandes der Diözesen Deutschlands, die beisitzenden Richter aus den Kreisen der Mitarbeiter werden auf Vorschlag des Vorstandes der Bundesarbeitsgemeinschaft der Mitarbeitervertretungen und auf Vorschlag der Mitarbeiterseite der Zentral-KODA vom Vorsitzenden der Deutschen Bischofskonferenz für die Dauer von fünf Jahren ernannt. [2] Bei der Abgabe des Vorschlages für die beisitzenden Richter aus den Kreisen der Dienstgeber werden Vertreter aus Einrichtungen der Caritas bzw. der Orden, die von der Dienstgeberseite der Bundeskommission der Arbeitsrechtlichen Kommission bzw. der Deutschen Ordensobernkonferenz nominiert werden, angemessen berücksichtigt. [3] Bei der Abgabe des Vorschlags für die beisitzenden Richter aus den Kreisen der Mitarbeiter werden Vertreter der Caritas, die von der Mitarbeiterseite der Bundeskommission der Arbeitsrechtlichen Kommission nominiert werden, angemessen berücksichtigt. [4] Die Wiederernennung ist zulässig.

(2) § 20 Absatz 2 und 3 gelten entsprechend.

Dritter Teil. Verfahren vor den kirchlichen Gerichten für Arbeitssachen

1. Abschnitt. Verfahren im ersten Rechtszug

1. Unterabschnitt. Allgemeine Verfahrensvorschriften

§ 27 Anwendbares Recht. (1) Auf das Verfahren vor den Kirchlichen Arbeitsgerichten im ersten Rechtszug finden die Vorschriften des staatlichen Arbeitsgerichtsgesetzes[1)] über das Urteilsverfahren in ihrer jeweiligen Fassung Anwendung, soweit diese Ordnung nichts anderes bestimmt.

§ 28 Klageschrift. [1] Das Verfahren wird durch Erhebung der Klage eingeleitet; die Klage ist bei Gericht schriftlich einzureichen oder bei seiner Geschäftsstelle mündlich zur Niederschrift anzubringen. [2] Die Klage muss den Kläger, den Beklagten, den Streitgegenstand mit einem bestimmten Antrag und die Gründe für die Klage bezeichnen. [3] Zur Begründung dienende Tatsachen und Beweismittel sollen angegeben werden.

§ 29 Klagerücknahme. [1] Die Klage kann jederzeit in derselben Form zurückgenommen werden. [2] In diesem Fall ist das Verfahren durch Beschluss des Vorsitzenden einzustellen. [3] Von der Einstellung des Verfahrens ist den Beteiligten Kenntnis zu geben, soweit ihnen die Klage vom Gericht mitgeteilt worden ist.

§ 30 Klageänderung. (1) [1] Eine Änderung der Klage ist zuzulassen, wenn die übrigen Beteiligten zustimmen oder das Gericht die Änderung für sachdienlich hält. [2] Die Zustimmung der Beteiligten zu der Änderung der Klage gilt als erteilt, wenn die Beteiligten sich, ohne zu widersprechen, in einem Schriftsatz oder in der mündlichen Verhandlung auf die geänderte Klage

---

1) Nr. **660**.

eingelassen haben. [3] Die Entscheidung, dass eine Änderung der Klage nicht vorliegt oder zugelassen wird, ist unanfechtbar.

§ 31 Zustellung der Klage/Klageerwiderung. Der Vorsitzende stellt dem Beklagten die Klageschrift zu mit der Aufforderung, auf die Klage innerhalb einer von ihm bestimmten Frist schriftlich zu erwidern.

§ 32 Ladung zur mündlichen Verhandlung. [1] Der Vorsitzende bestimmt nach Eingang der Klageerwiderung, spätestens nach Fristablauf Termin zur mündlichen Verhandlung. [2] Er lädt dazu die Beteiligten mit einer Frist von mindestens zwei Wochen. [3] Dabei ist darauf hinzuweisen, dass auch in Abwesenheit einer Partei verhandelt und entschieden werden kann.

§ 33 Vorbereitung der mündlichen Verhandlung. (1) [1] Der Vorsitzende hat die streitige Verhandlung so vorzubereiten, dass sie möglichst in einem Termin zu Ende geführt werden kann. [2] Zu diesem Zweck soll er, soweit es sachdienlich erscheint, insbesondere

1. den Parteien die Ergänzung oder Erläuterung ihrer vorbereitenden Schriftsätze sowie die Vorlegung von Urkunden und von anderen zur Niederlegung bei Gericht geeigneten Gegenständen aufgeben, insbesondere eine Frist zur Erklärung über bestimmte klärungsbedürftige Punkte setzen;
2. kirchliche Behörden und Dienststellen oder Träger eines kirchlichen Amtes um Mitteilung von Urkunden oder um Erteilung von Auskünften ersuchen;
3. das persönliche Erscheinen der Parteien anordnen;
4. Zeugen, auf die sich eine Partei bezogen hat, und Sachverständige zur mündlichen Verhandlung laden sowie eine Anordnung nach § 378 der Zivilprozessordnung[1] treffen.

[3] Von diesen Maßnahmen sind die Parteien zu benachrichtigen.

(2) [1] Angriffs- und Verteidigungsmittel, die erst nach Ablauf einer nach Absatz 1 Satz 2 Nr. 1 gesetzten Frist vorgebracht werden, sind nur zuzulassen, wenn nach der freien Überzeugung des Gerichts ihre Zulassung die Erledigung des Rechtsstreits nicht verzögern würde oder wenn die Partei die Verspätung genügend entschuldigt. [2] Die Parteien sind über die Folgen der Versäumung der nach Absatz 1 Satz 2 Nr. 1 gesetzten Frist zu belehren.

§ 34 Alleinentscheidung durch den Vorsitzenden. (1) Der Vorsitzende entscheidet allein

1. bei Zurücknahme der Klage;
2. bei Verzicht auf den geltend gemachten Anspruch;
3. bei Anerkenntnis des geltend gemachten Anspruchs.

(2) Der Vorsitzende kann in den Fällen des Absatzes 1 eine Entscheidung ohne mündliche Verhandlung treffen.

(3) Der Vorsitzende entscheidet ferner allein, wenn eine das Verfahren beendende Entscheidung ergehen kann und die Parteien übereinstimmend

---

[1] **DVD Nipperdey plus Nr. 320.**

eine Entscheidung durch den Vorsitzenden beantragen; der Antrag ist in die Niederschrift aufzunehmen.

(4) [1] Der Vorsitzende kann vor der streitigen Verhandlung einen Beweisbeschluss erlassen, soweit er anordnet

1. eine Beweisaufnahme durch den ersuchten Richter;
2. eine schriftliche Beantwortung der Beweisfrage nach § 377 Abs. 3 der Zivilprozessordnung[1)];
3. die Einholung amtlicher Auskünfte;
4. eine Parteivernehmung.

[2] Anordnungen nach Nummer 1 bis 3 können vor der streitigen Verhandlung ausgeführt werden.

§ 35 Ablehnung von Gerichtspersonen. [1] Für die Ausschließung und die Ablehnung von Gerichtspersonen gelten die §§ 41 bis 49 der Zivilprozessordnung[1)] entsprechend mit der Maßgabe, dass die Entscheidung über die Ausschließung oder die Ablehnung eines beisitzenden Richters aus den Kreisen der Dienstgeber und der Mitarbeiter der Vorsitzende trifft. [2] Ist der Vorsitzende betroffen, entscheidet der Arbeitsgerichtshof ohne mündliche Verhandlung und ohne Hinzuziehung der beisitzenden Richter aus den Kreisen der Dienstgeber und der Mitarbeiter.

§ 36 Zustellungen und Fristen. (1) Anordnungen und Entscheidungen, durch die eine Frist in Lauf gesetzt wird, sind gegen Empfangsbescheinigung oder durch Übergabeeinschreiben mit Rückschein zuzustellen.

(2) Der Lauf einer Frist beginnt mit der Zustellung.

§ 37 Wiedereinsetzung in versäumte Fristen. (1) Ist jemand ohne eigenes Verschulden gehindert, eine Ausschlussfrist einzuhalten, ist ihm auf Antrag Wiedereinsetzung in versäumte Fristen zu gewähren.

(2) Der Antrag muss die Angabe der die Wiedereinsetzung rechtfertigenden Tatsachen und der Mittel zu ihrer Glaubhaftmachung enthalten.

(3) [1] Der Antrag ist innerhalb von zwei Wochen nach Wegfall des Hindernisses zu stellen. [2] In derselben Frist ist die versäumte Rechtshandlung nachzuholen.

(4) Über den Antrag entscheidet die Stelle, die über die versäumte Rechtshandlung zu befinden hat.

2. Unterabschnitt. Mündliche Verhandlung

§ 38 Gang der mündlichen Verhandlung. (1) [1] Der Vorsitzende eröffnet und leitet die Verhandlung. [2] Nach Aufruf der Sache trägt er den bisherigen Streitstand vor. [3] Hierauf erhalten die Beteiligten das Wort, um ihr Begehren zu nennen und zu begründen.

(2) [1] Der Vorsitzende erörtert die Sache mit den Beteiligten sachlich und rechtlich. [2] Dabei soll er ihre Einigung fördern.

(3) Die beisitzenden Richter haben das Recht, Fragen zu stellen.

[1)] **DVD Nipperdey plus Nr. 320.**

§ 39 Anhörung Dritter. In dem Verfahren können der Dienstgeber, die Dienstnehmer und die Stellen gehört werden, die nach den in § 2 Absatz 1 und 2 genannten Ordnungen im einzelnen Fall betroffen sind, ohne am Verfahren im Sinne der §§ 8 und 9 beteiligt zu sein.

§ 40 Beweisaufnahme. (1) [1] Das Gericht erhebt Beweis in der mündlichen Verhandlung. [2] Es kann insbesondere Zeugen, Sachverständige und Beteiligte vernehmen und Urkunden heranziehen.

(2) [1] Das Gericht kann schon vor der mündlichen Verhandlung durch eines seiner Mitglieder Beweis erheben lassen oder ein anderes Gericht um die Beweisaufnahme ersuchen. [2] Die Beteiligten werden von allen Beweisterminen benachrichtigt und können der Beweisaufnahme beiwohnen.

§ 41 Vergleich, Erledigung des Verfahrens. (1) Die Beteiligten können, um das Verfahren ganz oder zum Teil zu erledigen, zur Niederschrift des Gerichts oder des Vorsitzenden einen Vergleich schließen, soweit sie über den Gegenstand des Vergleichs verfügen können, oder das Verfahren für erledigt erklären.

(2) [1] Haben die Beteiligten das Verfahren für erledigt erklärt, so ist es vom Vorsitzenden des Arbeitsgerichts einzustellen. [2] § 30 Satz 3 ist entsprechend anzuwenden.

(3) [1] Hat der Kläger das Verfahren für erledigt erklärt, so sind die übrigen Beteiligten binnen einer von dem Vorsitzenden zu bestimmenden Frist von mindestens zwei Wochen aufzufordern, mitzuteilen, ob sie der Erledigung zustimmen. [2] Die Zustimmung gilt als erteilt, wenn sich der Beteiligte innerhalb der vom Vorsitzenden bestimmten Frist nicht äußert.

§ 42 Beratung und Abstimmung. (1) An der Beratung und Abstimmung nehmen ausschließlich der Vorsitzende und die beisitzenden Richter teil.

(2) [1] Das Gericht entscheidet mit der Mehrheit der Stimmen. [2] Die Stimmabgabe kann nicht verweigert werden. [3] Der Vorsitzende stimmt zuletzt ab.

(3) Über den Hergang der Beratung und Abstimmung ist Stillschweigen zu bewahren.

§ 43 Urteil. (1) [1] Das Gericht entscheidet nach seiner freien, aus dem Gesamtergebnis des Verfahrens gewonnenen Überzeugung. [2] Das Urteil ist schriftlich abzufassen. [3] In dem Urteil sind die Gründe tatsächlicher und rechtlicher Art anzugeben, die für die richterliche Überzeugung leitend gewesen sind. [4] Das Urteil ist von allen mitwirkenden Richtern zu unterschreiben.

(2) Das Urteil darf nur auf Tatsachen und Beweisergebnisse gestützt werden, zu denen sich die Beteiligten äußern konnten.

3. Unterabschnitt. Besondere Verfahrensarten

§ 44 Auflösung der Mitarbeitervertretung/Verlust der Mitgliedschaft in der Mitarbeitervertretung. [1] Sieht das materielle Recht die Möglichkeit einer Klage auf Auflösung der Mitarbeitervertretung, auf Amtsenthebung *eines einzelnen* Mitglieds einer Mitarbeitervertretung oder auf Feststellung des Verlust der Mitgliedschaft in der Mitarbeitervertretung vor, ist die Erhebung der Klage innerhalb einer Frist von vier Wochen von dem Tage an zulässig, an dem der Kläger vom Sachverhalt Kenntnis erlangt hat. [2] Eine Klage nach Satz 1 kann nur von mindestens der Hälfte der Mitglieder der Mitarbeitervertretung oder vom Dienstgeber erhoben werden.

§ 44 a Verlust der Mitgliedschaft in einer Kommission nach Art. 7 GrO. [1] § 44 Satz 1 gilt entsprechend für Klagen auf Amtsenthebung oder Feststellung des Verlusts der Mitgliedschaft in einer Kommission nach Art. 7 GrO. [2] Eine Klage nach Satz 1 kann nur von der Hälfte der Mitglieder der Kommission oder der Mehrheit der Mitglieder einer Seite der Kommission erhoben werden.

§ 44 b Wahlprüfungsklage. Eine Klage auf Feststellung der Ungültigkeit einer Wahl einer Mitarbeitervertretung, eines Mitglieds einer Mitarbeitervertretung, einer Kommission nach Art. 7 GrO oder eines Mitarbeitervertreters in einer Kommission nach Art. 7 GrO ist nur innerhalb einer Frist von zwei Wochen nach Bekanntgabe der Entscheidung zulässig.

§ 45 Organstreitverfahren über Zuständigkeit einer nach Art. 7 GrO gebildeten Kommission. [1] In Verfahren über den Streitgegenstand, welche KODA für den Beschluss über eine arbeitsvertragsrechtliche Angelegenheit zuständig ist, sind nur Kommissionen im Sinne von § 2 Absatz 1 beteiligungsfähig. [2] Die Beschlussfassung über die Anrufung des Kirchlichen Arbeitsgerichts bedarf mindestens einer Drei-Viertel-Mehrheit der Gesamtzahl der Mitglieder der Kommission.

2. Abschnitt. Verfahren im zweiten Rechtszug

§ 46 Anwendbares Recht. Auf das Verfahren vor dem Kirchlichen Arbeitsgerichtshof im zweiten Rechtszug finden die Vorschriften über das Verfahren im ersten Rechtszug (§§ 27 bis 43) Anwendung, soweit die Vorschriften dieses Abschnitts (§§ 47 bis 51) nichts anderes bestimmen.

§ 47 Revision. (1) [1] Gegen das Urteil des Kirchlichen Arbeitsgerichts findet die Revision an den Kirchlichen Arbeitsgerichtshof statt, wenn sie in dem Urteil des Kirchlichen Arbeitsgerichts oder in dem Beschluss des Kirchlichen Arbeitsgerichtshofes nach § 48 Abs. 5 Satz 1 zugelassen worden ist. [2] Die Nichtzulassung der Revision ist schriftlich zu begründen.

(2) Die Revision ist zuzulassen, wenn

a) die Rechtssache grundsätzliche Bedeutung hat oder

b) das Urteil von einer Entscheidung des Kirchlichen Arbeitsgerichtshofes oder, solange eine Entscheidung des Kirchlichen Arbeitsgerichtshofes in der Rechtsfrage nicht ergangen ist, von einer Entscheidung eines anderen Kirchlichen Arbeitsgerichts abweicht und die Entscheidung auf dieser Abweichung beruht oder

c) ein Verfahrensmangel geltend gemacht wird, auf dem die Entscheidung beruhen kann.

(3) Der Kirchliche Arbeitsgerichtshof ist an die Zulassung der Revision durch das Kirchliche Arbeitsgericht gebunden.

(4) Gegen Beschlüsse, durch die über die Anordnung, Abänderung oder Aufhebung einer einstweiligen Verfügung entschieden wird, ist die Revision nicht zulässig.

§ 48 Nichtzulassungsbeschwerde. (1) Die Nichtzulassung der Revision kann durch Beschwerde angefochten werden

(2) [1] Die Beschwerde ist beim Kirchlichen Arbeitsgerichtshof innerhalb eines Monats nach Zustellung des vollständigen Urteils schriftlich einzulegen. [2] Die Frist ist auch gewahrt, wenn die Beschwerde innerhalb der Frist bei dem Gericht, dessen Urteil angefochten wird, eingelegt wird. [3] Die Beschwerde muss das angefochtene Urteil bezeichnen.

(3) [1] Die Beschwerde ist innerhalb von zwei Monaten nach der Zustellung des vollständigen Urteils zu begründen. [2] Die Begründung ist beim Kirchlichen Arbeitsgerichtshof einzureichen. [3] In der Begründung muss die grundsätzliche Bedeutung der Rechtssache dargelegt oder die Entscheidung, von welcher das Urteil abweicht, oder der Verfahrensmangel bezeichnet werden.

(4) Die Einlegung der Beschwerde hemmt die Rechtskraft des Urteils.

(5) [1] Über die Beschwerde entscheidet der Kirchliche Arbeitsgerichtshof ohne Hinzuziehung der beisitzenden Richter durch Beschluss, der ohne mündliche Verhandlung ergehen kann. [2] Der Beschluss soll kurz begründet werden; von einer Begründung kann abgesehen werden, wenn sie nicht geeignet ist, zur Klärung der Voraussetzungen beizutragen, unter denen eine Revision zugelassen ist. [3] Mit der Ablehnung der Beschwerde durch den Kirchlichen Arbeitsgerichtshof wird das Urteil rechtskräftig.

§ 49 Revisionsgründe. (1) Die Revision kann nur darauf gestützt werden, dass das Urteil des Kirchlichen Arbeitsgerichts auf der Verletzung einer Rechtsnorm beruht.

(2) Ein Urteil ist stets als auf der Verletzung einer Rechtsnorm beruhend anzusehen, wenn

a) das erkennende Gericht nicht vorschriftsmäßig besetzt war,

b) bei der Entscheidung ein Richter mitgewirkt hat, der von der Ausübung des Richteramtes kraft Gesetzes ausgeschlossen oder wegen Besorgnis der Befangenheit mit Erfolg abgelehnt war,

c) einem Beteiligten das rechtliche Gehör versagt war,

d) das Urteil auf eine mündliche Verhandlung ergangen ist, bei der die Vorschriften über die Öffentlichkeit des Verfahrens verletzt worden sind, oder

e) die Entscheidung nicht mit Gründen versehen ist.

§ 50 Einlegung der Revision. (1) [1] Die Revision ist beim Kirchlichen Arbeitsgerichtshof innerhalb eines Monats nach Zustellung des vollständigen Urteils oder des Beschlusses über die Zulassung der Revision nach § 48 Abs. 5 Satz 1 schriftlich einzulegen. [2] Die Frist ist auch gewahrt, wenn die Revision innerhalb der Frist bei dem Gericht, dessen Urteil angefochten wird, eingelegt wird. [3] Die Revision muss das angefochtene Urteil bezeichnen.

(2) [1] Die Revision ist innerhalb von zwei Monaten nach Zustellung des vollständigen Urteils oder des Beschlusses über die Zulassung der Revision nach § 48 Abs. 5 Satz 1 zu begründen. [2] Die Begründung ist bei dem Kirchli-

chen Arbeitsgerichtshof einzureichen. [3] Die Begründungsfrist kann auf einen vor ihrem Ablauf gestellten Antrag vom Präsidenten einmalig um einen weiteren Monat verlängert werden. [4] Die Begründung muss einen bestimmten Antrag enthalten, die verletzte Rechtsnorm und, soweit Verfahrensmängel gerügt werden, die Tatsachen angeben, die den Mangel ergeben.

§ 51 Revisionsentscheidung. (1) [1] Der Kirchliche Arbeitsgerichtshof prüft, ob die Revision statthaft und ob sie in der gesetzlichen Form und Frist eingelegt und begründet worden ist. [2] Mangelt es an einem dieser Erfordernisse, so ist die Revision unzulässig.

(2) Ist die Revision unzulässig, so verwirft sie der Kirchliche Arbeitsgerichtshof ohne Mitwirkung der beisitzenden Richter durch Beschluss, der ohne mündliche Verhandlung ergehen kann.

(3) Ist die Revision unbegründet, so weist der Kirchliche Arbeitsgerichtshof durch Urteil die Revision zurück.

(4) Ist die Revision begründet, so kann der Kirchliche Arbeitsgerichtshof

a) in der Sache selbst entscheiden,

b) das angefochtene Urteil aufheben und die Sache zur anderweitigen Verhandlung und Entscheidung zurückverweisen.

(5) Ergeben die Entscheidungsgründe zwar eine Verletzung des bestehenden Rechts, stellt sich die Entscheidung selbst aber aus anderen Gründen als richtig dar, so ist die Revision zurückzuweisen.

(6) Das Kirchliche Arbeitsgericht, an das die Sache zur anderweitigen Verhandlung und Entscheidung zurückverwiesen ist, hat seiner Entscheidung die rechtliche Beurteilung des Kirchlichen Arbeitsgerichtshofs zugrunde zu legen.

3. Abschnitt. Vorläufiger Rechtsschutz

§ 52 Einstweilige Verfügung. (1) Auf Antrag kann, auch schon vor der Erhebung der Klage, eine einstweilige Verfügung in Bezug auf den Streitgegenstand getroffen werden, wenn die Gefahr besteht, dass in dem Zeitraum bis zur rechtskräftigen Beendigung des Verfahrens die Verwirklichung eines Rechtes des Klägers vereitelt oder wesentlich erschwert werden könnte, oder wenn die Regelung eines vorläufigen Zustandes in einem streitigen Rechtsverhältnis erforderlich ist, um wesentliche Nachteile abzuwenden.

(2) Für das Verfahren gelten die Vorschriften des Achten Buches der Zivilprozessordnung[1)] über die einstweilige Verfügung (§§ 935 - 943) entsprechend mit der Maßgabe, dass die Entscheidungen ohne mündliche Verhandlung und ohne Hinzuziehung der beisitzenden Richter ergehen und erforderliche Zustellungen von Amts wegen erfolgen.

4. Abschnitt. Vollstreckung gerichtlicher Entscheidungen

§ 53 Vollstreckungsmaßnahmen. (1) Ist ein Beteiligter rechtskräftig zu einer Leistung verpflichtet worden, hat er dem Gericht, das die Streitigkeit

---

1) Auszugsweise abgedruckt unter Nr. **320**.

verhandelt und entschieden hat, innerhalb eines Monats nach Eintritt der Rechtskraft zu berichten, dass die auferlegten Verpflichtungen erfüllt sind.

(2) [1] Berichtet der Beteiligte nicht innerhalb eines Monats, fordert der Vorsitzende des Gerichts ihn auf, die Verpflichtungen unverzüglich zu erfüllen. [2] Bleibt die Aufforderung erfolglos, ersucht das Gericht den kirchlichen Vorgesetzten des verpflichteten Beteiligten um Vollstreckungshilfe. [3] Dieser berichtet dem Gericht über die von ihm getroffenen Maßnahmen.

(3) Bleiben auch die nach Absatz 2 getroffenen Maßnahmen erfolglos, kann das Gericht auf Antrag gegen den säumigen Beteiligten eine Geldbuße bis zu 2500 € verhängen und anordnen, dass die Entscheidung des Gerichts unter Nennung der Verfahrensbeteiligten im Amtsblatt des für den säumigen Beteiligten zuständigen Bistums zu veröffentlichen ist.

§ 54 Vollstreckung von Willenserklärungen. Ist ein Beteiligter zur Abgabe einer Willenserklärung verurteilt, so gilt die Erklärung als abgegeben, sobald das Urteil Rechtskraft erlangt hat.

5. Abschnitt. Beschwerdeverfahren

§ 55 Verfahrensbeschwerde. Hinsichtlich der Beschwerde gegen Entscheidungen des Kirchlichen Arbeitsgerichts oder seines Vorsitzenden gilt § 78 Absatz 1 des Arbeitsgerichtsgesetzes[1)] entsprechend mit der Maßgabe, dass über die Beschwerde der Präsident des Arbeitsgerichtshofs durch Beschluss ohne mündliche Verhandlung entscheidet.

Vierter Teil. Schlussvorschriften

§ 56 Inkrafttreten. Diese Ordnung tritt am 1. Juli 2010 in Kraft.

---

1) Nr. **660**.

1220. Kirchengesetz über Mitarbeitendenvertretungen in der Evangelischen Kirche in Deutschland (Mitarbeitendenvertretungsgesetz – MVG-EKD)[1)]

In der Fassung der Bekanntmachung vom 20. Januar 2024
(ABl. EKD S. 1, ber. S. 39, 44, 2025 S. 43)

zuletzt geänd. durch gesetzesvertretende V v. 12.12.2025 (ABl. EKD S. 169)

Inhaltsübersicht[2) 3)]

[1)] Überschrift neu gef. gemäß KG vom 13.11.2024 (ABl. EKD S. 157), in Kraft mit Wirkung vom 1.1.2025.

[2)] Inhaltsübersicht neu gef. gemäß KG vom 13.11.2024 (ABl. EKD S. 157), in Kraft mit Wirkung vom 1.1.2025.

[3)] Inhaltsübersicht ber. ABl. EKD 2025 S. 43.

Präambel[1)]

[1] Kirchlicher Dienst ist durch den Auftrag bestimmt, das Evangelium in Wort und Tat zu verkündigen. [2] Alle, die beruflich in Kirche und Diakonie tätig sind, wirken als Mitarbeitende an der Erfüllung dieses Auftrages mit. [3] Die gemeinsame Verantwortung für den Dienst der Kirche und ihrer Diakonie verbindet Dienststellenleitungen und Mitarbeitende zu einer Dienstgemeinschaft und verpflichtet sie zu vertrauensvoll

I. Abschnitt. Allgemeine Bestimmungen

§ 1[2)] Grundsatz. (1) Für die Mitarbeitenden der Dienststellen der Körperschaften, Anstalten, Stiftungen und Werke sowie der rechtlich selbstständigen Einrichtungen der Diakonie innerhalb der Evangelischen Kirche in Deutschland und der Gliedkirchen sind nach Maßgabe dieses Kirchengesetzes Mitarbeitendenvertretungen zu bilden.

(2) Einrichtungen der Diakonie nach Absatz 1 sind das Evangelische Werk für Diakonie und Entwicklung e.V. sowie die gliedkirchlichen Diakonischen Werke und die ihnen angeschlossenen selbstständigen Werke, Einrichtungen und Geschäftsstellen.

(2a) Für Einrichtungen der Diakonie, die rechtlich nicht selbstständige Einrichtungsteile in mehreren Gliedkirchen unterhalten, gilt dieses Kirchengesetz in der für die Evangelische Kirche in Deutschland geltenden Fassung, soweit das gliedkirchliche Recht dem nicht entgegensteht.

(3) Andere kirchliche und freikirchliche Einrichtungen, Werke und Dienste im Bereich der evangelischen Kirchen können dieses Kirchengesetz aufgrund von Beschlüssen ihrer zuständigen Gremien anwenden.

§ 2[3)] Mitarbeitende. (1) Mitarbeitende im Sinne dieses Kirchengesetzes sind alle in öffentlich-rechtlichen Dienst- oder privatrechtlichen Dienst- und Arbeitsverhältnissen oder zu ihrer Ausbildung Beschäftigten einer Dienststelle, soweit die Beschäftigung oder Ausbildung nicht überwiegend ihrer Heilung, Wiedereingewöhnung, beruflichen oder sozialen Rehabilitation oder ihrer Erziehung dient.

(2) Das gliedkirchliche Recht kann für Personen, die im pfarramtlichen Dienst, in der Ausbildung oder Vorbereitung dazu stehen, andere Regelungen vorsehen; Gleiches gilt für die Lehrenden an kirchlichen Hochschulen und Fachhochschulen.

(3) [1] Personen, die aufgrund von Gestellungsverträgen beschäftigt sind, gelten als Mitarbeitende im Sinne dieses Kirchengesetzes; ihre rechtlichen Beziehungen zu der entsendenden Stelle bleiben unberührt. [2] Angehörige von kirchlichen oder diakonischen Dienst- und Lebensgemeinschaften, die aufgrund von Gestellungsverträgen in Dienststellen (§ 3) arbeiten, sind Mitarbeitende dieser

---

[1)] Präambel neu gef. gemäß KG vom 13.11.2024 (ABl. EKD S. 157), in Kraft mit Wirkung vom 1.1.2025.

[2)] § 1 neu gef. gemäß KG vom 13.11.2024 (ABl. EKD S. 157), in Kraft mit Wirkung vom 1.1. 2025.

[3)] § 2 neu gef. gemäß KG vom 13.11.2024 (ABl. EKD S. 157), in Kraft mit Wirkung vom 1.1. 2025.

Dienststellen, soweit sich aus den Ordnungen der Dienst- und Lebensgemeinschaften nichts anderes ergibt.

§ 3[1] Dienststellen. (1) Dienststellen im Sinne dieses Kirchengesetzes sind die Körperschaften, Anstalten, Stiftungen und Werke sowie die rechtlich selbstständigen Einrichtungen der Diakonie innerhalb der Evangelischen Kirche in Deutschland und der Gliedkirchen.

(2) [1] Als Dienststellen im Sinne von Absatz 1 gelten Dienststellenteile, die durch Aufgabenbereich und Organisation eigenständig oder räumlich weit entfernt vom Sitz des Rechtsträgers sind und bei denen die Voraussetzungen des § 5 Absatz 1 vorliegen, wenn dies die Mehrheit der Anwesenden in einer Mitarbeitendenversammlung beschließt und darüber Einvernehmen mit der Dienststellenleitung herbeigeführt wird. [2] Ist die Eigenständigkeit solcher Dienststellenteile dahingehend eingeschränkt, dass bestimmte Entscheidungen, die nach diesem Kirchengesetz der Mitberatung oder Mitbestimmung unterliegen, bei einem anderen Dienststellenteil verbleiben, ist in diesen Fällen dessen Dienststellenleitung Partnerin der Mitarbeitendenvertretung. [3] In rechtlich selbstständigen Einrichtungen der Diakonie mit mehr als 2.000 Mitarbeitenden können Teildienststellen abweichend vom Verfahren nach Satz 1 durch Dienstvereinbarung gebildet werden. [4] Besteht eine Gesamtmitarbeitendenvertretung, ist diese Dienstvereinbarungspartnerin der Dienststellenleitung.

(3) [1] Entscheidungen nach Absatz 2 über die Geltung von Dienststellenteilen oder von Einrichtungen der Diakonie als Dienststellen können für die Zukunft vor Einleitung des Wahlverfahrens für die nächste Amtszeit widerrufen werden. [2] Für das Verfahren gilt Absatz 2 entsprechend. [3] Bei Widerruf durch die Mitarbeitenden entsprechend Absatz 2 Satz 1 ist ein Einvernehmen mit der Dienststellenleitung nicht notwendig.

(4) Die Dienststellenleitung kann ihr Einvernehmen nach Absatz 2 Satz 1 für die Zukunft vor Einleitung des Wahlverfahrens für die nächste Amtszeit widerrufen.

§ 4[2] Dienststellenleitungen. (1) Dienststellenleitungen sind die nach Verfassung, Gesetz oder Satzung leitenden Organe oder Personen der Dienststellen.

(2) [1] Zur Dienststellenleitung gehören auch die mit der Geschäftsführung beauftragten Personen und ihre ständigen Vertretungen. [2] Daneben gehören die Personen zur Dienststellenleitung, die allein oder gemeinsam mit anderen Personen ständig und nicht nur in Einzelfällen zu Entscheidungen in Angelegenheiten befugt sind, die nach diesem Kirchengesetz der Mitberatung oder Mitbestimmung unterliegen. [3] Die Personen, die zur Dienststellenleitung gehören, sind der Mitarbeitendenvertretung zu benennen.

---

[1] § 3 neu gef. gemäß KG vom 13.11.2024 (ABl. EKD S. 157), in Kraft mit Wirkung vom 1.1. 2025.

[2] § 4 neu gef. gemäß KG vom 13.11.2024 (ABl. EKD S. 157), in Kraft mit Wirkung vom 1.1. 2025.

II. Abschnitt.[1] Bildung und Zusammensetzung der Mitarbeitendenvertretungen

§ 5[2] Mitarbeitendenvertretungen. (1) [1]In Dienststellen, in denen die Zahl der wahlberechtigten Mitarbeitenden in der Regel mindestens fünf beträgt, von denen mindestens drei wählbar sind, sind Mitarbeitendenvertretungen zu bilden. [2]Das gliedkirchliche Recht kann bestimmen, dass für einzelne Gruppen von Mitarbeitenden gesonderte Mitarbeitendenvertretungen zu bilden sind.

(2) [1]Unabhängig von den Voraussetzungen des Absatzes 1 kann im Rahmen einer Wahlgemeinschaft eine Gemeinsame Mitarbeitendenvertretung für mehrere benachbarte Dienststellen gebildet werden, wenn dies die jeweiligen Mehrheiten der in den Mitarbeitendenversammlungen anwesenden Mitarbeitenden beschließen und darüber Einvernehmen mit den beteiligten Dienststellenleitungen herbeigeführt wird. [2]Die Ablehnung von Seiten der Dienststellenleitung erfordert das Vorliegen eines wichtigen Grundes. [3]Die Bildung einer Gemeinsamen Mitarbeitendenvertretung ist auch über den Bereich einer Gliedkirche hinaus möglich. [4]In einer Dienstvereinbarung ist festzulegen, welches Mitarbeitendenvertretungsrecht zur Anwendung kommen soll.

(3) Die Gliedkirchen können bestimmen, dass für Dienststellen von Kirchenkreisen, Dekanaten, Dekanatsbezirken, Kirchenbezirken oder in anderen Bedarfsfällen Gemeinsame Mitarbeitendenvertretungen gebildet werden; hierbei kann von den Voraussetzungen des Absatzes 1 Satz 1 abgewichen werden.

(4) Liegen bei einer dieser Dienststellen die Voraussetzungen des Absatzes 1 nicht vor, so soll die Dienststellenleitung rechtzeitig vor Beginn des Wahlverfahrens bei einer der benachbarten Dienststellen den Antrag nach Absatz 2 stellen.

(5) [1]Die Gemeinsame Mitarbeitendenvertretung ist zuständig für alle von der Festlegung betroffenen Dienststellen. [2]Partnerinnen der Gemeinsamen Mitarbeitendenvertretung sind die beteiligten Dienststellenleitungen.

(6) [1]Entscheidungen nach Absatz 2 über die Bildung einer Gemeinsamen Mitarbeitendenvertretung können für die Zukunft mit Beginn der nächsten Amtszeit der Mitarbeitendenvertretung widerrufen werden. [2]Der schriftliche Widerruf durch eine der beteiligten Parteien muss spätestens bis zur Bildung des Wahlvorstandes erfolgen.

§ 6[3] Gesamtmitarbeitendenvertretungen. (1) Bestehen bei einer kirchlichen Körperschaft, Anstalt, Stiftung oder einem Werk oder bei einer Einrichtung der Diakonie mehrere Mitarbeitendenvertretungen, ist auf Antrag der Mehrheit dieser Mitarbeitendenvertretungen eine Gesamtmitarbeitendenvertretung zu bilden; bei zwei Mitarbeitendenvertretungen genügt der Antrag einer Mitarbeitendenvertretung.

(2) [1]Die Gesamtmitarbeitendenvertretung ist zuständig für die Aufgaben der Mitarbeitendenvertretungen, soweit sie Mitarbeitende aus mehreren oder allen

---

[1] Überschrift Abschnitt 2 neu gef. gemäß KG vom 13.11.2024 (ABl. EKD S. 157), in Kraft mit Wirkung vom 1.1.2025.

[2] § 5 neu gef. gemäß KG vom 13.11.2024 (ABl. EKD S. 157), in Kraft mit Wirkung vom 1.1. 2025.

[3] § 6 neu gef. gemäß KG vom 13.11.2024 (ABl. EKD S. 157), in Kraft mit Wirkung vom 1.1. 2025.

Dienststellen nach Absatz 1 betreffen. 2 Darüber hinaus übernimmt die Gesamtmitarbeitendenvertretung bis zu sechs Monate die Aufgaben der Mitarbeitendenvertretung, wenn in einer Dienststelle im Sinne des § 3 Absatz 2 eine Mitarbeitendenvertretung nicht vorhanden ist.

(3) 1 Die Gesamtmitarbeitendenvertretung wird aus den Mitarbeitendenvertretungen nach Absatz 1 gebildet, die je ein Mitglied in die Gesamtmitarbeitendenvertretung entsenden. 2 Die Zahl der Mitglieder der Gesamtmitarbeitendenvertretung kann abweichend von Satz 1 durch Dienstvereinbarung geregelt werden. 3 In der Dienstvereinbarung können auch Regelungen über die Zusammensetzung und Arbeitsweise der Gesamtmitarbeitendenvertretung getroffen werden.

(4) 1 Zur ersten Sitzung der Gesamtmitarbeitendenvertretung lädt die Mitarbeitendenvertretung der Dienststelle mit der größten Zahl der wahlberechtigten Mitarbeitenden ein. 2 Das vorsitzende Mitglied dieser Mitarbeitendenvertretung leitet die Sitzung, bis die Gesamtmitarbeitendenvertretung über den Vorsitz entschieden hat.

(5) 1 Die nach den §§ 49 bis 53 Gewählten haben das Recht, an den Sitzungen der Gesamtmitarbeitendenvertretung teilzunehmen wie an den Sitzungen der Mitarbeitendenvertretung. 2 Bestehen in einer Dienststelle mehrere Interessenvertretungen gleicher Mitarbeitendengruppen, wählen sie aus ihrer Mitte eine Person für die Teilnahme und regeln die Vertretung.

(6) Für die Gesamtmitarbeitendenvertretung gelten im Übrigen die Bestimmungen für die Mitarbeitendenvertretung mit Ausnahme des § 20 Absatz 2 bis 4 sinngemäß.

§ 6a[1] Verbundmitarbeitendenvertretung im Dienststellenverbund.

(1) 1 Ein Dienststellenverbund liegt vor, wenn die einheitliche und beherrschende Leitung einer Mehrzahl rechtlich selbstständiger diakonischer Einrichtungen bei einer dieser Einrichtungen liegt. 2 Eine einheitliche und beherrschende Leitung ist insbesondere dann gegeben, wenn Mitarbeitende für Funktionen nach § 4 für mehrere Einrichtungen des Dienststellenverbundes bestimmt und Entscheidungen über die Rahmenbedingungen der Geschäftspolitik und der Finanzausstattung für den Dienststellenverbund getroffen werden. 3 Auf Grundlage einer Dienstvereinbarung kann eine Verbundmitarbeitendenvertretung auch in anderen Bedarfsfällen eingerichtet werden.

(2) Auf Antrag der Mehrheit der Mitarbeitendenvertretungen ist eine Verbundmitarbeitendenvertretung zu bilden; bei zwei Mitarbeitendenvertretungen genügt ein Antrag.

(3) Die Verbundmitarbeitendenvertretung ist zuständig für die Aufgaben der Mitarbeitendenvertretungen, soweit sie Mitarbeitende aus mehreren oder allen Dienststellen des Dienststellenverbundes betreffen.

(4) Für die Verbundmitarbeitendenvertretung gelten im Übrigen die Vorschriften des § 6 Absatz 3 bis 6 sinngemäß.

[1] § 6a neu gef. gemäß KG vom 13.11.2024 (ABl. EKD S. 157), in Kraft mit Wirkung vom 1.1.2025.

§ 6b[1)] Unternehmensmitbestimmung in diakonischen Einrichtungen.

(1) In diakonischen Einrichtungen (Dienststellen gemäß § 3 und Dienststellenverbünde gemäß § 6a Absatz 1) ab einer Größe von 500 Mitarbeitenden sind die Mitarbeitenden durch eine Vertretung an den Aufgaben des Aufsichtsorgans der Einrichtung zu beteiligen, sofern ein solches gebildet ist.

(2) Näheres bestimmt das Evangelische Werk für Diakonie und Entwicklung durch eine verbindliche verbandliche Regelung, die eine Umsetzungsfrist bis spätestens zum 31. Dezember 2028 einräumen kann.

§ 7[2)] Neubildung von Mitarbeitendenvertretungen. (1) [1] Sofern keine Mitarbeitendenvertretung besteht, wird der Wahlvorstand von der Dienststellenleitung im Einvernehmen mit dem Gesamtausschuss der Gliedkirche oder des gliedkirchlichen Diakonischen Werkes unverzüglich bestellt. [2] Kommt die Neubildung einer Mitarbeitendenvertretung nicht zustande, so ist auf Antrag von mindestens drei Wahlberechtigten die Dienststelle verpflichtet, erneut einen Wahlvorstand im Einvernehmen mit dem Gesamtausschuss zu berufen, spätestens jedoch nach Ablauf eines Jahres.

(2) Wird die Neubildung einer Mitarbeitendenvertretung dadurch erforderlich, dass Dienststellen gespalten oder zusammengelegt worden sind, so bleiben bestehende Mitarbeitendenvertretungen für die jeweiligen Mitarbeitenden zuständig, bis die neue Mitarbeitendenvertretung gebildet worden ist, längstens jedoch bis zum Ablauf von sechs Monaten nach Wirksamwerden der Umbildung.

(3) Geht eine Dienststelle durch Stilllegung, Spaltung oder Zusammenlegung unter, so bleibt die Mitarbeitendenvertretung solange im Amt, wie dies zur Wahrnehmung der mit der Organisationsänderung im Zusammenhang stehenden Mitwirkungs- und Mitbestimmungsrechte erforderlich ist.

§ 8[3)] Zusammensetzung. (1) [1] Die Mitarbeitendenvertretung besteht bei Dienststellen mit in der Regel

5–15	Wahlberechtigten aus einer Person,
16–50	Wahlberechtigten aus drei Mitgliedern,
51–150	Wahlberechtigten aus fünf Mitgliedern,
151–300	Wahlberechtigten aus sieben Mitgliedern,
301–600	Wahlberechtigten aus neun Mitgliedern,
601–1.000	Wahlberechtigten aus elf Mitgliedern,
1.001–1.500	Wahlberechtigten aus dreizehn Mitgliedern,
1.501–2.000	Wahlberechtigten aus fünfzehn Mitgliedern.

[2] Bei Dienststellen mit mehr als 2.000 Wahlberechtigten erhöht sich die Zahl der Mitglieder für je angefangene 1.000 Wahlberechtigte um zwei weitere Mitglieder.

[1)] § 6b neu gef. gemäß KG vom 13.11.2024 (ABl. EKD S. 157), in Kraft mit Wirkung vom 1.1.2025.

[2)] § 7 neu gef. gemäß KG vom 13.11.2024 (ABl. EKD S. 157), in Kraft mit Wirkung vom 1.1.2025, Fassung gemäß V vom 12.12.2025 (ABl. EKD S. 169), in Kraft mit Wirkung vom 1.10.2025.

[3)] § 8 neu gef. gemäß KG vom 13.11.2024 (ABl. EKD S. 157), in Kraft mit Wirkung vom 1.1.2025.

(1a) [1] Stehen nicht ausreichend Mitarbeitende zur Verfügung, die sich zur Wahl stellen, besteht die Mitarbeitendenvertretung für die Dauer der nächsten Amtszeit mit der Zahl von Mitgliedern des nächstniedrigeren Staffelwertes nach Absatz 1. [2] Eine Nachwahl ist in den ersten drei Jahren der Amtszeit möglich.

(2) Veränderungen in der Zahl der Wahlberechtigten während der Amtszeit haben keinen Einfluss auf die Zahl der Mitglieder der Mitarbeitendenvertretung.

(3) Bei der Bildung von Gemeinsamen Mitarbeitendenvertretungen (§ 5 Absatz 2) ist die Gesamtzahl der Wahlberechtigten dieser Dienststellen maßgebend.

III. Abschnitt.[1] Wahl der Mitarbeitendenvertretung

§ 9[2] Wahlberechtigung. (1) Wahlberechtigt sind alle Mitarbeitenden nach § 2, die am Wahltag das 18. Lebensjahr vollendet haben.

(2) Wer zu einer anderen Dienststelle abgeordnet oder ihr zugewiesen ist, wird dort nach Ablauf von drei Monaten wahlberechtigt; zum gleichen Zeitpunkt erlischt das Wahlrecht in der bisherigen Dienststelle für die Dauer der Abordnung oder Zuweisung.

(3) [1] Nicht wahlberechtigt sind Mitarbeitende, die am Wahltag aufgrund einer Altersteilzeitvereinbarung freigestellt oder seit mehr als drei Monaten und für wenigstens weitere drei Monate beurlaubt sind. [2] Nicht wahlberechtigt sind daneben Mitglieder der Dienststellenleitung und die Personen nach § 4 Absatz 2, es sei denn, dass sie nach Gesetz oder Satzung als Mitarbeitende in die leitenden oder aufsichtführenden Organe gewählt oder entsandt worden sind. [3] Die Regelungen der Sätze 1 und 2 gelten nicht für Mitarbeitende, die sich am Wahltag in Elternzeit befinden.

§ 10[3] Wählbarkeit. (1) Wählbar sind alle Wahlberechtigten nach § 9, die am Wahltag der Dienststelle seit mindestens sechs Monaten angehören. Besteht die Dienststelle bei Erlass des Wahlausschreibens noch nicht länger als sechs Monate, so sind auch diejenigen wählbar, die zu diesem Zeitpunkt Mitarbeitende der Dienststelle sind.

(2) Nicht wählbar sind Wahlberechtigte, die

a) infolge Richterspruchs die Fähigkeit, Rechte aus öffentlichen Wahlen zu erlangen, nicht besitzen,
b) am Wahltag noch für einen Zeitraum von mehr als sechs Monaten beurlaubt sind,
c) zu ihrer Berufsausbildung beschäftigt werden,
d) als Vertretung der Mitarbeitenden in das Leitungsorgan der Dienststelle gewählt worden sind.

---

[1] Überschrift Abschnitt 3 neu gef. gemäß KG vom 13.11.2024 (ABl. EKD S. 157), in Kraft mit Wirkung vom 1.1.2025.

[2] § 9 neu gef. gemäß KG vom 13.11.2024 (ABl. EKD S. 157), in Kraft mit Wirkung vom 1.1. 2025.

[3] § 10 neu gef. gemäß KG vom 13.11.2024 (ABl. EKD S. 157), in Kraft mit Wirkung vom 1.1. 2025.

§ 11[1)] Wahlverfahren. (1) [1]Die Mitglieder der Mitarbeitendenvertretung werden in gleicher, freier, geheimer und unmittelbarer Wahl gemeinsam und nach den Grundsätzen der Mehrheitswahl (Persönlichkeitswahl) gewählt. [2]Die Wahlberechtigten haben das Recht, Wahlvorschläge zu machen. [3]Für Dienststellen mit in der Regel nicht mehr als 100 Wahlberechtigten soll ein vereinfachtes Wahlverfahren (Wahl in der Versammlung der wahlberechtigten Mitarbeitenden) vorgesehen werden. [4]Die Gliedkirchen können das vereinfachte Wahlverfahren auch für andere Bedarfsfälle in ihren Anwendungsbestimmungen vorsehen.

(2) Weitere Einzelheiten der Wahl und des Verfahrens regelt der Rat der EKD durch Rechtsverordnung (Wahlordnung).

(3) Bestellungen, Berufungen oder Wahlen von Wahlvorständen, die bis zum 1. Mai 2026 auf der Grundlage der Wahlordnung zum Kirchengesetz über Mitarbeitendenvertretungen in der Evangelischen Kirche in Deutschland in der Fassung der Bekanntmachung vom 12. September 2025 erfolgt sind, bleiben wirksam, auch wenn sie in Abweichung von § 32 Absatz 2 durchgeführt wurden.

§ 12[2)] Wahlvorschläge. [1]Bei den Wahlvorschlägen soll angestrebt werden, dass die Mitarbeitenden der verschiedenen in der Dienststelle vertretenen Berufsgruppen und Arbeitsbereiche entsprechend ihren Anteilen in der Dienststelle angemessen berücksichtigt werden. [2]Dabei soll auch die Ausgewogenheit des Geschlechterverhältnisses beachtet werden.

§ 13[3)] Wahlschutz, Wahlkosten. (1) [1]Niemand darf die Wahl der Mitarbeitendenvertretung behindern oder in unlauterer Weise beeinflussen. [2]Insbesondere dürfen Wahlberechtigte in der Ausübung des aktiven oder des passiven Wahlrechts nicht beschränkt werden.

(2) Die Versetzung, Zuweisung oder Abordnung eines Mitgliedes des Wahlvorstandes oder einer Person, die sich zur Wahl stellt, ist ohne dessen oder ihre Zustimmung bis zur Dauer von sechs Monaten nach Bekanntgabe des Wahlergebnisses unzulässig.

(3) [1]Die Kündigung eines Mitgliedes des Wahlvorstandes ist vom Zeitpunkt seiner Bestellung an, die Kündigung einer Person, die sich zur Wahl stellt, vom Zeitpunkt der Aufstellung des Wahlvorschlages an nur zulässig, wenn Tatsachen vorliegen, die die Dienstgeberin bzw. den Dienstgeber zur außerordentlichen Kündigung berechtigen. [2]Satz 1 gilt für eine Dauer von sechs Monaten nach Bekanntgabe des Wahlergebnisses entsprechend. [3]Die außerordentliche Kündigung bedarf der Zustimmung der Mitarbeitendenvertretung. [4]§ 38 Absatz 3 und 4 gilt mit der Maßgabe entsprechend, dass die Dienststellenleitung die Frist bis auf drei Arbeitstage verkürzen kann. [5]Der besondere Kündigungsschutz nach Satz 1 gilt nicht für Mitglieder eines Wahlvorstandes, die durch kirchengerichtlichen Beschluss abberufen worden sind.

---

1) § 11 neu gef. gemäß KG vom 13.11.2024 (ABl. EKD S. 157), in Kraft mit Wirkung vom 1.1. 2025, Fassung gemäß V vom 12.12.2025 (ABl. EKD S. 169), in Kraft mit Wirkung vom 1.10.2025.

2) § 12 neu gef. gemäß KG vom 13.11.2024 (ABl. EKD S. 157), in Kraft mit Wirkung vom 1.1. 2025.

3) § 13 neu gef. gemäß KG vom 13.11.2024 (ABl. EKD S. 157), in Kraft mit Wirkung vom 1.1. 2025.

(4) Die Dienststelle trägt die Kosten der Wahl; bei der Wahl einer Gemeinsamen Mitarbeitendenvertretung werden die Kosten der Wahl auf die einzelnen Dienststellen im Verhältnis der Anzahl ihrer Mitarbeitenden umgelegt, sofern keine andere Verteilung der Kosten vorgesehen wird.

(5) Mitglieder des Wahlvorstandes haben für die Teilnahme an Schulungsveranstaltungen, die ihnen für ihre Tätigkeit erforderliche Kenntnisse vermitteln, Anspruch auf Arbeitsbefreiung von bis zu zwei Arbeitstagen ohne Minderung der Bezüge.

§ 14 Anfechtung der Wahl. (1) Die Wahl kann innerhalb von zwei Wochen, vom Tag der Bekanntgabe des Wahlergebnisses an gerechnet, von mindestens drei Wahlberechtigten oder der Dienststellenleitung bei dem Kirchengericht schriftlich angefochten werden, wenn geltend gemacht wird, dass gegen wesentliche Bestimmungen über die Wahlberechtigung, die Wählbarkeit oder das Wahlverfahren verstoßen und der Verstoß nicht behoben worden ist.

(2) Wird kirchengerichtlich festgestellt, dass durch den Verstoß das Wahlergebnis beeinflusst oder geändert werden konnte, so ist das Wahlergebnis für ungültig zu erklären und die Wiederholung der Wahl anzuordnen.

IV. Abschnitt. Amtszeit

§ 15[1)] Amtszeit. (1) Die Amtszeit der Mitarbeitendenvertretung beträgt vier Jahre.[2)]

(2) [1] Die regelmäßigen Wahlen der Mitarbeitendenvertretungen im Geltungsbereich dieses Kirchengesetzes finden alle vier Jahre in der Zeit vom 1. Januar bis 30. April statt. [2] Die Amtszeit der bisherigen Mitarbeitendenvertretung endet am 30. April. [3] Die Amtszeit der neu gewählten Mitarbeitendenvertretung beginnt am 1. Mai.

(3) [1] Findet außerhalb der allgemeinen Wahlzeit die Wahl einer Mitarbeitendenvertretung statt, so ist unabhängig von der Amtszeit der Mitarbeitendenvertretung in der nächsten allgemeinen Wahlzeit erneut zu wählen. [2] Ist eine Mitarbeitendenvertretung am 30. April des Jahres der regelmäßigen Wahl der Mitarbeitendenvertretung noch nicht ein Jahr im Amt, so ist nicht neu zu wählen; die Amtszeit verlängert sich um die nächste regelmäßige Amtszeit.

(4) [1] Die bisherige Mitarbeitendenvertretung führt die Geschäfte bis zu deren Übernahme durch die neu gewählte Mitarbeitendenvertretung weiter, längstens

---

[1)] § 15 neu gef. gemäß KG vom 13.11.2024 (ABl. EKD S. 157), in Kraft mit Wirkung vom 1.1. 2025.

[2)] Siehe auch das KG zur einmaligen Verkürzung der Amtszeit der Mitarbeitervertretungen vom 30.4.2018 (KABl S. 160):

„**Kirchengesetz zur einmaligen Verkürzung der Amtszeit der Mitarbeitervertretungen**

Die Landessynode hat das folgende Kirchengesetz beschlossen, das hiermit verkündet wird:

Art. 1 Einmalige Verkürzung der Amtszeit der Mitarbeitervertretungen von Kirche und Diakonie. Die Amtszeit der im Jahr 2019 neu zu wählenden Mitarbeitervertretungen wird abweichend von *§ 15 Abs. 1 MVG-EKD* einmalig um ein Jahr verkürzt, sie endet am 30. April 2022.

Art. 2 Inkrafttreten. Dieses Kirchengesetz tritt gem. Art. 75 Abs. 2 Satz 2 Kirchenverfassung am vierzehnten Tag nach seiner Verkündung in Kraft."

jedoch sechs Monate über den Ablauf ihrer Amtszeit hinaus. ²Alsdann ist nach § 7 zu verfahren.

§ 16[1)] Neu- und Nachwahl der Mitarbeitendenvertretung vor Ablauf der Amtszeit. (1) Die Mitarbeitendenvertretung ist vor Ablauf ihrer Amtszeit unverzüglich neu zu wählen, wenn

(Fortsetzung nächstes Blatt)

[1)] § 16 neu gef. gemäß KG vom 13.11.2024 (ABl. EKD S. 157), in Kraft mit Wirkung vom 1.1. 2025.

a) (weggefallen)

b) die Mitarbeitendenvertretung mit den Stimmen der Mehrheit der Mitglieder ihren Rücktritt beschlossen hat,

c) die Mitarbeitendenvertretung nach § 17 aufgelöst worden ist.

(2) In den Fällen des Absatzes 1 ist unverzüglich das Verfahren für die Neuwahl einzuleiten. Bis zum Abschluss der Neuwahl nimmt die bisherige Mitarbeitendenvertretung die Aufgaben der Mitarbeitendenvertretung kommissarisch wahr, sofern die Neuwahl aufgrund von Absatz 1 Buchstabe b erfolgt und nicht die Gesamtmitarbeitendenvertretung nach § 6 Absatz 2 Satz 2 zuständig ist.

(3) [1] Die Mitarbeitendenvertretung ist vor Ablauf ihrer Amtszeit durch Nachwahl auf die nach § 8 Absatz 1 erforderliche Zahl der Mitglieder unverzüglich zu ergänzen, wenn die Zahl ihrer Mitglieder nach Eintreten sämtlicher Ersatzmitglieder um mehr als ein Viertel der in § 8 Absatz 1 vorgeschriebenen Zahl gesunken ist. [2] Für die Nachwahl gelten die Vorschriften über das Wahlverfahren entsprechend. [3] Hat die Amtszeit der Mitarbeitendenvertretung im Fall von Satz 1 bereits mehr als drei Jahre betragen, so findet anstelle einer Nachwahl eine Neuwahl statt.

§ 17[1)] Ausschluss eines Mitgliedes oder Auflösung der Mitarbeitendenvertretung. (1) Auf schriftlichen Antrag eines Viertels der Wahlberechtigten, der Mitarbeitendenvertretung oder der Dienststellenleitung kann kirchengerichtlich der Ausschluss eines Mitgliedes der Mitarbeitendenvertretung oder die Auflösung der Mitarbeitendenvertretung wegen groben Missbrauchs von Befugnissen oder wegen grober Verletzung von Pflichten, die sich aus diesem Kirchengesetz ergeben, beschlossen werden.

§ 18[2)] Erlöschen und Ruhen der Mitgliedschaft, Ersatzmitgliedschaft.

(1) [1] Die Mitgliedschaft in der Mitarbeitendenvertretung erlischt durch

a) Ablauf der Amtszeit,

b) Niederlegung des Amtes,

c) Beendigung des Dienst- oder Arbeitsverhältnisses,

d) Ausscheiden aus der Dienststelle,

e) Verlust der Wählbarkeit,

f) Beschluss nach § 17.

[2] Abweichend von Satz 1 Buchstabe d erlischt die Mitgliedschaft nicht, wenn übergangslos ein neues Dienstoder Arbeitsverhältnis zu einer anderen Dienstherrin oder Dienstgeberin bzw. einem anderen Dienstgeber begründet wird, der zum Zuständigkeitsbereich derselben Mitarbeitendenvertretung gehört.

(2) Die Mitgliedschaft in der Mitarbeitendenvertretung ruht,

a) solange einem Mitglied die Wahrnehmung seiner dienstlichen Aufgaben untersagt ist,

---

[1)] § 17 neu gef. gemäß KG vom 13.11.2024 (ABl. EKD S. 157), in Kraft mit Wirkung vom 1.1. 2025.

[2)] § 18 neu gef. gemäß KG vom 13.11.2024 (ABl. EKD S. 157), in Kraft mit Wirkung vom 1.1. 2025.

b) wenn ein Mitglied voraussichtlich länger als drei Monate an der Wahrnehmung seiner dienstlichen Aufgaben oder seines Amtes als Mitglied der Mitarbeitendenvertretung gehindert ist,

c) wenn ein Mitglied für länger als drei Monate beurlaubt oder aufgrund einer Arbeitsrechtsregelung oder von gesetzlichen Vorschriften freigestellt wird.

(3) In den Fällen des Absatzes 1 und für die Dauer des Ruhens der Mitgliedschaft nach Absatz 2 rückt die Person als Ersatzmitglied in die Mitarbeitendenvertretung nach, die bei der vorhergehenden Wahl die nächstniedrigere Stimmenzahl erreicht hat.

(4) Das Ersatzmitglied nach Absatz 3 tritt auch dann in die Mitarbeitendenvertretung ein, wenn ein Mitglied verhindert ist, an einer Sitzung teilzunehmen.

(5) [1] Bei Beendigung der Mitgliedschaft in der Mitarbeitendenvertretung haben die Mitarbeitenden alle in ihrem Besitz befindlichen Unterlagen, die sie in ihrer Eigenschaft als Mitglied der Mitarbeitendenvertretung erhalten haben, der Mitarbeitendenvertretung auszuhändigen. [2] Besteht die Mitarbeitendenvertretung nach § 8 Absatz 1 aus einer Person, sind die Unterlagen der neuen Mitarbeitendenvertretung auszuhändigen.

V. Abschnitt.[1)] Rechtsstellung der Mitglieder der Mitarbeitendenvertretung

§ 19[2)] Ehrenamt, Behinderungs- und Begünstigungsverbot, Arbeitsbefreiung. (1) [1] Die Mitglieder der Mitarbeitendenvertretung üben ihr Amt unentgeltlich als Ehrenamt aus. [2] Sie dürfen weder in der Ausübung ihrer Aufgaben oder Befugnisse behindert noch wegen ihrer Tätigkeit benachteiligt oder begünstigt werden; dies gilt auch für ihre berufliche Entwicklung.

(2) [1] Die für die Tätigkeit notwendige Zeit ist den Mitgliedern der Mitarbeitendenvertretung ohne Minderung ihrer Bezüge innerhalb der allgemeinen Arbeitszeit zu gewähren, soweit die Aufgaben nicht in der Zeit der Freistellung nach § 20 erledigt werden können. [2] Ist einem Mitglied der Mitarbeitendenvertretung die volle Ausübung seines Amtes in der Regel innerhalb seiner Arbeitszeit nicht möglich, so ist es auf Antrag von den ihm obliegenden Aufgaben in angemessenem Umfang zu entlasten. [3] Dabei sind die besonderen Gegebenheiten des Dienstes und der Dienststelle zu berücksichtigen. [4] Soweit erforderlich soll die Dienststellenleitung für eine Ersatzkraft sorgen. [5] Können die Aufgaben der Mitarbeitendenvertretung aus dienstlichen Gründen nicht innerhalb der Arbeitszeit wahrgenommen werden, so ist hierfür auf Antrag Freizeitausgleich zu gewähren.

(3) [1] Den Mitgliedern der Mitarbeitendenvertretung ist für die Teilnahme an Tagungen und Lehrgängen, die ihnen für die Tätigkeit in der Mitarbeitendenvertretung erforderliche Kenntnisse vermitteln, die dafür notwendige Arbeitsbefreiung ohne Minderung der Bezüge oder des Erholungsurlaubs bis zur Dauer von insgesamt vier Wochen während einer Amtszeit zu gewähren. [2] Berücksichtigt wird die tatsächliche zeitliche Inanspruchnahme, höchstens aber bis

---

1) Überschrift Abschnitt 5 neu gef. gemäß KG vom 13.11.2024 (ABl. EKD S. 157), in Kraft mit Wirkung vom *1.1.2025*.

2) § 19 neu gef. gemäß KG vom 13.11.2024 (ABl. EKD S. 157), in Kraft mit Wirkung vom 1.1. 2025.

zur täglichen Arbeitszeit Vollbeschäftigter. [3] Über die Verteilung des Anspruchs auf Arbeitsbefreiung zur Teilnahme an Fortbildungen und Lehrgängen auf die Mitglieder kann die Mitarbeitendenvertretung abweichend von Satz 1 entscheiden, sofern die Summe aller Ansprüche nach Satz 1 nicht überschritten wird. [4] Die Dienststellenleitung kann die Arbeitsbefreiung versagen, wenn dienstliche Notwendigkeiten nicht ausreichend berücksichtigt worden sind.

§ 20[1)] Freistellung von der Arbeit. (1) Über die Freistellung von Mitgliedern der Mitarbeitendenvertretung von der Arbeit soll eine Dienstvereinbarung zwischen der Mitarbeitendenvertretung und der Dienststellenleitung für die Dauer der Amtszeit der Mitarbeitendenvertretung getroffen werden.

(2) [1] Kommt eine Dienstvereinbarung nach Absatz 1 nicht zu Stande, sind zur Wahrnehmung der Aufgaben der Mitarbeitendenvertretung auf deren Antrag von ihrer übrigen dienstlichen Tätigkeit in Dienststellen mit in der Regel

151–300 Mitarbeitenden	ein Mitglied der Mitarbeitendenvertretung
301–600 Mitarbeitenden	zwei Mitglieder der Mitarbeitendenvertretung
601–1.000 Mitarbeitenden	vier Mitglieder der Mitarbeitendenvertretung,

mehr als insgesamt 1.000 Mitarbeitenden je angefangene 500 ein weiteres Mitglied der Mitarbeitendenvertretung jeweils mit der Hälfte der regelmäßigen wöchentlichen Arbeitszeit Vollbeschäftigter freizustellen. [2] Maßgeblich ist die Zahl der wahlberechtigten Mitarbeitenden nach § 9. [3] Satz 1 gilt nicht für die Wahrnehmung von Aufgaben als Mitglied der Gesamtmitarbeitendenvertretung (§ 6) sowie des Gesamtausschusses (§ 54).

(3) Anstelle von je zwei nach Absatz 2 freizustellenden Mitgliedern ist auf Antrag der Mitarbeitendenvertretung ein Mitglied ganz freizustellen.

(4) [1] Die freizustellenden Mitglieder werden nach Erörterung mit der Dienststellenleitung unter Berücksichtigung der dienstlichen Notwendigkeit von der Mitarbeitendenvertretung bestimmt. [2] Die Aufgaben der Mitarbeitendenvertretung sind vorrangig in der Zeit der Freistellung zu erledigen.

§ 21[2)] Abordnungs- und Versetzungsverbot, Kündigungsschutz.

(1) [1] Die Mitglieder der Mitarbeitendenvertretung dürfen ohne ihre Zustimmung nur abgeordnet oder versetzt werden, wenn dies aus wichtigen dienstlichen Gründen unvermeidbar ist und die Mitarbeitendenvertretung zustimmt. [2] Besteht die Mitarbeitendenvertretung nach § 8 Absatz 1 aus einer Person, hat die Dienststellenleitung die Zustimmung des Ersatzmitgliedes nach § 18 Absatz 3 einzuholen.

(2) [1] Einem Mitglied der Mitarbeitendenvertretung darf nur gekündigt werden, wenn Tatsachen vorliegen, die die Dienstgeberin bzw. den Dienstgeber zur außerordentlichen Kündigung berechtigen. [2] Die außerordentliche Kündigung bedarf der Zustimmung der Mitarbeitendenvertretung oder der Zustimmung des Ersatzmitgliedes, falls die Mitarbeitendenvertretung nur aus einer Person besteht. [3] Die Sätze 1 und 2 gelten für einen Zeitraum von einem Jahr nach Beendigung der Amtszeit entsprechend, es sei denn, dass die Amtszeit durch Beschluss nach § 17 beendet wurde. [4] § 38 Absatz 3 und 4 gilt mit der

---

1) § 20 neu gef. gemäß KG vom 13.11.2024 (ABl. EKD S. 157), in Kraft mit Wirkung vom 1.1. 2025; Abs. 2 ber. ABl. EKD 2025 S. 43.

2) § 21 neu gef. gemäß KG vom 13.11.2024 (ABl. EKD S. 157), in Kraft mit Wirkung vom 1.1. 2025.

Maßgabe entsprechend, dass die Dienststellenleitung die Frist bis auf drei Arbeitstage verkürzen kann. [5] Ist die Frist nach Maßgabe des Satzes 4 verkürzt, gilt die Zustimmung im Fall der Erörterung innerhalb dieser verkürzten Frist als erteilt, wenn die Mitarbeitendenvertretung sie nicht schriftlich verweigert.

(3) [1] Wird die Dienststelle ganz oder zu einem wesentlichen Teil aufgelöst, ist eine Kündigung frühestens zum Zeitpunkt der Auflösung zulässig, es sei denn, dass wegen zwingender betrieblicher Gründe zu einem früheren Zeitpunkt gekündigt werden muss. [2] Die Kündigung bedarf der Zustimmung der Mitarbeitendenvertretung oder, falls die Mitarbeitendenvertretung nur aus einer Person besteht, der Zustimmung des Ersatzmitgliedes; Absatz 2 gilt entsprechend.

(4) Für das Verfahren gilt § 38 entsprechend.

§ 22[1)] Schweigepflicht und Datenschutz. (1) [1] Personen, die Aufgaben oder Befugnisse nach diesem Kirchengesetz wahrnehmen oder wahrgenommen haben, sind verpflichtet, über die ihnen dabei bekannt gewordenen Angelegenheiten und Tatsachen Stillschweigen zu bewahren. [2] Diese Schweigepflicht besteht nicht für Angelegenheiten oder Tatsachen, die offenkundig sind oder ihrer Bedeutung nach keiner Geheimhaltung bedürfen. [3] Die Schweigepflicht besteht auch nach dem Ausscheiden aus der Mitarbeitendenvertretung oder aus dem Dienst- oder Arbeitsverhältnis. [4] In Personalangelegenheiten gilt dies gegenüber den Betroffenen, bis das formale Beteiligungsverfahren in den Fällen der Mitberatung oder Mitbestimmung begonnen hat, insbesondere bis der Mitarbeitendenvertretung ein Antrag auf Zustimmung zu einer Maßnahme vorliegt. [5] Die Schweigepflicht erstreckt sich auch auf die Verhandlungsführung und das Verhalten der an der Sitzung Teilnehmenden.

(2) [1] Die Schweigepflicht besteht nicht gegenüber den anderen Mitgliedern der Mitarbeitendenvertretung. [2] Sie entfällt auf Beschluss der Mitarbeitendenvertretung auch gegenüber der Dienststellenleitung und gegenüber der Stelle, die die Aufsicht über die Dienststelle führt.

(3) [1] Die Mitarbeitendenvertretung hat für die Einhaltung des Datenschutzes[2)] in den Angelegenheiten ihrer Geschäftsführung zu sorgen. [2] Bei der Verarbeitung personenbezogener Daten hat die Mitarbeitendenvertretung die Vorschriften über den Datenschutz einzuhalten. [3] Soweit die Mitarbeitendenvertretung zur Erfüllung der in ihrer Zuständigkeit liegenden Aufgaben personenbezogene Daten verarbeitet, ist die Dienstgeberin bzw. der Dienstgeber die für die Verarbeitung verantwortliche Stelle im Sinne der datenschutzrechtlichen Vorschriften. [4] Dienststellenleitung und Mitarbeitendenvertretung unterstützen sich gegenseitig bei der Einhaltung der datenschutzrechtlichen Vorschriften. [5] Beauftragte für den Datenschutz sind gegenüber der Dienstgeberin bzw. dem Dienstgeber zur Verschwiegenheit verpflichtet über Informationen, die Rückschlüsse auf den Meinungsbildungsprozess der Mitarbeitendenvertretung zulassen. [6] Dies gilt auch im Hinblick auf das Verhältnis von Beauftragten für den Datenschutz zur Dienstgeberin bzw. zum Dienstgeber.

[1)] § 22 neu gef. gemäß KG vom 13.11.2024 (ABl. EKD S. 157), in Kraft mit Wirkung vom 1.1. 2025.

[2)] *Siehe hierzu das EKD-Datenschutzgesetz* **(beck-online, Module Arbeitsrecht Nr. 1243)** und die Datenschutzausführungsverordnung v. 3.12.2018 (KABl 2019 S. 11), geänd. durch VO v. 23.10. 2023 (KABl S. 394).

VI. Abschnitt. Geschäftsführung

§ 23[1] **Vorsitz.** (1) [1]Die Mitarbeitendenvertretung entscheidet in geheimer Wahl über den Vorsitz. [2]Das vorsitzende Mitglied führt die laufenden Geschäfte und vertritt die Mitarbeitendenvertretung im Rahmen der von ihr gefassten Beschlüsse. [3]Zu Beginn der Amtszeit legt die Mitarbeitendenvertretung die Reihenfolge der Vertretung im Vorsitz fest. [4]Die Reihenfolge ist der Dienststellenleitung schriftlich mitzuteilen.

(2) Soweit die Mitarbeitendenvertretung nur aus einer Person besteht, übernimmt die Stellvertretung die Person, die bei der Wahl die nächstniedrigere Stimmenzahl erhalten hat; mit dieser können alle Angelegenheiten der Mitarbeitendenvertretung beraten werden.

§ 23a[2] **Ausschüsse.** (1) [1]Die Mitarbeitendenvertretung kann die Bildung von Ausschüssen beschließen, denen jeweils mindestens drei Mitglieder der Mitarbeitendenvertretung angehören müssen, und den Ausschüssen Aufgaben zur selbstständigen Erledigung übertragen; dies gilt nicht für den Abschluss und die Kündigung von Dienstvereinbarungen. [2]Die Übertragung und der Widerruf der Übertragung von Aufgaben zur selbstständigen Erledigung erfordern eine Dreiviertelmehrheit der Mitglieder der Mitarbeitendenvertretung. [3]Die Übertragung und der Widerruf sind der Dienststellenleitung schriftlich anzuzeigen.

(2) [1]In rechtlich selbstständigen Einrichtungen der Diakonie mit je mehr als 150 Mitarbeitenden kann die Mitarbeitendenvertretung die Bildung eines Ausschusses für Wirtschaftsfragen beschließen. [2]Der Ausschuss für Wirtschaftsfragen hat die Aufgabe, die Mitarbeitendenvertretung über wirtschaftliche Angelegenheiten zu unterrichten. [3]Die Dienststellenleitung hat den Ausschuss für Wirtschaftsfragen rechtzeitig und umfassend über die wirtschaftlichen Angelegenheiten der Einrichtung unter Aushändigung der erforderlichen Unterlagen zu unterrichten, soweit dadurch nicht die Betriebs- und Geschäftsgeheimnisse der Einrichtung gefährdet werden, sowie die sich daraus ergebenden Auswirkungen auf die Personalplanung darzustellen. [4]Zu den wirtschaftlichen Angelegenheiten gehören insbesondere die Angelegenheiten nach § 34 Absatz 2. [5]Die Dienststellenleitung ist verpflichtet, auf dieser Grundlage mit dem Ausschuss für Wirtschaftsfragen mindestens einmal im Jahr, auf ein mit Gründen versehenes Verlangen der Mitarbeitendenvertretung einmal im Kalendervierteljahr, über die wirtschaftliche Lage der Einrichtung zu beraten. [6]Sie kann eine Person nach § 4 Absatz 2 mit der Wahrnehmung dieser Aufgabe beauftragen. [7]Der Ausschuss für Wirtschaftsfragen kann im erforderlichen Umfang Sachverständige aus der Dienststelle hinzuziehen. [8]Für die am Ausschuss für Wirtschaftsfragen beteiligten Personen gilt § 22 entsprechend.

§ 24[3] **Sitzungen.** (1) Spätestens eine Woche nach Beginn der Amtszeit nach § 15 Absatz 2 hat der Wahlvorstand, im Fall der vereinfachten Wahl die

---

[1] § 23 neu gef. gemäß KG vom 13.11.2024 (ABl. EKD S. 157), in Kraft mit Wirkung vom 1.1. 2025.

[2] § 23a neu gef. gemäß KG vom 13.11.2024 (ABl. EKD S. 157), in Kraft mit Wirkung vom 1.1. 2025.

[3] § 24 neu gef. gemäß KG vom 13.11.2024 (ABl. EKD S. 157), in Kraft mit Wirkung vom 1.1. 2025.

Versammlungsleitung, die Mitglieder der Mitarbeitendenvertretung zur Vornahme der nach § 23 Absatz 1 vorgesehenen Wahlen einzuberufen und die Sitzung zu leiten, bis die Mitarbeitendenvertretung über ihren Vorsitz entschieden hat.

(2) [1] Das vorsitzende Mitglied beraumt die weiteren Sitzungen der Mitarbeitendenvertretung an, setzt die Tagesordnung fest und leitet die Verhandlungen. Die Mitglieder der Mitarbeitendenvertretung sind rechtzeitig unter Mitteilung der Tagesordnung zu laden. [2] Dies gilt auch für die Interessenvertretungen besonderer Mitarbeitendengruppen (§§ 49 bis 53), soweit sie ein Recht auf Teilnahme an der Sitzung haben. [3] Kann ein Mitglied der Mitarbeitendenvertretung an der Sitzung nicht teilnehmen, so hat es dies unter Angabe der Gründe unverzüglich mitzuteilen.

(3) [1] Das vorsitzende Mitglied hat eine Sitzung einzuberufen und einen Gegenstand auf die Tagesordnung zu setzen, wenn dies ein Viertel der Mitglieder der Mitarbeitendenvertretung oder die Dienststellenleitung beantragt. [2] Dies gilt auch bei Angelegenheiten, die Schwerbehinderte oder jugendliche Mitarbeitende betreffen, wenn die Vertrauensperson der Schwerbehinderten oder die Vertretung der Jugendlichen und Auszubildenden dies beantragt und die Behandlung des Gegenstandes keinen Aufschub duldet.

(4) [1] Die Sitzungen der Mitarbeitendenvertretung finden in der Regel während der Arbeitszeit statt. [2] Die Mitarbeitendenvertretung hat bei der Einberufung von Sitzungen die dienstlichen Notwendigkeiten zu berücksichtigen. [3] Die Dienststellenleitung soll von Zeitpunkt und Ort der Sitzungen vorher verständigt werden. Die Sitzungen sind nicht öffentlich.

§ 25[1)] Teilnahme an der Sitzung der Mitarbeitendenvertretung.

(1) [1] Mitglieder der Dienststellenleitung sind berechtigt, an den Sitzungen teilzunehmen, die auf ihr Verlangen anberaumt sind. [2] Die Dienststellenleitung ist berechtigt, zu diesen Sitzungen sachkundige Personen hinzuzuziehen. [3] Die Dienststellenleitung ist verpflichtet, auf Verlangen der Mitarbeitendenvertretung an Sitzungen teilzunehmen oder sich vertreten zu lassen.

(2) Die Mitarbeitendenvertretung kann zu einzelnen Punkten der Tagesordnung sachkundige Personen einladen.

(3) [1] Für Personen, die nach den Absätzen 1 und 2 an einer Sitzung der Mitarbeitendenvertretung teilnehmen, gilt die Schweigepflicht nach § 22. [2] Sie sind ausdrücklich darauf hinzuweisen.

§ 26[2)] Beschlussfassung. (1) [1] Die Mitarbeitendenvertretung ist beschlussfähig, wenn die Mehrheit der Mitglieder anwesend ist. [2] Die Beschlussfähigkeit muss für jeden Beschluss der Mitarbeitendenvertretung gegeben sein.

(2) [1] Die Mitarbeitendenvertretung fasst ihre Beschlüsse mit der Mehrheit der bei der Abstimmung anwesenden Mitglieder. [2] Bei Stimmengleichheit ist ein Antrag abgelehnt. [3] Die Mitarbeitendenvertretung kann in ihrer Geschäftsordnung bestimmen, dass Beschlüsse im Umlaufverfahren gefasst werden können, sofern dabei Einstimmigkeit erzielt wird. [4] Beschlüsse nach Satz 3 sind

---

[1)] § 25 neu gef. gemäß KG vom 13.11.2024 (ABl. EKD S. 157), in Kraft mit Wirkung vom 1.1. 2025.

[2)] § 26 neu gef. gemäß KG vom 13.11.2024 (ABl. EKD S. 157), in Kraft mit Wirkung vom 1.1. 2025.

spätestens in der Niederschrift der nächsten Sitzung im Wortlaut festzuhalten. [5]Die Teilnahme einzelner oder aller Mitglieder an Sitzungen der Mitarbeitendenvertretung kann im Ausnahmefall auch mittels Video- und Telefonkonferenz erfolgen, wenn kein Mitglied der Mitarbeitendenvertretung unverzüglich nach Bekanntgabe der Absicht zur Durchführung der Sitzung mittels Video- oder Telefonkonferenz diesem Verfahren widerspricht. [6]Es ist sicherzustellen, dass Dritte vom Inhalt der Sitzung keine Kenntnis nehmen können. [7]Eine Aufzeichnung der Sitzung ist unzulässig. [8]Mitglieder der Mitarbeitendenvertretung, die mittels Video- oder Telefonkonferenz teilnehmen, gelten als anwesend im Sinne des Absatzes 1 Satz 1. [9]Vor Beginn der Sitzung hat das vorsitzende Mitglied die Identität der zugeschalteten Mitglieder festzustellen und deren Namen in die Anwesenheitsliste einzutragen. [10]§ 25 gilt für Sitzungen mittels Video- oder Telefonkonferenz entsprechend.

(3) An der Beratung und der Beschlussfassung dürfen Mitglieder der Mitarbeitendenvertretung nicht teilnehmen, wenn der Beschluss

a) ihnen selbst oder ihren nächsten Angehörigen (Eltern, Ehegatten, Personen mit denen sie eine eingetragene Lebenspartnerschaft geschlossen haben, Kindern und Geschwistern),

b) einer von ihnen kraft Gesetzes oder Vollmacht vertretenen natürlichen oder juristischen Person einen Vor- oder Nachteil bringen kann.

(4) Die Mitarbeitendenvertretung beschließt in Abwesenheit der Personen, die nach § 25 Absatz 1 und 2 an der Sitzung teilgenommen haben.

§ 27[1)] Sitzungsniederschrift. (1) [1]Über jede Sitzung der Mitarbeitendenvertretung und ihrer Ausschüsse nach § 23a Absatz 1 Satz 1 ist eine Niederschrift anzufertigen, die mindestens die Namen der An- oder Abwesenden, die Tagesordnung, die gefassten Beschlüsse, die Wahlergebnisse und die jeweiligen Stimmenverhältnisse enthalten muss. [2]Die Niederschrift ist von dem vorsitzenden Mitglied der Mitarbeitendenvertretung oder des Ausschusses und einem weiteren Mitglied der Mitarbeitendenvertretung zu unterzeichnen.

(2) Hat die Dienststellenleitung an einer Sitzung der Mitarbeitendenvertretung teilgenommen, so ist ihr ein Auszug aus der Niederschrift über die Verhandlungspunkte zuzuleiten, die im Beisein der Dienststellenleitung verhandelt worden sind.

§ 28[2)] Sprechstunden, Aufsuchen am Arbeitsplatz. (1) [1]Die Mitarbeitendenvertretung kann Sprechstunden während der Arbeitszeit einrichten. [2]Ort und Zeit bestimmt sie im Einvernehmen mit der Dienststellenleitung. [3]Die Mitarbeitendenvertretung entscheidet, ob und inwieweit Sprechstunden digital durchgeführt werden.

(2) Die Mitglieder der Mitarbeitendenvertretung haben das Recht, Mitarbeitende der Dienststelle an den Arbeitsplätzen aufzusuchen, sofern dies zur Erfüllung ihrer Aufgaben erforderlich ist.

[1)] § 27 neu gef. gemäß KG vom 13.11.2024 (ABl. EKD S. 157), in Kraft mit Wirkung vom 1.1.2025.

[2)] § 28 neu gef. gemäß KG vom 13.11.2024 (ABl. EKD S. 157), in Kraft mit Wirkung vom 1.1.2025.

(3) Versäumnis von Arbeitszeit, die für den Besuch von Sprechstunden oder durch sonstige Inanspruchnahme der Mitarbeitendenvertretung erforderlich ist, hat keine Minderung der Bezüge zur Folge.

§ 29[1] Geschäftsordnung. Einzelheiten der Geschäftsführung kann die Mitarbeitendenvertretung in einer Geschäftsordnung regeln.

§ 30[2] Sachbedarf, Kosten der Geschäftsführung. (1) Für die Sitzungen, die Sprechstunden und die laufende Geschäftsführung der Mitarbeitendenvertretung hat die Dienststelle in erforderlichem Umfang Räume, sachliche Mittel, dienststellenübliche technische Ausstattung und Büropersonal zur Verfügung zu stellen.

(2) [1]Die durch die Tätigkeit der Mitarbeitendenvertretung entstehenden erforderlichen Kosten trägt die Dienststelle, bei der die Mitarbeitendenvertretung gebildet ist. [2]Erforderliche Kosten für die Beiziehung sachkundiger Personen nach § 25 Absatz 2 und § 31 Absatz 3 werden von der Dienststelle übernommen; sie sind dieser vorher rechtzeitig anzuzeigen.

(3) [1]Bei Gemeinsamen Mitarbeitendenvertretungen werden die Kosten von den beteiligten Dienststellen entsprechend dem Verhältnis der Anzahl ihrer Mitarbeitenden getragen. [2]Die Gliedkirchen können andere Regelungen vorsehen.

(4) [1]Reisen der Mitglieder der Mitarbeitendenvertretung, die für ihre Tätigkeit notwendig sind, gelten als Dienstreisen. [2]Die Genehmigung dieser Reisen und die Erstattung der Reisekosten erfolgen nach den für die Dienststelle geltenden Bestimmungen.

(5) Die Mitarbeitendenvertretung darf für ihre Zwecke keine Beiträge erheben oder Zuwendungen annehmen.

VII. Abschnitt.[3] Mitarbeitendenversammlung

§ 31[4] Mitarbeitendenversammlung. (1) [1]Die Mitarbeitendenversammlung besteht aus allen Mitarbeitenden der Dienststelle, soweit sie nicht zur Dienststellenleitung gehören. [2]Sie wird von dem vorsitzenden Mitglied der Mitarbeitendenvertretung einberufen und geleitet; sie ist nicht öffentlich. [3]Die Einladung hat unter Angabe der Tagesordnung mindestens eine Woche vor dem Termin zu erfolgen. [4]Zeit und Ort der Mitarbeitendenversammlung sind mit der Dienststellenleitung abzusprechen.

(2) [1]Die Mitarbeitendenvertretung hat mindestens einmal in jedem Jahr ihrer Amtszeit eine ordentliche Mitarbeitendenversammlung einzuberufen und in ihr einen Tätigkeitsbericht zu erstatten. [2]Die Mitarbeitendenvertretung kann bis zu zwei weitere ordentliche Mitarbeitendenversammlungen in dem jeweiligen Jahr der Amtszeit einberufen. [3]Weiterhin ist das vorsitzende Mitglied der

---

[1] § 29 neu gef. gemäß KG vom 13.11.2024 (ABl. EKD S. 157), in Kraft mit Wirkung vom 1.1. 2025.

[2] § 30 neu gef. gemäß KG vom 13.11.2024 (ABl. EKD S. 157), in Kraft mit Wirkung vom 1.1. 2025.

[3] Überschrift Abschnitt 7 neu gef. gemäß KG vom 13.11.2024 (ABl. EKD S. 157), in Kraft mit Wirkung vom 1.1.2025.

[4] § 31 neu gef. gemäß KG vom 13.11.2024 (ABl. EKD S. 157), in Kraft mit Wirkung vom 1.1. 2025.

Mitarbeitendenvertretung berechtigt und auf Antrag eines Viertels der Wahlberechtigten verpflichtet, eine außerordentliche Mitarbeitendenversammlung einzuberufen und den Gegenstand, dessen Beratung beantragt ist, auf die Tagesordnung zu setzen.

(2a) Die Mitarbeitendenvertretung kann darüber entscheiden, ob und inwieweit die Mitarbeitendenversammlung digital durchgeführt wird.

(3) Die Mitarbeitendenvertretung kann zu einzelnen Tagesordnungspunkten sachkundige Personen zur Beratung hinzuziehen.

(4) [1] Die ordentlichen Mitarbeitendenversammlungen finden in der Arbeitszeit statt, sofern nicht dienstliche Gründe eine andere Regelung erfordern. [2] Die Zeit der Teilnahme an den ordentlichen Mitarbeitendenversammlungen und die zusätzlichen Wegezeiten gelten als Arbeitszeit, auch wenn die jeweilige Mitarbeitendenversammlung außerhalb der Arbeitszeit stattfindet. [3] Die Sätze 1 und 2 gelten für außerordentliche Mitarbeitendenversammlungen entsprechend, wenn dies im Einvernehmen zwischen Mitarbeitendenvertretung und Dienststellenleitung beschlossen worden ist.

(5) [1] Die Dienststellenleitung ist zu der jeweiligen Mitarbeitendenversammlung unter Mitteilung der Tagesordnung einzuladen; die Einladung kann auf einzelne Tagesordnungspunkte beschränkt werden. [2] Sie erhält auf Antrag das Wort. [3] Sie soll mindestens einmal im Jahr in einer Mitarbeitendenversammlung über die Entwicklung der Dienststelle informieren.

(6) [1] Kann nach den dienstlichen Verhältnissen eine gemeinsame Versammlung aller Mitarbeitenden nicht stattfinden, so sind Teilversammlungen abzuhalten. [2] Für Teilversammlungen gelten die Absätze 1 bis 5 entsprechend. [3] Die Mitarbeitendenvertretung kann darüber hinaus Teilversammlungen durchführen, wenn dies zur Erörterung der besonderen Belange der Mitarbeitenden eines Arbeitsbereichs oder bestimmter Personengruppen erforderlich ist.

(7) Für die Übernahme der Kosten, die durch die jeweilige Mitarbeitendenversammlung entstehen, gilt § 30 entsprechend.

§ 32[1)] Aufgaben. (1) [1] Die Mitarbeitendenversammlung nimmt den Tätigkeitsbericht der Mitarbeitendenvertretung entgegen und erörtert Angelegenheiten, die zum Aufgabenbereich der Mitarbeitendenvertretung gehören. [2] Sie kann Anträge an die Mitarbeitendenvertretung stellen und zu Beschlüssen der Mitarbeitendenvertretung Stellung nehmen. [3] Die Mitarbeitendenvertretung ist an die Stellungnahme der Mitarbeitendenversammlung nicht gebunden.

[Abs. 2 bis 30.4.2026:]

(2) Die Mitarbeitendenversammlung wählt den Wahlvorstand.

[1)] § 32 neu gef. gemäß KG vom 13.11.2024 (ABl. EKD S. 157), in Kraft mit Wirkung vom 1.1. 2025, Fassung gemäß V vom 12.12.2025 (ABl. EKD S. 169), in Kraft mit Wirkung vom 1.5.2026.

VIII. Abschnitt.[1] Aufgaben und Befugnisse der Mitarbeitendenvertretung

§ 33[2] Grundsätze für die Zusammenarbeit. (1) [1] Mitarbeitendenvertretung und Dienststellenleitung sind verpflichtet, sich gegenseitig bei der Erfüllung ihrer Aufgaben zu unterstützen, und arbeiten vertrauensvoll und partnerschaftlich zusammen. [2] Sie informieren sich gegenseitig über Angelegenheiten, die die Dienstgemeinschaft betreffen. [3] Sie achten darauf, dass alle Mitarbeitenden nach Recht und Billigkeit behandelt werden, die Vereinigungsfreiheit nicht beeinträchtigt wird und jede Betätigung in der Dienststelle unterbleibt, die der Aufgabe der Dienststelle, der Dienstgemeinschaft oder dem Arbeitsfrieden abträglich ist.

(2) [1] Mitarbeitendenvertretung und Dienststellenleitung müssen mindestens einmal im Halbjahr zur Besprechung allgemeiner Fragen des Dienstbetriebes und der Dienstgemeinschaft und zum Austausch von Vorschlägen und Anregungen zusammenkommen. [2] In der Besprechung sollen auch Fragen der Gleichstellung und der Gemeinschaft in der Dienststelle erörtert werden. [3] Sofern eine Gemeinsame Mitarbeitendenvertretung nach § 5 Absatz 2 besteht, findet die Besprechung nach Satz 1 mit allen beteiligten Dienststellenleitungen einmal im Jahr statt.

(3) [1] In strittigen Fragen ist eine Einigung durch Aussprache anzustreben. [2] Erst wenn die Bemühungen um eine Einigung in der Dienststelle gescheitert sind, dürfen andere Stellen im Rahmen der dafür geltenden Bestimmungen angerufen werden. [3] Das Scheitern der Einigung muss von der Mitarbeitendenvertretung oder der Dienststellenleitung schriftlich erklärt werden. [4] Die Vorschriften über das Verfahren bei der Mitberatung und der Mitbestimmung bleiben unberührt.

§ 34[3] Informationsrechte der Mitarbeitendenvertretung . (1) [1] Die Mitarbeitendenvertretung ist zur Durchführung ihrer Aufgaben rechtzeitig und umfassend zu unterrichten. [2] Die Dienststellenleitung soll die Mitarbeitendenvertretung bereits während der Vorbereitung von Entscheidungen informieren und die Mitarbeitendenvertretung, insbesondere bei organisatorischen oder sozialen Maßnahmen, frühzeitig an den Planungen beteiligen. [3] In diesem Rahmen kann die Mitarbeitendenvertretung insbesondere an den Beratungen von Ausschüssen und Kommissionen beteiligt werden.

(2) [1] Die Dienststellenleitung hat die Mitarbeitendenvertretung einmal im Jahr über die Personalplanung, insbesondere über den gegenwärtigen und zukünftigen Personalbedarf, zu unterrichten. [2] In rechtlich selbstständigen Einrichtungen der Diakonie mit je mehr als 150 Mitarbeitenden besteht darüber hinaus mindestens einmal im Jahr, auf ein mit Gründen versehenes Verlangen der Mitarbeitendenvertretung einmal im Kalendervierteljahr, eine Informationspflicht über

---

[1] Überschrift Abschnitt 8 neu gef. gemäß KG vom 13.11.2024 (ABl. EKD S. 157), in Kraft mit Wirkung vom 1.1.2025.

[2] § 33 neu gef. gemäß KG vom 13.11.2024 (ABl. EKD S. 157), in Kraft mit Wirkung vom 1.1. 2025.

[3] § 34 neu gef. gemäß KG vom 13.11.2024 (ABl. EKD S. 157), in Kraft mit Wirkung vom 1.1. 2025.

a) die wirtschaftliche Lage der Dienststelle,
b) geplante Investitionen,
c) Rationalisierungsvorhaben,
d) die Einschränkung oder Stilllegung von wesentlichen Teilen der Dienststelle,
e) wesentliche Änderungen der Organisation oder des Zwecks der Dienststelle,
f) die Übernahme der Dienststelle oder Einrichtung durch Dritte, wenn hiermit der Erwerb der Kontrolle verbunden ist,
g) die Aufstellung und Änderung des Stellenplanentwurfs.

(Fortsetzung nächstes Blatt)

[3] Besteht eine Gesamtmitarbeitendenvertretung, ist diese zu informieren.

(2a) [1] Die Mitarbeitendenvertretung kann verlangen, dass sie zweimal im Jahr durch zwei ihrer Mitglieder Einsicht in Bruttoentgeltlisten nehmen kann. [2] Die Bruttoentgeltlisten enthalten die Namen der Mitarbeitenden, deren Grundentgelte sowie die tariflichen und außertariflichen in Monatsbeträgen festgelegten Zulagen.

(3) [1] Der Mitarbeitendenvertretung sind die zur Durchführung ihrer Aufgaben erforderlichen Unterlagen rechtzeitig zur Verfügung zu stellen. [2] Bei Einstellungen werden der Mitarbeitendenvertretung auf Verlangen sämtliche Bewerbungen vorgelegt; Mitarbeitendenvertretung und Dienststellenleitung können hierüber eine Dienstvereinbarung abschließen. [3] Die Dienststellenleitung ist verpflichtet, die Mitarbeitendenvertretung auch über die Beschäftigung der Personen in der Dienststelle zu informieren, die nicht in einem Arbeitsverhältnis zur Dienststelle stehen.

(4) [1] Personalakten dürfen nur nach schriftlicher Zustimmung der betroffenen Person und nur durch ein von ihr zu bestimmendes Mitglied der Mitarbeitendenvertretung eingesehen werden. [2] Dienstliche Beurteilungen sind auf Verlangen der beurteilten Person vor der Aufnahme in die Personalakte der Mitarbeitendenvertretung zur Kenntnis zu bringen.

§ 35[1)] Allgemeine Aufgaben der Mitarbeitendenvertretung. (1) [1] Die Mitarbeitendenvertretung hat die beruflichen, wirtschaftlichen und sozialen Belange der Mitarbeitenden zu fördern. [2] Sie hat in ihrer Mitverantwortung für die Aufgaben der Dienststelle das Verständnis für den Auftrag der Kirche zu stärken und für eine gute Zusammenarbeit einzutreten.

(2) Unbeschadet des Rechts der Mitarbeitenden, persönliche Anliegen der Dienststellenleitung selbst vorzutragen, soll sich die Mitarbeitendenvertretung der Probleme annehmen und die Interessen auf Veranlassung der Mitarbeitenden, sofern sie diese für berechtigt hält, bei der Dienststellenleitung vertreten.

(3) Die Mitarbeitendenvertretung soll insbesondere

a) Maßnahmen anregen, die der Arbeit in der Dienststelle und ihren Mitarbeitenden dienen,
b) dafür eintreten, dass die arbeits-, sozial- und dienstrechtlichen Bestimmungen, Dienstvereinbarungen und Anordnungen eingehalten werden,
c) Beschwerden, Anfragen und Anregungen von Mitarbeitenden entgegennehmen und, soweit diese berechtigt erscheinen, durch Verhandlungen mit der Dienststellenleitung auf deren Erledigung hinwirken,
d) die Eingliederung und berufliche Entwicklung schwerbehinderter Menschen, einschließlich des Abschlusses von Inklusionsvereinbarungen nach § 166 des Neunten Buches Sozialgesetzbuch[2)], und sonstiger besonders schutzbedürftiger Personen in der Dienststelle fördern und für eine ihren Kenntnissen und Fähigkeiten entsprechende Beschäftigung eintreten,
e) für die Gleichstellung und die Gemeinschaft in der Dienststelle eintreten und Maßnahmen zur Erreichung dieser Ziele anregen sowie an ihrer Umsetzung mitwirken,

---

[1)] § 35 neu gef. gemäß KG vom 13.11.2024 (ABl. EKD S. 157), in Kraft mit Wirkung vom 1.1.2025.
[2)] Nr. **440**.

f) die Vereinbarkeit von Familie und Erwerbstätigkeit fördern,
g) die Entgeltgleichheit zwischen den Geschlechtern überwachen,
h) die Integration ausländischer Mitarbeitender fördern,
i) Maßnahmen des Arbeits- und Gesundheitsschutzes und des betrieblichen Umweltschutzes fördern.

(4) Werden Beschwerden nach Absatz 3 Buchstabe c in einer Sitzung der Mitarbeitendenvertretung erörtert, hat die beschwerdeführende Person das Recht, vor einer Entscheidung von der Mitarbeitendenvertretung gehört zu werden.

(5) Mitarbeitende können bei Personalgesprächen ein Mitglied der Mitarbeitendenvertretung hinzuziehen.

§ 36[1)] Dienstvereinbarungen. (1) [1]Mitarbeitendenvertretung und Dienststellenleitung können Dienstvereinbarungen abschließen. [2]Dienstvereinbarungen dürfen Regelungen weder erweitern, einschränken noch ausschließen, die auf Rechtsvorschriften, insbesondere Beschlüssen der Arbeitsrechtlichen Kommission, Tarifverträgen und Entscheidungen des Schlichtungsausschusses nach dem Arbeitsrechtsregelungsgesetz oder allgemeinverbindlichen Richtlinien der Kirche beruhen. [3]Arbeitsentgelte und sonstige Arbeitsbedingungen, die durch die in Satz 2 genannten Regelungen vereinbart worden sind oder üblicherweise vereinbart werden, können nicht Gegenstand einer Dienstvereinbarung sein, es sei denn, die Regelung nach Satz 2 lässt eine Dienstvereinbarung ausdrücklich zu.

(2) Dienstvereinbarungen sind schriftlich niederzulegen, von beiden Partnern zu unterzeichnen und in geeigneter Weise bekannt zu geben.

(3) Dienstvereinbarungen gelten unmittelbar und können im Einzelfall nicht abbedungen werden.

(4) [1]Wenn in der Dienstvereinbarung Rechte für die Mitarbeitenden begründet werden, ist darin in der Regel festzulegen, inwieweit diese Rechte bei Außerkrafttreten der Dienstvereinbarung fortgelten sollen. [2]Eine darüber hinausgehende Nachwirkung ist ausgeschlossen.

(5) Dienstvereinbarungen können, soweit nichts anderes vereinbart ist, mit einer Frist von drei Monaten zum Ende eines Monats gekündigt werden.

§ 36a[2)] Einigungsstellen. (1) [1]Auf Antrag der Mitarbeitendenvertretung oder der Dienststellenleitung ist für die Dienststelle eine Einigungsstelle zur Beilegung von Regelungsstreitigkeiten zwischen der Mitarbeitendenvertretung und der Dienststellenleitung in organisatorischen und sozialen Angelegenheiten nach § 40 zu bilden. [2]Durch Dienstvereinbarung kann eine ständige Einigungsstelle gebildet werden. [3]Besteht in der Dienststelle eine Gesamtmitarbeitendenvertretung, kann dieser die Zuständigkeit für die Bildung von Einigungsstellen von den Mitarbeitendenvertretungen übertragen werden. [4]Für gemeinsame Mitarbeitendenvertretungen nach § 5 Absatz 3 bedarf die Bildung von Einigungsstellen einer Dienstvereinbarung. [5]Der Spruch der Einigungsstelle ersetzt die Einigung zwischen der Mitarbeitendenvertretung und der Dienststellenlei-

[1)] § 36 neu gef. gemäß KG vom 13.11.2024 (ABl. EKD S. 157), in Kraft mit Wirkung vom 1.1. 2025.

[2)] § neu gef. gemäß KG vom 13.11.2024 (ABl. EKD S. 157), in Kraft mit Wirkung vom 1.1.2025.

tung. [6]Die Zuständigkeit des Kirchengerichts für Rechtsstreitigkeiten nach § 60 bleibt unberührt.

(2) Nach Maßgabe des gliedkirchlichen Rechts können gemeinsame Einigungsstellen für mehrere Dienststellen gebildet werden.

(3) [1]Die Einigungsstelle besteht aus je zwei beisitzenden Mitgliedern, die von der Mitarbeitendenvertretung und der Dienststellenleitung bestellt werden, sowie einem vorsitzenden Mitglied, das das Amt unparteiisch ausübt. [2]Das vorsitzende Mitglied wird gemeinsam von der Mitarbeitendenvertretung und der Dienststellenleitung bestellt. [3]Kommt eine einvernehmliche Bestellung nicht zu Stande, entscheidet auf Antrag das Kirchengericht über die Bestellung.

(4) [1]Die Einigungsstelle wird nach Anrufung durch eine der beteiligten Personen unverzüglich tätig. [2]Sie entscheidet durch Spruch nach nicht öffentlicher, mündlicher Verhandlung mit Stimmenmehrheit. [3]Bei der Beschlussfassung hat sich das vorsitzende Mitglied zunächst der Stimme zu enthalten; kommt eine Stimmenmehrheit nicht zu Stande, nimmt das vorsitzende Mitglied nach weiterer Beratung an der erneuten Beschlussfassung teil. [4]Bei der Beschlussfassung hat die Einigungsstelle die Belange der Dienststelle und ihrer Mitarbeitenden im Rahmen billigen Ermessens angemessen zu berücksichtigen. [5]Die Überschreitung der Grenzen billigen Ermessens kann innerhalb einer Frist von einem Monat von der Mitarbeitendenvertretung oder der Dienststellenleitung vor dem Kirchengericht geltend gemacht werden.

(5) [1]Der Rat der Evangelischen Kirche in Deutschland regelt die Entschädigungen für die Mitglieder von Einigungsstellen durch Rechtsverordnung. [2]Den Gliedkirchen bleibt eine anderweitige Regelung unter Berücksichtigung ihrer Besonderheiten vorbehalten.

(6) Die Gliedkirchen können in ihren Anwendungsbestimmungen ergänzende Regelungen treffen.

§ 37[1)] Verfahren der Beteiligung der Mitarbeitendenvertretung.

(1) Die Mitarbeitendenvertretung wird insbesondere in den Verfahren der Mitbestimmung (§ 38), der eingeschränkten Mitbestimmung (§ 41) und der Mitberatung (§ 45) beteiligt.

(2) Die Mitarbeitendenvertretung hat ihre Beteiligungsrechte im Rahmen der Zuständigkeit der Dienststelle und der geltenden Bestimmungen wahrzunehmen.

§ 38[2)] Mitbestimmung. (1) [1]Soweit eine Maßnahme der Mitbestimmung der Mitarbeitendenvertretung unterliegt, darf sie erst vollzogen werden, wenn die Zustimmung der Mitarbeitendenvertretung vorliegt oder kirchengerichtlich ersetzt worden ist oder die Einigungsstelle nach § 36a entschieden hat. [2]Eine der Mitbestimmung unterliegende Maßnahme ist unwirksam, wenn die Mitarbeitendenvertretung nicht beteiligt worden ist. [3]Abweichend von Satz 2 ist ein Arbeitsvertrag wirksam; die Mitarbeitendenvertretung kann jedoch verlangen, dass der Mitarbeitende so lange nicht beschäftigt wird, bis eine Eini-

[1)] § 37 neu gef. gemäß KG vom 13.11.2024 (ABl. EKD S. 157), in Kraft mit Wirkung vom 1.1. 2025.

[2)] § 38 neu gef. gemäß KG vom 13.11.2024 (ABl. EKD S. 157), in Kraft mit Wirkung vom 1.1. 2025.

gung zwischen Mitarbeitendenvertretung und Dienststellenleitung erzielt ist oder die fehlende Einigung kirchengerichtlich ersetzt wurde.

(2) [1] Die Dienststellenleitung unterrichtet die Mitarbeitendenvertretung von der beabsichtigten Maßnahme und beantragt deren Zustimmung. [2] Auf Verlangen der Mitarbeitendenvertretung ist die beabsichtigte Maßnahme mit ihr zu erörtern.

(3) [1] Die Maßnahme gilt als gebilligt, wenn die Mitarbeitendenvertretung nicht innerhalb von zwei Wochen schriftlich die Zustimmung verweigert oder eine mündliche Erörterung beantragt. [2] Die Dienststellenleitung kann die Frist in dringenden Fällen bis auf drei Arbeitstage abkürzen. [3] Die Frist beginnt mit dem Zugang der Mitteilung an das vorsitzende Mitglied der Mitarbeitendenvertretung. [4] Die Dienststellenleitung kann im Einzelfall die Frist auf Antrag der Mitarbeitendenvertretung verlängern. [5] Die Mitarbeitendenvertretung hat eine Verweigerung der Zustimmung gegenüber der Dienststellenleitung schriftlich zu begründen. [6] Im Fall der Erörterung gilt die Zustimmung als erteilt, wenn die Mitarbeitendenvertretung die Zustimmung nicht innerhalb von zwei Wochen nach dem Abschluss der Erörterung schriftlich verweigert. [7] Die Erörterung ist abgeschlossen, wenn dies durch die Mitarbeitendenvertretung oder die Dienststellenleitung schriftlich mitgeteilt wird.

(4) [1] Kommt in den Fällen der Mitbestimmung keine Einigung zu Stande, kann die Dienststellenleitung innerhalb von zwei Wochen nach Eingang der schriftlichen Weigerung das Kirchengericht anrufen. [2] Die Anrufung des Kirchengerichts ist für Regelungsstreitigkeiten bei Angelegenheiten nach § 40 ausgeschlossen, wenn eine Einigungsstelle nach § 36a besteht oder begehrt wird. [3] In diesen Fällen entscheidet die Einigungsstelle auf Antrag eines der Beteiligten. [4] In Regelungsstreitigkeiten nach § 36a Absatz 1 können Mitarbeitendenvertretung und Dienststellenleitung innerhalb von zwei Wochen nach festgestellter Nichteinigung die Einigungsstelle anrufen.

(5) [1] Die Dienststellenleitung kann bei Maßnahmen, die keinen Aufschub dulden, bis zur endgültigen Entscheidung vorläufige Regelungen treffen. [2] Vorläufige Regelungen dürfen die Durchführung einer anderen endgültigen Entscheidung nicht hindern. [3] Die Dienststellenleitung hat der Mitarbeitendenvertretung eine beabsichtigte vorläufige Maßnahme mitzuteilen, zu begründen und unverzüglich das Verfahren der Absätze 1 und 2 einzuleiten oder fortzusetzen.

§ 39[1)] Fälle der Mitbestimmung bei allgemeinen personellen Angelegenheiten. Die Mitarbeitendenvertretung hat in den folgenden Fällen ein Mitbestimmungsrecht:

a) Inhalt und Verwendung von Personalfragebogen und sonstigen Fragebogen zur Erhebung personenbezogener Daten, soweit nicht eine gesetzliche Regelung besteht,
b) Aufstellung von Beurteilungsgrundsätzen für die Dienststelle,
c) Aufstellung von Grundsätzen für die Aus-, Fort- und Weiterbildung sowie die Teilnehmendenauswahl,
d) Auswahl der Teilnehmenden an Fort- und Weiterbildungsveranstaltungen,

---

[1)] § 39 neu gef. gemäß KG vom 13.11.2024 (ABl. EKD S. 157), in Kraft mit Wirkung vom 1.1. 2025.

e) Einführung sowie Grundsätze der Durchführung von Mitarbeitenden-Jahresgesprächen,

f) Aufstellung von Grundsätzen für die Stellenausschreibung.

§ 40[1)] Fälle der Mitbestimmung in organisatorischen und sozialen Angelegenheiten. Die Mitarbeitendenvertretung hat in folgenden Fällen ein Mitbestimmungsrecht:

a) Bestellung und Abberufung von Vertrauens- und Betriebsärztinnen und -ärzten sowie Fachkräften für Arbeitssicherheit,
b) Maßnahmen zur Verhütung von Unfällen und gesundheitlichen Gefahren,
c) Errichtung, Verwaltung und Auflösung von Sozialeinrichtungen ohne Rücksicht auf ihre Rechtsform,
d) Beginn und Ende der täglichen Arbeitszeit und der Pausen, Verteilung der Arbeitszeit auf die einzelnen Wochentage sowie Festlegung der Grundsätze für die Aufstellung von Dienstplänen,
e) Aufstellung von Grundsätzen für den Urlaubsplan,
f) Aufstellung von Sozialplänen (insbesondere bei Auflösung, Einschränkung, Verlegung und Zusammenlegung von Dienststellen oder erheblichen Teilen von ihnen) einschließlich Plänen für Umschulung zum Ausgleich oder zur Milderung von wirtschaftlichen Nachteilen und für die Folgen von Rationalisierungsmaßnahmen, wobei Sozialpläne Regelungen weder einschränken noch ausschließen dürfen, die auf Rechtsvorschriften oder allgemein verbindlichen Richtlinien beruhen,
g) Grundsätze der Arbeitsplatzgestaltung,
h) Einführung grundlegend neuer Arbeitsmethoden,
i) Einführung und Ausgestaltung mobiler Arbeit, die mittels Informations- und Kommunikationstechnik erbracht wird,
j) Maßnahmen zur Hebung der Arbeitsleistung und zur Erleichterung des Arbeitsablaufs,
k) Einführung und Anwendung von Maßnahmen oder technischen Einrichtungen, die dazu geeignet sind, das Verhalten oder die Leistung der Mitarbeitenden zu überwachen,
l) Regelung der Ordnung in der Dienststelle (Haus- und Betriebsordnungen) und des Verhaltens der Mitarbeitenden im Dienst,
m) Planung und Durchführung von Veranstaltungen für die Mitarbeitenden,
n) Grundsätze für die Gewährung von Unterstützungen oder sonstigen Zuwendungen, auf die kein Rechtsanspruch besteht,
o) Zuweisung von Mietwohnungen oder Pachtland an Mitarbeitende, wenn die Dienststelle darüber verfügt, sowie allgemeine Festsetzung der Nutzungsbedingungen und die Kündigung des Nutzungsverhältnisses,
p) Grundsätze über das betriebliche Vorschlagswesen.

§ 41[2)] Eingeschränkte Mitbestimmung. (1) Die Mitarbeitendenvertretung darf in den Fällen der eingeschränkten Mitbestimmung (§§ 42 und 43) mit

---

[1)] § 40 neu gef. gemäß KG vom 13.11.2024 (ABl. EKD S. 157), in Kraft mit Wirkung vom 1.1. 2025.

[2)] § 41 neu gef. gemäß KG vom 13.11.2024 (ABl. EKD S. 157), in Kraft mit Wirkung vom 1.1. 2025.

Ausnahme des Falls des § 42 Buchstabe b (ordentliche Kündigung nach Ablauf der Probezeit) ihre Zustimmung nur verweigern, wenn

a) die Maßnahme gegen eine Rechtsvorschrift, eine Vertragsbestimmung, eine Dienstvereinbarung, eine Verwaltungsanordnung, eine andere bindende Bestimmung oder eine rechtskräftige gerichtliche Entscheidung verstößt,

b) die durch Tatsachen begründete Besorgnis besteht, dass die durch die Maßnahme betroffene Person oder andere Mitarbeitende benachteiligt werden, ohne dass dies aus dienstlichen oder persönlichen Gründen gerechtfertigt ist,

c) die durch Tatsachen begründete Besorgnis besteht, dass eine Einstellung zur Störung des Friedens in der Dienststelle führt.

(2) Im Fall des § 42 Buchstabe b (ordentliche Kündigung nach Ablauf der Probezeit) darf die Mitarbeitendenvertretung ihre Zustimmung nur verweigern, wenn die Kündigung gegen eine Rechtsvorschrift, eine arbeitsrechtliche Regelung, eine andere bindende Bestimmung oder eine rechtskräftige gerichtliche Entscheidung verstößt.

(3) Für das Verfahren bei der eingeschränkten Mitbestimmung gilt § 38 entsprechend.

§ 42[1)] Fälle der eingeschränkten Mitbestimmung in Personalangelegenheiten der privatrechtlich angestellten Mitarbeitenden. Die Mitarbeitendenvertretung hat in den folgenden Personalangelegenheiten der privatrechtlich angestellten Mitarbeitenden ein eingeschränktes Mitbestimmungsrecht:

a) Einstellung,

b) ordentliche Kündigung nach Ablauf der Probezeit,

c) Eingruppierung,

d) Übertragung einer höher oder niedriger bewerteten Tätigkeit von mehr als drei Monaten Dauer,

e) dauernde Übertragung einer Tätigkeit, die einen Anspruch auf Zahlung einer Zulage auslöst, sowie Widerruf einer solchen Übertragung,

f) Umsetzung innerhalb einer Dienststelle unter gleichzeitigem Ortswechsel,

g) Versetzung oder Abordnung zu einer anderen Dienststelle von mehr als drei Monaten Dauer, wobei in diesen Fällen die Mitarbeitendenvertretung der aufnehmenden Dienststelle unbeschadet des Mitberatungsrechts nach § 46 Buchstabe d mitbestimmt,

h) Weiterbeschäftigung über die Altersgrenze hinaus,

i) Anordnungen, welche die Freiheit in der Wahl der Wohnung beschränken,

j) Untersagung einer Nebentätigkeit sowie Versagung und Widerruf der Genehmigung einer Nebentätigkeit,

k) Ablehnung eines Antrages auf Ermäßigung der Arbeitszeit oder Beurlaubung.

[1)] § 42 neu gef. gemäß KG vom 13.11.2024 (ABl. EKD S. 157), in Kraft mit Wirkung vom 1.1. 2025.

§ 43[1] Fälle der eingeschränkten Mitbestimmung in Personalangelegenheiten der Mitarbeitenden in öffentlich-rechtlichen Dienstverhältnissen. Die Mitarbeitendenvertretung hat in den folgenden Personalangelegenheiten der Mitarbeitenden in öffentlich-rechtlichen Dienstverhältnissen ein eingeschränktes Mitbestimmungsrecht:

a) Einstellung,
b) (aufgehoben)
c) Umwandlung des Kirchenbeamtenverhältnisses in ein solches anderer Art,
d) Ablehnung eines Antrages auf Ermäßigung der Arbeitszeit oder Beurlaubung in besonderen Fällen,
e) Verlängerung der Probezeit,
f) Beförderung,
g) Übertragung eines anderen Amtes, das mit einer Zulage ausgestattet ist,
h) Übertragung eines anderen Amtes mit höherem Endgrundgehalt ohne Änderung der Amtsbezeichnung oder Übertragung eines anderen Amtes mit gleichem Endgrundgehalt mit Änderung der Amtsbezeichnung,
i) Zulassung zum Aufstiegsverfahren, Verleihung eines anderen Amtes mit anderer Amtsbezeichnung beim Wechsel der Laufbahngruppe,
j) dauernde Übertragung eines höher oder niedriger bewerteten Dienstpostens,
k) Umsetzung innerhalb der Dienststelle bei gleichzeitigem Ortswechsel,
l) Versetzung, Zuweisung oder Abordnung von mehr als drei Monaten Dauer zu einer anderen Dienststelle oder einer anderen Dienstgeberin bzw. einem anderen Dienstgeber im Geltungsbereich dieses Kirchengesetzes, wobei in diesen Fällen die Mitarbeitendenvertretung der aufnehmenden Dienststelle unbeschadet des Mitberatungsrechts nach § 46 Buchstabe d mitbestimmt,
m) Hinausschieben des Eintritts in den Ruhestand wegen Erreichens der Altersgrenze,
n) Anordnungen, welche die Freiheit in der Wahl der Wohnung beschränken,
o) Untersagung einer Nebentätigkeit sowie Versagung und Widerruf der Genehmigung einer Nebentätigkeit,
p) Entlassung aus dem Kirchenbeamtenverhältnis auf Probe oder auf Widerruf, wenn die Entlassung nicht beantragt worden ist,
q) vorzeitige Versetzung in den Ruhestand gegen den Willen der Person im Kirchenbeamtenverhältnis,
r) Versetzung in den Wartestand oder einstweiligen Ruhestand gegen den Willen der Person im Kirchenbeamtenverhältnis.

§ 44[2] Ausnahmen von der Beteiligung in Personalangelegenheiten.

[1] Eine Beteiligung in Personalangelegenheiten der Personen nach § 4 findet *nicht* statt mit Ausnahme der von der Mitarbeitendenvertretung nach Gesetz oder Satzung in leitende Organe entsandten Mitglieder. [2] Daneben findet keine Beteiligung in den Personalangelegenheiten der Personen statt, die im pfarr-

---

[1] § 43 neu gef. gemäß KG vom 13.11.2024 (ABl. EKD S. 157), in Kraft mit Wirkung vom 1.1. 2025.
[2] § 44 neu gef. gemäß KG vom 13.11.2024 (ABl. EKD S. 157), in Kraft mit Wirkung vom 1.1. 2025.

amtlichen Dienst und in der Ausbildung oder Vorbereitung dazu stehen; Gleiches gilt für die Personalangelegenheiten der Lehrenden an kirchlichen Hochschulen oder Fachhochschulen. [3] Die Gliedkirchen können Näheres bestimmen.

§ 45[1)] Mitberatung. (1) [1] In den Fällen der Mitberatung ist der Mitarbeitendenvertretung eine beabsichtigte Maßnahme rechtzeitig vor der Durchführung bekannt zu geben und auf Verlangen mit ihr zu erörtern. [2] Die Mitarbeitendenvertretung kann die Erörterung nur innerhalb von zwei Wochen nach Bekanntgabe der beabsichtigten Maßnahme verlangen. [3] In den Fällen des § 46 Buchstabe b kann die Dienststellenleitung die Frist bis auf drei Arbeitstage verkürzen. [4] Äußert sich die Mitarbeitendenvertretung nicht innerhalb von zwei Wochen oder innerhalb der verkürzten Frist nach Satz 3 oder hält sie bei der Erörterung ihre Einwendungen oder Vorschläge nicht aufrecht, so gilt die Maßnahme als gebilligt. [5] Die Fristen beginnen mit Zugang der Mitteilung an das vorsitzende Mitglied der Mitarbeitendenvertretung. [6] Im Einzelfall können die Fristen auf Antrag der Mitarbeitendenvertretung von der Dienststellenleitung verlängert werden. [7] Im Fall einer Nichteinigung hat die Dienststellenleitung oder die Mitarbeitendenvertretung die Erörterung für beendet zu erklären. [8] Die Dienststellenleitung hat eine abweichende Entscheidung gegenüber der Mitarbeitendenvertretung schriftlich zu begründen. [9] Im Fall der außerordentlichen Kündigung gilt dies mit der Maßgabe, dass die Dienststellenleitung eine abweichende Entscheidung gegenüber der Mitarbeitendenvertretung innerhalb eines Monats nach Durchführung der Maßnahme schriftlich zu begründen hat.

(2) [1] Eine der Mitberatung unterliegende Maßnahme ist unwirksam, wenn die Mitarbeitendenvertretung nicht nach Absatz 1 beteiligt worden ist. [2] Die Mitarbeitendenvertretung kann innerhalb von zwei Wochen nach Kenntnis, spätestens sechs Monate nach Durchführung der Maßnahme das Kirchengericht anrufen, wenn sie nicht nach Absatz 1 beteiligt worden ist.

§ 46[2)] Fälle der Mitberatung. Die Mitarbeitendenvertretung hat in den folgenden Fällen ein Mitberatungsrecht:

a) Auflösung, Einschränkung, Verlegung und Zusammenlegung von Dienststellen oder erheblichen Teilen von ihnen,

b) außerordentliche Kündigung,

c) ordentliche Kündigung innerhalb der Probezeit,

d) Versetzung und Abordnung von mehr als drei Monaten Dauer, wobei das Mitberatungsrecht hier für die Mitarbeitendenvertretung der abgebenden Dienststelle besteht,

e) Aufstellung von Grundsätzen für die Bemessung des Personalbedarfs,

f) dauerhafte Vergabe von Arbeitsbereichen an Dritte, die bisher von Mitarbeitenden der Dienststelle wahrgenommen werden.

[1)] § 45 neu gef. gemäß KG vom 13.11.2024 (ABl. EKD S. 157), in Kraft mit Wirkung vom 1.1. 2025.

[2)] § 46 neu gef. gemäß KG vom 13.11.2024 (ABl. EKD S. 157), in Kraft mit Wirkung vom 1.1. 2025.

§ 47[1] Initiativrecht der Mitarbeitendenvertretung . (1) [1]Die Mitarbeitendenvertretung kann der Dienststellenleitung in den Fällen der §§ 39, 40, 42, 43 und 46 Maßnahmen schriftlich vorschlagen. [2]Die Dienststellenleitung hat innerhalb eines Monats Stellung zu nehmen. [3]Eine Ablehnung ist schriftlich zu begründen.

(2) [1]Kommt in den Fällen des Absatzes 1, in denen die Mitarbeitendenvertretung ein Mitbestimmungsrecht oder ein eingeschränktes Mitbestimmungsrecht hat, auch nach Erörterung eine Einigung nicht zu Stande, so kann die Mitarbeitendenvertretung innerhalb von zwei Wochen nach Abschluss der Erörterung oder nach der Ablehnung das Kirchengericht anrufen. [2]Die Mitarbeitendenvertretung kann das Kirchengericht ferner innerhalb von zwei Wochen anrufen, wenn die Dienststellenleitung nicht innerhalb der Monatsfrist des Absatzes 1 schriftlich Stellung genommen hat.

(3) [1]Die Anrufung des Kirchengerichts ist für Regelungsstreitigkeiten in Angelegenheiten nach § 40 ausgeschlossen, wenn eine Einigungsstelle nach § 36a besteht. [2]In diesen Fällen unterbreitet die Einigungsstelle den Beteiligten einen Vermittlungsvorschlag.

§ 48[2] Beschwerderecht der Mitarbeitendenvertretung. (1) Verstößt die Dienststellenleitung gegen sich aus diesem Kirchengesetz ergebende oder sonstige gegenüber den Mitarbeitenden bestehende Pflichten, hat die Mitarbeitendenvertretung das Recht, bei den zuständigen Leitungs- und Aufsichtsorganen Beschwerde einzulegen.

(2) Bei berechtigten Beschwerden hat das Leitungs- oder Aufsichtsorgan im Rahmen seiner Möglichkeiten Abhilfe zu schaffen oder auf Abhilfe hinzuwirken.

IX. Abschnitt.[3] Interessenvertretung besonderer Mitarbeitergruppen

§ 49[4] Vertretung der Jugendlichen und der Auszubildenden. (1) [1]Die Mitarbeitenden unter 18 Jahren, die Auszubildenden sowie die weiteren zu ihrer Berufsausbildung Beschäftigten wählen ihre Vertretung, die von der Mitarbeitendenvertretung in Angelegenheiten der Jugendlichen und Auszubildenden zur Beratung hinzuzuziehen ist. [2]Wählbar sind alle Mitarbeitenden nach § 2, die am Wahltag das 25. Lebensjahr noch nicht vollendet haben oder die zu ihrer Berufsausbildung beschäftigt werden. [3]§ 10 Absatz 2 Buchstabe a findet Anwendung. [4]Mitglieder der Mitarbeitendenvertretung sind nicht wählbar. [5]Gewählt werden

eine Person bei Dienststellen mit in der Regel 5-15 Wahlberechtigten;
drei Personen bei Dienststellen mit in der Regel 16-50 Wahlberechtigten;

---

[1] § 47 neu gef. gemäß KG vom 13.11.2024 (ABl. EKD S. 157), in Kraft mit Wirkung vom 1.1. 2025.

[2] § 48 neu gef. gemäß KG vom 13.11.2024 (ABl. EKD S. 157), in Kraft mit Wirkung vom 1.1. 2025.

[3] Überschrift Abschnitt 9 neu gef. gemäß KG vom 13.11.2024 (ABl. EKD S. 157), in Kraft mit Wirkung vom 1.1.2025.

[4] § 49 neu gef. gemäß KG vom 13.11.2024 (ABl. EKD S. 157), in Kraft mit Wirkung vom 1.1. 2025.

fünf Personen bei Dienststellen mit in der Regel mehr als insgesamt 50 Wahlberechtigten.

(2) Die Amtszeit beträgt zwei Jahre.

(3) Beabsichtigt die Dienstgeberin bzw. der Dienstgeber eine Person im Ausbildungsverhältnis, die Mitglied der Jugend- und Auszubildendenvertretung ist, nach Beendigung des Berufsausbildungsverhältnisses nicht in ein Arbeitsverhältnis auf unbestimmte Zeit zu übernehmen, so hat sie bzw. er dies drei Monate vor Beendigung des Berufsausbildungsverhältnisses der Person im Ausbildungsverhältnis schriftlich mitzuteilen.

(4) [1] Verlangt eine in Absatz 3 genannte Person im Ausbildungsverhältnis innerhalb der letzten drei Monate vor Beendigung des Berufsausbildungsverhältnisses schriftlich von der Dienstgeberin bzw. dem Dienstgeber die Weiterbeschäftigung, so gilt zwischen Auszubildendem und Dienstgeberin bzw. Dienstgeber im Anschluss an das Berufsausbildungsverhältnis ein Arbeitsverhältnis auf unbestimmte Zeit als begründet. [2] Die Dienstgeberin bzw. der Dienstgeber kann spätestens bis zum Ablauf von zwei Wochen nach Beendigung des Berufsausbildungsverhältnisses beim Arbeitsgericht beantragen,

1. festzustellen, dass ein Arbeitsverhältnis nach Satz 1 nicht begründet wird, oder
2. das bereits nach Satz 1 begründete Arbeitsverhältnis aufzulösen,

wenn Tatsachen vorliegen, aufgrund derer der Dienstgeberin bzw. dem Dienstgeber unter Berücksichtigung aller Umstände die Weiterbeschäftigung nicht zugemutet werden kann. [3] In dem gerichtlichen Verfahren werden die Jugend- und Auszubildendenvertretung sowie die Mitarbeitendenvertretung nach Maßgabe des staatlichen Rechts angehört. [4] Dieser Absatz findet unabhängig davon Anwendung, ob die Dienstgeberin bzw. der Dienstgeber ihrer bzw. seiner Mitteilungspflicht nach Absatz 3 nachgekommen ist.

(5) [1] Für Mitglieder der Vertretung nach Absatz 1 gelten, soweit in den Absätzen 1 bis 3 nichts anderes bestimmt ist, die §§ 11, 13, 14, 15 Absatz 2 bis 4 und §§ 16 bis 19 sowie §§ 21 und 22 entsprechend. [2] § 18 ist mit der Maßgabe anzuwenden, dass das Amt in der Jugend- und Auszubildendenvertretung für die Dauer der Amtszeit weiterhin besteht, wenn bei Beendigung des Berufsausbildungsverhältnisses ein Arbeitsverhältnis mit derselben Dienstgeberin bzw. demselben Dienstgeber besteht.

(6) Die Jugend- und Auszubildendenvertretung hat folgende allgemeine Aufgaben:

1. Maßnahmen zu beantragen, die den Jugendlichen und Auszubildenden dienen, insbesondere in Fragen der Berufsausbildung und der Gleichstellung von Jugendlichen und Auszubildenden, unabhängig von ihrem Geschlecht,
2. darauf zu achten, dass die zugunsten der Jugendlichen und Auszubildenden geltenden Bestimmungen durchgeführt werden,
3. Anregungen und Beschwerden von Jugendlichen und Auszubildenden entgegenzunehmen und, soweit sie berechtigt erscheinen, durch Verhandlung mit der Dienststelle auf ihre Erledigung hinzuwirken.

(7) [1] Dienststellenleitung und Jugend- und Auszubildendenvertretung sollen *mindestens* einmal im Halbjahr zu gemeinsamen Besprechungen zusammentreten. [2] Die Jugend- und Auszubildendenvertretung hat das Recht, an den Sitzungen der Mitarbeitendenvertretung mit einem Mitglied mit beratender

Stimme teilzunehmen. [3] Sie hat Stimmrecht bei Beschlüssen, die überwiegend die Belange Jugendlicher und Auszubildender berühren.

(8) [1] Die Jugend- und Auszubildendenvertretung kann vor oder nach jeder Mitarbeitendenversammlung im Einvernehmen mit der Mitarbeitendenvertretung eine betriebliche Jugend- und Auszubildendenversammlung einberufen. [2] Im Einvernehmen mit der Mitarbeitendenvertretung und der Dienststellenleitung kann die betriebliche Jugend- und Auszubildendenversammlung auch zu einem anderen Zeitpunkt einberufen werden. [3] § 31 und § 32 Absatz 1 gelten entsprechend.

(9) Besteht eine Gemeinsame Mitarbeitendenvertretung, ist eine gemeinsame Vertretung der Jugendlichen und Auszubildenden zu wählen.

§ 50[1)] Vertrauensperson der schwerbehinderten Mitarbeitenden.

(1) [1] In Dienststellen, in denen mindestens fünf schwerbehinderte Mitarbeitende nicht nur vorübergehend beschäftigt sind, werden eine Vertrauensperson und mindestens eine Stellvertretung gewählt. [2] Für das Wahlverfahren finden die §§ 11, 13 und 14 entsprechende Anwendung. [3] Der Wahlvorstand beschließt mit einfacher Mehrheit nach Erörterung mit der Vertrauensperson der schwerbehinderten Mitarbeitenden, der Mitarbeitendenvertretung und der Dienststellenleitung, wie viele stellvertretende Mitglieder der Vertrauensperson in der Dienststelle zu wählen sind.

(2) Für die Amtszeit der Vertrauensperson und ihrer Stellvertretungen gelten die §§ 15 bis 18 entsprechend.

(3) Wahlberechtigt sind alle in der Dienststelle beschäftigten schwerbehinderten Menschen.

(4) Für die Wählbarkeit gilt § 10 entsprechend.

(5) Besteht eine Gemeinsame Mitarbeitendenvertretung, ist eine gemeinsame Vertrauensperson der schwerbehinderten Mitarbeitenden zu wählen.

§ 51[2)] Aufgaben der Vertrauensperson der schwerbehinderten Mitarbeitenden. [1] Aufgaben und Befugnisse der Vertrauensperson der schwerbehinderten Mitarbeitenden bestimmen sich nach § 178 des Neunten Buches Sozialgesetzbuch[3)]. [2] § 178 Absatz 6 des Neunten Buches Sozialgesetzbuch[3)] gilt mit der Maßgabe, dass die für die Mitarbeitendenversammlung geltenden Vorschriften der §§ 31 und 32 entsprechende Anwendung finden.

§ 52[4)] Persönliche Rechte und Pflichten der Vertrauensperson der schwerbehinderten Mitarbeitenden. (1) [1] Für die Rechtsstellung der Vertrauensperson der schwerbehinderten Mitarbeitenden gelten die §§ 19 bis 22, 28 und 30 entsprechend. [2] Ergänzend gilt § 179 Absatz 6 bis 8 des Neunten Buches Sozialgesetzbuch[3)]. [3] Die Stellvertretung besitzt während der Dauer der Vertretung und der Heranziehung nach § 178 Absatz 1 Satz 4 des Neunten

[1)] § 50 neu gef. gemäß KG vom 13.11.2024 (ABl. EKD S. 157), in Kraft mit Wirkung vom 1.1. 2025, Fassung gemäß V vom 12.12.2025 (ABl. EKD S. 169), in Kraft mit Wirkung vom 1.10.2025 und 13.12.2025.

[2)] § 51 neu gef. gemäß KG vom 13.11.2024 (ABl. EKD S. 157), in Kraft mit Wirkung vom 1.1. 2025.

[3)] Nr. **440**.

[4)] § 52 neu gef. gemäß KG vom 13.11.2024 (ABl. EKD S. 157), in Kraft mit Wirkung vom 1.1. 2025.

Buches Sozialgesetzbuch[1] die gleiche persönliche Rechtsstellung wie die Vertrauensperson, im Übrigen die gleiche Rechtsstellung wie Ersatzmitglieder der Mitarbeitendenvertretung.

(2) Die Räume und der Geschäftsbedarf, die der Mitarbeitendenvertretung für deren Sitzungen, Sprechstunden und laufende Geschäftsführung zur Verfügung gestellt werden, stehen für die gleichen Zwecke auch der Vertrauensperson offen, soweit ihr hierfür nicht eigene Räume und Geschäftsbedarf zur Verfügung gestellt werden können.

§ 52a[2] Gesamtschwerbehindertenvertretung. (1) Besteht eine Gesamtmitarbeitendenvertretung nach § 6, bilden die Vertrauenspersonen eine Gesamtschwerbehindertenvertretung.

(2) Ist nur in einer der Dienststellen eine Vertrauensperson gewählt, nimmt sie die Rechte und Pflichten der Gesamtschwerbehindertenvertretung wahr.

(3) [1] Die Gesamtschwerbehindertenvertretung vertritt die Interessen der schwerbehinderten Mitarbeitenden in Angelegenheiten, die schwerbehinderte Mitarbeitende aus mehr als einer Dienststelle betreffen. [2] Sie vertritt auch die Interessen der schwerbehinderten Mitarbeitenden, die in einer Dienststelle tätig sind, für die eine Vertrauensperson entweder nicht gewählt werden kann oder nicht gewählt worden ist.

§ 53[3] Mitwirkung in Werkstätten für Menschen mit Behinderung und in Angelegenheiten weiterer Personengruppen. [1] Die Mitwirkungsrechte von Menschen mit Behinderung in Werkstätten regelt der Rat der Evangelischen Kirche in Deutschland durch Rechtsverordnung. [2] Er kann auch für weitere Gruppen von Beschäftigten, die nicht Mitarbeitende nach § 2 sind, Mitwirkungsrechte durch Rechtsverordnung regeln.

X. Abschnitt.[4] Gesamtausschüsse der Mitarbeitendenvertretungen

§ 54[5] Bildung von Gesamtausschüssen. (1) [1] Im Bereich der Gliedkirchen, des jeweiligen Diakonischen Werks oder für beide Bereiche gemeinsam ist ein Gesamtausschuss der Mitarbeitendenvertretungen im kirchlichen und diakonischen Bereich zu bilden. [2] Einzelheiten über Aufgaben, Bildung und Zusammensetzung des Gesamtausschusses regeln die Gliedkirchen.

(2) [1] Für die Gesamtausschüsse gelten im Übrigen die Bestimmungen dieses Kirchengesetzes mit Ausnahme des § 20 sinngemäß. [2] Die Gliedkirchen können nähere Bestimmungen über die Freistellung der Mitglieder des Gesamtausschusses treffen. [3] Hierüber soll mit dem Gesamtausschuss und der zuständigen Stelle eine verbindliche Vereinbarung geschlossen werden.

---

[1] Nr. **440**.

[2] § 52a neu gef. gemäß KG vom 13.11.2024 (ABl. EKD S. 157), in Kraft mit Wirkung vom 1.1.2025.

[3] § 53 neu gef. gemäß KG vom 13.11.2024 (ABl. EKD S. 157), in Kraft mit Wirkung vom 1.1.2025.

[4] Überschrift Abschnitt 10 neu gef. gemäß KG vom 13.11.2024 (ABl. EKD S. 157), in Kraft mit Wirkung vom 1.1.2025.

[5] § 54 neu gef. gemäß KG vom 13.11.2024 (ABl. EKD S. 157), in Kraft mit Wirkung vom 1.1.2025.

§ 55[1] Aufgaben des Gesamtausschusses. Dem Gesamtausschuss sollen insbesondere folgende Aufgaben zugewiesen werden:

a) Beratung, Unterstützung und Information der Mitarbeitendenvertretungen bei der Wahrnehmung ihrer Aufgaben, Rechte und Pflichten,

b) Förderung des Informations- und Erfahrungsaustauschs zwischen den Mitarbeitendenvertretungen sowie Förderung der Fortbildung von Mitgliedern der Mitarbeitendenvertretungen,

c) Erörterung arbeits-, dienst- und mitarbeitendenvertretungsrechtlicher Fragen von grundsätzlicher Bedeutung, sofern hierfür nicht andere Stellen zuständig sind,

d) Abgabe von Stellungnahmen zu beabsichtigten kirchengesetzlichen Regelungen im Arbeitsrecht,

e) Mitwirkung bei der Besetzung der Kirchengerichte nach § 57 sowie

f) Mitbestimmung an Maßnahmen, die in Gliedkirchen oder deren Untergliederungen verbindlich für alle oder eine Vielzahl von Dienststellen getroffen werden.

§ 55a[2] Ständige Konferenz, Bundeskonferenz, Gesamtausschuss der Evangelischen Kirche in Deutschland. (1) Die gliedkirchlichen Gesamtausschüsse und die Gesamtmitarbeitendenvertretung der Einrichtungen, Amts- und Dienststellen der Evangelischen Kirche in Deutschland bilden die Ständige Konferenz.

(2) Die Gesamtausschüsse im diakonischen Bereich bilden die Bundeskonferenz.

(3) [1]Zusammen bilden die Vorstände der Ständigen Konferenz und der Bundeskonferenz der Diakonie den Gesamtausschuss der Evangelischen Kirche in Deutschland. [2]Dieser tritt in der Regel einmal im Jahr zu einer Sitzung zusammen.

(4) Die Gesamtausschüsse nach § 54 Absatz 1 entsenden aus ihrer Mitte jeweils zwei Mitglieder in die Ständige Konferenz oder in die Bundeskonferenz.

§ 55b Aufgaben der Ständigen Konferenz und der Bundeskonferenz.

Die Ständige Konferenz und die Bundeskonferenz haben insbesondere folgende Aufgaben:

a) Abgabe von Stellungnahmen zu beabsichtigten kirchengesetzlichen Regelungen im Arbeitsrecht der Evangelischen Kirche in Deutschland,

b) Förderung des Informations- und Erfahrungsaustausches zwischen den Gesamtausschüssen und Förderung ihrer Fortbildungsarbeit sowie

c) Beratung und Unterstützung der entsendenden Gremien.

---

[1] § 55 neu gef. gemäß KG vom 13.11.2024 (ABl. EKD S. 157), in Kraft mit Wirkung vom 1.1. 2025.

[2] § 55a neu gef. gemäß KG vom 13.11.2024 (ABl. EKD S. 157), in Kraft mit Wirkung vom 1.1. 2025.

§ 55c[1] **Geschäftsführung.** (1) Die Ständige Konferenz und die Bundeskonferenz wählen jeweils aus ihrer Mitte ein vorsitzendes Mitglied und vier weitere Mitglieder des Vorstandes.

(2) [1] Der Vorstand führt die laufenden Geschäfte. [2] Die Amtszeit beträgt vier Jahre.

(3) [1] Für die dem Vorstand übertragenen Aufgaben werden ein Mitglied zu 100 vom Hundert oder zwei Mitglieder zu jeweils 50 vom Hundert der regelmäßigen Arbeitszeit Vollbeschäftigter unter Fortzahlung der Bezüge freigestellt. [2] Durch Vereinbarung kann eine abweichende Regelung über die Verteilung der Freistellung vereinbart werden.

(4) Für die Ständige Konferenz und die Bundeskonferenz wird eine gemeinsame Geschäftsstelle beim Kirchenamt der Evangelischen Kirche in Deutschland eingerichtet.

(5) Die erforderlichen Kosten der Ständigen Konferenz und der Bundeskonferenz tragen die Evangelische Kirche in Deutschland sowie das Evangelische Werk für Diakonie und Entwicklung e.V. je zur Hälfte.

§ 55d Weitere Regelungen. (1) Einzelheiten der Geschäftsführung kann die Ständige Konferenz oder die Bundeskonferenz in einer Geschäftsordnung regeln.

(2) Erforderliche Reisen der Mitglieder des Vorstandes der Ständigen Konferenz und der Bundeskonferenz gelten als Dienstreisen.

(3) Im Übrigen gelten die Bestimmungen dieses Kirchengesetzes sinngemäß.

XI. Abschnitt. Kirchengerichtlicher Rechtsschutz

§ 56 Kirchengerichtlicher Rechtsschutz. [1] Zu kirchengerichtlichen Entscheidungen sind die Kirchengerichte in erster Instanz und in zweiter Instanz der Kirchengerichtshof der Evangelischen Kirche in Deutschland berufen. [2] Die Bezeichnung der Kirchengerichte erster Instanz können die Gliedkirchen abweichend regeln.

§ 57 Bildung von Kirchengerichten. (1) [1] Die Gliedkirchen und die gliedkirchlichen Zusammenschlüsse errichten Kirchengerichte für den Bereich des gliedkirchlichen Zusammenschlusses, der Gliedkirche und ihres Diakonischen Werkes oder für mehrere Gliedkirchen und Diakonischen Werke gemeinsam. [2] Die Kirchengerichte bestehen aus einer oder mehreren Kammern. [3] Das Recht der Gliedkirchen und der gliedkirchlichen Zusammenschlüsse kann abweichend von Satz 1 die Zuständigkeit des Kirchengerichts der Evangelischen Kirche in Deutschland begründen.

(2) Durch Vereinbarungen mit Institutionen außerhalb des Geltungsbereichs dieses Kirchengesetzes kann bestimmt werden, dass ein Kirchengericht für diese Institutionen zuständig ist, sofern die Institutionen die Bestimmungen dieses Kirchengesetzes oder Bestimmungen wesentlich gleichen Inhalts für ihren Bereich anwenden.

---

[1] § 55c neu gef. gemäß KG vom 13.11.2024 (ABl. EKD S. 157), in Kraft mit Wirkung vom 1.1. 2025.

§ 57a[1)] Zuständigkeitsbereich des Kirchengerichts der Evangelischen Kirche in Deutschland. Das Kirchengericht der Evangelischen Kirche in Deutschland ist zuständig

a) für den Bereich der Evangelischen Kirche in Deutschland und ihrer Amts- und Dienststellen und Einrichtungen;

b) für das Evangelische Werk für Diakonie und Entwicklung e.V. und seine Dienststellen und die ihm unmittelbar angeschlossenen rechtlich selbstständigen Einrichtungen;

c) für die Gliedkirchen der Evangelischen Kirche in Deutschland, die nach § 57 sowie nach § 5 Absatz 2 Nummer 2 und § 6 Absatz 1 des Kirchengerichtsgesetzes[2)] eine Zuständigkeit begründen;

d) für die kirchlichen und freikirchlichen Einrichtungen, Werke und Dienste im Bereich der evangelischen Kirchen, für die nach § 6 Absatz 2 des Kirchengerichtsgesetzes die Zuständigkeit begründet wird, sowie

e) für Mitgliedseinrichtungen der gliedkirchlichen Diakonischen Werke, die das Mitarbeitendenvertretungsgesetz der EKD aufgrund einer Befreiung von der Anwendung des gliedkirchlichen Mitarbeitendenvertretungsrechts oder aufgrund von § 1 Absatz 2a anwenden.

§ 58[3)] Bildung und Zusammensetzung der Kammern. (1) [1]Eine Kammer besteht aus drei Mitgliedern. [2]Die Gliedkirchen können andere Besetzungen vorsehen. [3]Vorsitzende und beisitzende Mitglieder müssen zu kirchlichen Ämtern in einer Gliedkirche der Evangelischen Kirche in Deutschland wählbar sein. [4]Sofern das Kirchengericht auch für Freikirchen zuständig ist, können auch deren Mitglieder berufen werden. [5]Für jedes Mitglied wird mindestens eine Stellvertretung berufen.

(2) [1]Vorsitzende sowie deren Stellvertretungen müssen die Befähigung zum Richteramt haben. [2]Sie dürfen nicht in öffentlich-rechtlichen Dienst- oder privatrechtlichen Dienst- und Arbeitsverhältnissen zu einer kirchlichen Körperschaft oder einer Einrichtung der Diakonie innerhalb der Evangelischen Kirche in Deutschland stehen.

(3) Für die Berufung von Vorsitzenden und deren Stellvertretungen soll ein einvernehmlicher Vorschlag der Dienstgeber- und Dienstnehmerseite vorgelegt werden.

(4) Für jede Kammer werden als beisitzende Mitglieder mindestens je eine Vertretung der Mitarbeitenden und eine Vertretung der Dienstgeberseite berufen; das Gleiche gilt für die Stellvertretungen.

(5) Das Nähere regeln

1. der Rat der Evangelischen Kirche in Deutschland durch Verordnung,
2. die Gliedkirchen für ihren Bereich.

§ 59 Rechtsstellung der Mitglieder des Kirchengerichts. (1) [1]Die Mitglieder des Kirchengerichts sind unabhängig und nur an das Gesetz und ihr

---

1) § 57a neu gef. gemäß KG vom 13.11.2024 (ABl. EKD S. 157), in Kraft mit Wirkung vom 1.1. 2025.

2) **beck-online, Module Arbeitsrecht Nr. 1240.**

3) § 58 neu gef. gemäß KG vom 13.11.2024 (ABl. EKD S. 157), in Kraft mit Wirkung vom 1.1. 2025.

Gewissen gebunden. [2] Sie haben das Verständnis für den Auftrag der Kirche zu stärken und auf eine gute Zusammenarbeit hinzuwirken. [3] Sie unterliegen der richterlichen Schweigepflicht.

(2) Mitglied des Kirchengerichts kann nicht sein, wer einem kirchenleitenden Organ der Evangelischen Kirche in Deutschland oder einer Gliedkirche sowie den leitenden Organen des Evangelischen Werkes für Diakonie und Entwicklung e.V. oder der gliedkirchlichen Diakonischen Werke angehört.

(3) [1] Die Amtszeit der Mitglieder des Kirchengerichts beträgt sechs Jahre. [2] Solange eine neue Besetzung nicht erfolgt ist, bleiben die bisherigen Mitglieder im Amt.

(4) Die §§ 19, 21 und § 22 Absatz 1 Satz 1 bis 3 und 5 sowie Absatz 2 gelten entsprechend.

§ 59a[1)] Berufung der Richterinnen und Richter des Kirchengerichtshofes der Evangelischen Kirche in Deutschland. (1) [1] Für die Berufung der Vorsitzenden Richterinnen und Vorsitzenden Richter soll ein einvernehmlicher Vorschlag der Dienstgeber- und Dienstnehmerseite vorgelegt werden. [2] Kommt ein einvernehmlicher Vorschlag nicht spätestens binnen einer Frist von sechs Monaten nach dem Ablauf der regelmäßigen Amtszeit zu Stande, kann eine Berufung auch ohne Vorliegen eines solchen Vorschlags erfolgen.

(2) Die übrigen Richterinnen und Richter werden je als Vertretung der Mitarbeitenden vom Gesamtausschuss der Evangelischen Kirche in Deutschland sowie als Vertretung der Dienstgeberseite vom Kirchenamt benannt.

(3) Mitglied des Kirchengerichtshofes der Evangelischen Kirche in Deutschland kann nicht sein, wer einem kirchenleitenden Organ gliedkirchlicher Zusammenschlüsse oder einem leitenden Organ des Evangelischen Werkes für Diakonie und Entwicklung e.V. angehört.

(4) Das Nähere regelt der Rat der Evangelischen Kirche in Deutschland durch Verordnung.

§ 60[2)] (1) Die Kirchengerichte entscheiden auf Antrag unbeschadet der Rechte der Mitarbeitenden über alle Streitigkeiten, die sich aus der Anwendung dieses Kirchengesetzes zwischen den jeweils Beteiligten ergeben.

(2) In den Fällen, in denen die Kirchengerichte wegen der Frage der Geltung von Dienststellenteilen und Einrichtungen der Diakonie als Dienststellen angerufen werden (§ 3), entscheiden sie über die Ersetzung des Einvernehmens.

(3) In den Fällen, in denen die Kirchengerichte wegen des Abschlusses von Dienstvereinbarungen angerufen werden (§ 36), wird von ihnen nur ein Vermittlungsvorschlag unterbreitet.

(4) [1] In den Fällen der Mitberatung (§ 46) stellen die Kirchengerichte nur fest, ob die Beteiligung der Mitarbeitendenvertretung erfolgt ist. [2] Ist die Beteiligung unterblieben, hat dies die Unwirksamkeit der Maßnahme zur Folge.

(5) [1] In den Fällen, die einem eingeschränkten Mitbestimmungsrecht unterliegen (§§ 42 und 43), haben die Kirchengerichte lediglich zu prüfen und

---

1) § 59a neu gef. gemäß KG vom 13.11.2024 (ABl. EKD S. 157), in Kraft mit Wirkung vom 1.1. 2025.

2) § 60 neu gef. gemäß KG vom 13.11.2024 (ABl. EKD S. 157), in Kraft mit Wirkung vom 1.1. 2025.

festzustellen, ob für die Mitarbeitendenvertretung ein Grund zur Verweigerung der Zustimmung nach § 41 vorliegt. [2] Wird festgestellt, dass für die Mitarbeitendenvertretung kein Grund zur Verweigerung der Zustimmung nach § 41 vorliegt, gilt die Zustimmung der Mitarbeitendenvertretung als ersetzt.

(6) [1] In den Fällen der Mitbestimmung entscheiden die Kirchengerichte über die Ersetzung der Zustimmung der Mitarbeitendenvertretung. [2] Die Entscheidung muss sich im Rahmen der geltenden Rechtsvorschriften und im Rahmen der Anträge von Mitarbeitendenvertretung und Dienststellenleitung halten.

(7) [1] In den Fällen der Nichteinigung über Initiativen der Mitarbeitendenvertretung (§ 47 Absatz 2) stellen die Kirchengerichte fest, ob die Weigerung der Dienststellenleitung, die von der Mitarbeitendenvertretung beantragte Maßnahme zu vollziehen, rechtwidrig ist. [2] Die Dienststellenleitung hat erneut unter Berücksichtigung des Beschlusses über den Antrag der Mitarbeitendenvertretung zu entscheiden.

(8) [1] Der kirchengerichtliche Beschluss ist verbindlich. [2] Die Gliedkirchen können bestimmen, dass ein Aufsichtsorgan einen rechtskräftigen Beschluss auch durch Ersatzvornahme durchsetzen kann, sofern die Dienststellenleitung die Umsetzung verweigert.

§ 61[1)] Durchführung des kirchengerichtlichen Verfahrens in erster Instanz. (1) Sofern keine besondere Frist für die Anrufung der Kirchengerichte festgelegt ist, beträgt die Frist zwei Monate nach Abschluss der Erörterung.

(2) [1] Das vorsitzende Mitglied der Kammer hat zunächst durch Verhandlungen mit den Beteiligten auf eine gütliche Einigung hinzuwirken (Einigungsgespräch). [2] Gelingt diese nicht, so ist die Kammer einzuberufen. Im Einvernehmen der Beteiligten kann das vorsitzende Mitglied der Kammer allein entscheiden.

(3) Das Einigungsgespräch findet unter Ausschluss der Öffentlichkeit statt.

(4) [1] Die Beteiligten können zu ihrem Beistand jeweils eine Person hinzuziehen. [2] Für die Übernahme der Kosten findet § 30 Anwendung. [3] Im Streitfall entscheidet das vorsitzende Mitglied der Kammer.

(5) [1] Das vorsitzende Mitglied der Kammer kann den Beteiligten aufgeben, ihr Vorbringen schriftlich vorzubereiten und Beweise anzutreten. [2] Die Kammer entscheidet aufgrund einer von dem vorsitzenden Mitglied anberaumten mündlichen Verhandlung, bei der alle Mitglieder der Kammer anwesend sein müssen. [3] Die Kammer tagt öffentlich, sofern nicht nach Feststellung durch die Kammer besondere Gründe den Ausschluss der Öffentlichkeit erfordern. [4] Der Mitarbeitendenvertretung und der Dienststellenleitung ist in der Verhandlung Gelegenheit zur Äußerung zu geben. [5] Die Kammer soll in jeder Lage des Verfahrens auf eine gütliche Einigung hinwirken. [6] Im Einvernehmen mit den Beteiligten kann von einer mündlichen Verhandlung abgesehen und ein Beschluss im schriftlichen Verfahren gefasst werden.

(6) [1] Die Kammer entscheidet durch Beschluss, der mit Stimmenmehrheit gefasst wird. [2] Stimmenthaltung ist unzulässig. [3] Den Anträgen der Beteiligten kann auch teilweise entsprochen werden.

[1)] § 61 neu gef. gemäß KG vom 13.11.2024 (ABl. EKD S. 157), in Kraft mit Wirkung vom 1.1. 2025.

(7) [1]Der Beschluss ist zu begründen und den Beteiligten zuzustellen. [2]Er wird mit seiner Zustellung wirksam.

(8) [1]Das vorsitzende Mitglied der Kammer kann einen offensichtlich unbegründeten Antrag ohne mündliche Verhandlung zurückweisen. [2]Gleiches gilt, wenn das Kirchengericht für die Entscheidung über einen Antrag offenbar unzuständig ist oder eine Antragsfrist versäumt ist. [3]Die Zurückweisung ist in einem Bescheid zu begründen. [4]Der Bescheid ist zuzustellen. [5]Die Antragstellerin kann innerhalb von zwei Wochen nach Zustellung des Bescheides mündliche Verhandlung beantragen.

(9) [1]Für das Verfahren werden Gerichtskosten nicht erhoben. [2]Für die Übernahme der außergerichtlichen Kosten, die zur Rechtsverfolgung und Rechtsverteidigung notwendig waren, findet § 30 Anwendung.

(10) Kann in Eilfällen die Kammer nicht rechtzeitig zusammentreten, trifft das vorsitzende Mitglied auf Antrag einstweilige Verfügungen.

§ 62 Verfahrensordnung. (1) [1]Im Übrigen finden, soweit kirchengesetzlich nicht etwas anderes bestimmt ist, die Vorschriften des Arbeitsgerichtsgesetzes[1)] über das Beschlussverfahren in der jeweils geltenden Fassung entsprechende Anwendung. [2]Die Vorschriften über Zwangsmaßnahmen sind nicht anwendbar.

(2) [1]Die §§ 46d bis 46f des Arbeitsgerichtsgesetzes finden bis zum 31. Dezember 2026 keine Anwendung. [2]Der Rat der Evangelischen Kirche in Deutschland kann durch Rechtsverordnung und die Gliedkirchen und gliedkirchlichen Zusammenschlüsse können durch Kirchengesetz oder aufgrund eines Kirchengesetzes für ihren Bereich eine abweichende Regelung treffen. [3]Dabei kann die Anwendung der genannten Vorschriften eingeschränkt oder modifiziert werden.

(3) [1]Die §§ 46c und 46g des Arbeitsgerichtsgesetzes und die dazu ergangene Rechtsverordnung finden entsprechende Anwendung, soweit der Rat der Evangelischen Kirche in Deutschland durch Rechtsverordnung und die Gliedkirchen und gliedkirchlichen Zusammenschlüsse durch Kirchengesetz oder aufgrund eines Kirchengesetzes dies für ihren Bereich bestimmen. [2]Dabei kann die Anwendung der genannten Vorschriften eingeschränkt oder modifiziert werden.

§ 63[2)] Rechtsmittel. (1) [1]Gegen die verfahrensbeendenden Beschlüsse der Kirchengerichte findet die Beschwerde an den Kirchengerichtshof der Evangelischen Kirche in Deutschland statt. [2]§ 87 Arbeitsgerichtsgesetz[1)] findet entsprechende Anwendung. [3]Für die Anfechtung der nicht verfahrensbeendenden Beschlüsse findet § 78 Arbeitsgerichtsgesetz entsprechende Anwendung.

(2) [1]Die Beschwerde bedarf der Annahme durch den Kirchengerichtshof der Evangelischen Kirche in Deutschland. [2]Sie ist anzunehmen, wenn

1. ernstliche Zweifel an der Richtigkeit des Beschlusses bestehen,
2. die Rechtsfrage grundsätzliche Bedeutung hat,
3. der Beschluss von einer Entscheidung des Kirchengerichtshofes der Evangelischen Kirche in Deutschland, einer Entscheidung eines obersten Landes-

---

[1)] Nr. *660*.

[2)] § 63 neu gef. gemäß KG vom 13.11.2024 (ABl. EKD S. 157), in Kraft mit Wirkung vom 1.1. 2025.

gerichts oder eines Bundesgerichts abweicht und auf dieser Abweichung beruht oder

4. ein Verfahrensmangel geltend gemacht wird und vorliegt, auf dem der Beschluss beruhen kann.

[3] Für die Darlegung der Annahmegründe finden die für die Beschwerdebegründung geltenden Vorschriften Anwendung.

(3) [1] Die Entscheidung nach Absatz 2 trifft der Kirchengerichtshof der Evangelischen Kirche in Deutschland ohne mündliche Verhandlung. [2] Die Ablehnung der Annahme ist zu begründen.

(4) Die Kirchengerichte in erster Instanz legen dem Kirchengerichtshof der Evangelischen Kirche in Deutschland die vollständigen Verfahrensakten vor.

(5) Einstweilige Verfügungen kann das vorsitzende Mitglied in dringenden Fällen allein treffen.

(6) Die Entscheidungen des Kirchengerichtshofes der Evangelischen Kirche in Deutschland sind endgültig.

(7) Im Übrigen finden, soweit kirchengesetzlich nicht etwas anderes bestimmt ist, die Vorschriften des Arbeitsgerichtsgesetzes über die Beschwerde im Beschlussverfahren in der jeweils geltenden Fassung entsprechende Anwendung.

(8) [1] Die §§ 46d bis 46f des Arbeitsgerichtsgesetzes finden bis zum 31. Dezember 2026 keine Anwendung. [2] Der Rat der Evangelischen Kirche in Deutschland kann durch Rechtsverordnung und die Gliedkirchen und gliedkirchlichen Zusammenschlüsse können durch Kirchengesetz oder aufgrund eines Kirchengesetzes für ihren Bereich eine abweichende Regelung treffen. [3] Dabei kann die Anwendung der genannten Vorschriften eingeschränkt oder modifiziert werden.

(9) [1] Die §§ 46c und 46g des Arbeitsgerichtsgesetzes und die dazu ergangene Rechtsverordnung finden entsprechende Anwendung, soweit der Rat der Evangelischen Kirche in Deutschland durch Rechtsverordnung und die Gliedkirchen und gliedkirchlichen Zusammenschlüsse durch Kirchengesetz oder aufgrund eines Kirchengesetzes dies für ihren Bereich bestimmen. [2] Dabei kann die Anwendung der genannten Vorschriften eingeschränkt oder modifiziert werden.

§ 63a[1)] Einhaltung auferlegter Verpflichtungen, Ordnungsgeld.

(1) Sind beteiligte Personen einzeln oder gemeinsam zu einer Leistung oder Unterlassung verpflichtet, kann das Kirchengericht angerufen werden, wenn die auferlegten Verpflichtungen nicht innerhalb eines Monats nach Eintritt der Rechtskraft des Beschlusses erfüllt sind.

(2) [1] Stellt das Kirchengericht auf Antrag mindestens einer beteiligten Person fest, dass die Verpflichtungen nach Absatz 1 nicht erfüllt sind, kann es ein Ordnungsgeld von bis zu 10.000 Euro verhängen. [2] Das Ordnungsgeld kann vom Kirchengericht oder vom Kirchengerichtshof einem kirchlichen oder sozialen Zweck gewidmet werden. [3] Es wird von der Geschäftsstelle eingezogen.

[1)] § 63a neu gef. gemäß KG vom 13.11.2024 (ABl. EKD S. 157), in Kraft mit Wirkung vom 1.1. 2025.

XII. Abschnitt. Schlussbestimmungen

§ 64[1)] Übernahmebestimmungen. (1) Die Gliedkirchen können in den Übernahmebestimmungen regeln, dass Maßnahmen abweichend von diesem Kirchengesetz weiterhin der Mitbestimmung unterliegen, soweit Regelungen der Gliedkirchen dies bisher vorsehen.

(2) Darüber hinaus kann bestimmt werden, dass Maßnahmen, die bisher einem Beteiligungsrecht unterlagen, das in seiner Wirkung nicht über die eingeschränkte Mitbestimmung hinausgeht, der eingeschränkten Mitbestimmung unterworfen werden.

(3) Soweit eine Gliedkirche von der Möglichkeit des bis zum 31. Dezember 2023 geltenden § 10 Absatz 1 Satz 2 Gebrauch gemacht hat und nach dem gliedkirchlichen Recht für die Wählbarkeit in die Mitarbeitendenvertretung die Zugehörigkeit zu einer christlichen Kirche oder Gemeinschaft, die der Arbeitsgemeinschaft Christlicher Kirchen in Deutschland angeschlossen ist, vorsieht, bleiben diese Regelungen bestehen.

---

1) § 64 neu gef. gemäß KG vom 13.11.2024 (ABl. EKD S. 157), in Kraft mit Wirkung vom 1.1. 2025.

Sachregister

Aktualisiert von
Ulf Kortstock, Richter am Arbeitsgericht, Lübeck

Stand: 127. Ergänzungslieferung

Die fetten Ziffern kennzeichnen die Nummern, unter denen die Gesetze und Verordnungen in dieser Ausgabe abgedruckt sind. Die mageren Ziffern bedeuten Paragraphen (arabische Ziffern). Sind unter einer Nummer mehrere Vorschriften abgedruckt, ist vor die Paragraphen usw. der zweiten und folgenden Vorschriften ein kleiner magerer Buchstabe gesetzt.